E . B É N É Z I T

DICTIONNAIRE
critique et documentaire
DES PEINTRES
SCULPTEURS
DESSINATEURS
ET GRAVEURS

E. BÉNÉZIT

DICTIONNAIRE
critique et documentaire
DES PEINTRES
SCULPTEURS
DESSINATEURS
ET GRAVEURS

de tous les temps et de tous les pays
par un groupe d'écrivains spécialistes
français et étrangers

•

NOUVELLE ÉDITION
entièrement refondue
sous la direction de Jacques BUSSE

•

TOME 3
BURCHARD - COUDERC

GRÜND
1999

GARANTIE DE L'ÉDITEUR

Malgré tous les soins apportés à sa fabrication,
il est malheureusement possible que cet ouvrage comporte un défaut
d'impression ou de façonnage. Dans ce cas, il vous sera échangé sans frais.
Veuillez à cet effet le rapporter au libraire qui vous l'a vendu ou nous écrire
à l'adresse ci-dessous en nous précisant la nature du défaut constaté.
Dans l'un ou l'autre cas, il sera immédiatement fait droit à votre réclamation.

Éditions Gründ – 60, rue Mazarine – 75006 Paris

Éditions précédentes : 1911-1923, 1948-1955, 1976

© 1999 Editions Gründ, Paris

ISBN : 2-7000-3010-9 (série classique)
ISBN : 2-7000-3013-3 (tome 3)

ISBN : 2-7000-3025-7 (série usage intensif)
ISBN : 2-7000-3028-1 (tome 3)

ISBN : 2-7000-3040-0 (série prestige)
ISBN : 2-7000-3043-5 (tome 3)

Dépôt légal mars 1999

NOTES CONCERNANT LES PRIX

Tous les prix atteints en vente publique par les œuvres des artistes répertoriés dans le Bénézit sont indiqués :
– dans la monnaie du pays où a eu lieu la vente (*cf* abréviations ci-dessous) ;
– dans la monnaie au jour de la vente.

Afin de permettre au lecteur d'évaluer ce que représentent en valeur actualisée les transactions précitées, nous donnons dans le tome 1 :
– un tableau retraçant l'évolution du pouvoir d'achat du franc depuis 1901 (page 8) ;
– un tableau donnant les cours à Paris du dollar et de la livre sterling depuis la même année (page 10).

Ainsi pourra-t-on estimer par un double calcul la valeur d'une transaction effectuée par exemple à Londres en 1937, à New York en 1948, etc., et par une simple lecture à Paris en 1955.

DÉSIGNATION DES MONNAIES SELON LA NORME ISO

ARS	Peso argentin	HKD	Dollar de Hong Kong
ATS	Schilling autrichien	HUF	Forint (Hongrie)
AUD	Dollar australien	IEP	Livre irlandaise
BEF	Franc belge	ILS	Shekel (Israël)
BRL	Real (Brésil)	ITL	Lire (Italie)
CAD	Dollar canadien	JPY	Yen (Japon)
CHF	Franc suisse	NLG	Florin ou Gulden (Pays-Bas)
DEM	Deutsche Mark	PTE	Escudo (Portugal)
DKK	Couronne danoise	SEK	Couronne suédoise
EGP	Livre égyptienne	SGD	Dollar de Singapour
ESP	Peseta (Espagne)	TWD	Dollar de Taïwan
FRF	Franc français	USD	Dollar américain
GBP	Livre sterling	UYU	Peso uruguayen
GRD	Drachme (Grèce)	ZAR	Rand (Afrique du Sud)

Jusqu'aux années 1970, les prix atteints lors des ventes en Angleterre étaient indiqués indifféremment en livres sterling ou en guinées. Lorsque tel a été le cas, l'abréviation GNS a été conservée.

PRINCIPALES ABRÉVATIONS UTILISÉES

Rubrique muséographique

Les abréviations correspondent au mot indiqué et à ses accords.

Acad.	Académie	**FRAC**	Fonds régional
Accad.	Accademia		d'Art contemporain
Assoc.	Association	**Gal.**	Galerie, Gallery, Galleria...
Bibl.	Bibliothèque	**hist.**	historique
BN	Bibliothèque nationale	**Inst.**	Institut, Institute
Cab.	Cabinet	**Internat.**	International
canton.	cantonal	**Libr.**	Library
CNAC	Centre national	**min.**	ministère
	d'Art contemporain	**Mod.**	Moderne, Modern, Moderna,
CNAP	Centre national		Moderno...
	des Arts plastiques	**mun.**	municipal
coll.	collection	**Mus.**	Musée, Museum
comm.	communal	**Nac.**	Nacional
Contemp.	Contemporain, contemporary...	**Nat.**	National
dép.	départemental	**Naz.**	Nazionale
d'Hist.	d'Histoire	**Pina.**	Pinacothèque, Pinacoteca...
Fond.	Fondation	**prov.**	provincial
FNAC	Fonds national	**région.**	régional
	d'Art contemporain	**roy.**	royal, royaux

Rubrique des ventes publiques

abréviations des techniques

/	sur	**isor.**	Isorel
acryl.	acrylique	**lav.**	lavis
alu.	aluminium	**linograv.**	linogravure
aquar.	aquarelle	**litho.**	lithographie
aquat.	aquatinte	**mar.**	marouflé, marouflée...
attr.	attribution	**miniat.**	miniature
cart.	carton	**pan.**	panneau
coul.	couleur	**pap.**	papier
cr.	crayon	**past.**	pastel
dess.	dessin	**peint.**	peinture
esq.	esquisse	**photo.**	photographie
fus.	fusain	**pb**	plomb
gche	gouache	**pl.**	plume
gché	gouaché	**reh.**	rehaussé, rehaut, rehauts...
gchée	gouachée	**rés.**	résine
gchées	gouachées	**sculpt.**	sculpture
gches	gouaches	**sérig.**	sérigraphie
grav.	gravure	**synth.**	synthétique
h.	huile	**tapiss.**	tapisserie
h/cart.	huile sur carton	**techn.**	technique
h/pan.	huile sur panneau	**temp.**	tempera
h/t	huile sur toile	**t.**	toile
inox.	inoxydable	**vinyl.**	vinylique

BURCHARD Irmgard

Née vers 1910 à Zurich. XXe siècle. Suissesse.

Peintre de scènes typiques. Tendance naïve.

Pendant la guerre de 1939-1945, elle séjourna au Mexique. Elle revint se fixer en Europe en 1951. Elle voyage beaucoup : Égypte, Inde, Cambodge, Thaïlande, Vietnam... Elle a participé à la Biennale de Venise en 1952. Ses expositions personnelles se font au hasard de ses voyages, la première ayant eu lieu à Paris en 1947.

Peint dans une matière épaisse et non sans quelque naïveté, ses sujets s'inspirent de la mythologie et du folklore des pays qu'elle a traversés.

MUSÉES : ALEXANDRIE – LE CAIRE – SÃO PAOLO – ZURICH .

VENTES PUBLIQUES : ZURICH, 29 fév. 1981 : *Un œuf à vendre*, h/cart. (61x43) : **CHF 2 000.**

BURCHARD Pablo

Né en 1875. Mort en 1964. XXe siècle. Chilien.

Peintre de figures, paysages.

Il fit ses études au Chili, bien avant de connaitre l'Europe. Ses compositions reposent sur un agencement solide de la couleur.

VENTES PUBLIQUES : ZURICH, 8 nov. 1985 : *Le chat sur la chaise*, h/pan. (44,7x36,8) : **CHF 2 000** – NEW YORK, 21 nov. 1988 : *Maison à la campagne*, h/t (97x97) : **USD 7 150.**

BURCHARTZ Max

Né le 28 juillet 1887 à Elberfeld. Mort en 1961 à Essen. XXe siècle. Allemand.

Peintre, graveur, designer, décorateur. Néo-plasticiste.

Il fut élève de Walter Corde à l'Académie des Beaux-Arts de Düsseldorf de 1906 à 1908, puis se rendit à Paris en 1910, Munich et Berlin. Après la première guerre mondiale, il fut actif dans le milieu expressionniste de Hanovre. Il alla à Weimar en 1922 pour suivre l'initiation au *Stijl* de Mondrian, que promulgait Théo van Doesburg, parallèlement au Bauhaus. Il y eut l'occasion de participer au Congrès des artistes constructivistes dadaïstes. En 1924, il ouvrit un studio de typographie et publicité à Bochum. Il est devenu professeur au Musée Folklorique d'Essen, de 1926 à 1933, date à laquelle il fut radié par les nazis. Après la guerre, il en devint directeur. Il a exposé en 1960 à Siegen, expositions posthumes : 1962 au Folkwang Museum d'Essen, 1966 Munich. En 1970, il était représenté à l'exposition *1960-1970* au Musée de Bochum.

En 1927, il réalisa, dans un esprit néo-plasticiste, des peintures murales intégrées à l'architecture d'un immeuble commercial de Gelsenkirchen. En typographie, il travaillait dans la tradition de la communication constructiviste. ■ J. B.

BIBLIOGR. : In : *Diction. de la peint. allemande et d'Europe centrale*, Larousse, Paris, 1990.

VENTES PUBLIQUES : COLOGNE, 17 mai 1980 : *Raskolnikoff* 1919, dix litho. en épreuves d'essai : **DEM 2 400** – BERLIN, 29 mai 1992 : *Rue de Blankenhain* 1920, h/t (69,5x49) : **DEM 135 600.**

BURCHELL William John

Né en 1782. Mort en 1863. XIXe siècle. Britannique.

Paysagiste.

Il exposa de 1805 à 1820 à la Royal Academy, à Londres.

VENTES PUBLIQUES : LONDRES, 16 oct. 1969 : *Villa de Guadeloupe : Mexico City* : **GBP 900.**

BURCHETT Arthur

XIXe siècle. Britannique.

Peintre de genre.

Il exposa de 1874 à 1885 à la Royal Academy, à Suffolk Street et à la New Water-Colours Society, à Londres.

BURCHETT Richard

Né en 1815 à Brighton. Mort en 1875 à Dublin. XIXe siècle. Britannique.

Peintre d'histoire, portraits.

Burchett fut élève de l'École de dessin à Somerset House à Londres en 1841 ; il en devint professeur adjoint en 1845 et professeur en chef en 1851. Le peintre bien connu, S. Luke Fildes, fréquentait son école lors de son transfert de Somerset à Marlborough House. Il exposa de 1847 à 1873 à la Royal Academy et à la British Institution, à Londres.

On cite de lui des tableaux historiques, entre autres des scènes du théâtre de Shakespeare : *Mesure pour mesure, Edouard IV et les Ecclésiastes* et *L'expulsion des paysans par Guillaume le Conquérant*. Il fit aussi des portraits de princes de la maison Tudor, œuvres dans lesquelles il eut la collaboration de ses élèves.

VENTES PUBLIQUES : LONDRES, 4 mai 1908 : *Mesure pour mesure :* **GBP 9** – LONDRES, 13 fév. 1976 : *On the Dargle, County Wicklow*, h/t (70x90) : **GBP 600.**

BURCHFIELD Charles Ephraïm

Né en 1893 à Ashtabula Harbor (Ohio). Mort en 1967 à Gardenville (New York). XXe siècle. Américain.

Peintre de paysages, paysages urbains, peintre à la gouache, aquarelliste. Réaliste.

Il fut élève de la School of Art de Cleveland. On connait de lui des paysages dès 1917. Pourtant, de 1921 à 1929, il travailla comme dessinateur dans une fabrique de papiers-peints, avant de pouvoir se vouer entièrement à la peinture. Il obtint ensuite diverses distinctions, notamment une mention au Prix Carnegie de Pittsburgh en 1946. Caractéristique inhabituelle, Burchfield n'utilisa presque uniquement que l'aquarelle, dans des traitements techniques diversifiés qui lui conféraient une densité visuelle satisfaisante.

Comme d'autres peintres américains, à la suite sans doute de l'exposition de l'*Armory Show* de 1913, Burchfield fut influencé par la peinture européenne, au point d'aborder l'abstraction avec des motifs très colorés d'origine végétale. Devant l'incompréhension du public américain, il abandonna bientôt cette recherche, crut même devoir la renier et détruisit la presque totalité de ce qu'il avait fait dans cet esprit. Dans sa période suivante, prenant pour thème la solitude et la désolation dans les petites villes de province, il fut associé malgré lui au mouvement régionaliste, qui exaltait les valeurs traditionnelles de l'Amérique profonde. Dans leur majorité, les tenants du régionalisme revendiquaient ou en tout cas exploitaient les préférences du goût populaire, sous prétexte d'authenticité nationale en réaction contre la peinture « française » (cubiste tendant à l'abstraction), considérée comme étrangère et importée, comme un « colonialisme esthétique », ce qui ne contribua pas alors à faire évoluer l'art américain. Pour sa part, Burchfield prit pour motifs principaux les prairies du Middle-West et la ville de Buffalo, où il vécut longtemps, les représentant « comme hantées par des esprits inquiets » (Barbara Rose). Des peintures de Burchfield de cette époque, son ami Edward Hopper écrivit que « de l'ennui de la vie quotidienne dans un milieu provincial, il a su tirer une qualité que l'on peut nommer poétique... » Dans cette période, Burchfield, pour évoquer le poids de cet ennui envahissant les rues désertées, les gares abandonnées d'une civilisation rurale américaine en train de disparaître, utilisa une gamme très limitée de gris et de bruns. Dans une bonne part de la peinture américaine de cette époque, fréquent fut ce thème de la décrépitude d'un mode de vie passé et d'angoisse morbide. Pendant toute la période de l'entre-deux-guerres, les artistes américains furent frappés d'un véritable complexe d'infériorité par rapport aux Européens, crurent s'en débarrasser en célébrant le mode de vie américain typique, alors que ce mode de vie, soit des petites villes disséminées, soit des campagnes sans limites, était en voie de disparition, submergé par la civilisation industrielle. Il faudra l'arrivée des artistes européens chassés par la Deuxième Guerre mondiale pour qu'une nouvelle génération d'Américains profite sans complexe de leur dynamisme et fonde cette nouvelle école américaine qui a évité tout retour du refoulé dans une auto-promotion hégémonique. A partir de 1940, Burchfield aussi se détacha du régionalisme nostalgique. Il adopta une manière plus claire et un dessin synthétisé que certains ont rapproché, heureusement injustement, du style lourdement typé des dessins animés de l'équipe Walt Disney. Dans cette dernière période, le paysage fut pour lui le moyen d'exprimer les sentiments mitigés d'attirance et de crainte que lui inspiraient les énergies secrètes de la nature. Dans ses paysages, tous les éléments sont interprétés, « féériques », dynamisés, mais sans mièvrerie. On voit la végétation pousser, les branches se tordre, les fleurs se dresser et s'ouvrir, l'eau ruisseler en torsades, la nature étaler sa superbe et terrible puissance. ■ Jacques Busse

BIBLIOGR. : J.D. Prown, Barbara Rose : *La peinture américaine de la période coloniale à nos jours*, Skira, Genève, 1969 – Joseph S. Trovato : *Charles Burchfield : Catalogue of Paintings in public and private collections*, Utica, New York, 1970 – in : *Diction. Univer. de la Peint.*, Robert, Paris, 1975 – in : *Arts des États-Unis*, Gründ, Paris, 1990.

Musées : Chicago (Art Inst.) : *La maison du mystère* 1924 – Londres (Tate Gal.) – New York (Metropolitan Mus.) : *L'approche du Printemps* 1943 – New York (Whitney Mus. of American Art) : *Midi fin Mai* 1917.

Ventes Publiques : New York, 25-26 nov. 1929 : *Inondations*, aquar. : **USD 70** – New York, 29 jan. 1964 : *Paysage d'Automne*, aquar. : **USD 3 500** – New York, 11 mai 1966 : *Yellow Violets*, aquar. : **USD 4 500** – New York, 4 mars 1970 : *Songe de l'oiseau rouge*, aquar. : **USD 30 000** – New York, 29 avr. 1976 : *Le Jardin* 1917, aquar. et cr. coul. (27,3x21,6) : **USD 4 250** – New York, 21 avr. 1977 : *Jardin en été* 1916, aquar./pap. (35,5x51) : **USD 6 750** – New York, 9 nov. 1977 : *Vent d'automne* 1951, litho. (19,2x34,2) : **USD 2 200** New York, 22 mars 1978 : *Pluie d'été (1961)* 1965, aquar. (119,4x77,5) : **USD 45 000** – New York, 25 oct. 1979 : *La Parade* 1934, aquar. (66x94) : **USD 40 000** – New York, 4 déc. 1980 : *Swamp fire in March* 1920-1960, aquar. (84x114,3) : **USD 26 000** – New York, 24 avr. 1981 : *Jour de parade à Gowanda* 1926-1933, aquar. et craie/pap./cart. (66x90,2) : **USD 40 000** – New York, 4 juin 1982 : *Diamands d'hiver* 1950-1960, aquar. (91,5x115,6) : **USD 85 000** – New York, 2 juin 1983 : *Circus Parade* vers 1923, encre et lav. en grisaille/pap. mar./cart. (94X141) : **USD 26 000** – New York, 2 juin 1983 : *Images du soleil* 1951, aquar./pap. mar./cart. (63,5x76,2) : **USD 47 500** – New York, 30 mai 1984 : *Crépuscule de janvier* 1962, aquar./pap./cart. (89,5x125,1) : **USD 130 000** – New York, 8 nov. 1984 : *Summer Benediction* 1953, litho. (30,7x23,3) : **USD 2 300** – New York, 15 mars 1985 : *les Poteaux télégraphiques rouges* 1919, aquar./pap. mar./cart. (30,1x45,9) : **USD 16 000** – New York, 5 déc. 1986 : *Pont en métal par un soleil d'hiver*, aquar. mar./cart. (69,5x57,5) : **USD 48 000** – New York, 28 mai 1987 : *Renaissance de Printemps* 1951-1959, aquar. (64,1x100,3) : **USD 35 000** ; *La route de montagne* 1954, aquar./pap. (101x75) : **USD 87 500** – New York, 24 juin 1988 : *Les pissenlits* 1916, aquar./pap. (35x50) : **USD 9 350** ; *Signal d'alarme sur la voie ferrée* 1936, aquar. et encre/pap. (17,5x16) : **USD 3 300** – New York, 30 sep. 1988 : *La Rue au travers de la vitrine*, aquar. et lav./pap. (44,4x46,7) : **USD 17 600** – New York, 1er déc. 1988 : *Le papillon « Red Admiral » dans une prairie* 1962, aquar./pap. : **USD 110 000** – New York, 24 mai 1989 : *Cœurs sauvages ensanglantés* 1961, aquar./pap. (99,7x82) : **USD 143 000** – New York, 28 sep. 1989 : *Crépuscule* 1917, gche/pap. (55,8x45,7) : **USD 46 200** – New York, 18 oct. 1989 : *Vent du nord en septembre* 1948, aquar./pap. cartonné (65,4x88,8) : **USD 99 000** – New York, 1er déc. 1989 : *Matin de juin* 1937, aquar. et fus./pap. (73,5x95,2) : **USD 104 500** – New York, 24 mai 1990 : *Roses trémières* 1921, aquar., gche et cr./pap. (34,2x49,5) : **USD 24 200** – New York, 30 nov. 1990 : *Le mois de mai* 1917, aquar. et cr./pap./cart. (45,5x55,5) : **USD 30 800** – New York, 22 mai 1991 : *Lynx Woods*, aquar., cr. et craie blanche/pap./cart. (83x100) : **USD 77 000** – New York, 23 mai 1991 : *Aube de fin d'hiver*, aquar./pap. cartonné (126,4x83,2) : **USD 93 500** – New York, 5 déc. 1991 : *Soleil de septembre*, aquar./pap. (95,3x62,2) : **USD 44 000** – New York, 28 mai 1992 : *Pluie d'été* 1916, aquar. encre de Chine blanche et cr./pap. chamois/pap. gris (54,5x39,5) : **USD 44 000** – New York, 3 déc. 1992 : *Le soleil perçant un nuage de fumée* 1917, aquar./pap. (54,6x43,2) : **USD 88 000** – New York, 27 mai 1993 : *Le Chant des cigales en septembre* 1956, aquar./pap. (99,7x83,2) : **USD 90 000** – New York, 25 mai 1995 : *De l'automne à l'hiver*, aquar./pap. (123,8x188,6) : **USD 222 500** – New York, 22 mai 1996 : *Dernier Reflet automnal* 1917, cr. coul. et aquar./pap. (50,8x35,6) : **USD 10 925** – New York, 4 déc. 1996 : *Caroubiers au printemps* 1955, aquar. et fus./pap. (100,9x74,9) : **USD 195 000** – New York, 26 sep. 1996 : *Route en lacet* 1916, aquar./pap. (35,6x50,8) : **USD 8 050** – New York, 27 sep. 1996 : *Promeneurs nocturnes*, aquar./pap. (35,5x50,8) : **USD 21 850** – New York, 6 juin 1997 : *Le Dégagement* vers 1960-1966, aquar./pap. (120,9x91,4) : **USD 54 625** – New York, 7 oct. 1997 : *Pelouse aux deux arbres* 1930, aquar./pap./pan. (48,3x68) : **USD 21 275**.

BURCHI Augusto
Né le 12 février 1853 à Florence. xixe siècle. Italien.
Peintre décorateur.
Ayant perdu son père à l'âge de 15 ans, il dut étudier tout seul en gagnant sa vie. Après trois ans d'essais, il travailla, sous la direction du professeur Bianchi, à la restauration des peintures du Palazzo Vecchio de Florence. Il décora ensuite, sous l'aide de Bianchi, le salon du Conseil Provincial de Cosenza, la villa de Salviatino à Majano. Il découvrit aussi et restaura les fresques de Lorenzo Monaco dans la chapelle de la Sainte-Trinité. Enfin citons les décorations de Burchi au château d'Aquabella à Valombrosa et au palais du comte Bastogi.

BURCHT Jean Van der
Mort avant 1643. xviie siècle. Éc. flamande.
Graveur.
Il vécut à Paris à partir de 1612, s'y maria en 1613. Son fils Louis, né le 3 octobre 1614, fut peintre du roi.

BURCI Emilio
Mort en 1879. xixe siècle. Actif à partir de 1837. Italien.
Peintre de paysages.
Musées : Prato (Gal. antique et Mod.) : *Vue de Venise.*
Ventes Publiques : Londres, 9 juin 1967 : *Vues de Florence*, deux toiles, formant pendants : **GNS 350** – Vienne, 16 mars 1976 : *Piazza della signoria, Florence* 1842, h/t (49,7x72) : **ATS 30 000** – Londres, 10 févr. 1995 : *Le Grand Canal avec le Palais de la Ca d'Oro à Venise* 1837, h/t (58,5x99) : **GBP 4 025.**

BÜRCK Heinrich Johann Emil Maria
Né le 27 novembre 1850 à Dresde. xixe siècle. Actif à Berlin. Allemand.
Peintre de genre et d'histoire.
Étudia à l'Académie de Dresde avec Theodor Grosse, puis avec Pauwels à Anvers et Gussow à Berlin. Il séjourna trois ans en Italie. Le Musée de Leipzig conserve de lui : *Juanita.*

BÜRCK Paul
Né le 3 septembre 1878 à Strasbourg (Bas-Rhin). Mort le 18 avril 1947 à Munich. xxe siècle. Allemand.
Illustrateur, décorateur.
Il fut apprenti chez un peintre-décorateur de Munich, où il put cependant fréquenter l'Ecole des Arts et Métiers. Entre 1899 et 1902, il travailla à Darmstadt, créant des papiers-peints, des cartons de tapisseries, des illustrations et couvertures de livres. En 1903, il devint professeur à l'Ecole des Arts et Métiers de Magdebourg. Il fit un séjour à Rome, puis se fixa à Munich. Il publia des albums d'illustrations sans textes d'auteurs : en 1904 *Symphonie*, à l'occasion de son séjour à Rome *Rom-Reise* (Voyage à Rome) en 1906, puis à la déclaration de guerre *Totentanz* (Danse de Mort) en 1914. Dans ce dernier album, la Mort qui emporte les morts a souvent l'aspect d'énormes insectes, des sortes de sauterelles monstrueuses.
Bibliogr. : Marcus Osterwalder : *Diction. des illustrateurs – 1800-1914*, Hubschmid et Bouret, Paris, 1983.

BURCKER Gaetano
Mort en 1828. xixe siècle. Actif à Bologne et à Milan. Italien.
Peintre.
La Galerie des Beaux-Arts à Milan conserve un paysage de lui.

BURCKHARDT Carl
Né le 13 janvier 1878 à Lindau (Canton de Zurich). Mort en 1923 à Ligornetto (Tessin). xxe siècle. Suisse.
Sculpteur de statues mythologiques, religieuses, typiques, bustes, peintre, graveur.
De 1896 à 1898, il fut élève de l'Ecole privée du peintre Erwin Knirr à Munich. Après un séjour à Bâle, il fit un premier voyage à Rome en 1899. Il travaillait alors la peinture et le dessin. Lors d'un second voyage à Rome, en 1902, se manifesta sa vocation de sculpteur. La même année il exposa un *Buste de jeune garçon* à l'exposition de Noël des artistes de Bâle. Il ne décida qu'au cours d'un nouveau voyage à Rome en 1910 de se consacrer uniquement à la sculpture.
A ses débuts, en dessin et peinture, il fut influencé par le style original et puissant du graveur et dessinateur Max Klinger et par Hans von Marées. En 1902, pour ses débuts en sculpture, il commença le groupe de *Zeus et Éros*. Il exécuta un ensemble de statues pour la gare badoise de Bâle, qui l'occupa de 1914 à 1921. Ensuite, en 1923 il réalisa le *Saint Georges* qui est placé sur une place de Bâle, ainsi que *L'amazone*, qui fut sa dernière œuvre, la plus souvent reproduite, élevée à l'entrée d'un des ponts du Rhin.
La postérité fut longtemps injuste envers Burckhardt. D'aucuns aujourd'hui veulent voir en lui un précurseur, ce qui n'est pas plus justifié que, en 1910, il s'était déjà passé en sculpture bien des choses sans lui. Toutefois son goût pour les archaïques grecs, et surtout pour les Florentins du Quatrocento, l'avait amené à une simplification des volumes et à un étirement quasi-maniériste des formes et des lignes, qui font sa personnalité, dont l'art reste quelque peu superficiel, décoratif, mais qui trouve bien sa place dans le contexte stylistique des années vingt. ∎ Jacques Busse

Musées : Bâle : *Pêcheurs de Sorrente.*
Ventes Publiques : Zurich, 17 nov. 1976 : *Femme debout*,

bronze (H. 37) : **CHF 3 600** – Zurich, 22 nov. 1978 : *Diane chevau-chant un léopard*, h/cart. (55x73,5) : **CHF 8 000** – Berne, 24 oct. 1979 : *Scène mythologique* 1904, techn. mixte (55x66) : **CHF 2 300**.

BURCKHARDT Christian Heinrich
Né en 1824. Mort en 1893. xixᵉ siècle. Actif à Munich. Allemand.
Peintre verrier.
Ses cartons ont été en grande partie dessinés par son fils Christian, né en 1856.

BURCKHARDT Heinrich
Né en 1853 à Munich. xixᵉ siècle. Actif à Munich. Allemand.
Peintre de genre.

BURCKHARDT J.
Né en 1811 à Neuchâtel, originaire de Sumiswald. Mort en 1867 au Brésil. xixᵉ siècle. Suisse.
Dessinateur.
Il étudia d'abord à Munich, puis se rendit à Rome, où il travailla sans succès. Réduit à la misère, il put rentrer à Neuchâtel, grâce à la protection de ses compatriotes. Il fournit des illustrations pour l'ouvrage d'Agassiz : *Poissons fossiles* et exécuta aussi les planches pour ses publications sur les glaciers. On cite de lui, en outre : *Panorama de la mer de glace* (aquarelle, 1842), *Glacier de l'Aar et l'Hôtel des Neuchâtelois* (1844). Burckhardt partit vers 1845 pour le Brésil.

BURCKHARDT Jenny
Née en 1849 à Bâle. xixᵉ siècle. Suisse.
Peintre portraitiste et copiste.
Cette artiste étudia de 1874 à 1878 dans la classe de Weissbrod, puis séjourna à Rome, à Florence et à Munich. Elle copia les vieux maîtres et exécuta aussi quelques portraits originaux. On vit de ses œuvres aux expositions de la « Kunsthalle » de Bâle.

BURCKHARDT Marie
Née en 1847 à Bâle. xixᵉ siècle. Suisse.
Peintre de portraits, de fleurs et de genre, aquarelliste.
Probablement sœur de Jenny Burckhardt, elle étudia le dessin d'abord chez le graveur Fr. Weber, puis passa dans la classe de Weissbrod. Elle se perfectionna en outre par un voyage à Florence et à Rome, et visita aussi les Musées de Munich et de Dresde. Elle exposa à la Kunsthalle de Bâle.

BURCKHARDT Paulus ou Paul
Né en 1880 ou 1881 à Rüti près Zurich. Mort en 1961. xxᵉ siècle. Actif à Bâle. Suisse.
Peintre de paysages animés, paysages, marines.
Ventes Publiques : Zurich, 8 nov. 1980 : *L'oasis* 1930, h/t (56x68) : **CHF 4 800** – Berne, 24 juin 1983 : *Pêcheur au bord du Rhin à Bâle* 1951, h/cart. (30x41) : **CHF 2 300** – Zurich, 21 mars 1986 : *Une rue de Sitten* 1918, h/t (54x70) : **CHF 2 800**.

BURCKHARDT-BLUM Elsa
Née en 1900 à Zurich. Morte en 1974. xxᵉ siècle. Suissesse.
Dessinateur. Abstrait-géométrique.
Elle était la sœur-jumelle du compositeur Robert Blum. Après des études d'histoire de l'art, elle devint la deuxième femme architecte à Zurich, se maria avec l'architecte F. Burckhardt et collabora à ses constructions. À partir de 1948, elle débuta son activité de peintre, en fait dessinant au crayon et à la mine, au crayons de couleur ou avec des encres. En 1958, à la suite d'un accident de voiture, où son mari perdit la vie, elle subit soixante-trois fractures. Elle reprit alors son activité de peintre, mais les séquelles de son accident ne lui permettant pas d'aborder la peinture à l'huile. Depuis 1949, elle a figuré dans des expositions collectives, surtout à Zurich et dans d'autres villes suisses, ainsi qu'en Allemagne et Autriche, 1959 Tokyo, 1965 Londres, 1966 Haïfa, 1967 Chicago, 1975 dans l'exposition *Dessins d'art concret suisses* à Austin. Depuis 1951, elle a montré ses dessins peints dans des expositions personnelles, presque toutes à la galerie Suzanne Bollag de Zurich.
Ses dessins peints, sauf quelques exceptions du début dans des directions différentes, sont géométriques, constitués de figures très simples, carrés, triangles résultant des diagonales du carré, assemblées avec une grande inventivité, non dénuée d'un humour que soulignent les titres.
Musées : Bâle (Cab. des Estampes) – New York (Mus. of Mod. Art) – Zurich (Kunsthaus).

BURCKHARDT-KESTNER Rodolphe
xxᵉ siècle.

Peintre.
Il expose au Salon des Tuileries à Paris.

BURCKHARDT-SCHONAUER Ludwig
Né en 1807 à Bâle. Mort en 1878 à Bâle. xixᵉ siècle. Suisse.
Peintre.
Burckhardt étudia chez le peintre Miville et se perfectionna à Dresde, Munich, Rome et Paris. Il s'établit en Suisse vers 1831 et s'adonna alors aux paysages alpestres et à la peinture d'animaux. Des tableaux de lui sont conservés au Musée de Bâle.

BURCKHARDT VISCHER Anna Elizabeth
Née le 19 septembre 1783 à Bâle. Morte le 19 mai 1857. xixᵉ siècle. Suisse.
Graveur, peintre et dessinateur.
Fille du conseiller Peter Vischer-Sarasin, cette artiste hérita son talent de son père. Elle dessina et peignit à l'aquarelle. Elle a aussi gravé avec succès.

BURCKMANN J.
Né en 1761 en Bavière. xviiiᵉ siècle. Travaillait à Amsterdam. Allemand.
Peintre de portraits, miniatures.

BURD Clara M.
xixᵉ-xxᵉ siècles. Vivant à New York. Américaine.
Peintre, illustrateur et peintre verrier.

BURDALLET Joseph François
Né en 1781 à Carouge (près de Genève). Mort le 7 janvier 1851. xixᵉ siècle. Suisse.
Dessinateur, graveur, lithographe, ingénieur.
« Ses dessins à la plume, très finement exécutés et poussés, représentant des paysages, sont recherchés, de même que ses estampes, eaux-fortes et lithographies à la plume » (Dr Brun). Il a souvent exposé à Genève et après sa mort plusieurs de ses ouvrages ont été acquis par le Musée des Beaux-Arts. Burdallet, qui fut un ami de Rodolphe Töpffer, a été un des illustrateurs de l'*Album de la Suisse romande* en 1845.

BURDE. Voir aussi BOURDET

BÜRDE Friedrich Léopold
Né en 1792 à Breslau. Mort en 1849 à Detmold. xixᵉ siècle. Actif à Breslau. Allemand.
Peintre animalier et graveur.
Il se consacra surtout à la peinture des chevaux.
Ventes Publiques : Écosse, 29 août 1969 : *Lamas dans un paysage* : **GBP 1 100**.

BURDE Johann Carl
Né en 1744 à Liebenau. Mort en 1818 à Prague. xviiiᵉ-xixᵉ siècles. Éc. de Bohême.
Graveur.
Il travailla à Vienne, à Paris et à Prague où il était déjà établi en 1779.

BURDE Johann Ignaz
Né en 1776 à Prague. Mort après 1815. xixᵉ siècle. Éc. de Bohême.
Graveur.
Fils et élève de Johann-Carl Burde.

BURDE Joseph Carl
Né en 1779 à Prague. Mort en 1848 à Prague. xixᵉ siècle. Éc. de Bohême.
Peintre et graveur au burin.
Élève de son père Johann-Carl.

BÜRDE Paul
Né en 1819 à Berlin. Mort en 1874. xixᵉ siècle. Actif à Berlin. Allemand.
Peintre de scènes de genre, graveur.
Ventes Publiques : Vienne, 29-30 oct. 1996 : *Hommage à l'empereur Guillaume 1ᵉʳ* 1871, h/t (70,5x82) : **ATS 391 000**.

BURDEAU Clémence Louise
Née le 30 novembre 1891 à Paris. Morte le 31 juillet 1983 à Saint-Julien-en-Genevois (Haute-Savoie). xxᵉ siècle. Française.
Peintre de paysages, fleurs, natures mortes.
Elle fut élève de Jules Adler. Elle exposait à Paris, au Salon des Artistes Français, dont elle devint sociétaire, elle y obtint la médaille d'argent en 1937 à l'occasion de l'Exposition Universelle. Elle figura aussi au Salon des Artistes Indépendants.

BURDEN Chris, pseudonyme de **Burden Christopher Lee**
Né en 1946 à Boston (Massachusetts). xxᵉ siècle. Américain.
Artiste d'installations, sculpteur, technique mixte.
Il a vécu plusieurs années, durant son enfance, en France. Il a fait des études d'architecture. Il vit et travaille à Topanga (Californie). Il participe à des expositions collectives : 1994 *Hors Limites* au centre Georges Pompidou à Paris. Il a montré ses œuvres dans des expositions personnelles : 1988 Newport Harbour Art Museum ; 1993 *Tête de méduse* et 1994 *L.A.P.D. Uniform* à la galerie Gagosian à New York ; 1993-1994 *Another World* à Sète ; 1994 Le Consortium de Dijon ; 1995 Austrian Museum of Applied Arts de Vienne, fondation Espai Poblenou de Barcelone et Frac Languedoc-Roussillon de Montpellier ; 1996 Kunstmuseum de Wolfsburg et Mac, musées de Marseille.
Il a débuté avec des performances, comme *Shoot* de 1971 à Santa Ana (Californie)où il se faisait tirer dans le bras par l'un de ses amis armé d'une d'une carabine. Dans les années quatre-vingt, il s'est mis à réaliser des maquettes et installations, notamment à partir de matériaux issus du monde de l'enfance, reflets des valeurs de la culture. *Tête de méduse*, globe suspendu par une chaîne, agglomérat de modèles réduits de trains de marchandises qui se croisent, évoquait un monde frénétique, ayant subi un cataclysme. *Another World* de 1993 représentait une maquette de la Tour Eiffel en mécano, du Titanic, et de la Seine. Dans *L.A.P.D. Uniform*, Burden déploie le long des murs de la galerie trente uniformes de police avec leurs vrais accessoires (revolver, matraque), mettant en scène les représentants de l'autorité, mais aussi de la répression. Il lui arrive aussi d'utiliser de la vidéo pour rendre compte de l'actualité : émeutes et tremblements de terre à Los Angeles.
Bibliogr. : Jean-Charles Masséra : *Actualités new-yorkaises*, Art Press, nº 180, Paris, mai 1993 – Robert G. Edelman : *Chris Burden*, Art Press, nº 192, Paris, juin 1994 – Jean Michel Charbonnier : *La Sculpture-action de Burden*, Beaux-Arts, nº 129, Paris, déc. 1994 – Paul Schimmel : *Chris Burden – La Fin d'un monde*, Art Press, nº 197, Paris, déc. 1994.
Musées : (FRAC Champagne-Ardenne) : *La Tour des Trois-Museaux* 1994, techn. mixte.
Ventes Publiques : New York, 8 nov. 1984 : *The atomic alphabet* 1980, eau-forte et aquat. en coul. (136,5x9,5) : **USD 600** – New York, 19 nov. 1992 : *Bilan (juin)* ; *Bilan (mars)* 1977, deux dess. au cr. feutre, timbres de caoutchouc et encres de coul. sur des chèques et pap. montés sur cart. (chaque 76,2x91,5) : **USD 22 000** – New York, 24 fév. 1993 : *Oaix (d'après les dessins du diable)* 1982, photo. noir et blan et coul., journal, et collage de cellophane et pap./cart. (81x101,6) : **USD 13 200**.

BURDEN J.
xviiiᵉ-xixᵉ siècles. Britannique.
Paysagiste.
Il exposa à Londres de 1796 à 1814 à la Royal Academy, et à la British Institution.

BURDER
xviiiᵉ siècle. Actif en Angleterre vers 1777. Britannique.
Graveur au burin.

BURDET Augustin
Né le 27 décembre 1798 à Paris. xixᵉ siècle. Français.
Graveur.
Élève de Guérin et de Lecerf. Il obtint le troisième prix au concours de Rome pour l'architecture, en 1824. En 1851, il obtint une médaille de deuxième classe ; il exposa, en 1827, au Salon : *Psyché et l'amour*, *Un cadre de vignettes*, *Une scène du Médecin malgré lui* (d'après Vernet) et, jusqu'en 1868, un grand nombre d'œuvres.

BURDETTE Hattie E.
xixᵉ siècle. Vivant à Washington vers 1898. Américaine.
Peintre aquarelliste.
Cette artiste fut membre du Washington Water-Colours Club et y exposa en 1898 trois œuvres : *Chanson*, *Rêve*, et *Vendanges*. Elle fut aussi membre de la Society of Washington Artists.

BURDICK Horace R.
Né en 1844 à East Killingsly (Connecticut). xixᵉ siècle. Américain.
Peintre de portraits, natures mortes.
Il commença sa carrière d'artiste en 1884 après avoir travaillé pour un photographe à Providence (Rhode Island). Il étudia à Boston au Lowell Institute et aux Beaux-Arts. Il fut médaillé au Mechanico Institute, à Boston et membre du Boston Art Club.
Ventes Publiques : Bolton, 12 mai 1983 : *Portrait of Doris Burdick*, h/t (101,5x76,2) : **USD 800**.

BURDIN Amélie
Née en 1834 à Lyon (Rhône). xixᵉ siècle. Française.
Peintre de portraits, paysages, intérieurs, fleurs.
Elle fut élève, à Paris, d'Arsène d'Haussy, Chaplin et Robert Fleury. Elle exposa à Paris de 1861 à 1867, des portraits ; à Lyon : *Intérieur de fonderie* (1864) et *Fleurs*, panneau décoratif (1866).
Ventes Publiques : Barbizon, 27 avr. 1980 : *Vapeur à quai et remorqueur*, h/t (60x92) : **FRF 7 000** – Paris, 1ᵉʳ juil. 1992 : *Portrait de femme* 1861, h/t (80x65) : **FRF 22 000**.

BURDIN DE SAINT-MARTIN Olivier
Né à Paris. xxᵉ siècle. Français.
Peintre de paysages animés, natures mortes.
Il a exposé à Paris, notamment au Salon des Artistes Indépendants en 1930, avec *Le châle espagnol – Vase arabe*.
Ventes Publiques : Bayeux, 7 fév. 1988 : *Port animé, 2 pendants*, h/t (chaque : 32,5x24,5) : **FRF 7 000** – Le Touquet, 19 mai 1991 : *Trois-mâts à quai*, h/t (41x65) : **FRF 12 000**.

BURDY Georges Henri
Né en 1871 à Dieppe (Seine-Maritime). Mort en 1908 à Audrimont (Belgique). xixᵉ-xxᵉ siècles. Français.
Peintre de portraits.
Il fut élève de Gustave Moreau à l'Ecole des Beaux-Arts de Paris. Il exposa au Salon des Artistes Français à partir de 1895, mention honorable 1896, médaille de bronze classe 1897, mention honorable à l'Exposition Universelle de 1900.
Musées : Dieppe : *Portrait de la mère de l'artiste*.
Ventes Publiques : Zurich, 12 nov. 1982 : *La danse de Salomé, d'après Gustave Moreau*, h/pan. (93x60) : **CHF 3 000**.

BURDY Henri Auguste
Né le 23 juillet 1833 à Grenoble (Isère). xixᵉ siècle. Français.
Sculpteur et graveur en médailles.
Fit ses études à l'École des Beaux-Arts ; obtint un deuxième prix au concours de Rome, en 1863, avec son : *Bacchus faisant boire une panthère*. Dès 1865, il exposa au Salon et sa première œuvre fut un *Portrait du Docteur Guillaume* (buste en plâtre). On y vit en 1866 : un *Jules César* (médaillon bronze), *Lévrier sur la tombe de son maître* (plâtre), en 1867 : *Portrait de M. Vaubourgeix* (médaillon bronze) ; en 1870 : *Portrait de M. Guelle* ; en 1874 : *Jules César* ; en 1874 : *Charge des cuirassiers de Reischoffen* (camée cornaline), *Marin du siège de Paris* (statuette pierre fine), *La Sainte Vierge* (statuette pierre fine) ; en 1879 : *Portrait du général Blanco*, *Portrait de M. Lange* (pierre fine), *Vertu assiégée par l'amour* (pierre fine), *Tête de Minerve*, et d'autres épreuves d'après Pradier, Boucher, Maillet, Flaxman, Clésinger. Après 1880, on ne sait plus rien de lui.

BURDY Jeanne Adèle
Née au xixᵉ siècle à Triel (Yvelines). Morte en 1932. xixᵉ-xxᵉ siècles. Française.
Peintre.
Sociétaire des Artistes Français en 1905. Elle obtint une mention honorable en 1897, une médaille de bronze à l'Exposition Universelle de 1900 et une médaille de troisième classe en 1903 ; médaille d'or en 1914.

BURDY Marguerite Valentine
Née à Triel (Yvelines). xxᵉ siècle. Française.
Peintre, dessinateur.
Elle exposait à Paris, au Salon des Artistes Français, mention honorable 1909, médaille de bronze 1914, médaille d'argent et Prix Marie Bashkirtseff pour le dessin 1922, médaille d'or et hors-concours 1925.
Ventes Publiques : Londres, 20 juin 1985 : *triptyque : L'Idéal éclairant les Arts*, techn. mixte/t. (centre : 65x42, côtés : 52x46) : **GBP 11 000**.

BURE François Ernest
Né à Paris. xixᵉ siècle. Français.
Graveur.
Il a exposé, au Salon de 1878, six gravures sur bois ; en 1879, trois autres, et, en 1880, *Le Saut du loup* (d'après Metzmacher).

BUREAU Albert George
Né le 21 février 1871 à Philadelphie. xixᵉ-xxᵉ siècles. Américain.
Sculpteur.

BUREAU Camille
Né à Brétigny-sur-Orge (Essonne). xxᵉ siècle. Français.
Peintre de compositions religieuses, paysages.
Il a exposé à Paris, au Salon des Artistes Indépendants de 1926 à 1932. Outre les sujets religieux, il a peint des paysages de forêts.

BUREAU Génovéfine
XVIIIe siècle. Active à Paris vers 1780. Française.
Graveur.
On cite d'elle une seule planche : *Paris vu du Colisée*, 1780.

BUREAU Henri
Français.
Peintre de paysages.
Il est cité dans l'Art Annual de Florence Levy, à New York.
VENTES PUBLIQUES : NEW YORK, 9-10 fév. 1905 : *La Route sablonneuse* : **USD 110**.

BUREAU Léon
Né le 17 septembre 1866 à Limoges (Haute-Vienne). Mort le 26 mai 1906 à Limoges. XIXe siècle. Français.
Sculpteur de groupes, animaux.
Il fut élève de l'École des Beaux-Arts de Paris, atelier de Falguière. Il exposa au Salon des Artistes Français à partir de 1884. On cite de lui : *L'Enfant au crabe* (1896), *Lion et lionne d'Abyssinie* (1897).
VENTES PUBLIQUES : NEW YORK, 23 sep. 1966 : *Panthère et oiseau mort*, bronze : **USD 300** – ZURICH, 6 juin 1980 : *Chiens de chasse*, bronze (H. 36) : **CHF 1 700** – LONDRES, 5 nov. 1987 : *Cheval de course avec son jockey*, bronze (H. 65) : **GBP 3 000** – NEW YORK, 9 juin 1988 : *L'oiseau mourant*, bronze (H. 40) : **USD 2 200** – PARIS, 28 oct. 1990 : *Épagneul marchant*, bronze à patine brune (H. 34, L. 55) : **FRF 10 000** – PARIS, 22 mars 1994 : *Le lion et la lionne*, bronze (H. 59, L. 70) : **FRF 8 500** – PERTH, 30 août 1994 : *Cheval de course monté par son jockey*, bronze (H. 45) : **GBP 2 530**.

BUREAU Louis
Né à Barcelone (Catalogne). XXe siècle. Français.
Peintre de portraits, peintre à la gouache, décorateur.
Il a exposé à Paris, aux Salons de la Société Nationale des Beaux-Arts en 1913, d'Automne de 1920 à 1938.

BUREAU Louise, Mme veuve
Née à La Palisse (Allier). XIXe siècle. Française.
Sculpteur de figures, portraits, bustes.
Élève de Ferru. Elle a exposé au Salon, en 1874, une *Jeune napolitaine* (buste de plâtre) ; en 1875 : le *Portrait du général Rose* (buste de marbre), *Quinze ans* (buste de plâtre) ; en 1876 : *Un Florentin* (buste de marbre), *Enfant au nid* ; en 1877 : *L'Orpheline* ; en 1878 : *Tête d'étude* ; en 1879 : *Portrait d'Edmond Desmaze* ; en 1880 : *Jeune Berger* ; en 1881 et 1882, d'autres portraits. On perd sa trace après 1894.

BUREAU N.
XVIIIe siècle. Actif à Paris. Français.
Graveur au pointillé.
On cite de lui un portrait, d'après P. Violet.

BUREAU Pierre
XVIIe siècle. Français.
Graveur.
Travaillait vers 1672.

BUREAU Pierre Isidore
Né en 1827 à Paris. Mort en 1876 ou 1880. XIXe siècle. Français.
Peintre de paysages.
Il participa au Salon de Paris entre 1865 et 1876. Ayant rompu avec les officiels, il exposa avec les Impressionnistes, en 1876.
Les paysages de l'Isle-Adam, les bords de l'Oise l'ont beaucoup inspiré ; il leur donne un éclairage parfois romantique, irrisé qui les rend proches de ceux de Jongkind. Citons : *Chaumières à Butry* 1865 – *Chemin d'une carrière à Parmain* – *Clair de lune sur le bord de l'Oise, à l'Isle-Adam* 1867 – *Souvenir de Rotterdam* 1868 – *Entrée de village* 1869 – *Vue prise aux environs d'Arras* 1870 – *Clair de lune à Jouy-le-Comte* 1872 – *Route de Champagne, près de l'Isle-Adam* 1874.
BIBLIOGR. : Gérald Schurr : *Les Petits Maîtres de la peinture, 1820-1920, valeur de demain*, Les Éditions de l'Amateur, t. II, Paris, 1982.
MUSÉES : L'ISLE-ADAM : *cinq Paysages* – PARIS (Mus. du Louvre) : *La route – Clair de lune*.
VENTES PUBLIQUES : PARIS, 27 nov. 1970 : *L'Isle-Adam*, h/pan. (21x40) : **FRF 450** – VERSAILLES, 20 déc. 1981 : *Notre-Dame vue des quais*, h/t (81x65) : **FRF 3 000** – VIENNE, 11 sep. 1985 : *Paysage*, h/pan. (33x41) : **ATS 30 000** – LA VARENNE-SAINT-HILAIRE, 7 déc. 1986 : *Promeneuse auprès d'un puits*, h/pan. (21x36) : **FRF 4 900**.

BUREAUX Yvonne
Née à la fin du XIXe siècle à Compiègne (Oise). XIXe-XXe siècles. Française.

Sculpteur.
A exposé des bustes et des médaillons au Salon des Artistes Français, 1912-1914.

BUREL Henry Armand Émile
Né le 8 juin 1883 à Fécamp (Seine-Maritime). Mort le 4 mars 1967 à Fécamp. XXe siècle. Français.
Peintre de paysages, marines.
Il a exposé à Paris, aux Salons d'Automne et des Tuileries, entre 1927 et 1939.
VENTES PUBLIQUES : PARIS, 8 mars 1929 : *Marine* : **FRF 390**.

BUREL Jacques
Né en 1922. XXe siècle. Français.
Peintre. Abstrait.
Il expose régulièrement dans les années quatre-vingts à Paris, au Salon des Réalités Nouvelles.
Il pratique une peinture abstraite, se rattachant à l'informel et au matiérisme, surtout caractérisée par sa prédilection pour les gammes très sombres.

BUREL Marcel
Né à Bernay (Eure). XXe siècle. Français.
Sculpteur de bustes, statues.
Il exposait à Paris, de 1927 à 1945 au Salon d'Automne, en 1930 au Salon de la Société Nationale des Beaux-Arts, avec *La liseuse* étude pour un monument, et en 1932.

BUREL Suzanne Fanny Esther
Née à Noyant-Aconin (Aisne). XXe siècle. Française.
Peintre de portraits, animalier, graveur.
Elle exposait à Paris, au Salon des Artistes Français, dont elle était sociétaire, médaille d'argent 1933.

BURELLI Giovanni Maria, fra
Né au XVIIe siècle à Florence. XVIIe siècle. Italien.
Graveur à l'eau-forte, amateur.
On connaît de lui quelques planches, notamment d'après Andrea del Sarto.

BUREN Daniel
Né le 25 mars 1938 à Boulogne-sur-Seine (Hauts-de-Seine). XXe siècle. Français.
Créateur d'installations, environnements, peintre. Conceptuel. Groupe B.M.P.T.
Il fut élève à Paris de l'école des Arts Appliqués, puis de l'école des Beaux-Arts, où il était condisciple de Parmentier, Viallat, Kermarrec, dont certains concouraient alors pour le Prix de Rome, d'ailleurs avec des types de peinture appropriés. Dans les années soixante, il eut des occasions de voyages lointains.
Daniel Buren participe peu, sinon pas du tout, à des expositions collectives. Il prit part à la Biennale Internationale des Jeunes de Paris en 1965. Bien évidemment le jeune peintre qu'il était alors cherchait à exposer ses peintures. Il fit acte de candidature auprès du Salon de Mai, qui l'informa de son invitation pour la manifestation suivante. Or, entre-temps, en décembre 1966, lui, Mosset, Parmentier et Toroni, fondèrent le groupe éphémère B.M.P.T., lié au contexte de contestation socio-culturelle qui agita, sous des bannières diverses, des milieux divers dans des pays nombreux, pendant une période qui culmina à Paris en mai 1968. Pour sa part, le groupe B.M.P.T., proche de l'« Internationale Situationniste », contestait « le système » des circuits et du marché de l'art, donc il n'était pas question pour Buren d'honorer son invitation au Salon de Mai, qui se tenait dans le lieu institutionnel du Musée d'Art Moderne, position de principe à laquelle il ne se conformera pas très longtemps, devenant bientôt lui-même institutionnel, sinon une institution.
Quant à ses manifestations individuelles, même dans des lieux institutionnels, elles ne peuvent pas être appréhendées comme des expositions proprement dites. Elles sont des installations créées à chaque fois en fonction d'un lieu précis. Les énumérer selon le rite d'une liste chronologique serait vide de sens. Aussi ne seront-elles pas séparées de leur description analytique. Ces interventions ponctuelles se succédant très nombreuses, il en sera fait une sélection typologique.
Au début des années soixante, comme de nombreux jeunes peintres de sa génération, Buren était sollicité contradictoirement par l'expressionnisme abstrait américain de De Kooning ou Barnett Newman, et le néo-dadaïsme de Rauschenberg ou Jasper Johns. En 1964-1965, Buren se cherchait encore dans les parages d'une abstraction qu'on pouvait dire alors internationale. Il s'intéressa à ce moment aussi aux affichistes Hains, Villeglé, François Dufrêne, qui étaient eux-mêmes en contact

avec les Américains. À la suite de sa période de voyages, il aboutit à une série importante de grands formats peints de bandes de couleurs fortes et très variées, alternées selon des rapports harmoniques éclatants, qui résultaient de son analyse personnalisée des grands courants de la peinture minimaliste américaine, tout en révélant un talent de décorateur, que ne contredira pas son œuvre ultérieur. Les peintures de cette série ne furent vues que de peu de personnes, avant d'être tardivement montrées, en 1996, dans une exposition à Paris, Renn Espace d'Art Contemporain.

Après la création du groupe B.M.P.T., ses membres, et cet aspect du fondement idéologique du groupe est bien plus intéressant que l'accessoire refus de l'institution, contestaient la légitimité de l'art tel qu'il était entendu dans la société du moment. Jugement radical dont leur est laissée la responsabilité, tout ce qui se faisait alors leur paraissait bien peu de chose. D'entre les critères qui régissent le jugement artistique, le critère de nouveauté leur paraissait particulièrement artificiel et aberrant. En conséquence, les œuvres sécrétées par un ensemble de critères aberrants, ne pouvaient qu'être elles-mêmes aberrantes. En n'exécutant chacun d'entre eux quatre qu'un seul geste pictural indéfiniment répété, ils obligeaient le spectateur à s'interroger a contrario sur leur attente de nouveauté. Ainsi, pour sa part, Buren débuta-t-il sa stratégie des rayures, dont il décida d'emblée les règles définitives et la radicalisant dans le travail dit *Peintures sur toiles rayées* : afficher ou placer partout où l'occasion se présenterait du tissu constitué de bandes de couleurs de 8,7 centimètres de large, séparées par des bandes blanches de même largeur, les bandes colorées étant vertes à l'origine, puis roses aussi, puis de n'importe quelle ou de toutes les couleurs.

Daniel Buren est un perfectionniste. Le type d'activité artistique qu'il a choisi, concept, intervention, installation, environnement, exige ce perfectionnisme, perfectionnisme dans l'argumentation, qui sinon ressortirait au n'importe quoi, perfectionnisme dans l'exécution, qui sinon ressortirait au presque rien. Ce perfectionnisme caractérisera toute sa carrière, à un point tel qu'il ne considère comme viables que les seuls textes qui auront été élaborés avec son concours. À ce titre, l'ouvrage de Catherine Francblin, cité en bibliographie, est, jusqu'en 1987, l'ouvrage auquel il faudra se référer pour le détail de son activité multiple autant que diverse. Il y est bien précisé que la liste, établie par Buren lui-même, de ses expositions personnelles, ne comporte que celles qu'il réalisa dans des musées ou des lieux institutionnels, et aucune de ses participations à des expositions collectives, qui furent pourtant souvent très importantes, comme, par exemple, la très volumineuse construction qu'il édifia à l'intérieur de la Grande Halle de la Villette à l'occasion de la première Biennale de Paris qui s'y tint en 1985. Cette limitation qu'il s'est fixée explique que la liste ne commence qu'en janvier 1971, avec *Position-Proposition*, l'action-installation qu'il mena à travers plusieurs musées d'Allemagne et à partir de celui de Mönchengladbach, qui accueillera régulièrement ses interventions au fil des années. Mentionnons au passage que les pays étrangers dans le monde entier lui furent d'abord bien plus accueillants que la France. Par commodité, ce seront pourtant quelques exemples français qui seront retenus pour illustrer les moments de cette notice.

Dans un premier temps, Buren eut pour objectif de multiplier le plus possible ses interventions, souvent dans la rue, en affichage sauvage inverse de l'arrachage des affichistes dont la démarche l'avait intéressé auparavant, sur les palissades, sur des murs, sur tout ce qui se présentait, hors les lieux institutionnels. On ne doit pas oublier qu'à la création du groupe, B.M.P.T. revendiquaient une volonté de contestation et de provocation. Donc, par la répétition de cette manifestation – qui à l'époque se voulait négatrice – Buren obligeait le spectateur, souvent involontaire passant, à s'interroger sur le sens de cet apparent non-sens. Il n'est pas inutile de rappeler les motivations de l'activité de Buren dans ses origines, tant elles devaient diverger dans la suite, d'intervention négatrice devenant au contraire dans un deuxième temps affirmation signalétique, puis dans un troisième création constructive. Dans le premier temps, l'activité de Buren, pour reprendre les termes de Daniel Soutif : « met radicalement en cause les codes reçus ».

Dans le deuxième temps, les rayures de Buren ne sont plus là en tant que preuve dérisoire de la vanité de l'art, elles sont devenues ce qu'il appelle son « outil visuel », un « signe » de marquage. Ce qui lui était une négation de l'art est devenu une affirmation de soi-même. Le choix des lieux est devenu plus sélectif,

lieux culturels, galeries, expositions muséales, mais le dispositif est resté élémentaire : recouvrir la plus grande surface possible de tissu rayé selon la norme de 8,7 centimètres, et sans rechercher aucun effet esthétique. Les interventions ne sont plus clandestines, parasitaires, piratées, elles font l'objet de contrats de services dont les commanditaires acceptent le caractère éphémère. Buren est un artiste nomade, il exerce son art « in situ », son atelier est où il est appelé, le monde est son atelier. Qu'il s'agisse, par des drapeaux à rayures dressés au dessus des toits, d'imposer à partir des terrasses de Beaubourg le marquage burennien à quelques lieux stratégiques de Paris ou bien de couvrir de rayures le socle de toutes les statues de la ville de Lyon en novembre 1980 : *Ponctuations : Statue/Sculpture*, à ce stade le marquage se suffisait à lui-même, élevant le jeu de piste scout à la hauteur d'une institution.

Dans le troisième temps, mais il convient d'entendre que ces temps ne sont pas délimités de façon précise et que les caractéristiques de l'un peuvent se retrouver dans les deux autres, se sont manifestées d'encore plus importantes divergences par rapport au dogme initial. Le constat de ces divergences ne constitue aucunement un jugement normatif négativement critique, au contraire il apparaît plutôt satisfaisant que Buren ait pu et su faire évoluer sa production d'artiste à l'intérieur de ses règles contraignantes.

Toutefois, ces divergences accentuent des ambiguïtés et des contradictions qui étaient déjà en puissance dans les directives originelles. Ainsi, dès le deuxième temps, on a vu qu'était tôt abandonné le parti ou pari non viable du refus des lieux et circuits institutionnels. Dans le troisième temps, c'est le caractère purement conceptuel des interventions de marquage qui a été d'abord abandonné ou bien alors, autour de 1985, modifié de conceptuel démonstratif, résultant d'une réflexion sur le rapport de l'œuvre à l'espace, en conceptuel sophistiqué, avec découpes et recompositions savantes, superpositions du même sur le même, etc. On a encore un exemple d'une réponse purement conceptuelle à une commande officielle, avec le placement de quelques rayures aux formats calculés de façon à être exactement dissimulés derrière plusieurs peintures du Musée National d'Art Moderne au Centre Beaubourg. Mais, sous prétexte de marquage, d'affirmation des lieux traités, Buren a de plus en plus étudié ses installations de rayures avec des soucis esthétiques, revendiquant désormais leur caractère décoratif. Non seulement, il n'impose plus son marquage impératif et indifférencié à un lieu violé, mais avec des portants, des cloisons, des parcours, des miroirs, et surtout avec une autorité convaincante de maître-d'œuvre du monumental travaillant sur plans, il le recompose, le reconstruit ou même, à seule fin de recevoir et faire exister plastiquement ses rayures, construit spécialement des lieux qui n'existaient pas. Ainsi en fut-il, entre nombreux exemples, de la *Cabane éclatée n°2*, acquise par le Musée de Marseille, structure volumétrique de dimensions importantes, « éclatée » dans l'espace de son installation, les fragments ainsi dispersés devant être recomposés sur les murs ; de son intervention superbement polychrome au Château des Ducs d'Épernon à Cadillac : *Du volume de la couleur* mai 1985 ; ou de l'installation effectuée à l'intérieur de la serre d'exposition, et avec les élèves, de l'École des Beaux-Arts de Saint-Étienne : *Insérer la serre, ou : d'un espace deux* décembre 1985 ; ou de son occupation-reconstruction totale du Pavillon français : *Le pavillon : coupé, découpé, taillé, gravé*, qui lui valut le « Lion d'Or » à la Biennale de Venise 1986 ; ou enfin des deux installations effectuées aux Entrepôts Lainé de Bordeaux : *Arguments topiques* dans l'été 1991, comportant des effets de miroirs amplifiant le caractère résolument décoratif des bandes noires soulignant les arcades de l'architecture industrielle d'origine.

Dans la suite, c'est le caractère éphémère de ses actions auquel il a renoncé. D'une part, sous les *Photos Souvenirs* de ses installations, on trouve souvent la mention : « Collection M. X ». D'autre part, à cet égard éloquente est la mise en place des « Colonnes de Buren » au Palais-Royal : *Les deux plateaux* 1985.

Nul ne peut reprocher à Buren d'avoir éprouvé le besoin d'évoluer à partir de, et à l'intérieur de, ses données de base. Bien au contraire est-il réconfortant de voir avec quelle intelligence il a su diversifier ses interventions, quitte à renoncer en route à quelques principes qu'il était amené à considérer comme non fondamentaux ou devenus obsolètes. Toutefois, la perplexité renaît lorsque, circulant entre les stands des nombreuses Foires Internationales d'Art, on constate que les galeries d'art qui soignent leur image de marque semblent tenues de proposer, à côté du même échantillon de carreaux blancs de Raynaud, toutes à-peu-près le même échantillon rayé de Buren. Loin d'ironiser facilement sur le cas Buren en ne prenant en compte que la rayure, il n'en reste pas moins sociologiquement intéressant d'établir par quelles ambiguïtés entretenues, contradictions ignorées, divergences savamment négociées, quelques rayures qui portaient la contestation du marché ont pu échoir sinon déchoir en valeur de placement. Force est de constater que ce qui fut à l'origine proposé comme un vrai rien destiné à dénoncer tout ce qui ne lui semblait que des faux quelque chose, se retrouve en bout de circuit promu comme le seul tout. Comment concilier ce constat, disons : de réussite médiatique et concrète exceptionnelle, avec ce qu'il avait déclaré en forme de prédiction à Gérald Gassiot-Talabot en juin 1969 : « Le système critique-marchand se défend dès qu'on face de lui se profilent des actions qui signifient clairement que sa fonction est appelée à disparaître. Je ne me défends pas, j'attaque. » ? Il semblerait que ce soit finalement le système critique-marchand qui se soit bien défendu. ■ Jacques Busse

BIBLIOGR. : D. Buren : *Légende 1 et 2*, Warehouse, Londres, 1973 – J.H. Martin : *Daniel Buren : les couleurs et les formes*, Centre Pompidou, Paris, 1981 – X. Douroux, F. Gautherot, D. Buren : *Daniel Buren*, Le coin du miroir, Dijon, 1984 – B. Marcadé : *Daniel Buren*, Centre d'Art Contemporain, Cadillac, 1985 – D. Buren : *De la couverture*, Biennale de Venise, 1986 – Catherine Francblin : *Daniel Buren*, Édit. Art Press, Paris, 1987 – D. Buren, Anne Baldassari, P. Hulten, F. Mathey : *Daniel Buren, entrevue*, Flammarion-Mus. des Arts Décor., Paris, 1987 – D. Buren : *Photos Souvenirs*, Art Édit., Villeurbanne, 1989.

MUSÉES : LILLE (FRAC, Nord-Pas-de-Calais) – MARSEILLE (Mus. Cantini) : *Cabane éclatée nº 2* 1984 – MONTRÉAL (Mus. d'Art Contemp.) : *D'une impression l'autre* 1983 – PARIS (Mus. Nat. d'Art PARIS) – PARIS (Mus. Nat. d'Art Mod.) : *Ornements d'un discours 1972-1979* – *Les couleurs (15 drapeaux sur les toits de Paris)* 1975-1977 – *Cabane éclatée nº 6* 1985.

VENTES PUBLIQUES : MILAN, 9 nov. 1976 : *Composition* 1973, temp./t. rayée blanc et bleu (170x142) : **ITL 1 300 000** – LONDRES, 22 oct. 1987 : *Tissu rayé bleu et blanc* 1970, h/t/tissu rayé (150x133) : **GBP 4 600** – PARIS, 23 mars 1988 : *Tissu rayé de bandes blanches et bleues* juin 1973 (156,5x141,5) : **FRF 78 000** – PARIS, 8 oct. 1989 : *Recto Verso* 1971, travail in situ : **FRF 290 000** – PARIS, 20 jan. 1991 : *Le Carré raté* 1989, ensemble de 4 litho. coul. (254x254) : **FRF 27 000** – NEW YORK, 2 mai 1991 : *Blanc et Orange* 1973, acryl./t. imprimée (100x134) : **USD 19 800** – NEW YORK, 14 nov. 1991 : *Une peinture en quatre* 1973, croix d'acryl. blanc sur t. d'emballage imprimée de rayures noires et blanches (141x141) : **USD 15 400** ; *Sans titre* 1972, t. d'emballage imprimée de rayures rouges et acryl. blanc (140,5x351) : **USD 25 300** – LONDRES, 15 oct. 1992 : *Pour souligner* 1989, acryl./quatre pan. de t. d'emballage rayée (96,6x96,6) : **GBP 9 350** – NEW YORK, 24 fév. 1993 : *Blanc et noir*, acryl. sur t. d'emballage rayée (143,8x132,1) : **USD 12 100** – PARIS, 17 oct. 1994 : *Blanc/rouge*, acryl./tissu rayé (148x140) : **FRF 40 000** – PARIS, 1ᵉʳ avr. 1996 : *La Montée de l'escalier* 1989, acryl./pan. de bois (H. 230) : **FRF 50 000** – PARIS, 14 juin 1996 : *Cabane éclatée nº 7* 1989, châssis en bois recouvert de tissu rayé de bandes blanches et rouges verticales (270x270) : **FRF 80 000** – PARIS, 19 juin 1996 : *Vingt-cinq lattes* 1988, acryl. blanc et bois brut (ensemble 225x225) : **FRF 50 000** – LONDRES, 27 juin 1996 : *Photo souvenir*, deux rayures blanches recouvertes de tissu rayé (101x142) : **GBP 4 025** – PARIS, 28 avr. 1997 : *Projet d'installation* 1985, gche, fus. et cr./pap. (70x100) : **FRF 7 000**.

BUREN Richard Van
XXᵉ siècle. Américain.
Peintre. Abstrait.
Les recherches de Van Buren portent sur la couleur et sa matérialité. Il fut un des acteurs des recherches dans les années soixante-dix, orientées vers une nouvelle abstraction. Reconsidérant l'héritage des grands abstraits américains tels que Rothko, Pollock ou Sam Francis, et plus proche de Brice Marden, il entend le tableau comme une entité devant exprimer avant tout sa propre existence et sa matérialité. Son matériau de prédilection est le polyester qu'il colore et présente brut, touchant ainsi au concept de couleur solide.

BUREN de Vaumarcus Karl Philipp Van, baron
Né le 23 avril 1759 à La Haye, d'origine suisse. Mort en août 1795. XVIIIᵉ siècle. Suisse.
Graveur et peintre.

Cet artiste était le fils d'un officier bernois au service de la Hollande, à La Haye. Il reçut son éducation dans cette ville et à Berne. De 1778 à 1783, il fut officier de la garde suisse en Hollande, obtint la propriété de Vaumarcus en 1787 et devint membre du grand conseil de Berne, en 1795. On cite de lui douze gravures à l'eau-forte, datées entre les années 1788 et 1791.

BURESCH Anton
Né en 1876. Mort en 1960. XXᵉ siècle. Autrichien.
Peintre de genre. Académique.
Il peint savamment dans la technique et le style des peintres de genre de la fin du XIXᵉ siècle.
VENTES PUBLIQUES : LONDRES, 19 juin 1991 : *La veuve* 1907, h/t (157x199) : **GBP 8 800**.

BURET Charles
Mort en 1733 à Chantilly. XVIIIᵉ siècle. Actif à Paris. Français.
Sculpteur.

BURET Florent
XIXᵉ siècle. Actif à Paris. Français.
Peintre.
Sociétaire des Artistes Français en 1894.

BURET Gaston
Né à Paris. XXᵉ siècle. Français.
Sculpteur.
Il exposa à Paris, au Salon des Artistes Français entre 1924 et 1929.

BURET Jean II
XVIᵉ siècle. Actif à Orléans. Français.
Artiste fondeur.
Il se maria le 1ᵉʳ août 1595.

BURET Léonce
Né entre 1860 et 1870. XIXᵉ-XXᵉ siècles. Français.
Dessinateur caricaturiste.
Il exposait au Salon des Humoristes.
Caricaturiste plein de verve, au trait incisif, il a donné au *Rire* des pages burlesques sur les mœurs, l'actualité politique, les évènements de la vie sociale. *Voir aussi* BURRET Léonce.

BURET Marguerite, plus tard Mme **Cresty**
Née en 1841 à Taverny (Seine-et-Oise). XIXᵉ siècle. Française.
Peintre.
Élève de Honorine Emeric Bouvret, de L.-N. Lepic et F.-L. Français. A exposé au Salon des aquarelles et des émaux : *Proserpine* (1865), *L'archange Gabriel* (1866), *Éros* (1867).

BURET Michel
XVIᵉ siècle. Actif à Orléans. Français.
Artiste fondeur.

BURETTE Alphonse
Né le 23 février 1806 à Laval (Mayenne). Mort le 22 avril 1873 à Paris. XIXᵉ siècle. Français.
Peintre paysagiste.
Il débuta au Salon de 1864, avec *Une forêt de Franche-Comté*. Parmi ses œuvres les plus intéressantes, on peut citer : *La forêt de Carnelle*, *Le rond-point de Chantilly* ; en 1844 : *La fin du bois et la fin du jour* ; en 1845 : *Vue prise dans le Tyrol, effet de neige* ; en 1846 : *Le château de la Roche-Pot, épisode des guerres de Bourgogne* ; en 1849 : *Soleil couchant*. Ses aquarelles aux tons soutenus, présentant des forêts et des montagnes, sont proches de celles des romantiques allemands.

BURFIELD James M.
XIXᵉ siècle. Britannique.
Peintre de genre.
Il exposa de 1865 à 1883, notamment à la Royal Academy, à Londres.
VENTES PUBLIQUES : LONDRES, 29 mars 1983 : *A Hastings inn* 1879, h/t (63,5x81) : **GBP 1 000** – LONDRES, 3 juin 1994 : *Souvenirs*, (48,9x40,6) : **GBP 2 530**.

BURFORD Byron
Né le 12 juillet 1920 à Jackson (Mississipi). XXᵉ siècle. Américain.
Peintre.
Peintre figuratif, il a participé en 1968 à la Biennale de Venise.

BURFORD John
XIXᵉ siècle. Britannique.
Paysagiste.
Il exposa à Londres de 1812 à 1829 à la Royal Academy.

BURFORD Léonard ou **Burnford**
XVIIᵉ-XVIIIᵉ siècles. Actif vers 1681-1715. Britannique.

Graveur.
Il a gravé quelques portraits et des feuilles de titre.

BURFORD Robert
Né en 1792. Mort en 1861 probablement à Londres. XIXe siècle. Britannique.
Paysagiste et peintre de panoramas.
Il eut la direction du Royal Panorama de Leicester Square à Londres, de 1827 à 1861. Ce fut d'après ses dessins que furent peintes les différentes vues panoramiques de diverses parties du monde, de batailles et d'actualité offertes au public londonien. De 1812 à 1818, il exposa à la Royal Academy, à Londres.
VENTES PUBLIQUES : LONDRES, 2 août 1928 : *Compétition à Newmarket* : **GBP 745** – LONDRES, 22 fév. 1935 : *Courses à Newmarket* : **GBP 157**.

BURFORD Roger d'Este
Né en Angleterre. XXe siècle. Britannique.
Peintre.
Signe ses toiles et ses aquarelles : « R. d'E. B. » ou « Roger Burford ».

BURFORD Stella, Mrs
XXe siècle. Britannique.
Peintre.
Élève de la Leicester Central School of Art, elle pratique l'huile et la fresque.

BURFORD Thomas
Né vers 1710 à Londres. Mort après 1774 à Londres. XVIIIe siècle. Britannique.
Peintre de portraits, paysages, graveur.
Il exposa de 1762 à 1774 à la Society of Artists de Londres. On a, de lui, des portraits d'après Philips, Schaack, ainsi que des planches gravées à la manière noire de paysages et de sujets de chasse.
VENTES PUBLIQUES : NEW YORK, 9 jan. 1981 : *Les douze mois*, suite de douze toiles de formes ovales (35,5x31) : **USD 17 000**.

BURG Van der
XVIIIe siècle. Actif en Sicile, vers 1756. Hollandais.
Peintre.
Le Musée de Nice conserve un paysage de cet artiste.

BURG Adriaan Van der
Né le 21 octobre 1693 à Dordrecht. Mort le 30 mai 1733 à Dordrecht. XVIIIe siècle. Hollandais.
Peintre et graveur.
Il alla à Amsterdam avec son maître Arnold Houbraken, et se maria à Dordrecht le 24 novembre 1715. Il peignit des portraits, des tableaux de société et fit, en 1728, le portrait du duc d'Arenberg, à Bruxelles.
MUSÉES : DORDRECHT : *Les 17 directeurs de la Monnaie* – *Les régents de l'orphelinat* – *Portrait de famille* – LA HAYE (Mus. comm.) : *Paysage*.
VENTES PUBLIQUES : PARIS, 1820 : *Diane, accompagnée de quatre de ses nymphes, partant pour la chasse* : **FRF 550** – PARIS, 1859 : *Deux figures allégoriques*, dess. aux cr. noir et rouge : **FRF 11,50**.

BURG Dirk Van der
Né en 1723 à Utrecht. Mort en 1773 à Utrecht. XVIIIe siècle. Hollandais.
Peintre de paysages animés, dessinateur.
Il peignit des paysages avec des animaux, des vues de villages, etc. Deux châteaux hollandais (plume et lavis), étaient dans la vente Klin Kosch, 1889, à Vienne.
VENTES PUBLIQUES : PARIS, 1842 : *Paysage, figures et animaux* : **FRF 70** – PARIS, 1875 : *Paysages, avec figures*, 2 pendants : **FRF 20** – AMSTERDAM, 18 nov. 1980 : *Vue de Coosterbeek* 1763, pl. et lav. (11,5x19,7) : **NLG 2 400**.

BURG Frans Van der
XVIIe siècle. Hollandais.
Graveur.
Un Franciscus Van der Burch était à La Haye le 7 mars 1665. On cite de lui : *Vertumne et Pomone*, d'après Abr. Janssens.

BURG Peter. Voir **BURGI**

BURGADE Louis
Né en 1803 à Bordeaux (Gironde). XIXe siècle. Français.
Peintre de marines.
Le Musée de Bordeaux conserve de lui une marine.

BURGAIN Jeanne
XIXe siècle. Travaillant à Paris. Française.

Peintre.
On cite d'elle, au Salon de 1880 : *Vieille femme de Villerville récitant son chapelet, Fantaisie orientale*.

BURGALASSI Renzo
Né à Pise. XIXe-XXe siècles. Italien.
Sculpteur.

BURGARD Marie
Née à Paris. XXe siècle. Française.
Peintre.
En 1929 elle exposait aux Indépendants : *Fleurs sur un livre*.

BURGAT Eugène
Né en 1844 à Manigod (Haute-Savoie). Mort en 1911 à Paris. XIXe-XXe siècles. Travaillant à Paris. Français.
Peintre de genre, natures mortes, fruits.
Il fut élève de Van Elven et de Pils. Il débuta au Salon de Paris en 1869 ; devint sociétaire des Artistes Français en 1894. On lui doit surtout des toiles de fruits et des natures mortes.

MUSÉES : CHAMBÉRY (Mus. des Beaux-Arts) : *Intérieur d'un four à Manigod* – LUXEMBOURG .
VENTES PUBLIQUES : ROUBAIX, 23 oct. 1983 : *Coupe de fruits secs*, h/bois (17x24) : **FRF 9 500**.

BURGAT Gabrielle
Née à Conches (Eure). XIXe-XXe siècles. Française.
Peintre.
Sociétaire des Artistes Français. Elle a peint des intérieurs.

BURGAU. Voir **PURGAU**

BURGAUNER Johann
Né en 1812 à Kastelruth (district de Bozen). Mort en 1891 à Brixen. XIXe siècle. Éc. tyrolienne.
Peintre.
Le Musée de Meran conserve de lui deux toiles et un grand nombre de dessins.

BURGDORFER Daniel David
Né le 19 juin 1800 à Berne. Mort le 15 juin 1861 à Lausanne. XIXe siècle. Suisse.
Peintre et graveur.
Élève de Bouvier, à Genève, il commença à exposer dès l'âge de 18 ans, participant en 1818 à l'Exposition de Berne. Il apprit la gravure chez F. Geissler, à Nuremberg.

BURGDORFF Ferdinand
Né en 1881. Mort en 1975. XXe siècle. Américain.
Peintre de paysages, marines.
VENTES PUBLIQUES : LOS ANGELES, 16 mars 1981 : *Bord de mer au crépuscule* 1915, h/t (40,5x51) : **USD 1 300** – LOS ANGELES, 9 fév. 1982 : *Paysage allégorique*, h/t (101,5x71) : **USD 450** – NEW YORK, 17 mars 1988 : *Paysage de l'Ouest des USA* 1925, h/t (50x87) : **USD 1 045** – NEW YORK, 24 juin 1988 : *Virginia City dans le Nevada* 1929, h/cart. (60x67,5) : **USD 825** – LOS ANGELES-SAN FRANCISCO, 7 fév. 1990 : *L'océan sur la côte en hiver*, h/cart. (102x117) : **USD 2 200**.

BURGE Maud
XXe siècle. Néo-Zélandaise.
Peintre.
A exposé des paysages au Salon des Artistes Français. Active à Wellington (Nouvelle-Zélande).

BÜRGEL Hugo
Né en 1853 à Landshut. Mort en 1903 à Munich. XIXe siècle. Allemand.
Peintre de paysages.

BURGENSIS Hieronymus
Originaire de Ligurie. XVIe siècle. Travaillant à Nice vers 1500. Italien.
Peintre.

BURGER Adolf August Ferdinand
Né en 1833 à Varsovie. Mort vers 1876 à Berlin. XIXe siècle. Polonais.
Peintre de genre et de portraits.
Élève, à l'Académie de Berlin, de Steffeck. Exposa principalement à Munich.

BURGER Antoine
Né à Genève. xxᵉ siècle. Suisse.
Peintre.
Il a exposé au Salon d'Automne à Paris.

BURGER Anton
Né le 14 novembre 1824 à Francfort-sur-le-Main. Mort le 6 juillet 1905 à Kronberg. xixᵉ siècle. Allemand.
Peintre de genre, paysages animés, aquarelliste, graveur. Romantique.
Il fut élève de l'Institut Städel dans sa ville natale, sous la direction de Jacob Becker et de Ph. Veit. Il poursuivit sa formation pendant deux ans à l'Académie de Munich et à Düsseldorf. Il travailla à Francfort, Düsseldorf et Kronberg. À partir de 1857, il se fixa à Kronberg (Taunus).
Il a peint de nombreux paysages animés de plein air, et des scènes de de la vie paysanne, villages, fermes, auberges, foires. Parmi ses paysages et scènes de genre d'hiver on mentionne : *Le Main gelé* 1876.

A Burger
A Burger

Musées : Berlin : *Forge de village* – Darmstadt : *Intérieur d'auberge* – Francfort-sur-le-Main : *Le repas champêtre* – *Méditation* – *Domestique* – *Près de Müllermaier* – *À la fin de la battue* – *La montagne des Romains à Francfort-sur-le-Main* – *Le vieux Kutcherhof* – Hambourg : *La rue des Juifs* – *Une cour à Kronberg* – Mayence : *Scène d'auberge* – Munich : *L'aubergiste Adler à Kronberg.*
Ventes Publiques : Paris, 22 et 23 fév. 1937 : *Bords de rivière* : **FRF 260** – Cologne, 2 juin 1965 : *Rue de la vieille ville en hiver* : **DEM 3 300** – Londres, 11 fév. 1976 : *Chez le boucher*, h/pan. (26x21) : **GBP 2 400** – Londres, 30 nov. 1977 : *Vieillard et son chat*, h/t (26,5x22) : **GBP 4 200** – Cologne, 30 mars 1979 : *L'Echoppe du cordonnier* 1894, h/pan. (17,5x24) : **DEM 25 000** – San Francisco, 24 juin 1981 : *Promeneur et son chien* 1886, h/pan. (25,5x33) : **USD 10 000** – New York, 24 mai 1984 : *Retour de chasse*, h/t (48x69) : **USD 8 000** – New York, 6 juin 1986 : *Scène de marché*, h/t (43x30,5) : **USD 7 000** – Cologne, 20 oct. 1989 : *Paysage avec un ruisseau*, h/pan. (24x24) : **DEM 5 300** – Londres, 11 fév. 1994 : *La garde du bébé*, h/pan. (18,4x13,7) : **GBP 4 830** – Londres, 11 oct. 1995 : *Flörsheim* 1895, h/t (45,8x72,5) : **GBP 6 900** – New York, 23 oct. 1997 : *À la taverne* 1891, h/pan. (13,3x22,9) : **USD 6 900.**

BURGER Carl
Né en 1875 à Tannesberg (Bavière). xxᵉ siècle. Allemand.
Sculpteur.

BURGER Franz
Né en 1857. xixᵉ siècle. Éc. tyrolienne.
Peintre de genre, paysages.
Ventes Publiques : Düsseldorf, 6 juin 1984 : *Paysage d'Autriche*, h/t (50x84) : **DEM 3 000** – Detroit, 18 jan. 1987 : *Moine lisant*, h/t (69x94) : **USD 3 500.**

BURGER Fritz
Né le 16 juillet 1867 à Munich. Mort en 1916 à Verdun. xixᵉ siècle. Allemand.
Peintre de portraits, paysages, natures mortes, fleurs, lithographe.
Burger fut élève de Raupp, Gysis et Löfftz à l'Académie de sa ville natale, où il étudia de 1883 à 1888. Vers 1891, il se rendit à Paris où il subit quelque peu l'influence des peintres modernes tels que Boldini, Blanche, Simon et Zorn. Il s'établit à Bâle en 1899. Il se maria avec le sculpteur Sophie Hartmann. Burger participa aux expositions de Dresde où, en 1897, il reçut une médaille d'or. À Salzburg, en 1901, il fut récompensé d'une médaille d'argent.
Une série de planches lithographiées et coloriées représentant différents types de femmes, fut publiée en 1898. Il peignit un grand nombre de portraits.
Musées : Aarau : *Paysans allant à l'église.*
Ventes Publiques : Zurich, 14 nov. 1986 : *Vase de glaïeuls*, h/t (64x77) : **CHF 7 500** – Monaco, 2 déc. 1988 : *Elégante au chapeau* 1895, cr. (45x24) : **FRF 5 550** – Heidelberg, 3 avr. 1993 : *Nature morte avec des lis*, h/t (62x50) : **DEM 2 600.**

BURGER Heinrich Jakob
Né le 5 janvier 1849 à Heilbronn-sur-Neckar. xixᵉ siècle. Allemand.
Peintre de genre, lithographe.
Il fit des études artistiques à Zurich avec Weidmüller, et travailla chez Maclure à Londres, où il découvrit le papier granulé. Vers 1871, il s'embarqua pour New York, où il resta quatre ans auprès de Major et de Knapp. En 1876, il fit un long voyage en France et en Italie, avant de s'installer à Zurich.
Son art pictural, tout comme son œuvre graphique, est très précis, très fouillé et éclairé d'une lumière idéalisante.
Ventes Publiques : Zurich, 25 nov. 1982 : *Der Weg Amden-Weesen* 1907, aquar. (37,5x27,5) : **CHF 700.**

BURGER Johannes
Né le 31 mai 1829 à Burg. xixᵉ siècle. Suisse.
Graveur.
Burger apprit les rudiments de la gravure, en 1849, chez Suter à Zofingen, puis passa à l'Académie de Munich, travailla quelque temps chez C. Heinrich Merz et entra, en 1851, à l'École de gravure de Thaeter. Il se perfectionna en outre par des voyages d'études à Dresde, Florence et Rome. En 1859 on le retrouve à Munich, qui devint alors sa résidence permanente. La carrière de Burger commence en 1850, époque à laquelle il grava un *Amour et les quatre éléments*, d'après B. Genelli. On cite, de lui, des travaux pour des ouvrages sur l'histoire de l'art par E. Förster, des portraits et des études de nu.

BURGER Josef
Né en 1887. Mort en 1966 à Munich. xxᵉ siècle. Allemand.
Peintre de natures mortes, fleurs, paysages.
Ventes Publiques : Cologne, 12 nov. 1976 : *La cour de ferme*, h/t (60x80) : **DEM 2 200** – Lucerne, 6 nov. 1981 : *Nature morte aux fleurs*, h/t (81x70,5) : **DEM 3 300** – Cologne, 24 juin 1983 : *Paysage*, h/cart. (60x50) : **DEM 1 700** – Londres, 14 fév. 1990 : *Nature-morte avec des fleurs dans une urne*, h/t (78x64) : **GBP 2 750** – Berne, 12 mai 1990 : *Petit lac de montagne avec le Piz Corvatsch*, h/t (76x91) : **CHF 2 800** – Londres, 22 nov. 1990 : *Nature-morte de roses, tulipes, lis et autres fleurs devant une fenêtre*, h/t (73,7x63) : **GBP 2 860** – Heidelberg, 3 avr. 1993 : *Vue du Mont-Blanc*, h/t (80x100) : **DEM 1 450** – New York, 22-23 juil. 1993 : *Natre morte de fleurs dans un vase*, h/t (100,3x80) : **USD 8 625** – Heidelberg, 8 avr. 1995 : *Paysage de marais*, h/cart. (60,5x80,5) : **DEM 1 500.**

BURGER Léopold
Né le 9 octobre 1861 à Vienne. Mort le 11 novembre 1903 à Brixen. xixᵉ siècle. Autrichien.
Peintre de genre.
Étudia à l'Académie de Vienne, ville où il travailla presque toute sa vie. Visita le Tyrol vers 1894. Le Musée de Vienne conserve de lui : *Jeune fille avec corbeille.* Il exposa à Paris en 1900 : *L'Amour terrestre et céleste.*

BURGER Ludwig
Né en 1859 à Budapest. xixᵉ siècle. Hongrois.
Portraitiste.

BURGER Ludwig
Né en 1825 à Varsovie. Mort en 1884 à Berlin. xixᵉ siècle. Polonais.
Peintre et illustrateur.
Élève des Académies de Berlin et d'Anvers, et de Couture à Paris (1852). De 1853 à 1857 il travailla à Berlin. Il participa à la guerre de Schleswig (1864). Il devint professeur à l'Académie de Berlin. Il exposa à Berlin, à Vienne et à Munich.

BURGER Marcel
Né au Havre (Seine-Maritime). xxᵉ siècle. Français.
Sculpteur animalier.
Sociétaire du Salon des Artistes Français à Paris, il y reçut la médaille d'argent en 1933.

BURGER Willy Friedrich
Né en 1882 à Zurich. Mort en 1964 à Rüschlikon. xxᵉ siècle. Suisse.
Peintre de paysages, paysages de montagne.
Il fut également graphiste à Londres, Philadelphie et New-York.
Ventes Publiques : Zurich, 14 mai 1982 : *Paysage*, h/t (64x80) : **CHF 2 200** – Zurich, 20 sep. 1985 : *Piz Campascio* 1943, h/isor. (48x80,5) : **CHF 2 000** – Lucerne, 6 nov. 1986 : *Paysage montagneux*, h/t (38x55) : **CHF 3 800.**

BURGER-HARTMANN Sophie
Née en 1868 à Munich. xixᵉ siècle. Vivant à Charlottenbourg. Allemande.

Sculpteur et peintre.
Cette artiste commença ses études de peinture à Munich et à Paris, mais dans l'art plastique, elle n'eut d'autre professeur qu'elle-même. Elle exposa à Paris en 1900 où elle reçut une médaille d'argent et dans la même année fut récompensée d'une médaille d'or à la Women's Exhibition de Londres. Outre des bronzes décoratifs et des supports de candélabres, de glaces, etc., elle exécuta des statuettes. Mariée au peintre de portraits suisse Fritz Burger.

BURGER-WILLING Willi Hans
Né en 1882 à Cologne. Mort en 1969 à Untermaubach. XXe siècle. Allemand.
Peintre de genre, scènes animées, intérieurs, animalier.
VENTES PUBLIQUES : COLOGNE, 25 juin 1976 : *Retour de chasse*, h/t (80x70) : **DEM 2 000** – COLOGNE, 19 oct. 1979 : *Paysan avec deux chevaux de trait*, h/pan. (60,5x80,5) : **DEM 5 300** – COLOGNE, 21 mai 1981 : *Le laboureur*, h/t (70x80) : **DEM 4 000** – COLOGNE, 28 oct. 1983 : *Berger et troupeau de moutons*, h/t (70x80) : **DEM 3 000** – COLOGNE, 27 mars 1987 : *Le port de Duisburg*, h/pan. : **DEM 1 100** – COLOGNE, 23 mars 1990 : *Intérieur de maison rustique*, h/t (110x100) : **DEM 1 300** – COLOGNE, 28 juin 1991 : *Paysanne dans une prairie à l'orée d'un bois*, h/pan. (38x52) : **DEM 2 000**.

BÜRGERS Félix
Né en 1870 à Cologne. XIXe siècle. Travaillant à Dachau à partir de 1900. Allemand.
Peintre de paysages.
VENTES PUBLIQUES : COLOGNE, 20 mars 1981 : *Paysage à l'église*, h/t (66,5x88) : **DEM 3 300**.

BURGERS Hendrik ou Hendricus Jacobus
Né le 9 janvier 1834 à Huissen (près de Arnhem). Mort le 11 octobre 1899 à Paris. XIXe siècle. Hollandais.
Peintre de genre.
Cet artiste fut élève du sculpteur Louis Royer et de Josef Israëls. Il travailla à La Haye, puis à Paris où il a exposé régulièrement aux Salons. Il fut décoré de la Légion d'honneur.
MUSÉES : AMSTERDAM : *Enterrement israélite* – AMSTERDAM (Mus. mun.) : *L'orpheline* – *La jeune malade* – *En meilleure voie* – SHEFFIELD : *Amoureux Hollandais*.
VENTES PUBLIQUES : LA HAYE, 1871 : *La Veuve du pêcheur* : **FRF 1 909** – LA HAYE, 1889 : *La Petite malade* : **FRF 1 600** – PARIS, 12 et 13 juin 1908 : *Moines conduisant une sœur malade* : **FRF 280** ; *Jeune femme peintre* : **FRF 100** ; *Le Sommeil de la Vierge* : **FRF 225** – LONDRES, 25 jan. 1908 : *La Famille du pêcheur* : **GBP 31** – PARIS, 25 fév. 1922 : *Le Maréchal Ferrant* : **FRF 500** – PARIS, 12 mai 1928 : *La Rue des Martyrs à Paris* : **FRF 360** – PARIS, 18 juin 1930 : *La lettre* : **FRF 720** – PARIS, 6 et 7 juin 1932 : *Jeune femme lisant* : **FRF 520** – PARIS, 7 fév. 1951 : *L'heureuse famille* : **FRF 36 500** – PARIS, 15 mars 1976 : *Femme de profil*, h/pan. (19x14,5) : **FRF 1 650** – LONDRES, 23 fév. 1977 : *Les Amoureux en danger 1866*, h/t (31,5x45,7) : **GBP 1 000** – NEW YORK, 5 mars 1981 : *Jeune fille rangeant du linge 1873*, h/pan. (37,5x21,5) : **USD 2 300** – AMSTERDAM, 15 mai 1984 : *Avec l'aide du père 1872*, h/t (99,5x146) : **NLG 7 400** – AMSTERDAM, 3 sep. 1988 : *La lettre d'amour*, h/t (50x62) : **NLG 3 450** – BERNE, 6 oct. 1988 : *Sous le regard maternel*, h/t (60x92) : **CHF 8 000** – PARIS, 11 juin 1991 : *La jeune fille sur l'échelle*, h/t (65,5x45) : **FRF 36 000** – AMSTERDAM, 8 fév. 1994 : *Flirt sous le pont d'un bateau 1867*, encre et aquar./pap. (33x47) : **NLG 3 680** – LUDLOW (Shropshire), 29 sep. 1994 : *L'escarpolette*, h/pan. (34x27) : **GBP 2 530**.

BURGERS Michael ou Burghers
Né vers 1640. XVIIe siècle. Hollandais.
Graveur de portraits.
Il vint se fixer à Oxford vers 1676 et y était encore en 1699. Il a surtout gravé des portraits, en partie d'après ses dessins, en partie d'après des œuvres de maîtres comme D. Loggan, W. Crowne, etc.

BÜRGERS-LAURENZ Gertrud
Née en 1874. XIXe siècle. Allemande.
Peintre de portraits.
Vivant depuis 1901 à Dachau, elle épousa Félix Burgers.

BURGES Ettore
XVIe siècle. Actif à Naples. Italien.
Peintre.

BURGES William
Né le 2 décembre 1827. Mort le 20 avril 1881 à Kensington. XIXe siècle. Britannique.
Peintre et architecte.
Fils d'un ingénieur. Il exécuta d'importants travaux d'architectures, notamment ceux de la restauration de la cathédrale de Lille en 1856. Il fut associé de la Royal Academy. Il fit pour sir Fred Leighton des études de vêtements sacerdotaux et d'accessoires religieux en vue du tableau : *La Madone de Cimabue*, conservé au Palais de Buckingam.
MUSÉES : LONDRES (Victoria and Albert Museum) : Aquarelles.

BURGESS
XVIIIe siècle. Britannique.
Peintre de portraits.
Il exposa de 1770 à 1775 à la Society of Artists et à la Free Society, à Londres.

BURGESS A.
XIXe siècle. Britannique.
Graveur.
Il exposa en 1866 et 1867 à la Royal Academy, à Londres.

BURGESS Adélaide
XIXe siècle. Active à Leamington. Britannique.
Peintre de genre.
Elle exposa de 1857 à 1872 à la Royal Academy, à Londres. Un certain Water-Colours Museum, à Londres, conserve d'elle : *Petites filles mendiant*.

BURGESS Arthur James Wetherall
Né le 6 janvier 1879 à Bombala. Mort en 1957. XIXe-XXe siècles. Australien.
Peintre de marines.
Il exposa à Londres et à Paris. Il fut également éditeur d'art.
MUSÉES : BRISTOL : *Traversant l'Atlantique*, aquar. – *Franchissant la barre* – *L'Entrée du port de Sydney* – *En partance* – *La Flotte de Fairfield*.
VENTES PUBLIQUES : CHESTER, 24 juin 1982 : *Arctic convoy*, h/t (61x101,5) : **GBP 580** – PARIS, 10 juil. 1983 : *Le De Grasse*, h/t (55x90) : **FRF 10 500** – LONDRES, 9 nov. 1984 : *Le Pouvoir de la mer*, h/t (73,5x99) : **GBP 500** – LONDRES, 3 juin 1986 : *Gravesend*, h/t (45,5x61) : **GBP 3 200** – LONDRES, 1er déc. 1988 : *Yacht et son remorqueur prenant le large*, aquar. avec reh. blancs (60,9x81,3) : **GBP 2 420** – LONDRES, 5 oct. 1989 : *Le vent et la vapeur : rivalité*, h/t (78,7x104,2) : **GBP 7 810** – LONDRES, 22 mai 1991 : *Remorquage*, h/t (73x91) : **GBP 2 640** – LONDRES, 20 mai 1992 : *Bateaux à l'ancrage*, h/cart. (44x59) : **GBP 3 520** – LONDRES, 16 juil. 1993 : *Le Cuirassé Iron Duke*, h/t (61x91,5) : **GBP 3 565** – LONDRES, 30 mai 1996 : *H. M. S. Achilles*, h/t (61,5x104) : **GBP 1 610** – PERTH, 26 août 1996 : *La Pêche au saumon*, aquar. (35,5x54) : **GBP 1 035**.

BURGESS Eliza Mary
Née le 2 mars 1878 à Waltomstow (Essex). XXe siècle. Britannique.
Peintre de portraits, figures, paysages, miniaturiste.
Elle est membre de la Royal Society of Miniature Painters et de la Royal West of England Academy.

BURGESS Florence
XIXe siècle. Britannique.
Peintre de genre.
Elle exposa de 1885 à 1890 à la Royal Academy, à Suffolk Street et à la Old Water-Colours Society, à Londres.

BURGESS Frank Gelett
Né le 30 janvier 1866 à Boston (Massachusetts). XIXe siècle. Américain.
Dessinateur-caricaturiste.

BURGESS Frederik
XIXe siècle. Britannique.
Peintre de paysages.
Il exposa de 1882 à 1892 à la Royal Academy, à Suffolk Street, à la New Water-Colours Society et à la New Gallery, à Londres.

BURGESS H., Miss
XIXe siècle. Britannique.
Peintre de genre.
Elle exposa de 1857 à 1865 à Suffolk Street à Londres.

BURGESS H. W.
XIXe siècle. Britannique.
Paysagiste.
Fils du peintre de portraits William Burgess et père de John-Bagnold Burgess. Il exposa à Londres de 1809 à 1844 un grand nombre d'œuvres à la Royal Academy, à la British Institution, à

Suffolk Street et à la New Water-Colours Society. Il fut nommé en 1826, sous le règne de Guillaume IV, peintre de la cour.

BURGESS Harry George
Né en 1831. XIXe siècle. Américain.
Peintre.
Il vécut à Boston vers 1907 et fut membre du Boston Art Club.
VENTES PUBLIQUES : SAN FRANCISCO, 21 juin 1984 : *Yosemite Valley, California*, h/cart. (18x25,5) : **USD 2 000.**

BURGESS Ida J.
Née à Chicago (Illinois). XIXe siècle. Américaine.
Peintre.
Élève de W. M. Chase et de Shirlaw à New York, cette artiste acheva ses études à Paris avec Luc-O. Merson. Elle se spécialisa dans la décoration murale et obtint un prix pour des dessins de ce genre à l'Exposition Universelle de Chicago de 1893. Membre du New York Woman's Art Club et de la Chicago Society of Artists.

BURGESS J.
XIXe siècle. Vivant à Londres. Britannique.
Peintre de paysages et de natures mortes.
Il exposa à la Royal Academy de Londres, entre 1803 et 1811.

BURGESS John
Mort en 1874. XIXe siècle. Britannique.
Peintre de paysages, marines, architectures, aquarelliste, dessinateur.
Il est le père de John Cart Burgess. Il exposa en 1838, 1860 et 1861 à la Royal Academy et aussi à la Water-Colours Society, à Londres. Il a peint surtout à l'aquarelle.
VENTES PUBLIQUES : LONDRES, 10 fév. 1981 : *The Town Hall Brunswick – Château Gaillard*, deux aquar. et cr. (55,5x37,5) : **GBP 240** – LONDRES, 15 mars 1984 : *Barques de pêche à Gand*, aquar. et gche (47x63,5) : **GBP 800.**

BURGESS John
XIXe siècle. Britannique.
Peintre de sujets de genre, portraits, miniaturiste.
Il exposa à Londres, à la Royal Academy entre 1817 et 1840, à la British Institution en 1817 et 1826.

BURGESS John Bagnold
Né en 1830 à Chelsea. Mort en 1897 à Londres. XIXe siècle. Britannique.
Peintre de genre.
Fils de H. W. Burgess. Élève de J. M. Leigh et, à partir de 1851, de la Royal Academy, dont il devint associé en 1877 et membre en 1899. Ses sujets sont empruntés presque toujours à la vie espagnole. Entre autres, on cite : *Bravo Toro* (1865), *Volé par les bohémiens* (1868), *Le Barbier prodige* (1875), *Les Mendiants chassés* (1877), *L'Écrivain public* (1882), *L'artiste faisant l'aumône* (1886).
MUSÉES : HAMBOURG : *Zehra, jeune fille maure* – LEICESTER : *Catéchisant* – LIVERPOOL : *Le Vieux Héros* – LONDRES : *Portrait de Herbert Spencer* – READING : *Une aumône d'artiste.*
VENTES PUBLIQUES : LONDRES, 1874 : *Le premier éventail* : **FRF 6 825** – LONDRES, 1883 : *Le Renvoi des mendiants (Espagne)* : **FRF 29 137** ; *A toute vitesse pour trouver de l'eau (Maroc)* : **FRF 8 530** – LONDRES, 1896 : *L'aumône pour l'amour de Dieu* : **FRF 8 400** – LONDRES, 25 jan. 1908 : *Une beauté espagnole* : **GBP 22** – LONDRES, 15 fév. 1908 : *Zuleria* : **GBP 21** – LONDRES, 7 mars 1908 : *Un cigarier de Séville* : **GBP 52** – LONDRES, 29 mai 1908 : *Le premier éventail* : **GBP 2** – LONDRES, 25 juin 1908 : *Le Génie de la famille* : **GBP 110** – LONDRES, 11 nov. 1908 : *Allant au bal* : **GBP 49** – LONDRES, 30 nov. 1908 : *Autour du brasier* : **GBP 94** ; *Le Chant d'amour* : **GBP 21** – LONDRES, 17 avr. 1909 : *Une beauté espagnole* : **GBP 13** – LONDRES, 18 juin 1909 : *Le Retour de la victoire* : **GBP 30** – LONDRES, 19 juil. 1909 : *Les Trois Ages* : **GBP 71** – LONDRES, 15 juil. 1910 : *Une beauté espagnole* : **GBP 12** – LONDRES, 17 fév. 1922 : *Une citation biblique 1875* : **GBP 22** – LONDRES, 21 avr. 1922 : *Une beauté espagnole* : **GBP 21** – LONDRES, 17 mai 1923 : *Le thé* : **GBP 21** ; *Les Mendiants insolents* : **GBP 53** – LONDRES, 24 nov. 1926 : *Jeune Espagnole au balcon 1878* : **GBP 16** – LONDRES, 16 déc. 1929 : *Les Présentations* : **GBP 35** – LONDRES, 4 avr. 1930 : *Dans le jardin 1875* : **GBP 7** – LONDRES, 27 mars 1931 : *Beauté espagnole* : **GBP 8** – LONDRES, 12 mai 1932 : *La Demande en mariage* : **GBP 11** – LONDRES, 21 déc. 1933 : *Le Château de Douvres*, dess. : **GBP 4** – LONDRES, 21 mars 1935 : *Les Heures de loisir 1875* : **GBP 5** – LONDRES, 26 avr. 1937 : *Jeune Épousée espagnole* : **GBP 11** – LONDRES, 25 nov. 1938 : *L. B. Barnard* : **GBP 13** – LONDRES, 9 fév. 1944 : *Jeune Fille de Séville* :

GBP 46 – LONDRES, 21 avr. 1961 : *Personnage écrivant une lettre* : **GBP 231** – LONDRES, 22 jan. 1965 : *Retour de la messe* : **GNS 200** – LONDRES, 14 juil. 1972 : *Les Étudiants de Salamanque 1867* : **GNS 550** – LONDRES, 29 juin 1976 : *Le Marchand d'éventails*, h/t (90x112) : **GBP 2 500** – NEW YORK, 14 oct. 1978 : *Les Jeunes Mariés à la sortie de l'église 1884*, h/t (119x181,5) : **USD 6 000** – LONDRES, 15 mai 1979 : *Jeune fille au tambourin 1874*, h/t (54x41) : **GBP 1 400** – NEW YORK, 20 avr. 1983 : *Portrait de jeune gitane*, h/t (41x32) : **USD 2 000** – LONDRES, 26 mai 1983 : *A New Waltz 1875*, aquar. (36x25,5) : **GBP 550** – NEW YORK, 21 mai 1986 : *The Meal at the fountain : Spanish mendicant students 1883*, h/t (120,7x181,6) : **USD 25 000** – LONDRES, 21 mars 1990 : *Feliciana* ; *Une gitane espagnole 1876*, h/t, une paire (82x62,5) : **GBP 3 850** – LONDRES, 13 juin 1990 : *Pour aller au bal 1875*, h/t (83x64) : **GBP 4 950** – LONDRES, 13 fév. 1991 : *Petite Gitane espagnole*, h/t (101x74) : **GBP 4 400** – LONDRES, 5 juin 1991 : *L'Offrande*, h/t (66x42) : **GBP 3 960** – LONDRES, 11 oct. 1991 : *Préparatifs 1848*, h/pan. (25,4x20,7) : **GBP 1 430** – LONDRES, 12 juin 1992 : *Une beauté de Séville*, h/t (66,7x48,2) : **GBP 3 850** – LONDRES, 3 fév. 1993 : *Le Jour de la Saint-Valentin 1882*, h/pan. (28x21,5) : **GBP 6 325** – NEW YORK, 26 mai 1993 : *Rencontre de l'orient et de l'occident 1874*, h/t (54x71,8) : **USD 16 100** – LOKEREN, 15 mai 1993 : *Beauté espagnole*, h/t (71x91) : **BEF 110 000** – LUDLOW (Shropshire), 29 sep. 1994 : *Sans ressources*, h/t (93x126) : **GBP 12 650** – LONDRES, 27 mars 1996 : *Danseuse napolitaine*, h/t (66x48) : **GBP 4 140** – LONDRES, 7 nov. 1996 : *Sur le balcon*, h/t (61x45,7) : **GBP 2 875** – NEW YORK, 24 oct. 1996 : *Le Moment de la sieste 1872*, h/t (81,3x111,8) : **USD 27 600** – LONDRES, 5 juin 1997 : *Beauté espagnole 1876*, h/t (68,6x50,3) : **GBP 5 750.**

BURGESS John Cart OU Burgess of Leamington
Né en 1798. Mort en 1863 à Leamington. XIXe siècle. Britannique.
Peintre aquarelliste de fleurs et de fruits.
John Burgess exposa plusieurs fois à la Royal Academy et à la Suffolk Street Gallery. Fils du portraitiste William Burgess.
VENTES PUBLIQUES : LONDRES, 22 fév. 1908 : *La Petite bouquetière* : **GBP 26** – LONDRES, 28 avr. 1983 : *Glenarm castle, county Antrim*, aquar./trait de cr. reh. de gche (14,5x26) : **GBP 400.**

BURGESS Ruth Payne, Mrs John W. Burgess
Née au XIXe siècle à Montpellier (Vermont). Morte en 1934. XIXe-XXe siècles. Américaine.
Peintre de portraits.
Elle fut membre et élève de l'Art Students' League de New York et du Woman's Art Club.
VENTES PUBLIQUES : NEW YORK, 18 fév. 1986 : *Boy in white 1904*, h/t (160x73) : **USD 1 000** – NEW YORK, 24 juin 1988 : *Portrait d'un jeune garçon 1904*, h/t (160x100) : **USD 1 430.**

BURGESS Thomas
Né en 1784. Mort en 1807 à Londres. XVIIIe-XIXe siècles. Actif à Londres. Britannique.
Peintre de paysages.
Il débuta fort jeune dans la carrière artistique et exposa, entre 1802 et 1806, à la Royal Academy.

BURGESS Thomas
XVIIIe siècle. Britannique.
Peintre d'histoire, paysages, portraits.
Élève de l'Académie de Saint-Martin's Lane. Il fonda une École d'art à Maiden Lanes, dont il fut directeur pendant plusieurs années. Ses œuvres furent exposées à la Incorporated Society et à la Royal Academy. Elles sont datées de 1766 à 1786. Père du portraitiste William Burgess.

BURGESS W.
XIXe siècle. Actif à Douvres. Britannique.
Peintre et aquarelliste.
Cet artiste exposa des paysages et des aquarelles à la Royal Academy et à Suffolk Street, de 1838 à 1856. La collection d'aquarelles du Victoria and Albert Museum conserve de lui : *Le château de Douvres* (1860) et *Paysage.*

BURGESS Walter William
XIXe-XXe siècles. Britannique.
Graveur.
Il exposa à la Royal Academy entre 1874 et 1903.

BURGESS William
Né en 1755 en Angleterre. Mort en 1813 à Fleet, en Lincolnshire. XVIIIe-XIXe siècles. Britannique.
Graveur d'architectures.
On cite de lui des gravures représentant des églises de son pays.

BURGESS William
Né en 1749 en Angleterre. Mort en 1812 à Londres. XVIIIe-XIXe siècles. Actif à Londres. Britannique.
Peintre de portraits.
Fils de Thomas Burgess. Il exposa de nombreux portraits et quelques paysages à la Society of Artists (1762-91), à la Free Society (1770-1772), à la Royal Academy (1774-1811).

BURGESS William Oakley
Né en 1818 à Londres. Mort en 1844 à Londres. XIXe siècle. Britannique.
Graveur à la manière noire.
Il fut élève de Lupton. On cite de lui des planches d'après Sir Thomas Lawrence, considérées comme ses meilleures œuvres, notamment un portrait du duc de Wellington.

BURGGRAAF
XIXe siècle. Actif dans la première moitié du XIXe siècle. Belge.
Lithographe.
Il fit des portraits de H. Cuypers, A.-C. Lens, C.-J. Herreyns, G.-L. Godecharle, etc.

BURGGRAF Karl
Né en 1803 à Halberstadt. XIXe siècle. Actif à Berlin. Allemand.
Portraitiste et peintre de genre.
Élève de Herbig et de Hensel à Berlin et aussi à l'Académie de cette ville.

BURGGRAFF Gaston Frédéric de
Né à Dublin, de parents français. XIXe-XXe siècles. Français.
Peintre.
Élève de Cormon. Sociétaire des Artistes Français depuis 1889. Il a exposé au Salon de cette association et au Salon d'Automne. Il obtint une mention honorable en 1891, une médaille de bronze à l'Exposition Universelle de 1900, une médaille de troisième classe en 1901. Prix de Raigecourt-Goyon en 1909.

BURGH Albertus Van der. Voir **BURCH**

BURGH Cornelis Jacobsz Van der
Né en 1640 à La Haye. XVIIe siècle. Actif à Amsterdam. Hollandais.
Peintre de genre.
VENTES PUBLIQUES : NEW YORK, 31 mai 1990 : *Personnages faisant la fête dans un bateau des docks d'un port italien imaginaire*, h/t (88,3x107,3) : **USD 14 300.**

BURGH H.
XVIIIe siècle. Actif à Londres vers 1750. Britannique.
Graveur.
Burgh fit principalement des portraits ; on cite notamment celui de *Thomas Bradbury*, dessiné et gravé par lui.

BURGH Hendrick Van der
Né en 1627. Mort après 1668. XVIIe siècle. Éc. flamande.
Peintre de compositions animées, scènes de genre, paysages.
Père de Rochus Hendricksz Van der Burgh, il travaillait à Delft et à Leyde.
VENTES PUBLIQUES : PARIS, 1er juin 1927 : *Vache et moutons au pâturage* : FRF 480 – RUMBEKE, 20-23 mai 1997 : *Pêcheurs sur la grève*, h/cuivre, de forme ovale (8x10,6) : **BEF 75 744.**

BURGH Hendrik Adam Van der
Né en 1798 à La Haye. Mort en 1877. XIXe siècle. Hollandais.
Peintre d'animaux, paysages animés.
Il est le fils de Hendrick Van der Burgh. Il travailla à La Haye et peignit des paysages avec animaux.
MUSÉES : AMSTERDAM : *L'heure de la traite.*
VENTES PUBLIQUES : COLOGNE, 21 mars 1980 : *L'heure de la traite*, h/pan. (75x106) : **DEM 6 500** – AMSTERDAM, 20 juin 1989 : *Voyageur bavardant avec une gardienne de troupeau près d'une rivière*, h/pan. (44,7x53,5) : **NLG 2 070** – AMSTERDAM, 9 nov. 1993 : *Bétail dans un paysage*, h/t (28x38,5) : **NLG 2 300** – LONDRES, 26 mars 1997 : *Vaches à la ferme*, h/t (57,5x78,5) : **GBP 4 830.**

BURGH Hendrik Van der
Né en 1769 à La Haye. Mort le 15 septembre 1858 à La Haye. XVIIIe-XIXe siècles. Hollandais.
Peintre de genre, animaux, paysages animés, intérieurs, lithographe.
Il est le père de Hendrik Adam et de Pieter Daniel van der Burgh.
Il peignit des intérieurs avec des effets de perspective et des paysages avec animaux. Il est peut-être à rapprocher de Henry Van der Burch.
MUSÉES : AMSTERDAM : *Quand les vaches ont été traites.*
VENTES PUBLIQUES : BRUXELLES, 1865 : *Village saccagé, pillé et incendié pendant la guerre* : FRF 34 – PARIS, 1897 : *La Récureuse* : FRF 105 – AMSTERDAM, 2 nov. 1965 : *L'heure de musique* : NLG 2 400 – AMSTERDAM, 28 nov. 1967 : *Famille dans un intérieur* : NLG 3 800 – LONDRES, 12 oct. 1984 : *Mère et enfant*, h/pan. (33,6x27,3) : GBP 950 – COLOGNE, 22 mai 1986 : *Femme dans une cuisine*, h/pan. (47x63,5) : DEM 6 500 – NEW YORK, 15 jan. 1988 : *Famille près d'une fenêtre dans un intérieur*, h/t (57,2x63,5) : USD 198 000 – AMSTERDAM, 8 nov. 1994 : *Un gamin et son cheval sortant d'une stalle*, h/pan. (33,5x40) : NLG 4 370.

BURGH Hippolyte Jacques Van der
XIXe siècle. Actif vers 1837. Français.
Peintre de paysages.
Fils et élève d'André Van der Burgh ; il travailla aussi avec Guérin et David.

BURGH Jacques Van der
XVIIIe siècle. Actif vers 1760. Hollandais.
Peintre paysagiste.
Descamps mentionne des tableaux de lui à Lille et Tournai.

BURGH Pieter Daniel Van der
Né en 1805 à La Haye. Mort en 1879. XIXe siècle. Hollandais.
Peintre de paysages animés, paysages urbains.
Il est le second fils de Hendrik van der Burgh. Il vécut et travailla dans sa ville natale. Il peignit des vues de villes.
MUSÉES : AMSTERDAM : *La Gevangenpoort et la Plaats à La Haye.*
VENTES PUBLIQUES : AMSTERDAM, 20 avr. 1993 : *Vaste paysage estival avec des paysans sur un chemin*, h/pan. (49,5x65,5) : NLG 9 200 – AMSTERDAM, 8 nov. 1994 : *Le dresseur de chiens*, h/pan. (32,5x24) : NLG 9 775.

BURGH R. Van
XVIIe siècle. Hollandais.
Peintre de natures mortes.

MUSÉES : AMSTERDAM : *Poissons de mer.*

BURGH Rochus Hendricksz Van der
XVIIe siècle. Hollandais.
Peintre.
Il est le fils de Hendrick Van der Burgh.

BURGHART Hermann
Né en 1834. Mort en 1901. XIXe siècle. Actif à Vienne. Autrichien.
Peintre de figures, peintre de décors de théâtre.
VENTES PUBLIQUES : AMSTERDAM, 5 mars 1984 : *Le petit pêcheur d'écrevisses 1872*, h/t (68,5x55,5) : NLG 3 200.

BURGHART Jacob
XVIIe siècle. Hollandais.
Graveur.
On cite de lui : *Portrait de Menno Simonis assis et écrivant*, 1663.

BURGHERS Michael. Voir **BURGERS**

BURGHERST Priscilla Anne, Lady countess of Westmoreland. Voir **WESTMORELAND**

BURGI Peter ou (faussement) **Burg**
XVIIIe siècle. Vivait en Suisse vers 1735. Suisse.
Peintre et verrier.
Membre de la Confrérie de Saint-Luc de Fribourg, vers 1735.

BURGIN Elisabeth Mary
Née à Bâle (Suisse). Morte en 1965 à Paris. XXe siècle. Active en France. Suissesse.
Peintre de figures, compositions à personnages, dessinateur, graveur.
Elle s'établit à Paris vers 1940 et se fit connaître par ses dessins et gravures, prenant pour modèles les habitués des cafés de Montparnasse, les gens des petits métiers et les vagabonds de la ville. Elle a illustré *Poisons*, recueil de souvenirs de café de Léon-Paul Fargue.

BURGIN Ella
XXe siècle. Suisse (?).

Peintre. Abstrait, tendance informel.

Elle a exposé au deuxième Salon des Réalités Nouvelles en 1947 puis en 1950 et 1953. Elle est peut-être identique à Elisabeth Mary BURGIN.

BURGIN Victor

Né en 1941 à Sheffield (Grande-Bretagne). XXᵉ siècle. Britannique.

Artiste multimédia. Conceptuel.

Il a fréquenté la Royal Academy of Art (1962-1965) de Londres, puis l'Université Yale (1965-1967). Il vit et travaille à Londres.

Il a participé à de nombreuses expositions collectives d'art contemporain et plus particulièrement d'art conceptuel : 1969, *Quand les attitudes deviennent formes*, Institut d'Art Contemporain de Londres ; 1970, galerie Paul Maenz, Cologne ; 1970, galerie Daniel Templon, Paris et Milan ; 1970, *Information*, Museum of Modern Art de New York ; 1971, Biennale de Paris et de Sao-Paulo ; 1972, Documenta de Cassel ; 1978, Van Abbe Museum d'Eindhoven ; 1978, il entre à la galerie Durand-Dessert, ; 1986, Institut d'Art Contemporain, Londres ; 1989, *L'art conceptuel, une perspective*, ARC, Musée d'Art Moderne de la ville de Paris ; 1991, Musée d'Art Moderne de Villeneuve-d'Ascq ; 1992 Musée d'Art Moderne de Blois ; 1995, Biennale de Lyon (consacrée à l'art vidéo).

Le propos de Victor Burgin s'est développé à partir de l'attention apportée aux conditions dans lesquelles une œuvre est perçue et représentée (*Photopath*). Il a ensuite mis en valeur la formulation du message plutôt que son support matériel, puisant dans l'infrastructure linguistique des nouvelles formes de création. À cette époque il prend pour référence des textes de Marx, Freud, Foucault, pour s'engager dans une contestation de l'oppression socio-économico-idéologique et, dans le domaine de l'art, combat la dérive du groupe conceptuel Art & Language, trop éloigné du réel censé être décodé. À partir des années soixante-dix, il expose des propositions écrites mêlées simultanément de commentaires des spectateurs, peu de temps après, il présentera des textes et des photographies publicitaires où s'élaborent les prémisses d'une critique sociale plus avancée. Ces travaux font participer activement les spectateurs-acteurs à la création d'un nouvel espace social. Aiguisant dans ce domaine sa réflexion, Victor Burgin a plus récemment pris pour thème de ses recherches les différentes formes de pouvoir et la sexualité. Ces œuvres à dominante littéraire sont conçues sur les modes d'associations automatiques, calqués sur ceux des rêves. Au formalisme logique de l'école conceptuelle, Burgin répond par la réintégration de la psychologie et de ses mécanismes : « Je me sers donc de la distinction freudienne traditionnelle entre manifeste et latent, et aussi du sentiment traditionnel que ce qui est latent, c'est ce qui est refoulé ». Quant à l'aspect plastique de ses compositions, elles juxtaposent en les confrontant les supports différents – toile, papier photographique, formica – et les langages qui s'y rapportent – peinture, images photographiques et traitées par ordinateur... L'acte de produire ces œuvres (acte du créateur mais aussi acte re-créateur du spectateur que lui est) est ce qui leur confère leur signification et leur intérêt : « Ce qui m'intéresse le plus, en fait, ce sont les manières dont notre expérience de la vie réelle, du monde réel, est perçue à travers la médiation du souvenir et du phantasme. C'est de cela dont il s'agit sous une forme ou sous une autre, dans toute mon œuvre ». ■ F. M., C. D.

Bibliogr. : Catherine Millet : *L'Art de la fin de l'an 10 ans après*, in : *Art Press* nᵒ 51, Paris, 1981 – Catal. de l'exposition *L'art conceptuel, une perspective*, ARC, Musée d'Art Moderne de la ville de Paris, 1989 – in : *Dictionnaire de la Peinture Anglaise et Américaine*, Larousse, Paris, 1991 – Corinne Pencenat : *Victor Burgin*, in : *Beaux-Arts*, nᵒ 97, Paris, nov. 1991.

Musées : LILLE (FRAC, Nord-Pas-de-Calais) : *Any moment* 1970 – *All substancial things* 1970 – LYON (Mus. d'Art Contemp.) – PARIS (FNAC).

Ventes Publiques : NEW YORK, 23-25 fév. 1993 : *St Laurent entraine un tout autre style de vie* 1976, photo. avec texte imprimé (102x155) : **USD 1 725** – NEW YORK, 9 mai 1996 : *AAll creteria..* 1969, texte dactylographié sur deux feuilles de pap. (29,7x21) : **USD 690**.

BURGIS William

XVIIIᵉ siècle. Vivait en 1717-1729. Américain.

Graveur.

BURGISSER Melchior

XVIIᵉ siècle. Actif à Bremgarten en 1667. Suisse.

Peintre.

Il décora en 1667 la salle du couvent au cloître Rheinau.

BURGISSER Xaver

XVIIIᵉ siècle. Travaillait à Lucerne, vers 1787. Suisse.

Pastelliste de portraits.

On connaît de lui un portrait du peintre Melchior Wyrsch, exécuté à Lucerne en 1787.

BURGKAN Berthe, Mlle

Née à Paris. Morte entre 1936 et 1938. XIXᵉ-XXᵉ siècles. Française.

Peintre.

Élève de l'École Nationale des Beaux-Arts et de M. Jacquesson de la Chevreuse. Elle exposa aux Salons, à partir de 1878, des portraits sous initiales et des dessins. Sociétaire des Artistes Français depuis 1883. Mention honorable en 1885 et à l'Exposition Universelle de 1889.

BURGKESER Johann Melchior ou Burgkeser

XVIIᵉ siècle. Travaillait à Soleure vers le milieu du XVIIᵉ siècle. Suisse.

Peintre.

Bourgeois de Bremgarten (Aargau) ; il devint membre de la confrérie de Saint-Luc à Soleure, en 1656, et fournit un dessin au lavis représentant son écusson d'artiste, avec une devise en latin pour le livre de la confrérie.

BURGKLY-GLIMMER E. J., Mme veuve

XIXᵉ siècle. Vivait vers 1842. Hollandaise.

Peintre de natures mortes.

Le Musée d'Amsterdam conserve d'elle : *Fruits, gibier et attirail de chasse* (signé Mad. Burgkly, née Hopostad, 1842).

BURGKMAIR Hans I, l'Ancien

Né vers 1473 à Augsbourg. Mort en 1531, 1533, 1553 ou 1559 à Augsbourg. XVᵉ-XVIᵉ siècles. Allemand.

Peintre de sujets religieux, scènes de genre, portraits, miniaturiste, graveur, dessinateur.

Fils du peintre allemand Thomas Burgkmair, cet artiste fut élève de Martin Schongauer, et partit dans sa dix-septième année, comme Dürer, en Italie, où il retournera plus tard, probablement entre 1506 et 1508.

Jusqu'en 1510 environ, il demeura plutôt fidèle à la vieille manière germanique dont son père lui avait donné les premiers principes, et ce ne fut qu'à partir de cette date qu'il tempéra la roideur énergique mais un peu sèche de sa technique par l'harmonie de l'école italienne que Dürer avait si généralement introduite dans son œuvre. Burgkmair s'est surtout attaché à rendre les scènes de la vie vulgaire, et cette orientation de son pinceau a encore accru ses dispositions au réalisme. Ses portraits sont très vivants, pleins de vigueur et d'éclat. Il a su rendre avec beaucoup de puissance le modelé des étoffes. Il reçut sa première commande importante, en 1501 : les religieuses de Sainte-Catherine firent peindre par différents artistes, les sept basiliques de Rome. Pour sa part, Burgkmair en exécuta trois : *Saint-Pierre* (1501), *Saint-Jean-de-Latran* (1502), *Sainte-Croix-de-Jérusalem* (1504). L'électeur Frédéric le Sage lui commanda alors un triptyque autour des *Saints Sigismond et Sébastien*, pour l'église du château de Wittemberg. En 1507, il peignit le retable, divisé en un grand nombre de compartiments, du *Rosaire*. C'est avec les deux *Vierges* du Musée de Nuremberg, peintes en 1509, 1510, que Burgkmair se libère du germanisme gothique de son style. En ce qui concerne son œuvre peinte, il produit deux grands retables : *Saint-Jean l'évangéliste* de 1518, et *La Sainte Croix* de 1519, dont le coloris éclatant et la lumière dorée sont un emprunt aux Vénitiens. Le retable du *Rosaire* de 1512, pour la chapelle Saint-Roch de Nuremberg, plus minutieux, est moins brillant dans sa facture. Pour l'électeur Guillaume IV de Bavière, il peint *Esther devant Assuérus*, peinture alourdie d'orientalisme, et *La bataille de Cannes*, en 1529. Son œuvre de dessinateur est considérable : pour les œuvres du prédicateur Gailer de Kaisersberg, puis en 1508 il donne un dessin d'après lequel Jost de Negker exécute le camaïeu représentant l'empereur Maximilien à cheval et en armure. De 1509 à 1512, il grave quatre-vingt-douze bois pour la généalogie de Maximilien, pour le service duquel il travaille désormais presque exclusivement. Il illustre les romans mythologico-historiques de l'empereur, notamment le *Theuerdank* de 1527, il collabore au *Cortège de Triomphe*, édité en 1526 par l'archiduc Ferdinand et au *Livre de Prières* de l'empereur, conservé à la Bibliothèque de Besançon. Vers 1519-1520, il produisit plusieurs suites de dessins pour la gravure : celle des

Héros, celle des *Héroïnes*, chrétiens, juifs et païens, celle des *Folies d'Amour*, où l'on retrouve Samson, David, Salomon, Aristote. En 1523, il illustra *L'Ancien Testament*, traduit par Martin Luther, sans que l'on sache avec certitude s'il était, comme Dürer, Cranach et Baldung-Grien, en communauté de pensée avec la Réforme. Un tableau du Musée de Vienne, le représentant avec sa femme, se regardant tous deux dans un miroir qui ne leur renvoie comme reflet que l'image de deux têtes de morts, thème qui évoque la proximité de Baldung-Grien, lui fut attribué jusqu'à une restauration qui permit de le rendre à Furtenagel, tout en laissant penser que Furtenagel ne peignit semblable thème que sur les indications de Burgkmair.

BIBLIOGR. : Pierre du Colombier, in : *Dict. de l'Art et des Artistes*, Hazan, Paris, 1967.
MUSÉES : AUGSBOURG : *Saint-Pierre – Saint-Jean de Latran – Sainte-Croix de Jérusalem – Retable du Rosaire* – BERLIN : *Saint Ulrich, patron d'Augsbourg – Sainte Barbe – Sainte Famille* – COLOGNE : *Portrait de Hans Schellenberger* – MUNICH (Pina.) : *Portrait du peintre Martin Schongauer – Saint Libore et Saint Eustache debout, à leurs pieds, un pestiféré – La reine Esther à genoux devant son époux – Saint Jean à Pathmos – Triptyque de la Sainte Croix* – NUREMBERG : *Saint Christophe – Marie en robe rouge – La Vierge et l'Enfant dans un paysage – Saints Sigismond et Sébastien* – STUTTGART : *Portrait d'homme* – VIENNE : *Portrait de l'artiste avec sa femme 1529*, maintenant attribué à Furtenagel.
VENTES PUBLIQUES : COLOGNE, 1862 : *Saints Dominique, Afra, Guillaume, Eberhard, Jean-Baptiste sous une arcade* : FRF 154 – PARIS, 1864 : *La présentation au temple*, dess. à la pl. reh. de blanc : FRF 73 ; *Le duc Sigismond, revêtu de son armure et représenté à genoux*, dess. à la pl. lavé d'aquar. : FRF 50 – PARIS, 1877 : *Saint Nicolas*, dess. à la pl., lavé d'aquar. : FRF 45 – PARIS, 1882 : *Soldat auprès d'un arbre ; Portrait d'homme*, deux dess. à la pl. sur le même bristol : FRF 50 – LONDRES, 27 juin 1908 : *Buste d'une jeune fille*, dess. : GBP 1 – PARIS, 8-10 juin 1920 : *La Vierge et l'Enfant*, dess. à la pl. : FRF 3 600 – LONDRES, 10 mai 1961 : *Étude pour un ours debout*, pl. et encre : GBP 4 600 – MUNICH, 23 nov. 1978 : *Triomphe de l'Empereur Maximilien Ier 1777*, suite de 12 grav. sur bois, du 2e tirage : DEM 2 100 – BERNE, 20 juin 1980 : *Vierge à l'enfant sous les treilles de la vigne*, grav./bois : CHF 64 000 – HAMBOURG, 10 juin 1983 : *Saint Luc peignant la Vierge et l'enfant*, grav./bois : DEM 4 300 – BERNE, 17 juin 1987 : *Christ sur la croix avec la Sainte Vierge et Saint Jean*, grav./bois : CHF 6 100.

BURGKMAIR Hans II, le Jeune
Né vers 1500. XVIe siècle. Allemand.
Peintre.
Il est le fils de Hans Burgkmair l'Ancien.

BURGKMAIR Thomas
XIVe-XVe siècles. Actif à Augsbourg. Allemand.
Peintre.
Père de Hans Burgkmair l'Ancien, il avait un atelier de gravure.

BURGLIN Christoph Leonhart
XVIIIe siècle. Actif à Augsbourg vers 1760. Allemand.
Graveur au burin et à la manière noire.
Élève de P.-A. Killian.

BURGMANN Johann
Originaire de Sant-Georgen près de Brunek. Mort en 1825. XVIIIe-XIXe siècles. Éc. tyrolienne.
Peintre.

BURGMEIEIR Max
Né en 1881 à Aarau. Mort en 1947. XXe siècle. Suisse.
Peintre de paysages animés.
Il exposa à Munich en 1908.
VENTES PUBLIQUES : ZURICH, 14 nov. 1986 : *Paysage du Jura*, h/t (70x90) : CHF 1 300 – BERNE, 30 avr. 1988 : *Jeune femme canotant*, h/t (66x54) : CHF 3 200.

BURGO Jean de
XVe siècle. Actif en Avignon vers 1482. Français.

Peintre.
Il est originaire de Vienne (Dauphiné).

BURGOA Videla
Née à Bernay (Eure). XXe siècle. Française.
Peintre.
Elle a exposé au Salon d'Automne de Paris.

BURGOS, de. Voir aussi au prénom.

BURGOS Diego de
Originaire de Lucena. XVIIIe siècle. Espagnol.
Sculpteur.

BURGOS Manuel Lazaro
XIXe siècle. Espagnol.
Graveur sur bois.
Collabora à de nombreuses revues périodiques.

BURGOS Y MANTILLA Francisco
XVIIe siècle. Espagnol.
Peintre.
Il fut élève de Velasquez.

BURGOS Y MANTILLA Isidoro
XVIIe siècle. Espagnol.
Peintre et poète.

BURGOS OMS Antonio de
XIXe-XXe siècles. Espagnol.
Peintre de paysages.

BURGOT
XIVe siècle. Travaillait à Paris. Française.
Enlumineur.
Elle était fille de Jean Le Noir, enlumineur parisien, et travailla pour le roi Jean II le Bon (1358).

BURGOYNE Lorna Heywood
Née au XXe siècle à Plymton (Devonshire). XXe siècle. Britannique.
Peintre.
Associée de la Société Nationale en 1936, elle a exposé à ce Salon des scènes de marché et des fleurs.

BURGUN Georges Marcel
Né à Paris. XXe siècle. Français.
Peintre de paysages et de portraits.
Il exposa à Paris, au Salon des Artistes Indépendants à partir de 1903 et figura également au Salon d'Automne. Il habitait à Issy-les-Moulineaux, où une rue porte son nom, très près de la maison et de l'atelier de Matisse, avec lequel il était lié.
Il a peint surtout des paysages : *Le coin du banc, Au bois de Clamart*, et notamment en Bretagne. Ses peintures sont souvent marquées par l'influence du fauvisme.
VENTES PUBLIQUES : PARIS, 3 mai 1944 : *Le moulin au bord de la Rance* : FRF 650 ; *Jardin au bord de la Rance* : FRF 550.

BURGUNKER Jevgeny Ossip
Né en 1906 à Nikolajev. XXe siècle. Russe.
Dessinateur.
Il fut élève de Vladimir Favorsky en 1930 à Moscou, où il vit et travaille.

BÜRGY Emmanuel
Né le 5 février 1863 à Bâle. XIXe siècle. Actif à Munich. Suisse.
Peintre de paysages, architectures, dessinateur, illustrateur.
Bürgy commença ses études avec le Dr Schider, passa à Karlsruhe, et termina son instruction artistique à Berlin, avec Eugen Bracht et dans l'atelier particulier de K. Knirr, à Munich.
Cet artiste, qui se spécialisa dans le paysage et les vues architecturales, dessina aussi à la plume et publia en 1901 une série de vues anciennes de châteaux et des ruines des environs de Bâle.

BÜRI Friedrich ou **Bury**
Né en 1763 à Hanau (Hesse). Mort le 18 mars 1823 à Aix-la-Chapelle. XVIIIe-XIXe siècles. Allemand.
Peintre de sujets allégoriques, portraits.
Élève de son père, professeur de l'Académie de dessin de Hanau, et de Tischbein ; il alla à Düsseldorf et à Rome.
MUSÉES : LA HAYE : *Cupidon triomphant*.
VENTES PUBLIQUES : LONDRES, 6 avr. 1984 : *Portrait du général von Scharnhorst*, h/t (64,8x52,7) : GBP 2 500.

BURI Max Alfred
Né en 1868 à Burgdorf (canton de Berne). Mort le 21 mai 1915 à Interlaken, accidentellement. XIXe-XXe siècles. Suisse.

Peintre de portraits, de compositions à personnages, scènes de genre, paysages.

Il fit ses études au Progymnasium de sa ville natale et les poursuivit à Bâle en 1885, sous la direction de F. Schider. En 1886 il entra à l'Académie de Munich puis travailla dans l'atelier de Simon Hollosy. Il fréquenta l'Académie Julian à Paris puis retourna à Munich dans l'atelier de Albert von Keller.

Il figura dans les Expositions de Berlin, de Munich, de Paris et de la Suisse à partir de 1892. Il reçut une mention honorable à l'Exposition Universelle de Paris en 1900.

Il fut un fidèle observateur de la vie rustique suisse, laissant de nombreuses peintures de paysages et des tableaux de scènes quotidiennes et typiques. Il a multiplié les œuvres telles que : *Fille rousse – Vieux paysans – Les politiciens du village – Après l'enterrement.*

MUSÉES : BÂLE – BERNE – GENÈVE – LAUSANNE – LUCERNE – MUNICH .
VENTES PUBLIQUES : GENÈVE, 6 juin 1950 : *Paysans bernois* : **CHF 8 400** – BERNE, 18 nov. 1972 : *Portrait d'une jeune fille rousse* : **CHF 27 000** – BERNE, 21 oct. 1976 : *Portrait de vieillard* 1892, h/t (60,5x40) : **CHF 7 000** – ZURICH, 19 mai 1979 : *Le Vieil Accordéoniste* 1911, h/t (110x120,5) : **CHF 58 000** – BERNE, 22 oct. 1980 : *Nature morte aux pommes,* h/t (34x48) : **CHF 11 000** – BERNE, 24 juin 1983 : *Paysan de Brienz* 1912, h/t (40x40) : **CHF 36 000** – BERNE, 19 nov. 1984 : *Vue de Biskra, Afrique du Nord* 1890, h/pan. (32x41) : **CHF 18 000** – BERNE, 28 mai 1985 : *Nature morte aux roses et aux pommes,* h/t (35,5x48,5) : **CHF 34 000** – ZURICH, 20 nov. 1987 : *Paysage montagneux,* h/cart. (57,5x72,5) : **CHF 16 000** – BERNE, 26 oct. 1988 : *La Vierge et l'Enfant dans une roseraie près d'un lac,* h/t (110x120) : **CHF 40 000** – ZURICH, 8 déc. 1994 : *Autoportrait* 1913, h/t (48x48) : **CHF 28 750** – ZURICH, 12 juin 1995 : *Autour de la table familiale,* h/t (121x210) : **CHF 103 100** – ZURICH, 14 avr. 1997 : *Paysan bernois* 1910, h/t (33x24) : **CHF 14 950.**

BURI Rudolf
Né le 5 avril 1835 à Berne. Mort le 29 octobre 1878 à Berne. XIXᵉ siècle. Suisse.

Graveur sur bois.

Fils d'un fabricant de granit, Rudolf Buri fréquenta d'abord les écoles de son pays natal, et se développa comme graveur à Paris et à Leipzig. Dans cette dernière ville, il travailla pour l'Institut Arlaud et exécuta des illustrations pour le *Gartenlaube.* Il fonda à Berne, en s'associant avec son beau-frère Melchior Jecker, un atelier de gravure sur bois.

BURI Samuel
Né le 27 septembre 1935 à Taüffelen (Canton de Berne). XXᵉ siècle. Actif en France. Suisse.

Peintre, lithographe. Polymorphe.

Il vit en France depuis 1959-1960. Il fit ses études secondaires puis à l'École des Arts Appliqués de Bâle entre 1953 et 1956. Entre 1959 et 1971 il s'installe à Paris et depuis vit dans l'Yonne. Il a participé à Paris à des expositions collectives : aux Salons de Mai, Comparaisons, Jeune Peinture, Grands et Jeunes d'Aujourd'hui, des Réalités Nouvelles, ainsi qu'au pavillon français de l'Exposition de Montréal en 1967. Il a participé à la Biennale de São Paulo en 1959, à la Biennale des Jeunes de Paris et à la Biennale de Tokyo en 1963, à l'exposition historique *72-72* au Grand-Palais de Paris. Il a obtenu de nombreux prix : Soldari à Paris en 1963, Cent ans GSMBA à Berne en 1965, Cernys à Paris en 1967, Acquisition Lissone en Italie la même année. Il a exposé personnellement ses œuvres à partir de 1958 à Bâle, Zurich et Paris principalement.

Il commença à peindre dans un esprit post-impressionniste. Dès avant 1960, il commença par réaliser des toiles abstraites, puis s'orienta rapidement vers une « bad painting » (peinture sale) où le « dripping » emprunté à Jackson Pollock tenait une grande place, mais qu'il tendait à pratiquer dans des couleurs claires et nettes, qui caractérisent l'ensemble de son œuvre. C'est vers 1964 que s'inspirant des trames utilisées en photogravure et des nouvelles images qui en résultent, observables dans les deux courants de l'art optique et du pop art, il établit un répertoire de

rayures, stries et grilles pour les appliquer aux scènes et aux objets les plus banaux. La signification des choses et leur apparence se trouvent radicalement transformées dans cette mise-à-plat des processus de création d'une image. Il s'attache également à brouiller les frontières des catégories artistiques : une vision abstraite est contrebalancée par une image figurative, un élément figuratif est chargé de signes abstraits. Son regard posé sur les choses est plus ironique qu'il n'y paraît de prime abord, élisant, pour ses mutations savantes, les plus banales et les plus ridiculement touchantes, comme cette mutation en peinture, du paysage alpestre où paissent des vaches suisses, de l'étiquette d'une boîte de fromage ou à l'inverse transcrivant irrévencieusement des peintures, qui se croyaient à l'abri dans leurs musées, en étiquettes de couvercles de boîtes à fromage ou encore cette mutation qui consista à appliquer des trames de couleurs sur des vaches en staff grandeur nature, installées devant le Grand-Palais en 1972. Dans sa volonté bien déclarée de prendre au défaut la vision habituelle des choses, il expérimente sans cesse les matériaux nouveaux et les techniques les plus récentes. Dans ces mêmes années, il a réalisé des peintures murales à Bâle pour le restaurant de la Kunsthalle, et des panneaux de céramique pour une piscine parisienne du boulevard Carnot en 1968-1969. À Bâle encore, un aménagement de l'espace en trois dimensions est visible dans un ensemble d'habitations. Ensuite, il a peint des scènes familières dans des jardins à la campagne, continuant à exercer son humour dans le traitement mi-attendri, mi-moqueur, des sujets anecdotiques comme des photos de vacances. Quoi qu'il fasse, et bien qu'il fasse des choses apparemment sans suite, comme il sait tout faire, sa technique solidement fondée force l'adhésion. ∎ J. B.

BIBLIOGR. : Manuel Gasser : in *Du,* Zurich, août 1959 – G. Gassiot-Talabot, *Profil de Samuel Buri,* Opus International, N°1, avr. 1967 – Markus Kutter, in : Catal. de l'exposition *Samuel Buri,* Paris, 1966 – in : *Diction. Univ. de la Peinture,* Robert, Paris, 1975.
MUSÉES : BÂLE (Mus. des Beaux-Arts) – BÂLE (Kunsthalle) – BÂLE (Mus. Progressif) – GÖTEBORG – MARSEILLE (Mus. Cantini) : *Pêcher* 1981, acryl./t. – *Panneaux articulés* – PARIS (Mus. Nat. d'Art Mod.) – PARIS (Mus. d'Art Mod. de la Ville).
VENTES PUBLIQUES : VERSAILLES, 12 mars 1972 : *Le fauteuil* 1965 : **FRF 3 600** – PARIS, 8 mars 1977 : *Verdure à l'arrosoir* 1969, h/t (150x150) : **FRF 5 600** – LUCERNE, 29 mai 1979 : *Composition,* h/t (46x55) : **CHF 2 200** – BERNE, 18 juin 1980 : *Paysage* 1955, gche (48,5x64) : **CHF 2 700** – PARIS, 21 fév. 1983 : *Mimi au chat,* aquar. (58,5x80) : **FRF 4 000** – PARIS, 22 juin 1984 : *Jardin* 1974, acryl. et cr. gras/pap. (73x101,5) : **FRF 5 000** – ZURICH, 3 déc. 1987 : *Nature morte en vert* 1985, acryl./t. (46x60) : **CHF 3 500** – PARIS, 20 nov. 1989 : *Sans titre* 1964, h/t, bois et collage (46x42,5) : **FRF 8 000** – PARIS, 21 mai 1990 : *Nature morte au guéridon* 1973, gche et cr. gras (35,5x47,5) : **FRF 10 500** – ZURICH, 22 juin 1990 : *Composition* 1959, gche (50x65) : **CHF 9 000** – PARIS, 21 nov. 1992 : *Bouquet de Bâle* 1984, aquar./deux feuilles de pap. (100x142) : **FRF 11 500** – LUCERNE, 15 mai 1993 : *Gravure Monet* 1975, aquar./pap. artisanal façonné (63x90) : **CHF 4 600** – ZURICH, 14 juin 1994 : *Rivière reflétant des feuillages d'automne,* acryl./pap. (69x80) : **CHF 9 200** – LUCERNE, 20 mai 1995 : *Givry* 1961, h/t (130x162) : **CHF 29 000.**

BURIDAN Caberte
Né à Turin. XXᵉ siècle. Italien.

Peintre.

A exposé au Salon des Artistes Français à Paris en 1935.

BURIDAN Philippe
XVᵉ siècle. Actif à Arras. Français.

Peintre.

BURIE André Eugène
Né à Paris. XXᵉ siècle. Français.

Peintre de figures, de paysages et de natures mortes.

Il exposa à Paris, au Salon d'Automne, au Salon des Artistes Indépendants et au Salon de la Société Nationale des Beaux-Arts, depuis 1919.

BURILLON François
Né en 1821 à Vezeronces (Isère). Mort en 1891 à Genève. XIXᵉ siècle. Français.

Graveur.

BURILLON Ulysse
Né en 1857. Mort en 1885. XIXᵉ siècle. Suisse.

Graveur.

Il est le fils de François Burillon.

BURIN L.
XVIIIe siècle. Actif à Prague.
Graveur au burin.

BURIN Le. Voir **LE BURIN**

BURINO Antonio ou **Giovanni Antonio** ou **Gian Antonio** ou **Burini, Burrini**
Né en 1656 à Bologne. Mort à Bologne, 1727 d'après Mariette ou 1737 d'après Bryan. XVIIe-XVIIIe siècles. Italien.
Peintre d'histoire, sujets religieux, portraits, graveur, dessinateur.
Il fut d'abord élève de Domenico Canuti, mais quand celui-ci quitta Bologne, Burino passa dans l'atelier de Lorenzo Pasinelli. Il y travailla sous l'influence des œuvres de Paolo Veronese qu'il étudia. Peintre des plus heureusement doué, il ne tint pas les promesses du début de sa carrière, et Mariette dit qu'à la fin de sa vie il devint marchand de tableaux et brocanteur. Il a été comparé à Luca Giordano et à Pietro da Cortona, et Mariette trouva dans ses dessins toutes les caractéristiques d'Annibale Carracci.
VENTES PUBLIQUES : PARIS, 1756 : *Quatre pièces, dont Saint Jean-Baptiste et Saint Jean l'Évangéliste*, dess. : FRF 50 – MILAN, 10 mai 1967 : *Les musiciens* : ITL 200 000 – NEW YORK, 3 juin 1980 : *Deux guerriers combattant*, pl. et lav. (23,7x18) : USD 700 – MUNICH, 29 juin 1982 : *Homme debout*, pl. et lav. (25x19) : DEM 3 200 – NEW YORK, 7 jan. 1987 : *Tête d'homme*, craie noire reh. de blanc (40,2x28,8) : USD 3 000 – MILAN, 4 avr. 1989 : *Portrait de jeune femme*, h/t (63x50,5) : ITL 12 000.

BURIS Bortolino de ou **Bortolino de Buris**
XVe siècle. Éc. lombarde.
Peintre.

BURKARD Georges
XXe siècle. Français.
Décorateur.
Il expose au Salon d'Automne.

BURKARDT C. F.
XIXe siècle. Actif à Breslau. Allemand.
Peintre.

BURKATH Jean
XVIe siècle. Actif à Cracovie. Polonais.
Peintre.

BURKE Augustus Nicholas
Né en 1838. Mort en 1891. XIXe siècle. Actif à Dublin. Irlandais.
Peintre de paysages.
Il fut membre de la Royal Hibernian Academy. Il exposa aussi à Londres de 1863 à 1891, notamment à la Royal Academy et à Suffolk Street.
Il fut l'un des premiers artistes à venir peindre en Bretagne dans les années 1875.
VENTES PUBLIQUES : LONDRES, 21 sep. 1983 : *La basse-cour*, h/t (30,5x43) : GBP 800 – LONDRES, 26 sep. 1990 : *Bretons à la porte de l'église*, h/t (81x65) : GBP 990 – LONDRES, 2 juin 1995 : *Sous le pommier en Bretagne*, h/t (44x65) : GBP 16 100.

BURKE F.
Né vers 1764. Mort vers 1800. XVIIIe siècle. Britannique.
Graveur, dessinateur.
On cite de lui une gravure d'après George Stubbs. Peut-être est-il l'artiste qui exposa des portraits à la Society of Artists et à la Royal Academy de Londres de 1772 à 1781 ?

BURKE Harold Arthur
Né le 28 janvier 1852 à Londres. XIXe siècle. Britannique.
Peintre de figures, portraits, paysages, aquarelliste.
Il étudia à l'École de la Royal Academy et à l'École des Beaux-Arts à Paris. Il exposa à partir de 1890-1891 à la Royal Academy et à Suffolk Street, à Londres.
VENTES PUBLIQUES : LONDRES, 20 juil. 1994 : *Les mûres 1889*, h/t (76,5x63,5) : GBP 2 070.

BURKE Thomas
Né en 1749 à Dublin. Mort en 1815 à Londres. XVIIIe-XIXe siècles. Britannique.
Graveur.
Élève de Dixon, il imita pourtant la manière de Bartolozzi et d'Earlom. Ses gravures, principalement d'après Cipriani et Angelica Kauffmann, furent presque toujours imprimées en rouge ou en brun. Elles sont datées de 1772 à 1791. Les amateurs

les recherchent. On cite de lui : vingt-sept planches de sujets religieux mythologiques et d'histoire ancienne et vingt portraits. On cite encore : *Un vieillard embrassant une urne cinéraire*, d'après Angelica Kauffmann.

BÜRKEL Heinrich
Né en 1802 à Pirmasens. Mort en 1869 à Munich. XIXe siècle. Allemand.
Peintre de genre, paysages animés, paysages.
Bürkel était le fils d'un aubergiste qui le destina à la carrière commerciale. Mais son goût pour l'art fut si prononcé qu'il triompha des circonstances et put se consacrer entièrement à la peinture. Il étudia à l'Académie de Munich et avec Köbell, voyagea en Italie. Il fut membre honoraire des Académies de Vienne, de Dresde et de Munich.
Il s'adonna surtout à la représentation des scènes populaires.
MUSÉES : BERLIN : *Halage à Battenberg, dans la vallée de l'Inn – Au repos – Kermesse tyrolienne – Paysage à Velletri* – BRÊME : *Le taureau furieux* – DARMSTADT : *Vue prise dans un village* – HAMBOURG : *Paysage d'hiver – Hospitalité italienne – Devant la forge – Dimanche matin près de l'Alm* – KALININGRAD, ancien. Königsberg : *Auberge dans un village devant un marchand de chevaux* – LEIPZIG : *Matin de village tyrolien – Pays de pêcheurs – Campagne romaine – Le lac postérieur* – MUNICH : *Moulin en montagne – Devant un aqueduc dans la campagne romaine – Giboulée – Dans la campagne de Rome – Départ de l'Alm* – STUTTGART : *Romains devant une hôtellerie – Rue dans le Tyrol*.
VENTES PUBLIQUES : VIENNE, 1891 : *Le Montreur d'ours* : FRF 830 – PARIS, 15 mars 1922 : *La diligence embourbée* : FRF 800 – LONDRES, 21 oct. 1959 : *Paysage montagneux avec un cheval* : GBP 600 – COLOGNE, 9 nov. 1960 : *Vue d'un village du Moyen Age avec un château* : DEM 5 000 – LUCERNE, 22 juin 1963 : *Paysage bavarois* : CHF 10 200 – VIENNE, 2 juin 1964 : *Paysan se mettant à l'abri devant un taureau* : ATS 60 000 – MUNICH, 1-3 déc. 1965 : *Paysans se disputant devant une auberge* : DEM 30 000 – LONDRES, 9 juin 1967 : *Cavaliers et chevaux dans un paysage* : GNS 1 300 – MUNICH, 20 mars 1968 : *Paysage à la chaumière* : DEM 20 000 – COLOGNE, 27 mai 1971 : *Retour de la chasse* : DEM 13 000 – LONDRES, 21 juil. 1976 : *Vue de la Zugspitze*, h/t (19x33,5) : GBP 2 900 – ZURICH, 25 nov. 1977 : *La Cour de ferme dans les Alpes bavaroise*, h/t (38,5x57) : CHF 32 000 – COLOGNE, 22 nov. 1978 : *La Carrière de pierres*, h/t (59,5x61) : DEM 16 000 – LONDRES, 20 mars 1981 : *Scène champêtre*, h/t (53,5x61) : GBP 12 000 – ZURICH, 30 nov. 1984 : *Troupeau de moutons dans la campagne romaine 1838*, h/t (59x84) : CHF 75 000 – NEW YORK, 31 oct. 1985 : *Troupeau et moutons dans un paysage*, h/t (35,5x54,5) : USD 45 000 – MUNICH, 18 mai 1988 : *La charrette de foin renversée*, h/t (25,5x30) : DEM 39 600 ; *Halte dans la montagne*, h/t (47,5x65,5) : DEM 297 000 – HEIDELBERG, 14 oct. 1988 : *Paysans faisant la fenaison*, cr. avec reh. de blanc (18,4x29,5) : DEM 1 450 – MUNICH, 10 mai 1989 : *Le cirque ambulant*, h/t (32x43) : DEM 93 500 – LONDRES, 6 oct. 1989 : *Paysage montagneux et boisé*, h/pap./cart. (21x43) : GBP 825 – MUNICH, 29 nov. 1989 : *La retraite*, h/t (26,5x38,5) : DEM 110 000 – MUNICH, 12 déc. 1990 : *Charrette de foin sur un chemin de montagne 1829*, h/pan. (35x42) : DEM 99 000 – NEW YORK, 12 juin 1991 : *Fontaine de montagne 1845*, h/pap./cart. (26,7x39,4) : USD 49 500 – NEW YORK, 23 mai 1991 : *Calèche attaquée par des brigands sur un chemin montagneux*, h/t (41,3x52,7) : USD 93 500 – MUNICH, 12 juin 1991 : *L'approche de l'orage*, h/pan. (35x52,5) : DEM 46 200 – LONDRES, 20 mai 1993 : *Hameau de montagne avec un puits 1844*, h/t (42,5x50) : GBP 69 700 – MUNICH, 22 juin 1993 : *Paysage avec des paysans passant un gué au Tyrol*, h/t (36x48,5) : DEM 66 700 – NEW YORK, 26 mai 1994 : *Campagne romaine 1839*, h/t (58,4x87,6) : USD 54 625 – LONDRES, 17 juin 1994 : *La charrette de foin renversée 1843*, h/t (26,6x34,3) : GBP 17 250 – MUNICH, 6 déc. 1994 : *Bétail dans un paysage montagneux*, cr. et lav./pap. (23,5x31,5) : DEM 3 680 – LONDRES, 17 nov. 1995 : *Vue de Rome avec le Colisée*, h/t (43x61) : GBP 8 970 – MUNICH, 25 juin 1996 : *Chevaux de halage tirant une péniche vers l'amont d'un fleuve vers 1843*, h/t (52x72,5) : DEM 79 982 – NEW YORK, 23 mai 1997 : *Deux charrettes de foin à l'approche de l'orage 1829*, h./étain (38,1x49,5) : USD 61 900 – NEW YORK, 23 oct. 1997 : *Les Faneurs*, h/t (35,6x50,8) : USD 23 000.

BURKELOO J. ou **Borkelo**
XVIIe siècle. Éc. hollandaise.
Peintre de paysages.
Il aurait travaillé à Utrecht.
VENTES PUBLIQUES : AMSTERDAM, 1708 : *Paysage : vue du Rhin* : FRF 136 ; *Vue d'un pont dans un paysage d'Italie* : FRF 80.

BURKERT Eugen
Né en 1866. XIXe siècle. Actif à Breslau. Allemand.
Peintre de paysages.

BURKH Hans Andreas ou **Burck, Purckh**. Voir
PURCKH

BURKHALTER Jean
Né le 17 octobre 1895 à Auxerre (Yonne). Mort en 1982 à
Blacy (Yonne). XXe siècle. Français.
Peintre de compositions à personnages, de paysages, de
chevaux, décorateur. Abstrait, puis figuratif.
Il fut élève de l'École Nationale Supérieure des Arts Décoratifs
de Paris entre 1915 et 1919. Entre 1922 et 1924 il fut professeur à
l'École des Arts Industriels de Grenoble. En 1924 il entre à l'ate-
lier Primavera et reçoit le prix Blumenthal et en 1925 le grand
prix hors-concours de l'Exposition Internationale des Arts
Décoratifs. Il reçoit alors de nombreuses commandes de l'État.
En 1929 il fonde l'Union des Artistes Modernes (U.A.M.) avec
Mallet-Stevens, Le Corbusier, J. J. Martel, Charlotte Perriand, F.
Jourdain.. Ce groupe est animé de la volonté d'une plus grande
diffusion de l'art au profit d'un public étendu et d'actualiser les
valeurs esthétiques en accord avec les exigences de la vie
moderne. L'œuvre d'art doit être dotée de vertus pédagogiques.
Il participe à la première exposition de l'U.A.M. cette même
année au Pavillon de Marsan. En tant que peintre, il a exposé au
Salon des Artistes Indépendants, au Salon des Tuileries à partir
de 1926, au Salon des Artistes Décorateurs, au Salon d'Automne.
Vers 1920 ses tableaux sont régis par une construction quasi-
architecturale, évoluant aux environs de 1925 vers une position
stylistique moins rigoureuse. Vers 1950 il revient dans une série
à l'abstraction.
Musées : Auxerre – Grasse (Sous-Préfecture) – Grenoble – Laval
– Paris (Mus. Nat. d'Art Mod.) – Paris (Mus. d'Art Mod. de la
ville) – Paris (Mus. des Arts Décoratifs) – Saint-Étienne .
Ventes Publiques : Versailles, 2 mars 1986 : *Homme et che-*
vaux, h/t (73x92) : **FRF 15 000** – Paris, 4 nov. 1987 : *Personnages*
et chevaux dans un paysage 1929 (50x65) : **FRF 5 200** – Paris, 25
mars 1988 : *Paysage cubiste*, aq. et encre de chine/pp bistre et
fusain projet de pap. peint. (35x43) : **FRF 3 200** ; *La maison rose*,
gche (41x32) : **FRF 1 500** ; *Le pêcheur vendéen* circa 1920, h/t
(100x70) : **FRF 7 000** – Paris, 18 juin 1989 : *Baigneurs et cavaliers*
1929, h/t (50x65) : **FRF 16 000** – Paris, 4 juil. 1990 : *Saint-Jean-de-*
Mont 1928, h/t (60x81) : **FRF 19 000**.

BURKHALTER Willi
Né le 16 juin 1903 à Thoune (Canton de Berne). XXe siècle.
Suisse.
Peintre de paysages.
Il fut opticien et mécanicien de précision, autodidacte en ce qui
concerne sa formation artistique. Il débuta en 1940. Il a exposé à
Paris, au Salon des Vrais Indépendants, au Salon de l'Art Libre
et dans sa ville natale.
Musées : Thoune (Mus. des Beaux-Arts) : *La Seine – Notre Dame.*
Ventes Publiques : New York, 24 fév. 1995 : *Charrette à cheval*
passant devant une maison 1948, h/t (58,4x71,1) : **USD 1 150**.

BURKHARD Balthasar
Né en 1944 à Berne. XXe siècle. Suisse.
Peintre d'intérieurs, photographe. Hyperréaliste.
Il a participé à la Biennale de Paris en 1971. Il montre ses œuvres
dans des expositions personnelles, dont : 1995, Grand Hornu
(Belgique).
Il utilise le procédé du report photographique sur de grands
draps sur châssis, montrant des scènes d'intérieur en témoin
de la vie du XXe siècle. Il a réalisé à la fin des années quatre-vingt-
dix des portraits d'animaux de profil imprimés sur des bâches de
grand format.

BURKHARDT Fridli
Né en 1536 à Zurich. Mort en 1572. XVIe siècle. Suisse.
Peintre verrier.
En 1559, il se maria avec Regula Murer, sœur du peintre sur
verre Jos Murer. Il fournit des ouvrages pour le Conseil munici-
pal de Zurich.

BURKHARDT Hedwig
Née le 13 novembre 1863 à Horgen (Zurich). XIXe siècle.
Active à Zurich. Suisse.
Peintre de portraits, natures mortes, fleurs.
Après avoir travaillé à Zurich et Munich, elle séjourne à Paris, où
elle reçut les conseils, vers 1889, de Tony Robert-Fleury, de Ben-

jamin Constant, de Geoffroy, de Jean-Paul Laurens et de Jules
Lefebvre. De retour en Suisse, elle fut nommée professeur de
dessin à une école supérieure de jeunes filles à Zurich. Cette
artiste exposa, en 1893, au Salon des Artistes Français de Paris,
un tableau de fleurs : *Lilas.*
Ventes Publiques : Zurich, 14 mai 1982 : *Jeune femme à la tasse*
de thé, h/t (117x80) : **CHF 3 400** – Zurich, 8 nov. 1985 : *Le thé à*
cinq heures, h/t (117x80) : **CHF 7 500**.

BURKHARDT Jacques
Né près de Burgdorf, baptisé en 1808 à Hasle. Mort en 1867.
XIXe siècle. Suisse.
Dessinateur et peintre.
Il fit ses études à Munich et à Rome. On lui doit notamment l'il-
lustration des ouvrages du Prof. Agassiz.

BURKHARDT Kaspar
Né en 1810 à Wollishofen (canton de Zurich). XIXe siècle.
Suisse.
Peintre et graveur.
Cet artiste étudia d'après le Dr Brun, chez les graveurs J.-J.
Sperli, à Zurich et J.-B. Isenring à Saint-Gall.

BURKHART David ou **Burkhardt**
Né en 1798 à Vienne. Mort en 1837 à Vienne. XIXe siècle.
Autrichien.
Graveur.

BÜRKLEIN Gottfried
Né en 1845 à Nuremberg. XIXe siècle. Allemand.
Peintre de marines et de paysages.
Exposa à Vienne, à Dresde et à Cassel.

BÜRKLI Leopold
Né en 1818 à Zurich. Mort en 1898 à Mönchhof (près de
Hilchberg). XIXe siècle. Suisse.
Peintre de genre et de portraits.
Vers 1835, Bürkli étudia sous la direction du peintre d'histoire,
Ludwig Vogel, à Zurich, et plus tard, en Italie, profita probablement des conseils de ses amis C. Zeller et J.-J. Wolfensperger
qu'il fréquenta à Rome. En 1858, il se rendit à Paris, se lia avec les
peintres Léon Cogniet et F.-X. Winterhalter, et exécuta des
copies de portraits de ce dernier peintre, notamment ceux de
l'impératrice Eugénie et des princesses et dames de la cour. Il
passa deux ans en Angleterre et retourna à Zurich, où il travailla
dans l'atelier du peintre animalier Rudolf Koller.

BURLANDO Leopoldo
Né en 1841 à Milan (Lombardie). Mort en 1915. XIXe-XXe
siècles. Italien.
Peintre de paysages, architectures.
Il fut élève de Luigi Bisi, à l'Académie de la Brera, à Milan ;
membre de l'Académie des Beaux-Arts de Milan. Il peignit de
nombreuses vues de Milan, la cathédrale et les environs.
Ventes Publiques : Milan, 10 nov. 1982 : *Monte Rosa*, h/pan.
(46,5x111) : **ITL 2 000 000**.

BURLE-MAX Roberto
Né en 1909 à Sao Paulo. XXe siècle. Brésilien.
Peintre de paysages, architecte paysagiste.
Il partit en Allemagne en 1929 et y découvrit l'art moderne. De
retour à Rio de Janeiro en 1930, il fut encouragé par l'architecte
Lucio Costa à pratiquer l'art du paysage. En 1934 il dresse les
plans des jardins publics de Recife. Il collabore ensuite en 1937
avec Portinari pour l'exécution des peintures murales destinées
au Ministère de l'Éducation Nationale et réalise également les
jardins de cet édifice. Dès 1942 il acquiert une renommée internationale. Il a reçu un prix d'architecture paysagiste à la Biennale de Sao Paulo en 1953, un prix à la Biennale de Cordoba en
1964 et à la « Fine Medal of Art » des U.S.A. en 1965. Il a exposé à
Paris en 1973.
Ventes Publiques : New York, 30 mai 1984 : *Nature morte* 1942,
h/t (99x79,6) : **USD 3 000** – New York, 29 mai 1985 : *Sans titre*,
gche (61x91) : **USD 500** – New York, 23-24 nov. 1993 : *Poissons*
1947, h/t (81,3x98,4) : **USD 9 200** – New York, 18 mai 1995 : *Rio*
de Janeiro 1932, h/t (53,5x64,8) : **USD 10 925**.

BURLEIGH Averil
Née en Angleterre. Morte en 1949. XXe siècle. Britannique.
Peintre, illustrateur.
Elle est issue du peintre Charles H. H. Burleigh. Elle fut
membre de la Royal Society of Painters in Water-Colours à par-
tir de 1939. Elle exposa à la Royal Academy et au Salon des
Artistes Français à Paris. Elle a illustré des poèmes de Keats et
des œuvres de Shakespeare.

VENTES PUBLIQUES : LONDRES, 10 juin 1981 : *Le pique-nique*, h/t (75x100) : **GBP 1 500** – LONDRES, 10 juin 1983 : *Mischief*, aquar. et pl. (34,5x28,5) : **GBP 380** – LONDRES, 13 nov. 1985 : *Pan et baigneuses*, h. et cr./cart. (49x61) : **GBP 1 400** – LONDRES, 14 nov. 1986 : *Patinant avec des lanternes*, aq. gche, cray. noir, mine de pb et lav. gris (56x74,6) : **GBP 1 200**.

BURLEIGH Charles H. H.
Né en 1875. Mort en 1956. XXe siècle. Britannique.
Peintre.
Il fut membre du Royal Institute of Oil Painters. Il exposa à la Royal Academy et au Royal Institute of Painters in Water-Colours.
VENTES PUBLIQUES : LONDRES, 21 mai 1986 : *Scène de moisson*, h/t (102x76) : **GBP 5 000** – LONDRES, 29 juil. 1988 : *Un effort*, h/t (50x60) : **GBP 1 760** – NEW YORK, 23 fév. 1989 : *Le salon de thé*, h/t (61x50,8) : **USD 24 200** – LONDRES, 7 oct. 1992 : *La chasse aux papillons dans la forêt de Ashdown*, h/t (35,5x45) : **GBP 3 300**.

BURLEIGH Sydney Richmond
Né le 7 juillet 1853 à Little Compton (Rhode Island). Mort en 1931. XIXe-XXe siècles. Américain.
Peintre de paysages animés, paysages, illustrateur.
Il étudia à Paris avec Jean-Paul Laurens. Il fut membre du New York Water-Colours Club et du Providence Art Club ; médaillé à l'Exposition de Saint Louis en 1904.
VENTES PUBLIQUES : NEW YORK, 2 juin 1983 : *Bord de mer*, techn. mixte/pap. mar./cart. (28,6x43,8) : **USD 5 750** – NEW YORK, 24 avr. 1985 : *Jeunes femmes dans un jardin fleuri*, h/t (35,5x50,8) : **USD 3 500**.

BURLEIGH-BRÜHL Louis
Né le 29 juillet 1862 à Bagdad (Mésopotamie). XIXe-XXe siècles. Britannique.
Peintre de paysages.
Il exposa à partir de 1889 à la Royal Academy et à Suffolk Street, à Londres. Habitait Ranford vers 1889-1893.
VENTES PUBLIQUES : LONDRES, 3 juil. 1922 : *Temps pluvieux* : **GBP 8**.

BURLENGO Antonio
XVe siècle. Travaillant à Piacenza. Italien.
Sculpteur sur bois.

BURLES Michèle
Née en 1948 à Limoges (Haute-Vienne). XXe siècle. Française.
Peintre de techniques mixtes, compositions à personnages, dessinateur.
Elle participe à des expositions personnelles, parmi lesquelles : 1978, *Les singuliers de l'art*, Musée d'Art Moderne, Paris ; 1986, Salon des Réalités Nouvelles, Paris ; 1991, Salon Découvertes, Grand Palais, Paris ; 1992, *Collages décollages*, Musée Ingres, Montauban ; 1993, Foire internationale d'art contemporain, présentée par la galerie Claudine Lustman, Paris ; 1996, *Art brut et compagnie*, Musée de la Halle Saint-Pierre, Paris.
Elle montre ses œuvres dans des expositions personnelles, dont : 1974, galerie Hélène Appel, Paris ; 1980, Atelier Jacob, Paris ; 1986, exposition itinérante en Espagne : Girone, Lleida, Cranollers, La Corogne ; 1989, 1992, galerie Caroline Corre, Paris ; 1993, galerie Claudine Lustman, Paris.
Michèle Burles peint, dessine à plat et relief, en cousant des découpes de papier, sur la toile, des personnages aux lignes et expressions atypiques, des animaux, des signes caballistiques et des objets (instruments de musique, tables, chaises, ornements...). La surface de l'œuvre est quasiment recouverte de ces motifs sexués ou androgynes rendus singuliers. Plus qu'une trame narrative impossible il s'agit d'un entrecroisement sans dessus dessous, dont il s'agit, celui des termes fondamentaux générateur d'une poétique de la vie et de la mort, de la fête et de l'étrange.
BIBLIOGR. : Jean Planche et Françoise Monnin : *Entretien avec Michèle Burles*, Artension, Paris, n° 24 mai 1991 – Gilbert Lascault : *Le Monde Burles*, préface de l'exposition, galerie Claudine Lustman, Paris, 1993.
MUSÉES : PARIS (FNAC).
VENTES PUBLIQUES : PARIS, 25 nov. 1993 : *Grand rire* 1982, techn. mixte et collage (77x50) : **FRF 3 500**.

BURLET Adolphe
Mort le 21 juin 1840 à Paris. XIXe siècle. Français.
Peintre.
Il obtint une médaille de troisième classe au Salon de 1840, pour son tableau : *Un Savant au XVIe siècle*.

BURLET Léon
Né à Paris. XXe siècle. Français.
Peintre.
Exposant des Indépendants.

BURLET René
Né à Reims (Marne). XXe siècle. Français.
Peintre de paysages.
Il exposait à Paris, au Salon des Artistes Indépendants.
MUSÉES : CHAMBÉRY (Mus. des Beaux-Arts) : *Le bombardement de Chambéry*.

BURLET-VIENNAY Roger
Né le 12 mai 1903 à Paris. XXe siècle. Français.
Peintre, lithographe.
Il était dessinateur publicitaire de son métier mais peignait pour son plaisir, fréquentant plusieurs académies de peinture de Paris : Raymond Duncan, la Grande Chaumière et Colarossi. Depuis 1938 il participe à des expositions collectives parmi lesquelles les Salons parisiens Comparaisons, des Artistes Indépendants et de La Marine. En 1970 il a abandonné le dessin publicitaire pour se consacrer exclusivement à la peinture. Il a exposé personnellement dans plusieurs galeries à Paris et en province. Il a reçu des récompenses et réalisé des lithographies.
MUSÉES : CHÂLONS-SUR-MARNE – MONTLUÇON – PARIS (Mus. de la Marine).

BURLEY David William
Né le 28 avril 1901 à Grenwick (Kent). XXe siècle. Britannique.
Peintre, aquarelliste.
Il a exposé des paysages et des marines (aquarelles) au Royal Institute de Liverpool.

BURLI Alessandro
XVIIe siècle. Actif à Rome. Italien.
Sculpteur.

BURLIN Paul
Né à New York. XXe siècle. Américain.
Peintre de paysages.
Il fit ses études en Angleterre et dans le sud-ouest des Etats-Unis. Il travailla à Paris, exposant au Salon d'Automne entre 1922 et 1925 plusieurs dessins, figura au Salon des Artistes Indépendants et au Salon des Tuileries en 1933, il présentait : *Landscape with house* au Worcester Art Museum. Il figura aux expositions du Carnegie Institute de Pittsburgh.
VENTES PUBLIQUES : PARIS, 29 oct. 1926 : *Nature morte* : **FRF 700** – NEW YORK, 25 et 26 nov. 1929 : *Nu*, dess. : **USD 20** – LOS ANGELES, 8 mars 1976 : *Indiens Apaches*, h/t (101,5x76) : **USD 3 250** – NEW YORK, 15 mars 1985 : *Au Nouveau Mexique*, h/t (51x61) : **USD 1 800** – NEW YORK, 2 déc. 1992 : *Maisons dans les collines*, h/t (63,7x76,8) : **USD 1 320**.

BURLING Gilbert
Né en 1843. Mort en 1875. XIXe siècle. Américain.
Peintre de paysages, aquarelliste, dessinateur, illustrateur.
Burling fournit des dessins pour plusieurs journaux, et exposa souvent à la American Society of Painters in Water-Colours, dont il fut membre. Parmi ses œuvres, on cite : *Esquisses en Normandie*, *Plage près East Hampton*, *Lac Canadien*.
VENTES PUBLIQUES : TORONTO, 18 nov. 1986 : *Old Gabriel in his canoe*, h/t (26,3x36,3) : **CAD 1 000**.

BURLINGAME Charles Albert
Né le 29 mars 1860 à Bridgeport (Connecticut). Mort en 1931. XIXe-XXe siècles. Américain.
Peintre d'animaux, paysages, natures mortes, fruits, illustrateur.
Il fut élève de Wm. H. Lippincott, Edward Moran, et J. B. Whittaker ; puis membre du Brooklyn Art Club et Président du Pen and Pencil Club en 1898. Il exposa à la National Academy de New York, et à Omalia.
VENTES PUBLIQUES : PHILADELPHIE, 30 et 31 mars 1932 : *Vaches dans un champ* – NEW YORK, 3 oct. 1981 : *Le repos au bord de l'eau*, h/t (32x52) : **USD 550** – NEW YORK, 20 mars 1996 : *Natures mortes de fruits* 1904, h/pan., une paire (chaque 30,5x40,6) : **USD 2 530**.

BURLINGAME Dennis Meighan
Né en 1901. XXe siècle. Américain.
Peintre de figures.
Il peint souvent le monde du cirque et des foires.
VENTES PUBLIQUES : NEW YORK, 31 mai 1990 : *La charmeuse de*

serpent, h/t/cart. (91x61,4) : **USD 1 100** – New York, 21 mai 1991 : *La parade, Ballyhoo*, h/t (61x76,2) : **USD 4 950** – New York, 12 sep. 1994 : *Parade à la fête foraine*, h/t (61x66) : **USD 6 900.**

BURLISON Clément
XIXe siècle. Actif à Durham. Britannique.
Peintre de figures, portraits.
Il exposa de 1846 à 1863 à la Royal Academy et à la British Institution de Londres.
Musées : Le Cap : *Cupidon et Psyché.*
Ventes Publiques : Londres, 25 jan. 1980 : *Portrait de jeune femme avec sa fille* 1873, h/t (91,5x75) : **GBP 250** – Londres, 1er juin 1984 : *Danseurs espagnols dans une cour* 1851, h/t (65,5x81,3) : **GBP 1 200** – Londres, 13 nov. 1992 : *Pensées lointaines* 1867, h/t (51x40,5) : **GBP 3 080** – Perth, 30 août 1994 : *Le 12 août dans les Wellhope Moors Weardale, comté de Durham* 1854, h/t (89x121) : **GBP 34 500.**

BURLISON France Bessie
Née à Londres. XXe siècle. Britannique.
Sculpteur de statuettes.
Elle fut élève de sir George James Frampton. Elle exposa à la Royal Academy de Londres et à Paris, au Salon des Artistes Français en 1912. Elle signe F.B.B. ou Burlison.
Elle a surtout sculpté des statuettes d'enfants.

BURLIUK David Davidovitch ou Bourliouk ou Burljuk
Né en 1882 à Semirotovchtchina (région de Kharkov). Mort en 1967 à Long Island. XXe siècle. Actif aussi aux États-Unis. Russe.
Peintre de figures, de compositions à personnages, de paysages, de paysages animés. Futuriste.
De 1898 à 1901, il étudie dans les Instituts d'art de Kazan et d'Odessa, de 1902 à 1903, à l'Académie royale de Munich, puis, en 1904 et 1905, dans l'atelier de F. Cormon à Paris enfin, de 1910 à 1914, à l'Institut de peinture, de sculpture et d'architecture de Moscou. Il organisa à partir de 1907 à Moscou avec son frère Vladimir Burliuk des expositions dans la rue. Y participaient Larionov, Gontcharova, Exter, avec lesquels fut fondé le groupe de « La Rose bleue » qui exposera aussi à Kiev. Lié avec Maïakovski et Khlebnikov, il fut à leurs côtés un membre actif du futurisme russe. À ce propos, on ne sait exactement si Marinetti alla en Russie en 1909 ou 1910, mais il est de fait que le Manifeste Futuriste fut traduit en russe aussitôt après sa parution dans *Le Figaro*, et que, suivant Michel Seuphor, « Moscou était alors un faubourg de Paris ». Burliuk fonda « Le Cercle », groupe de poètes russes modernes et se lia avec Koulbine, Oumanski, Khlebnikov et Kamenski. En 1910 il publia un manifeste intitulé *Pour la défense de l'art nouveau*. Il participa à la préparation de l'exposition *Le Triangle*. Il fut ami de Kandinsky et figura en 1911 dans la première exposition du *Blaue Reiter* (Le Cavalier Bleu) à Munich. Il était dans le même temps représenté à l'exposition du *Valet de Carreau* à Moscou. Voulant compléter sa formation artistique, il entra au Collège d'Art de Moscou où il rencontra Maïakovski, qui pensait alors devenir peintre et qui relate cette rencontre : « ... Et voilà que Burliuk apparaît dans l'Ecole. Allure insolente. Binocle. Complet-Veston. Fredonne quelque chose pendant qu'il marche... Conversation :... Chez David, c'était la colère d'un artiste supérieur à son temps ; chez moi, le pathos du socialiste conscient de devoir faire table rase du vieux fatras. C'est ainsi qu'est né le futurisme russe... C'est avec un amour impérissable que je pense à David... C'est Burliuk qui m'a fait poète. » Le Manifeste du Futurisme russe, *Une gifle au goût du public*, fut publié en 1912. Ils furent alors tous les deux chassés du Collège d'Art en 1913. Son œuvre plastique s'intègre au courant « primitiviste » russe des années 1908-1912, dont il fut avec Larionov et Gontcharova un des principaux représentants ; l'une des visées majeures du courant était de retrouver une vision de la vie russe inspirée de l'imagerie et de l'art populaire traditionnels. Il peignait également des toiles inspirées du futurisme italien dotées d'un contenu politique, comme *Le Bourgeois au pouvoir* – *Le Bûcheron* de 1912. Il cessa alors de peindre pour se consacrer à la propagande du mouvement futuriste et fonda en 1915 à Vladivostok, *Le premier journal futuriste*. C'est également chez lui que fut organisée une tournée d'agitation et de manifestations futuristes, à laquelle participa Maïakovski, et qui les mena dans une quinzaine de villes. Burliuk quitta la Russie en 1918 pour se fixer au Japon en 1920 puis à New York en 1922 où il sombra dans l'oubli. Khlebnikov mourut en 1922 tan-

dis que Maïakovski s'enfonçait dans les brumes du Jdanovisme où l'attendait le suicide. ■ Jacques Busse

BURLIUK

Bibliogr. : Michel Seuphor, *Le style et le cri*, Seuil, Paris, 1965 – in : *Diction. Univ. de la Peinture*, Le Robert, Paris, 1975.
Ventes Publiques : New York, 7 juin 1962 : *Les tournesols* : **USD 725** – New York, 30 nov. 1966 : *Chevaux* : **USD 300** – New York, 27 jan. 1972 : *Rue de village* 1915 : **USD 700** – Los Angeles, 9 juin 1976 : *Vase de fleurs*, h/t (51x40,5) : **USD 350** – New York, 3 nov. 1978 : *Paysage* 1912, h/t (33x46,3) : **USD 19 000** – New York, 6 nov. 1979 : *Nucleus (Atome)* 1913, h/t (33x30,5) : **USD 15 000** – Londres, 6 avr. 1979 : *Composition*, aquar. (19,5x12) : **GBP 180** – Los Angeles, 23 juin 1980 : *Bradenton, Florida* 1955, h/cart. entoilé (45,7x61) : **USD 2 100** – New York, 29 jan. 1981 : *La diseuse de bonne aventure* 1946, h/t (55,9x55,9) : **USD 2 600** – New York, 4 juin 1982 : *La dixième rue et l'East River* 1930-1939, h/t (64,2x99,1) : **USD 7 500** – Munich, 30 mai 1983 : *Paysan et cheval rouge*, h/t (31x41) : **DEM 4 300** – New York, 23 mars 1984 : *Paysans attablés* 1946, aquar. (38,9x28,2) : **USD 700** – Munich, 29 nov. 1985 : *Arbres en fleurs* 1910 (62x68) : **DEM 34 000** – Munich, 6 juin 1986 : *Voiliers au large de la côte*, aquar./traits de craie brune (28,5x39) : **DEM 5 000** – New York, 22 sep. 1987 : *Florida fruit*, h/t (50,8x76,2) : **USD 2 500** – New York, 17 mars 1988 : *Edgartown*, h/t (37,5x47,5) : **USD 2 090** – New York, 24 juin 1988 : *Rue de Gloucester dans le Massachusetts* 1930, h/t (35x50) : **USD 2 310** ; *Paysage de rivière avec des montagnes à l'arrière-plan*, h/t (44,5x65) : **USD 3 520** – Londres, 6 avr. 1989 : *Paysanne avec un cheval*, h/t (29x39) : **GBP 5 720** – Londres, 25 oct. 1989 : *Couple de paysans* 1945, h/t (23x30,5) : **GBP 2 750** – New York, 14 fév. 1990 : *Le guitariste*, h/t (61x46) : **USD 4 950** – New York, 30 mai 1990 : *Demande en mariage* 1908, h/t (76,3x50,8) : **USD 7 700** – New York, 15 mai 1991 : *Une tasse de thé* 1945, h/t (23,5x31,1) : **USD 5 225** – Tel-Aviv, 12 juin 1991 : *Paysage animé* 1942, aquar. (38x56) : **USD 5 060** – New York, 14 nov. 1991 : *Port de plaisance*, h/t. (45,8x55,8) : **USD 3 080** – New York, 18 déc. 1991 : *Bradenton en Floride* 1946, h/t (45,7x61) : **USD 5 775** – Munich, 26 mai 1992 : *Rosier* 1961, h/t (66x67) : **DEM 4 485** – New York, 25 sep. 1992 : *La sieste*, h/t (81,3x132,1) : **USD 4 675** – New York, 31 mars 1993 : *Paysage mural*, h/t (97,8x126,4) : **USD 8 625** – New York, 12 sep. 1994 : *Fleurs et photographie au bord de la mer* 1947, h/t (89,2x53,3) : **USD 5 750** – New York, 20 mars 1996 : *Défilé d'animaux de ferme*, h/pan. (23,5x47) : **USD 1 150** – New York, 30 oct. 1996 : *Portrait d'une femme vendant des poissons* 1954, h/t (126,7x89,5) : **USD 5 462.**

BURLIUK Vladimir Davidovitch ou Bourliouk
Né en 1886 à Tavria ou Kershon. Mort en 1917 à Salonique. XXe siècle. Russe.
Peintre, illustrateur. Futuriste. Groupe Der Blaue Reiter.
Il était le frère de David Burliuk. Il fit ses études artistiques à Odessa et épousa en 1909 la sœur du peintre Lentoulov. Il participa aux côtés de son frère aux plus importantes manifestations de l'avant-garde russe, avec le groupe de la *Rose bleue* en 1907, du *Valet de carreau* en 1910, le *Blaue Reiter* de Munich en 1911. Il appartint ensuite au groupe Futuriste russe. En 1913-1914, il participa à l'illustration de publications futuristes. Il a réalisé des peintures de « mots-en-liberté » qu'il exposa à Rome en 1915.
Sa mort à l'âge de trente et un ans interrompit évidemment l'accomplissement de sa carrière. Son œuvre s'inscrit de façon convaincante dans ce courant typiquement russe de l'abstraction-constructiviste, issue du cubisme et du futurisme. Pour sa part dans ce contexte d'époque et d'idées, il pratiqua une abstraction radicale, tenue en dehors de toute suggestion de réalité, hors de formes et de signes s'apparentant à la géométrie, et hors d'harmonies colorées inductives d'affects sensorio-psychologiques, exploitant des gammes sourdes bien que sonores et polychromes, d'un rare raffinement. ■ J. B.

Bibliogr. : *D. Bourliouk*, catalogue de l'exposition, galerie Gmurzynska, Cologne – in : *Diction. Univ. de la Peinture*, Le Robert, Paris, 1975.
Ventes Publiques : Munich, 6 juin 1984 : *Montagnes jaunes* 1913, h/t (20x35) : **DEM 13 000** – Paris, 15 déc. 1994 : *Femme à la mandoline*, h/t (84x69) : **FRF 300 000.**

BURMAN M.
Mort vers 1800. XVIIIe siècle. Hollandais.
Peintre et graveur.
Brulliot mentionne 8 gravures (paysages de Hollande).

BURMAN-MORRALL William
Né en Angleterre. XXe siècle. Britannique.
Sculpteur.
Élève de A. W. Turner. Il a exposé, en 1930, une *Tête de jeune fille* au Salon des Artistes Français.

BURMANN Fritz
Né en 1892 à Wiedenbrück. Mort en 1945 à Schönnbrunn près d'Ingolstadt. XXe siècle. Allemand.
Peintre.
Il fut étudiant auprès de H. Nüttgens et à l'Académie des Beaux-Arts de Düsseldorf. Il fut professeur à l'Académie des Beaux-Arts de Koenigsberg en 1926 et en 1936 à l'École Supérieure des Arts de Berlin. Il figura à l'exposition *Westfälische Kunst im 20. Jahrhundert* au musée de Bochum. Sa peinture posée par à-plats est mise en valeur par des contours cernés.
VENTES PUBLIQUES : HAMBOURG, 2 juin 1976 : *Tête de vieille femme* 1925, h/t (44,3x35) : **DEM 5 400** – MUNICH, 30 nov. 1979 : *Vieille femme dans sa cuisine* 1925, h/t (45x35) : **DEM 6 200** – MUNICH, 30 mai 1980 : *Les deux sœurs* 1923, h/t (53x44) : **DEM 4 800** – COLOGNE, 1er déc. 1982 : *Deux enfants avec un lapin* 1923, h/t (53,5x44) : **DEM 4 000** – BERLIN, 30 mai 1991 : *Femme attablée devant un bouquet d'œillets* 1926, h./contre-plaqué (88,5x50) : **DEM 19 980** – AMSTERDAM, 8 déc. 1993 : *En route vers sa maison* 1922, h/t (85,5x65) : **NLG 5 750** – AMSTERDAM, 4 juin 1996 : *Femme et Enfant* 1924, h/t (57x50) : **NLG 6 490.**

BURMEISTER Frederik Willem
XIXe siècle. Actif à Amsterdam dans la seconde moitié du XIXe siècle. Hollandais.
Graveur.

BURMEISTER Paul
Né en 1847 à Munich. Mort après 1893. XIXe siècle. Allemand.
Peintre d'histoire, genre, paysages.
Il exposa à Berlin, Kassel, Munich, notamment en 1874, 1876, 1884, 1887. On cite entre autres : *Marie Stuart après la bataille de Langside, Société joyeuse, Vue architecturale de Venise, Au bord du fleuve.*

P Burmesler

VENTES PUBLIQUES : BERLIN, 1894 : *Scène d'auberge* : **FRF 331** – PARIS, 19 au 29 oct. 1905 : *Les Joueurs d'échecs* : **FRF 500** – LONDRES, 1er avr. 1935 : *Le vieux beau* : **GBP 11** – LONDRES, 29 sep. 1976 : *Cavalier se versant à boire*, h/pan. (30,5x22,5) : **GBP 620** – VIENNE, 12 déc. 1978 : *La Soubrette consciencieuse*, h/pan. (51x36) : **ATS 110 000** – LOS ANGELES, 18 juin 1979 : *Le Galant entretien* 1879, h/pan. (20,3x17) : **USD 2 000** – LONDRES, 30 jan. 1981 : *Paysan à la chope de bière* 1880, h/pan. (16,5x10,2) : **GBP 500** – BERNE, 6 mai 1983 : *Le bon-vivant*, h/pan. (31x22,5) : **CHF 2 200** – LONDRES, 16 mars 1994 : *L'armure*, h/pan. (37,5x23,5) : **GBP 1 840.**

BURMESTER
XVIIIe siècle. Actif à Lüneburg au début du XVIIIe siècle. Allemand.
Peintre.
MUSÉES : LÜNEBOURG : *Intérieur d'église.*

BURMESTER Ernst
Né en 1877 à Ratzebourg. XXe siècle. Allemand.
Peintre de paysages, de figures et de portraits.
Il exposa à Dresde en 1906 et 1908, à Munich en 1900 et 1910, à Berlin en 1907 et 1910.

BURMESTER Georg
Né en 1864 à Barmen. Mort en 1936. XIXe-XXe siècles. Allemand.
Peintre de paysages et de marines.
Il fut élève de l'Académie de Düsseldorf, puis de Gustave Schönleber à Karlsruhe. Il exposa à Munich à partir de 1904, à Düsseldorf en 1902, 1904 et 1907, à Dresde en 1899 et 1909, à Brême en 1908 et à Weimar.
VENTES PUBLIQUES : COLOGNE, 30 mars 1979 : *Paysage d'été* 1914,

h/t (79x88) : **DEM 6 000** – ZURICH, 29 nov. 1985 : *Scène de marché à Cassel* 1914, h/pan. (61x75) : **CHF 3 600** – LINDAU, 6 mai 1986 : *Le chemin de ronde ensoleillé* 1908, h/t (65x91) : **DEM 7 100** – HAMBOURG, 10 juin 1987 : *La charrette de foin*, h/t (61,5x75) : **DEM 4 800** – NEW YORK, 13 fév. 1991 : *Début de printemps dans un parc* 1918, h/t (60,4x68,5) : **USD 2 200** – AMSTERDAM, 9 nov. 1993 : *Jour de lessive* 1891, aquar. (47x34) : **NLG 3 450.**

BURN Gerald Maurice
Né le 1er avril 1862 à Londres. XIXe siècle. Britannique.
Peintre et graveur.
Cet artiste, qui exposa des marines, huile et aquarelle, de 1881 à 1887, à la Royal Academy et à Suffolk Street, à Londres, prit part à de nombreuses expositions européennes.

BURN Ian. Voir ART & LANGUAGE

BURN Rodney Joseph
Né le 11 juillet 1899 à Palmer's Green (Middlesex). Mort en 1984. XXe siècle. Britannique.
Peintre de paysages.
Après la première guerre mondiale il entre à la Slade School et poursuit ses études entre 1918 et 1922. Il expose au New English Art Club depuis 1923 et en devient membre en 1926. Entre 1929 et 1931 il a enseigné au Royal College of Arts et, entre 1931 et 1934, à été directeur de l'école du Musée des Beaux-Arts de Boston. Il fut membre de la Royal Academy en 1962.

MUSÉES : LONDRES (Tate Gal.).
VENTES PUBLIQUES : LONDRES, 11 juin 1976 : *Baigneurs*, h/t (76,5x108) : **GBP 150** – LONDRES, 8 nov. 1985 : *Fête champêtre* vers 1922-1925, h/t (155x100,3) : **GBP 900** – LONDRES, 13 juin 1986 : *Échoppe de thé à Bembridge* vers 1959, h/t (63,5x76,2) : **GBP 1 200** – LONDRES, 21 sep. 1989 : *Dans les vagues*, h/t (64,8x55,9) : **GBP 660** – ST. ASAPH (Angleterre), 2 juin 1994 : *Le brise-lame*, h/t (49,5x61) : **GBP 2 070.**

BURN T. F.
XIXe siècle. Britannique.
Peintre de paysages.
Il exposa à Londres en 1867 à la British Institution.

BURN-MURDOCH W. G.
Né au XIXe siècle. XIXe siècle. Britannique.
Peintre et lithographe.
Étudia à l'Académie d'Anvers, à Paris avec Carolus Duran, à Florence, Naples et Madrid.

BURNAND Daniel
Né à Paris. XIXe-XXe siècles. Suisse.
Peintre de portraits et de paysages.
Il a exposé à Paris, au Salon de la Société Nationale des Beaux-Arts.

BURNAND David Arnold
Né en 1888 à Paris. XXe siècle. Suisse.
Peintre de compositions religieuses, de portraits, de nus et de paysages.
À Paris, il fut sociétaire du Salon de la Société Nationale des Beaux-Arts depuis 1928 il y exposa régulièrement. Il figura aussi au Salon des Artistes Indépendants et à celui de l'Automne. On cite, parmi ses tableaux de figures, des *Baigneuses*.
MUSÉES : PARIS (Mus. d'Orsay) : *Fillette vaudoise.*
VENTES PUBLIQUES : PARIS, 22 nov. 1988 : *Baigneuse* 1924 (97x130) : **FRF 20 000** – PARIS, 28 juin 1991 : *Baigneuse* 1924, h/t (97x130) : **FRF 8 500.**

BURNAND Eugène
Né le 30 août 1850 à Moudon (Canton de Vaud). Mort le 4 février 1921 à Paris. XIXe-XXe siècles. Actif aussi en Italie et en France. Suisse.
Peintre d'histoire, compositions religieuses, scènes de genre, paysages animés, paysages, graveur, illustrateur.
Élève de B. Menn à l'École des Beaux-Arts de Genève, il se rendit à Paris après 1872 et travailla dans l'atelier de Gérome, à l'École des Beaux-Arts. En 1876-1877, il séjourna à Rome, puis revint à Paris jusqu'en 1878. Il apprit la gravure, sous la direction de Paul Girard à Versailles. Il participa aux Salons parisiens, entre 1882, date à laquelle il obtint une médaille de troisième

classe pour la gravure, et 1908. Aux Expositions Universelles de 1889 et de 1900, il reçut une médaille d'or. En 1914, à Paris, il fit une importante exposition de ses œuvres peintes à Assise. Officier de la Légion d'Honneur.

Il travailla en Italie, en France et en Suisse. Après avoir peint de sobres paysages, il se lança dans l'illustration, donnant des dessins pour plusieurs journaux, dont *L'Illustration, L'Illustré* et *Le Tour du Monde*. Il a aussi illustré *Mireille* de Mistral, *Les Contes* de Daudet, *Les légendes des Alpes vaudoises* d'Alfred Cérésole, *François le Champi* de George Sand, *L'orphelin* d'Urbain Olivier, *Le voyage du pèlerin* de Bunyan. Il est l'auteur de peintures historiques, cmmme *La vieillesse de Louis XIV* 1884 ou *La fuite de Charles le Téméraire* 1895, mais aussi de scènes champêtres, de simples paysages traités à petites touches colorées et de compositions religieuses. Il réalisa un panneau décoratif : *Le Mont Blanc*, pour la gare de Lyon à Paris et, en collaboration avec Baud-Bovy et Eurey, un *Panorama des Alpes bernoises*, exposé à Anvers, Chicago, Anvers et Paris.

BIBLIOGR. : Gérald Schurr : *Les Petits Maîtres de la peinture, 1820-1920, valeur de demain*, Les Éditions de l'Amateur, t. IV, Paris, 1979.

MUSÉES : ADÉLAÏDE : *Repos sous les pins* – BERNE : *Changement de pâturage* – *La vieillesse de Louis XIV* – LAUSANNE : *Taureau dans les Alpes* – LONDRES (Victoria and Albert Mus.) : *Chevaux sauvages* – *Paysan suisse* – *Troupeau de bœufs en Camargue* – LESSIveuse – LUCERNE : *Fin de journée* – MULHOUSE : *Paysan vaudois*, past. – NEUCHÂTEL : *Pompe à feu de village allant à l'incendie* – PARIS (Ancien Mus. du Luxembourg) : *Les Disciples* – SAINT-PÉTERSBOURG (Acad. des Beaux-Arts) : *L'invitation au festin, parabole évangélique*.

VENTES PUBLIQUES : PARIS, 1894 : *La Gardeuse d'Oies*, aquar. : **FRF 52** ; *Paysage*, aquar. : **FRF 21** – PARIS, 1895 : *Les dormeurs au Louvre*, dess. : **FRF 55** – PARIS, 12 déc. 1921 : *Jeune berger du Cantal*, cr. et lav. : **FRF 30** ; *Berger et ses moutons (Provence)* : **FRF 220** – PARIS, 5 juin 1935 : *Les travaux de construction du Palais du Trocadéro*, pl. et lav. d'encre de Chine : **FRF 220** – PARIS, 14 nov. 1949 : *Troupeau en Camargue* : **FRF 19 500** – LUCERNE, 22 nov. 1972 : *Berger et son troupeau dans une clairière* : **CHF 3 700** – BERNE, 6 mai 1981 : *Troupeau en Camargue 1878*, h/t (48x71) : **CHF 7 500** – BERNE, 3 mai 1985 : *Le berger*, h/t (48x35) : **CHF 2 100** – NEW YORK, 19 mai 1987 : *« Guardian » rassemblant le troupeau*, h/t (116,8x181,6) : **USD 4 000** – BERNE, 26 oct. 1988 : *Les environs de Chavannaz*, h/t (85x113) : **CHF 4 600** – NEUILLY, 12 déc. 1993 : *Troupeau en Camargue au bord de la mer 1878*, h/t (28x35) : **FRF 5 500** – PARIS, 22 avr. 1996 : *Musiciens juifs tunisiens*, fus. et lav./pap. (23,5x37) : **FRF 8 000**.

BURNAND Geoffrey
Né le 1er janvier 1912. XXe siècle. Britannique.
Peintre, décorateur de théâtre.
Il fut élève de Walter Russell et Walter T. Monnington et Prix de Rome en 1935. À Londres, il a exposé à la Royal Academy, à la Royal Society of British Artists et au New English Art Club. Plusieurs églises ont acquis ses panneaux de baptistère.

BURNAND Victor Wyatt
Né le 14 avril 1868 à Poole (Dorset). XXe siècle. Britannique.
Peintre de portraits et de paysages, aquarelliste.
Il fit ses études à Londres et à Paris. Il exposa à la Royal Academy de Londres et au Salon de la Société Nationale des Beaux-Arts à Paris.

BURNAP Daniel
XIXe siècle. Vivant avant 1800. Américain.
Graveur.

BURNARD George
XIXe siècle. Britannique.
Sculpteur.
Il exposa entre 1858 et 1884 à la Royal Academy et à la British Institution, à Londres.

BURNARD George Arthur
Né le 24 septembre 1864 à Londres. XIXe siècle. Britannique.
Sculpteur.
Professeur d'art. Il exposa à la Royal Academy.

BURNARD Neville Northy
XIXe siècle. Britannique (?).
Sculpteur.
On cite de lui les bustes du prince de Galles et de W. M. Thackeray. Il exposa à Londres entre 1848 et 1873 à la Royal Academy.

BURNARD Thomas
XIXe siècle. Britannique (?).
Sculpteur.
Il exposa à la Royal Academy de Londres de 1868 à 1886.

BURNAT Adolphe
Né en 1872 à Vevey. XIXe-XXe siècles. Suisse.
Peintre et architecte.
Fils d'Ernest Burnat. Participa à l'Exposition Universelle de Paris en 1900.

BURNAT Ernest
Né le 7 octobre 1833 à Vevey. XIXe siècle. Suisse.
Peintre aquarelliste et architecte.
Il a peint des paysages de la Suisse et de l'Italie, et a participé à plusieurs expositions. Le Musée de Mulhouse conserve de lui : *Ruelle à Sion* (aquarelle).

ERNEST BURNAT

BURNAT P. L.
Mort en 1817. XIXe siècle. Actif à Berlin.
Peintre décorateur.

BURNAT-PROVINS Marguerite
Née en 1872 à Arras (Pas-de-Calais). Morte en 1950. XIXe-XXe siècles.
Peintre de genre, portraits, aquarelliste, illustrateur.
Elle fut élève de Benjamin Constant et de Jean-Paul Laurens. Mariée en 1896, elle s'installa en Suisse, à Vevey. Elle figura à l'Exposition Universelle à Paris en 1900, puis à de nombreuses expositions à Vevey, Genève, Bâle, Mulhouse, Anvers, Arras, Douai.
Très sensible à la poésie, dès sa jeunesse, elle écrivit des poèmes et des drames, et lorsqu'elle vévut à Vevey, elle écrivit un long poème : *Les tableaux valaisans*, qu'elle illustra de cent-treize aquarelles. Elle a également illustré *Physique de l'amour* de Rémy de Gourmont en 1917. Très choquée par la guerre de 1914, elle peignit d'étranges visions d'un monde onirique peuplé de personnages typés qui font penser aux figures des calligraphes de l'Extrême-Orient.
BIBLIOGR. : Gérald Schurr : *Les Petits Maîtres de la peinture, 1820-1920, valeur de demain*, Les Éditions de l'Amateur, t. VI, Paris, 1985.
VENTES PUBLIQUES : PARIS, 15 nov. 1983 : *Tananbronze 1920*, aquar. (24x36) : **FRF 26 000** – PARIS, 26 oct. 1984 : *Le criquet, suivi de ses serviteurs portant les présents, se rend au tombeau de ses ancêtres 1924*, aquar. (37x57) : **FRF 18 500** – PARIS, 29 oct. 1985 : *La mort couvée*, past. et aquar. (33x43) : **FRF 15 000**.

BURNAY Luiz Eduardo
Né à Lisbonne. XXe siècle. Portugais.
Peintre.
Élève de Luciano Freue et Marcel Baschet. A exposé au Salon des Artistes Français de Paris.

BURNE Winifred, Miss
Née le 13 octobre 1877 à Birkenhead (Chester). XXe siècle. Britannique.
Peintre et lithographe.

BURNE-JONES Edward Coley, baronnet, Sir
Né le 28 août 1833 à Birmingham. Mort le 17 juin 1898 à Londres. XIXe siècle. Britannique.
Peintre de compositions animées, figures, aquarelliste, peintre de cartons de tapisseries, cartons de vitraux, cartons de mosaïques, dessinateur. Préraphaélite.
Il était fils d'Edward Richard Jones et d'Elisabeth Coley. Dès son jeune âge, son goût pour l'étude, son esprit réfléchi donnèrent à son père la pensée de le préparer pour la carrière ecclésiastique. Les succès scolaires du jeune homme et des aspirations personnelles semblèrent réaliser les vues paternelles, Burne-Jones était même entré à l'Exeter-College, à Oxford, quand la vue d'un dessin de Gabriel-Dante Rossetti, une illustration pour *Elfin Mere*, de William Allingham, détermina sa véritable vocation. Il avait vingt-deux ans lorsque, en 1855, il vint à Londres pour soumettre ses premiers essais artistiques au jeune maître dont l'œuvre l'avait si profondément ému. L'accueil fut parfait ; non seulement Rossetti encouragea Burne-Jones, mais il l'admit dans son atelier comme élève. Burne-Jones quitta l'Université sans se préoccuper davantage de ses grades et après une année d'études près de son jeune maître, il chercha des moyens d'existence avec des dessins à la plume et des aquarelles, continuant à bénéficier des conseils et de la direction artistique de Rossetti.

Enfin, en 1859, il partit pour l'Italie en compagnie de Ruskin. Avant ce voyage on note une marque intéressante de son talent : il collabora durant l'automne 1858 à une décoration murale à Oxford, en compagnie de Rossetti et d'autres jeunes peintres de la même inspiration. Les maîtres primitifs florentins, et particulièrement Botticelli, l'impressionnèrent surtout. Il visita aussi Sienne, Pise, Parme, Venise. Peu après son retour, en 1860, il épousa, à Manchester, miss Georgina Macdonald. En 1863, il fut admis comme associé de la Royal Society of Painters in Water-Colours ; ce fut, du reste, à ce groupement artistique qu'il exposa surtout, sauf une brève interruption. L'année 1877 marque réellement le début de ses succès. L'ouverture de la Grosvenor Gallery lui fournit l'occasion d'une manifestation importante ; il y envoya plusieurs œuvres longuement préparées et qui, si elles n'obtinrent pas une approbation unanime, fixèrent l'attention sur lui. Son succès à Paris, à l'Exposition Universelle de 1878, fut plus accusé ; les peintres anglais y firent sensation et Burne-Jones ne fut pas le moins remarqué. Le gouvernement français l'invita à prendre part, avec le seul Lord Leighton, à l'exposition de l'art contemporain, en 1882. La vente de la collection Ellis, en juin 1885, celle de M. William Graham l'année suivante, dans lesquelles les œuvres du jeune maître anglais obtinrent des prix très élevés, consacrèrent sa réputation aux yeux du grand public et des amateurs. La Royal Academy le nomma associé en 1885. Enfin ses amis de la Royal Society of painters in Water-Colours le réélirent membre de l'Association, à l'unanimité. Burne-Jones, à la suite de son envoi à l'Exposition Universelle de 1889 à Paris, fut nommé chevalier de la Légion d'Honneur. L'année suivante, une exposition sensationnelle d'une série de ses œuvres fut faite à la galerie de MM. Agnew, et ce fut pour l'artiste un véritable triomphe. À la suite de l'Exposition d'Anvers, en 1897, Burne-Jones fut créé baronnet par la Reine Victoria. Cette brillante carrière devait avoir une fin trop prompte. Une attaque d'influenza l'enleva subitement.

On cite parmi ses œuvres les plus importantes : *Laus Veneris* ; *Le Chevalier Clément* ; *Le Vin de Circé* ; *Saint George et le Dragon* (série de sept tableaux) ; *Le Chant d'amour* ; *Le Printemps* ; *L'Automne* ; *Le Jour* ; *La Nuit* ; *L'Hiver* ; *L'Été* ; *Temperantia* ; *Les Anges de la création* ; *La tête de Pelée* ; *Le Miroir de Vénus* ; *L'Annonciation* ; *L'Escalier d'or* ; *Dies Domini* ; *Persée et les Gorgones* ; *La Tête fatale* ; *Le Rocher de la mort* ; *La Réalisation du sort* ; et des tableaux illustrant l'histoire de Persée, quatre tableaux de la série *Briar Rose* ; *Les Profondeurs de la mer*, *L'Amour dans les ruines*, *L'Aurore*, *Le Conte de la Prieure*, *Arthur à Avallon* (inachevé).

Nourri de ballades galloises et d'Ossian, admirateur de Mantegna et de Botticelli, situé entre le rêve et la réalité, il appartient au mouvement des préraphaélites, au même titre que Rossetti, Ruskin ou Morris. Comme eux, il s'oppose à toutes les conventions picturales nées, selon eux, après les primitifs et notamment avec Raphaël. Burne-Jones est essentiellement religieux, il est mystique même dans ses sujets empruntés à la mythologie grecque. Il reprenait ses toiles plusieurs fois et à plusieurs années d'intervalle, pour les pousser jusqu'à l'exécution minutieuse des primitifs. Sous des apparences très différentes, il ressemble beaucoup à Gustave Moreau.

Burne-Jones s'est montré puissant décorateur en dessinant des cartons pour des vitraux, des tapisseries, des mosaïques, en collaboration avec William Morris. Leurs travaux communs ont certainement contribué à l'élaboration du « Modern'Style », au renouvellement de l'architecture et du mobilier.

Musées : Birmingham : *L'étoile de Bethléem* – *Pygmalion et l'image* : « *Les désirs du cœur* » – *Pygmalion et l'image* : « *La main empêche* » – *Pygmalion et l'image* : « *Le feu divin* » – *Pygmalion et l'image* : « *L'âme atteinte* » – *Le Jugement dernier*, dess. au past. et à l'aquar. pour un vitrail – *Élie dans le désert* – *Mars*, aquar., inachevée – *Hélène à l'incendie de Troie*, esquisse inachevée d'un tableau – *Les Trois Grâces*, pastel, étude sur fond brun pour un tableau « Vénus Concordia » – Étude d'une tête de jeune fille pour le tableau « Les Sirènes » – Étude d'armure, pour le 4e tableau des séries de « Persée » – Étude d'une tête d'homme

pour les « Agissements de l'Amour » – Étude d'une tête de jeune fille – Même sujet – *Six dess.* pour un vitrail de l'Hôtel de Ville : *Le Roi Robert Bruce* ; *David, duc de Huntingdon* ; *Sir William Wallace* ; *Provost Halliburton* ; *George Wishart* ; *La Reine Marie Stuart* – *Vingt-neuf dess.* pour un vitrail : *Sainte Cécile et Sainte Dorothée* ; *Pierre délivré de la prison* ; *Lapidation de saint Étienne* ; *Élie demandant le feu du ciel pour convaincre les prophètes de Baal* ; *Josué ordonnant au soleil de s'arrêter* ; *Sainte Edith, reine et abbesse* ; *La Chanson de Salomon* : « *Le Meilleur Vin de mon aimé* » ; *Chanson de Salomon* : « *Je veux me lever et le chercher* » ; *Chanson de Salomon* : « *Comme le lys parmi les épines* » ; *Chanson de Salomon* : « *La garde de la ville me trouva* » ; *Chanson de Salomon* : « *Comme le pommier parmi les arbres de la forêt* » ; *L'enfance de la Vierge* ; *La Vierge Marie* ; *Le baptême du Christ* ; *Vierge et l'Enfant* ; *La purification de Naman* ; *Le roi David* ; *Saint Marc* ; *Saint Luc* ; *Deux anges* ; *La fuite en Égypte* ; *Même sujet, anges montrant le chemin* ; *Construction de l'arc* ; *Construction du temple* ; *Majesté* ; *Vierge et enfant* ; *Sainte Madeleine parfumant les pieds du Christ* ; *La Nativité* – Dublin : *Sainte Lucie*, dess. pour vitrail, acquis en 1908 – Glasgow : *Danse* – Liverpool : *Sponsa de Libano* – Londres (British Art) : *Le moulin, jeune fille dansant au bord d'une rivière* – *Amours et demoiselles sur les bords d'une rivière* – Londres (Nat. Gal.) : *La roue de la fortune*, acquis en 1908 – *L'Ascension*, monochrome, dess. à la pl. – *L'Ascension*, dess. fus. – Londres (Victoria and Albert Mus.) : *Merlin et Nismue* – *L'arbre de la vie* – *Les symboles des évangélistes* – Dessins pour vitraux, cr. et fus. – *Dorigène de Bretagne soupirant après le retour de son époux* – Tête de jeune fille, cr. – *Tête de Cassandre* – Londres (Tate Gal.) : *Le roi Cophetua et la jeune mendiante* – *L'escalier d'or* – *Vespertina Quies* – Manchester (Dessins de Tapisseries modernes) : *Pomone* – *Flore* – *Renard et faisan* – New York (Metropolitan Mus.) : *Chant d'amour* – Paris (Mus. d'Orsay) : *Flodden field 1882* – *Princesse Sabra*.

Ventes Publiques : Londres, 1886 : *Laus Veneris* : FRF 67 000 ; *Chant d'amour* : FRF 82 640 ; *Tête de Pélée* : FRF 23 600 – Londres, 1894 : *Sept tableaux illustrant l'histoire de saint Georges et du dragon* : FRF 52 500 – Londres, 1894 : *Merlin et Viviane* : FRF 94 420 – Londres, 16 juil. 1898 : *The Challenge in the Wilderness*, h/t (127x94,5) : GBP 267 – Paris, 1898 : *Le Miroir de Vénus* : FRF 143 050 – Londres, 1898 : *L'amour et le pèlerin* : FRF 144 375 – New York, 1905 : *Le Christ prononçant un jugement* : USD 1 000 – Londres, 30 nov. 1907 : *La Pétition du roi* ; *La Légende de saint Georges et du dragon* : GBP 126 – Londres, 7 mars 1908 : *L'Amour parmi les ruines* : GBP 1 653 – Londres, 14 mars 1908 : *Le Bain de Vénus* : GBP 588 – Londres, 14 mars 1908 : *Nymphe des bois* : GBP 1 186 – Londres, 16 mars 1908 : *Portrait d'une dame* : GBP 42 – Londres, 13 avr. 1908 : *L'Annonciation* : GBP 141 – Londres, 29 mai 1908 : *Angelo Laudantes* : GBP 78 – Londres, 10 juil. 1908 : *L'Arbre du pardon* : GBP 609 – Londres, 9 juil. 1909 : *Le vert été* : GBP 336 – Londres, 24 juin 1910 : *La Beauté endormie*, dess. : GBP 325 – Londres, 10 mai 1922 : *Dies Domini*, aquar. : GBP 610 ; *L'Annonciation 1879* : GBP 980 ; *Saint Georges* : GBP 190 – Londres, 10 juil. 1922 : *Saint Georges*, esq. au cr. : GBP 42 ; *Jeune fille cueillant des narcisses* : GBP 126 – Paris, 11-13 juin 1923 : *Adam et Ève*, fus. : FRF 300 – Londres, 20 juin 1923 : *L'Été* : GBP 399 – Londres, 20 juil. 1923 : *La roue de la Fortune*, dess. : GBP 31 – Londres, 29 avr. 1927 : *Tête de femme 1895*, cr. : GBP 36 – Londres, 22 juil. 1927 : *Douce musique*, dess. : GBP 75 – Londres, 17 et 18 mai 1928 : *L'esprit des collines* : GBP 210 ; *Mercure et l'Amour* : GBP 189 – Londres, 18 juin 1928 : *Ancilla matutina 1897*, dess. : GBP 13 – Londres, 8 juil. 1930 : *Un chant d'amour* : GBP 620 – Londres, 20 mai 1931 : *La belle Rosamund 1863*, aquar. : GBP 80 ; *Le poète Chaucer*, aquar. : GBP 19 – Londres, 10 juil. 1931 : *Les Heures* : GBP 462 – Londres, 13 avr. 1934 : *Musique* : GBP 147 – Londres, 13 juin 1934 : *Cupidon et Psyché 1867*, aquar. : GBP 210 ; *Fides, figure allégorique 1871*, aquar. : GBP 260 ; *Spes, figure allégorique 1871*, aquar. : GBP 230 – Londres, 30 nov. 1934 : *Cupidon et Psyché*, dess. : GBP 168 – Londres, 15 fév. 1935 : *Persée et la Méduse* : GBP 60 – Londres, 15 mars 1935 : *Tête de femme* : GBP 60 – Conway, 20 oct. 1936 : *Saint Georges et le dragon*, aquar. : GBP 75 – Londres, 23 avr. 1937 : *Lamentation*, dess. : GBP 33 – Londres, 7 juil. 1939 : *La princesse Sahra* : GBP 89 – Londres, 19 avr. 1940 : *Briar Rose* : GBP 29 – Paris, 8 mars 1943 : *Femme drapée*, dess. au cr. noir sur pap. chamois : FRF 1 400 – Londres, 6 déc. 1957 : *Laus Veneris* : GBP 480 – Londres, 20 juil. 1958 : *Amour sur les ruines*, aquar. et temp. sur pan. : GBP 480 – Londres, 25 mai 1960 : *Étude pour une figure de femme* : GBP 290 – Londres, 14 nov. 1962 : *Un ange avec des cymbales*, temp. sur pan. : **GBP 500** – Londres, 26 avr. 1963 : *Le sommeil du roi Arthur* : **GNS 1 600** – Londres, 19 nov. 1965 : *Le roman de la rose* : **GNS 600** – Londres, 23 mars 1966 : *Le mariage de Psyché* : **GBP 1 900** – Londres, 4 juil. 1967 : *Sainte Cécile*, gche : **GNS 260** – Londres, 11 oct. 1967 : *Scènes de Pygmalion*, deux pendants : **GBP 1 600** – Londres, 11 et 19 nov. 1969 : *Cérès*, gche : **GNS 1 900** ; *Flamma Vestalis* : **GBP 3200** – Londres, 17 mars 1971 : *Laura Veneris* : **GBP 33 000** – Londres, 20 juin 1972 : *Le jardin des roses 1862* : **GBP 1 400** – Londres, 16 juil. 1976 : *The blessed damozel*, h/pan. (72,5x37) : **GBP 1 500** – Londres, 20 juil. 1976 : *Un ange vers 1896*, gche et craies (34x18) : **GBP 480** – Londres, 8 mars 1977 : *Tête de jeune fille*, gche, de forme ovale (32x26) : **GBP 900** – Londres, 18 avr. 1978 : *Figures dans un intérieur*, techn. mixte/pap. mar./cart. (21,5x34) : **GBP 1 500** – Londres, 19 mai 1978 : *The Challenge in the Wilderness*, h/t (127x94,5) : **GBP 27 000** – Londres, 19 mars 1979 : *Portrait de Helen Mary Gaskell*, h/t (79x47) : **GBP 6 400** – Londres, 1 er oct. 1979 : *Fair Rosamund and Queen Eleonor 1861*, gche et reh. d'or (49x37) : **GBP 26 000** – Londres, 1er oct 1979 : *Christ et la femme de Samarie*, craie noire (180x117) : **GBP 3 400** – Londres, 23 mars 1981 : *Portrait of Amy Gaskell 1893*, h/t (95x61) : **GBP 110 000** – Londres, 21 juin 1983 : *The mirror of Venus 1867-97*, h/t (79x122) : **GBP 130 000** ; *Saint Jean-Baptiste 1866*, cr. et craie noire/pap. (126X52) : **GBP 2 400** – Londres, 24 juil. 1984 : *Mermaids in the Deep*, gche et craies de coul. (29x22,8) : **GBP 9 000** – Londres, 22 mars 1985 : *The Pilgrim at the Garden of Idleness*, techn. mixte (30,5x90,8) : **GBP 38 000** – Londres, 26 nov. 1986 : *Philomela vers 1864*, aquar. (136x67,5) : **GBP 20 000** – New York, 25 fév. 1988 : *Tête de jeune fille, vers* (26,5x17,2) : **USD 24 200** – Londres, 25 jan. 1989 : *Femme dans un drapé classique 1862*, craies de coul. (32x19) : **GBP 8 580** – Londres, 20 juin 1989 : *Flamma vestalis 1896*, h/t (65x43) : **GBP 341 000** ; *Portrait de Philip Comyns Carr 1882*, h/t (71x48,5) : **GBP 407 000** – Londres, 21 nov. 1989 : *Nativité*, h/t (206x315) : **GBP 770 000** – New York, 28 fév. 1990 : *Etude pour l'Ange de l'Annonciation 1879*, cr./pap. (21x18,1) : **USD 39 600** – Édimbourg, 26 avr. 1990 : *Etude de tête de femme*, cr./pap. (26,1x17,2) : **GBP 7 700** – Londres, 19 juin 1990 : *Le roi Cophetua et la mendiante 1883*, gche et gomme arabique (72,5x36,5) : **GBP 242 000** – Londres, 26 sep. 1990 : *Tête de jeune fille 1879*, cr. (21x14) : **GBP 5 500** – Londres, 1er nov. 1990 : *Virgile et la muse de la poésie*, aquar. et gche (36,9x17,1) : **GBP 8 800** – Londres, 19 juin 1991 : *La forge de Cupidon 1861*, aquar. et gche/pap./t. (32,5x50) : **GBP 39 600** – New York, 17 oct. 1991 : *Étude pour Mrs Gaetano Meo*, craies rouge et noire/pap. ocre (38,4x26,7) : **USD 4 400** – Londres, 25 oct. 1991 : *La princesse Sabra menée vers le Dragon 1866*, h/t (108x96,6) : **GBP 93 500** – New York, 27 mai 1992 : *La petite Dorothy Mattersdorf 1893*, h/t (64x42,5) : **USD 165 000** – Londres, 17 juin 1992 : *La princesse endormie*, h/t (51x51) : **GBP 40 700** – Londres, 12 nov. 1992 : *Lady Burne-Jones avec son fils Philip et sa fille Margaret*, h/t (143,5x113) : **GBP 38 500** – Calais, 14 mars 1993 : *La Sainte*, lav. de sépia et cr. (50x35) : **FRF 4 000** – Londres, 8-9 juin 1993 : *Série Pygmalion : Le cœur désire, La main se retient, La divinité s'enflamme, L'âme s'élève 1868-1870*, h/t, quatre pan. (chaque 66x51) : **GBP 661 500** – Londres, 5 nov. 1993 : *Tête de femme 1890*, craies de coul./pap. terre cuite (14,3x23,5) : **GBP 17 250** – Londres, 30 mars 1994 : *Amour et Beauté*, cr., dessin pour une broderie dans la série du « Roman de la Rose » (89x118) : **GBP 1250** – Londres, 2 nov. 1994 : *Étude de tête de jeune fille pour Les marches d'or 1879*, sanguine/pap. (26x21) : **GBP 23 000** – New York, 16 fév. 1995 : *Sibylla Tiburtina 1877*, gche/pap. (46x24,4) : **USD 17 250** – Londres, 10 mars 1995 : *Portrait de Frances Graham 1879*, h/t (59,7x44,5) : **GBP 177 500** – Londres, 6 nov. 1996 : *Joueur de trompette ; Deux Nus*, cr., études dans le même cadre (chaque 17x12) : **GBP 1 897** – New York, 24 oct. 1996 : *Esquisse pour la tête funeste*, craie brune et fus. avec reh. de blanc/pap. (52,1x34,9) : **USD 33 350** – Londres, 4 juin 1997 : *Portrait de Venetia Benson 1890*, cr. (49,5x32,5) : **GBP 25 300** – Londres, 5 nov. 1997 : *Grosse dame assise*, pl. et encre/pap. bleue (12x9,5) : **GBP 1 150** ; *Le Sacrifice d'Abraham*, cr. (54x42,5) : **GBP 2 760**.

BURNE-JONES Philip, Sir

Né en 1861 à Londres. Mort en 1926. XIXe-XXe siècles. Britannique.

Peintre de figures, paysages, aquarelliste.

Il était fils de sir Edward Burne-Jones. Il exposa à la Grafton Gallery, à la New Gallery, à Londres à partir de 1886.

Ventes Publiques : New York, 18 sep. 1981 : *Anges*, deux h/t (132,1x35,7) : **USD 2 000** – New York, 20 avr. 1983 : *Projets de*

vitraux, deux h/t (132,1x35,7) : **USD 3 500** – Londres, 24 sep. 1987 : *L'église du village 1891*, aquar. (23x32) : **GBP 1 150**.

BURNELL Benjamin

XVIIIe-XIXe siècles. Britannique.

Peintre de portraits, paysages.

Il exposa, de 1790 à 1828, un grand nombre d'œuvres à la Royal Academy, à la British Institution, à Londres.

Ventes Publiques : Londres, 29 oct. 1986 : *The ruins at Ratcliffe, London after the fire of July 1794*, h/t (110x150,5) : **GBP 3 800**.

BURNET James M.

Né en 1788 à Musselburgh. Mort en 1816 à Lee (Kent). XIXe siècle. Britannique.

Peintre de genre, animaux, paysages.

Il étudia d'abord avec Graham. Plus tard il se rendit à Londres (en 1810) et étudia les œuvres de Paul Potter et de Cuyp. Il exposa de 1783 à 1817 à la Free Society of Artists, à la Royal Academy et à la British Institution de Londres.

Burnet fut surtout peintre de la nature. Aimant les scènes champêtres, il les traduit avec une émotion, une sincérité touchantes. Parmi ses œuvres, on cite : *La sortie du bétail (matin), Bestiaux regagnant l'étable par une ondée, Le passage du ruisseau, Brisant la glace, La traite des vaches, Le retour des champs*.

Ventes Publiques : Londres, 7 juil. 1922 : *L'île de Wight* : **GBP 7** – Londres, 18 juin 1924 : *Cour de ferme*, h/t (48x84) : **GBP 350**.

BURNET John

Né en 1784 à Musselburgh près d'Edimbourg. Mort en avril 1868 à Stoke-Newington. XIXe siècle. Britannique.

Peintre, graveur et écrivain d'art.

Cet artiste commença ses études avec le graveur Robert Scott, à Edimbourg ; il y apprit la gravure à l'eau-forte et la gravure au burin. Il travailla en même temps la peinture à la Trustee's Academy. Ce fut là qu'il fit la connaissance de William Allen et de ce David Wilkie dont il devait, avec tant de science, reproduire des œuvres. En 1806, Burnet suivit Wilkie à Londres et pendant plusieurs années grava des planches d'après cet artiste. Il fit également des illustrations pour l'ouvrage de Cooke : *Novelists*, une série de planches pour *L'Angleterre et le pays de Galles*, de Britton et Bayley et pour le *Théâtre de la Grande-Bretagne*, de Mrs Inchbald. Burnet visita Paris après la paix de 1814 et fréquenta pendant cinq mois le Musée du Louvre et le Cabinet des estampes. Il y put copier et étudier les œuvres les plus rares. Il devient membre des « Associated Engravers » ; on lui doit également des planches d'après Rembrandt, Metsu et d'autres artistes. Parmi ses peintures, on cite un tableau, commandé par le duc de Wellington, représentant *Les vieux loups de mer à l'hôpital de Greenwich*, et deux œuvres faisant partie de la « Sheepshanks Collection », au Victoria and Albert Museum. Il fut très apprécié aussi comme écrivain d'art et publia des essais fort intéressants entre 1827 et 1852. En 1860, il fut pensionné par le gouvernement anglais. Malgré son énorme labeur, malgré les succès obtenus par ses ouvrages, Burnet mourut pauvre.

Musées : Dublin : *Pensionnaires de Greenwich*, esquisse du tableau – Glasgow : *Tom O' Shanter* – Londres (British Art) : *Le marché au poisson à Hastings – Vaches buvant* – Londres (Victoria and Albert) : *Cottage près de Hastings*.

Ventes Publiques : Londres, 29 fév. 1908 : *Les Pêcheurs sur la plage* : **GBP 7** – Londres, 20 juil. 1908 : *Bateaux sur la Tamise, près de Chelsea* : **GBP 7** – Londres, 6 fév. 1909 : *Paysage* : **GBP 12** – Londres, 14 fév. 1930 : *Paysans dans une étable 1807* : **GBP 13** – Londres, 15 juin 1934 : *Les enfants Sackville 1822* : **GBP 14** – Londres, 8 avr. 1992 : *Paysage avec des bovins se désaltérant dans une mare et une chèvre 1820*, h/pan. (49x60) : **GBP 1 210**.

BURNETT Cecil Ross

Né le 17 avril 1872 à Old Charlton (Kent). XIXe-XXe siècles. Britannique.

Peintre.

BURNETT Thomas Stuart

Né en 1853 à Edimbourg. Mort le 3 mars 1888 à Edimbourg. XIXe siècle. Britannique.

Sculpteur.

Élève de William Brodie et de l'école des Trustees, où il obtint une médaille d'or en 1875. Il acheva ses études à la Royal Scottish Academy (dont il devint plus tard associé) et au cours d'un voyage en Europe. On cite ses statues du général Gordon et de Rob Roy. Le Musée d'Edimbourg conserve de lui : *Prêtre florentin*. Exposa à la Royal Academy de Londres de 1885 à 1887.

BURNETT W.

Britannique.

Peintre.

Musées : Sunderland : *Homme dans son armure.*

BURNETT William Hickling
XIXe siècle. Britannique.

Peintre de paysages, architectures.

Il exposa à Londres à la Royal Academy et à la British Institution de 1844 à 1860.

Ventes Publiques : Londres, 4 mars 1980 : *Vue de Venise,* h/t (89x141) : **GBP 1 500** – Londres, 3 juin 1988 : *Santa Maria de la Salute à Venise,* h/t (88,9x141) : **GBP 5 500.**

BURNEY Edward Francis
Né en 1760 à Worcester. Mort en 1848 à Londres. XVIIIe-XIXe siècles. Britannique.

Peintre de figures, portraits, aquarelliste, graveur, dessinateur, illustrateur.

Il fit ses études artistiques à l'École de la Royal Academy et déjà, en 1780, alors qu'il n'avait que vingt ans, il y exposa des portraits et des illustrations pour le roman *Evelina.* Burney fut l'ami de sir Joshua Reynolds. Il obtint sa plus grande réputation comme illustrateur.

Musées : Londres (Victoria and Albert Mus.) : *Jeune femme à sa toilette* – Nottingham : *Dessin pour entête de livre* – *Figures dans un paysage* – *Figure assise à une table de dessin* – *Henry Purcell.*

Ventes Publiques : Paris, 25 avr. 1925 : *Trois illustrations,* aquar. : **FRF 750** – Londres, 20 juin 1930 : *Portrait de miss Fanny Burney :* **GBP 735** ; *Portrait de master C. C. Burney :* **GBP 110** ; *Le Triomphe de la musique,* dess. : **GBP 52** – Londres, 3 juil. 1931 : *Portrait of Charles Burney :* **GBP 23** – New York, 25 jan. 1935 : *Master Charles Crisp Burney :* **USD 125** – Londres, 28 mai 1937 : *Femme nue,* dess. : **GBP 11** – Londres, 3 juil. 1964 : *Portrait de Miss Mary Horneck,* d'après la toile de Reynolds : **GNS 90** – Londres, 24 nov. 1977 : *Décor comportant les signes du zodiaque et les constellations,* deux aquar. et pl. (76x131) : **GBP 2 800** – Londres, 9 juil. 1980 : *Portrait of Mary Hornack,* h/t (73,5x60) : **GBP 680** – New York, 15 jan. 1992 : *Antoine et Cléopâtre,* craie noire, encre et aquar. (22,3x17,5) : **USD 1 320.**

BURNEY François Eugène
Né en 1845 à Mailley (Haute-Saône). Mort en 1907. XIXe siècle. Français.

Graveur.

Il débuta au Salon de 1880 avec le *Portrait de Mgr Dubar.* Il a, depuis, donné de nombreux portraits au burin et à l'eau-forte. Médailles de troisième classe en 1881, deuxième classe en 1886, première classe en 1897, médailles d'or aux Expositions Universelles de 1889 et de 1900.

BURNEY Henri B
Né à Londres. XXe siècle. Britannique.

Peintre de fleurs et de natures mortes.

Il a exposé à Paris, au Salon des Artistes Français entre 1924 et 1928.

BURNFORD. Voir BURFORD

BURNHAM, Maître de. Voir MAÎTRES ANONYMES

BURNHAM Anita Willets
Née le 22 août 1880 à Brooklyn (New York). XXe siècle. Américaine.

Peintre.

Elle fit ses études à New York et à Chicago. Elle eut pour professeurs William Chase, Frederick-Warren Freer, John H. Vanderpoel et Lawton Parker. Elle fut membre de la Art Student's League de Chicago, où elle habitait vers 1907.

BURNHAM Linda
XXe siècle. Américaine.

Peintre, peintre de collages. Abstrait.

Elle a figuré à l'exposition *Smoggy Abstraction : Recent Los Angeles Painting* au Haggerty Museum of Art, Marquette University en 1996.

Elle réalise des collages avec de la peinture.

BURNHAM Roger Noble
Né en 1876 à Hingham (Massachusetts). XXe siècle. Américain.

Sculpteur.

BURNIER
XVIIIe siècle. Français.

Sculpteur.

Il fut reçu à l'Académie de Saint-Luc en 1752.

BURNIER Richard
Né en 1825 ou 1826 à La Haye. Mort en 1884 à Düsseldorf. XIXe siècle. Hollandais.

Peintre d'animaux, paysages.

Il vint à Düsseldorf en 1850, il y travailla avec A. Achenbach et Schirmer, et y revint en 1869, après avoir étudié à Paris avec Troyon.

Musées : Blackburn : *Bétail sur le rivage* – Düsseldorf : *Taureau au pâturage.*

Ventes Publiques : Cologne, 16 oct. 1964 : *Matin en Hollande :* **DEM 1 500** – Cologne, 5 mai 1966 : *Paysage à la chaumière :* **DEM 2 600** – Amsterdam, 27 avr. 1976 : *Paysage fluvial,* h/pan. (18x24) : **NLG 4 800** – New York, 3 juin 1979 : *Troupeau sur la plage de Scheveningen,* h/t (104x160) : **USD 5 000** – Cologne, 21 mai 1981 : *La cour de ferme,* h/pan. (38x49) : **DEM 6 000** – Cologne, 28 juin 1985 : *Jeune garçon dans un sous-bois regardant des oiseaux,* h/pan. (17x23) : **DEM 2 800** – Bruxelles, 16 mars 1987 : *Le départ pour la chasse,* h/t (103x100) : **BEF 125 000** – Amsterdam, 11 sep. 1990 : *Chasseurs dans un vaste paysage,* h/pan. (20x31) : **NLG 2 760.**

BURNITZ Karl Peter
Né en 1824 à Francfort-sur-le-Main. Mort le 18 août 1886 à Francfort-sur-le-Main. XIXe siècle. Allemand.

Peintre de paysages.

D'abord avocat, il s'adonna plus tard à la peinture, et travailla pendant dix ans sous l'influence directe de l'école de Barbizon, à Paris. Il voyagea en Italie, en Espagne, en Algérie, puis se fixa à Cronberg, où il fit partie d'une association de peintres.

Musées : Berlin : *Paysage du Taunus* – Francfort-sur-le-Main : *Au rivage de la Nied, près de Francfort* – *Partie de forêt près de Cronberg* – Hambourg : *Paysages,* deux pendants.

Ventes Publiques : Londres, 26 mai 1922 : *La fenaison :* **GBP 10** – Vienne, 21 mars 1972 : *Vue de Salzbourg :* **ATS 10 000** – Cologne, 14 juin 1976 : *Paysage,* h/t (40x53) : **DEM 9 000** – Cologne, 20 nov. 1980 : *Paysage boisé,* h/t (41x52) : **DEM 4 400** – Cologne, 18 mars 1983 : *Paysage orageux,* h/t mar./cart. (23x30,5) : **DEM 7 500** – Munich, 22 mars 1985 : *Paysage d'été,* h/t (24x37) : **DEM 4 000** – Cologne, 15 juin 1989 : *Vaste paysage automnal animé avec une ferme au fond,* h/t (65x122) : **DEM 40 000.**

BURNITZ Rudolf Hans
Né en 1875 à Francfort-sur-le-Main. XXe siècle. Vivant à Francfort-sur-le-Main. Allemand.

Peintre de paysages.

Il est le fils de Karl Peter Burnitz.

BURNOT Philippe-Charles
Né le 15 mars 1877 à Lantignié (Rhône). Mort le 14 août 1956 à Beaujeu (Rhône). XXe siècle. Français.

Peintre, graveur, illustrateur.

En 1900, il s'était fixé à Lyon, où il travaillait comme dessinateur de seines tout en s'intéressant aux métiers du livre. En été, il parcourait à pied la Suisse, le Tyrol, l'Italie du Nord. En 1919 en Bretagne, il rencontra le graveur Georges Bruyer qui l'initia à la gravure sur bois. À partir de 1926, il commence à graver sur cuivre, burin et pointe sèche. Il n'utilisera désormais le bois que pour la réalisation des ex-libris. En 1929 il fonde avec Albert Pauphilet l'association *Le bois gravé lyonnais.*

Il a exposé à Paris, en 1920 au Salon d'Automne ; est devenu membre de la Société des Artistes Décorateurs en 1922 ; a figuré à l'Exposition Internationale des Arts Décoratifs à Paris en 1925 ; il a présenté ses œuvres à Lyon pour la première fois en 1950 et, un an avant sa mort, en 1955.

En 1948 il adhèra à la non-figuration, abandonnant presque complètement la gravure pour se consacrer aux monotypes et aux papiers collés. Ayant longtemps admiré Matisse, il ressent alors l'influence de Paul Klee et de Kandinsky, de qui il lit *Du Spirituel dans l'Art.*

Il a illustré des œuvres très diverses parmi lesquelles : *Les Femmes de Casanova* d'Eugène Marsan, *Les lettres de Stéphane Mallarmé à Aubanel et Mistral, Témoignage* de Jean Lebrau, *Tyrrhénus* de Jacques Bainville, *Les Dialogues de Paul Valéry* de Louis Aguettan, *Le Beaujolais* de Marius Audin, *Hyménée* de C. Forot, *Images d'Amérique* de J.-M. Carré, *Les Fêtes annonéennes du 10 juillet 1923* de Marc Seguin, *Le Réalisme de Pascal* d'Henri Massis, *Réflexions sur l'ordre en France* de Charles Maurras, *Introduction aux Épistres de Sénèque* par Maurice Maeterlinck, *La Maison de Mirabeau* de J. et J. Tharaud, *Réponses* de Paul Valery.

BIBLIOGR. : Divers : *Philippe Burnot, Les Audins, Lyon, 1961.*
MUSÉES : BRUXELLES (Cab. des Estampes) – JERSEY – LYON (Mus. des Beaux-Arts) – LYON (Bibl.) – SAINT-ÉTIENNE (Mus. d'Art et d'Industrie) – STRASBOURG (Mus. des Beaux-Arts).

BURNS Balfour
XIXe siècle. Actif à Streatham. Britannique.
Peintre de paysages.
Il exposa entre 1884 et 1890 à la Royal Academy, à Londres.

BURNS Cecil Leonard
XIXe siècle. Britannique.
Peintre de genre, portraits.
Il expose depuis 1888 à la Royal Academy, à Londres.

BURNS Jean Douglas, Miss
Née le 15 juin 1903 à Cumbernauldt (Dumbarton). XXe siècle. Britannique.
Peintre et graveur.

BURNS Jim
Né en 1948. XXe siècle. Britannique.
Graveur, illustrateur. Fantastique.
Après avoir été de 1966 à 1968 pilote de chasse dans la Royal Air Force, il entreprend des études artistiques à la Newport School of Art puis à la Martin School of Art de Londres.
Il réalise des scènes de science-fiction. Il a illustré divers ouvrages.

BURNS Margaret Delisle, Mrs
Née le 9 juillet 1888 à Londres. XXe siècle. Britannique.
Peintre et graveur.

BURNS Michael J.
XIXe siècle. Américain.
Peintre et illustrateur.
Il vivait à Boston vers 1898. Il exposa à la National Academy de New York.

BURNS Robert
Né en 1869 à Édimbourg. Mort en 1941. XIXe-XXe siècles. Britannique.
Peintre de sujets religieux, figures, portraits, paysages, aquarelliste.
Il étudia à Paris, de 1890 à 1892. Il expose depuis 1892 à la Royal Scottish Academy.

VENTES PUBLIQUES : ÉDIMBOURG, 2 juil. 1981 : *Paysage au Maroc,* aquar. (31x48) : **GBP 240** – GLASGOW, 7 oct. 1982 : *La Vierge et l'enfant dans un paysage boisé au clair de lune,* aquar./pap. (50,8x75,5) : **GBP 300** – MANCHESTER, 5 fév. 1986 : *A white night ; The road across the moors,* deux aquar. reh. de gche (45x75) : **GBP 800** – LONDRES, 13 fév. 1987 : *Music 1904,* h/t (114,3x139) : **GBP 3 500** – PERTH, 31 août 1993 : *La baignade,* h/t. cartonnée (35,5x46) : **GBP 598** – NEW YORK, 14 oct. 1993 : *Arabes se rendant au marché avec leurs ânes,* aquar./pap./cart. (51,4x75,6) : **USD 1 380** – LONDRES, 30 mars 1994 : *Sir Galahad 1891,* h/t (92x79,5) : **GBP 2 300** – ÉDIMBOURG, 9 juin 1994 : *La cueillette des primevères,* h/t (82x56,5) : **GBP 1 610** – NEW YORK, 17 jan. 1996 : *Dame à la cithare 1900,* h/t (90,8x112,1) : **USD 2 990**.

BURNS Thomas James
Né le 14 octobre 1888 à Édimbourg. XXe siècle. Britannique.
Sculpteur.
Il étudia à l'École d'Art d'Édimbourg et à Londres.
VENTES PUBLIQUES : LONDRES, 20 mars 1986 : *Un pilote* vers 1941, bronze patine vert-noir (H. 52) : **GBP 1 500**.

BURNS William Henry
XIXe siècle. Actif à Liverpool. Britannique.
Peintre.
Il exposa à l'Académie de Liverpool en 1810-1812.

BURNS Y.
XIXe siècle. Britannique.
Peintre de portraits.
VENTES PUBLIQUES : LONDRES, 6 juin 1996 : *Portrait d'Edna portant un bonnet et une capeline 1902,* h/t (85,1x60,3) : **GBP 920**.

BURNSIDE Cameron
Né en 1887 à Londres. XXe siècle. Américain.
Peintre de compositions religieuses, portraits, nus, marines, paysages urbains, paysages.

Il fut élève de Myron Barlow et René Ménard. Il a exposé à Paris, aux Salons des Artistes Français en 1911 et 1912, de la Société Nationale des Beaux-Arts à partir de 1913 dont il deviendra sociétaire en 1929, au Salon des Artistes Indépendants entre 1911 et 1931, aux Tuilerie en 1923.
Il a souvent peint des vues de Paris, mais on cite aussi de lui une *Descente de Croix.*
VENTES PUBLIQUES : PARIS, 5 avr. 1993 : *Les marchands de dromadaires,* gche avec reh. de blanc (59x72) : **FRF 7 000**.

BURNSIDE Irène
Née dans le Mississipi. XXe siècle. Américaine.
Peintre de portraits, de paysages et de fleurs.
Elle exposa à Paris, au Salon de la Société Nationale des Beaux-Arts à partir de 1928 et au Salon des Artistes Indépendants.

BUROFF Fedor Emeljanowitsch
Né en 1843 à Moscou. Mort en 1896. XIXe siècle. Russe.
Peintre.

BURON Fleury ou Floris
XVIIe siècle. Actif à Lyon. Français.
Peintre.
Il vivait à Lyon en 1640 et 1651 ; il peignit, dans cette ville, des fresques dans l'église de Sainte-Croix et des panneaux à l'hôtel de ville. Il était réputé pour les « perspectives » et les décorations « à la détrempe et à l'huile ».

BURON Henri Lucien Joseph
Né le 5 août 1880 à Rouen (Seine-Maritime). Mort en 1969 à Paris. XXe siècle. Français.
Peintre de portraits, de nus, de paysages et de natures mortes.
Il fit ses études à l'École des Beaux-Arts de Rouen puis les poursuivit à celle de Paris, où il fut élève de François Cormon et d'Albert Lebourg. Il fut professeur à l'École des Beaux-Arts de Rouen. À Paris, sociétaire du Salon des Artistes Français, il fut médaillé d'or, hors-concours en 1935, troisième médaille en 1937 à l'Exposition Universelle.

Henri Buron

MUSÉES : HONFLEUR .
VENTES PUBLIQUES : BREST, 12 déc. 1982 : *Marine à Concarneau,* h/pan. (22x26) : **FRF 2 100** – PARIS, 31 jan. 1990 : *Marine,* h/t (38x56) : **FRF 14 500** – NEUILLY, 20 oct. 1991 : *L'entrée du port,* h/pan. (27x35) : **FRF 12 000**.

BURON Jean Baptiste
XVIIIe siècle. Français.
Sculpteur.
Il fut reçu à l'Académie de Saint-Luc en 1747.

BURON Philippe
XVIIe siècle. Vivant à Lyon en 1682 et 1695. Français.
Peintre.
Il fut maître de métier pour les peintres en 1692 et 1695. Il vint à Grenoble et y travailla pour l'église Saint-André.

BUROT Jacques
XVIIe siècle. Actif à Nantes dans la première moitié du XVIIe siècle. Français.
Peintre verrier.

BUROT Jean
XVIe siècle. Actif à Nantes vers 1578. Français.
Peintre verrier.
Il refit les vitraux de l'église des Carmes.

BUROT Samuel
XVIIe siècle. Actif à Nantes au début du XVIIe siècle. Français.
Peintre verrier.
Il travailla à l'hôtel de ville en 1606.

BURPACHER
XVIIIe siècle. Actif en 1760. Français.
Dessinateur et graveur.

BURPEE William Partridge
Né en 1846 à Rockland (Maine). Mort en 1940. XIXe-XXe siècles. Vivant à Boston. Américain.
Peintre de marines, aquarelliste, pastelliste.
Il fut membre du Boston Art Club et de la Society of Water-Colours Painters ; médaillé à l'Exposition de Saint Louis en 1904.
VENTES PUBLIQUES : NEW YORK, 15 mars 1985 : *Evening tide,* h/t

(51,5x76,2) : **USD 7 500** – New York, 3 déc. 1993 : *Dunes de sable* 1905, h/t (74,5x71) : **USD 9 200** – New York, 28 sep. 1995 : *Un parc en hiver*, past./pap. bleu (35,6x48,3) : **USD 4 600**.

BURR A. Margaretta, Mrs, née Scobell
XIXᵉ siècle. Britannique.
Peintre.

BURR Alexander Hohenlohe
Né en 1835 ou 1837 à Manchester. Mort en 1899. XIXᵉ siècle. Britannique.
Peintre d'histoire, genre, aquarelliste.
Il fut élève à la Trustee's Academy d'Édimbourg. Il exposa à la Royal Scottisch Academy depuis 1856. Vers 1861, il vint à Londres avec son frère John, et exposa notamment à la Royal Academy.
Musées : Glasgow : *Jeu de volants* – Sheffield : *Prière avant le repas – La Société de musique.*
Ventes Publiques : Londres, 23 avr. 1910 : *Traversant le ruisseau* : **GBP 31** – Londres, 15 fév. 1922 : *Le jeune charpentier* : **GBP 18** – Londres, 20 juil. 1923 : *Personnages* 1871 : **GBP 10** – Londres, 30 mai 1930 : *Personnages* : **GBP 8** – Édimbourg, 25 avr. 1931 : *La cueillette des mûres* : **GBP 5** – Londres, 13 avr. 1934 : *Le dressage d'un chien* : **GBP 14** – Londres, 22 fév. 1972 : *La fille perdue* 1868 : **GBP 320** – Los Angeles, 9 juin 1976 : *L'écho de la mer*, h/t (78x49,5) : **USD 850** – New York, 29 mai 1981 : *La cueillette des fleurs*, h/pan. (24,6x19,5) : **USD 1 500** – New York, 24 fév. 1983 : *Colin-maillard*, h/t (77,5x113,5) : **USD 4 750** – Perth, 26 août 1986 : *Visitors*, aquar. et gche (33x23) : **GBP 950** – New York, 24 mai 1989 : *Les jeux avec Grand-Père* 1875, h/t (41x59,7) : **USD 4 950** – Perth, 29 août 1989 : *Le conte de fées*, h/cart. (30,5x25,5) : **GBP 935** – Perth, 30 août 1994 : *Battoir contre cuillère de bois*, h/t (44x66,5) : **GBP 1 840** – Perth, 29 août 1995 : *Les lapins familiers*, h/t (43x33) : **GBP 1 955** – Londres, 5 nov. 1997 : *Une partie de cricket : jeunesse et vieillesse*, h/t (51x76) : **GBP 17 250**.

BURR Brainerd
Né au XIXᵉ siècle à Middletown (Connecticut). XIXᵉ siècle. Américain.
Peintre.
Élève de l'Académie de Berlin.

BURR F. C.
XIXᵉ siècle. Vivait à Monroe (Connecticut) vers 1898. Américain.
Peintre aquarelliste.
Membre de la American Water-Colours Society.

BURR George Brainard
Né en 1876. Mort en 1950. XXᵉ siècle. Américain.
Peintre de paysages.
Il a dépeint avec sensibilité les aspects typiques de la campagne américaine.
Ventes Publiques : New York, 18 mars 1983 : *Été indien*, h/t (50,7x63,5) : **USD 1 200** – New York, 24 oct. 1984 : *Un pique-nique en automne*, h/t (81,5x95,2) : **USD 1 600** – New York, 24 juin 1988 : *Mémoires*, h/t (62,5x50) : **USD 1 760** – New York, 15 mai 1991 : *Le ferme Tooker près de Damon Hill*, h/t (50,8x63,5) : **USD 2 420** – New York, 18 déc. 1991 : *Portrait de Mrs Burr*, h/t (63,5x50,8) : **USD 1 430** – New York, 11 mars 1993 : *L'heure des histoires*, h/t (63,5x48,3) : **USD 10 350**.

BURR George Elbert
Né en 1859 près Cleveland (Ohio). Mort en 1939. XIXᵉ-XXᵉ siècles. Américain.
Peintre de paysages, dessinateur, illustrateur.
Il fut membre du Denver-Art Club. Il exécuta des illustrations pour le catalogue de la collection de jades Hebe-Bishop au Metropolitan Museum, à New York.
Musées : New York (Metropolitan Mus.).
Ventes Publiques : New York, 23 sep. 1981 : *Soapweed* 1921, pointe sèche et roulette (25,4x17,5) : **USD 480** – New York, 24 jan. 1989 : *Les pics espagnols au soleil levant* 1919, h/t (35x50) : **USD 6 050**.

BURR John P.
Né en 1831 à Édimbourg. Mort en 1893 à Londres. XIXᵉ siècle. Britannique.
Peintre de genre, portraits, paysages, dessinateur.
Il est le frère de Alexander Holenlohe Burr. Il étudia à la Trus-

tee's Academy de sa ville natale, où il travailla avant d'aller s'établir à Londres. Il exposa à la Royal Academy, à la British Institution, à Suffolk Street, à la Old Water-Colours Society et à la Grafton Gallery à Londres jusqu'en 1892. Il fut membre de la Royal Society of British Artists, associé de la Royal Water-Colours Society.

John Burr.

Musées : Glasgow : *La visite du maître d'école – Le cinq novembre* – Sheffield : *La moisson rustique – L'aide du pauvre – Le chaudronnier voyageur.*
Ventes Publiques : Paris, 1877 : *Un vendeur de jouets :* **FRF 3 000** – Londres, 30 nov. 1907 : *Les Bateleurs :* **GBP 13** – Londres, 29 juin 1908 : *La Veillée de Noël*, dess. : **GBP 15** – Londres, 11-14 nov. 1921 : *La préparation du repas*, dess. : **GBP 7** – Londres, 2 déc. 1927 : *Le pauvre aide le pauvre :* **GBP 17** – Londres, 18 juin 1928 : *Un vagabond* 1878 : **GBP 11** – Londres, 5 déc. 1930 : *Politiciens de village :* **GBP 5** – Londres, 2 juil. 1934 : *Joueurs ambulants :* **GBP 13** – Londres, 17 déc. 1934 : *Comédiens ambulants :* **GBP 10** – Édimbourg, 3 avr. 1937 : *Prenez garde au chien !* : **GBP 15** – Londres, 18 fév. 1938 : *Le costume neuf :* **GBP 7** – Londres, 19 déc. 1938 : *Les troubles domestiques :* **GBP 5** – Londres, 29 juil. 1966 : *Ses premiers pantalons longs :* **GNS 130** – Perth, 13 avr. 1976 : *Jeune pêcheuse* 1879, h/t (81x51) : **GBP 200** – Londres, 2 fév. 1979 : *Le Marchand de jouets* 1862, h/t, haut arrondi (70x57,5) : **GBP 4 200** – Londres, 20 oct. 1981 : *The New Frock* 1859, h/t (66x86) : **GBP 2 800** – Londres, 26 mai 1983 : *Une petite paysanne*, aquar. reh. de gche (30x15) : **GBP 600** – Chester, 30 mars 1984 : *Red Riding Hood* 1871, h/t (73,5x48) : **GBP 1 450** – Londres, 10 oct. 1985 : *Une jeune paysanne*, aquar. reh. de gche (30,5x17) : **GBP 1 200** – Auchterarder (Écosse), 1ᵉʳ sep. 1987 : *The New Frock*, h/t (51x76) : **GBP 1 100** – Édimbourg, 30 août 1988 : *Le Lapin préféré* 1858, h/t (23x30,5) : **GBP 1 980** – Glasgow, 7 fév. 1989 : *Le Vieux Pasteur*, h/t (55x77) : **GBP 3 960** – Perth, 28 août 1989 : *Camarades de jeu*, h/t (36x57) : **GBP 1 430** – New York, 17 jan. 1990 : *Préparation de la pêche du jour*, h/t (94,1x77,6) : **USD 1 540** – South Queensferry (Écosse), 1ᵉʳ mai 1990 : *Jeux dans une anse entre les rochers*, h/t (46x61) : **GBP 2 200** – Édimbourg, 23 mars 1993 : *Les Jeux d'une souris*, h/pan. (20x25,5) : **GBP 1 610** – Londres, 11 juin 1993 : *La Moissonneuse paresseuse* 1876, h/t (77,5x113) : **GBP 6 900** – Londres, 25 mars 1994 : *Sport de bord de mer* 1875, h/t (71,1x91,4) : **GBP 2 875** – Londres, 15 avr. 1997 : *Le Petit Lapin* 1858, h/t (26x31) : **GBP 3 450**.

BURRA Edward
Né le 29 mars 1905 à Londres. Mort en octobre 1976 à Londres. XXᵉ siècle. Britannique.
Peintre-aquarelliste de compositions à personnages, natures mortes, paysages, fleurs. Surréaliste.
Il fut élève de la Chelsea School of Art et du Royal College of Arts (1923-1925). Il participa à partir de 1930 aux manifestations des surréalistes anglais. Il a exposé à Paris en 1946 et 1948. Une rétrospective de son œuvre eut lieu à la Tate Gallery en 1973.
On cite ses aquarelles de formats insolites, empreintes d'un esprit satirique et violent, qu'il exécuta tout au long de sa carrière. Beaucoup ont pour thème des scènes d'horreur de la guerre mondiale et de la guerre civile espagnole. En 1933, il fonde avec Henry Moore, Ben Nicholson et Paul Nash l'*Unit One Group*. Infirme, il se trouve dans l'impossibilité de réaliser des œuvres de grandes surfaces et utilise des bandes de papier collées les unes aux autres pour des travaux d'importantes dimensions. Jusqu'au milieu des années cinquante, ses peintures sont souvent traversées par des hommes-oiseaux, accompagnés de créatures manifestement prédatrices. Ces hommes-oiseaux ne sont pas étrangers au domaine collectif du surréalisme, dans lequel les femmes-oiseaux, directement issues de l'inconscient érotique, ne sont pas rares. Ces hommes-oiseaux ne font pas fatalement partie de contextes d'angoisse. On peut les trouver paisiblement installés dans un paysage, voire environnés de quantité d'instruments ménagers quotidiens, constituant de somptueuses natures mortes. Dans ces cas en particulier, la peinture d'Edward Burra est soigneusement descriptive, joyeusement colorée, les volumes sont fortement modulés d'ombre, l'espace classiquement perspectif. A la fin de sa vie, continuant

de s'éloigner des thèmes surréalistes, Edward Burra choisissait ses thèmes parmi les paysages et les bouquets de fleurs. ■ J. B.

E J Burra

E f Burra

Musées : LONDRES (Tate Gal.) : *Keep your head* 1930 – LONDRES (Arts Council of Great Britain) : *Winter* 1964.
Ventes Publiques : LONDRES, 15 avr. 1964 : *Nature morte aux dahlias,* aquar. reh. : **GBP 320** – LONDRES, 9 avr. 1970 : *Judith et Olopherne,* aquar., cr., gche : **GBP 950** – LONDRES, 10 nov. 1976 : *Tauromachie* 1934, aquar. et reh. de gche (54,5x75,5) : **GBP 4 000** – LONDRES, 16 nov. 1977 : *Vent du sud-ouest,* gche (55,5x755,5) : **GBP 3 000** – LONDRES, 3 mars 1978 : *Les Cheminots* 1929, h/t (69x51) : **GBP 5 500** – LONDRES, 9 juin 1978 : *Revolver Dream* 1931, aquar. et gche (43x54,5) : **GBP 2 800** – LONDRES, 27 juin 1979 : *Miss Tiny Feet,* aquar. et reh. de gche (132x79) : **GBP 8 000** – LONDRES, 5 mars 1980 : *Paysage du Sussex,* aquar. et cr. (76,5x134) : **GBP 6 000** – LONDRES, 12 juin 1981 : *Le marché du Samedi* 1932, aquar./traits de cr. (74,2x54,5) : **GBP 8 800** – LONDRES, 12 nov. 1982 : *Le café des docks* 1929, tempera/t. (61x49,5) : **GBP 13 500** – LONDRES, 25 mai 1983 : *Le Sphinx,* aquar./trait de cr. (79x66) : **GBP 3 500** – LONDRES, 9 mars 1984 : *Les Duègnes, au verso : nature morte peinte par un autre artiste,* h/t (61x50,8) : **GBP 1 400** – LONDRES, 8 juin 1984 : *Nature morte aux courges,* aq. gche et cr./pap. (82x134) : **GBP 9 500** – LONDRES, 8 nov. 1985 : *Vase de fleurs,* aquar./traits de cr. (103x73) : **GBP 18 000** – LONDRES, 14 nov. 1986 : *L'étal des poissons* vers 1949, aquar. (50,5x62,5) : **GBP 14 000** – LONDRES, 4 mars 1987 : *Chevaux de cirque* 1936, aquar. (80x112) : **GBP 11 000** – LONDRES, 9 juin 1989 : *Femme japonaise,* aquar. et encre (49,4x24,2) : **GBP 1 045** – LONDRES, 10 nov. 1989 : *Remenice N° 2,* aquar. et gche aquar reh. de blanc/pap. (27,3x22,9) : **GBP 3 520** – LONDRES, 8 juin 1990 : *L'approche de l'orage,* gche, aq. et cr. (135x80) : **GBP 36 300** – LONDRES, 8 nov. 1990 : *Homme-oiseau et ustensiles dans un paysage,* aquar. et gche (56,5x78,5) : **GBP 55 000** – LONDRES, 7 juin 1991 : *Fleurs sauvages,* aq. gche et encre (68,5x103) : **GBP 22 000** – LONDRES, 14 mai 1992 : *La grand'mère de l'artiste faisant un puzzle* 1924, encre noire et brune (33x28) : **GBP 935** – LONDRES, 6 nov. 1992 : *L'ouverture de la saison de chasse* 1952, cr., aquar. et gche (71x104) : **GBP 31 900** – LONDRES, 26 oct. 1994 : *Prisonnier du destin,* cr. aquar. et gche (109,2x78,5) : **GBP 62 000**.

BURRAGE Mildres Giddings
Né au XIXe siècle à Portland (Oregon). XIXe-XXe siècles. Américain.
Peintre.
Il exposait au Salon d'Automne, en 1912 : *Souper à deux* et *le Jardin.*

BURRAS Caroline Agnès, Miss
Née le 2 août 1890 à Leeds (Yorkshire). XXe siècle. Britannique.
Miniaturiste et peintre enlumineur.

BURRAS Thomas, dit Burras de Leeds
XIXe siècle. Britannique.
Peintre de paysages.
Musées : LEEDS : *Paysage avec bétail* – *Paysage montagneux.*
Ventes Publiques : NEW YORK, 8 juin 1984 : *Grouse shooting,* h/t (68,6x87,6) : **USD 3 500** – NEW YORK, 22 mai 1990 : *La foire de Skipton en 1830,* h/t (57,1x76,1) : **USD 13 200** – LONDRES, 12 juil. 1991 : *Deux épagneuls dans une forêt gardant le carnier* 1891, h/t (60,4x50,5) : **GBP 2 200**.

BURRELL J. F.
XIXe siècle. Britannique.
Peintre de paysages, portraits.
Il exposa de 1801 à 1854 à la Royal Academy, à Londres.

BURRELL James
XIXe siècle. Actif de 1850 à 1892. Britannique.
Peintre de paysages, marines.
Il exposa de 1859 à 1865 à la Royal Academy et à Suffolk Street, à Londres.
Ventes Publiques : NEW YORK, 5 mars 1981 : *Le port de Brest* 1866, h/t (76x127) : **USD 2 600** – NEW YORK, 30 oct. 1985 : *Personnages près d'un pont dans un paysage fluvial boisé,* h/t

(74,9x121,9) : **USD 3 800** – LONDRES, 31 mai 1989 : *La remontée des filets par mer houleuse,* h/t (51x81) : **GBP 3 080** – LONDRES, 3 nov. 1989 : *Paysage boisé montagneux avec une cascade* 1892, h/t (91,5x66) : **GBP 4 180** – LONDRES, 16 juil. 1993 : *Jour de brise,* h/t (76x127) : **GBP 6 900** – NEW YORK, 9 juin 1995 : *L'approche de l'orage,* h/t (91,4x127) : **USD 5 520**.

BURRET Léonce
Né en 1866 à Bordeaux. Mort en 1915 à Paris. XIXe-XXe siècles. Français.
Illustrateur, dessinateur, lithographe. Humoristique.
Il fit ses études à l'École des Beaux-Arts de Bordeaux. Il a collaboré à de nombreuses revues humoristiques et satiriques et réalisé des affiches. Il a illustré *La Petite Marquise* de Mme Cremnitz paru en 1910. Ses illustrations sont parues dans les revues suivantes : *Le Rire – Sourire – Chat-Gris – Fantasio – La Vie Parisienne – L'Assiette au beurre.*
Bibliogr. : In : *Diction. des Illustrateurs 1800-1914,* Hubschmid & Bouret, Paris, 1983.

BURRI Alberto
Né en 1915 à Citta di Castello (Ombrie). Mort le 13 février 1995 à Nice (Alpes-Maritimes). XXe siècle. Italien.
Peintre, technique mixte, collages, sculpteur, graveur. Abstrait-matiériste.
Alberto Burri se met à peindre très tard. Il commence par faire des études de médecine, jusqu'au diplôme en 1940, avec l'intention de s'établir en Afrique, où il s'envoie, pendant la guerre, comme médecin militaire. En 1943, il fut fait prisonnier en Tunisie par les Américains qui l'envoyèrent au camp de Hereford dans le Texas. C'est là qu'il put se remettre à pratiquer la peinture, représentant des paysages, à laquelle il s'était intéressé durant son adolescence. Revenu en Italie, il s'établit à Rome en 1946, et se consacre exclusivement à la peinture. En 1950-1952, il participe à la création du groupe « Origine » qui entend maintenir les plus hautes exigences non figuratives de l'expression et s'insurge contre une conception de l'art abstrait en tant que réaction contre tout contenu figuratif ou en tant qu'orientation de plus en plus prononcée vers une « complaisance décorative ». Y participent des sculpteurs et des peintres tels que Ettore Colla, Basaldella, Capogrossi et Prampolini.
À partir de 1958, plusieurs prix lui sont décernés, en particulier le prix de l'Association Internationale des critiques d'art, à la Biennale de Venise de 1960 qui présente une rétrospective de ses œuvres. En 1964, il a participé à la Documenta III de Kassel. À dater de là, il expose dans le monde entier lors de manifestations collectives et personnelles, étant avec Lucio Fontana un des artistes italiens les plus connus de sa génération. À Paris une rétrospective s'est tenue en 1972 au Musée National d'Art Moderne. En 1981, fut inauguré la Fondation Burri à Citta di Castello. En 1989, la Fondation acquit les anciens séchoirs de la Manufacture de Tabac pour y réunir l'importante collection dont il a fait don à sa ville natale. En 1991, la Pinacothèque Nationale de Bologne a organisé une exposition d'ensemble de l'œuvre de Burri, et il a lui-même présenté ses peintures sur Cellotex au château de Rivoli près de Turin. En 1996-97 eut lieu, au Palais des Expositions de Rome, l'importante exposition rétrospective posthume de son œuvre, exposition destinée à circuler ensuite en Europe.
Après une série de paysages, peints au camp de prisonniers de Hereford, vers 1946-1947 il se tourne vers la peinture abstraite, puis vers 1948 abandonne le travail de l'huile pour aborder la problématique de la matière utilisée à l'état brut. La toile des sacs est structurée par les contrastes ménagés entre les différents matériaux et les divers procédés employés, comme le collage, le clouage et la projection. Les *Moisissures* et les *Noirs* réalisés en 1952 exploitent de façon plus approfondie les possibilités offertes par un même matériau. Il réalise ensuite ses premiers *Sacchi* (sacs), qui font scandale en Italie. Les rebuts textiles – la toile de jute, de vieux vêtements – constituent l'élément principal du tableau, assorti encore de quelques éléments picturaux. La composition est rythmée par les lacérations, déchirures, coutures et rapiéçages qui évoquent autant des blessures que d'aventures optiques.
Aux yeux d'Alberto Burri, ces matériaux incorporés ont avant tout une valeur plastique équivalente à celle de couleurs non encore répertoriées, et c'est bien la possibilité expressive de la matière qu'il met en évidence dans la toile. Le matériau ne traduit pas une image, il est ici l'image même. Les *Brûlures* de 1956, concrétions de plastique fondu, coulé au four, de bois ou de

papier explorent les modifications de consistance de la matière. Entre 1959 et 1960, les *Fers* sont un retour à une recherche formelle plus austère ; des éléments de tôle rouillée, oxydée, martelée, sont assemblés par soudure dans un cadre rectangulaire. Depuis 1962, Burri s'applique à employer systématiquement des matières plastiques brûlées, déformées par le feu ou crevées, souvent complétées par des empâtements colorés où le rouge et le noir dominent. Ce sont les *Combustioni*, où les béances, entailles, boursouflures participent à l'équilibre général de la toile. Ces œuvres anticipent de quelques années les recherches d'Yves Klein. Ces « accidents » provoquent un double phénomène de reconnaissance : d'une part l'identification du matériau et ses multiples significations, d'autre part ses qualités de formes et de couleurs qui produisent une image. Il travaille l'argile séché et crevassé, réalise quelques très grandes sculptures en fer polychrome. Puis, dans les années quatre-vingt, utilise le Cellotex, panneaux de bois recomposé, en tant que support de peintures planes, d'une conception abstraite plus classique, aux formes à découpes nettes, en général de grandes dimensions (240x360) et à vocation ornementale, où apparaissent des motifs traditionnels et des évocations du corps féminin stylisés. En 1987, il fit araser à hauteur d'homme les décombres de la cité sicilienne de Gibellina, détruite en 1968 par un tremblement de terre, et fit recouvrir les ruines de chaux blanche, créant une sorte de monument labyrinthique de vingt-quatre hectares, où se donnent annuellement les représentations d'un festival.

L'œuvre de Burri, hors les peintures sur Cellotex qui y constituent une ultime rupture, se situe dans la lignée des assemblages dadaïstes – en particulier ceux de Schwitters – mais s'en distingue par le fait qu'ici l'objet de rebut acquiert une valeur essentiellement plastique, éloignée de la mémoire de sa fonction originelle. Dans la période de l'après-guerre, avec Lucio Fontana, Alberto Burri contribua à initier des voies totalement originales, à partir desquelles ont pu se définir plusieurs nouvelles générations d'artistes italiens, dont, vingt ans plus tard, celle de l'Arte Povera. ■ F. M., J. B.

Bibliogr. : In : Art News, New York, 1954 – Franco Russoli, in *Peintres contemporains*, Mazenod, Paris, 1964 – in : *Les Muses*, Tome 4, Grange Batelière, Paris, 1970 – Catal. de l'exposition *Burri*, Musée National d'Art Moderne, Paris, 1972 – *Diction. Univ. de la Peinture*, Le Robert, Paris, 1975 – Catal. de l'exposition *Alberto Burri : œuvre graphique 1959-1985*, Maison de la Culture, Amiens, 1986 – in : *Diction. de la peinture italienne*, Larousse, Paris, 1989 – Élisabeth Védrenne-Careri : *Alberto Burri – la peinture mise en pièces*, in : Beaux-Arts, Paris, janvier 1992 – Jean-Louis Perrier : *Alberto Burri, le peintre des toiles « pauvres »*, in : Le Monde, Paris, 18 fév. 1995.

Musées : BUFFALO (Albright-Knox Art Gal.) – CAMBRIDGE, Massachusetts (Fogg Art Mus.) – LONDRES (Tate Gal.) – PARIS (Mus. Nat. d'Art Mod.) : *Sacco e bianco* 1953, t. à sac et h/t (150x250) – *Combustione plastica* 1964, polyvinyle calciné (149x251) – *Grande cretto negro* 1977 – PITTSBURG (Mus. of Art) – PITTSBURG (Carnegie Inst.) – ROME (Gal. d'Arte Mod.).

Ventes Publiques : STUTTGART, 3-4 mai 1962 : *Sacco e bianco*, collage et peint. : **DEM 17 000** – MILAN, 1er déc. 1964 : *Plastique rouge* : **ITL 3 200 000** – MILAN, 2 déc. 1964 : *Noir rouge* : **ITL 11 500 000** – ROME, 9 déc. 1976 : *Sans titre* 1971, h/pan. (100x75) : **ITL 22 000 000** – MILAN, 5 avr. 1977 : *Plastica 1* 1962, plastique et combustion (86x100) : **ITL 22 000 000** ; *Sans titre* 1971, matière et h/pan. (100x75) : **ITL 22 000 000** – MILAN, 13 juin 1978 : *Muffa* 1952, matière et h/t (30x40) : **ITL 6 000 000** – MILAN, 19 déc. 1978 : *Plastica I* 1962, combustion plastique (86x100) : **ITL 19 500 000** – MILAN, 26 avr. 1979 : *Noirt et blanc* 1971, techn. mixte/pan. (75x100) : **ITL 18 000 000** – MILAN, 26 juin 1979 : *Bianco T* 1967, techn. mixte/isor. (150x100) : **ITL 32 000 000** – LONDRES, 2 déc. 1980 : *Sabbia* 1952, techn. mixte/t. (55x85) : **GBP 22 000** – NEW YORK, 12 mai 1981 : *Gris fer* 1958, métal (200,7x195,6) : **USD 70 000** – MILAN, 8 juin 1982 : *Noir avec points rouges* 1957, h/t cousues (60x100) : **ITL 70 000 000** – ROME, 18 mai 1983 : *Combustion/carte* 1959, plastique brûlé/pap. (25,5x17,5) : **ITL 7 500 000** – ROME, 4 déc. 1984 : *Composition noire et blanche* 1971, combustion et h./ardoise (100x75) : **ITL 40 000 000** – MILAN, 26 mars 1985 : *Sacco* 1954, t. à sac et h. (100x86) : **ITL 155 000 000** – MILAN, 27 oct. 1986 : *Sacco e rosso* 1954, techn. mixte et t. d'emballage (100x86) : **ITL 290 000 000** – MILAN, 14 déc. 1987 : *Combustion* 1961, h. et combustion (100x75) : **ITL 95 000 000** – MILAN, 14 mai 1988 : *Combustion* 1963, pap. en double épaisseur et brûlé (26x22,58) : **ITL 15 000 000** – MILAN, 8 juin 1988 : *Composition abstraite* 1950,

techn. mixte/t. (60x88) : **ITL 77 000 000** – MILAN, 14 déc. 1988 : *Blanc* 1952, techn. mixte/t. (86x74) : **ITL 190 000 000** – LONDRES, 25 mai 1989 : *Combustion* 1957, collage de pap. brulé et h/t (38x30,5) : **GBP 39 600** – LONDRES, 29 juin 1989 : *Blanc* 1952, techn. mixte, collage et h/t (99x86) : **GBP 440 000** – LONDRES, 26 oct. 1989 : *Muffa*, techn. mixte /t. d'emballage (37x52) : **GBP 126 500** – MILAN, 8 nov. 1989 : *Tout rouge P.* 1956, combustion d'une t. peinte à l'h. (149x57) : **ITL 730 000 000** – ENGHIEN-LES-BAINS, 21 nov. 1989 : *Umbria vera 1952 – Sacco*, techn. mixte (100x150) : **FRF 16 000 000** – NEW YORK, 27 fév. 1990 : *Sans titre* 1958, relief de métal peint. sur pan. de bois (5,3x7,3) : **USD 55 000** – NEW YORK, 8 mai 1990 : *Grande ferro M6* 1958, collage de feuilles de métal soudées et h/bois (96,8x201) : **USD 473 000** – NEW YORK, 25-26 fév. 1992 : *Moisissure*, h. et pierre ponce/bois (8,6x12,4) : **USD 11 000** – MILAN, 21 mai 1992 : *Pointe sèche 1* 1977, pointe-sèche (55,4x39) : **ITL 2 800 000** – ROME, 25 mai 1992 : *Combustion* 1960, pap., acryl., vinyl. et combustion/t. (100x70) : **ITL 115 000 000** – MILAN, 9 nov. 1992 : *Eau-forte F* 1975, eau-forte (35x25) : **ITL 1 500 000** – LONDRES, 24 juin 1993 : *Sac et or* 1953, h/toile de jute et feuille d'or (86,4x101) : **GBP 309 500** – ROME, 30 nov. 1993 : *Combustion plastique* 1964, plastique, acryl. et combustion/Cellotex (50x35) : **ITL 67 850 000** – ROME, 8 nov. 1994 : *Sans titre (Adam et Eve)* 1947, h/t (50x40) : **ITL 80 500 000** – LONDRES, 1er déc. 1994 : *Composition*, pap., t. d'emballage et h/cart. (32,5x73) : **GBP 96 100** – LONDRES, 28 juin 1995 : *Grand sac* 1954, t. d'emballage et h/tissu (150x250) : **GBP 804 500** – MILAN, 26 oct. 1995 : *Cretto* 1963, pap. brûlé/cart. ondulé (26x19) : **ITL 47 150 000** – MILAN, 13 mars 1996 : *Sac* 1953, t. de jute, or, vinyl. et h/t (100x86) : **ITL 609 500 000** – PARIS, 3 mai 1996 : *Sans titre* 1992, collage Cellotex (14,5x10) : **FRF 41 000** – MILAN, 20 mai 1996 : *Combustion*, pap. brûlé/pap. (29,7x21,5) : **ITL 10 580 000** – LONDRES, 5 déc. 1996 : *Rosso plastica* 1962, plastique, acryl., vinavil et combustion/t. (81x100) : **GBP 287 000** – PARIS, 20 jan. 1997 : *Combustion*, plastique brûlé (24,5x18,5) : **FRF 38 000** – LONDRES, 26 juin 1997 : *Rossi PI* 1956, plastique, acryl., collage de t. et combustion/t. (99,5x70) : **GBP 342 500** – MILAN, 19 mai 1997 : *Combustion* 1964, combustion, acryl., pap. et vinavil/cart. (33x20,5) : **ITL 41 400 000** – LONDRES, 27 juin 1997 : *Gobbo* 1969, h/t/bois (76x101) : **GBP 42 200** – MILAN, 31 oct. 1997 : *Sans titre* 1965, aquat. et gaufrage/vélin (46,8x32) : **FRF 3 500** – MILAN, 24 nov. 1997 : *Noir sur rouge (Nero Rosso Ac)* 1953, h., tissu, sable et vinavil/lin (100x85) : **ITL 340 300 000**.

BURRI François Louis
Né le 18 mars 1838 à Lausanne. Mort le 30 octobre 1897 à Lully-sur-Morges. XIXe siècle. Suisse.
Peintre.
Il fit ses études artistiques sous la direction de Bryner. Peignit des natures mortes, des paysages, des chats et des oiseaux.

BURRI Johann Ulrich
Né en 1802 à Weisselingen (canton de Zurich). XIXe siècle. Suisse.
Peintre de paysages, aquarelliste.
J.-U. Burri exposa, entre 1824 et 1846, une série de paysages suisses et des vues de Vienne et des environs, la plupart à l'aquarelle.
Ventes Publiques : LONDRES, 22 nov. 1978 : *Paysans et troupeau dans un paysage* 1827 (40,5x55) : **GBP 2 500** – ZURICH, 14 mai 1982 : *Paysage d'Autriche*, h/t (31x44,5) : **CHF 1 500** – VIENNE, 18 mars 1987 : *Paysans et troupeau dans un paysage* 1827, h/pan. (40,5x54) : **ATS 65 000**.

BURRIDGE Frederick Vango
Né en 1869 à Londres. XIXe siècle. Actif à Liverpool. Britannique.
Graveur à l'eau-forte.
Membre de la Société royale des graveurs, il obtient une médaille de bronze à l'Exposition Universelle de 1900 à Paris.

BURRIDGE Walter Wilcox
Né en 1857 à Brooklyn (New York). XIXe siècle. Américain.
Peintre, aquarelliste.
Membre de la Chicago Society of Artists, il obtient le prix Ferris au Chicago Art Institute. Il se spécialisa dans l'aquarelle.
Ventes Publiques : NEW YORK, 14 fév. 1990 : *Glen Ridge* 1910, h/t (91,7x61) : **USD 1 100**.

BURRIL E.
XIXe siècle. Vivait à Lynn (Massachusetts) vers 1898. Américain.

Peintre.
Membre du Boston Art Club.

BURRINGTON Arthur Alfred
Né en 1856 à Bridgewater (Somersetshire). Mort en 1924 ou 1925. XIXᵉ-XXᵉ siècles. Britannique.
Peintre de genre.
Il étudia au Victoria and Albert Museum et à la Slade School à Oxford, puis fut élève à Rome de Cipriani et à Paris de Lefebvre, Cormon, Boulanger et Bonnat. Il exposa à partir de 1883 au Salon de Paris et depuis 1868 à la Royal Academy de Londres. Il fut membre du Royal Institute of Painters en 1896.

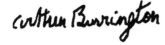

MUSÉES : LEEDS : *Dans la pauvreté.*
VENTES PUBLIQUES : LONDRES, 17 juil. 1910 : *La Bouquetière* : GBP 4 – MONTE-CARLO, 15 fév. 1983 : *La fille du Sud*, aquar. (102,5x43,5) : FRF 6 200 – NEW YORK, 22 mai 1990 : *Le nouveau né*, h/t (108x153,7) : USD 7 700 – LONDRES, 3 juin 1992 : *Marché oriental* 1886, h/t (43,5x56) : GBP 1 430.

BURRINI Antonio ou Giovanni Antonio. Voir BURINO

BURROUGHES-FOWLER Walter John
Né le 20 mars 1861 à Londres. XIXᵉ siècle. Britannique.
Peintre.
Il a exposé à la Royal Academy et au Salon de Paris.

BURROUGHS A. Leicester
Né en 1800. XIXᵉ siècle. Britannique.
Peintre de genre.
Il a été élève de Grasset. Il exposa à Londres à partir de 1881 à la Royal Academy, à Suffolk Street, à la New Water-Colours Society, etc.
VENTES PUBLIQUES : PARIS, 21 avr. 1922 : *Un point d'honneur* : GBP 13 – STOCKHOLM, 29 mai 1991 : *Jeunes filles bavardant au bord d'un lac*, h/t (96x71) : SEK 9 500.

BURROUGHS Bryson
Né le 8 septembre 1869 à Hyde Park (Massachusetts). XXᵉ siècle. Américain.
Peintre de compositions à personnages.
Il fut élève de l'Art Student's League de New York et de Luc-Oliver Merson et Puvis de Chavannes à Paris. Il reçut plusieurs distinctions dont une médaille à Buffalo en 1901, au Carnegie Institute à Pittsburgh en 1903, à Saint-Louis en 1904, et à Worcester dans le Massachusetts. Il fut membre de la Society of American Artists en 1901, associé de la National Academy et conservateur-adjoint de la peinture au Metropolitan Museum de New York. En 1933 il exposa au Worcester Museum de New York : *La Princesse et le Porcher.*
MUSÉES : NEW YORK (Brooklyn Mus.) : *Consolation d'Ariane* – PARIS (Mus. du Louvre) : *Hippocrène.*

BURROUGHS Edith, Mrs Bryson, née Woodman
Née en 1871 à Riverdale-upon-Hudson (New York). Morte en 1916 à Flushing (New York). XXᵉ siècle. Américaine.
Sculpteur.
Elle exposa en 1907 à la National Academy de New York, recevant le prix Julia A. Shaw pour sa statuette en bronze intitulée *Circé.*
VENTES PUBLIQUES : NEW YORK, 4 déc. 1992 : *L'arrière-pensée, nu féminin*, bronze (H. 52) : USD 8 800.

BURROW Harry John
XIXᵉ siècle. Britannique.
Peintre de sujets religieux.
Il exposa à la Royal Academy, à Londres, de 1868 à 1876.

BURROWS Henry Adrien
Né à Paris. XIXᵉ siècle. Français.
Peintre.
Il fut élève de Stingeneyer. On cite de lui : en 1869, au Salon : *Le coup de l'étrier* ; en 1870 : *Un abordage.*

BURROWS Ladye
Né à Rome (Georgie). XXᵉ siècle. Américain.
Peintre.
Il a exposé au Salon des Artistes Français.

BURROWS Robert
XIXᵉ siècle. Britannique.
Peintre de paysages.
Il exposa de 1851 à 1855 à la Royal Academy et à la British Institution, à Londres.
VENTES PUBLIQUES : LONDRES, 15 oct. 1976 : *Bords de rivière*, h/t (58,5x90) : GBP 450 – LONDRES, 18 mars 1980 : *A distant view of Dedham church*, h/t (42,5x52) : GBP 1 400 – LONDRES, 1ᵉʳ oct. 1986 : *Paysage boisé animé de personnages et troupeau*, h/t (30,5x25) : GBP 900 – LONDRES, 13 déc. 1989 : *Guignol ambulant au village*, h/t (23x30,5) : GBP 1 650 – LONDRES, 9 fév. 1990 : *Vaste paysage boisé avec un voyageur et son chien se reposant au bord du chemin*, h/t (25x35,5) : GBP 935 – LONDRES, 13 fév. 1991 : *Moissonneurs* 1873, h/t (25,5x36) : GBP 935 – LONDRES, 3 fév. 1993 : *Moisson*, h/t (45x60,5) : GBP 897 – LONDRES, 11 mai 1994 : *Sur la rivière près d'Orwell*, h/t (30,5x40,5) : GBP 2 070.

BURROWS T.
Britannique.
Graveur.
Il est cité dans l'Art Prices Current de Londres.

BURROWS Tom
Né en 1940 à Gall (Ontario). XXᵉ siècle. Américain.
Sculpteur. Abstrait-géométrique.
Il fit ses études à l'Université de la Colombie Britannique en 1960 et 1961.
Il réalise des sculptures abstraites géométriques qu'il qualifie d'« hybrides ». Il envisage la sculpture comme une présence réelle.

BURSALI Sefik. Voir SEFIK BURSALI

BURSANI Barthélemy
XXᵉ siècle. Français.
Sculpteur.
Le Musée de Nice conserve de lui deux bustes en plâtre, ceux de MM. Loubet et Barla.

BURSILL H.
XIXᵉ siècle. Britannique.
Sculpteur.
Il exposa à Londres à la Royal Academy, de 1855 à 1870, des médaillons et des bustes.

BURSILLO Francesco Antonio
XVIIIᵉ siècle. Travaillant dans les Abruzzes à la fin du XVIIIᵉ siècle. Italien.
Peintre.

BURSSENS Gaston
Né en 1896 à Termonde. Mort en 1965 à Anvers. XXᵉ siècle. Belge.
Poète et peintre. Expressionniste, puis dadaïste et surréaliste.
Il est avant tout un poète expressionniste, auteur de plusieurs recueils de poèmes ; sa peinture d'abord expressionniste a ensuite évolué vers une figuration dadaïste et surréaliste.

BURSSENS Jan
Né le 27 juin 1925 à Malines. XXᵉ siècle. Belge.
Peintre. Figuratif, puis abstrait.
Il fut élève de l'Académie des Beaux-Arts de Gand entre 1943 et 1945 et voyagea ensuite en Angleterre, en Hollande, en Italie et en France. Il exposa avec le groupe *Apport* qui réunissait au lendemain de la guerre les forces vives et prospectives de la jeune peinture belge. En 1952 il est fondateur du groupe *Art Abstrait*. Il obtient plusieurs mentions au Prix de la Jeune Peinture Belge en 1950 et chaque année jusqu'en 1953. Il a participé à de nombreuses expositions collectives et internationales en Europe, à Sao Paulo et à Tokyo. Il a exposé personnellement en 1976 à Gand au musée van Hedendaagse Kunst. Le groupe *Art Abstrait* a fait l'objet d'une rétrospective à Ostende au Musée Provincial d'Art Moderne en 1987.
Après avoir traversé une période figurative apparentée à l'expressionnisme, fréquente chez les jeunes peintres belges, il évolua progressivement vers l'abstraction, conservant toutefois des rappels de formes anthropomorphes ou issues de l'univers marin, dans une technique riche de matières diversifiées et d'harmonies à la fois somptueuses et discrètes. Il est revenu ensuite à une figuration empreinte d'accents dramatiques où

apparaît à travers les portraits la hantise de la mort et de son absurdité.

[signature: Jan Burstup]

BIBLIOGR. : In : *Diction. Univ. de la Peinture*, Le Robert, t. I, Paris, 1975 – in : *Diction. Biogr. ill. des Artistes en Belgique depuis 1830*, Arto, Bruxelles, 1987.
MUSÉES : BRUXELLES – GAND – LA HAYE – NEW YORK (Guggenheim Mus.) – TENERIFE – VARSOVIE .
VENTES PUBLIQUES : ANVERS, 19 oct. 1976 : *Chien au longs poils* 1969, h/t (100x130) : **BEF 24 000** – ANVERS, 27 oct. 1981 : *Bal masqué* 1962, h/t (90x162) : **BEF 26 000** – ANVERS, 23 avr. 1985 : *le jongleur* 1962, h/t (245x123) : **BEF 100 000** – ANVERS, 21 oct. 1986 : *Hiram* 1964, h/pan. (244x122) : **BEF 120 000** – ANVERS, 27 oct. 1987 : *Cratère*, h/t (162x202) : **BEF 150 000** – LOKEREN, 28 mai 1988 : *Arbre de vie* 1958, h/cart. (192,5x46,5) : **BEF 85 000** – BRUXELLES, 13 déc. 1990 : *Lady Godiva*, h/cart. (59x52) : **BEF 91 200** – LOKEREN, 21 mars 1992 : *Composition* 1952, h/t (49x29) : **BEF 36 000** – LOKEREN, 23 mai 1992 : *Autoportrait*, h/t (90x120) : **BEF 160 000** – LOKEREN, 10 oct. 1992 : *Norma Jean, 20th Century Fox* 1970, h/t (100x80) : **BEF 80 000** – LOKEREN, 9 oct. 1993 : *Autoportrait sur fond vert*, h/t (120x90) : **BEF 170 000** – LOKEREN, 28 mai 1994 : *Che Guevara*, h/t (150x180) : **BEF 150 000** – LOKEREN, 10 déc. 1994 : *Paul Léautaud* 1973, h/t (71,5x50) : **BEF 65 000** – LOKEREN, 11 mars 1995 : *Rembrandt*, h/t (100x100) : **BEF 100 000** – LOKEREN, 9 mars 1996 : *Composition*, h/pan. (104,5x60,5) : **BEF 33 000** – LOKEREN, 5 oct. 1996 : *Composition* 1960, h/pan. (63,5x122) : **BEF 70 000** – LOKEREN, 11 oct. 1997 : *Autoportrait*, h/t (110x140) : **BEF 140 000**.

BURSTEIN PINCHAS. Voir **MARYAN**

BURSTIN Jan ou **Burstyn**
Mort en 1602 à Cracovie. XVIᵉ siècle. Actif à Cracovie. Polonais.
Peintre.

BURSZTEJN
Né le 9 octobre 1945 à Paris. XXᵉ siècle. Français.
Peintre, graveur.
Il dessinait depuis l'âge de 16 ans et fréquenta l'École des Beaux-Arts de Paris et l'atelier de la Grande Chaumière où il apprit la gravure sous la direction du peintre Jean Markiel. Il abandonne ensuite la peinture et se consacre exclusivement à l'art graphique. Il a exposé personnellement ses œuvres à Paris en 1965 et 1967, à Atlanta en 1966, à Strasbourg en 1969-1970.

BURT Albin R.
Né en 1784. Mort en 1842 à Reading. XIXᵉ siècle. Actif à Londres. Britannique.
Peintre et graveur.

BURT Charles
Né en 1822 à Edimbourg (Écosse). Mort en 1894 à Brooklyn (New York). XIXᵉ siècle. Américain.
Graveur.

BURT Charles Thomas
Né en 1823 à Birmingham. Mort en janvier 1902 à Birmingham. XIXᵉ siècle. Britannique.
Peintre de genre, paysages.
Il fut élève de David Cox. Il exposa pour la première fois à l'âge de 17 ans à la Birmingham Society of Artists, dont il devint membre plus tard ; il figura aussi à la Royal Academy, à la British Institution, à Suffolk Street et à la Grafton Gallery de 1846 à 1892.
MUSÉES : BIRMINGHAM : *Allant au marché* – *Maison à Harborne* – *Le campement de Bohémiens* – *Une journée de vent* – *Les collines de Edge* – *Vue de Burton-Basset* – CARDIFF : *La retraite du faisan.*
VENTES PUBLIQUES : LONDRES, 11 juin 1909 : *Vue du pays de Galles* : **GBP 7** – LONDRES, 12 fév. 1910 : *Ebb Tide* : **GBP 6** ; *Après l'orage* : **GBP 4** – LONDRES, 7 sep. 1976 : *Paysage animé* 1884, h/t (48,5x75) : **GBP 700** – ÉDIMBOURG, 14 nov. 1978 : *Pêcheurs à la ligne au milieu d'une rivière*, h/t (58,5x98) : **GBP 1 800** – LONDRES, 24 mars 1981 : *Le chemin de campagne* 1851, h/cart. (30x40,5) : **GBP 400** – LONDRES, 29 mars 1984 : *Scène de chasse*, h/t (109x173) : **GBP 1 900** – PERTH), 26 août 1986 : *The salmon pool*, h/t (61x91,5) : **GBP 5 000** – LONDRES, 3 nov. 1989 : *Bétail dans une vallée alpine*, h/t (30,5x46) : **GBP 990** – STOCKHOLM, 15 nov. 1989 : *Paysage côtier avec des personnages et des ânes sur la grève*, h/t

(40x60) : **SEK 8 700** – LONDRES, 11 oct. 1991 : *L'approche* 1893, h/t (61x99) : **GBP 2 640** – LONDRES, 5 nov. 1993 : *Harlech Castle* 1868, h/t (71,1x106,7) : **GBP 1 380** – LUDLOW (Shropshire), 29 sep. 1994 : *Vallée galloise avec des personnages se rendant à l'église*, h/t (65x100) : **GBP 8 050.**

BURT Maria E., Miss, plus tard Mrs **Simpson**
Née à Caton Town (Bedfordshire). XIXᵉ siècle. Britannique.
Miniaturiste.
Elle exposa de 1872 à 1880 à la Royal Academy, à Londres.

BURT Mary Theodora
Née à Philadelphie (Pennsylvanie). XIXᵉ-XXᵉ siècles. Américaine.
Peintre.
Élève de l'Académie des Beaux-Arts de Philadelphie et de l'Académie Julian à Paris. Membre du Plastic Club et « fellow » (membre) de son Alma Mater (de la corporation de son Université).

BURT-SMITH Ruth
Née au XXᵉ siècle à Londres. XXᵉ siècle. Britannique.
Peintre de paysages.

BURTART Henri Joseph
Né à Versailles. XIXᵉ siècle. Français.
Graveur.
Élève de Paul Maurou et Rixens. Sociétaire des Artistes Français depuis 1903.
VENTES PUBLIQUES : PARIS, 5 et 6 mai 1919 : *Paysage près de New York* : **FRF 102.**

BURTENSHAW Geo Ray
Né le 24 février 1888 en Angleterre. XXᵉ siècle. Britannique.
Peintre.
Élève de T. Winter. Ses paysages et ses marines ont été reproduits sur cartes postales et sur les calendriers.

BURTHE Léopold
Né en 1823 à La Nouvelle-Orléans. Mort en 1860 à Paris. XIXᵉ siècle. Français.
Peintre d'histoire, portraits.
Il est né à La Nouvelle-Orléans, où sa famille, venue du Poitou, s'était installée et d'où il revint vers 1830. Élève d'Amaury-Duval à l'École des Beaux-Arts de Paris, en 1841, il commença à exposer au Salon à partir de 1844. Ami d'Ingres, de Jalabert, Gérome, Mottez, Gleyre, Chassériau, il peint dans un style ingresque, soucieux d'un certain archaïsme, désirant atteindre un purisme primitif proche de Fra Angelico. Sa couleur est posée à plat, son coloris est glacé, pâle, son trait est élégant.
BIBLIOGR. : Gérald Schurr : *Les Petits Maîtres de la peinture, 1820-1920, valeur de demain*, Les Éditions de l'Amateur, t. VII, Paris, 1989.
MUSÉES : POITIERS (Mus. Sainte-Croix).
VENTES PUBLIQUES : NEW YORK, 26 mai 1983 : *Béthsabée*, h./étain (42x33,5) : **USD 2 600** – PARIS, 12 déc. 1983 : *Vis superba formae* 1859, aquar., de forme ovale (18x21) : **FRF 4 800.**

BURTIN Marcel
Né en 1902 à Gafsa (Tunisie). XXᵉ siècle. Français.
Peintre. Figuratif puis abstrait.
Son père était mineur en Tunisie. Marcel Burtin vint en France en 1911 et s'engagea dans la marine entre 1919 et 1925. Il travaille ensuite chez Renault et commence à dessiner. C'est en 1932 qu'il rencontre Édouard Pignon ; il subit son influence, puis celles conjointes de Fernand Léger, Matisse et Picasso, avant d'évoluer vers une abstraction sommaire de la forme et de la couleur. Il a exposé dans diverses expositions collectives et aux Salon parisiens des Artistes Indépendants et de Mai.
VENTES PUBLIQUES : PARIS, 21 déc. 1962 : *Le port* : **FRF 2 000** – PARIS, 11 mai 1990 : *Nu assis au bas noir*, h/cart. (56x43) : **FRF 7 500.**

BURTIN Will
XXᵉ siècle. Américain.
Dessinateur.
Il a exposé à New York et à Chicago de gigantesques constructions spatiales représentant une cellule primaire de sang humain, les mécanismes cérébraux de l'ouïe et de la vue, sculptures habitables aussi riches de possibilités pour l'imagination que bien des œuvres proprement artistiques.

BURTON, Miss
XVIIIᵉ siècle. Britannique.
Peintre de fruits.
Elle exposa à la Society of Artists, à Londres, de 1773 à 1778.

BURTON Alice Mary
Née le 21 septembre 1893 à Nogent-sur-Oise. xxᵉ siècle. Britannique.
Peintre.
Élève de J. Borough. Elle a exposé à la Royal Academy, à la Royal Society of Portrait-Painters et à la National Portrait Society. Mention honorable au Salon des Artistes Français en 1924.

BURTON Arthur P.
xixᵉ siècle. Britannique.
Peintre de genre.
Il exposa depuis 1894 à la Royal Academy à Londres.

BURTON Beryl Hope, Mrs
Née à Fransham (Norfolk). xxᵉ siècle. Britannique.
Miniaturiste.

BURTON Dennis
Né en 1933 à Lethbridge (Alberta). xxᵉ siècle. Canadien.
Peintre et sculpteur. Abstrait et figuratif.
Il fit ses études au Collège d'Art d'Ontario à Toronto entre 1952 et 1956, sous la direction de Frederick Hagan et de Jack Macdonald, puis aux États-Unis. Il reçut plusieurs Prix de peinture et de sculpture, avant de se consacrer à la peinture à partir de 1960. Il exposa avec le groupe des Peintres Canadiens à Toronto en 1956, 1957, 1958. Sa première exposition personnelle se tint en 1957.
Ses premières compositions d'ordonnance abstraite sont semées de motifs figuratifs ou de signes répétitifs qui sont parfois les agrandissements de détails anatomiques ou botaniques. Dans la suite, vers 1965, il évolua à une manière qui n'ignorait pas le Pop'art, et peignit, par exemple, une série intitulée *Garterbeltmania series*, dont *Mère, Terre, Amour* de 1965, où il met en page des sous-vêtements féminins, symboles sexuels de la femme, selon une composition d'où les éléments abstraits ne sont pas totalement absents, mais où l'influence du Pop'art prédomine.
En 1967-68, ses œuvres devinrent plus précisément érotiques, comme en témoigne *Métamorphose* de 1968, avant d'abandonner cette veine pour créer des collages, puis des peintures calligraphiques, et revenir, à partir de 1972, à l'art abstrait, dans la lignée de Robert Motherwell. Il a reçu plusieurs commandes de peintures murales, notamment pour l'aéroport d'Edmonton.
■ Annie Pagès
BIBLIOGR. : Catalogue de l'exposition *Modern Painting in Canada*, Edmonton Art Gall., 1978.
MUSÉES : OTTAWA (Nat. Gal. of Canada) : *Intimately Close-in 1958-59 – Le jeu de la vie 1960* – TORONTO (Art Gal.) : *Mère, Terre, Amour 1960* – WINNIPEG (Art Gal.) : *Niagara rainbow honeymoon N.1 – The bedroom 1967-68*.

BURTON Ernest Saint John
Né à Parkstone (Dorset). xxᵉ siècle. Britannique.
Peintre de paysages.
Il exposa des paysages au Royal Institute of Oil Painters et au Royal Institute of Painters in Water-Colours de Londres, et à la Royal West of England Academy. Il a exposé aussi à Paris, au Salon de la Société Nationale des Beaux-Arts en 1926 et 1928.

BURTON Frederick William, Sir
Né en 1816 à Mungret (comté de Limerick). Mort en mars 1900 à Kensington. xixᵉ siècle. Actif en Angleterre. Irlandais.
Peintre de genre, portraits, paysages, aquarelliste, dessinateur.
Burton étudia à Dublin, sous la direction de Brocas. À 21 ans, il fut nommé associé de la Royal Hibernian Academy et, à 23 ans, il en devint membre. Son premier ouvrage fut exposé à la Royal Academy de Londres en 1842. La Royal Society of Painters in Water-Colours lui ouvrit ses portes en 1855 et 1856, mais il se retira de cette compagnie en 1870 pour en devenir membre honoraire (avec Burne-Jones) en 1888. Pendant vingt ans, il remplit les fonctions de directeur de la National Gallery de Londres, succédant à Boxall (1874). Il voyagea beaucoup à partir de 1851, visitant l'Allemagne et d'autres contrées de l'Europe pour se livrer à l'étude des œuvres des grands maîtres. Comme peintre, il a subi l'influence du mouvement préraphaélite.

f. W. Burton

MUSÉES : DUBLIN : *Portrait de l'artiste*, acquis en 1908 – *Portrait de W. Harvey*, esquisse – *Portrait de J.-Mc. Cullagh*, esquisse – *Portrait de T.-O. Davis*, esquisse – *Portrait de J.-C. Mangan*, esquisse – *Portrait de W. Stokes* – *Vue de Howth, en allant vers Killiney* – *Portrait de Dr George J. Allman* – *Hellelil et Hildebrand* – *La rencontre sur les escaliers de Turret*, aquar. – Esquisse du même sujet – *Portrait de Mlle Hélène Fancit, plus tard Lady Marin, en Antigone*, aquar. – *Paysage, Ouest de l'Irlande*, aquar. – *Un autel à Aranmore*, aquar. – Esquisse d'un tableau – *Dame vénitienne*, aquar. inachevée – *Un Albanais*, aquar. – *Vallée rocheuse en Tyrol*, aquar. – *Intérieur d'une église*, aquar., étude – *Étude d'une draperie jaune*, aquar. – *Étude de maïs fraîchement arraché*, aquar. – *Esquisse de paysage*, aquar. – *Paysan de Franconie attendant la confession*, aquar. – *Jeune fille paysanne bavaroise*, aquar. – *Vendeur de fruits*, aquar. – *Coucher de soleil*, aquar. et cr. – *Étude de draperie*, aquar. cr. – *Étude de draperie*, cr. et coul. – 4 *Études de draperies*, cr. – *Étude de figures drapées*, craie rouge – *L'enfant noyé du pêcheur d'Aran*, aquar. – *Portrait de Mlle Callwell*, aquar. – *Étude de tête*, craie de coul. – *Une jeune fille paysanne de Comomara*, aquar. – *Esquisse sur la côte de Herry*, aquar. – *Paddy Connely*, aquar. – *Paysage, regardant vers Achil*, aquar. – *Vue du haut de Lough Corrib*, aquar. – *Pays de sélection*, aquar. – *Portrait de Sir Samuel Ferguson*, dess. à la craie – *Portrait de James M. Cullagh*, cr. – *George James Allman*, craie dess. – *Will. Stokes*, dess. – *Will. Harvey*, craie – LONDRES : *Mary Anne Cross (George Eliot)* – LONDRES (Water-Colours Mus.) : *La chapelle de Saint-Eucharius, Nuremberg*.
VENTES PUBLIQUES : LONDRES, 1875 : *La Romanina*, dess. : FRF 14 960 – LONDRES, 1877 : *Le Jeune écolier*, dess. : FRF 8 660 – LONDRES, 1898 : *Hellelil et Hildebrand*, aquar. : FRF 5 100 – ANVERS, 1898 : *Environs de Dunkerque*, aquar. : FRF 220 – LONDRES, 26 juin 1908 : *La Petite marchande de pommes* : GBP 25 – LONDRES, 23 avr. 1910 : *Yelitza* : GBP 35 – LONDRES, 3 juil. 1922 : *La mort de Richelieu* 1838, dess. : GBP 2 – LONDRES, 4 mai 1928 : *La Marchesa*, dess. : GBP 21 – LONDRES, 27-29 mai 1935 : *George Eliot*, sanguine : GBP 8 – LONDRES, 2 juin 1971 : *Paysage fluvial boisé* : GNS 260 – LONDRES, 11 mars 1976 : *Tyrolese boys trapping birds* 1858, aquar. (53,5x40) : GNS 250 – LONDRES, 25 oct. 1977 : *To Stephanie (Violet crowned)* 1863, gche (46x33) : GBP 1 500 – LONDRES, 6 oct. 1980 : *Rêverie*, aquar. reh. de gche (20x33) : GBP 5 800 – LONDRES, 28 avr. 1987 : *Tyrolese boys trapping birds* 1858, aquar. (53,5x40) : GBP 650 – LONDRES, 10 mars 1995 : *La jeune fille aveugle à la source miraculeuse (ouest de l'Irlande)*, cr. et aquar. (88,3x72,4) : GBP 5 750.

BURTON Irène
Née au xxᵉ siècle à Lichfield (Strafford). xxᵉ siècle. Britannique.
Peintre.
Elle expose à Paris au Salon des Artistes Français.

BURTON J.
xixᵉ siècle. Britannique.
Peintre de portraits.
Il exposa de 1855 à 1858 à la Royal Academy, à Londres. Peut-être le même que le paysagiste J. Burton qui exposa à la British Institution jusqu'en 1844.

BURTON James
xixᵉ siècle. Britannique.
Paysagiste.
Il exposa à la Royal Academy et à la British Institution, à Londres, de 1800 à 1830. A comparer avec J. BURTON.

BURTON John
xviiiᵉ siècle. Britannique.
Peintre de marines.
Il exposa à la Society of Artists et à la Royal Academy, à Londres, de 1769 à 1784. Il fut membre de la Society of Artists.

BURTON M. R. Hill, Miss
xixᵉ siècle. Active à Édimbourg. Britannique.
Peintre de paysages.
Ells exposa à partir de 1891 à la Royal Academy, à Suffolk Street et à la New Gallery, à Londres.

BURTON Mary Agnes Larrabee
Née le 16 décembre 1852 à Portland (Maine). xixᵉ siècle. Américaine.
Peintre et graveur.
Élève de la Cowles Art School de Boston, de la Normal Art School et de Anna E. Klümpke. Elle étudia la gravure sur bois avec W. B. Closson à Boston.

BURTON Nancy Jane, Miss
Née en 1900 à Inverness. Morte en 1972. xxᵉ siècle. Britannique.

Peintre de paysages, animalier.

VENTES PUBLIQUES : LONDRES, 26 sep. 1984 : *Up the hill*, h/t (40,5x51) : **GBP 700** – SOUTH QUEENSFERRY (Écosse), 1er mai 1990 : *Camouflage*, h/t (25,5x35,5) : **GBP 770** – SOUTH QUEENSFERRY (Écosse), 23 avr. 1991 : *Chihuahua et chat tigré 1928*, h/t. cartonnée (33x43) : **GBP 990**.

BURTON Phyllis Marie
Née le 1er décembre 1913 à Nogent (Oise). XXe siècle. Britannique.
Peintre.
Exposante de la Royal Society of British Artists et de la Society of Women Artists.

BURTON Richmond
Né en 1960. XXe siècle. Américain.
Peintre, technique mixte.

VENTES PUBLIQUES : NEW YORK, 6 mai 1992 : *Espace perforé 1989*, h/tissu (243,9x152,4) : **USD 17 600** – NEW YORK, 4 mai 1993 : *Sans titre 1989*, h/tissu et bois (205,1x61) : **USD 6 325** – NEW YORK, 10 nov. 1993 : *Thought plane 16*, bois et h/t (218,4x160) : **USD 15 525** – NEW YORK, 3 mai 1994 : *Sans titre 1989*, h/tissu et bois (205,6x152,4) : **USD 18 400** – NEW YORK, 16 nov. 1995 : *Étude d'escalier #6 1987*, h/tissu sur pap. et bois (34,3x26,7) : **USD 3 450** – NEW YORK, 19 nov. 1996 : *Construction isométrique 3 1989*, h., mine de pb/linoléum/pap. (40,6x55,2) : **USD 1 725**.

BURTON Samuel Chatwoot
Né en 1881 à Manchester (Angleterre). XXe siècle. Américain.
Peintre, graveur et sculpteur.

BURTON Scott
Né en 1939 en Alabama. Mort le 30 décembre 1989 à New York. XXe siècle. Américain.
Sculpteur, designer.

Depuis 1980 il exposa ses œuvres à la galerie Max Protetch de New York. En 1983 s'est tenue une exposition personnelle de ses œuvres aux musées de Cincinatti, Mineapolis et Houston, en 1985 à la Tate Gallery de Londres, à Düsseldorf et Stuttgart. En 1989 des installations de ses œuvres étaient présentées au Kunstverein de Düsseldorf et à la galerie d'actualité du Musée des Arts Décoratifs de Paris.

Au début des années soixante-dix, Scott Burton était critique d'art. Il réalisa ensuite des « tableaux », en réalité des performances dans lesquelles il utilisait des meubles ou des gens, créant des environnements à la banalité exagérée ou passant avec indifférence d'un point de vue à un autre. Ses premières constructions permanentes datent de 1975. Partisan d'un art utilitaire, Scott Burton créait des œuvres qui appartiennent tant au domaine artistique que mobilier. Il est juste fait que ses réalisations pouvaient être présentées comme des sculptures à part entière, issues d'un vocabulaire minimaliste et utilisées également comme un meuble où le souci des caractères fonctionnels et la beauté des matériaux employés. Ces derniers étaient des plus divers : granit, bois, bronze, plastique, béton, cuivre, cuir, marbre, aluminium, lave, pierre, acier, nacre, onyx... On lui doit des œuvres pour la plupart hors d'échelle, plutôt « meubles-monuments » que meubles tout court. Il conçut ses premiers « sièges-rochers » dans les années quatre-vingt, l'un d'abord pour le Parc de Rockville dans le Maryland, celui-ci n'ayant jamais été exécuté, puis il réalisa une paire de « sièges-rochers » qui figure dans les collections du Musée d'Art Moderne de New York. Neuf autres, individuels, suivirent. La série se termina par « table et sièges-rochers » en grès blanc, dans la collection de la Chase Manhattan Bank de New York, et par « canapé et sièges-rochers » en schiste vert, dans une collection privée au Texas. Dans le catalogue de l'exposition du Centre d'Arts Contemporains de Cincinatti en 1983, Charles F. Stuckey écrit : « ... Ses premiers sièges sont basés sur des types conventionnels et leur originalité est primaire et conceptuelle : l'extension du littéralisme à la sculpture moderne. Les sièges-rochers n'ont pas de précédent, ni dans l'histoire du meuble, ni dans l'histoire de la sculpture. Burton utilise des minéraux grossièrement extraits des carrières. En 1980, à Bethesda, dans une carrière du Maryland, il découvrit des blocs de gneiss qui convenaient à son projet. » Il indiqua aux praticiens juste trois lignes de coupe pour façonner le siège à partir du bloc brut : une première horizontale pour l'assiette de la base, une deuxième horizontale pour la pose du corps, combinée avec une troisième verticale pour le maintien du dos. « L'aboutissement est le contraste entre la douceur des surfaces planes et la rugosité naturelle du bloc de pierre. » Ce contraste est accentué par plusieurs facteurs

de la perception psychologique que produisent ces objets : d'une part le fait qu'ils sont absolument hors d'échelle, dimensionnelle et pondérale, donc déjà des sièges et tables pour d'improbables géants, d'autre part l'aspect-même des lourds blocs minéraux, à peine dégrossis de trois entailles, envahissants, hirsutes, menaçants, qu'on peut supposer aérolithes chus des profondeurs spatiales. Les « tables concrètes », « bancs pour dix », « sièges-rochers » de Burton sont installés dans les parcs et buildings de nombreuses villes américaines : pour la Equitable Life Assurance Society à New York, il exécuta des meubles en marbre vert et un sol en granit, marbre et bronze, pour l'atrium du Massachusetts Institute of Technologie de Cambridge un escalier en béton et acier peint. Il avait réalisé l'aménagement de l'extension du Whitney Museum de New-York en 1985.

■ F. M., M. M., J. B.

BIBLIOGR. : Prudence Carlson, in : *L'art de notre temps*, Londres, 1984 – Brenda Richardson, Scott Burton : Catalogue de l'exposition *Scott Burton*, Mus. d'Art de Baltimore, 1986 – in : Catalogue de la vente Sotheby's, New York, 30 avr. 1991.

VENTES PUBLIQUES : NEW YORK, 9 mai 1984 : *Chaise en métal 1979*, acier laqué, N°16/6 (H. 81,2) : **USD 6 000** – NEW YORK, 6 mai 1986 : *Deux chaises 1979*, acier laqué, 3/6 et 5/6 (81,4x47,4x45,8) : **USD 12 000** – NEW YORK, 5 nov. 1987 : *Hectapod Table 1982*, acier nickelé, poli, N° 1 (52,2x59,6x59,6) : **USD 18 000** – NEW YORK, 4 mai 1989 : *Table hectapode*, acier nickelé poli (52,2x59,6x59,6) : **USD 16 500** – NEW YORK, 5 oct. 1990 : *Chaise*, acier moulé à chaud et alu. (81x48,2x45,7) : **USD 22 000** – NEW YORK, 30 avr. 1991 : *Siège-rocher*, lave rouge-orangé (106,8x114,3x137,2) : **USD 143 000** – NEW YORK, 2 mai 1991 : *Tabouret-table*, acier moulé à chaud et alu. (45,7x45,7x45,7) : **USD 19 800** – NEW YORK, 5 mai 1992 : *Chaises en deux parties – angle droit 1985*, granit vert de Mergozzo (106,7x51,5x77,5) : **USD 88 000** – NEW YORK, 17 nov. 1992 : *Chaises*, granit brut de la Sierra (en tout 76,2x92,7x101,6) : **USD 143 000** – NEW YORK, 10 nov. 1993 : *Table de granit bleu*, dalle de granit bleu sur une base d'acier émaillé (73x152,5x81,2) : **USD 29 900** – NEW YORK, 7-8 mai 1997 : *Deux Tables 1980-1981*, béton (chaque 61,6x40,3) : **USD 18 400**.

BURTON T.
XIXe siècle. Britannique.
Portraitiste et peintre de genre.
Il exposa à Londres à la Royal Academy et à Suffolk Street, de 1838 à 1847.

BURTON William O.
Né à New York City. XXe siècle. Américain.
Peintre.
Élève de M. Avy. Il exposait en 1922 un portrait au Salon des Artistes Français.

BURTON William Paton
Né en 1828 à Madras (Indes). Mort en décembre 1883 à Aberdeen. XIXe siècle. Britannique.
Architecte, peintre de paysages et aquarelliste.
Burton commença ses études artistiques chez David-Bryce, à Edimbourg. Après avoir étudié quelque temps le métier d'architecte, il se voua à la peinture et à l'aquarelle. Il voyagea beaucoup, notamment en Égypte et en Europe. Parmi ses œuvres, se trouvent des vues de la Hollande et de l'Égypte, des paysages français et des études de la campagne anglaise.

MUSÉES : LONDRES (Victoria and Albert) : *La moisson* – NORWICH : *Rivière poissonneuse*.

VENTES PUBLIQUES : LONDRES, 17 mai 1923 : *Sur la rivière Beeding*, dess. : **GBP 15**.

BURTON William Shakespeare
Né en 1826 ou 1830. Mort en 1916. XIXe-XXe siècles. Britannique.
Peintre de portraits, paysages, aquarelliste.
Il exposa à la Royal Academy et à la British Institution, à Londres, de 1846 à 1876.

VENTES PUBLIQUES : LONDRES, 23 nov. 1982 : *Jeune femme endormie 1866*, h/cart. (23x18,5) : **GBP 1 000** – NEW YORK, 24 mai 1985 : *Italia*, aquar. et gche (19x9,5) : **USD 3 000**. ■

BURTY Frank Havilland
Né en 1879. Mort en 1971. XXe siècle. Français.
Peintre. Cubiste.
On sait peu de choses sur cet artiste oublié, qui exposa chez Berthe Weill et figura dans la rétrospective sur le Cubisme, au Salon des Indépendants, à Paris, en 1972.
Il utilisait « toutes les ressources de la couleur et de la forme dans

une écriture pleine d'invention qui définit dans un espace clos le caractère singulier et permanent de tous les objets qui l'occupent », écrit Gérald Schurr à son sujet.

Frank Burty

BIBLIOGR. : Gérald Schurr : *Les Petits Maîtres de la peinture, 1820-1920, valeur de demain*, Les Éditions de l'Amateur, t. V, Paris, 1981.

BURTY Philippe
Né en 1830 à Paris. Mort en 1890 à Parays (Lot-et-Garonne). XIXᵉ siècle. Français.
Peintre, graveur.
Burty ne rentre que relativement dans notre cadre, car sa notoriété résulte surtout de ses travaux littéraires. Il étudia d'abord le dessin et la peinture, puis la gravure, avec Péquignot. Il s'occupa de cette dernière – eau-forte et pointe sèche – surtout dans ses loisirs et en amateur. Mais il eut au point de vue de la renaissance de l'eau-forte une influence considérable. Burty fut un grand ami d'Eugène Delacroix, dont il défendit les magnifiques estampes ; le premier, il catalogua l'œuvre de J.-F. Millet. Il sut apprécier le mérite de Méryon, de Seymour Haden, de Legros. On connaît de lui des études de fleurs, des figures. Il était inspecteur des Beaux-Arts lorsqu'il mourut.
VENTES PUBLIQUES : PARIS, 14 avr. 1905 : *Étude de fleurs ; Jeune fille au petit chien* : FRF 15.

BURY Adrian
Né le 6 décembre 1893 dans le Sussex. XXᵉ siècle. Britannique.
Peintre, poète et critique d'art.
Il fit ses études à Londres, Paris et Rome. Il exposa à la Royal Academy, au New English Art Club, à la Royal Society of Portrait Painters. Il a écrit sur l'art contemporain et publié plusieurs volumes de vers.
MUSÉES : LONDRES (British Mus.) – LONDRES (Victoria and Albert Mus.).

BURY Armand
Né près de Lille (Nord). XIXᵉ-XXᵉ siècles. Français.
Peintre.
Débuta au Salon de 1880. Il a peint surtout des portraits. Sociétaire des Artistes Français depuis 1883.

BURY Charles Jules
Né à Paris. XIXᵉ siècle. Français.
Graveur.
Élève de son père Jean-Baptiste Marie Bury. Il débute au Salon de 1869, avec *Yeschal-Djani à Brousse*, d'après M. Parville, et y exposa en 1870 : *Chaire à prêcher dans l'église de Flers*, d'après M. Ruprich-Robert ; en 1878 : *Grande travée de l'école des Beaux-Arts de Marseille* ; en 1880 : *Salon de Louis XVI* (eau-forte) ; en 1881 : *Palais de Longchamp à Marseille*, gravure d'architecture.

BURY Claus
Né en 1946 à Gelnhausen. XXᵉ siècle. Allemand.
Sculpteur de monuments. Abstrait-géométrique.
De 1962 à 1965, il reçut une formation d'orfèvre. De 1965 à 1969, il fut élève de l'École des Arts et Métiers de Pforzheim. En 1969-1970, il compléta sa formation à Londres. À partir de 1971, il poursuit une importante activité d'enseignant-invité, dans plusieurs villes d'Allemagne, en Angleterre, Israël, aux États-Unis. Il a bénéficié de plusieurs bourses d'études, en 1976 en Allemagne, 1981 à Washington, 1985 en Italie, en 1986 en Allemagne. Il vit et travaille à Francfort-sur-le-Main. Il participe à des expositions collectives, notamment : 1976 Musée de Duisburg, Kunsthalle de Nüremberg, Galerie du Palatinat à Kaiserslautern, 1978 Darmstadt et Nüremberg, 1981 Kunsthalle de Hambourg, 1983 Pratt Institute de New York, 1984 *Artistes de Francfort* au Kunstverein de la ville, 1987 *Mathématiques dans l'art des derniers trente ans* au Musée de Ludwigshafen... Il montre aussi ses travaux dans des expositions personnelles depuis 1974, notamment à Amsterdam, Oldenburg, Melbourne, Sydney, Providence, Philadelphie, en 1984-85 au Musée Ludwig de Cologne, dans les musées de Duisburg, Wiesbaden, Hanau. Il a montré des dessins et maquettes de sculptures monumentales « architectoniques », en 1991, Galerie Appel et Fertsch de Francfort-sur-le-Main ; et en 1995 des *Treppenskulpturen* (Sculptures-escaliers) dans la même

galerie ; et, au Hessisches Museum de Darmstadt, des sculptures architectoniques *Torbogen Darmstadt* (Voûtes de portes de Darmstadt).
Il conçoit surtout des sculptures monumentales, souvent pénétrables, voire fonctionnelles, en tant que ponts, temples, portes de villes, escaliers, etc. Il prépare ses sculptures à la façon des architectes, à partir de plans très précis. Certaines demeurent à l'état de projet et maquette. Maquettes et réalisations définitives sont construites en bois. D'une géométrie puriste, ses sculptures-monuments offrent quelques points de rencontre avec l'art minimal américain, surtout les premières sculptures-objets du début des années quatre-vingt, constituées de sortes de madriers, juxtaposés ou assemblés et posés sur le sol. Claus Bury manifeste surtout sa personnalité avec ses sculptures « architectoniques », qui contribuent à constituer, après les constructivistes russes, André Bloc, les *Demeures* d'Étienne-Martin, un art de synthèse entre sculpture et architecture.
∎ J. B.

BIBLIOGR. : Divers : Catalogue de l'exposition *Claus Bury, Sculptures architectoniques*, Musée de Wiesbaden, Musée Historique de Hanau, 1987.

BURY Friedrich. Voir **BÜRI**

BURY Gaynor Elisabeth
Née le 13 novembre 1890 à Londres. XXᵉ siècle. Britannique.
Peintre de paysages et d'intérieurs.
Elle a exposé des peintures à la Royal Academy à Londres. Elle signe : Gaynor E. Bury.

BURY Jean-Baptiste Marie
Né en 1808 à Paris. XIXᵉ siècle. Français.
Graveur.
Élève de Huyot, de Leblanc et Bernard. Il a donné aux Salons des quantités de *Plans, Coupes, Élévations, Monographies, Vues d'églises, Mosquées, Sanctuaires, Temples, Cloîtres, Monuments.*

BURY Louise de, Mme
Née à Paris. XIXᵉ siècle. Française.
Peintre.
Élève de Harpignies. On lui doit, au Salon de 1869 : *Le verre d'eau*, nature morte ; à celui de 1870 : *Instruments de musique* et *Pêches* ; à celui de 1882 : *Les jetées de Trouville*.

BURY Paul Louis
Né à Paris. XIXᵉ siècle. Français.
Graveur.
Élève de son père Jean-Baptiste Marie Bury et de Lenoir et Decloux. Il donna au Salon de 1879 une *Vue perspective du Palais de Justice*. Il grava les *Archives de la Ville de Paris*, pour l'ouvrage de Marjoux (1881).

BURY Pol
Né en 1922 à Haine-Saint-Pierre (Belgique). XXᵉ siècle. Depuis 1961 actif en France. Belge.
Sculpteur, peintre de collages, illustrateur, créateur de bijoux. Surréaliste, cinétique. Groupe Haute Nuit, groupe COBRA.
Entre 1929 et 1932, Pol Bury fit son premier séjour en France. En 1938 il fut élève de l'Académie des Beaux-Arts de Mons. En 1940 il fait ses premières armes surréalistes dans une revue intitulée *L'invention collective*, animée par René Magritte et Raoul Ubac. Il réalise alors une peinture très imprégnée « de la leçon de chose magritienne ». En 1945 il participe à la fondation du groupe *Haute nuit*, avec Achille Chavée (1906-1969). Ce groupe est en quelque sorte la continuation des groupes antérieurs et dissous *Rupture* et le *Groupe surréaliste du Hainaut*. Haute nuit aura surtout une activité éditoriale importante qui se poursuivra jusqu'en 1958. Pol Bury illustrera *D'ombre et de sang* de Chavée en 1945 et un recueil d'Havrenne *La main heureuse*. En 1949 il rencontre Christian Dotremont et effectue un détour vers le groupe COBRA, dessinant la couverture du numéro 2 de la revue. Il crée avec André Balthazar l'Académie de Montbliart en 1954.
Il participe à des expositions collectives : en 1945, il participe à l'Exposition internationale du Surréalisme à Bruxelles. En 1954, il s'inscrit dans la première vague cinétiste et expose avec le groupe Madi au Salon des Réalités Nouvelles de Paris. En 1955, il figure dans la célèbre exposition *Le Mouvement* organisée à la galerie Denise René aux côtés d'Agam, Calder, Duchamp, Jacobsen, Soto, Tinguely, Vasarely. C'est en 1961 qu'il quitte la Belgique pour la France. Il figure à la Documenta de Kassel en 1964 ; entre 1966 et 1968 lors de son séjour à New York, il parti-

cipe à des expositions collectives au Museum of Modern Art et au Solomon R. Guggenheim ; en 1972 il figure dans *Douze ans d'art contemporain français* organisée au Grand-Palais à Paris ; en 1993 à *Manifeste II, une histoire parallèle* au Musée National d'Art Moderne de Paris.

Il a exposé personnellement chez Iris Clert, à la Lefèbre Gallery à New York, et à Paris à la galerie Maeght en 1969, 1971, 1974 et 1978. En 1970 une rétrospective de son œuvre s'est tenue au Musée de Berkeley, puis a circulé aux États-Unis. En 1971-1972, une rétrospective a circulé en Europe ; en 1982, le Musée d'Art Moderne de la Ville de Paris a exposé l'œuvre dans son ensemble. En 1993, la galerie 1900-2000 a présenté son travail à la FIAC (Foire Internationale d'Art Contemporain) à Paris. En 1997 à Paris, la galerie Louis Carré a montré son exposition *Volumes figés, Volumes miroirs, Papiers collés*. Il a reçu le prix Marzotto en 1964 en Italie, et le Grand Prix National de Sculpture en 1985 à Paris. Entre 1984 et 1987, il a enseigné à l'École Supérieure des Beaux-Arts de Paris.

Pol Bury fut donc peintre entre 1940 et 1953 ; lui-même ne s'attarde guère sur sa période surréaliste d'abord « magrittienne », puis, à partir de 1949, liée au courant *COBRA*. C'est en 1953, ayant découvert le travail de Calder, qu'il abandonne la peinture et expose pour la première fois à Bruxelles ses *Plans mobiles*, formes géométriques rectangulaires fixées sur un axe que le spectateur peut animer à son gré. En 1954-55, au début du cinétisme, il exécute des panneaux constitués de lames obliques verticales recouvertes de compositions géométriques de couleurs vives sur fond noir, dont la lecture varie selon l'angle de vue adopté. C'est en 1957 que le moteur électrique intervient dans ses œuvres pour leur animation. Ce sont les *Multiplans*. La particularité caractéristique du mouvement imprimé par Pol Bury à ses œuvres est cette extrême lenteur analysée par Christiane Duparc : « Il passe de la mécanique à l'organique. Pour cela quatre procédés : il déclenche un mouvement irrégulier, non cyclique, non répétitif. Ce mouvement il le freine jusqu'aux limites de l'imperceptible. Il le coupe d'arrêts prolongés. Enfin il le démultiplie en accumulant à foison le nombre d'éléments mobiles. » Entre 1957 et 1958, il prend possession de son nouveau vocabulaire plastique, lors d'expérimentations diverses, faisant intervenir des éléments variés, comme des jeux de lumière, des boules, des billes de mercure, des disques... En 1961 apparaît la série des *Ponctuations érectiles*, pièces composées de supports noirs de différentes dimensions d'où sortent d'innombrables fils de nylon, plus rarement des clous de métal, dont l'extrémité se termine par une petite bille blanche. Chaque fil est animé d'un mouvement très lent, l'ensemble étant doté d'un pouvoir hypnotique et d'une séduction formelle. À partir de 1963 commence l'importante série des volumes ouverts ou fermés, où sont posées les lentes mobilités de boules, cubes, cylindres, ainsi que les insolites meubles en bois poli à la finition irréprochable, buffets inutiles ou horloges de campagne ne disant aucune heure, agités d'imperceptibles soubresauts, se déhanchant en grinçant et respirant comme s'ils étaient intégrés soudainement au cycle organique.

En 1962 il renoue avec la surface bi-dimensionnelle dans les *Cinétisations*. Par divers procédés de photomontage, Bury anime, grâce à une perspective vacillante, des monuments particulièrement statiques comme la tour Eiffel ou des buildings new-yorkais. Le choix de ces thèmes rappelle la prédilection surréaliste pour la transformation de l'environnement urbain.

À partir de 1968, revenant au volume, il s'intéresse aux électroaimants, travaillant sur les possibilités d'attraction-répulsion et utilisant davantage le métal ; il met aussi au point un procédé de gravure à base d'éléments en nylon ou de lames de plomb. À cette époque, il conçoit des bijoux sur le même parti-pris de la relation entre parties mobiles et immobiles, en fonction du mouvement du corps de la personne qui les porte.

Pol Bury a également réalisé des œuvres monumentales, notamment des fontaines dont la première est celle de l'Université d'Iowa, exécutée en 1976 ; d'autres ont été élevées : une pour la Fondation Maeght en 1977, pour le Centre culturel belge à Paris en 1979, pour le Solomon R. Guggenheim Museum de New York en 1980, deux fontaines pour les jardins du Palais-Royal à Paris, une pour les Jeux Olympiques de Séoul en 1988, une pour la ville de Bruxelles en 1995. Ses fontaines ne nécessitent plus l'intervention de moteurs ; divers procédés ingénieusement imaginés utilisent le poids de l'eau coulant à l'intérieur de chaque élément mobile sur un axe, constitutif de l'ensemble, boule polie ou autre, poids que le débit de l'eau augmente progressivement, jusqu'à

ce que l'équilibre de l'élément qui se remplit soit rompu et que cet élément bascule sur son axe ; en basculant, l'élément se vide de son eau et l'élément ainsi allégé revient à sa position initiale, et ainsi de suite indéfiniment tant que coulera l'eau.

Pol Bury a écrit plusieurs textes où il s'explique avec humour sur ses motivations, principalement axées sur les problèmes de temps et d'espace. Un recueil illustré regroupant ses textes depuis 1959 est édité chez Carmen Martinez en 1977. Cette réflexion le distingue des cinétiques qui s'attachent à créer des œuvres en accord avec le développement scientifique et technique du monde actuel. Par la lenteur du mouvement, Pol Bury démesure le temps et dilate l'espace ; ainsi l'écrit-il lui-même : « La vitesse limite l'espace, la lenteur le multiplie... Voilà qu'interviennent les forces obscures de la Pesanteur, l'indiscutable gravité. Contrarions cette gravité, donnons-lui un air de légèreté. » L'œuvre de Pol Bury est la subtile alliance du génie mécanique, d'une poétique de l'instant suspendu, d'un évident don de décorateur. ■ Jacques Busse, A. P.

Pol Bury

BIBLIOGR. : Christiane Duparc : *Les meubles d'Edgar Poe*, Le Nouvel Observateur, Paris, 12 mai 1969 – Jacques Dupin et A. Balthazar : Catal. de l'exposition *Pol Bury*, galerie Maeght, Paris, mai 1969 – in : *Chroniques de l'art vivant*, Paris, mai 1969 – in : *Les Muses*, Tome 4, Grange Batelière, Paris, 1970 – Dore Ashton : *Pol Bury*, Maeght, Paris, 1971 – Eugène Ionesco, A. Balthasar : *Pol Bury*, Cosmos, Bruxelles, 1976 – Sous la direction d'Adam Biro et de René Passeron, in : *Diction. Général du Surréalisme et de ses environs*, Presses Universitaires de France, Paris, 1982 – in : *Diction. Biogr. ill. des Artistes en Belgique depuis 1830*, Arto, Bruxelles, 1987 – Catherine Millet, in : *L'art contemporain en France*, Flammarion, Paris, 1989 – Pierre Cabanne : Catal. des expositions *Pol Bury : Sculptures 1959-1985. Cinétisations 1962-1988. Dessins*, galerie de Poche et galerie 1900-2000, Paris, nov. 1988 – Rosemarie E. Pahlke : Catal. des expositions *Pol Bury, rétrospective 1939-1994*, Musée am Ostwall, Dortmund, 1994, et Musée d'Art mod., Ostende, 1995, très abondante documentation.

MUSÉES : AMSTERDAM (Stedelijk Mus.) : *107 Boules de 6 volumes différents* 1964, bois (80x60x22) – ANVERS (Koninklijk Mus. voor Schone Kunsten) : *700 Points blancs* – BERKELEY (University Art Mus.) : *Arcs on a Plane* – BERLIN (Nationalgal.) : *78 Boules agglomérées* – BRUXELLES (Mus. roy., Mus. d'Art Mod.) : *La fin du christianisme*, h/cart. – *La cité attentive*, gche/pap. – *La serrure*, h/t – *Composition n° 7*, h/t – *Ponctuation molle* 1960, bois, nylon, moteur électrique – *Érectiles* vers 1963, bois, nylon, moteur électrique – *Vibratile*, bois, cuivre, moteur électrique – *19 Boules sur 12 Plans formant un zigzag* 1966, bois (60x125x10) – *19 Boules sur trois plans courbes en acier* 1966 – DUISBURG (Wilhelm Lehmbruck Mus.) : *Surface vibratile* – DÜSSELDORF (Kunstmus.) : *Ponctuation* 1971, contre-plaqué, nylon, moteur électrique – IOWA CITY (Mus. of Art) : *Fontaine cinétique* – LIÈGE (Mus. d'Art Wallon) : *Composition*, h/t – *Mobile* – LONDRES (Tate Gal.) : *3069 Points blancs sur un fond ovale* – *Seize Boules, seize cubes sur huit rangées* 1966 – LA LOUVIÈRE (Mus. comm., Château Gilson) : *Chipka*, h/t – MILWAUKEE (Art Mus.) : *Colonne-érectile*, bois, nylon, moteur électrique – MOUGINS (Mus. de l'Automobile) : *Fontaine* 1977 – NEWPORT (Newport Harbor Art Mus.) : *Sept Pyramides* 1965 – NEW YORK (Metropolitan Mus. of Art) : *Bâtons sur un rond en arrière-plan* 1963, bois et alu. – NEW YORK (Mus. of Mod. Art) : *1053 Points blancs/fond de chêne* 1964, 31 bâtons surmontés chacun d'une boule, bois et nylon (99x49) – *1914 Points blancs* – NEW YORK (Solomon R. Guggenheim Mus.) : *Escalier* 1975, bois (120x40) – *Fontaine* 1980 – PARIS (Mus. Nat. d'Art Mod.) : *4087 Cylindres érectiles* 1971-1972, relief bois : cylindres de bois mûs électriquement sur 6 pan. de bois (250x732x50) – PARIS (Mus. d'Art Mod. de la Ville de Paris) : *120 Boules sur un plan incliné* – *3434 Points blancs-Ponctuation* – PHILADELPHIE (Mus. of Art) : *1515 Points blancs* 1967 ou 1968 – *29 Lattes verticales* – PITTSBURG (Mus. of Art, Carnegie Inst.) : *68 tiges martelées en aluminium sur fond de chêne* – TOKYO (Tom Gal. of Touch-me-Art, Mus. pour aveugles) : *Treize cylindres surmontés d'une sphère sur un carré* – VERVIERS (Mus. des Beaux-Arts) : *Composition*, h/t – VIENNE (Mus. Mod. Kunst) : *Entité érectile noire* 1968, bois peint. en noir, métal, moteur électrique – VIENNE (Eat-Art coll. Mus. Mod. Kunst) : *Casserole, or : Skillet with eggs*, poêle, aimants, œufs.

Ventes Publiques : Paris, 8 déc. 1970 : *Mobile*, boule bois verni : **FRF 6 000** – New York, 28 oct. 1972 : *Vingt-cinq boules sur dix planches inclinées*, construction bois : **USD 6 000** – Londres, 2 déc. 1976 : *Composition* vers 1962, techn. mixte et moteur (diam. 50,5) : **GBP 1 000** – Londres, 29 juin 1977 : *Belgio 31*, relief alu. et moteur (100x100) : **GBP 1 800** – New York, 18 mai 1978 : *Entités érectiles* 1962, techn. mixte avec moteur (123x30x15) : **USD 3 750** – Zurich, 30 mai 1979 : *40 arcs de cercles sur un plateau* 1969, multiple électro-magnétique, N° 5/8 (50x50x20) : **CHF 10 000** – New York, 16 mai 1980 : *Sans titre* 1968, carré contenant 21 sphères : **USD 4 200** – New York, 5 nov. 1981 : *Entité érectile* 1962, construction (15,2x29,2x30,5) : **USD 2 500** – Londres, 1er juil. 1982 : *Entité érectile 3* 1962, techn. mixte et moteur (28,5x28,5) : **GBP 800** – New York, 9 mai 1984 : *25 œufs sur un plateau*, cuivre et laiton motorisé, N°3/8 (20,3x50x50) : **USD 6 500** – New York, 6 nov. 1985 : *Quatre-vingts rectangles/ vingt plans inclinés* 1964, construction, bois motorisé (111,8x49,5x22,8) : **USD 6 000** – Paris, 14 mai 1986 : *2.813 points blancs*, techn. mixte, tableau électrique (100x100) : **FRF 55 000** – New York, 20 fév. 1987 : *Sphère sur un cube*, acier inox et aimant motorisé (H. 50,8) : **USD 4 000** – New York, 13 mai 1988 : *Pendentif d'or jaune*, plateau carré décoré d'hémisphères mobiles dessus et dessous (5x5) : **USD 2 310** – Lokeren, 28 mai 1988 : *Mobile* 1962, objet de matériaux divers (diam. 38) : **BEF 220 000** – Londres, 6 avr. 1989 : *Sphère sur un cube* 1969, acier inox. (51x18,5) : **GBP 3 080** – New York, 9 nov. 1989 : *15 boules sur une forme courbe* 1967, bois (69,2x45,7x25,4) : **USD 29 700** – Londres, 22 fév. 1990 : *Sans titre*, sculpt. cinétique de feuille et filins de métal avec un moteur électrique sur cart. (60,6x31,1x20,2) : **GBP 9 900** – Rome, 30 oct. 1990 : *Sans titre*, sculpt. cinétique en bois vernis et filins de métal (12x43x26,5) : **ITL 4 000 000** – New York, 7 nov. 1990 : *Petits cylindres agglomérés*, bois de construction animé par un moteur (H. 129,5) : **USD 27 500** – Bruxelles, 13 déc. 1990 : *Onze boules sur quatre plans inclinés*, structure de bois avec 11 sphères de bois peint mues par un moteur électrique (H. 106, prof. 35) : **BEF 820 800** – Amsterdam, 22 mai 1991 : *Bol*, objet de cuivre avec un moteur électrique (H. 107,5) : **NLG 19 550** – Paris, 11 mars 1992 : *Flèches bleues* 1982, peint./bois (150x150) : **FRF 25 000** – New York, 27 fév. 1992 : *Septante-deux boules – grosses, petites et moyennes* 1964, boules de bois, fil métallique et moteur montés/cart. (87,5x62,2x28) : **USD 14 300** – Paris, 19 mars 1992 : *Concept rouge* 1982, peint. sur bois (130x150) : **FRF 37 000** – New York, 18 nov. 1992 : *Sans titre* 1963, bois, douilles d'alu., clous et moteur électrique (85,1x49,5x14) : **USD 24 200** – New York, 4 mai 1993 : *18 boules superposées* 1966, bois et moteur électrique (64,8x53,3x48,6) : **USD 28 750** – Paris, 12 mai 1993 : *Park Avenue*, sérig./t. (100x73,5) : **FRF 6 000** – Londres, 24 juin 1993 : *Plans mobiles* 1953, h/rés. synth. (80x55,5x11,5) : **GBP 25 300** – Paris, 12 oct. 1994 : *Sphère à trois calottes sur un cube*, acier poli et satiné en deux parties aimantées (H. 39, l. 20, prof. 20) : **FRF 22 000** – New York, 22 fév. 1995 : *Tiges baroques*, cuivre monté sur un pan. et mét. avec un moteur (68,6x50,2x21,6) : **USD 4 600** – Londres, 30 nov. 1995 : *Ponctuation* 1962, peint. et plastique/cart. avec moteur électrique (23x23x14) : **GBP 3 450** – Paris, 24 mars 1996 : *Sphère sur un cylindre* 1969, acier poli/socle (H. 51) : **FRF 17 000** – Paris, 5 oct. 1996 : *Sans titre* vers 1950, h/t (50x65) : **FRF 14 500**.

BURY Thomas Talbot
Né en 1811 à Londres. Mort en 1877 à Londres. xixe siècle. Britannique.
Architecte et peintre.

BURZI Ettore
Né à Lugano. xixe-xxe siècles. Italien.
Peintre.

BURZTIN Feliza
xxe siècle.
Sculpteur.
Ses sculptures de formes très baroques sont animées, parfois, de mouvements débridés.

BUS. Voir aussi BOSCH et DUBUS

BUS Maurice de
Né le 30 décembre 1907 à Mitry-Mory (Seine-et-Marne). Mort le 11 novembre 1963 à Paris. xxe siècle. Français.
Sculpteur de portraits, figures, groupes, médailleur.
Il fut élève de Paul Niclausse et d'Henri Bouchard. Il obtint le Premier Grand Prix de Rome de sculpture en 1937. Il exposa

régulièrement aux Salons parisiens de la Société Nationale des Beaux-Arts, des Artistes Français dont il était sociétaire perpétuel, deuxième médaille en 1932, Prix de l'Yser en 1935, aux Salons de la Jeune Sculpture et Comparaisons ainsi qu'au Salon de la France d'Outre-Mer. En 1958 il présenta personnellement ses travaux à Paris.
En 1954 il réalisa pour la Chambre de Commerce de Rouen 120 m² de bas-reliefs illustrant les *Activités de la ville et du port*. On cite son bas-relief *Les abattoirs*. Il a également gravé dans le plâtre de nombreuses plaquettes et médailles dont certaines ont été éditées par la Monnaie de Paris, telles que *Shakespeare – Croix mariale – Hommage à la danse*. Il a reçu plusieurs commandes de la part de nombreuses municipalités. Il fut professeur de la Ville de Paris et enseigna à l'Ecole Supérieure des Arts Appliqués. En 1964 la Monnaie de Paris lui consacra une exposition rétrospective.
Musées : Paris (Mus. d'Art Mod. de la ville) : *La porteuse*, pb martelé – Paris (BN Cab. des Estampes) : *Silhouette drapée*, monotype – Rouen (Mus. des Beaux-Arts) : *Torse de martyr*, cuivre martelé.

BUSATA Giovanni da Campione
xve siècle. Travaillant à Venise en 1487. Italien.
Sculpteur.

BUSATI Andrea ou Bussati
xvie siècle. Actif vers 1510. Italien.
Peintre d'histoire.
On cite, de cet artiste, un tableau représentant *Saint Marc, saint André* et *saint François* à l'Académie de Venise. Il fut aussi disciple des Bellini. On cite de lui une figure de sainte à Vicence.

BUSATI Donato
Originaire de Campione. xve-xvie siècles. Actif en 1485 à Venise, en 1504 à Ferrare. Italien.
Sculpteur.
Il est le frère de Pietro Busati.

BUSATI Giovanni
Originaire de Campione. xve siècle. Italien.
Sculpteur.
Cité en 1487 à Venise.

BUSATI Pietro, dit Cima
xvie siècle. Italien.
Sculpteur.
Cité à Venise en 1518.

BUSATO Antonio ou Bussato
xve siècle. Travaillant à Venise. Italien.
Sculpteur.

BUSATO Giovanni
Né en 1806 à Vicence. Mort en 1886 à Vicence. xixe siècle. Italien.
Peintre d'histoire et de portraits.
Après avoir étudié à Venise et à Rome, il exerça son art dans les grandes villes d'Italie et les cours de souverains d'Europe (notamment à Constantinople, Saint-Pétersbourg, Vienne et Berlin).
Ventes Publiques : Milan, 16 mars 1965 : *Portrait de famille* : **ITL 180 000**.

BUSATO Gualtiero
Né en 1941 à Civitavecchia. xxe siècle. Depuis 1949 actif en France. Italien.
Sculpteur de figures, de compositions à personnages, de sujets religieux.
Il passa son enfance à Pérouse et rejoignit sa famille à Paris en 1949 où son père, le sculpteur Mario Busato-Strauss, avait une fonderie d'art. Busato apprit dès son plus jeune âge le métier dans l'atelier de son père.
À partir de 1959 il participe à de nombreuses expositions et Salons à Paris, en Grande-Bretagne, en Belgique, aux États-Unis, en Allemagne et en Italie. Entre 1980 et 1974 la Monnaie de Paris lui commande plusieurs médailles, et consacrera en 1987 une exposition rétrospective sur l'atelier Busato Père et Fils. La véritable révélation de l'œuvre de Busato se fait lors de l'exposition que lui consacre le Musée d'Art Moderne de Milan. Il est en outre l'organisateur des expositions du « Petit Bronze ». En 1974 il a exposé au Musée d'Art Moderne de la ville de Paris. C'est d'ailleurs par le moyen du « Petit Bronze » qu'il s'exprime d'abord, la fluidité de son modelé appelant la lumière sur les plans essentiels enveloppés par la subtilité des ombres. Il tra-

vaille par séries *Fuites – Nuages – Gémeaux*, s'inspire des scènes bibliques et réalise des bijoux.

Bibliogr. : Catalogue de l'exposition *Busato*, Musée d'Art Moderne, Milan, 1972 – Catalogue *Les Gémeaux de Busato*, Musée d'Art Moderne de la Ville de Paris, 1974 – P. Cahart et F. Villadier : Catalogue de l'exposition *L'Atelier Busato*, Monnaie de Paris, 1987.

Musées : Madrid (Mus. Espagnol d'Art Contemp.) – Milan (Mus. d'Art Mod.) – Paris (Mus. Nat. d'Art Mod.) – Rome (Mus. du Vatican) – Washington D.C. (Hirshhorn Mus.).

Ventes Publiques : Paris, 25 juin 1987 : *Fuite de Palestine* 1978, bronze, cire perdue (H. 17) : **FRF 8 000** – Paris, 4 déc. 1992 : *Ampuritani* 1987, bronze (23x26x20) : **FRF 7 000** – Paris, 16 juin 1997 : *Le Prophète*, bronze patine brune (H. 60) : **FRF 21 800**.

BUSATO Jorge
D'origine italienne. XXᵉ siècle. Travaillant à Madrid dans la seconde moitié du XXᵉ siècle. Italien.
Peintre.
Il fit surtout des décors de théâtre et des décorations de monuments publics.

BUSATO-STRAUSS Mario
Né en 1902 à Monza (Italie). Mort en 1974 à Paris. XXᵉ siècle. Depuis 1925 actif en France. Italien.
Sculpteur animalier, médailles, portraits, fondeur.
Formé à l'Académie des Beaux-Arts de Milan, il s'installa à Paris en 1925, où il apprit à la fonderie Valsvani la technique de la fonte à la cire perdue. En 1932, il créa sa propre fonderie d'art, où il travailla jusqu'à sa mort. Un bel hommage lui a été rendu en 1987, à l'exposition sur l'atelier Busato organisée par la Monnaie de Paris.
Il est surtout renommé pour avoir fondu les œuvres de Bourdelle, Severini, Gargallo, Brancusi, Gonzalez, Etienne Martin, Fautrier, Fenosa..., autant d'artistes avec qui il travaillait en collaboration dans son atelier de la Cité Verte dans le 13ᵉ arrondissement de Paris. Il réalisait également des médailles-portraits frappées par la Monnaie.
Bibliogr. : P. Cahart et F. Villadier : Catalogue de l'exposition *L'Atelier Busato*, Paris, Hôtel de la Monnaie, 1987.
Ventes Publiques : Paris, 4 déc. 1992 : *Le pélican* 1935, bronze (13x7x15) : **FRF 6 000**.

BUSATTI Giuseppe Carlo Antonio ou Bussati, Bussatti
Né en 1694. Mort après 1769. XVIIIᵉ siècle. Actif à Bologne. Italien.
Peintre d'architectures et de paysages.

BUSBY Janet
XXᵉ siècle. Française.
Peintre.
Elle exposa à Paris au Salon des Tuileries.

BUSBY Thomas Lord
XIXᵉ siècle. Actif en Angleterre. Britannique.
Graveur au burin.
On cite de lui : *The Traveller disturbed*, d'après Kidd ; une planche pour : *Marquis of Stafford's Collection*. Exposa des portraits, de 1804 à 1837, à la Royal Academy et à Suffolk Street, à Londres. Sans doute identique au T.L. BUSBY qui exposa des portraits en miniature, à la Royal Academy entre 1804 et 1821.

BUSCA
XIXᵉ siècle. Travaillant à Personico. Italien.
Peintre.
Busca travailla en France et dans son pays natal. On conserve de lui des tableaux à l'huile dans les églises de Personico et de Bodio.

BUSCA Antonio
Né en 1625 à Milan. Mort en 1686. XVIIᵉ siècle. Italien.
Peintre d'histoire et graveur.
Busca fut un disciple d'Ercole Procaccini, avec lequel il collabora pour plusieurs ouvrages. Il peignit même en concurrence avec ce maître, notamment à l'église de San Marco, où il laissa un *Crucifix* considéré par Lanzi comme son chef-d'œuvre. Il n'atteignit jamais au même degré de perfection comme puissance d'expression. A la Chartreuse de Pavie, il peignit, dans la chapelle de San Siro, deux sujets sacrés qui datent de la période de décadence de son beau talent. D'après Lanzi, il souffrait de la goutte au point de perdre l'usage de ses pieds. On cite parmi ses gravures : une suite de planches pour l'*Entrée de Marie-Anne d'Autriche à Milan* (1649).

BUSCAGLIA Domenico
Originaire de Savone. XIXᵉ siècle. Italien.
Peintre décorateur.

BUSCAGLIONE Giuseppe
Né en 1868 à Ariano di Puglia (Apulie). Mort en 1928 à Rivoli. XIXᵉ-XXᵉ siècles. Italien.
Peintre de paysages, paysages animés.
Il vivait et travaillait à Turin. Comme la plupart des artistes postérieurs à l'impressionnisme, il se montrait sensible aux variations de la lumière selon l'heure de la journée, le temps clément ou couvert ou encore la saison dans l'année. Il animait souvent ses paysages de personnages, allant jusqu'à des scènes de genre.
Ventes Publiques : Milan, 28 oct. 1976 : *Coucher de soleil*, h/pan. (32x44) : **ITL 550 000** – Milan, 15 juin 1983 : *Paysage au crépuscule*, h/pan. (31x44) : **ITL 1 500 000** – Milan, 30 oct. 1984 : *Les dernières neiges*, h/pan. (42,5x57) : **ITL 1 500 000** – Milan, 7 nov. 1985 : *Personnages au bord de la mer*, h/pan. (31x44) : **ITL 1 500 000** – Milan, 12 juin 1986 : *Coucher de soleil*, h/pan. (32x44) : **ITL 1 200 000** – Milan, 9 juin 1987 : *La vallée*, h/t (100x70) : **ITL 3 000 000** – Rome, 12 déc. 1989 : *Paysages de montagne*, h/pan., une paire (chaque 30x43) : **ITL 2 800 000** – Rome, 29 mai 1990 : *Navigation sur un fleuve*, h/pan. (31,5x48,5) : **ITL 2 300 000** – Milan, 21 nov. 1990 : *En allant à la messe*, h/pan. (29,5x43) : **ITL 1 600 000** – Milan, 8 juin 1993 : *Prairie de montagne*, h/pan. (35x50) : **ITL 2 200 000** – Milan, 8 juin 1994 : *Marine avec des pêcheurs*, h/pan. (43,5x32) : **ITL 1 610 000** – Milan, 19 déc. 1995 : *Paysage de montagne avec une chapelle*, h/t (64x89) : **ITL 5 520 000**.

BUSCAIL-MILLET Henri
Né à Paris. XXᵉ siècle. Français.
Peintre.
En 1931, il exposait aux Indépendants : *Grand-mère tricote* et un paysage.

BUSCATTI Luca Antonio
XVᵉ siècle. Italien.
Peintre.
A la galerie Ercolani, à Bologne, on voit de lui une *Descente de la Croix*, dont Rosini a fait une estampe. Ce Bolonais aurait été, d'après Zani, un des plus brillants artistes de son temps. Le Musée de Nice possède une *Adoration des Mages* signée et datée de 1450. D'après le conservateur-adjoint M. Bensa, ce tableau aurait été repeint ou retouché par un artiste plus moderne, probablement du XVIIᵉ siècle.

BUSCAY François ou Buxay
D'origine milanaise. XVIᵉ siècle. Travaillant à Nancy. Français.
Peintre.
Il fut peintre du prince Nicolas de Lorraine.

BUSCH Arnold
Né en 1876. XXᵉ siècle. Actif à Breslau. Allemand.
Peintre de portraits et illustrateur.

BUSCH Benedictus
Né en 1754 à Utrecht. XVIIIᵉ siècle. Hollandais.
Dessinateur de portraits.
Il fut professeur à Sluis (Zélande) et à Groningen et dessina des portraits à la plume. Ses fils, Johan-Kaspar et Hermanus Franciscus, dessinèrent dans le même genre que lui.

BUSCH Carl
Né en 1905 à Munster. XXᵉ siècle. Allemand.
Peintre, décorateur de théâtre.
Il obtint le prix « Jung Westfalen » de peinture en 1932, et en 1937 le prix Cornelius de la ville de Düsseldorf. Il participa à l'exposition : « Westfälische Kunst im 20. Jahrhundert » du musée de Bochum. Il fit les décors au Théâtre municipal de Münster.

BUSCH E.
XVIIIᵉ siècle. Actif à Berlin au début du XVIIIᵉ siècle. Allemand.
Graveur au burin.
Élève de C.-F. Blesendorf.

BUSCH Elias ou Pusch
Mort en 1679. XVIIᵉ siècle. Actif à Dresde. Allemand.
Peintre.

BUSCH Friedrich
Né en 1808 à Düsseldorf. Mort en 1875 à Düsseldorf. XIXᵉ siècle. Actif à Berlin. Allemand.

Peintre de genre.
Élève de l'Académie de Düsseldorf.

BUSCH Georg
Né le 11 mars 1862 à Hanau (Hesse). XIXe siècle. Allemand.
Sculpteur.
Étudia à l'Académie de Hanau et avec Eberle à l'Académie de Munich, où il se fixa. Le Musée de Berlin conserve de lui : *Fillette priant*. Il exposa un portrait-buste à Munich en 1909.

BUSCH Georg Paul
Mort en 1756 à Berlin. XVIIIe siècle. Travaillant à Berlin. Allemand.
Graveur au burin.
Il fut élève de C.-F. Blesendorf et maître de G.-F. Schmidt, qui aurait signé quelques planches du nom de son professeur.

BUSCH Guillielmus Silvius
Graveur.
Il a travaillé d'après différents maîtres. On cite notamment la *Transfiguration*, de R. Sanzio.

BUSCH Hendrik
XVIIe siècle. Travaillant à Leeuwarden au milieu du XVIIe siècle. Hollandais.
Peintre.
Il fut l'inventeur d'un nouvel art, qui ne lui survécut pas, pour peindre des fleurs sur des tables de marbre ; on trouve encore quelques-unes de ses œuvres en Frise.

BUSCH Johan Frederik
Né le 2 janvier 1825 à Fredriksvärn. Mort le 14 janvier 1883 à Copenhague. XIXe siècle. Danois.
Peintre.
Venu à Copenhague pour faire ses études d'artiste, il entra dans l'atelier de peinture d'Eckersberg. Élève de l'Académie depuis 1839, il fit partie du nombre d'élèves qui collaborèrent à l'embellissement du Musée de Thorwaldsen et, plus tard, aux décorations de la chapelle de Christian IV dans la cathédrale de Roskilde. Il interrompit ce travail en 1848 pour s'établir à Nœstved comme peintre industriel et plus tard comme photographe. En 1876, il revint à Copenhague à ses occupations artistiques.

BUSCH Johan Jürgen
Né en 1758 à Schwerin. Mort en 1820 à Rome. XVIIIe-XIXe siècles. Danois.
Sculpteur.

BUSCH Louise
Née à New York. XXe siècle. Américaine.
Peintre.
Exposant du Salon d'Automne.

BUSCH Ludwig Wilhelm ou, par erreur, Johann Cristoph
Né en 1703 à Brunswick. Mort en 1772. XVIIIe siècle. Allemand.
Peintre et graveur à l'eau-forte.
Élève de son père. On cite parmi ses gravures 28 études d'après Rembrandt.

BUSCH Peter
Né en 1813 à Bonn. Mort en 1841. XIXe siècle. Allemand.
Peintre et lithographe.

BUSCH Peter Johan Valdemar
Né le 4 mai 1861 à Nœstved. XIXe siècle. Danois.
Peintre.
Fils de Johan-Frederik, il apprit la peinture industrielle à Nœstved et à Copenhague. Élève de son père, il fréquenta l'Académie de 1878 à 1885. Il a exposé, en 1884 et 1885, quelques tableaux. Il partit ensuite pour Paris.

BUSCH Philipp Van den. Voir BOSSCHE Philipp

BUSCH R. W.
Né en 1861. XIXe siècle. Allemand.
Peintre de genre et de portraits.
Il exposa à la Berliner Akademie en 1891 et 1896 et à la Grande Exposition de Berlin de 1904.

BUSCH Valentin
D'origine alsacienne. Mort en 1541. XVIe siècle. Éc. alsacienne.
Peintre verrier.
Il travailla entre 1521-1539 pour un certain nombre d'églises et notamment pour la cathédrale de Metz.

BUSCH Walter
Né en 1858 à Greiffenberg (Poméranie). XIXe siècle. Actif à Berlin. Allemand.
Peintre de genre.

BUSCH Wilhelm
Né le 15 avril 1832 à Wiedensahl (Hanovre). Mort le 9 janvier 1908 à Mechtshausen. XIXe siècle. Allemand.
Peintre de figures, portraits, paysages, dessinateur.
Il travailla à Anvers, Munich et Düsseldorf. Dès 1858, ses dessins parurent dans les « Fliegende Blätter » où il collabora jusqu'en 1871.
C'est surtout avec la parution, en 1865, de *Max und Moritz* qu'il obtint un succès éclatant qui ne s'est pas démenti jusqu'à aujourd'hui, racontant par l'image et en vers de mirliton, les mille tours de deux garnements. Il publia aussi *La Pieuse Hélène* et *Pater Filucius*.
Sa peinture s'inspire des Hollandais et surtout de Brouwer. Il est l'un des précurseurs des bandes dessinées.

BIBLIOGR. : Ruth Brunngruber-Malottke : *Wilhelm Busch, Handzeichnungen nach der Natur*, Stuttgart, 1992.
MUSÉES : MUNICH : *Portrait d'un artiste*.
VENTES PUBLIQUES : ZURICH, 8 nov. 1963 : *Autoportrait* : CHF 2 800 – MUNICH, 14-16 oct. 1964 : *Paysage* : DEM 3 800 – HAMBOURG, 4 juin 1970 : *La moisson* : DEM 9 600 – HAMBOURG, 8 juin 1972 : *Scène de cabaret* : DEM 11 000 – COLOGNE, 25 nov. 1976 : *Le pot cassé* 1874, h/pan. (37,5x22,5) : DEM 36 000 – STUTTGART, 2 déc. 1977 : *Le Boucher*, h/pan. (38,5x25,4) : DEM 18 000 – COLOGNE, 1er juin 1978 : *Portrait d'un jeune tyrolien*, h/cart. (30,7x19) : DEM 26 000 – MUNICH, 29 mai 1979 : *Paysage boisé* vers 1870, h/cart. (20x25,5) : DEM 39 500 – NEW YORK, 30 oct. 1980 : *La cour de l'église, Wiedensahl*, h/pap. : USD 18 000 – HAMBOURG, 9 juin 1983 : *Discussion devant la maison*, h/pap. mar./cart. (16,2x14,7) : DEM 27 000 – HAMBOURG, 11 juin 1986 : *Couple de paysans*, h/cart. (14x18,5) : DEM 24 000 – COLOGNE, 15 oct. 1988 : *Paysant attablé au cabaret*, h/cart. (14,1x18,5) : DEM 16 000 – NEW YORK, 16 juil. 1992 : *Vache et moulin à vent au crépuscule* 1863, h/t (17,8x26,7) : USD 5 720 – MUNICH, 10 déc. 1992 : *Un homme marchant*, h/cart. (33x24) : DEM 18 645 – MUNICH, 22 juin 1993 : *Portrait de petite fille*, cr./pap. (17x11,5) : DEM 3 680 – MUNICH, 7 déc. 1993 : *Intérieur d'une cabane avec un personnage féminin*, h/pap./cart. (18,5x24) : DEM 13 800 – HEIDELBERG, 5-13 avr. 1994 : *Modèle feminin à demi-dénudé avec un jupon drapé*, cr. (33,5x21,1) : DEM 9 000 – MUNICH, 25 juin 1996 : *Knochenmännche à Francfort*, cr. et reh. de blanc/pap. (27x20,5) : DEM 7 800 – MUNICH, 23 juin 1997 : *Paysage animé*, h/cart. (14x23,5) : DEM 45 600.

BUSCHBECK Hermann
Né en 1855 à Prague. XIXe siècle. Éc. de Bohême.
Peintre.

BUSCHE Louis van den
XVe siècle. Éc. flamande.
Peintre.
Il faisait partie, en 1460, de la gilde de Bruges et vivait encore en 1484.

BUSCHER Clemens
Né en 1855. XIXe siècle. Actif à Düsseldorf. Allemand.
Sculpteur.
Cité aux Expositions de Berlin, où il fut représenté, entre autres, par des bronzes, notamment un portrait-buste d'Andreas Achenbach. On mentionne encore la statue de l'empereur Guillaume Ier à Francfort-sur-le-Main), celles de Karl Immermann et de Félix Mendelssohn-Bartholdy (à Düsseldorf).

BUSCHETTI Carlo Gaetano
Mort avant 1736. XVIIIe siècle. Actif dans le Piémont. Italien.
Sculpteur sur bois.

BUSCHETTO
XIe siècle. Actif à Pise. Italien.
Statuaire.

BUSCHMANN Ernst
Né le 13 septembre 1814 à Sept-Fontaines (près de Luxembourg). Mort le 19 février 1853 à Gand. XIXe siècle. Éc. flamande.
Graveur et collectionneur.

BUSCHMANN Gustav
Né le 26 janvier 1818 à Anvers. Mort le 4 juin 1852. XIXe siècle.
Éc. flamande.
Peintre de genre, graveur.
Il fut élève de F. de Brakeleer.
VENTES PUBLIQUES : AMSTERDAM, 6 sep. 1982 : *Croisés attaquant une forteresse* 1843, h/pan. (57,5x68) : **NLG 2 200**.

BUSCIOLANO Antonio
Né en 1823 à Potenza (Basilicata). Mort en 1871 à Naples. XIXe siècle. Italien.
Sculpteur.

BUSCO Antonio
XVIIe siècle. Italien.
Peintre et graveur.

BUSCO Geneviève
Née à Soissons (Aisne). XXe siècle. Française.
Peintre de portraits, de paysages et de natures mortes.
Elle fut élève de Xavier Bricard et exposa au Salon des Artistes Indépendants et des Artistes Français.

BUSCOM Willem Egidius van ou **Buscum**
Né le 26 mars 1758 à Malines. Mort le 22 février 1831 à Alost.
XVIIIe-XIXe siècles. Hollandais.
Sculpteur et architecte.
Élève de Verhulst, de Smet et van Hursel.

BUSEGEM François van
XIVe siècle. Travaillant à Dijon. Éc. flamande.
Sculpteur.
Aida Jean de Marville, qui avait été chargé d'exécuter le tombeau de Philippe le Hardi, duc de Bourgogne.

BUSEI Antonio
XVIe siècle. Travaillant à Venise en 1514. Italien.
Peintre.

BUSEI Kita
Né en 1776. Mort en 1856. XIXe siècle. Vivait à Edo (Tokyo).
Japonais.
Peintre.
Appartenant à l'école Nanga, il eut pour maître Bunchô, et copia de nombreuses peintures anciennes japonaises et chinoises.

BUSELING Christian Jans Van. Voir **BISELING Christian Jans Van**

BUSELLO Orfeo
Né vers 1600 à Rome. Mort en 1667 à Rome. XVIIe siècle. Italien.
Sculpteur.

BUSER Friedrich
Né en 1797 à Aarau. Mort en 1833 à Aarau. XIXe siècle.
Suisse.
Graveur.

BUSETTO Nino
Né à Gênes. XIXe-XXe siècles. Italien.
Peintre.
En 1911 il exposait à Paris au Salon de la Nationale un paysage et un intérieur. Il exposait encore en 1928.

BUSH Charles
Né en 1920 à Melbourne. XXe siècle. Australien.
Peintre de portraits et de paysages.
Il fit ses études à la National Gallery of Victoria Art School. Il peint dans un style réaliste.

BUSH Charles Green
Né en septembre 1842 à Boston (Massachusetts). Mort le 21 mai 1909 à Camden (South Carolina). XIXe siècle. Américain.
Dessinateur-caricaturiste.
Bush se destina d'abord à la carrière navale, étudia à Boston et à Annapolis, mais abandonna ses projets pour se livrer entièrement à ses goûts artistiques. Il vint à Paris où il étudia avec Bonnat. A son retour dans son pays, il travailla pour les journaux quotidiens, notamment le *New York Herald* et le *World*.

BUSH Ella Sheppard
Née à Galesburg (Illinois). XXe siècle. Américaine.
Peintre.
Élève de Robert Henri, Kenyon Cox, J. Alden Weir et Theodora Thayer. Elle vivait à Seattle vers 1907. Elle fut membre de la Art Students' League de New York et de la Society of Seattle Artists. Elle se spécialisa dans la miniature. Présente des similitudes avec Ella Sheppard.

BUSH Flora, Mrs
Née à Bettersden (Kent). XXe siècle. Britannique.
Aquarelliste, peintre de fleurs.

BUSH Harry
Né le 20 mai ou décembre 1883 à Brighton. Mort en 1957. XXe siècle. Britannique.
Peintre.
Il fit ses études au Regent-Street Polytechnic, West Lambeth. Il exposa à la Royal Academy, au Royal Institute of Oil Painters et à la Royal West of England Academy. Il figura également à Paris, au Salon des Artistes Français. Il fut membre du Royal Institute of Oil Painters depuis 1930.
VENTES PUBLIQUES : LONDRES, 12 nov. 1976 : *The gilded pear tree* 1926, h/t (76,5x91,5) : **GBP 60** – LONDRES, 28 sep. 1984 : *Les constructeurs* vers 1933, h/t (101,6x127) : **GBP 12 000** – LONDRES, 6 fév. 1985 : *Moutons sur la colline* 1932, h/t (91,5x101,5) : **GBP 3 200** – LONDRES, 21 mai 1986 : *Intérieurs à Speen Cottage, Hampshire*, 2 h/t (61x51) : **GBP 1 400** – LONDRES, 2 mars 1989 : *Le poirier doré* 1926, h/t (75x90) : **GBP 4 400** – LONDRES, 14 mai 1992 : *Poirier en fleurs dans le jardin de l'artiste*, h/t (102x127) : **GBP 1 870**.

BUSH Jack Hamilton
Né en 1909 à Toronto (Ontario). Mort en 1977 à Toronto. XXe siècle. Canadien.
Peintre. Figuratif puis abstrait-géométrique.
Il passa son enfance à Montréal et âgé de dix-neuf ans retourna dans sa ville natale où il travailla comme dessinateur publicitaire et se spécialisa dans l'illustration. Il peignait sur le motif les grandes prairies canadiennes lors de ses moments de loisir, subissant l'influence d'un disciple de Matisse, John Layman. En 1954 il découvre l'école de New York, son œuvre devient alors plus libre et plus lyrique. A cette époque, et jusqu'en 1960, il expose avec le groupe d'artistes abstraits *Painters Eleven* à Toronto. C'est en 1959 qu'intervient une rupture radicale dans son œuvre : Bush remet en question tout ce qu'il a appris et pratiqué en peinture, réalisant depuis des grandes figures abstraites géométriques, en aplats unis, pour « atteindre l'ossature de la peinture ». Il fait jouer les couleurs entre elles, leur texture et le rapport entre verticales, obliques et horizontales. En tant qu'abstrait géométrique, il a figuré aux expositions *Post painterly Abstraction* organisée à Los Angeles en 1964 et *The colorists* à San Francisco en 1965. ■ A. P.
BIBLIOGR. : In : *Diction. Univ. de la Peinture*, Le Robert, Paris, 1975 – in : David Burnett, Marilyn Schiff : *Contemporary Canadian Art*, Hurtig Publishers, Edmonton, 1983 – *Les vingt ans du musée à travers sa collection*, Mus. d'Art Contemp., Montréal, 1985.
MUSÉES : MONTRÉAL (Mus. d'Art Contemp.) : *Split Circ.* 1962 – *Zig-Zag* 1967 – *One Two Three* 1967 – MONTRÉAL (Mus. des Beaux-Arts) : *Profondeur marine* 1965 – TORONTO (Art Gal. of Ontario) : *Village procession* 1946 – *The old tree* – *Holiday* 1954 – *Theme Variation n° 2* 1955 – *Dazzle red* 1965 – *Salmon concerto* 1975 – WASHINGTON D.C. (Hirshhorn Mus.) : *Arabesque* 1975.
VENTES PUBLIQUES : TORONTO, 17 mai 1976 : *Solo*, h/cart. (40x30) : **CAD 450** – NEW YORK, 23 mai 1978 : *Jump up n°1* 1972, acryl./t. (168,5x100,5) : **USD 6 000** – NEW YORK, 13 nov. 1980 : *Spasm N°2* 1969, gche (56x82,5) : **USD 4 500** – NEW YORK, 18 nov. 1981 : *Pourpre* 1964, h/t (223,5x173,5) : **USD 48 000** – NEW YORK, 10 nov. 1982 : *Bonnet bleu* 1970, gche (76x57) : **USD 4 000** – NEW YORK, 9 nov. 1983 : *Colonnes sur brun* 1965, magna/t. (207x152,4) : **USD 40 000** – NEW YORK, 9 mai 1984 : *Floraisons roses* 1965, h/t (183x178) : **USD 42 500** – NEW YORK, 1er mai 1985 : *Carré rouge* 1959, h/t (132,1x147,3) : **USD 9 000** – TORONTO, 18 nov. 1986 : *Écusson orange* 1964, h/t (140x130) : **CAD 20 000** – NEW YORK, 21 fév. 1987 : *Two ways* 1974, acryl./t. (167,6x405,1) : **USD 30 000** – NEW YORK, 5 oct. 1989 : *Hymne* 1971, acryl./t. (198x124,5) : **USD 52 250** – NEW YORK, 23 fév. 1990 : *Oblique bleue* 1967, acryl./t. (146x387) : **USD 66 000** – NEW YORK, 4 oct. 1990 : *Jan #5* 1972, acryl./t. (198x322) : **USD 30 250** – NEW YORK, 3 oct. 1991 : *Sans titre I* 1965, gche/pap. (76,2x56,2) : **USD 6 050** – NEW YORK, 3 mai 1994 : *Carré vert*, h/t (79,2x79,2) : **USD 5 750** – NEW YORK, 8 mai 1996 : *Gris clair* 1968, acryl./t. (226x172) : **USD 18 400** – NEW YORK, 20 nov. 1996 : *S-curve* 1971, acryl./t. (199,4x135,9) : **USD 17 250**.

BUSH Joseph H.
Né en 1794 à Frankfort (Kentucky). Mort en 1865. xixe siècle.
Américain.
Peintre.

BUSH Noël Laura
Née le 30 décembre 1887 à Harrow (Middlesex). xxe siècle.
Britannique.
Peintre.
Elle exposa à Londres, à la Royal Academy, au Royal Institute of
oil Painters, au Royal Institute of painters in Water-colours et au
Canada.

BUSH Norton
Né en 1834 à Rochester (New York). Mort en 1894. xixe siècle.
Américain.
Peintre de paysages.
Il commença ses études avec le peintre James Harris à Rochester, puis partit en 1850 pour Manhattan et travailla en 1851-52
avec Jasper Cropsey à New York. Il conserva un atelier dans
cette ville jusqu'en 1872 lorsqu'il partit s'établir à San Francisco
(Californie). Pendant sa carrière il effectua trois voyages en
Amérique du Sud et en Amérique centrale : en 1853 au Nicaragua ; en 1868, mandaté par l'industriel William C. Ralston. Il peignit des scènes représentant des diverses activités de ses
sociétés en Amérique centrale. En 1874, il fut membre, puis
directeur, en 1878, de la San Francisco Art Association. En 1875,
il fit son dernier voyage au Pérou peignant des scènes du chemin
de fer des Andes nouvellement construit. On sait qu'il voyagea
également en Équateur. Ses œuvres furent médaillées à l'occasion de l'Exposition de Californie. Citons : *Mont Chimborazo*,
*Cimes des Sierras, Mont Meiggs, Andes du Pérou, Cordillères de
l'Équateur, Baie de Panama, Lac Nicaragua*, etc.
Ventes Publiques : New York, 29 avr. 1976 : *Paysage au lac,
Amérique Centrale*, h/t (30,5x51) : USD 900 – New York, 24 avr.
1981 : *On the San Juan* 1871, h/t (50,8x91,4) : USD 10 000 – New
York, 3 juin 1982 : *Afternoon calm* 1872, h/t (25,3x30,6) :
USD 3 000 – New York, 31 mai 1984 : *Nickeroga Lake* 1878, h/t
(50,8x90,8) : USD 8 500 – New York, 30 mai 1986 : *Paysage tropical* 1879, h/t (36x51) : USD 17 000 – New York, 15 mai 1991 : *Paysage tropical* 1872, h/t (20,3x30,5) : USD 2 530 – New York, 27
mai 1993 : *Rivière tropicale* 1891, h/t (55,9x91,4) : USD 32 200 –
New York, 17 mars 1994 : *Paysage tropical* 1870, h/t (50,8x90,2) :
USD 6 900 – New York, 16 nov. 1994 : *Vue du Popocatépetl
depuis Cholula* 1886, h/t (76,2x127) : USD 51 750.

BUSH Phyllis Madeleine Hylie, Miss
Née le 19 juin 1896 à Bristol. xxe siècle. Britannique.
Graveur.

BUSH Reginald Edgar James
Né le 2 juin 1869 à Cardiff. xxe siècle. Britannique.
Peintre et graveur.
Il étudia à Londres, à Paris et en Italie. Il a figuré dans les Exposi-
tions Internationales de Londres, Paris, Saint Louis, Chicago,
Rome, Los Angeles, exposant régulièrement à la Royal Academy
de Londres et au Salon de la Société Nationale des Beaux-Arts à
Paris.

BUSH-BROWN Henry Kirke
Né le 21 avril 1857 à Ogdensburg (New York). Mort en 1935.
xixe-xxe siècles. Américain.
Sculpteur.
Élève de son oncle Henry Kirke Brown ; il étudia aussi à Paris
avec Mercié et en Italie entre 1886 et 1890. Il fut membre de la
National Sculpture Society et du National Arts Club.
Ventes Publiques : New York, 1er juil. 1981 : *Captain Jen-
kins'horse, Black Bess*, bronze (H. 45,7) : USD 800.

BUSH-BROWN Margaret Lesley, Mrs **Henry Kirke
Brown**
Née le 19 mai 1857 à Philadelphie. xixe siècle. Américaine.
Peintre miniaturiste.
Élève de la Pennsylvania Academy of Fine Arts et de Lefebvre et
de Boulanger à l'Académie Julian, à Paris. Membre du Woman's
Art Club et de la American Society of Miniature Painters.
Médaillée à l'Exposition de Charleston en 1902. Exposa à la hui-
tième Exposition du New York Water-Colours Club une aqua-
relle : *Lydie*. On cite d'elle les portraits de S. P. *Lesley* et du pré-
sident *Frederick Fraley*.

BUSHELL Francisco
Né à Alicante. xixe siècle. Espagnol.
Peintre de paysages.
Élève de l'Académie de San Fernando à Madrid, il vint terminer
ses études artistiques à Paris sous la direction de Le Portevin
Dumas. Revenu en Espagne, il participa avec succès aux Salons
de Madrid, de Valence, d'Alicante. Il exposa également à Paris
en 1866, 1879, 1881, et à Edimbourg en 1879. Ses paysages sont
fort remarquables par l'intensité de sentiment qui s'en dégage et
par l'harmonie de leurs couleurs. On cite de lui : *La Mare aux
Fées, Vue d'Alicante*. Le Musée d'Art Moderne de Madrid possède une toile de cet artiste.

BUSHNELL John
Mort en 1701. xviie siècle. Actif à Londres. Britannique.
Sculpteur.
Élève de Thomas Burman à Londres, il étudia aussi en France et
en Italie. On cite de lui les statues du roi Charles Ier et du roi
Charles II, ainsi que celle de sir Thomas Gresham.

BUSI Aurelio. Voir **BUSSI**

BUSI Emilio
Mort en 1839, jeune. xixe siècle. Italien.
Peintre.
Peintre bolonais.

BUSI Giovanni de' ou **de'Busi**. Voir **CARIANI**

BUSI Luigi
Né en 1838. Mort en 1884. xixe siècle. Actif à Bologne. Italien.
Peintre d'histoire, genre.
Élève de l'Académie de Bologne, il alla se perfectionner à Rome.
Il fut professeur à l'Académie de Milan et à l'Académie de
Bologne.
Ventes Publiques : Milan, 17 juin 1982 : *Lezione amorosa* 1876,
h/t (70x84,5) : ITL 3 100 000 – Rome, 16 avr. 1991 : *Bonheur
maternel*, h/t (70x97) : ITL 97 750 000.

BUSI Nicolas
Mort en 1706 à Valence. xviie siècle. Espagnol.
Sculpteur.
Il vint d'Italie en Espagne avec Don Juan d'Autriche, fut
sculpteur de la cour et termina sa vie dans un monastère. Il a travaillé pour un certain nombre d'églises et de couvents de Murcie, Segorbe, Valence et Grenade.

BUSIANIS Georges
Né en 1885. Mort en 1959. xxe siècle. Actif en Allemagne.
Grec.
Peintre. Expressionniste.
Il reçut une bourse de l'Académie d'Athènes qui lui permit de
compléter sa formation à l'Académie de Munich. Il est considéré
comme l'un des représentants de l'expressionnisme en Grèce.
En 1929 il travaillait à Paris puis en 1932 il retourna à Munich où
il connut une certaine notoriété. Il était désigné pour pourvoir
un poste à Athènes de professeur à l'École des Beaux-Arts mais
le changement de régime politique mit fin à ce projet. En 1956 il
reçut un prix Guggenheim. Ses élèves et amis lui ont consacré
une brochure après sa mort.
Ventes Publiques : Londres, 6 nov. 1985 : *Bords de rivière boisés*, h/cart. (62x51) : GBP 4 000.

BUSIAU Alfred
Né en 1859 à Boussu. xixe siècle. Belge.
Peintre de figures et de portraits.
Élève de l'Académie de Mons, où le musée conserve aujourd'hui
deux portraits de sa main.

BUSIELLO Salvatore
xxe siècle. Italien.
Peintre.
Il figura à l'Exposition de Bruxelles en 1910.

BUSIÈRE Louis
Né le 19 septembre 1880 à Denain (Nord). Mort le 24 sep-
tembre 1960 à Savigny-sur-Orge (Essonne). xxe siècle. Fran-
çais.
Graveur et lithographe.
Il fut élève de Léon Bonnat et de Jacquet. Il figura à l'Exposition
Universelle de 1900 à Paris en présentant une gravure au burin
d'après Rubens. Il fut Prix de Rome en 1904 et Hors-concours au
Salon des Artistes Français en 1914.

BÜSINCK Ludolf, ou Ludolph, plus probablement que
Ludwig
Né vers 1590 en Allemagne. Mort en 1669. xviie siècle. Actif
en France. Allemand.

Peintre et graveur sur bois.

Il travailla à Münden jusqu'en 1630 et à cette date vint se fixer à Paris. On cite parmi ses gravures : *Moïse tenant les tables de la loi*, *Judith tenant la tête d'Holopherne*, *2 Sainte Famille*, 12 planches pour les apôtres, *Enée portant son père Anchise*, *La Fidélité*, *La Séduction*, d'après G. Lallemand, *Une famille de gueux*, *Le Flûteur*, d'après G Lallemand, *Un paysan tenant une cruche*, *Un paysan tenant une besace*.

VENTES PUBLIQUES : BERNE, 17 juin 1987 : *La Sainte Famille d'après Bloemaert*, grav./bois : **CHF 2 700.**

BÜSINCK Wilhelm Ludolf
Né vers 1635 à Münden. XVIIᵉ siècle. Allemand.
Peintre.

Il était très probablement fils de Ludolf Büsinck. Il habitait à Utrecht en 1660 et se maria à Amsterdam le 20 novembre de la même année.

BUSINE Zéphir
Né en 1916 à Gerpinnes. Mort en 1976 à Mons. XXᵉ siècle. Belge.
Peintre et sculpteur, peintre de cartons de vitraux. Abstrait-lyrique.

Il était autodidacte et devint professeur à l'Académie de Mons. Il a reçu le prix Anto Carte en 1959.

BIBLIOGR. : In : *Diction. Biogr. ill. des Artistes en Belgique depuis 1830*, Arto, Bruxelles, 1987.

BUSINET
Né en 1590 à Paris. XVIIᵉ siècle. Français.
Graveur.

BUSINGER Jakob ou Buosiger ou Bussiger
Né le 15 mars 1757 à Lucerne. Mort le 12 novembre 1801 à Lucerne. XVIIIᵉ siècle. Suisse.
Peintre de paysages.

On mentionne, de ce peintre, son tableau : *Le Schewellenbau à Lucerne* (1788). En 1789, il peignit une autre vue du même sujet. Füsli lui attribue des scènes de l'histoire suisse à l'Hôtel de Ville de Lucerne, peintes en collaboration avec Reinhardt. Il exécuta aussi des peintures sur bois dans l'église des Carmes déchaussés de cette ville.

BUSIOT Nicolas
XVIIIᵉ siècle. Actif à Nancy. Français.
Peintre.

Il fut chargé, en 1761, de peindre les armes de France par-dessus celles de Stanislas sur les portes de la ville de Mirecourt.

BUSIRI Giovanni Battista ou Busieri
Né en 1698. Mort en 1757. XVIIIᵉ siècle. Romain, actif au commencement du XVIIIᵉ siècle. Italien.
Peintre paysagiste.
Cité par Mireur.

VENTES PUBLIQUES : PARIS, 1818 : *Vue du parc et de l'église della Riccia* ; *Vue du Petit Temple, près de la porte du Peuple, à Rome*, deux tableaux, ensemble : **FRF 34** – LONDRES, 15 mars 1966 : *Paysage fluvial avec pêcheurs*, gche : **GBP 120** – VIENNE, 28 nov. 1967 : *Vue de la campagne romaine* : **ATS 21 000** – LONDRES, 7 déc. 1967 : *Paysage d'Italie*, gche de forme ronde : **GBP 150** – LONDRES, 12 juil. 1977 : *Campo Vaccino, Rome*, gche (22,5x33,2) : **GBP 500** – LONDRES, 28 juin 1979 : *Paysage à la cascade avec deux personnages*, gche (40,3x31,9) : **GBP 880** – LONDRES, 8 déc. 1981 : *Le temple de Saturne et Vespasien*, gche (21,5x33) : **GBP 800** – NEW YORK, 18 jan. 1984 : *Paysages d'Italie*, deux gches (20,5x32,8) : **USD 2 200** – LONDRES, 7 déc. 1987 : *Vues de Rome : le Ponte Rotto et la Basilica de Maxentius*, deux gches (33,1x49 et 33,4x49,2) : **GBP 5 000** – MONACO, 2 déc. 1988 : *Vue du Forum et Vue de ruines (probablement les bains de Caracalla)*, gche, une paire (chaque 22,4x34) : **FRF 94 350** – ROME, 8 avr. 1991 : *Paysage boisé avec des lavandières* ; *Paysage boisé avec deux personnages*, h/t (chaque 75x60) : **ITL 3 450 000** – ROME, 24 nov. 1992 : *Vue du Palais et de l'église Saint-Jean à Laterano*, h/t (52x40) : **ITL 23 000 000** – ROME, 26 nov. 1992 : *Paysage avec vue du Colisée*, h/t (63x50) : **ITL 9 000 000** – NEW YORK, 13 jan. 1993 : *Paysage avec vue des pêcheurs près de chutes d'eau*, gche, une paire (chaque 34x21,6) : **USD 8 050** – LONDRES, 21 avr. 1993 : *Paysage italien*, h/t (48x64) : **GBP 23 000** – ROME, 29 avr. 1993 : *Paysage avec vue du Colisée*, h/t (63x50) : **ITL 10 500 000** – PARIS, 18 juin

1993 : *Vue d'une ville italienne*, plume, lav. brun sur cr. (25x39,5) : **FRF 23 000** – LONDRES, 3 juil. 1996 : *Paysage italien animé*, h/t (49,2x99,2) : **GBP 9 200.**

BUSIRI-VICI Andrea
Né en 1817 à Rome. XIXᵉ siècle. Italien.
Peintre et architecte.

Fut élève, pour la peinture, de Silvain, à Venise ; mais, après quelques essais dans cet art, il s'adonna à l'architecture, qui l'occupa le reste de son existence.

BUSK E. M., Miss
XIXᵉ siècle. Britannique.
Portraitiste.

Elle exposa à Londres à la Royal Academy de 1873 à 1889.

BUSK Hans von
XVIIᵉ siècle. Danois.
Peintre de paysages, aquarelliste, graveur.

Il vivait à Copenhague en 1661 et gravait des estampilles.

VENTES PUBLIQUES : LONDRES, 28 nov. 1985 : *Vue panoramique de Rome*, aquar. et pl. reh. de blanc (25,5x66) : **GBP 1 100.**

BUSNEL Robert Henri
Né le 23 juillet 1881 à Rouen (Seine-Maritime). Mort le 1ᵉʳ février 1957 à Paris. XXᵉ siècle. Français.
Sculpteur.

Il fut élève d'Alphonse Guilloux, de Jean Injalbert et de Victor Peter. Sociétaire du Salon des Artistes Français, il reçut une médaille d'or en 1923, ainsi que le Prix de l'Yser.

BUSOLEN. Voir BUSTLER

BUSOLI Jacopo
XVᵉ siècle. Actif à Ferrare. Italien.
Peintre.

BUSON Peter Nikolaus
Né en 1783 à Hambourg. Mort après 1830. XIXᵉ siècle. Allemand.
Peintre de figures, portraits, natures mortes, fleurs, miniaturiste.

Il a peint des figures, des décorations et aussi des portraits en miniature.

VENTES PUBLIQUES : NEW YORK, 13 déc. 1985 : *Nature morte aux fleurs* 1830, h/métal (35,5x25,3) : **USD 1 300.**

BUSON Yosa, de son vrai nom : Taniguchi Yosa, surnom : Shinshô, noms de pinceau : Yosa Buson, Shime Chôso (vers 1757), Chôko et Sunei (vers 1776), Busei, Sanka, Tôsei-Saichô, Gasendô, Shain, Hajin, Hekiundô, Hakuundô, Yahan-Tei (vers la fin de sa vie)
Né en 1716 au village de Kema, près d'Osaka. Mort en 1783. XVIIIᵉ siècle. Japonais.
Peintre d'animaux, dessinateur.

Il est l'un des créateurs de l'école Nanga (peinture de lettré). Ce n'est pas au début du XVIIᵉ siècle, que le *Bunjinga* ou *Nanga* est introduit au Japon, au moment où se manifeste, chez les intellectuels, une vive curiosité pour le monde extérieur. On étudie avec un esprit moins conventionnel les arts et les sciences de la Chine. Ce style de peinture est adopté par les amateurs lettrés non sans tâtonnements et confusions stylistiques. Les premiers adeptes ne se dégagent pas encore des modèles chinois et il faut attendre la seconde moitié du XVIIᵉ siècle pour que se réalise une véritable assimilation et que naisse une nouvelle vision du paysage avec deux artistes : Ike no Taiga (1723-1776) et Yosa Buson. Éclectique dans la plupart de ses contemporains, ce dernier s'illustre dans des styles très divers. Né près d'Osaka, au village de Kema, pays de Tôsei, dans la province de Settsu, fils de paysans, il quitte très jeune son village natal pour se rendre à Edo (actuelle Tokyo), où il est élève de Hayano Hajin, disciple de Bashô (1644-1694), célèbre poète de *haikai* (poème de 17 syllabes). Buson va renouveler l'école de Bashô et les images pittoresques et intimes du poème reflètent son tempérament de peintre. En 1742, à la mort de son maître, il abandonne la capitale pour parcourir les provinces du Nord sur les traces de Bashô. En 1751, il se rend à Kyoto où, après un séjour de trois ans à Yosa (de 1754 à 1757), il se fixe définitivement. Buson ne se réclame d'aucun maître et sa période de formation reste peu connue. Dans les milieux artistiques d'Edo, il doit voir néanmoins les œuvres de Hanabusa Itchô (1652-1724). Il lui emprunte ses coloris légers comme le prouve la plus ancienne de ses peintures *Réunion de poètes* (1736-1741). A Kyoto, grand centre culturel de l'époque, Buson semble subir, lors de son premier

séjour, l'influence de Sasaki Hyakusen (1698-1753), poète et peintre amateur qui fréquente le temple Mampukuji, siège d'une secte d'origine chinoise. Auprès des moines l'on pouvait s'initier à la calligraphie et à la peinture du grand empire voisin. En 1757, Buson ouvre à Kyoto un atelier de paravents pour gagner sa vie. Ses paravents témoignent de sa versatilité, évoquant tour à tour le style réaliste et coloré du peintre chinois Zhen Nanping (Tchen Nanp'ing), le tachisme du maître Song Mi Fu au un sens aigu de la nature japonaise aux teintes légères et transparentes (*Pavillon solitaire dans un bosquet de bambous*, et *Chevaux à l'ombre des saules*). Ce sens du paysage s'approfondit au cours d'un voyage dans l'île de Shikoku (1766-1768) et se révèle dans une de ses œuvres principales exécutée en collaboration avec le peintre lettré Ike no Taiga : l'illustration de deux albums *Jûben Jûgi* (*Les dix agréments et les dix conforts de la vie à la campagne*). Le thème de cette série est fourni par le poète chinois Li Liweng et l'interprétation qu'en donne Buson est très ingénieuse. Ses traits de pinceau sont délicats, tant dans la peinture que dans la calligraphie, et sa vision est empreinte de lyrisme. Les paysages tiennent alors une grande place dans son œuvre et sa personnalité s'exprime dans des lavis où les formes noires se détachent grâce à un cerne blanc qui semble lui être propre. N'abandonnant pas la poésie, Buson préside à Kyoto une société de *haïku*, la San-ka-sha ; on peut suivre dans sa peinture comme dans son œuvre littéraire une évolution vers un retour aux sources et vers Bashô. D'une spiritualité moins profonde que ce dernier il possède un talent allusif, descriptif et nostalgique. C'est l'époque où il crée le *haiga*, association d'une peinture et d'un poème *haïku*, où apparaît un trait cursif qui traduit l'aisance de son pinceau. Les paravents et les rouleaux, transcriptions des voyages de Bashô et illustrations de ses propres périples tels que *Le chemin étroit dans un pays perdu* (*Oku no hosoi michi*) ou *Voyage à travers les intempéries* (*Nozarashi ki-ko*) sont autant de croquis rapides et humoristiques dont la liberté d'expression est appréciée et sera reprise par ses disciples. Parmi ces derniers se distingueront surtout Matsumura Goshun (Gekkei) (1752-1811), Ki-no-Baitei (1734-1810) et Yokoi Kinkoku (1761-1832). ■ Marie Mathelin
Musées : Tokyo (Mus. Nat.) – Washington D.C. (Freer Gal. of Art).
Ventes Publiques : New York, 29 mars 1990 : *Aiglon*, encre et pigments dilués/pap., kakémono (116x26,5) : USD 15 400.

BUSQUET Chouchette
Née le 15 février 1904 à Bordeaux (Gironde). XXᵉ siècle. Française.
Peintre de figures et de paysages.
Elle fut élève de Louis Roger et Lucien Simon à l'École des Beaux-Arts de Paris. Elle a peint ensuite avec une extrême liberté stylistique des figures et des paysages.

BUSS Hugh Stanley
Né le 31 mai 1894 à Lincoln. XXᵉ siècle. Britannique.
Peintre et dessinateur, professeur d'art.

BUSS Johann Cristoph
Né le 9 août 1776 à Tübingen. Mort le 26 septembre 1855. XIXᵉ siècle. Suisse.
Peintre.
Il travailla à l'Institut de Pestalozzi à Burgdorf et à Yverdon. En 1804, il était professeur de dessin et de musique à Burgdorf et, en 1819, professeur de dessin à l'École littéraire et à l'Académie. Il professa plus tard à l'Université de Berne. Il a publié divers ouvrages.

BUSS Robert William
Né en 1804, baptisé dans la paroisse Saint-Luke à Londres. Mort en 1875 à Londres. XIXᵉ siècle. Britannique.
Peintre de genre, portraits, décors de théâtre, illustrateur, caricaturiste.
Il apprit la gravure chez son père avec lequel il resta six ans, puis alla se perfectionner sous la direction de George Clint. Chez ce dernier maître, il se forma comme peintre de portraits et de décors de théâtre. Buss fournit des illustrations pour des ouvrages de Charles Knight, du capitaine Marryat, de Mrs Trollope, ou Troloppe, ou Trollope, d'Harrisson, Ainsworth et d'autres. Ce labeur ne lui faisait pas abandonner la peinture et un de ses tableaux : *Noël au temps de la reine Elizabeth*, fut exposé avec succès à la Society of British Artists. Buss acquit une grande popularité avec ses caricatures et d'autres sujets humoristiques.
Musées : Londres (British Art) : *Robert Richard Bentley, maître*

de Trinité College à Cambridge – Londres (Victoria and Albert) : *Études de têtes* – Melbourne : *Le Monopoliste*.
Ventes Publiques : Londres, 1871 : *La Noël sous Elizabeth* : FRF 2 120 – Londres, 7 fév. 1910 : *Portrait de J. Cooper, dans le rôle de Captain Mouth dans the « Bride of Ludgate »* : GBP 14 – Londres, 6 juin 1980 : *Servante nettoyant une statue antique 1841*, h/t (63x75,6) : GBP 1 200 – Chester, 13 jan. 1984 : *Le pauvre voyageur*, h/t (72,5x59,5) : GBP 1 000 – Londres, 10 juil. 1996 : *Le contrat de mariage*, h/t (101x127,5) : GBP 4 370.

BUSS Valdis
Né en 1924. XXᵉ siècle. Russe-Letton.
Peintre. Expressionniste.
De 1945 à 1950, il poursuivit ses études à l'Académie des Beaux-Arts de Riga et fut l'élève de L. Svempe. Il s'est fait connaître dans le monde occidental, où ses œuvres figurent dans des collections privées.
Il pratique une peinture de larges touches grasses et de couleurs heurtées.

BUSSART Georges Henri
Né à Paris. XIXᵉ siècle. Français.
Graveur.
Élève de Bonnat, Berland, Dubouchet et E. Sulpis. Sociétaire des Artistes Français depuis 1903.

BUSSATTI Salvatore
XIXᵉ siècle. Actif à Naples en 1828. Italien.
Graveur au burin.
On cite de lui 24 planches (costumes de Naples).

BUSSCHAERT Johannes ou Bosschaert Jan
Né en 1610 ou 1611 à Middelburg. Mort après 1628 à Dordrecht probablement. XVIIᵉ siècle. Éc. flamande.
Peintre de natures mortes, fleurs et fruits.
Second fils du peintre Ambrosius Bosschaert, il fut plus directement influencé par la manière de son oncle Balthasar van der Ast.
Comme ce dernier, il privilégie les formats horizontaux et dispose le plus souvent ses corbeilles de fruits sur une table à côté de roses et de tulipes.
Ventes Publiques : Londres, 30 nov. 1979 : *Nature morte au panier de fleurs 1627*, h/pan. (51x74) : GBP 30 000 – Londres, 18 avr. 1980 : *Nature morte aux fleurs, coquillages, lézards et papillons*, h/pan. (38x53) : GBP 28 000 – Paris, 14 juin 1984 : *Bouquet de fleurs dans un vase de verre*, h/pan. (39,5x28,7) : FRF 1 440 000 – Londres, 10 déc. 1986 : *Nature morte aux fleurs et aux fruits et insectes sur un entablement*, h/t (88x66) : GBP 170 000 – Paris, 27 juin. 1989 : *Corbeille de fruits et papillon-amiral sur un entablement de pierre*, pan. de chêne (32,5x48) : FRF 340 000 – Londres, 8 déc. 1995 : *Tulipes, roses, iris, fritillaire et autres fleurs dans une corbeille avec coquillages, grappe de raisins, abricots et groseilles sur un entablement de pierre 1624*, h/pan. (36,5x54,6) : GBP 375 500 – Monaco, 14 juin 1996 : *Corbeille de fruits aux raisins, pêches, feuillage, tulipe, rose, deux papillons et une chenille sur un entablement*, h/pan. (51,5x83,4) : FRF 393 300.

BUSSCHE Jacques Van den
Né le 24 mars 1925 à Marseille (Bouches-du-Rhône). XXᵉ siècle. Français.
Peintre de compositions à personnages.
Il fut élève de l'École des Beaux-Arts de Marseille en 1943 et de l'École des Beaux-Arts de Paris en 1949. Ses premières expositions personnelles eurent lieu à Casablanca en 1952 et 1954. En 1953 il commence à participer au Salon de la Jeune Peinture, au Prix Fénéon, au Prix Friesz et en 1960 au Salon d'Automne. Il a figuré dans quelques expositions collectives à l'étranger. Il a exposé personnellement à Paris en 1961, 1964 et 1970.
Il peint des personnages errants. Sa peinture empreinte de préciosité n'est pas sans évoquer celle d'Odilon Redon.
Ventes Publiques : Versailles, 10 oct. 1981 : *La coupe de fleurs 1967*, h/pan. (33x24) : FRF 2 600 – Neuilly, 27 mars 1990 : *Paysage provençal*, h/t (50x61) : FRF 3 000 – Paris, 12 déc. 1990 : *Vue d'un port méditerranéen*, h/pan. (54x73) : FRF 6 000 – Paris, 15 fév. 1995 : *Des êtres nus 1964*, h/t (96,5x146) : FRF 20 000.

BUSSCHE Joseph Emanuel Van den
Né en 1837 à Anvers. Mort en 1908 à Boitsfort (près Bruxelles). XIXᵉ siècle. Belge.
Peintre d'histoire, scènes de genre, fleurs.
Élève de N. de Keyser à l'Académie d'Anvers. Il fut professeur à Bruxelles.

On mentionne de lui, avec des toiles de chevalet, des panoramas et de grandes compositions décoratives, et notamment les peintures murales de l'Hôtel des Postes de Bruxelles.

Ventes Publiques : Paris, 1884 : *La Fille de Palma le Vieux* : FRF 260 ; *Retraite de Russie* : FRF 280 ; *Bataille de Waterloo* : FRF 200 – Paris, 26 jan. 1951 : *Scène de la Renaissance : chez l'armurier* : FRF 30 000 – Paris, 14 mai 1962 : *Bouquet de fleurs* : FRF 1 550 – Bièvres, 26 mai 1963 : *Cartes à jouer* : FRF 1 600 – Bruxelles, 27 fév. 1985 : *La ronde des prés*, h/t (63x97) : BEF 60 000 – Bruxelles, 19 jan. 1987 : *Pont à Venise*, h/t (49x38) : BEF 24 000 – Amsterdam, 23 avr. 1991 : *Jeune Vénitienne entourée de pigeons sur la margelle d'un puits*, h/t (212x109) : NLG 11 500 – Paris, 11 déc. 1991 : *L'adieu 1896*, h/t (99x65) : FRF 80 000 – New York, 12 oct. 1993 : *« Laissez passer l'Empereur ! »* 1901, h/t (90,2x129,5) : USD 18 400 – Lokeren, 10 déc. 1994 : *Pêcheurs de crevettes*, h/t (51,5x77) : BEF 33 000 – Lokeren, 20 mai 1995 : *La Monténégrine*, h/t (60x39,5) : BEF 44 000.

BUSSCHER Jean-Marie de
Né en 1935 à Boitsfort (Bruxelles). XXᵉ siècle. Belge.
Peintre.
Il fut élève de l'Institut de la Cambre à Bruxelles, exposant ensuite à Kassel, Londres, Venise, et à Paris en 1963.

BUSSCHÈRE Alec de
Né le 2 juin 1964 à Bruxelles. XXᵉ siècle. Belge.
Créateur d'installations.
Il vit et travaille à Bruxelles. Il participe à des expositions collectives, régulièrement à Bruxelles, notamment en 1992 au Palais des Beaux-Arts, au musée de Villeneuve d'Asq en 1993, au musée municipal de La Roche-sur-Yon en 1994. Il montre ses œuvres dans des expositions personnelles depuis 1988 à Bruxelles ; en 1996 au Palais des Beaux-Arts de Charleroi.
Bibliogr. : Catalogue de l'exposition : *Barbier, de Busschère, Lepeut*, Musée municipal, La Roche-sur-Yon, 1994.
Musées : Marseille (FRAC Alpes-Côtes d'Azur) : *Courbe V* 1992, sculpt. – *Tableau substrat 2* 1993, peint.

BUSSCHÈRE Constant Eugène de
Né en 1876 à Blankenberghe. XXᵉ siècle. Belge.
Peintre animalier, graveur, lithographe.
Il fut élève d'Edmond Van Hove à Bruges et de Joseph Stallaert à l'Académie des Beaux-Arts de Bruxelles. Il exposait aussi à Paris, au Salon des Artistes français, et dont il était sociétaire.
Bibliogr. : In : *Diction. biogr. illustré des artistes en Belgique depuis 1830*, Arto, Bruxelles, 1987.
Ventes Publiques : Londres, 24 mars 1982 : *La salle des Pas-Perdus*, h/t (78x101) : GBP 2 400 – Lokeren, 20 oct. 1984 : *Les avocats*, h/t (65x50) : BEF 65 000 – Bruxelles, 12 juin 1990 : *Travaux des champs*, h/t (75x110) : BEF 70 000 – Paris, 15 déc. 1992 : *Sur le chantier* 1926, h/t (143x222) : FRF 30 000.

BUSSE Georg Heinrich
Né le 17 juillet 1810 à Bennemühlen (près de Hanovre). Mort le 26 février 1868 à Hanovre. XIXᵉ siècle. Allemand.
Peintre de paysages et graveur.
Élève de l'Académie de Dresde et du graveur Stölzel. En 1834, il reçut le premier prix de gravure comportant un voyage d'études en Italie. Visita aussi la Grèce. À son retour à Hanovre, il fut nommé graveur de la cour. Plus tard, vers 1858, lors d'un second voyage, il vit Paris, Alger, Carthage et d'autres villes d'Orient. Le Musée de Hanovre possède de lui : *Ruines de Lambessa* et *Dans les montagnes d'Albane*. On cite parmi ses gravures : *Apollon chez les bergers d'Antioche, Seize paysages* et *Vue de Pompéi*.
Ventes Publiques : Cologne, 18 nov. 1965 : *La source* : DEM 1 100.

BUSSE Hans
Né en 1867 à Berlin. Mort en 1914 à Taormina. XIXᵉ-XXᵉ siècles. Actif à Berlin. Allemand.
Peintre de paysages et d'architectures.
Il exposa à Berlin, notamment, en 1909 et 1910. On cite : *Paysage de Holstein, Le Bourg Eltz, Un Jardin à Taormina.*
Ventes Publiques : Heidelberg, 11-12 avr. 1997 : *Ruines du temple de Jupiter de Taormina* 1906, h/t (64x121) : DEM 4 600.

BUSSE Jacques Serge
Né le 22 décembre 1922 à Vincennes (Val-de-Marne). XXᵉ siècle. Français.
Peintre, pastelliste, lithographe, sérigraphe, dessinateur, illustrateur. Abstrait.
Il fut élève, en 1942-début 1943, d'Othon Friesz à l'Académie de la Grande-Chaumière à Paris. Il fut co-fondateur, en 1943, du

groupe de *L'Échelle*, dont les expositions eurent lieu : en 1943 avec une préface d'André Salmon, puis en 1946, 1947, 1948. Il participa au Salon des Tuileries en 1943. En 1943, il fut expédié au travail obligatoire en Allemagne et jusque fin 1944. Cependant, ses peintures figuraient au Salon des Moins de Trente Ans en 1943 et 1944. Il fut invité au premier Salon de Mai en 1945, y exposa ensuite sans interruption. Il participa alors très brièvement aux Salons des Indépendants et d'Automne ; depuis 1958 et sans interruption au Salon des Réalités Nouvelles ; de 1970 à 1973 au Salon de Montrouge. Il est sélectionné à de très nombreuses expositions collectives, nationales et internationales, représentatives de la jeune peinture française, d'entre lesquelles : 1955, sélection pour le Prix Catherwood, Galerie de France à Paris, et *Jeunes peintres* dans les musées d'art moderne de Rome, Bruxelles, Paris ; 1958, dans le Pavillon français de l'Exposition Internationale de Bruxelles ; 1959, *Peintres d'aujourd'hui* au Musée de Grenoble, et *Présence de l'École de Paris dans les grandes collections belges* au Musée National d'Art Moderne de Paris ; 1961, sélection pour l'Exposition Internationale du Carnegie Institute de Pittsburgh ; 1962, groupes dans les musées du Havre, Maroc, Japon, de Pologne, des États-Unis ; 1963, groupes dans les musées de Reims, Salisbury (Rhodésie-du-Sud), de Lausanne pour le 1ᵉʳ Salon International des Galeries-pilotes, à Paris, dans un musée d'Israël ; 1965, Biennale d'Alexandrie, et *Groupe 1/65* au Musée d'Art Moderne de la Ville de Paris ; 1967-1977, groupes dans les musées de Hongrie, Pologne, Tchécoslovaquie, Roumanie, Irlande, Cuba, Berlin, Hambourg, Yougoslavie, etc. ; 1977, *Autour d'André Frénaud* au Centre Pompidou de Paris ; 1988, *L'art moderne à Marseille – Les collections du Musée Cantini* ; 1990 *Jean Grenier, regard sur la peinture* au Musée de Morlaix ; 1993, *Les peintres d'André Frénaud* au château de Ratilly ; 1994, Sélection du FRAC de Bourgogne au château de Tanlay ; 1996 Paris, *100 peintres de l'École de Paris 1945-1975* pour la célébration du cinquantenaire de l'Organisation des Nations Unies, au Palais de l'UNESCO (Organisation des Nations Unies pour l'éducation, la science et la culture) ; 1997 Limoges, *Peintures sur papier*, avec Cuéco, Jacques Poli, Jan Voss, Hugues Weiss, au Centre Culturel ; 1998 au Musée de Saint-Brieuc, *« La Liberté du Vent »* Jean Grenier et les peintres ; 1999 Aix-en-Provence, *Petites Baies et Grandes Fenêtres*, galerie d'art du Conseil Général...

En 1966, il a reçu le Premier Prix de la Biennale de Menton (année de l'*Hommage à Picasso* ; Prix de la Ville de Menton à Poliakoff ; Prix du Président de la République à Tapies). De 1957 à 1970, il fut membre du Comité du Salon de Mai ; à partir de 1974 il fut membre du Comité du Salon des Réalités Nouvelles, en 1978 vice-président, de 1980 à 1995 président, élu président d'honneur à son départ. Il devint aussi vice-président de la Fédération des Associations d'Artistes en 1977, et, ayant accepté pour un seul mandat de trois ans, président de 1991 à 1995.

Il montre les peintures de ses différentes périodes dans des expositions personnelles, depuis la première en 1947, nombreuses à Paris, dont : en 1955 galerie Lucien Durand ; à partir de 1957, galerie Jacques Massol, qui l'a ensuite exposé de nombreuses fois, notamment en 1981 à la FIAC (Foire Internationale d'Art Contemporain) ; ainsi que : 1962 Milan, galerie Cadario ; de 1966 à 1991, plusieurs à Francfort-sur-le-Main, galerie Appel et Fertsch ; 1967, Tokyo ; 1971 Marseille, galerie Garibaldi ; 1977 Angers, galerie de l'École des Beaux-Arts ; 1986 Rouen, galerie de l'École des Beaux-Arts ; 1987 Saarlouis, galerie Treffpunkt Kunst de la Haus Ludwig ; 1994, 1995 Paris, galerie Graphes ; etc.

Il mena parallèlement deux autres carrières. Enseignant : 1955-1957 École des Beaux-Arts de Nancy, 1961-1964 Académie de la Grande-Chaumière, 1964-1965 dernier professeur de l'Académie Ranson, 1965-1974 École des Beaux-Arts de Marseille, 1970-1971 chargé de cours à la Faculté des Sciences Humaines d'Aix-Marseille, 1972-1984 chargé de cours par B. Dorival à la Faculté de Paris IV-Sorbonne, 1974-1977 École des Beaux-Arts de Limoges, 1977-1988 École des Beaux-Arts de Dijon. Historien et critique d'art : outre de nombreux articles et préfaces, rédacteur en chef des éditions successives du Dictionnaire « Bénézit » : 1949-1955, 1966-1976, 1988-1999. En 1996 a été publié son essai *L'Impressionnisme – une dialectique du regard*. Il a également traduit et publié en édition bilingue les trois premiers volumes des *Chansons du gibet* de Christian Morgenstern.

Il a créé des mosaïques monumentales à Paris boulevard Lasnes, des vitraux à l'église de Thônes. Il a illustré *Ce livre de malheur, et des corps* de François Boddaert, *Le tombeau de Colombe* de

Jacques André, la couverture de l'ouvrage collectif *Pour André Frénaud* en 1993, le 5e numéro de la revue de poésie *Les Mâche-Laurier* en 1996.

Dans une première période, ses peintures procédaient d'une recherche de *Rythmes statiques*, séquences rythmées et illusions optiques à partir d'objets de natures mortes, de personnages schématiques découpés en tranches de couleurs vives, enserrés à l'intérieur des arêtes d'un cube réversible, d'enchaînements de vagues, de dunes, de constellations nocturnes. Dans les premières années cinquante, il fit un retour au néo-cubisme de Juan Gris. À partir de 1954, une série de peintures exploitant l'immatérialité optique d'accumulations de *Verreries* le mena à l'abstraction. Il appliqua une démarche similaire aux espaces éclatés des *Carrières* souterraines des Baux-de-Provence. En 1959-1961, même démarche d'abstraction à partir de colonnes en bossages dans la série des *Hommages à Claude-Nicolas Ledoux* ; en 1961 et ensuite dans la série inspirée des villages en ruines du Midi, tantôt noyés d'ombre, tantôt aveuglés de soleil ; en 1963 et ensuite dans la série intitulée *Suite Nervalienne*, pouvant évoquer des parois rocheuses escarpées, en tout cas un monde minéral sourdement hostile. À partir de 1967, droites et angles firent place aux courbes, le minéral se muant en organique, l'expressionnisme abstrait se substituant à l'abstraction construite, dans la série des *Formes anthropomorphiques*, qui se transforma, à partir de 1971, en thème des *Gisantes*, se concluant en 1976 en six très grands dessins « hyper-irréalistes ». 1977 marqua le retour au minéral et au construit, avec la *Série chromatologique*, et les suites des *Quelleriades* – *Écritures quelleriées* – *Écritures colombées* – *Écritures forestières* ; puis, après 1985, les séries *Carrarières* – *Carrare* – *Marmorpuzzle* – *Mosaïques* ; à partir de 1992 les séries *Caracalla* – *Zaghouan* ; depuis 1993 la série des *Damiers*.

Incapable de se fixer à une manière, même quand bien accueillie par le public, passant par des périodes thématiquement différentes, quand ce n'est pas structurellement du construit à l'expressionnisme abstrait et revenant au construit, l'œuvre de Busse a un aspect discontinu. Lui-même déclare avoir préféré, à l'obligation maniériste qu'exige le marché de l'art dans sa deuxième moitié de siècle, l'intérêt et le plaisir de voyager à l'intérieur de la peinture.

BIBLIOGR. : B. Dorival : *La peinture française au xxe siècle*, Tisné, Paris, 1958 – Pierre Courthion : *L'art indépendant*, Albin Michel, Paris, 1958 – Jean Grenier : *Busse*, xxe siècle, Paris, mai 1961 – Bernard Pingaud : *Mode d'emploi*, Édit. J. Massol, Paris, 1963 – Jean Grenier : *Entretiens avec dix-sept peintres non-figuratifs*, Calmann-Lévy, Paris, 1963, et : Édit. Folle Avoine, Rennes, 1990 – in : *Les peintres contemporains*, Mazenod, Paris, 1964 – Jean-Clarence Lambert, in : *Hist. Gle de la Peinture*, tome 23, Rencontre, Lausanne, 1967 – in : *Encyclopédie des Arts « Les Muses »*, Alpha, Paris, 1970 – Michel Seuphor, Michel Ragon : *La peint. abstraite*, tome 4, Maeght, Paris, 1974 – in : *Diction. Univers. de la Peint.*, Le Robert, Paris, 1975 – Guy Vignoht : *La jeune peinture 1941-1961*, Édit. B.P.C., Paris, 1985 – D. Baer-Bogenschütz : *Flügel aus Marmor*, Frankfurter Rundschau, 7 mars 1991 – in : *L'art du xxe siècle* – *Diction. de peinture et de sculpture*, Larousse, Paris, 1991 – Lydia Harambourg, in : *L'École de Paris 1945-1965. Diction. des Peintres*, Ides et Calendes, Neuchâtel, 1993.

MUSÉES : ALGER (Mus. Nat.) : *Structure réversible* 1963 – AUTUN (Mus. Rolin – DONATION ANDRÉ FRÉNAUD) : *Sans titre* 1961 – *Petit veuf* 1962 – *Carrarière N°1* 1986 – plusieurs *Portrait d'André Frénaud* 1980, dessins – BANJA-LUKA (Mus. d'Art Mod.) : *Gisante en nocturne* 1973 – CHILI (en exil) : *La chute N° 3* 1967 – DIJON (FRAC Bourgogne) : *Écritures Quelleriées N° 1* 1984 – GIESSEN (Allemagne) : *Écritures Colombées N° 2* 1984 – GRENOBLE (Mus. des Beaux-Arts) : *Hommage à Claude-Nicolas Ledoux* 1960 – LAUSANNE (Mus. canton.) : *Midi* 1964 – MARSEILLE (Mus. Cantini) : *La chute* 1967 – MARSEILLE (Palais Longchamp) : *Masque* 1966, et six dess. préparatoires. – NANTES (Mus. des Beaux-Arts) : *Paroi rouge* 1965 – OSLO (Gal. Nat.) : *Carrière blanche* 1958 – PALESTINE (Mus. de la Solidarité Internat.) : *Trophée N° 1* 1967 – PARIS (Mus. Nat. d'Art Mod.) : *Personnages en quête d'une composition* 1949 – *Buste* 1949 – *Nature morte* 1950 – *Autoportrait* 1952 – *Verreries* 1954 – *Le rai de soleil* 1956 – *La carrière cathédrale* 1957 – *Cruas* 1961 – *Le prince d'Aquitaine* 1962 – *Gisante en son ombre* 1974 – PARIS (Mus. mun. d'Art Mod.) : *Grande lyre d'Orphée* 1963 – ROUDNICE-NAD-LABEM (Mus. Pop.) : *Sous le signe de Cronos* 1970 – SKOPJE (Mus. d'Art Mod.) : *Antiques* 1966 – VELA-LUKA (Mus.

d'Art Contemp.) : *Mosaïque* 1968 – *Formes anthropomorphiques* 1967, lav.

VENTES PUBLIQUES : PARIS, 26 fév. 1973 : *C'était donc si facile*, h/t : FRF 2 000 – PARIS, 17 déc. 1985 : *L'Achéron traversé* 1962, h/t (146x114) : FRF 4 000 – PARIS, 21 mai 1986 : *Carrière* 1957, h/t (65x92) : FRF 2 800 ; *Rue des Envierges* 1959, h/t (100x81) : FRF 3 200 – VERSAILLES, 26 avr. 1987 : *La tour abolie* 1962, h/t (64x54) : FRF 3 000 – DOUAI, 26 mars 1988 : *Hommage à Ledoux* 1960, h/t (146x114) : FRF 10 000 – BERNE, 30 avr. 1988 : *Nature morte cubiste* 1952, h/t (81x100) : CHF 2 800 – VERRIÈRES-LE-BUISSON, 11 déc. 1988 : *La Fin du jour* 1961, h/t (73,9x117,9) : FRF 8 700 – PARIS, 27 avr. 1989 : *Portrait d'homme* 1949, h/t (61x50) : FRF 4 500 – PARIS, 31 oct. 1989 : *Composition* 1959, h/t (91x73) : FRF 8 200 – PARIS, 29 nov. 1989 : *Fragment de nuit* 1962, h/t (81x65) : FRF 4 000 – PARIS, 14 mars 1990 : *Contre-jour vertical* 1962, h/t (62x54) : FRF 6 200 – VERRIÈRES-LE-BUISSON, 24 mars 1990 : *Composition* 1955, h/t (80,9x100,9) : FRF 14 000 – PARIS, 21 mai 1990 : *Carrière* 1958, h/t (81x100) : FRF 8 000 ; *Lumière douce* 1959, h/t (40x40) : FRF 4 500 – PARIS, 1er oct. 1990 : *Un village* 1962, h/t (54x65) : FRF 5 000 – DOUAI, 11 nov. 1990 : *Verrerie* 1955, h/t (80x100) : FRF 8 000 – DOUAI, 24 mars 1991 : *Contre-jour vertical 2* 1962, h/t (65x54) : FRF 4 500 – PARIS, 15 avr. 1991 : *La fenêtre d'en-face* 1959, h/t (100x81) : FRF 5 000 – PARIS, 23 mars 1992 : *Contre-jour* 1961, h/t (100x81) : FRF 4 000 – PARIS, 8 juil. 1993 : *Composition en blanc, gris et noir, Carrière* 1962, h/t (64x53) : FRF 3 200 – PARIS, 7 mai 1996 : *Caracalla N°8*, h/t (33x24) : FRF 4 700.

BUSSEAU Abraham
XVIIe siècle. Français.
Sculpteur.
Il fut reçu à l'Académie de Saint-Luc en 1664.

BUSSEMACHER Johann
XVIe-XVIIe siècles. Actif à Cologne de 1590 à 1604. Allemand.
Graveur au burin et éditeur.
On cite de lui des sujets religieux et 6 planches de vases de fleurs.

BUSSER Raphaël de
Mort vers 1526. XVIe siècle. Actif à Bruges. Éc. flamande.
Peintre et enlumineur.
Il fut maître à Bruges et en 1517 fit deux vignettes pour le missel de la gilde des libraires.

BUSSERUS Hendrik
Né le 22 janvier 1701 à Amsterdam. Mort en 1781 à Amsterdam. XVIIIe siècle. Hollandais.
Dessinateur, graveur et collectionneur.

BUSSET G., Mme
XIXe siècle. Active au début du XIXe siècle. Française.
Peintre.
A exposé aux Salons, de 1806 à 1817, des portraits miniatures, parmi lesquels celui du *Colonel Grandsaigne*.

BUSSET Maurice
Né le 18 décembre 1879 à Clermont-Ferrand (Puy-de-Dôme). Mort le 30 avril 1936 à Clermont-Ferrand. XXe siècle. Français.
Peintre de scènes typiques et de paysages, graveur.
Il fut élève de Raoul Du Gardier. Sociétaire du Salon des Artistes Français, il exposa au Salon des Artistes Indépendants à partir de 1911 et à celui d'Automne.
Il a illustré des recueils de poésie : *Poèmes arvernes* (deuxième série) et *Médaillons et fresques* de Gandilhon Gens d'Armes, et publié en albums *Au temps des Gothas* – *Paris bombardé* – *Le vieux pays d'Auvergne* ; il a collaboré aux « Cahiers nivernais et du centre ». Il a peint et gravé des scènes typiques et des paysages d'Auvergne, ainsi que quelques sujets marocains.

BUSSI. Voir aussi **BOSSI**

BUSSI Aurelio ou **Busi, Busso, Buso**
Originaire de Crema. XVIe siècle. Actif de 1510 à 1540. Italien.
Peintre.
Il fut l'élève de Polidoro da Caravaggio et l'aida dans ses travaux à Rome. Il collabora également avec Maturino. On trouve la trace de son passage à Gênes, à Venise et dans sa ville natale, où il s'inspira de la manière de son maître Caravaggio. Il en fut de même à Milan, où il décora des bâtiments de grotesques et d'ornements. D'après Ridolfi, Bussi mourut dans la misère.

BUSSI Santino de ou **Bossi**
Né en 1653 à Bissone. Mort en 1737 à Vienne. XVIIe-XVIIIe siècles. Actif à Vienne. Italien.

Stucateur.

Il travailla au palais de l'empereur Joseph Ier et de Charles VI à Vienne ainsi que pour le prince Eugène de Schwarzenberg Lichtenstein. On mentionne ses travaux dans l'abbaye Saint-Florian à Enns (Haute-Autriche).

BUSSIAN Gustave
Né à Rexpoëde (Nord). XXe siècle. Français.
Peintre.
Exposant des Indépendants.

BUSSIER Johann Petrus de
XVIe siècle. Français.
Peintre.
Il travailla à l'église abbatiale de Garsten en Haute-Autriche.

BUSSIER Louis
Né à Denain. XIXe siècle. Français.
Graveur à l'eau-forte.
Mention honorable en 1896.

BUSSIÈRE Ernest
Né en 1863 à Ars-sur-Moselle (Moselle). Mort en 1937 à Nancy (Meurthe-et-Moselle), d'autres sources donnent 1913. XIXe-XXe siècles. Français.
Sculpteur de monuments, bas-reliefs, statues, bustes, médailleur, céramiste. Art nouveau. École de Nancy.
Il exposait à Paris, au Salon des Artistes Français, mention honorable en 1889. Il exposait à Nancy, dans le contexte de l'apparition de l'Art nouveau, contribuant avec ses amis, Louis Majorelle, Émile Friant, Jacques Gruber, Victor Prouvé, Émile Gallé, à la création d'une École de Nancy.
Il sculptait la pierre, le marbre, le bronze. Des nombreuses réalisations, monuments discrètement patriotiques dans une province alors annexée, bustes aux visages traités avec finesse, grès flammés édités par Majorelle, jalonnent la Lorraine.

BUSSIÈRE Gaston
Né le 24 avril 1862 à Cuisery (Saône-et-Loire). Mort en 1928 ou 1929 à Saulieu (Saône-et-Loire). XIXe-XXe siècles. Français.
Peintre de compositions à personnages, graveur. Symboliste.
Élève de Cabanel, puis de Puvis de Chavannes, à l'École des Beaux-Arts de Paris, il exposa au Salon à partir de 1885. Il participa aux manifestations de la Rose+Croix en 1893, 1894, 1895. À l'Exposition Universelle de 1900 à Paris, il reçut une médaille de bronze. Chevalier de la Légion d'Honneur en 1917.
Tout d'abord peintre de thèmes ésotériques, il s'oriente ensuite vers des sujets pastoraux peuplés de nymphes et de déesses. Il reste très attaché à certaines œuvres littéraires, aux opéras de Berlioz et de Wagner, produisant tantôt des illustrations à leur propos, tantôt des toiles qui en sont inspirées. Il fit ainsi plusieurs compositions tirées de Wagner, comme *Hélène de Troie* 1895 et *Les filles du Rhin* 1906, qui semble être l'illustration du troisième acte du *Crépuscule des Dieux*. Parmi ses illustrations, on cite : *Saint Julien l'Hospitalier* 1912, *Hérodias* 1913, *Salammbô* 1921, de G. Flaubert ; *Les Proscrits*, d'H. de Balzac ; *Abeille*, d'A. France ; *Émaux et camées*, de Th. Gautier ; *La dernière nuit de Judas*, d'E. Gebhart ; *Les douze labeurs héroïques*, de Nicolette Hennique ; *La rose enchantée*, d'E. Schulze.
Bibliogr. : Gérald Schurr : *Les Petits Maîtres de la peinture, 1820-1920, valeur de demain*, Les Éditions de l'Amateur, t. III, Paris, 1976.
Musées : Mâcon (Mus. des Ursulines) : *Hélène de Troie* 1895 – *Les filles du Rhin* 1906.
Ventes Publiques : Londres, 24 juin 1981 : *Les Néréides* 1927, h/t (62x78) : **GBP 6 200** – New York, 24 fév. 1983 : *Tristan et Iseult* 1911, h/t (72,5x101,5) : **USD 3 500** – Londres, 20 juin 1984 : *Danseuses siamoises* 1916, h/t (46,5x33,5) : **GBP 1 500** – Monte-Carlo, 23 juin 1985 : *Jeanne d'Arc, la prédestinée* 1908, h/t (201x150) : **FRF 100 000** – New York, 27 fév. 1986 : *Juventa*, h/t (146,7x114,3) : **USD 11 500** – Enghien-les-Bains, 25 oct. 1987 : *L'extase et la mort* 1912, h/t (116x89) : **FRF 80 000** – Paris, 8 nov. 1987 : *Portrait de jeune fille*, h/t (61x41) : **FRF 10 000** – Londres, 4 oct. 1989 : *Nu couché* 1926, h/t (58x71) : **GBP 12 650** – New York, 24 oct. 1989 : *Deux enfants aux couronnes de fleurs*, h/t (65x49) : **USD 8 800** – Paris, 12 juin 1995 : *Tahoser* 1886, h/t (129,9x96,8) : **FRF 140 000**.

BUSSIÈRE Lucien Jean Alexandre
Né à Paris. XXe siècle. Français.
Peintre de portraits, paysages urbains, paysages, fleurs.
Il exposa au Salon des Artistes Indépendants entre 1926 et 1939.

BUSSLER Ernst Friedrich
Né en 1773 à Berlin. Mort en 1840 à Berlin. XVIIIe-XIXe siècles. Allemand.
Peintre de compositions religieuses.
Ventes Publiques : Lindau, 8 oct. 1986 : *Jésus apparaissant à saint Thomas*, h/t (59,5x70) : **DEM 3 900**.

BUSSOLA Cesare
XVIIe-XVIIIe siècles. Actif à Milan. Italien.
Sculpteur.
Fils et élève de Dionigi Bussola dont il continua les travaux à la cathédrale de Milan.

BUSSOLA Dionigi
Mort en 1687. XVIIe siècle. Italien.
Sculpteur.
Lombard, il exécuta une série de travaux à la cathédrale de Milan (groupe de *Caïn et Abel*, statues de *Sainte Dorothée*, du *Prophète Habacuc*) et à la Chartreuse de Pavie.

BUSSOLINO Vittorio
Né en 1853. Mort en 1922. XIXe-XXe siècles. Actif à Turin. Italien.
Peintre de paysages.
Ventes Publiques : Milan, 18 mars 1986 : *Paysage montagneux* 1899, h/pan. (30x45) : **ITL 1 400 000**.

BUSSON Charles
Né le 15 juillet 1822 à Montoire (Loir-et-Cher). Mort le 4 avril 1908 à Paris. XIXe siècle. Français.
Peintre d'animaux, paysages, paysages d'eau.
Élève de Rémond à l'École des Beaux-Arts de Paris, il s'en alla en Italie, où il rencontra Français qui devint son véritable maître. Dès 1843, il exposa au Salon de Paris, obtenant une médaille de troisième classe en 1855. À l'Exposition Universelle, à Paris, en 1867, il reçut une médaille de troisième classe, à celle de 1878, une médaille de première classe, ce qui le mit hors concours pour celle de 1889 ; il fut membre du jury de celle de 1900. Décoré de la Légion d'Honneur en 1866, il devint officier en 1887.
Il montre une très grande sensibilité aux paysages du Dauphiné, sachant traduire la gravité calme et un peu mélancolique de cette région. Grâce à la qualité de son coloris, d'une extrême fraîcheur, il sait aussi restituer la lumière des paysages d'Auvergne, de Touraine et du Berry. Citons : *Environs de Montoire* 1855 – *Le Gué* – *Les Landes près de Tartas* – *Avant l'orage* – *La Chasse au marais* 1865 – *Le retour du garde-chasse* – *Une garenne* – *Vieilles Fermes normandes* – *Un des derniers beaux jours en Sologne*.
Bibliogr. : Gérald Schurr : *Les Petits Maîtres de la peinture, 1820-1920, valeur de demain*, Les Éditions de l'Amateur, t. III, Paris, 1976.
Musées : Amiens : *Derniers jours d'automne* – Angers : *Le Village de Lavardin* – Bourges : *Après la pluie* – Compiègne : *La Rentrée du garde-chasse* – Mulhouse : *Village de Lavardin* – Nice : *Vieille femme normande* – Niort : *L'Abreuvoir de la forêt* – Paris (Mus. du Louvre) : *Chasseurs* – Périgueux : *Au feu !* – Perpignan : *Vue de Venise* – Rennes : *Un soir sur les bords du Loir* – Tours : *Vaches passant au ruisseau, environ de Montoire (Loir-et-Cher)*.
Ventes Publiques : Paris, 1890 : *Bas-Vendomois, bords du Loir* : **FRF 260** – Paris, 25--27 mars 1903 : *Vaches à l'abreuvoir* : **FRF 470** – Paris, 25-26 juin 1923 : *La Chasse aux oiseaux d'eau* : **FRF 310** – Paris, 6 fév. 1929 : *Avant l'orage* : **FRF 300** – Cologne, 5 mai 1966 : *Paysage* : **DEM 1 000** – Berne, 20 oct. 1972 : *Paysage orageux* : **CHF 1 500** – Paris, 30 mai 1975 : *Lisière de forêt*, h/t (30x38) : **FRF 1 600** – Londres, 19 mai 1976 : *Troupeau à l'abreuvoir* 1855, h/t (160x132) : **GBP 420** – Berne, 2 mai 1979 : *Paysage boisé à la rivière*, h/t (66x54,5) : **CHF 3 000** – Stockholm, 10 nov. 1982 : *Paysage*, h/t (40x32) : **SEK 4 600** – Paris, 8 mars 1984 : *Paysage*, h/t (37,5x57) : **FRF 6 000** – Paris, 24 mars 1986 : *Bord de canal*, h/pan. (18x35) : **FRF 4 100** – Paris, 10 déc. 1992 : *Troupeau au bord de la rivière*, h/t (33x40) : **FRF 6 800** – Paris, 20 mars 1997 : *Troupeau s'abreuvant*, h/t (115x145) : **FRF 15 000**.

BUSSON Georges Louis Charles
Né le 28 février 1859 à Paris. Mort en juillet 1933 à Versailles (Yvelines). XIXe-XXe siècles. Français.
Peintre de sujets de sport, scènes de chasse, animaux, paysages, peintre à la gouache, aquarelliste.
Fils de Charles Busson, il fut élève de son père et de peintre de chasse Évariste Vital Luminais. Il exposait régulièrement au Salon des Artistes Français, mention honorable 1883 et dont il était sociétaire depuis 1885, médaille de troisième classe 1887, médailles d'argent aux Expositions Universelles de 1889 et 1900.

Il était spécialisé dans les scènes de chasse, sujets équestres et le monde des courses : *Hallali de sanglier, Le Rembuché*. Il était aussi paysagiste : *Souvenir de Bretagne, Soir d'été*.

Georges Busson

MUSÉES : PÉRIGUEUX : *Au feu*.
VENTES PUBLIQUES : PARIS, 23 juin 1943 : *Le Départ du carrosse*, aquar. : **FRF 200** – PARIS, 28-29 jan. 1980 : *L'Amazone* 1895, aquar. (58x45) : **FRF 2 600** – LONDRES, 17 mars 1983 : *L'Arrêt de la diligence à l'hôtel du Cheval-Blanc* 1911, aquar. reh. de blanc (49x65,5) : **GBP 1 000** – VERSAILLES, 16 juin 1984 : *La Chasse à courre*, h/t (73x50) : **FRF 9 000** – NEW YORK, 5 juin 1986 : *Cavaliers traversant une rivière*, h/t (82x60,5) : **USD 1 700** – NEW YORK, 4 juin 1987 : *Equipage Lancosme, appartenant à M. le comte de Lèstrange* 1917, aquar. (65x82) : **USD 2 500** – VERSAILLES, 25 sep. 1988 : *Les Courses*, h/t (49x75) : **FRF 12 500** – PARIS, 27 mars 1991 : *Rendez-vous de chasse* 1887, h/t (50x61) : **FRF 38 000** – NEW YORK, 5 juin 1993 : *La Chasse au cerf* 1917, aquar. et craie blanche/pap. (57,8x90,2) : **USD 1 955** – PARIS, 18 juin 1993 : *Rallye Chambly, équipage de son Altesse le prince Murat* 1904, aquar. gchée (19,5x24,5) : **FRF 21 000** – PARIS, 17 fév. 1995 : *Donneur de trompe devant l'étang*, h/pan. (30x40) : **FRF 8 000** – PARIS, 20 jan. 1997 : *L'Attelage* 1897 (54x78) : **FRF 8 600** – NEW YORK, 11 avr. 1997 : *Le Passage du gué* 1903, h/t (130,8x162,6) : **USD 24 150**.

BUSSON Louis
Né le 22 janvier 1886 à Brissac (Maine-et-Loire). Mort pour la France durant la Première Guerre mondiale (1914-1918). XXᵉ siècle. Français.
Sculpteur de statues, bas-reliefs, bustes.
Il fut élève de Jean Injalbert. Il exposa à Paris, au Salon des Artistes Français dont il était sociétaire.

BUSSON Marcel
Né en 1913. XXᵉ siècle. Français.
Peintre de scènes et paysages typiques. Orientaliste.
Il a beaucoup peint au Maroc.
VENTES PUBLIQUES : PARIS, 20 juin 1988 : *Le Port d'Almeria*, h/t (65x54) : **FRF 44 000** – PARIS, 7 déc. 1992 : *Casbah de la région des M'Gounas, Maroc*, h/t (81x65) : **FRF 5 000** – PARIS, 11 déc. 1995 : *Casbah des environs de Toundout, région de Ouarzazat*, h/t (73x100) : **FRF 23 000** – PARIS, 25 juin 1996 : *Casbah dans le Haut Atlas*, h/t (81x100) : **FRF 1 900** ; *Quartier des teinturiers à Marrakech*, h/t (81x60) : **FRF 16 000** – PARIS, 9 déc. 1996 : *Casbah dans la vallée du M'Goun*, h/t (73x100) : **FRF 14 500**.

BUSSON Victor
Né à Paris. XXᵉ siècle. Français.
Peintre.
Exposant des Indépendants.

BUSSON DU MAURIER Georges Louis Palmella
Né le 6 mars 1834 à Paris. Mort le 6 octobre 1896 à Londres. XIXᵉ siècle. Actif en Angleterre. Français.
Peintre, dessinateur humoriste, littérateur.
Il fit tout d'abord des études de chimie à Londres, puis s'orienta vers la peinture, devenant élève de Gleyre à Paris, de Nicaise de Keyser et Lerias à Anvers. Il travailla à Anvers et à Düsseldorf avant de se fixer définitivement à Londres. Il collabora à *Once a week*, mais surtout à *Punch*, où il se fit une considérable comme dessinateur humoristique. Il est également l'auteur du volume intitulé : *Legend of Camelot*, où ses dessins font la satire des artistes préraphaélites. Comédien, il fut aussi auteur dramatique.
BIBLIOGR. : Gérald Schurr, in : *Les Petits Maîtres de la peinture 1820-1920, valeur de demain*, Les Éditions de l'Amateur, t. V, Paris, 1981.

BUSSOU DEL REY Pedro
Né en 1765 à Calcar. Mort le 19 mai 1806 à Madrid. XVIIIᵉ siècle. Espagnol.
Sculpteur.
Élève de son père, également sculpteur. Il vint avec lui à Madrid et entra à l'Académie de San Fernando. On cite parmi ses meilleures œuvres : *Moïse brisant les tables de la Loi, Le Massacre des Innocents, Le Baiser*.

BUSSY Simon Albert
Né le 30 juin 1870 à Dole (Jura). Mort le 22 mai 1954 à Londres. XIXᵉ-XXᵉ siècles. Français.

Peintre de portraits, de compositions à personnages, de paysages, animalier, pastelliste. Groupe des Nabis.
Il commença son enseignement artistique en suivant les cours du soir de l'école de dessin de Dole. En 1886 il part pour Paris et s'inscrit à l'École des Arts Décoratifs où il fait la connaissance de Georges Rouault. En 1890 il est admis à l'École des Beaux-Arts dans l'atelier d'Élie Delaunay, remplacé ensuite par Gustave Moreau. Il y devient l'ami de Matisse et d'Eugène Martel, avec qui il partagera un appartement et exposera en 1897 chez Durand-Ruel, où Bussy sera remarqué par Degas, Pissarro et Rodin pour ses paysages au pastel de sombres tonalités. Vers 1890 également, fréquentant aussi l'Académie Julian, il participa à la constitution du groupe des Nabis, avec Paul Sérusier et Charles Milcendeau. En 1893 il se lia d'amitié avec Auguste Breal, fils du professeur au Collège de France et peintre, qui lui fit rencontrer sa future femme, Dorothy Strachey, ainsi qu'André Gide, Paul Valéry et Roger Martin du Gard. En 1940, il avait accueilli André Malraux dans sa villa des Alpes-Maritimes. À Paris, en 1894 il obtint une mention honorable au Salon des Artistes Français, il exposa au Salon d'Automne jusqu'en 1910 et au Salon des Artistes Indépendants. En 1903 il expose à la Carfax Gallery de Londres. En 1907 il montre des pastels à Leighton House, à la Whitechapel à Londres et chez Durand-Ruel en décembre à Paris. En 1909 il expose à la Goupil Gallery de Londres puis aux Leicester Galleries entre 1922 et 1953. En 1948 le catalogue de son exposition à la galerie Charpentier est préfacé par Gide. En 1996, le musée départemental de l'Oise à Beauvais a présenté de ses œuvres. Il a illustré le *Bestiaire* de Francis de Miomandre.
Entre 1902 et 1904 il réalisa plusieurs grands portraits de la famille Strachey et de grands paysages écossais. Il exécuta également des portraits de ses amis écrivains. Des peintures d'intentions parfois littéraires sont remarquables par un certain éclat oriental du coloris. En 1912, il abandonne ses thèmes pour s'orienter vers une peinture de sujets animaliers, travaillant dans un style décoratif au dessin minutieux, substituant à sa pâte épaisse des débuts une pellicule monochrome et préférant le pastel à l'huile. En permanence à la recherche du style, ses œuvres échouèrent souvent dans la stylisation. ■ J. B.
BIBLIOGR. : F. Fosca : *Simon Bussy*, N°43 in Collection peintres nouveaux, Gallimard, Paris, 1930 – André Gide, préface in : Catal. de l'exposition *Simon Bussy*, Galerie Charpentier, Paris, 1948.
MUSÉES : AMIENS (Mus. de Picardie) : *Portrait d'Albert Maignan*, h/bois, 1895 – BESANÇON (Mus. des Beaux-Arts et d'Archéologie) : *Soui-manga à gorge jaune*, h/t, 1949 – DOLE : *Dole temps gris*, past. (35x32) – LONDRES (Nat. Gal. Portrait) : *Portrait de George L. Mallory*, past. – *Portrait de Lady Ottoline Morel*, past. – *Portrait de Lytton Strachey* 1904 – NICE (Mus. des Beaux-Arts) : *La mosquée Mohammed-Ali (Le Caire)*, past. – OXFORD (Ashmolean Mus.) : *Chameleon*, past. – *Hyacinth*, past. – *Portrait of Madame Simon Bussy (Dorothy Strachey)*, past. – PARIS (Mus. Nat. d'Art Mod.) : *Portrait d'André Gide* 1925, past. – *Pie bleue de l'Himalaya*, h/t – *Leona*, h/t – *Portrait d'André Gide* 1939, past.
VENTES PUBLIQUES : MARSEILLE, 15 jan. 1900 : *Bouquet de roses* : **FRF 45** ; son pendant : **FRF 55** – LONDRES, 17 déc. 1964 : *Deux toucans* : **GBP 230** – LONDRES, 10 mars 1971 : *La pensée de Saint-Paul-de-Vence* : **GBP 150** – LONDRES, 17 mars 1976 : *Vue d'Oxford*, past. (16x12,5) : **GBP 600** – PARIS, 19 mars 1979 : *Propos crépusculaires*, h/t (162x138) : **FRF 14 000** – LONDRES, 5 déc. 1980 : *Le jardin et le flamant*, h/t (100,4x81,2) : **GBP 380** – LONDRES, 14 nov. 1984 : *Mesia* 1943, h/t (23x17,5) : **GBP 1 500** – PARIS, 15 mai 1985 : *Le toucan au bec noir*, past. (25,5x21) : **FRF 7 500** ; *Oiseau à queue rouge*, past. (34x24) : **FRF 29 000** – LONDRES, 27 jan. 1986 : *Oiseau rouge* 1950 (23x17) : **GBP 850** – LONDRES, 25 mars 1986 : *Paysage au lac, (Suisse)* (44x53,5) : **GBP 800** – LONDRES, 14 déc. 1987 : *Nature morte aux fleurs de printemps* 1931, h/t (38x46) : **GBP 3 000** – LONDRES, 12 mai 1989 : *Le lac*, h/t (45,7x54,4) : **GBP 1 595**.

BUST. Voir BUYST Eduard

BUSTAFFA Luigi
Originaire de Mantoue. Mort à l'âge de 23 ans. XIXᵉ siècle. Italien.
Peintre et graveur.

BUSTAMANTE Francisco
Né vers 1680 à Oviedo. Mort en 1737 à Oviedo. XVIIIᵉ siècle. Espagnol.
Peintre.

BUSTAMANTE Jean-Marc
Né en 1952 à Toulouse (Haute-Garonne). XXᵉ siècle. Français.
Sculpteur, créateur d'installations, multimédia.
Il débuta comme photographe travaillant pour le magazine
Connaissance des arts puis fut l'assistant de William Klein. Il travailla avec Bernard Bazile dans le groupe nommé *Bazile-Bustamante* entre 1983 et 1987. De 1990 à 1996, il enseigna à la Rijksakademie d'Amsterdam, puis à l'école nationale des beaux-arts de Paris, où il vit et travaille.
Il participe à de nombreuses expositions collectives internationales, notamment : 1986 New Museum of Contemporary Art de New York, Art Gallery of New South Wales de Sydney ; 1987 Centre Georges Pompidou – musée national d'art moderne de Paris ; 1987, 1992 Documenta de Kassel ; 1990 Scottish National Gallery of Modern Art d'Édimbourg, Abbaye Saint André – Centre d'art contemporain de Meymac et Institute of Contemporary Arts/Serpentine Gallery de Londres ; 1992 Kröller-Müller Museum d'Otterlo ; 1993 Biennale de Venise ; 1994 Biennale de São Paulo ; 1995 Centre de gravure contemporaine de Genève, musée départemental d'art contemporain de Rochechouart, Centre national d'art contemporain de Grenoble ; 1996 Centre d'art contemporain de Kerguéhennec.
Il montre ses œuvres dans des expositions personnelles : 1977 galerie municipale du Château d'Eau de Toulouse ; 1986 musée Saint-Pierre de Lyon avec Bazile ; 1988 galerie Ghislaine Hussenot à Paris et Kunsthalle de Berne ; 1990 Musée Haus Lange de Krefeld, dans des galeries à Gênes et Amsterdam, et à l'ARC (Art, Recherche, Confrontation) au Musée d'Art Moderne de la Ville de Paris ; 1992 Stedelijk van Abbemuseum d'Eindhoven ; 1993 musée départemental d'art contemporain de Rochechouart ; 1994 Kunsthalle de Berne, Kunstmuseum de Wolfsburg, école des beaux-arts de Valenciennes ; 1995 Kröller-Müller Museum d'Otterlo, Moderna Galerija de Ljubljana ; 1996 galerie nationale du Jeu de Paume à Paris ; 1997 Villa Arson, Nice.
Il réalise des pièces toujours lourdes et encombrantes, afin de mettre en valeur les qualités et la présence du matériau, utilisant notamment du métal peint au minium de plomb, puis poncé et ciré. Elles sont diverses dans leurs matériaux et techniques, diverses dans leurs formes. Les objets sont nommés *Paysages*, ils ne sont plus qu'une chose qui se révèle au regard. « Je ne raconte pas des histoires, je n'invente pas de nouvelles formes, je définis un lieu, déjà vu, pas connu, énigmatique, mais pas trop mystérieux. » Certaines œuvres s'inscrivaient dans la lignée des « sculptures-mobilières » créées par Richard Artschwager, sans toutefois posséder l'esprit corrosif des sculptures de l'Américain. Bustamante est revenu à des propositions plus purement abstraites, opposant toujours des réalisations apparemment hétérogènes : des volumes parallélépipédiques et des photographies d'arbres. D'une façon générale, il n'a charge pas ses réalisations de messages particuliers, elles doivent exister de façon évidente, en tant que définissant un lieu et provoquant l'éventuel spectateur : « Formellement, ma sculpture n'a pas un intérêt particulier... Ce que je voudrais, c'est changer le rapport de l'œuvre à l'homme... Elle doit témoigner de l'existence de celui qui la regarde. »
Bibliogr. : Jean-François Chevrier, *Jean-Marc Bustamante, le lieu de l'art*, Galeries Magazines, mars 1990 – Elisabeth Lebovici, *Jean-Marc Bustamante*, Beaux-Arts Magazine, Nᵒ 79, Mai 1990 – Catherine Francblin : Interview avec *Jean-Marc Bustamante, le proche et le lointain*, Art Press, Nᵒ 170, Paris, juin 1992 – Christine Macel, M. Perelman, Jacinto Lageira : *Jean-Marc Bustamante*, Dis-voir, Paris, 1995 – Catalogue de l'exposition : *Bustamante – Lent Retour*, Galeries nationales du Jeu de Paume, Paris, 1996.
Musées : BORDEAUX (FRAC Aquitaine) : *Tableau nᵒ 02* 1978 – *Tableau nᵒ 09* 1978 – CHÂTEAUGIRON (FRAC Bretagne) : *Ouverture II* – EINDHOVEN (Stedelijk van Abbemus.) : *Tableau 1991 – Sans Titre* 1993 – MARSEILLE (FRAC Alpes-Côtes d'Azur) : *Tableau nᵒ 54* 1982 – *Tableau nᵒ55* 1982 – *Tableau nᵒ34* 1980 – OTTERLO (Kröller-Müller Mus.) : *Paysage XX* 1990 – ROCHECHOUART (Mus. départ. d'art Contemp.) : *Ouverture I* 1993 – TOULOUSE (FRAC, Espace d'art Mod. et Contemp.) : *Tableau nᵒ24* 1981 – *Tableau nᵒ54* 1981.

BUSTEL. Voir aussi **BULTEL**

BUSTEL Philippe de
XVIIᵉ siècle. Travaillant entre 1651 et 1660. Français.

Sculpteur.
Il fut membre de l'Académie de Saint-Luc, à Paris.

BUSTES de femmes, Maître des. Voir **MAÎTRES ANONYMES**

BUSTI. Voir **SERABAGLIO Daniel di**

BUSTI Agostino, dit **il Bambaia**
Né en 1483 à Busto Arsizio. Mort en 1548 à Milan. XVIᵉ siècle. Italien.
Sculpteur.
Il exécuta un certain nombre de monuments funéraires, notamment celui du poète Lancino Curzio (1513) (actuellement au Musée Sforzesco à Milan), celui de Gaston de Foix, neveu de Louis XII, mort à 23 ans devant Ravenne, à qui François I à Milan en 1515 décida d'élever ce monument, qui s'élevait dans l'église Sainte-Marthe et dont un fragment, la statue couchée du héros, est actuellement au Musée Sforzesco, ceux du cardinal Marino Caracciolo et du chanoine Giov. Andrea Vimercati (cathédrale de Milan). Citons encore, parmi ses chefs-d'œuvre, *La Présentation au temple* et quatre bas-reliefs dont les sujets sont empruntés à la Passion (Bibliothèque Ambrosienne). L'art de Bambaia, surchargé à la manière lombarde du XVIᵉ siècle, est souvent empreint de sérénité et toujours gracieux.

BUSTI Andrea
XVᵉ siècle. Actif à Milan à la fin du XVᵉ siècle. Italien.
Sculpteur.

BUSTI Francesco
Né en 1678. Mort en 1767. XVIIIᵉ siècle. Actif à Pérouse. Italien.
Peintre.
Élève de Baciccio à Rome et de Pitoni à Venise. Il exécuta un certain nombre de tableaux pour les églises de Pérouse.

BUSTI Polidoro
XVIᵉ siècle. Actif à Milan. Italien.
Sculpteur.
Il est le frère d'Agostino Busti.

BUSTINI ou **Bustino.** Voir **BIANCHI Pietro, il Bustini**

BUSTLER ou **Busolen**
XVIIᵉ siècle. Actif dans la seconde moitié du XVIIᵉ siècle en Angleterre. Éc. hollandaise.
Peintre d'histoire, portraits.

BUSTO Andrea
Né en 1957 à Turin. XXᵉ siècle. Italien.
Artiste d'assemblages multimédia. Conceptuel.
Il est exposé dans des galeries de Venise, de Barcelone et de Paris.
D'après le critique Ezio Quarantelli, cet artiste mène une recherche multiforme et désormais multidisciplinaire. Dans la série des *Seuils*, il met en œuvre peinture, photographie, sculpture, etc., pour construire des espaces entièrement nouveaux. La série suivante des *Opéras* introduit dans le fonctionnement de ces assemblages sans exclusive, des éléments littéraires et musicaux. Ses emprunts appartiennent à la tradition. L'ensemble de la production de Busto comporte une double interrogation, sur l'identité de l'artiste lui-même et sur l'identité sociale du public auquel il s'adresse.
Bibliogr. : Paul Ardenne : *Andrea Busto*, Art Press, nᵒ 178, Paris, mars 1993.

BUSY Marco
Né à Etaules (Charente). XXᵉ siècle. Français.
Peintre.
Exposant des Indépendants.

BUSZEK Antoine
Né à Varsovie. XIXᵉ-XXᵉ siècles. Polonais.
Peintre de figures, natures mortes.
Son art fait référence au hiératisme byzantin. Il a exposé à Paris, au Salon d'Automne en 1909.

BUT Clément ou **Buti**
XVIᵉ siècle. Français.
Peintre.
D'après Maignien, qui cite ce peintre dans son ouvrage des *Artistes Grenoblois*, il fut employé aux préparatifs pour l'entrée du roi Henri à Grenoble en 1548.

BUTADES
Originaire de Sicyone. Travaillant à Corinthe. Antiquité grecque.
Potier.

BUTAFOGO Antonio. Voir **BUTTAFOGO**

BUTAKOFF Olga Nikolaiewna
XIXᵉ siècle. Russe.
Graveur.

BUTARD Pierre
XVIIIᵉ siècle. Français.
Sculpteur.
Il fut reçu à l'Académie de Saint-Luc en 1785.

BUTAVAND Louis Félix, dit **Lucien**
Né le 9 janvier 1808 à Vienne (Isère). Mort le 27 janvier 1853 à Paris. XIXᵉ siècle. Français.
Graveur au burin.
Il apprit le métier de graveur à Vienne, puis à Lyon, où il travailla le dessin avec Artaud et Rey, et suivit, de 1829 à 1831, les cours de l'École des Beaux-Arts, tout en gravant, pour vivre, des plans et des images de piété. Il partit pour Paris en 1831, fréquenta l'École des Beaux-Arts, l'atelier de Richomme, pendant quelques mois celui de Paul Delaroche, et exposa au Salon de 1840 : *Le Christ devant Caïphe*, gravure d'après Overbeck, puis, en 1841 : *L'Ascension du Christ*, gravure d'après le même peintre. La Direction des Beaux-Arts lui ayant confié la reproduction d'une partie des dessins du Louvre, il grava et exposa à Paris, de 1849 à 1853, une série d'excellents fac-similés de dessins de Raphaël *(Vierge, Cariatide, Psyché et Vénus)*, de Lorenzo di Credi *(Tête de jeune homme)*, d'Hippolyte Flandrin, d'Orsel *(Dominationes, d'après une des fresques de Notre-Dame-de-Lorette)*. Une de ses meilleures œuvres est sa gravure de *La Vierge au coussin vert*, d'après le tableau d'Andrea Solari, conservé au Louvre (Salon de Paris, 1850). Sans parler de travaux que la misère l'obligea d'accepter (illustrations, sujets de piété pour des publications de Curmer, chemins de croix, gravure pour une Bible, de quatre-vingts dessins de Gérard Seghers), il a encore gravé d'après Fra Angelico *(Saint Dominique, Le Christ crucifié)*, d'après Auguste Flandrin *(Portrait du Dr des Guidi)*, d'après Paul Flandrin *(M. Flandrin père)*, d'après Michel Dumas *(Agar renvoyé par Abraham)*.
La facture de Butavand est délicate et gracieuse ; son œuvre témoigne d'une recherche consciencieuse de la forme.

BUTAY Boniface
XVIIᵉ siècle. Français.
Peintre.
En 1619 il était membre de l'Académie de Saint-Luc.

BUTAY Claude
XVIIᵉ siècle. Français.
Peintre.
Il fut reçu à l'Académie de Saint-Luc en 1643.

BUTAY Claude, le Jeune
XVIIᵉ siècle. Actif à Paris vers 1665. Français.
Peintre.
Il fut peintre ordinaire du roi.

BUTAY Guillaume
Mort en 1646 à Paris. XVIIᵉ siècle. Français.
Peintre.

BUTAY Jean
Mort le 6 février 1686 à Paris. XVIIᵉ siècle. Français.
Peintre.
Fut peintre ordinaire du roi.

BUTAY Jean
Mort le 14 février 1690 à Paris. XVIIᵉ siècle. Français.
Peintre.
Peintre ordinaire du roi.

BUTAY Jean
XVIIᵉ siècle. Français.
Peintre.
Il fut reçu à l'Académie de Saint-Luc en 1643.

BUTAY Jean Baptiste
Né en 1760 à Pau. XVIIIᵉ siècle. Français.
Peintre de compositions religieuses, portraits, paysages.
Ce Butay appartient à une famille de peintres dont il est souvent question dans les registres des paroisses comme de peintres du roi, et qui remontent au XVIIᵉ siècle. Entre 1602 et 1684, il se trouve de nombreux documents relatant des naissances, des alliances, des décès survenus dans cette famille d'artistes, mais on n'a aucun renseignement sur leur œuvre. Jean Baptiste Butay

fut professeur de dessin au collège de Pau. Il exécuta un tableau d'autel pour le séminaire de Bayonne, et la coupole de l'église Saint-Jacques à Pau, ainsi que le portrait en pied du général Harispe. On lui doit aussi des vues des châteaux de Pau et de Coarraze, commandées par le duc d'Angoulême, deux vues des Pyrénées-Orientales pour la duchesse d'Angoulême, des vues des environs de Pau pour le roi de Suède.

BUTAY Pierre
XVIIᵉ siècle. Actif à Paris vers 1630. Français.
Peintre.

BUTAY Robert
Mort en 1662 à Paris. XVIIᵉ siècle. Français.
Peintre.
Il fut peintre ordinaire du roi.

BUTEAU Andrée Valentine
Née à Saint-Quentin (Aisne). XIXᵉ siècle. Française.
Sculpteur.
Élève de F. Sicard. Exposa au Salon des Artistes Français.

BUTEAU Françoise
Née à Paris. XXᵉ siècle. Française.
Sculpteur.
Elle exposa au Salon de la Société Nationale des Beaux-Arts, à Paris.

BUTEAU Germaine
Née à Saint-Quentin (Aisne). XXᵉ siècle. Française.
Peintre.
Exposant de la Société Nationale des Beaux-Arts.

BUTENSKY Jules Léon
Né en 1871 à Stolvitch (Russie). XIXᵉ-XXᵉ siècles. Américain.
Sculpteur.
VENTES PUBLIQUES : NEW YORK, 31 mars 1994 : *Exilé*, bronze (H. 33) : USD 1 380.

BUTET Robert
Né à Paris. XXᵉ siècle. Français.
Peintre animalier.
Il exposait : *Tigres* au Salon d'Automne de 1927 ; prend part aux expositions des Indépendants.

BUTEUX. Voir aussi **BUTTEUX**

BUTEUX Charles François
XVIIIᵉ siècle. Français.
Sculpteur.
Il fut membre de l'Académie de Saint-Luc.

BUTEUX Claude Guillaume
XVIIIᵉ siècle. Français.
Peintre.
Il fut reçu à l'Académie de Saint-Luc en 1790.

BUTEUX Jean Charles. Voir **BUTTEUX Jean Charles**

BUTEUX Nicolas Charles
XVIIIᵉ siècle. Français.
Peintre.
Il travailla à l'Académie de Saint-Luc en 1790.

BUTHAUD René
Né le 14 décembre 1886 à Saintes (Charente-Maritime). Mort en 1986. XXᵉ siècle. Français.
Peintre de compositions animées, figures, nus, portraits, animalier, paysages, natures mortes, peintre à la gouache, aquarelliste, dessinateur, peintre de cartons de vitraux, décorateur, sculpteur, céramiste. Art Déco.
Il travailla, tout d'abord à Bordeaux, sous la direction de Paul François Quinsac, puis, de 1909 à 1913, il eut Gabriel Ferrier pour professeur, à l'École des Beaux-Arts de Paris. Au Salon des Artistes Français il exposa ses peintures à partir de 1911. Ses céramiques, vases et coupes, furent présentées au Salon d'Automne.
BIBLIOGR. : Gérald Schurr : *Les Petits Maîtres de la peinture, 1820-1920, valeur de demain*, Les Éditions de l'Amateur, t. IV, Paris, 1979.
VENTES PUBLIQUES : PARIS, 26 nov. 1976 : *Deux femmes au lévrier* vers 1924, gche (64,5x41) : FRF 5 000 – PARIS, 23 mai 1977 : *Jeune fille à l'éventail*, aquar. (34x54) : FRF 2 000 – PARIS, 26 juin 1979 : *Composition au zèbre*, gche et aquar. (160x200) : FRF 25 000 – NEW YORK, 2 avr. 1981 : *Jeune femme et zèbre*, h/pan. (49x61,4) : USD 3 200 – NEW YORK, 3 avr. 1982 : *Projet de vitrail pour la ville de Bordeaux* vers 1935, h/cart. (66,5x73) : USD 2 600 – VER-

SAILLES, 20 mars 1983 : *Jeune fille au chapeau et à l'éventail*, aquar. (53,5x34,5) : **FRF 17 000** – NEW YORK, 26 mai 1983 : *Afrique*, vase en céramique (H. 43) : **USD 9 500** – LONDRES, 30 avr. 1985 : *Femme tournée vers la droite tenant une fleur* vers 1924, gche (62,7x40,1) : **GBP 3 600** – PARIS, 10 déc. 1987 : *Les baigneuses*, gche/pap. journal (113x73) : **FRF 20 000** – PARIS, 30 jan. 1989 : *Danseuse noire*, encre de Chine sur plaque de zinc (60x34) : **FRF 4 000** – PARIS, 24 nov. 1989 : *Jeune femme nue à la guirlande*, dess. au crayon rehaussé d'aq., techn. mixte (57x37) : **FRF 38 000** – PARIS, 30 mai 1990 : *Nature morte à la table*, h/pap. (21,5X32) : **FRF 5 000** – PARIS, 24 avr. 1991 : *Sculpture cubiste en grès à couverte brune granitée d'émail blanc* (H. 43 L. 18) : **FRF 12 000**.

BÜTHE Michael
Né en 1944 à Sonthofen. XXᵉ siècle. Actif aussi au Maroc. Allemand.
Peintre, peintre de collages, technique mixte, sculpteur. Polymorphe.
Il a fait ses études à Cassel. Il vit et travaille à Cologne et Marrakech. Il est présenté à Paris par la galerie Crousel-Robelin-Bama. Son travail se caractérise par sa diversité, aussi bien diversité des moyens techniques, que diversité de l'expression, allant de la figuration à l'abstraction, n'hésitant d'ailleurs pas à mêler les genres dans une même œuvre.
BIBLIOGR. : Catalogue d'exposition *Michael Büthe, Inch Allah*, musée de Gand, 1984 – in : *Dict. de l'art mod. et contemp.*, Hazan, Paris, 1992.
MUSÉES : ÉPINAL (Mus. départ. des Vosges) : *Fall I (Marrakech)* 1982 – PARIS (Mus. Nat. d'Art Mod.) : *Paysage de Marrakech* 1977, toile marouflée sur papier plastifié avec collage de photographie couleur – *Deux gouaches*.
VENTES PUBLIQUES : HAMBOURG, 12 juin 1981 : *Portrait 1976*, techn. mixte/t. (40,2x30) : **DEM 2 000** – COLOGNE, 4 juin 1983 : *Paradiso 1972*, collage dans une boîte en verre (40x40) : **DEM 1 700** – COLOGNE, 6 déc. 1983 : *Explodierende Palme 1972*, aquar., collage et cr. (99x36) : **DEM 3 600** – COLOGNE, 1ᵉʳ juin 1984 : *Les mouches 1972*, aquar. et gche (35,7x47,8) : **DEM 2 800** – COLOGNE, 4 juin 1985 : *Die Federgeschmückte 1977*, collage/t. (36x27) : **DEM 2 000** – COLOGNE, 31 mai 1986 : *Composition abstraite 1944*, temp./cart. (70x100) : **DEM 9 500** – COLOGNE, 27 nov. 1987 : *Mille et une Nuits*, acryl. et matières diverses/pan. (35x40) : **DEM 2 400** – PARIS, 7 oct. 1989 : *Sans titre 1981*, acryl. et h/t (140x120) : **FRF 135 000** – PARIS, 8 oct. 1989 : *Paysage 1986*, mixed media /pap. (60x80) : **FRF 15 000** – LONDRES, 5 avr. 1990 : *Sans titre 1986*, cr. acryl. et collage/t. (120x100) : **GBP 7 700** – NEW YORK, 12 juin 1991 : *Sans titre 1986*, acryl., pap. et craies grasses/t. (121,9x101,6) : **USD 4 950**.

BUTHEAU Louise
Née à Autun (Saône-et-Loire). XXᵉ siècle. Française.
Peintre.
Exposant des Indépendants.

BUTI
XVIIᵉ-XVIIIᵉ siècles.
Peintre de paysages, architectures.
Il est connu par une signature avec la date 1701 sur un tableau représentant un palais avec des aqueducs et des colonnades, conservé au musée de Dresde. On lui attribue aussi, au même musée, une œuvre, citée par certains critiques comme étant de la main de Pannini. Buti représentait des capricios, des paysages avec « fabriques ».
MUSÉES : DRESDE.

BUTI Domenico
XVIIᵉ siècle. Italien (?).
Graveur, dessinateur.
Il est actif vers 1600. Il réalisa une série de dessins des apôtres, certains dans la technique des graveurs.
VENTES PUBLIQUES : LONDRES, 3 avr. 1995 : *Saint André*, encre (24,4x17,5) : **GBP 1 150**.

BUTI Gianantonio
XVIIIᵉ siècle. Italien.
Peintre.
D'après Zani, actif à Rome vers 1748. Il est vraisemblable qu'il est l'auteur des deux tableaux du Musée de Dresde, la date MDCCI devant probablement se lire MDCCL.

BUTI Lodovico
Né vers 1560 à Florence (Toscane). Mort après 1603. XVIᵉ siècle. Italien.
Peintre de compositions religieuses, sujets allégoriques, peintre à la gouache, aquarelliste.

Cet artiste fut élève de Santi di Tito, et codisciple de Ciampelli, dont les œuvres ressembleraient aux siennes, au point de s'y méprendre. Son tableau représentant le miracle de la multiplication des pains est considéré comme un de ses ouvrages les plus intéressants. En 1588, il exécuta une peinture à l'occasion de l'entrée de la grande-duchesse Christine de Lorraine à Florence.
MUSÉES : FLORENCE : *Miracle de la multiplication des pains*.
VENTES PUBLIQUES : NEW YORK, 27 mai 1983 : *Centaure enlevant une vierge*, aquar., gche et cr. (31,7x40,5) : **USD 900** – MILAN, 12 déc. 1988 : *Judith et Holoferne*, h/t (80x105) : **ITL 17 000 000**.

BUTIN Jean-Bernard
Né le 21 mars 1947 à Lavigny (Jura). XXᵉ siècle. Français.
Peintre, graveur, sculpteur.
Il fit ses études à l'École des Beaux-Arts de Lyon, puis à l'École des Beaux-Arts de Paris dans les ateliers de Bertholle, Singier et Gilli. Il a exposé en 1971, 1976, 1981, 1982 à la Société Lyonnaise des Beaux-Arts et participé en 1984 à la Première Biennale d'Arts Plastiques à Besançon. Il a en outre participé à plusieurs expositions collectives dans des galeries en province et présenté personnellement ses œuvres à Baudin en 1985 et en 1986 à Dole.

BUTIN Ulysse Louis Auguste
Né en 1837 à Saint-Quentin. Mort en 1883 à Paris. XIXᵉ siècle. Français.
Peintre de scènes de genre, portraits, graveur.
Élève de Picot et de Pils, il fut médaillé en 1875 et 1878 aux États-Unis, décoré le 14 juillet 1881.
Parmi ses œuvres, on peut citer : *Bouffonnerie* 1870 ; *La nonchalante* 1872 ; *Les moulières à Villerville* 1874 ; *L'attente – Le samedi à Villerville* 1875 ; *Femmes au cabestan* 1876 ; *Le départ – La pêche* 1877 ; *Enterrement d'un marin – Le bain* 1878 ; *La femme du marin* 1879 ; *Ex-voto* 1880 ; *Le départ* 1881.
Il a su rendre avec émotion et justesse, mais sans sensiblerie, la vie des pêcheurs et de leur famille, le type et les costumes des femmes de pêcheurs.

Cachet de vente

BIBLIOGR. : Gérald Schurr : *Les Petits Maîtres de la peinture, 1820-1920, valeur de demain*, Les Éditions de l'Amateur, t. V, Paris, 1981.
MUSÉES : DIEPPE : *Tête de jeune fille*, cr. – LILLE : *L'ex-voto à Henneuville* – LONDRES (Victoria and Albert Mus.) : *Femme au cabestan à Villerville – La fille aînée du pêcheur*.
VENTES PUBLIQUES : PARIS, 1881 : *Au bord de la mer* : **FRF 1 220** – PARIS, 1890 : *L'attente, le samedi à Villerville, Calvados* : **FRF 1 100** – PARIS, 23 fév. 1925 : *Le retour des pêcheurs* : **FRF 620** – PARIS, 9 mars 1929 : *Le marin sur la jetée* : **FRF 380** – PARIS, 17 mars 1944 : *L'attente* : **FRF 2 200** – GRANDVILLE, 9 fév. 1986 : *Préparation du repas*, h/t (54x38) : **FRF 4 400** – PARIS, 2 avr. 1997 : *Pêcheuses à marée basse*, h/t (36x45) : **FRF 11 000** – PARIS, 25 mai 1997 : *Femmes sur la grève 1877*, h/t (61x100) : **FRF 16 000**.

BUTINONE Bernardino Jacopi, dit Bernardino
Né vers 1436 à Treviglio. Mort après 1507. XVᵉ-XVIᵉ siècles. Italien.
Peintre de compositions religieuses, compositions murales, fresquiste.
Connu entre 1484 et 1507. Il était à Milan en 1484, où il dirigeait déjà un atelier réputé. Certains ont daté de cette année le triptyque représentant la *Madone, saint Vincent et saint Bernardin*, conservé à la Brera de Milan, d'autres n'ont pas retenu cette date, étant donné les difficultés de la déchiffrer. En 1485, il eut la commande, en collaboration avec Bernardino Zenale, du polyptyque de l'église San Martino de Treviglio. Il travailla alors aux fresques de Santa Maria delle Grazie à Milan. Encore avec Zenale, il peignit les décorations de la salle des fêtes du Castello Sforzesco, peu après 1490, et travailla aux fresques de la chapelle Griffi à San Pietro in Gessate à Milan. On lui attribue au musée de New York : un *Saint Jean l'Évangéliste* et un *Saint Laurent*.
Influencé par l'École de Ferrare et par Mantegna, son dessin est anguleux et son coloris étrangement métallique. En cette fin XVᵉ, début XVIᵉ siècle, il fait la liaison entre l'art ferrarais et l'art lombard.
BIBLIOGR. : In : *Diction. de la peinture italienne*, coll. Essentiels, Larousse, Paris, 1989.

MUSÉES : BERGAME – BROOKLYN – CHICAGO – ÉDIMBOURG – LONDRES (Nat. Gal.) – MILAN (Pina. di Brera) : *Triptyque avec la Madone, saint Vincent et saint Bernardin* – NEW YORK (Metropolitan Mus.) : *Saint Jean l'Évangéliste* – *Saint Laurent* – PAVIE – VICENCE .
VENTES PUBLIQUES : LONDRES, 3 juil. 1963 : *Le baptême du Christ* : **GBP 6 000** – NEW YORK, 19 mai 1993 : *La Crucifixion*, h/pan. (25,4x21,6) : **USD 200 500.**

BUTLAND G. W.
XIXᵉ siècle. Britannique.
Peintre de paysages, marines.
Il exposa de 1831 à 1843 à la Royal Academy, à la British Institution et à Suffolk Street, à Londres.

BUTLER A. S. G.
Né le 23 septembre 1888 à Londres. XXᵉ siècle. Britannique.
Peintre.
Exposant de la Royal Academy, cet artiste était également architecte et écrivain.

BÜTLER Anton
Né le 12 août 1819 à Auw (Aargau). Mort le 18 novembre 1874 à Lucerne. XIXᵉ siècle. Suisse.
Peintre de sujets mythologiques, compositions religieuses, fresquiste, graveur.
Après avoir travaillé avec son père, Niklaus Bütler, il entra à l'Académie à Munich et copia des œuvres des grands maîtres anciens tels que Teniers et Rubens, et aida Cornelius à la décoration murale dans la Ludwigskirche (Église de Saint-Louis). Après un séjour à Lucerne où, entre autres travaux, il exécuta les décorations dans la salle du Grand Conseil, Bütler se plaça sous la direction de Schadow à l'Académie de Munich (1848) et peignit son tableau : *Winkelried mourant*. En Italie, il aida Cornelius à composer des cartons pour le Campo Santo de Berlin (1855), exécutant indépendamment des cycles de tableaux muraux, tels que *Le Déluge* et *L'Attente du Jugement dernier*. On lui doit des décorations à fresques dans la chapelle de Tell à Küsnacht (1874). Parmi ses derniers ouvrages, on cite les *Quatre Saisons*, tableaux pour lesquels il se servit d'un procédé spécial, utilisant des couleurs à la cire sur cartons, et frottant la peinture avec une laine avant qu'elle fût complètement sèche. On cite parmi ses gravures : *Fête des arquebusiers à Lucerne en 1853, L'adieu de Winkelried, Vue sur la Reuss, prise de l'Egg, Baigneuse épiée par un Faune, Baigneuse fuyant devant un Faune.*

BUTLER Berenice, Miss
Née le 25 septembre 1902 en Nouvelle-Zélande. XXᵉ siècle. Néo-Zélandaise.
Illustratrice.
A exposé à la Royal Society of Arts, à Londres.

BUTLER Bessie Sandes, Mrs Sidney H. Butler
Née à Galesburg (Michigan). XIXᵉ-XXᵉ siècles. Américaine.
Peintre.
Élève du Chicago Art Institute et de Julia Marest à Paris. Vers 1907, cette artiste habitait à Los Angeles, Californie.

BUTLER Caroline Clehorow, Miss
XIXᵉ siècle. Britannique.
Sculpteur.
Elle exposa à la Royal Academy de Londres de 1881 à 1883.

BUTLER Charles Ernest
Né le 10 octobre 1864 à Saint-Leonards-on-Sea (Sussex). Mort vers 1918. XIXᵉ-XXᵉ siècles. Britannique.
Peintre de portraits, paysages.
Il exposa à partir de 1889 à la Royal Academy, à Londres.
VENTES PUBLIQUES : LONDRES, 29 fév. 1980 : *Jeune femme sur une falaise* 1909, h/t (34,9x44,5) : **GBP 480** – NEW YORK, 26 fév. 1986 : *Jeune fille sur une balançoire* 1891, h/t (11,8x86,3) : **USD 1 540** – NEW YORK, 26 mai 1994 : *La mort d'un guerrier viking* 1909, h/t (228,6x153,7) : **USD 28 750** – NEW YORK, 12 oct. 1994 : *Le Roi Arthur* 1903, h/t (127x76,2) : **USD 57 500.**

BÜTLER Clemens
XIXᵉ siècle. Vivant à Kriens près de Lucerne dans la seconde moitié du XIXᵉ siècle. Suisse.
Peintre, fresquiste.
Fils de Nikolaus et frère d'Anton Bütler, Clemens collabora avec ce dernier à la composition en fresque de *La Mort de Gundoldingen*, dans la tour de l'Hôtel de Ville à Lucerne. Il perdit la vue en 1889.

BUTLER Edward B.
Né en 1853 à Lewiston (Maine). XIXᵉ siècle. Américain.
Peintre.

BUTLER Edward Riche
Né en 1855 à Sacramento (Californie). XIXᵉ siècle. Américain.
Peintre.
Élève de Jean Léon Gérôme à Paris.

BUTLER Edward Smith
Né le 26 janvier 1848 à Cincinnati (Ohio). XIXᵉ siècle. Américain.
Peintre.
Se forma sans maître. Membre et vice-président du Cincinnati Art Club en 1907.

BUTLER Elizabeth. Voir THOMPSON Elizabeth

BUTLER Ellen
Née en 1951 à Hanovre (New Hampshire). XXᵉ siècle. Américaine.
Peintre.
Après ses études aux États-Unis, elle fit ses études artistiques à l'Académie Julian à Paris. Elle partit ensuite en Angleterre et suivit les cours de la Central School of Art and Design en 1976, où elle se spécialisa dans les techniques de l'imprimerie. Elle édita ensuite des sérigraphies, devint professeur puis graphiste-designer. Elle continua toujours à peindre, montrant son travail dans des petites galeries.

BUTLER George Bernard
Né en 1838 à New York. Mort en 1907 à Croton Falls (New York). XIXᵉ siècle. Américain.
Peintre de genre, portraits, animaux.
Après avoir étudié dans sa ville natale avec Thomas Hicks, Butler vint en Europe et travailla sous la conduite de Couture. Dans la guerre civile en Amérique à laquelle il prit part, Butler eut le malheur de perdre son bras droit, mais continua à peindre de la main gauche. Il habita successivement San Francisco, en Californie, New York, et s'établit en Italie en 1875. Il se fixa ensuite à New York ; il était d'ailleurs membre de la National Academy de cette ville depuis 1873. On cite de lui : *Un Chat* et *Chiens de la campagne romaine*, exposé au Salon de Paris en 1878.
MUSÉES : NEW YORK : *Le Châle gris.*
VENTES PUBLIQUES : LOS ANGELES, 17 mars 1980 : *Portrait of Edla*, h/t (159x88,3) : **USD 1 100** – NEW YORK, 21 oct. 1983 : *The uninvited guests* 1886, h/pan. (120x92,7) : **USD 3 700.**

BUTLER George Edmund
Né le 15 janvier 1872 à Southampton (Hampshire). Mort en 1936. XXᵉ siècle. Britannique.
Peintre de portraits et de figures, graveur.
Il fut élève de la Lambeth School, de l'Académie Julian à Paris et de l'Académie d'Anvers. Il exposa au Salon des Artistes Français jusqu'en 1914.
VENTES PUBLIQUES : LONDRES, 15 juin 1982 : *Le bonhomme de nuit vient de jeter du sable dans les yeux des enfants fatigués* 1911, h/t (81x184) : **GBP 850** – LONDRES, 5 mars 1987 : *Deux enfants à dos d'âne* 1912, h/t (91,5x101,6) : **GBP 7 000** – LONDRES, 26 fév. 1997 : *Jeunes cavaliers* 1912, h/t (91,5x150) : **USD 9 775.**

BUTLER Guillermo, de son vrai prénom Juan, fray
Né en 1880 à Cordoba, de mère italienne et de père irlandais. Mort en 1961. XXᵉ siècle. Argentin.
Peintre de compositions religieuses, paysages.
Il adopta le prénom de Guillermo à son entrée dans un ordre religieux dominicain en 1896, et se fera connaître sous le nom de Fray Guillermo Butler. Ayant manifesté des dons artistiques très jeune, il commença ses études après son ordination et travailla avec Emilio Caraffa et Honorio Mossi. En 1908 il entreprit un voyage pour étudier en Europe : France, Espagne, Italie, Angleterre et Allemagne. En 1915, il retourna à Buenos Aires, continuant toutefois à exposer en Europe et aux États-Unis, notamment en 1920 au Salon d'Automne de Paris : *Porte du Monastère (Tolède, Espagne)*. Il fonda l'École d'Art chrétien et l'Académie Fra Angelico. Il fut membre de l'Académie des Beaux-Arts et professeur au collège Lacordaire. En 1925 il remporta le Prix de peinture du Salon National.
Il est connu pour ses peintures figuratives religieuses, et pour ses paysages, qui dégagent un climat spirituel pouvant évoquer ceux de Caspar David Friedrich.
VENTES PUBLIQUES : NEW YORK, 19 nov. 1987 : *Cordoba, Argentina* 1947, h/cart. (34,5x23,7) : **USD 2 750** – NEW YORK, 16 nov. 1994 : *Paysage* 1954, h/rés. synth. (44,9x60) : **USD 7 475** – NEW YORK, 18 mai 1995 : *Paysage* 1950, h/pan. (53,8x62,9) : **USD 6 900.**

BUTLER Henry
Né en Angleterre. xxᵉ siècle. Britannique.
Peintre de compositions à personnages, paysages, aquarelliste, graveur, décorateur.
Il fut élève de l'École d'Art de Liverpool. Il a exposé à Londres, Liverpool et Bristol. Il a gravé le bois et à l'eau-forte.
VENTES PUBLIQUES : LONDRES, 2 nov. 1979 : *Vue d'Angostura sur l'Orénoque, Venezuela* 1844, aquar. (37x54) : **GBP 550** – LONDRES, 13 oct. 1981 : *Indigènes dans une barque sur la rivère Guarapiche, Venezuela*, aquar. reh. de blanc (37x55) : **GBP 500**.

BUTLER Herbert E.
xixᵉ siècle. Britannique.
Peintre de genre.
Il exposa à la Royal Academy et à Suffolk Street, à Londres, de 1881 à 1888.
VENTES PUBLIQUES : CHESTER, 24 juin 1982 : *Hauling in the lobster pots* 1903, h/t (61x91,5) : **GBP 1 400**.

BUTLER Horacio Alberto
Né le 28 août 1897 à Buenos Aires. xxᵉ siècle. Argentin.
Peintre de portraits, paysages.
Il fit ses études à l'Académie des Beaux-Arts de Buenos Aires. Il fut architecte avant de se consacrer à la peinture. En 1920 il était professeur à l'École des Beaux-Arts de Buenos Aires. Il entreprit en 1922 un long voyage en Europe, adhérant au groupe *Worpswede* en Allemagne et fréquentant les ateliers d'André Lhote et d'Othon Friesz à Paris. Il exposa alors au Salon d'Automne entre 1926 et 1932 et au Salon des Tuileries, des portraits, des paysages et des figures. Il a exposé dans plusieurs manifestations collectives et internationales à Pittsburgh, New York et San Francisco. Il fut Médaille d'or à Paris à l'Exposition Internationale de 1937 et à celle de Bruxelles en 1958. Il a créé des décors pour la Scala de Milan et pour le théâtre El Sodre de Montevideo.
MUSÉES : NEW YORK (Mus. of Mod. Art) – NEW YORK (Brooklyn).

BUTLER Howard Russell
Né le 3 mars 1856 à New York. Mort en 1934 ou 1937. xixᵉ-xxᵉ siècles. Américain.
Peintre de portraits, paysages, paysages d'eau, aquarelliste.
Il étudia à Paris sous la direction de Dagnan-Bouveret, Roll et Gervex. Il fut médaillé à Saint Louis, en 1904, à Buffalo en 1901, à Atlanta en 1895, et à la Pennsylvania Academy of Fine Arts en 1888. Il exposa aussi au Salon de Paris en 1886. Membre de la National Academy en 1899, de la Society of American Artists, du New York Water-Colours et de la Century Association. Il présida la Fine Arts Society entre 1889 et 1905. Il a surtout peint la mer et ses rivages.

VENTES PUBLIQUES : NEW YORK, 1909 : *Côte du Maine* : **USD 100** – NEW YORK, 3 oct. 1981 : *Tempête de sable dans le désert*, h/t (63,5x81,2) : **USD 1 400** – NEW YORK, 18 mars 1983 : *Phlox rose*, h/t (45,6x53,4) : **USD 2 200** – NEW YORK, 31 mai 1985 : *Miss Olive Owens on the rocks*, h/t (25,4x35,6) : **USD 3 500** – NEW YORK, 20 mars 1987 : *Crossing the Yautepec* 1889, h/t (54,6x71,5) : **USD 4 000** – NEW YORK, 25 mai 1989 : *Le Pacifique sans repos*, h/t (101,7x127) : **USD 7 150** – NEW YORK, 10 mars 1993 : *Le canyon Zion dans l'Utah*, h/t (106,7x132,1) : **USD 16 100** – NEW YORK, 28 nov. 1995 : *Baignade à Shelving Rock à Ogonquit (Maine)*, h/t (53,5x41) : **USD 2 185** – NEW YORK, 21 mai 1996 : *Gondoles à Venise*, h/t (54,6x81,8) : **USD 9 775** – NEW YORK, 3 déc. 1996 : *Église Sainte-Anne, Mexico* 1885, h/t (56x91,5) : **USD 4 370**.

BUTLER J. M.
xixᵉ siècle. Travaillant en 1850. Américain.
Graveur.

BUTLER Jacques Jean Philip
Né à Giverny (Eure). xixᵉ-xxᵉ siècles. Américain.
Peintre et décorateur.
Il a exposé au Salon d'Automne à partir de 1911 et présenté au Salon des Indépendants, jusqu'en 1932, des tissus de batik à motifs de poissons et d'oiseaux.

BÜTLER Joseph Nikolaus ou **Büttler**
Né le 16 octobre 1822 à Küssnach. Mort le 20 janvier 1885 à Düsseldorf. xixᵉ siècle. Travaillait en Allemagne. Suisse.

Peintre de paysages, natures mortes.
Büler étudia chez son père Nikolaus, puis entra dans l'atelier particulier du professeur Wilhelm Schirmer, à Düsseldorf. Il s'adonna au paysage non sans avoir essayé avec succès la nature morte. Des soucis pécuniaires le forcèrent à retourner à Lucerne, mais il fit une seconde visite à Düsseldorf en 1865 pour s'y fixer définitivement.
MUSÉES : LUCERNE .
VENTES PUBLIQUES : BERNE, 2 mai 1979 : *Paysage d'hiver avec patineurs* 1858, h/t (27,5x39,5) : **CHF 8 500** – LUCERNE, 6 nov. 1981 : *Vue du Rigi et du lac des Quatre Cantons* 1880, h/t (84x105) : **CHF 3 400** – TORONTO, 31 mars 1982 : *Paysage alpestre*, h/t (45,6x67) : **CAD 4 000** – LUCERNE, 23 mai 1985 : *Le lac des Quatre-Cantons près de Brunnen*, h/t (51x80,5) : **CHF 36 000** – ZURICH, 13 juin 1986 : *Urnersee* 1872, h/t (36x58) : **CHF 6 000** – LUCERNE, 3 juin 1987 : *Le lac de Brienz en été*, h/t (53x69,5) : **CHF 9 000**.

BUTLER M. E., Miss
Britannique.
Peintre de fleurs, aquarelliste.
Elle exposa à la Royal Academy, à Suffolk Street, à la New Water-Colours Society, etc., à Londres.
MUSÉES : LONDRES (Victoria and Albert Mus.) : *Buisson de ronces – Fleurs de l'Oleandre*.

BUTLER Margaret
Née le 30 avril 1890 à Hellington (Nouvelle-Zélande). xxᵉ siècle. Néo-Zélandaise.
Peintre de paysages, fleurs, sculpteur de bustes.
Elle expose à Paris à partir de 1927, au Salon de la Société Nationale des Beaux-Arts et à celui des Tuileries.
On cite d'elle, avec des bustes, un *Projet de fontaine*, et parmi ses toiles : *New-Zeeland* et *Fleur sauvage*.

BUTLER Marion Charlotte
Née à Mixiden (Connecticut). xxᵉ siècle. Américaine.
Peintre.
Elle a exposé au Salon des Artistes Français.

BUTLER Mary
xixᵉ-xxᵉ siècles. Vivant à Philadelphie vers 1907. Américain.
Peintre.
Membre « fellow » de la Pennsylvania Academy of Fine Arts, à Philadelphie, et membre du Plastic Club.

BUTLER Mildred Anne
Née le 11 janvier 1858 à Kilmurrey (Thomastown). Morte le 11 octobre 1941 à Kilmurrey. xixᵉ-xxᵉ siècles. Britannique.
Peintre de genre, portraits, paysages, aquarelliste.
Elle exposa à partir de 1888 à Londres, à la Royal Academy, la New Water-Colour Society, Suffolk Street, la Grafton Gallery, la New Gallery, etc.
Elle subit l'influence de Stanhope Forbes et Norman Garstin qui vécurent longtemps en France. Elle-même vint en France en 1885, puis régulièrement à Aix-les-Bains, à partir de 1905.
Dans ses aquarelles, d'une extrême légèreté, elle sait intégrer les animaux au milieu des paysages.

BIBLIOGR. : Gérald Schurr : *Les Petits Maîtres de la peinture, 1820-1920, valeur de demain*, Les Éditions de l'Amateur, t. V, Paris, 1981.
MUSÉES : LONDRES (Tate Gal.) : *Le bain du matin*, aquar.
VENTES PUBLIQUES : CELBRIDGE (Irlande), 29 mai 1980 : *A Yorkshire terrier* 1897, h/t (51x40,6) : **GBP 200** – LONDRES, 13 oct. 1981 : *Où l'herbe pousse verte*, aquar. (50,4x67,5) : **GBP 3 800** – LONDRES, 19 juil. 1983 : *Issie Butler, sœur de l'artiste, à la porte du conservatoire, Kilmurrey* 1898, aquar. reh. de blanc (25x17,8) : **GBP 1 300** – LONDRES, 18 juin 1985 : *Un jardin en été*, aquar. reh. de gche (53,8x37) : **GBP 1 200** – LONDRES, 22 juil. 1987 : *Colombes et pigeons* 1900, aquar. (49x66) : **GBP 5 800** – LONDRES, 25 jan. 1988 : *Une allée dans le jardin*, aquar. (18x25,5) : **GBP 572** ; *Un jardin fleuri* 1917, aquar. (18x27) : **GBP 2 860** – DUBLIN, 24 oct. 1988 : *Dans la rue du village*, aquar. (36x26) : **IEP 7 700** ; *Les battages*, aquar. (26x19,8) : **GBP 16 500** – BELFAST, 28 oct. 1988 : *Dans les bois* 1898 (73,5x53,5) : **GBP 14 300** – LONDRES, 25 jan. 1989 : *Une bordure herbacée*, aquar. et gche (23x28,5) : **GBP 935** – LONDRES, 26 sep. 1990 : *Fin de journée*, aquar. avec reh. de blanc (36x26) : **GBP 8 250** – LONDRES, 8 fév. 1991 : *Un lit de roses* 1929, aquar. avec reh. de blanc (26,7x38,2) : **GBP 1 540** – LONDRES, 5

juin 1991 : *Le Kenmare* 1892, aquar. (29,5x24,5) : **GBP 2 310** – LONDRES, 5 nov. 1993 : *Colombes au fond du jardin*, cr. et aquar. (35x24,8) : **GBP 2 070** – LONDRES, 4 nov. 1994 : *Les paons*, cr. et aquar. avec reh. de blanc (18,4x27,3) : **GBP 2 990** – LONDRES, 2 juin 1995 : *Ppaons*, aquar. (25x35) : **GBP 7 475** – LONDRES, 9 mai 1996 : *Paons dans la lumière du matin*, aquar. (23,5x34) : **GBP 4 600.**

BÜTLER Nikolaus ou Büttler
Né le 28 octobre 1786 à Auw (canton de Aargau). Mort le 14 novembre 1864 à Lucerne. XIXᵉ siècle. Suisse.
Peintre.
Nikolaus Bütler reçut à Zurich les conseils des peintres Wuest et Huber et fit un voyage d'études en Allemagne. Il travailla à Küsnacht et à Lucerne. Dans cette dernière ville, il s'occupa de l'éducation artistique de ses trois fils, dont Anton et Joseph. Ce fut aussi à Lucerne que sa fille se maria avec le peintre Jean Renggli. Bütler se prêta à tous les genres, peignant des tableaux d'autels et des fresques aussi bien que des portraits, des décors, des scènes historiques et même des meubles. *La Mort de Gessler*, dans la chapelle de Tell, fut exécutée par lui en 1834.

BUTLER Philip A.
Né à Amesbury (Massachusetts). XIXᵉ-XXᵉ siècles. Américain.
Peintre.
Il était membre du Boston Art Club en 1898.

BUTLER Reginald, dit Reg
Né le 13 avril 1913 à Burtingford (Hertfordshire). Mort en 1981. XXᵉ siècle. Britannique.
Sculpteur de figures.
Il fut architecte à partir de 1937, étant membre du Royal Institute of British Architects. C'est pendant la guerre qu'il apprit à forger le fer et en 1944 qu'il commença à sculpter. Entre 1946 et 1950 il collabora à l'*Architects' Journal*. Il a participé à de nombreuses expositions internationales et collectives : à la Biennale de Venise en 1952 et 1954, année où seront exposés sa maquette du monument au *Prisonnier politique inconnu*, ses dessins et études ainsi que trois études préliminaires en plâtre et fils de bronze, *The New Decade* au Museum of Modern Art de New York en 1955, à la Biennale de São Paulo en 1957. En 1953 il remporta le concours organisé par l'Institut d'Art Contemporain de Londres pour l'érection à Berlin-Ouest d'un monument de dix-huit mètres de haut, dédié au *Prisonnier politique inconnu*. À partir de 1950 il enseigna la sculpture à la Slade School de Londres et jusqu'en 1953 à l'Université de Leeds.
Ses premières œuvres en fer forgé s'inscrivaient dans la voie ouverte par Gonzalez. Les œuvres produites alors évoquaient d'étranges créatures hérissées ou de monstrueux insectes. Il est également réceptif à cette époque à l'art d'Henry Moore. Vers 1954 il choisit d'utiliser le bronze qui l'incite à rechercher le volume dans la représentation des personnages humains, donnant des nus féminins empreints d'un académisme absent des premiers travaux plus originaux. À partir de 1960 apparaissent de nouveaux petits bronzes témoignant d'un complet renouvellement, inspiré des arts primitifs, particulièrement de l'Afrique.

Butler (signature)

BIBLIOGR. : In : *Les Muses*, t. IV, Grange Batelière, Paris, 1970.
MUSÉES : LONDRES (Tate Gal.) : *Femme* 1949 – *Femme* 1954, bronze.
VENTES PUBLIQUES : LONDRES, 4 déc. 1963 : *Le prisonnier politique inconnu*, métal/base de pierre : **GBP 1 200** – NEW YORK, 1ᵉʳ mars 1972 : *Figure dans l'espace* : **USD 12 000** – LONDRES, 27 juin 1978 : *Jeune fille (Chrysanthemom)* 1959, bronze (H. 54) : **GBP 1 600** – NEW YORK, 18 mai 1979 : *Musée imaginaire* 1964, bronze à patine or, présentoir comprenant 39 sculptures (H. 78) : **USD 7 000** – NEW YORK, 18 déc. 1981 : *Figure dans l'espace*, bronze (H. 52) : **USD 3 000** – NEW YORK, 10 déc. 1982 : *Jeune Fille* 1956-1957, bronze (H. 145) : **USD 8 800** – NEW YORK, 1ᵉʳ déc. 1983 : *Jeune Fille sur une roue*, bronze (diam. 132) : **USD 7 500** – NEW YORK, 13 nov. 1985 : *La Fiancée* vers 1954-1961, bronze, cire perdue (H. 235) : **USD 18 000** – NEW YORK, 15 fév. 1986 : *Vieil homme* 1962, bronze (H. 46) : **USD 4 000** – LONDRES, 12 juin 1987 : *Figure debout*, bronze et quartz (H. 84) : **GBP 5 500** – LONDRES, 23 fév. 1989 : *Ophélie*, bronze (H. 52) : **GBP 6 050** – NEW YORK, 11 mai 1989 : *Jeune fille sur une roue I* 1959, bronze (H. 61,6) : **USD 22 000** – LONDRES, 24 mai 1990 : *Figure debout, cirque*, bronze (H. 68) : **GBP 9 900** – NEW YORK, 14 nov. 1990 : *Étude pour*

l'Italienne I 1960, bronze à patine brune (L. 43,2) : **USD 14 300** – NEW YORK, 13 fév. 1991 : *Nu allongé*, bronze cire perdue à patine brune (H. 48,2) : **USD 9 900** – LONDRES, 8 nov. 1991 : *Jeune fille assise*, bronze à patine noire (L. 121, H. 97,4) : **GBP 16 500** – NEW YORK, 12 mai 1992 : *Personnage tombant*, bronze (H. 141, L. 106,7, l. 108,6) : **USD 46 200** – LONDRES, 26 mars 1993 : *Jeune fille assise*, bronze (H. 25,5) : **GBP 4 370** – NEW YORK, 4 mai 1993 : *Jeune fille sur une base ronde* 1964, bronze (49,5x52,1x50,8) : **USD 16 100** – NEW YORK, 10 nov. 1994 : *Le manipulateur*, bronze (H. 126,4) : **USD 13 800** – NEW YORK, 9 nov. 1995 : *La mariée*, bronze cire perdue (H. 235) : **USD 57 500** – NEW YORK, 1ᵉʳ mai 1996 : *Homme et machine*, bronze (H. 40,6) : **USD 29 900** – NEW YORK, 12 nov. 1996 : *Etude pour une jeune Italienne*, bronze patine noire (48,2) : **USD 2 990.**

BUTLER Richard
XIXᵉ siècle. Actif à Sevenoaks. Britannique.
Peintre de paysages.
Il exposa de 1862 à 1886 à la Royal Academy à Londres.

BUTLER S.
XVIIIᵉ siècle. Actif dans la seconde moitié du XVIIIᵉ siècle. Britannique.
Dessinateur ornemaniste.

BUTLER Samuel
XIXᵉ siècle. Britannique.
Peintre de genre, portraits.
Il exposa à Londres à la Royal Academy, de 1869 à 1875.

BUTLER Théodore
Né en Californie. Mort en 1894 en Californie. XIXᵉ siècle. Américain.
Graveur.

BUTLER Théodore Earl
Né en 1861 aux États-Unis. Mort en 1936. XIXᵉ-XXᵉ siècles. Actif en France. Américain.
Peintre de figures, portraits, intérieurs, paysages animés. Postimpressionniste.
Il fut élève de Claude Monet et résidait à Giverny. Il épousa la belle-fille de Monet, Suzanne Hoshedé, en 1892. Théodore Robinson a représenté ce mariage dans *La marche nuptiale*, conservée à la Fondation Terra de Giverny. Il reçut une mention honorable au Salon de la Société Nationale des Beaux-Arts en 1888, il exposa aussi au Salon des Artistes Indépendants entre 1907 et 1932 et au Salon d'Automne entre 1907 et 1935.
Il fut très influencé par Monet, mais il n'a sans doute recherché cette dépendance, puisque venu spécialement pour recevoir ses conseils. Toutefois, Butler a sa musique à lui. Il pratique la touche divisée qui définit l'impressionnisme, mais il fusionne volontiers entre elles les touches de tons différents, ce mélange matériel facilitant le mélange optique. En outre, la matière pigmentaire de ses peintures est plus sèche, grenue, rugueuse, que chez les impressionnistes historiques et accroche mieux la lumière. Par la modulation de la lumière-couleur, quitte à sacrifier le dessin, les contours, il traduit fortement les volumes dans l'espace. Un des thèmes majeurs de son œuvre, et anecdotiquement intéressant, fut la série d'environ vingt-cinq *Bains du bébé*, évidemment celui qu'il eut avec la belle-fille de Monet, série qu'il poursuivit pendant une période de deux ans et demi, l'ayant débutée l'année qui suivit son mariage. Il peignit de nombreux paysages des environs de Giverny, tenant compte, en disciple des impressionnistes, des changements de saisons, des variations de la lumière selon l'heure et le temps qu'il fait. Deux autres thèmes sont également constants au long de son œuvre : mère et enfant ou seulement femme dans un intérieur, et enfant ou femme dans un jardin. ■ J. B.
BIBLIOGR. : R. H. Love : *Sortir de l'ombre de Monet*, 1984 – William H. Gerdts, D. Scott Atkinson, Carole L. Shelby, Jochen Wierich : *Impressions de toujours – Les peintres américains en France 1865-1915*, Mus. Américain de Giverny, Terra Foundation for the Arts, Evanston, 1992.
MUSÉES : GIVERNY (Terra Foundation Mus.) : *Les Enfants de l'artiste* 1896 – *Les joueurs de cartes* 1898.
VENTES PUBLIQUES : NEW YORK, 25 mars 1971 : *Lily Butler dans le jardin de Giverny* : **USD 1 200** – NEW YORK, 29 avr. 1976 : *Paysage fluvial*, h/t (59,5x72,5) : **USD 3 000** – NEW YORK, 27 oct. 1977 : *Intérieur* 1908, h/t (73x59,7) : **USD 3 750** – NEW YORK, 25 oct. 1979 : *Nuages, Giverny* 1911, h/t (82x82) : **USD 5 250** – VERSAILLES, 4 juin 1980 : *Paysage de neige à Giverny* 1906, h/t (59,5x72,5) : **FRF 25 800** – NEW YORK, 29 mai 1981 : *La ferme La Lombardière*,

Giverny 1930, h/t (64,8x81,3) : **USD 8 000** – Scottsdale (Arizona), 13 fév. 1982 : *Mère et enfant dans un intérieur* 1895, h/t (115x89,5) : **USD 26 000** – New York, 8 déc. 1983 : *Les Déserts, Giverny* 1912, h/t (64,8x81,3) : **USD 19 500** – New York, 6 déc. 1984 : *Mère et enfant dans un intérieur* 1893, h/t (50,8x61) : **USD 32 000** – San Francisco, 6 nov. 1985 : *Giverny*, h/t (61x72) : **USD 40 000** – New York, 30 mai 1986 : *Giverny au Printemps* 1895, h/t (60x73,4) : **USD 22 000** – New York, 4 déc. 1987 : *La ferme de la vallée* 1907, h/t (59,4x72,8) : **USD 55 000** – Paris, 24 juin 1988 : *Les jardiniers au repos* 1895, h/t (73x60) : **FRF 125 000** – Londres, 21 fév. 1989 : *Un village en hiver* 1916, h/t (31,8x39,7) : **GBP 16 500** – New York, 3 mai 1989 : *Route de village enneigée*, h/t (36,2x48,9) : **USD 133 200** – Paris, 21 juin 1989 : *Les meules au soleil levant* 1898, h/t (65x54) : **FRF 60 000** – Londres, 27 juin 1989 : *Les côteaux à Giverny* 1898, h/t (73x49) : **GBP 30 800** – New York, 16 mars 1990 : *Le bain du bébé* 1893, h/t (49x59,7) : **USD 33 000** – New York, 30 nov. 1990 : *La lieutenance à Honfleur*, h/t (65,2x81,3) : **USD 17 600** – New York, 23 mai 1991 : *Les bateaux à vapeur près de la ville (New York ?)* 1915, h/t (80x80) : **USD 23 100** – New York, 4 déc. 1992 : *Paysage français enneigé* 1906, h/t (60x73,4) : **USD 27 500** – Paris, 14 juin 1993 : *Suzanne Hoschedé au lapin* 1891, h/t (34,5x43,5) : **FRF 110 000** – New York, 25 mai 1994 : *Place de Rome la nuit* 1905, h/t (59,4x73) : **USD 37 950** – Paris, 4 déc. 1995 : *Village à flanc de colline*, h/t (60x74) : **FRF 47 000** – New York, 14 mars 1996 : *Roses trémières* 1926, h/t (71,1x48,3) : **USD 24 150** – New York, 5 déc. 1996 : *Suzanne au lapin* 1891, h/t (34,9x43,8) : **USD 23 000** – Paris, 17 déc. 1997 : *Suzanne et ses enfants*, h/t (190x110) : **FFR 710 000** – New York, 5 juin 1997 : *La Statue de la Liberté dans la brume* 1899, h/t (101,6x76,9) : **USD 85 000**.

BUTLER Thomas
Mort en 1759. XVIIIᵉ siècle.
Peintre de scènes de chasse, animaux.
Il privilégia la représentation des chevaux.
Ventes Publiques : Londres, 15 nov. 1929 : *Courses à Newmarket* 1759 : **GBP 50** – Londres, 22 déc. 1937 : *Une peinture* 1755, signée : **GBP 5** – Londres, 6 juil. 1977 : *The great carriage race*, h/t (146x241,5) : **GBP 7 000** – New York, 7 juin 1985 : *« Driver » and « Aaron » running* 1754, deux h/t (71,1x94) : **USD 58 000** – New York, 4 juin 1987 : *Le rendez-vous de chasse*, h/t (122x200,6) : **USD 130 000** – Londres, 14 mars 1990 : *Le rassemblement de la chasse à courre*, h/t (122x200,5) : **GBP 55 000** – Londres, 16 mai 1990 : *« Whitenose »*, *le célèbre étalon du Comte de Portmore* 1755, h/t (62,5x75) : **GBP 3 300** – Londres, 20 juil. 1994 : *Course d'attelage à Newmarket*, h/t (55x92) : **GBP 2 070**.

BUTLER Timothy
XIXᵉ siècle. Britannique.
Sculpteur de bustes.
Il exposa à Londres de 1828 à 1879, plus de cent bustes-portraits à la Royal Academy.

BUTLER Violet Victoria, Mrs
Née à Kensington. XIXᵉ-XXᵉ siècles. Britannique.
Peintre de miniatures.

BUTLER Warren C.
Né en 1826 à New York. Mort en 1878. XIXᵉ siècle. Américain.
Graveur.

BUTLER Whitehead
Américain.
Graveur.

BUTLER YEATS. Voir YEATS Jack, John et William Butter

BUTLIN W.
XIXᵉ siècle. Britannique.
Sculpteur de bustes.
Il exposa à Londres de 1828 à 1834 quelques portraits-bustes à la Royal Academy et à Suffolk Street.

BUTODI Philippe. Voir BOUTAUD

BUTSELE Gusta Van
Née à Gand. XIXᵉ siècle. Travaillait encore en 1892. Belge.
Peintre de paysages.

BUTT Cecily Vivien
Née le 16 juin 1886 à Oxshott (Surrey). XXᵉ siècle. Britannique.
Peintre de portraits, compositions décoratives, aquarelliste.

Elle a exposé à Londres, à la Royal Academy, à la Royal Society of Portrait Painters et à la Royal Society of British Artists.

BUTTAFOGO Antonio ou Butafoco, Buttafoco, Butafogo
Originaire de Vérone. Mort probablement après 1817. XVIIIᵉ-XIXᵉ siècles. Travaillant entre 1772 et 1805. Italien.
Peintre et graveur.
Il a travaillé pour des églises de Vérone et de Pavie.

BUTTAR Edward James
Né en 1873 à Londres. XXᵉ siècle. Britannique.
Peintre d'intérieurs et de paysages.
Il exposa à la Royal Academy, à l'International Society, au Royal Glasgow Institute of Fine Arts.
Ventes Publiques : Londres, 21 sep. 1983 : *Intérieur*, h/t (63,5x76) : **GBP 400** – Londres, 26 sep. 1985 : *Taffetas gris*, h/cart. (50,5x40,5) : **GBP 720**.

BUTTAZON
XIXᵉ siècle. Travaillant en Italie vers 1839. Italien.
Graveur au burin.

BUTTAZZONI Alberto ou Buttazoni
Mort en 1741 au couvent de l'Annunziata à Bologne. XVIIIᵉ siècle. Italien.
Peintre décorateur.
Il fut moine de l'ordre de saint François.

BUTTE Denis Charles
XVIIIᵉ siècle. Français.
Graveur.
De l'Académie de Saint-Luc en 1777.

BUTTE Laurent
XIXᵉ siècle. Travaillant à Nancy. Français.
Sculpteur de bustes.
Le Musée de Nancy conserve un *Buste du général Drouot*, qu'il exécuta en collaboration avec son frère.

BUTTERFIELD Deborah
Née en 1949. XXᵉ siècle. Américaine.
Sculpteur animalier.
Elle fabrique surtout des chevaux avec des moyens artisanaux assez rustiques.
Ventes Publiques : New York, 6 mai 1987 : *Sans titre* 1978, torchis et baguettes, en deux parties (80x105,4x32,4) : **USD 19 000** – New York, 20 fév. 1988 : *Cheval*, torchis et brindilles (78,5x83,8x27,3) : **USD 24 200** – New York, 3 mai 1988 : *Petit Cheval*, brindilles de bois (73, 7x124,5x28) : **USD 22 000** – New York, 4 mai 1989 : *Cheval*, torchis, brindilles et filins d'acier (175,8x276,8x78,7) : **USD 28 600** – New York, 27 fév. 1990 : *Cheval*, métal (68,5x91,4x33) : **USD 50 600** – New York, 10 nov. 1993 : *Cheval de Jérusalem III* 1980, fil d'acier et bois (210,2x279,3x119,3) : **USD 55 200** – New York, 3 mai 1994 : *Robe de vieux cheval* 1988, acier soudé vernis (190,5x276,8x83,8) : **USD 34 500** – New York, 3 mai 1995 : *Palomino* 1981, pap. et feuilles de maïs/armature de fils de fer (76,2x106,7x27,9) : **USD 17 250** – New York, 9 mai 1996 : *Petit Cheval* 1978, brindilles de bois/armature de fils de fer (73,7x124,5x27,9) : **USD 23 000** – New York, 20 nov. 1996 : *Felted stick horse n°2* 1982, bois, argile et fil de fer (73,7x94x38,1) : **USD 43 125** – New York, 7 mai 1997 : *Sans titre (Atiyah)* 1986, acier (188x292,1x88,9) : **USD 85 000**.

BUTTERFIELD Harold
Né à New York. XXᵉ siècle. Américain.
Peintre, dessinateur.
Il exposait une *Baigneuse* au Salon d'Automne de 1927.

BUTTERI Giovanni Maria
Mort en 1606 à Florence. XVIᵉ siècle. Travaillait en 1567 à Florence. Éc. florentine.
Peintre de compositions religieuses.
Bien qu'il fût élève d'A. Bronzino et, durant de longues années, l'aide d'Alessandro Allori, sa façon de dessiner témoigne de l'influence de Vasari et de Titi, autant que celle de son maître. Plusieurs églises et couvents de Florence possèdent des peintures de lui.
Ventes Publiques : New York, 5 avr. 1990 : *Vierge à l'Enfant avec saint Jean Baptiste*, h/pan. (70x54,5) : **USD 20 900**.

BUTTERSACK Bernhard
Né le 16 mars 1858 à Liebenzell (Wurtemberg). Mort en 1925. XIXᵉ-XXᵉ siècles. Allemand.

Peintre de paysages.
Il travailla à Stuttgart, à Karlsruhe et à Munich où il exposait en 1909 : *Dernier rayon de soleil.*

Buttersack

MUSÉES : MUNICH (New Pina.) : *Plein été* – STUTTGART : *Étang de village de la Haute-Bavière.*
VENTES PUBLIQUES : NEW YORK, 2 mai 1979 : *Scène de ferme* 1881, h/t (57,5x76,2) : **USD 2 500** – MUNICH, 29 nov. 1984 : *Paysage d'été* 1892, h/t (27,5x42,5) : **DEM 3 800** – MUNICH, 11 mars 1987 : *Cour de ferme, Dachau* 1922, h/t (46,5x66,5) : **DEM 4 300** – PARIS, 7 juin 1988 : *Bord d'étang et village* 1881, h/t (57x80) : **FRF 19 000** ; *Paysage au chemin* 1884, h/t (52x72) : **FRF 12 000.**

BUTTERSWORTH James Edwin ou Edward
Né en 1817. Mort en 1894. XIXe siècle. Américain.
Peintre de marines.
En 1994, le Terra Museum of American Art de Chicago a organisé une exposition personnelle de ses œuvres : *Ship, Sea and Sky : The Marine Art of James Edward Buttersworth.*
BIBLIOGR. : Catalogue de l'exposition : *Ship, Sea and Sky : The Marine Art of James Edward Buttersworth,* Terra Museum of American Art, Chicago, 1994.
VENTES PUBLIQUES : NEW YORK, 28 oct. 1976 : *Bateaux de guerre au port,* h/pan. (33,5x40,5) : **USD 4 500** – NEW YORK, 28 avr. 1978 : *Bateaux au large du port de New York,* h/cart. (20,3x30,5) : **USD 14 000** – NEW YORK, 2 fév. 1979 : *Le Yacht « America » dans le port de New York,* h/cart. (20x30,1) : **USD 6 250** – NEW YORK, 20 avr 1979 : *Voiliers dans la baie de New York,* cr. (15,2x25,4) : **USD 9 500** – SAN FRANCISCO, 3 oct. 1981 : *Two sloops approaching nun n° 8,* h/t (76x102) : **USD 42 500** – SAN FRANCISCO, 21 juin 1984 : *Schooner yacht Comet off Newport,* h/t (35,5x56) : **USD 37 500** – NEW YORK, 29 mai 1986 : *Ships off Gloucester harbor,* h/t (30,5x61) : **USD 75 000** – NEW YORK, 1er déc. 1988 : *Une frégate au large de la baie de New York,* h/cart. (20,3x30,5) : **USD 13 750** – NEW YORK, 25 mai 1989 : *Frégate anglaise au large de Douvres,* h/t (63,3x76,3) : **USD 37 400** – LONDRES, 31 mai 1989 : *Frégate et bateaux de pêche,* h/t (63,5x76) : **GBP 3 960** – NEW YORK, 1er déc. 1989 : *Arrivée dans un port,* h/t (35,5x55,8) : **USD 49 500** – NEW YORK, 23 mai 1990 : *Yacht de compétition dans le port de New York,* h/t (61x76,2) : **USD 242 000** – NEW YORK, 27 sep. 1990 : *La Baie de New York,* h/cart. (15,2x25,3) : **USD 17 600** – NEW YORK, 14 mars 1991 : *Course de voiliers,* h/cart. (20,3x30,6) : **USD 19 800** – NEW YORK, 22 mai 1991 : *La goélette Dover rentrant au port,* h/cart. (18,4x26) : **USD 9 350** – NEW YORK, 26 sep. 1991 : *Goélettes rentrant au port,* h/cart./rés. synth. (23,7x30,5) : **USD 8 800** – NEW YORK, 5 déc. 1991 : *Voilier se hâtant de rejoindre la côte avant un coup de vent,* h/t (30,5x40,6) : **USD 12 100** – NEW YORK, 6 déc. 1991 : *Course de voiliers au large de Sandy Hook,* h/t (66,2x101,8) : **USD 187 000** – NEW YORK, 3 déc. 1992 : *Bateaux pilotes,* h/t (50,8x76,2) : **USD 82 500** – LONDRES, 6 avr. 1993 : *Vaisseau de guerre anglais au large de Cadix,* h/t (45x60) : **GBP 11 155** – NEW YORK, 26 mai 1993 : *Amarrage au bateau pilote à l'île de Shoals dans le New Hampshire,* h/t (43,2x68,5) : **USD 123 500** – NEW YORK, 1er déc. 1994 : *Deux yachts s'affrontant dans le port de New York dans l'America's Cup,* h/t (45,7x76,2) : **USD 85 000** – NEW YORK, 22-23 mai 1996 : *Le Edward O'Brien entrant au port,* h/t (62,2x86,4) : **USD 112 500** ; *Les Yachts Gracie, Vision et Cornelia doublant Sandy Hook lors de la régate du New York Yacht Club de 1874* 1874, h/t (66x90,7) : **USD 244 500** – NEW YORK, 25 sep. 1996 : *Régate dans le port de New York,* h/t (45,7x61) : **USD 32 200** – NEW YORK, 6 juin 1997 : *Bateaux au large de Castle Garden,* h/t (30,5x63,5) : **USD 60 250.**

BUTTERSWORTH Thomas
Né en 1768. Mort en 1827 ou 1842. XIXe siècle. Britannique.
Peintre de marines.
Il exposa de 1813 à 1827 à la Royal Academy, à la British Institution et à Suffolk Street, à Londres.
VENTES PUBLIQUES : LONDRES, 13 juin 1927 : *Navire de guerre :* **GBP 14** – LONDRES, 24 fév. 1928 : *Combat naval 1821 :* **GBP 18** – LONDRES, 13 juil. 1928 : *Combats navals* 1797, 2 dess. : **GBP 84** – LONDRES, 26 juin 1930 : *Navires de guerre* 1812 : **GBP 16** – LONDRES, 26 juil. 1932 : *Marine,* pan., signé : **GBP 4** – LONDRES, 17 mai 1935 : *La bataille de Trafalgar :* **GBP 120** – LONDRES, 26 fév. 1937 : *Combat naval :* **GBP 30** – LONDRES, 9 déc. 1964 : *Bataille navale :* **GBP 150** – LONDRES, 2 avr. 1965 : *Marine :* **GNS 100** – LONDRES, 17 juin 1966 : *Marines,* deux toiles, formant pendants :

GNS 280 – LONDRES, 27 oct. 1967 : *Marine :* **GNS 280** – LONDRES, 18 nov. 1970 : *Batailles navales,* deux pendants : **GBP 3 200** – LONDRES, 22 oct. 1971 : *Bateaux de guerre :* **GNS 3 200** – LONDRES, 13 déc. 1972 : *Trafalgar le matin – Trafalgar le soir :* **GBP 7 000** – LONDRES, 18 juin 1976 : *La bataille de Trafalgar,* h/t (69,5x105,5) : **GBP 5 000** – LONDRES, 23 mars 1977 : *Voiliers au large de la côte,* h/t (31x44) : **GBP 3 000** – TORQUAY, 16 juin 1981 : *Bateaux de guerre au large de Lisbonne,* h/t (30,5x40,5) : **GBP 1 800** – LONDRES, 21 juin 1983 : *Bataille navale 1804,* aquar. (35x49) : **GBP 1 400** – NEW YORK, 26 oct. 1983 : *The bombardment of Algiers with Lord Exmouth's flagship H.M.S Royal Charlotte,* h/t (78,7x137,2) : **USD 12 000** – LONDRES, 25 nov. 1986 : *Combat naval entre des frégates anglaises et françaises,* aquar. (47x71) : **GBP 4 500** – NEW YORK, 5 déc. 1986 : *USS Chesapeake and H.M.S Shannon,* h/t (49,6x81,1) : **USD 42 000** – LONDRES, 15 juil. 1988 : *Frégate entrant dans la rade par tempête,* h/t (45,1x61) : **GBP 5 500** – LONDRES, 22 sep. 1988 : *Bateau de ligne toutes voiles dehors, virant de bord au large d'une côte rocheuse,* h/t (45,7x61) : **GBP 9 900** – LONDRES, 31 mai 1989 : *Schooner au large de la tour de Belem ; Navigation sur le Tage,* h/t, une paire (chaque 31x43) : **GBP 20 900** – NEW YORK, 10 jan. 1990 : *Deux navires de guerres à 74 canons et un « schooner » toutes voiles dehors dans la Manche,* h/t (63,5x75,6) : **USD 24 200** – NEW YORK, 1er mars 1990 : *La bataille de Trafalgar* 1805, h/t (86,3x114,9) : **USD 48 400** – NEW YORK, 1999 : *L'arrivée de George IV au port de Leith,* h/t (42x67) : **GBP 19 250** – STOCKHOLM, 16 mai 1990 : *Marine avec un incendie à bord d'un bâtiment,* h/t (38x53) : **SEK 13 000** – LONDRES, 18 oct. 1990 : *Frégate arrivant au port,* h/t (43x53,3) : **GBP 4 400** – LONDRES, 14 nov. 1990 : *La bataille de Navarino,* h/t (34x44,5) : **GBP 4 950** – LONDRES, 1er mars 1991 : *Frégate et autres embarcations au large des côtes du Kent,* h/t (63,5x76,2) : **GBP 6 380** – LONDRES, 22 mai 1991 : *Une frégate anglaise poursuivant un bâtiment français pendant les guerres napoléoniennes,* h/t (53,5x76) : **GBP 5 500** – LONDRES, 7 juin 1991 : *La capture de la corvette française « Bacchante » par la frégate « Endymion » en 1803 dans la baie de Biscay,* h/t (36,8x48,3) : **USD 16 500** – LONDRES, 22 nov. 1991 : *Bâtiments de la flotte espagnole capturés après la bataille du Cap St Vincent au large de Lisbonne,* h/t (83,7x142,2) : **GBP 18 700** – LONDRES, 18 nov. 1992 : *Engagement entre le Commodore Dance et le Comte de Linois dans le détroit de Malacca le 15 fév. 1804,* h/t (79x120) : **GBP 18 700** – LONDRES, 20 jan. 1993 : *Navigation au large de Porthmouth,* h/t (43x59) : **GBP 8 625** – LONDRES, 4 juin 1993 : *Clipper navigant par mer houleuse,* h/t (31,1x44,5) : **USD 17 250** – LONDRES, 12 avr. 1995 : *Bataille sur le Nil le 1er août 1798,* h/t (63x74) : **GBP 14 375** – NEW YORK, 11 avr. 1997 : *Bâtiment pirate et autres vaisseaux,* h/t (30,5x43,2) : **USD 10 925** – LONDRES, 29 mai 1997 : *Vaisseau britannique attaquant des pirates au large de la côte,* h/t (30,5x45) : **GBP 3 680.**

BUTTERWORTH A. H.
XIXe siècle. Travaillant vers 1828. Américain.
Graveur.

BUTTERWORTH C.
XIXe siècle. Américain.
Graveur.

BUTTERWORTH George
XIXe siècle. Britannique.
Peintre de paysages.
Il exposa de 1865 à 1881 à la Royal Academy, à Suffolk Street et à la Grafton Gallery, etc., à Londres.

BUTTERWORTH Grace M., Mrs
Née à Hastings (Sussex). XXe siècle. Britannique.
Peintre de miniatures.

BUTTERWORTH J.
XIXe siècle. Britannique.
Peintre de genre.
Il exposa à Londres, entre 1841 et 1854 à la British Institution et à Suffolk Street.
Il peignait des sujets de genre empruntées à l'histoire.

BUTTERY Edwin
XIXe-XXe siècles. Britannique.
Peintre de paysages animés.
VENTES PUBLIQUES : CHESTER, 29 oct. 1981 : *La cour de ferme* 1891, h/pan. (49,5x78) : **GBP 460** – LONDRES, 6 fév. 1985 : *Le petit pêcheur à la ligne,* h/t (42x61) : **GBP 800** – LONDRES, 18 oct. 1989 : *Paysages italiens animés avec du bétail sur les berges d'un fleuve* 1849, h/t, une paire (chaque 33,5x48,5) : **GBP 3 300** – NEW YORK,

17 jan. 1996 : *Sur le chemin des pâturages* 1871, h/pan. (24,1x38,1) : **USD 1 035.**

BUTTERY T. C.
XIXe siècle. Actif à Newington. Britannique.
Peintre de portraits.
Il exposa de 1825 à 1829 à la Royal Academy, à Londres.

BUTTET Jeanne de
Née en 1854. Morte en 1926. XIXe-XXe siècles. Française.
Peintre de genre.
Musées : CHAMBÉRY (Mus. des Beaux-Arts) : *Toilette du matin – Les Avares – Vieille femme au rouet – Jeune Bretonne – La Marchande de légumes – Jeune femme assise – La Liseuse – Jeune femme cousant.*

BUTTEUX. Voir aussi BUTEUX

BUTTEUX François Charles
Né vers 1732. Mort après 1788. XVIIIe siècle. Actif à Paris. Français.
Sculpteur sur bois.
Il avait le titre de « sculpteur des bâtiments du roi et de la chambre du comte d'Artois ». Il exécuta de nombreuses bordures pour les tableaux des collections royales et des portraits donnés par le roi. Il exécuta d'autre part, en 1770, le bas-relief représentant *L'Arche d'alliance* qui surmonte le portail de l'église Saint-Thomas d'Aquin, à Paris.

BUTTEUX Jean Charles
XVIIIe siècle. Français.
Sculpteur.
Il fut reçu à l'Académie de Saint-Luc le 24 janvier 1724.

BÜTTGEN
XIXe siècle. Actif à Kirchheim. Allemand.
Peintre de paysages.
Il exposa à Stuttgart en 1833 et 1836.

BUTTGEREIT Wilhelmine
Née en 1851 à Wilkehlen (Prusse orientale). XIXe siècle. Allemande.
Peintre de genre, portraits.
Elle exposa à Berlin en 1877 et 1891 et à Munich en 1900.

BUTTI Enrico
Né en 1847 à Viggiu (province de Côme). Mort en 1932. XIXe-XXe siècles. Travaillant à Milan. Italien.
Sculpteur de monuments, bustes.
Il fit ses études à Milan. Ses débuts furent difficiles et ce n'est qu'en 1874, avec son *Éléonore d'Este*, qu'il commença à se faire connaître. En 1879, il obtint le Prix du prince Humbert avec son monument à la famille Cavi-Bussi. Il obtint le Grand Prix à l'Exposition Universelle de 1889, à Paris.
Musées : FLORENCE (Gal. d'Art Mod.) : *Il colonello Sirtori.*
Ventes Publiques : MILAN, 16 déc. 1981 : *Enfant pleurant,* bronze (H. 98) : **ITL 3 000 000** – MILAN, 21 déc. 1993 : *Le général Sirtori,* bronze (H. 44) : **ITL 2 530 000.**

BUTTI Lorenzo
XIXe siècle. Travaillant à Trieste. Autrichien.
Peintre de marines.
Musées : TRIESTE (Mus. Rivoltella) : *La frégate « Venere » attaquée par un brûlot vénitien.*
Ventes Publiques : PARIS, 8 déc. 1987 : *Le ravitaillement du navire,* h/t (61x107) : **FRF 28 000** – PARIS, 12 juin 1988 : *Bataille Navale* 1841, h/t (46x75) : **FRF 28 000.**

BUTTI Paul
Né le 26 mars 1924 en Tunisie. XXe siècle. Français.
Peintre. Expressionniste-abstrait.
Il commença à étudier la peinture à l'âge de quinze ans à l'École des Beaux-Arts de Tunis. Au début de la guerre, il s'installe près d'Avignon avec ses parents, puis vient vivre en Espagne, à Madrid puis à Barcelone. De retour près d'Avignon, il rencontre Auguste Chabaud, Gontier et Albert Gleizes ; avec l'aide de ceux-ci il organise une exposition dans un village à l'occasion du 3e festival d'Avignon. Il figure au Salon d'Automne puis au Salon de Mai jusqu'en 1955. À partir de 1962 il s'installe définitivement à Paris, exposant au Salon des Réalités Nouvelles régulièrement depuis 1968. Il a figuré dans plusieurs expositions de groupe en province. Il a montré personnellement son travail à Paris en 1950 à la galerie Saint-Placide et à la Galerie de la rue Campagne-Première, et depuis 1987 environ à la galerie Jacques Barbier-Caroline Beltz.

Paul Butti crée une peinture qui s'inscrit dans la lignée expressionniste, aux touches larges et généreuses, laissant parfois apparaître une figure au centre de la toile ou ne donnant place qu'à la matière violemment exprimée.
Musées : ORNANS (Mus. Courbet).

BUTTI Stefano
XIXe siècle. Travaillant à Turin. Italien.
Sculpteur.

BUTTINONE Bernardino. Voir BUTINONE

BUTTLAR Augusta von, née Ernst
Née à Dresde. Morte en 1857 à Florence. XIXe siècle. Allemande.
Peintre de portraits, peintre de miniatures.

BÜTTLER. Voir BÜTLER Joseph Nikolaus

BUTTLER Caspar. Voir BEUTLER Caspar

BÜTTNER Georg Heinrich
Né en 1799 à Mitau (nom allemand de Ielgava, Lettonie). Mort en 1879 à Riga. XIXe siècle. Éc. balte.
Peintre de portraits.

BÜTTNER Hans ou G. H.
Né vers 1850 à Munich. XIXe-XXe siècles. Allemand.
Peintre de scènes de chasse, animalier.
Il a essentiellement peint des scènes de chasse et des chevaux.
Ventes Publiques : LONDRES, 11 juin 1909 : *Une partie de chasse au bord d'un gué* : **GBP 68** – LONDRES, 12 fév. 1910 : *Le Retour après un promenade à cheval : halte devant un cottage* : **GBP 22** – LONDRES, 10 juin 1910 : *La promenade du cheval du matin* : **GBP 10** – LONDRES, 11-14 nov. 1921 : *Le rendez-vous de chasse* : **GBP 12** – LONDRES, 12 mars 1923 : *Scène de chasse* : **GBP 23** – LONDRES, 5 déc. 1930 : *Chasse au faucon* : **GBP 10** – LONDRES, 17 avr. 1937 : *Chasseurs et meute* : **GBP 15** – LONDRES, 17 sep. 1943 : *Au revoir* : **GBP 26** – LONDRES, 6 mars 1963 : *Préparatifs pour la chasse ; Retour de la chasse,* deux pendants : **GBP 360** – BERNE, 28 avr. 1967 : *Cavaliers et amazones dans un paysage* : **CHF 6 500** – LUCERNE, 25 nov. 1972 : *Le départ pour la chasse* : **CHF 5 400** – NEW YORK, 28 mai 1981 : *Scène de chasse* 1890, h/pan. (43x55) : **USD 17 000** – LONDRES, 6 mai 1983 : *La halte à l'auberge* 1891, h/pan. (21x31) : **GBP 3 000** – LONDRES, 21 juin 1985 : *Le galant gentilhomme – Le repos des chasseurs,* deux h/pan. (15,5x24) : **GBP 6 200** – LONDRES, 6 mai 1987 : *Scène de chasse* 1882, h/pan. (16x25) : **GBP 6 000** – NEW YORK, 25 fév. 1988 : *La partie de chasse,* h/t (37,2x29,5) : **USD 12 100** – NEW YORK, 17 jan. 1990 : *Tentation dans un parc* 1875, h/t (75x61,6) : **USD 4 400** – AMSTERDAM, 11 juin 1995 : *Personnages élégants dans les bois* 1874, h/pan. (16x24,5) : **NLG 3 068.**

BÜTTNER Helene
Née en 1861 à Berlin, de parents hongrois. Morte après 1910. XIXe-XXe siècles. Vivait en Hongrie. Hongroise.
Peintre de genre, scènes de chasse, animaux.
Elle fut élève de l'Académie, puis de Meyerheim, à Berlin, de Weishaupt à Munich, de Courtois et Frémiet à Paris. Elle a exposé au Salon de la Nationale des Beaux-Arts de Paris à partir de 1902 et y figurait encore en 1910.
Ventes Publiques : VIENNE, 16 mars 1976 : *Scène de chasse* 1889, h/pan. (16x25) : **ATS 80 000** – VIENNE, 22 juin 1983 : *L'entretien galant* 1877, h/pan. (16x25) : **ATS 40 000.**

BUTTNER Jurrian
Né à Kiel. XVIIIe siècle. Travaillant à Amsterdam. Hollandais.
Peintre.

BÜTTNER Max
Né en 1855 à Waldenburg en Silésie. XIXe siècle. Vivait à Dresde. Allemand.
Peintre de genre, portraits.
Élève de l'Académie de Dresde et de Pauwels. Exposa à Dresde, à Berlin, à Hanovre, etc. On cite de lui : *Scène familiale de l'Allemagne du Moyen Age, Fleurs de mai, A l'église.*

BÜTTNER Werner
Né en 1954 à Iéna (Allemagne). XXe siècle. Allemand.
Peintre.
Il a exposé personnellement dans plusieurs galeries en Allemagne, aux États-Unis et en Espagne.
Il a été influencé par l'œuvre de Jorg Immendorf, son compatriote. Il apparaît à travers ses peintures aux couleurs sombres et aux compositions synthétiques comme désireux d'utiliser les moyens classiques pour exprimer des idées nouvelles.

Bibliogr. : In : Catalogue de la *Nouvelle Biennale de Paris*, 1985, Electa-Le Moniteur, pp 282-283.
Ventes Publiques : New York, 7 mai 1991 : *Travail à Abu Dhabi* 1983, h/t (190,2x150,2) : **USD 7 150** – New York, 5 mai 1994 : *La mort de Shehu* 1984, h/t (189,9x240) : **USD 5 750** – Amsterdam, 7 déc. 1994 : *Bongo, le favori du Kaiser* 1984, h/t (190x150) : **NLG 8 050.**

BUTTOLPH Susy
Née à Marietta (Géorgie). xixᵉ siècle. Américaine.
Sculpteur.
Élève de Marcilly. Elle a exposé un buste au Salon des Artistes Français en 1912.

BUTTON Albert Prentice
Né en 1872 à Lowell (Massachusetts). xixᵉ-xxᵉ siècles. Américain.
Peintre, aquarelliste, illustrateur.
Élève des Écoles d'art de Boston, et membre du New York Water-Colours Club.

BUTTON Maud Ireland, Miss
Née au xixᵉ siècle à Uxbridge. xixᵉ siècle. Britannique.
Peintre.
Peignant surtout des marines, des intérieurs d'église et des fleurs, elle exposait au Salon de la Société Nationale des Beaux-Arts, 1912-1914.

BUTTRE John Chester
Né en 1821 à Auburn (New York). Mort en 1893 à Ridgewood (New Jersey). xixᵉ siècle. Américain.
Graveur.

BUTTS John
Né à Cork (Irlande). Mort en 1764, jeune. xviiiᵉ siècle. Vivant à Dublin. Irlandais.
Peintre de paysages, décors de théâtre.
Il s'inspira pour ses paysages de la manière de Claude Lorrain.
Ventes Publiques : New York, 8 oct. 1993 : *Paysage classique avec des figures près d'une forteresse*, h/t (89,5x125,7) : **USD 14 950.**

BUTTURA Antoine Eugène Ernest
Né le 29 novembre 1841 à Paris. Mort en 1920. xixᵉ-xxᵉ siècles. Français.
Peintre de paysages, architectures.
Il est le fils du docteur Antoine Buttura, médecin de la famille du roi Louis-Philippe et qui fut nommé maire de Cannes à l'époque de la Commune. Il fut élève de Biennourry et de Barrias. Il entra à l'École des Beaux-Arts de Paris le 4 mai 1861. Il débuta au Salon de Paris en 1863.
Il s'est consacré exclusivement à la peinture de paysages et de monuments des sites du Midi, d'Italie et d'Orient.
Ventes Publiques : Paris, 6 avr. 1993 : *Le pêcheur au bord de la rivière*, h/t (100x80) : **FRF 11 000.**

BUTTURA Eugène Ferdinand
Né le 12 février 1812 à Paris. Mort le 28 mars 1852 à Paris. xixᵉ siècle. Français.
Peintre d'histoire, compositions religieuses, compositions mythologiques, paysages, aquarelliste.
Élève de Bertin, Rémond, Delaroche, il obtint un troisième prix au concours pour Rome en 1833, avec *Ulysse et Nausicaa* et le Prix de Rome en 1837, avec *Apollon, berger, invente la lyre à sept cordes*. Il exposa au Salon de Paris, de 1835 à sa mort, obtenant une médaille en 1843 et 1848. Son séjour à Rome, entre 1838 et 1842, lui permit d'aborder les maîtres italiens des musées. Mort très jeune, il n'eut pas le temps de donner toute sa mesure.
Parmi ses œuvres, on peut citer : *Cascade du bout du monde* 1836 ; *Vue de Malasine sur le lac de Garde* 1837 ; *La villa Mécène et la campagne de Rome* 1845 ; *Ulysse dans l'île des Phocéens* 1847 ; *Daphnis et Chloé* 1848 ; *Cannes* 1849 ; *Saint Jérôme* 1851. Ses toiles montrent des compositions claires, où les architectures ordonnent les paysages qui restent italianisants, même si ce sont des paysages français.
Bibliogr. : Gérald Schurr : *Les Petits Maîtres de la peinture, 1820-1920, valeur de demain*, Les Éditions de l'Amateur, t. IV, Paris, 1979 – Patricia Gaudissart : *La Vie et l'œuvre d'Eugène Ferdinand Buttura, 1812-1852, peintre paysagiste*, Mémoire de Maîtrise d'Histoire de l'art à l'Université de Clermont II, 1990.
Musées : Carcassonne : *Ulysse dans l'Ile des Phéniciens* – Montpellier : *Paysage italien.*
Ventes Publiques : Paris, 1859 : *Vue à Tivoli* : **FRF 1 005** – Paris,

1898 : *Paysage* : **FRF 160** – Paris, 13 avr. 1942 : *Vue de Florence*, aquar. : **FRF 300** – Paris, 13 juin 1983 : *Paysage d'Italie* 1849, h/t (25,5x35,5) : **FRF 23 500** – Paris, 4 mars 1992 : *Baigneuse* 1848, h/t (43x54) : **FRF 8 000** – Paris, 30 mars 1992 : *La rivière à Cetesa (Le Tibre ?)* 1841, cr. noir et aquar. (24x45) : **FRF 16 000** ; *Ulysse et Nausicaa* 1833, h/t (112x145) : **FRF 60 000.**

BUTY Louis de
Né à Paris. xxᵉ siècle. Français.
Peintre de paysages, dessinateur.
Il a exposé à Paris, au Salon des Artistes Indépendants. On lui doit des huiles et fusains rehaussés.

BUUREN H. L. Van
Mort le 21 mars 1840. xixᵉ siècle. Hollandais.
Peintre de paysages animés, peintre de cartons de tapisseries.
Il fut, en 1794, compagnon et directeur du Collège de peintres d'Utrecht.

BUVAT Alexandre
xviiiᵉ siècle. Français.
Peintre.
Il fut reçu à l'Académie de Saint-Luc en 1762.

BUVELOT Abraham Louis
Né le 3 mars 1814 à Morges. Mort le 30 mai 1888 à Melbourne (Australie). xixᵉ siècle. Actif aussi au Brésil et en Australie. Suisse.
Peintre de paysages, aquarelliste, dessinateur.
Ce peintre reçut des leçons de dessin chez Arlaud, à Lausanne, et en 1840 il partit pour le Brésil, où il se maria et travailla pendant près de quinze ans. De retour en Suisse, il résida quelques années, tantôt à Lausanne, tantôt à La Chaux-de-Fonds, où il fut professeur de dessin. Vers 1864, il retourna au Brésil, puis se rendit en Australie ; il s'y acquit une réputation considérable comme peintre de paysages australiens. Buvelot peignit aussi des vues du Jura et des Alpes.
Musées : Melbourne : *Torrent à Coleraine* – *Soir d'été, près de Templetown* – *Matin d'hiver, près de Heidelberg* – *Scène à Victoria* – *Vue australienne, Yarra Flats* – *Entre Tallarook et Yea.*
Ventes Publiques : Londres, 2 juil. 1968 : *Paysage aux environs de Melbourne* : **GNS 1 400** – Sydney, 4 oct. 1977 : *Paysage boisé* 1872, aquar. (27x44) : **AUD 4 500** – Munich, 29 mai 1980 : *Le château de Chillon sur le lac de Genève* 1854, aquar. (22x31) : **DEM 900** – São Paolo, 3 déc. 1981 : *Paysage de Rio de Janeiro*, h/t (32, 3x45,5) : **BRL 2 000 000** – Armadale (Australie), 12 avr. 1984 : *Paysage à la chaumière* 1878, aquar. (20x28) : **AUD 5 000** – Londres, 29 nov. 1984 : *At Blackwood* 1879, h/t (45,7x69) : **GBP 46 000** – Londres, 16 nov. 1985 : *Un gaucho assis*, aquar. (21x28) : **GBP 1 700** – Melbourne, 30 juil. 1986 : *Near Castlemaine* 1876, h/pan. (21,4x32) : **AUD 31 000** – La Varenne-Saint-Hilaire, 21 mai 1989 : *La maison en montagne* 1846, aquar. (20x25,5) : **FRF 4 000** – Sydney, 2 juil. 1990 : *Cour de ferme*, h/pan. (30x20) : **AUD 3 200** – Hobart, 26 août 1996 : *Ferme* 1871, aquar. sépia (16,3x24) : **AUD 4 600.**

BUVESI Corrado
xvᵉ siècle. Français.
Peintre de compositions religieuses, fresquiste.
Il fut élève de Miralheti et il exécuta les fresques de la chapelle des Pénitents blancs à Torre, près de Nice, en 1481.

BUVINA Andrija
xiiiᵉ siècle. Actif au début du xiiiᵉ siècle. Croate.
Sculpteur de sujets religieux.
On lui doit les premières sculptures romanes sur la côte dalmate. On n'a conservé de lui que la porte de bois de la cathédrale de Split, sculptée en 1214. Les scènes de la vie et de la Passion du Christ sont représentées avec naïveté, en vingt-huit compartiments, richement encadrés de motifs de feuillages avec des têtes de chiens ou des êtres fantastiques.

BUXIN Stephan
Né en 1909 à Liège. xxᵉ siècle. Depuis 1929 actif et depuis 1947 naturalisé en France. Belge.
Sculpteur de figures et de monuments.
Il fit ses études à l'Académie de Liège où il reçut l'enseignement de Georges Petit. Il vint à Paris à l'âge de vingt ans où il se fixa définitivement, se faisant naturaliser en 1947. Il profita également des conseils des sculpteurs Despiau et Wlerick.
On a vu de cet artiste : *Jeannette* au Salon des Tuileries en 1943, et un buste au Salon d'Automne de 1945.

À ses débuts il pratique surtout la taille directe dans la pierre et le marbre. Il a exécuté plusieurs commandes publiques parmi lesquelles : une fontaine de marbre et le tympan du Temple protestant de Meudon, une grande figure d'athlète en pierre au stade de Ville-d'Avray et un sarcophage formé de quatre bas-reliefs illustrant le psaume 23 comportant cinquante personnages.

BUXO Esteban
Né à Barcelone. XIXᵉ siècle. Espagnol.
Graveur sur acier.
Élève de l'École des Beaux-Arts à Barcelone, puis de l'Académie de San Fernando, à Madrid. Il figura à partir de 1860 aux Expositions de Madrid. Plus tard il vint se fixer à Paris.

BUXO Ramon
XIXᵉ siècle. Espagnol.
Peintre de paysages.
Il exposa en 1878, à Gérone, cinq paysages.

BUXTON A. J.
XIXᵉ siècle. Britannique.
Peintre de figures.
Il exposa à Suffolk Street, à Londres, de 1827 à 1844.

BUXTON Alfred
Né le 25 août 1883 à Londres. XXᵉ siècle. Britannique.
Sculpteur et ciseleur.
Il fut élève de l'Académie Royale de Londres. Il reçut une mention honorable au Salon des Artistes Français en 1914. Il a exposé à la Royal Academy de Londres.

BUXTON Catherine E.
Britannique.
Peintre de fleurs.
Elle est représentée au Musée de Norwich par une œuvre : *Bleuets*.

BUXTON Robert Hugh
Né le 1ᵉʳ juillet 1871 à Harrow (Middlesex). XXᵉ siècle. Britannique.
Peintre de sujets de sport, paysages, aquarelliste, graveur.
Il exposa à Londres, à la Royal Academy et au Royal Institute.
Il a peint essentiellement des sujets sportifs et des paysages. Il a réalisé de nombreuses gravures sur bois appréciées.

RH Buxton

VENTES PUBLIQUES : NEW YORK, 10 juil. 1983 : *Scène de chasse*, aquar. (33x45) : **USD 800.**

BUXTON William Graham
XIXᵉ siècle. Britannique.
Peintre de paysages.
Il exposa de 1885 à 1892 à la Royal Academy, à Suffolk Street, etc., à Londres.

BUXTON-KNIGHT J. W. Voir KNIGHT John W. Buxton

BUYANS Pierre
XVIᵉ siècle. Actif à Lyon en 1533. Français.
Maître peintre et tailleur d'images.
Occupé aux travaux de décoration à l'occasion de l'entrée à Lyon de la reine Éléonore d'Autriche, femme de François Iᵉʳ, le 3 mai 1533.

BUYCK Hendrik
XVᵉ siècle. Actif à Anvers. Éc. flamande.
Peintre.

BUYKO Boleslas
Né au XIXᵉ siècle à Vilna. XIXᵉ-XXᵉ siècles. Polonais.
Peintre.
On a vu de ses paysages au Salon d'Automne jusqu'en 1922.

BUYLE Robert
Né le 26 août 1895 à Saint-Nicolas (Flandre-Orientale). Mort en 1976 à Furnes. XXᵉ siècle. Belge.
Peintre de nus, figures, paysages, intérieurs, natures mortes. Expressionniste.
Il fut élève de l'Académie de Bruxelles. Il a exposé à Paris à partir de 1924, aux Salons d'Automne et des Artistes Indépendants.

Buyle

BIBLIOGR. : In : *Diction. Biogr. Ill. des Artistes en Belgique depuis 1830*, Arto, Bruxelles, 1987.

MUSÉES : LA HAYE (Mus. Kroller) – NAMUR .
VENTES PUBLIQUES : ANVERS, 17 oct. 1978 : *Femme au manteau sombre*, h/t (80x61) : **BEF 45 000** – LOKEREN, 26 fév. 1983 : *Le joueur de flûte* vers 1945, h/t (30x45) : **BEF 44 000** – LOKEREN, 28 mai 1994 : *Moissonneurs* 1970, h/t (75x103) : **BEF 80 000** – LOKEREN, 10 déc. 1994 : *Le quai*, h/t (78x102) : **BEF 120 000** – LOKEREN, 11 mars 1995 : *Ciel noir* 1936, h/t (91x117,5) : **BEF 120 000** – LOKEREN, 7 oct. 1995 : *Bouquet* 1970, h/t (100x76) : **BEF 55 000** – LOKEREN, 18 mai 1996 : *Bouquet* 1970, h/t (100x76) : **BEF 55 000.**

BUYONG Dzulkifki
Né en 1948. XXᵉ siècle. Indonésien.
Peintre de genre, figures, portraits, pastelliste.
Considéré comme un enfant prodige, il fut découvert et éduqué par Patrick Ng Kah Onn. Il fut membre de *Wednesday Art Group*, association d'artistes d'avant-garde des années 1960.
Bien qu'utilisant occasionnellement l'huile, son médium de prédilection est le pastel. Ses portraits d'enfants jouant réalisés entre 1962 et 1968 sont considérés comme un apport unique à l'art moderne en Malaisie.
VENTES PUBLIQUES : SINGAPOUR, 5 oct. 1996 : *Préparation du curry* 1966, past./pap. (63,5x54,5) : **SGD 21 850.**

BUYRETTE Charles
XVIIᵉ siècle. Actif à Paris en 1649. Français.
Graveur.
On cite de lui : *Plan et vues du Capitole*, dix pièces.

BUYS Cornelis ou Cornelius
Né en 1745 à Amsterdam. Mort en 1826 à Amsterdam. XVIIIᵉ-XIXᵉ siècles. Hollandais.
Aquarelliste, dessinateur.
Élève de son père Jacob Buys, il dessina des vues de villes d'après J. Van der Heyden, et d'autres maîtres.
VENTES PUBLIQUES : LONDRES, 10 avr. 1985 : *Het huis Nieuwe Roode, bij Breukelen* 1773, aquar. (25,4x20,4) : **GBP 950.**

BUYS Cornelis I
Né à Alkmaar. Mort avant 1524 à Alkmaar. XVIᵉ siècle. Éc. hollandaise.
Peintre de compositions religieuses.
Il était frère du peintre Jacob Cornelisz Van Oostzanen.
MUSÉES : MIDDELBURG : *Salomon sacrifiant aux idoles.*

BUYS Cornelis II
Né avant 1524 à Alkmaar. Mort en 1546 à Alkmaar. XVIᵉ siècle. Éc. hollandaise.
Peintre de compositions religieuses.
Il est le fils de Cornelys Buys I. Il était à Alkmaar en 1541.

MUSÉES : AMSTERDAM : *La rencontre d'Eliezer et de Rebecca.*
VENTES PUBLIQUES : LONDRES, 30 nov. 1966 : *Isaac et Rebecca* : **GBP 2 000** – LONDRES, 9 déc. 1981 : *Une châsse avec la Cène*, h/pan. (82,5x65,5) : **GBP 20 000** – LONDRES, 15 avr. 1992 : *Jacob et Rachel près d'un puits*, h/pan. (66,5x110,8) : **GBP 18 000.**

BUYS Cornelis III
Mort entre 1576 et 1582 à Alkmaar. XVIᵉ siècle. Éc. hollandaise.
Peintre.
Il est probablement le fils de Cornelis II.

BUYS Cornelis Bernudes
Né le 25 mars 1808 à Groningen. Mort en 1872. XIXᵉ siècle. Hollandais.
Peintre de portraits, fleurs.
Il eut pour maîtres son oncle Eelke Jelles Eelkama, Otto de Boer, W.-B. Van der Kovi. Il étudia à Amsterdam en 1828 et 1829. Il revint plus tard se fixer à Groningen.
VENTES PUBLIQUES : AMSTERDAM, 14-15 avr. 1992 : *Étudiants dans un pub*, h/t (33x42,5) : **NLG 5 750.**

BUYS Gysbert Cornelisz
XVIᵉ siècle. Actif à Alkmaar. Éc. hollandaise.
Peintre.

BUYS Jacobus
Baptisé à Amsterdam le 19 novembre 1724. Mort le 7 avril 1801. XVIIIᵉ siècle. Hollandais.
Peintre d'histoire, genre, portraits, paysages, aquarelliste, décorateur de théâtre, graveur, dessinateur, illustrateur.
Il fut élève de Cornelis Pronck et Cornelis Troost, peignit des

portraits, des tableaux historiques, des décorations de théâtre, des vignettes de livres et imita les grisailles de Jakob de Wit.

Musées : AMSTERDAM : *Johannes Monnikof, médecin d'Amsterdam* – *Cornelis Ploos Van Amstel*.
Ventes Publiques : PARIS, 1776 : *Scène domestique pendant la nuit*, dess. colorié : **FRF 150** – PARIS, 1886 : *Le Sacrifice d'Iphigénie*, dess. à la pl. et lav. d'encre de Chine : **FRF 70** – PARIS, 1898 : *Le Sacrifice*, dess. à la pl. : **FRF 85** – PARIS, 6 et 7 juin 1910 : *Conversation galante ; Le Marchand de lunettes*, deux aquar. : **FRF 600** – PARIS, 21 et 22 fév. 1919 : *Un Enlèvement* : **FRF 82** – PARIS, 4-6 déc. 1919 : *L'Entretien sur le seuil ; Le Marchand de bésicles*, deux aquar. : **FRF 1 305** – LONDRES, 3 mars 1922 : *Le retour à la maison* 1761 : **GBP 15** – PARIS, 28 mai 1932 : *Le vieillard amoureux*, attr. : **FRF 350** – NEWCASTLE (Angleterre), 16 et 17 juil. 1934 : *Elisabeth Troost* : **GBP 10** – PARIS, 4 et 5 nov. 1937 : *Bords de rivière*, deux aquar. : **FRF 330** – PARIS, 18 juin 1951 : *La rencontre dans un parc*, aquar. : **FRF 36 100** – LONDRES, 23 juin 1970 : *Les douze mois de l'année*, douze aquar. : **GNS 2 400** – AMSTERDAM, 26 nov. 1984 : *Les quatre saisons* 1770, suite de quatre aquar. (21x15) : **NLG 8 000** – PARIS, 18 mars 1987 : *Scène de genre*, pl. et lav. (23,2x19,4) : **FRF 6 000** – PARIS, 22 jan. 1988 : *Scènes familières*, 2 dess. à la pl. et lav. d'encre de Chine (13x9) : **FRF 3 200** – LONDRES, 5 juil. 1996 : *La déclaration ; Le refus* 1771-72, h/pan., une aquar. (chaque 57,5x44,4) : **GBP 22 000**.

BUYS Jacques
XVIIe siècle. Actif à Lyon.
Graveur au burin.
On cite de lui des portraits.

BUYS Jan Batist ou Bouys, Buis
XVIIe siècle. Actif à Anvers. Éc. flamande.
Sculpteur sur bois.

BUYS Jean de. Voir BUC Jean de

BUYS Paulus Paulusz
Né vers 1590 à Amsterdam. XVIIe siècle. Éc. hollandaise.
Peintre.
Il se maria dans sa ville natale en 1625.

BUYS ROESSINGH Henry de. Voir ROESSINGH Henry de Buys

BUYSEN Andries Van
XVIIIe siècle. Actif à Amsterdam entre 1707 et 1745. Hollandais.
Graveur.

BUYSEN Andries Van
XVIIIe siècle. Hollandais.
Graveur.
Il est le fils du précédent.

BUYSEN J. Van
XVIIIe siècle. Actif dans la première moitié du XVIIIe siècle. Hollandais.
Graveur.
Kramm le croit fils d'Andries Van Buysen.

BUYSEN P. Van
XVIIIe siècle. Hollandais.
Graveur.
Vraisemblablement frère d'Andries Van Buysen. Il a gravé plusieurs planches dans une suite parue à Amsterdam en 1716.

BUYSERE Léo de
Né en 1940 à Bruges. XXe siècle. Belge.
Sculpteur.
Il fut élève de l'académie Saint-Luc à Gand. Il représente la femme, dans une œuvre pleine de discrétion.
Bibliogr. : In : *Dict. biogr. des artistes en Belgique depuis 1830*, Arto, Bruxelles, 1987.

BUYSKES Johanna Helena
Née le 29 mars 1840 à Leyde. Morte le 6 janvier 1869 à La Haye. XIXe siècle. Hollandaise.
Peintre de fleurs.
Elle fut élève de Gerardina Jacoba Van den Sande-Bakhuyzen.

BUYSSE Georges Léon Ernest
Né le 2 février 1864 à Gand. Mort le 27 février 1916 à Gand.
XIXe-XXe siècles. Belge.

Peintre de paysages. Postimpressionniste.
Il fut élève de Émile Claus et Louis Tytgat à l'Académie de Gand jusqu'en 1883. Il exposa à Paris, au Champ-de-Mars à partir de 1894, et fut sociétaire de la Société Nationale des Beaux-Arts depuis 1901. Il a exposé à Paris, Londres, Berlin. Une rétrospective de ses œuvres s'est tenue à Leiestreek au Musée Van Deinze en 1984.
Les titres de ses peintures indiquent une particulière sensibilité postimpressionniste aux variations de la lumière sur le motif : *Soleil de mars* 1895, ainsi que *Temps gris en juillet, Dégel*.
Bibliogr. : In : *Diction. Biogr. Ill. des Artistes en Belgique depuis 1830*, Arto, Bruxelles, 1987.
Musées : ANVERS : *Neige* 1904 – BARCELONE : *Matin de septembre* 1904 – BRUXELLES : *Lever de lune* 1900 – GAND : *L'église de Wondelghem sous la neige* 1901.
Ventes Publiques : ANVERS, 10 oct. 1972 : *Sur le canal* : **BEF 58 000** – ANVERS, 29 avr. 1981 : *Péniches sur la rivière*, h/t (132x165) : **BEF 200 000** – BRUXELLES, 16 déc. 1982 : *Paysage fluvial* 1903, h/t (53x72) : **BEF 120 000** – ANVERS, 3 avr. 1984 : *La traversée de la rivière*, h/t (32x40) : **BEF 46 000** – LOKEREN, 18 oct. 1986 : *Bord de rivière au coucher du soleil*, h/pan. (26,7x36) : **BEF 65 000** – LOKEREN, 28 mai 1988 : *Le chemin du moulin*, h/t (30x39) : **BEF 50 000** – PARIS, 30 juin 1989 : *L'heure des Vêpres*, h/t (54x73,5) : **FRF 44 000** – AMSTERDAM, 25 avr. 1990 : *Meules de foin*, past. (22x30) : **NLG 1 955** – VERSAILLES, 8 juil. 1990 : *Gand - l'heure des vêpres*, h/t (54x75) : **FRF 13 500** – LOKEREN, 12 mars 1994 : *Hiver*, h/t (73x58) : **BEF 110 000**.

BUYST Christian de
Né en 1938 à Bruxelles. XXe siècle. Belge.
Peintre.
Il fut élève de l'Académie Saint-Luc à Bruxelles où il eut Gaston Bertrand pour professeur. Il obtint une mention au concours Hélène Jacquet en 1959 et une autre au concours Talens en 1960. Il a exposé à Bruxelles en 1963.

BUYST Eduard ou Buis, Bust
Mort en 1564. XVIe siècle. Éc. flamande.
Peintre.
Il faisait partie, en 1523, de la gilde d'Anvers.

BUYST Jean
XVIe siècle. Éc. flamande.
Peintre.
Cité en 1524.

BUYSTER Philippe de
Né en 1595 à Anvers. Mort le 15 mai 1688 à Paris. XVIIe siècle.
Éc. flamande.
Sculpteur.
Il fut élève, à Anvers, de Gilles Van Papenhoven. Il vint encore jeune se fixer à Paris où il obtint en 1632 le titre de sculpteur ordinaire du roi et un logement aux Tuileries. Il fut élu membre de l'Académie en 1651. On cite parmi ses œuvres : le mausolée du cardinal de La Rochefoucauld qu'il exécuta pour une chapelle de l'église Sainte-Geneviève, la statue mortuaire de l'évêque de Rueil (cathédrale d'Angers), la statue de Marguerite de Crève-cœur, érigée dans l'église Saint-Germain-l'Auxerrois et actuellement au Louvre, le buste du cardinal de La Rochefoucauld et celui de l'évêque de Bellay, Le Camus. On doit, d'autre part, à Buyster une série de figures pour le château et le parc de Versailles : *Neptune, Cérès, Bacchus, Momus, Flore, Le Poème satirique*, etc.
Ventes Publiques : PARIS, 24 oct. 1968 : *Enfant nu, debout présentant un livre ouvert*, marbre : **FRF 10 000**.

BUYSTER Pierre
D'origine flamande. XVIIe siècle. Travaillant à Versailles en 1671. Éc. flamande.
Sculpteur.

BUYTEN Martin Van
Originaire des Pays-Bas. XVIe-XVIIe siècles. Éc. hollandaise.
Graveur.

BUYTENDYCK Meyndert A.
Né vers 1613. XVIIe siècle. Vivant à Amsterdam. Éc. hollandaise.
Peintre de batailles.

BUYTENHEM Willem Jansz ou Buytenheym
Mort en 1666. XVIIe siècle. Éc. hollandaise.
Peintre.

BUYTEWECH Willem Pietersz
Né en 1592 à Rotterdam. Mort vers 1626. XVIIe siècle. Éc. hollandaise.

Peintre de genre, intérieurs, graveur.

Fils de P.-J. Buytewech, il était à Haarlem en 1623, à Rotterdam en 1625. Houbraken croit qu'il fut élève de Martensz Zorgh (Dr von Wurtzbach).

Il peignit des paysages, des scènes bibliques, des marchés, etc. Ses œuvres sont très rares et elles sont généralement attribuées à Derk Halo (ainsi *Deux cavaliers et une dame à table* au musée de Hambourg) ou à d'autres peintres comme Willem Benimets qui ont le même monogramme.

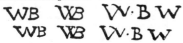

VENTES PUBLIQUES : VIENNE, 1823 : *La Faiseuse de kouks*, pl., lav. d'encre de Chine : **FRF 6** ; *Le Moulin*, pl., lav. d'encre de Chine : **FRF 4** – LONDRES, 9 juil. 1937 : *Le Tueur de rats ambulant* : **GBP 77** – LONDRES, 14 juil. 1939 : *Scène d'intérieur* : **GBP 40** – PARIS, 7 juin 1955 : *L'Exterminateur de rats* : **FRF 225 000** – LONDRES, 4 avr. 1962 : *Compagnie élégante festoyant* : **GBP 1 200** – LONDRES, 2 avr. 1976 : *Joyeuse compagnie dans un intérieur*, h/pan. (42x66) : **GBP 4 800** – LONDRES, 9 avr. 1981 : *Chevalier debout*, pl. et lav. de traces de craie (17x7,9) : **GBP 8 000** – LONDRES, 13 déc. 1996 : *Élégante société dinant et jouant de la musique dans un jardin près d'une fontaine*, h/t (99,7x161) : **GBP 27 600**.

BUYTEWECH Willem Willemsz
Baptisé en 1625. Mort en 1670. XVIIᵉ siècle. Éc. hollandaise.
Peintre animalier.
Fils de Willem Pietersz Buytewech.

BUZ Martin
XVᵉ siècle. Actif à Ul et à Zurich au XVᵉ siècle. Suisse.
Peintre.
Reçu bourgeois de Zurich en 1414, et cité dans l'ouvrage du Dr Carl Brun.

BUZACI Tommaso. Voir **BIAZACI**

BUZARDO Niccolino. Voir **BOCIARDO**

BUZEN
Né en 1735 ou 1737. Mort en 1810 ou 1812. XVIIIᵉ-XIXᵉ siècles.
Vivait à Osaka. Japonais.
Peintre et graveur.

BUZIEL Jacques
XVᵉ siècle. Actif à Valenciennes. Français.
Sculpteur.

BUZIO. Voir **BUZZI Ippolito**

BUZON Camille Albert
Né au XIXᵉ siècle à Bordeaux. XIXᵉ siècle. Vivait à Bordeaux. Français.
Peintre.
Élève de Gabriel Ferrier. Il a exposé des portraits et des paysages au Salon des Artistes Français dont il était sociétaire.

BUZON Fernand
Né à Paris. XIXᵉ-XXᵉ siècles. Français.
Sculpteur de bustes, figures, bas-reliefs, médailleur.
Il exposa à Paris, au Salon de la Société Nationale des Beaux-Arts à partir de 1910.

BUZON Frédéric Marius de
Né le 18 septembre 1879 à Bayon (Gironde). Mort le 26 novembre 1958 à Alger. XXᵉ siècle. Actif en Algérie. Français.
Peintre de portraits, nus, paysages, scènes typiques.
Il fut élève d'Albert Maignan et de Fernand Cormon. Pensionnaire à la Villa Abd-El-Tif à Alger, juste après ses études, il retourna définitivement en Algérie, après la guerre de 1914-1918. Exposant à Paris, sociétaire du Salon des Artistes Français, il reçut une médaille d'or en 1922 et une médaille d'argent en 1937 à l'Exposition Internationale. Il exposait aussi aux Salons des Artistes Indépendants, d'Automne, des Tuileries. Il était chevalier de la Légion d'honneur.
Il cerne ses volumes, mis en valeur par les contrastes d'ombre et de lumière, d'une manière qui les rend schématiques.
BIBLIOGR. : Gérald Schurr : *Les Petits Maîtres de la peinture, 1820-1920, valeur de demain*, Les Éditions de l'Amateur, t. V, Paris, 1981.

MUSÉES : BAYONNE – BORDEAUX – PAU .

VENTES PUBLIQUES : PARIS, 18 fév. 1980 : *Trois Algériennes* 1927, h/t (198x129) : **FRF 25 000** – PARIS, 13 déc. 1985 : *Jour de fête à Ghardaïa*, h/t (74x92) : **FRF 8 000** – PARIS, 6 avr. 1990 : *Rabat* ; *Salé* 1920, h/t, une paire (chaque 30x36) : **FRF 19 000** – PARIS, 27 avr. 1990 : *Idylle au printemps algérien* 1924, h/t (130x160,5) : **FRF 190 000** – PARIS, 22 juin 1992 : *Ouled Naïl, Ghardaïa*, h/t (65x54) : **FRF 10 000** – PARIS, 11 déc. 1995 : *Les Oudayas au crépuscule à Rabat* 1927, h/pan. (46,5x54,2) : **FRF 35 000**.

BUZONNIÈRE Louis Michel Gaston Nouel de
Né à Orléans (Loiret). XIXᵉ siècle. Français.
Sculpteur.
Travaillant dans sa ville natale, il exposa divers groupes et figures d'animaux aux Salons de 1866 à 1889.

BUZZARD Thomas
XIXᵉ siècle. Britannique.
Graveur.
Il exposa à Londres de 1866 à 1881.

BUZZATI Dino
Né en 1906. Mort en 1972. XXᵉ siècle. Italien.
Peintre, dessinateur, illustrateur.
L'auteur du très grand roman *Le Désert des Tartares* et des recueils de nouvelles *L'Écroulement de la baliverne* – *Le K.*, manifeste dans ses peintures un talent très original. Ses œuvres, fréquemment inspirées par des thèmes qui lui sont chers, tels que le fantastique, l'humour noir ou rose, l'érotisme, nous plongent dans un monde à mi-chemin entre le rêve et l'insolite quotidien. En 1967, trente-six de ses peintures et dessins ont été présentés dans une galerie parisienne. En 1990 ses peintures et dessins ont fait l'objet d'une exposition à la Monnaie de Paris.
Mentionnons parmi ses œuvres les plus significatives : *Le Dôme de Milan* – *La Fin du monde* – *Les Agrandissements* – *La jeune fille qui tombe, tombe* (commentaire de l'une de ses nouvelles) – *Le Vampire* – *B. B.* (détail) – *Les Amis de Minuit*. Il a également illustré le conte pour enfants qu'il avait écrit : *L'Invasion des ours en Sicile*. ■ P.-A. T.

VENTES PUBLIQUES : MILAN, 8 juin 1976 : *Étude pour une fresque* 1969, h/cart. (36,5x51) : **ITL 550 000** – ROME, 19 mai 1977 : *La servante gigantesque* 1968, h/isor. (71x50) : **ITL 650 000** – MILAN, 24 juin 1980 : *Imbandigione dell'asparago gigante.*. 1957, h/cart. (25x70) : **ITL 1 500 000** – MILAN, 8 juin 1982 : *La vampira* 1965, temp. (72x102) : **ITL 900 000** ; *Quatre faces* 1967, h/t (100x70) : **ITL 900 000** – MILAN, 14 juin 1983 : *Détail de B. B.* (bouche de Brigitte Bardot) 1967, h/t (29,5x60) : **ITL 1 200 000** – MILAN, 19 déc. 1985 : *Quatre faces* 1967, h/t (100x70) : **ITL 1 300 000**.

BUZZI Achille
XIXᵉ siècle. Italien.
Peintre de genre, scènes animées, peintre à la gouache, aquarelliste.
VENTES PUBLIQUES : NEW YORK, 24 mai 1985 : *Le marchand de tapis*, aquar. et gche (54,5x75,5) : **USD 3 200** – NEW YORK, 26 mai 1992 : *Le salut*, h/pan. (35,5x28,5) : **USD 1 320** – NEW YORK, 28 mai 1993 : *La cueillette du raisin*, aquar./pap. (50,8x33,6) : **USD 1 265** – LONDRES, 18 mars 1994 : *Les charpentiers arabes*, cr. et aquar./pap./cart. (50,7x35,6) : **GBP 3 220**.

BUZZI Carlo
XVIᵉ-XVIIᵉ siècles. Italien.
Peintre et architecte.

BUZZI Elia Vincenzo
XVIIIᵉ siècle. Italien.
Sculpteur.
Il travaillait entre 1738 et 1772 au Dôme de Milan et en 1772 à la cathédrale de Pavie.

BUZZI Federigo
XIXᵉ-XXᵉ siècles. Italien.
Peintre de genre.
Le Musée antique et moderne de Florence conserve de lui : *La Leçon de lecture*.

F-Buzzi

BUZZI Giuseppe
XVIIIᵉ-XIXᵉ siècles. Italien.
Sculpteur.
Il travaillait entre 1791 et 1835 au Dôme de Milan.

BUZZI Ippolito ou **Buzio**
Originaire de Viggiù (Lombardie). Mort en 1634 à Rome. XVIIᵉ siècle. Italien.
Sculpteur de sujets religieux.
Il a travaillé pour un certain nombre d'églises de Rome.

BUZZI Tomaso
Né en 1900 à Sondrio (Lombardie). XXᵉ siècle. Italien.
Architecte et décorateur.
Professeur d'architecture et d'art décoratif à l'École polytechnique de Milan. On a vu de cet artiste des dentelles, un milieu de table, à l'Exposition de l'Art Italien à Paris en 1935.

BUZZI-DONELLI Giovanni Battista
XIXᵉ siècle. Italien.
Sculpteur de sujets religieux, statues.
Il est l'auteur d'un certain nombre des statues du Dôme de Milan, qu'il a exécutées entre 1808 et 1821.

BUZZI-LEONE Giacomo
Originaire de Viggiù. Mort en 1858 à Milan. XIXᵉ siècle. Italien.
Sculpteur.

BUZZI-LEONE Luigi
Né à Milan. XIXᵉ siècle. Italien.
Sculpteur.

BYARD Dorothy, Mrs **John**
Née à Germantown (Pennsylvanie). XXᵉ siècle. Américaine.
Peintre.
Élève de l'Académie Julian. Cette artiste, qui vit à Silvermine (Connecticut), exposait au Worcester Museum, en 1933 : *Portrait d'Alexander Couard.*

BYARD Pierre
XVIᵉ siècle. Français.
Sculpteur de sujets religieux.
Il travaillait pour la cathédrale de Bourges en 1512.

BYARS James Lee
Né en 1932 à Détroit (Michigan). Mort en mai 1997 au Caire. XXᵉ siècle. Américain.
Créateur d'installations, auteur de performances, sculpteur, dessinateur. Conceptuel.
Il séjourna à diverses reprises au Japon à partir de 1958. Atteint d'une maladie grave, il entreprit un tour du monde.
Il participe à des expositions collectives : 1972 Documenta de Kassel ; 1989 *Les Magiciens de la terre* au Centre Georges Pompidou. Il montre ses œuvres dans des expositions personnelles : 1959 New York, dans les sorties de secours du Museum of Modern Art ; 1964 Carnegie Institute de Pittsburgh ; 1974 Palais des Beaux-Arts de Bruxelles ; 1978 Kunsthalle de Berne ; 1983 ARC, musée d'Art moderne de la Ville de Paris ; 1986 Kunsthalle de Düsseldorf ; 1989 Castello di Rivoli à Turin ; 1989, 1992 galerie de France à Paris ; 1995 IVAM de Valence ; 1995 Fondation Cartier à Paris ; 1997 Fundaçao de Serralves à Porto.
À travers divers modes d'expression, installations, écrits, performances, photographies, sculptures, il élabore une œuvre très personnelle. Dans les années cinquante, il s'est attaché à mettre en parallèle la civilisation orientale et la pensée mystique occidentale, notamment avec des sculptures pliées qu'il dépliait en public. Puis, il a travaillé sur le détournement des objets, les réalisant en matériaux précieux (feuille d'or, marbre) ou inhabituels. En 1994, il a mis en scène, dans une performance, sa propre mort.
BIBLIOGR. : J. Elliott : *The Perfect Thought : Works by James Lee Byars,* Berkeley, 1991 – in : *Dict. de l'art mod. et contemp.,* Hazan, Paris, 1992 – Heinz Peter Schwerfel : *James Lee Byars – Mémoires d'un alchimiste,* Beaux-Arts, nº 138, Paris, oct. 1995 – Elisabeth Lebovici : *Bye bye Byars,* Libération, Paris, 26 mai 1997.
VENTES PUBLIQUES : NEW YORK, 31 oct. 1989 : *Sans titre,* bronze peint. en noir (diam. 26,7) : USD 9 350 – PARIS, 14 oct. 1993 : *La parfaite lettre d'amour,* texte dactylographié et cr./pap. (diam. 30) : FRF 15 000 – NEW YORK, 10 nov. 1993 : *La Table parfaite* 1989, feuille d'or/bloc de marbre taillé et poli (101,6x101,6x101,6) : USD 40 250 – PARIS, 17 oct. 1994 : *Sans titre,* feutre/pap. doré (25,5x59,5) : FRF 10 000 – NEW YORK, 3 nov. 1994 : *Est* 1989, sphère de marbre doré (diam. 61) : USD 12 650 – LONDRES, 26 juin 1997 : *La Conscience,* dôme de verre et bille or (182,9x50,8x50,8) : GBP 18 400.

BYATT Edwin
Né en 1888 dans le Surrey. XXᵉ siècle. Britannique.

Peintre de paysages, fleurs, aquarelliste.
Il exposa à Londres, à la Royal Academy, au Royal Institute of Painters in Water-Colours, dont il fut membre et au Salon des Artistes Français à Paris.

BYCKER Gerardt
XVIIᵉ siècle. Actif à Dordrecht vers 1609. Éc. hollandaise.
Graveur.
En 1616, un Gerardt Van Byler était à Gouda.

BYCZKOVSKI
XVIIIᵉ siècle. Polonais.
Peintre de fleurs.
Élève de Tombary et de Brenn. Il est connu comme peintre d'arabesques et de fleurs.

BYCZKOVSKI Tytus
Né à Minsk. Mort en 1843 au Lido à Venise. XIXᵉ siècle. Polonais.
Peintre.
Il a étudié à Dresde et puis à Munich. Il a fait plusieurs portraits ; le meilleur est le portrait du général Kniazievitch.

BYE Gerrit Dircksz, Gysbert et **Jacques de**. Voir **BIE**

BYE Harmens D. de
Né en 1601 ou 1602. XVIIᵉ siècle. Éc. hollandaise.
Peintre de portraits.
Travailla à Vanlo (Limbourg) vers 1670. Ses œuvres sont rares. Il ne semble pas appartenir à la famille des De Bie, d'Anvers.

BYE Marcus de
Né en 1639 à La Haye. Mort après 1688. XVIIᵉ siècle. Éc. hollandaise.
Peintre animalier, graveur.
Fils de Joncker Willem de Bye. En 1658 il devint l'élève du peintre Jacob Van der Does. Il est plus connu comme graveur que comme peintre. Le Musée de Mayence conserve de lui un tableau : *Les Animaux au Paradis.* Il a gravé des suites d'études d'animaux d'après P. Potter. On lui doit aussi un certain nombre de gravures originales.
VENTES PUBLIQUES : VIENNE, 1823 : *Un ours attaqué et poursuivi par des chiens,* dess. à la sanguine : FRF 8.

BYE Roar Matheson
Né à Trondhjem. XXᵉ siècle. Norvégien.
Peintre.
Il a exposé en 1921 au Salon d'Automne, à Paris.

BYEL Hans Heinrich ou **Beyel**
XVIᵉ siècle. Suisse.
Peintre verrier.
Il fut élève de Daniel Lang à Schaffhouse, vers 1594.

BYER Nicolaus
Né à Drontheim (Norvège). Mort en 1681 à Sheen près Richmond (Angleterre). XVIIᵉ siècle. Norvégien.
Peintre d'histoire et de portraits.
Il travailla pendant quelque temps pour sir William Temple, à Sheen.

BYERS de
Hollandais.
Peintre.
Imitateur de Van der Heyden.

BYERS Marion
XXᵉ siècle.
Peintre.
A exposé un portrait et une nature morte aux Tuileries en 1939.

BYFIELD Ebenezer
Mort avant 1817. XVIIIᵉ-XIXᵉ siècles. Britannique.
Graveur sur bois.
Il est le frère de John Byfield.

BYFIELD J.
XVIIIᵉ-XIXᵉ siècles. Britannique.
Peintre de paysages.
Il exposa à la Royal Academy, à Londres, de 1793 à 1800.

BYFIELD John
Né en Angleterre. XIXᵉ siècle. Britannique.
Graveur sur bois.
Cet artiste, mentionné vers 1830, obtint une renommée considérable comme graveur et laissa des œuvres fort intéressantes. On cite, entre autres, sa *Danse macabre* (Londres, 1833) et ses copies de l'œuvre de Holbein : *Icones Veteris Testamenti* (1830).

BYFIELD Mary
XIXᵉ siècle. Active dans la première moitié du XIXᵉ siècle. Britannique.
Graveur sur bois.
Elle était sœur de John Byfield et graveur comme lui. Elle travailla pour les ouvrages publiés par la *Chiswick Press*.

BYFIELD N.
Né en 1677 à Boston. XVIIIᵉ siècle. Américain.
Peintre.

BYKOWSKI Nikolai Michaïlovitch
XIXᵉ siècle. Vivait à Paris. Russe.
Peintre.
Il étudia d'abord à l'École d'Art de Moscou et fut dans cette ville l'élève de Michaïl Ivanovitch Scotti, puis à l'Académie de Saint-Pétersbourg.

BYLAERT Joannes Jacobus
Né le 18 août 1734 à Rotterdam. Mort le 2 avril 1809 à Leyde.
XVIIIᵉ siècle. Hollandais.
Peintre de sujets religieux, portraits, paysages, aquarelliste, graveur, dessinateur.
Il dessina pour la *Description de la ville de Leyde* par F. Van Mieris et fut professeur de dessin.
VENTES PUBLIQUES : PARIS, 1786 : *La Vierge et l'Enfant Jésus* : FRF 273 – PARIS, 1898 : *Portrait de petite fille* : FRF 400 – LONDRES, 15 déc. 1922 : *Partie de plaisir* : GBP 7 – NEWCASTLE (Angleterre), 16 et 17 juil. 1934 : *Femme avec un instrument de musique* : GBP 5 – VERSAILLES, 22 juin 1980 : *Personnages assis devant l'âtre*, aquar. : FRF 3 000.

BYLANDT Alfred Eduard Agenor Van
Né en 1829. Mort en 1890. XIXᵉ siècle. Hollandais.
Peintre de paysages et marines animés.
VENTES PUBLIQUES : AMSTERDAM, 25 avr. 1978 : *La Diligence au bord d'un lac suisse*, h/t (76,5x119) : NLG 11 200 – NEW YORK, 11 oct. 1979 : *Le Retour des pêcheurs*, h/t (56x91,5) : USD 2 200 – COLOGNE, 21 mai 1981 : *La diligence au bord du lac de Genève*, h/t (77x120) : DEM 20 000 – LONDRES, 25 mars 1982 : *Vue du Rhin*, h/pan. (31,5x50) : GBP 1 800 – AMSTERDAM, 15 avr. 1985 : *Scène de bord de mer au crépuscule*, h/pan. (26x37) : NLG 12 000 – PARIS, 22 mars 1988 : *Les barques de pêche sur la grève*, h/t (62x111) : FRF 15 000 – AMSTERDAM, 6 nov. 1990 : *Le retour des bateaux au crépuscule*, h/pan. (19x25) : NLG 3 450 – LONDRES, 28 oct. 1992 : *Moisson*, h/t (74x137) : GBP 2 860 – AMSTERDAM, 19 oct. 1993 : *Bétail paissant près de ruines classiques gardé par une famille de paysans*, h/t (50,5x76) : NLG 5 520 – AMSTERDAM, 21 avr. 1994 : *Paysage alpin boisé avec des cavaliers parlant avec des lavandières près d'un puits*, h/t (82x68) : NLG 9 775.

BYLANT A. de
XIXᵉ siècle. Britannique.
Peintre de paysages, marines.
Il exposa à Londres entre 1862 et 1867 à la British Institution, entre 1853 et 1874 à la Royal Academy. À rapprocher de Alfred Eduard Agenor Van Bylandt.
VENTES PUBLIQUES : LUCERNE, 23 et 26 nov. 1962 : *Paysage avec cascade* : CHF 900.

BYLARD Cornelis
Né en 1813 à Hilversum. XIXᵉ siècle. Éc. flamande.
Peintre de paysages.
Élève de J. de Ryk, il peignit les figures de beaucoup de ses paysages.

BYLER Willem
XVIIᵉ siècle. Actif à Dordrecht de 1617 à 1623. Éc. hollandaise.
Graveur d'estampes et graveur de monnaies.

BYLERT Herman Van
Mort en 1627. XVIIᵉ siècle. Actif à Utrecht. Éc. hollandaise.
Peintre verrier.
Père de Jan Van Bylert.

BYLERT Jan Van
Né en 1603 à Utrecht. Mort le 13 novembre 1671 à Utrecht.
XVIIᵉ siècle. Éc. flamande.
Peintre d'histoire, compositions mythologiques, sujets religieux, scènes de genre, portraits, peintre de cartons de tapisseries.
Élève de son père, Herman Van Bylen, et d'Abraham Bloemaert. Il voyagea en France, en Italie, resta longtemps à Rome avec Honthorst ; à son retour, il se maria à Utrecht, y fit un tableau pour l'hôpital Hiobs, dont il fut peut-être régent en 1626 ; il était

dans la gilde en 1630 et en fut inspecteur ou doyen en 1655 et de 1666 à 1669. Il eut pour élèves Bartram de Fouchier pendant deux ans (1634-1636), Abraham Willaerts, Ludolf de Jongh, en 1635, et Mattheus Wytmans, vers 1670.
Il peignit des scènes galantes dans la manière de Caravage, des portraits, de petits tableaux d'histoire et de mythologie. Il fit des modèles de tapisseries pour le roi de Danemark.

[signature]

MUSÉES : AMSTERDAM : *Joueur de luth* – *Portrait de femme* – BRUNSWICK : *Nicolas Van Royen* – *Anna van Royen* – *Mangeurs de gaufres et d'omelettes* – *Une jeune fille comptant de la monnaie* – BUDAPEST : *Le denier de César* – CLARENBURG (Église Achter) : *Christ appelle Mathieu pour être apôtre* – DARMSTADT : *Un page versant du vin dans un pot* – HANOVRE : *Les cinq sens* – LA HAYE (coll. Ploss Van Amstel) : *Le mariage de A. Ploss Van Amstel avec Agnès de Byler, en 1616* – KALININGRAD, ancien. Königsberg : *Repas* – KASSEL : *Vieille femme montrant un collier à une jeune fille* – LONDRES (Nat. Gal.) : *Portrait de famille* – LYON : *Marchande d'esclaves* – MARSEILLE : *Portrait d'homme* – METZ : *Deux portraits* – OSLO : *Joueurs de dés* – ROTTERDAM : *Laban fait des reproches à sa fille Rachel qui emporte ses dieux lares* – SIBIU : *Caritas* – *Figure de femme avec ses lunettes à la main* – UTRECHT : *Retour de la chasse* – *Pâris et Anone* – *Réunion faisant de la musique* – VIENNE (Harrach) : *Deux femmes retirant les flèches des plaies de saint Sébastien* – VIENNE (Liechtenstein) : *Diane et deux nymphes dans une grotte* – *Scène de famille*.
VENTES PUBLIQUES : COLOGNE, 8-9 mars 1904 : *Savant à ses études* : DEM 250 – PARIS, 3 juin 1920 : *Portrait de deux époux* : FRF 4 400 – PARIS, 5 juin 1920 : *Le Concert* : FRF 2 550 – PARIS, 17 fév. 1928 : *La Partie de musique* : FRF 2 390 – PARIS, 19 déc. 1936 : *Un gentilhomme*, signé et daté : USD 225 – PARIS, 19 déc. 1941 : *La Sibylle* : FRF 1 900 – PARIS, 25 avr. 1951 : *Réunion galante, ou l'Enfant prodigue* : FRF 200 000 – MILAN, 29 oct. 1964 : *Portrait d'une jeune femme en buste* ; *Portrait d'un jeune homme en buste* : ITL 1 600 000 – MILAN, 11 mai 1966 : *Hercule enfant et les serpents* : ITL 380 000 – AMSTERDAM, 30 nov. 1976 : *Joyeuse compagnie dans un intérieur*, h/pan. (8,5x76,5) : NLG 18 000 – LONDRES, 9 fév. 1979 : *Joyeuse compagnie dans un intérieur*, h/pan. (43x62) : GBP 3 200 – NEW YORK, 20 jan. 1983 : *Un chevalier*, h/pan. (26,5x21) : USD 2 500 – LONDRES, 9 avr. 1986 : *Personnages festoyant dans un intérieur*, h/t (52x70) : GBP 11 500 – LONDRES, 8 déc. 1989 : *Bergère portant un grand chapeau bleu orné d'un iris jaune et tenant un bâton*, h/t (99x77) : GBP 52 800 – STOCKHOLM, 16 mai 1990 : *Le Jugement de Pâris*, h/pan., une paire (chaque 21x31) : SEK 35 000 – LONDRES, 21 nov. 1991 : *Vierge à l'Enfant*, h/pan. (103,9x75,6) : GBP 2 750 – PARIS, 26 juin 1992 : *Junon*, h/pan. (41,5x33) : FRF 40 000 – LONDRES, 11 déc. 1992 : *Mars, Vénus et Cupidon*, h/pan. (40x53) : GBP 2 420 – PARIS, 20 déc. 1994 : *Le Joueur de luth*, h/t (83,5x67) : FRF 480 000 – PARIS, 13 déc. 1996 : *Portrait de femme tenant son livre de prières 1657*, (81x66) : FRF 30 500 – NEW YORK, 31 jan. 1997 : *Le Mauvais Riche et Lazare*, h/t (76,8x100,7) : USD 29 900.

BYLES William Hownson
Né en 1872. Mort après 1925. XIXᵉ-XXᵉ siècles. Britannique.
Peintre de sujets de sport, illustrateur.
Il exposa à la Royal Academy de Londres, à partir de 1894.
VENTES PUBLIQUES : NEW YORK, 4 juin 1982 : *Le dernier obstacle à Epsom*, h/t (50,8x76,2) : USD 1 100 – NEW YORK, 25 fév. 1986 : *Au revoir*, h/t (61x38,1) : USD 2 000 – LONDRES, 3 juin 1988 : *Une course au clocher*, h/t (27x38,2) : GBP 1 430 – NEW YORK, 5 juin 1992 : *Encore loin de la ligne d'arrivée*, h/t (50,8x76,2) : USD 6 050 – LONDRES, 13 nov. 1996 : *Le Grand National 1927*, aquar. et gche (28,5x46,5) : GBP 4 370.

BYLINA Michal
XXᵉ siècle. Polonais.
Peintre.
Le musée de l'Armée Polonaise à Varsovie, conserve de lui *La bataille de Lénine*.

BYLINSKI Marie-Laure
Née le 24 mars 1951 en Bretagne. XXᵉ siècle. Française.
Peintre, dessinateur. Polymorphe.
Elle fit ses études à l'École des Beaux-Arts de Nantes et depuis 1969 expose en France et à l'étranger. Ses dessins de nus à l'encre rehaussés de craie contrastent avec ses compositions abstraites sur le thème des marines.

BYNET Germain Guillaume et **Jacques**, les frères
xviie siècle. Actifs à Bernay (Normandie). Français.
Peintres et peintres verriers.
Ils travaillèrent ensemble.

BYNG Edward. Voir **BING Edward**

BYNG Robert
Né en 1666. Mort en 1720. xviie-xviiie siècles. Britannique.
Peintre.
Ventes Publiques : Londres, 11 juil. 1990 : *Homme équipé pour la chasse au cerf*, h/t (73,5x61) : **GBP 16 500** – Londres, 13 juil. 1993 : *Portrait d'un jeune garçon en robe de satin rouge debout devant un rideau vert et près d'un lévrier*, h/t (124,5x98,5) : **GBP 10 350** – Londres, 10 juil. 1996 : *Portrait de John et Anne Fountaine, lui debout en costume romain et elle tenant un hochet de corail*, h/t (125x102) : **GBP 5 175**.

BYNON C. S.
xixe siècle. Britannique.
Peintre de paysages.
Il exposa à la Royal Academy à Londres en 1832 et 1833.
Ventes Publiques : Londres, 20 mai 1992 : *Frégate anglaise entrant dans le bassin de Plymouth* 1827, h/t (25,5x35,5) : **GBP 2 640**.

BYRAM Ralph Shaw
Né en mars 1881 à Germantown (Pennsylvanie). xxe siècle. Américain.
Peintre, illustrateur.
Élève de l'École des Arts Industriels et du Musée de Pennsylvanie. Il reçut aussi les leçons de C. P. Weber. Membre du Philadelphia Sketch Club.

BYRNE Anne Frances
Née en 1775. Morte en 1837. xixe siècle. Britannique.
Peintre de fleurs et fruits, aquarelliste.
Cette artiste fut admise comme membre de la Water-Colours Society en 1806 et acquit une célébrité considérable comme peintre de fleurs et de fruits. Fille du célèbre graveur, William Byrne et sœur de Letitia Byrne. Elle exposa à la Royal Academy, à la British Institution et à Suffolk Street.
Musées : Londres (Victoria and Albert Mus.) : *Fraises et raisins – Fleurs et raisins*.

BYRNE C.
xixe siècle. Britannique.
Peintre de portraits, miniatures.
Il travailla à Londres, où il exposa en 1800 et 1808 quelques portraits à la Royal Academy.

BYRNE Charles
Né vers 1810 à Dublin. xixe siècle. Irlandais.
Peintre de portraits, miniatures.
Travailla à Londres et à Dublin. Le Musée de cette dernière ville conserve son portrait miniature peint par lui-même.

BYRNE Daniel
xixe siècle. Vivant à Londres puis à Brighton. Britannique.
Peintre de portraits, miniatures.
Il exposa de 1840 à 1880 à la Royal Academy de Londres.

BYRNE Elizabeth
xixe siècle. Active à Londres. Britannique.
Peintre de paysages, graveur.
Fille de William Byrne, elle fut son élève. Elle exposa de 1838 à 1849 à la Royal Academy et à Suffolk Street, à Londres.

BYRNE John
Né en 1786. Mort en 1847. xixe siècle. Actif à Londres. Britannique.
Peintre de paysages, aquarelliste, graveur.
Il travailla d'abord chez son père, le graveur William Byrne, dont il exerça aussi le métier pendant quelque temps, mais renonçant à la gravure, il se consacra à l'aquarelle et y acquit une grande habileté. Ses paysages furent exposés à la Royal Academy et à la Water-Colours Society à Londres, et obtinrent un grand succès. Byrne voyagea en Italie, où il demeura pendant quelques années probablement entre 1832 et 1837.
Musées : Cardiff : *Paysage*, aquar. – Londres (Victoria and Albert Mus.) : *Le bac de Twickenham – Paysage italien, montagnes* – Manchester : *Le vieux pont Ouse à York*, aquar.
Ventes Publiques : Londres, 16 fév. 1922 : *Un débarcadère*, aquar. : **GBP 25** – Écosse, 1er sep. 1981 : *Lion tamer*, aquar. (56x76) : **GBP 700**.

BYRNE Letitia
Née en 1779. Morte en 1849. xixe siècle. Active à Londres. Britannique.
Peintre de paysages, graveur au burin, dessinateur.
Fille de William Byrne. De 1799 à 1848, elle exposa à la Royal Academy de Londres. Le British Museum conserve d'elle un dessin à la sépia : *Vue de Saint-Cyr près de Versailles*.

BYRNE Mary, plus tard Mrs **James Green**
Née en 1776. Morte en 1846. xixe siècle. Active à Londres. Britannique.
Peintre de miniatures, aquarelliste.
Fille de William Byrne. Élève du peintre suisse L.-A. Arlaud. Exposa à la Royal Academy de 1795 à 1804, et aussi à la British Institution et à la Water-Colours Society. Elle épousa en 1805 le peintre de portraits James Green.

BYRNE William
Né en 1743 à Londres. Mort en 1805 à Londres. xviiie siècle. Britannique.
Graveur.
Son éducation artistique fut commencée par son oncle. Plus tard, il alla à Paris et y reçut des conseils d'Aliamet et de G. Wille. Byrne grava beaucoup d'après les anciens peintres italiens et obtint une réputation enviable parmi les graveurs de paysage de son pays.

BYRNE William S.
xixe siècle. Britannique.
Paysagiste.
Il exposa à Londres de 1879 à 1889 à la Royal Academy, à Suffolk Street et à la Grafton Gallery.

BYROLL-SCHULTHEISS
xixe siècle. Vivant à Alstätlen (Saint-Gall), dans la seconde moitié du xixe siècle. Suisse.
Peintre.
Elle travaillait à Lucerne vers 1889 et participa à l'Exposition de la Société artistique à Lucerne.

BYRON Amadeo Artayeta
Né à Buenos Aires. xxe siècle. Argentin.
Peintre de paysages.
Il a exposé au Salon des Indépendants, à Paris.

BYRON Bourmond
xxe siècle. Haïtien.
Peintre.
Il a participé à l'exposition *L'art haïtien dans la collection de Angela Gross*, Musée Woodmere Art de Phildelphie, en 1984-1985.
Ventes Publiques : New York, 9 juil. 1981 : *Fleurs*, h/isor. (61x81,3) : **USD 600** – New York, 31 mai 1984 : *Paysan et son âne* 1961, h/isor. (61x91,5) : **USD 1 700** – New York, 15 mai 1991 : *Paysage avec un champ de cannes à sucre*,, h/rés. synth. (82,5x123) : **USD 1 430**.

BYRON Frederick George
Né en 1764. Mort en 1792. xviiie siècle. Britannique.
Peintre de genre, aquarelliste, graveur, dessinateur.
Il est le neveu du célèbre poète. Il exposa en 1791 cinq dessins à la Society of Art.
Ventes Publiques : Londres, 24 mars 1987 : *Breakfast at Breteuil*, aquar. et pl. (38,3x59,2) : **GBP 1 200**.

BYRON Michael
Né en 1954. xxe siècle. Américain.
Peintre, aquarelliste, technique mixte.
Ventes Publiques : New York, 4 oct. 1989 : *Sans titre*, aquar./pap. (17,8x26) : **USD 550** – New York, 27 fév. 1992 : *Les chiens du roi* 1982, h. et plâtre sur trois pan. réunis (121,9x182,2) : **USD 2 200** – New York, 8 nov. 1993 : *Industriel japonais (petit)*, h., sérig. et cr./pan. mis en forme (61, 6x117, 5x5,8) : **USD 1 265** – New York, 3 mai 1994 : *Insignia* 1985, h., plâtre et pigment/pan. (43,4x36,5) : **USD 920**.

BYRON William, quelquefois, par erreur, **Richard**
Né en 1669. Mort en 1736. xviie-xviiie siècles. Britannique.
Graveur à l'eau-forte, dessinateur.
Ce graveur amateur travaillait dans la manière de Rembrandt d'après lequel il a gravé plusieurs planches. Le British Museum conserve deux dessins (paysages) de sa main signés *Ld Byron*. Il a signé quelquefois de ses initiales.

BYRZA Aloysens de, Père
xviie siècle. Éc. flamande.

Dessinateur.
Il fut moine de l'ordre de Jésus. Il fit l'esquisse de la chaire de l'église Sainte-Gudule, à Bruxelles ; cette chaire resta, de 1698 à 1699, dans l'église des Jésuites de Louvain et fut transportée à Bruxelles en 1776.

BYSE Fanny, Mme, née **Lée**
Née en 1849 à Londres. xixe siècle. Britannique.
Sculpteur de bustes.
Elle commença ses études artistiques vers l'âge de quarante-quatre ans, lorsqu'elle entra dans l'atelier de Jules Salmson, directeur de l'École des Arts industriels à Genève. Elle visita Rome, Florence et Paris. On lui doit de nombreux bustes ; a exposé au Salon des Artistes Français, notamment en 1901.

BYSS Franz Joseph I
Né en 1634 à Soleure. Mort en 1683 à Soleure. xviie siècle. Suisse.
Peintre.
Ce peintre, cité par le Dr Brun, fut le père du peintre Johann Rudolf Byss. Deux autres fils et une fille suivirent la carrière paternelle. Franz Joseph entra dans la confrérie de Saint-Luc en 1666 et devint maître de cette corporation en 1675.

BYSS Franz Joseph II
Né en 1667 à Soleure. xviie siècle. Suisse.
Peintre.
Frère du peintre Johann Rudolf Byss.

BYSS Johann Franz
Né en 1630 à Soleure. Mort en 1679 à Soleure. xviie siècle. Suisse.
Sculpteur.
D'après le Dr Brun, il fut membre de la confrérie de Saint-Luc et maître vers 1664. Il fit le socle de la porte d'Adam Hess dans l'ancienne salle du Conseil à l'Hôtel de Ville de Soleure.

BYSS Johann Leonhard
Né en 1680 à Soleure. Mort en 1757 à Soleure. xviiie siècle. Suisse.
Peintre.
Frère cadet du peintre Johann Rudolf Byss, apprit son métier chez son père, Franz Joseph Byss. Il travailla à l'étranger dans sa jeunesse, car on le voit de retour dans sa ville natale vers 1748. Il s'y établit et entra dans la maison de retraite de la ville de Soleure.

BYSS Johann Rudolf
Né le 11 mai 1660 à Soleure. Mort le 11 décembre 1738 à Würzburg. xviie-xviiie siècles. Suisse.
Peintre de sujets religieux, animaux, paysages, natures mortes, fleurs et fruits, peintre de compositions murales.
Byss fut élève de son père, le peintre Franz Joseph Byss, et compléta son éducation artistique pendant des voyages en Allemagne, en Italie, en Hollande et en Angleterre. De Prague où on le retrouve peignant dans les églises des ouvrages à l'huile et à fresque, il passa à Vienne et exécuta, pour Léopold Ier, les peintures du plafond de la salle des audiences du Hofburg, ainsi que celles de la bibliothèque impériale. On cite encore le *Jugement de Salomon*, dans la salle du conseil impérial, ouvrages aujourd'hui disparus, sauf une *Sainte Elizabeth* et une *Sainte Famille*, peintes sur bois. En 1713, il fut nommé peintre de la cour de l'Électeur de Mayence, et remplit également les devoirs d'inspecteur des nouvelles galeries des châteaux particuliers de ce souverain à Pommersfelden et à Gaibach. Vers 1721, l'artiste retourna à Soleure. Il devait revenir plus tard en Allemagne, résidant tantôt à Bamberg, tantôt à Pommersfelden jusqu'à la mort de l'Électeur. Il passa au service de son successeur Friedrich Karl et se fixa à Würzburg où il mourut.
Il privilégia la représentation des bouquets de fleurs. Son style se rapproche de ceux de Gérard, de Lairesse, d'Adrien Van der Werff, et des peintres de fleurs et de fruits hollandais.
Musées : BAMBERG (Gal.) : *Tableau avec oiseaux* – BUDAPEST : *Cléopâtre* – CHÂTEAUROUX : *Sur la plage* – NUREMBERG (Mus. Germanique) – VIENNE (Gal. Liechtenstein) : deux tableaux d'animaux.
VENTES PUBLIQUES : COLOGNE, 28 avr. 1965 : *Nature morte aux fleurs* : DEM 7 475 – COLOGNE, 5 mai 1966 : *Nature morte aux fleurs* : DEM 9 000 – LUCERNE, 17 juin 1967 : *Bouquet de fleurs* : CHF 13 500 – NEW YORK, 7 juin 1984 : *La fuite en Égypte*, h/pan. (19x24,5) : USD 6 000 – PARIS, 12 juin 1995 : *Compositions florales autour de coquillages*, h/t, une paire (45x35,5) : FRF 320 000.

BYSS Maria Helena
Née en 1670 à Soleure. Morte le 16 avril 1726 à Bamberg. xviie-xviiie siècles. Suisse.
Peintre de fleurs.
Sœur du peintre Johann-Rudolf Byss, elle suivit cet artiste, dont elle fut l'élève, à Bamberg dans cette ville. On connaît d'elle deux tableaux de fleurs.

BYSS Urs
Né en 1585 à Soleure. Mort en 1630 à Soleure. xviie siècle. Suisse.
Peintre verrier et miniaturiste.
Il prêta serment de bourgeois en 1607 et entra dans la confrérie de Saint-Luc en 1608, peignant dans leur livre son blason et devise.

BYSS Urs
Né en 1665. Mort en 1731 à Soleure. xviie-xviiie siècles. Actif à Soleure. Suisse.
Sculpteur.

BYSSELL. Voir **BISSEL A.**

BYSTRÖM Erik
Né en 1902. xxe siècle. Suédois.
Peintre de paysages.
VENTES PUBLIQUES : STOCKHOLM, 20 avr. 1985 : *Paysage 1941*, h/t (80x113) : SEK 6 700 – STOCKHOLM, 6 juin 1988 : *Holmers Brädgard l'hiver vu de Stockholm*, h. (54x64) : SEK 11 000 – STOCKHOLM, 6 déc. 1989 : *Trädskuggor, paysage*, h/t (59x75) : SEK 8 500 – STOCKHOLM, 28 oct. 1991 : *Skogdunge en été 1943*, h/pan. (45x54) : SEK 4 100.

BYSTRÖM Johan Niklas
Né en 1783 à Filipstad. Mort en 1848 à Rome. xixe siècle. Suédois.
Sculpteur de bustes.
MUSÉES : STOCKHOLM : *Gustaf-Mauritz Armfelt*, plâtre, buste – *L'harmonie*, groupe en plâtre – *Tête d'homme*, médaillon – *Junon allaitant Hercule enfant* – *Amour avec les attributs de Bacchus* – *Amour et Hymen sous la figure de deux petits génies endormis sur une peau de lion* – *L'innocence* – *Jeune fille, tenant deux colombes sur ses genoux* – *Jeune femme couronnée de fleurs*, buste – *Bernadotte*, buste – *Héro soulevant un flambeau allumé* – *Héro, ayant à sa gauche un amour effeuillant une rose* – *Jeune femme couronnée de fleurs et de lauriers* – *Charles XIV*, buste colossal – *Charles XIV*, buste.
VENTES PUBLIQUES : STOCKHOLM, 20 avr. 1983 : *Tête classique 1816*, marbre blanc (H. 52) : SEK 8 600 – STOCKHOLM, 19 avr. 1989 : *Buste de femme avec un châle sur la tête*, marbre (H. 75) : SEK 11 000.

BYSZKOWSKI
xviiie siècle. Polonais.
Peintre d'histoire.
En 1785, il a fait des fresques à l'intérieur de l'église de la paroisse de Sainte-Elisabeth à Obra (près de Posen).

BYTCHKOV
Né en Russie. xxe siècle. Russe.
Peintre.
Peintre d'inspiration soviétique. On cite de cet artiste : *Sous le joug allemand*.

BYTEBIER Edgar
Né en 1875 à Gand. Mort en 1940 à Dilbeek. xxe siècle. Belge.
Peintre de figures, paysages.
Il fut élève des Académies de Gand et de Bruxelles.
Il peint des paysages souvent vus au crépuscule ; il s'était spécialisé dans les effets de lune.

BYWATER Elizabeth
xixe siècle. Britannique.
Peintre de fleurs, aquarelliste.
Elle exposa de 1879 à 1891 à la Royal Academy, à Suffolk Street, à la New Water-Colours Society et à la Grafton Gallery, à Londres.

BYWATER Katherine D. M.
xixe siècle. Britannique.
Peintre de genre, portraits.
Elle exposa de 1883 à 1890 à la Royal Academy et à Suffolk Street, à Londres.
VENTES PUBLIQUES : LONDRES, 14 juin 1979 : *Jeune fille à son rouet 1885*, h/t (94x73,5) : GBP 950.

BYZANTIOS Constantin

Né le 5 novembre 1924 à Athènes. XXe siècle. Depuis 1946 actif en France. Grec.

Peintre de figures, intérieurs, natures mortes. Abstrait, puis figuratif.

Après avoir étudié à l'École des Beaux-Arts d'Athènes, il se rend à Paris, nanti d'une bourse du gouvernement français ; il y travaille dans les Académies libres. Dès 1950, il se lie avec Alberto Giacometti, Christian Zervos et Georges Duthuit.

Il participe alors plusieurs fois au Salon de Mai, au Salon de la Jeune Peinture, à Grands et Jeunes d'Aujourd'hui, au Salon d'Automne et à des expositions collectives : 1965 Saint-Paul-de-Vence, *10 ans d'art vivant 1955-1965*, Fondation Maeght ; 1978 Paris, *Tendance de l'Art en France, 1968-1978*, à l'ARC (Art Recherche Confrontation), au Musée d'Art Moderne de la ville ; Paris, *Mythologies quotidiennes*, à l'ARC ; 1990 Toulouse, *Le visage dans l'art contemporain*, Musée des Jacobins ; 1991 Athènes, *Quatre peintres*, Pinacothèque.

Sa première exposition personnelle se tient en 1951 à la galerie Ariel à Paris, suivie par de nombreuses manifestations à Athènes, Londres, Anvers, et surtout Paris : 1962, Galerie Jeanne Bucher ; 1965, aux Cahiers d'Art ; en 1972, une rétrospective au Musée Galliéra ; 1974, 1982, galerie Karl Flinker ; 1990, galerie Lavignes-Bastille ; 1992, présenté par Athens Gallery au Salon de Mars ; 1994, présenté par Athens Gallery à la FIAC (Foire Internationale d'Art Contemporain) ; ainsi que, en 1997 à Chalon-sur-Saône, une rétrospective à l'Espace des Arts.

Après avoir traversé une brève période figurative, Byzantios sacrifia longtemps aux gestualités de l'expressionnisme-abstrait, dont il prodiguait les fastes bariolés au point d'en submerger les ateliers qui abritaient sa fougue. De cette abstraction gestuelle, Eugène Ionesco, qui préfaça ses expositions de 1962 et 1972, écrivait : « Byzantios capte le mouvement, l'intègre dynamiquement, l'ordonne sans l'annuler. Il a évité la pétrification qui guette les peintres uniquement préoccupés de construction. Il a évité aussi le dynamisme désordonné qui détruit la forme. Son univers pictural est spirituel, s'équilibre contradictoirement dans la composition et le mouvement ; il naît dans le silence qui l'entoure, en s'y opposant tout en le rendant présent. » Des traces elliptiques animent la surface de la toile, laissant apparaître des zones lumineuses et colorées, plutôt monochromes (époques « verte », « grise », « rouge »), plus ou moins importantes, et, depuis 1960, enrichies par des accords de noir et de blanc.

Après la rétrospective de 1972, Byzantios renonça à la peinture pendant six années, consacrant uniquement son activité au dessin, à la mine de plomb et au fusain, y manifestant une égale fureur, dont Michel Foucault évoque les traces : « Des milliers de flèches s'abattent sur le dessin pour l'engloutir... et l'illuminer. » En revenant à la peinture dans les années quatre-vingt, Byzantios est revenu à la figuration, une figuration parente de celle des époques les plus classiques de Derain, mettant en scène, dans une première période, des natures mortes où les fruits et légumes posés sur des tables recouvertes de draperies contre des pans de murs, offrent de larges plans colorés touchant parfois au monochrome. Puis, après une nouvelle période de sept années d'ascèse, il put montrer, à partir de 1990, selon des perspectives déséquilibrées que des miroirs perturbent encore, des

personnages, parfois par couples, figés dans une attente indéterminée. La peinture de Byzantios, après s'être un long temps cherchée dans l'interrogation ardente entre abstraction et figuration, semble définitivement ancrée dans l'inquiétude assumée de la figuration, dans un espace onirique, de personnages sans réponses. ■ J. B.

Bibliogr. : Lydia Harambourg, in : *L'École de Paris, 1945-1965. Diction. des Peintres*, Ides et Calendes, Neuchâtel, 1993 – Éveline Pinto : *Les personnages de Byzantios : Hommes et femmes en situation non dite*, Collection Passeport, Fragments Édit., Paris, 1994.

Musées : ATHÈNES (Pina.) – DALLAS – PARIS (Mus. Nat. d'Art Mod.) – PARIS (Mus. d'Art Mod. de la ville) – PAU – VÉZELAY.

Ventes Publiques : PARIS, 23 nov. 1981 : *Homme allongé*, h/t (114x146) : **FRF 12 000** – PARIS, 25 mars 1982 : *Jeune femme assise*, h/t (146x114) : **FRF 11 500** – PARIS, 24 avr. 1983 : *Personnages allongé*, h/t (97x129) : **FRF 9 000** – PARIS, 26 nov. 1985 : *Paysage jaune*, h/t (97x130) : **FRF 13 500** – PARIS, 12 mars 1986 : *Composition rose*, h/t (89x130) : **FRF 11 500** – PARIS, 1er juil. 1987 : *Composition*, h/t (82x100) : **FRF 115 000** ; *Composition*, h/t (100x81) : **FRF 10 500** – PARIS, 26 oct. 1988 : *Composition*, h/t (114x144) : **FRF 25 000** – PARIS, 29 sep. 1989 : *Composition*, gche (45x56) : **FRF 16 000** – PARIS, 25 avr. 1990 : *Composition*, h/t (114x145) : **FRF 45 000** – PARIS, 18 juin 1990 : *Sans titre* 1963 (113x145) : **FRF 38 000** – PARIS, 19 nov. 1993 : *Nu étendu*, h/t (81x100) : **FRF 17 000** – PARIS, 24 mai 1995 : *Nu assis*, h/t (97x130) : **FRF 14 000** – PARIS, 16 nov. 1995 : *Couple sur fond noir*, h/t (130x161) : **FRF 23 000**.

BYZANTIOS Périclès Aristide Protée

Né en 1893 à Athènes. Mort en 1972. XXe siècle. Grec.

Peintre de compositions animées, paysages, compositions murales, décorateur de théâtre, illustrateur. Post-impressionniste.

Il fit ses études à l'École des Beaux-Arts de Paris et retourna dans son pays en 1916. En 1972, la Pinacothèque d'Athènes avait fait une exposition de ses œuvres, tandis qu'elle lui consacra une grande rétrospective en 1984.

Dès ses débuts, il montre l'influence de Bonnard et de Vuillard, dans sa touche large, son éclairage doux et vibrant, ses couleurs apaisées d'ocres ou de bleus. Ses fusains et croquis au crayon lui permettent de camper d'un trait presque expressionniste, l'attitude des femmes élégantes et des passants des rues parisiennes. L'œuvre de Byzantios, par son économie de moyens, garde le charme de l'inachevé. Il orienta vers le nuagisme ses paysages baignés du soleil qui dilue les volumes. Il créa également des décors et des costumes pour le théâtre national de Grèce, exécuta de grandes compositions murales, composa des affiches et collabora, comme illustrateur, à plusieurs journaux et magazines.

Bibliogr. : Gérald Schurr : *Les Petits Maîtres de la peinture 1820-1920, valeur de demain*, Les Éditions de l'Amateur, t. VII, Paris, 1989.

BZOZOWSKI

XVIIIe siècle. Polonais.

Peintre d'histoire, compositions religieuses.

Il a peint le plafond de l'église d'Obra dans les années 1753-1754.

BZOZOWSKI. Voir aussi **BRZOZOWSKI**.

Maîtres anonymes connus par un monogramme ou des initiales commençant par **B**

B

B.
XVIe siècle. Italien.
Monogramme d'un graveur.
Actif vers 1544. On connaît de lui plusieurs gravures, sujets mythologiques ou allégoriques.

B. B.
Monogramme d'un graveur.
Artiste non identifié ; il est cité par M. Ris Paquot.

B. B.
XVe siècle. Italien.
Graveur sur bois ou dessinateur.
On a, de cet artiste, actif en Italie, cité par Brulliot et Le Blanc : 1 planche pour *Biblia vulgare historiata...* Venedig 1492. – 2 planches pour *Hypnerptomachia Poliphili*, etc. – 33 planches pour *La Divine Comédie.*

B. B., Maître aux initiales
XVIe siècle. Allemand.
Dessinateur.
Il travailla à Augsbourg dans le premier quart du XVIe siècle. Auteur de vingt dessins et portraits de peintres, tous signés B. B. Leur état de conservation est excellent. Il s'agit probablement d'une collection de portraits d'amis, constituée par un peintre d'Augsbourg.
Musées : BERLIN (Cab. des Estampes) : douze dessins – COPENHAGUE : un dessin – GDANSK, ancien. Dantzig (Mus. mun.) : quatre dessins – HAMBOURG : deux dessins – WEIMAR : un dessin.

B. B.
XVIe siècle.
Graveur au burin.
Actif en Italie en 1550. Le Blanc pense que cet artiste est le même que Barthélemy Béham. On cite de lui : *Un satyre surprenant une nymphe dans l'eau,* d'après Giul. Pippi.

B. B. E.
XVIIIe siècle.
Graveur.
Actif probablement en Amérique en 1783. Le Blanc cite de lui 10 planches d'après Du Simitier : *Silas Daen. – J. Dickinson. – W. H Drayton – Horade Gales. – S. Huntingdon. – John Jay. – Morris. – Benjamin Reed. – Baron Steuben. – Charles Thompson.*

B. C.
XVIe siècle. Allemand.
Monogramme d'un graveur sur bois.
On trouve cette marque sur une gravure sur bois, d'après l'estampe d'Israël de Hekken (?) : *L'Homme de douleurs assis sur son tombeau.*

B. C.
XVIe siècle. Allemand.
Monogramme d'un graveur à l'eau-forte.
Actif en 1524. On cite de lui : *David tuant le lion.*

B. D. H.
XVIe siècle. Français.
Monogramme d'un graveur à l'eau-forte.
Actif au milieu du XVIe siècle. On cite de lui : *Saint Jean l'Évangéliste.*

B. E. V. S.
XVIIe siècle. Allemand.
Monogramme d'un graveur.
Actif à Leipzig au XVIIe siècle. Ris Paquot, en citant cet artiste, dit qu'il publia de très jolis dessins à Leipzig en 1625.

B. F.
XVIe siècle. Allemand.
Monogramme d'un graveur au burin.
On cite de lui : *Guillaume, landgrave de Hesse. – Maurice, landgrave de Hesse.*

B. F.
XVIe siècle. Actif vers 1521.
Monogramme d'un graveur sur bois.
On cite de lui le frontispice de *Passionale Christi et Antichristi*, 1521.

B. F. A.
Portugais.
Monogramme d'un peintre.
On suppose que cet artiste doit être Carlo de Hoech. Un tableau portant cette marque et le n° 1637 et représentant la *Samaritaine* se trouvait vers 1840 dans la collection du comte de Saldanha e Castro de Penamacor, à Lisbonne.

B. G.
XVIe siècle. Allemand.
Monogramme d'un graveur.
Marque relevée avec la date de 1589 sur une copie en contre-partie de l'estampe de Dürer : *Le Paysan et sa femme*. À rapprocher du suivant.

B. G.
XVIe siècle. Allemand.
Monogramme d'un graveur au burin.
Cité par Brulliot qui mentionne deux estampes d'après Albrecht Dürer : *Le Paysan et sa femme* et *Le Joueur de cornemuse*. À rapprocher du précédent.

B. H.
Allemand.
Monogramme d'un graveur.
Cette marque fut relevée sur un paysage.

B. H.
XVIIe siècle. Allemand.
Monogramme d'un graveur au burin.
Cité par Brulliot qui mentionne : *Maximilien d'Autriche, Ferdinand d'Autriche, Dionysius Gothofredos, Ambroise Spinola à cheval.*

B. H.
XVIIe siècle. Allemand.
Monogramme d'un graveur à l'eau-forte.
Actif en 1613. Cité par Brulliot qui mentionne de lui une *Sainte Famille*.

B. H.
XVIIe siècle.
Monogramme d'un peintre de portraits.
Il travaillait vers 1616.

B. H. F.
XVIe siècle. Allemand.
Monogramme d'un graveur et dessinateur.
Cité par Brulliot qui mentionne : Planche pour *Kriegs Beschreibung*.

B. H. I.
XVIe siècle. Allemand.
Monogramme d'un graveur.
Cité par Brulliot qui mentionne de lui : *La Visitation*.

B. I.
XVIIe siècle. Français.
Monogramme d'un graveur au burin.
Actif à Paris ; cité par Le Blanc qui mentionne un frontispice pour : *Les Métamorphoses d'Ovide*.

B. I.
XVIIe siècle. Italien.
Monogramme d'un graveur à l'eau-forte.
Actif au début du XVIIe siècle. Cité par Le Blanc qui mentionne une suite d'ornements romains. Il est peut-être le même artiste que le graveur à qui l'on doit une suite d'animaux.

B. I. M.
XVIIe siècle.
Monogramme d'un graveur au burin.
Actif au début du XVIIe siècle. Cité par Brulliot qui mentionne : *La Sainte Vierge et l'Enfant Jésus accompagnés de sainte Barbe.*

B. K.
Monogramme d'un peintre et graveur.
Cet artiste a peint des enfants dans la manière de Goltzius.

B. L.
XVIIe siècle. Français.
Monogramme d'un graveur au burin.
Il travaillait à Paris. Il est cité par Le Blanc qui mentionne : *Charles du Molin*.

B. M.
Allemand.
Monogramme d'un graveur.
Artiste paraissant identique aux suivants.

B. M.
Allemand.
Monogramme d'un graveur.
Artiste qui fut élève ou imitateur de Martin Schongauer.

B. M.
XVIe siècle. Allemand.
Monogramme d'un graveur.
On cite de lui 8 planches sur des sujets du Nouveau Testament.

B. M., Maître aux initiales
XVe siècle. Allemand.
Graveur.
Actif à la fin du XVe siècle. Il appartient au cercle de Schongauer, dont il a démarqué fort habilement les gravures.

B. R., Maître aux initiales, appelé aussi **Maître à l'ancre**
XVe siècle. Allemand.
Graveur.
Il travailla durant la seconde moitié du XVe siècle. On cite de cet artiste dix-sept planches dont neuf ne sont pas signées. Les meilleures gravures sont des planches humoristiques représentant un *Couple de paysans ivres* et *La Mort comme amant*.

B. R.
XVIIe siècle.
Monogramme d'un graveur au burin.
Actif à Paris en 1614. Cité par Le Blanc, qui mentionne les *Mystères en l'Incarnation de Jésus-Christ*.

B. S.
Allemand.
Monogramme d'un graveur.
Il est connu par une copie de l'estampe de Hans Sebald Beham : *Le Vendeur d'œufs*.

B. S.
XVIe siècle.
Monogramme d'un dessinateur et graveur sur bois.
Il travaillait en Hollande. Cité par Brulliot.

B. S. A.
Probablement Italien.
Monogramme d'un graveur.

B. S. A.
XVIe siècle. Allemand.
Monogramme d'un graveur au burin.
Actif vers 1500. Les estampes de ce maître sont fort rares. Defer, se fondant sur une planche représentant les armoiries d'une famille noble de Francfort-sur-le-Main, suppose qu'il a dû travailler dans cette ville. Sandart explique son monogramme par Barthélemy Schœn et dit l'artiste parent de Martin Schœngauer. Cette allégation est généralement repoussée par les auteurs qui ont traité ce sujet, Passavant en tête. On cite de ce maître 12 planches pour la *Passion de J.-C.*, *La Touffe d'Acanthe*, *La Feuille d'Acanthe*, *Le Concert*, *La Collation*, *Le joueur de cartes*, *Le cavalier avec la dame en croupe*, *Les deux Amants*, *Le Paysan à la masse d'armes*, *La Brouette*, *Les Sauvages*, *L'Enfant près du petit pot*, *L'Enfant dans le bain*, *L'Enfant nu, assis*, *Deux enfants nus*.

B. S. B.
XVIe siècle. Allemand.
Monogramme d'un graveur.
Son genre rappelle celui de Hans Sebald Beham.

B. S. B.
XVIe siècle. Allemand.
Monogramme d'un graveur.
Actif dans la seconde moitié du XVIe siècle. Le Blanc cite : *Le Jugement de Pâris*, d'après Hans Sebald Beham. Il ne nous paraît pas impossible que cette marque comme la précédente s'appliquent à Hans Sebald Beham lui-même.

B. S. F.
XVIIe siècle. Hollandais.
Monogramme d'un dessinateur et graveur à l'eau-forte.
Actif au XVIIe siècle. On cite de lui la *Vue d'une petite ville italienne*.

B. T.
XVIe siècle. Allemand.
Monogramme d'un graveur.
Actif au XVIe siècle. Cité par Brulliot qui mentionne *J.-C. au milieu des docteurs* et le *Martyre de saint Erasme*.

B. T. H.
XVIe siècle. Probablement Allemand.
Monogramme d'un graveur.
On a de ce maître deux copies des estampes d'Aldegrever : *Le Jugement de Salomon* et *Sophonisbe*.

B. W. F.
XVIIe siècle.
Monogramme d'un graveur sur bois.
Actif en Allemagne ; cité par Brulliot qui mentionne de lui des vignettes et des frontispices de livres.

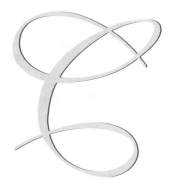

CAAIGNE George
XVIIe siècle. Français.
Peintre.
Il fut reçu à l'Académie de Saint-Luc en 1632.

CABA Y CASAMITYANA Antonio
Né en 1838 à Barcelone. Mort en 1907 à Barcelone. XIXe siècle. Espagnol.
Peintre d'histoire, portraits.
Élève de l'École des Beaux-Arts de Barcelone, de l'Académie San Fernando à Madrid et de Gleyre à Paris. Il a participé avec succès aux expositions de la Nationale des Beaux-Arts à Madrid. On cite de lui : *L'héroïne de Péralada* (1864), actuellement au Musée de l'Art Moderne à Madrid, *Judas allant se pendre*, *Le tribut de César*, et de nombreux portraits parmi lesquels ceux du peintre Viladomat, de don Frederico Pédrelle et de don Eulogio Despujols.
MUSÉES : MADRID (Mus. de l'Art Mod.) : *L'héroïne de Péralada* 1864.
VENTES PUBLIQUES : BARCELONE, 1er juil. 1986 : *Portrait de jeune femme* 1887, h/pan. (51x40,5) : ESP 110 000.

CABAILLOT. Voir **LASSALLE Camille Léo**

CABALERO Gorge
Né au Chili. XXe siècle. Chilien.
Peintre.
Il a participé à l'exposition ouverte à Paris, en 1946, au Musée d'Art Moderne, par l'organisation des Nations Unies.

CABALETTO Scipione de. Voir **CAVALLETTO Scipione de**

CABALIERE John
Mort en 1780. XVIIIe siècle. Actif à Londres. Britannique.
Miniaturiste.

CABALLERO Diego
XVIIe siècle. Espagnol.
Graveur.

CABALLERO José Luis
Né en 1915 ou 1916 à Huelva. Mort en 1991. XXe siècle. Espagnol.
Peintre de compositions murales, peintre de collages, décors de théâtre, illustrateur. Surréaliste puis abstrait.
Après avoir abandonné des études d'ingénieur, il fut élève de l'Académie de San Fernando à Madrid à partir de 1933. Depuis 1932, il était ami de Federico Garcia Lorca, participa à la scénographie de ses premières pièces, illustra le *Llanto por Ignacio Sanchez Mejias*. En 1936, il collabora à la revue de Pablo Neruda *Caballo verde para la poesia*. À partir de 1940, il créa de nombreux décors pour le théâtre, le cinéma et la danse, notamment pour les ballets de Pilar Lopez, à Madrid, Paris, Londres. Il fit de nombreux voyages en Europe, s'installa à Madrid. Il participe aux expositions institutionnelles, obtenant une seconde médaille à l'Exposition Nationale de 1948. Sa première exposition personnelle eut lieu à Madrid en 1950. Des expositions importantes d'ensemble ont été organisées : par le Musée d'Art Contemporain de Madrid en 1953 et 1959, par la Fondation Gulbenkian de Lisbonne en 1973. Il a également réalisé plusieurs peintures murales, en particulier pour le Grand Hôpital de Salamanque en 1964.
Influencé par Dali, il s'apparente, tout d'abord, à l'art des surréalistes, avant d'évoluer, après la guerre et influencé par Picasso,

vers l'abstraction, pratiquant une technique mixte et des collages, s'inscrivant dans le courant matiériste espagnol initié par Tapiès.
■ J. B.
BIBLIOGR. : In : *Diction. de la peint. espagnole et portugaise*, Larousse, Paris, 1989.
MUSÉES : BILBAO (Mus. d'Art Contemp.) – MADRID (Mus. Nat. d'Art Contemp.) – PITTSBURGH (Fond. Carnegie).
VENTES PUBLIQUES : MADRID, 1er avr. 1976 : *Composition*, h/t (66x81) : ESP 65 000 – PARIS, 23 avr. 1980 : *Garçons* 1978, past./pap. mar./contre-plaqué (159x119) : FRF 9 000 – MADRID, 22 oct. 1984 : *Instrument et comète dans la nuit*, h/t (72x91) : ESP 250 000 – MADRID, 16 déc. 1987 : *Nature morte*, h/t (60x73) : ESP 600 000 – PARIS, 27 juin 1988 : *Etreinte* 1975, dess. reh. à l'aquar. (55x74) : FRF 6 000 – LONDRES, 17 fév. 1989 : *Saint Sébastien et sainte Catherine*, aquar. et gche (36x26) : GBP 3 300 – MADRID, 28 jan. 1992 : *Femme et enfant*, aquar./pap. (55x76) : ESP 313 600 – MADRID, 10 juin 1993 : *Sans titre* 1975, acryl. et h./contreplaqué (64,5x64,5) : ESP 345 000 – NEW YORK, 20 juil. 1995 : *Aux courses*, h/t (65,4x46) : USD 6 900.

CABALLERO Luis
Né le 27 août 1943 à Bogota. Mort le 19 juin 1995 à Bogota. XXe siècle. Depuis 1964 environ actif en France. Colombien.
Peintre de figures, peintre à la gouache, aquarelliste, pastelliste, peintre de techniques mixtes, lithographe, dessinateur. Expressionniste.
Après des études à l'Université de los Andes à Bogota, à l'Académie de la Grande Chaumière à Paris, puis après avoir reçu les conseils de Busse, il participe, dès 1966, au Salon de Mai à Barcelone, au Festival d'Art de Lima (Pérou) et au Salon des Artistes Colombiens à Bogota, où il expose à nouveau l'année suivante. Il figure au Festival d'Art de Cali en 1967, 1968, date à laquelle il obtient le premier prix de dessin, puis en 1970, 1971, 1973. Il est également présent, en 1968, au Salon Codex à Buenos Aires, à la Biennale de Arte Coltejer à Medellin (Colombie), où il obtient le premier prix de peinture et où on le retrouve en 1970. Il était invité à la Biennale de Paris en 1969 et à l'exposition : *Cent Artistes dans la ville* à Montpellier en 1970. Il participe à la Biennale de Montevideo (Uruguay) en 1971, à celle de São Paulo (Brésil) en 1973 et à celle de Rijeka (Yougoslavie) en 1977, recevant le prix de dessin.
Il avait fait sa première exposition personnelle au Musée d'Art Moderne de Bogota en 1966, suivie de beaucoup d'autres, toujours à Bogota en 1968-1970-1971-1973-1974-1978, et à Cali en 1967, 1974, à Paris en 1976, 1977, 1979, Bruxelles 1976, 1979, 1982, New York 1976, 1982, Colmar et Bâle 1980, Berlin 1981. En 1996 à Paris, la galerie Albert Loeb lui a consacré une exposition personnelle en hommage.
Il a essentiellement peint à l'huile et au lavis d'aquarelle ou à l'huile sur papier. Toutefois, il a publié, en 1977, pour le Musée d'Art Moderne de Bogota, une série de lithographies sur le poème *Nodre Oscura* de San Juan de La Cruz. La peinture de Luis Caballero est exclusivement consacrée au corps humain et si quelques éléments de paysages apparaissent, ce sont des lignes de montagnes ou de nuages qui sont là pour souligner les sentiments exprimés par les corps eux-mêmes. En réaction à l'emprise du catholicisme qui domine son pays natal, et qui nie le plaisir en prêchant la souffrance, il fait une œuvre où l'érotisme est toujours présent. Pour Caballero cette opposition n'est pas réellement une contradiction, puisque, selon lui, le pouvoir et le mystère de la religion sont très similaires au pouvoir et au mystère de l'érotisme. Religion et érotisme sont tout autant

irrationnels et conduisent tous deux à un autre monde, à l'extase. L'ambiguïté des postures de ses corps vient de ce qu'elles expriment aussi bien le plaisir que la douleur, l'amour que la lutte, l'extase que la mort. Les corps dénudés, puissants, s'arcboutent, se tordent de douleur ou de plaisir : « Dans mes tableaux, écrit Caballero, on ignore si les figures achèvent de mourir ou de jouir. » L'influence de Bacon, que le peintre a découvert à son arrivée en France, est évidente, mais on ressent aussi un rappel de Michel-Ange qui serait devenu païen ou de Rubens athée.

Sa recherche s'exerce sur deux plans. D'une part, il est soucieux de déterminer la place du tableau dans l'espace. Le tableau ne peut plus être un accessoire du mur, mais au contraire être le mur lui-même et créer l'espace, en devenant polyptique, labyrinthe, chambre close. D'autre part, tout en devenant architecture, le tableau continue à recevoir des expressions graphiques. Caballero, dans une synthèse de l'influence de Bacon, du pop art et de certains éléments de l'op art, pour sa part, exprime l'angoisse de la solitude saisie dans la présence même de l'homme et de la femme et jusque dans l'affrontement érotique. Il s'explique lui-même sur le sens de sa démarche : « Au moyen de la *présence* qu'une figure peinte peut avoir, j'essaye de produire une tension entre cette figure (fausse) et le spectateur (vrai) qui la regarde. Le tableau n'est plus alors un bel objet qu'on regarde, non plus une simple idée esthétique qu'on comprend ou analyse, mais un vrai antagoniste face au spectateur. Cette tension peut se compliquer indéfiniment non seulement vis-à-vis du spectateur (plusieurs tableaux, plusieurs tensions), mais à l'intérieur du tableau lui-même entre les différentes figures peintes. » ■ J. B., A. P.

[signature : L. Caballero]

BIBLIOGR. : Conrad Detrez : *Caballero ou l'irrésistible corps de l'homme-dieu*, Galerie Jade, Colmar, 1980 – Catalogue de l'exposition *Caballero*, Galerie Fred Lanzenberg, Bruxelles, 1982.
MUSÉES : ARANGO (Bibl.) : *Peinture anecdotique* 1973 – BOGOTA (Mus. d'Art Mod.) : *Peinture anecdotique* 1973 – CALI (Mus. La Tertulia) : *Dessin anecdotique* 1972 – MEDELLIN (Mus. de Zea) : *Dessin* 1968 – PARIS (BN) : *Lithographie, sans titre* 1975.
VENTES PUBLIQUES : PARIS, 19 nov. 1982 : *Entassement de corps* 1979, pl. (37x47,5) : **FRF 2 700** – NEW YORK, 13 mai 1983 : *Sans titre* 1982, fus./pap. (76,2x56,8) : **USD 1 300** – NEW YORK, 28 nov. 1984 : *Deux hommes* 1976, h/t (194,3x129) : **USD 4 000** – PARIS, 6 juin 1985 : *Les garçons*, aquar., encre j gche (56x75) : **FRF 9 000** – PARIS, 12 oct. 1986 : *Sans titre* 1982, past. gras et cr. (56x75) : **FRF 8 000** – NEW YORK, 26 nov. 1986 : *Sans titre*, fus. (23,5x90) : **USD 4 000** – NEW YORK, 21 nov. 1988 : *Sans titre*, fus./pap. Black wash (99x99) : **FRF 90 000** – PARIS, 26 sep. 1989 : *Sans titre* 1982, gche et cr. (57x77) : **FRF 13 500** – NEW YORK, 21 nov. 1989 : *Torse* 1983, fus./pap. (74,3x104,5) : **USD 3 300** – PARIS, 2 avr. 1990 : *Nus*, sanguine/t. (146x114,5) : **FRF 40 000** – NEW YORK, 1er mai 1990 : *Nu* 1984, sanguine/pap. (190,5x124,5) : **USD 9 900** – NEW YORK, 2 mai 1990 : *Sans titre* 1984, aquar. et encre/pap. (22,8x25,8) : **USD 2 750** – NEW YORK, 20-21 nov. 1990 : *Sans titre* 1984, techn. mixte/pap. d'Arches (57,2x77) : **USD 3 520** – PARIS, 9 déc. 1990 : *Sans titre* 1972, past. et cr. coul. (74x103) : **FRF 9 000** – NEW YORK, 15-16 mai 1991 : *Sans titre* 1988, h/t (195,5x130) : **USD 19 800** – PARIS, 7 juin 1991 : *Survivance des Assimilas* 1960, h/t (80x80) : **FRF 80 000** – NEW YORK, 25 nov. 1992 : *Figure* 1988, h/t (145x114) : **USD 16 500** – NEW YORK, 18 mai 1993 : *Sans titre* 1986, h/t (195x130) : **USD 34 500** – PARIS, 11 juin 1993 : *Sans titre* 1975, aquar. et mine de pb (56x75) : **FRF 12 000** – NEW YORK, 17 nov. 1994 : *Sans titre* 1989, h/pap./t. (146x114,3) : **USD 29 900** – PARIS, 24 mars 1996 : *Sans titre* 1985, lav. de sépia (105x75) : **FRF 35 000** – PARIS, 10 juin 1996 : *Sans titre* 1991, encre/pap. (105x75) : **FRF 17 000** – PARIS, 29 nov. 1996 : *Sans titre (Descente de croix)* 1984, h/t (195x130) : **FRF 110 000** – NEW YORK, 24-25 nov. 1997 : *Sans titre* `1989, h/pap./t. (194x113,5) : **USD 25 300**.

CABALLERO Margarita
XXe siècle. Active en France. Péruvienne.
Sculpteur de figures.

Elle a reçu sa formation première au Pérou et au Mexique. Elle s'est fixée en France. En 1992, elle a montré un ensemble de sculptures à Perthes (Seine-et-Marne).

Elle travaille la terre, le grès, les résines et poudres de métal. Elle sculpte des femmes et des enfants dans des attitudes familières de la quotidienneté.

CABALLERO Maximo Juderias
Né en 1867 à Saragosse. Mort en 1951. XIXe-XXe siècles. Actif en France. Espagnol.
Peintre de genre.

Élève à l'Ecole des Beaux-Arts de Madrid, il a aussi travaillé sous la direction du peintre français Bouguereau. Il s'était installé en France, à La Roche-Villebon. Il a exposé au Salon des Artistes Français à Paris de 1900 à 1912.

VENTES PUBLIQUES : NEW YORK, 1903 : *Le livre intéressant* : **USD 320** – NEW YORK, 8, 9 et 10 jan. 1909 : *Les félicitations* : **USD 240** – PARIS, 23 juin 1924 : *Mousquetaires au cabaret* : **FRF 1 230** – PARIS, 10 mai 1926 : *Propos galants* : **FRF 2 950** – PARIS, 8 déc. 1941 : *Aux courses* : **FRF 1 500** – LOS ANGELES, 6 nov. 1978 : *L'Amateur d'art*, h/t (66x81,4) : **USD 3 500** – LONDRES, 14 fév. 1979 : *La Partie d'échecs* 1902, h/t (60x81) : **GBP 2 900** – NEW YORK, 29 mai 1980 : *Scène d'auberge*, h/t (54,5x65) : **USD 3 000** – NEW YORK, 25 fév. 1988 : *Le jeu de cartes* 1899, h/t (80,6x102,3) : **USD 18 700** – NEW YORK, 25 mai 1988 : *Une histoire d'amour* 1901, h/t (60,3x73) : **USD 22 000** – LONDRES, 21 juin. 1989 : *La leçon de musique*, h/t (41x33,5) : **GBP 9 900** – NEW YORK, 22 mai 1990 : *Cavaliers dans un intérieur*, h/t (53,3x64,1) : **USD 14 300** – LONDRES, 17 mai 1991 : *La jeune vendangeuse*, h/t (120x80) : **GBP 8 250** – LONDRES, 11 avr. 1995 : *Scène d'intérieur*, h/t (48,5x59) : **GBP 3 220**.

CABALLERO Pedro
XVIe siècle. Actif à Séville à la fin du XVIe siècle. Espagnol.
Peintre de sujets religieux.

CABALLERO Y LOPEZ Vicente
Né en 1838 à Madrid. Mort le 24 juin 1878 à Valladolid. XIXe siècle. Espagnol.
Sculpteur de sujets religieux, bustes.

Élève de l'Académie de San Fernando et du sculpteur Siro Perez. En 1859, il travailla à la restauration de l'église San Vicente d'Avila et aux sculptures de la chapelle San Gregorio. On a de lui de nombreux bustes, notamment ceux de Don Manuel Téran et de Don Justo de las Heras.

CABALLERO Y VILLAROEL José
Né le 17 septembre 1842 à Barcarrota (province de Badajoz). XIXe siècle. Espagnol.
Peintre d'histoire, portraits, natures mortes.

Élève de José Gutierrez de la Vega et de l'École de peinture de Madrid. Il exposa en 1866 à la Nationale des Beaux-Arts à Madrid. On cite de lui : *Testament d'Isabelle la Catholique, Charles Quint chez Fernand Cortès*. On lui doit aussi un certain nombre de natures mortes.

CABALLOS Luis
XVIIe siècle. Actif à Séville. Espagnol.
Peintre.

CABAN
XIXe siècle. Travaillant vers 1835. Allemand.
Peintre de genre, paysages.

CABAN Eugène Charles
XIXe siècle. Actif au milieu du XIXe siècle. Français.
Miniaturiste.

Peintre de fleurs à la Manufacture de Sèvres, de 1847 à 1885 ; exécuta quelques émaux avec des couleurs de Salvétat. On cite de lui un *Bouquet de fleurs*, 1850 (Musée céramique de Sèvres).

CABAN Olivier
XXe siècle. Français.
Artiste, créateur d'installations, multimédia.

Il a montré ses œuvres dans une exposition personnelle en 1994, au Capc musée d'Art contemporain de Bordeaux.

Il travaille à partir d'images préexistantes, affiches, cartes postales, autocollants, et s'intéresse à faire participer le spectateur, tant dans ses vidéos, qu'installations. Il puise ses sujets dans le quotidien, inventant des histoires et des situations, et dans la rue, où il opère avec son appareil. Il réalise aussi des photographies et des objets-clichés.

BIBLIOGR. : Didier Arnaudet : *Olivier Caban*, in : *Artpress*, n° 198, Paris, janv. 1995.

CABANA Antonio
Né à Valence. Mort en 1840 à Valence. XIXe siècle. Espagnol.
Peintre de portraits, lithographe, illustrateur.

Il fit de nombreux portraits et quelques toiles, parmi lesquelles on cite un *Œdipe*. Il collabora à l'illustration du journal *El Entreacto*.

CABANE Adda, appelée aussi Anna Valabrègue

Née en 1882 à Saint-Didier-les-Bains (Vaucluse). Morte en 1974 à Marseille (Bouches-du-Rhône). XIXᵉ-XXᵉ siècles. Française.

Peintre de genre, figures, portraits, paysages, natures mortes, fleurs.

Essentiellement élève de son père, Némorin Cabane, elle expose au Salon de Lyon dès l'âge de seize ans, obtenant une deuxième médaille en 1906 ; aux Salons des Artistes Français, des Femmes peintres à Paris, entre 1901 et 1914, obtenant une mention honorable en 1908. Elle est également présente aux Salons de Montpellier et Avignon. Mariée en 1918, elle cessa son activité artistique, pour la reprendre tout à fait à la fin de sa vie et signe alors Anna Valabrègue.

Elle traite avec vigueur, d'une touche rapide et nourrie, dans des tonalités vives mais sobres, des sujets aussi différents que des figures dans des intérieurs, des chevaux au galop dans un paysage, des fermes ensoleillées, des portraits. Parmi ses œuvres, citons : *Une ferme en Provence* 1899 – *Jeune fille au chapeau vert* 1905 – *La vieille nounou* – *Les deux amies* 1906 – *Farniente* 1908 – *En promenade* 1909 – *Soleil d'été* 1910.

BIBLIOGR. : Gérald Schurr : *Les Petits Maîtres de la peinture 1820-1920, valeur de demain*, Les Éditions de l'Amateur, t. VII, Paris, 1989.

MUSÉES : CARPENTRAS : *Farniente*.

VENTES PUBLIQUES : PARIS, 24 nov. 1980 : *Jeune femme à la capeline blanche*, h/t (81x66) : FRF 3 200.

CABANE André

Né à Paris. XXᵉ siècle. Français.

Peintre de paysages, natures mortes.

Élève de Baschet et Royer, il a exposé au Salon des Artistes Français à Paris de 1926 à 1932.

CABANE Édouard

Né le 8 janvier 1857 à Paris. XIXᵉ-XXᵉ siècles. Français.

Peintre de compositions religieuses, genre, portraits, natures mortes.

Élève de Tony Robert-Fleury et de Bouguereau, il participa régulièrement au Salon des Artistes Français à partir de 1888, obtenant plusieurs récompenses et étant hors-concours en 1907. À la fois austère et maniériste, dans l'esprit des Vénitiens du XVIᵉ siècle, il peint des portraits, dont celui de *Mlle Soyer*, des compositions pour des églises, notamment pour l'église de Salis, dans les Pyrénées.

BIBLIOGR. : Gérald Schurr : *Les Petits Maîtres de la peinture 1820-1920, valeur de demain*, Les Éditions de l'Amateur, t. IV, Paris, 1979.

MUSÉES : BORDEAUX – PÉRIGUEUX : *Portrait du général Marquis d'Hautefort* – REIMS : *Le manchon de Francine*.

VENTES PUBLIQUES : PARIS, 1895 : *tête* : FRF 300 – PARIS, 11 fév. 1919 : *La lecture* : FRF 390 – PARIS, 17 juin 1942 : *Confidences* : FRF 3 000 – PARIS, 14 juin 1944 : *Baigneuse* : FRF 500 ; *Nature morte à la cruche verte* : FRF 500 – NEW YORK, 28 avr. 1977 : *Baigneuse*, h/t (55,5x38) : USD 1 800 – NEW YORK, 28 oct. 1982 : *Après la baignade* 1892, h/t (170x109) : USD 12 000 – PARIS, 13 nov. 1986 : *Mousquetaires*, deux h/pan. (65x54) : FRF 12 000 – LONDRES, 23 juin 1987 : *Jeune fille en robe rouge, assise* 1907, h/t (159x110,5) : GBP 9 500 – REIMS, 21 oct. 1990 : *Nature morte aux raisins, à la prune et à la pomme* 1892, h/pan. (26,5x35) : FRF 4 200.

CABANE François

Né le 22 avril 1730 à Genève. XVIIIᵉ siècle. Suisse.

Peintre sur émail.

Il s'était associé avec son frère Gabriel Cabane.

CABANE Frédéric Albin

Né le 2 décembre 1839 à Nîmes. XIXᵉ siècle. Français.

Lithographe, dessinateur.

Élève, à l'École des Beaux-Arts de Lyon, où il entra en 1855, de Vibert, de Jourdeuil et de G. André, et professeur de dessin dans cette ville, il exposa au Salon de Lyon, depuis 1866, des portraits (dessins et lavis), des projets de décorations et des lithographies, et parmi ces dernières, les *Portraits de Jacques Stella* (1866) et de *Mgr Mermillod* (1872).

CABANE Gabriel

Né le 25 octobre 1726 à Genève. Mort le 11 juin 1760. XVIIIᵉ siècle. Suisse.

Miniaturiste.

Il fut l'associé de son frère François.

CABANE Némorin Florian

Né le 25 octobre 1831 à Logrian (Gard). XIXᵉ siècle. Français.

Peintre de portraits, paysages, natures mortes, aquarelliste.

Élève de Matet et Picot, à l'École des Beaux-Arts de Paris, où il entra en 1850, il participa au Salon de Paris, entre 1855 et 1881. Il résida à Montpellier et à Saint-Didier.

Ses paysages de Hollande, du Midi et de Haute-Savoie sont généreusement peints, dans des coloris assez violents. Parmi ses aquarelles, citons : *Le chemin* – *La route* ; parmi ses autres œuvres, citons : *La sortie de l'église* – *Sortie du prêche* – *Un puits au village* – *Scène champêtre*.

BIBLIOGR. : Gérald Schurr : *Les Petits Maîtres de la peinture 1820-1920, valeur de demain*, Les Éditions de l'Amateur, t. IV, Paris, 1979.

MUSÉES : AVIGNON : *Portrait de Marcel-Émile Verdet* – *Portrait de Germain Fuzet* – *Le Rhône en Camargue* – CARPENTRAS : *La Crau*.

CABANEL Alexandre

Né le 28 septembre 1823 à Montpellier (Hérault). Mort le 23 janvier 1889 à Paris. XIXᵉ siècle. Français.

Peintre d'histoire, compositions mythologiques, sujets religieux, portraits, paysages, compositions décoratives, aquarelliste.

Il fut l'élève de Picot à l'École des Beaux-Arts, où il entra le 1ᵉʳ octobre 1840. Après avoir obtenu le prix de Rome en 1845, à l'occasion du tableau : *Jésus dans le prétoire*, sa réputation d'artiste ne fit qu'augmenter tous les jours. Il fut nommé membre de l'Institut en 1863. Dans le courant de la même année, Cabanel fut nommé professeur à l'École des Beaux-Arts, et quand, un an après, la réorganisation de cet établissement eut lieu, il fit constamment partie du jury d'admission et des récompenses.

Il obtint une médaille de deuxième classe en 1852, une de première en 1855 et reçut la médaille d'honneur en 1865 et en 1867. Il dirigea longtemps, avec Bougereau, le Salon annuel, le préservant soigneusement dans son « pompiérisme ».

Très estimé par Napoléon III, cet artiste fit son portrait pour les appartements de l'impératrice aux Tuileries. De plus, ses deux œuvres : *Nymphe enlevée par un faune* et *Naissance de Vénus*, furent achetées par l'empereur. Sur la commande du roi de Bavière, il exécuta, en 1867, *Le paradis perdu*. En 1866, il fit pour l'impératrice Eugénie : *Le repos de Ruth*. De 1852 à 1853, il peignit au Salon des Cariatides de l'Hôtel de Ville de Paris, douze pendentifs représentant les douze mois de l'année, détruits en 1871, et, en 1856, il exécuta au Palais du Sénat les portraits de *Louis XIII* et du *Cardinal de Richelieu*. Il travailla pour l'hôtel Pereire en 1858 et en 1864 ; la première fois, il peignit sur le plafond la représentation des *Cinq sens* et, la seconde, six panneaux représentant les *Heures*. À l'hôtel Say, en 1861, il exécuta sur un plafond *Un rêve de la vie* et sur quatre dessus-de-porte, peignit *Les quatre éléments*. Ses œuvres les plus remarquables sont : *Mort de Moïse*, *Velléda*, *Glorification de saint Louis*, *Michel-Ange*, gravé par M.-E. Castan, *Othello racontant ses batailles*, *Mort de Francesca de Rimini et de Paolo Malatesta*, *Thamar et Absalon*, *La Sulamite*, *Phèdre*, *Portia (scène des coffrets du Marchand de Venise)*. Il fit pour le Panthéon : *La mort de saint Louis, roi de France*, qui figura à l'Exposition Universelle de 1878. Parmi ses portraits, on cite : *Alfred Bruyas* (1840), *Autoportrait* (1852), *La comtesse de Clermont-Tonnerre*, *La vicomtesse de Ganay*, *M. Mackay*. En 1856, sa composition *Le poète florentin* se vendit 56000 francs or, quand un Monet se vendait difficilement quelques centaines de francs.

ALEX. CABANEL.

MUSÉES : AMIENS : *Françoise de Rimini* – ANVERS : *Cléopâtre faisant essayer des poisons sur des condamnés à mort* – *Portrait de l'artiste* – BÉZIERS : *Druidesse* – *Oreste* – *Cléopâtre* – *Faune enlevant une nymphe* – GRAZ : *Vénus et Adonis* – LILLE : *Nymphe enlevée par un faune* – MONTPELLIER : *Phèdre* – *Saint Jean Baptiste* – *Portrait de M. Alfred Bruyas* – *Un penseur, jeune moine romain* – *La Chiaruccia* – *L'ange déchu* – *Portrait de Mme Louise Marès* – *Haydée* – *Velléda* – *Portrait de l'artiste* – *Le triomphe de Vénus* – *Cincinnatus recevant les ambassadeurs chargés de lui porter les insignes de la dictature* – MOSCOU (Gal. Tretiakoff) : *Bacchanale* – PARIS (Art. Mod.) : *La Naissance de Vénus* – *Portrait* – *Le repos de*

Ruth – PARIS (Panthéon) : *Saint Louis* – PONTOISE : *Tête d'enfant*, sanguine – SÈTE : *Un jeune Romain* – TOUL : *Portrait de l'artiste* – VALENCIENNES : *Le Christ au jardin des Oliviers*.

VENTES PUBLIQUES : PARIS, 1876 : *Poète florentin* : **FRF 56 500** ; *Aglaé* : **FRF 26 000** ; *Soir d'Automne* : **FRF 7 000** – NEW YORK, 1879 : *Ophélie* : **FRF 5 700** – PARIS, 1886 : *Desdémone* : **FRF 6 000** – PARIS, 1887 : *Cléopâtre essayant des poisons sur des prisonniers*, réduction du tableau représentant le même sujet : **FRF 20 000** ; *Première extase de saint Jean Baptiste* : **FRF 12 500** ; *Le triomphe de Flore* : **FRF 3 000** ; *La vie de saint Louis* : **FRF 10 000** ; *Vénus victorieuse* : **FRF 5 000** ; *Portrait de M. A.* : **FRF 4 000** ; *Portrait du fondateur et de la fondatrice de l'Œuvre des petites sœurs des pauvres* : **FRF 10 000** ; *La Sulamite*, sanguine : **FRF 160** ; *La naissance de Vénus*, sanguine : **FRF 410** ; *Deux études pour Titan*, dess. : **FRF 55** ; *Dalila*, aquar. : **FRF 526** ; *Salomé*, aquar. : **FRF 280** ; *Joueuse de guitare*, aquar. : **FRF 620** ; *Mérovingienne*, aquar. : **FRF 200** ; *Hamlet*, aquar. : **FRF 560** – PARIS, 1894 : *Petite Italienne* : **FRF 1 000** – NEW YORK, 1899 : *L'étoile du soir* : **FRF 3 400** – NEW YORK, 17 jan. 1902 : *Le rendez-vous des âmes* : **USD 1 025** – NEW YORK, 1909 : *Phèdre* : **USD 1 000** – PARIS, 23 déc. 1918 : *Idylle antique* : **FRF 230** ; *Le triomphe de l'amour* : **FRF 85** – PARIS, 4 et 5 mars 1920 : *Tête de faune riant*, dess. : **FRF 90** ; *Agar pensive*, cr. : **FRF 80** – PARIS, 2 mars 1921 : *Absalon et Thamar* : **FRF 520** – PARIS, 30 mai 1924 : *Judith* : **FRF 1 100** ; *Arabe. Études pour l'Absalon* : **FRF 140** ; *Étude de chameau pour le tableau Rebecca et Eliezer* : **FRF 55** – PARIS, 17 et 18 nov. 1924 : *Tête de vieillard, de profil à gauche* : **FRF 55** – PARIS, 4 mars 1925 : *L'Italienne*, mine de pb : **FRF 65** – PARIS, 4 mars 1926 : *La vague* : **FRF 500** – PARIS, 6 mai 1927 : *La Reine Blanche de Castille présidant à l'éducation de son fils* : **FRF 1 250** – PARIS, 31 jan. 1929 : *La vague* : **FRF 720** – PARIS, 27-29 mai 1929 : *Portrait de l'empereur Napoléon III* : **FRF 6 200** – NEW YORK, 4 et 5 fév. 1931 : *Lucrèce et Sextus Tarquin 1877* : **USD 425** – NEW YORK, 29 avr. 1931 : *Michel-Ange dans son atelier 1856* : **GBP 12** – PARIS, 9 fév. 1937 : *Portrait de jeune fille* : **FRF 250** – PARIS, 4 juin 1937 : *Aglaé* : **FRF 2 000** – PARIS, 31 oct. 1941 : *Étude pour une bacchanale*, sanguine : **FRF 130** – PARIS, 22 mai 1942 : *L'air*, aquar., étude pour dessus-de-porte en forme d'éventail : **FRF 320** – PARIS, 1ᵉʳ juin 1942 : *Étude*, préparation sur pap. : **FRF 480** – PARIS, 8 mars 1943 : *Étude : Moine debout*, mine de pb : **FRF 120** – NEW YORK, 5 oct. 1943 : *Jeune paysanne 1868* : **USD 250** – PARIS, 10 nov. 1943 : *Michel-Ange dans son atelier* : **FRF 2 100** – PARIS, 10 mai 1944 : *L'Ange déchu*, dess. au cr. noir : **FRF 250** – PARIS, 21 jan. 1949 : *Satyre et nymphe* : **FRF 18 000** – COLOGNE, 28 avr. 1965 : *Le jeune Florentin* : **DEM 1 610** – PARIS, 25 fév. 1972 : *Étude de tête d'ange pour « Le Paradis »* : **FRF 2 000** – PARIS, 21 juin 1977 : *Le Modèle*, h/t (73x54) : **FRF 4 000** – NEW YORK, 3 mai 1979 : *La Mort de Moïse 1851*, h/t (285x305) : **USD 70 000** – NEW YORK, 28 mai 1981 : *La boîte de Pandore 1881*, h/t (102x73) : **USD 28 000** – LONDRES, 28 nov. 1984 : *Portrait de jeune femme à l'éventail 1883*, h/t (123x80) : **GBP 3 000** – PARIS, 19 juin 1986 : *Bacchante endormie*, h/t (73x92) : **FRF 136 000** – PARIS, 23 juin 1988 : *Portrait de femme 1886*, h/t (61x50) : **FRF 50 000** – NEW YORK, 23 fév. 1989 : *Jolie jeune fille arabe 1871*, h/t (73,6x59,7) : **USD 15 400** – NEW YORK, 25 oct. 1989 : *Un ruisseau rocheux*, aquar. et gche/pap. bleu (22,3x28) : **USD 2 200** – MONACO, 16 juin 1990 : *Paolo et Francesca 1870*, h/t (91x129) : **FRF 177 600** – NEW YORK, 15 oct. 1991 : *Étude de tête de femme*, craie noire et rouge/pap. (22x18,5) : **USD 1 650** – LE TOUQUET, 10 nov. 1991 : *Portrait de deux petites filles 1871*, h/t (73x58,5) : **FRF 44 000** – PARIS, 19 jan. 1992 : *Portrait d'homme*, mine de pb avec reh. de blanc (38x29) : **FRF 8 000** – PARIS, 3 avr. 1992 : *Étude de femme nue*, cr. noir (27x42) : **FRF 6 300** – NEW YORK, 28 mai 1992 : *Andromède 1865*, h/pan. (26,7x21,6) : **USD 5 500** – CALAIS, 5 juil. 1992 : *L'enlèvement des Troyennes*, h/pan. (34x51) : **FRF 15 000** – NEW YORK, 18 fév. 1993 : *Cléopâtre testant des poisons sur des condamnés à mort*, h/t (87,6x148) : **USD 440 000** – NEW YORK, 15 fév. 1994 : *L'expulsion du Paradis*, h/t (60,3x45,1) : **USD 36 800** – LOKEREN, 9 déc. 1995 : *In memoriam 1859*, h/t (87x120) : **BEF 380 000** – NEW YORK, 12 fév. 1997 : *La Naissance de Vénus*, h/t (57,2x99,1) : **USD 63 000** – NEW YORK, 23 oct. 1997 : *Portrait de John William Mackay 1878*, h/t (129,5x85,1) : **USD 40 250**.

CABANEL Joseph

Né le 1ᵉʳ septembre 1746 à Genève. Mort le 21 février 1838. XVIIIᵉ-XIXᵉ siècles. Suisse.

Peintre sur émail, dessinateur.

Joseph Cabanel fut l'associé de Marc Roux et de Jean Abraham Lissignol, 1767-1773.

CABANEL Pierre

Né le 11 janvier 1838 à Montpellier. XIXᵉ siècle. Français.

Peintre de genre, portraits.

Neveu et élève d'Alexandre Cabanel. Il exposa assez régulièrement aux Salons de Paris entre 1869 et 1888. On cite : *Naufrage sur la côte bretonne*, *La mort d'Abel*, *La fuite de Néron*.

Pierre Cabanel

MUSÉES : MONTPELLIER : *Nymphe surprise par un satyre* – *Héro retrouvant le corps de Léandre* – SÈTE : *L'enfant prodigue* – *Portrait d'Auguste Cabanel en sous-lieutenant des mobiles de l'Hérault en 1870*.

CABANES Damien

Né en 1959 à Suresnes (Hauts-de-Seine). XXᵉ siècle. Français.

Sculpteur, peintre, peintre à la gouache. Polymorphe.

Il fit ses études à l'École des beaux-arts de Paris entre 1978 et 1984. Il vit et travaille à Paris.

A partir de 1979, il a participé à plusieurs expositions de groupe : 1980 Centre culturel de la Ville de Paris, musée des Arts décoratifs ; 1984 Salon des Réalités Nouvelles à Paris ; 1985 Institut français de Berlin, New York, Bruxelles et Tokyo ; 1997 Cité internationale des arts à Paris. Depuis 1987, il montre ses œuvres dans des expositions personnelles : 1991 galerie Zürcher et l'Hôpital éphémère à Paris ; 1993 Maison d'art contemporain de Chaillioux à Fresnes, Salon Découvertes à Paris présenté par la galerie Éric Dupont de Toulouse ; 1995 musée des Beaux-Arts de Mulhouse, Centre d'Art contemporain de Montbéliard ; 1996 pavillon de Bercy à Paris. Son travail se caractérise par sa diversité : sculptures filiformes en bronze qui semblent être un émanation des sculptures de Giacometti, laques de 1989-1991, grandes toiles abstraites, superposant des carrés de couleurs de différentes tailles aux coloris contrastés, chargés d'émotion, autoportraits de 1994-1995, paysages et plâtres peints de la même période. Abstraites ou figuratives, ces œuvres se rattachent à l'espace, au paysage, se font « en fonction des pulsions ou des intuitions de l'artiste ou de la manière dont la peinture réagit matériellement, voire chimiquement » (Suchère).

BIBLIOGR. : Éric Suchère : *Damien Cabanes sur le motif*, in : *Artpress*, n° 222, Paris, mars 1977.

MUSÉES : SÉLESTAT (FRAC) : *Autoportrait 1993-1994* – TOULOUSE (FRAC, Espace d'art Mod. et Contemp.) : *Autoportrait 1993*.

VENTES PUBLIQUES : PARIS, 13 avr. 1988 : *Trois arbres*, sculpt. en bronze (98x19x15) : **FRF 10 000**.

CABANES Louis François

Né le 1ᵉʳ mars 1867 à Toulouse (Haute-Garonne). XIXᵉ-XXᵉ siècles. Français.

Peintre d'histoire, scènes de genre, sujets typiques, illustrateur. Orientaliste.

Élève de Jean-Paul Laurens et de L. Glaize. Il débuta au Salon des Artistes Français en 1894, et obtint plusieurs médailles. Il a participé en 1906 à l'Exposition Coloniale à Paris et à l'Exposition de Bruxelles en 1910. Il continua d'exposer jusqu'en 1936. A illustré : *Promenades à travers le Caire*, de J. d'Ivray.

MUSÉES : CARCASSONNE : *Le Ramadan* – CHARLEVILLE-MÉZIÈRES : *Jeanne d'Arc* – MONTAUBAN : *Rêve de gloire* – *Les traînards de la caravane* – PARIS (Petit Palais) : *Le repos de la caravane*.

VENTES PUBLIQUES : LUCERNE, 2 juin 1981 : *Bédouins au repos*, h/t (75,5x95) : **CHF 1 500** – PARIS, 10 déc. 1984 : *Arabes endormis à la porte de la mosquée*, h/t (117x90) : **FRF 8 800** – PARIS, 11 déc. 1995 : *La caravane*, h/t (45x55) : **FRF 7 000** ; *Ville du sud algérien au clair de lune*, h/cart. (43x48,5) : **FRF 10 000**.

CABANES Max

Né en 1947. XXᵉ siècle. Français.

Aquarelliste, pastelliste, dessinateur, illustrateur.

Autodidacte. Il débute en 1977 en présentant ses premiers dessins dans *Fluide glacial* avant de collaborer régulièrement à *Pilote*, puis au journal *(À suivre)*. En 1990 il reçut le Grand Prix de la ville d'Angoulême.

Il réalise également de nombreuses affiches, sérigraphies, lithographies.

VENTES PUBLIQUES : PARIS, 6 avr. 1991 : *La rue 1991*, past. gras de coul./pap. (35x57) : **FRF 10 000** ; *La maison 1991*, past. gras de coul./pap. (34,9x47,4) : **FRF 6 500**.

CABANES Pedro

Originaire de Catalogne. XVᵉ-XVIᵉ siècles. Espagnol.

Peintre.

Cet artiste paraît avoir été un des maîtres les plus brillants de l'art espagnol au XVIᵉ siècle. On cite de lui un retable au couvent San Gregorio, à Valence, et une toile : *La Cène*.

CABANES Y BADOSA César
Né en 1885 près de Barcelone. XXᵉ siècle. Espagnol.
Sculpteur et médailleur.

CABANNE Pauline, Mme, née Garneray
Née au XVIIIᵉ siècle en France. XVIIIᵉ siècle. Française.
Aquarelliste.
Elle était fille et élève de Jean-François et sœur d'Auguste Garneray. Celui-ci avait commencé, en 1812, une aquarelle pour l'impératrice Joséphine : *Intérieur de la galerie de la Malmaison* ; ce fut Mme Cabanne qui acheva le travail. Cette aquarelle fut exposée au Salon de 1831.

CABANYES, Maître de. Voir MAÎTRES ANONYMES

CABANYES José
XVIIIᵉ siècle. Actif à Barcelone. Espagnol.
Peintre.

CABANYES Y BALLESTER Joaquin
Né à Valence. Mort le 3 décembre 1876 à Barcelone. XIXᵉ siècle. Espagnol.
Paysagiste.
Le Musée provincial de Valence possède une toile de cet artiste.

CABANYES MARQUES Alejandro de
Né le 17 mars 1877 à Barcelone. Mort le 23 mars 1972 à Villanueva y Geltrù. XXᵉ siècle. Espagnol.
Peintre de paysages, marines. Postimpressionniste.
Élève à l'Ecole des Beaux-Arts de Madrid et de Barcelone, il poursuivit ses études artistiques à Paris et Munich. Il a participé à plusieurs expositions de groupe, notamment aux expositions nationales des Beaux-Arts, recevant une médaille en 1932, et à l'exposition des artistes catalans à Lisbonne. A partir de 1911 et jusqu'à sa mort, il a exposé à la ville de Condal, obtenant une seconde médaille en 1917. Il a présenté ses œuvres à Madrid, Barcelone, Paris, etc.
A travers ses paysages, il cherche à capter la lumière méditerranéenne, utilisant des couleurs brillantes à larges traits et simplifiant les formes.
BIBLIOGR. : In : *Cien anos de pintura en Espana y Portugal, 1830-1930*, Antiquaria, 1988.
MUSÉES : BALAGUER – BARCELONE (Mus. mun.) – VILLANUEVA Y GELTRÙ.
VENTES PUBLIQUES : BARCELONE, 21 juin 1979 : *Marine*, h/t (70x80) : **ESP 230 000** – BARCELONE, 23 avr. 1980 : *Barques sur la plage*, h/t (50x60) : **ESP 100 000** – BARCELONE, 25 oct. 1984 : *Paysage*, h/t (58x68) : **ESP 100 000** – BARCELONE, 27 nov. 1986 : *Scène de bord de mer 1940*, h/t : **ESP 260 000**.

CABANZON Y HERNANDEZ Francisco
Né à Rioseco (province de Valladolid). XIXᵉ-XXᵉ siècles. Espagnol.
Peintre de genre, natures mortes.
VENTES PUBLIQUES : AMSTERDAM, 16 nov. 1988 : *Un journalier et son âne sur les grève d'un ruisseau et un paysan et une fillette fauchant au lointain*, h/pan. (13x21) : **NLG 1 495**.

CABARET Michel Louis
XVIIIᵉ siècle. Français.
Peintre.
Il fut reçu à l'Académie de Saint-Luc en 1753.

CABARRUS Jénika
Née au XIXᵉ siècle à Paris. XIXᵉ-XXᵉ siècles. Française.
Pastelliste.
Élève de Mlle Dubos. Elle exposa aux Artistes Français en 1900.

CABART Marie Ernestine, Mme, née Serret
Née le 12 septembre 1812 à Paris. XIXᵉ siècle. Française.
Peintre de compositions religieuses, portraits.
Exposa au Salon, sous le nom de Serret, plusieurs portraits et quelques études, de 1834 à 1849. Parmi ses toiles, citons : *La méditation, Une juive, Femme italienne, Une religieuse Carmélite, Jésus-Christ chez Simon*.

CABARTEUX Jean Jacques François
Né à Seraing (Belgique), de parents français. XIXᵉ siècle. Français.
Graveur.
Élève de Hildebrand, cet artiste exposa au Salon de Paris de 1869 à 1882. Il travailla beaucoup pour le *Magasin pittoresque*. On cite

de cet artiste des gravures sur bois : *Fondation de l'Observatoire*, d'après Lebrun, dessin de A. Brun, *Vignette*, dessin de E. Morin, *Vignette*, dessin de Kauffmann, *Le roi Miéza*, dessin de C. Gilbert, *Gambrinus*, dessin de M. E. Morin.

CABASSI Margherita
Née en 1663 à Modène. Morte en 1734. XVIIᵉ-XVIIIᵉ siècles. Italienne.
Peintre de genre.

CABASSON, de son vrai nom : Guillaume Alphonse Harang
Né le 25 février 1814 à Rouen. Mort le 15 juin 1884 à Paris. XIXᵉ siècle. Français.
Peintre d'histoire.
Entré à l'École des Beaux-Arts le 5 octobre 1833, il étudia sous la direction de David d'Angers et de P. Delaroche. En 1878, il fut nommé professeur à l'École des Arts décoratifs. Il figura pour la première fois au Salon de 1841 : *Captivité de saint Louis* et *Conversion de Robert le Diable*, et continua à y exposer jusqu'en 1882.
MUSÉES : ALENÇON : *Dante et Virgile aux Enfers* – LIMOGES : *La pêcheuse de crevettes à Boulogne*, aquar. – ROUEN : *La conversion de Robert le Diable* – *Saint Romain domptant la gargouille* – *Portrait du général de division Duvivier* – *Saint Jérôme* – *Le portrait de Marie de Médicis présenté à Henri IV* – *Les noces de Cana*.

CABASSON Joseph
Né en 1841 à Marseille (Bouches-du-Rhône). Mort en 1920. XIXᵉ-XXᵉ siècles. Français.
Peintre de paysages, aquarelliste.
Élève de Bronzet et d'Emile Loubon à l'École des Beaux-Arts de Marseille, il acheva ses études à Paris, où il exposa, au Salon, à partir de 1865. Ses paysages, à l'huile ou à l'aquarelle, sont traités avec sûreté, dans des tonalités brillantes.
BIBLIOGR. : Gérald Schurr : *Les Petits Maîtres de la peinture 1820-1920, valeur de demain*, Les Éditions de l'Amateur, t. III, Paris, 1976.
MUSÉES : MARSEILLE (Mus. du Palais Longchamp) : *Les Gorges de l'Esteron*.

CABAT Louis ou Nicolas Louis
Né le 6 décembre 1812 à Paris. Mort le 13 mars 1893 à Paris. XIXᵉ siècle. Français.
Peintre de paysages, aquarelliste, graveur, dessinateur.
Cet excellent artiste fut élève de Camille Flers. Il débuta au Salon en 1833 et y exposa régulièrement jusqu'à sa mort. Entré à l'Académie des Beaux-Arts en 1867, il fut nommé en 1878 directeur de l'Académie de France à Rome.
Ce fut un paysagiste très intéressant, possédant un vif sentiment de la nature qu'il allait surtout chercher en forêt de Fontainebleau. Il chercha avant tout la simplicité et atteignit parfois à des effets réalistes d'un grand attrait. Ces mêmes qualités se retrouvent dans ses gravures assez rares. Dans la dernière partie de sa vie il se rallia au néoclassicisme.

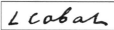 
Cachet de vente

BIBLIOGR. : Pierre Miquel : *Le Paysage français au XIXᵉ siècle 1800-1900, l'école de la nature*, Éditions de La Martinelle, vol. II-III, Maurs-la-Jolie, 1985.
MUSÉES : AMIENS : *Le bon Samaritain* – BAYEUX : *Le soir, paysage* – CHÂLONS-SUR-MARNE : *Fontaine druidique* – FONTAINEBLEAU : *Vue de la Gorge aux Loups dans la forêt de Fontainebleau* – LE HAVRE : *Les disciples d'Emmaüs* – LILLE : *Paysage* – NANTES : *Paysage* – PARIS (Louvre) : *Un soir d'automne* – *L'étang de Ville-d'Avray* – PONTOISE : *Paysage*, dernier dessin du maître – *Un coin du lac de Nemi*, étude pour un grand tableau – LE PUY-EN-VELAY : *La lisière d'une forêt* – ROUEN : *Lac en Italie* – TROYES : *Un étang dans les bois* – *Chemin montant*.
VENTES PUBLIQUES : PARIS, 1834 : *L'entrée d'un bois*, étude d'après nature : **FRF 660** – PARIS, 1853 : *Le chemin de Narni, effet du soir* : **FRF 3 200** ; *Le jardin Beaujon* : **FRF 2 300** ; *Le lac de Narni* : **FRF 2 700** – PARIS, 1860 : *Paysage historique* : **FRF 2 000** – PARIS, 1893 : *Paysage dans les bois de Bercenay-en-Othe (Aube)* : **FRF 630** ; *Pré à Bercenay-en-Othe* : **FRF 600** ; *Lisière de la forêt de Fontainebleau* : **FRF 230** – PARIS, 1894 : *La rivière avant le moulin*, dess. : **FRF 20** ; *Le ru du moulin de Veniens*, dess. :

FRF **94** – Paris, 1900 : *L'étang sous bois* : FRF **400** ; *Fête villa-geoise* : FRF **1 000** – Paris, 9 mai 1901 : *Paysage napolitain* : FRF **100** – New York, 10 fév. 1903 : *Paysage* : USD **775** – Londres, 6 fév. 1909 : *Une rivière en France* : GBP **7** – Paris, 13 nov. 1918 : *La route* : FRF **125** – Paris, 20 nov. 1918 : *Ferme normande* : FRF **185** – Paris, 4 et 5 déc. 1918 : *Scierie au bord de la rivière* : FRF **280** – Paris, 5-7 déc. 1918 : *Vaches à l'abreuvoir* : FRF **500** – Paris, 27 fév. 1919 : *Vaches à la lisière d'un bois* : FRF **300** – Paris, 16 et 17 déc. 1919 : *Soleil couchant (Normandie)* : FRF **210** – Paris, 12 fév. 1920 : *Paysage* : FRF **95** – Paris, 26 et 27 mars 1920 : *Les trois chênes* : FRF **200** – Paris, 6 et 7 mai 1920 : *Lac dans les montagnes* : FRF **200** – Paris, 8 mai 1920 : *Orage dans la campagne de Florence* : FRF **100** – Paris, 30 nov.-1ᵉʳ et 2 déc. 1920 : *La halte au bord du chemin*, aquar. : FRF **120** / *Paysage*, aquar. : FRF **400** – Paris, 22 jan. 1921 : *Sentier au bord de la rivière* : FRF **300** – Paris, 23 mai 1922 : *Paysage* : FRF **400** – Paris, 9 fév. 1923 : *Le moulin de Belval (Normandie)* : FRF **1 250** ; *Les Grands chênes au bord de la rivière* : FRF **1 000** – Paris, 9 et 10 mars 1923 : *Saules au bord d'une rivière*, lav. de sépia : FRF **38** ; *Chemin au bord du Tibre*, pl. et lav. de sépia : FRF **300** – Paris, 28 juin 1923 : *Les grands chênes au bord du ruisseau*, pl. et sépia : FRF **105** ; *La Halte au bord du chemin*, aquar. : FRF **250** – Paris, 21 déc. 1923 : *Paysage*, étude : FRF **100** – Paris, 15 avr. 1924 : *L'Étang en automne* : FRF **300** – Paris, 17 nov. 1924 : *L'Abreuvoir* : FRF **405** – Paris, 28 jan. 1925 : *Sous-bois, étude d'arbres* : FRF **65** – Paris, 6 mai 1925 : *Le Lac de Garde*, sépia : FRF **55** – Paris, 30 déc. 1925 : *Le chemin du bois*, aquar. : FRF **190** – Paris, 18 fév. 1926 : *Mare près d'une ferme* : FRF **200** – Paris, 4 avr. 1928 : *Les deux chaumières*, pl. et lav. de sépia : FRF **260** – Paris, 9 nov. 1938 : *L'Étang* : FRF **85** – Paris, 23 déc. 1940 : *Le Château de Nemy* 1857, dess. à la pl. partiellement reh. : FRF **100** – Paris, 4 déc. 1941 : *Le Vieux Pont* 7 juillet 1837, mine de pb : FRF **100** – Paris, 1ᵉʳ avr. 1942 : *Cour de ferme, Étretat* 14 septembre 1857, pl. et lav. : FRF **250** – Paris, 29 mars 1943 : *Bords de rivière* : FRF **4 100** – Paris, 4 juin 1943 : *Pêcheurs faisant sécher leurs filets* : FRF **2 600** – Paris, 21 oct. 1943 : *Paysage*, pl. et lav. : FRF **100** – Paris, 10 oct. 1949 : *Bord de rivière* : FRF **10 900** – Paris, 19 avr. 1951 : *Bord de rivière, la Vanne* : FRF **22 800** – Lucerne, 28 nov. 1964 : *Paysage fluvial avec pont* : CHF **1 650** – Berne, 6 mai 1966 : *Le moulin de Belval, Normandie* : CHF **3 000** – Paris, 5 déc. 1972 : *Paysage et baigneuse* : FRF **3 600** – Paris, 19 nov. 1976 : *La baie*, h/t (33x50) : FRF **3 000** – New York, 14 jan. 1977 : *Paysage d'été*, h/t (50x60) : USD **1 000** – Copenhague, 2 nov. 1978 : *La Baignade* 1859, h/t (46x61) : DKK **20 000** – Lucerne, 29 mai 1979 : *Le Chemin en forêt*, h/t (42x58,5) : CHF **7 000** – New York, 30 juin 1981 : *Personnages sur un chemin boisé*, h/t (45x60) : USD **1 700** – Versailles, 18 mai 1983 : *Les arbres au bord du lac au clair de lune*, h/t (65x81,5) : FRF **15 000** – Paris, 26 juin 1987 : *Paysage* 1847, cr. (30x43) : FRF **2 200** – Berne, 26 oct. 1988 : *Paysage boisé et rocheux*, h/cart. (46x34) : CHF **1 000** – Paris, 12 oct. 1990 : *Mère et enfant assis devant la chaumière*, h/t (24,5x19) : FRF **5 000** – Paris, 28 juin 1991 : *Vue d'un étang à la lisière d'un bois*, encre de Chine et lav. (30x40,5) : FRF **4 200**.

CABAUD Albert
Né au XIXᵉ siècle à Tulle. XIXᵉ siècle. Français.
Graveur au burin.
Élève de Dubouchet, Barbotin, Bonnat et Jules Jacquet. Il exposa aux Artistes Français en 1903, 1904, 1905. On cite de lui : *L'Age de fer*, d'après Lançon, *Sainte Geneviève*, d'après Delaunay.

CABAUD Paul
Né à Annecy (Haute-Savoie). XIXᵉ siècle. Français.
Peintre de paysages.
Il exposa au Salon de 1870 à 1881.

CABAUD Reine, appelée aussi Cabaud-Chambon
Née à Tunis. XXᵉ siècle. Française.
Peintre de genre, portraits, natures mortes.
Elle a exposé au Salon des Artistes Indépendants à Paris à partir de 1935.
Ventes Publiques : Versailles, 23 sep. 1990 : *Nature morte à l'assiette de pommes*, h/t (46x55) : FRF **3 200** – Paris, 20 nov. 1994 : *Canal de la Villette*, h/cart. (40x55) : FRF **7 500**.

CABAUD René Charles Jules
Né le 30 septembre 1891 à Lons-le-Saunier (Jura). Mort le 12 janvier 1962 à Paris. XXᵉ siècle. Français.
Peintre de marines, paysages de montagne.
De 1935 à 1943, il a exposé au Salon des Artistes Indépendants à Paris.

CABAUD-ARBELOT Élizabeth
Née à Saint-Germain-en-Laye (Yvelines). XXᵉ siècle. Française.
Sculpteur.
A figuré au Salon des Artistes Français en 1920-1921.

CABAY Michiel ou Cabaay ou Cabouy ou Cabbaey
XVIIᵉ-XVIIIᵉ siècles. Actif à Anvers. Éc. flamande.
Miniaturiste.
Miniaturiste de talent dont on retrouve souvent les œuvres dans les collections d'art.
Ventes Publiques : Paris, 1776 : *Femme nue couchée sur une draperie blanche*, miniat. : FRF **150**.

CABAY Robert
Né à Reims (Marne). XXᵉ siècle. Français.
Peintre.
A exposé des paysages au Salon des Indépendants de 1935 à 1943.

CABBAGE
XVIIIᵉ siècle. Actif dans la seconde moitié du XVIIIᵉ siècle. Français.
Graveur.
Cité par Le Blanc.

CABBELL R.
XIXᵉ siècle. Actif à Londres au début du XIXᵉ siècle. Britannique.
Peintre.

CABE Carlos Alberto Ribero, pseudonyme de Gomez, dit Carlos
Né le 11 janvier 1939 à Lisbonne. XXᵉ siècle. Portugais.
Peintre, graveur, sculpteur. Tendance surréaliste.
Il a fait ses études entre 1954 et 1960 à l'Ecole des Arts Décoratifs de Lisbonne, puis à Bruxelles en 1961, enfin à l'Ecole des Beaux-Arts de Paris avec Coutaud en 1967 et 1968. Il expose dès 1967 à la Biennale de Paris, et participe à de nombreuses Biennales de l'estampe : en 1967 à Ljubljana, en 1968 à Paris, et à Cracovie en 1969.
Surtout graveur, il a mis au point certaines techniques permettant d'obtenir des reliefs sur la planche, à partir de gaufrages en creux ou en reliefs. Il réalise surtout des compositions où différents éléments figuratifs assemblés, évoquent certains moments ou objets de la vie : tirs de fêtes foraines, planches scolaires de sciences naturelles... Vers 1970, il a réalisé en trois dimensions ces assemblages, révélant un sens très aigu de la poésie qui n'est pas sans référence à un certain surréalisme.
Ventes Publiques : Amsterdam, 19 mai 1992 : *Jeune fille debout*, bronze (H. 68) : NLG **3 910**.

CABECCIA Dominique
Né à Bologne. XXᵉ siècle. Italien.
Peintre de natures mortes. Tendance fantastique.
Il a exposé au Salon des Artistes Indépendants à Paris. Ses sujets concrets sont traités dans un esprit touchant au fantastique. Son art est proche de celui d'Edouard Goerg.
Ventes Publiques : Paris, 2 juil. 1936 : *Anémones dans un pot jaune* : FRF **200** ; *Fleurs dan un pichet* : FRF **160**.

CABEL. Voir aussi ARENTSZ

CABEL Adrian Van der ou Kabel, dit Geestigheid
Né vers 1631 à Ryswyck (près de La Haye). Mort le 16 janvier 1705 à Lyon, où il a été inhumé. XVIIᵉ siècle. Hollandais.
Peintre de scènes mythologiques, sujets religieux, animaux, portraits, paysages, marines, natures mortes, graveur, dessinateur.
Élève, à La Haye, de Jan Van Goyen, dont il assimila la manière. Il parcourut d'abord la Hollande, au sortir de son atelier, puis partit pour Rome, vers 1656 ; il aurait fait alors un premier séjour à Lyon. Il vécut plusieurs années à Rome où son coloris se transforma et s'aviva. Il revint par Toulouse, Aix et Avignon ; en 1668, il était fixé à Lyon qu'il ne quitta plus ; il y fut maître de métier pour les peintres en 1671, 1678 et 1687. Il fit des peintures, à Lyon, dans plusieurs hôtels particuliers, et aux environs de cette ville, dans des maisons de campagne. Il a gravé à l'eau-forte, très rarement au burin, soixante-cinq planches (Le Blanc) dont cinquante-sept sont des paysages ou marines, les autres des sujets religieux ou mythologiques.

𝒜𝒦

Musées : Chambéry (Mus. des Beaux-Arts) : *Marine*.

VENTES PUBLIQUES : AMSTERDAM, 12 sep. 1708 : *Paysage italien :* **FRF 130** – PARIS, 1745 : *Paysage d'Italie :* **FRF 24** – PARIS, 1753 : *Une marine représentant un naufrage sur une côte :* **FRF 400** – PARIS, 1891 : *Divertissement de villageois :* **FRF 800** – PARIS, 1er fév. 1898 : *Halte de bohémiens,* dess. à la pl., lavé d'encre de Chine : **FRF 25** – PARIS, 8 fév. 1904 : *Chiens et gibiers :* **FRF 700** – PARIS, 21 et 22 fév. 1919 : *Port de mer,* pl. et encre de Chine : **FRF 48** ; *Marine,* pl. et sépia : **FRF 30** – PARIS, 17 et 18 mars 1927 : *Le repos pendant la fuite en Égypte,* pl. : **FRF 300** ; *Rives boisées d'un ruisseau,* pl. : **FRF 130** – PARIS, 25 avr. 1928 : *Marine, soleil couchant :* **FRF 310** – PARIS, 14 et 15 juin 1937 : *Un port méditerranéen :* **FRF 950** – PARIS, 30 oct. 1942 : *Port de mer au portique en ruines,* attr. : **FRF 1 200** – AMSTERDAM, 26 mai 1970 : *Paysage fluvial animé de personnages :* **NLG 4 800** – VIENNE, 19 sep. 1972 : *Les Juifs se préparant à quitter l'Égypte :* **ATS 32 000** – LONDRES, 9 fév. 1979 : *Bords de Méditerranée,* h/t, une paire (16,5x26) : **GBP 800** – AMSTERDAM, 18 nov. 1980 : *Vue d'Uccle près de Bruxelles (recto) ; Paysage des environs de Bruxelles (verso),* pl. et lav. (14,6x23,5) : **NLG 1 800** – NEW YORK, 24 mars 1983 : *Vue d'un port avec une forteresse à l'arrière-plan,* h/t (34x49) : **USD 1 600** – AMSTERDAM, 14 mai 1986 : *Bateau de guerre hollandais et autres bâtiments en mer,* h/pan. (15x20,5) : **GBP 5 000** – AMSTERDAM, 14 nov. 1988 : *Bergers et leurs animaux,* encre (16,9x21,1) : **NLG 2 530** – LONDRES, 12 déc. 1990 : *Paysage fluvial hollandais avec une poterne 1648,* h/t (97,5x133,5) : **GBP 44 000** – LONDRES, 14 déc. 1990 : *Vaste paysage avec un couple de paysans et une charrette sur le chemin,* h/pan. (22,5x36) : **GBP 18 700** – LONDRES, 27 oct. 1993 : *Port méditerranéen avec une pyramide,* h/t (76x107) : **GBP 9 200** – AMSTERDAM, 16 nov. 1993 : *Cheval attaché près d'un vieux mur avec un paysans chevauchant un âne à l'arrière-plan,* h/pan. (52,5x44) : **NLG 43 700** – AMSTERDAM, 17 nov. 1993 : *Paysage avec une chute d'eau,* encre et lav. (18x29,7) : **NLG 1 840** – PARIS, 31 mars 1995 : *Huttes près d'un port de la Méditerranée,* h/t (73x93) : **FRF 120 000** – PARIS, 7 juin 1995 : *Scène paysanne dans un paysage vallonné,* encre de Chine et lav. (21,5x33) : **FRF 20 000** – AMSTERDAM, 15 nov. 1995 : *Paysage avec un berger et son troupeau et la bergère montées sur un âne traversant un ruisseau,* craie noire et lav. (15x19,8) : **NLG 4 720** – AMSTERDAM, 7 mai 1997 : *Paysan portant un toast à une femme 1652,* h/pan. (29,5x27) : **NLG 18 451** – AMSTERDAM, 11 nov. 1997 : *Vue d'un port italien avec des vaisseaux de pêche amarrés près d'un embarcadère à côté d'une tour, des navires marchands au mouillage tout près,* h/t (33x50) : **NLG 9 802.**

CABEL Ange Van der ou Kabel
Né vers 1645 à La Haye. XVIIe siècle. Hollandais.
Peintre.
Fils de Corneille et de Marie Filipse, frère d'Adrian Van der Cabel. Il était établi à Lyon en 1671. Il y abjura, cette année-là, la religion réformée et se maria le 27 avril. Il fut, à Lyon, maître de métier pour les peintres en 1674, 1678, 1682 et 1696 ; il vivait en 1698. Il eut à Lyon, en 1672, un fils qui reçut le prénom d'Adrian.

CABELLO Juan
XVIe siècle. Actif dans la seconde moitié du XVIe siècle. Espagnol.
Sculpteur.
Il travaillait à la cathédrale de Séville.

CABELLO IZARRA Segundo
Né en 1868 à Astorga (province de León). XIXe-XXe siècles. Actif à Madrid. Espagnol.
Peintre.
Exposa à Paris en 1900.

CABESSE Pierre
Né à Dax (Landes). Mort en 1807 à Mont-de-Marsan. XVIIIe siècle. Français.
Peintre.

CABET Jean Baptiste Paul
Né le 1er février 1815 à Nuits (Côte-d'Or). Mort le 23 octobre 1876 à Paris. XIXe siècle. Français.
Sculpteur de monuments, statues, bustes.
Il étudia dans l'atelier de François Rude, à l'École des Beaux-Arts où il entra le 2 avril 1835. La même année, il exposa au Salon le buste en plâtre de *M. Paillet de Plombières.* En 1846, inquiété par la police politique, il se rendit en Russie, collaborant à la décoration de la cathédrale Saint-Isaac, à Saint-Pétersbourg et exécutant des bustes pour la famille impériale ; il fit pour Odessa une fontaine monumentale. De retour en France, en 1852, il épousa la nièce de Rude, dont, en 1843, il avait dirigé l'atelier de

la rue d'Enfer durant le voyage en Italie de son maître. Après la mort de Rude, il termina les marbres laissés inachevés par le grand artiste : le *Christ,* du Louvre, et l'*Hébé,* du Musée de Dijon. C'est Cabet qui découvrit le génie naissant de Carpeaux. *La sortie du bain,* marbre de Cabet, est au Louvre.

CABEZA DE VACA Francisco Vera
Né vers 1637. Mort en 1700. XVIIe siècle. Espagnol.
Peintre de compositions religieuses.
Il fut attaché à la personne de Don Juan d'Autriche à Saragosse. On cite de lui une *Sainte Famille* au couvent du Saint-Sépulcre.

CABEZALERO Juan Martin
Né en 1633 à Almaden, près de Cordoue (Andalousie). Mort en 1673 à Madrid. XVIIe siècle. Espagnol.
Peintre d'histoire, compositions religieuses, fresquiste.
Il fut élève de Juan de Carreno de Miranda à Madrid.
Il travailla principalement pour des églises madrilènes, un grand nombre de ses œuvres ayant disparu. On cite de lui : *L'Assomption de la Vierge* et *Saint Ildefonse,* dans l'église Saint-Nicolas ; un *Ecce Homo* et une *Crucifixion,* dans l'église des Franciscains ; et un *Saint Jérôme.* À travers l'enseignement de Carreno, c'est la tradition de Vélasquez qu'il contribue à perpétuer.
BIBLIOGR. : In : *Dictionnaire de la peinture espagnole et portugaise du Moyen-Âge à nos jours,* coll. Essentiels, Larousse, Paris, 1989.
MUSÉES : MADRID (Mus. du Prado) : *Vie de saint François,* plusieurs panneaux – *L'Assomption de la Vierge.*
VENTES PUBLIQUES : LONDRES, 6 juil. 1984 : *La vision de saint Jérôme 1666,* h/t (124,5x102,2) : **GBP 7 500.**

CABEZON Isaïas
Né au Chili. XXe siècle. Chilien.
Peintre de figures.
Il a exposé au Salon des Artistes Indépendants à Paris et avait figuré en 1946 à l'exposition organisée au Musée d'Art Moderne de Paris, par l'O.N.U.

CABIANCA, de son vrai nom : Francesco Penso
Né en 1665 à Venise. Mort en 1737 à Venise. XVIIe-XVIIIe siècles. Italien.
Sculpteur.

CABIANCA Giovanni Giorgio. Voir CAPOBIANCO

CABIANCA Vincenzo
Né vers la fin de 1827 à Vérone. Mort en 1902 à Rome. XIXe siècle. Italien.
Peintre de genre, paysages. Groupe des Macchiaioli.
Cet artiste appartint au groupe des *Macchiaioli* (les tachistes), qui correspondait un peu en Italie au groupe français des Impressionnistes, et lutta pour le triomphe de l'art nouveau. Il est important de noter qu'il est considéré comme ayant peint, vers 1855, la première œuvre mettant en évidence la « macchia », avec son *Cochon noir sur un mur blanc.*

V. Cabianca

MUSÉES : FLORENCE (Gal. d'Art Mod.) : *Rovine à Porto Venere – Lo stalleto – Venezia – Nettuno – Novellieri fiorentini.*
VENTES PUBLIQUES : AMSTERDAM, 1884 : *Dante,* aquar. : **FRF 924** – MILAN, 7 nov. 1967 : *La petite rue :* **ITL 380 000** – MILAN, 14 déc. 1976 : *Rue de Venise,* h/pan. (32x17,5) : **ITL 2 500 000** – MILAN, 20 déc. 1977 : *Les Chiens 1887,* h/pan. (22,5x39) : **ITL 2 600 000** – MILAN, 25 mai 1978 : *Scène médiévale 1861,* h/t (58x132) : **ITL 14 000 000** – MILAN, 5 avr. 1979 : *Paysage à la rivière,* h/t (44x125) : **ITL 23 000 000** – MILAN, 17 juin 1981 : *Paysage,* (21x25) : **ITL 10 000 000** – MILAN, 12 déc. 1983 : *Jeunes femmes devant un puits,* h/cart. (33x44) : **ITL 22 000 000** – MILAN, 30 oct. 1984 : *Arco a Portovenere 1882,* aquar. (23x31) : **ITL 6 500 000** – MILAN, 29 mai 1986 : *Monachina a Castiglioncello 1883,* h/cart. (30x22,5) : **ITL 24 000 000** – LONDRES, 19 juin 1986 : *Jeune femme nourrissant un oiseau dans une cage 1871,* aquar. (50,5x34,5) : **GBP 2 000** – MILAN, 23 mars 1988 : *Venise 1869,* h/cart. (27,5x20,5) : **ITL 24 000 000** ; *Femmes de Ligurie,* (31,5x100,5) : **ITL 122 000 000** – MILAN, 1er juin 1988 : *Religieuses près d'un puits 1892,* techn. mixte/cart. (59x90) : **ITL 17 000 000** – LONDRES, 24 juin 1988 : *L'au-revoir 1867,* h/pan. (40x38) : **GBP 26 400** – MILAN, 14 mars 1989 : *Le retour de la barque de pêche 1867,* h/pan. (38x39) : **ITL 110 000 000** – MILAN, 6 déc. 1989 : *Nuages à Castiglioncello 1882,* h/cart. (12x29,5) : **ITL 45 000 000** – MILAN, 12 mars 1991 : *Personnages florentins en costume du XVe siècle,*

aquar. et temp./pap. (26,5x24) : **ITL 5 000 000** – LONDRES, 18 mars 1992 : *Au soleil* 1866, h/t (71x89) : **GBP 126 500** – ROME, 29-30 nov. 1993 : *Paysage avec une lavandière près de la fontaine* 1867, h/t (61x44,5) : **ITL 8 250 000** – MILAN, 14 juin 1995 : *Intérieur d'un cloître* 1866, h/pan. (35x37,5) : **ITL 50 600 000**.

CABIANCHI Iginès
Né au XIXᵉ siècle en Italie. XIXᵉ siècle. Italien.
Peintre de genre, intérieurs, aquarelliste.
Il exposa en France au Salon des Indépendants à partir de 1901.
VENTES PUBLIQUES : PARIS, 1881 : *L'École de campagne en Italie* : **FRF 380** ; *Le lièvre (scène d'intérieur en Italie)* : **FRF 205** ; *La toilette de l'enfant (scène rustique)* : **FRF 159** ; *La Marchande de légumes*, aquar. : **FRF 37** – PARIS, 1883 : *Vue prise à Venise*, aquar. : **FRF 50**.

CABIBEL Anna, Mme, née Chataignier
Née à Lyon. XIXᵉ-XXᵉ siècles. Française.
Peintre de genre, portraits, intérieurs, natures mortes, sculpteur.
Élève, à Lyon, de Louis Guy et de Roubaud, à Paris, où elle s'est fixée vers 1876, de Bonnat. Elle a exposé (à Lyon depuis 1870, à Paris depuis 1876), sous son nom de jeune fille, jusqu'en 1890, des portraits, des natures mortes, des intérieurs, des tableaux de genre et quelques sculptures.

CABIÉ Louis Alexandre
Né le 25 mai 1853 à Dol (Ile-et-Vilaine). Mort en 1939. XIXᵉ-XXᵉ siècles. Français.
Peintre de paysages, peintre à la gouache, aquarelliste.
Élève de Harpignies et de Pradelles, il commença à participer au Salon des Artistes Français en 1887, y obtenant plusieurs médailles. Chevalier de la Légion d'Honneur.
Très influencé par Corot et Théodore Rousseau, il peint des paysages dans des mises en pages audacieuses et une palette émaillée. Citons de lui : *L'hiver – La chaumière à Andernos – Le gros chêne*.

Louis Cabié

BIBLIOGR. : Gérald Schurr : *Les Petits Maîtres de la peinture 1820-1920, valeur de demain*, Les Éditions de l'Amateur, t. II, Paris, 1982.
MUSÉES : ALENÇON : *Chênes à Noirmoutiers* – ANGERS : *Vue de Noirmoutiers* 1902 – CHAMBÉRY (Mus. des Beaux-Arts) : *Le Soir* – COGNAC : *La Charente* (ancien Mus. du Luxembourg) : *L'approche de l'orage* – PÉRIGUEUX : *La Méditerranée près de Marseille* – *Études d'arbres et de sous-bois*.
VENTES PUBLIQUES : BORDEAUX, 1899 : *La grande côte des environs d'Arcachon* : **FRF 55** – PARIS, 14 déc. 1925 : *Paysage avec bâtiments rustiques* : **FRF 800** – PARIS, 8 mars 1943 : *Paysage avec rivière* : **FRF 3 000** – PARIS, 17 mai 1944 : *Noyer en automne* 1908 : **FRF 8 000** – PARIS, 9 mai 1955 : *Bords de rivière* : **FRF 20 000** – LUCERNE, 23-26 nov. 1962 : *Le port de Marseille* : **CHF 1 350** – LONDRES, 29 nov. 1967 : *Automne* : **GBP 170** – LUCERNE, 29 nov. 1979 : *La cour de ferme* 1903 : **CHF 2 500** – VERSAILLES, 23 mai 1976 : *Les Eyzies* 1915, h/t : **FRF 2 500** – MUNICH, 29 nov. 1979 : *Fleurs dans un verre* vers 1880, h/pan. (35x26,5) : **DEM 2 700** – ENGHIEN-LES-BAINS, 22 nov. 1981 : *La baie* 1914, aquar. (30x28,5) : **FRF 3 600** – PARIS, 31 jan. 1983 : *Sous les noyers* 1914, h/t (33x51) : **FRF 15 000** – MUNICH, 18 sep. 1985 : *Environs de Cognac* 1892, h/pan. (38x52) : **DEM 4 500** – PARIS, 8 nov. 1987 : *Paysage des Landes*, h/t (38x46) : **FRF 7 500** – PARIS, 23 juil. 1987 : *Bords de rivière, les saules sur la Vézère* 1914, h/t (50x62) : **FRF 5 800** – PARIS, 20 jan. 1988 : *Le vallon* 1900, gche (27x41) : **FRF 3 200** – PARIS, 29 avr. 1988 : *Paysage à l'étang*, h/pan. bois (35x22) : **FRF 8 500** – CALAIS, 13 nov. 1988 : *Les saules sur la Vézère* 1914, h/t (50x61) : **FRF 9 700** – VERSAILLES, 5 mars 1989 : *Bord de rivière* 1908, h/t (48,5x58) : **FRF 9 500** – PARIS, 12 mai 1989 : *Village au bord de mer* 1905, gche (30x46,5) : **FRF 5 000** – PARIS, 21 nov. 1989 : *Paysage d'Hover* 1914, aquar. (26,5x29) : **FRF 6 500** – PARIS, 8 déc. 1989 : *La prairie*, h/t (126x201) : **FRF 4 500** – PARIS, 15 déc. 1989 : *Paysage*, peint./pan. (22,2x38) : **FRF 16 000** – MONACO, 8 déc. 1990 : *Paysage de rivière* 1910, h/t (55x42) : **FRF 15 540** ; *Le pont coupé* 1906, h/t (45x56) : **FRF 21 090** – PARIS, 17 nov. 1991 : *Paysage* 1894, h/pan. (35x52) : **FRF 19 000** – NEW YORK, 28 mai 1993 : *Arête rocheuse* 1890, h/pan. (30,5x25) : **USD 1 150** – LE TOUQUET, 30 mai 1993 : *Les grands arbres au bord de la rivière* 1909, h/t (24x16) : **FRF 5 000** – PARIS, 9 juin 1993 : *Village au bord du chemin* 1901,

h/t (48x64) : **FRF 18 000** – LONDRES, 27 oct. 1993 : *Paysage au soleil couchant* 1903, h/cart. (70x98) : **GBP 3 335** – LE TOUQUET, 14 nov. 1993 : *Promeneurs au bord de la rivière* 1898, h/t (33x46) : **FRF 7 200** – AMSTERDAM, 19 avr. 1994 : *Paysage d'Ille-et-Vilaine* 1898, h/pan. (41,5x78,5) : **NLG 4 600** – PARIS, 24 mars 1995 : *Bords de rivière* 1909, h/pan. (51x36) : **FRF 4 000** – PARIS, 1ᵉʳ avr. 1996 : *Paysage* 1911, h/t (137x183) : **FRF 62 000** – PARIS, 30 oct. 1996 : *Les Martigues* 1894, h/pan. (38x52) : **FRF 10 000** – PARIS, 2 juin 1997 : *Les Bords de la Vézère aux Eyzies* 1895, h/t (126x260) : **FRF 18 000** – PARIS, 27 oct. 1997 : *Noirmoutier* 1909, h/t (65x54) : **FRF 14 000**.

CABILIAUX Jean
XVIIᵉ siècle. Actif à Bruxelles. Éc. flamande.
Sculpteur.

CABILLET Edme
Né vers 1789 à Paris. XIXᵉ siècle. Français.
Sculpteur.
Élève de Dejoux à l'École des Beaux-Arts, où il entra le 5 août 1808.

CABINET d'AMSTERDAM, Maître du. Voir MAÎTRE du Livre de Raison de Wolfegg

CABIROLT Barthélemy ou Cabirol
Né vers 1732. Mort en 1786. XVIIIᵉ siècle. Actif à Bordeaux. Français.
Sculpteur.
Cité dans les *Annales de la peinture* de Parrocel.

CABLET-RINN Léontine Ernestine
Née à Paris. XIXᵉ-XXᵉ siècles. Française.
Peintre.
Élève de Lemonnier. Exposa au Salon de Blanc et Noir en 1886.

CABON Auguste
Né au XIXᵉ siècle à Morlaix (Finistère). XIXᵉ-XXᵉ siècles. Français.
Graveur au burin.
Élève de Bail, Daussy, Jamas et Sulpis. Il exposa au Salon de 1905 (*Faust*, d'après Jean-Paul Laurens), de 1920 et de 1933.

CABOT Edward C.
XXᵉ siècle. Américain.
Peintre, aquarelliste.
Travaillant à Brooklyn (Massachusetts) vers 1900, cet artiste était membre de la American Water-Colours Society et du Boston Art Club.

CABOT Rolando
Né le 18 août 1929 à Rio de Janeiro. XXᵉ siècle. Actif en France. Brésilien.
Sculpteur et graveur. Abstrait-géométrique.
De 1950 à 1955, il est à Paris où il étudie l'architecture, puis retourne en 1956 à Rio de Janeiro où il apprend la gravure. Il expose à New York en 1963-1964, puis à Rio et à Paris où il s'installe en 1967. Il a participé au Salon d'Automne en 1971, au Salon Grands et Jeunes d'Aujourd'hui, notamment en 1987 et 1988 et au Salon des Réalités Nouvelles, notamment en 1989. Il réalise des sculptures polychromes aux motifs géométriques.
MUSÉES : NEW YORK (Metropolitan Mus.) – NEW YORK (Mus. d'Art Mod.).

CABOT-PERRY Lilla. Voir PERRY Lilla

CABOTT Johan Herman ou Cabot
Né le 7 août 1754 à Copenhague. Mort le 5 décembre 1814 à Copenhague. XVIIIᵉ-XIXᵉ siècles. Danois.
Peintre, dessinateur.
Élève de l'Académie de 1770 à 1783. Il partit pour l'étranger en 1784, et peignit, pendant son séjour à Rome, *La mort de Socrate*. De retour à Copenhague, l'artiste fut agréé de l'Académie en 1791, mais il repartit bientôt pour Rome où il fit des copies de Raphaël. Il fut nommé professeur de dessin à l'Académie et en 1799, « peintre décorateur de la cour », emplois qu'il occupa jusqu'à sa mort.

CABOULET Thomas
XVIIᵉ siècle. Français.
Sculpteur sur bois.
Travailla à l'église des Cordeliers, à Bernay (Eure).

CABOURET F.
XVIIᵉ siècle. Français.
Peintre de portraits.

CABOURET Jean
XVIIᵉ siècle. Actif à Paris vers 1605. Français.
Peintre.

CABOUTY Pierre
XVIIe siècle. Français.
Peintre.
Il avait le titre de « maître peintre ordinaire du roi ». Il travailla à Montargis, et dans l'Yonne à Saint-Julien-du-Sault et à Ville-neuve-sur-Yonne.

CABRA Walter, pseudonyme de **Van Geyt**
Né en 1928 à Anvers. XXe siècle. Belge.
Dessinateur.
Élève à l'Académie des Beaux-Arts d'Anvers, il est devenu dessinateur humoristique, publiant ses dessins dans De Standaard, De Post, Humo, Kontrast, etc.

CABRAL Antonio Jacinto Xaviero
XIXe siècle. Portugais.
Peintre.

CABRAL Y AGUADO BEJARANO Antonio
Né le 31 octobre 1798 à Séville (Andalousie). Mort en 1861 à Séville. XIXe siècle. Espagnol.
Peintre d'histoire, compositions religieuses, scènes de genre, portraits, décorateur. Romantique.
Il fut nommé, en 1825, professeur à l'École des Beaux-Arts de Séville. Il figura à L'Exposition de Séville en 1841.
Il peignit surtout des portraits, tels que : La reine Isabelle II – Joaquin Pérez de Seoane – Le marquis d'Arco Hermoso et sa famille – Inés Rivero de la Herranz, qui se caractérisent par une certaine dureté des expressions des visages et par les tonalités chromatiques douces et vaporeuses. Il décora quelques théâtres et églises de Séville, dont le couvent de la Trinité, l'église du Collège dominicain de Regina, la chapelle de San Telmo. Il fit également des décorations traitant de la vie de Christophe Colomb pour le duc de Montpensier. On cite encore de lui des sujets de genre : Le toréador et la couleuvre – Un élégant – Une élégante. Ses tableaux ont été souvent reproduits en gravure.
BIBLIOGR. : E. Valdivieso : La peinture sévillane du XIXe siècle, 1981 – in : Cien Anos de Pintura en Espana y Portugal, 1830-1930, Antiqvaria, t. I, Madrid, 1988.
MUSÉES : MADRID (Mus. romantico) : Autoportrait – Portrait du marquis d'Arco Hermoso et sa famille – MONTEVIDEO : El patio del Monipodio.
VENTES PUBLIQUES : PARIS, 1865 : Portrait de Murillo : **FRF 101** – LONDRES, 17 fév. 1989 : Dans la taverne ; Réunion musicale 1855, h/t, une paire (chaque 62,3x51,4) : **GBP 22 000**.

CABRAL Y AGUADO BEJARANO Francisco
Mort en 1882 ou 1890 à Séville (Andalousie). XIXe siècle. Espagnol.
Peintre de sujets religieux, portraits, intérieurs, copiste.
Il est le fils d'Antonio Cabral y Aguado Bejarano. Il fut élève de l'École des Beaux-Arts de Séville. Il figura à l'Exposition des Beaux-Arts de Séville, obtenant une troisième médaille en 1858. On cite de lui : Intérieur d'une église durant le sermon. Il copia Murillo, peignant une version du Miracle des pains et des poissons, pour les ducs de Montpensier.
BIBLIOGR. : In : Cien Anos de Pintura en Espana y Portugal, 1830-1930, Antiqvaria, t. I, Madrid, 1988.
MUSÉES : SÉVILLE (Mus. des Beaux-Arts) : Portrait de Manuel Lopez Cepero – Portrait de Francisco Pacheco – Portrait de Bartolomé Esteban Murillo.

CABRAL Y AGUADO BEJARANO Manuel
Né en 1827 à Séville (Andalousie). Mort en 1890 ou 1891 à Séville. XIXe siècle. Espagnol.
Peintre d'histoire, scènes de genre, portraits.
Il est le frère de Francisco et de Rafael Cabral y Aguado. Il fut élève de son père, Antonio Cabral y Aguado, puis de l'École des Beaux-Arts de Séville, dont il devint professeur. Il figura dans diverses expositions à Séville, obtenant une mention honorable en 1858.
On lui doit divers tableaux de genre, dont : La Procession de la Fête-Dieu à Séville 1858, Miguel Cervantès lisant son Don Quichotte 1860, Un gitan 1866, La Prise de Cadix, Baptême de l'église de San Marcos, Entamant le melon, La partie d'échecs 1871, Une fête de famille 1887. Ce fut aussi un portraitiste de talent. Parmi ses nombreux portraits, on cite ceux de Francisco Pacheco, Juan de Aree, Nicolas Maria Rivero Fernando de Herrera, José Luis Alhareda. Manuel Cabral y Aguado possède une palette extrêmement riche et fait preuve de grandes qualités de composition.
BIBLIOGR. : In : Cien Anos de Pintura en Espana y Portugal, 1830-1930, Antiqvaria, t. I, Madrid, 1988.

MUSÉES : CADIX : Santa Cruz au-dessus des eaux, allégorie de la conquête de Cadix par Alphonse X – La chute de l'échafaudage de Murillo – Le duc de Montpensier chassant dans la Réserve de Donana – MADRID (Mus. romantico) : Autoportrait – Portrait d'Alfonsito Cabral – Le couple de montagnards – La chanson – Portrait de Julian Romea – Portrait de Teodora Lamadrid – MADRID (École des Beaux-Arts) : Portrait de Manuel Barron – SÉVILLE (Bibl. de l'Université) : divers portraits.
VENTES PUBLIQUES : LONDRES, 6 oct. 1982 : Jeune Espagnole dans un bois 1883, h/pan. (47x64) : **GBP 650** – MADRID, 18 déc. 1986 : Tertulia en el patio del artesano 1880, h/t (47x60) : **ESP 3 000 000** – NEW YORK, 25 fév. 1988 : Carmen et Don José 1849, h/t (61x76,7) : **USD 15 400** – LONDRES, 16 juin 1993 : Autour du piano 1884, h/pan. (76,5x54) : **GBP 11 500**.

CABRAL Y AGUADO BEJARANO Rafael
Né à Séville (Andalousie). XIXe siècle. Espagnol.
Peintre, graveur, dessinateur.
Fils d'Antonio Cabral y Aguado Bejarano, il est le frère de Manuel et de Francisco. Il se forma dans l'atelier familial, puis à l'École des Beaux-Arts de Séville. Il figura à plusieurs reprises à l'Exposition de Séville.
BIBLIOGR. : Cien Anos de Pintura en Espana y Portugal, 1830-1930, Antiqvaria, t. I, Madrid, 1988.

CABRAL BEJARANO Joaquin
Né à Séville. Mort le 2 septembre 1825. XIXe siècle. Espagnol.
Peintre.
Il était frère d'Antonio Cabral y Aguado Bejarano.

CABRAL Y LLANO Enrique
Né à Séville. XIXe siècle. Espagnol.
Peintre.
Élève de l'École des Beaux-Arts de Séville, puis de l'École de peinture de Madrid. Exposa à Cadix en 1879 et 1880. On cite de lui : Un picador, Un torero. Il copia pour la ville de Buenos Aires une série de toiles des vieux maîtres espagnols (1888).

CABRAS Lazzaro
XIXe-XXe siècles. Actif à Strada Levagna (province de Pise). Italien.
Peintre, aquarelliste.

CABRE Manuel
Né en 1890 en Espagne. Mort en 1983. XXe siècle. Actif au Venezuela. Espagnol.
Peintre de paysages.
Élève d'Herrera et Toro au Venezuela, il a exposé, à Paris, au Salon des Artistes Indépendants de 1922 à 1929, et au Salon des Artistes Français de 1922 à 1928. Dès 1910-1915, il tente de rendre ses paysages avec la plus grande objectivité, les baignant d'une lumière crue qui accuse les ombres et les lumières.
VENTES PUBLIQUES : NEW YORK, 19-20 mai 1992 : Le mont Avila en Floride 1932, h/t (38,2x61,2) : **USD 22 000** – NEW YORK, 18 mai 1994 : Vue du mont Avila, h/t (49x59,6) : **USD 21 850**.

CABRERA Alonso de
XVIe siècle. Actif à Séville vers 1560. Espagnol.
Sculpteur.

CABRERA German
Né en 1903 à Las Piedras. XXe siècle. Uruguayen.
Sculpteur. Figuratif puis abstrait.
Il fait tout d'abord ses études au Cercle des Beaux-Art de Montevideo entre 1918 et 1926, puis, après un voyage en Europe : Allemagne, Belgique et France, il se fixe un temps à Paris où il est élève de Despiau et de Bourdelle. En 1929, retourné dans son pays, il est nommé directeur de « l'Expression Plastique Enfantine », et fait appliquer la méthode Decroly dans des écoles expérimentales. Il revient à Paris, grâce à l'obtention d'une bourse du gouvernement, et expose un Buste au Salon d'Automne de 1937, collabore à l'Exposition Universelle et expose une Femme assise au Salon des Tuileries de 1938. La même année, il retourne en Amérique latine et est chargé par le gouvernement venezuelien d'enseigner dans les écoles de Caracas. En 1958, il remporte le Grand Prix de Sculpture au Salon National et, en 1959, la Bourse de la Biennale de Montevideo.
Dès 1937, Cabrera pratiquait un art libéré par l'exemple de Laurens, Arp, Lipchitz. Vers 1946, bien que continuant à puiser ses

sujets dans la nature, dans le monde végétal et animal, il trouve dans la non-figuration de nouvelles possibilités de pureté de la forme. Après 1955, il atteint à un grand dépouillement monumental. Il a utilisé des matériaux très diversifiés, jusqu'au ciment, au verre trempé et au fer émaillé. Il a collaboré à des architectures modernes d'Uruguay.

CABRERA Géronimo
XVIe siècle. Actif à Madrid. Espagnol.
Peintre d'histoire.
Élève de Gasparo Becerra. Il travailla en 1570 avec Theodose Mingot au palais du Prado.

CABRERA Jaime
XVe siècle. Espagnol.
Peintre de compositions religieuses.
Il travailla à Barcelone, entre 1394 et 1432. En 1399, il porta le titre de « maestro ».
Il peignit, en 1400, un retable de la *Passion*, pour la cathédrale de Vich, aujourd'hui disparu. Pour la collégiale de Manresa, en 1406, il exécuta un polyptyque dédié à saint Michel et à saint Nicolas de Bari. On lui attribue également : le *Retable d'Alzina de Ribelles* ; la *Mise au tombeau*, pour la cathédrale de Gérone ; et le *Retable de la Vierge*, pour l'église San-Martin à Sarroca.
BIBLIOGR. : In : *Dictionnaire de la peinture espagnole et portugaise du Moyen-Âge à nos jours*, coll. Essentiels, Larousse, Paris, 1989.
MUSÉES : SITGES, Catalogne (Mus. Maricel) : *Retable d'Alzina de Ribelles*.

CABRERA Juan
Originaire de Catalogne. XVe siècle. Espagnol.
Peintre.

CABRERA Juan de
XVe siècle. Espagnol.
Sculpteur.
Il fut élève de Lope Marin et aide de Juan Marin, avec qui il travailla à la cathédrale de Séville.

CABRERA Marcos de
XVIe siècle. Espagnol.
Sculpteur.
Élève de Geronimo Hernandez à Séville. En 1599, il sculpta le buste du roi Pedro Ier.

CABRERA Miguel
Né en 1695 à Tlalixtac (Caxaca). Mort en 1768 à Mexico. XVIIIe siècle. Mexicain.
Peintre de sujets religieux, portraits.
On ignore sa formation, mais on sait néanmoins qu'il fréquenta des maîtres de son époque, comme Villalpondo et Correa.
Ses premières œuvres datent de 1719. Il travailla, à Mexico, pour les établissements religieux, et fut peintre de la Chambre de l'archevêque Rubio y Salinas. La Cathédrale et l'École des Beaux-Arts de Mexico conservent de nombreuses œuvres de lui. Il publia en 1756 un traité sur *Le portrait de la Vierge de Guadalupe*. D'autres thèmes sacrés devaient l'inspirer ou du moins lui permettre de répéter inlassablement une imagerie pieuse de Madone aux lys et anges musiciens.
Cabrera poursuivit une œuvre longue et prolixe qui évolua peu, mais qui demeure cependant caractéristique du baroque mexicain. Il peut faire parfois penser à Murillo.
VENTES PUBLIQUES : MADRID, 20 juin 1977 : *Saint François* 1721, h/t (146x103) : **ESP 230 000** – COPENHAGUE, 24 oct. 1977 : *Christ et enfant sous un baldaquin* 1761, h/cart. (62x46) : **DKK 11 000** – NEW YORK, 7 mai 1981 : *Portrait de Dona Maria Manuela de Medina y Torres âgée de seize ans*, h/t (104x82,5) : **USD 23 000** – NEW YORK, 12 mai 1983 : *Saint Antoine avec l'Enfant Jésus*, h/t (104x84) : **USD 15 000** – NEW YORK, 21 nov. 1989 : *Notre-Dame du Rosaire* 1769, h/t (72,5x55,5) : **USD 8 800** – NEW YORK, 19-20 nov. 1990 : *La Vierge du Carmel*, h/t (54x39) : **USD 19 800** – NEW YORK, 19-20 mai 1992 : *Le couronnement de la Vierge*, h/t (143,5x108) : **USD 77 000** – NEW YORK, 25 nov. 1992 : *Notre-Dame du Rosaire* 1768, h/t (72,5x55,5) : **USD 46 200** – NEW YORK, 18 mai 1993 : *Vierge à l'Enfant*, h/tissu (54x39,1) : **USD 27 600** – NEW YORK, 23-24 nov. 1993 : *Saint Joseph avec l'Enfant Jésus* 1764, h/cuivre (50,2x40) : **USD 34 500** – NEW YORK, 18 mai 1994 : *Notre-Dame du Rosaire* 1768, h/t (72,5x55,5) : **USD 40 250** – NEW YORK, 17 nov. 1994 : *Saint Isidore, Archevêque de Séville*, h/t (250x170) : **USD 79 500** – PARIS, 28 mai 1997 : *La Vierge en gloire*, h/t (42x31) : **FRF 60 000**.

CABRERA Patricio
Né en 1958 à Gines (Séville). XXe siècle. Espagnol.

Peintre de paysages.
Il vit et travaille à Séville. Depuis 1983 il expose individuellement ses travaux dans des galeries à Madrid et Séville et a participé à *Aperto 86* à la Biennale de Venise.
Il ne peint depuis ses débuts que des paysages, ceux qui l'entourent et ceux qu'il a gardé en mémoire. Les paysages sont généralement encadrés d'éléments d'ornementation qui gagnent en importance et relèguent le sujet au deuxième plan.
MUSÉES : TOULOUSE (FRAC, Espace d'art Mod. et Contemp.) : *Sans titre* 1990.

CABRERA Tomas
Né vers 1740 à Salta. XVIIIe siècle. Argentin.
Peintre d'histoire, sculpteur.
Il est l'auteur d'un tableau historique, important pour l'Argentine : *Paix du gouverneur de Tucuman, Tomas Matorras avec le cacique Paykin dans le Chaco*, daté de 1774. Le Musée d'Histoire Naturelle de Buenos Aires possède des œuvres du peintre.

CABRERA CANTO Fernando
Né le 8 octobre 1866 à Alcoy (Valence). Mort le 2 janvier 1937 à Alcoy. XIXe-XXe siècles. Espagnol.
Peintre de scènes de genre, portraits, paysages, aquarelliste, pastelliste.
Étant d'une famille d'imprimeurs, il se familiarisa très tôt avec la gravure et la lithographie. Élève de Lorenzo Casanova à Alcoy puis à Alicante, où il reçut une bourse pour aller en Italie en 1891.
Il fut également élève à l'Ecole Supérieure des Beaux-Arts de Valence, et travailla sous la direction de Casto Plasencia à Madrid.
Médaille d'argent à l'Exposition Nationale de 1890, médaille d'or en 1906.
À partir de cette date, Cabrera Canto changea de style : au lieu de peindre des compositions aux intentions sociales, il s'orienta vers des sujets aimables, des scènes de genre. Il pratiqua l'aquarelle et le pastel, surtout à partir de son voyage en Italie.
BIBLIOGR. : A. Espi Valdes, in : *Cien anos de Pintura en Espana y Portugal, 1830-1930*, Antiqvaria, 1988.
MUSÉES : VALENCE (Mus. des Beaux-Arts) : *El sermon soporifero*.

CABRERA-MORENO Servando
Né le 28 mai 1923 à La Havane. Mort le 30 septembre 1981 à La Havane. XXe siècle. Cubain.
Peintre de compositions à personnages, figures, nus, compositions. Postcubiste et abstrait.
Il commença ses études artistiques en 1942 à l'Académie San Alejandro de La Havane. En 1946, il était étudiant à l'Art Student's League de New York, où son travail était très marqué par son admiration pour Picasso. En 1949, à Paris, il travaillait à l'Académie de la Grande Chaumière, qui était alors dominant, toutefois tempéré chez lui par sa formation traditionnelle et par une égale attirance pour la figuration expressionniste. Cette époque est à considérer dans son cas comme une étape de formation qu'il compléta encore par un séjour auprès de Miro, de 1951 à 1953, dont il dit qu'« il lui donna l'espace ». Il fut également sensible à l'œuvre de Paul Klee en 1953-1954. Ces influences l'incitèrent à éviter de se cantonner dans l'abstraction ou dans la figuration, poursuivant son œuvre personnelle en passant indifféremment de l'une à l'autre.
De retour à Cuba, il prit sa place, dans les années cinquante, dans le renouveau de l'art latino-américain, inspiré du constructivisme et du productivisme russes. Alors que Wifredo Lam, René Portocarrero, Amélia Pelaez, à cette époque, en collaboration avec les architectes, participaient à la création d'objets décoratifs et à l'animation de l'environnement quotidien, Cabrera-Moreno réalisait pour sa part des tapis, des céramiques. Il présentait aussi ses peintures dans des expositions collectives, notamment à la Biennale de São Paulo en 1957.
On peut considérer que son œuvre picturale trouve sa pleine originalité à partir de 1960. Il est alors fixé à Cuba, sauf quelques voyages, dont celui de Paris en 1965, au cours duquel il vit une exposition de De Kooning et acquiesca à la déclaration de celui-ci : « La chair est la base de la création artistique. » Depuis 1961, lui-même élaborait la série de peintures : *Héros, Cavaliers et Couples*, résultant de ce qu'il désignait comme : « la force tellurique du corps humain ». A partir de là, et dans la période de 1967 à 1975 considérée comme celle de ses œuvres maîtresses, sa production est alors dominée par l'omniprésence du corps humain, dont la représentation allusive peut être ressentie comme une célébration aussi bien que comme une souffrance. Le terme d'érotisme est le plus souvent avancé en ce qui concerne ces

corps suggérés plutôt que décrits, aux formes simplifiées, déformées, peut-être mutilées, et parfois entremêlés à plusieurs dans le plaisir ou la perversité. Quand la suggestion du corps est féminine, la partie pubienne est amplifiée dans ses détails à la façon des trophées d'architecture ou d'emblèmes héraldiques. En accord avec bien des conceptions concernant le domaine ambivalent de l'érotisme, pour Cabrera-Moreno sa représentation emblématique du corps ne s'arrête pas à sa seule matérialité, mais, corps mystique, en déborde en tant que noyau central pour se fondre dans ce qu'il nomme « le tout cosmique ». ■ Jacques Busse

BIBLIOGR. : Catalogue de l'*Exposition d'une sélection d'œuvres de Servando Cabrera-Moreno*, Christie's, Amsterdam, octobre 1988.

VENTES PUBLIQUES : AMSTERDAM, 24 mai 1989 : *La fête* 1971, h/t (84x123,5) : NLG 2 990 ; *La légende noire* 1977, h/t (201x201) : NLG 3 220 – AMSTERDAM, 22 mai 1990 : *Taille directe* 1981, h/t (120x150) : NLG 5 175 – NEW YORK, 18 mai 1993 : *Figure cubiste* 1959, h/t (100,3x46) : USD 4 025 – NEW YORK, 16 nov. 1994 : *Trois femmes* 1980, cr. de coul. et past./pap. Ingres (69,9x99,9) : USD 4 025.

CABRERO Miguel
XVIIIe siècle. Espagnol (?).
Peintre.
VENTES PUBLIQUES : NEW YORK, 17 mai 1989 : *L'Immaculée*, h/t (42,2x30,4) : USD 12 100.

CABRIT François
XXe siècle. Français.
Peintre, dessinateur.
Après des études à l'École des Beaux-Arts de Paris, il a exposé au Salon de novembre de Vitry en 1980, à Vancouver 1982, au Salon de Montrouge 1983, à la Maison de Descartes à Paris 1984. Sa peinture n'est pas sans évoquer, dans un style simplifié, des œuvres du passé.
VENTES PUBLIQUES : PARIS, 9 mars 1987 : *Mon portrait*, h/t (195x130) : FRF 5 500 – PARIS, 13 avr. 1988 : *Les Lutteurs*, fus./ pap. (140x150) : FRF 3 000.

CABRIT Jean
Né en 1841 à Bordeaux (Gironde). Mort en 1907 à Bordeaux. XIXe siècle. Français.
Peintre de paysages.
Élève de Louis Auguste Auguin à l'École des Beaux-Arts de Bordeaux, il exposa tout d'abord dans sa ville natale, puis au Salon des Artistes Français à Paris dès 1881, et au Salon de la Société Nationale des Beaux-Arts de 1890 à 1907. Il devint conservateur du Musée de Bordeaux.
Il cherche à rendre, généralement dans des tonalités claires, l'atmosphère changeante des paysages à différentes saisons, tels : *Bois au printemps, Chênes en hiver, Brumes d'hiver.*
BIBLIOGR. : Gérald Schurr : *Les Petits Maîtres de la peinture 1820-1920, valeur de demain*, Les Éditions de l'Amateur, t. IV, Paris, 1979.
MUSÉES : ALGER : *Le bois de Captieux* – BORDEAUX : *Les chênes de Londex* – COGNAC : *Chênes en hiver* 1892 – PÉRIGUEUX : *Brume d'hiver.*
VENTES PUBLIQUES : BORDEAUX, 1899 : *Paysage* : FRF 56 – BORDEAUX, 24 mai 1943 : *Sous-Bois sous la neige* 1895 : FRF 110.

CABRITA REIS Pedro
Né en 1956 à Lisbonne. XXe siècle. Portugais.
Peintre, sculpteur, artiste de performances. Abstrait.
Il vit et travaille à Lisbonne. Il participe à des expositions collectives, dont Documenta de Kassel en 1992, et montre surtout ses réalisations dans les expositions personnelles, d'entre lesquelles : 1990 au Portugal et à Madrid et Séville, à Gand et Amsterdam, 1991 à Milan, Paris, Chicago, Los Angeles, 1992 de nouveau Séville, etc.
Il commence à travailler sur un support plan et pictural pour le transformer ensuite en sculpture. Une fois confondus, les éléments donnent lieu à des constructions abstraites à trois dimensions, posées sur le sol ou accrochées au mur. La plupart de ses constructions se réfèrent à l'espace habitable, l'espace de la maison, espace individuel opposé à l'espace collectif, social, espace de la perte d'identité. Il a réalisé également des performances au cours desquelles le public intervenait fréquemment.
BIBLIOGR. : Alexandre Melo, Joao Pinharanda : *Arte contemporânea Portughesa*, Lisbonne, 1986 – Jérôme Sans : *Pedro Cabrita Reis, Œuvre blanche, Artpress*, n° 170, Paris, juin 1992.

CABROL Alfred de
Né en 1918 à Pau. XXe siècle. Français.

Peintre animalier.
Autodidacte, il n'a commencé à peindre qu'en 1965, alors qu'il avait occupé une place importante au sein de l'industrie des transports aériens. Ses compositions, où les représentations d'animaux tiennent une place prépondérante, montrent surtout un sens décoratif et une grâce toute orientale.

CABROL Raoul
Né en 1898. Mort en 1956. XXe siècle. Français.
Peintre, dessinateur, caricaturiste.
Il s'est spécialisé dans le domaine de la caricature des hommes politiques et a exposé au Salon des Humoristes. On peut citer, parmi ses œuvres, sa *Physionomie de la Chambre* (Salle des Quatre-Colonnes).

CABRUCCI Carlo
XVIIIe-XIXe siècles. Italien.
Peintre d'histoire.
Il fut directeur de l'Académie de Pérouse.

CABUCHET Émilien
Né le 16 août 1819 à Bourg (Ain). Mort le 24 février 1902. XIXe siècle. Actif à Paris. Français.
Sculpteur de sujets religieux, bustes.
Il débuta au Salon de 1846 avec un buste en bronze mais se consacra vite à la sculpture religieuse. Sa statue de *Saint Claude ressuscitant un petit noyé* (1895) est à la Basilique du Sacré-Cœur de Montmartre.

CABURET Christian
Né le 23 août 1949 à Besançon (Doubs). XXe siècle. Français.
Peintre. Lettres et signes.
Elève à l'École des Beaux-Arts de Besançon, il a aussi été attiré par des études de théologie. Il a fait quelques séjours à Moscou, à Vicence, en Californie, et a enseigné le dessin, la musique et l'histoire de l'art. Depuis 1973, il a participé à plusieurs expositions collectives, dont celle intitulée *Écritures*, à la Fondation Nationale des Arts Graphiques et Plastiques à Paris en 1980, celle de Besançon : *Peinture Écriture Calligraphie* en 1982, en Californie en 1984 et 1987, à Paris en 1988 dans le cadre du Salon des Arts Graphiques Actuels, et en 1990 au Salon des Réalités Nouvelles. Personnellement, il a montré ses œuvres à Besançon en 1973, 1979, 1982, 1985, 1987 (Musée Denon), 1988, à Paris en 1975 (Galerie Chiron), 1989, 1991 (Galerie Artuel), en Californie en 1984, 1986, à Strasbourg en 1986 et Châlon-sur-Saône en 1987. Sélection pour le Prix Fénéon en 1976, 1977 et 1980.
Sa peinture abstraite est faite de signes qui évoquent les civilations orientales, disposés et présentés comme sur d'anciens parchemins. À travers cet art informel, construit à la façon des collages, s'expriment un grand équilibre de correspondances, une vibration colorée, tantôt douce dans des tonalités atténuées, tantôt accentuée dans des chromatismes plus ardents.
MUSÉES : CONCHES-EN-OUCHE – DOLE (FRAC) – ÉVIAN – MONTBÉLIARD.
VENTES PUBLIQUES : PARIS, 9 avr. 1989 : *Nocturne*, acryl./t. (81x100) : FRF 14 500 – PARIS, 18 juin 1989 : *L'année scolaire*, acryl./t. (89,73x92) : FRF 8 000 – PARIS, 8 oct. 1989 : *Le bouclier d'Étiemble*, h/t (100x81) : FRF 8 600 – DOUAI, 3 déc. 1989 : *Le poème du cerf-volant*, h/t (89x116) : FRF 12 000 – PARIS, 2 juil. 1990 : *L'Évangile de Ponce*, acryl./t. (81x116) : FRF 24 000 – PARIS, 14 oct. 1991 : *L'écoutée*, acryl. et encre/t. (89x116) : FRF 15 000.

CABUS Gérard
Né le 21 janvier 1928 à Alexandrie (Égypte). XXe siècle. Français.
Peintre, peintre à la gouache, aquarelliste. Abstrait-paysagiste.
Élève à l'École des Beaux-Arts de Lyon, de 1947 à 1950, il se perfectionna dans la technique de la gravure à l'Ecole Estienne de Paris en 1951-1952.
Il participa à de nombreuses expositions de groupe, parmi lesquelles : de 1958 à 1961 Salon de Mai, 1963 l'*École de Paris* à la Galerie Charpentier, 1964 Biennale de Menton, 1965 Salon Grands et Jeunes d'Aujourd'hui à Paris. Il avait fait sa première exposition personnelle d'aquarelles et de gouaches à Lyon, dès 1949. Il exposa ensuite tous les ans, de 1962 à 1966, à Paris ; à New York en 1968 et 1970, à Perpignan, etc. Lauréat de bourses Gulbenkian-Portugal en 1963-1964. Ses œuvres, de tendance abstraite, s'orientent vers le paysagisme.
BIBLIOGR. : Lydia Harambourg, in : *L'École de Paris, 1945-1965. Diction. des Peintres*, Ides et Calendes, Neuchâtel, 1993.

VENTES PUBLIQUES : VERSAILLES, 26 avr. 1987 : *Ruines* 1957, h/t (117x89) : **FRF 2 200.**

CABUTTI Camillo Filippo
Né en 1863 à Bossolasco (Piémont). XIXe siècle. Italien.
Peintre de paysages.
Élève de Marco Calderini à Turin. Exposa quatre toiles à Turin en 1884 : *Fusain, Prairie, Soirées dans les Lagunes, A l'ombre* ; à Milan, en 1886 : *Crépuscule d'hiver* ; la même année, à Florence : *A l'ombre des châtaigniers et Matinée dans la vallée.*

CABUZEL Auguste Hector ou Manuel
Né le 24 avril 1836 à Bray-sur-Somme (Somme). XIXe siècle.
Français.
Peintre de genre, portraits, paysages.
Il eut pour maître Horace Vernet, Léon Cogniet et Pils.
On cite parmi ses œuvres : *La Vasque, Les bords du Nil, Les dernières fleurs, Indécision, La dévideuse.*
VENTES PUBLIQUES : LONDRES, 11 avr. 1995 : *Dame dans son boudoir* 1873, h/pan. (63x48) : **GBP 7 475.**

CABUZEL Auguste Maurice
Né le 24 juillet 1878 à Paris. XXe siècle. Français.
Peintre de paysages.
Sociétaire du Salon des Artistes Français, il a exposé des paysages et des fusains, de 1911 à 1939.

CABY Charles
Né à Lille (Nord). XIXe-xxe siècles. Français.
Sculpteur.
Élève de Barrias, Coutan et H. Lefebvre. Mention honorable au Salon des Artistes Français en 1910.

CACACE Celeste
Née au XIXe siècle à Naples. XIXe-xxe siècles. Italienne.
Peintre.
Elle exposa, à partir de 1904, à Naples, Ravenne, Milan, Paris.

CACAN Félicien
Né en 1880 à Paris. Mort en 1979. XXe siècle. Français.
Peintre de figures, paysages, graveur, lithographe, illustrateur.
Élève d'Achille Sirouy.
Il a exposé à Paris, au Salon des Artistes Français en 1904, puis à celui de la Société Nationale des Beaux-Arts.
Il a illustré *Les rencontres de Monsieur de Bréhot* d'Henri de Régnier.

CA?

VENTES PUBLIQUES : MILAN, 11 déc. 1986 : *Triton et Néréides*, quatre h/t (226x115) : **ITL 4 000 000** – PARIS, 26-27 nov. 1996 : *Paysage lacustre* vers 1930, h/isor., triptyque (chaque 234x145,5) : **FRF 45 000.**

CACAULT François
Né le 10 février 1743 à Nantes. Mort le 10 octobre 1805 à Clisson. XVIIIe siècle. Français.
Peintre.
Cité par M. Granges de Surgères. Secrétaire d'ambassade, puis chargé d'affaires à Naples (1785-1791), ambassadeur à Rome de 1800 à 1803, il fut surtout un grand collectionneur. La ville de Nantes fit en 1810, pour son musée, l'acquisition des objets d'art qu'il avait réunis.

CACAULT Pierre-René
Né le 1er novembre 1744 à Nantes. Mort le 27 janvier 1810 à Clisson. XVIIIe-XIXe siècles. Français.
Peintre.
Cet artiste était le frère de François Cacault. Le Musée de Nantes possède de Pierre-René Cacault : *Un homme assis sur une peau de tigre.* Il exposa au Salon de Paris en 1795, 1796 et 1799. Il était élève de Vien.

CACCAMO Pino
Né en 1929 à Reggio de Calabre. XXe siècle. Italien.
Peintre animalier.
Depuis 1959, il vit à Rome où il a fait sa première exposition personnelle en 1963, suivie de beaucoup d'autres à Londres, Bologne, Florence. Sa façon de peindre de grands animaux en larges zônes très structurées, le fait rejoindre l'univers fantastique des bandes dessinées.

CACCAVELLO Annibale
Né vers 1515 à Naples. Mort avant 1579 à Naples. XVIe siècle.
Italien.
Sculpteur de sujets religieux.
Élève de Giovanni Merliano da Nola qu'il aida dans ses travaux.
Il travailla à la décoration des églises de Naples.

CACCIA Francesca
Née en 1608. Morte en 1627. XVIIe siècle. Active à Moncalvo.
Italienne.
Peintre de compositions religieuses.
Deuxième fille de Guglielmo Caccia. Elle vécut et travailla au Couvent des Ursulines de Moncalvo. Elle a peint dans la manière de son père. Elle signait ses tableaux d'un oiseau.

CACCIA Guglielmo, dit il Moncalvo
Né en 1568 à Montabone (Piémont). Mort vers 1625 à Moncalvo. XVIe-XVIIe siècles. Italien.
Peintre d'histoire, compositions religieuses, sculpteur, dessinateur.
Il fut actif d'abord à Montferrato, et à partir de 1593 à Moncalvo ; il privilégia le travail du stuc.
VENTES PUBLIQUES : PARIS, 1858 : *Christ mort*, dess. : **FRF 20** – PARIS, 23 jan. 1928 : *La Vierge, l'Enfant et saint Jean* : **FRF 1 150** – NEW YORK, 19 jan. 1981 : *La Vision de saint Bernard*, h/t (265,5x162,5) : **USD 4 000** – LONDRES, 15 juin 1983 : *Saint Jean-Baptiste, saint François et un donateur adorant la Vierge et l'Enfant*, pl. et lav./trait de craie noire (23,5x20,4) : **GBP 1 600** – LONDRES, 12 déc. 1986 : *La Vierge et l'Enfant avec saint Appolonia et saint Michel présentant Alexius de Lorenzacio d. Parelle* 1586, h/t (158,7x120) : **GBP 55 000** – LONDRES, 7 juil. 1987 : *La Vierge et l'Enfant avec saint Michel et sainte Catherine* (recto) ; *Étude de personnage agenouillé* (verso), craies, pl. et lav. (28,8x21,1) : **GBP 4 500** – NEW YORK, 12 jan. 1990 : *La Résurrection de Lazare*, encre et lav./craie noire (25,2x41,6) : **USD 7 150** – PARIS, 25 juin 1991 : *Judith tenant la tête d'Holopherne*, h/t (114,5x170) : **FRF 180 000** – LONDRES, 2 juil. 1991 : *Étude de putti avec des instruments de musique et des nuages*, craie noire, encre et lav. brun (22,5x15,5) : **GBP 11 000** – LONDRES, 11 déc. 1991 : *L'Assomption de la Vierge entourée d'anges et de deux Saints agenouillés*, h/t (124,5x81,5) : **GBP 3 300** – PARIS, 18 juin 1993 : *Étude d'amour*, pl. (11,5x6,5) : **FRF 9 500** – LONDRES, 18 avr. 1994 : *Crucifixion*, encre et craie (38,1x52) : **GBP 1 207** – MILAN, 9 mars 1995 : *Saint faisant un miracle*, h/t (234x162) : **ITL 29 900 000** – LONDRES, 30 oct. 1996 : *La Sainte Famille*, h/pan. (43,5x59,5) : **GBP 9 200** – MILAN, 16-21 nov. 1996 : *Saint Pierre*, h/t (110x78) : **ITL 17 475 000.**

CACCIA Orsola. Voir CACCIA Ursula Magdalena

CACCIA Pompeo
Né à Rome. XVIIe siècle. Italien.
Peintre de sujets religieux.
Il travaillait à Pistoie vers 1615. On cite de lui une *Présentation de Jésus au Temple.*

CACCIA Ursula Magdalena
Née en 1596. Morte en 1666 ou 1676. XVIIe siècle. Italienne.
Peintre de compositions religieuses.
Fille de Guglielmo Caccia et fondatrice du couvent des Ursulines, à Moncalvo.
Elle peignit dans la manière de son père, plusieurs tableaux d'autel pour l'église des Ursulines. Elle signait ses tableaux d'une fleur.
VENTES PUBLIQUES : MILAN, 25 oct. 1988 : *Assomption de la Vierge*, h/t (17x27,5) : **ITL 3 000 000** – MILAN, 13 déc. 1989 : *Sainte martyre et ange*, h/t (110x81) : **ITL 11 000 000** – ROME, 9 mai 1995 : *Sainte Catherine d'Alexandrie et les anges*, h/t (93x115,5) : **ITL 6 900 000.**

CACCIALUPI Pietro Francesco
Né en 1735 à Pizzighettone. Mort en 1814 à Crémone. XVIIIe-XIXe siècles. Italien.
Peintre.

CACCIALUPI Simone
Né en 1476. XVIe siècle. Travailla à Arrezzo. Italien.
Peintre.

CACCIAMALI Bartolommeo
Originaire de Jesi. XVIIe siècle. Italien.
Peintre.

CACCIANEMICI Francesco ou Caccianimici ou Cachennemis
Né à Bologne. Mort en 1542. XVIe siècle. Italien.
Peintre.
Caccianemici fut un disciple de Primaticcio et l'accompagna à la

cour de François Ier. Vasari conteste l'authenticité de quelques ouvrages qui lui sont attribués à Bologne. Dans ses travaux à Fontainebleau, Primaticcio fut secondé par Caccianemici, qui collabora également avec les Rosso, probablement aussi avec Niccolo dell Abbate, dans plusieurs ouvrages importants.

CACCIANEMICI Francesco. Voir aussi CAPELLI

CACCIANEMICI Vincenzo ou Caccianimici
XVIe siècle. Actif à Bologne vers 1530. Italien.
Peintre de compositions religieuses, graveur, dessinateur.
Vincenzo Caccianemici eut pour professeur Parmigiano. On lui attribue le *Saint Jean* de San Petronio, et celui de la chapelle Machiavelli à San Stefano. On lui attribue aussi quelques gravures.

A.S.

VENTES PUBLIQUES : PARIS, 1859 : *Un évangéliste*, dess. à la pl. lavé d'encre : **FRF 3.**

CACCIANIGA Carlo
Originaire de Milan. XVIIIe siècle. Actif à la fin du XVIIIe siècle. Italien.
Peintre.

CACCIANIGA Francesco
Né en 1700 à Milan. Mort en 1781 à Rome. XVIIIe siècle. Italien.
Peintre de sujets mythologiques, compositions religieuses, sujets allégoriques, peintre à la gouache, graveur, dessinateur.
Il visita Bologne, Rome, Ancona, travaillant pour les églises et les monuments publics de ces villes. Il reçut les conseils de Marc-Antonio Franceschini, à Bologne. Il travailla à Rome et à Ancone.
On cite, entre autres, son *Mariage de la Vierge* et *La Cène*.
VENTES PUBLIQUES : PARIS, 9 fév. 1924 : *Deux têtes d'enfant*, pierre noire, reh. : **FRF 70** – ROUEN, 14 juin 1981 : *Vue du château Saint-Ange*, gche/t. (40x58) : **FRF 10 500** – LONDRES, 5 juil. 1993 : *La chute de Phaeton*, encre et craie (43,2x33,9) : **GBP 4 600** – NEW YORK, 6 oct. 1995 : *Allégorie de la Peinture méprisée par l'Ignorance*, h/t (125,1x170,2) : **USD 49 450.**

CACCIANIGA Francesco. Voir aussi CAZZANIGA

CACCIANIGA Paolo
XVIIe siècle. Actif à Milan. Italien.
Peintre.
Élève de Battista Recchi. Père de Francesco Caccianiga.

CACCIAPUOTI Ettore
Né au XIXe siècle à Naples. XIXe-XXe siècles. Travaillait à Paris. Italien.
Sculpteur.
Fils de Giuseppe Cacciapuoti. Élève de Giambattista Amendola. Exposa au Salon des Artistes Français, à partir de 1905, des statuettes (*Liseuse*, *A Longchamps*, *Le moment approche*, etc.). Son frère, Guglielmo Cacciapuoti, envoya au même Salon en 1903-1904 des figurines de gamins de Naples.

CACCIAPUOTI Gennaro. Voir CACCIAPUOTTI

CACCIAPUOTI Giuseppe
XIXe siècle. Actif à Naples. Italien.
Sculpteur, céramiste.
Il réalisa des terres cuites.

CACCIAPUOTO Antonio
XVIIIe siècle. Actif à Naples. Italien.
Peintre.

CACCIAPUOTO Nicola
XVIIIe siècle. Actif à Naples. Italien.
Peintre.

CACCIAPUOTTI Gennaro
Né au XIXe siècle à Naples. XIXe-XXe siècles. Italien.
Sculpteur.
Élève de l'Institut des Beaux-Arts de Naples, exposa au Salon, notamment en 1903, 1904 : *Nouvelle surprise*, *Sa première conquête*.

CACCIARELLI Umberto
XIXe-XXe siècles. Italien.
Peintre de genre, paysages, aquarelliste.
Son atelier se trouvait à Rome dans l'un des quartiers les plus prisés des artistes, la Via Margutta. On sait peu de choses de lui ;

il exposa en 1899 aux Amatori e Cultori di Belle Arti à Rome, présenta une aquarelle à la 77e Esposizione di Belle Arti en 1907, et figura dans une exposition tenue à Londres en 1909.
Il réalisa des aquarelles consacrées à des thèmes italiens, et d'autres, assez nombreuses, sur des sujets turcs ou arabes. Ces compositions orientalistes représentent en général des marchands dans des intérieurs ou dans des rues.
BIBLIOGR. : Augusto Jandolo : *Studi e modelli di Via Margutta, 1870-1950*, Milan, 1953.
VENTES PUBLIQUES : NEW YORK, 15 fév. 1985 : *La favorite du harem*, aquar. (51,4x72,7) : **USD 5 000** – ROME, 2 juin 1994 : *Sur la plage*, techn. mixte/pap. (100x60) : **ITL 5 290 000.**

CACCIATORE Benedetto ou Cacciatori
Né en 1794 à Carrare. Mort en 1871 à Carrare. XIXe siècle. Italien.
Sculpteur.
Élève de Bartolini à Carrare et de Paccetti à Milan. On lui doit une série d'ouvrages exécutés à Turin et à Milan. Il eut pour collaborateurs dans quelques-uns de ses travaux son père Lodovico et son frère Candido Cacciatore.

CACCIATORE Carlo ou Cacciatori
Originaire de Carrare. XVIIIe siècle. Travaillant à Gênes. Italien.
Sculpteur.
Élève de Schiaffino, à Gênes.

CACCIATORI Lodovico
Mort en 1854 à Carrare. XIXe siècle. Actif à Carrare. Italien.
Sculpteur.
Père de Benedetto et de Candido Cacciatori.

CACCINI Giovanni Battista ou de Caccinis
Né en 1556 à Florence. Mort en 1612. XVIe-XVIIe siècles. Italien.
Sculpteur.
On lui doit un certain nombre d'ouvrages exécutés pour des églises de Florence. Il était aussi architecte.

CACCINI Pompeo
XVIe siècle. Actif à Florence. Italien.
Peintre.

CACCINI Pompeo
XVIIe siècle. Actif à Gênes. Italien.
Sculpteur.

CACCIOLI Giovanni Battista
Né en 1623 au château de Budrio (près de Bologne). Mort en 1675. XVIIe siècle. Italien.
Peintre d'histoire, portraits, graveur, fresquiste.
Caccioli acquit une réputation notable comme peintre de fresques et de tableaux d'autel et de chevalet.

CACCIOLI Giuseppe Antonio
Né en 1672 à Bologne. Mort en 1740. XVIIe-XVIIIe siècles. Italien.
Peintre de fresques, graveur.
Giuseppe, qui hérita du talent de son père Giovanni-Battista, se développa sous la direction des Rolli et fut principalement célèbre pour ses travaux à fresque. Il a aussi laissé quelques gravures.

CACCONI
Né à Florence. XIXe siècle. Travaillant en 1812. Italien.
Graveur.

CACERES
XVIe siècle. Espagnol.
Peintre de compositions religieuses.
Il travaillait à Séville pour la cathédrale en 1506.

CACERES Carlos
Né le 17 mars 1923 à La Rioja. XXe siècle. Argentin.
Peintre.
Il expose dès 1959 à Buenos Aires, puis se fixe à Paris en 1965 et y expose à partir de 1966. Il participe au Salon des Réalités Nouvelles de 1968. Son art se rattache au courant de l'art concret, abstraction qui, se suffisant à elle-même ne renvoie à rien d'autre qu'à sa propre existence, « calme, lenteur et méditation devant la matière », héritier en cela de l'abstraction américaine.
MUSÉES : BUENOS AIRES – CORDOBA (Argentine) – LA RIOJA – SANTIAGO, Chili (Mus. d'Art Mod.).

CACERES Franc. Ginès de
XVIIe siècle. Espagnol.
Peintre de compositions religieuses.

Peut-être élève d'Escalante. Il peignit une *Conception* pour une église de Madrid.

CACERES Hector
Né au Chili. xxᵉ siècle. Chilien.
Peintre de genre.

CACERES Jorge
Né en 1923. Mort en 1949. xxᵉ siècle. Chilien.
Peintre. Surréaliste.

Dès l'âge de quinze ans, il a participé aux activités du groupe surréaliste chilien. Il est également poète.

CACERES Juan
xviᵉ siècle. Actif à Funchal vers 1515. Portugais.
Sculpteur.

CACERES Juan Felices de
xviᵉ-xviiᵉ siècles. Actif à Saragosse. Espagnol.
Peintre.

D'après Thieme et Becker, il se confond avec le Felices de Caceres cité par Cean Bermudez comme peintre a tempera, ayant à sa mort laissé un fils de 16 ans, lui-même peintre de scènes de la vie des saints.
MUSÉES : SARAGOSSE : *Sainte Famille*.
VENTES PUBLIQUES : PARIS, 4 mai 1921 : *Saint bénissant et secourant des malheureux*, attr. : FRF 345.

CACERES Juan Felices de
Né en 1568. Mort en 1618. xviᵉ-xviiᵉ siècles. Actif à Saragosse. Espagnol.
Peintre.
Certainement identique au précédent ou son parent.

CACERES-SOBREA Carlos
Né le 17 mars 1923 à La Rioja. xxᵉ siècle. Depuis 1965 actif, puis naturalisé en France. Argentin.
Peintre. Abstrait-géométrique.

Il fut élève et diplômé de l'École des Beaux-Arts de Buenos Aires. Après un premier séjour, pendant lequel il fréquenta l'atelier de Fernand Léger, et fuyant définitivement la dictature militaire en Argentine, il se fixa en 1965 à Paris et y participe régulièrement au Salon des Réalités Nouvelles à partir de 1968, ainsi qu'aux Salons de Mai, Grands et Jeunes d'Aujourd'hui. Il a exercé diverses activités d'enseignement à Paris : de 1967 à 1971, dans une unité de recherche sur l'environnement à l'École des Beaux-Arts ; puis, de 1971 à 1989, à l'École Camondo. Il s'est fixé à Gif-sur-Yvette vers 1980.

Il avait exposé dès 1959 à Buenos Aires. Il participe à de nombreuses expositions collectives, dont : 1962 *Art Latino-Américain*, Musée d'Art Moderne de Paris ; 1965 *Artistes Latino-Américains de Paris*, Musée d'Art Moderne de Paris ; 1968 *Art 68*, Château d'Ancy-le-Franc ; 1970 *Constructivisme et Mouvement*, La Maison des Quatre Vents, Paris ; 1982 *L'Amérique-Latine à Paris*, Grand-Palais de Paris ; 1990 *Art construit*, Paris ; 1994 *Art construit*, galerie Claude Dorval, Paris ; etc.

Il montre d'autres ensembles de ses réalisations dans des expositions personnelles, dont entre autres : en 1989 et 1991 à la Salle d'Actualité du Musée des Arts Décoratifs de Paris ; en 1993 et 1994, au Château de Belleville, à Gif-sur-Yvette ; 1997 Paris, galerie Claude Dorval ; etc.

Il a réalisé des interventions en milieu architectural, mises en couleur, interventions plastiques, murs en céramique, etc., à Paris et dans la région parisienne. Son œuvre se rattache au courant de l'art concret, analytique et rigoureux résultant d'études préparatoires. Il ressortit à une abstraction qui, se suffisant à elle-même, ne renvoie à rien d'autre qu'à sa propre évidence. « Calme, lenteur et méditation devant la matière » deviennent les principes de cet art, héritier de l'abstraction américaine, mais dans un registre très personnel, où son art des dégradés les plus subtils ouvre sur des espaces uniquement mentaux, propres à une contemplation sereine. ■ J. B.
BIBLIOGR. : Catalogue de l'exposition *Carlos Caceres-Sobrea*, Gif-sur-Yvette, 1993, bonne documentation.
MUSÉES : BUENOS AIRES (Mus. d'Art Mod.) – CORDOBA – MANAGUA (Mus. d'Art Latino-Américain) – PARIS (Mus. des Arts Décoratifs) – LA RIOJA – TUCUMAN.

CACHEARAIGNE Philippe
xivᵉ siècle. Actif à Douai à la fin du xivᵉ siècle. Français.
Peintre.

CACHENNEMIS François. Voir CACCIANEMICI Francesco

CACHET Bastien ou Sébastien
xviᵉ siècle. Actif à Lyon en 1548. Français.
Peintre et sculpteur sur bois.

CACHET Jean
xvᵉ siècle. Actif à Valenciennes vers 1460. Français.
Sculpteur et fondeur.

CACHEUX Armand
Né le 26 septembre 1868 à Genève. Mort en 1966 à Genève. xixᵉ-xxᵉ siècles. Suisse.
Peintre et graveur sur bois.

Élève à l'École des Beaux-Arts de Genève, il travailla sous la direction du sculpteur graveur Hugues Bovy et du peintre lithographe Bartholomée Menn. Il vint ensuite à Paris. Il fut professeur à l'École des Arts Industriels de Genève à partir de 1903. Il prit part à plusieurs expositions suisses et figura au Salon des Artistes Français à Paris en 1921. Il est le grand-père du sculpteur François Cacheux.
VENTES PUBLIQUES : PARIS, 8 déc. 1941 : *Chevaux à l'écurie* : FRF 420.

CACHEUX François
Né le 24 janvier 1923 à Paris. xxᵉ siècle. Français.
Sculpteur de monuments, figures, nus, portraits, pastelliste, dessinateur.

Petit-fils du peintre Armand Cacheux, il entre à l'École des Arts Appliqués à l'Industrie en 1940, où il est élève de Wlérick, Malfray et Zwobada. Dès 1941, il expose au Salon des Tuileries puis, l'année suivante, entre à l'École nationale des Beaux-Arts de Paris, mais préfère travailler dans l'atelier de Despiau qu'il admire. En 1943, il fait un séjour en Suisse, expose à Genève, et rejoint la Résistance. Déporté en 1944, il rentre en France l'année suivante, est fait officier de la Légion d'Honneur et reçoit la Croix de Guerre avec palme. En 1954, il obtient le Prix de la Villa Abd El Tif et séjourne deux ans à Alger. Professeur de dessin à l'École des Beaux-Arts de Clermont-Ferrand en 1957, il devient directeur de l'École des Arts Décoratifs de Strasbourg en 1959. En 1986, il obtint le Prix Paul Louis Weiller, avec le buste de *Jean-Sébastien (Cacheux)* ; en 1987, le Prix de la Biennale de Sculpture du château de Dauzat ; en 1997, le Prix du Dessin Charles Malfray de la Fondation Taylor, à la suite duquel, en 1998, il devint membre du comité de la Fondation.

Il participe aux Salons des Tuileries, Comparaisons dès sa création en 1962, Terres Latines, des Artistes Indépendants. Il a fait des expositions personnelles à Genève en 1944 ; Paris 1946, 1952, 1958, 1976, 1986, 1995 ; Bourges 1952, 1957 ; Mulhouse 1956 ; Strasbourg 1959, 1964, 1968, 1970, 1976 ; Stuttgart 1969 ; Haguenau 1970 ; Munich et Brest 1973 ; New York 1979 et 1981 ; Angers 1984, 1985, etc. En 1991 le Musée de Cognac a organisé une importante exposition de ses « Grands Bronzes », avec des dessins et sanguines des esquisses. En 1994 une exposition de ses bronzes et dessins récents a été organisée à Washington. En 1997, la ville d'Angers a organisé une exposition de ses œuvres, la galerie Walter à Haguenau a exposé ses pastels récents, avec quelques bronzes et dessins.

Il a réalisé plusieurs sculptures monumentales, notamment une fontaine et une figure monumentale à Bourges (1950), un *Monument aux Morts* de Mulhouse (1954), une fontaine à Wittelsheim (1954), *La petite Europe* pour le Parlement Européen de Strasbourg (1959), le buste de *Robert Schumann* à Thionville (1970), le grand bronze *La jeune Vigueur* à Angers (1985), le buste de *Jean Monnet*, à Angers (1986), la statue de *Jean Moulin*, à Angers (1993), la statue de *François Mitterrand*, à Lille (1998).

François Cacheux s'exprime aussi bien en sculpture qu'en dessin, exécutant très souvent des sanguines dont la structure prend un caractère sculptural. Il tient à rester un artiste attaché à la tradition française de « l'art indépendant », et s'emploie à mettre tout ce qui concerne la vie humaine. Les portraits, la femme, l'enfant, la danse, sont ses sujets favoris avec les figures monumentales. Il tient de Wlérick le sens du monumental et de Despiau la grâce sensuelle des attitudes. Sa facture rugueuse évoque, par certains côtés, celle des sculptures de Degas. ■ J. B.

BIBLIOGR. : H. Mercillon : *François Cacheux à Washington*, Édit. PGR, Angers, 1994 – H. Mercillon : *François Cacheux ou la passion de la vie*, Biblioth. des Arts, Paris, 1997.

Musées : Albi (Mus. Toulouse-Lautrec) – Alger (Mus. Nat.) – Angers – Bourges – Brest – Budapest (Mus. Nat.) – Calais – Colmar – Cracovie – Épinal – Haguenau – Paris (Mus. d'Art Mod. de la Ville de Paris) – Paris (Mus. Nat. d'Art Mod.) – Pau – Strasbourg : *Femme sautant* – Strasbourg (Cab. des Estampes) – Stuttgart – Tipasa.

Ventes Publiques : Versailles, 23 nov. 1986 : *Nu assis*, cire perdu, bronze (H. 24,5) : **FRF 18 000** – Paris, 18 mai 1994 : *Nu agenouillé, les mains ramenées sous la chevelure*, bronze (124x74x62) : **FRF 48 000**.

CACHEUX Jean-Pierre
Né à Épinay (Seine-Saint-Denis). xixe siècle. Français.
Peintre.
En 1822, il exposa au Salon : *Intérieur du cloître de l'Ara-Cœli*, à Rome ; en 1824 ; *Intérieur du vestibule de la maison de Michel-Ange*, à Rome. Il exposa aussi en 1831 et 1848.

CACHEUX Louis Émile
Né le 26 janvier 1874 à Paris. xxe siècle. Français.
Sculpteur.
Il a exposé au Salon des Artistes Français dont il est devenu sociétaire.
Musées : Paris (Mus. Carnavalet) : *Ambroise Rendu*.

CACHIER Guillaume
Né au xixe siècle à Paris. xixe siècle. Français.
Peintre.
Il exposa au Salon en 1875 et 1876.

CACHIN-SIGNAC Ginette. Voir SIGNAC Geneviève

CACHOUD François Charles
Né le 23 octobre 1866 à Chambéry (Savoie). Mort en 1943.
xixe-xxe siècles. Français.
Peintre de scènes typiques, paysages animés, paysages, peintre de compositions murales.
Élève de Delaunay et de Gustave Moreau, il a débuté en exposant au Salon de Paris en 1892. Il y exposera régulièrement jusqu'en 1940. Il obtint une médaille d'or à l'Exposition Universelle à Paris en 1937. Chevalier de la Légion d'Honneur en 1910.
Il s'est spécialisé dans la représentation de paysages peints sous le clair de lune. Il a exécuté un panneau décoratif intitulé : *Le lac d'Annecy*, pour la gare de Lyon à Paris.

Musées : Chambéry : *Soleil couchant à Vanves 1892* – *Les Deux Amis* – *La Montagne du Signal* – *Saint-Alban de Montbel, paysage nocturne* – *Nuées lointaines* – *Le chant de la forêt* – Grenoble : *Retour des champs* – Oran : *Nuit nuageuse* – Paris (Mus. du Petit Palais) : *Nuit claire* – Philadelphie : *L'Heure du grillon* – Quimper : *Nuit d'été*.
Ventes Publiques : Paris, 10 déc. 1920 : *Chemin de la ferme à Saint-Alban de Montbel, clair de lune* : **FRF 1 700** – Paris, 8 fév. 1924 : *Vieilles maisons à Maurepas* : **FRF 1 220** – Paris, 26 nov. 1927 : *Nuit nuageuse, lac d'Aiguebelette (Savoie)* : **FRF 5 100** – New York, 29 oct. 1931 : *Vers la maison 1907* : **USD 195** – Paris, 26 fév. 1934 : *La maison sous les arbres, nuit de lune* : **FRF 3 500** – New York, 25 jan. 1935 : *La lune dans les bois* : **USD 240** – Paris, 29 juin 1939 : *Nuit d'été sur le lac du Bourget* : **FRF 4 650** – Paris, 13 juil. 1942 : *L'entrée du village au clair de lune* : **FRF 5 000** – Paris, 10 nov. 1943 : *Cour de ferme au clair de lune* : **FRF 16 100** – New York, 13 déc. 1945 : *Les arbres penchés* : **USD 550** – New York, 15 mai 1946 : *Au village de Guiguet par nuit claire* : **USD 700** – Paris, 4 et 5 mai 1955 : *Paysan rentrant un couple de bœufs* : **FRF 52 000** – New York, 19 oct. 1960 : *La ferme au clair de lune* : **USD 350** – Paris, 31 jan. 1964 : *La Maison au clair de lune* : **FRF 3 000** – Paris, 23 juin 1967 : *Le Hameau au clair de lune* : **FRF 2 300** – Perpignan, 22 fév. 1972 : *Ferme sous le clair de lune* : **FRF 7 500** – Paris, 13 mai 1976 : *Lune brumeuse, h/t (66x82)* : **FRF 3 800** – Versailles, 27 mars 1977 : *Les Grands Arbres près du chemin, h/t (65x81)* : **FRF 4 600** – Vienne, 14 mars 1978 : *Paysage au clair de lune, h/t (89x115)* : **ATS 20 000** – Paris, 14 juin 1979 : *Le port d'Annecy, h/t (60,5x73,5)* : **FRF 9 000** – New York, 28 mai 1980 : *Femmes au clair de lune, 2 h/t (61x73,6)* : **USD 2 700** – Versailles, 25 oct. 1981 : *Brume et Rosée d'au-*

tomne, h/t (54x65) : **FRF 9 500** – Lyon, 14 déc. 1982 : *La vallée de Sallanches, le soir, h/t (98x167)* : **FRF 11 000** – Paris, 9 nov. 1983 : *Maisons au clair de lune, h/t (46x55)* : **FRF 5 200** – Paris, 16 nov. 1984 : *Fermes à la tombée de la nuit en Savoie*, h/cart., deux pendants, (chaque 30x38) : **FRF 12 000** – Paris, 15 fév. 1985 : *Maison au clair de lune, h/t (54,5x65,5)* : **FRF 20 000** – New York, 24 nov. 1987 : *Clair de lune, h/t (65x81,5)* : **USD 4 000** – Gien, 17 avr. 1988 : *Route par une nuit d'automne, h/t (60x73)* : **FRF 27 000** – Montréal, 25 avr. 1988 : *Chemin de campagne au clair de lune avec personnage, h/t (66x81)* : **CAD 4 000** – Paris, 3 juin 1988 : *Nuit de lune en Savoie, h/cart. (33x41)* : **FRF 7 000** – Los Angeles, 9 juin 1988 : *L'Étoile du berger, h/t (74x91,5)* : **USD 1 650** – New York, 25 oct. 1989 : *Clair de lune en Savoie, h/t (63,5x76,2)* : **USD 5 500** – Paris, 27 mars 1990 : *Nuit nuageuse sur le lac d'Aiguebelette, h/t (16x20,5)* : **FRF 14 500** – Paris, 17 nov. 1991 : *L'Allée au clair de lune, h/t (65,5x81)* : **FRF 35 000** – Montréal, 19 nov. 1991 : *Clair de lune, h/t (73,6x91,5)* : **CAD 2 900** – New York, 29 oct. 1992 : *Nuit étoilée, h/t (65,4x81,3)* : **USD 11 000** – Paris, 17 déc. 1993 : *Reflets de lune, lac d'Aiguebelette, h/t (51x61)* : **FRF 15 000** – New York, 17 fév. 1994 : *Maison à toit de chaume au clair de lune, h/t (54,5x65)* : **USD 2 530** – New York, 20 juil. 1994 : *Paysage au clair de lune, h/t (65,4x81,9)* : **USD 4 025** – New York, 19 jan. 1995 : *Rivière au clair de lune, h/t (64,8x81,3)* : **USD 2 875** – Paris, 20 mars 1997 : *Retour du paysan, le soir, h/t (33x41)* : **FRF 9 800** – Paris, 23 mai 1997 : *Le Chemin du Gaugeat Novalaise, Savoie, h/t (60,5x73)* : **FRF 17 600** – Paris, 2 juin 1997 : *Clair de lune sur la mare, h/cart. (23x28)* : **FRF 5 000** – New York, 23 oct. 1997 : *La Charrette de foin, clair de lune, h/t (64,8x81,3)* : **USD 10 925**.

CACHOUT
xxe siècle. Français.
Graveur.
A obtenu, au Salon de Paris de 1900, le prix Raigecour-Goyon.

CACKENBERGH Patrick Van. Voir CAECKENBERGH Patrick Van

CACKETT Léonard
Né le 5 juin 1896 à Londres. xxe siècle. Britannique.
Peintre de marines, aquarelliste.
Membre de la British Water-Colours depuis 1940.

CADAINE Guillaume ou Cadène
xviie siècle. Français.
Sculpteur.
Sculpteur ordinaire des bâtiments et jardins de S. A. R. Monsieur. Il était l'auteur d'une statue de *Saint Jean* en marbre blanc exécutée en 1684, placée jadis sur l'autel de l'église de la Sorbonne et qui a disparu. Il avait, d'autre part, exécuté des ouvrages à Saint-Cloud.

CADART A.
xixe siècle. Actif à Paris. Français.
Graveur.
Il exposa à Londres en 1874. Il était également éditeur.
Musées : Londres (Victoria and Albert Museum) : *Vue de la Chambre des Députés*.

CADART L. J.
xixe siècle. Française.
Peintre de genre.
Elle exposa aux Artistes Français en 1888.

CADBY Walter Frederick
xixe-xxe siècles. Britannique.
Peintre.
Il travailla à Londres. Il fut membre de l'English Art Club et de la International Society of Painters. Il exposa à Londres en 1899, à Munich en 1896 et en 1899, à Düsseldorf en 1904.

CADDANT Jean
xive siècle. Français.
Sculpteur, peintre.
Cet architecte est cité en 1304 à Bourges.

CADDICK Richard
Britannique.
Portraitiste.
Musées : Liverpool : *Portrait de William Roscoe*.

CADDICK W.
xviiie siècle. Actif à Liverpool. Britannique.
Portraitiste.
Il exposa à la Royal Academy de Londres en 1780.

CADE J. J.
Né au Canada. xxe siècle. Travaillait vers 1900 à Brooklyn, New York. Canadien.
Graveur.

CADÉ Nicolas Constant
Né en avril 1846 à Corcieux (Vosges). Mort le 25 février 1887 à Besançon. xixe siècle. Français.
Sculpteur de statues.
Élève de A. Dumont et de Jules Franceschi. Il exposa au Salon, de 1868 à 1880, des bustes ou des statuettes. En 1881, il fut nommé professeur à l'École des Beaux-Arts de Besançon. Le Musée de cette ville conserve de ses œuvres, notamment la dernière : *Gladiateur mourant.*

CADEAU Amélie. Voir **CORDELIER de LA NOUE**

CADEAU Andrée
Née au xxe siècle à Lille (Nord). xxe siècle. Française.
Peintre de fleurs.
Elle exposa au Salon des Artistes Français de Paris.

CADEAU René
Né le 15 février 1782 à Angers. Mort le 28 octobre 1858 à Paris. xixe siècle. Français.
Peintre de genre et de portraits.
Élève de Pierre Guérin. Il prit part au Salon entre 1819 et 1849. Parmi ses toiles de genre, on cite : *Une famille malheureuse, La petite dormeuse.*

CADEL Eugène
Né à Paris. xixe-xxe siècles. Français.
Peintre de genre, paysages, dessinateur.
Élève de Luc Olivier Merson, Bonnat, Puvis de Chavannes à l'Ecole des Beaux-Arts de Paris. De 1911 à 1940, il exposa à la plupart des Salons parisiens, en particulier à celui des Artistes Français, de la Société Nationale des Beaux-Arts, dont il devint sociétaire en 1920. Il a également participé au Salon des Humoristes de Paris et de Copenhague. Il est l'auteur de compositions décoratives dans une église de Cannes.
Ventes Publiques : Paris, 22 fév. 1943 : *Paysage à l'arbre* : FRF 1 000 – Versailles, 27 juin 1982 : *Le repas des paysans*, h/t (49x59) : FRF 2 800 – Paris, 13 avr. 1988 : *La Durdent à Cany*, h/t (46x55) : FRF 7 200 – Calais, 3 juil. 1988 : *Parc fleuri*, h/t (46x56) : FRF 15 000 – Versailles, 25 sep. 1988 : *Berger et paysanne près du chateau*, h/t (54x73) : FRF 5 800 – Londres, 19 oct. 1988 : *Bergère*, h/t (46,5x55,5) : GBP 3 850 – Paris, 13 mars 1989 : *La Sainte Barbe, bal pop*, h/pan. (38x46) : FRF 8 200 – Paris, 19 juin 1989 : *Le marché espagnol*, h/pan. (21,5x27) : FRF 10 000 – Paris, 21 mars 1990 : *Les Bergers*, h/t (55x73) : FRF 8 000 – Paris, 25 mars 1993 : *La pause*, h/pan. (21x27) : FRF 4 300 – Paris, 15 juin 1994 : *Au lavoir*, h/pan. (33x41) : FRF 4 400 – Paris, 23 fév. 1997 : *Les Maisons aux toits rouges à Médan*, h/pan. (58x71,5) : FRF 10 000.

CADELL Agnès Morisson
xixe-xxe siècles. Britannique.
Peintre de portraits, paysages, décoratrice.
Elle a exposé au Salon des Artistes Français de 1914 à 1922, et de 1924 à 1929. Elle a également participé au Salon de la Société Nationale des Beaux-Arts à Paris en 1921.
Ventes Publiques : Londres, 19 mai 1982 : *La gardeuse de chèvres*, h/t (114x127) : GBP 550 – Perth, 27 août 1990 : *Fleurs blanches pour une vie pure* 1955, h/t (145x66) : GBP 2 090.

CADELL Francis Campbell Boileau
Né le 12 avril 1883 à Edimbourg (Ecosse). Mort en décembre 1937. xxe siècle. Britannique.
Peintre de figures, paysages, fleurs. Postimpressionniste.
Le peintre écossais Arthur Melville encouragea ses dons précoces de dessinateur et convainquit ses parents de l'envoyer à Paris. Il y vit de la peinture postimpressionniste qui ne l'attira alors pas et il voyagea à Munich et Venise. En 1909, il revint à Edimbourg, puis s'engagea dans les Highlanders pendant la Première Guerre mondiale. Après la guerre, il partagea son temps entre son atelier d'Edimbourg et l'île de Iona, où il retrouvait en été son ami Samuel John Peploe. Il exposa régulièrement à l'Académie Royale d'Ecosse à partir de 1931, et en fut élu membre en 1936. Il participa à des expositions de groupes restreints de peintres écossais : à Londres : 1923, 1925, *Peintres de six artistes écossais* 1932, *Trois peintres écossais* 1939, à Paris : *Les peintres de l'Ecosse Moderne* 1924, *Les peintres écossais*

1931, Edimbourg : à l'exposition de la Royal Scottish Academy 1949, *Quatre coloristes écossais* 1952, etc.
Il était pour ses amis un compagnon brillant et chaleureux. Il peint peu de figures : *Baigneurs sur la côte.* Il fut surtout peintre de paysages, avec une forte prédilection pour les paysages marins, vus en léger retrait de la côte, surtout dans l'île de Iona. Peignant dans une facture grasse et large, il était attentif à rendre les couleurs du temps, froide lumière de ciel couvert, brume légère de beau temps. Il eut l'occasion de peindre une étonnante vue de *la Giudecca* à Venise, de nuit, se découpant entre les bleus sombres du ciel et du canal, l'ombre imposante d'un vaisseau et de sa mâture occultant en partie les lumières trouant violemment l'obscurité et se reflétant loin sur l'eau. Il fut un peintre qui se situa tantôt derrière Manet, tantôt derrière Cézanne. ■ J. B.
Bibliogr. : T. J. Honeyman : *Three Scottish Colourists*, Londres, 1950 – Tom Hewlitt : *Cadell, la vie et l'œuvre d'un peintre écossais*, Yougoslavie, 1988.
Musées : Édimbourg – Glasgow.
Ventes Publiques : Londres, 6 déc. 1929 : *Peggy en rose* : GBP 17 – Londres, 9 fév. 1934 : *Une dame en noir* : GBP 8 – Édimbourg, 18 mai 1935 : *Iona* : GBP 8 – Londres, 28 mai 1937 : *Iona* : GBP 28 – Glasgow, 9 déc. 1966 : *La conversation* : GNS 170 – Londres, 26 avr. 1972 : *Vase de tulipes* : GBP 480 – Écosse, 24 août 1976 : *Intérieur*, h/t (100x75) : GBP 2 000 – Édimbourg, 15 nov. 1977 : *La femme blanche*, h/t (60x59) : GBP 2 400 – Perth, 11 avr. 1978 : *Portrait en rose (recto) / Vue d'une ville (verso)*, h/cart. (68,5x58,5) : GBP 3 200 – Versailles, 25 fév. 1979 : *The Shed* 1905, aquar. (22,5x15) : GBP 520 – Glasgow, 15 juin 1979 : *Jeune femme dans un intérieur* vers 1912, h/t (62x75,5) : GBP 8 500 – Glasgow, 10 avr. 1980 : *Place Saint-Marc*, h/pan. (103x180) : GBP 4 000 – Édimbourg, 2 juil. 1981 : *Jeune femme au chapeau noir devant son miroir*, h/t (77x64) : GBP 8 500 – Écosse, 1er sep. 1981 : *Depuis Iona*, aquar. (17,5x25,5) : GBP 900 – Écosse, 31 août 1982 : *Iona, le village*, aquar. (16,5x24) : GBP 800 – Édimbourg, 12 avr. 1983 : *Iona, baie au nord*, h/cart. (38x45) : GBP 4 000 – Glasgow, 19 avr. 1984 : *Tête de femme de profil*, craie noire/pap. (36x51) : GBP 420 – Glasgow, 19 avr. 1984 : *Baigneuses sur la plage*, aquar. (31,7x27,9) : GBP 1 200 – Glasgow, 28 août 1985 : *Roses*, h/pan. (44,5x36,8) : GBP 10 000 – Pertshire (Comté de), 26 août 1986 : *Autoportrait*, aquar. (37x27) : GBP 1 600 – Édimbourg, 26 avr. 1988 : *Le café Florian, Place Saint-Marc, Venise* 1910, h/pan. (46x37,5) : GBP 44 000 – Édimbourg, 30 août 1988 : *Après-midi* 1913, h/t (101,5x127) : GBP 214 500 ; *Nature morte de roses dans un vase de Chine à côté d'une tasse à thé*, h/cart. (38x44,5) : GBP 53 900 – Glasgow, 8 déc. 1988 : *Le canal de la Giudecca à Venise* 1910, h/pan. (37,5x44,5) : GBP 24 200 ; *Personnages sur la plage à Iona*, h/cart. (37,5x44,5) : GBP 52 800 ; *Baigneurs sur la plage*, h/cart. (44,5x36,8) : GBP 8 800 – Glasgow, 7 fév. 1989 : *Vue de l'île de Iona*, aquar. et gche (17x25) : GBP 3 300 – Perth, 28 août 1989 : *Cortège royal à Ascot*, encre (7x49) : GBP 1 100 – Glasgow, 7 déc. 1989 : *Intérieur : la cheminée de marbre*, h/t (103,5x76,8) : GBP 176 000 ; *Le sofa blanc à Ainslie Place*, h/t (63,5x76,2) : GBP 66 000 – Glasgow, 6 fév. 1990 : *Intérieur : le miroir à l'aigle*, h/t (102x76) : GBP 176 000 – Glasgow, 22 nov. 1990 : *Le manteau orange*, past. (38,1x25,4) : GBP 2 200 – Glasgow, 6 déc. 1990 : *Roses roses dans un vase (recto)* 1911 ; *Jeune fille en robe blanche et chapeau fleuri (verso)* 1911, h/cart. (72,3x50,8) : GBP 38 500 – South Queensferry (Ecosse), 23 avr. 1991 : *La famille en promenade* 1915, encre et lav. de coul. (33x25,5) : GBP 4 840 – Édimbourg, 2 mai 1991 : *Ben More*, h/pan. (37,5x45) : GBP 13 200 ; *Le coq noir*, h/t/cart. (37,5x45,2) : GBP 17 600 – Édimbourg, 19 nov. 1992 : *Le pichet de faïence* 1912, h/cart. (45x35,3) : GBP 8 800 – Édimbourg, 9 juin 1994 : *Le Tail of Mulle depuis Iona* 1913, h/t (37,5x46) : GBP 25 300 – Perth, 29 août 1995 : *Ben More depuis Iona*, h/t (45,5x61,5) : GBP 23 000 – Édimbourg, 23 mai 1996 : *Cassis*, h/t (76,2x61) : GBP 62 000 – Perth, 26 août 1996 : *Intérieur, la chaise rouge*, h/t (61,5x51) : GBP 109 300 – Édimbourg, 27 nov. 1996 : *Été dans le parc*, h/pan. (36,8x44,5) : GBP 14 950 – Édimbourg, 15 mai 1997 : *Iona*, h/pan. (37,8x45,8) : GBP 21 850.

CADELL Florence, née **Saint John**
Née à Cheltenham (Angleterre). xixe-xxe siècles. Britannique.
Peintre de genre.
Élève de Delacluse, Courtois et Simon, cette artiste qui travailla à Edimbourg (Écosse) a exposé des tableaux de genre, notamment : *La petite nièce*, *L'Avenir*, au Salon des Artistes Français de 1910 à 1926.
Ventes Publiques : Écosse, 31 août 1982 : *Sur la plage*, h/t

(61x72,5) : **GBP 2 000** – PERTH, 29 août 1989 : *Le nouveau-né*, h/t (56x76) : **GBP 1 760** – GLASGOW, 6 fév. 1990 : *Chèvres au paturage* 1941, h/t (56x66) : **GBP 3 520** – PERTH, 27 août 1990 : *Une villa*, h/cart. (34x27) : **GBP 935** – GLASGOW, 5 fév. 1991 : *Sur la terrasse (recto)* ; *Croquis d'un arbre (verso)*, h/cart. (32x39,5) : **GBP 660**.

CADENA Luis
XIXᵉ siècle. Péruvien.
Peintre.
Le Musée de Grenoble conserve de cet artiste le portrait de M. de Saint Robert (Quito, 1865).

CADENAS
XVIIIᵉ siècle. Actif à Madrid. Espagnol.
Graveur.

CADENASSO Giuseppe
Né en 1854. Mort en 1918. XIXᵉ-XXᵉ siècles. Américain.
Peintre de paysages.
VENTES PUBLIQUES : LOS ANGELES, 3 mai 1982 : *Paysage d'automne*, h/t (51x76) : **USD 350** – LOS ANGELES-SAN FRANCISCO, 12 juil. 1990 : *Maison rustique dans une vallée encaissée sous un ciel d'orage*, h/pan. (23x30,5) : **USD 880** ; *Paysages boisés*, h/cart. et h/pan., une paire (16x27 et 14x23,5) : **USD 2 475** – LOS ANGELES-SAN FRANCISCO, 10 oct. 1990 : *Eucalyptus dans un paysage marin*, h/t (102x76) : **USD 6 600**.

CADENAT Bernard
Né en 1942. XXᵉ siècle. Français.
Peintre. Abstrait-géométrique.
Il a régulièrement exposé au Salon Grands et Jeunes d'Aujourd'hui à Paris, notamment en 1987 et 1988. Ses toiles géométriques donnent souvent l'illusion du relief.

CADENAT Gaston Jules Louis
Né à Marseille (Bouches-du-Rhône). XXᵉ siècle. Français.
Sculpteur.
Élève de Coutan, Landowski et Carli, il a exposé au Salon des Artistes Français. Médaille de bronze en 1930.

CADENE Lucien Pierre
Né à Montauban (Tarn-et-Garonne). XXᵉ siècle. Français.
Peintre de portraits, paysages animés, natures mortes, illustrateur.
Il a exposé au Salon des Artistes Français, notamment en 1926, et au Salon des Artistes Indépendants à Paris. Il a illustré *Le confort moderne* de R. Boyslesve et *Vin rouge* de P. E. Martel.
VENTES PUBLIQUES : PARIS, 19 juin 1996 : *Le Déjeuner sur l'herbe*, h/t (150x195) : **FRF 52 000**.

CADENELLE Jehan
XVᵉ siècle. Français.
Peintre verrier.
Il travailla à châlons-sur-Marne aux vitraux de l'église de la Trinité entre 1465 et 1472.

CADENHEAD James
Né en 1858 à Aberdeen. Mort en 1927. XIXᵉ-XXᵉ siècles. Britannique.
Peintre de portraits, paysages, aquarelliste, graveur, dessinateur.
Élève de la School of Art et de la Royal Scottish Academy à Édimbourg et de Carolus Duran à Paris. Membre de la Royal Scottish Water-Colours Society. Il résida successivemment à Aberdeen et à Édimbourg. Il a peint des portraits et des paysages, ceux-ci, surtout à l'aquarelle.
VENTES PUBLIQUES : LONDRES, 8 juin 1934 : *Prélude*, dess. : **GBP 7** – ÉDIMBOURG, 13 juil. 1935 : *Loch Awe* : **GBP 3** – ÉDIMBOURG, 31 oct. 1936 : *West Highlands*, aquar. : **GBP 6** – PERTH, 26 août 1986 : *Le chevalier errant*, aquar. (71x99) : **GBP 500** – PERTH, 29 août 1995 : *Ici, caresse le vent et chante le pluvier*, h/t (75x116,5) : **GBP 1 840**.

CADERE André
Né en 1934 à Varsovie (Pologne). Mort en 1978 à Paris. XXᵉ siècle. Français.
Artiste. Conceptuel.
La personnalité et le travail de Cadere sont inséparables et représentatifs du climat artistique des années soixante-dix. Sa pratique artistique constitua l'une des attitudes les plus radicales qui aient animé le monde de l'art à cette époque. L'examen des travaux préliminaires en éclaire la genèse. En 1968 il réalise un tableau composé de lignes fragmentées de couleurs opposées, créant des effets de profondeur. En 1969, des bâtonnets peints à l'avance sont collés sur la toile posée au sol. En 1970 une longue baguette permute sur trois côtés les couleurs de l'arc-en-ciel.

C'est en 1972 qu'il crée le bâton, de taille variable, constitué de segments colorés – généralement trois couleurs choisies pour leur impact visuel et non selon des critères esthétiques – dont la longueur égale le diamètre, assemblés selon un système de permutation comportant des erreurs. « La surface cylindrique (donc ronde) a ceci de particulier qu'elle est une : il n'y a ni envers ni endroit, pas de partie publique ni face destinée au mur. Tous les vieux jeux (le châssis montré au public, le verso montré par transparence, etc.) sont impossibles. Il y a une seule surface qui, faisant le tour du cylindre, montre toujours la même chose. Le vieux lien traditionnel et indissoluble mur/tableau est rompu ; il s'agit d'un travail autonome pouvant, par sa structure propre, être montré n'importe où, indépendant par rapport aux structures qui gouvernent le monde de l'art (les musées et les galeries) », écrivait-il dans un cahier daté du printemps 1978. Le bâton est alors assimilé à une œuvre peinte dans le même temps qu'il met la peinture en question. Partant du principe que ce bâton est doté d'une indépendance formelle totale, Cadere le promène partout, hors des circuits artistiques ou sur les lieux mêmes des grandes manifestations internationales, n'étant parfois ni invité ni attendu ; il apparaît ainsi comme perturbateur du rite du vernissage de l'exposition, mettant en cause les conditions nécessaires à la vision de l'œuvre d'art, dénonçant le caractère parfois répressif des cadres culturels, interrogeant les décideurs du monde artistique. Le bâton est parfois glissé subrepticement dans l'exposition, pratique qui suscite des réactions violentes ou nuancées, Cadere se voyant expulsé ou rejeté de certains lieux. Travail de sape, critique baladeuse, l'œuvre d'André Cadere est restée inégalée et exemplaire dans sa rigueur. ■ F. M.
BIBLIOGR. : Herbert Gewald, *André Cadere, histoire d'un travail*, Gand, 1982 – Ida Biard, Béatrice Parent : *André Cadere – Peinture sur bois*, in : *Public*, nᵒ 3, 1985, p. 20 – in : *L'art contemporain en France*, Catherine Millet, Flammarion, 1987 – Daniel Soutif, in : *Libération*, 1989 – Catal. de l'exposition *L'art conceptuel, une perspective*, Musée d'Art Moderne de la ville de Paris, nov. 1988-fév. 1990.
MUSÉES : PARIS (Mus. Nat. d'Art Mod.).
VENTES PUBLIQUES : PARIS, 26 oct. 1990 : *Grand bâton et son document descriptif 1976*, barre de bois rond composée de 52 éléments laqués en noir, rouge, bleu et blanc (H. 210) : **FRF 140 000**.

CADES Alessandro
Né en 1734 à Rome. Mort en 1809 à Rome. XVIIIᵉ siècle. Italien.
Sculpteur sur ivoire.

CADES Giuseppe
Né en 1750 à Rome. Mort en 1799 à Rome. XVIIIᵉ siècle. Italien.
Peintre d'histoire, sujets mythologiques, compositions religieuses, graveur.
Cet artiste, élève de Domenico Corvi, eut surtout une réputation comme copiste de Raphaël, Michel-Ange, Zampieri et Leonardo da Vinci.
MUSÉES : MILAN (Ambrosiana) : Sujets de narration – PORTO (Nouveau Mus.) : *Serment d'une Vestale*, ébauche – *Marie, l'Enfant Jésus et saint Joseph*, ébauche.
VENTES PUBLIQUES : PARIS, 1778 : *Deux sujets, dont Un homme endormi*, dess. esquissés à la pierre noire et à l'estompe : **FRF 40** – PARIS, 1864 : *Deux sujets mythologiques*, dess. à la pl. lavé d'aquar. : **FRF 3** – PARIS, 1ᵉʳ juin 1932 : *Danse d'amours*, pl. et aquar. : **FRF 180** – ROME, 20 avr. 1977 : *La Vierge et angelots*, h/t (22x27) : **FRF 44 800** – LONDRES, 28 juin 1979 : *La Résurrection*, pierre noire (56,8x37,4) : **GBP 1 700** – MILAN, 19 mars 1982 : *Scène de sacrifice*, pl. et lav. (17,6x43,3) : **ITL 800 000** – NEW YORK, 21 jan. 1983 : *Le jugement de Pâris*, pl. et lav./pap. (41,5x28) : **USD 4 500** – MONTE-CARLO, 26 juin 1983 : *Le retour du Fils Prodigue*, h/cuivre (60x45) : **FRF 55 000** – NEW YORK, 18 jan. 1984 : *Alexandre et Roxane*, pl. et lav. sur trait de craie noire (26,2x43,3) : **USD 8 250** – LONDRES, 12 déc. 1985 : *Portrait de femme dans un médaillon ovale entouré de deux allégories représentant la Renommée et la Victoire tenant une couronne* 1785, craies rouge et noire, pl. lav. de coul., forme ronde (diam. 36) : **GBP 42 000** – LONDRES, 7 juil. 1987 : *Jésus dans la maison de Marie et Marthe*, pl. (74x37) : **GBP 4 200** – MILAN, 20 fév. 1988 : *Scène de l'histoire romaine*, encre (21x31,5) : **FRF 13 320** – NEW YORK, 9 jan. 1991 : *Orphée charmant les animaux*, craie noire, encre et aquar. (14,4x40,9) : **USD 4 950** –

LONDRES, 19 avr. 1991 : *Vierge à l'Enfant avec deux anges*, h/t (41,5x54,5) : **GBP 38 500** – PITHIVIERS, 9 juin 1991 : *La Vierge avec l'Enfant Jésus*, dess. à la pierre noire, estompe et sanguine (47x31,5) : **FRF 100 000** – LONDRES, 3 juil. 1991 : *Façade d'un palais avec d'élégants personnages jouant aux échecs sur un balcon*, h/t (102,5x103,5) : **GBP 88 000** – NEW YORK, 12 jan. 1994 : *Mars et Vénus* 1783, encre et lav. (40,5x26,2) : **USD 24 150** – MONACO, 20 juin 1994 : *Tullie sur son char*, encre et lav./pap. brun (49,2x66,3) : **FRF 466 200** – PARIS, 30 juin 1995 : *Muse de la Musique*, pl. et lav. d'encre brune (29,5x19,5) : **FRF 6 500**.

CADET Aglaé, née Joly
Morte en 1801. XVIIIe siècle. Française.
Miniaturiste.
Élève de Weyler. Elle fut peintre de la reine en 1787. Elle était mariée au chirurgien Cadet, surnommé Gassicourt. On cite d'elle un portrait de *Necker* au Salon de Paris de 1791.

CADET Francesco
Né vers 1755 à Saint-Domingue. Mort en 1830 à Rome. XVIIIe-XIXe siècles. Actif à Rome. Italien.
Peintre de sujets religieux, paysages.

CADET François Claude
Né en 1824 à Paris. Mort le 14 décembre 1856. XIXe siècle. Français.
Graveur.

CADET Gabriel, Jr.
Né en 1953. XXe siècle. Haïtien.
Peintre de scènes animées. Populiste.
Il a participé à une exposition au Musée de l'Homme à Paris en 1975.
VENTES PUBLIQUES : PARIS, 14 déc. 1992 : *La cueillette* 1991, h/t (61x51) : **FRF 3 600**.

CADET Jean
XVIe siècle. Français.
Fondeur.

CADET Louis
Né à Paris. XXe siècle. Français.
Peintre de paysages urbains.
Il a exposé au Salon des Artistes Français en 1937 et au Salon d'Automne en 1941.

CADET Marie
Née à Paris. XIXe-XXe siècles. Française.
Peintre d'intérieurs, pastelliste.
Élève des sculpteurs Mathurin Moreau et Gossin, elle poursuivit cependant une carière de peintre, travaillant à l'huile et au pastel. Elle a figuré à l'exposition de Blanc et Noir en 1892 et a exposé au Salon des Artistes Français de 1900 à 1939, obtenant une médaille d'argent en 1934.

CADET Roger
Né à Nantes (Loire-Atlantique). XXe siècle. Français.
Lithographe.
Élève de M. Lopis et Simon. Exposant du Salon des Artistes Français.

CADET DE BEAUPRÉ Jean Baptiste Antoine
Né en 1758 à Besançon. Mort en 1823 à Lille. XVIIIe-XIXe siècles. Français.
Sculpteur de groupes, bustes.
Élève de Clodion. Ayant exécuté, en 1785, un groupe représentant : *La ville de Valenciennes protégeant les arts*, il fut tout de suite nommé professeur de sculpture à l'Académie de Valenciennes et plus tard professeur de sculpture aux Écoles académiques de Lille. Ses trois fils furent aussi sculpteurs : César Maximilien Aimé Jean Baptiste, né en 1786 à Valenciennes, professeur de l'Académie de cette ville et plus tard à Mons ; Stanislas Joseph, né en 1787 à Valenciennes ; Augustin-Phidias, né en 1800 à Valenciennes, professeur à Lille, où il succéda à son père.
MUSÉES : DOUAI : *Buste de Louis XVIII* – VALENCIENNES : *Portrait de M. Prévost Mustelier* – *Buste de Mlle Duchesnois* – *Buste de femme*.

CADETTE-SIMON Berthe, Mme Cadette-Simon-Ducuing à partir de 1924
Née à la fin du XIXe siècle à Paris. XIXe-XXe siècles. Française.
Peintre de figures, portraits, paysages, intérieurs.
Elle expose au Salon de la Société Nationale des Beaux-Arts depuis 1912.

CADIEU Henri Ferdinand
Né vers 1769 à Saint-Domingue. XVIIIe siècle. Français.

Peintre.
Entra à l'École de l'Académie de Paris le 14 septembre 1786, comme élève de Renaud.

CADIOLI Giovanni
Né vers 1710 à Mantoue. Mort en 1767 à Mantoue. XVIIIe siècle. Italien.
Peintre de fresques, dessinateur.
Il fonda l'Académie de dessin de Mantoue et en fut le premier directeur. Il était aussi architecte.

CADIOT Noémie. Voir ROUVIER Noémie

CADIOT-CORVÉE Marcelle Marguerite, Mme
Née au XXe siècle à New York. XXe siècle. Française.
Miniaturiste.
Elle fut sociétaire au Salon des Artistes Français.

CADIOU Arsène F. P.
Né à Morlaix (Finistère). Mort en 1906. XIXe-XXe siècles. Français.
Peintre de genre.
Élève de Luc-Olivier Merson et Cormon. Exposa aux Artistes Français en 1903 et 1905.

CADIOU Henri
Né le 26 mars 1906 à Paris. Mort en 1992 à Paris. XXe siècle. Français.
Peintre de genre, paysages, peintre de trompe-l'œil. Réaliste. Groupe des Peintres de la Réalité.
Il fut élève de l'école d'Estienne à Paris. Il a ensuite travaillé dans la publicité et la décoration. Il fut l'un des fondateurs, en 1963, du groupe des *Peintres de la Réalité*.
Il participe à des expositions collectives à Paris : régulièrement au Salon des Peintres Témoins de leur Temps ; 1948 Salon d'Automne ; depuis 1952 Salon des Indépendants ; 1954 et 1958 avec le groupe des Peintres de la Réalité ; 1960 Salon de Mai ; de 1960 jusqu'à sa mort au Salon Comparaisons, dont il fut un des membres créateurs. Il montre ses œuvres dans des expositions personnelles à Paris (1948 galerie Carmine, 1952 galerie Guérin, 1955 galerie Romanet), en province et à l'étranger.
En réaction contre l'art abstrait, Henri Cadiou a présenté au Salon de Mai de 1960, des toiles réalistes d'une précision quasi photographique, en particulier un *Rideau de douche* et *Panneau électoral* qui provoquèrent quelques remous. Indifférent à l'évolution artistique, il a continué à peindre dans cet esprit de réalisme extrême. Il peint essentiellement des « trompe-l'œil » groupant de nombreux objets usuels, mais aussi des scènes de genre. Son *Vestiaire d'usine* qui s'ouvre sur les vêtements de l'ouvrier, son litre de vin rouge, son pain et fromage et l'image d'une femme nue, nous fait pénétrer dans l'univers de l'ouvrier, son travail anonyme, sa solitude. Cet art n'est pas du même esprit que celui de l'art de la *Nouvelle Figuration* qui, dans les années soixante-dix, a remis en honneur un réalisme aigu. Il se rattache à la tradition des peintres de trompe-l'œil qui cherchent, avant tout, à abuser l'œil.

CADIOU

BIBLIOGR. : Maximilien Gauthier : *Cadiou*, Flammarion, Paris, 1958 – Lydia Harambourg, in : *L'École de Paris, 1945-1965. Diction. des Peintres*, Ides et Calendes, Neuchâtel, 1993.
MUSÉES : VILLENEUVE-SUR-LOT.
VENTES PUBLIQUES : PARIS, 29 nov. 1954 : *Scènes d'intérieur* : **FRF 18 000** – PARIS, 8 mars 1977 : *Nature morte aux fruits*, h/t (22x27) : **FRF 4 800** – PARIS, 21 mars 1983 : *La cité fleurie*, h/t : **FRF 5 000** – PARIS, 13 oct. 1987 : *Totem*, cuir et bois (210x30x30) : **FRF 18 000** – PARIS, 29 avr. 1994 : *Le jardin aux dahlias*, h/t (54x65) : **FRF 9 000**.

CADIX Albert Lucien
XIXe siècle. Actif à Besançon. Français.
Peintre de paysages animés, paysages.
Exposa au Salon des Artistes Français entre 1882 et 1895.
MUSÉES : BESANÇON : *Matin au Puits Noir* 1882.
VENTES PUBLIQUES : BARBIZON, 2 mai 1982 : *Pêcheur à l'étang*, h/t (50x61) : **FRF 6 000**.

CADIZ J. Mario
XIXe-XXe siècles. Français.
Peintre, dessinateur.
Il participa au Salon des Humoristes à Paris en 1910.

CADMAN Dorothy A.
Peintre de paysages.
VENTES PUBLIQUES : LONDRES, 9 juin 1988 : *Chiswick l'hiver*, h/t (51,4x41,3) : **GBP 4 400.**

CADMAN William E.
XIXᵉ siècle. Britannique.
Peintre.
Il exposa à Londres des paysages à la Suffolk Street Gallery, en 1854-1856.

CADMUS Egbert
Né le 26 mai 1868 à Bloomfield (New York). XXᵉ siècle. Américain.
Peintre, aquarelliste, lithographe, dessinateur, illustrateur.
Il fut élève de l'Art Student's League et de la National Academy of Design. Il était le père de Paul Cadmus.
VENTES PUBLIQUES : NEW YORK, 16 fév. 1961 : *Arabesque*, cr. : USD 400.

CADMUS Paul
Né le 17 décembre 1904 à New York (Manhattan). XXᵉ siècle. Américain.
Peintre de compositions à personnages, pastelliste, dessinateur. Réaliste-fantastique.
Il était fils d'Egbert Cadmus. Sa mère illustrait des livres pour enfants. A l'âge de quinze ans, il devint élève de l'Académie Nationale de Dessin et poursuivit cette étude jusqu'en 1928. Il devint alors collaborateur de l'agence de publicité new-yorkaise Blackman Company. En 1931, il utilisa l'argent ainsi gagné pour un périple à bicyclette à travers la France et l'Espagne. Il se fixa alors à Majorque pendant deux années, peignant ses premières œuvres abouties : Un *Autoportrait* de 1932 et *Les pêcheurs de Majorque*. En 1934, il peignit *Dans la flotte*, commandée pour l'exposition de 1934, et qui commença d'établir sa réputation scandaleuse. Le secrétaire d'État à la marine, Henry Latrobe Roosevelt fit interdire cette peinture pour cause de diffamation perverse de l'armée. D'autres œuvres suivirent qui s'attirèrent la même réprobation : *Herrin Massacre* et *Hinky Dinky Parley Voo*. Enfin, le parfum de scandale se dissipa au profit des honneurs : en 1974 il fut élu à l'Institut Américain des Arts et Lettres, et en 1979 à l'Académie Nationale de Dessin. En 1981, trois musées organisèrent des expositions rétrospectives de l'ensemble de son œuvre et en particulier des peintures qui lui avaient valu opprobre et censure.
L'œuvre dessiné de Paul Cadmus est très important, constitué surtout de nus masculins et de garçons et filles du monde de la danse pendant leurs exercices. Sa technique de dessin est académique, référée à l'époque baroque. En peinture, c'est un réaliste, le dessin délicat, le modelé et le contraste prévalent, la couleur ne jouant qu'un rôle de complément. Son réalisme est souvent photographique et évoque alors celui d'Otto Dix dans sa période de la *Neue Sachlichkeit* (Nouvelle objectivité), d'autant plus souvent porteur de critique sociale. Son *Hinky Dinky Parley Voo*, utilise le refrain d'une chanson militaire du corps expéditionnaire américain dans la Première Guerre mondiale, et qui fut repris dans la seconde. Dans cette peinture, il imite la composition du *Christ aux outrages* de Jérôme Bosch, le jeune militaire dans l'attitude accablée du Christ étant entouré de divers personnages de la société américaine contemporaine au moins aussi patibulaires que les affreux qui invectivent le Christ de Bosch. Dans d'autres cas, son réalisme déborde sur le fantastique : dans *Le ruban dénoué*, qui est un Hommage à Reynaldo Hahn auquel il emprunte le titre d'un cycle de valses, les symboles abondent autour du compositeur seul sur une estrade que vient baiser un génie ailé. ∎ M. M., J. B.

Paul Cadmus

BIBLIOGR. : L. Kirstein : *Paul Cadmus*, New York, 1984.
VENTES PUBLIQUES : NEW YORK, 25 oct. 1979 : *Autoportrait*, temp./ isor. (40,6x30,5) : **USD 9 500** – NEW YORK, 6 mai 1980 : *Stewart's* 1934, eau-forte (20,1x30,3) : **USD 850** – NEW YORK, 28 sep. 1983 : *Académie d'homme*, past. (36,8x53) : **USD 2 400** – NEW YORK, 15 nov. 1983 : *Coney Island* 1935, eau-forte : **USD 2 200** – NEW YORK, 5 avr. 1984 : *Dancer at a piano n° 2*, cr. et craies rouge et blanche (57,5x47) : **USD 2 400** – NEW YORK, 30 sep. 1985 : *Académie d'homme MK-2*, gche et cr./pap. gris (45x29,8) : **USD 1 600** –

NEW YORK, 4 déc. 1986 : *Y.M.C.A locker room* 1933, h/t (48,3x97) : **USD 90 000** – NEW YORK, 28 mai 1987 : *Fences* 1946, temp./pan. (28x24,7) : **USD 45 000** – NEW YORK, 24 juin 1988 : *Nu masculin* 1967, cr. coul./pap. (49x40) : **USD 6 050** – NEW YORK, 1ᵉʳ déc. 1989 : *Les pêcheurs de Majorque*, h/t (55,8x50,8) : **USD 154 000** – NEW YORK, 18 déc. 1991 : *L'Envie n°1* 1947, fus., craie blanche et aquar./tissu (59,7x33,7) : **USD 3 410** – NEW YORK, 12 mars 1992 : *Nu masculin n° 8*, cr. coul./pap. apprêté (29,8x34,9) : **USD 4 400** – NEW YORK, 28 mai 1992 : *Cafeteria à Greenwich Village*, encre et cr./pap. (24,8x34,6) : **USD 7 150** – NEW YORK, 23 sep. 1992 : *Le ruban dénoué : hommage à Reynaldo Hahn*, détrempe à l'œuf/ rés. synth. enduite de gesso (53,3x91,4) : **USD 35 200** – NEW YORK, 4 déc. 1992 : *Masque et faux nez*, temp./pap. (20x31,2) : **USD 23 100** – NEW YORK, 31 mars 1994 : *Nu masculin allongé*, craie et fus./pap. brun (41,6x50,8) : **USD 9 775** – NEW YORK, 28 sep. 1995 : *Nu masculin*, past./pap. beige avec acryl. rose et reh. de blanc (37,1x54) : **USD 7 187** – NEW YORK, 13 mars 1996 : *Étude pour Bain-douche* 1942, cr./pap. (26,4x19) : **USD 14 950** – NEW YORK, 4 déc. 1996 : *Portrait d'un danseur* 1981, temp./pan. (31,1x28,8) : **USD 27 600** – NEW YORK, 26 sep. 1996 : *Camp cheerful* 1939, encre/pap. (36,8x27,9) : **USD 5 175** – NEW YORK, 30 oct. 1996 : *Nu masculin*, fus. et past./pap. gris/cart. (19,4x29,5) : **USD 3 737** – NEW YORK, 27 sep. 1996 : *Nu masculin*, fus. et past./ pap. (40x27,9) : **USD 9 200** – NEW YORK, 25 mars 1997 : *L'Avarice, étude pour l'un des sept péchés capitaux*, cr. et fus. avec reh. blancs/pap. bleu (66x37,8) : **USD 4 887.**

CADOGAN Sidney Russell
XIXᵉ siècle. Britannique.
Peintre de paysages.
Il exposa à Londres à la Royal Academy, à la Grafton Gallery et à la New Gallery de 1877 à 1893.

CADOL Antoine
XVIᵉ siècle. Actif à Marseille entre 1520 et 1550. Français.
Peintre.

CADOLINI Enrico
Né en 1838 à Brescia. XIXᵉ siècle. Italien.
Peintre d'histoire, scènes de genre, lithographe.
Élève, à l'Académie Albertine à Turin, de Carlo Arienti. Il vécut à Milan et peignit surtout des tableaux d'histoire.
VENTES PUBLIQUES : MILAN, 25 oct. 1995 : *Jeux d'enfants sous un portique* 1882, h/t (42c65) : **ITL 13 225 000.**

CADOLLE Alexandre Joseph
Né le 17 novembre 1826 à Moscou, de parents français. XIXᵉ siècle. Français.
Peintre de paysages.
Élève de son père Auguste Cadolle, il étudia aussi avec Tabar. Venu à Paris, il s'y établit et exposa au Salon plusieurs fois, entre 1849 et 1870, des toiles dont les sujets sont empruntés aux environs de Paris.

CADOLLE Auguste Jean Baptiste Antoine
Né le 22 avril 1782 à Paris. Mort le 4 juillet 1849 à Paris. XIXᵉ siècle. Français.
Peintre et lithographe.
Il fut l'élève de Victor Bertin. Il exposa au Salon entre 1824 et 1844. On doit à Cadolle une série de lithographies représentant des vues de Moscou.

CADOLLE François
XVIIIᵉ siècle. Français.
Sculpteur.
Il fut reçu à l'Académie de Saint-Luc à Paris en 1745.

CADORATI Domenico
Originaire de Côme. XVIIᵉ siècle. Italien.
Peintre de fresques.

CADORET Henry de
Né à Guérande (Loire-Atlantique). XIXᵉ-XXᵉ siècles. Français.
Peintre de paysages.
Il exposa au Salon des Indépendants de 1909 et de 1910.

CADORET Michel, dit : Cadoret de l'Epineguen
Né le 7 septembre 1912 à Paris. Mort le 22 mars 1985 à La Ferté-Alais (Essonne). XXᵉ siècle. Actif aussi aux États-Unis. Français.
Peintre de portraits, nus, natures mortes, peintre de cartons de tapisseries, dessinateur, illustrateur. Tendance abstraite.
Après des études dans l'Atelier Lucien Simon à l'Ecole des Beaux-Arts de Paris, entre 1929 et 1932, puis à celle des Arts

Décoratifs de Düsseldorf, il a voyagé en Egypte, Amérique du Sud, Antilles. Il rejoignit les Forces de la France Libre. De 1950 à 1953, il passe trois ans au Mexique où il exécute des fresques, au village de Erongaricuaro (Micheacan). Il vécut tantôt dans à Paris, tantôt à New York et continuant à voyager, notamment en Amérique latine.

Il a participé de 1934 à 1936 au Salon de la Société Nationale des Beaux-Arts à Paris ; en 1939 au Salon des Tuileries ; à partir de 1947 en France, régulièrement au Salon de Mai ; aux États-Unis (exposition *France come to you* en 1949), en Allemagne et Autriche. Des rétrospectives lui ont été consacrées en 1974 à Saint-Germain-en-Laye et à Versailles en 1977. À partir de 1953, il a fait de nombreuses expositions personnelles à New York et Paris, ainsi que : 1974 rétrospective au musée municipal de Saint-Germain-en-Laye ; 1981 centre d'Action culturelle Pablo-Neruda de Créteil.

En 1959, il peint des fresques et des cartons de tapisseries à New York, Dallas, Caracas. Il a aussi illustré plusieurs ouvrages, et notamment publié, en 1960, *La Passoire à conneries*, avec ses amis Marcel Duchamp et Edgard Varèse. Son expression, bien que se référant à un thème pris dans la réalité, tend vers une abstraction, inspirée de Klee, de Kandinsky, puis de Riopelle. Lorsqu'il partage son travail entre New York, le Mexique et Paris, sa manière devient non figurative, s'exprimant d'abord en de fines compositions linéaires, ensuite dans une écriture impulsive « aux rythmes mélodiques ou syncopés ».

BIBLIOGR. : Pierre Courthion : *Cadoret*, Hazan, Paris, 1963 – Catalogue de l'exposition rétrospective *Cadoret*, Musée de Saint-Germain-en-Laye, 1974 – René de Solier : *Cadoret*, Musée de Poche, Paris, 1975 – Lydia Harambourg, in : *L'École de Paris, 1945-1965. Diction. des Peintres*, Ides et Calendes, Neuchâtel, 1993.

VENTES PUBLIQUES : PARIS, 11 mars 1977 : *Dane* 1975, h/t (61x50) : **FRF 4 500** – PARIS, 6 nov. 1983 : *Le serpent à plume* 1965, h/t (100x81) : **FRF 10 500** – PARIS, 22 juin 1984 : *Bennett* 1962, h/t (101x76) : **FRF 11 500** – PARIS, 27 oct. 1985 : *Derrière le mur* 1958, h/t (126x148) : **FRF 10 000** – PARIS, 22 avr. 1986 : *Tauromachie*, h/t (62x76) : **FRF 16 500** – PARIS, 13 mai 1987 : *Paravent à quatre feuilles*, h/pan. (212x212) : **FRF 16 500** – PARIS, 24 mars 1988 : *Période 1956*, h/t (50,5x41) : **FRF 6 200** – L'ISLE-ADAM, 11 juin 1988 : *Cas n° 3* 1959, h/t (75x100) : **FRF 9 000** – PARIS, 15 juin 1988 : *La passoire à chance* 1960, h/t (76x127) : **FRF 10 500** – NEUILLY, 20 juin 1988 : *Pazcuaro*, h/t (76x127) : **FRF 3 800** – NEUILLY-SUR-SEINE, 16 mars 1989 : *Effigie* 1957, h/t (76x101) : **FRF 19 500** – PARIS, 23 juin 1989 : *Hudson* 1956-1957, h/t (101x76) : **FRF 16 000** – DOUAI, 3 déc. 1989 : *Sienne* 1956, h/t (61x51) : **FRF 8 000** – PARIS, 17 déc. 1989 : *Colorado* 1962, h/t (102x127) : **FRF 51 000** – PARIS, 18 fév. 1990 : *Marine* 1961 (102x127) : **FRF 50 000** – DOUAI, 1er avr. 1990 : *Aquatique* 1954, h/t (76x101) : **FRF 19 500** – PARIS, 3 mai 1990 : *Passoire impossible*, h/t (102x152) : **FRF 50 000** – PARIS, 11 mai 1990 : *Sans titre*, gche/pap. (50x65) : **FRF 11 500** – PARIS, 16 mai 1990 : *Composition* 1960, h/t (228x128) : **FRF 90 000** – PARIS, 21 mai 1990 : *Composition* 1971, aquar. et encre/bristol (50x65) : **FRF 20 500** – DOUAI, 11 nov. 1990 : *Composition* 1971, aquar. (43x61) : **FRF 7 000** – PARIS, 20 mai 1992 : *Composition*, h/t (101,5x152,5) : **FRF 5 500** – PARIS, 19 nov. 1995 : *The Natchez*, h/t (102x127) : **FRF 10 000**.

CADORIN Ettore
Né le 1er mars 1876 à Venise. XXe siècle. Italien.
Sculpteur.
Fils de Vincenzo Cadorin, le sculpteur sur bois vénitien, il fit ses études à Rome et à Venise. Il a exposé à la Société Nationale des Beaux-Arts en 1910 et 1911.

CADORIN Guido
Né en 1892 à Venise. Mort en 1978. XXe siècle. Italien.
Peintre décorateur.
Il a décoré le Palais des Postes et Télégraphes de Gorizia d'une œuvre d'une franche technique, dont le thème ne prend un caractère fasciste que par son titre : *La famille fasciste* (1932), puisqu'il s'agit d'une simple scène d'intimité populaire : le père, la mère et l'enfant.
VENTES PUBLIQUES : MILAN, 21 déc. 1982 : *Nu assis*, h/cart. (47x37) : **ITL 1 000 000** – VENISE, 28 oct. 1983 : *Balcons à venise* 1948, h/t (37x61) : **ITL 2 700 000** – ROME, 25 nov. 1987 : *Personnage assis*, h/pan. (32x21) : **ITL 900 000** – ROME, 15 nov. 1988 : *Vénus et Amour* 1941, h/rés. synth. (28x42,5) : **ITL 4 900 000** – COLOGNE, 20 oct. 1989 : *La récolte* 1919, h/t (38,5x40) : **DEM 1 800**

– MILAN, 22 juin 1995 : *Nu* 1947, h/pan. (38x46) : **ITL 5 750 000** – NEW YORK, 10 oct. 1996 : *Nymphes* 1953, h/t (35,2x57,2) : **USD 1 955**.

CADORIN Mattia, dit Bolzetta
XVIIe siècle. Actif à Padoue vers 1648. Italien.
Graveur.
Étudia les grands maîtres et fit des planches entre autres d'après Titien. Il fut également éditeur.

CADORIN Vincenzo
Né en 1854 à Venise. XIXe siècle. Italien.
Sculpteur sur bois.
Exposa à Rome, en 1883, et à Venise, en 1887.

CADORINO
Né probablement en Italie. XVIIIe siècle. Italien.
Peintre.
Il fut l'ami intime de Nicolas Poussin. On lui attribue des *Amours* conservés au Musée Fol, à Genève.

CAD'ORO Adélaïde de
Née le 29 novembre 1944 à Paris. XXe siècle. Française.
Peintre. Abstrait-lyrique.
Elle tient ce nom italien d'un père en fait portugais. Elle a commencé à exposer en 1976, participant à de nombreuses manifestations collectives, à Lille d'abord, puis bientôt aux Salons annuels de Paris, des Indépendants et des Artistes Français depuis 1979, d'Automne, Grands et Jeunes d'Aujourd'hui, du Dessin et de la Peinture à l'eau depuis 1980, et aussi Comparaisons, Jeune Peinture, etc. Elle figure également dans des groupes de peintres portugais. Elle a aussi présenté ses peintures dans des expositions personnelles : Lille 1976, Paris, 1977, 1981, à la Galerie Jacques Massol en 1982, 1983, 1984, puis toujours à Paris 1985, etc., à la Fondation Gulbenkian de Lisbonne en 1978, à Lisbonne encore en 1983, en Suisse, Allemagne, Luxembourg, etc.
Sa manière se situe dans le vaste courant de l'abstraction lyrique et gestuelle. Les tracés prédominent, les gammes colorées utilisées sont toujours sobres. La diversité des matières et des empâtements anime cette sobriété de l'intérieur, ce qui a pu faire évoquer le nom de Léon Zack pour certaines de ses peintures à caractère statique. Mais bien plus souvent le geste, la trace du geste communique une sensation de dynamisme, selon les cas en explosion violente vers l'extérieur ou en trajectoire circulaire tendant à se recourber sur elle-même, comme dans la peinture murale de 2,5 sur 7,5 mètres, intégrant l'arrondi d'un escalier dans un immeuble du Nord. ■ J. B.
MUSÉES : LISBONNE (Fond. Gulbenkian) – PARIS (Mus. Nat. d'Art Mod.) – PARIS (Mus. mun. d'Art Mod.).

CADOT Firmin
XVIe siècle. Français.
Sculpteur.
Il exécuta en 1545, avec Gérard de Francières, pour la grande salle de l'Hôtel de Ville d'Amiens, deux figures de prophètes.

CADOT Jean
XVIIe siècle. Français.
Sculpteur.
Il fut reçu à l'Académie de Saint-Luc en 1685.

CADOT Louis
Né au XXe siècle. XXe siècle. Français.
Peintre.
Il a exposé au Salon des Artistes Français, à Paris.

CADOT Odile Régine Gérarde
Née à Levignen (Oise). XXe siècle. Française.
Peintre d'histoire, scènes de genre.
Elle a exposé au Salon des Artistes Français en 1924 et au Salon des Artistes Indépendants à Paris en 1928. Elle traite bien souvent des sujets d'histoire, dont *Soir païen* ou *Jugement de Pâris*.

CADOU-ROCHER Maurice
Né le 1er mai 1940 à Nantes (Loire-Atlantique). XXe siècle. Français.
Peintre. Cubiste puis tendance surréaliste.
Autodidacte, il a d'abord été influencé par le cubisme, puis par le surréalisme. Dans les transparences de la colle et de l'eau, des formes naissent de taches, monstres familiers de cauchemars, parfois larvaires, parfois au contraire d'une relative précision.

CADOUX Marie Edme
Né le 27 juillet 1853 à Blacy (Yonne). Mort le 13 mars 1939 à Thizy (Yonne). XIXe-XXe siècles. Français.

Sculpteur de bustes.
On lui doit le buste en marbre de Paul Bert. Sociétaire des Artistes Français ; médaille de bronze en 1900 (Exposition Universelle).

CADRE Pierre Louis
Né à Pontivy (Morbihan). xxᵉ siècle. Français.
Peintre de genre, paysages, marines.
Il a exposé au Salon des Artistes Français à partir de 1911 et au Salon de la Société Nationale des Beaux-Arts à Paris jusqu'en 1935. Ses paysages présentent très souvent des vues du Morbihan, du Pays d'Arzon, du Finistère et de Belle-Île-en-Mer.
VENTES PUBLIQUES : LORIENT, 10 et 11 oct. 1950 : Mendiants : FRF 18 500 – DOUARNENEZ, 2 août 1986 : Fête de Bretagne en pays de Pontivy, h/t (82x100) : FRF 7 500.

CADUCÉE, Maître au. Voir BARBARI Jacopo de

CADWALLADER-GUILD Emma Marie
Née en 1843 à Lanesville (Ohio). xixᵉ siècle. Américaine.
Peintre et sculpteur.

CADY Harrison Walter
Né en 1877 à Gardner (Massachusetts). Mort en 1970. xxᵉ siècle. Américain.
Peintre de paysages animés, peintre à la gouache, technique mixte, illustrateur.
Ses travaux ont été exposés au Metropolitan Museum of Art et à la National Academy of Design de New York, et à l'Institut d'Art de Chicago. Il était membre du Boston Art Club.
Il vécut longtemps avec son père, naturaliste, et observa minutieusement les animaux et les insectes. Illustrateur pour Life Magazine pendant vingt-trois ans, il développa son style satirique transformant les types humains en animaux et insectes, à la manière de Grandville. Il est surtout connu pour ses illustrations de livres pour enfants, pour lesquels il adapta son style, créant un monde animal personnalisé.
VENTES PUBLIQUES : NEW YORK, 30 sep. 1988 : Plage au soleil couchant, h/t (68,5x56) : USD 4 620 – NEW YORK, 27 mai 1993 : Sonate au clair de lune 1962, h., gche et encre/cart. (44,5x59,7) : USD 36 800 – NEW YORK, 25 mai 1994 : Symphonie au clair de lune, h., gche et encre/rés. synth. (39,4x61) : USD 51 750 – NEW YORK, 20 mars 1996 : Indigènes des Great Smoky Mountains 1935, aquar. et cr./pap. (39,4x50,2) : USD 1 840.

CAECKENBERGH Patrick Van
Né en 1960 à Alost. xxᵉ siècle. Belge.
Sculpteur, auteur d'installations, peintre de collages, dessinateur.
Il vit et travaille à Gand. Il participe à des expositions collectives depuis 1984 : 1988 Le Magasin, Centre national d'Art contemporain à Grenoble ; 1989 musée des Beaux-Arts du Havre, Foire de Cologne ; 1991 Kunstverein de Düsseldorf ; 1992 Centre de création contemporaine de Tours ; 1993 Biennale de Venise ; 1994 Hors Limite – L'Art en vie au Centre Georges Pompidou à Paris ; 1994 FRAC des Pays de Loire (Fonds Régional d'Art Contemporain) à Château-Gontier à Nantes ; 1995 FRAC Champagne Ardenne à Reims ; 1996 Les Contes de fées se terminent bien au château de Val Freneuse à Sotteville-sous-le-Val, aux côtés notamment de Paul Mac Carthy, Stephan Balkenhol, Patrick Corillon, Pierre et Gilles, Lawrence Weiner. Il montre ses œuvres dans des expositions personnelles : 1988, 1989, 1991, 1995 Zeno X Gallery à Anvers ; 1990 Centre d'art contemporain de Thiers ; 1992 Palais des Beaux-Arts de Bruxelles, Centre de création contemporaine de Tours ; 1993 Fondation La Caixa, centre culturel à Barcelone, Kunsthalle de Lophem ; 1996 Un tout petit peu au FRAC Champagne Ardenne à Reims, Provinciaal Museum de Hasselt.
Il axe une grande partie de son travail sur l'habitat – du Mobil Home (1984-1985), maison miniature, à la maison en sucre vouée à fondre ou moisir (1996), sans oublier la carapace de l'escargot ou de la tortue, le trou de souris –, à l'intérieur duquel il présente une vision encyclopédique du monde, un inventaire subjectif et d'analogies.
BIBLIOGR. : Marie Ange Brayer : Patrick Van Caeckenberger, l'instinct fatal du généalogiste, in : Artpress, nᵒ 172, Paris, sept. 1992 – Catalogue de l'exposition : Patrick Van Caeckenberger, Palais des Beaux-Arts, Bruxelles, Centre de Création Contemporaine, Tours, 1992 – Clem Neutjens : De Vruchtbare ruïne – Een creatie Van Patrick Van Caeckenberger, De Vleeshal, Middelburg, 1995 – Catalogue de l'exposition : Les Contes de fées se terminent bien, Les Impénitents, FRAC Normandie, Rouen, 1996.

MUSÉES : LIMOGES (FRAC) : Alambic 1994 – MONTPELLIER (FRAC Languedoc-Roussillon) : La Balance 1992-1993 – REIMS (Fonds région. Champagne Ardenne) : Le Lampadaire 1993.

CAELIO Beneto
xviiᵉ siècle. Travaillait au Portugal en 1680. Espagnol.
Peintre.

CAEN Colette Germaine. Voir COLET Colette

CAEN Jacob Cornelisz
xviiᵉ siècle. Actif à Gouda. Hollandais.
Peintre verrier.
Il fut élève des Crabeht. Fit, en 1606, un vitrail pour l'église de Woudrichem.

CAEN Louise, Mme. Voir ARON-CAEN

CAEN Pierre
Né à Saint-Denis (Seine-Saint-Denis). xxᵉ siècle. Français.
Peintre de portraits, paysages, intérieurs, fleurs et fruits.
Il a exposé au Salon des Artistes Indépendants de 1926 à 1939, au Salon des Artistes Français en 1926 et à celui de la Société Nationale des Beaux-Arts en 1931.

CAENEN Theodorus
Né en Allemagne. xviiiᵉ siècle. Allemand.
Peintre de portraits.
Il entra en 1736 dans la gilde de Middelbourg et vécut un long temps à Nimègue. Il revint s'établir en Allemagne après 1744.

CAENNIE Michel
xviiᵉ siècle. Actif à Caen. Français.
Peintre.

CAERLE Antoine. Voir KAERLE Antoine

CAERLIUS. Voir KAERLEN Jean

CAES Jean
xvᵉ siècle. Actif à Bruges entre 1470 et 1480. Éc. flamande.
Peintre de miniatures.

CAESAR Doris
Née le 8 novembre 1892 à Brooklyn. xxᵉ siècle. Américaine.
Sculpteur de groupes, nus, bustes.
En 1904, ayant perdu sa mère, elle doit suivre son père à travers ses nombreux voyages à New York et en Europe. Elle commence à étudier le dessin en 1909 avec Bridgman, puis elle se marie en 1914 et interrompt ses activités artistiques jusque vers 1925, date à laquelle elle entre dans l'atelier d'Archipenko, pour cinq ans. Elle se consacre alors exclusivement à la sculpture, sans être directement influencée par son maître, puisqu'elle fait de ses nus d'une facture proche de celle de Rodin. En 1927, elle fait sa première sculpture en bronze et en 1931, sa première exposition personnelle. Durant la décennie qui suit, elle est surtout influencée par Barlach et Belling. A partir de 1940, elle travaille avec acharnement et en 1950, expose au Musée du Petit Palais à Paris.
A partir de cette époque l'art de Doris Caesar se définit pleinement : elle abandonne les portraits, les nus masculins et les groupes, pour se consacrer aux nus féminins. Elle a alors tendance à rétrécir les têtes, et donner de l'importance à la poitrine, au ventre et aux hanches, un peu à la manière des déesses primitives de fécondité. Ses statues sont composées d'une alternance de surfaces granuleuses et lisses. La sculpture de Doris Caesar est romantique dans la tradition baroque, mais sans emphase.
VENTES PUBLIQUES : NEW YORK, 14 oct. 1970 : Torse, bronze patiné : USD 2 250 – NEW YORK, 14 déc. 1976 : Femme agenouillée 1961, bronze patiné (H. 73) : USD 3 500 – NEW YORK, 12 juin 1981 : Nu debout, bronze (H. 27) : USD 450 – NEW YORK, 7 juin 1984 : Nu accroupi, bronze (H. 57) : USD 2 800 – NEW YORK, 24 oct. 1986 : Nu assis 1968, bronze (H. 47) : USD 2 000 – NEW YORK, 10 oct. 1990 : Torse redressé 2 1961, bronze à patine brune (H. 49) : USD 6 050 – NEW YORK, 9 sep. 1993 : Nu, bronze (H. 25,4) : USD 1 150 – NEW YORK, 10 nov. 1994 : Nu debout, bronze (H. 118,2) : USD 6 325.

CAESAR Mutius
Graveur.
Il est cité par Brulliot.

CAESAR ab Avibus. Voir AVIBUS

CAESARIS Achille de
xixᵉ siècle. Actif à Naples. Italien.
Peintre.

On connaît de cet artiste une *Madonna delle Grazie*, peinte vers 1840.

CAETANI Delia
Née à Paris. XXe siècle. Française.
Peintre de portraits, paysages.
Elle a exposé au Salon d'Automne à Paris en 1935-1936, et au Salon des Artistes Indépendants en 1937. La plupart de ses paysages sont parisiens, mais d'autres évoquent ses voyages, tel *Régates à Venise*.

CAETANI Michelangelo
Né en 1804 à Rome. Mort en 1883. XIXe siècle. Italien.
Peintre, sculpteur.
Ce fut également un homme de lettres.

CAETANO Simon
XVIIIe siècle. Espagnol.
Peintre.

CAEY Lucas Van der
XVIIe siècle. Actif à Dordrecht. Hollandais.
Peintre.

CAFA Melchiorre. Voir **CAFFA**

CAFAGGI Domenico di Fillippo ou **Cavaggi**, dit **Capo**
Né en 1530 à Settignano. Mort en 1606 à Sienne. XVIe siècle. Italien.
Sculpteur.
Il vécut surtout à Sienne. On cite de lui les statues des papes Alexandre III et Marcel II pour la cathédrale de cette ville.

CAFARO Giuseppe
XVIe siècle. Actif à Naples. Italien.
Sculpteur.

CAFE James Watt
Né le 13 mai 1857 à Londres. XIXe siècle. Actif à Londres. Britannique.
Peintre d'architectures, intérieurs d'églises, aquarelliste.
Il a peint (à l'huile et à l'aquarelle) des intérieurs d'églises, et notamment celles de Westminster, Salisbury et Canterbury.

CAFE Thomas Smith
Né en 1793. Mort après 1840. XIXe siècle. Actif à Londres. Britannique.
Peintre, dessinateur.
Il exposa à Londres entre 1816 et 1840.
MUSÉES : LONDRES (British Mus.) : Deux dessins.

CAFE Thomas Watt
Né en 1856 à Londres. Mort en 1925. XIXe-XXe siècles. Britannique.
Peintre de genre, figures.
Fils de Thomas Cafe le Jeune. Il exposa de 1876 à 1893 à la Royal Academy et à Suffolk Street, à Londres.
VENTES PUBLIQUES : LONDRES, 2 avr. 1910 : *Wreaths of Welcome* : GBP 13 – LONDRES, 18 avr. 1978 : *Korina* 1888, h/t (67x37) : GBP 1 600 – LONDRES, 7 juin 1996 : *Idylle estivale*, h/t (40,6x61,5) : GBP 5 750.

CAFE Thomas, le Jeune
XIXe siècle. Britannique.
Peintre de paysages.
Il exposa de 1844 à 1868 à la Royal Academy et à Suffolk Street, à Londres.

CAFFA Melchiore ou **Cafa** ou **Cofa**, dit **le Maltais**
Né en 1630 à Malte. Mort en 1680. XVIIe siècle. Italien.
Sculpteur de sujets religieux.
Romain, il fut élève de Ercole Ferrata, à Rome. On cite de lui une *Sainte Rose*.
VENTES PUBLIQUES : COPENHAGUE, 28-29 mai 1963 : *Le baptême du Christ* : DKK 50 000.

CAFFE Daniel
Né en 1756 à Custrin. Mort en 1815 à Leipzig. XVIIIe-XIXe siècles. Allemand.
Peintre de figures, portraits, pastelliste, dessinateur.
VENTES PUBLIQUES : PARIS, 1823 : *Jeune Femme dans un jardin*, dess. en coul. d'aquar. : FRF 6,70 – PARIS, 4 nov. 1922 : *Portrait d'homme*, past. : FRF 720 – MUNICH, 25 juin 1996 : *Portrait de jeune garçon*, cr./pap. (21,5x16) : DEM 2 160.

CAFFE Daniel Ferdinand
Né en 1793 à Leipzig. XIXe siècle. Allemand.

Peintre et pastelliste.
Fils de Daniel Caffe.

CAFFÉ Nino
Né en 1908 à Alfedena. Mort en 1975 à Pesaro. XXe siècle. Italien.
Peintre d'histoire, scènes de genre, paysages, peintre de techniques mixtes.
Il a travaillé dans l'entourage du peintre abstrait Afro, et à exposé à Milan. Il traite des sujets réalistes, voire même anecdotiques, dans une facture allusive, détachée du détail descriptif. L'abondance de ses œuvres dans les ventes aux Etats-Unis, dans les années soixante, laisse penser qu'il a dû y séjourner.

Caffé

VENTES PUBLIQUES : NEW YORK, 14 jan. 1959 : *Jésuites allemands à Rome* : USD 2 000 – LONDRES, 6 mai 1959 : *Voyage heureux* : GBP 760 – NEW YORK, 18 mai 1960 : *Aria Rossa* : USD 575 – NEW YORK, 16 fév. 1961 : *Vieux vêtements* : USD 1 050 – NEW YORK, 9-10 nov. 1962 : *Primo bagnante* : USD 1 650 – NEW YORK, 19 mai 1965 : *La tempête sur le jardin* : USD 1 500 – NEW YORK, 11 mai 1967 : *Les Satans du ciel* : USD 1 250 – LOS ANGELES, 10 juin 1976 : *Neige dans la cour du monastère*, h/cart. (30,5x60,5) : USD 3 500 – NEW YORK, 16 déc. 1977 : *Le Jeu du cerf-volant*, h/pan. (39,7x70) : USD 2 700 – NEW YORK, 16 mars 1978 : *Prêtres balayant*, h/pan. (27x50) : USD 1 800 – LOS ANGELES, 19 juin 1979 : *Partenza*, h/pan. (35x50) : USD 2 100 – NEW YORK, 19 juin 1980 : *Rencontre*, h/pan. parqueté (36,3x99,2) : USD 7 000 – NEW YORK, 5 fév. 1981 : *Curés dans un paysage de neige*, h/t (50x70) : USD 4 000 – LOS ANGELES, 29 juin 1982 : *Banco lotto*, temp./cart. mar./pan. (20,5x39,5) : USD 1 200 – NEW YORK, 22 juin 1983 : *Les mangeurs de pastèque*, h/pan. (23,5x50,8) : USD 1 700 – MILAN, 15 nov. 1984 : *Hommage au haut-clergé*, aquar. (30x40) : ITL 1 700 000 – NEW YORK, 18 déc. 1985 : *Le dîner au monastère*, h/pan. (57,5x66) : USD 3 500 – MILAN, 10 avr. 1986 : *Une plage de l'Adriatique* 1968, h/t (30x45) : ITL 5 500 000 – ROME, 24 nov. 1987 : *Concertino*, techn. mixte/pap. mar./t. (60x40) : ITL 3 600 000 – MILAN, 24 mars 1988 : *Paysage avec un pont, moinillons et passants*, h/t (50x73) : ITL 12 000 000 – ROME, 15 nov. 1988 : *Le Baptême du Christ* 1931, h/t (47,5x40) : ITL 3 000 000 ; *Scène de port*, h/t (59x78) : ITL 12 000 000 – MILAN, 14 déc. 1988 : *Colin-maillard*, h/t (27x35) : ITL 5 800 000 – MILAN, 20 mars 1989 : *Au bord de la mer* 1970, h/t (50x70) : ITL 11 500 000 – ROME, 10 avr. 1990 : *La Corrida*, h/t (18x23,5) : ITL 5 500 000 – MILAN, 12 juin 1990 : *Prêtres de salon*, h/pan. (40x70) : ITL 11 500 000 – NEW YORK, 10 oct. 1990 : *Chahut en rouge*, h/pan. (54,2x80,1) : USD 10 450 – ROME, 30 oct. 1990 : *Colin-maillard*, h/t (33x55) : ITL 9 200 000 – NEW YORK, 7 mai 1991 : *Prêtres dans un parc*, h/pan. (39,4x69,3) : USD 5 500 – ROME, 9 déc. 1991 : *Prêtres*, h/t/contre-plaqué (12x35,5) : ITL 6 325 000 – LONDRES, 25 mars 1992 : *Les Jongleurs chinois aux assiettes*, h/pan. (40x20) : GBP 3 300 – ROME, 19 nov. 1992 : *Visite*, h/t (14x17) : ITL 3 200 000 – MILAN, 15 mars 1994 : *Carabiniers au repos*, h/pan. (57x80) : ITL 10 350 000 – NEW YORK, 14 mai 1996 : *Boules de neige*, h/t (24,5x18) : ITL 3 220 000 – NEW YORK, 10 oct. 1996 : *Il pretino solitario* 1950, h/t (22,2x27,3) : USD 1 495.

CAFFERATA Francisco
Né le 28 février 1861 à Buenos Aires. Mort le 28 novembre 1890 à Buenos Aires. XIXe siècle. Italien.
Sculpteur.
Il étudia d'abord à Florence avec le professeur Passaglia, puis s'établit en Argentine. Il est considéré comme un des premiers sculpteurs argentin, il réalisa la statue de l'Amiral Brown érigée à Adrogué (Argentine) et des généraux Belgrano, Rivadavia et Lavallé. Il figura dans l'exposition *Un siècle d'Art en Argentine* à Buenos Aires en 1936. On trouve de ses œuvres à Palermo (Buenos Aires), Salta, et Tucuman. Les Musées de Buenos Aires (Hist. Nat., Beaux-Arts) et de Rosario possèdent de ses œuvres.

CAFFERTY James H.
Né en 1819. Mort en 1869 à New York. XIXe siècle. Américain.
Peintre de scènes de genre, portraits, natures mortes, aquarelliste.
Devint membre de la National Academy en 1853. Particulièrement estimé pour ses portraits, tels ceux de ses amis peintres comme *Jasper Francis Cropsey*, ainsi que pour ses tableaux mettant en scène des enfants dans des paysages luxuriants. Avec

George Henry Durrie, William Mount et Jerome Thompson, il représente la tradition de la peinture « bucolique » américaine.
BIBLIOGR. : D. S. Hull : *James H. Cafferty, N. A., 1819-1869*, New York, 1986.
VENTES PUBLIQUES : NEW YORK, 19 jan. 1906 : *Une tête ronde* : **USD 225** – NEW YORK, 27 mars 1981 : *Mr Robertson's Boy with a fishing pole*, aquar. (45,7x36,2) : **USD 620** – NEW YORK, 4 déc. 1996 : *Le Repos de midi 1858*, h/t (66x97,7) : **USD 25 300**.

CAFFI Francesco et Lodovico
Originaires de Crémone. XVIIᵉ siècle. Italiens.
Peintres.
Élèves, à Bologne, de Domenico Maria Canuti.

CAFFI Ippolito, cavaliere
Né en 1809 à Belluno (près de Venise). Mort le 20 juillet 1866 à Lissa. XIXᵉ siècle. Italien.
Peintre de genre, architectures, marines, aquarelliste, dessinateur.
Élève à l'École des Beaux-Arts de Venise de 1827 à 1831, il se rendit à Rome, où il fut professeur de dessin durant quelques années. En 1843, il partit pour la Grèce, l'Égypte, la Nubie, exposa au Salon de Paris en 1846 : *Le carnaval de Venise*. Il prit une part militante active à la révolution de Venise et périt noyé, à bord du vaisseau *Re d'Italia*, au cours du combat naval de Lissa. Ses architectures, vues orientalistes, marines et carnavals sont peints avec minutie, sous un éclairage qui détache nettement les volumes, dans des compositions sereines aux fortes tonalités.
BIBLIOGR. : Gérald Schurr, in : *Les Petits Maîtres de la peinture 1820-1920, valeur de demain*, Les Éditions de l'Amateur, t. IV, Paris, 1979 – Caroline Juler : *Les Orientalistes de l'école italienne*, ACR Édition, Paris, 1994.
MUSÉES : RENNES : *Caravane du désert* – TRIESTE (Mus. Revolterra) : *Fête nocturne à Venise* – *Paysans romains* – VENISE (Mus. d'Art Mod. Ca'Pesaro) : *Ruines de la mosquée de Tulun 1844* – *Le Simoun dans le désert 1844*.
VENTES PUBLIQUES : PARIS, 26-27 mars 1920 : *La Piazetta* : **FRF 350** – NEW YORK, 1ᵉʳ mai 1930 : *Deux scènes dans un port* : **USD 220** – NEW YORK, 4 nov. 1961 : *Scène sur un canal à Venise* : **USD 400** – LONDRES, 2 mai 1962 : *Saint-Pierre de Rome, le Pape bénissant le peuple* : **GBP 420** – MILAN, 6 avr. 1966 : *Le forum* : **ITL 370 000** – VIENNE, 28 nov. 1967 : *La via Appia* : **ATS 6 500** – LONDRES, 18 mars 1970 : *La Pape Pie IX* : **GBP 1 100** – LONDRES, 14 juin 1972 : *Le château Saint-Ange* : **GBP 700** – MILAN, 26 mai 1977 : *Vue nocturne de Venise*, h/t (35,5x52) : **GBP 700** – ROME, 27 mai 1980 : *Les thermes de Dioclétien, Le palais des César*, deux aquar. (12,5x22 et 21x37) : **ITL 1 500 000** – VIENNE, 17 mars 1981 : *Un aqueduc dans la campagne romaine*, h/pap. (31,5x45,5) : **ATS 30 000** – LONDRES, 16 mars 1983 : *La fiesta dei Moccoli, Rome*, aquar. reh. de gche (21,5x28,5) : **GBP 650** – LONDRES, 10 oct. 1984 : *Vue de Turin en hiver*, h/cart. (21,5x33) : **GBP 6 200** – LONDRES, 28 nov. 1985 : *Vue de Salzbourg*, aquar. (23x32,5) : **GBP 3 500** – MILAN, 18 mars 1986 : *Le Colisée 1840*, h/t (74x100) : **ITL 70 000 000** – ROME, 22 mars 1988 : *Fontaine, place Saint-Pierre*, h/pap. (23x30) : **ITL 12 000 000** – ROME, 25 mai 1988 : *L'église Trinité-des-Monts*, h/t (23x30) : **ITL 30 000 000** – ROME, 31 mai 1990 : *Crypte*, encre aquarellée/pap. (26x19,5) : **ITL 2 000 000** – LONDRES, 21 juin 1991 : *La place Saint-Pierre à Rome 1843*, h/t (44x69,5) : **GBP 57 200** – MONACO, 6 déc. 1991 : *Entrée des troupes françaises à Rome en 1849 1849*, h/t (31x46,5) : **FRF 255 300** – LONDRES, 20 mars 1992 : *Pêcheurs au bord du Tibre avec le château Saint-Ange et la basilique Saint-Pierre*, h/cart. (23x30,5) : **GBP 29 700** – LONDRES, 16 juin 1993 : *Vue du Panthéon de Rome*, h/t (22,5x29) : **GBP 9 775** – NEW YORK, 13 oct. 1993 : *Foule rassemblée devant Saint-Pierre de Rome*, h/t (34,3x57,8) : **USD 57 500** – ROME, 8 mars 1994 : *Vue du Panthéon*, aquar./pap. (27x40) : **ITL 23 000 000** – LONDRES, 14 juin 1995 : *Vue de Rome avec le chateau Saint-Ange*, h/t (33x53) : **GBP 10 350** – ROME, 5 déc. 1995 : *Piazza della Rotonda 1843*, h/t (30x42) : **ITL 76 602 000** – ROME, 23 mai 1996 : *Paysage de côte*, h/t (26x47) : **ITL 6 325 000** – VENISE, 7-8 oct. 1996 : *L'Alhambra*, h/pap., étude (30x26) : **ITL 1 150 000** – ROME, 28 nov. 1996 : *Caravane dans le désert d'Alexandrie 1843-1850*, h/t (25,5x43,5) : **ITL 15 000 000**.

CAFFI Margherita
Née en 1650 ou 1651, originaire de Crémone. Morte en 1710. XVIIᵉ-XVIIIᵉ siècles. Italienne.
Peintre de natures mortes, fleurs et fruits.
VENTES PUBLIQUES : PARIS, 1872 : *Fleurs dans un vase et entourant une colonne* : **FRF 2 000** ; *Fleurs dans la vasque d'une fon-*

taine : **FRF 1 520** – VIENNE, 22-25 mai 1962 : *Bouquet de fleurs* : **ATS 15 000** – VERSAILLES, 15 mai 1963 : *Bouquets et guirlandes de fleurs* : **FRF 4 900** – MILAN, 24 nov. 1965 : *Fleurs, deux pendants* : **ITL 3 500 000** – LONDRES, 7 juil. 1976 : *Bouquet de fleurs*, h/t (62,5x44,5) : **GBP 3 200** – MILAN, 18 oct. 1977 : *Nature morte aux fleurs*, h/t (167x230) : **ITL 1 700 000** – ZURICH, 11 nov. 1982 : *Nature morte aux fleurs*, h/t (138,5x105,5) : **CHF 26 000** – MILAN, 27 nov. 1984 : *Natures mortes aux fleurs*, deux h/t (72x107) : **ITL 36 000 000** – LONDRES, 23 mai 1986 : *Natures mortes aux fleurs*, deux h/t (56,5x101) : **GBP 14 000** – AMSTERDAM, 28 nov. 1989 : *Grande composition florale dans un vase ornementé sur un piédestal de pierre*, h/t (105,9x137,8) : **NLG 80 500** – MONACO, 2 déc. 1989 : *Grands bouquets de fleurs*, h/t, une paire (chaque 90x78) : **FRF 643 800** – MONACO, 2 déc. 1990 : *Natures mortes de fleurs sur entablements*, h/t, une paire (chaque 65,5x54) : **FRF 177 600** ; *Bouquets de fleurs*, h/t, une paire (61,8x75, et, 63,5x76,4) : **FRF 277 500** – MONACO, 22 juin 1991 : *Nature morte aux guirlandes de fleurs*, h/t (189,5x289,5) : **FRF 222 000** – NEW YORK, 10 oct. 1991 : *Nature morte de fleurs*, h/t (34,9x43,2) : **USD 18 700** – ROME, 4 déc. 1991 : *Vase de fleurs en extérieur*, h/t (81x114) : **ITL 16 100 000** – MILAN, 28 mai 1992 : *Nature morte de compositions florales*, h/t, une paire de forme ovale (chaque 72x57) : **ITL 17 000 000** – MONACO, 18-19 juin 1992 : *Bouquets de fleurs sur un entablement*, h/t (51x130) : **FRF 222 000** – LONDRES, 28 oct. 1992 : *Nature morte avec des fleurs dans une urne et dans une corbeille renversée sur un entablement*, h/t (80x94) : **GBP 19 800** – LONDRES, 20 avr. 1994 : *Nature morte avec des œillets rouges at autres fleurs dans un vase de cuivre*, h/t (70,5x79) : **GBP 7 820** – LONDRES, 17 avr. 1996 : *Nature morte de fleurs sur un entablement de pierre avec une fontaine au fond*, h/t (79x106) : **GBP 9 200**.

CAFFI Vincenzo
Originaire de Crémone. XVIIᵉ siècle. Italien.
Peintre.

CAFFIERI, généalogie de la famille
XVIIᵉ-XVIIIᵉ siècles. Italiens, puis Français.
Famille descendant de Daniel Caffieri, ingénieur de la papauté né en 1603 à Sorrente, mort en 1639.

DANIEL CAFFIERI
|
PHILIPPE C. le vieux
|
┌─────────────┴─────────────┐
FRANÇOIS-CHARLES C.   JACQUES C.
| |
CHARLES-PHILIPPE C.   ┌─────┴──────┐
| JEAN-JACQUES C. PHILIPPE C. le jeune
CHARLES-MARIE C.

CAFFIERI Charles Marie
Né en 1736 à Brest. Mort après 1779. XVIIIᵉ siècle. Français.
Sculpteur.
Il fut sculpteur de la marine.

CAFFIERI Charles Philippe
Né en 1695. Mort le 14 mai 1766. XVIIIᵉ siècle. Français.
Sculpteur.
Sculpteur de la Marine, il résida au Havre, puis à Brest où il remplaça son père François Charles à la mort de celui-ci (1729).

CAFFIERI François Charles
Né le 26 juin 1667 à Paris. Mort le 27 avril 1729 à Brest. XVIIᵉ-XVIIIᵉ siècles. Français.
Sculpteur.
Fils de Philippe Caffieri l'Ancien. Il collabora avec son père et recueillit, en 1714, sa charge de sculpteur ingénieur et dessinateur des vaisseaux du roi.

CAFFIERI Hector
Né en 1847 à Cheltenham (près de Gloucester). Mort en 1932. XIXᵉ-XXᵉ siècles. Britannique.
Peintre de genre, aquarelliste, dessinateur.
Il fut élève à Paris de Bonnat et de J. Lefebvre. Membre à Londres de la Royal British Society of Artists, il a exposé à la plupart des Salons londoniens et aux Artistes Français.

H Caffieri

MUSÉES : CAPETOWN : *Pêcheurs français* – SUNDERLAND : *Le jeune truand* – SYDNEY : *Boulogne le matin* – WARRINGTON : *Délinquants*.

VENTES PUBLIQUES : LONDRES, 25 avr. 1908 : *Dans les bois* : **GBP 7** – LONDRES, 23 mars 1908 : *Azalées*, dess. : **GBP 2** – LONDRES, 4 mai 1908 : *Scène de route*, dess. : **GBP 3** – LONDRES, 16 juil. 1909 : *Femmes de pêcheurs hollandais*, dess. : **GBP 13** – LONDRES, 4 avr. 1927 : *Un après-midi tranquille*, dess. : **GBP 14** – LONDRES, 1er mars 1963 : *Jeux champêtres* : **GNS 100** – LONDRES, 22 oct. 1972 : *Les petites marchandes de fleurs sur les quais* : **GBP 420** – LONDRES, 25 mai 1979 : *Searching for a subject*, h/t (90,2x69,2) : **GBP 1 300** – LONDRES, 26 juin 1979 : *Fillette versant de l'eau dans la mer*, aquar. et reh. de blanc (66x49) : **GBP 480** – LONDRES, 21 juil. 1981 : *Sur les quais, Boulogne*, aquar. (34,5x21) : **GBP 700** – LONDRES, 10 mai 1983 : *Le retour des pêcheurs*, aquar. (26x37) : **GBP 1 000** – LONDRES, 29 avr. 1986 : *La promenade en barque, Cookham*, aquar. reh. de blanc (56,3x50,2) : **GBP 16 000** – LONDRES, 25 juil. 1986 : *Jeunes pêcheuses sur les quais*, h/t (100x75) : **GBP 8 500** – LONDRES, 25 jan. 1988 : *Familles de pêcheurs sur la grève*, aquar. (46,5x59) : **GBP 6 600** ; *Petite fille dans un verger*, aquar. (51x35,5) : **GBP 12 650** – LONDRES, 23 sep. 1988 : *La partie de pêche 1875*, h/t (35,5x51) : **GBP 6 050** – MONACO, 2 déc. 1988 : *Le port de Boulogne*, aquar. (46x23) : **FRF 44 400** – LONDRES, 25 jan. 1989 : *Famille de pêcheur sur une plage*, encre et aquar. (27x36) : **GBP 1 760** – LONDRES, 21 mars 1990 : *Une fille de pêcheur sur le quai*, h/t (76x56) : **GBP 9 900** – MONACO, 15 juin 1990 : *Jeune femme allaitant son bébé*, aquar. (35,5x52) : **FRF 22 200** – LONDRES, 26 sep. 1990 : *Champ de coquelicots*, aquar. avec gche (35,5x25,5) : **GBP 1 980** – LONDRES, 1er nov. 1990 : *Petit matin à Equihen*, aquar. (35x52,1) : **GBP 3 850** – LONDRES, 5 juin 1991 : *Sur le quai*, aquar. avec reh. de blanc (40,5x35,5) : **GBP 4 180** – LONDRES, 29 oct. 1991 : *Pêcheurs déchargeant leur prise dans un port*, aquar. (34,9x52,1) : **GBP 2 200** – LONDRES, 12 nov. 1992 : *Sur les quais du port*, aquar. avec reh. de blanc (36,5x53,5) : **GBP 3 080** – NEW YORK, 14 oct. 1993 : *Caravane dans le désert fuyant devant le simoun*, h/pan. (21x31) : **USD 5 750** – LONDRES, 5 nov. 1993 : *La cueillette des primevères dans un bois*, h/t (96,5x134,6) : **GBP 29 900** – STOCKHOLM, 30 nov. 1993 : *Perdue, jeune fille et sa charrette dans un paysage d'automne*, aquar. (70x50) : **SEK 25 000** – LONDRES, 4 nov. 1994 : *Femme de pêcheur à Newlyn*, h/t (91,4x61,3) : **GBP 3 220** – PARIS, 19 fév. 1996 : *Mères et enfants dans le jardin*, aquar. (35x52,5) : **FRF 8 000** – LONDRES, 5 juin 1996 : *La Main secourable de Maman*, aquar. reh. de blanc (42,5x27,5) : **GBP 4 370** – LONDRES, 6 nov. 1996 : *Ramassage de coquillages*, aquar. avec reh. de gche (39,5x30,5) : **GBP 3 220** ; *Au bord de la rivière*, h/t (51x41) : **GBP 4 830** – ÉDIMBOURG, 15 mai 1997 : *Printemps*, h/t (101x66) : **GBP 9 200**.

CAFFIERI Jacques

Né le 25 août 1678 à Paris. Mort en 1755. XVIIIe siècle. Français.

Sculpteur, fondeur et ciseleur.

Fils de Philippe Caffieri l'Ancien. Il fit plusieurs bustes en bronze, notamment celui du baron de Bezenval, colonel du régiment des Gardes Suisses. Il fut le père du sculpteur Jean-Jacques Caffieri et de Philippe Caffieri le Jeune.

CAFFIERI Jean-Jacques

Né le 29 avril 1725 à Paris. Mort le 21 juin 1792 à Paris. XVIIIe siècle. Français.

Sculpteur de bustes, portraits, ornemaniste.

Fils de Jacques Caffieri, il fut élève de son père et de Jean-Baptiste Lemoyne. Il obtint le prix de Rome en 1748, fut agréé à l'Académie le 30 juillet 1757 et devint académicien le 28 avril 1759 ; il fut nommé professeur adjoint le 2 mars 1765 et professeur le 27 février 1773.

Ses œuvres parurent au Salon de 1757 à 1789.

Il se consacra exclusivement au portrait, tant de ses contemporains que de personnages disparus, dont il recherchait les effigies, peintures, gravures ou moulages. Comme on pouvait s'y attendre, ses portraits sur nature ont plus de vie. Homme du XVIIIe siècle, il plaçait l'idéal de son art dans la recherche de la ressemblance, en cette époque où l'homme limitait ses ambitions à lui-même et à la connaissance du monde en fonction de lui-même, entre le XVIIIe tourné vers un début vers une méditation spirituelle janséniste, puis aspirant à une domination de l'univers, cartésienne par l'esprit, et absolutiste par l'exercice du pouvoir temporel, et le XIXe qui partira de nouveau en quête d'idéaux humanistes, politiques, sociaux, spirituels et esthétiques. Caffieri dépassait toutefois son propos de la seule ressemblance, par son acuité psychologique (*L'astronome Pingré*), voire même par l'audace réaliste, comme dans son buste du

Médecin Borie, devant lequel Diderot déclarait qu'il était : « ressemblant à faire mourir de peur un malade ».

Parmi les nombreux bustes qu'il exécuta, citons celui de *Rameau*, celui du *Prince de Condé*, ceux de *Quinault* et de *Lulli*, au foyer de l'Opéra, celui de *Piron*, au foyer de la Comédie-Française, ainsi que ceux de *Thomas et Pierre Corneille*, de *Jean Rotrou*, de *Molière*, de *Rousseau*. Parmi toutes ses autres œuvres de fantaisie, on cite : *La nymphe Echo*, *Vestale entretenant le feu sacré*, *L'Innocence*, *L'Espérance nourrissant l'Amour*, *L'Amitié surprise par l'Amour*, *Un bouquet*. Aux Invalides, se trouve également la statue de saint Alype. L'église Saint-Louis-des-Français, à Rome, lui doit un groupe en stuc, représentant la Sainte Trinité.

MUSÉES : ANVERS : *Nicolas C. Favre de Peiresse* – BERLIN : *Helvetius* – DIEPPE : *Corneille assis*, Sèvres – *Molière assis*, Sèvres – PARIS (Louvre) : *L'astronome Pingré* – ROUEN : *Pierre Corneille* – *Thomas Corneille* – *Rotrou* – VERSAILLES : *Rousseau J.-B* – *Alexis Piron* – *Quinault (Philippe)* – *La Chaussée (Pierre)* – *Rameau (Jean)* – *Pingré (Alexandre)*.

VENTES PUBLIQUES : PARIS, 1896 : *Projets de cadres pour crucifix*, deux dessins au crayon noir : **FRF 100** – PARIS, 31 mai 1920 : *Chandelier orné avec ressort intérieur*, 2 dessins à la plume : **FRF 510** ; *Cadres pour crucifix*, deux crayons : **FRF 105** – LONDRES, 12 nov. 1965 : *Jeune fille en buste*, terre cuite : **GBP 1 300** – PARIS, 9 déc. 1967 : *Neptune assis*, terre cuite : **FRF 12 000** – LONDRES, 2 déc. 1976 : *Buste de jeune femme 1778*, terre cuite (H. 68,5) : **GBP 850** – PARIS, 23 oct. 1985 : *Portrait d'homme en catogan 1761*, plâtre (H. 60) : **FRF 40 000** – PARIS, 7 déc. 1987 : *Buste de C. A. Helvetius*, terre cuite (77x57) : **FRF 60 000**.

CAFFIERI Philippe, l'Ancien

Né en 1634 à Rome. Mort le 7 septembre 1716 à Paris. XVIIe-XVIIIe siècles. Italien.

Sculpteur.

Fils de Daniel Caffieri et d'origine napolitaine, il vint à Paris en 1660, y reçut un logement aux Gobelins et fut placé sous la direction de Le Brun, ordonnateur des travaux de décoration des châteaux royaux. En collaboration avec Lespagnandel, il fit de nombreux ouvrages pour Versailles et travailla aussi au Louvre, aux Tuileries, à Saint-Germain-en-Laye et à Marly. Il fit également des meubles et les vantaux des portes de l'escalier des Ambassadeurs, en 1678. Il fut nommé en 1687, maître-sculpteur des vaisseaux du roi, au Havre.

CAFFIERI Philippe, le Jeune

Né en 1714 à Paris. Mort en 1774. XVIIIe siècle. Français.

Fondeur, ciseleur et sculpteur.

Fils de Jacques Caffieri. Reçu à l'Académie de Saint-Luc en 1754. Il épousa, en secondes noces, Antoinette Rose Lambert Roland.

CAFFIN Louis Marc

Né vers 1760 à Saint-Germain-en-Laye. XVIIIe siècle. Français.

Peintre.

Élève de Taraval à l'Académie de Paris, où il entra en 1774.

CAFFYN Walter Wallor

Né en 1845. Mort en 1898 ou 1899. XIXe siècle. Britannique.

Peintre de paysages animés, paysages.

Il exposa à Londres à la Royal Academy et à Suffolk Street entre 1876 et 1897.

W.W.Caffyn

VENTES PUBLIQUES : LONDRES, 21 mai 1909 : *Sur la route de Leith Hill, Surrey* : **GBP 34** – LONDRES, 13 déc. 1926 : *Moisson dans le Surrey 1893* : **GBP 5** – LONDRES, 14 déc. 1976 : *Paysage au moulin, Yorkshire 1887*, h/t (60x90) : **GBP 800** – LONDRES, 8 mars 1977 : *Paysan ramenant des roseaux dans sa barque 1889*, h/t (59,5x90) : **GBP 1 400** – LONDRES, 13 mars 1979 : *Halmbury Hill, Surrey 1888*, h/t (60x90) : **GBP 1 300** – LONDRES, 24 mars 1981 : *Near Petworth, Sussex*, h/t (61x101,5) : **GBP 2 100** – COLOGNE, 26 sep. 1983 : *Scène de moisson dans le Surrey*, h/t (53,3x43,2) : **GBP 2 800** – LONDRES, 12 juin 1985 : *Ewhurst, Surrey 1893*, h/t (51x78) : **GBP 2 600** – LONDRES, 13 fév. 1987 : *Scène de moisson dans le Surrey 1892*, h/t (41x69) : **GBP 3 000** – NEW YORK, 23 mai 1989 : *Le vieux pont de pierres 1898*, h/t (76,2x127,6) : **USD 4 950** – LONDRES, 21 mars 1990 : *L'église de Shere près de Dorking dans le Surrey 1878*, h/t (41x55) : **GBP 2 090** – NEW YORK, 19 juil. 1990 : *Chaumières près du ruisseau*, h/t (40,7x61) : **USD 2 090** –

LONDRES, 13 fév. 1991 : *La rivière Mole en été près de Dorking* 1892, h/t (61x102) : **GBP 3 850** – LONDRES, 14 juin 1991 : *Charrette de foin près de Brockham dans le Surrey* 1887, h/t (61x91,5) : **GBP 3 300** – LONDRES, 7 oct. 1992 : *Le vieux chemin à Minster près de Ramsgate* 1899, h/t (61,5x41) : **GBP 2 420** – LONDRES, 3 nov. 1993 : *Soir d'été au bord de la Coln à Rickma* 1889, h/t (61x92) : **GBP 5 750** – MILAN, 25 oct. 1994 : *Transport de bois dans le Surrey*, h/t (60,5x91,5) : **ITL 9 775 000** – ÉDIMBOURG, 15 mai 1997 : *Bétail paissant sur un terrain boisé ensoleillé près de Derwentwater*, h/t (50,8x76,2) : **GBP 4 370**.

CAFIANI Antonio
XVIᵉ siècle. Actif à Séville vers 1594. Espagnol.
Peintre.

CAFIAUX ou Coffiaux
XVIIIᵉ siècle. Actif à Mons. Éc. flamande.
Sculpteur.

CAFISSA Nicolo ou Casissa ou Cassisa ou Cassissa
Né à Naples. Mort en 1730 ou 1731 à Naples. XVIIIᵉ siècle. Italien.
Peintre de natures mortes, fleurs et fruits.
Il fut élève d'Andrea Belvedere.
VENTES PUBLIQUES : AMSTERDAM, 28 nov. 1989 : *Cléopâtre entourée d'une guirlande de fleurs*, h/t (153,5x104,7) : **NLG 9 200** ; *Putti s'amusant avec des guirlandes autour de statues*, h/t, une paire (chaque 50,6x59,3) : **GBP 11 550** – LONDRES, 11 avr. 1990 : *Chien aboyant contre un paon devant une corbeille de fleurs sur un socle de pierre dans un parc*, h/t (39x64,5) : **NLG 5 720** – MILAN, 21 mai 1991 : *Nature morte de putti et de fleurs*, h/t, une paire (110x100) : **ITL 79 100 000** – LONDRES, 11 déc. 1992 : *Composition florale dans une urne sur le piètement d'une ballustrade avec un putto*, h/t, une paire (75,6x99,7) : **GBP 17 600** – NEW YORK, 15 jan. 1993 : *Nature morte d'une composition florale dans une urne sculptée avec une coupe de fruits surmontée d'un perroquet dans un parc*, h/t (189,2x142,2) : **USD 40 250** – LONDRES, 6 juil. 1994 : *Nature morte de fleurs dans un vase sur un piedestal avec des fruits, des lapins et un paon dans un parc*, h/t (77x102) : **GBP 9 200** – NEW YORK, 4 oct. 1996 : *Cascade de fleurs d'une urne à anse d'aigle et pêches posées à sa base sur un banc*, h/t (69,3x86,7) : **USD 9 775**.

CAFONTANI Francesco
Originaire de Vérone. XVIᵉ siècle. Italien.
Peintre.

CAFRANCA Juan de
XVIᵉ siècle. Actif à Séville. Espagnol.
Sculpteur.
Cet artiste exécuta, en 1517, un bénitier, des crucifix, un piédestal pour l'église Saint-Michel.

CAGÉ Félix
Né en 1820 à Paris. XIXᵉ siècle. Français.
Peintre, peintre de décors de théâtre.
Élève de Carles Antoine Cambon et de Humanité René Philastre. Il peignit des décors de théâtre dans un certain nombre de villes en France, en Belgique et surtout en Espagne où il travailla à partir de 1846. Il fut atteint d'aliénation mentale en 1861.

CAGE John
Né en 1912 à Los Angeles. Mort en 1992. XXᵉ siècle. Américain.
Peintre, graveur. Groupe Fluxus.
Musicien, poète, philosophe, il fut sans doute le plus connu par son activité musicale, faisant table rase des limitations imposées depuis longtemps par la tradition. Faisant partie du groupe Fluxus, avec lequel il a réalisé plusieurs happenings, il est de ce fait au cœur d'une certaine activité artistique qui a eu de nombreux prolongements plastiques. Le moment où il introduit la notion de hasard dans la musique, correspond à celui des recherches identiques dans la peinture. Il s'est également servi de la peinture comme moyen d'expression, et, en 1971, a présenté à Milan des multiples qu'il a réalisés en hommage à Marcel Duchamp.
VENTES PUBLIQUES : HAMBOURG, 12 juin 1987 : *Not wanting to say anything about Marcel* 1969, suite de huit plaques de plexiglas sérigraphiés : **DEM 1 600** – NEW YORK, 3 mai 1993 : *Tribut « mésostique » à Marcel Duchamp*, craie sur ardoise dans un cadre de bois (76,2x106,7) : **USD 11 500**.

CAGGIANO Emanuele
Né en 1837 à Bénévent (Apulie). Mort en 1905. XIXᵉ siècle. Italien.

Sculpteur et peintre.
Mention honorable au Salon de Paris en 1876.

CAGGIANO Fedele
Né le 3 mars 1804 à Buonalbergo (Apulie). Mort en 1880 à Naples. XIXᵉ siècle. Italien.
Sculpteur.
Fit ses études avec Tenerani à Rome, et résida dans plusieurs villes d'Italie. A Naples, il fit une *Bacchante* qui se trouve dans la Villa Nationale. En 1864, il obtint la médaille d'or, à l'Exposition de Foggia.

CAGLI Corrado
Né en 1910 à Ancône. Mort en 1976 à Rome. XXᵉ siècle. Actif aussi au États-Unis. Italien.
Peintre de techniques mixtes, fresquiste, mosaïste, céramiste, peintre de décors de théâtre, décorateur. Expressionniste, tendance surréaliste, néocubiste, néoréaliste.
En 1915, il habite Rome, où il entrera à l'Académie des Beaux-Arts. Plus tard, il va en Ombrie où il pratique la fresque, la mosaïque et la céramique. De 1931 à 1935, il exécute une mosaïque de 200 mètres de long pour la fontaine de Terni, et une fresque : *La Course des Barbares*, à Castel de Cesari. A cette époque, il fonde avec Capogrossi, Mafai, Scipione et Cavalli le groupe *Romano* ou *L'École Romaine*, dont l'objectif est de chercher une nouvelle voie qui s'opposerait à la fois à l'esthétique officielle et à la confusion des diverses tendances picturales en Italie. En 1938, inquiété par le mouvement fasciste, il se réfugie à Paris, puis, à partir de 1940, s'installe à New York, où il peint des décors pour le *New York City Ballet*. Il sert dans les Forces Armées américaines (1941-1945) et participe au débarquement de 1944 en Normandie. De retour en Italie, il s'installe définitivement à Rome en 1948.
Depuis sa première exposition à Rome en 1932, il a participé à la Biennale de Venise en 1936, 1938, 1948, 1952, 1954, à la Quadriennale de Rome en 1935, 1948, 1955, 1959, à la Biennale de São Paulo en 1951, 1959, à la Pittsburgh International Exhibition de 1936, 1937, 1939, 1958. Il a également participé à la 1ʳᵉ Internationale de Dessin à Darmstadt en 1964. Prix Guggenheim à New York en 1946, deuxième prix Marzotto en 1954, un prix à la Quadriennale de Rome en 1959.
L'art de Cagli est multiple par ses techniques, puisqu'il a pratiqué la fresque, la mosaïque, la céramique, a expérimenté des matériaux nouveaux, mais aussi par ses styles. Tour à tour attiré par les expressionnistes, les surréalistes et les abstraits, il est curieux de tout, est ouvert aux inventions de Chirico, Max Ernst ou Klee et se laisse influencer par ses découvertes ou ses goûts du moment. A ses débuts, il montre une prédilection pour le décoratif et le monumental, avec des références à l'art italien du XVᵉ siècle. Après la guerre, vers 1948, lorsqu'il est de retour à Rome, il s'oriente vers un néoréalisme à travers des toiles comme *Les réfugiés*, œuvre presque monochrome, d'un graphisme prononcé. Un an plus tard, il passe à un art plus surréalisant avec sa série de dessins « de la quatrième dimension », dans sa façon particulière d'appliquer les théories de la projection optique. Dans les années cinquante, influencé par le peintre Afro et le sculpteur Mirko, il a recours à la répétition de motifs abstraits, à l'introduction de signes, dans des toiles dont les titres font souvent référence à la musique. Il aborde alors l'abstraction, laissant une large place au graphisme concentrique, où des lignes presque jointives délimitent en spirales les sujets. Enfin, il s'attache aux effets de matière, employant du papier froissé coloré pour rythmer ses compositions. Malgré cet éclectisme, sa peinture garde une qualité expressive constante. ■ A. P.

Cagli

BIBLIOGR. : In : *Les Muses*, t. IV, Paris, 1971 – in : *Diction. univers. de la peinture*, Le Robert, t.I, Paris, 1975 – E. Crispolti : *I tempi di Cagli*, Ancône, 1981 – in : *Dict. de l'art mod. et contemp.*, Hazan, Paris, 1992.

VENTES PUBLIQUES : MILAN, 15 nov. 1961 : *Composizione* : **ITL 160 000** – NEW YORK, 10 mars 1966 : *La spiga* : **USD 650** – MILAN, 27 oct. 1970 : *Favola d'Orfeo*, temp./cart. : **ITL 1 800 000** – MILAN, 9 mars 1972 : *Figure* 1958 : **ITL 1 400 000** – ROME, 29 mars 1976 : *Bacco*, techn. mixte (70x50) : **ITL 3 150 000** – VERSAILLES, 17 mars 1977 : *Nature morte à la palette*, cart./pan. (33x41) : **FRF 4 500** – ROME, 19 mai 1977 : *Tête de poétesse*, techn. mixte (67x48) : **ITL 1 900 000** – MILAN, 13 juin 1978 : *La sécheresse*

1958, h/cart. entoilé (73x80) : **ITL 4 500 000** – ROME, 27 nov. 1979 : *Nature morte aux instruments de musique*, h/cart. (32x16,5) : **ITL 2 700 000** – MILAN, 25 nov. 1980 : *La Naissance* 1947, h/t (130x100) : **ITL 11 000 000** – NEW YORK, 24 sep. 1981 : *Composition* vers 1945, h/t (101,6x142,3) : **USD 3 750** – ROME, 16 nov. 1982 : *Composition*, temp./pap. mar./t. (72x51) : **ITL 1 300 000** – NEW YORK, 14 avr. 1983 : *Composition*, h/t (79x122) : **USD 4 000** – MILAN, 12 juin 1984 : *Composition 1950*, techn. mixte (70x43,5) : **ITL 3 600 000** – ROME, 23 avr. 1985 : *Profil de femme*, techn. mixte/pap. mar./t. (70x50) : **ITL 3 800 000** – ROME, 12 juin 1986 : *Arbre*, h/t (100x72) : **ITL 4 200 000** – ROME, 25 nov. 1986 : *L'Arbre*, techn. mixte/t. (85x65) : **ITL 4 200 000** – ROME, 29 avr. 1987 : *Danseuse 1956*, techn. mixte (50x30) : **ITL 3 200 000** – ROME, 7 avr. 1988 : *Eumolpe et Perséphone déclamant*, techn. mixte/pap. mar., étude de costume pour *Perséphone* d'I. Stravinsky (70x50) : **ITL 5 200 000** – ROME, 15 nov. 1988 : *Arbre 1956*, techn. mixte /t. (85x65) : **ITL 4 400** – ROME, 15 nov. 1988 : *Cristaux 1950*, techn. mixte/t. (69x72) : **ITL 5 500 000** – MILAN, 14 déc. 1988 : *Portrait*, acryl./t. (70,5x50) : **ITL 3 500 000** – ROME, 21 mars 1989 : *Composition 1947*, h./contre-plaqué (33x47) : **ITL 11 000 000** – ROME, 17 avr. 1989 : *L'arbre 1936*, h/pan. (152x79) : **ITL 23 000 000** ; *Le désordre 1947*, h/t (115x163) : **ITL 92 000 000** – ROME, 10 avr. 1990 : *Obélisque 1953*, h/pan. à fond or (50x35) : **ITL 12 000 000** – MILAN, 12 juin 1990 : *Sans titre 1947*, h/t (91x60) : **ITL 30 000 000** – MILAN, 20 juin 1991 : *Composition 1947*, h./contre-plaqué (32x45) : **ITL 11 000 000** – ROME, 19 nov. 1992 : *Les Autres Pièces*, h. et techn. mixte/pap./t. (78x110) : **ITL 9 000 000** – MILAN, 16 nov. 1993 : *Arbre 1968*, h/t (74x51) : **ITL 4 600 000** – MILAN, 21 juin 1994 : *Composition*, techn. mixte/t (90x67) : **ITL 15 525 000** – MILAN, 2 avr. 1996 : *La Paola 1961*, bronze (H. 41) : **ITL 6 900 000** – MILAN, 20 mai 1996 : *Ninfa boschiva*, h/t (70x50) : **ITL 6 210 000** – MILAN, 24 nov. 1997 : *Sans titre*, tapiss. (315x225) : **ITL 12 075 000**.

CAGLI Nicola Ugolinuccio da. Voir **NICCOLO d'Ugolino da Gubbio**

CAGLIERI Pio
Né en 1849 à Turin. XIXᵉ siècle. Italien.
Peintre de paysages.
Il exposa à Turin, à Milan et à Rome. On cite de lui : *Campagne en octobre*, *Le calme du soir*, *Mer tranquille*.

CAGLIONI Giovanni
XVIIᵉ siècle. Italien.
Peintre de compositions religieuses, graveur.
Le Blanc cite de lui une estampe représentant *Saint Louis de Gonzague dans les cieux*.

CAGNA Alphonse
Né à Postna (Piémont). XXᵉ siècle. Italien.
Sculpteur de bustes.
Elève à l'Ecole des Beaux-Arts de Turin, il a exposé à Paris de 1903 à 1930 et à Liverpool en 1906.

CAGNA Carmelino
Né à Postna (Piémont). XXᵉ siècle. Italien.
Peintre de genre, paysages, sculpteur de bustes.
Il a exposé au Salon de la Société Nationale des Beaux-Arts à Paris en 1914 et au Salon des Artistes Indépendants en 1928.

CAGNACCI Guido, de son vrai nom : **Guido Canlassi**
Né en 1601 à Castel San-Arcangelo di Romagna (près de Rimini). Mort en 1681 à Vienne. XVIIᵉ siècle. Italien.
Peintre d'histoire, compositions mythologiques, sujets religieux, scènes allégoriques, compositions à personnages, nus, graveur, dessinateur.
On sait qu'en 1635, il peignait un retable pour son village natal. En 1642-1644, il peignit des grands tableaux pour le Dôme de Forli. Il séjourne alors longuement à Rimini et fait un voyage à Venise. Ensuite, il fut appelé à Vienne par l'empereur Léopold Iᵉʳ, et y resta jusqu'à sa mort.
Ses tableaux de Forli, bien que tenant compte de l'évolution technique picturale du début du XVIIᵉ siècle et en particulier de la nouvelle utilisation de la lumière de l'école du Caravage, respectaient encore les canons de la beauté antique. Ensuite, ce peintre du corps féminin, se rapprocha encore plus du Caravage, de Guido Reni et même des Hollandais, présageant les réalistes du XIXᵉ siècle, notamment dans l'*Étude pour la mort de Cléopâtre* de la Brera. Plusieurs de ses tableaux ont été gravés par Beauvarlet, Cunego, Magalli et Prenner. On cite de lui deux estampes : *Le Portement de Croix*, *La peinture relevant une femme nue*.
MUSÉES : BRESLAU, nom all. de Wroclaw : *Femme nue* – BUDA-

PEST : *Tarquin et Lucrèce* – DUNKERQUE : *Judith* – FLORENCE : *Ganymède donnant à boire à Jupiter* – *Tête de jeune homme* – FLORENCE (Palais Pitti) : *Madeleine portée au ciel* – KASSEL : *Buste de Lucrèce* – LONDRES (coll. Wallace Mus.) : *Tarquin et Lucrèce* – MAYENCE : *Mort de saint Joseph* – MILAN (Brera) : *Étude pour la mort de Cléopâtre* – VIENNE (Kunsthistor. Mus.) : *La mort de Cléopâtre*.
VENTES PUBLIQUES : PARIS, 1760 : *Quatre pastorales* : **FRF 650** – PARIS, 1801 : *Lucrèce surprise par le fils aîné de Tarquin* : **FRF 1 087** – PARIS, 1865 : *Une jeune femme luttant contre un jeune homme armé d'un poignard* : **FRF 4 000** – PARIS, 20 mai 1920 : *Nymphe surprise* : **FRF 200** – PARIS, 26 avr. 1923 : *Le Christ prêchant*, attr. : **FRF 420** – PARIS, 8 juin 1928 : *Allégorie de la poésie sous les traits d'une jeune fille laurée*, attr. : **FRF 4 200** – PARIS, 24 juin 1929 : *Étude pour un saint Jérome en prière*, dess. : **FRF 350** – MILAN, 15 mai 1962 : *Giuditta e Oloferne* : **ITL 3 000 000** – LONDRES, 29 nov. 1963 : *Allégorie du feu* : **GNS 600** – LONDRES, 17 juil. 1964 : *Gygès et Candaule*, suite de 4 toiles : **GNS 6 500** – LONDRES, 8 avr. 1981 : *Le miracle de saint Jean l'Évangéliste dans le temple d'Éphèse*, h/t (242x163) : **GBP 55 000** – NEW YORK, 11 jan. 1989 : *Pan*, h/t (87x80,5) : **USD 55 000** – MILAN, 12 juin 1989 : *La mort de Cléopâtre*, h/t (174x116) : **ITL 95 000 000** – NEW YORK, 31 mai 1991 : *Allégorie de la Vie*, h/t (48,5x84,5) : **USD 198 000** – LUGANO, 16 mai 1992 : *Tarquin et Lucrèce*, h/t (110x141) : **CHF 55 000**.

CAGNACCIO DI SAN PIETRO, pseudonyme de **Scarpa Natale**
Né en 1897 à Desenzano sul Garda. Mort en 1946 à Venise.
XXᵉ siècle. Italien.
Peintre de nus, figures, portraits, natures mortes, dessinateur. Futuriste puis figuratif, tendance surréaliste.
Il a figuré à la Biennale de Venise en 1924, en 1930 et en 1948.
Il fut d'abord influencé par le futurisme mais après les années vingt retrouva une expression figurative. Il fut alors proche du « réalisme magique », en particulier des œuvres de Felice Casorati et d'Achille Funi. Ses tableaux sont empreints de rigueur dans la composition, d'une grande précision dans le dessin, d'une forte densité des volumes. Il ne participa pas au Novecento, mais l'acuité de sa vision le rapproche de la *Neue Sachlichkeit* allemande (nouvelle objectivité).
BIBLIOGR. : In : *Dictionnaire de la peinture italienne*, Larousse, 1989.
MUSÉES : ROME (Gal. d'Arte Mod.) : *Jeune Fille au miroir 1932*.
VENTES PUBLIQUES : ROME, 11 juin 1981 : *Portrait de femme 1926*, h/pan. (39x29,5) : **ITL 5 500 000** – ROME, 20 avr. 1982 : *Nature morte au poisson et verre 1942*, temp./pap. (30x39,5) : **ITL 3 600 000** – ROME, 18 mai 1983 : *Mère et enfant 1934*, cr. et fus./pap. (92,5x61,5) : **ITL 4 000 000** – MILAN, 27 sep. 1990 : *Personnage féminin avec un enfant*, h/rés. synth. (55,5x41) : **ITL 4 500 000** – MILAN, 16 nov. 1993 : *Tête de jeune fille 1938*, h/pan. (40x30) : **ITL 14 375 000** – MILAN, 14 déc. 1993 : *L'heure du repas*, h./contre-plaqué (72x85) : **ITL 11 500 000** – MILAN, 5 mai 1994 : *Petite fille qui regarde le ciel 1940*, h/pan. (39,5x29,5) : **ITL 19 550 000** – ROME, 28 mars 1995 : *Nature morte avec un homard et des radis 1938*, h/pan. (30x40) : **ITL 21 850 000**.

CAGNARD Étienne ou **Cagniard**
Né le 20 avril 1796 à Lyon. XIXᵉ siècle. Français.
Peintre de fleurs et fruits, aquarelliste.
A Paris, où il s'était fixé, il exposa, de 1841 à 1851, des aquarelles (fleurs, fruits et oiseaux).

CAGNART Charles Bernard Marie
Né vers 1785 à Paris. XIXᵉ siècle. Français.
Peintre.
Elève de Bouillet et de Hardon à l'École des Beaux-Arts, où il entra le 22 brumaire an XII (1803).

CAGNET Maurice André
Né à Paris. XXᵉ siècle. Français.
Peintre de portraits et paysages, sculpteur.
Il a exposé au Salon des Artistes Français de 1925 à 1927 et au Salon des Artistes Indépendants de 1922 à 1935.

CAGNIARD Louis. Voir **CAIGNARD**

CAGNIART Émile
Né le 23 mai 1851 à Paris. Mort le 14 février 1911 à Paris.
XIXᵉ-XXᵉ siècles. Français.
Peintre de paysages, pastelliste, aquarelliste.
Elève de Guillemet, il participa au Salon de Paris à partir de 1877, mis hors-concours en 1900, il devint membre du comité de ce Salon. Ses vues de l'Île-de-France, bords de Seine, paysages de

la Manche, mais aussi de Belgique, montrent une vision, plus schématique, plus simplifiée que ceux de Guillemet. Ses effets de neige et de soleil d'hiver sont souvent rendus au pastel. Parmi ses aquarelles, citons : *Les Buttes Montmartre du côté de Clignancourt – Le sentier à Montlignon.*

BIBLIOGR. : Gérald Schurr : *Les Petits Maîtres de la peinture 1820-1920, valeur de demain,* Les Éditions de l'Amateur, t. V, Paris, 1981.

MUSÉES : PÉRIGUEUX : *Crépuscule* – ROUEN : *Le soleil et la neige, vue des environs de Paris* – TOUL : *Environs de Rouen, le soir,* past.

VENTES PUBLIQUES : PARIS, 7 mars 1894 : *Casseurs de rochers (Bretagne)* : **FRF 22** ; *Marais et ruines de Boves, près d'Amiens,* past. : **FRF 30** – PARIS, 21 mai 1919 : *La Grosse Horloge à Rouen,* past. : **FRF 210** – PARIS, 23 oct. 1925 : *Sentier en forêt* : **FRF 230** – PARIS, 6 fév. 1929 : *L'église Saint-Germain-des-Prés sous la neige,* past. : **FRF 150** – PARIS, 28 déc. 1934 : *La Place Clichy à Paris, effet de soleil d'hiver,* past. : **FRF 210** – VERSAILLES, 23 nov. 1980 : *Paysage au ruisseau,* h/t : **FRF 1 000** – VERSAILLES, 21 fév. 1982 : *Lavandières au crépuscule,* h/t (54x73) : **FRF 5 800** – LONDRES, 22 mars 1984 : *Scène de rue, Paris,* past. (22,9x33) : **GBP 2 200** – LONDRES, 19 juin 1986 : *L'entrée du Parc Monceau,* past. (44,5x59,7) : **GBP 3 200** – LYON, 1er déc. 1987 : *Les quais,* h/pan. (38x61) : **FRF 8 000** – PARIS, 12 déc. 1990 : *Le moulin de Batz sur mer,* h/pan. (37x45) : **FRF 11 000** – NEW YORK, 19 jan. 1995 : *Place Pigalle au soleil d'hiver* (81,3x111,1) : **USD 9 200** – PARIS, 21 nov. 1995 : *Circulation sur les Champs-Élysées,* h/t (80x110) : **FRF 46 000.**

CAGNOLA Francesco ou de Cagnolis
XVIe siècle. Actif à Novara. Italien.
Peintre.
Il a signé une fresque à Bolzano datée de 1507.

CAGNOLA Sperindio ou de Cagnolis
XVIe siècle. Italien.
Peintre décorateur.
Frère de Francesco Cagnola, ami et aide de Gaudenzio Ferrari.

CAGNOLA Tommaso ou de Cagnolis
XVe siècle. Actif à Gozzano et à Novara dans la seconde moitié du XVe siècle. Italien.
Peintre.

CAGNONE Angelo
Né en 1941 à Savona. XXe siècle. Italien.
Peintre. Surréaliste.
Il a fait ses études au Lycée Artistique de Genève. En 1964, il a participé au Festival des Deux Mondes à Spolete, et en 1965, il a exposé pour la première fois à Venise. Depuis, il a montré son travail à Milan, Padoue, Genève, etc.
Il utilise le surréalisme à des fins didactiques où l'ordre stylistique est là pour montrer combien la vie quotidienne est enregimentée.

VENTES PUBLIQUES : MILAN, 21 déc. 1976 : *Petits Fragments de tête* 1972, h/t (60x73) : **ITL 450 000** – MILAN, 25 nov. 1980 : *Pour un personnage* 1968, acryl./t (90x70) : **ITL 500 000** – MILAN, 8 juin 1982 : *La Larme* 1968, h/t (175x150) : **ITL 1 400 000** – GLASGOW, 11 déc. 1984 : *La Larme* 1968, h/t (174x150) : **ITL 1 600 000** – MILAN, 9 nov. 1987 : *En arrière sans bruits* 1986, techn. mixte/t (89x130) : **ITL 6 400 000** – MILAN, 27 mars 1990 : *Composition n° 3* 1964, h/t (60x78) : **ITL 5 000 000** – MILAN, 12 juin 1990 : *Des pronoms (E)* 1974, acryl./t (81x100) : **ITL 4 000 000** – MILAN, 9 mars 1995 : *La page* 1972, h/t (130x97) : **ITL 1 840 000.**

CAGNONI Amerino
Né le 14 juillet 1853 à Milan. Mort en 1923. XIXe-XXe siècles. Italien.
Peintre d'histoire, scènes de genre, portraits, paysages.
A 19 ans, Amerino Cagnoni se fit inscrire à l'Académie de Milan, où il étudia régulièrement pendant sept ans (1872-1879). Ses principaux tableaux sont *La fille de Curzio Pichena, Un épisode de la guerre d'Indépendance italienne,* exposé à Milan en 1881, et un *Portrait du peintre Mantegna.*

VENTES PUBLIQUES : MILAN, 28 oct. 1976 : *Piazza della Scala, Milano,* h/t (24x42) : **ITL 700 000** – MILAN, 25 mai 1978 : *Au théâtre* 1892, aquar. et reh. de blanc (19x46) : **ITL 800 000** – MILAN, 6 nov. 1980 : *Portrait de jeune fille,* past. (45x34) : **ITL 450 000** – MILAN, 27 mars 1984 : *Femme et enfant dans un jardin public,* h/t (49x60,5) : **ITL 7 500 000** – MILAN, 2 avr. 1985 : *La terrasse,* h/t (17,5x29) : **ITL 1 000 000** – NEW YORK, 23 oct. 1990 : *Pour se tenir au courant des événements,* h/t (41,9x32,4) :

USD 8 800 – MILAN, 7 nov. 1991 : *Femme avec un éventail de plumes* 1891, h/t (124x74) : **ITL 5 000 000** – PARIS, 13 mai 1997 : *La Visite chez le peintre,* h/t (86x120) : **FRF 155 000.**

CAGNONI Domenico
Originaire de Vérone. XVIIIe siècle. Travaillant à Milan, dans la seconde moitié du XVIIIe siècle. Italien.
Graveur.
On cite de lui un *Portrait de Victor-Amedeo III, roi de Sardaigne.*

CAGNONI Gaspare
Né à Milan. XVIIIe-XIXe siècles. Travaillant de 1790 à 1807. Italien.
Graveur.
Cité par Le Blanc.

CAGNY Jean Baptiste
XVIIIe siècle. Français.
Peintre.
Il fut reçu à l'Académie de Saint-Luc à Paris en 1762.

CAHAIGNES Étienne de, sieur de Verrières
Né en 1591, originaire de Caen. XVIIe siècle. Français.
Peintre de portraits.
Érudit, il avait dans sa jeunesse étudié à Leyde et dans cette ville peint un portrait de Scaliger.

CAHAIS ou Cahel, Cahet
XVIIIe siècle. Français.
Sculpteur sur bois.
Exécuta en 1782 un ouvrage pour la Charité de Melleville-sur-le-Bec près de Rouen. On trouve à Avranches (Manche) un sculpteur du nom de Cahet. On connaît aussi un Cahel travaillant à Vire (Calvados) en 1783. Peut-être s'agit-il toujours du même artiste.

CAHARD André
XXe siècle. Français.
Illustrateur.
Il a illustré *Élégies,* de Paul Verlaine.

CAHARD Michèle
Née le 27 juillet 1946. XXe siècle. Française.
Peintre.
Elle a très souvent exposé en groupe et a participé au Salon des Artistes Indépendants à Paris en 1974. Vivement colorées et harmonieuses, ses toiles, figuratives, ont une étrange atmosphère de pays des merveilles.

CAHART Jacques
Mort après 1713. XVIIIe siècle. Actif à Rouen en 1703. Français.
Peintre.

CAHAY Robert
Né le 14 mars 1951 à Trois-Ponts. XXe siècle. Belge.
Sculpteur.
Après des études à l'Institut Saint-Luc de Liège, il devint professeur d'art plastique. Ses sculptures, de petites dimensions, opposent le métal au polyester.
BIBLIOGR. : In : *Dictionnaire biographique illustré des Artistes en Belgique depuis 1830,* Arto, 1987.
MUSÉES : PALM BEACH (États-Unis).

CAHEL. Voir CAHAIS

CAHEN Alfred
XIXe-XXe siècles. Actif à Bruxelles. Belge.
Peintre de portraits.
Il prit part à l'Exposition Universelle de Bruxelles en 1910.

CAHEN Denise A.
Née à Paris. XXe siècle. Française.
Sculpteur de bustes.
Élève d'Auguste Maillard. Elle a exposé des bustes au Salon des Artistes Français, notamment en 1921 et 1922.

CAHEN Eugène
Né à Constantine (Algérie). XIXe-XXe siècles. Français.
Peintre de paysages urbains.
Il exposa au Salon des Indépendants. Il a surtout réalisé des vues de Paris.

CAHEN Marcelle. Voir CAHEN-BERGEROL

CAHEN Mathilde
Née à Metz. XIXe-XXe siècles. Française.
Dessinatrice.

Élève de Chateignon. Figura à l'exposition de Blanc et Noir de 1892.

CAHEN Rosine, Mlle
Née à Delme (Meurthe). xixᵉ siècle. Française.
Graveur, dessinatrice.
Élève de Bouguereau, Tony Robert-Fleury et Giacomotti. Elle exposa des portraits au fusain à l'exposition de Blanc et Noir 1886. Sociétaire des Artistes Français ; médaille d'or en 1924, hors-concours, elle est connue pour ses portraits et ses lithographies.

CAHEN Sara Marguerite
Née au xixᵉ siècle à Paris. xixᵉ siècle. Française.
Miniaturiste.
Exposa à Paris deux miniatures en 1900.

CAHEN Xavier
Né en 1962. xxᵉ siècle. Français.
Auteur d'installations.
Il montre ses œuvres dans des expositions personnelles : 1996 galerie J.-J. Donguy à Paris.
Bibliogr. : Paul Ardenne : *Xavier Cahen*, in : *Artpress*, n° 211, Paris, mars 1996.

CAHEN-BERGEROL Marcelle
Née à Paris. xxᵉ siècle. Française.
Peintre de figures, paysages et fleurs.
Elle a exposé au Salon des Artistes Indépendants à Paris à partir de 1927, au Salon d'Automne de 1929 à 1936 et à celui des Tuileries de 1930 à 1934.

CAHEN-MICHEL Lucien
Né le 21 juin 1888 à Paris. Mort le 3 juillet 1979. xxᵉ siècle. Français.
Peintre de paysages, natures mortes, graveur.
Élève de Gabriel Ferrier et Jules Adler, il a travaillé à Montigny-sur-Loing. À Paris, il a participé au Salon des Artistes Français, dont il est devenu sociétaire, obtenant une médaille d'argent en 1929. Il a également exposé au Salon des Artistes Indépendants.
Ventes Publiques : Paris, 15 mai 1931 : *Paysage à Montigny-sur-Loing* : **FRF 100** – Londres, 5 mai 1989 : *Dans le boudoir 1921*, h/t (180x112) : **GBP 2 310** – Paris, 12 déc. 1991 : *Nu au châle fleuri*, h/t (187x118) : **FRF 72 000**.

CAHENNY Jean-Pierre
Né le 24 juin 1816 à Soissons, d'origine suisse. xixᵉ siècle. Français.
Peintre, aquarelliste.
Cet artiste travaillait à Reims vers 1849. Le Musée de Soissons conserve de lui une aquarelle : *L'Arquebuse et la tour Lardier (Soissons)*.

CAHET. Voir **CAHAIS**

CAHIEUX. Voir **CAYEUX**

CAHILL Arthur
Né en 1879 à San Francisco (Californie). xxᵉ siècle. Américain.
Peintre et illustrateur.

CAHILL Richard Staunton
xixᵉ siècle. Britannique.
Peintre de scènes de genre, figures, aquarelliste.
Il exposa à Londres de 1853 à 1889 à la Royal Academy, à la British Institution, à Suffolk Street et à la New Water-Colours Society.
Ventes Publiques : Londres, 31 mars 1981 : *Le petit Chaperon rouge 1884*, h/t (76x40) : **GBP 310** – New York, 20 juil. 1994 : *Le rouet 1879*, h/t (61x91,4) : **USD 1 380**.

CAHILL William V.
Né au xixᵉ siècle à Syracuse (New York). Mort en 1924 à Chicago (Illinois). xixᵉ-xxᵉ siècles. Américain.
Peintre et illustrateur.
Élève de la Art Students' League à New York et membre du Salmagundi Club en 1903.

CAHN David ou **Johannes**
Né en 1861 à Mayence. xixᵉ siècle. Allemand.
Peintre de fresques, dessinateur.
Élève du Städelschen Institut de Francfort-sur-le-Main et d'Ed. von Steinles. Il a peint, d'après les esquisses de celui-ci, quatre fresques dans la cathédrale de Francfort.

CAHN Marcelle ou **Cahn-Debré**
Née en 1895 à Strasbourg (Alsace). Morte le 20 septembre 1981 à Neuilly. xxᵉ siècle. Française.

Peintre de techniques mixtes. Abstrait-lyrique et géométrique.
Sa formation artistique s'est déroulée à Strasbourg puis, durant la Première Guerre mondiale, à Berlin où elle a fréquenté le groupe *Der Sturm*. En 1919, elle est à Paris où elle rencontre Vuillard, Maurice Denis et Christian Bérard, tandis qu'elle connaît Munch à Zurich en 1922. A Paris en 1925, elle entre à l'Académie moderne où elle a comme professeur Léger et Ozenfant. A cette date, elle prend part à l'exposition *Art d'Aujourd'hui*, et en 1926 à l'exposition de la *Société Anonyme* au Brooklyn Museum. En 1930, elle participe à la grande exposition internationale du groupe Cercle et Carré, organisée par Michel Seuphor et qui réunissait tous les grands noms de l'art abstrait à tendance constructiviste. A cette occasion, elle se lie avec Mondrian et Arp. Entre 1950 et 1970, elle montre régulièrement ses œuvres au Salon des Réalités Nouvelles. Elle a fait des expositions personnelles à Paris en 1952, 1959, 1962, 1964, 1971, 1975, des expositions lui ont été consacrées également en 1982 et 1990, à Londres 1960, Milan 1964, Genève 1976, Zurich 1979, 1983, Stockholm 1984, Mulhouse et Strasbourg 1986, Besançon 1988. De 1972 à 1974, le Centre National d'Art Contemporain a organisé une exposition itinérante retraçant son évolution de l'époque puriste des années vingt à l'abstraction géométrique de l'après-guerre.
Si, à travers ses premières œuvres, comme *Les Raquettes de tennis* (1926), elle laisse transparaître encore l'influence d'Ozenfant, très rapidement, dès 1927, elle se définit, à travers *Les Bobines* par exemple, comme l'un des précurseurs de l'abstraction géométrique. Elle a eu le grand mérite de mener sa recherche, pendant de longues années, sans en retirer beaucoup de satisfaction auprès du public. Ses premières œuvres purement abstraites devaient encore à l'abstraction colorée et lyrique de la première période Kandinsky. De 1950 à 1970, son art s'est épuré, et dans son trait plus vigoureux et dans sa couleur fragile, comme cassée, qui tend vers la monochromie. Tout en restant fidèle à une structure abstraite géométrique, elle a su employer des effets graphiques, puis des éléments en reliefs : boules, disques, bâtonnets colorés, notamment pour *Détachement*, 1960 ou *Tension verticale*, 1961. A la fin de sa vie, alors que physiquement elle ne pouvait plus peindre, elle a fait des collages, utilisant toutes sortes de matériaux : papiers, cartons, autocollants. Marcelle Cahn semble toujours à la recherche de nouvelles expériences, elle ne s'enferme pas dans une seule idée très définie et son univers reste ouvert. Elle s'est elle-même bien analysée dans ses deux sollicitations : « J'ai par ailleurs toujours fait des choses lyriques, parce que j'avais besoin d'une certaine évasion et que l'œuvre lyrique est une évasion par rapport à l'œuvre construite, géométrique, qui, elle, est une véritable ascèse. Chez moi, les deux ont toujours cohabité. » ■ A. P.
Bibliogr. : In : *Diction. Univers. de la Peinture*, t. I, Le Robert, Paris, 1975 – in : Catalogue d'exposition *Marcelle Cahn*, galerie Denise René, Paris, 1975.
Musées : Strasbourg (Mus. des Beaux-Arts) : *Tension verticale* 1961.
Ventes Publiques : Paris, 25 oct. 1976 : *Composition*, collage (19x13) : **FRF 1 300** – Paris, 1ᵉʳ juil. 1981 : *Nature morte aux trois têtes 1924*, h/t (65x54) : **FRF 3 200** – Paris, 5 déc. 1983 : *Composition*, collage (25x32) : **FRF 6 000** – Paris, 16 mars 1987 : *Dessin 48*, gche, cr. et collage (40x34) : **FRF 8 000** – Paris, 26 juin 1987 : *Composition puriste 1925*, h/t (73x55) : **FRF 98 000** – Paris, 20 mars 1988 : *Composition aux cercles*, gche et collage/pap. (21,5x17,5) : **FRF 5 500** – Londres, 25 mai 1989 : *Verticalement 1957*, collage et gche/pap. (99,5x73) : **GBP 9 350** – Paris, 5 juil. 1989 : *Composition*, h. et collage (30,5x13,5) : **FRF 18 000** – Paris, 4 fév. 1990 : *Sculpture*, bois et reliefs en bois peints : **FRF 42 000** – Paris, 16 mai 1990 : *Sans titre 1974*, gche et collage (20x25) : **FRF 30 000** – Paris, 2 juil. 1990 : *Composition*, gche et collage (27,5x10) : **FRF 9 000** – Paris, 19 avr. 1991 : *Composition 1970*, collage (14x10,5) : **FRF 5 000** – Paris, 6 déc. 1991 : *Composition*, gche et collage/cart. (30,5x13) : **FRF 13 500** – Paris, 10 juin 1993 : *Composition 1970-72*, collage (18,7x15,5) : **FRF 4 500** – Paris, 25 mars 1994 : *Composition 1966*, gche et collage/pap. (20,5x27) : **FRF 4 000** – Paris, 12 oct. 1994 : *Mouvement 1948*, h/t (65,5x81) : **FRF 52 000** – Paris, 5 avr. 1995 : *Nus blancs 1925*, h/t (71x80) : **FRF 102 000** – Paris, 1ᵉʳ juil. 1996 : *Composition vers 1930*, cr. coul./pap. (19x25) : **FRF 7 000** – Paris, 24 mars 1997 : *Instruments de musique 1926*, h/t (40x65) : **FRF 200 000** – Paris, 19 oct. 1997 : *Courbe violente 1947*, h/t (46x55) : **FRF 10 000**.

CAHN Raymonde
Née à Paris. xxᵉ siècle. Française.

Pastelliste.
Sociétaire du Salon des Artistes Français.

CAHN-DEBRÉ Marcelle. Voir **CAHN Marcelle**

CAHOON Rolph
Mort en 1982. xxᵉ siècle. Américain.
Peintre de genre.
VENTES PUBLIQUES : BOSTON, 20 nov. 1984 : *Officiers et sirènes sur le pont*, h/cart. (63,5x86) : USD 2 900 – EAST DENNIS (Massachusetts), 28 mars 1987 : *Le galant entretien*, h/cart. (44,5x58,5) : USD 12 000 – NEW YORK, 17 mars 1988 : *Écuyères*, h/isor. (45x60) : USD 6 050.

CAHOREAU Gustave
Né en 1929. xxᵉ siècle. Français.
Sculpteur. Art brut.
Enfant chétif et malingre, Cahoreau, recueilli par l'Assistance Publique, est placé chez différents patrons. L'un deux, bienveillant, lui permet de tailler le bois dans des chevrons de récupération. Il en sortira des formes totémiques et des silhouettes humaines hiératiques, oushebtis égyptiens ou divinités tribales africaines, toutes sculptées avec sobriété et souci de l'équilibre des formes, dans des chevrons laissés à l'état brut.
MUSÉES : NEUILLY-SUR-MARNE (Mus. d'Art brut).

CAHOUET-LE-VIEIL Marie, Mme
Née à Paris. xxᵉ siècle. Française.
Miniaturiste.
Sociétaire du Salon des Artistes Français.

CAHOURS Henri Maurice
Né le 2 juillet 1889 à Paris. Mort en 1954. xxᵉ siècle. Français.
Peintre de genre, paysages.
Il a exposé au Salon des Artistes Français depuis 1920, obtenant une deuxième médaille en 1937, puis au Salon des Artistes Indépendants de 1922 à 1942 et à celui de la Société Nationale des Beaux-Arts depuis 1939. Ses scènes de genre présentent volontiers des scènes bretonnes.

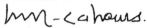

BIBLIOGR. : Angelo Mistrangelo : *Henri Maurice Cahours*.
MUSÉES : AMIENS (Mus. de Picardie) *Ile Tristan*.
VENTES PUBLIQUES : PARIS, 20 fév. 1926 : *La sortie de la procession (Bretagne)* : FRF 260 – PARIS, 2 juin 1943 : *L'étang*, aquar. : FRF 300 – PARIS, 22 juin 1981 : *Le port*, aquar. (29,5x37,5) : FRF 2 250 – ENGHIEN-LES-BAINS, 28 fév. 1982 : *La fenaison*, h/t mar. (93x188) : FRF 7 800 – ZURICH, 9 nov. 1984 : *Les falaises d'Etretat*, h/t (46x55) : CHF 2 600 – VERSAILLES, 25 mai 1986 : *Port de pêche en Bretagne*, h/t (46x55) : FRF 10 000 – VERSAILLES, 5 avr. 1987 : *Retour de pêche*, gche/pap. mar./t. (38x45) : FRF 7 100 – NEW YORK, 24 juin 1988 : *Nu masculin* 1967, cr. coul./pap. (49x40) : USD 6 050 – VERSAILLES, 7 fév. 1988 : *La campagne de Vence*, temp./pap. mar. (32,5x41) : FRF 2 400 – LE TOUQUET, 12 nov. 1989 : *Port breton à marée basse*, h/t (38x61) : FRF 54 000 – CALAIS, 8 juil. 1990 : *Le ramassage des foins*, h/pan. (45x55) : FRF 4 500 – PARIS, 17 mars 1991 : *La place Saint-Côme à Espalion*, h/t (33x42) : FRF 7 500 – NEUILLY, 17 juin 1992 : *Les goémoniers*, h/pan. (22x27) : FRF 5 000 – PARIS, 25 nov. 1993 : *Portrait de femme*, gche/pap. (23x20) : FRF 3 500 – PARIS, 10 mars 1994 : *La moisson*, h/pan. (91x182) : FRF 6 000 – PARIS, 26 sep. 1997 : *Plage animée en Bretagne*, h/t (73,5x92) : FRF 11 000.

CAHOUT Alice France, pseudonyme de **Drouart-Rousseau**
Née le 20 novembre 1891 à Vanves. xxᵉ siècle. Française.
Peintre.
Epouse de Raphaël Drouart, elle fut élève de Maurice Denis, Valloton et Sérusier à l'Académie Ranson. Elle a exposé au Salon des Artistes Indépendants à Paris entre 1922 et 1926. Ses toiles figuratives ont été marquées par l'influence de Maurice Denis et de Vallotton, dont elle a surtout retenu les sentiments profonds et le sens décoratif.

CAHUC G.
xIXᵉ siècle. Français.
Peintre de genre.
Il exposa au Salon de Paris de 1888.

CAHUN M. E.
xxᵉ siècle. Française.
Peintre.
Elle exposa aux Artistes Français en 1913.

CAHUSAC J. A.
xvIIIᵉ-xIXᵉ siècles. Britannique.
Peintre de genre, portraits, natures mortes, aquarelliste.
Cet artiste fut membre de la Royal Society of Artists avant 1791. Il exposa entre 1827 et 1853 à la Royal Academy, à la British Institution, à Suffolk Street et à la New Water Colours Society à Londres.

CAI BAOYU
Né en 1958 à Tian-jin. xxᵉ siècle. Chinois.
Peintre de natures mortes. Style occidental.
Il fit ses études à l'Académie des Beaux-Arts de Tian-jin, dans le département de peinture à l'huile et obtint son diplôme en 1982. Il entra à l'Académie Centrale des Beaux-Arts de Pékin et en sortit diplômé en 1987. Il obtint en 1994, la médaille d'or de la première Exposition de Peintures à l'huile de natures mortes, à Pékin. Il est professeur à l'Université Normale de Shou Du.
VENTES PUBLIQUES : HONG KONG, 30 oct. 1995 : *Nature morte* 1994, h/t (61x50,2) : HKD 36 800 – HONG KONG, 30 avr. 1996 : *Vœux de prospérité* 1995, h/t (80,6x64,5) : HKD 63 250.

CAI CHUFU ou **Choi Chor-Foo**
Né en 1942 à Wuzhao County (province du Guangxi). xxᵉ siècle. Chinois.
Peintre de paysages, fleurs.
Il fréquenta l'Académie des Beaux-Arts de Guangzhou de 1959 à 1963. Émigré à Hong-Kong au début des années 1970, il fut l'élève de Yang Shanshu de 1974 à 1987 et de Ding Yanyong en 1977-1978. Depuis 1976, il a participé à plus de cinquante expositions à Hong-Kong, Taiwan, au Japon et aux États-Unis. Soucieux du détail, il s'attache à reproduire la nature, dans sa profusion, sa luxuriance, dans des couleurs vives et lumineuses.
VENTES PUBLIQUES : HONG KONG, 30 mars 1992 : *Le chant d'un ruisseau dans la forêt* 1991, h/t (76x152,5) : HKD 143 000 – *Ode au printemps* 1991, h/t (76,2x111,7) : HKD 99 000 – HONG KONG, 28 sep. 1992 : *Automne doré* 1992, h/t (106,8x147,3) : HKD 198 000 – HONG KONG, 22 mars 1993 : *Fleurs de prunus* 1992, h/t (76x117) : HKD 172 500 – HONG KONG, 30 oct. 1995 : *Gondoles* 1990, h/t (91x122) : HKD 92 000.

CAI DIZHI ou **Ts'ai Ti-Tche** ou **Ts'ai Ti-Chih**
Né dans la province du Guangdong. xxᵉ siècle. Chinois.
Graveur sur bois de scènes de genre. Réaliste.
La déclaration de guerre sino-japonaise avait éparpillé les différentes associations de graveurs telles que l'Association de Guerre des Graveurs sur bois chinois (1937-1942) et plus tard, l'Association Chinoise de Recherche sur la Gravure sur bois (1942-1946). Le leader, Ye Fu, pionnier du genre, participait à l'établissement d'une coopérative d'outils de sculpteurs sur bois, tandis que Li Hua fondait la Société de Gravure moderne de Canton, qui devint le centre pour la Chine du Sud. La gravure sur bois, art simple et bon marché, attire de nombreux jeunes artistes patriotes, dont fait partie Cai Dizhi. Après avoir vu les ravages de la guerre, il aime à dépeindre les fermiers aux champs.

CAIGNARD Louis ou **Cagniard**
xvIIIᵉ siècle. Actif à Caen. Français.
Peintre.

CAIGNET Antoine et **Colart**
xvᵉ siècle. Actifs à Ecaussines. Éc. flamande.
Sculpteurs.

CAIGNIET
xvIIIᵉ siècle. Français.
Peintre, dessinateur.
En 1781, étant élève de l'École de dessin de Lille, il exposa dans cette ville au Salon de l'Académie des Arts : *Un groupe d'anges*.

CAIGNY J. de, née **Mourian**
Originaire de Gand. xIXᵉ siècle. Belge.
Peintre de genre.
Elle exposa en 1825 à Haarlem un *Intérieur paysan*. Peut-être identique à Julie de Caigny.

CAIGNY Julie de
xIXᵉ siècle. Française.
Peintre de paysages.
Exposa au Salon de Paris, entre 1839 et 1842, des paysages de Suisse, du Tyrol, des Ardennes.

CAI HAN ou **Ts'ai Han**, surnom **Nüluo**
Née en 1647. Morte après 1691. xvIIᵉ siècle. Active à Suzhou (province du Jiangsu). Chinoise.

Peintre.

Femme du peintre Mao Xiang, elle se spécialise dans les fleurs, les oiseaux et les paysages. Elle fait aussi des personnages.

Musées : Londres (British Mus.) : *Oiseaux Mynah dans un arbre Wutong* signé et daté 1691.

CAI JIA

Né vers 1680. Mort en 1760. XVIIIᵉ siècle. Chinois.

Peintre de sujets divers, paysages. Traditionnel.

Ventes Publiques : New York, 31 mai 1989 : *Paysage*, encre et pigments/pap., kakémono (174x102,8) : **USD 8 250** – New York, 1ᵉʳ juin 1992 : *Album de 8 feuilles de sujets variés* 1724, encre/pap. (21x26) : **USD 22 000** – New York, 21 mars 1995 : *Bambous, rocher et vieil arbre*, encre/pap., kakémono (32,1x59,4) : **USD 1 495** – New York, 27 mars 1996 : *Paysage*, encre et pigments/pap., kakémono (134,6x73,7) : **USD 9 200**.

CAIL Louis

Né à Paris. XXᵉ siècle. Français.

Sculpteur.

Il exposa à Paris au Salon des Artistes Français, en 1920-1921.

CAILAR Denyse

Née à Courbevoie (Hauts-de-Seine). XXᵉ siècle. Française.

Peintre de portraits, fleurs.

Exposa au Salon des Indépendants de 1939 à 1943.

CAILHOL François Marie

Né le 12 décembre 1810 à Marseille. Mort le 19 octobre 1853 à Marseille. XIXᵉ siècle. Français.

Sculpteur.

Il débuta comme apprenti chez un orfèvre, puis, suivant les conseils du peintre Latilla, il s'adonna complètement à la sculpture. Vers 1830, il fit de nombreux médaillons, notamment ceux du poète Mery et de J. Autran. En 1837, avide de connaître des pays nouveaux, il s'embarqua pour Rio de Janeiro où il acquit une certaine renommée. Mais son goût aventureux le fit partir pour le Mexique. Dévalisé en route, il put à peine sauver sa vie. Parvenu à Mexico, il gagna de là Philadelphie, puis Boston et enfin s'embarqua pour Londres. Il y devint directeur d'une fabrique de carton-pierre. Il revint à Marseille en 1840. Il y exécuta quelques beaux travaux de décoration, puis s'adonna à la politique qui le força à quitter Marseille pour Rome, en 1851. Ce fut là qu'il composa son chef-d'œuvre : *Pâris tenant la pomme*. Il revint à Marseille pour y mourir. Ce fut un artiste plein de fougue, à l'imagination très vive, au tempérament réaliste très puissant.

CAILLARD Christian Hugues

Né le 26 juillet 1899 à Clichy. Mort en 1985 à Paris. XXᵉ siècle. Français.

Peintre de genre, figures, paysages, natures mortes, aquarelliste, peintre de compositions murales, graveur, décorateur, dessinateur, illustrateur. Tendance expressionniste.

Il prépare l'Ecole Centrale d'ingénieurs, qu'il quitte en 1921, pour entrer à l'Académie Billoul, où il devient l'ami d'Eugène Dabit, qui se destinait à la peinture avant de devenir écrivain. En 1923 il rencontre le peintre solitaire Loutreuil, avec qui il travaille quelques années et dont il hérita l'atelier au Pré-Saint-Gervais, en 1925. De 1926 à 1928, il s'occupe d'une galerie de peinture, où il expose ses amis et ses admirations, et passe tous ses hivers au Maroc, dont la lumière et l'exotisme l'éblouissent définitivement. De 1929 à 1932, à la recherche d'autres dépaysements, il entreprend un périple autour du monde, faisant escale à Java, Bora-Bora, à la Martinique, en Indochine. Il voyage ensuite à la recherche de paysages nouveaux, en Bretagne, à Saint-Tropez, où il connaît Signac et Colette. Il continue ses voyages fréquents au Maroc, au Mexique et en Espagne, avec une interruption au moment où il est fait prisonnier pendant la guerre.

Il a exposé, depuis 1924, au Salon d'Automne dont il devient sociétaire, au Salon des Tuileries de 1927 à 1943, au Salon des Artistes Indépendants de 1935 à 1932, au Salon Comparaisons en 1957 et 1960, aux manifestations des Peintres de la Réalité poétique à partir de 1950. À partir de 1933, il expose personnellement à Paris, notamment : 1963 rétrospective à la galerie Durand-Ruel, 1986 hommage à la galerie J. P. Joubert, ainsi que 1987 rétrospective au musée palais Carnoles de Menton. Il obtient le Prix Blumenthal en 1934 et reçoit le Prix de l'Afrique du Nord en 1936.

Son œuvre, nourrie par ses nombreux voyages, traite des sujets exotiques baignés d'une lumière éclatante. Afin de faire ressortir ces scènes de genre, il utilise des procédés qui appartiennent à l'expressionnisme. À côté de ses tableaux, il est aussi l'auteur de décorations pour le Palais de la Découverte à Paris en 1937, et de fresques sur la vie du Bouddha au Musée Guimet en 1939. Il a aussi illustré *Belles Saisons* de Colette et *Mortefontaine* de Francis Carco.

Caillard

Caillard

Bibliogr. : J. Alazard : *Christian Caillard*, Paris, Pressédition, 1948 – M. Genevoix : *Christian Caillard*, Neuchâtel, 1965 – Lydia Harambourg, in : *L'École de Paris, 1945-1965. Diction. des Peintres*, Ides et Calendes, Neuchâtel, 1993.

Musées : Alger (Mus. des Beaux-Arts) : *Petite Marocaine en robe jaune* – New York (Mus. d'Art Mod.) – Paris (Mus. d'Art Mod.) : *La Petite Gitane – Le Couvent de Tosa (Espagne) – La Maison Blanche* – Strasbourg (Mus. d'Art Mod.).

Ventes Publiques : Paris, 22 juin 1949 : *Simone au boléro* : **FRF 40 000** – Paris, 23 nov. 1953 : *Le port de Sauzon (Morbihan)* : **FRF 54 000** – Genève, 12 mai 1962 : *La route au cyprès (Espagne)* : **CHF 2 250** – Versailles, 7 mars 1965 : *La grande bigoudène* : **FRF 2 000** – Paris, 24 avr. 1967 : *Rue de village* : **FRF 3 900** – Berne, 4 déc. 1972 : *Paysage espagnol* : **CHF 12 000** – Paris, 25 nov. 1976 : *Enfant sautant à la corde* 1943, h/t (100x65) : **FRF 9 500** – Genève, 10 nov. 1977 : *Les volets bleus*, h/t (60x73) : **CHF 3 600** – Paris, 17 oct. 1978 : *Port méditerranéen* 1949, h/t (65x100) : **FRF 7 500** – Versailles, 14 déc. 1980 : *Fillette assise au corsage rouge*, h/isor. (65x54) : **FRF 6 600** – Paris, 4 mars 1981 : *Danseuse devant la glace*, h/t (92x60) : **FRF 6 800** – Paris, 19 nov. 1982 : *Le jardinier annamite*, h/pap. mar./isor. (92x65) : **FRF 13 500** – Paris, 26 oct. 1983 : *Jeune marocain* 1960, h/t (73x54) : **FRF 16 500** – Versailles, 18 nov. 1984 : *La jeune Berbère*, h/pap. mar./t. (73x49,5) : **FRF 9 200** – Versailles, 19 juin 1985 : *Nature morte* 1984, h/t (65x81) : **FRF 20 000** – Paris, 21 mai 1986 : *Paysage* 1943, h/t (54x81) : **FRF 11 500** – Paris, 6 mars 1987 : *Jeune marocaine étendue* 1928, h/t (73x92) : **FRF 36 000** – Paris, 20 mars 1988 : *Jeune fille au châle* rouille, h/pan. (92x65) : **FRF 12 000** – Versailles, 20 mars 1988 : *Petite fille de Ceylan à la robe rose* 1964, h/isor. (81x65) : **FRF 16 300** – Paris, 15 juin 1988 : *Guillermo – le petit mexicain* 1976, h/isor. (92x65) : **FRF 32 000** – Paris, 24 juin 1988 : *Petite paysanne*, h/t (80x63) : **FRF 12 000** – Versailles, 25 sep. 1988 : *Le vase de tournesols sur la table bleue* 1979, h/cart. mar./pan. (65x81) : **FRF 16 800** – Versailles, 18 déc. 1988 : *Femme assise au fichu*, h/isor. (81x65) : **FRF 23 000** – Paris, 19 mars 1989 : *coucher de soleil au Maroc*, h/pan. (58x90) : **FRF 20 000** – Paris, 23 juin 1989 : *Jeune danseur*, h/pap. (92x60) : **FRF 13 000** – Strasbourg, 24 mars 1990 : *Paysage du Mexique*, h/t (54x81) : **FRF 13 500** – Calais, 4 mars 1990 : *Paysage du Midi* 1954, h/pan. (65x80) : **FRF 47 500** – Paris, 14 mars 1990 : *Paysage marocain*, h/pan. (64x90) : **FRF 34 000** – Paris, 14 déc. 1990 : *Paysage*, h/pan. (65x81) : **FRF 28 000** – Neuilly, 11 juin 1991 : *La plage*, h/isor. (65x81) : **FRF 25 000** – Calais, 4 juil. 1993 : *Nature morte au citron vert* 1980, h/pan. (65x81) : **FRF 25 000** – Paris, 8 juin 1994 : *Maison rose à Penmarch* 1966, h/t (53,5x73,5) : **FRF 4 500** – Paris, 26 mars 1995 : *Milouda la petite Marocaine* 1968, h/pan. d'isor. (54x73) : **FRF 6 000** – New York, 30 avr. 1996 : *Nature morte* 1979, h/rés. synth. (65x92) : **USD 1 840** – Paris, 30 oct. 1996 : *Lulu l'acrobate*, h/t rentoilée (116x60) : **FRF 9 500** – Paris, 25 mai 1997 : *Barques de pêche* 1954, h/cart./pan. isor. (54x81) : **FRF 6 000** – Paris, 23 juin 1997 : *Maison blanche aux volets rouges (Bretagne)*, h/t (65x80) : **FRF 6 000**.

CAILLARD Jacques

XVIIᵉ siècle. Actif au Mans en 1648. Français.

Peintre.

CAILLARD Jules

Né au XIXᵉ siècle à Paris. XIXᵉ siècle. Français.

Peintre.

Il eut pour maîtres Cabanel et Hébert, et exposa au Salon, entre 1868 et 1880, des paysages, des sujets de genre et des portraits.

CAILLARD Pierre

Né vers 1754 à Moulins. XVIIIᵉ siècle. Français.

Peintre.

Élève de Pajou à l'École de l'Académie à Paris où il entra le 19 avril 1778.

CAILLAT Jean Antoine Claude
Né vers 1765 à Lyon. xviiiᵉ siècle. Français.
Peintre.
Il vint à Paris et fut élève de Brevet à l'École de l'Académie Royale en 1787.

CAILLAT Rollet
xviᵉ siècle. Français.
Peintre verrier.
Il est cité à Marseille entre 1528 et 1535.

CAILLAU Fernand J. P.
Né le 24 juin 1854 à Agen (Lot-et-Garonne). xixᵉ-xxᵉ siècles. Français.
Sculpteur.
Il exposa au Salon jusqu'en 1927 ; en 1918, il avait figuré à l'Exposition de la Ville de Paris, au Petit Palais.

CAILLAUD Alfred Benoît
Né au xixᵉ siècle à La Rochelle. Mort le 11 février 1940. xixᵉ-xxᵉ siècles. Français.
Peintre de genre, intérieurs, natures mortes, fleurs et fruits.
Élève de Fromentin, il commença à exposer au Salon en 1879, y figurant jusqu'en 1937 ; dès 1889 il avait pris part aux Expositions des Indépendants. Il a peint des fleurs, des fruits, des natures mortes, des intérieurs et quelques tableaux de genre ; on cite surtout ses natures mortes avec gibier.
VENTES PUBLIQUES : VERSAILLES, 17 nov. 1963 : *Nature morte* : FRF 1 200.

CAILLAUD Aristide
Né le 28 janvier 1902 à Moulins (Deux-Sèvres). Mort le 26 septembre 1990 à Jaunay-Clan (Vienne). xxᵉ siècle. Français.
Peintre d'histoire, sujets religieux, compositions mythologiques, scènes de genre, paysages, peintre à la gouache, illustrateur. Naïf.
Tout d'abord berger, puis charcutier, il est fait prisonnier en Allemagne pendant la Seconde Guerre mondiale et éprouve alors le besoin de reconstruire les murs du baraquement, le monde familier dont il était privé et d'y exprimer les interrogations que les circonstances imposaient à son esprit. De retour en France, il décide de se consacrer à sa nouvelle vocation. En 1949, Dubuffet le fait participer à l'exposition de *L'Art brut*, tandis qu'il expose au Salon d'Art Sacré. Il participe à Paris aux Salon des Peintres Témoins de leur temps, d'Automne, d'Art Sacré entre 1954 et 1957, de Mai de 1957 à 1961, ainsi que : 1956 Biennale de Menton où il obtient la médaille d'or, 1957 Biennale de São Paulo, 1964 Biennale de Tokyo. Il montre ses œuvres dans des expositions personnelles, à Paris depuis 1950 : 1976 musée d'art moderne de la ville, 1982 centre Georges Pompidou, à partir de 1984 à la galerie Vanuxem, ainsi que : 1978 musée Sainte-Croix de Poitiers et musée des beaux-arts de Tours, 1986-1987 musées de Niort, Bressuire, Châtellerault et Saintes.
Il peint, avec minutie et sur des grands formats, ses souvenirs d'enfance dans des scènes villageoises, des vues de villes avec toute la fraîcheur de vision d'un jeune campagnard arrivant à la ville. Dans sa toile *Venise*, il traduit par exemple, les impressions reçues par une âme pure dans la cité la plus « culturelle » qui soit. En continuant de peindre des *Crèches, Baptêmes du Christ, Saint François d'Assise*, il renouvelle les sujets religieux, par la naïveté rusée de son regard. Il doit être un cas unique d'artiste à qui son mode d'expression permet d'exposer à la fois à l'Art Brut, à l'Art Sacré et au Salon de Mai. Ses compositions monumentales, sans perspective, sont peuplées d'une profusion de détails qui semblent emboîtés les uns dans les autres, et dont les couleurs ne cachent pas leur crudité. Il analyse joliment son propre processus créateur en disant : « Lorsque je peins, mon tableau vient lentement comme un arbre qui pousse dans un rêve. » Il a également peint un carton de tapisserie *Le Village*, pour la Manufacture des Gobelins, fait des modèles de tissus et illustré des livres.
■ J. B.
BIBLIOGR. : In : *Diction. Univers. de la Peinture*, Le Robert, Paris, 1975 – Lydia Harambourg, in : *L'École de Paris, 1945-1965. Diction. des Peintres*, Ides et Calendes, Neuchâtel, 1993.
MUSÉES : NICE (Mus. Anatole Jakovsky) – PARIS (Mus. d'Art Mod.) : *Venise*.
VENTES PUBLIQUES : VERSAILLES, 9 mai 1962 : *Le soleil marin* : FRF 1 680 – HONFLEUR, 3 oct. 1976 : *Composition* 1957, h/t (64x53) : FRF 9 100 – VERSAILLES, 25 mai 1977 : *Le Paon* 1972, gche (22,5x18) : FRF 2 000 – VERSAILLES, 25 mai 1977 : *Le Paon* 1972, gche (22,5x18) : FRF 2 000 – VERSAILLES, 8 juin 1977 : *Le*

Château de Roquebilleres 1969, h/t (65x92) : FRF 14 000 – VERSAILLES, 26 fév. 1978 : *Paysage*, h/pan. (66,5x48) : FRF 5 000 – PARIS, 9 déc. 1981 : *Paysage imaginaire de glacier*, h/t (81x62) : FRF 5 100 – VERSAILLES, 9 juin 1982 : *Composition*, h/t (80,5x60) : FRF 20 000 – PARIS, 1ᵉʳ juin 1983 : *Marin pêcheur*, h/isor. (31x44,5) : FRF 6 200 – PARIS, 6 fév. 1984 : *La Guerre* 1962, h/t (96x107) : FRF 32 000 – PARIS, 9 déc. 1985 : *La Balance* 1961, h/pan. (91x55) : FRF 36 000 – VERSAILLES, 7 déc. 1986 : *Venise*, h/cart. (69x53,5) : FRF 20 000 – PARIS, 18 mai 1987 : *La Poussette*, h/t (38x55) : FRF 6 500 – PARIS, 19 mars 1988 : *La Presqu'île*, h/t (130x90) : FRF 35 000 – PARIS, 20 nov. 1989 : *Sans titre* vers 1980, h/t (55x46) : FRF 40 000 – PARIS, 22 déc. 1989 : *Femme au corsage rouge*, h/cart. (54x37) : FRF 12 000 – PARIS, 3 juin 1992 : *Jeune Fille sous l'arbre*, h/t (48x77) : FRF 78 000 – PARIS, 8 juin 1994 : *Paysage rouge*, h/pap./t. (46x61,5) : FRF 13 000 – PARIS, 29 nov. 1996 : *Tête*, past. et h/pap. (53x44) : FRF 5 500 – PARIS, 24 mars 1997 : *L'Arbre du voyage* 1976, h/t (116x73) : FRF 40 000 – PARIS, 19 oct. 1997 : *La Porte du jardin* 1976, h/t (116x73) : FRF 36 000 – PARIS, 21 oct. 1997 : *Ophélie rustique*, h/t (146x96) : FRF 22 500.

CAILLAUD Louis
xxᵉ siècle. Français.
Illustrateur.
Il a illustré *La Vie littéraire des Œuvres complètes* d'A. France, et *Études, portraits, documents, biographies*, relatifs à Marcel Proust.

CAILLAULT, Mme
xixᵉ siècle. Française.
Miniaturiste portraitiste.
Elle exposa au Salon de 1838.

CAILLAUX
xxᵉ siècle. Français.
Peintre.
Il a peint un panneau pour la chapelle de l'Oflag IV D.

CAILLAUX Clémentine, Mme
Née au xixᵉ siècle à Cinq-Mars-la-Pile (Indre-et-Loire). xixᵉ siècle. Française.
Peintre.
Élève de M. Albert. Peignit sur porcelaine.

CAILLAUX Gustave Théophile
Né dans la seconde moitié du xixᵉ siècle à Paris. xixᵉ siècle. Français.
Lithographe.
Sociétaire du Salon des Artistes Français. Troisième médaille en 1895.

CAILLAUX Rodolphe
Né le 11 novembre 1904 à Paris. Mort en décembre 1989. xxᵉ siècle. Français.
Peintre de paysages, portraits et genre. Expressionniste.
Dès 1928, il participe au Salon des Artistes Indépendants, puis au Salon d'Automne dont il deviendra sociétaire en 1957. Après la guerre, on le retrouve au Salon des Peintres Témoins de leur Temps et au Salon Comparaisons, dont il est président en 1968. Ses compositions robustes révèlent une intention expressionniste toujours figurative.
MUSÉES : ALGER – ORAN – PAU – RODEZ – SAÏGON.
VENTES PUBLIQUES : PARIS, 17-18 nov. 1943 : *L'étang* : FRF 500 – VERSAILLES, 3 déc. 1961 : *Jeune Grecque à la mandoline* : FRF 5 000 – VERSAILLES, 21 oct. 1990 : *Clown musicien*, h/t (46x38) : FRF 9 000 – FONTAINEBLEAU, 18 nov. 1990 : *Clown burlesque* 1978, h/t (94x75) : FRF 51 000.

CAILLÉ
xviiiᵉ siècle. Français.
Graveur.

CAILLE Fanny
Née au xixᵉ siècle à Paris. xixᵉ siècle. Française.
Peintre de portraits.
Elle étudia sous la direction de Chaplin et exposa au Salon à partir de 1869. Elle participa en 1886 à l'Exposition d'Angers et au Salon de Blanc et Noir.
VENTES PUBLIQUES : LONDRES, 27 oct. 1993 : *Dame lisant*, h/t (44,5x39) : GBP 2 070.

CAILLÉ Jacques Henri Jean
Né à Paris. xxᵉ siècle. Français.
Graveur.
Élève de Dezarrois. Il a exposé eaux-fortes et burins au Salon des Artistes Français jusqu'en 1933.

CAILLE Jean François
Né vers 1765 à Paris. XVIIIᵉ siècle. Français.
Sculpteur.
Cet artiste entra à l'École de l'Académie le 1ᵉʳ novembre 1782 comme élève de Gois et il la fréquentait encore en 1786. Son père était graveur, établi quai de l'Horloge.

CAILLÉ Joseph Michel
Né le 17 mars 1836 à Nantes (Loire-Atlantique). Mort le 18 août 1881 à Nantes. XIXᵉ siècle. Français.
Sculpteur de statues, groupes.
Élève, dans sa ville natale, du statuaire Ménard, il entra en 1856 à l'École Nationale des Beaux-Arts où il eut pour maîtres Duret et Guillaume.
Il débuta au Salon de 1863. Médaillé en 1868, 1870, 1874 et 1878, il y exposa, pour la dernière fois, en 1880.
Il est l'auteur du *Voltaire* érigé quai Malaquais à Paris.
Musées : NANTES : *Aristée pleurant ses abeilles* – Fondation de Marseille – *Bacchante jouant avec une panthère* – *Mirabeau*.
Ventes Publiques : PARIS, 27 mars 1985 : *Bacchante tenant une grappe de raisin et jouant avec une panthère* 1872, bronze, patine brun-vert (185x94x90) : FRF 160 000.

CAILLE Léon Emile
Né en 1836 à Merville (Nord). Mort en 1907. XIXᵉ siècle. Français.
Peintre de scènes de genre.
Élève de Léon Coigniet et d'Edmond Castan, il participa, à partir de 1861, au Salon des Artistes Français dont il est devenu membre. Il exposa également à Londres en 1878.
Il peint avec facilité et économie de moyens, des scènes empreintes d'une certaine sentimentalité, comme *Mère et enfant* – *La bouillie* – *Près de l'âtre* – *La becquée*.

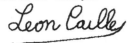

Bibliogr. : Gérald Schurr : *Les Petits Maîtres de la peinture 1820-1920, valeur de demain*, Les Éditions de l'Amateur, t. III, Paris, 1976.
Musées : LILLE : *Près de l'âtre* – LUXEMBOURG (Mus. mun.) : *Mère et enfant*.
Ventes Publiques : PARIS, 1898 : *Laveuse* : FRF 145 – NEW YORK, 7 fév. 1901 : *Intérieur avec une mère et son enfant* : USD 90 – NEW YORK, 24-25-26 fév. 1904 : *Le bonheur domestique* : USD 190 – LONDRES, 2 déc. 1907 : *Une joyeuse famille* : GBP 31 10s – PARIS, 22 jan. 1921 : *La jeune mère* – *Le départ pour l'école* : FRF 430 – PARIS, 17 mai 1950 : *Scène de famille paysanne* : FRF 34 000 – PARIS, 9 et 10 nov. 1953 : *Scène d'intérieur : l'amour familial* : FRF 62 000 – LONDRES, 1ᵉʳ fév. 1961 : *Lecture aux enfants* : GBP 130 – LONDRES, 10 nov. 1971 : *Paysanne et son enfant* : GBP 420 – LONDRES, 16 juin 1972 : *Le baiser* : GNS 1 100 – NEW YORK, 14 mai 1976 : *Une famille heureuse*, h/pan. (24x32,5) : USD 2 900 – NEW YORK, 28 avr. 1977 : *La Dinette au coin du feu* 1868, h/pan. (27x22) : USD 3 250 – LONDRES, 22 nov. 1978 : *Soleils au bord de la Seine* 1885-86, h/t (92,3x73) : USD 70 000 – LOS ANGELES, 15 août 1979 : *Le Bain de bébé* 1893, h/t (76,2x63,5) : USD 2 400 – NEW YORK, 25 oct. 1984 : *Mère et enfant dans un intérieur* 1881, h/pan. (32,7x23,5) : USD 4 200 – LONDRES, 26 nov. 1986 : *Jeune femme berçant son enfant* 1889, (31,5x22,5) : GBP 6 000 – LONDRES, 26 fév. 1988 : *En admiration devant le bébé* 1877, h/pan. (21,5x30) : GBP 2 090 – PARIS, 29 juin 1988 : *Le souper à la ferme* 1873, h/pan. (16x11) : FRF 17 000 – NEW YORK, 23 oct. 1990 : *Mère et enfants* 1888, h/t (92,7x66) : USD 9 900 – LONDRES, 28 nov. 1990 : *Le berceau à bascule* 1891, h/pan. (27,5x22) : GBP 2 640 – LE TOUQUET, 10 nov. 1991 : *Adieu la vaisselle*, h/pan. (23x18) : FRF 21 500 – LE TOUQUET, 8 juin 1992 : *Bébé s'endort*, h/pan. (22x16) : FRF 12 000 – NEW YORK, 29 oct. 1992 : *La Fileuse* 1882, h/pan. (24,2x18,7) : USD 2 200 – NEW YORK, 12 oct. 1993 : *Le Futur Général* 1889, h/t (73,7x100,3) : USD 10 350 – LOKEREN, 12 mars 1994 : *Intérieur campagnard* 1873, h/pan. (16x12) : BEF 28 000 – LONDRES, 17 mars 1995 : *Son orgueil et sa joie* 1866, h/pan. (31,5x24) : GBP 7 130 – LOKEREN, 20 mai 1995 : *Bonheur domestique* 1877, h/pan. (24x32) : BEF 130 000 – PARIS, 21 mars 1996 : *Famille paysanne devant l'âtre* 1876, h/t (21x15,5) : FRF 14 000 – LONDRES, 14 juin 1996 : *Le Pôle d'attraction* 1878, h/pan. (45x55,6) : GBP 35 050 – LONDRES, 17 oct. 1996 : *Le Retour des chasseurs*, h/t (53,4x64) : GBP 2 760 – LONDRES, 26 mars 1997 : *Blanchisseuse*, h/t (41x33) : GBP 3 450 – LONDRES, 12 juin

1997 : *Mère et enfant devant l'âtre de la cuisine*, h/pan. (35x26,5) : GBP 3 450.

CAILLE Pierre
Né en 1912 à Tournai. XXᵉ siècle. Belge.
Céramiste, sculpteur, lithographe. Fantastique-populiste.
Malgré des études de peinture à l'Abbaye de la Cambre à Bruxelles, il s'est vite orienté vers les arts décoratifs. En 1937, l'architecte Van de Velde lui a demandé des céramiques pour le pavillon belge à l'Exposition Universelle de Paris. Il transgresse désormais la frontière artificielle entre art décoratif et sculpture. Il exécute des intégrations architecturales au casino d'Ostende ou au Palais Provincial de Mons. La Belgique lui doit un renouveau national de la céramique. Il a enseigné à l'Ecole National d'Architecture et des Arts Décoratifs depuis 1949. En 1956 il a participé à l'Exposition Internationale de Sculpture au Musée Rodin à Paris. Se manifestant rarement, il a toutefois montré un ensemble important de ses sculptures polychromes, à Bruxelles en 1991. Il remporta différents Prix, parmi lesquels le Prix Palm Beach du Festival de Cannes, à l'exposition des chefs-d'œuvre de la céramique moderne en 1955, ainsi que le Prix International de Syracuse à New York en 1959.
Dans ces dernières années, il a réalisé des sculptures en cuivre martelé, où les réminiscences de l'antiquité extrême-orientale s'allient à un solide humour populaire belge. Il crée un petit monde de bonshommes et de bestioles, intervertissant volontiers leurs attributs : des pattes d'insectes ou des plumes de paon aux personnages par ailleurs solennels, des lunettes aux papillons.
Ventes Publiques : ANVERS, 9 mai 1979 : *Totem* 1963, céramique (H. 78) : BEF 30 000 – BRUXELLES, 21 mai 1980 : *Trois personnages et soleil*, h/pan. (140x100) : BEF 20 000 – AMSTERDAM, 31 mai 1994 : *Animal*, céramique vernissée (H. 36,5) : NLG 1 725.

CAILLEAU Georges
XIXᵉ-XXᵉ siècles. Belge.
Peintre.
Il prit part, en 1910, à l'Exposition Universelle de Bruxelles avec : *Basilique de Bethléem* et *Mare aux chevreuils*.

CAILLEAU Hubert ou **Caillaux, Cailliau, Caillau**
Né vers 1526 à Valenciennes. Mort vers 1590. XVIᵉ siècle. Français.
Miniaturiste.
Il travailla dans sa ville natale jusqu'en 1576. Le premier livre qu'il décora porte la date de 1544. Il est conservé avec sept autres manuscrits (Graduels et Antiphonaires), enrichis de miniatures de Cailleau, à la Bibliothèque de Douai.

CAILLEBOTTE Gustave
Né le 19 août 1848 à Paris. Mort le 21 février 1894 à Gennevilliers (Hauts-de-Seine). XIXᵉ siècle. Français.
Peintre de figures, nus, portraits, paysages, natures mortes. Réaliste, impressionniste.
Né d'une riche famille bourgeoise, Gustave Caillebotte est surtout connu comme mécène, collectionneur, ami généreux des Impressionnistes qu'il défend et avec lesquels il expose, une fois devenu peintre lui-même. Il avait fait des études juridiques, licencié en droit en 1870, il avait été mobilisé la même année pour combattre dans le conflit franco-prussien. Démobilisé en 1871, il entre, l'année suivante dans l'atelier de Bonnat afin de se préparer au concours d'entrée à l'École des Beaux-Arts de Paris, qu'il réussit en 1873. En 1874, année de la mort de son père, qui laisse une grosse fortune à sa veuve et à ses quatre fils, Caillebotte ne participe pas à la première exposition impressionniste chez Nadar, mais connaît alors Degas qui l'introduit auprès du groupe de ces artistes refusés au Salon officiel. Lui-même est refusé au Salon de 1875 et, lors d'une vente de peintures impressionnistes, achète quelques-unes de ces toiles, commençant ainsi une collection qui devait devenir le fonds du Musée du Luxembourg puis d'Orsay. Sur l'invitation de Renoir et de Rouart, il participe à la seconde exposition des Impressionnistes, chez Durand-Ruel, en 1876, année de la mort de son frère cadet, ce qui l'incite à rédiger un premier testament, afin de donner les tableaux qu'il possède à l'État. Il participe ensuite aux expositions impressionnistes en 1877, 1879, 1880. En 1881, il s'oppose à Degas et décide de ne pas prendre part à la manifestation. On le retrouve à l'exposition de 1882, mais non à celle de 1886 qui réunit une dernière fois les Impressionnistes. Cette année-là, Durand-Ruel organise une exposition d'artistes impressionnistes à New York, à laquelle Caillebotte participe. En 1888, il est

également présent à l'exposition du groupe des XX à Bruxelles, et à l'exposition : *Peintres impressionnistes et postimpressionnistes*, à Paris, chez Durand-Ruel. En 1894, l'année de sa mort brutale, survenue à la suite d'une congestion cérébrale, Durand-Ruel organise une rétrospective, mais l'œuvre de Caillebotte est ensuite oublié, le Salon d'Automne de 1921 lui consacre cependant un hommage, tandis qu'en 1951, Wildenstein redonne l'occasion de voir l'œuvre de Caillebotte dans son ensemble. Enfin, à l'occasion du centenaire de sa mort, en 1994, les Galeries nationales du Grand Palais à Paris ont organisé une grande rétrospective, présentée ensuite à l'Art Institute de Chicago en 1995. Les correspondances de Monet, Renoir, Pissarro, Sisley témoignent des générosités de Gustave Caillebotte à leur égard. Tout au long de sa courte vie, il leur achète des toiles, leur fait des avances d'argent, les loge (en particulier Monet), les réunit, les aide dans l'organisation d'expositions et enfin stipule, par testament, sa volonté absolue de léguer sa collection au Musée du Luxembourg, insistant sur le fait que « ces tableaux n'aillent ni dans un grenier ni dans un musée de province mais bien au Luxembourg et plus tard au Louvre ». Devant le sacrilège que représentait l'entrée des Impressionnistes au Louvre, Gérome et les professeurs de l'École des Beaux-Arts ont menacé de démissionner. Renoir, exécuteur testamentaire, a tenu bon et le legs a été en partie accepté : sur la soixantaine d'œuvres qui devaient être exposées au Musée du Luxembourg, quarante sont retenues et présentées dans une annexe du musée, spécialement construite à cet effet. Ces œuvres rentreront, plus tard, au Musée d'Orsay. La générosité de Caillebotte va de pair avec la sincérité de son engagement dans tout ce qu'il entreprend : lorsqu'il s'adonne au canotage à Yerres, où il a une propriété familiale, c'est à la manière d'un sportif qui participe à des compétitions. Plus tard, lorsqu'il est à Gennevilliers, où il achète une maison en 1881, il se passionne pour la voile, s'intéressant et participant lui-même à la construction des voiliers avec lesquels il gagne des régates. À Gennevilliers également, il s'occupe de l'administration de la commune avec une générosité paternelle. Lorsqu'il partage sa vie, à partir de 1883, avec Charlotte Berthier, qui s'appellait en réalité Anne Marie Hagen, il prend soin de protéger sa vie matérielle en prévoyant une rente viagère qui lui sera versée à sa mort. Ainsi, toute sa vie est teintée de générosité et marquée par l'engagement.

Dès sa première participation à l'exposition impressionniste de 1876, il s'engage comme un peintre réaliste en accrochant *Les Raboteurs de parquet*, dont le sujet populaire choque certains qui lui reprochent de ne pas avoir profité de cette occasion pour peindre de « beaux » nus. Cependant que Marius Chaumelin n'hésite pas à écrire : « Dans ses *Raboteurs*, Caillebotte s'annonce comme un réaliste aussi cru, mais bien autrement spirituel que Courbet, aussi violent mais bien autrement précis que Manet ». S'il traite ce sujet avec une précision indéniable, il ose une composition, une mise en page qui fait penser à Degas, tandis qu'il se range dans le courant réaliste de la littérature contemporaine, représenté par Zola. Il reprend volontiers ce thème du travail, non seulement sur le même sujet, mais aussi sur d'autres travaux, comme *Les Peintres en bâtiment*. Caillebotte semble d'ailleurs fasciné par la vie moderne, notamment à Paris, dont il ne donne pas de vues pittoresques, mais peint les grands boulevards tracés par Haussmann ou des constructions récentes comme *le Pont de l'Europe* 1876, dont l'armature en X est soulignée par la composition même du tableau. L'économie des couleurs, variant entre les gris et les blancs teintés, ajoute à la sobriété de cette toile qui, à l'époque, a fait remarquer la dimension sociale de ce lieu, puisqu'un couple bourgeois y croise un ouvrier... Comme bien souvent, ce thème a été repris selon quelques variantes, dont l'une, de 1876-77, met davantage l'accent sur la construction métallique du pont, en montrant les personnages de dos et en partie coupés, tandis que les touches de gris, bleus violacés sont posées avec bien plus de liberté. À ses débuts, Caillebotte montre son goût pour la peinture très travaillée et bien finie, ce qui fait dire à l'un des critiques de l'époque, à propos de *Rue de Paris, temps de pluie*, qu'il « n'est impressionniste que de nom ». Cette toile est surtout étonnante par sa composition, coupée en deux par un réverbère, mais réussissant toutefois à donner le sentiment d'une dissymétrie en opposant, à droite, au premier plan, un couple sous un parapluie, tandis qu'à gauche, plusieurs petits personnages, plus éloignés, sont répartis suivant les grandes artères de la ville. Il a

également opposé ces deux parties en traitant le trottoir de droite, d'une manière extrêmement lisse et brillante, alors que les pavés, à gauche, sont rugueux et peints à touches rapides. L'unité est donnée par les tons sobres et limités.

Parallèlement à sa vie parisienne, Caillebotte passe une partie de son temps dans la propriété familiale de Yerres, où il peint son univers familier, tel *Portraits à la campagne* 1876, montrant des femmes bourgeoises occupées à des travaux de couture dans un jardin, étagées dans une composition en diagonale, qui part du gris-bleu d'une robe pour arriver au rouge vif d'un massif de fleurs, en passant par le noir des vêtements de vieilles femmes. Il évoque également l'une de ses occupations favorites : le canotage, dont il peut donner une image très forte, avec les *Canotiers* 1877. S'il n'excelle pas encore dans ses représentations aquatiques, comme le font ses amis Renoir ou Monet, il a su, à nouveau dans cette toile, surprendre par sa mise en page, sa manière de couper la barque sur laquelle les canotiers sont représentés en plein effort, dans une palette claire et une touche vigoureuse qui les rapprochent toutefois des Impressionnistes. Caillebotte n'a cessé d'évoluer entre la campagne, les bords de l'eau et Paris, c'est pourquoi, dans les années 80, on retrouve des sujets citadins et notamment des vues prises des fenêtres et balcons de Paris. Il passe alors de l'intérieur, avec, par exemple, *Intérieur, femme à la fenêtre* 1880, à la vue du balcon : *Un Balcon, boulevard Haussmann* 1880, à la vue plongeante, comme *Le Boulevard vu d'en haut*, où n'apparaissent plus ni fenêtres, ni balcons. Certaines de ces toiles sont chargées d'un contenu psychologique intense, c'est le cas d'*Intérieur, femme à la fenêtre* 1880, où le thème de l'ennui conjugal est traité avec force, montrant une silhouette féminine vue de dos, dans un intérieur bourgeois, elle est tournée vers le monde extérieur que matérialise la fenêtre, tandis que son mari, assis dans un fauteuil, lit son journal. La lumière pénètre dans cet intérieur, en opposition à la silhouette sombre de la femme qui se tourne vers l'extérieur flou où l'on distingue vaguement une autre silhouette dans l'immeuble d'en face, tandis que des lettres dorées d'une enseigne se détachent plus distinctement. Huysmans s'est enthousiasmé pour cette toile d'une facture très libre et dont il a développé le contenu psychologique avec beaucoup de verve. Vers la fin de sa vie, Caillebotte retrouve encore les bords de Seine à Argenteuil, habitant une bonne partie du temps au Petit Gennevilliers. C'est l'époque où il peint *Voiliers à Argenteuil* 1888, enfin *Régates à Argenteuil* 1893, travaillant dans une palette claire à touches épaisses et serrées. Caillebotte ne s'est pas cantonné dans les vues de Paris et des bords de Seine, il a traité bien d'autres sujets, dont quelques nus, notamment un *Homme au bain* 1884, dont la posture inélégante n'est pas sans rappeler celle de certains personnages de Degas. Il est l'auteur de portraits, dont celui d'*Henri Cordier*, mais aussi d'autoportraits, l'un en 1888-89, vigoureux, dans des tons bruns et ocres, qui rappelle celui de Van Gogh, l'autre, à la fin de sa vie, dans des tonalités gris-bleu, pathétique, austère. Il s'est également essayé à la nature morte, peignant des *Fruits à l'étalage* 1880-1882 ou des *Poulets et gibier à l'étalage* 1882 qui ont parfois frappé ses contemporains par leur manque de raffinement. Enfin, en 1893-1894, il a peint des fleurs : chrysanthèmes, capucines, orchidées, s'inspirant des plantes qu'il cultivait dans son jardin, dans des compositions très proches de celles des estampes japonaises.

Caillebotte passe d'un art réaliste, très travaillé, à résonance bourgeoise ou même parfois populiste, à un art qui se fait l'écho de celui des Impressionnistes, peignant certaines toiles à larges coups de pinceau serrés et généreux, comme le montre *Le Père Magloire sur le chemin de Saint-Clair à Étretat* 1884, où cet homme en blouse bleue, vu de dos, remonte un chemin crayeux, d'un blanc éclatant sous le soleil, dans une composition simplifiée au possible, qui ne cède à aucun pittoresque : pas une fleur, ni un arbre, rien que la route blanche, le ciel bleu, l'homme habillé de bleu et au loin une petite silhouette noire. L'exposition de 1994-1995 à Paris, puis à Chicago, a permis de réhabiliter, non seulement un mécène, collectionneur généreux, mais aussi un véritable peintre qui n'a pas seulement subi l'influence des Impressionnistes mais avait des innovations reprises ensuite par d'autres artistes, il en est ainsi, comme le fait remarquer Marie Berhaut de : « certaines vues plongeantes des boulevards, prises des fenêtres de son appartement annonçant les compositions analogues que Pissarro exécutera une vingtaine d'années plus tard ». Toutes ces qualités font de Caillebotte un personnage très attachant et un peintre résolument engagé dans la modernité.

■ Annie Pagès

ℐ Cai'lle bott

BIBLIOGR. : J.K.T. Varnedoe : *Gustave Caillebotte*, Adam Biro, Paris, 1988 – Catalogue de l'exposition : *Gustave Caillebotte*, Réunion des Musées Nationaux, Paris, 1994 – M. Berhaut : *Caillebotte, catalogue raisonné des peintures et pastels*, Wildenstein Institute, Paris, 1994 – Jean-Jacques Lévêque : *Gustave Caillebotte, l'oublié de l'Impressionnisme*, ACR Édition, Paris, 1994.

MUSÉES : AGEN (Mus. des Beaux-Arts) : *Baignade ou Le Plongeon 1877* – ALGER (Mus. des Beaux-Arts) : *Homme au chapeau haut de forme, assis près d'une fenêtre 1880* – BAYEUX (Mus. Baron Gérard) : *Portraits à la campagne 1876* – BLOOMINGTON (Indiana University Art Mus.) : *L'Yerres, effet de pluie 1875* – BOSTON (Mus. of Fine Arts) : *Fruits à l'étalage 1880-82* – CHICAGO (Art Inst.) : *Rue de Paris, temps de pluie 1877* – La Chaumière, Trouville *vers 1882* – COLOGNE (Wallraf-Richartz Mus.) : *Linge séchant au bord de la Seine, Petit Gennevilliers* – FORT WORTH (Kimbell Art Mus.) : *Le Pont de l'Europe 1876-1877 (?)* – GENÈVE (Mus. du Petit Palais) : *Le Pont de l'Europe 1876* – *Le Lièvre 1882* – *Le Père Magloire allongé dans un bois, ou Claude Monet faisant la sieste 1884* – *Homme en blouse, dit Le Père Magloire, dit aussi Claude Monet à Étretat 1884* – *L'Enfant au canapé 1885* – *Paris sous la neige 1886* – HARTFORD (Wadsworth Atheneum) : *La sieste 1877* – HOUSTON (Mus. of Fine Arts) : *Madame Boissière tricotant 1877* – *Les Orangers 1878* – KANSAS CITY (Nelson-Atkins Mus. of Art) : *Portrait de Richard Gallo 1881* – MILWAUKEE (Art Center) : *Périssoires 1877* – MINNEAPOLIS (Inst. of Art) : *Nu au divan 1880* – MONTPELLIER (Mus. Fabre) : *Portrait de Mme X. 1878* – PARIS (Mus. d'Orsay) : *Raboteurs de parquets 1875* – *Toits sous la neige, Paris 1878* – *Portrait d'Henri Cordier 1883* – *Autoportrait 1892 (?)* – *Voiliers à Argenteuil vers 1888* – *Femme étendant du linge 1887* – PARIS (Mus. Marmottan) : *Rue de Paris, temps de pluie 1877, esq.* – *La Leçon de piano 1881* – *Chrysanthèmes blancs et jaunes, jardin du Petit Gennevilliers 1893* – RENNES (Mus. des Beaux-Arts) : *Périssoires 1878* – ROUEN (Mus. des Beaux-Arts) : *Dans un café 1880* – SEATTLE (Art Mus.) : *Femme assise sur un sofa à fleurs rouges 1882* – TOLEDO, États-Unis (Mus. of Art) : *Régates en mer à Villerville 1884* – TORONTO (Nat. Gal. of Art) : *Portrait d'Eugène Daufresne 1878* – WASHINGTON D. C. (Nat. Gal. of Art) : *Périssoires sur l'Yerres 1877.*

VENTES PUBLIQUES : PARIS, 28 avr. 1894 : *Le verger :* FRF 780 – PARIS, 1899 : *Boulevard Haussmann, effet de neige :* FRF 620 – PARIS, 1900 : *L'allée des marronniers :* FRF 450 – PARIS, 22 mars 1907 : *Pommiers en fleurs :* FRF 820 – PARIS, 25 oct. 1920 : *Maison au bord de l'eau :* FRF 540 – PARIS, 4 avr. 1924 : *Le jour des régates à Trouville :* FRF 650 – PARIS, 1928 : *Sur le banc :* FRF 2 200 – PARIS, 27 avr. 1929 : *La plage de Trouville, vue prise de la corniche :* FRF 7 000 – PARIS, 8 nov. 1940 : *Les voiles blanches :* FRF 1 600 – PARIS, 12 avr. 1943 : *Lilas et pivoines :* FRF 10 000 – PARIS, 23 juin 1950 : *Villa à Sainte-Adresse :* FRF 24 000 – VERSAILLES, 16 déc. 1950 : *L'assiette de fruits :* FRF 32 000 – PARIS, 28 mai 1954 : *Reines marguerites dans un vase :* FRF 145 000 – NEW YORK, 15 avr. 1959 : *Le homard :* USD 1 500 – PARIS, 16 juin 1959 : *Vase de fleurs :* FRF 450 000 – LONDRES, 23 oct. 1963 : *Le manoir et son jardin :* GBP 1 400 – MILAN, 1ᵉʳ déc. 1964 : *Environs d'Argenteuil :* ITL 2 400 000 – NEW YORK, 14 oct. 1965 : *Portrait de femme assise :* USD 8 250 – LONDRES, 26 avr. 1967 : *Vase de lilas :* GBP 3 600 – PARIS, 3 avr. 1968 : *Le peintre dans son atelier :* USD 10 000 – PARIS, 1ᵉʳ déc. 1969 : *Les voiliers :* FRF 145 000 – LONDRES, 27 juin 1972 : *Jardin à la campagne 1882-1885 :* GNS 4 600 – PARIS, 21 mars 1974 : *La Seine à la pointe d'Épinay :* FRF 125 000 – VERSAILLES, 2 juin 1976 : *Voiliers sur la Seine à Argenteuil 1892, h/t (73x60) :* FRF 100 000 – NEW YORK, 21 oct. 1977 : *Jardin à la campagne vers 1882-1885, h/t (65x54,5) :* USD 9 500 – NEW YORK, 1ᵉʳ nov. 1978 : *Soleils au bord de la Seine 1885-86, h/t (92,3x73) :* USD 70 000 – PARIS, 12 déc. 1979 : *Le plateau de pêche, h/t (38x46) :* FRF 65 000 – PARIS, 20 nov. 1981 : *Dans l'atelier, h/pan. (25,5x33) :* FRF 18 500 – NEW YORK, 16 nov. 1984 : *Femme à sa toilette vers 1873, h/t (65x81) :* USD 550 000 – NEW YORK, 14 mai 1985 : *Le bassin d'Argenteuil vers 1882, h/t (65,5x81) :* USD 430 000 – PARIS, 27 nov. 1986 : *Bateaux sur la Seine à Argenteuil, h/t (73x60) :* FRF 3 000 000 – PARIS, 10 déc. 1987 : *Rosier et iris mauve, jardin du petit Gennevilliers, h/t (80x38) :*

FRF 620 000 – LONDRES, 28 juin 1988 : *Villas à Villers-sur-mer 1880, h/t (60x81) :* GBP 374 000 – PARIS, 10 avr. 1989 : *La berge et le pont d'Argenteuil 1882, h/t (60x73) :* FRF 450 000 – NEW YORK, 15 nov. 1989 : *Villas à Trouville 1882, h/t (66x81,2) :* USD 715 000 – LONDRES, 27 nov. 1989 : *Pêcheurs sur la Seine 1888, h/t (65,5x81,2) :* GBP 1 320 000 – LYON, 13 déc. 1989 : *Maisons au bord du Loing, h/t (73x60) :* FRF 1 410 000 – PARIS, 15 déc. 1989 : *Maison dans la campagne normande 1881, h/pan. (26x35) :* FRF 1 400 000 – PARIS, 20 mars 1990 : *Autoportrait vers 1857-1877, h/t (65x50) :* FRF 820 000 – PARIS, 19 juin 1990 : *La plage de Trouville, vue de la corniche, h/t (60x73) :* FRF 3 500 000 – NEW YORK, 18 mai 1990 : *Villas à Trouville 1882, h/t (65x82) :* USD 632 500 – NEW YORK, 23 mai 1990 : *Femme nue étendue sur un divan 1873, past. sur tissu (88,9x116,2) :* USD 577 500 – LONDRES, 25 juin 1990 : *Bords de Seine à Argenteuil 1888, h/t (54x65) :* GBP 770 000 – LONDRES, 26 juin 1990 : *Portrait d'Eugène Lamy en buste 1888, h/t (65x54,5) :* GBP 35 000 – PARIS, 2 juil. 1990 : *Le Jeu de la main chaude vers 1882, h/t (128x116) :* FRF 2 800 000 – LONDRES, 4 déc. 1990 : *Le petit bras de la Seine en automne, h/t (65,5x54) :* GBP 275 000 – PARIS, 15 avr. 1991 : *La vallée de l'Yerre 1877, past. (57x72) :* FRF 518 000 – LONDRES, 25 juin 1991 : *Maisons au bord de l'eau 1882, h/t (65x54) :* GBP 187 000 – PARIS, 23 mars 1992 : *Paysage en Normandie, h/t (63x73) :* FRF 1 650 000 – NEW YORK, 10 nov. 1992 : *Tournesols au bord de la Seine, h/t (92,4x73) :* USD 715 000 – LONDRES, 1ᵉʳ déc. 1993 : *Les rosiers, h/t (55x38) :* GBP 34 500 – LONDRES, 29 nov. 1994 : *Portrait de Paul Hugot 1878, h/t (204x92) :* GBP 661 500 – PARIS, 8 déc. 1994 : *La plage de Trouville vue de la corniche 1882, h/t (60x73) :* FRF 2 300 000 – PARIS, 13 juin 1995 : *La chienne Charlotte 1886, h/pan. (65x33) :* FRF 240 000 – PARIS, 20 juin 1995 : *La Seine par temps brumeux 1891, h/t (64x53) :* FRF 680 000 – ORLÉANS, 7 oct. 1995 : *La Seine à Yerres 1878, past. (43x33) :* FRF 370 000 – NEW YORK, 8 nov. 1995 : *Madame Renoir dans le jardin du Petit Gennevilliers, h/t (64,1x50,2) :* USD 354 500 – NEW YORK, 1ᵉʳ mai 1996 : *Le pont d'Argenteuil 1893, h/t (61x54,9) :* USD 409 500 – LONDRES, 25 juin 1996 : *Maison et jardin en Normandie 1882, h/t (59,5x73) :* GBP 210 500 – NEW YORK, 13 nov. 1996 : *Pêcheurs sur la Seine 1888, h/t (65,5x81,2) :* USD 1 872 500 – NEW YORK, 14 mai 1997 : *Bord de Seine à Argenteuil 1888, h/t (54x65,2) :* USD 1 102 500 – PARIS, 11 juin 1997 : *Le Lièvre vers 1882, h/t (89x35) :* FRF 400 000 – LONDRES, 25 juin 1997 : *La Seine à Portejoie vers 1891-1892, h/pan. (16,5x27) :* GBP 38 900.

CAILLER Jean Joseph
Né vers 1772 à Thiers (Puy-de-Dôme). XVIIIᵉ-XIXᵉ siècles. Français.
Peintre.
Élève de Vincent à l'École de l'Académie de Paris à partir du 6 août 1791.

CAILLET Eulalie
XIXᵉ siècle. Française.
Peintre de paysages.
Elle obtint une médaille de troisième classe en 1836. Citons parmi les œuvres qu'elle exposa au Salon de Paris, de 1831 à 1837 : *Vue du glacier des bois, Le château d'Angeinstein, Vue de l'entrée d'une forêt, Vue d'un moulin.*

CAILLET Jean
XVIᵉ siècle. Français.
Peintre.
Il travailla au château de Fontainebleau entre 1537 et 1548 et à la cathédrale de Troyes en 1563.

CAILLET Jean
XVIIᵉ siècle. Actif à Dijon à la fin du XVIIᵉ siècle. Français.
Sculpteur.

CAILLET DE VILLE Pierre
XVIIᵉ siècle. Français.
Sculpteur.
Il fut reçu en 1682 à l'Académie de Saint-Luc.

CAILLETÉ Roger
Né le 28 février 1915 à Laval (Mayenne). XXᵉ siècle. Français.
Peintre et graveur de paysages et nus.
Élève du peintre Pierre Charon à Laval, cet instituteur apprit le métier de graveur avec Soichi Hasegawa qu'il reçut chez lui pendant la guerre et Pierre Guastella. Il fut professeur de dessin à Villaines la Juhel puis à Laval. Il ne se mit à la gravure qu'à partir de 1947. Depuis 1952, il a participé aux Salons d'Automne, dont il est devenu sociétaire, du Trait à partir de 1953, Comparaisons

en 1960, 1962, 1963, 1982, à la Biennale de gravure de Cherbourg en 1978, au Salon du dessin et de la peinture à l'eau depuis 1980. C'est également en 1952 qu'il fit sa première exposition personnelle à Paris, suivie d'autres à Paris en 1955, 1959, 1960, 1965, Angers 1954, 1956, 1969, 1972, Alençon 1958, Laval 1961, 1971, 1985, Le Mans 1971, Cherbourg 1975, 1978, Quimper 1977. Prix Albert Dürer en 1955, Prix de la Ville d'Angers 1969 et Prix de la Biennale de Cherbourg 1978. Il a réalisé la décoration du réfectoire de l'Hospice de Villaines la Juhel.

Ses voyages en Ardèche, Lorraine, Bretagne, Mayenne, mais aussi Turquie, Italie et Egypte lui ont permis de faire des paysages hauts en couleurs posées en touches allongées. Il retrouve une grande sobriété à travers ses gravures exécutées à la pointe sèche ou à l'eau-forte. Ses formes épurées, au graphisme solide, aux lignes tranchantes, tendent alors vers une abstraction.

Musées : Angers : *Le défilé* – Cherbourg – Laval : *A Selworthy* – *Paysage de mai* – Milan – Osaka – Paris (Cab. des Estampes) – La Rochelle.

CAILLEUX Achille Alexandre Alphonse de Cailloux de
Né le 31 décembre 1788 à Rouen. Mort le 24 mai 1876 à Paris. xixe siècle. Français.
Peintre.
Il exposa au Salon en 1822.

CAILLEUX Henry. Voir CAILLOUÉ

CAILLEUX René
Né à Paris. xixe-xxe siècles. Français.
Peintre.
Figura à l'exposition de Blanc et Noir en 1886.

CAILLIAT
xixe siècle. Actif à Paris. Français.
Architecte et graveur.
Le Blanc cite de lui des planches pour l'*Histoire de l'Hôtel de Ville de Paris*.

CAILLIAUD Frédéric
Né en 1787 à Nantes. Mort en 1869 à Nantes. xixe siècle. Français.
Dessinateur.

CAILLIBOT Jean
Né le 24 août 1923 à Paris. xxe siècle. Français.
Peintre de natures mortes et paysages. Réaliste-photographique.
De 1941 à 1944, il fut élève à l'École des Beaux-Arts de Versailles. Travaillant dans le domaine de la publicité, il ne reprend la peinture qu'en 1980, date à partir de laquelle il expose tous les ans au Salon d'Automne à Paris, puis au Salon des Artistes Français en 1988. Il s'est fixé en Bretagne. Il montre régulièrement ses œuvres à Rennes, Nantes, La Baule et au Japon, au Canada, aux États-Unis, notamment dans deux galeries personnelles qu'il consacre à ses propres œuvres, l'une à Nantes en semaine, l'autre à Bain-de-Bretagne (Ille-et-Vilaine) les samedis et dimanches.

CAILLIOT Roger
Né en 1862 à Strasbourg (Bas-Rhin). xixe siècle. Français.
Peintre de genre, de marines et de paysages.
Élève de Humbert et de Gervex. Sociétaire des Artistes Français, puis de la Nationale des Beaux-Arts où il exposa de 1896 à 1914. On cite de lui : *La Grotte, Le Repos, Marine du soir*.

CAILLOCE Francine Marie
Née à Ancenis (Loire-Atlantique). xxe siècle. Française.
Peintre.
Élève de E. Fougerat. Sociétaire des Artistes Français. On cite ses pastels.

CAILLOIS Jean
xviie siècle. Actif à Paris vers 1674. Français.
Sculpteur.

CAILLON Hervé
Né en 1956 à Paris. xxe siècle. Français.
Peintre et dessinateur.
Après des études à l'Ecole Nationale Supérieure des Arts Appliqués et des Métiers d'Art de Paris entre 1973 et 1977, il s'oriente, seul, vers l'art graphique et pictural. Il participe au Salon Grands et Jeunes d'Aujourd'hui à Paris à partir de 1981, il expose, également depuis 1981 à Paris, puis au Mans, à Amsterdam et New York en 1983. Ses sujets de prédilection sont les garçons « gominés », aux muscles d'athlètes, dans l'esthétique des années 50.

CAILLOT
xixe siècle. Français.
Paysagiste.
Il exposa au Salon de Paris entre 1835 et 1838.

CAILLOT Pierre Maurice
xviiie siècle. Français.
Sculpteur.
Il fut reçu à l'Académie de Saint-Luc à Paris en 1756.

CAILLOTIN Christiane
Née à Coye-la-Forêt (Oise). xxe siècle. Française.
Peintre de paysages, natures mortes et fleurs.
Élève de Adler, Bergès et Longa, elle a exposé au Salon des Artistes Français dont elle est devenue sociétaire, et au Salon d'Automne de 1937 à 1941.

CAILLOU Jean
xive siècle. Français.
Sculpteur ornemaniste.
Il habita Poitiers et y dirigea, à partir de 1383, les travaux du palais du duc de Berry.

CAILLOU-LEGENDRE Louis
Né en 1820 à Lisieux (Calvados). xixe siècle. Français.
Peintre de paysages.
Ses maîtres furent D. Grenet et A. de Fontenay. Il débuta au Salon en 1863 (avec *Les Baigneuses*) et y exposa jusqu'en 1882. Le Musée de Lisieux conserve de lui : *Bords de la Marne* (1870).

CAILLOUÉ Henry ou Cailleux
Né à Paris. Mort en 1870. xixe siècle. Français.
Sculpteur.
A exposé sous le nom de Cailleux aux Salons de 1850 et 1853 ; sous celui de Caillové au Salon de 1857. Stanislas Lami n'affirme pas qu'il soit possible de l'identifier formellement à Henry Cahieux qui travailla pour l'édition.

CAILLOUET Jean Louis Alphonse
Né au xixe siècle à Paris. xixe siècle. Français.
Peintre.
Exposa au Salon de 1874.

CAILLOUETTE Louis Denis
Né le 3 mai 1790 à Paris. Mort le 8 février 1868 à Paris. xixe siècle. Français.
Sculpteur.
Entré à l'École des Beaux-Arts le 4 mars 1804, il étudia sous la direction de Cartellier et de Girodet. En 1809, il obtint le troisième prix au concours de Rome et le second en 1818. Il exposa au Salon, de 1822 à 1847. On lui doit, entre autres, la statue de *Marie de Médicis* (Jardin du Luxembourg), celle de *La Ville de Nantes* (Place de la Concorde), et un certain nombre de bas-reliefs (Hôtel de Ville, Arc de Triomphe de l'Étoile, Bourse).

Musées : Paris (Louvre) : *Jacques Ruisdaël* – Versailles : *Quinault Philippe, poète lyrique,* buste en marbre – *Toiras Jean du Caylar de Saint-Bonnet, marquis de, maréchal de France* – *La Galissonière Roland-Michel Barron, marquis de, lieutenant général des armées navales* – *Gudin* – *César-Charles-Étienne, comte général de division* – *Le chevalier d'Assas.*

CAILLY Georges Alphonse
Né à Flers (Orne). xxe siècle. Français.
Peintre.
En 1920 il exposait au Salon des Indépendants : *Visions du soir.*

CAILLY Raymond
Né à Paris. xxe siècle. Français.
Peintre et décorateur.
Exposant des Salons des Artistes Français à Paris de 1933 à 1942.

CAILTEUX M. J. L., Mme
xixe-xxe siècles. Française.
Sculpteur.
En 1913, elle exposait *Jeunesse,* au Salon des Artistes Français.

CAIMI Antonio
Né en 1814 à Sondrio. Mort en 1878 à Milan. xixe siècle. Italien.
Peintre d'histoire et de portraits, écrivain d'art.
Élève de Gius. Diotti à Bergame et de Luigi Sabatelli à l'Académie Brera à Milan dont il devait plus tard (entre 1860 et 1878) être le secrétaire. On mentionne parmi ses tableaux un *Retour de Babylone* et une *Décapitation de saint Jean-Baptiste.*

CAIMOCHS ou Caimox. Voir CAYMOX

CAIN Auguste Nicolas

Né le 4 novembre 1822 à Paris. Mort le 7 août 1894 à Paris. xixe siècle. Français.
Sculpteur d'animaux.
Élève de Rude, Auguste Cain fut un des meilleurs sculpteurs animaliers du xixe siècle. Il débuta en 1846. Il fut père de Georges et de Henri Cain.
Musées : Chantilly (Château) : *Chiens de meute* – Paris (Jardin du Luxembourg) : *Le Lion à l'autruche* – Paris (Jardin des Tuileries) : *Tigre et crocodile* – Paris (jardins du Trocadéro) : *Le Bœuf.*
Ventes Publiques : Paris, 29-30 nov. 1937 : *Deux Faisans,* bronze : **FRF 210** – Paris, 9-10 mars 1939 : *Le Rhinocéros attaqué,* cire originale : **FRF 2 000** ; *Le Vautour à la tête d'Égyptienne,* bronze : **FRF 330** ; *La Lionne au paon,* bronze : **FRF 1 510** – Madrid, 17 mai 1976 : *Couple de lions,* bronze patiné (H. 33, L. 60) : **ESP 130 000** – La Nouvelle Orléans, 29 nov. 1978 : *Taureau, bronze,* patine brune (H. 53,5) : **USD 4 250** – Los Angeles, 12 juin 1979 : *Lion,* bronze (L. 51) : **USD 1 100** – Brest, 13 déc. 1981 : *La lionne et ses lionceaux,* bronze (H. 30) : **FRF 8 000** – Londres, 7 juin 1984 : *Lion et lionne avec leur proie* vers 1860, bronze, patine noir vert (H. 38) : **GBP 2 000** – Paris, 14 juin 1985 : *Couple de lions dévorant un sanglier,* bronze patiné (38x61) : **FRF 11 100** – Paris, 3 fév. 1986 : *Paire de chandeliers simulant deux nids d'oiseaux avec des oisillons,* bronze, patine noire (H. 50) : **FRF 5 200** – New York, 9 juin 1988 : *Coq chantant,* bronze (H. 17,8) : **USD 935** – Paris, 16 oct. 1988 : *Âne d'Afrique,* bronze doré socle marbre (15,5x16) : **FRF 4 900** – Stockholm, 15 nov. 1988 : *Échassier avec une grenouille,* bronze (H. 16) : **SEK 4 200** – New York, 23 fév. 1989 : *Coq perché sur un panier,* bronze (H. 17,7) : **USD 1 100** – Paris, 30 juin 1989 : *Lionne apportant un sanglier aux lionceaux,* bronze patine brune (108x62) : **FRF 40 000** – Paris, 19 mars 1990 : *Lionne et le phacochère avec ses petits,* bronze cire perdue (H. 45, L. 73) : **FRF 15 500** – New York, 22 mai 1990 : *Coq chantant,* bronze doré (H. 17,1) : **USD 880** – New York, 5 juin 1992 : *Lionne apportant un paon à ses petits,* bronze cire perdue (H. 61, L. 101,6) : **USD 7 700** – New York, 26 mai 1994 : *Première esquisse pour le Lion du Luxembourg,* bronze (H. 54,6) : **USD 17 250** – Paris, 15 juin 1994 : *Lion et Autruche,* bronze (46x64) : **FRF 8 500** – Perth, 30 août 1994 : *L'âne d'Afrique,* bronze (H. 14,5) : **GBP 3 910** – Paris, 15 déc. 1994 : *Couple de faisans au nid,* bronze (H. 19,5, L. 24) : **FRF 10 100** – Paris, 6 mars 1996 : *Nid de faisans,* bronze (H. 61, L. 64) : **FRF 12 000** – Paris, 3 juil. 1996 : *Les Canards et la Grenouille,* bronze doré (9,5x12) : **FRF 4 500** – Perth, 26 août 1996 : *Coq gaulois chantant,* bronze (48,5x22) : **GBP 5 750** – Paris, 22 nov. 1996 : *Le Coq gaulois,* bronze, épreuve (H. 50,5) : **FRF 4 000**.

CAIN Berthe

Née à Paris. xxe siècle. Française.
Peintre de paysages, intérieurs et natures mortes.
Elle a exposé au Salon des Artistes Indépendants à Paris de 1923 à 1930.

CAIN Charles William

Né le 22 août 1893 en Surrey. xxe siècle. Britannique.
Graveur.
A exposé à la Royal Academy et au Salon de Paris. Il grava surtout à la pointe sèche.

CAIN Edmond

Né vers 1765 à Paris. xviiie siècle. Français.
Peintre.
Élève de l'École des Beaux-Arts dans l'atelier de Regnault à partir du 25 germinal, an IX. Le registre des élèves de l'école mentionne l'année suivante, dans ce même atelier, le nommé Philibert Cain, probablement frère d'Edmond.

CAIN Georges Jules Auguste

Né le 14 avril 1856 à Paris. Mort le 4 mars 1919 à Paris. xixe-xxe siècles. Français.
Peintre d'histoire, scènes de genre, compositions à personnages, illustrateur.
Fils du sculpteur Auguste Nicolas Cain, il fut élève de Cabanel, de G. Vilbert et d'Édouard Detaille. Il participa régulièrement au Salon de Paris, entre 1878 et 1900, obtenant une mention honorable en 1881. Médaille de bronze à l'Exposition Universelle de 1889. Il devint conservateur du Musée Carnavalet.
Son métier se veut très méticuleux, surtout lorsqu'il reconstitue des épisodes de l'histoire de Paris. Citons parmi ses œuvres : *Le buste de Marat aux Halles* – *Une barricade en 1830* – *Pajou faisant le buste de la Du Barry* – *Une rixe au café de la Rotonde* – *Napoléon après l'abdication* – *Une noce sous le Directoire* – *Bulletin de*

victoire de l'armée d'Italie. Il a collaboré à de nombreux journaux illustrés et réalisa des illustrations pour de grands classiques, comme *La Cousine Bette* de Balzac ou *Le Barbier de Séville* de Beaumarchais. Il illustra aussi ses propres ouvrages sur le Vieux Paris, dont *Coins de Paris* et *Promenades dans Paris*. Délaissant peu à peu la peinture, à la fin de sa vie, pour se consacrer aux lettres, il écrivit pour *Le Figaro* et les *Annales*.
Bibliogr. : Gérald Schurr : *Les Petits Maîtres de la peinture 1820-1920, valeur de demain,* Les Éditions de l'Amateur, t. III, Paris, 1976.
Musées : Amiens : *À l'église* – Bayeux : *La mort des députés Montagnards* – Paris (Mus. Carnavalet).
Ventes Publiques : Paris, 1894 : *Le sculpteur Pajou faisant le buste de la comtesse Du Barry* : **FRF 2 600** – New York, 23-24 jan. 1901 : *Napoléon et la sentinelle* : **USD 195** – Paris, 30 déc. 1925 : *L'amateur d'estampes* : **FRF 300** – Paris, 21 fév. 1927 : *La conversation* : **FRF 530** – Londres, 10 mars 1965 : *La rencontre de Washington et du général La Fayette* : **GBP 650** – Vienne, 22 mars 1966 : *Deux vieux retraités en conversation* : **ATS 6 000** – Londres, 29 oct. 1976 : *La présentation* 1892, h/t (105x149) : **GBP 1 000** – Versailles, 8 mars 1981 : *Le goûter,* h/pan. (40x33) : **FRF 8 000** – New York, 27 mai 1983 : *Soubrette reprisant le bas d'un élégant* 1878, h/t (61x50,1) : **USD 1 600** – New York, 23 fév. 1989 : *Colporteurs vendant des objets à un gentilhomme* 1879, h/t (50,8x62,2) : **USD 4 950** – Paris, 16 mars 1989 : *Élégante au petit chien,* h/t (33x22,5) : **FRF 8 600** – New York, 20 fév. 1992 : *Napoléon, premier consul* 1899, h/pan. (88,9x114,3) : **USD 30 800** – New York, 26 mai 1994 : *Présentations* 1892, h/t (108x151,1) : **USD 23 000**.

CAIN Henri

Né en 1859 à Paris. Mort en 1930 ou 1937 à Paris. xixe-xxe siècles. Français.
Peintre d'histoire, figures, portraits, graveur.
Fils d'Auguste Nicolas Cain, il fut élève de J.-P. Laurens et Detaille. On cite parmi ses œuvres : *L'Arrestation du comte de Sombreuil, Les Officiers en demi-solde, La Fin d'une conspiration sous Louis XVIII, Le Viatique dans les champs, La Fête du patron, Les Chanteurs des rues, Le duc d'Orléans, Benjamin Godard, Léon Carvalho.* Il obtint une Mention honorable (1882) et une deuxième médaille (1896) au Salon de Paris, une Médaille de bronze à l'Exposition Universelle (1889). Comme son frère Georges, il délaissa la peinture, et il devint librettiste ; il a écrit notamment le livret de *La Vivandière,* de B. Godard.

Henri Cain

Ventes Publiques : Paris, 28 juin 1902 : *Le Retour des prix* : **FRF 250** ; *La Bénédiction du moine quêteur* : **FRF 260** ; *Tête de cardinal* : **FRF 105** – Paris, 5-7 juil. 1902 : *Arrestation du comte de Sombreuil* : **FRF 400** ; *Femme Directoire* : **FRF 150** ; *La fin d'une conspiration* : **FRF 340** – Paris, 29 et 30 avr. 1910 : *Un cardinal,* dess. : **FRF 16** – Paris, 23 déc. 1918 : *Une arrestation sous la Restauration* : **FRF 410** – Paris, 22 juin 1989 : *L'Arrestation du comte de Sombreuil* 1883, h/t (161x121) : **FRF 42 000** – Paris, 21 juin 1990 : *L'Arrestation du comte de Sombreuil* 1883, h/t (160x118) : **FRF 33 000** – Monaco, 14-15 déc. 1996 : *Portrait de Philippe, duc d'Orléans,* h/t, première étude (40x31,5) : **FRF 11 115** – New York, 22 oct. 1997 : *L'Archer amoureux* 1882, h/t (99,7x72,4) : **USD 9 775**.

CAIN Philibert. Voir l'article CAIN Edmond

CAINBERG Erik

Né en 1771 à Nedervetil. Mort en 1816 à Abo. xviiie-xixe siècles. Finlandais.
Sculpteur.

CAINE Fele

Peintre et graveur.
Cité par Le Blanc.

CAINS Florence Blanche

Née le 21 novembre 1905 à Bristol. xxe siècle. Britannique.
Peintre, dessinateur, professeur d'art.

CAIRATI Gerolamo

Né en 1860 à Trieste. Mort en 1943. xixe-xxe siècles. Travaillant à Munich à partir de 1894. Italien.
Peintre de figures, paysages, natures mortes.
Élève de Luigi Conconi (1873-85).
Il participa à l'Exposition de Munich en 1909 et à celle de

Bruxelles en 1910 avec *Le lac de Sceben (Alpes Bavaroises)*. On cite encore de lui : *Jour de mai à Ermailingen, Fontaine du Moyen Age en Toscane.*
VENTES PUBLIQUES : MILAN, 25 mai 1978 : *Buste de femme*, h/t (66x54) : **ITL 850 000.**

CAIRE J.
XIXe siècle. Français.
Paysagiste.
Il exposa au Salon de 1888 : *Vallée de Barcelonnette.*

CAIRE Marie, Mme Jean Tonoir
Née à Lyon. XIXe-XXe siècles. Française.
Peintre de figures, de portraits et de genre.
Elève de Guichard et Pierre Miciol à Lyon et de Lefebvre et Benjamin Constant à Paris. Jusqu'en 1886, elle a signé de son nom de jeune fille. Elle a exposé à Lyon depuis 1882 et à Paris depuis 1889, recevant une troisième médaille en 1892. Elle a souvent fait des études de nus, mais elle a aussi peint des scènes de la paysannerie française sous une lumière écrasante.
VENTES PUBLIQUES : LONDRES, 7 avr. 1993 : *Jeune couple dans une grange* 1889, h/t (129x96) : **GBP 2 990.**

CAIRE Patrick
XXe siècle. Active aux États-Unis. Française.
Créateur d'installations.
Elle a présenté une installation dans le hall du musée de Brooklyn à New York en 1993. Elle mêle, dans d'importantes installations, images informatisées, objets du quotidien, mots et citations ainsi que sculptures en caoutchouc moulé, disques d'ordinateur ou tubes électroniques. Des relations difficiles à saisir au premier regard s'établissent au sein de l'œuvre prolixe qui évoque de sombres machineries.
BIBLIOGR. : Robert G. Edelman : *Patrice Caire*, Artpress, n° 156, Paris, déc. 1993.

CAIRNS Ruth
Née à Waterbury (Connecticut). XXe siècle. Américaine.
Peintre de paysages et portraitiste.
A exposé au Salon d'Automne à Paris en 1928.

CAIRO Ferdinando del
Né en 1666 à Casale Monferrato. Mort en 1730 à Brescia. XVIIe-XVIIIe siècles. Italien.
Peintre d'histoire.
Cairo travailla d'abord chez son père Giovanni-Battista del Cairo, et, plus tard, à Bologne, il étudia sous la direction de Marc-Antonio Franceschini. Il s'établit ensuite à Brescia où, parmi d'autres travaux, il peignit le plafond de l'église de Saint-Antoine.

CAIRO Francesco del, dit il Cavaliere del Cairo
Né en 1598 à Varese, dans les Milanais. Mort en 1674 à Milan. XVIIe siècle. Italien.
Peintre d'histoire, sujets mythologiques, compositions religieuses, portraits.
Il étudia à Rome et à Venise, la peinture classique. Il fut élève à Milan de Pierre Franc. Mazzucchelli de Morazzone.
Francesco travailla à la cour de Victor-Amédée, duc de Savoie, peignant des sujets historiques et des portraits, ornant les palais, les églises, les villas, de tableaux. On cite, parmi ses ouvrages, une *Sainte Thérèse*, à l'église de San Carlo à Venise, les *Quatre saints fondateurs de l'église Saint-Victor, Saint Xavier*, à la Brera, et *Vénus et Apollon* au Musée de Dresde.
MUSÉES : DRESDE : *Vénus et Apollon* – FLORENCE : *Portrait de l'auteur* – MILAN (Ambrosiana) : *Massacre des innocents* – MILAN (Gal. Brera) : *Portrait de l'artiste* – *Portrait de Fulvio Testi* – *Saint Xavier* – PARME : *Madone du Rosaire* – *Martyre de sainte Marguerite* – TURIN (Pina.) : *Le Christ à Gethsemani* – VIENNE : *Portrait d'homme.*
VENTES PUBLIQUES : LONDRES, 21 mars 1962 : *Une Sainte en extase* : **GBP 300** – MILAN, 24 nov. 1965 : *Marie Madeleine* : **ITL 1 600 000** – LONDRES, 26 juin 1970 : *Allégorie de la peinture* : **GNS 4 200** – LONDRES, 30 juin 1971 : *Saint Ambroise* : **GBP 1 000** – MILAN, 25 nov. 1976 : *Moïse sauvé des eaux*, h/t (107x143) : **ITL 3 300 000** – MILAN, 21 mai 1981 : *Portrait de femme au turban*, h/t, de forme octogonale (71x71) : **ITL 12 000 000** – LONDRES, 15 avr. 1983 : *Marie-Madeleine en extase*, h/pan. (80,6x41) : **GBP 14 000** – MILAN, 6 juin 1985 : *Estasi della Maddalena*, h/t (73x100) : **ITL 32 000 000** – MILAN, 17 déc. 1987 : *Marie Madeleine en extase*, h/t (74x100) : **ITL 30 000 000** – MILAN, 4 avr. 1989 : *Vénus et Adonis*, h/t (43x67) : **ITL 6 500 000** – MILAN, 13 déc. 1989 : *La Madeleine au pied de la Croix*, h/t (51,5x64) :

ITL 4 500 000 – LONDRES, 6 juil. 1990 : *Gitane disant la bonne aventure à un soldat tandis qu'un gamin lui vole sa bourse*, h/t (99x81,3) : **GBP 44 000** – LONDRES, 12 déc. 1990 : *Le repos pendant la fuite en Egypte*, h/pan. (48,5x38) : **GBP 12 100** – MONACO, 21 juin 1991 : *Vierge à l'Enfant*, h/t (49x37) : **FRF 77 700** – MILAN, 5 déc. 1991 : *Saint Ambroise*, h/t (108x90) : **ITL 65 000 000** – NEW YORK, 12 jan. 1994 : *La veille dans le jardin des oliviers*, h/t (98,4x72,3) : **USD 25 300.**

CAIRO Giovanni Battista del
XVIIe siècle. Actif à Bologne. Italien.
Peintre.
Il fut le père de Ferdinando et de Guglielmo del Cairo et, d'après Zanotti, le premier maître de Carlo Cignani.

CAIRO Guglielmo del
Né en 1652. Mort en 1672, d'après Ticozzi. XVIIe siècle. Actif à Casale Monferrato. Italien.
Peintre.
Fils de Giovanni Battista del Cairo.

CAIROLI Carlos
Né le 23 janvier 1926 à Buenos Aires. Mort le 31 janvier 1995 à Chartres (Eure-et-Loir). XXe siècle. Depuis 1952 actif en France. Argentin.
Peintre et sculpteur. Abstrait, néo-constructiviste.
Dès 1943 à 1950, il étudie à l'Académie de Beaux-Arts de Buenos Aires, obtenant le titre de professeur, puis, de 1948 à 1952, à l'Ecole Supérieure des Beaux-Arts de la même ville. Entre 1946 et 1948, il travaille avec le groupe expérimental d'art spatial, dirigé par Lucio Fontana à Buenos Aires, et participe à l'édition du Manifeste Blanc. Il fait alors un séjour en Uruguay, auprès de Torrès-Garcia. De 1949 à 1950, exposant à l'Institut d'Art Moderne de Buenos Aires, il obtint le Prix Alba. Installé à Paris en 1952, il y fonde en 1962 le *Centre International des Recherches Spatiales Formelles*. Il participe au Salon des Réalités Nouvelles depuis 1954, où un Hommage posthume lui fut rendu en 1995, au Salon Grands et Jeunes d'Aujourd'hui de 1973 à 1984, à Comparaisons en 1974, 1976, 1980, au Salon de Mai en 1975. Il participe à des expositions collectives de l'École de Paris en 1958 en Allemagne, 1962-63 en Hollande et Suisse. Il a fait une première exposition personnelle à Pontoise en 1984, et une rétrospective en 1988 à Paris. En 1996, à Pontoise, au Musée Tavet-Delacour a organisé un *Hommage à Carlos Cairoli 1927-1995*.
Partant d'une discipline classique, Cairoli évolue à l'abstraction rationaliste et aux recherches spatiales, il fait partie de ces artistes qui, dans les années 50, ont trouvé dans le mouvement De Stijl et le Constructivisme, le fondement de leur art. Il réalise tout d'abord des collages en blanc et noir, puis en blanc sur blanc. L'espace qui se révèle entre les papiers superposés et les formes géométriques noires et blanches, le conduit aux reliefs et à la sculpture. De 1953 à 1956, il crée des volumes en bas-reliefs avec des plaques en rhodoïd ou plexiglas, et des tiges de métal. Dans ses œuvres, plusieurs reliefs traitent du rapport des matériaux entre eux et des contrastes entre le blanc et le noir. *Sculpture spatiale*, de 1955, est le point de départ de l'évolution de son art vers une nouvelle approche de l'espace. De 1956 à 1971, il expérimente les propriétés de réfraction de la lumière dans le plexiglas. Il juxtapose des plans en plexiglas qui, en se jouxtant, créent la troisième dimension. 1971 est une année charnière : il matérialise « l'Espace-Lumière » sur de petits blocs de plexiglas, éliminant l'ancienne structure porteuse en métal, les blocs de plexiglas étant posés ou encastrés dans une base en métal poli, qui renvoie à son tour la lumière incidente dans le plexiglas, où Cairoli en canalise le cheminement par des rainures creusées dans la masse. Le plexiglas est travaillé comme un cristal, captant et réfractant les ondes lumineuses. L'Espace-Lumière naît de la conjonction d'une écriture formelle concrète et d'une écriture virtuelle de rayons lumineux projetés dans l'espace, mettant en évidence la relation intérieur-extérieur. Les compositions de ses sculptures, fondées sur la section d'or, ont tout d'abord privilégié l'orthogonalité, puis l'horizontalité, pour ne plus privilégier que la verticalité. La neutralité du plexiglas transparent, ne laissant aucune place à l'expressionnisme, permet, à l'intérieur d'une réflexion sur matière et lumière, d'atteindre le vide de sensation, la pure beauté formelle. ■ J. B.
MUSÉES : PARIS (Mus. Nat. d'Art Mod.) : *Sculpture spatiale* : *Spatialisme orthogonal* 1955 – PARIS (FRAC d'Île-de-France) : *Mutation VII* 1975, acier et plexiglas.

CAIRON G.
Français.
Graveur.

Il est connu par une estampe gravée d'après Annibale Carracci et est cité par Le Blanc.

CAIRONI Agostino
Né à Milan. XIXᵉ siècle. Italien.
Peintre.
Élève et, plus tard, professeur à la Brera. Il a peint des tableaux d'histoire, ainsi que de nombreuses fresques dans les églises de Milan et des villes de Lombardie.

CAI RUOHONG ou Ts'ai Jo-Hong, ou Ts'ai Jo-Hung
XXᵉ siècle. Actif à Shanghai avant 1937. Chinois.
Caricaturiste.

CAI SHAN ou Ts'ai Chan ou Ts'ai Shan
XIIIᵉ-XIVᵉ siècles. Actif pendant la dynastie Yuan (1279-1368). Chinois.
Peintre.
MUSÉES : TOKYO (Mus. Nat.) : Arhat assis sur un rocher, encre et coul. légères sur soie.

CAI SHIXIN ou Ts'ai Shih-Hsin ou Ts'ai Che-Sin, surnom Shaohe
Originaire de Quiannan dans la province du Jiangxi. XVIIᵉ siècle. Actif vers 1600. Chinois.
Peintre de portraits, fleurs.
Il privilégia les bambous dans ses œuvres.

CAISNE Henri de ou Decaisne
Né le 27 janvier 1799 à Bruxelles. Mort le 27 octobre 1852 à Paris. XIXᵉ siècle. Belge.
Peintre de sujets allégoriques, scènes de genre, portraits.
Élève de C. François à Bruxelles, de Girodet et de A.-J. Gros à Paris, il exposa aux Salons de Bruxelles et de Paris.
MUSÉES : AMIENS : Les Joies maternelles – ANVERS : Mater Dolorosa – L'Ange gardien, inachevé – Comtesse de H. – BRUXELLES : Giotto – Portrait de l'auteur – La Belgique couronnant ses enfants illustres – HAMBOURG : La Charité – LA HAYE (Mus. comm.) : Concert vénitien.
VENTES PUBLIQUES : NEW YORK, 17 mai 1982 : Divertissements d'après-midi, h/t (46x38) : USD 1 400 – NEW YORK, 25 mai 1988 : La Lettre, h/pan. (55,9x70,9) : USD 4 400 – ROME, 7 juin 1995 : L'Ange gardien, h/t (110x84) : ITL 11 500 000.

CAI TIANDING ou Ts'ai T'ien-Teng ou Chhuah T'ien-Teng
Né en 1914 à Amoy. XXᵉ siècle. Actif en Malaisie. Chinois.
Peintre de genre. École moderne.
Vivant en Malaisie, dans la ville de Penang, il est considéré par les Malais comme leur premier artiste national. Après son installation en Malaisie, il est tour à tour fabricant de parapluies, maître d'école, marchand ambulant, dessinateur sur batik, art auquel il s'initie à Java.
Plus tard, il se spécialise dans la peinture sur batik selon une technique de son invention, extrêmement laborieuse, qui peut demander jusqu'à 15 bains de teinture séparés pour une même œuvre, mais qui est animée par son sens de la décoration, sa vision humoristique et réaliste de la vie quotidienne sur les canaux malais. Son œuvre est aujourd'hui tenue pour le nouvel art malais et est imitée par beaucoup d'autres artistes avec moins de bonheur.

CAIULO Gabriele
Né à Lecce (terre d'Otrante). XXᵉ siècle. Italien.
Peintre.

CAIZAC
XIXᵉ siècle. Français.
Peintre de paysages.
De 1833 à 1840, il exposa au Salon un certain nombre d'aquarelles. Citons parmi ses œuvres : Vue du pont de la place Louis XV et du Corps législatif, Érection de l'obélisque de Louqsor.

CAI ZE ou Ts'ai Tsê ou Ts'ai Tsö, surnom : Canglin, nom de pinceau Xueyan
Originaire de Nankin. XVIIIᵉ siècle. Actif vers 1700. Chinois.
Peintre de fleurs, d'oiseaux, de personnages et paysagiste.

CAJ C. B.
Graveur.
Il est cité par Le Blanc. On connaît de lui deux paysages.

CAJANI Antonio
XVIIIᵉ siècle.

Graveur.
Cité par Le Blanc en 1708.

CAJE Bernard
Né en 1955 à Seirkir. XXᵉ siècle. Canadien.
Peintre, technique mixte.
Il montre ses œuvres dans des expositions personnelles à Paris, Amsterdam, Calgary.

CAJETAN J.
XIXᵉ siècle. Travaillant à Hambourg. Allemand.
Peintre.

CAJETANUS Urbinas
XVIIᵉ siècle. Italien.
Graveur.
Cité par Le Blanc. On connaît de lui : J.-C. couronné d'épines, d'après Guido Reni. Nagler pense qu'il se confond peut-être avec Giovanni Battista Gaetano.

CAJIGA Felipe de ou Caxiga
Né à Herrada. Mort en 1598 à Valladolid. XVIᵉ siècle. Actif à Valladolid. Espagnol.
Sculpteur et architecte.
De concert avec l'éminent artiste Juan de Nates, il fit édifier le monastère de San Claudio de Léon.

CAJORI Charles
Né en 1921 à Palo Alto (Californie). XXᵉ siècle. Américain.
Peintre.
De 1939 à 1948, il fit ses études dans diverses écoles d'art, notamment à l'Université de Columbia. A partir de 1950, il enseigna dans différentes Universités. En 1952, il obtint une bourse de voyage en Italie. Il fit des expositions personnelles à Washington en 1955, 1956, 1958 et à l'Oakland Art Museum en 1959 et 1961.
VENTES PUBLIQUES : NEW YORK, 13 jan. 1965 : Deux figures couchées : USD 750.

CAKI Jean François
XVIIIᵉ siècle. Actif à la fin du XVIIIᵉ siècle. Éc. flamande.
Peintre.
Il était, en 1787, élève de l'Académie d'Anvers.

CALA Y MOYA José de
Né vers 1850 à Xérès. XIXᵉ siècle. Vivant à Paris à partir de 1879. Espagnol.
Peintre de genre, sujets typiques, portraits, paysages.
Élève de l'École des Beaux-Arts de Séville puis de l'Académie de Madrid.
Commença à exposer vers 1875 des paysages et des tableaux de genre. Il participa également aux Salons de Paris. On cite de lui : Un intérieur de harem (Cadix, 1879), Camille Desmoulins au Palais-Royal (Paris 1880), Charmeur de serpents au Maroc (Paris 1881). Parmi les portraits, le meilleur est celui de l'écrivain Angel Fernandez de los Rios.
VENTES PUBLIQUES : PARIS, 8 déc. 1976 : Le harem, h/pan. (35x27) : FRF 2 800 – MONACO, 17 juin 1988 : Danseur arabe 1878, h/pan. (27x35) : FRF 37 740 – MONACO, 16 juin 1990 : Marchands de soieries, h/t (46x62) : FRF 44 400 – LONDRES, 16 mars 1994 : Joueurs d'échecs à la porte d'une ville arabe 1878, h/pan. (46x37,5) : GBP 9 000 – NEW YORK, 24 mai 1995 : Enfants sur une plage, h/pan. (26,4x34,9) : USD 13 225 – LONDRES, 14 juin 1996 : Dans le harem, h/t (34,6x26,7) : GBP 5 175 – LONDRES, 21 nov. 1997 : Odalisque, h/t (80x120) : GBP 17 250.

CALABER Ph.
XVIIIᵉ siècle. Actif à Louvain au début du XVIIIᵉ siècle. Éc. flamande.
Graveur d'armoiries.

CALABI Augusto, Dr
Né le 2 mai 1890 à Milan. XXᵉ siècle. Italien.
Peintre, graveur.
Il était collectionneur de gravures.

CALABRESE, de son vrai nom : Giovanni Pietro
XVIᵉ siècle. Actif à Rome. Italien.
Peintre.
Exécuta des peintures décoratives au Palais des Papes en 1550-51.

CALABRESE Alessandro
Né en 1804 à Lecce. Mort en 1873 à Lecce. XIXᵉ siècle. Italien.
Peintre.
Il a exécuté des peintures pour les églises de Lecce et de Franca-

villa, et en particulier, dans cette dernière ville, celles de la chapelle du couvent de Sainte-Claire.

CALABRESE Aloisio
XVIᵉ siècle. Italien.
Peintre.

CALABRESE Gregorio et Mattia. Voir PRETI

CALABRESE Marco. Voir CARDISCO

CALABRESI Antonio
Originaire de Fano. XVIIIᵉ siècle. Italien.
Peintre et graveur.
Il a signé une fresque, datée de 1705, qui se trouve dans l'église S. Pietro à Carignano, près de Fano.

CALABRIA Ennio
Né en 1937 à Tripoli (Lybie). XXᵉ siècle. Italien.
Peintre de portraits, d'histoire et de genre. Réaliste.
Sa première exposition date de 1958 à Rome, depuis, il expose très souvent à San Francisco, Vienne, Kamakura, Cracovie, Madrid. Il a participé à la Biennale de Venise en 1964, et à des manifestations collectives qui revêtent un caractère contestataire : « L'art contre la Maffia » à Palerme en 1965, « L'art contre le racisme » à Londres en 1965.
Dans un premier temps, peintre contestataire de type réaliste, il peint des compositions et des portraits où la contestation politique est mise en avant. Citons les portraits de *Mao Tsé Toung*, du *Chancelier Erhard*, *Le convoi funèbre de Togliatti*, *Staline*. Ensuite, il est revenu à une peinture de scènes de genre plus familières.
VENTES PUBLIQUES : ROME, 9 déc. 1976 : *Lune lointaine* 1971, h/t (81x101) : ITL 2 000 000 – ROME, 19 mai 1977 : *Étude* 1967, h/t (70x50) : ITL 1 100 000 – ROME, 23 mai 1978 : *Chien enchaîné* 1970, h/t (50x70) : ITL 1 100 000 – ROME, 24 mai 1979 : *Quand vient l'été* 1965, h/t (80x110) : ITL 1 800 000 – RME, 11 juin 1981 : *La conquête de l'espace* 1965, h/t (150x120) : ITL 3 600 000 – ROME, 20 avr. 1982 : *Un edile* 1972, h/t (80x90) : ITL 2 800 000 – ROME, 22 mai 1984 : *Etude de personnage*, h/t (52x68) : ITL 3 400 000 – ROME, 3 déc. 1985 : *« Scarpiera »* 1979, h/t (120x100) : ITL 5 200 000 – ROME, 25 nov. 1986 : *Portrait avec deux perroquets*, techn. mixte/pap. mar./t. (71,5x51) : ITL 1 400 000 – ROME, 24 nov. 1987 : *Figure et chouette* 1967, acryl./pap. mar./t. (68,5x49) : ITL 1 600 000 – ROME, 15 nov. 1988 : *La fillette et le chat* 1967, h/t (68x48) : ITL 5 000 000 – NEW YORK, 9 mai 1989 : *Les fumeurs du tapis vert* 1959, h/t (75x94,5) : USD 2 310 – ROME, 28 nov. 1989 : *Match de boxe* 1959, h/t (112x92) : ITL 10 000 000 – MILAN, 19 déc. 1989 : *Personnage féminin* 1971, h/t (60x60) : ITL 6 000 000 – ROME, 10 avr. 1990 : *Fumeurs à la table verte* 1959, h/t (75x94,5) : ITL 10 500 000 – ROME, 9 avr. 1991 : *Corteo* 1974, techn. mixte/pap. (56x50) : ITL 2 800 000 – MILAN, 14 nov. 1991 : *Taureau* 1961, h/t (120x75) : ITL 8 500 000 – ROME, 9 déc. 1991 : *Figures et table* 1959, h/t (100x80) : ITL 11 500 000 – ROME, 19 nov. 1992 : *Cauchemar* 1962, collage et h/t (130x149) : ITL 14 000 000 – ROME, 14 déc. 1992 : *Sans titre* 1960, h/t (145x180) : ITL 14 950 000 – ROME, 30 nov. 1993 : *Étude pour « Le perroquet et une femme »*, techn. mixte/t. (60x60) : ITL 5 520 000 – ROME, 8 nov. 1994 : *Danseuse*, h/t (90x70) : ITL 8 625 000 – ROME, 28 mars 1995 : *Souvenir de Moore à Florence* 1972, acryl./t. (70x50) : ITL 5 750 000 – NEW YORK, 30 avr. 1996 : *Le fumeur* 1959, h/t (83,8x63,5) : USD 2 760 – MILAN, 2 avr. 1996 : *Circé l'enchanteresse*, h/t (60x80) : ITL 8 280 000.

CALABRIA Jeronimo de
XVIIᵉ siècle. Travaillant à Valladolid. Espagnol.
Peintre.
Ne paraît pas correspondre au JERONIMO, signalé en 1543 à Valladolid.

CALABRIA Pedro de
XVIIIᵉ siècle. Espagnol.
Peintre.
Peintre de Philippe V et du Conseil de Castille. On lui doit le tableau du maître-autel de l'église Portaceli à Madrid.

CALABUIG Tomas
Né à Valence. XIXᵉ siècle. Espagnol.
Peintre.
Il fut élève de Javier Juste à Valence.

CALADO Pedro Pascual
Né à Valence. XVIIIᵉ-XIXᵉ siècles. Actif à Valence. Espagnol.
Peintre de fleurs.

CALAFATEANU Constantin
Né en 1911. XXᵉ siècle. Actif aussi en France. Roumain.
Peintre et dessinateur de nus et paysages.
Arrivé comme étudiant à Paris en 1928, il y fréquente les Académies libres en 1932, puis voyage en Italie et en Suisse. Il expose pour la première fois à Paris en 1933, retourne en Roumanie, où il poursuit son activité artistique, avant de revenir en France en 1967. Il participe à l'Exposition Internationale de Düsseldorf en 1968. Ses paysages urbains présentent volontiers des églises, et ses paysages campagnards ont en général un caractère désolé.

CALAFERTE Louis
Mort en 1994. XXᵉ siècle. Français.
Peintre, peintre de collages, dessinateur, sculpteur. Abstrait.
Il montre ses œuvres dans des expositions personnelles : 1986 théâtre Essaïon à Paris ; 1988, 1996 Bibliothèque municipale de la Part-Dieu à Lyon ; 1992, 1993, 1994 galerie La Marge de Blois ; 1994 Bibliothèques municipales de Blois et Romorantin ; 1995 Bibliothèques municipales d'Angers et Grenoble ; 1992 Centre culturel de Saint-Benoît-du-Sault ; 1996 galerie du théâtre du Vieux-Colombier et galerie Bernanos à Paris.
Surtout connu comme écrivain, il a également réalisé des peintures sur toile et sur papier, des encres sur papier, des dessins et des objets en volumes. D'une verve expressionniste, ses œuvres d'où la couleur, violente, émerge du noir disent l'urgence : « Moi, je peins quand ça devient fou, par crise. D'ailleurs ma vie n'est qu'une suite de crise. C'est le seul moment où le plaisir l'emporte sur tout ».

CALAHAN James J.
XIXᵉ siècle. Actif à New York. Américain.
Aquafortiste.

CALAHORA Jacques Léon
Né à La Canée. XXᵉ siècle. Grec.
Sculpteur.
A exposé un buste au Salon d'Automne de Paris en 1931.

CALAIS
Français.
Peintre.
Il faisait partie de l'Académie de Saint-Luc. Ancien pensionnaire du Roi.

CALAIS Henriette
Née en 1863. XIXᵉ-XXᵉ siècles. Belge.
Sculpteur, aquarelliste.
Elle prit part à l'Exposition Universelle de Bruxelles en 1910 avec : *Tête d'enfant* et *Torse de femme*.
VENTES PUBLIQUES : BRUXELLES, 17 déc. 1981 : *La fontaine d'amour* ; *Ames solitaires*, deux aquar., formant pendants (47x90) : BEF 45 000 – ENGHIEN-LES-BAINS, 27 juin 1982 : *Ames solitaires*, aquar. (48x92) : FRF 7 000.

CALAMAI Baldassare
Né en 1787. Mort en 1851. XIXᵉ siècle. Actif à Florence. Italien.
Peintre.
Le Musée moderne de Florence possède de lui : *Boccace racontant ses nouvelles* et *Épisode de la peste de Florence en 1348*.

CALAMANTI
XVIIᵉ siècle.
Miniaturiste.
Cité par Zani.

CALAMATTA Joséphine, née Rochette
Née en 1817 à Paris. Morte en 1893. XIXᵉ siècle. Française.
Peintre de compositions religieuses, scènes de genre, portraits.
Le graveur d'Ingres, Luigi Calamatta fut son mari et son premier maître. Elle suivit ensuite les cours d'Hippolyte Flandrin et débuta au Salon de Paris en 1875. À la fin de sa vie, elle entra en religion.
Très influencée par Ingres, qu'elle admirait beaucoup, elle fait des portraits d'une ligne assurée, mais donne une intonation symboliste à ses sujets religieux, traités dans un coloris presque agressif, évoquant l'art de la Renaissance italienne et certaines œuvres de Murillo. On cite d'elle : *L'Enfant Jésus initiant sa mère au mystère de la croix*.
BIBLIOGR. : Gérald Schurr : *Les Petits Maîtres de la peinture 1820-1920, valeur de demain*, Les Éditions de l'Amateur, t. VI, Paris, 1985.

Musées : Montauban (Mus. Ingres) : *Sainte Cécile* 1845 – Saintes : *Portrait de M. Lucio Lelli*.
Ventes Publiques : Paris, 1875 : *Le triomphe de Vénus*, éventail : **FRF 1 360** – Paris, 1894 : *Scène d'intérieur* : **FRF 145** – Paris, 3 nov. 1923 : *La jeune femme aux raisins* : **FRF 1 150**.

CALAMATTA Luigi
Né en 1801 ou 1802 à Civitavecchia. Mort en 1869 à Milan. XIXᵉ siècle. Italien.
Peintre de portraits, dessinateur, graveur, lithographe.
Il commença ses études à Rome, où il travailla sous la direction de Giangiacomo pour le dessin et sous celles de Marchetti et plus tard de Ricciani pour la gravure. À Paris, où il vint en 1822, il étudia avec Ingres.
Le masque de Napoléon, qu'il reproduisit d'après l'empreinte prise par le Dr Antonmarchi à Sainte-Hélène, en 1834, compte parmi les œuvres marquantes. Il n'eut pas moins de succès avec des portraits de célébrités comme George Sand, Paganini et autres. En 1837, il s'installa comme professeur à Bruxelles, et plus tard, il quitta la Belgique pour Milan. Calamatta a été le graveur d'Ingres. Mais il a lui-même réalisé de nombreux dessins qui ont parfois été confondus avec ceux d'Ingres.
Ventes Publiques : Paris, 30 nov.-1ᵉʳ et 2 déc. 1920 : *Portrait de femme debout*, mine de pb : **FRF 190** – Paris, 22 déc. 1920 : *Portrait de George Sand*, cr. : **FRF 200** – Amsterdam, 21 avr. 1993 : *Portrait d'un gentilhomme assis vêtu d'un costume sombre et tenant un livre* 1832, craie noire avec reh. de blanc/pap. (32,6x26) : **NLG 1 035**.

CALAME Alexandre
Né le 28 mai 1810 à Vevey (Canton de Vaud). Mort le 17 mars 1864 à Menton (Alpes-Maritimes). XIXᵉ siècle. Suisse.
Peintre de paysages de montagne, peintre à la gouache, aquarelliste, graveur.
Dès son enfance, Alexandre Calame témoigna d'un goût pour la peinture et le dessin. Cette vocation survécut à l'accident qui le fit borgne au cours d'une bataille avec des camarades de jeu. À la mort de son père, survenue en 1826, il entra en apprentissage chez un banquier et se mit à peindre des vues de Suisse, à la gouache, pour aider sa mère à vivre. En 1829, il devint élève de Diday dont il fut plus tard le rival. Il resta peu de temps dans l'atelier de ce maître auquel il reprochait de manquer de sentiment. Ses débuts véritables datent de 1835 avec *Le cours du Giffre* et une *Vue du Bouveret*. Dès cette époque, Calame devint véritablement le peintre quasi officiel des sommets. Avide de se perfectionner au contact des maîtres étrangers, il vint successivement à Paris, en 1837, où Théodore Rousseau et Corot étaient déjà en faveur, puis en Hollande, où il étudia les œuvres de Hobbéma, Ruysdaël et Paul Potter, et plus tard, en Italie, où il peignit une vue de Paestum. Mais ces divers voyages n'eurent guère d'influence que sur sa technique qui y gagna en correction. Il partait étudier dans la montagne, indifférent au froid, et sa santé déjà chancelante ne fut pas apte à résister à l'air glacé des hauteurs. À partir de 1855, il fut continuellement malade, obligé par ses crises de névralgies et de rhumatismes à des séjours prolongés à Aix-les-Bains ou dans le Midi. Il mourut à Menton, absolument épuisé, ayant travaillé malgré tout jusqu'à ses derniers jours.
Ce fut surtout en France qu'il exposa ses meilleures toiles : *L'orage à la Handeck* (1830), *Le Mont Rose*, *L'Oberland bernois*, *Le lac des Quatre-Cantons*. Le roi Louis-Philippe acquit plusieurs de ses tableaux.
Calame fut aussi un aquafortiste et un lithographe de valeur. Il demeura toujours, au point de vue du sentiment, un peintre suisse, uniquement épris du charme grandiose des cimes neigeuses, des glaciers étincelants ou des lacs de son pays natal. Il fut indiscutablement le plus grand paysagiste suisse et de la Suisse. Si ses tableaux paraissent parfois décoratifs, c'est que le genre comporte cette obligation théâtrale. ■ M. B. de G., J. B.

(AC7) A Calame

Musées : Amsterdam : *Paysage italien* – Anvers : *Le Wetterhorn vu du chemin de Rosenlani* – Bâle : *Paysage, bois avec chasse au cerf* – *Dans une forêt* – *Souvenir de Sallanches* – *Vue sur le Wetterhorn* – *Paysage boisé* – Berlin : *Précipice dans les hautes montagnes* – *Lac des Quatre-Cantons* – Brême : *Montagnes suisses* – *Montagnes suisses avec vue sur la Jungfrau* – *Lac des Quatre-Cantons* – Breslau, nom all. de Wroclaw : *Torrent dans la forêt* –

Brest : *Rochers et sapins* – Cologne : *Le torrent de la montagne* – Dresde : *Arbres au bord de rivière alpine* – Francfort-sur-le-Main : *Paysage au soleil couchant* – *Paysage alpestre* – Hambourg : *La Hœndeck dans les Alpes bernoises* – Moscou (Gal. Tretiakoff) : *Sapins dans les montagnes*, étude – *Rochers*, étude – Mulhouse : *Forêt aux environs de Genève* – Perpignan : *Ruines de Pœstum, au soleil couchant*, aquar. – *Paysage alpestre*, aquar. – Genève et le Mont-Blanc, gche – *Vue de Genève*, gche – *Vue de Genève*, gche – Le Puy-en-Velay : *Vue de la ville et du lac de Genève*, aquar.
Ventes Publiques : Paris, 20 mars 1852 : *La montagne du Wetterhorn* : **FRF 4 050** ; *Le désordre après l'orage* : **FRF 3 600** – Paris, 1862 : *Bords du lac des Quatre-Cantons* : **FRF 2 550** – Paris, 30 mars 1863 : *Vue prise sur les bords du lac de Lucerne* : **FRF 5 450** – Paris, 1870 : *Vue de Suisse* : **FRF 6 500** – Paris, 1873 : *Forêt avec animaux* : **FRF 8 000** – Paris, 12 déc. 1877 : *Paysage suisse* : **FRF 910** – Vienne (Autriche), 1878 : *Forêt secouée par l'orage* : **FRF 30 000** – Paris, 1879 : *Paysages, deux pendants* : **FRF 5 800** – Amsterdam, 1880 : *Paysage dans les Hautes-Alpes* : **FRF 8 505** ; *Les ruines du temple de Paestum* : **FRF 8 452** – Munich, 1888 : *Vue prise en Suisse* : **FRF 14 125** ; *La cascade* : **FRF 9 500** – La Haye, 1889 : *Paysage suisse* : **FRF 9 800** – Berlin, 17 mai 1895 : *Paysage avec rivière* : **FRF 1 500** – Paris, 1895 : *Paysage*, aquar. : **FRF 860** ; *Paysage suisse*, aquar. : **FRF 1 030** ; *Paysage suisse*, aquar. : **FRF 210** – Berlin, 1898 : *Paysage* : **FRF 4 563** – Boston, 1899 : *Vue en Suisse* : **FRF 850** – Paris, 1900 : *Paysage de Suisse, traversé par un torrent* : **FRF 955** – Paris, 21 juin 1900 : *le Mont Blanc* : **FRF 360** – La Haye, 9 fév. 1902 : *Forêt de hêtres, lac de Thoune* : **NLG 2 000** – Cologne, 9 mars 1904 : *Paysage forestier italien* : **DEM 210** ; *Paysage suisse* : **DEM 100** – Paris, 11 avr. 1910 : *Vue prise sur les bords du lac de Lucerne près Brunnen* : **FRF 3 200** – Paris, 7 déc. 1918 : *Le torrent* : **FRF 290** – Paris, 30 nov.-1ᵉʳ et 2 déc. 1920 : *Paysage*, lav. : **FRF 100** – Paris, 13 déc. 1920 : *Paysage montagneux* : **FRF 985** – Paris, 23 et 24 mai 1921 : *Paysage*, lav. : **FRF 72** – Paris, 11 fév. 1922 : *La rencontre*, aquar. : **FRF 365** – Paris, 18 et 19 mai 1922 : *Souvenir de la Handeck (canton de Berne)* : **FRF 500** – Paris, 28 et 29 nov. 1923 : *Un torrent dans les Alpes* : **FRF 1 300** – Paris, 26 oct. 1925 : *Paysage montueux avec cours d'eau, animé de personnages* : **FRF 300** – Paris, 7-9 juin 1926 : *Vue de l'Oberland bernois* : **FRF 620** – Paris, 11 juin 1926 : *La Jungfrau* : **FRF 580** – Londres, 1ᵉʳ juil. 1927 : *Le Lac des Quatre-Cantons* 1855 : **GBP 399** – Paris, 4 mai 1928 : *Étang près d'un bois* : **FRF 1 500** – Londres, 1ᵉʳ mai 1931 : *Vue du Tyrol* : **GBP 47** – Londres, 2 mars 1938 : *Paysage boisé*, dess. : **GBP 48** – Londres, 19 mars 1943 : *Un village suisse au bord d'un lac* : **FRF 19 000** – Londres, 2 avr. 1943 : *Torrent en montagne* : **FRF 42 000** – Londres, 9 juin 1943 : *Paysage suisse*, peint./pap. : **FRF 3 000** – Londres, 17 mai 1944 : *La Rivière* : **FRF 500** – Londres, 16 fév. 1954 : *Vue de la chaîne du Mont-Blanc et du lac Léman* : **FRF 260 000** – Londres, 28 oct. 1960 : *Paysage d'un lac de montagne* : **GBP 210** – Lucerne, 2 déc. 1961 : *Paysage d'un lac suisse* : **CHF 20 000** – Lucerne, 21-27 nov. 1961 : *Paysage suisse, le lac de Brienz* : **CHF 20 000** – Lucerne, 13 nov. 1965 : *Paysage du lac des Quatre-Cantons* : **CHF 22 500** – Berne, 23 nov. 1968 : *Bord du lac de Genève* : **CHF 24 000** – Lucerne, 26 nov. 1971 : *Paysage à Brunnen* 1854 : **CHF 25 000** – Londres, 1ᵉʳ mars 1972 : *Paysage alpestre* : **GBP 3 500** – Zurich, 5 mai 1976 : *Paysage du Valais*, h/t (69x97) : **CHF 32 000** – Lucerne, 19 mai 1977 : *Paysage de l'Oberland Bernois*, h/t (67x92) : **CHF 44 000** – Zurich, 26 nov. 1977 : *Paysage montagneux*, aquar. sur trait de cr. (24,5x34) : **CHF 3 000** ; *L'abreuvoir* 1832, aquar. (20,7x28,5) : **CHF 8 000** – Zurich, 19 mai 1979 : *Paysage boisé au lac* 1847, h/t (77,5x99,5) : **CHF 40 000** – Zurich, 7 nov. 1981 : *Moulin de Saint-Geoire* 1837, aquar. (42,4x55,7) : **CHF 8 000** – Lucerne, 19 mai 1983 : *Vue du lac de Genève*, h/t (44x71,5) : **CHF 20 000** – Lucerne, 13 juin 1984 : *Voyageur au bord d'une rivière*, aquar. et sépia (29,5x37,5) : **CHF 7 500** – Vienne, 12 sep. 1985 : *Paysage fluvial boisé animé de personnages*, aquar. (13x34) : **ATS 22 000** – Berne, 20 juin 1986 : *Paysage d'été avec promeneurs assis au pied d'un arbre* 1834, h/t (89x115,8) : **CHF 90 000** – Berne, 30 avr. 1988 : *Le Wetterhorn*, h/cart. (31x32) : **CHF 12 500** – Berne, 26 oct. 1988 : *Vue de Bourg-Saint-Maurice et des Dents du Midi*, h/cart. (25,5x18) : **CHF 3 400** – Paris, 5 mars 1989 : *Le Torrent en forêt*, h/pan. (38,5x29) : **FRF 8 000** – Genève, 19 jan. 1990 : *Paysage*, h/bois (31x40,5) : **CHF 3 000** – Berne, 12 mai 1990 : *Paysage rocheux*, h/cart., esquisse (32,3x42,8) : **CHF 4 500** – New York, 21 mai 1991 : *Ruines classiques dans un paysage*, h/t

(42x57) : **USD 4 950** – Paris, 22 nov. 1991 : *Paysage boisé avec une ferme, animé de personnages*, aquar. (17,6x18) : **FRF 14 500** – New York, 20 fév. 1992 : *La Handeck (canton de Berne)* 1860, h/t (80x100) : **USD 17 600** – Zurich, 4 juin 1992 : *Le Grand Eiger*, h/t (81x65) : **CHF 29 380** – Londres, 28 oct. 1992 : *Coucher de soleil à Paestum*, h/pan. (44x53,5) : **GBP 3 410** – Paris, 25 mai 1994 : *Paysage*, h/t (57x87) : **FRF 42 000** – Zurich, 2 juin 1994 : *Lac des Quatre-Cantons*, h/cart. (59x45) : **CHF 11 500** – Zurich, 12 juin 1995 : *Personnage et bétail au bord d'un étang*, h/pan. (22,5x27,5) : **CHF 9 200** – Paris, 23 juin 1995 : *Village et Rivière*, fus. et mine de pb (15x20) : **FRF 10 000** – Zurich, 5 juin 1996 : *Cours d'eau, arbres, rochers* 1864, h/t (98x130) : **CHF 46 000** – Berne, 20-21 juin 1996 : *Vallée avec un ruisseau* vers 1850, aquar. (13,8x14,2) : **CHF 2 000** – Zurich, 10 déc. 1996 : *Le Mont-Blanc* 1853, h/t (202x170,5) : **CHF 108 750** – Zurich, 4 juin 1997 : *Promeneur dans un paysage* 1832, aquar./pap., une paire (14x19,5) : **CHF 20 700.**

CALAME Charles Édouard
Né en 1815 à Lombard (Doubs). Mort en 1852. xix⁰ siècle. Français.
Peintre, dessinateur, paysages.
La famille de C.-E. Calame s'établissant à Môtiers-Travers, son père le fit entrer chez Lory à Neuchâtel. Après un séjour en Italie, l'artiste entra dans l'atelier de Léon Cogniet, à Paris. Outre ses paysages, exposés à partir de 1842, Calame laissa une série de lithographies représentant des vues du Val de Travers, parues vers 1844 à Neuchâtel. Il s'était fixé dès 1840 à Môtiers.

CALAME Jean Baptiste Arthur
Né le 8 octobre 1843 à Genève. Mort en 1919 à Genève. xix⁰-xx⁰ siècles. Suisse.
Peintre, paysages, graveur.
Arthur Calame reçut des leçons de son père Alexandre et compléta son éducation artistique par un séjour de deux ans, à l'Académie de Düsseldorf, où il put profiter de l'enseignement d'Oswald Achenbach. Il a aussi voyagé en Italie, dont il reproduit souvent les paysages. Il a exposé à Genève, à Lyon, à Dijon, à Paris. Il exécuta aussi quelques planches à l'eau-forte.
Musées : Bâle : *Paysage au clair de lune* – Berne : *Lac Léman, soleil couchant* – *Venise, San Giorgio Maggiore* – Genève (Mus. Rath) : *Un soir à Vevey.*
Ventes Publiques : Berne, 28 oct. 1966 : *La côte entre Gênes et La Spezia* : **CHF 2 000** – Berne, 24 nov. 1976 : *Couple sur une terrasse* : **CHF 1 800** – Lucerne, 17 juin 1977 : *Paysage*, h/t (25,5x35,5) : **CHF 1 800** – Zurich, 23 nov. 1977 : *Le Coucher du Soleil*, h/cart. (33,5x44) : **CHF 2 200** – Berne, 2 mai 1979 : *Vue de Capri*, h/cart. (38,5x62) : **CHF 1 800** – Zurich, 7 nov. 1981 : *Paysage du Midi*, h/t (57,5x48,5) : **CHF 1 900** – Zurich, 9 nov. 1984 : *Les palmiers, Bordighera* 1889, h/t (70x56) : **CHF 2 800** – Lucerne, 23 mai 1985 : *Paysage d'hiver*, h/t (44,5x64,5) : **CHF 6 500** – Lucerne, 5 déc. 1987 : *Savona*, cur. (31,5x21) : **CHF 1 600** – Lugano, 16 mai 1992 : *Golfe de Gascogne*, h/t (88x167) : **CHF 30 000** – Zurich, 2 juin 1994 : *Marine*, h/t/cart. (17x26) : **CHF 3 910** – Zurich, 25 mars 1996 : *Oliviers à Menton*, h/t (99x83) : **CHF 12 075.**

CALAME Juliette
Née le 14 mai 1864 à La Chaux-de-Fonds. xix⁰ siècle. Travaillant à Genève. Suisse.
Peintre et illustrateur.
Après avoir travaillé à l'École des Arts industriels, et aux Beaux-Arts de Genève, où elle reçut les conseils de Menn et de Gillet, elle fut l'élève, à Paris, de Vignat et de Rivoire. Elle a exposé en Suisse et notamment à l'Exposition de Genève de 1896.

CALAME Louis
Né le 25 novembre 1863 à Bâle. xix⁰ siècle. Suisse.
Peintre et dessinateur-décorateur.
Louis Calame remplit les fonctions de professeur à l'école des arts industriels à Cologne et à partir de 1897 à Winterthur. Il fit ses études à Paris, à l'Académie Julian, et à Munich.

CALAME Marie Anne
Née en 1775 au Locle. Morte en 1834. xix⁰ siècle. Suisse.
Peintre miniaturiste.
Elle dirigea une école de peinture et de dessin au Locle. Grosclaude fut son élève.

CALAME Olivier
Né le 15 septembre 1921 à Arles. xx⁰ siècle. Français.
Peintre de cartons de vitraux et graveur. Abstrait.
Il a surtout réalisé des vitraux dont la ferronerie de soutien s'arti-

cule et s'intègre au dessin qui est en général abstrait, coloré et monumental. La plupart de ses réalisations sont dans le Doubs où il vit.

CALAMECH Andrea
Né en 1514 à Carrare. Mort en 1578 à Messine. xvi⁰ siècle. Italien.
Sculpteur et architecte.
Il a travaillé à Orvieto, à Florence et à partir de 1563 à Messine.

CALAMECH Domenico
xvi⁰ siècle. Italien.
Sculpteur.
C'est le frère d'Andrea Calamech.

CALAMECH Francesco
xvi⁰ siècle. Actif à Messine. Italien.
Sculpteur.
Il est le fils d'Andrea Calamech.

CALAMECH Jacopo
xvi⁰ siècle. Actif à Messine. Italien.
Sculpteur.
C'est le fils de Domenico Calamech.

CALAMECH Lazzaro
Né en 1545 à Carrare. Mort après 1570. xvi⁰ siècle. Italien.
Peintre et sculpteur.
Il est élève de son oncle Andrea et de Moschino à Florence. Il y exécuta deux statues pour les funérailles de Michel-Ange. Il est vraisemblable que, comme les autres membres de sa famille, il vint ensuite se fixer à Messine.

CALAMECH Lorenzo I
Né en 1520 à Carrare. Mort vers 1600 à Messine. xvi⁰ siècle. Italien.
Sculpteur et architecte.
Fils de Domenico Calamech. Élève de Moschino et de l'Académie des Beaux-Arts à Florence. À l'occasion de l'entrée de Jeanne d'Autriche dans cette ville (1565) il exécuta deux figures, *La Renommée* et *L'Éternité*. Il fut actif à Messine à partir de 1570.
Musées : Messine (Mus. mun.) : *Pietà.*

CALAMECH Lorenzo II
xvii⁰ siècle. Italien.
Sculpteur.
Cité à Messine en 1627.

CALAMIS
v⁰ siècle avant J.-C. Vivant à Athènes vers 460 avant J.-C. Antiquité grecque.
Sculpteur et orfèvre.
Athénien d'adoption. Étant donné les contradictions des Anciens au sujet de Calamis, il paraît dangereux de lui attribuer beaucoup d'œuvres. Traditionnellement, nous savons qu'il fut un sculpteur de dieux et que deux œuvres de style très proche peuvent lui être attribuées : *Apollon à l'Omphalos* et *Zeus d'Histiaea*. La première n'est connue que par des répliques et la seconde est un original en bronze. L'*Apollon*, statue au repos, montre une liberté nouvelle dans ses lignes plus ondulées, mais n'atteint pas encore l'équilibre parfait de l'art classique, tout en le faisant pressentir. La puissance et l'aisance du corps musclé de Zeus donne une impression d'harmonie qui ouvre la voie aux sculpteurs attiques de la seconde moitié du v⁰ siècle. *Zeus*, bras et jambes écartés, s'apprête à frapper un ennemi à l'aide d'une arme, aujourd'hui disparue. L'effort du dieu est mesuré, il marque un léger appui sur sa jambe gauche et un fléchissement peu prononcé du bras opposé, en arrière. L'autre pied est à peine soulevé et repose sur les orteils ; l'autre bras, tendu en avant termine l'équilibre. Son beau visage impassible et pur, aussi équilibré, est encadré d'une chevelure et d'une barbe majestueuses. Si cette œuvre est véritablement de Calamis, on peut dire qu'il a su rendre la sérénité et la grandeur divine avec beaucoup de vie et de maîtrise.

CALAND Huguette
Née en 1931 au Liban. xx⁰ siècle. Française.
Sculpteur.
Elle a exposé au Salon Grands et Jeunes d'Aujourd'hui à Paris, notamment en 1987. Ses sculptures mettent en scène des petits personnages stylisés dans des compositions abstraites.

CALANDRA Davide
Né en 1856 à Turin. xix⁰ siècle. Italien.
Sculpteur de statues, monuments.

Élève de G. B. Gamba et de Tabacchi à l'Académie de Turin, et aussi d'A. Balzico.

Ses principales œuvres sont : *Les veilles de Pénélope*, exposée à Turin en 1880, *Judas, Tigre royal* et *Fleur de cloître*, exposées à Turin en 1884. Il prit part en 1910 à l'Exposition Universelle de Bruxelles avec : *Étude de cheval* (bronze).

Il a exécuté d'autre part un certain nombre de monuments et, entre autres, celui de Garibaldi (à Parme), celui du duc d'Aoste, celui du roi Humbert Ier (à Ivrea), ainsi que celui du même souverain érigé dans le parc de la villa Borghèse.

VENTES PUBLIQUES : LONDRES, 14 mai 1981 : *Cheval de course*, bronze (H. 66) : **GBP 2 300** – MILAN, 10 nov. 1982 : *Minerve*, bronze (H. 51,5) : **ITL 900 000**.

CALANDRA Edoardo
Né le 11 septembre 1852 à Turin. Mort le 29 octobre 1911 à Turin. XIXe-XXe siècles. Italien.
Peintre et auteur dramatique.
Frère de Davide Calandra. Fit ses premières études à Turin avec le professeur E. Gamba et fut à Paris l'élève de Thomas Couture (1876). Il a exposé à Turin, Milan, Florence et Rome, entre 1873 et 1898, un nombre important de paysages et de tableaux d'histoire et de genre. Il a illustré des œuvres de : Emilio Praga, Giovanni Verga, Giuseppe Giasaca et de lui-même.

CALANDRA Giovanni Battista
Né en 1568 à Vercelli. Mort en 1644 à Rome. XVIe-XVIIe siècles. Italien.
Peintre et mosaïste.
Cet artiste exécuta des travaux importants au Vatican, où il remplaça par des mosaïques, des peintures ravagées par la moisissure. Parmi ces ouvrages, on cite les *Quatre Docteurs de l'Église*. Calandra travailla aussi pour la reine Christine de Suède.

CALANDRE Yvonne
Née vers 1937. XXe siècle. Française.
Peintre. Tendance symboliste.
Élève à l'Ecole des Beaux-Arts de Clermont-Ferrand de 1955 à 1961, elle fut, de 1962 à 1968, professeur de l'Education Nationale, ainsi que dans diverses écoles des Beaux-Arts. Parallèlement, à partir de 1964, elle participe à plusieurs expositions de groupe à Paris. Depuis 1969, elle a renoncé à l'enseignement pour se consacrer entièrement à son art et a fait sa première exposition personnelle à Paris en 1973.
Sa peinture, figurative, évoque un climat poétique qui nous reporte à la fin du siècle dernier, « du côté de chez » les symbolistes. Ses travaux s'accommodent mieux de la grisaille que de la couleur. Sa peinture peut pourtant faire surgir un coin de chair rose dévoilé dans le désordre gris-vert de broussailles.

CALANDRELLI Alexander
Né en 1834 à Berlin. Mort en 1903 à Berlin. XIXe siècle. Allemand.
Sculpteur.
Fils d'un lapidaire italien fixé à Berlin. Élève de Drake et d'August Fischer. Il voyagea en Italie. Parmi ses œuvres, il faut citer la Statue équestre de *Frédéric-Guillaume IV*, celle de *Guillaume Ier* à Bromberg et une statue colossale de *Guillaume II*.

CALANDRI Carlo
Né en 1675. Mort en 1759. XVIIIe siècle. Actif à Gubbio. Italien.
Sculpteur sur bois.

CALANDRI Mario
Né en 1914 à Turin. Mort en 1993. XXe siècle. Italien.
Graveur. Figuration-onirique.
Il participe à des expositions collectives, dont : en 1995 *Attraverso l'Immagine*, au Centre Culturel de Crémone.
Graveur à l'aquatinte, son graphisme, bien que hors réalité, a parfois la précision de l'hyperréalisme. Des personnages, animaux, êtres peu définis, errent dans un univers hostile.
BIBLIOGR. : In : Catalogue de l'exposition *Attraverso l'Immagine*, Centre Culturel Santa Maria della Pietà, Crémone, 1995.

CALANDRIA Juan José
Né à Cauclones. XXe siècle. Uruguayen.
Sculpteur.
Il a exposé à Paris au Salon des Tuileries de 1935 à 1938 et au Salon d'Automne en 1938.

CALANDRINO, de son vrai nom : **Nozzo** ou **Giovannozzo di Perino**
XIVe siècle. Actif à Florence au début du XIVe siècle. Italien.
Peintre.

CALANDRUCCI Domenico
XVIIe-XVIIIe siècles. Actif à Palerme. Italien.
Peintre.
Il fut, comme son père Giacinto, l'élève de Carlo Maratta.

CALANDRUCCI Giacinto
Né en 1646 à Palerme, ou, selon Mariette, né le 18 juillet 1645. Mort en 1707 à Palerme, ou, selon Mariette, mort le 22 février 1706. XVIIe siècle. Italien.
Peintre de compositions religieuses, sujets allégoriques, dessinateur.
Il travailla d'abord à Palerme où il fut l'élève de Pietro del Po. Plus tard, se rendant à Rome, il devint disciple de Carlo Maratta et un de ses meilleurs imitateurs.
Il exécuta d'importants travaux dans cette ville (à S. Bonaventura, S. Cecilia, S. Paolino dalla Regola, etc.). Calandrucci revint ensuite à Palerme, où il acheva son œuvre la plus importante : *la Vierge, saint Basile et d'autres saints*.

Hye Caland panorm.

VENTES PUBLIQUES : PARIS, 1858 : *Un saint intercédant pour la délivrance de deux prisonniers*, dess. à la pl. et au bistre : FRF 7,50 – PARIS, 2 mars 1925 : *La Vierge de l'Annonciation*, sanguine : **FRF 40** – MILAN, 4 déc. 1980 : *Étude d'ange*, pierre noire et reh. de blanc (37,3x45) : **ITL 1 300 000** – LONDRES, 25 mars 1982 : *La Sainte Famille avec de saints personnages*, pl. et lav. (21x27,8) : **GBP 720** – MONACO, 20 fév. 1988 : *Allégorie de l'été*, encre sur pierre noire (38x29,3) : **FRF 6 660** – PARIS, 4 mars 1988 : *Le martyre de Sainte Catherine d'Alexandrie*, pl. et sanguine (32x22,5) : **FRF 9 000** – NEW YORK, 10 jan. 1996 : *L'expulsion de Hagar*, craie noire, encre (26,3x36,8) : **USD 3 220**.

CALANDRUCCI Giambattista
Originaire de Palerme. XVIIe siècle. Travaillant à Rome. Italien.
Peintre.
Neveu de Giacinto et de Domenico Calandrucci. Il fut l'élève de Carlo Maratta et de son oncle Giacinto.
VENTES PUBLIQUES : LONDRES, 16 déc. 1908 : *Le renvoi d'Agar ; Un moine à genoux*, dess. : **FRF 10**.

CALANI Francesco, Gaetano et Maria. Voir CALLANI

CALANI Luigi
Né à Florence. XXe siècle. Italien.
Peintre.
Étudia à l'Académie Royale de Florence et avec le professeur Corcos. Prit part en 1900 au concours Alinari avec son tableau : *Près de Bethléem*.

CALANNA Marie
Née en Sicile. XXe siècle. Italienne.
Peintre.
Élève de C. Balande et Poughéon. Elle exposa *Après l'orage* et *Solitude* au Salon des Artistes Français à Paris, en 1934.

CALAPAÏ Letterio
Né en 1902 à Boston (Massachusetts). XXe siècle. Américain.
Peintre de compositions animées, paysages urbains, graveur.
Il fut élève de la School of Art, de la School of Fine Arts and Crafts, de l'Art Students' League, et de l'American Artists School.
Le musée-galerie de la Seita à Paris a présenté de ses œuvres en 1996 à l'exposition : *L'Amérique de la dépression – Artistes engagés des années trente*.
Dans les années trente, il réalisa des gravures pour la WPA, *Work Projects Administration*, énorme entreprise à l'échelle américaine pour venir en aide aux artistes frappés par la récession, mise en place par l'administration de Roosevelt, et qui leur offrit, entre 1935 et 1939, des milliers de commandes diverses. Il décrit l'effervescence urbaine qui étouffe les individualités (*L'Express de 8 : 30* 1943), dans des œuvres à la facture dynamique.
BIBLIOGR. : Catalogue de l'exposition : *L'Amérique de la dépression – Artistes engagés des années trente*, musée-galerie de la Seita, Paris, 1996.

CALAPEZ Pedro
Né en 1953 à Lisbonne. XXe siècle. Portugais.
Peintre, dessinateur. Abstrait.

Il vit et travaille à Lisbonne. Il participe à des expositions collectives : 1986 XLIIème Biennale de Venise, 1987 musée espagnol d'Art contemporain à Madrid, 1987 et 1991 Biennale de Sao Paulo, 1988 Musée Pinacoteca d'Athènes et musée de Toulon ; 1992 Macao, Madrid et Porto ; 1994 Centre d'art contemporain du Buisson à Noisiel. Il montre ses œuvres dans des expositions personnelles : régulièrement à Lisbonne, en particulier en 1989 au Centre d'Art moderne Calouste Gulbenkian ; 1990 Porto ; 1991 Maison de la Cité à Rome et Carré des Arts à Paris ; 1993 Rio de Janeiro et Chapelle de la Salpêtrière à Paris.

Les compositions abstraites de Pedro Calapez décrivent des espaces clos et sans profondeur, où prennent place des éléments d'architecture comme des escaliers ou des échafaudages face à des surfaces parfaitement planes.

Bibliogr. : Alexandre Melo, Joao Pinharanda : *Arte contemporânea Portughesa*, Lisbonne, 1986.

CALAS Jean Mathieu
Né au XVIII⁰ siècle à Londres. Mort le 3 décembre 1819 à Plainpalais (Suisse). XVIIIᵉ-XIXᵉ siècles. Britannique.
Peintre sur émail.
Calas fut reçu bourgeois de Genève en 1768. Il fit son éducation artistique dans cette ville chez Samuel Du Treuil.

CALASTRINI Antoine
Né à Florence. XXᵉ siècle. Italien.
Sculpteur.
Il a exposé au Salon des Artistes Indépendants à Paris de 1921 à 1929 et au Salon des Artistes Français en 1922 et 1923.

CALAU Benjamin
Né en 1724 à Friedrichstadt (Holstein). Mort le 27 janvier 1785 à Berlin. XVIIIᵉ siècle. Allemand.
Peintre de portraits.
Il fut, d'après Füssli, l'élève de son père, et se rendit en 1743 à Saint-Pétersbourg, où son frère aîné Friedrich était peintre à la cour du tzar. A son retour en Allemagne, il travailla successivement à Leipzig, à Dresde et à Berlin.

CALAU F. A.
XVIIIᵉ-XIXᵉ siècles. Travaillant à Berlin entre 1790 et 1830. Allemand.
Dessinateur, aquarelliste et miniaturiste.
C'est le fils de Benjamin Calau.

CALAU Friedrich
XVIIIᵉ siècle. Allemand.
Peintre.
Frère aîné de Benjamin Calau. Peintre de Cour à Saint-Pétersbourg.

CALBERG Eugène
Né en 1897 à Liège. Mort en 1944 à Bruxelles. XXᵉ siècle. Belge.
Peintre de genre et de paysages.
Elève à l'Académie des Beaux-Arts de Gand, il travailla sous la direction d'Alfred Bastien.

CALBERG Vilhelm Jôrgensen
Né en 1817 à Copenhague. XIXᵉ siècle. Danois.
Peintre de portraits.
Élève de l'Académie des Beaux-Arts de 1832 à 1844. Il a exposé de 1842 à 1846 quelques portraits à Charlottenborg.

CALBET Antoine
Né le 16 août 1860 à Engayrac (Lot-et-Garonne). Mort en 1944 à Paris. XIXᵉ-XXᵉ siècles. Français.
Peintre de genre, nus, portraits, dessinateur, illustrateur.
Elève de Michel, d'Alexandre Cabanel et du peintre de genre E. A. Marsal, il a régulièrement exposé, depuis 1880, au Salon des Artistes Français dont il est devenu sociétaire. Officier de la Légion d'honneur, médaillé aux Salons de 1891, 1892, 1893 et médaille d'argent à l'Exposition de 1900.
Peintre de portraits et de scènes de genre, il s'est montré un aquarelliste de talent et s'est fait connaître comme illustrateur. Parmi ses illustrations, on peut citer : *Aphrodite* de P. Louÿs, *Madame Neigeon* d'E. Zola, 1896, *Le Jardin de Bérénice* de M. Barrès, 1907, *La Femme nue* de H. Bataille, 1911, *La Pêcheresse* et *La Sandale ailée* d'H. de Régnier, *Bel Ami* de Maupassant, *Confessions* de J. J. Rousseau, 1933, *Fêtes galantes* de P. Ver-

laine, 1936, *Des brises qui venaient de Paros*, poésies de R. Nereys.

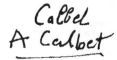

Bibliogr. : Marcus Osterwalder, in : *Diction. des Illustrateurs, 1800-1914*, Hubschmid & Bouret, Paris, 1983.

Ventes Publiques : Paris, 23 déc. 1918 : *Le Modèle*, aquar. : **FRF 310** – Paris, 21 mars 1922 : *Nu*, aquar. : **FRF 1 000** – Paris, 16 mai 1924 : *Baigneuses*, aquar. : **FRF 1 800** – Paris, 3-4 mars 1926 : *Danse grecque*, aquar. : **FRF 2 020** – Paris, 25 juin 1927 : *Femme nue couchée*, aquar. : **FRF 2 050** – Paris, 27 mars 1931 : *Baigneuses aux roses*, aquar. : **FRF 1 610** – Paris, 17-18 déc. 1936 : *Nymphes surprises par un faune* : **FRF 2 200** – Paris, 4 déc. 1941 : *La Danse des nymphes*, aquar. ovale : **FRF 3 100** – Paris, 20 fév. 1942 : *La Nymphe aux roses 1920* : **FRF 4 800** – Paris, 10 mai 1944 : *Nu étendu*, aquar. : **FRF 9 000** – Paris, 11 mars 1949 : *Deux Baigneuses*, aquar. : **FRF 32 500** – Paris, 30 mars 1949 : *Nu assis de face* : **FRF 40 000** – Paris, 12 mars 1951 : *Nymphe et satyre*, aquar. : **FRF 27 100** – Paris, 28 jan. 1955 : *Ébats champêtres* : **FRF 45 000** – Paris, 30 oct. 1963 : *Nu à la fontaine* : **FRF 2 000** – Paris, 17 juin 1971 : *Nu aux roses* : **FRF 5 500** – Paris, 29 oct. 1979 : *Procession joyeuse au bord de la mer*, h/t (90x131) : **FRF 7 000** – Paris, 27 nov. 1981 : *L'apparition*, past. (48x65) : **FRF 8 100** – Rennes, 30 mars 1982 : *A Deauville*, 4 h/pan. (46x32) : **FRF 11 000** – Paris, 26 jan. 1983 : *Deux baigneuses*, aquar., deux peintures de forme ovale (37x29,5) : **FRF 5 600** – Londres, 23 juin 1983 : *Jeune Femme sur le pont d'un bateau*, fus. reh. de blanc/cart. (22,2x30,6) : **GBP 480** – Paris, 23 mars 1984 : *Naïade*, h/t (50x61) : **FRF 5 000** – Paris, 28 oct. 1985 : *Nu allongé*, aquar. gchée, de forme ovale (27x36) : **FRF 6 000** – Paris, 7 mars 1986 : *La marchande de fleurs*, fus. et past. (31x23,5) : **FRF 4 700** – Paris, 16 déc. 1987 : *Jeune femme dans un jardin*, aquar. (32x23) : **FRF 17 000** – Calais, 13 nov. 1988 : *Promenade dans le parc*, fus., sanguine et craie (32x24) : **FRF 10 000** – Paris, 18 juin 1989 : *Marchande de fleurs*, aquar. (49x31) : **FRF 11 000** – Versailles, 19 nov. 1989 : *L'Élégante à la passerelle*, aquar. (25x20) : **FRF 9 000** – Paris, 24 jan. 1990 : *Couple dans le jardin*, h/pan. (46x29) : **FRF 32 000** – Paris, 6 juil. 1990 : *La Toilette de la gitane*, h/pan. (14x19) : **FRF 6 200** – Paris, 19 nov. 1990 : *Rêverie*, aquar. (33x24) : **FRF 10 000** – Paris, 7 déc. 1990 : *Couple dans la clairière*, h/t (29x51) : **FRF 19 500** – Neuilly, 3 fév. 1991 : *Nymphe et satyre*, aquar. et mine de pb (25x33) : **FRF 9 500** – Paris, 9 déc. 1991 : *Jeune femme se baignant dans une rivière*, aquar. (32x26) : **FRF 14 000** – New York, 29 oct. 1992 : *La Danse aux castagnettes*, h/t (73,7x60,3) : **USD 6 050** – Paris, 29 juin 1993 : *La curieuse*, aquar. (30x22,5) : **FRF 6 000** – Paris, 8 juin 1994 : *L'élégante et les deux courtisans*, aquar. et gche (31x23,5) : **FRF 4 000** – Paris, 28 mars 1995 : *Le modèle*, aquar. (23x31) : **FRF 6 200** – Paris, 26 juin 1995 : *L'aurore 1931*, h/t (205x175) : **FRF 72 000** – Paris, 25 fév. 1996 : *Après-midi au bassin d'amour*, aquar. et cr. (19x13) : **FRF 7 000** – New York, 22 mai 1996 : *Les Charités*, h/t (200,7x132) : **USD 25 300** – Paris, 22 nov. 1996 : *La Terrasse sur le boulevard 1885*, h/t (227x321,6) : **FRF 280 000**.

CALBO. Voir CALVO

CALCAGNADORO Antonio
Né en 1876 à Rieti. Mort en 1935. XXᵉ siècle. Italien.
Peintre de sujets divers, natures mortes, fleurs et fruits.
Ventes Publiques : Milan, 30 oct. 1984 : *Fleurs et grappes de raisins 1923*, h/t (50x70) : **ITL 1 400 000** – Rome, 14 déc. 1988 : *Le vent*, techn. mixte (30x30) : **ITL 1 500 000** – Rome, 5 déc. 1995 : *Château Saint Ange 1910*, fus. et past. (38x49) : **ITL 1 414 000**.

CALCAGNI Antonio di Bernardino
Né en 1536 à Recanati. Mort en 1593. XVIᵉ siècle. Italien.
Sculpteur.
Élève de Girolamo Lombardi à Ferrare. On cite de lui le buste d'*Annibale Caro* (bronze) et une série de figures pour la Casa Santa de Lorette.

CALCAGNI Bartolomeo
Originaire de Parme. XVᵉ siècle. Travaillait à Milan. Italien.
Peintre.

CALCAGNI Filippo
Originaire de Parme. XVᵉ siècle. Travaillant à Milan. Italien.
Peintre.

CALCAGNI Giacomo
XVe siècle. Travaillant à Milan. Italien.
Peintre de décorations.

CALCAGNI Tiberio
Né en 1532 à Florence. Mort en 1565 à Rome. XVIe siècle. Italien.
Sculpteur et architecte.
Il fut l'élève ou, selon plus de vraisemblance, l'aide de Michel-Ange. D'après Vasari il doit avoir travaillé à la *Descente de Croix* (cathédrale de Florence), œuvre que le maître à sa mort laissa inachevée, et aussi au *Buste de Brutus* (Bargello). D'après le même auteur, il aurait, sous la direction de Michel-Ange, établi le plan de San Giovanni dei Fiorentini.

CALCAGNO Lawrence
Né en 1916 à San Francisco (Californie). XXe siècle. Américain.
Peintre. Abstrait.
Après une enfance passée dans un ranch, il est employé dans la marine marchande sur les routes d'Orient. Dès 1945, il expose pour la première fois à New-Orleans, sans formation particulière. Il voyage au Mexique de 1945 à 1947, puis suit les cours de Mark Rothko et Clyfford Still à la California School of Fine Arts. Il fait des expositions personnelles à San Francisco en 1948, à Florence en 1950 et 1952, lors de son séjour en Italie. Etant à Paris en 1952-53, il travaille à l'Académie de la Grande Chaumière, puis voyage en Afrique, vit à New York, fait de nombreuses expositions de groupe et personnelles à partir de 1955, notamment à Paris.
Sa peinture, strictement abstraite, est constituée de formes calmes, où les noirs dominent, dans des matières riches.
MUSÉES : NEW YORK (Mus. of Mod. Art) – NEW YORK (Whitney Mus.) – PITTSBURGH (Carnegie Inst.).
VENTES PUBLIQUES : NEW YORK, 27 jan. 1966 : *Nocturne* : USD 1 000 – NEW YORK, 14 mai 1970 : *Constellation solaire* : USD 1 900 – SAN FRANCISCO, 8 oct. 1980 : *Blue Land* 1961, h/t (122x132) : USD 1 100.

CALCAR Jan Joest von. Voir **JOOST Jan**

CALCAR Jan Stephan von ou **Calcker**, appelé aussi **Steven von Calcar, Giovanni da Calcar, Joannes Stephanus Calcarensis**
Né en 1499 à Calcar, Clèves. Mort entre 1546 et 1550 à Naples. XVIe siècle. Hollandais.
Peintre de sujets religieux, figures, portraits.
Il s'enfuit avec une jeune fille de Dordrecht et passa sa vie en Italie ; il alla à Venise, où il fut l'élève de Titien et prit sa manière ; il y était encore en 1536. En 1545, son ami Vasari, qui le connut à Naples, ne voulait pas croire à son origine néerlandaise, tellement ses œuvres ressemblaient à celles de Titien.
Il est l'auteur de figures anatomiques remarquables qu'il exécuta pour les ouvrages de son compatriote André Vésale, médecin de Charles Quint.
MUSÉES : BERLIN : *Un jeune homme sur l'arc d'une ruine antique* – FLORENCE (Pitti) : *Deux portraits attribués à Morone* – GÊNES : *Portrait d'homme*, attribué au Titien – GLASGOW : *Portrait d'homme* : *Trois Vénitiens et un enfant* – MONTAUBAN : *Jeune seigneur italien* – PADOUE : *Portrait probable d'A. Vesaluis* – PARIS (Louvre) : *Andreas Vesaluis* – *Portrait d'un jeune homme* – PARIS (coll. Mus. Rothan (?)) : *Portrait d'homme* – ROME (Gal. Colonna) : *Cardinal Colonna* – VIENNE (Mus. Impérial) : *Portrait d'homme*, attribué au Titien.
VENTES PUBLIQUES : MARSEILLE, 8 et 10 avr. 1865 : *Le corps du Christ à terre* : FRF 142 – PARIS, 1865 : *Prosper Alexandre représenté debout* : FRF 4 400 – PARIS, 1883 : *Portrait d'homme*. *Portrait de femme*, deux pendants : FRF 500 – PARIS, 1890 : *Portrait d'un Vénitien* : FRF 2 200 – PARIS, 1900 : *L'alchimiste* : FRF 1 220 – PARIS, 3, 4 et 5 juin 1907 : *Portrait de Julius Cesar Maris Cottus* : FRF 5 500 – PARIS, 15 juin 1909 : *Portrait de la jeune princesse Barbe Radziwill* : FRF 5 100 – LONDRES, 23 mai 1910 : *Portrait d'un gentilhomme* : GBP 25 – LONDRES, 15 juil. 1927 : *Portrait d'un gentilhomme* : GBP 2 415 – PARIS, 19 nov. 1928 : *Portrait d'homme* : FRF 60 000 – GENÈVE, 28 août 1934 : *Portrait d'homme* : CHF 7 000 – LONDRES, 7 déc. 1934 : *Portrait d'homme en noir* : GBP 13 – LONDRES, 27 nov. 1959 : *La crucifixion*, panneau en triptyque : GBP 420 – LUCERNE, 26-30 juin 1962 : *Portrait d'un homme barbu* : CHF 4 000 – LONDRES, 27 mars 1968 : *Nativité* : GBP 3 800 – NEW YORK, 11 jan. 1989 : *Portrait d'un gentilhomme en pour-*

point noir avec une fraise de dentelle et tenant des gants et une lettre, h/t (95,3x72,4) : USD 6 050.

CALCEDONIA DA SERRAVALLE Camillo d'Andrea
XVIIe siècle. Actif à Belluno dans la première moitié du XVIIe siècle. Italien.
Sculpteur.

CALCELLINI
XVIe siècle. Actif au début du XVIe siècle. Italien.
Peintre.

CALCI Giovanni Battista
XVIIIe siècle. Actif à Gênes vers 1760. Italien.
Peintre d'histoire.

CALCI Silvio
XVIIe siècle. Italien.
Sculpteur.
Romain, il est l'auteur d'une urne de porphyre que possède l'église de Saint-Maximin (Var).

CALCIA Giuseppe, dit **il Genovesino**
XVIIIe siècle. Italien.
Peintre d'histoire.
Calcia fut mieux connu à l'étranger qu'en Italie. Il travailla cependant dans la région de Turin et, surtout, à Alessandria où il exécuta deux tableaux d'autel pour l'église des Dominicains, un *Saint Thomas* et un *Saint Dominique*. Lanzi mentionne aussi un *Jésus en prière* qui appartient au marquis Ambrogio Ghilini, et deux *Madone avec l'enfant Jésus* chez le marquis Carlo Guasco. On confond parfois Calcia avec un autre Genovesino (Marco), milanais.

CALCINOTTO Carlo
Né à Padoue. XVIIIe siècle. Vivant en 1763. Italien.
Graveur.

CALCKER. Voir **CALCAR**

CALCOTT. Voir **CALLCOTT**

CALDANA Antonio
Né à Ancône selon Ricci, à Livourne selon Zani. XVIIe siècle. Actif dans la première moitié du XVIIe siècle. Italien.
Peintre.
Peignit pour la sacristie de l'église Saint-Nicolas-de-Tolentino à Rome, un tableau représentant des scènes de la vie de ce saint.

CALDARA Domenico
Né en 1814 à Foggia. Mort en 1897 à Naples. XIXe siècle. Italien.
Peintre.
Professeur à l'Institut des Beaux-Arts de Naples ; il prit part à l'Exposition de cette ville en 1877 et à celle de Milan, en 1887, avec sa *Petite vieille*.

CALDARA Polidoro, dit **Polidoro da Caravaggio**
Né en 1492 à Caravaggio (Milanais). Mort en 1543 à Messine. XVIe siècle. Italien.
Peintre d'histoire, sujets mythologiques, compositions religieuses, portraits, compositions décoratives, fresquiste, dessinateur.
Polidoro commença très jeune à gagner sa vie et fut employé par les artistes, notamment Giovanni da Udine, d'après Vasari, travaillant au Vatican à qui il apportait ce qui leur était nécessaire pour les peintures à fresque. Le jeune apprenti, qui déjà commençait à montrer de grandes dispositions pour l'art, fit quelques essais dans ses moments perdus, et ses dessins attirèrent l'attention de Raphaël. Il devint ainsi l'élève de ce maître et travailla si bien sous sa direction que Raphaël l'engagea à peindre quelques frises au Vatican.
Polidoro continua à peindre des ornements, des façades, etc., pour des maisons à Rome. Il collabora souvent avec le Florentin Francesco Maturino, imitant en grisaille des bas-reliefs antiques représentant des sujets mythologiques et historiques, d'un mouvement habile. À San Silvestro al Quirinale, il peignit des paysages décoratifs. En 1527, quand les élèves et tout l'entourage de Raphaël furent dispersés à la suite du sac de Rome, Caldara se réfugia à Naples, chez son ami Andrea de Salerne. Il s'y établit, fonda une école. Après son séjour à Naples, il visita la Sicile, où, parmi d'autres travaux, il peignit des arcs de triomphe à l'occasion du retour de Charles V après son expédition en Tunisie. En 1543, il fut assassiné pour son argent par son valet de chambre Tonno.
Son chef-d'œuvre, d'après Vasari, serait son tableau à l'huile

représentant le *Christ conduit au Calvaire*, achevé à Messine et admiré pour la perfection de son coloris, d'une inspiration très éloignée de sa première manière. Il peignit des paysages décoratifs précurseurs du paysage classique. Il réalisa aussi de nombreuses fresques en clair-obscur, manière dans laquelle il excella tout particulièrement. De ses peintures d'ornements à Rome, rien ne nous est resté, mais, d'après les estampes qui ont été faites de ces œuvres par Cherubino Alberti, Santi Bartoli, Giovanni-Battista Palestruzzi et Heinrich Goltzius, il est facile de juger de leur grâce et de leur beauté.

MUSÉES : MILAN : *Passage de la Mer Rouge* – MONTAUBAN : fragment d'un veau d'or, grisaille – NAPLES : *Jésus portant sa croix* – *Adoration des bergers* – PARIS (Louvre) : *Psyché reçue dans l'Olympe* – ROME : *Méléagre* – SAINT-PÉTERSBOURG (Ermitage) : *Les Gladiateurs* – VIENNE : *Céphale et Procris*.
VENTES PUBLIQUES : PARIS, 1775 : *L'Adoration des bergers*, dess. au bistre : **FRF 500** ; *L'enlèvement d'Hélène*, dess. au bistre : **FRF 31** – PARIS, 1777 : *L'Adoration des bergers*, dess. à la pl. et au bistre, reh. de blanc : **FRF 600** – PARIS, 1787 : *Saint François méditant dans le désert, devant un crucifix* : **FRF 24** – PARIS, 1875 : *Le reniement de saint Pierre* : **FRF 600** – PARIS, 28 avr. 1882 : *Saint Jean* : **FRF 1 700** – PARIS, 1892 : *La Madeleine* : **FRF 600** – PARIS, 30 avr. 1900 : *Portrait d'un gentilhomme* : **FRF 700** – PARIS, 21 et 22 fév. 1919 : *Moïse et le serpent d'airain*, pl. : **FRF 45** – PARIS, 1er mars 1920 : *Cérès sur son char*, pl. : **FRF 200** ; *Un sacrifice*, pl. : **FRF 35** – PARIS, 9 et 10 mars 1923 : *Une bataille*, pl. et lav. sépia : **FRF 215** – LONDRES, 28 mars 1923 : *La Bonne aventure* : **GBP 12** – LONDRES, 8 juin 1923 : *Le repas à Emmaüs* : **GBP 8** – PARIS, 21 jan. 1924 : *Sainte Madeleine*, lav. sépia : **FRF 210** – PARIS, 24 nov. 1924 : *L'Enlèvement des Sabines, frise antique*, pl., lavé de bistre : **FRF 450** – PARIS, 30 mars 1925 : *Job et ses amis*, pl. et lav. : **FRF 125** – PARIS, 3 mai 1926 : *Tête de vieillard* ; *Tête d'Hercule*, deux dessins à la plume : **FRF 355** – PARIS, 17 et 18 mars 1927 : *La présentation de la Vierge au Temple*, pl. et lav. : **FRF 280** ; *Guerriers romains découvrant des vases précieux*, pl. et lav. : **FRF 225** ; *Figures en cortège marchant vers la droite*, pl. et lav. : **FRF 200** ; *Sacrifice antique*, pl. : **FRF 120** – LONDRES, 12 mai 1927 : *Le poète classique* : **GBP 50** – PARIS, 28 oct. 1927 : *Scène d'histoire romaine*, pl. et lav. de bistre : **FRF 100** – PARIS, 23 mai 1928 : *Hercule en terme*, pl. et lav. : **FRF 110** – PARIS, 23 juin 1928 : *Bacchanale*, pl. et lav. : **FRF 200** – PARIS, 28 nov. 1928 : *Sainte Famille avec le petit saint Jean*, pl. : **FRF 2 600** – PARIS, 1er mars 1929 : *Scène allégorique*, dess. : **FRF 300** – NEW YORK, 27 et 28 mars 1930 : *Un moine franciscain* : **USD 400** – LONDRES, 2 mars 1934 : *Jeune fille lisant* : **GBP 25** – PARIS, le 12 avr. 1954 : *Le repas d'Emmaüs*, pl. et lav. : **FRF 40 000** – LONDRES, 28 juin 1979 : *La Vierge et l'Enfant entourés de Saints personnages*, pl. et lav. reh. de blanc (23,3x19,2) : **GBP 1 800** – PARIS, 15 fév. 1984 : *Nu d'homme assis (recto)* ; *Etude d'un drapé et d'une jambe (verso)*, pierre noire sanguine (20,5x14,5) : **FRF 300 000** – LONDRES, 30 juin 1986 : *Dessin pour un Crucifix*, pl. et lav. (40,4x23,7) : **GBP 9 000** – STOCKHOLM, 15 nov. 1988 : *Vénus et Vulcain dans sa forge*, h/t (55x74) : **SEK 30 000** – LONDRES, 2 juil. 1990 : *Saint Jérôme (recto)* ; *Deux figures debout (verso)*, craie rouge (20,8x13,4) : **GBP 8 250** – PARIS, 24 jan. 1991 : *Mise au tombeau*, encre et lav. avec reh. de gche blanche : **FRF 300 000**.

CALDAS Waltercio Junior
Né en 1946. XXe siècle. Brésilien.
Peintre, technique mixte, sculpteur. Néo-concret.
Il participe à des expositions collectives : 1995 *Art from Brazil in New York* présentée dans divers musées et galeries, 1996 Biennale d'art de Sao Paulo. Il est l'un de ces peintres qui n'exprimaient plus leur révolte avec agressivité, mais revenaient à l'espace musée, notamment au Musée d'Art moderne de Rio où ils pouvaient travailler dans un espace spécifique créé en 1975. Son art montre un équilibre entre la résurgence du néo-concret et l'art conceptuel. Caldas réagit aussi par l'humour, réalisant des objets ésotériques.
BIBLIOGR. : Damian Bayon et Roberto Pontual : *La Peinture de l'Amérique latine au xxe siècle*, Mengès, Paris, 1990.

CALDECOTT Randolph
Né en 1846 ou 1848 à Chester. Mort en 1886 à Saint-Augustine (Floride). XIXe siècle. Britannique.
Peintre de sujets de chasse, scènes de genre, portraits, aquarelliste, dessinateur, illustrateur.

Il montra très jeune de grandes dispositions pour l'art, mais sa situation de fortune ne lui permettant pas de suivre son goût, il fut d'abord employé dans une banque dans le Shropshire. Il y resta six ans, puis vint ensuite à Manchester, où il étudia le soir, à la Manchester Art School, tout en conservant ses fonctions d'employé de banque. Son premier ouvrage exposé en public fut envoyé à la Royal Institution de Manchester. Après sa visite à Londres en 1870, il résolut de se consacrer entièrement à son art. Il arriva à Londres en 1872 et commença à travailler pour des journaux illustrés, tels que *Punch, The Graphic, The Pictorial World*, etc. Caldecott s'employa aussi comme illustrateur de livres. Parmi d'autres ouvrages, il fournit des dessins pour l'ouvrage de Blackburn : *Les Montagnes du Hartz, une tournée dans le Pays des Joujoux*. Après son séjour en Italie, où il fut envoyé par son médecin en 1876, il fit des illustrations pour le livre de Mme Comyns Carr, intitulé : *Le Peuple de l'Italie septentrionale*. On lui doit aussi, pour des livres d'enfants, des sujets fantastiques, traités avec beaucoup de verve.
MUSÉES : LONDRES (Water-Colours) : *Chasse au renard*, deux exemplaires – *Le mariage de Diane Wood*, deux exemplaires – *Les rivaux* – *La chasse aux renards dans le Surrey* – *Nos chiens* – *Dames de Brighton* – *Esquisses pour les fables d'Ésope* – *John Gilpin* – MANCHESTER : *Le garçon du fermier*, aquar.
VENTES PUBLIQUES : PARIS, 1899 : *Les rivaux*, quatre dessins : **FRF 4 725** – LONDRES, 24 fév. 1908 : *Dans le Parc* : **GBP 5** – LONDRES, 4 juin 1909 : *Scènes à Venise*, dess. : **GBP 6** – LONDRES, 9 juil. 1909 : *La dernière lutte*, dess. : **GBP 42** – LONDRES, 15 juin 1923 : *Les rivaux*, dess. : **GBP 6** – LONDRES, 28 février-3 mars 1930 : *Le jeune hussard*, dess. : **GBP 29** – LONDRES, 2 déc. 1938 : *Trois joyeux chasseurs*, dess. : **GBP 24** – LONDRES, 24 sep. 1981 : *Scènes de chasse*, deux aquar. (45,5x63,5) : **GBP 500** – LONDRES, 24 mai 1983 : *The rivals*, suite de quatre aquar. (17x25,4) : **GBP 1 100** – LONDRES, 19 fév. 1987 : *Smelling the rose*, aquar. reh. de gche (17,5x25) : **GBP 950**.

CALDEIRA Duarte
Originaire de Lisbonne. XVIIe siècle. Portugais.
Miniaturiste.

CALDELARI Sébastien
D'origine italienne. Mort en 1819 à Paris. XIXe siècle. Travaillant à Paris. Français.
Sculpteur.
Il exposa de 1810 à 1819, à Paris. On cite de lui : *Narcisse* (1812), marbre, conservé au Louvre, *Androclès et le lion* (1817), *Allégorie de l'Architecture, Statue du général Moreau* (1819), *Portrait du comte d'Artois*.

CALDELLI Gian Antonio
Né en 1721 à Brissago (sur le lac Majeur). Mort en 1791. XVIIIe siècle. Suisse.
Peintre et sculpteur.
Caldelli fut protégé par le duc de Lorraine et sa sœur Carlotta. Il voyagea dans les Pays-Bas où il laissa nombre de ses meilleurs ouvrages. Il exécuta aussi des ornements d'architecture. Parmi ses œuvres conservées dans son pays natal, on cite des décorations à l'autel de l'église de la Beata Vergine da Ponte à Brissago (1773).

CALDER Alexander Milne
Né le 23 août 1846 à Aberdeen (Écosse). Mort en 1923 à Aberdeen (Écosse). XIXe-XXe siècles. Travaillant à Philadelphie (Pennsylvanie). Américain.
Sculpteur.
Étudia à Édimbourg et à Londres, puis vers 1868 aux États-Unis, à la Pennsylvania Academy of Fine Arts, avec Thomas Edkins et J.-C. Bailly.
VENTES PUBLIQUES : NEW YORK, 27 sep. 1990 : *William Penn*, figure de plâtre (H. 73,3) : **USD 7 150**.

CALDER Alexander Sandy
Né le 22 juillet 1898 à Philadelphie (Pennsylvanie). Mort le 11 novembre 1976 à New York. XXe siècle. Actif aussi en France. Américain.
Peintre d'animaux, peintre à la gouache, peintre de cartons de tapisseries, sculpteur, graveur, lithographe, illustrateur. Figuratif, puis abstrait-cinétique.
Son grand-père et son père étaient sculpteurs, son père plutôt académique, tous trois se prénommant Alexander, sa mère Nanette Lederer était peintre. Ils habitèrent successivement l'Arizona, la Californie, l'État de New York, San Francisco, puis New York même. En 1915, Calder fit des études d'ingénieur au

Stevens Institute of Technology, à Hoboken (New Jersey), se faisant remarquer en géométrie descriptive. En 1918, il fut mobilisé dans la marine, obtint en 1919 le diplôme de Mechanical Engineer, et du même coup son premier emploi d'ingénieur. De 1920 à 1923, il traversa la période la plus picaresque de son existence, travaillant dans un journal de Saint-Louis, s'embauchant comme matelot sur un cargo, se retrouvant comptable dans une exploitation forestière. Il trouve pourtant un peu de temps pour dessiner, fréquenter quelque cours du soir si l'occasion s'en présente, commencer à peindre. De 1923 à 1926, alors qu'il s'était de nouveau sédentarisé en tant qu'ingénieur des Travaux Publics et du Bâtiment à New York, il suivit les cours de dessin et de peinture de l'Art Student's League. Il donnait aussi à une revue satirique des dessins de sportifs, surtout des boxeurs, et jusqu'à un reportage sur le Cirque Barnum. En 1925, afin de remplacer l'horloge qui lui fait défaut, il construisit un cadran solaire comportant un coq sur une patte, ce fut sa première sculpture. En 1925, il publia *Animal Sketching*, fit sa première exposition de peintures, et réalisa une autre sculpture *The flattest cat*. En juin de la même année, il s'embaucha de nouveau sur un cargo, comme par un ultime appel de l'aventure, en juillet il était à Paris, en août de retour à New York, et en septembre encore à Paris, où il fit halte. Dans ses allées et venues incessantes, il ne se déplaçait plus sans la petite pince qui lui servait en quelque sorte de crayon. Il réalisa ses premières sculptures en fil de fer qui représentaient Joséphine Baker, et commença à construire les premiers éléments de ce qui deviendra *Le cirque*. « J'avais rencontré un type qui s'occupait de jouets qui remuent. J'ai pensé que je pourrais gagner ma vie avec des jouets qui peuvent faire quelque chose. » Quant à ses participations à des expositions collectives et à ses expositions personnelles, il a semblé qu'elles étaient indissociables du contexte dans lequel elles se situaient, ce qu'il est ici tenté de retracer, d'autant que ce contexte est ponctué de ses démonstrations du *Cirque*, non assimilables à des expositions, ainsi que des nombreuses œuvres monumentales qui ont été réalisées en réponse à des commandes et qui n'ont pas fait l'objet d'expositions. L'année 1926 marqua vraiment le tournant de son existence. Personnage haut en couleur de Montparnasse, s'il n'eut que de rares occasions de louer son cirque, il en donnait surtout lui-même des représentations, qui lui valurent une réputation certaine, de par la qualité des spectateurs que lui amenait Jean Cocteau. Pour replacer Sandy Calder dans la vérité de son personnage, il est révélateur de rappeler qu'en 1927 il exposa quelques-uns de ses *Jouets animés* au modeste Salon des Humoristes. Si l'on était alors sensible à l'ingéniosité des mouvements des chevaux ou des acrobates, on ne s'est aperçu que bien plus tard de la qualité plastique et imaginative des formes dont il les composait, tant toujours chez lui un tonitruant humour dissuadait d'avance le spectateur de recourir à son propos à des concepts esthétiques solennels qui l'auraient gêné dans sa pudeur de formidable enfant. Sandy Calder racontant qu'ayant commencé à confectionner les personnages et les animaux de son Cirque à Paris en 1926-1927, il en construisait encore en 1929, alors à New York, et qu'il décida d'arrêter tout, la troupe et les accessoires occupant déjà cinq grosses valises. Dans cette période, il partageait son temps entre Paris et les États-Unis. Il peignait encore quelques toiles, réalisait ses premières sculptures en bois, et produisait encore de nombreuses sculptures en fil de fer : *Au bar – Danseuse – Policeman – Équilibriste – Insecte – Négresse – Kiki de Montparnasse – Portrait de Mr. Calvin Cololidge*. « C'était bien avant de faire des Mobiles et des Stabiles » disait-il. À ce moment, il fit la connaissance de Miro à Paris. En 1929, il eut deux expositions, à Paris et aux États-Unis, il réalisa ses premières sculptures en bronze, créa des bijoux, et surtout des *Constructions animées* qui annonçaient les Mobiles. En 1930, il s'embarqua pour l'Espagne sur un cargo, puis sur un petit voilier visita la côte méditerranéenne française. Il poursuivait aussi les représentations du Cirque, qui avaient maintenant pour spectateurs : Varèse, Painlevé, Léger, Einstein, Le Corbusier, Mondrian. Il visita l'atelier de Mondrian : « La lumière se croisait, venant de chaque côté par des fenêtres opposées, et je songeai à ce moment combien il serait beau que tout se mît à bouger, bien que Mondrian lui-même n'approuvait pas mon idée (– il ne devait alors pas très bien connaître Mondrian –). Je revins chez moi et me mis à peindre. Mais un fil de fer ou quelqu'autre matière à tordre, courber ou déchirer, est toujours un meilleur stimulant pour ma pensée. » En 1931, il se maria avec Louisa James, de qui il eut deux filles ; il rencontra Jean Arp et Hélion, alors peintre abstrait ; il illustra les *Fables*

d'Ésope (encore les animaux) ; adhéra à Paris au groupe *Abstraction-Création* et exposa des sculptures abstraites. C'est Marcel Duchamp qui trouva le mot de *Mobiles* pour désigner les premières constructions animées, et parfois sonores, qu'il exposa en 1932 à Paris. Certaines de ces constructions étaient animées par des moteurs, assez pétaradants et toussotants dit-on, et dont Calder déclarait simplement : « C'était embêtant d'être toujours au-dessus du moteur avec une burette à huile. » Alors Calder inventa le vent. En 1933, il réalisa ses premiers Mobiles sans moteurs, mûs par les déplacements de l'air, dont le premier était constitué de deux poissons fixés sur un pivot. Il exposa à ce moment avec Arp, Hélion, Pevsner, Miro, Seligman. Il acheta sa ferme de Roxbury dans le Connecticut, qu'il compléta ensuite d'un considérable atelier, d'où est sortie une grande partie de ses œuvres. En 1934 eut lieu la première exposition des Mobiles à New York. En 1935 et 1936, il réalisa les décors de deux ballets de Martha Graham et ceux du *Socrate* d'Éric Satie. En 1937, il construisit la *Fontaine de Mercure* pour le Pavillon de la République Espagnole à l'Exposition Internationale de Paris. En 1940 eut lieu à New York une exposition de ses bijoux. En 1943, il réalisa ses constructions en bois et fil de fer que, malgré son inaptitude avouée à trouver des titres pour ses œuvres, il nomma *Constellations*. Il n'aimait pas donner trop d'importance à ce qu'il faisait, ni à lui-même : « Quand j'ai fini, je regarde et je bafouille quelque chose. » Dans cette même année 1943, le Musée d'Art Moderne de New York organisa une importante exposition rétrospective dont J.J. Sweeney écrira une étude. Il réalisa aussi *Toile d'araignée matinale*, en tôles peintes et non mobiles, la première à porter le nom de *Stabile*, que lui suggéra Arp, en opposition aux Mobiles. Pour l'exposition de son retour à Paris à la fin de 1944, Jean-Paul Sartre écrivit une célèbre préface. De 1945 à 1949, nombreuses expositions : Kunsthalle de Berne, Stedelijk Museum d'Amsterdam, Rio de Janeiro, Sao Paulo, et des Mobiles conçus pour des spectacles de danse. En 1950, exposition à Paris avec les Stabiles et les Mobiles. En 1951, il créa les *Tours*. En 1952 lui fut attribué le Grand Prix de Sculpture de la Biennale de Venise, et il réalisa les décors pour *Nuclea* d'Henri Pichette au T.N.P. (Théâtre National Populaire). En 1953, il acheta une maison à Saché, près de Tours, où il travailla surtout après 1960. À partir de 1958, parallèlement aux sculptures et aux bijoux, il réalisa des lithographies, des gravures, des tapisseries et, de nouveau, quelques peintures et de nombreuses gouaches. En 1961, il réalisa *Les quatre éléments*, de dix mètres de haut, pour le Moderna Museet de Stockholm, et Carlos Vilardebo, avec la complicité de Calder en tant que manipulateur et commentateur, réalisa un film sur le Cirque. En 1962, dans le grand atelier qu'il vient de faire construire à Saché, il assembla un Stabile géant, *Teodelapio*, de dix-huit mètres, pour la ville de Spoleto, sous lequel passent piétons et voitures, et Michel Butor écrivit un poème en guise de présentation d'une exposition de ses gouaches à Paris. En 1964, il créa le Stabile *Renforts* pour la Fondation Maeght à Saint-Paul-de-Vence, et eut lieu une grande rétrospective au Guggenheim Museum de New York. En 1965 une rétrospective au Musée d'Art Moderne de Paris. En 1967, il a réalisé le Stabile *L'homme*, de vingt-trois mètres, commandé par *International Nickel* pour l'Exposition Internationale de Montréal. En 1968, la ville de Grands Rapids du Michigan inaugura un programme d'équipement artistique par l'érection d'un Stabile, achat auquel la population tint à s'associer par une souscription publique, ce qui constitue témoignage infirmant la prétendue irréductible incompatibilité entre grand public et art moderne, quand bien même on peut ici invoquer l'irrésistible saine gaîté communiquée par les œuvres de Calder. En 1968 aussi fut mis en place devant le Stade Olympique de Mexico, le plus grand des Stabiles, qu'il appelait ses « petits bébés », réalisés jusqu'ici par Calder : *Soleil rouge*, de vingt-quatre mètres. En 1996, le Musée d'Art Moderne de la Ville de Paris lui a consacré une grande exposition rétrospective.

Jean-Paul Sartre a très brillamment écrit sur l'expression des concepts d'espace et de temps matérialisée par les Mobiles de Calder, sans oublier qu'à toutes exégèses Calder opposait en bougonnant qu'il « n'aime pas penser » : « Ces hésitations, ces reprises, ces tâtonnements, ces maladresses, ces brusques décisions et surtout cette merveilleuse noblesse de cygne, font des Mobiles de Calder des êtres étranges, à mi-chemin entre la matière et la vie. Tantôt leurs déplacements semblent avoir un but et tantôt ils semblent avoir perdu leur idée en cours de route et s'égarer en balancements niais... Ces Mobiles qui ne sont ni tout-à-fait vivants, ni tout-à-fait mécaniques, qui déconcertent à

chaque instant et qui reviennent pourtant toujours à leur position première, ils ressemblent aux herbes aquatiques rebroussées par le courant, aux pétales de la sensitive, aux pattes de la grenouille décérébrée, aux fils de la Vierge quand ils sont pris dans un courant ascendant. En un mot, quoique Calder n'ait rien voulu imiter – parce qu'il n'a rien voulu, sinon créer des gammes et des accords de mouvements inconnus – ils sont à la fois des inventions lyriques, des combinaisons techniques, presque mathématiques, et le symbole sensible de la Nature, de cette grande Nature vague, qui gaspille le pollen et produit brusquement l'envol de mille papillons et dont on ne sait jamais si elle est l'enchaînement aveugle des causes et des effets ou le développement timide, sans cesse retardé, dérangé, traversé, d'une idée. » D'autres, Frank Popper, Restany, vantent la précision des calculs d'équilibre et de rotation qui permettent aux multiples poids et contre-poids de tourner au bout de leurs longues tiges de longueurs inégales, selon des courses individuelles, sans jamais se heurter. Mais Calder écartait cette prévention de technicité avancée : « Je balance le fil de fer sur mon doigt et je marque le point pour le poser sur le support. Parfois je triche un peu... Être trop bien équipé, disposer de trop d'outils, c'est un handicap... Il faut aborder l'étrange, l'inconnu, avec un outillage très simple et un esprit aventureux. » La plupart de ses commentateurs s'en tiennent à établir des correspondances, justifiées même si elles semblent du domaine de l'évidence, entre les œuvres de Calder et les grandes forces de la nature : Pierre Courthion y voit« ... ondulation des blés, frissonnement des feuilles... cascades ou jets de tiges, feuilles étalées en nénuphar... prêtes à tourner au moindre souffle. » Frank Elgar décrit « ces algues de fer, ces palmes remuantes, ces objets gravitant dans l'espace, cette végétation de fils, de tiges, de disques qu'un rien suffit à mettre en branle... qui délimitent par leur mouvement-même l'impalpable contour d'une forme en même temps qu'ils suscitent une variété inépuisable de rythmes », et, quant aux Stabiles : « L'imagination se plaît à voir dans ces œuvres monumentales des arthropodes antédiluviens ou des insectes gigantesques hérissant leurs élytres, écartant les arceaux de leurs pattes, projetant leurs antennes d'acier en un assemblage impressionnant de poutrelles, de pales, de boulons et de rivets. » Mais à tous ces commentaires, tant savants que poétiques, on ne peut s'empêcher de penser qu'il manque l'écho formidable du rire de Calder. Fernand Léger sentait déjà qu'on « ne peut pas trouver plus grand contraste que Calder, l'homme de cent kilos, et son œuvre mince, transparente et mobile. » Otto Hahn comprend justement que Calder a été « le premier artiste à introduire le mouvement véritable dans l'univers statique de l'art – et comme en s'amusant – et qu'il ne pensait qu'à jouer avec des couleurs et des formes qui flottent dans l'air... Le plus étonnant dans cette forêt de charme, réside dans le fait que Calder, sans avoir l'air d'y toucher, résout en enchanteur les obsessions savantes qui préoccupent les jeunes artistes : l'expression du mouvement, mais aussi de l'instabilité, du non-définitif, de la transformation perpétuelle. Calder visite des domaines en poète. » En poète, le mot est d'importance, il faudrait le préciser : en poète de la joie, qui tient, en dépit de tous, à rappeler que surtout ces grandes formes simples aux couleurs franches qui étaient celles de son équipe sportive au collège de Philadelphie, parmi lesquelles souvent éclate la gaîté du noir, qu'elles bougent ou non au bout de leurs tiges légères, disent la seule joie d'exister, d'aimer ça, et de se croire libre. Il faut avoir vu Sandy Calder, la gloire venue, entouré d'un public assez sophistiqué, se mettre à quatre pattes au milieu de son exposition, en chemise de cow-boy, la voix incertaine et enrouée, et déclencher simultanément la fête des envols de ses Mobiles, et ponctués de ses énormes éclats de rire.
■ Jacques Busse

Calder

BIBLIOGR. : A. Calder : *Autobiographie*, Maeght, Paris, 1972 – G. Alviani : *Alexander Calder : Standing and Hanging Mobiles 1945-1976*, Ed. Totah Gall., Londres, 1988 – A. Parinaud : *Alexander Calder : Mobiles / Fernand Léger : Peintures*, Gal. Louis Carré, Paris, 1988 – Daniel Marchesseau : *Calder intime*, Edit. Solange Thierry, Paris, 1989 – Catalogue de l'exposition *Alexander Calder, 1898-1976*, Mus. D'Art Mod. de la Ville, Paris, 1996 – J. M. Marter : *Alexander Calder*, University Press, Cambridge, 1997.

MUSÉES : PARIS (Mus. Nat. d'Art Mod.) : *Trois personnages* 1963.
VENTES PUBLIQUES : LONDRES, 5 juil. 1962 : *Composition*, gche : **GBP 350** – LONDRES, 5 déc. 1962 : *Mobile* : **GBP 500** – LONDRES, 23 oct. 1963 : *Red branch, mobile*, acier et alu. peints : **GBP 700** – PARIS, 2 juin 1964 : *Mobile* : **FRF 7 000** – NEW YORK, 14 avr. 1965 : *Verticale hors de l'horizontale*, mobile en fil de fer et métal peints : **USD 10 000** – NEW YORK, 11 mai 1966 : *L'oignon*, acier peint : **USD 19 000** – LONDRES, 30 nov. 1967 : *The creation*, gche et aquar. : **GBP 360** – NEW YORK, 4 avr. 1968 : *Zarabanda*, feuilles de métal colorées et fils de fer : **USD 13 000** – NEW YORK, 15 oct. 1969 : *Mobile bleu et rouge*, fer peint et fils métalliques : **USD 18 000** – MILAN, 9 avr. 1970 : *Composition*, temp. : **ITL 1 700 000** – NEW YORK, 29 oct. 1970 : *Mobile* : **USD 19 000** – PARIS, 16 mars 1971 : *Composition* : **FRF 18 000** – ZURICH, 10 juin 1972 : *Composition* : **CHF 17 000** – NEW YORK, 21 oct. 1976 : *Mobile*, métal peint en noir : **USD 36 000** – BERNE, 8 juin 1977 : *Mobile* 1956, éléments de fer peints en bleu, rouge brique, jaune, noir et blanc (H. 105, larg. 220) : **CHF 34 000** – NEW YORK, 19 oct. 1977 : *Mobile* 1961, métal peint : **USD 27 000** – NEW YORK, 1er nov. 1978 : *Heureux comme Larry* 1950, métal peint (H. 116,8) : **USD 42 500** – NEW YORK, 17 mai 1979 : *Disques blancs* 1955, métal peint : **USD 58 000** – NEW YORK, 9 nov. 1979 : *Dancing* vers 1940, aquar. et gche (30,5x28) : **USD 3 600** – NEW YORK, 13 nov. 1980 : *Poisson* vers 1948, fil de fer et verre de coul., mobile (244x46) : **USD 85 000** – LONDRES, 1er déc. 1981 : *Composition* 1964, gche (73x106) : **GBP 1 600** – PARIS, 27 oct. 1982 : *Bourges* 1969, mobile (400x250) : **FRF 750 000** – NEW YORK, 20 mai 1983 : *Croissant rouge* 1956, mobile, métal peint : **USD 775 000** – MUNICH, 30 mai 1983 : *The big I* 1944, aquar. (17,5x22,5) : **DEM 2 000** – NEW YORK, 9 nov. 1983 : *Sans titre* vers 1945, pl./pap. (28,5x26) : **USD 1 600** – NEW YORK, 9 mai 1984 : *Big crinkly* 1971, métal peint, mobile (H. 700) : **USD 775 000** ; *Sans titre* 1970, gche (75x109,2) : **USD 5 800** – NEW YORK, 18 oct. 1984 : *Au cirque : les trapézistes* 1931, encre de Chine (58x78) : **USD 7 000** – NEW YORK, 5 nov. 1985 : *Hanging apricot* vers 1950, mobile en métal peint (148,5x165,2) : **USD 155 000** – NEW YORK, 18 nov. 1986 : *Calderberry Bush* 1932, bois peint, métal, baguette et fils de fer (226x137,3) : **USD 500 000** – LONDRES, 4 déc. 1986 : *Deux personnages sous la lune* 1948, aquar. et encre de Chine/pap. (70x58) : **GBP 6 000** – NEW YORK, 4 nov. 1987 : *Critter avec un chapeau rouge*, métal peint (172,7x76,3x50,8) : **USD 180 000** – NEW YORK, 5 nov. 1987 : *Sans titre* 1942, gche/pap. (67,2x78,7) : **USD 28 000** – NEW YORK, 18 fév. 1988 : *Rodeo* 1932, encre de Chine (55,9x76,2) : **USD 19 800** – NEW YORK, 20 fév. 1988 : *Mobile : gouvernail noir et blanc et dix rouges* 1968, plaques de métal et filin (73,3x315x241,3) : **USD 286 000** – LONDRES, 25 fév. 1988 : *Mobile* 1960, acier peint (175 cm environ) : **GBP 58 300** – PARIS, 28 mars 1988 : *Sans titre* 1971, gche (109x74,5) : **FRF 38 000** – LONDRES, 29 mars 1988 : *Grand soleil* 1973, gche/pap. (75x110) : **GBP 8 800** – NEW YORK, 3 mai 1988 : *Fleur noire* 1959, mobile (H. 85,1) : **USD 198 000** ; *Phases de lune* 1965, mobile (H. 114,4) : **USD 231 000** – NEW YORK, 13 mai 1988 : *Entraîneur et écuyer* 1976, gche/pap. (58x38,8) : **USD 6 050** – PARIS, 18 mai 1988 : *Clair de lune* 1962, aquar. et gche (75x106) : **FRF 46 000** – NEW YORK, 8 oct. 1988 : *Mobile suspendu*, métal peint (61x76,3) : **USD 36 300** – LONDRES, 20 oct. 1988 : *Sans titre* 1949, gche et encre (56x75) : **GBP 7 480** – NEW YORK, 9 nov. 1988 : *Grosse bouteille ventrue*, métal peint (35x69,2x28,2) : **USD 60 500** – PARIS, 16 nov. 1988 : *Les lézards et les têtards* (165x275) : **FRF 102 000** – STOCKHOLM, 21 nov. 1988 : *Composition* 1971, aquar. (73,5x109) : **SEK 51 000** – LONDRES, 1er déc. 1988 : *Constellation*, filins d'acier et bois peints, mobile mural (H. 91,5 ; l. 68,5) : **GBP 264 000** – MILAN, 20 mars 1989 : *Les pyramides* 1974, gche/pap. (74x109) : **ITL 10 000 000** – PARIS, 4 juin 1989 : *Stabile mobile* 1975, acier peint (72,4x40,7x25,4) : **FRF 920 000** – LONDRES, 6 avr. 1989 : *Point blanc disque bleu* 1963, mobile de métal peint (H. 165) : **GBP 264 000** – PARIS, 16 avr. 1989 : *Spirale* 1970 (74x110) : **FRF 120 000** – LONDRES, 29 juin 1989 : *Hibou blanc* 1958, mobile de filins et plaques de métal (H. 215,9 et amplitude env. 381) : **GBP 418 000** – NEW YORK, 5 oct. 1989 : *Sans titre*, mobile de filins et plaques de métal (84x147,3) : **USD 297 000** – PARIS, 8 oct. 1989 : *Sans titre* 1965, gche et encre de Chine (38x56) : **FRF 80 000** – PARIS, 11 oct. 1989 : *Kakemono I* 1970, gche/pap. (110x19) : **FRF 41 000** – MILAN, 8 nov. 1989 : *Les pyramides* 1975, gche/cart. léger (74x110) : **ITL 19 000 000** – NEW YORK, 15 nov. 1989 : *Petit arbre* 1942, tube et filins métal-

liques (114,3x58,5) : **USD 770 000** – Paris, 19 nov. 1989 : *Mobile*, métal peint (L. 100) : **FRF 600 000** – Paris, 15 fév. 1990 : *Sans titre*, mobile en métal peint (64x88) : **FRF 1 200 000** – Londres, 22 fév. 1990 : *Campanules* 1974, gche/pap. (75x119) : **GBP 13 200** – Paris, 28 mars 1990 : *Sans titre* 1949, h/t (122x152) : **FRF 2 350 000** – Londres, 5 avr. 1990 : *Surfaces rouges et noires insérées*, acier peint et alu. (H. 81) : **FRF 165 000** – New York, 7 mai 1990 : *Acrobate* 1975, gche et encre/pap. (53,4x80) : **USD 30 800** ; *Sans titre*, mobile de bois peint, baguettes et filins métalliques (H. 62,9, envergure 88,9) : **USD 352 000** – Amsterdam, 22 mai 1990 : *Composition* 1972, gche/pap. (69x100) : **NLG 32 200** – Paris, 14 fév. 1991 : *La fête* 1974, gche (110x74) : **FRF 85 000** – Londres, 21 mars 1991 : *Stabile-mobile* 1967, métal peint (H. totale 244) : **GBP 137 500** – New York, 30 avr. 1991 : *Musique vivante* 1964, mobile de métal peint (243,8x381,5) : **USD 330 000** – Londres, 27 juin 1991 : *Deux boomerangs blancs* 1958, mobile de filins et plaques de métal peints (envergure 380) : **GBP 209 000** – New York, 12 nov. 1991 : *Bougainvillée*, plaque de métal peint, filin métallique et pierre, mobile dressé (H. 198,5, envergure 218,4) : **USD 935 000** – Madrid, 28 nov. 1991 : *Sans titre* 1967, mobile en métal peint (H. 130, envergure 180) : **ESP 13 440 000** – Paris, 16 fév. 1992 : « *Sandy Calder* », fil de fer et métal découpé, mobile (H. 51, diam. 45) : **FRF 160 000** – New York, 5 mai 1992 : *La façade de Roxbury* 1965, mobile suspendu de feuilles de métal peint et fils métalliques (H. 167, envergure 292,1) : **USD 396 000** – Lucerne, 23 mai 1992 : *Couple la nuit* 1965, techn. mixte, aquar. et encre/pap. (75x108) : **CHF 13 000** – Lokeren, 10 oct. 1992 : *Composition*, litho. en coul. (75x110) : **BEF 55 000** – New York, 17 nov. 1992 : *Sans titre, mobile sur pied* 1966, métal peint (508x685,8) : **USD 852 000** – Londres, 3 déc. 1992 : *Aiguille de roche avec pétales et cascade jaune* 1974, mobile dressé, plaques de métal et filins (196x202x155) : **GBP 190 300** – Paris, 14 déc. 1992 : *Pyramides et rayures*, tapisserie (127x178) : **FRF 35 000** – Londres, 25 mars 1993 : *Taureau rouge avec une tête rouge-bleue et des oreilles bleues-blanches* 1970, métal peint (61x88x44) : **GBP 65 300** – New York, 4 mai 1993 : *Girafe froissée*, acier peint (128,3x53,3x48,3) : **USD 101 500** – Paris, 11 juin 1993 : *Mobile stabile*, tôle peinte et fil de fer (H. 39,5, L. 38) : **FRF 220 000** – Londres, 24 juin 1993 : *39=50* 1959, mobile de feuilles de métal peintes et de filins métalliques (117x230) : **GBP 485 500** – Paris, 16 oct. 1993 : *Circus red sun* 1967, gche, encre de Chine et lav./pap. (73x109) : **FRF 82 000** – New York, 10 nov. 1993 : *Constellation* 1960, mobile debout en métal peint (envergure : 442) : **USD 1 817 500** – Milan, 22 nov. 1993 : *Composition* 1970, gche/pap. (75x110) : **ITL 6 482 000** – Tel-Aviv, 4 avr. 1994 : *Composition en rouge et noir* 1973, gche et encre de Chine (108x73) : **USD 8 000** – Copenhague, 21 sep. 1994 : *Le Tableau noir* 1973, stabile, fer soudé peint en rouge, jaune et bleu (54x34x37) : **DKK 120 000** – Paris, 28 nov. 1994 : *Trois noirs sur un rouge* 1968, stabile mobile (H. 291, envergure 260x254) : **FRF 820 000** – New York, 2 mai 1995 : *Bocal à poissons* 1929, sculpt. fils métalliques (40,6x48,3) : **USD 288 500** – Zurich, 23 juin 1995 : *À la plage* 1970, gche (74,5x108) : **CHF 11 000** – Paris, 21 juin 1995 : *Composition* 1941, gche et encre/pap. (57x78) : **FRF 40 000** – New York, 14 nov. 1995 : *Laocoon* 1947, plaques de métal peint, tige et filins métalliques (H. 190,5, envergure 304,8) : **USD 992 500** – Londres, 22 nov. 1995 : *Sans titre, stabile*, métal peint (90x127x60) : **GBP 265 500** – New York, 22 fév. 1996 : *Deux Hommes, deux pyramides* 1956, h/t (106,7x60,9) : **USD 66 300** – Paris, 28 mars 1996 : *Les Acrobates* 1944, bronze cire perdue (H. 50) : **FRF 250 000** – New York, 7 mai 1996 : *Le Phoque noir*, métal peint et filins métalliques, stabile (H. 125,7, envergure 170,2) : **USD 354 500** – Venise, 12 mai 1996 : *Composition* 1970, temp./pap. (108x74) : **ITL 9 500 000** – Amsterdam, 5 juin 1996 : *Sans titre*, mobile, plaques de métal peint, filins métalliques et cuivre (H. 34,5) : **NLG 184 000** – Paris, 7 juin 1996 : *Composition aux papillons* 1966, aquar. gchée et encre de Chine/pap. (54x75) : **FRF 13 000** – New York, 10 oct. 1996 : *Sans titre* 1966, gche/pap. (74,9x108) : **USD 8 625** – Londres, 24 oct. 1996 : *Rocher à pic au cœur rouge* 1974, métal peint et mobile (108x111x68,5) : **GBP 80 700** – New York, 19 nov. 1996 : *Soleil et Astres* 1971, gche/pap. (109,2x74,2) : **USD 8 625** – New York, 19 nov. 1996 : *Rocher à haut plat* 1974, métal peint, mobile sur pied (200,7x188x101,6) : **USD 332 500** – New York, 20 nov. 1996 : *Sans titre* vers 1960-1965, métal peint, mobile sur pied (7,6x8,9x4,5) : **USD 23 000** – Paris, 29 nov. 1996 : *Composition aux feuillages* 1961, aquar. et encre/pap. (61,5x89) : **FRF 40 000** – Londres, 6 déc. 1996 : *Sans titre* 1964, gche/pap. (107x75) : **GBP 7 475** – Amsterdam, 10 déc. 1996 : *Sans titre* vers 1952-1960,

bidons (H. 57) : **NLG 69 192** – New York, 19 fév. 1997 : *Sans titre* 1961, h/t (73x91,4) : **USD 51 750** ; *Écusson* 1976, acier peint (71,1x87,6x61) : **USD 68 500** – New York, 6 mai 1997 : *3rd bleriot*, métal peint, mobile (185,4x147,3x58,4) : **USD 376 500** – New York, 8 mai 1997 : *Sans titre* 1963, métal peint et tiges (132,1x248) : **USD 222 500** – Paris, 18 juin 1997 : *Composition* 1969, gche/pap. (58x78) : **FRF 55 000** – Londres, 25 juin 1997 : *Sans titre* 1969, métal peint, mobile (H. 85 et envergure 250) : **GBP 95 000** – Londres, 26 juin 1997 : *Sans titre*, métal peint et fil de fer, mobile sur pied (12,5x10x6,4) : **GBP 31 050** ; *Sans titre* 1932, encre et aquar./pap. (55x77) : **GBP 27 600** – Londres, 26 juin 1997 : *Sur un genou* 1944, (115x114x90) : **GBP 56 500**.

CALDER Alexander Stirling
Né le 11 janvier 1870 à Philadelphie. Mort en 1945 à New York. XIXe-XXe siècles. Américain.
Sculpteur.

Fils du sculpteur Alexander Milne Calder, il est le père du célèbre Alexander Calder. Il fit ses études à l'Académie des Beaux-Arts de Pennsylvanie sous la direction de Eakins et de Anschutz. A l'âge de vingt ans, il vint à Paris et s'incrivit à l'Ecole des Beaux-Arts et à l'Académie Julian où il travailla sous la direction de Chapu et Falguière. De retour aux Etats-Unis, il fut nommé professeur de l'Académie de Pennsylvanie, et dans les dernières années de sa vie, à la National Academy of Design de New-York. Il exposa en 1901 à Buffalo, en 1904 à Saint-Louis où il reçut une médaille, en 1909 à Seattle, en 1915 à San Francisco, etc... Un grand nombre de ses sculptures se trouvent dans le parc de Fairmount à Philadelphie.
Musées : New York (Met. Mus.).
Ventes Publiques : New York, 26 oct. 1984 : *Indien debout* 1912, bronze (H. 71,1) : **USD 6 000**.

CALDERA
XIXe siècle. Vivant à Lyon en 1825. Français.
Graveur et éditeur.

CALDERARA Antonio
Né en 1903 à Abbiategrasso (Lombardie). Mort en 1978 à Vaciago. XXe siècle. Italien.
Peintre. Figuratif puis abstrait-géométrique et minimaliste.

Il avait commencé des études d'ingénieur qu'il interrompit pour se consacrer à la peinture. Depuis sa première exposition en 1929, il a participé à de nombreuses expositions de groupe, dont la Biennale de Venise en 1948 et 1956, à la Quadriennale de Rome en 1948. Il exposa personnellement en 1977 au Stedelijk Museum d'Amsterdam ; après sa mort, des rétrospectives se tinrent au Kunstverein de Düsseldorf et au musée Wilhem-Hack de Ludwigshafen en 1981-1982. Il avait obtenu le Prix Fumagalli à Milan en 1934 et le Prix du Gouvernement à la première exposition d'Art Contemporain de Milan.
Dans une première période, sa peinture figurative présentait des formes stylisés, une construction rigoureuse, et une gamme chromatique restreinte. Dès 1915, il réalise des paysages du lac d'Orta. Ses tableaux, généralement de petits formats, non sans rapports avec le « réalisme magique » rencontrent alors un large succès. Vers 1950, ses natures mortes et ses portraits sont proches de l'esthétique de Giorgio Morandi. Revenant sans cesse sur le même motif, le lac d'Orta, Calderara va connaître un processus identique à celui de Mondrian et parvenir à l'abstraction dans les années cinquante. Enfin, depuis 1959, il travaillait sur l'interaction des couleurs, dans des compositions intitulées *Spazio luce*. Lié à Fontana, Soto et Manzoni, il réduit au minimum les contrastes de couleurs et se limite à la forme rectangulaire.
Bibliogr. : In : *Dictionnaire de la peinture italienne*, Larousse, 1989.
Musées : Grenoble.
Ventes Publiques : Milan, 21 déc. 1976 : *Peinture à l'huile* 1959, h/isor. (51x51) : **ITL 1 700 000** – Milan, 7 nov. 1978 : *28010... per Vaciago* 1974, h/pan. (21x27) : **ITL 1 700 000** – Milan, 26 juin 1979 : *Lago d'Orta* 1931, h/t (66x78) : **ITL 5 500 000** – Milan, 24 juin 1980 : *Silence blanc* 1932, h/t (55x75) : **ITL 1 600 000** – Londres, 1er déc. 1981 : *Attrazione quadrata in Tensione Verticale* 1968-1970, h/t (27x24) : **GBP 750** – Cologne, 1er déc. 1982 : *Saint-Georges, Venise* 1959, aquar. (18x18) : **DEM 5 500** – Munich, 28 mai 1984 : « *Horizon-Constellation-Ecriture mise au carré sur le carré* » 1968-1972, 3 aquar. en gris (23x17,5) : **DEM 2 100** – Milan, 18 déc. 1984 : *Orizzonte pluricromatico B* 1968-69, h/pan. (54x26,5) : **ITL 5 000 000** – Milan, 10 déc. 1985 : *Paysage, Vac-*

ciago 1927, h/t (60x48) : **ITL 8 500 000** – M<small>ILAN</small>, 10 mars 1986 : *Le débarcadère* 1960, aquar. (18x18) : **ITL 2 400 000** – C<small>OLOGNE</small>, 29 mai 1987 : *Composition* 1970, aquar. (27x26,9) : **DEM 1 600** ; *Mesure du carré dans le carré dans le carré* 1965, h/pan. (36x36) : **DEM 6 000** – A<small>MSTERDAM</small>, 9 déc. 1988 : *Composition abstraite* 1967, aquar./pap. (19,5x19) : **NLG 1 725** – M<small>ILAN</small>, 14 déc. 1988 : *Lac* 1935, h/pan. (60x50) : **ITL 5 000 000** – M<small>ILAN</small>, 20 mars 1989 : *Paysage d'Orta*, h/t (60x50) : **ITL 8 000 000** – R<small>OME</small>, 17 avr. 1989 : *Séquence*, trois aquar./pap. (14,5x14,5) : **ITL 2 000 000** – M<small>ILAN</small>, 7 juin 1989 : *Impression – paysage* 1935, h/pan. (60x40) : **ITL 5 000 000** – Z<small>URICH</small>, 25 oct. 1989 : *Composition* 1970, aquar. (15,8x15,4) : **CHF 3 000** – M<small>ILAN</small>, 7 nov. 1989 : *Peinture* 1958, h/pan. (40x50) : **ITL 9 000 000** – M<small>ILAN</small>, 27 mars 1990 : *Figure* 1958, h./contre-plaqué (23x29,5) : **ITL 5 500 000** – A<small>MSTERDAM</small>, 22 mai 1990 : *Composition abstraite* 1959, lav./pap. (33x28) : **NLG 2 760** – Z<small>URICH</small>, 22 juin 1990 : *Composition* 1971, aquar. (15,8x15,2) : **CHF 3 400** – M<small>ILAN</small>, 26 mars 1991 : *Le lac d'Orta*, h/pan. (18x24) : **ITL 8 000 000** – M<small>ILAN</small>, 14 avr. 1992 : *Le cap de Pella*, h/t (50x40) : **ITL 6 200 000** – M<small>ILAN</small>, 15 déc. 1992 : *Entrée du village de Vaciago d'Ameno* 1927, h./contre plaqué (49,5x35) : **ITL 9 000 000** – M<small>ILAN</small>, 15 mars 1994 : *Sans titre* 1960, aquar./cart. (19x19) : **ITL 3 450 000** – P<small>ARIS</small>, 23 mars 1994 : *Intérieur de cabaret*, h/t (50x59,5) : **FRF 5 000** – M<small>ILAN</small>, 22 juin 1995 : *Le clocher d'Ameno* 1952, h. (12x18) : **ITL 3 450 000** – Z<small>URICH</small>, 14 nov. 1995 : *Composition* 1961, h/rés. synth. (27x35) : **CHF 11 000** – L<small>UCERNE</small>, 8 juin 1996 : *La mer* 1959, aquar./pap./montage de cart. (21,8x26,8) : **CHF 3 300** – A<small>MSTERDAM</small>, 17-18 déc. 1996 : *Espanzione* 1959-1972, h/pan. (26,5x26,5) : **NLG 12 980.**

CALDERARI, de son vrai nom : **Giovanni Maria Zaffoni**
Né vers 1600 à Pordenone. Mort vers 1665. XVII<small>e</small> siècle. Italien.
Peintre.
Cet artiste a peint des fresques dans des églises de Pordenone et des environs, qui ont longtemps été attribuées à l'Amalteo ou au Pordenone, son illustre compatriote. Le Musée de Berlin possède de lui un *Portrait de jeune homme.*

IM PF.

CALDERINI Luigi
Né en 1880 ou 1881 à Turin. XX<small>e</small> siècle. Italien.
Peintre de figures, animaux paysages et sculpteur.
Elève de son père Marco Calderini, il prit part à l'Exposition de Florence de 1907 et 1908 avec un paysage et un groupe d'*Eléphants* en bronze.
M<small>USÉES</small> : P<small>IACENZA</small> – R<small>OME</small> – T<small>URIN</small> (Mus. mun.) – U<small>DINE</small>.

CALDERINI Marco
Né le 20 juillet 1850 à Turin. Mort en 1941. XIX<small>e</small>-XX<small>e</small> siècles. Italien.
Peintre de paysages.
Il commença ses études, en 1867, à l'Académie Albertina, pour les terminer en 1870 ; il y fut l'élève d'Enrico Gamba et d'Andrea Gastaldi. Il eut ensuite pour maître Antonio Fontanesi. En 1880, il fut lauréat du Grand Prix des Paysagistes à l'Exposition Nationale des Beaux-Arts de Turin ; médaillé à l'Exposition Universelle de 1900. Il était aussi critique d'art.
M<small>USÉES</small> : M<small>ILAN</small> (Gal. Brera) : *A 1600 mètres – Sole d'Inverno* – T<small>URIN</small> (Mus. mun.) : *Sull'altipiano* – *Avril* – *Estate nelle Prealpi.*
V<small>ENTES</small> P<small>UBLIQUES</small> : M<small>ILAN</small>, 19 juin 1979 : *Paysage montagneux* 1911, h/cart. (28x37) : **ITL 1 300 000** – M<small>ILAN</small>, 19 mars 1981 : *Paysage boisé à la rivière*, past. (116x169) : **ITL 3 300 000** – M<small>ILAN</small>, 16 déc. 1982 : *Les jardins du Palazzo Reale à Turin*, h/t (51x98) : **ITL 6 000 000** – M<small>ILAN</small>, 12 déc. 1983 : *Isola di Sestri Levante*, h/cart. (66,5x91,5) : **ITL 8 000 000** – M<small>ILAN</small>, 28 oct. 1986 : *Un coin du Jardin Royal de Turin* 1882, h/cart. (27x35,5) : **ITL 12 000 000** – M<small>ILAN</small>, 14 mars 1989 : *Rayons de soleil dans le sous-bois* 1927, h/cart. (42,5x63,5) : **ITL 7 000 000** – M<small>ILAN</small>, 14 juin 1989 : *Petite Église de campagne*, h/cart. (28x37) : **ITL 2 500 000** – M<small>ILAN</small>, 6 déc. 1989 : *Paysage vallonné*, h/pan. (15x30) : **ITL 1 400 000** – N<small>EW</small> Y<small>ORK</small>, 22 mai 1991 : *Jeux d'enfants* 1887, h/cart. (34,9x54,6) : **USD 74 800** – R<small>OME</small>, 19 nov. 1992 : *Le Jardin botanique de Turin* 1895, h/t (72x96) : **ITL 57 500 000** – R<small>OME</small>, 23 mai 1996 : *Paysage de montagne*, past./pap. (47x62) : **ITL 8 050 000.**

CALDERINO Giuseppe ou **Calderini**
XVIII<small>e</small> siècle. Actif à Milan. Italien.
Peintre.

CALDERON Abelardo Alvarez
Né au Pérou. XIX<small>e</small>-XX<small>e</small> siècles. Vivait à Londres. Péruvien.

Peintre de genre et de portraits.
Elève à Paris de Jules Lefebvre et de R. Collin. Il exposa à Paris en 1900, et à Londres, notamment à la Royal Academy et à Suffolk Street, de 1880 à 1882.

CALDERON Charles Clément
Né en 1870 à Paris. Mort en 1906. XIX<small>e</small>-XX<small>e</small> siècles. Français.
Peintre de paysages.
Elève de Cabanel, il figura à l'Exposition coloniale de 1906. Il a surtout peint des vues de Venise.
V<small>ENTES</small> P<small>UBLIQUES</small> : N<small>EW</small> Y<small>ORK</small>, 29 jan. 1906 : *Le Grand Canal de Venise* : **USD 130** – P<small>ARIS</small>, 14 fév. 1907 : *Vue de Venise* : **FRF 100** – L<small>ONDRES</small>, 18 jan. 1908 : *Venise* : **GBP 8** – P<small>ARIS</small>, 11 avr. 1910 : *Vue de Venise* : **FRF 100** – P<small>ARIS</small>, 6 déc. 1919 : *Le Palais des Doges à Venise* : **FRF 300** – P<small>ARIS</small>, 22 jan. 1921 : *La Piazzetta Saint-Marc à Venise* : **FRF 155** – P<small>ARIS</small>, 18 et 19 fév. 1921 : *Vue de Venise* : **FRF 400** – P<small>ARIS</small>, 24 nov. 1922 : *Le Grand Canal à Venise, soleil couchant* : **FRF 330** – L<small>ONDRES</small>, 1<small>er</small> juin 1923 : *Le Grand Canal à Venise* : **GBP 6** 15 6 – P<small>ARIS</small>, 1<small>er</small> mars 1924 : *Venise, le Grand Canal au couchant* : **FRF 430** ; *Voiliers et Gondole sur le Grand Canal* : **FRF 430** ; *Brick et Gondole sur le Grand Canal, Venise* : **FRF 330** – P<small>ARIS</small>, 23 juin 1924 : *Grand Canal à Venise* : **FRF 1 000** – P<small>ARIS</small>, 20 nov. 1925 : *Coucher de soleil à la Piazzetta, Venise* : **FRF 720** – P<small>ARIS</small>, 4 mars 1926 : *Le Grand Canal à Venise, lever de lune* : **FRF 520** – P<small>ARIS</small>, 7 juin 1937 : *Le Grand Canal à Venise* : **FRF 220** – P<small>ARIS</small>, 8 déc. 1944 : *Vues de Venise*, trois aq. : **FRF 1 100** – P<small>ARIS</small>, 1<small>er</small> mars 1944 : *Vue de Venise* : **FRF 230** – P<small>ARIS</small>, 12 mai 1944 : *Vue de Venise* : **FRF 3 600** – P<small>ARIS</small>, 5 juil. 1955 : *Venise* : **FRF 23 500** – P<small>ARIS</small>, 30 oct. 1967 : *Le Grand Canal à Venise* : **FRF 1 800** – L<small>A</small> F<small>LÈCHE</small>, 1<small>er</small> avr. 1979 : *Venise, le Grand Canal*, h/pan. (53x81) : **FRF 12 500** – V<small>ERSAILLES</small>, 4 oct. 1981 : *Venise, le Grand Canal*, h/t (73x50) : **FRF 8 500** – P<small>ARIS</small>, 22 juin 1983 : *Vue de Venise, le Grand Canal*, h/t (46x55) : **FRF 4 000** – P<small>ARIS</small>, 20 mars 1985 : *Venise, le Grand Canal devant la Place Saint-Marc*, h/pan. (17x23) : **FRF 8 500** – A<small>RLES</small>, 16 fév. 1986 : *Gondoles devant le Palais des Doges à Venise*, h/t (46x65) : **FRF 22 000** – G<small>RENOBLE</small>, 15 juin 1987 : *Gondoliers et Voiles jaunes à Venise*, h/t (23x35) : **FRF 13 000** – N<small>EW</small> Y<small>ORK</small>, 17 jan. 1990 : *Venise*, h/t (74,3x61) : **USD 3 575** – C<small>ALAIS</small>, 8 juil. 1990 : *Bateaux à quai et Gondoles*, h/t (39x56) : **FRF 19 500** – P<small>ARIS</small>, 18 juin 1991 : *Gondoles sur la lagune*, h/t (55x81) : **FRF 58 000** – N<small>EW</small> Y<small>ORK</small>, 15 oct. 1991 : *Vue de Venise avec Santa Maria della Salute à distance*, h/t (54,6x81,3) : **USD 4 620** – N<small>EW</small> Y<small>ORK</small>, 26 mai 1992 : *La Lagune à Venise*, h/pan. (33x40,6) : **USD 4 400** – L<small>ONDRES</small>, 28 oct. 1992 : *Embarcations sur le grand bassin à Venise*, h/t (63x91) : **GBP 3 300** – L<small>ONDRES</small>, 12 fév. 1993 : *Le Bacino à Venise*, h/t (54,6x81,3) : **GBP 3 080** – N<small>EW</small> Y<small>ORK</small>, 20 juil. 1994 : *Le Grand Canal avec Santa Maria della Salute au fond*, h/t (54,6x81,3) : **USD 6 900** – L<small>ONDRES</small>, 17 mars 1995 : *Le Bacino à Venise*, h/t (46,4x65,5) : **GBP 2 990** – P<small>ARIS</small>, 24 nov. 1996 : *Venise*, h/t (38x55) : **FRF 15 000** – L<small>ONDRES</small>, 22 nov. 1996 : *A venetian backwater*, h/pan. (33x22,2) : **GBP 1 840** – C<small>ALAIS</small>, 23 mars 1997 : *Venise, bateaux pavoisés*, h/t (50x73) : **FRF 39 000.**

CALDERON Fernando
XV<small>e</small> siècle. Actif à Séville vers 1480. Espagnol.
Peintre.

CALDERON Pedro
XVI<small>e</small> siècle. Actif à Séville à la fin du XVI<small>e</small> siècle. Espagnol.
Sculpteur.

CALDERON Pedro de
XVII<small>e</small> siècle. Actif à Séville. Espagnol.
Peintre.

CALDERON Pedro Lopez
XVIII<small>e</small> siècle. Actif à Mexico. Mexicain.
Peintre.

CALDERON Philip Hermogenes
Né en 1833 à Poitiers (Vienne). Mort en 1898 à Londres. XIX<small>e</small> siècle. Espagnol.
Peintre d'histoire, compositions à personnages, scènes de genre, portraits.
Fils d'un Espagnol et d'une Française, ce peintre étudia d'abord à Leigh's School, à Londres, mais, plus tard, il vint à Paris avec son ami Stacey Marks et quelque temps fut élève de Picot. Il se maria en 1879.
En 1853, Calderon exposa son premier tableau à la Royal Academy et, en 1855, fit paraître son second essai, intitulé : *Ta volonté soit faite.* Il devint associé de la Royal Academy en 1864, membre en 1867 et, en 1887, fut nommé « Keeper » de cette institution.

Parmi ses œuvres, on cite : *Après la Bataille, Catherine d'Aragon et ses dames d'honneur, Le Retour après la Victoire*. Son tableau : *La Renonciation* a suscité de longues et multiples discussions. Son premier titre : *Sainte Elisabeth de Hongrie*, n'était pas conforme à la vérité historique et le peintre le changea plus tard. **Musées :** Hambourg : *M. et Mme G.-C. Schwabe* – *Constance* – *Cloître à Arles* – *Desdémone* – *Avec le courant* – *Gloire de Dijon* – *Prisonnier, son arc et sa lance* – Leeds : *La très haute, noble et puissante Grâce* – Liverpool : *Ruth et Noémie* – Londres (Water-Colours) : *Un bravo*, encre et pl. – Salford : *Enterrement de John Hampden* – *La reine des tournois*.
Ventes Publiques : Londres, 1870 : *Cache-cache* : **FRF 3 440** – Londres, 1875 : *Virginie Bower* : **FRF 7 610** – *Retour au foyer* : **FRF 23 000** ; *Œnone* : **FRF 19 700** ; *Virginie Bower* : **FRF 25 725** ; *Home After Victory* : **FRF 23 625** – Londres, 1877 : *Le jeune lord Hamlet* : **FRF 8 660** ; *Amoureux sur un banc de jardin* : **FRF 7 085** – Londres, 1888 : *Incident de la guerre de Vendée* : **FRF 20 120** – Londres, 1896 : *Bords de la rivière Clain* : **FRF 4 050** ; *Il penseroso* : **FRF 475** – Londres, 1898 : *Sa très haute et très puissante Grâce* : **FRF 5 775** – Londres, 23 mars 1908 : *La chiffonnière* : **GBP 12** – Londres, 23 mars 1908 : *Le sommeil* : **GBP 13** – Londres, 4 avr. 1908 : *Lady Betty* : **GBP 52** ; *La Victoire* : **GBP 7** – Londres, 4 avr. 1908 : *Lady Betty* 1890, h/t (111,8x86,3) : **GNS 50** – Londres, 1er et 2 juin 1927 : *Juliette* 1887 : **GBP 35** – Londres, 23 et 24 mai 1928 : *Juliette* 1887 : **GBP 11** – Londres, 1er mai 1931 : *Le bel été* 1882 : **GBP 63** – Londres, 24 juil. 1931 : *Vers le trône* 1871 : **GBP 73** – Londres, 13 juil. 1934 : *Ruth* 1888 : **GBP 5** – Londres, 3 mai 1935 : *Leila* 1883 : **GBP 7** – Londres, 7 oct. 1966 : *Folklore espagnol* : **GNS 120** – Londres, 27 juin 1978 : *Sur le quai* 1861, h/t (25x52) : **GBP 1 400** – Londres, 2 fév. 1979 : *Springtime* 1896, h/t (152x104,6) : **GBP 1 600** – Chester, 31 juil. 1981 : *Vue de Pompéi*, h/t (48x33,5) : **GBP 460** – Londres, 18 mars 1983 : *The Virgin's Bower* 1870, h/t (186x119,4) : **GBP 1 700** – Londres, 1er oct. 1986 : *Fatima* 1880, h/t, de forme ovale (43x33) : **GBP 1 300** – Londres, 30 sep. 1987 : *La libération des prisonniers pour l'anniversaire de la jeune princesse*, h/t (112x86,5) : **GBP 18 000** – Paris, 24 jan. 1990 : *L'Adieu*, h/t (76x96) : **FRF 6 000** – New York, 20 fév. 1992 : *La chronique de la cour*, h/pan. (27,9x40,6) : **USD 9 900** – New York, 27 mai 1992 : *Nymphe des bois* 1883, h/t (66,3x43,8) : **USD 22 000** – Londres, 12 nov. 1992 : *Les coquettes à Arles* 1875, h/t (89x119) : **GBP 3 300** – New York, 13 oct. 1993 : *Muse parmi des ruines*, h/t (160x104,1) : **USD 18 400** – London, 4 nov. 1994 : *Portrait d'une jeune femme* 1897, h/t (61x48,2) : **GBP 9 775** – Londres, 6 nov. 1995 : *L'Adieu* 1892, h/t (134,6x72,3) : **GBP 24 150** – Londres, 12 mars 1997 : *Sylvia*, h/t (71,5x61) : **GBP 4 600** – Londres, 7 nov. 1997 : *Dame Betty*, h/t (112,5x86,3) : **GBP 9 200**.

CALDERON William Frank
Né en 1865 à Londres. Mort en 1943. xixe-xxe siècles. Britannique.
Peintre d'histoire, paysages animés, animalier.
Il était le troisième fils de Philip Hermogenes Calderon. Il étudia à la Slade School of Art de Londres sous la direction d'Alphonse Legros et fonda en 1894 l'École de peinture animalière qu'il dirigea jusqu'en 1916. Il exposa à partir de 1882, à la Royal Academy, à Suffolk Street et à la Grafton Gallery également de Londres. En 1906 il exposa à Liverpool, en 1910 au Salon des Artistes Français de Paris obtenant une troisième médaille.
Les animaux prédominent dans ses œuvres et même des sujets littéraires sont souvent un prétexte pour y introduire des animaux en situation.
Musées : Hambourg : *Tueur de rats* – *Après le travail* – *Marché aux chevaux*.
Ventes Publiques : Londres, 24 oct. 1978 : « *Dinner* », h/t (58,5x84) : **GBP 1 100** – Londres, 18 mars 1980 : *Dante dans la vallée des terreurs*, h/t (143x112) : **GBP 900** – Londres, 22 nov. 1983 : *Comment les quatre reines trouvèrent Lancelot endormi* 1908, h/t (120x182) : **GBP 7 000** – Londres, 22 fév. 1985 : *La fin d'une dure journée de travail* 1883, h/t (61x91,5) : **GBP 900** – Londres, 25 juil. 1986 : *Abri* 1912, h/t (102,2x128,3) : **GBP 6 500** – Londres, 13 fév. 1987 : « *Resting* » 1888, h/t (52x35,5) : **GBP 2 400** – Londres, 15 juin 1988 : *À l'abri* 1912, h/t (101x128) : **GBP 11 000** – Londres, 25 oct. 1991 : *Comment quatre reines découvrirent Lancelot endormi* 1908, h/t (122x182,9) : **GBP 16 500** – New York, 19 fév. 1992 : *L'embuscade*, h/t (65,4x138,1) : **USD 7 700** – New York, 29 oct. 1992 : *Une perle de grande valeur* 1884, h/t (84,5x68) : **USD 24 200**.

CALDERON DE GIL Alba
Né en Équateur. xxe siècle. Travaillant en Équateur. Equatorien.

Peintre.
Est connu pour ses études sur la vie des mineurs.

CALDERON DE LA BARCA Vicente
Né en 1762 à Guadalajara. Mort en 1794 à Madrid. xviiie siècle. Espagnol.
Peintre de portraits et paysagiste.
Élève de Franc. Goya. On cite de lui : *La Naissance de saint Norbert*.

CALDERON ROCA Alfonso
Né à Manille. xixe siècle. Espagnol.
Peintre.
Élève, à Madrid, de Carlos Mugica y Perez. Il exposa à partir de 1860 à la Nationale des Beaux-Arts à Madrid. On cite de lui : *Intérieur d'un café maure, Famille d'insurgés prisonniers dans l'île de Cuba* et de nombreux portraits.

CALDERONE Pier Casimiro
Né au xixe siècle à Palerme. xixe siècle. Travaillant à Palerme. Italien.
Peintre.

CALDERONI Matteo
xviiie siècle. Actif à Venise. Italien.
Sculpteur.
Travailla à l'église des Jésuites et à S. Eustachio à Venise.

CALDERWOOD William Leadbetter
Né le 19 février 1865 à Glasgow. xixe siècle. Britannique.
Portraitiste.
Élève du College of Art d'Edimbourg. Cet artiste qui a peint aux États-Unis, en Italie et en Espagne, exposa à la Royal Scottish Academy et au Royal Glasgow Institute of Fine Art. Il signe : W. L. C.

CALDOLIVER Jaime
xvie siècle. Actif à Barcelone. Espagnol.
Sculpteur.

CALDWALL James
Né en 1739 à Londres. xviiie siècle. Vivait encore en 1789. Britannique.
Dessinateur et graveur.
Il fut élève de Sherwin et laissa des gravures d'après Carter, Adams, Hamilton et d'autres, et des portraits de célébrités, parmi lesquelles il convient de mentionner la grande actrice mistress Siddons et l'historien David Hume. Exposa à Londres de 1768 à 1780, à la Free Society et à la Society of Artists.

CALDWALL John
Né au xviiie siècle à Londres. Mort en 1819 en Écosse. xviiie-xixe siècles. Britannique.
Peintre miniaturiste.
Frère de James Caldwall. Il travailla principalement en Écosse.

CALDWELL Atha Haydock, Mrs
xxe siècle. Américaine.
Peintre.
Associée de la Society of Western Artists et membre de la Chicago Society of Artists vers 1903.

CALDWELL Edmund
Né en 1852 à Canterbury. Mort en 1930. xixe-xxe siècles. Travaillant à Londres. Britannique.
Peintre animalier, aquarelliste.
Il exposa à Londres à partir de 1880 à la Royal Academy, à Suffolk Street et à la New Water-Colours Society.

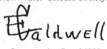

Ventes Publiques : Londres, 4 et 5 mai 1922 : *Un épagneul et un faisan* 1893 : **GBP 9** – Londres, 16 déc. 1980 : *The great indian gaur* 1914, aquar. (47x65) : **GBP 220** – Londres, 18 mars 1987 : *A pig's ear* 1881, h/t (38x51) : **GBP 2 900** – New York, 7 juin 1991 : *Chienne hound avec ses petits* 1885, h/t (30,5x38,1) : **USD 7 150** – Londres, 13 nov. 1992 : *Jeunes chiens et poisson rouge s'observant au travers du bocal*, h/t (45,7x60,9) : **GBP 21 450** – Londres, 10 mars 1995 : *Un étranger parmi nous* 1889, h/t (61x91,5) : **GBP 3 450**.

CALDWELL Gladys
Née au xxe siècle dans le Colorado. xxe siècle. Américaine.
Sculpteur.
En 1929 elle exposait aux Indépendants : *Lévrier* et *Mouflon*.

CALDWELL William H.
Né vers 1837 à Rochester (New York). Mort en 1899 à New York. XIXe siècle. Britannique.
Dessinateur.

CALE Robert
XXe siècle. Actif aussi en France. Américain.
Graveur.
Il a travaillé à Paris, dans l'atelier 17 dirigé par Hayter, dont il est devenu l'assistant. Se basant sur des réactions chimiques, il a mis au point un procédé qui lui permet de tremper des poissons dans la peinture et de les appliquer ensuite sur du papier, donnant des empreintes d'un type insolite. Ses recherches ne sont pas sans rappeler certaines œuvres d'Yves Klein.

CALEGARI. Voir aussi **CALLEGARI**

CALEGARI Alessandro ou **Callegari, Caligari**
XVIIIe siècle. Actif à Brescia au début du XVIIIe siècle. Italien.
Sculpteur.
Fils de Santo Calegari l'Ancien.

CALEGARI Antonio ou **Callegari** ou **Caligari**
Né en 1698 à Brescia. Mort en 1777 à Brescia. XVIIIe siècle. Italien.
Sculpteur.
Fils de Santo Calegari l'Ancien et frère d'Alessandro Calegari. Il a travaillé pour des églises de Bergame, de Crémone, de Bologne et de Brescia, exécutant entre autres pour la cathédrale et le presbytère de cette dernière ville les statues de saint Gaudens, de saint Octavien et de sainte Agnès.

CALEGARI Giovanni ou **Callegari**
Né en 1705. Mort après 1783. XVIIIe siècle. Italien.
Peintre et sculpteur.
Élève de Mauro Tesi et de Carlo Bianconi. Il fut actif jusque vers 1783.

CALEGARI Santo, l'Ancien ou **Callegari, Caligari**
Né en 1662 à Brescia. Mort en 1717 ou 1719 à Brescia. XVIIe-XVIIIe siècles. Italien.
Sculpteur et graveur.
Père d'Alessandro et d'Antonio Calegari. Il a travaillé pour les églises de Bergame et de Brescia.

CALEGARI Santo, le Jeune ou **Callegari, Caligari**
Né en 1722 à Brescia. Mort en 1780 à Brescia. XVIIIe siècle. Italien.
Sculpteur.
Fils et élève d'Antonio Calegari. Il travailla pour la cathédrale de Brescia exécutant notamment les statues de *saint Jean* et de *saint Luc.*

CALEGARI Vittorio
Né en 1861 à Pianoro (Émilie). XIXe siècle. Travaillant à Bologne. Italien.
Peintre de genre.

CALEGARINO. Voir **CAPELLINI**

CALEMBERT Joëlle
Née en 1947 à Liège. XXe siècle. Belge.
Peintre et dessinateur de figures et paysages. Post-impressionniste.
Élève de l'Académie des Beaux-Arts de Liège, elle a adopté une technique impressionniste dans ses descriptions sensibles de personnages seuls ou en groupe, mais aussi à travers des paysages tant animés que déserts.
BIBLIOGR. : In : *Diction. biogr. illustré des Artistes en Belgique depuis 1830,* Arto, 1987.
MUSÉES : LIÈGE (Mus. d'Art Wallon).

CALENDA Guglielmo
Né en 1863 à Naples. XIXe siècle. Italien.
Peintre d'intérieurs, paysages.
Étudia à l'Académie des Beaux-Arts de cette ville sous la direction d'Amati. Il a très peu exposé ; nous citerons seulement deux *Études d'après nature,* exposées à Naples en 1884.
VENTES PUBLIQUES : ROME, 12 déc. 1989 : *Intérieur,* h/t (42,5x56,5) : ITL 4 200 000.

CALENDI A.
XIXe-XXe siècles. Italien.
Sculpteur.
En 1913 il exposait *Improvisation* au Salon des Artistes Français.

CALENDI Giuseppe
XIXe siècle. Actif à Florence au début du XIXe siècle. Italien.
Graveur.
Élève de R. Morghen.

CALENGE Pierre Émile
Né à Granville (Manche). XXe siècle.
Peintre.
Il exposa aux Salons des Indépendants à Paris.

CALENGE Roger
Né à Clichy-la-Garenne (Hauts-de-Seine). XXe siècle. Français.
Peintre.
Exposant des Indépendants.

CALENSE Cesare
Né à Lecce. XVIe siècle. Actif vers 1590. Italien.
Peintre d'histoire.
Il fut particulièrement heureux dans les effets de clair-obscur. On ignore qui fut son maître. Il a été mentionné pour la première fois par De Dominici qui lui attribue une *Descente de Croix.*

CALERN Jeanne
XXe siècle. Française.
Sculpteur.
A exposé une sculpture abstraite au 8e Salon des Réalités Nouvelles, en 1953.

CALERO Ricardo
XXe siècle. Espagnol.
Sculpteur d'installations.
Il a figuré dans plusieurs expositions collectives parmi lesquelles on peut citer : *La sculpture espagnole contemporaine* au Palais de Sastago à Saragosse, la Il^e Biennale européenne de Sculpture de Normandie, la VIIe Biennale Internationale d'Art à Potevedra, en 1989 *Saturnus* au Palais des Beaux-Arts de Toulouse et à Saragosse à l'Espace Pignatelli. Il a exposé personnellement en 1988 au musée Pablo Gargallo de Saragosse, en 1989 à la galerie Angel Romero de Madrid et à la galerie l'Aire du Verseau à Paris.
Ricardo Calero travaille à partir de matériaux de récupération et des objets trouvés. A partir de cette matière première de fortune, il réalise des installations que l'on peut nommer plus justement des scénographies, tant il désigne ainsi un espace uniformisé. Ces œuvres ne sont pas réalisées dans une optique issue du dadaïsme, mais dans l'optique, comme l'écrit G. Georges-Lemaire d'« une conversion paradoxale de ce qui était vil en ce qui pourrait être reconnu pour sa noblesse ». L'accent est souvent porté sur l'action destructrice du temps, irréparable mais cependant source d'évocations poétiques.
BIBLIOGR. : Gérard-Georges Lemaire, *Ricardo Calero, mesure et démesure du temps intérieur,* Opus International, N° 125, été 1991, pp 54-55.

CALÈS Pierre
Né le 31 août 1870 à Vienne (Isère). Mort le 15 octobre 1961. XIXe-XXe siècles. Français.
Peintre de figures et paysages.
Prêtre à Tencin, dans la vallée de l'Isère, il travaille en autodidacte, suivant seulement les conseils du peintre Philippe Charlemagne, lui-même élève d'Achard. Ses paysages sont peints en touches rapides de couleurs éclatantes, utilisant la technique du couteau.
MUSÉES : GRENOBLE : *Paysages.*
VENTES PUBLIQUES : GRENOBLE, 26 avr. 1976 : *Les bords de l'Isère* 1927, h/cart. (36x90) : FRF 4 700 – GRENOBLE, 12 déc. 1977 : *Venise, le Pont des Soupirs* 1935, h/cart. (25,5x43) : FRF 7 000 – VERSAILLES, 18 mars 1979 : *Ruisseau dans la forêt* 1929, h/pap. mar./pan. (42x90) : FRF 6 100 – GRENOBLE, 13 oct. 1980 : *Vallée du Grésivaudan, le matin en mai,* h/t (35x90) : FRF 6 800 – GRENOBLE, 8 déc. 1981 : *La chantourne au printemps* 1915, h/cart. mar./t. (38x62) : FRF 10 000 – GRENOBLE, 13 déc. 1982 : *La fontaine à Tencin sous la neige,* h/cart. (43x74) : FRF 12 500 – GRENOBLE, 14 mars 1983 : *le col des Ayes,* h/t (69x41) : FRF 11 000 – GRENOBLE, 10 déc. 1984 : *La Chantourne en hiver* 1934, h/t (44,5x92) : FRF 15 000 – GRENOBLE, 14 oct. 1985 : *La vallée au col des Ayes,* h/t (44x74) : FRF 14 000 – PARIS, 16 juin 1986 : *Paysage montagneux* 1927, h/cart. (34x76,5) : FRF 10 000 – LYON, 1er déc. 1987 : *Paysage à la rivière près de Tencin* 1932, h/cart. (42x73) : FRF 14 500 – VERSAILLES, 9 déc. 1990 : *Au col de Leschaud* 1938, h/pap. (30x49) : FRF 6 000 – PARIS, 15 avr. 1992 : *Paysage de montagne* 1954, h/cart. (43,5x75,5) : FRF 14 000 – CALAIS, 5 juil.

1992 : *Paysage grenoblois* 1915, h/pan. (26x56) : **FRF 6 200** –
PARIS, 22 déc. 1993 : *En hiver : village des Adrets, Isère* 1935,
h/cart. (33x41) : **FRF 7 500** – PARIS, 21 mars 1994 : *Sous-bois*
1948, h/cart. (42,5x70) : **FRF 6 000**.

CALET Bernard
Né en 1958. XXᵉ siècle. Français.
Sculpteur d'installations.
Il vit et travaille à Tours. Il expose pour la première fois à Paris en
1988. En 1994, le CCC (Centre de Création Contemporaine) de
Tours lui a consacré une exposition personnelle. Il a été lauréat
ex æquo avec Tania Mouraud de la Bourse d'art monumental de
la Ville d'Ivry en 1997.
Ses sculptures ou assemblages ou installations ou environnements, sont en rapport avec ou constituées par des éléments du
vocabulaire architectural : sol carrelé, parquet, marches d'escalier, œil-de-bœuf, etc. Il combine souvent des miroirs sombres à
des volumes métalliques mats, en particulier des marches d'escalier. Ses miroirs, faits de matériaux écrans, feuille de plomb ou
papier photographique insolé, ne renvoient pas l'image mais sa
dissolution. Les sculptures de Calet prennent corps de manière
ambiguë, jouant du paradoxe des plans lourds et des volumes
légers, de l'absorption et de la réflection.
BIBLIOGR. : Pascale Cassagnau : *Bernard Calet*, Art press, n° 185,
Paris, nov. 1993.
MUSÉES : ORLÉANS (FRAC Centre) : *Élévation II* 1994, installation.

CALETTI Giuseppe, dit il Cremonese
Né vers 1600 à Ferrare. Mort vers 1660. XVIIᵉ siècle. Italien.
**Peintre d'histoire, scènes de genre, portraits, dessina-
teur, graveur.**
D'après Lanzi, Caletti aurait été d'abord le disciple des Carracci,
fréquentant leur école, et, plus tard, un imitateur de Dosso Dossi
et de Titien. Il s'inspira si bien du dessin et du coloris de Vecellio
que beaucoup de connaisseurs voyant ses œuvres, les attribuèrent quelquefois à l'illustre Vénitien. Caletti réussit même à
contrefaire ce vernis d'ancienneté produit par le temps sur les
peintures.
VENTES PUBLIQUES : LONDRES, 12 juil. 1978 : *Erminia et Vafrino
pleurant Tancrède* ; *Tancrède baptisant Clorinde*, deux toiles
(134x206) : **GBP 10 000** – LONDRES, 3 juil. 1980 : *Trois hommes sur
des ânes*, pl. et lav. (18,7x14,3) : **GBP 1 400** – LONDRES, 24 avr.
1981 : *Marie Madeleine*, h/t (67,3x54,6) : **GBP 1 000**.

CALI Antonio
Né en 1788 à Naples. Mort en 1866. XIXᵉ siècle. Actif à Naples.
Italien.
Sculpteur.
Élève à Rome de Thorwaldsen. On cite de lui la statue équestre
de *Ferdinand I de Bourbon*, et les statues de *François I* et de *Fer-
dinand II*.

CALI Benjamino
Né en 1832 à Naples. XIXᵉ siècle. Italien.
Sculpteur.
Cet artiste a produit nombre de groupes, statues, bas-reliefs,
monuments et figures. Parmi les meilleures de ses œuvres, men-
tionnons la statue de *Victor-Emmanuel*, au Palais de la Préfec-
ture de Palerme, la statue du *Docteur Lanza*, sur une place de
Foggia, une *Statue de la Vierge*, acquise par la Maison royale de
Naples, les bustes de *Victor-Emmanuel* et de *Garibaldi*.

CALI Ernesto
Né en 1821 à Naples. XIXᵉ siècle. Italien.
Sculpteur.
Étudia les beaux-arts sous la direction de ses oncles, Antonio et
Gennaro ; travailla successivement à Rome, Paris et Londres et
obtint nombre de diplômes, médailles, distinctions de toutes
sortes. A Istanbul, on trouve de lui un grandiose monument en
marbre, élevé à *Henri-Maurice Rampascher*.

CALI Gennaro
Né en 1799 à Naples. XIXᵉ siècle. Italien.
Sculpteur.
VENTES PUBLIQUES : BRUXELLES, 21 avr. 1976 : *Couple d'amoureux*
1836, marbre (H. 75) : **BEF 90 000**.

CALI Ignazio
Né le 29 septembre 1855 à Capoue. XIXᵉ siècle. Travaillant à
Naples. Italien.
Peintre.
Fit ses études à l'Académie Albertine de Turin et obtint le
diplôme de professeur de dessin des Écoles techniques. Il a

exposé à Turin en 1884 et à Naples en 1887 (*Vue de Terracine et
Figure de vieillard*).

CALIARI Benedetto
Né en 1538 à Vérone. Mort en 1598. XVIᵉ siècle. Éc. vénitienne.
**Peintre de sujets mythologiques, compositions reli-
gieuses, figures, dessinateur, fresquiste.**
Benedetto, le plus jeune des frères de Paolo Véronèse et son
élève, aida le maître dans beaucoup de ses travaux. Ce fut surtout dans les ornements et les perspectives qu'il montra toute
son habileté. Il fit aussi quelques travaux originaux, ainsi que des
fresques. Parmi les premiers, on cite : *La Cène* et *Jésus Christ
devant Pilate*, qu'il peignit dans l'église de S. Niccolo della
Laguna à Venise. Après la mort de Paolo, Benedetto et ses
neveux, Gabriele et Carletto (qui furent aussi des élèves de
Paolo), s'établirent comme marchands pour la vente des peintures laissées par Véronèse. Ils unirent également leurs efforts
pour terminer les œuvres laissées inachevées par le grand Vénitien et qu'ils se chargèrent d'achever d'après ses dessins et dans
sa manière.
MUSÉES : TOURCOING : *L'homme entre le vice et la vertu* – VENISE
(Acad.) : *Jésus présenté à Pilate* – *Vierge en gloire* – *Enlèvement
de Proserpine* – *Tête de jeune homme* – VENISE (Gal. roy.) : *Jeune
homme penché sur l'appui d'une fenêtre* – *Jésus présenté à Pilate*
– *La Cène*.
VENTES PUBLIQUES : PARIS, 1859 : *Une femme richement costumée*, pl. et lav. reh. de blanc : **FRF 11** ; *Une sainte à genoux présentée au pape*, pl., sur pap. grisâtre : **FRF 5,50** – MONACO, 2 juil.
1993 : *La naissance de Saint Jean Baptiste*, craie noire et encre/
pap. bleu (18,9x53,8) : **FRF 122 100** – PARIS, 5 avr. 1995 : *Mars et
vénus avec Cupidon et un cheval*, h/t (49x49) : **FRF 40 000**.

CALIARI Carlo ou Carletto
Né en 1570 à Venise. Mort en 1596 à Venise. XVIᵉ siècle. Italien.
**Peintre de compositions religieuses, sujets allégoriques,
portraits, dessinateur.**
Carletto hérita en partie du talent de son illustre père et, très
jeune, montra une facilité dans l'imitation de ses œuvres. Paolo
Véronèse, pourtant, désirant voir en son fils plus qu'un simple
reflet de son génie, le fit travailler chez Bassano et, à 18 ans, Carletto avait acquis une manière personnelle.
Son tableau : *Saint Augustin de la Charité* est considéré comme
son œuvre la plus originale. Dans ses autres travaux, on retrouve
la touche paternelle. Parmi ceux-ci, on cite un tableau d'autel à
San Frediano et deux autres compositions dans le Musée Médicis. Carletto acheva aussi plusieurs ouvrages laissés par son
père.

*Carlo Caßa
f*

MUSÉES : AVIGNON : *Groupe de cinq personnages*, fragment d'un
tableau – BREST (Mus. mun.) : *Festin de Balthasar, esquisse* –
BRUXELLES : *Sainte Famille avec sainte Thérèse et sainte Catherine*
– BUDAPEST : *Sujet de la Bible* – FLORENCE (Gal. Nat.) : *Adam et Ève
avec leurs enfants* – *La désobéissance d'Adam et Ève* – *La créa-
tion d'Ève* – *Adam et Ève chassés du Paradis terrestre* – *La Vierge,
Jésus et des anges* – FLORENCE (Palais Pitti) : *La Vierge et l'Enfant
Jésus* – GÊNES (Rosso) : *Martyre de sainte Justine* – LYON : *Catarina
Cornaro, la reine de Chypre, reçue à Venise par le Doge Barba-
rigo* – *L'adoration des Mages* – MADRID (Prado) : *Allégorie* –
Sainte Agneda – *Le Jugement de Pâris* – NANCY : *Portrait d'enfant*
– ROME (Borghèse) : *Le sermon de Jésus-Christ dans la Synagogue* – ROME (Colonna) : *La musique* – VENISE : *Venise triomphante* – *Baptême du Christ* – VENISE (Gal. Nat.) : *Résurrection de
Lazare* – *Véronique essuie le visage de Jésus-Christ tombé sous le
poids de la croix* – *Ange portant les attributs de la passion* –
Femme à la fenêtre – *Tête de jeune homme* – *Ange portant les
symboles de la passion* – *Même sujet* – *La Vierge en gloire devant
trois patriciennes agenouillées* – VIENNE : *Saint-Augustin établit le
règlement de son ordre* – VIENNE (Czernin) : *Alexandre et Diogène*.
VENTES PUBLIQUES : PARIS, 1742 : *L'assemblée des apôtres* :
FRF 1 200 – PARIS, 1807 : *Le centenier à genoux, aux pieds du
Christ, lui demandant la guérison de son serviteur* : **FRF 213** –
PARIS, 1825 : *La reine de Saba* : **FRF 600** – PARIS, 1858 : *Jésus s'af-*

faissant sur les genoux d'un ange, dess. à la pl. lavé d'encre de Chine : **FRF 8,50** – Paris, 18 jan. 1877 : *Portrait du Podestat de Bergame* : **FRF 1 750** – Paris, 21 mars 1925 : *Amours et griffonnages divers*, pl. : **FRF 50** – New York, 18 et 19 avr. 1934 : *Le Christ et la Samaritaine* : **USD 200** – New York, 29 avr. 1965 : *Portrait de trois enfants* : **USD 1 400** – Londres, 24 juin 1980 : *Portrait de femme en buste*, craie de coul. (29,6x20,4) : **GBP 4 500** – Milan, 30 nov. 1982 : *Étude d'ange*, craie noire et reh. de blanc (25x17) : **ITL 750 000** – Paris, 24 fév. 1992 : *Le baptême du Christ*, h/t (42,5x37) : **FRF 30 000** – Monaco, 2 juil. 1993 : *Le baptême du Christ*, craie noire et lav./pap. bleu (54x36,5) : **FRF 66 600** – New York, 19 mai 1995 : *La Sainte Famille avec des Saints*, h/t (95,9x61,6) : **USD 23 000**.

CALIARI Gabriele
Né en 1568 à Venise. Mort en 1631 à Venise. xvie-xviie siècles. Italien.
Peintre de figures, portraits.
Fils de Paolo Véronèse. Il fut aussi peintre et travailla dans la manière de son père. Il acheva quelques ouvrages après la mort de celui-ci, en collaboration avec son frère Carletto et son oncle Benedetto. Gabriele se rendit à Venise après la mort du chef de la famille et y vécut plutôt en marchand de tableaux qu'en peintre. Il produisit cependant, à cette époque, des tableaux de chevalet et quelques portraits au pastel. Lors de la peste qui sévit en Italie en 1631, il fit preuve d'un grand dévouement en secourant bien des infortunés et, s'exposant ainsi à la contagion, il en fut atteint lui-même.
Musées : Rome (Gal. Colonna) : *Portrait d'Étienne Colonna* – Venise (Palais ducal) : *Le doge Marino Grimani recevant les ambassadeurs persans en 1603.*
Ventes Publiques : Londres, 2 juil. 1991 : *Tête de jeune fille regardant en bas à gauche*, past./pap. écru (29x20,1) : **GBP 2 420** – Londres, 7 juil. 1992 : *Portrait d'une jeune dame regardant en bas à droite*, craies de coul./pap. chamois (29,1x19,7) : **GBP 2 420**.

CALIARI Giovanni
Né en 1802 à Vérone. Mort en 1850 à Vérone. xixe siècle. Italien.
Peintre.
Fils et élève de Paolo Caliari (né en 1763).

CALIARI Girolamo
Originaire d'Udine. xviie siècle. Travaillant à Venise vers 1600. Italien.
Sculpteur.

CALIARI Paolo
Né en 1763 à Vérone. Mort en 1835 à Vérone. xviiie-xixe siècles. Italien.
Peintre.
Descendant du grand Véronèse. Il eut pour maître Prospero Schiavi, qui avait été élève de Giambettino Cignaroli. Il a peint des portraits, des fresques et exécuté des copies des maîtres. Ses œuvres se trouvent en grand nombre dans les hôtels particuliers de Vérone.

CALIARI Paolo. Voir VERONESE Paolo

CALICI Achille
Né vers 1565 à Bologne. Mort en 1604 à Bologne. xvie siècle. Italien.
Peintre.
Il fut d'abord l'élève de Prospero Fontana, mais subit plus tard l'influence de Ludovico Carracci, dont il devint le disciple. Il a peint les parties latérales du maître-autel de l'église de San Michele Arcangelo, à Bologne.

CALIFANO Giovanni ou John
Né le 5 décembre 1815 à Rome. Mort en 1946. xixe-xxe siècles. Actif aux États-Unis. Italien.
Peintre de scènes de genre, figures, paysages animés, paysages.
À Naples, il fut élève de Domenico Morelli. Il se fixa aux États-Unis. Il y exposa à la National Academy of Design de New York et au Art Club de Philadelphie. En 1880, à Milan, il avait obtenu une médaille d'or.
Peintre de sujets de genre, de figures, il a peint des paysages animés où, souvent, paissent des moutons.
Ventes Publiques : New York, 1908 : *Le Soir, scène d'hiver* : **USD 60** – Los Angeles, 18 juin 1979 : *Soir d'hiver*, h/t (56x91,5) : **USD 3 100** – Los Angeles, 16 mars 1981 : *Paysages montagneux*,

deux h/cart. (20x25) : **USD 900** – Rome, 3 avr. 1984 : *Jeune Fille au châle rouge*, h/t (95x115) : **ITL 3 400 000** – New York, 5 déc. 1985 : *Independance Day 1900*, h/pan. parqueté (51,5x71,1) : **USD 33 000** – Milan, 31 mars 1987 : *Troupeau de moutons dans un paysage montagneux*, h/pan. (55,5x70,5) : **ITL 3 600 000** – Amsterdam, 24 avr. 1991 : *Les Jeunes Ornithologues*, h/t/cart. (60,5x86) : **NLG 5 750** – New York, 31 mars 1993 : *Paysage de montagne avec une rivière*, h/t (34,9x50,8) : **USD 1 380** – New York, 23 sep. 1993 : *La Lettre d'amour*, h/t (76,2x45,7) : **USD 8 625** – New York, 15 nov. 1993 : *Pêcheurs rapportant leur prise*, h/t/rés. synth. (85x61) : **USD 1 380** – New York, 20 mars 1996 : *Berger et son troupeau dans un paysage montagneux*, h/t/pan. (56,8x73) : **USD 2 875** – New York, 4 déc. 1996 : *Lettre d'amour*, h/t (75,6x45) : **USD 10 925**.

CALIFANO Michael
Né en 1895. xxe siècle. Actif en Amérique. Italien.
Peintre de portraits.
Naturalisé américain. Il est l'auteur de portraits mondains. Il a fait plusieurs expositions personnelles aux Etats-Unis.

CALIGA Isaac Henry
Né le 24 mars 1857 à Auburn (Indiana). xixe siècle. Vivant à Boston. Américain.
Peintre.
Cet artiste fut à Munich l'élève de Lindenschmit. Participa aux Expositions de la National Academy de New York, du Chicago Art Institute, de la Pennsylvania Academy et de l'Art Club de Philadelphie et de Boston.

CALIGARI. Voir CALEGARI

CALIGARINO Gabriele. Voir CAPELLINI

CALIGARO Carl Thomas ou Caligard
xviie siècle. Actif à Brünn. Autrichien.
Peintre.

CALIGIANI Alberto
Né en 1894. xxe siècle. Italien.
Peintre de paysages.
Ses paysages sont marqués par la facture cézannienne.
Musées : Florence (Gal. d'Art Mod.) : *Campagne toscane*.

CALIGINOSO Mario
Né vers 1590, d'origine sicilienne. Mort en 1648 à Rome. xviie siècle. Italien.
Peintre.

CALIGO
xixe siècle. Italien.
Peintre.
Il exposa à Florence vers 1878-1880 des intérieurs d'églises.

ÇALIK Mehmet Sadi ou Çalkk Sadi
Né en 1917 en Crète. xxe siècle. Turc.
Sculpteur. Abstrait.
Après des études à l'Ecole des Beaux-Arts d'Istambul jusqu'en 1949, il arrive en France en 1950, pour compléter son enseignement. Il a réalisé des reliefs architecturaux. Ses œuvres abstraites oscillent entre une forme géométrique et un certain lyrisme.
Musées : Istanbul (Mus. de Peinture et Sculpture).

CALIMBERGH Gioseffo ou Calimpergh
Né au début du xviie siècle à Venise, de parents allemands. Mort après 1663. xviie siècle. Actif à Venise. Italien.
Peintre.
On cite de lui *La Bataille livrée par Constantin, contre Maxence.*

CALIN-ELS Éveline Linica
Née le 28 septembre 1925 à Moreni. xxe siècle. Depuis 1972 active en Israël. Roumaine.
Peintre de paysages, sculpteur de statues et bustes, céramiste.
De 1942 à 1945, étudia la peinture et les arts graphiques à l'Ecole d'Art Juive de Bucarest. Après 1945, étudia la sculpture à l'Académie des Beaux-Arts de Bucarest, dont elle obtint le diplôme en 1948. Elle participe à des expositions collectives en Roumanie, Israël, Italie, Tchécoslovaquie, et notamment à l'Exposition Internationale de Céramique de Faenza, en 1968 et 1970. Elle fit sa première exposition personnelle à Bucarest en 1969, la seconde en Israël. Elle a exécuté des bas-reliefs en céramique pour des édifices publics en Roumanie et en Israël. En 1950, elle avait obtenu le Prix du Ministère des Arts de Roumanie pour la Sculpture.

Ses premières sculptures représentient des ouvriers, gais et vigoureux, en accord avec les directives du réalisme-socialiste. La céramique lui a permis une liberté plus grande dans le choix de thèmes spécifiquement ornementaux tirés de l'art populaire et de stylisations à partir de la faune et de la flore. Établie en Israël, elle reprit la peinture pour en traduire les paysages.
BIBLIOGR. : In Ionel Jianou : *Les artistes roumains en Occident,* Amer.-Romanian Acad. of Arts and Sciences, Los Angeles, 1986.

CALINELET Hedwig
Né le 23 mai 1814 à Laon (Aisne). XIXe siècle. Français.
Peintre.
Cet artiste s'établit à Paris. Il exposa au Salon, de 1848 à 1870.

CALINESCO Alexandre
Né à Bucarest. XIXe-XXe siècles. Actif en France. Roumain.
Sculpteur de bustes.
Élève de Mercié, il a participé au Salon des Artistes Français à Paris de 1914 à 1928, obtenant une mention honorable en 1927.

CALINESCU-ARGHIRA Alexandru
Né le 23 mai 1935 à Bucarest. XXe siècle. Actif aussi en France. Roumain.
Sculpteur. Abstrait-cinétique.
Il fit ses études à l'Institut des Beaux-Arts « Nicolae Grigorescu » à Bucarest, dans la section sculpture, jusqu'en 1962. Membre de l'Union des Artistes Plastiques de Roumanie à partir de 1968, il a participé à plusieurs symposiums en Roumanie depuis 1978, puis en Allemagne, Italie, Autriche, France et en Corée du Sud, entre 1983 et 1987. Il avait été invité à la Biennale Internationale de la Sculpture en plein-air à Milan en 1970, au Salon de la Jeune sculpture à Paris en 1971, à la Biennale de Ravenne en 1983. Il a participé aux Salons des Artistes Indépendants et de la Jeune Peinture à Paris en 1984, à l'exposition d'art roumain contemporain à Stuttgart en 1985. Individuellement, il a exposé à Bucarest à partir de 1968, en Itale en 1970, à Paris en 1984 et 1985, en Allemagne en 1985.
Il travaille alternativement à Bucarest et à Paris. Il a réalisé quelques panneaux monumentaux pour des édifices officiels en Roumanie. Ses sculptures sont parfois en relation directe avec l'architecture, comme le montrent certaines de ses œuvres réalisées au symposium de Fanano en 1984, lorsqu'il a accroché aux murs d'une maison son articulation sculptée, ou lorsqu'au symposium de Pognana-Côme, en 1986, il a fait sortir d'une fenêtre d'une ancienne bâtisse, une sorte de coulée de pierre sculptée, ce qui lui a valu l'attribution d'un prix. D'autres fois, il sculpte des œuvres indépendantes, soit monumentales, soit de plus petites dimensions, utilisant aussi bien la pierre, que le bois ou le métal. Certaines de ses œuvres font penser à des imbrications, des articulations, comme *Interférence* (1984) ou *Composition mécanique* (1984), toutes deux en bois et dont la ressemblance avec une pelle mécanique est flagrante. Malgré ce rappel mécanique, les sculptures de Calinescu restent abstraites. Ses sculptures se composent souvent d'éléments géométriques, par exemple des sphères, se déplaçant légèrement devant des éléments fixes, géométriquement orthogonaux par opposition aux éléments dynamiques sphériques, courbes. ■ A. P.
BIBLIOGR. : In : *L'Officiel des arts,* Édut. du Chevalet, Paris, 1988.
MUSÉES : BUCAREST – MILAN (Mus. d'Art Mod.) – PARIS (Mus. Nat. d'Art Mod.).

CALISCH Moritz
Né le 12 avril 1819 à Amsterdam. Mort le 14 mars 1870 à Amsterdam. XIXe siècle. Hollandais.
Peintre d'histoire, de portraits et de genre.
Il fut l'élève de J.-A. Kruseman. Le Musée d'Amsterdam possède de lui : *Bénédiction maternelle – Visite à l'accouchée – Cornelis Van Ontsboorn – Johanna Christina Beelenkamp.*

CALISTO ou Calisti
XVIIe siècle. Italien.
Peintre.
Il a signé un tableau, daté de 1629, représentant *La Vierge, l'Enfant et des saints* conservé dans l'église de la Madonna della Quercia, près de Narni.

CALISTO Bartholomeu Antonio
Né à Lisbonne. Mort en 1821. XIXe siècle. Portugais.
Peintre.
Élève de Rocha à Lisbonne et de Labruzzi à Rome. Il fut chargé d'exécuter un certain nombre de travaux au château d'Ajuda et à Mafra.

CALISTO di Paolo
XVe-XVIe siècles. Actif à Sienne entre 1484 et 1504. Italien.
Sculpteur.
Travailla à la cathédrale de Sienne.

CALIXTE Dakpogan
XXe siècle. Béninois.
Créateur d'assemblages.
Il a participé en 1995 à la Biennale *Africus* de Johannesburg.

CALKER Barend Christiaan Van
XVIIIe siècle. Actif à Zeist dans la seconde moitié du XVIIIe siècle. Hollandais.
Médailleur et graveur d'armoiries.

CALKIN Lance
Né le 22 juin 1859 à Londres. XIXe siècle. Actif à Londres. Britannique.
Peintre.
Fils du compositeur George Calkin. Il se rendit à Londres vers l'âge de 13 ans et entra à l'école de Slade. Se perfectionna ensuite aux écoles du Victoria and Albert Museum, du British Museum et de la Royal Academy. A partir de 1881, il exposa à Suffolk Street, à la Grafton Gallery, à la New Gallery et à la Royal Academy.
MUSÉES : BIRMINGHAM : *John Feeney, portrait* – LONDRES (Guildhall) : *Portrait de John Barber (Alderman)* – NOTTINGHAM : *Tous passent et s'en vont comme la lueur du jour, pendant que d'autres naissent.*
VENTES PUBLIQUES : LONDRES, 29 mai 1908 : *Portrait du vicomte Peel :* GBP 1 – LONDRES, 11 mars 1935 : *Sir John Tenniel 1902 :* GBP 25.

ÇALKK Sadi. Voir ÇALIK Mehmet Sadi

CALL Abrahma Van
Hollandais.
Peintre de paysages.
La vente de ses œuvres eut lieu, à Amsterdam, le 2 avril 1754.

CALL Jan Van, l'Ancien ou Calius
Né en 1655 à Nimègue. Mort en 1703 à La Haye. XVIIe siècle. Hollandais.
Dessinateur et graveur.

CALL Jan Van, le Jeune
Né en 1689 à La Haye. XVIIIe siècle. Hollandais.
Dessinateur.
Fils et élève de Jan Van Call l'Ancien. Il travailla pour le roi de Prusse.
VENTES PUBLIQUES : PARIS, 1857 : *Vue des bords du Rhin, avec village, châteaux,* aquar. : FRF 12.

CALL Pieter Van
XVIIe siècle. Actif dans la seconde moitié du XVIIe siècle à Nimègue. Hollandais.
Graveur.

CALL Pieter Van
Né en 1688 à La Haye. Mort en 1737 ou 1733 à La Haye. XVIIIe siècle. Hollandais.
Dessinateur de paysages, architecte et graveur.
Fils et élève de Jan Van Call l'Ancien. Il travailla, comme son frère, pour le roi de Prusse.

CALL Virginia Armitage
Née à Haverford. Américaine.
Peintre.

CALLA
XVIIe siècle. Allemand.
Peintre.
Il travailla à la cathédrale de Passau.

CALLA
XIXe siècle. Français.
Sculpteur.
Le Musée de Trianon conserve de lui un buste de Napoléon Ier.

CALLADINE Maurice Léon Jules
Né à La Plaine-Saint-Denis (Seine-Saint-Denis). XXe siècle. Français.
Peintre.
Exposant des Indépendants.

CALLAHAN Caroline
Née au XIXe siècle à San Francisco (Californie). XIXe-XXe siècles. Américaine.

Peintre.
Élève à Paris de R. Collin et Edward Scott. En 1929 elle exposait *La Fileuse*, au Salon des Artistes Français.

CALLAIS A.
XVIIᵉ siècle. Actif à Paris au début du XVIIᵉ siècle. Français.
Graveur sur bois.
On cite de lui des pièces allégoriques sur la mort d'Henri IV.
VENTES PUBLIQUES : PARIS, 1785 : *Alexandre coupant le nœud gordien ; Moïse trouvé sur les eaux ; Offrandes à Priape ; Sacrifices aux Grâces,* dess. à la pl. et au bistre reh. de blanc : **FRF 30.**

CALLALO Paolo
XVIIIᵉ siècle. Actif à Venise vers 1700. Italien.
Sculpteur.

CALLAM Edward
Né à Great Kumble (Buckinghamshire). XXᵉ siècle. Britannique.
Peintre de paysages et de portraits.
Il travailla avec un groupe d'artistes du collège de Goldsmith. Elu membre de l'Institut Royal de peinture à l'huile en 1955, il exposa à la Royal Academy de Londres, à la Société des Artistes Français, à l'Imperial Institute, à la Royal Society of British Artists, à la Royal Institute of Oil Painters. Il fit des expositions personnelles en 1960, 1963, 1967, 1969, 1971.
Il est surtout connu pour avoir voulu immortaliser la ville de Luton à travers trente peintures rendues par des tons plats, dans un style non éloigné de l'art naïf.

CALLAMARD Charles Antoine ou **Callamare**
Né en 1776 à Paris. Mort en 1821 à Paris. XIXᵉ siècle. Français.
Sculpteur.
Il étudia dans l'atelier de Pajou et obtint le prix de Rome en 1797. Le Musée du Louvre possède, de lui, deux statues en marbre : *L'Innocence réchauffant un serpent* et *Hyacinthe blessé.*
VENTES PUBLIQUES : LONDRES, 7 avr. 1976 : *Bacchante en buste,* terre cuite (H. 35,5) : **GBP 800.**

CALLAN Mary Catherine, Mrs **J. G. Callan**
Née le 16 avril 1871 à Kingston (Missouri). XIXᵉ-XXᵉ siècles. Américaine.
Peintre et illustrateur.
Élève de F. W. Benson, Edmund C. Tarbell et Jos. de Camp à Boston.

CALLANDE DE CHAMP-MARTIN Charles Émile
Né le 2 mars 1797 à Bourges (Cher). Mort en 1883 à la Neuville-en-Hez (Oise). XIXᵉ siècle. Français.
Peintre d'histoire, portraits.
Entré à l'École des Beaux-Arts le 25 février 1815, il travailla sous la direction de Guérin et obtint une médaille de première classe en 1831. Il exposa au Salon, de 1819 à 1848.
Il s'est dégagé de l'influence de son maître en employant des teintes douces et nacrées mises à la mode par les peintres britanniques. Parmi ses œuvres, citons, dans l'église de Saint-Étienne d'Issy : *La fuite en Égypte ;* dans l'église Saint-Roch, à Paris : *Saint Jean-Baptiste ;* dans l'église Notre-Dame de Lorette à Paris, *Saint Étienne.* On voit de lui aux Galeries de Versailles les portraits du *maréchal comte Clausel,* de *Louis de Bourbon,* du *duc de Montausier,* du *duc de Berwick.*

E. champmartin

MUSÉES : AVIGNON : *Portrait du naturaliste Esprit Requier* – LE HAVRE : *Sainte Geneviève* – LOUVIERS : *Aristée et Protée* – MONTPELLIER : *Portrait du baron Portal* – NÎMES : *Martyre de saint Sébastien* – PARIS (Orsay) : *Romulus et Remus.*
VENTES PUBLIQUES : PARIS, 1897 : *Portrait d'Emmanuel, duc de Crussol* : **FRF 260** – PARIS, 13 déc. 1985 : *Portrait d'homme assis sur une méridienne,* h/t (250x200) : **FRF 15 000** – PARIS, 31 mars 1994 : *Portrait de la comtesse de Fitz James 1898,* h/t (92x73) : **FRF 18 000** – LONDRES, 20 nov. 1996 : *Le Contrat,* h/t (65x81) : **GBP 4 600.**

CALLANDER Adam
XVIIIᵉ-XIXᵉ siècles. Britannique.
Peintre de paysages, peintre à la gouache.
Il exposa à Londres de 1780 à 1811, à la Royal Academy et à la British Institution.
VENTES PUBLIQUES : LONDRES, 4 et 5 mai 1922 : *Deux enfants dans un champ de foin* : **GBP 5** – LONDRES, 9 mai 1927 : *Vue de Madras ;*

Vue de Sainte Hélène, ensemble : **GBP 35** – LONDRES, 15 juin 1982 : *Vues de Stirling Castle,* deux gches (32,3x50) : **GBP 1 100.**

CALLANI Francesco
Né en 1779 à Milan. Mort en 1845 à Parme. XIXᵉ siècle. Italien.
Peintre.
Fils de Gaetano Callani. Il a travaillé pour un certain nombre d'églises de Milan et de Parme.

CALLANI Gaetano
Né en 1736 à Parme. Mort en 1809 à Parme. XVIIIᵉ siècle. Italien.
Peintre et sculpteur.
Il a travaillé pour un certain nombre d'églises à Parme, à Plaisance, à Milan, à Colorno, ainsi qu'à la Chartreuse de Pavie. Il a participé à la décoration du Palais Royal de Milan, en collaboration avec Franchi et Albertolli.

CALLANI Maria
Née en 1778 à Milan. Morte en 1803. XVIIIᵉ siècle. Italienne.
Peintre.
Élève et fille de Gaetano Callani. On cite d'elle un *Baptême du Christ* et une *Hébé.* Le Musée de Parme conserve d'elle quelques portraits, et notamment celui de son père et le sien.

CALLARD J. Percy
XIXᵉ siècle. Britannique.
Paysagiste.
Il exposa de 1882 à 1889 à la Royal Academy et à Suffolk Street, à Londres.

CALLARD Lottie Charlotte ?
XIXᵉ siècle. Britannique.
Peintre.
Elle exposa des scènes de genre de 1833 à 1892 à la Royal Academy et à Suffolk Street, à Londres.

CALLARD Thomas
XVIIIᵉ siècle. Britannique.
Peintre de paysages.
Il travailla à Londres, où il exposa de 1767 à 1774 à la Society of Artists, à la Free Society et à la Royal Academy.

CALLAS Louis André
XVIIIᵉ siècle. Français.
Sculpteur.
Il fut reçu à l'Académie de Saint-Luc à Paris en 1755.

CALLATAY Xavier de
Né en 1932 à Bruxelles. XXᵉ siècle. Belge.
Peintre de paysages.
Il fit des études d'ingénieur et fut élève de l'Académie des Beaux-Arts de Louvain. Il a peint des paysages de divers pays, dont l'Hudson et la Provence.
BIBLIOGR. : In : *Diction. biogr. illustré des artistes en Belgique depuis 1830,* Arto, Bruxelles, 1987.

CALLAU
Éc. flamande.
Peintre.
Descamp signale, de lui, des tableaux dans l'église des Dominicains et dans la chapelle du comte Salazar, à Bruxelles.

CALLAUT, Mme, née **Gillé**
XIXᵉ siècle. Française.
Peintre miniaturiste.
Exposa au Salon des miniatures de 1824 à 1843.

CALLAUT Marie Juliette, Mme **Veroust**
XIXᵉ siècle. Française.
Peintre de portraits.
Elle exposa au Salon entre 1859 et 1864 sous son nom de jeune fille et entre 1864 et 1870 sous son nom de femme.
VENTES PUBLIQUES : PARIS, 15 et 16 nov. 1920 : *Femme assise en toilette de mousseline blanche* : **FRF 260.**

CALLAWAY William Frederick
XIXᵉ siècle. Britannique.
Peintre.
Il exposa à Londres de 1855 à 1861 à la Royal Academy et à la British Institution.

CALLCOTT A.
XIXᵉ siècle. Britannique.
Paysagiste.
Il exposa de 1856 à 1864 à la British Institution et à Suffolk Street, à Londres.

CALLCOTT Augustus Wall, Sir
Né en 1779 à Londres. Mort en 1844 à Londres. XIXᵉ siècle.
Britannique.
Peintre d'histoire, compositions à personnages, portraits, paysages, marines, aquarelliste.
Callcott fut d'abord choriste à la Westminster Abbey, à Londres mais, bientôt abandonna sa musique pour la peinture. Il devint élève du célèbre peintre Hoppner. Son *Portrait de Miss Roberts*, exposé en 1799, ayant eu un certain succès, il ne résolut que plus tard de se vouer uniquement à la peinture de paysages.
Associé de la Royal Academy en 1806, il en devint membre en 1810 et y exposa ses œuvres pendant plusieurs années.
En 1827, année de son mariage, Callcott voyagea en Italie. Sa composition représentant *Raphaël et la Fornarina* fut considérée comme sa meilleure œuvre et parut en 1837.

AWC.

ÃW. Cullcott 1841

Musées : Hambourg : *Paysage avec fleuve* – Leeds : *Milton dictant le Paradis Perdu à ses filles* – Londres : *Retour du marché* – *Paysage avec animaux* – *Entrée de Pise par Livourne* – *Vue de la côte de Hollande (marine)* – *Pêche dans un étang* – *Le pont rustique* – *Le voyageur surpris par la nuit* – Londres (British Art) : *Paysage italien, vaches au bord de la rivière* – *Gros temps* – *Slender et Anne Mage* – *Joyeuses commères de Windsor* – *Dordrecht* – *Falstaff et Simple* – *Joyeuses commères de Windsor* – *Port de mer, commencement de tempête* – *La porte de l'auberge* – *Matin ensoleillé, bestiaux dans une mare* – *Bords de la mer* – *Paysage, bois, ciel orageux* – *Paysage classique* – Londres (Mus. Water-Colours) : *Cottage au bord d'une route* – *Vue du pays de Galles* – *Le soir, paysage* – *Au bord de la mer, bateaux et figures* – Londres (Victoria and Albert) : *Tête de vieillard* – Manchester : *Le Pool, au-dessus du pont de Londres*, aquar. – *Scène de rivière avec bateaux* – *Conway, Galles du Nord, devant le pont du chemin de fer* – *Sur la Tamise* – Nottingham : *Vues de rivière avec des vaisseaux* – *Vue de rivière avec des barques.*
Ventes Publiques : Londres, 1827 : *La jetée à Little-Hampton :* **FRF 4 060** – Londres, 5 mai 1833 : *Paysage anglais avec animaux, terminé par Landseer :* **FRF 36 750** – Paris, 1845 : *Vue de Cologne :* **FRF 6 925** ; *Paysage anglais avec animaux :* **FRF 26 250** – Londres, 1861 : *Southampton :* **FRF 31 635** – Londres, 1863 : *Paysage, avec figures de Goodall :* **FRF 4 007** – Londres, 1865 : *Paysage, animaux par Landseer :* **FRF 53 000** – Londres, 1870 : *Hampstead Heath :* **FRF 5 020** – Londres, 1872 : *Le jeune bouvier :* **FRF 10 765** ; *Bords de mer, bateaux de pêche :* **FRF 36 750** ; *Champ de foins :* **FRF 7 475** – Londres, 1875 : *Paysage avec cottage et eau :* **FRF 10 550** ; *Launce and his dog :* **FRF 10 100** – Londres, 1877 : *Paysage classique :* **FRF 16 015** – Londres, 1886 : *Ghent :* **FRF 21 000** ; *Le golfe de Salerne :* **FRF 18 370** – Londres, 1887 : *Dans les nuages :* **FRF 6 560** ; *Golfe de la Spezzia :* **FRF 14 430** – Londres, 1893 : *Paysage avec ruines :* **FRF 7 870** – Londres, 1893 : *Rotterdam :* **FRF 9 970** – Londres, 1894 : *Le pêcheur d'écrevisses :* **FRF 22 305** – Londres, 1897 : *Paysage italien avec vue des Alpes :* **FRF 15 225** – New York, 5 fév. 1905 : *Paysage classique :* **USD 550** – Londres, 18 jan. 1908 : *Paysage :* **GBP 9** – New York, 20 juil. 1908 : *Scène de rivière, rochers :* **GBP 17** – New York, 24 juin 1909 : *Paysage :* **GBP 60** – New York, 8 juil. 1910 : *Sur la Tamise, près de Maidenhead :* **GBP 65** – Paris, 15 déc. 1921 : *Vue de la Tour de Prague*, pl. : **FRF 60** ; *Barque de pêche*, pl. : **FRF 65** – Londres, 12 mai 1922 : *Cavaliers sur une route :* **GBP 32** – Londres, 7 juil. 1922 : *Ruines dans un paysage 1823 :* **GBP 63** – Londres, 2 fév. 1923 : *Vue de Linlithgow*, dess. : **GBP 9** – Paris, 16 mai 1924 : *Un Port de mer :* **FRF 650** – Londres, 13 déc. 1926 : *Bateaux sur le Scheldt*, dess. : **GBP 9** – Londres, 27 juin 1927 : *Scène de rivière avec baigneurs :* **GBP 25** – Londres, 5 déc. 1930 : *L'abreuvoir*, dess. : **GBP 23** – Londres, 26 juin 1931 : *Un canal à Rotterdam*, dess. : **GBP 16** – Philadelphie, 30 et 31 mars 1932 : *Paysage :* **USD 140** – Londres, 18 avr. 1932 : *Marine :* **GBP 60** – Londres, 6 nov. 1936 : *Vue de Hollande :* **GBP 31** – Londres, 9 juin 1939 : *Les pêcheurs :* **GBP 48** – Londres, 23 juil. 1947 : *Dead calm : boats off Cowes Castle*, h/t (153,7x249) : **GNS 6** – Cologne, 28 avr. 1965 : *Vue de Cologne :* **DEM 5 060** – New York, 7 mai 1966 : *Le camp gitan :* **USD 850** – New York, 7 mai 1966 : *Bohémiens au bord d'une rivière*, h/t (100x180) : **USD 850** – Londres, 4 juin 1970 : *La côte près de Gênes 1837 :* **GNS 300** – Londres, 19 nov. 1976 : *Paysage au pont*, h/t (75x62,3) : **GBP 1 500** – New York, 14 jan. 1977 : *Bohémiens*

au bord d'une rivière, h/t (100x180) : **USD 2 500** – Londres, 19 mai 1978 : *Voiliers par grosse mer*, h/cart. (25x43) : **GBP 750** – Londres, 23 mars 1979 : *Scène d'estuaire*, h/t (49,5x74,2) : **GBP 4 200** – Londres, 27 mars 1981 : *Scène de rivière avec vue d'une ville à l'arrière-plan*, h/t (112,4x143,5) : **GBP 5 500** – Londres, 6 juil. 1983 : *Pêcheurs sur la plage*, h/t (59,5x82) : **GBP 900** – Londres, 24 avr. 1987 : *Calme plat : bateaux au large de Cowes Castle*, h/t (153,7x249) : **GBP 18 000** – Londres, 14 juil. 1989 : *Vue de Murano avec les églises de Saints-Marie-et-Donato et de Saint-Pierre-Martyr avec des personnages en premier plan*, h/t (76,2x112) : **GBP 39 600** – Londres, 12 juil. 1991 : *Entrée à Pise en venant de Livourne avec des personnages sur un quai ; Scène de rivière en Italie avec des personnages dans une barque et des constructions*, h/t, une paire (chaque 15,5x23) : **GBP 12 100** – Londres, 15 déc. 1993 : *Calme plat : embarcations au large de Cowes Castle*, h/t (153,7x249) : **GBP 16 100** – New York, 17 fév. 1994 : *Barques de pêche par mer houleuse*, h/t (42x58,5) : **USD 1 150** – New York, 2 oct. 1996 : *Portrait en buste d'un homme assis*, h/t (76,1x63,4) : **USD 3 220** – New York, 12 déc. 1996 : *Personnages dans une barque*, h/t (21,6x19,1) : **USD 4 600**.

CALLCOTT C.
XIXᵉ siècle. Britannique.
Peintre de genre.
Il travailla à Londres, où il exposa de 1873 à 1877 à la Royal Academy et à Suffolk Street.

CALLCOTT Frederick T.
XIXᵉ siècle. Britannique.
Sculpteur.
Il travailla à Londres, où il exposa de 1873 à 1877 à la Royal Academy et à Suffolk Street, et à Paris en 1898 au Salon des Artistes Français.

CALLCOTT J. Stuart
XIXᵉ siècle. Britannique.
Peintre d'histoire.
Il travailla à Londres, où il exposa de 1862 à 1868 à la Royal Academy et à la British Institution.

CALLCOTT Maria, Lady, née **Dundas**
Née en 1785 à Cockermouth (Cumberland). Morte en 1842. XIXᵉ siècle. Britannique.
Peintre et écrivain d'art.
Fille du contre-amiral Dundas, avec qui elle visita les Indes (1808). Elle fit en 1821-23 un voyage en Amérique du Sud. Mariée en secondes noces avec le peintre Augustus Wall Callcott (1827) elle séjourna avec lui un long temps en Italie. Le British Museum conserve d'elle un grand nombre d'esquisses exécutées au cours de ses voyages (aquarelles et dessins).

CALLCOTT William
XIXᵉ siècle. Britannique.
Peintre de paysages.
Il exposa de 1856 à 1865 à la British Institution et à Suffolk Street, à Londres.

CALLCOTT William James
XIXᵉ siècle. Britannique.
Peintre de marines, aquarelliste, dessinateur.
Peut-être identique au précédent. Il travailla à Londres, où il exposa de 1843 à 1890 à la Royal Academy, à la British Institution, à Suffolk Street et à la New Water-Colours Society.
Ventes Publiques : Londres, 10 fév. 1981 : *Hungerford Chain Bridge 1854*, aquar. et cr. (32x49,5) : **GBP 260** – Londres, 5 oct. 1989 : *Voiliers dans un port de commerce*, h/t (66x122) : **GBP 2 090**.

CALLE Charles Alphonse
Né le 21 mai 1857 à Charleville (Ardennes). XIXᵉ siècle. Français.
Sculpteur.
Débuta au Salon de 1880 ; troisième médaille en 1886.

CALLE Denise
Née à Dijon (Côte-d'Or). XXᵉ siècle. Française.
Peintre de portraits, paysages et d'intérieurs.
Elle a exposé au Salon d'Automne, notamment de 1936 à 1938.

CALLÉ Julien
Né en 1880 à Paris. Mort en 1945 à Saint-Cyr-sur-Morin (Seine-et-Marne). XXᵉ siècle. Français.
Peintre et écrivain.
Il n'exposa jamais et exerça ses talents de peintre d'invention burlesque à Montmartre, au cabaret du *Lapin à Gill*, mais aussi à

Saint-Cyr, dans son auberge. Il exerça une influence profonde sur l'humour de son époque.

CALLÉ Lucien
Né à Nanterre (Hauts-de-Seine). XXᵉ siècle. Français.
Paysagiste.
Élève de M. Gagey ; sociétaire des Artistes Français ; mention honorable en 1932.

CALLE Y LAZARO de La. Voir LA CALLE

CALLEBAUT Franz
Né en 1856 à Teralfene. Mort en 1930 à Alost. XIXᵉ-XXᵉ siècles. Belge.
Peintre de paysages. Impressionniste, puis pointilliste et tendance expressionniste.
Élève de Isidore Meyers et de Franz Courtens à l'Académie de Termonde, il fut tout d'abord influencé par l'art impressionniste de ses maîtres. Ses peintures reproduisent des paysages des environs d'Alost et de l'Escaut et prennent un style pointilliste avant d'évoluer vers un certain expressionnisme.

CALLEBERT Ferdinand J.
Né en 1831. Mort en 1908. XIXᵉ siècle. Actif à Roesselare. Belge.
Peintre d'histoire.
Élève de l'Académie d'Anvers ; obtint en 1857 le second Prix de Rome. Il a peint quelques tableaux d'autel et des chemins de croix, que conservent un certain nombre d'églises de Flandre.

CALLEBOUT Ernest
XIXᵉ-XXᵉ siècles. Belge.
Graveur.
Il prit part à l'Exposition Universelle de Bruxelles en 1910 avec deux eaux-fortes : *L'Hôpital Saint-Jean à Bruges* et *Paysage*.

CALLEDE Alexandre
Né le 16 août 1899 à Morcenx (Landes). XXᵉ siècle. Français.
Sculpteur.
Il a exposé au Salon des Artistes Français dont il est devenu sociétaire, et où il reçut une mention honorable en 1930. A partir de 1938, il a également exposé au Salon d'Automne dont il fut sociétaire. Il poursuivit une carrière d'enseignant et fut professeur à l'École des Beaux-Arts de Bordeaux.
Il a surtout exécuté des œuvres en bois de chêne, dans la lignée de Charles Despiau. Vers 1968, il a sculpté aussi quelques pièces abstraites.

CALLEGARI
XIXᵉ siècle. Italien.
Graveur au burin.
On cite de lui : *Apparizione dell' Angelo ai genitori di Sansone*, d'après C. Frassinetti.

CALLEGARI. Voir aussi CALEGARI

CALLEGARI Giov. Battista
Né en 1785 à Parme. Mort en 1855 à Parme. XIXᵉ siècle. Italien.
Dessinateur et aquarelliste.

CALLEJA de La. Voir LA CALLEJA

CALLEMARD Joseph
XVIIᵉ siècle. Français.
Peintre.
Il fut reçu à l'Académie de Saint-Luc en 1665.

CALLENDER Benjamin
Né en 1773 à Boston (Massachusetts). Mort en 1856 à Northfield (Massachusetts). XVIIIᵉ-XIXᵉ siècles. Américain.
Graveur.

CALLENDER Bessie Stough
Née en 1889 près de Wichita (Kansas). Morte en 1951 à New York. XXᵉ siècle. Active aussi en Angleterre. Américaine.
Sculpteur animalier.
Après des études à New York, elle vint à Paris en 1926, où elle fut élève de Bourdelle et du sculpteur animalier Georges Hilbert pendant trois ans. Elle exposa alors des sculptures d'animaux aux Salons d'Automne et des Artistes Indépendants à Paris. Puis, installée à Londres, où elle avait un atelier, elle exposa à la Royal Academy.
Musées : NEW YORK (Metropolitan Mus.) – WASHINGTON D. C. (Nat. coll.).

CALLENDER F. Arthur
Né au XIXᵉ siècle à Boston (Massachusetts). XIXᵉ-XXᵉ siècles. Travaillant vers 1911. Américain.
Paysagiste.

CALLENDER Joseph
Né en 1751 à Boston (Massachusetts). Mort en 1821 à Boston. XVIIIᵉ-XIXᵉ siècles. Américain.
Graveur.

CALLENFELD-CARSTEN Mies Petronella
Né en 1893. Mort en 1982. XXᵉ siècle. Hollandais.
Peintre de genre, paysages, dessinateur.
VENTES PUBLIQUES : AMSTERDAM, 9 nov. 1993 : *Le Marchand de fruits* 1936, h/t (55x89,6) : **NLG 3 220** – AMSTERDAM, 23 avr. 1996 : *Vue de Desa à Java*, craie noire (47,5x62) : **NLG 1 180**.

CALLENS Ph.
XIXᵉ siècle. Éc. flamande.
Peintre de paysages.
Il eut pour maître Gelissen à Bruxelles, au début du XIXᵉ siècle.
VENTES PUBLIQUES : LONDRES, 5 juin 1970 : *Vue d'un village* : **GNS 1 800**.

CALLENTELS Godefridus
Né en 1683 à La Haye. Mort en 1748 à La Haye. XVIIIᵉ siècle. Actif à La Haye. Hollandais.
Peintre.

CALLERIER
XVIIIᵉ siècle. Actif dans la seconde moitié du XVIIIᵉ siècle. Français.
Peintre et dessinateur.
Cité par Mireur.
VENTES PUBLIQUES : PARIS, 1898 : *Perspective d'un monument*, aquar. : **FRF 150**.

CALLERY Mary, pseudonyme de Callery-Frua-d'Angeli
Née en 1903 à New-York. XXᵉ siècle. Américaine.
Sculpteur de figures et d'animaux.
Élève d'Edward Mc Cartan, pendant quatre ans, à l'Art Students League de New-York, puis en 1930, de Jacques Loutchansky à Paris, où elle a connu Picasso et Christian Zervos. Pendant son séjour à Paris, elle a participé au Salon des Tuileries. De nouveau aux États-Unis en 1940, elle fit sa première exposition personnelle à New York en 1944, suivies d'autres en 1947, 1950, 1952, 1955, 1957. Elle a également exposé au Chicago Art's Club en 1945, à Paris en 1949 et 1954, à Boston en 1951. A l'Exposition Internationale de Bruxelles en 1958, elle a exécuté une fontaine pour le pavillon des Etats-Unis. Entre autres commandes, elle a réalisé aussi la décoration du hall d'un building de Pittsburgh et une grille monumentale pour une école publique de New-York. Synthétisés en arabesques de métal forgé et soudé, ses acrobates, danseurs et animaux sont saisis dans leur mouvement et développés au long de sortes de frises qui s'accomodent du plein-air.
Musées : CINCINNATI – NEW YORK – SAN FRANCISCO.
VENTES PUBLIQUES : PARIS, 4 juil. 1963 : *Variante de la composition nº 20*, fer forgé : **FRF 6 000** – NEW YORK, 13 déc. 1980 : *Mural composition* 1949, bronze (L. 145) : **USD 950** – NEW YORK, 17 juil. 1981 : *Figure* vers 1958-1962, bronze et h/verre (10,5x17,8x6) : **USD 350**.

CALLERY Simon
XXᵉ siècle. Britannique.
Peintre.
Il participe à des expositions collectives : 1997 *New British Painting in the 1990s* au Museum of Modern Art d'Oxford.

CALLES Y OLASOLO Ignacio
Né à Madrid. Mort en 1874 à Madrid. XIXᵉ siècle. Espagnol.
Peintre.
Élève de l'École des Beaux-Arts de Madrid et des peintres Antonia Rivera et Garcia Barcelo.

CALLET Alphonse Appollodore
Né le 2 mai 1799 à Paris. Mort le 21 novembre 1831 à Paris. XIXᵉ siècle. Français.
Peintre.
Il entra à l'École des Beaux-Arts le 30 août 1816, et y devint l'élève de David et de Regnault. Il fut médaillé en 1827. Au Musée de Nîmes : *Condamnation de Séjan*, et au Musée de Rouen : *L'embarquement des Parganiotes*.

CALLET Antoine François ou Calet
Né en 1741 à Paris. Mort en 1823 à Paris. XVIIIᵉ-XIXᵉ siècles. Français.

Peintre d'histoire, compositions mythologiques, sujets allégoriques, portraits, compositions décoratives, dessinateur, pastelliste.

Antoine-François Callet fut, avec Vien, un des peintres de la fin du XVIIIᵉ siècle qui contribuèrent le plus activement à préparer la *Renaissance antique*, dont David fut le représentant le plus autorisé. Il obtint en 1764 le prix de Rome avec *Cléobis et Biton*, qui donnait déjà une indication sur l'orientation future de son talent. Son plafond exécuté pour le Louvre : *Cybèle couronnée par Flore et Zéphyre*, lui valut son admission à l'Académie Royale en 1780. Cette œuvre est aujourd'hui dans la Galerie d'Apollon. Callet partit ensuite pour Gênes où il peignit un remarquable plafond du palais Spinola, ayant pour sujet, l'*Apothéose d'Ambroise Spinola*. Revenu en France, il peignit quelques beaux portraits, notamment celui de Louis XVI, qui est son chef-d'œuvre. Mais déjà sous le Consulat se révélaient ses tendances à imiter l'emphase de l'antique. Il composa une grande toile allégorique sur la bataille de Marengo, d'une indiscutable ampleur et d'une exécution assez remarquable, mais d'une réelle lourdeur de composition. La bataille d'Austerlitz, la reddition d'Ulm furent également glorifiées par lui dans ses toiles que l'on ne peut réellement pas appeler des tableaux d'histoire, à tel point la précision et la réalité leur font défaut. A côté de cette partie de sa production, Callet a peint avec plus de bonheur quelques toiles empruntées à des sujets de l'histoire ancienne : *Les fêtes de Cérès*, *Hommage des dames romaines à Junon Lucine*, *Les Saturnales*, toiles en lesquelles on retrouve malheureusement un peu de son emphase et de sa sécheresse de sentiment coutumières. Le meilleur de son œuvre réside indiscutablement dans ses portraits qu'il a su faire expressifs.

Ce fut, en définitive, un dessinateur habile et un peintre au coloris assez éclatant, mais d'une insuffisante originalité. Dans son imitation servile de l'art antique, il ne sut pas démêler ce que les Grecs et les Romains avaient mis de grandiose dans leurs œuvres et il leur emprunta surtout de la raideur. Il fut l'apôtre de cet art conventionnel qui sévit au début du XIXᵉ siècle.

Callet.

MUSÉES : AMIENS : *Le printemps – L'été – Les fêtes de Cérès –* BERNAY : *Rétablissement du culte –* BOURGES : *Portrait du mathématicien Callet –* *Vénus blessée par Diomède –* CHARTRES : *Louis XVI –* GRENOBLE : *Portrait de Louis XVI –* PARIS (Louvre) : *L'hiver et les saturnales – L'Automne ou les fêtes de Bacchus – Le triomphe de Flore – Le printemps,* Peinture encastrée dans la voûte de la galerie d'Apollon – LA ROCHELLE : *Soldat endormi –* SAINT-OMER : *Achille traînant le corps d'Hector autour de Troie –* VALENCIENNES : *Portrait en pied de Louis XVI –* VERSAILLES : *Allégorie du 18 Brumaire – Allégorie de la bataille de Marengo – Desgenettes (Nicolas-René Danfriche, baron, médecin) – Allégorie sur la reddition d'Ulm – Allégorie sur la bataille d'Austerlitz – Louis XVI – Louis-Philippe-Joseph, duc d'Orléans – Louis XVI, roi de France, en buste –* VERSAILLES (Trianon) : *Louis XVI, roi de France.*

VENTES PUBLIQUES : PARIS, 1785 : *Le rêve de l'Amour ; L'instant du réveil,* deux pendants : **FRF 1 050 –** PARIS, 1873 : *La bouquetière :* **FRF 5 200 –** PARIS, 1881 : *Pygmalion et la statue :* **FRF 770 ;** *Nymphe sur les nuages :* **FRF 230 –** PARIS, 1883 : *Psyché et l'Amour, entourés de petits amours,* dess. au cr. noir et à l'aquar. : **FRF 95 –** PARIS, 28 avr. 1900 : *Le sacrifice à Cybèle :* **FRF 130 –** PARIS, 18 au 25 mars 1901 : *Le Triomphe de Flore :* **FRF 860 –** PARIS, 21 et 22 mars 1905 : *Esquisse pour un plafond :* **FRF 340 –** PARIS, du 10 au 15 mai 1909 : *Jeune fille nue à mi-corps :* **FRF 1 000 –** PARIS, 30 nov.-1ᵉʳ et 2 déc. 1920 : *Mars et la Victoire,* past. : **FRF 950 ;** *La Paix et l'Abondance,* past. : **FRF 950 –** PARIS, 6-8 déc. 1920 : *La peinture,* esquisse : **FRF 4 100 –** PARIS, 27 jan. 1921 : *Le Triomphe de Vénus :* **FRF 370 –** PARIS, 26 fév. 1921 : *Étude pour Mars et la Victoire,* cr. : **FRF 100 –** PARIS, 17 fév. 1922 : *Mars et la Victoire,* étude au crayon : **FRF 75 –** PARIS, 24 mai 1922 : *Portrait présumé de Louis-Philippe d'Orléans :* **FRF 450 –** PARIS, 3 nov. 1922 : *Portrait de jeune femme en vestale :* **FRF 2 300 –** PARIS, 9 et 10 mars 1923 : *Minerve couronnée par Mercure,* pierre noire : **FRF 135 –** PARIS, 22 nov. 1923 : *Portrait de femme en vestale :* **FRF 3 450 –** PARIS, 31 mars et 1ᵉʳ avr. 1924 : *Monument à Sienne,* aquar. : **FRF 260 –** PARIS, 14 et 15 avr. 1924 : *Projet de plafond :* **FRF 7 000 –** PARIS, 22 et 23 mai 1924 : *Le Triomphe de Flore :* **FRF 600 –** PARIS, 14 nov. 1924 : *Portrait de jeune femme :* **FRF 5 000 –** PARIS, 17 et 18 juin 1925 : *Allégorie,* pl. et lav. d'aquar., projet de plafond : **FRF 5 100 ;** *Portrait de femme en vestale :* **FRF 4 500 –** PARIS, 7-9 juin 1926 : *L'hyménée ; Vénus blessée,* deux panneaux : **FRF 3 320 –** PARIS, 13 et 14 déc. 1926 : *Portrait du comte de Provence :* **FRF 1 200 –** PARIS, 21 et 22 mai 1928 : *Portrait de femme en vestale :* **FRF 4 100 –** PARIS, 9 juin 1928 : *L'adoration des enfants :* **FRF 11 200 –** PARIS, 28 juin 1928 : *L'enlèvement d'Europe,* pap. mar. sur t. : **FRF 4 000 –** PARIS, 30 jan. 1929 : *Apollon, les Muses et les Grâces :* **FRF 450 –** PARIS, 29 juin 1937 : *Portrait d'un écrivain :* **FRF 400 –** PARIS, 3 mars 1941 : *Portrait du premier conseiller à mortier Lépinette Le Maïra 1784 :* **FRF 570 –** PARIS, 26 nov. 1941 : *Scène de Sacrifice :* **FRF 1 000 –** PARIS, 30 mars 1942 : *Apollon et les Muses,* esquisse pour un plafond : **FRF 210 –** PARIS, 19 juin 1964 : *Portrait en buste de Louis XVI, vêtu d'un manteau d'hermine :* **FRF 2 000 –** VERSAILLES, 20 nov. 1977 : *Portrait du Roi Louis XVI en costume royal,* h/t (165x133) : **FRF 18 000 –** PARIS, 17 juin 1983 : *Réunion de déesses dans les cieux,* projet de plafond, h/bois, de forme ronde (diam. 37,5) : **FRF 10 000 –** NEW YORK, 4 juin 1986 : *Portrait de Louis XV,* h/t (126,6x130,8) : **USD 15 000 –** PARIS, 30 jan. 1989 : *Esquisse pour le portrait de la duchesse de Lamballe,* h/t (38,5x30) : **FRF 7 500 –** PARIS, 30 nov. 1990 : *Portrait de Louis XVI en costume de sacre,* h/t (59x49) : **FRF 40 000 –** PARIS, 22 mai 1992 : *Le modèle renversé,* sanguine (46,5x37) : **FRF 6 000 –** PARIS, 29 mars 1994 : *Bacchantes dans l'ivresse auprès de la statue de Pan,* h/t (799,5x99) : **FRF 160 000 –** NEW YORK, 12 jan. 1995 : *Allégorie du Concordat,* past. (55,2x82,4) : **USD 34 500 –** LONDRES, 3 juil. 1996 : *Portrait du comte de Cromot, Grand surintendant du Comte de Provence, assis devant son chevalet avec ses deux belles-filles 1787,* h/t (188x161) : **GBP 89 500.**

CALLET Charles
Né au XIXᵉ siècle à Paris. XIXᵉ-XXᵉ siècles. Français.
Graveur au burin.
Élève de Henrique-Dupont et Gérôme. Il exposa au Salon des Artistes Français et y obtint une mention honorable en 1902.

CALLET-CARCANO Marguerite, Mme
XXᵉ siècle. Belge.
Illustrateur.
Elle a illustré *Egmon* et *Savonarole*, drames d'Iwan Gilkin.

CALLEWAERT Karel René
Né en 1893 à Gand. Mort en 1936. XXᵉ siècle. Belge.
Peintre et lithographe de portraits et paysages.
Il fut élève à l'Académie des Beaux-Arts de Gand où il devint plus tard professeur.
MUSÉES : GAND.
VENTES PUBLIQUES : LOKEREN, 11 mars 1978 : *Scène de port 1931,* h/t (67x86) : **BEF 55 000 –** LOKEREN, 18 mai 1996 : *L'Artiste dans son atelier,* h/pap./cart. (55,5x43,5) : **BEF 38 000.**

CALLEWAERT Maurice
Né à Mouscron (Flandre occidentale). XXᵉ siècle. Belge.
Peintre.
A exposé des nus et des paysages au Salon des Indépendants.

CALLI Ibrahim
Né en 1882 à Tchal (près d'Izmir). Mort en 1960. XXᵉ siècle. Turc.
Peintre. Postimpressionniste.
Entre 1906 et 1910, il fut élève à l'Académie des Beaux-Arts d'Istanbul, obtint une bourse de voyage et vint à Paris où il resta à l'Ecole des Beaux-Arts jusqu'en 1914. Il a participé à l'Exposition Internationale de l'Art Moderne ouverte par l'Organisation des Nations Unies, au Musée d'Art Moderne à Paris en 1946, où il présenta : *Les Derviches.* Calli eut une influence toute particulière sur la peinture turque, ayant été professeur durant de longues années.
Il fut l'un des peintres postimpressionnistes turcs les plus connus. D'un tempérament inégale et lyrique, il laissa des œuvres dans lesquelles le dessin hâtif et quelquefois insuffisant est compensé par un coloris brillant, chatoyant, propulsé par de larges touches nerveuses.

CALLIADE Denis
Né à Rouen. XVIIᵉ siècle. Français.
Peintre.
Il était actif en Angleterre en 1635.

CALLIANO Antonio Raffaele
Né en 1785 à Muzzano. Mort vers 1824 en Espagne. XIXᵉ siècle. Italien.
Peintre d'histoire.
VENTES PUBLIQUES : NEW YORK, 21 mai 1992 : *Scène de la guerre de Troie,* h/t (75x135,6) : **USD 24 200.**

CALLIANO Giambattista
Né en 1775 à Muzzano. Mort en 1821 à Madrid. xixᵉ siècle.
Italien.
Peintre.
Frère d'Antonio Raffaele Calliano.

CALLIAS Benigna de, Mme
Née à Paris. xixᵉ-xxᵉ siècles. Française.
Peintre.
Elle fut l'élève de Cabanel et exposa ses peintures sur faïence, au Salon, de 1868 à 1881.

CALLIAS Horace de
Né en 1847 à Paris. Mort en 1921. xixᵉ-xxᵉ siècles. Français.
Peintre de compositions religieuses, sujets mythologiques, scènes de genre, figures.
Élève de Cabanel, il participa régulièrement au Salon de Paris à partir de 1870.
Peintre de la vie élégante parisienne, il s'attache surtout à rendre les atours chatoyants de ses modèles. Il lui arrive également de rehausser ses gouaches de pierreries, perles et or, leur donnant un style proche de celui de l'Art Nouveau. Parmi ses compositions, citons *Thésée et Ariane*, exécutée pour le Ministère des Beaux-Arts à Paris. Parmi ses autres travaux, citons : *Baigneuse* – *La Conquête de la Toison d'or* – *La Captive*.
Bibliogr. : Gérald Schurr : *Les Petits Maîtres de la peinture 1820-1920, valeur de demain*, Les Éditions de l'Amateur, t. V, Paris, 1981.
Musées : Saintes : *Martyre byzantine*.
Ventes Publiques : Paris, 1888 : *La Pluie d'or* : **FRF 850** – Paris, 18 juin 1979 : *Saint Graal*, gche/pap. orné de perles et pierres coul. (40x30) : **FRF 6 500** – Paris, 25 mars 1993 : *La Petite Sœur*, h/t (204x135) : **FRF 78 000** – New York, 12 oct. 1994 : *La Baigneuse 1870*, h/cart. (95,3x48,9) : **USD 6 900** – New York, 23 mai 1996 : *La Promenade dans le parc 1887*, h/t/masonite (144,8x100,3) : **USD 16 675.**

CALLIAS Marie de, Mme
Morte en 1906. xixᵉ siècle. Française.
Peintre.
Membre de la Société des Artistes Français.

CALLIAS Suzanne de
Née à Paris. xixᵉ-xxᵉ siècles. Française.
Peintre.
Exposa au Salon d'Automne de 1910.

CALLIMAQUE
vᵉ siècle avant J.-C. Athénien, vivant à la fin du vᵉ siècle avant J.-C. Antiquité grecque.
Sculpteur et ciseleur.
D'origine inconnue, nous savons qu'il était surtout actif à Athènes. L'œuvre qui lui a été le plus souvent attribuée est la *Vénus Genitrix*, dont la réplique romaine se trouve au Louvre. Cette statue répond au rythme parfait défini par Polyclète, elle est construite selon une géométrie soulignée avec souplesse par la draperie. La hauteur totale est égale à huit fois celle de la tête, c'est la marque de l'élégance ionienne, visible également à travers le sourire, la chevelure, la grâce de l'allure générale. En cela, Callimaque est bien le disciple de Phidias qui avait réintégré des emprunts à l'art ionien. Tout a été mis en œuvre pour montrer la beauté de cette Vénus, dont la nudité, voilée par l'himation, est en fait mise en valeur par le système de « draperie mouillée ». Ainsi la draperie artificielle colle à certaines parties du corps qui paraissent nues, tandis que des plis souples et astucieusement placés soulignent d'autres parties nues : c'est le rôle du triple pli courbe placé sous le sein dévoilé. Cette œuvre semble définir parfaitement l'art de Callimaque, fait de charme, d'équilibre et d'une sorte de perfection. Cette dernière caractéristique lui a été reprochée par Pline qui écrivait « On a de lui des *Lacédemoniennes dansantes*, œuvre parachevée, mais à laquelle l'excès de soin a enlevé toute grâce ». Ce jugement, sans doute excessif, n'est pas entièrement faux, dans le sens qu'il montre Callimaque soucieux de parfaire ses œuvres. Les danseuses dont parle Pline, peuvent être attribuées à Callimaque, étant donné le succès de ce thème, souvent repris ensuite sur les vases. L'artiste a su opposer et balancer les gestes des bras et les mouvements des draperies. On lui attribue aussi des *Ménades dansantes*, thème qui lui a été également emprunté par la suite. Cette composition déploie une telle richesse de draperie, qu'elle en devient maniériste et annonce l'art un peu trop élégant parfois du ivᵉ siècle av. J. C. Étant aussi bon ciseleur que sculpteur, nous savons qu'il

avait ciselé pour l'Érechthéion la fameuse lampe en or surmontée d'un palmier de bronze. Cette indication permet de dater ses œuvres principales des vingt dernières années du vᵉ siècle av. J.-C. Il est fort possible qu'il ait participé à l'élaboration de la frise de l'Érechthéion. Le style de ces éléments, sans doute exécutés par Callimaque, se rapproche curieusement de celui de quelques reliefs sculptés sur la balustrade du temple d'Athéna Niké. Il s'agit de la victoire ôtant sa sandale, la victoire qui orne un trophée devant Athéna assise, et Athéna elle-même. La grâce, l'élégance de ces figures ailées sont très proches de tout ce que nous avons décrit jusqu'à présent. Enfin, Vitruve nous enseigne qu'il aurait inventé le chapiteau corinthien, après avoir vu une acanthe en fleurs enroulées autour d'une corbeille.

■ A. J.
Bibliogr. : Jean Charbonneaux : *La sculpture grecque classique*, Utrecht, 1964.

CALLINGHAM J.
xixᵉ siècle. Actif à Surbiton vers 1873. Britannique.
Peintre de marines.
Il exposa de 1873 à 1879 à Suffolk Street, à Londres.

CALLION Jean Gaspard
Né le 22 janvier 1713. Mort le 16 octobre 1810. xviiiᵉ-xixᵉ siècles. Français.
Sculpteur.
Parisien, il fut sculpteur du roi de Suède et membre de l'Académie de Saint-Pétersbourg.

CALLIOT David
Originaire de Rouen. xviiᵉ siècle. Français.
Peintre.
Il est mentionné à La Haye en 1618.

CALLIPHON de Samos
viiᵉ siècle avant J.-C. Actif dans la seconde moitié du viiᵉ siècle avant J.-C. Antiquité grecque.
Peintre.
Seul Pausanias mentionne cet artiste qui aurait peint un tableau représentant des femmes qui ajustaient la cuirasse de Patrocle. Il aurait également composé une frise sur le thème de la bataille des Grecs et des Troyens, au temple d'Artémis à Éphèse.

CALLIS Mary Eleanor
Née le 25 décembre 1877 à South Hylton (Durham). xxᵉ siècle. Britannique.
Aquarelliste.
A exposé des vues des lacs italiens et des fleurs à la British Water-Colours Society.

CALLIVELLI. Voir **BONELLI Aurelio**

CALLIYANNIS Manolis
Né en 1926 à Lesbos. xxᵉ siècle. Actif aussi en France. Grec.
Peintre de paysages. Figuratif puis tendance abstrait.
Il commença à peindre dès l'âge de quinze ans, tout en poursuivant, jusqu'en 1947, des études d'architecture. Il fit la guerre comme aviateur dans la R. A. F., avant de reprendre ses études à l'Université de Johannesbourg en Afrique du Sud. Il se fixa à Paris, où il exposa pour la première fois en 1948 et figura au Salon des Réalités Nouvelles de 1953. Il exposa également à Londres, en Belgique et à Amsterdam.
Après une période figurative, attachée à l'art de Cézanne, comme le prouve *La colline jaune*, 1957, il s'est orienté vers l'abstraction, tout en conservant la qualité de lumière de ses paysages ensoleillés qui évoquent volontiers ceux de Grèce. Depuis 1960, il tend vers une abstraction lyrique à travers des œuvres, telle la série des *Massacres de Scio*, d'après Delacroix, dont les compositions se réduisent à des rapports de formes et de couleurs.
Bibliogr. : Lydia Harambourg, in : *L'École de Paris, 1945-1965. Diction. des Peintres*, Ides et Calendes, Neuchâtel, 1993.
Ventes Publiques : Londres, 1ᵉʳ déc. 1965 : *Héra, ciel rose* : **GBP 120** – Versailles, 15 juin 1976 : *Des roses*, h/t (80x60) : **FRF 3 600** – Versailles, 12 mai 1982 : *Cyprès et oliviers ensoleillés 1956*, h/t (114x145,5) : **FRF 7 100** – Versailles, 18 mai 1983 : *Cyprès aéoliens 1957*, h/t (180x78) : **FRF 5 000** – Londres, 26 fév. 1986 : *Gris et blanc 1957*, h/t (65,5x100) : **GBP 450** – Paris, 1ᵉʳ juin 1988 : *Mon bateau 1955*, h/t (30x61) : **FRF 10 500** – Paris, 3 mars 1989 : *Le cyprès et la nuit 1955*, h/t (146x113) : **FRF 6 500** – Paris, 26 sep. 1991 : *Figurine mâle 1955*, h/t (80x70) : **FRF 3 500** – New York, 30 juin 1993 : *La petite colline de terre rouge 1956*, h/t (58,4x71,1) : **USD 1 035.**

CALLMANDER Karl Reinhold
Né en 1840 à Œrebro. Mort en 1922. xixᵉ-xxᵉ siècles. Travaillant à Göteborg. Suédois.

Peintre de genre, portraits, intérieurs, décorations murales, cartons de vitraux.

Il étudia à Stockholm, Düsseldorf, Anvers, Paris et Munich.

Il a peint des scènes de genre et des portraits, des décorations murales et des plafonds et, plus tard exécuté un certain nombre de vitraux.

VENTES PUBLIQUES : GÖTEBORG, 9 nov. 1983 : *Scène d'intérieur* 1884, h/t (120x165) : **SEK 47 000** – STOCKHOLM, 17 avr. 1985 : *Jeune fille dans une église* 1877, h/t (71x36) : **SEK 14 000**.

CALLOIGNE Jan Robert ou Caloigne
Né le 31 mai 1775 à Bruges. Mort le 26 août 1830 à Anvers. XIXᵉ siècle. Belge.

Sculpteur.

Il fut d'abord apprenti potier, puis étudia à l'Académie de Gand où il remporte un premier prix pour un *Buste de Jean Van Eyck* ; il vint ensuite poursuivre ses études à l'École des Beaux-Arts de Paris où il fut l'élève de Chaudet et obtint le prix de Rome en 1807, avec un *Archimède*. Il fut membre de l'Institut des Pays-Bas et chevalier de l'Ordre du Lion de Belgique. Le Musée de Bruges conserve de lui : *Le corps d'Hippolyte rapporté à Thésée*, *Vénus accroupie* et le *Buste de van Eyck*.

CALLONI Francesco ou Callone
XVIIᵉ siècle. Milanais, actif au XVIIᵉ siècle. Italien.

Sculpteur.

CALLOT Adolphe Jean Baptiste
Né le 18 septembre 1830 à Paris. XIXᵉ siècle. Français.

Peintre de portraits.

Élève de Léon Cogniet et de l'École des Beaux-Arts. Il exposa au Salon à partir de 1851 et figura à l'Exposition de Blanc et Noir en 1886.

CALLOT Claude
XVIᵉ siècle. Français.

Peintre.

Cité par A. Jacquet dans son *Essai de Répertoire des Artistes Lorrains*.

CALLOT Claude
Né en 1620 à Nancy. Mort en 1686 ou 1687 à Breslau. XVIIᵉ siècle. Français.

Peintre.

Fils de Jean et neveu de Jacques Callot. Il séjourna à Rome en 1640 et vint en 1666 se fixer en Pologne ; il fut peintre à la cour des rois de ce pays.

CALLOT Claude
XVIIIᵉ siècle. Français.

Peintre.

Il fut reçu à l'Académie de Saint-Luc à Paris en 1777.

CALLOT Georges
Né en 1857 à Paris. Mort en 1903. XIXᵉ siècle. Français.

Peintre de sujets allégoriques, scènes de genre, figures, nus.

Il fut, à l'École des Arts décoratifs, élève d'Adam.

Exposa au Salon à partir de 1877 ; sociétaire de la Nationale à partir de 1890.

Il a peint des scènes de genre et des allégories.

MUSÉES : CHÂLONS-SUR-MARNE : *L'enfance d'Orphée* – LOUVIERS : *Le crépuscule* – SAINTES : *Le sommeil de la cigale*.

VENTES PUBLIQUES : PARIS, 29 mai 1919 : *Jeune femme endormie* : **FRF 310** – PARIS, 15 fév. 1929 : *Nu couché de dos et lisant* : **FRF 320** – PARIS, 23 juin 1943 : *Jeune fille* : **FRF 2 000** – LONDRES, 15 juin 1994 : *Nu à la mandoline*, h/t (107x169) : **GBP 2 990**.

CALLOT Henri Eugène
Né le 20 décembre 1875 à La Rochelle (Charente-Maritime). Mort le 22 décembre 1956 à Paris. XIXᵉ-XXᵉ siècles. Français.

Peintre de nus, paysages.

Élève de Jules Lefebvre et Tony Robert-Fleury, il exposa au Salon des Artistes Français de 1898 à 1936, où il devint sociétaire et obtint une médaille d'or en 1920. Il figura au Salon de la Société Nationale des Beaux-Arts de 1937 à 1940. Chevalier de la Légion d'honneur.

Auteur de nus plutôt académiques, il a également peint des vues de port aux couleurs fluides.

BIBLIOGR. : Gérald Schurr : *Les Petits Maîtres de la peinture 1820-1920, valeur de demain*, Les Éditions de l'Amateur, t. V, Paris, 1981.

VENTES PUBLIQUES : PARIS, 27 mai 1979 : *Bateaux devant La Rochelle*, h/t (113x123) : **FRF 3 000** – REIMS, 22 mars 1981 : *Voile*

jaune à Port Joinville, h/pan. (38x46) : **FRF 5 700** – DOUARNENEZ, 25 juil. 1987 : *Pêcheurs bretons*, h/t (46x38) : **FRF 2 200**.

CALLOT Jacques
Né en 1592 à Nancy. Mort le 25 mars 1635 à Nancy. XVIIᵉ siècle. Français.

Peintre, graveur.

Jacques Callot naît à Nancy, capitale du duché de Lorraine, en 1592, d'un père qui était roi d'armes de la cour, et d'une mère comptant dans sa famille plusieurs peintres, sa première enfance s'écoula donc dans un milieu de distinction, et dans la fréquentation d'artistes. À douze ans, l'ambition de devenir artiste le pousse à une fugue en Italie. Pendant deux mois, il voyage en compagnie d'une troupe de bohémiens. Les mendiants, les truands, les chemineaux, les pauvres gens, seront ses premiers modèles, et jusqu'à ses derniers jours, il prendra plaisir à évoquer leurs figures picaresques, auxquelles il mettra toujours plus de sourires malicieux et de bonhomie joyeuse que de méchancetés et de tristesse. Deux fois, sa famille le fait ramener, de gré ou de force, d'Italie où, malgré ses aventures diverses, il apprend tant bien que mal le métier de la gravure ; il y retourne une troisième fois mais avec le consentement des siens, et dans la compagnie d'une ambassade envoyée par le duc Henri II pour notifier au Saint-Siège son avènement au trône de Lorraine. Après un stage de trois ans dans l'atelier d'un peintre et graveur célèbre, Tempesta, il quitte Rome pour Florence, et, en 1614, il entre au service de Cosme II de Médicis. Il devient l'artiste à la mode. Après la mort de Cosme II, le 28 février 1621, Charles de Lorraine, qui est venu faire visite à la grande-duchesse douairière, sa tante, décide Jacques Callot à retourner à Nancy. Le 26 août 1633, l'armée française vient mettre le siège devant Nancy, et un mois après, Louis XIII faisait son entrée dans la capitale de la Lorraine. Le roi, raconte Félibien, envoya quérir Jacques Callot et lui proposa de faire du siège de Nancy une gravure, comme il l'avait déjà fait à sa demande du siège de La Rochelle ; Jacques Callot pria le roi de vouloir l'en dispenser parce qu'il était Lorrain, et qu'il croyait devoir ne rien faire contre l'honneur de son prince et contre son pays. Dans sa douleur de patriote, Jacques Callot, forma même le projet de se retirer, avec sa femme, à Florence ; mais la maladie, à laquelle il s'est préparé à succomber deux ans plus tard, l'empêcha de le réaliser. Le 24 mars 1635, Jacques Callot mourut. Ses compatriotes lui firent des funérailles grandioses. Il disparaissait, dans le deuil de l'indépendance nationale.

Dès ses premières années professionnelles, le jeune Callot s'est pris de passion pour le spectacle de la vie qu'il observe et étudie autour de lui, à la cour, à la ville, aux champs, dans les camps, sur la place publique, etc. ; et il le représente sous tous ses aspects, avec une authenticité qui donne à tout ce qu'il a gravé, un intérêt, un charme exceptionnels, créant ainsi un genre original nouveau et personnel, qui sera qualifié de : « Fantaisies à la Callot, à la manière de Callot ». Certaines études spéciales, celles de la perspective, de la topographie, des plans de fortifications et d'architecture militaire, auxquelles il s'était adonné, pendant divers séjours en Italie, lui fourniront les moyens d'entreprendre des compositions où la figuration des foules et des masses dans des espaces immenses arrive à des effets spectaculaires. Comme disait expressivement Dom Calmet, il est telle gravure de Callot où l'on peut sous un écu de six livres cacher cinq ou six lieues de pays, et une inconcevable multitude de figures toute en action. Son existence mouvementée, pleine d'incidents dramatiques ou pittoresques, se reflète dans son œuvre, qui en apparaît comme une sorte de synthèse artistique.

Lors de son séjour en Italie, les *Caprici di varie figure* inaugurent la manière personnelle et originale du jeune artiste ; et la *Foire de l'Impunetta*, gigantesque pièce, un des chefs-d'œuvre de la gravure, montre déjà sa puissance d'imagination et sa maîtrise du métier. Jacques Callot fait de tout, et avec un égal succès : des copies de tableaux célèbres, des portraits, des représentations de fêtes princières et populaires, des pompes funèbres et d'épisodes d'histoire, des fantaisies d'une truculence inouïe, telles que la première « Tentation de Saint Antoine ».

Lors de son retour à Nancy, de 1621 à 1628, c'est la période féconde des *Balli*, des *Gueux*, des *Supplices*, des *Gobbi*, du *Combat à la barrière*, de la *Carrière*, du *Parterre de Nancy* ; du *Siège de Bréda*, qui marque une évolution nouvelle de son art. La commande par Louis XIII du *Siège de La Rochelle*, sur le modèle de celui de Bréda, a conféré à Callot la consécration royale. Après l'exécution de quelques pièces de moindre importance, après environ un an d'absence à Paris, Jacques Callot rentre à

Nancy. Les malheurs dont sa patrie est frappée vont donner à la personne de Callot une dimension patriotique active. Après le refus d'illustrer le siège de Nancy, dans *Les Misères de la Guerre*, il représentera son pays décimé et ruiné par les troupes de Richelieu. Cependant, la fin de sa vie fut encore très féconde ; elle est marquée notamment par l'exécution de la fameuse *Tentation de Saint Antoine*, dont il avait esquissé la première idée en Italie.

Par l'usage qu'il en fit et par sa technique originale, Jacques Callot a bouleversé toute l'histoire de la gravure. D'un métier, resté généralement jusqu'à lui, et qui le restera encore longtemps, un simple mode de traduction conventionnelle de l'œuvre d'autrui, et dont il perfectionna au passage les procédés et l'outillage, il fit un art à part entière, au même titre que la peinture et la sculpture, apte à exprimer ses idées personnelles.

Rendant compte de la parution du *Jacques Callot* de Georges Sadoul, Claude Roy, dans le « Nouvel Observateur », écrit : « Le Callot de Georges Sadoul c'est, d'une certaine manière, l'histoire du cinéma sous Louis XIII. Plus exactement, le regard d'un amateur passionné d'images doublé d'un historien sur un auteur de films d'avant les films. À travers les séries de gravures du grand Lorrain, de la Toscane heureuse à Nancy assiégée, des fêtes princières et de la Commedia dell' Arte aux désastres de la guerre, aux supplices, aux arbres de pendus, aux pillages, Sadoul promène l'œil-caméra d'un homme d'images. Cette conjonction de la reconstitution sociale et de l'œil du critique de films appliqué à la critique d'art donne un livre doublement passionnant, où l'histoire sur grand écran devient une histoire d'une société raffinée et sanglante ». S'il vit en patriote lorrain l'extermination de son peuple, en outre Jacques Callot fut le premier, dans l'histoire de l'art, au lieu de glorifier la guerre, la force, le courage et la mort héroïque, à représenter les misères et l'horreur de la guerre, et il faudra attendre Goya, deux siècles plus tard, pour voir reprendre ce thème sous cet angle. En dehors de ce cas exceptionnel de la guerre, il est remarquable, pour cette époque notamment, comme Callot décrivit souvent l'homme dans une optique sociale, se penchant sur les déshérités et les pauvres, considérés dans leur masse, qui n'ont pas d'histoire mais qui en font les frais. Plus encore qu'il n'observe l'individu, il est hanté par les foules innombrables d'êtres infiniment petits, destinés au malheur et aux massacres aveugles.

■ J. B.

BIBLIOGR. : Pierre Marot : *Les peintres et graveurs lorrains du XVIe siècle*, Mus. Hist. Lor., Nancy, s. d. – J. Lieuré : *Jacques Callot*, Paris, 1924-1929 – Jacques Damase : *Jacques Callot*, Éd. Jacques Damase, Paris 1953 – D. Ternois : *L'art de Jacques Callot*, Paris, 1962 – Georges Sadoul : *Jacques Callot, miroir de son temps*, Gallimard, Paris, 1969.
MUSÉES : NANCY (Mus. Lorrain) : la quasi totalité de l'œuvre.
VENTES PUBLIQUES : PARIS, 1778 : *Une mascarade sur une place publique* : **FRF 300** – PARIS, 1856 : *Les Saltimbanques*, deux pendants : **FRF 3 950** – PARIS, 1860 : *Un dessin*, pl. : **FRF 220** – PARIS, 1861 : *Le Christ conduit au calvaire*, dess. à la pl. : **FRF 72** – PARIS, 1864 : *Une vue du dessin*, dess. : **FRF 180** – PARIS, 1865 : *Mort de sainte Thérèse*, dess. à la pl. et au bistre : **FRF 34** – PARIS, 1867 : *Bohémiens et bandits préparant leur repas* : **FRF 360** – PARIS, 1896 : *Vue de Notre-Dame, du terre-plein de l'archevêché et du petit pont* : **FRF 480** ; *Deux chars de triomphe*, dess. à la pl. : **FRF 240** ; *Arrivée dans une ville d'un grand seigneur et de sa suite*, dess. : **FRF 180** – PARIS, 1899 : *La Grande Chasse*, dess. : **FRF 180** – PARIS, 26 fév. 1900 : *Les supplices*, dess. : **FRF 260** – PARIS, 7-8 juin 1901 : *Vue du Pont-Neuf et de la tour de Nesle*, dess. : **FRF 530** – LONDRES, 17 juil. 1908 : *Fêtes avec personnages* : **GBP 24 3** – PARIS, 5 juin 1920 : *La Comédie* ; *La Parade*, deux toiles : **FRF 14 000** – PARIS, 8-10 juin 1920 : *Trois Gueux*, six dessins à la plume : **FRF 5 400** – LONDRES, 11 avr. 1935 : *Étude pour la foire de Gondreville*, dess. : **GBP 84** – PARIS, 31 mars 1951 : *Mousquetaire*, pierre noire et lav. de sépia : **FRF 2 200** – PARIS, le 4 mai 1951 : *Un cavalier*, pl. : **FRF 9 000** – PARIS, 12 avr. 1954 : *Gueux avec deux chiens* : **FRF 40 000** – LONDRES, 21 mai 1963 : *L'Arbre*

de saint François, fusain : **GBP 700** – LONDRES, 3 juil. 1984 : *Louis de Lorraine-Guise, Prince de Phalsbourg, en armure, à cheval*, pierre noire, lav. de brun (24,7x33,3) : **GBP 1115 000** – NEW YORK, 17 nov. 1986 : *Nombreux personnages au bord d'une rivière et vue de Florence dans le lointain*, lav. brun/traits pierre noire reh. de blanc et traces de craie rouge (18,8x33,6) : **USD 310 000** – ROME, 27 nov. 1989 : *Saint Jean Baptiste prêchant* ; *Martyre de saint Laurent* ; *Martyre de saint Sébastien*, quatre h/cuivre (deux de 20x35 ; deux de 19,5x32,2) : **ITL 155 250 000** – NEW YORK, 12 jan. 1990 : *Cavalier debout*, craie noire (9,3x6,3) : **USD 29 700** – LONDRES, 2 juil. 1991 : *Le Christ parmi les Docteurs* ; *Le Martyre de Saint Laurent*, craie noire/pap., une paire (4,7x3,6 et 6,4x4,9) : **GBP 4 180** – PARIS, 6 nov. 1991 : *Vue du Louvre* ; *Vue du Pont-Neuf*, eau-forte, deux pendants (chaque 15,8x33,5) : **FRF 45 000** – NEW YORK, 14 jan. 1992 : *Étude pour une rencontre équestre entre Louis XIII, Gaston Duc d'Orléans et le cardinal de Richelieu*, craie noire (16,6x22,6) : **USD 23 100** – HEIDELBERG, 9 oct. 1992 : *Les petits apôtres* ou *Le martyre des apôtres*, eau-forte : **DEM 1 750** – PARIS, 16 juin 1993 : *Le Combat à la barrière*, eau-forte (in-4°) : **FRF 5 500** – MONACO, 20 juin 1994 : *Vue de village avec une ferme et une église et un paysan portant une hotte*, craie noire (9x22) : **FRF 255 300** – NEW YORK, 10 jan. 1995 : *Étude d'un homme avec un panier au bout d'une perche qu'il porte sur l'épaule, vu de dos*, sanguine (15,4x7,6) : **USD 14 950** – PARIS, 27 sep. 1995 : *Le Combat d'Avigliano*, eau-forte : **FRF 7 500** – PARIS, 26 oct. 1995 : *Deux grandes vues de Paris : le Louvre et le Pont-Neuf* 1630, eau-forte : **FRF 25 000** – PARIS, 7 juin 1996 : *Les Gobbi*, dix-neuf planches (6x8,5) : **FRF 12 500** – LONDRES, 16-17 avr. 1997 : *Trois nains démoniaques*, pl. et encre brune et lav. sur craie noire, étude (12,8x10,6) : **GBP 6 325**.

CALLOT Jacques
Né à Blaru (Yvelines). XIXe-XXe siècles. Français.
Sculpteur.
Élève de Gauthier, Thomas et Ponscarme. Exposa depuis 1894 au Salon ; grand prix en 1898.

CALLOT Jean
Mort en 1666. XVIIe siècle. Actif à Nancy. Éc. lorraine.
Peintre.

CALLOT Jean
Mort le 2 février 1678 à Nancy. XVIIe siècle. Éc. lorraine.
Peintre.
Père de Jacques Callot.

CALLOT Jean, dit **Clermont**
XVIIe siècle. Vivait encore en 1644. Éc. lorraine.
Peintre.

CALLOU, Mlle
XVIIIe siècle. Travaillant à Reims. Française.
Peintre.
Le Musée de Reims conserve d'elle deux marines (à l'aquarelle).

CALLOW George D.
XIXe siècle. Britannique.
Peintre de paysages, marines.
Il travailla à Londres, où il exposa de 1858 à 1873 à la Royal Academy, à la British Institution et à Suffolk Street.
VENTES PUBLIQUES : CHESTER, 14 oct. 1982 : *Bords de mer* 1866, deux h/t (29x54,5) : **GBP 900** – LONDRES, 29 mars 1984 : *Bonchurch, isle of Wight* 1863, h/t (30,5x56) : **GBP 750** – LONDRES, 17 déc. 1986 : *Pêcheurs sur la plage*, deux h/t (49x82) : **GBP 3 300** – LONDRES, 15 juin 1988 : *En escaladant la clôture* ; *Un chemin de campagne*, h/cart., une paire (22x31) : **GBP 1 430** – LONDRES, 20 jan. 1993 : *Barques de pêche le matin* ; *Coucher de soleil sur une côte* 1868, h/t, une paire (chaque 30,5x56) : **GBP 2 530**.

CALLOW John
Né en 1822 à Greenwich. Mort en 1878 à Londres. XIXe siècle. Britannique.
Peintre de batailles, paysages, marines, peintre à la gouache, aquarelliste, dessinateur.
C'était le frère et l'élève de William Callow. Il fut d'abord associé de la Water-Colours Society et apprécié surtout pour ses marines, dont il exposa un grand nombre, notamment à la Royal Academy, à la British Institution, à Suffolk Street, à la Old Water-Colours Society de Londres, entre 1844 et 1878.
VENTES PUBLIQUES : LONDRES, 16 fév. 1923 : *Bateaux à Douvres*, dess. : **GBP 14** – LONDRES, 9 juil. 1928 : *Le Mont Saint-Michel en Cornouailles* 1854, dess. : **GBP 17** – PARIS, 19 juin 1933 : *Canal à*

Venise, aquar. : **FRF 155** – Londres, 12 mars 1934 : *Marine* 1868 : **GBP 5** – Londres, 12 mai 1967 : *Vue de la Clyde*, aquar. : **GNS 90** – Londres, 27 juil. 1976 : *La Flotte de pêche*, h/t (60x105) : **GBP 300** – Londres, 12 juil. 1977 : *Entrée au port* 1870, h/t (95x72) : **GBP 1 300** – Londres, 20 juil. 1979 : *Bateaux au large de la côte*, h/t (73,7x125,1) : **GBP 3 800** – Londres, 23 juin 1981 : *Voiliers au large de la côte en mer*, deux h/t (23x41) : **GBP 1 300** – Londres, 21 juin 1983 : *A breezy sunset*, h/t (73x125) : **GBP 2 000** – New York, 1er mars 1984 : *Bateaux pris par les glaces au large du château de Bamburgh, Northumberland* 1872, aquar., gche et cr. (35,1x64,8) : **USD 4 800** – Londres, 27 fév. 1985 : *Le Retour des pêcheurs, Staithes, Yorkshire* 1878, aquar. (22,5x39) : **GBP 500** – Londres, 2 oct. 1985 : *Jour de vent sur la Medway*, h/t (58x104) : **GBP 2 600** – Londres, 25 jan. 1988 : *A Knole Park, Kent*, aquar. (23,5x49,5) : **GBP 605** – Londres, 22 sep. 1988 : *Whitby Bay avec St Hilda Head en arrière-plan*, h/t (76x127) : **GBP 6 050** – Londres, 25 jan. 1989 : *En sortant du port*, aquar. (147x24,5) : **GBP 495** – Londres, 22 mai 1991 : *Voie maritime très encombrée* 1861, aquar. (26x42) : **GBP 1 430** – New York, 15 oct. 1993 : *Navigation au large de la côte française*, h/t (76,2x126,3) : **USD 6 325** – Londres, 3 mai 1995 : *À l'approche de la nuit bateau faisant route vers un ancrage au large des côtes françaises*, h/t (45x82) : **GBP 2 070** – Londres, 30 mai 1996 : *Matin après un coup de vent sur la côte du Yorkshire*, h/t (76x127) : **GBP 6 900** – Londres, 29 mai 1997 : *Marée basse* 1866, aquar. (24x55) : **GBP 1 495** ; *Jour venteux au large de la côte du Yorkshire*, h/t (76x127) : **GBP 4 370**.

CALLOW William
Né en 1812 à Greenwich. Mort en 1908 à Great Missenden (Buckinghamshire). XIXe siècle. Britannique.

Peintre de paysages, marines, aquarelliste, dessinateur.

À partir de 1838, il exposa à Londres, notamment à la Royal Academy, à Suffolk Street, à la British Institution et à la Old Water-Colour Society. Il fut membre de la Royal Water-Colour Society et fellow de la Royal Geographical Society de Londres. Après avoir visité la France en 1829, il y séjourna de 1831 à 1841. Travaillant aux côtés de Boys, qui avait bien connu Bonington, il éclaircit sa palette, traitant dans des tons fluides et transparents, ses vues de Paris, Versailles, Saint-Cloud. En 1839, il exécuta pour un éditeur londonien : *Picturesque Annual* : *Versailles*.

Bibliogr. : Gérald Schurr : *Les Petits Maîtres de la peinture 1820-1920, valeur de demain*, Les Éditions de l'Amateur, t. II, Paris, 1982.

Musées : Bristol : *Marine – Scène dans un port* – Dublin : *Durham – Le palais des Doges, Venise – Paysage avec vue de la cathédrale* – Édimbourg : *Marine* – Londres (coll. Wallace) : *Entrée au port* – Londres (Water-Colours) : *Souvenirs de Rosenau, lieu de naissance du prince Albert – Navire à l'ancre sur la Tamise – Scène sur la côte – Vieilles maisons, Berncastel sur la Moselle – Place du marché, Francfort – Le mont Richard sur le Cher (Loir-et-Cher) – Tour penchée, Bologne* – Londres (Victoria and Albert Mus.) – Manchester : *Piazza del Erbe, Vérone – Oberwesel, Suisse* – Reading : *Padoue, place du marché*.

Ventes Publiques : Paris, 1868 : *Honfleur*, aquar. : **FRF 155** – Paris, 1880 : *Vue générale de Winchester*, aquar. : **FRF 220** – Londres, 23 mars 1908 : *Lac et montagnes*, dess. : **GBP 29** 8s – Paris, 2-4 juin 1920 : *Venise*, aquar. : **FRF 350** – Londres, 25 nov. 1927 : *Dinant* 1870, dess. : **GBP 44** – Londres, 10 nov. 1933 : *Francfort*, dess. : **GBP 44** – Paris, 27 juin 1951 : *Troupeau de vaches à la mare* : **FRF 4 200** – Londres, 10 avr. 1963 : *Londres vu de Greenwich Park* : **GBP 250** – Londres, 20 oct. 1970 : *Le Grand Canal*, aquar. : **GNS 440** – Londres, 13 jan. 1972 : *Vue de Venise* 1852, aquar. avec reh. de blanc : **GBP 440** – Londres, 1er mars 1977 : *Le Palazzo Pisani-Moretta sur le Grand Canal, Venise vers 1840-42*, aquar. et reh. (31x47) : **GBP 1 800** – Liverpool, 13 déc. 1978 : *Bords de la Mersey, le soir*, h/t (73x126) : **GBP 1 200** – Londres, 19 juin 1979 : *Broadstairs, breezy day*, aquar. (28,5x42) : **GBP 1 200** – Londres, 24 mars 1981 : *Le Grand Canal, Venise* 1846, aquar. et cr. (26x35,8) : **GBP 4 000** – Londres, 6 mai 1983 : *Quai de la Moselle, Coblence* 1854, h/t (24,2x34,2) : **GBP 1 900** – Londres, 6 juin 1984 : *Wind off shore-fishing boats beaching*, h/t (76,3x91,5) : **GBP 3 000** – Londres, 20 nov. 1984 : *Venise vue depuis la Riva degli Schiavoni* 1841, aquar. et cr. reh. de blanc (30,8x44,5) : **GBP 17 000** – Londres, 8 juil. 1986 : *Edinburg from Salisbury Crags* 1844, aquar. et cr. reh. de blanc (76x114) : **GBP 30 000** – Londres, 25 jan. 1988 : *Maison au bord d'une rivière*, aquar. (15,5x21,5) : **GBP 550** – Londres, 21 juil. 1989 : *La rue du marché près du Theatro Marcello de Rome*, h/t (25,5x35,8) : **GBP 5 280** – Londres, 25-26 avr. 1990 : *Moulin près*

de la mer 1852, aquar. et gche (26x48,5) : **GBP 2 200** – Londres, 30 jan. 1991 : *Le Tréport dans le nord de la France* 1890, aquar. avec reh. de blanc (37,5x54,5) : **GBP 1 760** – Londres, 9 avr. 1992 : *Le soir sur le Grand Canal à Venise*, aquar. et gche (30x44,6) : **GBP 8 800** – Londres, 17 juil. 1992 : *Scarborough à l'aube* 1872, cr. et aquar. (27,8x76,2) : **GBP 4 950** – Londres, 13 juil. 1993 : *Wyn haven à Rotterdam* 1876, cr. et aquar. : **GBP 4 600** – Londres, 10 nov. 1993 : *Scène de canal à Gant*, h/t (32x47,5) : **GBP 6 900** – St. Asaph (Angleterre), 2 juin 1994 : *Cathédrale sur le continent*, aquar. (23x30,5) : **GBP 1 955** – Paris, 11 juil. 1994 : *Vue du pont de la Concorde et des Tuileries* 1832, cr. et aquar. (13,6x21,2) : **FRF 125 000** – Londres, 30 mai 1996 : *Soir houleux sur le Mersey*, h/t (75x127) : **GBP 4 140**.

CALLUM Frances E., Miss
XXe siècle. Britannique.
Peintre miniaturiste.

CALLWELL Anette, Miss
XIXe siècle. Britannique.
Peintre de genre.

Elle travailla à Londres où elle exposa, entre 1880 et 1887 à la Royal Academy, à Suffolk Street et à la Grafton Gallery.

CALLYANNIS Manolis. Voir CALLIYANNIS

CALMANT Eugène Marguerite
Né au XIXe siècle à Paris. XIXe siècle. Français.
Aquarelliste.

Il exposa ses aquarelles au Salon de Paris de 1876 à 1881. On cite de lui : *Pensées, Roses et lilas blancs, Fleurs*.

CALMBACHER Jeanne
Née à Paris. XIXe-XXe siècles. Française.
Peintre.

Élève de Jeanne Cantal. Elle exposa au Salon de Blanc et Noir en 1892 et depuis, au Salon de la Nationale ainsi qu'au Salon des Femmes Peintres et Sculpteurs.

CALMÉ E. Philipp
XVIIIe siècle. Actif à Vienne à la fin du XVIIIe siècle. Autrichien.
Graveur.

CALMEIER Jakob Mathias ou Calmeyer
Né en 1802 à Frederikshald. Mort en 1883 à Christiania (Oslo). XIXe siècle. Norvégien.
Peintre de paysages et de portraits.

Élève de l'Académie de Copenhague et de C.-W. Eckersberg ; étudia aussi avec J.C.C. Dahl à Dresde. Il a peint des portraits et des paysages. Les Musées d'Oslo et de Bergen conservent quelques toiles de lui.

CALMELET Hedwig
Née en 1814 à Laon. XIXe siècle. Française.
Peintre de paysages, aquarelliste.

Exposa entre 1848 et 1870 des aquarelles des montagnes de la Suisse.

CALMELS Célestin Anatole
Né le 25 mars 1822 à Paris. Mort en 1906 à Lisbonne. XIXe siècle. Français.
Sculpteur de bustes, statues.

Élève de Bosio, de Pradier et de Blondel, il entra à l'École des Beaux-Arts le 2 octobre 1837. Il obtint, en 1839, le deuxième prix au concours pour Rome et une médaille de troisième classe en 1852.

Cet artiste se fixa en Portugal et envoya au Salon de Paris ses travaux de 1843 à 1872.

On doit à Calmels le buste de Ballanche, *Gutenberg*, le buste de *Géricault*, marbre (dans la salle des Séances au Louvre), la statue de *Denis Papin*, marbre. Il travailla pour plusieurs églises. Pour la Tour Saint-Jacques-la-Boucherie, il fit la statue de *Saint Clément*. En 1866, il acheva, en Portugal, à Porto, la statue équestre de dom *Pedro IV*.

Musées : Amiens : *Calypso*.

Ventes Publiques : Londres, 10 nov. 1983 : *Diane chasseresse à cheval* vers 1880, bronze patiné et ivoire (H. 52) : **GBP 2 900** – Londres, 6 nov. 1986 : *Le joueur de cornemuse* vers 1870, bronze patiné (H. 56) : **GBP 720** – Londres, 11 juin 1987 : *Diane chasseresse à cheval*, bronze (H. 46) : **GBP 820**.

CALMELS Henri G.
Né au XIXe siècle à Toulouse. XIXe siècle. Français.
Peintre de paysages.

Cet artiste, qui vécut à Carbonne (Haute-Garonne) envoya parfois ses œuvres au Salon de Paris à partir de 1877. Il exposa aux Salons de Blanc et Noir, notamment en 1886 et 1892. Le Musée de Toulouse conserve un dessin de lui.

CALMÈTE Blaise
XVe siècle. Actif à Montpellier. Français.
Sculpteur et architecte.

CALMETTE Édouard Georges Guillaume
Né à Paris. XXe siècle. Français.
Peintre.
Exposant des Indépendants.

CALMETTE Henry
Né en 1839 à Bordeaux. Mort en 1866 à Toulon. XIXe siècle. Français.
Peintre décorateur.

CALMETTES Fernand
Né au XIXe siècle à Paris. XIXe siècle. Français.
Peintre de genre.
Élève de A. et L. Glaize. Exposa quelques œuvres au Salon à partir de 1878 ; membre de la Société des Artistes Français.

CALMETTES Jean-Marie
Né le 14 avril 1918 à Wissous (Essonne). XXe siècle. Français.
Peintre, sculpteur et graveur. Abstrait.
Élève de l'Ecole des Arts Appliqués, puis de l'Ecole des Arts Décoratifs. Dans un premier temps, de 1935 à 1937, il pratique la sculpture, travaillant sous la direction du sculpteur Wlerick. En 1938-39, il s'oriente vers la peinture et entre à l'Ecole des Beaux-Arts de Paris. Il fait la guerre, puis démobilisé, il entre à l'Académie de la Grande Chaumière comme élève de Friesz. Il y fonde, en 1943, le groupe de l'Echelle, avec Cortot, Busse, quelques autres camarades, puis Patrix. Avec le groupe, il expose au Salon des Tuileries ou au Salon des Moins de Trente Ans, au Salon de Mai, dès sa création en 1945. Il participe d'autre part, aux Salons d'Automne et des Artistes Indépendants, et à des expositions de groupe en France et à l'étranger. Sa première exposition personnelle s'est déroulée à Montréal en 1950, puis à Paris en 1951, suivies de beaucoup d'autres, toujours à Paris, en 1953, 1956, 1958, 1960, 1962, 1970, 1971, 1989, à Philadelphie en 1951, Milan 1957, Genève 1958 et 1961, Los Angeles 1958, et entre 1965 et 1970, de nouveau à Los Angeles et à New York, Chicago, Dallas. En 1947, il obtient un Prix de la jeune Peinture, en 1949 un Prix Hallmark, en 1953 le Prix du Dôme, en 1954 le Prix Othon Friesz. Il a été professeur à l'Ecole des Beaux-Arts de Paris de 1973 à 1983.
Calmettes, au cours d'une longue évolution, est resté fidèle aux principes de sa formation d'origine : respect du plan bidimensionnel, construction rigoureuse du fait plastique sur ce plan, équilibrage des éléments de la composition à petite échelle par rapport aux intervalles de plus grande échelle. Sa peinture, fondée à partir de la leçon cubiste de 1910-12, va se détacher bien souvent de l'identification de la réalité extérieure pour n'en conserver que la saveur et la valeur plastique. Dans les années 40 puis 50, ce sont les natures mortes noir et blanc, découlant d'une réflexion sur le cubisme inspiré de La Fresnaye, qui le font connaître et reconnaître : deux ou trois objets assez indéterminés, souvent une assiette, ponctuant les vides de l'espace d'une table rythmiquement dissociée, désintégrée. Dans cette même période des natures mortes noir et blanc, il est à noter que parfois les quelques éléments identifiables laissent place à des tachages indéterminés : « Quand la tache suffisait, pourquoi représenter l'objet ? » Autour des années 60-70, Calmettes agrandit son champ de vision : la nature morte n'occupant plus que le bas de la construction, tout le haut dévolu à la suggestion d'une fenêtre ouverte sur la lumière, dans le contre-jour de l'espace intérieur. Cette nouvelle composition à partir de deux plans antagonistes, l'intérieur et l'extérieur, n'a été que transitoire. Très tôt ensuite, Calmettes élimine radicalement ce qui subsistait encore de l'élément nature morte pour ne plus prendre en compte que le contre-jour de la fenêtre, la fenêtre elle-même s'efface définitivement pour laisser seul le jeu de la lumière exalté par le contraste avec l'ombre multiple. Ainsi, autour de 1970, voit-on se diversifier, comme un hommage structuré à l'impressionnisme, des fenêtres de l'aube, du crépuscule ou du midi rayonnant.
Calmettes, issu du cubisme analytique, a d'emblée choisi la voie de ce qu'on peut appeler l'abstraction française, élaborée à partir du regard sur l'extérieur. A partir de 1975, se distinguent deux séries parallèles et concomitantes, qui se distinguent en

tant que série de damiers et série de ruissellements. Dans les damiers, on retrouve sous une autre forme, désormais totalement abstraite, le contraste des zones de lumière contre les zones d'ombre, non plus situé par rapport à une quelconque fenêtre, mais multiplié et dispersé sur l'espace de la toile en harmonies tantôt rousses, tantôt glauques, l'ensemble des parties dispersées étant restructuré par le traitement en damier qui confère ossature à ce pur espace non situé. Dans les ruissellements, les tonalités s'interpénètrent en des coulures qui évoquent les suintements et ruissellements sortant des anfractuosités de la roche, faisant s'affronter la pierre et l'onde.
■ J. B., A. P.

Calmettes

BIBLIOGR. : Lydia Harambourg, in : *L'École de Paris, 1945-1965. Diction. des Peintres*, Ides et Calendes, Neuchâtel, 1993.
MUSÉES : BRUXELLES – LONDRES – NEW YORK – PARIS (Mus. Nat. d'Art Mod.).
VENTES PUBLIQUES : LONDRES, 11 avr. 1962 : *Le pot d'étain* : GBP 160 – VERSAILLES, 24 mai 1966 : *Nature morte* : FRF 1 300 – GENÈVE, 9 juin 1976 : *Femme*, h/t (116x89) : CHF 3 000 – PARIS, 21 déc. 1985 : *La cruche bleue* 1959, h/t (46x55) : FRF 5 200 – PARIS, 23 oct. 1987 : *Nature morte* 1958, h/t (33x41) : FRF 4 200 – PARIS, 21 sep. 1988 : *Nature morte au vase* 1982, h/t (54x65) : FRF 2 500 – PARIS, 28 oct. 1990 : *Composition à la bouteille* 1959, h/t (81x116) : FRF 15 500 – PARIS, 9 nov. 1990 : *Composition aux deux tasses* 1948, h/t (73x100) : FRF 23 000 – PARIS, 29 avr. 1991 : *Nature morte* 1948, h/t (100x65) : FRF 9 800 – PARIS, 8 avr. 1993 : *Les bouilloires*, h/t (33x41) : FRF 3 900 – PARIS, 17 déc. 1993 : *Les quais* 1955, h/t (73x92) : FRF 10 600.

CALMETTES Pierre Paul
Né en 1874 à Paris. XIXe-XXe siècles. Français.
Peintre et dessinateur de genre et portraits.
Fils du peintre Fernand Calmettes dont il reçut les conseils, il fut aussi élève de William Bouguereau. À partir de 1907, il a exposé à Paris, au Salon des Artistes Français dont il devint sociétaire.
MUSÉES : PARIS (Mus. Carnavalet) : *Portrait d'Anatole France*, dess.
VENTES PUBLIQUES : NEW YORK, 13 déc. 1985 : *Un bel intérieur*, h/pan. (35x27) : USD 1 000.

CALMETTES Suzanne, Mme Maurice Bloch
XXe siècle. Française.
Sculpteur.
Élève de Landowski. Exposant des Artistes Français.

CALMIS Charlotte
Née en 1918 à Alep (Syrie). Morte le 18 novembre 1982 à Paris. XXe siècle. Active en France. Syrienne.
Peintre. Abstrait.
Elle vint à Paris à l'âge de dix-sept ans, fréquenta les ateliers de Lhote, Gromaire, Lurçat, et connut Jacques Villon qui la conseilla. En 1947, elle faisait partie du groupe des *Mains éblouies*. En 1953, elle fit une exposition personnelle à Paris. En 1956, elle fit un voyage et une exposition au Caire. Elle a aussi participé au Salon de Mai en 1960. Elle vit et travaille à Saint-Tropez.
Elle est venue tôt à l'abstraction, qu'elle pratique avec une grande liberté lyrique et colorée. En 1955, sa peinture gagna en force constructive, sans perdre de sa chaleur.

CALMON Camille Vincent Léandre. Voir CALVIN-DROS-CALMON

CALMON-NELIS Valentine
Née à Marseille (Bouches-du-Rhône). XXe siècle. Belge.
Peintre.
A exposé des portraits au Salon des Artistes Français en 1923.

CALMOT Nicolas
XVIIe siècle. Actif à Paris au début du XVIIe siècle. Français.
Graveur sur bois.

CALO Aldo
Né le 24 juin 1910 à San Cesario di Lecce. XXe siècle. Italien.
Sculpteur. Abstrait.
Il commença ses études artistiques dans sa ville natale, puis à l'Institut d'Art de Florence. Artiste reconnu officiellement, il a participé régulièrement à la Biennale de Venise depuis 1948, ainsi qu'à la Quadriennale de Rome, et s'est vu attribuer de nom-

breux Prix. Il fit sa première exposition personnelle en 1947 à Venise, puis régulièrement d'autres à Milan et Rome. Il fut nommé directeur de l'Institut d'Art de Volterra, puis de celui de Rome.

Après une première période baroque, il fut influencé par le post futurisme. Puis, il travailla dans le sens de l'évolution à l'abstraction des langages plastiques de l'après-guerre. A Paris, en 1950, il rencontra Arp, Brancusi, Zadkine, et à Londres Henry Moore. De nombreuses œuvres de sa période abstraite, simultanément en bois et fer, portent le titre de *Biformes*, révélateur d'un certain dualisme d'inspiration, qui se résolut dans les œuvres postérieures à 1960.

Musées : Paris (Mus. d'Art Mod.) – Rome – Zurich.

Ventes Publiques : Milan, 24 oct. 1983 : *Composition* 1968, acier (H. 133) : ITL 1 800 000 – Rome, 25 nov. 1987 : *Nu debout* 1949, bois (H. 120) : ITL 3 200 000 – Milan, 20 mai 1996 : *Sans titre* 1962, bronze (H. 42) : ITL 2 300 000.

CALO Giovanni Battista
Né à Barletta. Mort en 1895 à Barletta. xixe siècle. Italien.
Peintre.
Après avoir été à Naples, l'élève de Mancinelli, il se fixa dans sa ville natale, où l'église del Purgatorio conserve une *Madonna del Suffragio* de sa main.

CALOENESCO Aurélia
Née à Bucarest. xxe siècle. Roumaine.
Peintre.
Elle exposa aussi à Paris entre 1922 et 1928, aux Salons des Artistes Français et des Artistes Indépendants.

CALOENESCU Adina
Née le 18 février 1934 à Buzau. xxe siècle. Depuis 1980 active en Allemagne. Roumaine.
Peintre. Néo-constructiviste.
De 1961 à 1965, elle fut étudiante en art et philosophie à la Faculté d'Arts Plastiques de Bucarest. Elle participe à de nombreuses expositions collectives en Roumanie, dans la plupart des pays d'Europe, en Amérique-Latine, etc. Elle fit sa première exposition personnelle à Bucarest en 1970, suivie de nombreuses autres en Roumanie, puis en Allemagne. En 1968, elle obtint le Prix de l'Union des Artistes Plasticiens de Roumanie, en 1969 le Prix pour les Jeunes Artistes, en 1973 le Prix de Peinture, en 1976 le Prix d'Arts Graphiques. Établie à Düsseldorf, elle est membre de l'Union des Artistes de Rhénanie du Nord-Westphalie.
Elle travaille souvent sur des plastiques transparents qui lui permettent des effets de superposition tels que les ont pratiqués Pevsner et Gabo. Sur des formats carrés, elle trace des réseaux de lignes, non exclusifs d'un certain quorum de hasard, mais mathématiquement maîtrisé, qui engendrent de complexes géométries dans l'espace.
Bibliogr. : Ana Maria Covrig, in Ionel Jianou : *Les artistes roumains en Occident*, American-Romanian Academy of Arts and Sciences, Los Angeles, 1986.

CALOGERO Jean
Né à 1922 à Catane (Sicile). xxe siècle. Italien.
Peintre de compositions à personnages, figures, paysages animés. Tendance fantastique.
Il peint surtout des personnages féminins, de l'enfant à la femme.

Jean Calogera

Ventes Publiques : Londres, 31 juil. 1963 : *Circé* : GBP 80 – New York, 20 mai 1964 : *Fillette et sa poupée* : USD 625 – San Francisco, 3 oct. 1981 : *Jeune Fille au chapeau*, h/t (55x46) : USD 1 100 – Milan, 19 mai 1985 : *Bersaglio*, h/t (52x43) : ITL 1 400 000 – La Varenne-Saint-Hilaire, 29 mai 1988 : *Cavalier à Venise*, h/t (55x46) : FRF 6 500 – Paris, 7 juin 1988 : *Place de la Concorde*, h/t (46x55) : FRF 6 100 – L'Isle-Adam, 11 juin 1988 : *Jeune femme pensive*, h/t (55x46) : FRF 5 600 – Paris, 17 avr. 1989 : *Le cavalier*, h/t (55x46) : FRF 13 500 – Paris, 26 mai 1989 : *Jeune fille à la fête foraine*, h/t (28x23) : FRF 4 000 – L'Isle-Adam, 23 oct. 1989 : *L'Arrivée du bateau en ville*, h/t (60x73) : FRF 11 000 – La Varenne-Saint-Hilaire, 3 déc. 1989 : *Promenade au bord de la mer*, h/t (46x55) : FRF 7 800 – Paris, 5 fév. 1992 : *Nuit vénitienne*, h/t (60x73) : FRF 5 000 – New York, 26 fév. 1993 : *Le Chapeau fantastique*, h/t (73x59,7) : USD 3 565 – Paris, 10 avr. 1995 : *Visage fantastique*, h/t (46x56) : FRF 4 200 – Londres, 13 nov. 1996 : *Élégantes au pesage des jockeys*, h/t (60x73) : GBP 2 530.

CALOIGNE Jan Robert. Voir CALLOIGNE

CALOISIANO Apollonio, frate
xve siècle. Actif à Brescia vers 1490. Italien.
Miniaturiste.
Il fit partie de l'ordre de Saint-Augustin.

CALOMATO Bartolomeo
xviie siècle. Italien.
Peintre.
Calomato a peint des scènes rustiques et des intérieurs. Ses figures sont exécutées avec grâce et pleines de mouvement.

CALON Achille Augustin
Né à Paris. Mort en 1904. xixe siècle. Français.
Peintre de scènes de genres, portraits, aquarelliste, dessinateur.
Il figura au Salon, à partir de 1868. Membre de la Société des Artistes Français. On cite de lui : *Rebecca* (1892).

CALONGE Eusebio
xixe siècle. Espagnol.
Peintre.
Exposa en 1880 au Cercle des Beaux-Arts à Madrid.

CALONNE Jacques
Né en 1930 à Mons. xxe siècle. Belge.
Peintre, dessinateur.
Il fut élève de l'Académie de Mons. Il fut en contact avec le groupe « COBRA ». Il devint ensuite surtout musicien.
Bibliogr. : In : *Diction. biogr. illustré des artistes en Belgique depuis 1830*, Arto, Bruxelles, 1987.

CALOO Jean de
xve siècle. Travaillant à Gand en 1410. Éc. flamande.
Peintre verrier.
Il fit, pour la salle des séances du Conseil des Flandres, un vitrail avec les armes de Charles VI de France, de Jean sans Peur, de sa femme Marguerite de Bavière, et les armes de Flandres.

CALORDO Juan Alonso
xve siècle. Actif à Orozco. Espagnol.
Calligraphe et enlumineur.

CALORI Guido
xixe-xxe siècles. Italien.
Sculpteur.

CALORI Rafaello di Paolo
xve siècle. Actif à Modène entre 1452 et 1476. Italien.
Peintre.

CALORITI Giambattista ou Calloritti, dit il Nero
Mort vers 1700. xviie siècle. Actif à Malte. Italien.
Peintre de paysages.
Il fut élève du Calabrese.

CALORITI Giuseppe
xviiie siècle. Actif à Malte. Italien.
Peintre.
Fils de Giambattista Caloriti.

CALOS Nino, pseudonyme de Calogero Antonio
Né le 4 novembre 1926 à Messine. Mort le 16 mars 1990 à Paris. xxe siècle. Actif aussi en France. Italien.
Sculpteur, peintre. Cinétique.
Antonio Calogero était un Sicilien de Messine. Il avait suivi une formation littéraire, puis été reçu à la licence de philosophie, avant de se destiner à l'aventure artistique, troquant ses prénom et nom pour leurs diminutifs familiers de Nino Calos. Dès 1948, il fit un séjour à Paris, où il devait se fixer à partir de 1956. Déjà en 1949, il prenait rang de précurseur dans la deuxième génération de l'art cinétique, si l'on compte pour une première génération les quelques tentatives apparues éparses au cœur des courants constructivistes des années dix et vingt. Nino Calos exposait tant en Italie qu'en France, ainsi que dans de nombreuses expositions collectives internationales, notamment celles qui assuraient la promotion du cinétisme. À Paris, il fut un exposant fidèle du Salon des Réalités Nouvelles, dont il devint membre du comité. Une quinzaine d'expositions personnelles lui furent consacrées.
Dans sa première période, il employait des projecteurs mobiles qui éclairaient des tableaux ou des objets recouverts de paillettes et de strass multicolores qui, sous les rayons changeants, brillaient et scintillaient en donnant l'illusion d'être mus. En 1956, s'étant approprié les techniques convenables, il présentait des réalisations totalement performantes dans le contexte du début

de la vogue qu'allait connaître l'« Op'art », l'art optique et lumino-cinétique. Il n'était que normal alors qu'il rencontrât Frank Malina, avec qui il collabora, ce qui le conforta dans son option. Dans son plein accomplissement et conformément à la destination qu'il souhaitait, les réalisations lumino-cinétiques de Nino Calos, reconnues et consacrées par le public averti, trouvèrent souvent leur placement et leur fonction en tant qu'éléments d'intégration architecturale. Ses « mobiles lumineux » en situation, développent, et continueront de développer, en induisant un climat propice de méditation spirituelle, les mouvements lents de leurs rayons colorés, à l'image de l'éternité des processus universels. ■ Jacques Busse

Musées : Paris (Mus. mun. d'Art Mod.) – Turin.

CALOSCI Arturo
Né le 8 mars 1855 à Montevarchi (province d'Arezzo). Mort en 1926. XIXᵉ-XXᵉ siècles. Actif à Florence. Italien.

Peintre de genre, figures.

Fit ses études à l'Académie des Beaux-Arts de Florence, où il eut pour maître Pollastrini. Ayant perdu ses parents et se trouvant sans ressources, il dut travailler pour vivre et se mit à peindre des petits tableaux de genre. Il obtint en 1871 une bourse de l'État et remporta le premier prix au Concours national en 1879. *Le Froid* et *La Tourmente*, sont deux œuvres fort estimées de lui.

Ventes Publiques : Paris, 14-16 jan. 1926 : *Jeune moine jouant du violon* : **FRF 500** – Londres, 23 juil. 1976 : *Le violoniste*, h/pan. (32x20,5) : **GBP 380** – New York, 28 avr. 1977 : *Le Galant entretien*, h/t (33,5x30,5) : **USD 1 300** – New York, 28 mai 1980 : *Le troubadour*, h/t (71,2x50,8) : **USD 3 200** – New York, 25 mai 1984 : *Deux galants et leur belle*, h/t (40,3x50,5) : **USD 1 000**.

CALOSI Ida
Née à Florence. XXᵉ siècle. Italienne.

Peintre.

En 1935, elle exposait aux Indépendants une marine et un paysage.

CALOSSO Edoardo
Né en 1856, originaire du Piémont. XIXᵉ siècle. Italien.

Peintre.

CALOSSO Mario
Né à Foggia. XXᵉ siècle. Italien.

Sculpteur.

En 1933 et 1934, il a exposé au Salon de la Nationale et au Salon d'Automne, des bustes et une statue.

CALOT Émile Emmanuel
Né le 25 décembre 1843 à Douai. XIXᵉ siècle. Français.

Sculpteur de sujets mythologiques, figures.

Il étudia dans l'atelier de Jouffroy et exposa au Salon à partir de 1878 des bustes et des médaillons. L'Hôtel de Ville de Paris possède un bas-relief de lui.

Musées : Douai : *Oreste et Électre – Iphigénie apprend la mort d'Agamemnon et de Clytemnestre – L'enfant à l'oie – Figure académique – Joseph expliquant les songes – Combat d'Hercule et des Amazones.*

CALOT Henri
XIXᵉ-XXᵉ siècles. Actif à Toul. Français.

Peintre et aquarelliste.

Cet artiste, professeur de dessin au collège de Toul, fut aussi conservateur du Musée de cette ville.

Musées : Toul : *Sites vosgiens*, aquar. – *Le cloître de Saint-Gengoult*, aquar.

CALOT Johann Valerius
XVIIIᵉ siècle. Actif à Prague. Éc. de Bohême.

Peintre de portraits.

CALRAET. Voir KALRAET

CALRAET Abraham Pietersz Van. Voir KALRAET Abraham Pieterz Van

CALS Adolphe Félix
Né le 17 octobre 1810 à Paris. Mort le 3 octobre 1880 à Honfleur. XIXᵉ siècle. Français.

Peintre de portraits, paysages animés, paysages, intérieurs, natures mortes, dessinateur.

Cals naquit d'humbles ouvriers, mais de francs cœurs. La préoccupation des parents fut d'éviter au jeune garçon fluet, méditatif, les brutalités de la vie des travailleurs. On décida, vu ses dispositions, que Félix-Adolphe serait artiste et il fut confié à un ami de

la famille, le graveur Anselin. Ce maître étant mort subitement, Cals passa successivement sous la direction des graveurs Ponce, près duquel il dessina près de trois ans, Bosc, qui lui fit commencer la gravure au burin, et enfin entra dans l'atelier de Cogniet à l'École des Beaux-Arts. Cogniet et son élève n'étaient pas toujours d'accord ; paternellement, le maître conseillait les concessions au goût du public. Cals refusait, déclarant qu'il était prêt à supporter toutes les conséquences de son indépendance. Cogniet aurait eu cette exclamation : « Vous gâchez votre avenir, mon ami : vous faites aussi mauvais que Corot ! » Faire aussi mauvais que Corot, c'était se priver de la protection officielle. Cals s'était marié, mais le couple dut bientôt se séparer. Le marchand de tableaux Martin, qui le prit en amitié, lui fit vendre quelques toiles. Il avait près de cinquante ans lorsque la connaissance que lui fit faire Martin du comte Doria vint améliorer son existence de privations et de lutte. Le grand collectionneur apprécia l'artiste ; Cals put désormais aller s'installer au château d'Orrouy, débarrassé des inquiétudes matérielles. Son protecteur le recommandait chaudement et usait de son influence pour lui procurer des commandes. En 1869, une terrible épreuve le frappa : sa fille devint folle et ne recouvra la raison qu'après 1871. À partir de cette date, Cals partagea sa vie entre Paris et Honfleur. Un groupe d'amis dévoués et d'admirateurs s'était formé autour de lui. Ce fut dans ce milieu chaleureux qu'après dix années de nouveaux labeurs, peut-être les plus belles de son existence d'artiste, Cals s'éteignit, et le regret le plus vif qu'il exprimait dans ses dernières lettres était de ne plus pouvoir faire encore de sa « chère peinture » : « Que Dieu me fasse mourir le pinceau à la main. – écrivait-il à un ami – Dans tous les cas, le bonheur que m'aura procuré ma chère peinture me suivra, m'accompagnera jusqu'à mon dernier moment. »

Cals exposa au Salon de 1846, mais, bien qu'on espérât une médaille pour lui, il n'en tira pas d'autre profit qu'un succès d'estime. On retrouve Cals aux Salons de 1868, 1869 et 1870. La première année, il envoyait le *Portrait de Mlle C.* et *Grand-mère et Petit-fils*. L'année suivante, c'était le *Portrait de M. de B.* et pour son dernier envoi, *Une ferme en Normandie* et *Portrait de Mlle A. de L.* Il prit part aux expositions des Impressionnistes, dès la première en 1874, puis en 1876, 1877, 1879 et 1881. Après sa mort, une première exposition à la galerie Berne-Bellecour, une plus importante ouverte du 20 mai au 14 juin 1901, ont permis de réunir une grande part de son œuvre.

Sa sensibilité le place à côté de Jean-François Millet et de Josef Israels quand il peint ses paysans, ses marins, ses pauvres gens. Son œuvre prend alors l'importance d'un témoignage définitif. « Il est donc vrai », écrivait-il à un ami, « qu'il y a des êtres voués au malheur, destinés à être des objets de répulsion et d'horreur. Eh bien ! je me suis toujours senti appelé vers ces pauvres misérables. » De 1859 à 1870, Cals produisit un grand nombre d'ouvrages, paysages, intérieurs, études de femmes, et plusieurs portraits délicats, dont Fantin-Latour paraît avoir le réminiscences. Son amitié avec Jongkind, puis, lorsqu'il s'installa à Honfleur en 1873, ses relations avec les peintres de la ferme Saint-Siméon, le placent dans les précurseurs de l'impressionnisme, avec des œuvres comme *Soleil couchant à Honfleur* de 1873, ou *Le Déjeuner à Honfleur* de 1875. Dans cette voie, il ne montra pas la même heureuse liberté que Boudin, mais son action y fut plutôt comparable dans sa discrétion, à celle de Daubigny. ■ revu par J. B.

Cachet de vente

Musées : Honfleur : *Jeune femme* – Paris (Mus. du Louvre) : *Femme effilant de l'étoupe – Lard et hareng – Soleil couchant – Étude de femme – Le Déjeuner à Honfleur* – Reims : *Têtes de jeunes filles – Femme tricotant – Paysage.*

Ventes Publiques : Paris, 1899 : *L'Anxiété* : **FRF 14 500** ; *La veillée* : **FRF 13 600** ; *La Mère Baberey* : **FRF 4 800** ; *Cueillette de pommes* : **FRF 4 900** ; *À la fenêtre* : **FRF 5 200** ; *Le Tailleur de vigne* : **FRF 4 600** ; *Rue de Honfleur* : **FRF 3 900** ; *Tête de femme*, dess. : **FRF 550** ; *L'Heureuse Mère*, dess. : **FRF 1 150** ; *L'Âtre*, dess. : **FRF 700** ; *L'Heureuse Mère*, dess. : **FRF 440** ; *Buveur de cidre*, dess. : **FRF 210** ; *Repas frugal*, dess. : **FRF 1 000** ; *Pay-*

sanne et sa famille, dess. : **FRF 72** – PARIS, 22 fév. 1900 : *Nature morte* : **FRF 370** – PARIS, 9 mai 1901 : *Une pauvre femme* : **FRF 200** – PARIS, 18-19 nov. 1901 : *A Montmartre* : **FRF 135** ; *Paysage de printemps* : **FRF 405** – PARIS, 29 nov. 1901 : *Nature morte* : **FRF 260** – PARIS, 18-19 mai 1903 : *Tête de jeune fille* : **FRF 480** – PARIS, 13-14-15 avr. 1905 : *Nature morte* : **FRF 121** – PARIS, 4 mars 1907 : *La Mère du pêcheur* : **FRF 520** ; *Tête de femme* : **FRF 450** – PARIS, 18 mai 1908 : *Une paysanne* : **FRF 660** ; *Buste de jeune fille* : **FRF 400** – PARIS, 9 déc. 1908 : *Honfleur* : **FRF 1 150** ; *Cour de ferme en Normandie* : **FRF 500** – PARIS, 6 déc. 1909 : *Jeune fille en méditation* : **FRF 420** ; *Portrait de M. X.* : **FRF 380** – PARIS, 20 nov. 1918 : *Jeune mère et son enfant* : **FRF 1 450** ; *Une rue à Argenteuil* : **FRF 400** ; *Un coin de cuisine* : **FRF 220** ; *Tête de fillette* : **FRF 480** – PARIS, 4-5 déc. 1918 : *Vieille paysanne assise dans un intérieur* : **FRF 100** ; *Le Vieux Chemineau au cabaret*, dess. : **FRF 140** – PARIS, 3 fév. 1919 : *Ferme sur la côte de Grâce* : **FRF 950** – PARIS, 1er mars 1919 : *Vieille paysanne dans son intérieur* : **FRF 105** – PARIS, 14 juin 1919 : *Nature morte* : **FRF 1 700** – PARIS, 26 nov. 1919 : *Autour de la cheminée*, pl. : **FRF 85** – PARIS, 1-3 déc. 1919 : *Jeune femme lisant* : **FRF 1 400** ; *La dînette* : **FRF 6 600** ; *Le Port à Honfleur* : **FRF 1 800** ; *Jeune mère allaitant son enfant* : **FRF 2 600** ; *La mère Barberey cousant* : **FRF 4 800** ; *Les enfants du marin : Honfleur* : **FRF 3 000** ; *Mère et enfants au coin de l'âtre*, dess. : **FRF 1 800** – PARIS, 1er-2 mars 1920 : *Maternité* : **FRF 2 000** – PARIS, 20 mars 1920 : *Nature morte* : **FRF 3 020** – PARIS, 23 fév. 1921 : *Portrait de fillette* : **FRF 750** – PARIS, 4-5 mars 1921 : *Le Bon Père* : **FRF 900** ; *Le Vieux Paysan endormi* : **FRF 680** – PARIS, 14 nov. 1924 : *Portrait de jeune homme* : **FRF 620** ; *Tête d'homme, de profil à gauche* : **FRF 260** – PARIS, 23 avr. 1925 : *Ferme à la côte de Grâce* : **FRF 750** ; *Le Peintre Bataille et sa sœur* : **FRF 550** ; *La Rue Caulaincourt* : **FRF 305** – PARIS, 12 juin 1926 : *La Lecture* : **FRF 1 500** – PARIS, 14-15 déc. 1927 : *Entrée du Grand Trou à Gilocour (Oise), paysage d'hiver* : **FRF 1 250** ; *Rue à Argenteuil* : **FRF 1 200** – PARIS, 21 déc. 1928 : *Pommes* : **FRF 1 100** – PARIS, 26 jan. 1929 : *La Veillée sous la lampe* : **FRF 800** – PARIS, 31 jan. 1929 : *Portrait de garçonnet* : **FRF 550** – PARIS, 5-6 juin 1929 : *La Côte de Grâce à Honfleur* : **FRF 5 000** ; *La Route* : **FRF 650** ; *Jeune paysanne cueillant des pâquerettes* : **FRF 2 000** – PARIS, 4 nov. 1937 : *Chemins au Poudreux* : **FRF 420** ; *Sous les arbres* : **FRF 810** ; *L'Éducation maternelle* : **FRF 2 000** ; *La Fileuse* : **FRF 1 500** – PARIS, 16-17 mai 1939 : *La campagne à Honfleur* : **FRF 1 850** – PARIS, 23 mai 1941 : *La Tricoteuse* : **FRF 5 250** – PARIS, 26 sep. 1941 : *Tête de jeune fille* : **FRF 2 500** – PARIS, 24 nov. 1941 : *Le Poudreux, plage à marée basse 1878* : **FRF 2 500** – PARIS, 5 déc. 1941 : *Portrait de fillette* : **FRF 1 050** ; *Paysage à Villerville 1874* : **FRF 1 150** – PARIS, 9 mars 1942 : *Nature morte 1853* : **FRF 4 000** – PARIS, 13 mars 1942 : *Place d'Honfleur 1879* : **FRF 4 800** – PARIS, 17 juin 1942 : *Ferme près Honfleur 1879* : **FRF 11 700** – PARIS, 10 fév. 1943 : *Le Repos du paysan en plein air 1876* : **FRF 11 500** – PARIS, 24 fév. 1943 : *La Noce juive, d'après Delacroix* : **FRF 3 800** ; *La Barque du Dante, d'après Delacroix* : **FRF 4 300** ; *Verger de la ferme Saint-Siméon 1870* : **FRF 10 000** ; *Le Retour du pêcheur 1874* : **FRF 12000** ; *Jeune fille en robe bleue* : **FRF 26 500** ; *La Mère Boudoux à Honfleur 1873* : **FRF 17 000** – PARIS, 2 juin 1943 : *La Ferme du Butin à Honfleur, effet de neige 1878* : **FRF 9 800** ; *Le Gros Caillou à Honfleur* : **FRF 9 100** – PARIS, 31 jan. 1949 : *L'Aïeule* : **FRF 17 000** – PARIS, 19 avr. 1950 : *Paysanne assise* : **FRF 20 100** – PARIS, 19 mars 1951 : *Femme et enfants dans un jardin, Honfleur* : **FRF 28 000** – VERSAILLES, 27-28 juin 1962 : *Femme en Normandie* : **FRF 1 400** – GENÈVE, 13 juin 1970 : *Paysage 1877* : **CHF 1 400** – PARIS, 17 mars 1972 : *Pourville 1862* : **FRF 2 800** – PARIS, 19 nov. 1976 : *Chemin à Orrouy 1866*, h/t (36x50) : **FRF 2 800** – PARIS, 3 mars 1978 : *La Partie de cartes*, h/t, de forme ovale (50x61) : **FRF 5 500** – PARIS, 20 nov. 1981 : *Honfleur 1878*, h/t (46x38) : **FRF 3 300** – PARIS, 6 juin 1984 : *La fileuse 1861*, h/t (62x51) : **FRF 31 000** – PARIS, 14 juin 1985 : *Marine*, h/t mar./pap. (12x31) : **FRF 15 000** – PARIS, 23 avr. 1986 : *Enfants assis 1879*, past., fus. et estompe (40x30) : **FRF 5 000** – PARIS, 4 nov. 1987 : *Nature morte à la raie 1878*, h/t (57x73) : **FRF 17 000** – PARIS, 15 avr. 1988 : *Honfleur, coucher de soleil sur la plage*, h/t (12,5x33) : **FRF 7 500** – MONACO, 17 juin 1988 : *Le repos du paysan 1859*, h/t (40x32) : **FRF 27 750** – PARIS, 11 oct. 1988 : *Portrait de la mère Bellanger à 84 ans 1874*, h/t (45x35) : **FRF 13 000** – PARIS, 22 nov. 1988 : *Les Meules*, h/t (21x32) : **FRF 9 000** – MONACO, 17 juin 1989 : *Mère et Enfant*, h/pap./t. (diam. 18,5) : **FRF 22 200** – PARIS, 10 avr. 1990 : *Après la soupe*, h/t (47x39) : **FRF 23 000** – MONACO, 16 juin 1990 : *Nature morte au concombre et pot de grès 1847*, h/pan. (16x19) : **FRF 66 600** – PARIS, 22 mars

1991 : *Les Deux Amis autour d'une table*, fus. et estompe à reh. de blanc (31,5x41,5) : **FRF 32 000** – PARIS, 16 déc. 1991 : *Paysage de la vallée d'Orrouy 1862*, peint./t. (25x33) : **FRF 23 000** – PARIS, 18 mars 1992 : *Paysage animé à Honfleur 1878*, h/t (32,5x49) : **FRF 34 000** – MONACO, 18-19 juin 1992 : *Portrait de jeune fille 1840*, h/t (54x45) : **FRF 22 200** – PARIS, 28 avr. 1993 : *Portrait de jeune femme au bonnet*, h/pan./t. (24x19) : **FRF 23 000** – PARIS, 14 juin 1993 : *Nature morte aux pommes*, h/t (46x37,5) : **FRF 10 100** – PARIS, 24 juin 1994 : *Saules au bord d'une rivière 1856*, h/t (41x28) : **FRF 19 000** – NEW YORK, 16 fév. 1995 : *La Dînette 1859*, h/t (45,4x54,9) : **USD 9 200** – PARIS, 24 mars 1996 : *Honfleur 1852*, h/t (19x33) : **FRF 8 500** – VIENNE, 29-30 oct. 1996 : *Verger à Honfleur 1873*, h/t (38x47,5) : **ATS 74 750** – PARIS, 10 déc. 1996 : *Paysanne d'Auvergne*, h/t (24,5x19) : **FRF 5 600**.

CALSBEEK Craig
Né à Los Angeles. XXe siècle. Américain.
Peintre, dessinateur, designer publicitaire. Réaliste-photographique.
Il est diplômé du Collège de Design du Centre d'Art de Los Angeles. Depuis 1978, il travaille comme illustrateur et designer publicitaire pour de nombreuses publications, magazines. Depuis 1989 aussi, il reçoit presque annuellement une distinction de la Société des Illustrateurs de Los Angeles, en particulier une médaille d'argent en 1988. Il a aussi été distingué par la Société des Illustrateurs de New York en 1984 et 1987.

CALSINA Ramon
Né en 1901 en Catalogne. XXe siècle. Espagnol.
Peintre de genre, figures, paysages.
VENTES PUBLIQUES : BARCELONE, 23 avr. 1980 : *Jeune fille assise*, h/t (99x98) : **ESP 70 000** – BARCELONE, 26 mai 1983 : *Le vieillard*, h/t (71x59) : **ESP 85 000** – BARCELONE, 18 déc. 1986 : *Paysage montagneux*, h/t (60x160) : **ESP 200 000**.

CALSTER Martin Van ou Calstre
Né à Malines. Mort le 27 novembre 1628 à Malines. XVIIe siècle. Actif à Malines. Éc. flamande.
Peintre et sculpteur.
Il travailla pour l'église Saint-Jean de Malines en 1605, pour l'église d'Edeghem en 1608, pour l'église Saint-Grommaire à Lierre en 1628. Le Musée de Malines conserve de lui une *Madone*, provenant de l'entrée du Palais du Grand Conseil.

CALTHROP Claude Andrew
Né en 1845 près de Spalding (Lincolnshire). Mort en 1893 à Londres. XIXe siècle. Britannique.
Peintre de genre, figures.
Calthrop fut élève du peintre John Sparkes. Il suivit aussi les cours de la Royal Academy, où il obtint une médaille d'or. Plus tard, il vint à Paris continuer ses études.
Exposa de 1864 à 1893 à la Royal Academy, à la British Institution et à Suffolk Street à Londres.
VENTES PUBLIQUES : LONDRES, 2 déc. 1907 : *A la chancellerie* : **GBP 2** – LONDRES, 22 déc. 1926 : *Hors de service* : **GBP 10** – LONDRES, 14 juil. 1983 : *Jeune femme à son rouet*, h/t (107x76) : **GBP 500** – LONDRES, 1er oct. 1986 : *The school of scandal 1871*, h/t (63,5x104) : **GBP 4 800** – LONDRES, 3 nov. 1993 : *Lettres d'amour brûlées 1873*, h/t (92x129) : **GBP 17 250** – LONDRES, 6 nov. 1995 : *Un bouffon 1871*, h/t (104,1x64,2) : **GBP 5 980**.

CALTHROP Dion Clayton
Né le 2 mai 1878 à Londres. Mort le 7 mars 1937. XXe siècle. Britannique.
Peintre, illustrateur, écrivain.
Il était fils d'un acteur. Il fut élève de Saint Paul's School. Il fut élève en peinture à Saint John's Wood School, et à Paris dans les Académies Julian et Colarossi. Il exposa à partir de 1900 à la Royal Academy de Londres. Il fut surtout illustrateur, collaborant à plusieurs parutions et revues, qu'il quitta pour ne plus illustrer que ses propres écrits, parmi lesquels : *A bit of a time – A trap to catch a dream – All for the love of a lady.*
BIBLIOGR. : Marcus Osterwalder : *Diction. des illustrateurs 1800-1914*, Hubschmid et Bouret, Paris, 1983.

CALTHROP M. A., Mrs
XIXe siècle. Britannique.
Peintre de fleurs.
Elle exposa, de 1877 à 1883, quatre œuvres à la Royal Academy et à Suffolk Street, à Londres.

CALURI ou Chaluri
XVIIe siècle. Vivant à Räzuns au milieu du XVIIe siècle. Suisse.

Peintre.

Il est l'auteur d'une *Sainte Dorothée* et d'un *Saint Mathieu* dans le chœur de l'église de Saint-Paul à Räzuns.

CALVAERT Denys ou **Dionys** ou **Dionisio Fiammingo** ou **Calvart** ou parfois **Kalvaert**
Né en 1540 à Anvers. Mort le 17 mars 1619 à Bologne. XVIᵉ-XVIIᵉ siècles. Éc. flamande.
Peintre d'histoire, compositions religieuses.
Il eut pour maître à Anvers, en 1556, Corstiaen Van Queborn, mais fut surtout influencé par Aertsen et Floris ; il alla jeune, après 1562, en Italie, où il fut l'élève à Bologne de Sabattini, avec qui il passa deux ans à Rome, et de Prospero Fontana. Il eut de nombreux élèves, entre autres Domenichino, Fr. Albani et Guido Reni qui resta son disciple jusqu'à 20 ans. Il avait fondé une Académie à Bologne, dont s'inspirèrent les Carrache. Il était, dit le Dr Wurzbach, si grossier et si violent, qu'il allait jusqu'à maltraiter ses élèves, qui pourtant revenaient toujours à lui jusqu'au moment grandissant des Carrache les eût attirés vers ceux-ci. Il peignit des compositions d'histoire, des tableaux d'église qui ornent encore les églises de Bologne, et des petits tableaux de piété, sur cuivre, pour les cellules des nonnes de Bologne.
Ses peintures concilient l'italianisme d'un raphaélisme maniériste et la robustesse de la tradition flamande.
MUSÉES : BOLOGNE : *La Flagellation du Christ – La Vigilance –* DRESDE : *Apparition de la Vierge à saint François –* MAYENCE : *Diane et Endymion –* SAINT-PÉTERSBOURG : *La Visitation –* TURIN : *Sainte Marie l'Égyptienne.*
VENTES PUBLIQUES : PARIS, 1839 : *Jésus ressuscitant la fille de Jaïre :* FRF 330 – PARIS, 1859 : *Un saint couché,* dess. à la sanguine : FRF 22 – PARIS, 1864 : *Un évêque donnant l'aspersion,* dess. à la pierre noire, reh. de blanc : FRF 3 – PARIS, 4 déc. 1941 : *La Vierge et l'Enfant :* FRF 4 000 – LONDRES, 28 mars 1979 : *La Foi, l'Espérance et la Charité adorant l'Église,* h/t (157x111) : GBP 4 000 – LONDRES, 15 juil. 1980 : *Le Repos pendant la fuite en Égypte,* h/cart. (49x32,5) : GBP 5 800 – NICE, 28 juin 1986 : *La Sainte Famille avec saint Jean Baptiste,* h/t : FRF 125 000 – PARIS, 4 mars 1988 : *Sainte Cécile, entourée de saint Paul, saint Jean l'évangéliste, saint Augustin et sainte Marie Madeleine,* sanguine et estompe (55x33) : FRF 6 200 – MILAN, 10 juin 1988 : *L'Annonciation,* h/pan. (36x29) : ITL 6 000 000 – MONACO, 16 juin 1989 : *Saints apportant des offrandes à l'Enfant Jésus,* h/t (115x91) : FRF 210 900 – MONACO, 15 juin 1990 : *Tobie et l'Ange,* h/cuivre (23,6x18,3) : FRF 177 600 – NEW YORK, 14 jan. 1992 : *L'Immaculée Conception,* craie rouge avec reh. de blanc/pap. (26,4x17,3) : USD 4 400 – NEW YORK, 22 mai 1992 : *La Sainte Famille avec des anges et une sainte,* h/cuivre (27,9x21,6) : USD 7 150 – LONDRES, 8 juil. 1992 : *La Présentation de l'Enfant-Christ au Temple,* h/cuivre (40x31) : GBP 33 000 – ROME, 23 nov. 1993 : *Sainte Famille avec saint Jean,* h/cuivre (35x25) : ITL 16 100 000 – NEW YORK, 14 jan. 1994 : *Vierge à l'Enfant avec saint Jean Baptiste,* h/t (88,3x64,1) : USD 57 500 – NEW YORK, 12 jan. 1995 : *L'Annonciation,* craie noire, encre et lav. avec reh. de blanc (36,7x23,3) : USD 10 350 – LONDRES, 5 juil. 1995 : *L'Adoration des Mages,* h/cuivre (49,5x38,5) : GBP 34 500 – ICKWORTH, 12 juin 1996 : *L'Agonie au jardin,* h/métal (54,3x41,5) : GBP 27 600 – LONDRES, 16-17 avr. 1997 : *Saint Roch,* craie noire (17x13,3) : GBP 805.

CALVAERT-BRUN Louis
XXᵉ siècle. Français.
Graveur, sculpteur et peintre.
Invité au Salon des Tuileries depuis 1932.

CALVANI Bruno
Né à Mola (Bari). XXᵉ siècle. Italien.
Sculpteur.
Élève d'Adolfo Wildt. Il a exposé au Salon des Artistes Français en 1930 ; invité aux Tuileries, 1932-1933, où il présenta des bustes.

CALVANO ou **Galvano**
Originaire de Padoue. XVᵉ-XVIᵉ siècles. Italien.
Peintre.
Il semble bien qu'il ait été l'élève de Mantegna, et qu'il ne fasse qu'un avec Giacomo CALVANO qui vivait à Palerme dans les premières années du XVᵉ siècle.

CALVAT Louis
Né à Paris. XVIIIᵉ-XIXᵉ siècles. Français.
Sculpteur.
Élève de J.-J. Caffieri ; il entra le 23 juin 1788 à l'École de l'Acadé-

mie. Il exposa en 1802 un médaillon en cire de *Lebrun, Troisième consul.*

CALVAT Michel
Né vers 1761 à Paris. XVIIIᵉ siècle. Français.
Sculpteur.
Probablement frère de Louis Calvat. Élève de Caffieri. Entra à l'École de l'Académie le 21 juillet 1780. Fréquentait encore l'école en 1788.

CALVÉ Julien
Né à Lormont (Gironde). Mort en 1924. XIXᵉ-XXᵉ siècles. Français.
Peintre de paysages.
Élève d'Amédée Baudit. Membre de la Société des Artistes français, il participa au Salon de cette association depuis 1890, avec des paysages des environs de Bordeaux. On cite de lui : *Village d'Artigues ; Bassin d'Arcachon ; Les Coteaux de Lormont.* Il a obtenu une médaille en 1897 et en 1900. Il exposait encore en 1924.

CALVELLI Félix
Né à Ajaccio (Corse). XXᵉ siècle. Français.
Peintre de paysages.
Exposant des Indépendants.

CALVERLEY Charles
Né en 1833 à Albany (New York). Mort en 1914. XIXᵉ-XXᵉ siècles. Travaillant à Caldwell (New York). Américain.
Sculpteur.
Élève de Erastus D. Palmer à Albany. Il s'établit quelque temps à New York, où il devint membre de la National Academy en 1875. Exposa entre autres à Philadelphie en 1876. Parmi ses œuvres, il faut citer les bustes de *Horace Greeley,* de *Charles Loring Elliott le peintre,* de *John Brown* et de *Rob. Burns* (au Musée métropolitain de New York).

CALVERT
XVIIIᵉ siècle. Actif à Londres. Britannique.
Sculpteur.
Il exposa à Londres, à la Free Society of Artists en 1767 et à la Society of Artists en 1783.

CALVERT Charles
Né en 1785 à Glossop Hall (Derbyshire). Mort en 1852 à Bowness (Westmorland). XIXᵉ siècle. Actif à Manchester. Britannique.
Peintre de paysages, aquarelliste.
Calvert abandonna le commerce de coton pour se consacrer à la peinture. Il fut l'un des fondateurs de la Royal Manchester Institution.
MUSÉES : LONDRES (Victoria and Albert Mus.) : *Paysage,* aquar.
VENTES PUBLIQUES : PARIS, 23 oct. 1992 : *Château de Windsor,* aquar. (14,5x20,7) : FRF 4 500.

CALVERT Edward
Né en 1799 à Appledore (Devonshire). Mort en juillet 1883 à Londres. XIXᵉ siècle. Britannique.
Peintre de compositions mythologiques, scènes de genre, paysages, dessinateur, graveur, illustrateur.
La carrière navale, dans laquelle il débuta et que son père avait suivie comme officier de marine, ne le retint pas longtemps et il commença très jeune à étudier la peinture avec J. Ball et A. B. Johns à Plymouth. Après son mariage, Calvert vint à Londres et suivit des cours à la Royal Academy.
Ses premiers travaux furent les illustrations, qu'il grava sur bois et qui lui valurent un grand succès. Les œuvres de William Blake, dont il fut un ardent admirateur, l'inspirèrent dans ses gravures : *Le Pressoir (Fabrication du cidre)* et *Le chrétien creusant le dernier sillon de la Vie.* Dans l'entourage de Blake, il était surtout lié avec Samuel Palmer. Esprit mystique, certaines de ses œuvres, *L'Olympe, Amphion avec les troupeaux de son frère Zéthos,* sont d'un ésotérisme difficilement déchiffrable. Il produisait peu et détruisait beaucoup. La technique de la peinture à l'huile lui résistait particulièrement et il se satisfaisait rarement des résultats auxquels il aboutissait. Au retour d'un voyage en Grèce, en 1844, il peignit toutefois un *Paysage classique,* solidement établi.
MUSÉES : BIRMINGHAM : *Le bocage d'Artémise – Ulysse et les Sirènes – Pan et Pittrys –* LONDRES (British Mus.) : *Amphion avec les troupeaux de son frère Zéthos – Nombreuses gravures –* MANCHESTER (Whitworth Art Gal.) : *L'Olympe –* OXFORD (Ashmolean Mus.) : *Paysage classique.*
VENTES PUBLIQUES : LONDRES, 29 mai 1910 : *Habitants dans les*

jardins des Champs-Élysées : **GBP 17** ; *Psyché* : **GBP 21** – Londres, 20 juin 1927 : *L'autre rive* : **GBP 29** ; *Pan* : **GBP 22** – Londres, 7 juil. 1930 : *Pan* : **GBP 7** – Londres, 18 juin 1934 : *Nymphe dans un jardin* : **GBP 9** – Londres, 17 mai 1966 : *La bergère endormie* : **GNS 230** – New York, 3 mars 1982 : *Ideal pastoral life* 1829, litho. (4,1x7,7) : **USD 400** – Londres, 21 nov. 1985 : *Lasius the old arcadian*, h/pap. (15x24) : **GBP 3 600** – Londres, 18 nov. 1988 : *« Fan »*, *le chien préféré de Lady Ashburnham jouant avec une balle sur une terrasse* 1825, h/pan. (22,4x27,7) : **GBP 1 540** – Londres, 15 nov. 1991 : *Navigation au large de Ryde*, h/t (35,6x50,8) : **GBP 1 650**.

CALVERT Edwin Sherwood
Né en 1844. XIXᵉ siècle. Actif à Glasgow. Britannique.
Peintre de paysages, aquarelliste.
Membre de la Royal Scottish Water-Colours Society ; il exposa à Londres à partir de 1878, notamment à la Royal Academy, à Suffolk Street, à la New Water-Colours Society et à la New Gallery. Il a figuré aussi au Salon des Artistes Français (1896), à l'Exposition d'Art à Berlin (1896), à la Sécession à Munich (1899).
Ventes Publiques : Londres, 25 jan. 1908 : *Côte rocheuse* : **GBP 3** – Perth, 13 avr. 1981 : *Marée montante* 1896, h/cart. (39,5x56) : **GBP 220**.

CALVERT Frederick ou Fredrick
XIXᵉ siècle. Actif à Londres entre 1811 et 1844. Britannique.
Peintre de marines, aquarelliste, graveur, illustrateur.
Exposa de 1827 à 1844 à la British Institution et à Suffolk Street à Londres.
En 1830, Calvert publia des *Vues pittoresques du Staffordshire et du Shropshire*, collection de 39 planches. Il travailla aussi pour l'*Archaeological Journal*.
Musées : Londres (British Mus.) : Aquarelles – Londres (Victoria and Albert Mus.) : Aquarelles.
Ventes Publiques : Londres, 25 mars 1927 : *Bateaux à l'embouchure d'un fleuve* 1833 : **GBP 11** – Londres, 25 mai 1934 : *Vue de Londres* 1840 : **GBP 21** – Londres, 2 nov. 1966 : *Greenwich* : **GBP 500** – Londres, 12 mai 1967 : *Barque dans l'estuaire de la Tamise* : **GNS 200** – Londres, 3 fév. 1978 : *Bateaux au large de la côte*, deux toiles (20x27,7) : **GBP 800** – Londres, 20 mars 1979 : *La Place de Douvres*, h/cart. (28x42) : **GBP 700** – Londres, 20 oct. 1981 : *Bamburg Castle, Northumberland*, h/t (69x89) : **GBP 1 800** – Londres, 14 mars 1984 : *Bateaux de pêche au large de la côte bretonne par temps de mer* 1834, h/t (71x91,5) : **GBP 5 000** – Londres, 5 juin 1985 : *Bateaux de pêche au large de la côte de Bretagne par forte mer* 1834, h/t (68x89) : **GBP 5 800** – Londres, 3 juin 1988 : *Navigation dans le bassin de Londres ; Flottille prenant la mer* 1830, h/t, deux pendants (30,5x44,5) : **GBP 1 810** – Londres, 23 sep. 1988 : *Sur la mer houleuse* 1834, h/t (71x91,5) : **GBP 6 600** – Londres, 26 mai 1989 : *Embarcations au large d'une ville côtière* 1829, h/t (31,2x40,4) : **GBP 4 620** – Londres, 18 oct. 1990 : *Embarcation hollandaise en vue d'un port*, h/t (71x92,5) : **GBP 605** – Londres, 31 oct. 1990 : *Personnages sur la côte avec des pêcheurs déchargeant leur prise*, h/t (24x34) : **GBP 880** – Londres, 22 mai 1991 : *Le château de Carnarvon* ; *Le déchargement de la pêche*, h/t, une paire (chaque 46x61) : **GBP 3 960** – Londres, 10 nov. 1993 : *Vaisseau de guerre et barques de pêche au large d'un port*, h/t (24x34) : **GBP 1 150** – Londres, 11 mai 1994 : *Routes de navigations très encombrées*, h/t (30,5x40,5) : **GBP 4 140**.

CALVERT Henry
Né en 1813. Mort en 1861. XIXᵉ siècle. Actif à Manchester. Britannique.
Peintre de scènes de chasse, animalier.
Il exposa de 1826 à 1854, à la Royal Academy de Londres.
Ventes Publiques : Londres, 1ᵉʳ juin 1928 : *Un poney, un chien, du gibier* 1844 : **GBP 13** – Londres, 14 juin 1937 : *Un gardechasse* : **GBP 22** – Londres, 18 mars 1964 : *Les cavaliers* : **GBP 900** – Londres, 29 juil. 1966 : *Mazeppa* : **GNS 240** – New York, 24 nov. 1978 : *Deux lévriers dans un paysage* 1850, h/t (62,2x75) : **GBP 3 500** – Londres, 14 mars 1984 : *Gentilhomme montant un cheval bai*, h/t (68x89,5) : **GBP 4 000** – New York, 5 juin 1986 : *Deux guépards* 1854, h/t (127,5x180) : **USD 35 000** – Londres, 15 déc. 1987 : *Cheval de course, poney gris et épagneul dans un paysage boisé*, h/t (65x84) : **GBP 5 500** – Londres, 16 mai 1990 : *Prêts pour la course*, h/t (34,5x43,5) : **GBP 1 540** – Londres, 11 juil. 1990 : *Chien de chasse dans un paysage* 1856, h/t (57x75) : **GBP 5 500** – Londres, 14 juil. 1993 : *Le rassemblement de la meute*, h/t (117x203) : **GBP 27 600** – Londres, 4 nov. 1994 : *L'attente en bas de l'escalier* 1856, h/t (86,7x117,2) : **GBP 10 350** – Londres, 5 nov. 1997 : *L'Attente du maître* 1861, h/t (71x89) : **GBP 4 370**.

CALVERT L. Delepierre
XIXᵉ siècle. Britannique.
Sculpteur et aquarelliste.
Il exposa deux statues à la Royal Academy et une aquarelle à la New Water-Colours Society, à Londres, entre 1877 et 1890.

CALVÈS Léon Georges
Né en 1848 à Paris. Mort en 1924. XIXᵉ-xxᵉ siècles. Travaillant à Vignory (Haute-Marne). Français.
Peintre de genre, animalier, paysages, aquarelliste.
Élève de Daubigny, Boulanger et de A. Guillemet. Il débuta au Salon, en 1870, et durant quelques années y exposa surtout des aquarelles. Il s'adonna ensuite à la peinture à l'huile et a continué à exposer régulièrement aux Artistes Français dont il est sociétaire.
C'est un peintre animalier assez intéressant dont les œuvres rappellent parfois les meilleures toiles de Troyon. On cite de lui : *Dans les champs* ; *La Meuse* ; *Le bac sur la Moselle* ; *Les dindons.*
Musées : Amiens : *Matinée de Vendanges* – Clamecy : *Paysage et vaches* – Rouen : *Le noyer de Charmont* – Sète : *Moutons au pâturage*.
Ventes Publiques : Paris, 1883 : *Paysage, les bûcherons avant l'orage* : **FRF 130** ; *La rentrée des dindons par une averse* : **FRF 70** – Paris, 13 fév. 1900 : *Retour du travail* : **FRF 115** – Paris, 26 fév. 1906 : *Bergère et ses moutons* : **FRF 115** – Paris, 11 fév. 1919 : *Le retour du travail* : **FRF 135** – Paris, 1ᵉʳ mars 1919 : *Retour des champs* : **FRF 195** – Paris, 12 mars 1919 : *Le labourage* : **FRF 80** – Paris, 17 mars 1925 : *Chevaux de trait enlevant un tronc d'arbre* : **FRF 95** – Paris, 11 mars 1925 : *Bergère gardant son troupeau à Soncourt (Haute-Marne)* : **FRF 550** – Paris, 23 oct. 1925 : *Troupeau au pâturage* : **FRF 175** – Paris, 2 et 3 juin 1926 : *Vaches se désaltérant dans une rivière* : **FRF 580** – Paris, 19 mai 1927 : *Vaches au pâturage* : **FRF 250** – Paris, 27 et 28 déc. 1927 : *Chevaux de labour* : **FRF 160** – Paris, 30 nov. 1931 : *Berger gardant son troupeau de moutons* : **FRF 270** – Paris, 12 mai 1941 : *Scène des champs* : **FRF 220** – Paris, 19 déc. 1941 : *Dindon* : **FRF 920** – Paris, 15 mai 1942 : *Scène des champs* : **FRF 120** – Paris, 24 mai 1943 : *Les Moutons devant la ferme* : **FRF 4 000** – Paris, 2 juin 1943 : *Le Bac* : **FRF 1 800** – Paris, 28 juin 1943 : *Chevaux*, aquar. : **FRF 200** – Auxerre, 27 avr. 1980 : *Départ pour le marché*, h/t (72x53) : **FRF 5 500** – Versailles, 4 oct. 1981 : *Vaches au pâturage*, aquar. (28,5x42) : **FRF 2 100** – Reims, 16 déc. 1984 : *Chevaux de labour au crépuscule*, h/t (73x54) : **FRF 8 000** – Paris, 27 oct. 1987 : *Berger et ses moutons*, h/t (64x92) : **FRF 18 000** – New York, 15 fév. 1994 : *Forêt de Fontainebleau*, h/t/cart. (61,5x73) : **USD 1 150** – Reims, 13 mars 1994 : *Roses trémières et fleurs des champs*, h/pan. (55x38) : **FRF 10 500** – Paris, 1ᵉʳ juil. 1994 : *La fin des vendanges*, h/t (73x100) : **FRF 14 500** – Chaumont, 29 nov. 1997 : *Paysans abreuvant leurs chevaux*, h/t (54x65) : **FRF 12 000**.

CALVÈS Marie-Didière
Née en 1883 à Paris. Morte en 1957. xxᵉ siècle. Française.
Peintre de genre, paysages animés, animalier.
Elle était la fille et l'élève de Léon Georges Calvès. Elle exposa à Paris, régulièrement au Salon des Artistes Français jusqu'en 1940.
Elle peignit quelques scènes de genre, des paysages : *Le ruisseau*, mais elle privilégia toujours les paysages animés : *Récolte du goémon – Matin au champ*, et particulièrement ceux animés par les animaux : *Chiens de chasse rapportant un faisan – La rentrée à la bergerie.*
Musées : Grès : *Chiens au repos.*
Ventes Publiques : Paris, 11 fév. 1919 : *Épagneuls au bord d'un marais* : **FRF 100** – Paris, 10 nov. 1920 : *Gardeuse de dindons* : **FRF 145** – Paris, 7 avr. 1922 : *Le départ pour la chasse* : **FRF 60** – Reims, 25 mars 1984 : *Meute de chiens s'abreuvant dans un ruisseau*, h/t (50x65) : **FRF 8 000** – Paris, 5 mars 1989 : *Piqueur et chiens*, h/pan. (27x21,5) : **FRF 15 500** – Montréal, 30 avr. 1990 : *Cour de ferme avec des moutons*, h/t (51x64) : **CAD 1 100** – Paris, 12 oct. 1990 : *Soir de battue*, h/t (115x146) : **FRF 38 000** – Paris, 7 avr. 1995 : *Chiens au repos*, h/pan. (21,3x27) : **FRF 4 800** – Chaumont, 10 déc. 1995 : *Jeune garçon et ses chiens dans la neige*, h/t (70x100) : **FRF 13 000** – New York, 11 avr. 1997 : *Meute de chiens*, h/t (151,1x240) : **USD 10 350**.

CALVÈS Maurice
Né à Lorient (Morbihan). XIXᵉ siècle. Français.
Peintre.
Élève de M. Leduc, il débuta au Salon de Paris en 1872.

CALVET Bernard Henri
xxᵉ siècle. Français.

Peintre.
Exposant de la Société Nationale depuis 1931.

CALVET Esprit Claude François
Né le 14 novembre 1728 à Avignon. Mort le 25 juillet 1810 à Avignon. XVIIIe-XIXe siècles. Français.
Peintre.
Calvet est un de ces artistes amateurs qui ont beaucoup fait pour le développement des arts. Bien qu'il fût médecin, et même médecin très remarquable et très épris de sa profession, il ne cessa jamais de détourner une grande partie de son activité vers les arts. Il conçut une véritable passion pour l'archéologie et ce fut tout d'abord à la recherche d'antiquités qu'il s'occupa. Mais, peintre lui-même, il savait aussi apprécier les œuvres des maîtres et il se constitua une très belle collection de tableaux qu'il légua à la ville d'Avignon en 1810. On peut dire que c'est de cette date que fut fondé le Musée d'Avignon auquel la municipalité, dans un légitime élan de reconnaissance, a donné le nom de Musée Calvet. Cet excellent artiste fut également un littérateur et un naturaliste distingué. Il traita de questions d'antiquités, qui lui valurent d'être nommé membre correspondant de l'Académie des Inscriptions en 1766.
MUSÉES : AVIGNON : *Marine*, d'après Manglard.

CALVET Gérard
Né le 3 août 1926 à Conilhac-Corbières (Aude). XXe siècle. Français.
Peintre de paysages, de nus. Tendance expressionniste.
De 1945 à 1950, il fut élève de l'Ecole des Beaux-Arts de Paris, dans l'Atelier d'Eugène Narbonne. A partir de 1953, il a participé à la Biennale de Menton, dont il reçut un Prix en 1957. A Paris, il expose aux Salons des Artistes Indépendants, dont il est sociétaire, Comparaisons, des Peintres Témoins de leur Temps. Héritier d'un expressionnisme édulcoré, il peint paysages et nus aux couleurs du bonheur.
MUSÉES : NARBONNE (Mus. d'Art et d'Hist.) : *Nu couché*, fus.

CALVET Grégoire
Né au XIXe siècle à Cadarcet (Ariège). XIXe siècle. Français.
Sculpteur de bustes, figures.
Élève de Falguière. Membre de la Société des Artistes Français. Il exposa aux Salons de cette association très régulièrement. Il obtint une mention honorable en 1896 et une troisième médaille en 1897.
On cite de lui : *Courtisane, Portrait de M. Azam.*
VENTES PUBLIQUES : LONDRES, 25 nov. 1981 : *L'Ame antique* 1899, bronze (H. 70) : **GBP 600**.

CALVET Henri
Né le 21 mai 1877 à Mèze (Hérault). Mort le 8 décembre 1948 à Marseille (Bouches-du-Rhône). XXe siècle. Français.
Sculpteur de statues de genre, médaillons.
Il fut élève de Falguière et d'Antonin Mercié. Il exposait à Paris, à partir de 1898, au Salon des Artistes Français, troisième médaille 1923, Chevalier de la Légion d'Honneur 1931. Il traitait des sujets de genre : *Le souffleur de verre – Le guitariste.*
MUSÉES : NÎMES.

CALVET Henri Bernard
Né le 7 novembre 1868 à Paris. Mort en 1950. XIXe-XXe siècles. Français.
Peintre de paysages, natures mortes.
Il fut élève de Marcel Baschet et Louis Roger. Il exposait à Paris, au Salon des Artistes Français, de 1905 à 1930, médaille d'or 1914, hors-concours ; au Salon des Artistes Indépendants en 1907 et 1909.
VENTES PUBLIQUES : PARIS, 4 mai 1988 : *Nature morte au pichet d'étain et fruits*, h/t (32,5x45) : **FRF 1 000** – COLOGNE, 20 oct. 1989 : *Nature morte avec une cruche*, h/pan. (21,5x27,5) : **DEM 2 000**.

CALVETTI Alberto
XVIIe-XVIIIe siècles. Actif à Venise. Italien.
Peintre.
Élève de Andrea Celesti. Des œuvres de lui sont conservées dans les églises S. Gallo, S. Zaccaria et S. Fantin à Venise.

CALVEZ G.
XIXe siècle. Français.
Peintre de scènes de figures, paysages animés.
VENTES PUBLIQUES : PARIS, 20 jan. 1997 : *Retour des champs*, h/t (38x55) : **FRF 5 500**.

CALVI. Voir aussi CALVO

CALVI Agostino
XVIe siècle. Actif à Gênes. Italien.

Peintre.
Il a peint, parfois en collaboration avec ses fils, Pantaleone et Lazzaro, des fresques et des tableaux d'autel dans des églises de Gênes.

CALVI Ercole
Né en 1824 à Vérone. Mort en 1900. XIXe siècle. Italien.
Peintre de paysages, marines.
Paysagiste estimé, cet artiste a reproduit sur ses toiles les plus beaux aspects des lacs lombards, des rivières vénitiennes et napolitaines, des Alpes. Ses œuvres les plus remarquées sont : *La Vallée de Brenta*, et *Le Lac de Côme.*

Ercole Calvi

VENTES PUBLIQUES : LONDRES, 10 juin 1909 : *Menaggio, Lago di Como* – GBP 8 – MILAN, 14 déc. 1976 : *La ferme*, h/pan. (32x30) : **ITL 650 000** – COLOGNE, 21 mars 1980 : *Vue d'un port d'Italie*, h/pan. (27x46) : **DEM 5 500** – MILAN, 21 avr. 1983 : *Le dôme de Milan 1856*, h/t (54x71) : **ITL 10 000 000** – MILAN, 18 déc. 1986 : *Menaggio, Lago di Como* ; *Canale a Venezia* 1879, deux h/pan. (25x45 et 25x47) : **ITL 7 000 000** – MILAN, 14 juin 1989 : *Vue de Menaggio sur le lac de Côme* 1879, h/pan. (25x44,5) : **ITL 13 500 000** – MILAN, 12 mars 1991 : *Au bout du lac de Côme* 1859, h/pap./pan. (29,5x39) : **ITL 15 000 000** – MILAN, 16 mars 1993 : *La campagne lombarde*, h/t (71x120) : **ITL 40 000 000** – ROME, 29-30 nov. 1993 : *Le lac de Cernobbio*, h/t (56x110) : **ITL 30 641 000** – ROME, 31 mai 1994 : *Paysage lacustre animé*, h/t (64x95) : **ITL 18 856 000** – MILAN, 29 mars 1995 : *Les environs de Lecco – Pescarenico*, h/t (46x80) : **ITL 23 000 000**.

CALVI Gian Pietro
Né au XIXe siècle à Gênes. XIXe siècle. Italien.
Sculpteur.

CALVI Giovanni
XVIIIe siècle. Actif à Vicence. Italien.
Sculpteur.

CALVI Girolamo Luigi
Né en 1791 à Milan. Mort en 1872 à Milan. XIXe siècle. Italien.
Peintre.

CALVI Giulio, dit **Coronaro**
Né vers 1570 à Crémone. Mort en 1596. XVIe siècle. Actif à Crémone. Italien.
Peintre.
Calvi fut élève de Trotti, dont il imita la manière. Les églises de Crémone et de Soncino possèdent de ses œuvres.

CALVI Jacopo Alessandro, dit **il Sordino**
Né en 1740 à Bologne. Mort en 1815 à Bologne. XVIIIe-XIXe siècles. Italien.
Peintre de figures, portraits, dessinateur, graveur.
Il fut élève de Giuseppe Varotti et de Pietro Zanotti. Il travailla à Bologne et à Sienne.
MUSÉES : BOLOGNE : *Autoportrait.*
VENTES PUBLIQUES : MILAN, 18 juin 1981 : *Étude de figure couchée*, sanguine (29x42,5) : **ITL 450 000**.

CALVI Lazzaro ou **Lazzaro**
Né en 1502 à Gênes. Mort en 1607 d'après Lanzi ou 1587 d'après le Bryan's Dictionary. XVIe siècle. Italien.
Peintre.
D'abord élève de son père, Agostino, il devint plus tard l'élève de Perino del Vaga. Lazzaro travailla à Gênes, et dans d'autres villes de la Ligurie, dans le château du prince de Monaco (1544), à Naples où il exécuta des peintures décoratives dans le palais du génois Gabriele Adorno (1566). Il fut souvent aidé par son frère Pantaleone, également peintre et élève d'Agostino Calvi et de Perino del Vaga, mais qui s'effaça devant le talent de son frère Lazzaro. L'œuvre la plus importante de cet artiste fut celle qu'il exécuta, en collaboration avec son frère, pour la façade du palais Doria. Ils firent aussi, dans le palais Pallavicini, un tableau historique : *La Continence de Scipion*, ouvrage dans lequel on soupçonne la collaboration de leur maître Perino. Par suite d'un dépit d'artiste, causé par le choix de Cambiaso pour une décoration dont il espérait être chargé, Lazzaro abandonna sa profession et ne toucha pas à ses pinceaux pendant près de vingt ans.

CALVI Niccolo ou **Calvo**
XVIe siècle. Travaillant en Ligurie vers 1500. Italien.
Miniaturiste.
Il fit partie de l'ordre des Dominicains.

CALVI Pantaleone, l'Ancien
Né avant 1502. Mort en 1595. xvie siècle. Actif à Gênes. Italien.
Peintre.
Fils et élève d'Augustin Calvi ; connu pour avoir travaillé avec son frère Lazzaro Calvi.

CALVI Pantaleone, le Jeune
D'origine génoise. xviie siècle. Travaillant à Cagliari. Italien.
Peintre.

CALVI Pietro
Né en 1833 à Milan. Mort en 1884 à Milan. xixe siècle. Italien.
Sculpteur de bustes.
Élève de l'Académie de Milan et plus tard de Seleroni. Il a participé à un grand nombre d'expositions en Europe et en Amérique, notamment à la Royal Academy à Londres entre 1872 et 1883. Il a exécuté des travaux de décoration au Dôme et à la Galerie Victor-Emmanuel à Milan. On cite de lui une série de bustes : *Graziella, Zuleika, Lucia, Mariuccia* et ses premières œuvres : *Ophélia, Hamlet, Othello, Aïda.*
VENTES PUBLIQUES : GENÈVE, 25 juin 1985 : *Buste d'Arabe*, bronze et marbre blanc peint. (H. 71) : CHF 32 000 – LONDRES, 12 juin 1986 : *Buste d'Arabe* vers 1880, marbre blanc et bronze (H. 90) : GBP 15 000 – NEW YORK, 28 mai 1992 : *Bacchante*, marbre (H. 71,1) : USD 4 950 – NEW YORK, 17 fév. 1993 : *Othello*, marbre de Carrare et bronze (H. 92,7) : USD 63 000 – NEW YORK, 26 mai 1994 : *Othello* 1879, marbre de Carrare et bronze (H. 68,6) : USD 107 000 – NEW YORK, 19 jan. 1995 : *Buste de femme* 1873, marbre blanc (H. 71,1) : USD 8 625 – NEW YORK, 23-24 mai 1996 : *Othello* 1879, marbre et bronze patine brun foncé (H. 68,6) : USD 46 000.

CALVI Pompeo
Né en 1806 à Milan. Mort en 1884 à Milan. xixe siècle. Italien.
Peintre.
Élève de Migliara. Il a peint des paysages et des architectures. Le Musée de Vienne conserve de lui : *Le vieux marché au poisson à Rome* (1834) et *Intérieur de la cathédrale de Monza* (1838).

CALVI DI BERGOLO Gregorio
Né le 10 juillet 1904 à Turin (Piémont). xxe siècle. Italien.
Peintre de portraits.
Il fut élève de Federico Beltran-Massés. Il exposait à Turin, et a figuré aussi à l'Exposition Internationale de Bordeaux en 1927, au Salon d'Automne de Paris en 1927 et 1928.
VENTES PUBLIQUES : SAINT-VINCENT (Italie), 6 mai 1984 : *Paysage aux champs, San Carlo* 1975, h/t (100x70) : ITL 3 300 000.

CALVIER DE BOULAINE Joseph Marie
Né vers 1744 à Avignon. xviiie siècle. Français.
Peintre.
Élève de Joseph Vernet à l'Académie, où il entra en avril 1771.

CALVIN Pierre
xviiie siècle. Actif à Paris. Français.
Peintre.

CALVINDROS-CALMON Camille Vincent Léandre
Né à Collioure (Pyrénées-Orientales). xxe siècle. Français.
Peintre de paysages.
Exposant des Indépendants.

CALVINONI Battista
Italien.
Dessinateur et graveur.

CALVIS Antonio de
xve siècle.
Peintre.
Le Musée de Lisieux conserve une *Vierge avec l'Enfant entre saint Jean l'Évangéliste et saint Jean Baptiste.*

CALVISANO Apollonio da ou **Calvisiano**
xvie siècle. Travaillant vers 1500. Italien.
Miniaturiste.
Il fit partie de l'ordre des Augustins.

CALVO. Voir aussi **CALVI**

CALVO Antonio
xvie siècle. Espagnol.
Sculpteur.

CALVO Carmen
xxe siècle. Espagnole.

Artiste.
Elle a montré ses œuvres dans une exposition personnelle à Paris, à la galerie Thessa Hérold en 1995. On retrouve dans ses œuvres sa fascination pour l'archéologie.

CALVO Epitacio
xixe siècle. Mexicain.
Sculpteur.
Il exposa à Mexico (Exposition nationale) en 1881.

CALVO Fernand
Né à Alcala del Rio. xxe siècle. Espagnol.
Peintre.

CALVO Juan
xvie siècle. Actif à Séville. Espagnol.
Peintre.

CALVO Manuel
Né en 1934 à Oviedo. xxe siècle. Espagnol.
Peintre.
Il expose depuis 1958 en Espagne, et, depuis 1962, à Paris. Son œuvre se rattache au courant de l'abstraction géométrique.

CALVO Miguel
xvie siècle. Actif à Simancas. Espagnol.
Peintre.

CALVO Pascual
Né le 24 octobre 1752 à Palma de Majorque. Mort le 12 avril 1817 à Palma de Majorque. xviiie-xixe siècles. Espagnol.
Peintre.
Élève de Chiessa ; il étudia à Gênes et à Venise et séjourna à Rome et à Vienne, où il exécuta quelques travaux (1779). Il ne revint se fixer dans sa ville natale qu'en 1812.

CALVO-LANTARON Leandro
Né à Reinosa. xixe siècle. Espagnol.
Peintre de portraits.
Élève de l'École supérieure des Beaux-Arts de Madrid et de Mateo Fuster. Participa à la Nationale de 1881.

CALVO SAENZ DE TEJADA Carmen
Née en 1950 à Valence. xxe siècle. Espagnole.
Peintre, dessinateur, peintre de collages, assemblages.
Tendance conceptuelle.
En 1980, elle a obtenu deux bourses du Ministère Espagnol de la Culture, pour la recherche dans les nouvelles formes d'expression. Elle participe à de nombreuses expositions collectives, d'entre lesquelles : en 1980 *New Images from Spain* organisée par le Guggenheim Museum de New York et itinérante aux États-Unis, 1982 *Preliminar* première et itinérante Biennale Nationale Espagnole, 1983 à Madrid *Mosaico 83* et *26 Pintores y 13 Criticos.* Elle montre son travail dans des expositions personnelles à Madrid, Valence, etc.
Soit elle colle sur des supports-vitrines de menus débris d'objets anonymes, accompagnés d'étiquettes d'identification qui fondent ces collectes en archéologie du dérisoire, soit elle pratique une calligraphie ornementale et ésotérique à la façon des « logogrammes » de Christian Dotremont.
BIBLIOGR. : In : *Écritures dans la Peinture*, Villa Arson, Nice, 1984.

CALY Odette
Née le 3 janvier 1914 à Paris. xxe siècle. Française.
Peintre de paysages, fleurs, compositions décoratives, peintre de cartons de tapisseries, vitraux.
Elle participe à de nombreuses expositions collectives, à Paris : Salons d'Automne, des Femmes-peintres, de la Société Nationale des Beaux-Arts, etc., en province et à l'étranger. Elle fait de nombreuses expositions personnelles depuis 1954, surtout à Paris, ainsi qu'à Rouen 1955, Toulouse 1960 et 1963, La Rochelle 1965 et 1966, Rennes 1965, Laren (Hollande) 1966, Montpellier 1969, etc. Elle a obtenu quelques Prix régionaux. Elle a peint de nombreux cartons de tapisseries pour les Manufactures des Gobelins et de Beauvais.
VENTES PUBLIQUES : PARIS, 16 nov. 1988 : *Allégorie*, tapisserie (180x125) : FRF 16 500.

CALYNTHOS
ve siècle avant J.-C. Vivant en 472 avant Jésus-Christ. Antiquité grecque.
Sculpteur.

CALYO Niccolino, vicomte
Né en 1799 à Naples. Mort en 1884 à New York. xixe siècle.
Américain.

Peintre de paysages animés, paysages, marines.
Ventes Publiques : New York, 29 jan. 1964 : *Paysage animé de personnages* : USD 475 – New York, 2 fév. 1979 : *Une frégate américaine dans la baie de Naples*, gche/pap. (66x92) : USD 1 100 – New York, 22 juin 1984 : *Niagara Falls 1845*, h/t (45,7x61) : USD 4 300.

CALZA Antonio
Né en 1653 à Vérone. Mort en 1725 à Vérone. XVIIᵉ-XVIIIᵉ siècles. Éc. vénitienne.
Peintre de compositions religieuses, batailles, portraits.
Élève d'abord, à Bologne, de Carlo Cignani, puis, à Rome, du Borgognone, Calza voyagea beaucoup, séjournant tour à tour à Bologne, en Toscane, à Venise, à Milan, à Vienne. Il épousa en 1710, à Venise, Angela Agnese Pakmann, peintre d'animaux et de natures mortes, fille du peintre flamand Andreas Pakmann. Calza a peint surtout des portraits et des tableaux de batailles, mais aussi un *Saint Charles* (pour l'église S. Luca, à Vérone), *Le Prophète Jonas* (pour l'église S. Niccolo, dans la même ville). Calza, qui a formé de nombreux élèves, était membre d'honneur de l'Académie Clémentine, à Bologne.
Ventes Publiques : Rome, 4 déc. 1984 : *Bataille contre les Turcs*, h/t (116x182) : ITL 22 000 000 – Londres, 12 juil. 1985 : *Engagement de cavalerie entre Turcs et Croisés*, deux h/t (96,5x132) : GBP 9 500 – Rome, 10 mai 1988 : *Bataille*, h/t (60x99) : ITL 11 500 000 – Milan, 4 avr. 1989 : *Bataille*, h/t, deux pendants (chaque 116x76) : ITL 44 000 000 – Paris, 14 avr. 1989 : *Scènes de bataille*, h/t, une paire (73,5x98,3) : FRF 200 000 – Rome, 27 nov. 1989 : *Engagements de cavalerie entre les chrétiens et les Turcs*, h/t, une paire (63x116,5 et 63x114,5) : ITL 77 050 000 – Lugano, 16 mai 1992 : *Bataille*, h/t (68,5x100) : CHF 17 000 – Londres, 5 avr. 1995 : *Combat entre les Turcs et les Chrétiens*, h/t (99x134) : GBP 13 225 – Londres, 13 déc. 1996 : *Suites d'une bataille près d'un port*, h/t (88x131) : GBP 10 925.

CALZA Ercole Lorenzo
Né en 1716 à Vienne. XVIIIᵉ siècle. Italien.
Peintre.
Fils d'Antonio Calza.

CALZA Francesco. Voir CUNNINGHAM Edward Francis

CALZA, Maître de. Voir MAÎTRES ANONYMES

CALZADA Humberto
Né en 1944 à Cuba. XXᵉ siècle. Cubain.
Peintre de scènes de genre.
Ventes Publiques : New York, 29 mai 1985 : *Le visiteur 1982*, acryl./t. (91,4x121,9) : USD 3 500 – New York, 19 nov. 1987 : *Le jour des rois 1980*, acryl./t. (101,6x76,2) : USD 3 000 – New York, 17 mai 1988 : *Lumière de l'Ouest 1982*, h/t (122x91,5) : USD 6 600 – New York, 21 nov. 1988 : *Dans l'attente des nouvelles 1979*, acryl./t. (139,6x95,2) : USD 4 400 – New York, 17 mai 1989 : *La maison en héritage 1985*, acryl./t. (152,4x114,3) : USD 4 950.

CALZADILLA Juan Manuel
Né à Jaén. XIXᵉ siècle. Espagnol.
Peintre de natures mortes.
En 1871, il exposa deux toiles à la Nationale des Beaux-Arts à Madrid.

CALZAMIGLIA Francesca
Née à San Pier d'Arena (près de Gênes). XVIIIᵉ-XIXᵉ siècles. Italienne.
Peintre.

CALZETTA Francesco
XVᵉ siècle. Actif à Padoue. Italien.
Peintre.
Il fut élève de Mantegna et de Pietro Calzetta.

CALZETTA Pietro
Mort en 1486 à Padoue. XVᵉ siècle. Travaillant à Padoue. Italien.
Peintre.
Ce peintre fut l'élève de Squarcione et le gendre de Montagnana. Il exécuta des travaux pour la chapelle du Corpus Christi, à la Scuola del Santo, à Padoue, en 1466, et, plus tard, restaura des ouvrages de Stefano da Ferrara, dans la même église. Parmi ses autres travaux à Padoue, on cite également des décorations de la Capella Gattamelata, qu'il exécuta en collaboration avec Montagnana et Matteo del Pozzo.

CALZI Achille
Né en 1811 à Faenza. Mort en 1850 à Faenza. XIXᵉ siècle. Italien.
Graveur et peintre.

CALZI Giuseppe
Né en 1846. Mort en 1908. XIXᵉ siècle. Actif à Faenza. Italien.
Peintre.

CALZINI Raffaele
XXᵉ siècle. Italien.
Peintre de compositions à personnages.
En 1932, il exposait à la Biennale de Venise une suite de compositions dans lesquelles le personnage de Pierrot exprimait, sur le mode funambulo-satirique, « les illusions et désillusions » de la lutte artistique.
Bibliogr. : V. Costantini, in : *Pittura Italiana Contemporanea*, Milan.

CALZOLAIO Sandrino ou Alessandro del
XVIᵉ siècle. Actif à Florence. Italien.
Portraitiste et peintre d'histoire.
Élève de G.-A. Sogliani.

CALZOLAJO. Voir CAPELLINI Gabriele

CALZOLARI Giuseppe
Originaire de Bologne. Mort en 1818. XIXᵉ siècle. Italien.
Peintre décorateur.

CALZOLARI Oreste
XIXᵉ-XXᵉ siècles. Italien.
Sculpteur.

CALZOLARI Pier Paolo
Né en 1943 à Bologne. XXᵉ siècle. Italien.
Sculpteur, peintre. Arte povera.
Il passa son adolescence à Venise. Il séjourna à Paris de 1970 à 1972 et voyagea, entre 1981 et 1986, en Crète, à Urbino, Vienne, Venise et Marrakech. Il vit et travaille à Urbin. Il participe à de nombreuses expositions collectives internationales, dont les plus importantes sont : 1968 Prospect à Düsseldorf ; 1969 *Quand les attitudes deviennent formes* à la Kunsthalle de Berne et *Art conceptuel, Art-pauvre, Land-art* à Turin ; 1972, 1992 Documenta de Kassel ; 1987 Stadtmuseum de Graz ; 1989 Museum Van Hedendaagse Kunst d'Anvers ; 1990 Biennale de Venise ; 1991 musée d'Art contemporain de Lyon. Il montre ses œuvres dans des expositions personnelles, depuis 1965 régulièrement à Bologne, Turin, Paris notamment en 1994 à la Galerie nationale du Jeu de Paume, New York, Naples, Rome.
Après une série de peintures à l'huile, violentes, qui oscillaient entre figuration et abstraction et qui tentaient « une voie prévisuelle, un emploi du réel dans le tableau », intégrant « des objets, des projections d'ombre, de petites étagères », il réalise, dès 1963, des installations à partir de matières naturelles. Il privilégie des éléments non stables : des feuilles de tabac, une rose fraîche, du givre, du sel pour sa qualité de blanc, du plomb malléable et absorbant de lumière, une bougie allumée ainsi que deux matériaux chers à Beuys : le feutre isolant du froid et du bruit et la margarine fondant sous la chaleur. Ces « outils de travail » le rendent proche de l'Arte povera, et, dans un texte de 1968, lui-même fait référence aux œuvres respectives de Pistoletto, Mario et Mariza Merz, Luciano Fabri et Emilio Prinio : « je voudrais donner à savoir que j'aime la balle de papier, l'igloo et les chaussures de fil, la fougère et les chants de grillons, j'aime la réalité la fonction d'une balle de papier, d'un igloo, des chaussures de fil, d'une fougère, de chants du grillon ». Cette énumération « filée » rend compte aussi de son travail et de sa portée poétique, que rendent le bleu des néons, ce blanc impalpable, entre lumière et couleur picturale, et les titres lyriques : *Ilmemecome punticardinali* (Jemoimoicomme points cardinaux) ; *Lac du cœur* ; *Une Flûte douce pour me faire jouer*. A ses débuts d'acteur de l'art pauvre, ses œuvres étaient volontairement réduites à des éléments générateurs d'énergies ou naturels : néon, corps gras, sons de bandes magnétiques, disposés en installations. Il semble avoir abandonné ces pratiques pour opérer un retour à une peinture matiériste et colorée, où apparaissent parfois quelques figures allusives. Mêlant avec allégresse les registres, son œuvre repose sur des associations surprenantes, qui disent le poids du temps, le pouvoir de la lumière qui absorbe le regard : dans *Sans Titre. Malina* de 1968, un chien albinos, en laisse, repose sur un tapis de feutre sous trois colonnes de glace qui fondent sous la chaleur des néons qui aveuglent l'animal, et des mots écrits en néon sont repris par des voix enregistrées.
Bibliogr. : Catalogue raisonné *Pier Paolo Calzolari*, Galerie nationale du Jeu de Paume, Paris, 1994.

Musées : Lille (FRAC) : *Plomb rose* 1968, pb, encre typographique – Paris (Mus. Nat. d'Art Mod.) : *Sans Titre (avide, présent, nébuleux, élastique/fermé, saisi, encerclé, enfermé/ papillonnant, mercuriel, dense, intense* 1970-1971 – Vienne (Mus. Moderner Kunst) : *Entre en folie ange artiste.*

Ventes Publiques : Milan, 8 nov. 1989 : *Sans titre* 1967, techn. mixte/pap. (50x70) : **ITL 6 600 000** – Milan, 13 juin 1990 : *Composition*, techn. mixte/cart. (72x102) : **ITL 10 000 000** – Milan, 27 sep. 1990 : *Reconstruction* 1975, encre/cart. (48x68) : **ITL 1 900 000** – Milan, 14 nov. 1991 : « *Rapsodie inepte* », collage, pb, feuilles de tabac et lettres de néon (122x138) : **ITL 43 000 000** – Milan, 22 nov. 1993 : *Métronome* 1979, h. et techn. mixte/pan. (peinture : 155x160, escabeau : H. 60, métronome : H. 21) : **ITL 36 533 000** – Zurich, 30 sept. 1993 : *Sans titre* 1983, techn. mixte/contre-plaqué (70x80) : **CHF 5 000** – Milan, 24 mai 1994 : *Sans titre*, techn. mixte/cart./pan. (103x145) : **ITL 9 775 000** – Londres, 30 juin 1994 : « *Denso* » ; *Sans titre* 1967, deux dess. encre et cr./pap. (chaque 29,5x39,5) : **GBP 1 150** – Londres, 27 oct. 1994 : « *Un flauto dolce per farmi suonare* », surfaces glacées, plaque de pb et moteur (99x256,5) : **GBP 10 350** – Londres, 20 mars 1997 : *Maison qui brûle* 1983, h/pan. (150x170) : **GBP 3 450.**

CAM Serge Van der. Voir VANDERCAM Serge

CAMACHO Jorge
Né en 1934 à La Havane. xxᵉ siècle. Depuis 1959 actif en France. Cubain.
Peintre de compositions animées. Surréaliste.
Il fit des études de lettres à l'Université de La Havane. L'exemple de ses aînés Cundo Bermudez et Mario Carreno l'incita à quitter les lettres pour la peinture en 1954. Il vint se fixer à Paris en 1959 et se rapprocha des surréalistes autour de 1961. Il participa à de très nombreuses expositions collectives, parmi lesquelles : 1957 Biennale de São Paulo, 1961 l'exposition d'art cubain à Paris, 1962 l'exposition d'art latino-américain à Paris, 1963 la troisième Biennale de Paris, 1965 l'exposition *Sept peintres de Paris* en Suède, et le Salon de Mai de Paris auquel il participe régulièrement. Il montre aussi ses peintures dans des expositions personnelles : 1955, 1957 La Havane, 1958 Washington, 1960, 1962, 1964, 1967, etc., Paris, 1965 Ancône, Caracas, Amsterdam, 1966 Bruxelles, 1993 *Histoire de Chaman* à la galerie Vallois de Paris, etc.
Dans une première période, il fut influencé par les civilisations précolombiennes. A partir de son installation à Paris, Sade, *Le concile d'amour* d'Oskar Panizza, *L'histoire de l'œil* de Georges Bataille, constituent les sources privilégiées de son inspiration, dont il est évident qu'elle conjugue volontiers l'érotisme avec la torture. Les accessoires de cette panoplie érotico-surréaliste prennent avec lui un accent très personnel, dû pour partie à un graphisme aigu, pour partie à une gamme de gris-bruns chauds très somptueuse, héritée des arts indiens du Mexique, et à l'utilisation mesurée de l'écriture narrative du Pop'art, adaptée à l'expression de ses obsessions fantastiques et cruelles. Camacho a ainsi ouvert de nouvelles possibilités au surréalisme pictural, qui stagnait souvent dans les formules artificielles de l'imagerie surréalisante. Parfois, vers 1965, à la limite de l'abstraction, il situait des personnages peu formulés dans des espaces flous et sous des éclairages inquiétants. Puis, pour fonder la narration de ses mises en scène, il s'inspira des œuvres de Raymond Roussel. Après 1972, il impliqua son répertoire plastique à une exploration du domaine de l'alchimie et de la sorcellerie. À l'occasion de deux expositions simultanées à Paris en 1993, Camacho fait une nouvelle fois preuve de la diversité de son imagination, plastique et onirique, ainsi que de sa fidélité à ses sources d'inspiration, où se conjuguent entre autres symbolisme alchimique et chamanisme. ■ Jacques Busse

Bibliogr. : In : *Diction. Univers. de la Peint.*, Le Robert, Paris, 1975 – C. Franqui : *Jorge Camacho*, Barcelone, 1979.

Ventes Publiques : Paris, 25 mai 1976 : *La fenêtre et la vision d'un pape* 1962, h/t (132x161) : **FRF 8 500** – Paris, 17 nov. 1977 : *Plume* 1971, h/t (114x146) : **FRF 20 000** – Paris, 8 nov. 1978 : *La longue incision* 1973, h/t (120x120) : **FRF 12 000** – Paris, 14 déc. 1979 : *Séparation* 1969, h/t (130x97) : **FRF 10 050** – Paris, 27 oct. 1980 : *Le ravisseur* 1972, h/t (130x97) : **FRF 11 000** – Paris, 28 avr. 1981 : *Le ravisseur* 1972, acryl./t. (129x96) : **FRF 9 500** – Lokeren, 26 fév. 1983 : *Sortilège* 1976, gche (50x65) : **BEF 38 000** – Zurich, 30 mai 1984 : *Chasseur nocturne*, h/t (180,5x147,4) : **USD 1 900** – Paris, 21 avr. 1985 : *La mante* 1972, h/t (160x114) : **FRF 21 500** – Paris, 18 mars 1986 : *Deux personnages dans un tube de cristal*,

h/t (146x113) : **FRF 7 000** – Paris, 3 déc. 1987 : *Séparation* 1969, h/t (97x130) : **FRF 24 000** – Paris, 24 mars 1988 : *Un souffle me cherche* 1970, h/t (92x73) : **FRF 12 000** – New York, 17 mai 1988 : *Oiseaux de proie*, h/t (181,5x148) : **USD 2 750** – Paris, 27 juin 1988 : *Microcosmos* 1973, h/t (116x81) : **FRF 20 000** – Paris, 26 oct. 1988 : *Tres motivus de risa* 1960, h/t (150x150) : **FRF 26 000** – New York, 17 mai 1989 : *La boiteuse lubrique* 1962, h/t (100,5x80) : **USD 2 475** – Paris, 18 fév. 1990 : *Fable* 1966-1967, h/t (100x81) : **FRF 38 000** – New York, 2 mai 1990 : *Agonie d'un citadin* 1957, h/t (115x152) : **USD 6 050** – Milan, 24 oct. 1990 : « *L'oison qui sait approfondir* » 1965, h/t (116x81) : **ITL 5 000 000** – Paris, 26 oct. 1990 : *Agonie d'un citoyen* 1957, h/t (114x152) : **FRF 80 000** – Douai, 11 nov. 1990 : *Composition* 1971, past. et encre (64x49) : **FRF 7 000** – Paris, 14 juin 1991 : *La lampe oubliée*, h/t (114x146) : **FRF 73 000** – Paris, 9 juil. 1992 : *Oiseau de proie* 1980, h/pap. (145x114) : **FRF 15 000** – Lokeren, 20 mars 1993 : *Histoire des oiseaux*, h/pap. (65x50) : **BEF 50 000** – New York, 23-24 nov. 1993 : *L'annonciation à moi-même* 1958, h/t (143x177,8) : **USD 11 500** – Paris, 10 avr. 1995 : *Ascendant Licorne n° 1, la déesse* 1972, h/t (146x114) : **FRF 28 000** – New York, 18 mai 1995 : *Le songe d'une minute*, h/t (149,9x149,9) : **USD 10 925** – Paris, 8 mars 1996 : *Danse de la mort, Opus n° 5* 1975, h/t (130x97) : **FRF 27 500** – Paris, 16 oct. 1996 : *La Danse de la mort, opus n° 7* 1976, h/t (146x89) : **FRF 26 000.**

CAMACHO Juan Antonio
Né à Puerto de Santa Maria (près de Cadix). xixᵉ siècle. Espagnol.
Portraitiste et peintre de genre.
Exposa à Madrid en 1871 et à Cadix en 1882.

CAMACHO Pedro
xviᵉ siècle. Espagnol.
Sculpteur.
Il travaillait à la cathédrale de Séville en 1551.

CAMACHO Pedro
Né en 1672 à Alicante. xviiᵉ-xviiiᵉ siècles. Espagnol.
Peintre.
Il a travaillé en collaboration avec Muñoz au monastère de la Merced à Lorca. La Cathédrale de Ségovie et le couvent des Dominicains d'Orihuela conservent des tableaux de lui.

CAMACHO Ruben
Né le 14 novembre 1953 à Mendoza. xxᵉ siècle. Depuis 1986 actif en France. Argentin.
Peintre de compositions à personnages, dessinateur, aquarelliste. Postcubiste.
Il fut élève et diplômé de l'Ecole des Beaux-Arts, puis de l'Ecole Technique d'Architecture, de Mendoza. Il participe à des expositions collectives : Musée d'Art Moderne de Mendoza 1970, 1972 ; Musée d'Art Moderne de São Paulo 1984 ; Musée de Buenos Aires 1988. En 1987 au Musée de Belo-Horizonte, il a montré ses peintures dans une exposition personnelle, puis en 1988-1989 à Paris et Lyon.
Il crée presque exclusivement une peinture de personnages, parfois dans des poses ou dans des scènes charnelles, le plus souvent aux membres dissociés, dispersés à travers la surface de la toile, parfois frôlant la perte du sens et approchant la composition abstraite. Le dessin est synthétique, robuste, ne s'attache qu'à l'essentiel. On remarque dans ses peintures, peut-être surtout dans les personnages, dotés de têtes de divinités indiennes extra-terrestres, des réminiscences stylistiques des Incas.

Musées : São Paulo.

Ventes Publiques : Paris, 26 avr. 1990 : *L'Envers du modèle*, h/t (74x92) : **FRF 22 000** – Paris, 17 déc. 1990 : *Tango bar*, h/t (733x92) : **FRF 4 000** ; *Séquence*, h/t (140x140) : **FRF 6 000.**

CAMACHO Sebastian
xviiiᵉ siècle. Espagnol.
Peintre.

CAMACHO Y GALLEGO Eduardo
Né à Cadix. Mort en 1866 à Paris. xixᵉ siècle. Espagnol.
Peintre.

CAMACIO Gioan Francesco
xviᵉ siècle. Actif à Venise de 1560 à 1572. Italien.
Graveur à l'eau-forte et au burin, éditeur.

CAMAGNI Hubert Noël ou Camagny
Né le 25 décembre 1804 à Dijon. Mort en 1849. xixᵉ siècle. Français.
Sculpteur.

Il débuta au Salon de 1839 et obtint une médaille de deuxième classe en 1843. On voit de lui, à Dijon, les bustes en marbre de Stevens, de Buffon, de Shakespeare. En 1849, il exécuta une statue : *L'Amour* (symbolisé par une femme volant des boutons de roses).

CAMAINO Tino di. Voir TINO di Camaino

CAMAINO di Crescenzio di Dietisalvi
XIIIe-XIVe siècles. Actif à Sienne entre 1298 et 1338. Italien.
Sculpteur et architecte.
C'est le père de Tino di Camaino.

CAMANA Juan L.
Né à la fin du XVIIIe siècle à Buenos Aires. Mort en 1878 à Buenos Aires. XVIIIe-XIXe siècles. Argentin.
Peintre et lithographe.
Il fut fondateur de la Société pour le développement des Beaux-Arts en Argentine en 1876, ainsi que le professeur de dessin de Dona Mamelita Rosas, femme du Général. Il est l'auteur du tableau : « *Soldats de l'époque de Rosas* », qui se trouve au Musée d'Histoire Naturelle de Buenos Aires, mais qui fut auparavant emporté par le Général Rosas dans son exil, en Angleterre. Il figura dans l'exposition « Les graveurs en Argentine », à Rosario en 1942. Le Musée d'Histoire Naturelle et le Musée Colonial de Buenos Aires conservent de ses œuvres.

CAMARA Awa Seni
Née vers 1945 à Bignona. XXe siècle. Sénégalaise.
Sculpteur.
Elle réalise presque exclusivement des figurines en terre cuite qui rappellent les légendes traditionnelles africaines et aux visages en général difformes.
Musées : LAUSANNE (Contemporary African Art coll.) : *Sans titre* 1988.

CAMARA Fodé
Né en 1958 à Dakar. XXe siècle. Actif en France. Sénégalais.
Peintre de compositions animées.
Il fit ses études entre 1977 et 1981 à l'École nationale des Beaux-Arts de Dakar puis entre 1987 et 1989 à l'École nationale supérieure des Arts Décoratifs de Paris. Il a exposé ses œuvres dans de nombreuses expositions collectives : en 1980 à l'École des Beaux-Arts d'Alger, en 1981 *Manifestation Tenq* (« *Articulation* ») au Village des Arts à Dakar, en 1982 au Centre culturel africain et au Centre culturel soviétique de Dakar, en 1983 à la galerie Nationale d'Art contemporain à Dakar, en 1986 au Musée dynamique de Dakar *L'Art contre l'apartheid*, en 1987 à Vancouver au Canada, en 1987 à Alger *Peinture sénégalaise*, et *Huit artistes mettent la main à la terre* au Centre culturel français de Dakar, en 1988 *Art pour l'Afrique* Musée des Arts d'Afrique et d'Océanie à Paris, et Salon de la Jeune Peinture, à Dakar Salon des Artistes sénégalais, en 1989 *Vision du XXe siècle sur la Révolution française* exposition circulante aux États-Unis et en Amérique Latine, *Estampes et Révolution, 200 ans après* au Centre national des Arts Plastiques de Paris. Il a exposé personnellement en 1982 au Village des Arts à Dakar, en 1984 à la Galerie 39 au Centre culturel français à Dakar et à Saint-Louis au Sénégal, en 1986 à Dakar à l'Atelier et à la galerie Maury Floc, et en 1988 au Centre culturel Français à Abidjan.
Fodé Camara à ses débuts travaillait sur des fragments de la vie quotidienne et réalisait des patchworks. Son travail semble avoir pris une nouvelle orientation depuis son installation à Paris en 1987. Il a alors reçu une commande du ministère de la Coopération et du Développement en collaboration avec le musée national des Arts africains et océaniens sur le thème *La Révolution sous les tropiques*. Il travaillera ainsi pendant un an en collaboration avec deux autres artistes dans une salle de l'ancien musée des colonies. Le thème principal de ses travaux est l'histoire de l'esclavage subi par les Africains dans l'île de Gorée. Dans de grandes compositions figuratives, Camara livre sa réflexion sur le passé d'un pays et d'un peuple, mêlée à une vision contemporaine de l'Afrique actuelle. Ses peintures, servies par une technique parfaitement maîtrisée, sont empreintes d'une grande élégance formelle.
Bibliogr. : Catal. de l'exposition *Révolution sous les tropiques*, Musée National des Arts africains et océaniens, Paris, 1989 – Catal. de l'exposition *Estampes et Révolution, 200 ans après*, CNAP, Paris, 1989.
Musées : PARIS (FNAC) : *Parcours I* 1988, acryl. et past./t., (180x200).

CAMARA Leal da
Né en 1877. Mort en 1948 à Lisbonne. XXe siècle. Actif aussi en France. Portugais.

Peintre de portraits, dessinateur humoriste, litho-graphe.
Paris le connut caricaturiste, collaborateur de l'irrespectueuse *Assiette au Beurre*. Il vécut ensuite à Madrid, puis à Lisbonne.
Parallèlement à l'*Assiette au Beurre*, dès 1904 Camara s'intéressa au nouveau support qu'est alors la carte postale illustrée. Il publia, en collaboration avec Orens Denizard, certaines grandes séries d'estampes politiques à tirage limité. Ce fut le cas, en 1904-1905 dans *Le Carillon*, 50 lithographies, aquarellées à la main, tirées à 70, 75 ou 100 exemplaires suivant les numéros, traitant essentiellement de la guerre russo-japonaise, en 1905-1906 dans *Le Méli-Mélo*, lithographies tirées à 100 exemplaires, où l'on trouve plusieurs estampes sur la première révolution russe. *Le Knout*, sur la première révolution russe, outre le tirage sur papier normal, fit l'objet d'un tirage à part de 50 exemplaires sur papier à la forme. D'entre ses autres séries, tirées à 100 exemplaires : *Les organisateurs de la guerre, Nos ministres, Leurs statues*, les six pièces de deux séries tirées à 50 exemplaires : *La question du Maroc, Fallières I*. Dans ses séries de portraits, Camara excellait dans l'art de la déformation, qu'il poussa à des limites rarement atteintes. On cite de lui, en peinture, ses portraits de Forain et de Colette.
Bibliogr. : Bruno de Perthuis : *Les cartes postales gravées et lithographiées à sujets satiriques et politiques 1902-1914*, thèse de l'Université de Paris X-Nanterre, 1983.

CAMARA Y CUADROS de La. Voir LA CAMARA Y CUA-DROS Juan de

CAMARA FILHO Joâo
Né le 12 janvier 1944 à Jaoo Peboa (Parnaiba). XXe siècle. Brésilien.
Peintre de figures, graveur. Tendance fantastique.
Il expose au Brésil depuis 1962, en particulier au Salon d'Été de Pernambouc, et a participé à la Biennale de São Paulo en 1969. Dans le « Nordeste » s'est formé une École pernamboucaine de peintres à la fin des années soixante. Leur caractéristique commune a été de ressourcer leur technique professionnelle et leur option sociale à la figuration d'un art populaire, particulièrement vif dans cette contrée. Camara Filho, qui en était l'initiateur, figure les corps humains massifs, qu'il déforme plus dans un sens fantastique qu'expressif. Ses peintures et gravures établissent un dialogue entre interrogation sociale et imaginaire populaire. Il travaille par séries, ainsi les : *Pseudo personnes nationales* de 1969 à 1974, les *Scènes de la vie brésilienne, 1930-1954* de 1974 à 1976. Dans ces œuvres, se côtoient le réalisme de la critique sociale et le magique de la tradition populaire.
Bibliogr. : Damian Bayon, Roberto Pontual : *La peinture de l'Amérique latine au XXe siècle*, Mengès, Paris, 1990.

CAMARDA Francesco
Né à Palerme (Sicile). XIXe-XXe siècles. Italien.
Peintre.
Il débuta avec un *Caïn et Abel* ; il peignit ensuite des nus féminins avec une élégante facilité.

CAMARDA Gaspare
Né vers 1570 à Messine. XVIe siècle. Actif à Messine. Italien.
Peintre.

CAMARGO Fernando
XVe siècle. Castillan, travaillant à Barcelone à la fin du XVe siècle. Espagnol.
Peintre.

CAMARGO Iberê
Né en 1914 à Restinga Sêca. Mort en 1994. XXe siècle. Brésilien.
Peintre, graveur. Abstrait-lyrique.
Il fut élève de l'Ecole des Beaux-Arts de Santa-Maria, de celle de Porto Alegre, et de celle de Rio de Janeiro, à la suite de quoi il avait acquis une formation académique. Au Salon National de 1947, il obtint une bourse, qui lui permit un long voyage en Europe. A Rome, il fréquenta l'atelier de Chirico et celui du sculpteur Petrucci. A Paris, il s'inscrivit à l'Atelier André Lhote. Il participe à de nombreuses expositions collectives, notamment la Biennale de São Paulo, à laquelle il prend part régulièrement depuis 1951 et où une salle lui fut consacrée entièrement en 1963. Il montre les étapes de sa peinture dans des expositions personnelles, depuis la première à Washington en 1959.
Dans une première période, il peignait son univers quotidien, en dégageant une poésie mystérieuse. A partir de ce paysagisme des années quarante, il évolua pogressivement à l'abstraction lyrique.

BIBLIOGR. : E. Berg, sous la direction de... : *Iberê Camargo*, Rio de Janeiro, 1985.

CAMARGO Sergio de
Né en 1930 à Rio-de-Janeiro. Mort en 1990 à Rio-de-Janeiro. XXᵉ siècle. Actif aussi en France. Brésilien.
Sculpteur de bas-reliefs. Abstrait.
Il fit ses études à Rio-de-Janeiro, puis à Buenos Aires, où il reçut les conseils d'Emilio Pettoruti et de Lucio Fontana. En 1948, il fit un premier séjour en France, étudiant la philosophie à la Sorbonne, rencontrant par ailleurs Arp, Brancusi, Auricoste. En 1954, il entreprit un long voyage en Orient. En 1958, il fit une première exposition personnelle à Rio-de-Janeiro. En 1961, il se fixa à Paris. Depuis lors, il participe à de nombreuses expositions collectives internationales : 1962 et 1965 Exposition d'Art Latino-Américain à Paris, 1966 XXXIIIᵉ Biennale de Venise, où il bénéficiait d'une salle entière, 1967 l'exposition historique *Lumière et Mouvement* au Musée d'Art Moderne de la Ville de Paris, à Paris régulièrement au Salon de Mai, 1989 Biennale de Sao Paulo, etc. À l'occasion d'un retour en Amérique-Latine, il y fit plusieurs expositions personnelles. En 1996, une exposition en hommage posthume a eu lieu à la Maison de l'Amérique-Latine de Paris. Il a obtenu le Grand Prix national à la VIIIᵉ Biennale de São Paulo, et le Prix International de Sculpture à la Biennale des Jeunes de Paris en 1963.
L'ensemble de ses œuvres accuse une destination murale, d'autant qu'elles s'apparentent au bas-relief. Il utilise le plâtre, la terre, la fonte de bronze, le marbre, mais son matériau de prédilection est le bois. Chaque œuvre est constituée d'un seul module, souvent une sorte de simple bouchon de bouteille, de toute façon un volume élémentaire, qui peut toutefois être de dimensions différentes. Ces innombrables exemplaires d'un même module sont disposés, ajustés et collés sur un support plan, selon des organisations sérielles, l'ensemble ensuite uniformément peint en blanc. Ces organisations sérielles ou combinatoires à partir d'un module unique, échappent à la froideur d'un ordonnancement trop rigoureux par la complexité des combinaisons harmoniques, qui fait qu'elles n'apparaissent pas avec évidence, ainsi qu'à cause d'un subtil décalage aléatoire de l'orientation de chaque élément, sorte de « clinamen », qui lui fait recevoir diversement l'éclairage. Diversité des apparences singulières qui anime l'uniformité modulaire de l'ensemble, qui engendre l'inconnu à partir de la multiplication d'une forme pourtant connue dans sa simplicité au plus unité, qui fait vaciller du vide intérieur à l'inquiétude la perception de ces sortes de longues plages de galets uniformément blancs et pourtant animées de rythmes internes. ■ Jacques Busse
BIBLIOGR. : Denys Chevalier, in : *Nouveau diction. de la sculpt. mod.*, Hazan, Paris, 1970 – in : Catalogue de l'exposition *Vision 24 – Peintres et Sculpteurs d'Amérique-Latine*, Institut Italo-Latino-Américain, Rome, 1970 – J. Clay : *Sergio de Camargo*, Caracas, 1972.
VENTES PUBLIQUES : NEW YORK, 30 mai 1985 : *Relief blanc Nᵒ 275 1970*, bois peint au mur (100x100) : **USD 4 000** – MILAN, 19 juin 1986 : *Espace horizontal 1967*, bois collés/pan. (66x51) : **ITL 1 500 000** – NEW YORK, 17 mai 1989 : *Opus 175 1967*, bois de construction peint (85x60,7) : **USD 6 600**.

CAMARI Johann
XVIIIᵉ siècle. Actif à Olmütz vers 1745. Autrichien.
Sculpteur.

CAMARO Alexandre
Né en 1901 à Breslau. Mort en 1992. XXᵉ siècle. Allemand.
Peintre de compositions à personnages. Figuratif, puis abstrait tendance lettres et signes.
A Breslau, il fut élève d'Otto Müller en peinture. En 1928, il étudia la danse avec Mary Wigman à Dresde et débuta comme danseur. Dans le contexte des interdits concernant toutes les activités artistiques prospectives à partir de la prise de pouvoir des nazis, il s'abstint de peindre jusqu'en 1945 et ses œuvres de jeunesse ont disparu. En 1951, il reçut le Prix Artistique de la Ville de Berlin et y devint professeur à l'Académie des Beaux-Arts. Dès 1946, il s'était fait remarquer avec une des réalisations les plus intéressantes de l'Allemagne au sortir de la guerre : *un Théâtre de Bois*, par lequel, en accord avec son activité précédente d'homme de spectacle, il commença d'ériger le lieu scénique en symbole de l'illusion, de l'éphémère. Il étendit cette valeur symbolique à d'autres lieux : manège équestre, arène, et jusqu'au paysage.
Puis, il se détacha de la représentation objective, pour un sys-

tème de signes plastiques associés à des événements, qu'on a pu rapprocher de certains idéogrammes poétiques de Paul Klee.

(amdro

VENTES PUBLIQUES : COLOGNE, 14 juin 1966 : *Composition* : **DEM 1 600** – HAMBOURG, 11 juin 1982 : *Composition* vers 1955, gche (32,8x50,3) : **DEM 720**.

CAMARON José
XVIIᵉ siècle. Actif à Huesca. Espagnol.
Sculpteur.
Père de Nicolas Camaron.

CAMARON José
XVIIIᵉ-XIXᵉ siècles. Actif à Valladolid. Espagnol.
Peintre.
Directeur de la Maison Royale de la Chine et sous-directeur de l'Académie de San Fernando.

CAMARON Nicolas
Né en 1692 à Huesca. Mort en 1767 à Segorbe. XVIIIᵉ siècle. Espagnol.
Sculpteur et architecte.
Fils et élève de José Camaron. Il a exécuté des travaux notamment pour la cathédrale et l'église des Jésuites à Segorbe, où il résida.

CAMARON Pedro
XVIIᵉ siècle. Actif à Huesca. Espagnol.
Sculpteur.

CAMARON Y BORONAT José
Né le 17 mai 1730 à Segorbe (Valence). Mort le 13 juillet 1803 à Valence. XVIIIᵉ siècle. Espagnol.
Peintre de compositions religieuses, sujets allégoriques, scènes de genre, portraits, dessinateur.
Il travailla d'abord sous la direction de son père le sculpteur Nicolas Camaron. Puis, ayant abandonné la sculpture pour la peinture, il fut reçu membre de l'Académie des Beaux-Arts de Valence et en devint directeur en 1790. On considère Camaron y Boronat comme l'un des principaux artistes de l'École de Valence, il fut d'une extrême fécondité.
Il a peint divers tableaux religieux à Valence, dont : *Le couronnement d'épines* ; *Mort de saint François*, à la cathédrale ; *Martyre de sainte Catherine*, à l'église Santa Catalina. À Madrid, il a collaboré au décor du cloître de San Francisco el Grande. On cite encore de lui : *Charles III protecteur de l'Académie*.
BIBLIOGR. : In : *Dictionnaire de la peinture espagnole et portugaise du Moyen-Âge à nos jours*, coll. Essentiels, Larousse, Paris, 1989.
MUSÉES : BARCELONE : *Extase de saint François* – MADRID (Mus. du Prado) : *Mater dolorosa* – MADRID (École des Beaux-Arts) : *Sainte Famille* – VALENCE (Mus. prov.) : *Allégorie des Beaux-Arts* – *Charles III protecteur de l'Académie* – *Vierge des affligés* – *Tableaux religieux – Dessins*.
VENTES PUBLIQUES : PARIS, 1867 : *Le fandango* : **FRF 1 620** – EL QUEXIGAL (Prov. de Madrid), 25 mai 1979 : *Jeunes élégantes dans des paysages*, deux toiles (83x108) : **ESP 2 400 000** – MADRID, 18 mai 1993 : *Madeleine repentante*, cr. et encre (20,4x15,4) : **ESP 900 000** ; *L'Adoration des bergers*, lav. gris (32x43,2) : **ESP 750 000**.

CAMARON Y MELIA Fernando
XIXᵉ siècle. Travaillant à Madrid. Espagnol.
Sculpteur.
Fils de Vicente Camaron y Melia.

CAMARON Y MELIA José Juan
Né en 1760 à Segorbe. XVIIIᵉ siècle. Espagnol.
Peintre.
Fils de José Camaron y Boronat. Fut pensionnaire, à Rome, de l'Académie San Carlos de Valence dont il devint plus tard directeur. Francisco Goya a peint son portrait (1798).

CAMARON Y MELIA Manuel
Né en 1763 à Segorbe. XVIIIᵉ siècle. Espagnol.
Peintre.
Second fils de José Camaron y Boronat. Le Musée provincial de Valence possède de lui trois tableaux.

CAMARON Y MELIA Vicente
Né à Madrid. Mort le 8 avril 1864 à Madrid. XIXᵉ siècle. Espagnol.

Peintre.

Fils de José Juan Camaron y Melia. Ce fut un peintre de talent qui participa à la plupart des expositions espagnoles à partir de 1838. Élève de l'Académie royale de San Fernando, il devint plus tard peintre du roi. Le Musée national de Madrid possède de lui : *Vue des bords du Tage.* Il a fait la majeure partie des décorations de la Chambre des Députés à Madrid.

VENTES PUBLIQUES : PARIS, 21 et 22 jan. 1926 : *Personnages et cavaliers autour d'une fontaine* : FRF 420.

CAMAROTTI di Bartolommeo di Giovanni Antonio
XVᵉ siècle. Italien.
Sculpteur et architecte.
Cet artiste florentin travailla à Rimini.

CAMARROQUE Louis
Né à Paris. XXᵉ siècle. Français.
Peintre.
Exposant des Indépendants, entre 1924 et 1930.

CAMAS Roger Marcel ou Camas-Camps
Né à Orléans (Loiret). XXᵉ siècle. Français.
Peintre aquarelliste.
Élève de Montagné. Sociétaire des Artistes Français.

CAMASSEI Andrea
Né en 1601 ou 1602 à Bevagna (près de Foligno). Mort en 1648 ou 1649 à Rome. XVIIᵉ siècle. Italien.
Peintre de sujets mythologiques, compositions religieuses, dessinateur, graveur.
D'abord élève de Domenichino, à Rome, il entra plus tard dans l'atelier de Sacchi, dont il suivit la manière. Ses meilleurs ouvrages sont à Rome.

CAM.

VENTES PUBLIQUES : PARIS, 1775 : *Deux sujets : la Dispute de Minerve et de Neptune*, dess. à la sanguine : FRF 10 – LONDRES, 3 juil. 1995 : *Loth et ses filles*, sanguine (25,7x37,6) : GBP 2 070.

CAMASSEI Carlo
Italien.
Graveur.
Cité par Le Blanc.

CAMASSEI Giacinto
XVIIᵉ siècle. Actif à Rome. Italien.
Peintre et graveur.
Neveu d'Andrea Camassei.

CAMATTE Étienne Joseph
Né le 22 novembre 1802 à Saint-Cézaire (Var). XIXᵉ siècle. Français.
Peintre.
Il exposa au Salon des portraits entre 1823 et 1851.

CAMAX-ZOEGGER Marie Anne, Mme
Née à Paris. XIXᵉ-XXᵉ siècles. Française.
Peintre de figures, paysages, compositions décoratives.
Fille du statuaire A. Zoegger. Élève de Henner. Son maître fit d'elle un portrait : *La jeune artiste.*
Sociétaire de la Nationale, présidente du Syndicat des Femmes peintres et sculpteurs.
Elle a peint des figures d'enfants, des paysages, des fleurs, des panneaux décoratifs. *Geneviève aux poupées* et *Effet de neige* furent acquis pour l'ancien Musée du Luxembourg.
MUSÉES : PARIS (Mus. du Petit Palais) : *Enfants dans leur lit.*
VENTES PUBLIQUES : PARIS, 2 juin 1950 : *Bord de mer* : FRF 14 500 – PARIS, 21 avr. 1982 : *L'allée dans le parc*, h/cart. (55x46) : FRF 2 000.

CAMBALI Francisco ou Cabaleri ou Caballeria
XIIIᵉ siècle. Espagnol.
Peintre.
Il travailla pour le roi Don Jaime II.

CAMBASSÉDÈS J.
Né en 1800. Mort en 1857 à Genève. XIXᵉ siècle. Suisse.
Miniaturiste.
On connaît de lui un portrait de *Charles Bonnet* (Musée des Arts Décoratifs de Genève).

CAMBELLOTTI Duilio
Né en 1876. Mort en 1960. XXᵉ siècle. Italien.
Peintre-aquarelliste, dessinateur, sculpteur, décorateur, créateur de vitraux.

Il figurait à l'exposition *Sécession romaine, 1913-1916* à Rome en 1987, et à l'exposition *Du verre au diamant – Le vitrail artistique à Rome 1912-1925* au Palais des Expositions de Rome en 1992. Il fut essentiellement décorateur.

BIBLIOGR. : Catalogue de l'exposition *Sécession romaine 1913-1916*, Rome, 1987 – Catalogue de l'exposition *Du verre au diamant – Le vitrail artistique à Rome 1912-1925*, Rome, 1992.

VENTES PUBLIQUES : MILAN, 18 mars 1986 : *Cheval au galop* 1918, temp. (21x20) : ITL 1 200 000 – ROME, 29-30 nov. 1993 : *Luciole*, cr., encre de Chine et aquar./pap. (37x47) : ITL 4 714 000 ; *Civette*, aquar./pap. (30x43) : ITL 2 828 000 – ROME, 19 avr. 1994 : *Le gardian* 1910, techn. mixte/pap. jaune (18x17) : ITL 2 530 000 – ROME, 6 déc. 1994 : *L'écheveau de laine*, cr./pap. (23,5x23,5) : ITL 1 768 000 – ROME, 5 déc. 1995 : *La cuirasse*, bronze (H. 44) : ITL 11 785 000.

CAMBÈQUE Charles
Né au XIXᵉ siècle à Bordeaux. XIXᵉ siècle. Français.
Peintre de genre.
Élève de l'École municipale de Bordeaux, il se perfectionna à Paris sous la direction de Cabanel. Il débuta au Salon, en 1875, avec *Le repos.*

CAMBERLAIN Joseph
Né le 11 octobre 1756 à Anvers. Mort le 31 janvier 1821 à Tiflis (Caucase). XVIIIᵉ-XIXᵉ siècles. Éc. flamande.
Sculpteur et architecte.
Élève de Fr. Schobbens à Anvers. Il travailla successivement à Paris, à Anvers, à Saint-Pétersbourg et à Tiflis.

CAMBEROQUE Jean
Né en 1918 à Carcassonne (Aude). XXᵉ siècle. Français.
Peintre de paysages animés, sculpteur, céramiste.
Il est autodidacte en art. Il expose à Paris, aux Salons d'Automne, des Artistes Indépendants, Comparaisons.

MUSÉES : NARBONNE (Mus. d'Art et d'Hist.) : *Les pêcheurs de Bages.*

CAMBEROSSE
XIXᵉ siècle. Travaillant en 1811. Français.
Graveur.

CAMBET Henri
Né le 16 octobre 1866 à Lyon. Mort le 4 août 1894 à Lyon. XIXᵉ siècle. Français.
Peintre.
Élève, à Lyon, de Poncet (à l'École des Beaux-Arts) et de Tollet puis, à Paris, de Bonnat. Il exposa, à Lyon, depuis 1889, des portraits et *Droit d'asile* (1890), à Paris, des portraits et *Charité* (1891). Ses débuts annonçaient un peintre de talent.

CAMBI ou Cambio, dit Bombarda, famille d'artistes
XVᵉ-XVIᵉ siècles. Actifs à Crémone aux XVᵉ et XVIᵉ siècles. Italiens.
Andrea I fut sculpteur ornemaniste, Galeazzo, orfèvre et peintre, Giovanni-Battista son fils Sinidoro et son neveu Brunorio, sculpteurs et stucateurs, Andrea II, médailleur.

CAMBI Francesco
XVIIᵉ siècle. Actif à Florence. Italien.
Peintre.

CAMBI Ulisse
Né le 22 septembre 1807 à Florence. Mort le 8 avril 1895 à Florence. XIXᵉ siècle. Italien.
Sculpteur.
Fils d'un sculpteur, il entra très jeune à l'Académie de Florence et passa de là à Rome pour se perfectionner. Ayant remporté le premier prix du concours des Beaux-Arts, il fut pensionné pendant quatre ans, puis retourna dans sa ville natale. En 1884, il sculpta avec un réalisme surprenant le *Monument du peintre Sabatelli* ; Cambi s'est montré surtout supérieur dans la reproduction des poses familières des enfants ; ses œuvres sont pleines de grâce et *L'Amour Mendiant*, exposé à Paris, fut reproduit plus de trente fois.

CAMBIAGO Juan Pablo
D'origine italienne. XVIᵉ-XVIIᵉ siècles. Espagnol.
Sculpteur.
Il travailla avec Jacome Trezo aux statues funéraires de la famille royale à l'Escurial.

CAMBIAIRE Christian de
Né en 1932. XXᵉ siècle. Français.
Peintre. Lettres et signes. Groupe lettriste.
Il est diplômé de l'Institut d'Études Politiques. Il ne commença ses recherches plastiques qu'à partir de 1956. Il a participé au mouvement lettriste. Il a participé à différents Salons, notamment à Paris, au Salon Comparaisons. Sa peinture est constituée de signes calligraphiés.

CAMBIANIS Gilletta. Voir **GILLETTA-CAMBIANIS**

CAMBIASO Antonio ou **Cambiagi**
XVIIIᵉ siècle. Actif à Florence. Éc. florentine.
Graveur et peintre.
Le Blanc cite de lui 2 estampes : *Abigaïl à la rencontre de David*, d'après Guido Reni, et *La Sainte Trinité*, d'après Lod. Cigoli.

CAMBIASO Giovanni di Bartolommeo da
Né en 1495 près de Gênes. Mort entre 1577 et 1579. XVIᵉ siècle. Italien.
Peintre.
Ce peintre, père de Luca Cambiaso, et grand admirateur des œuvres de Perino del Vaga et de Pordenone, imita la manière de ces artistes, dont il étudia les tableaux au Palazzo Doria, à Gênes.
VENTES PUBLIQUES : PARIS, 1859 : *La tentation de Saint Antoine*, dess. à la pl. et au bistre : **FRF 9** ; *Notre-Seigneur portant sa croix*, dess. à la pl. et au bistre : **FRF 8**.

CAMBIASO Luca, dit aussi **Luchetto da Genova, le Luqueto,** et **le Cangiage**
Né en 1527 à Moneglia. Mort en 1585 à Madrid. XVIᵉ siècle. Italien.
Peintre de sujets mythologiques, compositions religieuses, sujets allégoriques, graveur, dessinateur.
Luca reçut les premiers conseils artistiques de son père, Giovanni Cambiaso, qui lui fit étudier des dessins de Mantegna et les décorations du Palais Doria. Il montra, dès 15 ans, un talent de peintre. Il était doué d'une habileté remarquable. Lanzi rapporte qu'Armenini affirme l'avoir vu peindre avec deux pinceaux. Une pareille facilité présentait l'inconvénient d'aboutir à une exécution lâchée et trop souvent faite de procédés. Les défauts de sa jeunesse furent en partie corrigés par les conseils de son élève et collaborateur Giovanni Battista Castello le Bergamasco, avec lequel il peignit plusieurs ouvrages. Il était alors surtout influencé par Perino del Vaga.
Luca Cambiaso visita Florence et Rome, où il put étudier l'art de Raphaël et de Michel-Ange, en retenant des effets de raccourcis que l'on remarque dans ses peintures du Palais Doria. Ses meilleurs tableaux sont à Gênes, peints pendant une période de douze ans, durant laquelle il semble avoir atteint l'apogée de son talent. Entre autres, on cite une toile représentant le *Martyre de saint Georges*, dans l'église de Saint-Georges. Il y collabore aussi, avec l'architecte Alessi, à Saint Matteo puis à la chapelle Lercari du Dôme (1567). Le Blanc cite de lui trois gravures : *La Sainte Vierge embrassant l'Enfant Jésus – La Sainte Famille et saint Jean – Le Triomphe d'Amphitrite*.
Peu après la mort de sa femme, il s'éprit d'une de ses belles-sœurs, mais, n'ayant pu obtenir du pape la dispense nécessaire à son mariage, Cambiaso partit pour Madrid, dans l'espoir d'obtenir l'intervention de Philippe II pour la réalisation de son projet matrimonial. Pendant son séjour à la cour d'Espagne, il termina des peintures laissées inachevées par son ami Castello et décora le plafond de l'église de l'Escurial, y peignant un *Paradis* très admiré. Il peignit aussi des Nocturnes (*Madone à la chandelle*). Ses dessins sont aujourd'hui surtout appréciés pour leur géométrisation qui annonce, avec ceux de Villard de Honnecourt et certaines études du Vinci et de Dürer, les futures recherches cubistes.

MUSÉES : BERLIN : *La Charité* – BOLOGNE (Acad.) : *Naissance du Christ* – FLORENCE (Offices) : *Portrait de l'artiste par lui-même* – GÊNES (Palais Bianco) : *Sainte Famille – Saint Augustin – Punition de Callisto* – GÊNES (Palais Rosso) : *Sainte Famille – Déploration du Christ* – GÊNES (Palais Balbi) : *Expiation de Madeleine – Portrait* – LA HAYE : *Naissance de Marie – La Vierge* – KASSEL : *Découverte de la faute de Callisto* – MADRID (Prado) : *Sommeil de Cupidon – Mort de Lucrèce* – MILAN (Brera) : *2 Offrandes des bergers* – NANTES : *Saint Jérôme* – ROME (Gal. Borghèse) : *Saint Jérôme – Vénus et Adonis – Vénus et l'Amour –*

L'Amour se reposant – ROME (Gal. Doria Pamphili) : *Expiation de Madeleine.*
VENTES PUBLIQUES : LONDRES, 1823 : *Mariage de sainte Catherine* : **FRF 6 825** – PARIS, 2 juin 1824 : *Vénus et Adonis* : **FRF 1 000** – PARIS, 1845 : *Jésus instruisant les Docteurs dans le temple* : **FRF 85** – PARIS, 1859 : *Le martyre d'un saint*, dess. à la pl. lavé de bistre : **FRF 2** – PARIS, 1866 : *Dante et Virgile aux enfers*, dess. à la sépia : **FRF 158** – PARIS, 1893 : *Personnages sur le portique d'un palais*, dess. à la pl. et au bistre : **FRF 21** – COLOGNE, 5 et 6 oct. 1894 : *Hercule devant le chemin de séparation* : **DEM 175** – PARIS, 21-22 fév. 1919 : *La Vierge, l'Enfant et saint Jean*, dess. à la pl. : **FRF 141** – PARIS, 26 nov. 1919 : *L'ensevelissement du Christ*, pl. : **FRF 410** – PARIS, 15 déc. 1921 : *Vierge à l'enfant*, pl. : **FRF 75** – PARIS, 6-7 mars 1922 : *La Sainte Famille*, pl. et sépia : **FRF 135** ; *Martyre de sainte Agathe*, pl. et sépia : **FRF 120** – PARIS, 26 fév. 1923 : *Mars et Vénus* ; *Caïn et Abel*, deux dessins à la plume : **FRF 202** – PARIS, 21 jan. 1924 : *Le mariage mystique de sainte Catherine*, pl. et lav. : **FRF 280** – PARIS, 20-21 juin 1924 : *La Force, la Justice et la Tempérance*, pl. et sépia : **FRF 420** – PARIS, 6 déc. 1924 : *Persée délivrant Andromède*, pl. et sépia : **FRF 125** – PARIS, 4 fév. 1925 : *Ronde de chérubins*, pl. : **FRF 360** – PARIS, 4 mars 1925 : *La Renommée* ; *La Présentation au temple*, pl. et lav. de bistre, pl. et lav. de sépia : **FRF 110** – PARIS, 30 mars 1925 : *Apollon sur son char*, pl. et lav. : **FRF 170** – PARIS, 19 juin 1925 : *Saint Hieronymus*, pl. lavé de bistre : **FRF 120** ; *Jeune femme et chérubins*, pl. lavé de bistre : **FRF 225** – PARIS, 10 fév. 1926 : *Le portement de croix*, pl. et bistre : **FRF 100** – PARIS, 29 avr. 1926 : *Samson et Dalila*, pl. et lav. : **FRF 600** – PARIS, 9 et 10 mars 1927 : *Tentation de saint Antoine*, pl. et lav. : **FRF 120** – PARIS, 17 et 18 mars 1927 : *La lapidation de saint Etienne*, pl. et lav. : **FRF 400** ; *La mise au tombeau*, pl. lav. : **FRF 330** – PARIS, 9 et 10 mai 1927 : *Sainte Madeleine en prière*, pl. et lav. : **FRF 210** ; *Sainte Famille avec le petit saint Jean*, pl. : **FRF 160** – PARIS, 23 et 24 mai 1927 : *Saint Sébastien*, dess. : **FRF 390** – PARIS, 28 oct. 1927 : *La Sainte Famille*, pl. et lav. : **FRF 100** – PARIS, 14 nov. 1927 : *La Vierge, l'Enfant et deux Anges*, pl. lavé de bistre : **FRF 420** – PARIS, 21 et 22 déc. 1927 : *Hercule*, pl. et lav. : **FRF 275** – PARIS, 28 fév. 1928 : *Hercule et Antée*, pl. et lav. de bistre : **FRF 3 000** ; *Divinités marines*, pl. et lav. de bistre : **FRF 550** ; *La Vierge aux anges*, pl. et lav. de bistre : **FRF 600** – PARIS, 28 nov. 1928 : *Hercule domptant les Centaures*, pl. : **FRF 6 000** ; *Triomphe de Silène*, pl. : **FRF 750** – PARIS, 25 jan. 1929 : *La Sainte Famille dans un paysage*, dess. : **FRF 720** – PARIS, 1ᵉʳ mars 1929 : *Archange terrassant un démon*, dess. : **FRF 70** – PARIS, 24 juin 1929 : *La chute des réprouvés*, dess. : **FRF 610** ; *Grand ange apportant les palmes d'un martyr*, dess. : **FRF 320** ; *La Vierge avec l'Enfant, le petit saint Jean*, dess. : **FRF 425** ; *Saint Christophe passant l'Enfant-Jésus, sur ses épaules*, dess. : **FRF 450** – PARIS, 4 juil. 1929 : *Renommée sur la boule du monde*, dess. : **FRF 850** – PARIS, 22 fév. 1932 : *Le Sacrifice d'Abraham*, dess. pl. et sépia : **FRF 120** ; *Figure allégorique*, pl. et sépia : **FRF 110** – PARIS, 20 avr. 1932 : *Vénus et l'amour*, pl. et lav. de bistre : **FRF 140** – PARIS, 25 mai 1932 : *Phaéton*, dess. à la plume. École de L. C. : **FRF 160** – PARIS, 13 juin 1932 : *Projet pour une statue*, pl. et sépia : **FRF 40** – PARIS, 12 et 13 juin 1933 : *Cavaliers combattant*, dess. : **FRF 280** – PARIS, 22 fév. 1937 : *Vierge et Enfant*, pl. et lav. : **FRF 3 150** ; *La Vierge, l'Enfant Jésus et saint Jean-Baptiste*, pl. : **FRF 1 500** ; *La Vierge, l'Enfant Jésus, saint Jean-Baptiste et saint Joseph*, dess. à la pl. : **FRF 800** – PARIS, 13 fév. 1939 : *Le Christ et la Samaritaine*, pl. : **FRF 470** ; *Sainte Famille*, pl. et lav. : **FRF 750** – PARIS, 5 déc. 1941 : *L'Assomption de la Vierge*, pl. et lav. de bistre : **FRF 1 050** – PARIS, 4 mai 1942 : *Martyre de saint Laurent*, pl. et lav. de bistre : **FRF 780** – PARIS, 24 juin 1942 : *L'Annonciation*, pl. et lav. de sépia : **FRF 1 200** – PARIS, le 8 nov. 1950 : *Le portement de Croix* : **FRF 10 000** – PARIS, le 15 fév. 1959 : *Sainte Thérèse et le Christ*, pl. et lav. de sépia : **FRF 22 500** – PARIS, 14 déc. 1962 : *Combat de guerriers*, pl. et lav. : **FRF 3 400** – MILAN, 14 déc. 1964 : *Descente de Croix*, dess. à la pl. aquarellé : **ITL 750 000** – LONDRES, 27 mars 1968 : *Cupidon et Psyché* : **GBP 2 200** – LONDRES, 11 déc 1979 : *St. Martin et le mendiant*, pl. (39x28,8) : **GBP 1 700** – PARIS, 23 jan. 1980 : *Trésors de guerre apportés à un roi*, pl. et lav. (42x55) : **FRF 20 000** – MILAN, 30 nov. 1982 : *La mort d'Adonis*, pl. et lav. (23,7x21) : **ITL 4 400 000** – LONDRES, 15 juin 1983 : *Saint Benoît prêchant*, pl. et lav./pap. (36,2x24) : **GBP 3 600** – LONDRES, 3 juil. 1984 : *La Sainte Famille à l'échoppe du menuisier*, pl. et encre brune (34,9x24,2) : **GBP 30 000** – NEW YORK, 6 juin 1985 : *Vénus et Cupidon*, h/t (104x82,5) : **USD 19 000** – NEW YORK, 16 jan. 1985 : *Mère et enfants sous un arbre fruitier*, pl. et lav. (35,3x24,7) : **USD 9 000** – NEW YORK, 15 jan. 1988 : *La Sainte Famille et Saint Jean-Baptiste*

enfant, h/t (127x109,2) : **USD 18 700** – Paris, 11 mars 1988 : *Psyché devant le Conseil des Dieux*, pl. et lav. de bistre (20,2x24,3) : **FRF 33 500** – Paris, 12 déc. 1988 : *Prophète assis sur un nuage et tenant un livre ouvert*, pl. en brun (32x24) : **FRF 40 000** – Londres, 3 juil. 1989 : *Vénus pleurant la mort d'Adonis*, encre et lav. (57,5x42,9) : **GBP 9 680** – Paris, 15 juin 1990 : *La Mort d'Adonis*, pl. et lav. brun (35x27,5) : **FRF 19 000** – Londres, 2 juil. 1990 : *Etude pour l'enlèvement des Sabines*, encre (32,6x26) : **GBP 7 480** – Londres, 2 juil. 1991 : *Défilé d'Amazones avec un cheval tourné vers la droite*, encre et lav. bruns (28,7x36,7) : **GBP 5 500** ; *La Sainte Famille avec Saint Jean Baptiste dans l'atelier du charpentier*, craie noire et encre (27,3x20,8) : **GBP 14 300** – New York, 15 jan. 1992 : *Vierge de la Miséricorde*, encre et lav. (27x20,7) : **USD 2 420** – Milan, 28 mai 1992 : *Homme et cheval*, encre brune (24,3x25,5) : **ITL 18 000 000** – New York, 14 jan. 1993 : *Vénus aveuglant Cupidon*, h/t (106x84,4) : **USD 20 700** – New York, 20 mai 1993 : *Vierge à l'enfant*, h/pan. (45,1x29,2) : **USD 20 700** – Milan, 13 mai 1993 : *La Sainte famille avec Saint Jean*, encre (40,2x29,5) : **ITL 3 300 000** – Paris, 18 juin 1993 : *Étude de personnages*, pl. et lav. brun (12,5x10) : **FRF 125 000** – Londres, 27 oct. 1993 : *Vierge à l'Enfant*, h/t (62,5x76,5) : **GBP 8 050** – Paris, 25 nov. 1993 : *Scène de combat*, pl. et lav. brun (31x34) : **FRF 26 000** – Monaco, 19 juin 1994 : *Vierge à l'Enfant*, h/t (80x60) : **FRF 133 200** – Paris, 15 déc. 1994 : *Les premiers pas de l'Enfant Jésus*, encre et lav. (33,5x21) : **FRF 40 000** – New York, 11 jan. 1995 : *Saint Benoit sur un trône entouré de Saint Jean-Baptiste et de Saint Luc avec un bénédictin agenouillé devant lui*, craie noire, encre brune et lav. (33,7x25,1) : **USD 16 100** – Paris, 30 juin 1995 : *Deux soldats assis conversant*, encre brune (21x30,5) : **FRF 26 000** – New York, 29 jan. 1997 : *Hercule*, pl. et encre brune et lav. (34,2x24) : **USD 8 050** – Londres, 16-17 avr. 1997 : *Une Sybille (recto)*, pl. et encre brune ; *Un putto portant un vase (verso)*, craie noire (34,4x26,9) : **GBP 1 380** – Paris, 21 nov. 1997 : *Le Christ et la Samaritaine*, pl. et encre brune (33,5x24,5) : **FRF 38 000**.

CAMBIASO Orazio

Né dans la seconde moitié du XVIᵉ siècle. XVIᵉ siècle. Italien.
Peintre.
Fils et élève de Luca Cambiaso. Il accompagna son père en Espagne, l'aida dans ses travaux et continua à travailler à la cour de Philippe II après la mort de Luca. Il revint à Gênes en 1585.

CAMBICHE Léger. Voir CHAMBIGES

CAMBIER Alfred

Né à Marquette-en-Ostrevent (Nord). XXᵉ siècle. Français.
Peintre.
De 1938 à 1942, il a exposé des natures mortes, fleurs et intérieurs au Salon des Artistes Français et à l'Automne.

CAMBIER Guy

Né en 1923 à Uccle-lez-Bruxelles. XXᵉ siècle. Actif en France. Belge.
Peintre de compositions à personnages, figures, portraits, paysages, fleurs, natures mortes.
À l'âge de neuf ans, il perdit accidentellement l'usage de ses jambes. Il se forma à la peinture en autodidacte par l'étude des artistes du passé qu'il admirait, parmi lesquels Watteau et Corot. Il est venu vivre en Normandie, puis, après 1950, s'est fixé dans la campagne de Grasse. Il a commencé à exposer dès 1942, d'abord en Belgique, puis en France dans les villes de la Côte d'Azur, aux États-Unis, à Paris au Salon des Peintres Témoins de leur Temps, sur le thème de *L'Amour*, etc. Il a obtenu diverses distinctions régionales et surtout, en 1957, le Prix de la Jeune Peinture à Paris.
Dans une technique scrupuleusement descriptive, il ne peint résolument que des sujets inspirés par le bonheur de vivre, avec une prédilection pour les jeunes femmes couvertes de guirlandes. Sa technique attentive au détail l'a amené à peindre de nombreux portraits, d'entre lesquels : la *Princesse Grace de Monaco, Winston Churchill, Ingrid Bergman, Gérard Philipe, Ed. G. Robinson*, etc.

Guy Cambier [signature]

Bibliogr. : *Le livre d'image de Guy Cambier*, Poseidon, Knokke-le-Zoute, 1983.
Ventes Publiques : Bruxelles, 24 juin 1981 : *Maternité*, h/t (115x72) : **BEF 90 000** – Bruxelles, 27 oct. 1982 : *Coin de village*, h/t (65x80) : **BEF 24 000** – Bruxelles, 20 juin 1984 : *Maison et personnages dans un paysage enneigé*, h/t (72x99) : **BEF 50 000** – Anvers, 22 oct. 1985 : *Journée d'hiver*, h/t (89x116) : **BEF 65 000** – Paris, 7 mars 1986 : *Baladins devant la ferme*, h/t (67,5x90) : **FRF 7 500** – Paris, 21 mars 1990 : *Femme et enfant*, h/t (60x36,5) : **FRF 11 000** – Calais, 8 juil. 1990 : *Paysage de neige*, h/t : **FRF 21 000** – New York, 30 juin 1993 : *Tête de femme* 1954, h/t (40,6x33) : **USD 1 150** – New York, 29 sep. 1993 : *Mère et enfant*, h/t (55,9x46,4) : **USD 2 070** – Lokeren, 9 oct. 1993 : *Les glaneuses* 1945, h/t (60x75) : **BEF 80 000** – Lokeren, 4 déc. 1993 : *Paysage*, h/pan. (29,5x80) : **BEF 26 000** – Londres, 23-24 mars 1994 : *Fleurs dans un pichet bleu*, h/pan. (76,5x57) : **GBP 3 565**.

CAMBIER Juliette

Née en 1879 à Saint-Gilles/Bruxelles. Morte en 1963 à Ixelles. XXᵉ siècle. Belge.
Peintre de figures, paysages, fleurs.
Elle fut la femme et l'élève de Louis Gustave Cambier, ainsi que l'élève de Maurice Denis à l'Académie Ranson. Elle exposa, pour la première fois, au Salon de la Libre Esthétique à Bruxelles en 1914, et au Salon des Indépendants à Paris en 1927.
Bibliogr. : In : *Diction. biogr. illustré des artistes en Belgique depuis 1830*, Arto, Bruxelles, 1987.
Ventes Publiques : Bruxelles, 25 nov. 1987 : *Pot de fleurs*, h/t (69x59) : **BEF 34 000** – Amsterdam, 20 avr. 1993 : *Barque à moteur sur une rivière*, h/pan. (41x51) : **NLG 1 380** – Lokeren, 9 oct. 1993 : *Nature morte de fleurs*, h/t (40x50) : **BEF 33 000** – Lokeren, 5 oct. 1996 : *Bouquet de fleurs*, h/t (46x38) : **BEF 26 000** – Rumbeke, 20-23 mai 1997 : *Fleurs d'été dans un pot sur une table* 1940, h/t (46,3x38) : **BEF 64 091** – Reims, 26 oct. 1997 : *Vase de fleurs*, h/t (65x50) : **FRF 2 200**.

CAMBIER Louis Eugène

Né en 1852 à Schaerbeek. Mort en 1949 à Ixelles. XIXᵉ-XXᵉ siècles. Belge.
Sculpteur.
Il fut élève de Jacques Jaquet et de Eugène Simonis à l'Académie des Beaux-Arts de Bruxelles. Il devint lui-même professeur de sculpture à l'Ecole des Beaux-Arts de Nice.
Bibliogr. : In : *Diction. biogr. illustré des artistes en Belgique depuis 1830*, Arto, Bruxelles, 1987.
Musées : Bruxelles.

CAMBIER Louis Gustave

Né en 1874 à Bruxelles. Mort en 1949 à Ixelles. XXᵉ siècle. Belge.
Peintre de paysages, scènes typiques, figures, portraits, intérieurs, natures mortes. Orientaliste.
Il fut élève du peintre orientaliste Jean François Portaels, qui était directeur de l'Académie de Bruxelles. Il débuta au Cercle Artistique de Bruxelles. Il a beaucoup voyagé : en Belgique bien sûr et Paris, Bretagne, Italie, Palestine, Turquie. Il a exposé à Paris, au Salon des Artistes Français, dont il devint sociétaire, mention honorable en 1906. Il fut membre de l'Académie des Beaux-Arts de Bruxelles.
Il a peint des scènes typiques de Belgique : *L'enterrement à Campenhout*, les motifs que lui offraient ses voyages, et très spécialement ceux du Moyen-Orient : *La nuit sur le Jourdain – La grotte des prophètes – Bethléem – Jérusalem – Au pays de Moab*.
Musées : Bruges – Bruxelles : *Pèlerinage russe à Jérusalem* – Liège.
Ventes Publiques : Lokeren, 25 avr. 1981 : *Paysage de printemps*, h/t mar./pan. (63x53) : **BEF 36 000** – Bruxelles, 24 avr. 1984 : *Paysage du Midi au printemps*, h/pan. (52x62) : **BEF 42 000** – Londres, 18 juin 1986 : *L'atelier de l'artiste* 1891, h/t (178x133,5) : **GBP 3 000** – Bruxelles, 24 fév. 1987 : *Nymphe aux oranges* 1906, h/t (45x49) : **BEF 32 000** – Paris, 30 mai 1990 : *Cap Roux ; Agay au soleil couchant*, h/t, deux œuvres se faisant pendants (50x60) : **FRF 10 000** – Lokeren, 9 mars 1996 : *Paysage de polder*, h/t (50x60) : **BEF 30 000**.

CAMBIER Nestor

Né en 1879 à Couillet. Mort en 1957 à Bruxelles. XXᵉ siècle. Belge.
Peintre de figures, portraits, paysages, intérieurs, natures mortes, peintre de cartons de vitraux.
Il fut élève du peintre d'histoire Gustave Vanaise. Il participa à l'Exposition Universelle de Bruxelles en 1910, avec : *Dolce farniente*. Il fit de longs séjours en Grande-Bretagne et aux États-Unis.
Bibliogr. : In : *Diction. biogr. illustré des artistes en Belgique depuis 1830*.

VENTES PUBLIQUES : BRUXELLES, 23 mai 1978 : *Nature morte aux pommes*, h/t (50x65) : BEF 3 200 – BRUXELLES, 28 oct. 1981 : *Paysage à Henley*, h/cart. (18x30) : BEF 4 500 – BRUXELLES, 16 déc. 1986 : *Nature morte aux roses*, h/t (40x60) : BEF 40 000 – AMSTERDAM, 10 fév. 1988 : *La salle à manger du château de Culbern Court dans le Henley en Angleterre*, h/t (42x34) : NLG 1 495 – LOKEREN, 28 mai 1988 : *Roses trémières dans mon jardin*, h/cart. (27,5x35) : BEF 33 000 – LONDRES, 7 juin 1989 : *La salle à manger du château de Culbery-court*, h/cart. (41x41) : GBP 4 950.

CAMBIO. Voir au prénom

CAMBIO. Voir aussi **CAMBI**

CAMBON Charles Antoine
Né en 1802 à Paris. Mort en 1875 à Paris. XIXe siècle. Français.
Peintre décorateur.
Cet excellent décorateur fut l'élève de Cicéri. Le Cirque Olympique, le Grand-Théâtre de Lyon, celui de Brest, l'Opéra de Madrid lui doivent de nombreux décors. Plus tard, devenu l'associé de Philastre, il travailla, pendant l'espace de vingt ans pour des décorations d'opéras, notamment pour le théâtre d'Anvers.

CAMBON Félix-Urbain
Né le 21 avril 1875 à Sète (Hérault). Mort le 21 janvier 1961 à Béziers (Hérault). XXe siècle. Français.
Peintre de portraits.
Né à Sète, son enfance se passa à Béziers. Pendant quatre ans, il fut élève de l'Ecole des Beaux-Arts de Toulouse. Puis, pendant trois ans, il fut élève de l'Ecole des Beaux-Arts de Paris et reçut les conseils de Léon Bonnat. Retourné se fixer à Béziers, il continua d'exposer à Paris, au Salon des Artistes Français, dont il devint sociétaire, mention honorable en 1930. Il fut conservateur du Musée des Beaux-Arts de Béziers pendant trente ans.
Il a laissé quelques esquisses de musiciens de l'époque, Saint-Saëns, Fauré, qui devaient figurer sur une grande fresque célébrant les manifestations musicales des Arènes de Béziers, dont la guerre de 1914-1918 fit annuler la commande. De nombreuses personnalités locales ont posé pour lui. Le Foyer Municipal de Béziers conserve de ses peintures et *L'Hymne au Vin* décore la Chambre de Commerce.
BIBLIOGR. : *In Memoriam*, Midi Libre, 12 mai 1969.

CAMBON Henri Joseph Armand
Né le 22 février 1819 à Montauban (Tarn-et-Garonne). Mort en 1885 à Montauban (Tarn-et-Garonne). XIXe siècle. Français.
Peintre de compositions religieuses, sujets mythologiques, scènes de genre, portraits, fleurs.
Entré à l'École des Beaux-Arts de Paris en 1839, il étudia sous la direction d'Ingres, de Delaroche et de Picot. Il est resté très proche de son maître Ingres, dont il fut l'un des trois exécuteurs testamentaires, et dont il permit l'installation des œuvres au Musée de Montauban. Il participa au Salon de 1848 à 1884, étant médaillé en 1863 et 1873.
Citons, parmi ses œuvres : *La poésie de gloire et la poésie d'amour – Le Christ au jardin des Oliviers – Renaud dans les jardins d'Armide – Femme jalouse.*
BIBLIOGR. : Gérald Schurr : *Les Petits Maîtres de la peinture 1820-1920, valeur de demain*, Les Éditions de l'Amateur, t. V, Paris, 1981.
MUSÉES : MONTAUBAN : *La République – Étude de fleurs – Le Christ au jardin des Oliviers – Vengeance de Médée – Autoportrait.*
VENTES PUBLIQUES : PARIS, 1861 : *Jeune femme disposant son intérieur* : FRF 440 – PARIS, 1880 : *La rue du Gros-Horloge à Rouen*, dess. : FRF 10.

CAMBON Mady
XIXe-XXe siècles. Travaillant à Marseille (Bouches-du-Rhône). Française.
Sculpteur.
Peut-être s'agit-il de Mme Cambon FEER.

CAMBOS Jean Jules
Né le 28 avril 1828 à Castres (Tarn). Mort le 2 mai 1917 à Castres. XIXe-XXe siècles. Français.
Sculpteur de bustes, statues.
Le 31 mars 1853, il fut admis à l'École Nationale des Beaux-Arts de Paris, où il étudia sous la conduite de Jouffroy. Chevalier de la Légion d'honneur.
Il débuta au Salon en 1857 et fut médaillé en 1864, 1866 et 1867. Il fit une brillante carrière officielle. Des *Cariatides* de cet artiste ornent le collège Jean Jaurès de Castres. Le ministère de la Mai-

son de l'Empereur et des Beaux-Arts le chargea d'exécuter, pour les galeries de Versailles, le buste du général Auger et celui d'Alfred de Vigny. Pour l'Académie nationale de musique, il fit le buste en marbre de la Guimard. La cathédrale de Nevers lui doit une statue en pierre : *Sainte Solange*. La façade de l'église Sainte-Ambroise à Paris, un *Ézéchiel*. Parmi ses œuvres de fantaisie, citons : *La Douleur, La Cigale, La femme adultère, La Poésie, Jeune chef gaulois.*
MUSÉES : CASTRES (Mus. Goya) : *La Cigale.*
VENTES PUBLIQUES : DÉTROIT, 22 mars 1981 : *La faneuse*, bronze (H. 84) : USD 1 600 – PARIS, 7 juil. 1983 : *La danse*, bronze, patine médaille (H. 86) : FRF 9 000 – LONDRES, 6 nov. 1986 : *Baigneuse vers 1890*, bronze, patine brun rouge (H. 77) : GBP 1 550.

CAMBRA Domingo
XVIIe siècle. Actif à Cocentaina (Valence). Espagnol.
Sculpteur.

CAMBRAI, de ou **Cambray**. Voi au prénom.

CAMBRAY Albert
Né à Mondrepuis (Aisne). XXe siècle. Français.
Peintre.
En 1931, il exposait *Le Pont Neuf* au Salon des Artistes Français.

CAMBRAY Célestin. Voir **ALLARD-CAMBRAY**

CAMBRAY Marie de
Née au XIXe siècle à Fontenay-aux-Roses (Seine). XIXe siècle. Française.
Peintre.
Elle eut pour maître Marzocchi de Belluci. En 1869, elle exposa au Salon le portrait de sa mère, et, en 1870, celui d'une jeune fille dans un atelier.

CAMBRONNE Jeanne Marie Léonie
Née au XIXe siècle à Ailly-sur-Noye (Somme). XIXe siècle. Française.
Miniaturiste.
Élève de Mme Latruffe-Colomb, de Mlle Bougleux et Ed. Cuyer. Elle prit part au Salon en 1900-1904 et 1905, exposant des miniatures.

CAMBRUZZI de
XVIIIe siècle.
Dessinateur.
Il exposa de 1775 à 1777 à la Royal Academy, à Londres.

CAMBRUZZI Gaspare
Originaire de Feltre. XVIe siècle. Italien.
Peintre.

CAMBRUZZI Giacomo
Né en 1744 près de Trévise. Mort après 1803. XVIIIe siècle. Italien.
Peintre de portraits.
Travailla pour le compte des divers souverains régnant alors à Vienne, Mannheim, Cologne, Versailles, Madrid, Londres (où il exposa à la Royal Academy en 1775). A son retour en Italie, il vécut à Venise et à Florence.

CAMBY-URBERO Augusto
Né à Madrid. XIXe siècle. Espagnol.
Peintre d'histoire.
Élève de German Hernandez. Exposa en 1876 à Madrid.

CAMDEN Harry P.
Né en 1900 à Parkeshurg. XXe siècle. Américain.
Sculpteur.

CAMDEN Samson
Originaire de Lichfield. XVIe siècle. Actif vers 1540. Britannique.
Peintre de portraits.
Le British Museum possède de lui le *Portrait de la reine Elisabeth.*

CAME Kate E.
Née au XIXe siècle à Boston (Massachusetts). XIXe siècle. Américaine.
Peintre.
Élève de Rice, de Sandham et de Kronberg. Membre de la Copley Society vers 1909-1910.

CAMEAU
XVIIIe siècle. Français.
Peintre.

CAMEL Théophile Pierre
Né à Toulouse (Hte-Garonne). Mort en 1911 à Paris. XIXe-XXe siècles. Français.

Sculpteur de sujets de genre.

Il fut élève de Falguière. Il exposa à Paris, au Salon des Artistes Français, notamment en 1903 : *Premier regret*, en 1905 ; *Femme au lys*, en 1911 ; *Fleur d'ajonc*.

CAMELOT-AVED. Voir AVED Jacques André Joseph Camelot

CAMENA Maria
Née en 1945 à Belgrade. xxᵉ siècle. Active en France et aux États-Unis. Yougoslave.
Peintre de natures mortes, dessinateur, pastelliste, aquarelliste.
Elle a exposé à Washington, Paris, Barcelone.

CAMENISCH Paul
Né en 1893. Mort en 1970. xxᵉ siècle.
Peintre de figures, portraits, paysages, dessinateur.
Exposant du Salon des Tuileries.
VENTES PUBLIQUES : BERNE, 18 juin 1980 : *Paysage du Tessin 1925*, fus. (69,7x50) : CHF 1 200 – ZURICH, 7 oct. 1987 : *Portrait de Max Haufler*, craie noire (44x34) : CHF 2 000 – ZURICH, 16 oct. 1991 : *Baigneuses*, encre (22x17,4) : CHF 1 200 – ZURICH, 14 avr. 1997 : *Paysage du Tessin en mai 1926*, h/t (115x140) : CHF 165 250.

CAMERA Giovanni della
Mort en 1733. xviiiᵉ siècle. Actif à Naples. Italien.
Peintre.

CAMERA Giovanni Maria della. Voir CONTI Giovan Maria

CAMERANT ou Camerano
Né vers 1766. Mort vers 1850. xviiiᵉ-xixᵉ siècles. Italien.
Peintre d'histoire et de portraits.
VENTES PUBLIQUES : LONDRES, 1858 : *Clément XI (recto) ; Saint Luc peignant la Vierge (verso)* : GBP 1.

CAMERARIUS Adam
Né à Groningue. xviiᵉ siècle. Hollandais.
Peintre de sujets mythologiques, figures, portraits.
Il travailla à Amsterdam, Naarden et Utrecht, de 1650 à 1685. Ses œuvres sont souvent attribuées à A. Cuyp.

MUSÉES : AMSTERDAM : *Le centenier* – DARMSTADT : *Tableau d'une famille ayant quitté la France après l'édit de Nantes* – NAARDEN : *Les régents de l'orphelinat* – WEIMAR : *Femme avec venaison*.
VENTES PUBLIQUES : LONDRES, 13 mai 1988 : *Diane*, h/t (111,1x 91,7) : GBP 3 080 – NEW YORK, 10 oct. 1991 : *Portrait d'un jeune homme dans un paysage*, h/t (69,9x54,6) : USD 10 450.

CAMERATA Giuseppe I
Né vers 1668. Mort en 1761 ou 1762. xviiᵉ-xviiiᵉ siècles. Actif à Venise. Italien.
Peintre.
Élève de Gregorio Lazzarini. Il a peint pour des églises de Venise.

CAMERATA Giuseppe II
Né le 6 janvier 1718 à Frascati ou à Venise. Mort le 14 mars 1803 à Dresde. xviiiᵉ siècle. Italien.
Peintre miniaturiste, graveur.
Élève de son père, Giuseppe I Camerata, et de Giovanni Cattini.

CAMÈRE Mathilde, Mme
Morte en 1906. xixᵉ siècle. Française.
Peintre.
Membre de la Société des Artistes Français.

CAMERINO da, ou di. Voir au prénom

CAMERINO Giovanni da. Voir BOCCATI Giovanni di Piermatteo

CAMERLANDER Jacob ou Cammerlander
xviᵉ siècle. Actif à Strasbourg au milieu du xviᵉ siècle.
Graveur sur bois et éditeur.
Le Blanc cite de lui : les différents sujets d'ornements, et sujets de la Bible.

CAMERLOHR Josef von
Né en 1820. Mort en 1851 à Munich. xixᵉ siècle. Allemand.
Peintre de genre et portraitiste.

CAMERO Juan
xviᵉ siècle. Actif à Séville vers 1512. Espagnol.
Peintre.

CAMERON Charles
Né en 1750. Mort en 1811. xviiiᵉ-xixᵉ siècles. Britannique.
Graveur.
Auteur de projets d'architecture dans le goût de Palladio, cet artiste écossais alla à Rome, puis travailla pour Catherine II à Saint-Pétersbourg. Le Blanc cite de lui : *Les Thermes d'Agrippa, de Néron, de Tite, de Vespasien et de Dioclétien*. Exposa de 1767 à 1772 à la Society of Artists et à la Free Society, à Londres.

CAMERON David Young, Sir
Né en 1865 à Glasgow. Mort le 16 septembre 1945 à Perth. xixᵉ-xxᵉ siècles. Britannique.
Peintre, aquarelliste, graveur, dessinateur, de paysages, d'architectures, illustrateur. Postimpressionniste.
Il était fils d'un pasteur protestant. Il fut élève d'un cours du soir de Glasgow et de la Royal Institution d'Édimbourg en 1885. Il commença à graver à l'âge de dix-huit ans. Il exposa d'abord à Glasgow. Il connut le succès encore jeune. Peintures et gravures étaient précédées de multiples dessins préparatoires. Après la période normale d'hésitations, à partir de 1890 il fut en possession de tous ses moyens, ce qu'il prouva avec deux eaux-fortes : *Cuisine dans les Hautes-Terres – Greenock*. Il dessinait, peignait et gravait d'après les thèmes rencontrés au cours de ses voyages. Il fut surtout attiré par les paysages d'architectures. En 1892, il publia les *Vues de Hollande*, dont on cite la planche *Soleil couchant orageux*. Ce furent ensuite des séries de vues qui établirent sa réputation : 1896 *Vues de l'Italie du Nord*, 1900 *Vues de Londres*, au sujet desquelles le critique d'art Frederic Wedmore, qui établit le catalogue de l'œuvre de Cameron dès 1903, alors que celui-ci était âgé de trente-huit ans seulement, cite surtout : *L'Amirauté – La Douane – Newgate*. Parurent encore, après la publication du catalogue : 1907 *Vues de la Belgique*, 1909 *Vues de Paris*. On rapproche souvent Cameron de Meryon, le considérant comme son continuateur dans la gravure d'architectures romantiques, souvent placées dans des éclairages théâtraux, orages ou coucher de soleil, tout en mentionnant aussi son attache avec un postimpressionnisme qui le rapproche de Whistler. Dans ses peintures de paysages, l'influence postimpressionniste était encore plus nette. S'inspirant directement de Gauguin, il travaillait par aplats de couleurs franches, à la manière des Nabis. ■ J. B.

BIBLIOGR. : Marcus Osterwalder : *Diction. des illustrateurs 1900-1914*, Hubschmid et Bouret, Paris, 1983.
MUSÉES : ABO – ADÉLAÏDE – BUDAPEST – DUBLIN – LIVERPOOL – LONDRES (Tate Gal.) – MANCHESTER.
VENTES PUBLIQUES : LONDRES, 14 mars 1908 : *Château-Gaillard*, dess. : GBP 18 – LONDRES, 18 nov. 1921 : *La vallée* : GBP 220 – LONDRES, 22 mars 1922 : *Le château de Dunolly*, aquar. : GBP 22 – LONDRES, 21 juil. 1922 : *Un matin d'Automne* : GBP 94 – LONDRES, 9 mars 1923 : *Les collines du Perthshire* : GBP 273 – LONDRES, 29 avr. 1927 : *Vue de Broderick Bay*, dess. : GBP 325 – LONDRES, 13 mai 1927 : *Le lac bleu d'Armine* : GBP 756 – LONDRES, 16 mai 1930 : *Far Feochan* : GBP 525 – NEW YORK, 26-26 mars 1931 : *Les pêcheurs*, aquar. : USD 200 – LONDRES, 17 juin 1932 : *Les îles Saintes* : GBP 262 – LONDRES, 24 mars 1939 : *Loches* : GBP 37 – LONDRES, 12 nov. 1943 : *Glen Lyon, dans le Perthshire* : GBP 241 – LONDRES, 19 fév. 1960 : *Vue de Moray* : GBP 399 – LONDRES, 14 juil. 1967 : *Paysage d'Écosse* : GNS 600 – LONDRES, 2 avr. 1969 : *Paysage* : GNS 1 300 – LONDRES, 19 mai 1972 : *La Librairie d'Oxford* : GNS 750 – ÉCOSSE, 24 août 1976 : *Paysage au lac*, h/cart. (24x34) : GBP 550 – LONDRES, 4 mars 1977 : *Holyrood Palace 1896*, aquar., pl. et lav. (28,5x46) : GBP 750 – ÉCOSSE, 29 août 1978 : *Le lac de*

montagne, h/t (44,5x75) : **GBP 850** – LONDRES, 28 juin 1979 : *Ben Lomond*, eau-forte et pointe sèche (26,3x41,4) : **GBP 260** – PERTH, 15 avr. 1980 : *South Morar*, h/t (58,5x86,5) : **GBP 2 800** – PERTSHIRE (Comté de), 13 avr. 1981 : *Coucher de soleil à Ben Lomond*, aquar. (49,56x89) : **GBP 2 100** – TORONTO, 31 mars 1982 : *Ombres d'automne, Strathearn*, h/t (59x89) : **CAD 5 400** – NEW YORK, 20 avr. 1983 : *Chaumières sur une falaise 1925*, h/t (35,5x49) : **USD 1 700** – GLASGOW, 19 avr. 1984 : *Stirling Castle*, h/t (55,8x81,2) : **GBP 2 400** – ÉCOSSE, 28 août 1984 : *Le vieux pont de Berwick*, aquar./trait de cr. (24x33) : **GBP 700** – LONDRES, 7 juin 1985 : *Un palais vénitien et gondoles*, aquar. et cr. (46,7x26) : **GBP 800** – ÉCOSSE, 29 avr. 1986 : *Le château Stirling*, h/t (87x148) : **GBP 3 500** – LONDRES, 19 fév. 1987 : *Loch Linnbe*, h/t (42x35,5) : **GBP 2 100** – ÉCOSSE, 26 avr. 1988 : *Ben Ledi, vu de Kiffen*, aquar. (30x50,5) : **GBP 990** – LONDRES, 29 juil. 1988 : *Ceci est mon corps que j'offre pour vous*, encre et lav. (25x18,2) : **GBP 385** – ÉDIMBOURG, 30 août 1988 : *Soleil couchant sur Ben Lomond*, h/t (51x61,5) : **GBP 2 750** – GLASGOW, 7 fév. 1989 : *Derniers rayons de soleil sur Loch Rannoch*, h/t (27,5x32) : **GBP 4 180** – ÉDIMBOURG, 22 nov. 1989 : *Le mont Glencoe à Loch Leven*, h/t (50,8x76,2) : **GBP 1 210** – SOUTH QUEENSFERRY (Écosse), 1er mai 1990 : *Les collines de Moident*, h/t (30,5x25,5) : **GBP 3 520** – PERTH, 27 août 1990 : *Les îles de l'Ouest*, h/t (43x63,5) : **GBP 6 820** – GLASGOW, 22 nov. 1990 : *Le vieux pont de Berwick*, h/t (69,2x97,1) : **GBP 7 700** – SOUTH QUEENSFERRY (Écosse), 23 avr. 1991 : « *Boddin cottage* », h/cart. (16x24,5) : **GBP 1 320** – ÉDIMBOURG, 2 mai 1991 : *La cathédrale de Durham*, h/t (43,2x57,2) : **GBP 3 080** – PERTH, 1er sep. 1992 : *Les falaises des Aigles*, h/t (95,5x108,5) : **GBP 8 800** – ÉDIMBOURG, 19 nov. 1992 : *Dans un vieux village de Provence*, h/t (53x28,5) : **GBP 3 850** – GLASGOW, 1er fév. 1994 : *Une route venteuse*, h/t (35,5x48) : **GBP 1 667** – ÉDIMBOURG, 9 juin 1994 : *Les rochers de l'Aigle sur la rivière Spey*, h/t (95,5x48,5) : **GBP 14 950** – GLASGOW, 16 avr. 1996 : *Printemps*, h/t (35,5x48,5) : **GBP 2 760** – PERTH, 26 août 1996 : *Edom O'Gordon*, h/t (76x122) : **GBP 9 200** – GLASGOW, 20 fév. 1997 : *Paysage montagneux (peut-être Sgurr nan Gillean et Blaven Skye)*, h/t (50,8x76,2) : **GBP 4 140** – AUCHTERARDER (Écosse), 26 août 1997 : *Fornari*, h/t (45x45) : **GBP 9 660**.

CAMERON Duncan
Né en 1837. Mort en 1916. XIXe-XXe siècles. Actif à Stirling et à Edimbourg. Britannique.
Peintre de paysages animés, paysages.
De 1871 à 1890, il exposa à la Royal Academy et à Suffolk Street, à Londres.
VENTES PUBLIQUES : ÉDIMBOURG, 29 nov. 1930 : *Paysage* : **GBP 5** – ÉDIMBOURG, 14 mars 1931 : *La moisson dans le Perthshire* : **GBP 3** – PERTH, 13 avr. 1976 : *Lavandière au bord de la rivière*, h/t (50x75) : **GBP 190** – AUCHTERARDER (Écosse), 30 août 1977 : *Scène de moisson*, h/t (64x102) : **GBP 550** – LOS ANGELES, 16 mars 1981 : *Les meules de foin* 1900, h/t (42x61) : **USD 1 640** – ÉCOSSE, 30 août 1983 : *Scène de moisson 1902*, h/t (51x76) : **GBP 600** – ÉDIMBOURG, 30 avr. 1986 : *Stronmilchan, Glenorchy 1872*, h/t (50,8x76,2) : **GBP 1 100** – LONDRES, 26 mai 1989 : *Ferme et maisons au bord d'une rivière avec des personnages*, h/t (47,2x58,7) : **GBP 1 320** – GLASGOW, 6 fév. 1990 : *Aberdeen depuis Torry 1901*, h/t (51x76) : **GBP 6 160** – LONDRES, 9 fév. 1990 : *Vaste paysage avec du bétail dans d'un ruisseau à la lisière d'un bois*, h/t (71,2x115) : **GBP 1 045** – ÉDIMBOURG, 26 avr. 1990 : *Prairies sur les rives du Lyon ; l'embouchure de la Forth depuis Kinghorn*, h/t, une paire (chaque 30,5x46,3) : **GBP 3 300** – GLASGOW, 5 fév. 1991 : *Lever de soleil*, h/t (35,5x53,5) : **GBP 1 210** – ÉDIMBOURG, 2 mai 1991 : *La moisson sur les berges d'une rivière*, h/t (50,8x76,2) : **GBP 1 210** – PERTH, 26 août 1991 : *Le littoral du Ayshire*, h/t (58,5x89) : **GBP 1 760** – GLASGOW, 4 déc. 1991 : *Dans les dunes*, h/t (40,5x61) : **GBP 1 320** – LONDRES, 3 fév. 1993 : *La moisson près de Fortingall*, h/t (61x96,5) : **GBP 1 610** – ÉDIMBOURG, 23 mars 1993 : *Bétail au bord d'une rivière*, h/t (51x76) : **GBP 1 840** – PERTH, 26 août 1994 : *Moisson près de Damyat*, h/t (51x77) : **GBP 1 725** – PERTH, 26 août 1996 : *La rivière Forth à Stirling 1880*, h/t (61x91,5) : **GBP 2 530** – GLASGOW, 11 déc. 1996 : *Au bord de la côte*, h/pan. toilé (39x45) : **GBP 805** ; *Un après-midi ensoleillé, près de Crail*, h/t (51x76) : **GBP 1 092**.

CAMERON Edgar Spier
Né en 1862 à Ottawa (Illinois). XIXe siècle. Américain.
Peintre.
Étudia à Chicago avec L.-C. Earle, à New York avec T. W. Dewing et W. Chase, à Paris avec J.-P. Laurens, Benjamin Constant et Cabanel. De retour dans son pays, il s'établit à

Chicago et travailla quelque temps comme critique d'art pour la *Chicago Tribune*. Il collabora à plusieurs journaux illustrés. Membre de la Chicago Society of Artists, du Cosmopolitan Art Club, et du Palette and Clusil Club. Exposa au Salon de 1888 : *Dans l'atelier ; Five o'clock*.

CAMERON Hugh
Né en 1835 à Édimbourg. Mort en 1918. XIXe-XXe siècles. Actif à Édimbourg. Britannique.
Peintre de genre, aquarelliste.
Membre de la Royal Scottish Academy et de la Royal Scottish Water-Colours Society, il expose à partir de 1871 à la Royal Academy, à Suffolk Street, et à la Grafton Gallery à Londres.
MUSÉES : ÉDIMBOURG : *Se rendant à la prairie – Feux* – GLASGOW : *La leçon au rouet – La baigneuse timide* – LONDRES (Gal. d'Art Victoria) : *Ramasseur de fougères – Funérailles d'une petite fille sur la Riviera*.
VENTES PUBLIQUES : LONDRES, 3 juin 1910 : *Au rouet*, dess. : **GBP 6** ; *Ouvrage tranquille* : **GBP 110** – LONDRES, 21 juil. 1922 : *La fatigue* : **GBP 73** – GLASGOW, 10 déc. 1929 : *Marauders* : **GBP 14** – LONDRES, 13 avr. 1934 : *La leçon de tricot* : **GBP 16** – GLASGOW, 25 oct. 1934 : *Les sables* : **GBP 140** – ÉDIMBOURG, 22 juin 1935 : *Bonne nuit* : **GBP 17** – ÉDIMBOURG, 28 nov. 1936 : *Scène de genre* : **GBP 34** – ÉDIMBOURG, 3 avr. 1937 : *Scène de genre* : **GBP 24** – GLASGOW, 1er oct. 1981 : *Le vendeur d'images italien*, h/t (82,5x111) : **GBP 5 600** – GLASGOW, 8 juil. 1982 : *Scène de moisson*, aquar. (12x21) : **GBP 340** – LONDRES, 25 mars 1984 : *The italian image seller*, h/t (82,5x110,5) : **GBP 4 500** – NEW YORK, 19 mai 1987 : *Daydreams*, h/t (68,5x53,3) : **USD 3 000** – ÉDIMBOURG, 30 août 1988 : *La traversée de la chaussée*, h/t (38,5x25) : **GBP 1 045** – GLASGOW, 6 fév. 1990 : *Enfants au bord de la mer 1907*, h/t (62x105) : **GBP 16 500** – LONDRES, 21 mars 1990 : *Mère et ses filles 1882*, h/t (35,5x25,5) : **GBP 4 950** – ÉDIMBOURG, 26 avr. 1990 : *Paysanne portant un fagot et tenant sa fillette par la main sur un chemin de campagne*, h/t (51,5x85,1) : **GBP 2 420** – SOUTH QUEENSFERRY (Écosse), 23 avr. 1991 : *Amours enfantines*, h/pan. (15,5x15) : **GBP 902** – ÉDIMBOURG, 2 mai 1991 : *Canotage 1901*, h/t (57,2x88,9) : **GBP 1 650** – GLASGOW, 5 fév. 1994 : *Moment de tendresse maternelle 1905*, h/t (45,5x64) : **GBP 4 600** – GLASGOW, 14 fév. 1995 : *Le petit chien préféré 1880*, h/t (33,5x49) : **GBP 2 990** – NEW YORK, 17 jan. 1996 : *La récolte de l'orge à Arran*, h/t (31,8x47) : **USD 5 175** – PERTH, 26 août 1996 : *Repos 1895*, h/t (49x38) : **GBP 3 680**.

CAMERON John
XXe siècle. Britannique.
Graveur à l'eau-forte.
Il expose à la Royal Scottish Academy, à l'International Society of Sculptors, Painters and Gravers, au Royal Glasgow Institute of Fine Arts.

CAMERON Katherine ou Katharine
Née en 1874. Morte en 1965. XIXe-XXe siècles. Britannique.
Peintre de compositions d'imagination, portraits, intérieurs, fleurs, illustratrice. Figuration onirique.
Elle était la sœur de David Young Cameron. Elle reçut sa formation artistique à Glasgow et se perfectionna au cours de voyages en Italie. Elle a exposé en Écosse, en Angleterre, ainsi qu'à Munich et Berlin.
Outre portraits ou fleurs, elle a composé des scènes imaginaires, féeriques, dont celles de la suite *The Enchanted Land*. Elle a aussi illustré plusieurs ouvrages littéraires.

K CAMERON

VENTES PUBLIQUES : GLASGOW, 27 nov. 1930 : *Le retour au pays des fées* : **GBP 5** – GLASGOW, 18 juin 1931 : *Une baie*, aquar. : **GBP 8** – GLASGOW, 2 nov. 1933 : *Les roses* : **GBP 5** – ÉCOSSE, 30 août 1977 : « *A famous harper* », 3 gche dans un même cadre (37x44) : **GBP 620** – PERTH, 6 avr. 1982 : *Joy 1892*, aquar. (54,5x35,5) : **GBP 350** – GLASGOW, 5 fév. 1986 : *Roses 1894*, aquar. (53x38) : **GBP 2 800** – AUCHTERARDER (Écosse), 1er sep. 1987 : « *There were two sisters sat in a bower* », aquar. et pl./traits de cr. (38x48) : **GBP 4 000** – ÉCOSSE, 26 avr. 1988 : *Lys et delphiniums*, aquar./cr. (56x32) : **GBP 1 155** – ÉDIMBOURG, 30 août 1988 : *Chérubin jouant de la trompette*, aquar. et gche (75x49,5) : **GBP 1 540** – GLASGOW, 7 fév. 1989 : *Roses dans une coupe de céramique persane*, aquar. (35x49) : **GBP 1 100** – ÉDIMBOURG, 22 nov. 1989 : *Perce-neige*, aquar. (33,5x16,5) : **GBP 1 210** – ÉDIMBOURG, 26 avr. 1990 : *Chèvrefeuille et papillon écaille de tortue 1945*, aquar.

(39,4x27,3) : **GBP 2 090** – South Queensferry (Écosse), 1ᵉʳ mai 1990 : *Dans le bois vert*, aquar. et gche (13,5x16) : **GBP 1 078** – Perth, 27 août 1990 : *Libellule et papillon écaille de tortue* 1945, aquar. (39,5x27,5) : **GBP 2 420** – Perth, 1ᵉʳ sep. 1992 : *Roses blanches*, aquar. (44x56) : **GBP 1 540** – Édimbourg, 19 nov. 1992 : *Citron et roses rouges et roses*, aquar. (36,1x54) : **GBP 1 870** – Londres, 11 juin 1993 : *La danse des lutins*, craie, aquar. et gche (38,1x53,3) : **GBP 5 060** – Perth, 31 août 1993 : *La princesse et les papillons*, aquar. avec reh. de blanc (52x73,5) : **GBP 6 325** – Glasgow, 14 fév. 1995 : *Lecture*, aquar. sur cr. (22x10) : **GBP 1 725**.

CAMERON M. Gertrude, sister
XXᵉ siècle. Britannique.
Peintre-miniaturiste.
Religieuse franciscaine (Clarisse ?), elle signe S. M. Gertrude Cameron ou sister M. Gertrude Cameron.

CAMERON Marie, Mrs, épouse Edgar Spier Cameron, née Gélon
Née au XIXᵉ siècle à Paris. XIXᵉ siècle. Active aux États-Unis. Française.
Peintre de genre, portraits.
Élève à Paris de Cabanel, Moreau de Tours, J.-P. Laurens et Benjamin Constant. Elle fut représentée aux expositions des Artistes de Chicago où elle s'établit et obtient un prix au Chicago Art Institute en 1902.

CAMERON Mary, épouse Miller
Née à Édimbourg. XXᵉ siècle. Britannique.
Peintre de scènes typiques.
Elle fut élève de l'Ecole d'Art d'Édimbourg, puis à Paris, de Lucien Sergent, Gustave Courtois, Jean-André Rixens. Elle a exposé à Paris entre 1904 et 1914, à Liverpool en 1906.
Ayant sans doute séjourné en Espagne, elle a peint des scènes typiques de courses de taureaux.
Ventes Publiques : Perth, 22 août 1990 : *Les courses de Hurst Park*, h/t (69x82) : **GBP 13 750**.

CAMERON William Spottiswoode, lieutenant-colonel
Né le 27 mai 1884 à Anddersfield. XXᵉ siècle. Britannique.
Peintre, aquarelliste, dessinateur, graveur à l'eau-forte.
Il étudia l'art à Leeds, où il commença à exposer, puis à Bournemouth et Hassall's.

CAMERONI Angelo
Né à Venise. Mort en 1867 à Venise. XIXᵉ siècle. Italien.
Sculpteur.
Une série de bustes de sa main sont conservés au Palais des Doges.

CAMESCASSE Pierre
Né le 3 décembre 1862 à Paris. XIXᵉ-XXᵉ siècles. Français.
Peintre d'intérieurs d'églises.
Il avait d'abord été chirurgien. Il exposait à Paris, au Salon des Artistes Français, dont il devint sociétaire, deuxième médaille en 1929.

CAMESI Gianfredo
Né le 24 mars 1940 à Menzonio. XXᵉ siècle. Actif aussi en Suisse. Italien.
Sculpteur, peintre. Abstrait, tendance conceptuelle.
Il se forma en autodidacte à la peinture, puis au volume. Il vit à Genève depuis 1958. Depuis cette date, il a commencé à peindre. Il fit ses premiers essais de sculpture en 1965, utilisant d'abord bois et carton, puis métaux et plexiglas. Il est membre du groupe italien *Set di Numero* et expose avec le groupe dans de nombreuses villes italiennes. Il figure également dans des expositions collectives en Suisse et à Amsterdam. Il a fait aussi quelques expositions personnelles.
Dans son œuvre, on retrouve deux constantes : d'une part l'utilisation du matériau dans sa spécificité, métal ou plexiglas, quitte à respecter l'aspect brut qu'il offre au sortir de l'usinage et avant son utilisation artistique, d'autre part dans la phase de la création, la répétition d'un même élément que sa multiplication développe géométriquement dans des structures spatiales. Ses sculptures, que certains de leurs objectifs apparentent à l'art conceptuel, tendent également à une mise en évidence et à une signalisation de l'espace, en une sorte de « Space-art ». Par exemple, son utilisation du signe « flèche » pour définir ce qu'il nomme des « points de conditionnement », conditionnement du spectateur par rapport à ce qu'il doit observer et à ce qui doit induire sa réflexion, flèches qui peuvent être matérielles et

posées en des lieux précis ou bien simplement peintes par exemple sur une photo : « La prise de conscience que l'espace est une matière structurée et vitale, proportionnelle à l'homme, me conduit à l'employer maintenant en tant que fait réel dans son contexte existant... » ∎ J. B.
Bibliogr. : Jean-Luc Daval, in : *Nouveau diction. de la sculpt. mod.*, Hazan, Paris, 1970 – Théo Kneubühler : *Kunst : 28 Schweizer*, Gal. Raeber, Lucerne, 1972.
Ventes Publiques : Lucerne, 4 juin 1994 : *Dimension unique*, h. et objets/t. (100x100) : **CHF 8 000**.

CAMESINA Albert
Né en 1806 à Vienne. Mort en 1881 à Vienne. XIXᵉ siècle. Actif à Vienne. Autrichien.
Graveur à l'eau-forte et sur bois et lithographe amateur.

CAMETTI Bernardino ou Cometti
Né en 1682 à Gattinara (Piémont). Mort en 1736 à Rome. XVIIIᵉ siècle. Italien.
Sculpteur.

CAMETTI Raimondo. Voir COMETTI

CAMHOUT Johannes
Né en 1738 à Middelbourg. Mort en 1797. XVIIIᵉ siècle. Hollandais.
Sculpteur.
Il travailla à Middelbourg.

CAMI Robert
Né le 1ᵉʳ janvier 1900 à Bordeaux (Gironde). Mort en 1973. XXᵉ siècle. Français.
Graveur au burin, de paysages, paysages urbains, nus, illustrateur.
Il fut élève de l'Ecole des Beaux-Arts de Bordeaux, puis de Charles Waltner et Lucien Simon à celle de Paris. Il obtint le Grand Prix de Rome de Gravure en 1928, devint professeur de gravure à l'Ecole des Beaux-Arts de Bordeaux de 1932 à 1942, puis à celle de Paris à partir de 1945. Il a participé au Salon des Tuileries de 1933 à 1944, et fit de nombreuses expositions personnelles. Il a souvent gravé des vues de villes. Il a illustré de burins *Encore un instant de bonheur* de H. de Montherlant, et *Othello* de W. Shakespeare.
Musées : Chicago – Paris (BN).

CAMI DALLAS
Né en 1906 à Bombay. XXᵉ siècle. Indien.
Peintre.
A exposé en 1946 à l'exposition ouverte à Paris, au Musée d'Art Moderne, par l'Organisation des Nations unies.

CAMIA Orazio
Originaire de Plaisance. XVIIᵉ siècle. Italien.
Peintre.
Il travailla à Parme où il fut au service du duc à partir de 1619.

CAMIADE Jeanne
Née à Bayonne (Basses-Pyrénées). XXᵉ siècle. Française.
Dessinateur.
Elle exposa à Paris au Salon des Artistes Français.

CAMILLE, pseudonyme de Atlan Camille
Née en 1926 à Constantine (Algérie). XXᵉ siècle. Française.
Peintre.
Sœur de Jean Atlan. Elle fut élève de l'Académie de la Grande-Chaumière. Elle commença à peindre en 1946 et évolua à l'abstraction autour de 1950. Elle a participé à différentes expositions collectives, aux Salons des Moins de Trente Ans, de Mai. Elle a participé en 1957 à la Biennale de Menton. Elle a montré ses peintures dans une exposition personnelle à Paris en 1950.
Bibliogr. : Lydia Harambourg, in : *L'École de Paris, 1945-1965. Diction. des Peintres*, Ides et Calendes, Neuchâtel, 1993.

CAMILLE-MARTIN. Voir MARTIN Camille

CAMILLIANI Francesco
Mort en 1586. XVIᵉ siècle. Actif à Florence. Italien.
Sculpteur.
Élève de Biacco Bandinelli. Il a fait des bustes et des groupes d'animaux. Il appartient à une famille de sculpteurs florentins, les Gucci surnommés Camilliani ou della Camilla, qui compte encore parmi ses membres Giov. di Nicodo Albengi, mort en 1566, Santi (peut-être Santi Gucci), Pietro et Camillo fils de Francesco.

CAMILLO
XVIIᵉ siècle. Actif à Bologne. Italien.

Peintre.
Il fit une *Madeleine* pour l'Oratoire Saint-Charles à Volterra.

CAMILLO da Norcia
XVIe siècle. Actif à Pérouse. Italien.
Peintre.

CAMILO Francisco
Né en 1635 à Madrid. Mort en 1671 ou 1673 à Madrid. XVIIe siècle. Espagnol.
Peintre d'histoire, compositions religieuses, portraits, fresquiste. Tendance baroque.
Il fut élève de son beau-père Pedro de las Cuevas. Il a travaillé pour le duc d'Olivarez, et pour des églises et des couvents à Madrid, à Tolède, à Alcala, à Salamanque et à Ségovie. On cite notamment : *La Vierge et saint Jean l'Évangéliste couronnant saint Jean de Dieu* ; les deux panneaux du retable de Notre-Dame de la Fuencisla à Ségovie ; *Saint Charles Borromée*, pour la cathédrale de Salamanque. Il a également peint des fresques et des portraits pour l'Alcazar de Madrid (aujourd'hui disparus).
BIBLIOGR. : In : *Dictionnaire de la peinture espagnole et portugaise du Moyen-Âge à nos jours*, coll. Essentiels, Larousse, Paris, 1989.
MUSÉES : MADRID (Mus. du Prado) : *Martyre de saint Barthélémy*, d'après la gravure de Jusepe de Ribera ; *Saint Jérôme fouetté par les anges* 1651 – SÉGOVIE (Mus. provincial) : *Conversion de saint Paul* 1667.
VENTES PUBLIQUES : LONDRES, 1853 : *L'Adoration des bergers* : FRF 2 775 ; *Un martyr* : FRF 175 – LONDRES, 16 juil. 1909 : *L'Adoration des bergers* : GBP 18.

CAMILOVIC Sanja
Née en 1951. XXe siècle. Active en Belgique. Yougoslave.
Peintre de compositions à personnages, pastelliste.
Elle représente des assemblées de grosses dames très coquettes.
VENTES PUBLIQUES : LOKEREN, 10 déc. 1994 : *Lola*, h/t (93x125) : BEF 65 000 – LOKEREN, 6 déc. 1997 : *The New Mossels* vers 1995, past. (98x68) : BEF 48 000.

CAMIN Suzanne
Née au Raincy (Seine-Saint-Denis). XXe siècle. Française.
Peintre de scènes typiques, nus.
Elle a exposé à Paris, aux Salons des Tuileries en 1933 et 1934, d'Automne de 1934 à 1937, des Artistes Indépendants en 1939.

CAMINADE Alexandre François
Né le 14 décembre 1789 à Paris. Mort en mai 1862 à Versailles (Yvelines). XIXe siècle. Français.
Peintre d'histoire, compositions religieuses, portraits.
Élève de David et de Mérimée, il reçut de l'Académie, en 1806, une médaille d'or avec le rang de premier médaillate aux écoles, pour son tableau : *Retour de l'enfant prodigue*. En 1807, il remporta le second Prix de Rome.
Il participa au Salon de Paris de 1812 à 1859, obtenant une médaille de deuxième classe en 1812 et une de première classe en 1831 et 1833.
Portraitiste dans la manière proche de celle d'Horace Vernet, il est l'auteur de plusieurs portraits conservés dans les galeries de Versailles, dont ceux du duc de Villeroy et celui du marquis de Courtenvaux. Il réalisa, d'autre part, plusieurs œuvres pour des églises, notamment une *Sainte Famille en Égypte* pour l'église Saint-Nicolas-des-Champs ; *La Visitation*, *L'Annonciation*, *L'Adoration des Mages*, à l'église Saint-Étienne-du-Mont ; les peintures de la chapelle des fonds baptismaux de l'église Saint-Gervais. Enfin, dans la troisième salle de l'ancien Conseil d'État, il peignit quatre dessus de porte représentant : *Le génie de Numa* – *Le génie de Moïse* – *Le génie de Justinien* – *Le génie de Charlemagne*.
MUSÉES : AMIENS : *Portrait du baron Poupart* – *La mort de la Vierge* – AUTUN : *Jeune Grecque allant faire une offrande* – AVIGNON : *Le lévite d'Ephraïm* – SAINT-ÉTIENNE : Quatre panneaux allégoriques – SEMUR-EN-AUXOIS : *Sainte Thérèse en prière* – STRASBOURG : *Sainte Marthe* – TROYES : *Jeune fille à la colombe* – VERSAILLES : *Portrait du duc de Villeroy* – *Portrait du marquis de Courtenvaux*.
VENTES PUBLIQUES : PARIS, 1858 : *Une jeune fille que bécquette un serein placé sur son épaule* : FRF 94 – PARIS, 27-28 juin 1927 : *La jeune mère* : FRF 200 – PARIS, 12 fév. 1932 : *Portrait de dame* : FRF 90 – PARIS, 6 déc. 1989 : *Portrait d'homme*, h/t (65x55) : FRF 260 000 – NEW YORK, 28 mai 1992 : *Fillette à la poupée lisant*, h/t (55,2x46,4) : USD 16 500 – NEW YORK, 21 oct. 1997 : *Portrait en buste d'un turc tourné vers la droite, portant une chemise rouge*

brodée de blanc et un turban rouge, bleu et blanc, h/t (65,5x54,5) : USD 85 000.

CAMINADE Baptiste
Né au XIXe siècle à Paris. XIXe siècle. Français.
Sculpteur.
Élève de Barrias et Coutan. Exposa au Salon en 1904 *Abandon de la terre*, et en 1905 un *Portrait*.

CAMINATA Giovanni da
XVe siècle. Actif à Pavie. Italien.
Peintre.

CAMINATA Pietro
Mort le 4 mai 1530 à Gênes. XVIe siècle. Italien.
Peintre.
Cité par Thomas Bensa dans *La Peinture en Basse-Provence et en Ligurie*.

CAMINATI
Né en 1926 à Gênes. XXe siècle. Italien.
Peintre. Citationniste.
Il reprend les thèmes d'œuvres célèbres, *Guernica* par exemple, et, tout en gardant l'essentiel, les transpose dans un esprit apparenté au surréalisme, où le ton humoristique intervient aussi. On peut le rapprocher des Espagnols de *Equipo Cronica* (Voir la notice).

CAMINITI Martin
Né en 1959. XXe siècle. Français.
Sculpteur d'assemblages. Post-dadaiste, tendance conceptuelle.
Il fut élève, jusqu'en 1987, de l'École d'Art de la Villa Arson à Nice, où il vit et travaille. Il participe à des expositions collectives : 1986, 1987, 1992 Villa Arson à Nice ; 1989 SAGA (Salon d'Arts Graphiques Actuels) à Paris ; 1991 musée d'Art moderne et d'Art contemporain de Nice ; 1991, 1992, 1993 Grands et Jeunes d'Aujourd'hui à Paris ; 1992 musée de Toulon et Salon de Montrouge ; 1993 FIAC (Foire internationale d'Art Contemporain) à Paris. Il montre ses œuvres dans des expositions personnelles : 1988 Villa Arson à Nice, La Seyne-sur-Mer et Maison des expositions de Genas ; depuis 1990 régulièrement à la galerie Loft à Paris.
S'inspirant des « Ready-Made » de Duchamp, il a présenté des assemblages de divers types de cycles, souvent dans un premier temps assemblés tête-bêche. S'étant sans doute départi d'un post-dadaïsme laborieux, il a prolongé sa production d'engins roulants, mais cette fois dans un esprit de jubilation humoristique. On peut se souvenir d'une vaste manifestation vouée à la célébration du cycle qui eut lieu vers 1970, et qui a laissé au Musée de Dijon la proliférante machine à roulettes de Gérard Pascual.
BIBLIOGR. : Chr. Bernard : Catalogue de l'exposition *Martin Caminiti*, Expressions d'Aujourd'hui, Villa Arson, Nice, 1988.
MUSÉES : LAUSANNE (Mus. olympique) – NICE (Mus. d'Art Mod. et d'Art Contemp.) – PARIS (Mus. Nat. du sport) – TOULON – VIENNE (Mus. d'Art Mod.).

CAMINO ou Comino
XIVe siècle. Actif à Ferrare. Italien.
Sculpteur.

CAMINO Charles
Né en 1824 à Saint-Étienne (Loire). Mort en 1888 à Paris. XIXe siècle. Français.
Peintre de sujets typiques, portraits, miniaturiste, aquarelliste.
Cet artiste, qui produisit des portraits et des miniatures, débuta au Salon, en 1857. Citons parmi ses aquarelles : *Marchand de paniers* ; *Chef arabe* ; *Juif buvant son café* ; *Sérénade devant la tente d'un caïd*.
MUSÉES : PARIS (ancien Mus. du Luxembourg) – SAINT-ÉTIENNE.
VENTES PUBLIQUES : BERNE, 22 oct. 1982 : *Le café à Alger*, aquar. (35,5x29) : CHF 750 – LONDRES, 21 mars 1985 : *Une jeune marchande arabe* 1874, aquar. (63x42) : GBP 2 100 – PARIS, 5 nov. 1993 : *Portrait de femme* 1852, aquar. (34x22) : FRF 4 800.

CAMINO Domingo del
XVIIe siècle. Actif à Tarragone au milieu du XVIIe siècle. Espagnol.
Peintre.
VENTES PUBLIQUES : PARIS, 25 nov. 1895 : *Porteurs d'eau chinois*, aquar. : FRF 18.

CAMINO Fernando
XIXe siècle. Espagnol.

Peintre de marines.
Exposa à Madrid en 1881.
VENTES PUBLIQUES : VERSAILLES, 25 nov. 1990 : *Marine*, h/pan. (18x32,2) : **FRF 4 000.**

CAMINO Giuseppe
Né le 28 octobre 1818 à Turin. Mort en 1890 à Caluso. XIXe siècle. Italien.
Peintre de paysages animés, paysages.
C'est un maître de la grande école, qui, enthousiasmé par les aspects grandioses des montagnes où se passa son enfance, a reproduit sur ses toiles une grande quantité des points les plus pittoresques des Alpes.
MUSÉES : FLORENCE (Gal. d'Art Mod.) : *Paysage alpin*.
VENTES PUBLIQUES : SAINT-VINCENT (Italie), 6 mai 1984 : *Troupeau dans un paysage*, h/t (195x291) : **ITL 6 500 000** – MILAN, 28 oct. 1986 : *Paysage à l'étang 1859*, h/t (75x100) : **ITL 16 000 000** – MILAN, 14 mars 1989 : *Le Mont Blanc vu de Chamonix*, h/t (136x200,5) : **ITL 52 000 000** – NEW YORK, 17 oct. 1991 : *Paysage verdoyant*, h/cart. (95,3x72,4) : **USD 22 000** – NEW YORK, 29 oct. 1992 : *Moutons au paturage 1888*, h/t (80x115,6) : **USD 6 600.**

CAMINO René
Mort en 1897. XIXe siècle. Français.
Peintre.
Élève de son père Charles Camino et de Lequiens. Exposa au Salon en 1879, *Le Bassin de La Villette*, en 1880 un portrait (miniature).

CAMIS Max
Né à Levallois-Perret (Hauts-de-Seine). XXe siècle. Français.
Peintre de paysages, d'intérieurs.
Il a exposé à Paris, aux Salons d'Automne de 1910 à 1923, des Artistes Indépendants en 1921, 1922.
VENTES PUBLIQUES : PARIS, 17-18 nov. 1943 : *L'église dans la verdure* : **FRF 140.**

CAMLIGUE
XVIIIe siècle. Actif à Paris vers 1785. Français.
Graveur au burin.
Le Blanc cite de lui : *Le retour d'un chasseur*, d'après Moreau.

CAMMARANO Giuseppe
Né en 1766 à Sciacca. Mort en 1857 à Naples. XVIIIe-XIXe siècles. Italien.
Peintre d'histoire, sujets allégoriques, scènes de genre, figures, portraits, fresquiste, peintre à la gouache.
La cathédrale de Caserte possède une fresque de sa main.
VENTES PUBLIQUES : MUNICH, 29 mai 1980 : *La partie d'échecs*, gche (18x14) : **DEM 1 100** – ROME, 29-30 nov. 1993 : *Scène historique 1810*, encre/pap. (33x41) : **ITL 2 357 000** – ROME, 10 mai 1994 : *Bacchantes*, temp./pap. (32x36) : **ITL 9 775 000.**

CAMMARANO Michele
Né en 1835 à Naples. Mort en 1900 ou 1920. XIXe-XXe siècles. Italien.
Peintre d'histoire, scènes de genre, figures, portraits, animaux, paysages animés, paysages.
Il étudia sous la direction de Filippo Palizzi. Il travailla tout d'abord à Florence, puis à Venise, où il eut une importance prépondérante sur les artistes de son époque, de Ciardi à Zandomeneghi. Il vint enfin à Paris en 1870, fréquentant les réalistes Courbet et Rousseau, sans rester indifférent à Delacroix et Géricault, puis retourna à Rome, où l'on perd sa trace.
Michele Cammarano devint populaire d'abord par un tableau exposé à Milan en 1872 et intitulé : *Une charge de bersaglieri sous les murs de Rome*. Sa *Bataille de Saint-Martin* fut exposée à Rome en 1883.
Il utilise des contrastes très vifs de noirs profonds et de lumières blanches ou colorées. Il peint des sous-bois, propices aux effets de clair-obscur, et surtout des foules, des patrouilles, des réunions, comme dans le plus célèbre de ses tableaux *La place Saint-Marc*, de 1869, orchestration fougueuse de taches de lumière dans une gamme très étendue de noirs. Sa peinture évoque Courbet et Rousseau, mais se rattache aussi au Manet du *Concert au Jardin des Tuileries* et à Daumier. Il fait bien partie de la seconde moitié du XIXe siècle et fut, à Naples, un des initiateurs des « Macchiaioli » (tachistes), mouvement qui correspondait, en Italie, à l'Impressionnisme en France. La plupart des musées italiens conservent de ses œuvres.
MUSÉES : FLORENCE (Gal. d'Art Mod.) : *Lo studente bocciato* – ROME (Gal. Nat. d'Art Mod.) : *La place Saint-Marc*.
VENTES PUBLIQUES : MILAN, 28 oct. 1976 : *Guaribaldini*, h/t, de

forme ronde (Diam. 46,5) : **ITL 2 000 000** – MILAN, 26 mai 1977 : *Paysage aux rochers*, h/t (64x51,5) : **ITL 2 500 000** – MILAN, 12 juin 1979 : *Intérieur d'église 1867*, h/t (63x50,5) : **ITL 1 000 000** – MILAN, 17 juin 1981 : *Panni al sole*, h/t (33x43) : **ITL 11 000 000** – MILAN, 23 mars 1983 : *Étude de cheval sellé*, h/t (47x76) : **ITL 3 300 000** – MILAN, 29 mai 1986 : *Paysage de bord de mer*, h/t (40x51) : **ITL 11 500 000** – MILAN, 1er juin 1988 : *Portrait de femme assise sur un divan rouge*, h/t (47x38) : **ITL 3 600 000** – MILAN, 14 mars 1989 : *Troupeau de chèvres sur la colline gardé par de jeunes paysans*, h/t (61x110,5) : **ITL 75 000 000** – ROME, 11 déc. 1990 : *Le serment*, h/t (64x32) : **ITL 4 600 000** – LONDRES, 19 juin 1991 : *L'assiette à fruits cassée 1874*, h/t (204x148) : **GBP 41 800** – MILAN, 19 mars 1992 : *Vaste paysage de montagne boisé avec des paysans au fond*, h/t (51x74) : **ITL 21 000 000** – ROME, 19 nov. 1992 : *Jeunes enfants de troupe italiens 1875*, h/t (123x99) : **ITL 20 700 000** – ROME, 27 avr. 1993 : *Tirailleurs 1890*, h/pan. (21,5x12,5) : **ITL 2 477 300** – ROME, 29-30 nov. 1993 : *Bergère dans des ruines 1876*, h/t (90x70) : **ITL 11 785 000** – ROME, 5 déc. 1995 : *Le joueur de cornemuse 1875*, h/t (63x50) : **ITL 11 785 000** – LONDRES, 20 nov. 1996 : *La Coupe de fruits brisée 1874*, h/t (204x148) : **GBP 20 700** – ROME, 28 nov. 1996 : *Le Retour du marché*, h/t (36,5x62) : **ITL 28 000 000** – ROME, 11 déc. 1996 : *Giochi campestri*, h/t (35,5x48,5) : **ITL 20 970.**

CAMMAS A. Voir GUIBAL Marie Anne

CAMMAS Guillaume
Né dans les premières années du XVIIIe siècle à Angers. XVIIIe siècle. Français.
Peintre et architecte.
Venu à Toulouse, il fréquenta l'atelier de Rivals sous la conduite duquel il se perfectionna. Il s'établit dans cette ville et fut chargé de faire construire la façade du Capitole. Cammas fut l'un des promoteurs de l'institution de la Société des Arts de la ville de Toulouse, érigée en Académie en 1750. Le buste de cet artiste est placé dans une des salles du Musée.

CAMMAS Lambert François Thérèse
Né le 12 novembre 1743 à Toulouse. Mort le 30 janvier 1804 à Toulouse. XVIIIe siècle. Français.
Peintre et architecte.
Élève de son père Guillaume Cammas et de Rivals. En 1766, il obtint le grand prix de l'Académie de Toulouse, et fut nommé professeur-adjoint en 1768. Nous le trouvons à Rome, en 1770, exerçant les fonctions de professeur à l'Académie de Saint-Luc. En 1778, il fut nommé peintre de la ville de Toulouse. Le dôme et l'autel de l'église Saint-Pierre furent décorés d'après ses dessins. Cet artiste a laissé des ouvrages manuscrits sur divers sujets d'architecture.

CAMME Jean Baptiste
Né à Nantes (Loire-Atlantique). XIXe-XXe siècles. Français.
Peintre de genre et portraitiste.
Élève de Bouguereau et de Tony Robert-Fleury. Exposa au Salon des Artistes Français à partir de 1887. On cite de lui : *Misère* (1892).

CAMMELL Bernard E.
XIXe siècle.
Peintre de portraits.
Il exposa à Londres, de 1883 à 1888, à la Royal Academy et à la Grafton Gallery.

CAMMERLANDER, Maître de. Voir MAÎTRES ANONYMES

CAMMERLANDER Jacob. Voir CAMERLANDER

CAMMERMEIR Simon ou Cammermayer
XVIIe siècle. Allemand.
Dessinateur ornemaniste.

CAMMILLIERI Niccolo S.
XIXe siècle. Britannique (?) Italien (?).
Peintre-aquarelliste de marines, dessinateur.
Il était actif de 1822 ou de 1830 à 1855.
VENTES PUBLIQUES : LONDRES, 23 juin 1983 : *Vues du port de La Vallette, Malte*, deux aquar. (53x79) : **GBP 2 400** – LONDRES, 6 juin 1984 : *La brigantine « La Rosine »* 1808, aquar. et encre (43,5x60) : **GBP 1 900** – LONDRES, 3 juin 1986 : *The brig schooner « Leo » of Dartmouth coming into Malta 1849*, aquar. (42x56) : **GBP 1 000** – LONDRES, 18 oct. 1990 : *« Le Caledonia » entrant dans le port de Malte*, cr. et aquar. (46x57) : **GBP 2 860** – LONDRES, 22 mai 1991 : *Bateau de commerce commandé par Robert Eilley, entrant dans le port de Malte 1855*, aquar. (41x57) : **GBP 2 420** – LONDRES, 20

mai 1992 : *Le brick « Thetis » de Dundee qui fit naufrage en 1853*, aquar. et encre (42x58) : **GBP 1 100**.

CAMMISSAR Auguste

Né le 10 juillet 1873 à Strasbourg (Haut-Rhin). XXe siècle. Français.

Peintre, peintre de cartons de vitraux, paysages, figures.

Il a exposé à Turin en 1902, Saint-Louis 1904, Dresde 1906, et au Salon de la Société Nationale des Beaux-Arts à Paris en 1907.

Il a consacré la plus grande part de son activité à l'art du vitrail, empruntant les motifs de ses décors à la faune et à la flore, ainsi qu'aux paysages, aux légendes et aux types d'Alsace.

CAMOELAERT Jean Émile Van

XXe siècle. Belge.

Peintre.

Il participa à l'Exposition Internationale des Beaux-Arts en Russie en 1906.

CAMOGLI Stefano ou Camoggi

XVIIe siècle. Travaillant à Gênes vers 1690. Italien.

Peintre de natures mortes.

CAMOIN Charles

Né le 23 septembre 1879 à Marseille (Bouches-du-Rhône). Mort le 20 mai 1965 à Paris. XXe siècle. Français.

Peintre de nus, portraits, paysages, marines, natures mortes, fleurs, aquarelliste, pastelliste, graveur. Post-impressionniste, fauve.

Son père était entrepreneur de peinture à Marseille et mourut lorsque Charles Camoin n'avait que six ans. À la suite d'une mère chérie mais très voyageuse, il fit des études médiocres. À seize ans, il s'inscrivit à l'école de commerce de Marseille, tout en suivant, le matin, les cours de l'École des Beaux-Arts, où il obtint un Premier Prix de Dessin. À dix-sept ans en 1896, ou dix-neuf en 1898 (les sources diffèrent, la seconde semble plus assurée), il vint à Paris, s'inscrivit, peu avant sa mort, à l'atelier Gustave Moreau de l'école des Beaux-Arts, qu'il quitta bientôt avec Marquet pour aller, sans doute sur les conseils de Gustave Moreau, « dessiner des autobus ». Ils voulaient dire par là rechercher des motifs et des thèmes dans la vie des rues et des cabarets. Dans l'entourage de l'atelier Gustave Moreau, il avait cependant noué des amitiés durables, notamment avec ceux qui allaient créer le fauvisme, Manguin, Rouault, et surtout avec Jean Puy et Matisse, avec lesquels il entretint une correspondance. En 1900, Camoin fit son service militaire, d'abord à Arles, et il allait peindre sur les motifs de Van Gogh, puis à Aix en 1902, où il voyait fréquemment Cézanne, duquel il cita toute sa vie les conseils, et avec lequel jusqu'à sa mort il resta en correspondance.

En 1903, il exposa pour la première fois au Salon des Artistes Indépendants. À l'âge de vingt-cinq ans, donc en 1904, et sur une recommandation de Cézanne, il rencontra Monet devant les *Nymphéas* de Giverny, et fit sa première exposition personnelle à la Galerie Berthe Weill à Paris. En 1905, il figurait dans « la cage aux fauves » du Salon d'Automne, bien que ne partageant pas les violences graphiques et chromatiques de Matisse ou Derain, resté plus attaché à la construction plastique cézannienne. Dans les dix années suivantes, il fit de nombreux voyages avec Marquet : Londres, Francfort, Italie, Naples, Capri, Corse, Midi méditerranéen, Tanger et le Maroc avec Matisse. En 1912, il exposa à la Galerie Kahnweiler à Paris. En 1913, il participa à l'exposition historique de l'*Armory Show* de New-York. En 1918, avec Matisse, il se rendit à Cagnes auprès de Renoir. Cette rencontre mit fin pour lui à la prédominance de l'exemple cézannien. À quarante et un ans, en 1920, Camoin épousa Charlotte Prost, dont il eut une fille en 1933 : Anne-Marie. Il eut deux ateliers, celui de Paris depuis 1944 à Montmartre et un autre à Saint-Tropez. Il participait régulièrement aux expositions collectives des Salons d'Automne, des Tuileries, des Artistes Indépendants. En 1963, à l'exposition de Marseille *Gustave Moreau et ses élèves*, il était le dernier survivant de l'atelier. De son vivant, il fit aussi une trentaine d'expositions personnelles, après celles des galeries Weill et Kahnweiler de 1904 et 1912, parmi lesquelles les rétrospectives du Musée de Rouen en 1931, du Musée d'Art Moderne de Paris en 1952, de Chicago 1960, New York 1961. Après sa mort, il était représenté dans les grandes expositions consacrées au fauvisme : 1965 Tokyo, 1966 Paris et Munich, 1969 Malines. Les expositions personnelles posthumes eurent lieu en 1966 au musée des Beaux-Arts de Marseille, en 1971 au Palais de la Méditerranée à Nice, en 1997 au Musée Cantini de Marseille. En 1955, il avait reçu le Premier Prix de la Biennale de Menton et

fut fait Officier de la Légion d'Honneur. En 1959, il fut nommé Commandeur de l'Ordre des Arts et Lettres.

Ses œuvres de jeunesse, marquées par la tradition provençale, sont caractérisées par une facture vigoureuse, des pâtes généreuses, des couleurs vives et heurtées : *Portrait de la mère de l'artiste – Autoportrait en soldat* et *La Cabaretière* qui fut faussement attribuée à Gauguin. À la suite de ses nombreux voyages, de 1905 à 1915, avec Marquet et Matisse, une évolution l'amena à subordonner la couleur à la lumière. Dans ce sens, il était en parfaite communauté d'idées avec Marquet et leurs œuvres en témoignaient. Le portrait qu'il fit de Marquet passa longtemps pour être un autoportrait de celui-ci. Ses peintures de jeunesse, celles qu'on peut encore à juste titre dire fauves, virent leur audience confirmée par l'exposition Kahnweiler de 1912 et la sélection à l'*Armory Show* de 1913. Ces succès inquiétèrent soudain Camoin, qui connut une violente crise morale, au cours de laquelle il détruisit plus de quatre-vingts de ses peintures. Il eût été intéressant de connaître les raisons profondes de cet accès de doute et s'il concernait l'adhésion esthétique, pourtant demeurée timide, au fauvisme, dont il n'avait adopté complètement ni les couleurs telles que sorties du tube, ni la mise en aplats supprimant la profondeur et le modelé ? Certaines de ces peintures furent « sauvées » (récupérées) par des collectionneurs, mais donnèrent lieu à un procès, gagné en 1927 contre Francis Carco et qui fit jurisprudence : une œuvre détruite et abandonnée peut être récupérée telle quelle, mais non restituée dans sa forme primitive, l'auteur étant seul juge de son œuvre. À la suite de la visite à Renoir en 1918, la peinture de Camoin s'orienta vers des jeux séduisants de reflets colorés, parfois quelque peu complaisants. Sa production se scinda désormais entre la pochade postimpressionniste sur le vif et l'étude construite en atelier. Ses carnets et ses notes de lecture témoignent de ce balancement parfois douloureux entre la sensation et la construction. Dans l'atelier de Saint-Tropez furent peints depuis sa fenêtre plus de cent vues du port, et d'après les promenades les paysages du Var. L'atelier de Montmartre fut voué aux natures mortes, aux nus, aux portraits. La production de Camoin s'est étendue sur plus d'un demi-siècle, de 1898 à 1964. Dans les premières années, il peignit peu. Lors de la guerre de 1914-1918, soldat au front, il peignit de petits formats au pastel ou à l'aquarelle. Pendant la guerre de 1939-1945, une vie difficile et le manque de matériel raréfièrent son travail. Sinon, dans les autres périodes, Camoin lui-même a évalué sa production à une cinquantaine de toiles par an, soit environ trois mille au total, dont il faut retrancher un tiers, détruit au cours d'accès de doute. Près de sept cents peintures figurent désormais dans les collections publiques ou privées. Il n'a gravé qu'une trentaine d'estampes pour des ouvrages divers.

La peinture de Camoin de la longue deuxième période, encore plus tempérée par rapport aux ardeurs relatives de son époque fauve, aux thèmes vacanciers ou familiers, du paysage ensoleillé au bouquet de fleurs et à l'intimité féminine, convint à l'état d'esprit général hédoniste qui domina entre les deux guerres sanglantes, aussi certains des peintres de ce qui fut appelé « la réalité poétique », tels Legueult, Brianchon, Cavaillès, y trouvèrent référence. ■ Danièle Giraudy, J. B.

BIBLIOGR. : Jean Alazard : *Charles Camoin*, orné de dix lithographies originales de l'artiste, Rombaldi, Paris, 1946 – Georges Duthuit : *Les Fauves*, Genève, 1949 – Charles Vildrac : *Éloge de Charles Camoin*, Manuel Brucker, Paris, 1956 – J. E. Muller : *Le Fauvisme*, Paris, 1956 – Jean-Albert Cartier : *Charles Camoin*, Documents N°52, Cailler, Genève, 1958 – Georges Besson : *Valtat et ses amis*, Besançon, 1964 – Marielle Latour : *Charles Camoin – Catalogue*, Mus. des Beaux-Arts, Marseille, 1967 – Danièle Giraudy : *Camoin, sa vie, son œuvre*, avec le catalogue raisonné, La Savoisienne, Marseille, 1972.

MUSÉES : AIX-EN-PROVENCE (Mus. Granet) : *Autoportrait en fantassin 1901* – *Les baigneuses au bord de la rivière 1912* – ALBI (Mus. Toulouse-Lautrec) : *Nature morte 1947* – ALGER (Mus. des Beaux-Arts) : *Portrait de Jenny Tisch 1933* – BERLIN (Nat. Gal. Schloss Charlottenburg) : *La Sévillane 1907* – BONN (Städt.

Mus.) : *Marine* – BOULOGNE-SUR-MER (Mus. des Beaux-Arts) : *Marine* – CANNES (Mus. de La Castre) : *Paysage* – DRAGUIGNAN (Mus. des Beaux-Arts) : *Vue de Naples* 1904 – GELSENKIRCHEN : *Le vieux port aux Tonneaux* 1904 – GENÈVE (Petit-Palais) : *Autoportrait* 1910 – *Jeune Napolitaine* 1913 – GRASSE (Mus. Fragonard) : *Vue de Saint-Tropez* 1913 – GRENOBLE : *Minaret à Tanger* 1913 – LE HAVRE : *Port de Marseille* 1906 – MARSEILLE (Palais Longchamp) : *Autoportrait en soldat* 1899 – *Portrait de la mère de l'artiste* 1904 – *La petite Lina* 1906 – MENTON : *Le Moulin-Rouge* 1943 – MONTPELLIER (Mus. Fabre) : *Portrait d'enfant* 1935 – NEW YORK (Mus. of Mod. Art) : *Nu debout* 1904 – *Femme assise* – NICE (Mus. Chéret) : *Nicole sur la terrasse* 1939 – PARIS (Mus. Nat. d'Art Mod.) : *Portrait de Marquet* 1905 – *La coupe bleue* 1930 – *L'enfant à la capote bleue* 1935 – *La baie des Caroubiers* 1950 – *Nature morte* 1963 – PARIS (Mus. mun. d'Art Mod.) : *Portrait de la mère de l'artiste* 1968 – *La fille de joie* 1905 – *Fleurs* – QUIMPER (Mus. des Jacobins) : *Voiliers à Ploumanach* 1931 – SAARBRUCK (Saarlandmus.) : *Rochers dans la calanque de Piana* 1906 – SAINT-TROPEZ (Mus. de l'Annonciade) : *Le jardin de la villa Grammont* 1906 – *Le pont-transbordeur* 1928 – *Le canal de la douane à Marseille* 1928 – *La Place des Lices* 1939 – STRASBOURG : *Madame Matisse faisant de la tapisserie* 1904 – *Lola et Annie* – *Portrait de Madame Paul Signac* – SYDNEY : *La cabaretière de Marnes-la-Coquette* 1899 – TOULON (Mus. d'Art et d'Hist.) : *Port de Saint-Tropez* 1920.

VENTES PUBLIQUES : PARIS, 27 fév. 1919 : *Vue de Marseille* : **FRF 300** – PARIS, 21 fév. 1920 : *La table sous la charmille* : **FRF 1 150** – PARIS, 22 jan. 1921 : *Paysage de Corse* : **FRF 360** – PARIS, 27 déc. 1921 : *Un coin du port de Saint-Tropez* : **FRF 430** – PARIS, 17 mars 1923 : *Femme au chien* : **FRF 1 700** – PARIS, 16 juin 1923 : *Les toits rouges au bord du lac* : **FRF 250** – PARIS, 28 nov. 1924 : *Le printemps au bord de la mer* : **FRF 2 100** – PARIS, 12 déc. 1925 : *Le petit-déjeuner* : **FRF 700** – PARIS, 23 juin 1928 : *Le printemps au bord de la mer* : **FRF 2 700** ; *Le peignoir japonais* : **FRF 1 700** – PARIS, 4 juil. 1928 : *Nature morte* : **FRF 1 350** – PARIS, 2 mars 1929 : *Nu endormi sur l'herbe* : **FRF 5 050** – PARIS, 27 avr. 1932 : *Port de pêche sur la Méditerranée* : **FRF 400** – PARIS, 13 nov. 1935 : *Jeune Fille brune en buste*, past. : **FRF 180** – PARIS, 22 déc. 1941 : *Les Anémones* 1926 : **FRF 1 600** – PARIS, 27 nov. 1942 : *Femme nue* : **FRF 3 100** – PARIS, 30 nov. 1942 : *Portrait de femme au chapeau bleu*, past. : **FRF 2 550** – PARIS, 22 oct. 1943 : *Marine* : **FRF 5 000** – PARIS, 10 nov. 1943 : *La Lecture sur la terrasse* : **FRF 11 100** – PARIS, 15 nov. 1943 : *Paysage maritime* : **FRF 10 000** – PARIS, 8 déc. 1948 : *Paysage du Midi* : **FRF 33 800** – PARIS, 29 avr. 1955 : *Les barques de pêche* : **FRF 57 000** – NEW YORK, 14 jan. 1959 : *Environs de Saint-Tropez* : **USD 1 600** – PARIS, 30 avr. 1959 : *Rivage à Saint-Tropez* : **FRF 350 000** – PARIS, 28 oct. 1960 : *Vase de fleurs* : **FRF 5 200** – STUTTGART, 3 mai 1961 : *Le Bois de Boulogne* : **DEM 13 200** – NEW YORK, 11 jan. 1962 : *Près de Saint-Tropez* : **USD 1 300** – PARIS, 13 mars 1964 : *Fleurs et fruits* : **FRF 10 500** – NEW YORK, 14 avr. 1965 : *Nature morte* : **USD 3 500** – PARIS, 10 déc. 1966 : *Jeune femme au torse nu, bras levés*, past. : **FRF 6 500** – PARIS, 28 nov. 1967 : *Le port de Saint-Tropez* : **FRF 27 500** – NEW YORK, 17 avr. 1969 : *Femme lisant* : **USD 13 500** – LONDRES, 14 avr. 1970 : *Le Mourillon à Toulon* : **GNS 7 500** – PARIS, 2 juin 1971 : *Saint-Tropez* : **FRF 36 000** – PARIS, 25 nov. 1972 : *Voiliers au port de plaisance vers 1936* : **FRF 30 600** – VERSAILLES, 2 juin 1976 : *Le vase bleu aux fleurs multicolores et la coupe de fruits*, h/t (50x61) : **FRF 20 000** – VERSAILLES, 8 juin 1977 : *Grand voilier au port de Saint-Tropez* 1925, h/t (65x100) : **FRF 40 000** – VERSAILLES, 7 juin 1978 : *Le port de Saint-tropez*, h/t (65x81) : **FRF 43 200** – VERSAILLES, 13 juin 1979 : *Le mas et la baie de Saint-Tropez vers* 1940, h/t (50x73) : **FRF 30 000** – LONDRES, 4 déc. 1980 : *La terrasse* 1909, h/t (72x91) : **GBP 10 500** – ENGHIEN-LES-BAINS, 14 juin 1981 : *Les bouquinistes sur les quais à Paris*, h/t (50,5x61) : **FRF 44 000** – SAINT-BRIEUC, 12 déc. 1982 : *Raon-l'Étape, rue animée sous la neige* 1915, aquar. (19x22) : **FRF 6 500** – PARIS, 15 déc. 1983 : *Jeune fille au béret bleu*, past. (30x23) : **FRF 18 000** – VERSAILLES, 2 déc. 1984 : *Jeune femme brune au collier vers* 1925-1930, pastel. (31x24) : **FRF 25 000** – NEW YORK, 13 nov. 1985 : *Voiliers au port vers* 1912, h/t (65,5x82) : **USD 35 000** – VERSAILLES, 23 mars 1986 : *Jeune femme assise dans la chaise-longue*, aquar. (16x24) : **FRF 172 000** – PARIS, 23 mars 1987 : *14 juillet à Paris*, h/t (55x46) : **FRF 200 000** – NEW YORK, 18 fév. 1988 : *La Route du village*, h/t (60,5x92) : **USD 20 900** ; *Paysage à Souillac dans la Dordogne* 1925, h/t (54x73) : **USD 14 300** – LONDRES, 24 fév. 1988 : *La Belle Fille brune à sa toilette*, h/t (46x38) : **GBP 8 360** – NEUILLY, 9 mars 1988 : *Portrait de Madame Camoin*, h/t (73x60) : **FRF 45 000** – PARIS, 18 mars 1988 : *Nature morte au compotier blanc et à l'assiette bleue*,

h/t (50x60) : **FRF 150 000** ; *Fleurs sur fond bleu vers* 1955, h/pan. (41x33) : **FRF 75 000** – VERSAILLES, 20 mars 1988 : *Jeune femme brune en buste*, h/t (35x27) : **FRF 19 000** – PARIS, 21 mars 1988 : *La nappe rouge*, h/t (46x38) : **FRF 100 000** – PARIS, 1 avr. 1988 : *Deux Marocains sur une place de casbah*, h/t réentoilé (65x80) : **FRF 320 000** – PARIS, 9 mai 1988 : *Nature morte aux fruits*, h/t (38x55) : **FRF 120 000** – NEW YORK, 12 mai 1988 : *Le Pont du Gard*, h/t (50x65) : **USD 26 400** – PARIS, 23 juin 1988 : *Jeune femme peignant au jardin des Tuileries*, h/t (49,5x60,5) : **FRF 190 000** – LONDRES, 28 juin 1988 : *La terrasse fleurie à Agay* 1905, h/t (65x81) : **GBP 30 800** – PARIS, 21 sep. 1988 : *La coiffure*, h/t (41x33) : **FRF 41 000** – VERSAILLES, 25 sep. 1988 : *Les arbres au bord de l'eau*, h/t (65x81) : **FRF 72 000** – NEW YORK, 6 oct. 1988 : *Femme debout au miroir*, h/t (35x25) : **USD 14 300** – LONDRES, 19 oct. 1988 : *Le Rhin à Bâle*, past. (26x34,5) : **GBP 3 080** – GRAND-VILLE, 30 oct. 1988 : *Nu au madras rouge*, h/t (54x81) : **FRF 210 000** – NEUILLY, 22 nov. 1988 : *Bouquet d'anémones* 1935, h/t (38,5x46,5) : **FRF 85 000** – PARIS, 23 jan. 1989 : *Le Repas dans la campagne*, h/t (50x62) : **FRF 260 000** – NEW YORK, 16 fév. 1989 : *La rue Bouterie à Marseille* 1904, h/t (81x64,8) : **USD 71 500** – LONDRES, 22 fév. 1989 : *Route à Ramatuelle*, h/t (51,5x65) : **GBP 38 500** – PARIS, 31 mars 1989 : *Cassis* 1905, h/t (46x55) : **FRF 660 000** – PARIS, 10 avr. 1989 : *Nature morte aux fruits*, h/t (29,8x42) : **FRF 210 000** – NEW YORK, 3 mai 1989 : *Le port de Saint-Tropez*, h/t (37,7x45,7) : **USD 754 800** – REIMS, 11 juin 1989 : *La route des caroubiers et lauriers fleuris*, h/t (54x65) : **FRF 133 000** – LONDRES, 27 juin 1989 : *Nature morte aux fleurs*, h/t (46x61) : **GBP 41 800** – PARIS, 11 oct. 1989 : *Nu*, h/pan. (33x24) : **FRF 65 000** – PARIS, 22 nov. 1989 : *Lumière sur Ramatuelle*, h/t (65,5x81) : **FRF 210 000** – PARIS, 11 déc. 1989 : *Ramatuelle à travers les chênes-lièges*, h/t (73x100) : **FRF 235 000** – VERSAILLES, 21 jan. 1990 : *Jeune fille en buste*, past. et fus. (45x28) : **FRF 11 600** – NEW YORK, 26 fév. 1990 : *Germaine et Lola* 1928, h/t (46x55) : **USD 41 800** – PARIS, 26 mars 1990 : *Plat de fruits et fleurs sur la terrasse de la villa, Saint-Tropez* 1957, h/t (54x64) : **FRF 280 000** – PARIS, 30 mars 1990 : *Fleurs dans un pot de grès vers* 1958, h/t (61x46) : **FRF 180 000** – PARIS, 30 mai 1990 : *Bouquet de fleurs*, h/t (46x38) : **FRF 150 000** – PARIS, 16 juin 1990 : *Bouquet aux fruits*, h/t (55x46) : **FRF 213 000** – PARIS, 19 juin 1990 : *Bouquet de fleurs*, h/t (35,5x28) : **FRF 90 000** – LONDRES, 26 juin 1990 : *Nature morte*, h/t (65x81) : **GBP 63 800** – NEW YORK, 2 oct. 1990 : *Nu de face couché* 1922, h/t (45,7x64,8) : **USD 50 600** – PARIS, 11 oct. 1990 : *Portrait de jeune fille*, fus., craies de coul. (45x28) : **FRF 35 000** – VERNON, 18 nov. 1990 : *Bouquet de fleurs*, h/t (54x46) : **FRF 240 000** – PARIS, 27 nov. 1990 : *Voiliers au port*, h/t (54x65) : **FRF 200 000** – LONDRES, 5 déc. 1990 : *La fille au chat*, h/t (65x54) : **GBP 44 000** – PARIS, 7 déc. 1990 : *Le clocher de Saint-Tropez vu de la citadelle*, h/t (38x46) : **FRF 98 000** – NEW YORK, 14 fév. 1991 : *Germaine et Lola* 1928, h/t (46x55) : **USD 19 800** ; *Ramatuelle entre les pins n° 3* 1959, h/t (64,8x81,4) : **USD 27 500** – BAYEUX, 1er avr. 1991 : *Le port de Marseille* 1906, h/t (54,5x65) : **FRF 270 000** – PARIS, 15 avr. 1991 : *Saint Tropez, les barques de pêche par vent d'est vers* 1923, h/t (65x81) : **FRF 130 000** – NEUILLY, 15 déc. 1991 : *Compotier de fruits et bouteille noire*, h/pan. (33x43) : **FRF 112 000** – PARIS, 3 juil. 1992 : *Quais du port de Cassis*, h/t (38x55) : **FRF 125 000** – NEW YORK, 14 mai 1992 : *Maisons à Séville* 1907, h/t (54x65,4) : **USD 68 750** – CALAIS, 14 mars 1993 : *Fleurs des champs dans un pichet*, h/t (46x38) : **FRF 68 000** – NEW YORK, 13 mai 1993 : *Le port de Cassis* 1905, h/t (45,7x54,9) : **USD 77 300** – PARIS, 2 juin 1993 : *Pêcheurs sur l'Arno près du Ponte Vecchio à Florence*, h/t (46x65) : **FRF 100 000** – PARIS, 3 juin 1993 : *Grand bouquet de fleurs aux oranges et au vase blanc*, h/t (81x65) : **FRF 160 000** – LONDRES, 1er déc. 1993 : *Paysage de Saint-Tropez*, h/t (46x55,5) : **GBP 45 500** – PARIS, 10 mars 1994 : *Femme nue allongée* 1925, h/t (38x65) : **FRF 415 000** – LONDRES, 29 juin 1994 : *La Rue Bouterie à Marseille* 1904, h/t (81x64,8) : **GBP 52 100** – NEW YORK, 9 nov. 1994 : *Compotier et bouquet de roses devant un fond bleu*, h/t (65x81) : **USD 23 000** – PARIS, 22 nov. 1994 : *Ramatuelle entre les pins*, h/t (65x81) : **FRF 120 000** – PARIS, 3 avr. 1995 : *La Belle Brune au châle noir*, h/t (65x33) : **FRF 172 000** – LONDRES, 28 juin 1995 : *Rochers en Corse*, h/t (60x73) : **GBP 24 150** – NEW YORK, 2 mai 1996 : *Port de Cassis* 1901, h/t (79,4x100,3) : **USD 85 000** – PARIS, 5 juin 1996 : *Personnages dans une rue de Séville* 1907, h/t (65x54) : **FRF 135 000** – NEW YORK, 13 nov. 1996 : *Le Port de Cassis*, h/t (45,7x54,9) : **USD 134 500** – PARIS, 24 nov. 1996 : *Saint-Tropez, le golf, vue de la Chapelle*, h/t (16x27) : **FRF 29 000** – LONDRES, 4 déc. 1996 : *Le Palmier dans le jardin, Saint-Tropez*, h/cart. (51,5x54) :

GBP 13 800 – Paris, 12 déc. 1996 : *Les Pins à Saint-Tropez*, h/t (54x73) : **FRF 103 000** – Londres, 23 oct. 1996 : *Noël chez les Vanier* 1929, h/t (54x39) : **GBP 34 500** – Londres, 25 juin 1996 : *Le Port de Saint-Tropez* vers 1908, h/t (54x65) : **GBP 38 900** – Calais, 23 mars 1997 : *Nu*, past. et gche (46x30) : **FRF 29 000** – Londres, 19 mars 1997 : *Compotier d'oranges et vase d'anémones* 1941, h/t (38x46) : **GBP 12 075** – Paris, 18 juin 1997 : *Port de Marseille*, peint./t. (65x81) : **FRF 140 000** – Londres, 25 juin 1997 : *Un coin du port de Cassis au fiacre* 1903, h/t (50,5x65) : **GBP 36 700**.

CAMOIN P.
Né vers 1868. xixe siècle. Français.

Peintre de genre, paysages.

Ses paysages font penser à ceux de Diaz, par leurs sous-bois touffus et leurs petits personnages, ils évoquent également ceux de Corot par les petites pointes de rouge de quelques détails vestimentaires, dans un foisonnement de vert.

Bibliogr. : Gérald Schurr : *Les Petits Maîtres de la peinture 1820-1920, valeur de demain*, Les Éditions de l'Amateur, t. II, Paris, 1982.

Musées : Draguignan : *Le Vésuve* – Perpignan : *Halte de Bohémiens*.

Ventes Publiques : Paris, 21 mars 1994 : *Devant l'âtre*, lav. d'encre (18x22) : **FRF 6 200**.

CAMOIN Paul
Né en 1816 à Riez (Alpes-de-Haute-Provence). Mort en 1889 à Espinouse (Alpes-de-Haute-Provence). xixe siècle. Français.

Peintre de paysages, aquarelliste.

Frère de Victor Camoin, il commença par être employé à la Direction Générale des Impôts et professeur de dessin dans une institution privée à Marseille, puis mena une vie de bohème. De retour dans sa famille en 1853, il débuta une carrière d'aquarelliste.

Précurseur de l'écriture automatique, il utilise des taches de couleurs et d'encre, enlevant à l'éponge ou à la mousseline le surplus, ajoutant de nouvelles couches sur certains tons, rendus plus denses, soulignant au pinceau certains détails.

Bibliogr. : Gérald Schurr : *Les Petits Maîtres de la peinture 1820-1920, valeur de demain*, Les Éditions de l'Amateur, t. VII, Paris, 1989.

Musées : Digne : *Paysage*.

CAMOIN Victor
Né en 1824 à Riez (Alpes-de-Haute-Provence). Mort en 1856 à Espinouse (Alpes-de-Haute-Provence). xixe siècle. Français.

Peintre de genre, aquarelliste.

Frère de Paul Camoin, paralysé de la main gauche, il montre sa très grande habileté de la main droite, dessinant, très tôt, des caricatures. Devant son succès, il va à Marseille, où sa réputation s'établit rapidement, exposant chez le peintre Paul Martin, à partir de 1853. Il fait un court séjour à Paris, où il est déçu et revient à Marseille, puis, atteint de tuberculose, s'installe à Digne.

Ses scènes de genre sont traitées avec verve, précision du dessin incisif, ferme et clair.

Bibliogr. : Gérald Schurr : *Les Petits Maîtres de la peinture 1820-1920, valeur de demain*, Les Éditions de l'Amateur, t. VII, Paris, 1989.

Musées : Digne : *Types dignois*.

Ventes Publiques : Paris, 7 déc. 1987 : *Le petit saltimbanque*, h/pan. (16,5x22) : **FRF 6 500**.

CAMOI Rey
Né en 1928 à Hirato (préfecture de Nagasaki). xxe siècle. Japonais.

Peintre de figures. Expressionniste.

En 1953, il obtint le Prix du Salon *Niki-Kai*. En 1959, il fit un voyage en Europe et en Amérique-Latine. En 1968, il devint sociétaire du *Niki-Kai*.

Plus influencé par les peintres européens, en particulier Rembrandt et Zurbaran, que par les maîtres de son pays, Camoi peint en clair-obscur des visages et des personnages évoquant l'angoisse et l'attente.

CAMONA Giuseppe
Né le 9 mai 1886 à Milan. Mort le 15 août 1917. xxe siècle. Italien.

Peintre de paysages, paysages animés. Postimpressionniste.

Il mourut des suites d'une maladie contractée pendant la guerre. Il fut d'abord influencé par Monticelli. Il tendait ensuite vers une expression plus directe, quoique dans un climat crépusculaire. Dans ses paysages, il appliquait une technique proche de la touche divisionniste des néo-impressionnistes.

CAMOREYT Jacques Marie Omer
Né à Lectoure (Gers). xixe-xxe siècles. Français.

Peintre de genre, de marines, illustrateur.

Il fut élève de Léon Bonnat, Fernand Cormon, Albert Maignan. Il exposait au Salon des Artistes Français, dont il devint sociétaire, obtint des médailles en 1899, 1900, 1905. Il a illustré *Ramuntcho* de Pierre Loti et *Les Dieux ont soif* d'Anatole France.

Il a peint dans deux registres de thèmes différents : les scènes de genre : *Les ménagères* – *Les poupées*, et les marines et scènes d'agitation portuaire : *L'arrivée du poisson* – *Le départ du trois-mâts*.

Musées : Bayonne : *Marine*.

Ventes Publiques : Monte-Carlo, 9 déc. 1984 : *La baignade* 1900, h/pan. (24,5x16,5) : **FRF 4 500** – La Varenne-Saint-Hilaire, 6 mars 1988 : *Le départ du trois-mâts*, h/t (41x33) : **FRF 26 000**.

CAMOS
xviie siècle. Espagnol.

Peintre décorateur.

Il exécuta des décorations à Notre-Dame de Paris, à l'occasion des funérailles de la reine Marie-Thérèse, femme de Louis XIV (1689).

CAMOS Honoré Louis Théodore
Né le 26 septembre 1906 à Vallauris (Alpes-Maritimes). xxe siècle. Français.

Peintre de paysages, marines, natures mortes, fleurs et fruits, animalier, dessinateur, aquarelliste, céramiste.

Né dans ce village d'ancienne tradition, il a d'abord pratiqué la céramique et créé, à Vallauris, un atelier artisanal, où il donnait des cours. Son goût personnel l'amena tôt à la peinture, à laquelle il s'initia en autodidacte. Il exposait à Paris, au Salon des Artistes Français, dont il était sociétaire. Il exposait aussi fréquemment sur la Côte d'Azur.

Techniquement, il a reconstitué à son usage un métier de précision souvent quasi photographique, peut-être inspiré des peintres de natures mortes hollandais des xviie-xviiie siècles. Outre ses propres natures mortes de fruits et de fleurs, il est surtout peintre des paysages de Provence, d'autres contrées de France, surtout de Bretagne, de pays étrangers et d'Afrique. Il s'est fait une spécialité de peindre les oiseaux, et presque exclusivement les volatiles des cours de fermes. De même que pour les fleurs, les fruits et les matières à reflets, porcelaine ou étain, sa technique méticuleuse sait en rendre les plumages si divers.

Bibliogr. : Catalogue de la vente de l'atelier *Camos*, Enghien, avril 1981.

Ventes Publiques : Paris, 23 fév. 1979 : *Le Poulailler*, h/t (64x55) : **FRF 43 250** – Enghien-les-Bains, 5 avr. 1981 : *Nature morte à la serviette blanche*, h/t (46x55) : **FRF 10 100** – Enghien-les-Bains, 14 fév. 1982 : *Poules et coq*, h/pan. (46x38) : **FRF 6 500** – Cannes, 15 déc. 1984 : *Basse-cour* 1975, h/pan. (26x34) : **FRF 9 000** – Cannes, 4 juin 1985 : *Cacatoès*, h/pan. (65x54) : **FRF 4 000** – Cannes, 7 juil. 1987 : *Scène de basse-cour*, h/t (50x73) : **FRF 4 000**.

CAMOT E.
xixe siècle. Espagnol.

Portraitiste.

Il exposa aux Artistes Français en 1892.

CAMP Camille J. B. Van
Né en 1834 à Tongres. Mort en 1891 à Montreux (Suisse). xixe siècle. Belge.

Peintre de genre, portraits, illustrateur.

Élève de Louis Huard et de Navez, il fit de nombreux séjours à Barbizon. Il participa à plusieurs expositions en Belgique, notamment à le Triennale de Bruxelles en 1875, au Salon d'Anvers en 1873, mais aussi à l'Exposition Internationale de Berlin en 1891. Illustrateur, il collabora à l'*Illustrated London News*, créant des dessins élégants, qui ne sont pas sans rappeler, parfois, ceux de Rops.

Bibliogr. : Gérald Schurr : *Les Petits Maîtres de la peinture 1820-1920, valeur de demain*, Les Éditions de l'Amateur, t. II, Paris, 1982.

Musées : Bruxelles : *Marie de Bourgogne blessée à la chasse* 1878.

VENTES PUBLIQUES : NEW YORK, 3 mai 1989 : *Nelly à Blankenberghe* 1885, h/t (61x45,8) : **USD 42 180**.

CAMP Jan
XVIIᵉ siècle. Hollandais.
Peintre.
Il fut élève de Paulus Moreelse à Utrecht.

CAMP Joseph Rodefer de
Né le 5 novembre 1858 à Cincinnati (Ohio). Mort en 1923 à Bocagrande. XIXᵉ-XXᵉ siècles. Américain.
Peintre de portraits, intérieurs, paysages.
Né à Cincinnati, il y fut d'abord élève de l'école de dessin McMicken. Plus tard à Munich il fut élève de l'Académie des Beaux-Arts et travailla avec Frank Duveneck. À Venise il reçut les conseils de Whistler. Il revint à Boston en 1884 et devint un éminent professeur de Wellesley. Il fut membre fondateur du groupe « Ten American Painters » en 1897. Il exposa souvent dans l'Est des États-Unis, à Chicago, et fréquemment à Berlin. Il obtint une mention honorable à l'Exposition Universelle de Paris en 1900. Bien que plus connu pour ses portraits ou scènes d'intérieur, il réalisa également des paysages admirés pour la brillance de sa palette.
MUSÉES : BOSTON – CINCINNATI – WORCESTER, Massachusetts.
VENTES PUBLIQUES : NEW YORK, 1ᵉʳ nov. 1935 : *Jeune fille en rouge* 1890 : **USD 110** – NEW YORK, 14 oct. 1943 : *Manteau bleu de Mandarin* 1922 : **USD 425** – NEW YORK, 30 jan. 1980 : *Tête de jeune fille de profil* 1881, h/pan. (69,2x54) : **USD 1 300** – NEW YORK, 1ᵉʳ avr. 1981 : *Une jetée à marée basse*, h/t (55,9x76,2) : **USD 27 000** – NEW YORK, 3 juin 1983 : *Barques sur la grève*, h/t mar./cart. (20,8x27) : **USD 4 800** – NEW YORK, 5 déc. 1986 : *Portrait d'Édith, la femme de l'artiste*, h/t (61x53,5) : **USD 50 000** – NEW YORK, 1ᵉʳ déc. 1988 : *Portrait de la fille de l'artiste*, h/t (55,9x76,2) : **USD 34 100** – NEW YORK, 4 déc. 1992 : *La rêveuse*, h/t (69,2x61,3) : **USD 26 400** – NEW YORK, 26 mai 1993 : *Arbres le long de la côte*, h/t (63,5x76,2) : **USD 55 200**.

CAMPA Jean
Né le 18 septembre 1933 à Neuilly-sur-Seine (Hauts-de-Seine). XXᵉ siècle. Français.
Sculpteur. Abstrait-lyrique.
Après avoir obtenu son diplôme de chirurgien-dentiste en 1957, puis avoir exercé l'activité de musicien de jazz de 1950 jusqu'en 1962, il décida de se projeter dans la sculpture.
Il participe à de nombreuses expositions collectives, parmi lesquelles : Fontenoy-en-Puisaye, Caen, et à Paris les Salons d'Automne, des Réalités Nouvelles, de Mai, Grands et Jeunes d'Aujourd'hui. Il a fait une exposition personnelle de ses sculptures au Centre *Art et Communication* de Vaduz-Liechtenstein en 1975.
Il a d'abord utilisé des matières plastiques qui se cisaillent et se mettent facilement en forme. Puis, il diversifia ses matériaux, métaux, dont la fonte d'aluminium, pierres, etc., en fonction des impératifs stylistiques de ses sculptures. En effet, avec une évidente continuité dans le temps, sa sculpture est constituée de sortes d'algues ou branchages entremêlés, incompatibles avec la technique classique du moule-à-pièces. Donc, dans son cas particulièrement, l'œuvre à venir conditionne la technique et réciproquement, la technique est partie intégrante de l'œuvre. La technique étant décidée et son action amorcée, l'artiste doit s'effacer devant les effets conjugués du hasard et de la nécessité, de façon que l'œuvre accède à l'être selon le processus universel, selon le même processus naturel par lequel chez l'homme se manifestent les pulsions. Pour le spectateur, ses sculptures évoquent au premier degré des proliférations végétales, aquatiques ou minérales, qui s'interpénètrent en arabesques élégantes à l'intérieur d'une sphère d'espace. Pour lui-même, ses « sculptures éclatées » rendent évidente l'égalité d'importance de leurs éléments concrets et de l'espace qui les contraint, et, suivant en cela l'évolution des sciences, cette matière qu'il fait éclater en ondulations dynamiques, manifeste métaphoriquement qu'elle est énergie, dont l'action est indissociable du concept d'espace et comparable à toutes les sources d'énergie observables, depuis la projection de particules atomiques jusqu'à l'expansion d'une nébuleuse. ■ J. B.
BIBLIOGR. : In : *Signes Espaces*, N°1, Paris, mars 1977.

CAMPAGNA Gerolamo
Né en 1550 à Vérone. Mort après 1623. XVIᵉ-XVIIᵉ siècles. Italien.
Sculpteur et architecte.
Élève de Danèse Cattaneo. Il travailla pour les églises de Venise,

Padoue et Vérone. On cite notamment de lui : une *Sainte Justine*, un *Saint ressuscitant un enfant* et la statue du *Duc Frédéric*.
VENTES PUBLIQUES : COPENHAGUE, 28-29 mai 1963 : *Le jeune homme*, bronze patiné : **DKK 42 000** – PARIS, le 1ᵉʳ déc. 1965 : *Vénus marina*, bronze : **FRF 75 000** – LONDRES, 28 nov. 1968 : *Jeune homme agenouillé portant un coquillage*, bronze doré : **GBP 5 400**.

CAMPAGNA Lodovico
XVIᵉ siècle. Actif à Bologne. Italien.
Peintre.
Il se confond vraisemblablement avec Lodovico Nicola Campagna cité à Bologne en 1537 et peut-être aussi avec le peintre bolonais Lodovico Campagna qui travaillait à Rome en 1564.

CAMPAGNA Placido
Né en 1629 à Messine. Mort en 1652, empoisonné à Frascati. XVIIᵉ siècle. Italien.
Peintre.
Élève de Giovanni Quagliata et plus tard, à Rome, de Franc. Romanelli.

CAMPAGNA Scipion
Né en 1684 à Naples. XVIIIᵉ siècle. Italien.
Peintre.
Élève de Falcone et de Salvator Rosa.

CAMPAGNE Pierre Étienne Daniel
Né en 1851 à Gontaud (Lot-et-Garonne). XIXᵉ siècle. Actif à Paris. Français.
Sculpteur.
Élève de Falguière. Il débuta au Salon des Artistes Français en 1889. Mention honorable en 1890.
On cite de lui : *Vénus désarmant l'Amour endormi* ; *Autour du drapeau*, à Agen.
VENTES PUBLIQUES : NEW YORK, 1ᵉʳ mars 1980 : *Phryné devant ses juges*, bronze (H. 47,6) : **USD 1 000** – MADRID, 21 oct. 1986 : *Phryné*, bronze (H. 87) : **ESP 1 500 000** – LOKEREN, 21 mars 1992 : *Phryné devant ses juges*, bronze à patine brune (H. 85,5, l. 46) : **BEF 170 000**.

CAMPAGNI Hubert Noël
Né le 25 décembre 1804 à Dijon (Côte-d'Or). Mort en 1849 à Paris. XIXᵉ siècle. Français.
Sculpteur.
Il débuta au Salon de 1839. On lui doit des bustes ; le Musée de Dijon conserve ceux du *Président Jeannin* et du *Baron Denon*.

CAMPAGNINI Pietro Nicola
Mort après 1541. XVIᵉ siècle. Actif à Sienne. Italien.
Sculpteur.

CAMPAGNOLA Andrea
XVIᵉ siècle. Actif à Padoue vers 1550. Italien.
Stucateur.

CAMPAGNOLA Domenico
Né en 1484 à Padoue. Mort en 1550, ou en 1580 selon le dictionnaire Larousse. XVIᵉ siècle. Italien.
Peintre de scènes mythologiques, sujets religieux, paysages animés, paysages, graveur, dessinateur.
Ce fut un artiste fort apprécié de ses contemporains. Il imita la manière du Titien. Ses meilleurs tableaux se trouvent à la cathédrale de Padoue, notamment *Le Sauveur entre Aaron et Melchisedech*. Il fit aussi des gravures sur bois et des eaux fortes, peut-être préférables à ses peintures, notamment l'*Adoration des Mages* ; *La Sainte Famille* ; *Les bergers musiciens*. Ses paysages à la plume sont traités dans un style rapide, d'un effet décoratif sûr.

VENTES PUBLIQUES : PARIS, 1773 : *Un paysage*, dess. à la pl. : **FRF 3** – PARIS, 1854 : *Saint Jean en pied dans un paysage*, dess. à la pl. lavé de bistre : **FRF 340** – PARIS, 1864 : *Sujets de l'Apocalypse*, dess. à la pl. : **FRF 8** ; *Paysage, la fuite en Égypte*, dess. à la pl. : **FRF 2** – PARIS, 4 déc. 1925 : *L'adoration des mages* : **FRF 320** – PARIS, 9 et 10 mars 1927 : *Village dans un paysage vallonné*, pl. : **FRF 500** – LONDRES, 15 juil. 1927 : *Saint Jérôme en prière* : **GBP 336** – PARIS, 4 avr. 1928 : *Panorama d'une ville forte*, pl. : **FRF 260** – Paris, 20 fév. 1929 : *Les caravelles*, dess. : **FRF 550** – Paris, 28 nov. 1934 : *Paysage animé de figures*, dess. à la pl. : **FRF 600** ; *Lapidation des deux vieillards qui avaient accusé Suzanne*, importante composition à la plume : **FRF 380** – Paris, 28 fév. 1938 : *Scène mythologique*, pl. : **FRF 690** – Paris, 17 et 18 déc. 1941 : *Paysage, au premier plan une bête monstrueuse*, pl. : **FRF 105** – Paris, 31 mars 1943 : *Scène mythologique*, pl. : **FRF 2 800** – Londres, 21 nov. 1958 : *Paysage*, pl. et sépia : **GBP 14** – Londres, 28 juin 1979 : *Groupe de maisons à l'orée d'un bois*, pl. (19,7x27,1) : **GBP 1 600** – Berne, 20 juin 1980 : *La décollation de sainte Catherine* 1517, grav./cart. : **CHF 15 000** – Londres, 18 nov. 1982 : *Saint Marc guérissant un possédé*, pl. (24,2x31,6) : **GBP 1 600** – Londres, 12 avr. 1983 : *Vue d'une ville du Veneto*, pl. et encre brune (21x28,2) : **GBP 7 000** – Berne, 24 juin 1983 : *Le martyre de sainte Catherine* 1517, grav./cuivre : **CHF 2 000** – Milan, 8 mai 1984 : *Saint Jérôme*, h/t (71x60) : **ITL 9 000 000** – Londres, 7 déc. 1984 : *Paysage avec saint Jérome*, grav./bois/pap. filigrané (28,8x42,2) : **GBP 700** – Londres, 5 déc. 1985 : *La décollation de sainte Catherine* 1517, grav./cuivre (19x17,4) : **GBP 10 000** – Londres, 12 déc. 1985 : *Descente de Croix*, pl. et encre brune (37,4x23,7) : **GBP 48 000** – Monte-Carlo, 20 juin 1987 : *Paysage animé de personnages et animaux*, pl. et encre brune (24,3x37,3) : **FRF 80 000** – Paris, 27 fév. 1989 : *Paysage au moulin*, pl. et encre brune (27x42) : **FRF 10 000** – Londres, 2 juil. 1991 : *Paysage montagneux et boisé avec des ruines romaines et les remparts d'une ville au fond*, craie noire et encre (19,4x28,5) : **GBP 26 400** – Monaco, 2 juil. 1993 : *Vieillard allongé sous un buisson tenant un livre ouvert sur ses genoux avec un putto à ses côtés dans un paysage boisé*, craie noire et encre (16,6x20,5) : **FRF 11 100** – New York, 11 jan. 1994 : *Scène de bataille*, craie noire, encre et lav. (21,5x24,5) : **USD 7 475** – Milan, 18 oct. 1994 : *Paysage fantastique avec des édifices antiques et le songe de Jacob*, encre et bistre/pap. (10,8x13,9) : **ITL 3 450 000** – Londres, 2 juil. 1997 : *Paysage panoramique d'un estuaire avec une caravane de chameaux en avant-plan et plusieurs bateaux, une ville avec une haute tour et des montagnes dans le lointain*, pl. et encre brune (21,1x30,3) : **GBP 5 980**.

CAMPAGNOLA Girolamo
xve siècle. Actif à Padoue à la fin du xve siècle. Italien.
Peintre (?) et amateur d'art.
Père de Giulio Campagnola.

CAMPAGNOLA Giulio
Né en 1481 ou 1482 à Padoue. Mort en 1516. xvie siècle. Actif vers 1500. Italien.
Peintre miniaturiste et graveur.
Fils de notaire, très instruit, il devait suivre la carrière de son père, mais préféra s'orienter vers la peinture. Il s'installa à Venise, où il devint l'un des nombreux élèves de Giovanni Bellini. Dans cet atelier, ouvert aux nouvelles recherches artistiques, il rencontra Giorgione qui devint son véritable maître. Sa peinture est très proche de celle de Giorgione, au point qu'elles ont été confondues. Il est vrai que cette aventure est arrivée plus d'une fois à Giorgione, dont nous ne connaissons que peu d'œuvres certaines. Campagnola est mort jeune, suivant là aussi la destinée de son modèle. Il aurait collaboré à deux tableaux de Giorgione : *L'épreuve du feu de Moïse*, pour la partie inférieure, et le *Jugement de Salomon* ; mais ces tableaux ne sont pas attribués en toute sûreté à Giorgione. Campagnola utilise la lumière pour donner plus d'ampleur aux masses de type sculptural, soulignées par une ligne ondulante. Travaillant à la charnière du xve et xvie siècle, il se trouve sur le chemin du maniérisme et annonce quelquefois Le Rosso, qui viendra implanter en France le maniérisme avec l'école de Fontainebleau. Il est surtout connu pour ses gravures, comme *Saint Jean-Baptiste* ; *Ganymède enlevé dans l'Olympe* ; *L'astrologue*.
Ventes publiques : Paris, 1741 : *18 dessins, dont Le « Christ à la monnaie »* : **FRF 13** – Londres, 1783 : *Saint Jean-Baptiste* : **FRF 3 275** – Bruxelles, 1797 : *Personnages, vus de dos*, dess. à la pl., lavé d'encre de Chine : **FRF 15,50** – Bruxelles, 1801 : *Homme, vu de dos, couvert d'un chapeau rond*, dess. à la pl., lavé d'encre de Chine, reh. de blanc : **FRF 2,70** – Bruxelles, 28 et 29 juin 1926 : *Berger et son troupeau dans un paysage accidenté*, pl. : **FRF 950** – Bruxelles, 28 nov. 1934 : *Arbre et vue de mer avec caravelles*, dess. à la pl. : **FRF 820**.

CAMPAGNOLA J. J.
xvie siècle. Actif au début du xvie siècle. Italien.
Graveur.

Il fut probablement parent de Domenico et de Giulio Campagnola. Il semble avoir appartenu à cette école de Padoue qu'avait formée et illustrée Mantegna. Passavant le croit auteur de deux gravures représentant la *Naissance du Christ* et *Sainte Ottilie*. La dernière rappelle la manière de Mantegna.

CAMPAGNOLI Italo
Né le 5 juillet 1859 à Mirandola. xixe siècle. Actif à Bologne. Italien.
Sculpteur.
Fit ses premières études à l'Académie de Bologne sous la direction de Salvino Salvini et obtint à l'Académie de cette ville un premier prix. Parmi ses portraits-bustes, citons ceux de *P. S. Mancini* et de *Quir Filopanti*, ce dernier figurant à l'Exposition de Bologne de 1888, à l'occasion de laquelle Campagnoli exécuta d'autre part une statue colossale de *Pier Crescenzio*.

CAMPAGNOLI Simone ou Campagnuola
xviiie siècle. Actif à Forli vers 1765. Italien.
Peintre.
Il fut également prêtre et écrivain d'art.

CAMPAIN Pierre
Né à Cherbourg (Manche). xxe siècle. Français.
Peintre de paysages.
Il exposait à Paris, au Salon des Artistes Français, dont il devint sociétaire, mention honorable en 1937.

CAMPAIN Robert. Voir CAMPIN

CAMPALASTRO Lodovico
xviie siècle. Actif à Ferrare. Italien.
Peintre.
Il exécuta : *Le Repos en Égypte* ; *La Naissance du Christ* et *L'Adoration des Mages*, pour l'église de San Crispino, et, pour San Lorenzo, un *Saint François d'Assise*.

CAMPAMAR Miguel
Né en 1829 à Pollença (Baléares). Mort en 1863. xixe siècle. Espagnol.
Peintre.
Élève de l'École des Beaux-Arts de Barcelone. Il exposa dans cette ville en 1858 une *Madone*. Il a peint d'autre part un *Portrait du marquis de Alfarras*.

CAMPANA Andrea
xve siècle. Actif à Modène. Italien.
Peintre et marqueteur.

CAMPANA Bartolommeo
xvie siècle. Actif à Bologne au début du xvie siècle. Italien.
Sculpteur.

CAMPANA Ferdinando
xviiie siècle. Italien.
Graveur.
Il est un des graveurs de la *Raccolta di pitture d'Ercolano* (1752-62).

A.G.

CAMPANA Giacinto
Né vers 1600, probablement originaire de Bologne. Mort en 1650 à Varsovie. xviie siècle. Italien.
Peintre.
Élève de Franc. Brizio et Fr. Albani. Il a peint pour la cathédrale de Plaisance une *Sainte Barbara*, et on peut voir, à Bologne, dans l'église de l'Ospedale S. Francesco une *Mort de saint Joseph* et *Le Martyre de sainte Ursule*, à la chapelle Zoppi dei Servi une fresque (*Dieu le Père*). Il se rendit plus tard en Pologne où il fut peintre à la cour du roi Ladislas IV.

CAMPANA Giovanni
xviiie siècle. Actif à Bologne. Italien.
Peintre décorateur.

CAMPANA Ignace Jean Victor ou François
Originaire de Turin. Mort le 26 octobre 1786 à Paris. xviiie siècle. Travaillant à Paris. Français.
Peintre de miniatures.
Il fut « peintre du cabinet » de la reine Marie-Antoinette et membre de l'Académie de Saint-Luc. Il a peint des portraits en miniature, notamment pour des boîtes, des bonbonnières, des tabatières et compta parmi ses clients la comtesse d'Artois, la comtesse de Polastron, la duchesse de Luynes, le comte de Jancourt. Il épousa Marie-Christine Vagliengo, elle-même peintre de miniatures.

VENTES PUBLIQUES : PARIS, 1865 : *Portrait de femme vêtue de blanc* : FRF 1 633 – PARIS, 11 mai 1878 : *Portrait d'une jeune femme en corsage bleu, les cheveux retenus par un ruban blanc* : FRF 1 460 – PARIS, 1891 : *Portrait de jeune femme vêtue de blanc, ceinture bleue, miniat.* : FRF 1 050 – PARIS, 1898 : *Portrait de jeune femme, tableau de forme ronde* : FRF 3 600 – PARIS, 12 mai 1898 : *Portrait de femme, miniat. ovale sur boîte en ivoire* : FRF 570 ; *Portrait de femme, miniat. ovale, cercle de cuivre* : FRF 280 – PARIS, 1898 : *Portrait de jeune femme* : FRF 620 – LONDRES, 3-5 juil. 1899 : *Marie-Antoinette, miniat. ronde* : FRF 7 200 – PARIS, 8 avr. 1919 : *Portrait de femme, miniat. ovale, cadre en argent doré* : FRF 1 800 ; *Portrait de jeune femme, miniat. ronde* : FRF 3 750 – PARIS, 19 nov. 1921 : *Portrait de femme assise, miniat. ronde* : FRF 150 – PARIS, 2 déc. 1925 : *Portrait de jeune femme en buste, miniat. ovale sur boîte en comprimé d'écaille* : FRF 1 250 – PARIS, 25 nov. 1936 : *Portrait présumé de Madame la marquise de Bréhan, miniat.* : FRF 560 – PARIS, 20 oct. 1994 : *Portrait de la Marquise de Brehan 1777, aquar. et gche/ivoire (diam. 6,5)* : FRF 13 000.

CAMPANA Johann Jacob. Voir **CAMPANUS**

CAMPANA Juan Bautista
XVIe siècle. Actif à Séville. Espagnol.
Peintre.
Fils de Pedro Campana (Peter Kampener).

CAMPANA Marie Christine, née **Vagliengo**
D'origine italienne. XVIIIe-XIXe siècles. Travaillant à Paris. Française.
Peintre de miniatures.
Élève d'Isabey. Après la mort de I.-J.-V. Campana (1786), elle épousa le graveur Gibelin. Elle donna des leçons à la reine Hortense de Beauharnais.

CAMPANA Pedro, de son vrai nom : **Peter Kempener** ou **Kampener**, dit parfois **Peter Van de Velde**
Né en 1503 à Bruxelles. Mort en 1580 à Bruxelles. XVIe siècle. Espagnol.
Peintre de compositions religieuses, cartons de tapisseries.
Malgré ses origines, il se rattache à la peinture espagnole, alors qu'en cette fin XVIe siècle, à Séville, les seules notes vigoureuses en peinture sont données par des étrangers comme lui, Kempener, devenu Campana. Avant d'être adopté par l'Espagne, il est allé en Italie en 1529 où il étudia naturellement les peintures de Raphaël et Michel-Ange, mais acquit également des connaissances en architecture et sculpture. Il était à Bologne au moment de l'érection de l'arc de triomphe en l'honneur de Charles Quint et participa à son élaboration. Il est possible qu'il soit allé à Venise en compagnie du Cardinal Grimani, mais dès 1537, il est à Séville, centre principal de son activité.
Il allie curieusement l'art de la renaissance florentine et l'art vénitien à un sentiment dramatique tout à fait espagnol. À Séville, il exécute de nombreux tableaux religieux, dont la *Descente de Croix*, peinte environ vers 1548 pour l'église Santa Cruz, transférée dans la cathédrale lorsque l'église tomba en ruine. De 1555 date le *Retable de la Purification* et 1557, celui de *Santa Ana de Triana*, tous deux à Séville avec la *Résurrection*. Il répara et peignit aussi la chapelle funéraire appartenant à Hernando de Jaen, habitant de Séville. En 1563, il retourne dans sa ville natale où il crée des cartons de tapisseries pour la manufacture de Bruxelles.
MUSÉES : LONDRES : *Marie-Madeleine écoutant la parole du Christ.*
VENTES PUBLIQUES : PARIS, 1843 : *Descente de Croix* : FRF 1 905 – PARIS, 1868 : *Le Crucifiement* : FRF 245 – BERLIN, le 24 jan. 1899 : *Saint Jérôme* : FRF 225 – LONDRES, le 23 fév. 1923 : *Descente de Croix* : GBP 17 – VIENNE, 14 mars 1967 : *Crucifixion* : ATS 32 000 – LONDRES, 28 mars 1979 : *Descente de Croix, h/pan. (25x19,5)* : GBP 8 000 – NEW YORK, 5 nov. 1982 : *The Virgin of the seven Sorrows 1564, h/pan., haut arrondi (70x49)* : USD 1 700 – NEW YORK, 12 jan. 1990 : *La Visitation, encre et lav. sur craie noire/pap. bleu (25,7x13,9)* : USD 7 150.

CAMPANA Pietro
Né en 1725 ou 1727 à Rome ou à Soria. Mort vers 1765 à Rome. XVIIIe siècle. Italien.
Graveur.
Il apprit son métier chez Rocco Pozzi. Travailla à Rome et à Naples.

CAMPANA Rocco
XVIIIe siècle. Travaillant vers 1750. Espagnol.
Graveur.

CAMPANA Stanislao
Né en 1795 à Pannochia. Mort en 1864. XIXe siècle. Actif à Parme. Italien.
Peintre.

CAMPANA Tommaso
Né vers 1650. XVIIe siècle. Italien.
Peintre.
Ce Bolonais commença ses études chez Lodovico Carracci et, plus tard, fut l'élève de Guido Reni. La seule œuvre absolument authentique que nous possédons de lui, deux scènes de la *Vie de sainte Cécile*, est conservée au célèbre monastère de San Michele, à Bosco, près de Bologne. Le Musée de Stuttgart possède une *Marie-Madeleine pénitente* qui lui a été attribuée.

CAMPANA Vincenzo
XVIIIe siècle. Italien.
Graveur.
Il a collaboré au recueil *Raccolta di Pitture d'Ercolano* (1752-1762).

CAMPANAJO. Voir **LOTTI Lorenzetto**

CAMPANARIO Pietro
Originaire de Trévise. XVe siècle. Travaillant à Padoue vers 1483. Italien.
Sculpteur et fondeur.

CAMPANELLA Agostino
XVIIIe siècle. Travaillant à Florence vers 1770. Italien.
Graveur.
Il grava des planches de sujets historiques d'après divers auteurs.

CAMPANELLA Angelo
Né le 7 février 1746 à Rome. Mort le 13 janvier 1811 à Rome. XVIIIe-XIXe siècles. Éc. romaine.
Peintre de scènes mythologiques, compositions religieuses, graveur.
Campanella fut élève de Volpato. Il grava quelques planches pour la *Schola Italica* de Gavin Hamilton. Il reproduisit aussi les statues des apôtres, qui sont dans l'église de Saint-Jean de Latran. Il a gravé d'après plusieurs maîtres, notamment d'après Raphaël.
MUSÉES : KÖNIGSBERG : *Le Chœur au couvent des capucins à Rome.*
VENTES PUBLIQUES : ICKWORTH, 12 juin 1996 : *Vénus et Adonis* ; *Minerve au trophée, grav. aquarellée, une paire (chacune 58x48)* : GBP 7 475.

CAMPANELLA Catherine, Miss
XIXe siècle. Britannique.
Paysagiste.
Elle exposa de 1854 à 1862 à la Royal Academy, à la British Institution à Suffolk Street, à Londres.

CAMPANELLA Vito
Né en 1932. XXe siècle. Depuis 1955 actif en Argentine. Italien.
Peintre de compositions animées. Tendance surréaliste.
Il fut élève de l'Ecole des Beaux-Arts de Milan. Il rencontra De Chirico et Salvador Dali. Il participe à de nombreuses expositions collectives internationales, en Amérique du Sud et en Europe, obtenant diverses dictinctions.
S'appuyant sur une technique graphique et picturale traditionnelle et savante, sur la maîtrise de l'anatomie, sur son talent à peindre des chevaux, il compose un monde où règne l'étrange.
VENTES PUBLIQUES : PARIS, 5 déc. 1985 : *Einstein, h/t (73x60)* : FRF 25 000 – MONTEVIDEO, 30 sep. 1987 : *Asomandose a la vida, h/t (55x45)* : UYU 180 000 – NEW YORK, 15 nov. 1994 : *Concert de luths au temps passé 1976, h/t (70x58,4)* : USD 4 025.

CAMPANI Fernando Marra
Né en 1702 à Sienne. Mort en 1771 à Sienne. XVIIIe siècle. Italien.
Céramiste.
Il reproduisait sur ses céramiques des œuvres de Raphaël, Carrache, Bartoli. Il fit également des portraits, et a été surnommé le « Raphaël de la majolique ».

CAMPANILE
XIXe siècle.
Peintre d'architectures.
Il exposa à la British Institution, à Londres, en 1829.

CAMPANILE Simone
Né en 1825 ou 1828 à Cava dei Tirreni. Mort en 1896 à Naples. XIXe siècle. Actif à Naples. Italien.

Peintre de genre, paysages.
Élève de Fil. Palizzi. On cite parmi ses paysages : *Sulla collina* ; *La pianura de Salerno* ; *La Puglia* (Exposition de Turin, 1884) ; *Dopo la mietitura* et *Panorama di Cava* (Exposition de Venise, 1887).
VENTES PUBLIQUES : ROME, 12 déc. 1989 : *La rentrée de la récolte*, h/pan. (28,5x53,5) : **ITL 7 500 000** – MILAN, 19 déc. 1995 : *Petit enfant dans une cour* 1886, h/pan. (29x17,5) : **ITL 2 875 000**.

CAMPANO Miguel Angel
Né en 1948 à Madrid. XXᵉ siècle. Depuis 1980 actif aussi en France. Espagnol.
Peintre. Polymorphe, tendance expressionniste-abstrait.
Il étudia l'architecture et les beaux-arts à Madrid et Valence. Il résida à la Cité des Arts de Paris en 1976-77. Il participe à des expositions collectives, notamment, en 1982, à la XIIIᵉ Biennale de Paris. Depuis 1971, il montre ses peintures dans des expositions personnelles en Espagne, à Paris à la Foire Internationale d'Art Contemporain (FIAC) en 1989, à la Maison des arts Georges Pompidou de Carjac en 1995.
En 1974, il peignait dans un esprit néo-constructiviste. Il peint souvent par séries. Dans celles des *Cyclopes – Ponts – Macao*, il s'inspirait de l'abstraction lyrique de Franz Kline ou Motherwell, de l'« action painting ». Ensuite, de 1983 à 1985, il a renoué avec un minimum de figuration dans des peintures lointainement inspirées des trois peintres français Poussin, Delacroix, Cézanne, sans qu'il s'y agisse pour autant de citationnisme ou de pastiche, mais plutôt de partage de climat poétique. De *L'Hiver* de Poussin, il a déduit une série de *Naufrages*, et à partir de la Provence de Cézanne : les séries des *Mistrals – Omphalos*. En référence à Arthur Rimbaud, il a aussi peint une série des *Voyelles*. Il est, avec Barcelo, Broto, Sicilia, un des peintres espagnols importants de la génération à laquelle il appartient. ■ J. B.
BIBLIOGR. : Véronique Serrano, in : Catalogue d'exposition *L'Art Moderne* à Marseille – *La Collection du Musée Cantini*, Mus. Cantini et Vieille Charité, Marseille, 1988 – in : *Diction. de la peint. espagnole et portugaise*, Larousse, Paris, 1989.
MUSÉES : BILBAO (Mus. des Beaux-Arts) – CUENCA – MARSEILLE (Mus. Cantini) : *Omphalos IV* 1985 – PARIS (Mus. Nat. d'Art Mod.).

CAMPANOSEN Jean
XIVᵉ siècle. Normand, actif au XIVᵉ siècle. Français.
Sculpteur-architecte.
Il travailla, en 1399, au dôme de Milan avec son élève Jean Mignot, suppléant Philippe Bonaventure dans la conduite des travaux.

CAMPANTICO Giambattista
XIXᵉ siècle. Actif à Florence. Italien.
Graveur au burin.

CAMPANUS Johann Jacob ou Campana
XVIIᵉ siècle. Actif à Ulm vers 1620-1640. Allemand.
Peintre et dessinateur.

CAMPANUS Mathias
XVIIᵉ siècle. Travaillant à Ulm. Allemand.
Peintre.

CAMPAO José Marquès
Né le 18 avril 1891 à São Paulo. XXᵉ siècle. Brésilien.
Peintre de genre, paysages.
A Paris, il fut élève de Jean-Paul Laurens et exposa au Salon des Artistes Français, de 1928 à 1933.

CAMPAS José
Né à Lisbonne. XXᵉ siècle. Portugais.
Peintre.
A Paris, il fut élève de Jean-Paul Laurens et Ernest Laurent, et exposa au Salon des Artistes Français, de 1912 à 1923.

CAMPBELL A. G. et J. K.
XIXᵉ siècle. Actifs à New York vers 1860. Américains.
Graveurs de portraits.

CAMPBELL Archibald, appelé par erreur Campdell
XVIIIᵉ siècle. Travaillant vers 1715. Britannique.
Dessinateur d'architectures.

CAMPBELL Archibald
XIXᵉ siècle. Britannique.
Peintre de genre.
Il exposa de 1865 à 1888 à la British Institution et à Suffolk Street, à Londres.

CAMPBELL Blendon
Né le 28 juillet 1872 à Saint Louis (Missouri). XIXᵉ-XXᵉ siècles. Américain.
Peintre de portraits, paysages urbains, illustrateur.
Il travailla à Paris, où il fut élève de Benjamin-Constant, Jean-Paul Laurens et Whistler. En 1899, il exposa un portrait au Salon des Artistes Français de Paris, où il était membre de l'American Art Association. A New York, où il était fixé, il était membre de la Society of Illustrators.
VENTES PUBLIQUES : NEW YORK, 18 nov. 1965 : *New York, Huitième rue* 1924 : **USD 650**.

CAMPBELL Caecilia Margaret. Voir NAIRN Caecilia Margaret, Mrs George N.

CAMPBELL Charles William
Né le 13 juillet 1855 à Tottenham (Middlesex). Mort en 1887 à Sevenoaks (Kent). XIXᵉ siècle. Britannique.
Peintre et graveur à la manière noire.
Campbell travailla d'abord (1870-1878) dans l'atelier de son père Donald Campbell, architecte à Londres. Il voyagea en Italie, dessinant dans les églises de Florence, Venise, Pise et Lucques. Il étudia ensuite à la Ruskin Drawing School à Oxford. Encouragé par Burne Jones, il vint se fixer à Londres et commença à peindre des portraits. Sa première planche importante fut gravée d'après un tableau de Burne-Jones : *La Naissance de Galathée*, qui parut en 1886. Burne-Jones lui confia également son tableau : *Pan et Psyché*. Deux autres estampes très intéressantes de lui méritent d'être mentionnées : un portrait de la célèbre actrice *Ellen Ferry* et une *Ophélie*.

CAMPBELL D.
XIXᵉ siècle. Britannique.
Sculpteur.
Il exposa un buste de femme à la Royal Academy, à Londres, en 1857.

CAMPBELL Duvar
XIXᵉ siècle. Britannique.
Peintre de fruits.
Il exposa de 1865 à 1873 à la Royal Academy, à la British Institution et à Suffolk Street, à Londres.

CAMPBELL Edward M.
Né au XIXᵉ siècle à Hannibal (Missouri). XIXᵉ siècle. Américain.
Peintre.
Élève de l'École des Beaux-Arts, à Saint Louis, et de Lefebvre et Boulanger à l'Académie Julian à Paris. Professeur aux Beaux-Arts de Saint Louis où il fit partie de la Artists Guild, et de la Louis Association of Painters and Sculptors.

CAMPBELL George F.
Né en 1917. Mort en 1979. XXᵉ siècle. Irlandais.
Peintre.
VENTES PUBLIQUES : CELBRIDGE (Irlande), 29 mai 1980 : *Le lac Connemara*, h/cart. (61,5x74,3) : **GBP 1 100** – LONDRES, 6 mars 1987 : *Curragh Irish coast*, h/cart. (34,5x41) : **GBP 550** – BELFAST, 28 oct. 1988 : *Deux villes*, h/cart. (101,7x76,2) : **GBP 1 540** ; *Vignobles en Italie* 1953, h/cart. (45,8x61,6) : **GBP 7 150** – BELFAST, 30 mai 1990 : *La fenêtre de l'artiste*, h/cart. (40,7x50,8) : **GBP 2 420** – DUBLIN, 12 déc. 1990 : « *Bycycles* », h/cart. (50,8x76,3) : **IEP 2 000** – LONDRES, 18 déc. 1991 : *Malaga en hiver*, h/cart. (48x58) : **GBP 1 870** – DUBLIN, 26 mai 1993 : *Marais et rocher*, h/cart. (50,8x76,2) : **IEP 1 100** – LONDRES, 2 juin 1995 : *Les musiciens*, h/cart. (51x76) : **GBP 8 050** – LONDRES, 9 mai 1996 : *Coco le clown*, h/cart. (59x34,3) : **GBP 2 760**.

CAMPBELL Helena Eastman Ogden, Mrs
Née le 26 août 1879 à Eastmann (Georgie). XXᵉ siècle. Américaine.
Peintre et illustrateur.

CAMPBELL J.
Né probablement en Écosse. XVIIIᵉ siècle. Actif vers 1754. Britannique.
Graveur.
On connaît de lui plusieurs planches d'après Rembrandt.

CAMPBELL J. Hodgson
XIXᵉ siècle. Britannique.
Peintre de genre, paysages.
Actif à New Castle, il exposa à partir de 1884 à la Royal Academy et à la New Water-Colours Society, à Londres.

CAMPBELL James
Né à Liverpool. Mort en 1903 à Liverpool. XIXᵉ siècle. Britannique.

Peintre de genre.
Il exposa de 1855 à 1868 à la Royal Academy et à Suffolk Street, Londres.
Musées : Liverpool : *Les loisirs du maître d'école – Les politiciens de village – Le shilling du roi – Un compte de frais discuté.*
Ventes Publiques : Londres, 1er mars 1979 : *L'Horloger du village*, h/t (35,5x19,5) : **GBP 3 600** – Londres, 23 mars 1981 : *Notre horloger de village réfléchissant*, h/t (35,5x30,5) : **GBP 3 800** – Édimbourg, 30 août 1988 : *Charretier demandant son chemin*, h/t (35,5x29) : **GBP 2 420** – Londres, 24 nov. 1989 : *Notre horloger de village réfléchissant*, h/t (35,5x30,5) : **GBP 11 000**.

CAMPBELL Johann Georg Böhmer
Né en 1835 à Bergen. Mort en 1871 à Bergen. XIXe siècle. Norvégien.
Peintre.

CAMPBELL John Henry
Né vers 1755 ou 1757 probablement à Dublin. Mort en 1828. XVIIIe-XIXe siècles. Irlandais.
Peintre de paysages animés, paysages, aquarelliste.
Père de Cecilia Nairn, née Campbell. Campbell fut un des bons aquarellistes de son temps en Irlande.
Musées : Dublin (Mus.) : *Vue près de Rostrevor.*
Ventes Publiques : Vienne, 1823 : *Paysage*, aquar. : **FRF 23,50** ; *Autre paysage*, aquar. : **FRF 25** – Meath (Comté de), 12 mai 1981 : *Vue de Dublin*, aquar. (17,5x25,5) : **GBP 520** – Londres, 21 nov. 1984 : *Jeune garçon pêchant au bord d'une rivière boisée*, h/t (70x89) : **GBP 1 600** – Londres, 8 juil. 1986 : *Near Ringsend, Dublin* ; *Ireland's Eyo from the hill of Howth* 1814, deux aquar. et temp./pap. (29x45) : **GBP 1 700** – Londres, 10 avr. 1991 : *La chasse près d'un lac* ; *La pause des chasseurs près de la cascade*, h/pan., une paire (chaque 22x33) : **GBP 3 960** – Londres, 9 nov. 1994 : *Paysages de rivières boisées*, h/t, une paire (chaque 59,5x83,5) : **GBP 8 050** – Londres, 21 mai 1997 : *Comtés de Dublin et de Wicklow* 1806, aquar. et gche, album de vingt et une planches (25,5x40) : **GBP 9 430**.

CAMPBELL John Patrick, pseudonyme : Seaghan Mac Cathmhaoil
Né à Belfast (Ulster). XIXe-XXe siècles. Britannique.
Illustrateur.

CAMPBELL Joshua
XVIIIe siècle. Britannique.
Graveur.

CAMPBELL Mabel, Miss
Née à Londres. XXe siècle. Britannique.
Miniaturiste.
Élève de V. Burnand. Elle exposait au Salon des Artistes Français en 1929.

CAMPBELL Maud Hoskinson
Née le 14 juin 1865 à Erie (Pennsylvanie). XIXe siècle. Américaine.
Peintre.
Élève de Mme Lovisa Card-Catlin. Membre du Erie Art Club.

CAMPBELL Molly, Miss
Née à Londres. XXe siècle. Britannique.
Peintre et aquafortiste.

CAMPBELL Oswald Rose
XIXe siècle. Britannique.
Peintre.
Il exposa en 1847 et 1848 à la Royal Academy, à Londres.
Ventes Publiques : Melbourne, 6 avr. 1987 : *Prospecting in Australia* 1869, aquar. (29,7x44,7) : **AUD 36 000**.

CAMPBELL Peter
XVIIIe siècle. Britannique.
Peintre.
Il exposa un paysage à la Society of Artists of Great Britain en 1776.

CAMPBELL Reginald Henry
Né le 2 décembre 1877 à Edimbourg. XXe siècle. Britannique.
Peintre de portraits.
A exposé notamment à la Royal Scottish Academy.

CAMPBELL Robert
XIXe siècle. Travaillant à Philadelphie (Pennyslvanie) entre 1806 et 1831. Américain.
Graveur.

CAMPBELL Robert
Né en 1902. Mort en 1972. XXe siècle. Australien.

Peintre de paysages, marines.
Ventes Publiques : Melbourne, 21 avr. 1986 : *Péniches sur la Seine*, h/cart. (14,5x21) : **AUD 900** – Sydney, 21 nov. 1988 : *Vallée verdoyante* 1958, h/t (40x50) : **AUD 1 800** – Londres, 30 nov. 1989 : *Paysage côtier*, h/t/pan. (35,6x50,8) : **GBP 715** – Sydney, 2 juil. 1990 : *Scène de port*, h/cart. (18x23) : **AUD 1 100**.

CAMPBELL Samuel
XIXe siècle. Britannique.
Peintre de paysages, marines.
Il exposa de 1854 à 1857 à la Royal Academy, à Suffolk Street, et à la British Institution, à Londres.
Ventes Publiques : Londres, 31 mai 1989 : *Navigation par grosse mer*, h/t (46x70) : **GBP 2 640**.

CAMPBELL Steven ou Stephen
Né en 1954 à Glasgow (Écosse). XXe siècle. Britannique.
Peintre de compositions à personnages. Tendance fantastique.
Il fut étudiant entre 1978 et 1982 à la Glasgow School of Art. Entre 1982 et 1987 il vécut à New York, et depuis 1986 vit et travaille à Glasgow. A partir de 1981 il a figuré dans de nombreuses expositions collectives en Écosse, en Angleterre et aux États-Unis ; en 1987-1988 il a figuré dans la présentation de la collection de F. R. Weisman au Musée de Baltimore. Des expositions personnelles de ses œuvres se sont tenues à partir de 1983 dans des galeries à New York, Chicago, Édimbourg, Minneapolis, Washington, Genève et San Francisco.
Il pratique une technique parfaitement maîtrisée, peint ses compositions dans le moindre détail. Le dessin est affirmé, les colorations subtiles, ces deux termes visant plus la parfaite lisibilité de la scène qu'une problématique plastique. En effet, les thèmes qu'il traite étant toujours plus ou moins insolites, illustrant un proverbe, vrai ou inventé : *Il vaut mieux avoir un groin dans sa gibecière que deux oiseaux sur la branche* ou bien un phénomène de physique amusant : *L'énigme de l'électricité statique*, ils requièrent absolument cette lisibilité sous peine de n'être pas compris.
Bibliogr. : Catal. de l'exposition *Steven Campbell*, Malborough Gallery, New York, sep.-oct. 1988.
Musées : Atlanta (High Mus. of Art) – Chicago (Art Inst.) – Édimbourg (Scottish Arts Council) – Glasgow (Art Gal.) – Glasgow – Liverpool – Londres (Tate Gal.) – Londres (Contemporary Art Society) – Mexico (Tamayo Mus.) – New York (Metropolitan Mus. of Art) – Phoenix (Art Mus.) – Southampton (City Art Gal.) – Washington D. C. (Hirshhorn Mus.).
Ventes Publiques : New York, 4 nov. 1987 : *Young man surrendered to the landscape*, h/t (255,3x243,7) : **USD 8 000** – New York, 4 mai 1988 : *Les chèvres*, h/t (261x241,2) : **USD 22 000** – New York, 8 oct. 1988 : *Etude pour le « Portrait d'un agoraphobique imitant un claustrophobe »* 1986, h/t (203,3x246,4) : **USD 19 800** – New York, 4 oct. 1989 : *La recherche des fossiles la nuit*, h/t (282,3x259) : **USD 13 200** – New York, 8 nov. 1989 : *Sans titre* (266,6x121,9) : **USD 13 200** – New York, 9 nov. 1989 : *Persévérant dans la médiocrité nous vous présentons une maison de rêve* 1988, h/t (226x238,7) : **USD 19 800** – New York, 8 mai 1990 : *L'énigme de l'électricité statique* 1983, h/t (274,3x274,3) : **USD 17 600** – New York, 9 mai 1990 : *Pour un chasseur un groin dans la gibecière vaut mieux que deux oiseaux dans le buisson* 1984, h/t (169,3x276,9) : **USD 13 750** – Londres, 9 nov. 1990 : *Deux hommes avec le carrosse royal pour attraper la Reine des abeilles* 1988, h/t (284x274) : **GBP 11 550** – New York, 9 oct. 1991 : *Deux hommes évoluant dans un paysage avec chacun le menton de Joan Sutherland* 1984, h/t (285x285) : **USD 7 700** – Londres, 8 nov. 1991 : *Étude pour « Un homme possédé par le démon de la rétine »*, h/pap. (203x163) : **GBP 4 400** – New York, 6 oct. 1992 : *Dans la quête de la médiocrité nous présentons la maison de rêve* 1988, h/t (226,1x238,8) : **USD 15 400** – Londres, 25 nov. 1993 : *Deux chasseurs immobilisés par l'usage excessif de camouflage*, h/t (280x280) : **GBP 6 325** – Londres, 22 mai 1996 : *Il était une fois un bureau d'architecte dans un tout petit endroit* 1984, h/t (292x241,3) : **GBP 4 600**.

CAMPBELL Thomas
Né le 1er mai 1790 à Édimbourg. Mort le 4 février 1858 à Londres. XIXe siècle. Britannique.
Sculpteur de groupes, sujets mythologiques, statues, bustes, portraits.
Commença à étudier chez un tailleur de marbre dans sa ville natale, puis continua ses études à la Royal Academy de Londres. Vers 1818, il vint à Rome où il séjourna longtemps. De cette

époque date son *Buste de la Princesse Pauline Borghèse*. Vers 1830, il retourna à Londres, où il exposa assez régulièrement à la Royal Academy jusqu'en 1857. On cite parmi ses œuvres une *Statue de la Reine Victoria* à Windsor.

Musées : Édimbourg (Nat. Portrait Gal.) : *Buste de Sir James Gibson* – Londres (Nat. Portrait Gal.) : *Buste de Sarah Siddons*, marbre – *William George Cavendish Bentinck*, marbre – Londres (British Mus.) : *Deux dessins à la plume* – Londres (Victoria and Albert Museum) : *Ganymède* – Londres (Windsor) : *Buste de Earl Grey* – *Buste du duc de Wellington*.

Ventes Publiques : Londres, 7 avr. 1977 : *Le leçon de lecture*, marbre blanc (H. 74, larg. 94) : **GBP 900.**

CAMPBELL Tom
XIXᵉ-XXᵉ siècles. Britannique.
Peintre de paysages, aquarelliste.

Ventes Publiques : Perth, 13 avr. 1976 : *Paysage à l'étang*, h/t (39x49) : **GBP 190** – Glasgow, 10 avr. 1980 : *Paysage d'été*, h/pan. (89,5x70) : **GBP 380** – Perth, 13 avr. 1981 : *Bluebells*, h/cart. (49,5x75) : **GBP 260** – Écosse, 30 août 1983 : *A scottish loch*, h/t (61x91) : **GBP 420** – Perth, 27 août 1990 : *Dernier rayon avant le crépuscule à Glen Quoich près de Cairngorm*, h/t (102x127) : **GBP 2 640** – Perth, 26 août 1991 : *Rue de village*, h/t (56x76) : **GBP 1 650** – Perth, 31 août 1993 : *Regardant les vagues*, aquar. avec reh. de blanc (30x45,5) : **GBP 667** – Glasgow, 11 déc. 1996 : *Un jour ensoleillé près de Crieff*, h/t (29x45) : **GBP 690.**

CAMPBELL V. Floyd
Né à Port-Austin (Michigan). Mort en 1906. XIXᵉ siècle. Américain.
Illustrateur.

CAMPBELL-BRUNTON Mary. Voir BRUNTON Mary Campbell

CAMPBELL-TAYLOR Leonard
Né le 12 décembre 1874 dans le Surrey. Mort en 1969. XIXᵉ-XXᵉ siècles. Britannique.
Peintre de sujets militaires.

Depuis 1923, il fut membre de la Royal Academy. Il exposait régulièrement à Paris, au Salon des Artistes Français, dont il reçut la médaille d'or en 1931. Il fut administrateur de la Whitechapel Art Gallery.

Musées : Londres (Imperial War Mus.) – Paris (Mus. de la Légion d'Honneur) – San Francisco.

Ventes Publiques : Londres, 17 oct. 1980 : *Portrait of miss Joy Lyon*, h/t (89,5x70) : **GBP 380** – Amsterdam, 22 avr. 1992 : *Roses de juin 1906*, h/pan. (24x15,5) : **NLG 16 100.**

CAMPE Gauthier de
XVᵉ-XVIᵉ siècles. Actif à Paris à la fin du XVᵉ siècle et à Sens vers 1504. Français.
Peintre.

CAMPE-SAGET Gabrielle, Mme
Née à Hambourg (Allemagne). XXᵉ siècle. Française.
Peintre.
Élève de Baschet, Schommer et L. Béroud. A exposé des fleurs au Salon des Artistes Français en 1928.

CAMPEAU Lucien Louis Pierre
Né à Bradford (Angleterre). XXᵉ siècle. Français.
Graveur.
Exposant des Artistes Français.

CAMPECHE José
Né en 1751. Mort en 1809. XVIIIᵉ-XIXᵉ siècles. Portoricain.
Peintre de sujets religieux, portraits.

Il est considéré comme le père de la peinture portoricaine. Son père Tomas de Rivafrecha y Campeche était esclave chez un chanoine de la cathédrale ; puis, affranchi, il se fit connaître comme doreur et peintre. Il initia son fils à la peinture. José Campeche travailla plus tard avec le peintre espagnol Luis Paret y Alcazar, exilé à Porto Rico en 1775. En 1988, le Metropolitan Museum de Nex York lui a consacré une exposition rétrospective.
Reconnu de son vivant, il réalisa de nombreux portraits d'aristocrates et de religieux. Il reçut également commande de sujets religieux.

Ventes Publiques : New York, 17 mai 1994 : *Dame à cheval*, h/pan. (41,8x33,3) : **USD 288 500** – New York, 29-30 mai 1997 : *Notre Dame de Bethléem* entre 1803 et 1809, h/pan. (51,1x34,9) : **USD 74 000.**

CAMPEDELLI
XIXᵉ siècle. Italien.
Peintre de paysages.

CAMPEDRONI Antonio
Né dans l'île de Majorque. XIVᵉ siècle. Espagnol.
Sculpteur.
Fils et élève de Francisco Campedroni. Il travailla pour la cathédrale de Palma.

CAMPEDRONI Francisco
Originaire de Perpignan. XIIIᵉ siècle. Espagnol.
Sculpteur.
Il travailla dans l'île de Majorque.

CAMPEGGI Giuseppe
XVIIᵉ siècle. Actif à Ancône vers 1650. Italien.
Peintre.

CAMPEL J. Van
Né en 1638 à Haarlem. XVIIᵉ siècle. Hollandais.
Peintre et dessinateur.
Cité par Mireur.

Ventes Publiques : Paris, 1776 : *Vue d'une grosse ferme, plusieurs baraques, petites figures*, dess. à la pl., lavés de coul. : **FRF 20** ; *Une vue de mer du côté de Haarlem* ; *L'hiver, patineurs*, dess. coloriés : **FRF 180** – Paris, 1859 : *Quatre pièces diverses*, dess. à l'aquar. : **FRF 6,50** – Paris, 1865 : *Vue d'une ville hollandaise au bord de la mer, bateaux et figures*, dess. : **FRF 116.**

CAMPELLO Antonio Manoel
XVIᵉ siècle. Portugais.
Peintre.
Il semble qu'il soit allé étudier à Rome en même temps que Gaspar Dias. On lui attribue un *Portement de Croix* conservé au monastère de Belem et parfois aussi un *Couronnement d'épines* et une *Résurrection* (dans l'église du même monastère), ces deux derniers ouvrages étant donnés par d'autres auteurs à Gaspar Dias.

CAMPELLO DE SOUZA Bento
XVIIIᵉ siècle. Portugais.
Peintre de fleurs.

CAMPEN. Voir aussi KAMPEN

CAMPEN Albert Joseph
XVIIIᵉ siècle. Actif à Louvain. Éc. flamande.
Peintre.

CAMPEN Arnt Van. Voir ARNT Van Campen

CAMPEN Jacob Van ou Kampen
Né le 2 février 1595 à Haarlem, en 1598 à Ameersfoort selon d'autres. Mort le 13 septembre 1657 à Randenbroek. XVIIᵉ siècle. Hollandais.
Peintre et architecte.
Il alla de bonne heure en Italie, en revint avant 1631, et s'installa à Amsterdam, où il fut architecte du prince d'Orange. Selon Baldinucci il fut élève de Rubens, selon Nagler, de Rubens et de Bronckhorst. On mentionne encore un Jacob Van Campen, né à Amersfoort le 22 janvier 1609, mort en 1658, peintre et architecte, ami de Salomon de Bray, de qui la fille épousa le peintre Torrentues, qui peignit des portraits. On mentionne encore un Jacob von (ou van) Campen qui fut élève de Fr. P. de Grebber, à Haarlem en 1637.

Musées : Amersfoort (Hôpital Saint-Pierre) : *Résurrection du Christ* – Amersfoort (Hôtel de Ville) : *Portrait du peintre charpentier Lenart Nicasius* – Amsterdam : *Compositions mythologiques, brun sur brun* – Douai : *Scène d'hiver en Hollande*.

Ventes Publiques : Paris, 13 juin 1908 : *Le troupeau de vaches*, dess. : **FRF 131** ; *La Barque*, dess. : **FRF 30.**

CAMPEN Jan Diricks Van
XVIIᵉ siècle. Hollandais.
Peintre.
Drugulin mentionne un portrait du médecin et alchimiste Henri Khunrath (1560-1605), fait en 1602.

CAMPEN R. Van
Hollandais.
Peintre.
Il n'est connu que par un tableau : *Une marchande de légumes*, peint dans la manière de Metsu (vente du 10 octobre 1884 à Amsterdam).

CAMPENDONK Heinrich
Né en 1889 à Krefeld (Rhénanie). Mort en 1957 à Amsterdam. XXᵉ siècle. Allemand.

Peintre de compositions à personnages, peintre à la gouache, aquarelliste, pastelliste, graveur, peintre de décors de théâtre, cartons de vitraux, décorateur. Populiste puis expressionniste. Groupe Der Blaue Reiter.

À Krefeld d'abord, puis à Munich, il fut élève du peintre et graveur symboliste hollandais Jan Thorn-Prikker, qui lui fit connaître les œuvres des Nabis, de Maurice Denis, et encore de Van Gogh et Cézanne. En Bavière, il fut séduit par les « fixés sous verre » exécutés en manière d'ex-voto par les paysans du cru. Il assimila cette technique et, pour mieux en recréer la force expressive dans la fraîcheur de la naïveté, il vécut plusieurs années dans des fermes bavaroises. Dans les œuvres de cette première période, il ne dépassait guère une forme d'art populaire qui, délibérée chez lui, ressortissait au populisme.

Puis, en tant qu'artiste conscient et maître de sa création et en fonction de son évolution, il parvint à un curieux compromis d'influences diverses, d'expressionnisme et de post-cubisme, qui confère à sa peinture une parenté d'aspect avec celle de certains expressionnistes belges, De Smet en particulier ou bien avec celle d'expressionnistes munichois, Kandinsky et Jawlensky entre autres. Il fut alors mêlé aux mouvements d'avant-garde de son temps. Quand Franz Marc, d'autres sources donnent son ami August Macke, quittant la *Nouvelle Association des Artistes de Munich* avec Münter, Kubin, Kandinsky, et, se référant au titre d'une peinture de celui-ci, fonda le *Blaue Reiter* (Cavalier Bleu), Campendonk fut convié à participer en 1911 à la première exposition du nouveau groupe, dont l'objectif, il est vrai indépendant de tout programme défini, était de réunir toutes les tendances vivantes, prospectives du moment, à l'exclusion de la dernière tendance réaliste-sociale dans laquelle s'engageait alors le précédent groupe de la *Brücke*. Il s'installa alors, avec Marc, Macke, Jawlensky, Schönberg, à Sindelsdorf et exposa en totale communauté d'idées avec le groupe fédéré et fasciné par Kandinsky, au point qu'il commit d'après lui d'évidents plagiats, fondés sur l'élan de la ligne et l'impact de la couleur. En 1913, Campendonk fit encore partie de l'historique premier *Herbstsalon* (Salon d'Automne) de Berlin, où se retrouvaient les artistes de la *Brücke*, du *Blaue Reiter*, avec les futuristes italiens, Arp, Ernst, Delaunay, dans une dernière célébration de la couleur avant le déferlement de la première guerre mondiale.

En 1920, il voyagea en Italie, étudiant les mosaïques de Ravenne, les fresques de Giotto et de Fra Angelico, sans doute surtout du point de vue de la narration. En 1922, il fut nommé professeur à l'Ecole des Beaux-Arts de Krefeld, puis en 1926 à celle de Düsseldorf, où il enseigna jusqu'en 1933. Inquiété alors par les autorités nazies, qui considéraient que son art relevait du concept d'« art dégénéré », dans lequel, en assimilation au cerveau malade d'un peintre raté, elles balançaient tout ce qui ne relevait pas du plus plat académisme, Campendonk émigra en Hollande, où il devint professeur à l'Académie Royale des Beaux-Arts d'Amsterdam. Dans la dernière partie de sa vie, il se consacra avec dons et succès aux arts appliqués, tissus, vitraux, décors de théâtre. À l'Exposition Universelle de Paris, en 1937, il obtint un Grand Prix pour un vitrail. En 1944, il fut nommé, en remplacement de Kandinsky, à la vice-présidence de la *Société Anonyme*, fondée à New York en 1920. Une exposition rétrospective eut lieu en 1976 à la Galerie W. Ketterer de Munich.

Comme de nombreux artistes du renouveau expressionniste du début du siècle à Munich, en référence au mode d'expression privilégié du Moyen-Âge germanique, Campendonk eut une importante activité de graveur sur bois. En peinture, il eut surtout traité la vie paysanne, son cadre rural et ses êtres pittoresques, dans un climat poétique rustique recréé, constituant des sortes de Bucoliques du XXᵉ siècle, mais pourtant nulle mièvrerie dans cette peinture au trait ferme issu du post-cubisme et au chromatisme violemment expressionniste. Toutefois, dans sa dernière période, recentrant les influences conjuguées des ex-voto paysans, du goût prononcé de Kandinsky pour les arts populaires, des fresquistes du Trecento et Quattrocento, et surtout celle du Douanier Rousseau qu'il venait de découvrir, au point d'avoir été alors surnommé « le Douanier Rousseau Allemand », il revint à la narration primitive, rejetant toute perspective, figeant ses personnages dans des attitudes absentes, les situant dans des forêts vierges closes. La lecture des notices concernant Campendonk perturbe la perception qu'on pensait en avoir, tant les divers auteurs avancent de sources et influences multiples et différentes. À celles déjà citées il faudrait ajouter encore le symbolisme de Gauguin, l'orphisme de Delaunay, l'onirisme de Cha-

gall, le bucolisme de Franz Marc, et tant d'autres. Tant de dettes, souvent flagrantes, accusent certainement quelque faiblesse dans la personnalité de l'inspiration et du talent de Campendonk, dont on redécouvrit cependant l'œuvre avec plaisir après la chute du IIIᵉ Reich, avec celles des autres proscrits de l'« art dégénéré ». ■ Jacques Busse

BIBLIOGR. : M. T. Engels : *Campendonk peintre sur verre*, Scherpe, Krefeld, 1960 – in : *Les Muses*, Grange Batelière, Paris, 1971 – in : *Diction. Univers. de la Peint.*, Le Robert, Paris, 1975. **MUSÉES :** AMSTERDAM (Stedelijk Mus.) – BÂLE – BONN (Städt. Kunstsamml.) : *Nature morte aux deux têtes* – COLOGNE (Wallraf-Richartz Mus.) – EINDHOVEN (Stedelijk Van Abbe Mus.) – KREFELD (Kaiser Wilhelm Mus.) : *Paysage bavarois* 1913 – MÜNSTER : *Nature morte à la contrebasse* vers 1912 – NEW YORK (Mus. of Mod. Art) – NEW YORK (Guggenheim Mus.) : *Prêter l'oreille* 1920 – SARREBRUCK (Saarland Mus.) : *Le cheval sautant* 1911 – STRASBOURG.

VENTES PUBLIQUES : STUTTGART, 3-4 mai 1962 : *L'étable :* **DEM 23 300** – HAMBOURG, 30 nov. 1963 : *Homme et cheval*, aquar. : **DEM 7 100** – NEW YORK, 11 déc. 1963 : *La gardeuse de vache, au soir dans les bois :* **USD 4 000** – HAMBOURG, 18 nov. 1967 : *Adda C.* 1919, aquar. et gche : **DEM 11 000** – MUNICH, 7 juin 1968 : *Paysan et pêcheur dans un paysage*, gche : **DEM 18 000** – MUNICH, 24 mai 1976 : *Baigneuses* 1947, aquar. (31,5x46,7) : **DEM 5 000** – MUNICH, 29 nov. 1976 : *Deux nus dans un intérieur*, grav./bois (26x22) : **DEM 1 600** – HAMBOURG, 2 juin 1977 : *Nature morte au perroquet* 1928, h/pan. (82x98,5) : **DEM 26 000** – HAMBOURG, 2 juin 1978 : *Jeune fille avec poisson et oiseau* 1920, grav. sur bois : **DEM 4 200** – NEW YORK, 3 nov. 1978 : *Nu avec chèvres*, h/t (96,5x53) : **USD 41 000** – NEW YORK, 16 mai 1979 : *Sans titre* vers 1918, h/t (46,5x95) : **USD 18 000** – COLOGNE, 19 mai 1979 : *Arlequin assis* 1922, grav. sur bois (38x29) : **DEM 2 200** – COLOGNE, 5 déc. 1979 : *Orientales* 1912, aquar. et gche (43x54,5) : **DEM 13 500** – COLOGNE, 19 mai 1979 : *La moisson* 1914, dess. au lav./trait de cr. (42,5x30,5) : **DEM 5 000** – LONDRES, 25 mars 1980 : *Homme debout* vers 1912-1913, aquar. et pl. (40,6x28) : **GBP 700** – HAMBOURG, 12 juin 1981 : *Jeune fille nue et vaches* vers 1918, aquar. (35,1x49,5) : **DEM 9 000** – HAMBOURG, 11 juin 1982 : *Paysage avec maisons, femme et cheval* 1913, aquar. et pl. (53,4x43,2) : **DEM 26 000** – COLOGNE, 4 juin 1983 : *Composition végétale* 1928, h/t (101x62) : **DEM 16 000** – MUNICH, 25 nov. 1983 : *Nu et chèvres devant une maison* 1918, grav./bois : **DEM 3 300** – LONDRES, 3 déc. 1984 : *Femme à la lampe à pétrole* vers 1925, h/pan. (70x85,7) : **GBP 16 000** – ZURICH, 15 mars 1985 : *Portrait d'homme et main droite*, aquar. et past. (54x42,8) : **CHF 4 500** – BERNE, 18 juin 1986 : *Deux nus dans un intérieur* 1918, grav./bois : **CHF 2 500** – LONDRES, 23 juin 1986 : *Paar mit Hahn* 1917, h/pan. (58,7x50) : **GBP 120 000** – NEW YORK, 19 nov. 1986 : *Ada C. gewidmet* 1919, aquar. et temp./pap. (39,3x35,2) : **USD 75 000** – LONDRES, 30 mars 1987 : *L'Annonciation* 1917, h/t (56x56) : **GBP 110 000** – MUNICH, 28 oct. 1987 : *Homme et troupeau dans un paysage montagneux* 1916, gche/pap. mar./cart. (51x39,5) : **DEM 50 000** – LONDRES, 29 nov. 1988 : *Chèvres des montagnes* 1917, h/t (74,3x48,7) : **GBP 54 000** – MUNICH, 7 juin 1989 : *Personnages et la lune* 1919, h/pan. (69x38) : **DEM 132 000** – LONDRES, 28 juin 1989 : *Jument et poulain* 1911, h/t (55x67) : **GBP 231 000** – LONDRES, 28 nov. 1989 : *Femme assise* 1921, h/t (64x38,7) : **GBP 38 500** – MUNICH, 13 déc. 1989 : *Enfants avec une chèvre dans un jardin* 1919, gche (50x40) : **DEM 90 200** – LONDRES, 26 juin 1990 : *Mère et enfant dans un paysage bavarois* 1913, h/t (89x64,2) : **GBP 132 000** – LONDRES, 4 déc. 1990 : *Die Barbarazeche, Penzberg* 1919, aquar. et cr./pap. (37,5x31,5) : **GBP 132 000** – AMSTERDAM, 22 mai 1991 : *Église à Ostende* 1935, cr./pap. (42x48,5) : **NLG 20 700** – BERLIN, 30 mai 1991 : *Autoportrait*, aquar. et gche/pap./cart. (53,5x43) : **DEM 166 500** – LONDRES, 25 juin 1991 : *Personnages avec des animaux et un réveil*, h/t (70,5x81) : **GBP 27 500** – HEIDELBERG, 11 avr. 1992 : *La femme aux grenouilles* 1917, bois gravé (24x9,1) : **DEM 2 500** – LONDRES, 20 mai 1993 : *Deux nus et un cheval* 1918, bois gravé (21,5x20,3) : **GBP 2 070** – LONDRES, 30 nov. 1993 : *Jeune cavalier* 1918, h/t (64x40,5) : **GBP 62 000** – LONDRES, 13 oct. 1994 : *Nu féminin à la coupe de fruits*, h. et techn. mixte/verre (26x19,7) : **GBP 11 500** – LONDRES, 28 juin 1994 : *Cheval et poulain* 1911, h/t (55x67) : **GBP 298 500** – LONDRES, 11 oct. 1995 : *Jeune Fille avec un cygne* 1919, h/t (69x99) : **GBP 67 500** – LONDRES, 9 oct. 1996 : *Jeune Couple* 1915, h/cart. (57,2x42,8) : **GBP 188 500** – LONDRES, 3 déc. 1996 : *Vingt minutes avant une heure* 1922, h/t (78x68) : **GBP 122 500** – LONDRES, 4 déc. 1996 : *Nature morte à la mandoline* 1912, past. avec reh. de gche/pap. (66x42) : **GBP 14 950** – LONDRES, 24 juin 1997 : *Le Balcon* 1913, h/t (87,5x76) : **GBP 958 500** – LONDRES, 25 juin 1997 : *Femme assise* 1921, h/t (65x39) : **GBP 32 200**.

CAMPENHOUDT Jean J.
XVIIIe siècle. Travaillant à Malines dans la seconde moitié du XVIIIe siècle. Éc. flamande.
Graveur, dessinateur et orfèvre.

CAMPENHOUT Hans Van
XVIe siècle. Actif à Anvers. Éc. flamande.
Sculpteur.

CAMPENON Sargines, Mlle. Voir ANGRAND-CAMPE-NON

CAMPENY Y ESTRANY Damian Buenaventura
Né en 1771 à Mataro près Barcelone. Mort en juillet 1855 à Barcelone. XVIIIe-XIXe siècles. Espagnol.
Sculpteur.
D'abord élève du sculpteur Salvador Gurri à Barcelone, et de l'École des Beaux-Arts de cette ville. Ses premiers travaux lui firent obtenir de sa province une pension pour aller à Rome, faveur que reprit plus tard à sa charge le roi Carlos IV. À son retour à Barcelone il fut nommé successivement professeur à l'École des Beaux-Arts (1816), directeur de l'École de sculpture (1819), sous-directeur en 1827 et directeur général en 1840 de l'École d'art. Membre d'honneur de l'Académie San Fernando. Sculpteur du roi. Le musée Balaguer à Villanueva y Geltru près Barcelone conserve de lui une *Statue de Neptune* ; la cathédrale de Barcelone, *La Vierge del Pilar*.

CAMPENY Y SANTAMARIA José
Né en 1865 à Igualada près Barcelone. XIXe-XXe siècles. Espagnol.
Sculpteur.
Élève de l'École des Beaux-Arts de Barcelone, il vint compléter ses études à Paris. Il figura aux expositions de Madrid (1882, 1899, 1906), de Barcelone (1888), d'Athènes (1903), de Berlin (1891), de Vienne (1904).
MUSÉES : BARCELONE (Mus. mun.) : *La Hormiga – Cerf et aigle* – BARCELONE (Mus. Balaguer) : *Statue de Cabanyes* – MADRID (Mus. Mod.) : *A muerte*.

CAMPER Petrus
Né le 11 mai 1722 à Leyde. Mort en 1789 à La Haye. XVIIIe siècle. Hollandais.
Dessinateur.
Ce fut avant tout un illustre savant, professeur de zoologie à l'Athenaeum d'Amsterdam puis dans les Universités de Franeker et Groningue. Mais il fut également un dessinateur très doué, élève de Karel de Moor et, plus tard, de Anth. Ziesenis, et qui a laissé d'excellents dessins d'anatomie et d'animaux.

CAMPES Charles
Né au XIXe siècle à Paris. XIXe siècle. Français.
Peintre de genre.
Élève de Gérôme. Il débuta au Salon de 1870 avec un tableau : *Le mari qu'on aura*.
VENTES PUBLIQUES : NEW YORK, 27 fév. 1986 : *Un chasseur italien*, h/t (130,8x97,2) : **USD 2 200**.

CAMPES Gérard de
XVe siècle. Actif à Tournai en 1480. Éc. flamande.
Enlumineur.

CAMPESINO Y MINGO Vicente
Né à Madrid. XIXe siècle. Espagnol.
Peintre d'histoire, scènes de genre.
Élève de l'École de peinture de Madrid et de Vicente Palmaroli. On cite de lui : *Visite du cardinal Espinosa à Isabelle de Valois*, exposé à Madrid en 1881.
VENTES PUBLIQUES : LONDRES, 15 fév. 1990 : *La lecture* 1895, h/t (35,5x48,5) : **GBP 2 750**.

CAMPESTRINI Alcide Davide
Né en 1863 à Trente. Mort en 1940 à Milan. XIXe-XXe siècles. Italien.
Peintre de compositions religieuses, compositions à personnages, scènes de genre, paysages, natures mortes.
Il étudia à l'Académie de Brera. Il prit part en 1900 au concours Alinari avec : *Madone avec son fils, Mère avec son enfant*.

VENTES PUBLIQUES : LONDRES, 19 mai 1976 : *Dante et Virgile au Purgatoire* 1894, h/t (162x248) : **GBP 800** – MILAN, 6 nov. 1980 : *Nature morte*, h/cart. (50x70) : **ITL 950 000** – MILAN, 6 déc. 1989 : *Paysage de montagne*, synth. (60x61) : **ITL 800 000**.

CAMPESTRINI Alcide Ernesto
Né en 1897 à Milan. Mort en 1983. XXe siècle. Italien.
Peintre de paysages, natures mortes, fleurs.
VENTES PUBLIQUES : MILAN, 14 juin 1989 : *Neige sur Milan*, h/pan. (30,5x41) : **ITL 800 000** ; *Vue du Val d'Adige*, h/t (27,5x40) : **ITL 1 600 000** – MILAN, 6 déc. 1989 : *Nature morte avec des pommes, un vase de fleurs et des livres*, h/rés. synth. (60x50) : **ITL 1 600 000** – MILAN, 29 mars 1995 : *Géraniums à la fenêtre*, h/rés. synth. (60x50) : **ITL 1 150 000** – MILAN, 26 mars 1996 : *Nature morte aux cèpes*, h/rés. synth. (50x60) : **ITL 1 840 000**.

CAMPFOORT Simon Van
XVIIe siècle. Actif à Gand. Éc. flamande.
Sculpteur.

CAMPHAUSEN Wilhelm
Né le 8 février 1818 à Düsseldorf. Mort le 18 juin 1885 à Düsseldorf. XIXe siècle. Allemand.
Peintre d'histoire, sujets militaires, scènes de genre.
Élève de Alfred Rethel et de C. Sohn. Il devint professeur à Düsseldorf et en 1874 membre de l'Académie de Berlin et de Vienne. On mentionne parmi ses œuvres : *Scène de bataille* (1838), *Les Chevaliers revenant de la bataille*.
MUSÉES : BERLIN : *Cavaliers de Cromwell après la tempête* 1864 – BRÊME : *Combat à Alsen* – BRESLAU, non all. de Wroclaw : *Passage du Rhin de la première armée silésienne, près Caub, 1er janvier 1824* – COLOGNE : *Portrait équestre de Guillaume 1er* – DÜSSELDORF : *Frédéric le Grand* 1871 – HAMBOURG : *Garde du matin par les Puritains* – HANOVRE : *Puritain* – KALININGRAD, ancien. Königsberg : *Bismarck conduit Napoléon vers l'empereur Guillaume après la bataille de Sedan* – *Espion danois* – *Salutation de Blücher et Wellington après la bataille de Belle-Alliance* – MUNICH : *Au temps de Cromwell*.
VENTES PUBLIQUES : BERLIN, 17 mai 1895 : *Le prince Eugène et le prince impérial Frédéric* : **FRF 1 000** – NEW YORK, 15 oct. 1976 : *Le guide montrant le chemin* 1851, h/t (125x157) : **USD 1 800** – NEW YORK, 13 oct. 1978 : *Soldat prussien et son prisonnier* 1879, h/t (39x47) : **USD 3 000** – COLOGNE, 18 nov. 1982 : *La trompette*, h/pan. (20,5x27) : **DEM 4 800** – COLOGNE, 21 mai 1984 : *L'empereur Guillaume, Moltke et Bismarck à Sedan* 1877, h/t (52,5x60,5) : **DEM 11 000** – MUNICH, 2 juil. 1986 : *Le maréchal Derflinger donnant l'ordre d'attaquer à la bataille de Fehrbellin* 1871, h/t (60x52) : **DEM 15 000** – NEW YORK, 24 oct. 1990 : *La retraite de cavalerie* 1850, h/t (128,6x147,3) : **USD 26 400** – ZURICH, 24 juin 1993 : *L'effronterie de la jeunesse* 1870, aquar. (30,5x50,3) : **CHF 2 400**.

CAMPHUYSEN Dirk Rafelsz
Né en 1586 à Gorkum. Mort en 1627. XVIIe siècle. Hollandais.
Peintre.
Il eut pour maîtres Dirck Govertsz, puis, à Leyde, Jacobus Arminius, et se rendit à Amersfoort, en 1618. Il fut aussi théologien et poète. Son frère, Govert Rafelsz mort à Amsterdam en 1626 ou 1627, fut le père des deux peintres Rafel et Jochem Govertsz Camphuysen.

R.Camphuysen·

VENTES PUBLIQUES : PARIS, 1846 : *Clairière d'un bois* : **FRF 1 958** – PARIS, 1859 : *Vue de Hollande* : **FRF 13 260** – PARIS, 1863 : *Effet d'hiver* : **FRF 229** – PARIS, 1881 : *Une halte* : **FRF 9 200** – PARIS, 1888 : *Les plaisirs de l'hiver* : **FRF 3 562** – LONDRES, 17 juil. 1908 : *Un paysan et un troupeau* : **GBP 4**.

CAMPHUYSEN Gerrit
XVIIIe siècle. Actif à Groningue vers 1762. Hollandais.
Peintre de portraits, paysages, miniaturiste.

CAMPHUYSEN Govert ou Godefridus
Né en 1657 ou 1659 à Amsterdam. Mort après 1693. XVIIe siècle. Hollandais.
Peintre.
Fils de Govert Dircksz et petit-fils de Jochem Govertsz Camphuysen.

CAMPHUYSEN Govert Dircksz
Né en 1623 ou 1624 à Gorkum. Mort le 4 juillet 1672, probablement enterré à Amsterdam. XVIIe siècle. Hollandais.

Peintre de genre, portraits, intérieurs, animaux, paysages, natures mortes, graveur.

Il se maria à Amsterdam le 9 février 1647, et y acquit le droit de cité le 16 mars 1650. Il en partit, en 1652, pour Stockholm, où il fut peintre de la reine Marie-Eléonore, veuve de Gustave-Adolphe, du roi Charles II et du grand chancelier comte Magnus Gabriel de la Gardie. En 1655, il était peintre de la cour ; il revint à Amsterdam peu après novembre 1663. Il eut pour élèves son fils ou neveu Govert Jan Pietersz Opperdoes, Aart Van der Neer. Il peignit des animaux et, en Suède, des portraits. Ses tableaux sont souvent attribués à Potter. On a de lui une gravure : *Vache debout près d'un arbre.*

[signature]

Musées : Aix-la-Chapelle : *Une étable de veaux* – Amsterdam : *Portrait de l'artiste* – *Étables avec figures* – Breslau, nom all. de Wroclaw : *Intérieur d'une maison de paysans hollandais* – Bruxelles : *Intérieur, femme épluchant des carottes* – *Intérieur d'une ferme* – Cologne : *Intérieur d'une étable avec deux vaches* – Copenhague : *Intérieur d'une étable avec deux bœufs* – Fano, Suède – Forsmark, Suède (coll. Ugglas) : *Grand paysage* – Grispsholm, Suède – Kassel : *Berger badinant avec une bergère* – Kiel : *Une poule couvant* – Lille : *Halte de chasse* – Londres (Dulwich College) : *Paysans et bœufs devant une maison* – Londres (coll. Wallace) : *Paysan dans une cour de ferme* – Rotterdam : *Charrette de paysans devant une auberge* – Saint-Pétersbourg (Ermitage) : *Écurie, une paysanne se défendant en riant contre un jeune paysan* – *Paysanne se défendant avec sa pantoufle contre l'insolence d'un valet* – Statholm, Suède – Stockholm (Mus., Cab. du roi) : *Paysage suédois* – Stockholm (coll. Eichhorn) : *Intérieurs d'écurie*, une paire – *Madame Eva Horn* – Utrecht (coll. Godin de Beaufort) : *Comte Gustave Waraborg – Cour de ferme.*

Ventes Publiques : Paris, 1804 : *Paysan caressant une paysanne :* FRF 4 750 – Paris, 1864 : *La poule couveuse :* FRF 250 ; *Paysage boisé :* FRF 96 – Paris, 1876 : *Intérieur de ferme :* FRF 6 720 – Paris, 1881 : *Halte de chasse :* FRF 9 200 – Londres, 1888 : *Une auberge de village :* FRF 4 463 – Londres, 1895 : *Intérieur d'étable :* FRF 2 300 – Amsterdam, 1897 : *Intérieur de grange :* FRF 493 – Londres, 16 mars 1908 : *Paysage :* GBP 58 – Londres, 15 mai 1908 : *Une famille de paysans :* GBP 35 – Paris, 27-28 déc. 1926 : *La jeune mère :* FRF 200 – Londres, 18 juil. 1930 : *Intérieur d'une grange :* GBP 36 – Londres, 29 juin 1934 : *Paysage :* GBP 21 – Londres, 31 juil. 1935 : *Scène de ferme :* GBP 16 – Bruxelles, 6-7 déc. 1938 : *Paysage :* BEF 12 000 – Londres, 30 mars 1962 : *Rivière gelée avec patineurs :* GNS 400 – Paris, 23 juin 1964 : *La laitière courtisée :* FRF 3 500 – Vienne, 22 mars 1966 : *Le troupeau :* ATS 25 000 – Londres, 14 fév. 1968 : *Paysage fluvial :* FRF 700 – Vienne, 16 sep. 1969 : *Le retour des chasseurs :* ATS 65 000 – Londres, 30 juin 1971 : *Paysage boisé :* GBP 5 000 – Paris, 23 nov. 1972 : *Intérieur de ferme :* FRF 37 000 – Londres, 4 avr. 1984 : *Nature morte aux légumes,* h/t (38x67,5) : GBP 4 600 – Londres, 21 juil. 1989 : *Couple élégant conversant sous un arbre avec un paysan et des ruines à l'arrière-plan,* h/pan. (35x29,3) : GBP 5 720 – Londres, 12 déc. 1990 : *Berger endormi avec deux moutons,* h/pan. (114x84) : GBP 23 100 – Paris, 26 juin 1992 : *Paysage boisé avec attaque de brigands,* h/pan. (59x82) : FRF 150 000.

CAMPHUYSEN Herman

xviie siècle. Éc. flamande.

Peintre paysagiste et animalier.

Ventes Publiques : Bruxelles, 1865 : *Bestiaux et figures dans un paysage :* FRF 36 – Bruxelles, 27 mars 1931 : *Pâturage :* FRF 355.

CAMPHUYSEN Jan. Voir **KAMPHUYSEN**

CAMPHUYSEN Jochem Govertsz

Né en 1601 ou 1602 à Gorinchem. Mort le 21 janvier 1659 à Amsterdam. xviie siècle. Hollandais.

Peintre d'histoire, scènes de genre, paysages animés.

Frère de Rafel Govertsz Camphuysen. Il se maria le 20 février 1627.

Ventes Publiques : Amsterdam, 26 avr. 1976 : *Judas et Thamar dans un paysage,* h/pan. (32x45) : NLG 25 000 – Londres, 4 mai 1979 : *Voyageur et chasseur dans un paysage boisé,* h/pan. (59x81,3) : GBP 3 500 – New York, 10 jan. 1980 : *L'embuscade,* h/pan., les personnages sont probablement exécutés par un autre artiste (59,7x93,2) : USD 13 000 – Londres, 17 avr. 1991 :

Chasseurs sur un chemin surplombant une vallée, h/pan. (53,5x40,5) : GBP 7 150 – Londres, 24 fév. 1995 : *Paysans se reposant sous un arbre,* h/pan. (37,2x26) : GBP 4 025 – Amsterdam, 9 mai 1995 : *Paysage avec des personnages sur un chemin près d'une rivière avec une église en ruines au fond ; Paysage avec des personnages sur un chemin près d'une auberge,* h/pan., une paire (chaque 37x47) : NLG 53 100 – Amsterdam, 10 nov. 1997 : *Une paysanne et son enfant avec un voyageur sur un chemin près d'une ferme et d'une rivière au coucher du soleil,* h/pan., de forme ovale (40,6x52,9) : NLG 13 838.

CAMPHUYSEN Rafel Govertsz

Né en 1598 à Gorkum. Mort le 23 octobre 1657 à Amsterdam. xviie siècle. Hollandais.

Peintre de paysages.

Frère de Jochem Govertsz Camphuysen. Il se maria à Amsterdam, le 24 octobre 1626. Il peignit des clairs de lune dans la manière d'Aart Van der Neer.

Musées : Amsterdam : *Paysage, soir* – Aschaffenbourg : *La cour de ferme abandonnée* – *Paysage, soir* – *Paysage* – Cologne : *Fleuve en hiver, avec patineurs* – Dresde : *Village sur un fleuve au clair de lune* – *Village sur un fleuve au clair de lune* – Hadzor, Angleterre : *Paysage, le jour* – Schleisheim : *Fleuve en hiver* – *Paysage, clair de lune* – Stockholm (Université) : *Paysage d'hiver.*

Ventes Publiques : Londres, 3 fév. 1922 : *Bords de rivière :* GBP 8 – Paris, 13 nov. 1933 : *La rivière :* FRF 1 000 – Londres, 24 avr. 1981 : *Paysage fluvial boisé avec chaumières,* h/pan. (45x61) : GBP 2 800 – Amsterdam, 9 mai 1995 : *Paysage boisé avec cavaliers,* h/pan. (33,7x43) : NLG 8 260.

CAMPI, da. Voir au prénom

CAMPI Andrea

xviiie siècle. Italien.

Sculpteur.

Actif à Carrare, il travailla pour le monastère du Mont Cassin en 1714.

CAMPI Antonio

Originaire de Milan. Mort vers 1505 à Ferrare. xve-xvie siècles. Travaillant à Ferrare. Italien.

Sculpteur.

CAMPI Antonio, cavaliere

Né un peu avant 1536 à Crémone. Mort vers 1591. xvie siècle. Italien.

Peintre de compositions religieuses, figures, portraits, dessinateur, graveur, sculpteur, architecte.

Fils de Galeazzo et frère de Giulio et Vincenzo Campi. Antonio travailla d'abord chez son père et, plus tard, dans l'atelier de son frère Giulio. Avant de se fixer à Milan (1561), il avait travaillé dans un grand nombre de villes, notamment à Plaisance, Lodi, Brescia, Mantoue, Crémone, sa ville natale, et Rome. Il a peint pour la cathédrale de Crémone une *Pietà* et, dans la même ville, pour S. Sigismondo : *Madeleine embaumant les pieds du Christ* et le *Baptême du Christ.* Il a aussi exécuté une série de peintures pour les églises de Milan, notamment pour S. Barnaba, une *Madone à l'Enfant entourée de saints* (actuellement à la Brera). Il écrivit une *Chronique de Crémone,* qu'il orna de planches gravées.

[signature]

Musées : Milan (Brera) : *Madone à l'Enfant entourée de saints.*
Ventes Publiques : Turin, 1860 : *Le baptême de Notre-Seigneur ; Saint Antoine tourmenté par le démon ; Une figure d'homme avec costume Henri II,* trois dessins à la plume lavés de bistre : FRF 4 ; *L'Assomption de la Vierge ; Le Martyre de sainte Catherine,* deux dessins à la plume lavés de bistre : FRF 18 – Milan, 17 déc. 1987 : *Portrait de l'empereur Vitellio,* sanguine (25,5x21,5) : ITL 1 500 000.

CAMPI Bernardino

Né vers 1522 à Crémone. Mort entre 1590 et 1592 à Reggio. xvie siècle. Italien.

Peintre de sujets mythologiques, compositions religieuses, sujets allégoriques, figures, portraits, dessinateur.

Bernardino appartenait à la famille des Campi, peintres, à Crémone. Il fut d'abord orfèvre, mais, bientôt, montrant un goût prononcé pour le dessin, il changea de profession et entra dans l'école de peinture de son parent Giulio Campi. Il participa aux décorations de Saint-Sigismond en 1570. Plus tard, il devint élève d'App. Costa, à Mantoue.

Bernardino voyagea beaucoup, exécutant des peintures à Parme, Modène et Reggio. Son art est empreint de maniérisme. Il eut pour élève Sofonisba Anguissola, dont la renommée dépassera la sienne.

Musées : Paris (Mus. du Louvre) : *La Vierge pleurant sur le corps de son fils.*

Ventes Publiques : Paris, 1775 : *Un sujet d'ornement, arabesque, figures et animaux*, dess. au bistre : **FRF 6** – Turin, 1860 : *La vie d'un évêque, sépia*, huit dess. : **FRF 6,50** / *Scènes de l'Inquisition*, sépia, seize dess. : **FRF 32** – New York, 18-19 avr. 1934 : *La Marchesa de Spillenberg* : **USD 225** – Londres, 24 juin 1953 : *Minerve et des philosophes, des soldats et autres personnages regardant par-dessus une barrière*, h/t (15,2x110,5) : **GBP 350** – Paris, 12 avr. 1954 : *Christ guérissant les lépreux*, pl. lavée de sépia : **FRF 14 000** – Londres, 30 nov. 1966 : *La Vierge et l'Enfant* : **GBP 1 600** – Londres, 23 juin 1982 : *La Crucifixion*, h/pan. (204x71) : **GBP 14 000** – Londres, 12 avr. 1983 : *Étude de décors pour des pilastres*, pierre noire/pap. (28,3x16,8) : **GBP 1 900** – Londres, 4 juil. 1986 : *Minerve et des philosophes, des soldats et autres personnages regardant par-dessus une barrière*, h/t (15,2x110,5) : **GBP 35 000** – Paris, 18 déc. 1987 : *Vierge à l'enfant, sanguine*, mise au carreau (15x10) : **FRF 11 000** – Paris, 4 mars 1988 : *Composition allégorique*, pl., lav. brun, reh. de blanc/pap. préparé brun mise au carreau (16x29) : **FRF 27 000** – Milan, 24 oct. 1989 : *Portrait de Prospero Quintavalle*, h/pan. (64,5x49,5) : **ITL 50 000 000** – Monaco, 20 juin 1992 : *Un évêque prêchant sur le parvis d'une église*, craies noire et rouge (18x12,7) : **FRF 22 200** – Paris, 5 nov. 1993 : *Deux soldats*, pl., encre et lav. bleu (15,5x8,5) : **FRF 11 500** – New York, 18 mai 1994 : *Portrait d'un gentilhomme debout de trois-quarts, vêtu d'un costume noir et tenant un livre et avec un chien*, h/t (129x103) : **USD 134 500** – Milan, 31 mai 1994 : *Vierge à l'Enfant et sainte Catherine*, h/t (75,5x60,5) : **ITL 9 200 000** – Londres, 7 déc. 1994 : *L'Adoration des mages*, h/t (118,5x99) : **GBP 27 600.**

CAMPI David
Né en 1683. Mort en 1750. XVIIIᵉ siècle. Actif à Gênes. Italien.
Peintre d'histoire et de portraits.

CAMPI Felice
Né en 1764 à Mantoue. Mort en 1817 à Mantoue. XVIIIᵉ-XIXᵉ siècles. Italien.
Peintre.

CAMPI Galeazzo
Né entre 1475 et 1477 à Crémone. Mort en 1536 à Crémone. XVIᵉ siècle. Italien.
Peintre.
Il fut l'élève de Baccacio Boccaccino, à qui il doit beaucoup, bien que participant encore de la Renaissance. Premier du nom de cette famille d'artistes de Crémone. On cite de lui : *La Madone entre deux saints* (1503), œuvre conservée au musée Municipal de Crémone, une prédelle avec *L'Offrande au Temple* et *L'Annonciation* (à la Galerie Borromeo à Milan), *Résurrection de Lazare*, autrefois à l'église San Lazzaro, actuellement à Casalmaggiore.

CAMPI Giacomo
Né en 1846 à Milan. Mort en 1921. XIXᵉ siècle. Italien.
Peintre d'histoire, scènes de genre, peintre à la gouache, aquarelliste.

Ventes Publiques : New York, 27 mai 1983 : *L'Heure du thé*, aquar. et gche (33,5x28) : **USD 600** – Milan, 14 nov. 1985 : *Scène galante 1880*, aquar. (38x24) : **ITL 800 000** – Rome, 4 juin 1996 : *Séduction*, aquar./pap., une paire (chacune 37x27) : **ITL 172 500 0.**

CAMPI Giulio
Né en 1502 à Crémone. Mort en 1572. XVIᵉ siècle. Italien.
Peintre de sujets mythologiques, compositions religieuses, portraits, dessinateur.
Fils et élève de Galeazzo Campi et de Bern Gatti dit Sojaro, il forma son style sous l'influence de Giulio Romano et plus tard du Pordenone.
Le Musée des Offices à Florence possède un portrait de *Galeazzo Campi*, que d'aucuns disent être le portrait de l'artiste lui-même. Il travailla avec son frère Antonio, aux fresques de la coupole de la basilique Saint-Sigismond. La cathédrale et plusieurs églises de Crémone conservent de ses peintures. On considère comme son chef-d'œuvre la *Madone en gloire* de Saint-Sigismond (1540).

Musées : Florence (Mus. des Offices) : *Portrait de Galeazzo Campi* – Milan (Mus. de la Brera) : *Madone entourée de saints.*

Ventes Publiques : Turin, 1857 : *La Vierge, l'Enfant Jésus et saint Jean* : **FRF 1 010** – Paris, 1865 : *La Vierge et l'Enfant Jésus et sainte Anne*, dess. à la sanguine : **FRF 8** – Londres, 15 juil. 1927 : *Portrait d'une dame : Isabelle d'Este* : **GBP 1 785** – New York, 20 avr. 1939 : *Ercole II, duc de Ferrare* : **USD 3 400** – Londres, 2 juil. 1965 : *Portrait d'un gentilhomme* : **GNS 4 000** – Londres, 5 juil. 1967 : *Portrait présumé de Clément Marot* : **GBP 3 000** – Londres, 24 juin 1970 : *Portrait d'un gentilhomme* : **GBP 1 000** – New York, 5 juin 1979 : *Portrait présumé de Clément Marot*, h/t (123x90) : **USD 16 000** – Munich, 29 mai 1979 : *Alexander Magnus*, pierre noire et lav. reh. de blanc (43x23) : **DEM 3 200** – Milan, 29 mars 1983 : *Saint François en prière*, h/t (193x129) : **ITL 120 000 000** – Londres, 9 avr. 1986 : *Portrait d'homme tenant un livre*, h/t (122,5x90) : **GBP 25 000** – Londres, 2 juil. 1991 : *Saint Georges et le dragon*, encre (29,2x19,8) : **GBP 11 000** – Rome, 28 avr. 1992 : *L'enlèvement d'Europe*, h/t (97x122) : **ITL 31 000 000** – New York, 11 jan. 1994 : *Frise avec Hermès et des putti portant un écusson surmonté d'une chouette*, encre et lav./pap. bleu (13,5x20,1) : **USD 2 300** – New York, 29 jan. 1997 : *Personnage agenouillé enchaîné*, pl. et encre (14,4x10,6) : **USD 4 025.**

CAMPI Jacopo
Né en 1846 à Milan. XIXᵉ siècle. Italien.
Peintre.
Élève de l'Académie de San-Luca à Rome, où il fut l'objet de distinctions toutes spéciales. Ses principaux tableaux sont : *Le Jeu de tarots, Souvenir de la lune de miel, Les Deux Vénitiennes, La Tentation, Napoléon à Sainte-Hélène, Grandes manœuvres, Premier baiser.*

CAMPI Pietro Paolo
Originaire de Carrare. XVIIIᵉ siècle. Italien.
Sculpteur.
Il travailla surtout à Rome où il avait été l'élève et l'aide de Pierre Legros.

CAMPI Sebastiano
Originaire de Crémone. XVIᵉ siècle. Italien.
Peintre.
Frère de Galeazzo Campi, il l'aida dans quelques-uns de ses travaux.

CAMPI Vincenzo
Né en 1536 à Crémone, en 1532 selon Larousse. Mort en 1591. XVIᵉ siècle. Italien.
Peintre de sujets religieux, scènes de genre, portraits, fleurs et fruits.
Fils de Galeazzo Campi et frère de Giulio et d'Antonio.
Parmi ses tableaux d'autel, on cite une *Descente de Croix*, à la cathédrale de Crémone. En 1583, il partit pour l'Espagne avec son frère Antonio et travailla avec lui à l'Escurial, sous la protection de Philippe II.
Il fut surtout attiré par le portrait et la peinture de fleurs et de fruits. La solidité de la construction des volumes dans ses peintures peut sembler annoncer le Caravage.

Musées : Bergame : *Portrait de Giulio Boccamellon* – Milan (Brera) : *Femme avec des fruits – Femme avec des poissons.*

Ventes Publiques : Lucerne, 28 nov. 1964 : *Le repas des paysans* : **CHF 4 700** – Londres, 3 déc. 1969 : *La marchande de fruits* : **GBP 4 000** – Londres, 9 déc. 1987 : *La marchande de fruits 1583*, h/t (141x216) : **GBP 260 000.**

CAMPIDOGLIO Michelangelo da, de son vrai nom : Pace Michelangelo
Né en 1610 à Rome. Mort en 1670 à Rome. XVIIᵉ siècle. Travaillant à Rome. Italien.
Peintre de figures, natures mortes, fleurs et fruits.
Élève de Fioravante. Il fut un des meilleurs peintres de fruits de toute l'école italienne.

Musées : Aix-en-Provence : *Nature morte.*

Ventes Publiques : Paris, 1745 : *Animaux* ; *Fruits*, deux tableaux : **FRF 30** – Paris, 1777 : *Nature morte aux melons, grenades, raisins* : **FRF 55** – Bruxelles, 1847 : *Fleurs et fruits* : **FRF 80** – Bruxelles, 1865 : *Fruits* : **FRF 40** – Cologne, 5-6 oct. 1894 : *Fruits* : **DEM 115** – Londres, 23 nov. 1907 : *Fruits et fleurs* : **GBP 5** – Londres, 29 mai 1909 : *Un sujet et un fruit* : **GBP 25** ; *Fruits* : **GBP 7** – Londres, 5 fév. 1910 : *Nature morte* : **GBP 26** – Londres, 11-14 nov. 1921 : *Fruits* : **GBP 6** – Londres, 24 mars 1922 : *Fruits sur une coupe* : **GBP 11** – Londres, 23-24 mai 1922 : *Fleurs dans un vase* : **GBP 25** – Londres, 26 mars 1923 : *Scène de genre* : **GBP 8** – Londres, 8 juin 1923 : *Légumes et Fleurs* : **GBP 10** – Londres, 15 juin 1927 : *Nature morte* : **GBP 17** – Londres, 2 déc.

1929 : *Fruits sur une table* : **GBP 13** – Londres, 30 mai 1930 : *Fleurs et fruits près d'une fontaine* : **GBP 44** – Londres, 15 juil. 1932 : *Nature morte* : **GBP 7** – Londres, 20 juil. 1934 : *Fleurs et fruits* : **GBP 9** – Bruxelles, 4 avr. 1938 : *Nature morte* : **BEF 1 300** – Londres, 27 mai 1960 : *Nature morte d'une coupe de fleurs mélangées* : **GBP 504** – Londres, 28 nov. 1962 : *Natures mortes, deux pendants* : **GBP 280** – Milan, 12-13 mars 1963 : *Nature morte* : **ITL 1 150 000** – Milan, 29 oct. 1964 : *Nature morte aux fruits* : **ITL 1 500 000** – Londres, 29 oct. 1965 : *Nature morte* : **GNS 1 300** – Vienne, 15 juin 1972 : *Nature morte aux fruits* : **ATS 55 000** – Paris, 29 nov. 1976 : *Nature morte*, h/t (105x137,5) : **FRF 23 000** – Rome, 12 nov. 1986 : *Nature morte aux fruits*, h/t (94x132) : **ITL 48 000 000** – Milan, 12 déc. 1988 : *Nature morte avec une grenade, des citrouilles et du raisin*, h/t (71x80) : **ITL 56 000 000** – Paris, 14 avr. 1989 : *Femme portant une corbeille de fruits*, h/t (112x75,5) : **FRF 140 000** – Londres, 9 avr. 1990 : *Nature morte de fruits dans une urne, avec des melons, figues, raisins et grenades sur un entablement*, h/t (96,8x75) : **GBP 38 500** – Bordeaux, 17 déc. 1992 : *Nature morte aux fruits*, h/t (124x170) : **FRF 940 000** – New York, 8 oct. 1993 : *Nature morte d'une importante composition de fruits et de fleurs dans une urne sculptée*, h/t (78,1x103,5) : **USD 59 700** – Londres, 11 déc. 1996 : *Nature morte aux raisins, melons, grenades et poires avec une servante et un geai*, h/t (108x132) : **GBP 89 500** – Paris, 17 juin 1997 : *Nature morte aux raisins, grenades et figues sur un entablement*, t. (75,5x92,5) : **FRF 90 000** – Londres, 3-4 déc. 1997 : *Nature morte de raisins, prunes, melons et pêches avec un singe*, h/t (93,5x129) : **GBP 28 750**.

CAMPIDOGLIO Onofrio ou **Campitoglio**
D'origine italienne. XVIᵉ siècle. Italien.
Sculpteur.
Il travailla en 1526 aux tombeaux de Philibert le Beau et de sa femme Marguerite d'Autriche, dans l'église de Brou.

CAMPIGLI
D'origine italienne. XVIIIᵉ siècle. Italien.
Peintre de miniatures.
Il travailla à Potsdam et à Berlin, et, plus tard, à la cour du roi de Pologne Stanislas Auguste à Varsovie.
Il a peint des paysages avec des architectures et des scènes mythologiques, ainsi que des portraits. On cite de lui : *Vénus caressant l'Amour*, *Vénus couchée*.

CAMPIGLI Massimo
Né le 4 juillet 1895 à Florence (Toscane). Mort en mai 1971 à Saint-Tropez (Var). XXᵉ siècle. Actif aussi en France. Italien.
Peintre de figures, peintre à la gouache, aquarelliste, peintre de techniques mixtes, lithographe.
Il passa sa jeunesse à Milan, où, jeune encore, il fut en contact avec Boccioni et les peintres futuristes, dont il fut quelque peu influencé. Collaborant au journal d'avant-garde *Lacerba* par des textes et des dessins, il avait alors une double activité, picturale et littéraire, interrompues de toute façon par la guerre. Très marqué par la guerre dans les tranchées, il en peignit quelques scènes, puis put finalement se réfugier en Russie. En 1919, il vint à Paris, comme correspondant de presse, tout en reprenant la peinture à l'écart de l'agitation du marché. Menant une vie longtemps matériellement difficile, il resta cependant à Paris jusqu'en 1939. Il participait à des expositions collectives, à Paris à partir de 1921, notamment au Salon des Tuileries en 1929 avec *Promeneuses* – *Femmes dans l'escalier*, ses peintures murales obtenant un grand succès à la Triennale de Milan en 1939. Il figura également à la Biennale de Venise. En 1929 à Paris, la Galerie Jeanne Bucher lui organisa une exposition personnelle, d'autres suivirent en 1931 à Venise, 1932 New York. Puis après la deuxième guerre mondiale, revenu à Paris en 1948, il fit plusieurs expositions personnelles à la Galerie de France. En 1939, il réalisa une fresque de trois cents mètres carrés pour l'Université de Padoue. En 1967 une rétrospective de son œuvre fut organisée au Palazzo Reale de Milan.
Après la première guerre, à Paris, il fut un temps influencé par le cubisme tel qu'il était défini dans la revue *L'Esprit Nouveau* des « puristes » Ozenfant et Jeanneret (Le Corbusier). De cette influence, complétée par celle de la *peinture métaphysique* de Chirico, Carra et autres avant 1920, il conserva le sens d'une peinture construite dans ses éléments et sa totalité. Mais, à partir de 1928, ayant commencé à s'intéresser attentivement à la légèreté transparente des couleurs des fresques crétoises, aux énigmatiques portraits funéraires du Fayoum, aux fresques pompéiennes et à celles du Quattrocento puis, lors d'un séjour à

Rome, très impressionné par les peintures étrusques de la Villa Giulia, Campigli très rapidement alors détermina les principales composantes qui devaient caractériser toute la suite de son œuvre : la surface de la peinture, souvent subdivisée en cases, traitée comme un espace mural, le format occupé en totalité et sans profondeur, les couleurs doucement ocrées rappelant celles des fresques, les personnages vus de face, leurs silhouettes découpées, figés et le regard lointain, conférant à l'ensemble un caractère archaïque évident à ne pas confondre avec quelque naïveté. Il a presque exclusivement peint des personnages féminins, rarement de véritables portraits, en forme d'urnes funéraires, élégantes anonymes en toilettes anachroniques, le port gracieux un peu mièvre, taille de guêpe très cintrée entre deux trapèzes inversés, bras en anses d'amphores, lèvres peintes. Leurs attitudes stéréotypées et leurs actions peu précisées laissent planer un doute poétique quant à la lecture de la plupart des compositions, que ne dissipent pas quelques autres apparemment plus explicites, telle celle *Les Amazones* de 1924, où s'entrecroisent perpendiculairement hiératiques les formes d'une femme debout verticale, des silhouettes de chevaux horizontaux plantés sur leurs jambes parallèles à un arbre dressé et une sorte de statue couchée sur le sol.
Il fut un habitant de Montparnasse très discret malgré une importante stature, se plaisant visiblement à la solitude sans refuser l'affection. En marge des influences à peine reçues plutôt que subies, Campigli a élaboré au long de sa vie un œuvre figuratif très particulier, secret mais non hermétique. Il est vrai qu'il fut loin d'être seul dans cette référence au classicisme que partagèrent, avec des accents très divers, bon nombre des artistes italiens du Novecento, des métaphysiques aux politiques, de Chirico à Guttuso. Campigli a su créer un univers singulier, empreint d'un charme rêveur, dont on identifie l'amont mais qui n'eut pas d'aval, qui n'appartient qu'à lui, à tel point que se pose ici de nouveau la question, mais a-t-elle de l'importance, d'un style ou d'un maniérisme ? ■ Jacques Busse

Bibliogr. : In : *Les Muses*, Grange Batelière, Paris, 1971 – in : *Diction. Univers. de la Peint.*, Robert, Paris, 1975.
Musées : Amsterdam (Stedel. Mus.) : *Femmes sur la plage* 1935 – Milan (Gal. d'Art Mod.) : *Scènes de la guerre des tranchées* 1917-1918 – *Famille* – Paris (Mus. Nat. d'Art Mod.) : *Jeunes filles* 1932.
Ventes Publiques : Paris, 26 mars 1928 : *Les Joueurs d'échecs* : **FRF 140** – Paris, 30 avr. 1941 : *La ménagère* : **FRF 400** – New York, 19 mars 1958 : *Promenade* : **USD 1 400** – New York, 26 avr. 1961 : *Trois personnages* : **USD 2 600** – Milan, 22 nov. 1961 : *Le bateau* : **ITL 8 500 000** – Milan, 29 nov. 1966 : *Autoportrait* : **ITL 4 400 000** – Milan, 10 déc. 1970 : *Femmes dans les champs* : **ITL 12 000 000** – Milan, 9 mars 1972 : *La Vitrine* 1955 : **ITL 22 000 000** – New York, 28 mai 1976 : *Femme* 1968, gche/t. (32x24) : **USD 1 050** – Hambourg, 2 juin 1976 : *Les Danseuses* 1965, h/t (36x73) : **DEM 28 000** – Padoue, 29 oct. 1977 : *Dans les rizières* 1958, litho. en coul. (59,5x45) : **ITL 900 000** – Rome, 17 nov. 1977 : *Figures à l'ombre et au soleil* 1931, h/t (80x98) : **ITL 24 000 000** – Milan, 13 juin 1978 : *Les Constructeurs* 1928, h/t (170x120) : **ITL 44 000 000** – Londres, 4 avr. 1979 : *Fille au chapeau* 1949, gche et h. (64,5x39) : **GBP 4 000** – Milan, 22 mai 1980 : *Têtes de femmes*, temp. (63x115) : **ITL 15 000 000** – Rome, 11 juin 1981 : *Portrait de femme*, temp./journal (30x25,5) : **ITL 2 800 000** – New York, 21 mai 1982 : *Portrait de femme* 1950, techn. mixte/t. (46,4x37,5) : **USD 25 000** – Milan, 15 mars 1983 : *Théâtre* 1939, h/t (114x162) : **ITL 126 000 000** – Zurich, 2 juin 1983 : *Deux figures* 1948, gche (31,5x41) : **CHF 8 600** – Milan, 15 nov. 1983 : *Donne in casa* 1963, monotype (30,2x23,4) : **ITL 3 600 000** – New York, 16 nov. 1983 : *Deux Garçons* 1952, craies noire et rouge/pap. (38x51) : **USD 8 500** – New York, 23 fév. 1984 : *Figures* 1956, h/t (66x92) : **USD 35 000** – Londres, 26 juin 1985 : *Les Jumeaux* 1929, h/t (81x64,8) : **GBP 35 000** – Milan, 28 oct. 1986 : *Femme peintre et modèle* 1946, h/t (72x90) : **ITL 200 000 000** – Milan, 14 déc. 1987 : *Femmes sur la plage*

1948, h/t (65x81) : **ITL 220 000 000** – New York, 18 fév. 1988 : *Deux femmes assises*, fus./pap. (45,5x34) : **USD 11 000** – Milan, 24 mars 1988 : *Généalogie* 1930, h/t (73x92) : **ITL 135 000 000** – Milan, 14 mai 1988 : *Petit théâtre* 1965, litho. coul. (34x48) : **ITL 1 200 000** – Milan, 8 juin 1988 : *Scène de théâtre* 1960, h/pan. (33x39,5) : **ITL 9 000 000** – Londres, 21 oct. 1988 : *Promenade* 1963, h/t (45,2x56,5) : **GBP 26 400** – Milan, 14 déc. 1988 : *Théâtre* 1960, h/t (113x146) : **ITL 250 000 000** – Paris, 1er fév. 1989 : *Deux femmes assises* 1953, litho., n° 78/250 : **FRF 4 200** – Milan, 20 mars 1989 : *Composition* 1962, h/t (100x147) : **ITL 200 000 000** – New York, 10 mai 1989 : *L'Escalier de la place d'Espagne* 1955, h/t (90x56) : **USD 176 000** – Londres, 26 juin 1989 : *Ville debout* 1959, h/t (130x97) : **GBP 187 000** – Londres, 27 nov. 1989 : *Le café* 1931, h/t (100x78) : **GBP 209 000** – Rome, 6 déc. 1989 : *Trois personnages* 1962, h/t (26x36) : **ITL 40 250 000** – Milan, 19 déc. 1989 : *Groupe* 1943, h/t (100x80) : **ITL 620 000 000** – New York, 26 fév. 1990 : *Deux Sœurs* 1953, h/t (108x75) : **USD 242 000** – Milan, 27 mars 1990 : *La loi d'atavisme* 1930, h/t (90x130) : **ITL 320 000 000** – Londres, 4 avr. 1990 : *Dames sur un divan* 1949, h/t (65x92) : **GBP 264 000** – Milan, 12 juin 1990 : *Deux actrices* 1946, h/t (60x91,5) : **ITL 500 000 000** – New York, 3 oct. 1990 : *Femmes avec des oiseaux* 1949, h/t (73,5x100,3) : **USD 275 000** – Londres, 4 déc. 1990 : *La tisserande* 1949, h/t (41x24) : **GBP 46 200** – New York, 8 mai 1991 : *Piscine* 1954, h/t (195x124) : **USD 385 000** – Rome, 13 mai 1991 : *Le minaret* 1942, sanguine/pap. (29x23) : **ITL 16 100 000** – Paris, 20 juin 1991 : *Femmes aux colliers bleus* 1964, h/t (38,5x46,5) : **FRF 270 000** – Milan, 20 juin 1991 : *Deux femmes* 1947, h/t (57x52,5) : **ITL 220 000 000** – Lugano, 12 oct. 1991 : *Femmes au soleil*, h/t (72x91) : **CHF 590 000** – New York, 5 nov. 1991 : *Femmes aux gants* 1937, h/t (73x92) : **USD 330 000** – New York, 13 mai 1992 : *Femmes dans un paysage* 1956, h/t (88,9x116,2) : **USD 264 000** – Milan, 15 déc. 1992 : *Le jeu du fil* 1946, h/t (60x91) : **ITL 400 000 000** – Paris, 6 avr. 1993 : *Jeune femme au chapeau à plume*, h/t (60x91) : **FRF 60 000** – Paris, 17 déc. 1993 : *Casa* 1945, aquar./litho. (31x23,8) : **FRF 13 000** – Zurich, 3 déc. 1993 : *Écuyère* 1954, litho. coul. (45,6x56) : **CHF 1 900** – Rome, 19 avr. 1994 : *Composition à personnages* 1959, h/t (65x50) : **ITL 70 150 000** – New York, 11 mai 1994 : *Buste de femme* 1956, h/t (44,8x33) : **USD 85 000** – Milan, 5 mai 1994 : *Personnage féminin* 1960, h/t (116x81) : **ITL 166 750 000** – Londres, 29 nov. 1994 : *Portes et fenêtres* 1965, h/t (106x107,5) : **GBP 67 500** – Rome, 28 mars 1995 : *Femmes à la fenêtre* 1969, eau-forte (41,5x31,5) : **ITL 2 070 000** – Milan, 27 avr. 1995 : *Île heureuse*, h/t (94x75) : **ITL 500 250 000** – New York, 8 nov. 1995 : *Jeu de volley* 1931, h/t (46x55,2) : **USD 140 000** – Milan, 23 mai 1996 : *Tête* 1963, litho./pap. (29,5x22) : **ITL 7 475 000** – Milan, 28 mai 1996 : *Deux Actrices*, h/t (72x92) : **ITL 334 650 000** – Londres, 4 déc. 1996 : *Portrait de jeune fille* 1960, h/t (46,5x37,5) : **GBP 47 700** – Paris, 27 fév. 1997 : *La Jeune Pianiste ; Jeune femme à la lampe et profil*, mine de pb, deux croquis : **FRF 20 000** – Milan, 18 mars 1997 : *Femmes au masque* 1955, h/t (60x73) : **ITL 180 575 000** – Rome, 8 avr. 1997 : *Nu* 1928, h/t (55x26) : **ITL 34 950 000** – Paris, 28 avr. 1997 : *Dames à la Tour Eiffel* 1952, litho. (60,2x74,3) : **FRF 7 200** – Milan, 24 nov. 1997 : *Composition en rose* 1970, h/t (56x48) : **ITL 89 440 000**.

CAMPIGLI Radulesco Madeleine
xxe siècle.
Peintre.
Elle figura au Salon des Indépendants, à Paris, en 1928.

CAMPIGLIA Giovanni Domenico
Né en 1692 à Lucques. Mort en 1768. xviiie siècle. Italien.
Peintre de genre, figures, dessinateur, graveur.
Cet artiste eut pour professeurs Tomaso Redi et Lorenzo del Moro, à Florence, et, à Bologne, il fréquenta l'école de Giuseppe del Sole.
Il fut très apprécié pour la qualité de ses dessins.
Ventes Publiques : Paris, 1858 : *Une femme expirant sur un lit*, dess. à la pierre d'Italie lavé et reh. de blanc : **FRF 10** – Paris, 1859 : *Femme chrétienne marchant au supplice*, dess. à la pl. lavé de bistre : **FRF 10** – Londres, 7 juill. 1987 : *Études d'après l'Antique*, suite de cinq dess. (45,1x30,6) : **GBP 1 550** – Londres, 18 avr. 1996 : *Le gladiateur de Borghese*, craie noire (36x28,5) : **GBP 552**.

CAMPILLI Bernardino
xvie siècle. Italien.
Peintre.
Élève de Spagna, qui florissait en 1524. On lui doit une fresque datée de 1502, à Spolète.

CAMPILLO Françoise
Née au xxe siècle à Horihuela (Alicante). xxe siècle. Espagnole.
Peintre.
Elle a exposé des paysages au Salon des Indépendants.

CAMPIN Robert ou Campain, dit Maître de l'Autel de Mérode, Maître de Flémalle
Né entre 1375 et 1378 à Valenciennes. Mort le 26 avril 1444 à Tournai. xve siècle. Éc. flamande.
Peintre.
Avec Robert Campin, nous nous trouvons à peu près en face du même cas qu'avec l'existence de Jean Perréal et l'œuvre du Maître de Moulins, mais en bien plus embrouillé encore : d'un côté, nous avons les traces de l'existence du peintre Robert Campin, avec des précisions non négligeables, de l'autre nous avons un ensemble d'œuvres, qui présentent une relative cohérence, mais qui ont pu être raisonnablement attribuées à divers peintres. Ces divers peintres travaillaient tous au début du xve siècle, c'est-à-dire à une époque charnière de l'histoire de l'art : dans les Flandres tout particulièrement, la peinture passe alors du style dit « gothique international » à une représentation plus réaliste et familière de la vie des hommes et du cadre réel de leur existence. Cette évolution de la peinture flamande aura un grand retentissement sur la genèse d'un style spécifiquement français dans le courant du xve siècle, venant contrebalancer l'influence italienne, aux tendances plus décoratives.
Si l'influence de l'auteur de cet ensemble de peintures sur Rogier Van der Weyden est évidente, il est encore plus intéressant de la déceler aussi jusque chez le Maître de l'Annonciation d'Aix. D'un côté, nous savons que ce Robert Campin était établi à Tournai, qu'il y fut maître en 1406, puis bourgeois en 1410. Il semble que sa vie fut assez agitée. Chose plus importante, on sait qu'il eut pour élèves Rogier van der Weyden, probablement en 1426, et Daret en 1427. Certaines sources indiquent encore qu'il dessina les cartons d'une *Vie de saint Pierre* qu'exécuta Henri de Beaumehel. Avec la date de sa mort, c'est tout ce que l'on sait de sa vie.
Pour ce qui est des œuvres qui lui sont généralement attribuées aujourd'hui, il faut reprendre à l'origine ce qui fut et reste un des grands débats de l'histoire de l'art, qui n'en manque pas en matière d'attributions. À la fin du xixe siècle, on sépara de l'œuvre de Rogier van der Weyden, le *Triptyque*, dit *du Maître de Mérode* parce qu'il fut longtemps possédé par les princes de Mérode, avant d'aboutir au Metropolitan Museum de New York, ainsi que quelques autres panneaux, toutes œuvres s'échelonnant sur une vingtaine d'années et présentant des caractères originaux qui les distinguent de l'ensemble de l'œuvre de Rogier van der Weyden. Ces œuvres ont pu être inspirées d'œuvres antérieures de Brœderlam qui seraient aujourd'hui perdues. Certaines dénotent une influence de Van Eyck en retour, bien qu'il soit probable que ce fut tout d'abord Van Eyck qui fut influencé par ce que ces peintures apportaient alors de neuf. On attribua cet ensemble de peintures à un *Maître de Flémalle*, dénommé ainsi d'après une abbaye qui n'exista pas, et auquel l'appellation de Maître de Mérode convint mieux. Mais qui était ce Maître de Mérode ? On essaya de l'identifier à Nabur Martins, à Witz, à Daret, puis en 1909 à Campin. En 1928, la querelle se gonfla de la traditionnelle rivalité belge entre Flamands et Wallons, mais se limita tout de même entre l'attribution de cet ensemble de peintures à Robert Campin ou bien à la jeunesse de Rogier van der Weyden. En ce qui concerne les attributions à Campin, on situe vers 1420-1430 le *Mariage de la Vierge*, avec au revers et en grisaille, *Saint Jacques le Majeur et Sainte Claire* (Prado) ; la *Nativité* (Dijon), d'une élégance encore gothique et d'où la perspective est encore presque absente, mais caractérisée par l'apparition, quand bien même timide, d'un paysage rural observé sur le vif avec quantité de détails précis et pittoresques sous une lumière que l'on peut situer à l'aurore, précisions d'observation qui constituent une date importante quant aux objectifs des moyens d'expression de cette époque ; l'*Annonciation* dite *de Mérode*, l'œuvre capitale attribuée à Robert Campin, dans laquelle les détails familiers prennent une importance exceptionnelle à ce moment, notamment dans le volet où le menuisier Joseph s'affaire à ses outils pour confectionner des pièges à souris, devant la fenêtre qui s'ouvre sur un paysage de ville parfaitement flamande, même s'il est beaucoup moins complet que ceux que l'on retrouvera bientôt chez Van Eyck ; une *Madone* (Ermitage). On situe vers 1430-1435, la *Vierge en gloire* (Aix) ; une *Trinité* ; deux panneaux représentant une

Madone et sainte Véronique, et un *Larron crucifié* (Francfort), dans lesquels les personnages ont une présence sculpturale correspondant à l'influence capitale de Claus Sluter à partir de la cour des ducs de Bourgogne et à la notion de vérisme qui lui est attachée ; le portrait d'une *Jeune femme*, ainsi que d'autres portraits (Londres). On situe vers 1435-1440, la *Crucifixion* (Berlin) et *Sainte Barbe*, *saint Jean-Baptiste et un donateur* (Prado).
Dans toutes ces œuvres, le dessin est aigu, les contours nets, la couleur claire, la lumière gaie. L'artiste qui peignit ces œuvres, atteint souvent au pathétique, et, dans ses portraits, à la vérité quotidienne et à l'âme de ses personnages. Avec lui la peinture, dans une démarche socratique, descend du ciel pour s'occuper des hommes, ce qui définit assez bien le passage du Moyen Âge à la Renaissance. ■ Jacques Busse
Bibliogr. : Robert Genaille, in : *Dictionnaire de l'Art et des Artistes*, Hazan, Paris, 1967.
Musées : Aix-en-Provence : *Vierge en gloire* – Berlin : *Crucifixion* – Dijon : *Nativité* – Francfort-sur-le-Main : *Larron crucifié* – Londres : *Homme au turban rouge* – *Femme à la coiffure blanche (mari et sa femme ?)*, deux portraits – *Vierge à l'Enfant avec deux anges ?* – *Vierge à l'Enfant à l'écran d'osier* – *Christ apparaissant à la Vierge ?* – Madrid (Prado) : *Le Mariage de la Vierge (recto)* – *Saint Jacques le Majeur et sainte Claire (verso)*, grisaille – *Sainte Barbe*, *saint Jean-Baptiste et un donateur* – Marseille (Grobet-Labadie) : *Vierge à l'Enfant*, attr. – New York (Metropolitan) : *Triptyque de Mérode* – Saint-Pétersbourg (Ermitage) : *Madone*.
Ventes Publiques : Londres, 23 fév. 1923 : *Le Christ dans la maison de Marthe ; Le Christ et saint Jean-Baptiste*, sur le même panneau : GBP 1 470 – Paris, 10-11 mai 1926 : *L'Annonciation à Marie*, pl. : FRF 17 000 – Paris, 15 nov. 1928 : *L'Annonciation à Marie*, pl. : FRF 23 000.

CAMPINI Luigi
Né en 1816 ou 1817 à Montechiaro (Piémont). Mort en 1890 à Brescia. XIXᵉ siècle. Italien.
Peintre d'histoire, scènes de batailles.
Ventes Publiques : Milan, 25 oct. 1995 : *Les filles de Jephté*, h/t (91x118) : ITL 34 500 000.

CAMPINO Giovanni di Filippo del ou Campo ou Jean Duchamp
Né vers 1600 à Cambrai, à Camerino selon Bermudez qui le dit d'origine italienne. Mort en 1650 à Madrid. XVIIᵉ siècle. Français.
Peintre.
Campino fit son instruction artistique chez Abraham Janssens, à Anvers où il travailla plusieurs années. Plus tard, il se rendit à Rome, où il étudia les œuvres des grands maîtres, surtout celles d'Amerighi de Caravaggio. Il fut appelé à la cour d'Espagne et y exécuta un certain nombre d'ouvrages pour le roi Philippe IV.
Ventes Publiques : Lucerne, 26 juin 1965 : *Deux hommes dans un intérieur* : CHF 3 600.

CAMPION Adrien
XVIIᵉ siècle. Français.
Peintre.
De l'Académie de Saint-Luc en 1676.

CAMPION Charles Michel
Né en 1734 à Marseille (Bouches-du-Rhône). Mort en 1784 à Marseille. XVIIIᵉ siècle. Vivant à Orléans. Français.
Peintre de figures, dessinateur, graveur.
Frère de Charles Philippe Campion de Tersan.
Ventes Publiques : Paris, 9 déc. 1981 : *La jolie jardinière* 1781, pl., lav. d'encre de Chine et gche (19,5x13,5) : FRF 4 200.

CAMPION F.
XVIIᵉ siècle. Actif à Paris dans la première moitié du XVIIᵉ siècle. Français.
Graveur au burin.
Il fut également éditeur.

CAMPION George Bryant
Né en 1796 en Angleterre. Mort en 1870 à Munich. XIXᵉ siècle. Britannique.
Peintre d'histoire, sujets militaires, figures, paysages, aquarelliste, lithographe.
Cet artiste exposa fréquemment à l'Institute of Water-Colours Painters, dont il fut élu membre en 1837. Il devint professeur de dessin à l'Académie militaire à Woolwich et, plus tard, quitta l'Angleterre pour Munich. Il fut aussi écrivain.
Musées : Dublin : *Paysans espagnols* – Londres (Nat. Gal. of British Art) – Londres (Victoria and Albert Mus.).

Ventes Publiques : Londres, 1ᵉʳ mai 1908 : *Une ville à l'embouchure d'un fleuve*, dess. : GBP 9 – Londres, 23 mai 1910 : *Windsor*, dess. : GBP 11 – Londres, 16 mai 1927 : *Le château de Chillon*, dess. : GBP 8 – Londres, 19 mai 1927 : *Embarquement des troupes à Woolwich pour la Crimée*, aquar. : GBP 5 – Londres, 24 oct. 1978 : *Scène de la guerre de Crimée*, aquar. et craie noire reh. de blanc (36x54,5) : GBP 180 – Londres, 23 jan. 1979 : *Paysage fluvial avec un château*, aquar. (83,3x125,5) : GBP 550 – Londres, 23 mars 1979 : *A troop of the Royal Horse Artillery*, h/t (44,2x61,6) : GBP 2 000 – Londres, 10 fév. 1981 : *Windsor Castle*, aquar. (16,7x37,5) : GBP 350 – Londres, 20 nov. 1986 : *Batteries returning to stables at Chobham, Surrey*, aquar. gchée/pap. gris (36,5x54,5) : GBP 800 – Londres, 29 avr. 1987 : *Paysans au bord d'un lac alpestre*, aquar., gche et craie de coul. (61,5x107) : GBP 820 – Londres, 25-26 avr. 1990 : *Lausanne en Suisse 1863*, aquar. et gche (25x47) : GBP 990 – York (Angleterre), 12 nov. 1991 : *Personnages et chevaux dans une cour de ferme*, aquar. (33,5x48) : GBP 770.

CAMPION Howard T. S.
XIXᵉ siècle. Britannique.
Peintre de paysages.
Il exposa à Londres de 1876 à 1883 à la Royal Academy, à Suffolk Street et à la Grafton Gallery.
Ventes Publiques : Londres, 24 avr. 1909 : *Scène de ferme en Normandie* ; *La lessive des vêtements* : GBP 1.

CAMPION J. A. ou le Campion
XVIIIᵉ siècle. Actif à Paris dans la seconde moitié du XVIIIᵉ siècle. Français.
Graveur au burin.
Il fut également éditeur.

CAMPION Louis Alexandre
XVIIIᵉ siècle. Français.
Artiste.
Il fut reçu à l'Académie de Saint-Luc en 1760.

CAMPION Marin François
Mort avant 1786. XVIIIᵉ siècle. Français.
Sculpteur.
Époux de Jeanne Lefebvre. Il fut membre de l'Académie de Saint-Luc.

CAMPION DE TERSAN Charles Philippe
Né en 1736 à Marseille. Mort le 11 mai 1819 à Paris. XVIIIᵉ-XIXᵉ siècles. Français.
Graveur amateur.
Il voyagea longtemps en Italie et, amateur éclairé, réunit à l'Abbaye-au-Bois une remarquable collection d'objets d'art. Il a surtout gravé des portraits. Le Musée d'Orléans conserve un dessin de lui.

C C   C P G J

CAMPIONE, da. Voir au prénom

CAMPIONE S.
XIXᵉ siècle. Italien.
Peintre de natures mortes.
Il exposa de 1831 à 1833 à la Royal Academy et à la British Institution, à Londres.

CAMPISI Luciano
Né en 1860 à Syracuse. XIXᵉ-XXᵉ siècles. Vivant à Boston (U.S.A.) à partir de 1906. Italien.
Sculpteur.

CAMPITOGLIO Onofrio. Voir **CAMPIDOGLIO**

CAMPO Andres del. Voir **OCAMPO Andres de**

CAMPO Angelo
Né en 1735 à Vérone. Mort en 1826 à Vérone. XVIIIᵉ-XIXᵉ siècles. Italien.
Peintre.

CAMPO Federico del
Né à Lima (Pérou). Mort en 1897. XIXᵉ siècle. Péruvien.
Peintre de paysages.
Élève de Lorenzo Vallès. Il exposa une *Vue de Venise* à Madrid en 1881.

F. del Campo

Ventes Publiques : Londres, 4 avr. 1908 : *Église de Zattore sur la Giudecca, Venise* : GBP 48 – New York, 7 mai 1909 : *Palais de la*

Casa d'Oro à Venise : **USD 140** – LONDRES, 19 juil. 1909 : *Capri* : **GBP 26** – LONDRES, 11-14 nov. 1921 : *Une vue de Venise* : **GBP 16** – PARIS, 14-15 déc. 1933 : *Rio de San Barnaba* : **FRF 3 700** ; *Un coin de l'île de Torcello* : **FRF 3 700** – NEW YORK, 7-9 juin 1944 : *Le Palais des Doges à Venise* : **USD 200** – LONDRES, 7 mai 1976 : *Le marchand de jouets* 1878, h/pan. (22x37) : **GBP 2 600** – NEW YORK, 21 jan. 1978 : *Le Palais des Doges, Venise* 1890, h/t (56x90) : **USD 30 000** – LONDRES, 21 juin 1979 : *La Salute, Venise* (25,5x43) : **GBP 750** – NEW YORK, 28 oct. 1982 : *Venise* 1912, h/t (35x57,5) : **USD 16 000** – LONDRES, 11 juil. 1983 : *Le canal San Zenobie, Venise*, aquar. (25,5x16,5) : **GBP 420** – NEW YORK, 1ᵉʳ mars 1984 : *Vue de Venise* 1900, h/t (36,2x59,7) : **USD 22 000** – LONDRES, 22 mars 1984 : *Ca'd'Oro, Venise*, aquar. (31,6x48,2) : **GBP 3 000** – LONDRES, 20 juin 1985 : *Canal des mendiants, Venise*, aquar. et cr. (24x17) : **GBP 900** – NEW YORK, 22 mai 1986 : *La Basilique et la Piazza San Marco, Venise* 1899, h/t (131x164) : **GBP 430 000** – NEW YORK, 29 oct. 1987 : *L'entrée du Grand Canal depuis la Piazzetta, Venise* 1905, h/t (45,1x73) : **USD 46 000** – LONDRES, 26 fév. 1988 : *Cour de ferme à Capri* 1881, h/pan. (20x11,5) : **GBP 4 400** – NEW YORK, 28 fév. 1990 : *L'ancienne école Saint Marc à Venise* 1912, h/t (58,4x39,4) : **USD 55 000** – NEW YORK, 1ᵉʳ mars 1990 : *Le Grand Canal avec Santa Maria della Salute au fond* 1892, h/t (61x96,5) : **USD 198 000** – NEW YORK, 23 mai 1991 : *Personnages élégants se promenant dans une gondole à Venise*, h/t (38,1x65,4) : **USD 68 200** – LONDRES, 19 juin 1991 : *Le palais Vendramini à Venise* 1891, h/t (41x59) : **GBP 16 500** – NEW YORK, 20 fév. 1992 : *Le canal « de Tintori »*, h/t (47x72,1) : **USD 66 000** – LONDRES, 19 juin 1992 : *Le Zattere à Venise*, h/t (36,3x58,4) : **GBP 15 400** – LONDRES, 27 nov. 1992 : *Côte italienne avec Capri et le Vésuve au fond* 1887, h/t (35,6x56) : **GBP 8 800** – LONDRES, 19 nov. 1993 : *Pique-nique sur la côte napolitaine* 1886, h/t (35,5x56) : **GBP 9 200** – NEW YORK, 16 fév. 1994 : *Le Grand Canal* 1900, h/t (35,6x58,4) : **USD 68 500** – LONDRES, 15 mars 1996 : *Le Ca d'Oro à Venise* 1888, h/t (52x87,5) : **GBP 91 700** – LONDRES, 21 mars 1997 : *Il Squerro di San Trovaso, Venizia*, h/t (39,2x66,3) : **GBP 12 650** – NEW YORK, 26 fév. 1997 : *La Place Saint-Marc avec Santa Maria della Salute dans le lointain*, aquar./pap. (24,7x15,8) : **USD 6 900**.

CAMPO Francisco
XVIIᵉ siècle. Actif à Valladolid. Espagnol.
Peintre.

CAMPO Giovanni di Filippo del. Voir CAMPINO

CAMPO José Joaquim de
XVIIIᵉ siècle. Portugais.
Sculpteur sur bois.

CAMPO Juan de
Né en 1530 à Ita. Mort en Amérique. XVIᵉ siècle. Espagnol.
Peintre.
Il fut l'élève de François de Comontes à Tolède. Il partit pour l'Amérique du Sud en 1557.

CAMPO Pedro de. Voir OCAMPO Pedro de

CAMPO Sperindio di Giovanni da. Voir SPERINDIO

CAMPO DE ALANGE Maria
XXᵉ siècle.
Peintre.
Elle exposa deux natures mortes aux Tuileries en 1932.

CAMPOFIORITO Quirino
Né en 1902 à Para. XXᵉ siècle. Brésilien.
Peintre d'animaux, paysages.
Il a exposé à Paris, aux Salons de la Société Nationale des Beaux-Arts 1931, d'Automne 1933. Son art, fait de modération, est une réponse pondérée aux conflits de l'époque.

CAMPOLARGO Pedro de
Originaire d'Anvers. XVIIᵉ siècle. Travaillant à Séville à la fin du XVIIᵉ siècle. Espagnol.
Peintre, graveur.
Élève de Francisco Herrera le vieux. On note des différences dans la signature de ce peintre, de 1673 à 1674, ce qui laisse certains doutes sur la paternité de ses œuvres.

CAMPOLARGO Pedro de
XVIIIᵉ siècle. Actif à Séville vers 1713. Espagnol.
Peintre.
Fils de Pedro Campolargo.

CAMPOLI Cosmo
XXᵉ siècle. Américain.
Peintre. Imagiste.

Il vécut et travailla à Chicago. Il fit partie des « imagistes » avec George Cohen, Léon Golub, June Leaf (...), aussi baptisés *Monster Roster* (tableau des monstres), dont les œuvres furent influencées par le surréalisme, l'art primitif, la tradition expressionniste européenne et l'art brut de Dubuffet.

CAMPOLO Placido
Né en 1693 à Messine. Mort en 1743. XVIIIᵉ siècle. Italien.
Peintre, graveur et architecte.
Campolo fut élève de Sebastiano Conca à Rome. Il a travaillé pour quelques églises de Messine.

CAMPOLONGO Antonio
XVᵉ siècle. Actif à Naples vers 1480. Italien.
Peintre.
Il ne peut pas avoir été élève de Giovanni Bernardo Lama (1508-1579), comme l'indiquent certaines sources. On cite de lui : *La Conception*.

CAMPOLONGO Imp.
XVᵉ-XVIᵉ siècles. Italien.
Peintre.
Il fut élève de Giovanni Bellini ; il a signé une *Vierge à l'Enfant dans un paysage*, œuvre conservée à l'Académie Carrara, à Bergame.

CAMPOMANOS Julian
XIXᵉ siècle. Actif à Badajoz vers 1845. Espagnol.
Peintre d'histoire.

CAMPON Juan del
XVᵉ-XVIᵉ siècles. Espagnol.
Peintre verrier.
Il travailla à la cathédrale de Grenade entre 1480 et 1563.

CAMPON-RODRIGUEZ Pedro
Né en 1900 à Madrid. XXᵉ siècle. Espagnol.
Peintre de figures, paysages, natures mortes.
Autodidacte en peinture, il commença à peindre en 1938, exposant la même année à l'Exposition de Madrid et y obtenant une mention honorable.

CAMPONE Angel ou Campones ou Camponesqui
XIXᵉ siècle. Actif en Argentine. Italien.
Peintre.
Il arriva à Buenos Aires au début du XIXᵉ siècle. Sa biographie est mal connue, on ne connaît qu'une toile du peintre : *Portrait de Fray José de Rosario Zemborain* qui se trouve à la sacristie du couvent Santo-Domingo de Buenos Aires. On lui attribue diverses miniatures, notamment un *Portrait de Juan Martin de Pueyrredon*, qui a peut-être été copié par Juan Manuel Blanes.

CAMPORA Francesco della Polcevera
Né vers 1693 à Rivarola, Polcevera. Mort en 1763 à Gênes. XVIIIᵉ siècle. Italien.
Peintre.
Élève à Gênes de Palmieri et de D. Parodi, et, plus tard, à Naples, de Solimène. Il a travaillé à Gênes, exécutant pour les églises de cette ville un nombre d'œuvres important.

CAMPOREALE Gerolamo et Simone
XVIIᵉ siècle. Actifs à Rome. Italiens.
Peintres.

CAMPOREALE Sergio
Né en 1937. XXᵉ siècle. Actif aussi en France. Argentin.
Peintre, dessinateur, aquarelliste et graveur. Nouvelle objectivité.
Son activité se situe entre l'hyperréalisme et le surréalisme, montrant des dessins d'une extrême précision dans des compositions qui semblent déséquilibrées. Le monde qu'il présente est inquiétant, désenchanté, malsain, il transfigure la réalité par des images concrètes dans des mises en scènes détaillées jusqu'au paroxysme. C'est la raison pour laquelle il se rapproche de la *Neue Sachlichkeit* ou *Nouvelle Objectivité* allemande d'entre les deux guerres.

BIBLIOGR. : Damian Bayon et Roberto Pontual : *La Peinture de l'Amérique latine au XXᵉ siècle*, Mengès, Paris, 1990.
VENTES PUBLIQUES : NEW YORK, 15-16 mai 1991 : *Portrait de famille* 1988, aquar. et cr./pap. (80x120) : **USD 10 450** – NEW YORK, 18-19 mai 1992 : *Portrait de famille* 1988, aquar. et cr./pap. Vinci (79,5x120) : **USD 10 450** – PARIS, 3 fév. 1993 : *Portrait de famille* 1988, aquar. et cr./pap. (80x120) : **FRF 14 200** – PARIS, 8 déc. 1993 : *El hombre del sombrero gris* 1991, aquar. et cr./pap. (80x120) : **FRF 15 000** – NEW YORK, 18 mai 1995 : *Lévitation III* 1983, aquar. et encre/pap. d'Arches (70,8x93) : **USD 28 575**.

CAMPOS

XVIe siècle. Actif à Séville en 1545. Espagnol.
Sculpteur.
Il travailla pour la cathédrale de Séville aux côtés de Lorenzo de Vao.

CAMPOS

XVIe siècle. Actif à Séville en 1560. Espagnol.
Peintre.

CAMPOS Agustin de

Né en 1561. XVIe siècle. Travaillait à Madrid. Espagnol.
Sculpteur.
Il expertisa une œuvre de Pompeo Leoni, en 1599.

CAMPOS Alain

Né en 1955 à Casablanca (Maroc). XXe siècle. Français.
Peintre de compositions animées. Nouvelles figurations, citationniste. Groupe Banlieue-banlieue.
Il commença à peindre en 1971, mais avec plusieurs interruptions, il voulait vivre et observer d'abord. Il fut l'un des trois membres fondateurs, avec Gallego Antonio et Kenji du groupe Banlieue-banlieue, qui participait au mouvement contemporain de « l'art dans la rue ». Depuis 1982, il prend part à de très nombreuses expositions collectives internationales. Le groupe se sépara en 1988 (voir notice Banlieue-banlieue, pour les ventes publiques collectives). Le groupe étant dissous, Campos a exposé seul ses propres œuvres simultanément dans deux galeries parisiennes en 1988, puis en 1990, à Lille et dans plusieurs galeries parisiennes en 1991...
Il utilise des techniques mixtes, souvent sur papier craft, et par juxtaposition des thèmes compose très librement ses peintures, où finalement tout se tient, d'autant que, souvent, il situe lui-même le cadrage ou peint l'encadrement dans la composition. La liberté contrôlée, la poésie, l'humour, peuvent évoquer Paul Klee. En appui d'un dessin volontairement assez primitif mais singulièrement efficace de par sa lisibilité, il utilise une gamme assourdie de gris et d'ocre que relèvent des or. Le toucher pictural est sensuel, il maîtrise un beau métier varié, du glacis à l'empâtement. Figuratif sans complexe, il revendique de s'appuyer sur la tradition, au point d'introduire dans ses compositions éclatées en plusieurs peintures dans la peinture, des citations de Vélasquez ou de Picasso ou encore des dernières avant-gardes. S'accordant une saine liberté totale, il juxtapose dans ses sortes de polyptiques des éléments, stylistiquement, narrativement, hétérogènes : un portrait genre Fayoum et une abstraction matiériste, un dessin très narratif genre B.D. et des graphismes gestuels. Loin de proclamer s'être fait seul, ne rien devoir à personne, il dénonce l'imposture du génie sui generis : « Je ne crois pas à l'innocence en peinture », et encore : « On vient de quelque part, on va ailleurs ».   ■ J. B.
Bibliogr. : Marie-Odile Andrade : *Alain Campos,* Artension, Paris, 1991.
Ventes Publiques : Paris, 26 avr. 1990 : *Sans titre,* h/t (131x163) : **FRF 19 000** – Paris, 22 nov. 1990 : *Composition,* acryl./t. (98x63) : **FRF 20 100** – Paris, 17 nov. 1991 : *Triptyque,* techn. mixte/t./bois (35x130) : **FRF 8 000** – Paris, 5 avr. 1992 : *Porte-fenêtre* 1987, techn. mixte/cart./bois (71x255) : **FRF 7 500.**

CAMPOS Diego de

XVIe-XVIIe siècles. Espagnol.
Peintre.
On le mentionne à Séville en 1588, 1594 et 1606.

CAMPOS Diego de

XVIIe siècle. Actif à Séville vers 1658. Espagnol.
Peintre.

CAMPOS Dileny

Né en 1942 à Belo Horizonte. XXe siècle. Brésilien.
Sculpteur d'assemblages, peintre. Abstrait.
Il réalise des objets et assemblages en matériaux plastiques, dans lesquels la couleur et la matière contribuent à leur donner une dimension ludique.

CAMPOS Joaquin

Né à Valence. XVIIIe-XIXe siècles. Espagnol.
Peintre.
Élève de l'Académie San-Carlos de Valence. Il devint, vers 1800, directeur de l'École des Beaux-Arts de Murcie. Le Musée de Valence conserve de cet artiste un tableau d'histoire : *Capitulo para la declaration de Don Fernando de Antequera.* Il a exécuté à Murcie un certain nombre de tableaux. On peut y voir encore à

la cathédrale une *Sainte Famille,* à San-Juan de Dios, une *Madone,* à l'hôtel de ville : *Fernando VII y la lealtad murciana.*

CAMPOS Juan de

Mort en 1619. XVIIe siècle. Actif à Madrid. Espagnol.
Sculpteur.

CAMPOS Miguel

XVIIe siècle. Actif à Valence au début du XVIIe siècle. Espagnol.
Sculpteur.

CAMPOS Pedro de

XVIe siècle. Espagnols.
Peintres.
Plusieurs artistes peintres travaillant à Séville au cours du XVIe siècle portèrent ce nom.

CAMPOS Salvador de

XVIe siècle. Actif à Séville à la fin du XVIe siècle. Espagnol.
Peintre.

CAMPOS GUERRERO Gonzalo de

XVIIe siècle. Espagnol.
Peintre.
On le mentionne à Séville en 1600, 1602, 1606, 1619.

CAMPOS Y OLMO José

Né au XIXe siècle à Valence. XIXe siècle. Espagnol.
Peintre de paysages, scènes de genre.
Élève de l'École des Beaux-Arts de Valence. Il exposa dans cette ville en 1872 et 1873. On cite de lui : *Le Crépuscule, La Fatigue.*

CAMPOTOSTO Henry

Né à Bruxelles. Mort en 1910 près de Londres. XIXe-XXe siècles. Belge.
Peintre de genre.
Étudia à Bruxelles. Exposa de 1871 à 1878 à la Royal Academy et à Suffolk Street, à Londres. Il participa à plusieurs reprises au Salon de Paris, notamment en 1874.
Ventes Publiques : Londres, 28 nov. 1908 : *Prenant le nid :* **GBP 8** – Londres, 12 fév. 1910 : *Une jeune gardeuse de moutons, chèvres et volailles,* en collaboration avec Verboeckhoven : **GBP 78** – Londres, 3 avr. 1922 : *Le chéri de sa maman :* **GBP 24** – Londres, 4 avr. 1927 : *Assoiffé :* **GBP 19** – Londres, 30 mai 1930 : *Les deux sœurs :* **GBP 19** – Londres, 16 oct. 1964 : *Du lait pour bébé :* **GNS 80** – Londres, 11 oct. 1968 : *Paysanne dans un paysage,* en collaboration avec Verboeckhoven : **GNS 500** – Londres, 5 juil. 1978 : *Jeune fille arrosant des fleurs au bord d'une rivière,* h/t (61x46) : **GBP 1 600** – Londres, 2 fév. 1979 : *Le Nid* 1872, h/t (88,2x70) : **GBP 2 400** – New York, 23 mars 1984 : *Amour maternel* 1890, h/t (47x63,5) : **USD 5 000** – New York, 29 oct. 1986 : *Fillettes tenant un nid d'oiseau* 1866, h/pan. (87x66) : **USD 5 500** – Londres, 13 fév. 1987 : *The pet Lamb* 1872, h/pan. (112x87) : **GBP 2 800.**

CAMPOTOSTO Octovia

XIXe siècle. Belge.
Peintre de genre, portraits.
Sœur d'Henry Campotosto. Elle exposa de 1871 à 1874 à la Royal Academy de Londres.

CAMPOURCY Jean

Né à Agen. XXe siècle. Français.
Peintre.
Exposant des Indépendants.

CAMPOVECCHIO Luigi

Né à Mantoue. Mort en 1804 à Naples. XVIIIe-XIXe siècles. Italien.
Peintre.
Élève de P. Pozzo et de Giov. Bottani. Il se fixa plus tard à Rome. Il a peint des paysages dont les motifs sont le plus souvent empruntés à la Campanie. Le Musée de Montpellier conserve de lui une *Étude de Tivoli.*
Ventes Publiques : Munich, 8-10 juil. 1964 : *Paysages animés de personnages,* gche, suite de quatre : **DEM 15 000** – Vienne, 14 mars 1967 : *Le palais du Latran :* **ATS 38 000** – Milan, 10 nov. 1970 : *Venise :* **ITL 800 000.**

CAMPRIANI Alceste

Né en 1848 à Terni (Ombrie). Mort en 1933. XIXe siècle. Italien.
Peintre de genre, scènes de chasse, paysages animés, paysages, marines.
Il étudia à l'Académie des Beaux-Arts de Naples. Il fit un long voyage à Paris, puis, de retour en Italie, fut nommé professeur à

l'Académie de Naples. On cite de lui : *La Chasse à la civette, Le Retour du marchand, Le Retour de la chasse, Les Vendeurs de poulets.*

A Campriani

Musées : Florence (Gal. d'Art Mod.) : un paysage.
Ventes Publiques : Londres, 3 avr. 1909 : *Barque de pêche italienne* : **GBP 8** – Londres, 22 jan. 1965 : *Course de chariots à Naples* : **GNS 550** – New York, 15 oct. 1976 : *La Promenade en gondole,* h/t (37x58) : **USD 1 200** – Londres, 10 fév. 1978 : *La Promenade en gondole,* h/t (35,5x57) : **GBP 1 000** – New York, 2 mai 1979 : *La Promenade dans le jardin fleuri,* h/pan. (40,5x19,5) : **USD 2 750** – New York, 29 mai 1981 : *Les Jeunes Pêcheurs napolitains,* h/pan. (25,5x50) : **USD 7 500** – Londres, 10 oct. 1984 : *La Baie de Naples* 1879, h/t (29,5x54) : **GBP 6 500** – Rome, 29 oct. 1985 : *Jeunes pêcheurs dans le golfe de Naples,* h/t (37x48) : **ITL 19 000 000** – New York, 25 fév. 1988 : *Chasse aux canards dans les marais près de Naples,* h/pan. (22,9x51,4) : **USD 20 900** – New York, 25 mai 1988 : *Personnages sur la terrasse du Palais Sant'Anna à Naples,* past. (47,8x63) : **USD 2 420** – Londres, 6 oct. 1989 : *Le jardin d'acclimatation à Paris* 1884, h/pan. (26,5x42,5) : **GBP 25 300** – Milan, 19 oct. 1989 : *Les gardiens de dindons,* h/t (51x37,5) : **ITL 38 000 000** – Londres, 24 nov. 1989 : *Jeunes pêcheurs napolitains,* h/pan. (22x47) : **GBP 24 200** – Monaco, 21 avr. 1990 : *Le Halage d'une barque sur la plage,* h/t (52x80) : **FRF 177 600** – Amsterdam, 6 nov. 1990 : *Pêcheur à la ligne dans une baie,* h/t (31x48) : **NLG 34 500** – Milan, 5 déc. 1990 : *Dindons dans une prairie au crépuscule,* h/t (62x107) : **ITL 50 000 000** – Rome, 16 avr. 1991 : *La Baie de Naples,* h/t (54x73) : **ITL 11 500 000** – Milan, 7 nov. 1991 : *Établissements de bains sur pilotis et pêcheurs dans la baie de Naples,* h/t (31,5x55,5) : **ITL 26 500 000** – Rome, 14 nov. 1991 : *Vue de Portici,* h/t (44x55) : **ITL 17 250 000** – Bologne, 8-9 juin 1992 : *La Visite aux fermiers* 1880, h/t (42x72) : **ITL 74 750 000** – New York, 18 fév. 1993 : *Nature morte avec des raisins et des figues sur une table drapée d'un torchon,* h/t (29,2x41,6) : **USD 12 100** – Rome, 27 avr. 1993 : *Pêcheurs près du Palazzo Donn'Anna* 1885, h/t (30x70) : **ITL 27 025 200** – Milan, 22 nov. 1993 : *Castel dell'Ovo,* h/t (46x55) : **ITL 41 247 000** – New York, 16 fév. 1995 : *Le marchand de souvenirs,* h/t (59,7x46,4) : **USD 20 700** – Milan, 14 juin 1995 : *Marine napolitaine* 1889, h/t (73,5x110,5) : **ITL 86 250 000** – Milan, 26 mars 1996 : *Deux gamins dans un pré,* h/pan. (21,5x34,5) : **ITL 11 500 000** – Rome, 23 mai 1996 : *Bétail se désaltérant,* h/t (55x65) : **ITL 28 750 000**.

CAMPRIANI Giovanni
Né en 1880 à Naples. xxᵉ siècle. Italien.
Peintre de paysages urbains, marines.
Il était fils d'Alceste Campriani et fut d'abord son élève. Il vint ensuite poursuivre ses études à Paris. Il a commencé à exposer à partir de 1903, dans les villes italiennes, mais aussi à Paris en 1905, à Dresde, Munich, Londres.
Il fut surtout peintre de vues de villes, notamment à Lucca (Lucques), mais aussi à Paris, *Bois de Boulogne, Jardin des Tuileries, Place de l'Opéra, Les quais de la Seine.*

CAMPROBIN PASSANO Pedro de
Né en 1605 à Almagro (Ciudad Real). Mort en 1674 à Séville (Andalousie). xviiᵉ siècle. Espagnol.
Peintre de sujets religieux, figures, animaux, natures mortes, fleurs et fruits.
Il fut élève de Luis Tristan. En 1660, il collabora, avec Murillo, Francisco Herrera le Jeune et Juan de Valdès Leal, à la fondation de l'Académie des Beaux-Arts de Séville.
On cite de lui, à Séville : une *Madeleine,* à l'église El Salvador ; la *Mort et le galant,* à l'hôpital de la Caridad. Mais il peignit surtout des natures mortes, des fleurs et des fruits. Bien que son genre semble peu fait pour un tel lieu, on trouve dans une chapelle du Monastère dominicain de San Pablo, à Séville, une suite de douze tableaux de fleurs de sa main.
Bibliogr. : In : *Dictionnaire de la peinture espagnole et portugaise du Moyen Âge à nos jours,* coll. Essentiels, Larousse, Paris, 1989.
Musées : Dallas (The Meadows Mus.) : *Nature morte avec des oiseaux morts* 1653.
Ventes Publiques : Paris, 1852 : *Un concert d'oiseaux* : **FRF 200** – Londres, 15 déc. 1978 : *Nature morte aux fleurs,* h/t (67,2x91,8) :

GBP 2 500 – New York, 10 juin 1981 : *Vases de fleurs* 1664, deux h/t (90x81) : **USD 18 000** – Madrid, 30 oct. 1990 : *Fleurs dans un vase,* h/t, une paire (chaque 77x58) : **ESP 22 400 000** – Madrid, 27 oct. 1992 : *Comptier avec des pommes et des poires devant un paysage architecturé* 1664, h/t (84x122) : **ESP 22 000 000** – Lyon, 22 nov. 1993 : *Vase de fleurs sur un entablement,* h/t, une paire (71,5x59) : **FRF 72 000**.

CAMPRODON Arnal
xivᵉ siècle. Travaillant à Palma de Majorque. Espagnol.
Sculpteur.

CAMPROGER Jeanne
Née au xixᵉ siècle à Paris. xixᵉ siècle. Française.
Graveur.
Elle étudia à l'École impériale de dessin et exposa, en 1869 et 1870, trois gravures.

CAMPS Carl August
xixᵉ siècle. Allemand.
Peintre.
Il exposa à l'Académie de Berlin entre 1812 et 1820.

CAMPS Hance de
xviᵉ siècle. Actif à Châlons. Français.
Sculpteur sur bois.
Sans doute parent de Louis de Campy.

CAMPS Leonardo
Né à Malaga. xixᵉ siècle. Espagnol.
Élève de Carlos Esquivel et d'Antonio de Luna, à Madrid. Il exposa à Barcelone en 1860, 1862 et 1864. On cite de lui : *Une coupe de fruits, Une orpheline.*

CAMPS Pedro
xvᵉ siècle. Actif à Barcelone vers 1420. Espagnol.
Peintre.

CAMPS-RIBERA
Né à Barcelone (Catalogne). xxᵉ siècle. Actif aussi au Mexique. Espagnol.
Peintre de figures, nus. Expressionniste.
Il reçut les conseils d'Isidro Nonell y Monturiol, l'ami de jeunesse de Picasso, et resta influencé par sa manière, peignant surtout des figures fortement expressives. À partir de 1939, il s'établit au Mexique, envoyant toutefois encore un nu et un portrait au Salon des Artistes Indépendants de Paris.

CAMPUS Peter
Né en 1937 à New York. xxᵉ siècle. Américain.
Auteur d'installations, vidéaste.
Il possède une formation en psychologie et en cinématographie. Il a participé en 1995 à la Biennale de Lyon, en 1998 à l'exposition *Être nature* à la Fondation Cartier pour l'art contemporain à Paris.
Au début des années soixante-dix, cet artiste, dans le courant inauguré par Bruce Nauman et Vito Acconci, s'intéressait au corps, à sa perception et à son identité. Dans les années quatre-vingt, il a orienté son travail vers la perception des données de la nature avec ses « portraits lithiques », des projections sur les murs de photographies en noir et blanc de pierres.
Musées : Lyon (Mus. d'Art Contemp.) : *Head of a man with dead in his mind* 1978.

CAMPUZANO Y AGUIRRE Tomas
Né le 5 janvier 1857 à Santander. Mort en 1934 à Santander. xixᵉ-xxᵉ siècles. Espagnol.
Peintre de paysages animés, marines, graveur. Post-impressionniste.
Il fut licencié en droit civil et avocat. Il fut élève du paysagiste belge Carlos de Haes à l'École des Beaux-Arts de Madrid. Il a exposé au Cercle des Beaux-Arts de Madrid, ainsi qu'à Paris au Salon de la Société Nationale des Beaux-Arts de 1880 à 1883. Il fut directeur et professeur de gravure de l'École Nationale d'Arts Graphiques.
Il a surtout peint des scènes de la vie des pêcheurs et des marines. Ses gravures furent souvent tirées de peintures préalables.
Bibliogr. : In : *Cent ans de peinture en Espagne et au Portugal, 1930-1930,* Antiquaria, Madrid, 1988.
Musées : Santander (Mus. des Beaux-Arts) : *Les Vieux Quais de Santander* – collection de gravures.

CAMPY Louis de
Mort en 1531 à Châlons-sur-Marne. xviᵉ siècle. Actif à Châlons-sur-Marne. Français.
Sculpteur.

CAMPYON Matthieu
XVIe siècle. Actif à Valenciennes en 1549. Français.
Sculpteur.

CAMRADT Frederik Christian
Né en 1762 à Copenhague. Mort le 12 octobre 1844 à Hilleröd. XVIIIe-XIXe siècles. Danois.
Peintre.
Fils de Jörgen Frederik Camradt. Il fréquenta l'Académie de Copenhague de 1781 à 1785. Il a peint des tableaux de fleurs, des portraits et des miniatures d'une exécution très soignée. Il a exposé entre 1830 et 1838.

CAMRADT Johannes Ludvig
Né le 20 septembre 1779 à Copenhague. Mort le 4 décembre 1849 à Hilleröd. XIXe siècle. Danois.
Peintre de natures mortes, fleurs et fruits.
Il fut élève de Fritzsch et fréquenta en même temps l'Académie des Beaux-Arts. Agréé en 1821, il devint membre de l'Académie en 1823. Ses tableaux de fleurs, très estimés, ont figuré dans les expositions de 1810 à 1843.
VENTES PUBLIQUES : BERNE, 28 avr. 1967 : *Nature morte aux fleurs* : CHF 900 – VIENNE, 19 mars 1968 : *Vase de fleurs* : ATS 18 000 – COPENHAGUE, 22 août 1984 : *Nature morte aux fruits 1819*, h/t (35x42) : DKK 16 000 – COPENHAGUE, 16 avr. 1985 : *Roses et iris dans un verre 1832*, h/t (43x36) : DKK 115 000 – NEW YORK, 21 mai 1987 : *Nature morte aux roses et iris dans un vase de verre 1832*, h/t (42,2x35,5) : USD 21 000 – NEW YORK, 29 oct. 1992 : *Nature morte avec un melon, du raisin et des escargots 1839*, h/t (57,8x42,5) : USD 15 400 – NEW YORK, 29 oct. 1992 : *Nature morte avec du raisin, des melons et des pêches 1831*, h/cuivre (26x36,8) : USD 2 875 – LONDRES, 17 juin 1994 : *Roses blanches et roses avec du lilas et des volubilis, dans un vase sur un entablement de marbre 1840*, h/t (41,2x31,7) : GBP 8 050 – LONDRES, 14 juin 1996 : *Roses blanches et roses avec du lilas et des volubilis dans un vase sur un entablement de marbre 1840*, h/t (41,3x31,8) : GBP 9 775.

CAMRADT Jörgen Frederik
Né en 1736 à Copenhague. Mort en 1784 à Copenhague. XVIIIe siècle. Danois.
Peintre de portraits.
On connaît un portrait de lui et un portrait de sa femme, peints par lui-même.
VENTES PUBLIQUES : COPENHAGUE, 16 mars 1982 : *Portrait d'Anne Fabritius de Tengnagel 1772*, h/t (78x63) : DKK 12 500.

CAMROUX Sydney George
XIXe siècle. Britannique.
Sculpteur.
Il exposa de 1858 à 1870 à la Royal Academy et à la British Institution, à Londres.

CAMUCCINI Pietro
Né en 1760. Mort en 1833. XVIIIe-XIXe siècles. Actif à Rome. Italien.
Peintre, graveur.
Frère aîné de Vincenzo Camuccini. Il était également amateur d'art. Goethe l'a cité dans le récit de son second séjour à Rome.

CAMUCCINI Vincenzo
Né en 1771 ou 1773 à Rome. Mort en 1844 à Rome. XVIIIe-XIXe siècles. Italien.
Peintre d'histoire, compositions mythologiques, sujets militaires, portraits, fresquiste, dessinateur.
Ce peintre travailla, d'abord avec son frère Pietro, il reçut aussi des leçons de Borubelli, un graveur. Plus tard, il devint élève de Domenico Corvi et étudia les œuvres de Raphaël, Domenichini, Andrea del Sarto et d'autres grands maîtres.
En 1797, son tableau, *La Mort de César*, établit sa réputation. Il peignit à fresque le plafond du Palazzo Torlonia, en collaboration avec Landi. Cet artiste occupa aussi des postes importants, tels que celui de l'inspecteur-général des musées du pape et de la manufacture des mosaïques, et de directeur de l'Académie napolitaine de Rome. Il fut aussi membre correspondant de l'Institut de France et président de l'Académie de Saint-Luc. L'empereur François Ier le décora et le titre de baron lui fut conféré par le Pape Pie VII. Camuccini fut collectionneur aussi bien que peintre. Parmi les meilleurs portraits de cet artiste, on cite ceux du *pape Pie VII*, du *duc de Blacas*, ambassadeur de France à Rome, du *roi de Naples* et de la *reine*, de la *comtesse Schouvaloff*, et de la *comtesse Dietrichstein*.

MUSÉES : CHAMBÉRY (Mus. des Beaux-Arts) : *Saint Simeon*.
VENTES PUBLIQUES : PARIS, 1844 : *Remus et Romulus*, dess. à la pl. et lavé : FRF 34 – PARIS, 1859 : *Une bataille*, dess. à la pl. et lavé d'encre de Chine : FRF 10 ; *Un sacrifice à Jupiter*, dess. au pinceau et à l'encre de Chine, reh. de blanc : FRF 6 – PARIS, 1900 : *L'offrande aux dieux*, dess. au lav. : FRF 13 – PARIS, 22 mai 1968 : *Scène de l'histoire antique* : FRF 1 120 – LONDRES, 6 juil. 1978 : *Romulus et Remus*, h/t (43x64) : GBP 1 800 – MILAN, 27 mai 1980 : *La résurrection de Lazare*, pl. et lav. (23x36,5) : ITL 1 000 000 – ROME, 2 juin 1983 : *La mort de Jules César ; La mort de la Vierge*, temp. reh. de blanc, une paire (56x99) : ITL 5 500 000 – MONTE-CARLO, 22 fév. 1986 : *Hector incendiant les bateaux grecs*, h/t (97,5x135) : FRF 140 000 – MILAN, 13 mai 1993 : *Épisode de l'histoire antique*, h/t (41,5x29) : ITL 4 600 000 – ROME, 7 juin 1995 : *Scène historique*, h/pap. (28,5x37) : ITL 1 725 000.

CAMULIO Bartolommeo de. Voir **BARTOLOMMEO da Camogli**

CAMULLO Francesco
Né en 1564 à Bologne. Mort en 1650. XVIe-XVIIe siècles. Actif à Bologne. Italien.
Peintre.
Élève de Lodovico Carracci. On peut voir de ses œuvres à Bologne.

CAMULLO Giovanni Battista
XVIe siècle. Actif à Bologne. Italien.
Peintre.

CAMURO Adrien
XXe siècle. Français.
Peintre.
Il a exposé aux Indépendants en 1927-1929.

CAMUS Adolphe Auguste
Né au XIXe siècle à Paris. XIXe siècle. Actif à Paris. Français.
Sculpteur.
Il fut l'élève de A. Doublemard. Il débuta au Salon en 1880, avec le buste en plâtre de M. Chaffiot.

CAMUS Benjamin
Né à Paris. XIXe-XXe siècles. Français.
Peintre.
Il exposa aux Indépendants en 1909.

CAMUS Berthe
Née à Blaisy-Bas (Côte-d'Or). XXe siècle. Française.
Sculpteur.
En 1928 elle exposait au Salon d'Autome un *Saint Bernard*.

CAMUS Blanche Augustine
Née en 1884 à Paris. Morte en 1968. XXe siècle. Française.
Peintre de figures, portraits, paysages animés, paysages. Néo-impressionniste.
Elle était la fille du botaniste Gustave Camus. Elle fut, à Paris, élève de Tony Robert-Fleury, Jules Lefebvre et d'Adolphe Déchenaud. Elle travailla surtout dans le Midi de la France, où elle fut l'amie de Henri-Martin et de Dunoyer de Segonzac.
Elle exposa régulièrement à Paris, au Salon des Artistes Français de 1911 à 1939, dont elle devint sociétaire, hors-concours, médaille d'or en 1920, ainsi qu'aux Galeries Georges Petit et Bernheim-Jeune. Chevalier de la Légion d'honneur.
Elle a peint de nombreux paysages de Provence et de la Côte d'Azur, et surtout des groupes de figures féminines : *Maternité – Femme et enfant sur une terrasse – Jeune femme sur la terrasse ensoleillée*. Elle a pratiqué la touche divisionniste, puis, dans les années 1920-1925, une touche en vrille, sous l'influence de Dunoyer de Segonzac.

Bl. Camus

BIBLIOGR. : Gérald Schurr : *Les Petits Maîtres de la peinture 1820-1920, valeur de demain*, Les Éditions de l'Amateur, t. IV, Paris, 1979.
MUSÉES : BESANÇON – CHALON-SUR-SAÔNE – DOUAI – LYON – NICE – PAU – REMIREMONT.
VENTES PUBLIQUES : PARIS, 24 juin 1968 : *La Baie de Saint-Tropez* : FRF 2 200 – LONDRES, 2 avr. 1977 : *Jeune fille cueillant des fleurs*, h/t (89x115,5) : GBP 5 500 – PARIS, 20 mai 1980 : *Le rosier en fleurs*, h/t (61x50) : FRF 3 500 – LONDRES, 24 fév. 1988 : *La lecture sur la terrasse*, h/t (65 x 81) : GBP 5 280 – NEW YORK, 13 mai 1988 : *En hiver sous les oliviers*, h/t (54x64,8) : USD 2 420 – LONDRES, 18

mai 1988 : *Femme et enfant sur une terrasse ombragée*, h/t (54x65) : **GBP 3 300** – Versailles, 25 sep. 1988 : *Jeune femme et enfant dans le jardin près de la mer*, h/t (65x54) : **FRF 32 000** ; *Jeune femme sur la terrasse ensoleillée*, h/t (65x54) : **FRF 23 000** – Londres, 19 oct. 1988 : *Saint-Tropez*, h/t (60x73) : **GBP 5 500** – Londres, 21 oct. 1988 : *Paysage de Saint-Tropez*, h/t (50x61) : **GBP 3 850** – New York, 3 mai 1989 : *La côte provençale*, h/t (60x73) : **USD 27 750** – Londres, 24 mai 1989 : *L'après-midi à Saint-Tropez*, h/t (54x65) : **GBP 15 400** – New York, 24 fév. 1994 : *La vue depuis le jardin*, h/t (37,5x45,7) : **USD 1 955**.

CAMUS Colin, ou Colinet le. Voir LE CAMUS

CAMUS Étienne
xve siècle. Français.
Sculpteur sur bois.
Sous la direction de Philippot Viart, il travailla, en 1459 aux stalles de la cathédrale de Rouen.

CAMUS Fernand
Né à Paris. xixe siècle. Français.
Peintre de paysages.
Il débuta au Salon en 1879.
Musées : Louviers (Gal. Roussel) : *Rochers en Bretagne* – *Le Moulin d'Andé (Eure)* – *Cour de ferme à Saint-Pierre-du-Vauvray (Eure).*

CAMUS Georges
Né en 1839 à Paris. Mort en 1909 près d'Arras (Pas-de-Calais). xixe-xxe siècles. Français.
Peintre de genre, paysages, natures mortes, fleurs.
Il fut élève à l'École des Beaux-Arts de Metz, puis à celle d'Arras, où son maître, Constant Dutilleux lui fit connaître Corot, dont il reçut les conseils. Il participa au Salon de Paris périodiquement, en particulier en 1866, en 1869 où il présenta *Nature morte* et *Le Dîner du pauvre*, puis il exposa ses natures mortes à l'Union Artistique du Pas-de-Calais entre 1890 et 1893. Atteint d'un cancer, il mit fin à ses jours à 70 ans.
Ses bouquets de fleurs sont peints avec rigueur et ampleur, d'une touche délicate et franche qui les distingue des natures mortes des siècles passés.
Bibliogr. : Gérald Schurr : *Les Petits Maîtres de la peinture 1820-1920, valeur de demain*, Les Éditions de l'Amateur, t. VII, Paris, 1989.

CAMUS Gustave
Né en 1914 au Châtelet (Hainaut). Mort en 1984. xxe siècle. Belge.
Peintre de figures, paysages, natures mortes, graveur sur bois, peintre de cartons de tapisseries, décorations murales. Expressionniste.
Au Châtelet, il fut élève d'Eugène Paulus et poursuivit ses études à Charleroi. Il a obtenu de nombreux Prix : 1939 Godecharle, 1940 Prix de Rome, 1945 Prix du Hainaut, 1951 Jeune Peinture Belge, 1956 prix Oleffe. Il participa à de nombreuses expositions collectives et bénéficia d'expositions personnelles. La *Galerie Albert I* de Bruxelles, après l'avoir souvent montré, organisa encore en 1991 une exposition posthume de ses peintures. Il a séjourné souvent en Bretagne. Il fut professeur à l'Académie de Mons, dont il devint directeur en 1961. Il a exécuté des décorations murales à Charleroi. Il fut membre de l'Académie Royale de Belgique.
Dans sa génération, il fit figure de chef de file pour la peinture figurative en Belgique. Il a peint des personnages ou des portraits, paysans ou pêcheurs, des paysages, notamment en Bretagne. Dans une gamme d'ocre et de gris, où éclatent parfois le rouge et le bleu, brodant autour de quelques thèmes familiers, natures mortes d'aulx et d'œufs, une classe espagnole, les filets de pêche qui sèchent sur les quais, il accusa successivement des influences diverses, Braque par une contraction de l'espace perspectif, Brusselmans, Grüber et Buffet par un dessin linéaire, heurté et schématique, repensés dans des compositions dépouillées. ■ J. B.

CAMUS

Ventes Publiques : Bruxelles, 20-21 oct. 1964 : *Le port* : **BEF 20 000** – Bruxelles, 29 sep. 1968 : *Olivia au gilet blanc* : **BEF 24 000** – Anvers, 18 avr. 1972 : *Le cycliste* 1965 : **BEF 13 000** – Bruxelles, 10 déc. 1976 : *Les filets noirs*, h/t (64x80) : **BEF 50 000** – Bruxelles, 13 déc. 1977 : *Un drame comme les*

autres 1965, h/t (54x121) : **BEF 50 000** – Bruxelles, 15 mars 1978 : *Le bassin des langoustiers* 1966, h/t (89x116) : **BEF 40 000** – Bruxelles, 27 sep. 1979 : *Port de pêche*, h/t (79x98) : **BEF 50 000** – Bruxelles, 17 déc. 1981 : *Paysage*, h/t (70x90) : **BEF 70 000** – Anvers, 26 oct. 1982 : *Nature morte à la table noire*, h/t (49x100) : **BEF 50 000** – Milan, 15 mars 1983 : *Les quais* 1956, h/t (112x140) : **ITL 1 500 000** – Anvers, 22 oct. 1985 : *Nature morte*, h/t (73x116) : **BEF 110 000** – Anvers, 21 oct. 1986 : *Nature morte à la chaise*, h/t (150x65) : **BEF 45 000** – Bruxelles, 17 déc. 1987 : *Le port*, h/t (73x116) : **BEF 65 000** – Bruxelles, 27 mars 1990 : *Port*, h/pan. (40x50) : **BEF 70 000** – Lokeren, 23 mai 1992 : *Plovenez* 1963, h/t (68,5x30) : **BEF 44 000** – Lokeren, 9 oct. 1993 : *Nature morte aux écrevisses*, h/t (50x73) : **BEF 30 000** – Lokeren, 12 mars 1994 : *Matin de printemps*, h/t (38x46) : **BEF 36 000** – Lokeren, 9 déc. 1995 : *Un dimanche de septembre*, h/t (89x116) : **BEF 75 000** – Lokeren, 9 mars 1996 : *La Kermesse de septembre* 1968, h/t (114x146) : **BEF 100 000** – Lokeren, 8 mars 1997 : *Nature morte*, h/t (60x70) : **BEF 36 000**.

CAMUS Henri
xxe siècle. Français.
Sculpteur.
Il travailla au Havre. Il a exposé à partir de 1935 au Salon de la Nationale, notamment un buste de *Madame Robine.*

CAMUS Henri Louis
Né à Paris. xixe-xxe siècles. Français.
Peintre de paysages, natures mortes.
Il exposa aux Indépendants de 1908 à 1909.

CAMUS Jacques. Voir CAMUS Maurice Jacques Yvan

CAMUS Jean
xive siècle. Français.
Sculpteur sur bois.
Il fut employé, en 1329, aux travaux exécutés dans l'hôtel de la comtesse d'Artois, à Arras.

CAMUS Jean-Marie
Né le 12 novembre 1877 à Clermont-Ferrand (Puy-de-Dôme). Mort le 16 juin 1955 à Paris. xxe siècle. Français.
Sculpteur de groupes, figures, bustes.
Il fut élève de Louis Barrias et Jules Coutan. Il a exposé à Paris, au Salon des Artistes Français à partir de 1900, médaille d'or 1931, hors-concours, chevalier de la Légion d'honneur.
Il sculpta des portraits en buste et surtout des groupes d'enfants.
Musées : Clermont-Ferrand : *Groupe d'enfants en classe.*

CAMUS Lucienne
Née en 1940 à Liège. xxe siècle. Belge.
Sculpteur, céramiste.
Elle fut élève des Académies de Liège et de Bruxelles. Elle travaille le bronze poli, le cristal, la céramique. Elle crée des bijoux.

CAMUS Marie Pierre Nicolas. Voir PONCE-CAMUS Marie Nicolas

CAMUS Maurice Jacques Yvan, dit Jacques
Né le 15 octobre 1893 à Angers (Maine-et-Loire). xxe siècle. Français.
Graveur, illustrateur, peintre, décorateur.
Il fut élève de Claudio Castellucho dans son Académie de Montparnasse et de Lucien Simon. Au cours d'un séjour à Palerme en 1919, il peignit la décoration de la Casa Florio. Exposant du Salon d'Automne à Paris, il en fut nommé sociétaire en 1921. Se consacrant pendant plusieurs années à la décoration, papiers peints, tissus, tapis, il obtint plusieurs médailles : 1923 exposition du Musée Galliera de Paris, 1925 médaille d'argent à l'Exposition Internationale des Arts Décoratifs de Paris, 1927 et 1930 Nancy, etc. Depuis 1924, il était professeur de décoration à l'École des Arts Appliqués de Paris.
À partir de 1937, s'étant d'ailleurs formé seul, il donna tout son temps à la gravure, eau-forte, lithographie, et à l'illustration. Il a exposé dans les principaux Salon annuels parisiens, d'Automne, des Tuileries, des Artistes Indépendants, le Trait. En 1937 également, il peignit la décoration des *Éruptions solaires* pour le Palais de la Découverte. Il a produit des suites d'estampes : *Idées* – *Dessins* – *Paris 1929* – *Paris 1930* – *Paris 1931*. Il a illustré de nombreux ouvrages, parmi lesquels : *Ferragus* – *La Fille aux yeux d'or* – *La Duchesse de Langeais* de Balzac.
Musées : Paris (BN, Cab. des Estampes) : la presque totalité de l'œuvre gravé.
Ventes Publiques : Paris, 2 déc. 1994 : *Rue Mouffetard* ; *le marché*, h/t (33x41) : **FRF 4 000**.

CAMUS Paul
XIXe-XXe siècles. Travaillant à Paris. Français.
Peintre.
Membre de la Société des Artistes Français.

CAMUS Pierre
XVe siècle. Actif à Troyes entre 1488 et 1497. Français.
Peintre, enlumineur.

CAMUS R. J. P.
XIXe-XXe siècles. Français.
Sculpteur.
Il exposa des bustes au Salon de Paris, entre 1911 et 1913.

CAMUS-CARLIER Françoise
Née à Paris. XIXe-XXe siècles. Française.
Peintre de genre.
Elle figura aux Indépendants en 1909.

CAMUSET Gabrielle
XVIIIe siècle. Française.
Peintre ?
Elle travailla à l'Académie de Saint-Luc en 1762.

CAMUSET Henriette
XVIIIe siècle. Française.
Artiste.
Elle fut reçue à l'Académie de Saint-Luc en 1759.

CAMUZET J., Mme
XIXe siècle. Française.
Peintre de portraits.
Elle exposa au Salon de 1888.

CAMUZZI Arnoldo
Né le 29 janvier 1838 à Saint-Pétersbourg. Mort le 13 mars 1895 à Montagnola (près Lugano). XIXe siècle. Suisse.
Peintre de paysages.
Camuzzi étudia à l'Institut polytechnique à Zurich et chez G. Valentini à Milan. On cite parmi ses œuvres une vue panoramique de Lugano qu'il exposa à Turin et à Milan.

CAMUZZONI Giovanni
XVIIIe siècle. Actif à Vérone vers 1700. Italien.
Peintre.

CAN Jan Van
Originaire d'Alost. XVIIe siècle. Éc. flamande.
Sculpteur.

CAN Tran Van. Voir **TRAN VAN CAN**

CANA Félix
Né au XIXe siècle à Paris. XIXe siècle. Français.
Sculpteur.
Il étudia sous la direction de A. Dumont et Capellaro. Il exposa au Salon des Artistes Français à partir de 1873 des bustes-portraits en marbre et en terre cuite.

CANA Hubert
XVIIIe siècle. Français.
Peintre.
Il fut reçu à l'Académie de Saint-Luc à Paris en 1781.

CANA Louis Émile
Né en 1845 à Paris. XIXe siècle. Français.
Sculpteur animalier.
Élève d'Arson. Il exposa au Salon, en 1863, un groupe en cire : *Caille et ses petits*. À l'Exposition Universelle de 1878, il donna : *Combat de coqs*.
Ventes Publiques : New York, 1er mars 1980 : *Cheval et lévrier*, bronze (H. 41,6) : **USD 2 800**.

CANAAN Mounir
Né en 1919 au Caire. XXe siècle. Égyptien.
Peintre, technique mixte, collages. Abstrait.
Il participe à de nombreuses expositions collectives au Caire, ainsi qu'à des manifestations internationales : 1953 Biennale de São Paulo, 1964 Zagreb, 1965 Montréal, 1970 au Musée d'Essen (R.F.A.), *Visages de l'art contemporain égyptien* au Musée Galliera de Paris 1971, etc. Nombreuses expositions personnelles au Caire. Il est Conseiller artistique de la Maison d'Édition et de Presse *Akhbar el Yom*.
Il a commencé son activité artistique au début des années quarante, a abordé l'abstraction en 1946. Il peint en général traditionnellement à l'huile sur toile. Il fait aussi des assemblages de bois et des collages de documents imprimés, découpés et organisés en fonction de compositions à tendance géométrique.

Bibliogr. : Catalogue de l'exposition *Visages de l'art contemporain égyptien*, Musée Galliera, Paris, 1971.
Musées : Le Caire (Mus. d'Art Mod.).

CANACCI Giuseppe
XIXe siècle. Actif à Florence au début du XIXe siècle. Italien.
Graveur au burin.
On cite de lui : *Mater dolorosa* et *Buonaccorso da Palude Potesta ed Amiraglio della Republica Pisana*.

CANACHOS
VIe siècle avant J.-C. Actif à Sicyone vers 516 avant Jésus-Christ. Antiquité grecque.
Sculpteur.
Nous savons que Canachos de Sicyone était l'un des sculpteurs les plus célèbres du VIe siècle avant Jésus-Christ, puisque sa renommée l'a conduit jusqu'à Milet, où il avait reçu commande d'un *Apollon Philésios* pour le sanctuaire de Didymes. D'après des témoignages, cette statue, aujourd'hui disparue, aurait des caractères similaires à ceux de l'*Apollon de Piombino* (statue datant de la même époque). Cette dernière œuvre aux contours fermes et au modelé mœlleux montre la gravité péloponnésienne alliée à la douceur ionienne. En conséquence, l'Apollon de Piombino ne pouvait venir que d'un port du Péloponnèse, ouvert aux influences étrangères, c'est-à-dire Corinthe ou Sicyone. La célébrité de Canachos dans cette dernière ville a poussé certains à lui attribuer l'*Apollon de Piombino*, mais d'autres l'ont trouvé trop gracieux pour l'attribuer à un sculpteur qui a fait, par ailleurs, un torse de marbre retrouvé dans le théâtre de Milet. En effet ce buste puissant est un véritable manifeste de l'esthétique dorienne en terre ionienne. Il ne faut peut-être pas attacher trop d'importance à ce fait, alors que souvent un artiste dorien, même ouvert aux courants étrangers une fois en dehors de sa terre, semble vouloir affirmer les caractères spécifiques de son lieu d'origine. Cependant, à l'heure actuelle, nous ne pouvons attribuer, ce fait, avec sûreté, à Canachos que deux œuvres : l'*Apollon Philésios* (disparu) et le torse de marbre découvert à Milet et aujourd'hui au Louvre.

CANAL Antonio. Voir **CANALETTO**

CANAL Bernardo. Voir **BELLOTTO**

CANAL Fabio ou Canale
Né en 1703 à Venise. Mort en 1767 à Venise. XVIIIe siècle. Actif à Venise. Italien.
Peintre.
Père de Giambattista Canal. Élève de Giambattista Tiepolo. Ce fut surtout un peintre de fresques. On cite de lui une *Cène* à l'église des Saints Apôtres.
Ventes Publiques : Paris, 20 avr. 1932 : *Feuille d'études*, pl. et sanguine : **FRF 160** – Paris, 18 fév. 1981 : *Vue de l'Olympe*, plume, lav./trait de pierre (29x38) : **FRF 3 000** – New York, 12 jan. 1995 : *La Madone avec le linceul d'un saint entourée de putti apparaissant à sainte Madeleine et à sainte Catherine d'Alexandrie*, craie noire, encre et lav. (26,8x13,7) : **USD 1 093** – Londres, 5 juil. 1996 : *La Trinité avec la Madone et les saints Charles Borromée, François et Ignace de Loyola*, h/t (67,3x52,4) : **GBP 2 600**.

CANAL Giambattista
Né en 1745 à Venise. Mort en 1825 à Venise. XVIIIe-XIXe siècles. Italien.
Peintre.
Ce fut surtout comme son père Fabio, un peintre de fresques. Il a décoré un très grand nombre d'églises à Venise, Trévise, Rovigo, Trieste et Ferrare.

CANAL Gilbert von
Né le 24 décembre 1849 à Laibach. Mort en 1927. XIXe-XXe siècles. Actif à Munich. Autrichien.
Peintre de paysages.
Il étudia à l'Académie de Vienne, puis à Düsseldorf. Il voyagea en Hollande, en Westphalie, en Angleterre et en Suède. Il se fixa ensuite à Munich.
Musées : Berlin : *Moulin en Westphalie* – Brême : *Étang en Westphalie* – Düsseldorf : *L'Orage* – Graz : *Moulin en Westphalie* – Munich : *Vieux fossé en Westphalie – Paix du soir – Environs de Dordrecht* – Weimar : *Fin de journée*.
Ventes Publiques : Lucerne, 21 jan. 1968 : *Village au bord de la rivière* : **CHF 1 400** – Vienne, 22 juin 1976 : *Paysage de Westphalie*, h/t mar./cart. (44,5x62,5) : **ATS 25 000** – Cologne, 11 juin 1979 : *Bord de mer*, h/t (45x65) : **DEM 3 600** – Vienne, 15 sep. 1982 : *Vue de Dordrecht*, h/t (66x97) : **ATS 20 000** – Cologne, 22

nov. 1984 : *Paysage en Hollande*, h/t (92,5x118) : **DEM 4 800** – Munich, 1er juil.1987 : *Paysage de Hollande*, h/t (65,5x86,5) : **DEM 1 800** – Cologne, 18 mars 1989 : *Moulin à vent et barques à voiles sur un cours d'eau*, h/t (65x86) : **DEM 3 500**.

CANAL Vincenzo
Mort en 1748. XVIIIe siècle. Travaillant à Venise. Italien.
Peintre amateur.
Il fit partie de la suite de Gregorio Lazzarini.

CANALE Giuseppe
Né en 1725 à Rome. Mort en 1802 à Dresde. XVIIIe-XIXe siècles. Italien.
Graveur, dessinateur.
Élève de Jacob Frey. Il fut appelé à Dresde en 1751 pour y remplir les fonctions de maître de dessin des princes de la maison de Saxe et de professeur de gravure à l'Académie.

CANALETTO, de son vrai nom : Giovanni Antonio Canal, dit le Canaletto
Né le 18 octobre 1697 à Venise. Mort le 20 avril 1768 à Venise. XVIIIe siècle. Italien.
Peintre de paysages animés, vues, architectures, graveur.
Canaletto était le fils d'un peintre de décors de théâtre, Bernardo Canal, qui lui enseigna principalement l'art de la perspective. Il dut également connaître Carlevaris, qui dans une direction parallèle, donnait des vues de Venise, construites selon une perspective mathématique stricte, mais aussi baignées de lumière. La plupart des données de l'art de Canaletto étaient déjà contenues dans la peinture de cet artiste qui manquait toutefois de poésie et de lyrisme. Antonio Canal a conscience de l'étroitesse de l'art du décor de théâtre qu'il pratique avec son frère et son père jusqu'en 1719, date à laquelle il les quitte pour aller à Rome. Il marque alors sa volonté de rompre avec cet art décoratif de théâtre et peint d'après nature du sujets antiques. C'est aussi dans cette ville qu'il connut la peinture de Pannini. L'année suivante, il revient à Venise et s'inscrit à la fraglia des peintres vénitiens. Dès cette époque, il se définit comme peintre de *vedute*, genre apprécié surtout par les Anglais qui visitent Venise et désirent revenir chez eux avec une *vue* de cette ville qu'ils ont tant admirée. Sa renommée était si grande à Londres qu'il s'y rendit en 1746 et résida dans cette ville jusqu'en 1755 avec toutefois une interruption vers 1748 lorsqu'il visita Munich, en compagnie de son neveu, et une autre vers 1751, quand il retourna peut-être quelques mois à Venise, où il revint définitivement en 1756.
La National Gallery de Londres a montré un vaste ensemble de ses œuvres en 1998.
L'art à Venise au XVIIIe siècle est souvent présenté comme décadent, surtout en comparaison avec l'art d'un Giorgione, d'un Véronèse. Cependant au milieu de cette décadence on ne peut minimiser l'art d'un Tiepolo, ni celui des Canaletto, Guardi, Longhi. Sans doute, les nouveaux sujets traités par les peintres du XVIIIe siècle sont-ils pour beaucoup dans cette défaveur. Ce ne sont plus des grands sujets religieux, mythologiques ou symboliques, mais des scènes de mœurs, des fêtes, des aspects pittoresques et surtout des vues de Venise d'après nature.
C'est avec assurance que Canaletto peint, dès ses débuts, des vues de Venise pour lesquelles il utilise le système de la chambre noire, fixant sur le papier la situation et la valeur des différents monuments ; puis dans son atelier il recrée le sujet, lui donnant toute sa valeur picturale. Sa peinture n'est pas seulement une description fidèle, quasi photographique, du paysage vénitien, c'est une « recherche consciente et progressive d'une condensation très lucide de l'espace, de la lumière et la couleur qui crée une réalité magique plus vraie que la réalité », comme l'a analysé Francesco Valcanover. La première *Place Saint-Marc* (Coll. Liechtenstein) rend avec sûreté un spectacle grandiose grâce à un clair-obscur chaud et profond. Approximativement, dans un premier temps, entre 1720 et 1730, Canaletto utilise le clair-obscur pour souligner la perspective et rendre l'espace avec dynamisme. Il sait également rendre l'atmosphère d'une fête, celle de la *Scuola de San Rocco* par exemple, dont les personnages aussi précis que les architectures sont disposés selon un rythme donné par la lumière et l'ombre. Mais le souci de Canaletto demeure la lumière par l'intermédiaire de laquelle il réussit à donner une atmosphère presque irréelle à ses vues. Dans une seconde période, ses touches se transforment peu à peu en virgules nerveuses qui accrochent la lumière ; Canaletto passe alors du clair-obscur à une luminosité diffuse soutenue par la

couleur. Deux vues que Canaletto peignit sur cuivre en 1727-1728 pour le duc de Richmond offrent le premier exemple de cette évolution qu'il poursuivra jusqu'aux environs de 1746, peignant sans relâche des vues de sa ville natale. Plus il avance dans son art, plus il « ouvre » ses paysages, laissant la place aux ciels nuageux. Cette ouverture est comme prolongée par l'eau : *le Bassin de Saint-Marc vu de la place Saint Georges le Majeur* (Wallace Collection) montre ces espaces baignés de lumière et d'eau, ensemble grandiose et serein. Ce genre de paysage ouvert se retrouvera dans l'art de Corot et aussi des impressionnistes.
Canaletto, pour remplacer le clair-obscur qui scandait ses compositions, a laissé une grande place à la lumière et obtient une vigueur nouvelle en faisant voisiner les rouges et les bleus, les noirs et les roses. À cette époque, il peint quatorze *Vues du Grand Canal*, entre 1730 et 1735 pour les collections anglaises. Il entreprend ensuite une autre série de vues dont l'exécution s'échelonne sur dix ans. Ses vues sont parfois subordonnées étroitement à une perspective systématique, mais elles atteignent toujours une ampleur illusoire qui a dû impressionner le neveu de Canaletto : Bernardo Bellotto, également peintre de *vedute*, mais dont le métier et la carrière ont finalement différencié son art de celui de Canaletto. La tonalité limpide, jusque dans les ombres, donne une sorte d'exubérance sensuelle à la lumière et différencie les tableaux de Canaletto qui restent uniques et ne devraient pas pouvoir se confondre avec ceux de Bellotto, appelé parfois aussi Canaletto, donnant lieu à des confusions entretenues jusqu'en 1910.
La vogue d'Antonio Canal fut telle, surtout auprès des Anglais, qu'il est bien normal de voir se développer l'art des « vedutistes », imitateurs de Canaletto, dont le principal souci est de produire des vues de Venise, faisant office de souvenirs que les touristes anglais rapportaient dans leur pays. Arrivé à Londres, il exécuta, entre autres, des vues *de Whitehall*, des *jardins de Vauxhall*, des *rives de la Tamise*, du *parc de Badminton*. Mais ces paysages ont paru étranges aux Anglais qui sont allés jusqu'à douter de l'identité du Canaletto qui séjournait dans leur capitale. Pourquoi ce doute ? Il semble dû à plusieurs faits : d'une part, le peintre conserve une vision lumineuse vénitienne même lorsqu'il regarde Londres, ce qui peut étonner un Anglais ; d'autre part, l'usage de la « chambre optique » se fait de plus en plus sentir et conduit Canaletto à une plus grande rigueur stylistique. Il systématise certains de ses effets, la perspective est accusée, les arêtes sont vives et accusent le relief, il devient un maniaque de la perspective. Au cours de cette dernière période (1746-1768) il crée des vues imaginaires : des *capriccii*, faits de paysages anglais, vénitiens et de ruines romaines. Naturellement, dans ces compositions fantastiques, il obtient des effets lumineux d'une ampleur parfois excessive et qui peuvent choquer, sans toutefois perdre de leur qualité vibrante. Il se laisse aller à des effets de perspective de fantaisie, qui ont le brio du rococo, la *Place Saint-Marc vue d'une arcade* (National Gallery), qui apportent des solutions dans ce sens et qui seront reprises par Guardi.
L'art de Canaletto a permis d'établir à Venise, l'art dorénavant traditionnel des « vues objectives », mais que recréera par la sensibilité du peintre ; il a aussi ouvert la voie aux peintres de *capriccii*. Si Canaletto a excellé dans le premier genre, il semble avoir moins bien réussi dans le second, sauf lorsqu'il utilise l'eau-forte pour le représenter. Ce que Canaletto a su le mieux rendre, c'est la lumière atmosphérique de Venise.
Antonio Canal est, sans doute, la plus grande figure des « vedutistes » que connut Venise. La nouveauté de ces vues vient de ce qu'il les peint *dal vero*, sur le motif. Pour cela il n'a pas forcément besoin d'un prétexte, d'une fête, sinon il se rapprocherait d'un genre de peinture déjà développé chez un Gentile Bellini, par exemple, près de trois siècles plus tôt. Naturellement, Canaletto n'est pas à l'origine de ce type de peinture ; il y a été amené par sa formation et par des recherches antérieures. ■ **Annie Jolain**

BIBLIOGR. : Moschini : *Canaletto*, Milan, 1955 – Catalogue de l'exposition : *La Peinture italienne au XVIIIe siècle*, Paris, novembre 1960, janvier 1961 – Pallucchini in : *Jardin des Arts*, Paris, mars 1968.

MUSÉES : BERGAME (Acad. Carrare) : *Le Grand Canal* – BERLIN : *Le Grand Canal à la Salute, côté bassin de Saint-Marc* – *Le Môle et le Palais des Doges* – BIRMINGHAM : *Le Grand Canal* – *La Place et l'Église Sant'Angelo* – *Place et église des Saints Apôtres* – *Églises de Venise et des vues du Grand Canal* – BOSTON : *Panorama du bassin de Saint Marc* – CHÂTEAUROUX : *Marine, soleil levant* –

Marine, soleil couchant – Cologne : Deux vues du Grand Canal – Dresde : Le Grand Canal à Sant'Angelo – La Place Saint-Jean-et-Saint-Paul – Campo Saint-Jacques de Rialto – La Place Saint-Marc – Florence : Vue du Rialto – Le Bassin de Saint-Marc – Francfort-sur-le-Main : Vue de Venise – Lille : Vue de la place Saint-Marc à Venise – Londres (coll. Bodkin) : Le Pont de Westminster – Londres (coll. Wallace) : Le Bassin de Saint-Marc – Londres (British Mus.) : Vues de Londres – Pont d'Hampton Court – Londres (Nat. Gal.) : L'Église de la Charité vue de San Vitale – La Fête de la Scuola de San Socco – Vue d'Eton avec la chapelle – Régates sur le Grand Canal – La Rotonde Ranelagh – La Place Saint-Marc vue du portique latéral de San Geminiano – Le Portique des Nouvelles Procuraties et le café Florian (coll. Marco Crespi) : Le Grand Canal – Le Canal des Mendiants – Réception du comte Bolagno – Le Grand Canal à Santa Chiara – Le Bassin de Saint-Marc vu de la madonna – La Pointe de la douane et le canal de la Giudecca – Le Grand Canal du palais Balbi au Rialto – Le Bassin de Saint-Marc et le retour du Bucentaure – Milan (Mus. de Brera) : Le Grand Canal à San Vio, côté Salute – Montréal : Le Pont du Rialto – Le Grand Canal et le marché aux poissons – L'Église de la Charité – La Place Saint-Jean-et-Saint-Paul – Nantes : La Place Navona à Rome – Venise vue du Grand Canal – New York : Le Vieux Marché aux poissons sur le Môle, côté Salute – Nuremberg : Vue de Sainte Marie Majeure – Rome (coll. Albertine) : Caprice avec une église ronde – Le Môle, côté Salute – Saint-Pétersbourg : Réception du comte de Sergi – Fête de l'Ascension – Stuttgart : Place San Giovanni e Paolo à Venise – Palais des Doges à Venise et le Campanile – Venise (Mus. de l'Acad.) : Portique d'un palais – La Piazzetta – La Place Saint-Marc, dess. – San Giorgio Maggiore, dess. – Venise (Mus. Correr) : Frontispice des eaux-fortes – série d'eaux-fortes : Aux portes du Dolo – La Tour de Malghera – Village au bord du fleuve – Mestre – quelques dessins – Le Quai de Cannaregio – Le Pont des Trois Arches – La Pointe de la douane et l'Église de la Salute – L'Entrée de l'Arsenal par voie d'eau – Péniches sur le Grand Canal – Vienne : Le Bassin de Saint-Marc vu de San Biagio – Atrium d'une villa, dess. – Washington D. C. : La Piazzetta – La Place Saint-Marc – Le Môle, côté Salute – Windsor : Saint-Christophe-de-la-Paix et San Michel, côté Murano – La Piazzetta, côté San Giorgio Maggiore – La Piazzetta, côté Salute – L'Église de la Salute et l'embouchure du Grand Canal – Fête de l'Ascension – San Giorgio Maggiore vu de la pointe de la Douane – Les Régates – Adoration des saintes reliques dans la basilique Saint-Marc, dess. – Office de nuit dans la basilique Saint-Marc, dess. – L'Arc de triomphe de Septime Sévère et Sant'Adriano, dessin et de nombreux autres dessins – Caprice avec les chevaux de Saint-Marc – Vues de Londres.
Ventes Publiques : Paris, 1775 : Vue de la place des Jésuites à Venise. – Vue du port de Padoue, dess. à la pl. et lavé d'encre de Chine – FRF 271 – Paris, 1789 : Vue de la place Saint-Marc à Venise, pl., lav. d'encre de Chine : FRF 300 – Londres, 1793 : Vue sur le Grand Canal, à Venise : FRF 4 000 – Paris, 1818 : Vue de Venise avec deux ponts ; Vue d'un canal, avec barques et personnages : FRF 525 – Paris, 1818 : Vue de l'église de la Madonna della Salute : FRF 18 000 – Paris, 1840 : Vues de Venise et du grand canal, deux pendants : FRF 1 051 – Londres, 1846 : La piazzeta de Saint-Marc, à Venise : FRF 5 830 – Paris, 1854 : Six vues de Venise : FRF 10 700 – Paris, 1859 : Scènes des fiançailles du doge et de la mer : FRF 10 400 – Paris, 1865 : Vue du Grand Canal de Venise et du Rialto, figures de Tiepolo : FRF 8 000 – Paris, 1866 : Vue de la place Saint-Marc avec le Campanile, pl. et bistre : FRF 4 075 ; Vue de l'église des Jésuites à Venise, pl. et lav. : FRF 850 ; Vue de Saint-Simonon le Totentin et divers autres édifices, encre de Chine : FRF 1 175 ; Vue de la Piazzetta et du Rialto, dess. : FRF 1 425 – Londres, 1873 : Une place à Venise, avec église et personnages : FRF 3 800 – Paris, 1882 : Maisons vénitiennes, pl. et encre de Chine : FRF 2 000 – Paris, 1889 : Vue de Venise : FRF 63 000 – Paris, 1892 : La place Saint-Marc à Venise : FRF 13 000 ; Saint-Georges-le-Majeur à Venise : FRF 6 100 – Londres, 1892 : Vue de Venise : FRF 61 175 ; Vue sur le Grand Canal : FRF 55 225 – Paris, 1895 : Le Grand Canal et l'hôpital de la Charité à Venise : FRF 5 500 – Londres, 1895 : Entrée du Grand Canal à Venise : FRF 19 700 – Londres, 1895 : Un pont à Vérone : FRF 52 500 – Paris, 1898 : Vue de Venise : FRF 15 750 – Paris, 1899 : Le Palais des Doges : FRF 15 000 – Paris, 1900 : Vue d'Italie : FRF 3 800 – New York, 10-11 avr. 1902 : Venise : USD 2 900 – Londres, 11 jan. 1904 : Vue de Greenwich, h/t (59,1x94) : GNS 220 – New York, 1905 : Le Grand Canal de Venise : USD 2 000 – New York, 1907 : Le Grand canal de Venise : USD 1 050 – Londres, 23 nov. 1907 : La Place Saint-Marc

à Venise : GBP 29 – Londres, 1er fév. 1908 : Santa Maria della Salute ; Le Palais des Doges à Venise : GBP 131 – Londres, 3 juil. 1908 : Scène sur un canal à Venise : GBP 115 – Londres, 5 avr. 1909 : La Place Saint-Marc à Venise : GBP 19 – Londres, 8 jan. 1910 : La Basilique de Saint-Marc et le Palais des Doges à Venise : GBP 945 – Paris, 16-19 juin 1919 : Le Môle et le quai des Esclavons à Venise : FRF 36 000 – Paris, 29-30 avr. 1920 : San Giorgio Maggiore : FRF 85 000 – Paris, 6-7 mai 1920 : La Place San Mosé, Venise : FRF 32 500 – Paris, 6-8 déc. 1920 : Vues d'Italie, pl., une paire : FRF 1 950 – Paris, 17 fév. 1922 : L'Entrée du Grand Canal à Venise : FRF 22 000 – Londres, 23 mai 1922 : Capriccio : pavillon et arcades en ruines au bord de la lagune, pl. et lav. (31x43,8) : GBP 66 – Londres, 15 déc. 1922 : Une église à Venise : GBP 105 – Londres, 6 juin 1923 : Vue de la lagune à Venise : GBP 472 10s. – Londres, 25 mars 1927 : Vue de Westminster : GBP 588 – Londres, 27 mai 1927 : Le Pont du Rialto à Venise : GBP 950 – Londres, 8 juil. 1927 : Vue de Florence de l'Arno : GBP 357 – Londres, 2 mars 1928 : Le Rialto : GBP 367 10s. – Paris, 19 avr. 1928 : Place Saint-Marc à Venise animée de nombreux personnages : FRF 21 000 – Londres, 13 juil. 1928 : Les Gondoliers à Venise : GBP 1 837 – Paris, 15 nov. 1928 : Palais à Venise, pl. : FRF 5 400 – Paris, 21 nov. 1928 : Venise : le Grand Canal : FRF 70 000 – Paris, 25 jan. 1929 : Place Saint-Marc à Venise : FRF 19 500 – Londres, 26 nov. 1929 : Le Grand Canal, pl. et lav. au bistre : GBP 370 – Londres, 29 nov. 1929 : Église de Saint-Jean et Saint-Paul à Venise : GBP 882 ; Le Rialto à Venise : GBP 336 – Londres, 14 mai 1930 : Rome, vue du Tibre : GBP 2 700 – New York, 22 jan. 1931 : Place Saint-Marc à Venise : USD 700 ; Santa Maria della Salute, Venise : USD 1 000 – Londres, 13 mai 1931 : Lever du soleil à Venise : GBP 820 – Paris, 15 mai 1931 : Le Portique : FRF 15 800 ; L'Église : FRF 15 300 – Londres, 12 juin 1931 : Le Palais des Doges à Venise : GBP 483 – Paris, 14 mai 1934 : Venise : Santa Maria della Salute, Venise : Le Rialto, t., une paire : FRF 315 500 – Londres, 24 mai 1935 : Le Grand Canal : GBP 567 – Londres, 27-29 mai 1935 : Vue de Westminster, lav. : GBP 390 – Paris, 23 déc. 1935 : Le Pont du Rialto sur le Grand Canal, pl. et sépia : FRF 4 100 – Paris, 12 juin 1936 : Le Quai des Esclavons à Venise : FRF 36 000 – Londres, 4 juin 1937 : La Piazzetta de Saint-Marc à Venise : GBP 1 627 10s. – Londres, 13 juil. 1937 : Piazza di San Giovanni di Laterano, Rome (63,5x98,5) : GBP 800 – Paris, 5 avr. 1938 : La Statue équestre : FRF 30 000 ; L'Entrée du Grand Canal à Venise : FRF 29 500 – Paris, 10 mai 1938 : Paysage architectural, pl. et lav. d'encre de Chine : FRF 5 200 – New York, 15-16 jan. 1942 : Grand Canal, Venise : USD 4 200 – Paris, 6 mars 1942 : Le Temple grec : FRF 75 000 – New York, 3 déc. 1942 : Cour et portique d'un palais à Venise : USD 1 150 – New York, 20 avr. 1946 : Place Saint-Marc, Venise : USD 5 500 – Paris, 9 mars 1951 : Caprice vénitien, pl. et lav. : FRF 400 000 – Paris, 12 déc. 1953 : L'Entrée du Grand Canal à Venise, plume et lavis : FRF 720 000 – New York, 29 fév. 1956 : La Piazzetta : USD 9 500 – Londres, 2 juil. 1958 : Carrosse à deux chevaux le long d'une route, lav. : GBP 1 100 – Londres, 25 nov. 1958 : Vue de San Giorgio Maggiore et du bassin de Saint-Marc, gondoles et soldats : GBP 4 725 – New York, 21 oct. 1959 : Place Saint-Marc : USD 3 100 – Londres, 18 nov. 1959 : Vue de Saint-Marc : GBP 5 000 – Londres, 23 mars 1960 : Vue de San Giorgio Maggiore : GBP 32 000 – Londres, 14 juin 1961 : Vue du Palais des Doges : GBP 18 000 – Paris, 20 juin 1961 : La Plage et l'église Santa-Maria Lobenigo à Venise : FRF 150 000 – Londres, 29 nov. 1961 : Vue de Santa Maria della Salute à Venise : GBP 40 000 – Londres, 27 mars 1963 : Venise : la place Saint-Marc et la Piazzetta : GBP 20 000 – Londres, 26 nov. 1965 : La Tamise vue de la terrasse de Somerset House : GNS 28 000 – Londres, 5 juil. 1967 : Régates sur le Grand Canal, Venise 1742 : GBP 100 000 – Londres, 26 mars 1969 : Prato della Valle, Padoue : GBP 105 000 – Londres, 27 nov. 1970 : Rome, l'Arc de Constantin : GNS 50 000 – Londres, 20 juin 1971 : La Place Saint-Marc : GBP 54 000 – Londres, 1er juil. 1971 : Capriccio : pavillon et arcades en ruines au bord de la lagune, pl. et lav. (31x43,8) : GBP 5 800 – Londres, 8 déc. 1971 : Vue du Grand Canal avec le pont du Rialto et le palais Dolfin-Manin, h/t (72x91,8) : GBP 22 000 – New York, 1971 : Piazza San Marco : USD 135 000 – Londres, 1er déc. 1976 : La torre di Malghera vers 1740, eau-forte : GBP 1 500 – Londres, 8 déc. 1976 : Londres : Whitehall et le pont de Westminster, h/t (40,5x71) : GBP 110 000 – Paris, 11 mai 1977 : Mestre (De V.3), eau-forte : FRF 10 000 – Londres, 13 juil. 1977 : Venise : la Piazzetta ; Venise : l'entrée du Grand Canal et la Salute, h/t., une paire (50x99) : GBP 150 000 – Londres, 1er nov. 1978 : Venise : Bacino di San Marco, h/t

(58,5x93) : **GBP 120 000** ; *Porte del Dolo (De V. 5),* eau-forte du 3ᵉ état (30x42,5) : **GBP 1 700** – LONDRES, 28 nov. 1979 : *La Torre di Malghera (Bromberg 2),* eau-forte du 3ᵉ et dernier état (30,1x43,5) : **GBP 750** – LONDRES, 29 juin 1979 : *Vue de Greenwich,* h/t (59,1x94) : **GBP 140 000** – LONDRES, 11 juil. 1980 : *Vue du Grand Canal avec le pont du Rialto et le palais Dolfin-Manin,* h/t (72x91,8) : **GBP 65 000** – LONDRES, 10 déc. 1982 : *Piazza di San Giovanni di Laterano, Rome* (63,5x98,5) : **GBP 160 000** – BERNE, 24 juin 1983 : *Le Porte del Dolo vers 1740,* eau-forte/pap. filigrané : **CHF 22 000** – NEW YORK, 18 jan. 1984 : *Vue de Whitehall,* h/t (52x61) : **USD 620 000** – LONDRES, 13 déc. 1984 : *L'église del Gesuiti, Venise,* pl. et lav. de gris et de sépia (31,2x25,8) : **GBP 47 000** – LONDRES, 11 déc. 1985 : *Venise : l'entrée du Grand Canal,* h/t (108x136) : **GBP 480 000** – LONDRES, 2 juil. 1986 : *Vue de la place Saint-Marc, Venise,* h/t (131x164) : **GBP 430 000** – NEW YORK, 17 nov. 1986 : *Vue du château de Warwick,* pl. et encre brune et lav. gris (31,6x57) : **USD 650 000** – PARIS, 16 déc. 1987 : *La tour de Malguerra,* pl., encre brune/pap. (14,5x32,7) : **FRF 880 000** – HEIDELBERG, 14 oct. 1988 : *Femme puisant de l'eau sous une arcade,* eau-forte (18,3x20,6) : **DEM 2 100** – NEW YORK, 11 jan. 1989 : *Étude d'hommes jouant aux cartes et de bateaux,* craie et encre (20,3x28,6) : **USD 16 500** – LONDRES, 5 juil. 1989 : *Venise – la place Saint Marc,* h/t (61x96,5) : **GBP 968 000** – LONDRES, 8 déc. 1989 : *La Piazza du Campidoglio et la Cordonata à Rome avec des notables au premier-plan,* h/t (52x61,5) : **GBP 1 100 000** – NEW YORK, 11 jan. 1990 : *L'église du Rédempteur à Venise,* h/t (47x75) : **USD 1 595 000** – NEW YORK, 1ᵉʳ juin 1990 : *Vue du Molo depuis le bassin Saint-Marc avec la Piazzetta ; Vue du Grand Canal vers l'est,* h/t, une paire (48,5x80,5) : **USD 11 000 000** – LONDRES, 12 déc. 1990 : *Le Molo sur la Brenta avec l'église San Rocco et la villa Zanon-Bon,* h/t (30,2x44,5) : **GBP 396 000** – LONDRES, 24 mai 1991 : *Le Cannaregio à Venise avec les palais Testa et Surian-Bellotto et le pont à trois arches,* h/t (48,3x77,5) : **GBP 275 000** – NEW YORK, 30 mai 1991 : *Le Grand Canal à Venise depuis Santa Maria della Carita vers le bassin Saint-Marc,* h/t (46,5x63,5) : **USD 990 000** – PARIS, 21 fév. 1992 : *Paysage de montagne avec cinq ponts,* eau-forte (14,3x20,9) : **FRF 15 000** – LONDRES, 15 avr. 1992 : *Old Horse Guards à Londres vue depuis St James Park avec de nombreux promeneurs et les gardes à la parade,* h/t (117x236) : **GBP 9 200 000** – NEW YORK, 22 mai 1992 : *Le Grand Canal en direction du sud-ouest depuis le Palais Grimani à Venise,* h/t (65,7x95,9) : **USD 1 485 000** – LONDRES, 11 déc. 1992 : *Venise vue du Grand Bassin : le Palais des Doges, la Piazzetta, la bibliothèque, le Campanile et les prisons,* h/t (48x85,5) : **GBP 462 000** – ROME, 29 avr. 1993 : *Capriccio d'une vue de Padoue,* h/t (72x92) : **ITL 185 000 000** – NEW YORK, 20 mai 1993 : *Vue du quai aux esclaves vers l'est à Venise,* h/t (57,2x92,7) : **USD 2 642 500** – PARIS, 16 juin 1993 : *Le portique à la lanterne,* eau-forte (29,8x42,5) : **FRF 72 000** – LONDRES, 9 juil. 1993 : *Le bassin Saint-Marc à Venise depuis la Piazzetta avec de nombreux citadins, au fond les églises du Rédempteur et de Santa Maria della Salute,* h/t (60,5x92,3) : **GBP 716 500** – HEIDELBERG, 15-16 oct. 1993 : *Un village au bord de la rivière Brenta,* eau-forte (30x43,3) : **DEM 7 600** – LONDRES, 10 déc. 1993 : *Le Grand Canal à Venise vers l'est avec Campo S. Vio,* h/t (47x78,5) : **GBP 1 211 500** – PARIS, 15 déc. 1993 : *Le retour du Bucentaure le jour de l'Ascension,* h/t (86x137) : **FRF 66 000 000** – NEW YORK, 13 jan. 1994 : *Capriccio avec un dôme d'église et un monument à colonnes ; Capriccio avec un palais près d'un pont et un obélisque au fond,* h/t, une paire (chaque 150,5x134,9) : **USD 2 312 500** – PARIS, 25 mars 1994 : *La Terrasse,* eau-forte (14x20,8) : **FRF 29 000** – LONDRES, 22 avr. 1994 : *Capriccio de l'école Saint-Marc à Venise depuis le palais Grifalconi-Loredan,* h/t (87,7x137,2) : **GBP 2 201 500** – PARIS, 21 sep. 1994 : *Le Port del Dolo,* eau-forte : **FRF 17 000** – MILAN, 29 nov. 1994 : *Venizia, Campo dei Santi Giovanni e Paolo,* h/t (71x92) : **ITL 115 000 000** – NEW YORK, 10 jan. 1995 : *Cinq personnages de la comedia dell'arte sur une estrade avec le public debout,* encre et craie noires (20,6x28,9) : **USD 96 000** – NEW YORK, 11 jan. 1995 : *San Giorgio Majeur et le bassin de Saint-Marc à Venise depuis le quai des Esclaves,* h/t (60x94,5) : **USD 2 092 500** – PARIS, 3 fév. 1995 : *Vue imaginaire de Padoue,* eau-forte (29,7x43,5) : **FRF 15 500** – LONDRES, 8 déc. 1995 : *Place Saint-Marc à Venise vers l'est,* h/t (60,7x92,8) : **GBP 1 046 500** – NEW YORK, 15 mai 1996 : *Le Pont du Rialto avec l'embarcation du prince de Saxe pendant sa visite à Venise en 1740,* h/t (99x129,7) : **USD 1 982 500** – PARIS, 29 mai 1996 : *La Porte Del Dolo,* eau-forte (29,4x42,8) : **FRF 33 000** – VENISE, 7-8 oct. 1996 : *Jeudi Gras sur la Piazzetta,* aquar./cart. (44,7x63,5) : **ITL 4 025** – LONDRES, 13

déc. 1996 : *Le Redentore, Venise,* h/t (47,4x77,3) : **GBP 705 500** – LONDRES, 9 juil. 1997 : *Intérieur de la chapelle de Henry VII, Westminster,* h/t (77,5x67) : **GBP 771 500** – NEW YORK, 30 jan. 1997 : *La Face ouest du Molo avec la Colonne de Saint Théodore ; La Face est de la Riva degli Schiavoni, Venise,* h/t, une paire (46,4x76,8) : **USD 4 512 500** – LONDRES, 2 juil. 1997 : *Vue de la face sud de Warwick Castle,* pl. et encre brune et lav. gris (31,7x57,8) : **GBP 221 500** – LONDRES, 3 juil. 1997 : *Venise, l'entrée du Grand Canal vue de Santa Maria della Salute ; Venise, la Place Saint-Marc,* h/t, une paire (61,2x79,3 et 61x81,5) : **GBP 1 706 500** – LONDRES, 4 juil. 1997 : *Vue du Grand Canal de San Stae au Fabriche Nuove di Rialto, Venise,* h/t (47x78) : **GBP 2 311 500** ; *Londres, l'ancienne Garde du corps à cheval et le Banqueting Hall, Whitehall, vus de St James's Park avec des gens comme il faut en promenade,* h/t (47,3x76,8) : **GBP 1 101 500** – LONDRES, 3-4 déc. 1997 : *Venise, vue orientale de la Place Saint-Marc avec la Basilique et le Campanile ; Venise, vue du Grand Canal et du Pont Rialto,* h/t, une paire (46,5x77,1) : **GBP 3 851 500** ; *Venise, le Molo vu du bassin de Saint-Marc avec la Piazzetta et le Palais des Doges ; Venise, vue orientale du Grand Canal depuis le Campo di San Vio,* h/t, une paire (chaque 48,5x80,5) : **GBP 5 061 500**.

CANALI Giuseppe
Né en 1906 à Ripatransone. xxᵉ siècle. Italien.
Peintre.
Musées : ROME (Gal. d'Art Mod.).

CANALIAS Jaime
xivᵉ siècle. Actif à Barcelone. Espagnol.
Peintre.

CANALIAS José
xxᵉ siècle. Actif à Barcelone. Espagnol.
Sculpteur.
Il participa à l'Exposition Universelle de Bruxelles en 1910.

CANALL DE BERGA Jacques
xivᵉ siècle. Français.
Sculpteur.
Il fit, en 1345, un retable en marbre pour le maître-autel de l'église de Corneilla de Conflent (Pyrénées-Orientales).

CANALS Y LLAMBI Ricardo
Né en 1876 à Barcelone Catalogne). Mort en 1931 à Barcelone (Catalogne). xixᵉ-xxᵉ siècles. Espagnol.
Peintre de compositions à personnages, figures, paysages animés, intérieurs, aquarelliste, pastelliste. Postimpressionniste.
Il fut élève de l'École des Beaux-Arts de Barcelone et le condisciple de Torres-Garcia, Sunyer, Mir y Nonell. Il a commencé à exposer en 1891, avec un paysage à l'Exposition de Barcelone. En 1895, il fit un voyage à Majorque, puis visita Madrid et Séville. En 1897, il vint à Paris, où il se fixa pour une dizaine d'années. Il y subit très fortement l'influence des impressionnistes, surtout de Degas et Renoir, tout en restant attaché à Goya. Entre 1897 et 1906, il a exposé à Paris, aux Salons de la Société Nationale des Beaux-Arts et d'Automne dont il était sociétaire. À Paris, il fréquenta la colonie espagnole et l'entourage de Picasso. De retour à Barcelone en 1907, il y a exposé ainsi qu'à Madrid. En 1910, il a participé à l'Exposition Universelle de Bruxelles, y obtenant une médaille d'argent. Il a participé à des expositions collectives dans plusieurs pays étrangers, continuant à exposer à Paris, alors au Salon des Artistes Français dont il devint sociétaire en 1922. En 1919 et 1923, le marchand français Durand-Ruel lui organisa deux expositions personnelles dans sa galerie de New York. En 1976 pour le centenaire de sa naissance, le Musée d'Art Moderne de Barcelone a organisé une grande exposition rétrospective de son œuvre.
Dans sa période parisienne, sous les influences conjuguées de Degas et de Renoir, il peignit des scènes de café-concert, des jeunes femmes à leur toilette, les rues de Paris la nuit. À son retour en Espagne, Durand-Ruel l'encouragea à peindre des sujets typiques : cigarières, tauromachie, devinrent ses thèmes courants. Habile dessinateur, coloriste audacieux, il est un des représentants intéressants du postimpressionnisme espagnol.
■ J. B.

Bibliogr. : In : *Cent ans de peinture en Espagne et au Portugal, 1830-1930,* Antiquaria, Madrid, 1988.

Musées : BARCELONE (Mus. d'Art Mod.) : *La Toilette – Maja – Café-Concert – Portrait d'une dame* – BILBAO : *L'Épouse et le fils du peintre* – MULHOUSE : *Vue de Paris 1962,* dess. encre de Chine –

Sous un pont de Paris, dess. cr. coul. et encre – *Remparts de Barcelone*, aquar.
VENTES PUBLIQUES : PARIS, 21 jan 1924 : *Bal populaire en Espagne*, past. : **FRF 430** – PARIS, 14 mai 1943 : *La barque*, h/t : **FRF 7 600** – PARIS, 19 mai 1954 : *Jeune femme mettant des fleurs dans ses cheveux*, h/t : **FRF 55 000** – LUCERNE, 28 nov. 1964 : *Les cigarières*, h/t : **CHF 2 800** – PARIS, 11 déc. 1967 : *La promenade dans le parc*, h/t : **FRF 3 700** – NEW YORK, 18 sep. 1968 : *La chute du picador* : **USD 450** – BARCELONE, 26 mai 1982 : *Danseuse espagnole à Séville*, h/t (112x144) : **ESP 3 400 000** – BARCELONE, 24 mars 1983 : *Café-Concert*, techn. mixte (43x32) : **ESP 410 000** – MADRID, 20 juin 1985 : *La merienda*, aquar./pap. monté/pan. (120x94) : **ESP 1 495 000** – LONDRES, 24 mars 1988 : *Les berges d'une rivière*, gche (46x39) : **GBP 2 420** – PARIS, 30 mars. 1989 : *Danseuses dans un cabaret espagnol*, h/t (50x58) : **FRF 200 000** – LONDRES, 21 juin 1989 : *Danseurs de café-concert à Séville* 1906, h/t (50x57) : **GBP 39 600** – LONDRES, 28 nov. 1990 : *Cigarières de Séville*, h/t (60x70) : **GBP 55 000** – MADRID, 28 jan. 1992 : *Ballerine*, cr./pap. (65x50) : **ESP 168 000** – PARIS, 11 déc. 1992 : *Danse espagnole à Séville*, past. (69x57) : **FRF 60 000** – PARIS, 26 mars 1995 : *Portrait de jeune fille à la mantille blanche*, past. (33x25) : **FRF 14 000**.

CANAPLE Pierre François
Né vers 1746 à Paris. XVIII⁰ siècle. Français.
Peintre.
Élève de Vien à l'Académie, où il entre en septembre 1766.

CANAR Dominique
Né le 14 décembre 1949. XX⁰ siècle. Français.
Peintre de compositions à personnages. Académique, tendance fantastique.
Il expose depuis 1975, dans quelques manifestations collectives, soit surtout dans des expositions personnelles, d'abord à Lille fréquemment, puis Reims, Knokke, et Paris en permanence Galerie Vendôme.
Dans la technique minutieusement narrative qu'on rencontre toujours dans cette sorte de peinture, il semble illustrer des rêves personnels dans lesquels circulent souvent sa propre femme et son enfant et dont objets, personnages et actions seraient porteurs de symboles muets. Angoisse, cruauté, érotisme y ont leur part.

CANARD Josef ou Canarte
XVIII⁰ siècle. Actif à Rome. Italien.
Sculpteur.

CANARD Suzanne
Née à Tournus (Saône-et-Loire). XX⁰ siècle. Française.
Sculpteur de bustes.
Elle fut élève de Paul Landowski et de Jean Boucher. Elle exposait à Paris, au Salon des Artistes Français, dont elle devint sociétaire, mention honorable 1914.

CANART P. A.
XIX⁰ siècle. Actif à Paris. Français.
Peintre de portraits.
Exposa au Salon de 1883.

CANAS Benjamin
Né en 1933 à Salvador. Mort en 1987. XX⁰ siècle. Brésilien.
Peintre, technique mixte. Polymorphe.
Il expose régulièrement depuis 1965, notamment à la IX⁰ Biennale de São Paulo, où il obtint une médaille.
Dans sa peinture, il utilise de nombreux matériaux, bois brûlé, aluminium, etc. Il donne l'impression d'avoir reçu les influences diverses de l'abstraction, du surréalisme, tout en conservant un certain sourcement à partir de l'art Maya.
VENTES PUBLIQUES : NEW YORK, 13 mai 1983 : *Artiste et modèle* 1980, past. (76,2x104,8) : **USD 1 000** – NEW YORK, 30 mai 1984 : *Melancolia del Ausente* 1974, h/pan. (122x124,5) : **USD 4 000** – NEW YORK, 27 nov. 1985 : *La guerre des lingères* 1970, h/t (184,2x120) : **USD 8 000** – NEW YORK, 29-30 mai 1997 : *Autoportrait, le modèle et l'artiste* 1977, h/pan. (116,8x116,8) : **USD 96 000**.

CANAT Guy-Christian
Né le 24 janvier 1944. XX⁰ siècle. Français.
Peintre de natures mortes, trompe-l'œil. Réaliste-photographique.
Il fut formé en centre d'artisanat d'art. Il expose à Paris, aux Salons des Artistes Indépendants, d'Automne, Comparaisons.
BIBLIOGR. : *L'Officiel des Arts*, Édit. du Chevalet, Paris, 1988.

CANAT Jeanne, Mme
Née à Paris. XX⁰ siècle. Française.
Peintre.
Exposant des Artistes Français.

CANAVAGGIO Jean
Né en Corse. XX⁰ siècle. Travaille à Ajaccio. Français.
Peintre.
A exposé *La Tour de Casella* à la Nationale de 1927.

CANAVAL Y BOLIVAR Francisco
Né au XIX⁰ siècle à Lima. XIX⁰-XX⁰ siècles. Péruvien.
Peintre de genre.
Il exposa à Paris au Salon de 1905.

CANAVAS
XVIII⁰ siècle. Français.
Peintre.
Il exposa une *Volupté* en 1780 au Salon de la Correspondance.

CANAVERAL Y PEREZ Enrique
XIX⁰ siècle. Travaillant à Séville. Espagnol.
Peintre.
Il exposa deux tableaux à Madrid en 1881 : *Un patio de Marmolejo* et *El Calvario de Penaflor*.

CANAVERAL Y PEREZ Ildefonso
XIX⁰ siècle. Travaillant à Séville. Espagnol.
Peintre.
Il exposa à Madrid en 1882 : *Un barranco de Sanlucar*. Il figura en 1883 à la Nationale et en 1882 au Cercle des Beaux-Arts. On cite de lui : *La Mère de Dieu*.

CANAVERAL Y PEREZ José
Né en 1833. Mort en 1894. XIX⁰ siècle. Travaillant à Séville. Espagnol.
Peintre de genre, paysages.
Il exposa fréquemment à Séville. À Madrid, en 1881, il envoya *Una cita en el Alcazar de Sevilla*, et en 1884 : *La tarde en una aldea*.
VENTES PUBLIQUES : MADRID, 26 fév. 1980 : *Feria andaluza*, h/t (49x35) : **ESP 140 000**.

CANAVESIO Giovanni
Originaire de Pignerol (Piémont). XV⁰ siècle. Italien.
Peintre de compositions religieuses, fresquiste.
Il a subi d'abord l'influence de Giovanni Bertramino, son compatriote, et plus tard, et de plus en plus, celle des peintres de l'école de Nice, et notamment de Jean Miraiheti (de Montpellier) et de son élève Ludovico Bréa.
Il a peint des fresques à l'église S. Bernardo à Pigna près Vintimille (1482), à Notre-Dame de la Source (1492) et à l'église de Saint-Étienne-du-Mont, aux environs de Nice, et dans cette ville, à Saint-Victor.
MUSÉES : MILAN (Gal. Brera) – TURIN (Pina.).
VENTES PUBLIQUES : MILAN, 4 juin 1985 : *L'Annonciation ; La Nativité ; Le Massacre des Innocents ; Jésus parmi les docteurs*, h/pan., suite de quatre (102x46) : **ITL 52 000 000**.

CANAVESY Jacques
XV⁰ siècle. Actif à Vence près Nice. Italien.
Peintre.
Parent, selon toute vraisemblance, de Giovanni Canavesio. Il eut pour collaborateur, son fils Antonio. Son petit-fils Sébastien exécuta à Saint-Paul (aux environs de Nice) une *Descente de Croix* et une *Conversion de saint Paul*. Après lui de nombreux peintres portant le nom de Canavesy, travaillèrent à Vence et dans cette région jusqu'au XVIII⁰ siècle.

CANAVOSCO Georgette
XX⁰ siècle. Française.
Peintre.
Elle exposa à Paris au Salon de la Société Nationale des Beaux-Arts.

CANBY Ethel Poyntell
Née à Wilmington (Delaware). XX⁰ siècle. Américaine.
Peintre de fleurs et fruits.
Elle fut élève de Charles Guérin. Elle a exposé à Paris, au Salon d'Automne, entre 1912 et 1922.

CANBY Louise Prescott
XIX⁰ siècle. Active à Philadelphie. Américaine.
Graveur.

CANCALON Charles Annet
Né le 17 octobre 1892 à Mably (Loire). XX⁰ siècle. Français.

Aquarelliste.
Exposa au Salon de 1928.

CANCALON Marthe
Née au XIXe siècle à Brévannes (Seine-et-Oise). XIXe-XXe siècles. Française.
Miniaturiste.
Élève de Mme Blanche Renard. Elle exposa au Salon de 1905.

CANCARELLI Alberto
Originaire de Terni. XVIIe siècle. Travaillant à Rome. Italien.
Peintre.

CANCARET Jacques
Né au XIXe siècle à Clessy (Saône-et-Loire). XIXe-XXe siècles. Français.
Peintre de scènes de genre, portraits, nus, paysages.
Élève de Bouguereau, Gabriel Ferrier et Laronze. Il exposa au Salon des Artistes Français à partir de 1904 et jusqu'en 1932 ; hors-concours.

CANCELA Juan José
Mort en 1886 à Santiago de Compostelle. XIXe siècle. Espagnol.
Peintre, miniaturiste.
On cite de lui un *Ecce Homo* et une *Vierge des Douleurs*, à la cathédrale de Santiago. Il exposa en 1875 dans cette ville.

CANCELLARO Nicola
Né en septembre 1866 à Campobasso. XIXe siècle. Italien.
Peintre.
Il étudia à l'Institut des Beaux-Arts de Naples, et fut élève de Ciampolini. Il a peint des tableaux de genre et des portraits. À Milan, en 1885, il exposa une *Étude* et dans la même ville, en 1888, une *Enfant dévote* ; la même année, il envoya à l'Exposition de Londres : *Une heure après*.

CANCELLIERI Bartolommeo di Guido
Originaire de Pistoia. XVIe siècle. Italien.
Peintre.
VENTES PUBLIQUES : NEW YORK, 6 oct. 1995 : *Portrait d'une dame avec son chien*, h/t (114,9x91,4) : **USD 8 050.**

CANCHOIS Henri
XIXe siècle. Français.
Peintre de natures mortes.
Il exposa de 1883 à 1890 à Suffolk Street, à Londres.

CANCHY
XVIIIe-XIXe siècles. Français.
Sculpteur.
En 1793, à Paris, il exposa au Salon une statuette de *La Fidélité*. Émigra-t-il en Angleterre ? Certaines autres sources disent qu'il exposa de 1858 à 1870 à la Royal Academy et à la British Institution, à Londres.

CANCIANI Alfonso
Né en 1863 à Brazzano. XIXe siècle. Autrichien.
Sculpteur.

CANCICNO Andrés
Mort en 1670. XVIIe siècle. Actif à Séville. Espagnol.
Sculpteur.

CANCINO Luis
Né vers 1685 à Séville. Mort en 1758 à Madrid. XVIIIe siècle. Espagnol.
Peintre d'histoire.
Élève de Lucas Valdes. Il travailla pour le couvent des Carmes de Séville.

CANCIO Carlos
XXe siècle. Américain.
Peintre.
Il vit et travaille à San Francisco.
VENTES PUBLIQUES : NEW YORK, 17 mai 1989 : *Sans titre 1988*, h/t (109x81,2) : **USD 6 600** – NEW YORK, 18 mai 1994 : *La Portoricaine 1993*, acryl./t. (101,6x74,3) : **USD 5 750.**

CANCLINO Antonio
XVIe siècle. Actif à Bormio (Valteline). Italien.
Peintre.

CANDARI J.
Peintre.
Cité par Mireur.
VENTES PUBLIQUES : PARIS, 1883 : *Vénus et l'Amour* : **FRF 490.**

CANDAS Henri
Né à Paris. XIXe-XXe siècles. Français.

Peintre de paysages.
Exposa aux Indépendants en 1907.
VENTES PUBLIQUES : VERSAILLES, 21 fév. 1982 : *Bateaux à quai*, h/t (40,5x60,5) : **FRF 4 500.**

CANDAS SALMON Marie-Odile
XXe siècle. Française.
Sculpteur d'installations. Conceptuel.
Elle vit et travaille à Lille. Elle a été élève de l'École des Beaux-Ars de Tournai, et en sculpture monumentale de l'École de La Cambre à Bruxelles. Elle expose principalement en Belgique, Liège, Tournai, Bruxelles, Louvain, Gand.
Ses installations de grandes dimensions incitent à un parcours et mettent en évidence des oppositions sensorielles et mentales, dense-léger, agression-protection, etc.

CANDAU-MAUPIN Suzanne
Née à Angoulême (Charente). XXe siècle. Française.
Peintre de portraits.
Elle exposa au Salon de l'Union des Femmes peintres et sculpteurs.

CANDEE George Edward
Né en 1838 à New Haven (Connecticut). XIXe siècle. Américain.
Peintre.

CANDEL Willem Philippus
Né en 1838 à La Haye. XIXe siècle. Hollandais.
Peintre.

CANDELOT Marie Louise
XVIIIe siècle. Française.
Artiste.
Elle fut reçue à l'Académie Saint-Luc en 1754.

CANDES Roger Lucien
Né en 1907 à Paris. Mort en 1972. XXe siècle. Français.
Peintre de nus, paysages.
Dès 1930, il fut remarqué par le critique Louis Vauxcelles. Il a exposé régulièrement à Paris, aux Salons de la Société Nationale des Beaux-Arts depuis 1941, d'Automne pendant quelques années, des Artistes Français à partir de 1968, mention honorable 1969.
Ses paysages, simplifiés et robustes, rappellent la manière d'Yves Brayer.
VENTES PUBLIQUES : PARIS, 17 nov. 1980 : *Paysage*, h/t (65x80) : **FRF 3 500** – PARIS, 19 nov. 1990 : *Le nu dans l'atelier*, h/t (71,5x90,5) : **FRF 6 000** ; *Montmartre*, h/t (73x92) : **FRF 5 000.**

CANDIA Domingo
Né en 1896. XXe siècle. Argentin.
Peintre de paysages, natures mortes. Postcubiste.
Il a exposé à plusieurs reprises au Musée National d'Art Moderne de Buenos Aires, et notamment en 1978.
Sa peinture est très influencée par les cubistes, et particulièrement par Braque. Il compose des natures mortes avec des objets quotidiens très simples, dont il n'hésite pas à sacrifier l'aspect superficiel au bénéfice de l'organisation plastique. Il prend les mêmes libertés avec le paysage dont il élabore avec force la recomposition en fonction du format à occuper.
VENTES PUBLIQUES : NEW YORK, 17 mai 1989 : *L'arbre*, h/t (90,1x129,7) : **USD 10 450** – NEW YORK, 21 nov. 1989 : *Le mètre 1957*, h/t (90x64) : **USD 9 900.**

CANDIA Leonardo de
XXe siècle. Actif à Naples. Italien.
Sculpteur.

CANDIANO Vicente
Né le 23 janvier 1905 à Buenos Aires. XXe siècle. Argentin.
Sculpteur sur bois.
Il participe à de nombreuses expositions collectives en Argentine, et a obtenu diverses distinctions.
MUSÉES : BUENOS AIRES (Mus. des Beaux-Arts de La Boca).

CANDIARD Simone
Née à Paris. XXe siècle. Française.
Peintre de portraits, paysages, natures mortes, fleurs.
Elle a exposé régulièrement à Paris, aux Salons des Artistes Indépendants de 1927 à 1932, d'Automne de 1931 à 1934, des Tuileries de 1932 à 1935.

CANDID Peter. Voir WITTE Pieter de

CANDIDA Giovanni
Né avant 1450. Mort après 1504. XVe-XVIe siècles. Italien.

Médailleur.

Il travailla pour le compte des rois de France, des ducs de Bourgogne, de Maximilien d'Autriche. C'est un des grands noms de l'histoire de la médaille et son influence a été considérable.

CANDIDO Domenico et **Martino**

Originaires de Tolmezzo. xvᵉ-xviᵉ siècles. Actifs à Udine entre 1479 et 1506. Italiens.

Peintres, sculpteurs sur bois.

CANDIDO Pietro. Voir **WITTE Pieter de**

CANDIDO Salvatore

xixᵉ siècle. Italien.

Peintre de marines animées.

Il s'est intégralement spécialisé dans la peinture très typique de la baie de Naples.

VENTES PUBLIQUES : LONDRES, 27 fév. 1985 : *Vues de la baie de Naples* 1840, h/t, une paire (26,5x39,5) : **GBP 4 400** – LONDRES, 17 nov. 1993 : *La baie de Naples* 1835, h/t (29x39) : **GBP 9 430** – ROME, 31 mai 1994 : *Le golfe de Naples de Saint Jean à Teduccio* ; *Le golfe de Naples du Posilippe vers le Vésuve* 1830, h/t, une paire (29,5x40,5) : **ITL 56 568 000** – MONACO, 19 juin 1994 : *Pêcheurs dans une grotte méditerranéenne au coucher du soleil* 1827, h/t (22,8x29,4) : **FRF 17 760** – LONDRES, 16 nov. 1994 : *Barques de pêche dans la baie de Naples* 1835, h/t (29x39) : **GBP 4 025** – LONDRES, 19 nov. 1997 : *Vue de Naples* 1853, h/t, une paire (chaque 53,5x81) : **GBP 37 800**.

CANDIDUS ou **Bruun**

ixᵉ siècle. Allemand.

Peintre.

Il fut religieux à l'abbaye de Fulda.

CANDIDUS Harry W. T.

Né en 1867 à New York. Mort en 1902. à Munich. xixᵉ-xxᵉ siècles. Américain.

Peintre de paysages.

Il vécut à Munich à partir de 1890.

CANDIOTTI Giulio

xviiiᵉ siècle. Actif à Macerata. Italien.

Peintre.

CANDIS Giovanni de

xvᵉ siècle. Actif à Milan à la fin du xvᵉ siècle. Italien.

Peintre de miniatures.

CANE Bernardo

xviᵉ siècle. Actif à Pavie dans la seconde moitié du xviᵉ siècle. Italien.

Peintre.

CANE Carlo del

Né en 1615 ou 1618 à Gallarate (Milanais). Mort en 1688 à Milan. xviiᵉ siècle. Italien.

Peintre de sujets mythologiques, compositions religieuses, portraits.

Cane s'instruisit chez Melchiore Gherardini, et étudia les œuvres de Morazzone, dont il imita la manière.

Parmi les meilleurs ouvrages, on cite ses fresques de la Chartreuse de Pavie représentant *saint Ambroise* et *saint Hugo*. Il fonda une école de peinture à Milan.

VENTES PUBLIQUES : PARIS, 24 juin 1929 : *Jupiter et Junon*, dess. : **FRF 180** – ROME, 8 mars 1990 : *Portrait de famille*, h/t (116x99) : **ITL 8 000 000**.

CANE G. B.

xviiᵉ siècle. Actif à Voghera. Italien.

Peintre.

CANE Herbert Collins

xixᵉ siècle. Britannique.

Peintre animalier.

Il exposa de 1883 à 1891 à la Royal Academy et à la New Water-Colours Society, à Londres.

CANE Louis

Né en 1943 à Beaulieu-sur-Mer (Alpes-Maritimes). xxᵉ siècle. Français.

Aquarelliste, peintre de techniques mixtes, collages, sculpteur, dessinateur. Abstrait-analytique, puis figuratif. Groupe Support-Surface, 1968-71.

Il fut élève de l'École des Arts Décoratifs de Nice, puis en 1968 de l'École des Beaux-Arts de Paris. Il fut, en 1969, avec Bioulès, Devade, Dezeuze, Viallat, l'un des membres-fondateurs du groupe Support-Surface et a participé aux nombreuses manifes-

tations du groupe, en général dans des lieux non-institutionnels, éventuellement dans la rue et surtout dans des villes du Midi de la France. Puis, il participa à la Biennale des Jeunes de Paris en 1971 et 1973, en 1973 encore il exposait à l'Institute of Contemporary Art de Londres. Il fut aussi, en 1971, cofondateur avec Marc Devade de la revue *Peinture. Cahiers théoriques*, très liée par les idées et les positions politiques avec la revue *Tel Quel*. D'importantes expositions personnelles lui ont été organisées : 1971 Galerie Daniel Templon à Paris, 1972 Galerie Yvon Lambert à Paris, 1977 Galerie Léo Castelli à New York, 1983 Fondation Maeght à Saint-Paul-de-Vence, 1985 Galerie Daniel Templon, 1989 Galerie Gill Favre à Paris, 1990 à l'Espace Fortant de Sète et Musée Saint-Roch à Issoudun, 1995 Palais des Congrès de Paris, 1996 Manoir de Cologny à Genève, etc.

Ses premiers travaux de 1966-1967, papiers découpés, tressés, collés, rompaient très évidemment avec la conception classique et traditionnelle de la peinture, ainsi qu'avec son statut économique et social. Dans la période d'activité du groupe Support-Surface, portant sur l'analyse des moyens de la peinture et en particulier la rupture du rapport entre chassis et toile, Cane travaillait aussi dans le sens de la « déconstruction » du langage pictural, toutefois avec ses moyens propres. En réponse à l'incompréhension d'une grande partie du public envers les réalisations basiques du groupe, et à un degré moindre en référence aux ready-mades de Duchamp, il affirmait l'appartenance de ces travaux à la création artistique, en apposant sur ses propres œuvres le tampon : « Louis Cane artiste-peintre ». Toujours soucieux de relier réflexion et pratique à l'histoire et à l'histoire de l'art, son travail et ses réalisations se fondèrent sur une interrogation des notions d'espace et de perspective. Les réponses qu'il en donna consistèrent surtout dans les peintures « sol-mur », dont une partie de la toile pendait librement le long du mur et se continuait par l'autre partie s'étalant sur le sol. Une bordure entourant la partie murale évoquait, plus que le chassis le cadre d'antan, des jeux de dégradés, d'ailleurs raffinés, entrecroisés entre celui de la surface intérieure et celui de la bordure, confortaient la proposition de lier la métaphore ou l'illusion de l'espace à la perception psycho-physiologique de la couleur et de ses affirmations, tandis que, sur le sol rompait avec la bidimensionnalité traditionnelle en ouvrant la voie pour pénétrer au cœur de la proposition colorée. On a pu établir des points de rencontre entre ces grands draps de couleur et la « peinture de champ » de Rothko. Dimensions des « pièces », simplicité des moyens picturaux : pulvérisation de couleur monochrome modulée, pliage, découpage, dépliage, nouvelle projection colorée, contribuaient à l'effet monumental qui propulsait les créations de Louis Cane parmi les plus spectaculaires et convaincantes de cette mouvance Support-Surface, dont certains autres participants éprouvaient bien des difficultés à concilier théorie omniprésente et pratique artistique.

À partir de 1975-1976, rompant avec l'abstraction analytique de Support-Surface, et non seul du groupe dans ce cas, en ayant épuisé selon Vincent Bioulès les possibilités très limitées dès le départ, Louis Cane réintroduisit progressivement le sujet dans ses peintures. En 1977, il fit un premier retour aux anges et aux nus des thèmes traditionnels de l'histoire de la peinture depuis la Renaissance. En 1978-1979 fut consommée la rupture avec *L'Homme bondissant*. Depuis lors, son activité et sa production sont assez difficiles à cerner au travers des différentes périodes, où alternent peintures et sculptures. La figuration et son caractère expressionniste, aussi bien dans l'image que dans la technique picturale, en sont des fils conducteurs. Sont fréquentes aussi les citations d'artistes du passé ou modernes : Giotto, Gréco, Vélasquez, Manet, Cézanne, Matisse, Picasso, Pollock, De Kooning, etc. pour la peinture, Picasso de nouveau, Germaine Richier, Giacometti et César pour la sculpture. Précisément, dans ses sculptures, s'il ne parodie pas trop vulgairement César : *Gertrude au flytox* de 1985, il peut faire preuve d'un baroquisme étonnant de dynamisme et d'humour : *Les Tritons sur un rocher* de 1986, peuvent aussi bien évoquer le *Tombeau du maréchal de Saxe* de Pigalle à Strasbourg, la fontaine de la place des Terreaux à Lyon de Bartholdi ou celle de Tinguely et Niki de Saint-Phalle au-dessus de l'IRCAM à Paris. Ce qui paraît difficile à comprendre dans les peintures, d'autant que lui-même ne s'en explique guère et que les commentateurs de ses expositions usent alors souvent de l'ironie que de l'argument, c'est que ses premiers bonshommes peut-être inspirés de De Kooning, ensuite ses faux Picasso ou autres, puis les *Annonciations*, les *Paysages* et les *Femmes debout* ou bien assises, accroupies,

allongées, accouchant, des années quatre-vingt, tellement grossièrement évoqués picturalement, ressortissent au domaine de la caricature sommaire beaucoup plus que de la citation, à moins que délibérément il n'ait voulu accrocher cette production momentanée aux wagons éphémères de la « bad painting » ou de la « figuration libre » ? Et ce n'est pas l'exposition de 1990 à la Chapelle Saint-Louis de la Salpêtrière à Paris qui a éclairci la situation, comme le constate, entre autres, Anne Dagbert : « Les nouvelles peintures de Louis Cane dérouteront encore ses détracteurs qui venaient tout juste de s'habituer à l'expressionnisme grinçant de ses figures féminines ou à celui, douloureux, de ses *Crucifiés* ou encore à l'humour décapant de ses sculptures ». Le tampon réapparu et complété : « Louis Cane artiste-peintre français » estampille cette fois des grands panneaux à dominante bleue, articulés en polyptyques, représentant des séries de bouquets de fleurs, de mimosas, d'iris, peints presque crédiblement cette fois en référence aux bouquets que Manet paralysé peignit en fin de vie, des séries de panneaux monochromes, de panneaux composés de plusieurs petites peintures abstraites, de panneaux couverts uniquement du tampon « Louis Cane... » ou intitulés : *Peinture vraiment abstraite* ou bien encore : *Vive la France*, la constitution de ces thèmes en séries faisant sans doute référence à Warhol. La juxtaposition provocante dans une même exposition de peintures abstraites, de peintures de mots, de peintures-peintures, vise-t-elle à justifier dans un même espace la cohérence dans la temporalité de sa démarche depuis Support-Surface ? Interpellé sur la raison de ces bouquets, Louis Cane explique : « D'abord je les peins, ensuite je pense à la stratégie... » Il convient donc d'assimiler chacun de ses sursauts post-Support-Surface à un épisode d'une stratégie générale, reste peut-être encore cette explication. Quant à ce qu'il entend par stratégie, il sait être clair : « Support-Surface, c'était un moyen de se faire reconnaître rapidement... Le milieu de Beaubourg... reconnaît les avant-gardes plus rapidement. Stratégiquement, on a donc plus intérêt à aller dans ce petit milieu. Cependant, après avoir fait ce tour de piste, tout artiste consciencieux a le devoir d'approfondir sa pratique. Certains restent leur vie petits effets... Ce qu'on me reproche c'est précisément d'être infidèle : de changer tout le temps de motifs, de façon, de style... » On le suit moins sincèrement quand, après avoir lui-même utilisé le système en fin stratège, il n'a plus que mépris (« C'est ce qui donne des âneries comme Beuys, Buren et bien d'autres... ») pour ceux qui sont comme il fut, habile médiateur de soi-même, pour autant qu'il ne le soit plus.
■ Jacques Busse

BIBLIOGR. : Louis Cane et divers, passim in : *Peinture Cahiers Théoriques*, Paris – Jacques Henric : Catalogue de l'exposition *Louis Cane*, Gal. Daniel Templon, Paris, 1985 – Louis Cane en entretien avec H.-F. Debailleux : *L'art moderne devient un tas de boue*, Libération, 31 déc. 1985 – Véronique Serrano, in : *L'art moderne à Marseille – La collection du Musée Cantini*, Mus. Cantini, Marseille, 1988 – Louis Cane avec Hubert Besacier : Catalogue de l'exposition *Louis Cane*, Gal. Gill Favre, Paris, 1989 – Philippe Sollers et divers : Catalogue de l'exposition *Louis Cane*, Chapelle Saint-Louis de la Salpêtrière, Paris, 1990.
MUSÉES : MONTRÉAL (Mus. d'Art Contemp.) : *Peinture 1974*.
VENTES PUBLIQUES : LONDRES, 7 déc. 1977 : *Composition 1974*, aquar. (50x50) : **GBP 320** – HAMBOURG, 12 juin 1981 : *Composition 1977*, h/pap. (38,1x48,3) : **DEM 2 700** – COPENHAGUE, 2 juin 1983 : *Composition 1976*, h/t (180x225) : **DKK 6 500** – PARIS, 9 nov. 1985 : *« 22 mars »* 1974, h/t sol-mur (286x240) : **FRF 11 000** – PARIS, 12 juin 1986 : *N° 80/5/260, Femme* 1980, h/t (73x60) : **FRF 15 000** – PARIS, 25 oct. 1987 : *Paysage méditerranéen* 1985, h/t (65x81) : **FRF 25 000** – PARIS, 20 mars 1988 : *Premier Moïse* 1979-1980, bronze patine antique, n° 4/8 (H. 51) : **FRF 35 000** – PARIS, 23 mars 1988 : *Odalisque* 1983, h/t (52x54) : **FRF 26 000** – PARIS, 24 avr. 1988 : *Conversation II* 1980, h/t (230x190) : **FRF 65 000** – PARIS, 1ᵉʳ juin 1988 : *trois feuilles d'étude* 1972-1978, cr., encre et stylo-bille (chaque 30x21) : **FRF 3 000** – PARIS, 16 oct. 1988 : *Bell'idol mio* 1979, h/t (230x300) : **FRF 71 000** – PARIS, 26 oct. 1988 : *Sans titre* 1982, h/t (117x89) : **FRF 26 500** – LONDRES, 23 fév. 1989 : *Sans titre* 1981, h/t (230x230) : **GBP 5 720** – PARIS, 8 oct. 1989 : *Sans titre* 1989, tampons/pap. (75,5x56,5) : **FRF 6 500** – PARIS, 11 oct. 1989 : *Portrait* 1982, h/t (73x58) : **FRF 18 500** –

PARIS, 28 nov. 1989 : *Les pisseuses* 1983 (51,5x54,7) : **FRF 23 000** – VERSAILLES, 10 déc. 1989 : *Portrait* 1984, h/t (73x60) : **FRF 29 000** – PARIS, 18 fév. 1990 : *Les Trois Grâces*, h/t (73x60) : **FRF 59 000** – LONDRES, 22 fév. 1990 : *Peinture 72.9.13*, acryl./tissu (260x260) : **GBP 15 400** – PARIS, 30 mars 1990 : *Toiles noires*, collage de t. (176,5x232) : **FRF 155 000** – PARIS, 9 mai 1990 : *Deux femmes*, h/t (116x89) : **FRF 58 000** – PARIS, 18 juin 1990 : *Sol, mur bleu* 1973, h/t (280x260) : **FRF 120 000** – PARIS, 21 juin 1990 : *Femmes* 1985, h/pap. (76x56) : **FRF 22 000** – PARIS, 5 fév. 1991 : *76 – BA – 2* 1976, h/t (214x160) : **FRF 55 500** – AMSTERDAM, 22 mai 1991 : *Un village méditerranéen au bord de la mer* 1987, h/t (162x130) : **NLG 27 600** – PARIS, 19-20 nov. 1991 : *Le déjeuner II* 1983, h/t (230x230) : **FRF 95 000** – ZURICH, 29 avr. 1992 : *Paysage à Beaulieu* 1986, h/pap. (46,6x51,6) : **CHF 3 000** – PARIS, 1ᵉʳ oct. 1992 : *Grande femme au tabouret* 1985, bronze (198x58x65) : **FRF 150 000** – LONDRES, 25 mars 1993 : *Le Pharaon*, bronze (188x40,5x39) : **GBP 3 220** – PARIS, 17 nov. 1993 : *Balançoire bois blanc*, bronze (41x35x24) : **FRF 19 000** – LONDRES, 2 déc. 1993 : *Moïse, Aaron et Pharaon*, bronze (177,8x77,5x55,3) : **GBP 5 750** – NEW YORK, 3 mai 1994 : *Mai 77* 1977, h/t (343,8x243,9) : **USD 1 495** – PARIS, 4 mai 1994 : *Petite Femme au tabouret* 1984, bronze : **FRF 33 000** – AMSTERDAM, 7 déc. 1994 : *Sans titre* 1990, acryl./t. (117x89) : **NLG 5 175** – LOKEREN, 9 déc. 1995 : *Composition* 1981, h/pap. (77,5x55,5) : **BEF 40 000** – PARIS, 10 juin 1996 : *Balançoire bois blanc* 1990, bronze patine verte (41x33x24) : **FRF 20 000** – PARIS, 5 oct. 1996 : *Homme, femme et pieu* 1986, bronze patine vert antique (64x41x15) : **FRF 20 000** ; *Deux femmes qui accouchent* 1987, h/t (190x180) : **FRF 30 000** – PARIS, 8 déc. 1996 : *Sans titre* 1982, h/cart. (48x48) : **FRF 5 700** – CANNES, 8 août 1997 : *Grande poussette aux jumeaux* 1983, bronze soudé (220x222x90) : **FRF 285 000**.

CANE Ottaviano
Né vers 1495 à Trino. Mort après 1570. XVIᵉ siècle. Italien.
Peintre.

CANEDI François
Né à Milan. XIXᵉ-XXᵉ siècles. Italien.
Graveur sur bois, dessinateur.
Fixé à Lyon, il expose au Salon de cette ville, depuis 1889, des dessins et des gravures sur bois.

CANEDO Joaquin
Né au XVIIIᵉ siècle à Valladolid. XVIIIᵉ siècle. Actif à Valladolid. Espagnol.
Peintre.
Le Musée de Valladolid conserve de lui : *Saint Jean de la Croix, Deux carmélites, Saint Augustin en prières, N.-D. du Rosaire, Saint Dominique, Mater Dolorosa.*

CANEL Andrée Anne
Née à Nancy (Meurthe-et-Moselle). XXᵉ siècle. Française.
Peintre de compositions à personnages, figures.
Elle exposa à Paris, au Salon des Artistes Français, de la Société Nationale des Beaux-Arts et des Artistes Indépendants entre 1935 et 1939.

CANEL Jean Baptiste
XVIIIᵉ siècle. Actif à Paris au début du XVIIIᵉ siècle. Français.
Graveur à l'eau-forte.
On cite de lui un portrait gravé du peintre J.-B. Henri (1709).

CANELAS
XXᵉ siècle. Portugais.
Peintre.
Peintre de scènes portugaises et de figures de cirque.

CANELLA Carlo
Né en 1800 à Vérone. XIXᵉ siècle. Italien.
Peintre de paysages, marines.
Élève de son frère Giuseppe Canella l'Aîné.
VENTES PUBLIQUES : VIENNE, 17 sep. 1963 : *Rue de Milan, la nuit* : **ATS 45 000**.

CANELLA Giorgio
Né à Venise. XIXᵉ siècle. Italien.
Peintre de genre, paysages, aquarelliste.
Demeura à Venise. Ses travaux principaux sont : *Venise, Le long de la plage, Prière dans une église, Religieuse, Dans l'église.* Il a peint aussi des aquarelles.
VENTES PUBLIQUES : LONDRES, 17 juin 1994 : *Un moment de rêverie*, h/t (98,4x54) : **GBP 5 750**.

CANELLA Giuseppe, l'Aîné
Né en 1788 à Vérone. Mort en 1847 à Florence. XIXᵉ siècle. Italien.

Peintre de paysages urbains, paysages, marines.

Fils d'un architecte, Giovanni Canella, il aida son père à la réalisation de décors de théâtre. Il voyagea en Espagne, puis en France, où il séjourna entre 1823 et 1833, partageant son temps entre Fontainebleau et Paris, où il exposa en 1826 et 1827. De retour en Italie en 1833, il se fixa à Milan et, à la fin de sa vie, devint professeur à l'Académie de Venise.

Il se fit rapidement une réputation de « vedutiste », peignant des paysages urbains avec une grande précision, dans l'esprit de ceux de Guardi ou de Carlevaris. On cite de lui : *La Cathédrale de Milan – Le Havre – Rue nouvelle à Venise – Vue d'un village au clair de lune.*

$Canella 1830$

BIBLIOGR. : Gérald Schurr : *Les Petits Maîtres de la peinture 1820-1920, valeur de demain,* Les Éditions de l'Amateur, t. V, Paris, 1981.

MUSÉES : MILAN (Brera) : *Vue d'un village au clair de lune* – NANTES – PARIS (Mus. Carnavalet).

VENTES PUBLIQUES : PARIS, 1830 : *Deux vues de Paris* : FRF 243 – PARIS, 17-19 nov. 1919 : *Vue d'Italie* : FRF 450 – PARIS, 30 nov. 1927 : *Le Boulevard de Montmartre en 1830* : FRF 21 250 – PARIS, 7 déc. 1934 : *Les Boulevards, le Théâtre des Variétés et les Panoramas* : FRF 16 000 – PARIS, 14 fév. 1938 : *Le Pont-Neuf* : FRF 92 000 – PARIS, 25 mai 1955 : *La Seine et la Cité entre le Louvre et l'Institut* : FRF 425 000 – VIENNE, 28 mai 1963 : *La sieste des pêcheurs de la lagune* 1841 : ATS 20 000 – PARIS, 27 nov. 1968 : *Vues de Paris, h/t, une paire* : FRF 67 000 – MILAN, 18 mars 1971 : *Paysage fluvial* : ITL 3 800 000 – PARIS, 27 mars 1971 : *La Place du marché à Rouen, la halle aux cotons et la cathédrale* 1830 : FRF 38 000 – MILAN, 16 mars 1972 : *Paysage fluvial* : ITL 3 500 000 – PARIS, 15 mars 1976 : *La Cité, le pont Saint-Louis et l'île Saint-Louis 1829, h/cart.* (22x31,5) : FRF 40 500 – MILAN, 20 déc. 1977 : *Paysage montagneux, h/t* (26x37,5) : ITL 1 400 000 – MILAN, 14 mars 1978 : *Le Lac de Varese, h/t* (90x133,5) : ITL 3 800 000 – LONDRES, 11 avr. 1979 : *Paysage montagneux 1843, h/t* (52x68) : GBP 1 300 – PARIS, 10 juin 1980 : *Vue de la rue Royale et de la Madeleine à Paris, h/pan.* (19x25) : FRF 32 500 – MILAN, 30 nov. 1982 : *Paysages de Lombardie, lav., une paire* (24,5x18) : ITL 4 000 000 – MILAN, 29 mai 1984 : *Venise, le pont de Rialto 1839, h/t* (120x158) : ITL 48 000 000 – MILAN, 18 mars 1986 : *Barques au Rialto, h/t* (36x43) : ITL 30 000 000 – MILAN, 23 mars 1988 : *La Seine à Paris 1830, h/pap. mar./t.* (47,5x63,5) : ITL 38 000 000 – PARIS, 13 avr. 1988 : *Vue de l'Escurial 1844, h/t* (24,5x32,5) : FRF 53 500 – MONACO, 2 déc. 1988 : *La rue de Rivoli à Paris 1827, gche* (18,5x26,5) : FRF 24 420 – ROME, 14 déc. 1988 : *Vue du Colisée et de l'Arc de Constantin, h/t* (22x29) : ITL 17 500 000 ; *Vue du Panthéon, h/t* (22x29) : ITL 27 000 000 – MILAN, 14 mars 1989 : *Roulotte 1837, h/t* (26,5x40,5) : ITL 6 000 000 – MONACO, 17 juin 1989 : *La rue de la Paix à Paris 1830, h/pan.* (13,3x17,8) : FRF 222 000 – LONDRES, 20 juin 1989 : *Le Duomo di Milan ; La cour de Brera, h/t, une paire de forme ronde* (diam. 8,5) : GBP 11 000 – LONDRES, 22 nov. 1989 : *La rue de Rivoli à Paris, h/pan.* (18x22,5) : GBP 15 400 – ROME, 29 mai 1990 : *Paysage lacustre 1838, h/t* (55x91) : ITL 34 500 000 – MILAN, 5 déc. 1990 : *Soirée parisienne 1831, h/pan.* (25x33) : ITL 37 000 000 – PARIS, 16 déc. 1991 : *Le Quai de la Seine devant l'Institut, h/t* (13,5x18) : FRF 85 000 – ROME, 24 mars 1992 : *Paysage montagneux avec du bétail au bord d'un fleuve, h/t* (51x68) : ITL 40 250 000 – ROME, 19 nov. 1992 : *Place de la Rotonde, h/t* (62x74) : ITL 34 500 000 – MILAN, 16 mars 1993 : *Vue de la grande avenue de Loreto 1835, h/pap./t.* (24x30,5) : ITL 63 000 000 – NEW YORK, 13 oct. 1993 : *Le Louvre et la Seine en 1831, h/t* (40,6x55,9) : USD 68 500 – PARIS, 5 nov. 1993 : *La Rue de Castiglione 1830, gche en grisaille* (13,5x22,5) : FRF 35 000 – ROME, 6 déc. 1994 : *Tempête sur la côte normande 1839, h/t* (89x133) : ITL 44 783 000 – LONDRES, 11 avr. 1995 : *Rue de Paris (rue Saint-Denis ?) 1833, h/cart.* (18x23) : GBP 28 750 – ROME, 23 mai 1996 : *Vue sur le lac Majeur, h/t* (89x134) : ITL 46 000 000 – CALAIS, 7 juil. 1996 : *Petite chapelle au clair de lune, h/t* (16x22) : FRF 20 000 – VIENNE, 30 oct. 1996 : *Le Retour des pêcheurs 1836, h/t mar./pan.* (53,5x75,5) : ATS 149 500 – LONDRES, 21 nov. 1996 : *Nafplion vue de Tyrins ; Suli 1826, h/métal, une paire* (13x17) : GBP 11 500 – PARIS, 24 oct. 1997 : *Vue du Panthéon à Rome,* (22x30) : FRF 95 000.

CANELLA Giuseppe, le Jeune
Né en 1837 à Venise. Mort en 1913 à Padoue. XIXe-XXe siècles. Italien.

Peintre de paysages urbains, marines, paysages.

Élève de N. Nanis à l'Académie de Venise, il exposa, à partir de 1872, à Milan, Venise, Turin, Florence, Naples. Directeur de l'École des Arts Décoratifs de Padoue.

On cite de lui : *Tempête à Venise – Le Grand Canal – L'Église des Frères.*

BIBLIOGR. : Gérald Schurr, in : *Les Petits Maîtres de la peinture 1820-1920, valeur de demain,* Les Éditions de l'Amateur, t. V, Paris, 1981.

VENTES PUBLIQUES : VIENNE, 19 mars 1963 : *Intérieurs du Dôme de Milan et de deux églises de Venise* : ATS 20 000.

CANELLAS Y VALLS Joaquin
XIXe siècle. Actif à Barcelone. Espagnol.
Sculpteur.

On cite de lui : *Le Christ à la colonne.*

CANELLIS
Né en Grèce. XXe siècle. Grec.
Peintre.

CANELO Luis
Né en 1942 à Moraleja (Caceres). XXe siècle. Espagnol.
Peintre. Abstrait.

Peint depuis 1952. Également licencié de philosophie et de pédagogie en 1970-1971. Sa première exposition personnelle date de 1970. Sa peinture traite de la matière végétale et minérale qu'il étudie par le biais de l'abstraction.

BIBLIOGR. : In : *Diction. de la Peinture Espagnole,* Larousse, Paris, 1989.

MUSÉES : CLEVELAND (Mus. of Art) – CUENCA – SÉGOVIE (Mus. de Pedraza).

CANEN Théodore. Voir l'article KAENEN I. ou J.

CANEPA
Mort le 24 juin 1869. XIXe siècle. Travaillant à Lugano. Suisse.
Peintre.

Cet artiste exerça son art à Lugano où l'on conserve, entre autres œuvres de lui, une *Sainte Famille.* Il eut une certaine réputation comme peintre de décors.

CANEPA Alessandro
Originaire de Gênes. XVIIIe siècle. Italien.
Peintre.

CANEPA Angela
XVIIIe siècle. Italienne.
Peintre de paysages.

Sœur de Giuseppe Canepa, et son élève.

CANEPA Giov. Battista
Né vers 1708 à Mezzovico, dans le canton du Tessin. Mort en 1768 à Mezzovico (canton du Tessin). XVIIIe siècle. Suisse.
Stucateur.

Canepa étudia et travailla à Bologne où il laissa des œuvres dans les églises de la Madonna delle Lame, de la Carita et San Giovanni-Battista.

CANEPA Giuseppe
Né en 1721 près de Voltri. XVIIIe siècle. Actif à Gênes. Italien.
Peintre.

CANERA Anselmo ou Caneri, Canerio, Carlerio
XVIe siècle. Actif à Vérone entre 1560 et 1575. Italien.
Peintre.

Élève de Giov. Caroto. On voit des œuvres de cet artiste à Soranzo, Castelfranco, Vicenza et Vérone. Il imita ou suivit la manière de Paolo Veronese. Des œuvres de lui sont conservées dans les églises et les palais de Vérone, *La Trinité* à S. Fermo Maggiore, *La Pentecôte,* à S. Nazaro, *Le Triomphe de Marius* au palais Murari, *Moïse enfant* à la maison Ridolfi. Le Musée de Vérone conserve une *Sainte Hélène* et une *Circoncision,* celui de Vicence, une *Vierge à l'Enfant.*

CANÈS José
Né en 1931 à Barcelone (Catalogne). XXe siècle. Depuis 1957 actif en France. Espagnol.
Peintre, graveur. Abstrait-lyrique.

Il fut élève en peinture des Écoles des Beaux-Arts de Barcelone et de Paris en tant que boursier de l'Institut Français de Barcelone et résidant de la Cité Universitaire de Paris. Il participe à de nombreuses expositions collectives depuis 1950, d'abord à Barcelone, puis entre autres : 1961 Galerie René Drouin Paris, 1963 Salon Option-Lyon, 1970 Centre Culturel Français Sarrebrück, 1973 Salon de gravure au Musée de Bayeux, 1976 Galerie Suille-

rot Paris *30 Espagnols,* 1977 exposition itinérante en Yougo-slavie de peintres espagnols, 1978 Première Biennale de Brest et Création du Musée d'Art Moderne de Dunkerque, 1980 Salons des Artistes Indépendants, Grands et Jeunes d'Aujourd'hui et de Mai à Paris, 1981 Centre Culturel du Mexique à l'UNESCO Paris *60 artistes pour un musée,* 1982 *Art catalan contemporain* à Besançon, 1983 Salon de la Jeune Peinture Paris et exposition iti-nérante *Tendances de la Peinture abstraite,* 1984 Centre Culturel de Boulogne-Billancourt *92 artistes du 92,* 1988 Barcelone et Madrid *Art Espagnol Aujourd'hui,* à partir de 1989 à Paris le Salon des Réalités Nouvelles, etc. Il montre aussi ses œuvres dans des expositions personnelles, d'entre lesquelles : 1957 Caracas, 1973 Barcelone, 1976 Paris, 1984 Musée de Saint-Maur, 1988 Barcelone, 1989 Paris, 1998 Paris galerie Lina Davidov, etc. De 1958 à 1961, Canès a pratiqué une peinture informelle carac-térisée par des effets de matières, donc « aux antipodes du Bau-haus » a remarqué J.-E. Cirlot. De 1961 à 1965, Canès s'est déta-ché du matiérisme pour une abstraction lyrique gestuelle. De 1964 à 1970, il a réalisé des gravures et des peintures qu'il quali-fie de « visionnaires », au sujet desquelles Ramon Chao voit des « chérubins souffleurs de nuages... sautant d'astre en étoile ». De 1973 à 1976, il a évolué dans le sens d'un certain surréalisme pour des peintures procédant d'une « fantasmagorie poétique », où « le réel côtoie l'imaginaire » selon G. Xuriguera. Dans les peintures de 1976 à 1978, Jacques Baron voit « une étrange flui-dité dans quoi se rassemblent et s'évadent les choses qu'il peint ». À partir de 1978, Canès semble s'être déterminé de nou-veau dans une abstraction gestuelle qui, d'après E. Sanchez-Ortiz, « concentre des éclairs, des orages, des bourrasques et puis des éclaircies, des calmes plats », description encore adap-tée aux peintures de son exposition de 1998. ■ J. B.
Musées : Cuauhtémoc (Mexique) – Dunkerque (Mus. d'Art Contemp.) – Paris (BN) – Roquebrune (Mus. mun. d'Estampes) – Saint-Maur – Saint-Omer (Mus. de l'Hôtel Sandelin).
Ventes Publiques : Paris, 22 déc. 1989 : *Composition abstraite,* h/t (81x100) : FRF 7 500 – Versailles, 22 avr. 1990 : *Composition 1959,* h/t (73x61) : FRF 6 800.

CANESSA Achille
Mort en 1905 à Gênes. xixe-xxe siècles. Italien.
Sculpteur.
Ventes Publiques : Londres, 21 mars 1985 : *Jeune femme,* marbre blanc (H. 96,5) : GBP 750.

CANESTRARO Livia
Née en 1936. xxe siècle. Belge.
Sculpteur.
Ventes Publiques : Lokeren, 6 nov. 1976 : *Les trois Grâces,* bronze (H. 75) : BEF 90 000 – Lokeren, 16 mai 1987 : *Nu couché,* bronze (H. 15) : BEF 50 000 – Lokeren, 5 déc. 1992 : *Nu allongé,* bronze (H. 14 et L. 34) : BEF 30 000 – Lokeren, 28 mai 1994 : *Nu agenouillé,* fus. (108x90) : BEF 36 000.

CANET Alix
Née à Albertville (Savoie). xxe siècle. Française.
Peintre de paysages.
Exposant des Artistes Français.

CANET Charles Émile
xixe-xxe siècles. Français.
Peintre de paysages, marines.
Élève de Le Sénéchal et de Kerdreoret, il participa régulièrement au Salon des Artistes Français à Paris entre 1887 et 1900.
Ses vues de port, marines et paysages ne cèdent pas au pit-toresque et, dans une écriture nerveuse, sont rendus avec une certaine sécheresse.
Bibliogr. : Gérald Schurr : *Les Petits Maîtres de la peinture 1820-1920, valeur de demain,* Les Éditions de l'Amateur, t. IV, Paris, 1979.
Ventes Publiques : Paris, 31 mars 1844 : *Port de Boulogne,* deux pendants : FRF 2 800 – Paris, 14 juin 1944 : *Le port à marée basse* : FRF 1 200 – Douarnenez, 12 août 1983 : *Marine,* h/pan. (35x26) : FRF 4 000 – Louviers, 21 avr. 1985 : *Le port de Bou-logne,* h/t (27x41) : FRF 6 000 – Londres, 25 mars 1987 : *Scène de port,* h/t (80,5x116) : GBP 2 000.

CANET Denis
xvie siècle. Actif à Troyes vers 1552. Français.
Peintre.
Il travailla au château de Fontainebleau de 1540 à 1550 et fut membre de l'Académie de Saint-Luc à Paris.

CANET Jean ou Cavet
xive siècle. Lyonnais, actif au xive siècle. Français.

Peintre.
Il vivait à Lyon en 1350 et mourut entre 1363 et 1365. Il fut maître-peintre de l'église Saint-Jean. On l'a considéré, sans preuve aucune, comme l'auteur probable des peintures murales de la tombe de Thibaud de Vassalieu à la Chartreuse de Sainte-Croix, près Rive-de-Gier (Forez). Un Jean Canet fut à la même époque, et durant de longues années, l'aide du peintre lyonnais Jean Chatard.

CANET Marcel
Né le 15 mars 1875 à Paris. Mort en 1958. xxe siècle. Français.
Peintre de genre, paysages.
Il fut élève de William Bouguereau, Gabriel Ferrier et Henry Roger. Il exposa à Paris, entre 1903 et 1935 au Salon des Artistes Français dont il devint sociétaire, figurant également aux Salons d'Automne et des Orientalistes. Il décora un hôtel à Paimpol.
Musées : Morlaix.
Ventes Publiques : Paris, 19 nov. 1991 : *La Fileuse,* h/pan. (38x46) : FRF 12 000 – Paris, 9 déc. 1996 : *Portrait de jeune fille,* h/t/pan. (25x20) : FRF 3 900.

CANET Maud ou Canet-Pillon
Née à Paris. xxe siècle. Française.
Peintre.
Elle exposa à Paris au Salon des Artistes Français.

CANETI Francesco Antonio, fra
Né en 1652 à Crémone. Mort en 1721 à Soresina. xviie-xviiie siècles. Italien.
Peintre, miniaturiste.
Il appartenait à l'ordre des Capucins et fut l'élève de Giovanni Battista Natali. Lanzi cite de lui un tableau à Côme, dans l'église des Capucins.

CANETTI Christine
Née en 1959. xxe siècle. Française.
Peintre de techniques mixtes. Abstrait.
Elle a participé en 1983 à 1991 au Salon de Montrouge, à Paris au Salon Confrontation et au Salon de la Jeune Peinture, et à la Biennale de Cannes. Elle a également montré des ensembles d'œuvres dans des expositions personnelles à Paris et Barce-lone.
Sa peinture abstraite ressortit le plus souvent à l'art informel, bien qu'y figurent aussi des signes graphiques arbitraires.
Ventes Publiques : Paris, 14 juin 1990 : *Réceptacles 1989,* bois gravé teinté et métal (120x85) : FRF 10 000 – Paris, 14 avr. 1991 : *Sans titre 1988,* techn. mixte/pap. (102x152) : FRF 8 000 – Paris, 14 oct. 1991 : *Sans titre 1991,* techn. mixte/altuglas sablé, dyp-tique (120x100) : FRF 8 000.

CANEVALE Johann Baptist
xviie siècle. Autrichien.
Peintre.
Peintre de l'empereur Rodolphe II à Vienne.

CANEVALE Johann Dominik
Originaire de Milan. xviie siècle. Travaillant à Vienne à partir de 1634. Italien.
Sculpteur.

CANEVALE Johann Jakob
Né dans le Milanais. xviie siècle. Travaillant en Haute-Autriche et à Prague. Italien.
Sculpteur et architecte.

CANEVARI Giovanni Battista
Né en 1789 à Gênes. Mort en 1876 à Rome. xixe siècle. Italien.
Peintre de portraits et miniaturiste.

CANEY Kate
Née à Londres. xxe siècle. Britannique.
Peintre de portraits.
Elle exposa à Paris, au Salon de la Société Nationale des Beaux-Arts en 1922 et 1927.

CANFIELD Agnes
Née à Baltimore. xixe siècle. Américaine.
Lithographe.
Élève de Collin à Paris.

CANFIELD Birtley King
Né le 12 décembre 1866 à Ravenna (Ohio). xixe-xxe siècles. Travaillant à Ravenna et à New York. Américain.
Sculpteur.
Étudia à Cleveland (Ohio) et avec Falguière à Paris. Membre du Salmagundi Club en 1901 ; mention honorable au Salon de Paris en 1896.

CANGIOLERI Bartolomeo de
Originaire de Ferrare. xvie siècle. Actif entre 1534 et 1539. Italien.
Peintre.
Cet artiste se confond peut-être avec Bartolomeo da Ferrara.

CANGIULLO Francesco
Né en 1884 à Naples. Mort en 1977 à Livourne. xxe siècle. Italien.
Poète, dessinateur, peintre. Dadaïste, futuriste.
Il prit part aux activités dada au cabaret Voltaire à Zurich vers 1919. Ses amis Marinetti et Balla l'entraînèrent dans les activités futuristes, mais il restait profondément dadaïste dans ses dessins et aquarelles.
BIBLIOGR. : G. Lista : *Le livre futuriste*, Modène, 1984.
VENTES PUBLIQUES : ROME, 25 nov. 1987 : *Piedigrotta* 1914, h/t (35x25,5) : **ITL 16 000 000** – ROME, 7 avr. 1988 : *Fillette lisant*, h/pan. (40x30) : **ITL 550 000** – ROME, 17 avr. 1989 : *Dans une villa de Posillipo*, h/pan. (40x50) : **ITL 1 700 000** – LONDRES, 5 mai 1989 : *Castel dell'Ovo à Naples*, h/pan. (15,5x25) : **GBP 3 300** – ROME, 10 avr. 1990 : *Le Poète et la Guerre* 1914, encre de Chine (19x13,8) : **ITL 1 300 000** – MONACO, 17 juin 1990 : *Lettera d'amore* 1918, encre, aquar. et cr. gras/pap. (49,5x33) : **FRF 183 150** – ROME, 30 oct. 1990 : *Chanson de la mer*, aquar./pap. (20,5x26) : **ITL 2 800 000** – LONDRES, 25 nov. 1992 : *Scène de plage*, h/cart. (40x50) : **GBP 880** – ROME, 8 nov. 1994 : *Scène de la grande guerre*, encre/pap. à lettre (18x28) : **ITL 1 725 000**.

CANGUILHEM
xxe siècle. Français.
Peintre. Abstrait-géométrique.
Ses compositions abstraites-géométriques à prédominance de courbes et d'arabesques évoquent celles d'Herbin. Il exposa au Salon des Réalités Nouvelles entre 1949 et 1955.

CANI de ou Cany
Mort en 1672. xviie siècle. Actif à Paris. Français.
Peintre, sculpteur.

CANI Jean Baptiste de ou Cany
Mort en 1693 à Paris. xviie siècle. Travaillant à Paris. Français.
Peintre.
Nous savons qu'en 1671 il exécuta le tableau votif offert au chapitre de Notre-Dame, qui représentait : *La Conversion de saint Denis Aréopagite*. Le Louvre conserve de lui un dessin (esquisse d'une *Visitation de Marie*).

CANIANA Caterina di Giovanni Battista ou Cagnana
xviiie siècle. Italienne.
Sculpteur.
Elle était active à Bergame.

CANIANA Giacomo di Giuseppe ou Cagnana
Né en 1750. Mort vers 1790. xviiie siècle. Actif à Bergame. Italien.
Marqueteur, architecte.

CANIANA Gioannantonio di Giov. Battista ou Cagnana
xviiie siècle. Actif à Bergame. Italien.
Sculpteur sur bois, marqueteur.
Sans doute fils de Giovanni Battista.

CANIANA Giovanni Battista ou Cagnana
Né en 1671 à Romano. Mort en 1754 à Bergame. xviie-xviiie siècles. Italien.
Architecte, sculpteur sur bois, marqueteur.
Actif à Bergame.

CANIANA Giuseppe di Giovanni Battista ou Cagnana
xviiie siècle. Italien.
Sculpteur sur bois, marqueteur.
Actif à Bergame. Sans doute fils de Giovanni Battista.

CANIANI Giuseppe
xixe siècle. Italien.
Graveur au burin.
Actif en Italie au début du xixe siècle. Le Blanc cite de lui : *Piano della citta di Mantova, Pianta Generale del Foro Bonaparte, Citta di Milano*. Il semble impossible qu'il s'agisse de Giuseppe Caniana.

CANIARIS Vlassis
Né en 1928 à Athènes. xxe siècle. Grec.
Peintre, sculpteur. Néo-dadaïste.

Il avait entrepris des études de médecine avant d'entrer à l'École Supérieure des Beaux-Arts d'Athènes. Il vécut à Rome entre 1956 et 1960, puis à Paris avant de regagner la Grèce. Il a figuré dans toutes les grandes expositions collectives d'art grec moderne en Grèce et à l'étranger. Il a montré ses œuvres dans des expositions personnelles à Athènes en 1958, 1963, 1969, à Rome en 1960, à Bruxelles en 1963, à Paris en 1964.
Son travail a reçu l'influence conjuguée du pop art venu d'Amérique dans les années soixante et surtout du groupe des Nouveaux Réalistes coordonné par le critique Pierre Restany dans des prises de position post-dadaïstes de négation de l'acte artistique et d'appropriation en tant qu'art des objets prélevés de la réalité. En 1969 il avait montré une exposition à Athènes qui était une forme de réponse critique à la déclaration d'un des colonels, Georges Papadopoulos, arrivés au pouvoir par le coup d'État du 21 avril 1967 dont il entendait justifier ainsi la loi martiale et les arrêtés d'exception : « La Grèce est malade. Nous l'avons mise dans le plâtre ». Caniaris avait exposé des sortes de torses bandés et plâtrés, enserrés dans des fils de fer barbelé, parsemés d'œillets rouges symbolisant l'espoir. Pour cette manifestation, au sujet de laquelle la censure, par incompréhension peut-être, n'intervint pas, Caniaris avait sculpté lui-même, trois mille blocs de plâtre qui furent envoyés en guise d'invitations. Picasso reçut un de ces blocs, avec un œillet qui lui rappela celui qu'il avait lui-même donné en mémoire du héros grec de la Résistance, Nicos Beloyannis, qui en tenait un devant ses juges, avant sa condamnation à mort en 1952. ■ Jacques Busse

CANIATO Victor
Né en 1949. xxe siècle. Italien.
Sculpteur. Abstrait.
Dans les années quatre-vingts, il travaille en France, et expose à Paris, au Salon de Mai.
Il associe, en technique mixte, des éléments de natures différentes, par exemple le minéral et le végétal dans l'*Arbre* de 1980, fait de béton et de branches.

CANICCIONI Léon, orthographe erronée pour Canniccioni

CANIEGO Antonio de
xviie siècle. Travaillait à Valladolid. Espagnol.
Peintre.

CANIEGO Lucas
xviie siècle. Travaillait à Valladolid. Espagnol.
Peintre.

CANIER Alain
Né le 14 octobre 1924 à Sarlat (Dordogne). xxe siècle. Français.
Peintre de portraits, paysages.
Il exposa ses premières œuvres dans sa ville natale et à Bordeaux. À partir de 1947 il figura à Paris, au Salon des Artistes Indépendants et au Salon d'Automne dont il fut nommé sociétaire. Il a réalisé de nombreuses affiches.

CANIEZ Barthélemy
Né à Valenciennes. xixe-xxe siècles. Français.
Sculpteur.
Élève de Cavelier et Fasche. Sociétaire des Artistes Français, exposant au Salon de ce groupement entre 1885 et 1904, il obtint une mention honorable en 1887 et une médaille de troisième classe en 1890. On lui doit la statue colossale du *Grand Condé* (pierre), ornant l'escalier d'honneur de l'École de guerre, à Paris.

CANIGGIA Carlo ou Canigia
Né en 1806 à Alessandria (Piémont). Mort après 1850 à Rome. xixe siècle. Italien.
Sculpteur.
Élève à Rome de Canova. Travailla successivement à la cour de Turin, à Madrid, où il fut professeur à l'Académie à Rome, enfin, où il dirigea le Conservatoire de Santa Maria degli Angeli.

CANIGIANI Raffaele, don
Mort au début du xvie siècle à La Cava. xve-xvie siècles. Travailla à Florence. Italien.
Miniaturiste.
Il appartenait à l'ordre de Saint-Benoît.

CANIN Martin
Né en 1927 à Brooklyn (New York). xxe siècle. Actif en France. Américain.
Peintre. Abstrait, tendance géométrique.
Il fit ses études à l'Université de Syracuse en 1951 puis vécut en

Californie, à New York, au Japon pour finalement se fixer à Paris. Dès 1954 il participe à l'exposition annuelle de l'Académie de Pensylvannie à Philadelphie. Il a figuré dans plusieurs expositions collectives aux États-Unis. Sa première exposition peersonnelle a lieu en 1960 à Tokyo, suivie par celles de 1968 et 1969 à New York et en 1973 de Paris et New York.

Il crée une peinture abstraite à tendance géométrique jouant sur un savant dégradé des couleurs, dans la tradition de l'abstraction américaine qui s'attache à révéler l'omniprésence de la surface de la toile.

Musées : Boston – Philadelphie.

CANINI Giovanni Angelo ou **Giannangiolo**
Né en 1617 à Rome. Mort en 1666 à Rome ou à Paris. xviie siècle. Italien.

Peintre de compositions religieuses, portraits, dessinateur, graveur.

Canini fut guidé dans ses études par Domenichino et Barbalonga et, suivant Mariette, par Alberti de Messine. Étant archéologue, il se développa aussi par l'étude des marbres anciens et d'autres œuvres de l'antiquité. Il devint membre de l'Académie de Rome en 1650. Plus tard, il fut appelé par la reine Christine en Suède et travailla sous sa protection, s'occupant également d'archéologie, sujet sur lequel il publia deux ouvrages.

Ventes Publiques : Paris, 1769 : *Quatre académies d'hommes et un ange*, dess. à la sanguine : **FRF 8** – Paris, 1775 : *Le martyre de saint Étienne* ; *Deux paysages*, dess. à la sanguine : **FRF 12** ; *Suite de cent vingt dessins de portraits d'hommes et femmes célèbres d'Italie*, dess. à la pl., à la pierre d'Italie, à la sanguine, etc. : **FRF 36** – Londres, 10 déc 1979 : *La Vierge et l'Enfant avec Saint Pierre, saint Paul, Joseph et un moine agenouillé*, pl. et lav./craie noire (22x14,4) : **GBP 1 150** – Londres, 18 nov. 1982 : *La Vierge et l'Enfant entourés de saint Pierre, saint Paul, Joseph et un moine agenouillé*, pl. et lav. (22x14,4) : **GBP 1 800** – Paris, 4 mars 1988 : *Le martyr de saint-Étienne*, pl. et lav. brun avec reh. de blanc/pap. préparé brun (20,5x13,5) : **FRF 11 500**.

CANINI Marcantonio
Né vers 1630. xviie siècle. Italien.
Sculpteur.
Frère de Giovanni Angelo Canini, dont il termina l'un des ouvrages archéologiques.

CANINI Pierre
Originaire de Toul. xive siècle. Français.
Sculpteur.
Il travailla à la cour des papes à Avignon.

CANIONE Donato
xvie siècle. Actif à Naples. Italien.
Peintre.

CANIONI Georges Ambroise
Né le 26 mai 1888 à Longjumeau (Yvelines). Mort pour la France durant la Première Guerre mondiale. xxe siècle. Français.
Lithographe.
Il exposa à Paris, au Salon de la Société Nationale des Beaux-Arts à partir de 1908, année où il reçut une mention honorable.

CANIS Jean
xviie siècle. Français.
Peintre.
Il fut reçu à l'Académie de Saint-Luc, à Paris, en 1677.

CANISY DE FONTAINE Henri de, marquis
Mort en 1842. xixe siècle. Français.
Peintre de chevaux.

CANIVÉ Edmond
Né au xixe siècle à Reims. xixe-xxe siècles. Français.
Sculpteur.
Élève de Auban. Il exposa au Salon de 1904 : *Masques de comédie italienne*.

CANIVET Léon Louis
xixe-xxe siècles. Français.
Peintre de paysages, marines, lithographe.
Il exposa à Paris, au Salon des Artistes Français à partir de 1896, mention honorable en 1897, sociétaire.

CANIVET DE CHASTEL Charles Georges
Né le 26 août 1861 à Charenton (Seine). xixe-xxe siècles. Français.

Sculpteur.
Élève de Vidal et Rolard. Secrétaire des Artistes Français il a exposé au Salon depuis 1898. Mention honorable à l'Exposition Universelle de 1900. On cite de lui : *Oreste*, *Floréal*.

CANIVET-EVEN Céline, Mme
xxe siècle. Française.
Peintre.
Elle exposa au Salon des Artistes Français.

CANIZZARO Vincenzo
Né à Reggio (Calabre). xviiie siècle. Italien.
Peintre.
Il est l'auteur d'une *Transfiguration* conservée au Musée de Parme.

CANLASSI Guido. Voir **CAGNACCI Guido**

CANLERS Charles Stanislas
Originaire de Tournai. Mort en 1812 à Tournai, assassiné. xixe siècle. Travaillant à Paris. Français.
Sculpteur, ciseleur, fondeur.
Élève de Dejoux. Il obtint un troisième Grand Prix au concours du prix de Rome en 1808. Il exposa au Louvre en 1810 un *Napoléon assis* (d'après Moutoni).

CANLERS Pierre
xviiie siècle. Actif à Paris. Français.
Sculpteur.
Élève de l'ancienne École académique il y obtint en 1703 un second prix.

CANN Elisabeth
Née à Yarmonter (Nova Scotia). xxe siècle. Canadienne.
Peintre.
Elle exposa à Paris, au Salon d'Automne en 1923 et au Salon de la Société Nationale des Beaux-Arts en 1929.

CANNABACCIOLO Renzo. Voir **CARACCIOLO**

CANNATA Antonio
Né en 1895 à Polistenia. Mort en 1960 à Rome. xxe siècle. Italien.
Peintre de marines.
Ventes Publiques : Milan, 10 juin 1981 : *Paysage maritime*, past. (52x59) : **ITL 400 000** – Rome, 14 déc. 1988 : *Marécage*, h/pan. (41,5x50) : **ITL 750 000** – Rome, 29 mai 1990 : *Embarcation en détresse dans un détroit*, h./contre plaqué (60x40) : **ITL 3 680 000** – Rome, 16 avr. 1991 : *Barques échouées*, h./contre plaqué (60x40) : **ITL 2 760 000** – Rome, 29-30 nov. 1993 : *Route dans un village animé*, h/pan. (56x64) : **ITL 2 121 000** – Rome, 31 mai 1994 : *Sur la plage*, h/t (58,5x88) : **ITL 3 064 000**.

CANNAUT Micheline, puis **Cannaut-Utz**
Née à Lyon (Rhône). xxe siècle. Active en Tunisie. Française.
Peintre de paysages. Orientaliste.
Primée par l'Académie des Beaux-Arts de l'Institut de France, élève d'Armand Vergeaud, elle débuta au Salon tunisien en 1922. Elle participa régulièrement aux expositions artistiques de l'Afrique française jusqu'en 1940, notamment à l'Exposition internationale de 1937 à Paris. Sociétaire du Salon des Artistes Français à Paris.
Elle peignit, dans des couleurs fauves, les paysages de son environnement : Sidi Bou Saïd, Amilcar et Carthage, où elle habitait.
Bibliogr. : Catalogue de l'exposition : *Lumières tunisiennes*, Pavillon des Arts, Paris, 1995.

CANNE
Actif en Angleterre. Britannique.
Graveur.
Il grava d'après St. della et autres.

CANNEEL Eugène
Né le 18 août 1882 à Saint-Josse-Ten-Noode. Mort en 1966 à Shaerbeek. xxe siècle. Belge.
Sculpteur de monuments, bustes.
Il fut élève des Académies de Saint-Gilles et de Bruxelles. Il reçut la médaille d'or à l'exposition des Arts Décoratifs à Paris en 1925. Il expose depuis 1903 dans les Salons belges, à la Royal Academy de Londres et, à Paris, au Salon de la Société Nationale des Beaux-Arts en 1929, ainsi qu'au Salon des Tuileries. Il a réa-

lisé un *Monument aux Morts* en Belgique et des sculptures pour l'hôtel de ville de Saint-Gilles.

Eug Canneel

BIBLIOGR. : In : *Diction. Biogr. Ill. des artistes en Belgique depuis 1830*, ARTO, Bruxelles, 1987.
MUSÉES : LIÈGE – SCHAERBEEK.
VENTES PUBLIQUES : DOUAI, 1er juil. 1990 : *Joies du printemps* 1912, bronze (123x115x121) : FRF 250 000.

CANNEEL Jean
Né en 1889 à Saint-Josse-Ten-Noode. Mort en 1963 à Bruxelles. XXe siècle. Belge.
Sculpteur. Tendance expressionniste.
Il est le petit-fils de Theodore Joseph Canneel et le frère d'Eugène, Jules Marie et Marcel Canneel. Il fut élève de l'Académie de Bruxelles.
BIBLIOGR. : In : *Diction. Biogr. Ill. des artistes en Belgique depuis 1830*, Arto, Bruxelles, 1987.

CANNEEL Jules Marie
Né le 21 avril 1881 à Bruxelles. Mort en 1953 à Bruxelles. XXe siècle. Belge.
Peintre, caricaturiste.
Il fut élève de l'Académie de Bruxelles. C'est le petit-fils de Theodore Joseph Canneel et le frère aîné d'Eugène, Jean et Marcel Canneel. Il a illustré *L'Intelligence des fleurs* de M. Maeterlinck.

J.-M. CANNEEL

BIBLIOGR. : In : *Diction. Biogr. Ill. des artistes en Belgique depuis 1830*, Arto, Bruxelles, 1987.
MUSÉES : BRUXELLES – GRENOBLE – PARIS (Mus. de l'Armée).
VENTES PUBLIQUES : BRUXELLES, 19 mars 1980 : *Han-sur-Lesse*, h/cart. (60x78) : BEF 17 000 – LOKEREN, 15 mai 1993 : *Le cirque* 1944, h/pan. (80x100) : BEF 150 000.

CANNEEL Marcel
Né en 1894 à Bruxelles. Mort en 1953. XXe siècle. Belge.
Peintre de paysages. Postimpressionniste.
Il est le petit-fils de Theodore Joseph Canneel.

MARCEL CANNEEL

BIBLIOGR. : In : *Diction. Biogr. Ill. des artistes en Belgique depuis 1830*, ARTO, Bruxelles, 1987.
VENTES PUBLIQUES : BRUXELLES, 19 mars 1980 : *Paysage et chevaux* 1918, h/t (63x73) : BEF 22 000 – LOKEREN, 16 mai 1987 : *Vue de La Panne* 1918, h/t (63x74) : BEF 36 000 – BRUXELLES, 19 déc. 1989 : *Rochehaut en Semois* 1932, h/t (88x138) : BEF 36 000.

CANNEEL Theodore Joseph
Né le 8 novembre 1817 à Gand. Mort le 16 mai 1892 à Gand. XIXe s. Éc. flamande.
Peintre d'histoire, portraits, compositions décoratives.
Élève de T. Van Hanselaere. Il fut professeur puis directeur, en 1846, de l'Académie de Gand. Il voyagea en Hollande, en 1842, et en Italie, en 1848.
Il a peint des tableaux d'histoire, dont *Caïn après le meurtre de son frère, Jan Steen et Greet van Goyen*, au musée de Gand, *Scène de la vie de van Dyck* ; quelques portraits : *Portraits de l'artiste pour lui-même*, au musée d'Anvers ; et exécuté de grandes compositions décoratives à l'église Saint-Sauveur et à l'église Sainte-Anne à Gand.
MUSÉES : ANVERS : *Autoportrait* – GAND : *Jan Steen – Greet van Goyen.*
VENTES PUBLIQUES : BRUXELLES, 16 mai 1979 : *Le Concert « G. Sand, A. de Musset, E. Delacroix et F. Chopin »* 1845, h/t (65x82) : BEF 70 000.

CANNEHARS
XVIIe siècle.
Sculpteur.
Il était au service de l'archiduc Guillaume d'Autriche.

CANNELA Giovanni
XVIIe siècle. Actif à Naples vers 1600. Italien.
Peintre.
Il appartenait à l'ordre des Frères Mineurs.

CANNELLA Piero Pizzi. Voir PIZZI CANNELLA

CANNICI Gaetano
Originaire de San Gemignano. XIXe siècle. Travaillant à San Gemignano. Italien.
Peintre.
Père de Niccolo Cannici.

CANNICI Niccolo
Né en octobre 1846 à Florence. Mort en janvier 1906 à Florence. XIXe-XXe siècles. Italien.
Peintre de scènes de genre, portraits, paysages animés, paysages, marines.
Élève d'Antonio Ciseri. Il exposa – pour la première fois – à Florence, en 1872, des scènes de genre d'inspiration réaliste. Il devait subir par la suite l'influence de l'école impressionniste florentine des « macchiaioli ». Il a exposé à Londres (Royal Academy) en 1883, à Paris en 1878 (*Vie tranquille*) et en 1889 (*Le Retour des champs*). On cite encore parmi ses œuvres : *Songe doré, Le Retour de la fête, Les Semailles du blé en Toscane* (acquis par la Galerie moderne de Rome), *Hymne au soleil, Maternité* (triptyque).

Nommica

MUSÉES : FLORENCE (Gal. d'Art Mod.) : *Paysages – Effet de lune* – ROME (Gal. Mod.) : *Les Semailles du blé en Toscane.*
VENTES PUBLIQUES : MILAN, 4 juin 1968 : *La Balançoire* : ITL 5 500 000 – MILAN, 16 nov. 1972 : *Pâturages à San Gimignano* : ITL 4 500 000 – MILAN, 28 oct. 1976 : *L'Écharpe bleue*, h/t (29x30,5) : ITL 2 000 000 – MILAN, 15 mars 1977 : *Enfant dans un paysage*, h/t (41x21,5) : ITL 1 900 000 – MILAN, 25 mai 1978 : *Ânes dans un paysage* 1903, h/t (61,5x36,5) : ITL 7 000 000 – MILAN, 5 avr. 1979 : *La Fileuse* 1898, h/t (42x22) : ITL 5 500 000 – MILAN, 10 juin 1981 : *Fillette endormie dans un paysage* 1900, h/t (39,5x21) : ITL 17 000 000 – MILAN, 12 déc. 1983 : *Berger et troupeau dans un paysage* 1902, h/cart. (61x40,5) : ITL 25 000 000 – MILAN, New York, 21 mai 1986 : *Ave Maria* 1903, h/t (11x206) : ITL 50 000 000 – NEW YORK, 21 mai 1986 : *Retour des champs*, h/t (92x149,8) : USD 41 000 – ROME, 25 mai 1988 : *Tempête sur la mer*, h/t (40x74,5) : ITL 16 000 000 – MILAN, 14 juin 1989 : *La Vanité* 1872, h/t (101x57) : ITL 170 000 000 – LONDRES, 19 juin 1990 : *Le Repas de midi chez des paysans* 1881, h/t (95x76) : GBP 66 000 – MILAN, 18 oct. 1990 : *Jeunes paysans faisant griller des pommes de pins*, h/t (117,5x209,5) : ITL 155 000 000 – MILAN, 5 déc. 1990 : *Profil de fillette*, h/t (46x36) : ITL 10 000 000 – ROME, 11 déc. 1990 : *La voisine en train de coudre*, cr. (19x15) : ITL 1 265 000 – MILAN, 6 juin 1991 : *Retour de la fontaine* 1882, h/t (75,5x39,5) : ITL 77 000 000 – ROME, 24 mars 1992 : *Maternité* 1899, h/t (90x55) : ITL 92 000 000 – ROME, 2 juin 1994 : *Fleurs des champs*, h/t (33x17,5) : ITL 39 100 000 – MILAN, 19 déc. 1995 : *Tête de paysanne*, h/pan. (15x11,5) : ITL 10 350 000 – MILAN, 23 oct. 1996 : *Bergers et leur troupeau sur le chemin du retour*, h/t (38,5x60,5) : ITL 29 125 000.

CANNICIONI Léon Charles
Né le 29 avril 1879 à Ajaccio (Corse). Mort le 25 avril 1957 à Courbevoie (Hauts-de-Seine). XXe siècle. Français.
Peintre de compositions à personnages, scènes typiques, paysages. Tendance symboliste.
Il fut élève de Gabriel Ferrier et de Gérôme. Sociétaire du Salon des Artistes Français, il reçut la médaille d'or en 1924 et, en 1937, à l'occasion de l'Exposition Internationale ; il fut ensuite Hors Concours, chevalier de la Légion d'honneur et membre du jury de ce Salon.
Il peignit surtout les paysages et scènes typiques de la Corse, dans une manière proche de celle des symbolistes du début du siècle, autour de Maurice Denis.
VENTES PUBLIQUES : PARIS, 9 mars 1990 : *Les lavandières corses*, h/t (135x142) : FRF 60 000.

CANNILLA Franco
Né en 1911 à Caltagirone (Sicile). XXe siècle. Italien.
Sculpteur, orfèvre. Abstrait.
Il fut élève de son père puis de l'École d'Art de sa ville natale et de l'École de Sculpture de Palerme. Il s'établit à Rome en 1940 où il fut influencé par l'œuvre de Giacomo Manzù. Sa première exposition personnelle eut lieu en 1943. En 1952 il participa au concours international pour le monument au Prisonnier Politique Inconnu à la Tate Gallery de Londres qui lui valut un prix.

Ses premières œuvres abstraites sont exposées à Rome en 1959. Les travaux des années soixante-dix étaient constituées d'élégantes arabesques occupant solidement l'espace dans un discret rappel de formes anthropomorphiques. Il est également orfèvre.

CANNING J. Cater, Mrs
XIXe siècle. Britannique.
Peintre de paysages.
Elle exposa de 1850 à 1852 à la Royal Academy et dans d'autres associations d'art, à Londres.

CANNING Lilian
Née à Moseley. XXe siècle. Britannique.
Peintre de paysages.
Elle exposa aux Indépendants en 1927.

CANNING Mary G.
XIXe siècle. Britannique.
Peintre de paysages.
Elle exposa de 1853 à 1868 à la Royal Academy et à Suffolk Street, à Londres.

CANNON Henry-W.
Né à New York. XXe siècle. Américain.
Peintre, graveur, illustrateur.
Il fut élève de Castellucho, exposant au Salon des Artistes Français et à l'Automne où il présenta des illustrations.

CANNON Hugh
Né en Irlande. Américain.
Sculpteur.

CANO Alonso
Né en 1601 à Grenade, où il fut baptisé le 19 mars. Mort le 5 octobre 1667 à Grenade. XVIIe siècle. Espagnol.
Peintre de compositions religieuses, sculpteur, dessinateur, architecte.
Alonso Cano est une des figures les plus intéressantes de l'art espagnol, pour son universalité. Comme Michel-Ange il fut peintre, sculpteur et architecte, et il est vraiment difficile de décider en lequel de ces trois arts il témoigna du plus admirable talent. Fils d'un sculpteur-ébéniste, qui construisait des retables, baptisé à Grenade le 19 mars 1601, il étudia d'abord avec son père, puis à Séville, où sa famille était venue en 1615, il prit pour maîtres en peinture Francisco Pacheco, qui fut aussi le maître de Velasquez et Juan del Castillo qui devait plus tard enseigner Murillo enfant. Il étudia concurremment la sculpture avec Juan Martinez Montanès, et dès 1625, il commença à se faire un nom illustre.
Venu s'établir à Séville, il y devint un maître dont l'influence contrebalançait presque celle de Velasquez à Madrid. C'est de cette période que date son autel de l'église de Lebriga qu'il acheva en 1636. Un duel malencontreux, au cours duquel il tua le peintre Sebastian de Llanos y Valdés, le contraignit, l'année suivante, à fuir Séville. Il arriva à Madrid où Velasquez, alors peintre favori de Philippe IV, l'accueillit avec enthousiasme, le fit nommer peintre du roi et lui confia une part de la décoration de Madrid à l'occasion de l'entrée de Marie-Anne d'Autriche. Cano séjourna treize ans à Madrid, treize ans de travail et de production artistique très active, mais aussi treize ans de procès, de duels et de querelles. On a prétendu même qu'accusé d'avoir assassiné sa seconde femme, en 1644, il fut soumis à la question sans que la souffrance ait pu lui arracher un aveu. Cette page de sa vie est d'ailleurs controversée. Toujours est-il que Cano quitta Madrid avec une hâte qui n'était peut-être pas sans motifs, vint à Valence où il peignit sept tableaux pour la Chartreuse de Porta Cœli, puis retourna à Grenade où il manifesta l'intention de se faire prêtre pour obtenir un bénéfice. Ses démêlés avec le clergé de cette ville occupèrent une bonne partie de ses dernières années. En 1649, il reprit ses fonctions à la cour de Madrid. Doué d'un caractère bizarre, violent, querelleur, mais très charitable, très compatissant, Cano fit de son art la préoccupation dominante de sa vie. La plupart de ses démêlés furent amenés par des discussions sur des questions de préséance artistique.
Cano fut considéré par ses contemporains comme meilleur sculpteur que peintre. Mais quelle que soit la beauté des sculptures que l'on conserve de lui dans les églises de Séville, Cordoue, Grenade et Madrid, ses toiles possèdent une valeur indiscutablement supérieure. Il n'eut peut-être pas les belles qualités de réalisme de Velasquez, ni la richesse d'imagination de Murillo. Par sa *Sainte Inès*, que l'on considère comme son chef-d'œuvre, il se rapproche plutôt de Zurbaran et fait partie des artistes qui représentent le courant caravagesque espagnol. Il eut une grande influence sur l'école artistique de Grenade.

En sculpture, il est plus proche des Baroques : *Retable des Lebrija* (1629), *Tête de St Jean de Dieu* au Musée de Grenade, *L'Immaculée Conception*, de la cathédrale de Grenade. Comme architecte, on lui doit la façade de la cathédrale de Grenade.

MUSÉES : BERLIN : *Sainte Agnès* – BUDAPEST : *Saint Jean l'Évangéliste* – *Sainte Vierge, Jésus et Madeleine* – *Jésus au jardin des Oliviers* – DRESDE : *Saint Paul* – MADRID : *Madone en adoration* – *La Mort du Christ* – *Saint Benoît en prière* – *Saint Jean* – *Saint Jérôme* – *Le Crucifiement* – MUNICH : *Saint Antoine de Padoue* – SAINT-PÉTERSBOURG : *La Vierge et le Christ* – *L'Enfant Jésus et saint Jean* – *Apparition à saint Dominique* – *Portrait d'Alonso Cano* – SÉVILLE : *Le Purgatoire*.

VENTES PUBLIQUES : PARIS, 1809 : *Un rosaire, trois figures* : FRF 6 650 ; *Saint Antoine recevant l'Enfant des mains de la Vierge* : FRF 6 650 – PARIS, 1827 : *Saint François stigmatisé* : FRF 2 000 – PARIS, 1852 : *Évêque donnant la communion à une jeune fille* : FRF 7 000 ; *La vision de saint Jean* : FRF 12 000 ; *La vision de Dieu* : FRF 3 700 ; *Sainte Agnès* : FRF 4 000 ; *La Vierge et l'enfant* : FRF 8 250 – LONDRES, 1853 : *Vierge et Enfant* : FRF 5 250 ; *L'âne de Balaäm* : FRF 6 000 ; *La descente de croix* : FRF 1 250 – LONDRES, 1853 : *La Vierge et l'Enfant* : FRF 5 250 ; *L'âne de Balaäm* : FRF 6 000 – PARIS, 9-10 mai 1864 : *Supplice de saint Laurent*, dess. à la sanguine : FRF 19 ; *Religieuses en extase devant le Christ*, dess. à la sanguine : FRF 40 – LONDRES, 1868 : *La Vierge dans sa gloire, entourée d'anges* : FRF 1 400 – LONDRES, 1872 : *La Vierge et l'Enfant Jésus apparaissant à saint Antoine* : FRF 1 325 – PARIS, 1882 : *Le sacrifice d'Abraham*, dess. à la pl. et à la sépia : FRF 11 – PARIS, 1883 : *La Vierge et l'Enfant Jésus* : FRF 900 – PARIS, 1887 : *Sujet religieux* : FRF 7 845 – PARIS, 1895 : *Sainte Famille au repos*, dess. à la pl. et au lav. de sépia : FRF 38 – BERLIN, 24 jan. 1899 : *Le Couronnement de la Vierge* : FRF 800 – NEW YORK, 1905 : *La Vierge et l'Enfant* : USD 875 – LONDRES, 2 juil. 1909 : *La Vision de saint Antoine* : GBP 42 – LONDRES, 19 fév. 1910 : *L'Ascension de la Vierge* : GBP 18 – PARIS, 21-22 fév. 1919 : *La Vierge et l'Enfant*, sanguine : FRF 215 ; *Sujets religieux*, sépia : FRF 105 – PARIS, 26-27 mai 1919 : *Étude pour un retable*, dess. à la pl. : FRF 700 – PARIS, 13 juin 1921 : *Un saint drapé dans un manteau rouge* : FRF 320 – LONDRES, 14 juin 1922 : *La Vierge et l'Enfant* : GBP 34 – PARIS, 21-22 déc. 1923 : *Sainte femme en prière* : FRF 300 – PARIS, 4 fév. 1925 : *L'Ascension d'une sainte*, pl. et lav. de sépia : FRF 285 – PARIS, 16 mars 1928 : *La Vierge pleurant le Christ mort* : FRF 350 – LONDRES, 2 août 1928 : *L'Assomption de la Vierge* : GBP 23 – PARIS, 12-13 nov. 1928 : *Étude pour un retable*, pl. : FRF 420 – PARIS, 25 juin 1929 : *Saint François de Paul* : FRF 2 000 – LONDRES, 7 mars 1930 : *L'Assomption de la Vierge* : GBP 241 – PARIS, 17 déc. 1934 : *La Vierge à la rose* : FRF 920 – LONDRES, 26 nov. 1943 : *Descente de croix* : GBP 44 – LONDRES, 26 mai 1944 : *Descente du Christ dans les limbes* : GBP 68 – PARIS, 19 juin 1952 : *L'Assomption* : FRF 10 000 – LONDRES, 13 déc. 1968 : *Saint Jacques de Compostelle*, grisaille à fronton cintré : GNS 900 – LONDRES, 24 avr. 1970 : *Tobie et l'ange* : GNS 320 – PARIS, 28 juin 1982 : *La Vierge entourée par des saints*, pl. et encre brune (22x16) : FRF 2 600 – PARIS, 22 nov. 1988 : *Assomption de la Vierge*, pl. encre brune (10x6,5) : FRF 7 000 – MADRID, 24 jan. 1991 : *La Vision de saint Antoine de Padoue*, h/t (125x97) : ESP 1 344 000 – LONDRES, 16-17 avr. 1997 : *La Madone et l'Enfant*, pl. et encre brune et lav. gris avec reh. de blanc/craie noire, de forme ovale (19,7x15,7) : GBP 632.

CANO Eugenio
Né en 1961 à Madrid. XXe siècle. Espagnol.
Auteur d'installations.
Il vit et travaille à Madrid. La galerie Sylvana Lorenz lui a organisé une exposition personnelle dans le cadre de l'ARCO de Madrid en 1991, intitulée *Black Money*.
Le critique Michel Nuridsani a écrit dans Le Figaro du 13 fév. 1991 : « Une installation intelligente, pleine d'humour, d'invention plastique d'un des jeunes artistes espagnols les plus doués du moment ».

VENTES PUBLIQUES : PARIS, 10 déc. 1995 : *Chaqueta 1991*, montant métallique, caisson lumineux et veste décorée de pesetas cousues à la main, installation : **FRF 10 000**.

CANO Joaquin José
Né à Séville. Mort en 1784 à Séville. XVIIIᵉ siècle. Espagnol.
Peintre.
Élève de Domingo Martinez. Il fit surtout des copies de Murillo.

CANO Liliane
XXᵉ siècle. Française.
Peintre de compositions animées, paysages, fleurs.
VENTES PUBLIQUES : VERSAILLES, 9 déc. 1990 : *Conversation sous l'arbre*, h/pan. (55x46) : **FRF 5 500** – DOUAI, 24 mars 1991 : *L'attente des marins*, h/pan. (73x60) : **FRF 6 000** – NEUILLY, 7 avr. 1991 : *Vase de fleurs*, h/pan. (60x80) : **FRF 5 000** – NEUILLY, 20 oct. 1991 : *Les oliviers*, h/t (50x65) : **FRF 6 000** – NEUILLY, 20 mai 1992 : *La Riviera*, h/pan. (50x61) : **FRF 5 000** – NEUILLY, 19 mars 1994 : *Bouquet de fleurs*, h/pan. (65x54) : **FRF 4 000**.

CANO Lorenzo
Mort en 1817. XIXᵉ siècle. Actif à Cordoue. Espagnol.
Sculpteur.
Quelques églises de Cordoue possèdent de lui des statues et des reliefs.

CANO Miguel
Originaire d'Almodovar del Campo. XVIᵉ-XVIIᵉ siècles. Actif à Grenade (1587-1615), puis à Séville (1615-1630). Espagnol.
Sculpteur-ébéniste.
Père d'Alonso Cano.

CANO DE AREVALO Juan
Né en 1656 à Valdemoro. Mort en 1696 à Madrid. XVIIᵉ siècle. Espagnol.
Peintre.
Élève de Francisco Camilo. Il a bien exécuté des fresques dans deux églises d'Alcala, mais il a fait surtout de la peinture d'éventails. Il obtint, vers 1685, le titre de peintre de la reine. Il fut un habile escrimeur et un de ses adversaires qu'il avait défait, le fit assassiner.

CANO DE CASTRO Manuel
Né le 12 juin 1891 à Costa Rica. XXᵉ siècle. Actif aussi en France. Costaricain.
Peintre, graveur, illustrateur.
Il fut élève de François Galli à Barcelone en 1911-1912, puis étudia également à Madrid et en Italie. Il vint à Paris en 1916 et exposa à Barcelone en 1913 et 1919. Il fonde la revue *Arte y Decoracion* avec Torres-Garcia. Ses *Figures*, dessins et aquarelles sont présentées au public parisien par Félix Fénéon en 1916. En 1918, il est à New York où il rencontre Jules Pascin avec qui il exposera au Club des Pingouins. En 1919 il travaille aux Îles Baléares pour revenir en 1920 à Paris où il se fixe. Il y travaillera dans une longue retraite. En 1942, il est interné au camp de Compiègne. Une fois libéré, il retourne à Costa Rica où il fait de nombreuses expositions, éditant des albums de gravures d'une poésie profonde et d'une rare délicatesse de trait : *Front Stalag 122* (Compiègne), *Costa Rica* et *Chemin de croix*. Les *Histoires Extraordinaires* d'Edgar Poe lui ont inspiré de nombreuses compositions. Cano de Castro a beaucoup écrit en espagnol et en français sur l'art et la vie de l'esprit, notamment une étude sur un instant tragique de la vie d'Antonin Artaud. Peut-on dire que Cano de Castro dont le talent s'est formé à Paris mais nourri de sensations d'Espagne et d'Amérique centrale, figure à lui seul tout l'art costaricain ?

Cano

CANO DE LA PENA Eduardo
Né à Madrid. Mort en 1807 à Séville. XVIIIᵉ-XIXᵉ siècles. Espagnol.
Peintre de portraits et d'histoire.
Élève à Séville de Joaquin Dominguez Becquer. Il devint membre de toutes les grandes associations artistiques espagnoles. Son chef-d'œuvre est *L'Enterrement de don Alvaro de Luna*, qui figure au Musée de Madrid. On cite encore de lui : *Don Miguel de Manara faisant l'aumône à un pauvre*, et de nombreux portraits parmi lesquels ceux de *Juan de Valdès Leal*, du *roi Alphonse IV*. Ses œuvres sont au Musée National de Madrid, à la Bibliothèque de Séville, et au Musée du Prado.

CANOBY M.
XIXᵉ-XXᵉ siècles. Français.

Peintre, dessinateur.
Élève de Mme Colin-Libour. Débuta au Salon en 1874.

CANOCCHI Giovanni
XVIIIᵉ siècle. Travaillant à Florence. Italien.
Graveur.
On cite de lui des Planches pour le *Dizionario enciclopedico*, Planche pour la *Biblioteca teatrale* de Diodati, *Pascal de Paoli*.

CANOGAR Rafael
Né en 1934 à Tolède (Castille). XXᵉ siècle. Espagnol.
Peintre à la gouache, peintre de techniques mixtes, collages. Abstrait-géométrique, informel, puis figuratif. Groupe El Paso.
Il vint jeune à Madrid où il commença ses études artistiques. De 1948 à 1953, il fut élève de Vasquez Diaz. Il participe à de nombreuses expositions collectives : 1960 au Musée d'Art Moderne de New York *Nouvelles peinture et sculpture espagnoles*, 1962 au Musée Guggenheim *Avant Picasso, après Miro*, et Biennale de Venise. En 1971 il reçut le Grand Prix International de la Biennale de São Paulo, 1975 le Musée d'Art Moderne de la Ville de Paris lui organisa une rétrospective, une rétrospective de ses œuvres eut lieu au *Paris Art Center* en 1987...
Ses premières œuvres s'apparentaient à l'abstraction-géométrique. Il s'orienta ensuite vers l'informel dans des compositions aux tonalités brunes et fut ensuite influencé par l'action painting, peignant à l'huile avec ses doigts, traçant dans la pâte de profonds sillons en forme de réminiscences de la tradition espagnole des accords dramatiques de noir et de blanc. En 1957 il appartenait au groupe « El Paso » avec Antonio Saura, Luis Feito, Manolo Millarès. Après 1963, il est revenu à la figuration dans une optique pas très éloignée du pop art et des œuvres de Kienholz en particulier, dénonçant les abus de la société et mettant en scène des faits de la vie urbaine dans des tableaux mêlant peinture et éléments en relief. En 1976, il effectua un retour à l'abstraction.
■ J. B.
BIBLIOGR. : In : *Diction. Univ. de la Peinture*, t. I, Le Robert, Paris, 1975 – in : *Diction. de la peint. espagnole et portugaise*, Larousse, Paris, 1989.
MUSÉES : BARCELONE – BILBAO – CARACAS – CUENCA – MADRID – PITTSBURGH (Carnegie Inst.) – ROMEDO – SÃO PAULO – TURIN.
VENTES PUBLIQUES : MADRID, 14 mars 1978 : *Humanité 73*, gche (59x79) : **ESP 95 000** – MILAN, 27 oct. 1986 : *Composition 1962*, temp. et collage/cart. (100x70) : **ITL 1 400 000** – STOCKHOLM, 6 juin 1988 : *Peinture en rouge*, techn. mixte (101x82) : **SEK 16 500** – ROME, 15 nov. 1988 : *Deux fragments d'un accident 1965*, h/t (130x97) : **ITL 12 000 000** – ROME, 17 avr. 1989 : *Accident 1963*, h/t (97x130) : **ITL 21 000 000** – ROME, 28 nov. 1989 : *Les masques 1963*, h/t (97x130) : **ITL 45 000 000** – LONDRES, 22 fév. 1990 : *Peinture 1961*, h/t (73x60) : **GBP 18 700** – ROME, 10 avr. 1990 : *FT-8-1/4 in 1963*, h/t (161x130) : **ITL 58 000 000** – LONDRES, 18 oct. 1990 : *Sans titre 1959*, h/t (199,5x150) : **GBP 41 800** – PARIS, 4 mars 1991 : *Tête multicolore nº 4-89 1989*, peint./t. (73x60) : **FRF 55 000** – LONDRES, 21 mars 1991 : *L'accident 1974*, fus., projections et fils de métal/t. (100x80) : **GBP 3 300** – PARIS, 7 oct. 1991 : *Grande bouteille 1986*, h/t (215x176) : **FRF 83 500** – LONDRES, 17 oct. 1991 : *Série noire nº 10 1962*, h/t (250x200) : **GBP 17 600** – LONDRES, 29 mai 1992 : *Sans titre*, h/t (79,6x104,9) : **GBP 5 280** – LONDRES, 2 déc. 1993 : *Compressages au seuil de la mort 1963*, h/pap. et collage/t. (200x150) : **GBP 8 050** – PARIS, 1ᵉʳ juil. 1996 : *Tête multicolore 1989*, acryl./t. (73x60) : **FRF 11 000** – LONDRES, 5 déc. 1996 : *Peinture nº 20 1958*, h/t (120,5x80) : **GBP 16 600**.

CANON, pseudonyme de **Straschiripka Hans Johann Baptist von**
Né en 1829 à Währing, près de Vienne. Mort en 1885 à Währing. XIXᵉ siècle. Autrichien.
Peintre d'histoire, compositions religieuses, sujets allégoriques, scènes de genre, nus, portraits, dessinateur, lithographe.
Il fit ses études dans l'atelier de Ferdinand Georg Waldmüller à l'Académie des Beaux-Arts de Vienne et plus tard sous la direction de Carl von Rahl. Entre 1848 et 1855, il s'engagea dans l'armée. Après de longs voyages en Orient, en France et en Angleterre, il vécut quelques temps à Karlsruhe, où il fut nommé professeur à l'École des Beaux-Arts, de 1862 à 1869 ; et à Stuttgart. Il s'installa définitivement à Vienne, en 1873.
Influencé par les maîtres baroques, il peignit divers cycles décoratifs aux plafonds de musées viennois, dont : le *Cycle de la vie*, au Museum d'histoire naturelle. Il réalisa également des por-

traits. Parmi ses œuvres, on mentionne : *La Mère et l'enfant – Maréchal Franz von Hauslab – Le Bonheur terrestre – Saint Benedict.*

BIBLIOGR. : In : *Diction. de la peint. allemande et d'Europe centrale,* coll. Essentiels, Larousse, Paris, 1990.

MUSÉES : COLOGNE : *Portrait de femme* – HAMBOURG : *Le page* – KARLSRUHE : *Peintre J. W. Schirmer* – STUTTGART : *La loge Johannis* – *Mangeur d'huîtres* – VIENNE (Österr. Gal.) : *Maréchal Franz von Hauslab – Le mensonge de Johannis* – trois esquisses à l'huile pour un plafond du musée d'art et d'histoire, dont *La Victoire de la lumière sur les ténèbres – La course de la vie,* esquisse pour un plafond du musée d'histoire naturelle de Vienne – quatre esquisses pour le Musée d'histoire naturelle de Vienne.

VENTES PUBLIQUES : PARIS, 28 juin 1943 : *Portrait d'enfant tenant un livre :* FRF 2 100 – VIENNE, 13 mars 1962 : *La bayadère :* ATS 8 000 – VIENNE, 14 sep. 1965 : *La toilette de Vénus :* ATS 38 000 – VIENNE, 22 juin 1976 : *Portrait de femme 1870, h/t (70x53,5) :* ATS 40 000 – VIENNE, 14 juin 1977 : *Portrait d'un artiste, h/t (53x42) :* ATS 20 000 – ZURICH, 10 nov. 1982 : *Portrait de femme 1880, h/t (71x58) :* CHF 6 000 – LONDRES, 22 juin 1983 : *Jeune fille au panier de fleurs 1862, h/t (103x84) :* GBP 3 400 – LONDRES, 27 fév. 1985 : *Pêcheur à la ligne dans un sous-bois, h/t (60,5x76) :* GBP 2 000 – BERNE, 26 oct. 1988 : *Jeune femme se mirant dans l'eau d'un ruisseau, h/pan. (36x26) :* CHF 3 800 – MILAN, 14 mars 1989 : *Portrait d'homme dans un intérieur 1860, h/t (157,5x110) :* ITL 7 500 000 – AMSTERDAM, 24 avr. 1991 : *La marchande de poissons 1873, h/t (163x102,5) :* NLG 13 225 – LONDRES, 18 juin 1993 : *Nu masculin, h/t (52,9x42,8) :* GBP 4 025.

CANON Claude
Originaire de Paris. XVIᵉ siècle. Travaillant à Genève à la fin du XVIᵉ siècle. Français.
Graveur sur bois.
Il fut bourgeois de Genève où il se maria en 1583.

CANON Gabrielle
XXᵉ siècle. Française.
Peintre de paysages urbains.
Elle a exposé, à Paris, en 1954 au Salon des Indépendants.
VENTES PUBLIQUES : PARIS, 29 nov. 1992 : *Rue de Montmartre, h/t (73x100) :* FRF 3 200.

CANON Jean
XVIᵉ siècle. Lyonnais, actif au XVIᵉ siècle. Français.
Peintre.
Vivait à Lyon en 1553 et y travaillait pour l'entrée de la reine Éléonore.

CANON Jean Louis
Né le 15 février 1809 à Paris. Mort en 1892. XIXᵉ siècle. Français.
Peintre, lithographe.
Entré à l'École des Beaux-Arts le 8 avril 1826, il étudia avec Charlet, Dupont et Lethiere. Il exposa au Salon, de 1831 à 1868, des portraits et quelques œuvres de genre parmi lesquelles on cite : *L'Enterrement d'un vieux soldat, Une scène de brigands espagnols, Enfant étudiant ses lettres, Retour de la fontaine.* Canon a publié, comme lithographe, des études d'après Rembrandt et Holbein et un grand nombre de scènes de genre.
VENTES PUBLIQUES : PARIS, 1846 : *Le retour du roulier, aquar. :* FRF 140 ; *Le curé de Meudon, aquar. :* FRF 110 ; *La prière, aquar. :* FRF 86.

CANON Luc
Né en janvier 1920. XXᵉ siècle. Belge.
Dessinateur.
Il a parcouru le monde, côtoyé de nombreux peintres et écrivains, accompagné leurs combats d'avant-garde, multiplié les malices de ses dessins en marge de leurs propres œuvres.
Ses dessins ont été exposés à Baltimore, Los Angeles, Chicago, au Canada, à Vérone, au Japon, etc.
Rappelant le domaine réservé de Saül Steinberg, il emprunte traits, déformations, inventions, à un peu tous les créateurs originaux du siècle : Egon Schiele, Klee, Picasso, Ernst, et tant d'autres, outrant leurs styles à la frontière de l'amour et de la caricature.
BIBLIOGR. : Jean-Michel Palmier, in : *L'Expressionnisme et les Arts, Peinture, Théâtre, Cinéma,* Payot, Paris, 1980 – J.-M. Palmier : *Canon fabulous drawings,* Laney Editor, 1982.

CANON Pierre Laurent
Né le 6 mai 1787 à Caen. Mort le 4 février 1852 à Paris. XIXᵉ siècle. Français.

Peintre, miniaturiste.
Il ne figura au Salon qu'en 1831, mais il prit part à plusieurs reprises aux expositions de Lille et de Douai.

CANONCE Guillaume
XIVᵉ siècle. Français.
Peintre verrier.
Il travailla à Rouen, où il exécuta des vitraux pour la cathédrale en 1384.

CANONE C.
XIXᵉ siècle. Travaillant à Munich et à Vienne. Allemand.
Peintre de genre.
Élève de Kaulbach à l'Académie de Munich.
VENTES PUBLIQUES : LONDRES, 20 déc. 1921 : *Un cavalier :* GBP 19.

CANONE Colart
XVᵉ siècle. Actif au début du XVᵉ siècle à la cour des ducs de Bourgogne. Français.
Peintre.

CANONICA Bertolino ou **Bartolommeo**
Originaire de Pavie. XVᵉ siècle. Travaillant à Pavie et à Gênes. Italien.
Peintre, sculpteur sur bois.

CANONICA Pietro
Né le 28 février 1869 à Turin. XIXᵉ-XXᵉ siècles. Italien.
Sculpteur.
Élève d'Od. Tabacchi à l'Académie de Turin. Il a exposé à Turin, à Milan, à Venise et aussi à Paris, Londres, Berlin, etc... On cite parmi ses œuvres : *Divagando, Contrasti, Dopo il voto,* statuette de marbre (mention honorable au Salon de Paris en 1898), *Crucifixus, Istinto materno, Sogno di Primavera* ; et, parmi des bustes, ceux du *Roi* et de la *Reine d'Angleterre,* exposés à la Royal Academy en 1904.
MUSÉES : BERLIN (Gal. Nat.) – ROME (Gal. Mod.) : *Duchessa di Genova,* buste – TRIESTE (Mus.).

CANONNE Charlot
XVIᵉ siècle. Français.
Sculpteur.
Il fit, avec Guillaume Titre, en 1507, la décoration du portail de Saint-Gangolphe, à la cathédrale de Cambrai. Le travail n'ayant pas été agréé, il fut détruit et confié à un autre artiste, Franchequin.

CANONVILLE ou **Canovelle**
XVIIᵉ siècle. Français.
Peintre.

CANORGUA Michel
XVᵉ siècle. Français.
Sculpteur.
Il travaillait à Montpellier où il fut chargé, en 1450, des travaux de décorations à l'occasion des obsèques de Charles VII.

CANOSSA Giovanni Battista
Mort en 1747 à Bologne. XVIIIᵉ siècle. Travaillant à Bologne. Italien.
Graveur sur métal et sur bois.

CANOSSA-SCARSELLI Maria Catarina
XVIIIᵉ siècle. Active à Bologne. Italienne.
Graveur sur bois.
Sœur de Giovanni Battista Canossa et femme du graveur sur bois Alessandro Scarselli.

CANOSSINI Pio
Né à Reggio d'Emilia. XIXᵉ siècle. Italien.
Graveur au burin.
Élève de Toschi. On cite de lui : *Ferdinando II de Medici,* d'après A. Ferri.

CANOT François
XVIIIᵉ siècle. Actif à Lyon. Français.
Sculpteur.

CANOT Louis
XVIIIᵉ siècle. Français.
Peintre, graveur.

CANOT Philippe
Né vers 1715. Mort le 1ᵉʳ décembre 1783. XVIIIᵉ siècle. Français.
Peintre de genre, décorateur.
Élève de Chardin. Reçu en 1763 à l'Académie de Saint-Luc ; conseiller en 1767 ; professeur J.-Ph. Le Bas a gravé d'après lui :

Le Gâteau des rois et *Le Maître de Danse*. Il était le frère de Pierre Charles Canot et avait épousé Charlotte Doihy (morte en 1776). Il fut décorateur des Menus Plaisirs du roi.

VENTES PUBLIQUES : PARIS, 24 fév. 1926 : *Le départ pour l'école* : **FRF 3 800** – PARIS, 15 mars 1944 : *Le Moulinet* : **FRF 135 000** – PARIS, 16 juin 1965 : *Le maître de danse* : **FRF 16 000** – PARIS, 29 nov. 1976 : *Le maître de danse*, h/t (55x46) : **FRF 19 000**.

CANOT Pierre Charles ou Peter Charles

Né en 1710 en France. Mort en 1777 à Kentish Town (Angleterre). XVIIIe siècle. Français.

Graveur de reproductions.

VENTES PUBLIQUES : PARIS, 17 mars 1933 : *Les souhaits de la bonne année* : **FRF 650** – PARIS, 22 jan. 1934 : *Les souhaits de la bonne année* : **FRF 1 380** – LONDRES, 13 nov. 1997 : *Quatre aperçus de la flotte impériale russe commandée par le comte Alexis Orloff déroutant la flotte turque en 1770* ; *Catherine II 1777*, estampes et grav. au point, cinq pièces : **GBP 6 440**.

CANOVA Antonio

Né en 1757 à Possagno (province de Trévise). Mort en 1822 à Venise. XVIIIe-XIXe siècles. Italien.

Peintre, sculpteur.

Vers 1770 à Venise, il reçoit ses premières leçons de sculpture par Gius. Giov. Torreti-Bernardi et Giov. Ferrari, qui ne peuvent lui donner qu'un enseignement technique. Il pratique en même temps que la sculpture, la peinture ; ce qui lui a permis, au début, de donner une qualité picturale à ses premières œuvres sculptées. Mais il abandonne la peinture pour s'adonner à la sculpture et assez rapidement s'oriente vers un art néoclassique qui lui valut sa véritable renommée. Cette orientation a été déterminée par un voyage, en 1779-1780, à Rome, Naples et Pompéi, où il a particulièrement découvert l'antiquité romaine. Il s'installe d'ailleurs à Rome en 1781 où il reçoit rapidement des commandes de monuments grandioses élevés à la gloire des papes Clément XIV, puis ensuite seulement pour Clément XIII. En 1800 il devient membre de l'Académie Saint Luc. Sa renommée est immense et Napoléon le fait appeler en 1802 afin de travailler pour lui. Malgré ses réticences, Canova se rend en France, mais Napoléon refuse une de ses statues qui le représente nu, une victoire à la main. Canova est également allé à Londres en 1806, où il dut profiter de sa puissance pour faire restituer des œuvres volées à son pays par les Anglais. Cela n'a pas empêché ceux-ci de lui commander, en 1819 un *Mémorial* en l'honneur des Stuart exilés.

Il est possible de discerner, dans l'œuvre de Canova, trois types de sujets : les portraits, les sujets mythologiques et les grands monuments funéraires. Parmi les portraits : le *Doge Paolo Renier*, exécuté entre 1776 et 1779, pour lequel l'influence des peintres portraitistes français du XVIIIe siècle se fait sentir par une touche vive et fugitive. Très vite, son intérêt pour l'art antique se retrouve dans les portraits de *Pauline Bonaparte* (1808), *Napoléon*, et *la princesse Borghèse*. Pauline est présentée demi-nue, allongée sur un divan et accoudée sur des coussins ; elle évoque une *Vénus* antique et plus particulièrement romaine, non dépourvue de sensualité. Les meilleures statues de Napoléon, malgré l'avis personnel de l'empereur, sont les nus héroïques, statues colossales dont un exemplaire en bronze, daté de 1811, se trouve à Milan (Brera). L'art de Canova, dans le néoclassicisme se découvre également dans le groupe de *Dédale et Icare* (1779), n'exclue pas un érotisme sentimental très sensible dans l'ensemble *Amour et Psyché* (1792), tandis que *Thésée et le Centaure* (1805-1819) laisse apparaître un caractère grec, consécutif au voyage à Londres qui a permis à Canova de voir des fragments du fronton du Parthénon. La monumentalité néoclassique de Canova a pu s'épanouir pleinement lorsqu'il réalisa les commandes des monuments aux papes et aux Stuart (1819).

La sculpture de Canova se réfère à l'antiquité, surtout romaine, qu'il interprète de façon personnelle laissant de côté la beauté grave et un peu sévère de l'art antique qu'il substitue à une grâce mièvre et un peu voluptueuse, qui caractérisera la sculpture néoclassique du XIXe siècle. Le Musée Correr de Venise a organisé, en 1992, une très importante exposition d'ensemble de son œuvre, qui, bien éclairée, a permis une révision relative du jugement de mièvrerie dont il était frappé.

Ant·Canova·F·A·

BIBLIOGR. : Peter Murray in : *Dictionnaire Universel de l'Art et des Artistes*, Hazan, Paris, 1967.

MUSÉES : ANGERS : *Le général Bonaparte* – BAYONNE : *Tête de Madeleine en larmes* – *Bas-relief en terre cuite* – BERLIN : *Hébé* – CHÂLONS-SUR-MARNE : *Vénus sortant du bain* – CHARTRES : *Une muse* – FLORENCE (Pitti) : *Napoléon Ier*, marbre – *Vénus sortant du bain* – GÊNES : *La Madeleine*, marbre – GENÈVE : *Buste de Platon* – *Les trois Grâces* – HANOVRE : *Jérôme Bonaparte* – *Princesse Pauline Borghèse* – LIVERPOOL : *Michel-Ange* – *Les Grâces* – *Mars* – *Mercure* – *Vénus de Médicis* – *Faune* – *Mercure assis* – *Flora* – *Diana Robing* – *Hébé* – *Cupidon et Psyché* – *Antinoüs* – *L'Arrotina* – *Germanicus* – LYON : *Buste de Madame Récamier* – *Première pensée du groupe des trois Grâces* – MANCHESTER : *Hébé* – *Persée avec la tête de Méduse* – *Pandore* – *Cupidon et Psyché* – MONTPELLIER : *Tête de Méduse* – *Bustes de M. et Mme Daru* – NANTES : *Buste du pape Clément VIII* – *Buste de Persée* – *Vénus et les Grâces dansant devant Mars* – *Tête colossale* – NICE : *Le maréchal Masséna*, marbre – NIORT : *Canova* – PRATO : *Buste de femme* – ROME : *Vénus victorieuse couchée* – ROUEN : *Le Premier Consul* – *Laocoon* – SAINT-BRIEUC : *Buste de Napoléon Ier* – SAINT-ÉTIENNE : *Vénus sortant du bain* – SALFORD : *Les trois Grâces* – STOCKHOLM : *Persée* – *Pâris* – VENISE : *Icare et Dédale* – *Hercule et Lycie* – *Hercule et Lycie* – *Icare et Dédale* – *Bas-relief du monument de l'amiral Emo à l'Arsenal* – *Hector* – *Ajax* – VRESSELS : *Buste de Pie VII*.

VENTES PUBLIQUES : PARIS, 1840 : *Bacchus enivre l'Amour*, dess. à la pierre d'Italie, reh. de blanc : **FRF 20** – PARIS, 1861 : *Gladiateur antique*, dess. à la pl. : **FRF 5** – PRATOLINO (près Florence), 22 avr. 1969 : *Vénus*, marbre : **ITL 3 800 000** – LONDRES, 17 avr. 1981 : *Napoléon Bonaparte*, terre cuite (H. 41) : **GBP 18 000** – MILAN, 24 nov. 1983 : *Académie d'homme*, cr./pap. (45x33) : **ITL 7 000 000** – PARIS, 17 déc. 1983 : *Buste de l'empereur Napoléon*, marbre blanc (H. 65) : **FRF 37 000** – BERNE, 19 nov. 1984 : *La jeune fille et l'oiseau*, h/t (65x54) : **CHF 110 000** – MONTRÉAL, 17 oct. 1988 : *Les trois Grâces*, bronze (H. 165) : **CAD 54 000** – MILAN, 17 nov. 1990 : *Étude de tête et autoportrait*, cr./pap. (22,4x16,5) : **ITL 13 000 000** – LONDRES, 4 juil. 1994 : *Étude d'une scène de banissement*, craie noire (12x15,8) : **GBP 2 415** – VENISE, 22 juin 1997 : *Étude de nu masculin et autoportrait de l'artiste pinxit et dessiner sur la droite 1786*, fus./pap. (54,3x42,3) : **ITL 4 600 000** ; *Étude de nu masculin 1783*, fus./pap. (51,8x40,5) : **ITL 7 500 000**.

CANOVA Jacques

XIXe siècle. Piémontais, actif au XIXe siècle. Italien.

Peintre.

On cite de lui : *Le Pharaon congédiant Moïse pour la dernière fois*, *L'Ambassadeur de France demandant le Palais de Borgo*.

CANOVA Pasino

XVIIIe siècle. Actif à Possagno près d'Asolo (province de Trévise). Italien.

Architecte et sculpteur.

CANOVARI

XIXe siècle. Actif dans la première moitié du XIXe siècle dans la région de Sienne. Italien.

Peintre.

CANOVAS Blas

Né le 15 février 1903 à San-Antonio Abad (Carthagène, Murcie). Mort à Paris. XXe siècle. Depuis 1923 actif en France. Espagnol.

Peintre de paysages, natures mortes, fleurs, décorateur. Postimpressionniste.

Il se fixa à Paris en 1923. À ses débuts, il travailla comme dessinateur pour la couture puis pour les textiles imprimés, art dans lequel se distingua après lui son fils Manuel Canovas. Il a ensuite souvent exposé avec les peintres espagnols et notamment à la galerie Charpentier à Paris.

Il a peint les paysages du Pays de Caux dont il appréciait la qualité et la finesse de la lumière, et aussi les mouvances du ciel parisien. Il a décrit les paysages du Midi de la France et détaillé des natures mortes de fruits. Sa technique le rattache à ce courant néo-impressionniste qui profita des découvertes chromatiques des Fauves et sa palette rappelle parfois Valtat.

CANOVAS Fernando

Né en 1960 à Buenos Aires. XXe siècle. Actif en France. Argentin.

Peintre. Abstrait.

Il fit ses études en Argentine et en 1983 entra à l'École des Beaux-Arts de Paris dans l'atelier de Pierre Alechinsky. Il a participé à plusieurs expositions collectives parmi lesquelles : en 1984 la première Biennale de La Havane à Cuba et le Salon de Vitry (Paris), en 1985 le Salon de Mai à Paris. La galerie Erval à Paris présente régulièrement ses travaux lors de manifestations tant collectives que personnelles. À la FIAC (Foire Internationale d'Art Contemporain) de Paris en 1990 et 1995, la Galerie *Loft* de Paris présentait une exposition individuelle de ses peintures. S'il a suivi les cours de Pierre Alechinsky, Fernando Canovas se présente comme un autodidacte. Il commence ses recherches par la sculpture et le dessin. Ses peintures de grands formats fonctionnent en général à partir d'une trame géométrique et abordent diverses problématiques comme les combinaisons sculpture-peinture, la figuration de l'espace tridimensionnel dans le tableau, les effets de matière côtoyant une symbolique discrète (cercles et croix).

VENTES PUBLIQUES : PARIS, 4 oct. 1993 : *Sans titre* 1989, techn. mixte/pan. (120x120) : **FRF 18 000** – NEW YORK, 18 mai 1995 : *Sans titre* 1993, acryl. et h/t (148,9x142,2) : **USD 8 912** – NEW YORK, 21 nov. 1995 : *Ce qui est en haut est identique à ce qui est en bas I* 1994, acryl./t. (158,8x200) : **USD 9 200** – NEW YORK, 25-26 nov. 1996 : *Vases à la dérive* 1994, acryl./t. (161,9x129,5) : **USD 9 200** – NEW YORK, 28 mai 1997 : *Potiche* 1994, h/t (125x108) : **USD 6 900** – NEW YORK, 24-25 nov. 1997 : *Potiche* 1992, h/t (200x219,7) : **USD 21 850.**

CANOVAS DEL CASTILLO Y VALLEJO Antonio ou Vascano
Né en 1828 à Madrid. XIXᵉ siècle. Espagnol.
Peintre de paysages.
Écrivain, homme politique, il fut en art élève de C. de Haes. Il usait parfois de son anagramme, Vascano.

CANOVAS Y GALLARDO Andrés
XIXᵉ siècle. Espagnol.
Peintre de paysages.
Élève d'Ed. Cano et de Man. Wsell. Le Musée Moderne de Madrid conserve trois de ses œuvres.

CANOW Carl
Né en 1780 à Wismar. Mort en 1814 à Wismar. XVIIIᵉ-XIXᵉ siècles. Allemand.
Peintre de genre, portraits.
Le Musée de Schwerin conserve de lui : *Sur la glace* et *Jeune fille à la pêche.*

CANOY Rocus de
XVIIᵉ siècle. Actif à Gand. Éc. flamande.
Sculpteur.

CANOZZI. Voir LENDINARA

CANS Isaac de
D'origine française ou néerlandaise. XVIIᵉ siècle. Travaillant à Londres vers 1600.
Peintre.

CANSIN Louis
Né au XVIIIᵉ siècle à Orléans. XVIIIᵉ siècle. Français.
Graveur.

CANSY Charles de
XVIIIᵉ siècle. Français.
Peintre, dessinateur.
Il fut membre de l'Académie de Saint-Luc vers 1754 ; et travailla pour le roi.

CANTA Angelo di Giov. Batt.
XVIᵉ siècle. Actif à Novare. Italien.
Peintre.

CANTA Johannes Antonius
Né en 1816 à Rotterdam. Mort en 1888 à Rotterdam. XIXᵉ siècle. Travaillant à Rotterdam. Hollandais.
Peintre de genre.
VENTES PUBLIQUES : BRUXELLES, 1850 : *Un intérieur dans lequel on célèbre la Saint-Nicolas, fête des enfants :* **FRF 330** – AMSTERDAM, 19 mai 1981 : *Famille sous l'orage* 1849, h/t (114x92) : **NLG 5 000** – NEW YORK, 26 oct. 1983 : *Les sœurs* 1863, h/t, de forme octogonale (117,5x93,5) : **USD 2 750** – ZURICH, 29 nov. 1985 : *La chasse aux papillons* 1875, h/t (59x45) : **CHF 6 000** – PARIS, 16 oct. 1989 : *Les deux jeunes sœurs,* h/t (115x90) : **FRF 120 000** – AMSTERDAM, 23 avr. 1991 : *Sur le chemin de l'école,* h/pan. (30,5x23) : **NLG 2 300** – AMSTERDAM, 11 avr. 1995 : *Enfants jouant au bord de l'eau* 1846, h/pan. (81x66) : **NLG 25 960** – AMSTERDAM, 16 avr. 1996 : *Le papillon,* h/t (100x77) : **NLG 8 260.**

CANTA Ludovico di Marcantonio
Originaire de Novare. XVIᵉ siècle. Italien.
Peintre.

CANTACUZÈNE Andronic
Né à Bucarest. XXᵉ siècle. Roumain.

Peintre de portraits.
Il fut élève de Paul Albert Laurens et d'Ernest Laurent. Il exposa au Salon des Artistes Français et fit parler de lui dans le courant des années soixante en peignant des toiles « à la manière de ».

CANTACUZENE DE AMAT Balasa, Mme
XXᵉ siècle. Roumaine.
Peintre.
Elle exposa en 1927, aux Tuileries, *Types de vieux Roumains* et un portrait.

CANTAGALLI Vincent César
Né à Sienne. XIXᵉ siècle. Italien.
Peintre.
On cite de lui : *Intérieur de la chapelle de la République dans l'hôtel de ville de Sienne.*

CANTA GALLINA Remigio
Né en 1582 ou 1592 à Florence. Mort vers 1630 à Florence. XVIIᵉ siècle. Italien.
Peintre de compositions animées, paysages, graveur, dessinateur.
Il travailla la peinture chez les Carraci, mais ne se distingua pas dans cet art. Pour la gravure, il fut élève de Giulio Parigi. Cantagallina fut le maître de Callot et de Stefano della Bella. On cite de lui : *Le Retour de Tobie, Jésus-Christ et la Samaritaine, La Sainte Vierge immaculée,* d'après Jac. Callot, *Vaisseaux des Argonautes, Les Deux Voyageurs.*

VENTES PUBLIQUES : PARIS, 1855 : *Paysage avec figures,* dess. : **FRF 13,50** – PARIS, 1858 : *Paysage avec personnages,* dess. : **FRF 10** – PARIS, 8 nov. 1922 : *Place des Vieux Palais, Florence,* pl. : **FRF 180** – PARIS, 1ᵉʳ mars 1929 : *Paysage aux personnages,* dess. : **FRF 180** – PARIS, 1ᵉʳ juin 1932 : *Étude de barques,* pl., lav. de bistre et gche : **FRF 160** – PARIS, 29 oct. 1980 : *Paysage avec un personnage,* pl. encre brune (20x33) : **FRF 5 600** – NEW YORK, 30 avr. 1982 : *Paysage de bord de mer animé,* fus., pl. et lav. (18,2x26,7) : **USD 2 100** – LONDRES, 5 juil. 1983 : *Vue d'une ferme dans un paysage escarpé,* craies noire et rouge, pl. et lav./pap. (18,6x28) : **GBP 1 600** – LONDRES, 1ᵉʳ juil. 1986 : *Un village des environs de Florence,* pl. et encre brune (26,6x40,3) : **GBP 6 000** – NEW YORK, 12 jan. 1990 : *Ville fortifiée sur une colline,* encre (22,3x30,7) : **USD 1 980** – PARIS, 11 déc. 1992 : *Paysage panoramique,* pl. et de bistre (23,7x40) : **FRF 9 200** – PARIS, 31 mars 1993 : *Vue d'un village au bord d'une rivière,* encre (18x23,5) : **FRF 15 000** – LONDRES, 18 avr. 1994 : *Paysage boisé avec un pont au lointain,* encre et lav. (21,1x29,4) : **GBP 920** – LONDRES, 4 juil. 1994 : *Vue des jardins de Boboli* 1641, encre et lav./craie (22,4x46,4) : **GBP 11 500** – NEW YORK, 12 jan. 1995 : *Vaste paysage boisé avec des paysans près d'une ferme,* craie noire et encre (13,1x20) : **USD 1 955** – PARIS, 30 juin 1995 : *Paysage montagneux avec un personnage endormi,* pl. en bistre (26x43,5) : **FRF 20 000** – LONDRES, 3 juil. 1995 : *Vue d'une ferme avec une église à distance,* encre (12,2x19,3) : **GBP 1 150** – NEW YORK, 10 jan. 1996 : *La Villa Fontallerta près de Florence,* craie noire, encre et lav. (25,2x40,5) : **USD 4 830** – PARIS, 7 juin 1996 : *Vaisseaux des Argonautes,* eau-forte, dix-neuf planches (18,5x28,2) : **FRF 7 200.**

CANTALA Juan
XVIᵉ siècle. Actif à Tolède. Espagnol.
Sculpteur.

CANTALAMESSA Giulio
Né le 1ᵉʳ avril 1846 à Ascoli Piceno. XIXᵉ siècle. Italien.
Peintre.
Il eut pour maître Antonio Puccinelli puis, pendant un an, Ciceri. En 1868, il termina son premier tableau : *Plaute écrivant une scène,* qui obtint le premier prix à l'exposition de Fermo en 1869. En 1871, il se rendit à Rome et y peignit le *Montagnard aveugle* qui obtint une médaille d'honneur, à l'exposition d'Urbino. En 1875, il termina un tableau de grande dimension : *Francesco Stabili,* qui lui avait été commandé par la municipalité d'Ascoli. Il était également critique d'art.

CANTALAMESSA-PAPOTTI Nicola
Né le 21 janvier 1831 à Ascoli Piceno. Mort le 31 août 1910 à Rome. XIXᵉ-XXᵉ siècles. Italien.
Sculpteur.

Élève des frères Paci à Ascoli, de Pietro Tenerani et de l'Académie de Saint-Luc à Rome. Il fit des œuvres religieuses avant de traiter des sujets profanes : *Amour et Vénus, Beau temps et Ouragan*. Il a fait plusieurs séjours aux États-Unis et a figuré aux expositions de Philadelphie, de Chicago et de Saint Louis.

CANTALUPO Patrizia

Née en 1952 à Fivizzano. XXe siècle. Italienne.
Peintre de compositions animées, animalier.

Elle a figuré dans la *Nouvelle Biennale de Paris* en 1985. Elle a exposé principalement à partir de 1980 dans des galeries en Italie et en Suisse.
Ses tableaux mettent en scène des animaux dans des situations parfois proches des inventions surréalistes touchant à l'absurde.
Bibliogr. : In : Catalogue de la *Nouvelle Biennale de Paris*, 1985, Electa-Le Moniteur, pp 260-261.
Ventes Publiques : Paris, 10 juin 1990 : *Paesaggio 1984*, h/t (100x140) : **FRF 50 000**.

CANTARELLI Giuseppe

XVIIIe siècle. Actif à Bologne. Italien.
Graveur au burin.

On cite de lui : des planches pour : *Via Crucis*, des planches pour : *Vita di Bertoldo, Bertoldino e Cacasenno*.

CANTARINI Simone, dit Simone da Pesaro ou il Pesarese

Né en avril 1612 à Opopezza (près de Pesaro). Mort le 15 octobre 1648 à Bologne. XVIIe siècle. Italien.
Peintre de compositions religieuses, portraits, graveur, dessinateur.

Il commença à étudier le dessin sous Giov.-Giac. Pandolfi, et travailla en outre à l'école de Claudio Ridolfi, tout en étudiant d'après les gravures des Carrac des œuvres de l'école vénitienne et surtout celles de Barrocci, de Gentileschi, de Savoldo. Bientôt, ayant vu les tableaux de Guido Reni, il s'enthousiasma pour le style de ce peintre et en devint l'élève vers 1635. Il imita sa manière au point de tromper les plus habiles, surtout dans son tableau de saint Pierre, placé dans la chapelle de Fano, où Cantarini présenta *Le Miracle de saint Pierre à la porte du Temple*. Il resta à Bologne avec Reni quelque temps, mais son caractère difficile et aigri, et l'arrogance dont il fit preuve en jugeant ses condisciples et contemporains le firent détester. Il quitta la ville pour Pesaro, en 1639, puis pour Rome où il étudia des statues antiques et les œuvres de Raphaël. À son retour à Bologne, en 1648, il y ouvrit une école mais bientôt il partit encore, allant à Mantoue, où il fut protégé par le duc. Ce prince lui commanda son portrait. Cantarini, n'ayant pas très bien réussi cet ouvrage, en éprouva une si grande mortification qu'il en mourut, dit-on, de dépit.
Il représente bien l'école bolonaise de la seconde moitié du XVIIe siècle.

[signature]

Musées : Dresde : *Joseph et la femme de Putiphar* – Florence (Pitti) : *Saint André – Saint Isidore* – Francfort-sur-le-Main : *Saint Charles Borromée* – Glasgow : *Vierge et l'Enfant avec sainte Anne* – Hanovre : *Saint Joseph et l'Enfant Jésus* – Leipzig : *Un cardinal priant devant un autel* – Madrid : *La Sainte Famille* – Milan : *Transfiguration – Sainte Famille* – Munich : *Noli me tangere – Saint Thomas mettant ses doigts dans la plaie du Christ* – Naples : *La Madone et saint Charles Borromée* – Nice : *Saint Jean l'Évangéliste – Saint Marc l'Évangéliste* – Paris (Louvre) : *Le Repos de la Sainte Famille – Le Repos de la Sainte Famille* – Rome (Borghèse) : *Saint Jean-Baptiste – Les quatre évangélistes – Saint Jean-Baptiste – Saint Sébastien* – Rome (Gal. Doria) : *Le Martyre de saint Sébastien – La Vierge et l'Enfant Jésus endormi* – Saint-Pétersbourg : *La Sainte Famille – Le repos en Égypte* – Stockholm : *Mercure et Argus* – Venise : *Naissance de la Vierge – Saint Ambroise à cheval – Nouvelle conquête de Vérone* – Vienne : *Marie, l'Enfant et saint Charles Borromée – Tarquin et Lucrèce – Caïn le Fratricide*.
Ventes Publiques : Paris, 1755 : *Le repos de la Sainte Famille*, deux pendants : **FRF 6 000** – Paris, 1779 : *Saint Luc peignant la Vierge*, dess. à la sanguine : **FRF 104** – Paris, 1784 : *Le repos de la Sainte Famille, Le sommeil de l'Enfant Jésus*, deux pendants : **FRF 15 200** – Paris, 1812 : *Vénus caressant l'Amour* : **FRF 800** – Paris, 1851 : *Adam et Ève* : **FRF 160** – Paris, 1859 : *L'adoration des bergers*, dess. à la pl. et au bistre, reh. de blanc : **FRF 4,50** ; *Sainte Famille, dans un paysage*, dess. au cr. rouge : **FRF 12** ; *La*

Vierge apparaissant à saint François, dess. à la sanguine : **FRF 15** – Londres, 1877 : *Le Sauveur enfant* : **FRF 2 625** – Paris, 1882 : *La naissance de la Vierge*, sanguine : **FRF 2** ; *L'adoration des bergers*, sanguine : **FRF 21** – Paris, 30 mars 1925 : *Pastorale*, pierre noire et lav., reh. : **FRF 300** – Paris, 12 et 13 mars 1926 : *Judith*, pl. et lav. : **FRF 145** – Paris, 28 et 29 juin 1926 : *Pastorale*, pierre noire : **FRF 120** – Londres, 19 nov. 1926 : *Le Repos en Égypte* : **GBP 25** – Paris, 20 avr. 1932 : *Vénus et Adonis*, pl. : **FRF 140** – Londres, 15 juil. 1960 : *La Fuite en Égypte dans un paysage italien* : **GBP 682** – Vienne, 1-4 déc. 1964 : *Jésus et saint Jean enfants* : **ATS 20 000** – Milan, 24 nov. 1965 : *Saint Jean-Baptiste enfant* : **ITL 1 300 000** – Londres, 10 déc. 1980 : *La Résurrection*, h/t (223,5x179) : **GBP 16 000** – Milan, 29 mars 1983 : *Loth et ses filles*, h/t (109x150) : **ITL 58 000 000** – Londres, 5 juil. 1983 : *La Sainte Famille avec saint Jean-Baptiste enfant*, sanguine/pap. (20,1x13,7) : **GBP 1 400** – Londres, 5 déc. 1985 : *Fortune*, eau-forte (23,8x14,4) : **GBP 2 600** – Londres, 11 avr. 1986 : *La Résurrection*, h/t (223,5x179) : **GBP 24 000** – New York, 7 avr. 1988 : *Saint Jean l'Évangéliste*, h/cuivre (40,5x30,5) : **USD 3 575** – Rome, 13 avr. 1989 : *La Vierge parlant à l'Enfant*, h/t (113x91) : **ITL 35 000 000** – New York, 12 jan. 1990 : *Études de nus masculins*, sanguine (18x24,5) : **USD 4 950** – Londres, 2 juil. 1990 : *Tête de jeune fille*, craie rouge (11,3x8,5) : **GBP 1 650** – Londres, 6 juil. 1990 : *Une Sibylle*, h/t (94x77) : **GBP 15 400** – Paris, 22 mai 1991 : *La naissance de la Vierge*, sanguine (25x20) : **FRF 15 000** – New York, 15 oct. 1992 : *Repos pendant la fuite en Égypte*, h/t (55,9x38,1) : **USD 37 400** – New York, 13 jan. 1993 : *Étude de saint Jacques en majesté avec trois anges*, sanguine (20,2x13,2) : **USD 4 140** – Paris, 25 mai 1993 : *Groupe de trois personnages*, pl. (14,1x12,2) : **FRF 4 800** – Paris, 11 mars 1994 : *Étude de deux personnages*, sanguine (12x15,5) : **FRF 6 000** – Paris, 8 juin 1994 : *Soldat aidant le Christ à porter sa croix*, pierre noire (33,9x18) : **FRF 7 200** – New York, 12 jan. 1995 : *Le Mariage mystique de sainte Catherine*, h/t (diam. 71,8) : **USD 25 300** – Londres, 2 juil. 1996 : *Études d'une Vierge à l'Enfant, d'une femme priant et d'un évêque lisant (recto) ; Femme assise (verso)*, craie noire et encre (23,7x17,8) : **GBP 1 380** – Milan, 21 nov. 1996 : *La Sainte Famille*, h/t (75x64) : **ITL 34 950 000**.

CANTATORE Domenico

Né en 1906 à Ruvo di Puglia. XXe siècle. Italien.
Peintre de figures typiques.

Il commença à peindre dans son pays natal où sa situation modeste le retint jusqu'en 1924. Un de ses tableaux ayant été acquis à cette date, il put venir à Milan où il se lia avec le groupe littéraire du café *Italia*. En 1932 il étudia à l'Académie de la Grande Chaumière à Paris. À partir de 1933 il participa à plusieurs expositions collectives parmi lesquelles la Biennale de Venise où il figura à peu près régulièrement entre 1932 et 1954, la Quadriennale de Rome de 1935 à 1959, la Biennale de São Paulo en 1951. Depuis 1941 il occupe la chaire de peinture à l'Académie de Bréra de Milan. Il a reçu le prix Umberto en 1941 à Milan et le Prix Maggio di Bari en 1959. Sa première exposition particulière eut lieu à Milan en 1929. Il fut apparenté au groupe milanais « Corrente ».
Ses œuvres intimistes décrivent la vie simple des habitants et les vieux métiers de l'Italie du sud, dans un climat serein et un décor familier.

[signature: Cantatore]

Bibliogr. : In : *Les Muses*, t. IV, Grange Batelière, Paris, 1970.
Musées : Bologne – Milan – Rome – Trieste.
Ventes Publiques : Milan, 13 nov. 1961 : *Femmes à la maison* : **ITL 260 000** – Milan, 18 mai 1972 : *Portrait de femme de profil 1951* : **ITL 2 200 000** – Milan, 6 avr. 1976 : *Nature morte 1968*, h/t (65x80) : **ITL 3 300 000** ; *Fleurs 1941*, h/pan. (58x45) : **ITL 1 900 000** – Milan, 9 nov. 1976 : *Paysage vers 1968*, temp. (40x50) : **ITL 1 000 000** – Rome, 19 mai 1977 : *Odalisque*, temp. (23,5x40) : **ITL 2 600 000** – Milan, 18 avr. 1978 : *Jeune femme dans un intérieur, n° 1 1958*, h/cart. (70x50) : **ITL 3 200 000** – Rome, 24 mai 1979 : *Paysage 1960*, gche (30x45) : **ITL 900 000** – Milan, 26 juin 1979 : *Contora, II versione 1968*, h./ardoise (118x148) : **ITL 7 500 000** – Milan, 22 mai 1980 : *Paysage d'hiver*, h/t (40x50) : **ITL 3 800 000** – Milan, 16 juin 1980 : *Nature morte*, h/t (45x60) : **ITL 3 800 000** – Milan, 9 juin 1983 : *Paysage 1950*, aquar. (27x36,5) : **ITL 1 700 000** – Milan, 14 juin 1983 : *Nature morte*, h/t (37,5x54,5) : **ITL 5 500 000** – Milan, 13 juin 1984 : *Paysage*, temp. (47x35) : **ITL 2 200 000** – Milan, 5 déc. 1985 : *Nu*

1947, aquar. (39x29) : **ITL 1 400 000** – Milan, 11 mars 1986 : *Femme du sud* 1965, h/t (40x30) : **ITL 8 000 000** – Milan, 1er déc. 1987 : *Toro et torero*, gche (30x40) : **ITL 1 300 000** – Milan, 24 mars 1988 : *Dame dans un intérieur*, techn. mixte/t. (50x40) : **ITL 9 500 000** – Rome, 15 nov. 1988 : *Odalisque*, h/t (27x41) : **ITL 8 000 000** – Milan, 20 mars 1989 : *Nu* 1960, h/cart. entoilé (43x27) : **ITL 8 500 000** – Milan, 12 juin 1990 : *Odalisque*, h/rés. synth. (40x60) : **ITL 18 000 000** – Milan, 26 mars 1991 : *Homme assis*, h/rés. synth. (80x50) : **ITL 12 000 000** – Rome, 13 mai 1991 : *Deux figues féminines* 1940, h./contre plaqué (30x40) : **ITL 10 925 000** – Rome, 3 déc. 1991 : *Hommage à Picasso*, h/rés. synth. (34,8x25) : **ITL 7 500 000** – Milan, 9 nov. 1992 : *Nu féminin* 1946, h/t (81x50) : **ITL 12 000 000** – Rome, 27 mai 1993 : *Odalisque* 1963, h/t (73x116) : **ITL 14 500 000** – Milan, 15 mars 1994 : *Deux personnages*, h/t (30x40) : **ITL 8 625 000** – Rome, 14 nov. 1995 : *Le pigeon mort* 1943, h/pan. (24,4x37,5) : **ITL 1 840 000** – Milan, 24 nov. 1997 : *Nu* 1973, h/t (70x90) : **ITL 8 050 000**.

CANTE Charles
Né en 1903. Mort en 1981. xxe siècle. Français.
Peintre de paysages, natures mortes. Postimpressionniste, puis tendance expressionniste.
Formé à l'École des Beaux-Arts de Bordeaux, il fut d'abord très influencé par l'impressionnisme de Monnet. Il travaillait au Bouscat (Gironde) et exposait à Paris, au Salon de la Société Nationale des Beaux-Arts.
Ses paysages sont marqués par le constructionnisme cézannien, mais s'en dégagent aussi par une sorte d'expressionnisme très personnel. Très attaché au motif, il s'avouait aussi proche de la non-figuration d'un Nicolas de Staël, dans une matière riche et colorée rappelant parfois celle d'un Serge Poliakoff.
Bibliogr. : Véronique Menault-Mirande : *Charles Cante, catalogue raisonné de l'œuvre peint, 1920-1950, précédé d'une monographie sur la vie et l'œuvre de l'artiste*, Bordeaux, Art & Arts Éditeurs, 1995.
Ventes Publiques : Bordeaux, 29 mai 1996 : *Nature morte au tournesol*, h/t (81x100) : **FRF 9 000**.

CANTE Jean André
Né le 25 janvier 1912 à Bordeaux (Gironde). xxe siècle. Français.
Peintre, sculpteur, graveur.
Il fit ses études à l'École des Beaux-Arts de Bordeaux entre 1927 et 1934 et à la Casa Velasquez. Il est sociétaire du Salon d'Automne. Il est professeur à l'École des Arts Appliqués de Paris. Il poursuit depuis une vingtaine d'années des recherches sur les résines synthétiques et leurs applications possibles dans le domaine de la sculpture. Il travaille essentiellement dans le cadre de l'intégration de l'œuvre d'art à l'architecture et a réalisé d'importants ensembles décoratifs. Il a mis au point une technique de transfert de polystyrène expansé sur béton frais. Il a également utilisé en précurseur la technique du thermo-formage du polychlorure de vinyle rigide. Dans le domaine pictural, il se consacra à l'illustration jusqu'en 1948, s'orientant à partir de cette date vers l'enseignement artistique des nouveaux matériaux.

CANTE-PACOS François ou Pacos, pseudonyme de Cante François
Né en 1946 à Paris. xxe siècle. Français.
Sculpteur, peintre.
Il est diplômé de l'École des Arts Appliqués de Paris et commence très tôt des recherches approfondies sur l'utilisation des matières plastiques dans le domaine artistique. En 1971 il expose une sculpture monumentale sur le parvis du Musée d'Art Moderne de la ville de Paris. Il réalise l'affiche du Salon Europlastic dans lequel il figure aux côtés d'artistes travaillant sur l'introduction des matériaux et des techniques modernes dans l'œuvre d'art, comme Arman, César, Dubuffet... Il réalise pour Pierre Cardin le sigle de son espace en 1972, puis du mobilier-sculpture. Au cours des années 1970 il participe aux grands Salons parisiens, recevant un prix au Salon de la Jeune Sculpture. Il figure dans une exposition itinérante en Australie, Nouvelle-Zélande et Mexique sur la Sculpture Française Contemporaine. Il a exposé à la galerie Carlhian à Paris en 1989 et a montré ses œuvres en 1993, à Paris dans une exposition personnelle à la FIAC (Foire Internationale d'Art Contemporain). En 1998, il expose individuellement à l'Esoace Treffpunkt Kunst de Saarlouis.
Depuis 1970, il a réalisé une vingtaine de sculptures monumentales parmi lesquelles : la sculpture réalisée pour l'Hôtel de la Communauté urbaine de Bordeaux et la sculpture-façade de

la tour H.M.C. de la Défense. En 1987-1988 il a exécuté les sculptures du siège de SPIE-Batignolles à Cergy-Pontoise. Parallèlement à ces commandes, il poursuit un travail en atelier qu'il expose rarement. Ses premières sculptures, abstraites, usaient essentiellement de deux registes de formes, celles figurant l'envol, le dynamisme, le presque déséquilibre, et celles au contraire, statiques et fermées, s'emboîtant sur elles-mêmes comme un puzzle. Il a par la suite donné à ses sculptures une symbolique sexuelle avec des moyens très simples, sortes de bulles, fendues, surgies de creux intimes. Ses œuvres de 1975 sont plus complexes, associant surface lisse, aseptisée, avec des éléments « pauvres » bruts, et évoquant souvent la blessure, la cicatrice, l'écorchure. Autre thème d'évocations nourrissant son œuvre : la mer et les bateaux, l'atmosphère des soutes ou les portes et les cales suintantes et rouillées des grands bâtiments. Ses tableaux-sculptures usent de multiples matières, comme le plâtre, la terre, le polystyrène, la colle et la peinture acrylique.
■ F. M.
Ventes Publiques : Paris, 18 mai 1978 : *La femme-crabe*, bronze doré et patiné (33x31x16) : **FRF 5 000**.

CANTEGRIL Félix Eugène
Né au xixe siècle à Bordeaux (Gironde). xixe siècle. Français.
Peintre de paysages.
Élève d'Auguin à Bordeaux. Il envoya des paysages au Salon de Paris de 1870 à 1881.

CANTELBEECK Gaspar Van
xviiie siècle. Hollandais.
Peintre animalier.
Il travailla à Venise vers 1707. On cite de lui un *Groupe de brebis* (sanguine), conservé à l'Albertine, à Vienne.

CANTELIER
xviiie siècle. Français.
Graveur.
Le musée de Semur conserve de lui le *Portrait de Louis XVI*, gravé en 1789.

CANTELLOPS Joseph
Né à Palma de Majorque. Mort en 1785 à Palma de Majorque. xviiie siècle. Espagnol.
Peintre d'histoire.
Membre de l'Académie de San Fernando à Madrid.

CANTELOUP Ildevert
Né vers 1641 à Saint-Germain-sur-Avre. Mort en 1699 à Alainville. xviie siècle. Français.
Sculpteur sur bois.
Il travailla pour plusieurs églises de la région d'Évreux.

CANTENS Maurice, pseudonyme de Mehauden Maurice
Né le 21 mai 1891 à Bruxelles. xxe siècle. Belge.
Peintre de figures. Fantastique, tendance symboliste.
Il fut élève des Académies de Bruxelles et de Madrid. Il exposa à la Triennale de Bruxelles en 1928 et à Madrid.
Bibliogr. : In : *Diction. Biogr. Ill. des artistes en Belgique depuis 1830*, ARTO, Bruxelles, 1987.

CANTER Albert M.
Né à Norma. xxe siècle. Américain.
Peintre.
Élève de Prinet et Vaillant. A exposé au Salon des Artistes Français en 1931.

CANTER Frans
xviie siècle. Hollandais.
Peintre.
Il fut élève en 1611 d'Evert Cr. Van der Maes à La Haye.

CANTER James
xviiie siècle. Britannique.
Peintre de paysages.
Il exposa des paysages d'Angleterre et d'Espagne de 1771 à 1783 à la Society of Artists, à la Free Society et à la Royal Academy, à Londres.
Ventes Publiques : Londres, 6 mai 1964 : *Ruines antiques* : **GBP 420** – Londres, 11 mars 1987 : *Vue du palais de l'Escorial*, h/t (71x129,5) : **GBP 22 000**.

CANTERO Juan Bautista
Né à Valence. xixe siècle. Espagnol.
Peintre.
Élève de Pedro Sanchez Blanco. Il exposa en 1862 à la Nationale des Beaux-Arts à Madrid.

CANTERSANI Giuseppe Maria ou **Canterzani**
Né en 1697. Mort en 1769. XVIIIᵉ siècle. Actif à Bologne. Italien.
Graveur.
On cite de lui : *La Sainte Vierge* d'après Fr. Solimena, *La Sainte Vierge et l'Enfant Jésus*, d'après Fratta, *La Vierge, l'Enfant Jésus et sainte Anne*, d'après El Sirani, *Saint François d'Assise*.

CANTFORT Jacobus Van
XVIIIᵉ siècle. Actif à Anvers. Éc. flamande.
Peintre.

CANTI Giovanni
Né en 1653 à Parme. Mort en 1716 à Mantoue. XVIIᵉ-XVIIIᵉ siècles. Italien.
Peintre de compositions religieuses, scènes de batailles, paysages.
Élève de Francisco Monti de Brescia. Il a surtout résidé à Mantoue, où il eut des disciples, dont on cite surtout un Francesco Rainieri.
Il a peint des tableaux d'autel pour des églises de Mantoue, et aussi des paysages et des scènes de batailles.
VENTES PUBLIQUES : ROME, 3 avr. 1984 : *Scène de bataille*, h/t (130x190) : **ITL 10 500 000** – ROME, 23 avr. 1991 : *Bataille classique* ; *Explosion de la poudrière*, h/t, une paire (chaque 73x156) : **ITL 67 000 000**.

CANTIENI Graham
Né en 1938. XXᵉ siècle. Actif en France et au Canada. Australien.
Peintre. Abstrait.
Il fit ses études au Royal Melbourne Teacher's College, aux Universités de Melbourne et de Concordia à Montréal. Il a exposé collectivement au Japon, en Pologne, en Yougoslavie, aux États-Unis et au Canada. Il a présenté personnellement ses œuvres dans les principales villes australiennes et canadiennes ainsi qu'à Paris et Londres. Il a été directeur de la Galerie d'art du Centre culturel de l'Université de Sherbrooke entre 1976 et 1983 et fondateur de revues d'art au Canada.
Depuis 1978-1979 Cantieni utilise les techniques du collage. En 1982 il inclut dans une suite d'œuvres des fragments de photographies de Jacques-Henri Lartigue, les *Femmes à la cigarette*. En 1984, après un voyage effectué en Grèce, Cantieni réalise une série d'œuvres, *Parataxe*, visitées par les souvenirs des sites archéologiques et de l'architecture antique.
BIBLIOGR. : Graham Cantieni, *Notes d'atelier, espace et lieu dans Parataxe, Peintures et dessins de 1984-1985*, Cahiers du Cric, NDLR, Editions Charles Le Bouil.
MUSÉES : QUÉBEC (coll. Nat., Mus.).
VENTES PUBLIQUES : MONTRÉAL, 30 oct. 1989 : *Knossos* 1986, h/t (162,8x204,5) : **CAD 3 300**.

CANTIN Jean
XVIIᵉ siècle. Français.
Peintre.
Il fut reçu à l'Académie de Saint-Luc le 5 août 1665.

CANTINEAU Virgile
Né à Frameries. XIXᵉ-XXᵉ siècles. Belge.
Peintre de figures, portraits, natures mortes, graveur.
Il fut élève des Académies de Mons et de Bruxelles. Il exposa au Salon des Artistes Français à Paris en 1903 et 1904 et dans plusieurs villes françaises et belges.

CANTINELLA Francesco di Giovan Pietro
XVIᵉ siècle. Actif à Udine et à Vicence. Italien.
Peintre.

CANTINI
XVIᵉ siècle. Actif vers 1508. Italien.
Miniaturiste.

CANTINI Giovacchino
Né vers 1780 à Florence. Mort vers 1844. XIXᵉ siècle. Italien.
Graveur de reproductions.
Il grava d'après Batoni, Leonardo da Vinci, Vasari.

CANTINIS Georges
XVᵉ siècle. Hollandais.
Peintre enlumineur.
Il était moine à Oudenaarde, en 1499.

CANTO
XVIIIᵉ siècle. Français.
Sculpteur.
Il fut élève de l'École académique à Paris.

CANTO Girolamo del, dit **Pomo**
Mort avant 1657, jeune. XVIIᵉ siècle. Actif à Gênes. Italien.
Sculpteur.

CANTO Pablo
XVᵉ siècle. Actif à Barcelone à la fin du XVᵉ siècle. Espagnol.
Peintre.

CANTO DA MAYA Ernesto
Né le 15 mai 1890 à Ponta Delgada S. Miguel (Açores). Mort le 5 avril 1981 à Ponta Delgada. XXᵉ siècle. Actif aussi en France. Portugais.
Sculpteur de sujets religieux, groupes, portraits.
Il fit ses études à l'École des Beaux-Arts de Lisbonne. En 1912 il expose au Salon des Humoristes à Lisbonne. En 1913 il vient à Paris étudier avec Bourdelle. La même année il figure au Salon des Humoristes de Paris. Mais selon lui c'est de Pierre Vibert à Genève et de Julio Antonio à Madrid qu'il aura le plus appris.
C'est en 1921 qu'il choisit la France comme seconde patrie et travaille à Boulogne-sur-Seine. Il abandonne alors sa veine humoristique. Entre 1922 et 1938, il expose régulièrement à Paris, au Salon de la Société Nationale des Beaux-Arts, au Salon d'Automne, au Salon des Artistes Indépendants, aux Tuileries. Il reçut une médaille d'or à l'exposition des Arts Décoratifs à Paris en 1925. À Lisbonne il montra fréquemment ses œuvres à partir de 1918. En 1990 à Lisbonne, l'Institut Portugais du Patrimoine Culturel lui a consacré une importante exposition rétrospective, au Palais de Queluz ; pour le centenaire de sa naissance. Le Centre Calouste Gulbenkian de Paris a organisé une rétrospective de son œuvre en 1995.
Il crée alors des œuvres diverses, marquées par le style Art déco, principalement inspirées par la figure féminine, la famille, mais aussi les sujets religieux. En 1938 il rentre au Portugal et se consacre alors à la sculpture monumentale, vouée aux célèbres navigateurs et aux rois portugais. Entre 1946 et 1981 il partage son temps entre Lisbonne, Paris et San Miguel, où le musée lui consacre une salle.
BIBLIOGR. : Divers : Catalogue de l'exposition *Canto da Maya*, Centre Culturel Calouste Gulbenkian, Paris, 1995.
MUSÉES : BOULOGNE-BILLANCOURT (Mus. des Années 30) : plusieurs œuvres – LISBONNE – SAN MIGUEL.
VENTES PUBLIQUES : PARIS, 20 juin 1997 : *Danseuse*, terre cuite patine or (43,5x30x13,5) : **FRF 15 500** – PARIS, 19 oct. 1997 : *Buste de jeune femme*, bronze patine noire (45x21,5x21) : **FRF 7 500**.

CANTOFOLI Ginevra
Née en 1608 à Bologne. Morte en 1672. XVIIᵉ siècle. Italienne.
Peintre.
Elle fut l'élève d'Elisabetta Sirani, puis d'E. Taruffi, Pasinello et Giov. Gioseffo dal Sole. Elle a peint d'abord des portraits au pastel et des tableaux de petites dimensions et plus tard de grandes compositions, notamment pour des églises de Bologne. On cite parmi celles-ci : *La Cène*, à S. Procolo, *Sainte Apollonie*, à la Chiesa della morte, *S. Tommaso da Villanova*, à S. Giacomo Maggiore. La Brera de Milan conserve son portrait peint par elle-même.

CANTON Charles
XIXᵉ siècle. Britannique.
Graveur.
Un C. Canton, peintre, vraisemblablement le même artiste que Charles Canton, a exposé un paysage à la Royal Academy en 1819.

CANTON Émile, dit **Donnat**
Né le 25 mai 1881 à Beaujeu (Rhône). XXᵉ siècle. Français.
Peintre, aquafortiste.
A exposé des paysages aux Indépendants et au Salon des Artistes Français (1927).

CANTON Franz Thomas
Né en 1671 à Udine. Mort en 1734 à Vienne. XVIIᵉ-XVIIIᵉ siècles. Autrichien.
Peintre de batailles, scènes de genre, sujets typiques, paysages animés.
MUSÉES : SIBIU : *Scène de marché – Deux paysages animés de pêcheurs*.
VENTES PUBLIQUES : VIENNE, 18 fév. 1987 : *Voyageurs dans un paysage escarpé*, h/pan. (21,5x30) : **ATS 55 000** – PARIS, 15 déc. 1993 : *Scène de harem*, h/t (41x30) : **FRF 51 000**.

CANTON Gustav Jakob
Né en 1813 à Mayence. Mort en 1885. XIXᵉ siècle. Allemand.

Peintre de scènes de genre, paysages.

Il étudia à l'Académie de Munich sous la direction de Cornelius et à Düsseldorf dans l'atelier de Schirmer. Après de longs voyages dans les Alpes, en Angleterre, en France et en Italie, il s'établit à Munich.

On cite de lui : *La Vie rurale en Tyrol, Le Golfe de Sorrente, Le Petit Tyrolien.*

Ventes Publiques : New York, 20 fév. 1992 : *Le repos*, h/t (55,9x106,7) : **USD 8 800.**

CANTON Johann Gabriel

Né le 24 mai 1710 à Vienne. Mort le 10 mai 1753. xviiiᵉ siècle. Autrichien.
Peintre.

Le Musée de Vienne conserve de lui : *Paysage avec paysans dansant*, le Musée de Sibiu, deux toiles représentant des cavaliers et des paysans. Il était fils et élève de Franz Thomas Canton.

CANTON Susan Ruth, Miss

xixᵉ siècle. Britannique.
Sculpteur.

Elle exposa à Londres à partir de 1880 à la Royal Academy et à Suffolk Street.

CANTOR Johann, l'Ancien ou **Kantor**

xviᵉ siècle. Éc. de Bohême.
Illustrateur.

Imprimeur à Prague, il a décoré des livres.

CANTOR SANCHEZ Manuel Guillermo

Né le 2 décembre 1939 à Cucuta. xxᵉ siècle. Colombien.
Peintre.

A participé à quelques expositions à Bogota.

CANTOUNIS Nicolas

Né en 1768 à Zakynthos. Mort en 1834 à Zakynthos. xviiiᵉ-xixᵉ siècles. Grec.
Peintre de compositions religieuses, portraits.

Il fut élève de Nicolas Coutouzis. Il a étudié aussi à Venise.
Musées : Athènes (Pina. Nat.) – Zakynthos (Mus. d'Art).

CANTRE Jan Frans

Né en 1886 à Gand. Mort en 1931. xxᵉ siècle. Belge.
Graveur sur bois, peintre. Expressionniste.

Il a participé avec son frère Jozef à un important mouvement de renaissance de la gravure sur bois et d'illustration de livres contemporains du développement de l'expressionnisme belge.
Bibliogr. : In : *Diction. Biogr. Ill. des artistes en Belgique depuis 1830*, ARTO, Bruxelles, 1987.
Ventes Publiques : Bruxelles, 12 déc. 1978 : *Marché 1922*, h/t (80x80) : **BEF 32 000.**

CANTRE Jozef

Né en 1890 à Gand. Mort en 1957 à Gand. xxᵉ siècle. Belge.
Sculpteur, graveur sur bois, illustrateur. Cubo-expressionniste.

Il fut élève de l'Académie de Gand et commença à sculpter en 1909 sous l'influence de Constantin Meunier et de Georges Minne. Il se lia rapidement au mouvement expressionniste. Il séjourna en Hollande entre 1918 et 1930 avec Gustave de Smet et Frits Van den Berghe. Revenu à Gand, il fut professeur de typographie à l'École des Beaux-Arts de la Cambre, puis nommé membre de l'Académie Royale Flamande en 1941. Il fut professeur à l'École nationale d'architecture et des arts décoratifs de Bruxelles entre 1941 et 1946. En 1952 il obtint le prix Angelo de gravure à la xxviᵉ Biennale de Venise. Il a exposé à de nombreuses reprises en Belgique et aux Pays-Bas à partir de 1919, dans les principales villes d'Europe, à São Paulo et à New York. Une importante exposition rétrospective posthume lui a été consacrée en 1959 à la Bibliothèque Royale de Belgique.

Son style peut être qualifié à la fois de cubiste et d'expressionniste.

Doté d'une longue expérience de la gravure sur bois, il remit l'illustration de livres en honneur. Il pratiqua en sculpture des techniques de taille directe sur bois ou dans la pierre, travaillant également le cuivre martelé et le bronze et s'attachant à respecter les particularités expressives du matériau. C'est dans la sculpture monumentale qu'il donne sa pleine mesure. Aux Pays-Bas il reçut de nombreuses commandes, parmi lesquelles les statues colossales pour l'église de Heeswijk en 1926 et une autre pour l'église du Sacré-Cœur à Hilversum. Ses dernières œuvres, empreintes d'une plus grande dynamique, furent qualifiées de

baroques. À Gand, il a réalisé le monument sculpté à la gloire du leader socialiste Edouard Anselee entre 1938 et 1948 et un panneau de bronze destiné à l'Institut supérieur d'art et d'archéologie. Il a également créé des travaux de décoration notamment pour le paquebot *Nieuw Amsterdam* en 1937 et le Palais de justice d'Ostende en 1938. ■ J. B.
Bibliogr. : In : *Diction. Biogr. Ill. des Artistes en Belgique depuis 1830*, ARTO, Bruxelles, 1987.
Ventes Publiques : Lokeren, 13 mars 1976 : *Saint Joseph 1928*, bronze (H. 36) : **BEF 32 000** – Lokeren, 5 nov. 1977 : *Nu debout 1921*, bronze patiné (H. 66) : **BEF 150 000** – Bruxelles, 15 mars 1978 : *Nu assis 1919*, bronze (H. 34,5) : **BEF 75 000** – Anvers, 9 mai 1979 : *Nu assis*, bronze (H. 38) : **BEF 100 000** – Anvers, 11 mai 1979 : *Femme couchée 1936*, grav./bois : **BEF 22 000** – Lokeren, 16 fév. 1980 : *Baigneuse*, bronze (H. 56) : **BEF 110 000** – Lokeren, 25 avr. 1981 : *Baigneuse*, bronze (H. 57) : **BEF 90 000** – Lokeren, 24 oct. 1982 : *Mère et enfant*, bronze (H. 32) : **BEF 75 000** – Lokeren, 23 avr. 1983 : *Le visiteur 1921*, fus./pap. (33x26) : **BEF 44 000** – Lokeren, 15 oct. 1983 : *Nu debout* (H. 65) : **BEF 140 000** – Lokeren, 25 fév. 1984 : *Mère et enfant*, bronze (H. 31) : **BEF 110 000** – Lokeren, 20 avr. 1985 : *Uylenspiegel*, bronze (H. 31,5) : **BEF 65 000** – Lokeren, 18 oct. 1986 : *Nu assis 1919*, bronze (H. 33,5) : **BEF 75 000** – Lokeren, 21 fév. 1987 : *Nu assis n° 2/6*, plâtre patiné (H. 32) : **BEF 40 000** – Lokeren, 8 oct. 1988 : *Tête d'homme*, bronze (H. 33,5) : **BEF 140 000** – Lokeren, 15 mai 1993 : *Nu assis*, plâtre (H. 31,5 et l. 21,5) : **BEF 65 000** – Lokeren, 7 oct. 1995 : *Jeune poète avec une flûte de pan 1923*, bronze (H. 64 et l. 20) : **BEF 130 000** – Lokeren, 9 mars 1996 : *Femme rapide*, bronze (H. 63) : **BEF 380 000** – Amsterdam, 5 juin 1996 : *Nu agenouillé*, bronze (H. 10) : **NLG 1 840** – Lokeren, 18 mai 1996 : *Le Peintre*, bronze patine vert brun (41,5x12) : **BEF 130 000** – Lokeren, 11 oct. 1997 : *Femme accroupie*, bronze patine brune (38x24) : **BEF 130 000.**

CANTU Federico

Né en 1908 à Cadereyta-Jiménez (Nouveau Léon). Mort en 1989. xxᵉ siècle. Mexicain.
Peintre muraliste de compositions à personnages, graveur.

Jeune, il vécut à Los Angeles. À seize ans, il vint étudier l'art à Paris dans l'atelier de De Creft, puis en Espagne, avant de retourner au Mexique en 1932. Il se lia avec Diégo Rivera occupé à peindre des compositions murales dans le bâtiment du Département de l'Éducation publique. À partir de 1943, il enseigna à l'Institut National des Beaux-Arts. En 1989, l'Institut des Beaux-Arts de Mexico lui a consacré une exposition rétrospective.

Vingt ans après les premiers grands muralistes mexicains des années vingt, Cantu s'orienta vers cette forme d'art à caractère politique, pour peindre de nombreux édifices civils et religieux à Mexico et dans plusieurs villes : cathédrale de Saint-Miguel de Allende ; chapelle Santa Ursula Xitla à Tlalpan ; couvent San Diego à Mexico ; Institut mexicain de Sécurité sociale.

Sa peinture de chevalet déploie une figuration libre sur des fonds travaillés en camaïeux, et mettant souvent en scène des personnages fantasques, qui, bien sûr, font penser à Picasso pour *L'Arlequin*, mais dont l'inspiration ne paraît guère pouvoir tenir les promesses du modèle choisi. Cantu est cependant tenu pour un grand coloriste et il demeure l'un des peintres mexicains des plus prisés. Il s'est épisodiquement consacré à la sculpture, le temps de réaliser un relief, impressionnant surtout par ses dimensions, sur les flancs de la montagne Linares.

Federico Cantu

Ventes Publiques : Los Angeles, 6 nov. 1978 : *Nature morte 1940*, techn. mixte/t. (61x86,5) : **USD 1 000** – New York, 8 mai 1981 : *Chevaux 1954*, fus. et sépia (48,2x62,8) : **USD 1 400** – New York, 17 mai 1989 : *Homme et cheval 1934*, h/t (40x50,2) : **USD 2 420** – New York, 19-20 mai 1992 : *Femme tenant un scorpion 1944*, encre avec reh. de blanc/pap. brun (34,9x26,4) : **USD 4 400** – New York, 24 nov. 1992 : *Arlequin 1935*, h/t (53,3x38,7) : **USD 13 200** – New York, 24 fév. 1994 : *Sevilla*, encre/pap. (22,5x31,4) : **USD 1 380** – New York, 18 mai 1994 : *Ruth 1937*, h/t (92,2x65,7) : **USD 14 950** – New York, 15 nov. 1994 : *Les adieux*, techn. mixte/pap. (75x54,6) : **USD 2 990.**

CANTU Giuseppe

Originaire de Bologne. Italien.
Peintre.

Il exécuta des peintures à Santa Maria della Rosa à Ferrare.

CANTWELL R.
xixe siècle. Britannique.
Peintre de paysages.
Il exposa de 1809 à 1839 à la Royal Academy à Londres.

CANTZLER Axel Leopold
Né le 19 juin 1832 à Stockholm. Mort le 30 juin 1875 à Stockholm. xixe siècle. Suédois.
Peintre de paysages, sculpteur.
Il fit ses études en partie à l'Académie des Beaux-Arts de Stockholm où il fut agréé en 1864, en partie en Italie. Il débuta comme sculpteur et sa statue de marbre *Erigone* fut très remarquée à l'exposition de Stockholm de 1863. Pendant son séjour à Rome, Cantzler commença à se consacrer à la peinture de paysages. Le Musée de Stockholm a acquis de lui : *Paysage des montagnes de Sabine aux environs de Rome* (1863).

CANTZLER Johan Oscar ou **Oskar**
Né en 1844 à Stockholm. Mort en 1921. xixe-xxe siècles. Suédois.
Peintre de genre, portraits.
Frère d'Axel-Leopold Cantzler. Élève d'Hafström et Perséus, il vint poursuivre ses études à Paris.
Ventes Publiques : Stockholm, 26 oct. 1982 : *Jeune femme dans un intérieur* 1884, h/t (79x100) : **SEK 14 500** – Londres, 23 fév. 1983 : *Le violoniste*, h/t (72,5x99) : **GBP 1 500**.

CANU Alexandre Paul
Né à Paris. xixe-xxe siècles. Français.
Peintre.
Exposa aux Indépendants, de 1920 à 1926.

CANU Jean Dominique Étienne
Né en 1768 à Paris. xviiie siècle. Français.
Graveur.
Cet artiste fut élève de Delaunay. Le Museum d'Histoire naturelle le chargea de graver, d'après Redouté, pour le grand ouvrage sur l'Égypte, des poissons et des plantes. Il illustra le livre de Duperray : *Voyage autour du monde*, fit des planches pour la *Flore de Jaume de Saint-Hilaire*, pour la *Flore des Antilles*, pour le *Règne animal* de Cuvier. Il publia, en 1816, une suite de 84 planches représentant les costumes des troupes françaises depuis 1792. On lui doit aussi une suite de portraits : *Henri IV, Louis XVI, Marie-Antoinette, Grétry, Robespierre*.

CANU Nicolas et **Jean**
xvie siècle. Actifs à Rouen. Français.
Sculpteurs.
Ils travaillèrent, de 1527 à 1529, à l'ornementation des piliers supportant les figures de la danse macabre, qui étaient dans le cimetière Saint-Maclou, à Rouen.

CANU Yvonne
Née le 9 novembre 1921 à Meknès (Maroc). xxe siècle. Française.
Peintre. Post-néo-impressionniste.
Elle débuta ses études artistiques à l'École des Arts Décoratifs à Paris et, après la guerre, fit la connaissance de plusieurs peintres dont Foujita et Maclet. C'est Foujita qui lui apprit le dessin et lui fit découvrir les impressionnistes. Par la suite, elle s'intéressa au cubisme et étudia avec Zadkine.
Ce fut la découverte du tableau de Seurat *L'Île de la Grande-Jatte* qui joua le rôle de révélateur pour son œuvre ultérieure ; elle ne pratiqua désormais plus que le pointillisme.

Canu

Ventes Publiques : Versailles, 12 mai 1976 : *Le Pique-nique au bord du lac*, h/t (60x73) : **FRF 5 100** – Versailles, 5 juin 1977 : *Paris : le pont Marie et le quai d'Anjou*, h/t (60x81) : **FRF 3 600** – Versailles, 8 oct. 1978 : *Village de Provence*, h/t (60x73) : **FRF 5 100** – New York, 18 oct. 1979 : *St Florent, Corse*, h/t (65,8x92) : **USD 2 600** – New York, 18 jan. 1980 : *Le goûter à la campagne*, h/t (46,7x54,6) : **USD 2 200** – New York, 12 juin 1981 : *St Florent, Corse*, h/t (50,2x65,1) : **USD 3 200** – Zurich, 13 mai 1983 : *Le lac de genève*, h/t (38x46) : **CHF 3 600** – Versailles, 2 déc. 1984 : *Pique-nique au bord du lac*, h/t (60x73) : **FRF 13 500** – Paris, 15 mars 1985 : *Le Pont au Change*, h/t (60x73) : **FRF 900** – La Varenne-Saint-Hilaire, 7 déc. 1986 : *14 juillet à Paris*, h/t (54x73) : **FRF 45 500** – Paris, 27 nov. 1987 : *Le port du Suquet à Cannes*, h/t (52x65) : **FRF 18 000** – Paris, 19 mars 1988 : *Au bord de l'eau*, h/t (24x33) : **FRF 13 000** – Versailles, 20 mars 1988 :

Saint-Tropez, h/t (33x41) : **FRF 10 500** – Douai, 26 mars 1988 : *Concarneau*, aquar. (26x36) : **FRF 5 500** – Versailles, 15 mai 1988 : *Séchage des filets et la mairie de Marseille*, h/t (33x41) : **FRF 13 000** – *Le grand voilier dans le port*, aquar. et gche (26x22,5) : **FRF 3 500** – Calais, 3 juil. 1988 : *La Conciergerie*, h/t : **FRF 38 000** – Versailles, 6 nov. 1988 : *Douarnenez*, h/t (33x41) : **FRF 10 000** – Calais, 13 nov. 1988 : *14 juillet sur la Seine*, h/t (50x65) : **FRF 28 000** – Paris, 21 juin 1989 : *La Nioulargue à Saint-Tropez*, h/t (54x73) : **FRF 115 000** – Paris, 11 oct. 1989 : *Le Pont Saint-Michel*, h/t (54x73) : **FRF 43 000** – Le Touquet, 12 nov. 1989 : *Marseille : le port et Notre-Dame de la Garde*, h/t (38x46) : **FRF 38 000** – Paris, 23 nov. 1989 : *Vauréal, les pommiers*, h/t (50,5x61,5) : **FRF 25 000** – Paris, 10 mai 1990 : *Sortie au bassin du Jardin du Luxembourg*, h/t (50x65) : **FRF 52 000** – Neuilly, 26 juin 1990 : *Le Nil*, h/t (38x41) : **FRF 20 000** – Paris, 4 juil. 1990 : *Paris, le Pont-Neuf*, h/t (50x65) : **FRF 26 000** – Le Touquet, 19 mai 1991 : *Printemps à Aix-en-Provence*, h/t (54x73) : **FRF 36 000** – Paris, 15 avr. 1992 : *Le bassin des Tuileries* 1944, h/t (46x55) : **FRF 12 000** – New York, 12 juin 1992 : *Saint-Tropez en automne*, h/t (61x81,3) : **USD 6 050** – New York, 10 mai 1993 : *La Rochelle*, h/t (50x64,8) : **USD 6 325** – Le Touquet, 30 mai 1993 : *14 juillet à Saint-Tropez*, h/t (50x65) : **FRF 20 000** – Le Touquet, 22 mai 1994 : *Le Port de Sainte-Maxime*, h/t (46x55) : **FRF 22 000** – Paris, 24 mars 1995 : *Paris, le pont Marie*, h/t (46x55) : **FRF 8 200** – New York, 7 nov. 1995 : *Marché de Provence*, h/t (50,2x61,5) : **USD 4 600** – Calais, 15 déc. 1996 : *Le Port de Marseille*, h/t (38x55) : **FRF 10 500** – New York, 10 oct. 1996 : *Le port de Saint Tropez*, h/t (54x65,4) : **USD 4 600**.

CANUC
xviiie siècle. Français.
Dessinateur d'ornements.

CANUDAS Juan
Mort en 1888 à Barcelone. xixe siècle. Vivant à Orihuela. Espagnol.
Peintre.
Membre de la Compagnie de Jésus. Il exposa deux tableaux (*S. Francisco de Borja* et *L'Enfant Jésus*) à Alicante en 1878 et y obtint une médaille de seconde classe.

CANUET Louise
Née à Paris. xixe-xxe siècles. Française.
Peintre de genre.
Elle fut élève de Léon Perrault. Elle exposa au Salon des Artistes Français dès le début du siècle.
Ventes Publiques : Grenoble, 17 mai 1982 : *Femme au chardon*, h/t (82x66) : **FRF 6 000**.

CANUT Jaume
Né en 1950 à Barcelone (Catalogne). xxe siècle. Espagnol.
Peintre de figures.
Il part pour New York en 1973 et s'investit dans la culture « Pop-Flowers ».
Ventes Publiques : Paris, 31 oct. 1990 : *Jeune fille au bord de sa propre logique*, acryl./t. (130x89) : **FRF 10 500**.

CANUTI Domenico Maria
Né en 1620 à Bologne. Mort en 1684 à Bologne. xviie siècle. Italien.
Peintre d'histoire, sujets mythologiques, compositions religieuses, fresquiste, dessinateur, graveur.
Il fut élève de Guido Reni, et un de ses plus brillants disciples.
Il travailla beaucoup pour les pères Olivétains, et plusieurs monastères de cet ordre possèdent de ses œuvres, notamment ceux de Rome, de Padoue et de Bologne. Dans cette dernière ville, l'on voit une Déposition de Croix (appelée *La Nuit de Canuti*) et un *Saint Michel*. À Rome, les fresques qu'il fit dans le Palazzo Colonna, sont placées parmi ses meilleurs ouvrages ainsi que celles du Palazzo Pepoli, à Bologne. Cette ville possède aussi deux madones de sa main, dans l'église de San Bernardino. Il peignit à fresque dans l'abside de l'église San Domenico e Sisto à Rome, l'*Extase de saint Dominique*. Il commença ce travail peu après son arrivée à Rome, en avril 1672. Deux ans plus tard il peignit dans la nef l'*Apothéose de saint Dominique*, en collaboration avec Henrico Haffner.
Il adopta un parti illusionniste, d'une hardiesse exceptionnelle, avant l'apparition de la voûte peinte par Gaulli au Gesù.

Ventes Publiques : Paris, 1767 : *Saint Jérôme et trois saints dans une gloire*, dess. à la pl. : **FRF 100** – Paris, 1772 : *L'apothéose*

d'Hercule, dess. à la pl. lavé de bistre : **FRF 48** – PARIS, 1786 : *Un concert de musiciens*, dess. à la pl. lavé : **FRF 301** – PARIS, 25 avr. 1925 : *Jupiter tonnant*, pl. : **FRF 160** – GENÈVE, 21 mars 1972 : *Le Triomphe de David* : **CHF 30 000** – LONDRES, 10 juil 1979 : *La chasse*, craie rouge, pl. et lav. reh. de blanc (21x31,3) : **GBP 650** – PARIS, 4 juin 1982 : *Profil d'homme*, pierre noire reh. de blanc (31x22,8) : **FRF 1 800** – LONDRES, 7 déc. 1987 : *Allégorie avec Zeus et Mercure*, pl. et lav. (36,6x25,6) : **GBP 1 400** – MONACO, 15 juin 1990 : *Loth et ses filles*, sanguine et traces de pierre noire (24,8x31,8) : **FRF 44 400** – ROME, 8 avr. 1991 : *Le mariage mystique de sainte Catherine d'Alexandrie*, h/t (111,5x95) : **ITL 4 600 000** – MILAN, 19 oct. 1993 : *Vierge à l'Enfant avec saint Jean*, h/t (75x60) : **ITL 82 800 000** – NEW YORK, 10 jan. 1996 : *Cupidon punissant Pan*, encre et lav. (12,1x18,4) : **USD 4 370** – LONDRES, 2 juil. 1996 : *La chute de Troie*, sanguine, encre et lav. brun (25,5x39,8) : **GBP 4 830**.

CANUTI Gaetano
XIXᵉ siècle. Travaillant à Bologne au début du XIXᵉ siècle. Italien.
Graveur et lithographe.

CANUTI Gian Francesco
XVIᵉ siècle. Italien.
Peintre.
Peintre bolonais.

CANY. Voir CANI

CANZI Agost Elek ou Auguste Alexis
Né en 1813 à Baden (près de Vienne). Mort en 1866 à Budapest. XIXᵉ siècle. Autrichien.
Peintre de genre, portraits.
Élève d'Ingres à Paris en 1834. Travailla à Stuttgart de 1838 à 1840. Il vint ensuite à Vienne, puis à Paris. Vers 1846, il vint se fixer à Budapest. Il a exposé à plusieurs reprises au Salon de Paris. Parmi les portraits qu'il a peints, on cite celui de la danseuse Sophie Taglioni.
MUSÉES : BUDAPEST : *Vendanges à Vacz* – COUTANCES : *Portrait des demoiselles L'Hermitte* – *Portraits de l'amiral baron L'Hermitte* – *Portrait de la baronne L'Hermitte* – STUTTGART : *Portrait du baron Reinhard.*

CANZI Rezsö Odön ou Rodolphe Edmond
Né en 1854. Mort en 1906. XIXᵉ siècle. Actif à Budapest. Hongrois.
Peintre et illustrateur.
Fils d'Auguste-Alexis Canzi.

CANZIANI Estella-L-M
Née le 12 janvier 1887. Morte en 1964. XXᵉ siècle. Britannique.
Peintre de genre, portraits, paysages, illustrateur, décorateur.
Elle a exposé à la Royal Academy de Londres, à Liverpool, Venise et Paris. Elle est membre de la Royal Society of British Artists.
Elle était la fille de Louisa Canziani, née Starr. Elle fut éduquée comme une artiste mais avait plusieurs talents. Elle écrivit sur le folklore italien, prit une bonne escrimeuse et se consacra pendant la grande guerre à l'illustration de manuels médicaux.
VENTES PUBLIQUES : LONDRES, 30 mars 1994 : *Le joueur de flûte des rêves*, aquar. et gche/pap. chamois (47x34,5) : **GBP 5 750** – NEW YORK, 20 juil. 1994 : « *Apparu devant lui, acculé il ne pouvait fuir...* », gche/pap. bleu (25,1x35,2) : **USD 1 610**.

CANZIANI Giambattista
Né en 1664 à Vérone. Mort en 1730 à Rome. XVIIᵉ-XVIIIᵉ siècles. Italien.
Peintre.

CANZIANI Louisa, Mrs. Voir STARR

CANZIO Michele
Né en 1787 à Gênes. Mort en 1868 à Gênes. XIXᵉ siècle. Actif à Gênes. Italien.
Sculpteur et décorateur.

CAO Adolfo
Né à Cagliari (Sardaigne). XXᵉ siècle. Italien.
Peintre.
Il étudia à l'Académie de Florence avec le professeur Ciaranfi. Il prit part en 1900 au concours Alinari.

CAO Gaspard
XVIᵉ siècle. Portugais.

Peintre.
Fut peintre de Jean III vers 1539.

CAO FANG ou Ts'ao Fang, surnom Zimei
Né dans la province du Jiangsu, originaire de Moling. XVIIᵉ siècle. Actif vers le milieu du XVIIᵉ siècle. Chinois.
Peintre.

CAO JIAN ou Ts'ao Chien ou Ts'ao Kien, ou Xiaoya, surnom : Xiaoyai, nom de pinceau Tingshan
Né à Hangzhou. XVIIIᵉ siècle. Actif au début du XVIIIᵉ siècle. Chinois.
Peintre de fleurs et paysagiste.
Ses fleurs et ses paysages se rattachent au style de Ni Zan.
MUSÉES : NEW YORK (Metropolitan Mus.) : série de douze paysages dans les styles des maîtres anciens, signée.

CAO KUIYIN ou Ts'ao K'ouei-Yin ou Ts'ao K'uei-Yin
Originaire de Nankin. XVIIIᵉ siècle. Actif vers 1750. Chinois.
Peintre de paysages.

CAO LI
Né en 1954 à Guiyang (province du Guizhou). XXᵉ siècle. Chinois.
Peintre de compositions animées.
Après la Révolution Culturelle, en 1978, il entra à l'Académie Centrale des Beaux-Arts dont il sortit diplômé en 1982. Il étudia également dans une unité nouvellement créée de peinture murale. Il expose en Chine de 1982 à 1988, et participe en 1987 à New York à l'exposition *Les peintures à l'huile contemporaines du Peuple de la République de Chine*. En 1988, il expose de nouveau à New York avec d'autres artistes, et, la même année, la galerie de l'Académie des Beaux-Arts de Chine lui consacre une exposition personnelle.
Ses compositions mettent en scène un monde primitif, dans lequel animaux et êtres humains cohabitent. Le dessin est simplifié alors que l'organisation des plans est plus complexe, des motifs géométriques venant rompre la perspective.
BIBLIOGR. : *Cao Li*, Anhui Fine Arts Press, Chine – *Livre de croquis*, Suchuan Fine Arts Press, Chine.
MUSÉES : PÉKIN (Gal. Nat.).
VENTES PUBLIQUES : HONG KONG, 30 mars 1992 : *L'oiseau rouge* 1989, h/t (80x90) : **HKD 49 500** – HONG KONG, 28 sep. 1992 : *Trèfle* 1988, h/t (40,6x46,4) : **HKD 22 000** – HONG KONG, 30 oct. 1995 : *Abstraction ; Colombe*, h/t, une paire (58,5x68,8 et 71x71) : **HKD 35 650**.

CAO LIJI ou Ts'ao Li-Chi ou Ts'ao Li-Ki, surnom Tisui
Né à Dangtu. XVIIᵉ siècle. Actif dans la première moitié du XVIIᵉ siècle à la fin de la dynastie Ming. Chinois.
Peintre de paysages.
Ses paysages sont dans la manière de Ni Zan.
MUSÉES : NANKIN : *Paysage de rivière avec un pavillon* signé et daté 1621.

CAO LIWEI
Né en 1956 dans la province de Liaoning (Chine). XXᵉ siècle. Chinois.
Peintre de compositions animées, paysages.
De 1978 à 1982, il est élève de l'Académie Centrale des Beaux-Arts de Pékin, dont il sort diplômé, remportant le premier prix. Il participe à des expositions nationales et internationales : Paris, Canada, Japon... En 1987, ses œuvres sont présentes parmi les *Peintures à l'huile contemporaines du Peuple de la République de Chine*, et en 1988-89 à la galerie Hefner. En 1985, il remporta la médaille d'argent à l'Exposition Nationale des Beaux-Arts. Il vit actuellement à Pékin où il enseigne à l'Académie des Beaux-Arts.
Sa peinture a pour principale source d'inspiration les paysages et les habitants des différentes provinces où il a séjourné Qinghai, Gansu, Tibet. Fortement réalistes, certaines toiles sont une interprétation quasi photographique de la scène reproduite.
VENTES PUBLIQUES : HONG KONG, 28 sep. 1992 : *Bergère lisant* 1988, h/t (91,5x106,8) : **HKD 49 500** – HONG KONG, 22 mars 1993 : *Le printemps à Qinghai* 1988, h/t (76,2x89) : **HKD 69 000** – HONG KONG, 4 mai 1995 : *Le chant du berger du Mont Qilan* 1993, h/t (76,2x106,7) : **HKD 51 750**.

CAO MIAOQING ou Ts'ao Miao-Ch'ing ou Ts'ao Miao-Ts'ing, surnom Biyu, nom de pinceau Xuezhai
Née dans la province du Zhejiang, originaire de Qiantang. XIVᵉ siècle. Active vers 1379. Chinoise.
Peintre.

Spécialiste de fleurs, mais aussi poétesse et calligraphe, elle vit à Hangzhou sous le règne de l'empereur Hongwu (1368-1399).

CAO TANG ou **Ts'ao T'ang**, surnom **Zhongsheng**
Né à Jiqi. XVIIᵉ siècle. Actif vers 1630. Chinois.
Peintre.

CAO XI ou **Ts'ao Hsi** ou **Ts'ao Si**, surnom **Luofu**
Né à Suzhou. XVIIᵉ siècle. Actif vers 1600. Chinois.
Peintre de personnages et de paysages.
Musées : NANKIN : *Paysage de rivière en hiver* signé et daté 1637 – STOCKHOLM (Mus. Nat.) : *Calme du soir*, signé.

CAO YIN ou **Ts'ao Yin**
XVIIᵉ siècle. Actif vers 1667. Chinois.
Peintre.

CAO YOUGUANG ou **Ts'ao Yu-Kouang** ou **Ts'ao Yu-Kuang**, surnoms : **Ziye** et **Xiqi**
Né à Suzhou. XVIIᵉ siècle. Actif dans la seconde moitié du XVIIᵉ s. Chinois.
Peintre d'insectes, paysages, fleurs.
Il vit à Hangzhou près du Lac de l'Ouest, il passe l'examen de lettre accompli en 1664.

CAO ZHIBO ou **Ts'ao Chih-Po** ou **Ts'ao Tche-Po**, surnoms **Youyuan** et **Zhensu,** nom de pinceau **Yunxi**
Né en 1272 à Huating (province du Jiangsu). XIIIᵉ siècle. Chinois.
Peintre de paysages.
Sous le règne de l'empereur mongol Qubilaï Khan (1264-1295), il est professeur dans un collège du gouvernement, puis il se retire pour se consacrer aux études sur le taoisme et à la peinture. Il vécut sans doute jusqu'en 1362.
Paysagiste, il prend comme modèles les paysages de Guoxi et de Licheng.
Musées : TAIPEH (Mus. du Palais) : *Myriade de pics après la neige*, encre sur pap., rouleau en hauteur, inscription de Huang Gongwang – *Deux pins* 1329, encre et coul. légères sur soie, rouleau en hauteur.

CAP Constant Aimé Marie
Né en 1842 à Saint-Nicolas. Mort en 1915. XIXᵉ-XXᵉ siècles. Belge.
Peintre d'histoire, scènes de genre, graveur.
Il fit ses études à l'Académie d'Anvers et vécut dans la même ville. Participa à l'Exposition Universelle de Bruxelles en 1910.

Musées : ANVERS : *Souvenir des fêtes nationales de 1880.*
Ventes Publiques : PARIS, 20 oct. 1948 : *Le voyage de noce : le départ et le retour*, deux pendants : FRF 33 500 – LONDRES, 10 juil. 1964 : *Souvenir d'Ostende, pendant l'absence de papa* : GNS 170 – LONDRES, 11 avr. 1978 : *Le Voleur d'oracles* 1945, h/pan. (75x65) : BEF 20 000 – LONDRES, 25 mars 1981 : *Le jeune Van Dyck dessinant sa mère*, h/t (84x116) : GBP 2 600 – LONDRES, 21 mars 1984 : *Jeune élégante dans un train*, h/pan. (48x36) : GBP 1 500 – LONDRES, 7 fév. 1986 : *Carnaval à Anvers* 1893, h/pan. (55x44) : GBP 4 000 – AMSTERDAM, 3 nov. 1992 : *La lettre* 1889, h/pan. (27x20,5) : NLG 3 105 – NEW YORK, 16 fév. 1994 : *La fête de la maman* 1885, h/pan. (39,7x54,9) : USD 68 500 – NEW YORK, 20 juil. 1995 : *La lettre* 1872, h/pan. (82,6x63,5) : USD 3 795 – LOKEREN, 8 mars 1997 : *Een kwade poets* 1884, h/pan. (67x53) : BEF 460 000.

CAPACCI Bruno
Né en 1906 à Venise. XXᵉ siècle. Actif aussi en France. Italien.
Peintre, dessinateur, illustrateur, céramiste. Métaphysique, puis surréaliste.
Il arriva à l'âge de dix ans avec sa famille à Florence, où il fut élève de l'Académie des Beaux-Arts. Il voyagea aux États-Unis, vécut à Paris à deux reprises, de 1930 à 1940, puis de 1947 à 1955. Il a participé à des expositions collectives, dont : à Paris en 1931 Salon d'Automne, 1933 Salon des Tuileries et Galerie Charpentier *Exposition des Peintres italiens à Paris*, à Bruxelles en 1935 au Palais des Beaux-Arts *Artistes de Paris*, 1946 Biennale de Venise, 1947 *Surréalisme en 1947* organisée par André Breton et Marcel Duchamp à Paris, 1954 Quadriennale de Rome, 1955 Triennale de Milan, etc. On le montre dans des ensembles très peintures au cours de très nombreuses expositions personnelles, depuis la première à Paris en 1932, ensuite à Bruxelles, La Haye, Milan, Dallas, Los Angeles, New York, Anvers, Naples, Ostende,

Bergame, et notamment en 1994 Group 2 Gallery à Bruxelles, etc.
On a surtout retenu sa première époque, vouée à la peinture métaphysique : *La Dame du Silence* de 1945. Sa période suivante, plus importante dans le temps et en quantité, dite surréaliste, fut influencée par l'univers et l'écriture poétiques de Paul Klee. Comme lui, son imagination ne connaissait aucune limite. Sa fantaisie, inépuisable et d'humeur ludique, crée personnages et animaux hybrides, jusqu'à, lui aussi, frôler l'abstraction. Il dispose, en toutes circonstances et époques, d'un dessin, apte à accumuler sur une même toile jusqu'à une centaine de personnages : *La Nativité* de 1943, absolument vacant, comme celui de Steinberg empruntant avec humour à Picasso, à Brauner, comme aux uns et aux autres. Sa couleur n'est pas tant celle d'un peintre, qui en maîtrise les phénomènes et lois, mais celle d'un coloriste extrêmement délicat. ■ J. B.
Bibliogr. : In : *50 ans d'Art d'Avant-garde en Italie,* Édit. La Conchiglia, Milan, 1950 – Adam Biro, René Passeron : *Diction. général du surréalisme et de ses environs,* P.U.F., Paris, 1982 – divers : Catalogue de l'exposition *Bruno Capacci,* Group 2 Gallery, Bruxelles, 1991, appareil documentaire abondant.
Ventes Publiques : ANVERS, 6 avr. 1976 : *Équilibre* 1945, h/t (130x162) : BEF 18 000 – VERSAILLES, 25 avr. 1979 : *Composition surréaliste,* gche et aquar. (35x24,5) : FRF 5 400 – ANVERS, 27 oct. 1981 : *Le palais des Doges, Venise,* h/pan. (97x165) : BEF 26 000 – PARIS, 7 nov. 1986 : *Cérémonial d'un grand jeu* vers 1943-44, h/t (116x81) : FRF 14 000.

CAPACES Pedro
Originaire de Saragosse. XVIIᵉ siècle. Espagnol.
Peintre.
Il étudiait à Rome en 1680.

CAPACI Domenico
Mort vers 1800 à Venise. XVIIIᵉ siècle. Actif à Ravenne. Italien.
Peintre.

CAPACIN Jean ou **Giovanni** ou **Capassin** ou **Capassini**
XVIᵉ siècle. Italien.
Peintre.
Il était de Florence et travaillait à Lyon en 1555-1568. On connaît de lui, au musée d'Avignon, un *Portrait de jeune homme,* signé et daté 1577. Il fut maître d'Étienne de Martellange.

CAPADO A.
XIXᵉ-XXᵉ siècles.
Sculpteur.
Il exposa à Paris au Salon des Artistes Français en 1912.

CAPALTI Alessandro
Né vers 1810 à Rome. Mort en 1868 à Rome. XIXᵉ siècle. Actif à Rome. Italien.
Peintre d'histoire, portraits, décorateur.
Élève de Tom. Minardi.
Il exposa à la Royal Academy, à Londres, entre 1851 et 1858. Il a exécuté des décorations, peint des tableaux d'histoire et des portraits, parmi lesquels on cite ceux de la famille Rolland, de la princesse Gwendoline Borghèse, de la duchesse Massimo, de l'artiste Adélaïde Ristori. L'Académie de Saint-Luc à Rome conserve de lui quelques portraits notamment, celui de Tom. Minardi et celui qu'il fit de lui-même.
Musées : DUBLIN : *Portrait de l'archevêque John Mac Hale.*
Ventes Publiques : LONDRES, 28 mars 1996 : *Portrait de deux adolescents avec leur épagneul, en buste,* h/pan. (ovale 76,2x62,2) : GBP 4 025.

CAPAMAGIAN Noémie, Mme
Née au XIXᵉ siècle aux États-Unis. XIXᵉ siècle. Française.
Peintre.
Exposa aux Artistes Français en 1903 et 1904.

CAPAN
XVIIIᵉ siècle. Actif à Pforzheim (Allemagne) vers 1785. Allemand.
Miniaturiste.
Il fut le maître de Jacob Bodemer.

CAPANNA
XVIIᵉ siècle. Actif à Sienne vers 1600. Italien.
Peintre.
Pour Vasari il fut sans doute l'aide de Bartolommeo della Gatta, l'aide et l'ami de Baldassare Peruzzi. Milanesi pense qu'il se confond avec un Giacomo di Lorenzo, il Cerajuolo, d'autres auteurs avec un Giovanni Battista di Giacomo del Capanna.

CAPANNA Paolo
Né vers 1611 à Rome. Mort en 1657 à Rome. XVIIᵉ siècle. Italien.
Sculpteur.

CAPANNA Puccio
XIVᵉ siècle. Italien.
Peintre.
Pour Vasari il fut élève et ami de Giotto, et le même auteur lui attribue une série d'ouvrages. Il figure en 1350 sur la liste des peintres de la gilde de Florence. Il fut considéré comme l'un des meilleurs peintres de son temps.

CAPARN W. J.
XIXᵉ siècle. Britannique.
Paysagiste.
Il exposa de 1882 à 1893 à Suffolk Street et à la New Water Colours Society, à Londres.

CAPART Guillaume
XVIIIᵉ siècle. Français.
Peintre.
Il fut reçu à l'Académie de Saint-Luc à Paris en 1738.

CAPASSIN ou **Capassini**. Voir **CAPACIN**

CAPATTI Aldobrando
XIXᵉ-XXᵉ siècles. Travaillant à Ferrare. Italien.
Peintre.
Licencié de l'Athénée de Ferrare. Prit part en 1900 au concours Alinari.

CAPAUL Albert
Né le 30 mai 1827 à Paris. Mort en 1904 à Paris. XIXᵉ siècle. Français.
Peintre-aquarelliste de genre, paysages.
De 1849 à 1858, il fut gardien du musée de l'Hôtel de la Monnaie. Né d'un père Suisse de la Ligue Grise, il fit deux voyages en Suisse et au Tyrol, l'un en 1850 et l'autre en 1883, dont il rapporta un recueil de *Souvenirs de Suisse, dessinés d'après nature*, et un carnet de croquis.
Les personnages de ses petites scènes ont un caractère naïf. Ses aquarelles présentent des vues de l'Île-de-France, dont Lagny, Saint-Germain-en-Laye, de la Bretagne, des Ardennes, Suisse et Tyrol, etc. Ces aquarelles avaient l'intérêt de montrer, avant les premières cartes postales, des vues, en couleurs, de paysages célèbres.

CAPDEBOS Pierre François
Né le 27 février 1795 à Perpignan. Mort le 31 juillet 1836 à Paris. XIXᵉ siècle. Français.
Peintre.
Élève de Berthon. Il commença à exposer au Salon en 1819. En 1830, il dirigeait, à l'École de Médecine à Paris, un travail anatomique d'un grand intérêt pour l'art, mais la révolution de juillet vint l'interrompre. Capdebos est le fondateur du musée de Perpignan, qui conserve un *Portrait d'Henri IV* de sa main.

CAPDET-BRUGNON Raymonde Marie Louise, Mme. Voir **BRUGNON**

CAPDEVIELLE Louis
Né en 1850 à Lourdes (Hautes-Pyrénées). Mort en 1905. XIXᵉ siècle. Français.
Peintre de genre, portraits, paysages.
Après avoir travaillé avec son père, dont la profession était ardoisier, il décida, à sa majorité, de suivre des cours de peinture à Paris et fut élève de A. Millet, Bonnat et Cabanel. Depuis Pau, où il s'était établi en 1877, il alla souvent en Espagne, où il copia Vélasquez dans les collections espagnoles et se rendit à Paris, où il avait des commandes de portraits. En 1896, il s'établit dans sa ville natale et partagea son temps, principalement entre la réalisation de portraits et de sujets anecdotiques.
Entre 1874 et 1902, il participa régulièrement au Salon de Paris, puis Salon des Artistes Français, obtenant une médaille en 1882. Portraitiste recherché, il peint dans des tonalités fines, des personnages campés dans des poses affectées. Il traite avec réalisme ses scènes de genre dont les contours sont très énergiques, les oppositions de tons très marqués. Ses paysages sont sobres, sans détails superflus. Citons : *Le rémouleur* 1876, *Noce à Laruns* et *Fin de Nana* 1882, *Portrait du général Hanrion* 1887, *Printemps* 1895.
BIBLIOGR. : Gérald Schurr, in : *Les Petits Maîtres de la peinture 1820-1920, valeur de demain*, t. VII, Les Éditions de l'Amateur, Paris, 1989.

MUSÉES : BAGNÈRES-DE-BIGORRE : *L'Éboulement dans une carrière* – TARBES : *Mlle Pointat en Carmen*.
VENTES PUBLIQUES : PARIS, 2 juil. 1954 : *Village d'Auvergne* : FRF 12 000.

CAPDEVIELLE Lucienne
Née en 1885 à Alger. Morte en 1961. XIXᵉ-XXᵉ siècles. Française.
Peintre de figures.
Elle fut élève de Georges Rochegrosse, Léon Cauvy, et Paul Albert Laurens. Au Salon des Artistes Français de Paris, dont elle était sociétaire, elle reçut une mention honorable en 1925. Elle exposa aussi au Salon des Artistes Indépendants.

L. Capdevielle

VENTES PUBLIQUES : PARIS, 24 jan. 1994 : *Les terrasses d'Alger*, h/t (50x61) : FRF 5 000 ; *Créole*, fus./pap. (90x72) : FRF 4 200.

CAPDEVILA PUIG Ginès
Né en 1860 à Barcelone. XIXᵉ siècle. Espagnol.
Peintre de genre, figures, portraits.
Élève de l'École des Beaux-Arts de Barcelone, il poursuivit ses études à Madrid et à Paris. Prit part à l'Exposition Universelle de Bruxelles en 1910.

CAPDEVILLE Jean
Né en 1917 à Grisolles (Tarn-et-Garonne). XXᵉ siècle. Français.
Peintre. Abstrait, puis figuratif.
Jean Capdeville aborde la peinture en 1947, par désœuvrement, peignant sur le motif les paysages de Céret. Une évolution rapide se dessine avec la série des *Grotesques*, formes auxquelles s'ajoutent des graffitis. Il s'agit désormais d'une peinture abstraite mais qui trouve toujours son référent dans le réel, souvent matérialisé par son vécu personnel. Capdeville refuse d'appartenir à tel ou tel mouvement abstrait. En 1960 il peint d'épaisses masses noires dans lesquelles apparaissent des chiffres. Vers 1970 il décline comme les lettres d'une écriture linéaire, des motifs géométriques, des masses et des traits de couleurs primaires. En 1974 il introduit différents matériaux dans ses compositions, de la corde, du tissu, qu'il lacère ou recoud, provoquant des excroissances ou des failles. Des figures comme des corps ou le visage de sa mère sont présents dans les toiles de la fin des années soixante-dix d'où la couleur est bannie, laissant la place au noir.
BIBLIOGR. : Catalogue de l'exposition *L'Art Moderne à Marseille, La Collection du Musée Cantini*, Musée Cantini, Centre de la Vieille Charité, 1988.

CAPE Ann
Née en 1928 à Bruxelles. Morte en 1982. XXᵉ siècle. Belge.
Céramiste.
Elle fut élève de l'Académie de la Cambre et fut professeur à l'Académie de Watermael-Boitsfort.
BIBLIOGR. : In : *Diction. Biogr. Illustré des artistes en Belgique depuis 1830*, ARTO, Bruxelles, 1987.
MUSÉES : BRUXELLES (Mus. roy.) – IXELLES.

CAPE H.
XIXᵉ siècle. Britannique.
Peintre de paysages.
Il exposa à la Royal Academy et à Suffolk Street, à Londres, de 1830 à 1838.

CAPECCHI Joseph
Né en 1889 à Florence. XXᵉ siècle. Italien.
Sculpteur.

CAPECE Girolamo
Né à Naples. Mort en 1576 à Naples. XVIᵉ siècle. Italien.
Peintre et sculpteur.

CAPECHON Jean
Né vers 1619 à Nancy. Mort le 8 octobre 1689 à Nancy. XVIIᵉ siècle. Français.
Peintre de genre, portraits.
Cité par M. A. Jacquot dans son *Essai de Répertoire des Artistes Lorrains*.

CAPEINICK Jean
Né en 1838 à Gand. Mort en 1890 à Bruxelles. XIXᵉ siècle. Travaillant à Bruxelles. Belge.

Peintre de natures mortes, fleurs.

7 Capcinich

VENTES PUBLIQUES : BRUXELLES, 28 avr. 1982 : *Jour de fête, nature morte aux fleurs*, h/t (100x125) : **BEF 140 000** – NEW YORK, 24 fév. 1983 : *Nature morte aux fleurs 1875*, h/t (125x99,5) : **USD 9 000** – NEW YORK, 21 mai 1987 : *Nature morte aux roses*, h/t (79,7x100,3) : **USD 9 000** – NEW YORK, 16 fév. 1995 : *Nature morte de roses rouges et roses*, h/t (79,4x100,3) : **USD 29 900** – AMSTERDAM, 5 nov. 1996 : *Panier de violettes*, h/t (32x45) : **NLG 3 068** – LOKEREN, 18 mai 1996 : *Nature morte aux pommes*, h/t (58,5x94,5) : **BEF 60 000** – NEW YORK, 24 oct. 1996 : *Nature morte aux fleurs ; Nature morte aux plantes tropicales sur une balustrade*, h/t, une paire (204,5x208,3 et 203,2x188,6) : **USD 31 625** – NEW YORK, 23 mai 1997 : *Pivoines et aubépine*, h/t (139,7x110,5) : **USD 26 450**.

CAPEK Josef ou Joseph
Né le 23 mars 1887 à Hronov-nad-Metuji (Bohême). Mort en mars 1945 à Bergen-Belsen, en camp de déportation. XXᵉ siècle. Tchécoslovaque.
Peintre de figures, compositions à personnages, graveur, illustrateur, peintre de décors de théâtre. Cubiste, puis expressionniste et réaliste-socialiste.
Il était le frère de l'écrivain Karel Capek, le dramaturge de *Robots*, lui-même eut une activité littéraire et de critique d'art. Il fut élève, à partir de 1905, de l'École des Arts et Métiers de Prague, et vint compléter sa formation à Paris en 1911, où il fut certainement en contact avec les mouvements fauves et cubistes.
Retourné en Tchécoslovaquie, en 1911-1912 il fut rédacteur d'une revue d'art, où s'exprimaient les tendances novatrices. Il convient de se rappeler que Prague était alors un des pôles importants où se produisaient les mutations des expressions plastiques, auxquelles participaient les Filla, Kupka, Sima, Kubista, et d'autres. Ultérieurement, Prague fut aussi un des foyers du surréalisme. Les protagonistes du cubisme tchèque, dont fait partie Capek, furent admis dans la Société des Artistes Manes, une institution artistique conservatrice. Ils en font sécession en 1911 pour fonder le Groupe des Artistes Plasticiens, Josef Capek les rejoint. Il fut un des fondateurs du groupe des *Turdosijni* (Obstinés) en 1918, qui organisa une exposition à Prague sous le titre *Et pourtant*. Dans les années trente, et surtout après le traité d'union avec l'URSS de 1935, il délaissa en partie la peinture pour la lutte politique contre le fascisme, devant la menace des nazis parvenus au pouvoir en 1933 en Allemagne, et présents en Tchécoslovaquie-même avec les quelques millions d'Allemands dits des « Sudètes ». Après l'annexion de la Tchécoslovaquie, il fut arrêté le 1ᵉʳ septembre 1939, déporté dans différents camps de concentration, jusqu'à celui de Bergen-Belsen, où il mourut. Il était représenté à la Biennale de São Paulo en 1957. Le Musée National de Prague lui consacra une exposition rétrospective en 1979.
Il a consacré son activité de peintre à l'illustration de la vie quotidienne des gens du peuple. Après avoir été influencée par Cézanne, sa peinture, pendant presque la totalité de sa carrière, fut fortement marquée par le cubisme, dont il fut, avec Filla et Kubista, un des principaux représentants en Tchécoslovaquie, non le cubisme « analytique » de 1910, mais un cubisme tempéré plus stylistique que théorique, à peu près limité à une transcription des volumes par facettes et de l'espace par plans, qui lui procurait une force certaine et une construction de la composition rigoureuse. Dans ses rapports avec le cubisme, il était de ceux qui refusaient l'idée que Braque et Picasso en étaient les seuls représentants autorisés. Particulièrement dans la période entre 1913 et 1917, son propre travail va au-delà du cubisme au sens restreint du terme, et pourrait être comparé à ce que, plus tard, feront Léger et Jawlensky. Après 1920, ce fut franchement vers la misère des banlieues ouvrières qu'il dirigea toute sa critique sociale inhérente à sa peinture : *L'homme au sac* de 1926. Aussi, tout en référant au fauvisme son dessin en longues arabesques, dut-il mettre un accent tout particulier sur la lisibilité de ses peintures, ce qui l'a souvent conduit à un contenu essentiellement narratif, dans lequel il s'avéra bientôt comme un des représentants les plus caractéristiques du « réalisme socialiste » prôné par les instances communistes. Autour de 1930, il peignit une série édifiante autour des enfants et de la campagne : *Vacances*. Tout changea de nouveau après 1933, l'accession des nazis en Allemagne et leur menace sur la Tchécoslovaquie, son écriture plas-

tique, déjà détachée du formalisme cubisant, durcit le côté optimiste du réalisme de propagande, pour renouer avec l'efficacité expressionniste : *Le peuple* de 1933, enfin sa peinture devint l'instrument de son combat contre le fascisme, avec les cycles des *Feux* en 1938 et des *Aspirations* en 1939. Son activité picturale semble s'être ou avoir été, arrêtée là. ■ Jacques Busse

1C. 1917

BIBLIOGR. : In : *Diction. de la peint. allemande et d'Europe centrale*, Larousse, Paris, 1990.
MUSÉES : OLOMOUC (Gal. région. des Beaux-Arts) : *Vacances* vers 1930 – OSTRAVA (Gal. des Beaux-Arts) : *Le peuple* 1933 – PRAGUE (Gal. Nat.) : *Le marin* 1913 – *Le roi nègre* 1920 – *L'homme au sac* 1926 – cycle des Feux 1938 – cycle des Aspirations 1939.
VENTES PUBLIQUES : LONDRES, 13 mars 1996 : *Tête cubiste*, aquar. (45x24) : **GBP 2 780** – LONDRES, 19 mars 1997 : *Oiseau 1914*, aquar./pap. (26,3x29) : **GBP 6 900**.

CAPEL Willem Adriaensz Van
XVIIᵉ siècle. Hollandais.
Peintre.
Fils du peintre Adriaen Willemsz Van Capel, il fut maître à Utrecht en 1630. Il peignit un *Zacharie et Jésus enfant* dont il fit don à l'hôpital d'Utrecht.

CAPELA
XVIIᵉ siècle. Actif à Toulouse. Français.
Sculpteur.
Associé de l'Académie de Toulouse.

CAPELAN Carlos
Né en 1948 à Montevideo. XXᵉ siècle. Depuis 1974 actif en Suède. Uruguayen.
Peintre, créateur d'installations.
Il a étudié, entre 1978 et 1981, au Grafikskolan Forum à Malmö en Suède. Il a obtenu de nombreuses bourses en Suède, du Pratt Institute de New York en 1985, du Guggenheim à New York en 1996. Il vit et travaille à Lund.
Il participe à des expositions collectives, parmi lesquelles : 1997, Treizièmes Ateliers du Fonds régional d'art contemporain des Pays de la Loire, Saint-Nazaire. Il montre ses œuvres dans des expositions personnelles depuis 1978 en Suède, en Amérique latine, aux États-Unis et en France : Maison de l'Amérique latine à Paris en 1994, galerie Le Monde de l'Art à Paris en 1997.
Ses installations rassemblant des objets collectés, cartes, pierres et plantes vertes..., questionnent les structures identitaires au travers de différentes cultures et traditions.
MUSÉES : BADAJOZ (Mus. de Arte) – GOTHENBURG (Art Mus.) – LUND (Ville) – MALMÖ (Statens Konstrad) – SÖDERTÄLJE (Art Mus.).

CAPELAN Philippe
XVIIᵉ siècle. Vivant à Amsterdam en 1688. Français.
Peintre.

CAPELLA. Voir aussi CAPPELLA

CAPELLA Francesco ou Cappella. Voir DAGIU Francesco

CAPELLA Joan
Né en 1927 à Reixac-Barcelone (Catalogne). XXᵉ siècle. Espagnol.
Peintre. Postcubiste.
Il fut élève de l'École des Beaux-Arts Sant-Jordi de Barcelone. Il séjourna à Paris de 1965 à 1972. Depuis 1950, il participe aux Salons d'Octobre et de Mai à Barcelone, ainsi qu'à d'autres expositions collectives, dont : 1963 Salon d'Automne de Paris, 1982 *École espagnole de Paris* à Barcelone, etc. Il montre ses œuvres dans de nombreuses expositions personnelles : à Barcelone nombreuses depuis 1956, 1957 Madrid, 1974 Saragosse, 1992 Paris.

CAPELLA Pierre
Né à Toulouse (Haute-Garonne). XXᵉ siècle. Français.
Lithographe et enlumineur.
Élève de Bonnat et L. O. Merson. Expose au Salon de 1926.

CAPELLANI Antonio ou Capelan, Cappellan
Né vers 1740 à Vérone ou à Venise. XVIIIᵉ siècle. Italien.
Graveur.
Cet artiste fut élève de Wagner. Il travailla à Rome et à Venise. Il

fournit des planches pour un ouvrage de Vasari, qui fut publié à Rome en 1760, et grava aussi des illustrations pour la *Schola Italicae Picturae*, ouvrage dans lequel il fut guidé par Gavin Hamilton. Capellani fit beaucoup de planches d'après Domenico Maiotto, Michel-Angelo et Corregio.

CAPELLANI Paul
Né à Paris. XIXᵉ-XXᵉ siècles. Français.
Sculpteur.
Élève de M. Blondat et R. Peyre. Artiste dramatique, il a exposé au Salon des Artistes Français, dont il est sociétaire. Le musée du Mont Saint-Michel conserve de lui : *L'Enlisé*, exposé en 1909.

CAPELLANI Simone Marcelle
Née à Vincennes (Val-de-Marne). XXᵉ siècle. Française.
Peintre de fleurs et de fruits.
Élève de P. Laurens. En 1929 elle exposait au Salon des Artistes Français à Paris : *Tulipes* et *Fruits*.

CAPELLANO Antonio
Né en Espagne. XXᵉ siècle. Espagnol.
Sculpteur.

CAPELLARO Charles Romain
Né le 2 septembre 1826 à Paris. Mort le 11 novembre 1899 à Paris. XIXᵉ siècle. Français.
Sculpteur.
Entré à l'École des Beaux-Arts le 30 mars 1842, il étudia sous la direction de David d'Angers, de F. Rude et de Duret. Il fut médaillé en 1863, en 1865 et en 1866. Ses débuts au Salon de Paris datent de 1848. On cite parmi ses œuvres : *Le Génie de l'Immortalité* destiné à la tombe d'un des enfants ; *Paysan* ; *L'Ange de la délivrance* (Saint-Germain l'Auxerrois) ; *L'archange Gabriel* (Saint-Eustache) ; *Statue d'Hérault de Séchelles* (façade de l'Hôtel de Ville) ; *Allégorie de la Révolution française* ; *La Satire*.

CAPELLARO Paul Gabriel
Né le 18 août 1862 à Paris. XIXᵉ siècle. Actif à Paris. Français.
Sculpteur de bustes.
Élève de Dumont, Thomas, Mathurin Moreau. Il obtint le prix de Rome en 1886. Sociétaire des Artistes Français à Paris, il y obtint des médailles en 1889, 1892 et 1900. Chevalier de la Légion d'honneur en 1903. On voit de ses bustes au musée de Versailles, au Palais de la Légion d'honneur et à la Faculté de Pharmacie.

CAPELLE Alfred Eugène
Né le 18 octobre 1834 à Rouen (Seine-Maritime). Mort en 1887. XIXᵉ siècle. Travaillant à Chennevières-sur-Marne et à Asnières. Français.
Peintre, fresquiste.
Élève de T. Couture et de Sauvageot, il débuta au Salon de Paris en 1863. Il a peint deux fresques à l'église Saint-Pierre de Montrouge, à Paris.

Eug Capelle

CAPELLE Françoise Van der ou Cappelle
XVIᵉ siècle. Actif à Bruges vers 1535. Éc. flamande.
Peintre ?
Il est vraisemblable qu'elle n'est pas l'auteur des miniatures ornant les livres dont elle écrivit le texte, celles-ci ayant été exécutées par d'autres religieuses de la même communauté.

CAPELLE Jan
XVIIᵉ siècle. Actif à Haarlem en 1686. Hollandais.
Peintre.

CAPELLE Jan Van de ou Cappelle
Né vers 1624 à Amsterdam. Mort le 22 décembre 1679. XVIIᵉ siècle. Hollandais.
Peintre de paysages, marines.
Il apprit la peinture sans maître. Il fut ami de Jacobus Van Dorsten, de Hals et de Rembrandt ; il réunit une collection de 197 tableaux et dessins de Rembrandt, Frans Hals, Rubens, Brouwer, de Simon de Vlieger pour lequel il avait une prédilection particulière, etc., et laissa à ses sept enfants une énorme fortune. Poussé à peindre par Hals et Rembrandt, il a peint des scènes d'hiver, des rivières et surtout des marines, genre très prisé en Hollande, où il se distinguera par la splendeur de ses ciels au couchant et la poésie des reflets dans l'eau.
Musées : AMSTERDAM : *Un vaisseau amiral* – ANVERS : *Paysage*

avec rivière – ARENBERG : *Vue de l'Escaut* – BERLIN : *Mer calme* – BÉZIERS : *Marine* – BRUXELLES : *Mer calme* – COLOGNE : *Paysage avec rivière, ou Coucher de soleil* – DUBLIN : *Scène d'hiver en Hollande* – GLASGOW : *Vaisseau et vue marine* – LA HAYE : *Village avec un canal en hiver* – LILLE : *Marine* – LONDRES : *Scène de côte* – *Scène de rivière avec bateau à voiles* – *Scène de rivière avec barques arrêtées 1650* – *Scène de rivière 1665* – *Vaisseaux* – *Scène de côte, avec un bateau débarquant des passagers* – *Calme* – *A Dutch Galiot* – LONDRES (Nat. Gal.) : *cinq tableaux* – MUNICH : *Canal hollandais avec vaisseaux* – SAINT-PÉTERSBOURG : *Fleuve,* attribué à Rembrandt – STOCKHOLM : *Port de mer avec vagues brillant au soleil* – VIENNE (Mus. impérial) : *Mer calme.*

VENTES PUBLIQUES : AMSTERDAM, 18 mai 1706 : *Une mer calme avec navires* : **FRF 110** – PARIS, 1846 : *Vue d'un canal de Hollande* : **FRF 2 500** ; PARIS, 1849 : *Une marine* : **FRF 1 300** – *Temps calme sur la côte hollandaise* : **FRF 8 135** – LONDRES, 1865 : *Une vue de rivière avec bateaux et figures* : **FRF 13 370** – LONDRES, 1875 : *Château de Dordrecht* : **FRF 18 900** – LONDRES, 1876 : *Plage, bateaux et pêcheurs* : **FRF 17 300** – LONDRES, 1880 : *Marine* : **FRF 30 000** – LONDRES, 1885 : *Marine* : **FRF 4 600** – LONDRES, 7 juil. 1888 : *Scène d'estuaire, h/t* (85,5x113,5) : **GNS 510** – LONDRES, 1889 : *Marine* : **FRF 3 000** – LONDRES, 1893 : *Calme, bateau à l'ancre* : **FRF 7 870** – LONDRES, 1893 : *Mer calme* : **FRF 24 905** – LONDRES, 1896 : *Bords de rivière* : **FRF 18 370** – LONDRES, 25 juin 1898 : *Marine, bateaux pêcheurs* : **FRF 5 975** – LONDRES, 1899 : *Patineurs sur la glace* : **FRF 11 960** – PARIS, 1899 : *La Meuse* : **FRF 7 700** – NEW YORK, 24 mars 1905 : *Le soir sur la Scheldt* : **USD 450** – LONDRES, 29 avr 1908 : *A calm* : **GBP 1 102** – LONDRES, 5 déc. 1908 : *Rivière gelée* : **GBP 18** – LONDRES, 23 juil. 1909 : *Marine* : **GBP 29** – LONDRES, 18 avr. 1910 : *Naviguant dans le calme* : **GBP 93** – LONDRES, 19 juil. 1922 : *Marine* : **GBP 11** – LONDRES, 13 avr. 1923 : *L'embouchure du fleuve* : **GBP 2 310** – LONDRES, 6 juil. 1923 : *Vue de la côte hollandaise* : **GBP 4 200** – *Une côte* : **GBP 1 890** – LONDRES, 30 mai 1930 : *Marine* : **GBP 273** – LONDRES, 12 juin 1931 : *Rivière gelée* : **GBP 199** – GENÈVE, 28 août 1934 : *Marine* : **CHF 7 200** – GENÈVE, 27 oct. 1934 : *Patineurs* : **CHF 5 050** ; *Marine* : **CHF 4 050** – GENÈVE, 25 mai 1935 : *Voiliers* : **CHF 5 100** – PARIS, 6 mars 1942 : *Clair de lune par mer calme* : **FRF 30 000** – LONDRES, 20 oct. 1943 : *Bateaux de guerre et flottille* : **GBP 178** – LONDRES, 9 juin 1944 : *Bateaux de pêche à l'ancre* : **GBP 1 312** – LONDRES, 26 juin 1957 : *Estuaire de rivière* : **GBP 720** – LONDRES, 8 juil. 1959 : *Bateaux de pêche à l'ancre* : **GBP 6 500** – LONDRES, 29 oct. 1965 : *Bord de mer en Hollande* : **GNS 40 000** – LONDRES, le 25 fév. 1966 : *Barques de pêche à l'ancre* : **GNS 52 000** – LONDRES, 26 mars 1969 : *Bateaux devant la côte* : **GBP 125 000** – LONDRES, 29 juil. 1979 : *Scène d'estuaire, h/t* (85,5x113,5) : **GBP 510 000** – LONDRES, 18 avr. 1980 : *Scène de bord de mer, h/pan.* (40x55) : **GBP 28 000** – LONDRES, 10 juil. 1981 : *Voyageurs dans un paysage d'hiver aux abords d'un village, h/pan.* (56x45) : **GBP 38 000** – NEW YORK, 9 mai 1985 : *La Visite du prince Frederik Hendrik à la flotte mouillée à Dordrecht, en 1646, h/pan.* (76,2x102,8) : **USD 1 500 000** – NEW YORK, 13 jan. 1987 : *Voiliers et barques en mer, h/pan.* (62,2x83,2) : **USD 900 000** – LONDRES, 6 déc. 1989 : *La Mer calme, h/t* (45,5x65,5) : **GBP 770 000** – LONDRES, 13 déc. 1991 : *Navigation par grand calme à Flessingue et la flotte des États tirant une salve d'honneur 1645, h/pan.* (69,7x92,2) : **GBP 2 640 000** – LONDRES, 6 déc. 1995 : *Navigation par temps calme 1661, h/pan. de chêne* (59x43,5) : **GBP 54 300** – NEW YORK, 12 jan. 1996 : *Passagers dans une barque à rames approchant de diverses embarcations dans un estuaire, h/t* (50,8x64,2) : **USD 123 500** – LONDRES, 3-4 déc. 1997 : *Marine avec des pêcheurs et des personnages sur une jetée 1651, h/t* (50x75,9) : **GBP 78 500.**

CAPELLE Jean
XVᵉ siècle. Actif à Bruges. Éc. flamande.
Peintre de miniatures.
Il fut élève de Henri Seraus en 1480.

CAPELLE Pieter
Né en 1644. XVIIᵉ siècle. Actif à Haarlem. Hollandais.
Peintre.

CAPELLEN Jan Baptiste Van
XVIIᵉ siècle. Actif à Anvers. Éc. flamande.
Peintre.

CAPELLI A.
XIXᵉ siècle. Italien.
Graveur au burin.

CAPELLI Bernardino di
Originaire de Mantoue. XVIᵉ siècle. Italien.

Peintre.

Il est mentionné à Venise en 1547. Il fut vraisemblablement l'aide de son frère Camillo di Capelli.

CAPELLI Camillo di, dit Camillo Mantovano
Originaire de Mantoue. Mort en 1568 à Venise. xvie siècle. Italien.

Peintre.

Il a travaillé successivement à Mantoue (1514), à Pesaro (1537), à Venise (à partir de 1541). Selon Vasari il a peint des paysages et des natures mortes (fleurs et fruits).

CAPELLI Francesco ou Cappelli, dit aussi Caccianemici
Né à Sassuolo, dans la province de Modène. Mort après 1568. xvie siècle. Vivant à Bologne en 1535. Italien.

Peintre d'histoire.

Cet artiste ne doit pas être confondu avec le Francesco Caccianemici qui fut l'aide de Primaticcio et qui était originaire de Bologne. Capelli fut guidé dans ses études par Corregio ou par quelque représentant de son école. On cite de lui une *Vierge et saint Geminianus* (à la Confrérie de Saint-Sébastien, à Sassuolo) ; un *Saint Geminianus* conservé à S. Pietro, à Modène, lui est parfois attribué.

CAPELLI Giovanni
Né le 17 février 1923 à Cesena. xxe siècle. Italien.

Peintre. Figuration narrative.

Il fit ses études artistiques à Bologne et exposa rapidement dans les grandes villes italiennes. En 1956 il figura à la Biennale de Venise et en 1970 à la Biennale d'art méditerranéen.

Ses toiles au contenu presque exclusivement politique mettent en scène des formes squelettiques. Son art se rapproche, dans son régime contestataire, de l'expérience de tout un groupe de peintres milanais, de Banchieri à Martinelli.

CAPELLI Giovanni Antonio ou Cappelli, Cappello
Né à Brescia, en 1664 ou en 1669 selon Zani. Mort en 1741. xviie-xviiie siècles. Italien.

Peintre, fresquiste.

Son premier professeur fut Pompeo Ghiti, mais, pendant ses voyages, il se fixa à Bologne, où il étudia avec Pasinello, et, plus tard, s'arrêtant à Rome, il reçut des conseils de Bacciccia. Ses œuvres principales sont des fresques qu'il exécuta à Brescia. Il a peint dans la manière de Pietro Testa.

CAPELLI Giuseppe
Né à Rome. Mort en 1734 à Rome. xviiie siècle. Travaillant à Naples. Italien.

Peintre de décors de théâtre.

CAPELLI Pancrazio ou Cappelli
xviiie siècle. Actif dans la première moitié du xviiie siècle. Italien.

Graveur au burin.

CAPELLI Zuan Maria di
Originaire de Mirandola. Mort avant 1547. xvie siècle. Italien.

Peintre.

Il est le père de Camillo di Capelli. Il travailla à Mirandola et sans doute aussi à Mantoue.

CAPELLINI Gabriele ou Cappellino, dit Calegarino ou Calzolajo
Né à Ferrare. xvie siècle. Actif à Ferrare. Italien.

Peintre.

Il fut élève de Dosso Dossi et réussit très bien à imiter la manière de son maître. Le musée de Ferrare conserve de lui un *Saint François recevant les stigmates en présence de plusieurs saints* et une *Sainte Lucie*.

CAPELLINO Giovanni Domenico. Voir CAPPELLINO

CAPELLO Armand
Né à Lyon (Rhône). xxe siècle. Français.

Peintre de nus, de paysages, de fleurs, d'intérieurs.

Il exposa à Paris, au Salon d'Automne et au Salon des Artistes Indépendants. Il fut invité au Salon des Tuileries en 1930.

CAPET Lucien
Né en 1873. Mort en 1928. xixe-xxe siècles. Français.

Peintre et dessinateur.

Une rétrospective de son œuvre eut lieu en juin 1929, dans l'ancienne Galerie G. Petit, sous le patronage de la princesse Marie de Grèce et du président E. Herriot.

CAPET Marie Gabrielle
Née le 6 septembre 1761 à Lyon (Rhône). Morte le 1er novembre 1818 à Paris. xviiie-xixe siècles. Française.

Peintre de portraits, miniatures, pastelliste, dessinateur.

Élève, à Paris, de Mlle Guiard (plus tard Mme Vincent). Elle débuta dans cette ville, en 1781, à l'Exposition de la Jeunesse, avec une *Tête d'expression* aux trois crayons, exposa ensuite, de 1782 à 1814, des portraits à l'huile et au pastel et des miniatures, et fut, sous le Consulat et l'Empire, un des peintres du monde officiel.

On cite parmi ses œuvres : *Un jeune homme en habit noir et une personne riant* (1782) ; *Portrait de l'artiste par elle-même* (1783) ; *Portrait de Mlle Mars* et *Le sculpteur Houdon*, miniature (1800) ; *Mme Vincent travaillant au portrait de Vien et ses principaux élèves* (1808), *Hygie* et *Officier d'artillerie* (1814) ; *Portraits de Mmes Adélaïde et Victoire* ; *Portrait de la princesse de Caraman-Chimay* ; *Portrait du peintre Pallière*.

Bibliogr. : A. Doria : *Gabrielle Capet*, Paris, 1934.

Ventes Publiques : Paris, 1867 : *Portrait de femme en robe blanche, coiffée d'un chapeau de paille* : FRF 46 – Paris, 1er fév. 1877 : *Portrait de la princesse de Caraman-Chimay*, miniat. : FRF 3 000 – Paris, 1891 : *Portrait de femme*, miniat. ronde sur ivoire : FRF 2 200 – Paris, 1892 : *Portrait de Marie-Joseph Chénier*, past. : FRF 470 – Paris, 1898 : *Portrait de J.-B. Baignières*, dess. de forme ronde : FRF 115 – Paris, 10-15 mai 1909 : *Portrait de femme* : FRF 1 000 – Paris, 8 avr. 1919 : *Portrait de jeune fille*, miniat. ronde montée sur une boîte d'écaille blonde : FRF 1 760 – Paris, 1920 ou 1921 : *Portrait d'homme*, past. : FRF 5 600 – Paris, 4 mai 1921 : *Portrait de jeune femme* : FRF 18 000 – Paris, 23 mai 1923 : *Portrait présumé de Marie-Joseph Chénier*, cr. : FRF 95 – Paris, 26 et 27 nov. 1923 : *Le concert* : FRF 48 000 – Paris, 5 et 6 mars 1937 : *Jeune femme en robe blanche assise sur un banc et tenant un éventail* : FRF 5 650 – Paris, 29 nov. 1948 : *Portrait de femme en robe blanche*, miniat. : FRF 22 000 – New York, 5 juin 1980 : *Portrait d'homme 1803*, past., de forme ovale (65x53,5) : USD 2 000 – Paris, 17 juin 1991 : *Madame Labille-Guiard exécutant le portrait du peintre Vien, sénateur et comte de l'Empire*, h/t (68x83) : FRF 1 500 000.

CAPEWELL Samuel
xixe siècle. Travaillait vers 1860.

Graveur.

CAPEY Reco
xxe siècle. Travaillant à Londres. Britannique.

Peintre de genre, paysages.

Il a exposé à la Société Nationale un paysage et une scène de genre, en 1934-35.

CAPEYRON
xixe siècle. Travaillant à Bordeaux (Gironde). Français.

Peintre animalier et paysagiste.

A exposé au Salon de Bordeaux en 1871 : *Cheval russe* et *Chevaux de ferme*. Le musée de Rochefort conserve deux toiles de cet artiste.

CAPEZZUOLI Giovanni Battista
xviiie siècle. Actif à Florence. Italien.

Sculpteur.

CAPGRAS Georges
Né le 16 mai 1866 à Joinville-le-Pont (Val-de-Marne). Mort le 5 août 1947 à Paris. xixe-xxe siècles. Français.

Peintre de compositions à personnages et de paysages, dessinateur.

Il fut élève de William Bouguereau, Emile Dameron, Georges Callot et travailla dans l'atelier de Gustave Moreau, dont il est assez proche. Il figura à l'Exposition Coloniale de 1906 et au Salon des Artistes Français où il reçut une médaille d'or en 1923. Il fut fait Chevalier de la Légion d'Honneur.

Il aimait peindre les paysages d'Alsace. Il a décoré la chambre à coucher du roi d'Égypte Fouad 1er, au palais d'Abdine. Pendant la première guerre mondiale il fut peintre aux Armées.

Musées : Dijon – Paris (Mus. de la Guerre) – San Francisco.

Ventes Publiques : Paris, 27 juin 1923 : *Troupeau au pâturage* : FRF 50 – Paris, 23 nov. 1936 : *Scène antique dans un parc*, dess. à la pierre noire : FRF 30.

CAPHISIAS
Actif en Béotie. Antiquité grecque.

Sculpteur.

CAPI Paolo Emilio
Mort en 1630. xviie siècle. Actif à Pesaro. Italien.

Graveur.

CAPIEU Simone
Née en 1923 à Dakar (Sénégal). xxe siècle. Active en France. Sénégalaise.

Peintre de paysages.
Elle voyagea tôt de par le monde et retrace sur la toile les souvenirs des pays multiples qu'elle a traversés.

CAPIEUX Johann Stephan
Né en 1748 à Schewdt. Mort en 1813 à Leipzig. XVIIIᵉ-XIXᵉ siècles. Allemand.
Peintre et graveur à l'eau-forte et au burin.
Élève de Œser et de l'Académie de Leipzig puis, dans cette ville, de Fassauer, et plus tard de J. G. Wagner à Hambourg. Il a illustré avec talent des ouvrages d'anatomie, de botanique et de minéralogie et laissé, d'autre part, quelques miniatures. Son fils, Johann-Stephan-Friedrich (1777-1801) fut un peintre de miniatures.

CAPILLA Vicente
Né en 1767 à Valence. XVIIIᵉ siècle. Espagnol.
Graveur en taille-douce.
Élève du graveur Montfort. Il devint, en 1817, directeur de l'Académie San Carlos à Valence. Il a gravé surtout des estampes religieuses.

CAPILUPI Geminiano
Mort en 1606 à Modène. XVIᵉ siècle. Actif à Modène. Italien.
Peintre.

CAPISANI Angelo
D'origine piémontaise. XIXᵉ siècle. Italien.
Peintre.

CAPITAIN Remio
XVIIᵉ siècle. Actif dans la première moitié du XVIIᵉ siècle.
Graveur.
Travaillait pour Jacques de Bie.

CAPITAINE Gilles
XVIᵉ siècle. Actif à Lille. Français.
Sculpteur.
Il fit, en 1538, pour la halle des échevins, les statues du Christ, de la Vierge, de l'empereur et du roi d'Espagne. En 1597, il exécuta diverses restaurations à cet édifice.

CAPITANELLO Tommaso
XVIIᵉ siècle. Actif à Ferrare. Italien.
Peintre.

CAPITANI Giuliano ou Giulio
XVIᵉ siècle. Actif à Crémone. Italien.
Peintre.
Il fut élève et aide de Bernardino Campi.

CAPITELLI Bernardino
Né en 1589 à Sienne. Mort en 1639. XVIIᵉ siècle. Travaillant à Sienne et à Rome. Italien.
Peintre et graveur à l'eau-forte.
D'abord élève de Casolani, il reçut plus tard des conseils de Manetti et fut connu principalement pour la perfection et le fini de son dessin. Il travailla dans sa ville natale et à Rome et produisit beaucoup entre 1622 et 1637.

CAPIZUCCHI Marco
XIXᵉ siècle. Actif à Rimini. Italien.
Peintre.

CAPLET Jean Baptiste
XVIIIᵉ siècle. Actif à Angers. Français.
Peintre.

CAPLIEZ Achille
Né à Cambrai (Nord). XXᵉ siècle. Français.
Peintre de paysages.
Il fut élève de Fernand Sabatté et de Pharaon de Winter. Il fut sociétaire des Artistes Français, recevant une médaille en 1932.

CAPLIN Jean François Isidore
Né en 1779 à Paris. XIXᵉ siècle. Français.
Graveur et aquarelliste.

CAPMANY MONTANER Ramon
Né en 1899 à Canet de Mar (Barcelone). XXᵉ siècle. Espagnol.
Peintre de paysages, dessinateur, graveur, illustrateur.
En 1917 il entra à l'École des Beaux-Arts de Barcelone et travailla dans l'atelier de Francisco Labarta. En 1919 se tint sa première exposition. Il fit de nombreux voyages en Europe et habita Paris.
Il illustra de nombreux ouvrages littéraires. Il a peint de nombreux paysages, notamment des vues de Barcelone.

BIBLIOGR. : In : *Cent ans de peinture en Espagne et au Portugal, 1830-1930*, t. I, Antiquaria, 1988.
VENTES PUBLIQUES : BARCELONE, 19 juin 1980 : *Paysage*, h/t (65x100) : **ESP 400 000** – BARCELONE, 28 jan. 1981 : *Paysage rural*, h/pan. (33x46) : **ESP 90 000** – BARCELONE, 19 déc. 1984 : « *El Pla de la Boqueria* », h/t (81x116) : **ESP 750 000** – BARCELONE, 29 mai 1985 : *Paysage à la ferme*, h/t (89x116) : **ESP 500 000** – BARCELONE, 18 déc. 1986 : *Zgal*, h/t (52,5x79) : **ESP 270 000** – BARCELONE, 17 déc. 1987 : *Les tours de Sainte-Marie de la Mer*, h/t (68x82) : **ESP 8 500 200** – LONDRES, 14 fév. 1990 : *La vie à la campagne en hiver*, h/t (73x100) : **GBP 17 600**.

CAPMANY Y SANDIUMENGE Pedro
XIXᵉ siècle. Actif à Barcelone. Espagnol.
Peintre de portraits, paysages, architectures, natures mortes.
On cite de lui le *Portrait du marquis de la Mina* (1880).

CAPMAU Louis Joseph Auguste
Né au XIXᵉ siècle à Siran. XIXᵉ siècle. Français.
Peintre et dessinateur.
Élève de Bonnat. Il exposa aux Artistes Français à Paris en 1903 et 1904.

CAPO Camillo dal
Originaire de Brescia. XVIIᵉ siècle. Actif au début du XVIIᵉ siècle. Italien.
Sculpteur et fondeur.

CAPO Domenico di Filippo. Voir CAFAGGI

CAPO Francesco de
Originaire de Lecce. XVIIIᵉ siècle. Travaillant à Naples et à Rome. Italien.
Peintre de paysages.

CAPO N.
XVIIIᵉ siècle. Travaillant dans l'île de Majorque vers 1744. Espagnol.
Graveur.

CAPO Y CELADA Antonio
Né en 1817 à Madrid. Mort le 4 octobre 1870 à Cordoue. XIXᵉ siècle. Espagnol.
Peintre.
Il fut successivement artiste lyrique, puis acteur dramatique. Il commença assez tard l'étude du dessin et de la peinture, mais de suite se classa parmi les maîtres espagnols du XIXᵉ siècle. Il a obtenu des récompenses aux expositions de Paris (1855), Madrid (1858), Londres (1862).

CAPOBIANCHI V.
XIXᵉ siècle. Italien.
Peintre de genre.
VENTES PUBLIQUES : LONDRES, 10 mai 1944 : *La boutique de mandolines* : **GBP 74**.

CAPOBIANCO Giovanni Giorgio
Né à Vicence. Mort en 1570 à Rome. XVIᵉ siècle. Italien.
Orfèvre, sculpteur sur bois et ingénieur.

CAPOCCHINI Ugo
Né en 1901 à Barberino di Val d'Elsa. XXᵉ siècle. Italien.
Sculpteur et peintre.
MUSÉES : FLORENCE (Gal. d'Art Mod.) : *Étude de figure.*

CAPODIBUE. Voir CODIBUE Giambattista

CAPODIFERRO ou Codiferri, famille d'artistes
Originaires de Lovere. XVIᵉ siècle. Actifs à Bergame. Italiens.
Giovanni-Francesco fut marqueteur, ses frères Giovanni-Donato et Giovanni-Pietro sculpteurs sur bois.

CAPOGROSSI Giuseppe
Né en 1900 à Rome. Mort en 1972 à Rome. XXᵉ siècle. Italien.
Peintre de compositions à personnages, nus, paysages, natures mortes. Figuratif puis abstrait.
C'est après un diplôme de droit obtenu à l'Université de Rome en 1921 qu'il entama des études artistiques et fréquenta l'atelier de Felice Carena. Entre 1927 et 1932 il vécut à Paris et de retour à Rome fonda le *Gruppo romano* auquel se joindront Cagli, Cavalli, Mafai et Pirandello. Il a exposé dans de nombreuses manifestations collectives internationales parmi lesquelles : la Biennale de Venise à partir de 1928, la Quadriennale de Rome à partir de 1935, la Biennale de São Paulo en 1955 et 1959, la Pittsburgh International Exhibition, la Documenta I et II de Cassel en 1955 et 1959. Il a exposé personnellement ses œuvres à partir de

1927. Il a reçu des distinctions dont le Prix Grazziano à Milan en 1953, le Prix Giulio Einaudi à la Biennale de Venise de 1954, un prix à l'exposition Maggio di Bari en 1957, le prix de la Municipalité de Venise à la Biennale de 1962.

Au temps du *Gruppo romano*, il pratique une peinture strictement figurative, des compositions à personnages et des nus, des paysages, des natures mortes. La recherche commune du groupe est définie par le désir d'exprimer un nouvel aspect du réel par une plus grande liberté formelle et une gamme chromatique très vive. Au seuil de la guerre, Capogrossi est inquiété par le régime fasciste et sa carrière marque un temps d'arrêt. C'est en 1949-1950 qu'il passe sans transition à l'abstraction. En 1951 il fonde le groupe *Origine* avec Ballocco, Colla et Burri, dont un manifeste définit le programme : refus de la figuration sur trois dimensions, utilisation de la couleur dans sa fonction purement expressive, utilisation d'images primitives dont on retrouve la signification à l'origine de l'écriture et du signe. Dès lors, Capogrossi construit ses toiles à partir d'un signe unique, sorte de trident, indéfiniment répété dans ses toiles et ses collages. Il nomme ce signe « morphème », et construit avec ce motif sans cesse répété des structures closes ou éclatées, d'abord en noir et blanc puis ultérieurement en couleur. Le contenu varie en fonction des rythmes imprimés à la composition et des combinaisons du motif avec des lignes et des plages colorées. Dorfles a analysé le signe de Capogrossi qui possède à ses yeux « outre une indiscutable efficacité plastique et de composition, une mystérieuse nature cryptique qui procède à la fois de la magie et de la science, et évoque certains symboles extraits de textes hermétiques, voire certains traités d'alchimie ». Plus mesuré, son biographe Michel Seuphor écrit : « Il avait atteint certaines limites ; désormais, il n'a jamais fini de recommencer. » L'œuvre de Capogrossi apparaît ainsi comme l'expression personnelle d'une écriture visuelle, difficile à déchiffrer, la déclinaison obstinée d'un thème unique. ■ J. B, F. M.

Capogrossi [signature]

BIBLIOGR. : Michel Seuphor : *Capogrossi*, Cavallino, Venise, 1954 – Giulio Carlo Argan : *Capogrossi*, Editalia, Rome, 1967 – in : *Les Muses*, t. IV, Grange Batelière, Paris, 1970 – in : *Diction. Univ. de la Peinture*, Robert, Paris, 1975.

MUSÉES : BARI – BRUXELLES – LONDRES (Tate Gal.) – NEW YORK (Mus. of Mod. Art) – PARIS – ROME (Gal. d'Arte Mod.) – SÃO PAULO – TRIESTE.

VENTES PUBLIQUES : MILAN, 8 juin 1976 : *Superficie 406* 1957, h/t (50x60) : **USD 5 750** – ROME, 19 mai 1977 : *Composition*, gche (35x48) : **ITL 1 900 000** – MILAN, 7 juin 1977 : *Superficie 224* 1955, h/t (52x81) : **ITL 10 500 000** – ROME, 23 mai 1978 : *Superficie* 1969, temp./cart. entoilé (165x90) : **ITL 5 500 000** – ROME, 24 mai 1979 : *Superficie, 678*, techn. mixte/cart. entoilé (167x98) : **ITL 5 500 000** – LONDRES, 4 déc. 1980 : *Labyrinthe*, gche et encre de Chine (12x21,5) : **GBP 580** – NEW YORK, 12 mai 1981 : *Superficie 137* 1955, h/t (193,1x161,4) : **USD 27 000** – MILAN, 8 juin 1982 : *Superficie 137* 1955, techn. mixte/pan. (61x50) : **ITL 9 500 000** – COLOGNE, 6 déc. 1983 : *Composition* 1951, temp. (64x49) : **DEM 7 600** – LONDRES, 28 mars 1984 : *Superficie 71* 1952, h/t (65x49,5) : **GBP 6 500** – MILAN, 5 déc. 1985 : *Superficie CP/179* vers 1956, temp. (35,5x50,5) : **ITL 7 000 000** – MILAN, 26 mai 1986 : *Superficie 671* 1958, temp. et collage (71x50) : **ITL 200 000 000** – MILAN, 18 juin 1987 : *Superficie 285* 1958, h/t (100x80) : **ITL 42 000 000** – MILAN, 24 mars 1988 : *Superficie 379* 1956, h/t (73,5x60) : **ITL 45 500 000** – ROME, 7 avr. 1988 : *Superficie 035* 1948, h/t (61x38) : **ITL 42 000 000** ; *Superficie 08* vers 1949, h/pap. mar./t. (60x92) : **ITL 48 000 000** – ROME, 15 nov. 1988 : *Superficie 706* 1971, techn. mixte/cart. (60x48) : **ITL 15 000 000** – MILAN, 14 déc. 1988 : *Composition* 1957, assiette de terre-cuite peinte (diam. 35) : **ITL 4 000 000** – ROME, 21 mars 1989 : *Superficie G17* 1955, détrempe/pap. (70x100) : **ITL 42 000 000** – PARIS, 12 juin 1989 : *Composition* 1951, encre/pap. (42x30) : **FRF 20 000** – MILAN, 19 déc. 1989 : *Superficie 719* 1961, h/pap. entoilé (40x60) : **ITL 31 000 000** – MILAN, 22 fév. 1990 : *Rêve* 1952, h/t (65x50) : **GBP 30 800** – LONDRES, 5 avr. 1990 : *Sans titre* 1952, encre et cr. /pap. (34x42) : **GBP 6 600** – MILAN, 24 oct. 1990 : *Superficie 596* 1950, temp./pap. entoilé (50x70) : **ITL 58 000 000** – MILAN, 26 mars 1991 : *Superficie 223* 1963, h/t (100x130) : **ITL 120 000 000** – LONDRES, 26 mars 1992 : *Superficie 595* 1951, gche/pap. (40,6x28,9) : **GBP 11 000** – ROME, 12 mai 1992 : *Superficie*, temp./pap. (34x48) : **ITL 18 500 000** – MILAN, 15

déc. 1992 : *Superficie 581* 1966, relief (131x81) : **ITL 65 000 000** – MILAN, 14 déc. 1993 : *Nature morte* 1939, h/pan. (41x47,5) : **ITL 19 550 000** – ROME, 19 avr. 1994 : *Le bal au bord du fleuve*, h/t/rés. synth. (47x56) : **ITL 73 600 000** – MILAN, 24 mai 1994 : *Superficie 318* 1959, h/t (81x120) : **ITL 78 140 000** – ROME, 28 mars 1995 : *Original pour la lithographie n° 4* 1952, temp./pap. (50,2x41,2) : **ITL 15 525 000** – ROME, 13 juin 1995 : *Paysage de Paris* 1930, h/t (54x73) : **ITL 35 650 000** – MILAN, 20 mai 1996 : *Superficie 373*, h. maigre/t. (55x73) : **ITL 41 400 000** – MILAN, 28 mai 1996 : *Superficie 481* 1963, h/t (120x80) : **ITL 65 550 000** – MILAN, 18 mars 1997 : *Superficie 116* 1955-1970, h/t (97x146) : **ITL 58 250 000** – MILAN, 19 mai 1997 : *Superficie 349*, h/t (60x73) : **ITL 39 100 000** – MILAN, 11 mars 1997 : *Superficie 216* 1957, h/t (60x45) : **ITL 51 260 000**.

CAPOL Pauline, Mme
Née à Roubaix (Nord). XXᵉ siècle. Française.
Peintre de genre, fleurs.
En 1932 et 1934 elle a exposé au Salon des Artistes Français à Paris des fleurs et *Le fauteuil du grand-père*.

CAPOLONGO Antonio
Né à Naples. XVIᵉ siècle. Travaillant à Naples vers 1580.
Éc. napolitaine.
Peintre.
Élève de Giovanni-Bernardo della Lama. Il peignit pour les églises de Naples, notamment San Nicola de Aquariis.

CAPOMAZZO Luisa
XVIIᵉ siècle. Travaillant à Naples. Italien.
Peintre.

CAPON Eugène
Né à Saint-Denis (Seine-Saint-Denis). Français.
Décorateur.
Il a exposé au Salon des Artistes Français de Paris.

CAPON Georges Louis Emile
Né en 1890 ou 1904 à Paris. Mort en 1980. XXᵉ siècle. Français.
Peintre de genre, nus, portraits, paysages, natures mortes, dessinateur, illustrateur, décorateur.
Il exposa régulièrement à Paris, aux Salons des Artistes Indépendants et d'Automne dont il était sociétaire depuis 1920, au Salon des Artistes Français en 1922 des vases et des plats métalliques.
Il séjourna en Espagne entre 1927 et 1929, en rapportant de nombreuses toiles.
Ami de Dufy, Gromaire, Savin, Francis Smith et Dunoyer de Segonzac, il fut surtout le peintre de la femme, de nus et de scènes de bar.

CAPON [large display text]

MUSÉES : ALBI – BOSTON – CHICAGO – PARIS (Mus. Nat. d'Art Mod.) – PARIS (Mus. de la ville) – PARIS (Mus. du Petit-Palais) – ROUEN – SAN FRANCISCO.

VENTES PUBLIQUES : PARIS, 5-6 juin 1925 : *Hameau aux environs de Riom* – **FRF 100** – PARIS, 14 nov. 1927 : *Nu assis dans un fauteuil* : **FRF 650** – PARIS, 7 juil. 1932 : *Nu* : **FRF 260** – PARIS, 26 jan. 1944 : *Tête d'Andalouse* : **FRF 2 000** – LOS ANGELES, 9 nov. 1977 : *La dame au manteau*, h/t (101,5x76,2) : **USD 1 400** – PARIS, 30 oct. 1981 : *Les filles*, h/t (75x60) : **FRF 5 000** – PARIS, 8 déc. 1982 : *Le modèle aux bas rouges*, h/t (41x33) : **FRF 2 700** – PARIS, 22 nov. 1984 : *Femme au balcon*, h/t (55x46) : **FRF 7 500** – GENÈVE, 24 nov. 1985 : *Scène de bistrot*, h/t (65x92) : **CHF 11 000** – NEW YORK, 11 fév. 1987 : *Mannequin chez Paquin*, h/t (93x73,5) : **USD 3 800** – PARIS, 21 mars 1988 : *Vase de fleurs*, h/t (73x60) : **FRF 6 000** – PARIS, 24 juin 1988 : *Le chapeau cloche* 1925, h/t (73x54) : **FRF 55 000** – PARIS, 1ᵉʳ juil. 1988 : *Le bistro du port*, h/t (81x100) : **FRF 24 000** – VERSAILLES, 23 oct. 1988 : *Femmes au bar*, h/t (55x46) : **FRF 13 000** – PARIS, 22 nov. 1988 : *Nu assis au collier*, h/t (93x73) : **FRF 45 000** – PARIS, 5 juin 1989 : *Nu féminin au fauteuil* vers 1935, h/t (92x65) : **FRF 42 000** – PARIS, 21 nov. 1989 : *Nu assis au collier*, h/t (93x73) : **FRF 55 000** – VERSAILLES, 22 avr. 1990 : *La Finlandaise*, h/t (55x46) : **FRF 30 000** – PARIS, 28 mai 1990 : *Place Pigalle*, h/t (60x73) : **FRF 36 500** – PARIS, 17 oct. 1990 : *L'Anglaise*, h/t (65x55) : **FRF 31 000** – PARIS, 3 juin 1992 : *Port méditerranéen*, h/t (60x73) : **FRF 4 500** – PARIS, 11 juin 1993 : *La plage*, h/t (46x55) : **FRF 5 000** – NEW YORK, 24 fév. 1995 : *Le bal d'Ebony* 1925, h/t (92,7x64,8) : **USD 4 312** – PARIS, 19 fév. 1996 : *Nu*, fus. et cr. gras (60x46) : **FRF 4 200** – PARIS, 24 nov. 1996 : *Vase de* *fleurs*, h/t (73x60) : **FRF 4 000** – Paris, 16 juin 1997 : *Bal nègre, rue Blomet*, h/t (153x173) : **FRF 68 000**.

CAPONE Alberto
Né à Naples. xixᵉ-xxᵉ siècles. Italien.
Peintre.
Exposa aux Indépendants de 1907, à Paris.

CAPONE Gaetano
Né en 1845 à Majori (province de Salerne). Mort en 1920 à New York. xixᵉ-xxᵉ siècles. Actif à Naples. Italien.
Peintre de genre, paysages, aquarelliste.
Il fit ses études à Naples et à Rome sous la direction de César Fracassini.
On cite de lui : *Le Catéchisme au village, La Contravention, La Chasse à la taupe* (acquis par l'Uruguay) et *La Pâtée*. Chevalier de la Couronne d'Italie.
Musées : Naples (Mus. Capodimonte) : *Vive le Roi*.
Ventes Publiques : New York, 12 mai 1978 : *La Plage de Salerne* 1891, h/t (63,5x147,5) : **USD 3 250** – New York, 22 jan. 1982 : *La plage de Salerne, le soir*, h/t (43x108) : **USD 1 000** – Londres, 17 mai 1985 : *Le retour*, h/t (85x42) : **GBP 1 800** – Milan, 10 déc. 1987 : *Pêcheurs dans un intérieur*, aquar. (45x35,5) : **ITL 2 000 000** – Rome, 25 mai 1988 : *Route de campagne*, h/t (60x39) : **ITL 18 000 000** – Rome, 12 déc. 1988 : *La cour de ferme*, h/t (24,3x36,5) : **ITL 5 500 000** – New York, 19 juil. 1990 : *Pêcheurs raccommodant leurs filets sur une plage*, h/t (50,8x76,3) : **USD 7 150** – Rome, 28 mai 1991 : *La plage de Majori*, h/pan. (17,5x36,5) : **ITL 3 200 000** – Milan, 12 déc. 1991 : *Scène familiale dans un intérieur*, h/pan. (29,5x44,5) : **ITL 7 200 000** – Rome, 27 avr. 1993 : *Récolte du raisin sous la pergola*, h/t (27,5x43,5) : **ITL 5 067 200** – New York, 9 sep. 1993 : *Impression d'un paysage de rivière* 1918, h/t (50,8x61) : **USD 1 610** – New York, 15 oct. 1993 : *Un arrêt au bord du chemin*, aquar./pap. (43,2x27,9) : **USD 978**.

CAPONE Giuseppe
Né à Reggio de Calabria. xxᵉ siècle. Italien.
Peintre de nus, de portraits, de natures mortes.
Il exposa à Paris, au Salon des Artistes Indépendants entre 1937 et 1941.

CAPONE W. H.
xixᵉ siècle. Travaillant à Londres. Britannique.
Graveur sur acier.
On cite de lui : *Temple of Jupiter Panhellenius Ægina*, d'après Wolfensberger ; *Interior of a Turkish Cabinet Constantinople*, d'après T. Allom ; *Chapel of santa Rosalia monte Pelegrino Palermo*, d'après W. L. Leitch ; *Salerno (Tower and Harbour of)*, d'après W. H. Bartlett.

CAPONETTI Antonio
xixᵉ siècle. Actif à Palerme. Italien.
Sculpteur sur bois.

CAPORALE Antonio
xviiiᵉ siècle. Actif en 1712. Italien.
Graveur.

CAPORALE Francesco
xviiᵉ siècle. Actif à Rome. Italien.
Sculpteur.
Des documents récents ont révélé qu'il était l'auteur du buste de *Nigrita* (ambassadeur du roi du Congo, mort à Rome en 1608), conservé à Santa Maria Maggiore, ouvrage attribué jusqu'ici à Giovanni Lorenzo Bernini.

CAPORALI Bartolomeo
Né vers 1420 à Pérouse. Mort vers 1505 à Pérouse. xvᵉ siècle. Actif entre 1472 et 1499 à Pérouse. Italien.
Peintre de compositions religieuses, restaurateur, décorateur.
On ne sait rien de sa formation, mais d'après sa première œuvre datée de 1467-1468, *L'Annonciation* du triptyque de Bonfigli, il semble avoir été influencé par Fra Angelico et Benozzo Gozzoli. Il fut aussi influencé par Fiorenzo di Lorenzo, et introduisit en Ombrie la leçon des maîtres florentins. La *Pietà* de Pérouse, datée de 1486, montre, d'autre part, une connaissance de l'art du Pérugin. On cite de lui une *Madone avec des saints*, peinte en 1487, pour l'église de Santa Maria Maddalena, à Castiglione del Mago. Il est connu pour avoir fait des travaux de restaurations, dorures, armoiries, étendards, décorations pour des fêtes, ce qui explique le côté décoratif de certaines de ses œuvres.
Bibliogr. : In : *Diction. de la peinture italienne*, coll. Essentiels, Larousse, Paris, 1989.

Musées : Florence (Mus. des Offices) : *Vierge à l'Enfant avec des saints* – Naples : *La Vierge et l'Enfant* – Pérouse (Gal. Nat.) : *L'Annonciation (du triptyque de Bonfigli)* – Pérouse (Mus. dell'Opera del Duomo) : *Pietà* 1486.
Ventes Publiques : Londres, 22 juin 1960 : *La Madone et l'Enfant* : **GBP 700**.

CAPORALI Filippo
Né en 1794 à Pieve d'Olmi. Mort après 1848. xixᵉ siècle. Actif à Crémone. Italien.
Graveur de reproductions.
Élève de Gius. Longhi à Milan.

CAPORALI Francesco ou Capporali
xviiiᵉ siècle. Italien.
Graveur.

CAPORALI Giovanni Battista, dit Bitti
Né vers 1476 à Pérouse. Mort vers 1560. xviᵉ siècle. Italien.
Peintre, décorateur et architecte.
Fils de Bartolomeo Caporali, cet artiste fut appelé quelquefois, par erreur, Benedetto (Vasari). Élève du Pérugin d'après Vasari et, selon d'autres auteurs, de Pinturicchio ou de Signorelli. Il avait peint des fresques (aujourd'hui disparues) au monastère de Monte Luce à Pérouse et à Montemorcino. Il reste une partie des peintures qu'il exécuta à San Pietro de Pérouse. Le musée de Citta di Castello conserve de lui une *Lamentation*.
Ventes Publiques : Londres, 6 juil. 1982 : *Le voleur (recto)* ; *Architecture (verso)*, pl. et lav. (25,8x10,7) : **GBP 700** – Londres, 10 juil. 1987 : *Lamentation*, h/pan. (101,5x100,4) : **GBP 150 000**.

CAPORALI Giulio
Originaire de Pérouse. xviᵉ siècle. Italien.
Peintre et architecte.
Fils de Giovanni Battista Caporali.

CAPORALI di Segnola Giacomo
xvᵉ siècle. Actif à Pérouse. Italien.
Miniaturiste.
Frère de Bartolomeo Caporali.

CAPORASO Angelica
Née en Argentine. xxᵉ siècle. Active aussi en France. Argentine.
Peintre, graveur. Abstrait.
Elle étudia à Buenos Aires puis vint à Paris en 1961, où elle travailla à l'Atelier 17 de W. Stanley Hayter. Elle a participé à de nombreuses expositions collectives en Argentine et aux États-Unis, ainsi qu'au Salon des Réalités Nouvelles, au Salon de la Jeune Gravure, de Mai à Paris et aux Biennales de Ljubljana, Barcelone, Bradford, Miami et Digne. Elle a exposé personnellement dans de nombreuses galeries en Europe, aux États-Unis et en Argentine.

CAPOSTOTO Andrea ou Capostolo
xviiᵉ siècle. Romain, actif à la fin du xviiᵉ siècle. Italien.
Dessinateur et graveur.
Le Blanc cite de lui : *Le Martyre de saint André*, d'après Guido Reni.

CAPOUILLÉ René
Né en 1885. Mort en 1944. xxᵉ siècle. Belge.
Peintre. Tendance abstraite.
Il fit partie du groupe de l'Art libre. Depuis 1915, il exposait à la galerie Giroux de Bruxelles. Après avoir été presque totalement oublié, en 1994 la galerie Gille-Stiernet de Bruxelles lui a consacré une exposition, comportant une trentaine d'œuvres retrouvées.
Des formes humaines tendant à l'abstraction, s'apparentent à l'œuvre de Henri Laurens, Jean Arp ou André Masson.
Bibliogr. : *Catalogue Capouillé*, in Collection : Les énigmes de l'art, Mecenart Édit., Bruxelles, 1994.
Ventes Publiques : Lokeren, 11 mars 1995 : *Le Parlement*, h/t (50x60) : **BEF 60 000**.

CAPOUL Charles
Né à Toulouse (Haute-Garonne). xixᵉ siècle. Français.
Peintre de genre, portraits.
Il fut élève de Léon Cogniet. Il travaillait à Paris, où il débuta au Salon en 1868.

CAPPA-LEGORA Giovanni
Né en 1887 à Turin. Mort en 1970. xxᵉ siècle. Italien.
Peintre de paysages, marines.
Ventes Publiques : Milan, 19 mars 1992 : *Pluie sur le port* 1934,

h./contre-plaqué (35x45) : **ITL 6 400 000** – Milan, 8 juin 1993 : *Vue de l'île aux pêcheurs à Baveno*, h/pan. (29x45) : **ITL 2 900 000** – Rome, 5 déc. 1995 : *Courmayeur*, h/cart. (45x60) : **ITL 2 357 000** – Milan, 19 déc. 1995 : *Ruisseau en hiver* 1938, h/t (94,5x131) : **ITL 10 925 000**.

CAPPA Y MANESCAO José
Né à Madrid. xixe siècle. Espagnol.
Peintre de genre.
Élève de Louis Ferrant et de L. Ribot à Paris. Il exposa à Madrid entre 1866 et 1880.

CAPPABIANCA Albert César
Né à Rome. xxe siècle. Italien.
Sculpteur de bustes.
Il exposa à Paris, au Salon des Artistes Français, recevant une mention honorable en 1924.

CAPPACI Bruno
xxe siècle. Actif en Belgique. Français.
Peintre de compositions animées, dessinateur.
Il a subi l'influence de Giorgio de Chirico et crée des œuvres imprégnées de l'esprit surréaliste. Il fut un temps mêlé aux artistes de Montparnasse puis se fixa en Belgique, à Bruxelles.
Ventes Publiques : Bruxelles, 19 déc. 1989 : *Carnaval à Venise* 1940, h/t (75x115) : **BEF 50 000**.

CAPPANINI Teresa
Née en 1801 à Vérone. Morte en 1826. xixe siècle. Italienne.
Peintre.
Sœur de Santa Cappanini. Elle fut l'élève d'Agostino Ugolini. Ses œuvres se trouvent dans des églises de Monte Baldo, Cologna Veneto, Legnago, Quinzano, Vérone. La Bibliothèque de cette dernière ville conserve d'elle un *Portrait du Titien* (dessin au crayon).

CAPPARONI Silverio
xixe siècle. Travaillant à Rome. Italien.
Peintre de sujets religieux.

CAPPART Philippe
xvie siècle. Français.
Sculpteur.
Il travailla à la cathédrale de Cambrai entre 1555 et 1558.

CAPPARULLI Francisco
xviie-xviiie siècles. Espagnol.
Graveur en taille-douce.
Il travailla à Séville probablement à la fin du xviie siècle ou au xviiie siècle. Diverses estampes représentant des sujets religieux portent sa signature. Sa manière est plus délicate que celle des graveurs sévillans de cette époque et dénote l'influence italienne.

CAPPATTI Francine
Née à Nice (Alpes-Maritimes). xxe siècle. Française.
Graveur.
Elle fut élève de Philibert Rouxel. Entre 1922 et 1925 elle exposa à Paris, au Salon des Artistes Français, recevant une mention honorable en 1923.

CAPPE J.
xviiie siècle. Britannique.
Peintre de portraits.
Il travailla à Londres, où il exposa à la Royal Academy en 1780.

CAPPE Marie
Née à Beauvais (Oise). xixe siècle. Française.
Dessinateur.
Élève de Mme Cool, elle prit part au Salon des Artistes Français de Paris en 1886.

CAPPELAERE Henriette Jacott. Voir JACOTT

CAPPELEN Herman August
Né en 1827 à Skien. Mort en 1852 à Düsseldorf. xixe siècle. Norvégien.
Peintre de paysages.
Élève de Hans Gude d'abord à Oslo en 1845, puis à l'Académie de Düsseldorf où il eut aussi pour maître A. Tildemand. Il y subit, d'autre part, l'influence d'un autre de ses professeurs, J. W. Schimer. Il ne quitta l'Académie de Düsseldorf qu'en 1850, et retourna alors dans sa patrie, pour peu de temps, au reste, car à l'automne de 1851 il revint se fixer à Düsseldorf où il exécuta toutes ses grandes œuvres. Dessinant et peignant, son thème de prédilection fut les forêts « mourantes », dans lequel il se montra un des meilleurs romantiques norvégiens, ayant trouvé dans ces géants condamnés un accord avec sa vie qui devait se terminer précocement.

Musées : Düsseldorf : *Cascade en Norvège* – Oslo : *Site forestier de Thelemarken – Forêt vierge – Études – Cascade à Thelemarken* – Stockholm : *Paysage du Nord dans le brouillard*.

CAPPELLA, de son vrai nom : Francesco Daggiu
Né en 1714 à Venise. Mort en 1784. xviiie siècle. Italien.
Peintre.
Élève, à Venise, de G. B. Piazetta. Il travailla d'abord à Venise, puis vint se fixer à Bergame où il exécuta une série de tableaux d'autel pour des églises de cette ville.

CAPPELLA Scipione
xviiie siècle. Napolitain, actif au xviiie siècle. Italien.
Peintre.
Il fut élève de Solimena, dont il copia les œuvres.

CAPPELLE. Voir CAPELLE

CAPPELLER Viktor
Né en 1831 à Nuremberg. Mort en 1904 à Francfort-sur-le-Main. xixe siècle. Allemand.
Sculpteur.

CAPPELLETTI Felice
Né vers 1698 à Vérone. xviiie siècle. Italien.
Peintre.
Élève de Prunati. Ses œuvres se trouvent dans des églises et des demeures particulières à Vérone.

CAPPELLI Alfred
Né à Paris. xixe siècle. Français.
Peintre.
Il débuta au Salon en 1870 avec : *La Place du marché à Honfleur*.

CAPPELLI Blanche
Née à Paris. xixe siècle. Française.
Graveur.
Élève de Perrichon. Elle débuta au Salon en 1877. On cite d'elle : *Environs de Saint-Brieuc, Avant l'orage, Moulins en Hollande*.

CAPPELLI Giovanni
Né en 1755 à Ascoli. Mort en 1823 à Ascoli. xviiie-xixe siècles. Travaillant à Pérouse. Italien.
Peintre et dessinateur.

CAPPELLI Pietro
Mort en 1724 ou 1734 à Naples, jeune. xviiie siècle. Italien.
Paysagiste.
Ventes Publiques : Paris, 18 mars 1980 : *Citadins conversant parmi des ruines – Citadins et soldats se promenant parmi les ruines d'un palais*, deux h/t (75,5x101 et 76x101) : **FRF 46 000** – Stockholm, 28 oct. 1981 : *Ville romaine*, h/t (98x72) : **SEK 26 500** – Milan, 21 avr. 1986 : *Capriccio*, h/t (98x72,5) : **ITL 9 000 000** – Milan, 21 avr. 1988 : *Paysage avec architecture, personnages et pièce d'eau*, h/t (99x74) : **ITL 13 500 000** – Rome, 8 mai 1990 : *Paysage animé avec perspective architecturale*, h/t, une paire (178x238) : **ITL 82 000 000**.

CAPPELLINO Giovanni Domenico ou Capellino
Né en 1580 à Gênes. Mort en 1651 à Gênes. xviie siècle. Italien.
Peintre d'histoire.
Il fut élève de Giov.-Batt. Paggi, dont il imita la manière. Parmi ses œuvres les plus intéressantes, on cite sa *Mort de saint François*, à l'église de San Niccolo di Castelletto, à Gênes, et aussi une toile représentant *Santa Francesca Romana*, à San Stefano.

CAPPELLO Antonio ou Giovanni Antonio. Voir CAPELLI

CAPPELLO Bartolomeo Ignazio
Né en 1689 à Borgo di Valsugana (près de Trente). Mort en 1768 à Borgo di Valsugana (près de Trente). xviiie siècle. Éc. tyrolienne.
Peintre, dessinateur.
Élève de Gregorio Lazzarini et d'Antonio Balestri à Venise, il vint se perfectionner dans l'atelier du Corrège à Modène. Il a travaillé à Trente, à Noventa et aussi en Alsace et en Allemagne. Le musée Ferdinandeum à Innsbruck conserve vingt-deux dessins de sa main.

CAPPELLO Carmelo
Né en 1912 à Raguse (Sicile). xxe siècle. Italien.
Sculpteur. Abstrait.
Il fit ses études en Sicile puis alla les poursuivre à Rome. Bénéficiant d'une bourse, il alla se perfectionner avec Marino Marini à l'Institut Supérieur de Monza. Il commence à exposer à partir de

1937, participant régulièrement à la Quadriennale de Rome et à la Biennale de Venise à partir de 1947, et qui lui consacra une salle entière en 1958. Il fit une exposition personnelle à Paris en 1957. Il vit et travaille à Milan.

Après une période d'hésitation et d'expérimentation, il situa son œuvre dans une abstraction très personnelle, refusant les formules arbitrairement tranchées. À partir de références au réel, il bâtit dans l'espace d'élégants signes idéogrammatiques. Franck Popper remarque qu'il exprime le mouvement en faisant tendre le geste représenté au symbole abstractisé de ce geste. Pour exprimer ce mouvement, il n'a pas jugé nécessaire d'adopter les effets du cinétisme, comme il s'était, dans l'abstraction, tenu à l'écart de la rigueur constructiviste. Son art, bien que très intellectualisé, reste du domaine de l'instinct. Ainsi exprime-t-il l'idée de l'envol ou l'idée du flux. ■ J. B.

Musées : Antibes – Belgrade – Milan – Palerme – Rome – Trieste – Turin – Venise.

Ventes Publiques : Milan, 8 juil. 1976 : *Colloquio* 1958, bronze (H. 100) : **ITL 1 000 000** – Milan, 14 juin 1983 : *Composition* 1961, métal (51x40) : **ITL 950 000** – Saint-Vincent (Italie), 6 mai 1984 : *Spirale progressive* 1972, acier, pièce unique (250x180) : **ITL 9 000 000** – Milan, 9 mai 1985 : *Jument et poulain* 1943 (H. 29) : **ITL 2 600 000** – Milan, 16 oct. 1986 : *Bœuf* 1952, bronze (49x61x30) : **ITL 3 800 000** – Milan, 7 juin 1989 : *Nu féminin assis* 1944, bronze (29x18x27) : **ITL 5 500 000** – Milan, 7 nov. 1989 : *Forme* 1952, marbre gris (111x35x41) : **ITL 23 000 000** – Rome, 10 avr. 1990 : *Le Christ et les voleurs*, bronze à patine dorée (110x74x23) : **ITL 20 000 000** – New York, 10 mai 1993 : *Deux acrobates*, bronze à patine brune (H. 47) : **USD 1 380** – Milan, 16 nov. 1993 : *Sans titre* 1967, bronze (119x79x14) : **ITL 13 225 000**.

CAPPELLO Emanuele
Né le 18 février 1936 à Vittoria (Raguse). xxe siècle. Italien.
Peintre de sujets divers. Expressionniste, tendance abstraite.
Il fut élève des Lycées Artistiques de Palerme et Florence. À Paris, il a fréquenté l'Académie de la Grande-Chaumière. Depuis 1954, il participe à de nombreuses expositions collectives, et à un nombre considérable de Prix. Il montre des ensembles de ses œuvres dans des expositions personnelles à Milan, Florence, Pise, et nombreuses autres villes d'Italie, ainsi qu'à l'étranger.

CAPPELLO Guglielmo
xve siècle. Actif à Ferrare en 1426. Italien.
Miniaturiste.

CAPPER Edith
xixe siècle. Britannique.
Paysagiste.
Elle exposa de 1865 à 1884 à la Royal Academy, à Suffolk Street, à la New Water-Colours Society et à la Grafton Gallery, à Londres.

CAPPER J. H.
xixe siècle. Britannique.
Paysagiste.
Il travailla à Londres, où il exposa de 1822 à 1850 à la British Institution et à Suffolk Street.

CAPPER J. J.
xixe siècle. Britannique.
Paysagiste.
Il exposa à la Royal Academy, à Londres, de 1849 à 1859. Paraît identique au précédent.

CAPPIELLO Leonnetto
Né le 9 avril 1875 à Livourne. Mort en 1942 à Cannes. xxe siècle. Depuis 1897 actif en France. Italien.
Peintre, dessinateur, affichiste, caricaturiste.
Il fit des études à Livourne, exposa en 1892 à Florence et vint à Paris en 1897. Il exposa au Salon des Humoristes. Des expositions rétrospectives de son travail eurent lieu à Paris en janvier 1947 au Musée des Arts Décoratifs et à la Bibliothèque Nationale en 1964, au Grand-Palais en 1981.
En 1898 Le Rire, journal humoristique accueille dans ses pages avec enthousiasme ses premiers dessins qui remportent un succès immédiat. L'année suivante, La Revue Blanche édite un album, *Nos Actrices*, préfacé par Marcel Prévost. Il présente les portraits de toutes les gloires du théâtre du moment. Il collabore ensuite régulièrement au Figaro, au Journal, au Rire, à l'Assiette au Beurre, et aux autres quotidiens de l'époque, qui publient ses « portraits de caractère » de toutes les célébrités. Cappiello n'entend pas les caricatures comme une déformation systématique

des tares physiques mais comme l'accentuation du caractère moral d'une personne. Sa première affiche *Frou-Frou*, date de 1899. À partir de 1904 il se consacre exclusivement à l'art de l'affiche ; il en réalisera plus de 3.000 au cours de sa carrière. Elles sont remarquables par leur dessin à peine caricatural tendant à la plus haute expression. « La valeur et l'efficacité d'une affiche résident à mon avis, entièrement dans la forme de l'arabesque. C'est l'arabesque qui attire, qui retient, qui subsiste. Contrairement à ce que l'on croit, la couleur est bien secondaire » répondait Cappiello dans le *Bulletin de la vie artistique*. Parmi ses nombreuses réalisations, on cite les affiches exécutées pour les Folies Bergère en 1900, Cinzano en 1910, Mistinguett en 1920, le Café Martin, la grosse tête de bœuf du Bouillon Kub qui « convertit pendant quelques temps, les stations du Métro en palais de Minos » dira le critique et poète Pierre Guéguen. Il est le premier à avoir renouvelé l'art de l'affiche depuis Jules Chéret, réussissant, comme lui, à toucher l'esprit du public de la rue sans se départir de sa distinction naturelle. Il réalisa également des cartons de tapisseries et des statuettes caricaturales. En 1935 il réalisa une fresque pour le restaurant Dupont-Barbès. Il a illustré *La princesse de Babylone* de Voltaire ; *De la valse au tango* et *Miroirs à deux faces* de J. Boulenger ; *Au Maghreb, parmi les fleurs* d'A. Barthou ; *La carrière d'André Tourette* de L. Muhlfeld. Il a signé la couverture en couleurs du *Poète assassiné* de Guillaume Apollinaire. Il était officier de la Légion d'honneur.

Bibliogr. : In : *Les Muses*, t. IV, Grange Batelière, Paris, 1970 – in : *Diction. Univ. de la Peinture*, t. I, Robert, Paris, 1975 – in : *Diction. des Illustrateurs, 1800-1914*, Hubschmid & Bouret, Paris, 1983.

Ventes Publiques : Paris, 8 mai 1908 : *L'Actrice et femme au coquelicot*, dess. : **FRF 10** – Paris, 18 déc. 1922 : *Le Colin-maillard* : **FRF 220** – Paris, 22 mai 1942 : *Bébé endormi* : **FRF 2 000** – Versailles, 5 nov. 1972 : *Le Printemps chante* : **FRF 1 800** – Paris, 16 mai 1979 : *La poursuite en automobile*, past. et gche (40x60) : **FRF 8 800** – Paris, 17 déc. 1980 : *Les quatre saisons* 1912, h/t contrecollée/pan. (199x85) : **FRF 16 000** – Paris, 23 oct. 1981 : *Le Quotidien* 1923, past. et fus., avant la lettre (109x70) : **FRF 30 000** – Paris, 5 juin 1983 : *Projet pour les automobiles Hispano-Suiza*, gche (60x70) : **FRF 9 500** – Paris, 5 déc. 1984 : *Allégories* 1912, 2 h/t, de forme ovale formant pendants, chaque (194x74) : **FRF 16 000** – Paris, 23 juin 1985 : *Scène de carnaval* 1911, past. (60x49) : **FRF 10 000** – Paris, 16 déc. 1985 : *Femme au chapeau noir*, h/t (36x28) : **FRF 7 000** – Paris, 26 mai 1986 : *Jeune femme au panier fleuri*, past. (58x43) : **FRF 6 100** – Paris, 8 avr. 1987 : *Les fruits de la mer, les fruits de la chasse*, 2 h/t (240x155) : **FRF 57 000** – Paris, 19 juin 1987 : *Garçonne aux bras croisés*, gche, past., aquar. et fus./cart. (81,5x52) : **FRF 11 000** – Paris, 22 mars 1988 : *Colin-maillard dans la forêt*, h/t (65,5x54,5) : **FRF 12 000** – Rome, 25 mai 1988 : *Portrait de la tante Sofia Mikaleff* 1893, h/t (110x80) : **ITL 5 200 000** – New York, 17 jan. 1990 : *Nature morte de fleurs*, h/pan., une paire (chaque 30x24,2) : **USD 2 750** – Paris, 10 juin 1990 : *Hélène Chauvin* 1900, affiche entoilée : **FRF 6 200** – Paris, 22 juin 1990 : *Éléphant barrissant*, détrempe et fus. (45,5x57) : **FRF 11 000** – Paris, 25 mars 1991 : *Madame Suzanne Cappiello*, fus. et past./cart. (53,5x42) : **FRF 11 000** – Paris, 13 déc. 1991 : *Café Martin*, gche/pap., maquette d'affiche (55x41) : **FRF 21 000** – Paris, 15 fév. 1993 : *La danse du printemps*, aquar. gchée (37x53) : **FRF 4 200** – Paris, 24 juin 1994 : *Maquette d'affiche pour les vêtements Brummel*, gche (71x53) : **FRF 8 200**.

CAPPIELLO Suzanne
Née en 1880 à Saint-Gratien (Val d'Oise). Morte en 1969. xxe siècle. Française.
Peintre de figures, portraits, nus, fleurs, animalier.
Elle exposait à Paris, au Salon de la Société Nationale des Beaux-Arts de 1930 à 1938, au Salon des Tuileries en 1934.

CAPPIER André Charles
Né au xixe siècle à Annecy. xixe siècle. Français.
Peintre et graveur.
Élève de Feyen-Perrin. Sociétaire des Artistes Français depuis 1898. Il obtint une médaille de troisième classe et une bourse de voyage en 1891, une médaille de deuxième classe en 1898, une médaille d'argent en 1900 (Exposition Universelle) et une médaille de première classe en 1901.

CAPPONI Jacques
Né au xixe siècle à Ajaccio. xixe siècle. Français.
Peintre.

Élève de Bouguereau, F. Flameng et G. Ferrier. Il exposa à Paris en 1900.

CAPPONI Lorenzo
Né en 1733. XVIIIᵉ siècle. Travaillant à Bologne. Italien.
Graveur à l'eau-forte.
On cite de lui neuf planches pour *Pianta e spaccato del nuovo Teatro di Bologna.*

CAPPONI Luigi di Giampietro
Originaire de Milan. XVᵉ siècle. Travaillant à Rome. Italien.
Sculpteur.
On lui doit le tombeau du cardinal Giov.-Franc. Brusati, à l'église San Clemente (1485) et l'autel de Santa Maria di Consolazione (1496).

CAPPONI Raffaelo ou **Raffaelino de** ou **Capponibus**, dit **Raffaelo del Garbo, R. de Florentia, R. de Carli**
Né à Florence (Toscane), en 1466 selon Lanzi ou en 1476 selon Bryan. Mort à Florence, en 1524 selon Vasari. XVᵉ-XVIᵉ siècles. Italien.
Peintre de compositions religieuses, portraits, dessinateur.
Il étudia avec Filippo Lippi et fut un disciple si brillant que, bientôt, il surpassa son maître. Quand celui-ci fut appelé à Rome pour s'occuper de la décoration de la chapelle de Sainte-Marie de la Minerve, Raffaelino l'y accompagna et travailla au même bâtiment. Il peignit à Florence, notamment une *Résurrection.* Crowe et Cavalcaselle attribuent également à cet artiste des tableaux d'autel, particulièrement ceux dans l'église de San Spirito, dans la même ville, et de Santa Maria degli Angeli à Sienne, ainsi qu'un autre conservé à l'Académie de Pise. Vasari lui attribuait un grand nombre d'œuvres. Berenson incita également à lui attribuer des peintures dans la manière du Pérugin. La critique moderne, plus circonspecte, est moins généreuse et se demande si ses diverses désignations ne recouvrent pas plusieurs artistes.
Musées : BERLIN : *La Vierge et les anges* – FLORENCE : *La Nativité* – *Vierge avec saints* – LILLE : *Saint Marc évangéliste* – LYON : *Portrait d'homme* – MUNICH (Pina.) : *Pietà* – PARIS (Louvre) : *Couronnement de la Vierge* – PRATO : *Résurrection de Jésus.*
VENTES PUBLIQUES : PARIS, 1859 : *Salomé portant la tête de saint Jean Baptiste*, dess. à la pl., lavé de bistre : FRF 2 – PARIS, 30 jan. 1868 : *Adoration des bergers* : FRF 480 – LONDRES, 1886 : *Vierge et Enfant Jésus* ; *saint Jean et deux anges* : FRF 19 420 – PARIS, 19 et 20 avr. 1921 : *La Vierge, l'Enfant Jésus et deux anges* : FRF 16 500 – LONDRES, 13 juil. 1923 : *La Madone tenant le Sauveur* : GBP 48 – PARIS, 22 déc. 1923 : *Feuilles d'études de main gauche*, sanguine : FRF 175 – LONDRES, 19 nov. 1926 : *La mort de la Vierge* : GBP 23 – LONDRES, 15 juil. 1927 : *La Vierge et l'Enfant* : GBP 861 – NEW YORK, 4 et 5 fév. 1931 : *La Vierge, l'Enfant et saint Jean* : USD 350 – LONDRES, 10-14 juil. 1936 : *L'Adoration des Mages*, dess. : GBP 94 ; *Tête de jeune fille*, dess. : GBP 42 – LONDRES, 25 fév. 1938 : *Vierge et Enfant* : GBP 215 – LONDRES, 26 juil. 1939 : *Vierge et deux anges* : GBP 44 – NEW YORK, 24 mai 1944 : *Madone et Enfant avec saint Jean et des anges* : USD 1 650 – NEW YORK, 21 fév. 1945 : *Madone et Enfant avec saint Jean et deux anges* : USD 6 100 – NEW YORK, 25 oct. 1945 : *Madone et Enfant, saint Jean et un ange* : USD 4 500 – LONDRES, 1ᵉʳ fév. 1946 : *Madone tenant l'Enfant* : GBP 84 – NEW YORK, 24 oct. 1946 : *Madone et Enfant, saint Jean et un ange* : USD 1 150 – LONDRES, 25 oct. 1946 : *Sainte Madeleine* : GBP 504 – LONDRES, 14 déc. 1977 : *La Vierge et l'Enfant, avec des anges*, h/pan., de forme ronde (Diam. 94) : GBP 22 000 – LONDRES, 5 juil. 1988 : *Ange*, pinceau et lav. brun sur trait de craie noire, forme ronde (diam. 12,1) : GBP 20 000 – ROME, 13 déc. 1988 : *Saint lisant*, h/pan. (112x74) : ITL 26 000 000 – NEW YORK, 11 jan. 1990 : *Vierge à l'Enfant sur un trône dans un paysage*, h/t (83x51,5) : USD 47 300 – MILAN, 8 juin 1995 : *Vierge à l'Enfant et saint Jean l'évangéliste et saint Laurent*, h/pan. (125x125) : ITL 37 950 000.

CAPPRONIER Pierre François
XVIIIᵉ siècle. Français.
Peintre.
Il fut reçu à l'Académie de Saint-Luc à Paris en 1758.

CAPPS Edward
XIXᵉ siècle. Actif vers 1800.
Peintre.
Le British Museum de Londres conserve l'un de ses paysages (dessin aquarellé).

CAPRA Domenico
Mort entre 1590 et 1595. XVIᵉ siècle. Actif à Crémone. Italien.
Sculpteur sur bois.

CAPRALOS Christos
Né vers 1920 à Panetolicon. XXᵉ siècle. Grec.
Sculpteur.
Il débuta ses études artistiques en peinture à l'École des Beaux-Arts d'Athènes et les poursuivit en sculpture à Paris dans l'atelier de Marcel Gimond. Il a exposé en Grèce, Italie, Allemagne et aux États-Unis.
Depuis 1951 il travaille la pierre et réalise des œuvres à caractère architectural, le bronze depuis 1958 pour les travaux inspirés de la forme humaine symbolisée, le bois depuis 1965 dans des œuvres inspirées de l'artisanat populaire, des outils agricoles anciens, des ustensiles domestiques familiers.
BIBLIOGR. : Denys Chevalier, in : *Nouveau Diction. de la sculpt. mod.,* Hazan, Paris, 1970.

CAPRANESI Giovanni
Né en 1852 à Rome. XIXᵉ siècle. Italien.
Peintre d'histoire, scènes de genre, compositions décoratives, fresquiste.
Élève d'Alessandro Mantovani.
Il a peint une série de fresques dans différentes églises, dans des établissements publics, dans des demeures particulières, à Rome, au Brésil, en Angleterre. On cite de lui une grande toile : *La morte di Gomez* (1902).
VENTES PUBLIQUES : LONDRES, 18 avr. 1983 : *Siesta* 1882, aquar. et cr. (46x59) : GBP 1 200.

CAPRERA Gerolamo
Né sur le lac de Côme, originaire de Torno. XVIIᵉ siècle. Italien.
Peintre.

CAPRETTI Giuseppe Orazio
XVIIᵉ siècle. Actif à Correggio. Italien.
Peintre.

CAPRI, da. Voir au prénom

CAPRI Pietro Paolo
Mort vers 1760. XVIIIᵉ siècle. Actif à Vérone. Italien.
Peintre.

CAPRIANI Francesco, appelé aussi **Francesco da Volterra**
XVIᵉ siècle. Italien.
Architecte et sculpteur sur bois.
Il travailla à Rome, Volterra et Guastalla.

CAPRIATA Jean
XXᵉ siècle. Français.
Peintre. Figuration-onirique.
Depuis 1967, il participe à des expositions collectives, dans plusieurs villes de Lorraine, du Centre, de Bourgogne, etc. Il fait des expositions personnelles en Bourgogne depuis 1972.
Dans une technique proche de l'hyperréalisme, il peint des compositions très complexes, associant des éléments à la fois très précis et non identifiables.

CAPRILE Vincenzo
Né le 23 juin 1856 à Naples. Mort en 1936 à Naples. XIXᵉ-XXᵉ siècles. Italien.
Peintre de sujets divers, portraits, animaux, paysages animés, paysages, intérieurs, pastelliste.
Élève de l'Institut des Beaux-Arts de Naples, cet artiste représentatif du vérisme pictural italien commença d'exposer en 1873. On cite de lui : *L'Entrée en campagne,* exposé à Rome en 1883, *Maria Rosa,* exposé à Venise en 1887.

Musées : ROME (Gal. Mod.) : *L'Aqua Zurfegna a Santa Lucia* 1884.
VENTES PUBLIQUES : MILAN, 26 nov. 1968 : *Paysage* : ITL 850 000 – MILAN, 14 déc. 1976 : *Pêcheurs,* h/t (34,5x19,5) : ITL 1 900 000 – LONDRES, 22 juil. 1977 : *Le Vieux Guitariste,* h/t (98,5x66) : GBP 1 800 – NEW YORK, 12 oct. 1978 : *La Gardeuse de chèvres* vers 1890, h/t (71,2x56) : USD 2 200 – LONDRES, 7 mai 1980 : *Le Vieux Fumeur de pipe,* h/pan. (28x17,5) : GBP 700 – MILAN, 5 nov. 1981 : *Canal à Venise,* h/pan. (28x18) : ITL 5 000 000 – ROME, 1ᵉʳ déc. 1982 : *Allégorie de l'automne,* past. et reh. de blanc (60x46,5) : ITL 7 500 000 – LONDRES, 16 mars 1983 : *Venise, un canal ensoleillé,* h/t (48x38) : GBP 4 800 – MILAN, 12 déc. 1983 : *La*

Jeune Bergère, aquar. (28x18,5) : **ITL 3 600 000** – Milan, 27 mars 1984 : *Portrait de la femme de l'artiste* 1880, aquar. (19,5x16) : **ITL 2 000 000** – New York, 24 mai 1985 : *Place Saint-Marc* 1905, h/t (106,5x218,4) : **USD 30 000** – Rome, 13 mai 1986 : *Portrait de jeune femme*, h/t (44x35) : **ITL 4 800 000** – Rome, 20 mai 1987 : *Première communion à Positano*, h/t (160x118) : **ITL 20 000 000** – Rome, 16 déc. 1987 : *Vue de Venise*, aquar./cart. (47x73) : **ITL 7 500 000** – Milan, 19 oct. 1989 : *Vue d'Amalfi avec les barques de pêcheurs*, h/t (36,5x61) : **ITL 57 000 000** – Milan, 6 déc. 1989 : *Portrait de Sosio*, h/pan. (23x14) : **ITL 15 000 000** – Monaco, 21 avr. 1990 : *Le Repas des lapins* 1881, h/t (60x50) : **FRF 77 700** – Rome, 29 mai 1990 : *Paysanne*, aquar. (46x22) : **ITL 7 475 000** – Milan, 30 mai 1990 : *Dans l'écurie*, h/t (71x51) : **ITL 26 000 000** – Milan, 18 oct. 1990 : *Vue de Cava dei Tirreni* 1885, h/t (46x67) : **ITL 60 000 000** – Rome, 11 déc. 1990 : *Buste de fillette*, past. (60x45,5) : **ITL 34 500 000** – Rome, 16 avr. 1991 : *La Femme du pêcheur*, h/pan. (27x13) : **ITL 6 325 000** – Londres, 19 juin 1991 : *Personnages plumant une volaille dans une cuisine*, h/t (55x44,5) : **GBP 3 850** – Rome, 14 nov. 1991 : *Palais vénitien*, h/t (70x52) : **ITL 14 950 000** – Rome, 9 juin 1992 : *Le marché du Rialto*, h/t (53x127) : **ITL 38 000 000** – Rome, 19 nov. 1992 : *Canal des Mendiants*, h/t (48,5x38) : **ITL 21 850 000** – Milan, 22 nov. 1993 : *Alentours de Naples*, h/t (45x30,5) : **ITL 30 641 000** – Milan, 20 déc. 1994 : *Marina Grande à Capri* 1909, h/t (35,5x55,5) : **ITL 39 100 000** – Rome, 5 déc. 1995 : *Les Poussins*, h/t (21x35,5) : **ITL 7 071 000** ; *Le Châle jaune* 1906, past./pap. (57x46) : **ITL 11 785 000** – Rome, 23 mai 1996 : *Le Grand Canal*, h/t (50x30) : **ITL 17 250 000** – Milan, 23 oct. 1996 : *Plage de Positano*, h/t (25,5x38,5) : **ITL 9 320 000** ; *Intérieur avec personnage féminin*, h/t (42x34) : **ITL 23 300 000** – Milan, 18 déc. 1996 : *Place animée*, h/pan. (15x22,5) : **ITL 5 359 000** – New York, 23 mai 1997 : *Palazzo Labia, Grand Canal, Venise*, h/t (61x49,5) : **USD 32 200**.

CAPRINI Marco ou Capriozzi, dit del Ruspoli
Né à Civita Castellana. XVIIIe siècle. Italien.
Peintre.
Il travaillait à Rome. Le rapprocher de Marco Capriozzi, ou Caprinozzi.

CAPRINO di Domenico
Originaire de Settignano. XVe siècle. Italien.
Sculpteur.
Aide de Luca della Robbia, lorsque celui-ci exécuta les bas-reliefs de la Cantoria à la cathédrale de Florence.

CAPRIOLI Aliprando
Originaire des environs de Trente. XVIe siècle. Travaillant à Rome à partir de 1575. Italien.
Graveur.
D'après Mariette, Aliprando aurait été un disciple ou un imitateur de Cornelius Cort.

CAPRIOLI Francesco
Originaire de Reggio Emilia. Mort en 1505. XVe siècle. Italien.
Peintre.
On lui doit une fresque de la cathédrale de Reggio Emilia *(Le Baptême du Christ)*.

CAPRIOLI Sigismondo
Originaire de Reggio Emilia. Mort en 1555. XVIe siècle. Italien.
Peintre.
Vraisemblablement frère de Francesco Caprioli.

CAPRIOLO Domenico di Bernardino ou Caprioli
Né en 1494 à Venise probablement. Mort en 1528 à Trévise, assassiné. XVIe siècle. Actif à Trévise. Italien.
Peintre.
Il fut, selon toute vraisemblance, élève de son beau-père, Pier Maria Pennachi. Le musée municipal de Trévise conserve de lui une *Adoration des bergers* portant sa signature complète et la date de 1518. On mentionne encore parmi ses œuvres une *Naissance du Christ* signée du monogramme de l'artiste (un C. dans un D. et la silhouette d'un cerf), une petite *Sainte Famille* (à Milan), et son dernier ouvrage un *Portrait d'homme*, daté de 1528 et portant sa signature complète, conservé au musée de Barnard-Castle. Un grand nombre d'autres œuvres ont été attribuées avec plus ou moins de vraisemblance à Domenico Capriolo.
Musées : Barnard-Castle (Mus. Bowes) : *Portrait d'homme* –

Breslau, nom all. de Wroclaw : *Adoration des bergers*, copie du tableau du musée de Trévise – Munich : *Portrait d'homme* – Rome (Gal. Borghèse) : *Grotesques* – Saint-Pétersbourg : *Portrait de l'artiste* – Trévise (Mus. mun.) : *Adoration des bergers*.
Ventes Publiques : Londres, 27 nov. 1970 : *Portrait d'homme écrivant* : **GNS 1 100** – Londres, 11 juil. 1979 : *Un couple d'amoureux et un pèlerin dans un paysage*, h/pan. (50x81) : **GBP 48 000** – Londres, 3 juil. 1997 : *Un couple d'amoureux et un pèlerin dans un paysage*, h/pan. (50x81) : **GBP 199 500**.

CAPRIOLO Nicola Andrea
XVIe siècle. Actif à Reggio (Calabre). Italien.
Peintre.

CAPRIOLO Vincenzo
XVIe siècle. Actif à Brescia. Italien.
Peintre.

CAPRIOZZI Marco ou Caprinozzi
Né en 1711. Mort en 1778. XVIIIe siècle. Italien.
Peintre de sujets religieux, dessinateur.
Ventes Publiques : New York, 14 jan. 1987 : *Saint Laurent faisant la charité* – *Le martyre de saint Laurent*, deux dess. (26,7x36,8) : **USD 2 000**.

CAPRON Adèle
Née en 1806 à Calais (Pas-de-Calais). XIXe siècle. Française.
Peintre de portraits.
Elle étudia avec Mme Hersent. Exposa au Salon de Paris de 1831 à 1845. L'église Notre-Dame à Granville (Manche) conserve d'elle une *Mort de saint Joseph*.

CAPRON Bernard
XIXe siècle. Français.
Peintre.
Capitaine de gendarmerie en retraite, il se retira à Niort et s'y consacra à la peinture.
Musées : Niort : *La porte Saint-Jacques à Parthenay* – *Les ruines du vieux château de Bressuire* – *Vue de Châtillon-sur-Sèvre*.

CAPRON Georges
Né à Asnières (Hauts-de-Seine). XIXe-XXe siècles. Français.
Peintre de figures, paysages.
Il fut élève de Jean-Paul Laurens et de Fernand Cormon. Il exposa au Salon des Artistes Français à partir de 1913.
Il a souvent peint des baigneuses.
Ventes Publiques : Paris, 24 nov. 1996 : *La Fête des Fleurs à Cannes*, h/t (100x296) : **FRF 24 500**.

CAPRON Jean-Pierre
Né le 4 août 1921 à Cannes (Alpes-Maritimes). Mort en 1997. XXe siècle. Français.
Peintre de portraits et de paysages.
Il fit des études d'architecture à Lausanne avant de venir à Paris en 1945 où il entra à l'École des Beaux-Arts dans l'atelier d'Eugène Narbonne où il connut Bernard Buffet. Il exposa pour la première fois en 1949 au Salon d'Automne. Il a reçu le prix Conté-Carrière en 1951. Entre 1951 et 1968 il fit partie du jury du Salon de la Jeune Peinture. Il figura après 1949 régulièrement aux Salons parisiens, présentant des toiles aux coloris assombris et aux formes simplifiées, empreintes d'un sentiment volontairement déprimant.
Bibliogr. : Lydia Harambourg, in : *L'École de Paris, 1945-1965. Diction. des Peintres*, Ides et Calendes, Neuchâtel, 1993.
Musées : Paris (Mus. Nat. d'Art Mod.) – Paris (Mus. de la Ville) – Poitiers.
Ventes Publiques : Paris, 14 oct. 1968 : *Village en bordure de rivière* : **FRF 1 400** – Paris, 20 oct. 1982 : *Village en bord de rivière* 1955, h/t (98x128) : **FRF 4 800** – Paris, 26 jan. 1983 : *L'église de Saint-François-d'Assise* 1963, h/t (81x100) : **FRF 6 200** – Fontainebleau, 21 nov. 1987 : *Bretagne*, h/t (35x27) : **FRF 3 200** – Paris, 14 déc. 1988 : *Village au bord de l'étang*, h/t (60x73) : **FRF 10 000** – Paris, 3 mars 1989 : *Le port* 1962, h/t (55x73) : **FRF 6 000** – Paris, 27 avr. 1989 : *Le Pont* 1969, h/t (50x61) : **FRF 7 500** – Paris, 24 mai 1989 : *Entrée du village* 1957, h/t (65x80) : **FRF 9 000** – Les Andelys, 19 nov. 1989 : *Sans titre*, h/t (81x100) : **FRF 20 000** – Paris, 3 déc. 1993 : *Paysage de Provence* 1959, h/t (46x61) : **FRF 6 000** – Paris, 13 fév. 1995 : *Portrait* 1955, h/t (46x38) : **FRF 4 000**.

CAPRONICA Cesare
XVIIe siècle. Actif à Rome au début du XVIIe siècle. Italien.
Graveur et marchand d'estampes.
On cite de lui : *Adam et Ève dans le paradis terrestre*.

CAPRONNIER François
Né en 1789 à Chantilly. Mort en 1853 à Bruxelles-Schaerbeek. XIXᵉ siècle. Actif à Bruxelles. Belge.
Peintre verrier.

CAPRONNIER Jean Baptiste
Né en 1814 à Paris. Mort en 1891 à Bruxelles-Schaerbeek. XIXᵉ siècle. Belge.
Peintre verrier.
Fils et élève de François Capronnier. Il restaura les vitraux de l'église Sainte-Catherine de Hoogstraten et de la cathédrale d'Anvers.

CAPROTTI Guido
Né en 1887 à Monza (Italie). Mort en 1966 à Valmaseda (Vizcaya). XXᵉ siècle. Actif en Espagne. Italien.
Peintre de portraits et de paysages.
Il s'établit à Madrid et réalisa des portraits de personnages civils et militaires et des paysages de Vieille-Castille. Il exposa aussi à Paris, au Salon de la Société Nationale des Beaux-Arts entre 1925 et 1930.
BIBLIOGR. : In : *Cent ans de peinture en Espagne et au Portugal, 1830-1930*, t. I, Antiquaria, Madrid, 1988.
VENTES PUBLIQUES : MILAN, 16 mars 1993 : *Allégorie de la Vie 1914*, h/pan. (50x70) : ITL 5 500 000.

CAPTAIN CAVERN
Né en 1956. XXᵉ siècle. Français.
Peintre de compositions animées, dessinateur, illustrateur. Figuration libre.
Il fut saxophoniste d'un groupe. Il a fondé la revue *Crime/Sexe*. Il peint et expose depuis 1985.
Avec un graphisme et des couleurs franches de bande dessinée, il accumule personnages grotesques, accessoires fous et éléments de décors de Disney land, dans des compositions délirantes, où s'associent le hideux, le bouffon et un peu de féérie. Le contenu sémantique véhiculé n'est pas toujours très clair, d'autant que probablement multiple.
BIBLIOGR. : Daniel Mallerin : *Captain Cavern, le plus politique des nouveaux imagistes*, Artension, Rouen, avr. 1992.

CAPTIER François Étienne
Né le 27 mars 1840 à Baugy. Mort en 1902 à Paris, par suicide. XIXᵉ siècle. Français.
Sculpteur.
Élève de Dumont et Bonnassieux. Principales œuvres : *Faune* (1869, médaille, Musée d'Orléans) ; *Mucius Scævola* (1872, deuxième médaille, Musée de Mâcon) ; *Adam et Ève* (1874) ; *Hébé* (1875) ; *Timon le Misanthrope et Vénus* (1876, Musée de Mâcon) ; *La Rosée* (1877, Musée de Chalon-sur-Saône) ; *Dernier refuge*, groupe (1878) ; *L'Égalitaire* (1887, Ville de Paris) ; *Esclave et Furie vengeresse* (1893). Médaille argent (Exposition Universelle 1889). Chevalier de la Légion d'honneur.

CAPTY Marie Anaïs Germaine
Née à Orange (Vaucluse). XXᵉ siècle. Française.
Peintre.
Elle exposa à Paris au Salon de la Société Nationale des Beaux-Arts.

CAPUA, da. Voir au prénom

CAPUANO Francesco
Né le 5 février 1854 à Naples. XIXᵉ siècle. Italien.
Peintre de genre, portraits, paysages, marines.
Élève de l'École des Beaux-Arts de Naples, il exposa à Venise en 1887 (*Carrière de pierre*) ; à Naples, de 1891 (*Le Calme après la tempête*) à 1898.
VENTES PUBLIQUES : LUCERNE, 25 juin 1965 : *Paysage avec lac* : CHF 1 100 – MILAN, 6 nov. 1980 : *Marine au crépuscule*, h/t (26,5x91) : ITL 850 000 – MILAN, 22 avr. 1982 : *Nocturne*, h/pan. (70x40) : ITL 550 000 – MILAN, 19 mars 1992 : *Le Bois de Sila*, h/t (48x70,5) : ITL 3 000 000 – MILAN, 3 déc. 1992 : *Dans le bois*, h/t (83x126) : ITL 5 650 000 – ROME, 6 déc. 1994 : *Le Ramassage des brindilles*, h/t (64x74) : ITL 4 714 000.

CAPUANO Giuseppe
Originaire de Naples. XVIIᵉ siècle. Travaillant à Rome entre 1671 et 1696. Italien.
Peintre.

CAPUCINO, il. Voir **GALANTINI Ippolito**

CAPUGNANO Giovannino da
Né à Capugnano. XVIIᵉ siècle. Actif à Bologne. Italien.
Peintre.

CAPULETTI Jose Manuel
Né le 21 mars 1925 à Valladolid. XXᵉ siècle. Espagnol.
Peintre de figures et de portraits.
Il fit sa première exposition de dessins à Madrid en 1948, puis vint à Paris en 1951 où il se fit connaître par de nombreux portraits de la « société parisienne » exécutés dans une technique traditionnelle avec un grand souci de fidélité au modèle. Il a exposé à Paris, New York et San Francisco.
VENTES PUBLIQUES : NEW YORK, 26 oct. 1960 : *Victoria en rouge* : USD 750 – NEW YORK, 13 mai 1977 : *Etude de nus*, h/t (39,5x46,5) : USD 750 – GENÈVE, 28 juin 1979 : *Femme sur la voie ferrée*, h/t (63,5x55) : CHF 3 000 – NEW YORK, 19 juin 1980 : *Comedia del'Arte*, h/t (33x55,2) : USD 850 – PARIS, 14 oct. 1984 : *Œil et papillon*, h/t (19x33) : FRF 5 500 – PARIS, 22 avr. 1988 : *Baleine*, h/t (76x61) : FRF 4 500 – CALAIS, 7 juil. 1991 : *La main*, h/t (55x46) : FRF 22 000 – NEW YORK, 12 juin 1992 : *Le départ* ; *Esquisse pour Il faut qu'une porte soit ouverte*, deux h/t (31,8x25,4 et 21,6x33) : USD 2 090 – NEW YORK, 8 nov. 1994 : *Esquisse pour « Il faut qu'une porte... »*, h/t (21x33) : USD 920.

CAPURI Camillo
XVIIIᵉ siècle. Italien.
Graveur.

CAPURO Francesco
XVIIᵉ siècle. Actif à Gênes vers 1690. Italien.
Peintre.
Élève de Domenico Fiasella à Gênes et de Spagnoletto à Naples. Il a peint pour les églises de Gênes et de Modène.

CAPUTI Giuseppe ou **Capucci**
XIXᵉ siècle. Travaillant à Rome dans la première moitié du XIXᵉ siècle. Italien.
Sculpteur sur ivoire et médailleur.

CAPUTO Domenico
Mort en 1677. XVIIᵉ siècle. Actif à Naples. Italien.
Peintre.

CAPUTO Francesco ou **Caputi**
Né à Naples. XVIIᵉ siècle. Actif dans la première moitié du XVIIᵉ siècle. Italien.
Miniaturiste.
Il fut élève de G.-B. Rosa.

CAPUTO Ludovico
Né en 1831 à Naples. XIXᵉ siècle. Italien.
Sculpteur sur bois.
Fit ses études à l'Académie des Beaux-Arts de Naples. On cite : *Madone, Sant-Efixio, Madonna di Lourdes, L'Adolorata, Saint Antoine*.

CAPUTO Sebastiano
XVIᵉ siècle. Napolitain, actif au XVIᵉ siècle. Italien.
Sculpteur sur bois.

CAPUTO Ulysse ou **Ulisse**
Né le 4 novembre 1872 à Salerne. Mort le 13 octobre 1948 à Paris. XXᵉ siècle. Actif en France. Italien.
Peintre de paysages.
Il débuta ses études artistiques à l'École des Beaux-Arts de Naples où il fut élève de Domenico Morelli entre 1890 et 1892. Il abandonna l'École pour travailler avec Gaetano Esposito, puis en 1894 retourna à Salerne. En 1900 il vint tenter sa chance à Paris et exposa au Salon des Artistes Français à partir de 1901, recevant une médaille en 1909. En 1907 il figura à la Biennale de Venise. En 1910 il reçut une médaille d'or à l'exposition de Munich. En 1911-1912, il visita la Bretagne et en rapporta de nombreux paysages. En 1918 il se fixa à Aix-en-Provence, peignant des vues des paysages du Midi. Entre 1922 et 1935 il participa à de nombreuses expositions en Europe et dans les deux Amériques. Il voyagea fréquemment au Maroc entre 1925 et 1930, invité par le comte de Chambrun.

MUSÉES : LIMA – PARIS (Mus. d'Orsay) : *Symphonie* – PITTSBURGH (Mus. de la Fond. Carneggie) – SANTIAGO DU CHILI – TOULON (Mus. mun.).
VENTES PUBLIQUES : PARIS, 29 oct. 1926 : *Lison* : FRF 4 000 – PARIS, 19 déc. 1941 : *L'heure du goûter* : FRF 650 – PARIS, 21 nov.

1979 : *Au café-Paris* 1909, h/t (73x92) : **FRF 19 000** – Milan, 10 déc. 1980 : *Flamenco*, h/t (91,5x73) : **ITL 1 700 000** – Los Angeles, 16 mars 1981 : *Le jardin du Luxembourg* 1903, h/t (51x101,5) : **USD 2 000** – Milan, 23 mars 1983 : *Femme à son miroir*, h/t (114x69) : **ITL 2 900 000** – New York, 1er mars 1984 : *Scène de café* 1912, h/t (116,8x88,9) : **USD 5 500** – New York, 15 fév. 1985 : *Jeune femme à l'Opéra*, h/t (80,6x60,3) : **USD 1 900** – Rome, 16 déc. 1987 : *L'heure du thé*, h/t (100x80) : **ITL 3 800 000** – Londres, 21 oct. 1988 : *Après le bal*, h/t (73x60) : **GBP 1 760** – Paris, 22 nov. 1988 : *Portrait de Madame Caputo*, h/t (116x89) : **FRF 70 000** – Rome, 14 déc. 1988 : *Au théâtre*, h/t (64x78,5) : **ITL 3 800 000** – New York, 25 oct. 1989 : *Théâtre de marionnettes dans un parc*, h/cart. (19x29,2) : **USD 22 000** – Paris, 21 nov. 1989 : *Portrait de Madame Caputo*, h/t (116x89) : **FRF 66** – Londres, 24 nov. 1989 : *Après le bal*, h/t (64,5x50,8) : **GBP 5 500** – Milan, 6 déc. 1989 : *Au café* 1909, h/t (73x92) : **ITL 32 000 000** – Londres, 28 mars 1990 : *La diva*, h/t (116x89) : **GBP 6 050** – Paris, 5 avr. 1990 : *Bal masqué*, h/t (60x81) : **FRF 40 000** – Monaco, 21 avr. 1990 : *Dans les jardins du Luxembourg à Paris* 1902, h/t (33x46) : **FRF 133 200** – Rome, 29 mai 1990 : *Paysage animé*, h/pan. (9x19) : **ITL 1 495 000** – Rome, 11 déc. 1990 : *Personnage féminin dans un intérieur* 1907, h/t (75x92) : **ITL 14 950 000** – Londres, 15 fév. 1991 : *La liseuse*, h/cart. (36,8x44,5) : **GBP 5 500** – New York, 28 fév. 1991 : *Femme lisant dans un jardin*, h/cart. (35,6x27) : **USD 8 800** – Rome, 14 nov. 1991 : *Le masque rouge*, h/t (73x60,5) : **ITL 12 650 000** – New York, 20 fév. 1992 : *Le jardin du Luxembourg à Paris*, h/cart. (16,2x26,7) : **USD 8 250** – Milan, 19 mars 1992 : *Dame devant un miroir* 1913, h/t (41x33) : **ITL 11 500 000** – Rome, 19 nov. 1992 : *Jeune fille dans une barque sur le fleuve*, h./contre-plaqué (23,5x33) : **ITL 3 450 000** – Paris, 7 déc. 1992 : *Porte de la ville de Fès*, h/t (60x72,5) : **FRF 12 000** – Rome, 29-30 nov. 1993 : *Scène orientale*, aquar./pap. (35x64) : **ITL 4 714 000** – New York, 12 oct. 1994 : *Un après-midi aux Tuileries à Paris*, h/cart. (29,2x43,2) : **USD 16 100** – Rome, 6 déc. 1994 : *Dans le jardin*, h/t (48x30) : **ITL 17 678 000** – Paris, 13 fév. 1995 : *Au théâtre*, h/t (111x174) : **FRF 45 000** – New York, 16 fév. 1995 : *Jardins de l'Observatoire à Paris* 1903, h/t (52,1x104,1) : **USD 11 500** – Paris, 12 juin 1995 : *Palais mauresque*, h/t.cart. (30x26,5) : **FRF 9 500** – Milan, 26 mars 1995 : *Dame provençale dans un jardin* 1939, h/t (73,5x60,5) : **ITL 29 900 000** – Milan, 26 mars 1996 : *Dame dans un salon* 1915, h/pan. (38x46) : **ITL 29 325 000** – Rome, 27 mai 1997 : *Dans le jardin*, h/t (23x33) : **ITL 10 350.**

CAPUZ Francisco
Né en 1665 à Valence. Mort en 1727 à Valence. xviie-xviiie siècles. Espagnol.
Sculpteur.
Fils et élève de Julio Capuz.

CAPUZ Jacinto
Né à Valence. xixe siècle. Espagnol.
Peintre.
On cite de lui une *Sainte Madeleine* et un *Saint Jérôme*.

CAPUZ Julio ou Giulio
Originaire de Gênes. xviie siècle. Travaillant à Valence. Italien.
Sculpteur.

CAPUZ Leonardo Julio
Né en 1660 à Onteniente (près de Valence). Mort en 1731 à Valence. xviie-xviiie siècles. Espagnol.
Fils aîné et élève de Julio Capuz. Il a exécuté un certain nombre d'ouvrages pour les églises de Valence.

CAPUZ Raymundo
Né en 1665 à Valence. Mort en 1743 à Valence. xviie-xviiie siècles. Espagnol.
Sculpteur.
Fils et élève de Julio Capuz. Il a travaillé à Madrid, à Tolède et à Valence, où il revint se fixer en 1724.

CAPUZ Tomas-Carlos
Né en 1834 à Valence. Mort en 1899 à Madrid. xixe siècle. Espagnol.
Graveur sur bois.
Élève de l'Académie Royale de San Fernando. Il exposa à plusieurs reprises entre 1860 et 1881 à la Nationale des Beaux-Arts à Madrid. On cite de lui, entre autres estampes : *La Vierge Mère*, *L'Ange du jugement dernier*. Il a travaillé également pour des périodiques espagnols (*El Museo Universal*, *La Ilustracion Espanola y Americana*, etc.) et illustré des livres d'histoire, notamment, l'*Historia del Escorial*.

CAPUZ Y GIL Antonio
Né le 17 janvier 1846 à Godella (province de Valence). xixe siècle. Espagnol.
Sculpteur.
Élève de Francisco Martinez et de l'Académie de San Carlos.

CAPUZ Y ROMERO Cayetano
Né en 1838 à Godella (province de Valence). xixe siècle. Espagnol.
Sculpteur.
Élève à Valence de l'Académie de San Carlos. On cite de lui : *Buste de Mariano Linan y Morello* (1858), *Le Nazaréen sur la croix* (Séminaire de Valence), *Saint Vincent Ferrer.*

CAPWELL Joséphine Edwards
Née au xixe siècle à New Albany (Indiana). xixe siècle. Américaine.
Peintre.
Élève de la San Francisco School of Design et de C. Cadanasso à Paris.

CAPY Eugène
Né le 17 juin 1829 à Paris. Mort en 1894. xixe siècle. Actif à Paris. Français.
Sculpteur.
Il entra à l'École des Beaux-Arts, le 9 octobre 1849, et y fut élève de Drolling et de Pradier. Il a exposé au Salon, entre 1849 et 1853, quelques bustes et quelques médaillons.

CAPY Marcel Amable O.-L.
Né à Villejuif (Val-de-Marne). Mort vers 1930. xixe-xxe siècles. Français.
Peintre de genre, dessinateur, illustrateur.
Il exposa à Paris au Salon des Humoristes et à celui de la Société Nationale des Beaux-Arts, où il reçut une mention honorable en 1884.
Il illustra *Tartarin de Tarascon* d'Alphonse Daudet et collabora au *Rire*, au *Sourire*, à *La Vie parisienne*, à *Fantasio* et à *Comœdia illustré*...
Il s'inspire essentiellement des scènes vues dans les rues parisiennes, les cafés, les caf'conc', les théâtres, les restaurants.
Bibliogr. : Gérald Schurr, in : *Les Petits Maîtres de la peinture 1820-1920, valeur de demain*, t. III, Les Éditions de l'Amateur, Paris, 1976.
Ventes Publiques : Paris, 1er avr. 1920 : *Croquis fantaisie*, dess. aquar. : **FRF 175** ; *Théâtre forain*, aquar. : **FRF 200** – Paris, 13 juil. 1942 : *La Parisienne* : **FRF 200.**

CAQUET Jean Gabriel
Né en 1749 à Paris. Mort en 1802 à Paris. xviiie siècle. Français.
Dessinateur et graveur.
Il fournit des gravures pour les *Contes* de La Fontaine. On lui doit encore d'avoir gravé d'après Moreau le jeune : *La Partie de chasse de Henri IV*, et d'après Lawrence : *La soirée du Palais-Royal* et l'*Innocence en danger*. On cite encore parmi ses œuvres : *Le Fleuve Scamandre*, *La Confidente sans le savoir*, *Le contrat*, *Le Quiproquo*, *Le Faiseur d'oreilles*, *Le Bât*, *La Ramasseuse de cerises.*

CAQUET Jean Marc
Né à Angerville (Essonne). xxe siècle. Français.
Peintre.
Il a exposé aux Indépendants en 1929.

CAR H.
xviiie siècle.
Peintre.
Il a peint le portrait de Wilh. Van Brakel, de Rotterdam (mort en 1711).

CARA Ugo
Né en 1908 à Muggia (Trieste). xxe siècle. Italien.
Sculpteur.
Ventes Publiques : Rome, 19 avr. 1994 : *Saint Sébastien*, bronze (H. 39,5) : **ITL 1 725 000.**

CARA-COSTEA Philippe
Né en 1925. xxe siècle. Français.
Peintre de compositions à personnages, natures mortes.
Il exposa à Paris dans les années 1950-1960 ses peintures au graphisme aigu, à la gamme chromatique dominée par le rouge.

Cara Costea

Ventes Publiques : Paris, 10 déc. 1962 : *Nature morte* : **FRF 2 050** – Paris, 18 mars 1968 : *La plage* : **FRF 2 700** – New

York, 20-21 avr. 1976 : *Jardin*, h/t (89x129,5) : **USD 700** – Paris, 22 juin 1981 : *Deux femmes devant la table*, h/t (81x65) : **FRF 3 800** – Paris, 26 oct. 1987 : *La plage* 1960, h/t (73x93) : **FRF 7 000** – Versailles, 15 mai 1988 : *Modèles dans l'atelier*, h/t (80,5x59,5) : **FRF 5 000** – Versailles, 25 sep. 1988 : *Personnages dans un paysage* 1951, h/t (146x114) : **FRF 5 500** – Paris, 16 oct. 1988 : *Nu allongé*, past. (46x63) : **FRF 23 000** – Versailles, 23 oct. 1988 : *Vase de fleurs sur fond jaune*, h/t (73x60) : **FRF 4 200** – Paris, 14 déc. 1988 : *Plage au soleil*, h/t (50x61) : **FRF 11 500** – Paris, 21 sep. 1989 : *Nature morte au poisson*, h/t (60x92) : **FRF 8 500** – Versailles, 24 sep. 1989 : *Jeune femme assise*, h/t (81x65) : **FRF 5 500** – Paris, 8 nov. 1989 : *Plage de la Baule*, h/t (46x55) : **FRF 20 000** – Paris, 22 jan. 1990 : *Plage au soleil*, h/t (46x55) : **FRF 19 000** – Paris, 6 oct. 1990 : *La plage*, h/t (46x55) : **FRF 6 000** – Paris, 6 fév. 1991 : *Le port* 1962, h/t (55x73) : **FRF 8 000** – Paris, 10 juin 1992 : *Nature morte aux deux bouquets de fleurs*, h/t (60x51) : **FRF 6 000**.

CARA-COTCHIAN Stéphane
Mort en juin 1962 à Nice. xxe siècle. Français.
Peintre.

CARABAGLIO Juan Bautista
xvie siècle. Espagnol.
Sculpteur et fondeur.

CARABAIN Jacques François
Né en 1834 à Amsterdam. Mort après 1907 à Bruxelles. xixe siècle. Belge.
Peintre de paysages, architectures.
Élève de Doyer et V. Bing à l'École des Beaux-Arts d'Amsterdam, il poursuivit ses études à Bruxelles. Il visita la France, l'Italie, l'Allemagne et l'Autriche, se fit naturaliser Belge en 1880 et vécut à Bruxelles, où il était encore en 1889.
De ses nombreux voyages et de son séjour à Bruxelles, il rapporta plusieurs vues de villes animées de personnages, de marchés, du vieux Bruxelles plus particulièrement, documentation très précieuse.

jac$ Carabain

J Carabain

Bibliogr. : Gérald Schurr, in : *Les Petits Maîtres de la peinture 1820-1920, valeur de demain*, t. III, Les Éditions de l'Amateur, Paris, 1976.
Musées : Bruxelles (Hôtel de Ville) : *Vues du vieux Bruxelles* – Prague (Mus. Rudolfinum) : *Vue de Poggiodomo* – Ypres : *Grand'Place à Bruxelles*.
Ventes Publiques : New York, 1903 : *Scène de village sur la Méditerranée* : **USD 152** – Amsterdam, 15-16 oct. 1907 : *Vue à Vernazza, par un beau jour, au bord de la Méditerranée* : **NLG 52** – Londres, 6 déc. 1926 : *Une rue à Heilbronn en Bavière* : **GBP 16** – Bruxelles, 21-22 fév. 1938 : *Rue à Monte Rosso* : **BEF 520** – Paris, 5 fév. 1951 : *Rue en Sicile* : **FRF 27 000** – Londres, 23 jan. 1966 : *Vue d'une ville belge* : **GBP 75** – Londres, 21 déc. 1967 : *Bateau à quai, Rotterdam* : **GNS 130** – Anvers, 20-21-22 mai 1968 : *Vue à Adélaïde* : **BEF 34 000** – Londres, 24 nov. 1976 : *Scène de rue* (71x61) : **GBP 2 600** – Londres, 11 fév. 1977 : *Scène de rue, Italie*, h/pan. (39,5x29,5) : **GBP 1 700** – New York, 16 fév. 1977 : *La Place du marché, Bruges*, aquar. (75x53,5) : **USD 1 200** – Londres, 15 juin 1979 : *L'Église San Spirito à Cerrania près de San Remo* 1855, h/t (30,5x24,2) : **GBP 1 700** – Amsterdam, 18 mai 1981 : *Vue d'une ville*, aquar. (36,5x52,5) : **NLG 3 200** – New York, 27 mai 1983 : *Vue de Saint-Goar sur le Rhin*, h/t (81,2x110,4) : **USD 20 000** – Londres, 19 nov. 1985 : *Queen Street, Auckland* 1889, h/t (95,2x124,4) : **GBP 50 000** – New York, 25 fév. 1988 : *Place de bourgade*, h/t (78x56,5) : **USD 6 000** – Londres, 24 mars 1988 : *Scène de rue à Neustadt-am-Aisch*, h/t (76x59,5) : **GBP 6 600** – Cologne, 18 mars 1989 : *Paysage boisé avec un cavalier conversant avec un paysan* 1851, h/t (47,5x65,5) : **DEM 8 000** – New York, 23 mai 1989 : *La Plage de Vietri en Italie*, h/t (66,3x106,5) : **USD 18 700** – Londres, 6 oct. 1989 : *Piazza Cavalli à Piacenza* 1894, h/t (76x53) : **GBP 8 250** – New York, 25 oct. 1989 : *Vue de l'Hôtel de Ville et de la Grand'Place de Goslar* 1874, h/t (77,5x62,8) : **USD 30 800** – Londres, 24 nov. 1989 : *Vue*

de Oberwesel avec le château de Pfalz et les ruines de Grutenfels à l'arrière-plan 1865, h/t (77x62) : **GBP 39 600** – Londres, 28 mars 1990 : *Place du marché à Wernigerode*, h/t (61,5x82,5) : **GBP 23 100** – New York, 24 oct. 1990 : *La maison des poids à Alkmaar*, h/t (77,5x63,5) : **USD 33 000** – Rome, 11 déc. 1990 : *Vue d'un village*, aquar. (42,5x68,5) : **ITL 3 680 000** ; *Sur la plage de Vietri*, h/t (65x105) : **ITL 40 250 000** – Paris, 13 mars 1991 : *Paysage de bord de lac*, h/t (58x49) : **FRF 82 000** – Londres, 21 juin 1991 : *Saint-Goar-am-Rein avec le château de Katz à l'arrière-plan*, h/t (58,2x48,5) : **GBP 11 000** – Amsterdam, 22 avr. 1992 : *Vue de Cagoletto en Italie avec de nombreux villageois* 1903, h/t (76x54) : **NLG 20 700** – New York, 28 mai 1992 : *Via Pescari à Vicenza en Italie*, h/t (77,5x48,3) : **USD 11 000** – New York, 29 oct. 1992 : *Vue de Eldfeld au bord du Rhin*, h/t (43,2x56,5) : **USD 14 300** – Amsterdam, 21 avr. 1993 : *Cagoletto, village natal de Christophe Colomb au bord de la Méditerranée* 1901, h/t (72,5x117) : **NLG 34 500** – Rome, 27 avr. 1993 : *Sur la plage de Vietri*, h/t (65x105) : **ITL 33 781 500** – Lokeren, 15 mai 1993 : *Le bac* 1859, h/t (69x94) : **BEF 480 000** – Londres, 17 nov. 1993 : *Village du sud de l'Italie* 1858, h/t (76x54) : **GBP 5 175** – Londres, 18 mars 1994 : *Ville au bord d'une rivière* 1858, h/t (74,9x94) : **GBP 9 430** – Lokeren, 12 mars 1994 : *Le Bac* 1859, h/t (69x94) : **BEF 500 000** – New York, 12 oct. 1994 : *Jour de marché*, h/t (94x132,1) : **USD 29 900** – Lokeren, 10 déc. 1994 : *La Barque du passeur* 1859, h/t (69x94) : **BEF 700 000** – Amsterdam, 11 avr. 1995 : *Vue de Serianas en Italie*, h/pan. (34x26) : **NLG 5 997** – Paris, 21 mars 1996 : *Vue de la porte Capuana à Naples un jour de marché*, h/t (76x54) : **FRF 91 000** – Londres, 14 juin 1996 : *Cocherm sur Moselle*, h/t (79,3x110,5) : **GBP 36 700** – Amsterdam, 5 nov. 1996 : *Vue du mur sud de La Haye avec des personnages détachant une barque*, h/pan. (31,5x22) : **NLG 5 900** – Londres, 20 nov. 1996 : *Scène de rue à Zug, Suisse* 1880, h/t (89x68) : **GBP 10 925**.

CARABAIN Victor
xixe-xx{e} siècles. Belge.
Peintre de paysages urbains, marines.
Ventes Publiques : Reims, 26 oct. 1986 : *Bateaux de pêche en mer*, h/t (54x38) : **FRF 6 000** – Bruxelles, 19 déc. 1989 : *Vue d'une ville animée*, h/t (50x40) : **BEF 35 000** – New York, 17 jan. 1990 : *Dans le port* 1881, h/t (57,2x78,2) : **USD 2 200**.

CARABALONA Antoine
xive siècle. Actif en Provence. Français.
Peintre.

CARABELLI Donato
Né en 1760 à Obino (près de Mendrisio). xviiie siècle. Suisse.
Sculpteur.
Il étudia la sculpture chez son oncle Francesco Carabelli, et travailla à Milan et en Angleterre. Parmi ses œuvres, on cite ses sculptures décoratives de la façade de la cathédrale de Milan parmi lesquelles : *Le rêve de Jacob* (bas-relief), *Daniel dans la fosse aux lions*, *Saint Marc*.

CARABELLI Francesco
Né en 1737 près de Mendrisio, originaire de Castel San Pietro. xviiie siècle. Suisse.
Sculpteur.
D'abord élève de son père Giovan Albino Carabelli, il se perfectionna à Milan où il reçut des leçons de Cav. Giudici. Il travailla à la décoration de la cathédrale de Milan, et exécuta des ouvrages pour la façade du palais de la famille Odescalchi.

CARABELLI Giovan Albino
Né en 1690 à Castel San Pietro (près de Mendrisio). Mort en 1766. xviiie siècle. Suisse.
Sculpteur sur marbre et sur bois.
Carabelli étudia à Rome et travailla pour la cour de Portugal et aussi pour les églises de sa ville natale.

CARABIE ou Carabaye, famille d'artistes
xviie-xviii{e} siècles. Actifs à Caen. Français.
Bernard (actif 1689-1705), Jacques (actif 1689-1693) et Thomas furent sculpteurs, Michel Gaspard (mort avant 1765), peintre.

CARABIN François Rupert
Né le 27 mars 1862 à Saverne (Bas-Rhin). Mort en 1932 à Strasbourg. xixe-xx{e} siècles. Français.
Sculpteur de statuettes de genre, animalier, orfèvre, décorateur.
Il fut élève de Jacques Perrin. Il fut un des fondateurs de la Société des Artistes Indépendants en 1884 et participa à ses

expositions jusqu'en 1891. Il entra alors à la Société Nationale des Beaux-Arts, où il exposa ensuite, médaille de bronze à l'Exposition Universelle de 1900, décoré de la Légion d'Honneur en 1903.

Il s'est surtout efforcé de rénover l'art de la sculpture industrielle et a produit des meubles remarqués, notamment ceux qui appartiennent aux collections du Musée Galliera. Il a aussi produit de nombreuses statuettes de scènes de genre, groupes, portraits, animaux.

BIBLIOGR. : Catalogue de l'exposition *François Rupert Carabin*, Gal. du Luxembourg, Paris, 1974.

MUSÉES : PARIS (Mus. Galliera).

VENTES PUBLIQUES : PARIS, 11 juin 1976 : *Femme accroupie sur un lotus* 1892, bois (H. 24) : **FRF 14 500** – MONTE-CARLO, 9 oct. 1977 : *La Farandole à Pont-Aven, bronze,* patine brune (18,5) : **FRF 6 000** – PARIS, 18 juin 1979 : *Femme accroupie,* grès brun (H. 13,3) : **FRF 6 000** – LYON, 13 mai 1980 : *La pieuvre,* bronze patiné (encrier) : **FRF 30 000** – PARIS, 9 déc. 1981 : *Sirène et pieuvre* 1900-1901, bronze (long. 29) : **FRF 100 000** – PARIS, 7 mai 1983 : *Femme portant une pièce de bois,* bronze (H. 54) : **FRF 14 000** – PARIS, 16 déc. 1985 : *Groupe de trois femmes* 1914 (H. 56) : **FRF 520 000** – MONTE-CARLO, 1er fév. 1987 : *La Loïe Fuller,* bronze (H. 20) : **FRF 35 000** – PARIS, 21 déc. 1987 : *L'Araignée, poirier ciré, taille directe* 1908 (H. 37,5) : **FRF 155 000** – PARIS, 8 mars 1993 : *Loïe Fuller,* bronze (H. 18) : **FRF 32 000** – PARIS, 3 avr. 1996 : *Canne à pommeau de bronze représentant une femme nue le corps ployé vers l'avant* **FRF 40 000**.

CARACCIOLO Giovanni Battista, dit il Battistello

Né vers 1570 à Naples. Mort en 1637 à Naples. XVIᵉ-XVIIᵉ siècles. Italien.

Peintre de sujets mythologiques, compositions religieuses, figures, fresquiste, dessinateur.

D'abord élève de Fabrizio Santafede, il devint plus tard le disciple de Michel-Angelo Caravaggio puis des Carraci.

Il a peint des tableaux d'autel et exécuté des fresques dans des églises de Naples. Il fut le rénovateur de l'école de peinture napolitaine du début du XVIIᵉ siècle. C'est avec la *Libération de saint Pierre* de Monte della Misericordia (avant 1610) et avec le *Baptême du Christ* (vers 1610) de l'église des Hiéronymites, qu'il se montra le plus directement influencé par le passage du Caravage à Naples, avant de revenir à une manière plus académique, sous l'influence des Carrache comme dans l'*Adieu du Christ à sa mère* (vers 1620), à Santa Maria del Popolo agli Incurabili.

BIBLIOGR. : Catalogue de l'exposition : *Le Caravage et la peinture italienne du XVIIᵉ siècle,* Louvre, Paris, 1965.

MUSÉES : NAPLES – *Fuite en Égypte – Assomption – Sainte Cécile.*

VENTES PUBLIQUES : PARIS, 1858 : *Une tête d'enfant,* dess. à la pl. : **FRF 11** – PARIS, 1858 : *Étude de moine en extase,* dess. à la pierre noire : **FRF 6** – NEW YORK, 14 jan. 1938 : *Marie en Égypte :* **USD 125** – MILAN, 10 mai 1966 : *L'Enfant Jésus :* **ITL 4 000 000** – LONDRES, 29 mars 1968 : *Narcisse :* **GNS 2 400** – ROME, 11 nov. 1980 : *San Gennaro, /t.* (129x102) : **ITL 7 000 000** – LONDRES, 14 déc. 1984 : *Salomé avec la tête de saint Jean Baptiste,* h/t (128,9x155,5) : **GBP 10 500** – NEW YORK, 11 jan. 1989 : *Saint Janvier en majesté,* h/t (166,3x121,8) : **USD 121 000** – ROME, 8 avr. 1991 : *Cupidon endormi,* h/t (90x145) : **ITL 3 450 000**.

CARACCIOLO L.

XIXᵉ siècle. Italien.

Graveur au lavis.

On cite de lui : 50 planches d'après les dessins du *Liber Veritatis* de Cl. Gellée.

CARACCIOLO Ottorino

Né en 1855 à Bari. Mort en 1880 à Paris. XIXᵉ siècle. Italien.
Peintre de figures et de portraits et miniaturiste.

CARACCIOLO Renzo

XVᵉ siècle. Actif à Naples. Italien.
Peintre.

C'est probablement le même artiste que Renzo Cannabacciolo.

CARACCIOLO di Vercano

XVIIᵉ siècle. Travaillant aux environs de Côme, probablement au XVIIᵉ siècle. Italien.
Peintre.

CARACOSTA Philopoemen. Voir CONSTANTINIDI

CARADEK Lucie

Née à Brest (Finistère). Morte en 1936. XXᵉ siècle. Française.
Peintre de paysages, de figures et de fleurs.

Elle exposa au Salon des Artistes Indépendants en 1910, puis au Salon des Artistes Français, dont elle était sociétaire, jusqu'en 1935.

VENTES PUBLIQUES : PARIS, 9 avr. 1927 : *Paysage :* **FRF 100** – PARIS, 3 juin 1942 : *Toile :* **FRF 4 800** – DOUARNENEZ, 10 août 1984 : *La gavotte,* h/cart. (46x62) : **FRF 4 700**.

CARADOSSI Vittorio

Né en 1861 à Florence. XIXᵉ-XXᵉ siècles. Italien.
Sculpteur de groupes, statues.

Il fut élève de l'Institut des Beaux-Arts de Florence. Il exposa à Paris, en 1900 à l'Exposition Universelle et en 1909 au Salon des Artistes Français.

VENTES PUBLIQUES : NEW YORK, 1er nov. 1995 : *Étoiles filantes,* marbre (H. 182,9) : **USD 387 500** – NEW YORK, 23 mai 1996 : *Fontaine à la nymphe,* marbre (H. 210,8) : **USD 178 500** – NEW YORK, 24 oct. 1996 : *Étoiles filantes,* marbre (H. totale 231,1) : **USD 233 500** – NEW YORK, 23 oct. 1997 : *Étoiles filantes,* marbre (H. 154,9) : **USD 96 000**.

CARAËS Marguerite-Blanche

Née à Saint-Renan (Finistère). XXᵉ siècle. Française.
Peintre de natures mortes et d'intérieurs d'églises.

Elle fut élève d'Emmanuel Fougerat et de Charles Perron. Elle exposa au Salon des Artistes Français, dont elle fut sociétaire à partir de 1936.

CARAFFA Emilio

Né le 17 décembre 1862 à Catamarca. Mort le 22 mai 1939 à Cordoba. XIXᵉ-XXᵉ siècles. Argentin.
Peintre de compositions religieuses, portraits, compositions décoratives.

Il fit ses études à Buenos Aires et entreprit ensuite un voyage en Europe où il étudia successivement à l'École des Beaux-Arts de Naples et à San Lucas à Rome. En Espagne, il copia les œuvres de Velasquez et de Fortuny. Rentré en Argentine en 1902, il fonda l'Académie de Cordoba et exécuta les projets pour la décoration de la cathédrale de cette même ville. Il en réalisa certaines peintures, le reste étant confié à Nazzareno Orlandi.

Il figura dans l'exposition du Centenaire à Buenos Aires en 1910 où il reçut une médaille d'or et dans l'exposition collective *Peinture et sculpture argentine de ce siècle* en 1952-1953 organisée dans cette même ville.

Il peignit également des portraits et des toiles de sujets religieux.

MUSÉES : BUENOS AIRES – CORDOBA – ROSARIO.

CARAFFE Armand Charles

Né le 17 février 1762 à Paris. Mort le 18 août 1822 à Paris. XVIIIᵉ-XIXᵉ siècles. Français.
Peintre d'histoire, sujets allégoriques, scènes de genre, portraits, graveur, dessinateur.

Élève de Lagrenée et de David, il participa en 1784 et 1785 aux concours du Prix de Rome, puis entreprit un voyage en Italie, où il fut remarqué par Ménageot qui lui trouvait du goût pour « le sauvage et le barbare ». Il poursuivit son voyage jusqu'à Naples, la Calabre, la Sicile et Constantinople en 1788-90.

De retour en France, il exposa régulièrement au Salon de Paris où il débuta en 1793 et continua d'y figurer jusqu'en 1802. Fidèle Jacobin, après le 9 Thermidor, il fut emprisonné trois ans. En 1802, il partit pour la Russie où il poursuivit sa carrière. Il fut placé à l'Ermitage comme peintre d'histoire et attaché au service de la cour. C'est durant son séjour à l'étranger qu'il peignit le *Serment des Horaces* pour le prince Youssoupof. Ce tableau a été gravé par Laurence. En 1812, il revint en France sa santé s'étant altérée. On cite parmi ses gravures : *Le Remords, Droits de l'homme.*

VENTES PUBLIQUES : PARIS, 1824 : *Scènes turques,* dess. à la pl. et légèrement colorié : **FRF 60** – PARIS, 1830 : *Proscrit condamné à boire la ciguë,* dess. à la pl. : **FRF 66** – PARIS, 1830 : *La Sagesse s'efforçant de retenir l'Innocence que le Plaisir entraîne vers un abîme,* dess. : **FRF 8** – PARIS, 1840 : *L'Amitié console l'Amour des rigueurs du Temps et de la fuite des Grâces,* dess. à la pierre noire : **FRF 20** – PARIS, 1892 : *Proscrit condamné à boire la ciguë,* dess. à la pl. et colorié : **FRF 220** ; *Cérémonies turques,* dess. à la pl. et colorié : **FRF 330** – MONACO, 2 juil. 1993 : *Ugolin et ses enfants en prison,* craie noire, encre et lav./pap. (47x32) : **FRF 55 500**.

CARAGEA Boris

Né le 11 janvier 1906 à Baltchik. XXᵉ siècle. Roumain.
Sculpteur de figures.

Il fit ses études à l'Académie des Beaux-Arts de Bucarest puis voyagea en Grèce et en Italie. Il participe à de nombreuses expositions collectives en Roumanie, à Moscou, Léningrad (Saint-Pétersbourg), Paris, à la Biennale de Venise en 1954, à Prague et Budapest.

Son œuvre vigoureuse et monumentale est caractérisée par l'énergie humaine qui y est figurée. Son œuvre peut se définir comme un hymne à l'homme, servie par les moyens formels, solides et rapides, du réalisme.

CARAGLIO Giovanni Jacopo ou Caralio, Caralius, Karalis, dit aussi Jacobus Parmensis ou Veronensis
Né vers 1500 sans doute à Vérone. Mort en 1570 près de Parme. xvie siècle. Italien.
Graveur de compositions religieuses, orfèvre, médailleur, architecte.
Caraglio fut un des plus grands graveurs de son époque et obtint une réputation très considérable et dans son pays et à l'étranger, notamment en Pologne, où il exécuta des médailles pour le roi Sigismond. Revenant en Italie, il se fixa d'abord à Vérone et ensuite dans le voisinage de Parme ; il y demeura jusqu'à sa mort.

VENTES PUBLIQUES : LONDRES, 16 oct. 1984 : *L'Annonciation*, grav./cart., d'après Raphaël (31x20,8) : **GBP 850.**

CARALP Maurice
Né le 26 janvier 1912 à Castres (Tarn). Mort le 13 janvier 1993 à Montpellier (Hérault). xxe siècle. Français.
Peintre de paysages, natures mortes, fleurs, sculpteur de monuments, bustes.
Il a résidé et travaillé longtemps à Saint-Ghilhem-le-Désert (Hérault). Il exposa à partir de 1935 à Paris au Salon des Artistes Français, et depuis 1942 à plusieurs reprises au Musée Fabre de Montpellier.
MUSÉES : CASTRES (Mus. Jean Jaurès) : *Buste de Jean Jaurès*, noyer massif.

CARAM Marina
Née le 24 octobre 1925 à São Paulo. xxe siècle. Brésilienne.
Peintre, graveur. Expressionniste.
Elle fut présentée au monde artistique par le Professeur Pietro Maria Bardi (directeur du musée d'art de São Paulo) et par Oswald de Andrade (le pionnier du Mouvement d'Art Moderne de 1922 au Brésil). Elle exposa ses œuvres pour la première fois au Musée d'Art de São Paulo. Elle reçut une bourse du gouvernement français pour étudier à Paris, où elle travailla durant deux ans à l'École des Beaux-Arts. Elle fit de nombreux autres voyages d'étude à Londres, en Argentine, en Uruguay, en Bolivie et au Brésil.
Elle a participé à plusieurs expositions collectives à l'étranger : à Paris au Salon des Artistes Indépendants en 1953, 1954 et 1955, au Musée Rath à Genève, à New York en 1964 à la xe Exposition Annuelle de Gravures Latino-Américaines, au Musée Grimaldi d'Antibes en 1969, au Salon d'Automne de Paris en 1971 ; et en Yougoslavie, en Allemagne, au Japon, en Israël et en Amérique latine. Au Brésil elle a figuré à la Biennale de São Paulo en 1953, 1955, 1965, 1967 et 1969, au *Panorama des Arts Plastiques* en 1969, 1971 et 1973 au Musée d'Art Moderne de São Paulo, en 1982 elle a participé à *Cent ans de sculpture* au Musée d'Art de São Paulo.
Elle a exposé personnellement au Musée d'Art de São Paulo en 1951, 1953, 1955, 1956, 1957, au Musée d'Art Moderne de Bahia en 1963 et 1966, en 1968 au Musée d'Art Brésilien – « Fondation Armando Alvares Penteado » de São Paulo, en 1983 au Musée Saint-Vic de Saint-Amand-Montrond en France. Elle a reçu plusieurs prix et décorations au Brésil.
Elle a illustré des livres et des journaux. Ses œuvres sont empreintes d'un caractère expressionniste très marqué dans la tradition d'Edward Munch.

CARAMADRE Georges
Né le 10 juin 1937. xxe siècle. Français.
Peintre de paysages urbains. Naïf.
Il a participé à tous les Salons Internationaux d'Art Naïf à Paris. Ses thèmes de prédilection sont les vieux quartiers typiques parisiens, leurs bistrots et les personnages hauts en couleurs qui les habitent. Il a participé en 1991 à l'exposition de la Mairie du 9e arrondissement de Paris, sur le thème *Paris, de Lutèce à la Grande-Arche.*

VENTES PUBLIQUES : PARIS, 20 mai 1987 : *Place Furstemberg*, h/t (27x22) : **FRF 2 500.**

CARAMAN de, Mme, dite Antonia
xixe siècle. Active à Paris vers 1837. Française.
Peintre de portraits.

CARAMELLE Ernst
Né en 1952 à Halle (Autriche). xxe siècle. Actif en Allemagne. Autrichien.
Artiste multimédia.
Entre 1970 et 1976, Caramelle suivit les cours de l'École Supérieure des Arts Appliqués de Vienne, puis entre 1974-1975 fut étudiant au Centre d'Études Visuelles Avancées de Cambridge (Massachusetts). Entre 1981 et 1983, il fut professeur-invité à l'École Städel de Francfort-sur-le-Main. Depuis 1986 il est professeur-invité à l'École Supérieure des Arts Appliqués de Vienne. Il expose depuis 1978 régulièrement à la galerie Marika Malacorda à Genève, également en Allemagne, en Autriche, en Suisse et aux États-Unis. En France il a exposé à la galerie Bama en 1987 à Paris, et en 1989 au Musée Départemental d'Art Contemporain de Rochechouart et à l'ARC au Musée d'Art Moderne de la Ville de Paris.
Dans la lignée de Francis Picabia, Duchamp et du mouvement Fluxus, Ernst Caramelle utilise de multiples formes d'expression pour mieux explorer les limites conventionnelles des catégories artistiques. La vidéo, la peinture, la sculpture, le dessin, la fresque, l'installation, sont revisités, associés dans de complexes combinaisons au sein des lieux d'exposition pour reposer le problème de la perception et de l'identification des œuvres d'art.
■ F. M.

BIBLIOGR. : Artistes, n° 16, Paris, 1983 – Parkett, n° 9, Zurich, 1986 – Catal. *Prospect n° 86*, Frankfurter Kunstverein, 1986 – Kunsforum n° 86, Cologne – Art Press, Paris, 1986 – Artscribe n° 65, Londres, 1987 – Jérome Baratelli : *Ernst Caramelle, Abstrait, oui entre autres*, Opus International, n° 103, Hiver 1987, p. 14 – Catal. de l'exposition au Musée d'Art Moderne de la ville de Paris, ARC, 1989.
MUSÉES : PARIS (FNAC) : *Hochofen Erster Akt* 1985, craie et aquar./cart., (28x32) – ROCHECHOUART (Mus. départ. d'Art Contemp.) : *After Image* 1983 – *Sans titre* 1989.
VENTES PUBLIQUES : FRANCFORT-SUR-LE-MAIN, 14 juin 1994 : *Sans titre* 1986, aquar./cart. (41x40) : **DEM 8 500.**

CARAN D'ACHE, pseudonyme de Poiré Emmanuel
Né en 1858 à Moscou. Mort en 1909 à Paris. xixe siècle. Français.
Peintre de sujets militaires, figures, portraits, dessinateur, illustrateur.
Son surnom signifie crayon en russe. Il fit ses études à Moscou, puis vint à Paris et s'y fixa. Il débuta en collaborant à la *Chronique Parisienne*. Il a également envoyé des dessins à la *Vie Parisienne*, au *Rire*, à la *Caricature*, au *Chat Noir*. On lui doit aussi la pantomime d'ombres : *L'Épopée*. Satiriste, il a publié un album intitulé : *Carnet de chèques*, et consacré au scandale financier du Panama : durant l'Affaire Dreyfus, il fonda le journal *Ps'itt*, organe du parti nationaliste, et auquel il donna de nombreux dessins.
VENTES PUBLIQUES : PARIS, 1894 : *L'armée de Sambre-et-Meuse* : FRF 395 ; *Charge de cavalerie*, peint. en camaïeu : FRF 620 ; *Charge de cuirassiers à Wattignies*, peint. en camaïeu : FRF 490 ; *La retraite sous la pluie*, peint. en camaïeu : FRF 575 ; *Le salut au drapeau*, peint. en camaïeu : FRF 400 ; *Soleil glacial*, peint. en camaïeu : FRF 95 ; *Appartement à louer*, dess. à la pl. : FRF 110 ; *L'engagé conditionnel*, dess. à la pl. : FRF 120 ; *Nouveau genre de duel*, dess. à la pl. : FRF 10 – PARIS, 1898. Aquarelles : *Grenadiers de la garde impériale russe* : FRF 355 ; *Guillaume Tell* : FRF 137 ; *La Marseillaise* : FRF 180 ; *Carré de grenadiers de la Garde* : FRF 200 ; *Le concert européen* : FRF 215 ; *Sous la neige* : FRF 410 ; *L'école du salut militaire*, dess. : FRF 102 – PARIS, 18 et 19 nov. 1901 : *Le roi passe*, dess. : FRF 22 – PARIS, 17 fév. 1902 : *La retraite*, dess. : FRF 190 – PARIS, 17 déc. 1903 : *L'Épopée*, dess. : FRF 120 ; *La Charge*, dess. : FRF 130 – PARIS, 20 mai 1904 : *L'Anglais et la famine dans l'Inde* : FRF 24 – PARIS, 25 jan. 1908 : *Les lions de Carnot*, dess. : FRF 47 – PARIS, 7 avr. 1908 : *Officiers uhlans*, dess. : FRF 15 – PARIS, 4 et 5 déc. 1918 : *Le trompette à cheval*, aquar. : FRF 100 ; *Le glorieux hussard*, dess. : FRF 50 – PARIS, 24 jan. 1919 : *Défilé de lanciers hongrois*, aquar. : FRF 85 – PARIS, 27 mars 1919 : *Congrès de la paix* 1904, deux dessins à la plume : FRF 37 – PARIS, 26 oct. 1922 : *Le Savant et l'Absinthe*, encre de Chine : FRF 37 – PARIS, 28 oct. 1922 : *Grenadiers*

à cheval, aquar. : **FRF 190** – PARIS, 25 et 26 mai 1923 : *Portrait de Vigeant*, pl. et gche : **FRF 40** – PARIS, 27 fév. 1924 : *Grandes manœuvres*, cr. et sépia : **FRF 130** – PARIS, 23 jan. 1925 : *Frédéric le Grand*, lav. d'encre de Chine, reh. d'aquar. : **FRF 70** – PARIS, 30 mars 1925 : *Brigand italien*, quatre dessins à la plume : **FRF 50** – PARIS, 28 et 29 juin 1926 : *Lanciers*, cr. : **FRF 30** – PARIS, 4 mai 1928 : *Le maréchal de la Mort*, aquar. : **FRF 105** – PARIS, 22 juin 1928 : *L'interrogatoire du uhlan*, aquar. : **FRF 450** – LONDRES, 8 juin 1983 : *Officier de cavalerie*, aquar./traits de pl. et cr. (51,5x41,2) : **GBP 620** – PARIS, 28 mai 1993 : *Militaires à cheval*, pierre noire, encre de Chine et reh. de blanc/pap. végétal (34x22,5) : **FRF 4 200**.

CARANCEIAS Juan de
XVIᵉ siècle. Travaillant à Séville. Espagnol.
Peintre.

CARANDINI Paolo
Originaire de Modène. XVIIᵉ siècle. Travaillant à Rome vers 1650. Italien.
Miniaturiste.

CARANGA Achille E. Conrad
Mort en 1889. XIXᵉ siècle. Français.
Peintre.
Sociétaire des Artistes Français.

CARANI Adriano ou Cariani
Originaire des environs de Trente. Mort en 1760 à Rome. XVIIIᵉ siècle. Travaillant à Rome. Éc. tyrolienne.
Graveur.
Il eut pour premier maître Domenico Bonora et vint terminer ses études à Rome où il se fixa.

CARANICA Mihaï
Né le 13 décembre 1943 à Deva (Roumanie). XXᵉ siècle. Actif aux États-Unis. Roumain.
Sculpteur. Abstrait.
Il fit ses études à l'École d'Art Populaire de Bucarest entre 1968 et 1970 dans l'atelier de Gabriela Adoc et Ion Vlasiu. Il participa ensuite à plusieurs expositions collectives en Roumanie, Suisse, R.F.A. Sa première exposition personnelle se tint à Bucarest en 1979, suivie de trois autres à Cluj en 1980, Bucarest en 1981 et Francfort-sur-le-Main en 1983.
Caranica pratique la taille directe sur pierre. Il crée des œuvres très inspirées des sculptures de Jean Arp et de Brancusi, fragments de corps humains réduits à des lignes pures et des volumes parfaits.
BIBLIOGR. : Ionel Jianou : *Les artistes roumains en Occident*, American Romanian Academy of Arts and Sciences, Los Angeles, 1986.

CARANZANO Antonio ou Caranzani
XIXᵉ siècle. Actif à Rome au début du XIXᵉ siècle. Italien.
Graveur et éditeur.
Le Blanc cite de lui un portrait du pape Paul V.

CARAS Christos
Né en 1930 à Trikala. XXᵉ siècle. Grec.
Peintre. Figuration narrative.
Entre 1951 et 1955, il étudia à l'École des Beaux-Arts d'Athènes, puis, entre 1957 et 1960, à celle de Paris. Il a exposé collectivement à Paris, Genève, Bruxelles, Sofia... et personnellement à New York et Athènes.

CARASCO Gonzales
XIXᵉ siècle. Mexicain.
Peintre.
Membre de la Compagnie de Jésus.
Élève de Salomé Pina. On cite parmi ses œuvres : *Un ouvrage de l'amour céleste*, *Les missionnaires au Paraguay*, *Job* (à la Galerie de l'Académie de Mexico).

CARASSO Fred
Né en 1899 à Carignano. Mort en 1969. XXᵉ siècle. Italien.
Sculpteur.
Il est autodidacte et travailla beaucoup à l'étranger au début de sa carrière, en France, en Afrique du Nord et autour de la Méditerranée. Il a réalisé des sculptures pour le stade Philips d'Eindhoven et le stade olympique d'Amsterdam. Il a figuré dans plusieurs expositions internationales de sculptures.
VENTES PUBLIQUES : AMSTERDAM, 11 déc. 1991 : *Deux femmes* 1941, sculpt. d'argile (H. 34) : **NLG 2 760** – AMSTERDAM, 21 mai 1992 : *Deux nus féminins* 1941, chamotte (H. 27) : **NLG 2 300** – AMSTERDAM, 30 mai 1995 : *Nu allongé*, bronze (H. 69) :

NLG 40 000 – AMSTERDAM, 2-3 juin 1997 : *Nu féminin* 1951, bronze (H. 30) : **NLG 20 060**.

CARATE Silvestro da. Voir **SILVESTRO da Carate**

CARATERY Jean
Mort après 1721. XVIIIᵉ siècle. Actif au Mans. Français.
Sculpteur et architecte.
Il fit, en 1667, un retable pour le maître-autel de l'église Saint-Martin, à Dangeul, et, en 1685, le maître-autel de l'église de Fief (aujourd'hui Fyé).

CARATINI Antonio
Né à Bastia (Corse). XXᵉ siècle. Français.
Peintre.
Exposant des Artistes Français.

CARATO Mateo
XVIIᵉ siècle. Actif à Séville. Espagnol.
Peintre.

CARATSCH Balthasar
Né le 15 avril 1851 à Münster (canton de Graubunden). Mort le 15 octobre 1901 à Samaden. XIXᵉ siècle. Suisse.
Peintre de portraits.
Caratsch apprit les éléments du dessin à l'École des Arts industriels à Chur, et plus tard fréquenta l'École d'art à Lucerne, où il fut élève de Deschwanden. Il fit des voyages en Suisse ainsi qu'en Allemagne et en Italie. Le Musée de Chur conserve des œuvres de lui.

CARATTOLI Giuseppe
Originaire de Pérouse. XIXᵉ siècle. Travaillant à Pérouse au début du XIXᵉ siècle. Italien.
Peintre.
Il fut à Rome élève de Landi et de Camuccini.

CARATTOLI Luigi
XIXᵉ siècle. Actif à Pérouse au début du XIXᵉ siècle. Italien.
Peintre décorateur.

CARATTOLI Pietro
Né en 1703 à Pérouse. XVIIIᵉ siècle. Actif à Pérouse. Italien.
Peintre décorateur et architecte.

CARATTOLI Valentino
Mort en 1780 à Pérouse. XVIIIᵉ siècle. Actif à Pérouse. Italien.
Peintre décorateur.
Fils de Pietro Carattoli.

CARATTONI Francesco
Né en 1758 à Riva di Trento. Mort en 1806 à Vérone. XVIIIᵉ siècle. Italien.
Graveur.
Frère de Girolamo Carattoni. Il fut peut-être l'élève de G. B. Buratto à Vérone. Après un séjour de trois ans à Rome, il revint se fixer dans sa ville natale.

CARATTONI Girolamo
Né à Riva di Trento. Mort vers 1809 à Rome. XVIIIᵉ siècle. Travaillant à Rome. Italien.
Graveur au burin.
Frère de Francesco Carattoni. Il fut élève, à Vérone, de G. B. Buratto et, à Rome, de Cunego. Le Blanc cite de lui : *La Sainte Famille et saint Jean*, d'après Léon Bueno ; *Vera et Miraculosa Imagina della Vergine Santissima Addolorata* ; 7 planches pour : *Picture prestyli Vaticani manvs Raphaeli Sanci* ; Planche pour : *Museo Pio Clementino* ; *Betti, musicien*, d'après Xav. della Rosa ; *B. Maria dell' Incarnazione nata Dama Aurillot in Parigi il 1 Feb.* 1565 ; *Saint Giacinto Mariscotti* ; *Lodovico Savioli* ; 8 planches pour : *Médailles grecques et romaines*.

CARAU Marguerite, pseudonyme de Ulmer-Ischi
Née le 14 octobre 1928 à Zurich. XXᵉ siècle. Active en France. Suisse.
Peintre de cartons de tapisseries, lissier.
Elle est autodidacte et ne se consacre qu'à la tapisserie, mettant en relief l'aspect artisanal de cette technique. Elle réalise des tissages à la texture sobre où les qualités intrinsèques du matériau sont respectées et mises en exergue. Rejetant toute anecdote, elle atteint une intensité comparable à celle d'une peinture malgré l'absence de volume. Elle a exposé à la Biennale de Tapisserie de Lausanne depuis 1967, au Musée Grimaldi à Antibes en 1966, au Stedelijk Museum d'Amsterdam en 1969 et entre 1967 et 1993 dans tous les États-Unis lors d'une exposition itinérante organisée par le Museum of Modern Art de New York.

CARAUD Joseph
Né le 5 janvier 1821 à Cluny (Saône-et-Loire). Mort en novembre 1905. XIXᵉ siècle. Français.

Peintre d'histoire, genre, figures, portraits.

Il fut élève d'Abel de Pujol, de Ch. L. Muller à l'École des Beaux-Arts de Paris, où il est entré en 1844, alors qu'il avait déjà participé au Salon en 1843, avec des *Portraits* et *La Bonne Maman et la petite fille*. Il a surtout peint des scènes intimes, anecdotiques ou historiques, de l'époque de Louis XV. Entre 1848 et 1851, il a fréquemment représenté des soubrettes, des scènes d'Algérie ou d'une Italie d'opérette.

Ses compositions sont dessinées avec sécheresse, peintes dans des couleurs plates et sévères, tandis qu'il donne une attitude théâtrale à ses personnages.

Y. Caraud.

BIBLIOGR. : Gérald Schurr, in : *Les Petits Maîtres de la peinture 1820-1920, valeur de demain*, t. II et IV, Les Éditions de l'Amateur, Paris, 1982.

VENTES PUBLIQUES : PARIS, 16 mars 1874 : *Intérieur d'un harem* : **FRF 1 205** ; *Lecture chez Marie-Antoinette* : **FRF 2 950** – PARIS, 1890 : *Sujet de genre* : **FRF 1 875** – PARIS, 12-14 juin 1907 : *La lettre* : **FRF 800** – LONDRES, 11 avr. 1908 : *Jeune femme à sa toilette* 1858, h/t (45x37) : **GNS 6** – PARIS, 2 mars 1925 : *La lettre – Le déjeuner de la soubrette*, deux h/t : **FRF 960** – LONDRES, 1ᵉʳ juil. 1927 : *Marie-Antoinette et Louis XVI* 1857 : **GBP 63** – PARIS, 21-22 oct. 1936 : *Madame de Lamballe faisant la lecture à Marie-Antoinette et à sa fille Marie Thérèse Charlotte* 1858, h/t (86x68) : **FRF 780** – PARIS, 1ᵉʳ juin 1951 : *La servante aux serins* : **FRF 89 000** – LONDRES, 15 mai 1968 : *Louis XVI dans son atelier* : **GBP 320** – LONDRES, 12 fév. 1969 : *La nouvelle robe* : **GBP 1 150** – LONDRES, 19 mai 1976 : *La leçon de lecture* 1853, h/t (42x32) : **GBP 1 300** – LONDRES, 15 fév. 1978 : *Jeune cuisinière nourrissant des oiseaux* 1873, h/t (65x46) : **GBP 850** – LONDRES, 5 oct. 1979 : *Jeune femme à sa toilette* 1858, h/t (45x37) : **GBP 850** – LONDRES, 16 juin 1982 : *Madame de Lamballe faisant la lecture à Marie-Antoinette et à sa fille Marie Thérèse Charlotte* 1858, h/t (86x68) : **GBP 4 500** – NEW YORK, 1ᵉʳ mars 1984 : *Le Goûter* 1868, h/pan. (45x28,6) : **USD 2 000** – ENGHIEN-LES-BAINS, 28 avr. 1985 : *Intérieur d'une maison maure à Alger* 1853, h/t (110x90) : **FRF 540 000** – LONDRES, 23 mars 1988 : *Le lever* 1873, h/pan. (55,5x44,5) : **GBP 9 350** – LONDRES, 25 mars 1988 : *Les Canaris jaunes*, h. (61x46,5) : **GBP 15 400** – NEW YORK, 23 fév. 1989 : *Le Visiteur* 1881, h/t (73,3x90,8) : **USD 17 600** – LONDRES, 21 juin 1989 : *Un intérieur en Algérie* 1853, h/t (110x90) : **GBP 44 000** – NEW YORK, 24 oct. 1990 : *Marie-Antoinette et Louis XVI au Trianon avec Madame de Lamballe* 1857, h/t (89,5x117,5) : **USD 17 600** – LONDRES, 30 nov. 1990 : *La Becquée des pigeons*, h/t (98,8x66,7) : **GBP 13 200** – NEW YORK, 29 oct. 1992 : *La Reine Marie-Antoinette et sa fille Madame Royale à Versailles* 1870, h/t (81,9x102,9) : **USD 26 400** – RENNES, 20 avr. 1993 : *Journée à Cythère*, h/t (115x148) : **FRF 105 000** – NEW YORK, 12 oct. 1994 : *La Petite Servante*, h/pan. (39,4x29,8) : **USD 28 750** – LONDRES, 11 avr. 1995 : *Haute Société* 1856, h/t (88x114) : **GBP 19 550** – NEW YORK, 23 mai 1996 : *Le Jeu de cartes* 1896, h/t (59,7x45) : **USD 12 650** – LONDRES, 21 nov. 1996 : *Un bon livre* 1860, h/pan. (64,7x49,8) : **GBP 16 100** – NEW YORK, 12 fév. 1997 : *Le Retour du Grand Condé après la bataille de Senef* 1863, h/t (132,1x107) : **USD 79 500**

CARAVAGE, Le. Voir **CARAVAGGIO**, pseudonyme de **Merisi Michelangelo da Caravaggio,** ou **Merisio**

CARAVAGGIO, da. Voir aussi aux prénoms qui précèdent

CARAVAGGIO, de son vrai nom : **Michelangelo Merisi da Caravaggio,** ou **Merisio,** ou aussi par erreur **Merigi, Morigi, Amerigi, Amerighi,** dit **il**

Né en 1571 à Caravaggio (près de Milan). Mort le 18 juillet 1610 à Porto-Ercole (Port Hercule). XVIᵉ-XVIIᵉ siècles. Italien.

Peintre d'histoire, compositions religieuses, scènes de genre, graveur. Réaliste, caravagesque.

Michelangelo Merisi naquit près de Milan, à Caravaggio, d'où il tient son surnom, en 1571, sept ans après la mort de Michel-Ange. Après la mort prématurée de son père, maçon ou intendant, il fut placé, à treize ans, dans l'atelier du peintre Simone Peterzano, ancien élève du Titien et dont l'art se rattachait à la recherche luministe à Lorenzo Lotto. Il quitta ce premier maître pour gagner Rome, entre 1589 et 1593, où il connut des débuts pour le moins difficiles. Recueilli à l'Hôpital de la Consolation, il y peignit pour le prieur. Il travaille alors pour le Cavalier d'Arpin,

peintre très en cour dans les milieux ecclésiastiques romains, qui, selon Bellori : « le chargea de peindre des fleurs et des fruits ». De hauts personnages, le cardinal del Monte et le marquis Giustiniani, s'intéressent à lui, lui procurent ses premières commandes et continueront de le protéger malgré les premiers sursauts de son caractère ombrageux.

Certaines de ses œuvres refusées ou raillées, incompris et d'autant plus sûr de lui, à partir de 1600, les documents accumulent les traces des incidents de plus en plus graves qui jalonnent ses jours et surtout ses nuits, bagarres et coups d'épée, corrections sur la personne de filles dont il était plutôt, par ailleurs le « protecteur », procès contre des confrères, amitiés très poussées avec d'autres. Malgré la fidélité de nombreux protecteurs importants, le cardinal del Monte et le marquis Giustiniani auxquels se joignent le cardinal Scipion Borghèse, l'ambassadeur de France et l'ambassadeur de Modène, les humiliations entraînent l'escalade des bravades. Connaissant parfois la prison, s'il travaille irrégulièrement, il reçoit pourtant des commandes.

Le 11 septembre 1603, Caravage fut emprisonné pour deux semaines à la suite d'un procès intenté pour diffamation par le peintre Giovanni Baglione. Au cours des années 1604-1605, il fut emprisonné deux fois pour insultes et agressions. Les 28-29 juillet 1605, à peine sorti de prison, il blesse gravement à la tête le notaire Pasqualone de Accumulo. Pour échapper à un nouvel emprisonnement, il s'enfuit à Gênes. Il revint à Rome fin août 1605, ayant obtenu officiellement le pardon du notaire. Malgré les commandes, qu'il n'exécute pas toujours régulièrement, l'argent fuit entre ses doigts, il cherche souvent son salut dans les rixes. Le 28 mai 1606, à propos d'une querelle au jeu, il y a cette fois deux morts, Caravage lui-même est blessé. En 1607-1608, il vécut à Naples, où sa présence et son travail furent déterminants pour la suite de la peinture napolitaine. On le retrouve ensuite à Malte, où, le 14 juillet 1608, il est fait chevalier de l'Ordre, honneur qu'il dut solliciter parce qu'il faisait du gueux pourchassé qu'il était l'égal de ses tourmenteurs et en particulier du Cavalier d'Arpin.

Caravage prit alors le risque de regagner Naples. Son deuxième et dernier séjour dura d'octobre 1609 à juillet 1610. Il aurait de nouveau été retrouvé, agressé et laissé pour mort par ses ennemis, aurait réussi à se traîner en direction de Rome, où il espérait le pardon papal. Préférant attendre son pardon à Porto Ercole, qui était possession espagnole, il y est, cette fois par erreur, mis en prison et quand il est libéré après deux jours, la felouque est repartie, avec tous ses effets. La malaria achève l'œuvre des blessures et du dénuement et la tue le 18 juillet 1610. Il avait trente-sept ans. La grâce papale, datée du 31 juillet, ne le toucha plus. Il avait connu son Éthiopie et son Hôpital de la Conception.

Concernant les artistes des époques anciennes, il ne saurait être question d'expositions de leur vivant. Cependant, dans le cas de Caravage, un fait est à signaler dans ce sens, à propos de *La mort de la Vierge*, peinte vers 1604 pour l'église de Santa Maria della Scala, qui la refusa. Stéphane Loire et Arnauld Bréjan de Lavergnée donnent des précisions sur le scandale : à la suite de ce refus, en 1606, la peinture n'avait pratiquement pas été vue ; en 1607, à la demande de la communauté des peintres, sans doute intrigués autant par le refus des prêtres que par son achat par le plus grand collectionneur du moment en Italie, Rubens, qui acheta la toile pour le compte du duc de Mantoue, elle fut exposée à Rome pendant une semaine. Cette présentation de *La mort de la Vierge* peut être considérée comme l'événement fondateur des expositions publiques d'œuvres d'art, telles qu'elles se développèrent en France et en Italie à partir de la fin du XVIIᵉ siècle. Dans les temps modernes, quelques expositions importantes ont pu emprunter, transporter et présenter des ensembles significatifs de certaines de ses œuvres, d'entre lesquelles : en 1965, au Musée du Louvre à Paris, *Le Caravage et La Peinture italienne du XVIIᵉ siècle* ; en 1971, au Cleveland Museum of Art, *Le Caravage et ses héritiers* ; en 1985, au Metropolitan Museum de New York et au Museo Nationale di Capodimonte de Naples, *L'ère du Caravage*.

Aux débuts du Caravage à Rome appartiennent *La Madeleine* (du Palais Doria), où, d'emblée, il transpose le sujet religieux dans le domaine de la vie quotidienne, s'attachant aux moindres détails dont aucun ne lui paraît inférieur, de même que dans *La corbeille de fruits* (de l'Ambrosienne), avec laquelle il invente un genre nouveau, prouvant que la réalité la plus éloignée de la « grande » représentation, la plus modeste, est tout autant susceptible de contemplation et de méditation. Caravage déclara lui-même qu'il lui coûtait « autant d'effort à faire un bon tableau, que ce soit de fleurs ou de figures ». À cette époque appartient encore *Le repos pendant la fuite en Égypte*, scène paisible de la vie familiale, le *Bacchus* (des Offices), le *Bacchus malade* (du Palais Borghèse) aux nombreux détails réalistes, *La diseuse de bonne aventure* (du Louvre), où, dans un climat encore serein, se précisent pourtant les qualités d'ampleur de la composition, de somptuosité de la lumière, de relief du détail, qui caractériseront sa manière de metteur en scène dramatique, le *Jeune garçon mordu par un lézard* vers 1595, la *Madeleine repentante* de 1596-97, *Sainte Catherine d'Alexandrie* vers 1598, la *Conversion de la Madeleine* de 1598. C'est le 23 juillet 1599 que le Caravage reçut sa première commande publique, passée par le père Berlinghero, probablement sous l'influence du cardinal Del Monte, pour des scènes de la vie Saint Matthieu destinées à la chapelle Contarelli de l'église de Saint-Louis-des-Français, qu'il peignit entre 1597 et 1600 : *La vocation de Saint Matthieu*, *Le martyre de Saint Matthieu*. *Saint Matthieu et l'Ange* fut l'objet d'une commande plus tardive, en 1602. En fait, Caravage fut chargé d'achever un travail originellement dévolu au Cavalier d'Arpin. Celui-ci avait été chargé d'exécuter les peintures de la voûte et des murs, mais n'avait réalisé que la voûte, achevée en 1593. Caravage aurait peint une première version de *Saint Matthieu et l'Ange*, qui fut refusée par les prêtres, qui, selon Baglioni, « prétendirent que le personnage n'avait ni la tenue, ni l'aspect d'un saint, assis les jambes croisées et les pieds grossièrement exposés devant tout le monde », ce qui montre bien que pour la société de l'époque, il n'était pas question d'être un saint personnage si l'on était du commun. Le marquis Giustiniani acquit le tableau pour son propre compte (il devait par la suite parvenir au Musée de Berlin, où il brûla en 1945), mais la blessure était portée. Ce jugement particulier annonçait l'accueil que devaient recevoir souvent les œuvres de la nouvelle manière du Caravage. Pourtant, selon les recherches de Mia Cinotti, lorsque Caravage eut terminé les deux peintures de la première commande, elles soulevèrent un énorme succès, il devint célèbre du jour au lendemain, ce qui lui attira d'autres clients, ecclésiastiques ou non. *La vocation de Saint Matthieu* se passe dans un bureau de douane, transformé en tripot, des jeunes hommes, à la mode des compagnons de beuverie et de jeu du Caravage lui-même, arrogants, le chef empanaché et l'épée au côté, rufians qui mènent grand train, et c'est parmi ces débauchés que Jésus, caché par quelque portier, presque en dehors du tableau et noyé dans l'ombre, vient désigner du doigt celui qui devra être Matthieu et qui s'en montre le premier embarrassé. Le « défi social », comme le dit Venturi, est évident et neuf, mais bien plus encore le rôle dévolu à l'éclairage. Il ne s'agit plus de lumière, mais d'une source artificielle que le peintre manie à sa guise, la faisant ruisseler sur les parties qu'il veut, précisément, mettre en lumière, les visages bien sûr, aux traits accentués par l'éclairage cru, les mains qui complètent l'expression, mais aussi les détails réalistes de la scène, les dominantes colorées du clair-obscur, la vanité des riches étoffes. Dans le *Martyre de Saint Matthieu*, là aussi, le Caravage déplace la scène pour concentrer l'intérêt sur deux symboles sociaux : le terrifiant bourreau nu et l'enfant qui s'enfuit, seul, la bouche hurlant son horreur et son désespoir, cri auquel d'autres feront désormais un long écho, jusqu'à *La liberté sur les barricades* de Delacroix et *Guernica* de Picasso. De 1598-99 date aussi la *Tête de Méduse* (des Offices). Vers 1600-1601, il peint pour la chapelle Cerasi à Santa Maria del Popolo, deux très grands tableaux : *La crucifixion de Saint Pierre*, et *La conversion de Saint Paul*. On reprocha les pieds sales en premier plan, du bourreau qui attache Saint Pierre à sa croix. Quant au *Saint Paul*, une première version fut, elle aussi, refusée. Celle qui est en place actuellement est une deuxième que le Caravage peignit en remplacement de la refusée. L'histoire est curieuse, car le premier tableau refusé est d'une composition plus conforme à l'esthétique baroque que le suivant, ainsi qu'à l'iconographie traditionnelle, d'autant qu'y est manifeste l'influence du tableau sur le même thème peint par Michel-Ange à la chapelle Pauline du Vatican. Le tableau peint pour remplacer le tableau refusé paraît être beaucoup plus « novateur », dont les contemporains auraient pu se choquer que la croupe du cheval de Saint Paul occupât le devant de la scène, tandis que le saint gît dans la poussière, désarçonné et peu à son avantage sur le chemin de Damas.

De cette époque datent encore *L'Amour vainqueur* (de Berlin) en 1601-02, la *Madone aux pèlerins* pour l'église Sant'Agostino, la *Déposition* (Pinacothèque du Vatican), peinte en 1604 pour la Chiesa Nuova Santa Maria in Vallicella, la *Madone dite des Palefreniers* (Gal. Borghèse), toutes peintures en contradiction avec ses débordements, apparemment apaisés. Pourtant, sans que l'interprétation du sujet par le Caravage soit notoirement peu orthodoxe, plus plausible en conséquence de luttes d'influences au Vatican, cette dernière *Madone dite des Palefreniers*, qui avait été commandée par la Confrérie de Sainte Anne des Palefreniers, afin d'orner sa nouvelle chapelle dans la Basilique Saint-Pierre, le tableau à peine posé dans la chapelle, fut immédiatement transféré à l'église Sainte-Anne, puis vendu un mois après au cardinal Scipion Borghèse.

De la même époque, *La mort de la Vierge* (Louvre) fut refusée par l'église de Santa Maria della Scala, parce que « le corps de la Vierge était enflé » ; explication parmi d'autres possibles, avancée par Baglione en 1625 et Bellori en 1664, qui n'est peut-être pas d'une fiabilité absolue. Rubens, qui acheta la toile pour le compte du duc de Mantoue, sut voir autre chose que l'enflure réaliste d'un cadavre de femme, dans cette orchestration par la lumière des rouges selon la hiérarchie dramatique qui annonce Georges de La Tour.

Après la longue suite de ses querelles et emprisonnements consécutifs, puis sa fuite de Rome, au début de 1607, on le retrouve à Naples, d'où l'on peut dater le *David* (Vienne) dont le Goliath n'est pas un autoportrait, *La Flagellation* (Capodimonte), la *Madone au Rosaire*, et *Les sept œuvres de la Miséricorde* (Pio Monte della Misericordia), peintures qui comptèrent beaucoup pour le développement ultérieur de l'école napolitaine. Le tableau *Les sept œuvres de la Miséricorde*, a été souvent décrit. Dès 1672, Bellori : « Entre autres, apparaissent les pieds et les jambes d'un mort porté à l'ensevelissement ; de la torche de celui qui soutient le cadavre partent les rayons lumineux éclairant la chemise blanche de l'ecclésiastique : la couleur s'allume, donnant tout son pouvoir à la composition ». Longhi, en 1952, y voit l'annonce de Vélasquez et de Rembrandt. Pour Argan, en 1956, c'est un « tableau plein d'une fureur et d'une fébrile angoisse dans lequel un réalisme affiché s'allie à une vision hallucinée. Il s'agit, sans aucun doute, du plus important tableau religieux du XVIIe siècle ». Venturi en 1952 y remarque que : « Le tableau, éclairé par différents foyers, forme une arabesque de lumières et d'ombres, où les personnages émergent comme par surprise... le visage d'une femme, violemment éclairé, tel un appel douloureux, presque déchirant dans sa vulgarité, laisse dans l'ombre toute une foule misérable se débattant dans les ténèbres noires et argentées ».

Arrivé à Malte, il peint le *Portrait d'Alof de Wignacourt, Grand Maître de l'Ordre* (Louvre). Bellori mentionne plusieurs tableaux peints à Malte, notamment la *Décollation de Saint Jean-Baptiste* (Cathédrale de La Valette), où le bourreau s'apprête à décapiter le saint avec un rasoir, au-dessus d'une cuvette que tient Salomé. Là, il se bat de nouveau avec un officier de justice. On suppose aussi que sa condamnation à mort pour le crime commis à Rome serait parvenue aux oreilles des chevaliers de Malte. Il connaît de nouveau la prison, dont le cadre lui est devenu si familier qu'il y situe souvent ses compositions, et où il retrouve la lumière crue bien que chiche, qu'il avait tout d'abord plutôt observée dans les tripots nocturnes qu'il hantait. Le 6 octobre, il s'évade et débarque à Syracuse. Malgré son angoisse d'homme traqué, il peint encore en Sicile quelques-unes de ses principales œuvres. Pour l'église Sainte-Lucie de Syracuse, il peint l'*Ensevelissement de Sainte Lucie*, tableau aujourd'hui en mauvais état. Le Musée de Messine conserve, ayant subi des restaurations anciennes, deux toiles qu'il y peignit : une *Adoration des bergers*, accord luministe de rouges et de bruns, qui annonce les *Nativités* de Georges de La Tour, et *La résurrection de Lazare*, aujourd'hui authentifiée après une restauration entreprise en 1950 et qui révéla cependant que certains éléments sont dus à des aides du peintre. D'aucuns considèrent que *La résurrection de Lazare* constitue l'un des sommets de l'art du Caravage. On ne peut qu'être frappé par la concordance du sujet avec ses préoccupations habituelles. Si Bellori y voit « un personnage qui se bouche le nez à cause de la puanteur du cadavre », c'est sans doute par un effet de son imagination. On y voit en fait Lazare, le frère de Madeleine, c'est un humble, il ne demandait rien, d'ailleurs ne tend-t-il pas la main dans un geste de refus vers le Christ d'être ainsi choisi pour une démonstration qui le dépasse. La résurrection signifie ici le salut, dont l'espérance spirituelle ne suffit pas à compenser l'urgence temporelle, pour tous ceux qui n'ont jamais que souffert, car c'est une constante à travers l'œuvre du Caravage, que cette compassion érotique devant la douleur sous toutes ses formes, qui ne va pas parfois sans quelques complaisances sado-masochistes au spectacle de la torture et de la mort, son seul souci, de la part de cet homme de bruit et de fureur. C'est sans doute à Palerme qu'il peignit sa dernière toile sicilienne, encore une *Adoration des bergers avec saint Laurent et saint François*, comme si, pour dernier message, il voulait encore dire l'interrogation de ces braves gens devant l'opportunité qu'il y a à toujours faire naître à tant d'épreuves de nouveaux enfants d'hommes.

Lors de son deuxième et dernier séjour à Naples, il y a peint plusieurs œuvres, notamment trois peintures exécutées pour la chapelle d'Alfonso Fenaroli, dans l'église Sainte-Anne-des-Lombards, tableaux disparus avec l'église dans le tremblement de terre de 1805. En revanche, de cette période dateraient le *Saint Jean-Baptiste* (Gal. Borghèse), le *Salomé* (Madrid), le *Martyre de sainte Ursule*, dernière œuvre « documentée » de Caravage, acquise en 1973, après de nombreuses péripéties puisque attribuée lors de l'achat à Mattia Preti, par la Banque Commerciale Italienne de Naples, où l'on ne peut la voir que par privilège. Totalement à l'inverse de la sainte Ursule de Carpaccio, massacrée avec ses onze mille vierges à Cologne, ici Ursule, maintenue par deux soldats, dont une fois de plus celui de droite serait un autoportrait de Caravage lui-même, est seule devant le roi des Huns, dans un violent effet de clair-obscur dramatique et de resserrement de l'action comme on n'en reverra qu'avec Rembrandt. Enfin la datation, 1609 ou 1610, du *David et Goliath* de la Galerie Borghèse, dans lequel Bellori indique que l'on doit voir dans la tête souffrante et désabusée du Goliath, une fois encore, le propre portrait du peintre, pourrait aussi le placer en tant que sa dernière œuvre.

Dans l'histoire des rapports ambigus entre les artistes et la société à laquelle ils sont censés « appartenir », le cas du Caravage est le plus symptomatique. Peu importe que sa vie fut en effet une suite ininterrompue de scandales bien propres à le faire rejeter par une société que l'on aurait dit qu'il provoquait sans doute délibérément à ce qu'elle le rejetât de crainte de s'y laisser engluer. Le phénomène sur lequel on n'insistera jamais assez, c'est que, alors que peu d'œuvres auront autant que la sienne révolutionné universellement et définitivement l'histoire de la peinture, la société de son temps tenta sans répit, indépendamment de la vie scandaleuse de son auteur, de rejeter cette œuvre qui l'accusait et la mettait en question dans ses fondements, et dans ce que nous appellerions aujourd'hui une réaction de rejet, tenta d'éliminer en bloc, avec l'œuvre propre du Caravage, l'œuvre de la plupart de ces peintres que l'on dit Caravagesques ou Caravagistes, et qu'elle y réussit pour plusieurs siècles. L'esthétique reflète le social et un certain ordre social peut, intuitivement, redouter les ferments contestataires que propagent les mouvements artistiques novateurs et libérateurs de la pensée. On l'a vu dans la seconde partie du XVIIe siècle, au XIXe et dans notre proche présent, en particulier dans différents pays d'Europe. La société européenne de la seconde partie du XVIIe siècle, basée sur le modèle autocratique du règne de Louis XIV, sentait confusément que l'esthétique dramatique des Caravagesques qui fouaillait la condition humaine et en dénonçait les injustices, mettait en péril la belle ordonnance des royaumes où il était nécessaire que chacun restât à sa place, en incitant leurs sujets à refuser leur condition d'objets et à s'interroger, à l'exemple du premier Christianisme, sur leur dignité individuelle. Le Caravagisme fut très hâtivement taxé de barbarie et nos civilisations, suivant en cela plus leur moule romain que chrétien, dans un climat de Contre-Réforme, sécrétèrent rapidement une esthétique néo-classique incitant énergiquement à la vertu de l'ordre et de la mesure, à partir des Carrache et quand bien même le Baroque sembla déboucher sur une inoffensive libération expressive de pure forme. Le néo-classicisme supplanta radicalement, avec la surprenante complicité tacite de tous, le dangereux surgissement d'un art qui prétendait prendre en considération les humbles, compatir à leurs souffrances, leur soufflait qu'ils étaient égaux en droits et que le monde leur appartenait. Ce travail de sape et d'enfouissement fut bien exécuté et la complicité du silence soigneusement observée : à partir du début du XVIIe siècle, l'idéal néo-classique règnera sur l'Europe jusqu'à l'époque romantique révolutionnaire. Les historiens d'art respectèrent la loi du silence : des Caravagesques on oublia souvent jusqu'aux noms, ce n'est que vers 1875 que Champfleury redé-

couvrit l'existence des frères Le Nain, quant à Georges de La Tour, il fallut attendre que Hermann Voss l'exhumât en 1915, sans parler des Caravagesques mineurs que l'on redécouvre un à un par des processus archéologiques. On avait fait disparaître les cadavres. Cette complicité du silence exercée à l'endroit d'artistes, que l'on considère généralement comme des êtres socialement inoffensifs, révèle au contraire un des plus formidables complots de l'histoire d'une forme de société à l'encontre de l'expression plastique d'une pensée, qu'elle ressentait comme d'autant subversive que plus insidieuse que la pensée exprimée.

Comme le dit précisément Venturi : « Ce n'est pas l'Italie qui put trouver dans cette œuvre ce qu'elle apportait de révolutionnaire. À cause peut-être du climat historique et religieux particulier de l'époque, les peintres italiens ne surent tirer une leçon profonde du luminisme réaliste de Caravage que timidement et avec une certaine facilité qui excluait son pouvoir de rébellion ». L'influence du Caravage, ou plutôt du caravagisme, gagna rapidement toute la peinture occidentale : à Rome même, avec Manfredi, Orazio Borgianni, et Orazio Gentileschi qui en propagea l'esprit en France et en Angleterre ; à Naples, avec Caracciolo et surtout Ribera qui en répandit l'influence en Espagne ; en Sicile, avec Pietro Novelli ; en Flandre, avec les « Bamboccianti » et les « Tenebrosi », dont surtout Honthorst ; en Lorraine, avec Georges de La Tour ; en France même, avec Tournier, Valentin, Vignon. Il aurait fallu également évoquer l'influence du caravagisme sur Vélasquez ; Baschenis établissant à partir de *La corbeille de fruits* et de quelques fragments de compositions, le genre de la nature morte, bientôt repris en France par Baugin et le Maître à la chandelle ; Vermeer, qui eut probablement à connaître de cette nouvelle vision ; l'admiration de Rubens ; Poussin lui-même, qui sacrifia au caravagisme lorsqu'il peignit *Le martyre de saint Erasme* pour la Pinacothèque Vaticane, en 1628-1629, avant de déclarer que Caravage « était né pour tuer la peinture ». Quant à l'œuvre des frères Le Nain, soit par contact direct, soit par influence indirecte, elle est, par le choix de ses personnages et de ses sujets dans la vie la plus humble, par la simplification hiératique des volumes soulignés par une lumière crue aux ombres dures, une des conséquences les plus évidentes du Caravagisme. Bérenson, en subordonnant l'histoire de l'art à un concept esthétique finalement assez mince, qui avait déjà fait passer à côté, entre autres, de Piero della Francesca ou d'Uccello, manqua aussi le Caravage, qu'il jugeait « incongru », ne parvenant pas à l'inclure dans les Baroques, qui tenaient pourtant de lui l'expression de la force et de la violence par la mise en scène des mouvements et la dramatisation de l'éclairage. Si cet exceptionnel novateur n'eut pas, à proprement parler d'élèves, ayant vécu la rapière à la main dès qu'il lâchait les pinceaux, traînant sa hargne de voyou mystique en fuyant le guet de pays en pays, il aura bouleversé pourtant, comme peu d'autres, la vision de ses contemporains et, après son fulgurant passage, la peinture ne pourra plus jamais être comme avant. « Romantique de la Canaille », il a d'abord porté son regard sur les humbles et il a ensuite magnifié leur misère en la faisant surgir de l'ombre par des éclairages dramatiques sans transition, méprisant tous les autres artifices de l'art au seul profit de la violence de l'expression de son amour de l'homme et de sa rage devant la souffrance et la mort. ■ Jacques et Julien Busse

BIBLIOGR. : G. Rouches : *Caravaggio, Michelangelo Merisi 1573-1610*, Alcan, Paris, 1920 – G. Isarlo : *Caravage et Caravagisme européen* ; et catalogues, Aix-en-Provence, 1941 – Lionello Venturi : *La Peinture Italienne*, Skira, Paris, 1952 – V. Mariani : *Caravagio*, in : Encyclopedia Universale dell'Arte, III, Florence, 1958 – B. Berenson : *Le Caravage, sa gloire et son incongruité*, Paris, 1959 – Berne Joffroy : *Le dossier Caravage*, Édit. de Minuit, Paris, 1959 – R. Jullian : *Le Caravage*, Paris, 1962 – Dr. Maria Letizia Casanova, in : Catalogue de l'exposition *Le Caravage et la Peinture italienne du XVIIe siècle*, Musée du Louvre, Paris, 1965 – Pierre du Colombier, in : *Dictionnaire de l'Art et des Artistes*, Hazan, Paris, 1967 – Angela Ottino della Chiesa : *Tout l'œuvre du Caravage*, Flammarion, Paris, 1967 – Françoise Bardon : *Caravage ou l'expérience de la matière*, P.U.F., Paris, 1978 – *Le Caravage*, Cercle d'Art, Paris, 1983 – Catalogue de l'exposition *L'ère du Caravage*, Metropolitan Mus., New York, et Mus. Nat. di Capodimonte, Naples, 1985 – Stéphane Loire, Arnauld Bréjan de Lavergnée : *Caravage, La mort de la Vierge, une Madone sans dignité*, Adam-Biro, Paris, 1990 – Mia Cinotti : *Caravage*, Adam Biro, Paris, 1991, très complète documentation.

MUSÉES : AIX (Mus. Granet) : *Salomé recevant des mains des bourreaux la tête de saint Jean Baptiste – Saint Paul ermite – Pèlerin*, d'après Caravaggio – ANGERS : *Les disciples d'Emmaüs* – AVIGNON : *Le Christ porté au tombeau – Saint Jérôme – L'Amour vainqueur – Descente du Christ au tombeau – Buste d'un homme, buste d'une femme* – BORDEAUX : *Saint Jean Baptiste dans le désert – Le couronnement d'épines* – BUDAPEST : *Portrait du peintre par lui-même – Les joueurs de cartes* – CHALON-SUR-SAÔNE : *Cléopâtre* – CHERBOURG : *Mort d'Hyacinthe* – CLEVELAND (Mus. of Art) : *Crucifixion de saint André* vers 1607 – COPENHAGUE : *Les Joueurs – Brutus jugeant son fils – Judith tenant la tête d'Holopherne* – DETROIT : *Conversion de sainte Marie-Madeleine*, attr. – DRESDE : *Le tricheur au jeu – Saint Sébastien* – DUBLIN : *Saint Sébastien après le martyre* – LA FÈRE : *Incrédulité de saint Thomas* – FLORENCE : *Bacchus* 1596, 1597 – *Jésus au milieu des docteurs – Sacrifice d'Isaac – Le Pharisien présentant la monnaie au Christ – Tête de méduse* – FORT WORTH (Kimbell Art Mus.) : *Les Tricheurs* – GENÈVE (Mus. Rath) : *Les chanteurs* – GRAZ : *Marie – L'Enfant – Sainte Anne – Saint Jean* – GRENOBLE : *Portrait d'homme inconnu* – HARTFORD : *Saint François recevant les stigmates* – LE HAVRE : *Portrait d'homme inconnu* – LILLE : *Saint Jean méditant* – LONDRES (Nat. Gal.) : *Jeune garçon mordu par un lézard* 1595, 1596 – *Le Christ et les disciples d'Emmaüs* – LYON : *L'enfant prodigue* – MALTE (Cathédrale de la Valette) : *Décollation de saint Jean Baptiste* – MARSEILLE (Mus. des Beaux-Arts) : *Le Christ mort soutenu par des anges* – MESSINE (Mus. Nat.) : *Adoration des bergers – Résurrection de Lazare* – MILAN (Ambrosiana) : *Panier de fruits* 1597, 1598 – MILAN (Brera) : *Le repas à Emmaüs – La Samaritaine au puits ?* – MONTPELLIER : *Ecce Homo*, École de Caravaggio – *Saint Marc* – MOSCOU (Roumanzeff) : *Portrait d'homme inconnu* – MUNICH : *La couronne d'épines* – NANCY : *Tobie guidé par un ange* – NANTES : *Portrait d'un peintre*, attr. – NAPLES (Pio Monte Della Misericordia) : *Sept œuvres de la Miséricorde* – NAPLES (San Domenico Maggiore) : *Flagellation* 1607 – NEW YORK (Metropolitan Mus.) : *Les Musiciens* – NICE : *Le temps et L'Amour* – PALERME (Oratoire Saint-Laurent) : *Nativité, avec Saint Laurent et Saint François* – PARIS (Louvre) : *Mort de la Vierge – La diseuse de bonne aventure* 1592, 1595 – *Concert – Portrait d'Alof de Wignacourt, grand maître de Malte en 1601* – REIMS : *L'Adoration des bergers* – ROME (Colonna) : *Une caricature riante* – ROME (Gal. Doria Pamphili) : *Repos en Égypte – La Madeleine – Saint Jean Baptiste adolescent* – ROME (Borghèse) : *David avec la tête du géant Goliath – Petit Bacchus malade, avec des fruits* vers 1593 – *Jeune garçon à la corbeille de fruits* 1593, 1594 – *Sainte Catherine d'Alexandrie – La Madone aux palefreniers, sainte Anne et l'Enfant Jésus sur le serpent* – ROME (Sant' Agostino) : *Madone aux pèlerins* – ROME (Saint Louis des Français) : *Trois scènes de la vie de saint Matthieu – La conversion de saint Paul – La crucifixion de saint Pierre* – ROME (Sta Maria del Popolo) : *La conversion de saint Paul – La crucifixion de saint Pierre* – ROME (Vatican) : *Déposition* – ROUEN (Mus. des Beaux-Arts) : *La Flagellation* – SAINT-PÉTERSBOURG (Ermitage) : *Joueur de luth* vers 1590 – STOCKHOLM : *Judith et la tête d'Holopherne – Sainte Madeleine – Portrait d'un buste d'homme à demi-nu – Tête d'homme riant* – SYRACUSE (Sainte Lucie) : *Ensevelissement de sainte Lucie* – TOULOUSE (Mus. des Augustins) : *Martyre de saint André* – TOURS : *Pèlerins aux pieds de la Vierge* – VENISE (Gal. Nat.) : *Homère, demi-figure, grandeur nature* – VIENNE : *Un joueur de luth – David et la tête de Goliath – Marie, l'Enfant et sainte Anne – La Madone du Rosaire* – WASHINGTON D. C. (Nat. Gal.) : *Nature morte à la pastèque et aux fruits*.

VENTES PUBLIQUES : AMSTERDAM, 1703 : *Le Christ avec sa couronne d'épines* : FRF 210 – AMSTERDAM, 6 oct. 1723 : *Le célèbre Bohémien* : FRF 2 560 – PARIS, 1768 : *Martyre de saint Pierre*, dess. au bistre : FRF 96 – PARIS, 1772 : *L'Adoration des bergers ; Un saint abbé guérissant des malades, deux dessins lavés à la sanguine* : FRF 800 – PARIS, 1775 : *Vocation de saint Mathieu*, dess. à la pierre noire reh. de blanc : FRF 24 ; *Martyre de saint Pierre*, dess. à la pl. lavé de bistre : FRF 96 – PARIS, 1777 : *Le songe d'Élie*, 1776 : *L'Adoration des bergers*, dess. au bistre reh. de blanc : FRF 600 – LONDRES, 1800 : *Le Caravage, autoportrait* : FRF 1 060 – PARIS, 1826 : *Un évangéliste prêt à écrire* : FRF 301 – PARIS, 1837 : *Jésus et les disciples d'Emmaüs* : FRF 3 500 – PARIS, 1852 : *Mort de saint François* : FRF 505 – LONDRES, 1853 : *Portrait de don Alvaro de Bazan* : FRF 3 875 – PARIS, 1859 : *Le couronnement de la Vierge*, dess. à la pl. lavé au bistre, reh. de blanc : FRF 8 – PARIS, 1865 : *Portrait présumé du peintre vu de deux tiers, chevelure noire, moustache relevée* : FRF 730 ; *La Vierge et l'Enfant Jésus retirent un homme des feux du Purgatoire* : FRF 50 – PARIS, 1873 : *La dissertation* : FRF 1 500

– PARIS, 1883 : *Le Christ portant sa croix*, dess. à la sépia : FRF 400 – PARIS, 1888 : *Saint Jean* : FRF 100 – PARIS, 1894 : *Persée et Andromède* : FRF 130 – PARIS, 30 jan.-3 fév. 1922 : *Portrait du maître* : FRF 2 300 – PARIS, 20 mai 1927 : *Portrait d'adolescent* : FRF 16 500 – LONDRES, 25 juin 1971 : *Marthe reprochant à Marie sa vanité* : GNS 130 000 – STOCKHOLM, 15 nov. 1989 : *Jésus dans la demeure de Marthe et de Marie*, h/t (125x190) : SEK 400 000 – STOCKHOLM, 5 sep. 1992 : *Sainte Cécile*, h/t (73x93) : SEK 40 000.

CARAVAGGIO Polidoro da. Voir CALDARA

CARAVANNIEZ Alfred
Né le 7 octobre 1855 à Saint-Nazaire. XIXe siècle. Actif à Paris. Français.
Sculpteur.
Élève de Cavelier, Millet et Barrias. Sociétaire des Artistes Français, il exposa aux Salons de cette association depuis 1885. Médaille de troisième classe en 1903. On cite de lui : *Bayard, Surcouf, Plaisir champêtre*.
MUSÉES : NANTES : *Anne de Bretagne – Brizeux* – SAINT-BRIEUC : *Anne de Bretagne*.

CARAVAQUE François
XVIIe siècle. Français.
Sculpteur.
Sans doute fils de Jean ou de son frère Louis l'ancien. Élève en 1674 de l'ancienne École académique de Paris, où il obtint le second grand Prix de sculpture avec la *Création d'Adam et d'Ève* (bas-relief). On le retrouve en 1694, à Marseille où il signe le 30 novembre 1694 le dernier testament de Pierre Puget. En 1696 il soumissionna pour la décoration de la nouvelle façade de la cathédrale de Toulon mais le travail fut confié à son concurrent Albert du Parc.

CARAVAQUE Jean
XVIIe siècle. Actif à Toulon. Français.
Sculpteur sur bois et doreur.
Il travailla à partir de 1640 pour la chapelle du Corpus Domini à la cathédrale de Toulon ; en collaboration avec son frère Louis, et d'après les esquisses de Pierre Puget, il procéda entre 1659 et 1692 à l'exécution de l'autel de cette chapelle. En 1655, il avait mis la dernière main à un autel destiné à l'église de La Valette.

CARAVAQUE Louis ou Karavack
Originaire probablement de Marseille. Mort le 15 juin 1754 à Saint-Pétersbourg. XVIIIe siècle. Travaillant à Saint-Pétersbourg. Français.
Peintre de portraits.
Il était sans doute fils de Jean ou de son frère Louis l'Ancien. À la suite d'un contrat passé en 1715 avec Lefort, chargé par la cour de Russie de servir d'intermédiaire, il se rendit en 1716 à Saint-Pétersbourg en compagnie d'un groupe d'artistes français, sous la direction de l'architecte Le Blond. Pendant son séjour à Paris, Pierre le Grand, soucieux de faire célébrer son règne, avait essayé de débaucher Rigaud, puis Oudry et Nattier, et avait dû se rabattre sur Caravaque. Pendant quarante ans, il fit des portraits, que l'on disait très ressemblants, des cartons de tapisseries, des décors de théâtre, il dirigeait un atelier et projeta de fonder une Académie. Il a peint plusieurs portraits de Pierre le Grand et de l'impératrice Elisabeth Petrowna, celui de Catherine, fille du tzar, celui du jeune tzarewitch, ceux des princesses Anna Ivanowna et Anna Karlowna. Le Musée Russe de Leningrad (Saint-Pétersbourg) conserve de lui *L'impératrice Elisabeth Petrovna, enfant*.
VENTES PUBLIQUES : NEW YORK, 1er mai 1969 : *Portrait de l'Impératrice de Russie* : USD 5 250.

CARAVAQUE Louis l'Ancien. Voir l'article CARAVAQUE Jean

CARAVIAS, Mme. Voir FLORA Thalia

CARAVOGLIA Bartolomeo
Né vers 1620 à Livourne. Mort entre 1678 et 1691 à Turin. XVIIe siècle. Italien.
Peintre.
Il est vraisemblable qu'il fut élève du Guerchin. Il a laissé un *Miracle de l'Eucharistie* (à l'église du Corpus Domini à Turin), un *Saint Antoine de Padoue avec l'Enfant Jésus* et une *Madone*, conservés à la Pinacothèque de la même ville.

CARAYON L. B.
XIXe-XXe siècles. Français.
Peintre.
Exposant de la Société Nationale des Beaux-Arts à Paris.

CARAZO Martinez José
Né en 1891 à Grenade. Mort en 1958. xxᵉ siècle. Espagnol.
Peintre de portraits, paysages, aquarelliste, dessinateur, illustrateur.
Il fit ses études à Grenade puis à Madrid à l'École des Beaux-Arts de San Fernando sous la direction de Cecilio Pla. Il exposa collectivement et personnellement à Madrid, Grenade et Barcelone.
Il réalisa de nombreuses illustrations pour des journaux et des revues. Il créa également des affiches entre 1915 et 1950 à Grenade. Il aimait à peindre les portraits et les paysages, à l'huile ou à l'aquarelle.
BIBLIOGR. : In : *Cent ans de peinture en Espagne et au Portugal, 1830-1930*, Tome 1, Antiquaria, 1988.

CARAZO MARTINEZ Ramon
Né en 1896 à Grenade. Mort en 1936 à Grenade. xxᵉ siècle. Espagnol.
Peintre de portraits, paysages.
Frère de José Carazo, il débuta sa formation à Grenade et la paracheva à Madrid à l'École des Beaux-Arts de San Fernando où il fut élève de Cecilio Pla. Il a exposé dans des manifestations collectives et personnelles.
Il s'est spécialisé dans les peintures de paysages.
BIBLIOGR. : In : *Cent ans de peinture en Espagne et au Portugal, 1830-1930*, t. I, Antiquaria, Madrid, 1988.
VENTES PUBLIQUES : NEW YORK, 17 oct. 1979 : *Jeunes filles de Alpujarra* 1931, h/t (101x89) : **ESP 650 000** – MADRID, 22 oct. 1984 : *Carmen* 1932, h/pan. (15x12) : **ESP 100 000** – MADRID, 15 oct. 1986 : *Jeune fille aux pommes*, h/t (100x74) : **ESP 600 000** – MADRID, 16 déc. 1987 : *Femme au chapeau*, h/t (41x44) : **ESP 400 000** – LONDRES, 17 fév. 1989 : *Marta et Maria* 1925, h/t (104,5x118,5) : **GBP 15 400**.

CARBAJAL Francisco
xviiᵉ siècle. Espagnol.
Peintre.
Fils et élève de Luis de Carbajal. Il termina un ouvrage commencé par son père au château du Pardo.

CARBAJAL Luis de ou **Carvajal, Carabajal**
Né en 1534 à Tolède (Castille-La Manche). Mort en 1607 au Pardo à Madrid. xviᵉ siècle. Espagnol.
Peintre de compositions religieuses, portraits.
Il fut élève de Juan de Villoldo, puis il poursuivit ses études artistiques à l'Académie de Saint-Luc à Rome en 1577. Il devint peintre du roi à vingt-deux ans.
Il a peint divers retables dans des églises et couvents de la Castille, dont un portrait de l'évêque D. Bartolomé de Carranza à la cathédrale de Tolède. Il a également collaboré à la décoration du palais de l'Escurial et du palais du Pardo. On cite de lui une *Madeleine* que Lebrun disait être un des plus beaux spécimens de l'art espagnol. Son dessin d'une extrême pureté et l'intensité d'expression de ses personnages en font un des maîtres de l'école espagnole du xviᵉ siècle.
BIBLIOGR. : In : *Dictionnaire de la peinture espagnole et portugaise du Moyen-Âge à nos jours*, coll. Essentiels, Larousse, Paris, 1989.
MUSÉES : MADRID (Mus. du Prado) : *Madeleine repentante et saint Nicolas de Tolentino* – SAINT-PÉTERSBOURG (Mus. de l'Ermitage) : *La Circoncision*.
VENTES PUBLIQUES : PARIS, 1846 : *La Madeleine tenant dans ses mains une tête de mort* : **FRF 161**.

CARBASIUS Dirck ou **Theororus**
xviiᵉ siècle. Actif à Haarlem. Hollandais.
Peintre.

CARBEE Scott Clifton
Né le 26 avril 1860 à Concord (Vermont). xixᵉ siècle. Américain.
Peintre.
Élève de Hugo Breul à Providence (Rhode Island) et de Bouguereau et Ferrier à Paris. Il étudia aussi avec Max Bohm à Florence. Professeur et membre du Boston Art Club, et de la Copley Society en 1902.

CARBEN Josef
Né en 1862 à Hammelbourg. xixᵉ siècle. Actif à Munich. Allemand.
Peintre et illustrateur.

CARBILLET Charles François
xviiiᵉ siècle. Français.

Sculpteur.
Il fut reçu à l'Académie de Saint-Luc à Paris en 1735.

CARBILLET Jacques François
Né le 4 février 1766 à Auberive (Haute-Marne). Mort en 1828 à Chalon-sur-Saône. xviiiᵉ-xixᵉ siècles. Français.
Sculpteur et peintre.
Fondateur de l'École de dessin de Chalon-sur-Saône. On le présume parent du précédent.
MUSÉES : CHALON-SUR-SAÔNE : *Portraits d'enfants* – *Vue de l'hôpital de Chalon-sur-Saône*.

CARBILLET Jean Baptiste Prudent
Né le 6 avril 1804 à Essoyes (Aube). xixᵉ siècle. Français.
Peintre.
Neveu de Jacques François Carbillet. Entré à l'École des Beaux-Arts, où il fut élève de Gros, il débuta au Salon de 1833 avec son tableau : *Une jeune fille tenant une fleur*, et continua à exposer jusqu'en 1869. Après la mort de Jean Alaux, cet artiste fut chargé de la restauration des fresques peintes par le Primatice dans la Galerie de Henri II, au palais de Fontainebleau, ainsi que de la restauration des fresques de la Porte dorée. De 1863 à 1866, il exécuta plusieurs travaux de restauration au palais de Monaco.
MUSÉES : CAHORS : *Martyre de sainte Agathe* – CHALON-SUR-SAÔNE : *Portrait de Jacques Fr. Carbillet* – *Madeleine repentante* – VERSAILLES : *François, marquis d'O, surintendant des finances* – *Gustave Wasa, roi de Suède* – *Combat de Sidi Ferruch* – *Arrivée du duc d'Orléans au Palais Royal*.
VENTES PUBLIQUES : PARIS, 21 jan. 1924 : *Portrait de femme* : **FRF 210**.

CARBO Rafael
xvᵉ siècle. Actif à Barcelone. Espagnol.
Peintre.

CARBO-BERTHOLD Gustavo
Né en 1941 à Barcelone (Catalogne). xxᵉ siècle. Espagnol.
Peintre, dessinateur. Abstrait, tendance fantastique.
Entre 1957 et 1960 il suivit les cours de l'École d'Architecture de Barcelone. Depuis 1959 il expose en Espagne, en France, à New York et en Pologne.
Son art abstrait évoque un monde fantastique.

CARBON Clément
xixᵉ siècle. Actif à Courtrai. Belge.
Sculpteur sur bois.

CARBON Y FERRER Eugenio
Né à Madrid. xixᵉ siècle. Espagnol.
Peintre de paysages.
Élève de Carlos de Haes. Exposa à partir de 1866 aux Salons de Barcelone et de Madrid. On cite de lui : *Une tempête dans les montagnes de Navarre*.

CARBONARI Giuseppe
xviiiᵉ siècle. Actif à Modène. Italien.
Peintre décorateur.

CARBONATI Antonio
Né le 3 juin 1893 à Mantoue. xxᵉ siècle. Italien.
Graveur.
Il fut membre du jury du Salon d'Automne en 1923 et 1926 et sociétaire des Amis des Arts de Turin. Médaille d'or à l'Exposition Internationale des Arts Décoratifs à Paris en 1925. Il gravait à l'eau-forte.

Antonio Carbonati
Antonio Carbonati

CARBONCINI Giovanni, cavaliere ou **Carboncino**
xviiᵉ siècle. Italien.
Peintre.
Élève de Matteo Ponzone à Venise. Membre de l'Académie de cette ville. Il a peint trois grandes scènes de la vie du Bienheureux Enrico Susone pour l'église dominicaine San Nicolo à Trévise.
VENTES PUBLIQUES : PARIS, 30 mai 1986 : *Diane surprise au bain par Actéon* – *Actéon changé en cerf par Diane*, deux h/t (92x116) : **FRF 30 000**.

CARBONE Giovanni Bernardo ou Carboni

Né en 1614 ou 1616 à Albaro (près de Gênes). Mort en 1683 à Gênes. XVIIe siècle. Italien.

Peintre.

Carbone fut élève de Giovanni-Andrea di Ferrari à Gênes. Il a travaillé dans cette ville, peignant des tableaux d'église et des portraits. Le musée national de Rome conserve trois portraits d'homme de lui, la Pinacothèque de Turin, le portrait d'un homme de guerre et un portrait de femme.

MUSÉES : CHAMBÉRY (Mus. des Beaux-Arts) : *Portrait d'un ecclésiastique.*

VENTES PUBLIQUES : PARIS, 1869 : *Portrait d'une noble dame de Gênes* : FRF 515 – LONDRES, 29 avr. 1931 : *Andrea Ferrari* : GBP 46 – LONDRES, 22 avr. 1977 : *Portrait d'un gentilhomme*, h/t (81,3x65) : GBP 1 500 – BOLOGNE, 27 sep. 1986 : *Portrait d'un gentilhomme*, h/t (76x25) : ITL 14 000 000 – LONDRES, 5 juil. 1989 : *Portrait d'un magistrat vénitien*, h/t (126,5x101) : GBP 17 600 – LONDRES, 2 juil. 1991 : *L'Adoration des bergers*, craies rouge et noire (42,3x31,5) : GBP 13 200 – ROME, 29 avr. 1993 : *Portrait d'un gentilhomme en pelisse*, h/t (110x92) : ITL 14 500 000 – MONTE-CARLO, 2 déc. 1994 : *Portrait d'homme*, h/t (119x99) : FRF 66 600 – AMSTERDAM, 11 nov. 1997 : *Portrait d'une dame*, h/t (102,2x81) : NLG 50 740.

CARBONE Luigi ou Carboni

Né à Marcianse. XVIIIe siècle. Italien.

Peintre de paysages.

Ce peintre, ayant travaillé à Rome sous Paul Bril, visita également Venise avant de se fixer à Naples. Il passa la majeure partie de sa vie d'artiste dans cette dernière ville.

CARBONEIL Armand

XXe siècle. Français.

Peintre.

Exposant des Indépendants à Paris.

CARBONEL Alonso ou Carbonell

Mort en 1660 à Madrid. XVIIe siècle. Espagnol.

Architecte et sculpteur.

Surtout architecte, on lui doit le palais baroque du Buen-Retiro.

CARBONEL Andrés

XVIIIe siècle. Actif à Palma de Majorque. Espagnol.

Sculpteur.

CARBONEL Ginés

XVIIe siècle. Actif à Madrid. Espagnol.

Peintre et doreur.

Fils d'Alonso Carbonel.

CARBONELL Guidette

Née le 25 janvier 1915 à Meudon (Hauts-de-Seine). XXe siècle. Française.

Peintre, céramiste, graveur, décorateur.

Elle fit ses études dans les ateliers d'André Lhote et de Roger Bissière pour la peinture et dans celui de Jose Artigas pour la céramique. En 1936 elle exposa avec Francis Gruber, Robert Humblot et Jean Bazaine et en 1937 devint sociétaire du Salon d'Automne. En 1998, le Centre Culturel Jean Arp de Clamart a organisé l'exposition *Guidette Carbonell – tentures murales.* Elle s'est spécialisée dans le décor architectural en céramique, dont elle a habillé de nombreux bâtiments publics.

MUSÉES : GRENOBLE (Mus. des Beaux-Arts) : panneau de céramique avant 1951.

VENTES PUBLIQUES : PARIS, 6 déc. 1986 : *Harpie* vers 1950, ciment, céramique polychrome et métal double face (H. 106) : FRF 16 000.

CARBONELL Joaquin

Mort en 1749. XVIIIe siècle. Actif à Palma de Majorque. Espagnol.

Peintre.

CARBONELL José

XIXe siècle. Actif à Alcoy. Espagnol.

Sculpteur.

On cite de lui un *Crucifix* exposé à Alicante en 1879, une *Résurrection* dans l'église de San Mauro et une *Charité* à l'Hôpital, à Alcoy.

CARBONELL Miguel

XVIIIe siècle. Actif à Palma de Majorque au début du XVIIIe siècle. Espagnol.

Peintre.

CARBONELL Nicolas

XVe siècle. Actif à Barcelone vers 1443. Espagnol.

Peintre.

CARBONELL Rafael

Né à Valence. XIXe siècle. Espagnol.

Peintre d'histoire et de portraits.

Exposa en 1864 à la Nationale des Beaux-Arts à Madrid : *Episodio del dia 15 de Julio en las afueras de Valencia.*

CARBONELL Tomas

Mort en 1629. XVIIe siècle. Actif à Valence. Espagnol.

Peintre.

CARBONELL Y HUGUET Pedro

Né à Sarria (près de Barcelone). XIXe-XXe siècles. Travaillant à Barcelone. Espagnol.

Sculpteur.

Élève de l'École des Beaux-Arts de Barcelone. Il a exposé à Madrid en 1890 et 1895, à Berlin en 1891 (*L'Angelus*), à Paris en 1900 (*Statue équestre du général Ulysse Heureux*). Médaille d'argent à l'Exposition Universelle de Paris en 1900.

CARBONELL Y MIRALLES Francisco

Né au XIXe siècle à Alcoy. XIXe siècle. Espagnol.

Graveur sur bois.

Élève de l'Académie de San Fernando. Il exposa en 1860 à Alicante et travailla pour le périodique *El Museo Universal.*

CARBONELL Y SELVA Miguel

Né en 1855 à Molins-de-Rey (près de Barcelone). Mort en 1896 à Barcelone. XIXe siècle. Espagnol.

Peintre d'histoire, sujets mythologiques, genre, portraits, paysages.

Élève d'Ant. Caba y Casamitjana à l'École des Beaux-Arts de Barcelone. Il travailla à Madrid et à Barcelone. Il a exposé à Madrid à partir de 1881, à Paris en 1889 (*Tragedia Pojaril*, *Cementerio de Aldea*, *Étude d'enfant*), à Vienne en 1894 (*La cueillette des haricots – Cour à Chapiz*).

CARBONERO José Moréno. Voir MORENO Y CARBONERO José

CARBONET

XVIIIe siècle. Actif vers 1700. Français.

Dessinateur de fleurs.

Il fut élève de Lenôtre. Il dessina de nombreux jardins.

CARBONI Bernardino

XVIIIe siècle. Actif à Brescia. Italien.

Sculpteur et architecte.

Fils de Ricciardo Carboni.

CARBONI Francesco

Né à Bologne. Mort en 1635. XVIIe siècle. Travaillant à Bologne. Italien.

Peintre.

Gendre et élève d'Alessandro Tiarini, il devait imiter plus tard la manière de Guido Reni. Parmi ses ouvrages, on cite : *Crucifixion, avec sainte Thérèse et autres saints*, à San Martino Maggiore, *Le Christ au Tombeau*, à San Paolo, et *La Décollation de saint Jean*, à Sta Maria dei Servi.

CARBONI Giovanni

Originaire de San Severino. XVIIe siècle. Travaillant à Rome. Italien.

Peintre.

CARBONI Giovanni Battista

Né en 1723 à Brescia. Mort en 1783 à Brescia. XVIIIe siècle. Italien.

Sculpteur sur pierre et sur bois.

Fils de Ricciardo Carboni.

CARBONI Luigi. Voir CARBONE

CARBONI Matteo

XVIIIe siècle. Actif à Florence. Italien.

Graveur à l'eau-forte et au burin.

Élève de C. Lasinio. On cite de lui des bas-reliefs de Giovanni da Bologna et de Lor. Ghiberti, ainsi que 10 planches pour : *L'Etruria Pittrice.*

CARBONI Ricciardo

XVIIIe siècle. Actif à Brescia dans la première moitié du XVIIIe siècle. Italien.

Sculpteur sur bois et marqueteur.

CARBONNEAU Jean Baptiste Charles
Né le 7 janvier 1815 à Honfleur (Calvados). XIXe siècle. Français.

Graveur de scènes de genre, paysages.
Il participe au Salon de Paris entre 1848 et 1869. Il fit des gravures d'après Watteau : *Fêtes vénitiennes* ; Rembrandt : *Descente de croix – Le bourgmestre Jean VI* ; Vélasquez : *Jeune cavalier* ; Chardin : *La gouvernante*. Il collabora à l'illustration de *L'Histoire des Peintres de toutes les écoles* de Charles Blanc.
Il varie les techniques de ses gravures représentant, entre autres, des vues de Suisse, des scènes de fêtes populaires.
BIBLIOGR. : Gérald Schurr, in : *Les Petits Maîtres de la peinture 1820-1920, valeur de demain*, t. IV, Les Éditions de l'Amateur, Paris, 1979.

CARBONNET Bruno
Né en 1957 à Calais (Pas-de-Calais). XXe siècle. Français.

Peintre de natures mortes, fleurs et fruits.
Il a participé à plusieurs expositions collectives parmi lesquelles : 1980 Biennale de Paris ; 1981 *Premier accrochage* à la galerie Alain Oudin à Paris ; 1984 *Les collections publiques en France* exposition itinérante à Madrid, Saragosse et Barcelone ; 1985 *Aux poteaux de couleur* au FRAC Aquitaine ; 1986 *Ateliers 86* au musée d'Art moderne de la ville de Paris ; 1987 *Ateliers Internationaux des Pays de la Loire* à Fontevraud, Biennale de São Paulo, *Du goût et des couleurs* au Centre National des Arts Plastiques ; 1989 *Territoires* au musée Saint-Denis de Reims ; 1990 galerie d'art contemporain de Mourenx ; 1991 *Mouvements 1 et 2* au musée national d'Art moderne à Paris dans les Galeries Contemporaines ; 1997 Cité internationale des arts à Paris. Il a exposé personnellement en 1989 au Cnap à Paris *Rouge, Vert & Noir*, à la Laure Genillard Gallery et en 1990 au Musée de Gand.
Les tableaux de Bruno Carbonnet forcent l'intimité, par la relation privilégiée qu'ils induisent entre la représentation et le spectateur. Sur la toile, les objets – une tache colorée, un fœtus, des fleurs ou des fruits – sont placés au centre d'étendues colorées et mouvantes, obligeant à la focalisation du regard et à l'examen attentif.   ■ F. M.
BIBLIOGR. : Oscarine Bosquet, *Bruno Carbonnet, le regard surveillé*, Art Press, mai 1990, p. 52 – Catal. de l'exposition *Mouvements 1 et 2*, Galeries Contemporaines, Musée National d'Art Moderne, Paris, 8 mai-16 juin 1991.

CARBONNIER Carl Philipp
Né en 1733 à Magdebourg. XVIIIe siècle. Allemand.

Sculpteur, graveur.
Il pratiqua la sculpture sur ivoire et la gravure sur nacre.

CARBONNIER Casimir, appelé en religion Frère François
Né le 24 mai 1787 à Beauvais. Mort en 1873 à Paris. XIXe siècle. Français.

Peintre.
Élève de David et d'Ingres. Cet artiste se fit lazariste en 1839. Depuis cette époque, il ne quitta plus la maison de la rue de Sèvres, qu'il orna de décorations. Entre 1815 et 1836, il avait séjourné à Londres où il exposa à plusieurs reprises à la Royal Academy et à la British Institution, notamment des portraits en miniature.

CARBONNIER Jacques Paulin Charles
Né à Paris. XIXe siècle. Français.

Peintre et graveur.
Élève de Lalanne, Allongé et Harpignies. Il débuta au Salon de 1887. Sociétaire des Artistes Français depuis 1883, il a exposé des paysages (eaux-fortes et des lithographies). Participa au Salon de Blanc et Noir en 1886.

CARBONNIER Johann
Né en 1736 à Berlin. XVIIIe siècle. Allemand.

Peintre.

CARBOU Y FERRER Eugenio
Né au XIXe siècle à Madrid. XIXe siècle. Actif à Madrid. Espagnol.

Peintre.
Il a exposé à Madrid à partir de 1871 une série de paysages.

CARÇA Diego da ou Carta. Voir DIEGO da Carça

CARCAN René
Né le 25 juin 1925 à Bruxelles. XXe siècle. Actif aussi en France. Belge.

Peintre, dessinateur, graveur, sculpteur. Tendance abstraite.
Il fit ses études à l'Académie des Beaux-Arts de Bruxelles et travailla avec le peintre Léon Devos, le sculpteur Jacob et le graveur Friedlaender. À partir de 1952, il commence à exposer et obtient une bourse de l'UNESCO qui lui permet de partir étudier à Rome et à Florence en 1958-1959. Il est membre-fondateur du groupe « Caf'd'encre » et expose à Paris depuis 1962. Il participe aux Biennales de gravure : à Tokyo en 1966, à Cracovie en 1970, à Ljubljana en 1968 et 1970. Il réalise des expositions personnelles en Belgique, France, Hollande, Allemagne, Italie, États-Unis... Depuis 1965 il dirige un atelier de gravure à Bruxelles.
Associant l'eau-forte à l'aquatinte, creusant la planche pour obtenir des empreintes en léger relief, les gravures de Carcan partent d'éléments du réel naturel, collines, arbres, fleurs, soleils, pour mettre en scène un univers fantasmatique.
BIBLIOGR. : In : *Diction. Biogr. Ill. des artistes en Belgique depuis 1830*, Arto, Bruxelles, 1987.
MUSÉES : BRUXELLES (Mus. des Beaux-Arts) – LIÈGE – MARIMONT – PARIS (BN).

CARCANI Filippo, dit Filippone
XVIIe siècle. Actif à Rome. Italien.

Sculpteur.

CARCANIO Manuel
XVIIIe siècle. Actif à la fin du XVIIIe siècle. Mexicain.

Peintre.
Il fut élève de Cabrera. Il travailla à Mexico.

CARCANO Alessandro
XVIe siècle. Italien.

Peintre.
Il travailla vers 1500 à la décoration de la cathédrale de Milan.

CARCANO Filippo
Né en 1840 à Milan. Mort en 1914. XIXe-XXe siècles. Italien.

Peintre de genre, figures, paysages, natures mortes, pastelliste, aquarelliste.
Élève d'Hayez, il envoya à l'exposition de Milan en 1872 : *Partie de Billard, Un Passe-temps, Une idylle*, deux *Intérieurs* ; à l'Exposition de Naples, en 1877 : *Une promenade amoureuse, Matinée sur le lac Majeur* ; à Milan, en 1883 : *Rive des Schiavoni* ; à Venise, en 1887 : *Plaine lombarde, Campagne d'Asiago*.
Il compta parmi les peintres les plus innovateurs d'Italie dans les années 1860. Après les Biennales de Venise de 1910 et 1912, le critique Giovanni Borelli écrivait que Carcano était le personnage prépondérant de la peinture lombarde durant quarante ans. Sa contribution au divisionnisme n'est pas moindre que celle de Segantini.
VENTES PUBLIQUES : MILAN, 16 mars 1966 : *Lago Maggiore* : ITL 750 000 – MILAN, 4 juin 1968 : *Baigneuse au bord de mer* : ITL 800 000 – MILAN, 24 mars 1970 : *Le Duel* : ITL 1 400 000 – MILAN, 28 oct. 1976 : *Après la bataille*, h/cart. (21,5x37) : ITL 950 000 – MILAN, 26 mai 1977 : *Marie-Madeleine*, h/cart. (25,5x20,5) : ITL 850 000 – MILAN, 10 juin 1981 : *La Sérénade 1870*, h/t (71x61) : ITL 8 500 000 – MILAN, 23 mars 1983 : *Taureau dans un paysage*, h/t (108x60) : ITL 11 500 000 – MILAN, 29 mai 1984 : *Scène fantastique*, past. (59x77) : ITL 2 800 000 – MILAN, 29 mai 1986 : *La famille du conjuré*, h/t (87x123) : ITL 24 000 000 – LONDRES, 29 avr. 1988 : *Bergers et troupeau dans un paysage vallonné*, aquar. reh. de blanc (23,7x34) : GBP 2 090 – ROME, 14 déc. 1988 : *Nature morte de pommes et branches de houx*, h/pan. (28,8x18,5) : ITL 2 800 000 – LONDRES, 15 déc. 1988 : *Paysage boisé*, h/cart. (19x28,5) : GBP 1 210 – MILAN, 12 mars 1991 : *Paysage*, past./pap. fort/cart. (38,5x50) : ITL 5 500 000 – MILAN, 7 nov. 1991 : *Paysage* 1910, h/pan. (14x19,5) : ITL 2 800 000 – MILAN, 12 déc. 1991 : *Portrait d'un jeune pêcheur*, h/pan. (17,5x10,5) : ITL 5 000 000 – MILAN, 19 mars 1992 : *Don Abbondio*, h/t/cart. (15x11) : ITL 1 100 000 – ROME, 12 mai 1992 : *Trompe-l'œil avec un edelweiss et une carte postale*, h/pan. (17,7x25) : ITL 1 400 000 – MILAN, 16 juin 1992 : *Lac Majeur*, h/t (75x200) : ITL 40 000 000 – ROME, 19 nov. 1992 : *Les Dragées de la noce*, h/pan. (17x26) : ITL 13 800 000 – LONDRES, 18 juin 1993 : *L'Heure de la traite*, h/t (89,5x121) : GBP 25 300 – MILAN, 9 nov. 1993 : *Scène de la vie en montagne*, (300x142) : ITL 19 550 000 – ROME, 1995 : *Le Lac de Lecco depuis Lierno* 1886, h/t (36x58) : ITL 12 964 000 – ROME, 23 mai 1996 : *Paysage avec un torrent*, h/pan. (15x22,5) : ITL 3 450 000 – MILAN, 18 déc. 1996 : *Jeune Poissonnier* 1884, h/pan. (16,5x9,5) : ITL 3 378 000.

CARCANO Francesco
Originaire de Milan. XVe siècle. Travaillant à Vercelli. Italien.

Peintre.

CARCANO José
Né à Barcelone. XIXᵉ siècle. Espagnol.
Sculpteur.
Exposa à la Nationale des Beaux-Arts, à Madrid, en 1881, un portrait (buste) et en 1884 : *David* ; il exposa à Barcelone en 1885 : *Il teléfono*, et en 1887 : *Una Flamenca* et un crucifix.

CARCANO Leandro
XVIIᵉ siècle. Romain, travaillant à Naples à la fin du XVIIᵉ siècle. Italien.
Peintre.

CARCANO Ludovico
Originaire de Pavie. XVᵉ siècle. Travaillant à Vercelli. Italien.
Peintre.

CARCANO Macario
XVIIIᵉ siècle. Actif au début du XVIIIᵉ siècle. Italien.
Sculpteur.
Il travailla à la cathédrale de Milan.

CARCEDO Y MARTIN Primitivo
Né en 1856 à Burgos. XIXᵉ siècle. Espagnol.
Dessinateur.

CARCELLER Y GARCIA Eduardo
Né à Valence. XIXᵉ siècle. Espagnol.
Peintre d'histoire.
Élève de l'Académie de San Fernando à Madrid et de Federico Madrazo. On cite de lui : *L'Arrestation du duc d'Albe* (1864), *Don Sanche de Navarre recevant le tribut du roi Maure de Saragosse.*

CARCON Antoni
XVIIIᵉ siècle. Actif à Krems. Autrichien.
Sculpteur.

CARDADOR Miguel
XVIIᵉ siècle. Travaillant dans l'île de Majorque. Espagnol.
Peintre.

CARDAIRE Yvonne Madeleine
Née au XXᵉ siècle à Lausanne (Vaud). XXᵉ siècle. Suisse.
Illustrateur.

CARDALE-LUCK Charles
Né au XIXᵉ siècle en Suède. XIXᵉ siècle. Suédois.
Aquafortiste.
Mention honorable au Salon de 1913.

CARDANO Giuseppe
XIXᵉ siècle. Actif à Paris au début du XIXᵉ siècle. Italien.
Graveur au burin.

CARDANO José Maria, et non Felipe
XIXᵉ siècle. Espagnol.
Graveur et lithographe.
Il introduisit la lithographie à Madrid puis s'exila à Paris avant 1824. Goya, lors de son voyage à Paris, en juillet et août 1824, le rencontrait fréquemment.

CARDANO Tommaso
XVIIᵉ siècle. Actif à Rome à la fin du XVIIᵉ siècle. Italien.
Peintre et graveur à l'eau-forte.
Le Blanc cite de lui : *Apparato nel Mortorio della Dottoressa Helena Lucretia Cornelia Cornara-Piscopia.*

CARDARELLI Aldo
Né le 2 février 1915 à Campinas (São Paulo). XXᵉ siècle. Brésilien.
Peintre de portraits et de paysages.
Il participa au Salon des Beaux-Arts de Rio entre 1941 et 1958, recevant une mention honorable, une médaille de bronze et une d'argent. Il figura également au Salon officiel de São Paulo. En 1958, il participa au premier Salon Pan-Américain d'Art de Porto-Alegre, recevant une médaille de bronze. Il a été récompensé de nombreuses fois lors d'expositions aux Salons régionaux de l'état de São Paulo. Il a exposé personnellement au Brésil.
VENTES PUBLIQUES : SÃO PAULO, 25 juin 1983 : *Paysage* 1983, h/t (21x33) : **BRL 450 000.**

CARDELL Frank Hale, Mrs
Née en 1905 à Boston (Massachusetts). XXᵉ siècle. Américaine.
Peintre.

CARDELLA Tony
XXᵉ siècle. Français.

Peintre de paysages, marines.
Il peint les côtes méditerranéennes.
VENTES PUBLIQUES : NEUILLY, 11 juin 1991 : *Le port de Saint-Raphaël*, h/t (73x92) : **FRF 12 000** – PARIS, 26 nov. 1992 : *Vieux port de Bastia*, h/cart. (50x65) : **FRF 3 200** – NEUILLY, 12 déc. 1993 : *Tartane à Saint-Tropez*, h/cart. (54x65) : **FRF 4 800.**

CARDELLI Domenico
XIXᵉ siècle. Travaillant à Paris au début du XIXᵉ siècle. Italien.
Sculpteur.

CARDELLI Giorgio
Né en 1791 à Florence. XIXᵉ siècle. Italien.
Sculpteur et peintre.

CARDELLI Pietro
XIXᵉ siècle. Actif à Paris au début du XIXᵉ siècle. Italien.
Sculpteur.
Il exposa au Salon en 1804, 1810 et 1812, et en 1806-1810 travailla aux bas-reliefs de la colonne Vendôme. En 1815-1816 il était fixé à Londres et exposait à la Royal Academy et à la British Institution. On lui doit un buste de Gérard Dow.

CARDELLI Salvatore
Né au XVIIIᵉ siècle à Rome. XVIIIᵉ siècle. Italien.
Graveur au burin.
Il travaillait à Saint-Pétersbourg où il s'était fixé en 1797. Le Blanc cite de lui : *Alexandre, empereur de toutes les Russies*, d'après Fr. Gérard.

CARDELLI Juan. Voir EQUIPO REALIDAD

CARDELUS Roger de
Né le 9 janvier 1899 à Le Passage (Lot-et-Garonne). XXᵉ siècle. Français.
Peintre de paysages.
Il utilise les procédés de simplification par larges aplats issus du fauvisme. Entre 1949 et 1953, à Paris, il participe régulièrement au Salon d'Hiver, entre 1950 et 1968 au Salon des Artistes Indépendants et depuis 1968 au Salon des Artistes Français.

CARDEÑAS Agustin ou Augustin
Né le 10 avril 1927 à Matanzas (Cuba). XXᵉ siècle. Actif aussi en France. Cubain.
Peintre à la gouache, aquarelliste, pastelliste, sculpteur, dessinateur. Abstrait.
Il fut élève de l'Académie des Beaux-Arts San Alejandro à La Havane entre 1943 et 1949, dans l'atelier du sculpteur Sicré, lui-même ancien élève de Bourdelle. En 1954 il reçut le Prix National de Sculpture de Cuba, alors qu'il faisait partie, entre 1953 et 1956, du *Groupe des Onze* qui regroupait les peintres et sculpteurs cubains en réaction contre l'enseignement officiel, reflet d'une société reposant sur l'ordre imposé.
Il commença alors à participer à des expositions collectives et le Musée de La Havane organisa une exposition de ses œuvres. En 1955, il se fixa à Paris, et y participe à des groupements, parmi lesquels : entre 1956 et 1968 le Salon de la Jeune Sculpture, à partir de 1957 le Salon des Réalités Nouvelles, à partir de 1960 le Salon de Mai, ainsi qu'aux Expositions Internationales de Surréalisme à Paris en 1960 et 1965 et à New York en 1961, à la Biennale de Paris en 1962 où il reçut un Prix, *La sculpture de l'École de Paris* à Francfort en 1966, à partir de 1966 le Salon des Grands et Jeunes d'Aujourd'hui, etc.
Il a exposé personnellement à Paris en 1959 (l'exposition fut présentée par André Breton), en 1961, 1965, 1971... 1992, à Chicago en 1961, à Milan en 1962, à Bruxelles en 1968, à Turin en 1969, à Bergame en 1971. En 1997, la Mairie de Paris lui a consacré une grande exposition au Couvent des Cordeliers. En 1964 il avait reçu le prix William Copley à New York.
Après avoir travaillé le plâtre pour créer des sortes de lianes élégantes et « platéresques », il sculpte le bois en hautes colonnes effilées qu'il nomme lui-même « totems ».   ■ J. B.
BIBLIOGR. : J. Pierre : *La Sculpture de Cardenas*, Bruxelles, 1971.
MUSÉES : ALGER – BRUXELLES – CARACAS – LA HAVANE – MONTRÉAL – SAINT-ÉTIENNE.
VENTES PUBLIQUES : PARIS, 19 juin 1978 : *Totem, les portes du ciel*, bois (H. 200) : **FRF 14 500** – PARIS, 14 déc. 1979 : *Composition 1964*, marbre poli (H. 45) : **FRF 12 000** – PARIS, 26 mars 1980 : *Composition verticale 1971*, bronze (H. 55) : **FRF 8 500** – PARIS, 23 nov. 1982 : *Composition*, bronze (H. 44) : **FRF 20 000** – NEUILLY, 10 mai 1983 : *Le couple*, teck, taille directe (H. 96) : **FRF 21 500** – PARIS, 19 mars 1984 : *Sculpture 1961*, bois patiné (H. 91) : **FRF 20 000** – PARIS, 17 déc. 1985 : *Composition 1970*,

past. (55,5x74,5) : **FRF 6 000** – Paris, 4 déc. 1986 : *Totem*, bronze (H. 160) : **FRF 20 000** – Paris, 30 jan. 1987 : *Peau de fleur* 1956, bronze (H. 46) : **FRF 26 000** – Paris, 3 déc. 1987 : *Oiseau des îles* 1976, bronze (50x33) : **FRF 16 000** – New York, 17 mai 1988 : *La Fiancée du cheval* 1984, bronze (H. 33,5) : **USD 12 100** – New York, 21 nov. 1988 : *Colonne de feu* 1961, chêne (H. 224) : **USD 34 100** – Paris, 14 déc. 1988 : *Oiseau des îles* 1976, bronze (H. 44) : **FRF 15 000** – Paris, 30 jan. 1989 : *Papillon* 1960, bronze patine brune (25,5x23x83) : **FRF 15 000** – Paris, 3 mars 1989 : *Mademoiselle de profil* 1976, bronze patine brune, numéroté 1/6 (H 44) : **FRF 18 000** – Paris, 23 juin 1989 : *Sans titre* 1959, pierre polie (11,5x20x16) : **FRF 12 000** – Paris, 22 oct. 1989 : *Porte de l'histoire I* 1961, bois brûlé (200x50) : **FRF 450 000** – New York, 20 nov. 1989 : *Le Grand Coquelicot*, bronze (H. 147) : **USD 44 000** – Paris, 11 mars 1990 : *Maternité* 1981, gche (66x48) : **FRF 34 000** – New York, 2 mai 1990 : *Soliloque* 1972, marbre blanc (H. 72) : **USD 30 800** – Paris, 21 juin 1990 : *Tête de femme* 1956, bronze (40x10x15) : **FRF 25 000** – Paris, 17 oct. 1990 : *Torse*, bronze patine brun noir (H. 27, l. 27) : **FRF 57 000** – New York, 19-20 nov. 1990 : *Jumeaux* 1989, marbre de Carrare (L. 80) : **USD 30 800** – Neuilly, 16 avr. 1991 : *On se parle de choses... Patience !*, bronze (27,5x19x16,5) : **FRF 35 000** – Paris, 18 mai 1992 : *Matière vivante*, marbre de Carrare (23x49x26) : **FRF 24 000** – Paris, 6 avr. 1993 : *La Main*, bronze (H. 31,5, l. 85) : **FRF 55 000** – Paris, 29 juin 1994 : *Porte de l'histoire I* 1961, bois, sculpture (H. 198, larg. 51) : **FRF 195 000** – New York, 17 nov. 1994 : *Sans titre* 1993, marbre blanc (H. 58,4) : **USD 19 550** – Paris, 29-30 juin 1995 : *Sans titre*, bronze (H. 39,5) : **FRF 16 000** – New York, 21 nov. 1995 : *Sans titre*, bronze (H. 190,5) : **USD 18 400** – Paris, 24 mars 1996 : *Sans titre*, bronze (31x26x20) : **FRF 21 000** – Lucerne, 8 juin 1996 : *Composition* 1971, gche, encre et aquar. (64x48) : **CHF 1 200** – Paris, 5 oct. 1996 : *La Promenade*, bronze patine brune (44x27x10,5) : **FRF 16 000** – Paris, 29 nov. 1996 : *L'histoire n'est pas finie*, bois d'ébène, sculpture (H.300, l.15) : **FRF 70 000** – Paris, 16-17 déc. 1996 : *Buste* 1973, bois, sculpture (122x40x30) : **FRF 60 000** ; *Sphère ouverte*, marbre noir de Belgique, sculpture (H. 70) : **FRF 15 000** ; *Sans titre*, bronze patine brune (35x45x14,5) : **FRF 22 000** – New York, 28 mai 1997 : *L'Histoire n'est pas finie* 1959, ébène (300x15) : **USD 29 900** – New York, 24-25 nov. 1997 : *Totem* 1957, ébène brûlé et acier (H. 180) : **USD 34 500**.

CARDENAS Bartolomé de
Né en 1547, d'origine portugaise. Mort en 1606 à Madrid. XVIᵉ siècle. Espagnol.
Peintre.
Élève d'Alonso Sanchez Coello à Madrid. Les premiers travaux de Bartolomé furent des œuvres d'artisan ; c'est à Valladolid qu'il se révéla et montra qu'il méritait de figurer dans la pléiade d'artistes italiens, flamands et espagnols qui ont constitué la Renaissance espagnole. En 1615, et pendant les années suivantes, il exécuta, par ordre du duc de Lerma, un retable destiné à Notre-Dame de Belem, à Valladolid, et diverses autres œuvres dans la même église. On cite encore de lui des peintures pour l'église de Tudela et pour le cloître du monastère de San Pablo. Le duc de Lerma, qui joua un si grand rôle dans la Renaissance espagnole, lui fit peindre des œuvres importantes non seulement dans ses propres palais, mais dans ceux du roi.

CARDENAS Cristobal de
Mort entre 1549 et 1555. XVIᵉ siècle. Actif à Séville en 1508. Espagnol.
Peintre.

CARDENAS Gutierre de
XVIᵉ siècle. Actif à Alcala de Henares. Espagnol.
Sculpteur.

CARDENAS Ignazio de
XVIIᵉ siècle. Actif à Cordoue vers 1662. Espagnol.
Graveur.

CARDENAS José de
Mort vers 1730. XVIIIᵉ siècle. Travaillant à Séville. Espagnol.
Sculpteur.
Élève de Pedro Roldan. On cite de lui un groupe au monastère de Santa Clara.

CARDEÑAS Juan
Né en 1939 à Bogota. XXᵉ siècle. Colombien.
Peintre de figures. Intimiste.
Frère de Santiago Cardenas, il reproduit la vie qui l'entoure : ses proches, ses amis dans son atelier avec ses objets quotidiens, le tout traité avec une précision froide, dans des teintes claires.

[signature]

Bibliogr. : Damian Bayon et Roberto Pontual : *La Peinture de l'Amérique latine au XXᵉ siècle*, Mengès, Paris, 1990.
Ventes Publiques : New York, 17 oct 1979 : *Autoportrait avec deux figures*, cr. (59x44) : **USD 2 400** – New York, 21 nov. 1989 : *Paysage*, h/tissu (50x65) : **USD 18 700** – New York, 20 nov. 1991 : *Femme et piano*, h/tissu (56x71,5) : **USD 19 800** – New York, 18-19 mai 1992 : *L'atelier du 94*, h/t (80x95) : **USD 20 900** – New York, 23-24 nov. 1993 : *Autoportrait debout près d'un crâne* 1980, h/t (71,1x55,6) : **USD 16 100** – New York, 18 mai 1994 : *Autoportrait face au miroir* 1982, h/t (62,9x51,4) : **USD 14 950** – New York, 24 fév. 1995 : *Autoportrait avec une canne* 1984, h/t (41,3x21,6) : **USD 9 200** – New York, 16 mai 1996 : *Autoportrait* 1981, cr./pap. (43,8x32) : **USD 2 530** – Paris, 10 juin 1996 : *Étude de visages et de corps*, dess. cr. et past./pap. (45,5x33,5) : **FRF 5 000**.

CARDENAS Juan de
XVIIᵉ siècle. Actif à Valladolid vers 1620. Espagnol.
Peintre de fleurs et de fruits.
Il était fils du peintre Bartolomé de Cardenas.

CARDENAS Miguel Angel
XXᵉ siècle. Actif en Hollande. Colombien.
Sculpteur.
Il sculpte des formes molles dont le symbolisme est nettement érotique.

CARDENAS Pedro de
XVᵉ siècle. Actif à Séville. Espagnol.
Peintre.

CARDENAS Santiago ou Cardenas-Arroyo
Né en 1937 à Bogota. XXᵉ siècle. Colombien.
Peintre de compositions à personnages. Hyperréaliste, puis expressionniste.
Il fit ses études aux États-Unis, à l' Université de Yale en particulier, puis retourna en Colombie. En 1971, il a participé à la Biennale de Paris. Ses œuvres ont été ensuite exposées à la Fiac (Foire Internationale d'Art Contemporain) de Paris en 1980, au musée du Bronx à New York en 1988, puis à la Biennale de Venise en 1990.
Sa peinture, figurative, traite le plus souvent des sujets de la vie courante dans les grandes cités, ceci d'abord dans un style proche de l'hyperréalisme surtout pour ses grands dessins. Peu à peu il oriente cependant ses recherches pour plus de liberté, vers un art toujours figuratif, mais délibérément expressionniste.
Ventes Publiques : New York, 18 nov. 1987 : *Cortinas* 1982, h/t (183x127) : **USD 7 000** – Paris, 21 sep. 1989 : *Composition* 1972, gche/pap. (70x50) : **FRF 4 800** – New York, 15-16 mai 1991 : *Tableau de pierre rouge avec corde et crochet* 1987, h. et past./pap. (70x100) : **USD 7 700** – New York, 18-19 mai 1993 : *Autoportrait*, acryl./t. (109,2x99,7) : **USD 7 188** – New York, 24-25 nov. 1997 : *Pizarron Grande* 1977, h/t (127x240) : **USD 34 500**.

CARDENAS-ALBARRACIN Joseph Michel de
Né au Pérou. XXᵉ siècle. Péruvien.
Peintre.
Il exposa au Salon des Artistes Indépendants à Paris entre 1924 et 1937.

CARDENAS-ARROYO Santiago. Voir CARDENAS Santiago

CARDENO Martin de
XVIIᵉ siècle. Actif à Séville en 1616. Espagnol.
Sculpteur.

CARDERERA Y SOLANO Valentin
Né en 1796 à Huesca (Aragon). Mort le 25 mars 1880 à Madrid. XIXᵉ siècle. Espagnol.
Peintre d'histoire, sujets allégoriques, portraits, fresquiste, dessinateur, illustrateur.
On le considère comme l'un des peintres les plus intéressants de l'art espagnol au XIXᵉ siècle. Il travailla d'abord à l'Académie des Beaux-Arts de Saragosse sous la direction de Buenaventura Salesa, puis à celle de Madrid, à partir de 1816, dans les ateliers de Mariano Salvador Maella et de José de Madrazo. Il se lia

d'amitié avec Francisco de Goya. Entre 1822 et 1831, il fut envoyé à Rome par le duc de Villahermosa. Il y étudia passionnément les classiques italiens de la grande époque. Puis, il revint en Espagne, où il fut membre d'un grand nombre d'associations artistiques d'Espagne et comblé d'honneurs. Il fut nommé professeur à l'Académie des Beaux-Arts de Madrid, promu chevalier de l'Ordre de Carlos III, puis décoré de la Grande Croix d'Isabelle la catholique.

Il a peint une série de tableaux illustrant Don Quichotte et de nombreux portraits. Il a pratiqué la peinture à fresque pour décorer les plafonds du palais de Vista Alegre. Parmi ses œuvres, on mentionne encore : *Cléopâtre* – *La Prudence de Hermosura* – *Les Rois Catholiques recevant Colomb à son retour d'Amérique*. Entre 1855 et 1864, il publia un recueil de dessins, *Iconographie espagnole*, en deux volumes, qui traite des édifices religieux espagnols menacés de fermeture. Il rédigea également un mémoire sur le portrait, des biographies de peintres et de graveurs, et collabora à diverses revues artistiques, dont : *El artista*, *El Renacimiento*, *El Arte en Espana*, la *Gazette des Beaux-Arts*.

BIBLIOGR. : In : *Cien Anos de Pintura en Espana y Portugal, 1830-1930*, Antiqvaria, t. I, Madrid, 1988 – in : *Dictionnaire de la peinture espagnole et portugaise du Moyen-Âge à nos jours*, coll. Essentiels, Larousse, Paris, 1989.

MUSÉES : MADRID (Mus. romantico) : *Prince d'Anglona*.

CARDES Lorentz
XVIIIe siècle. Actif à Copenhague au début du XVIIIe siècle. Danois.
Peintre.

CARDES Marcus
Né en 1675. Mort le 11 octobre 1751. XVIIIe siècle. Danois.
Peintre.
Fils de Lorentz Cardes. Il fut nommé, en 1748, professeur de dessin à l'ancienne Académie des Beaux-Arts de Copenhague.

CARDET Jean ou Cadet
XVIe siècle. Actif à Troyes entre 1548 et 1571. Éc. champenoise.
Peintre et enlumineur.

CARDEW Margaret
Née à Cambridge. XXe siècle. Britannique.
Peintre de portraits.
Elle exposa à Paris, aux Salons des Artistes Français et des Tuileries.

CARDI Lodovico ou Ludovico, de son vrai nom Lodovico Cardi da Cigoli, dit aussi Lodovico Cigoli ou Il Cigoli
Né en 1559, à Castelvecchio, à Cigoli selon Larousse. Mort en 1613 à Rome. XVIe-XVIIe siècles. Éc. florentine.
Peintre, sculpteur, architecte, poète et musicien.
Il commença ses études sous la direction d'Alessandro Allori et, plus tard, devint un des plus brillants disciples de Sante di Tito. D'après Lanzi, il aurait appris à dessiner chez Buontalenti. Cet artiste fut membre de l'Académie de Florence, où il fut élu après l'envoi de son tableau : *Caïn et Abel*. Parmi ses œuvres exécutées à Florence, on cite une *Trinité*, à Santa Croce, un *Saint Albert*, à Santa Maria Maggiore, et un *Martyre de saint Étienne*, aux religieuses de Monte Domini, ainsi qu'un *Saint Antoine*, à l'église des Conventuali. Citons encore un *Saint Pierre guérissant un estropié*, au Vatican où il fut chargé, par Paul V, de travaux importants et, en récompense, il allait recevoir le titre de Malte, quand la mort le surprit. Mariette mentionne également un tableau fait pour l'Entrée à Florence de la grande-Duchesse Christine de Lorraine, en 1588, ouvrage terminé d'après un dessin de son maître, Alessandro Allori.

$$\mathcal{L}.\ \mathcal{L}\mathcal{C}$$

MUSÉES : BORDEAUX : *Le Denier de César* – FLORENCE (Gal. Nat.) : *Le Martyre de saint Étienne* – *Saint François stigmatisé* – *Tête de femme* – *Cardi par lui-même* – *Saint François en prière* – *Saint François en Adoration* – FLORENCE (Pitti) : *Déposition du Christ* – *Ecce Homo* – *La Madeleine* – *Saint François* – *Portrait d'homme* – *La Cène d'Emmaüs* – *La Vierge et Jésus* – *Troisième apparition de Jésus à saint Pierre* – *Jean Baptiste près d'une source* – LYON : *Sainte Famille* – MONTPELLIER : *Ecce Homo* – *Saint François* – MUNICH : *Saint François d'Assise dans un paysage* – NANCY : *Le songe de Jacob* – *Christ au tombeau* – PARIS (Louvre) : *La fuite en*

Égypte – *Saint François d'Assise* – PRATO : *Saint Pierre marchant sur les eaux* – *Saint François priant* – *Martyre de saint Étienne* – ROME : *Joseph et la femme de Putiphar* – SAINT-PÉTERSBOURG : *La Circoncision* – *Le Mariage de sainte Catherine* – STOCKHOLM : *Saint François embrassant un crucifix* – VIENNE : *Christ pleuré* – *La Sainte Trinité*.

VENTES PUBLIQUES : AMSTERDAM, 18 mai 1706 : *Vénus et Adonis* : **FRF 380** – PARIS, 1775 : *Le baptême de sainte Prisque par saint Pierre*, dess. à la pl. lavé d'indigo : **FRF 100** ; *L'Adoration des Rois*, dess. à la pl. et au bistre : **FRF 16** – PARIS, 1839 : *Sainte Agathe découvrant son sein qu'elle va livrer au bourreau* : **FRF 1 860** – PARIS, 1858 : *Jésus guérissant le paralytique*, dess. lavé de coul. : **FRF 53** – PARIS, 9 mai 1864 : *La bénédiction*, dess. à la pl. et au bistre : **FRF 5** – PARIS, 1865 : *La Madeleine, les cheveux épars* : **FRF 60** – PARIS, 2 fév. 1874 : *La Vierge et l'Enfant Jésus* : **FRF 4 600** – NEW YORK, 1909 : *La Vierge et l'Enfant* : **USD 95** – PARIS, 21 et 22 fév. 1919 : *Étude de figure*, cr. : **FRF 12** – PARIS, 11 avr. 1924 : *Un miracle*, pl., reh. : **FRF 1 000** – LONDRES, 19 nov. 1926 : *La Sainte Famille et saint Jean* : **GBP 15** – LONDRES, 21 mai 1935 : *Pietà* : **GBP 15** – LONDRES, 2 juil. 1965 : *Saint François* : **GNS 1 100** – AMSTERDAM, 24 avr. 1968 : *L'archer*, bronze patiné : **NLG 64 000** – PARIS, 6 nov. 1980 : *Ecce homo*, pl. et lav. (19,6x13,6) : **FRF 6 000** – LONDRES, 9 déc. 1982 : *Jeune homme debout tenant un bâton (recto)* ; *Personnages (verso)*, lav. reh. de blanc et sanguine (40,7x22,6) : **GBP 1 400** – ROME, 15 mars 1983 : *Lamentations*, pl. et lav. de sépia/pap. (14,5x12) : **ITL 2 200 000** – LONDRES, 12 déc. 1985 : *Homme agenouillé se tenant la tête à deux mains*, craie noire et blanche/pap. bleu (21,1x27,8) : **GBP 3 000** – LONDRES, 19 fév. 1987 : *Diane et Actéon*, pl. et lav. : **GBP 4 200** – PARIS, 11 mars 1988 : *Le Christ le jour des Rameaux*, lav. blanc, plume en bistre (45x27) : **FRF 27 000** – MILAN, 25 oct. 1988 : *Déposition*, h/pan. (116x96,5) : **ITL 28 000 000** – NEW YORK, 11 jan. 1990 : *L'Adoration des bergers*, h/t (308x193) : **USD 132 000** – NEW YORK, 8 jan. 1991 : *Le Pape Sixte V rédigeant inspiré par les anges*, encre brune et aquar. et reh. de blanc (26,7x22,5) : **USD 63 800** – ROME, 24 nov. 1992 : *La Sainte Famille*, h/t (55,5x65,5) : **ITL 16 100 000** – NEW YORK, 20 mai 1993 : *L'Adoration des bergers*, h/t (90,2x72,4) : **USD 8 050** – LONDRES, 8 juil. 1994 : *Le Pape Léon XI devant l'apparition de la Madone avec saint Antoine Pierozzi et saint Jean Gualbert*, h/cuivre (28x22) : **GBP 12 075** – NEW YORK, 12 jan. 1995 : *Le Pape Sixte V recevant l'inspiration divine pour ses réformes (recto)* ; *Études de la Vierge et l'Enfant avec saint Georges (verso)*, encre et lav. (15,8x23,5) : **USD 27 600** – NEW YORK, 10 jan. 1996 : *Le Roi de Bavière*, encre, lav., sanguine/pap. brun clair (24x14,3) : **USD 4 025** – LONDRES, 2 juil. 1996 : *Le Christ devant Pilate (recto)* ; *La flagellation (verso)*, craie noire, encre brune et lav. bleu (39,9x26,2) : **GBP 16 100**.

CARDI Lorenzo
XVIIe siècle. Actif au début du XVIIe siècle à San Gimignano. Italien.
Peintre.

CARDI Sebastiano
XVIIe siècle. Actif à Florence vers 1600. Italien.
Peintre et graveur à l'eau-forte.
Frère de Lodovico Cardi.

CARDILLO, famille d'artistes
XVe-XVIe-XVIIe siècles. Actifs à Messine. Italiens.
Peintres.
Se succédèrent à Messine Cardillo l'Antico, travaillant à la fin du XVe siècle, l'un des meilleurs disciples d'Antonello da Messina, Francesco (XVIe et XVIIe siècles) qui a peint dans la manière de Raphaël, et enfin Stefano, fils de Francesco.

CARDIN Annie
Née le 30 septembre 1938 à Paris. XXe siècle. Française.
Peintre, dessinateur, graveur, peintre de collages, sérigraphe, peintre de cartons de tapisseries. Tendance expressionniste-abstrait.
Elle participe à des expositions collectives depuis 1958, surtout à Paris, notamment : 1961, 1963 Biennale de Paris, 1961 Salon des Tuileries, 1961 à 1976 Salon d'Automne dont elle est sociétaire, 1962, 1964 Jeune Gravure, 1962 Prix du Dôme, 1963 Jeune Peinture, 1964 *50 ans de collages* au Musée de Saint-Étienne, 1976 Salon de Montrouge, Salon Comparaisons, *Gravures contemporaines* à la Bibliothèque Nationale, depuis 1986 Salon des Réalités Nouvelles. Elle expose également à l'étranger, aux États-Unis, au Japon et en Suède. Elle montre ses réalisations dans des expositions personnelles, d'entre lesquelles : 1960, 1962 Annecy,

1963 Musée René Pous à Collioure, Musée Princehof à Leeuwarden et Kunstenaar Centrum à Bergen (Hollande), 1965 Dayton, Pittsburgh, Cincinnati, Indianapolis, 1967, 1975 Paris, 1968 Instituts Franco-Japonais Tokyo et Kyoto, 1970 Göteborg, 1971 Cologne, 1974 Milan, 1977 Musée Saint-Denis à Reims, 1979 Musée de Nemours, 1981 Galerie de l'Esplanade à Paris-La Défense, etc. Elle fut lauréate du Prix Fénéon de l'Université de Paris en 1961, du Prix René Pous au Salon d'Automne en 1962. Elle a illustré *Le joueur* de Dostoïevsky et a publié un recueil de sérigraphies intitulé *Autour d'un voyage en Chine*. Elle a réalisé des décorations murales pour le Casino de Luc-sur-Mer, le Lycée Polyvalent de Garges-les-Gonesses, des cartons de tapisseries pour le Ministère des Armées à Angers, l'Ambassade de France à Varsovie, le Château de La Celle-Saint-Cloud, le Palais Prince Rainier de Monaco...

Elle réalise des peintures, des dessins, des gravures, dans une première période, de 1960 aux dernières années soixante, directement figuratifs, alertes, colorés, dont le talent, des Vuillard, Bonnard du temps de la Revue Blanche, culmine avec *Une bouteille et des petites saletés* de 1967. Ensuite, le trait, toujours techniquement acéré, est devenu plus allusif quant à la figuration du motif : *Prairial* de 1972, où l'on se rapproche des postcubistes Geer Van Velde ou André Beaudin, et quant à la figuration du paysage : *La combe fertile* de 1974, où l'on peut penser à Édouard Pignon. C'était d'évidence une période de transition, elle savait ce qu'elle quittait, elle devinait où elle allait. Depuis 1975, la peinture d'Annie Cardin ressortit résolument à ce secteur de l'abstraction où interfèrent expressionnisme-abstrait et paysagisme-abstrait. Elle y a apporté toutes les qualités de son dessin sismographique de ses émotions fiévreuses, et ses dons si divers de coloriste, démontrant, entre tant d'autres, l'adéquation exceptionnelle de l'abstraction, surtout quand celle-ci procède de l'abstraction à partir du concret, avec l'expression des sensations les plus personnelles, dégagées de l'anecdote des images littérales. ■ Jacques Busse

BIBLIOGR. : Catalogue de l'exposition *Cardin*, Musée Saint-Denis, Reims, 1977, avec appareil documentaire.

MUSÉES : NEMOURS – PARIS (BN) – PARIS (Mus. d'Art Mod. de la Ville) – REIMS.

CARDIN Jacques Claude
XVIIIe siècle. Français.
Peintre.
Il fut reçu à l'Académie de Saint-Luc à Paris en 1761.

CARDIN-ROUSSEL, Mme
XIXe siècle. Active à Toul. Française.
Portraitiste.
Peut-être s'agit-il d'Amélie ROUSSEL. Le Musée de Toul possède de cette artiste quatre tableaux.

CARDINAEL Jean Auguste Duron
Né à Tournai. XVIIIe siècle. Éc. flamande.
Peintre.
Il faisait partie, en 1755, de la gilde de Tournai. Il s'occupa de restaurer les vieux tableaux et disait posséder un secret pour enlever les tableaux de toile, bois et cuivre et les transporter sur toile, bois et cuivre neufs. Il restaura, dans l'abbaye Saint-Amand, le *Saint Étienne* de Rubens (maintenant au musée de Valenciennes).

CARDINAL Émile Valentin
Né à La Châtaigneraie (Vendée). XIXe-XXe siècles. Français.
Peintre de figures, fleurs, animalier.
Entre 1920 et 1932 il exposa à Paris, aux Salons des Artistes Indépendants et de la Société Nationale des Beaux-Arts.
VENTES PUBLIQUES : PARIS, 26 fév. 1921 : *Maternité* : FRF 105 – PARIS, 21 oct. 1943 : *Fleurs dans un vase* : FRF 500 – REIMS, 21 déc. 1986 : *La Place du Tertre*, h/pan. (60x92) : FRF 4 000 – PARIS, 17 fév. 1988 : *Les chatons*, h/t (38x46) : FRF 5 200 – LONDRES, 17 mars 1989 : *Les intruses – guêpes dans l'assiette de lait des chatons*, h/t (36x45) : GBP 9 350 – PARIS, 21 mars 1990 : *Bouquet de fleurs*, h/pan. (73x90) : FRF 20 000 – LONDRES, 19 juin 1991 : *Chatte et ses petits*, h/pan. (37x53) : GBP 3 520 – NEUILLY, 20 mai 1992 : *Les petits chats*, h/pan. (31x39) : FRF 7 300.

CARDINAL Yvonne
Née à Paris. XXe siècle. Française.
Peintre d'animaux, paysages.
Entre 1935 et 1938 elle exposa à Paris, au Salon de la Société Nationale des Beaux-Arts et d'Automne.

CARDINALI Franco
Né le 28 février 1926 à Rappallo. Mort le 12 avril 1985 à Saint-

Paul-de-Vence (Alpes-Maritimes), par suicide. XXe siècle. Actif à partir de 1950 en France. Italien.
Peintre. Abstrait-matiériste.
Il fut élève de l'École Navale tout en suivant les cours de dessin de l'école de la ville de Rapallo. En 1945 il s'installa à Milan et en 1950 fit son premier voyage à Paris, partit à Vallauris puis se fixa à Paris. Là, il se lia d'amitié avec Picasso, Cocteau et Prévert, qui l'encouragèrent dans la voie difficile qu'il avait choisie et préfacèrent certaines de ses expositions. Il partagea alors son temps entre son atelier et un petit village toscan. Il a figuré dans de nombreuses expositions collectives dont la Biennale de Menton en 1957. À partir de 1953 il a exposé personnellement à Milan, Rome, Londres, Bruxelles, Paris ou Dakar.

Ses œuvres, travaillées en hautes pâtes sont proches des recherches matiéristes, faisant surgir des reliefs généralement blancs des formes évoquant le monde végétal ou minéral, un sol lunaire, une peau ridée ou des traces fossilisées d'un phénomène révolu. ■ J. B.

BIBLIOGR. : Catalogue de l'exposition *Franco Cardinali, La rivolta della pittura*, Milano, Palazzo di Brera, éd. Electa, 1989.

CARDINALI Luigi
Né en 1786 à Plaisance. Mort en 1839. XIXe siècle. Actif à Plaisance. Italien.
Sculpteur sur bois.

CARDINALL Robert
XVIIIe siècle. Travaillant dans le comté de Suffolk, dans la première moitié du XVIIIe siècle. Britannique.
Peintre.
Il fut élève de Godfroy Kneller.

CARDINAUX Anne
Née à Prague, d'origine suisse. XXe siècle. Suisse.
Peintre.
Elle expose au Salon d'Automne.

CARDINAUX Dorette
Née à Waterford (Irlande). Morte le 10 janvier 1986. XXe siècle. Française.
Peintre de paysages.
Elle exposa à Paris, aux Salons de la Société Nationale des Beaux-Arts, des Artistes Indépendants et d'Hiver de nombreux paysages, notamment de Honfleur.

CARDINAUX Emile
Né en 1877 à Berne. Mort en 1936. XXe siècle. Suisse.
Peintre de paysages, illustrateur.
Après avoir étudié à Berne, il fut élève de Franz von Stuck à Munich. Il fit ensuite un séjour à Paris en 1903.
Paysagiste de haute montagne, il a subit l'influence de Hodler et réalisé de nombreuses affiches.
VENTES PUBLIQUES : BERNE, 22 oct. 1980 : *Vue de l'Eiger* 1926, h/t (64x70) : CHF 1 500 – ZURICH, 12 nov. 1982 : *Le faucheur*, h/t (73,5x30) : CHF 2 000 – ZURICH, 20 oct. 1983 : *Femme nue endormie* 1918, h/t (35,5x46) : CHF 1 400 – BERNE, 26 oct. 1984 : *Vue de l'Eiger* 1926, h/t (64x70) : CHF 3 000 – BERNE, 3 mai 1985 : *Paysage d'été* 1931, h/cart. (43x33) : CHF 1 700 – LUCERNE, 5 déc. 1987 : *Paysage de printemps*, h/t (63x70) : CHF 3 000 – BERNE, 12 mai 1990 : *L'hiver à Tarasp-Fontana*, h/t (49x70) : CHF 4 500.

CARDINI Loao ou John
XVIIIe-XIXe siècles. Portugais.
Graveur.
Il séjourna à Londres où il grava en 1813-14 trois portraits.

CARDINI Santi, dit Aretino
XVIIIe siècle. Actif à Florence. Italien.
Dessinateur et peintre.

CARDISCO Marco, dit Marco Calabrese
Né vers 1486 en Calabre. XVIe siècle. Actif entre 1508 et 1541. Italien.
Peintre.
Quelques historiens placent cet artiste au nombre des élèves de Polidoro da Caravaggio, à Naples, où il travailla beaucoup. On cite de lui un *Saint Augustin disputant avec des hérétiques* (Musée de Naples).
VENTES PUBLIQUES : PARIS, 1775 : *L'Ange apparaissant à saint Paul et lui ordonne d'aller à Éphèse*, dess. au bistre reh. de blanc : FRF 48.

CARDON, père
XVIIIe siècle. Français.
Peintre.

Lyonnais. Il est mentionné en 1708 et 1731 et pendant cette période est élu quatre fois maître de métier.

CARDON, fils
XVIIIe siècle. Français.
Peintre.
Lyonnais. Il fut élu maître de métier en 1729, 1730 et 1731.

CARDON Alberto
XVIIIe siècle. Actif à Vicence. Italien.
Peintre.

CARDON Alexandre Aimé
Né le 1er janvier 1821 à Paris. XIXe siècle. Français.
Peintre d'histoire, portraits.
Élève de P. Delaroche. Il débuta au Salon en 1845. Le musée de Rodez conserve de lui : *La Sainte Vierge apprenant au Christ à bénir le monde*.

CARDON Antoine ou **Anthony**
Né le 15 mai 1772 à Bruxelles. Mort le 16 avril 1813 à Bruxelles ou le 17 février 1813 à Londres selon Redgrave. XVIIIe-XIXe siècles. Éc. flamande.
Dessinateur et graveur.
Il fut élève de son père Antoine-Alexandre et de l'Académie de Bruxelles. Il alla se fixer à Londres en 1792. Il a laissé une suite importante de portraits gravés. Il eut un fils, graveur, qui mourut jeune.

CARDON Antoine Alexandre Joseph
Né le 7 décembre 1739 à Bruxelles. Mort le 10 septembre 1822 à Bruxelles. XVIIIe-XIXe siècles. Éc. flamande.
Peintre et graveur.
Élève de H. de la Pegna à Vienne. Il séjourna à Rome comme pensionnaire de Marie-Thérèse, puis à Naples, où il s'occupa de gravures, et fit les vues et plans de la ville d'après Gius. Bacci ; il y travailla aussi pour les *Antiquités étrusques, grecques et romaines* d'Hamilton. En 1769, son protecteur le ministre Cobentzl l'appela pour coopérer à une histoire de la Toison d'Or, qui fut abandonnée. Il fut professeur de l'Académie de Bruxelles. Il a gravé des tableaux faisant partie des collections du comte Cobentzl et du duc d'Arenberg.

CARDON Carlos
Né le 22 avril 1831 à Armentières (Nord). XIXe siècle. Français.
Peintre.
Élève de Duprez. Il débuta au Salon en 1881.

CARDON Charles Léon
Né en 1850 à Bruxelles. XIXe siècle. Belge.
Peintre de genre.
Élève de l'Académie de Bruxelles. Il exposa à Paris en 1874.
VENTES PUBLIQUES : LONDRES, 30 nov. 1977 : *Le Joueur de luth* 1873, h/t (81x51) : GBP 800.

CARDON Claude
XIXe-XXe siècles. Britannique.
Peintre de genre, animaux, paysages.
Il fut actif de 1892 à 1915 à Londres, où il exposa à la Royal Academy et à Suffolk Street. Il se spécialisa dans les scènes rustiques de la ferme.

VENTES PUBLIQUES : LONDRES, 25 avr. 1908 : *Walton-sur-la-Tamise* : GBP 5 ; *La cour de la ferme* : GBP 6 – LONDRES, 29 mars 1983 : *Troupeau dans un paysage de printemps*, deux h/t (30,5x40,5) : GBP 1 800 – LONDRES, 12 avr. 1985 : *Les animaux de la ferme*, h/t (34x52) : GBP 2 100 – LONDRES, 17 déc. 1986 : *L'heure de la distribution de la nourriture* 1918, h/t (51x76) : GBP 4 800 – LONDRES, 23 sep. 1988 : *Curiosité* 1899, h/t (31x80) : GBP 4 180 – NEW YORK, 24 mai 1989 : *Distribution de grain aux poulets*, aquar. (26,7x39) : USD 1 100 – LONDRES, 9 fév. 1990 : *Les amis de la ferme* ; *Maigre pitance*, h/t, une paire (43,2x53,3) : GBP 7 700 – LONDRES, 21 mars 1990 : *Repas*, h/t (46x61) : GBP 3 850 – LONDRES, 3 nov. 1993 : *Jeune paysanne apportant la nourriture aux veaux et aux poules dans un verger* 1918, h/t (51x76,5) : GBP 4 600 – NEW YORK, 20 juil. 1994 : *Scène de labours* 1890, h/t (50,8x76,2) : USD 3 450 – GLASGOW, 16 avr. 1996 : *En attendant de changer de pâturage* 1906, h/t (40,5x51) : GBP 2 300 – LONDRES, 5 juin 1996 :

Moutons se désaltérant ; Moutons près d'une rivière, h/bois, une paire (chaque 17,5x25) : GBP 1 495.

CARDON Eric
Né en 1947 à Dilbeek. XXe siècle. Belge.
Peintre, sculpteur. Fantastique.
Il fit ses études à l'Académie Saint-Luc à Bruxelles et à celle de La Cambre. Il fut lauréat de la Bourse Berthe Art en 1966-1968 et reçut le premier prix de la Biennale de Budapest en 1975. Depuis 1965 il pratique la technique de la cire perdue en bronze. Ses œuvres relèvent du fantastique.
BIBLIOGR. : In : *Diction. Biogr. Ill. des artistes en Belgique depuis 1830*, ARTO, Bruxelles, 1987.
VENTES PUBLIQUES : ANVERS, 23 avr. 1985 : *Clown, n° 3*, bronze (H. 46) : BEF 34 000.

CARDON F.
XIXe siècle. Actif à Londres en 1825. Britannique.
Graveur au pointillé.
On cite de lui : *Andrea Jakson*, d'après Busette et Laclotte. Paraît identique à H. Cardon.

CARDON Forci
Né à Arras. XVIIe siècle. Actif à Anvers. Éc. flamande.
Sculpteur.

CARDON H.
XIXe siècle. Français (?).
Graveur au pointillé.
Actif à Londres et à Paris de 1817 à 1835.

CARDON Henri
Mort en 1700 à Madrid. XVIIe siècle. Travaillant en Espagne. Éc. flamande.
Sculpteur.

CARDON Jacques Armand
Né en 1936. XXe siècle. Français.
Peintre, dessinateur.
Il collabore au *Canard Enchaîné* depuis 1974. Il vit et travaille à Garges-les-Gonesses.
Il participe à des expositions collectives : 1981 musée des Arts décoratifs à Paris ; 1991 Senans et Yverdon (Suisse). Il montre ses œuvres dans des expositions personnelles : 1973, 1980 Paris ; 1976 Genève.

CARDON Jean
Né en 1605 à Douai. XVIIe siècle. Actif à Anvers et à Paris. Éc. flamande.
Sculpteur.
Il est le sculpteur des stalles de l'abbaye d'Afflighem, près de Bruxelles. Plus tard il se rendit à Paris et y fut reçu à l'Académie de Saint-Luc en 1655.

CARDON Johan Elias
Né le 17 octobre 1802 à Stockholm. Mort le 3 juillet 1878 à Stockholm. XIXe siècle. Suédois.
Lithographe.
D'abord employé de commerce, il entra comme élève graveur dans l'atelier de Forssell. Il fut en même temps élève de l'Académie de Stockholm, qui lui accorda, en 1829, une bourse de voyage. Il étudia principalement à Paris et à Munich, la technique de la lithographie. À son retour, il donna des gravures, telles que *Osteria à Rome*, *L'Ensevelissement de Jésus-Christ*, *Fuyards espagnols*, qui confirmèrent son talent. Il devint membre de l'Académie en 1843.

CARDON Karl Oskar
Né en 1812 à Stockholm. Mort le 3 mai 1899 à Stockholm. XIXe siècle. Suédois.
Graveur.
Frère de Johan Elias Cardon.

CARDON Lambertus
XVIIIe siècle. Hollandais.
Peintre.
Appartenant à la gilde de Haarlem, il était maître de dessin.

CARDON Lancelot
XVe siècle.
Miniaturiste et calligraphe.
Il décora notamment une *Bible Historiale*, conservée à la Bibliothèque de Turin, dont le colophon est rédigé en français : « Lancelot Cardon ce livre cy escript, enlumina ency, Prie Diu pour lame de lui ».

CARDON Matilde Kristine
Née en 1843 à Stockholm. XIXe siècle. Suédoise.

Peintre de portraits, pastelliste.
Elle était fille de J.-E. Cardon. Elle étudia d'abord à l'Académie de Stockholm, puis à Paris, Munich et Vienne.

CARDON Nicolas Vincent
XVIIIe siècle. Français.
Sculpteur.
Reçu à l'Académie de Saint-Luc à Paris en 1759, il devint directeur en 1771 et adjoint à professeur en 1776. Il a travaillé pour le château de Cramayel-en-Brie et pour le Palais-Bourbon à Paris.

CARDON Philip
Mort en 1817 à Londres. XIXe siècle. Britannique.
Graveur.
Fils de Antoine Cardon.

CARDON Richard Ernest
Né à Havrincourt. XIXe siècle. Français.
Graveur.
Il débuta au Salon de 1877.

CARDON Servais
XVIIe siècle. Actif à Anvers. Éc. flamande.
Sculpteur.
Fils de Forci Cardon.

CARDON Thérèse
Née à Lille (Nord). XXe siècle. Française.
Peintre de portraits, paysages.
Elle a exposé au Salon des Artistes Français à Paris.

CARDONA Bartholomé
XVIe siècle. Actif à Valence. Espagnol.
Peintre.
Il fut l'élève et l'aide de son père, Juan Cardona.

CARDONA José
Né au XIXe siècle à Barcelone. XIXe siècle. Actif à Paris. Espagnol.
Sculpteur.
Élève de l'École des Beaux-Arts de Barcelone. Il exposa, à Paris, aux Artistes Français et à la Nationale à partir de 1903.

CARDONA Juan
XVIe siècle. Actif à Valence. Espagnol.
Peintre.

CARDONA Juan
Né à Barcelone (Catalogne). XIXe-XXe siècles. Espagnol.
Peintre.
Exposant de la Nationale depuis 1912 ; sociétaire du Salon d'Automne. Il est aussi connu comme humoriste.
VENTES PUBLIQUES : PARIS, 16 mai 1924 : *La bonne aventure* : **FRF 1 000** ; *Écurie à Séville* : **FRF 165** – PARIS, 23 jan. 1925 : *Une madrilène*, dess. reh. d'aquar. et gche : **FRF 60**.

CARDONA Pedro de
XVIe siècle. Travaillant à Séville en 1531 et 1539. Espagnol.
Sculpteur.

CARDONA LLADOS Juan
Né en 1877 à Barcelone (Catalogne). Mort en 1934 à Barcelone (Catalogne). XXe siècle. Espagnol.
Peintre de compositions à personnages et de vues typiques, dessinateur, illustrateur.
Il fit ses études à l'École des Beaux-Arts de la Lonja de Barcelone, les poursuivant ensuite à Paris auprès de Cappiello, Sem, Steinlen, Roubille, etc. À Paris, il exposa au Salon de la Société Nationale des Beaux-Arts à partir de 1912. Il fut également sociétaire du Salon d'Automne. Il exposa personnellement ses œuvres.
Il eut une intense activité dans le domaine de l'illustration, collaborant à des revues catalanes comme *El Gato Negro* – *Hispania*, les revues française *Le Rire* et allemandes *Jugend* – *Simplicissimus*.
BIBLIOGR. : In : *Cent ans de peinture en Espagne et au Portugal*, 1830-1930, t. I, Antiquaria, Madrid, 1988.
VENTES PUBLIQUES : PARIS, 16 mai 1924 : *La bonne aventure* : **FRF 1 000** – PARIS, 23 jan. 1925 : *Une madrilène*, dess. reh. d'aquar. et gche : **FRF 60** – MADRID, 17 oct. 1979 : *Maja*, h/t (124x99) : **ESP 300 000** – BARCELONE, 7 oct. 1980 : *Jeune fille à l'éventail*, h/t (100x84) : **ESP 400 000** – BARCELONE, 5 mars 1981 : *Maja*, h/t (60x48) : **ESP 220 000** – BARCELONE, 2 juin 1982 : *Gitane et enfant*, h/t (93x68) : **ESP 265 000** – BARCELONE, 20 juin 1983 : *Jeune fille de Valence*, h/pan. (53x44,5) : **ESP 175 000** – TOULOUSE, 6 juin 1984 : *Portrait d'une espagnole*, h/t (100x82) : **FRF 8 000** –

BARCELONE, 29 mai 1985 : *Gitane*, h/t (100x81) : **ESP 350 000** – BARCELONE, 29 oct. 1986 : *Les élégantes*, techn. mixte (35x27) : **ESP 135 000** – PARIS, 26 nov. 1989 : *Le patinage*, cr. de coul. et encre de Chine (47x37) : **FRF 45 000** – LONDRES, 14 fév. 1990 : *Entraîneuse devant son miroir*, h/t (100x80) : **GBP 7 700** – PARIS, 20 nov. 1990 : *Élégante au renard 1900*, past. (53x26,5) : **FRF 26 000** – PARIS, 14 juin 1991 : *Les élégantes*, cr. et gche (39x30) : **FRF 21 000** – PARIS, 4 mai 1993 : *Au bal-spectacle*, cr. noir, past. et gche (42x29) : **FRF 26 000**.

CARDONA TORRANDELL Armando
Né en 1928 à Barcelone (Catalogne). XXe siècle. Espagnol.
Peintre. Abstrait, tendance informel.
À ses débuts, il réalisait une peinture figurative, influencée par les œuvres du groupe « Dau al Set ». Depuis 1959, il réalise des toiles abstraites, à tendance informelle, constituées d'empâtements de pigments mélangés à des vernis. Dans les années 1970, il paraît amorcer un retour vers la figuration avec des dessins où des portraits parcellaires renvoient à un univers hallucinatoire et schizophrénique.
MUSÉES : BARCELONE.

CARDONA Y TIO Juan
Né en 1877 à Tortosa (Tarragone). Mort le 16 septembre 1958 à Barcelone. XIXe-XXe siècles. Espagnol.
Peintre de figures, paysages, pastelliste, dessinateur, illustrateur.
Élève de Carlos de Haes à l'École d'art de Madrid, il se forma également sous la direction de Juan Baixas. Il a participé à des expositions à Madrid à partir de 1895, et au Salon de la Société Nationale des Beaux-Arts de Paris à partir de 1906. Il obtint une seconde médaille à l'Exposition internationale de Barcelone en 1907, une médaille d'argent à San Francisco en 1915, une médaille d'or à Séville en 1929.
Il a beaucoup travaillé au pastel, à la gouache et à la plume. Il réalisa plusieurs illustrations pour des revues espagnoles, mais aussi pour *Jungend* en Allemagne, et *Le Rire* en France. Son trait rapide définit prestement ses portraits et paysages.
BIBLIOGR. : In : *Cent ans de peinture en Espagne et au Portugal*, 1830-1930, t. I, Antiquaria, Madrid, 1988.
VENTES PUBLIQUES : NEW YORK, 13 oct. 1993 : *Jeune Femme près d'une coupe de fruits*, h/t (100x81,3) : **USD 10 350** – PARIS, 24 juin 1994 : *Élégante dans un parc*, past. (40x33) : **FRF 10 000** – PARIS, 4 déc. 1995 : *La mondaine*, fus. avec reh. d'aquar. (40x18) : **FRF 4 000** – LONDRES, 31 oct. 1996 : *Le Châle à fleurs*, h/t (100,5x82) : **GBP 5 060**.

CARDONE Francesco Antonio
Né en 1703. XVIIIe siècle. Actif à Atessa (Abruzzes). Italien.
Peintre et stucateur.

CARDONE Nicola
Né en 1811 à Atessa (Abruzzes). XIXe siècle. Italien.
Peintre.
Élève à Naples, où il se fit inscrire à l'Institut Royal des Beaux-Arts, et où il termina ses études. Son œuvre principale est une *Sainte Famille*.

CARDONE Paolo
Originaire d'Aguila. XVIe siècle. Italien.
Peintre.

CARDONNEL Adam de
Mort en 1820 à Cramlington. XIXe siècle. Actif à Édimbourg. Britannique.
Graveur et archéologue.
On cite de lui vingt planches pour : *Numismata Scotiae* (Édimbourg, 1786), et une planche pour : *Picturesque antiquities of Scotland* (Londres, 1788-93).

CARDOSO Alberto
Né à Lisbonne. XXe siècle. Portugais.
Peintre de paysages.

CARDOSO José Bernardo
Né en 1871. XIXe-XXe siècles. Brésilien.
Peintre de paysages.
Il est l'un des fondateurs de l'École moderne brésilienne et a exposé dans son pays natal, à Londres et, à Paris en 1946, à l'exposition ouverte au Musée d'Art Moderne organisée par l'U.N.E.S.C.O. Il faut remarquer qu'à cette dernière exposition, il était alors âgé de soixante-quinze ans, ce qui n'a rien d'étonnant, étant donnée sa vocation tardive : il avait été professeur de latin et de français à Rio, avant de se découvrir peintre en 1931.

Encouragé par Portinari et Foujita de passage au Brésil à cette époque, il réalisa des paysages dont la rudesse n'enlevait rien à la magie.

CARDOSO Manoel ou Cardozo
XVIIIe siècle. Portugais.
Sculpteur sur bois.

CARDOSO AYRES Lula
Né en 1910 à Recife. XXe siècle. Brésilien.
Peintre de scènes typiques.
Établi à Rio de Janeiro après plusieurs voyages en Europe, il commence par travailler pour des magazines et pour le théâtre. De retour à Recife en 1933, il s'intéresse au folklore régional et décrit la culture populaire du Nordeste dans ses peintures sur toile et ses muraux.
VENTES PUBLIQUES : SÃO PAULO, 11 août 1981 : *Composition* 1965, h/t (100x50) : BRL 125 000.

CARDOT Jean
Né vers 1931. XXe siècle. Français.
Sculpteur de monuments, figures.
En 1961 il reçut le Prix Bourdelle, ex-aequo avec Isabelle Waldberg. Il a été élu membre de l'Institut, dont il a été le président pour l'année 1992. Il a exécuté de nombreuses commandes publiques parmi lesquelles : un bas-relief pour Saint-Bonnet-le-Château, un bas-relief en bronze pour une usine de Haute-Saône, un granit de quatre mètres sur sept à Saint-Étienne, une sculpture d'une fleur de trois mètres de haut à Poissy-en-Yvelines, le monument à la Résistance et à la Déportation du Val-de-Marne à Créteil, la statue de la grande-duchesse Joséphine-Charlotte à Luxembourg, et en 1991 la statue en bronze de Pierre de Coubertin pour la Maison du Sport Français.

CARDRONNET Antoinette Lucie Emma Georgette
Née à Douai (Nord). XXe siècle. Française.
Sculpteur.
Elle fut élève de Victor Ségoffin et de François Sicard. À Paris, sociétaire du Salon des Artistes Français, elle reçut la deuxième médaille en 1930.

CARDUCCI Bartolomé, dit Carducho
Né vers 1554 à Florence. Mort au Pardo à Madrid, en 1608 ou 1610 selon Lanzi. XVIe siècle. Italien.
Peintre, sculpteur et architecte.
Élève à Rome de Bartol. Ammanati pour la sculpture et l'architecture, et de Federigo Zuccaro pour la peinture. Il suivit celui-ci à Madrid et collabora avec lui pour l'exécution des ouvrages dont il avait été chargé à l'Escurial. Aux côtés de Pellegrino Tibaldi, il décora de fresques la bibliothèque. Après la mort du roi Philippe II, Carducci fut employé par son successeur Philippe III, pour lequel il peignit une galerie dans le palais du Pardo. Cette œuvre ne fut pas achevée par B. Carducci, car l'artiste mourut peu de temps après l'avoir ébauchée, mais par son frère Vicente qui fut également son élève. Le musée du Prado conserve de lui une *Descente de croix* (1595) et une *Cène*.
VENTES PUBLIQUES : PARIS, 21 et 22 jan. 1926 : *Saint Jean de Matta recevant les ordres sacerdotaux* : FRF 600.

CARDUCCI Jacopo da Pontorno
Né en 1493. Mort en 1558. XVIe siècle. Italien.
Peintre.
La Galerie Rosso, à Gênes, conserve de lui un *Portrait*.

CARDUCCI Michelangelo
Né à Norcia. XVIe siècle. Travaillant à Norcia et à Spolète. Italien.
Peintre.

CARDUCCI Vicente ou Carducho
Né en 1576 ou 1578 à Florence, en 1568 selon Bryan. Mort en 1638 à Madrid. XVIIe siècle. Italien.
Peintre d'histoire, compositions religieuses, portraits, dessinateur, graveur.
Vicente quitta Florence à huit ans, amené en Espagne par son frère Bartolomé. Il fut éduqué à la Cour et reçut son instruction artistique de Bartolomé. À la mort de celui-ci, Vicente le remplaça comme peintre de Philippe III. Il fut engagé à finir la décoration de la galerie au palais du Pardo, pour laquelle Bartolomé avait laissé des cartons représentant des scènes de la vie de Charles Quint. Vicente, cependant, changea les sujets des cartons, y substituant des épisodes de l'histoire d'Achille. En 1627, il concourut contre Velasquez et Nardi. Il est vrai qu'avant l'arrivée de Velasquez à Madrid, Carducho y faisait figure de chef

d'école. Il a composé plusieurs tableaux pour le Salon de Reinos du Buen Retiro, en 1634 (aujourd'hui au Prado). Comme il était fréquent pour les peintres de l'époque, il exécuta une série de peintures, quant à lui pour la chartreuse du Paular, aujourd'hui dispersées, dont plusieurs au Pardo, en 1632. Les églises de Madrid possèdent plusieurs œuvres de ce maître, dont on peut citer tout particulièrement les décorations dans la chapelle du couvent de La Encarnacion, un *Ange avec Joseph endormi* et un *Saint Antoine* au couvent del Rosario, ainsi qu'un *Saint Jean prêchant* au réfectoire du monastère des Franciscains. Il grava également quelques planches, dont on ne cite que deux : une *Mort d'Abel* et un *Saint Pénitent* ou *Sainte Pénitente*. Son dernier tableau fut un *Saint Jérôme*, que sa mort ne lui permit pas d'achever. En 1633, il fit éditer les *Dialogues sur la peinture*, excellent traité qui prolongeait son enseignement et son influence. Parmi ses élèves, on cite Francisco Rizi. Il y a de ses œuvres à Tolède, Ségovie, Valladolid, Salamanque et d'autres villes de l'Espagne.
Il avait une grande facilité d'exécution, et comme beaucoup de peintres dans l'Espagne du temps, il était sous l'influence des Vénitiens et surtout du Tintoret. Il prônait une composition classique et une facture impersonnelle, traitant les sujets contemporains de la même façon que la mythologie.

VINCEINT: CARDVCH: ⊙

MUSÉES : BUDAPEST : *La Vision de saint François d'Assise* – MADRID (Mus. du Prado) : *La victoire de Fleurus – La délivrance de Constance – La prise de Rheinfelden – La mort du vénérable Odon de Navarre* – NANTES : *Portrait de Carducci par lui-même* – NARBONNE : *Saint Joseph et l'Enfant Jésus* – SAINT-PÉTERSBOURG (Ermitage) : *L'Extase de saint Antoine*.
VENTES PUBLIQUES : PARIS, 1775 : *Le Couronnement de la Vierge*, dess. lavé de bistre, reh. de blanc : FRF 24 ; *L'Apparition de l'ange à saint Paul*, dess. au bistre reh. de blanc : FRF 48 – LONDRES, 1853 : *Portrait de Vincent Carducho* : FRF 800 ; *La Sainte Famille* : FRF 625 ; *Un dominicain et deux franciscains en prières* : FRF 412 – PARIS, 1858 : *Trois portraits différents*, dess. : FRF 39 ; *Portrait d'homme*, dess. à la pierre noire un peu relevé de rouge : FRF 62 – LONDRES, 28 mars 1979 : *Scène de la Vie de Saint. François de Paula*, craie noire, pl. et lav. reh. de blanc (18,1x31,2) : GBP 700 – LONDRES, 7 juil. 1981 : *Pentecôte*, pierre noire, lav. et reh. de blanc (29x26,3) : GBP 420 – LONDRES, 23 juin 1982 : *Saint Pierre apparaissant aux disciples de saint Bruno*, h/t (33x31) : GBP 1 800 – NEW YORK, 18 jan. 1984 : *L'entrée d'une procession à Mantoue*, h/t (90x106) : USD 11 000 – PARIS, 18 déc. 1991 : *Six scènes de la passion du Christ*, pan. de chêne peints en grisaille (chaque 17x13,5) : FRF 65 000.

CARDUCHO. Voir Carducci

CARDWELL Holme
Né en 1820 à Manchester. XIXe siècle. Britannique.
Sculpteur de groupes.
Cet artiste étudia successivement à Paris, avec David d'Angers, et à Londres, puis vint se perfectionner en Italie, où il habita toujours. Il a exposé entre 1837 et 1856, à plusieurs reprises, à la Royal Academy et en 1840 à la British Institution à Londres. Une de ses meilleures œuvres est : *L'Amour et le dieu Pan*, qui se trouve au Victoria and Albert Museum de Londres.
MUSÉES : BIRMINGHAM : *Ione et Nydia*, marbre – LONDRES (Victoria and Albert Mus.) : *L'Amour et le dieu Pan*.
VENTES PUBLIQUES : LONDRES, 22 sep. 1987 : *Actéon agenouillé sur un cerf blessé*, bronze (H. 83) : GBP 8 000.

CARE Pierre Michel
XVIIIe siècle. Français.
Peintre.
Maître peintre, il fut expert en 1758 de l'Académie de Saint-Luc.

CAREAGA Enrique
Né en 1944. XXe siècle. Uruguayen.
Peintre. Abstrait-cinétique.
Après des années passées à Paris, il revient dans son pays où il introduit la manière « sérielle » de Vasarely et de l'argentin Le Parc dans un chromatisme éclatant.
BIBLIOGR. : Damian Bayon et Roberto Pontual : *La Peinture de l'Amérique latine au XXe siècle*, Mengès, Paris, 1990.

CAREAGA Miguel de
XVIIIe siècle. Actif dans la première moitié du XVIIIe siècle. Espagnol.

Tailleur de pierre.
Il réalisa en Argentine, avec José Domingo Mendizola et Ignacio Arregui, le retable majeur de l'église de la Recollection, aujourd'hui Notre-Dame del Pilar à Buenos Aires.

CAREBUL Béatrice
Née à Paris. XXᵉ siècle. Française.
Peintre de paysages.
Elle exposa à Paris, au Salon de la Société Nationale des Beaux-Arts entre 1920 et 1931, au Salon des Artistes Indépendants, au Salon d'Automne en 1937 et au Salon des Tuileries entre 1930 et 1939.

CAREEL Johann ou Jan
D'origine hollandaise. XVIIIᵉ siècle. Travaillant à Nuremberg entre 1760 et 1780. Allemand.
Peintre de fleurs.
VENTES PUBLIQUES : LONDRES, 15 déc. 1978 : *Nature morte aux fleurs*, h/t (35x26) : **GBP 8 000** – VIENNE, 11 mars 1980 : *Vase de fleurs*, h/t (35x26) : **ATS 300 000**.

CAREL Isidore François
Né à Paris. XIXᵉ-XXᵉ siècles. Français.
Peintre de genre et de paysages.
Exposa aux Indépendants de 1907.

CAREL Paul Pierre Théodore
Né à Rouen. Français.
Graveur en médailles.
Il a exposé au Salon des Artistes Français de Paris.

CAREL de Ferrara. Voir FERRARA

CARELLA Domenico
XVIIIᵉ siècle. Italien.
Peintre de fresques.
Il travailla en 1776 à Martina Franca, dans la province de Lecce.

CARELLE C.
XVIIᵉ siècle. Français.
Peintre de portraits.
C'est l'auteur d'un portrait du duc de Beaufort, gravé par N. Regnesson.

CARELLI Bartolomeo
XVIIᵉ siècle. Actif à Varallo. Italien.
Sculpteur.

CARELLI Clémentine ou Carrelli
Née en novembre 1840 à Lecce. XIXᵉ siècle. Italienne.
Peintre et sculpteur.
Se consacra très jeune aux beaux-arts et commença ses études avec Biagio Molinaro, à Naples. Cette artiste voyagea beaucoup et se perfectionna dans les principales capitales d'Europe. Principales œuvres : *Sapho*, *Laure et Pétrarque*, *Triste souvenir*, *Roméo et Juliette*. Après la peinture, Clémentine Carelli aborda la sculpture. On a d'elle une statue : *Le désillusionné*, et un groupe : *L'Ascension*.

CARELLI Conrad H. R.
Né en 1869 à Londres. XIXᵉ-XXᵉ siècles. Britannique.
Peintre de paysages, aquarelliste.
Il fut élève à Paris de William Bouguereau et de Tony Robert-Fleury à l'Académie Julian en 1889. Il a réalisé de nombreuses aquarelles.
VENTES PUBLIQUES : LONDRES, 8 nov. 1984 : *Vue de Jérusalem*, aquar./trait de cr. (34x54,5) : **GBP 1 400** – ROME, 16 avr. 1991 : *Al Pincio*, aquar. (12x17) : **ITL 2 990 000** – NEW YORK, 14 oct. 1993 : *Marchands de tapis*, aquar./pap. (25x17,8) : **USD 2 530**.

CARELLI Gabriele
Né en 1820 à Naples. Mort en décembre 1900 à Menton. XIXᵉ siècle. Italien.
Peintre d'architectures, aquarelliste. Orientaliste.
Frère de Gonsalvo Carelli, il commença ses études artistiques avec lui à Rome en 1837. Il exposa en Italie à partir de 1851, puis s'établit en Angleterre, à Kenilworth, dans le Warwickshire, de 1866 à 1881. Il devint membre de la Royal Academy en 1874 et y exposa jusqu'en 1880. Tout au long de sa vie il voyagea en Europe, au Proche-Orient, en Afrique du Nord. En 1879-1880, il visita l'Espagne, où il fut présenté à la reine Victoria qui lui acheta plusieurs de ses aquarelles et lui commanda la décoration du mausolée royal de Frogmore House, près de Windsor. Il obtint, en 1891, une médaille d'or pour ses peintures présentées à une exposition internationale à Boston, aux États-Unis. Il mourut lors d'un séjour à Menton.

Ses aquarelles, montrant des architectures, restent sobres dans les détails et n'ont rien de conventionnel.

BIBLIOGR. : Caroline Juler : *Les Orientalistes de l'école italienne*, ACR Édition, Paris, 1994.
MUSÉES : LONDRES (Victoria and Albert Mus.) : *La maison de l'homme riche, Jérusalem – Scène de rue, Le Caire*.
VENTES PUBLIQUES : LONDRES, 23 juil. 1976 : *Les tombes royales de San Lorenzo, Naples* 1851, h/t (76,2x61) : **GBP 450** – LONDRES, 6 mai 1977 : *Les Tombes royales dans l'église San Lorenzo à Naples* 1851, h/t (76,2x61) : **GBP 700** – LONDRES, 23 juin 1981 : *Memphis*, aquar. (16,2x37,5) : **GBP 200** – LONDRES, 21 juin 1984 : *Vue de Pompei*, aquar. et cr. (38x68) : **GBP 1 100** – LONDRES, 6 nov. 1985 : *Vue d'Alger*, aquar. (36x54,5) : **GBP 1 400** – ROME, 13 mai 1986 : *Vue de Narni* 1859, h/t (99x137) : **ITL 23 000 000** – LONDRES, 24 juin 1988 : *Corfou*, aquar. (18,5x37,5) : **GBP 440** – MILAN, 19 oct. 1989 : *Cour d'un palais de Vérone*, aquar./pap. (24x45,5) : **ITL 6 000 000** – ROME, 12 déc. 1989 : *Voiliers dans la baie de Naples*, h/t (13,5x26,7) : **ITL 4 000 000** – ROME, 29 mai 1990 : *Le temple des Vestales à Rome*, aquar. (14,5x23) : **ITL 3 450 000** – ROME, 11 déc. 1990 : *Le Repas des pêcheurs*, h/t (26x36) : **ITL 6 325 000** – ROME, 16 avr. 1991 : *L'Alhambra à Grenade*, aquar. (37x54) : **ITL 8 050 000** – BOLOGNE, 8-9 juin 1992 : *Personnage au bord du Nil*, aquar. (92x26,5) : **ITL 1 725 000** – LONDRES, 2 oct. 1992 : *Fête patronale* 1867, cr. et aquar./pap. (35,5x52) : **GBP 4 620** – ROME, 19 nov. 1992 : *Lac du nord de l'Italie*, aquar. (11,1x17,5) : **ITL 1 150 000** – LONDRES, 27 oct. 1993 : *Vue de Tanger* 1891, aquar. (14x24) : **GBP 483** – ROME, 29-30 nov. 1993 : *Paysage côtier*, aquar./pap. (20x43) : **ITL 3 064 000** – LONDRES, 17 nov. 1995 : *Roquebrune et Cap Martin ; Le Rocher vus des terrasses du casino de Monte Carlo*, cr. et aquar., une paire (chaque 33,7x54) : **GBP 12 650** – ROME, 5 déc. 1995 : *Paestum*, aquar./pap., une paire (chaque 15,5x32) : **ITL 3 536 000** – LONDRES, 12 juin 1996 : *Intérieur de l'église Santa Maria Novella, Florence*, aquar. (55x75) : **GBP 3 105**.

CARELLI Giacomo
Né en 1812 à Palazzo (Piémont). Mort en 1887. XIXᵉ siècle. Italien.
Graveur.

CARELLI Giuseppe
Né le 9 mars 1858 à Naples. Mort en 1921 à Portici. XIXᵉ-XXᵉ siècles. Italien.
Peintre de paysages animés, marines.
Fils de Gonsalvo Carelli, les premières notions de l'art lui furent données par son père, puis il suivit les cours de l'Académie des Beaux-Arts de Naples et eut comme professeur Mancinelli et Marinelli. Il se fixa plus tard à Rome.

VENTES PUBLIQUES : PARIS, 15-16 juin 1942 : *La Baie de Naples* : **FRF 300** – MILAN, 7 avr. 1966 : *Bord de mer* : **ITL 260 000** – LONDRES, 19 mai 1976 : *Barques de pêche dans la baie de Naples*, h/cart. (18x35,5) : **GBP 320** – LONDRES, 20 juil. 1977 : *Bateaux de pêche au large de Naples*, h/pan. (28x49) : **GBP 950** – LONDRES, 9 mai 1979 : *La Baie de Naples ; Barques de pêche au large de Posillipo*, deux toiles (25x38) : **GBP 1 000** – LONDRES, 19 juin 1980 : *Vue d'une véranda à Naples* 1845, aquar. (27,5x39) : **GBP 4 800** – COLOGNE, 24 juin 1983 : *Vue du Vésuve*, h/pan. (33,5x50) : **DEM 5 000** – LONDRES, 8 fév. 1984 : *Sur la plage de Naples*, h/pan. (23x49) : **GBP 1 700** – ROME, 13 mai 1986 : *Le golfe de Naples*, h/t (35x57) : **ITL 8 000 000** – LONDRES, 24 juin 1988 : *Sorrento*, h/pan. (33x52) : **GBP 4 400** – ROME, 14 déc. 1988 : *Barques de pêcheurs au large de Capri*, aquar./pap. (20x28,5) : **ITL 3 600 000** – LONDRES, 5 mai 1989 : *Paysage de marécages*, h/pan. (23x35,5) : **GBP 990** – CHESTER, 20 juil. 1989 : *Bateaux de pêche dans la baie de Naples ; Barques de pêche au large de Naples*, h/t, une paire (chaque 25,5x38) : **GBP 2 035** – LONDRES, 6 oct. 1989 : *Bateaux de pêche dans la baie de Naples*, h/t (24x42,5) : **GBP 5 280** – ROME, 12 déc. 1989 : *Vue de Granatiello*, h/pan. (13,6x25,5) : **ITL 4 600 000** – ROME, 15 fév. 1991 : *Les environs de Naples*, h/pan. (25,4x45,7) : **GBP 5 060** – LONDRES, 21 juin 1991 : *La Baie de Naples*, h/t (62,4x105) : **GBP 18 700** – NEUILLY, 3 fév. 1991 : *Vue d'une ville* 1830, aquar. (17,5x12,5) :

FRF 6 000 – Londres, 20 mars 1992 : *La côte de Sorrente*, h/pan. (33,5x51) : **GBP 4 400** – Rome, 24 mars 1992 : *Barques de pêcheurs au large de Capri*, h/pan. (17x31) : **ITL 12 650 000** – New York, 28 mai 1992 : *La baie de Naples*, h/pan. (31,8x47) : **USD 11 000** – Bologne, 8-9 juin 1992 : *La Route d'Amalfi*, h/pan. (18x35) : **ITL 8 050 000** – Milan, 16 juin 1992 : *Le Golfe de Naples avec le Vésuve au fond*, h/pan. (28x45,5) : **ITL 18 000 000** – New York, 30 oct. 1992 : *La baie de Naples avec le Vésuve au fond ; Barques de pêche dans la baie de Naples*, h/t, une paire (25,2x46,4) : **USD 8 800** – Rome, 19 nov. 1992 : *Voiliers dans la baie de Naples*, h/t (25x39) : **ITL 11 500 000** – Londres, 25 nov. 1992 : *Pêcheurs dans la baie de Naples*, h/pan., une paire (chaque 21x39,5) : **GBP 5 170** – New York, 15 oct. 1993 : *Visiteurs à Pompéï*, h/t (25,3x38,2) : **USD 2 070** – Rome, 29-30 nov. 1993 : *Pêcheurs à Capri*, h/pan. (29x49) : **ITL 21 213 000** – Amsterdam, 21 avr. 1994 : *Pêcheurs dans leur barque dans la baie de Naples avec le Vésuve au fond*, h/t (25x36) : **NLG 8 050** – Milan, 20 déc. 1994 : *Le Golfe de Naples avec des barques de pêcheurs et le Vésuve au fond*, h/pan. (26x42) : **ITL 16 675 000** – Londres, 22 fév. 1995 : *Barques de pêche dans la baie de Naples*, h/pan. (20x40) : **GBP 2 300 000** – New York, 17 jan. 1996 : *Pêcheurs napolitains au large de Capri*, h/t (61x99,1) : **USD 12 650** – Rome, 23 mai 1996 : *Pêcheurs dans la baie de Naples*, h/pan. (28,5x50) : **ITL 12 650 000** – Rome, 4 juin 1996 : *Pêcheurs à Mergellina*, h/pan. (32,5x47) : **ITL 10 350 000** – Rome, 28 nov. 1996 : *Rione Terra a Pozzuoli*, h/pan. (24x39,5) : **ITL 13 000 000** – New York, 26 fév. 1997 : *La Baie de Mercellina*, h/pan. (28x49,5) : **USD 2 990** – Rome, 27 mai 1997 : *Paysage aux alentours de Pozzuoli*, h/pan. (29x43) : **ITL 13 800 000**.

CARELLI Gonsalvo ou Consalve
Né le 29 mars 1818 à Arenella (près de Naples). Mort en 1900 ou 1910 à Naples. xixᵉ siècle. Italien.
Peintre de paysages, paysages urbains.
Élève de l'aquarelliste William Leitch, qui habitait alors l'Italie, il travailla à Rome, Naples, Paris, où il exposa aux Salons du Louvre en 1842. Compromis dans les intrigues politiques, il se réfugia en France, puis retourna en Italie, où il devint le peintre officiel à la cour de Marguerite de Savoie et fut nommé professeur à l'École des Beaux-Arts de Naples.
Ses compositions de vues de golfes, villes ensoleillées donnent un sentiment sincère de la nature.

Gonsalvo Carelli

Bibliogr. : Gérald Schurr : *Les Petits Maîtres de la peinture 1820-1920, valeur de demain*, t. IV, Les Éditions de l'Amateur, Paris, 1979.
Ventes Publiques : Paris, 12 juin 1925 : *Le golfe de Baja et le temple de Vénus* : **FRF 140** ; *La Baie de Sorrente* : **FRF 200** – Paris, 19 juin 1933 : *La cathédrale Saint-André à Amalfi*, aquar. : **FRF 155** – Londres, 6 mars 1968 : *La baie de Naples* : **GNS 340** – Rome, 10 oct. 1972 : *Vue de Lecce, la Place Saint-Dronzo* : **ITL 550 000** – Paris, 13 déc. 1976 : *Paysage du sud de l'Italie*, h/t à vue arrondie aux angles (55,5x80) : **FRF 7 200** – Milan, 10 nov. 1977 : *Paysage avec château animé de personnages*, aquar. (38x26) : **ITL 750 000** – Londres, 15 juin 1979 : *Bord de Méditerranée*, h/t (104,2x85,1) : **GBP 280** – Londres, 26 mars 1981 : *Bergers et moutons au bord du lac 1852*, aquar., cr. et pl. (20,5x26) : **GBP 280** – Londres, 12 oct. 1984 : *La baie de Naples*, h/t (50,8x99) : **GBP 8 000** – Londres, 29 nov. 1984 : *Vue de Capri*, aquar. et cr. (24,7x38) : **GBP 1 300** – Londres, 17 mai 1985 : *La baie de Naples*, h/t (38x65) : **GBP 2 800** – Rome, 29 oct. 1985 : *Vue de Sorrente*, aquar. (37x54) : **ITL 4 000 000** – Londres, 25 mars 1988 : *Vue de Capri*, aquar. (21x30) : **GBP 1 430** – New York, 24 mai 1988 : *Paysage des environs de Naples, l'île de Capri au loin 1851*, h/t (174x232,3) : **USD 93 500** – Rome, 25 mai 1988 : *Vue de la Dogana di Capua, à Porto di Bonio*, fus., aquar./pap. (22x31,5) : **ITL 3 600 000** – Londres, 7 juin 1989 : *Personnages sur une plage près de Naples*, h/pan. (25x37,5) : **GBP 3 080** – Rome, 12 déc. 1989 : *Personnages sur la plage de Naples*, h/t (78x62) : **ITL 35 000 000** – Monaco, 21 avr. 1990 : *Pêche dans la baie de Naples*, h/pan. (27x49) : **FRF 199 800** – New York, 22 mai 1990 : *Pique-nique d'un groupe de paysans avec au fond la baie de Naples 1850*, h/t (76,2x61) : **USD 20 900** – Londres, 6 juin 1990 : *Vue des environs de Naples*, h/t, une paire (chaque 29x45,5) : **GBP 9 900** – Londres, 5 oct. 1990 : *Le passage d'un gué près de Naples 1839*, encre et aquar. (25,1x34,9) : **GBP 2 200** – Rome, 4

déc. 1990 : *Vue du cap Santoro*, h/t (78x64) : **ITL 35 000 000** – Londres, 19 juin 1991 : *L'activité du port de Naples*, h/pan. (30x50) : **GBP 20 900** – New York, 16 oct. 1991 : *La baie de Naples*, h/pan. (24,4x40,3) : **USD 22 000** – York (Angleterre), 12 nov. 1991 : *Les environs de Naples 1835*, aquar. (33x51) : **GBP 5 280** – Londres, 29 nov. 1991 : *Vue de Naples depuis Posillipo*, h/pan. (27x43) : **GBP 13 200** – Rome, 9 juin 1992 : *Famille de pêcheurs*, encre, aquar. et céruse/pap. beige (36,5x28) : **ITL 7 000 000** – Bologne, 8-9 juin 1992 : *Barque de pêcheurs au large de Misene*, h/pan. (25x42) : **ITL 6 325 000** – New York, 30 oct. 1992 : *La baie de Naples depuis Posillipo*, h/pan. (26x43,8) : **USD 13 200** – Amsterdam, 2-3 nov. 1992 : *Bergers près de Naples avec le Vésuve au fond*, aquar. (27,5x44,5) : **NLG 4 025** – Rome, 29-30 nov. 1993 : *Pêcheurs sur la côte d'Amalfi*, h/t (34x56) : **ITL 35 355 000** – Londres, 18 mars 1994 : *Le quartier des pêcheurs à Naples*, h/pan. (25,7x42,3) : **GBP 8 625** – Rome, 13 déc. 1994 : *Paysage*, h/pan. (32x47) : **ITL 25 300 000** – Londres, 15 nov. 1995 : *Vue de Sorrente en Italie*, h/pan. (36x62) : **GBP 12 075** – Rome, 5 déc. 1995 : *Retour du marché*, h/t (63x76) : **ITL 47 140 000** – Paris, 19 fév. 1996 : *Paysage antique à la rivière 1860*, h/t (30x42) : **FRF 9 500** – Londres, 20 nov. 1996 : *Vue de Sorrente*, h/pan. (37,5x23,5) : **GBP 5 980** – Londres, 26 mars 1997 : *La Baie de Naples 1840*, h/t (109x175) : **GBP 16 675** – Édimbourg, 15 mai 1997 : *Pêcheurs dans la baie de Naples*, h/t (40,5x67,2) : **GBP 11 270** – Rome, 27 mai 1997 : *Paysage salernitain avec des personnages*, h/t (40x50) : **ITL 16 100 000** – Rome, 2 déc. 1997 : *Naples, depuis le palais Donn'Anna*, h/pan. (41x21) : **ITL 16 100 000**.

CARELLI Raffaele
Né en 1795 à Martina Franca. Mort en 1854 à Naples. xixᵉ siècle. Italien.
Peintre de figures, paysages, paysages urbains, marines.
Il a surtout œuvré dans la baie de Naples et alentour.
Ventes Publiques : Paris, 26 fév. 1979 : *Paysage de la côte napolitaine 1834*, h/t (42,5x34) : **FRF 10 200** – Milan, 22 avr. 1982 : *Il cantastorie ; Pesca con fiocina*, deux h/t (16,5x22) : **ITL 2 100 000** – Rome, 14 déc. 1989 : *Naples vue depuis le Posilippe*, h/t (19x24) : **ITL 7 475 000** – Rome, 31 mai 1990 : *Vue de Naples depuis la mer*, h/t (20x25) : **ITL 4 000 000** – Rome, 25 juin 1996 : *Constantinople, la Tour de Galata ; Le Pont de Galata 1851*, h/t, une paire (40,3x64) : **FRF 110 000** – New York, 24 oct. 1996 : *Une excursion à Ischia 1840*, h/t (73,3x105,7) : **USD 37 950**.

CARELS Henri
Mort en 1640 à Malines. xviiᵉ siècle. Actif à Malines. Éc. flamande.
Sculpteur.

CARÊME Marie Antoine
Né en 1784 à Paris. Mort en 1833 à Paris. xixᵉ siècle. Français.
Dessinateur, illustrateur.
Il illustra deux de ses ouvrages : *Le Pâtissier Royal Parisien* (Paris, 1815) et *Projets d'Architecture pour les embellissements de Paris et de Saint-Pétersbourg* (Paris 1821-1826). Il fut un cuisinier célèbre.

CARENA Felice
Né le 13 août 1879 à Cumiana (Piémont). Mort en 1966 à Venise. xxᵉ siècle. Italien.
Peintre de compositions à personnages, portraits, natures mortes, aquarelliste, dessinateur.
Il suivit les cours de Giacomo Grosso à l'Académie Albertine et fut ensuite influencé successivement par l'œuvre de Leonardo Bistolfi alors très en vogue en Italie, puis par celle de Franz von Stuck, un des fondateurs du mouvement Sezession à Munich. Ses compositions sont également proches des compositions du peintre français Eugène Carrière. À la suite d'un concours où il présentait une toile intitulée *La Révolte* (1906), il remporte le prix qui lui permet de séjourner durant quatre ans à Rome. En 1922 il figure à la Biennale de Venise. Il fut professeur à l'Académie de Florence, influençant de nombreux peintres qui furent ses élèves. En 1933, devenu académicien, il quitte l'enseignement et s'installe à Venise.
Carena a joué un rôle important dans l'évolution de la peinture figurative de l'Italie des années vingt.
Bibliogr. : In : *Les Muses*, t. IV, Grange Batelière, Paris, 1971.
Musées : Florence (Gal. d'Arte Mod.) – Pittsburgh (Gal. d'Arte Mod.) : *L'école* – Rome (Gal. d'Arte Mod.) – Venise (Gal. d'Arte Mod.).
Ventes Publiques : Milan, 21 déc. 1963 : *Nu au miroir*, h/t

(157x125) : **ITL 14 000 000** – MILAN, 13 déc. 1977 : *Solitude 1931*, h/isor. (152x92) : **ITL 5 500 000** – NEW YORK, 11 mai 1979 : *L'école de peinture 1928*, h/t (170x318) : **USD 7 500** – MILAN, 16 juin 1981 : *Pulcinella 1963*, encre (27,5x22) : **ITL 400 000** – MILAN, 9 juin 1983 : *Pauvres le long de la mer 1949*, dess. à la pl. aquarellé (34x24,5) : **ITL 800 000** – MILAN, 14 déc. 1983 : *Adam et Ève*, h/pan. (50x39) : **ITL 10 000 000** – ROME, 22 mai 1984 : *Nature morte à la cruche et citron 1916*, h/t (62,8x50) : **ITL 11 000 000** – MILAN, 11 juin 1985 : *Nature morte à la théière, panier et artichauts 1919*, h/t (50x62) : **ITL 20 500 000** – MILAN, 11 déc. 1986 : *Nature morte 1955-1960*, h/pan. (46,5x64) : **ITL 13 050 000** – MILAN, 14 déc. 1987 : *Les Amies 1933*, h/t (82x113) : **ITL 33 000 000** – ROME, 7 avr. 1988 : *Nature morte 1960*, h/t (50x70) : **ITL 7 000 000** ; *Nature morte aux fruits, coquillages et vases 1964*, h/t (40x70) : **ITL 9 000 000** – MILAN, 14 déc. 1988 : *La famille 1965*, h/t (110x80) : **ITL 17 000 000** – MILAN, 20 mars 1989 : *Portrait féminin 1940*, h/t (73x60) : **ITL 5 000 000** – ROME, 8 juin 1989 : *Nature morte 1945*, h/t (40x63) : **ITL 16 000 000** – MILAN, 27 mars 1990 : *Nature morte*, h/pan. (26,5x66,5) : **ITL 24 000 000** – MILAN, 12 juin 1990 : *Nature morte 1963*, h/t (50x70) : **ITL 19 000 000** – MILAN, 13 déc. 1990 : *Vase de fleurs*, h/t (50x35) : **ITL 14 500 000** – MILAN, 20 juin 1991 : *Marine avec des chevaux 1939*, h./contreplaqué (39x60) : **ITL 10 000 000** – MILAN, 14 nov. 1991 : *Paysage de collines 1919*, h/cart. (46x54) : **ITL 10 500 000** – ROME, 9 déc. 1991 : *Coquillages 1962*, h/t (51x51) : **ITL 11 500 000** – MILAN, 9 nov. 1992 : *Nature morte 1926*, h/t (52x66) : **ITL 41 000 000** – MILAN, 14 déc. 1993 : *Corrida 1965*, encre et aquar./pap. (28x22) : **ITL 1 150 000** – ROME, 28 mars 1995 : *Nature morte avec des roses et des coquillages 1965*, h/t (40,5x80) : **ITL 31 050 000** – MILAN, 20 mai 1996 : *Nature morte aux coquillages*, h/pan. (24x60) : **ITL 17 250 000** – MILAN, 25 nov. 1996 : *Baigneuses*, h/t (20x24) : **ITL 4 830 000** – MILAN, 18 mars 1997 : *Nature morte 1963*, h/t (50x40) : **ITL 23 300 000**.

CARENO. Voir **CARRENO**

CARES A.
XIXe siècle. Espagnol.
Peintre de genre, marines, aquarelliste.
VENTES PUBLIQUES : PARIS, 1900 : *Barques à voiles sur la Méditerranée*, aquar. : **FRF 33** ; *Une place de marché en Espagne*, aquar. : **FRF 25.**

CARESME Claude François
Né le 1er avril 1709 à Paris. XVIIIe siècle. Français.
Peintre.
Il fut nommé en 1747 conseiller amateur de l'Académie. Il a exécuté des peintures pour le château de Choisy (1742) et le château de Fontainebleau (1746). Il avait épousé en 1730 une fille de Noël Coypel. Père de Jacques Philippe Caresme.

CARESME Jacques Philippe
Né le 25 février 1734 à Paris. Mort le 1er mars 1796 à Paris. XVIIIe siècle. Français.
Peintre d'histoire, sujets mythologiques, scènes de genre, portraits, natures mortes, aquarelliste, peintre à la gouache, graveur, dessinateur.
Cet artiste fut élève de Charles-Antoine Coypel. Ses débuts furent brillants et dès 1766 il était agréé à l'Académie. Mais on voulut lui imposer comme morceau de réception la peinture d'un plafond dans la galerie d'Apollon et cette tâche ayant déplu à Caresme, il refusa de l'exécuter. En séance du 16 décembre 1778, l'Académie prononça son exclusion.
Il avait débuté au Salon en 1767 et il y exposa régulièrement à partir de cette date des portraits, des scènes de bacchanales et des natures mortes. Ses sentiments de royalisme ardent se changèrent en jacobinisme exalté dès que commença la Révolution. Caresme fut un peintre au talent très souple, d'une grande élégance qui rappelle les meilleurs artistes du XVIIIe siècle. Ce fut aussi un graveur fort remarquable. On lui doit deux estampes fort rares : *Les Dames de la halle se rendant à Versailles, le 5 octobre 1789* ; et *L'Exécution du marquis de Favras, le 19 février 1790.*

CARESME J P.

MUSÉES : BORDEAUX : *Baigneuses* – NANTES : *Sainte Famille* – LA ROCHELLE : *Saint Louis recevant la couronne d'épines* – TOUL : *Métamorphose de Daphné.*
VENTES PUBLIQUES : PARIS, 1883 : *Une Nymphe* : **FRF 1 600** – PARIS, 1883 : *Offrande à Priape*, dess. à l'aquar. : **FRF 355** – PARIS, 1887 : *Nymphes et Satyres*, 2 aquarelles gouachées : **FRF 460** – PARIS, 1894 : *Trois bacchantes luttant contre un satyre*, gchée :

FRF 857 – PARIS, 1894 : *Bergers et bergères sur l'herbe*, gche : **FRF 27** – PARIS, 1898 : *Nymphes et satyres* ; *Bacchanale*, dess. à la sépia : **FRF 700** – PARIS, 1898 : *Les petits chiens*, dess. : **FRF 440** – PARIS, 14 juin 1900 : *La Fête de Bacchus* : **FRF 900** – PARIS, 18 fév. 1905 : *Satyre découvrant une nymphe* : **FRF 150** – PARIS, 11 et 12 mai 1906 : *Baigneuses* : **FRF 205** – PARIS, 25 mars 1907 : *La Halte à l'auberge* ; *Intérieur d'écurie*, deux pendants : **FRF 290** – PARIS, 27 nov. 1909 : *Satyres et Bacchantes* : **FRF 555** – PARIS, 7 mai 1919 : *Pastorale*, dess. à la pl. : **FRF 135** – PARIS, 12 et 13 mai 1919 : *L'Offrande à Priape*, dess. à la pl. : **FRF 2 800** – PARIS, 21 mai 1919 : *Bacchantes et faune* : **FRF 980** – PARIS, 7 et 8 juil. 1919 : *Pour illustrer le Décaméron*, huit dessins : **FRF 885** ; *Centaure enlevant une nymphe*, dess. à la pl. : **FRF 95** – PARIS, 10 juil. 1919 : *Scène de cabaret*, aquar. gchée : **FRF 550** ; *Bacchante*, aquar. gchée : **FRF 810** – PARIS, 6-8 nov. 1919 : *Figures mythologiques* : **FRF 315** – PARIS, 4-6 déc. 1919 : *Nymphes surprises par un satyre* : **FRF 2 900** – PARIS, 12 fév. 1920 : *Bacchanale*, aquar. : **FRF 1 920** – PARIS, 14 fév. 1920 : *Nymphes et satyres* : **FRF 1 000** – PARIS, 23-25 fév. 1920 : *Les Espiègles* ; *La Guinguette*, deux aquarelles : **FRF 1 550** – PARIS, 1er mars 1920 : *Bacchantes*, deux toiles : **FRF 3 500** – PARIS, 24 mars 1920 : *Pastorale* : **FRF 360** ; *Bacchantes et faunes* : **FRF 2 360** – PARIS, 26 et 27 mars 1920 : *La Danse des Nymphes* : **FRF 2 800** – PARIS, 17 avr. 1920 : *Le Sommeil de l'Amour* : **FRF 700** – PARIS, 7 et 8 juin 1920 : *Tête de Bacchante*, dess. reh. : **FRF 450** – PARIS, 17 et 18 nov. 1920 : *Buste de femme*, cr. de coul. : **FRF 1 150** – PARIS, 14 mars 1921 : *Bacchanale*, pl. : **FRF 1 900** – PARIS, 27 avr. 1921 : *Les présents du satyre* : **FRF 750** – PARIS, 18 et 19 mai 1921 : *Bacchanale*, aquar. : **FRF 2 500** ; *Satyre et Bacchante*, pl. : **FRF 780** – PARIS, 23-25 mai 1921 : *Nymphes et satyres*, dess. reh. : **FRF 2 400** ; *Le galant berger* : **FRF 2 000** – PARIS, 27 et 28 mai 1921 : *Ronde d'Amours* : **FRF 140** – PARIS, 17 juin 1921 : *Honni soit qui mal y pense, Honni soit qui mal y voit !*, deux panneaux : **FRF 4 000** – PARIS, 6-8 déc. 1921 : *Pastorale*, gchée : **FRF 4 800** – PARIS, 6-9 fév. 1922 : *Offrande au dieu Pan*, aquar. reh. : **FRF 3 020** ; *Bacchante surprise par un faune*, aquar. gchée : **FRF 2 210** ; *La Danse au cabaret*, aquar. : **FRF 2 050** – PARIS, 15 et 16 juin 1922 : *Bacchanale*, gche : **FRF 3 200** – PARIS, 21 et 22 nov. 1922 : *Bacchanale*, sépia : **FRF 5 600** – PARIS, 7 et 8 mai 1923 : *Bacchantes et satyres à l'entrée d'un bois*, aquar. : **FRF 7 100** – PARIS, 25 et 26 mars 1924 : *Le Sacrifice à Priape* ; *Bacchanale*, deux gouaches : **FRF 21 800** – PARIS, 30 mai 1924 : *Offrande à l'Amour* ; *Invocation à Vénus*, aquar. rehauts de gouache, une paire de forme ovale : **FRF 13 000** – PARIS, 17 et 18 juin 1925 : *Sacrifice à Bacchus*, aquar. reh. de gche : **FRF 15 000** – PARIS, 27 déc. 1926 : *La porte de l'auberge*, dess. : **FRF 8 300** – PARIS, 17 juin 1927 : *Faunes et bacchantes* : **FRF 13 500** – PARIS, 9 déc. 1927 : *Nymphes et satyres*, gches, une paire : **FRF 39 000** – PARIS, 24 et 25 mai 1928 : *Honni soit qui mal y voit* – *Honny soit qui mal y pense*, deux pan. : **FRF 12 600** – PARIS, 7 et 8 juin 1928 : *Scène de cabaret*, aquar. : **FRF 5 200** – PARIS, 28 nov. 1928 : *Gluck représenté assis, écrivant la partition d'Iphigénie en Tauride*, aquar. : **FRF 14 500** – PARIS, 6 et 7 déc. 1928 : *Faunes et nymphes*, aquar. : **FRF 8 200** ; *Bacchanale*, aquar. : **FRF 10 200** – PARIS, 17 déc. 1935 : *L'Offrande à l'Amour* ; *L'Invocation à Vénus*, aquar. gchées : **FRF 8 500** – PARIS, 7 et 8 mars 1938 : *L'Offrande à l'Amour* ; *L'Invocation à Vénus*, aquar. gchées : **FRF 7 200** – PARIS, 3 juil. 1941 : *L'Autel de l'Amour* ; *Le Sacrifice à l'Amour*, aquar. gchées, deux pendants de forme ovale : **FRF 14 200** – PARIS, 29 janv. 1943 : *Nymphes et satyres*, gches, deux pendants : **FRF 65 000** – PARIS, 24 et 25 mars 1954 : *L'offrande à Vénus* ; *L'offrande à l'Amour*, aq. aquar. deux pendants : **FRF 220 000** – PARIS, 21 mars 1958 : *Bacchanale*, aquar. gchée : **FRF 280 000** – NEW YORK, 12 déc. 1959 : *L'escarpolette* : **USD 1 750** – GENÈVE, 13 juin 1960 : *Bacchanale*, pl. et lav. de bistre : **CHF 2 200** – PARIS, 13 juin 1961 : *Bacchanale*, pl. et lav. reh. de blanc : **FRF 2 500** – PARIS, 20 nov. 1961 : *La Bacchanale* : **FRF 3 100** – PARIS, 10 juin 1963 : *Le galant berger* ; *Les bergères surprises*, deux gche, faisant pendants : **FRF 4 500** – VERSAILLES, 28 nov. 1965 : *Bacchus* : **FRF 10 000** – PARIS, 29 mai 1969 : *Bacchanale*, gche : **FRF 14 000** – PARIS, 13 déc. 1976 : *Portrait de Joachim Delavoie Pierre 1791*, h/t ovale (66x53) : **FRF 7 200** – PARIS, 17 juin 1977 : *La Petite Thérèse 1783*, aquar. gchée (28x23,5) : **FRF 17 000** – PARIS, 24 juin 1977 : *Bacchus et Ariane*, h/t, de forme ovale (54,5x41,5) : **FRF 6 600** – PARIS, 23 fév. 1978 : *Réunion dans un parc*, h/t (52,5x59,5) : **FRF 4 500** – PARIS, 15 juin 1979 : *La Petite Thérèse 1783*, aquar. gchée (28x23,5) : **FRF 17 000** – PARIS, 28 juin 1980 : *Bacchante et Amour sur fond de paysage*, h/t (89x69) : **FRF 4 500** – PARIS, 1er mars 1983 : *Bacchanale*, aquar. gchée et pl. (33,8x23,7) :

FRF 10 500 – New York, 20 jan. 1983 : *Figure bacchique*, h/t (172x119) : **USD 8 000** – Toulouse, 7 avr. 1987 : *Nymphes et satyres*, deux gches (H. 25) : **FRF 780 000** – Paris, 30 juin 1989 : *Une bacchanale*, h/t (56x46) : **FRF 33 000** – Paris, 12 déc. 1990 : *Nymphes et satyres*, gche et aquar., une paire (chaque 25,3x29,6) : **FRF 88 000** – Monaco, 2 juil. 1993 : *Un satyre enlevant dans ses bras une nymphe jouant du tambourin*, craies noire, rouge et blanche avec reh. de past. (38,7x22,3) : **FRF 26 640** – New York, 11 jan. 1994 : *Une Bacchanale* 1765, craie noire et gche (24x38,8) : **USD 6 325** – Monaco, 19 juin 1994 : *Bacchantes et centaures*, h/t (64x49) : **FRF 111 000** – Paris, 20 oct. 1994 : *Les vendanges*, pl. et lav. brun (28,5x20) : **FRF 30 000** – Londres, 9 déc. 1994 : *Vénus et Cupidon*, h/t (29,3x24) : **GBP 2 415** – Paris, 13 déc. 1995 : *Scène galante dans un paysage*, h/t (46x55) : **FRF 70 000** – Paris, 20 juin 1997 : *Deux bergères convoitées* ; *La bergère couronnée*, gche, une paire (20x27) : **FRF 16 000** – Paris, 27 juin 1997 : *Scène de cabaret* 1770, pl. et aquar. (21x26) : **FRF 11 000**.

CARESTIA Zeffirino
Né à Riva Valdobbia. XVIII-XIX siècles. Italien.
Peintre de genre, statues, sculpteur de bustes, bas-reliefs.
Élève d'Odoardo Tabacchi à l'Académie de Turin.
A fait beaucoup de bustes, de bas-reliefs et nombre de sculptures qui furent exposées aux concours des Beaux-Arts de Rome, Turin, Milan et Venise.
Ventes Publiques : Londres, 22 fév. 1995 : *La sérénade*, h/pan. (33x51) : **GBP 2 645.**

CARETTE Antoine Auguste
Né en 1788. XIXe siècle. Français.
Peintre d'architectures.
Il exposa en 1824 et 1825 à Lille et à Douai.

CARETTE Charles
XVIIe siècle. Français.
Peintre.
Cité en 1640.

CARETTE Clément
Né le 17 octobre 1811 à Paris. Mort le 28 février 1868 à Orléans. XIXe siècle. Français.
Dessinateur.
Le musée d'Orléans conserve de lui : *La Mariée.*

CARETTE Fernand
Né en 1921 à Marcinelle. XXe siècle. Belge.
Peintre. Abstrait.
Il est autodidacte et se forma entre 1940 et 1948. Sa première exposition personnelle se tint en 1949 à Charleroi suivie d'autres manifestations régulières à Bruxelles entre 1953 et 1963. Il fut lauréat du prix de la Jeune Peinture Belge en 1959.
Ses œuvres abstraites et austères mettent en rapport des séries d'arcs de cercle qui s'entrecroisent rythmiquement, parfois interrompues par des segments de droite. La couleur est peu à peu intégrée à ces œuvres. Il a réalisé des œuvres monumentales, parmi lesquelles le plafond de la Bourse de Commerce de Charleroi.
Bibliogr. : B. Dorival : *Les Peintres contemporains*, Mazenod, Paris, 1964 – in : *Diction. Biogr. Ill. des artistes en Belgique depuis 1830*, ARTO, 1987 – E. De Volder : *Fernand Carette, étapes et recherches*, 1990.
Ventes Publiques : Bruxelles, 19 déc. 1989 : *Portrait* 1946, h/pan. (75x60) : **BEF 32 000** – Lokeren, 9 oct. 1993 : *Combats de rue* 1953, h/t (55x71) : **BEF 36 000** – Lokeren, 4 déc. 1993 : *L'air* 1955, h/t (80x100) : **BEF 44 000.**

CARETTE Georges Émile
Né le 8 juillet 1854 à Paris. XIXe-XXe siècles. Français.
Peintre de genre, paysages, pastelliste.
Sociétaire des Artistes Français depuis 1893, il a participé aux Salons de cette association. En 1920, il expose au Salon d'Automne, puis à la Société Nationale des Beaux-Arts : aux Tuileries de 1927 à 1933. Officier de la Légion d'honneur. On cite parmi ses envois aux Salons : *Paysage à la Frette* (1893), *Fluctuat nec mergitur* (1904), *Boulevard des Capucines* (1905), *Le Café de la grand-rue* (1907).
Ventes Publiques : Paris, 7 avr. 1922 : *Les hauteurs de Chennevières* : **FRF 200** – Paris, 4 mars 1926 : *La Seine à Triel, effet d'orage* : **FRF 230** – Paris, 6 et 7 fév. 1930 : *Lever de lune*, past. : **FRF 45.**

CAREW Anna Maria
XVIIe siècle. Britannique.
Peintre de miniatures.

CAREW F.
XIXe siècle. Actif à Brighton. Britannique.
Sculpteur de bustes.
Il exposa en 1834 deux portraits en buste à la Royal Academy, à Londres. Un sculpteur homonyme exposa une Diane à la British Institution, à Londres, en 1849.

CAREW John Edward
Né en 1785 à Wexford (Irlande). Mort en 1868 à Londres. XIXe siècle. Britannique.
Élève de Richard Westmacott. Il exposa assez régulièrement à la British Institution et à Suffolk Street, à Londres, et aussi à Paris. On cite de lui : *Un Fauconnier*, la *Statue de Kean, Gladiateur, Aréthuse.*

CAREW Kate
Née à San Francisco (Californie). XXe siècle. Américaine.
Peintre de paysages.
Élève de Colarossi. A exposé au Salon des Artistes Français.

CAREY Charles Philippe Auguste
Né en 1824 à Paris. Mort en 1897. XIXe siècle. Français.
Peintre, graveur.
Élève de Tony Johannot et de Monvoisin. Il exposa au Salon entre 1844 et 1880. Il a gravé des reproductions d'après Baron, P. Baudry (*La Vague et la Perle*), E. Meissonier (*La Lecture*), Tony Johannot (*L'Éducation maternelle*), Gleyre (*Les Illusions perdues*), etc.

CAREY Joseph William
Né en 1859. Mort en 1935 ou 1937. XIXe-XXe siècles. Irlandais.
Peintre de paysages animés, marines, peintre à la gouache, aquarelliste, dessinateur.
Ventes Publiques : Meath (Comté de), 12 mai 1981 : *Carrickfergus Castle* 1919, aquar. ; *Port Muck, Islandmagee* 1919, aquar., deux peintures (27x45) : **GBP 550** – Belfast, 28 oct. 1988 : *La route de Ballymoney à Glemish* 1927, aquar. (26,7x44,2) : **GBP 1 045** ; *La rivière Margy à Ballycastle* 1927, aquar. (24,8x34,6) : **GBP 825** – Belfast, 30 mai 1990 : *Vue de Ballyholme Bay depuis le nord* ; *depuis le sud*, aquar. avec reh. de blanc, une paire (chaque 25,4x68,6) : **GBP 2 200** – Londres, 22 nov. 1990 : *La promenade des oies à Port Ballintrae* 1896, cr. et aquar. (33,1x50,8) : **GBP 990** – Dublin, 26 mai 1993 : *Le cap Fair Head* 1929, aquar. avec reh. de blanc (22,2x55,2) : **IEP 1 430** – Londres, 9 mai 1996 : *Trafic près de la jetée de Kirkwall*, aquar. et gche (23,5x45) : **GBP 977.**

CAREY P.
XVIIIe siècle. Britannique.
Peintre de paysages.
Il exposa en 1795 deux œuvres à la Royal Academy, à Londres.

CAREY Peyton
XIXe siècle. Travaillant aux États-Unis vers 1810. Américain.
Graveur.

CAREY Regina. Voir QUARRY Regina Catherine

CAREY W. P.
XVIIIe siècle. Britannique.
Peintre d'architectures, graveur.
Il travailla à Londres dans la deuxième moitié du XVIIIe siècle, exposant en 1795 deux peintures d'architectures à la Royal Academy.

CAREY-MORGAN Dorothy
Née à Calcutta (Inde). XXe siècle. Travaillant à Londres. Britannique.
Aquafortiste.
Exposa aux Artistes Français en 1922.

CARFRAE G.
XVIIIe siècle. Britannique.
Peintre, aquarelliste, dessinateur.
Il exposa à la Royal Academy, à Londres, en 1787. Le British Museum conserve un dessin aquarellé de lui.

CARGALEIRO Manuel
Né le 16 mars 1927 à Vila Velha de Rodao. XXe siècle. Portugais.
Peintre à la gouache, aquarelliste, céramiste.
Il fut élève de l'École des Beaux-Arts de Lisbonne. Il apprit d'abord la céramique et l'enseigna ensuite à l'École des Arts Décoratifs de Lisbonne entre 1949 et 1953. À partir de 1952, il

expose ses œuvres au Portugal ou à Paris. Il reçut de nombreux prix pour ses travaux en céramique. En 1957 il obtint une bourse de travail pour l'Italie, travailla en 1958 à la faïencerie de Gien puis se fixa à Paris où il se consacra à la peinture. En 1964 il fut invité par le Brésil et présenta quatre expositions dans les principales villes du pays.
Son œuvre se situe aux frontières de l'écriture, des signes et des fleurs essaimant dans l'espace des toiles. ■ J. B.

CARGALEIRO

Musées : Genève – Haïfa – Jérusalem – Lisbonne – Ostende – Porto – Rabat – Rio de Janeiro – Saint-Étienne.
Ventes Publiques : La Varenne-Saint-Hilaire, 11 mai 1986 : *Composition rythmique* 1984, h/t (55x46) : **FRF 13 500** – La Varenne-Saint-Hilaire, 20 juin 1987 : *La Forêt du poète*, h/t (96x146) : **FRF 39 000** – La Varenne-Saint-Hilaire, 6 mars 1988 : *Route du Midi* 1987, gche : **FRF 4 200** ; *Châteaux aux fleurs* 1987, h/t (41x34) : **FRF 11 000** – Calais, 3 juil. 1988 : *La Transparence des carreaux*, h/t (61x50) : **FRF 40 000** – La Varenne-Saint-Hilaire, 23 oct. 1988 : *Composition en bleu et blanc* 1955, gche (33x22) : **FRF 12 500** – Paris, 26 sep. 1989 : *Village au printemps* 1987, gche/pap. (22x22) : **FRF 12 000** – Le Touquet, 12 nov. 1989 : *Composition* 1984, gche (38x28) : **FRF 10 000** – Calais, 10 déc. 1989 : *Jour de fête*, h/t (75x60) : **FRF 39 000** – Paris, 10 mai 1990 : *Architecture jaune et bleue*, h/t (73x60) : **FRF 38 000** – La Varenne-Saint-Hilaire, 20 mai 1990 : *Voyage en Alsace* 1982, h/t (73x92) : **FRF 51 000** – Paris, 17 oct. 1990 : *La Musique à Lucerne* 1983, h/t (73x60) : **FRF 47 000** – Le Touquet, 11 nov. 1990 : *Composition* 1989, gche (32x32) : **FRF 19 000** – Calais, 16 déc. 1990 : *Composition* 1970, aquar. et gche : **FRF 12 500** – Le Touquet, 19 mai 1991 : *Lumière de printemps* 1988, h/t (61x50) : **FRF 32 000** – Paris, 15 avr. 1992 : *Composition sur fond vert* 1974, h/t (35x24) : **FRF 16 000** – Paris, 21 mai 1992 : *Structures et Lumières* 1980, h/t (61x50) : **FRF 18 500** – Paris, 4 déc. 1992 : *Composition* 1981, gche (34x34) : **FRF 8 000** – New York, 12 nov. 1996 : *Feu de Dieu* 1970, gche/pap. (33x25,4) : **USD 2 900** – Paris, 24 mars 1997 : *Composition rose et noire* 1966, h/t (100x65) : **FRF 16 000** – Paris, 28 avr. 1997 : *Composition* 1969, gche/pap. (23x16,5) : **FRF 15 000** – Paris, 4 oct. 1997 : *Composition multicolore* 1968, gche/pap. Auvergne (30x18) : **FRF 20 000** ; *Composition sur fond mauve* 1968, gche/pap. Auvergne (18x15) : **FRF 15 000**.

CARGNEL Vittore Antonio
Né en 1872 à Venise. Mort en 1931 à Milan. xixe-xxe siècles. Italien.
Peintre de paysages.
Il exposa à Venise en 1895, à Florence en 1896, à Berlin et à Munich au début du siècle.
Il a peint des vues de l'Italie.
Ventes Publiques : Milan, 26 mai 1977 : *Paysage*, h/t (98x74) : **ITL 1 000 000** – Milan, 6 nov. 1980 : *Paysage*, h/t (80x80) : **ITL 950 000** – Milan, 10 nov. 1982 : *Village de montagne en hiver*, h/t (41,5x55,5) : **ITL 3 200 000** – Milan, 8 nov. 1983 : *Scène de canal*, h/t mar./cart. (34x49) : **ITL 1 400 000** – Milan, 13 déc. 1984 : *Casolare nell'alto Friuli* 1919, h/t (70x100) : **ITL 7 000 000** – Florence, 27 mai 1985 : *Scène de marché, Mandello*, h/pan. (35x49) : **ITL 1 500 000** – Milan, 1er juin 1988 : *Le canal de Cavanella* 1929, h/cart. (70x95) : **ITL 8 500 000** – Milan, 14 mars 1989 : *La lagune de Venise* 1928, h/t/cart. (40x50) : **ITL 3 300 000** – Milan, 14 juin 1989 : *Le matin à Capodanno* 1930, h/t (70x90,5) : **ITL 16 500 000** – Milan, 6 déc. 1989 : *Laghetto del Molino* 1911, h/pan. (12,5x20) : **ITL 5 000 000** – Milan, 21 nov. 1990 : *Maisonnette et figure* 1917, h/cart. (70x89,5) : **ITL 5 000 000** – Milan, 5 déc. 1990 : *Terzo sur Dese* 1921, h/t/cart. (34,5x48,5) : **ITL 7 400 000** – Milan, 19 mars 1992 : *Saint'Anna des bois* 1924, h/cart. (40x50) : **ITL 4 800 000** – Rome, 19 nov. 1992 : *Petit marché*, h/cart. (19x26) : **ITL 1 725 000** – Londres, 12 fév. 1993 : *Poffabro en Italie* 1912, h/t (80x106,7) : **GBP 12 100** – Milan, 21 déc. 1993 : *Coucher de soleil sur les préalpes*, h/cart. (69,5x97,5) : **ITL 11 500 000** – Rome, 7 juin 1995 : *Cabane de berger*, h/pan. (39x49) : **ITL 3 680 000**.

CARI G. de
xixe siècle. Actif à Paris vers 1820. Français.
Graveur à l'eau-forte, dessinateur.
On cite de lui quatre planches représentant *Les Nouvellistes*, deux planches pour : *Le départ et l'arrivée, Milord Plumpudding*.

CARIAGE Claude Basile
Né le 26 septembre 1798 à Vesoul. Mort le 19 septembre 1875 à Vesoul. xixe siècle. Français.
Peintre de compositions religieuses.
Tout d'abord élève de l'École Centrale de Vesoul, il va travailler ensuite avec le peintre Jean Alexis Cornu. Dès l'âge de 17 ans, pour des raisons de subsistance, il organise un cours de calligraphie et de dessin, avant de devenir professeur au collège de Vesoul, charge qu'il occupera presque jusqu'à sa mort. Il est probable qu'il séjourna toute l'année 1827 à Paris et qu'il y fréquenta l'atelier de David ou l'atelier d'un de ses disciples. L'année suivante, il travailla, selon ses fils, dans les ateliers de Regnault et d'Ingres. Médaillé à l'Exposition de Besançon en 1842, il exécuta de nombreux tableaux religieux pour les églises de Besançon et des départements de la Haute-Marne et des Vosges.

CARIAGE Claude Paul
Né le 16 août 1834 à Vesoul. Mort le 28 septembre 1870 à Paris. xixe siècle. Français.
Peintre.
Fils du peintre Claude Basile Cariage, il reçut les conseils de son père, avant de travailler sous la direction de Lancrenon, puis à l'École des Beaux-Arts de Besançon, où il obtient à l'âge de 15 ans, un Grand Prix de Peinture. Élève des Beaux-Arts de Paris avec Léon Gérôme dès 1851, il exécute alors des copies des tableaux des musées. Engagé dans l'armée en 1858, il réalise de nombreux portraits d'officiers. Libéré, il revient à Paris et entre en 1860 dans l'atelier de Gleyre, qui avait repris la direction de l'École de peinture, fondée par David. Il expose pour la première fois au Salon de 1864 : *Première sortie du novice*, puis participe aux Salons suivants. En 1868-1869, il entreprend un voyage d'étude dans l'est de la France. Appelé sous les drapeaux au moment de la déclaration de guerre, il meurt de maladie lors du siège de Paris.
Musées : Avignon : *La Fontaine Acadine* – Guéret : *La cigale et la fourmi* – Montbéliard : *Diogène demandant l'aumône à une statue* – Montpellier : *La cigale et la fourmi*.

CARIANI, de son vrai nom : **Giovanni de' Busi**
Né vers la fin du xve siècle à Fulpiano-sur-Brembo. xve-xvie siècles. Italien.
Peintre de compositions religieuses, portraits, fresquiste.
On attribuait autrefois plusieurs tableaux aux Bellini, à Giorgione, Palma Vecchio et d'autres, que des recherches lui ont fait restituer. Bergame et Venise possèdent de ses œuvres ; il peignit notamment, dans cette dernière ville, des fresques au Palais du Podestà, à l'église Santa Maria Maggiore et à la Piazza Nuova. On trouve de ses tableaux dans plusieurs villes de l'Europe ; à Paris, au Louvre, une peinture, auparavant attribuée à Gentile Bellini, est maintenant considérée par Crowe et Cavalcaselle comme étant de la main de Cariani. Ses peintures se situent entre 1514 et 1541.
Musées : Berlin : *Jeune femme dans un paysage riche* – *Portrait d'une jeune homme* – Londres : *La Madone et l'Enfant Jésus* – Milan (Ambrosiana) : *Le Chemin du Calvaire* – *Mort de saint Pierre Martyr* – *Madone et Enfant avec des saints* – *Portrait d'un noble italien* – Milan (Brera) : *Madone, l'Enfant Jésus et des saints* – *Le Chemin de Jésus au Calvaire* – *Adoration des Mages* – Rome : *La Vierge – Jésus et saint Pierre* – Strasbourg : *Un joueur de luth* – *Portrait d'un Vénitien* – Venise : *Sainte Réunion* – *Deux portraits d'inconnus* – Vienne : *L'explicite Jean* – *Un guerrier – Le Bravo*.
Ventes Publiques : Paris, 1809 : *Une jeune femme en Cérès*, portrait d'après une tradition de *Violante*, fille de Palma le vieux et maîtresse du Titien : **FRF 361** – Paris, 1826 : *La Vierge entourée de saints* : **FRF 705** – Paris, 1892 : *Portrait d'un comte Morone au xvie siècle* : **FRF 1 500** – Londres, 2 juil. 1909 : *Portrait d'un gentleman* : **GBP 115** – Paris, 19 mars 1919 : *L'homme au citron* : **FRF 10 200** – Paris, 20 oct. 1920 : *Le Calvaire* : **FRF 340** – Londres, 28 et 29 juil. 1927 : *L'adoration des bergers* : **GBP 273** – Londres, 10 juil. 1931 : *Orphée, Apollon et Marsyas* : **GBP 199** – Paris, 4 déc. 1941 : *La Vierge, l'Enfant et deux saints sur un fond de paysage* : **FRF 4 600** – Lucerne, 4 déc. 1963 : *Portrait d'un noble vénitien* : **CHF 14 500** – Milan, 6 avr. 1965 : *La Vierge et l'Enfant avec saint Jean et saint Jérôme* : **ITL 2 800 000** – Londres, 2 déc. 1983 : *La Résurrection*, h/t (116x93,5) : **GBP 9 500** – Londres, 9 avr. 1986 : *Portrait d'un gentilhomme tenant un portrait de femme*, h/t (70x59) : **GBP 40 000** – Londres, 10 déc. 1986 : *Sainte Agathe*, h/t (69x58) : **GBP 92 000** – New York, 11 jan.

1990 : *La conversion de saint Paul*, h/pan. (81,5x138,5) : **USD 154 000** – New York, 21 mai 1992 : *Portrait d'un gentilhomme vêtu de noir avec un large chapeau bordé de fourrure et portant une épée au côté*, h/t (74,3x64,5) : **USD 63 800**.

CARIANI Adriano. Voir CARANI

CARIAT Lucien Jean Henri
xixᵉ-xxᵉ siècles. Français.
Médailleur.
A exposé au Salon en 1896 et 1897 *(Suzanne* et *Le sculpteur X.)* et à la Décennale en 1900.

CARIATA Giovanni
Né en 1865 à Rome (Italie). Mort en 1917 à New York. xixᵉ-xxᵉ siècles. Américain.
Sculpteur.

CARIBE ou Carybe, pseudonyme de Bernabo Heitor
Né en 1911 à Lanus. xxᵉ siècle. Argentin.
Peintre de fresques, sculpteur de bas-reliefs.
Ses œuvres reprennent les thèmes du folklore traditionnel de Bahia. Il a réalisé des sculptures en bas-reliefs répartis en registre sur un building de Salvador en 1966 et une fresque pour l'immeuble de l'American Airline de l'aéroport d'Idlewild à New York en 1959.

CARIELLO Andrea
Né en 1807 à Padula (province de Salerne). Mort en 1870 à Naples. xixᵉ siècle. Italien.
Sculpteur, médailleur et lapidaire.

CARIERA Giovanni Pellegrino
xviiᵉ siècle. Actif à Bologne. Italien.
Peintre.

CARIFFA Francis
Né le 25 août 1890 à Chambéry (Savoie). Mort le 30 décembre 1975. xxᵉ siècle. Français.
Peintre de paysages de montagne, décorations murales.
En 1927, ses premières œuvres furent exposées à la galerie Georges-Petit. Il se fixa ensuite à Paris. Il participait à des expositions collectives, à Paris au Salon de la Société Nationale des Beaux-Arts ; en 1937 à une sélection française à New York, Toronto, Montréal, Londres, Amsterdam. Il montrait des ensembles de ses peintures dans des expositions personnelles, dans plusieurs villes de France, à Bruxelles, Alger, Casablanca, et, à Paris, en 1938 à la galerie Charpentier avec une préface de Louis Vauxcelles, en 1958 galerie Bernheim préfacée par Maximilien Gauthier. Il a été l'objet d'achats de la Ville de Paris et de l'État. En 1938, il fut fait chevalier de la Légion d'honneur. En 1935, il a décoré le salon de la classe Touristes sur le paquebot *Normandie.*
Ventes Publiques : Paris, 8 sep. 1995 : *Vue du mont Blanc,* h/pan. (54x65) : FRF 5 000 – Paris, 4 juil. 1995 : *Vue du mont Blanc,* h/pan. (54x65) : FRF 5 000.

CARIFFA Tonia
Née le 30 août 1924 à Chambéry (Savoie). xxᵉ siècle. Française.
Peintre, graveur, illustratrice. Abstrait-lyrique, abstrait-paysagiste.
Elle fut élève de Fernand Léger. Elle participe à des expositions collectives : 1949 Atelier Fernand Léger, galerie de Mai ; 1957 Biennale de Menton et Lausanne ; 1968 Stockholm ; 1975 Maison de la Culture de Grenoble ; 1985 Cannes ; 1992 Paris, Cabinet des Estampes de la Bibliothèque Nationale ; elle participe à des Salons de Paris : 1957 d'Automne ; 1958 Surindépendants, Comparaisons ; 1971, 1973 Art Sacré ; depuis 1977 Femmes Peintres ; depuis 1991 au Salon des Réalités Nouvelles. Elle montre ses peintures dans des expositions personnelles, dont à Paris : 1955 galerie Saint-Placide – 1956 galerie Greuze ; 1961 galerie Bignou ; 1970, 1975 galerie Bongers ; 1982, 1990, 1991 galerie Darial ; 1994 Centre Culturel du xivᵉ arrondissement ; ainsi que : 1975 Bruxelles galerie L'Œil ; 1979 Toulouse galerie Art-Femme ; 1985 Musée de Chambéry ; 1988 Maison de la Culture Chambéry ; 1996 Paris, galerie Janine Euvrard ; etc. Parallèlement à son œuvre peint, Tonia Cariffa a illustré : en 1978 *Redécouvrons Ganzo* ; en 1980 *Marguerite Yourcenar ou le bonheur d'écrire* ; en 1980 aussi *Julien Gracq – Quelques clefs pour une grande œuvre.*
L'influence de Léger sur son œuvre est surtout lisible pendant les années cinquante, où elle peignait de solides paysages architecturaux. Venue progressivement, encouragée par Arpad Sze-

nès, à l'abstraction lyrique, elle aborde d'abord le paysagisme abstrait, toujours caractéristique de son travail, pour diluer son inspiration au milieu des années soixante-dix dans des toiles presque monochromes où affleurent parfois des présences humaines, d'abord des visages, puis jusqu'à des foules noyées de brume.
Bibliogr. : Robert Ganzo : Préface de l'expos. *Tonia Cariffa,* gal. Saint-Placide, Paris, 1955 – Bernard Pingaud : Préface de l'exposition *Tonia Cariffa,* gal. Bignou, Paris, 1961 – Max Paul Fouchet : Préface de l'expos. *Tonia Cariffa,* gal. Bongers, Paris, 1975 – Jean-Louis Pradel : *Visages et rivages du désir,* in : *Opus International,* Nᵒ74, Paris, 1979 – Jean Burgos : *L'Émergence de l'autre,* in : Catal. de l'expos. *Tonia Cariffa,* Mus. de Chambéry, 1988 – Jean-Michel Maulpoix : *L'art des lisières,* in : *Tonia Cariffa,* Édit. Porte du Sud, Villeneuve-sur-Yonne, 1991 – Alain Pizerra, divers : Catalogue de l'exposition *Tonia Cariffa,* Centre Culturel du xivᵉ arrondissement, Paris, 1994.
Musées : Paris (Mus. Nat. d'Art Mod.) – Paris (BN, Cab. des Estampes) – Paris (Mus. d'Art Mod. de la Ville).
Ventes Publiques : Paris, 25 juin 1984 : *Baiser 1971,* h/t (73x60) : FRF 5 000.

CARIGIET
Suisse.
Peintre.
Il exposa à l'Athénée de Genève.

CARIGIET Alois
Né en 1902 à Trun. Mort en 1985 à Trun. xxᵉ siècle. Suisse.
Peintre de figures, portraits, paysages animés, peintre à la gouache, aquarelliste, peintre de techniques mixtes, pastelliste, lithographe, dessinateur.
Artiste stylistiquement difficile à situer, il fait souvent montre d'une maîtrise très traditionnelle, notamment lorsqu'il dessine ou peint des portraits. D'autre part, dans des œuvres plus composées, il semble cultiver une relative maladresse libératrice. Passant d'une écriture à une autre, comme d'un thème à un autre, il paraît se référer parfois à Matisse ou Chagall ou se vouloir plus simplement narratif.

Ventes Publiques : Zurich, 12 nov. 1976 : *Portrait d'enfant, au verso Étude de portrait 1936,* techn. mixte (45x34) : **CHF 12 000** – Zurich, 12 mai 1977 : *Jeune Fille aux champs 1946,* h/cart. (24x31,5) : **CHF 4 800** – Berne, 10 juin 1978 : *Fillette mangeant 1949,* past. (39x47,5) : **CHF 11 000** – Zurich, 24 oct. 1979 : *Le Cheval blanc, l'île de Kos, Grèce 1962,* h/t (59x80) : **CHF 38 000** – Zurich, 10 déc. 1980 : *La Fille de l'artiste 1966 et 1972,* aquar. (22x30) : **CHF 2 600** – Zurich, 11 nov. 1981 : *Arlequin avec guitare 1952,* h./pavatex (120x110) : **CHF 40 000** – Berne, 22 oct. 1982 : *Bateau de pêche au port 1962,* aquar./trait de cr. (23x31) : **CHF 7 500** – Lucerne, 11 nov. 1983 : *Arlequin dansant 1968,* litho. coul. (65x50) : **CHF 1 900** – Zurich, 26 mai 1984 : *Paysage montagneux avec faucon et renard 1955,* gche et craie coul. (39,7x50,9) : **CHF 8 000** – Lucerne, 7 juin 1984 : *Nature morte 1944,* h./pavatex (75x90,5) : **CHF 20 000** – Zurich, 28 nov. 1985 : *Paysan et cheval dans un paysage d'hiver 1947-1948,* h./pavatex (75x91) : **CHF 55 000** – Lucerne, 15 mai 1986 : *La Promenade en luge 1965,* aquar. et gche/traits de past. (41x53) : **CHF 13 000** – Zurich, 3 déc. 1987 : *Jeune Fille sur un balcon à Venise 1961,* aquar., craies et cr./pap. (36,5x49,5) : **CHF 9 000** – *Oiseaux d'hiver 1948,* h/t (81x100) : **CHF 55 000** – Berne, 30 avr. 1988 : *Paysage de l'Eugadine 1964,* h/t (58x79) : **CHF 38 000** – Lucerne, 30 sep. 1988 : *Cavaliers,* litho. (56x76) : **CHF 3 600** – Berne, 26 oct. 1988 : *Deux Bûcherons dans un paysage de montagne,* aquar. (44x62) : **CHF 12 000** – Berne, 12 mai 1990 : *Promenade en bord de mer dans une île méditerranéenne 1956,* gche (56,8x67,5) : **CHF 16 000** – Lucerne, 24 nov. 1990 : *Tineli 1957,* aquar./dess. (20x28) : **CHF 3 600** – Zurich, 7-8 déc. 1990 : *Le Cavalier,* aquar. et cr. (19,7x28,5) : **CHF 8 000** – Zurich, 16 oct. 1991 : *Prairie fleurie 1934,* gche (18,5x19) : **CHF 2 400** – Zurich, 29 avr. 1992 : *Résurrection 1938,* gche (44,5x23,7) : **CHF 3 400** – Lucerne, 21 nov. 1992 : *Faucon sur un tronc d'arbre 1970,* encre/pap. (26,5x19) : **CHF 2 200** – Lucerne, 15 mai 1993 : *Flims 1958,* encre/

pap. (31,5x44,5) : **CHF 3 100** – Zurich, 9 juin 1993 : *Copenhague*, gche/pap. (33x44) : **CHF 4 600** – Zurich, 24 nov. 1993 : *Schlans 1969*, h/t (79x99) : **CHF 108 750** – Lucerne, 26 nov. 1994 : *Sans titre 1969*, litho. coul. (57,5x73,5) : **CHF 2 000** – Zurich, 12 juin 1995 : *La Villa Rheinfels à Chur 1970*, h/t (82x92) : **CHF 55 200** – Zurich, 5 juin 1996 : *Faisan 1976*, cr., gche et h/pap. (50x65) : **CHF 8 050** – Berne, 20-21 juin 1996 : *Cerfs devant la source du Bon Esprit* ; *La Princesse des Glaces et le Clown* ; *Cerf et Chien 1954-1962*, litho. coul., trois planches (31,5x45,5 ; 31,5x32,5 et 38x51) : **CHF 2 500** – Zurich, 12 nov. 1996 : *Le Traîneau 1968*, h/t (100x73,5) : **CHF 70 000** – Zurich, 10 déc. 1996 : *Tronc d'arbre et faucon 1971*, gche/pap. (36x38) : **CHF 7 475** – Zurich, 8 avr. 1997 : *Journée d'hiver 1948*, h/t (54,5x45,5) : **CHF 17 000** ; *Paysage hivernal 1974*, litho. coul. (55,5x75) : **CHF 3 200**.

CARIGNANI Scipione
Né en 1812 à Turin. Mort en 1875 à Turin. xixᵉ siècle. Travaillant à Turin. Italien.
Peintre de paysages.
Élève du miniaturiste Panario et du peintre hongrois Marko le père.

CARILLO
xvᵉ siècle. Espagnol.
Peintre.

CARILLO Achille ou Carrillo
Né en 1818 à Avellino. Mort en 1880 à Naples. xixᵉ siècle. Italien.
Peintre de paysages, aquarelliste.
Napolitain, il figura à l'exposition nationale des Beaux-Arts de Parme, en 1872, envoyant deux aquarelles : *Impressions de la campagne*, *Le Lac sur la montagne*, et un tableau à l'huile : *La voix qui crie dans le désert*.
Ventes Publiques : Rome, 19 mai 1981 : *Paysage boisé animé de personnages 1859*, h/t : **ITL 3 000 000** – Berne, 6 mai 1983 : *Paysage montagneux à l'église, Italie 1842*, h/t (35x56) : **CHF 4 800** – Bologne, 8-9 juin 1992 : *La Plaine de Paestum 1859*, h/t (19,5x30,5) : **ITL 5 750 000** – Milan, 20 déc. 1994 : *Vue des Faraglioni à Naples* ; *La côte vers Sorrente*, h/t, une paire (chaque 53,5x84,5) : **ITL 10 925 000**.

CARILLO Juan
Né le 18 septembre 1937 à Fortuna. xxᵉ siècle. Actif en France. Espagnol.
Peintre de figures, paysages, natures mortes.
Il fit ses études à l'Ecole des Beaux-Arts de Madrid puis à celle de Paris. Il a participé à la Biennale de Venise en 1958, à celle de São Paulo en 1959 et à celle de Bologne en 1978. Il a exposé à New York, Tokio, Paris, Madrid, Barcelone, Bruxelles, etc.
Ses toiles sont peintes dans des couleurs lumineuses, d'un éclat méditerranéen.

CARILLO Lilia
Née en 1930. Morte en 1973. xxᵉ siècle. Mexicaine.
Peintre de techniques mixtes. Abstrait-lyrique.
Elle séjourna à Paris en même temps que son compatriote Felguérez et se convertit à l'abstraction informelle des années soixante.
Ses toiles sont peintes dans un matière épaisse et des tonalités de blancs, jaunes et gris.
Bibliogr. : Damian Bayon et Roberto Pontual : *La Peinture de l'Amérique latine au xxᵉ siècle*, Mengès, Paris, 1990.
Ventes Publiques : New York, 31 mai 1984 : *Compas cotidiano 1966*, h/t (89x99,5) : **USD 8 000** – New York, 21 nov. 1988 : *Abstraction 1961*, techn. mixte/t. (40,3x46,7) : **USD 5 225** – New York, 18 mai 1995 : *La voix du sommeil 1965*, h. et sable/t. (80,3x95,2) : **USD 27 600**.

CARILLO DEL CAMPO Ildefonso
Né à Madrid. Mort le 18 janvier 1870 à Madrid. xixᵉ siècle. Espagnol.
Peintre de paysages.
Élève de Carlos de Haes. Il a exposé des paysages à Madrid en 1864 et 1866.

CARILLON Philéas Hector
Né à Trancy. Mort en 1906. xixᵉ siècle. Actif à Argenteuil près de Paris. Français.
Sculpteur.
Élève de Guillaumet. Il débuta au Salon de 1875. Il fut sociétaire des Artistes Français.

CARILLON René Philéas
Né au xixᵉ siècle à Cravant (Yonne). xixᵉ-xxᵉ siècles. Français.

Sculpteur.
Peut-être fils de Philéas Hector. Élève de Cavelier, Millet, Barrias et Allar. Sociétaire des Artistes Français en 1904. Il a exposé des bustes au Salon de Paris ; deuxième médaille en 1912.

CARIN Marie
xixᵉ siècle. Active à Lille vers 1889. Française.
Miniaturiste.
En 1889, elle expose trois œuvres à la Royal Academy, à Londres.

CARIO Antonio del
xivᵉ siècle. Actif à Plaisance à la fin du xivᵉ siècle. Italien.
Peintre.

CARIO Louis
Né le 22 juin 1889 au Havre (Seine-Maritime). Mort le 4 février 1941. xxᵉ siècle. Français.
Peintre de paysages urbains.
Il fut élève de Gabriel Ferrier et Claude Monet. Il exposa régulièrement à Paris, aux Salons des Artistes Indépendants, d'Automne, et de la Société Nationale des Beaux-Arts, des paysages parisiens, parmi lesquels de nombreuses vues de Montmartre.

CARIOLI Marco Antonio
xviiᵉ siècle. Actif à Rome vers 1657. Italien.
Peintre.

CARION Louis Adolphe
Né au xixᵉ siècle à Valenciennes (Nord). xixᵉ siècle. Actif à Paris. Français.
Sculpteur de portraits.
Élève de Cavelier et Fache. Il débuta au Salon de Paris en 1878.

CARIOT Gustave Camille Gaston
Né le 28 juin 1872 à Paris. Mort en 1950. xxᵉ siècle. Français.
Peintre de paysages, paysages urbains.
Son père, malletier au Marais, souhaitait qu'il reprenne le métier et en fit son apprenti, mais Cariot désirait entreprendre une carrière artistique. Il consacra ses loisirs à l'étude du dessin, croquant sur le motif en ville ou à la campagne. Cariot appartient à la Société des Artistes Indépendants. Il exposa au Salon de la Société Nationale des Beaux-Arts, au Salon d'Automne et au Salon d'Hiver.
D'abord intéressé par la division des tons des pointillistes, mais s'arrêtant court dès qu'il lui semblait tomber dans le « déjà fait », il mit au point cette curieuse technique qui lui permit, par l'harmonie des complémentaires, d'atteindre à une puissance de lumière tout à fait exceptionnelle. Il peut également abandonner cette manière qui lui est propre pour tracer des paysages délicats. Il a peint de nombreux paysages rhénans, et ses dernières œuvres importantes forment une suite d'aspects de la Seine en ses heures, saisons et passages les plus divers.
Ventes Publiques : Paris, 29 ot. 1924 : *Lavoirs sur le Trieux à Guingamp* : **FRF 1 500** – Paris, 21 déc. 1928 : *Côte bretonne* : **FRF 380** – Paris, 26 fév. 1934 : *Les blés* : **FRF 125** – Genève, 29 juin 1968 : *Paysage* : **FRF 4 000** – Versailles, 5 mai 1971 : *Le petit pont près des arbres*, h/t (51x66) : **FRF 1 350** – Grenoble, 11 déc. 1972 : *Paysage de Provence* : **FRF 1 800** – Zurich, 11 mai 1978 : *Paysage à la rivière 1926*, h/t (60x81) : **CHF 3 200** – Versailles, 21 fév. 1982 : *Village au pied des montagnes 1925*, h/t (60x81) : **FRF 2 800** – Paris, 11 déc. 1985 : *Paysage à la rivière 1916*, h/t (45x54) : **FRF 9 000** – Paris, 20 nov. 1987 : *Le champ de blé et le village*, h/t (60x82) : **FRF 15 000** – Le Touquet, 12 nov. 1989 : *Jardin près du manoir*, h/pan. (29x38) : **FRF 5 000** – Reims, 17 déc. 1989 : *La moisson*, h/t (60x81) : **FRF 25 000**.

CARIS Johann Wilhelm
Né en 1747 à Cologne. Mort en 1830 à Cologne. xviiiᵉ-xixᵉ siècles. Allemand.
Peintre de portraits.
Il fit ses études à l'Académie à Düsseldorf et ensuite sous la direction du peintre de la cour Félix à Cassel. Le Musée Wallraf-Richartz à Cologne conserve de lui un portrait de Richartz.

CARIS Joseph
xviiiᵉ siècle. Actif à Aix-en-Provence. Français.
Sculpteur.

CARIS Roul
xviiᵉ siècle. Français.
Sculpteur.
Il travaillait à l'Hôtel de Ville de Nantes en 1607.

CARISANA Nicolas
xviiiᵉ siècle. Actif à Madrid. Espagnol.
Sculpteur.

CARISS H. T.
Né au XIXe siècle à Philadelphie. XIXe siècle. Américain.
Peintre et graveur.
Élève de la Pennsylvania Academy of Fine Arts et membre du Philadelphia Art Club. Il a exposé à Philadelphie en 1882 quelques planches gravées.

CARISSAN Alice Émilie Élise Marie
Née à Saint-Nazaire (Loire-Atlantique). XXe siècle. Française.
Peintre et décorateur.
Médaille d'argent au Salon de 1934.

CARISTAN Doménica
Née en 1960. XXe siècle. Française.
Peintre. Groupe Art-Cloche.
Autodidacte, elle travaille et a exposé avec l'association Art-Cloche à partir de 1984.
BIBLIOGR. : In : *Art Cloche. Élément pour une rétrospective. Squatt artistique*, catalogue de ventes, Me Pierre Cornette de Saint-Cyr, lundi 30 janvier 1989, Paris.

CARIZEY-AUGER Madeleine
Née à Paris. XIXe-XXe siècles. Française.
Graveur sur bois.
Mention honorable au Salon des Artistes Français, 1912.

CARJAT Étienne
Né en 1828 à Fareins (Ain). Mort en 1906 à Paris. XIXe siècle. Français.
Dessinateur, caricaturiste.
Tout d'abord dessinateur industriel, il devint dessinateur de portraits-charges à partir de 1854 et photographe renommé à partir de 1860, date à laquelle il ouvrit un studio, où venaient ses amis écrivains, poètes, peintres : Mallarmé, Baudelaire, Courbet, Daumier, Fantin-Latour. Ce dernier devait le faire figurer parmi les personnages de son tableau : *Coin de table*, mais Carjat se déroba pour ne pas paraître auprès d'Arthur Rimbaud qui, à l'issue d'un « dîner des Vilains Bonshommes », le 2 octobre 1871, lui porta, selon Verlaine, un « bon coup » de canne-épée. Caricaturiste fougueux, plein d'esprit, il fonda deux revues : *Le Diogène* en 1856 et *Le Boulevard* qui ne vécut que de 1862 à 1864.
BIBLIOGR. : Gérald Schurr : *Les Petits Maîtres de la peinture 1820-1920, valeur de demain*, t. VI, Les Éditions de l'Amateur, Paris, 1985.
VENTES PUBLIQUES : PARIS, 18 nov. 1926 : *Portrait-caricature d'un homme à califourchon sur un ballot de marchandises*, cr. : **FRF 100** – PARIS, 20 sep. 1983 : *Alexandre Dumas père 1859*, fus. et craie blanche/pap. (49x32) : **FRF 6 300** – PARIS, 26 juin 1985 : *Caricature de Belioz présenté de pied en cap*, fus. reh. de blanc (48x31) : **FRF 8 000**.

CARL
XVIIIe siècle. Actif en Allemagne vers 1780. Allemand.
Graveur au pointillé.
Le Blanc cite de lui un portrait de *Léopold-Ernest de Firmian prince évêque de Passau*.

CARL Adolf
Né en 1814 à Cassel. Mort en 1845 à Rome. XIXe siècle. Allemand.
Peintre de paysages.
Il fréquenta les Académies de Munich et de Düsseldorf et fit des voyages en Allemagne, en Suisse et en Italie. Il vécut à Hambourg, à Düsseldorf et à Rome.
On cite de lui : *Partie de Salzbourg ; Paysage avec étang, Le lac de Venise*.
MUSÉES : HAMBOURG (Kunsthalle) : *Vue générale de Hambourg – Campanie romaine* – HANOVRE : *Sur l'Elbe – Au lac de Lugano – L'Etna avec le cloître de Catania*.
VENTES PUBLIQUES : LONDRES, 18 juin 1986 : *Paysage montagneux avec personnages au bord d'un lac*, h/t (99,5x141) : **GBP 6 500** – COLOGNE, 20 oct. 1989 : *Les Alpes à Salzbourg*, h/t (100x143) : **DEM 50 000**.

CARL Christoph
Né en 1789 à Vienne. Mort en 1823. XIXe siècle. Autrichien.
Graveur.

CARL Clara Vilhelmine
Née en 1859 à Copenhague. XIXe siècle. Travaillant à Charlottenbourg. Danoise.
Peintre.

CARL Jules Antoine
Né en 1863 à Sainte-Croix-aux-Mines (Haut-Rhin). XIXe-XXe siècles. Français.

Sculpteur.
Élève de Falguière et de Desbois. Exposa aux Artistes Français et y obtint une mention honorable en 1903.
MUSÉES : NANCY : *Portrait de Melle D. – Pierre de Blarru – Volonté – Ligier Richier*.

CARL Katherine Augusta
Née au XIXe siècle à la Nouvelle-Orléans (Louisiane). XIXe siècle. Américaine.
Peintre, illustratrice.
Élève de Jean Paul Laurens et de Gustave Courtois à Paris. Membre de la Société des Beaux-Arts du Champ-de-Mars. Mention honorable à l'Exposition Universelle de Paris en 1900. Chevalier de la Légion d'honneur en 1890. Elle a réuni en volume des impressions de son voyage en Chine, où elle a peint un portrait de l'impératrice. Le musée national de Washington conserve une œuvre d'elle.

CARL-ANGST Albert ou **Charles Albert**
Né en 1875 à Genève. Mort en 1965. XXe siècle. Suisse.
Sculpteur de figures, nus, bustes.
Il a exposé, à partir de 1906, à Paris, au Salon de la Société Nationale des Beaux-Arts, dont il devint sociétaire en 1911.
Il a sculpté des portraits en bustes, notamment ceux de *Ferdinand Hodler* et *Maurice Barraud*. Il est connu pour ses *Maternités*. Dans le site de Zürichhorn, a été placée la statue d'une *Jeune fille*. Il a aussi participé à la décoration des bâtiments du Palais de Justice de Lausanne.
MUSÉES : LAUSANNE (Mus. canton. des Beaux-Arts) : *Tête de jeune fille* 1933 – *Femme couchée* 1939-1940.
VENTES PUBLIQUES : ZURICH, 28 nov. 1978 : *Tête de Ferdinand Hodler* 1917, bronze, patine noire (H. 50 avec socle) : **CHF 6 500** – ZURICH, 12 juin 1995 : *Gamin accroupi*, bronze (H. 48) : **CHF 6 670**.

CARL-NIELSEN Anne Marie. Voir **NIELSEN**

CARL-ROSA Mario Cornilleau Raoul
Né en 1855 à Loudun (Vienne). Mort en juillet 1913 à Garches. XIXe-XXe siècles. Français.
Peintre de paysages, marines.
À partir de 1885, il participa au Salon des Artistes Français, dont il fut sociétaire en 1899, année où il exposa au Salon de la Société Nationale des Beaux-Arts et fut décoré de la Légion d'honneur. Mention honorable en 1891, troisième médaille en 1893, deuxième médaille en 1895. Il est présent à l'exposition de Munich en 1900. Écrivain et journaliste, il a collaboré à plusieurs journaux, dont *La Presse – La Cocarde – Le National*.
Après avoir fait des paysages de bords de rivière animés parfois de troupeaux, des villages sous une douce lumière automnale, il a peint des marines, d'une manière plus vigoureuse, dans des tons plus contrastés. Citons, parmi ses œuvres : *Matinée d'automne sur les bords de la Sarthe* 1890 – *Saint-Loup – Les vieilles maisons d'Argenton* 1892, tableau appartenant à la Régence de Tunis – *Un village en Lorraine* 1892, acquis par l'empereur de Russie – *Matinée d'automne et après-midi d'automne à Jeufosse* 18893 – *En novembre* 1894 – *En décembre* 1895.
BIBLIOGR. : Gérald Schurr : *Les Petits Maîtres de la peinture 1820-1920, valeur de demain*, t. V, Les Éditions de l'Amateur, Paris, 1981.
MUSÉES : AMIENS : *Matinée d'automne sur les bords de la Sarthe* 1890.
VENTES PUBLIQUES : PARIS, 12 déc. 1921 : *Prairie marécageuse à Marcilly-en-Gault (Sologne)* : **FRF 120** – PARIS, 24 mars 1923 : *Le troupeau au bord de la rivière* : **FRF 250** – PARIS, 21 oct. 1942 : *Dans l'île de Croissy* : **FRF 2 200** – LUCERNE, 21 oct. 1961 : *Paysage de la Seine* : **CHF 10 000** – LONDRES, 8 nov. 1972 : *Aufreville-sous-les-Monts* 1894 : **GBP 150** – PARIS, 15 mars 1976 : *L'étang*, h/pan. (32x55) : **FRF 4 700** – LILLE, 30 nov. 1980 : *Village au bord de la rivière*, h/t (55x38) : **FRF 10 000** – PARIS, 29 juin 1981 : *Bourg*, h/pan. (38x55) : **FRF 13 000** – LONDRES, 16 mars 1983 : *Château-Gaillard*, h/pan. (37,5x54,5) : **GBP 500** – NEW YORK, 12 déc. 1986 : *Un village de Normandie* 1894, h/pan. (37,5x55,3) : **USD 3 100** – PARIS, 23 fév. 1990 : *Paysages en bord de Seine*, deux h/pan. (38x55) : **FRF 30 000** – STOCKHOLM, 14 nov. 1990 : *Paysage fluvial en France*, h/pan. (32x55) : **SEK 8 000** – PARIS, 22 mars 1994 : *La Seine à Saint-Cloud*, h/pan. (32x55) : **FRF 15 000** – PARIS, 15 déc. 1994 : *Retour de pêche*, h/pan. (32x55) : **FRF 15 500** – REIMS, 18 juin 1995 : *Un coin de la frontière des Visges*, (32x55) : **FRF 14 000**.

CARLANDI Onorato
Né le 15 mai 1848 à Rome. Mort en 1939. XIXe-XXe siècles. Italien.

Peintre d'histoire, paysages animés, paysages, aquarelliste.

Il fit ses études à l'Académie des Beaux-Arts de sa ville natale sous les maîtres Coghetti et Caralti. En 1876, il obtint un prix à Rome avec son tableau : *Les Garibaliens prisonniers à Mentana.* On cite encore de lui : *Étude à Sulmona* et *Les Garibaldiens aux monts Parioli.* Il a exposé à Londres à la Royal Academy entre 1882 et 1889, à Paris en 1908, à Berlin en 1896, à Munich en 1901, à Düsseldorf en 1904.

(signature : Garlandi)

Ventes Publiques : Londres, 16 juin 1972 : *Paysage d'Italie :* GBP 150 – Milan, 26 oct. 1978 : *Bords du Tibre,* h/t (50,5x150) : ITL 2 000 000 – Bari, 5 avr. 1981 : *Villa Barberini a Castel Gandolfo,* aquar. (43x61) : ITL 750 000 – Londres, 16 mars 1983 : *Paysage de Nemi,* aquar. (54x57) : GBP 800 – Rome, 6 juin 1984 : *Vue de la campagne romaine 1934,* h/t (57x57) : ITL 1 700 000 – Londres, 27 nov. 1986 : *Porteuse d'eau à la lisière de la forêt,* aquar. (39,5x51) : GBP 1 400 – Rome, 25 mai 1988 : *Marais dans la région d'Agro Pontino,* aquar./pap. (34,5x64) : ITL 3 200 000 – Rome, 14 déc. 1988 : *Paysage fluvial,* aquar./pap. (35,5x24) : ITL 1 100 000 – Rome, 12 déc. 1989 : *Villa Adriana à Tivoli,* h/t (59,5x59,5) : ITL 4 200 000 – Rome, 4 déc. 1990 : *Paysage avec Tivoli au fond,* h/t (40x70) : ITL 9 500 000 – Monaco, 8 déc. 1990 : *Jeune Femme à la fontaine,* aquar. (68x39) : FRF 13 320 – Rome, 11 déc. 1990 : *Vue de la campagne romaine,* aquar. et temp. (25x75) : ITL 6 900 000 – Rome, 28 mai 1991 : *Le Forum romain,* h/t (96,5x59,5) : ITL 11 500 000 – York (Angleterre), 12 nov. 1991 : *Les Collines d'Albe en hiver,* aquar. (30,5x53,5) : GBP 770 – Rome, 10 déc. 1991 : *La Pinède de Maccarese,* aquar./pap. (29x45) : ITL 3 500 000 – Bologne, 8-9 juin 1992 : *Rocca di Papa,* h/t (60x60) : ITL 4 025 000 – New York, 29 oct. 1992 : *Les Oliviers de Villa Adriana près de Tivoli,* h/t (100,3x99,7) : USD 7 700 – Rome, 19 nov. 1992 : *Barques sur un fleuve,* h/cart. (18x27,5) : ITL 2 530 000 – New York, 20 jan. 1993 : *Villa Adriana,* aquar./ pap. (45,7x61,6) : USD 4 025 – Rome, 27 avr. 1993 : *L'Oliveraie de la Villa Adriana à Tivoli,* h/t (100x100) : ITL 27 025 200 – Rome, 6 déc. 1994 : *Prairie au soleil couchant,* h/t (70x70) : ITL 5 657 000 – Milan, 20 déc. 1994 : *Paysage lacustre à Rome,* h./contre-plaqué (38x48,5) : ITL 4 600 000 – Rome, 5 déc. 1995 : *Printemps capricieux,* h/t (150x185) : ITL 23 570 000 – Rome, 23 mai 1996 : *Paysage de la campagne romaine,* h/pan. (23x38) : ITL 2 990 000 – Rome, 6 juin 1996 : *Paysage d'été,* h/t (50,5x60,5) : ITL 3 680 000 – Rome, 28 nov. 1996 : *Paysage du lac de Vico 1937,* h/t (68x90) : ITL 8 000 000 – New York, 26 fév. 1997 : *Vaste paysage,* h/t (100,4x100,4) : USD 6 900.

CARLAW John
xixe siècle. Travaillant à Glasgow. Britannique.
Peintre, aquarelliste.
Il a exposé à la Royal Academy à Londres, entre 1887 et 1891.
Musées : Glasgow : deux aquarelles.

CARLAW William
Né en 1847 à Glasgow. Mort en 1889. xixe siècle. Britannique.
Peintre de marines, aquarelliste, lithographe, dessinateur.
Élève de la Glasgow School of Art, il travailla d'abord comme dessinateur, puis s'adonna à l'aquarelle. Il dessina pour la lithographie.
Musées : Glasgow : *Scène au bord de la mer.*
Ventes Publiques : Londres, 24 mars 1931 : *Une côte,* aquar. : GBP 3 – San Francisco, 3 oct. 1981 : *Pêcheurs sur la plage 1881,* aquar. (55,5x103) : USD 800 – Édimbourg, 30 août 1988 : *Sur la côte de Cornouailles 1882,* aquar. (67x121) : GBP 2 420.

CARLBERG Hugo
Né en 1880 à Nässjö. Mort en 1943 à Malmö. xxe siècle. Suédois.
Peintre de scènes de genre, paysages, aquarelliste. Post-impressionniste.
Il fut élève de l'Académie des arts de Stockholm, puis de l'Académie Colarossi et de l'Académie de la Grande Chaumière à Paris. Il voyagea en Hollande, en Belgique et en France puis s'installa à Malmö. Il peignit longtemps dans une veine impressionniste des vues de la nature hivernale. Ses scènes de la vie populaire sont empreintes d'une certaine intensité dramatique.
Ventes Publiques : Göteborg, 7 nov. 1979 : *Paysage de neige,*

h/t (93x114) : **SEK 18 000** – Stockholm, 27 oct. 1981 : *Paysage d'hiver 1925,* h/t (51x65) : **SEK 5 700** – Stockholm, 13 nov. 1987 : *Paysage au ruisseau,* h/t (59x69) : **SEK 16 000** – Stockholm, 15 nov. 1988 : *Paysage de la région de Bornholm avec des maisons parmi les arbres,* h. (27x28) : **SEK 5 000** – Stockholm, 19 avr. 1989 : *Den gamla garden, hiver,* h/pan. (40x44) : **SEK 9 000** – Stockholm, 15 nov. 1989 : *Paysage enneigé avec un ruisseau bordé d'arbres,* h. (51x65) : **SEK 12 500** – Stockholm, 16 mai 1990 : *Da solen gatt ned (paysage hivernal de la région d'Aman),* h/t (46x51) : **SEK 17 000** – Stockholm, 28 oct. 1991 : *Bouleaux au bord d'un ruisseau à la fin de l'hiver 1918,* h/t (99x103) : **SEK 7 000.**

CARLÉ de
xviiie siècle. Actif à Fribourg. Suisse.
Peintre de portraits, miniatures, dessinateur.
Carlé fut officier dans les régiments suisses à Paris vers 1768. Il laissa une collection de vingt-sept planches, des dessins et des miniatures. Parmi ces dernières se trouve un portrait de l'artiste entouré de sa famille.

CARLE Pontus
Né en 1955 à Lund. xxe siècle. Actif en France et aux États-Unis. Suédois.
Peintre.
Il fit ses études à l'Académie Goetz à Paris en 1973, à l'École des Beaux-Arts de Paris entre 1974 et 1975, au *Forum graphiksola* de Malmö en Suède. Il a participé à de nombreuses expositions collectives parmi lesquelles on peut citer : en 1976 et 1981 des manifestations organisées à la Landskrona Konsthall en Suède, en 1978 à l'American Center de Paris, en 1979 au Salon de Mai à Paris, en 1984 à la galerie Bollhausen à Worpwede en Allemagne et à Miami en Floride, en 1985 à la New Gallery à New York, en 1986 à la galerie Berhardsson de Malmö en Suède. Il a exposé personnellement à partir de 1978 dans des galeries en Suède, en Allemagne aux États-Unis et en France. Il pratique une peinture gestuelle.
Musées : Châteauroux – Malmö – Stockholm.

CARLE Roger
Né le 8 février 1907 à Lanslebourg (Savoie). xxe siècle. Français.
Peintre. Abstrait.
Il a exposé à Lyon, à Paris au Salon des Artistes Indépendants, d'Automne depuis 1930 et des Réalités Nouvelles depuis 1931. En 1939 il fut invité au Salon des Tuileries. En 1947 il a figuré à la Biennale de Menton et en 1949-1950 a présenté des peintures abstraites-rythmiques au Salon des Réalités Nouvelles.

CARLE-DUPONT. Voir **DUPONT Charles Carle Henri**

CARLEBUR François, dit **de Dordrecht**
Né en 1821. Mort en 1893. xixe siècle. Italien.
Peintre de marines, peintre à la gouache, aquarelliste.
Ventes Publiques : Londres, 7 mai 1980 : *Paysage fluvial 1885,* h/t (59x86) : GBP 950 – Amsterdam, 14 oct. 1985 : *Vue de Dordrecht 1874,* h/t (70x123,5) : NLG 15 500 – Paris, 14 déc. 1987 : *Brick, goélette à huniers et côtre au mouillage, en rade, près d'une côte,* h/t (53x74) : FRF 25 000 – Amsterdam, 16 nov. 1988 : *Bateau à aubes approchant de la côte par brise légère,* h/t (55,5x67,5) : NLG 4 600 – Londres, 31 mai 1989 : *La frégate « Trio » 1857,* aquar. et gche/pap. (44x63,5) : GBP 3 300 – Amsterdam, 30 oct. 1990 : *Voiliers sur la Mervede près de Dordrecht 1882,* h/t (30x48,5) : NLG 2 760 – Amsterdam, 11 avr. 1995 : *Vue de Dordrecht,* h/t (38x56) : NLG 6 844.

CARLÈGLE Charles Emile
Né le 30 mai 1877 à Aigle (canton de Vaud). Mort en 1940 à Paris. xxe siècle. Actif en France. Suisse.
Peintre, graveur, dessinateur, illustrateur. Humoriste.
Il fut élève à l'École des Beaux-Arts de Genève puis de Paris. À partir de 1900 il habita Paris et dès 1909 participa aux expositions d'humoristes. Toutefois, il cessa rapidement de se consacrer aux journaux comiques pour réserver son talent allègre, son trait délié, spirituel à l'illustration d'une littérature de haute qualité. Son œuvre dans ce domaine est considérable ; il se fit connaître du grand public par ses images d'une audace de bon goût conçues pour le *Roi Pausole* de Pierre Louÿs. Il a collaboré aux journaux suivants : *L'Assiette au beurre* – *Fantasio* – *Gazette du Bon Ton* – *Les Humoristes* – *L'Illustration* – *Qui lit rit* – *Le Rire* – *Le Sourire* – *La Vie parisienne,* etc. Il est l'auteur-illustrateur de *C'est un oiseau qui vient de France* paru en 1916. Il a illustré de

œuvres de Diderot, La Fontaine, Verlaine, Anatole France, Pascal, Sappho, Ronsart et Henri de Régnier.

BIBLIOGR. : In : *Diction. des Illustrateurs. 1800-1914*, Hubschmid & Bouret, Paris, 1983.

CARLEMAN Karl Gustaf Vilhelm
Né en 1821 à Malmö. XIXᵉ siècle. Suédois.
Peintre.

CARLES Arthur Becher
Né en 1882 à Philadelphie (Pennsylvanie). Mort en 1952. XXᵉ siècle. Américain.
Peintre de figures, nus, paysages, natures mortes, fleurs, pastelliste, dessinateur. Fauve, tendance cubiste puis expressionniste-abstrait.
Il fut l'élève de deux peintres réalistes du début du siècle, Thomas Anshutz et William Merritt Chase. Venu à Paris une première fois en 1905, il y séjourne durablement entre 1907 et 1912 et rencontre alors les Fauves, notamment Matisse et Derain. Ses œuvres sont alors sans profondeur et tracées dans une gamme chromatique très brillante. En 1910 il expose à la Stieglitz Gallery et en 1913 participe à l'Armory Show à New York. En 1912 il figura au Salon d'Automne. Dans l'entre-deux-guerres, sa peinture fonctionne sur une interprétation personnelle du cubisme dans lequel il intègre des aplats de couleur. A dater des années quarante son art évolue vers l'expressionnisme-abstrait. Carles reste représentatif de l'évolution de l'art américain depuis l'Armory Show jusqu'à l'école contemporaine de New York. Des expositions de ses œuvres se sont tenues en 1983 à l'Académie des Beaux-Arts de Philadelphie et en 1984 à l'Académie Nationale de dessin de New York.
BIBLIOGR. : Jules David Prown et Barbara Rose : *La Peinture américaine de la période coloniale à nos jours*, Skira, Genève, 1969 – in : *Diction. Univ. de la Peinture*, Robert, Paris, 1975.
VENTES PUBLIQUES : NEW YORK, 29 avr. 1937 : *Fleurs*, dess. : **USD 170** – NEW YORK, 10 fév. 1944 : *Fleurs et fruits* : **USD 170** – NEW YORK, 21 avr. 1977 : *Scène de rue, Madrid*, h/pan. (19,2x24,2) : **USD 900** – NEW YORK, 21 avr. 1978 : *Le déjeuner dans le jardin*, h/t (46,3x55,2) : **USD 2 750** – NEW YORK, 21 juin 1979 : *Nu*, h/t (123,1x92) : **USD 2 000** – NEW YORK, 22 mai 1980 : *Nu couché*, h/t (17,5x26) : **USD 2 400** – NEW YORK, 24 avr. 1981 : *Melons* vers 1928, h/t (61x70,8) : **USD 30 000** – NEW YORK, 9 déc. 1983 : *Fleurs dans un vase jaune*, h/t (92,4x82,5) : **USD 65 000** – NEW YORK, 7 déc. 1984 : *Nature morte*, h/pan. (55x45) : **USD 38 000** – NEW YORK, 30 mai 1985 : *Melons* vers 1928 : **USD 25 000** – NEW YORK, 4 déc. 1986 : *Vase de fleurs*, h/t (31x23,5) : **USD 8 500** – NEW YORK, 23 juin 1987 : *Nu*, past./pap. brun (58x47,5) : **USD 1 800** – NEW YORK, 4 déc. 1987 : *Abstraction*, h/t (40,6x32,4) : **USD 19 000** – NEW YORK, 26 mai 1988 : *Danseurs*, h/t (100,8x86,2) : **USD 44 000** – NEW YORK, 30 nov. 1989 : *Pivoines dans un vase*, h/t (76,2x63,5) : **USD 38 500** – NEW YORK, 16 mars 1990 : *Femme avec une chaise* 1912, h/pan., étude (23,9x18,7) : **USD 7 150** – NEW YORK, 25 sep. 1992 : *Sur un canal de Venise*, h/t. cartonnée (24,1x19,1) : **USD 1 430** – NEW YORK, 23 sep. 1993 : *Nu allongé*, h/pan. (33x40,6) : **USD 5 463** – NEW YORK, 25 mai 1994 : *Fleurs*, h/t (54x40,6) : **USD 16 100** – NEW YORK, 21 sep. 1994 : *Portrait de Helen Fleck Seyffert*, h/t (76,2x63,5) : **USD 9 200** – NEW YORK, 29 nov. 1995 : *Nature morte abstraite avec un rideau*, h/t (78,7x88,9) : **USD 25 300**.

CARLES Jean. Voir CARLES Louis

CARLÈS Jean Antonin
Né le 24 juillet 1851 à Gimont. Mort le 18 février 1919 à Paris. XIXᵉ-XXᵉ siècles. Français.
Sculpteur de statues, bustes.
Il commença ses études artistiques à Marseille, puis fut élève de l'École des Beaux-Arts de Toulouse et enfin vint se placer sous la direction de Jouffroy et Hiolle à l'École des Beaux-Arts de Paris. Il obtint le Grand Prix à l'Exposition Universelle de 1889. Commandeur de la Légion d'honneur. Ses principales œuvres sont : *La Cigale* (1878, Musée de Lectoure), *Abel*, statue plâtre (1881, deuxième médaille), *La Jeunesse*, marbre (1885, première médaille, Musée du Luxembourg), *Abel*, marbre (1887, Musée

du Luxembourg), *Retour de Chasse*, bronze (1888, Jardin des Tuileries), *Au Champ d'honneur*, groupe marbre (1894, Château de la Boissière), *Charles VII* (Hôtel de Ville de Compiègne), *Héraut d'armes, XVIᵉ siècle* (Hôtel de Ville de Paris), Cariatide (Crédit Lyonnais), et une quantité de bustes : *Gérard de Ganay, A. Berton, Chartran, Madame Roger-Miclos Rivolta, Madame la comtesse de P..., Madame la marquise de J..., Princesse de P..., Madame la baronne O...*

CARLES Jean-Pierre
Né le 26 avril 1827, à Rodez ou à Lyon d'après Bellier. Mort le 15 août 1881 à Montvilliers. XIXᵉ siècle. Français.
Graveur.
Il exposa au Salon de Paris, en 1848, 1849, 1851, des planches pour un Atlas d'architecture.

CARLES Louis
XVIIᵉ siècle. Français.
Sculpteur de compositions religieuses.
Maître menuisier à Grenoble, cet artiste sculpta, en 1641, un tabernacle pour l'église d'Aoste. On mentionne aussi, en 1643, pour l'église de Quaix, un retable fort remarquable. Plusieurs « menuisiers », établis à Grenoble, portèrent le même nom. Jean, cité entre 1604 et 1630, exécuta une partie des meubles de l'église de Montélimar ; Noël, mort en 1701, deux confessionaux et la balustrade du chœur de l'église des Granges.

CARLES Noël. Voir CARLES Louis

CARLES ROSICH Domenec ou Dominique
Né en mai 1888 à Barcelone. Mort en 1962. XXᵉ siècle. Espagnol.
Peintre, décorateur.
Il exposa au Salon des Artistes Indépendants à partir de 1913, au Salon d'Automne ainsi qu'à Madrid, Barcelone, Amsterdam et Londres.
VENTES PUBLIQUES : BARCELONE, 3 mars 1981 : *Fleurs* 1952, h/t (80x63) : **ESP 65 000**.

CARLET Gabriel Jules
Né en 1860 à Moulins. XIXᵉ siècle. Actif à Paris. Français.
Sculpteur de bustes, bas-reliefs.
Élève de Charles Gauthier.
MUSÉES : LIMOGES : *La Céramique* – MOULINS : *Buste de M. de Tracy* – *La Céramique*, bas-relief.

CARLETON Clifford
Né en 1867 à Brooklyn (New York). XIXᵉ-XXᵉ siècles. Américain.
Illustrateur.
Étudia à l'Art Students' League de New York. Il est l'auteur d'un nombre important d'illustrations parues dans les grands périodiques et dans des ouvrages.

CARLETTI Lorenzo
XVIIIᵉ siècle. Italien.
Peintre de compositions religieuses.
Auteur d'une *Crucifixion* à l'église Santa Felicita à Florence.

CARLETTI Mario
Né en 1912 à Turin. XXᵉ siècle. Italien.
Peintre.
Il participa à la fondation d'un groupe en 1939 dont Franco Gentilini, Afro Basaldella et Mirko firent partie et dans le but de lutter contre ce qui leur apparaissait comme l'académisme alors en vigueur en Italie. A l'entrée en guerre en Italie le groupe se dissout. En 1947 Carletti part vivre à Paris où il travaille et expose en 1950. De retour à Turin en 1969 il signe un nouveau manifeste intitulé *Réalisme lyrique* dont participe toujours sa peinture.
MUSÉES : MILAN (Gal. d'Art Mod.) – NEW YORK (Metropolitan Mus.) – PARIS (Mus. Nat. d'Art Mod.) – ROME (Gal. Nat. d'Art Mod.).
VENTES PUBLIQUES : MILAN, 16 nov. 1976 : *Le cirque*, monotype (50x60) : **ITL 60 000**.

CARLETTI Policromio
XIXᵉ-XXᵉ siècles. Actif en Vénétie. Italien.
Sculpteur.

CARLEVARIS Giovanni Leonardo
Né en 1614 à Udine. XVIIᵉ siècle. Italien.
Sculpteur.

CARLEVARIS Luca, dit Casanobrio et Luca da Ca Zenobio
Né en 1665 ou 1663 à Udine. Mort en 1730 ou 1731 à Venise. XVIIᵉ-XVIIIᵉ siècles. Italien.

Peintre d'histoire, scènes de genre, paysages animés, paysages, paysages portuaires, graveur, dessinateur.

Carlevaris a une place historique, longtemps méconnue, dans l'évolution de la peinture vénitienne au XVIIIᵉ siècle. Il a permis l'élaboration de la peinture de *vedute*, particulièrement mise à l'honneur par Canaletto dans les années qui suivent. Avant d'arriver à l'art d'Antonio Canal, la peinture vénitienne a suivi un chemin qui passe par Joseph Heintz le Jeune et Carlevaris. Naturellement, ce dernier n'a pas ignoré Heintz : il a généralement gardé le côté anecdotique, profitant d'une fête, d'une réception pour présenter une vue de Venise.

Mais Carlevaris a su ordonner ses compositions dans une perspective serrée telle qu'un mathématicien pouvait le faire. Il élargit ainsi ses vues, rendues encore avec plus d'ampleur par une lumière claire qui donne un aspect réaliste aux scènes qu'il présente. La foule, conçue au départ comme un prétexte, devient un élément subordonné à ces recherches nouvelles de perspective et de lumière. Si dans *La Procession dogale au Rialto*, les personnages sont nombreux et dispersent peut-être l'attention avec leurs silhouettes soulignées par des couleurs vives, *La Pointe de la lagune et le bassin Saint-Georges* (coll. Capodilesta) oublie l'anecdote pour mettre en valeur les monuments et les bateaux. L'ensemble est équilibré suivant un clair-obscur qui annonce tout à fait la première manière d'Antonio Canal, probablement élève de Carlevaris, à ses débuts.

Bibliogr. : Pallucchini : *Venise*, Skira, Paris 1956.
Musées : Darmstadt : *Vues de Venise* – Dresde : *Vue de Venise et réception de l'envoyé de l'empereur.*
Ventes Publiques : 1845 : *Feu d'artifice à Venise* : **FRF 110** – Londres, 23 mars 1910 : *La Place-Saint Marc à Venise* : **GBP 8** – Paris, 30 mai 1924 : *L'Arrivée des bateaux marchands* : **FRF 2 820** – Paris, 3 mai 1928 : *Devant l'île San Giorgio Maggiore* : **FRF 2 400** – Londres, 8 juin 1928 : *La Place Saint-Marc, Venise* : **GBP 162** – Londres, 18 juin 1928 : *La Place Saint-Marc avec nombreux personnages* : **GBP 120** – Paris, 22 déc. 1930 : *Le Christ pendant la tempête* : **FRF 16 000** – Londres, 25 mai 1934 : *Place Saint-Marc* : **GBP 65** – Londres, 21 mai 1935 : *La Piazzetta à Venise* : **GBP 105** – Londres, 8 juil. 1959 : *Vue du Palais des Doges* : **GBP 700** – Londres, 30 juin 1961 : *Conversations chez le marchand*, pap. entoilé : **GBP 3 360** – Londres, 27 mars 1963 : *Venise, la Piazzetta* : **GBP 4 200** – Milan, 24 nov. 1965 : *La Place Saint-Marc, Venise* : **ITL 2 900 000** – Paris, 17 juin 1968 : *La Piazzetta et la Place Saint-Marc* : **FRF 62 000** – Londres, 26 mars 1969 : *Venise, la Piazzetta animée de nombreux personnages* : **GBP 15 000** – Londres, 27 nov. 1971 : *Vue de Venise* : **GNS 21 000** – Londres, 23 mars 1973 : *La Piazzetta à Venise animée de nombreux personnages*, h/t (80x98) : **GNS 9 000** – Londres, 26 nov. 1976 : *Bord de Méditerranée*, h/t (84x128) : **GBP 11 000** – New York, 16 juin 1977 : *La Piazzetta, Venise*, h/t (100x195) : **USD 100 000** – Londres, 11 juil. 1980 : *La Piazzetta à Venise animée de nombreux personnages*, h/t (80x98) : **GBP 16 000** – Paris, 16 nov. 1983 : *Port méditerranéen*, h/t (98x134) : **FRF 630 000** – New York, 17 jan. 1986 : *La Piazzetta, Venise*, h/t (95,5x192) : **USD 130 000** – London, 31 mars 1989 : *Capriccio d'un port méditerranéen avec des marins déchargeant leur cargaison et un volcan au fond*, h/t (57,8x139,1) : **GBP 66 000** – New York, 31 mai 1989 : *La Place Saint-Marc à Venise vers la Loggetta*, h/t (38,7x65,5) : **USD 93 500** – Rome, 8 mars 1990 : *Esquisse d'une scène de genre avec un vendeur de gibier dans un paysage*, h/t (50x39) : **ITL 10 000 000** – Paris, 9 avr. 1990 : *Promeneurs près d'un port*, h/t (92x130,5) : **FRF 1 050 000** – Monaco, 15 juin 1990 : *Entrée de l'Ambassadeur de France au Palais ducal de Venise*, h/t (90x158) : **FRF 5 550 000** – Londres, 14 déc. 1990 : *Paysans s'affairant autour d'un âne renversé sur un chemin et des chasseurs faisant halte à l'arrière-plan*, h/t (54,3x81,5) : **GBP 38 500** – New York, 11 jan. 1991 : *La place Saint-Marc à Venise*, h/t (60,9x57,1) : **USD 60 500** – Londres, 24 mai 1991 : *Scène de la vie quotidienne sur la Piazzetta et la place Saint-Marc à Venise*, h/t (70,5x119) : **GBP 660 000** – Londres, 5 juil. 1991 : *Paysage fluvial avec un pont écroulé près d'un château et des personnages embarquant une carrosse sur le bac tandis que des paysans attendent près d'un reposoir*, h/t (103,8x176,5) : **GBP 225 500** – Londres, 11 déc. 1991 : *Venise, la place Saint-Marc vers la Piazzetta*, h/t (70,8x118,8) : **GBP 330 000** – Monaco, 20 juin 1992 : *Scène portuaire avec une frégate mise en chantier*, h/t (93x125) : **FRF 2 997 000** – Milan, 31 mai 1994 : *Vue idéale d'un port de mer*, h/t (57x45,5) : **ITL 75 900 000** – Londres, 5 juil. 1995 : *Capriccio d'un port avec des cavaliers passant sous une arche* ; *Capriccio d'un port avec des personnages déchargeant des bateaux sur un quai près d'un arc de triomphe*, h/t, une paire de forme ovale (chaque 89,5x129) : **GBP 106 000** – Londres, 19 avr. 1996 : *Capriccio d'un port méditerranéen avec un bâtiment autrichien, des marchands et des marins sur les quais, une compagnie de militaires près de l'Arc de Constantin et du château Saint-Ange*, h/t (131,5x289) : **GBP 1 651 000** – Milan, 16-21 nov. 1996 : *Venise, place de la Libreria*, h/t (37x52) : **ITL 65 240 000** – Londres, 3 juil. 1997 : *Venise, la Place Saint-Marc* ; *Venise, Loggetta de Sansovino*, h/t, une paire (chaque 73x115) : **GBP 199 500** – Londres, 3 déc. 1997 : *Vue orientale du Molo et de la Riva degli Schiavoni à Venise avec des gentilshommes, des négociants, des arrimeurs, des marchands et des citadins* ; *Vue orientale du Molo et de la Piazzetta à Venise avec des gentilshommes, des marchands et des citadins*, h/t, une paire (76x101) : **GBP 1 651 500**.

CARLI Auguste Henri
Né le 2 juillet 1868 à Marseille (Bouches-du-Rhône). Mort en janvier 1930. XXᵉ siècle. Français.
Sculpteur de monuments, statues.
Il fut élève de Pierre Cavelier et de Louis Barrias. Il fut Sociétaire du Salon des Artistes Français en 1898 et reçut cette même année une bourse de voyage et une médaille de troisième classe. En 1900 il reçut une médaille de deuxième classe, en 1902 une médaille de première classe. Il fut ensuite hors-concours. Il fut fait Chevalier de la Légion d'Honneur. A Marseille, la place du Conservatoire de Musique et de l'ancienne École des Beaux-Arts porte son nom.
Il sculpta bon nombre de statues monumentales qu'on retrouve parfois dans les jardins publics de diverses villes, par exemple à Clermont-Ferrand.
Ventes Publiques : Versailles, 20 déc. 1981 : *L'Ange et le Démon*, bronze (H. 103) : **FRF 15 500** – Versailles, 14 nov. 1982 : *Le Rhône* 1907, bronze (H. 24,5) : **FRF 2 400**.

CARLI Gabriele, dit Milano
Mort vers 1577. XVIᵉ siècle. Actif à Ferrare. Italien.
Peintre.

CARLI Louis François
Né en avril 1872 à Marseille (Bouches-du-Rhône). XXᵉ siècle. Français.
Sculpteur.
Il est le frère d'Auguste Henri Carli. Il fut élève d'Emile Aldebert. Sociétaire du Salon des Artistes Français à partir de 1907 il reçut la troisième médaille en 1920.

CARLI Ludovica, suor
XVIᵉ siècle. Active à Lucques. Italienne.
Peintre de miniatures.

CARLI Raffaelo de' ou de'Carli. Voir CAPPONI Raffaelo

CARLIER
XIVᵉ siècle. Français.
Sculpteur de sujets religieux.
Il sculpta, en 1383, pour la cathédrale de Cambrai, une statue de saint Jean-Baptiste, que Pierre de Lihons peignit ensuite à l'huile.

CARLIER
XVIᵉ siècle. Français.
Sculpteur sur bois.
Il travailla à la cathédrale du Mans au début du XVIᵉ siècle.

CARLIER Antoine
XVIIᵉ siècle. Travaillant à Rome, entre 1634 et 1643, puis à Laon. Français.
Sculpteur.

CARLIER Camille
Née au XIXᵉ siècle à Villemomble (Seine-Saint-Denis). XIXᵉ siècle. Française.
Peintre de miniatures.
Élève de Mlle Lécuyer de Villers et de Glaize. Sociétaire des Artistes Français à partir de 1904.

CARLIER Charles
Né à Dunkerque. XVIIᵉ siècle. Actif à la fin du XVIIᵉ siècle. Français.
Peintre d'histoire.
Élève de Mathieu Elias, il a laissé de nombreux tableaux relatifs à l'histoire de Dunkerque.

CARLIER Charles Hippolyte
Né à Paris. xxᵉ siècle. Français.
Peintre.
Exposant des Artistes Français.

CARLIER Clément François Joseph
Né au xixᵉ siècle à Tangry (Pas-de-Calais). xixᵉ siècle. Français.
Sculpteur et graveur en médailles.
Sociétaire des Artistes Français à partir de 1903.

CARLIER Émile
Né à Pommereuil (Nord). xixᵉ-xxᵉ siècles. Français.
Sculpteur.
Sociétaire des Artistes Français à partir de 1906.

CARLIER Émile François
Né le 3 janvier 1827 à Paris. Mort en 1879 à Paris. xixᵉ siècle. Français.
Sculpteur.
Élève de Jean-Jacques Feuchère. Débuta au Salon en 1859.

CARLIER Émile Joseph Nestor
Né le 3 janvier 1849 à Cambrai (Nord). Mort le 11 avril 1927 à Paris. xixᵉ-xxᵉ siècles. Français.
Sculpteur de groupes, statues, bustes.
Élève des Académies de Cambrai et de Valenciennes, puis de Jouffroy, Cavalier et Chapu à l'École des Beaux-Arts de Paris.
Il débuta au Salon vers 1875 avec une statue du chroniqueur *Enguerrand de Monstrelet*.
Principales œuvres : *La Résurrection*, groupe (1877, Père-Lachaise), *Gilliatt*, groupe (1897, deuxième médaille, Musée de Valenciennes), *La Famille* (1886, Musée d'Arras), *Gilliatt*, marbre (1890, Musée du Luxembourg), *Le Destructeur* (1896), et une grande quantité de bustes : *Berlioz et Victor Massé* (Opéra), *Firmin Didot* (Hôtel de Ville), divers animaux (Museum d'Histoire naturelle), *L'Histoire Naturelle* (Sorbonne). Médaille d'or (Exposition Universelle 1889). Médaille d'honneur à Anvers et à Amsterdam. Officier de la Légion d'honneur.
Musées : Arras : *La Famille* – Cambrai : *Jason* – *L'âge de pierre* – *Gilliatt saisi par la pieuvre* – *La fraternité ou l'aveugle et le paralytique* – *Monstrelet* – *Buste d'Eugénie Bouty* – Valenciennes : *Gilliatt*.
Ventes Publiques : Saint-Brieuc, 2 déc. 1979 : *Hommage aux premiers aviateurs*, bronze, patine brune (H. 65) : FRF 3 800 – Londres, 6 nov. 1986 : *Jeune femme avec un chat et un chaton vers 1890*, bronze patiné (H. 77) : GBP 1 600 – Paris, 6 juil. 1989 : *Deux paysannes à la source*, bronze (H. 74) : FRF 10 500 – Paris, 6 avr. 1990 : *Acrobate*, bronze (H. 17,5) : FRF 4 500.

CARLIER Emmanuel
Né en 1959. xxᵉ siècle. Français.
Auteur d'installations, vidéaste.
Il a participé en 1995 à la Biennale de Lyon, avec l'œuvre *Le Temps mort*.

CARLIER Fernand Louis
Né au xixᵉ siècle à Saint-Quentin (Aisne). xixᵉ siècle. Français.
Graveur.
Élève de Berlhatte et Laplante. Il débuta au Salon de 1881.

CARLIER Henri
xviiᵉ siècle. Actif à Saint-Omer. Français.
Peintre.

CARLIER Jean Guillaume
Né le 3 juin 1638 à Liège. Mort vers 1675. xviiᵉ siècle. Éc. flamande.
Peintre d'histoire et de portraits.
Il suivit à Paris son maître Bertholet Flemalle et se maria en 1669. Il mourut d'émotion, à 37 ans, alors qu'il était en train de peindre la famille du commandant de Liège quand celui-ci reçut l'ordre de laisser entrer les Français.
Musées : Bruxelles : *Martyre de saint Denis*, esquisse pour le tableau de l'église Saint-Denis de Liège – Liège (Église des Dechausses) : *Baptême du Christ* – Mayence : *Saint Joseph couronnant l'Enfant*.

CARLIER Jules
Né à Ham-sur-Heure. xxᵉ siècle. Belge.
Peintre.

CARLIER Marc Georges
xxᵉ siècle. Français.
Sculpteur.
En 1934, a exposé *Mouette en vol*, aux Tuileries.

CARLIER Marie
Née en 1920 à Berchem (Anvers). Morte le 29 juin 1986 à Bruxelles. xxᵉ siècle. Belge.
Peintre, graveur.
Elle fut élève des Académies d'Anvers et de la Cambre. Pendant les années 1950 elle travaillait au sein des cercles de la revue *Phases*, qui regroupait toutes les tendances artistiques expérimentales issues du groupe Cobra. Elle figurait dans l'exposition rétrospective des activités de *Phases* organisée au musée d'Ixelles en 1964.
Bibliogr. : In : *Diction. Biogr. Ill. des artistes en Belgique depuis 1830*, Arto, 1987.
Musées : Bruxelles (Cab. des Estampes) – Cincinnati (Art Mus.) – Paris (Cab. des Estampes).
Ventes Publiques : Bruxelles, 13 déc. 1990 : *Nu féminin*, encre et cr./pap. (33,5x24) : BEF 28 500 – New York, 29 oct. 1992 : *Nature morte de pêches, raisin et fleurs sur un entablement de pierre*, h/t (67,9x92,4) : USD 3 850.

CARLIER Martin
Né à Pienne (Picardie). Mort après 1700. xviiᵉ siècle. Français.
Sculpteur de sujets religieux, groupes, statues.
Il fut pensionnaire du roi en 1676, à Rome, où il exécuta la copie de l'*Hermaphrodite* et celle du *Ganymède*. Il travailla pour Versailles à partir de 1682 et y fit un groupe en marbre, d'après l'antique : *Papirius et sa mère*, et une statue d'*Uranie*. Il travailla aussi à l'église des Invalides et au château de Meudon.

CARLIER Maurice
Né en 1894. Mort en 1976. xxᵉ siècle. Belge.
Peintre, sculpteur de figures.
Ventes Publiques : Bruxelles, 12 déc. 1984 : *Contrebandier et son chien*, bronze (H. 61) : BEF 42 000 – Paris, 9 déc. 1985 : *Prestidigitation 1965*, bois laqué bleu et rouge (150x91,5x29,5) : FRF 22 000 – Lokeren, 18 oct. 1986 : *La Vierge à la place Vendôme*, h/t (100x75) : BEF 110 000 – Paris, 29 sep. 1989 : *Pavane*, sculpt. en bois laqué (227x50x70) : FRF 15 000 – Lokeren, 4 déc. 1993 : *Tête*, h/pan. (28x24) : BEF 44 000 – Lokeren, 12 mars 1994 : *Trois figures*, h/t (110x80) : BEF 120 000 – Lokeren, 28 mai 1994 : *Tête*, h/pan. (26,5x17,5) : BEF 26 000 – Lokeren, 10 déc. 1994 : *Trois figures*, h/t (110x80) : BEF 100 000 – Lokeren, 20 mai 1995 : *Ouvrage d'art ou l'ingénieur poète*, bois laqué, sculpture (H. 79, l. 86) : BEF 85 000.

CARLIER Max Albert
Né en 1872. Mort en 1938. xixᵉ-xxᵉ siècles. Belge.
Peintre de genre, natures mortes, fleurs et fruits.
Ventes Publiques : Bruxelles, 25 mars 1978 : *Le Retour à l'étable*, h/t (80x100) : BEF 50 000 – Bruxelles, 17 déc. 1981 : *Nature morte aux fruits et aux fleurs*, h/t (80x120) : BEF 50 000 – Londres, 3 fév. 1984 : *Nature morte au vase de roses*, h/t (89x58,5) : GBP 1 200 – Londres, 26 nov. 1986 : *Jeune femme lisant dans un intérieur*, h/t (109x72) : GBP 4 800 – Bruxelles, 1ᵉʳ avr. 1987 : *Nature morte aux fleurs, fruits et volaille*, h/t (98x149) : BEF 200 000 – New York, 30 oct. 1992 : *Nature morte avec des roses, des anémones et d'autres fleurs près d'un éventail sur une table drapée*, h/t (90,1x60,3) : USD 7 150 – Amsterdam, 2-3 nov. 1992 : *Nature morte de fleurs, de fruits près d'un pigeon*, h/t (98x77) : NLG 6 900 – Lokeren, 20 mars 1993 : *Nature morte de fruits, fleurs et gibier*, h/t (80x121) : BEF 110 000 – Lokeren, 9 oct. 1993 : *Nature morte avec un bouquet de fleurs et une mandoline*, h/t (91x61,5) : BEF 160 000 – New York, 15 fév. 1994 : *Une table bien garnie*, h/t (101x150,5) : USD 25 300 – Londres, 22 fév. 1995 : *Nature morte de fleurs, pêches et raisin*, h/t (60x89) : GBP 3 910 – Lokeren, 11 mars 1995 : *Fleurs*, h/t (65x50) : BEF 120 000 – New York, 23 mai 1996 : *Nature morte*, h/t (60,3x90,2) : USD 11 500 – Londres, 31 oct. 1996 : *Nature morte de cerises, poires et roses*, h/t (39x59) : GBP 2 070 – Lokeren, 6 déc. 1997 : *Nature morte aux pivoines et cerises*, h/t (80x60) : BEF 120 000.

CARLIER Modeste
Né en 1820 à Wasmuël (Hainaut). Mort en 1878 à Bruxelles-Ixelles. xixᵉ siècle. Belge.
Peintre d'histoire, figures, paysages, natures mortes, fleurs et fruits, pastelliste.
Élève de l'Académie de Mons et plus tard de l'École des Beaux-Arts à Paris et de Picot. Il obtint en 1850 le prix de Rome, et resta

cinq ans dans cette ville. Il travailla ensuite longtemps à Paris, puis vint se fixer à Bruxelles.

Carlier

m Carlier

Musées : Bruxelles : *Locuste essayant des poisons sur un esclave* – Mons : *La Pologne*.

Ventes Publiques : Cologne, 12 nov. 1976 : *Roses et fruits*, h/t (80x121) : **DEM 4 500** – New York, 23 mai 1985 : *Nature morte aux fleurs*, h/t (90,1x60,4) : **USD 12 000** – New York, 28 oct. 1986 : *Nature morte aux fruits et aux fleurs*, h/t (80x119,5) : **USD 18 000** – New York, 4 fév. 1987 : *Nature morte aux roses, raisins et pêches*, h/t (60,4x40) : **USD 9 000** – New York, 24 oct. 1990 : *Nature morte d'une composition florale dans un vase de cuivre 1849*, h/t (91,5x61) : **USD 24 200** – New York, 19 fév. 1992 : *Nature morte d'un bouquet dans un vase de cuivre avec des pêches, des poires et du raisin sur une assiette sur un entablement drapé*, h/t (100,3x80) : **USD 27 500** – New York, 27 mai 1992 : *Nature morte avec un bouquet de fleurs variées et des cerises des poires et des prunes sur un entablement*, h/t (97,8x74,9) : **USD 17 600** – New York, 29 oct. 1992 : *Nature morte avec des pivoines, des glaïeuls, des œillets et des pavots dans un vase de faïence*, h/t (119,4x90,2) : **USD 13 200** – Amsterdam, 19 avr. 1994 : *Jeune fille au chapeau*, past. (55x42) : **NLG 1 840**.

CARLIER Nicolas
XVIIᵉ siècle. Français.
Sculpteur.
Il fut chargé d'exécuter avec Barthélémy Musnier huits statues à l'occasion de l'entrée du duc de Mayenne à Bordeaux (1618).

CARLIER Pierre
XVIIIᵉ-XIXᵉ siècles. Français.
Peintre.
Il était également restaurateur de tableaux à Paris.

CARLIER Vincent Léonard
Né en 1674 à Liège, où il fut baptisé le 11 janvier. Mort le 6 février 1745 à Liège. XVIIIᵉ siècle. Éc. flamande.
Peintre de compositions religieuses.
Fils de Jean-Guillaume Carlier. Il travailla au Louvre plus de vingt ans, puis revint à Liège, où il peignit un certain nombre de tableaux d'église.

CARLIER-VIGNAL Camille Marie Louise
Née à Paris. XIXᵉ-XXᵉ siècles. Française.
Peintre.
Élève de Glaize et Thévenot. Sociétaire des Artistes Français.

CARLIERI Alberto
Né en 1672 à Rome. Mort après 1720. XVIIᵉ-XVIIIᵉ siècles. Italien.
Peintre de scènes religieuses, architectures.
Carlieri fut élève de Giuseppe Marchi et, plus tard, travailla aussi sous la direction d'Andrea Pozzo.
Musées : Chambéry (Mus. des Beaux-Arts) : *Moïse sauvé des eaux*.
Ventes Publiques : Milan, 21 mai 1981 : *Architecture avec scène de triomphe ; Architecture avec scène de peste*, deux h/t (135x178) : **ITL 9 000 000** – Rome, 10 nov. 1988 : *Bacchus et Nymphes ; Cupidon et nymphes*, deux h/t (65x50,5) : **ITL 37 000 000** – Rome, 23 mai 1989 : *Perspective architecturale avec une villa près de la mer et des personnages*, h/t (118x150) : **ITL 14 000 000** – Rome, 19 nov. 1990 : *Ruines romaines avec une fontaine ; Ruines romaines animées*, h/t, une paire (chaque 141x118) : **ITL 29 900 000** – New York, 21 mai 1992 : *Festin dans la maison de Simon*, h/t (72,4x95,9) : **USD 13 200** – New York, 19 mai 1993 : *Capriccio de ruines classiques avec un homme prêchant devant des personnages assis au pied de la statue d'Hercule*, h/t (48,2x65,1) : **USD 18 400** – Rome, 22 nov. 1994 : *Capriccio avec des personnages*, h/t (64x50) : **ITL 11 500 000** – Rome, 29 oct. 1996 : *Perspective architecturale avec personnages*, h/t (103x136) : **ITL 24 465 000** – Londres, 16 avr. 1997 : *Paysage avec des personnages regroupés autour d'une fontaine à côté de ruines clasiques, des pêcheurs dans le lointain*, h/t (121,9x169) : **GBP 19 550**.

CARLIEZ Éléonore Auguste
Né au XIXᵉ siècle à Rouen. XIXᵉ siècle. Actif à Paris. Français.

Peintre de compositions religieuses, scènes de genres, architectures.
Élève de Morin, Pils et Léon Cogniet. Il débuta au Salon en 1868. Sociétaire des Artistes Français en 1883. Il a peint des épisodes légendaires. On cite de lui : *Saint Antoine et l'Enfant Jésus, Saint Clément martyr*.

CARLILL Stephen Briggs
XIXᵉ-XXᵉ siècles. Actif à Hull de 1880 à 1903. Britannique.
Peintre de genre, portraits, peintre à la gouache, aquarelliste.
Il exposa à partir de 1888 à la Royal Academy, à la New Water-Colours Society et à la New Gallery, à Londres.
Musées : Londres (Victoria and Albert Mus.) : *Études à l'aquarelle.*
Ventes Publiques : Londres, 5 mars 1993 : *Près du puits 1886*, aquar. et gche (34x48,3) : **GBP 1 955**.

CARLIN Étienne Constant
Né en 1808 à Clermont (Oise). Mort le 16 juin 1869 à Paris. XIXᵉ siècle. Français.
Portraitiste.

CARLIN Frances
Américaine.
Peintre, aquarelliste.
Membre du Water Colours Club de Washington et de l'American Water Colours Society de New York.

CARLIN John
Né en 1813 à Philadelphie. Mort après 1878 à New York. XIXᵉ siècle. Américain.
Peintre de paysages, miniatures.
Élève de J. R. Smith et de John Neagle, à New York, il compléta ses études à Londres, puis à Paris avec Paul Delaroche. S'établit à New York et exposa notamment à la National Academy.
Il a peint des miniatures sur ivoire et, plus tard, des paysages.
Ventes Publiques : Bolton, 12 mai 1983 : *The light of the harem 1871*, h/t (53,5x43) : **GBP 850** – New York, 25 mai 1995 : *Paysage enneigé à Utica 1873*, h/t (35,6x51,4) : **USD 34 500**.

CARLINE Anne
Née en 1862 dans le Middlesex. Morte en 1945. XIXᵉ-XXᵉ siècles. Britannique.
Peintre de genre, aquarelliste.
Appréciée après sa mort ; on la classe parmi les « artistes naïfs » de Grande-Bretagne. On citera d'elle : *Ramassage de fagots* et *L'île aux canards*.

CARLINE George
Né en 1855 à Lincoln. Mort en 1920. XIXᵉ-XXᵉ siècles. Britannique.
Peintre de genre, portraits, paysages, fleurs, aquarelliste.
Il exposa souvent, de 1886 à 1893, à la Royal Academy, à Suffolk Street, à la New Water Colours Society, à Londres.
Ventes Publiques : Londres, 9 déc. 1907 : *Un fumeur arabe*, dess. : **GBP 6** – Londres, 19 mai 1978 : *La Femme de l'artiste dans une barque, pêchant*, h/pan. (21x29,2) : **GBP 1 000** – Londres, 29 juil. 1988 : *Paysage de landes*, h/pan. (20,7x28,8) : **GBP 440** – Londres, 2 juin 1989 : *Les bouquets de pivoines 1902*, h/t (102x127,5) : **GBP 5 500**.

CARLINE Sydney
Né le 14 août 1888 à Londres. Mort le 14 février 1929 à Londres. XXᵉ siècle. Britannique.
Peintre de portraits, paysages, graveur de médailles, illustrateur.
Fils de George Carline, il étudie entre 1907 et 1910 à la Slade School puis à Paris. Il a illustré *La révolte dans le désert* de T. E. Lawrence en 1938.
Musées : Londres (Tate Gal.).
Ventes Publiques : Londres, 13 mars 1981 : *Paysans de Palestine*, h/pan. (35,5x42,5) : **GBP 200**.

CARLINE T.
XIXᵉ siècle. Actif à Shrewsbury. Britannique.
Sculpteur.
Il exposa de 1825 à 1828 à la Royal Academy, à Londres.

CARLINI Agostino
Né à Gênes. Mort en 1790 à Londres. XVIIIᵉ siècle. Italien.
Peintre de portraits, sculpteur, dessinateur.
Cet artiste quitta Gênes dans sa jeunesse et alla s'établir à Londres. Il y fit sa carrière, comme peintre et sculpteur et y fut

très admiré. Il exposa de ses œuvres en sculpture de 1760 à 1786, à la Society of Artists et à la Royal Academy. Membre de cette dernière institution dès sa fondation, il en devint conservateur en 1783. De ses tableaux, on ne mentionne qu'un portrait à l'huile, qu'il exposa en 1776. Le British Museum conserve de lui un dessin : *La Sculpture et la Peinture*.

CARLINI Giulio
Né en 1826 ou 1830 à Venise. Mort en 1887 à Venise. XIXe siècle. Italien.

Peintre de genre, portraits, paysages.

Il a exposé à Venise et dans d'autres villes d'Italie, et aussi à Munich et à Vienne. Il était membre de l'Académie de Raphaël d'Urbino.

On cite de lui : *Le retour des pêcheurs*, *Le canal à Venise*, *La méditation interrompue* (Nice), *Marino Faliero* (Trieste), *Peintures au plafond de l'église Madonna del' Arto* (Venise), *Ultimo addio di Jacopo Foscari* (Venise), *Portraits de Vénitiens illustres* (Café Florian à Venise).

Musées : Parme : *Portrait de Louise Marie de Bourbon et de son fils Robert de Bourbon* – Venise (Gal. Nat.) : *Aristides*.

Ventes publiques : New York, 13 fév. 1981 : *La favorite du sultan* 1861, h/t (94,5x77,5) : **USD 2 300** – Munich, 17 oct. 1984 : *Fillette dans un intérieur* 1855, h/t (135x108) : **DEM 3 000**.

CARLINI L.
Originaire de Rimini. XIXe siècle. Travaillant dans la première moitié du XIXe siècle. Italien.

Graveur.

CARLINIER Louis
XVe siècle. Français.

Peintre, peintre verrier.

Maître d'œuvre à la cathédrale d'Avignon, il exécuta, dans cette cathédrale, les verrières de la chapelle Sainte-Marthe.

CARLINO Cesare
Né en 1843 à Ivrea. Mort en 1888 à Turin. XIXe siècle. Italien.

Peintre de genre.

CARLINO di Andrea de Carlo
Mort en 1523. XVe-XVIe siècles. Italien.

Peintre.

Cité pour la première fois en 1491 à Vercelli.

CARLIS Salvatore de
Originaire de Trieste. XIXe siècle. Italien.

Sculpteur.

La Glyptothèque de Munich conserve de lui un buste de Winckelmann.

CARLISKY Alberto
Né le 21 novembre 1914 à Buenos Aires. XXe siècle. Actif en France. Argentin.

Sculpteur de groupes, figures.

Il débuta par des études de journalisme en Argentine. Il milite tôt contre le fascisme et pour les républicains espagnols. Après la Seconde Guerre mondiale, il gagne l'Europe. Il séjourne d'abord en Italie où il étudie la peinture des classiques et réalise des masques et de petites figurines. En 1953 à Paris il travaille dans l'atelier de Zadkine. Il expose personnellement en 1954 à la galerie La Roue à Paris, et à Buenos Aires en 1955 et 1958 à la galerie Bonino. Il figure également à la Biennale de Venise et à celle de São Paulo. À dater de 1959 il réside définitivement en France. En 1961 il a exposé à la galerie Bing à Paris, en 1964 à Saint-Tropez, en 1982 à l'Espace Pierre Cardin à Paris.

À partir du plâtre, son matériau de prédilection, il réalise des masques ou des tablettes, reliefs dont le support est en bois, et des œuvres semi-figuratives souvent coulées en bronze. En 1976, se sentant menacé, il commence à réaliser une série qu'il compte poursuivre tout au long de sa vie : elle est composée de figures isolées ou en groupe formant des compositions tragiques, dénonçant les régimes politiques totalitaires et l'aliénation de l'homme : *L'Homme martyr de l'Homme, du nord au sud, de l'est à l'ouest*. Les hommes aux membres déchiquetés ou sectionnés et aux visages grimaçants inspirent à la fois douleur et répulsion. Parallèlement à cette description de l'aspect le plus noir de l'humanité, Carlisky sculpte des danseuses étoiles en groupe ou solitaire, image de paix et de beauté qui s'oppose à l'agressivité du monde.

CARLISLE Anna
Morte vers 1680. XVIIe siècle. Britannique.

Miniaturiste.

Cette artiste, suivant Nagler, était une amie personnelle de Van Dyck et très estimée de Charles Ier.

CARLISLE Anne
Née à Londres. XXe siècle. Britannique.

Peintre.

A exposé au Salon d'Automne et au Salon des Indépendants à Paris.

CARLISLE Elsie May Cecilia, Mrs
Née le 20 juin 1882 à Hounslaw (Middlesex). Morte à Torquay (Glasgow). XXe siècle. Britannique.

Portraitiste et miniaturiste.

CARLISLE George James Howard de, comte. Voir HOWARD Georges James

CARLISLE John
XIXe siècle. Britannique.

Peintre de paysages, aquarelliste.

Il exposa de 1866 à 1893 à la Royal Academy, à Suffolk Street, à la New Water-Colours Society, à Londres.

CARLISLE Mary Helen
Née à Grahamstown. XIXe siècle. Britannique.

Exposa à partir de 1891 à la Royal Academy de Londres ; mention honorable au Salon de Paris en 1893.

CARLO da Bissone
XVIe siècle. Italien.

Sculpteur.

Fils de Antonello Gaggini, travaillant à Bissone, il collabora avec ses frères Giacomo et Filippo à l'achèvement du Sanctuaire de la Madone de Macerata, près de Visso, dans les Apennins, vers 1558.

CARLO da Carona
Originaire de Carona (Alpes de Bergame). XVe siècle. Travaillant à la fin du XVe siècle vraisemblablement à Rome et à Gênes. Italien.

Sculpteur.

Père d'Andrea et d'Antonio da Carona.

CARLO di G. Francesco da Carona
XVIe siècle. Italien.

Sculpteur.

Il se confond peut-être avec Carlo da Carona. Il travailla à Udine et dans les environs de cette ville entre 1509 et 1545.

CARLO di Giuliano di Filippo
XVIe siècle. Actif à Florence vers 1511. Italien.

Peintre.

CARLO da Milano. Voir BRACCESCO Carlo di Giovanni

CARLO di Niccolo
XVe siècle. Italien.

Peintre verrier.

Cet artiste florentin travailla au Vatican aux côtés de Giovanni d'Andrea en 1450-1453.

CARLO da San Miniato
XVIe siècle. Italien.

Enlumineur.

Il travailla pour la Chapelle Sixtine entre 1523 et 1534.

CARLO di ser Brancuccio
XVIe siècle. Actif à Pesaro en 1511. Italien.

Peintre.

CARLO di ser Lazzaro
Originaire de Narni (Ombrie). XVe siècle. Italien.

Peintre de compositions religieuses.

Travaillait, sous la direction de Fra Angelico, en 1447, aux peintures des nouvelles chapelles de la cathédrale d'Orvieto et était à Rome au service du pape en 1450-1451.

CARLO da Venezia
XVe siècle. Italien.

Peintre de miniatures.

Ce prêtre travailla avec Girolanna da Treninva, à l'ornementation des livres de chœurs de la cathédrale de Sienne.

CARLOFORTI Raffaele
Né en 1853 à Assise. Mort en 1901 à Rome. XIXe siècle. Travaillant à Venise et à Leipzig. Italien.

Peintre de genre, aquarelliste.

Il étudia à Rome, Paris, Londres et Munich. Il a peint surtout à l'aquarelle, choisissant pour motifs des scènes de la vie du peuple à Venise.

CARLOIS Guillaume
XVIIIe siècle. Actif dans la seconde moitié du XVIIIe siècle.
Peintre.

CARLON
Né en Angleterre. XIXe siècle. Britannique.
Graveur.
Il fournit une planche pour le *Temple de Flore* de Thornton publié en 1805.

CARLON Gabriel Marius
Né à Toulon (Var). XXe siècle. Français.
Peintre de paysages.
Exposant des Artistes Français.

CARLONE ou Carloni
Originaires de Rovio et de Scaria, en Milanais.
Artistes.
Environ cinquante-cinq artistes de ce nom, architectes, stucateurs, peintres.

CARLONE Andrea
XVIe siècle. Actif à Rome à la fin du XVIe siècle. Italien.
Sculpteur.
Frère de Taddeo Carlone.

CARLONE Andrea ou Giovanni Andrea
Né en 1639 à Gênes. Mort en 1697 à Gênes. XVIIe siècle. Italien.
Peintre.
Cet artiste étudia d'abord avec son père, Giovanni Battista Carlone, puis, plus tard, à Venise, où il travailla d'après les grands maîtres de cette école. Il peignit à Pérouse et dans les villes des environs.

CARLONE Antonio di Battista
XVIe siècle. Italien.
Sculpteur.
Actif à Gênes vers 1500, il fut aussi architecte.

CARLONE Battista di Pietro
XVe siècle. Actif à Gênes dans la seconde moitié du XVe siècle. Italien.
Sculpteur.

CARLONE Bernardo
Originaire de Rovio. Mort à Vienne. XVIIe siècle. Italien.
Sculpteur de sujets religieux, statues.
Fils de Giuseppe Carlone. Il exécuta des statues pour des églises de Gênes vers 1670.

CARLONE Bernardo
XVIIe siècle. Italien.
Sculpteur.
Fils de Taddeo Carlone. Il travailla pour les églises de Gênes vers 1600.

CARLONE Carlantonio
Mort en 1708. XVIIe siècle. Italien.
Architecte.
Reconstruisit la cathédrale de Passau, après 1680, bâtit le château de Marbach et des églises. Surtout mentionné ici en tant que principal représentant de la famille des Carloni du Milanais.

CARLONE Carlo Innocenzo ou Carloni
Né en 1686 à Scaria (près de Côme, Milanais). Mort en 1775 ou 1776 à Côme. XVIIIe siècle. Italien.
Peintre de compositions religieuses, compositions mythologiques, sujets allégoriques, compositions murales, fresquiste, graveur. Rococo.
Fils du sculpteur Givanni Battista Carlone, il étudia la peinture chez Giulio Quaglia, à Côme, quoique son père eut désiré qu'il suivit sa profession. Son talent se développa aussi à Venise et à Rome, où il travailla jusqu'à l'âge de 23 ans. Puis, il partit pour l'Autriche, où il resta de 1710 à 1725 ; en Allemagne, de 1727 à 1737 ; retourna en Lombardie de 1737 à 1775.
Comme Jacopo Amigoni et Andrea Appiani, Italiens émigrés en Allemagne, il œuvra dans le grand foisonnement du baroque puis du rococo, et passa par différentes villes d'Allemagne, y laissant des peintures à l'huile et à fresque, notamment à Breslau, Ludwigsbourg, Passau ; et en Autriche, à Vienne et Linz ; aussi à Prague. Citons, entre autres, la décoration du Belvédère inférieur en 1716 et du Belvédère supérieur en 1721-1723 à Vienne.

BIBLIOGR. : In : *Diction. de la peinture italienne*, coll. Essentiels, Larousse, Paris, 1989.

VENTES PUBLIQUES : PARIS, 15 fév. 1934 : *La vision miraculeuse* : FRF 530 – LONDRES, 22 fév. 1961 : *Sujet allégorique* : GBP 380 – MUNICH, 30 sept.-1er oct. 1965 : *Jupiter protecteur des arts* : DEM 34 500 – LONDRES, 5 déc. 1969 : *La décollation de San Felice* : GNS 4 200 – LONDRES, 1er déc. 1978 : *La Présentation au Temple*, h/t (51x39,3) : GBP 7 000 – LONDRES, 29 juin 1979 : *Ariane et Bacchus*, h/t (35,6x44,4) : GBP 2 600 – LONDRES, 10 avr. 1981 : *Anges musiciens*, h/t, étude pour la décoration de la nef de la cathédrale d'Asti en 1773 (54,5x70,5) : GBP 11 000 – MILAN, 24 nov. 1983 : *Autoportrait à son chevalet avec toute sa famille*, h/t (76,5x104) : ITL 35 000 000 – LONDRES, 10 déc. 1986 : *Hercule porté à l'immortalité*, h/t, esquisse (74x52,5) : GBP 21 000 – LONDRES, 19 fév. 1987 : *Aurore entourée de putti*, h/pap., Projet de plafond de forme ovale (43,5x33) : GBP 6 500 – NEW YORK, 14 jan. 1988 : *Le sacrifice d'Iphigénie*, h/t (34x57) : USD 18 700 – LONDRES, 20 avr. 1988 : *Les vertus théologales*, h/t (55x55,5) : GBP 12 100 – LONDRES, 7 déc. 1988 : *Aurore enlevée par des putti*, h/t (38x38) : GBP 14 410 – MILAN, 12 déc. 1988 : *Etude pour un plafond*, h/t (29,5x24) : ITL 5 500 000 – MILAN, 12 déc. 1989 : *Le couronnement de la Vierge*, h/t (27x32) : FRF 160 000 – LONDRES, 18 mai 1990 : *L'Adoration des bergers*, h/t (45,4x34,9) : GBP 26 400 – PARIS, 26 juin 1991 : *Scène allégorique*, pap. collé/t. (ovale 43x35) : FRF 15 000 – LONDRES, 11 déc. 1991 : *Un héros félicité par la muse de l'Histoire*, h/pap./t. (35,5x50) : GBP 7 700 – LONDRES, 8 juil. 1992 : *La Déposition*, h/t (80x45,5) : GBP 23 100 – LONDRES, 10 déc. 1993 : *Dieu le Père et les anges en gloire*, h/t (61,2x84,8) : GBP 19 550 – PARIS, 31 mars 1995 : *La prédication de saint Jean Baptiste*, h/t (44x57) : FRF 16 000 – MILAN, 28 nov. 1995 : *La Vierge et trois saints en prière*, h/t (29x40) : ITL 8 625 000 – PARIS, 24 mars 1997 : *La Cène*, h/t, esquisse (71x33,5) : FRF 40 000 – LONDRES, 3-4 déc. 1997 : *La Sainte Trinité avec des anges*, h/t, projet de décoration de plafond, de forme ovale (90x120) : GBP 89 500.

CARLONE Diego
Né en 1674 à Scaria. Mort en 1750 à Scaria. XVIIe-XVIIIe siècles. Italien.
Stucateur.
Fils de Giovanni Battista Carlone. Il travailla en Allemagne, en Autriche, en Suisse, et plus tard à Gênes et dans sa ville natale.

CARLONE Giacomo
XVIe siècle. Italien.
Sculpteur.
Il travailla à Carrare, puis à Gênes. Il était également architecte.

CARLONE Giacomo
Mort en 1700. XVIIe siècle. Italien.
Peintre de miniatures.
Fils et élève de Giovanni-Battista Carlone, il se fit prêtre.

CARLONE Giovanni
Originaire de Rovio. XVIe siècle. Italien.
Sculpteur sur bois.
Il travailla à Gênes où il vint se fixer en 1570. Il est le père de Taddeo et de Giuseppe Carlone, qui furent aussi ses élèves, et la souche de cette famille d'artistes.

CARLONE Giovanni
XVIIIe siècle. Travaillant dans la seconde moitié du XVIIIe siècle au monastère de Schlierbach (Haute-Autriche). Italien.
Peintre.

CARLONE Giovanni Andrea, dit il Genovese
Né en 1590 à Gênes. Mort en 1630 à Milan. XVIIe siècle. Italien.
Peintre de sujets religieux, portraits, peintre de fresques.
Son père, le sculpteur et peintre Taddeo Carlone, le fit travailler d'abord chez Pietro Sorri, à Sienne. Plus tard, se rendant à Florence, le jeune Giovanni entra dans l'École de Domenico Passagnano, où il apprit la peinture à fresque. Il participa avec son frère Giovanni Battista à la décoration de l'église de l'Annunziata del Guastato, à Gênes. Il travailla également à Milan.

VENTES PUBLIQUES : TURIN-LA LOGGIA, 22 sep. 1987 : *Un condottiere di casa Spinola*, temp./t. (155x2228) : ITL 13 000 000 – MILAN, 13 déc. 1989 : *Le martyre des saints Crisanto et Daria*, h/t (171x245) : ITL 32 000 000.

CARLONE Giovanni Battista ou Carloni
Originaire de Rovio. Mort en 1615. XVIIe siècle. Travaillant à Portovenere vers 1602. Italien.
Sculpteur.

CARLONE Giovanni Battista
Né en 1592 à Gênes. Mort en 1677. XVIIe siècle. Italien.
Peintre de compositions religieuses, scènes de genre, natures mortes, fleurs et fruits.
Fils de Taddeo Carlone, qui fut son premier maître. Élève de Passignano, à Florence, cet artiste étudia aussi à Rome, où il travailla d'après les tableaux des grands maîtres italiens sans toutefois se laisser influencer par leur style, ni par leur école.
Son coloris fut d'une originalité, d'une fraîcheur et d'une richesse remarquables. Lanzi loue dans les termes les plus admiratifs la vigueur et le soin de son exécution. Il collabora souvent avec son frère Giovanni Andrea, notamment dans la décoration de l'église de l'Annunziata del Guastato, à Gênes.

J.B Carloni

VENTES PUBLIQUES : COPENHAGUE, 16 mars 1976 : *La vente aux enchères 1891*, h/t (102x124) : DKK 14 000 – LONDRES, 6 avr. 1977 : *L'Assomption de Marie Madeleine*, h/t (170x121) : GBP 2 500 – LONDRES, 29 nov. 1985 : *La promenade en barque en été 1894*, h/t (71x91,5) : GBP 6 500 – TURIN-LA LOGGIA, 22 sep. 1987 : *Muzio Scevola devanti a Porsenna*, h/t (142x192) : ITL 25 000 000 – LONDRES, 23 mars 1988 : *Nature morte aux fruits et aux fleurs 1887-1888*, h/t (97,5x127) : GBP 4 950 – LONDRES, 24 mars 1988 : *Azalées, géraniums, roses et autres plantes vertes près d'une fenêtre 1888*, h/t (125x97) : GBP 9 900 – STOCKHOLM, 15 nov. 1989 : *Nature morte de fruits et de fleurs sur un entablement*, h/t (158x111) : SEK 35 000 – LONDRES, 27-28 mars 1990 : *Interlude musical dans une auberge 1881*, h/t (103,5x138,5) : GBP 10 450 – NEW YORK, 23 mai 1990 : *La vieille droguerie*, h/t (50,8x36,2) : USD 24 200 – COPENHAGUE, 28 août 1991 : *Femme cousant sur la grève*, h/t (71x77) : DKK 5 400 – COPENHAGUE, 6 mai 1992 : *Bateau près d'un moulin un soir d'été*, h/t (48x61) : DKK 4 800 – LONDRES, 18 juin 1993 : *Fraises près d'un vase de fleurs estivales sur une table*, h/t (58x53) : GBP 2 070 – LONDRES, 22 avr. 1994 : *L'Adoration des Mages*, h./yt (99,5x135) : GBP 20 700 – LONDRES, 9 déc. 1994 : *Le martyre de saint Étienne*, h/t (87x69,8) : GBP 11 500.

CARLONE Giovanni Battista
Originaire de Scaria. XVIIe siècle. Travailla surtout en Allemagne et en Autriche. Italien.
Sculpteur, stucateur.
Père de Diego et de Carlo Carlone. Il fut également architecte.

CARLONE Giuseppe
Né vers 1550 à Rovio. Mort à Rovio. XVIe siècle. Travailla à Gênes. Italien.
Sculpteur.
Fils de Giovanni Carlone.

CARLONE Marco ou **Carloni**
Né en 1742 à Rome. Mort en 1796 à Rome. XVIIIe siècle. Italien.
Peintre et graveur à l'eau-forte et au burin.
Le Blanc cite de lui soixante-et-une planches pour : *Vestigio delle terme di Tito coloro interne pitture*, douze planches pour : *Les Bains de Constantin*, Vignette pour : *Iconologia del Cave Cesare Ripa*, une planche pour : *Il Museo Pio Clementino, Imaginem B. Joannæ M. Buononii, Franciscus Zacchiroli*.

M C.iiiv.

CARLONE Michele
XVe-XVIe siècles. Italien.
Sculpteur.
Cet artiste génois travailla au XVe et au XVIe siècle.

CARLONE Niccolo
Né en 1644 à Gênes. Mort en 1714 à Gênes. XVIIe-XVIIIe siècles. Italien.
Peintre de compositions religieuses, fresquiste.
Fils de Giovanni Battista Carlone, et élève de Giovanni-Andrea, son oncle. Il a décoré de fresques et de tableaux à l'huile un certain nombre d'églises de Gênes.

CARLONE Pierre François Augustin Théophile
Né le 11 octobre 1812 à Nice (Alpes-Maritimes). Mort le 11 mars 1873 à Nice. XIXe siècle. Français.
Peintre de paysages, aquarelliste.
Carlone fut un peintre local au tempérament très intéressant. Il légua à sa ville natale toutes ses collections qui constituèrent la base du futur musée Chéret : celui-ci possède de lui vingt toiles et aquarelles.

CARLONE Taddeo
Né en 1543 à Rovio. Mort en 1613 à Gênes. XVIe-XVIIe siècles. Italien.
Peintre de sujets religieux, sculpteur, statues,.
Fils de Giovanni Carlone. Il fut l'élève de Daniele Casella, de Lionardo Ferrandina et de Domenico Scortione. Il exécuta à Gênes de nombreux ouvrages, modelant des statues pour les palais et les églises et travaillant à la décoration de ces édifices, bâtissant des tombeaux, élevant des fontaines. Il était aussi architecte. Par allusion à sa prodigieuse habileté on disait alors à Gênes : « far le cose alla carlona ».

CARLONE Tommaso
Mort en 1677 à Turin. XVIIe siècle. Italien.
Sculpteur de sujets religieux.
Fils de Giuseppe Carlone. Il exécuta une série d'ouvrages pour les églises de Gênes et, dans les dernières années de sa vie, travailla à Turin pour le duc de Savoie.

CARLONI Alexandre Gabriel
XXe siècle. Français.
Peintre de paysages.
Exposant du Salon des Indépendants à Paris.

CARLONI Carlo
XIXe siècle.
Graveur.
Il est l'auteur d'un *Portrait du comte Achille Fontanelli*.

CARLONI Giovanni Battista. Voir **CARLONE**
CARLONI Marco. Voir **CARLONE**

CARLOS, pseudonyme de **Carnero Carlos**
Né le 6 novembre 1922 à Montevideo. XXe siècle. Actif en France. Uruguayen.
Sculpteur. Abstrait.
Entre 1941 et 1946 il suivit les cours de l'École des Beaux-Arts de Montevideo. En 1947 il vint à Paris où il s'est fixé. Il travailla dans l'atelier d'André Lhote en 1948 puis avec Fernand Léger dont il fut le collaborateur jusqu'en 1955.
En 1957 il figura à la Biennale de Paris. Entre 1962 et 1966 il participa au Salon Comparaisons. Sa première exposition personnelle eut lieu en 1953.
Il réalise des reliefs peints abstraits à partir d'ardoise, où des incisions et des crevasses animent la surface évoquant une quelconque vie géologique.
MUSÉES : AMSTERDAM (Stedelijk Mus.) – GRENOBLE – LE HAVRE.

CARLOS Ier Ferdinand Louis Marie François d'Assise, roi du Portugal
Né en 1863 à Lisbonne. Mort en 1908 à Lisbonne, dans un attentat. XIXe-XXe siècles. Portugais.
Aquarelliste, pastelliste.
Il exposa à plusieurs reprises à Paris, notamment à l'Exposition Universelle de 1900 où il obtint une médaille d'argent.

CARLOS III, roi des Deux-Siciles, roi d'Espagne
Né en 1716. Mort en 1788. XVIIIe siècle. Espagnol.
Graveur, dessinateur.
VENTES PUBLIQUES : PARIS, 1900 : *Deux Dames, en costume du XVIIIe siècle, secourant une mère*, dess. : FRF 100.

CARLOS, frey. Voir **CARLOS Taborda Vlame**

CARLOS Nicolas
XVIe siècle. Travaillant à Séville vers 1509. Espagnol.
Peintre.

CARLOS Taborda Vlame, frère
XVIe siècle. Hollandais.
Peintre de compositions religieuses.
Devenu moine de l'ordre de Saint Jérome, il entra en 1517 au monastère d'Espinheiro, près d'Évora. On trouve trace de son activité jusqu'en 1540.
Il réalisa surtout des peintures pour la cathédrale Notre-Dame d'Espinheiro, qui fut une commande du roi Manuel, et pour le monastère Santa Marinha da Costa à Belem. Il peignait dans la manière de Memling et de Gérard David.
BIBLIOGR. : In : *Dictionnaire de la peinture espagnole et portugaise du Moyen-Âge à nos jours*, coll. Essentiels, Larousse, Paris, 1989.
MUSÉES : ÉVORA : *Nativité* – LISBONNE (Mus. des Beaux-Arts) : *L'Annonciation 1523* – *Le Christ ressuscité apparaît à sa mère*

1529 – *L'Ascension – La Pentecôte – Saint Antoine – La Crèche – Le Suaire de Véronique – La Vierge avec le Christ enfant et deux anges au recto, Le Bon Pasteur au verso – Le Christ bénissant –* PORTO : *Madone.*

CARLOS Vasquez Obeda, ou **Ubeda**. Voir **VASQUEZ OBEDA Carlos**

CARLOS CARNEIRO. Voir **CARNEIRO**

CARLOS-LEFEBVRE A.
Né au Quesnoy (Nord). Mort en 1938. XIXᵉ-XXᵉ siècles. Français.
Peintre de paysages.
Il fut élève d'Henri Harpignies et de Paul Vayson. Il a principalement peint des paysages de Sologne. Il exposa au Salon de la Société Nationale des Beaux-Arts recevant une mention honorable en 1891, une troisième médaille en 1893 et une deuxième médaille en 1895.
MUSÉES : DOUAI – LA ROCHELLE – TUNIS – VALENCIENNES.
VENTES PUBLIQUES : PARIS, 8 mars 1943 : *Moutons en Sologne* : FRF 380 – VERSAILLES, 4 oct. 1981 : *Le chemin menant au village 1900*, h/cart. (60x80,5) : FRF 3 000 – VERSAILLES, 26 fév. 1982 : *Les grands arbres dans la prairie 1900*, h/cart. (59,5x80,5) : FRF 2 400 – PARIS, 12 mai 1995 : *La gardeuse de dindons*, h/t (50,5x65,5) : FRF 7 000.

CARLOS REIS. Voir **REIS Carlos**

CARLOS-REYMOND
Né en 1884 à Paris. Mort en 1970. XXᵉ siècle. Français.
Peintre de paysages, marines, aquarelliste, fresquiste, graveur. Néo-impressionniste.
Il fut encouragé par Claude Monet dès l'âge de seize ans. L'évolution de cet artiste semble liée au hasard souvent heureux de ses rencontres. Il exposa au Salon des Artistes Indépendants entre 1905 et 1921 et personnellement à Paris entre 1922 et 1960. Il obtint deux médailles d'or aux Arts Décoratifs en 1925 et fut Chevalier de la Légion d'Honneur.
Le pittoresque des rues parisiennes lui fournit à ses débuts des sujets de compositions animées, mais il fut ensuite rapidement séduit par le néo-impressionnisme et le divisionnisme, surtout après son installation à Saint-Tropez en 1903, car il y fit la connaissance de Paul Signac, dont il devint le disciple. Il épousa la fille d'Henri Lebasque en 1919. Lorsqu'il s'installa à Cimiez en 1941, il devint l'ami de Matisse.
Il semble s'être consacré presque exclusivement à la peinture de paysages maritimes, peints au cours de ses nombreux séjours en Bretagne, sur la côte méditerranéenne, en Italie ou en Afrique du Nord. Il travaillait tout aussi bien l'huile que l'aquarelle, la fresque et la lithographie, réalisant des œuvres dominées par la lumière.
MUSÉES : PARIS (Mus. d'Art Mod. de la ville) : *Paysage.*
VENTES PUBLIQUES : PARIS, 21 avr. 1943 : *Venise, les gondoles* : FRF 300 – PARIS, 13 juin 1972 : *Elégantes au Pré Catelan 1902* : FRF 12 000 – PARIS, 19 mars 1981 : *Le parasol orange*, h/t (80x65) : FRF 23 000 – PARIS, 26 nov. 1982 : *Le Cap Nègre*, h/t (60x73) : FRF 6 500 – PARIS, 12 déc. 1983 : *Rue de village*, gche (37x44) : FRF 5 500 – PARIS, 8 juin 1984 : *Paysage du Midi*, h/t (65x80) : FRF 12 500 – PARIS, 22 mars 1985 : *Canal à Venise*, h/pan. (75x75) : FRF 20 000 – PARIS, 9 juil. 1987 : *Nature morte à la guitare*, h/t (62 x121) : FRF 6 900 – L'ISLE-ADAM, 17 avr. 1988 : *Le picador*, h/t : FRF 5 200 – PARIS, 24 juin 1988 : *Le jardin*, h/t (73x54) : FRF 25 000 – PARIS, 18 juin 1989 : *Fontaine de Trévi (Rome)*, h/t (66x81) : FRF 22 000 – VERSAILLES, 29 oct. 1989 : *Village de Provence*, h/t (57x46) : FRF 15 000 – PARIS, 22 jan. 1990 : *Bateau à quai*, h/t (38x55) : FRF 6 500 – VERSAILLES, 8 juil. 1990 : *Port de Palma*, h/t (81x65) : FRF 58 000 – PARIS, 4 mars 1991 : *Bord de mer*, h/t (38x46) : FRF 5 000 – CALAIS, 10 mars 1991 : *Danseuses de flamenco*, h/t (130x160) : FRF 15 000 – LE TOUQUET, 8 juin 1992 : *Maison en Provence*, h/t (46x55) : FRF 8 500.

CARLOTTI Jean Albert
XXᵉ siècle. Français.
Illustrateur.
Expose à Lyon. A illustré *La Chartreuse de Parme*, de Stendhal, et *Derborence*, de Ramuz.

CARLSE James
Né en 1798 à Shoreditch. Mort en 1855. XIXᵉ siècle. Britannique.
Graveur.

Il a surtout gravé des architectures et des paysages. Il travailla pour le *Art Journal* et fournit aussi des planches pour des publications de Weale.

CARLSEN Carl Christian Edvard Otto
Né le 28 février 1855 à Copenhague. Mort en 1917. XIXᵉ-XXᵉ siècles. Danois.
Peintre de genre, paysages.
Élève de l'Académie de 1874 à 1879, il a, en 1882 et 1883, complété ses études artistiques à Paris. Il a exposé depuis 1878. Il a concouru en 1887 pour le prix Neuhausen, et exposé, à partir de 1878, à Charlottenborg des scènes de genre et des paysages.

Carl Carlsen

VENTES PUBLIQUES : LONDRES, 5 juin 1964 : *The toast* : GNS 110 – COPENHAGUE, 8 nov. 1972 : *Le jardin devant la maison* : DKK 7 300 – COPENHAGUE, 30 août 1977 : *Pasteur jouant aux cartes*, h/t (38x47) : DKK 6 000 – COPENHAGUE, 24 août 1982 : *La vente aux enchères 1891*, h/t (102x124) : DKK 27 000 – NEW YORK, 26 mai 1983 : *L'après-midi musical 1880*, h/t (54,5x62) : USD 9 000 – LONDRES, 16 mars 1989 : *La plage de Hornbaek 1894*, h/t (64x95,2) : GBP 7 700 – COPENHAGUE, 16 nov. 1994 : *Intérieur d'une forge avec un homme lisant les nouvelles*, h/t (39x61) : DKK 9 000 – PARIS, 31 mai 1995 : *L'épicier malchanceux 1888*, h/t (56x48,5) : FRF 6 500 – NEW YORK, 1ᵉʳ nov. 1995 : *À la salle des ventes 1891*, h/t (104,1x123,5) : USD 63 000.

CARLSEN Carl Peter August Schlichting. Voir **SCHLICHTING-CARLSEN Karl**

CARLSEN Dines
Né en 1901. Mort en 1966. XXᵉ siècle. Américain.
Peintre de paysages, natures mortes, fleurs.
Dans ses paysages, il montrait un soin attentif, sans doute hérité de l'impressionnisme, aux variations horaires, saisonnières et climatiques de l'aspect du paysage.
VENTES PUBLIQUES : NEW YORK, 25 oct. 1979 : *Nature morte 1929*, h/t (61x63,5) : USD 6 250 – NEW YORK, 19 juin 1981 : *Paysage d'automne, Connecticut*, h/t (61x63,5) : USD 3 250 – NEW YORK, 18 mars 1983 : *La cruche blanche*, h/t (61,7x51,2) : USD 3 500 – NEW YORK, 23 mars 1984 : *Ruisseau de montagne*, h/t mar./cart. (50,7x61) : USD 1 500 – NEW YORK, 31 jan. 1985 : *Brun et or*, h/t (64,1x62,2) : USD 7 500 – SAN FRANCISCO, 27 fév. 1986 : *Paysage du Connecticut en hiver*, h/cart. (38x49) : USD 1 300 – NEW YORK, 26 mai 1988 : *Lauriers roses 1935*, h/t (63,4x76) : USD 14 300 – NEW YORK, 24 juin 1988 : *Pot de violettes africaines blanches*, h/pan. (50x40) : USD 1 500 – NEW YORK, 23 sep. 1992 : *Le Manteau de mandarin 1932*, h/t (74x68,5) : USD 22 000 – NEW YORK, 13 sep. 1995 : *Nature morte avec une porcelaine de Canton 1935*, h/t/cart. (63,5x76,2) : USD 20 700.

CARLSEN Émil. Voir **CARLSEN Sören Emil**

CARLSEN Rudolf Julius
Né le 13 avril 1812 à Copenhague. Mort le 19 février 1892. XIXᵉ siècle. Danois.
Peintre de portraits, paysages.
Élève de l'Académie de 1827 à 1838, sous la direction d'Eckersberg, Johann Ludwig Lund et G. Hetch. Il a peint, au cours d'un voyage en Suède et en Norvège, un certain nombre de portraits, dont il a même exposé quatre de 1837 à 1839. En 1839, il partit pour Buenos Aires où il peignit surtout des paysages. En 1842, il revint au Danemark. Il a exposé de nouveau des portraits en 1868, 1869 et 1870.

CARLSEN Sören Emil
Né en 1853 à Copenhague. Mort en 1932. XIXᵉ-XXᵉ siècles. Depuis 1872 environ actif aux États-Unis. Danois.
Peintre de portraits, paysages, marines, natures mortes, fleurs et fruits à la gouache, aquarelliste.
Il fit des études d'architecture à l'Académie des Beaux-Arts de Copenhague. Vers 1872 établi en Amérique, il obtint une médaille d'or à l'Exposition de Saint-Louis en 1904, ainsi que d'autres distinctions à la National Academy de New York, au Salmagundi Club, à la Society of American Artists.

Emil Carlsen

MUSÉES : BROOKLYN – WORCESTER.
VENTES PUBLIQUES : NEW YORK, 9 jan. 1902 : *Belles roses américaines* : USD 55 – NEW YORK, 1ᵉʳ fév. 1906 : *La Lune dans un ciel*

nuageux : **USD 370** – New York, 25 jan. 1935 : *Brumes et arc-en-ciel* : **USD 150** – New York, 2 mars 1944 : *Nature morte* 1914 : **USD 225** – New York, 16 mars 1967 : *Nature morte* : **USD 2 600** – New York, 20 avr. 1972 : *Nature morte aux poissons* 1890 : **USD 2 000** – Los Angeles, 8 mars 1976 : *Nature morte au vase de fleurs*, h/t mar./cart. (63,5x38) : **USD 2 900** – New York, 27 oct. 1977 : *Nature morte à l'éventail* 1921, h/t (51,4x41,3) : **USD 1 600** – New York, 8 déc. 1978 : *Paysage de printemps*, h/t (38x45,5) : **USD 2 600** – New York, 20 avr. 1979 : *Nature morte aux roses*, h/t (47,5x38,1) : **USD 9 500** – Los Angeles, 15 oct. 1979 : *Pigeons morts*, aquar. (45x71) : **USD 1 600** – New York, 29 mai 1981 : *Cape and sands* 1885, h/t (99x128,4) : **USD 22 000** – New York, 9 déc. 1983 : *L'Éventail*, h/t (38,2x46,1) : **USD 38 000** – New York, 6 déc. 1984 : *Roses* 1894, h/t (88,9x63,5) : **USD 41 000** – New York, 5 déc. 1985 : *Chrysanthèmes* 1885, h/t (64,4x117,5) : **USD 55 000** – New York, 29 mai 1987 : *La Mer majestueuse*, h/t (76,2x88,9) : **USD 28 000** – New York, 17 mars 1988 : *Nature morte de gibier à plume* 1891, h/t (62,5x87,5) : **USD 5 500** – New York, 26 mai 1988 : *Les glaçons* 1894, h/t (55,8x68,6) : **USD 35 200** – New York, 24 juin 1988 : *Nature morte aux pots de cuivre* 1894, h/t (40,4x38) : **USD 7 975** – New York, 30 sep. 1988 : *Le Cellier* 1884, h/t (43,2x78,1) : **USD 15 400** – New York, 1er déc. 1988 : *Chrysanthèmes dans un vase oriental*, h/t (91,4x66) : **USD 33 000** – New York, 24 jan. 1989 : *Autoportrait*, h/t (80x59,3) : **USD 2 200** – New York, 24 mai 1989 : *La Rencontre des mers* 1919, h/t (118,8x147,3) : **USD 37 400** – New York, 28 sep. 1989 : *Nature morte avec un coq et un pot de terre* 1893, aquar./pap. (30,5x25,4) : **USD 7 150** – New York, 30 nov. 1989 : *L'Automne en forêt* 1929, h/t (71,1x56,5) : **USD 19 800** ; *La bassine à confiture en cuivre* 1928, h/t (74,9x68,6) : **USD 66 000** – New York, 1er déc. 1989 : *Sous-bois* 1926, h/t/cart. (61x41) : **USD 15 400** – New York, 24 jan. 1990 : *Proies abattues*, aquar. et gche/cart. (45,1x71,1) : **USD 3 850** – New York, 16 mars 1990 : *Derrière l'atelier du peintre*, h/t (45,7x61) : **USD 16 500** – New York, 24 mai 1990 : *Paysage – la Montagne orangée*, h/t (87x97,8) : **USD 17 600** – New York, 26 sep. 1990 : *Nature morte avec une bassine étamée, une cafetière de cuivre et des pigeons*, h/t (55,8x83,7) : **USD 14 300** – New York, 22 mai 1991 : *La Côte du Maine* 1914, h/t (101,6x127) : **USD 55 000** – New York, 5 déc. 1991 : *Bouilloire de cuivre et cafetière de porcelaine*, h/t (51,4x61,6) : **USD 24 200** – New York, 12 mars 1992 : *Le long de la côte*, h/t (63,5x76,5) : **USD 49 500** – Londres, 18 mars 1992 : *Nature morte avec des cerises, des prunes et un melon*, h/t (39,5x50) : **GBP 5 720** – New York, 28 mai 1992 : *Une brise rafraîchissante*, h/t/cart. (99,3x114,3) : **USD 60 500** – New York, 27 mai 1993 : *Les arbres verts* 1928, h/t (127x101,6) : **USD 40 250** – New York, 26 mai 1994 : *Autoportrait avec son fils Dines*, h/t (132,7x101,6) : **USD 13 800** – New York, 25 mai 1995 : *Pot de cuivre et têtes d'ail* 1927, h/pan. (36,8x29,2) : **USD 19 550** – New York, 29 nov. 1995 : *Le vieux sycomore*, h/t (81,3x91,4) : **USD 46 000** – New York, 26 sep. 1996 : *Nature morte avec un buste et des roses blanches* 1887-1888, h/t (92,1x66) : **USD 29 900** – New York, 23 avr. 1997 : *Tomates et poireaux* 1897, h/pan. (21,8x29,8) : **USD 4 370**.

CARLSON Charles Joseph

Né le 20 octobre 1860 à Gothenburg (Suède). xixe siècle. Américain.
Peintre.
Élève de Virgil Williams à San Francisco (Californie). A partir de 1876, il fut souvent médaillé à la California School of Design. Membre du célèbre Bohemian Club de San Francisco.

CARLSON Conrad Oscar

Né le 30 mars 1840 à Copenhague. Mort le 19 mars 1864 à Dybböl. xixe siècle. Danois.
Peintre de genre, portraits, paysages, dessinateur.
Élève de Frederik Helsted, il fréquenta l'Académie de 1856 à 1861. Il a exposé, de 1859 à 1864. Il participa à la guerre de 1863 et envoya des dessins des opérations militaires à une revue illustrée (*Illustreret Tidende*). Ce jeune artiste de talent fut tué le 19 mars 1864 au combat de Dybböl.

CARLSON John Fabian

Né en 1875 à Kalmar-Lan. Mort en 1945. xixe-xxe siècles.
Depuis 1884 actif aux États-Unis. Suédois.
Peintre de paysages, peintre à la gouache, aquarelliste.
Groupe de Woodstock.
Sa famille émigra aux États-Unis en 1884 et s'installa à Buffalo. Il obtint une bourse pour travailler à L'Art Students' League en 1902, où il travailla sous la direction de Frank Vincent Dumond. Deux ans plus tard une autre bourse lui permit de travailler pen-

dant l'été de nouveau à la League. Il s'y lia avec Birge Harrison qui fut son maître et son ami, lui inculquant l'amour de la nature, l'utilisation de la couleur, de la lumière, des formes qu'il interprétait en les idéalisant pour donner à son travail une ambiance sereine.
Quand Harrison se retira en 1911, il lui succéda à la direction de l'Art Students' League Summer School, qui prospéra et l'accapara tellement qu'il ne lui resta plus que la fin de l'automne et l'hiver pour se livrer à ses travaux personnels ; ceci explique qu'il soit surtout connu pour ses paysages d'hiver, enneigés ou lors du dégel. Ses théories ne s'accordant plus avec le travail des jeunes artistes, il abandonna l'enseignement en 1918. Toutefois, en 1922, il ouvrit le John Fabian Carlson School de peinture de paysages.
Ventes Publiques : New York, 29 mai 1981 : *Matinée d'hiver, Woodstock*, h/t (63,5x81,2) : **USD 7 500** – New York, 30 sep. 1982 : *La fonte des neiges*, h/t (45,8x61,4) : **USD 3 500** – New York, 18 mars 1983 : *Dégel au printemps*, gche (23,9x34,7) : **USD 600** – New York, 28 sep. 1983 : *La vieille forge*, h/t mar./cart. (30,2x40,6) : **USD 1 200** – New York, 23 mars 1984 : *Matinée d'hiver*, h/t (76,2x63,9) : **USD 2 200** – Boston, 30 mars 1985 : *Winter groves*, h/t (76,2x101,5) : **USD 13 500** – New York, 26 sep. 1986 : *Lumière d'hiver*, h/t (30,6x40,7) : **USD 2 600** – New York, 29 mai 1987 : *Sentinelles de la rivière*, h/t (76,5x102) : **USD 13 000** – New York, 17 mars 1988 : *Bosquet ensoleillé*, h/t (20x27) : **USD 2 530** – New York, 26 mai 1988 : *Le sanctuaire*, h/t (76,2x101,7) : **USD 8 800** – New York, 25 mai 1989 : *Le dégel d'un ruisseau*, h/t (76,7x120) : **USD 13 200** – New York, 28 sep. 1989 : *Templed Hills*, h/t (124,5x149,5) : **USD 22 000** – New York, 14 fév. 1990 : *Une forêt en hiver*, h/cart. (26,1x21) : **USD 3 520** – New York, 23 mai 1990 : *En bordure des bois à Berkshire*, h/t (124x149,2) : **USD 41 800** – New York, 30 mai 1990 : *Dégel au soleil des berges de la rivière*, h/t (62,9x80,7) : **USD 15 950** – New York, 26 sep. 1990 : *Paysage d'hiver*, h/t (101,6x132,1) : **USD 22 000** – New York, 17 déc. 1990 : *Paysage d'hiver enneigé*, aquar./pap. (33,1x40,7) : **USD 1 650** – New York, 14 mars 1991 : *Clarté d'après-midi*, h/t (64x76,7) : **USD 11 000** – New York, 26 sep. 1991 : *L'éveil de février*, h/t (63,5x76,5) : **USD 14 300** – New York, 3 déc. 1992 : *Une forêt en hiver*, h/t/cart. (77,5x102,2) : **USD 9 350** – New York, 12 sep. 1994 : *Première neige*, h/t (41,3x51,4) : **USD 4 887** – New York, 28 nov. 1995 : *L'hiver à Woodstock*, h/t (46x61) : **USD 23 000** – New York, 25 mars 1997 : *Poème matinal*, h/t/pan. (30,5x40,6) : **USD 4 887**.

CARLSON-PERCY Arthur

Né en 1886 à Oland. Mort en 1976. xxe siècle. Suédois.
Peintre de portraits, figures, intérieurs, paysages, natures mortes.
Musées : Stockholm (Mus. Nat.).
Ventes Publiques : Stockholm, 23 avr. 1983 : *Nature morte aux fleurs* 1935, h/t (64x49) : **SEK 11 500** – Stockholm, 16 nov. 1985 : *Nature morte aux fleurs* 1947, h/t (81x59) : **SEK 41 000** – Stockholm, 27 mai 1986 : *Nature morte aux fleurs* 1945, h/t (72x49) : **SEK 50 000** – Stockholm, 6 juin 1988 : *Nature morte avec des fleurs dans un vase de cristal*, h. (64x53) : **SEK 28 000** – Londres, 16 mars 1989 : *Fleurs d'été dans un vase* 1920, h/t (73x60) : **GBP 14 300** – Stockholm, 6 déc. 1989 : *Nature morte de fruits près d'un vase de fleurs*, h/t (72x49) : **SEK 32 000** – Stockholm, 5-6 déc. 1990 : *Jeune baigneuse* 1916, h/t (31x23) : **SEK 13 000** – Stockholm, 13 avr. 1992 : *Paysage hollandais avec des moulins sur la rivière* 1969, h/t (64x45) : **SEK 10 000** – Stockholm, 5 sep. 1992 : *Village en France*, h/t (38x45) : **SEK 11 500** – Paris, 13 oct. 1995 : *Le grand bassin* 1912, h/t (55x46,5) : **FRF 12 000**.

CARLSSON Alexandre

Né en 1846 à Stockholm. Mort en 1878 à Rome. xixe siècle. Suédois.
Sculpteur.
Il fut l'élève de l'Académie de Stockholm (1865-1871), puis de J. P. Molin à Rome.
Musées : Stockholm : Coupe en bronze – *Lake, dieu de la mythologie scandinave, est enchaîné* – *Agnèse Börjesson, peintre*, esquisse inachevée en bronze – *Petit médaillon en plâtre*.

CARLSSON Harry

Né en 1891 ou 1913. Mort en 1968. xxe siècle. Danois.
Peintre de compositions animées. Surréaliste.
Dans une technique défaillante et un esprit sommaire, il tendait à imiter les thèmes de Dali, non sans vulgarité.
Ventes Publiques : Copenhague, 6 avr. 1976 : *Composition surréaliste* 1936, h/t (58x59) : **DKK 4 000** – Copenhague, 25 fév. 1987 :

Les passagers 1933, h/t (99x80) : **DKK 32 000** – Copenhague, 20 sep. 1989 : *Nature morte* 1926, h/t (78x120) : **DKK 5 300** – Copenhague, 30 mai 1990 : *Femme découpée dans un paysage* 1936, peint./pan. (70x80) : **DKK 22 000** – Stockholm, 14 juin 1990 : *Amour triomphant* 1936, h. et collage/t. (130x95) : **SEK 70 000** – Copenhague, 4 déc. 1991 : *Visite nocturne chez Vénus* 1932, h/t (66x53) : **DKK 16 000** – Copenhague, 12 mars 1996 : *Ballerine* 1932, h/t (70x61) : **DKK 11 000** – Copenhague, 22-24 oct. 1997 : *Edgar Allan Poe* 1933, h/t (126x90) : **DKK 42 000**.

CARLSSON Vilhelmina, née Bredberg
Née en 1857 à Stockholm. xixᵉ siècle. Suédoise.
Peintre de portraits.
Étudia à Paris. Elle a exposé à Paris un portrait au Salon de 1887 et son portrait par elle-même à l'Exposition Universelle de 1889.

CARLSTEDT Birger Jarl
Né en 1907 à Helsinki. xxᵉ siècle. Finlandais.
Peintre. Abstrait-géométrique.
Il fit ses études à Helsinki puis entreprit un long voyage en France, en Italie et en Allemagne. Il participa ensuite à de nombreuses expositions collectives dans les pays scandinaves et à Berlin, Rome, au Salon des Réalités Nouvelles à Paris en 1951 et 1952.
Ses premières recherches s'inscrivaient dans la descendance du cubisme, à partir duquel il réalisait une peinture aux formes simplifiées définies par une gamme chromatique vive. En 1947 il exécuta un ensemble de plusieurs peintures murales pour une usine de Kauttua. Il crée une peinture abstraite d'esprit géométrique classique, où les formes courbes et droites s'équilibrent dans une gamme de couleurs très vive, peinture monumentale riche et agréable qui fait penser à Herbin.

CARLSTRÖM Gustaf
Né en 1896. Mort en 1964. xxᵉ siècle. Suédois.
Peintre de figures, paysages animés, natures mortes. Postimpressionniste.
Il a surtout peint des très jeunes personnes, surtout des fillettes, dans leurs occupations et jeux, et situées dans un contexte paysagé. Il se montre sensible aux changements caractérisés de la lumière selon les conditions atmosphériques : ensoleillé, soir, été, etc. Il a aussi peint des paysages pour eux-mêmes, des natures mortes, des fleurs.

[signature : Gustaf Carlström]

Ventes Publiques : Göteborg, 24 mars 1976 : *Nature morte* 1937, h/t (84x62) : **SEK 5 600** – Göteborg, 5 avr. 1978 : *Nature morte aux fleurs* 1944, h/t (162x94) : **SEK 7 300** – Göteborg, 7 nov. 1984 : *Soir d'été, avec fillette sur la plage,* h/t (80x73) : **SEK 10 200** – Göteborg, 5 nov. 1985 : *Fillette sur la plage* 1936, h/t (96x108) : **SEK 10 000** – Göteborg, 9 avr. 1986 : *Trois fillettes dans une prairie,* h/t (72x80) : **SEK 12 000** – Londres, 23 mars 1988 : *Jeunes pêcheurs,* h/cart. (81x65) : **GBP 7 700** – Göteborg, 18 mai 1989 : *Jeune fille près d'un cours d'eau,* h/t (46x55) : **SEK 35 000** – Londres, 27-28 mars 1990 : *La découverte,* h/t (63,5x79,5) : **GBP 6 050** – Stockholm, 13 avr. 1992 : *Vue d'un archipel ensoleillé* 1948, h/t (80x99) : **SEK 3 600** – Stockholm, 10-12 mai 1993 : *Petites filles sur la plage,* h/t (73x81) : **SEK 17 500**.

CARLSTRÖM Olle
Né en 1920. xxᵉ siècle. Suédois.
Peintre de figures, paysages.
Ventes Publiques : Stockholm, 7 déc. 1987 : *Figure,* temp. (73x100) : **SEK 7 000** – Stockholm, 6 déc. 1989 : *Reflets fugitifs sur un paysage* 1965, h/t (90x116) : **SEK 7 700** – Stockholm, 21 mai 1992 : *Composition,* aquar. (53x73) : **SEK 1 700**.

CARLSUND Emma
Née le 25 octobre 1861 en Suède. xixᵉ siècle. Suédoise.
Peintre.
Élève de la Cowles Art School, où elle étudia avec De Camp et Ernest L. Major.

CARLSUND Otto Gustaf. Voir CARLSLUND

CARLTON C.
xixᵉ siècle. Britannique.
Peintre de paysages.
Il exposa de 1809 à 1839 à la Royal Academy à Londres.

CARLTON Frederick
xxᵉ siècle. Britannique.
Peintre de paysages typiques.
Ventes Publiques : Chester, 19 mars 1981 : *Coniston, Cumberland,* h/t (73,5x124,5) : **GBP 800** – Vienne, 14 sep. 1983 : *Paysage au torrent,* h/t (51x75) : **ATS 35 000** – Chester, 4 oct. 1985 : *Coniston, Cumberland,* h/t (74,5x125,5) : **GBP 1 300** – Londres, 30 mars 1994 : *Une vieille ferme dans les Downs du Surrey,* h/t (54x76) : **GBP 1 955**.

CARLTON Thomas
xviiiᵉ siècle. Actif dans la première moitié du xviiiᵉ siècle. Britannique.
Peintre.

CARLU Anne, née Pecker
Née en 1895. Morte le 15 juillet 1972. xxᵉ siècle. Française.
Peintre.
Elle fut la femme de l'architecte et affichiste Jean Carlu.

CARLU Émile
Né à Paris. xixᵉ-xxᵉ siècles. Français.
Exposa au Salon des Indépendants de 1907.

CARLU Jean
Né en 1900 à Bonnières (Yvelines). Mort le 22 avril 1997. xxᵉ siècle. Français.
Affichiste, graphiste.
Après des études d'architecture, il fit une carrière d'organisateur d'expositions et d'affichiste publicitaire. À ce titre, il dirigea la conception du Pavillon *Art et Technique* de l'Exposition Universelle de Paris en 1937. À partir de 1940, il passa treize ans aux États-Unis, participant à la campagne d'information des armées et créant la première affiche américaine de guerre. Il a conçu plus de cinq cents affiches pour des sociétés industrielles, dont : *Larousse, Monsavon, Cinzano, Perrier, Pan American Airways, Air France.*
Ventes Publiques : New York, 31 mars 1979 : *Grandes Fêtes de Paris* 1934, affiche en coul. (86,5x59) : **USD 800** – Orléans, 1ᵉʳ juin 1980 : *La nuit du Grand-Palais, exposition des Arts décoratifs,* litho. (75x56) : **FRF 2 800** – Paris, 3 avr. 1981 : *Théâtre Pigalle, machinerie, éclairage,* litho. 1929 (155x105) : **FRF 12 000**.

CARLUCCIO Martino
Mort en 1865. xixᵉ siècle. Italien.
Sculpteur.
Fils de Vito Carluccio.

CARLUCCIO Vito
Né à Muro (Apulie). Mort en 1829. xixᵉ siècle. Italien.
Sculpteur.

CARLUCCIO da Padova
xvᵉ siècle. Actif à Naples à la fin du xvᵉ siècle. Italien.
Peintre.

CARLUS Jean
Né le 21 mars 1852 à Lavaur (Tarn). xixᵉ siècle. Français.
Sculpteur.
Élève de Falguière et de Mercié. Sociétaire des Artistes Français depuis 1886, et hors-concours depuis 1889. Il obtint des médailles en 1889, 1899 et 1900. On cite de lui : *Molière et sa servante,* au Musée de Sens, la *Statue de Buffon,* au Museum de Paris, *Les Eaux,* au Capitole de Toulouse, et *L'Orfèvrerie,* à la mairie du xᵉ arrondissement à Paris.

CARLYLE Florence
Née en 1864. Morte en 1923. xixᵉ-xxᵉ siècles. Active à Woodstock (Ontario). Canadienne.
Peintre de genre, portraits, fleurs.
Elle exposa à la Royal Academy of Arts de Canada, à l'Art Association de Montréal et à la Ontario Society of Artists.
Bibliogr. : J. Russell Harper : *Les premiers peintres et graveurs du Canada.*
Ventes Publiques : New York, 6 mai 1909 : *Miss Betty :* **USD 100** – New York, 1909 : *Il y a toujours de la place pour un de plus :* **USD 97** – Londres, 13 déc. 1926 : *Tulipes et roses dans un vase :* **GBP 5** – Toronto, 18 nov. 1986 : *Maude,* h/t (40,6x35,6) : **CAD 1 800** – Montréal, 19 nov. 1991 : *L'épluchage des légumes dans une cuisine,* h/pan. (30,5x24,8) : **CAD 3 250**.

CARLYON Cecily K.
xxᵉ siècle. Britannique.
Peintre de paysages.
Expose au Women's International Art Club.

CARMAN Adriaen
XVIIe siècle. Actif à Amsterdam. Hollandais.
Peintre.
Il fut élève d'Isaac Isaacsz en 1635.

CARMAN H. A.
XIXe siècle. Britannique.
Peintre de natures mortes.
Il exposa souvent, de 1867 à 1873, à Suffolk Street, à Londres.

CARMASSI Arturo
Né le 2 juillet 1925 à Lucca. XXe siècle. Italien.
Peintre à la gouache, peintre de techniques mixtes, sculpteur.
Il fit ses études à l'Académie Albertina de Turin, où il participa à la promotion des nouvelles formes artistiques. Il a figuré dans de nombreuses expositions collectives parmi lesquelles la Biennale de São Paulo en 1955, la Pittsburgh International Exhibition en 1955 et 1958, la Quadriennale de Rome en 1959, la Biennale de Venise en 1962.
Carmassi à ses débuts connut d'abord une longue période figurative, inspiré par des thèmes divers, comme l'érotisme puis la série des *Massacres* inspirés par le deuxième conflit mondial. Dans les années quatre-vingt, il aborde l'abstraction avec des collages et de la peinture acrylique très colorée ou introduisant des journaux et des matériaux variés à la manière des cubistes ; il emploie également le sable, le fusain, dans ses dessins. L'œuvre sculpté semble au contraire demeurer figuratif. Après la série des minotaures, il réalise une série de portraits de Van Gogh en bronze, où l'hommage au peintre disparu est mêlé à la recherche personnelle. Il a exécuté un monument *Honneur à Vincent* destiné à la ville d'Arles.

BIBLIOGR. : Franco Russoli : *Arturo Carmassi. 12 opere*, Ed. del Milione, Milan, 1960 – Patrick Waldberg : *Arturo Carmassi*, Ed. 32, Milan, 1973 – Catal. de l'exposition *Carmassi*, Musée Communal d'Art Contemporain, Arezzo, 1988.
MUSÉES : ASTI (Mus. d'Arte Mod.) : Dessins et gouaches 1947 – CHIETI : *La Vigna* 1964 – FLORENCE (Gal. d'Arte Mod.) : *Paysage* 1965 – JÉRUSALEM (Mus. du Ghetto) : Dessinns 1959 – MILAN (Mus. d'Arte Mod.) : *Le cirque* 1957 – MILAN (Cab. des Estampes du Château Sforzesco) : Dessins et gouches 1950 – ROME (Mus. d'Arte Mod.) : *Tête* 1957, sculpt. en bronze – LA SEPZIA (Mus. d'Arte Mod.) : *Les maisons roses* 1949 – TURIN (Mus. d'Arte Mod.) : *Symbiose* 1958.
VENTES PUBLIQUES : MILAN, 29 nov. 1966 : *Paysage de nuit* : **ITL 450 000** – MILAN, 28 oct. 1971 : *Composition* 1953 : **ITL 450 000** – PARIS, 8 avr. 1984 : *Petit Adam numéro 2* 1975, bronze poli, pièce unique (H. 67) : **FRF 55 000** – MILAN, 10 avr. 1986 : *Neofita* 1970, h/t (50x40) : **ITL 2 000 000** – MILAN, 6 mai 1987 : *Paysage de nuit* 1953, h/t (69,5x100) : **ITL 1 800 000** – MILAN, 8 juin 1988 : *Sans Titre* 1960, techn. mixte (99,5x69,5) : **ITL 1 300 000** – ROME, 15 nov. 1988 : *Soario* 1912, h/t (100x81) : **ITL 2 000 000** – MILAN, 19 déc. 1989 : *Sans titre*, gche/pap. entoilé (50x69) : **ITL 1 000 000** – MILAN, 27 mars 1990 : *Sans titre* 1970, h/t (100x81) : **ITL 1 800 000** – MILAN, 27 sep. 1990 : *Composition*, techn. mixte/pap. entoilé (150x109) : **ITL 3 300 000** – ROME, 30 oct. 1990 : *Fleurs*, h/t (75x60) : **ITL 8 000 000** – MILAN, 19 juin 1991 : *Sans titre* 1958, h/t (100x130) : **ITL 5 200 000** – MILAN, 14 avr. 1992 : *Composition* 1953, h/pap. entoilé (70x100) : **ITL 2 000 000**.

CARME Félix
Né dans la seconde moitié du XIXe siècle à Bordeaux (Gironde). XIXe siècle. Français.
Peintre d'intérieurs.
Cet artiste travaillant à Bordeaux a exposé au Salon de la Nationale à la fin du XIXe siècle et jusqu'en 1937.

CARMEIL Louis
Né en 1920 à Fumel (Lot-et-Garonne). XXe siècle. Français.
Peintre, sculpteur d'assemblages. Art brut.
Il était boucher. Il a commencé à peindre en 1955. À partir de 1968, il s'est exclusivement consacré à son art. Il participe à des expositions collectives : 1978 Paris *Les singuliers de l'art, des inspirés aux habitants paysagistes*, au Musée d'Art Moderne de la

Ville. Il a montré des ensembles de ses travaux dans deux expositions personnelles : 1974 à Vence, galerie Alphonse Chave ; 1978 Paris, galeries contemporaines du Centre Beaubourg.
Ses peintures, généralement sans titre, se laissent difficilement définir : dans une technique picturale et une composition formelle élémentaire, des formes presqu'abstraites peuvent évoquer des rondeurs érogènes. Sinon, il fabrique, avec soin et goût, des sortes de *Reliquaires*, assemblant bois, os, arête, coquillage, perles, plumes, cheveux, cuivre, étain, verre, miroir, etc., qui dégagent une symbolique souvent attendrissante parce que du domaine de la confidence, mais surtout mystérieuse du fait que cette confidence livre les termes de l'énigme mais pas la solution.

CARMELICH Giorgio Riccardo
Né en 1907 à Trieste (Frioul-Vénétie-Julienne). Mort en 1929 à Bad Nauheim. XXe siècle. Italien.
Peintre, dessinateur, illustrateur.
Il séjourna à Turin, où il suivit des études d'architecture, puis à Venise et à Prague. Il prit part à l'exposition des arts du théâtre à Vienne, en 1924. Il fonda, avec Dolfi, la revue dadaïste *Cronache*, et publia deux manifestes qui s'intitulent : *Sensibilité artistique moderne* et *Vers un nouvel affichage publicitaire*. Il évolua très vite vers l'esthétique mécanique et le futurisme.

CARMELINA, dite de Capri
Née vers 1920 à Capri. XXe siècle. Italienne.
Peintre de paysages. Naïf.
Fille de pêcheur de Capri, elle ne quitta son île que pour faire son voyage de noces à Naples. L'un de ses deux fils, Pasqualino allait mourir, il demanda une boîte de couleurs. Sa mère voulut lui montrer, Pasqualino guérit, et l'on découvrit un étonnant peintre en Carmelina. Ayant remarqué ses premiers tableaux, l'écrivain Giancarlo Vigorelli la fit exposer pour la première fois à Rome en 1959. Après ce succès immédiat, elle exposa à Paris en 1964, avec une préface d'Anatole Jakovsky.
Elle ne peint que ce qu'elle connaît, c'est-à-dire Capri. Sans souci de perspective, de manière anecdotique, dans des couleurs vives et vraies, elle décrit le Capri qu'elle aime et qu'elle garde en sa mémoire. Les différentes parties de l'île s'interpénètrent dans une certaine « idée » de Capri, comme certaines cartes postales à plusieurs points de vue sont des « souvenirs » d'ici ou là, vues rêvées de Capri qu'elle entremêle à la guirlande de ses souvenirs de la Capri de son enfance, d'azur et d'or, dont elle n'a pas remarqué qu'elle avait aussi changé.
BIBLIOGR. : Lorenza Trucchi : *Carmelina*, Scheiwiller, Milan, 1964.

CARMELO DE ARZADUM. Voir ARZADUM Carmelo de

CARMEN Alfredo Maria del
XIXe siècle. Espagnol.
Peintre de portraits et de paysages.
On cite de cet artiste, sourd-muet, un *Gardeur de porcs*, exposé à Paris en 1878, et le *Portrait du roi Alphonse et de la reine*, à Madrid en 1879.

CARMERO Matteo ou Carnero
XVIIe siècle. Actif à Venise. Italien.
Architecte et sculpteur.

CARMI Eugenio
Né en 1920 à Gênes. XXe siècle. Italien.
Peintre. Abstrait-géométrique.
Après un diplôme de chimie de l'Institut Polytechnique de Zurich, il décide de se consacrer à la peinture. Au lendemain de la guerre, il a travaillé dans l'atelier de Casorati à Turin, à l'Académie des Beaux-Arts de Gênes et à l'Ecole des Arts Appliqués de Zurich. Il a participé à de nombreuses expositions collectives et a obtenu un prix à la XIe Triennale de Milan en 1957. En 1990, l'Espace Ansaldo de Milan lui a consacré une importante rétrospective. En 1991-1992, le Studio Reggiani a montré aussi un ensemble de ses œuvres.
Lorsqu'il était élève de l'atelier Casorati, il faisait une peinture figurative. Il a exécuté trois grands panneaux décoratifs pour le paquebot *Leonardo da Vinci*. Dans les compositions de sa première époque abstraite, à tendance matièriste, il a souvent introduit des collages et des éléments métalliques de récupération. Il évolua ensuite à une abstraction à caractère géométrique, référée au Bauhaus, à Mondrian, duquel il a retenu le précepte de l'asymétrie comme élément perturbateur d'un excès de rationalité, dans laquelle il utilise des figures simples : lignes, triangles, cercles, et un chromatisme contrôlé. ■ J. B.

Musées : Londres – Rome.
Ventes Publiques : Milan, 24 juin 1980 : *Tensione verso destra* 1971, h/t (50x70) : **ITL 700 000** – Milan, 10 déc. 1985 : *Rouge et noir* 1984, acryl./t. de jute (100x100) : **ITL 3 300 000** – Milan, 10 mars 1986 : *Appunti sul nostro tempo* 1962, fer et acier (80x100) : **ITL 4 400 000** – Milan, 16 oct. 1986 : *Triangolo ribelle 1* 1970, temp./t. (100x70) : **ITL 2 500 000** – Milan, 18 juin 1987 : *Equilibre I* 1969, h/t (115x88) : **ITL 1 100 000** – Milan, 19 déc. 1989 : *Petite histoire d'inclinaison* 1975, h/t (50x50) : **ITL 1 500 000** – Milan, 12 juin 1990 : *Instabilité* 1972, acryl./t. (101x70) : **ITL 4 000 000** – Rome, 9 déc. 1991 : *Peinture* 1960, h. et collage/t. (51x65) : **ITL 2 300 000** – Rome, 12 mai 1992 : *Cercle rouge* 1972, acryl./t. (60x50) : **ITL 1 600 000** – Rome, 14 déc. 1992 : *Pinture* 1960, h. et collage/t. (51x65) : **ITL 2 760 000** – Milan, 5 déc. 1994 : *Signal imaginaire* 1974, acryl./t. (60x60) : **ITL 1 725 000**.

CARMICHAEL Elizabeth, Mrs
XVIIIe-XIXe siècles. Britannique.
Portraitiste.
Elle exposa à Londres de 1768 à 1811 à la Society of Artists, à la Free Society, à la Royal Academy et à la British Institution.

CARMICHAEL Franklin
Né en 1890 à Orilla (Ontario). Mort en 1945 à Lansing (Ontario). XXe siècle. Canadien.
Peintre de paysages, aquarelliste. Groupe des Sept.
Membre de la Canadian Society of Painters in Watercolours, il fit partie du Groupe des Sept.
Ventes Publiques : Toronto, 17 mai 1976 : *Torrent et rochers* 1941, aquar. (28x33) : **CAD 5 200** – Toronto, 19 oct. 1976 : *Rolling Hills* vers 1918, h/cart. (25x30,5) : **CAD 9 000** – Toronto, 9 mai 1977 : *Soir, Lac Supérieur* 1930, h/t (76,3x90) : **CAD 36 000** – Toronto, 14 mai 1979 : *Paysage montagneux* 1939, h/pan. (25,3x30,3) : **CAD 34 000** – Toronto, 11 nov. 1980 : *Lac Cranberry* 1942, h/pan. (25x30) : **CAD 40 000** – Toronto, 26 mai 1981 : *Lac Supérieur* 1926, aquar. (25,6x30,6) : **CAD 18 000** – Toronto, 3 mai 1983 : *Mc Gregor Bay* 1933, aquar. (26,9x32,5) : **CAD 8 000** ; *Le lac Cameron* 1939, h/pan. (25x30) : **CAD 17 000** – Toronto, 14 mai 1984 : *La cloche* 1939, h/pan. (25x30) : **CAD 19 000** – Toronto, 28 mai 1985 : *La Cloche hills* 1934, aquar. (25,6x30,6) : **CAD 5 000** – Toronto, 18 nov. 1986 : *La Cloche hills*, h/cart. (25x28,8) : **CAD 24 000**.

CARMICHAEL Herbert
Né le 1er juin 1856 à Ryton-sur-Tyne (Durhamshire). XIXe siècle. Britannique.
Peintre de compositions religieuses, paysages, fleurs.
Études à la Royal Academy et à Anvers.

CARMICHAEL James
XVIIIe siècle. Britannique.
Miniaturiste.
Il exposa de 1809 à 1839 à la Royal Academy à Londres.

CARMICHAEL John ou James Wilson
Né vers 1800 à Newcastle-on-Tyne. Mort en 1868 à Scarborough (York). XIXe siècle. Britannique.
Peintre de marines, aquarelliste.
Cet artiste reçut sa première instruction artistique dans sa ville natale, où il résida jusqu'à l'année 1845. Carmichael voyagea en Italie et rapporta des études dont il se servit pour son tableau : *Vaisseau dans la baie de Naples*, exposé en 1838 à la Society of British Artists. Il exposa, entre 1835 et 1862, à la Royal Academy, à la British Institution, à Suffolk Street et d'autres galeries publiques et particulières. Dans la guerre avec la Russie, il s'embarqua sur un vaisseau anglais et fit des études dans la mer Baltique, dessins qui furent gravés plus tard pour le journal *Illustrated London News*.
Musées : Bristol : *Au large de Portland* – *Marine* – Leeds : *Poissons de mer* – Londres (Mus. Water-Colours) : *Vue du Parlement en construction* – *Deux marines* – Nottingham : *Vue de la Méditerranée* – Sunderland : *Deux marines*.
Ventes Publiques : Londres, 1er fév. 1908 : *Les limites de la patrie*, dess. : **GBP 7** – Londres, 8 mai 1908 : *Leith* : **GBP 10** – Londres, 21 nov. 1908 : *Scarborough* : **GBP 33** – Londres, 13 mars 1909 : *L'entrée du port*, dess. : **GBP 24** – Londres, 26 fév. 1910 : *Loin de Tynemouth* : **GBP 16** – Londres, 16 fév. 1922 : *Le jardin d'une maison*, aquar. : **GBP 1** – Londres, 24 nov. 1926 : *Bateaux près de la côte* : **GBP 10** – Londres, 11 juin 1927 : *Brighton* 1839 : **GBP 16** – Londres, 6 déc. 1929 : *L'entrée du port de Rotterdam* : **GBP 18** – Londres, 7 juil. 1930 : *Battersea* 1866, dess. : **GBP 14** – Londres, 5 déc. 1930 : *Matin après la tempête* 1851 : **GBP 10** –

Londres, 5 mai 1932 : *L'embouchure de la Tyne* : **GBP 14** – Paris, 8 et 9 déc. 1933 : *Vue de Regent Street à Londres*, aquar., reh. de gche : **FRF 1 200** – Londres, 12 mars 1934 : *Greenwich vu de la rivière* : **GBP 11** – Londres, 21 juin 1935 : *Bateaux de guerre* : **GBP 26** – Londres, 2 nov. 1966 : *Marines, deux panneaux* : **GBP 280** – Londres, 12 mai 1967 : *Marine* : **GNS 500** – Londres, 15 nov. 1968 : *Bateaux devant Tantallon Castle* : **GNS 750** – Londres, 4 juin 1969 : *Vue d'une baie* : **GBP 3 100** – Londres, 5 mars 1971 : *Bateaux de pêche au large de la côte* 1848 : **GNS 1 000** – Londres, 15 déc. 1972 : *Marine* : **GBP 2 500** – Londres, 13 fév. 1976 : *Moro Castle, Cuba*, h/t (96,5x136) : **GBP 1 000** – Londres, 12 juil. 1977 : *Le Minden au large de Gibraltar, clair de lune* 1857, h/cart. (25x34) : **GBP 600** – Toronto, 12 juin 1979 : *Le Retour des pêcheurs* 1845, h/pan. (84x118) : **GBP 4 400** – Londres, 22 nov. 1979 : *Au large de la côte française*, aquar. (26,5x35) : **GBP 1 400** – Londres, 10 juil. 1980 : *Barques de pêche au large de Tynemouth* 1860, aquar. (28x41) : **GBP 680** – Londres, 10 mai 1983 : *Holy Island* 1835, aquar. et pl. reh. de blanc (34x53,5) : **GBP 700** – Londres, 16 mars 1984 : *Le port de Londres* 1829, h/t (76,9x119,4) : **GBP 19 000** – Londres, 11 juil. 1985 : *Scène de rivière* 1854, aquar./trait de cr. reh. de gche (34,5x57) : **GBP 600** – Londres, 12 mars 1986 : *Le port de Malte* 1854, h/t (87x117) : **GBP 15 000** – Londres, 25 jan. 1988 : *Le château de Scarborough dans le Yorkshire depuis la falaise nord* 1834, aquar. (23,5x35) : **GBP 418** – Londres, 26 mai 1989 : *Vaisseaux à voiles dans un estuaire* 1864, h/t (53,3x92,1) : **GBP 11 000** – Londres, 31 mai 1989 : *Au large des falaises de l'île de Wight* 1848, h/t (56x79) : **GBP 16 500** – Londres, 15 nov. 1989 : *Vaisseau de guerre et autres embarcations au large de Copenhague* 1856, h/t (74,5x121) : **GBP 24 200** – New York, 30 nov. 1989 : *Vie nocturne* 1962, h/t (61x81,3) : **USD 880 000** – Londres, 14 mars 1990 : *Madère* 1864, h/t (34x55) : **GBP 15 620** – Londres, 11 juil. 1990 : *Sur la Manche* 1841, h/t (61x81,5) : **GBP 8 250** – Londres, 12 juil. 1990 : *Le port de Hartlepool en activité* 1850, h/t (50,8x76,2) : **GBP 15 400** – Londres, 26 sep. 1990 : *Navigation dans une anse par temps calme* 1854, h/t (50,5x78) : **GBP 5 940** – Londres, 18 oct. 1990 : *Coup de vent au large de la côte méditerranéenne*, h/t (84x122) : **GBP 4 620** – Londres, 13 fév. 1991 : *Saint Pierre près d'Aoste* 1866, h/t (46x76) : **GBP 6 050** – Londres, 10 avr. 1991 : *La Tamise à Woolwich avec le Buckinghamshire navigant vers l'aval* 1847, h/t (72x109) : **GBP 51 700** – Amsterdam, 24 avr. 1991 : *Le port de Hartlepool en Écosse avec un voilier hollandais au large du quai et un phare à l'arrière-plan* 1864, h/t (61x91,5) : **NLG 23 000** – Londres, 22 mai 1991 : *Grand calme* 1854, h/t (50,5x78) : **GBP 4 400** – New York, 7 juin 1991 : *Au large des falaises de l'île de Wight* 1848, h/t (55,9x78,7) : **USD 8 800** – Londres, 20 mai 1992 : *L'accostage* 1845, h/t (50x60) : **GBP 9 900** – New York, 5 juin 1992 : *Fraîche brise au large de Whitby* 1840, h/t (61x91,4) : **USD 24 200** – Londres, 13 nov. 1992 : *Bateau de ligne* 1860, h/t (61x92,5) : **GBP 11 880** – Londres, 11 juin 1993 : *Au large de Tynemouth* 1848, h/t (44x64,5) : **GBP 16 100** – Penrith (Cumbria), 13 sep. 1994 : *Scarborough : la flotte de pêche prenant la mer* 1858, h/t (76x109) : **GBP 14 950** – New York, 19 jan. 1995 : *Navigation au large des côtes* 1844, h/pap./t. (28,6x34,9) : **USD 4 600** – New York, 6 nov. 1995 : *Au large de la côte* 1836, h/t (33,5x40,5) : **GBP 1 725** – Londres, 30 mai 1996 : *Engagement à Trafalgar* 1856, h/t (106x180) : **GBP 52 100** – Londres, 29 mai 1997 : *La Bataille du 1er juin 1794*, h/t, d'après Philippe-Jacques de Loutherbourg (61x91,5) : **GBP 36 700** – Londres, 5 nov. 1997 : *Pêcheurs en mer* 1839, h/t (63,5x99,5) : **GBP 8 625**.

CARMICHAEL Stewart
Né en 1867 à Dundee. XIXe-XXe siècles. Britannique.
Peintre de portraits, pastelliste, peintre décorateur.
Il travaillait à Dundee.
Ventes Publiques : New York, 27 fév. 1982 : *Trois têtes* 1894, past. (30,6x43,8) : **USD 300**.

CARMIENCKE Dedo
Né en 1840. Mort en 1907. XIXe siècle. Actif à Berlin. Allemand.
Peintre de paysages animés, paysages.
Il figura aux expositions de l'Académie de Berlin entre 1860 et 1892 et aux expositions internationales de 1891, 1896 et 1907.
Ventes Publiques : Munich, 26 juin 1985 : *Vue de l'Achensee, Tyrol* 1862, h/t (63x89) : **DEM 6 500** – Stockholm, 15 nov. 1988 : *Paysage alpestre*, h/t (112x80) : **SEK 30 000** – Londres, 4 oct. 1991 : *Gardeuse de chèvres dans la vallée de Sertigthal en Suisse* 1885, h/t (113,6x79,3) : **GBP 1 650**.

CARMIENCKE Johan Herman
Né le 9 février 1810 à Hambourg. Mort en 1867 à New York.

xixe siècle. Depuis 1834 actif puis naturalisé au Danemark. Allemand.

Peintre de paysages, graveur.

D'abord apprenti peintre à Hambourg, sa vocation artistique le fit partir pour Dresde (1831) où il devint élève de J.-C. Dahl. Ce fut probablement sur le conseil de ce dernier qu'il se rendit, en 1834, à Copenhague où il fut aussitôt élève à l'Académie qu'il fréquenta assez peu de temps. Il se fit vite remarquer. Le Musée royal de Copenhague acheta un de ses premiers tableaux, puis, de 1835 à 1845, six autres tableaux. Il fit aussi des gravures à l'eau-forte dès 1835, mais ce ne fut qu'à partir de 1847 qu'il s'est acquis la réputation de graveur qu'il a eue par la suite, tant en Danemark qu'en Allemagne. Naturalisé danois, il obtint la bourse de l'Académie en 1845 et visita l'Italie en 1845-1846. De retour au Danemark, lorsque la guerre éclata en 1848, l'artiste émigra en 1851 en Amérique où ses tableaux eurent un succès extraordinaire.

H-Cormiencke

Musées : Copenhague (Mus. roy.).

Ventes Publiques : New York, 4 mars 1904 : *Le grand tourbillon, près de Québec (Canada)* : USD 100 – New York, 17 nov. 1978 : *Paysage de New York*, h/t (63,5x91,4) : USD 1 900 – New York, 23 mai 1979 : *Paysage montagneux 1853*, h/t (76,5x112) : USD 6 000 – New York, 29 jan. 1981 : *Troupeau dans un paysage 1853*, h/t (35,5x45,8) : USD 1 600 – New York, 23 mars 1984 : *Paysage d'automne 1852*, h/t (76,2x112) : USD 2 600 – Copenhague, 12 nov. 1985 : *Paysage montagneux 1844*, h/t (50x70) : DKK 38 000 – Copenhague, 10 juin 1987 : *Paysage boisé*, h/t (24x29) : DKK 8 000 – New York, 24 jan. 1989 : *Les chutes du Niagara 1859*, h/t (60,7x80,8) : USD 7 150 – Londres, 19 juin 1991 : *Dans la Grotte bleue 1851*, h/t (100x127) : GBP 4 400 – New York, 15 avr. 1992 : *Naufrage sur une côte rocheuse 1867*, h/t (40,6x61) : USD 2 200 – New York, 24 sep. 1992 : *Vue du château de Chillon 1858*, h/t (129,5x162,6) : USD 12 100 – New York, 26 mai 1993 : *Le Vésuve et la baie de Naples 1860*, h/t (91,5x133) : USD 10 925 – Copenhague, 5 mai 1993 : *Paysage montagneux avec un cavalier sur un chemin*, h/t (31x42) : DKK 7 000 – Londres, 17 nov. 1993 : *Vue du château Malcesine sur le lac de Garde 1860*, h/t (122x158) : GBP 12 650 – New York, 28 nov. 1995 : *Le Moulin 1859*, h/t (91,5x127) : USD 8 625 – Londres, 26 mars 1997 : *Ville de montagne dans un paysage 1864*, h/t (74x109,5) : GBP 3 220.

CARMIGNANI Giulio

Né en 1813 à Parme. Mort en 1890. xixe siècle. Italien.

Peintre de paysages animés, paysages.

Il est le père de Guido Carmignani.

Ventes Publiques : Londres, 22 juil. 1977 : *Paysage marécageux 1869*, h/t (108x147,2) : GBP 4 000 – Rome, 6 juin 1984 : *Scène de rue à Parme*, h/t (44x66) : ITL 6 000 000 – New York, 24 fév. 1987 : *Paysage au crépuscule 1868*, h/t (104,1x146) : USD 4 500 – Londres, 25 nov. 1992 : *Pêcheurs sur une côte 1876*, h/t (93x127) : GBP 5 500.

CARMIGNANI Guido ou Carmigiani

Né en 1838 à Parme. Mort en 1909 à Parme. xixe siècle. Italien.

Peintre d'animaux, paysages animés, paysages.

Il reçut de son père Giulio Carmignani les premières notions de peinture et se perfectionna en voyageant beaucoup et étudiant d'après nature. En 1861, il devint professeur de paysage à l'Académie de Parme. En 1877, son poste étant supprimé, il se rendit à Milan et enseigna à la Brera, où il eut pour élève notamment Segantini.

Musées : Parme : *Il torrente Parma presso il ponte Dattaro – Tramonto d'automno dopo la pioggia.*

Ventes Publiques : New York, 10-11 jan. 1907 : *Paysage* : USD 110 – New York, 16 fév. 1977 : *Troupeau à l'abreuvoir 1869*, h/t (109x147) : USD 3 250 – Londres, 22 nov. 1990 : *Gardien de troupeau et son bétail dans un paysage rocheux 1860*, h/t (40,7x62,3) : GBP 6 380 – Milan, 16 mars 1993 : *Grottamare*, h/t (76,5x90) : ITL 23 000 000.

CARMINATI Antonio

Né en 1859 à Brembate di Sotto (près de Bergame). Mort en 1908 à Milan. xixe siècle. Italien.

Sculpteur.

Élève d'Enrico Butti à Milan, d'Odoardo Tabbacchi à Turin et de Giulio Monteverde à Rome. Il a laissé une œuvre importante qui va des statues de la coupole du Dôme de Milan au *Monument de Verdi*. Citons : *Saint Louis de Gonzague et le pestiféré, Nostalgie, Resurrexit, Nunc est bibendum, Signorina.*

CARMINATI Enrique

Né à Gadès. xixe siècle. Espagnol.

Peintre.

Élève de l'École des Beaux-Arts de Cadix. Il exposa dans cette ville en 1854, 1856, 1858.

CARMINATI Giovanni Battista

xviie siècle. Travaillant à Caravaggio au début du xviie siècle. Italien.

Sculpteur sur bois.

CARMINATI Jacopo

xviiie siècle. Actif à Caravaggio. Italien.

Sculpteur sur bois.

CARMINATI Michelangelo

xvie siècle. Actif à Côme. Italien.

Peintre de fresques.

CARMINE Carlo

Né au xixe siècle. xixe siècle. Actif à Bellinzona. Suisse.

Sculpteur et médailleur.

CARMINE Michele

Né le 12 février 1854 à Bellinzona. Mort le 30 octobre 1891 à Bellinzona. xixe siècle. Suisse.

Peintre de compositions religieuses, sujets allégoriques, portraits.

Carmine fit ses études à la Brera de Milan, travailla pour les églises de Sementina, de Gorduno, et en 1889 partit pour l'Amérique du Sud. Il fournit des cartons pour un grand ouvrage allégorique, représentant le *Triomphe de l'Art*, destiné au théâtre Colon, à Buenos Aires. Il décora aussi l'église d'Uribelarca. Il était de retour à Bellinzona en 1891.

Ventes Publiques : Milan, 8 nov. 1967 : *Portrait de jeune femme* : ITL 320 000 – Rome, 29 oct. 1985 : *Profil de femme*, h/t (57x42) : ITL 1 500 000.

CARMIS Geneviève

Née à Paris. xxe siècle. Française.

Peintre de portraits.

Elle exposa à Paris au Salon des Indépendants en 1928 et 1929.

CARMOCHE. Voir CARMOUCHE

CARMONA Anna Maria. Voir MENGS

CARMONA Pedro

xviiie siècle. Portugais.

Tailleur de pierres et graveur.

Il a réalisé le siège du Vice-Roi pour la Cathédrale Métropolitaine de Buenos Aires à la fin du siècle. Il a en outre laissé diverses planches de gravures.

CARMONA Salvador. Voir SALVADOR CARMONA José, Juan, Luis et Manuel

CARMONTELLE, de son vrai nom : Carrogis Louis

Né en 1717 à Paris. Mort en 1806 à Paris. xviiie siècle. Français.

Peintre de portraits, aquarelliste, pastelliste, graveur, dessinateur.

Auteur de comédies légères et de « proverbes » destinés à l'amusement de la Cour, Carmontelle fut un des artistes les plus délicats de la seconde moitié du xviiie siècle. Il en est aussi une des figures les plus curieuses. Professeur de mathématiques des Enfants de France, intimement lié avec Portail et Piron, spirituel et mordant, il fut, au point de vue artistique, surtout remarquable comme pastelliste, dessinateur à la plume et graveur. Son œuvre gravé, assez réduit, est aujourd'hui fort rare. Il grava surtout d'après ses propres pastels. On cite de lui comme estampes : *M. l'abbé Allaire, Le baron de Bezenval, Philippe d'Orléans, Le musicien Rameau, Voltaire,* et *La Bouquetière*, d'après Boucher. Il fut ordonnateur des fêtes du duc d'Orléans et ce fut lui qui fournit les dessins des jardins du Parc Monceau. Il a laissé environ 600 portraits de personnages de son époque, faits *en deux heures de temps, avec une facilité surprenante*, comme le rapporte Grimm. Enfin Carmontelle fut le précurseur des panoramas. Il inventa, en effet, la peinture sur transparents de papier très mince qu'exposés à la lumière derrière une vitre déroulaient aux yeux du public, des scènes variées. Cette innovation eut à son époque un succès considérable. Il conserva pour la postérité les traits de Mozart enfant, qu'il vit lors des deux voyages en France du jeune musicien. Nous citerons parmi les œuvres de cette série, actuellement connues : *Mozart père et ses deux enfants*, trois répliques de ce dessin sont conservées : au Musée Condé à Chantilly, au British Museum et dans une collection privée britannique ; *Léopold et Wolfgang Mozart*, aquarelle, 1766 (?), dans une collection particulière et, *Enfance de Mozart* (silhouette, également dans une collection privée).

MUSÉES : CHANTILLY (Mus. Condé) – LONDRES (British Mus.) – PARIS (Mus. Carnavalet) : *Mozart père et ses deux enfants* 1764, cr. lavé d'aquar. – PONTOISE : *Portrait de Rameau*, past.

VENTES PUBLIQUES : PARIS, 1832 : *Collection de cinq cent vingt portraits*, dess. à la gche : **FRF 1 615** – PARIS, 13 mars 1843 : *Dame assise dans un jardin prenant le thé*, dess. aux cr. rouge et noir, lavé d'aquar. : **FRF 17** – PARIS, 1883 : *La comtesse de Provence accordant une grâce*, aquar. : **FRF 250** ; *Portrait d'une jeune femme assise sur un canapé*, aquar. : **FRF 360** ; *Portrait présumé de Mme de Graffigny*, dess. au cr. noir et à la sanguine : **FRF 230** ; *Portrait de femme*, dess. à la pierre noire et à la sanguine : **FRF 300** – PARIS, 1890 : *Voltaire* : **FRF 800** – PARIS, 1897 : *Dames causant*, aquar. : **FRF 470** ; *Un gentilhomme*, aquar. : **FRF 600** ; *Portrait de Mme la comtesse d'Egmont*, dess. à la sanguine, lavé d'encre de Chine : **FRF 805** – PARIS, 1898 : *Brizard, tragédien*, dess. aux cr. noir et de coul. : **FRF 190** ; *Madame de Ségur avec son petit-fils*, aquar. : **FRF 760** ; *Marquise de Ségur, née Vernon, femme du maréchal*, aquar. : **FRF 500** ; *Vues de parcs, avec nombreux personnages*, trois aquarelles : **FRF 56** – PARIS, 17 avr. 1899 : *La duchesse de Chartres, en religieuse*, dess. au cr. noir et à la sanguine : **FRF 85** – PARIS, 1899 : *La conversation espagnole*, dess. : **FRF 3 000** – PARIS, 26 fév. 1900 : *Dame brodant*, dess. : **FRF 1 025** – PARIS, 17 déc. 1900 : *Monsieur de Laneuville-Morfleury*, dess. aux cr. de coul. : **FRF 840** – PARIS, 14 déc. 1901 : *Portrait de Madame Taafe et de son mari*, aquar. : **FRF 300** – PARIS, mai 1906 : *Portrait du baron de Bezenval*, aquar. : **FRF 1 050** – PARIS, 25 mars 1907 : *Quatre dames dans un parc*, aquar. : **FRF 985** – PARIS, 27-29 avr. 1909 : *Mozart enfant*, aquar. : **FRF 2 000** ; *La famille Colas*, aquar. : **FRF 3 800** – PARIS, 21 et 22 fév. 1919 : *François Casanova, peintre de batailles*, aux trois crayons : **FRF 410** – PARIS, 7 et 8 juil. 1919 : *Léopold et Wolfgang Mozart*, dess. à la pierre d'Italie : **FRF 1 950** – PARIS, 6-8 déc. 1921 : *Portrait de Mlle Louise de Sartine, fille du Lieutenant de police du Roi*, cr. reh. : **FRF 3 550** ; *Portrait d'un gentilhomme*, cr. et lav. : **FRF 1 650** – PARIS, 15-16 juin 1922 : *La conversation*, cr. reh. : **FRF 5 500** – PARIS, 13-15 nov. 1922 : *Portrait de Casanova*, cr. : **FRF 420** – PARIS, 8 juin 1925 : *Portrait de femme*, pierre noire et sanguine : **FRF 5 300** – PARIS, 7 et 8 mai 1932 : *Portrait de Monsieur le Chevalier de Lezdy*, cr. : **FRF 4 300** ; *Portrait de M. le duc de Coigny*, cr. : **FRF 5 800** – PARIS, 14 mai 1935 : *Portrait d'homme*, aquar. : **FRF 3 000** – LONDRES, 24 juin 1938 : *Jeune garçon* : **GBP 37** ; *Portrait d'homme* : **GBP 18** – LONDRES, 24 juin 1938 : *M. le duc de Coigny*, dess. : **GBP 73** – PARIS, 18 et 19 déc. 1940 : *Portrait d'homme*, pierre noire, sanguine et lav. d'aquar. : **FRF 8 200** ; *Portrait d'homme*, cr. noir, sanguine et lav. d'aquar. : **FRF 5 200** ; *La Conversation*, cr. noir et lav. d'aquar., sur pap. chamois : **FRF 13 800** – PARIS, 23 et 24 oct. 1941 : *Le comte de Provence et le comte d'Artois*, aquar. : **FRF 58 000** ; *La duchesse de Brancas, la marquise de Seignelay, la comtesse de Durfort et la comtesse de Sabran*, aquar. : **FRF 38 000** – PARIS, 22 déc. 1941 : *La leçon de musique*, aquar. : **FRF 15 700** – PARIS, 30 mars 1942 : *Portrait de Mlle Sainval l'aînée*, dess. à la sanguine : **FRF 16 100** – PARIS, 28 mars 1963 : *Jeune femme assise sur une terrasse devant un cahier de musique*, aquar. : **FRF 10 000** – PARIS, 9 juin 1964 : *Portrait de Mme de Mont regard assise dans un parc tenant un chat sur ses genoux*, aquar. : **FRF 25 000** – LONDRES, 15 mars 1966 : *Le vicomte de Rohan-Chabot*, aquar. sur préparation à la craie noire : **GBP 700** – NEW YORK, 21 oct. 1970 : *La famille Craymoyd*, aquar. sur sanguine : **USD 10 000** – LONDRES, 23 mars 1972 : *Madame de Boudetot et Madame d'Epinay, assises* : **GBP 3 000** – PARIS, 21 mars 1977 : *Portrait d'un ecclésiastique*, aquar. (20,5x17) : **FRF 7 000** – PARIS, 23 mai 1978 : *Portrait de la Duchesse de Polignac jouant de la harpe* (31x18) : **FRF 58 000** – LONDRES, 10 déc 1979 : *Portrait d'un gentilhomme sur une terrasse*, lav. de coul./craies noire et blanche et reh. de blanc (31,3x19,1) : **GBP 2 000** – PARIS, 24 juin 1981 : *Monsieur le prince de Condé, Monsieur le duc de Bourbon, Madame la Duchesse de Bourbon et sa fille*, aquar. (34x23) : **FRF 140 000** – LONDRES, 13 déc. 1984 : *Jeune femme assise sur une terrasse brodant, avec un page debout*, aquar., cr., craie rouge et reh. de blanc (33,3x20,4) : **GBP 26 000** – PARIS, 13 déc. 1985 : *Portrait du*

Comte d'Ennery et de M. de Perigny, dess. reh. d'aquar. et cr. (30x19) : **FRF 400 000** – PARIS, 14 avr. 1986 : *La malheureuse famille Calas*, aquar. (37,2x48,5) : **FRF 500 000** – MONACO, 20 fév. 1988 : *Portrait en pied de Mademoiselle Sainval l'aînée*, pierre noire et sanguine (39,1x25,3) : **FRF 66 600** ; *Jeune fille au manchon*, sanguine et pierre noire et past. (23x16,1) : **FRF 510 600** – PARIS, 11 mars 1988 : *Madame Rigaud de Vaudreuil*, cr. de coul., aquar., dess. à la sanguine et à la pierre noire (32x22) : **FRF 120 000** ; *Madame la marquise de Polignac et son chat*, cr. de coul., aquar. et dess. à la pointe noire : **FRF 130 000** – PARIS, 24 juin 1988 : *Portrait de Pierre Augustin d'Orléans*, aquar. (28x17) : **FRF 115 000** – PARIS, 15 déc. 1989 : *Madame de Lancise*, trois cr. et aquar. (30x32) : **FRF 70 000** – PARIS, 12 déc. 1990 : *La Comtesse de Blot et la Marquise de Barbantane*, pierre noire, sanguine et aquar. (32,7x23,5) : **FRF 260 000** – NEW YORK, 13 jan. 1993 : *Portrait de Mademoiselle Grimperel assise jouant de la viole* 1758, craies noire et rouge avec reh. de blanc (25,6x17,9) : **USD 60 500** – NEW YORK, 12 jan. 1994 : *Portrait d'un gentleman assis de profil et tenant une canne*, craies blanche et rouge avec reh. de blanc (22,7x18,5) : **USD 60 250** – PARIS, 17 juin 1994 : *Portrait de Louis-Guillaume-Angélique Gouffier, Marquis de Thoix*, pierre noire, sanguine et aquar. (27,5x17) : **FRF 172 000** – NEW YORK, 12 jan. 1995 : *La laitière et son âne dans les bois*, mine de pb, craie rouge et aquar. (31,8x20,5) : **USD 74 000** – PARIS, 15 avr. 1996 : *Portrait de Mr et Mme de Neuville*, pierre noire, sanguine et aquar. (29,3x18,3) : **FRF 85 000.**

CARMOUCHE Jean ou Carmoche
XVIIe siècle. Français.
Graveur.
Cité dans les Archives de Nancy vers 1635.

CARMOY Étienne
XVIe siècle. Parisien. Français.
Sculpteur.
Il travailla, de 1540 à 1550, au château de Fontainebleau, à la restauration des marbres antiques rapportés d'Italie. En 1558, sous la direction de Pierre Lescot, il travailla au Louvre et en 1563, il fut chargé, avec Martin le Fort, de décorer la façade du logis de la reine, du côté de la Seine.

CARMOY François
XVIe siècle. Actif à Orléans. Français.
Sculpteur.
Il travailla au château de Fontainebleau (1536-1550) et fit les statues du roi, de la reine, du dauphin et du duc d'Orléans, placées sur le tombeau de François Ier, à Saint-Denis.

CARMUAEL Vincent ou Carnovael
XVIIe siècle. Actif à Anvers. Éc. flamande.
Peintre.

CARNAC Denise, pseudonyme de Canard
Née le 11 avril 1922 au Puy-en-Velay (Haute-Loire). Morte le 23 novembre 1994 à Saint-Nazaire (Loire-Atlantique). XXe siècle. Française.
Peintre de paysages, marines, dessinatrice.
Elle fut élève de François Baboulet à l'École des Beaux-Arts de Toulouse, obtenant un prix de peinture en 1941, puis de Antoine Chartres aux Beaux-Arts de Lyon. En 1954, elle obtint un prix de dessin de la Fondation Conté-Carrière. Depuis 1955 à Paris, elle a exposé à plusieurs reprises au Salon d'Automne, en 1991 au Salon de la Société Nationale des Beaux-Arts. Elle a montré des ensembles de ses peintures dans quelques expositions personnelles.
Depuis 1946, elle eut une activité importante de restaurateur de peintures. Elle a surtout peint la mer, soit en Bretagne, soit à Piriac-sur-Mer (Loire-Atlantique) où elle affina sa palette, toujours à la recherche de nuances furtives dans des œuvres de plus en plus épurées.

CARNALLET Jehan
XVIe siècle. Actif à Tours en 1585. Français.
Peintre.

CARNAT Claire
XXe siècle. Française.
Peintre.
Elle exposa à Paris au Salon de la Nationale des Beaux-Arts en 1932.

CARNÉ H. de
XIXe siècle. Britannique.
Miniaturiste.

Il exposa en 1801 et 1821 des portraits à la Royal Academy, à Londres.

CARNE M. de, appelé aussi Abbé D. Carnel
Né à Bailleul. XIXe siècle. Français.
Peintre de paysages.
Débuta au Salon de 1879 par l'envoi de paysages de Flandre, et continua ses envois les années suivantes. M. de Carne s'inspire principalement de la campagne des environs de Lille : *Les Moulins* (1882), *Les Colzas* (1884), *Les Dernières Récoltes* (1885), *Les Prairies de Lambersart* (1888), *Le Sarclage du lin* (1889), *Lever du soleil en Flandre* (1891), *Un jardin un faubourg (Lille)* (1893). Chevalier de la Légion d'honneur. Il était élève de Dumoulin.

CARNEGIE Mary. Voir LONG Mary

CARNEGIE Rachel
Née le 8 octobre 1901 à Londres. XXe siècle. Britannique.
Peintre de portraits et aquafortiste.
Elle a exposé au Women's International Art Club de Londres, a figuré au Salon des Artistes Français à Paris en 1927 et à celui de la Société Nationale des Beaux-Arts en 1928, également à Paris.

CARNEIRO Alberto
Né en 1937. XXe siècle. Portugais.
Sculpteur. Tendance land art, puis tendance conceptuelle.
Il a montré ses œuvres dans une exposition personnelle en 1975. Il a réalisé dans les années soixante-dix des œuvres proches du land art ; plus tard, il s'est rapproché d'une démarche conceptuelle, avec des sculptures en bois évoquant des formes végétales.
BIBLIOGR. : Catalogue de l'exposition : *Carneiro*, s. l., 1975 – in : *Dict. de l'art mod. et contemp.*, Hazan, Paris, 1992.

CARNEIRO Antonio Texeira
Né le 16 septembre 1872 à Amarante. Mort en 1930 à Porto. XIXe-XXe siècles. Actif en France et au Brésil. Portugais.
Peintre d'histoire, de portraits et de paysages, aquarelliste. Symboliste.
Entre 1890 et 1896, il fut élève à l'Académie des Beaux-Arts de Porto, sous la direction du marquis d'Oliveira. Il était à Paris en 1897, étudiant à l'Académie Julian avec J. P. Laurens et B. Constant. Il obtint la médaille de bronze à l'Exposition Universelle de Paris en 1900, avec son tableau symboliste : *La Vida*. En 1914, il partit au Brésil où il obtint deux médailles. De retour à Oporto, il fut nommé professeur à l'Ecole des Beaux-Arts de cette ville en 1918, puis directeur en 1929. Après plusieurs voyages au Brésil, durant l'année 1929, il mourut au Portugal, l'année suivante. Une exposition lui a été consacrée à Paris en 1969-1970, une autre, en 1972, à la Fondation Gulbenkian de Lisbonne.
Ses premières œuvres symbolistes montrent une influence de Puvis de Chavannes. Il fit de nombreux portraits, surtout lorsqu'il vivait à Paris, traités soit à l'huile, à la sanguine ou au fusain, dans lesquels on reconnaît l'influence d'Eugène Carrière. Certains de ses paysages à l'aquarelle, telle *La plage de Boa Nova*, sont d'une fraîcheur et d'une sobriété qui mènent à un art presque abstrait.
BIBLIOGR. : Wifredo Rincon Garcia, in : *Cien anos de Pintura en Espana y Portugal*, t. II, Antiqvaria, Madrid, 1988 – in : *Diction. de la peint. espagnole et portugaise*, Larousse, Paris, 1989.
MUSÉES : LISBONNE (Mus. Nat. d'Art Contemp.) : *Contemplation* – PORTO (Atelier-Musée) : une grande partie de l'œuvre.

CARNEIRO Carlos
Né le 20 septembre 1900 à Porto. XXe siècle. Portugais.
Peintre de figures, de paysages et d'intérieurs, aquarelliste, dessinateur.
Fils du peintre Antonio Carneiro, dont il fut élève avant d'entrer à l'Académie des Beaux-Arts de Porto, puis à l'Académie Julian de Paris. En 1919, il a exposé au Salon des Humoristes, plus tard à Lisbonne et, pour la première fois en 1930, au Salon des Artistes Français à Paris. Il reçut la médaille de dessin de la société des Beaux-Arts du Portugal et le Prix Antonio Carneiro. Il a aussi bien travaillé l'huile que l'aquarelle.
MUSÉES : COÏMBRA (Mus. Machado de Castro) – LISBONNE (Mus. Nat.) – MULHOUSE : *Portrait de Ch. Oulmont* – PORTO – VIZEN.

CARNEIRO DA SILVA Joaquin
Né en 1727 à Porto. Mort en 1818 à Lisbonne. XVIIIe-XIXe siècles. Portugais.
Graveur au burin.

Il fut d'abord à Rio de Janeiro l'élève d'un de ses compatriotes, Joao Gomes. A Rome où il se rendit en 1757 il étudia le dessin avec le peintre Lod. Sterni. Il ouvrit à Lisbonne en 1769 une école de gravure et forma de nombreux élèves. Le Blanc cite de lui : *Statue équestre de Joseph Ier*, d'après Machado, *Joseph Ier*.

CARNEL D., abbé. Voir CARNE M. de

CARNELLI Giuseppe
Né en 1838 à Bergame. Mort en 1909 à Bergame. XIXe siècle. Italien.
Peintre de genre, fresques, illustrateur.
Élève d'E. Scuri à l'Académie Carrara à Bergame. Il a peint d'abord quelques tableaux de genre et exécuté de nombreuses illustrations. Plus tard, abordant la fresque, il décora quelques maisons particulières, et travailla dans de nombreuses églises.

CARNELO Alda José
Né le 25 juillet 1867 à Enquera (Espagne). XIXe siècle. Espagnol.
Peintre d'histoire, compositions religieuses, figures, dessinateur.
Il fut élève de l'École des Beaux-Arts de Séville et obtint le grand prix de Rome en 1888. Il collabora à plusieurs journaux illustrés, et fut professeur à l'École des Beaux-Arts de Madrid.
Ses thèmes sont souvent religieux, ils peuvent être aussi historiques. On cite parmi ses principales œuvres : *Salut à la Vierge* (1886), église de Montilla, *Muerte de Lucano* (1887), Madrid, deuxième médaille, *Duel interrompu* (1890), *Christophe Colomb* (1893), Chicago, médaille, *Magdelena* (1894), *Suicide par amour* (1893), Académie de Madrid, 1er prix, Musée Balaguer, *La Dolorès* (1894), *La Séo Saragozza* (1895), collection du duc de Madrid à Venise, *Retour de Monte-Carlo* (1896), Paris, *Taboaré* (1896), *Vierge-Del-Pilar-Saragozza* (1897), Venise.

CARNEO Antonio
Né en 1637 à Concordia, originaire du Frioul. Mort en 1692 à Portoguaro. XVIIe siècle. Travaillant autour de 1660, surtout à Udine. Italien.
Peintre de compositions religieuses.
Il fut élève de son père le peintre Giacomo Carnéo l'Ancien, travaillant vers 1604. La plus grande partie des œuvres d'Antonio Carneo est parvenue jusqu'à nous. Le Palais Caiselli à Udine en conserve quelques-unes. Carneo paraît s'être laissé influencer par la manière de Paolo Veronèse et de Tintoretto, dont il étudia les œuvres à Venise.
Son style se caractérise surtout par la hardiesse et la vigueur du dessin et son heureux choix du coloris, ce qui lui valut l'éloge d'être compté parmi les plus grands artistes de son temps et le meilleur qu'aurait produit le Frioul depuis Pordenone.
VENTES PUBLIQUES : MILAN, 15 mai 1962 : *L'éducation de la Vierge* : ITL 650 000 – MILAN, 12 et 13 mars 1963 : *La Sainte Famille et Saint Bernard* : ITL 1 500 000 – MILAN, 18 oct. 1977 : *Joseph racontant ses rêves*, h/t (123x145) : ITL 4 000 000 – NEW YORK, 12 juin 1981 : *Le bon Samaritain*, h/t (136x184) : USD 7 500 – MILAN, 24 oct. 1989 : *Saint Jean Baptiste*, h/t (91x75) : ITL 12 000 000 – ROME, 8 mai 1990 : *Prométée et Mercure*, h/t (90x135) : ITL 8 000 000 – LONDRES, 20 juil. 1990 : *La Sainte Famille avec Saint Roch et Saint Dominique*, h/t (53,5x119) : GBP 19 250 – LONDRES, 17 avr. 1991 : *Jephté sacrifiant sa fille – Judith avec la tête d'Holopherne – Joseph interprétant les rêves dans sa prison*, h/t, ensemble de trois panneaux (80,5x116 et 80x100,5) : GBP 16 500 – NEW YORK, 15 jan. 1992 : *Archimède*, h/t (72,4x119,8) : USD 19 800 – NEW YORK, 15 jan. 1993 : *Deux anges soutenant le Christ mort*, h/t (125,7x96,5) : USD 13 800 – NEW YORK, 15 jan. 1993 : *La Sainte Famille*, h/t (77,5x71,8) : USD 29 900 – NEW YORK, 14 jan. 1994 : *Archimède*, h/t (72,4x119,7) : USD 28 750.

CARNEO Giacomo, le Jeune
Originaire du Frioul. Mort après 1711. XVIIIe siècle. Italien.
Peintre.
Fils d'Antonio Carneo. Ses œuvres sont souvent attribuées à son père. Le Palais Caiselli à Udine conserve une série d'œuvres de Giacomo.

CARNERI Domenico
Originaire de Trente. Mort avant 1533. XVIe siècle. Éc. tyrolienne.
Peintre.
Il est la souche et le premier représentant d'une famille d'artistes, florissant à Trente aux XVIe, XVIIe et XVIIIe siècles.

CARNERI Francesco Ignazio
Né en 1720. XVIIIe siècle. Actif à Trente. Éc. tyrolienne.

Peintre.
Petit-fils de Paolo Carneri. Le musée municipal de Trente conserve de lui un *Portrait de Francesca Partini, de Rovereto* (1745).

CARNERI Giovanni Domenico
XVIe siècle. Actif à Trente. Éc. tyrolienne.
Peintre et sculpteur.
Petit-fils de Domenico Carneri. Il a travaillé à une série d'arcs de triomphe érigés à Trente à l'occasion de l'arrivée ou du passage dans cette ville d'illustres personnages.

CARNERI Paolo
Mort en 1629. XVIIe siècle. Actif à Trente. Éc. tyrolienne.
Peintre et sculpteur.
Fils de Giovanni Domenico Carneri. Il travailla à un arc de triomphe élevé en 1598 à Trente à l'occasion du passage de la reine d'Espagne et de l'archiduc d'Autriche. Son frère Simone, peintre, paraît avoir été son aide.

CARNERO Carlos. Voir CARLOS

CARNERO José Manuel
Né à Puebla. XVIIIe siècle. Actif dans la première moitié du XVIIIe siècle. Mexicain.
Peintre de compositions religieuses.
On cite de lui à l'église de la Compania, à Puebla, un *Triomphe de la Vierge.*

CARNERO-MARTIN Antonio
XIXe siècle. Actif à Salamanque vers 1875. Espagnol.
Peintre.
Exposa deux toiles à Paris en 1878 : *Fray Luis de Leon en la prision* et *Joven aragonès.*

CARNEVALE Bartolomeo di Giovanni Corradini, fra.
Voir **CORRADINI**

CARNEVALE Domenico ou Carnovale
Né à Modène, selon Vidriani. XVIe siècle. Actif vers 1564. Italien.
Peintre de compositions religieuses.
Lanzi cite de lui des tableaux à l'huile qui furent très admirés et qu'il fit à Modène vers 1564, notamment une *Épiphanie,* pour une des galeries du prince régnant et une *Circoncision,* pour le palais des comtes Cesi. A Rome, Carnevale fut aussi très considéré et reçut la mission de restaurer les peintures de Michel-Ange (Vasari).

CARNEVALE Giuseppe
Né au XIXe siècle à Castelnuovo Scrivia. XIXe siècle. Italien.
Sculpteur de statues, bustes.
A exposé à Naples, en 1877, deux bustes : *Jeune berger* et *Jeune bergère* ; à Turin, en 1879 : *Diane chasseresse* ; à Rome, en 1883 : *Diane* ; à Turin, à l'exposition nationale de 1884 : *La Modestie.* Exposa aussi à la Royal Academy de Londres en 1889.

CARNEVALE Renato
Né le 26 octobre 1911. Mort en 1988 à Genova. XXe siècle. Italien.
Sculpteur, céramiste, sérigraphe. Lumino-cinétique.
Son activité créatrice s'est surtout développée, et dans des domaines divers, à l'occasion de manifestations collectives en Italie. Toutefois, il a figuré très régulièrement à Paris au Salon des Réalités Nouvelles, où trouvait naturellement place son art issu de l'abstraction, résolument ancré à l'abstraction géométrique, puis s'étant développé dans ses recherches très personnelles de mise en mouvement, ponctué de sonorités, de figures et d'éclairages, dans la réalisation de ce qu'il a nommé *environnements chronotopiques.* Il a reçu le Prix d'Art Cinétique au Festival d'Octobre 1982 à Clermont-Ferrand. Il était membre de l'Académie des 1500 à Rome.
Dans ces œuvres, auxquelles on n'accédait qu'en pénétrant à l'intérieur d'une chambre noire, et dont l'entrée du visiteur déclenchait les mécanismes, il a expérimenté d'une part l'ouverture à la durée de la forme plastique par sa dynamisation, d'autre part et accessoirement les phénomènes produisant des couleurs, réciproquement complémentaires, non réelles mais induites, sur les franges de rencontre de deux surfaces différemment colorées, ces phénomènes se renforçant par l'action inductrice d'une surface de couleur forte contre une plus faible ou neutre. Certains commentaires de ses environnements en chambre noire, requérant attention et adhésion, ont pu établir une analogie avec les rites initiatiques. ■ Jacques Busse
BIBLIOGR. : Divers : passim in : *Les cahiers de la peinture,* Paris, entre 1977 et 1989.

CARNEVALI Giovanni ou Carnovali, dit il Piccio
Né en 1804 ou 1806 à Montegrino Valtravaglia. Mort en 1873 à Crémone. XIXe siècle. Italien.
Peintre de compositions religieuses, compositions mythologiques, portraits, paysages. Romantique.
Élève à l'Accademia Carrara, à Bergame, de Giuseppe Poli et de Giuseppe Diotti. Il est allé étudier à Rome l'œuvre de Raphaël, copiant également les œuvres de Corrège et de Guido Reni. Il s'est fixé à Milan en 1836. Il fit un séjour à Paris, en 1845, où l'art de Delacroix eut une influence déterminante sur lui.
Il a peint un grand nombre de *Madone* et plusieurs *Sainte Madeleine,* ainsi que des portraits, autoportraits, paysages, scènes bibliques et mythologiques.
Bien que se rattachant aux Vénitiens du XVIIIe siècle, il représente un aspect du romantisme italien, par le mystère vaporeux de sa lumière. Son art influença Tranquillo Cremona et Daniele Ranzoni.
BIBLIOGR. : In : *Diction. de la peinture italienne,* coll. Essentiels, Larousse, Paris, 1989.
MUSÉES : FLORENCE (Gal. d'Art Mod.) : *Portrait* – MILAN (Gal. d'Art Mod.) : *Paysage aux grands arbres* 1844-1846 – ROME (Gal. d'Art Mod.) : *Portrait du vétérinaire.*
VENTES PUBLIQUES : MILAN, 12-13 mars 1963 : *Autoportrait,* h. et cart. : ITL 780 000 – MILAN, 4 juin 1968 : *Aminta* : ITL 3 200 000 – MILAN, 4 juin 1970 : *Portrait de jeune femme* : ITL 4 800 000 – MILAN, 16 déc. 1982 : *Nativité* 1844, h/cart. (24x33) : **ITL 20 000 000** – MILAN, 29 mai 1984 : *Portrait de jeune femme* 1853, h/t (61,5x52,5) : **ITL 30 000 000** – MILAN, 7 nov. 1985 : *David jouant de la harpe devant Saül* 1852, h/t (64x84) : **ITL 90 000 000** – ROME, 25 mai 1988 : *Le Légionaire,* h/t tondo (diam. 16) : **ITL 5 000 000** – 1er juin 1988 : *Portrait d'un jeune femme en buste* 1847, h/t (38x31,5) : **ITL 12 000 000** ; *Portrait du garibaldien Vittore Tasca* 1865, h/t (117x80) : **ITL 50 000 000** – MILAN, 14 mars 1989 : *La rencontre de Jacob et de Rachel,* h/cuivre (38x53) : **ITL 23 000 000** – MILAN, 30 mai 1990 : *Madeleine,* h/t (77,5x61,5) : **ITL 24 000 000** – MILAN, 22 mars 1994 : *Portrait d'Alexandre Riccardi* 1845, h/t (66x50,5) : **ITL 31 050 000** – MILAN, 14 juin 1995 : *Le peintre Pietro Ronzoni* 1847, h/t (63x58,5) : **ITL 3 680 000.**

CARNEVALI Giulio Cesare
Né à Reggio Emilia. XIXe siècle. Italien.
Peintre.
Il fut à Paris l'élève de Gérard et termina les peintures de la coupole du Panthéon que celui-ci à sa mort avait laissées inachevées.

CARNEVALI Nino Giovanni
Né le 24 juin 1849 à Rome. XIXe siècle. Italien.
Peintre de portraits.
Étudia dans sa ville natale avec Serra et se consacra particulièrement au portrait. La peinture de cet artiste est sans prétention, gentille, privée d'accessoires artificiels et recherchés. Le dessin est correct, la lumière juste, la couleur harmonieusement graduée et le sujet bien choisi. Il exposa, à Rome, en 1883 : *Portrait de Femme* et *Les Orphelines,* qui, exposé de nouveau à Nice, en 1884, obtint une médaille d'argent et fut acquis par le gouvernement français. A Venise, à l'Exposition nationale de 1887, on voyait de lui un *Portrait,* et à Bologne, en 1888, son tableau : *Le choléra à Naples,* qui fut goûté du public et acheté par la ville de Naples.

CARNEVALINI Francesco
XVIIe siècle (?). Actif à Crémone. Italien.
Peintre amateur.
Cité par Zani.

CARNICERO
XIXe siècle. Travaillant dans la seconde moitié du XIXe siècle. Espagnol.
Dessinateur, illustrateur.
Peut-être descendant d'Antonio. Il a collaboré à plusieurs périodiques espagnols et illustré des romans et des ouvrages d'histoire et de géographie.

CARNICERO Alexandro
Né en 1693 à Iscar. Mort en 1756 à Madrid. XVIIIe siècle. Espagnol.
Sculpteur.
Élève à Zamora de Josef de Lara. Il a travaillé successivement à Valladolid, à Salamanque et à Madrid.

CARNICERO Antonio
Né en 1748 à Salamanque (Castille-Léon). Mort en 1814 à Madrid. XVIIIe-XIXe siècles. Espagnol.

Peintre de sujets religieux, scènes de genre, portraits, paysages, graveur, dessinateur, illustrateur.

Il est le fils du sculpteur Alexandro Carnicero. Il fut élève de l'Académie des Beaux-Arts de Madrid, et après un séjour à Rome, devint, en 1800, peintre à la cour du roi Carlos IV.

Il a peint six tableaux pour le cloître de San Francisco el Grande à Madrid. Il a également réalisé de nombreux tableaux de genre, traités à l'huile ou reproduits par la gravure. Le Blanc cite de lui comme estampes : *Le Combat de taureaux*. Sa palette rappelle parfois Francisco de Goya.

BIBLIOGR. : In : *Dictionnaire de la peinture espagnole et portugaise du Moyen-Âge à nos jours*, coll. Essentiels, Larousse, Paris, 1989.

MUSÉES : MADRID (Mus. du Prado) : *Vue d'Albufera – Ascension d'une montgolfière – Dona Tomasa de Aliaga –* MADRID (École des Beaux-Arts) : *Portrait assis de Godoy –* VALENCE : *Portrait du roi Charles IV – Portrait de la reine Marie-Louise.*

VENTES PUBLIQUES : LONDRES, 9 mai 1910 : *Portrait de l'Infante Monte-Molin :* **GBP 12** – NEW YORK, 13 oct. 1989 : *Portrait du fils du Duc d'Osuna* 1811, h/t (121x82) : **USD 57 750.**

CARNICERO Isidro
Né en 1736 à Valladolid. Mort le 23 mars 1804 à Madrid. XVIIIe siècle. Espagnol.

Sculpteur.

Fils du sculpteur Alexandro Carnicero. Il fut membre, professeur, puis directeur de l'Académie de San Fernando à Madrid.

CARNIEL Richard
Né le 4 avril 1868 à Trieste. Mort le 7 juin 1915 au champ d'honneur. XIXe-XXe siècles. Italien.

Peintre.

Italien irrédentiste (engagé volontaire en 1914 dans la Légion garibaldienne) mais vivant à Paris, il figurait aux Indépendants. Ce Salon présenta, en 1920, une rétrospective de son œuvre : paysages, vues de Paris, nus, portraits, dont un de Carniel.

CARNIELO Rinaldo
Né le 11 février 1853 à Boscomontello-Biadone. Mort le 17 août 1910 à Florence. XIXe-XXe siècles. Italien.

Sculpteur.

Élève de Costoli à l'Académie de Florence. On cite parmi ses œuvres : *Mozart mourant* (Musée de Bordeaux), *Non posso pregare*, *Il Castellano*, *L'Ange de la Mort* (Cimetière Montparnasse), *Tenax vitæ*, *Labor imperat.*

CARNIER Henri. Voir KAUFMANN Karl

CARNIMOLLA Luigi
XVIe siècle. Actif à Palerme dans la première moitié du XVIe siècle. Italien.

Peintre.

CARNIO. Voir CARNEO

CARNO Hélène
XXe siècle. Polonaise.

Sculpteur de bustes.

Elle a exposé au Salon des Tuileries en 1934-1935 et au Salon de la Société Nationale des Beaux-Arts de Paris en 1938.

CARNOHAN Harry
Né à Hildord (Texas). XXe siècle. Américain.

Peintre.

CARNOVAEL. Voir CARMUAEL Vincent

CARNOVALI. Voir CARNEVALI

CARNULI Simone da, fra
Né à Gênes. XVIe siècle. Italien.

Peintre de compositions religieuses.

Carnuli, qui appartenait à l'ordre de saint François, peignit pour l'église de son couvent à Voltri, près de Gênes, notamment deux tableaux représentant *La Cène* et *Saint Antoine prêchant*, qui portent la date de 1519. L'Accademia Carrara à Bergame conserve de lui une *Descente de Croix*.

CARNWATH Squeak
XXe siècle. Américain.

Peintre.

Il montre ses œuvres dans des expositions personnelles à New York.

Il introduit dans ses peintures aux grands formats des textes, qui accompagnent les images d'objets quotidiens.

BIBLIOGR. : Robert G. Edelman : *Squeak Carnwath*, in : *Artpress*, n° 185, Paris, nov. 1993.

CARO Alonso de
XVIe siècle. Actif à Séville en 1551. Espagnol.

Peintre.

CARO Ambrosio de
XVIIe siècle. Espagnol.

Peintre.

On trouve ce peintre au nombre de ceux que le duc de Lerma fit travailler pour l'embellissement à la Valladolid des palais royaux, sous Philippe III.

CARO Anita de ou Caro-Vieillard
Née en 1909 à New York. Morte le 18 février 1998 à Paris. XXe siècle. Depuis 1939 active en France. Américaine.

Peintre et graveur. Abstrait-lyrique.

Elle commence à étudier la peinture avec Max Weber et Hans Hofmann à l'Art Students' League de New York, puis elle vient en Europe, d'abord à Zurich où elle rencontre Paul Klee et fait sa première exposition en 1938, à Paris ensuite en 1939, où elle étudie la gravure chez Hayter. Elle épouse le graveur français Roger Vieillard en 1939. À partir de 1947 à Paris, elle a figuré au Salon des Réalités Nouvelles et au Salon de Mai, à plusieurs reprises. Elle a régulièrement exposé à Paris depuis 1944, à Londres en 1952, 1957, 1958, à New York 1955, 1958, Tokyo 1960, Bruxelles 1961, Washington 1962, Varsovie 1962, et à partir de 1963, elle a exposé dans plusieurs villes de France : Toulouse, Perpignan, Montpellier, Bordeaux, etc.

La peinture d'Anita de Caro évoque des paysages parfois citadins, dont l'homme est exclu : *Ville au matin, Broadway*, quelquefois aériens : *Espace de l'Air*, le plus souvent cosmiques : *Soleil pourpre, Le beau monde, Etoile permanente, Cosmos.* Malgré ces évocations, son œuvre demeure abstraite et est structurée par un graphisme léger dont les traits peu appuyés sont comme absorbés par la couleur. Celle-ci est parfois traitée en touches parallèles, un peu à la manière impressionniste, mélangeant les tons dissonants aux dominantes rouges, bleues, mauves. D'autres fois, sa peinture reste dans des tons subtils de bleus, gris et verts. Enfin, Anita de Caro peut ajouter des éléments collés : fils, papiers déchirés, fragments de tissus, cartons ondulés. À travers ses toiles, Jacques Lassaigne voit « l'espace se creuser et s'animer, s'enrichir peu à peu sans jamais de surcharge par le simple jeu des graphismes et des rapports colorés ». Certaines de ses compositions, parmi les plus structurées, ne sont pas sans rappeler l'art de Vieira da Silva.

Anita de Caro (signature)

VENTES PUBLIQUES : PARIS, 20 mars 1989 : *Ville étoile* 1954, h/cart. (60x81) : **FRF 14 000** ; *Ce beau monde* 1960, h/t (100x65) : **FRF 29 000** ; *Ce beau monde, éclat cosmique* 1962, h/t (162x130) : **FRF 50 000** – PARIS, 26 mai 1989 : *La place du village* 1952, h/t (50x65) – DOUAI, 1er juil. 1990 : *Composition* 1960, techn. mixte (47x19) : **FRF 3 600** – PARIS, 24 mars 1996 : *Claire nuit*, h/t (132x89) : **FRF 8 500.**

CARO Anthony
Né le 8 mars 1924 à New Malden. XXe siècle. Britannique.

Sculpteur. Abstrait.

Il obtient un diplôme d'ingénieur en 1942, puis, de 1947 à 1952, suit des cours de sculpture à la Regent Street Polytechnique School et à la Royal Academy de Londres, sous la direction de Charles Wheeler. De 1951 à 1953, il travaille avec Henry Moore, dont il devient l'assistant. Professeur à la St-Martin's School of Art de Londres entre 1953 à 1962, il enseigne en 1965 au Bennington College, dans le Vermont, où il a connu les peintres Jules Olitski et Franck Stella. Dès 1959, il avait fait un voyage aux Etats-Unis, au cours duquel il avait découvert l'œuvre de David Smith qui l'a profondément influencé.

Il a participé à différentes expositions de groupe, notamment : 1959 Ire Biennale de Paris, où il a obtenu une bourse lui permettant de venir travailler à Paris, 1964 Documenta III de Kassel, 1996 *Un Siècle de sculpture anglaise* à la Galerie nationale du Jeu de Paume à Paris.

Parmi ses expositions personnelles, notons : 1956, Milan ; 1957, 1963 Londres ; 1969 (rétrospective), 1975, New York ; 1990, Paris ; 1996 galerie Lelong, Paris ; 1996, musée des beaux-arts, Angers ; 1998 National Gallery, Londres.

L'œuvre d'Anthony Caro connaît une évolution constante : à ses débuts, son art semble issu de Rodin, par ses formes plantu-reuses, non lisses, il reste en fait sous l'influence de Henry Moore, sans toutefois savoir aussi bien équilibrer pleins et creux. Le changement radical dans son art vient à la suite de son voyage de 1959 aux Etats-Unis. Il passe du bronze ou de la terre, matériaux qui lui permettaient des formes sensuelles, à l'acier dont la résistance endurcit et simplifie les formes. Il découpe des figures géométriques simples assemblées en compositions comparables à certaines peintures de Kenneth Noland. Mais il est alors surtout redevable à David Smith qu'il admire particulièrement et dont il héritera, matériellement, des morceaux de métal, à la mort de celui-ci en 1963. La sculpture *Twenty-four hours*, 1960, exécutée sans doute en 24 heures, comme l'indique son titre, est caractéristique de cette période : elle est faite de grandes formes géométriques découpées dans du métal peint en marron foncé et noir. Durant une longue période, jusque vers 1974, Anthony Caro a peint l'acier de ses sculptures. Il réussit parfois à atteindre une simplicité extrême, proche des recherches minimalistes, ainsi : *Somnambule* (1965), véritable ligne brisée, lancée dans l'espace, exécutée en acier peint en orange. Toujours linéaire et peinte, la sculpture *Mois de mai*, 1963, joue sur trois tons : le rouge qui prend une densité particulière et devient le point d'appui de l'œuvre, tandis que l'orange permet une liaison vers la légéreté du vert, tube métallique qui s'élance vers les hauteurs. Après ces œuvres plutôt filiformes, aux compositions ouvertes, Anthony Caro s'oriente vers un art plus dense où le volume reprend ses droits, tout en conservant une légéreté et une ouverture, comme le prouve *La fenêtre* (1966-67) où il utilise les grillages peints, en opposition à des plaques métalliques pleines.

Autour des années soixante-dix, il abandonne la couleur pour laisser jouer la patine du matériau, notamment la rouille, et retrouve une monumentalité avec les séries *Veduggio* et *Flats*. En arrondissant les arêtes des figures géométriques, découpées dans le métal, il donne à ses sculptures l'allure des papiers collés de Matisse. En 1987-1988, Caro réalise des sculptures dont le style semble une parenthèse dans son art, mais qui, très certainement, lui permettront d'aborder l'œuvre réalisée dans les années quatre-vingt. Il s'agit, par exemple de *Catalan hangar*, assemblage d'objets venus de la forge, où les larges courbes prennent une place prépondérante. Il s'est alors laissé imprégner par l'art catalan, comme il le dit lui-même : « Picasso, Gaudi, Gonzales et Miro étaient tous en vie dans mon esprit. » C'est ensuite avec générosité qu'il incurve ses formes, leur donne une souplesse nouvelle, même lorsqu'il travaille l'acier. Les quatre figures de *Night Movements*, 1987-1990, sont parmi les exemples les plus denses de cette période, retrouvant, en quelque sorte, la sensualité de ses débuts. Cette même impression sensuelle se retrouve, par exemple, avec le *Palais éléphant* en laiton, dont la matière dorée accentue le gonflement de l'ensemble en lui donnant un caractère humoristique.

La logique du cheminement de Caro ne semble pas, à première vue, claire, étant donnée l'extraordinaire variété de ses œuvres. Pourtant la recherche d'une sculpture « plus éloquente, plus humaine » est une constante chez lui. Et, en suivant attentivement son évolution, l'on s'aperçoit des changements engendrés les uns derrière les autres, sans rupture réelle, pour arriver à une monumentalité et à une sensualité qui sont restées, au fond, les caractères essentiels de son œuvre. Chaque série marque l'aboutissement d'une recherche spatiale qui entraîne la suivante. Il est considéré, en Angleterre, comme le « leader » de la nouvelle sculpture, se démarquant d'Henry Moore, pour s'orienter vers une abstraction qui doit beaucoup à David Smith.
■ Annie Pagès

BIBLIOGR. : T. Fenton : *Anthony Caro*, Ed. Thames and Hudson, Londres, 1986 – Caroline Smulders, in *Art Press*, Paris, 1990.
MUSÉES : CALAIS (Mus. des Beaux-Arts) : *Shuttle* 1974, acier rouillé et vernis – LONDRES (Tate Gal.) : *Woman waking up* 1955, bronze – *Twenty-four hours* 1960, acier peint. – PARIS (Mus. Nat. d'Art Mod.) : *Table piece CCCXC* 1977.
VENTES PUBLIQUES : LONDRES, 17 mars 1965 : *Corner boy*, bronze : **GBP 120** – NEW YORK, 18 juil. 1970 : *Flats*, acier peint. : **USD 12 500** – NEW YORK, 26 oct. 1972 : *Eyelit*, fer peint. en bleu : **USD 12 000** – NEW YORK, 21 oct. 1976 : *Poise 1970*, acier peint. (126x155x160) : **USD 14 000** – NEW YORK, 18 mai 1978 : *Jenny 1966*, acier (259x366x71) : **USD 11 000** – NEW YORK, 18 nov. 1981 : *Table pièce LII* 1968, acier peint. repeint en 1981 (63,5x97x19) : **USD 14 000** – NEW YORK, 10 mai 1983 : *Table pièce CCCCXX 1977-1978*, fer forgé (46x92,5x38,5) : **USD 10 000** – NEW YORK, 8

mai 1984 : *Table pièce L III 1968*, acier peint. (81,2x78x25,5) : **USD 19 000** – NEW YORK, 6 nov. 1985 : *Table piece LXI 1968*, peint. pulvérisée/acier (58,5x115,7x35,7) : **USD 16 000** – NEW YORK, 6 mai 1986 : *Cleeve*, acier peint (83,8x232,8x24) : **USD 22 000** – NEW YORK, 4 mai 1987 : *Black Cover Flat 1974*, acier rouillé et verni (180,4x249x76,3) : **USD 77 500** – LONDRES, 3-4 mars 1988 : *Fleet 1971*, acier peint (L. 272,5) : **GBP 22 000** ; *Tuba 1981*, acier oxydé et vernis (H. 182,5) : **GBP 27 500** – NEW YORK, 3 mai 1988 : *Table CCXXXI*, acier soudé et vernis (45,7x167,6x61) : **USD 20 900** – NEW YORK, 8 oct. 1988 : *Floor piece C 16*, acier soudé et vernis (82,5x121,8x91,4) : **USD 35 200** – NEW YORK, 10 Nov. 1988 : *CCCXCIX*, acier (79x111,5x23,5) : **USD 35 200** – LONDRES, 23 fév. 1989 : *Marionnette*, cuir et bois (29x43x27,5) : **GBP 8 250** – NEW YORK, 8 mai 1989 : *Tablier gris 1972*, acier peint en gris (127x173x84) : **USD 55 000** – NEW YORK, 8 mai 1990 : *Pine Gate 1983*, acier soudé (108x137,8x78,8) : **USD 77 000** – LONDRES, 18 oct. 1990 : *Demi Nelson* 1981, bronze coulé et soudé (63,5x61x38) : **GBP 12 100** – NEW YORK, 14 fév. 1991 : *Élément de table Z-95 Epsilon*, acier soudé (81,2x55,8x38) : **USD 26 400** – LONDRES, 27 juin 1991 : *Élément de table Z 79 Malaprop 1982*, acier (53,5x107x37) : **GBP 13 200** – NEW YORK, 3 oct. 1991 : *Jester*, acier peint. (99x106,7x66) : **USD 33 000** – NEW YORK, 13 nov. 1991 : *Writing piece div 1979*, acier soudé peint, sculpture (36,8x55,9x15,2) : **USD 17 600** – LONDRES, 16 oct. 1992 : *Pièce d'acier inox. A-N 1979*, acier inox. (35,6x53,8x15,2) : **GBP 4 180** – NEW YORK, 4 mai 1993 : *Cercle national*, acier peint et noirci (170,2x170,2x111,8) : **USD 42 550** – NEW YORK, 3 nov. 1994 : *Double rayon de lune*, bronze (179x129,5x99) : **USD 40 250** – LONDRES, 1er déc. 1994 : *Dimension libre : élément de table Y-89 1987*, acier soudé (115,5x119,5x43) : **GBP 13 800** – NEW YORK, 16 nov. 1995 : *Méduse* 1989, acier (180,3x198,1x119,4) : **USD 51 750** – NEW YORK, 9 mai 1996 : *Table piece CCCLXX*, acier soudé et verni (68,6x152,4x45,7) : **USD 27 600** – NEW YORK, 10 nov. 1997 : *Floor Piece Gimel (Stretch) 1969-1972*, acier (23,5x226,7x127) : **USD 23 000** – NEW YORK, 13-14 mai 1997 : *Femme se réveillant 1955*, bronze (L. 66) : **USD 14 950** – LONDRES, 30 mai 1997 : *Rose de Barcelone 1987*, fer soudé (L. 203) : **GBP 18 400**.

CARO Baldassare de

Né en 1689 à Naples. Mort vers 1750 ou 1760. XVIIIe siècle. Italien.
Peintre de scènes de chasse, natures mortes, fleurs.
Il travaillait dans la première moitié du XVIIIe siècle. Il fut élève de A. Belvédère. D'abord peintre de fleurs, il devait se consacrer par la suite à la peinture des animaux et en particulier du gibier mort.

BℭＣ ᛒℭＣ

MUSÉES : NAPLES (Mus. Nat.) – SCHWERIN : *Sanglier mort et deux chiens*.
VENTES PUBLIQUES : PARIS, 1870 : *Vautour enlevant un canard* : **FRF 600** – COLOGNE, 8 et 9 mars 1904 : *Nature morte, chasse* : **DEM 305** – PARIS, 22 au 24 fév. 1923 : *Fleurs, fruits et plat d'étain* : **FRF 300** ; *Troupeau au pâturage* : **FRF 95** – LONDRES, 6 mai 1927 : *Oiseaux morts dans un paysage* : **GBP 9** – LONDRES, 1er mars 1935 : *Paire d'oiseaux morts* : **GBP 11** – COPENHAGUE, 12 et 20 nov. 1964 : *Nature morte* : **DKK 3 100** – LUCERNE, 30 nov. 1968 : *Nature morte* : **CHF 5 200** – VIENNE, 17 mars 1970 : *Scène de chasse* : **ATS 120 000** – MILAN, 21 mai 1981 : *Vase de fleurs, h./albâtre, de forme octogonale (66x66)* : **ITL 9 000 000** – NEW YORK, 14 mars 1985 : *Canards sauvages combattant au bord d'une rivière, h/t (117x166,5)* : **USD 4 000** – MILAN, 21 avr. 1988 : *Nature morte aux fleurs, fruits et gibier, h/t (75x100)* : **ITL 16 000 000** – ROME, 23 mai 1989 : *Nature morte d'oiseaux, h/pan. (diam. 23,5)* : **ITL 2 600 000** – MILAN, 12 juin 1989 : *Nature morte avec du gibier, h/t (63,3x43)* : **ITL 9 000 000** – ROME, 21 nov. 1989 : *Coq et poules dans un paysage, h/t (49x63)* : **ITL 5 000 000** – ÉVREUX, 24 mars 1991 : *Un sanglier attaqué par des chiens, h/t (74,5x103)* : **FRF 118 000** – ROME, 23 avr. 1991 : *Chien de chasse dans un paysage, h/t, une paire (chaque 25x31,5)* : **ITL 19 500 000** – LONDRES, 1er nov. 1991 : *Une buse attaquant un serpent sur la berge d'une rivière tandis que divers volatiles s'enfuient, h/t (130x183,5)* : **GBP 11 000** – MILAN, 3 déc. 1992 : *Paysage avec des volatiles, h/t (96x150)* : **ITL 8 000 000** – MILAN, 13 mai 1993 : *Nature morte au gibier, h/t (63x76)* : **ITL 18 000 000** – MONACO, 2 juil. 1993 : *Nature morte dans un paysage avec un panier de pommes, une branche de cerises, des poules et du gibier au premier plan ; Nature morte dans un paysage avec un panier de pommes et de raisin et un canard près d'un fusil, h/t, une paire (74,5x126)* : **FRF 183 500** ;

Le repos des chasseurs, h/t (190x286) : **FRF 244 200** – LONDRES, 20 avr. 1994 : *Nature morte avec des chiens de meute, du gibier et un aigle*, h/t (206,5x155) : **GBP 21 850** – LONDRES, 17 avr. 1996 : *Paysage avec des chiens gardant des animaux morts, une gibecière et un fusil*, h/t (152x203) : **GBP 12 650** – LONDRES, 3-4 déc. 1997 : *Nature morte de fleurs variées dans un vase en étain sur un piedestal de pierre*, h/t, une paire (64,9x43,9 et 65,3x43,8) : **GBP 13 800**.

CARO Ferdinando de
XVIIIe siècle. Actif à Naples. Italien.
Peintre.

CARO Francisco
Né en 1627 à Séville. Mort en 1667 à Madrid. XVIIe siècle. Espagnol.
Peintre.
Fils et élève de Francisco Lopez Caro, il étudia plus tard avec Alonso Cano. Il travailla pour l'église Saint-André à Madrid, et pour le couvent Saint-François à Ségovie.

CARO Francisco Lopez. Voir LOPEZ-CARO

CARO François
Né au XIXe siècle à Milan. XIXe siècle. Actif à Neuilly-sur-Seine. Français.
Sculpteur.
Élève de Marqueste et Injalbert. Il exposa aux Artistes Français et obtint une mention en 1895. Médaille de bronze à l'Exposition Universelle de 1900.

CARO Manuel
Né à Puebla. XVIIIe siècle. Travaillant à Puebla. Mexicain.
Peintre de compositions religieuses.
Quelques-unes de ses œuvres sont conservées au sanctuaire de Ocotluna, et notamment : *La Vierge apparaît à l'Indien Juan Diego*.

CARO Manuel
Né en 1780 à Madrid. XIXe siècle. Espagnol.
Peintre de portraits.

CARO Manuel Antonio
Né en 1853 à Valparaiso. XIXe siècle. Chilien.
Peintre d'histoire.
Il exposa en 1882 à l'Exposition de Santiago du Chili *La abdicacion del supremo director general O'Higgins*.

CARO DE TAVIRA Juan
Né au XVIIe siècle à Carmona. XVIIe siècle. Espagnol.
Peintre.
Élève de Zurbaran.

CARO-DELVAILLE Henry
Né le 9 juillet 1876 à Bayonne (Pyrénées-Atlantiques). Mort le 2 juillet 1928 à Sceaux (Hauts-de-Seine). XIXe-XXe siècles. Français.
Peintre de genre, intérieurs, figures, nus, graveur.
Élève de Bonnat et de Maignan, il exposa au Salon des Artistes Français, où il obtint une médaille en 1901, puis participa régulièrement au Salon de la Société Nationale des Beaux-Arts.
Il s'est spécialisé dans la représentation d'intérieurs élégants. C'est aussi le peintre de la femme, ainsi *Femme nue*, *Ma femme et ses sœurs*.

H. Caro Delvaille

VENTES PUBLIQUES : PARIS, 13-14 mars 1919 : *L'heure du thé* : **FRF 1 200** – PARIS, 26 oct. 1922 : *L'Offrande des amants* : **FRF 1 400** – PARIS, 5 mai 1928 : *Portrait de jeune femme* : **FRF 1 000** – PARIS, 15 mai 1944 : *La partie de musique* : **FRF 1 950** ; *La partie d'échecs* : **FRF 2 600** – LONDRES, 3 déc. 1976 : *Méditations 1924*, 2 h. et cr./cart. (63x52) : **GBP 280** – VERSAILLES, 15 avr. 1984 : *L'offrande des amants, La fontaine d'amour*, 2 h/t (150x232) : **FRF 7 500** – BARCELONE, 30 avr. 1985 : *Maternité*, h/t (150x142) : **ESP 285 000** – LONDRES, 26 nov. 1986 : *Un café à la mode 1902*, h/cart. (59,5x79,5) : **GBP 11 000** – NEW YORK, 23 mai 1990 : *Trois musiciens*, h/cart. (43,2x64,8) : **USD 13 200** – NEW YORK, 20 jan. 1993 : *Méditation 1924*, cr., gche et h/cart. (63,5x53,3) : **USD 1 150** – PARIS, 29 nov. 1993 : *Fillette à la corbeille de fruits*, h/t (80x63) : **FRF 23 000** – PARIS, 16 déc. 1994 : *Jeune femme*, h/t (81x65) : **FRF 19 000** – NEW YORK, 2 avr. 1996 : *L'Heure du thé*, h/t (100,3x90,8) : **USD 6 900** – CANNES, 7 août 1997 : *Jeune femme dans un intérieur*, h/t (136x110) : **FRF 110 000**.

CARO-VIEILLARD Anita de. Voir CARO Anita de

CAROBIO Giovanni
Né en 1691, originaire de Bergame. Mort en 1752. XVIIIe siècle. Italien.
Peintre.
Il a peint pour les églises de Bergame.

CAROCCI Antonio
Né au XVIIe siècle à Preci près de Spolète. XVIIe siècle. Italien.
Peintre.

CAROCCI Baverio de, dit Baviera
Originaire de Parme. XVIe siècle. Italien.
Peintre.
Il fut d'abord l'aide, puis devint l'élève et l'ami de Raphaël qui au moment de mourir lui confia sa maîtresse. Il fut d'autre part chargé de s'occuper de la vente des estampes gravées d'après Raphaël.

CAROCCI Filippo. Voir CARROCI

CAROCCI G.
XIXe siècle. Actif à Florence au début du XIXe siècle. Italien.
Graveur à l'aquatinte.
Le Blanc cite de lui 34 planches pour des *Vues de Florence et des principales villes de la Toscane*. Peut-être identique à Giustino.

CAROCCI Giustino
Né en 1829 à Rome. XIXe siècle. Actif à Rome. Italien.
Graveur.

CAROGGIO Rita
Née le 21 mars 1881 à Sampierdarena. XXe siècle. Italienne.
Peintre.
Élève du professeur Terenzio Monti. Elle prit part en 1900 au concours Alinari.

CAROL-CHÉRY Andrée, Mme
Née à Brest (Finistère). XIXe-XXe siècles. Française.
Peintre.
Élève de Carolus-Duran, Baschet et Eschbach. Expose au Salon des Artistes Français.

CAROLI Baldassare. Voir CARRARI Baldassare di Matteo

CAROLI Francesco
XVIIIe siècle. Actif à Bologne dans la seconde moitié du XVIIIe siècle. Italien.
Peintre.

CAROLI Hélène, plus tard Mme Caroli-Cassin
Née aux Essarts-le-Roi (Seine-et-Oise). XXe siècle. Française.
Peintre.
Sociétaire des Artistes Français ; mention honorable en 1929.

CAROLI Pier Francesco. Voir GAROLI Pietro Francesco

CAROLINI
XVIIIe siècle. Italien.
Peintre.
Il travailla en 1727 à Schlan (ou Slaného) en Bohème.

CAROLINO da Viterbo
Originaire de Viterbe. XVe siècle. Italien.
Peintre de compositions religieuses.
On lui doit une *Vierge à l'Enfant*, 1478, conservée à l'église de Vallerano.

CAROLIS Adolfo de ou Karolis
Né le 6 janvier 1874 à Ascoli. Mort le 7 février 1928 à Rome. XIXe-XXe siècles. Italien.
Peintre de portraits, paysages, graveur, illustrateur. Groupe In Arte Libertas.
Il fit ses études à l'Institut des Beaux-Arts de Bologne, puis à Rome et à Florence. Il fit partie du groupe pictural *In Arte Libertas* et fut, par la suite, influencé par le préraphaélisme anglais et surtout par Burne-Jones. En 1900, il prit part au concours Alinari.
Dans ses illustrations et gravures, se décèlent les influences du mouvement *Arts and Crafts* de Morris et du *Jugenstil*. Il illustra particulièrement l'œuvre de Gabriele d'Annunzio.
BIBLIOGR. : Marcus Osterwalder, in : *Diction. des illustrateurs 1800-1914*, Hubschmid & Bouret, Paris, 1983.
VENTES PUBLIQUES : MILAN, 13 oct. 1987 : *Le concert 1901*, h/t (75x103) : **ITL 22 000 000**.

CAROLIS Lorenzo di Ma. Giovanni de, dit **Giuda**
Originaire de Matelica. XVᵉ-XVIᵉ siècles. Travaillant à Macerata. Italien.
Peintre.
Mentionné par Lanzi et Ricci sous le nom de Lorenzo Pittori di Macerata ou Matelica. Il est, selon toute vraisemblance, l'auteur d'une fresque de la *Vierge* qui se trouve au Palazzo dei Presidi et de quelques peintures à l'église S. Liberato, à Macerata. Il exécuta en 1533 dans la même ville des peintures à l'église delle Vergine.

CAROLIS Pietro de
XIXᵉ siècle. Actif à Rome dans la première moitié du XIXᵉ siècle. Italien.
Graveur.

CAROLL Robert ou **Carroll**
Né en 1934 à Painesville (Ohio). XXᵉ siècle. Américain.
Peintre de compositions animées, paysages. Figuratif expressionniste.
Il étudia tout d'abord au Cleveland Institute of Art de 1953 à 1957. Manifestant un grand intérêt pour l'art précolombien, il effectua un voyage à Mexico en 1955. Il poursuivit ensuite ses études en 1956 à la Yale Norfolk Summert Art School, sous la direction de Rico Lebrun. Il exposa pour la première fois en 1954 à Cleveland, puis à Rome, à Palerme, au Festival des Deux Mondes à Spolète en 1962, à Rome, New York, Chicago, etc.
VENTES PUBLIQUES : ROME, 19 mai 1977 : *Composition*, h/t (162x129) : ITL 1 500 000 – ROME, 20 avr. 1982 : *Arbres*, h/cart. (33x47) : ITL 500 000 – MILAN, 14 juin 1983 : *Le tourment 1972*, h/t (81x100) : ITL 1 350 000 – ROME, 3 déc. 1985 : *Le grand été*, h/t (60x50) : ITL 2 200 000 – ROME, 17 avr. 1989 : *Fleurs*, h/t (70x50) : ITL 1 400 000.

CAROLSFELD Julius Schnorr von. Voir **SCHNORR VON CAROLSFELD Julius Veit Hans**

CAROLUS. Voir aussi **KAROLUS**

CAROLUS ou **Karolus**
XIIIᵉ siècle. Allemand.
Peintre de miniatures.
Signature d'un calligraphe et enlumineur. On doit à cet artiste une Bible en trois volumes (de 1255), conservée à la Bibliothèque de Copenhague et exécutée à Hambourg.

CAROLUS, frater
XVIIᵉ siècle. Actif à Prague. Éc. de Bohême.
Graveur.
Membre de l'ordre de Saint-François.

CAROLUS Claude
XVIIᵉ siècle. Français.
Sculpteur.
Il fut reçu à l'Académie de Saint-Luc en 1677.

CAROLUS Jean
Né vers 1840. Mort en 1897. XIXᵉ siècle. Actif de 1867 à 1872. Belge.
Peintre de genre, intérieurs.
Il travaillait en France où il a peint des scènes dans des intérieurs de style désuet et précieux.

MUSÉES : YPRES : *Une partie de billard sous Louis XV*.
VENTES PUBLIQUES : PARIS, 1864 : *Le ménage heureux* : FRF 580 – LONDRES, 30 nov. 1907 : *The curio dealer* : GBP 12 – LONDRES, 20 déc. 1909 : *La présentation* : GBP 19 – LONDRES, 2 avr. 1910 : *L'Auditeur* : GBP 19 – PARIS, 5 déc. 1928 : *Jeune femme lisant* : FRF 170 – PARIS, 5 juil. 1929 : *Châtelaine lisant dans un intérieur* : FRF 150 – LONDRES, 4 déc. 1931 : *L'introduction 1876* : GBP 9 – LONDRES, 2 mars 1932 : *La leçon de musique* : GBP 21 – LONDRES, 11 juin 1934 : *La demande en mariage* : GBP 17 – LONDRES, 13 mars 1937 : *Le sergent recruteur 1868* : GBP 13 – LONDRES, 13 déc. 1937 : *Les présentations* : GBP 31 – LONDRES, 27 mars 1944 : *Un duo* : GBP 110 – PARIS, 30 déc. 1949 : *La leçon de peinture* : FRF 30 500 – PARIS, 10 déc. 1954 : *La fête de la grand' mère* : FRF 75 000 – NEW YORK, 6 oct. 1966 : *La lettre* : USD 225 – LONDRES, 15 fév. 1967 : *La diseuse de bonne-aventure* : GBP 200 – LONDRES, 12 fév. 1969 : *Le prétendant* : GBP 880 – LONDRES, 24 nov. 1976 : *L'heure de musique*, h/t (74x91) : GBP 3 100 – LONDRES, 11 fév. 1977 : *La Visite de la couturière 1866*, h/t

(86,5x123) : GBP 3 200 – LONDRES, 20 juin 1979 : *Le Choix de la robe de la mariée 1865*, h/t (86,5x121) : GBP 6 500 – AMSTERDAM, 17 nov. 1981 : *Le choix de la robe de mode 1865*, h/t (87x122) : NLG 16 000 – NEW YORK, 26 mai 1983 : *Le peintre de fleurs 1877*, h/t (77x94,5) : USD 8 000 – AMSTERDAM, 19 nov. 1985 : *Élégantes choisissant des soieries*, h/pan. (64x80) : NLG 18 000 – LONDRES, 26 fév. 1988 : *Une éloquente interprétation 1876*, h/t (79x96,5) : GBP 2 750 – NEW YORK, 24 mai 1988 : *Visite chez l'antiquaire 1878*, h/t (78,7x97,7) : USD 11 000 – LONDRES, 28 mai 1988 : *La lettre*, gche (43x29) : BEF 150 000 – PARIS, 18 juin 1990 : *Le départ des jeunes mariés*, h/t (85x105,5) : FRF 60 000 – AMSTERDAM, 6 nov. 1990 : *Mère et enfant dans un intérieur*, h/t (70,5x58,5) : NLG 7 475 – AMSTERDAM, 24 avr. 1991 : *Intérieur bourgeois avec des jeunes femmes prenant le thé 1844*, h/pan. (58x46) : NLG 23 000 – NEW YORK, 22 mai 1991 : *La lettre*, h/t (65,4x55,2) : USD 6 600 – NEW YORK, 29 oct. 1992 : *La lettre*, h/pan. (73x55,2) : USD 9 200 – LONDRES, 11 avr. 1995 : *Les connaisseurs 1877*, h/t (74x93) : GBP 9 200 – AMSTERDAM, 16 avr. 1996 : *Le rouet*, h/pan. (43x34) : NLG 7 552.

CAROLUS Jeanne Charlotte, Mme
Née à Toulon (Var). XXᵉ siècle. Française.
Peintre.
Élève de F. Sabatté. Sociétaire des Artistes Français ; mention honorable en 1938.

CAROLUS Louis Antoine
Né le 25 décembre 1814 à Anvers. Mort en 1865 à Anvers. XIXᵉ siècle. Belge.
Peintre de genre, graveur.
Il fut élève de Eeckhout, de F. de Brackeleer, et, de 1831 à 1834, de Le Poitevin à Paris. Il a peint des scènes de genre du XVIIIᵉ siècle.
VENTES PUBLIQUES : PARIS, 1844 : *Intérieur de cabaret ; Hommes lisant et buveurs* : FRF 360 – COLOGNE, 28 avr. 1965 : *La visite* : DEM 1 150 – COLOGNE, 11 juin 1979 : *Scène d'auberge*, h/pan. (41x52,5) : DEM 5 500.

CAROLUS-DURAN, pseudonyme de **Durand Charles Émile Auguste**
Né le 4 juillet 1837 à Lille (Nord). Mort le 18 février 1917 à Paris. XIXᵉ-XXᵉ siècles. Français.
Peintre d'histoire, scènes de genre, portraits, paysages, fleurs, sculpteur.
Il fit ses études artistiques à Paris, où il vint en 1853 pour s'inscrire à l'Académie Suisse, puis à Rome et en Espagne. Il débuta au Salon de Paris en 1866 avec la *Prière du soir*, tableau envoyé d'Italie. Revenu à Paris vers 1869, il se consacra plus spécialement au portrait et dans ce domaine se fit une renommée rapide. Fondateur avec Meissonier et Puvis de Chavannes de la Société Nationale des Beaux-Arts, il devint président de cette association en 1898. Il fut nommé membre de l'Institut et directeur de l'École française à Rome en 1905. Il était Grand Officier de la Légion d'honneur.
Indépendamment de ses portraits, il a exposé des toiles d'histoire, des paysages et des tableaux de genre. Il s'est même essayé dans la sculpture aux Salons de 1873 et 1874. Certains de ses tableaux réalistes, comme *Le Convalescent 1861*, sont influencés par Courbet, tandis que ses nombreux portraits révèlent une influence salutaire de Velasquez, de Van Dyck, et à un degré moindre, des impressionnistes, notamment ceux de *Madame Feydeau 1869* ou celui de *Madame de Lancey 1876* ou ceux de sa femme que l'on nommait *La belle croizette*. Ses décorations, comme la *Gloire de Marie de Médicis 1878*, au plafond du Louvre, s'avèrent médiocres.

BIBLIOGR. : In : *Diction. de la peinture française*, coll. Essentiels, Larousse, Paris, 1989.
MUSÉES : CHAMBÉRY (Mus. des Beaux-Arts) : *Lac de montagne* – FLORENCE (Mus. des Offices) : *La comtesse Berta Vandal 1878* – LILLE : *L'assassiné 1866* – *Madame Feydeau* – *La dame au chien 1870* – PARIS (Mus. d'Orsay) : *Convalescent 1861* – *La dame au gant 1869* – PARIS (Mus. du Petit Palais) : *Madame de Lancey 1876* – TOKYO (Mus. d'Art occidental) : *Madame Georges Feydeau et ses enfants*.

VENTES PUBLIQUES : PARIS, 1874 : *Canzonnetta italienne* : **FRF 5 000** – PARIS, 1892 : *Dans la rosée* : **FRF 16 000** – NEW YORK, 1906 : *Le fille de l'Émir* : **USD 1 450** – PARIS, 14-15 déc. 1927 : *Portrait de Narcisse Virgile Diaz de la Pena* : **FRF 2 550** – LONDRES, 19 juil. 1935 : *Terrassier 1893* : **GBP 105** – NEW YORK, 16 mars 1944 : *Monsieur Berthall* : **USD 150** – PARIS, 2 déc. 1948 : *Portrait de jeune fille* : **FRF 26 000** – PARIS, 18 juin 1962 : *Portrait de Madame E. Feydeau, mère de Georges Feydeau* : **FRF 5 000** – NICE, 17 fév. 1972 : *Triomphe de Bacchus* : **FRF 12 500** – PARIS, 16 mars 1976 : *Portrait d'une jeune femme, h/t (55,5x46)* : **FRF 1 800** – PARIS, 25 nov. 1977 : *Portrait de la Princesse de Broglie et de son cousin Robert 1890, h/t (169x124,5)* : **FRF 29 000** – PARIS, 6 avr. 1979 : *Portrait de Madame X, h/t (132x89)* : **FRF 23 500** – NEW YORK, 28 mai 1981 : *Jeune femme nue lisant « La Vie Bordelaise », h/t (38x56)* : **USD 14 000** – VERSAILLES, 27 nov. 1983 : *Le triomphe de Marie de Médicis, h/t, étude pour le plafond du Luxembourg (96x78)* : **FRF 24 000** – LONDRES, 19 mars 1985 : *Portrait de Cornelia, fille de Martin Bradley de New York 1881, h/t (150,5x90)* : **GBP 14 500** – PARIS, 18 mars 1988 : *Beppino 1880, h/t (100x81)* : **FRF 55 000** – PARIS, 21 avr. 1988 : *Portrait de Pierre Berthelier 1877, h/t (55x46)* : **FRF 33 000** – PARIS, 14 juin 1988 : *Portrait de jeune femme en robe bleue 1892, h/t (122,5x77,5)* : **FRF 31 000** – GIEN, 26 juin 1988 : *Jeune fille à la lecture, h/pap. (26x20)* : **FRF 8 000** – PARIS, 9 déc. 1988 : *Portrait de femme en noir, h/t (62x49)* : **FRF 13 000** – NEW YORK, 18 oct. 1989 : *Portrait d'Edouard Manet, h/t (64,7x54,6)* : **USD 407 000** – PARIS, 27 nov. 1989 : *Portrait de Simone 1896, h/t* : **FRF 350 000** – NEW YORK, 1er mars 1990 : *Portrait de Philippe Burty 1874, h/t (47x40)* : **USD 18 700** – MONACO, 16 juin 1990 : *Portrait du Prince Michel Orsini à huit ans 1885, h/t (53,5x45)* : **FRF 177 600** – LONDRES, 22 juin 1990 : *Le printemps 1882, h/t (150,5x92,1)* : **GBP 14 300** – NEW YORK, 26 oct. 1990 : *Etude d'une fillette avec une charlotte, cr./pap. (27,9x20,3)* : **USD 1 100** – PARIS, 30 nov. 1990 : *Portrait de Manet 1874, h/t (64,5x50)* : **FRF 37 000** – MONACO, 8 déc. 1990 : *Portrait de la Marquise de Vaucouleurs de Lonjamet 1875, h/t (130x90,5)* : **FRF 99 900** – NEW YORK, 28 mai 1992 : *Nu allongé, h/t (41,9x75,6)* : **USD 5 500** – MONACO, 18-19 juin 1992 : *Portrait d'un jeune artiste 1866, h/t (60x48)* : **FRF 49 950** – PARIS, 4 déc. 1992 : *Portrait de Mademoiselle L. 1872, dess. reh. d'aquar./pap. teinté (26,5x19,5)* : **FRF 6 300** – LONDRES, 7 avr. 1993 : *Portrait d'une lady 1891, h/t (55x41)* : **GBP 2 875** – PARIS, 25 nov. 1993 : *Le Christ chassant du temple les ecclésiastiques avides, pl., lav. et reh. de blanc/pap. beige (72x59)* : **FRF 4 600** – PARIS, 3 déc. 1993 : *Portrait de jeune fille, h/t (81x60,5)* : **FRF 10 500** – NEW YORK, 20 juil. 1994 : *Chanteuse arabe 1885, h/t (72,4x42,5)* : **USD 4 600** – NEW YORK, 20 juil. 1995 : *La Grand'mère revêche 1882, h/pan. (32,4x24,1)* : **USD 2 875** – PARIS, 19 avr. 1996 : *Tolède 1887* (29x21) : **FRF 10 500** – PARIS, 13 mai 1997 : *Un jeune florentin 1874, terre cuite (H. 49)* : **FRF 40 000** – LONDRES, 11 juin 1997 : *Portrait de Madame Flandrin, née Marie Lebon 1871, h/t (98x72)* : **GBP 43 300.**

CAROLUS-DURAN Pauline Marie Charlotte, Mme, née Croizette

Née à Saint-Pétersbourg, de parents français. XIXe siècle. Française.

Peintre de portraits.

Femme de Carolus-Duran. Élève de son mari et de Fontaine. Elle devint sociétaire des Artistes Français en 1887. Elle exposait au Salon ce groupement depuis 1864 ; médaille de troisième classe en 1875. Elle a pratiqué le pastel et exécuté des miniatures.

CARON Adolphe Alexandre Joseph

Né en 1797 à Lille. Mort en 1867 à Clamart. XIXe siècle. Français.

Graveur de reproductions.

Élève de Lair et de Bervic. Il entra à l'École des Beaux-Arts en 1812. Il débuta au Salon de Paris en 1822 et exposa régulièrement jusqu'à sa mort. Il obtint une médaille de deuxième classe en 1824, une médaille de première classe en 1846 et fut décoré de la Légion d'honneur en 1855.

CARON Albert

Né au XIXe siècle à Paris. XIXe siècle. Français.

Peintre de paysages.

Élève d'A. Bernard et L. Pellenc. Sociétaire des Artistes Français depuis 1888, il exposa aux Salons de cette association, surtout des pastels.

CARON Alexandre Auguste

Né le 16 avril 1857 à Paris. Mort en 1932. XIXe-XXe siècles. Français.

Sculpteur.

Il fut élève de Barrau, Roufosse et Scaillet. Sociétaire du Salon des Artistes Français depuis 1893, il y exposa régulièrement, obtenant une mention honorable en 1898. On cite de lui : *Esclave à vendre, Après le bain, Mlle Suzanne, Éva, Éros, Atalante.* Il a introduit dans ses sculptures l'ivoire, l'or, l'argent, les gemmes.

MUSÉES : PARIS (ancien Mus. du Luxembourg) : *Vénus,* ivoire.

VENTES PUBLIQUES : MONTE-CARLO, 9 oct. 1977 : *Après le bain,* sculpt. chryséléphantine en argent et ivoire, bijoux en or, socle à décor de pavement en agate et émaux (H. 46,5) : **FRF 30 000** – NEW YORK, 20 juil. 1995 : *Buste de femme indigène,* bronze (H. 27,9) : **USD 2 875** – MONTRÉAL, 7 déc. 1995 : *La baigneuse timide,* bronze (H. 17) : **CAD 650.**

CARON Antoine

Né en 1520 ou 1521 à Beauvais. Mort en 1599 à Paris. XVIe siècle. Français.

Peintre d'histoire, compositions religieuses, sujets allégoriques, portraits, cartons de tapisseries, maître verrier, graveur, dessinateur.

Il avait épousé Jeanne Bitouzet en 1571. Il eut plusieurs filles, l'une épousa le célèbre graveur Thomas de Leu qui exécuta un bon portrait gravé de son beau-père d'après un dessin conservé actuellement à la Bibliothèque Nationale et daté de 1592 ; une autre épousa le peintre Pierre Gourdelle en 1580. Caron travailla d'abord dans sa ville natale où il fit un grand nombre de peintures religieuses, notamment dans trois églises, détruites à la fin du XVIIIe siècle ; il exécuta à cette époque des dessins de vitraux pour Angrand le Prince et des tableaux qui ont disparu. Il entra à Fontainebleau en 1540 pour travailler avec le Primatice. À cette époque, il s'est également formé auprès de Nicolo dell' Abbate. Il était désigné, en 1561, pour participer à la décoration de la porte décorée en l'honneur de l'entrée royale de Charles IX, dont la fête a d'ailleurs été remise à 1571. On lui préféra alors Nicolo dell' Abbate et son fils Giulio Camillo. Il était devenu peintre de Catherine de Médicis, en 1559, et c'est en 1562 qu'elle lui commanda par l'intermédiaire de l'apothicaire Nicolas Houel, une suite de dessins sur l'*Histoire d'Artémise,* allégories à la gloire d'Henri II, qui furent plus tard réalisés en tapisseries par la Manufacture des Gobelins. Peintre des fêtes royales, il prépare, en 1572 celles du mariage d'Henri IV et de Marguerite de Valois, qu'interrompra la Saint-Barthélemy. En 1575, il est chargé avec le sculpteur Germain Pilon et le poète Dorat de l'organisation des fêtes pour l'entrée dans Paris du duc d'Anjou, élu roi de Pologne, et exécute un certain nombre de « tableaux de plate peinture » qu'on connaît par une description. En 1575, il est promu juré de la corporation des Maîtres peintres de Paris, ce qui consacre la réputation de son talent au service de la cour depuis Henri III jusqu'à Henri IV dont il exécuta le portrait équestre gravé par Gilbert Vœnius. Caron a fourni également comme les autres peintres d'alors, des dessins qui ont été gravés sur bois ; l'on retrouve son influence sur l'atelier de Denis de Mathonière et son nom sur huit gravures du *Livre de Philostrate* dont un certain nombre de planches peuvent également lui être attribuées ; plusieurs ont été gravées par Léonard Gaultier qui passe pour être un de ses gendres. On sait d'autre part que Caron a illustré les *Métamorphoses d'Ovide,* et l'on reconnaît sa manière dans certaines planches isolées comme le *Fils d'Aman.* L'œuvre de Caron est ainsi partagée entre des travaux décoratifs, dont presque rien ne nous est parvenu, des dessins pour gravures, des portraits, qui sont souvent difficiles à authentifier, des tableaux de chevalet. Il était, avant tout un peintre de Cour, ce qui se retrouve dans son style et ses thèmes. Abordé de l'extérieur, l'art de Caron frappe par son côté théâtral, très « fête de Cour », sa peinture a un côté artificiel. Il aima utiliser les lumières artificielles : des feux d'artifices, des retraites aux flambeaux, des ciels flamboyants : *Le triomphe de l'Été, les Funérailles de l'Amour, les Astronomes* attestent de cette prédilection. À cet artifice s'ajoute celui des ensembles fantastiques des palais et de ruines, des créations de villes de rêve. Caron affirme son maniérisme par l'ambiguïté qu'il laisse entière et même accentue en certaines occasions : il est impossible de déterminer si la figure de femme qui surmonte la fontaine dans la *Sibylle de Tibur* est une statue ou non. Le traitement des chairs, couleur de cire ne permet pas de trancher le problème. À cette ambiguïté, s'ajoute celle de la signification des thèmes : *Le Massacre du Triumvirat* met en scène des figures dansantes, peintes en tons vifs et gais, nous avons presque l'impression d'assister à un ballet, alors que ce drame devrait exprimer l'horreur. Caron semble garder l'esprit clair, la tête froide devant ces scènes horribles, en ordon-

nant ses tableaux suivant des compositions claires, propres au goût français, et en insistant sur le rôle du dessin qui limite les couleurs. Son dessin est sec et habile, déterminant des formes allongées, dans le goût maniériste, ses couleurs sont pimpantes. Caron crée une peinture lisse grâce à des effets de glacis, superposés à des couches minces de peinture. Sa couleur est posée délicatement, mais sans vibration, et suit toujours rigoureusement le dessin. Très souvent, il utilise une succession de plans parallèles, d'étages successifs, sur lesquels des groupes de personnages sont disposés d'une façon assez symétrique. Il a su assimiler le style italianisant, qui avait un grand succès à la Cour de France, tout en conservant son tempérament français, ordonné et presque classique. Pour cette raison il fut particulièrement loué par les poètes français, non sans chauvinisme. Il était d'ailleurs en relation avec les poètes de son temps, et fut certainement en rapports avec l'Académie de Baïf, ce qui expliquerait son érudition dans le choix des allégories.
Son goût pour l'allégorie le rapproche encore de l'École de Fontainebleau dont l'art n'est pas toujours commode à déchiffrer pour des profanes comme pour des savants. Il s'est beaucoup inspiré des événements contemporains qui mettaient tristement à l'honneur les guerres de religion, le triumvirat des grands seigneurs. L'allégorie du *Massacre du Triumvirat* n'a pas été inventée par Caron, Nicolo l'avait déjà mise à la mode et l'avait peinte au Palais Public de Modène ; mais Caron l'a répandue en France. *La Sibylle de Tibur* s'inspire probablement d'un original perdu du Rosso, cette allégorie prophétise le triomphe final de la vraie foi. Homme de Cour, Caron fait souvent allusion à la vie et aux goûts des souverains. *Les Astronomes* marque le goût de Catherine de Médicis pour l'astrologie, il rappelle aussi l'occultation de 1574 qui coïncida avec la mort de Charles IX. Avec les tentures d'*Artémise*, le peintre veut faire allusion au veuvage « inconsolable » de Catherine de Médicis. La plupart de ses thèmes allégoriques sont rendus sous des aspects gracieux, voilant une certaine angoisse devant les événements graves du moment, mais il réussit à révéler les malheurs de son temps. Luc Benoist définit clairement et justement Caron, lorsqu'il écrit : « Il réussit une synthèse singulière entre l'érudition académique, le maniérisme esthétique de l'Italie et les événements de la vie contemporaine. » ■ Annie Jolain

CA.

BIBLIOGR. : Gustave Lebel : *Antoine Caron, l'Amour de l'Art*, Paris, 1937 et 1938 – J. Ehrmann : *A. Caron, peintre de la Cour des Valois*, 1955 – Sylvie Béguin : *L'École de Fontainebleau*, Paris, 1960.
MUSÉES : BEAUVAIS : *Massacre des Triumvirs* – BLOIS : *Martyre d'un vieillard* – CHANTILLY : *Trois portraits équestres de la famille royale*, cr. – NANTES : *La Femme adultère* – PARIS (Louvre) : *Massacre du Triumvirat* – *L'Empereur Auguste et la Sibylle de Tibur* – *Abrégé de l'Histoire de France*, collection de dessins – *La Légende d'un Saint* – *La Calomnie* – *La Flagellation* – VIENNE : *Lutte de gladiateurs*.
VENTES PUBLIQUES : PARIS, 1768 : *Portrait d'homme, vêtu de gris costume Henri III* : FRF 83 – PARIS, 1900 : *La Salutation Angélique* ; *Combat des Juifs contre les Amalécites*, deux dessins : FRF 109 – PARIS, 13 fév. 1939 : *Le Triomphe de l'Été* : FRF 13 500 – LONDRES, 27 mars 1963 : *Scène de la vie de la reine Artémise* : GBP 2 500 – PARIS, 15 déc. 1992 : *Le triomphe de l'hiver*, h/t (103x179) : FRF 3 100 000 – LONDRES, 16-17 avr. 1997 : *Scènes de la vie de Marie-Madeleine*, craie noire (31x40,5) : GBP 3 220.

CARON Antoine Le. Voir LE CARRON

CARON Antoine Nicolas
Né en 1719 à Amiens. Mort en 1768 à Paris. XVIIIe siècle. Français.
Graveur sur bois.
Heineken le cite comme étant élève de Papillon. On cite de lui des vignettes. Il mourut à la Conciergerie où il était emprisonné pour dettes.

CARON Auguste
Né le 26 octobre 1806 à Fœcy (Cher). XIXe siècle. Français.
Peintre de paysages, architectures, aquarelliste, dessinateur.
Élève de Ciceri, il entra à l'École des beaux-arts en 1821. Il exposa régulièrement aux Salons de Paris et obtint une troisième médaille en 1833.
Il a surtout peint à l'aquarelle.

MUSÉES : PARIS (Louvre) : dessin.
VENTES PUBLIQUES : PARIS, 3 jan. 1893 : *Vue de la place Louis XV*, aquar. reh. de gche : FRF 180 – MONACO, 2 juil. 1993 : *Vue d'un intérieur romantique : la comtesse de la Bourdonnaye dans son salon à Paris* 1839, aquar. (33,5x27) : FRF 94 350 – PARIS, 28 juin 1996 : *Vue de la Seine et de la piscine Deligny*, aquar. (16x26) : FRF 15 000.

CARON Charles
XVIIe siècle. Français.
Peintre.
Il fut reçu à l'Académie de Saint-Luc en 1668.

CARON Christophe Ferdinand
Né en 1774 à Saint-Cloud. Mort en 1831 à Sèvres. XVIIIe-XIXe siècles. Français.
Peintre d'oiseaux.
Élève de J.-J. Bachelier et de J. Barraban. Il exposa au Salon entre 1808 et 1814 des aquarelles et des gouaches. Il travailla entre 1792 et 1815 à la Manufacture de Sèvres.

CARON Constant
Né en 1901 à Liège. XXe siècle. Belge.
Dessinateur, graveur et céramiste.
Fils du peintre Alphonse Constant et frère de Marcel Constant. Il fit ses études à l'Académie des Beaux-Arts de Liège. Son art reste discret, mais n'est pas dépourvu de sensibilité.

CARON Émile Jean Baptiste
Né au XIXe siècle à Nancy (Meurthe-et-Moselle). XIXe siècle. Français.
Aquarelliste et dessinateur.
Élève de Yvon et Courbet. Il débuta au Salon de 1868. Il a peint des personnages et des scènes de la Bible.

CARON Henri Paul Edmond
Né le 9 mai 1860 à Abbeville (Somme). XIXe siècle. Actif à Paris. Français.
Peintre de portraits, paysages, marines.
Il fut élève de Raphaël Colin, Caudron, Bouguereau et Cartier. Il débuta au Salon des Artistes Français de Paris en 1888 ; sociétaire depuis 1894, il y obtint une mention honorable en 1904. On cite de lui : *Matinée d'août à Cayeux-sur-Mer* et l'*Approche d'un grain dans la baie de Somme*.
MUSÉES : AMIENS (Mus. de Picardie) : *Le Rhin* – BOULOGNE-SUR-MER – PARIS (Mus. Carnavalet).
VENTES PUBLIQUES : VERSAILLES, 14 nov. 1982 : *Bord de mer*, h/t (73x54) : FRF 4 000.

CARON Jean
XVIIIe siècle. Français.
Sculpteur.
Il fut reçu à l'Académie de Saint-Luc à Paris en 1750.

CARON Jean
Né au XIXe siècle à Paris. XIXe siècle. Français.
Peintre de genre, natures mortes.
Il participa au Salon de Paris à partir de 1828 et obtint en 1838 une troisième médaille.
MUSÉES : MULHOUSE : *Nature morte*, h/bois – *Intérieur de cuisine*.

CARON Jean Antoine
Né au XIXe siècle à Paris. XIXe siècle. Actif à Paris. Français.
Portraitiste.
Élève d'Abel de Pujol. Il débuta au Salon de 1847.

CARON Jean Charles
Né en 1790 à Paris. XIXe siècle. Français.
Graveur au burin.
Élève de Laurent. Il a gravé d'après Choquet.

CARON Jean Louis Toussaint
Né le 27 février 1790 à Paris. Mort le 13 août 1832 à Paris. XIXe siècle. Français.
Dessinateur et graveur au burin.
Élève de Coigny et de Regnault pour le dessin et de Lignon pour la gravure. Il exposa au Salon en 1824 et 1827. On cite de lui les portraits de *Descartes* et de *Boileau* (gravures originales), du duc *Charles d'Orléans* (d'après Devéria) et des vignettes pour les œuvres de Voltaire, de Rousseau, de Cervantès.

CARON Joseph
Né en 1866 à Bruxelles. Mort en 1944. XIXe-XXe siècles. Belge.

Peintre de paysages.

J-Caron

VENTES PUBLIQUES : BRUXELLES, 19 déc. 1989 : *Paysage d'hiver*, h/t (30x45) : **BEF 48 000** – BRUXELLES, 27 mars 1990 : *Le vieux moulin*, h/t (100x80) : **BEF 40 000** – LOKEREN, 4 déc. 1993 : *Une allée en automne*, h/t (75,5x110) : **BEF 48 000** – LOKEREN, 10 déc. 1994 : *Allée en automne*, h/t (75,5x110) : **BEF 40 000**.

CARON Jules
Né au XIXᵉ siècle à Paris. XIXᵉ siècle. Actif à Poissy (Seine-et-Oise). Français.
Peintre d'intérieurs, natures mortes, fruits.
Élève de Rémond. Le musée de Nantes possède de lui : *Intérieur de cuisine*. Il exposa au Salon entre 1861 et 1875.

CARON Jules
XIXᵉ siècle. Actif au début du XIXᵉ siècle. Français.
Graveur.

CARON L., Mlle
XIXᵉ siècle. Française.
Peintre de portraits.
Elle exposa à la Royal Academy, à Londres, en 1854-1855.

CARON Louis
XVIIIᵉ siècle. Français.
Sculpteur.
Reçu à l'Académie de Saint-Luc à Paris en 1750, il eut pour élève en 1759 Jean-Pierre Palluel.

CARON Louis
Né à Lyon (Rhône). XIXᵉ siècle. Français.
Peintre.
Élève de Cornu. Il exposa à Lyon, en 1870, *Jeune fille au piano* et à Paris, en 1894, *Matinée d'octobre*.

CARON Louis Jules Gustave
Né au XIXᵉ siècle à Paris. XIXᵉ siècle. Actif à Paris. Français.
Peintre.
Élève de J. Didier et de Laurens. Il débuta au Salon de 1868 et exposa régulièrement des paysages et quelques portraits (dessins, huiles et aquarelles). On cite de lui : *La Mare aux fées*.

CARON Lucas ou **Carrion**
XVIᵉ siècle. Espagnol.
Sculpteur sur bois.
Il travailla avec Juan Perez en 1540, avec Juan de Burgos en 1542, à la décoration de l'Alcazar à Séville.

CARON Marcel
Né en 1890 à Enghien-les-Bains. Mort en 1961 à Liège. XXᵉ siècle. Belge.
Peintre de figures, de paysages et de natures mortes, sculpteur et graveur. Expressionniste, puis abstrait à tendance surréaliste, puis abstrait.
Il fut élève de l'Académie de Liège de 1905 à 1910. Après s'être consacré à la peinture, il y renonce en 1933 pendant une vingtaine d'années, pour faire de la sculpture, de la gravure et de la décoration. Il a notamment présenté ses sculptures au Salon d'Art Moderne et Contemporain de Liège en 1948. A la fin de sa vie, il a pratiqué à nouveau la peinture.
Il a participé aux grands mouvements artistiques de son époque : de 1916 à 1921, à ses débuts, sa peinture est marquée par l'impressionnisme, de 1923 à 1929, il est attiré par l'expressionnisme. Il est d'ailleurs le seul Wallon, avec Auguste Mambour, à prendre part aux activités du groupe *Sélection* et *Le Centaure*.
Lié étroitement avec la seconde équipe de Laethem-Saint-Martin, son esprit réfléchi le rapproche plus de De Smet que de Permeke. Il a en commun avec De Smet une palette sourde, faite de gris, roses, mauves et verts passés, le sens de l'intimisme et le goût d'une composition faite de lignes simples et de volumes synthétiques d'ombres et de lumières. L'expressionnisme l'amène jusqu'au seuil du cubisme et, lorsqu'il renoue beaucoup plus tard, vers 1950, avec la peinture, il est parvenu à une abstraction aux résonances surréalistes dans un premier temps bref, puis à une abstraction totale et épanouie, constituée de plans orthogonaux qui se superposent comme par translucidité. ∎ J. B.
VENTES PUBLIQUES : LOKEREN, 21 mars 1992 : *Nu au masque*, h/t (59,5x44) : **BEF 350 000** – LOKEREN, 23 mai 1992 : *Les proprié-*

taires 1928, h/t (116x90) : **BEF 1 100 000** – LOKEREN, 12 mars 1994 : *Le gigolo*, h/t (106x100) : **BEF 1 400 000**.

CARON Martin et Louis
Martin né en 1626 et Louis né en 1648. Martin mort en 1669 et Louis mort en 1682. Enterrés dans la cathédrale de Lescar. XVIIᵉ siècle. Français.
Sculpteurs sur bois.
Fils de Martin Caron l'Ancien. Ils travaillèrent à la décoration de la cathédrale de Lescar, près de Pau, puis sculptèrent une partie du chemin de croix de Bétharram (Basses-Pyrénées), dont il reste un *Christ à la Colonne*, statue de bois, grandeur naturelle. Leur neveu Pierre Caron fut aussi sculpteur et travailla comme ses oncles en Béarn.

CARON Martin, l'Ancien
XVIIᵉ siècle. Actif à Abbeville. Français.
Sculpteur sur bois.
Il fut le premier maître de François Anguier et de Thibault Poissant. Il exécuta, en 1649, pour l'église Notre-Dame d'Eu, un retable qui est aujourd'hui dans l'église de Monchy (Seine-Maritime). Père de Martin et de Louis Caron.

CARON Nicolas
XVIIIᵉ siècle. Français.
Sculpteur.
Il fut reçu à l'Académie de Saint-Luc à Paris en 1760.

CARON Pascal Delaherche
Né au XIXᵉ siècle à Paris. XIXᵉ siècle. Français.
Sculpteur.
Sociétaire des Artistes Français depuis 1904.

CARON Paul Archibald
Né en 1874. Mort en 1941. XIXᵉ-XXᵉ siècles. Canadien.
Peintre de paysages, scènes typiques, aquarelliste.
Il a peint les paysages caractéristiques et les scènes folkloriques de la « belle province » du Québec.
VENTES PUBLIQUES : TORONTO, 30 oct. 1978 : *Le Curé et ses paroissiens dans un paysage de neige*, h/t (42,5x56,5) : **CAD 5 100** – TORONTO, 27 mai 1980 : *Île d'Orléans, Province du Québec*, aquar. (27,5x38,1) : **CAD 6 000** – TORONTO, 26 mai 1981 : *Un coin de Québec*, aquar. (34,4x51,9) : **CAD 11 000** – TORONTO, 2 mars 1982 : *Hiver dans les Laurentides*, aquar. (26,3x37,5) : **CAD 2 400** – TORONTO, 3 mai 1983 : *Hollyhocks*, h/t (100x75,6) : **CAD 8 000** – TORONTO, 27 mai 1985 : *Paysage d'hiver*, h/pan. (13,1x17,5) : **CAD 10 000** – TORONTO, 27 nov. 1986 : *La barrique pleine d'eau, scène québécoise* 1937, h/t (40,6x55,9) : **CAD 9 500** – MONTRÉAL, 30 avr. 1990 : *En apportant l'arbre de Noël à la maison*, aquar. (8x11) : **CAD 880** – MONTRÉAL, 5 nov. 1990 : *Le dernier chargement Baie St-Paul*, h/t (51x61) : **CAD 6 050** – MONTRÉAL, 4 juin 1991 : *Campement dans les Laurentides*, h/pan. (13,3x17,8) : **CAD 2 200** ; *Sainte Adèle – Québec* 1940, aquar. (36,7x46,2) : **CAD 3 500** – MONTRÉAL, 23-24 nov. 1993 : *Vieux pin dans l'Hudson*, h/pan. (17,1x13,2) : **CAD 850**.

CARON Pierre. Voir **CARON Martin** et **Louis**

CARON Rosalie
Née à Senlis (Oise). XVIIIᵉ siècle. Active à la fin du XVIIIᵉ siècle. Française.
Peintre d'histoire, genre, portraits.
Elle fut élève de Regnault. Elle exposa au Salon de Paris entre 1812 et 1838.
VENTES PUBLIQUES : DEAUVILLE, 29 août 1969 : *Portrait de femme rattachant sa sandale* : **FRF 33 500** – PARIS, 21 mars 1984 : *Le galant gentilhomme* 1819, h/t (81x100) : **FRF 31 000** – PARIS, 5 déc. 1986 : *Jeune femme à sa toilette* 1821, h/t (93x74,5) : **FRF 25 500** – PARIS, 12 juin 1995 : *Mathilde et Malek-Adhel au tombeau de Montmorency*, h/t (122x103) : **FRF 100 000**.

CARON S.
XVIIIᵉ siècle. Française.
Peintre de portraits.
Elle était, en 1769, dans la gilde de La Haye ; elle se maria à Amsterdam et y vivait encore en 1776. On cite d'elle un portrait de Pasquale de Paoli, gravé par Houbraken. Elle était également poète.

CARON-LANGLOIS Pauline ou **Langlois**
Née à Beauvais (Oise). XIXᵉ siècle. Française.
Peintre de sujets religieux, scènes de genre, copiste.
Elle fut élève de E. Frère. Elle débuta au Salon de Paris en 1848. L'église de Varennes conserve d'elle un *Christ en croix*, copie de la toile de Prud'hon qui figure au Louvre.

VENTES PUBLIQUES : LONDRES, 20 avr. 1979 : *La Classe d'art*, h/pan. (45x36) : **GBP 1 100** – LONDRES, 22 mai 1981 : *Les Jeunes Artistes*, h/pan. (46x36,2) : **GBP 1 100**.

CARON-LESUEUR P. J. V.
Né en 1808 à Abbeville. Mort en 1879 à Paris. XIXᵉ siècle. Français.
Peintre.
MUSÉES : ABBEVILLE : *Intérieur de couvent – Paysage italien – Vues d'Abbeville*, deux toiles.

CARONA, da. Voir au prénom

CARONE Nicolas
Né en 1917 à New York. XXᵉ siècle. Actif aussi en Italie. Américain.
Peintre.
Élève de l'Art Student's League, de la Hans Hofmann School of Fine Arts et de l'Académie de Rome. Après avoir obtenu le Prix de Rome en 1941, et avec l'aide de diverses bourses, il se fixe plusieurs années à Rome où il expose avec Matta au Musée d'Art Moderne. Le voyage ensuite en Angleterre, Suisse, France, avant de retourner aux Etats-Unis. Il a participé aux expositions du Carnegie International à Pittsburgh et à la Biennale de Venise en 1958. Dès 1948, il avait fait sa première exposition personnelle à Rome, suivie de beaucoup d'autres à Chicago en 1951, New York 1955-1957-1959-1961. Il a été professeur à la Cooper Union, puis à l'Université Columbia à partir de 1960, ainsi qu'à l'Université de Yale.
MUSÉES : NEW YORK (Metropolitan Mus.) – NEW YORK (Whitney Mus.).
VENTES PUBLIQUES : NEW YORK, 9 nov. 1983 : *Sea rape* 1960, h/t (192x153,5) : **USD 1 700**.

CARONI Emmanuele ou Carone
Né en 1826 à Rancate (province de Côme, Lombardie). XIXᵉ siècle. Italien.
Sculpteur de figures.
Il étudia la sculpture à Milan, puis à Florence avec le professeur Bartolini. Il prit part aux combats des Cinq Journées de Milan. Il a figuré dans de nombreuses expositions, notamment à Vienne, à Paris, à Philadelphie.
MUSÉES : SAN FRANCISCO – WASHINGTON D. C.
VENTES PUBLIQUES : NEW YORK, 17 jan. 1996 : *Petit garçon debout*, bronze (H. 46,4) : **USD 2 070**.

CARONNI Paolo
Né vers 1779 à Monza. Mort en 1842 à Milan. XIXᵉ siècle. Italien.
Graveur de reproductions.
Caronni fut un des plus brillants élèves de Longhi.
VENTES PUBLIQUES : PARIS, 1823 : *Portrait d'un guerrier*, dess. à la pl. sur parchemin, d'après Rembrandt : **FRF 8**.

CAROSELLI Angelo
Né en 1585 à Rome. Mort en 1652 ou 1653 à Rome. XVIIᵉ siècle. Italien.
Peintre de compositions religieuses, sujets allégoriques, natures mortes.
Il fut élève de Michelangelo Caravaggio. Il fit preuve d'une grande facilité d'imitation, et parvint à copier la manière de son maître et d'autres grands peintres, tels que le Titien et Raphaël Sanzio, avec une fidélité extraordinaire.

A. Caroselli

MUSÉES : VIENNE : *Un chanteur*.
VENTES PUBLIQUES : MILAN, 20 nov. 1963 : *La Vierge et l'Enfant* : **ITL 800 000** – LONDRES, 25 nov. 1966 : *Vierge à l'Enfant et Sainte Ursule* : **GNS 900** – MILAN, 18 avr. 1972 : *Le Christ et la femme adultère* : **ITL 8 000 000** – LONDRES, 16 déc. 1977 : *Vierge à l'Enfant avec sainte Anne*, h/pan. (48,2x36,5) : **GBP 1 700** – LONDRES, 5 mai 1979 : *L'Amour vénal*, h/t (49,7x77,5) : **GBP 10 000** – ROME, 11 nov. 1980 : *Circé*, h/t (38x48) : **ITL 1 900 000** – LONDRES, 1983 : *Une Sibylle*, h/pan., de forme ronde (diam. : 34,3) : **GBP 7 000** – NEW YORK, 5 juin 1986 : *Lesbia pleurant le moineau mort*, h/t (97x134,5) : **USD 36 000** – MILAN, 21 avr. 1988 : *Madone à l'Enfant sur un trône près de Saint Georges et un ange*, h/pan. (75x113) : **ITL 40 000 000** – LONDRES, 19 avr. 1991 : *Vierge à l'Enfant*, h/t/pan. (59,2x47,5) : **GBP 13 750** – NEW YORK, 31 mai 1991 : *Allégorie de la luxure*, h/t (46,5x37) : **USD 18 700** – MILAN, 8 juin 1995 : *Vase de lis*, h/t (42,5x34) : **ITL 6 900 000**.

CAROSELLI Cesare
Né en 1847 à Genazzano. XIXᵉ siècle. Travaillant à Rome. Italien.

Peintre.
Il a peint des fresques dans plusieurs églises de Rome.

CAROSI Alberto
Né en 1891 à Rome. Mort en 1967. XXᵉ siècle. Italien.
Peintre de compositions à personnages, de paysages, natures mortes.
Il peint surtout des paysages d'Italie.
VENTES PUBLIQUES : MILAN, 17 juin 1981 : *La fileuse*, h/isor. (65x55) : **ITL 1 000 000** – ROME, 6 juin 1984 : *Le petit berger* 1928, h/pan. (64x50) : **ITL 1 700 000** – ROME, 16 mai 1985 : *Fillette à la pomme* 1930, h/iosrel (58x53) : **ITL 1 500 000** – MILAN, 11 déc. 1986 : *Les préparatifs pour les vendanges* 1944, h/pan. (68x61) : **ITL 1 800 000** – ROME, 25 mai 1988 : *Nature morte avec gourdes et un rouet*, h/cart. (66x57) : **ITL 1 050 000** – ROME, 14 déc. 1988 : *Vue de Anticoli* 1922, h/pan. (34x34) : **ITL 1 100 000** – ROME, 12 déc. 1989 : *Paturage*, h/t (81,5x65) : **ITL 1 200 000** – ROME, 14 déc. 1989 : *Le dîner*, h./contre-plaqué (55x45) : **ITL 2 300 000** – ROME, 28 mai 1991 : *Sentier à travers bois*, h/cart./pan. (27,5x37) : **ITL 1 000 000** – ROME, 14 nov. 1991 : *Brigand à cheval avec un chien*, h./contre-plaqué (30x39) : **ITL 2 990 000** – ROME, 24 mars 1992 : *Les joies du foyer*, h/t (50x60) : **ITL 3 450 000** – ROME, 19 nov. 1992 : *Campagne romaine*, h/t (76,5x76,5) : **ITL 2 990 000** – ROME, 16 déc. 1993 : *Rue de village*, aquar./pap. (37x50) : **ITL 1 035 000** – ROME, 6 déc. 1994 : *Vie à la campagne* 1937, h/bois (50x70) : **ITL 4 125 000** – ROME, 5 déc. 1995 : *La grève*, h/t (82x130) : **ITL 7 660 000**.

CAROSI Anselmo
Mort après 1665. XVIIᵉ siècle. Actif à Rome. Italien.
Peintre.
Fils de Giovanni Antonio Carosi.

CAROSI Giovanni Antonio ou Carosio
Né vers 1600 à Gênes. Mort après 1656 à Gênes. XVIIᵉ siècle. Travaillant à Rome. Italien.
Peintre et graveur au burin et au pointillé.
On cite de lui le portrait de l'auteur du poème *Caccia* et de la tragicomédie *Sidonio*.

CAROT Henri Alexandre
Né au XIXᵉ siècle à Paris. XIXᵉ siècle. Français.
Peintre.
Élève de son père et de J.-F. Millet. Il exposa au Salon depuis 1880 des paysages et des portraits, peints à l'aquarelle et plus souvent aux pastels.

CAROT Jules Étienne
Né à Paris. XIXᵉ siècle. Français.
Peintre de natures mortes, fleurs.
Il fut élève de Kreyder. Il débuta au Salon de Paris en 1877.

B. Carot

VENTES PUBLIQUES : NEW YORK, 25 mai 1988 : *Nature morte de fleurs et partitions musicales*, h/t (73x92) : **USD 4 400**.

CAROT Yvonne Alexandre
Née à Paris. XXᵉ siècle. Française.
Peintre.
Élève de Sabatté. Sociétaire des Artistes Français ; mention honorable en 1937.

CAROTA Antonio di Marco di Giano ou Caroti, dit Maestro Antonio ou il Carota Fiorentino
Né en 1485. Mort en 1568. XVIᵉ siècle. Italien.
Sculpteur sur bois.
Il a travaillé à Florence et aussi à Milan.

CAROTA Orsino di Antonio
XVIᵉ siècle. Actif à Assise. Italien.
Peintre.
Le Musée de Pérouse conserve de lui un *Saint François*, peint en 1558.

CAROTO Giovanni ou Carotto, Carotis
Né vers 1488. Mort vers 1566. XVIᵉ siècle. Actif à Vérone. Italien.
Peintre et architecte.
Frère de Giovanni-Francesco Caroto. On connaît de lui à Vérone : *La Vierge, saint Pierre et saint Paul* (à San Paolo di Campo Marzo) et *La Vierge, deux saints et un donateur* (à San Giovanni in Fonte). Le Musée municipal conserve en outre un

fragment d'un tableau qu'il avait peint pour Santa Maria in Organo. La tradition cite, parmi ses élèves, Paolo Veronese et Anselmo Canera.

CAROTO Giovanni Francesco

Né vers 1480 à Vérone (Vénétie). Mort en 1555 à Vérone. XVIᵉ siècle. Italien.

Peintre de compositions religieuses, paysages, fresquiste, dessinateur.

D'abord élève de Liberale da Verona, dont il imitait déjà la manière, Giovanni-Francesco entra plus tard dans l'atelier d'Andrea Mantegna, à Mantoue. Il travailla quelque temps sous la direction de celui-ci et imita si bien son style que, selon Lanzi, le maître n'hésita point à vendre les œuvres de Giovanni en laissant croire qu'elles étaient de sa main. C'est l'influence du Corrège qu'il subit ensuite. Éclectique, habile, il montre des qualités de paysagiste. Caroto travailla pour les églises de Vérone et exécuta des travaux pour les Visconti à Milan et à la cour de Montferrat. À Vérone, il y a de lui un grand tableau d'autel à l'église de San Fermo, et un autre à l'église Sainte-Euphémie. Ces deux ouvrages montrent l'influence du style de Raphaël. Parmi ses fresques, on cite celles qu'il exécuta dans les églises de San Girolamo et dans la chapelle Spolverini à Sainte-Euphémie, à Vérone, ville qui conserve la plus grande partie de ses œuvres.

F⚹ P KROTO. FV⚹MDXXXI.

Musées : Budapest : *Saint Michel* – Francfort-sur-le-Main : *Marie et l'Enfant* – Venise : *Madone et Jésus*.
Ventes Publiques : Paris, 1807 : *La Vierge assise, tenant l'Enfant Jésus dans ses bras* : FRF 72 – Londres, 19 nov. 1926 : *La Vierge et l'Enfant* : GBP 10 – Paris, 18 déc. 1950 : *La Vierge, l'Enfant et saint Joseph* : FRF 13 000 – Milan, 12-13 mars 1963 : *La Sainte Famille* : ITL 1 900 000 – Londres, 24 mars 1965 : *La Vierge et l'Enfant* : GBP 900 – New York, 2 mars 1967 : *La Vierge et l'Enfant dans un paysage avec un papillon*, h/pan. (59x47,5) : USD 3 000 – New York, 12 jan. 1978 : *La Sainte Famille avec saint Jean Baptiste*, h/t (127x96,5) : USD 25 000 – New York, 15 jan. 1987 : *La Vierge et l'Enfant dans un paysage avec un papillon*, h/pan. (59x47,5) : USD 56 000 – New York, 12 jan. 1990 : *Vierge à l'Enfant assise sur un trône avec un visage de sainte de profil*, encre avec reh. de blanc/pap. brun (23x18,7) : USD 88 000 – Londres, 8 juil. 1994 : *Saint Sébastien*, h/pan. (166,5x73) : GBP 20 700.

CAROUGET Ernestine

Née au XIXᵉ siècle à Laon (Aisne). XIXᵉ siècle. Française.

Peintre de portraits.

Elle débuta au Salon de 1845.

CAROZZI Giuseppe

Né en 1864 à Milan (Lombardie). XIXᵉ siècle. Italien.

Peintre de paysages, paysages de montagne, marines.

Il fut élève de Fontanesi, Carcano et Bazzaro. Il exposa au Salon des Artistes Français de Paris en 1900 et y obtint une médaille de bronze. Il a peint au début de sa carrière des marines et des scènes de la vie des pêcheurs et, plus tard, des paysages de haute montagne.

Musées : Rome (Gal. d'Art Mod.) : *Le Soir – Crépuscule en automne*.
Ventes Publiques : Zurich, 17 nov. 1976 : *Paysage de Zermatt*, h/t (80x127) : CHF 5 000 – Milan, 19 juin 1979 : *Paysage montagneux*, h/cart. (80x60) : ITL 2 400 000 – Zurich, 6 juin 1980 : *Paysage d'hiver au Valais*, h/t (80,5x128) : CHF 4 200 – Milan, 2 mars 1981 : *Paysage alpestre*, h/t (56,5x91) : ITL 2 000 000 – Milan, 22 avr. 1982 : *La fontaine de Teglio*, h/t (71x120,5) : ITL 3 300 000 – Berne, 26 oct. 1984 : *Paysage d'automne, Soglio 1904*, h/pan. (29x62) : CHF 2 400 – Milan, 29 mai 1986 : *Crépuscule*, h/cart. (46x75) : ITL 1 400 000 – Rome, 25 mai 1988 : *Pré-Alpes 1909*, h/pan. (33,5x47,5) : ITL 200 000 – Rome, 27 avr. 1993 : *Paysage alpin*, h/cart. (40x70) : ITL 5 067 200 – Milan, 25 oct. 1994 : *Coucher de soleil sur la lagune*, h/t (37x58) : ITL 5 750 000 – Milan, 29 mars 1995 : *Les fleurs de la neige*, h/t (120x128) : ITL 37 375 000.

CARP Ester

Née en 1910 en Pologne. XXᵉ siècle. Polonaise.

Peintre. Figuratif à tendance abstrait.

De 1930 à 1945, elle a exposé au Salon des Artistes Indépendants, aux Salons d'Automne, des Tuileries et Union des Femmes Françaises. Elle a figuré au Salon de Mai en 1949. Son art est à la limite du figuratif.

CARPACCIO Benedetto

XVIᵉ siècle. Actif dans la première moitié du XVIᵉ siècle. Italien.
Peintre.

Fils de Vittore Carpaccio, dont il fut l'élève, et l'aide au début de sa carrière. A partir de 1538, il est établi à Capo d'Istria et travaille pour les églises de cette ville. Un de ses premiers ouvrages semble être une *Vierge avec l'Enfant et saint Georges* (à San Giorgio dei Schiavoni, à Venise). De 1538 date une *Vierge entre saint Thomas et saint Bartholomé* (Palais municipal de Capo d'Istria) ; de 1540, une *Vierge entre saint Just et saint Serge* (à la cathédrale de Trieste) ; de 1541, une *Vierge entre sainte Lucie et saint Georges* (Ufficio della Saline, à Pirano) ; de la même année enfin, un tableau d'autel *Le Nom de Jésus adoré par des saints* (à l'église Sainte Anne, à Capo d'Istria).

Ventes Publiques : Londres, 8 juil. 1938 : *La Vierge et l'Enfant* : GBP 67 – Londres, 26 nov. 1971 : *La Sainte Famille* : GNS 1 500.

CARPACCIO Pietro

XVIᵉ siècle. Actif dans la première moitié du XVIᵉ siècle. Italien.
Peintre.

Fils et, selon toute vraisemblance, élève de Vittore Carpaccio. Il travailla à Venise et, après la mort de son père, à Udine.

CARPACCIO Vittore ou Carpatio, Carpazio, Scarpaza, Scarpatio

Né vers 1465 à Venise ou à Capo d'Istria. Mort en 1525 ou 1526. XVᵉ-XVIᵉ siècles. Italien.

Peintre d'histoire, de compositions religieuses, scènes animées, portraits, dessinateur. Pré-Renaissance vénitienne.

Sauf en ce qui concerne la date de sa naissance, on suit assez bien la carrière de Carpaccio, du fait qu'il signait et datait souvent soigneusement ses œuvres. Ainsi qu'on précise-t-il qu'il est de Venise, dont les archives nous apprennent par ailleurs qu'y vivaient des Scarpaza, dont le nom latinisé faisait Carpathius, puis italianisé Carpaccio. Pietro Carpaccio, le père de Vittore, était fourreur aux Procuraties de la place Saint-Marc. La première date certaine le concernant est 1490, dont il fait suivre sa signature au bas de *L'Arrivée à Cologne* de la Suite de Sainte-Ursule. On peut penser que cette première signature est le signe de son indépendance par rapport à Gentile Bellini, duquel on sait qu'il fut l'élève et le collaborateur, et dont l'influence fut d'ailleurs évidente sur lui, surtout quant au choix des festivités vénitiennes comme sujet ou plutôt comme décor de ses compositions, même s'il les traduisit avec un accent très particulier. Ensuite, la chronologie de sa vie étant étroitement liée à celle de ses œuvres, il est apparu évident de ne pas les séparer. Enfin, des documents le prouvent vivant à la date du 28 octobre 1525, et mort à la date du 26 juin 1526.

En 1498, la congrégation de Saint-Jean l'Évangéliste fit restaurer ses bâtiments par Mauro Coducci, mais, depuis plusieurs années, elle avait déjà commandé, pour leur décoration, un important cycle de peintures illustrant le *Miracle de la Croix*, à Gentile Bellini, qui y travaillait avec Carpaccio, soit que celui-ci fût encore considéré comme son élève et aide, soit que ce fût précisément à l'occasion de ce travail qu'il fit la preuve de sa maîtrise. Dans ce cycle, les peintures de Carpaccio se distinguent sans aucune difficulté de celles de son maître. Toutes ces peintures célèbrent la légende qui voulait que la sainte Croix fût tombée dans le canal de San Lorenzo et n'ait pu être retrouvée que par l'intervention miraculeuse du Grand Gardien Andrea Vendramin. En fait, aussi bien chez Gentile Bellini que chez Mansueti et chez Carpaccio, l'illustration de tous les épisodes qui accompagnent ce miracle, leur est surtout l'occasion de dépeindre avec émerveillement leur cité dans tous ses aspects et la foule active et colorée qui anime ses canaux, ses quais, ses ponts, ses places et ses palais dentelés. Dans *La Guérison du possédé*, de Carpaccio, appartenant au cycle du *Miracle de la Croix*, tout l'art de Carpaccio y est déjà complet. Il s'y montre incomparable chroniqueur précis de la vie quotidienne de Venise à la charnière des XVᵉ et XVIᵉ siècles, du Moyen Âge et de la Renaissance ; connaisseur, analyste et inventeur de cette architecture si spécifique de Venise, conditionnée qu'elle est par l'unique situation lagunaire de la cité ; coloriste du faste de cet accord complexe de l'eau glauque des canaux avec les tons de terre cuite des murs des vieux bâtiments que commencent à rompre quelques façades de marbre ogivées et polychromes, où éclatent les notes sonores et diverses des vêtements des jeunes seigneurs, des dignitaires, du menu peuple bariolé et des gondoliers, parmi lesquelles dominent les taches de noir, de rouge et d'or, pierreries de pacotille serties dans un bijou oriental ; luministe, qui tenait de Gentile Bellini le sens de l'unité de la lumière en un même lieu, en un même temps, mais qui lui conféra en outre un orient doré qui n'appartient qu'à lui ; enfin, plasticien précurseur de la primauté de la forme sur l'image, dont les gondoles composent sur la lagune un ballet rythmique de leurs longues taches noires en arabesques, ponctuées des accents colorés de leurs gondoliers, aux membres d'échassiers prolongés par les gaffes, orchestration géométrique et colorée de l'espace qui se suffirait à elle-même, indépendamment de la représentation et du récit qu'elle supporte.

Les *scuole*, attenantes aux paroisses, étaient des sociétés, des confréries de bienfaisance. La République était très riche. Tous s'occupaient à son embellissement permanent. Ces riches *scuole*, ne voulant pas être en reste dans la célébration générale de la cité, commandaient des cycles de peintures, illustrant la vie des saints ou des épisodes bibliques, destinés à décorer l'intérieur de leurs édifices. Ainsi, de 1490 à 1500, Carpaccio fut-il occupé à peindre le cycle de la très populaire *Légende de sainte Ursule*, souvent illustrée par les peintres, Tomaso da Modena à Trévise, Memling à Bruges. Carpaccio suivit certainement le récit tiré de la *Légende dorée* de Jacques de Voragine. En suivant le déroulement du récit, qui ne correspond pas forcément à l'ordre dans lequel furent peints les différents épisodes, on assiste tout d'abord à *L'Arrivée des ambassadeurs*, qui viennent demander la main d'Ursule pour le jeune prince anglais. La princesse pose ses conditions : le prince doit recevoir le baptême, et elle-même accomplira un pèlerinage à Rome avec onze mille jeunes filles. Bien que cette scène se passe à la cour de Théonat, roi de Bretagne, Carpaccio n'hésite pas à la représenter dans un bâtiment dans le style de Coducci, d'où l'on voit les gondoles sur la lagune. De même dans le *Congédiement des ambassadeurs*, le roi Théonat remet la réponse d'Ursule aux ambassadeurs dans un palais décoré de marbres polychromes. Dans le *Retour des ambassadeurs* à la cour anglaise, c'est encore sur les quais et les ponts de Venise que se presse la foule aux costumes bariolés et somptueux, dont les attitudes sont décrites avec un sens, très nouveau à cette époque, du « saisi sur le vif », peinture de chroniqueur conciliée avec le plus étonnant sens de la mise en scène décorative. Dans le *Départ des fiancés*, à gauche le prince Érée fait ses adieux à sa famille, dans la partie de droite il rencontre pour la première fois sa fiancée, puis tous deux sont accueillis par le roi, et enfin, dans le fond de la même composition, ils s'embarquent sur les navires. La scène suivante, *Le Rêve de sainte Ursule*, est une de ces compositions d'intérieur que Carpaccio sut traiter avec un bonheur égal aux vastes mises en scène en extérieur aux innombrables personnages. Ursule reçoit d'un ange en rêve l'annonce de son martyre. La simplicité de la chambre, la sérénité du visage endormi, sont mises en valeur par la qualité de silence d'une lumière tamisée et doucement dorée. Ensuite, c'est *L'Arrivée à Rome*, Érée, Ursule et ses compagnes sont reçus par le pape Cyriaque. Dans *L'Arrivée à Cologne*, Ursule et ses compagnes, accompagnées par le pape et plusieurs évêques, sont surpris par les Huns qui assiègent la ville et massacrés. Ursule a refusé d'épouser le fils du roi Hun en échange de la vie sauve et subit son *Martyre* : un archer, aux longues pattes d'araignée, qui lui font la même silhouette qu'aux gondoliers ou aux fringants seigneurs qui peuplent les compositions vénitiennes de Carpaccio, la transperce d'une flèche. Sur la partie de droite du même panneau, elle est portée en terre par une foule dont le modèle est de nouveau évidemment vénitien. D'une façon générale, Carpaccio dédramatise les épisodes les plus tragiques, plus soucieux de développer les longues théories de ses foules animées et colorées, peuplant les quais *praticables* des merveilleux décors d'une Venise en train de délaisser les bâtiments médiévaux de briques rouges pour les façades de marbre de la première Renaissance, dont Carpaccio aura été sans doute l'un des protagonistes.

Dès lors, sa renommée est très grande et les commandes affluent. En 1500, il peint pour la salle des Pregadi au Palais ducal, un tableau qui sera détruit dans l'incendie de 1577, ainsi que les grandes compositions peintes ultérieurement, en 1507 : *Le Pape Alexandre III à Saint-Marc*, et *La Rencontre du pape et du doge à Ancône*. Il eut aussi la commande d'un ensemble pour la Scuola dei Albanesi, six peintures aujourd'hui dispersées entre Milan, Venise et Bergame, dont l'une est datée de 1504.

De 1502 à 1510, il peignit le très important ensemble, considéré comme un de ses grands chefs-d'œuvre, pour la Scuola San Giorgio degli Schiavoni, retraçant des épisodes des *Vies de saint Georges, de saint Jérôme et de Saint Tryphon*. Ces neuf peintures consacrées aux protecteurs de la Dalmatie, sont inspirées également de la Légende Dorée. Le *Saint Georges terrassant le dragon* est souvent reproduit, sorte d'enluminure agrandie, dans laquelle une certaine naïveté, survivance du gothique, rejoint le fantastique. Dans le *Saint Jérôme dans sa cellule* (qui est en fait saint Augustin recevant la vision de saint Jérôme), on retrouve une scène d'intérieur, comparable à celle du *Rêve de sainte Ursule*, toute d'intimité, où les moindres détails sont décrits minutieusement, dans un esprit beaucoup plus propre aux Flandres qu'à l'Italie de cette époque, jusqu'au petit chien familier aux pieds de son maître. On a souvent relevé l'orientalisme de la *Mort de saint Jérôme*, orientalisme qu'il tenait sans doute de son maître Gentile Bellini. Le *Miracle du lion* est représenté dans l'architecture fidèlement représentée de la Scuola di San Giorgio degli Schiavoni, mais ce qu'on y retrouve surtout, c'est ce sens des rythmes plastiques que l'on a déjà relevé, entre autres exemples moins caractérisés, dans l'évolution des gondoles sur la lagune du *Miracle de la Croix*. Ici, ce sont les pans noirs des mantes que les moines portent par-dessus leur robe blanche, qui volent au vent de leur course, tandis qu'ils s'enfuient de terreur devant le lion, qui créent à travers l'espace de la composition tout un entrelacs de signes rythmiques.

C'est sans doute entre 1507 et 1510 qu'il peignit le *Retable de saint Thomas*, pour l'église San Pietro à Murano. En 1510, il peint la *Présentation au temple*, de l'Académie de Venise, intérieur d'église où l'influence de Gentile Bellini se fait encore sentir. En 1511, le marquis de Mantoue lui commande une *Vue de Jérusalem*. Il a déjà commencé la décoration de Santo Stefano, à laquelle il travaillera jusqu'en 1520. En 1514, il peint une grande *Pala*, un peu froide, pour San Vitale. C'est à cette époque que l'on situe le *Christ mort avec saint Jérôme et saint Onuphre*, de New York, et la *Mise au tombeau* de Berlin, où la qualité dorée de la lumière, caractéristique de Carpaccio, illumine un paysage sinistre.

Les témoignages d'époque semblent indiquer que sa vogue baissa alors, le public se détachait de sa manière si particulière et le délaissait pour les peintres qui commençaient à définir ce qui allait être l'école vénitienne du xvie siècle, la Renaissance proprement dite, où s'illustrait déjà Giovanni Bellini, le frère de Gentile. Il peint des variantes de l'*Histoire de saint Étienne au milieu des Orientaux*, au Louvre et à Berlin entre autres, un *Saint Roch* de Bergame, un polyptyque pour l'église Santa Fosca, le *Martyre des dix mille*, aujourd'hui à l'Académie de Venise. Il travaille désormais surtout pour la province, pour Trévise en 1515, pour Capodistria d'abord en 1516, pour Pozzale di Cadore, et pour Pirano, en 1518, où il peint une *Madone trônant, avec six saints disposés sur des gradins*, pour Chioggia, un *Saint Paul*, en 1520, et de nouveau pour Capodistria, en 1523, où il décore les volets de l'orgue de la cathédrale.

Dès le xve siècle, Jacopo et Gentile Bellini, Mansueti, Bastiani, et Carpaccio, ont peint leur cité avec une minutie révélatrice de leur amour et de leur admiration. À cette époque, la peinture de paysages n'existait pas à proprement parler, aussi les palais, les places et les monuments servaient-ils de cadre à des compositions, soit traditionnelles représentant des épisodes de l'histoire des saints ou bien des événements purement historiques, soit plus spécifiquement vénitiennes représentant des scènes de la vie de la cité, scènes en général de célébrations solennelles, mais qui tendent par bien des côtés à la scène de mœurs et de genre. Du point de vue historique, de tels documents sont évidemment très précieux, en dehors de leur valeur artistique, mais en outre, du point de vue de l'histoire des sociétés, et tout spécialement de l'histoire des rapports des artistes avec la société de leur temps, aspect de l'histoire de l'art sur lequel notre époque a mis l'accent, il est particulièrement intéressant de voir là des artistes participer étroitement à la vie sociale de leur cité, la décrire avec tendresse, et nous transmettre un témoignage capital qui semble bien montrer que, dans le cas de la République de Venise, la population vivait en harmonie et prenait part dans son entier aux fastes d'une cité alors florissante. À la suite d'un long courant de critique post-berensonienne, de même que l'art italien s'ordonnait autour de la trilogie Michel-Ange, Raphaël, Léonard, écartant longtemps Piero della Francesca, Uccello, bref ceux qu'on a nommés depuis « les créateurs de la Renaissance », de même, lorsqu'on parle de l'école vénitienne, c'est à Giorgione, Titien, Véronèse et Tintoret que l'on pense aussitôt, et ce n'est qu'une critique récente qui sut regarder Gentile Bellini et Carpaccio. Le jugement esthétique évolue, en fonction de mille facteurs à peu près insaisissables qui constituent l'esprit réceptif de la société de chaque époque. Longtemps, on sautait des Primitifs à la Renaissance et de la Renaissance au Classicisme. En retour, aujourd'hui, l'intérêt se porte sur le Quatrocento et sur le Caravagisme, naguère négligés. Quant à Carpaccio, l'explication semble simple : son traitement de l'espace, des surfaces colorées, des rythmes plastiques, de la lumière, au même titre que chez Uccello, entretient des correspondances étroites avec les problèmes formels que se sont posés les artistes du XXᵉ siècle, des Cubistes à l'Abstraction. ■ Jacques Busse

VICTORIS CARPATIO
VENETI OPVS

BIBLIOGR. : Lionello Venturi : *Les Créateurs de la Renaissance*, Skira, Paris, 1950 – Terisio Pignatti : *La Ville de Carpaccio*, in : *Venise*, Skira, Paris, 1956 – Terisio Pignatti : *La Légende de sainte Ursule*, in : *Le Jardin des Arts*, Paris, avril 1959 – André Chastel : article *Carpaccio*, in : *Dictionnaire de l'Art et des Artistes* Hazan, Paris, 1967.
MUSÉES : AVIGNON (Mus. du Petit Palais) : *La Sainte Conversation* – BERGAME : *Une des peintures de la Scuola dei Albanesi : Saint Roch* – BERLIN : *Marie avec l'Enfant et deux saints* – *Bénédiction de saint Stephan* – *Mise au tombeau* – CAEN : *Sainte Famille* – DUBLIN : *La Vierge et l'Enfant trônant* – FRANCFORT-SUR-LE-MAIN : *Marie, l'Enfant Jésus et saint Jean* – LONDRES : *Mort et Assomption de la Vierge* – *Sainte Ursule quittant son père* – MILAN (Brera) : *Dispute de saint Étienne* – *Mariage de la Vierge* – *Consécration de la Vierge au Temple* – NEW YORK : *Christ mort, avec saint Jérôme et saint Onuphre* (Louvre) : *La Prédication de saint Étienne à Jérusalem* – PARIS (Mus. Jacquemart-André) – PÉRIGUEUX : *L'arrivée et l'Adoration des Mages* – PIRANO : *Madone trônant avec six saints* – STRASBOURG : *La reine de Saba* – STUTTGART : *Saint Thomas d'Aquin avec la Vierge* – *Lapidation de saint Étienne* – VENISE (Acad.) : *Arrivée des ambassadeurs près du roi Theonat* – *Départ des ambassadeurs quittant le roi Theonat* – *À la ville du roi Anglais* – *Départ des époux* – *Sainte Ursule et Conon* – *Apothéose de sainte Ursule* – *Arrivée à Rome de sainte Ursule et de Conon* – *Miracle de la Croix* – *La Présentation de Jésus* – *Les dix mille crucifiés du Mont Ararat* – *La rencontre de sainte Anne et de saint Joachim* – *Une procession de pèlerins* – *La Visitation* – *Guérison d'un possédé* – *Composition historique* – *Rencontre de sainte Anne et de saint Joachim* – VENISE (Correr) : *Deux dames sur leur terrasse* – VENISE (Scuola san Giorgio Degli Schiavoni) : *Cycle des vies de saint Jérôme, saint Georges et saint Tryphon* – VIENNE : *Le Christ adoré par les anges* – *La Communion de saint Jérôme* – *Enterrement de saint Jérôme*.
VENTES PUBLIQUES : PARIS, 1845 : *Sainte Famille* : **FRF 1 375** – PARIS, 1858 : *Un Musulman poursuivi* ; *Hommes de guerre et cavaliers*, deux dessins à la plume et au bistre : **FRF 41** – PARIS, 1872 : *La Madone et l'Enfant Jésus* : **FRF 5 600** – LONDRES, 1886 : *Jardin des ames* : **FRF 5 000** – VENISE, 1899 :, deux petits tableaux faisant pendants : **FRF 2 050** – LONDRES, 3 mars 1922 : *Saint Étienne et saint Laurent* : **GBP 50** – LONDRES, 16 mars 1928 : *L'Annonciation* : **GBP 157** – LONDRES, 8 juil. 1938 : *Salvator mundi* : **GBP 1 785** – LONDRES, 16 mars 1966 : *La Vierge et l'Enfant entourés de saints* : **GBP 9 000** – LUCERNE, 24 nov. 1971 : *La Vierge et l'Enfant, avec sainte Élisabeth et saint Jean enfant* : **CHF 140 000** – LONDRES, 24 nov. 1976 : *Sacra Conversazione*, pl. (14x23,6) : **GBP 78 000** – LONDRES, 14 avr. 1978 : *Personnifications de l'Abondance et Cérès*, deux pan. (11,7x25,7) : **GBP 6 000** – NEW YORK, 17 nov. 1986 : *Étude de personnages écoutant le sermont de saint Étienne (recto)* ; *Le Martyre des dix mille Chrétiens (verso)*, craie rouge (21,1x29,6) : **USD 170 000** – MONTE-CARLO, 20 juin 1987 : *Portrait de jeune femme de profil*, pierre noire (27,2x19,9) : **FRF 460 000** – LONDRES, 2 juil. 1990 : *Paroles sacrées*, encre (14x23,6) : **GBP 220 000** – NEW YORK, 17 jan. 1992 : *Vierge à l'Enfant assis sur un parapet avec un paysage au fond*, h. et temp./pan. (59,1x48,9) : **USD 77 000**.

CARPANETTO Giovanni-Battista
Né en 1863 à Turin. XIXᵉ-XXᵉ siècles. Italien.
Peintre d'histoire, genre, paysages.
Élève de l'Académie Albertine à Turin, il a exposé dans cette ville et à Venise.

MUSÉES : TURIN (Mus. mun.) : *Prima onde – Figli del mare – Sull'amaca*.
VENTES PUBLIQUES : MILAN, 10 déc. 1980 : *Paysage montagneux*, h/cart. (27x48) : **ITL 700 000** – MILAN, 21 déc. 1993 : *Paysage 1921*, h/pan. (32x48,5) : **ITL 2 990 000**.

CARPANO, famille d'artistes
XVᵉ-XVIIIᵉ siècles. Actifs à Côme aux XVᵉ, XVIᵉ, XVIIᵉ et XVIIIᵉ. Italiens.
Peintres.
Ils travaillèrent pour les églises de Côme et des villes voisines.

CARPANO Honoré Louis
Né à Pont-de-Beauvoisin (Isère). XXᵉ siècle. Français.
Peintre de paysages.
Sociétaire des Artistes Français. Il a peint des paysages savoyards.

CARPANTIER J.
XVIIIᵉ siècle. Actif à Angers à la fin du XVIIIᵉ siècle. Français.
Peintre d'histoire, scènes de genre, portraits.

CARPANTIER L. OU **Carpentier**
XVIIIᵉ siècle. Actif à Paris à la fin du XVIIIᵉ siècle. Français.
Graveur au pointillé et au lavis.
On cite de lui : *L'Heure première de la liberté, M. le comte de Mirabeau.*

CARPARZEN Jeanne Marie
Née à Paris. XXᵉ siècle. Française.
Miniaturiste.
Elle expose au Salon des Artistes Français.

CARPAY Joseph
Né en 1822 à Liège. Mort en 1892 à Liège. XIXᵉ siècle. Belge.
Peintre décorateur.
Le Musée de Liège conserve de lui : *Un ange de plus au ciel.*

CARPEAUX Jean Baptiste
Né le 11 mai 1827 à Valenciennes (Nord). Mort le 11 octobre 1875 à Courbevoie (Hauts-de-Seine). XIXᵉ siècle. Français.
Sculpteur de sujets allégoriques, groupes, figures, bustes, portraits, bas-reliefs, peintre, graveur, dessinateur.
Fils d'un ouvrier maçon, qui avait rêvé de faire de lui un entrepreneur, Carpeaux débuta dans la vie par une profonde misère. Son âme altière en garda une susceptibilité maladive qu'on retrouve dans ses moindres paroles, et qui fit de lui un éternel persécuté, le plus souvent imaginaire. Son père l'avait fait entrer dans la classe d'architecture que dirigeait à Valenciennes Jean-Baptiste Bernard ; il y fut considéré d'abord comme un assez piètre élève ; on riait de lui parce que son manque d'instruction se trahissait dans ses compositions par des anachronismes pour le moins bizarres, mais il fallut bientôt reconnaître que de cet apparent chaos, s'élevait la flamme d'un génie naissant. Un élève du sculpteur Henri Lemaire, Victor Liet, étant venu à épouser une cousine germaine du jeune Carpeaux, pressentit la destinée glorieuse de son nouveau cousin et se prit d'amitié pour lui. C'est lui qui enseigna au futur statuaire les rudiments de la sculpture et c'est de lui que Carpeaux exécuta son premier buste, de mémoire, assure-t-on, car Liet fut emporté par la phtisie, en 1847, à l'âge de 35 ans. Dès 1842, il vint à Paris, où il fréquenta le cours d'architecture de l'École royale de Dessin et de Mathématiques, avec la décision bien arrêtée de devenir une illustration de sa ville natale. Mais ce qui arrive, hélas ce n'est pas la gloire, c'est la misère la plus affreuse ; le père Carpeaux ne s'est-il pas imaginé, en effet, de venir lui aussi chercher fortune à Paris, avec sa femme et ses cinq enfants ? Pendant le jour, Jean-Baptiste s'improvise porteur aux Halles. Le soir, il copie des statuettes de commerce, agrandit des maquettes pour le marchand Michel Aaron. Il exécute même quelques commandes. Son ancien professeur J.-B. Bernard lui confie, en 1843, deux bas-reliefs destinés à la porte monumentale d'un hôtel qu'il vient de construire pour un riche Valenciennois, M. Louis Hollande. La même année, un fondeur achève de modeler un autre bas-relief, *Joseph reconnu par ses frères*, et l'année suivante, on lui demande, pour une petite église du Pas-de-Calais, quatre statues en plâtre, *Saint Ambroise, Saint Jérôme, Saint Grégoire* et *Saint Augustin*. Ce que l'artiste peut ainsi se donner plus aisément à son art, c'est que le père Carpeaux a fini par s'embarquer avec toute sa famille pour la Californie ; le pauvre homme devait du reste y trouver une si effroyable misère que Jean-Baptiste fut obligé, en 1856, de le rapatrier à ses frais. Le 2 octobre 1844, Carpeaux est

reçu à l'École des Beaux-Arts, et quelques mois après, il obtient une bourse de six cents francs du département du Nord. Entré en 1846 à l'atelier de Rude, un indépendant qu'il admire et qu'il admirera toujours, il comprend que son maître ne peut exercer aucune influence favorable – au contraire ! – sur l'esprit de ses collègues de l'Institut, et passe chez Francisque Duret, brave homme qui ne brille pas par l'originalité, et s'indigne de voir son élève prendre les croquis dans la rue et l'astreint, pour le mâter, à des besognes presque exclusivement décoratives. Carpeaux n'en a cure, son unique souci est de rester lui-même avant tout. Bien lui en prit. En 1847, il obtient une première médaille pour la figure modelée d'après nature. La même année, il donne le *Chevrier*, gracieuse silhouette du ténor Bataille. En 1848, il reçoit la commande d'une frise, *La Sainte Alliance des Peuples*. En 1850, il se voit attribuer une mention honorable pour son *Achille blessé au talon par une flèche de Pâris*, et une deuxième médaille pour le concours d'esquisse. Ce n'est pas encore la fortune, car la sculpture se paie alors fort peu, mais c'est déjà la notoriété, en attendant la gloire. De 1850 à 1852, se succèdent maintes récompenses d'école. En 1852, il expose au Salon de Paris un bas-relief de *Madame Delerue* qui lui coûte de telles privations qu'il tombe malade et doit entrer à l'hopital Cochin. En septembre de la même année, son *Philoctète dans l'île de Lemnos* n'obtint du jury que le second Prix de Rome, tandis que le public et la presse lui attribuent le Grand Prix. Au Salon de l'année suivante, il expose *La Soumission d'Abdel-Kader*, bas-relief qui doit flatter la vanité de l'empereur et attirer à l'auteur les meilleurs résultats pratiques. Une malchance acharnée déjoue tous les plans de l'artiste pour placer son œuvre sous les yeux du souverain, et quand, au prix de mille ruses, la commande sera enlevée enfin, ce sera pour n'être jamais livrée, le sujet devant paraître bientôt peu digne de lui à Carpeaux. Enfin, en 1854, *Hector implorant les dieux en faveur de son fils Astyanax* remporte ce premier Grand Prix de Rome tant désiré. Il séjourne à Rome et s'enthousiasme pour la Sixtine. Le public italien lui est plus favorable que les milieux officiels parisiens. Alors paraissent le *Petit Boudeur*, la *Palombella* et le *Pêcheur napolitain à la coquille*, la première œuvre où s'allient avec tant de bonheur les deux caractéristiques du talent de l'artiste, la vigueur et la grâce. Mais le chef-d'œuvre qui devait faire connaître au monde le nom de Carpeaux et le « poser, comme il le disait lui-même, sur un piédestal que le temps ne détruira pas », ce fut son *Ugolin*, première médaille au Salon de 1863, placé tout d'abord au Jardin des Tuileries, puis conservé au Musée d'Orsay. Cette fois, c'était l'apogée. De l'année 1863 à l'année 1875, qui fut celle de sa mort, pétrissant la glaise et taillant le marbre sans relâche, l'artiste termina environ quatre-vingts groupes, bustes et statues, ébaucha une extraordinaire quantité de projets et d'esquisses, peignit une soixantaine de toiles, crayonna plusieurs centaines de dessins, une multitude de croquis, et grava plusieurs eaux-fortes. En 1866, protégé par la princesse Mathilde, chargé de la décoration du Pavillon de Flore, aux Tuileries, il eut avec l'architecte Lefuel des démêlés restés célèbres : le sculpteur, disait ce dernier, avait trop dépassé les aplombs. L'empereur, consulté, s'en rapporta au jugement du public, et ce jugement donna raison au sculpteur. Carpeaux fut fait chevalier de la Légion d'honneur et entra, de ce jour, dans l'intimité de Napoléon III. Ce fut même grâce à l'intervention impériale qu'il put épouser la fille du général vicomte de Montfort, gouverneur du palais du Luxembourg. La même année, Carpeaux achevait la *Danse*, le fameux groupe de droite de la façade de l'Opéra qui donna lieu à des polémiques si acharnées que, sans l'invasion étrangère, le groupe eut été enlevé. Voyant leur cabale inutile, les adversaires de l'artiste, de rage, lancèrent, la nuit, une bouteille d'encre sur le groupe ; cette tache, longtemps ineffaçable, vengeait, d'après eux, la morale publique. Les *quatres parties du monde*, pour *La Fontaine de l'Observatoire* fut la dernière grande œuvre du sculpteur. En 1873, il eut la vessie déchirée dans une opération et ne fut plus, de ce moment, qu'une lamentable épave, ballottée sur un océan d'amertumes, réelles ou imaginaires comme celles de toute sa vie.

Héritier fécond du XVIIIe siècle, des Baroques et du Rococo, il a laissé de nombreux bustes très spontanés, des groupes d'un envol et d'une grâce que l'on retrouvera, avant 1900, chez un Récipon par exemple. Ses études préparatoires, comme celle du Petit Palais pour *Ugolin*, annoncent la passion fiévreuse de Rodin, de même que ses peintures, assez généralement igno-

rées, ne sont pas étrangères, dans leur vivacité directe, à la démarche impressionniste.

Cachet de vente

BIBLIOGR. : Mme Clément-Carpeaux : *Catalogue du Musée Carpeaux*, édition du Centenaire, Valenciennes, 1927 – Catalogue de l'exposition *Sur les traces de Carpeaux*, Paris, Grand Palais, 1975.

MUSÉES : AJACCIO : *Le prince impérial* – Demi-nature, marbre – ALGER : *Gérôme* – AMIENS (Mus. de Picardie) – BAYONNE : *Portrait de M. Laporte* – *Bacchante*, buste, terre cuite – BOURGES : *Maître esclave*, buste, terre cuite – COMPIÈGNE (Mus. du château) – COURBEVOIE (Mus. Roybet-Fould) : *Triomphe de Flore* – *Maquette d'Ugolin* – Plâtres d'atelier – Terres cuites – Peintures et dessins – DIEPPE : *Le docteur Flaubert* – DIJON (Mus. des Beaux-Arts) : *Mademoiselle Fiocre* – DOUAI (Mus. de la Chartreuse) – HAMBOURG : *Buste du peintre Gérôme*, bronze – LE HAVRE : *Le peintre Giraud* – LILLE : *Une mendiante* – MONT-DE-MARSAN (Mus. mun.) : *Ève tentée 1874* – NANCY : *L'amour blessé* – NICE (Mus. des Beaux-Arts) – ORLÉANS (Mus. des Beaux-Arts) : *Buste de Jules Grévy* – PARIS (Louvre) : *Bal costumé aux Tuileries*, peint. – *Bal aux Tuileries*, peint. – *Attentat de Berezowski*, peint. – PARIS (Petit Palais) : *Étude pour Ugolin*, sculpt. – PARIS (Mus. d'Orsay) : *Ugolin* – SAINT-LÔ : *Le prince impérial* – TOUL : *Une Européenne* – *L'Afrique* – *L'Asie*, modèles, Jardin de l'Observatoire, Paris – *Buste de Napolitain* – *Buste de Napolitaine* – TROYES : *La comtesse Armand, née Raimbaud* – VALENCIENNES (Mus. Carpeaux) : 110 sculptures, 10 tableaux, 202 croquis et dessins, 13 eaux-fortes.

VENTES PUBLIQUES : PARIS, 1894 : *Bal aux Tuileries, la comtesse de C., en magicienne, au bras de l'empereur en manteau vénitien* : FRF 220 ; *Épisode du siège : l'Espion* : FRF 450 ; *Frère et sœur, deux orphelins du siège* : FRF 1 250 ; *Groupe de la Danse* : FRF 2 000 ; *Retour des empereurs de la grande revue* : FRF 360 ; *La Barque du Dante*, dess. : FRF 155 ; *Combat de cavaliers*, dess. : FRF 48 ; *Deux études de jeunes filles en toilette de bal*, dess. : FRF 90 ; *L'empereur*, dess. : FRF 150 ; *L'empereur dans son cercueil*, mine de pb : FRF 450 ; *Étude pour le monument de Watteau à Valenciennes*, cr. rouge : FRF 2 000 ; *Études d'ouvriers*, dess. : FRF 250 ; *Foucart père*, dess. : FRF 410 ; *Got, artiste du Théâtre-Français*, dess. : FRF 200 – PARIS, 1900 : *Taureau*, cr. noir : FRF 22 – PARIS, 6 mai 1909 : *Une nourrice*, cr. noir : FRF 28 – PARIS, 27 fév. 1919 : *Le Prince Impérial distribuant les récompenses à l'Exposition de 1867*, esquisse peinte : FRF 530 ; *Charles-Quint*, sanguine : FRF 50 – PARIS, 8 mai 1919 : *Le groupe de Laocoon*, dess. : FRF 150 ; *Croquis pour la figure qui domine le pavillon de Flore*, dess. à la pl. : FRF 70 – PARIS, 3 déc. 1919 : *Études de femmes* ; *Paysage* ; *Jeanne d'Arc*, 6 dess. : FRF 250 ; *Figures*, 6 croquis au dess. : FRF 360 – PARIS, 6 déc. 1919 : *Épisode du Siège de Paris*, sépia : FRF 75 ; *Apparition*, dess. : FRF 25 ; *L'attentat de Berezowski*, dess. : FRF 60 ; *Portrait de Mr. X.*, past. : FRF 200 ; *L'empereur Napoléon dans son cercueil*, cr. : FRF 250 ; *Animaux sauvages*, album de 60 croquis : FRF 270 ; *Amazones*, carnet de croquis : FRF 110 ; *La danse* : FRF 7 000 ; *Départ des troupes dans le brouillard, Siège de Paris* : FRF 305 ;. *Copie d'après Michel-Ange, d'une peinture de la Chapelle Sixtine, Rome* : FRF 400 ; *Mgr. Darboy dans sa prison* : FRF 420 – PARIS, 10-11 déc. 1919 : *Flagellation*, croquis à la plume : **FRF 190**

– Paris, 6-7 mai 1920 : *Pont de pierre sur un cours d'eau* : **FRF 1 020** ; *Barques à marée basse* : **FRF 500** ; *La mère de la Palombella* : **FRF 360** ; *Roses dans un verre* : **FRF 1 150** – Paris, 20 mai 1920 : *Paysages*, trois croquis au crayon : **FRF 12** ; *Une halte de mobiles*, croquis au crayon : **FRF 22** ; *Le Théâtre*, cr. : **FRF 50** ; *Les Courses plates*, croquis à la plume : **FRF 110** ; *Sur le bateau-mouche*, cr. : **FRF 205** – Paris, 30 nov.-2 déc. 1920 : *Portrait de la marquise de Montmarin*, cr. : **FRF 1 800** – Paris, 27 juin 1924 : *Portrait d'enfant* : **FRF 1 910** – Paris, 24 fév. 1926 : *Panneau* : **FRF 2 500** – Paris, 18 mars 1926 : *Portrait du Dr. M.* : **FRF 1 000** – Paris, 6-7 fév. 1930 : *La Rieuse*, terre cuite : **FRF 2 600** – Paris, 25 mai 1932 : *L'Amour à la folie*, bronze : **FRF 10 500** – Paris, 19 déc. 1932 : *Jeune pêcheur napolitain*, terre cuite : **FRF 1 420** – Paris, 3 déc. 1934 : *L'Amour blessé*, statuette en terre cuite : **FRF 6 500** – Paris, 4 juin 1935 : *Les Trois Grâces*, bronze : **FRF 15 000** ; *Jeune fille*, plâtre original : **FRF 9 700** – Paris, 21-22 oct. 1936 : *Rieuse aux roses*, buste en marbre blanc : **FRF 22 000** ; *Le Printemps*, buste en marbre blanc : **FRF 24 000** ; *Baigneuse*, marbre blanc : **FRF 25 000** – Paris, 14 fév. 1938 : *Jeune fille au lierre* : **FRF 28 100** – Paris, 17 mars 1938 : *Rieuse aux roses*, marbre blanc : **FRF 60 000** – Paris, 19 mai 1938 : *Les Baigneuses*, peint. en blanc sur fond noir : **FRF 9 000** ; *Portrait du Dr. Matterne* : **FRF 30 000** – Paris, 17 juin 1938 : *Projet pour un monument* : **FRF 4 000** – Paris, 12 mai 1939 : *L'Enfant bondeur*, terre cuite : **FRF 2 500** ; *Rieur aux pampres*, marbre blanc : **FRF 17 500** – Paris, 20 nov. 1942 : *Femme étendue*, cr. noir, reh. de blanc : **FRF 13 000** – Paris, le 24 mai 1950 : *Épisode de la guerre de 1870* : **FRF 29 000** – Paris, 21 mai 1951 : *Réception à la cour impériale*, pl. : **FRF 17 000** – Paris, 23 nov. 1953 : *La danse, première pensée*, cray. noir/pp quadrillé : **FRF 36 000** – Munich, 4-6 oct. 1961 : *Autoportrait de trois quarts à droite* : **DEM 9 500** – Londres, 11 avr. 1962 : *La Fiancée*, terre cuite : **GBP 750** – Paris, 3 déc. 1965 : *Le Sourire*, bronze : **FRF 8 100** – Paris, 16 fév. 1966 : *Mère et Enfant*, terre non cuite : **FRF 13 800** – Paris, 31 mai 1967 : *Figure de la danse*, bronze cire perdue : **FRF 20 000** – New York, 4 avr. 1968 : *La chinoise*, bronze patiné : **USD 4 250** – New York, 16 avr. 1969 : *La négresse*, bronze patiné : **USD 5 750** – Londres, 21 avr. 1971 : *L'Amour désarmé*, bronze cire perdue : **GBP 1 000** – Paris, 21 avr. 1971 : *Bal aux Tuileries dans la salle des Maréchaux 1868* : **FRF 55 000** – Paris, 22 mars 1976 : *Le Pêcheur à la coquille*, h/t (102x64) : **FRF 38 000** – Paris, 14 juin 1976 : *La Danse*, bronze patiné cire perdue (H. 54) : **FRF 25 100** – Paris, 27 juin 1977 : *Tête d'homme*, h/t (41x33) : **FRF 8 000** – Bordeaux, 23 mars 1977 : *L'enfant à la coquille*, bronze patiné (H. 90) : **FRF 34 000** – Rouen, 5 mars 1978 : *La pêcheuse de vignots*, bronze, patine rouge (H. 73) : **FRF 13 000** – Paris, 4 déc 1979 : *Tête de femme 1862*, fus., reh. de craie (53x43) : **FRF 53 500** – Paris, 16 déc. 1980 : *Le Pêcheur napolitain 1857*, bronze patiné (H. 92) : **FRF 150 000** – Paris, 7 juin 1982 : *Paysage à la stèle*, h/t (30x39) : **FRF 6 500** – Cannes, 25 oct. 1983 : *Amélie de Monfort 1873*, marbre blanc (H.70) : **FRF 160 000** – Enghien-les-Bains, 24 mars 1985 : *Le Génie de la Danse*, patine médaille, bronze (H. 69) : **FRF 153 500** – Paris, 2 juin 1986 : *L'amour moqueur*, bronze à patine noire (H. 70) : **FRF 130 000** – Paris, 9 déc. 1987 : *Pourquoi naître esclave ?* 1868, buste en terre cuite (H. 60,5) : **FRF 58 500** – Paris, 15 mars 1988 : *L'Amour désarmé*, bronze à cire perdue (H. 77,5) : **FRF 34 000** – Paris, 15 avr. 1988 : *Figaro*, bronze à patine brune (25,5x20,5) : **FRF 44 000** – Paris, 3 mai 1988 : *Jeune femme accoudée à une colonne*, pl. et lav. brun (20x12,5) : **FRF 14 000** ; *Nu otant un voile*, cr. noir (20x12) : **FRF 14 000** – New York, 25 mai 1988 : *Buste de Anna Foucard*, bronze (H. 50,2) : **USD 3 850** – Lokeren, 28 mai 1988 : *Le Comte Ugolin et ses fils*, bronze (H. 47,5) : **BEF 400 000** – Paris, 15 juin 1988 : *Ugolin et ses enfants*, plâtre (H. 53) : **FRF 115 000** – Paris, 23 nov. 1988 : *L'Amour moqueur vers 1900*, bronze à patine brune (H. 73) : **FRF 110 000** – Paris, 16 déc. 1988 : *Jeune femme ou Mademoiselle de M...*, terre cuite (H. 19,5) : **FRF 101 000** – Reims, 18 déc. 1988 : *Le petit pêcheur napolitain écoutant la mer dans une conque marine*, bronze à patine (H. 63) : **FRF 29 000** – Paris, 16 mars 1989 : *Jeune napolitain à la coquille*, bronze à patine brune (H. 0.69) : **FRF 58 000** – Paris, 6 juil. 1989 : *Le pêcheur napolitain*, bronze (L. 30) : **FRF 8 000** – Paris, 25 oct. 1989 : *Buste du génie de la danse et buste de Bacchus*, 2 bronzes (H. 25) : **FRF 20 500** – Londres, 21 nov. 1989 : *Jeune paysanne*, bronze à patine brune (H. 68) : **GBP 11 550** – Paris, 21 nov. 1989 : *Femme debout drapée*, fus./pap. gris (34x21,5) : **FRF 13 000** – Paris, 9 déc. 1989 : *La bacchante aux roses*, bronze à patine médaille (H. 62) : **FRF 47 000** – Paris, 18 déc. 1989 : *Son Altesse le Prince Impérial et son chien Negro*, terre cuite (H. 44,5) :

FRF 150 000 – New York, 1er mars 1990 : *Le génie de la danse*, buste de marbre blanc (H. 65,7) : **USD 24 200** – Paris, 22 mars 1990 : *La Danse*, bronze à patine brune (H. 85) : **FRF 98 000** – New York, 22 mai 1990 : *Charles Gounod*, buste de terre-cuite (H. 63,5) : **USD 12 100** – Paris, 6 juin 1990 : *Portrait de J.F. Millet 1848*, h/pan. (35x44) : **FRF 23 000** – New York, 23 oct. 1990 : *Amélie de Montfort en toilette de mariée*, buste de terre-cuite (H. 61,5) : **USD 20 900** – Paris, 7 nov. 1990 : *Portrait de la Baronne Aymart*, cr. (19x14) : **FRF 28 000** – Paris, 14 juin 1991 : *Accablement*, maquette originale en terre cuite (H. 30) : **FRF 406 000** – New York, 17 oct. 1991 : *Les Trois Grâces 1873*, terre-cuite (H. 74,9) : **USD 49 500** – Lokeren, 23 mai 1992 : *Pêcheur napolitain 1857*, bronze patine brune (H. 34,5 ; l. 19) : **BEF 110 000** – New York, 22 mai 1992 : *Le Chinois*, buste de terre-cuite (H. 59,6) : **USD 15 400** – Calais, 14 mars 1993 : *Le pêcheur napolitain*, bronze (H. 90) : **FRF 178 000** – Paris, 14 juin 1993 : *La danse*, plâtre (H. 114) : **FRF 250 000** – Monaco, 2 juil. 1993 : *La Candeur*, terre-cuite (H. 64) : **FRF 22 200** – New York, 11 jan. 1994 : *Nu féminin allongé*, fus./pap. gris bleu (31x47,2) : **USD 4 025** – Paris, 18 mars 1994 : *Autoportrait*, h/t (41x33) : **FRF 72 000** – New York, 26 mai 1994 : *Jeune fille au coquillage 1869*, marbre (H. 100,3) : **USD 90 500** – Nanterre, 20 oct. 1994 : *Le Pêcheur napolitain*, terre-cuite (H. 52) : **FRF 21 000** – Paris, 7 juin 1995 : *Le Génie de la Danse*, marbre (H. 66) : **FRF 33 000** ; *Damné enveloppé de serpents 1859*, pl., d'après Michel-Ange (26x17,5) : **FRF 14 000** – New York, 17 jan. 1996 : *La Danse*, bronze (H. 55,2) : **USD 5 175** – New York, 23 mai 1996 : *Les Trois Grâces 1874*, terre cuite (H. 77,5) : **USD 74 000** – Calais, 7 juil. 1996 : *Le Pêcheur napolitain*, bronze (91x48) : **FRF 192 000** – Paris, 26-27 nov. 1996 : *Le Petit Napolitain*, plâtre (H. 71) : **FRF 6 000** – Paris, 17 déc. 1996 : *Le Rieur et la Rieuse napolitaine*, bronze patine dorée (H. 11,5 ; l. 19) : **FRF 14 000** – Calais, 23 mars 1997 : *La Frileuse*, marbre blanc (H. 42) : **FRF 37 500** – Paris, 13 mai 1997 : *Jeune pêcheur à la coquille 1857*, terre cuite, épreuve (H. 86) : **FRF 70 000** – New York, 23 mai 1997 : *Le Chinois 1874*, terracotta (H. 64,8) : **USD 109 200** – Paris, 16 juin 1997 : *La Tempérance ou Tête de la Vierge*, bronze patiné, épreuve (H. 34) : **FRF 39 000** – Paris, 20 juin 1997 : *Ugolin et ses enfants 1857-1861*, plâtre, groupe (54,5x36,5x26) : **FRF 13 000** – Calais, 6 juil. 1997 : *Le Printemps, buste de Flore vers 1875*, bronze patine brun clair (H. 56) : **FRF 56 000** – Paris, 23 oct. 1997 : *Le Génie de la danse*, bronze patine brune (H. 106,7) : **USD 27 600**.

CARPELAN Wilhelm Maximilien

Né en 1787 à Lojo (province de Nyland). Mort en 1830 à Stockholm. xixe siècle. Suédois.

Graveur et dessinateur.

Nommé lieutenant général de l'armée suédoise en 1823, il fut un habile graveur à l'aquatinte. En outre des cartes, qu'il exécuta pour le service militaire du génie, on a de lui plusieurs dessins de paysages, entre autres ceux de son recueil publié en 1821, sous le nom de *Voyage pittoresque aux Alpes norvégiennes*.

CARPENDER Alice Preble Tucker de Haas

Née à Boston (Massachusetts). Morte en 1920 à New York. xxe siècle. Américaine.

Peintre.

Femme de Maurits Frederik Hendrik de Haas, elle s'est fait connaître par ses marines et ses portraits miniatures.

CARPENTER B.

xixe siècle. Actif à Boston vers 1855. Américain.

Graveur de paysages.

CARPENTER Dora

xixe siècle. Américaine.

Peintre.

Elle exposa de 1880 à 1883 à la Royal Academy et à Suffolk Street, à Londres.

CARPENTER Dudley Saltonstall

Né le 26 février 1870 à Nashville (Tennessee). xxe siècle. Américain.

Peintre et illustrateur.

Il fut élève de l'Art Student's League de New York et de Jean-Paul Laurens, Benjamin Constant et Amam-Jean à Paris.

CARPENTER E. M., Miss

Née en 1831 à Killingly (Connecticut). xixe siècle. Américaine.

Peintre de paysages.

Élève de Thomas Edwards et du Lowell Institute à Boston. Voyagea en Europe en 1867 et 1873.

CARPENTER Florence A.

Née à Williamstown (Vermont). xixe siècle. Américaine.

Peintre.
Élève de miss Hawley, de Mme Hortense Richard, de Collin et Courtois, à Paris.
VENTES PUBLIQUES : LONDRES, 23 juil. 1909 : *Portrait d'une dame* : GBP 2.

CARPENTER Francis Bicknell
Né en 1830 à Homer (New York). Mort en 1900 à New York. XIXᵉ siècle. Américain.
Peintre de portraits.
Élève à Syracuse (New York) de Sandford Thayer. Il s'établit à New York en 1851. Membre de la National Academy dès 1852. Il a peint les portraits des personnalités marquantes de son époque : *Abraham Lincoln, Horace Greeley, James Russell Lowell*. Le Capitole, à Washington, conserve sa toile la plus connue : *The Emancipation Proclamation*, et le City Hall, à New York, le *Portrait du président Fillmore*.
VENTES PUBLIQUES : NEW YORK, 20 nov. 1931 : *Abraham Lincoln* : USD 8 500 – NEW YORK, 4 et 5 fév. 1932 : *Mary Toded Lincoln 1864* : USD 2 100.

CARPENTER Fred Green
Né en 1882 à Nashville (Tennessee). Mort en 1965. XXᵉ siècle. Américain.
Peintre.
Elève de Baschet, Royer et Richard Miller à Paris, il a exposé au Salon des Artistes Français dont il est devenu sociétaire et où il obtint une mention honorable en 1911.
VENTES PUBLIQUES : NEW YORK, 1ᵉʳ juin 1984 : *Jeune fille au miroir*, h/t (66x81,2) : USD 6 000 – NEW YORK, 21 mai 1991 : *Citrons pressés*, h/t (99x83,9) : USD 770.

CARPENTER G.
XIXᵉ siècle. Britannique.
Peintre de paysages.
Il exposa en 1831 et 1832 à la Royal Academy et à la British Institution, à Londres.

CARPENTER George Mulford
Né en 1875 à Brooklyn (New York). XXᵉ siècle. Américain.
Peintre de décorations murales.
Il fit ses études à la Art Student's League de New York, sous la direction de H. Siddons Mowbray et F. V. du Mond. Il se spécialisa dans la décoration murale.

CARPENTER Hattié L.
Née à Newark (Illinois). XIXᵉ siècle. Américaine.
Peintre.
Élève du Chicago Art Institute.

CARPENTER J.
XIXᵉ siècle. Britannique.
Peintre de portraits, peintre de miniatures.
Elle exposa de 1837 à 1855 à la Royal Academy, à Londres. Peut-être s'agit-il de Jane Henrietta ?

CARPENTER J. Lant
XIXᵉ siècle. Britannique.
Peintre de paysages.
Il exposa à partir de 1868 à la Royal Academy et à Suffolk Street, à Londres.

CARPENTER Jane Henrietta
XIXᵉ siècle. Britannique.
Peintre de portraits.
Elle exposa de 1847 à 1857 à la Royal Academy, à Londres. Elle fut la fille et l'élève de Margaret Sarah Carpenter.

CARPENTER John
XIXᵉ siècle. Actif vers 1827. Britannique.
Peintre de paysages.
Le Victoria and Albert Museum, à Londres, conserve de lui quatre dessins à la sépia.

CARPENTER Kate Holston, Mrs
Née en 1866 à Londres. XIXᵉ siècle. Britannique.
Peintre et illustrateur.
Élève de la National Academy of Design à New York, de la Herkomer School en Angleterre, de Benjamin Constant à Paris, et de Josef Israels en Hollande. Mrs. Carpenter fut aussi professeur.

CARPENTER Margaret Sarah, Mrs William H. Carpenter, née Heddes
Née en 1793 à Salisbury. Morte en 1872 à Londres. XIXᵉ siècle. Britannique.

Peintre de portraits.
Margaret Carpenter étudia d'après des œuvres d'art de la collection de lord Radnor au château de Longford, instruction qui lui suffit pour obtenir une médaille d'or, récompense d'un concours à la Society of arts. À vingt et un ans, cette artiste s'établit à Londres, où elle acquit une réputation considérable comme peintre de portraits. Ses premiers envois aux expositions datent de cette année et elle continua à travailler avec ardeur jusqu'à un âge assez avancé. Née Margaret Sarah Heddes, elle se maria en 1817, avec Mr. W.-H. Carpenter, conservateur des estampes et dessins au British Museum.
MUSÉES : LONDRES : *Portrait de Patrick Fraser Tytler – Portrait de John Gibson – Portrait de Richard Parkes Bonington –* LONDRES (British Art) : *Dévotion à saint François – Portrait des deux filles de l'artiste –* LONDRES (Mus. Water-Colours) : *Étude d'après nature –* Trente-deux sujets, scènes indiennes et vues des Indes, plus huit portraits de personnages indiens.
VENTES PUBLIQUES : LONDRES, 9 mai 1910 : *Une jeune femme donnant à manger à un perroquet* : GBP 31 – LONDRES, 28 mars 1923 : *Dame en robe noire* : GBP 14 – LONDRES, 16 mai 1928 : *La fille de sir Charles Forbes 1842* : GBP 140 – LONDRES, 21 nov. 1930 : *Mrs G. H. Fagan et ses filles*, fusain : GBP 27 – NEW YORK, 2 avr. 1931 : *Portrait d'enfant* : USD 160 – NEW YORK, 14 déc. 1933 : *Master Stephen Rowley Convoy* : USD 70 – LONDRES, 8 juin 1934 : *Portrait de R. P. Bonington*, craie de couleur : GBP 6 – LONDRES, 20 juil. 1934 : *Dame en robe bleue* : GBP 48 – NEW YORK, 8 fév. 1935 : *Mrs. Paget* : USD 110 – LONDRES, 11 juin 1937 : *Les Sœurs* : GBP 77 – LONDRES, 1ᵉʳ juil. 1938 : *Mary E. K. Moreton 1833* : GBP 105 – NEW YORK, 5 avr. 1944 : *Portrait d'une dame* : USD 375 – LONDRES, 13 juil. 1962 : *Jeune garçon avec un papillon sur son doigt* : GNS 550 – LONDRES, 17 mars 1967 : *Portrait des enfants du Rév. Northcote* : GNS 260 – LONDRES, 15 déc. 1976 : *Jeune femme avec ses deux enfants*, h/t (35,5x30,5) : GBP 220 – LONDRES, 3 août 1978 : *Portrait of Henrietta Shuckburgh*, h/t (124,5x99,7) : GBP 850 – LONDRES, 23 mars 1979 : *Portrait of Major-General John Fremantle*, h/t (125,7x100,2) : GBP 4 200 – LONDRES, 12 mars 1980 : *Portrait of Augusta Charlotte Thelluson*, h/pan. (29x24) : GBP 650 – NEW YORK, 20 avr. 1983 : *Portrait of Augusta Louisa Frankland, Lady Walsingham*, h/t (76x63,5) : USD 4 500 – LONDRES, 16 mai 1984 : *Portrait of twin sisters of the Manson family*, h/t à vue ronde (diam. 75) : GBP 3 800 – LONDRES, 30 jan. 1987 : *Portrait de fillette avec sa poupée 1841*, h/pan., de forme ovale (52,7x44,5) : GBP 3 800 – LONDRES, 21 juil. 1989 : *Portrait d'une Lady, assise vêtue d'une robe bleu foncé et d'un bonnet de dentelle blanche*, h/t (127x101,6) : GBP 3 080 – LONDRES, 18 oct. 1989 : *Portrait d'une Lady vêtue d'une robe blanche et d'un châle noir et portant un bonnet de dentelle blanche*, h/t (43,5x33) : GBP 880 – LONDRES, 14 mars 1990 : *Portrait de Mary Frances – Mrs William Howley vêtue d'une robe avec un chapeau garni de plumes 1826*, h/t (90x70) : GBP 3 850 – LONDRES, 14 nov. 1990 : *Portrait de deux fillettes dans un paysage, l'une tenant un chien en faisant un dessin 1829*, h/t (108x83,5) : GBP 6 050 – LONDRES, 10 avr. 1991 : *Les enfants de David Baillie 1842*, h/t (142x109) : GBP 13 200 – NEW YORK, 12 oct. 1993 : *Portrait d'un jeune garçon portant un béret à gland*, h/pan. (45,7x34,9) : USD 11 500 – LONDRES, 13 avr. 1994 : *La dentellière 1848*, h/t (145x118,5) : GBP 10 930 – NEW YORK, 19 mai 1994 : *Portrait d'Isabelle Selwyn avec son fils Henry John*, h/t (129,5x100,3) : USD 23 000 – LONDRES, 3 avr. 1996 : *Portrait de Mary Frances, Mrs William Howley, portant une robe bleue et un chapeau noir à plume 1826*, h/t (90x70) : GBP 6 670 – NEW YORK, 23 oct. 1997 : *Portrait d'une fillette*, h/t (116,8x86,4) : USD 11 500.

CARPENTER Marguerite
XXᵉ siècle. Active à New York vers 1905. Américaine.
Sculpteur.
Elle a reçu une médaille à l'exposition de Saint-Louis en 1904.

CARPENTER Percy
XIXᵉ siècle. Britannique.
Peintre de portraits, architectures, aquarelliste.
Il exposa entre 1841 et 1858 à la Royal Academy, en 1842 et 1851, à la British Institution, à Londres.
VENTES PUBLIQUES : LONDRES, 10 sep. 1984 : *Singapore 1857*, aquar. (36x52) : GBP 1 500 – NEW YORK, 14 oct. 1993 : *Vues de Tanger, Gibraltar et Ceuta*, ensemble de quatre aquar./pap. (chaque 23,5x35) : USD 4 370.

CARPENTER William
Né vers 1818 à Londres. Mort le 27 juin 1899 en Angleterre. XIXᵉ siècle. Britannique.

Peintre de genre, portraits, graveur, dessinateur.
Cet artiste habita longtemps aux Indes où il peignit et grava des scènes de ce pays. Sa mère était l'artiste Margaret Sarah Carpenter. Il l'exposa très souvent à la Royal Academy, à Suffolk Street, à la British Institution et à la Grafton Gallery, à Londres, de 1840 à 1885.
Musées : Londres (Victoria and Albert Mus.).
Ventes Publiques : Londres, 25 sep. 1980 : *Dr Charles Richardson* 1842, fus. et craies rouge, noire et blanche (52x35,5) : **GBP 220.**

CARPENTER William John
xixe siècle. Britannique.
Peintre d'architectures.
Il exposa à Londres entre 1885 et 1895 à la New Water-Colours Society et à la Suffolk Street Gallery.

CARPENTERO Henri Joseph Gommarus
Né le 31 mars 1820 à Anvers. Mort le 25 mai 1874 à Bruxelles-Schaerbeek. xixe siècle. Belge.
Peintre de genre, portraits, paysages.
Fils du peintre J.C. Carpentero, il fut élève de Ferdinand Braekeleer et de Nicaise Keyser.
Ses œuvres, notamment les scènes rustiques, sont peintes à la manière des artistes flamands du xviie siècle, accusant les jeux d'ombre et de lumière qui font ressortir les personnages. Ses portraits et paysages sont également peints dans cet esprit de l'école anversoise de 1840-1850.
Bibliogr. : Gérald Schurr, in : *Les Petits Maîtres de la peinture 1820-1920, valeur de demain*, Les Éditions de l'Amateur, t. V, Paris, 1981.
Musées : Brunswick : *L'amateur d'huîtres* – Kaliningrad, ancien. Königsberg : *La chambre villageoise.*
Ventes Publiques : Londres, 26 juin 1922 : *Le poulailler* 1864 : **GBP 8** – Bruxelles, 24-25 oct. 1938 : *La marchande de fruits* 1850 : **BEF 2 000** – Cologne, 14 juin 1972 : *Paysan dans un intérieur* 1850 : **DEM 9 000** – New York, 4 mai 1979 : *Intérieur de cuisine*, h/t (30,5x23,5) : **USD 1 700** – Paris, 13 juin 1980 : *Nouveau-né dans un intérieur flamand* 1847 (43x50) : **FRF 30 000** – New York, 9 déc. 1982 : *La cour de l'auberge* 1850, h/pan. (63x82,5) : **USD 2 000** – Londres, 21 mars 1984 : *Le retour des chasseurs* 1847, h/t (67x83) : **GBP 3 200** – New York, 25 fév. 1986 : *Scène de taverne* 1857, h/pan. (45,7x59,1) : **USD 5 000** – Londres, 26 fév. 1988 : *Dame et son chien dans un paysage* 1859, h/pan. (48,3x37) : **GBP 1 045** – Amsterdam, 30 oct. 1990 : *Paysans festoyant dans une taverne* 1850, h/pan. (41x48) : **NLG 13 800** – Amsterdam, 6 nov. 1990 : *Musiciens dans une auberge* 1852, h/pan. (33x41) : **NLG 8 625** – Amsterdam, 17 sep. 1991 : *Le colporteur* 1865, h/pan. (43x35) : **NLG 6 670** – Le Touquet, 10 nov. 1991 : *Halte des voyageurs dans un paysage de montagne*, h/pan. (32x40) : **FRF 16 000** – New York, 18 fév. 1993 : *Gentilhomme dans sa bibliothèque avec deux chiens* 1850, h/pan. (42,5x56,5) : **USD 6 613** – Amsterdam, 9 nov. 1993 : *La leçon de musique* 1850, h/pan. (80x67,5) : **NLG 4 370** – New York, 17 fév. 1994 : *Rassemblés autour du foyer* 1851, h/pan. (33x38) : **USD 4 025** – Amsterdam, 7 nov. 1995 : *Personnages dans une cour de ferme* 1863, h/pan. (44x35) : **NLG 4 720.**

CARPENTERO Jean Charles
Né le 22 décembre 1774 à Anvers. Mort en 1823 à Anvers. xviiie-xixe siècles. Belge.
Peintre d'animaux, paysages animés.
Il fut élève de Van den Bosch et de M.-J. van Brée. Il imita Ommeganck et ses œuvres sont souvent vendues sous le nom de ce dernier.
Ventes Publiques : Paris, 1837 : *Vaches et moutons paissant dans une prairie* : **FRF 335** – Paris, 1842 : *Paysages, figures et animaux* : **FRF 145** ; *Paysage, moutons* : **FRF 380** ; *Paysage* : **FRF 105** – Paris, 15 déc. 1922 : *Bélier et brebis* : **FRF 100** – New York, 30 juin 1981 : *Paysans et troupeau traversant une rivière* 1809, h/pan. (46x62) : **USD 2 750** – Lokeren, 20 mai 1995 : *Scène pastorale*, h/pan. (76x107) : **BEF 330 000.**

CARPENTIER
xviiie siècle. Actif à Poitiers vers 1750. Français.
Peintre.
Élève de l'École royale académique de peinture, sculpture et architecture de Poitiers. Le Musée de cette ville conserve de lui le *Portrait de Thérèse Charrault.*

CARPENTIER
xviiie siècle. Actif à La Rochelle vers 1775. Français.
Peintre de genre, peintre animalier et paysagiste.

CARPENTIER
xviiie siècle. Vivant à Rouen dans la seconde moitié du xviiie siècle. Français.
Miniaturiste.
On cite de lui le portrait d'une *Femme inconnue*, 1761 (coll. David Weill).

CARPENTIER Andries
Né vers 1713 à Leyde. xviiie siècle. Actif à Leyde. Hollandais.
Peintre.
C'est probablement le fils d'un sculpteur du même nom.

CARPENTIER Clary
xvie siècle. Actif à Arras au début du xvie siècle. Français.
Peintre.

CARPENTIER Evariste
Né le 1er décembre 1845 à Cuerne-les-Courtrai. Mort en 1922. xixe-xxe siècles. Belge.
Peintre d'histoire, compositions mythologiques, scènes de genre.
Fils d'un cultivateur de la Flandre occidentale, il entra à l'Académie d'Anvers à l'âge de dix-huit ans et fut élève de Keyser. Devenu directeur des Beaux-Arts de Liège, il eut une forte influence sur ses compatriotes.
À ses débuts, il peignit des scènes mythologiques dans un style très classique, puis, à partir de 1872, s'orienta vers des sujets d'histoire, notamment des épisodes de la guerre de Vendée : *Chouans et Républicains – La Vendée en 1793 – Sous la terreur – Les fugitifs – Une alerte*. Il s'attacha à rendre avec beaucoup de réalisme des scènes de genre, sous un éclairage intensif qui montre son désir de faire lumineux. Citons : *Mauvaises nouvelles de la campagne de Russie – Au cirque – Un chef-d'œuvre incompris – Jour de congé*. Sa technique est vigoureuse et sa pâte nourrie.

Bibliogr. : Gérald Schurr, in : *Les Petits Maîtres de la peinture 1820-1920, valeur de demain*, Les Éditions de l'Amateur, T. II, Paris, 1982.
Musées : Anvers : *Épisode de l'insurrection vendéenne en 1795* – Bruxelles : *Les étrangères* – Courtrai : *Une alerte en Vendée* – Liège : *La laveuse de navets* – Malines : *La tentation* – Montpellier : *En villégiature* – Namur : *Fleurs de bruyère* – Trieste : *Mme Roland à Sainte Pélagie.*
Ventes Publiques : New York, 24-25-26 fév. 1904 : *Dans le jardin* : **USD 60** – Londres, 30 avr. 1910 : *Une paysanne* : **GBP 43** – Bruxelles, 11-12 mai 1966 : *Jeune garçon couronnant une fillette* : **BEF 40 000** – Londres, 5 juil. 1970 : *Le cordon bleu* : **GNS 600** – Anvers, 30 avr. 1980 : *Rue à Liège*, h/t (50x61) : **BEF 15 000** – Hanovre, 22 sep. 1984 : *Épisode de la guerre des Chouans*, h/t (38x55) : **DEM 5 000** – Londres, 18 juin 1985 : *Jeune fille et son chien dans la prairie*, h/t (65,5x82,5) : **GBP 10 500** – New York, 28 oct. 1987 : *La causette*, h/t (44,7x54,6) : **USD 7 500** – Londres, 28 nov. 1989 : *Rêverie amoureuse* 1888, h/t (55,9x90,1) : **GBP 11 000** – New York, 22 mai 1990 : *Une casquette pleine de cerises* 1882, h/t/cart. (79,4x56) : **USD 22 000** – Neuilly, 7 avr. 1991 : *Nature morte*, h/t (33x41) : **FRF 7 000** – Londres, 17 mai 1991 : *Un bon remède*, h/t (47,2x64) : **GBP 2 200** – New York, 19 fév. 1992 : *Querelle d'enfants* 1883, h/t (71,1x90,1) : **USD 17 600** – Lokeren, 23 mai 1992 : *Dans le jardin*, gche. aquar. et past. (78,5x59) : **BEF 1 100 000** – New York, 12 oct. 1993 : *La nouvelle robe* 1888, h/pan. (61x48,6) : **USD 9 200** – Lokeren, 28 mai 1994 : *Parure* 1881, h/pan. (61x48,5) : **BEF 850 000** – New York, 16 fév. 1995 : *Amoureux dans une prairie à flanc de côteau*, h/pan. (44,5x54,6) : **USD 13 800.**

CARPENTIER François Augustin
Né en 1758 à Amiens. Mort en 1808 à Amiens. xviiie siècle. Français.
Sculpteur.
Fils de Jean-Baptiste Carpentier. Il travailla souvent en collabo-

ration avec son père. Un certain nombre de ses œuvres figurèrent en 1782 au Salon d'Amiens.

CARPENTIER Germain Primidi
Né le 3 décembre 1794 à Valenciennes. Mort en 1817 à Paris. XIXe siècle. Français.
Peintre.
Élève de Momal et de Gros. Le Musée de Valenciennes possède de lui : *La mort d'Hippolyte.*

CARPENTIER Jean Baptiste
Né en 1726 à Hangest-sur-Somme. Mort en 1808 à Amiens. XVIIIe siècle. Français.
Sculpteur.
Il a exécuté un certain nombre de travaux pour les églises d'Amiens et des environs.

CARPENTIER Jehan
XVIe siècle. Actif à Boulogne. Français.
Peintre.

CARPENTIER L. Voir **CARPANTIER**

CARPENTIER Louise
Née à Lille. XIXe siècle. Française.
Peintre sur émail.
Élève de Mme Jacobber et de Pluchart. Elle débuta au Salon de 1876.

CARPENTIER Madeleine
Née en 1865 à Paris. XIXe-XXe siècles. Française.
Peintre de genre, portraits, natures mortes, fleurs et fruits.
Élève d'Adrien Bonnefoy, puis de Jules Lefebvre et de Benjamin Constant à l'Académie Julian. A partir de 1885, elle a exposé, notamment au Salon des Artistes Français dont elle est devenue sociétaire en 1889. Mention honorable en 1890, troisième médaille en 1896, médaille d'or en 1930. Outre les tableaux de fruits et de fleurs, elle a peint des scènes de genre, exécutées souvent au pastel, dans des tonalités tendres et nacrées.

Madeleine Carpentier

Musées : AVIGNON : *Violettes et roses jaunes* – BAYONNE : *Jeune misère* – BORDEAUX : *Entre amies*, past. – DRAGUIGNAN : *Prunes et pêches* – NANTES : *Les Résignés* – PARIS : *A l'ombre.*
Ventes Publiques : PARIS, 9 et 12 déc. 1907 : *Tête de femme*, past. : FRF 20 – PARIS, 20 mai 1942 : *La leçon de dessin*, past. : FRF 380 – WASHINGTON D. C., 13 déc. 1981 : *Contemplation* 1923, h/t (91,5x65,5) : USD 1 000 – PARIS, 29 jan. 1996 : *Jeune fillette au ruban blanc*, past. (55,5x46,5) : FRF 4 000 – LONDRES, 13 mars 1996 : *La petite sirène*, h/t (96x60) : GBP 3 680.

CARPENTIER Marguerite Jeanne
Née à Paris. XIXe-XXe siècles. Française.
Peintre et sculpteur.
A exposé aux Indépendants depuis 1910, à la Société Nationale des Beaux-Arts depuis 1912.

CARPENTIER Marie-Paule
Née en 1876. Morte en 1915. XXe siècle. Française.
Peintre de genre et de paysages.
Elle a exposé au Salon des Artistes Français, dont elle est sociétaire depuis 1896, au Salon de la Société Nationale des Beaux-Arts, dont elle est associée depuis 1903, elle a aussi figuré au Salon des Artistes Indépendants en 1907, 1909 et 1910. Elle peint à l'huile et à l'aquarelle, notamment des vues de Versailles et des paysages de Bretagne.
Ventes Publiques : PARIS, 24 et 25 nov. 1920 : *Vue du parc de Versailles*, dess. aquar. : FRF 160 – PARIS, 11 et 12 mai 1925 : *Bassin à Versailles*, aquar. : FRF 140 – PARIS, 3 mars 1943 : *Paysage en Bretagne*, aquar. : FRF 100.

CARPENTIER Michel Silvestre
XVIIIe siècle. Actif à Paris. Français.
Peintre.
Mari de Jeanne Ducoté et beau-frère du peintre Amable Ducoté ; il appartenait à l'Académie de Saint-Luc.

CARPENTIER Modeste
Né le 16 juillet 1866 à Courrières (Pas-de-Calais). Mort le 14 juin 1926 à Lumbres (Pas-de-Calais). XIXe-XXe siècles. Français.
Peintre de paysages et de portraits.

Élève d'Emile Breton et d'Adrien Demont, il a exposé au Salon des Artistes Français dont il fut sociétaire dès 1902.
Musées : LILLE : *Portrait d'Emile Breton.*

CARPENTIER Paul Claude Michel. Voir **LECARPENTIER**

CARPENTIER Renée
Née le 29 mai 1913 à Amiens (Somme). XXe siècle. Française.
Peintre de paysages et de marines.
Élève à l'Ecole des Beaux-Arts de Paris, elle a travaillé sous la direction de Lucien Simon. Elle a exposé au Salon des Artistes Français dont elle est sociétaire dès 1934 et où elle reçoit une mention honorable en 1936. Elle expose au Salon d'Automne depuis 1938 et au Salon de la Marine depuis 1951, y obtenant une médaille d'honneur en 1966.
Ses peintures de paysages, et surtout de marines, exécutées traditionnellement sur chevalet, cherchent à rendre le mouvement et les perpétuels changements de lumière.
Musées : AMIENS (Mus. de Picardie) : *Matinée en Bretagne* – MARSEILLE (Mus. Cantini).
Ventes Publiques : VERSAILLES, 25 mars 1990 : *Bretonne sur les chemins – Bretonnes tricotant devant la maison*, deux h/t (22x27) : FRF 11 000.

CARPENTIER Robert Le. Voir **LE CARPENTIER**

CARPENTIERE ou Charpentière
Probablement originaire des Flandres. Mort en 1737 à Londres. XVIIIe siècle. Travaillant à Londres.
Sculpteur.

CARPENTIERS Adrien ou Carpentiere, Charpentière
Mort en 1778 à Londres. XVIIIe siècle. Travaillant à Londres.
Peintre de portraits, paysages.
Certains auteurs le croient d'origine suisse, tandis que d'autres supposent qu'il est originaire des Flandres et probablement fils du sculpteur Carpentiere. Il a exposé à la Society of Artists (1760-67), à la Free Society (1762-66), à la Royal Academy (1770-74), à Londres.
Musées : LONDRES (Nat. Portrait Gal.) : *Portrait du sculpteur Roubillac.*
Ventes Publiques : NEW YORK, 26 et 27 fév. 1903 : *Portrait d'une dame* : USD 190 – LONDRES, 5 août 1932 : *Un gentilhomme et sa famille* 1767 : GBP 31 – LONDRES, 13 fév. 1935 : *Mr. Vernon* : GBP 10 – LONDRES, 18 nov. 1964 : *Paysage avec berger et bergère* : GBP 100 – NEW YORK, 13 oct. 1989 : *Portrait d'une dame vêtue d'une robe blanche* 1743, h/t (74,5x61,5) : USD 3 575.

CARPER Minnette Slayback, Mrs
Née au XIXe siècle à Saint Louis (Missouri). XIXe siècle. Américaine.
Peintre.
Élève de la Saint Louis School of Fine Arts.

CARPET Claude
Né en 1946 à Charleroi. XXe siècle. Belge.
Peintre verrier. Figuratif.
Élève à l'Académie des Beaux-Arts de Charleroi, il crée et restaure des vitraux, peignant sur verre, verre et plomb, verre et résine, verre polychrome recuit.
Bibliogr. : In : *Diction. biog. illustré des Artistes en Belgique, depuis 1830*, Arto, 1987.

CARPI, da. Voir aussi au prénom

CARPI Aldo
Né le 6 octobre 1886 à Milan. Mort en 1973. XXe siècle. Italien.
Peintre de genre, portraits, cartons de vitraux.
Élève de Stefano Bersani puis de Cesare Tallone. Il participe pour la première fois à la Biennale de Venise en 1912, année où il obtient une médaille à la Biennale de Brera. Avant la Première Guerre Mondiale, il avait exécuté une série de *Masques* qui l'avaient rendu célèbre et dont il reprendra le thème, plus tard. Il a réalisé des vitraux, notamment à San Simpliciano et au Dôme de Milan. Professeur à l'Académie Brera à partir de 1930, il a obtenu plusieurs titres honorifiques, avant d'être déporté au camp de Mauthausen, d'où il a rapporté de nombreux témoignages, sous forme de dessins.
Ses œuvres, telles : *Annonciation – La mort de Pierrette – Le Christ parmi les ouvriers* sont empreintes de sentimentalité et même parfois de mysticisme, mettant en évidence son appartenance au courant lombard naïf et sentimental.
Bibliogr. : In : *Les Muses*, tome 4, Paris, 1971.
Musées : FLORENCE (Gal. d'Art Mod.) : *Après le repas.*

Ventes Publiques : Milan, 6 avr. 1976 : *Révolution des mannequins*, h/t (110x60) : ITL 750 000 – Milan, 13 déc. 1977 : *Scène de plage* 1955, temp./t. (60x80) : ITL 700 000 – Milan, 9 nov. 1982 : *Bord de mer*, h/cart. entoilé (45x55) : ITL 2 200 000 – Milan, 19 avr. 1983 : *La toilette* 1969, fus. et temp. (65x47,5) : ITL 1 100 000 – Milan, 8 nov. 1984 : *Scène de plage, Viareggio* 1931, h/cart. entoilé (45,5x55,5) : ITL 2 200 000 – Milan, 11 juin 1985 : *Figure dans un paysage* 1955, h/t (60x40) : ITL 850 000 – Rome, 29 avr. 1987 : *Pensando insieme* 1966, techn. mixte/t. (87x114) : ITL 3 000 000 – Milan, 14 déc. 1988 : *Pierrot* 1924, h/pan. (78x57) : ITL 3 400 000 – Milan, 27 sep. 1990 : *Paysan dans l'herbe* 1956, past./cart. (63x48) : ITL 800 000 – Milan, 19 déc. 1991 : *Adolescents dans un pré*, h/t (90x114) : ITL 8 500 000 – Milan, 21 juin 1994 : *Nu féminin* 1938, techn. mixte/cart. (76,5x57) : ITL 6 900 000 – Milan, 9 mars 1995 : *Cavaliers* 1959, h/t (45x70) : ITL 4 140 000.

CARPI Annibale
XVIe siècle. Actif à Ferrare. Italien.
Peintre.
Peut-être l'un des fils de Girolamo da Carpi.

CARPI Carlo Giuseppe
Né en 1676 à Parme. Mort en 1730 à Bologne. XVIIIe siècle. Actif à Bologne. Italien.
Peintre.
Zanotti le dit élève de Domenico Santi et d'Ercole Graziano, à Bologne. Il a travaillé à Bologne, à Novellara, à Pesaro, à Venise et à Parme, peignant des quadratures et décorant, dans chacune de ces villes, des palais et des églises. Il fut l'un des fondateurs de l'Académie Clémentine (1708).

CARPI Girolamo da, dit Sellari Girolamo
Né en 1501 à Carpi (Émilie-Romagne). Mort à Ferrare, en 1556 d'après Vasari ou 1569 d'après Baruffaldi. XVIe siècle. Italien.
Peintre de compositions religieuses, scènes mythologiques, sujets allégoriques, portraits, fresquiste, copiste, dessinateur.
Il est le fils de Tommaso da Carpi. Mariette cite Superbi en reculant la date de la naissance de Girolamo da Carpi jusqu'en 1488, et mentionne des documents et faits qui donneraient à croire à l'authenticité de cette supposition. Girolamo da Carpi, après avoir servi Benvenuto Garofalo comme valet à Ferrare, en devint l'élève. Il séjourna à Bologne vers 1525, à Rome entre 1549 et 1554.
Il ne suivit pas la manière de son maître et s'inspira plutôt du style des grands peintres, tels que Corrège, dont il copia les œuvres à Modène et à Parme, comme il copia celles de Raphaël et de Parmesan à Rome. Il peignit notamment la *Pentecôte* à l'église San Francesco à Rovigo, des sujets allégoriques au Palais des Ducs à Ferrare.
Musées : Bologne : *Mariage mystique de sainte Catherine* – Dresde : *L'Occasion et la Patience* – *Vénus dans une coquille* – *Judith* – *Zeus* – Dresde (Gemäldegalerie) : *tableaux mythologiques* – Dublin : *Adoration des Mages* – Florence (Gal. Nat.) : *Marthe et Marie aux pieds du Christ* – Florence (Palais Pitti) : *Portrait de l'évêque Bartolmi Salimbeni* – *Déposition dans le tombeau* – *Prière au jardin des oliviers* – Madrid (Mus. du Prado) : *Portrait* – Modène (Pina.) : *Adoration des Mages* – Washington D. C. (Nat. Gal.) : *Apparition de la Vierge à Giulia Muzzarella.*
Ventes Publiques : Paris, 18 avr. 1803 : *Allégorie critique sur le mariage d'un vieillard conduit au lit nuptial par divers faunes et satyres*, dess. à la pl. : FRF 61 – Paris, 1833 : *La Vierge assise tenant l'Enfant Jésus* : FRF 300 – Paris, 1845 : *La Visitation* : FRF 440 – Paris, 1865 : *Étude de deux anges, pour un plafond*, dess. à la pl. et au bistre : FRF 5 – Londres, 30 nov. 1979 : *L'Adoration des Rois Mages*, h/pan. (48,5x37,7) : GBP 13 000 – Milan, 27 mai 1980 : *Étude de personnage debout*, cr., lav. (51,8x31,5) : ITL 1 800 000 – Londres, 9 mars 1983 : *L'Assomption de la Vierge*, h/pan. (56,5x42,5) : GBP 4 800 – Londres, 15 juin 1983 : *Étude de torse et personnage*, pl./pap. (14,5x18) : GBP 350 – Monaco, 17 juin 1988 : *Sainte recevant l'Eucharistie*, h/t (65x53) : FRF 199 800 – New York, 11 jan. 1994 : *Vénus, Cupidon et autres divinités à l'antique*, craie noire, encres noire et brune et lav. (29,5x19) : USD 2 990 – New York, 19 mai 1995 : *Portrait d'un clerc vêtu d'un habit noir à col de léopard et désignant une horloge* 1529, h. (56,5x76,2) : USD 299 500 – New York, 10 jan. 1996 : *L'enlèvement de Ganymède*, craie noire, encre brune et lav. avec du blanc (21,5x18,8) : USD 25 300.

CARPI Giulio da
Né en 1539. XVIe siècle. Actif à Ferrare. Italien.

Peintre.
Fils de Girolamo da Carpi.

CARPI Jacob da
Né en 1685 à Vérone. Mort en 1755 à Vérone. XVIIIe siècle. Vivant à Amsterdam. Italien.
Peintre et marchand d'objets d'art.

CARPI Stefano da, fra
XVIIIe siècle. Travaillant vers 1730. Italien.
Peintre, sculpteur et graveur.
Membre de l'ordre des Capucins.

CARPI Tommaso da
Né à Carpi. XVIe siècle. Actif au début du XVIe siècle à Ferrare, où il travailla pour les princes de la maison d'Este. Italien.
Peintre.
Père de Girolamo da Carpi.

CARPI Ugo da
Né vers 1480 à Carpi, vers 1450 selon Larousse. Mort en 1523 probablement à Rome. XVIe siècle. Italien.
Peintre de sujets religieux, graveur, dessinateur.
Cet artiste acquit une excellente réputation comme graveur sur bois, et ce fut lui qui introduisit en Italie l'art de graver en camaïeu au moyen de trois planches à l'aide desquelles on réussit à exprimer les trois nuances différentes de la gravure, méthode déjà en usage en Allemagne vers 1510. Ses peintures révélèrent un talent assez médiocre.

VGO. C.

Ventes Publiques : Bruxelles, 1797 : *Six figures dans un intérieur*, dess. : FRF 9 – Londres, 30 juin 1976 : *Cupidons jouant*, grav./bois (27x41) : GBP 4 200 – Londres, 30 juin 1982 : *La Descente de Croix*, grav./bois, d'après Raphaël (35,6x27,5) : GBP 2 400 – Berne, 24 juin 1983 : *Ananie tombant mort*, grav./bois : CHF 2 900.

CARPI Y DE RUATA Joaquin
Né à Tamarite près d'Huesca. XIXe siècle. Espagnol.
Peintre.
Élève de Fierros. Exposa à Madrid en 1880 et 1881 des tableaux de genre (*Descanso*, *El cantaro no se ha roto*).

CARPINELLO Girolamo, fra
XVe siècle. Italien.
Peintre.
Membre de l'ordre de Saint-Dominique.

CARPINETTI Joao Silverio
XVIIIe siècle. Actif dans la seconde moitié du XVIIIe siècle. Portugais.
Graveur.
Élève d'Ant. Joaquin Padrao et de Vieira. On cite de lui le *Portrait du marquis de Pombal.*

CARPINONI Domenico
Né en 1566 à Clusone (Valle Seriana, près de Bergame). Mort en 1658. XVIe-XVIIe siècles. Italien.
Peintre.
Quittant son pays très jeune, Domenico alla à Venise, où il devint le disciple de Palma le Jeune. On cite de lui, dans l'église principale de Clusone, une *Naissance de saint Jean Baptiste* et une *Descente de Croix* ; dans celle de Monesterolo (dans le Valle Cavallina) une *Transfiguration*, et enfin, une *Adoration des Mages*, à Lovere, dans l'église des Franciscains.

CARPINONI Marziale
Né vers 1644 à Clusone. Mort en 1722 à Ferrare. XVIIe-XVIIIe siècles. Italien.
Peintre.
Selon Tassi, cet artiste était le petit-fils de Domenico Carpinoni, et reçut sa première instruction artistique d'abord chez son père et ensuite chez son grand-père. Plus tard, il fut l'élève de Ciro Ferri à Rome. Carpinoni a peint pour l'église de Clusone, pour la cathédrale de Bergame, et travailla aussi à Brescia.

CARPIO Elena del
Née à New York. XXe siècle. Américaine.
Peintre.
Expose à Paris depuis 1924.

CARPIO Francisco del
XVIIe siècle. Actif à Grenade. Espagnol.
Peintre.

CARPIO Juan José
XVIIIe siècle. Actif à Séville à la fin du XVIIIe siècle. Espagnol. Peintre.

CARPIO Manuel Fernandez. Voir **FERNANDEZ CARPIO Manuel**

CARPIONI Carlo
Né à Venise. XVIIe siècle. Actif au milieu du XVIIe siècle. Italien. Peintre.
Carlo fut l'élève de son père Giulio, dont il imita la manière.

CARPIONI Giulio
Né en 1613 à Venise. Mort en 1679 à Venise. XVIIe siècle. Italien.
Peintre de compositions mythologiques, scènes religieuses, sujets allégoriques, compositions murales, figures, paysages, fleurs, graveur, dessinateur.
Élève, à Venise, de Padovanino, qui lui transmit l'influence du Titien. Ensuite, il évolua sous l'influence classique de Poussin, soit par ses œuvres, soit qu'il ait connu directement. Il s'établit, en 1638, à Vicence, où il peignit des petits tableaux aux sujets élégiaques, rêves, triomphes, bacchanales, des compositions religieuses, dans les églises Sainte-Catherine, Sainte-Claire, Saint-Félix, Saint-Fortuné, à la basilique de Monte Berico, dans les oratoires de Saint-Nicolas et delle Zitelle de Vicence, et des décorations dans des villas et des palais, Palais Trissino et villa Macchiavello à Nove près de Vicence. Il fut également graveur, à l'exemple de Testa.

G C. GC inv.

Musées : Béziers : *Sainte Madeleine* – Bordeaux : *Suite d'une fête à Silène* – *Bacchanale d'enfant* – Budapest : *Les Funérailles de Léandre* – *Le Déluge* – *Nymphes et Satyres* – *Bacchus et Ariane* – *Allégorie* – *Bacchanale* – Chambéry (Mus. des Beaux-Arts) : *Le Christ au jardin des Oliviers* – Dresde : *Ariane délaissée par Bacchus* – *Bacchanale avec satyre dansant* – Latone change les paysans en grenouilles – *Corionis poursuivie par Neptune est changée en corbeau* – Florence : *Corionis poursuivie par Neptune* – Glasgow : *Groupe mythologique* – Graz : *Bacchante* – Hanovre : *Paysage avec ruine* – Milan : *Portrait de l'auteur* – Vicence : *Allégorie de la Fragilité humaine* – Vienne : *Allégorie* – *Allégorie* – *Liriope et Tiresias* – *Une fête de Bacchus.*
Ventes Publiques : Paris, 1838 : *Une bacchante et un faune jouant avec de jeunes enfants* : FRF 140 – Paris : *Orphée aux Enfers* : FRF 18 – Paris, 1897 : *Offrande à Cérès* : FRF 290 – Milan, 15 mai 1962 : *Bacchanale* : FRF 450 000 – Venise, 6-10 avr. 1964 : *Les Amours chasseurs* : FRF 1 600 000 – Vienne, 17 sep. 1968 : *Le Baptême du Christ* : ATS 22 000 – Milan, 5 mars 1969 : *Nymphes et satyres* : GBP 1 400 – Londres, 30 juin 1976 : *La Vierge lisant à l'Enfant Jésus et saint Joseph*, eau-forte (21,2x14,1) : GBP 700 – New York, 30 avr. 1982 : *Le Déluge*, pl. et lav. (21,7x17,8) : USD 1 200 – Londres, 12 avr. 1983 : *Bacchus punissant les Ménades pour la mort d'Orphée*, sanguine/pap. (42,6x28) : GBP 5 000 – Milan, 27 nov. 1984 : *L'Offrande à Vénus*, h/t (96,6x129,5) : ITL 35 000 000 – Londres, 5 déc. 1985 : *Le Christ sur le mont des Oliviers*, eau-forte (31,8x21,7) : GBP 1 800 – Milan, 25 fév. 1986 : *Le Déluge*, h/t (90x133) : ITL 31 000 000 – Paris, 14 juin 1988 : *Le Déluge*, h/t (76,5x92) : FRF 58 000 – Milan, 4 avr. 1989 : *Le Règne d'Hypnos*, h/t (73x64) : ITL 28 000 000 – Rome, 23 mai 1989 : *La Sainte Famille et les anges*, h/t (59x73) : ITL 8 800 000 – Milan, 24 oct. 1989 : *Apollon tuant Coronide*, h/t (50x54) : ITL 18 000 000 – Londres, 30 oct. 1991 : *Nymphes et satyres*, h/t (95x73,5) : GBP 12 650 – Milan, 3 déc. 1991 : *Le Départ d'Abraham*, h/t (91x135) : ITL 18 500 000 – New York, 15 jan. 1992 : *Étude de femmes bavardant*, sanguine (33,4x23,1) : USD 3 080 – Rome, 28 avr. 1992 : *Nymphe et satyre*, h/t (63,5x88) : ITL 16 000 000 – Paris, 12 juin 1992 : *Projet de décor, figures plafonnantes*, sanguine (14x37) : FRF 9 000 – Milan, 3 déc. 1992 : *Bacchanale*, h/t (72x97) : ITL 18 000 000 – Londres, 9 juil. 1993 : *Le Festin de Balthazar*, h/t (104,7x131,5) : GBP 34 500 – New York, 14 jan. 1994 : *Iris rendant visite à Hypnos dans la grotte du sommeil*, h/t (88,3x114,3) : USD 27 600 – Londres, 3 juil. 1995 : *Le Sacrifice d'Iphigénie*, craie rouge (19x15,7) : GBP 1 725 – Milan, 28 nov. 1995 : *Allégorie des Sens*, h/t (118x140) : ITL 80 500 000 – Londres, 6 déc. 1995 : *Le Supplice de Marsyas*, h/t (86,3x117) : GBP 29 900 – Milan, 16-21 nov. 1996 : *Femme aux fleurs*, h/t (46x63) : ITL 15 727 000 – Londres, 4 juil. 1997 : *Agar et l'ange*, h/t (64,8x73) : GBP 10 925 – Rome, 9 déc. 1997 : *Vision de l'Enfant Jésus par saint Antoine de Padoue*,

h/t (88x100) : ITL 12 075 000 – Venise, 22 juin 1997 : *Venere et Adonis*, h/t (105x130) : ITL 190 000 000.

CARPMAEL Cecilia
Née à Felden. XIXe-XXe siècles. Britannique.
Peintre de genre.
Si elle a travaillé à Londres, elle a également exposé à Paris, notamment au Salon des Artistes Français en 1911-1925 et au Salon de la Société Nationale des Beaux-Arts en 1928.

CARPOT Claire
Née le 11 novembre 1909 à Saint-Omer (Pas-de-Calais). Morte en 1992. XXe siècle. Française.
Peintre de paysages.
Élève de Humbert à l'Ecole des Beaux-Arts de Paris, elle a exposé au Salon des Artistes Indépendants, au Salon des Artistes Français et au Salon de la Marine, où elle obtint une médaille d'honneur en 1953. Médaille de bronze à New York en 1980, médaille d'argent à Québec en 1981.

Carpot

CARQUEVILLE William
Né en 1871 à Chicago. XIXe-XXe siècles. Américain.
Peintre et dessinateur.

CARR Alice Robertson
Née en 1899 à Roanoke (Virginie). XXe siècle. Américaine.
Sculpteur.
Elle a exposé des animaux au Salon de la Société Nationale des Beaux-Arts et au Salon d'Automne en 1927.

CARR Bernard James
XIXe-XXe siècles. Britannique.
Peintre de marines et de paysages, et graveur.
Élève du Sheffield College of Arts et de l'Académie Julian.

CARR Bessie, Miss
XIXe siècle. Active à Worthing (Sussex). Britannique.
Portraitiste.
Elle exposa de 1883 à 1890 à la Royal Academy et à Suffolk Street, à Londres.

CARR David
Né en 1847 à Londres. Mort en 1920. XIXe-XXe siècles. Travaillant à Londres. Britannique.
Peintre de figures, aquarelliste.
Il exposa à partir de 1875 à la Royal Academy, à Suffolk Street, à la New Water-Colours Society, à la Crafton Gallery à la New Gallery, à Londres.
Ventes Publiques : Londres, 18 jan. 1979 : *Jeunes baigneurs*, h/t (122x86,2) : GBP 1 250.

CARR Edith
Née le 24 février 1875 à Croydon (Surrey). XXe siècle. Britannique.
Peintre de portraits et miniaturiste.
Élève de W. Wallès à la Croydon School of Art, elle a exposé à la Royal Academy de Londres et au Salon des Artistes Français à Paris.

CARR Emily M.
Née en 1871 à Victoria (Colombie britannique). Morte en 1945. XXe siècle. Canadienne.
Peintre de scènes typiques, paysages, aquarelliste. Tendance Fauve.
Elle a beaucoup voyagé, quittant Victoria en 1889, étudiant d'abord à San Francisco, de 1889 à 1894. De retour à Victoria en 1895, elle y resta quatre années, puis alla poursuivre sa formation à Londres à la Westminster Art School. Elle tomba gravement malade en Grande-Bretagne, mais ne retourna au Canada qu'en 1905 et s'établit à Vancouver en tant que professeur. En 1910, encore insatisfaite de son travail, elle décida de partir pour Paris en 1910. Conseillée par le peintre anglais Harry Gibb (1870-1948), elle s'inscrivit à l'Académie Colarossi, puis à l'Académie de la Palette, où elle reçut les conseils du peintre écossais John Duncan Fergusson. De nouveau gravement malade, elle souffrit sa vie entière d'anémie, après un séjour de trois mois à Paris, elle partit en Suède, puis se fixa en Bretagne, y travaillant avec la peintre néo-zélandaise Frances Hodgkins. Elle fut alors acceptée au Salon d'Automne en 1911. De retour à Vancouver, elle y exposa avec succès en 1912 ses travaux réalisés en France, tandis qu'une exposition en 1913 de sujets indiens fut un échec

total. Quittant Vancouver pour revenir à Victoria, elle y rencontra des difficultés matérielles telles qu'elle dut cesser de peindre. Elle ne fut redécouverte qu'en 1921 par l'ethnologue Marius Barbeau, qui présenta ses œuvres à Éric Brown, directeur de la National Gallery d'Ottawa. Lorsque celui-ci organisa, en 1927, une exposition de l'art de la Côte Ouest du Canada, il montra, outre des œuvres indigènes, vingt-six peintures d'Émily Carr. À cette occasion, elle rencontra plusieurs peintres du *Groupe des Sept*, dont Lismer et Harris qui l'impressionnèrent le plus et lui insufflèrent un nouvel enthousiasme, si bien qu'elle se remit à peindre, après un arrêt de quatorze ans. Auparavant, elle avait fait partie du *Groupe des Peintres Canadiens* depuis sa fondation. En 1930, elle exposa à Toronto avec le *Groupe des Sept*, à Victoria et au Musée de Seattle. Cette fondatrice de l'école canadienne montra à figurait à l'exposition ouverte à Paris, au Musée d'Art Moderne, par l'O.N.U. en 1946.

Ses premiers travaux, lors de son établissement à Vancouver en 1905, étaient essentiellement des aquarelles assez classiques, bien que leur composition eût un caractère dramatique particulier. À partir de 1907, elle s'intéressa tout particulièrement aux villages indiens de la côte ouest du Canada, dont elle étudia les coutumes, et elle en peignit les scènes familières, les totems dans des centaines d'aquarelles. Après son séjour en Europe, ses peintures exécutées en France accusaient l'influence du fauvisme, notamment par de grands aplats de couleurs intenses. Les tons chauds de bruns-rouges, orangés et jaunes étant contrebalancés par des verts francs, des bleus-verts et des verts. Elle présentait ainsi une peinture très en avance sur ce qu'on pouvait voir au Canada en 1912 et, très curieusement, Vancouver fit un accueil chaleureux à cet art « exotique venu de France ». Par contre, lorsqu'elle présenta, l'année suivante, des tableaux, pourtant toujours peints dans le style fauve, mais ayant une grande affinité avec l'art indien de la côte ouest du Canada, l'insuccès fut total.

Après sa redécouverte et son appartenance au *Groupe des Sept*, elle délaissa les thèmes indiens, pour se consacrer au paysage et passa d'un style sculptural très appuyé à une technique de peinture à l'huile sur papier, rendue légère par une importante addition d'essence. Les bois et les ciels devinrent les seuls thèmes des dix années suivantes. Sa touche était alors fluide, conforme à la technique de l'aquarelle qu'elle avait tant pratiquée, transparente, rapide, tourbillonnante, alternant de larges traits hachurés et de petites touches fines. Son *Ciel*, de la National Gallery d'Ottawa, peint autour de 1935, donne l'illusion de la chaleur par la radiation de tons blancs posés en stries parallèles dans une composition proche de l'abstraction. ■ Annie Pagès, J. B.

M.E.CARR

BIBLIOGR. : E. Kilbourne, F. Newfeld, W. Kilbourne, M. Harris, S. Scott : *Great Canadian Painting, a century of Art*, The Canadian Cent. Publ. C° Ltd, 1976 – in : Catalogue de l'exposition *Peint. Mod. au Canada*, Edmonton Art Gall., 1978 – Dennis Reid : *Une Histoire concise de la peinture au Canada*, Oxford University Press, Toronto, 1988.
MUSÉES : EDMONTON (Art Gal.) : *Paysage de montagne – Strait of Juan de Fuca* – GLENBOW : *Clair de lune d'hiver* 1909 – MONTRÉAL (Mus. d'Art Contemp.) : *Making lace, Brittany street* 1911 – OTTAWA (Nat. Gall. of Canada) : *Quatre enfants dans une ferme bretonne* 1911 – *Maison en Bretagne* 1911 – *Automne en France* 1911 – *Blunden Harbour* 1928-30 – *Ciel* 1935 – *Forest Landscape II* 1935 – TORONTO (Art Gal. of Ontario) : *Kispiax village* 1929 – VANCOUVER (Art Gal.) : *Arbustes* 1907 – *Totem Poles, Kitseukla* 1912 – *Big Raven* 1931 – *Cedar* 1942 – *Scorned as timber, belowed of the sky – Forest B.C.* 1932.

VENTES PUBLIQUES : TORONTO, 17 mai 1976 : *Ferme de Normandie*, h/pan. (25x38) : **CAD 5 200** – TORONTO, 15 mai 1978 : *Rayons de soleil dans la forêt*, h/pap. (89x58,5) : **CAD 36 000** – TORONTO, 30 oct. 1978 : *La couseuse* vers 1911, aquar. (37x27) : **CAD 9 600** – TORONTO, 5 nov. 1979 : *Arbres*, h/pap. (88x58) : **CAD 42 000** – TORONTO, 27 mai 1980 : *La Forêt*, h/pap. (85,6x56,9) : **CAD 68 000** – TORONTO, 10 nov. 1981 : *Jeune arbre et ciel*, h/pap. (60x44,4) : **CAD 18 000** – TORONTO, 2 nov. 1982 : *Oiseau tonnerre, Campbell river*, h/pap. (60x45) : **CAD 46 000** – TORONTO, 8 nov. 1983 : *Bois taillés*, h/pap. mar./cart. (58,1x86,9) : **CAD 44 000** – TORONTO, 26 nov. 1984 : *La clairière*, h/pap. (71,3x60) : **CAD 30 000** – TORONTO, 28 mai 1985 : *Un jardin à Vancouver*, aquar. (25,6x17,5) : **CAD 5 000** – TORONTO, 18 nov. 1986 : *Un village indien* vers 1908-1912, aquar.

(36,3x52,5) : **CAD 52 000** ; *B C Forest interior*, h/t (66,3x48,8) : **CAD 57 500** – MONTRÉAL, 25 avr. 1988 : *Scène côtière dans l'Ouest*, aquar. (16x24) : **CAD 3 800**.

CARR Gene
Né en 1881 à New York. XXe siècle. Américain.
Illustrateur.

CARR Geraldine
XIXe-XXe siècles. Britannique.
Peintre sur émail.
Active à Londres.

CARR Henry Marvell
Né le 16 août 1894 à Londres. XXe siècle. Britannique.
Peintre de portraits et de paysages.
Il a exposé à la Royal Academy de Londres et fut peintre officiel de l'Armée britannique de 1942 à 1944. Il est membre du Royal College of Art.
VENTES PUBLIQUES : LONDRES, 12 nov. 1982 : *La plage de Margate* 1957, h/t (71,2x91,5) : **GBP 850**.

CARR J.
XIXe siècle. Actif à York. Britannique.
Peintre.
Il exposa en 1818 à la Royal Academy, à Londres, son portrait par lui-même.

CARR Johnson
Né en 1743 dans le Nord de l'Angleterre. Mort en 1765. XVIIIe siècle. Britannique.
Dessinateur et paysagiste.
Cet artiste, dès sa jeunesse, acquit une réputation considérable comme peintre de paysages et dessinateur. Élève de Richard Wilson à Londres. Médaillé par la Society of Arts en 1762 et 1763.

CARR Lyell
Né en 1857 à Chicago (Illinois). Mort en 1912 à New York. XIXe-XXe siècles. Américain.
Peintre de sujets militaires, scènes de genre, illustrateur.
Il fit des études artistiques à l'École des Beaux Arts de Paris sous la direction de Lefebvre et Boulanger. Il exposa en 1890 à la Royal Academy de Londres et fut médaillé en 1904 à Saint Louis.
VENTES PUBLIQUES : BOLTON, 19 nov. 1987 : *Travaux des champs*, h/t (50,8x40,5) : **USD 4 750** – NEW YORK, 14 nov. 1991 : *La trêve après la bataille de El Caney* 1898, h/t (53,3x78,8) : **USD 1 540** – NEW YORK, 18 mai 1994 : *Santiago de Cuba* 1898, h/t/cart. (50,3x71,1) : **USD 3 450** – NEW YORK, 20 mars 1996 : *Le colonel Th. Roosevelt avec ses cavaliers à l'église de San Luis après la bataille de El Caney en juillet 1898*, h/t (53,3x78,7) : **USD 3 737**.

CARR R.
XVIIe siècle. Actif en Angleterre vers 1670. Britannique.
Graveur.
Il imita la manière de Hollar.

CARR Samuel S.
Né en 1837. Mort en 1908. XIXe-XXe siècles. Américain.
Peintre de genre.
Il exposa à la National Academy of Design et au Brooklyn Art Club.
VENTES PUBLIQUES : NEW YORK, 27 oct. 1978 : *La Marchande d'oranges sur la plage*, h/t (41x51,5) : **USD 15 000** – NEW YORK, 20 avr. 1979 : *Les Régates d'enfants* 1881, h/t (35,5x61) : **USD 29 000** – NEW YORK, 23 avr. 1982 : *Getting ready for market*, h/t (61x45,8) : **USD 14 000** – NEW YORK, 6 déc. 1984 : *Little drummer boy* 1889, h/t (51,4x41,2) : **USD 31 000** – NEW YORK, 31 mai 1985 : *La sortie de l'école* 1882, h/t (30,5x50,8) : **USD 50 000** – NEW YORK, 26 mai 1988 : *Cueillette de noisettes*, h/t (25,4x20,3) : **USD 8 800** – NEW YORK, 30 sep. 1988 : *La pâture à moutons*, h/t (41x61) : **USD 6 600** – NEW YORK, 24 mai 1989 : *Enfants rentrant de l'école* 1884, h/t (21x45,1) : **USD 14 300** – NEW YORK, 1er déc. 1989 : *Sur la plage* 1881, h/t (38,1x30,5) : **USD 37 400** – NEW YORK, 27 mai 1992 : *Gamin coiffé d'un chapeau de paille avec un veau dans une prairie*, h/t (30,5x45,7) : **USD 9 900** – NEW YORK, 24 sep. 1992 : *Sortie de l'école* 1889, h/t (55,9x91,4) : **USD 24 200** – NEW YORK, 26 mai 1993 : *Jeune pêcheur à la ligne*, h/t (30,5x25,5) : **USD 6 900** – NEW YORK, 2 déc. 1993 : *Les émigrants vers New york*, h/t (26x36,2) : **USD 20 700** – NEW YORK, 14 mars 1996 : *Enfants dans une charrette tirée par une chèvre* 1882, h/t (35,6x61) : **USD 23 000** – NEW YORK, 26 sep. 1996 : *Gambades sur un chemin de campagne*, h/t (55,3x91,4) : **USD 4 600**.

CARR Tom
Né en 1909. XXe siècle. Britannique.

Peintre, sculpteur, peintre à la gouache, aquarelliste.
En 1998 à Paris, il a exposé à la galerie-hôtel Square.
VENTES PUBLIQUES : LONDRES, 23 mai 1984 : *L'heure du thé*, h/t (46x51) : **GBP 1 400** – AUCHTERARDER (Écosse), 1er sep. 1987 : *The Buccleuch foxhounds*, aquar. reh. de gche (38x53,5) : **GBP 1 600** – BELFAST, 28 oct. 1988 : *Paysage de Fermanagh*, h/pan. (38,5x52) : **GBP 3 080** – BELFAST, 30 mai 1990 : *Le facteur à New Forge Lock*, h/pan. (30,5x45,1) : **GBP 7 150.**

CARR William Holwell, R. P.
Né en 1758 à Exmouth. Mort en 1830 à Londres. XVIIIe-XIXe siècles. Britannique.
Peintre amateur de portraits et de paysages.
Il exposa à la Society of Artists, entre 1786 et 1790, et à la Royal Academy, entre 1797 et 1820 (Bryan), entre 1804 et 1821 (Graves).

CARRA ou **Carré, Carrel**, famille d'artistes xve-xvie-xviie siècles. Actifs à Lyon. Français.
Peintres.
Barthélemy vit à Lyon en 1495 et 1517 et travaille en 1515 et 1516 pour les entrées de François Ier et de la reine. Michel (Carra ou Carré) vit à Lyon en 1533 et 1561. Antoine est à Lyon en 1568 et y meurt en juin 1592. Il travaille pour l'entrée d'Henri III, en 1584, et est nommé sept fois maître de métier pour les peintres, de 1572 à 1591. On trouve ensuite Jean (en 1574 et 1584), maître de métier en 1584, Henri, en 1581, Thibaud, en 1594 (inhumé à Lyon le 10 juillet 1607), cinq fois maître de métier de 1596 à 1601, Michel (en 1596 et 1598).

CARRA Antonio
Originaire de Trente. XVIe-XVIIe siècles. Travaillant à Brescia et à Venise à la fin du XVIe et au début du XVIIe siècle. Italien.
Sculpteur.

CARRA Carlo et **Giovanni**
XVIIe siècle. Italiens.
Sculpteurs.
Ils étaient fils d'Antonio Carra. Ils travaillaient à Brescia dans la première moitié du XVIIe siècle.

CARRA Carlo
Né le 11 février 1881 à Quargnento (Alexandrie). Mort le 13 avril 1966 à Milan. XXe siècle. Italien.
Peintre de paysages animés, paysages, marines, aquarelliste, dessinateur. Futuriste, puis métaphysique. Groupe du Novecento.
Apprenti décorateur à Milan entre 1893 et 1895, il est amené à faire des travaux de décoration à l'Exposition Universelle de Paris en 1900. Il entre, en 1904, à l'Académie Brera de Milan où il étudie sous la direction de Cesare Tallone qui lui donne une formation classique, le respect de la tradition, ce qui le marquera jusqu'à la fin de sa carrière. Pourtant, il s'oriente rapidement vers des théories plus révolutionnaires, en particulier après sa rencontre avec Boccioni en 1908, avec lequel il participe aux activités du groupe milanais de *La famille artistique*. Boccioni avait été initié, en même temps que Severini, par leur aîné Balla au mouvement impressionniste et aux techniques divisionnistes (ou plutôt à l'« impressionnisme scientifique », selon la définition de Seurat), pratiqués par Previati en Italie. En 1950 il a reçu le premier prix de la Biennale de Venise. Des expositions personnelles de ses œuvres se sont tenues à Milan en 1942, à Brera et au Palazzo Reale en 1962, à la Kunsthalle de Baden-Baden en 1987, à la Galleria nazionale d'Arte moderna e contemporanea à Rome en 1994-1995.
L'Italie n'avait commencé que tardivement son développement industriel et, parallèlement, à part le mouvement d'importance réduite et nationale des *macchiaioli*, sur le plan artistique l'Italie somnolait également dans un académisme, morne héritage d'un passé trop encombrant. Les jeunes artistes italiens étaient impatients de reprendre place dans le mouvement artistique, accaparé dans le XIXe siècle par la France. C'est dans ce climat de réveil et de revendication que s'agite le jeune poète Marinetti, que l'on retrouvera dans la suite politique que Mussolini donna à cette effervescence. À Paris, dans *Le Figaro* du 20 février 1909, Marinetti signe le premier *Manifeste Futuriste* qui, dans la réthorique agressive qui caractérise son style, proclame la déchéance de toutes les valeurs passéistes, et l'avènement des seules réalités futuristes : « Nous voulons exalter le mouvement agressif, l'insomnie fiévreuse, le pas de gymnastique, le saut périlleux, la gifle et le coup de poing. » Marinetti, coordinateur énergique, rallie à la bannière futuriste, dont les objectifs ne sont encore

qu'au stade purement verbal, les peintres Boccioni, Carra, Russolo, Balla et Severini qui signent le *Manifeste des Peintres Futuristes*, publié à Milan le 11 février 1910. Les Futuristes se définissent à la fois par rapport aux Impressionnistes et aux Cubistes, se rapprochant de la théorie divisionniste à laquelle ils adhèrent en raison de son caractère mouvant, vibrant, et s'opposant au Cubisme trop statique à leur goût. On leur a donc reproché d'avoir recours à une technique du passé pour créer une esthétique d'avant-garde, c'était un peu fausser leur conception esthétique ainsi formulée : « Chaque objet influence son voisin, non par des réflexions de lumière (fondement de l'impressionnisme primitif) mais par une réelle concurrence de lignes et une réelle bataille de plans, en suivant la loi d'émotion qui gouverne le tableau (fondement du futurisme primitif). » Dans sa période la plus futuriste, Carra, qui n'est pas le peintre le plus représentatif de ce mouvement, illustre cette définition à travers des œuvres comme : *Ce que m'a dit le tramway*, 1910, *Cahots de fiacre*, 1911, *La Galerie de Milan*, 1912. *Rythmes d'objets* est également caractéristique de cette période, mais cette peinture démontre aussi que Carra, contrairement aux positions des Futuristes, ne s'opposait pas aux Cubistes. Il avait d'ailleurs fait la connaissance de Braque, Picasso et Juan Gris lors de son passage à Paris en 1911. *Les Funérailles de l'anarchiste Galli*, 1910-1911, qui peut être considéré comme le sommet de cet art conciliateur entre Futurisme et Cubisme, traduit la simultanéité des mouvements et des sensations à travers une composition très rigoureuse, fondée sur des obliques et des rythmes colorés, rouges, jaunes et orangés sortis de l'ombre bleue et noire avec toute la fougue qui convient au sujet. À travers cette toile, Carra démontre aussi sa tendance révolutionnaire, sa connaissance de Marx et de Krotopkine. En 1913-1915, il est resté un actif polémiste en écrivant dans la revue *Lacerba*, où il déploie une grande activité théorique avec des articles comme : *Les plans plastiques comme expansion sphérique dans l'espace – Il faut éliminer de l'art les imbéciles – Contre la critique*. En 1913, il publie un manifeste : *La peinture des sons, des bruits et des odeurs*, essai pour une peinture totale. Vers 1913-1914, certaines techniques du Cubisme dans sa phase dite « synthétique », collages, chiffres, lettres, l'attirent, il introduit alors des mots entiers, avec toute leur puissance signifiante dans ses tableaux : *Manifestation interventionniste*, 1914 ou *Cavalier à cheval*, 1915.
1915-1916 marque un tournant dans l'art de Carra qui s'éloigne de la ligne futuriste. Il est intéressé par la peinture métaphysique inventée par Chirico, qu'il ne rencontre qu'en janvier 1917. Son goût pour l'archaïsme l'a incité à écrire, en 1915, des essais sur Giotto et Paolo Uccello. La concordance de tous ces faits l'a conduit à réaliser des œuvres métaphysiques où des images mythiques, oniriques se placent dans un contexte illogique, aux objets hétéroclites, dans lequel le mannequin remplace l'homme, tandis que sont réintroduits les jeux de perspective et les illusions classiques qui avaient été abandonnés par les peintres futuristes. Naturellement, ces œuvres évoquent tout à fait l'art surréaliste. De 1916 à 1921, Carra n'a peint qu'une vingtaine d'œuvres métaphysiques, parmi lesquelles : *Le gentilhomme ivre*, 1916, *Pénélope*, 1917, univers mécanisé, être-robot exprimant la déshumanisation fatale de l'homme dans l'enchaînement mécaniste de l'univers, *La muse métaphysique*, 1917, aux perspectives multiples, complexes et closes, *L'idole hermaphrodite*, 1917, où l'être humain a perdu jusqu'à son sexe. De 1919 à 1922, Carra continue à écrire des articles qui défendent la peinture métaphysique et notamment dans la revue *Valori Plastici*. En 1919, il publie *La Peinture Métaphysique*, recueil d'études, dont deux sont consacrées au douanier Rousseau et à Derain, réhabilitant le retour au sujet, à la qualité de la matière (souvent longuement élaborée, comme dans *Le gentilhomme ivre*), à la densité de la couleur.
Enfin, de 1921 à 1925, il s'oriente vers un art simplifié, dépouillé où il n'oublie ni les jeux de lumière, ni le rendu de l'espace, mais essaie de concilier présent et passé ou plus précisément, selon la formule de G. di San Lazzaro : « l'art puissant de Giotto et l'art vivant de Cézanne ». Il peint surtout des marines : *Monte Solaro à Capri – Pin sur la mer*, 1921 ou *Voiles sur le port*, 1923. Ce style archaïsant lui permet d'adhérer au mouvement *Novecento*, dont il restera le personnage le plus marquant, qui prône le retour aux canons esthétiques de la tradition et notamment à l'esprit formel du quattrocento. Carra finit par s'éloigner de toute théorie préméditée pour rejoindre un système de valeurs purement plastiques. En 1950, il reçoit le Grand Prix de la Biennale de Venise, mais la production de ses trente dernières années n'offre

pas autant d'intérêt. Théoricien, il n'hésite pas à évoluer d'une théorie à l'autre, faisant évoluer parallèlement sa peinture, ce qui explique l'extrême diversité de son œuvre.

■ Annie Pagès, J. Busse

C. O. Carra
C. Carra
C. Carra

BIBLIOGR. : R. Longhi : *Carlo Carra*, Milan, 1945 – Lionello Venturi : *La peinture italienne*, Skira, 1952 – Maurice Raynal : *Peinture moderne*, Skira, Paris, 1953 – Michel Seuphor : *Le style et le cri*, Seuil, Paris, 1965 – José Pierre : *Le futurisme et le dadaïsme*, in : *Histoire générale de la peinture*, tome 20, Rencontre, Lausanne, 1966 – P. Cabanne et P. Restany : *L'Avant-garde au XXᵉ siècle*, Paris, 1969 – in : *Les Muses*, tome 4, Paris, 1971 – in : *Diction. Universel. de la Peinture*, Le Robert, Paris, 1975 – Catalogue de l'exposition : *Cara*, Electa, Milan, 1994-1995.

MUSÉES : BÂLE (Kunstmus.) : *Cahots de fiacre* – MOSCOU (Mus. Pouchkine) : *Composition* 1914 – NEW YORK (Mod. Art) : *Les Funérailles de l'anarchiste Galli* 1910-1911 – PARIS (Mus. Nat. d'Art Mod.) : *Devant la mer* 1930 – PITTSBURGH (Carnegie Inst.) : *Les nageuses* – STUTTGART (Staatgal.) : *La Gare de Milan* 1910-1911 – ZURICH : *Le Canal*.

VENTES PUBLIQUES : LONDRES, 4 mai 1960 : *Les cavaliers de l'Apocaplypse* : **GBP 2 100** – MILAN, 21 nov. 1961 : *L'étoile*, cart. : **ITL 10 500 000** – MILAN, 26 mars 1962 : *Venezia*, aquar. : **ITL 250 000** – MILAN, 21-23 nov. 1962 : *Zinnie* : **ITL 3 200 000** – LONDRES, 24 nov. 1964 : *Les cavaliers de l'Apocalypse* : **GBP 1 600** – MILAN, 25 nov. 1965 : *Café de banlieue*, collage : **ITL 7 500 000** – MILAN, 27 avr. 1967 : *Paysage de San Gaudenzio de Varallo* : **ITL 9 000 000** – MILAN, 4 déc. 1969 : *Le violoniste*, gche et aquar. : **ITL 6 500 000** – MILAN, 9 avr. 1970 : *Bord de mer* 1957 : **ITL 5 700 000** – MILAN, 12 déc. 1972 : *Le Fort des chevaliers de Malte* 1937 : **ITL 10 000 000** – MUNICH, 28 mai 1976 : *Les saltimbanques* 1922, litho. : **DEM 11 000** – MILAN, 8 juin 1976 : *Le Moulin de Sant'Anna* 1921, h/t (91x80) : **ITL 38 000 000** – MILAN, 7 juin 1977 : *L'Étoile* 1916, h/cart. (62x52,5) : **ITL 44 000 000** – MILAN, 14 juin 1977 : *Segreti* 1944, six litho. (50x32,5) : **ITL 2 100 000** – MILAN, 19 déc. 1978 : *Marine* 1952, h/cart. (40x49,5) : **ITL 9 000 000** – MILAN, 18 déc. 1979 : *Le Port de Naples* 1937, h/pan. (35x50) : **ITL 20 000 000** – HAMBOURG, 9 juin 1979 : *Femme avec chien* 1924, eau-forte : **DEM 2 400** – ROME, 13 nov 1979 : *Les filles de Loth* 1916, cr. (28x21) : **ITL 5 000 000** – MILAN, 24 juin 1980 : *Le Quartier Latin* 1934, temp./cart. mar./t. (40x50) : **ITL 5 000 000** – LONDRES, 2 avr. 1981 : *Bohème, Atto Illo* 1934, temp./t. (40x50) : **GBP 5 800** – ROME, 3 avr. 1982 : *Paysage* 1955, aquar. (21x27) : **ITL 9 500 000** – MILAN, 9 juin 1983 : *Figure métaphysique dans un paysage* 1918, temp. (42x32) : **ITL 24 000 000** – MILAN, 15 nov. 1983 : *Idylle champêtre* 1922, cr./pap. (33,6x34,8) : **ITL 11 000 000** – MILAN, 15 nov. 1984 : *Les cabanes* 1944, temp. (32,5x42) : **ITL 22 000 000** – ROME, 7 mai 1985 : *Ile de San Giorgio* 1946, h/t (48x60) : **ITL 52 000 000** – MILAN, 5 déc. 1985 : *I dioscuri* 1924, eau-forte (18,5x24,4) : **ITL 2 000 000** – MILAN, 9 mai 1985 : *L'apparizione della primavera* 1917, cr. (32x23) : **ITL 62 000 000** – MILAN, 27 mai 1986 : *Venise* 1946, h/t (50x60) : **ITL 65 000 000** – MILAN, 26 mai 1987 : *Venise* 1946, h/t (50x60) : **ITL 80 000 000** – MILAN, 24 mars 1988 : *Venise* 1939, h/pan (60x75) : **ITL 235 000 000** – *Tempête sur la plage*, h/t (50x60) : **ITL 88 000 000** – ROME, 7 avr. 1988 : *La Barmida à Cengio* 1917, cr./pap. (21x27) : **ITL 12 000 000** – MILAN, 8 juin 1988 : *Les deux sœurs* 1917, détrempe/cart. (24,7x20,4) : **ITL 34 000 000** – MILAN, *Marine* 1941, h/t (30x40) : **ITL 55 000 000** – ROME, 15 nov. 1988 : *Le poète fou* 1945, techn. mixte (68,5x47,5) : **ITL 39 000 000** ; *Les barcasses à Venise* 1949, h/t (40x580) : **ITL 80 000 000** – MILAN, 14 déc. 1988 : *Cabines et voile* 1959, h/t (40,5x50,5) : **ITL 60 000 000** – LONDRES, 22 fév. 1989 : *Canal vénitien* 1947, h/t cartonnée (50x40) : **GBP 36 300** – MILAN, 6 juin 1989 : *Maisons rurales* 1929, h/t (70x90) : **ITL 98 000 000** – PARIS, 20 nov. 1989 : *La Statue* 1918, dess. au cray. droite (11,5x5,5) : **FRF 30 000** – ROME, 6 déc. 1989 : *Le pont sur la mer* 1957, h/t (40x50) : **ITL 101 200 000** – MILAN, 27 mars 1990 : *Barques à Viareggio* 1951, h/t (40x50) : **ITL 105 000 000** – NEW YORK, 16 mai 1990 : *La nuit du 20 janvier 1915 j'imaginais ce tableau : L'angle pénétrant de Joffre sur la Marne contre les deux cubes allemands*, collage, gche, encre et

fus./pap. (25,5x33) : **USD 385 000** – ROME, 30 oct. 1990 : *Marine* 1952, h/t (50x60) : **ITL 120 000 000** – MILAN, 26 mars 1991 : *Les monts de Valsesia* 1924, h/t (36x51) : **ITL 235 000 000** – NEW YORK, 8 mai 1991 : *Complémentarisme-forme-nu* 1912, encre/pap./cart. (29x21,3) : **USD 44 000** – LUGANO, 12 oct. 1991 : *Venise* 1939, h/cart. entoilé (28,5x41,5) : **CHF 140 000** – LONDRES, 4 déc. 1991 : *Verre un peu en désordre* 1913, cr. noir/pap. écru (22,8x15) : **GBP 5 060** – ROME, 25 mai 1992 : *Berger* 1942, encre et aquar. (19x25,5) : **ITL 9 775 000** – LUGANO, 10 oct. 1992 : *Intérieur* 1922, cr./pap. (28x22,2) : **CHF 22 000** – ROME, 27 mai 1993 : *Ruisseau* 1922, h/cart./cart. (39,5x50) : **ITL 62 000 000** – MILAN, 16 nov. 1993 : *Marine de Carrare* 1962, h/t (50x60) : **ITL 85 100 000** – NEW YORK, 11 mai 1994 : *Le cycliste* 1913, gche, aquar., encre et cr./pap./cart. (26,7x35,8) : **USD 211 500** – LONDRES, 30 nov. 1994 : *Étude pour la dame au balcon* 1912, cr./pap./t. (42,4x34) : **GBP 20 700** – MILAN, 27 avr. 1995 : *Petit Pont de montagne* 1925, h/t (50x40) : **ITL 322 000 000** – MILAN, 20 mai 1996 : *Foce del Cinquale* 1954, h/t (40x50) : **ITL 98 480 000** ; *Étude de chevaux* 1951, fus./pap. (37x27,5) : **ITL 8 050 000** – LONDRES, 24 juin 1996 : *Mère et Fils* 1917, gche, aquar. et past./pap./t. (68x46,5) : **GBP 73 000** – MILAN, 25 nov. 1996 : *Boxeur III* 1916, encre/pap. (30,5x19) : **ITL 10 350 000** – MILAN, 10 déc. 1996 : *Le Port de Naples* 1937, h/pan. (35x50) : **ITL 156 110 000** – MILAN, 18 mars 1997 : *Marine au coucher du soleil* 1941, h/t (70x80) : **ITL 361 150 000** – MILAN, 19 mai 1997 : *La Pinède* 1943, h/t (77x63) : **ITL 272 500 000** – MILAN, 11 mars 1997 : *Tête de jeune homme III*, encre aquar./pap. (19,3x14,5) : **ITL 23 300 000** – MILAN, 24 nov. 1997 : *Marine* 1951, h/t (41x50) : **ITL 57 500 000**.

CARRA Carmelo
Né le 8 mai 1945 en Italie. XXᵉ siècle. Actif en France. Argentin.
Peintre. Pop'art.
Elève à l'Académie des Beaux-Arts de Buenos Aires, il a participé à de nombreuses expositions collectives en Argentine, à partir de 1962. Installé à Paris depuis 1968, il a participé aux différents salons, en particulier au Salon Grands et Jeunes d'Aujourd'hui en 1968 et au Salon de la Jeune Peinture en 1970. Il avait fait des expositions personnelles dès 1965 à Buenos Aires, puis en 1966, 1968, et en 1969 à la Maison de l'Argentine de Paris.
Il utilise des matériaux nouveaux, en particulier le plastique. Il doit certains des éléments de son langage pictural au pop art, influence normale pour les artistes de sa génération. Il reprend le style des bandes dessinées dont il souligne le graphisme par de larges traits noirs, un peu à la manière d'Adami, mais qui évoque néanmoins une vision plus fantastique par les déformations qu'il fait subir au corps humain.
VENTES PUBLIQUES : ENGHIEN-LES-BAINS, 14 fév. 1982 : *La découverte du crime*, h/t (93x147) : **FRF 2 100**.

CARRA Giovanni Antonio
XVIᵉ-XVIIᵉ siècles. Italien.
Sculpteur de groupes.
VENTES PUBLIQUES : LONDRES, 12 déc. 1985 : *Énée et Anchise*, marbre (H. 86,5) : **GBP 16 000**.

CARRA Giovanni Battista, dit **il Bissone,** par allusion au lieu de sa naissance
Mort peu après 1623. XVIIᵉ siècle. Actif à Plaisance. Italien.
Sculpteur.

CARRA Giuseppe
Né en 1766 à Parme. XVIIIᵉ siècle. Italien.
Sculpteur.
Il travailla à Parme.

CARRACCI Agostino ou **Carrache**
Né le 15 août 1557 à Bologne. Mort le 22 mars 1602 à Parme. XVIᵉ siècle. Italien.
Peintre de scènes mythologiques, compositions religieuses, figures, paysages animés, graveur, dessinateur.
Son père, le tailleur Antonio Carracci, le mit en apprentissage chez un orfèvre, mais Agostino avait le goût des arts très développé. Tout en travaillant pour son maître, il s'essayait dans la gravure et, à l'âge de quatorze ans, il produisait des planches dans le genre de Cornelis Cort. Sur les conseils de son jeune frère Lodovico, qui lui-même avait embrassé la carrière artistique, Antonio Carracci mit son fils sous la direction de Prospero Fontana. Agostino quitta ce maître pour étudier avec Bartolommeo Passerotti, auprès duquel il demeura jusqu'à vingt-trois ans environ. En 1580, il alla rejoindre à Parme son frère cadet, Anni-

bale, qui s'étant formé sous la direction de Lodovico, se perfectionnait en voyageant en Italie. Les deux frères copièrent ensemble Allegri et Mazzuoli. Agostino, cependant, ne tarda pas à quitter Parme pour Venise.

Son père l'avait mis en apprentissage chez un orfèvre, où il s'essayait également à la gravure. Il voulait tout connaître : la philosophie, la médecine, les mathématiques, l'astronomie, la politique, l'histoire, la grammaire, la poésie. Insatisfait de son état, il quitte la boutique de l'orfèvre pour entrer dans l'atelier de Fontana, puis de Passerotti, mais son père voulait qu'il soit graveur, aussi le place-t-il chez Domenico Tibaldi. Ayant bien étudié la gravure, il peut aller à Venise où on lui commande des gravures d'après Tintoret et Véronèse. Dans cette ville, on a souvent dit qu'il a rencontré Cornelis Cort, grand graveur de son époque, mais pour des raisons de dates, cela semble impossible, ce qui n'empêche pas Agostino d'avoir connu des gravures de cet artiste et d'avoir été influencé par lui. Son frère, Annibale, le retrouve à Venise et tous deux repassent à Parme, où Agostino grave et fait des dessins selon Corrège. En 1584, il participe à la décoration du Palais Fava, en compagnie de son frère Annibale et de son cousin Lodovico ; il est surtout le spécialiste du choix des sujets symboliques. Il faudrait être, aujourd'hui, un érudit comme Agostino pour comprendre le sens exact des scènes symboliques dont il a établi les programmes. Il semblerait qu'il ait peint les grisailles de part et d'autre des compositions de la première salle du Palais Fava. Pour la seconde, on pense également reconnaître le rôle d'Agostino dans le choix des thèmes tirés de Virgile et les inscriptions latines placées dans la partie inférieure des tableaux. Naturellement, il est professeur à l'Académie créée par les trois Carrache, et qui fonctionne entre 1585 et 1595. Cette Académie était, d'une part une réunion de gens érudits de toutes sortes, et un centre d'enseignement artistique, une véritable école où les élèves passaient des concours. Étant donnée l'érudition d'Agostino, sa place dans l'Académie était toute trouvée : il faisait des cours théoriques sur la perspective, l'architecture, l'anatomie, la composition, et bien évidemment, les sujets. En 1589, il est appelé une nouvelle fois à Venise pour exécuter des travaux de gravure. A propos de ces gravures, on ne sait s'il faut croire la tradition selon laquelle Agostino, dessinateur impeccable, ne se faisait pas scrupule de corriger les fautes qu'il trouvait parfois dans les tableaux qu'il reproduisait, ce qui lui valut parfois des démêlés avec les artistes. D'autres, tel Tintoret, admiraient et félicitaient ce graveur génial qu'était Agostino. Sa carrière de peintre n'est pas marquée par de très grands travaux, il a collaboré à la décoration du Palais Magnani, en 1592, avec Lodovico et Annibale, mais il a sans doute fait peu de choses. Travaillant toujours avec les deux autres Carrache, on lui confie, au Palais Sampieri (1593-1594), la troisième chambre et le manteau de la cheminée de la deuxième chambre. Son *Titan frappé par la foudre*, exécuté dans un dessin vigoureux et net, montre sa science de l'anatomie. Jusqu'ici, Agostino n'a pas produit de tableaux d'une qualité supérieure. Seule la *Dernière Communion de saint Jérôme* (1595, Bologne) a un caractère à la fois grandiose, pathétique et par certains côtés réaliste avec saint Jérôme présenté comme un vieillard ridé, au corps desséché, mais dont l'espoir se lit dans ses yeux. Ce tableau est une illustration la plus complète du programme de l'Académie, c'est le type du tableau religieux du futur XVIIᵉ siècle. En 1597, il arrive à Rome pour travailler à la Galerie Farnèse avec son frère Annibale. Avant sa querelle avec ce dernier, il aurait eu le temps de peindre la *Galatée* (ou soi-disant telle) et *L'Enlèvement de Céphale*. Bien que au contact de Rome, il affermisse son style, peignant des figures puissantes, ses compositions de la Galerie manquent d'ampleur. En 1600, Agostino quitte Rome ; trop bel esprit, il ne s'entendait plus avec Annibale, et il était appelé par le duc Rannuccio Farnèse à Parme où il devait décorer une chambre au Palais du Giardino. Il reprend le type et le thème de la décoration de la Galerie Farnèse, mais il meurt avant d'avoir achevé son œuvre.

L'art d'Agostino est trop réfléchi, c'est l'art d'un maître de l'Académie, il manque de spontanéité, mais il est savant en ce qui concerne les programmes iconographiques. Agostino s'est surtout consacré à la gravure, reproduisant les tableaux des grands maîtres, et, même s'il s'éloigne parfois de l'original, c'est souvent pour parfaire l'œuvre qu'il reproduit. Son goût de l'équilibre, du parfait, lui fait annoncer un classicisme un peu sec, d'autant que ses couleurs sont, en général, sans éclat. Agostino montre davantage de talent pour la gravure, donnant un relief intense à ses personnages. Il signe ses gravures : A.C., Aug. F. Agros. C.

ou Aug. Car. Il lui arrive aussi, surtout à la fin de sa vie, d'adopter un style libre et nerveux pour des dessins à la plume tel que *la Nymphe avec chèvres dans un paysage*, conservé au Louvre.

■ Annie Jolain

BIBLIOGR. : G. Rouchès : *La peinture bolonaise à la fin du XVIᵉ siècle : les Carrache*, Paris, 1913 – *Catalogue de l'exposition : Le cabinet d'un grand amateur P. J. Mariette*, Paris, 1967.

MUSÉES : BERLIN : *Portrait de Johanna Parolini Giucciardi* – BOLOGNE (Palais Fava) : décoration – BOLOGNE (Palais Sampieri) : *Titan frappé par la foudre* – BOLOGNE (Pina.) : *Dernière communion de saint Jérôme* – *L'Assomption* – CHANTILLY : *L'Ange Gabriel entouré de chérubins* – FLORENCE (Gal. Nat.) : *Portrait de Carracci par lui-même* – FLORENCE (Palais Pitti) : *Paysage* – KASSEL : *Madone et l'Enfant* – LONDRES : *Céphale et Aurore-Galatée* – LYON : *Portrait d'un chanoine de Bologne* – MADRID : *Saint François d'Assise* – MILAN (Brera) : *La femme adultère* – NAPLES : *Sainte Famille* – *Portrait d'Orazio Bassani* – ROME (Borghèse) : *Portrait d'un inconnu* – ROME (Colonna) : *Portrait du cardinal Colonna, vice-roi de Naples* – ROME (Palais Farnèse) : *Galatée* – *L'enlèvement de Céphale* – VIENNE : *Saint François d'Assise* – *Saint Dominique*.

VENTES PUBLIQUES : PARIS, 1775 : *Le Christ mort sur les genoux de la Vierge* : **FRF 600** – PARIS, 1775 : *Repos en Égypte* ; *Le Christ entouré de nombreux personnages*, pl. et bistre, deux dessins : **FRF 180** ; *L'Entrée du pape Clément VIII à Bologne*, pl. : **FRF 300** – PARIS, 1777 : *Sainte Famille* : **FRF 3 700** ; *La Vierge et l'Enfant Jésus tenant un chardonneret* : **FRF 3 700** ; *La Vierge, l'Enfant Jésus et saint Jean* : **FRF 1 501** ; *Sainte Catherine* : **FRF 2 750** – LONDRES, 1800 : *Riposo* : **FRF 28 875** – LONDRES, 1810 : *Silène et Apollon* : **FRF 7 870** – PARIS, 1857 : *La sépulture de Jésus-Christ* : **FRF 1 610** ; *Les Saintes femmes gardant le corps du Christ* : **FRF 512** – LONDRES, 1873 : *Portrait du Titien* : **FRF 475** – LONDRES, 1884 : *Diane et Actéon dans un paysage avec des nymphes* : **FRF 11 548** – PARIS, 1891 : *Enfant tenant un chardonneret* : **FRF 2 200** ; *Les Muses*, lav. de sanguine : **FRF 4** – LONDRES, 18 fév. 1908 : *Sainte Margaret* : **GBP 21** – LONDRES, 8 mai 1908 : *La Tentation de saint Antoine* : **GBP 8** – LONDRES, 28 mai 1908 : *Saint François en extase*, dess. : **GBP 3** – LONDRES, 19 déc. 1908 : *Paysage montagneux* : **GBP 12** – LONDRES, 18 juin 1909 : *Tête de Christ* : **GBP 1** – PARIS, 21-22 fév. 1919 : *Buste d'homme*, cr. : **FRF 20** – PARIS, 6-7 mars 1922 : *Paysage*, sépia : **FRF 170** – PARIS, 7-8 déc. 1923 : *Les Vendanges*, deux compositions décoratives : **FRF 1 000** – PARIS, 17 déc. 1924 : *Trois études d'hommes*, sanguine et pierre noire : **FRF 200** – PARIS, 30 mars 1925 : *Paysage avec personnage*, sanguine : **FRF 240** – PARIS, 8 déc. 1926 : *Étude d'homme nu à terre*, sanguine : **FRF 300** – PARIS, 25 fév. 1929 : *Tête d'homme*, dess. : **FRF 420** – PARIS, 1ᵉʳ mars 1929 : *composition biblique*, dess. : **FRF 75** – PARIS, 2 mars 1929 : *L'ange et Tobie*, dess. : **FRF 380** – PARIS, 22 fév. 1937 : *Saint Jean-Baptiste*, cr. et lav. de bistre : **FRF 820** – LONDRES, 10 mai 1961 : *Paysage*, pl. et encre : **GBP 240** – LUCERNE, 23-26 nov. 1962 : *Buste d'un jeune homme de trois quarts à gauche* : **CHF 16 500** – LONDRES, 9 déc. 1980 : *Satyres dévoilant des nymphes endormies*, pl. et lav. (16,3x22,4) : **GBP 4 200** – PARIS, 30 nov. 1981 : *Paysage avec saint Pierre marchant sur les eaux vers le Christ*, pl. (10,5x15) : **FRF 9 500** – MILAN, 17 mars 1982 : *Omniat vincit Amor* 1599, grav./cart. : **ITL 450 000** – LONDRES, 14 juin 1984 : *Saint Jérôme*, 2 grav./cart. (38,3x27,6 et 41,8x28) : **GBP 4 500** – LONDRES, 3 juil. 1984 : *La Vierge et l'Enfant*, pl. et encre brune (17,9x15,7) : **GBP 18 000** – LONDRES, 5 déc. 1986 : *Saint François d'Assise consolé par un ange musicien* 1595, grav./cart. (31,4x24,4) : **GBP 1 000** – NEW YORK, 17 nov. 1986 : *Bergers agenouillés pour une Adoration, trois têtes dans un cercle, tête de vieillard et tête de renard*, pl. et encre, feuille d'étude (40,4x30,7) : **USD 330 000** – LONDRES, 1ᵉʳ juil. 1987 : *Omnia vincit Amor*, grav./cart. (12,6x18,8) : **GBP 650** – PARIS, 3 avr. 1990 : *Scène de chasse à courre*, h/t (20x27) : **FRF 11 500** – LONDRES, 2 juil. 1991 : *Le Christ ordonnant à saint Pierre de marcher sur les eaux*, encre (10,7x15,2) : **GBP 7 700** – NEW YORK, 14 jan. 1992 : *Études d'Hercule, de deux statues et d'une tête grotesque*, encre (26,2x18,4) : **USD 60 500** – LUGANO, 16 mai 1992 : *Portrait d'une dame devant un crucifix*, h/t (99x77) : **CHF 30 000** – MONACO, 2 juil. 1993 : *Saint Jérôme en pénitence (recto)* ; *Femme à demi-dénudée assise* (verso), encre brune, d'après Parmigianino : **FRF 244 200** – LONDRES, 5 juil. 1993 : *Étude de Céphale et Aurore (recto)* ; *Étude de chien (verso)*, encre noire avec reh. de blanc/pap. bleu (22,9x34,3) : **GBP 21 850** – NEW YORK, 10 jan. 1996 : *Étude de jambes et pieds d'un nu masculin*, encre (25x15) : **USD 4 140** – LONDRES, 3 juil. 1996 : *Saint Jérôme pénitent*, craie noire/pap. beige (39,3x30,1) : **GBP 17 250** – PARIS, 26 nov. 1996 : *Paysans et leur âne dans un paysage*, pl. et encre brune (19,8x27,7) : **FRF 23 000** – LONDRES, 2 juil. 1997 : *Scène de martyre*, pl. et encre brune (21,5x17) : **GBP 47 700**.

CARRACCI Annibale ou Carrache

Baptisé à Bologne le 3 novembre 1560. Mort le 15 juillet 1609 à Rome. XVIe siècle. Italien.

Peintre de scènes mythologiques, compositions religieuses, portraits, paysages animés, graveur, dessinateur.

Son père, le tailleur Antonio Carracci, voulait d'abord lui faire prendre son état. Heureusement soutenu par son cousin Lodovico Carracci, il commence, très jeune, son apprentissage artistique. Il est impossible de dire qu'Annibale ait reçu des leçons de son cousin, tellement son caractère vif et animé est différent de celui de Lodovico. Il y aurait eu plutôt échanges d'idées entre les deux artistes. En avril 1580, Annibale se rend à Parme où il admire la décoration du dôme exécutée par Corrège. Cette première découverte aura beaucoup d'influence sur sa carrière : ses peintures décoratives seront marquées du souvenir de Corrège, mais aussi parfois, sa manière. Dans cette même ville, il apprécie également Titien. Continuant son éducation artistique en regardant les grands maîtres et prenant des notes, il rejoint son frère Agostino à Venise. Tous deux peintres, entrent en relation avec Tintoret, Véronèse et Bassano. Annibale est alors fort impressionné par Véronèse qui lui fait presque oublier pour un temps, son admiration pour le Corrège, dont il retrouve tout de même l'attachement à la peinture à son retour, s'arrêtant à nouveau à Parme. Revenu à Bologne, en 1582, il peut commencer à peindre et c'est alors qu'apparaît sa première œuvre : la *Crucifixion* de l'église Saint-Nicolas (1583), puis le *Baptême du Christ* pour l'église Saint-Grégoire. Dès ces premières œuvres, on lui adresse deux critiques qui donnent tout de suite les deux tendances générales prédominantes de l'art d'Annibale. On lui reproche, d'un côté son réalisme et d'autre part d'avoir peint des modèles d'atelier, c'est-à-dire son caractère académique. Bien que réalisme et académisme semblent des notions contraires et impossibles à concilier, elles définissent assez complètement l'art d'Annibale. En 1584, commence la collaboration des trois Carracci : Annibale, Lodovico et Agostino, avec la décoration de deux salles du Palais Fava. Lodovico étant l'aîné et le plus connu, il avait reçu personnellement la commande, mais il a voulu se faire aider par ses cousins. Annibale participe activement à cette œuvre en peignant les compositions de la frise, entre les camaïeux. L'ensemble fait penser aux Loges de Raphaël. On peut reprocher aux tableaux d'Annibale d'être trop petits pour la hauteur à laquelle ils se trouvent, mais déjà ses contemporains ont remarqué qu'ils étaient empreints d'un certain réalisme. De 1585 datent le *Baptême de Saint Grégoire* et la *Déposition* (Parme). C'est à cette époque que les Carrache décident de créer une Académie voulant réagir contre la décadence de l'art en cette fin du XVIe siècle. Ils sentent le besoin de renouvellement, mais, au contraire du Caravage qui fait une véritable révolution dans l'art, eux veulent s'appuyer sur les données sûres : les grands maîtres de l'âge précédent, Raphaël, Michel-Ange, en tirer des règles et les transposer dans un climat moderne. Au début, la conséquence de cette conception, donne un art dit « éclectique » : on retrouve dans leur peinture, des types créés par ces maîtres admirés. Pour Annibale, se sentent les influences directes des peintres qu'il admire : l'*Assomption* de la confrérie Saint-Roch à Reggio (1587-1588, Musée de Dresde), la *Pietà* pour les capucins de Parme, procèdent du Corrège ; l'*Assomption* de la Pinacothèque de Bologne est un pastiche de Véronèse. En 1592, une nouvelle fois, il collabore avec Lodovico et Agostino à la décoration du Palais Magnani. La composition reprend le principe général de la décoration du Palais Fava, mais elle est plus variée avec ses tableaux séparés par des atlantes et des putti portant des guirlandes de fruits qui débordent sur l'encadrement. Annibale s'est encore inspiré de Corrège pour peindre les putti couleur chaire et les atlantes, couleur marbre blanc ; mais peu à peu il se dégage des imitations. La *Samaritaine au puits*, exécutée pour le Palais Sampieri (1593-1594) et la *Charité* de Saint-Roch (1595, Dresde) sont un pas vers le classicisme renou-

velé. Cette orientation s'opère avant son départ pour Rome, en 1595. Le bilan de l'art d'Annibale, à cette date, montre un art réaliste qui a parfois choqué ses contemporains et qui le rapproche d'une certaine manière du Caravage : La *Flagellation* (1585, Musée de Douai) et la *Crucifixion* (1583) dégagent une force dramatique, une rapidité de touche, une accentuation du clair-obscur, une violence qui font penser au Caravage. Avant son départ pour Rome, Annibale peint des paysages d'une beauté robuste qui prouve son sens de l'observation, et son attachement à la campagne bolonaise. Mais avant 1595, il cherche encore son type idéal de paysage : c'est ainsi que vers 1585, il a peint deux tableaux : La *Chasse* et La *Pêche*, de conception différente. Le premier est exécuté dans un coloris sourd, une matière dense, et un accent de vérité, qui le rapprochent des artistes bassanesques. Le second est plus lumineux, transparent, vibrant, il annonce les développements futurs de son art de paysagiste. Ces deux tableaux si différents, prouvent que durant une première période, Annibale, traité d'éclectique, est tout simplement à la recherche de son art. Cependant, dès ce premier temps, il montre un esprit d'observation réaliste et d'ailleurs, à l'Académie, il apprenait à ses élèves, outre la technique de la peinture et du dessin, à regarder les gens autour d'eux, et même à faire des caricatures. Appelé par le cardinal Farnèse, il se rend d'abord seul à Rome, en 1595. Cette date est importante pour Annibale, mais aussi pour les Carracci, puisqu'à partir de ce moment leurs destinées tendent à les séparer. À Rome, son admiration pour Raphaël se fortifie, mais il entre en contact avec les antiques, et il semble particulièrement obsédé par l'*Hercule* dit *Hercule Farnèse*, dont la corpulence se retrouve chez certains personnages des compositions qui décorent le Camerino du Palais Farnèse, peint entre 1595 et 1597. Cette chambre, rendue difficile à décorer par sa forme, comprend une grande composition centrale, au plafond, entre deux tableaux ovales, des sujets couvrent les lunettes et les angles, des corniches, stucs et satyres, guirlandes et enfants séparent les différentes compositions. Le thème général est le *Triomphe de la Vertu sur le Vice*, tout est peint à fresque, sauf le tableau central : *Hercule entre le Vice et la Vertu*, qui est une peinture à l'huile. Cette œuvre montre encore une période d'incertitude pour Annibale, elle est tributaire de l'art de Raphaël et conserve une certaine raideur, annonçant aussi la peinture de Poussin. En 1597, Annibale entreprend la Galerie Farnèse ; son frère Agostino vient alors à Rome et commence à participer à l'élaboration de cette grande entreprise. Grand érudit, Agostino choisit surtout les thèmes symboliques. Annibale fait la composition d'ensemble en s'appuyant davantage sur l'art de Michel-Ange à la Sixtine. Il fait une charpente feinte à laquelle sont accrochées les diverses compositions. Les grands sujets alternent avec des médaillons, des hermès, des petites trouées fictives. À l'arête de la voûte, il a peint une balustrade sur laquelle sont assis des jeunes gens nus ; des « ignudi ». La scène centrale a pour thème le *Cortège de Bacchus et Ariane* : il est empreint de scènes qui sont l'apothéose de l'amour sensuel. Selon C. Gnudi, « l'ensemble est pris dans un mouvement sensuel, une exaltation de l'imagination des sens qui emportent l'entière vision en un tourbillon pré-baroque qui annonce Rubens comme le Bernin ». Naturellement, la Galerie Farnèse est l'œuvre la plus importante d'Annibale, qui, brouillé très tôt avec Agostino, la termine en 1604, aidé de ses élèves. Cette galerie aura un grand retentissement sur l'art européen du XVIIe siècle, et principalement en France. Annibale a réussi à donner beaucoup d'animation aux scènes, et à l'ensemble, donnant libre cours à son goût pour la peinture de paysages et d'animaux. Enfin il existe une harmonie parfaite entre les stucs et les peintures. Annibale, après 1600, abandonne de plus en plus son travail, laissant la place à ses élèves, dont le Dominiquin et l'Albane. Cet abandon est en grande partie dû à la déception que lui a causée le Cardinal Farnèse en le payant de façon dérisoire pour ses travaux à la Galerie Farnèse. En conséquence, il n'exécute que deux lunettes sur six pour la décoration du Palais Aldobrandini (1602-1604), aujourd'hui à la Galerie Doria. Ce sont la *Déposition* et la *Fuite en Égypte*. Ce dernier tableau est la conclusion des réflexions de l'artiste sur le paysage : après avoir fait des paysages bolonais, un peu lourds, il avait été attiré, à Rome, par des paysages au caractère grandiose, noble, introduisant des « fabriques » et des éléments pittoresques ; enfin il parvient ici à un parfait équilibre entre la nature et le paysage idéal. Il est ainsi le précurseur immédiat d'un Poussin et même de Claude Lorrain. Ses dernières œuvres, le *Domine, Quo Vadis* (Londres) et le *Christ à la Samaritaine* (Vienne), créées dans la tristesse, sont empreintes d'une poésie classique qui aura aussi beaucoup de succès au XVIIᵉ siècle. Atteint de fièvre, Annibale meurt à l'âge de quarante-neuf ans, la même année que le Caravage. Cette coïncidence rappelle les rapports entre ces deux peintres présentés comme des ennemis et effectivement rivaux. Cependant il existe, par moments, une ressemblance curieuse entre eux : ils haïssent tous deux la société des gens policés et des hommes cultivés. Pourtant Annibale avait participé activement à l'Académie dont l'enseignement était fait pour former de tels hommes. Il faut remarquer cependant qu'il enseignait la technique et intéressait ses élèves au réalisme. Son caractère libre et indépendant ne lui a pas permis de s'entendre avec Agostino, homme cultivé par excellence. Certaines peintures d'Annibale, tels l'Homme au singe (1590-1591), le Mangeur de fèves, sont d'une vivacité, d'un réalisme, d'une intensité psychologique qui le rapprochent de son ennemi. Mais la grande différence entre eux deux vient de leur façon d'envisager la régénérescence de la peinture romaine : Caravage veut rompre avec le passé, Annibale veut fortifier les traditions. Annibale, avec son caractère, sa nature d'une part, sa volonté et sa théorie, d'autre part, arriverait à une contradiction s'il ne réussissait à unir ces deux tendances, définissant le classicisme tel qu'il se développera au XVIIᵉ siècle. Il a ainsi défini l'œuvre religieuse classique appuyée sur la puissance de l'église, mais aussi un art symbolique sensuel, et enfin le paysage classique fait d'équilibre et de sensibilité. ■ Annie Jolain

BIBLIOGR. : G. Rouchès : La peinture bolonaise à la fin du XVIᵉ siècle : les Carrache, Paris, 1913 – Catalogue de l'exposition sur les Carrache, Bologne, 1956 – Catalogue de l'exposition : Le Caravage et la peinture italienne du XVIIᵉ siècle, Paris, 1965.

MUSÉES : AVIGNON : Polyphème et Galathée – BAGNÈRES-DE-BIGORRE : La Madeleine au désert – BÂLE : Le sommeil et l'image de la mort – La Naissance du Christ – BERLIN : Christ sur la Croix – Paysage romain – BÉZIERS : Projet de statues pour un monument funéraire – BOLOGNE (Église Saint-Nicolas) : Crucifixion – BOLOGNE (Église Saint-Grégoire) : Baptême du Christ – BOLOGNE (Palais Magnani) : Histoire de Romulus et Remus – BOLOGNE (Pina.) : Assomption – BORDEAUX : Neptune apaisant les flots – BOURGES : L'Adoration des Mages – BRUXELLES : Diane au bain, surprise par Actéon qu'elle change en cerf – BUDAPEST : Jésus-Christ et la Samaritaine – CAMBRAI : Descente de Croix – CHANTILLY : Le sommeil de Vénus – Amour portant des fleurs – La Nuit – L'Aurore – Le Martyre de saint Étienne – CLAMECY : L'Annonciation – COMPIÈGNE : Saint François de Paule – CONSTANCE : Portraits – DIJON : Couronnement de la Vierge, esquisse – Bacchus enfant – La Chananéenne – DOUAI : La Flagellation – DRESDE : Christ couronné d'épines – L'Ascension de Marie – La Madone sur le trône – Joueur de luth – Tête de Christ – Le génie de la gloire – Marie et l'Enfant – DUBLIN : Christ sur la Croix – LA FÈRE : La Charité – Fleurs en raison – FLORENCE (Gal. Nat.) : Une Bacchante – La Vierge embrassant l'Enfant Jésus – Portrait d'un moine en habit blanc – Homme avec un singe – Carracci peint par lui-même – FLORENCE (Pitti) : Tête d'homme – Repos en Égypte – Sainte Famille – Nymphe et Satyre – FONTAINEBLEAU : Paysage avec personnage – FRANCFORT-SUR-LE-MAIN : Le Christ et la Samaritaine – GÊNES (Rosso) : Le Christ et Véronique – GENÈVE : Pietà – GLASGOW : L'Agonie au Jardin des Oliviers – LANGRES : Tête de jeune fille – LONDRES (Nat. Gal.) : Le Christ après sa résurrection, apparaissant à saint Pierre – Saint Jean au désert – Paysage avec personnages – Hermine se réfugie près des bergers – Silène cueillant des raisins – Pan enseignant à Apollon à jouer de la flûte – La Tentation de saint Antoine au désert – MADRID : Un Satyre offre à Vénus une coupe de vin – La Vierge, Jésus et saint Jean – Madeleine désespérée est soutenue par des anges – Défaillance du Sauveur – Apothéose de saint François – Apothéose de saint Jacques – Apothéose de saint Laurent – MILAN (Brera) : Portrait du peintre, du père du peintre et d'un neveu – L'Adultère – La Samaritaine au puits – MONTPELLIER : Le Crucifiement de saint Pierre – Pietà – Saint Sébastien – Tête de sainte Marie-Madeleine – Paysage – Portrait d'homme – La Vierge et saint François – MOREZ : La Cuisinière – La Vierge et l'Enfant – Mariage de sainte Catherine – Même sujet –

MOSCOU (Roumianzeff) : Jésus-Christ enlevé de la Croix – Jésus-Christ et la Samaritaine – Le Rêve de l'Enfant Jésus – MUNICH : Meurtre des enfants de Bethléem – Vénus et deux amours – Christ pleuré par saint Jean et les saintes femmes – Portrait d'homme – NANCY : Le Christ au tombeau – NAPLES : Étude de raccourci – Cadavre du Christ – Ange avec un encensoir – Pietà – Renaud et Armide – Caricature de Michel-Ange – Portrait de Claudio Merulo da Correggio – Bacchante – Hercule entre le Vice et la Vertu – NICE : Pietà – ORLÉANS : Le Triomphe de Bacchus – PARIS (Louvre) : La Chasse – La Pêche – Paysage – La Vierge aux cerises – Le silence de Carrache – La Vierge apparaissant à saint Luc et à sainte Catherine – Prédication de saint Jean Baptiste – Le Christ mort sur les genoux de la Vierge – Le Christ au tombeau – Résurrection de Jésus-Christ – Martyre de saint Étienne – Martyre de saint Étienne – Hercule enfant étouffant les serpents – Diane découvrant la grossesse de Calisto – Paysage – PARME : Pietà – RENNES : Le Repos en Égypte – Paysage avec figures – LA ROCHELLE : Madeleine repentante – ROME (Doria-Pamphily) : Jésus le Nazaréen – La mise au tombeau – Sainte Marie-Madeleine – Saint François – ROME (Colonna) : quatre portraits de la famille Peracchini – Caricature – ROME (Doria-Pamphily) : La Nativité de Jésus – Assomption – La fuite en Égypte – La Piété – L'Adoration des Rois Mages – La Dépouille de Jésus-Christ mise au tombeau – Visitation de sainte Elisabeth – Saint François en extase – La Madeleine dans la solitude – Suzanne et les vieillards – Le centaure Chiron et Achille – ROME (Palais Farnèse) : décoration – ROUBAIX : Le Christ descendu de la Croix – ROUEN : La chaste Suzanne – La Vierge et l'Enfant Jésus – Saint François d'Assise malade – Mars et Vénus – L'Apparition de Jésus-Christ à sainte Madeleine – SAINT-PÉTERSBOURG : La Sainte Famille – Le Repos en Égypte – La Descente de Croix – Les Saintes Femmes au tombeau du Christ – L'Apparition du Christ aux Saintes femmes – Jeune femme endormie – Paysage sombre – Portrait d'Annibale Carracci – Saint Jean Baptiste – La Sainte Famille – Saint Charles Borromée – La descente de Croix – STRASBOURG : Le Corps du Christ – Pleurs sur le corps du Christ – STUTTGART : Polyphème et Galatée – TOULOUSE : Apparition de Notre-Dame de Lorette – VIENNE : Vénus et Adonis – Portrait d'une jeune femme – Saint François d'Assise – Le Christ et la Samaritaine – Le prophète Jesaias – Saint Sébastien – Marie pleurant le Christ – La Naissance du Christ – Tumulte de paysans – Tête d'Ange – VOSGES : La Vierge, L'Enfant Jésus et un ange.

VENTES PUBLIQUES : AMSTERDAM, 12 sep. 1708 : Vulcain, Polyphème et Hercule forgeant les armes de Mars en présence de Vénus et de Cupidon : FRF 2 100 – PARIS, 1767 : La Vierge allaitant l'Enfant Jésus, dess. au pinceau, au bistre reh. de blanc : FRF 300 ; Quatre dessins : Silène ivre : FRF 240 – PARIS, 1777 : La Sainte Famille : FRF 5 660 – PARIS, 15 fév. 1789 : La chasteté de Joseph, dess. à la pl. au pap. gris : FRF 102 – PARIS, 1793 : La toilette de Vénus : FRF 20 000 ; Apparition de Jésus à saint François : FRF 12 500 ; Jupiter et Danaé : FRF 12 500 ; Diane et Calisto : FRF 30 000 ; Le batelier : FRF 15 750 ; les trois Marie : FRF 105 000 ; Saint Roch adorant la Vierge : FRF 13 125 ; Saint Jean l'évangéliste : FRF 10 000 ; Repos de la Sainte Famille : FRF 17 500 – LONDRES, 1800 : Vénus et Cupidon : FRF 2 800 ; Paysage : FRF 4 960 ; Paysage : FRF 4 600 – PARIS, 1801 : Suzanne et les vieillards : FRF 18 550 ; L'Enfant Jésus et les anges : FRF 18 550 ; Christ couronné d'épines : FRF 29 150 – LONDRES, 1811 : Un paysage, avec figures : FRF 6 750 ; Un autre paysage avec figures : FRF 5 900 – LONDRES, 1823 : Cupidon endormi sur les nuages : FRF 23 600 – LONDRES, 1823 : Le Christ et la Samaritaine : FRF 8 135 – PARIS, 1842 : Paysage avec Jésus et les disciples d'Emmaüs, dess. à la pl. : FRF 250 – PARIS, 1843 : Christ mort : FRF 1 705 ; Saint Charles Borromée : FRF 440 – PARIS, 1850 : Le Christ : FRF 4 935 ; La Vierge et l'Enfant Jésus : FRF 3 225 ; Le Christ mort sur les genoux de la Vierge : FRF 4 830 – PARIS, 1851 : Paysage avec épisode de Pan et Syrinx : FRF 53 – PARIS, 1869 : Le Christ couronné d'épines : FRF 520 – PARIS, 1873 : La Vierge regardant l'Enfant Jésus endormi : FRF 1 020 – CAMBRAI, 1884 : La mise au tombeau : FRF 3 000 – LONDRES, 1886 : L'autel : FRF 5 775 ; La vision de saint Roch : FRF 5 775 – MUNICH, 1899 : Le Créateur du monde : FRF 2 062 – PARIS, 28 avr. 1900 : Hercule ; Renommée et Génie, plafonds, dessins : FRF 215 – PARIS, 21 et 22 fév. 1919 : Études de chat, cr. de coul. : FRF 20 – PARIS, 26-30 avr. 1919 : Le Christ descendu de la croix, sépia : FRF 22 ; La délivrance d'Andromède, pl. : FRF 22 ; Faunes dans un paysage, pl. : FRF 56 ; Adam et Ève, sanguine : FRF 50 – PARIS, 26 nov. 1919 : Sainte Famille, sépia : FRF 100 – PARIS, 8-10 juin 1920 : Pietà, pl. : FRF 1 120 –

PARIS, 1er déc. 1920 : *Six têtes*, Feuille d'études à la plume : **FRF 45** ; *Jésus descendu de la croix*, sépia ; *Junon et Jupiter*, dess., deux œuvres : **FRF 35** – PARIS, 26 et 27 mai 1921 : *Les trois grâces*, pl. : **FRF 150** – LONDRES, 28 avr. 1922 : *Jupiter et Antiope* : **GBP 39** – PARIS, 30 nov.-1er déc. 1922 : *Village autour d'un château*, pl. : **FRF 380** ; *Paysage montagneux*, pl. : **FRF 110** ; *Portrait d'homme*, cr. : **FRF 110** ; *Deux têtes d'hommes*, sanguines : **FRF 260** ; *Paysage*, pl. : **FRF 180** ; *Le Cheval sortant de l'eau*, pl. : **FRF 130** – PARIS, 31 jan. 1923 : *Paysages*, deux plumes : **FRF 80** – LONDRES, 4-7 mai 1923 : *Saint Jean-Baptiste* : **GBP 24** – PARIS, 14 juin 1923 : *L'Adoration des Mages*, peint. sur marbre : **FRF 300** – PARIS, 7 et 8 déc. 1923 : *Suzanne et les vieillards* : **FRF 1 150** – PARIS, 22 déc. 1923 : *Sainte Famille*, pl. et lav. : **FRF 170** – PARIS, 17 nov. 1924 : *Loth et ses filles*, pl. lavé de bistre, reh. de gche : **FRF 150** – PARIS, 4 fév. 1925 : *Vue d'une ville avec château-fort*, pl. : **FRF 300** – PARIS, 4 mars 1925 : *Un Amour*, pierre noire, reh. : **FRF 80** ; *Portrait d'un seigneur*, pierre noire, reh. : **FRF 125** – PARIS, 25 mars 1925 : *Sujet tiré de l'histoire romaine*, lavé de bistre : **FRF 1 400** – PARIS, 30 mars 1925 : *Figures grimaçantes*, pl. et lav. : **FRF 190** – PARIS, 25 avr. 1925 : *Le Christ et la Madeleine*, pl. : **FRF 270** – PARIS, 12 juin 1925 : *La Sainte Famille* : **FRF 200** – PARIS, 19 et 20 mai 1926 : *Nymphe et satyres*, cr. : **FRF 2 200** – PARIS, 28 et 29 juin 1926 : *Figures grimaçantes*, pl. : **FRF 250** – PARIS, 27 juin 1927 : *La Sainte Famille* : **FRF 1 900** – LONDRES, 15 juil. 1927 : *Le Christ guérissant les aveugles* : **GBP 110** ; *Le Christ accomplissant un miracle* : **GBP 420** ; *Le Triomphe de Bacchus* : **GBP 63** – LONDRES, 22 mai 1928 : *Marine*, cr. bistre : **GBP 60** – PARIS, 28 nov. 1928 : *Paysage, avec un musicien ambulant au premier plan*, dess. : **FRF 700** – NEW YORK, 24 avr. 1930 : *Le repos en Égypte* : **USD 160** – NEW YORK, 11 déc. 1930 : *La Sainte Famille* : **USD 800** – PARIS, 22 fév. 1937 : *La Vierge et l'Enfant ; au revers Tête de femme*, pl. : **FRF 300** – PARIS, 29 nov. 1937 : *Combat de cavalerie*, École d'A. C. : **FRF 230** – PARIS, 22 et 23 déc. 1941 : *Vieillard lisant* : **FRF 21 500** – NEW YORK, 1er et 2 déc. 1942 : *La Sainte Famille* : **USD 550** – LONDRES, 18 fév. 1944 : *Enfants taquinant un chat* : **GBP 84** – LONDRES, 30 juin 1961 : *Portrait d'un sculpteur* : **GBP 1 785** – LONDRES, le 28 mai 1965 : *Pietà* : **GNS 4 000** – LONDRES, 5 déc. 1969 : *Portrait de l'artiste* : **GNS 4 800** – LONDRES, 11 juil. 1972 : *Homme buvant* : **GBP 40 000** – LONDRES, 7 juil. 1976 : *Fillette et garçon avec un chat vers 1583-1584*, h/t (63,5x86) : **GBP 14 000** – LONDRES, 7 juil. 1978 : *La Boutique du boucher*, h/t (59,9x71,4) : **GBP 260 000** – LONDRES, 28 juin 1979 : *Étude de garçon couché sur le dos vers 1585*, craie rouge : **GBP 16 000** – LONDRES, 30 juin 1982 : *Suzanne et les vieillards*, craie rouge (35,2x31) : **GBP 550** – LONDRES, 15 juin 1983 : *Feuille d'études : académie d'homme, une jambe, deux pêcheurs*, pl. et encre brune (24,7x10,8) : **GBP 800** – LONDRES, 27 juin 1984 : *La Sainte Famille avec Saint Jean Baptiste*, eau-forte (16,4x22) : **GBP 850** – LONDRES, 3 juil. 1984 : *La Vierge et l'Enfant dans les nuages entourés d'anges musiciens*, pl. et encre noire et lav. (24,5x18,5) : **GBP 90 000** – LONDRES, 4 juil. 1986 : *Christ sur la Croix*, h/t transposée d'un pan. (81,5x61,5) : **GBP 42 000** – LONDRES, 8 avr. 1986 : *Un grand arbre*, pl. et encre brune (40,2x27,7) : **GBP 26 000** – PARIS, 4 mars 1988 : *Ulysse et Circé*, pierre noire/pap. beige (21x42,2) : **FRF 600 000** – LONDRES, 8 déc. 1989 : *Tête de jeune homme regardant à droite vers le haut*, h/t (25,4x22,5) : **GBP 16 500** – PARIS, 25 juin 1990 : *Paysage avec, sur le devant, un homme monté sur un âne qui s'abreuve* (18,7x24,7) : **FRF 340 000** – LONDRES, 2 juil. 1990 : *Personnage agenouillé tenant une banière et un homme debout lisant une lettre à sa droite*, craie rouge avec reh. de blanc/pap. gris (29,8x21,6) : **GBP 48 400** – PARIS, 12 déc. 1990 : *Groupe de trois personnages*, encre brune (19,5x16,5) : **FRF 260 000** – LONDRES, 14 déc. 1990 : *Portrait de l'artiste en buste avec un habit gris et une fraise*, h/t (40,5x30) : **GBP 33 000** – LONDRES, 2 juil. 1991 : *Paysage classique avec un groupe de personnages sur une route près d'un château*, craie noire, encre/pap. beige (20x20,9) : **GBP 17 600** – LONDRES, 15 avr. 1992 : *Tête d'un jeune garçon*, h/t (25,4x22,5) : **GBP 5 400** – NEW YORK, 13 jan. 1993 : *Étude pour un devant d'autel aux armes des Farnèse (recto)*, sanguine ; *Étude d'éléments architecturaux (verso)*, encre (19,8x17,2) : **USD 1 980** – NEW YORK, 11 jan. 1994 : *Madeleine repentante*, sanguine et craie noire, encre et lav. (27,8x20,2) : **USD 28 750** – NEW YORK, 13 jan. 1994 : *Jeune garçon buvant*, h/t (55,9x43,8) : **USD 2 202 500** – LONDRES, 2 juil. 1996 : *L'Adoration des bergers (recto)* ; *Paysage (verso)*, encre et lav./deux feuilles de pap. (12,5x22) : **GBP 32 200** – LONDRES, 5 juil. 1996 : *Vierge à l'Enfant avec Ste Luce, Sts Dominique et Louis de France avec un paysage à l'arrière plan*, h/cuivre (43,4x33,7) : **GBP 194 000**.

CARRACCI Antonio Marziale ou Carrache
Né en 1583 à Venise. Mort en 1618 à Rome. XVIIe siècle. Italien.
Peintre de compositions religieuses, paysages animés, dessinateur.
Il était fils naturel d'Agostino Carracci. Celui-ci l'éleva avec soin et commença son éducation artistique. À la mort d'Agostino, Annibale se chargea de l'orphelin et acheva de l'instruire. Antonio Marziale, comme peintre, faisait preuve, dit-on, de remarquables qualités.

A Caracci

MUSÉES : PARIS (Louvre) : *Le déluge* – VIENNE : *Le Joueur de luth* – VIRE : *Martyre de saint Étienne*.
VENTES PUBLIQUES : PARIS, 1771 : soixante-deux dessins représentant des paysages et des sujets divers : **FRF 69,65** – BRUXELLES, 1797 : *Trois paysages*, dess. à la pl. : **FRF 26** – MANCHESTER, 1843 : *La mort du Christ* : **FRF 3 400** – PARIS, 7 déc. 1858 : *Saint Roch distribuant des aumônes*, dess. : **FRF 4** – PARIS, 1884 : *Sainte Famille* : **FRF 130** – PARIS, 25 fév. 1924 : *Petit port animé de personnages et d'embarcations*, pl. et lav. de sépia : **FRF 1 450** – PARIS, 23 juin 1932 : *Vue d'un port*, pl. et lav. de sépia : **FRF 420** – NEW YORK, 27 mars 1987 : *Saint Jean Baptiste dans un paysage*, h/pan. (44x35,5) : **USD 12 000**.

CARRACCI Francesco, dit Franceschino ou Carrache
Né en 1559 à Bologne. Mort en 1622 à Rome. XVIe-XVIIe siècles. Italien.
Peintre et graveur.
Fils de Giovanni-Antonio Carracci, frère cadet d'Annibale et d'Agostino. Il fut l'élève de Lodovico et devint très jeune un peintre habile. Les commandes ne lui firent pas défaut. Il peignit une *Scène de la vie de saint Roch* dans l'Oratoire de San Rocco, et dans l'église de Santa Maria Maggiore une *Vierge adorée par les saints*. Le succès qu'il obtint le grisa au point de lui faire perdre toute reconnaissance pour l'artiste qui l'avait formé. Il ouvrit une Académie rivale de celle de Lodovico et eut l'impudence de lui donner pour titre *Véritable école des Carracci*. Le procédé lui réussit mal. La renommée de Lodovico était trop solidement assise, le mérite du vieux peintre était trop réel pour qu'il pût avoir à souffrir de cette tentative. Les élèves ne vinrent pas près du nouveau maître. Francesco quitta Bologne pour Rome et ouvrit, sans plus de succès, une Académie sous le même titre. Certains biographes accusent ce dernier Carracci d'avoir été très débauché ; il est certain qu'il mourut à l'hôpital, très pauvre. On a de lui quelques gravures d'après des dessins de Lodovico et d'Annibale Carracci. Il les signait *F. C.*, et *F. C. S.* On cite, notamment : *La Vierge et l'Enfant Jésus*, d'après Annibale Carracci ; *Un ange à genoux montrant du doigt une tête de mort* ; *Saint Charles Borromée à genoux devant une table* ; *Portia, Artimisia, Semiramis, Porcia*, d'après Lodovico Carracci.

FC. E.

MUSÉES : FLORENCE (Gal. Nat.) : *Carracci peint par lui-même* – MOSCOU (Roumianzeff) : *La Madone entourée d'anges et de saints*.

CARRACCI Lodovico ou Carrache
Baptisé à Bologne le 21 avril 1555. Mort le 13 décembre 1619 à Bologne. XVIIe siècle. Italien.
Peintre de compositions religieuses, portraits, graveur, dessinateur.
Le père de Lodovico était boucher et cet état a attiré beaucoup d'ennuis, de préjugés à son égard. Entré chez Prospero Fontana, ses camarades d'atelier l'appellent « le bœuf » ; ce surnom n'est pas sans rapport avec la profession de son père, mais veut aussi définir sa lenteur de compréhension. A ses débuts, Louis a de nombreuses difficultés, il n'est pas davantage compris par son premier maître Fontana que par Tintoret qu'il va voir à Venise et auquel il présente ses dessins, sans succès. Déçu il revient à Bologne, puis va étudier à Florence la peinture des maîtres toscans. Au cours de ses voyages, toujours en Italie du Nord, il passe à Parme où il se familiarise avec la peinture du Parmesan et de Corrège ; à Mantoue, il entre en contact avec les peintures décoratives de Jules Romain et du Primatice. Ainsi, étant mal admis dans les écoles, auprès des maîtres connus de l'époque, il réussit à faire son éducation artistique en reproduisant les œuvres du passé qu'il rencontre au cours de ses voyages et qui

l'attirent. Sa culture s'approfondit grâce à sa ténacité et en 1578, lorsqu'il revient à Bologne, il connaît à fond un bon nombre des exemples les plus marquants de la peinture italienne du XVIe siècle, et possède une technique qu'il a apprise tout seul. Le manque d'encouragements de la part de ses contemporains, son étude des œuvres des maîtres anciens, orienteront l'art de Lodovico et son action vers une volonté de surpasser et d'écraser ses rivaux tout en développant un culte pour les maîtres du passé qui sont à ses yeux les seuls valables. Il devient connu dans sa ville natale et sa réputation lui permet d'encourager ses cousins Annibale et Agostino à poursuivre une carrière dans la vie artistique. Lorsqu'il reçoit en 1584 la commande pour la décoration du Palais Fava, il n'oublie pas d'introduire ses cousins et de les faire travailler sous sa direction. De vives critiques ayant été adressées surtout contre Annibale, Lodovico veut entreprendre une lutte commune, en compagnie également d'Agostino et c'est ainsi que prend forme l'idée de créer une Académie destinée à écraser les autres écoles. Cette nouvelle école est d'abord appelée *Academia del Naturale* et ensuite *Academia degli Incamminati*. Selon la première dénomination, l'Académie semble orientée surtout vers l'étude directe de la nature et Annibale était l'un des meilleurs défenseurs de cette orientation. Mais, sans doute sous l'influence plus particulière de Lodovico et d'Agostino, ils unissent cette étude à celle des maîtres représentant la grande tradition artistique italienne de la Renaissance. Les œuvres de ces maîtres deviennent comme une grammaire, et se basant sur eux, les Carrache essaient de codifier l'art de peindre. Leurs contemporains leur reprochent leur éclectisme, conséquence de leurs théories, mais on pourrait plutôt leur reprocher de ne pas avoir compris que, pour vivre, l'art a besoin de liberté. Cependant, il ne faut pas exagérer le côté sclérosé de cette Académie rendue vivante par la diversité de ces maîtres qui y dispensent un enseignement très varié. La preuve en est le résultat : ils ont réussi à former des peintres aussi différents que le Dominiquin, l'Albane, le Guide et le Guerchin ; et, pour leur satisfaction personnelle, ils ont arraché de nombreux élèves aux autres écoles dirigées par leurs rivaux. Ainsi, leur réputation grandissant, ils ont créé une véritable école bolonaise qui s'étend au delà de Bologne, et dont la conséquence a été la renaissance de l'art italien qui restait embourbé dans un maniérisme finissant. Enfin, l'Académie des Carrache a beaucoup influencé la peinture décorative, religieuse dite classique du XVIIe siècle en Europe. Plus tard, l'exemple des Carrache aura une influence sur le mouvement qui, dans la seconde moitié du XVIIIe siècle, ramènera l'art à l'étude de l'antiquité, comme à celle des maîtres de la Renaissance. Avant d'arriver à cette gloire, les Carrache sont passés par des années d'essai, entre 1585 et 1589, durant lesquelles ils sont restés attachés à l'imitation de Raphaël, Michel-Ange, Corrège, puis entre 1589 et 1595, l'assimilation se faisant, ils montrent leur talent sous une forme presque définitive. Lodovico n'échappe pas à cette évolution : il montre tout d'abord son opposition au maniérisme en peignant selon la composition et le style traditionnels de la peinture florentine, son *Annonciation* pour l'église Saint-Georges à Bologne (1585 env.). Tandis qu'il participe avec ses cousins à la décoration du Palais Magnani (1588-1592), il peint la *Madone entourée de saints et d'anges musiciens*, et la *Madone degli Scalzi*. Ces deux tableaux laissent paraître l'influence de Corrège pour les effets de clair-obscur, et des maîtres vénitiens pour la couleur. D'autre part il faut remarquer, pour la *Madone degli Scalzi*, le réalisme avec lequel Lodovico a représenté Jésus comme un pauvre enfant fiévreux et maladif. Au Palais Sampieri décoré entre 1593 et 1594, la première chambre est confiée à Lodovico qui s'est laissé peut-être un peu trop influencé par l'art de Michel-Ange en boursouflant un peu trop ses figures. Au contraire d'Annibale et d'Agostino, Lodovico quitte peu Bologne, il fait seulement un court voyage à Rome en 1602, mais revient dans sa ville où il est devenu un homme puissant, ne transformant presque plus sa manière, exécutant des tableaux d'autel qui lui sont commandés. Avec ses élèves, il décore, entre 1604 et 1605, le Cortile du couvent de San Michele in Bosco, des *Vies de saint Benoît et sainte Cécile*. L'endroit qu'on abrité où se trouvaient ces peintures n'a pas permis de les conserver. Le professeur C. Gnudi constate qu'à la mort d'Annibale et d'Agostino, Lodovico continue sa carrière « s'éloignant de plus en plus du monde poétique et classique qu'Annibale avait créé à Rome et qui avait attiré les meilleurs élèves ». Et pourtant Lodovico avait su lier la grandeur du classicisme à un réalisme poétique plus familier, particulièrement sensible dans son tableau : *La Vierge et saint François-Joseph et les donateurs*

(1591). Il était aussi parvenu à donner un sentiment pathétique et romantique à des œuvres telles que la *Crucifixion* de l'église sainte-Françoise-Romaine ou le *Martyre de saint Pierre-Thomas* pour lesquelles un souffle pré-romantique n'exclut pas un profond sentiment humain. Lodovico Carrache, père spirituel d'Annibale et d'Augustin, fondateur de l'Académie des Carrache, et par extension de l'école bolonaise, doit cette réussite à son acharnement. Une fois installé dans la réussite, il est quelquefois resté dans un classicisme un peu trop raffiné, mais pour ses meilleurs tableaux il a donné des éléments pathétiques, humains, réalistes qui annoncent la peinture baroque et romantique. ■ Annie Jolain

Lo. C.
Lo. Car.
Lodovicus Carrallus Lo. C.
M. f.
lod. Carr. in .f.1602

BIBLIOGR. : G. Rouchès : *La peinture bolonaise à la fin du XVIe siècle : Les Carrache*, Paris, 1913 – *Catalogue de l'exposition sur les Carrache*, Bologne, 1956 – *Catalogue de l'exposition : Le Caravage et la peinture italienne du XVIIe siècle*, Paris, 1965.

MUSÉES : AVIGNON : *La Sainte Famille – Jésus-Christ pleuré par sa mère et les anges* – BOLOGNE (Cathédrale) : *Saint Pierre et la Vierge pleurant la mort du Christ, entourés des apôtres* – BOLOGNE (Palais Magnani) : *Saint Jean Baptiste prêchant* – BOLOGNE (Pina.) : *Madone degli Scalzi – Madone entourée de saints et d'anges musiciens – Prédication de Saint Jean – Le martyre de saint Pierre-Thomas – L'Annonciation* – BORDEAUX : *Danse de petits amours*, attr. – CAEN : *Sainte Famille avec saint Joseph*, attr. – CHANTILLY : *Portrait d'homme* – ÉDIMBOURG : *La Mort d'Abel* – LA FÈRE : *Un enlèvement* – FLORENCE (Gal. Nat.) : *Saint François et la Croix – Carracci peint par lui-même – Eliezer et Rebecca – Le Christ couronné d'épines et portant sa Croix* – FONTAINEBLEAU : *Nativité de Jésus-Christ* – HANOVRE : *Christ à Emmaüs* – LE HAVRE : *Martyre de sainte Agathe* – LONDRES : *Suzanne et les vieillards – Mise au tombeau* – LYON : *Baptême de Jésus* – MADRID : *Le Couronnement d'épines* – MANTOUE (Église St-Maurice) : *Martyre de Sainte Marguerite* – MILAN (Brera) : *La force et la tempérance – La Chananéenne implorant Jésus – Adoration des Mages – Apparition de saint Antoine – Même sujet* – MONTAUBAN : *Mater Dolorosa* – MONTPELLIER : *Le Christ au jardin des Oliviers – Sainte Famille – Vierge et saints* – MUNICH : *Mise au tombeau – Saint François d'Assise endormi* – NANTES : *La Justice divine foudroyant le crime – Saint Roch* – NAPLES : *Mise au tombeau* – NIORT : *La Vierge au pied de la Croix* – PARIS (Louvre) : *La Vierge et l'Enfant Jésus – La Vierge apparaissant à saint Hyacinthe – L'Annonciation* – PARME : *Ensevelissement de la Vierge – Les Apôtres trouvent des roses à la place du corps de Marie* – RENNES : *Martyres de saint Pierre et de saint Paul – Tête de saint Philippe* – ROCHEFORT : *Jupiter et Danaé* – ROME (Borghèse) : *Sainte Catherine de Sienne en extase – Tête de vieillard – Tête d'ange et de prophète – La Sainte Famille* – ROME (Doria-Pamphily) : *La Vierge – Jésus et des saints – Saint Sébastien – Sujet religieux* – SAINT-PÉTERSBOURG : *La Sainte Famille au palmier – La Sainte Famille avec sainte Barbe et saint Laurent – Portement de croix – Mise au tombeau – Saint Sébastien* – TOURS : *Méditation de saint François d'Assise* – VIENNE : *Vénus et l'Amour – Saint François*.

VENTES PUBLIQUES : PARIS, 1777 : *La Vierge et l'Enfant Jésus* : FRF 6 701 ; *Saint François soutenu par un ange* : FRF 1 200 – PARIS, 1793 : *Ecce Homo* : FRF 2 000 ; *La Chaste Suzanne* : FRF 5 000 ; *Mariage de sainte Catherine* : FRF 3 750 ; *Descente de croix* : FRF 10 000 ; *Apparition de la Vierge et de l'Enfant Jésus à sainte Catherine* : FRF 15 000 ; *Le Christ au tombeau* : FRF 11 260 ; *Jésus couronné d'épines* : FRF 1 500 – LONDRES, 1800 : *Repos en Égypte* : FRF 29 150 – PARIS, 1812 : *La descente de croix* : FRF 5 000 ; *La Sainte Famille* : FRF 1 900 – PARIS, 1861 : *La Vierge à la cerise* : FRF 2 000 – COLOGNE, 1862 : *L'amour filial* : FRF 312 – LONDRES, 1882 : *Sibylla et Libyca* : FRF 7 085 – LONDRES, 1884 : *Saint Jean dans un paysage* : FRF 5 630 – LONDRES, 1885 : *Sibylla et Libyca* : FRF 2 625 – PARIS, 1886 : *Sainte Madeleine* : FRF 2 437 – PARIS, 1893 : *Calvaire*, dess. à la pl. lavé de bistre ; *La Vierge apparaissant à sainte Catherine*, dess. à la pl. ; *Sainte Agnès et sainte Lucie*, dess. à la pl., ensemble : FRF 61 – PARIS, 21 et 22 fév. 1919 : *L'étang*, pl. et sépia : FRF 28 – PARIS, 1er déc. 1920 : *Le Christ flagellé*, pl. : FRF 55 – LONDRES, 4 et 5 mai 1922 : *La Vierge et l'Enfant* : GBP 52 – LONDRES, 4-7 mai 1923 : *La*

Flagellation : **GBP 63** ; *L'Adoration des Mages* : **GBP 23** ; *La vision de saint Félix* : **GBP 157** – Paris, 4 mars 1925 : *Pietà*, pl. et lav. encre de Chine, reh. : **FRF 150** – Paris, 10 fév. 1926 : *Le Christ et Nicodème*, lav. : **FRF 380** – Londres, 15 juil. 1927 : *Suzanne et les vieillards* : **GBP 141** – Paris, 21 et 22 mai 1928 : *Le triomphe d'Amphitrite*, cr. reh. : **FRF 310** – Paris, 30 oct. 1928 : *La mort d'Ajax*, pl. : **FRF 135** – Paris, 8 nov. 1928 : *Portrait de jeune homme*, pierre noire et sanguine : **FRF 580** – Paris, 24 avr. 1929 : *Salomé* : **FRF 3 900** – Paris, 22 fév. 1932 : *Portrait de jeune homme*, sanguine : **FRF 420** – Paris, 28 nov. 1934 : *Feuille de croquis*, sanguine et lavis : **FRF 400** – Londres, 18 fév. 1944 : *La mise au tombeau* : **GBP 37** – Londres, 30 juin 1961 : *La vision de Saint François* : **GBP 472** 10 – Londres, 26 nov. 1971 : *Le mariage mystique de Sainte Catherine* : **GNS 4 200** – Londres, 12 juil. 1972 : *Saint Sébastien précipité dans le Cloaca-Maxima* : **GBP 65 000** – Londres, 1ᵉʳ déc. 1978 : *La Sainte Famille*, h/t (122x173) : **GBP 12 000** – Londres, 12 déc. 1980 : *Christ portant la croix*, h/t (73x92,7) : **GBP 7 000** – Londres, 3 juil. 1984 : *La fuite en Egypte, avec des anges*, craie rouge, pl. et lav. reh. de blanc/pap. gris pâle (18,5x15,4) : **GBP 8 000** – Londres, 8 avr. 1987 : *La Vierge et l'enfant*, h/pan. (63x49,5) : **GBP 13 000** – Milan, 21 avr. 1988 : *Le martyr d'un Saint évêque*, h/cuivre : **ITL 30 000 000** – New York, 5 avr. 1990 : *Vierge à l'Enfant avec Saint Antoine*, h/pan. (62,5x46) : **USD 27 500** – Monaco, 15 juin 1990 : *Adoration des bergers*, craie noire et encre brune (26,6x20,2) : **FRF 88 800** – Paris, 22 juin 1990 : *La Sainte Famille avec Saint Jean-Baptiste et Sainte Élisabeth*, h/t (100x75,5) : **FRF 900 000** – New York, 31 mai 1991 : *Tête de jeune homme*, h/t (42x32) : **USD 25 300** – Londres, 2 juil. 1991 : *Le repos de Jésus avec la Vierge et Saint Joseph servi par un ange* 1616, craie noire et encre brune sur vélin (13x11,5) : **GBP 14 300** – New York, 22 mai 1992 : *Le Christ portant la Croix*, h/t (73x92,7) : **USD 71 500** – New York, 19 mai 1994 : *Saint Sébastien* 1591, h/cuivre (41,9x31,8) : **USD 51 750** – Londres, 2 juil. 1996 : *Le retour d'Égypte avec les anges*, sanguine, encre brune et lav. reh. de blanc/pap. gris (18,5x15,4) : **GBP 17 250**.

CARRACHE. Voir **CARRACCI**

CARRADE Michel
Né le 8 août 1923 à Tarbes. xxᵉ siècle. Français.
Peintre. Abstrait.
Élève à l'Ecole des Beaux-Arts de Toulouse, il s'installe à Paris en 1946. Il a pris part à de nombreuses expositions de groupe, entre autres en Italie et en Allemagne. A Paris, il participa au Salon d'Octobre et figure régulièrement aux Salons de Mai depuis 1952, des Réalités Nouvelles depuis 1955, Comparaisons depuis 1959. Ses expositions personnelles ont été nombreuses et régulières à Paris depuis 1952, à Castres en 1955, Bruxelles 1957, Verviers 1964 et 1969, Luxembourg 1965, Liège et Montréal 1969, en 1969 encore, dans les Maisons de la Culture de Caen, Amiens, Toulouse, Spa 1991... De 1954 à 1956, il enseigna à l'Académie d'Art Plastique, puis à l'Ecole Alsacienne, où il appliqua des principes de pédagogie active, qui donnèrent lieu à l'exposition *Du jeu au signe*, montrée au Musée d'Art Moderne de la Ville de Paris en 1968, puis dans de nombreuses villes. Il fut associé au groupe d'intégration architecturale : Paul Virilio, Claude Parent, Morice Lipsi, Carrade.
Dans un premier temps, son langage abstrait est encore sensiblement issu des réalités extérieures, puis il s'approche de l'informel, avant de concevoir un monde de formes dont l'articulation rythmique est essentiellement dynamique. Il analyse lui-même son propre processus créatif, qui, depuis 1969, apparente sa peinture au vaste courant minimaliste : « Il semble que tout à coup par l'équilibre de deux forces antagonistes : la lumière de l'atelier et l'articulation colorée de la toile, surgisse un accord, une respiration ». Pour Carrade, outre le rectangle de la toile, l'élément premier est la couleur qu'il applique en larges plans brillants et qu'il cerne ou strie de noir ou de blanc. ■ J. B.
Bibliogr. : Jean Grenier : *Entretiens avec dix-sept peintres non-figuratifs*, Calmann-Lévy, Paris, 1963.
Musées : Paris (Mus. d'Art Mod. de la ville) – Paris (Mus. Nat. d'Art Mod.) – Verviers – Zurich (Kunsthalle).
Ventes Publiques : Paris, 8 avr. 1984 : *Composition à quatre espaces*, h/t (116x81) : **FRF 5 100** – Paris, 21 avr. 1985 : *Carmin et jaune à travers le blanc*, h/t (117x81) : **FRF 6 500** – Versailles, 21 déc. 1986 : *Composition – Sans titre* 1959, h/t (92x65) : **FRF 13 600** – Paris, 1ᵉʳ juin 1988 : *Composition* 1952, aquar. (20x26) : **FRF 1 100** – Paris, 23 juin 1988 : *Composition* 1953, h/t (89x130) : **FRF 7 000** – Zurich, 29 avr. 1992 : *Composition* 1955, h/t (50x130) : **CHF 1 200** – Paris, 20 avr. 1994 : *Tous les chemins*

mènent à la ville 1951, h/t (73x100) : **FRF 12 000** – Paris, 27 mars 1995 : *Sans titre*, h/t (45x59,3) : **FRF 4 800**.

CARRADORI Francesco
Né en 1747 à Pistoia. Mort en 1825. xviiiᵉ-xixᵉ siècles. Italien.
Sculpteur.

CARRADORI Giacomo Filippo
Mort en 1591 ou 1592. xviᵉ siècle. Actif à Faenza. Italien.
Peintre.
L'église Santa Cecilia à Faenza conserve de lui une *Crucifixion* (avec deux saints), et la Pinacothèque de cette ville, une *Vierge* (avec saint François, saint André, saint Jean et un donateur).

CARRAFA Juan
Mort en 1869 à Madrid. xixᵉ siècle. Espagnol.
Graveur.
Élève de l'Académie de San Fernando à Madrid. On cite de lui : *San Cayetano, Sainte Thérèse*, et des estampes pour *Le Panorama de l'Espagne*. Le Cabinet des estampes de Berlin conserve de lui un *Portrait du général Zumala Carregui*.

CARRANCEJA Francisco de
xviᵉ siècle. Actif à Léon. Espagnol.
Peintre.

CARRANCEJAS Juan de
xviᵉ siècle. Actif à Valladolid. Espagnol.
Peintre.

CARRAND Louis Hilaire
Né le 23 août 1821 à Lyon (Rhône). Mort le 13 novembre 1899 à Lyon. xixᵉ siècle. Français.
Peintre de genre, paysages, marines, aquarelliste.
Élève, pendant deux ans, du paysagiste Nicolas Fonville, il travailla ensuite sans maître et d'après nature. Il fit, vers 1847, un voyage à Florence et revint se fixer à Lyon. En 1864 ou 1865, il perdit sa fortune par suite de la ruine d'un de ses parents et il dut jusqu'à sa mort se contenter de petits emplois de commis ou de scribe. Il avait débuté au Salon de Lyon de 1846-1847, avec une *Vue prise en Bourgogne* ; il exposa presque chaque année, au même Salon, des paysages, quelques marines depuis 1880, et, depuis 1885, des intérieurs peints ordinairement dans des auberges ou des cabarets. Carrand exposa à Paris, au Salon de 1859. Il signait L. Carrand et, quelque fois Carrand.
Son œuvre considérable a été peint, les dimanches, sur les quais ou places de Lyon, dans la banlieue, la Bresse ou l'Isère, lorsqu'il avait quelques jours de loisirs ; souvent il a couvert, par économie, les deux côtés d'une toile, ou tout bout de planche ou d'un carton. Sa carrière fut parallèle à celles des Impressionnistes. Comme d'autres peintres marginaux du xixᵉ siècle, il annonce, par une audace instinctive, la grande évolution de la peinture de la fin du siècle. Ravier et Carrand, à Lyon, en même temps que Monticelli à Marseille, éprouvent les somptuosités des matières épaisses, qui trouveront d'autres adeptes à Lyon avec Bouche et Charny, avant de connaître leur total épanouissement au xxᵉ siècle, notamment avec Georges Rouault.
Musées : Lyon : *Bord de rivière – Le grand chêne – Vue des environs de Lyon*.
Ventes Publiques : Paris, 3 mars 1922 : *Bords de rivière* : **FRF 520** – Paris, 12 juin 1929 : *Paysage montagneux*, aquar. : **FRF 450** – Paris, 9 déc. 1931 : *Les bords de la Saône, près de Lyon* : **FRF 2 900** – Paris, 4 mars 1932 : *Sous-bois, forêt de Fontainebleau* : **FRF 800** – Paris, 31 jan. 1938 : *Printemps* : **FRF 300** ; *Paysage d'automne* : **FRF 470** – Paris, 2 déc. 1938 : *Printemps* : **FRF 340** – Paris, 22 juin 1942 : *Bords de rivière ; soleil couchant* : **FRF 3 650** – Paris, 12 avr. 1943 : *Pâturages* : **FRF 3 300** – Paris, 23 juin 1943 : *Marais au soleil couchant* : **FRF 5 200** – Paris, le 24 déc. 1948 : *Le chemin creux* : **FRF 15 100** – Paris, 2 avr. 1956 : *Paysage au château dominant une vallée* : **FRF 40 500** – Paris, 3 déc. 1964 : *La rue*, carton : **FRF 1 400** – Milan, 4 juin 1968 : *Vaches dans un paysage*, carton : **ITL 380 000** – Grenoble, 13 nov. 1971 : *Soir de Novembre sous la pluie* : **FRF 6 100** – Versailles, 24 oct. 1976 : *Les quais*, h/bois (33x41) : **FRF 7 000** – Lyon, 2 déc. 1980 : *Paysage à l'étang*, h/t (66x118) : **FRF 28 500** – Lyon, 5 mars 1981 : *Paysage à l'étang*, h/t (68x113) : **FRF 22 000** – Lyon, 22 nov. 1983 : *Chemin animé de personnages*, h/t (44x61) : **FRF 25 500** – Lyon, 4 déc. 1985 : *Une taverne à Lyon*, h/t (33x41) : **FRF 35 000** – Lyon, 13 juin 1988 : *Paysage d'Automne*, h/pan. (37,5x47) : **FRF 24 000** – Lyon, 27 avr. 1989 : *Rivière sous-bois*, h/pan. (33,5x24,5) : **FRF 16 500** – Lyon, 13 nov. 1989 : *Chemin animé*, h/pan. (37x45) : **FRF 31 000** – Strasbourg, 29 nov. 1989 : *Paysage*, h/cart. (26x19) : **FRF 8 500** – Lyon, 21 mars 1990 : *Pay-*

sage animé, h/t (37x65) : **FRF 17 000** – Paris, 4 mars 1991 : *Paysage par temps orageux*, h/t (26x35,5) : **FRF 11 000** – Paris, 11 mars 1992 : *Bords d'étang*, h/pan. (24x43) : **FRF 17 000** – Paris, 30 juin 1993 : *Paysage*, h/pan. (24,5x43) : **FRF 10 000** – Paris, 13 oct. 1995 : *La route*, h/cart. (26,5x35,5) : **FRF 7 000** – Lyon, 30 nov. 1997 : *Promenade au jardin*, h/pan. (33,5x51,5) : **FRF 23 000**.

CARRANZA Alonso de
XVIᵉ siècle. Actif à Valladolid. Espagnol.
Sculpteur.
Vers 1525, il a sculpté des portes pour l'église de San Lorenzo.

CARRANZA Juan de
XVIᵉ siècle. Espagnol.
Peintre.

CARRANZA Juan de
Né en 1520. XVIᵉ siècle. Actif à Burgos. Espagnol.
Sculpteur.

CARRARA, da. Voir au prénom

CARRARA Giovanni Battista
XVIIᵉ siècle. Italien.
Peintre.
Il fut au service des Borghèse.

CARRARD Jules Samuel Henri Louis
Né fin mars 1785. Mort le 27 octobre 1844 à Orbe. XIXᵉ siècle. Suisse.
Peintre.
Carrard fut officier au service de la France et fut fait prisonnier par les Anglais. Il peignit à la gouache et à l'aquarelle. On cite de lui : *Une Vue panoramique de Lausanne* (deux planches), éditées par Georges Rouiller, vers 1830.

CARRARD Louis Samuel
Né vers la fin de 1755 probablement à Yverdon. Mort le 29 septembre 1839 à Orbe. XVIIIᵉ-XIXᵉ siècles. Suisse.
Peintre de paysages.
Carrard a voyagé dans son pays, en France et en Italie. On conserve de ses œuvres dans sa ville natale, où ce pasteur travailla jusqu'à un âge avancé. Il fut probablement un parent de Jules-S.-H.-L. Carrard.

CARRARD Marie Louise, Mme
XXᵉ siècle. Travaillait à Clarens (Vaud). Suisse.
Peintre.
A exposé un *Nu* et un *Paysage* au Salon de la Société Nationale des Beaux-Arts, 1938 et 1940.

CARRARI Baldassare, l'Ancien
XIVᵉ siècle. Italien.
Peintre.
Il travaillait à Forli vers 1354.

CARRARI Baldassare di Matteo, le Jeune
Né vers 1460 à Forli. XVᵉ siècle. Italien.
Peintre.
Il fut l'aide de Rondinelli. Il travaillait à Forli et à Ravenne.
Musées : Milan (Pina. de Bréra) : *Madone avec l'Enfant Jésus et des saints*.
Ventes Publiques : Vienne, 9 juin 1970 : *L'Ascension* : ATS 110 000.

CARRARI Baldassarre, dit **Baldassarre d'Este**
XVᵉ-XVIᵉ siècles.
Peintre.
À rapprocher de Carrari Baldassare di Matteo, le Jeune.
Ventes Publiques : Milan, 26 nov. 1985 : *Pietà*, h/pan. (108x75) : ITL 24 000 000.

CARRARINO Ant.
Né à Orvieto. XVIᵉ-XVIIᵉ siècles. Travaillant à Rome de 1581 à 1608. Italien.
Graveur à l'eau-forte.
Le Blanc cite de lui quatre planches sur des sujets de physique et d'astronomie.

CARRASCO Françoise
XXᵉ siècle.
Sculpteur.
Ventes Publiques : Paris, 26 avr. 1990 : *Jogging*, sculpt. terre cuite (H. 84) : **FRF 10 500** – Paris, 10 juin 1990 : *L'Homme brisé*, terre cuite (H. 55) : **FRF 9 500** – Paris, 28 oct. 1990 : *Africa*, céramique raku (80x27x33) : **FRF 11 000**.

CARRASCO Jorge
Né en 1919 à La Paz. XXᵉ siècle. Depuis 1968 actif en France. Bolivien.

Sculpteur de monuments. Abstrait.
Depuis 1943, il participe à de nombreuses expositions collectives, montrant aussi des expositions personnelles de ses œuvres. A Paris, il participe régulièrement à plusieurs Salons, dont celui des Réalités Nouvelles. Il réalise de nombreuses œuvres monumentales pour des villes, des collèges, lycées, églises, entreprises privées. En 1945, il obtint un Prix à Lima, en 1946 une médaille d'or à La Paz, en 1963 le Prix du Salon National de Bolivie, et quelques distinctions régionales en France.
Ses sculptures abstraites, avec leurs volumes pleins et leurs surfaces courbes, ne renient pas leurs correspondances avec des formes organiques.
Musées : Anvers (Mus. Kastell Van Shoten) – Châteauroux (Mus. Bertrand) – Médellin (Mus. Réa) – Paris (Mus. Nat. d'Art Mod.) – La Paz (Mus. Nat.) – Potosi (Mus. de la Monnaie) – Potosi (Mus. de l'Université) – Rio de Janeiro (Mus. d'Art Mod.) – Saint-Pétersbourg (Mus. de L'Ermitage).

CARRASCO Juan
XVIIᵉ siècle. Actif à Séville. Espagnol.
Peintre.

CARRASCO Nicolas
Mort après 1794. XVIIIᵉ siècle. Travaillait à Cordoue et à Séville. Espagnol.
Graveur.

CARRASCO Ted
Né en 1933 à La Paz. XXᵉ siècle. Actif en France. Bolivien.
Sculpteur. Abstrait.
Elève à l'Ecole des Beaux-Arts de La Paz entre 1954 et 1958, il a voyagé à travers l'Amérique latine, très intéressé par l'art précolombien et a découvert, en 1958, des grottes préhistoriques dans le plateau andin. Il visite l'Europe en 1961, puis s'installe en France. En 1962, il est invité à l'exposition internationale de sculpture *Forma viva* en Yougoslavie. En 1964, il participe à la Xᵉ Biennale de Sculpture en Plein-Air de Bruxelles, où il obtient le premier prix. En 1965, il figure à la VIIᵉ Biennale de São Paulo, et en 1966 il reçoit le Grand Prix National de Bolivie. Depuis les années quatre-vingt, il expose régulièrement aux Salons Grands et Jeunes d'Aujourd'hui et des Réalités Nouvelles à Paris. Il avait fait des expositions personnelles depuis 1960 au Vénézuela, aux Pays-bas, en Suède, Belgique, Suisse, etc...
Parfois l'influence de l'art précolombien s'allie, dans ses œuvres, à la recherche très actuelle de formes abstraites à contenu symbolique, les symboles sexuels se résolvant en hautains monolithes. Ses sculptures en pierre, marbre, aux formes arrondies, sont très polies et brillantes et ne sont pas sans rappeler l'art d'Henry Moore.
Bibliogr. : Catalogue de l'exposition *Carrasco*, Gal. Numaga, Auvernier, 1971.
Ventes Publiques : Amsterdam, 6 déc. 1995 : *Caresse*, bronze (H 28) : **NLG 1 150**.

CARRASCO Vicento
Né à Madrid. XXᵉ siècle. Espagnol.
Peintre de paysages.
Elève de Carlos de Haes à l'Ecole des Beaux-Arts de Madrid, il participa à plusieurs expositions, notamment à l'Exposition Nationale des Beaux-Arts de 1908, où il obtint une mention honorable. A Madrid, en 1910, il exposa : *Al pie de Penalara*.

CARRASQUILLA Isabel
XVIIᵉ siècle. Active à Séville. Espagnole.
Peintre.
Femme de Juan Valdès Leal.

CARRASQUILLA Pedro Alfonso
XVIIᵉ siècle. Actif à Baena. Espagnol.
Peintre.

CARRAUD Louis, orthographe erronée pour **Carrand**

CARRAZZO
XVIIIᵉ siècle.
Peintre.
Il exposa deux paysages à la Society of Artists à Londres en 1768.

CARRÉ
XVIIIᵉ siècle. Travaillant à Paris dans la seconde partie du XVIIIᵉ siècle. Français.
Peintre émailleur miniaturiste.

Il exposa, en 1779, au Salon de la Correspondance une *Vénus de Médicis*, un *Amour portant une couronne* et une *Bacchante* en relief. Il était au service du prince de Condé.

CARRÉ
XIXᵉ siècle. Français.
Peintre de paysages.
Il exposa au Salon de Paris, où il travaillait, à plusieurs reprises entre 1822 et 1883.

CARRÉ Abraham ou **Carrée**
Né en 1694 à La Haye. Mort en 1758 à La Haye. XVIIIᵉ siècle. Hollandais.
Peintre.
Élève de son père Hendrik Carré l'Ancien. Il a peint quelques portraits et a fait de nombreuses copies des maîtres hollandais. Le Musée de Schwerin conserve de lui : *Marché au poisson* et *Bétail au pâturage*.

A Carré 1733

CARRÉ Alida ou **Carrée**
XVIIIᵉ siècle. Hollandaise.
Peintre.
Fille aînée du peintre Michel Carré. Elle a peint à l'aquarelle sur ivoire, notamment des éventails.

CARRÉ Amé ou **Quarré, Quarrel**, dit **le Picard**
XVIᵉ siècle. Français.
Sculpteur.
Il fit, de 1511 à 1530, à Brou, les sculptures décoratives des tombeaux exécutés, par ordre de Marguerite d'Autriche, et sous la conduite de Conrad Meyt, avec qui il travailla ensuite à la chapelle des Cordeliers de Lons-le-Saunier.

CARRÉ Antoine ou **Carrée**
XVIIIᵉ siècle. Actif à Paris dans la seconde moitié du XVIIIᵉ siècle. Français.
Graveur au lavis.
Élève de Janinet et de B.-L. Prévost. Il a gravé quelques portraits et des scènes de genre d'après Freudenberg, Prévost, Chéry, J. Bouillard, Caresme.

CARRÉ Eugène Gustave
Né à Lyon. XIXᵉ-XXᵉ siècles. Français.
Peintre de paysages.
Il exposa à Paris au Salon des Artistes Français en 1919.

CARRÉ Franciscus ou **Carrée**
Né en 1630 en Frise. Mort en 1669 à Amsterdam ou à Leeuwarden d'après quelques auteurs, de la peste. XVIIᵉ siècle. Hollandais.
Peintre de genre, portraits, graveur.
Son père voulait en faire un jésuite à cause de son talent d'orateur, mais il entra dans la gilde de La Haye le 26 mai 1650 ; il fut peintre de la cour du prince Guillaume-Frédéric, statthouder de Frise, et à la mort de ce prince, en 1664, il grava à l'eau-forte la cérémonie de son enterrement. Il resta ensuite à la cour de la princesse Albertine et du prince Henri-Casimir, puis s'établit à Amsterdam. Il peignit des portraits et des scènes paysannes.

F CARRE A° 1664

Ventes Publiques : Londres, 4 fév. 1927 : *Scène d'intérieur* 1664 : GBP 57 – Paris, 10 déc. 1937 : *Les Joueurs de cartes* : FRF 1 080 – Londres, 7 avr. 1982 : *Kermesse villageoise* 1662, h/t (97x124,5) : GBP 4 200 – Londres, 16 mai 1984 : *Paysans festoyant devant une auberge*, h/pan. (33x26) : GBP 3 000 – Londres, 3 avr. 1985 : *Le joueur de violon devant une auberge*, h/pan. (39,5x58,5) : GBP 2 200 – Londres, 19 mai 1989 : *Femme assise dans une cuisine préparant le repas*, h/pan. (20x16,5) : GBP 4 620.

CARRÉ Franciscus Abraham ou **Carrée**
Né en 1684 à La Haye. Mort en 1721 en Angleterre, subitement. XVIIIᵉ siècle. Hollandais.
Peintre.
Il est fils d'Hendrik Carré l'Ancien et donc frère d'Abraham.

CARRÉ Gabriel
XVIIIᵉ siècle. Actif à Paris. Français.
Peintre.
Il fut l'aide de D. Fr. Slodtz, et travailla à l'Hôtel de Richelieu.

CARRÉ Gaston Pierre Louis
Né à Varennes Brunoy. XIXᵉ-XXᵉ siècles. Français.

Sculpteur.
Il exposa à la Société Nationale.

CARRÉ Georg. Voir **ROSE Julius**

CARRÉ Georges Henri
Né le 31 mai 1878 à Marchais-Breton (Yonne). Mort le 25 décembre 1945 à Paris. XXᵉ siècle. Français.
Peintre et graveur de portraits, de paysages, de marines, de natures mortes et d'intérieurs.
Il fut élève de Gérôme, J.-P. Laurens, B. Constant et Cormon à l'Ecole Nationale des Beaux-Arts de Paris. Il a participé au Salon des Artistes Français, dont il fut sociétaire et où il obtint une mention honorable en 1907. Il a également figuré au Salon de la Société Nationale des Beaux-Arts, au Salon des Artistes Indépendants et aux Tuileries.
Ses paysages du Gatinais et de Bourgogne, ses marines de Normandie et ses natures mortes sont peints dans des tonalités assourdies.
Ventes Publiques : Paris, 8 mars 1929 : *Peinture* : FRF 1 010 ; *Peinture* : FRF 200.

CARRÉ Gerda
Née en 1872 à Schwandorf. XIXᵉ-XXᵉ siècles. Active à Munich. Allemande.
Peintre et sculpteur.
Elle a peint des fleurs et des portraits d'enfant.

CARRÉ Hendrik ou **Carrée**, dit **l'Ancien**
Né le 2 octobre 1656 ou 1658 à Amsterdam. Mort le 7 juillet 1721 à La Haye. XVIIᵉ-XVIIIᵉ siècles. Hollandais.
Peintre de sujets religieux, mythologiques, scènes de genre, portraits, paysages.
Après la mort de son père Franciscus, il fut élève de Jurriaen Jacobsz, puis de Jacob Jordaens, à Anvers. En 1672, il prit part, en qualité d'enseigne, au siège de Groningen par l'évêque de Munster. Il quitta plus tard l'armée, s'établit à La Haye. Il laissa trois filles et quatre fils : Franciscus Abraham, Abraham, Hendrik et Johannes, tous peintres. Il peignit des paysans et des paysages.
Musées : Amsterdam : *Un jeune officier* – Utrecht : *Un savant taillant sa plume.*
Ventes Publiques : Paris, 1757 : *Marchande de poissons* : FRF 2 000 – Paris, 1840 : *Marchande de poissons* : FRF 1 020 – Londres, 9 mai 1930 : *La vendange* : GBP 157 – Versailles, 10 déc. 1967 : *Bataille à l'orée d'un village* : FRF 4 000 – Amsterdam, 18 mai 1981 : *Couple dans un intérieur*, h/t (48x38) : NLG 11 000 – Londres, 3 avr. 1985 : *Jeune fille et épagneul dans un jardin* 1705, h/t (50x38,5) : GBP 1 900 – Londres, 22 avr. 1994 : *L'Adoration des bergers*, h/t (45x64) : GBP 4 830 – Amsterdam, 10 mai 1994 : *Vénus et Adonis* 1693, h/t (62,5x100) : NLG 11 500 – Amsterdam, 7 mai 1996 : *Un gentilhomme offrant une orange à une dame dans un intérieur*, h/t (48x39) : NLG 10 350.

CARRÉ Hendrik ou **Carrée**
Mort en 1726 à La Haye. XVIIᵉ-XVIIIᵉ siècles. Hollandais.
Peintre.
Il est le fils de Michel Carré. Il fut actif à La Haye.

CARRÉ Hendrik ou **Carrée**
Né le 27 septembre 1696 à La Haye. Mort en 1775 à La Haye. XVIIIᵉ siècle. Hollandais.
Peintre de portraits, miniaturiste, décorateur de théâtre, copiste.
Il fut élève de son père Hendrik Carré l'Ancien. Il peignit à Amsterdam et La Haye des décors de théâtre, des plafonds, des décors de chambres, des portraits, des miniatures et des copies.
Musées : La Haye (Mus. Meermanno-Westreenianum) : *Portrait* en miniature.

CARRÉ Hendrik ou **Carrée**
Né en 1732 à La Haye. XVIIIᵉ siècle. Hollandais.
Peintre de portraits, restaurateur.
Il fut élève de son père Johannes Carré. Il a peint un portrait de la princesse d'Orange et s'est occupé de restaurations de tableaux.

CARRÉ Jacques
Né en 1651 à Paris. Mort en 1694 à Paris. XVIIᵉ siècle. Français.
Peintre.
Élève de Pierre Mignard. Il fut reçu académicien en 1682. Le Musée de Versailles conserve de lui les portraits de *Gaspard Marsy*, sculpteur, et de *J.-B. de Champaigne*, peintre.

CARRÉ Jean
XVIe siècle. Français.
Sculpteur et architecte.
Il dirigea, en 1539, les travaux de la ville de Bapaume.

CARRÉ Jean Baptiste Louis
Né le 12 avril 1749 à Varennes. Mort le 16 février 1835 à Varennes. XVIIIe-XIXe siècles. Français.
Peintre.
Élève de Clérisseau. En 1770, il copia pour l'impératrice de Russie des tableaux de la galerie de Versailles, mais refusa de devenir conservateur de son musée.

CARRÉ Jean-Pierre
Né à Bordeaux. Mort le 13 décembre 1947. XXe siècle. Français.
Peintre, illustrateur et graveur de portraits, de nus et d'intérieurs.
Élève de J.-P. Laurens et de B. Constant à l'Ecole des Beaux-Arts de Paris, il a exposé au Salon des Artistes Français, dont il est sociétaire. Également sociétaire du Salon d'Hiver et du Salon des Artistes Indépendants. Prix John Hemming Fry.
MUSÉES : BORDEAUX.

CARRÉ Jeanne, Mme
Née à Paris. XXe siècle. Française.
Miniaturiste.
Elle fut sociétaire du Salon des Artistes Français de Paris.

CARRÉ Johannes ou **Carrée**
Né le 3 décembre 1698 à La Haye. Mort en 1772 à La Haye. XVIIIe siècle. Hollandais.
Peintre de paysages animés, marines, dessinateur.
Il est le plus jeune fils de Hendrik l'Ancien, et son élève. Il était diacre de l'Église réformée et lieutenant des arquebusiers de La Haye.
MUSÉES : BAMBERG : Marine.
VENTES PUBLIQUES : LONDRES, 31 oct. 1980 : Berger et bergère dans un paysage, h/t (66,5x88,7) : GBP 1 200 – NEW YORK, 4 nov. 1982 : Chasseurs avec chiens dans un paysage fluvial 1736, h/t haut arrondi (80x52,5) : USD 3 750 – AMSTERDAM, 14 nov. 1988 : Paysage classique animé 1719, encre (16,1x22,4) : NLG 747.

CARRÉ Joos ou **Kerre**
Né vers 1453 à Gand. XVe siècle. Travaillant à Gand. Éc. flamande.
Peintre.

CARRÉ Jules
Né à Noyers-sur-Serein. XIXe siècle. Français.
Peintre et graveur.
Élève de Lévy, de Pils et Laemlein. Il exposa des portraits au Salon en 1869 et 1870. Il obtint en 1884 une mention honorable dans la section de gravure.

CARRÉ Ketty
Née à Oberad. XXe siècle. Française.
Peintre.
Elle fut sociétaire du Salon des Artistes Français de Paris.

CARRÉ Léon Georges Jean Baptiste
Né en 1878 à Granville (Manche). XXe siècle. Français.
Peintre de paysages.
Élève de Bonnat et de Luc-Olivier Merson, il a exposé au Salon des Artistes Français en 1900 et au Salon des Artistes Indépendants en 1907. Il a également participé au Salon de la Société Nationale des Beaux-Arts, dont il est sociétaire depuis 1911, et au Salon d'Automne.
Ses paysages d'Algérie et ses vues de Paris, sont peints soit à l'huile, soit au pastel, dans des tonalités claires, sous une lumière tamisée.
VENTES PUBLIQUES : PARIS, 10 juin 1990 : L'adieu ; Les jeunes mariés 1912, gche, une paire : FRF 22 000 – PARIS, 5 déc. 1990 : Après-midi à Nogent, h/t (68x56) : FRF 28 000 – VERSAILLES, 9 déc. 1990 : Nature morte orientaliste 1908, h/t (62x98) : FRF 9 000 – PARIS, 28 mai 1991 : La grande courtisane 1912, gche (28x22) : FRF 8 000 – PARIS, 10 juin 1992 : Homme et son chien dans un parc, h/cart. (46x38) : FRF 4 500.

CARRÉ Michiel ou **Carrée**
Né le 29 septembre 1657 à La Haye. Mort à Alkmaar, le 8 octobre 1747 ou 13 octobre 1727 selon d'autres sources. XVIIe-XVIIIe siècles. Hollandais.
Peintre de portraits, animaux, paysages animés, paysages, graveur.

Il fut élève de son frère Hendrik l'Ancien et de Nicolas Berchem à Amsterdam. Il s'y maria le 29 mars 1686, alla en Angleterre en 1692, fut au service du roi de Prusse Frédéric Ier et remplaça Abraham Begeyn comme peintre de la cour. Il fut, en 1702, adjoint extraordinaire de l'Académie des Arts et, en 1713, à la mort du roi, revint à Amsterdam. Plus tard, il alla à Alkmaar et y était le 6 décembre 1727, dans la gilde. Selon Houbraken, il fut le maître de Johann Visscher qui, à 56 ans, apprenait encore à peindre avec lui. Il décora des salons.

M. Carree. f

MUSÉES : AIX : Idylle – AMSTERDAM : Jeune officier en armure – BRESLAU, nom all. de Wroclaw : Marchand de bestiaux – BRUNSWICK : quatre tableaux – LA FÈRE : Paysage – Animaux au repos – Marché d'animaux – GOTHA – HAMPTON COURT – HANOVRE : Paysage – LEIPZIG : Troupeau rentrant à l'étable – LIÈGE : Paysage avec animaux – OLDENBOURG – PÉRIGUEUX : L'orage – ROTTERDAM : Paysage et animaux – SAINT-PÉTERSBOURG (Ermitage) : L'Orage – SCHLEISHEIM : Paysage et animaux – Bétail à l'abreuvoir – SCHWERIN – STOCKHOLM : Berger et son troupeau passant un gué – Paysage montagneux et animaux – STOCKHOLM (Université) : Paysage et animaux – VIENNE (Acad.) : Ruine dans un paysage méridional – VIENNE (Liechtenstein) : Paysage montagneux avec bergers et vaches – Paysage avec l'Annonciation aux bergers.
VENTES PUBLIQUES : ANVERS, 1853 : Bestiaux au repos, au milieu d'un paysage : FRF 85 – PARIS, 1853 : Paysage avec animaux, bois : FRF 700 – PARIS, 1881 : Bestiaux à l'abreuvoir : FRF 790 – PARIS, 1894 : Animaux au repos : FRF 140 – PARIS, 5 avr. 1906 : Les Côtiers : FRF 550 – LONDRES, 17 fév. 1908 : Paysage avec bois : GBP 8 – LONDRES, 15 mai 1908 : Un paysage italien : GBP 3 – LONDRES, 27 mai 1909 : Paysage boisé : GBP 2 – PARIS, 29 et 30 avr. 1920 : Le Passage du gué ; Bergers et leur troupeau, deux toiles : FRF 3 000 – PARIS, 12 mai 1920 : Le passage du gué : FRF 510 – PÂtres gardant leurs troupeaux : FRF 400 – PARIS, 17 déc. 1920 : Troupeau avec berger, dans un paysage : FRF 270 – PARIS, 14 et 15 déc. 1922 : Étude de béliers : FRF 520 – PARIS, 28 et 29 nov. 1923 : Troupeau au pâturage : FRF 310 – PARIS, 26 jan. 1924 : Vaches à l'orée d'un bois : FRF 205 – PARIS, 21 fév. 1924 : Berger et son troupeau traversant un gué, lav. sépia : FRF 160 ; Le Retour du troupeau : FRF 700 – PARIS, 2 juin 1924 : Troupeau au pâturage : FRF 110 ; Le Troupeau : FRF 400 – PARIS, 13 nov. 1924 : Berger et son troupeau traversant un gué, lav. sépia : FRF 205 ; L'Orage, lav. sépia : FRF 95 – PARIS, 7 mars 1925 : Troupeau au pâturage : FRF 525 – PARIS, 25 nov. 1927 : Le passage du gué : FRF 820 – PARIS, 7 et 8 juin 1928 : Violoniste assis devant une table, dess. : FRF 420 – PARIS, 10 nov. 1928 : Troupeau traversant un gué : FRF 850 – PARIS, 31 oct. 1935 : Chiens et bestiaux : FRF 400 – PARIS, 1er mars 1943 : Paysage animé : FRF 45 000 – PARIS, 15 juin 1962 : Paysage montagneux idyllique : CHF 3 500 – PARIS, 6 déc. 1966 : Troupeaux et bergers dans un paysage : FRF 6 200 – COPENHAGUE, 2 nov. 1978 : Bergère et troupeau dans un paysage, h/t (72x61) : DKK 16 000 – COLOGNE, 16 juin 1979 : Paysage d'Italie, h/t (65x83) : DEM 8 500 – AMSTERDAM, 15 mai 1979 : Paysage d'Italie avec berger et troupeau, h/t (32x39) : NLG 6 000 – VIENNE, 17 mars 1982 : Vaches au pâturage, h/pan. (46,5x52) : ATS 50 000 – STOCKHOLM, 15 nov. 1988 : Paysage boisé animé, h/t (79x69) : SEK 34 000 – COLOGNE, 20 oct. 1989 : Bétail dans un paysage italien, h/t (68,5x49) : DEM 5 500 – STOCKHOLM, 16 nov. 1989 : Paysage italien animé avec du bétail, h/pan. (54x68) : SEK 15 000 – NEW YORK, 17 jan. 1990 : Voyageurs dans un paysage avec un vacher et son troupeau, h/t (63,5x72,5) : USD 2 200 – NEW YORK, 4 avr. 1990 : Bergère et son troupeau traversant un ruisseau, h/t (64,2x77,4) : USD 7 150 – LONDRES, 28 oct. 1992 : Joueur de cornemuse et laitière trayant une vache à l'entrée d'une grange au crépuscule, h/t (68,5x84,5) : GBP 4 950 – STOCKHOLM, 10-12 mai 1993 : Ville de la campagne romaine avec des paysans, h/t (61x77) : SEK 82 000 – AMSTERDAM, 9 mai 1995 : Berger et son troupeau au bord de l'eau ; Coupe de bergers avec leur troupeau se reposant sous les arbres, h/t, une paire (chaque 40,5x48,5) : NLG 11 800 – LONDRES, 1er nov. 1996 : Berger se reposant près d'un ruisseau ; Bergère faisant boire son bétail, ses moutons et son chien, h/t, une paire (chaque 47,6x42,5) : GBP 3 680.

CARRÉ Nelly
Née au XIXe siècle à Paris. XIXe siècle. Française.
Portraitiste sur émail et aquarelliste.
Élève de Mlle Chevalier. Elle débuta au Salon de 1877.

CARRÉ Olivier
Mort le 31 août 1994. XXᵉ siècle. Français.
Peintre de figures. Tendance fantastique.
Élève de l'École des Beaux-Arts de Paris. Depuis 1978, il crée une peinture qu'il dit « chronique, classique et anthropométrique ».
VENTES PUBLIQUES : PARIS, 15 jan. 1979 : *Nu à la clé* 1978, acryl./t. (146x114) : FRF 5 800 – PARIS, 13 avr. 1988 : *Le loustic* 1987, h/t (115x90) : FRF 6 000.

CARRÉ Patrice
XXᵉ siècle. Français.
Sculpteur d'assemblages, technique mixte, photographe.
Il a montré un exposition personnelle de ses œuvres *Les Yeux, la bouche et les oreilles* au Centre d'art de Basse Normandie en 1995.
Il a commencé par réaliser des architectures en sucre, des photographies cibachromes des constructions miniatures (allumettes, spaghettis...), puis s'est orienté vers la sculpture incluant des objets détournés et utilisant des technologies électroacoustiques.

CARRÉ Pierre
XVIIᵉ siècle. Actif à Paris vers 1600. Français.
Graveur à la manière noire.
On cite de lui : *Louis XIV*, d'après Mignard.

CARRÉ Pierre Roger
Né à Paris. XXᵉ siècle. Français.
Peintre.
Il a exposé à Paris au Salon d'Automne en 1933.

CARRÉ Raoul
XVIIᵉ siècle. Actif à Nantes. Français.
Sculpteur.
Il collabora, de 1605 à 1608, avec Antoine Blassel, à la décoration de la façade de l'Hôtel de Ville de Nantes.

CARRÉ Raoul
Né à Montmorillon (Vienne). Mort en 1934. XXᵉ siècle. Français.
Peintre de genre, portraits, paysages.
Élève de Gérôme et de L.-O. Merson, il a exposé au Salon des Artistes Français, dont il est devenu sociétaire. Il a également participé aux Salons d'Automne et des Tuileries.
Il tente de se dégager du style postimpressionniste en peignant, par endroits, de grands aplats colorés, à la manière des peintres fauves.
BIBLIOGR. : Gérald Schurr, in : *Les Petits Maîtres de la peinture 1820-1920, valeur de demain*, Les Éditions de l'Amateur, t. III, Paris, 1976.
MUSÉES : ALENÇON : *Joueuse de guitare.*
VENTES PUBLIQUES : PARIS, 19 déc. 1921 : *Le marché aux oies* : FRF 100 – PARIS, 24 fév. 1943 : *Un village* : FRF 3 200 – VERSAILLES, 23 mars 1984 : *Le village de montagne*, h/t (50x65) : FRF 6 500.

CARRÉ Raymond
Né à Paris. XXᵉ siècle. Français.
Sculpteur.
Élève d'H. Lemaire ; exposa aux Artistes Français, 1920-21.

CARRÉ René
Né le 6 décembre 1925 à Aubervilliers (Seine-Saint-Denis). XXᵉ siècle. Français.
Peintre de paysages.
Il étudia à l'École des Beaux-Arts de Paris, à l'Académie Julian et à l'Académie Port-Royal. Sociétaire des Salons d'Automne, des Artistes Français, de la Société Nationale des Beaux-Arts, il a participé aux Salons Comparaisons, au Salon du dessin et de la peinture à l'eau, et au Groupe 109. Médaille d'argent de la Ville de Paris et Médaille d'or des Artistes français. Il fut lauréat de l'Institut en 1980 et des Peintres de la Marine en 1982, 1984.

CARRÉ Roger
Né à Paris. XXᵉ siècle. Français.
Peintre.
Il exposa au Salon d'Automne en 1931.

CARRÉ S. ou Carrée
XVIIIᵉ siècle. Actif vers 1754. Hollandais.
Peintre de marines.
Peut-être un fils d'Hendrik Carré le Jeune.

CARRÉ Suzanne Laure, Mme
Née à Troyes. XXᵉ siècle. Française.
Peintre.
Elle fut sociétaire du Salon des Artistes Français de Paris en 1938.

CARRÉ-CHAMBOULERON Aline
Née à Paris. XXᵉ siècle. Française.
Sculpteur et décorateur.
Élève de Marqueste et de Peters, elle a exposé des bustes et des objets d'art au Salon des Artistes Français.

CARRÉ-SOUBIRAN Victor
Né à Montereau (Seine-et-Marne). Mort en 1897. XIXᵉ siècle. Actif à Paris. Français.
Peintre de genre, intérieurs.
Il fut élève de M. Th. Chasseriau. Il débuta au Salon de Paris en 1868, et jusqu'en 1890 y exposa à plusieurs reprises.
VENTES PUBLIQUES : PARIS, 26 mars 1980 : *La lettre*, h/t (50x61) : FRF 4 800.

CARREA Bartolomeo
Né à Gavi (près de Novi Ligure). Mort en 1839 à Gênes. XIXᵉ siècle. Actif à Gênes. Italien.
Sculpteur.
Gendre de Gius. Baccigaluppo, et élève de Nic. Traverso à l'Académie de Gênes. Il collabora avec son maître dans les travaux exécutés lors de l'entrée de Napoléon à Gênes. On lui doit un certain nombre de sculptures ornant les monuments de Gênes et les églises de cette ville et de la région. Membre dès 1800 de l'Accademia Ligustica dont il devint plus tard le conservateur.

CARREAU Pierre Maurice
Né à Paris. XXᵉ siècle. Français.
Peintre.
Il a exposé au Salon des Artistes Français, dont il est devenu sociétaire, au Salon des aquarelles de 1922 à 1939 et au Salon des Tuileries, notamment en 1929 avec le tableau : *Premiers beaux jours sur la Butte.*

CARRED Lucien Daniel
Né au XIXᵉ siècle à Paris. XIXᵉ siècle. Français.
Graveur de reproductions.
Élève de E. Lièvre et Gaucherel. Il débuta au Salon en 1873.

CARREDALI Giovanni Battista
Originaire de Venise. XVIᵉ siècle. Travaillant à Macerata à la fin du XVIᵉ siècle. Italien.
Sculpteur sur bois.

CARRÉE. Voir **CARRÉ**

CARREGA Francesco
Né à Port-Maurice (Ligurie). Italien.
Fresquiste.
Il travaillait pour des églises de Ligurie.

CARRÉGA Nicolas
Né le 21 février 1914 à Bonifacio. Mort en 1992. XXᵉ siècle. Français.
Peintre, sculpteur, lithographe et graveur. Figuratif puis abstrait.
Il a fréquenté les ateliers libres de Montparnasse. Il a régulièrement participé aux Salons des Artistes Indépendants, d'Automne, du Dessin et aux Salons Comparaisons, des Réalités Nouvelles et de Mai. Il a surtout réalisé des peintures murales, des vitraux et des médailles pour la Monnaie. Parmi ses décorations architecturales : la peinture murale du lycée de Jeunes Filles à Versailles (1948) et les vitraux de l'église de l'Immaculée Conception au Havre.
Son art figuratif, de tendance expressionniste, a d'abord été inspiré par le monde de la mer. Plus tard, sa peinture évolua vers l'abstraction, utilisant de grands aplats aux arrière-plans transparents.
BIBLIOGR. : R.Van Gindertael : Préface de l'exposition *Carréga*, galerie A.G. Université, Paris, 1963.
MUSÉES : ATHÈNES (Pina.) – LE HAVRE – PARIS (Mus. Nat. d'Art Mod.) – PARIS (Mus. de la ville) – POITIERS – QUÉBEC.

CARREL
XVIIᵉ siècle. Actif à Metz. Français.
Sculpteur.
Probablement identique à Nicolas Carrel. Il travailla en 1670 pour le duc Charles IV à la Chartreuse de Bosserville.

CARREL Nicolas
Né vers 1661 à Paris. XVIIᵉ siècle. Actif à Nancy en 1709. Français.
Sculpteur.
Cité par A. Jacquot dans son *Essai de Répertoire des Artistes Lorrains.*

CARREL Pierre
Né à Genève (Suisse). XXᵉ siècle. Français.
Peintre et décorateur.
Sociétaire du Salon d'Automne, il y a présenté des pendules, marbres et émaux.

CARRELLI Clementina. Voir **CARELLI**

CARRENO Andrés
Né en 1627. Mort après 1663. XVIIᵉ siècle. Actif à Valladolid. Espagnol.
Peintre.
Fils de Andrés Carreno de Miranda.

CARRENO Anibal
Né en 1930 à Buenos-Aires. XXᵉ siècle. Argentin.
Peintre.
A partir de 1957, il est élève de A. de Ferrari à l'Ecole Supérieure des Beaux-Arts de Buenos-Aires. Il expose régulièrement avec le groupe « Del Sur » et a été invité à l'Exposition Internationale d'Art Moderne de Buenos Aires en 1960. En 1961, il fait un voyage en Europe.

CARRENO Juan
Originaire de Valladolid. XVIIᵉ siècle. Travaillant à Madrid. Espagnol.
Peintre.
Neveu d'Andrés Carreno de Miranda. L'Orphelinat de Valladolid conserve de lui un portrait de Diego Valentin Diaz.

CARRENO Mario
Né en 1913 à La Havane. XXᵉ siècle. Actif au Chili. Cubain.
Peintre de compositions animées, scènes typiques. Expressionniste, puis tendance constructiviste.
Il étudie peu de temps à l'Académie des Beaux-Arts San Alejandro à La Havane, part ensuite pour Madrid où il travaille comme dessinateur de bandes dessinées. Il effectue un voyage au Mexique en 1936-1937, puis à Paris jusqu'en 1939 où il est élève à l'École des Arts Appliqués. Il visite ensuite l'Italie et séjourne régulièrement à New York où il devient professeur à la New York School for Social Research. Il voyage aussi en Argentine, séjourne enfin au Chili jusqu'en 1962.
Il participe à de nombreuses expositions collectives dans le monde, parmi lesquelles : 1992, *Land and his contemporaries : 1938-1952*, Studio Museum, Harlem (New York). Il expose à titre personnel depuis 1930, notamment à la Galerie Bernheim Jeune à Paris en 1939, puis en Italie et à New York de 1941 à 1948.
Jusqu'en 1947, il peint des sujets et paysages typiques dans un style figuratif cubo-expressionniste très efficace, puis, influencé par le constructivisme, il s'oriente vers une peinture plus dépouillée et pratiquement abstraite, comme en témoignent les nombreuses décorations murales exécutées au Chili. Enfin, au gré de ses voyages incessants et comme en quête d'un havre où se fixer, il revient à ses premiers filias, pour retrouver une figuration aux thèmes imaginaires, dans un style néo-classique.
BIBLIOGR. : José Gomez Sicre, in : *La peinture cubaine d'aujourd'hui*, La Havane, 1944.
VENTES PUBLIQUES : NEW YORK, 17 oct. 1979 : *La palmeraie* 1947, h/t (76,2x91,5) : **USD 2 500** – NEW YORK, 6 nov. 1980 : *Tropique du Cancer* 1953, h/t (105x78) : **USD 2 250** – NEW YORK, 7 mai 1981 : *Scène de La Havane* 1940, h/t (76,2x61) : **USD 4 750** – NEW YORK, 10 juin 1982 : *La sieste* 1946, h/t (76,2x91,4) : **USD 3 250** – NEW YORK, 12 mai 1983 : *Composition* 1953, gche (57x72) : **USD 1 800** – NEW YORK, 29 mai 1984 : *Arlequin désolé* 1939, h/t (79,5x59) : **USD 28 000** – NEW YORK, 26 nov. 1985 : *Composition* 1953, gche (57x72) : **USD 2 000** – NEW YORK, 21 mai 1986 : *Danse du coq* 1945, h/t (76,2x61) : **USD 11 000** – NEW YORK, 20 mai 1987 : *Sans titre* 1942, h/t (51x40,5) : **USD 7 500** – NEW YORK, 17 mai 1988 : *Sans titre* 1977, h/t (118x167,5) : **USD 3 300** – NEW YORK, 21 nov. 1988 : *Sans titre* 1956, h/t (103x79) : **USD 7 700** ; *Les coupeurs de canne à sucre* 1943, h/pan. (164x122) : **USD 121 000** – NEW YORK, 17 mai 1989 : *Sans titre* 1953, h/t (105,3x78,3) : **USD 16 500** – NEW YORK, 20 nov. 1989 : *Sans titre* 1946, h/t (50,7x60,7) : **USD 57 750** – NEW YORK, 21 nov. 1989 : *Les trois Grâces* 1943, h/t (73,8x58,8) : **USD 71 500** – NEW YORK, 1ᵉʳ mai 1990 : *Coupeurs de canne à sucre* 1943, h/pan. (165x122) : **USD 286 000** – NEW YORK, 15-16 mai 1991 : *Nus* 1937, h/t (83,3x59,6) : **USD 77 000** – NEW YORK, 20 nov. 1991 : *Près de la jetée* 1942, h/t (51x61) : **USD 49 500** – NEW YORK, 19-20 mai 1992 : *Dialogue des îles* h/t (104,1x78,7) : **USD 264 000** – NEW YORK, 23 nov. 1992 : *Paysage* 1943, h/t (104,1x78,7) : **USD 220 000** – NEW YORK, 18 mai 1993 : *La sieste* 1946, h/t (76,2x91,4) : **USD 123 500** – NEW YORK, 22-23 nov. 1993 :

Le cheval dans le village 1946, h/t (75,9x91,4) : **USD 140 000** – NEW YORK, 17 mai 1994 : *Arlequin* 1939, h/t (80,2x60) : **USD 310 500** – NEW YORK, 21 nov. 1995 : *Femme sur le chemin* 1943, aquar./pap. fort (59,6x31,2) : **USD 18 400** – NEW YORK, 15 mai 1996 : *Femme aux papillons* 1943, h/t (66,7x61,7) : **USD 178 500** – NEW YORK, 25-26 nov. 1996 : *Mère et enfant* 1940, h/t (104,8x78,4) : **USD 206 000** – NEW YORK, 26-27 nov. 1996 : *Jardin baroque* 1946, h/t (75x98) : **USD 233 500** – NEW YORK, 28 mai 1997 : *Patio colonial cubain* 1943, h/t (103,2x78) : **USD 442 500** – NEW YORK, 29-30 mai 1997 : *Étude pour La Danse afro-cubaine* 1943, encre et mine de pb/pap. (78,4x56,8) : **USD 24 150** ; *Composition géométrique* 1952, h. et sable/t. (53,3x71,4) : **USD 28 750** – NEW YORK, 24-25 nov. 1997 : *Couple dansant et violoniste* 1947, h/pan. (86,3x66,6) : **USD 145 500**.

CARRENO Omar
Né en 1927 à Porlamars. XXᵉ siècle. Vénézuélien.
Peintre. Géométrique abstrait, puis abstrait informel.
Il fit de nombreux séjours à Paris et à Lausanne, exposant au Salon des Réalités Nouvelles à Paris, notamment en 1952.
A partir de 1950, ses œuvres, ressortant de l'abstraction géométrique, évoquent des architectures utopiques. Ensuite, il a évolué vers un art abstrait, dit informel.

CARRENO DE MIRANDA Andrés
Né vers 1591 à Oviedo (Asturies). Mort en 1660 à Valladolid. XVIIᵉ siècle. Espagnol.
Peintre.
Il eut pour élève Antonio Pereda.

CARRENO DE MIRANDA Juan, don
Né le 25 mars 1614 à Avilés. Mort en septembre 1685 à Madrid. XVIIᵉ siècle. Espagnol.
Peintre d'histoire, sujets religieux, portraits.
Après des études à Valladolid, mettant à profit un séjour que son père et lui faisaient à Madrid, en 1623, le jeune Juan Carreno, qui avait des dispositions spéciales pour la peinture, apprit le dessin à l'école de Pedro de Las Cuevas, puis à peindre sous la direction de Bartolomé Roman. Particulièrement doué, ses progrès furent très rapides et à vingt ans, il peignait déjà plusieurs tableaux dans le cloître du collège de Dona Maria de Aragon, aujourd'hui disparu, ainsi que ceux de la chapelle du couvent del Rosario. Avec l'âge et l'expérience aidant, les fruits de ses travaux se fortifièrent à tel point, qu'il fut considéré comme étant l'un des meilleurs peintres de son époque. Sa ville natale l'ayant nommé juge pour l'état noble, il déclina cet honneur, parce qu'il habitait la capitale. En 1652, la noblesse de Madrid lui conféra le même office, qu'il dut accepter cette fois. Velasquez constatant qu'un tel artiste perdait son temps en étant occupé à des fonctions n'ayant rien de commun avec l'art qu'il professait, le persuada de quitter cette charge et d'entrer au service du roi. Il n'eut pas à regretter cette décision qu'il prit, car bientôt Carreno peignait à fresque, dans des dessus des Grâces, la *Fable de Vulcain*, celle de *Pandore et d'Epimethée*. Philippe IV fut tellement satisfait de ces travaux que le 27 septembre 1669, il le nomma son peintre. À la mort de Sébastien de Herrera, Charles II lui conféra le titre de peintre de la chambre et la place de maréchal des logis, en 1671. Il remplit cette charge avec tant de zèle, qu'il se concilia l'estime de tout le monde. Le roi le recevait et lui rendait visite familièrement. Un jour que Carreno faisait son portrait, Charles II, qui se plaisait dans la compagnie de son peintre, lui demanda « de quel ordre il était titulaire ». « Je me contente de l'honneur d'être au service de Sa Majesté » répondit Carreno. La séance finie, l'amiral de Castille lui fit remettre la riche décoration de Saint-Jacques, que l'artiste refusa poliment. À ses amis et confrères qui lui reprochaient de décliner ainsi cette faveur royale, ne fût-ce qu'en l'honneur fait à la peinture : « La peinture, leur répondit Carreno, n'a nul besoin de recevoir d'honneur ; c'est elle au contraire qui les donne ». Malgré ce peu chevaleresque refus, Carreno conserva les bonnes grâces du souverain dont il fit plusieurs portraits ; entre autre, celui où le roi est armé de pied en cap, et qui fut envoyé en France, lorsqu'on négocia son premier mariage avec Louise d'Orléans. Il peignit également le portrait de la reine régente, celui du second Don Juan d'Autriche, du favori Velenzuela, du patriarche Benavidès, du cardinal-nonce Millini et d'un ambassadeur russe. Il mourut à Madrid à l'âge de soixante-douze ans et fut enterré dans un caveau du couvent de San-Gil. Il laissait une veuve, dona Maria de Medina, à qui Charles II conserva sa faveur. Son ami Rizi, qui lui était très attaché, car ils avaient travaillé longtemps ensemble, était mort le 2 août 1685, quelques jours plus tard, en septembre, Carreno

disparaissait également emportant les regrets unanimes de tous ses élèves, dont il était la providence. Parmi eux nous relevons les noms de : Mateo Cerezo, Juan Martin Cabezalero, Josef Donoso, François-Ignacio Ruiz de la Iglesia, Josef de Ledesma, Bartolome Vicente, Pedro Ruiz-Gonzalez, Luis de Sotomayor.

Le mérite de Carreno consiste dans un dessin large et pur, dans un coloris vague et suave, qu'il dut aux nombreuses études qu'il fit des œuvres de Van Dyck. Il fut également un imitateur de Velasquez, surtout dans le portrait. On distingue la première période de sa vie, consacrée aux décorations et aux peintures religieuses, *Vierges immaculées* et *Assomptions* baroques et hautes en couleur, de la seconde, où il se montra surtout portraitiste distingué. Il est difficile d'être le successeur de Velasquez, toutefois Carreno sut évoquer, dans les architectures rébarbatives de l'Alcazar, la silhouette du jeune roi Charles II, dégénéré et pâle, vêtu de noir, et la reine mère Mariana, au prognathisme accentué par l'âge, sévère dans ses vêtements de deuil. On a aussi de cet artiste quelques gravures à l'eau-forte, dont Palomino fait beaucoup de cas. Ses œuvres sont très répandues à Tolède, Alcala, Paracuellos, Alarcon, Orgaz, Peneranda, Almeïda, Pampelune, Victoria, l'Escurial, le palais et la plupart des églises de Madrid : Saint-Ildefonse, Placencia, Bexar, Grenade, Ségovie. On cite de préférence une très belle *Madeleine dans le désert*, *La Fondation de l'ordre de la Trinité*, le *Songe du pape Honorius III*, le *Miracle de saint Isidore*, etc.

$Car^{\underline{\varsigma}}$ $CAR^{\underline{o}}.$

Musées : Barcelone (Mus. Balaguer de Villaneva) : *Saint Antoine prêchant aux poissons* – Berlin : *Portrait de Charles II* – Cadix : *Portrait équestre de Charles II*, attribut. discutée – Madrid (Prado) : *La naine Eugenia Martinez Vallejo*, *vêtue de rouge* – *La reine Mariana* – *Portrait de Charles II* – *Portrait de P. I. Potemkine, ambassadeur de Russie* – *Saint Sébastien* – Madrid (Mus. Lazaro Galdiano) : *Portrait de Dona Ines de Zuniga* – Madrid (Acad. San Fernando) : *La Madeleine* – New York (Hispanic Society) : *Portrait de Charles II* – Paris (Louvre) : *La Fondation des Trinitaires* – Tolède (Casa del Greco) : *Portrait de Charles II* – Valenciennes : *Portrait de Charles II* – Vienne (Acad. des Beaux-Arts) : *Esquisse pour la Fondation de l'Ordre de la Sainte-Trinité* – Vienne (coll. Harrach) : *Portrait de Charles II.*

Ventes Publiques : Paris, 1852 : *Charles II, roi d'Espagne* : **FRF 161** – Londres, 1853 : *Charles II, roi d'Espagne* : **FRF 2 375** – Madrid, 1861 : *Saint Antoine de Padoue et l'Enfant Jésus* : **FRF 1 550** – Paris, 1892 : *Portrait de Don Barnabé Ochova de Chinchetru* : **FRF 1 380** – Paris, 1894 : *Portrait de Charles II, roi d'Espagne* : **FRF 4 102** – New York, 1905 : *Portrait d'une dame* : **USD 850** – Londres, 24 fév. 1927 : *L'Infante Marie-Thérèse d'Espagne* : **GBP 105** – Paris, 25 mars 1965 : *Portrait de l'Infante Marie Marguerite* : **FRF 28 000** – Madrid, 24 mars 1981 : *D. Juan de Larrea Hernaio*, h/t (210x145) : **ESP 750 000** – Londres, 29 mai 1992 : *Crucifix peint*, h/pan. (48,2x31,7) : **GBP 66 000.**

CARRENO Y MARINO Manuel
xixe siècle. Actif à Séville. Espagnol.
Peintre.

CARRER Anne Marie
xxe siècle. Française.
Peintre.
En 1929 elle exposait *Adam et Ève* au Salon des Indépendants de Paris.

CARRERA Agustin
Né à Barcelone. xxe siècle. Espagnol.
Peintre de figures, portraits, paysages, marines.
Il fit ses études à l'Ecole des Beaux-Arts de la Lonja de Barcelone. Il participa à plusieurs expositions, notamment à l'Exposition Internationale d'Art, en 1911, à Barcelone.
Ventes Publiques : Paris, 13 déc. 1985 : *Jeune femme assise au déshabillé 1936*, h/t (73x60) : **FRF 8 000** – Neuilly, 5 déc. 1989 : *Portrait de Raimu*, h/t (46x53) : **FRF 28 000.**

CARRERA Andrea
Né à Trapani. xviiie siècle. Italien.
Peintre.

CARRERA Augustin
Né le 3 avril 1878 à Madrid. Mort en 1952 à Paris. xxe siècle. Actif en France. Espagnol.
Peintre de figures, nus, portraits, paysages, marines, fleurs.

Elève de Bonnat et Martin, il exposa au Salon des Artistes Français à Paris dès 1904, obtenant une médaille d'or en 1937. Il a parfois pris part au Salon des Artistes Indépendants et à celui des Tuileries, de 1927 à 1933. Officier de la Légion d'honneur. Auteur du plafond de l'Opéra à Marseille, il peint ses nus, portraits, paysages, fleurs, dans des tonalités violentes, audacieuses, mais toujours accordées.

Bibliogr. : Gérald Schurr, in : *Les Petits Maîtres de la peinture 1820-1920, valeur de demain*, Les Éditions de l'Amateur, t. II, Paris, 1982.

Musées : Paris (ancien Mus. du Luxembourg) : *La femme aux bas bleus.*

Ventes Publiques : Paris, 7 juin 1923 : *Vase de giroflées* : **FRF 130** – Paris, 4 mai 1928 : *Coin de port en Provence* : **FRF 200** – Paris, 24 mars 1930 : *Nature morte* : **FRF 250** – Paris, 10 mai 1933 : *Les hortensias* : **FRF 300** ; *Devant la maison* : **FRF 380** – Paris, 2 mars 1942 : *La route ombragée* : **FRF 350** – Paris, 3 déc. 1964 : *Paysage du Midi* : **FRF 1 500** – Honfleur, 12 juil. 1981 : *Les baigneuses*, h/t (133x162) : **FRF 8 000** – Versailles, 16 oct. 1983 : *Bateaux dans le port 1929*, h/t (65x81) : **FRF 5 200** – Paris, 13 juin 1990 : *Le Port de Marseille*, h/t (73x92,2) : **FRF 75 000** – Paris, 9 déc. 1991 : *Les jardinets 1905*, h/t (97x90) : **FRF 10 500.**

CARRERA Giuseppe
Né à Trapani. Mort en 1630 à Palerme. xviie siècle. Travaillant à Alcamo et, plus tard, à Palerme. Italien.
Peintre.

CARRERA Mariano
Né le 26 novembre 1934 à Florida. xxe siècle. Actif en France. Argentin.
Peintre. Cinétique.
Il travaille en France depuis 1972 et réalise surtout des murs sur lesquels le mouvement et la lumière se conjuguent.

CARRERA Vito
Né vers 1555 à Trapani. Mort en 1623. xvie-xviie siècles. Travaillant à Palerme. Italien.
Peintre.
Frère de Giuseppe Carrera.

CARRERA DE GORDOA Manuel
xixe siècle. Espagnol.
Peintre.
Exposa en 1860 à Cadix : *La dernière pensée d'un artiste.*

CARRERAS Buenaventura
Né à Manresa. xxe siècle. Espagnol.
Peintre décorateur.
Elève à l'Ecole des Beaux-Arts de Barcelone, il s'est spécialisé dans la peinture décorative et de théâtre, travaillant surtout dans sa ville natale et dans les églises des régions voisines.

CARRERAS Mariano
xixe siècle. Espagnol.
Peintre de genre.
Elève de Juan Ballester et de Soler. Il exécuta de nombreux travaux de décoration à Barcelone.

CARRERAS Theobald
Né en 1829, de parents espagnols. Mort en 1895. xixe siècle. Britannique.
Graveur sur bois.
Elève de John Andrew. Il a gravé un grand nombre des meilleures gravures sur bois publiées sous la signature de James Davis Cooper.

CARRERAS DE CAMPA Eleonor
Née à Barcelone. xixe siècle. Espagnole.
Peintre.
Elève de l'Académie des Beaux-Arts de Lyon. Elle exposa à Madrid en 1866 et à Barcelone en 1879.

CARRERAS ALMASQUE Clemente
Né à Barcelone. xxe siècle. Espagnol.
Peintre.
Elève de l'Ecole des Beaux-Arts de Barcelone, il participa à plusieurs expositions, notamment à la vie Exposition Internationale d'Art de Condal en 1911.

CARRERAS CUESTA Alfredo
xixe-xxe siècles. Espagnol.
Peintre de paysages.
Il fit ses études à l'Ecole des Beaux-Arts San Fernando de Madrid. Il a participé aux expositions nationales des Beaux-Arts de 1904 et 1906.

CARRERAS MARTI Mercedes
Née à Barcelone. xxᵉ siècle. Espagnole.
Peintre de genre, de portraits et de paysages urbains.
Elève à l'Ecole des Beaux-Arts de Barcelone, elle a participé à plusieurs expositions de groupe, en particulier à Barcelone en 1919. Elle s'est spécialisée dans les scènes de genre, mais a également peint des portraits et des vues de Barcelone.

CARRÈRE Jean Paul. Voir **CEZ**

CARRÈRE M.
xixᵉ siècle. Actif à Montpellier au début du xixᵉ siècle. Français.
Graveur à l'eau-forte.

CARRÈRE René
Né à Paris. xxᵉ siècle. Français.
Peintre de portraits.
Elève de Gabriel Ferrier et de Tony Robert-Fleury, il participa aux Salons parisiens dès 1904. Il figura au Salon de la Société Nationale des Beaux-Arts, dont il fut associé à partir de 1913, et prit part au Salon des Artistes Indépendants en 1942-1943. Il marque une préférence pour les portraits de célébrités, d'actrices, de danseuses.
Ventes Publiques : Paris, 20 mai 1980 : *L'élégante au chapeau* 1907, fus. (60x49) : **FRF 5 000**.

CARRERES FERNANDEZ Vicente
Né en 1892 à Barcelone. Mort en 1920 à Valence. xxᵉ siècle. Espagnol.
Peintre de paysages urbains et de genre.
Elève de José Mongrell à l'Ecole des Beaux-Arts de Barcelone, il est aussi influencé par l'art de Ramon Casas. A côté de ses paysages urbains, il a peint des scènes folkloriques catalanes. A partir de 1913, il a fait des expositions personnelles et participé à plusieurs expositions collectives, notamment à Barcelone. Il a collaboré à plusieurs revues catalanes et à *Blanco y Negro*, de Madrid à partir de 1914.
Bibliogr. : Jesus Urbez, in : *Cien anos de Pintura en Espana y Portugal, 1830-1930*, tome II, Antiquaria, Madrid, 1988.

CARRERIA Bartolomeo de
xviᵉ siècle. Actif à Aoste. Italien.
Peintre de miniatures.

CARRESANA Carlo ou **Caresano**
xviiᵉ siècle. Vénitien travaillant à Rome. Italien.
Peintre.

CARRESANA Domenico ou **Caresano**
Né près de Lugano, originaire de Cureglia. xviiᵉ siècle. Actif au début du xviiᵉ siècle. Suisse.
Peintre.
L'église de Santa Maria di Gallivaggio à Chiavenna renferme une fresque de lui représentant la *Naissance du Christ*, datée de 1605.

CARRESANA Giuseppe Salvatore ou **Caresana**
Né en 1696 à Cureglia (près de Lugano). xviiiᵉ siècle. Suisse.
Sculpteur et architecte.
Il travaillait à Turin vers le commencement du xviiiᵉ siècle. Il devait plus tard partir pour l'Espagne ou, selon d'autres auteurs, pour la Russie, où il serait mort (à Riga).

CARRETERO Aurelio
Né en 1863 près de Valladolid. xixᵉ-xxᵉ siècles. Espagnol.
Sculpteur et médailleur.
Elève de l'Ecole des Beaux-Arts de Madrid. Il a exécuté une série de monuments funéraires, dont celui d'Isabelle la Catholique, celui du général Pinto, celui du poète Zorilla.
Musées : Madrid (Mus. de Arte Mod.) : *Lamento*, groupe de bronze.

CARRETERO Y SANCHEZ Arturo
Né vers 1852 à Saint-Jacques de Compostelle (Galice). Mort en 1903 à Madrid. xixᵉ siècle. Espagnol.
Graveur.
Elève de Bernardo Rico. Travailla pour des périodiques espagnols.

CARRETIER Enguerrand. Voir **QUARTON**

CARRETO Emilio
Né à Burgos. xixᵉ siècle. Espagnol.
Peintre de genre.
Elève à Séville de Jimenez Aranda. Exposa fréquemment à Séville, et, en 1876, à Madrid : *Un cura, Arrabales de Burgos*.

CARRETTA Simone
xviᵉ siècle. Actif à Modène. Italien.
Peintre.

CARRETTI Domenico
Né probablement à Bologne. Italien.
Peintre d'histoire.
L'église de San Pietro in Oliveta, à Brescia, possède de lui un ouvrage très intéressant figurant la *Vierge avec l'Enfant Jésus et sainte Thérèse*.

CARRETTO Nicolo
Originaire de Camaiore, province de Lucques. xviᵉ siècle. Italien.
Peintre.
Il travailla à la cathédrale de Sarzana vers 1593.

CARREY Georges
Né en 1902 à Paris. Mort en 1953 à Knokke (Belgique). xxᵉ siècle. Actif aussi en Belgique. Français.
Peintre, dessinateur de portraits et décorateur. Figuratif puis abstrait.
Après un court passage à l'Ecole des Arts Décoratifs de Paris, il travaille seul, produisant des caricatures, affiches, dessins publicitaires et décors de théâtre. En 1922, il se fixe à Bruxelles où, à partir de 1925, il peint des portraits, activité dans laquelle il acquit une solide réputation. Dans les années cinquante, il fit la rencontre décisive de Nicolas De Staël, étant revenu à Paris, où il fit des expositions personnelles et participa au Salon d'Octobre, au Salon de Mai et au Salon des Réalités Nouvelles. On vit encore une exposition de ses peintures abstraites, *Au-delà de la figuration*, au Centre d'art Nicolas De Staël de Braine-l'Allaud (Belgique).
Entre 1946 et 1948, il s'est orienté vers une peinture abstraite que l'on appréciait tout particulièrement à Paris. Ses compositions simples, par juxtapositions de petites touches carrées, dans une manière apparentée à celle de Jacques Germain, aux surfaces bien équilibrées, prennent des tonalités chaudes et claires, dont souvent les reflets mordorés surprennent.

CARREY Jacques
Né en 1649 à Troyes, en 1646 selon Larousse. Mort en 1726 à Troyes. xviiᵉ-xviiiᵉ siècles. Français.
Peintre.
Élève de Lebrun. En 1673, il accompagna le marquis de Nointel lorsque celui-ci fut nommé ambassadeur à Constantinople. Au cours de ce voyage, il fit de nombreuses études en Italie et en Grèce. Il retira du Parthénon le recueil de dessins de l'art antique, lorsque Athènes fut bombardée par les Vénitiens en 1673. Ce recueil figure aujourd'hui à la Bibliothèque Nationale. Le Musée de Bordeaux possède de Carrey deux tableaux relatifs aux cérémonies officielles en Turquie et le Musée de Chartres, la *Réception de M. de Nointel à Athènes*.
Ventes Publiques : Paris, 1860 : *Entrée à Jérusalem de M. de Nointel* ; *M. de Nointel recevant le grand vizir et sa suite*, deux tableaux : **FRF 3 000** – Paris, 1883 : *Réception de l'ambassadeur français à Constantinople* : **FRF 690** – Paris, 30 mai 1903 : *Réception de l'ambassadeur à Constantinople* : **FRF 520**.

CARREY Louis Jacques
Né le 24 août 1822 à Rouen (Seine-Maritimes). Mort le 5 février 1871 à Antibes (Alpes-Maritimes). xixᵉ siècle. Français.
Peintre.
Il se fixa à Lyon vers 1843 et, d'après les catalogues, fut élève de Saint-Jean. Il débuta au Salon de 1843-44 avec des gouaches (fleurs et fruits), exposa au même Salon, et à Paris depuis 1857, des peintures et des gouaches (fleurs et fruits, natures mortes, et, rarement, des figures ou des animaux). Ses principaux tableaux exposés sont : *Sur la plage* (Lyon, 1851), *Portrait de l'auteur* (Lyon, 1851-52), *Pour cause d'expropriation, Sybaritisme, Un intrus* (Lyon, 1857-58), *Un musicien de l'avenir* (Lyon, 1865), *Science et Foi* (Paris, 1865, aujourd'hui au Musée de Lyon). Il signait « L. Carrey ».

CARRI Michele di Jacopo dei
Mort en 1440. xvᵉ siècle. Italien.
Peintre.
Il travaillait à la cathédrale de Ferrare dans les premières années du xvᵉ siècle.

CARRICK Alexander
Né à Musselbirgh (Edimbourg). xxᵉ siècle. Britannique.

Sculpteur.
Élève du Royal College of Art. Il expose à la Royal Academy.

CARRICK Edward. Voir **CRAIG Edward A.**

CARRICK Ethel. Voir **CARRICK-FOX**

CARRICK John Mulcaster
XIXe siècle. Vivant à Londres et, plus tard, à Sudbury-on-Thames. Britannique.
Peintre de compositions à personnages, paysages.
Il exposa de 1854 à 1878 à la Royal Academy, à la British Institution et à Suffolk Street, à Londres.

J M Carrick

VENTES PUBLIQUES : LONDRES, 13 fév. 1976 : *Chateaubriand 1881*, h/cart. (20,3x30,5) : GBP 380 – LONDRES, 14 juin 1977 : *Mort d'Arthur 1862*, h/t (100x137) : GBP 4 000 – LONDRES, 18 avr. 1978 : *San Remo ; Villefranche près de Nice 1884*, deux toiles (21x26,5) : GBP 750 – LONDRES, 6 mars 1981 : *Mount Orgueil Castle, Jersey 1879*, h/pan. (30,5x47,6) : GBP 1 300 – LONDRES, 2 mars 1984 : *Kew bridge 1884*, h/cart. (21x27,2) : GBP 1 500 – LONDRES, 12 avr. 1985 : *Paysage montagneux aux environs de Nice 1860*, h/t (53x93) : GBP 4 500 – LONDRES, 15 juin 1990 : *Vieille maison à Sol en Bretagne 1881*, h/t (20,3x25,4) : GBP 1 320 – NEW YORK, 28 mai 1992 : *Le sergent recruteur 1862*, h/t (101,6x127) : USD 49 500 – LONDRES, 5 mars 1993 : *Twickenham vu depuis la barque du passeur ; Hampton sur Tamise 1886*, h/cart., une paire (30x30,2) : GBP 4 830 – LONDRES, 4 nov. 1994 : *Trois personnes dans une rue de Dinan en Bretagne 1885*, h/cart. (24,1x17,8) : GBP 1 610 – LONDRES, 10 mars 1995 : *La place du marché à Lannion en Bretagne 1882*, h/cart. (25,4x20,3) : GBP 920.

CARRICK Robert
Né en 1829. Mort en 1905. XIXe siècle. Britannique.
Peintre de genre, animaux, paysages, aquarelliste, dessinateur.
Il exposa à Londres à partir de 1847 à la Royal Academy à Suffolk Street et à la New Water-Colours Society.
VENTES PUBLIQUES : LONDRES, 9 déc. 1907 : *Les préparations pour la pêche*, dess. : GBP 8 – LONDRES, 19 juil. 1909 : *La Nourriture des favoris*, dess. : GBP 4 – LONDRES, 3 avr. 1922 : *Le repos de midi 1879*, dess. : GBP 4 ; *La diligence dans les anciens temps 1883*, dessin : GBP 5 – LONDRES, 28 mai 1923 : *La chèvre favorite*, dessin : GBP 7 – LONDRES, 21 mai 1937 : *Anxiété 1855* : GBP 5 – LONDRES, 5 nov. 1993 : *L'écureuil roux 1889*, aquar. avec reh. de blanc (44,5x29) : GBP 1 495.

CARRICK Thomas Heathfield
Né près de Carlisle. Mort en 1875 à Newcastle-on-Tyne. XIXe siècle. Britannique.
Peintre de miniatures.
Carrick exposa à la Royal Academy, entre 1841 et 1866, et fut très estimé à Londres, où il peignit des portraits en miniature de personnages célèbres. Le nombre de ses œuvres exposées à la Royal Academy s'élève à cent-quarante. Le Victoria and Albert Museum de Londres conserve de lui, le portrait en miniature, peint sur ivoire, de l'acteur Will. Farren.

CARRICK William Arthur Laurie
Né en 1879. XXe siècle. Britannique.
Peintre de paysages animés, paysages.
VENTES PUBLIQUES : ÉCOSSE, 31 août 1982 : *Paysage*, h/t (57x73,5) : GBP 800 – ÉDIMBOURG, 12 avr. 1983 : *Jeune Pêcheur à la ligne*, h/t (57x73,5) : GBP 450 – PERTH, 26 août 1991 : *Queensferry*, h/t cartonnée (29x40,5) : GBP 1 100 – ÉDIMBOURG, 28 avr. 1992 : *Dans l'ancienne cour de Stonehaven*, h/t (56x73,5) : GBP 1 540 – GLASGOW, 1er fév. 1994 : *Fenaison à Arran*, h/t/cart. (16x26) : GBP 632 – GLASGOW, 21 août 1996 : *Après-midi de mars*, h/t (66x101,5) : GBP 1 035.

CARRICK-FOX Ethel
Née en 1872 à Londres. Morte en 1952. XIXe-XXe siècles. Britannique.
Peintre de genre, paysages, fleurs.
Sociétaire du Salon d'Automne où elle exposa depuis la fondation ; elle a figuré au Salon de la Société Nationale des Beaux-Arts et au Salon des Indépendants.
Elle peignit des paysages de Paris, de la Côte d'Azur, du Tyrol et des vues d'Amsterdam, et aussi des fleurs, scènes de marché, effets de contre-jour.

Carrick - Fox

VENTES PUBLIQUES : SYDNEY, 6 oct. 1976 : *Le pont Napoléon et Notre-Dame, Paris*, h/t mar./cart. (60,5x81) : AUD 1 700 – SYDNEY, 10 mars 1980 : *Glasshouse Mountains Queensland*, h/t (23x33) : AUD 600 – LONDRES, 25 juin 1985 : *Promenade au jardin des Tuileries*, h/t (65x81) : GBP 4 500 – SYDNEY, 29 oct. 1987 : *Sunday in the gardens 1907*, h/t (45x60) : AUD 60 000 – LONDRES, 30 nov. 1989 : *Jour de marché à Caudebec*, h/t (50,7x60,9) : GBP 24 200 – SYDNEY, 15 oct. 1990 : *Nature morte de fleurs*, h/t (30x23) : AUD 2 000 – MELBOURNE, 20-21 août 1996 : *Observation de la flotte australienne passant le Cap de Sidney 1913*, h/t (38x46) : AUD 57 500.

CARRIÉ
XVIIIe siècle. Français.
Peintre de fleurs.
Il travailla à la Manufacture de Sèvres entre 1752 et 1757.

CARRIÉ Ana de
Née à Coronel (Chili). XIXe-XXe siècles. Américaine.
Peintre de portraits.
Élève de Benjamin Constant et de Lenbach, elle a exposé à la Royal Academy de Londres en 1901, au Salon des Artistes Français entre 1905 et 1923, obtenant une troisième médaille en 1907.

CARRIÉ Thérèse
Née au XIXe siècle à Paris. XIXe siècle. Française.
Portraitiste.
Elle exposa au Salon entre 1839 et 1845.

CARRIER
XVIIIe siècle. Actif à Nantes vers 1776. Français.
Peintre.

CARRIER Auguste Joseph
Né en 1800 à Paris. Mort en 1875 à Paris. XIXe siècle. Français.
Peintre de miniatures.
Élève de Prud'hon, de Gros et de Saint. Il jouit de la protection du prince de Condé. Il eut la médaille de deuxième classe en 1833 et celle de première classe en 1837. Au Salon, il figura de 1824 à 1875. Il a peint des portraits et des paysages forestiers.
VENTES PUBLIQUES : PARIS, 1875 : *Portrait de Mlle de H., en pied* : FRF 80 ; *Portrait de Mlle Ward* : FRF 330 ; *Portrait d'homme* : FRF 15 ; *Portrait d'un duc de Bourbon, prince de Condé* : FRF 320 – MUNICH, 1898 : *Dame en buste* : FRF 535 ; *Buste de dame* : FRF 430 – PARIS, 1899 : *Portrait présumé de Mme Rolland en buste* : FRF 1 030 – PARIS, 15 et 16 nov. 1918 : *Jeune fille assise dans un jardin* : FRF 150 – PARIS, 30 nov.-1er et 2 déc. 1920 : *Son portrait par lui-même*, min. : FRF 410 – PARIS, 8-11 déc. 1920 : *Portrait d'homme*, miniat. : FRF 95.

CARRIER Clémence, Mme, née **Jamont de Joncreil**
Née au XIXe siècle à Paris. XIXe siècle. Française.
Miniaturiste.
Élève et femme du peintre sur porcelaine Auguste Carrier, fils lui-même du peintre Auguste-Joseph Carrier. Elle débuta au Salon de Paris en 1876 et y exposa des portraits miniatures. L'ancien Musée du Luxembourg conserve d'elle un portrait d'homme en miniature, peint sur ivoire en 1864.

CARRIER Jeannette
Née au XXe siècle. Française.
Peintre de paysages urbains.
Elle a exposé au Salon des Artistes Indépendants, notamment en 1929, et au Salon des Tuileries en 1933. Elle a surtout peint des vues de Paris.

CARRIER Marthe, Mme
Née à Paris. XXe siècle. Française.
Peintre.
Élève de Déchenaud. Exposant des Artistes Français.
VENTES PUBLIQUES : PARIS, 21 déc. 1928 : *Rêve heureux* : FRF 80.

CARRIER-BELLEUSE Albert Ernest, de son vrai nom : **Carrier de Belleuse**
Né le 12 juin 1824 à Anizy-le-Château (Aisne). Mort le 3 juin 1887 à Sèvres. XIXe siècle. Français.
Sculpteur de groupes, bustes, dessinateur.
Élève de David d'Angers à l'école des Beaux-Arts de Paris, où il entra en 1840. Il débuta au Salon en 1851. Sa renommée

commença en 1861 avec son groupe *Salve Regina* qui lui valut une troisième médaille. *La Bacchante*, en 1863, le mit tout à fait en vue et, enfin, en 1867, il obtint avec *Le Messie* la médaille d'honneur du Salon. La même année, il fut décoré de la Légion d'honneur. Il continua d'exposer régulièrement au Salon jusqu'à sa mort. Il fut attaché à la manufacture de Sèvres comme directeur des travaux d'art.

Sa technique à la fois hardie et délicate, le sentiment exquis qui se dégage de ses groupes l'ont fait parfois comparer à Clodion. Il sculpta de nombreux bustes, parmi lesquels ceux de : *Ernest Renan, Napoléon III, Jules Simon*. Ses statuettes décoratives firent fureur sous le second Empire, qui paraissent aujourd'hui quelque peu mièvres.

Musées : Liège : *Buste de Charles Rogier* – Mulhouse : *Buste d'Albert Dürer* – Paris (Luxembourg) : *Hébé endormie* – Soissons : *Napoléon III* – Tourcoing : *Retour des champs – La Source – Dante – Virgile*.

Ventes Publiques : Paris, 1887 : *Les Arts guidés par la Sagesse*, dess. : **FRF 30** ; *Femme nue*, dess. : **FRF 35** ; *Le Char de Vénus*, dess. reh. de coul. : **FRF 35** ; *Jeunesse*, dess. : **FRF 50** ; *L'Amour domine le Temps*, dess. : **FRF 101** – Paris, 2-4 juin 1920 : *Tête de fillette chantant*, sanguine : **FRF 45** – Paris, 25 mai 1932 : *Femme nue*, terre cuite : **FRF 450** ; *Bacchante*, terre cuite : **FRF 400** ; *Baigneuse aux colombes*, terre cuite : **FRF 480** – Paris, 4 juil. 1932 : *Groupe de deux femmes assises*, marbre blanc : **FRF 480** – Bruxelles, 23 mars 1976 : *Jeune femme debout lisant*, bronze (H. 73) : **BEF 42 000** – Paris, 23 nov. 1977 : *Jeune femme à la lyre*, bronze patine brune et dorée (H. 79) : **FRF 9 100** – Paris, 19 mars 1978 : *L'Amour désarmé* (H. 77) : **FRF 30 000** – Lokeren, 17 fév. 1979 : *La Liseuse*, bronze (H. 62) : **BEF 80 000** – Paris, 8 déc. 1979 : *La Liseuse*, bronze argenté et doré et ivoire (H. 62) : **FRF 1 068** – Londres, 14 mai 1980 : *Guerriers combattant*, bronze (H. 53) : **GBP 1 500** – Lokeren, 20 fév. 1982 : *La Liseuse*, bronze et ivoire (H. 40) : **FRF 75 000** – New York, 9 jan. 1985 : *Le Pêcheur napolitain*, bronze (H. 98,3) : **USD 7 000** – Londres, 15 mai 1986 : *Deux Bacchantes*, bronze (H. 89) : **GBP 3 500** – Paris, 15 avr. 1988 : *Buste de femme*, terre cuite patine brune (H. 74) : **FRF 31 000** ; *Le Réveil*, bronze patine mordorée (H. 55,3) : **FRF 10 000** – Paris, 24 avr. 1988 : *Femme papillon à la lampe à huile*, bronze patine médaille (H. 74) : **FRF 9 500** ; *La Caresse de l'Amour*, bronze patine médaille (H. 92) : **FRF 38 000** – Brive-la-Gaillarde, 24 avr. 1988 : *Diane chasseresse*, bronze patiné (H. 82,5) : **FRF 6 600** – Paris, 20 oct. 1988 : *La fileuse*, chryséléphantine bronze 2 patines et ivoire (H. 37) : **FRF 18 000** – Montluçon, 18 déc. 1988 : *Les deux amies*, marbre blanc (H. 68) : **FRF 125 600** – Paris, 12 fév. 1989 : *Faune et nymphe*, groupe marbre de Carrare (H. 84) : **FRF 30 000** – Londres, 20 juin 1989 : *Buste de jeune femme*, bronze (H. 71) : **GBP 17 600** – Paris, 5 juil. 1989 : *L'amour se confie à l'amitié*, bronze (H. 50) : **FRF 21 000** – New York, 25 oct. 1989 : *Buste de jeune femme*, marbre blanc (H. 58,4) : **USD 5 500** – Londres, 1er déc. 1989 : *Buste de jeune femme*, terre-cuite vernissée/socle bois (H. 48) : **GBP 6 380** – Milan, 6 déc. 1989 : *Léonard de Vinci*, bronze (H. 43) : **ITL 1 500 000** – New York, 1er mars 1990 : *Groupe d'une nymphe et d'un putto*, bronze patine brune (H. 92) : **USD 7 150** – Montréal, 30 avr. 1990 : *Liseuse*, bronze et ivoire (H. 44) : **CAD 16 500** – Saint-Dié, 18 nov. 1990 : *Le Printemps* ; *L'Été*, bronze, une paire (H. 52) : **FRF 24 000** – New York, 22 mai 1991 : *Allégorie d'une source, putto allongé*, terre-cuite (H. 40,6 et L. 50,8) : **USD 3 850** – New York, 23 mai 1991 : *L'Hiver* ; *Mère et Enfant*, marbre blanc, groupe (H. 149,9) : **USD 165 000** – New York, 27 mai 1992 : *Diane victorieuse*, bronze (H. 66,7) : **USD 19 800** – Paris, 2 avr. 1993 : *La Liseuse*, chryséléphantine, bronze et ivoire (H. 56) : **FRF 22 000** – Paris, 16 mars 1994 : *L'Enlèvement de Déjanire*, bronze (H. 65) : **FRF 33 000** – New York, 26 mai 1994 : *Trois jeunes femmes*, bronze (H. 90,8) : **USD 40 250** – Paris, 24 nov. 1995 : *Les deux amours*, marbre (H. 43, L. 70) : **FRF 36 000** – Lokeren, 9 mars 1996 : *Mélodie*, bronze (H. 79) : **BEF 120 000** – New York, 23-24 mai 1996 : *Diane victorieuse*, bronze (H. 80) : **USD 11 500** – Paris, 26 nov. 1996 : *Jeune femme tenant un enfant dans ses bras, à ses pieds, un chevreau et un panier de fruits*, terre cuite (H. 95) : **FRF 20 000** – Calais, 15 déc. 1996 : *Le Danseur à la mandoline* vers 1880, bronze patine brun clair (H. 100) : **FRF 46 000** – Paris, 13 mai 1997 : *Diane victorieuse* 1888, bronze patiné (H. 66,5) : **FRF 25 000** – New York, 23 oct. 1997 : *Cupidon et Psyché*, terracotta (H. 45,7 et L. 53,3) : **USD 10 350**.

CARRIER-BELLEUSE Clément
Né à Paris. xxe siècle. Français.
Peintre.
Exposant des Indépendants.

CARRIER-BELLEUSE Henriette
Née au xixe siècle à Paris. xixe siècle. Française.
Peintre de fleurs.
Élève de son père Albert Ernest Carrier-Belleuse. Elle débuta au Salon de 1874. Elle a épousé le sculpteur Joseph Chéret.

CARRIER-BELLEUSE Louis Robert
Né le 4 juillet 1848 à Paris. Mort le 14 juin 1913 à Paris. xixe-xxe siècles. Français.
Sculpteur et peintre de genre, paysages urbains.
Fils du sculpteur Albert Ernest Carrier-Belleuse et frère du peintre Pierre Carrière-Belleuse, il fut d'abord élève de son père, puis de Cabanel et de Boulanger à l'École des Beaux-Arts de Paris. Il débuta comme peintre au Salon de 1870 et n'exposa des sculptures que de 1893 à 1912. Mention honorable en 1887, médaille d'argent à l'exposition Universelle de 1889. Chevalier de la Légion d'Honneur.

Il était directeur artistique de la faïencerie de Choisy-le-Roi, pour laquelle il a dessiné des modèles. En tant que sculpteur, il est l'auteur du *Tombeau du Président Barrias* au Guatemala, du *Monument national de Costa-Rica* et de nombreux bustes. En peinture, il représente, de manière photographique, les divers petits métiers de Paris : marchands de journaux, ramoneurs, livreurs de lait, bitumiers, ce qui donne à ses toiles un intérêt documentaire certain. Citons : *Les halles* 1887 – *Les bitumiers* – *Les forts de la halle – La corvée – Les petits ramoneurs – Le sculpteur animalier*. Il montre aussi des quartiers de Paris en transformation, comme *Les démolisseurs* qui font voir la démolition des abords de la future Gare du Nord en 1888.

Bibliogr. : Gérald Schurr, in : *Les Petits Maîtres de la peinture 1820-1920, valeur de demain*, Les Éditions de l'Amateur, t. V, Paris, 1981.

Musées : Rochefort : *Une petite curieuse – Marchand de Journaux*.

Ventes Publiques : Paris, 1er mars 1919 : *Sujets mythologiques et compositions décoratives*, neuf dess. : **FRF 115** – Paris, 5 mai 1928 : *Les piqueurs de grès* : **FRF 480** – Paris, 12 mars 1934 : *Barques échouées* : **FRF 160** ; *Thiers*, petit buste en terre cuite : **FRF 35** ; *Beethoven*, buste en terre cuite : **FRF 75** ; *Hygia*, terre cuite : **FRF 100** ; *Psyché*, terre cuite : **FRF 120** – Paris, 23 mai 1940 : *Quatre figures de surtout*, plâtre et bronze : **FRF 235** – Paris, 26 oct. 1976 : *Cour de ferme*, h/t (65x92) : **FRF 3 000** – Londres, 23 nov. 1978 : *Deux danseuses*, past. (99x79) : **GBP 800** – Paris, 16 mars 1981 : *Les démolisseurs*, h/t (130x90) : **FRF 36 700** – Bruxelles, 23 mars 1983 : *Jeune femme rêveuse, vêtue à l'orientale*, h/t (40x54) : **BEF 52 000** – Paris, 8 mars 1985 : *Les livreurs de farine* 1885, h/t (200x300) : **FRF 150 000** – Londres, 7 nov. 1985 : *Mélodie* vers 1880, bronze et ivoire (H. 51,5) : **GBP 1 700** – Berne, 26 oct. 1988 : *Les petits ramoneurs à Paris en hiver*, h/t (47x33,5) : **CHF 2 400** – Versailles, 5 mars 1989 : *L'ouvrier dans l'atelier*, h/t (73x54) : **FRF 30 000** – Paris, 22 juin 1992 : *Paris, la laitière* 1882, h/t (38x56) : **FRF 15 000** – New York, 18 fév. 1993 : *Sur la plage*, past. (92x73) : **USD 11 000** – Londres, 18 juin 1993 : *La poupée*, h/t (66x47) : **GBP 23 000** – Stockholm, 10-12 mai 1993 : *Intérieur avec un page et un chien*, h/t (133x97) : **SEK 33 000** – New York, 13 oct. 1993 : *Après l'école* 1881, h/t (64,8x89,5) : **USD 43 125** – Paris, 20 déc. 1993 : *Portrait de Suzanne Carrier de Belleuse enfant*, h/t (octogonale 40x37) : **FRF 16 000** – Paris, 27 jan. 1995 : *Mélodie*, bronze (H. 52) : **FRF 25 000** – Paris, 24 nov. 1996 : *Le Déjeuner des dentellières*, h/t (60x73) : **FRF 7 900**.

CARRIER-BELLEUSE Pierre
Né le 29 janvier 1851 à Paris. Mort en 1932 ou 1933. xixe-xxe siècles. Français.
Peintre de genre, figures, nus, portraits, pastelliste.
Il fut élève d'Alexandre Cabanel et du décorateur Pierre Victor Galland à l'École des Beaux-Arts de Paris. À partir de 1875, il exposa à Paris, régulièrement au Salon, 1887 mention honorable, 1889 pour l'Exposition Universelle médaille d'argent.
D'abord peintre à l'huile, il choisit d'emblée de traiter les sujets de genre : *Sous le feu des lorgnettes, Le dernier rendez-vous*. À partir de 1885, il travailla exclusivement au pastel, pour de nombreux portraits, tout en restant fidèle aux sujets de genre : *Le Pierrot, L'Arlequine, La Femme au chat*, etc. Le *Figaro illustré* a publié de lui de nombreux croquis de danseuses, thème prédominant dans son œuvre.

P. Carrier-Belleuse-

Musées : Dunkerque : *Danseuse attachant son soulier*, past. – Gray : *Sur la dune – Au soleil* – Mulhouse : *Le Bonnet d'âne –*

PARIS (Fonds mun.) : *Tendre aveu*, past. – LE PUY-EN-VELAY : *Fantaisie* – LA ROCHELLE : *Une danseuse* – VERSAILLES : *Le Miroir, étude de nu.*

VENTES PUBLIQUES : PARIS, 9 juin 1900 : *Le Repos des danseuses*, past. : **FRF 260** – PARIS, 4-5 juin 1903 : *Jeune femme Empire* : **FRF 710** – PARIS, 28 jan. 1922 : *Femme couchée lisant une lettre* : **FRF 115** – PARIS, 19 nov. 1924 : *Pierrot et Colombine* : **FRF 800** – PARIS, 7 fév. 1941 : *Jeune fille à la rose*, past. : **FRF 480** – PARIS, 22 jan. 1943 : *La Femme à la rose*, past. : **FRF 1 520** – PARIS, 10 déc. 1943 : *Pierrot et Pierrette*, past. : **FRF 3 300** – PARIS, 28 nov. 1949 : *Maternité* : **FRF 53 000** – NEW YORK, 25 avr. 1968 : *Confidences*, past. : **USD 275** – PARIS, 2 déc. 1976 : *Maternité*, h/t (132x97) : **FRF 3 700** – TOURS, 28 nov. 1977 : *Portrait de jeune femme*, past. (209x95) : **FRF 3 400** – NEUILLY-SUR-SEINE, 23 nov. 1978 : *Nu* 1906, h/t : **FRF 6 200** – NEW YORK, 2 mai 1979 : *Au théâtre* 1878, h/t (48,3x65) : **USD 7 500** – LONDRES, 21 juin 1979 : *Petite fille au manchon* 1894, past. (80x75) : **GBP 2 000** – ORLÉANS, 21 nov. 1981 : *Au foyer de la danse*, past. (116x71) : **FRF 13 000** – LONDRES, 22 juin 1983 : *En chemin de fer* 1879, h/t (52x91,5) : **GBP 5 000** – MONTE-CARLO, 8 déc. 1984 : *Élégante au carnet bleu* 1900, past. (72x48) : **FRF 27 800** – BORDEAUX, 14 fév. 1985 : *Scène de rue*, h/pan. (68x54) : **FRF 120 500** – LONDRES, 27 nov. 1986 : *Danseuse ajustant sa bretelle*, past. (101x52,5) : **GBP 3 900** – NEW YORK, 25 fév. 1988 : *Dans le compartiment* 1879, h/t (54x93,4) : **USD 13 200** – PARIS, 14 juin 1988 : *Scène galante* 1908, h/t (170x140) : **FRF 29 000** – LONDRES, 27 juin 1988 : *L'arlequin aux danseuses* 1876, past. (198x119,5) : **GBP 55 000** – CALAIS, 13 nov. 1988 : *La ballerine*, past. (61x73) : **FRF 10 000** – LONDRES, 17 mars 1989 : *Nu à la cape verte* 1899, past. (181x88) : **GBP 7 150** – NEW YORK, 24 oct. 1989 : *Danseuse* 1898, past./t. (116,2x60,3) : **USD 27 500** – LONDRES, 1ᵉʳ déc. 1989 : *Nu féminin assis de dos* 1897, past. (104x83) : **GBP 8 800** – NEW YORK, 19 juil. 1990 : *Ballerine assise*, past./pap. (52,7x43,9) : **USD 4 125** – LONDRES, 5 oct. 1990 : *Les danseuses* 1928, past./t. (116,9x75) : **GBP 6 820** – NEW YORK, 24 oct. 1990 : *La leçon de danse* 1914, h/t (116,9x88,9) : **USD 30 800** – PARIS, 10 déc. 1990 : *Danseurs de flamenco ; Ballerine* 1904, h/t, une paire (chaque 245x64) : **FRF 178 000** – NEW YORK, 17 oct. 1991 : *Danseuse* 1895, past./t./cart. (81,3x100,3) : **USD 14 850** – LONDRES, 20 mars 1992 : *Le papillon*, past./t. (95,5x52) : **USD 5 500** – LONDRES, 17 juin 1992 : *Nature morte de chrysanthèmes* 1886, h/t (63,5x80) : **GBP 7 700** – NEW YORK, 29 oct. 1992 : *Nu sous un parasol* 1890, past./t. (64,8x106,4) : **USD 55 000** – NEW YORK, 12 oct. 1993 : *Portrait de la Duchesse de G.* 1895, past./t. (168x120) : **USD 16 100** – MONTRÉAL, 23-24 nov. 1993 : *Deux femmes en promenade* 1901, past./t. de lin (81,2x57,1) : **CAD 12 500** – PARIS, 6 mai 1994 : *La lecture* 1891, past. (118x81,5) : **FRF 40 000** – NEW YORK, 12 oct. 1994 : *L'omnibus*, h/t (45,1x83,8) : **USD 25 300** – BOULOGNE-SUR-SEINE, 20 nov. 1994 : *Élégante à l'ombrelle*, past./pap./t. (116x58) : **FRF 11 400** – PARIS, 27 jan. 1995 : *Jeune Fille allongée* 1903, past. (76x90) : **FRF 32 000** – LONDRES, 14 juin 1995 : *Promenade sur la plage* 1898, past./t. (116x58,5) : **GBP 2 070** – NEW YORK, 23 mai 1996 : *Jeune Fille à la fenêtre* 1893, past. (71x85) : **USD 29 900** – PARIS, 26-27 nov. 1996 : *Danseuse : le salut* 1908, past., de forme ronde (diam. 46) : **FRF 5 000.**

CARRIER-BELLEUSE Victor Armand François

XVIIIᵉ siècle. Actif à Soissons. Français.

Peintre et aquarelliste.

Il fut le grand-père du sculpteur Albert Ernest Carrier-Belleuse. Le Musée de Soissons possède de lui une aquarelle.

CARRIERA Angela

Née en 1677. Morte après 1757. XVIIIᵉ siècle. Italienne.

Peintre.

Sœur de Rosalba Carriera. Elle épousa le peintre vénitien Antonio Pellegrini, avec qui elle résida surtout en Angleterre et en Allemagne.

CARRIERA Giovanna, dite Zuanita ou Naneta

Née en 1683 probablement à Venise. Morte en 1737. XVIIIᵉ siècle. Italienne.

Peintre de miniatures.

Giovanna fut la sœur de la Rosalba, qu'elle aida souvent dans ses pastels. Le Musée de l'Académie de Venise conserve son *Autoportrait* au pastel.

CARRIERA Rosalba

Née le 7 octobre 1675 à Venise. Morte le 15 avril 1757 à Venise. XVIIIᵉ siècle. Italienne.

Peintre de scènes de genre, portraits, pastelliste.

Son père, Andrea Carriera di Costantino, originaire de Chioggia, petite ville sur l'Adriatique, exerça quelque temps l'office de chancelier dans la petite ville de Gambarare. La Rosalba avait deux sœurs plus jeunes qu'elle, Giovanna et Angela. Angela épousa le peintre vénitien Antonio Pellegrini. Elle apprit à dessiner avec son père qui avait une certaine aptitude pour l'art. Tout le monde, du reste, était artiste dans la famille, rarement aux prises avec le besoin. La mère, la Signora Alba di Angela Foresti, s'était faite ouvrière en dentelles ; ce fut pour elle que Rosalba s'ingénia d'abord à composer et à peindre des modèles. Puis, quand surgit la mode du tabac à priser, quand l'usage des tabatières, avec leur décoration si variée, devint une nécessité de bonne compagnie, la courageuse jeune fille demanda des conseils à un Français, Jean Stève, établi à Venise, et peintre de miniatures fort estimé. Elle entrevit bientôt quelque chose de plus élevé que l'illustration des tabatières, et s'adonna à la miniature proprement dite, où elle fit preuve d'un véritable talent ; ce qui nous en est resté a toute la légéreté, toute la finesse des plus habiles miniaturistes du XVIIIᵉ siècle. C'est en 1698 que Rosalba commence à être connue à ce titre. Elle eut pour maîtres Antonio Lazzari, Diamantini, Antonio Balestra et Pietro Liberi. En 1703, elle offrait au comte Ferdinando Nicoli de Bologne, un pastel avec une tête de femme. 1705 est l'année de son entrée à l'Académie Saint-Luc, et son talent de portraitiste s'affirme au-delà de Venise. Elle peignit quelques toiles à l'huile, entre autres un portrait d'Auguste III, roi de Pologne, qui s'était pris d'une véritable passion pour le talent de l'artiste et joua un grand rôle dans sa carrière. Vers 1708, sur les conseils de l'Anglais Colle, elle se consacra définitivement au pastel, alors fort en vogue. Les transparences nacrées, les veloutés moelleux, les colorations ardentes, les gris argentés, masquaient avec une disposition tout inconnue l'insuffisance des compositions et du dessin de Rosalba. Elle connaissait la célébrité. L'année 1715 marque heureusement dans la vie de Rosalba : c'est celle où Pierre Crozat, l'opulent financier parisien faisait ce fameux voyage d'Italie et s'occupait de cette moisson de tableaux et de dessins de maîtres qui rendit son cabinet si célèbre. Il vit Rosalba à Venise, fut charmé de son talent et de son caractère, et ne voulut pas partir sans emporter de l'artiste la promesse de venir à Paris, promesse qui fut tenue en 1720. Rosalba quitta Venise, avec sa mère, ses deux sœurs, son beau-frère Pellegrini et leur ami Zanetti, le célèbre antiquaire. De son séjour dans la capitale du royaume de France, Rosalba a laissé un journal où sont rapportées ses moindres actions, jour par jour, heure par heure ; on y retrouve sa réception chez Pierre Crozat, ses visites, ses dîners chez Law, l'homme du système, les fêtes que son hôte donne pour elle, ses relations avec tous les artistes et amateurs du temps, Watteau échangea des œuvres avec elle, les portraits qu'elle peint et toutes les illustrations qui posent pour elle, sa réception à l'Académie Royale de peinture, en un mot l'engouement de tout Paris pour l'illustre Vénitienne ; puis on y retrouve son retour à Venise par Strasbourg et la Souabe, ainsi que tous les faits qui se rattachent à son inscription solennelle et définitive sur le registre des Membres de l'Académie, lorsque, selon l'usage, elle lui adresse son tableau de réception : *Une Muse qui porte une couronne de lauriers*, messagère chargée de couronner la noble compagnie qui l'avait si bien accueillie dans son sein, « la jugeant digne, écrit-elle, de présider à toutes les autres ». Revenue, en mai 1721, à son atelier de Venise, Rosalba continua à correspondre avec ses nombreux amis de Paris, Coypel entre autres. Toujours laborieuse, elle forme des élèves, dont la plus célèbre, Félicita Sartori, devait enthousiasmer l'Allemagne. Invitée par Rinaldo d'Este, elle se rend à Modène en 1723. Appelée à Vienne, en 1730, par l'empereur d'Allemagne Charles VI, qui désirait se faire peindre par le même crayon qui avait peint le roi de France Louis XV, elle parvint à l'apogée du succès, et l'impératrice régnante y mit le comble en voulant devenir son élève. En mai 1737, elle eut la douleur de perdre sa sœur, son aide, son amie Giovanna. L'année suivante, sa mère (son père était mort en 1721). En 1750, la pauvre femme, qui avait tant abusé de ses yeux, se trouva aveugle ; elle passa ses dernières années dans sa petite maison au quartier de Dorso-Duro. Plus influencée par son beau-frère G. A. Pellegrini que par ses premiers maîtres, elle parvient à une poésie dans les formes de rythme rococo. Ses couleurs sont délicates et légères, elles sont baignées d'une lumière uniforme. Elle sait surprendre les plus petits mouvements intérieurs de ses modèles.

MUSÉES : AIX : *Portrait de jeune fille* – *Portrait de femme*, past. – FLORENCE (Gal. Nat.) : *Rosalba Carriera peinte par elle-même* –

MILAN (Brera) : *Portrait d'homme* – MILAN (Ambrosiana) : *La Sculpture – La Peinture – La Musique – La Poésie, figures allégoriques* – NARBONNE : *Portrait de jeune femme* – VENISE (Gal. Nat.) : *deux portraits de dames – deux portraits d'enfants – Portrait de vieille – Rosalba Carriera peinte par elle-même – Portrait d'un noble – Portrait d'un jeune homme – Jeune femme – Jeune fille – Portrait d'un cardinal – Portrait d'un Monsignore – Amours battant un jeune homme* – VIENNE : *Portrait de Frédéric III*.

VENTES PUBLIQUES : PARIS, 1742 : *La Justice et la Paix* : **FRF 2 416** – PARIS, 1764 : *Les Quatre Saisons*, past. : **FRF 30 800** ; *Portrait de la Rosalba à un âge avancé*, past. : **FRF 300** – PARIS, 1775 : *Le Portrait de noble dame Foscari*, miniat. : **FRF 300** ; *Autre jolie femme avec des fleurs dans les cheveux*, miniat. : **FRF 360** ; *Diane négligemment appuyée, tenant de la main droite un arc*, miniat. : **FRF 600** ; *Portrait de la Rosalba à un âge avancé*, past. : **FRF 1 610** ; *Le buste d'une jolie Vénitienne*, past. : **FRF 800** ; *Trois Têtes de femmes* ; *Portrait d'une artiste vénitienne*, past. : **FRF 2 091** – PARIS, 1777 : *Buste d'une jeune Vénitienne*, past. : **FRF 300** ; *Buste de jeune homme*, past. : **FRF 572** ; *Deux Têtes de femme*, past. : **FRF 800** ; *Deux Têtes de femmes*, past. : **FRF 500** ; *Deux Têtes de jeunes femmes*, past. : **FRF 400** ; *Le Portrait de La Rosalba*, past. : **FRF 220** – PARIS, 1782 : *Portrait d'une Vénitienne*, miniat. : **FRF 72** – PARIS, 1843 : *Vénus enchaînant l'Amour*, miniature sur une tabatière : **FRF 539** – PARIS, 1864 : *Portrait de la comtesse Labia, dame vénitienne*, past. : **FRF 440** ; *Portraits d'Antonio Zanetti et de sa femme*, deux miniatures : **FRF 310** – PARIS, 1898 : *Jeune Fille à la colombe*, past. : **FRF 6 020** – PARIS, 1898 : *Portrait de femme*, past. : **FRF 435** – PARIS, 10 nov. 1898 : *La Beauté* ; *L'Amitié*, deux pastels : **FRF 800** – LONDRES, 1899 : *Portrait d'une dame musicienne*, miniat. : **FRF 4 575** – PARIS, 17 avr. 1899 : *Une chanteuse*, past. : **FRF 800** – PARIS, 1899 : *Portrait d'une jeune musicienne*, past. : **FRF 745** ; *Portrait de jeune femme*, past. : **FRF 860** – PARIS, 1899 : *Le Printemps* ; *L'Hiver*, past. : **FRF 2 650** ; *Deux Jeunes Femmes en buste*, past. : **FRF 555** – PARIS, 22 mai 1919 : *Buste de jeune femme*, past. : **FRF 4 600** – PARIS, 8-10 mai 1922 : *Portrait de jeune femme*, past. : **FRF 6 900** – PARIS, 6 déc. 1924 : *La Fillette à la colombe* ; *L'Enfant au tricorne*, deux pendants : **FRF 7 800** – PARIS, 22 mai 1925 : *Les Deux Poésies, allégories : la Paix et la Justice*, deux pastels formant pendants : **FRF 39 000** – PARIS, 8 juin 1925 : *Portrait présumé d'Isabella Fornari*, past. : **FRF 38 000** ; *Portrait d'homme*, past. : **FRF 38 000** – PARIS, 18 juin 1926 : *Portrait de jeune femme*, past. : **FRF 17 500** – LONDRES, 17 déc. 1926 : *L'Europe* ; *L'Asie* ; *L'Afrique* ; *L'Amérique*, quatre past. : **GBP 168** – LONDRES, 1ᵉʳ juil. 1927 : *Dame avec des fleurs dans les cheveux* : **GBP 50** – LONDRES, 28-29 juil. 1927 : *Actrice coupant une boucle de ses cheveux* : **GBP 26** – PARIS, 27 avr. 1928 : *Portrait de jeune femme retenant son écharpe de la main gauche*, past. : **FRF 2 100** – LONDRES, 17-18 mai 1928 : *Portrait de femme 1720*, past. : **GBP 84** – PARIS, 13-14-15 mai 1929 : *L'hiver* ; *L'Automne*, deux past. : **FRF 30 000** ; *Portrait d'une jeune femme*, past. : **FRF 5 300** – LONDRES, 21 mars 1930 : *Dame en veste de fourrure*, past. : **GBP 16** – LONDRES, 6 fév. 1931 : *Tête de femme* : **GBP 22** – LONDRES, 20 juil. 1932 : *Dame en bleu 1772*, dess. : **GBP 35** – LONDRES, 27 avr. 1934 : *Dame avec une corbeille de fleurs* : **GBP 38** – PARIS, 3 fév. 1943 : *Jeune fille à la colombe* : **FRF 7 600** – LONDRES, 18 nov. 1959 : *Portrait de Sir Thomas Twisden*, past. : **GBP 600** – LONDRES, 29 juin 1960 : *Portrait d'une jeune fille*, past. : **GBP 680** – LONDRES, 10 mai 1961 : *Portrait d'une dame à l'éventail, Béatrice d'Este, à Modène*, past. : **GBP 950** – MILAN, 15 mai 1962 : *Ritratto di Giovinetta*, past. : **ITL 1 900 000** – MILAN, 12 et 13 mars 1963 : *Portrait de la marquise Carolina Mantovani* : **ITL 2 600 000** – LONDRES, 25 mars 1965 : *Portrait of George, first Marquess Townshend*, past. : **GBP 1 300** – ZURICH, 21 oct. 1969 : *Portrait d'une dame de qualité*, past. : **CHF 18 500** – VERSAILLES, 13 mai 1970 : *Portrait de jeune femme*, past. : **FRF 42 000** – LONDRES, 4 juil. 1978 : *Portrait de Lord Sidney Beauclerk*, past./pap. bleu (54,2x41,2) : **GBP 11 000** – NEW YORK, 7 jan. 1981 : *Jeune femme au panier de fleur et fruit personnifiant le Printemps*, past. (62,8x50,2) : **USD 17 000** – NEW YORK, 21 jan. 1983 : *Allégorie de la Poésie*, past. (63x51) : **USD 5 250** – LONDRES, 13 déc. 1984 : *Portrait de jeune femme au perroquet*, past. (58x48) : **GBP 135 000** – PARIS, 24 juin 1985 : *Portrait de jeune femme en buste*, past. (56x44) : **FRF 128 000** – PARIS, 13 juin 1986 : *Jeune femme en Flore*, past. (60,5x46) – LONDRES, 6 juil. 1987 : *Portrait d'un gentilhomme*, past. (45,5x35) : **GBP 7 500** – PARIS, 4 mars 1992 : *Portrait d'homme à la veste rouge*, past. (48x38) : **FRF 82 000** – PARIS, 3 avr. 1992 : *Tête d'une petite fille*, past. (38x30,5) : **FRF 61 000** – NEW YORK, 11 jan. 1994 : *Portrait d'une jeune femme de buste avec*

des perles et un ruban bleu dans les cheveux, past. (35,1x28,2) : **USD 20 700** – ROME, 31 mai 1994 : *Portrait d'une jeune femme peintre*, past./pap. (37x30,5) : **ITL 18 856 000** – NEW YORK, 10 jan. 1995 : *Portrait de Anton Maria Zanetti*, past. (22,5x17,3) : **USD 51 750** – FOSSONA, 7-8 sep. 1996 : *Portrait de jeune femme*, past., de forme ovale (63,5x53) : **ITL 47 000 000** – PARIS, 11 mars 1997 : *La Paix et la Justice* ; *La Poésie et la Philosophie*, past., une paire (64x53) : **FFR 168 000** – NEW YORK, 29 jan. 1997 : *Personnification féminine de la Poésie ou de la Philosophie*, past./pap./t. (60,3x50,8) : **USD 34 500**.

CARRIÈRE Alphonse
Né en 1808 à Cambrai (Nord). XIXᵉ siècle. Français.
Peintre de scènes de genre, portraits, natures mortes.
Il étudia dans les ateliers de Ange Tissier et de Couture. Il débuta au Salon, en 1859, par une nature morte et y exposa à plusieurs reprises entre cette date et 1867.
MUSÉES : REIMS : *Portrait de R. Nanteuil 1881*.
VENTES PUBLIQUES : NEW YORK, 15 fév. 1994 : *Les Plaisirs du coin du feu*, h/t/pan. (43,2x36,5) : **USD 17 250**.

CARRIÈRE André
Né à Tarascon (Bouches-du-Rhône). XXᵉ siècle. Français.
Peintre.
De 1935 à 1939 a exposé aux Indépendants des Scènes de tauromachie.

CARRIÈRE Antoine François Joseph
Né en 1781 à Cambrai (Nord). Mort le 2 mars 1830 à Douai (Nord). XIXᵉ siècle. Français.
Peintre de miniatures.
Il était père d'Alphonse Carrière. Le Musée de Douai possède de lui une miniature.

CARRIÈRE Antoine Fulcrand
Né en 1804 à Saint-Affrique (Aveyron). Mort en 1856 à Agen (Lot-et-Garonne). XIXᵉ siècle. Français.
Lithographe.
Il fut élève d'Ingres. Il débuta au Salon en 1833. On lui doit, entre autres, une série de portraits des généraux de l'Empire.

CARRIÈRE Ernest
Né au XIXᵉ siècle à Paris. XIXᵉ siècle. Français.
Peintre et sculpteur.
Sociétaire des Artistes Français depuis 1888.

CARRIÈRE Eugène
Né en 1849 à Gournay (Seine-et-Marne). Mort en 1906 à Paris. XIXᵉ-XXᵉ siècles. Français.
Peintre de genre, figures, portraits, paysages, graveur, dessinateur.
À Strasbourg, où il passe sa jeunesse, il fréquente l'École municipale de dessin dès 1862 et à quinze ans son père le place comme apprenti lithographe. En 1869, Carrière part à Paris suivre une formation académique dans l'atelier de Cabanel, qu'il reprend après les événements de 1870-1871 jusqu'en 1876. Sa personnalité artistique se construit toutefois moins à travers une formation qu'il juge étriquée et coupée de la nature – source vitale de l'art – que par sa pratique du croquis pris sur le vif et sa découverte Rubens, Turner, Rembrandt, Franz Hals. Il échoue au prix de Rome en 1876 mais débute la même année au Salon, où il se fait remarquer en 1879 avec sa prometteuse *Jeune Mère*. Il s'affirme dans les années 1885, s'attire l'estime de critiques de renom d'obédiences variées – Roger Marx, Gustave Geffroy, Jean Dolent, Charles Morice et Albert Aurier, qui savent lire en profondeur la vision du monde de ce « peintre des maternités ». Tout en restant à l'écart de ces milieux, il noue de nombreuses relations dans les sphères cultivées, comme en témoignent notamment ses portraits d'Edmond de Goncourt, Alphonse Daudet, Verlaine (portrait qui fera date dans l'iconographie posthume du poète), Gabriel Séailles (qui sera son biographe), la famille Chausson, Gauguin, Puvis de Chavannes, Rodin... Généreux de nature, porteur d'idéaux humanistes, Carrière est par ailleurs un homme engagé socialement et politiquement (*Les Droits de l'Homme*, 1871 et affiche de l'*Aurore* en 1897, lithographies), Dreyfusard à l'instar de son ami de Clémenceau. Il agit en faveur de l'éducation artistique populaire avec *L'Enseignement de l'art par la vie*, publié en 1900 et conçoit à la fin des années 1880 un cycle consacré au Peuple de Paris, qui a donné en 1895 l'étonnant *Théâtre de Belleville* conservé au musée Rodin. Sa reconnaissance officielle survient en 1889 et lui amène des commandes de cycles décoratifs : Hôtel de Ville en 1889, Sorbonne en 1898, Mairie du XIIᵉ arrondissement en 1897. La

décennie 1890, dans laquelle il aborde avec force talent la lithographie artistique, est active et féconde. Il fonde en 1890 avec Rodin, Puvis de Chavannes et Bracquemont la Société Nationale des Beaux-Arts, ouvre une Académie libre de 1898 à 1903, où viennent entre autres Matisse et Derain, les futurs fauves du Salon d'Automne, Salon qu'il soutient à sa création et dont il est le premier Président.

Il expose régulièrement à la Société des Artistes Français puis à la Société Nationale des Beaux-Arts, à la Libre Esthétique de Bruxelles, aux Sécessions Vienne, Munich et Dresde, à plusieurs expositions universelles, au Salon d'Automne... Ses expositions personnelles débutent en 1891. En 1904 un banquet présidé par Rodin est organisé en son honneur par Bourdelle et Élie Faure. Le Musée d'Art Moderne et Contemporain de Strasbourg a organisé en 1996-1997 une rétrospective dont le catalogue resitue le peintre dans le contexte artistique et intellectuel de son époque ; au même moment, le musée de Saint-Cloud exposait un ensemble d'œuvres autour de son propre fonds Carrière (donation Oulmont).

Du réalisme intimiste de ses débuts à la facture monochrome, organique et vibrante de sa maturité, l'évolution stylistique de Carrière témoigne d'un effort continu d'expression de la « réalité seconde » du monde, du principe universel de la vie et de la généalogie des formes. Il rejoint ce faisant les préoccupations des Symbolistes, mais invente un langage pictural original qui n'a rien de l'élitisme de l'univers « décadent » ni de l'essence décorative de la ligne Art nouveau. Son ami Camille Mauclair formulait ainsi la spécificité de l'apport de Carrière au symbolisme pictural : « Il découvrait qu'aucune forme n'est en soi, mais n'existe que par réciprocité à d'autres (...), Carrière est arrivé ainsi à l'état d'âme d'un visionnaire du vrai, n'ayant aucun besoin de symboles et d'allégories, mais les découvrant dans un geste de la vie habituelle, et ne pensant, ne sentant presque que dans une forme synthétique ». Travaillant sur les valeurs d'ombre et de lumière d'une palette brune ou rousse, Carrière fait surgir les visages dans leurs expressions intimes, traduit l'élan fusionnel et la charge affective des gestes d'une touche fluide et enveloppante qui estompe les contours et les détails. L'espace semble naître de l'intériorité qui émane d'un sujet. Si Degas rejoint les détracteurs du peintre en l'épinglant comme il savait le faire : « un homme mal élevé qui fume sa pipe dans la chambre de l'enfant malade », les affinités esthétiques de Carrière avec les sculpteurs Rodin – un des ses grands amis (Rodin sculptant, lithographie, 1900) – et Médardo Rosso (autre artiste des scènes familiales, adepte du non finito) sont avérées et passionnantes. Carrière, par sa facture audacieuse qui frôle parfois l'abstraction (déformation de la ligne, grattages, absence de dessin préparatoire...), cherche l'archétype sous le particulier, l'expression des liens charnels et spirituels qui unissent les êtres, le flux à la fois instable et continu du psychisme et de la vie. Ainsi, jusque dans ses paysages comparés aux lignes du corps féminin, il cherche à mettre en évidence les rapports et les harmonies cachées des êtres et des choses. Toutes les facettes de son œuvre, dans ses techniques de prédilection, fusain, lithographie, huiles, comme dans les genres abordés, scènes d'intimité, portraits, têtes d'expression, paysages... cherchent à inscrire l'unité fondamentale du monde sur la toile. ■ Muriel Peissik

Beaux-Arts) : Nu féminin – étude de mains – Femme assise – Paysage aux arbres, Bretagne – DOUAI (Mus. de la Chartreuse) : Profil d'enfant – Mlle Turner – GENÈVE (Mus. d'Art et d'Histoire) : Jeunes filles regardant des poissons vers 1890-1895 – KURASHIKI (Ohara Mus. of Art) : Méditation vers 1890 – LONDRES (Tate Gal.) : Les Dévideuses 1887 – LYON (Mus. des Beaux-Arts) : Autoportrait 1889 – Portrait de Puvis de Chavannes – NANTES (Mus. des beaux-Arts) : Maternité – La Toilette – NEW-HAVEN (The Yale Univers. of Art Gal.) : Portrait de Paul Gauguin 1891 – NEW YORK (Met. Mus.) : La Première communiante vers 1896 – PARIS (BN, Cab. des Estampes) : nombreux portraits lithographiés – PARIS (Mus. Bourdelle) : Jeune fille dans un paysage – PARIS (Mus. Carnavalet) : Portrait d'Auguste Blanqui – Portrait d'Edmond de Goncourt – Portrait d'Anatole France – PARIS (Louvre) : nombreux dessins, études de têtes, de nu et paysages – PARIS (Mus. Marmottan) : La Coiffure – Le Baiser – Maternité au lit – Le Premier élan 1900 – PARIS (Mus. d'Orsay) : Le Baiser maternel – La Famille du peintre 1893 – Maternité – La Toilette 1885 – L'Enfant au verre 1885 – Intimité 1889 – Portrait de Paul Verlaine 1890 – Femme aux seins nus – La Nature 1896 – Christ en Croix 1897 – Jeanne d'Arc écoutant les voix 1899 – Place Clichy, la nuit 1899 – Gustave Geffroy 1900 – Portraits de Mme A. Devillez et son fils Louis-Henri Devillez 1905 – PARIS (Mus. du Petit Palais) : esquisses pour le décor des écoinçons du salon des Sciences de l'Hôtel de Ville de Paris, commande 1889 – Les Âges de la vie, esquisses et toiles inachevées pour la salle des mariages de la Mairie du XIIᵉ arrondissement de Paris 1897-1905 – PARIS (Mus. Rodin) : Théâtre populaire ou Le Théâtre de Belleville 1895 – Portrait d'Auguste Rodin 1896 – PARIS (Mus. Victor Hugo) Fantine abandonnée – PAU (Mus. des Beaux-Arts) : Portrait d'Alphonse Daudet – PONTOISE : Portrait de Paul Verlaine 1890, étude – POZNAN (Mus. Narodowe) : La Lecture 1890-1895 – PROVIDENCE (Mus. of Art) : Paysage de l'Orne vers 1901 – REIMS (Mus. des Beaux-Arts) : Portrait de Pol Neveu – SAINT-CLOUD (Mus. mun.) : Le Baiser du soir 1901 – Jean René Carrière dessinant – Hommage à Tolstoï 1901, lithographie – STRASBOURG (Mus. d'Art Mod. et Contemp.) : Les Droits de l'homme 1871, lithographie – Portrait de M. Gabriel Séailles et de sa fille 1893 – Vierge au pied de la Croix 1894-1897 – Le Sommeil 1897, lithographie – Méditation 1900 – Autoportrait vers 1901 – Portrait d'Henri Rochefort vers 1894 – TOULON (Mus. des Beaux-Arts) : Le Premier voile – TOULOUSE (Mus. des Augustins) : Tête d'homme du peuple – Portrait de Madame Auguste Bonheur – TROYES (Mus. d'Art Mod.) : Georges Clémenceau 1889 (?) – Scène de théâtre – VERSAILLES (Mus. Lambinet) : Venise, la Salute – Albert Samain sur son lit de mort 1900.

VENTES PUBLIQUES : PARIS, 1897 : L'Enfant malade : **FRF 3 800** – PARIS, 1899 : L'Enfant endormi : **FRF 2 320** – PARIS, 23 juin 1900 : Tendresse : **FRF 4 500** – PARIS, 3 mai 1902 : L'enfant au chien : **FRF 24 100** – PARIS, 27 nov. 1903 : Jeune mère allaitant son enfant : **FRF 3 200** – PARIS, 1906 : Tendresse maternelle : **FRF 4 000** – PARIS, 4 mai 1906 : Femme regardant : **FRF 5 500** – PARIS, 4 mars 1907 : Buste de femme : **FRF 1 800** ; Portrait de Mme Carrière : **FRF 7 300** – PARIS, 13-14 mars 1919 : Portrait du peintre : **FRF 32 500** ; Lisbeth : **FRF 16 500** ; Gourmandise : **FRF 13 000** – PARIS, 2 et 3 fév. 1920 : Femme en corset 1897 : **FRF 7 100** ; Pour le dîner de la Paix 1995 : **FRF 9 200** ; Maternité 1902 : **FRF 4 600** ; Maternité 1901 : **FRF 6 000** ; Portrait du père de Madame Carrière 1883 : **FRF 36 000** ; Portrait de Mlle Lucienne Bréval 1904 : **FRF 4 500** ; Femme nue couchée 1894 : **FRF 6 300** ; Maternité 1886 : **FRF 90 000** ; Portrait de Madame Carrière 1900 : **FRF 12 000** ; Portrait de Mlle Marguerite Carrière 1898 : **FRF 22 000** – PARIS, 7 juil. 1921 : Le jeune violoniste : **FRF 13 500** – PARIS, 21 fév. 1923 : M. Carrière père et sa petite-fille 1881 : **FRF 28 000** ; Madame Eugène Carrière au médaillon : **FRF 18 000** ; Christ en croix : **FRF 25 000** ; La Lecture : **FRF 21 500** – LONDRES, 1ᵉʳ juin 1923 : Le baiser du soir : **GBP 472** – PARIS, 11-12 fév. 1924 : Femme dormant : **FRF 10 000** – PARIS, 30 mai 1924 : Portrait de Madame Thurner, artiste peintre : **FRF 6 200** – PARIS, 11 juin 1924 : Bébé tenant une prune, dess. gché : **FRF 1 500** ; La Bohémienne : **FRF 14 100** ; L'Enfant au nœud bleu (René Carrière) : **FRF 20 100** ; Femme se peignant : **FRF 17 000** ; Le Sommeil : **FRF 61 000** ; Mère et enfant : **FRF 11 200** – PARIS, 17-18 nov. 1924 : Tête de fillette : **FRF 8 800** ; Maternité : **FRF 11 500** – PARIS, 28 nov. 1924 : Portrait de Mme Carrière et de son fils : **FRF 27 600** – PARIS, 23 avr. 1925 : Maternité : **FRF 16 500** ; Marguerite : **FRF 21 000** ; Méditation : **FRF 19 800** – PARIS, 11 déc. 1925 : Jeune femme appuyée sur sa main : Mme Eugène Carrière : **FRF 8 200** ; La Communiante : **FRF 6 200** – PARIS, 21 déc. 1925 : Jeune Femme : **FRF 2 500** –

Cachet de vente

MUSÉES : AVIGNON (Mus. Calvet) : La Jeune mère 1870 – BOSTON (Mus. of Fine Arts) : Portrait de Verlaine – BRUXELLES : L'amour maternel – CHARLEVILLE-MÉZIÈRE (Mus. Arthur Rimbaud) : Maternité 1892 – CHICAGO (Art Inst.) : Portrait de Marcel Lacarrière 1886 – CLERMONT-FERRAND : Méditation vers 1900 – CLEVELAND (Cleveland Inst. of Art) : Le Contemplateur 1901 – DIJON (Mus. des

Paris, 24 fév. 1925 : *Rodin* : **FRF 750** – Paris, 1er mars 1926 : *Les joies maternelles* : **FRF 19 900** – Paris, 20 mars 1926 : *Mère allaitant son enfant*, fusain : **FRF 1 020** ; *Profil d'enfant* : **FRF 3 300** ; *Fillette endormie* : **FRF 4 700** ; *Portrait d'homme* : **FRF 6 000** ; *Tête de jeune homme appuyée sur sa main* 1901 : **FRF 4 500** ; *Portrait de Mme Eugène Carrière* 1900 : **FRF 5 200** ; *Portrait de jeune garçon* : **FRF 7 200** ; *Tête de jeune fille* 1890 : **FRF 4 700** ; *Une mère et ses enfants* 1902 : **FRF 7 500** ; *Scène maternelle, l'enfant à la pomme* 1902 : **FRF 3 000** ; *Joies maternelles* 1901 : **FRF 4 600** – Paris, 19 mai 1926 : *Portrait de femme* : **FRF 3 650** – Paris, 12 juin 1926 : *Marguerite* : **FRF 4 000** – Paris, 18 juin 1926 : *Étude de femme* : **FRF 7 200** – Paris, 27 avr. 1927 : *Esquisse du portrait de Mr. Séailles et de sa fille* : **FRF 5 200** ; *Jeune fille souriante* : **FRF 5 500** ; *Femme vue de dos* : **FRF 9 300** – Londres, 29 avr. 1927 : *Une jeune alsacienne* 1885 : **GBP 210** – Paris, 9 juin 1927 : *Jeune femme* : **FRF 8 600** ; *Maternité* : **FRF 29 000** ; *La Coiffure* : **FRF 10 000** – Paris, 17-18 juin 1927 : *Portrait du docteur X* : **FRF 4 100** – Paris, 3 déc. 1927 : *Maternité* : **FRF 34 000** – Paris, 23 juin 1928 : *Jeune fille avec un ruban dans les cheveux* : **FRF 14 500** – Paris, 3-4 juin 1929 : *Tête de jeune fille* : **FRF 18 500** ; *Portrait de Marguerite Carrière* : **FRF 8 500** ; *Maternité* : **FRF 6 300** – Londres, 16 mai 1930 : *Maternité* : **GBP 14** – Paris, 17 mai 1930 : *Le modèle* : **FRF 8 100** ; *La Communiante* : **FRF 7 100** – Paris, 22 nov. 1930 : *Fillette au chien* : **FRF 13 600** – Paris, 15 déc. 1932 : *L'enfant à l'assiette* : **FRF 30 100** ; *Portrait de Lise Carrière* : **FRF 34 100** – Paris, 24 nov. 1941 : *Portrait de Mme K.* : **FRF 12 000** – Paris, 15 déc. 1941 : *Méditation* : **FRF 17 000** ; *Maternité* : **FRF 13 000** ; *Tendresse maternelle* : **FRF 35 000** – Paris, 22 déc. 1941 : *Portrait de Mme Carrière* : **FRF 18 100** ; *Portrait de Mlle Séailles* : **FRF 17 800** – Paris, 17 déc. 1942 : *Femme nue, vue de dos* : **FRF 10 000** – Paris, 21 déc. 1942 : *Portrait de femme* : **FRF 16 000** – Paris, 23 déc. 1942 : *Maternité* : **FRF 20 000** – Paris, 11 déc. 1943 : *Portrait de Mlle Nelly Carrière* : **FRF 60 000** – New York, 16 mars 1944 : *Portrait de l'artiste* 1884 : **USD 300** – New York, 4 mai 1944 : *Pot de confiture* : **USD 400** – Paris, 8 mai 1944 : *Maternité* : **FRF 4 700** – Paris, 20 juin 1951 : *Jeune fille se coiffant ou Lisbeth* : **FRF 88 000** – Paris, 22 mars 1955 : *Baiser du soir* : **FRF 180 000** – Paris, 2 juin 1960 : *Portrait d'homme* : **FRF 1 050** – Paris, 29 mars 1962 : *Tête d'enfant*, t/car. : **FRF 3 000** – Paris, 21 mars 1963 : *Enfant jouant* : **FRF 4 200** – Paris, 3 déc. 1964 : *Baiser du soir* : **FRF 11 500** – Paris, 6 juin 1967 : *Portrait du fils de l'artiste* : **FRF 9 000** – New York, 27 nov. 1968 : *Portrait de la femme de l'artiste* : **USD 1 200** – Paris, 22 juin 1970 : *L'amateur d'estampes* : **FRF 17 100** – Paris, 4 déc. 1972 : *Maternité* : **FRF 75 000** – Versailles, 14 mars 1976 : *Tête de Pierrot*, h/t (40,5x33) : **FRF 7 800** – New York, 7 oct. 1977 : *Tête de femme*, h/t (41x33) : **USD 2 300** – Londres, 3 avr. 1979 : *Monsieur et Madame Roger Marx dans leur salon* vers 1887-1889, h/t (49,7x64) : **GBP 8 000** – Paris, 29 avr. 1981 : *Jeune femme au kimono*, fusain. (43x35) : **FRF 14 000** – Paris, 22 juin 1983 : *Jeune femme*, fus. reh. de craie (31x23,5) : **FRF 6 000** – Paris, 29 juin 1983 : *Auguste Rodin*, litho. : **FRF 6 500** – Paris, 6 déc. 1984 : *La bergère et ses moutons*, h/t (60x73) : **FRF 13 000** – Paris, 26 juin 1986 : *Jeune mère*, h/t (66x55) : **FRF 65 000** – Paris, 8 déc. 1987 : *Portrait de femme*, h/t (41,5x33,5) : **FRF 12 000** – Paris, 23 mars 1988 : *Portrait d'homme et de sa fille* (130x97) : **FRF 88 000** – Paris, 13 avr. 1988 : *La préparation du repas*, h/pan. (41x32) : **FRF 10 200** – Paris, 17 juin 1988 : *Paysage tourmenté*, h/t (28x38) : **FRF 17 500** – Paris, 23 juin 1988 : *Mère et enfant*, fus. au estompe (18,5x25) : **FRF 9 000** – Paris, 24 juin 1988 : *Portrait de femme*, h/t (55x46,5) : **FRF 17 000** – Paris, 12 fév. 1989 : *Mère et enfant*, h/t (40x32) : **FRF 30 000** – Londres, 21 fév. 1989 : *Tête de jeune fille*, h/t/cart. (29,3x25,4) : **GBP 7 150** – Paris, 22 mars 1989 : *Tendresse maternelle*, lav. d'encre brune (17x25) : **FRF 24 000** – Paris, 12 avr. 1989 : *La lettre*, h/t (82x66) : **FRF 355 000** – Paris, 21 nov. 1989 : *Portrait de Marie, sœur de l'artiste*, h/t (41x33) : **FRF 23 000** – Paris, 23 nov. 1989 : *Maternité*, h/t (27x35) : **FRF 93 000** – Paris, 13 déc. 1989 : *Visage de femme et mains*, peint./cart. camaïeu en vert (17,5x9) : **FRF 5 500** – Copenhague, 25-26 avr. 1990 : *Portrait de jeune fille*, h/t (20x16) : **DKK 12 000** – Amsterdam, 2 mai 1990 : *Portrait d'une dame et d'une fillette*, h/t (35,4x45) : **NLG 9 775** – New York, 3 mai 1990 : *Les arbres*, h/t (48,3x40) : **USD 8 800** – Paris, 13 juin 1990 : *Maternité*, h/t (41x33) : **FRF 140 000** – New York, 23 oct. 1990 : *Portrait de la femme de l'artiste*, h/t (40,6x33) : **USD 16 500** – New York, 26 oct. 1990 : *Intérieur avec une femme cousant*, h/cart. (32,1x34) : **USD 31 900** – Paris, 27 oct. 1990 : *L'attente mystique*, h/t (38x46) : **FRF 108 000** – Paris, 20 nov.

1990 : *Les âges de la vie*, h/t (250x75) : **FRF 399 000** – New York, 28 fév. 1991 : *La conversation*, h/t (41,3x33) : **USD 17 600** – Paris, 25 mars 1991 : *La leçon*, h/t (25x33) : **FRF 68 000** – Londres, 21 juin 1991 : *Portrait de femme en manteau rouge*, h/pan. (27x19) : **GBP 6 600** – Paris, 25 juin 1991 : *Le sculpteur et son modèle*, h/t (65x54) : **FRF 100 000** – Neuilly, 20 mai 1992 : *Portrait de femme*, h/t (35x27) : **FRF 30 000** – Paris, 19 juin 1992 : *Mère et enfant*, h/t (41x34) : **FRF 62 000** – Londres, 28 oct. 1992 : *Jeune femme nue se coiffant*, h/t (42x32,5) : **GBP 3 080** – Paris, 15 fév. 1993 : *L'enfant au berceau*, fus. (19,5x50) : **FRF 4 000** – Paris, 29 mars 1993 : *Nelly au berceau* 1904, h/t (40x32) : **FRF 37 000** – Londres, 30 nov. 1993 : *Vase de fleurs*, h/t (40x32) : **GBP 6 900** – Paris, 3 juin 1994 : *Paul Verlaine* 1896, litho. (52,3x41) : **FRF 12 000** – Paris, 14 juin 1994 : *Le baiser des enfants*, h/t (24,5x33,3) : **FRF 170 000** – Paris, 30 mars 1995 : *Jeune Enfant* 1884, h/t (39,5x24,5) : **FRF 50 000** – New York, 17 jan. 1996 : *Maternité*, h/t (38,4x46,4) : **USD 6 900** – New York, 23-24 mai 1996 : *La Femme de l'artiste et sa fille*, h/t (72,1x58,7) : **USD 20 700** – Paris, 22 nov. 1996 : *Profil de femme* 1886, h/cart. (26x17) : **FRF 8 000** – New York, 13-14 mai 1997 : *Famille (Madame Carrière, Élise et Léon)* vers 1893, h/t (105,5x94) : **USD 34 500** – Paris, 10 juin 1997 : *Nelly Carrière* 1895, litho. (46,7x35,8) : **FRF 8 000** – Cannes, 8 août 1997 : *Trois jeunes filles en train de lire*, h/t (64,8x91,5) : **FRF 70 000** – Paris, 19 oct. 1997 : *Le Baiser du soir*, h/t (46x36) : **FRF 30 000**.

CARRIÈRE Jean René

Né en 1887. Mort le 15 juin 1982 à Paris. XXe siècle. Français.
Sculpteur et dessinateur.
Fils du peintre Eugène Carrière. Il a exposé au Salon de la Société Nationale des Beaux-Arts, dont il est associé en 1909. À partir de 1912, il a participé au Salon d'Automne, dont il est devenu sociétaire et, à partir de 1927, au Salon des Tuileries.
Il a surtout exécuté des monuments, des nus et des bustes.

CARRIÈRE Lisbeth. Voir DELVOLVÉ-CARRIÈRE

CARRIÈRE Lucy

Née à Saint-Jean-le-Thomas (Manche). XIXe-XXe siècles. Française.
Peintre.
Sociétaire du Salon d'Automne, elle exposa aussi à la Nationale.

CARRIÈRE Marie Louise

Née à Pontoise (Oise). XXe siècle. Française.
Peintre.
Elle fut sociétaire du Salon des Artistes Français de Paris.

CARRIÈRE René

Né le 3 août 1935 à Pont-à-Celles. XXe siècle. Belge.
Peintre de marines, paysages, peintre à la gouache.
Autodidacte, il ne put se consacrer à la peinture qu'à partir de 1981. Il participe à de très nombreuses expositions collectives régionales.
Navigateur expérimenté, il peint sur place les paysages côtiers de la Belgique, de la France, comme les plus lointains. À l'occasion de ces marines, il peint avec minutie les barques et embarcations diverses ancrées dans les ports. Depuis 1988, il consacre une part importante de son activité à la représentation fidèle, quasi photographique, d'automobiles anciennes, ce qui lui vaut une réputation toute spéciale.

CARRIÈRE Thérèse

Née à Paris. XXe siècle. Française.
Peintre.
A exposé un paysage au Salon d'Automne en 1921.

CARRIÈS Jean Joseph Marie ou Cariès

Né le 15 février 1855 à Lyon (Rhône). Mort le 1er juillet 1894 à Paris. XIXe siècle. Français.
Sculpteur de figures, bustes, céramiste.
On a de lui une série de bustes très remarquables, parmi lesquels ceux de Franz Hals, Louise Labé, Auguste Vacquerie, Jules Breton. Il a également réalisé une porte monumentale destinée au Musée des Arts Décoratifs, à Paris.
Musées : Berlin : *Masque* – Lyon : *L'homme casqué* – *L'homme au grand chapeau* – *L'homme coiffé d'une toque* – Paris (Mus. du Petit Palais) : *fragments de la porte monumentale du Musée des Arts Décoratifs*.

Ventes publiques : Paris, 21 jan. 1898 : *Tête d'homme*, aquar. : **FRF 165** – Paris, 26 nov. 1976 : *La novice*, grès émaillé blanc et marron (H. 45) : **FRF 4 800** – Paris, 17 déc. 1980 : *Gnome au crapaud*, grès, émail (H. 32) : **FRF 50 000** – Paris, 28 nov. 1984 : *Tête de faune* 1883, bronze, patine brune (H. 34,5) : **FRF 95 000** –

PARIS, 4 déc. 1986 : *Le gentilhomme français, dit aussi Le Callot,* bronze, patine brun et vert (H. 34) : **FRF 46 000** – PARIS, 4 déc. 1987 : *La novice,* sculpt. en grès (H. 45) : **FRF 8 000** – PARIS, 16 déc. 1988 : *La novice,* plâtre à patine brune (68,5x21,5x18,5) : **FRF 5 000** – PARIS, 19 mai 1992 : *Grand vase à col étranglé,* grès (H. 24,5) : **FRF 9 000** – PARIS, 23 mars 1994 : *Buste d'enfant,* plâtre original (H. 30, l. 23,5) : **FRF 8 000** – PARIS, 20 déc. 1995 : *Tête d'enfant,* plâtre (H. 26) : **FRF 4 000** – NEW YORK, 8 mai 1996 : *Théière en terre* (H. 16,5) : **USD 4 830.**

CARRILERO GUTIÉRREZ Julio
Né en 1865 à Madrid. Mort en 1939 à Albacete. XIXe-XXe siècles. Espagnol.
Peintre de paysages, de genre et de portraits.
Après des études à l'École San Carlos de Valence, il enseigna le dessin, dès 1899, à Albacete. Il fut membre honoraire de l'Exposition Universelle de Barcelone en 1899, et participa à plusieurs autres expositions. Il fit également des projets d'architecture.

CARRILLO Eduardo
Né en Espagne. XXe siècle. Espagnol.
Peintre de paysages.

CARRILLO Juan
XVIe siècle. Actif à Séville en 1513. Espagnol.
Peintre.

CARRILLO JIMÉNEZ José
Né à Lorca (province de Murcie). XIXe siècle. Espagnol.
Peintre.
Élève de l'École de peinture de Madrid et de Salvador Zamora. Il exposa à Madrid en 1871 : *Paisaje de Lorca* et *Baile en el teatro de la Alhambra (Madrid).*

CARRINGTON Dora
Née en 1893. Morte en 1932. XXe siècle. Britannique.
Peintre de figures, portraits, fleurs, aquarelliste.
Un film, en 1995 titré de son nom *Carrington,* attira l'attention du public sur son personnage romanesque. Bien que tout, notamment leur différence d'âges et leurs pulsions amoureuses réciproquement contradictoires, les opposât, l'écrivain Lytton Strachey et elle-même se marièrent et vécurent une passion impossible.
Peintre de figures, elle recherchait les modèles typiques. Peintre de natures mortes, elle affectionnait les fleurs.
VENTES PUBLIQUES : LONDRES, 10 juin 1981 : *Une Espagnole,* h/pap. métallisé (30x25) : **GBP 500** – LONDRES, 25 mai 1983 : *Vase de fleurs,* h/t (49,5x39,5) : **GBP 2 200** – LONDRES, 14 mai 1985 : *Bégonias,* h/t (67,5x49) : **GBP 2 500** – LONDRES, 7 mars 1986 : *Portrait de Stephen Tomlin* vers 1926, h/t (38x33) : **GBP 1 800** – LONDRES, 21 sep. 1989 : *Nature morte avec différentes fleurs,* aquar. et cr. (49,4x35) : **GBP 3 080** – LONDRES, 10 nov. 1989 : *Le Cocher,* aquar. et cr. (22,9x29,3) : **GBP 3 080** – LONDRES, 7 mars 1991 : *Tulipes dans un pichet de faïence du Staffordshire,* h/t (71x66) : **GBP 25 300.**

CARRINGTON E.
XIXe siècle. Britannique.
Peintre.
Il exposa de 1871 à 1873 à la Royal Academy, à Londres.

CARRINGTON James Yates
Né en 1857. Mort en 1892. XIXe siècle. Britannique.
Peintre de scènes de genre, animaux, paysages.
Il exposa de 1881 à 1891 à la Royal Academy, à Suffolk Street, à la Grafton Gallery, à Londres.
VENTES PUBLIQUES : LONDRES, 12 mai 1993 : *Le dernier cri* 1885, h/t (40,5x51) : **GBP 621** – NEW YORK, 1er nov. 1995 : *Ami ou ennemi ?,* h/t (101,6x76,2) : **USD 11 500.**

CARRINGTON Léonora
Née en 1917 à Clayton Green (Lancashire). XXe siècle. Active au Mexique. Britannique.
Peintre. Surréaliste.
Inscrite à l'Académie privée de Londres, elle y fut élève du peintre et esthéticien français Amédée Ozenfant. À la suite de sa rencontre avec les surréalistes, et notamment avec Max Ernst en 1937, elle s'est définitivement orientée vers un art surréaliste, d'abord en peinture, mais aussi en littérature. Elle écrivit des contes fantastiques, dont *La Dame ovale* 1939, *Une chemise de nuit de flanelle* 1948. Elle a travaillé tour à tour à Paris, Lisbonne, New York et Mexico. Lorsqu'elle était réfugiée en Espagne au début de la guerre, elle subit un choc nerveux qui lui valut un séjour en clinique psychiatrique, à la suite duquel elle écrivit son

expérience bouleversante dans *En bas,* publié en 1944. Elle s'installa au Mexique à partir de 1943.
Elle figure à des expositions collectives, dont celles en particulier qui présentent le surréalisme. Elle montre ses œuvres dans des expositions personnelles, parmi lesquelles : 1976, Centre pour les Relations interaméricaines, New York, puis à Austin ; 1991, *Leonora Carrington, Paintings, Drawings and Sculptures : 1940-1990,* Serpentine Gallery, Londres ; 1991, *Leonora Carrington, The Mexican Years,* Mexican Museum, San Francisco.
Son enfance dans le Lancashire fut bercée par les légendes du pays celte et ses rites. Ces rituels, touchant aux phénomènes surnaturels, avaient lieu pendant des moments de transition : demi-jour, demi-saisons. Ils figuraient souvent la transformation de déesses à corps de femmes en animaux. Ce sont ces moments flous et ces évènements magiques qu'on retrouve dans la peinture de Léonora Carrington qui bien sûr peut faire songer à l'univers équivoque de Léonor Fini et à Stanislao Lepri. Parmi ses peintures, on cite *À l'auberge du Cheval d'aube* 1940, *L'heure de l'Angélus* 1949, *Lepidoptherus* 1969, qui évoquent des scènes fantasmagoriques. *L'heure de l'Angélus* de 1949, une de ses œuvres maîtresses, est directement inspirée de son enfance dans un couvent. À la tombée de la nuit, dans une lumière jaunâtre, plusieurs jeunes filles, dans une cour close sur leur pureté virginale, jouent apparemment innocemment, tandis qu'hors les murs les guettent des menaces diverses, mais dans cette scène multiple resurgie de l'inconscient, le moindre détail est porteur de symbole, et le décryptage de l'ensemble reste aléatoire. Léonora Carrington est restée liée au surréalisme, dont elle a attendu un élargissement de sa vision jusqu'à une perception plus aiguë du surnaturel. ■ M. M., J. B.

BIBLIOGR. : R. Passeron, in : *Encyclopédie du Surréalisme* Phaïdon, Phaïdon Press Ltd, Oxford, 1978 – U.M. Schneede, in : *Surréalisme : le mouvement et les maîtres,* Ed. Harry Abrams, New York, 1973.
VENTES PUBLIQUES : NEW YORK, 17 déc. 1968 : *Samain :* **USD 3 000** – NEW YORK, 17 oct. 1979 : *Ethique professionnelle* 1955, h/t (40x45,4) : **USD 16 000** – NEW YORK, 6 nov. 1979 : *Mariposa* vers 1955-1956, marionnette en bois dans sa boîte : **USD 6 000** – NEW YORK, 9 mai 1980 : *Les Bum Boys de Banbury* 1960, h/t (59,7x49,9) : **USD 15 500** – NEW YORK, 7 mai 1981 : *Paysage fantastique* 1946, h/pan. (30,2x60) : **USD 29 000** – NEW YORK, 9 juin 1982 : *Mistica Trilobicasauria* 1961, h/t (42x82) : **USD 13 000** – PARIS, 8 nov. 1982 : *Démon et oiseau vert,* aquar. et pl., de forme ovale irrégulière (37,5x22,3) : **FRF 6 000** – NEW YORK, 12 mars 1983 : *Personnage portant une nature morte,* gche et cr. blanc/cart. noir (33,3x55,5) : **USD 4 000** – NEW YORK, 29 nov. 1983 : *Chrysopeïa,* encre brune et cr./pap. (34,5x25,5) : **USD 750** – NEW YORK, 31 mai 1984 : *Vendredi 13* 1965, h/t (60x90) : **USD 20 000** – NEW YORK, 28-30 mai 1985 : *Professional ethics* 1955, h/t (40x45,4) : **USD 28 000** ; *La sorcière magique* 1975, gche/parchemin (122x81,3) : **USD 18 000** – NEW YORK, 25 nov. 1986 : *Figures fantastiques à cheval* 1952, temp./pan. (30,5x72,4) : **USD 23 000** – NEW YORK, 19 mai 1987 : *Je suis la reine de toutes les ruches* 1950, h/pan. (78x47,5) : **USD 45 000** – NEW YORK, 18 nov. 1987 : *Scène avec nature morte et personnages,* aquar., gche, feuille d'or et peint. argent/pap. (38x50,5) : **USD 12 000** – NEW YORK, 17 mai 1988 : *Sans titre,* h/t (44,5x48) : **USD 20 900** – NEW YORK, 6 oct. 1988 : *Mardi* 1946, h/cart. (55x84,5) : **USD 132 000** ; *Le char du silence* 1946, gche (33x46) : **USD 9 350** ; *El grito* 1951, h/cart. (39,5x87,5) : **USD 35 200** – NEW YORK, 21 nov. 1988 : *La vertu de certains oiseaux* 1960, h/t (70,8x50,5) : **USD 17 600** – NEW YORK, 17 mai 1989 : *Chevaux* 1970, h/rés. synth. (35x31) : **USD 18 700** – NEW YORK, 21 nov. 1989 : *Paysage de Vénus* 1954, temp./pan. (80,7x91,5) : **USD 33 000** – LONDRES, 29 nov. 1989 : *Le spectre,* aquar./pap. (29,3x22,9) : **GBP 4 400** – NEW YORK, 1er mai 1990 : *Le carrosse de l'escargot,* caséine/rés. synth. (39x71) : **USD 49 500** – NEW YORK, 2 mai 1990 : *Alchimia Avium* 1963, temp./rés. synth. (87,6x24,1) : **USD 88 000** – LONDRES, 26 juin 1990 : *Les éléments* 1946, h/pan. (35,5x99,7) : **GBP 41 800** – NEW YORK, 19-20 nov. 1990 : *Le joker* 1969, aquar. et encre/pap. (29,8x22,6) : **USD 6 875** ; *Le chien tacheté ou Le puits aux devineresses* 1967, h/t (60,5x81,3) : **USD 41 800** – NEW YORK, 15-16 mai 1991 : *L'heure de l'Angelus* 1949, temp./pan. (61x92) : **USD 110 000** – NEW YORK, 19 nov.

1991 : Le jugement d'Owain, h/t (100x80) : **USD 88 000** ; *Personnage à cheval*, gche et encre/pap. (32x23) : **USD 17 600** – LONDRES, 25 mars 1992 : *Les chats*, h/pan. (46x38) : **GBP 41 800** – NEW YORK, 18-19 mai 1992 : *La Tentation de saint Antoine* 1947, h/t (120,5x89) : **USD 440 000** – NEW YORK, 23 nov. 1992 : *Le bain* 1957, h/t (65,4x112,4) : **USD 170 500** – NEW YORK, 24 nov. 1992 : *La sombre nuit d'Aranoë* 1976, h/t (119,5x60) : **USD 143 000** – NEW YORK, 18 mai 1993 : *Le temple du monde* 1954, h. et feuille d'or/t. (100x80) : **USD 365 500** – NEW YORK, 22-23 nov. 1993 : *La jument* 1959, h/t (50,2x100,3) : **USD 189 500** – LONDRES, 1er déc. 1993 : *Le jugement de Voronoff* 1962, h/pan. (81x62) : **GBP 51 000** – NEW YORK, 17 mai 1994 : *Le grand adieu* 1958, h/t (50,5x100,3) : **USD 244 500** – PARIS, 26 mars 1995 : *Violoniste*, mine de pb (26x19) : **FRF 4 500** – NEW YORK, 18 mai 1995 : *Badger rencontre les enfants de chœur* 1987, aquar. et cr./pap. d'Arches (56,7x76) : **USD 16 100** – NEW YORK, 21 nov. 1995 : *Mama Aos* 1959, h/t (59,7x80,6) : **USD 85 000** – NEW YORK, 14-15 mai 1996 : *L'Élevage de chiens de Monkton Priory*, détrempe à l'œuf/gesso (60x90,8) : **USD 178 500** – NEW YORK, 15 mai 1996 : *Coucou !* 1961, h/t (100x80) : **USD 101 500** – NEW YORK, 25-26 nov. 1996 : *Sans titre* vers 1950, temp. œuf/masonite gesso (26x14,3) : **USD 9 775** – NEW YORK, 28 mai 1997 : *Il y a un homme dans le Jardin des Roses* 1948, h/pan. (44,2x91,2) : **USD 79 500** – NEW YORK, 29-30 mai 1997 : *Sans titre* 1956, temp. œuf/pan. (33,3x38,1) : **USD 29 900** – NEW YORK, 24-25 nov. 1997 : *Mama Aos*, h/t (50,5x40,3) : **USD 31 050**.

CARRINGTON Louis
XIXe siècle. Britannique.
Paysagiste.
Il exposa de 1874 à 1888 à Suffolk Street et à la New Water-Colours Society, à Londres.

CARRINGTON Patty, Mrs
XIXe siècle. Britannique.
Peintre de fleurs.
Elle exposa à la New Water-Colours Society, à Londres, de 1883 à 1887.

CARRINO Nicola
Né en 1932 à Tarente. XXe siècle. Italien.
Peintre et sculpteur.
Après avoir fréquenté une école d'ingénieurs, il commence des études artistiques à Rome. Sa première exposition personnelle date de 1952, elle est suivie de beaucoup d'autres à Rome, Milan, Tarente, Naples et dans les grandes villes italiennes. Ses premières expériences figuratives montrent toutefois un intérêt pour les courants gestuels, particulièrement dans l'usage de la couleur. En 1959, il piège des matériaux divers et des objets trouvés, et en 1962, il réalise ses premières sculptures en polystyrène expansé et participe aux recherches platiques du « Groupe I ».
VENTES PUBLIQUES : MILAN, 15 juin 1976 : *Construction 3/74*, acier inoxydable (16x16x16) : **ITL 65 000** – ROME, 25 nov. 1986 : *Construction verticale* 1969, fer verni bleu (H. 280) : **ITL 8 500 000** – MILAN, 13 juin 1990 : *Structure* 1969, acier satiné (51x17x17) : **ITL 2 400 000**.

CARRIO Y DUENAS José
Né à Madrid. XIXe siècle. Espagnol.
Peintre de portraits, paysages.
Élève de l'École de Peinture de Madrid. Exposa à Madrid en 1876.

CARRION Antonio
XIXe siècle. Espagnol.
Peintre.
Exposa en 1862 aux îles Canaries.

CARRION Domingo
XVIe siècle. Actif dans la seconde moitié du XVIe siècle. Espagnol.
Peintre.

CARRION Epifanio
XIXe siècle. Espagnol.
Paysagiste.
Exposa en 1871 à Paris.

CARRION Leonardo de
XVIe siècle. Actif à Medina del Campo puis de 1553 à 1557 à Valladolid. Espagnol.
Sculpteur.
Les œuvres de cet artiste sont mal connues, parce qu'elles sont presque toutes faites en collaboration.

CARRION Lucie, Mme
Née à Paris. XXe siècle. Française.
Peintre.
Elle expose au Salon d'Automne.

CARRISS Henry T.
Né en 1850 à Philadelphie (Pennsylvanie). Mort en 1903 à Philadelphie. XIXe siècle. Américain.
Peintre.

CARRIZEY Christiane
Née le 8 mars 1929. XXe siècle. Française.
Peintre. Tendance fantastique.
Elle fit ses études à l'Ecole des Arts Décoratifs de Paris et travailla sous la direction de Lhote, Auyanne et Goetz. Son style évolue entre le réalisme, le surréalisme et l'art naïf.

CARRO Domingo
XVIIe siècle. Actif à Séville vers 1606. Espagnol.
Peintre.

CARRO Yvonne ou Carro-Boulard
Née à Meaux (Seine-et-Marne). XIXe-XXe siècles. Française.
Peintre.
Élève de J. Patricot, elle a exposé au Salon des Artistes Français dont elle est devenue sociétaire, obtenant une mention honorable en 1928, une deuxième médaille en 1933. Elle est aussi membre de l'Union des Femmes Peintres et Sculpteurs.
VENTES PUBLIQUES : LONDRES, 23 mars 1988 : *Intérieur rose au chevalet*, h/t (96x135) : **GBP 9 900** – REIMS, 19 déc. 1993 : *Bouquet champêtre*, h/t (61x50) : **FRF 5 000** – LONDRES, 16 mars 1994 : *L'atelier de l'artiste*, h/t (95,5x128) : **GBP 5 520**.

CARROBY Thomas
XVIIe siècle. Actif à Caen. Français.
Sculpteur et architecte.
Il fit, en 1652, le grand autel de l'église de Coigny (Manche).

CARROCCI Pietro
Originaire de Bari. XVIIe siècle. Travaillant à Rome au début du XVIIe siècle. Italien.
Peintre et graveur à l'eau-forte.
On cite de lui : *Saint Raimond de Pennafort*, d'après Lodovico Carracci, *Bataille livrée devant un village*.

CARROCCIO, dit Baviera. Voir CAROCCI Baveria de
CARROCI Filippo ou Carocci
XVIIe siècle. Actif à Rome. Italien.
Peintre et graveur.

CARROGIS Louis. Voir CARMONTELLE
CARROLL Colin R.
XIXe siècle. Actif à Liverpool. Britannique.
Paysagiste.
Il exposa en 1893 à la Royal Academy, à Londres.

CARROLL Lawrence
Né en 1954. XXe siècle. Américain.
Peintre.
En 1991 il a exposé à la galerie Baudoin-Lebon à Paris. Ses œuvres sont réalisées avec des matériaux pauvres, bois de rebut, morceaux de contreplaqué recouvert de toile enduite d'un blanc crayeux et de cire. Ces plaques ont les dimensions d'objets usuels, garde-manger, banquettes, matelas mais ne nous livrent que leur peau boursouflée, agrafée sur leur support de fortune.
VENTES PUBLIQUES : NEW YORK, 8 mai 1990 : *Pour nous tous*, h. et craies grasses/t. agrafée sur une boite de bois (193x96,5x28,2) : **USD 16 500** – NEW YORK, 3 oct. 1991 : *Rose jaune (pour Elizabeth)* 1988, h., craies grasses, agrafes, t. d'emballage et pétales de rose/t. fixée/bois (71x61,5x35,5) : **USD 4 400** – NEW YORK, 27 fév. 1992 : *Les yeux grisâtres* 1989, h., craies grasse, agrafes, t. et verre/bois (273,4x120,5x30,5) : **USD 11 000** – NEW YORK, 7 mai 1992 : *La coupe pleine* 1988, h., cire et t. d'emballage/t. (205,7x121,9x25,4) : **USD 7 700** – NEW YORK, 18 nov. 1992 : *Entre le futur et le passé*, h., craies grasses et agrafes/t./bois (275x152,4x30,5) : **USD 7 700** – NEW YORK, 11 nov. 1993 : *Épave flottante*, h., cire, caoutchouc et t./bois (221x96,5x30,5) : **USD 11 500** – NEW YORK, 19 nov. 1996 : *Pourquoi* 1987-1988, h., cire et agrafes/t./bois (22,8x28x20,2) : **USD 2 760** – NEW YORK, 10 oct. 1996 : *Scent (for a silent generation)* 1989, h., cire, agrafes, mèche métal. et t./assemblage bois (208,3x82,6x29,8) : **USD 2 070**.

CARROLL W.
XVIIIe siècle. Britannique.

Peintre de paysages et de figures.
Il exposa à Londres à la Royal Academy, de 1790 à 1793.

CARRON André
XVIIᵉ siècle. Actif à Nantes vers 1615. Français.
Peintre et peintre verrier.

CARRON François Louis Léon
Né le 27 novembre 1844 à Lyon (Rhône). XIXᵉ siècle. Français.
Peintre d'histoire, figures, paysages, intérieurs, natures mortes.
Il fut élève de Janmot et de Guichard à l'École des Beaux-Arts de Lyon, où il entra en 1860. Il habita Lyon et Genève avant de se fixer à Paris. Il figura au Salon de Lyon depuis 1872, au Salon de Paris depuis 1874.
Il peignit des scènes d'histoire ou de la vie contemporaine. On cite parmi ses œuvres : *Cour de ferme à Artemare, Vaches à l'abreuvoir, Chemin de Chaponost, L'expulsion des Dominicains, Tristesse, L'incendie, Les derniers moments de Ronsard, Coin d'atelier.*
Musées : LYON (Mus. des Beaux-Arts) : *Nature morte.*

CARRON Huguette
Née à Lyon (Rhône). XXᵉ siècle. Française.
Peintre de portraits et de genre.
Sociétaire du Salon des Artistes Français.

CARRON Maria Josefa
D'origine française. XVIIIᵉ siècle. Vivant à Madrid. Française.
Pastelliste.

CARRON Pierre
Né le 16 décembre 1932 à Fécamp (Seine-Maritime). XXᵉ siècle. Français.
Peintre de figures, compositions à personnages, intérieurs, nus, natures mortes, paysages, sculpteur de statuettes.
Il abandonna ses études secondaires pour apprendre le dessin à l'Ecole Régionale des Beaux-Arts du Havre, puis à l'Ecole des Arts Décoratifs de Paris. En 1951, il entra à l'Ecole des Beaux-Arts de Paris, où il travailla pendant quatre ans dans l'Atelier de Raymond Legueult. En 1957 lui fut décerné le Prix de la Critique. En 1960, il obtint le Premier Grand Prix de Rome pour la Peinture. Il séjourna de 1961 à 1964 à la Villa Médicis, alors dirigée par Balthus, avec lequel il se lia d'amitié. Pendant ces années la Villa Médicis accueillit aussi, entre autres lauréats, les sculpteurs Cyrille Bartolini et Georges Jeanclos. Des liens profonds unirent alors les trois jeunes artistes, et eux-mêmes à Balthus. En 1967, Carron fut nommé professeur de peinture à l'Ecole des Beaux-Arts de Paris, où, en 1968, il fonda le Groupe de Recherche des Moyens d'Expression Plastique. Il est officier des Arts et Lettres, chevalier de l'Ordre du Mérite. En février 1990, il fut élu membre de l'Académie des Beaux-Arts.
À partir de 1952, il avait commencé d'exposer à Paris dans plusieurs Salons : de la Jeune Peinture, des Artistes Indépendants, des Artistes Français, des Tuileries, etc. Il continue de participer à des expositions collectives, parmi lesquelles : 1956-1957 *École de Paris* à la Galerie Charpentier de Paris, de 1957 à 1961 un groupe itinérant de Paris à Londres, San Francisco, Tokyo, 1959 invité à la première Biennale des Jeunes de Paris, de 1968 à 1974 au Salon de Mai de Paris, à partir de 1975 et durablement au Salon d'Automne de Paris, 1989 Foire Internationale de Chicago et Foire Internationale (FIAC) de Paris, etc.
Il montre aussi les périodes successives de son travail dans des expositions personnelles : Paris 1957, 1966, 1973, 1981 début de sa collaboration avec la Galerie Albert Loeb, puis 1986, 1990, 1974 au Musée de Pontoise, 1980 Maison de la Culture de Cergy-Pontoise, 1983 Bruxelles, 1988 Brindisi, 1997 Paris galerie Piltzer, etc.
Au cours de sa formation, aux Beaux-Arts du Havre, puis à Paris, Carron, doué d'une belle puissance de travail, inventoria le plus largement possible le domaine pictural, jusqu'à perpétuer l'étude des maîtres par la copie. Il pratiqua alors tous les thèmes, de la composition à personnages jusqu'à la nature morte. Son exposition du Prix de la Critique en faisait la démonstration. Les dons étaient remarqués, il restait au peintre à se déterminer. Ce fut à Rome que se précisèrent pour lui, plus que le choix même des thèmes, leur coloration psychologique liée à l'affectivité de l'enfance comme retrouvée, avec ses interdits et ses délices, coloration psychologique restituée chromatiquement par des gammes de gris, de demi-teintes, d'ocres et de bruns chaleureux. Après le séjour déterminant de Rome, Carron, homme à la

fois réservé et chaleureux, préleva préférentiellement ses sujets de son environnement quotidien, bientôt dans une famille rapidement croissante et parmi les objets familiers.
A partir de l'amitié qui lia Carron, Bartolini, Jeanclos entre eux et à Balthus, non pas une communauté de vues, mais une parenté de sensibilités différentes s'est tissée ou révélée et marque leurs œuvres séparées de quelques points d'ancrage communs. On sait que, dans un improbable rattachement au surréalisme, l'œuvre de Balthus dans sa singularité résiste à toute classification, sauf à être éventuellement qualifiée de maniériste, étant bien entendu que, l'histoire de l'art, notamment avec un certain Antoine Caron, le démontre généreusement, maniériste n'est pas un qualificatif péjoratif. C'est ce maniérisme peut-être qui relie les malicieuses divinités dorées de Bartolini, les « enfantelets » de pétales emmaillotés de Jeanclos, les adolescentes trop songeuses en images peintes pour être vraiment sages de Carron et ses statuettes de fillettes qui ont appris la danse et le reste chez Degas, avec les innocentes perverses de Balthus. Ce constat esthético-sociologique tendrait à démontrer deux faits : d'abord que, contrairement à un présupposé qui affecte de même façon le cas Giacometti, Balthus, sans avoir de descendance en ligne directe, a pu faire partager un certain climat psychologique, et ensuite qu'une influence aussi ténue, insaisissable, plus mentale que formelle, sans risque de susciter des répliques sclérosées, a permis au contraire, distinct parmi d'autres, l'épanouissement d'un Pierre Carron.   ■ J. B.
Ventes Publiques : MILAN, 5 mai 1994 : *Portrait de petite fille* 1991, h/t (118x95) : ITL 4 025 000.

CARRON Thomas
XVIᵉ siècle. Français.
Peintre.
Cité par A. Jacquot dans son *Essai de Répertoire des Artistes Lorrains.*

CARRONE Gaetano et Oronzo
XVIIᵉ-XVIIIᵉ siècles. Actifs à Corigliano. Italiens.
Sculpteurs.
Père et fils.

CARROY André
Né le 26 avril 1910 à Garchy (Nièvre). Mort en 1975. XXᵉ siècle. Français.
Peintre de paysages, aquarelliste.
A partir de 1936, il se fixa à Chauvigny en Poitou. Il a exposé à Paris, au Salon des Artistes Indépendants. Il a bénéficié de deux expositions personnelles : 1972 Paris, 1973 Chauvigny.
Peintre amateur fécond, il a surtout peint les paysages de Chauvigny et de la Vienne, avec des voyages à Belle-Île, Concarneau, Île d'Yeu, Sables-d'Olonne, La Rochelle, Talmont, le Pays Basque, Honfleur, la Côte d'Azur, etc.
Bibliogr. : Maurice Malleval : *André Carroy,* Édit. Alph. Marré, 1982.

CARROYS Marc Antoine. Voir FENOLLIET

CARROZ Vicente
XVIIᵉ siècle. Espagnol.
Peintre.
Il était chanoine à Valence.

CARROZA Martino
Originaire de Nocera dei Pagani. XVIIᵉ siècle. Italien.
Sculpteur.

CARRUANA Dolores
XIXᵉ siècle. Espagnole.
Peintre d'histoire.
Musées : VALENCE : *Mort de sainte Geneviève.*

CARRUCI Jacopo da. Voir PONTORMO

CARRUTHERS J.
XVIIIᵉ siècle. Britannique.
Graveur.

CARRUTHERS Richard
XIXᵉ siècle. Britannique.
Portraitiste.
Il exposa à Londres de 1816 à 1819 à la Royal Academy et à la British Institution.

CARS François
Né en 1682 à Lyon. XVIIIᵉ siècle. Actif à Paris. Français.
Graveur.
Frère de Jean-François Cars et fils de François Cars, graveur à Lyon.

CARS Jean
XVIIe siècle. Travaillant à Paris dans la première moitié du XVIIe siècle. Français.
Sculpteur et peintre.

CARS Jean-François
Né en 1665 ou 1670 à Lyon. Mort en 1763 à Lyon. XVIIe-XVIIIe siècles. Français.
Graveur.
Fils, comme François Cars, du graveur lyonnais François Cars et père de Laurent Cars. Il vint s'établir à Paris peu après la naissance de son fils (1699). Il a gravé à Lyon, puis à Paris un certain nombre de portraits parmi lesquels ceux de l'archevêque *C. de Neufville de Villeroy*, de *Corneille* et de *Louis XV*. Boucher fut un de ses élèves.

CARS Laurent
Né en 1699 à Lyon, en 1702 selon Larousse. Mort le 14 avril 1771 à Paris. XVIIIe siècle. Français.
Peintre et graveur.
Fils de Jean-François Cars. Il fut à Paris l'élève de Christophe, peintre du roi et travailla ensuite avec Le Moine. Il fut reçu académicien en 1773. Il a peint le portrait de *Roger de Bussy-Rabutin*, *évêque de Luçon* et celui de *Samadon*. Laurent Cars fut un des graveurs les plus estimés du XVIIIe siècle. Son dessin est correct et savant, sa touche est moelleuse et expressive. Citons parmi ses œuvres : *Adam et Ève tentés par le serpent* et *Hercule filant aux pieds d'Omphale* (d'après Le Moine), *Betsabée au bain* et *Suzanne et les vieillards* (d'après J.-B de Troy), *L'adoration des bergers* et *Mlle Clairon dans le rôle de Médée* (d'après Carle Van Loo), *Fêtes vénitiennes* et *Diseuse de bonne aventure* (d'après Watteau), *Les Amusements de la vie privée* et *La Serinette* (d'après Chardin). Il compta parmi ses élèves : Beauvarlet, Claude Jardinier, Flipart, Saint-Aubin, J. Perroneau, etc.
VENTES PUBLIQUES : PARIS, 17 oct. 1984 : *Louis XV donnant la Paix à l'Europe*, sanguine (56x42) : **FRF 21 000**.

CARS Louis
XVIIe siècle. Actif à la fin du XVIIe siècle. Français.
Graveur.
Parent des précédents.

CARS Pierre
XVIIe siècle. Français.
Peintre.
Parent des précédents. Il fut peintre-ordinaire du Roi au XVIIe siècle.

CARSA Carlo
XVIIe siècle. Actif à Reggio vers 1669. Italien.
Sculpteur.

CARSANA Giuseppe
XIXe siècle. Actif à Bergame. Italien.
Peintre.

CARSE A.
XVIIIe siècle. Actif à la fin du XVIIIe siècle. Britannique.
Dessinateur de paysages.
Peut-être s'agit-il d'Alexander. Il collabora à l'illustration de *The Scot's Magazine*.

CARSE Alexander, dit **Old Carse**
XIXe siècle. Actif à Édimbourg. Britannique.
Peintre de genre, aquarelliste, dessinateur.
Il exposa de 1812 à 1820 à la Royal Academy et à la British Institution, à Londres.
VENTES PUBLIQUES : PERTH, 13 avr. 1976 : *La rixe au village*, h/t (75x99) : **GBP 750** – LONDRES, 28 mai 1980 : *The fairies' Ascent*, aquar. et pl. (35,5x25) : **GBP 380** – ÉCOSSE, 28 août 1984 : *Scène de marché – Un prêcheur des Highlands*, deux aquar. (45,7x62,2) : **GBP 2 400** – GLASGOW, 30 jan. 1985 : *Le taste-vin*, h/pan. (52x43) : **GBP 650** – GLASGOW, 6 fév. 1990 : *Le départ* 1829, h/pan. (36x48) : **GBP 2 420** – SOUTH QUEENSFERRY (ÉCOSSE), 23 avr. 1991 : *Joyeux convives*, h/t (63,5x89) : **GBP 1 100** – NEW YORK, 16 juil. 1992 : *Fête dans une taverne*, h/t (50,8x61) : **USD 4 400**.

CARSE James Howe
XIXe siècle. Britannique.
Peintre de paysages.
Il exposa à la Royal Academy et à d'autres associations d'art, à Londres, de 1860 à 1862.
VENTES PUBLIQUES : SYDNEY, 10 sep. 1979 : *The Hawesbury* 1888, h/t (25x40) : **AUD 1 800** – SYDNEY, 29 mars 1982 : *La vieille route Wollongong, Le passage Bulli*, h/t (50x69) : **AUD 8 000** – SYDNEY,

17 oct. 1984 : *Troupeau dans un paysage* 1875, h/cart. (34x49,5) : **AUD 6 000** – MELBOURNE, 21 avr. 1986 : *Fromedary moutain, New South Wales* 1883, h/cart. (27,5x45) : **AUD 1 000** – SYDNEY, 16 oct. 1989 : *Bétail paissant près du port*, h/t (64x76) : **AUD 4 500**.

CARSE William
XIXe siècle. Britannique.
Peintre.
Actif à Londres et à Edimbourg, il exposa de 1820 à 1829 à la Royal Academy, à la British Institution et à Suffolk Street, à Londres, et plus tard et jusqu'en 1845, à Edimbourg.
VENTES PUBLIQUES : LONDRES, 12 mai 1967 : *Marine* : **GNS 200**.

CARSLUND Otto Gustaf
Né en 1897 à Saint-Pétersbourg (Russie). Mort en 1948 à Stockholm. XXe siècle. Suédois.
Peintre, dessinateur. Abstrait.
Il fut élevé en Suède, puis fit ses études à l'Académie de Dresde entre 1921 et 1922 et à l'Académie d'Oslo en 1922-1923. Il se rendit ensuite à Paris et travailla dans l'atelier de Fernand Léger en 1924 dont il devint le disciple et l'élève favori. Il crée à cette époque des toiles à la construction austère. En 1927 il fait la connaissance de Mondrian et travaille dans le sens des idées du néoplasticisme. Entre 1927 et 1929 il exposa au Salon des Artistes Indépendants à Paris et en 1928 au Salon des Surindépendants. En 1930, il participe avec Théo Van Doesburg et Jean Hélion à la fondation du groupe *Art Concret*. De retour à Stockholm en 1931, il y organise une exposition d'art cubiste et abstrait, *Art post Cubiste*, mais malencontreusement se heurte à l'incompréhension de ses compatriotes. Découragé, Carlsund cesse de peindre et se consacre à la critique d'art. Ce n'est qu'en 1944, à la mort de Mondrian, qu'il reprend ses pinceaux. En 1947, il est nommé président du Club Artistes de Stockholm. Il a joué un rôle important dans l'introduction et la diffusion du cubisme dans les pays scandinaves.   ■ J. B.
BIBLIOGR. : Oscar Reutersvärd : *Carlsund och Neoplasticismen*, Stockholm, 1949 – Oscar Reutersvärd, in *L'Art d'aujourd'hui*, N°7, 1953 – Catal. de l'exposition *Otto G. Carlsund*, Norrköpings Museum, 1968 – in : *Diction. Univ. de la peinture*, Robert, Paris, 1975 – Catal. de l'exposition *Abstraction Création, 1931-1936*, Musée d'Art Moderne de la Ville, Paris, 1978.
MUSÉES : STOCKHOLM (Nationalmuseum) : *La Chaise* 1926.
VENTES PUBLIQUES : STOCKHOLM, 25 nov. 1982 : *La famille*, h/t (68x49) : **SEK 28 500** – STOCKHOLM, 25 avr. 1983 : *Composition* 1947, craies de coul./pap. (23x18) : **SEK 9 600** – STOCKHOLM, 30 mai 1991 : *Nature morte* 1934, h/pan. (24x18) : **SEK 37 000** – PARIS, 13 avr. 1994 : *Composition avec sphère et profil de ballustre*, h/pan. (41,5x29,5) : **FRF 88 000**.

CARSO Giovanni dal, dit **Giovanni Schiavone**
Originaire de Dalmatie. XVIe siècle. Travaillant à Rome. Italien.
Peintre de grotesques.
Son surnom lui vient de son origine dalmate.

CARSOE W.
XIXe siècle. Actif à Bath. Britannique.
Peintre d'histoire et de genre.
Il exposa en 1849 et en 1853, à la British Institution, à Londres.
VENTES PUBLIQUES : NEW YORK, 10 fév. 1906 : *La fleur de la jeunesse* : **USD 100**.

CARSON C. W.
XIXe siècle. Travaillant à Albany vers 1843. Américain.
Graveur.

CARSON Julia
Née le 6 octobre 1878. XXe siècle. Active en Suisse. Britannique.
Peintre de portraits, pastelliste, dessinateur, affichiste.
Elle fut élève de l'Ecole des Beaux-Arts de Genève, où elle s'établit comme professeur de dessin, et où elle exposait au début du siècle.

CARSPECKEN George Louis
Né le 27 juillet 1884 à Pittsburgh (Pennsylvanie). Mort en 1905 à Burlington (Iowa). XIXe-XXe siècles. Américain.
Peintre.
Reçut un prix au Worcester Art Museum en 1902.

CARSTAIRS
XVIIIe siècle. Travaillant en Angleterre vers 1700. Britannique.
Miniaturiste sur émail.
On connaît de lui un portrait de *Caroline de Brunswick* (Exposition du Burlington Fine Arts Club).

CARSTAIRS James Stewart

Né à Philadelphie (Pennsylvanie). XIXe-XXe siècles. Américain. Peintre.

A figuré à la Société Nationale des beaux-Arts, et au Salon d'Automne de 1913.

CARSTENS Asmus Jacob ou Jacob Asmus

Né le 10 mai 1754 à Saint-Jurgensby (près de Sleswig). Mort à Rome, le 25 mai 1798 ou 1796 selon d'autres sources. XVIIIe siècle. Danois.

Peintre de scènes mythologiques, compositions animés, aquarelliste, dessinateur.

Il commença à travailler à Copenhague sous la direction de Paul Ipsen, vers 1776, et acquit une certaine réputation pour ses portraits à la sanguine. En 1781, il se brouilla avec l'Académie pour une médaille à laquelle il disait avoir droit. Il partit avec son frère, en 1783, pour l'Italie et le Tyrol et étudia surtout, à Mantoue, les fresques de Giulio Romano. Il séjourna ensuite cinq années à Lübeck, puis vint à Berlin, de 1787 à 1792, où il fut professeur à l'Académie. C'est de cette époque que date sa toile, *La Chute des Anges*. Il revint à Copenhague, mais y resta peu de temps et repartit pour Rome, où il resta jusqu'à sa mort. Carstens est un des artistes qui ont le plus influencé la technique de Thorwaldsen. Ses compositions inspirées d'Homère, de Dante, d'Ossian, de Goethe, et en particulier son cycle des *Argonautes*, en font le précurseur de ce mouvement romantique typiquement allemand, qui conciliait le goût du Moyen Age et le classicisme de la forme. L'art de Carstens, ainsi que celui de Blake sont issus peut-être de l'étrange démarche de Füssli, qui peignait les scènes héros de la mythologie germanique que venait de révéler Bodmer, sous les traits de personnages de l'Iliade. Carstens peignit peu et ses rares peintures restent souvent au stade de l'esquisse. Il a surtout peint des dessins sont souvent ombrés ou rehaussés. Goethe en acheta la presque totalité, que l'on voit aujourd'hui au Musée de Weimar. Bien qu'artiste peu fécond, son influence spirituelle fut très déterminante pour l'évolution de la peinture allemande romantique.

Musées : COPENHAGUE : *Bacchus rafraîchit par l'Amour : Tingal et Loda*, d'après Ossian – *Composition mythologique* – WEIMAR : *La Parque Atropos*, statuette – *Œdipe et Jocaste* – *Bacchus* – *Le Combat des Centaures et des Lapithes* – *Œdipe et Antigone* – *Les Parques* – *Socrate* – *La bataille de Potidia* – *Les Argonautes et le Centaure Chiron* – *Jason* – *Dante* – *Homère chantant* – *Étéocle et Polynice* – *Achille combattant* – *Ganymède enlevé aux cieux* – *La naissance de la lumière* – *L'oracle de Amphiaroas* – *Les héros chez Achille* – *La traversée du Mégapenthe*.

Ventes Publiques : COPENHAGUE, 10 fév. 1993 : *Fingal avec l'esprit de Lodas*, cr. et aquar. (74x94) : **DKK 250 000** – VIENNE, 29-30 oct. 1996 : *Personnages classiques dansant sur l'agora autour de la statue d'Apollon* 1789, craie noire, encre et lav. (49x68,5) : **ATS 115 000**.

CARSTENS Frederik Christian

Né le 1er février 1762 à Slesvig. Mort en octobre 1798 à Berlin. XVIIIe siècle. Danois.

Peintre et graveur en taille-douce.

Frère d'Asmus Carstens. Il fut d'abord élève du portraitiste C.-D. Voigt. Il vint ensuite à Copenhague en 1781 et accompagna son frère pendant son premier voyage en Italie et en Allemagne. Il apprit à Zurich le moulage en cire et se fixa durant deux années à Stettin. En 1790, il vint rejoindre son frère à Berlin où il se perfectionna comme graveur. Il a gravé un portrait peint par J. Ipsen. Carstens mourut à Berlin, dans une grande indigence, la même année que son frère.

CARSTENS Julius Victor

Né le 29 novembre 1849 à Nusse (près de Lübeck). Mort le 15 novembre 1908 à Munich. XIXe siècle. Allemand.

Peintre de genre, paysages, natures mortes.

Élève de P. Thumann à Weimar et de F.-W. Pauwets qu'il accompagna en Hollande et en Belgique. On cite parmi ses œuvres : *La Charité*, *L'Enfant trouvé*. Le Musée de Weimar conserve de lui une *Nature morte*.

Ventes Publiques : NEW YORK, 1er-2 avr. 1902 : *A sporting Monk* : **USD 225** – NEW YORK, 31 oct. 1968 : *Les bulles de savon* : **USD 2 000**.

CARSTENS W. ou Carsten, Carten

XIXe siècle. Finlandais.

Peintre de portraits.

CARSTENSEN Andreas Christian Riis ou Riis-Carstensen

Né le 9 novembre 1844 à Sennels (près de Thisted). XIXe siècle. Danois.

Peintre de paysages, marines.

D'abord marin, il se perfectionna dans le dessin pendant un séjour au Canada. Après avoir participé à la guerre du Slesvig de 1863, il se fixa à Copenhague où il fut élève de C. Dahl, fréquentant également l'Institut technique et l'Académie des Beaux-Arts. Il débuta en 1868. Il reçut en 1879 le prix Neuhausen, pour son *Lever du soleil au Catégat*. Carstensen n'a jamais cessé de voyager ; il visita le Groenland entre 1884 et 1888 et a séjourné en Égypte à plusieurs reprises. Ses marines, exécutées d'après nature, ont figuré aux expositions depuis 1873.

Musées : COPENHAGUE : *Paysage de Saint Jan – Marine*, étude.

Ventes Publiques : COPENHAGUE, 25 avr. 1979 : *Deux Kayaks* 1885, h/t (78x115) : **DKK 12 000** – COPENHAGUE, 12 fév. 1980 : *Voilier* 1883, h/t (38x57) : **DKK 1 500** – LONDRES, 20 juin 1984 : *Le temple d'Isis à Philae*, h/t (58x79,5) : **GBP 1 500** – COPENHAGUE, 25-26 avr. 1990 : *Chasse aux phoques dans un fjord du Groenland*, h/t (26x48) : **DKK 4 500** – COPENHAGUE, 6 mars 1991 : *Kayaks longeant une côte du Groenland vers Diskobugten*, h/t (98x158) : **DKK 12 000** – COPENHAGUE, 10 fév. 1993 : *Navires marchands et commerçants le long du Nil*, h/t (75x122) : **DKK 17 000** – COPENHAGUE, 5 mai 1993 : *Bétail paissant à St Croix*, h/t (38x54) : **DKK 7 000** – COPENHAGUE, 2 fév. 1994 : *La barque des femmes escortée de deux kayaks au lever du soleil au Groenland* 1888, h/t (79x108) : **DKK 7 500**.

CARSTENSEN Ebba

Née en 1885 à Eriksholm. Morte en 1967. XXe siècle. Danoise.

Peintre de portraits, figures, paysages.

De 1905 à 1910, elle fut élève de l'Académie de Copenhague. Elle voyagea à Paris en 1908, en Italie et Afrique du Nord 1929, en Espagne 1935.

Son art de caractère cézannien a influencé divers peintres danois de la jeune génération.

Ventes Publiques : COPENHAGUE, 25 nov. 1981 : *Intérieur*, h/t (91x61) : **DKK 3 800** – COPENHAGUE, 9 mai 1990 : *Composition animée*, h/t (135x96) : **DKK 12 000** – COPENHAGUE, 30 mai 1990 : *Marine* 1922, h/t (92x162) : **DKK 8 000**.

CARSTIAENSEN Franz ou Christiaensen

XVIIIe siècle. Actif à Anvers au début du XVIIIe siècle. Éc. flamande.

Peintre.

CARSWELL J.

XIXe siècle. Britannique.

Peintre de paysages.

Il travailla à Londres, où il exposa en 1852 et 1853 à la British Institution.

CARTA Diego da. Voir DIEGO da Carça

CARTA N.

Peintre.

Musées : MELBOURNE : *Adam et Ève trouvant Abel*.

CARTA Natale

Né en 1790 à Messine. Mort en 1884. XIXe siècle. Travaillant à Rome et à Naples. Italien.

Peintre de portraits.

Musées : NAPLES (Mus. Filangieri) – PALERME.

Ventes Publiques : MILAN, 27 mai 1986 : *Portrait de deux jeunes filles*, h/t (110x135) : **ITL 29 000 000** – ROME, 29 avr. 1993 : *Vestale*, h/t (72x57) : **ITL 6 000 000**.

CARTAILHAC Madeleine

Née à Toulouse (Haute-Garonne). XXe siècle. Française.

Peintre de portraits.

Sociétaire du Salon des Artistes Français.

CARTARI Giulio

XVIIe siècle. Italien.

Sculpteur.

Il fut à Rome l'élève et l'aide du Bernin, et accompagna celui-ci durant son voyage en France.

CARTARO Alessandro

Originaire de Padoue. XVIe siècle. Travaillant à Florence. Italien.

Peintre.
Peintre de cartes à jouer, d'où son nom.

CARTARO Cristofano ou Cartario
xvᵉ siècle. Italien.
Graveur.
Parent de Mario Cartaro.

CARTARO Mario
Originaire de Viterbe. xvᵉ siècle. Travaillant à Rome dans la seconde moitié du xvᵉ siècle. Italien.
Graveur.
Il fut également éditeur.

CARTAULT J.
xixᵉ siècle. Travaillant à Paris. Français.
Graveur sur acier.

CARTE Antoine. Voir CARTE-ANTO Antonio

CARTE-ANTO Antonio, pseudonyme de Carte Antoine, appelé aussi Carte Anto
Né en 1886 à Mons. Mort en 1954 ou 1964 à Bruxelles. xxᵉ siècle. Belge.
Peintre de compositions religieuses, scènes de genre, peintre à la gouache. Archaïque, symboliste.
Il fut élève de l'Académie de Mons, et de Constant Montald, Émile Fabry et Jean Delville à l'Académie de Bruxelles. Il vint poursuivre sa formation à Paris et étudia la technique de la fresque en Italie. Il participa à l'Exposition de Bruxelles de 1910. Il succéda à Montald à l'Académie de Bruxelles. Il fut élu membre de l'Académie Royale de Belgique.
Il peignait dans un style volontairement archaïsant se prêtant au monumental et se référant aux Italiens du Quattrocento, aux Flamands et surtout à Pieter Brueghel. Des Primitifs, il reprit souvent la perspective cavalière, permettant une bonne lecture de la distribution des plans successifs jusqu'aux lointains. Il pratiquait des gammes de gris à peine colorés et très clairs, pouvant évoquer soit les couleurs pâlies des fresques anciennes, soit Maurice Denis, et créant un climat psychologique rêveur. Il peignit surtout des compositions religieuses : L'annonciation, et des scènes de genre plus familières : L'heureuse famille. Son style archaïque n'était pas incompatible avec ses intentions symbolistes, ni avec quelques accents expressionnistes pour les visages des personnages, dont les regards sont souvent intérieurs.   ■ J. B.

anto-carte.

BibliogR. : A. Guislain : Anto Carte, Anvers, 1950.
Musées : Bruxelles (Mus. roy. des Beaux-Arts) : Jeudi-Saint – Liège – Mons.
Ventes Publiques : Anvers, 13-15 oct. 1964 : Mère et enfant : BEF 45 000 – Bruxelles, 21-23 nov. 1967 : L'heureuse famille : BEF 50 000 – Bruxelles, 24 oct. 1972 : Maternité : BEF 260 000 – Bruxelles, 24 mars 1976 : Clowns musiciens, h/t (100x80) : BEF 360 000 – Bruxelles, 27 oct. 1976 : Vierge à l'Enfant, aquar. (33x24) : BEF 55 000 – Bruxelles, 26 oct. 1977 : Vierge à l'Enfant, gche (46x34) : BEF 150 000 – Bruxelles, 26 oct. 1977 : L'heureuse famille 1926, h/t (119x129) : BEF 340 000 – Bruxelles, 25 oct. 1978 : Jeune fille Pomona 1922, past. cointré (90x70) : BEF 325 000 – Anvers, 23 oct. 1979 : Le Pierrot fou 1946, gche (38x32) : BEF 40 000 – Bruxelles, 19 mars 1980 : Tireur à l'arc (Saint Sébastien), h/t (140x90) : BEF 320 000 – Amsterdam, 18 nov. 1981 : Les haies, h/t (65x100) : NLG 36 000 – Bruxelles, 16 juin 1982 : Les aveugles 1924, h/t (109x139) : BEF 475 000 – Bruxelles, 27 oct. 1982 : Léda et le cygne, gche (78x68) : BEF 160 000 – Bruxelles, 24 janv. 1983 : Chemin de Croix, aquar. en 14 volets (32x24) : BEF 336 000 – Bruxelles, 16 mai 1984 : Le Fils Prodigue, litho. : BEF 28 000 – Amsterdam, 5 juin 1984 : Vue de Bruges 1917, h/cart. (69x48,5) : NLG 4 000 – Lokeren, 16 fév. 1985 : L'équipage diamantaire, gche et pl. (34x34) : BEF 260 000 – Bruxelles, 7 déc. 1987 : Le jongleur et les attributs du mariage, h/t (106x100) : BEF 1 650 000 – Berne, 26 oct. 1988 : Sainte Véronique 1924, h/t (80x100) : CHF 5 500 – Londres, 19 oct. 1989 : L'Annonciation, h/t (79,4x99,6) : GBP 15 400 – New York, 10 oct. 1990 : Madone 1927, h/t (105,4x97,9) : USD 42 900 – Londres, 16 oct. 1990 : Saint Christophe, h/t (120x100,4) : GBP 27 500 – Amsterdam, 16 oct. 1991 : Le cirque au village 1925, h/t (100x125) : NLG 138 000 – Lokeren, 21 mars 1992 : La nymphe 1918, aquar. (21x14) : BEF 95 000 – Lokeren, 23 mai 1992 : Cariatides, Baigneuses (verso) 1915, h/t (270x203) : BEF 700 000 – Amsterdam,

27-28 mai 1993 : Maternité, gche, aquar. et cr./pap. (79x68,5) : NLG 41 400 – Amsterdam, 7 déc. 1994 : Portrait de Roger Adalbert Feldheim 1926, h/t (96x61) : NLG 11 500 – Lokeren, 9 mars 1996 : La Tentation 1921, h/pap. (48,5x39) : BEF 180 000 – Lokeren, 5 oct. 1996 : Le Passeur 1918, h/pap. (48x39) : BEF 170 000 – Lokeren, 7 déc. 1996 : Le Boîteux et l'aveugle 1918, monotype et aquar. (48,5x38,5) : BEF 190 000 – Lokeren, 6 déc. 1997 : L'Église de Knokke 1921, h/pap. (50x36) : BEF 55 000.

CARTEAUX Jean Baptiste François
Né en 1751 à Aillevans (Haute-Saône). Mort en avril 1813 à Paris. xviiiᵉ-xixᵉ siècles. Français.
Peintre.
Il étudia avec Doyen, mais fut plus connu comme soldat que comme artiste. Au siège de Toulon, Bonaparte servit sous ses ordres et quand il fut au pouvoir il lui fit servir une pension de trois mille francs. Le Musée de Versailles conserve de lui un Portrait de Louis XVI (signé : Carteaux, peintre du roi, officier de la cavalerie parisienne, 1791). En 1781 il avait commencé de peindre un tableau représentant l'accouchement de Marie-Antoinette et qui resta inachevé car, pour échapper à ses créanciers, il dut la même année s'enfuir en Allemagne. Il y exécuta un portrait de Frédéric le Grand, puis gagna la Russie. En 1786, il travailla à Varsovie. De retour à Paris, peu de temps après, il continua de s'y adonner à la peinture jusqu'en 1793, date à laquelle il revint au métier des armes, auquel il consacrera désormais toute son activité.
Ventes Publiques : Paris, le 13 juin 1952 : Jeune femme et l'Amour, miniat. ovale : FRF 21 000.

CARTEI Luigi
Né le 22 septembre 1822 à Florence (Toscane). Mort en juin 1891 à Florence. xixᵉ siècle. Italien.
Sculpteur de figures, bas-reliefs.
Il fut élève à l'École de sculpture de Lorenzo Bartolini et fit, alors qu'il étudiait encore, deux essais qu'il faut mentionner : Un Bacchus et L'Innocence. Bientôt après il exécuta une statue de Francesco Guicciardini. Sur la commande de la municipalité de Florence, il fit un bas-relief : La Pitié ; puis une statue : Ser Ristoro di Jacopo, qui se trouve dans le palais Serristori à Florence. Un Crucifix en marbre, de lui, fut placé dans la chapelle du prince Dimitri Drutskoi. Luigi Cartei fut professeur de sculpture à l'Académie de Florence et à partir de 1883 sous-inspecteur des musées de cette ville.
Ventes Publiques : Rome, 14 mars 1983 : Femmes assises aux cornes d'abondance, deux sculpt. en marbre (H. 113) : ITL 4 000 000.

CARTEL François, abbé
Né à Agnez-les-Duisans (Pas-de-Calais). xxᵉ siècle. Français.
Peintre de paysages.
Il exposait à Paris, au Salon des Artistes Français, dont il devint sociétaire en 1936.
Travaillant à Aire-sur-la-Lys, il a peint les paysages du Pas-de-Calais.

CARTELLANOS Pomé
xviᵉ siècle. Actif à Séville en 1563. Espagnol.
Sculpteur.

CARTELLIER Jérôme
Né le 14 avril 1813 à Mâcon (Saône-et-Loire). xixᵉ siècle. Français.
Peintre.
Le 6 octobre 1831, il entra à l'École des Beaux-Arts où il se forma sous la conduite d'Ingres. De 1835 à 1880, il exposa au Salon de Paris. Il a peint de nombreux portraits, quelques tableaux de genre et d'histoire parmi lesquels on cite : La Conversion de saint Paul, Daphnis et Chloé, Le Printemps. Le Musée de Versailles conserve de lui le portrait de Louis Bonaparte, l'église Saint-Vincent à Chalon-sur-Saône, une Assomption.

CARTELLIER Pierre
Né le 2 décembre 1757 à Paris. Mort le 12 juin 1831 à Paris. xviiiᵉ-xixᵉ siècles. Français.
Sculpteur.
Cet artiste qui fut très considéré par ses contemporains, était un élève de Ch.-Ant. Bridan. Ayant échoué au concours de Rome, il avait eu des débuts difficiles ; il exerça, avec un grand succès, le métier d'orfèvre. D'entre ses œuvres principales, on cite le bas-relief : La victoire sur un quadrige, distribuant des couronnes, 1807, à la porte de la colonnade du Louvre, un autre bas-relief : La capitulation d'Ulm, à l'Arc de Triomphe du Carrousel, les effi-

gies en pied de *Louis Bonaparte, Pichegru, Vergniaud*, à Versailles, et d'autres personnages de la Révolution et de l'Empire, les statues funéraires de l'*Impératrice Joséphine*, à Rueil, du *Cardinal de Juigné* à Notre-Dame, de *Vivant-Denon*, au Père Lachaise. En 1816, il fut nommé membre de l'Institut où il occupa le troisième fauteuil, et professeur à l'École des Beaux-Arts. Il fut promu chevalier de Saint-Michel en 1824. Au Salon de Paris, il figura depuis 1796 jusqu'en 1822. Cartellier forma des élèves de talent tels que Rude, Petitot, Roman, Nanteuil, les deux Seure, Demier, Lemaire, Dumont, Jalley, etc.

Musées : Limoges : *Vergniaud*, moulage du plâtre original – Rouen : *La pudeur* – Versailles : *Minerve frappant la terre fait naître l'olivier* – *Napoléon I*er*, empereur des Français* – *Jules-Sébastien-César Dumont d'Urville, contre-amiral* – *Jean Pichegru, général en chef.*

CARTER Albert Clarence
Né le 19 juin 1894 à Londres. xxe siècle. Britannique.
Sculpteur, orfèvre.
Il fut élève de la Lambeth School et de la Central School. À Londres, il exposait à la Royal Academy. Il exposa aussi à Manchester et à Paris.

CARTER Austin, Miss. Voir AUSTIN-CARTER Matilda

CARTER C.
xixe siècle. Britannique.
Peintre de paysages et de scènes de genre.
Il travailla à Londres, où il exposa à la Royal Academy en 1801 et en 1802.

CARTER Charles Milton
Né en 1843 à North Brookfield (Massachusetts). xixe siècle. Américain.
Peintre.
Étudia en Amérique et en Europe. Directeur artistique des écoles publiques de la ville de Denver (Colorado) et inspecteur de dessin pour l'État de Massachusetts. Président d'honneur pour les États-Unis du Congrès international pour l'enseignement de dessin, à l'Exposition de 1900 à Paris. Il fut également écrivain d'art.

CARTER Clarence Holbrook
Né en 1904. xxe siècle. Américain.
Peintre.
Ventes Publiques : New York, 30 sep. 1982 : *Apples-25* vers 1937, h/t (97,2x131,8) : USD 4 000 – New York, 15 mars 1986 : *Taormina, Sicile,* aquar. (52x35) : USD 2 700 – New York, 13 mai 1987 : *Pennsylvania Station* 1932, aquat. (17,5x28) : USD 1 100 – New York, 30 nov. 1989 : *Bonne récolte* 1942, h/t (109,2x73,6) : USD 38 500 – New York, 25 sep. 1992 : *Au-dessus et par dessus N°19* 1965, h/t (91,4x45,7) : USD 1 320.

CARTER Dennis Malone
Né en 1827 en Irlande. Mort en 1881 à New York. xixe siècle. Américain.
Peintre d'histoire, genre, portraits, paysages.
Il vécut en Amérique à partir de 1839. Il exposa à la National Academy. On cite, parmi ses tableaux d'histoire : *The Battle of Bunker Hill, Decatur's Attack on Tripoli, Molly Pitcher at the battle of Monmouth,* et, parmi ses portraits, ceux de *Henri Clay, d'Andrew Jackson,* de *James K. Polk.*
Ventes Publiques : New York, 1909 : *Paysage :* USD 1 000 – New York, 27 jan. 1938 : *Molly Pitcher :* USD 200 – New York, 15 nov. 1967 : *Washington remerciant Molly Pitcher :* USD 225 ; *Le pasteur du village :* USD 950 – New York, 21 juin 1978 : *Scène de bataille* 1853, h/t (58,5x88) : USD 2 500 – New York, 30 mai 1985 : *Entertaining the baby* 1869, h/t (73,6x91,4) : USD 3 750 – New York, 24 juin 1988 : *Séparation déchirante* 1867, h/t (60x50) : USD 2 530.

CARTER Edgar William
Né à Londres. xxe siècle. Britannique.
Décorateur.
En 1933 il exposait au Salon des Artistes Français un carton de vitrail.

CARTER Ellen, née Vavasseur
Originaire de Weston dans le Yorkshire. Morte en 1815 à Londres. xixe siècle. Britannique.
Illustratrice.

CARTER Francis Thomas
Né le 18 juillet 1853. xixe-xxe siècles. Britannique.
Peintre de paysages.

Participa aux grandes expositions d'Angleterre ; en 1914, il figurait encore au Salon des Artistes Français.

CARTER Francis William
Né le 18 décembre 1870 à Londres. xxe siècle. Britannique.
Peintre de portraits.
Il a exposé à partir de 1900 à la Royal Academy de Londres.

CARTER G. A.
xixe siècle. Britannique.
Sculpteur.
Il travailla à Londres, où il exposa entre 1870 et 1878 à la Royal Academy.

CARTER George
Né à Colchester. Mort en 1795 à Hendon (près Londres). xviiie siècle. Britannique.
Portraitiste, peintre d'histoire et de genre.
Il exposa des portraits à la Royal Academy et à la Society of Artists, à Londres, entre 1769 et 1784. En 1775, il envoya aussi un *Hussard blessé* ; plus tard : *Le Pèlerin mourant* et *Le Siège de Gibraltar.* On mentionne encore parmi ses œuvres : *La mort du capitaine Cook, Le Départ* et *Le Retour du pêcheur, L'Adoration des bergers.* Voyagea en Italie, en Russie et visita les Indes.
Ventes Publiques : Londres, 7 déc. 1938 : *La mort du capitaine Cook :* GBP 23 – Londres, 31 mars 1944 : *Le vendeur de chansons,* vendu avec la gravure exécutée d'après le tableau : GBP 36.

CARTER H. B. Voir CARTER Henry Barlow

CARTER Henry, appelé aux États-Unis Frank Leslie
Né en 1821 à Ipswich, Angleterre. Mort en 1880 à New York. xixe siècle. Britannique.
Graveur.
Après avoir travaillé à Londres, il vint se fixer à New York en 1848. Éditeur, il créa un certain nombre de revues illustrées. Il grava également sur bois.

CARTER Henry
Né à Belfast (Irlande du Nord). xxe siècle. Actif de 1866 à 1873. Britannique.
Peintre de paysages, aquarelliste.
Il exposait à la British Water-Colour Society et à la Royal Canadian Academy.
Ventes Publiques : Londres, 14 fév. 1990 : *Chaton blanc couché à côté d'une coupe de porcelaine bleue et blanche sur une nappe* 1873, aquar. avec reh. blancs (20,3x26,7) : GBP 935.

CARTER Henry Barlow, ou H. B.
Né en 1795 à Scarborough. Mort en 1867. xixe siècle. Britannique.
Peintre de paysages, marines, architectures, aquarelliste, dessinateur.
En rapprochant H. B. Carter et Henry Barlow Carter en un seul artiste, on pourrait penser que pour ses dessins il ne signait que H. B. Carter et Henry Barlow Carter pour les aquarelles. Il exposa à la Royal Academy, à la British Institution et à Suffolk Street, à Londres, entre 1827 et 1830.
Musées : Londres (British Mus.) : *Docks en construction.*
Ventes Publiques : Londres, 25 juin 1909 : *Le château de Scarborough,* dess. : GBP 4 – Londres, 5 fév. 1910 : *Vue de la côte près de Scarborough,* 2 dessins : GBP 14 – Londres, 21 avr. 1922 : *Naufrage sur la côte du Yorkshire* 1862, dess. : GBP 15 – Londres, 22 nov. 1926 : *Bateaux de pêche près d'une côte rocheuse,* dess. : GBP 7 – Londres, 28 mars 1927 : *Bateaux de pêche à Scarborough,* dess. : GBP 6 – Londres, 27 mars 1931 : *La plage de Scarborough,* dess. : GBP 7 – Londres, 19 fév. 1932 : *Bateaux à Whitby* 1826, dess. : GBP 4 – Londres, 13 mai 1935 : *Le mont Saint-Michel, Cornouailles,* dess. : GBP 5 – Londres, 19 mars 1981 : *Pêcheurs en bateaux à Hartlepool* 1859, aquar. (40,5x31,5) : GBP 420 – Londres, 12 juil. 1984 : *Durham cathedral from the Wear,* aquar. (18,5x28) : GBP 780 – Londres, 9 juil. 1985 : *Durham cathedral,* aquar. et cr. (18,5x28,4) : GBP 600 – Londres, 16 juil. 1987 : *Edimburg from the King's Bridge* 1859, aquar. (54,5x75,5) : GBP 1 300 – Londres, 25 jan. 1988 : *Bateau de pêche au large de Iona,* aquar. (16,5x23,5) : GBP 418 ; *Les grottes de Fingal à Staffa,* aquar. (16,5x23,5) : GBP 385 – Londres, 1er nov. 1990 : *Le château de Dunstanburgh,* aquar. avec reh. de blanc (24,2x33,7) : GBP 440.

CARTER Henry William
xixe siècle. Britannique.
Peintre de genre, animaux.

Il exposa, entre 1867 et 1893, à la Royal Academy et à Suffolk Street, à Londres.

VENTES PUBLIQUES : LONDRES, 16 avr. 1986 : *Famille de canards* 1876, h/t (61x51) : **GBP 1 900** – LONDRES, 16 juil. 1991 : *Un bull terrier et un chat tigré* 1890, h/t (25,3x31) : **GBP 4 180**.

CARTER Hugh
Né en 1837 à Birmingham. Mort en 1903 à Londres. XIXe siècle. Britannique.
Peintre de scènes de genre, portraits, paysages, aquarelliste, pastelliste, dessinateur.
Il se forma en Angleterre, à Düsseldorf et en Hollande. Il exposa à Londres à partir de 1859, à la Royal Academy et au Royal Institute.
MUSÉES : LONDRES (Nat. Gal. of British Art) : *Portrait de Sir Francis Ronalds* – LONDRES (Victoria and Albert Mus.) : *Construction et gondoles, Venise* – *Intérieur du couvent des capucins à Albano*.
VENTES PUBLIQUES : LONDRES, 6 avr. 1923 : *Femme hollandaise sur les dunes* : **GBP 5** – LONDRES, 20 juil. 1923 : *Femme de pêcheur hollandais*, dess. : **GBP 7** – LONDRES, 16 mai 1930 : *Le raccommodage des filets*, dess. : **GBP 9** – LONDRES, 10 mars 1981 : *Jeunes pêcheurs*, aquar. (50x36) : **GBP 350** – LONDRES, 18 juil. 1984 : *Mère et enfant*, h/t (92x61) : **GBP 420**.

CARTER J.
XVIIIe-XIXe siècles. Britannique.
Peintre.
Il exposa à la Royal Academy à Londres, en 1788 et en 1814.

CARTER J.
XIXe siècle. Britannique.
Peintre d'architectures.
Il travailla à Londres, où il exposa entre 1821 et 1844 à la Royal Academy.

CARTER J. H.
XIXe siècle. Britannique.
Peintre de portraits.
Il exposa de 1839 à 1856 à la Royal Academy, à Londres.

CARTER J. H., Mrs. Voir CARTER Matilda

CARTER J. M.
XIXe siècle. Britannique.
Peintre de paysages et de fruits.
Il travailla à Londres puis à Monmouth. Il exposa à Londres, de 1842 à 1865 à la Royal Academy, à la British Institution et à Suffolk Street.

CARTER James
Né en 1798 dans la paroisse de Shoreditch près de Londres. Mort en 1855 à Londres. XIXe siècle. Britannique.
Graveur.
Carter commença ses études artistiques comme apprenti chez le graveur d'architectures Tyrrel, mais, s'affranchissant bientôt du style de son maître, il se créa une manière personnelle et joignit à sa connaissance de la forme architecturale une facilité pour le paysage et la figure. Il travailla pour plusieurs journaux, tels que le *Art Journal*, l'*Annual* et d'autres ouvrages d'architectures.

CARTER John
Né le 22 juin 1748 à Londres. Mort en 1817 à Londres. XVIIIe-XIXe siècles. Britannique.
Dessinateur d'architectures.
Il exposa des dessins à la Royal Academy, à la Society of Artists et à la Free Society of Artists, à Londres, entre 1765 et 1794. Carter travailla pendant plus de vingt ans comme dessinateur pour la Société des Antiquaires et fournit des dessins pour le *Builder's Magazine* (Magazine des Constructeurs de Bâtiments) de 1774 à 1786. Carter exécuta aussi des dessins pour plusieurs journaux illustrés de Londres et, à sa mort, laissa vingt-huit volumes de ses esquisses d'architectures.
MUSÉES : LONDRES (Water-Colours Mus.) : *La Cathédrale de Strasbourg* – *La Chapelle de Westminster* – MANCHESTER : *Le chœur de la chapelle Saint-Georges à Windsor avec les portraits de William Pitt et du doyen de Windsor*.
VENTES PUBLIQUES : LONDRES, 11 mai 1908 : *La cathédrale de Lichfield*, dess. : **GBP 2**.

CARTER Mary Mein, Mrs James Newman
Née le 16 août 1864 à Philadelphie. XIXe siècle. Américaine.
Miniaturiste et décorateur.
Élève de C. Faber Fellows et de Carl Philip Weber.

CARTER Matilda
Née en 1807. Morte en 1891. XIXe siècle. Britannique.

Peintre de portraits, miniatures.
Elle exposa de 1839 à 1869 à la Royal Academy, à Londres, un grand nombre de portraits et figura à l'exposition de portraits en miniatures du Victoria and Albert Museum de 1865 ; femme de J. H. Carter et au moins apparentée à AUSTIN-CARTER (Matilda).

CARTER Natalie
Née le 5 avril 1955 à New York. XXe siècle. Américaine.
Peintre, dessinatrice. Tendance surréaliste.
Elle fut élève de la Boston School of Museum of Fine Arts. Elle fit une première exposition à Paris, en mai 1975.

CARTER Noel N.
XIXe siècle. Britannique.
Peintre de portraits, miniatures.
Il travailla à Londres, où il exposa de 1826 à 1833 à la Royal Academy et à Suffolk Street.

CARTER Norman Saint Clair
Né au XIXe siècle à Melbourne. XIXe siècle. Australien.
Peintre de portraits.
Il figura au Salon des Artistes Français en 1913, obtenant une troisième médaille.
VENTES PUBLIQUES : SYDNEY, 4 oct. 1977 : *Jeune fille en robe blanche* 1923, h/t (92,5x77) : **AUD 3 000**.

CARTER Paul J.
Né dans la deuxième moitié du XIXe siècle en Angleterre. XIXe siècle. Britannique.
Peintre.
Il a formé des élèves.

CARTER Rachel, Mrs John Darlington Carter, née Rachel Griscom Alsop
Née le 24 janvier 1867 à Westtown (Pennsylvanie). XIXe siècle. Vivant à Landsdowne (Pennsylvanie). Américaine.
Peintre.
Élève de l'école des Arts industriels à Philadelphie et de la National Academy de New York.

CARTER Richard Harry
XIXe siècle. Britannique.
Peintre de marines, dessinateur.
Il exposa de 1864 à 1893 à la Royal Academy, à Suffolk Street et à la Grafton Gallery, à Londres. Le Musée de Reading conserve de lui : *Secours*.
VENTES PUBLIQUES : LONDRES, 21 avr. 1922 : *La pêche près de Land's End* 1886, dess. : **GBP 21** – LONDRES, 23 juil. 1923 : *Sur la côte ouest de l'Écosse*, dess. : **GBP 4**.

CARTER Robert
Né en 1873. Mort en 1918 à Philadelphie. XIXe-XXe siècles. Américain.
Peintre.

CARTER Robert Radcliffe
Né le 30 avril 1867. XIXe siècle. Britannique.
Peintre de paysages.
A exposé à la Royal Birmingham Society of Artists. Signe : *Radcliffe Carter*.

CARTER Rosa, Miss
XIXe siècle. Britannique.
Peintre de miniatures, portraits.
Elle travailla à Londres, où elle exposa entre 1890 et 1898, à la Royal Academy et à Suffolk Street, une série de portraits de femmes et d'enfants.

CARTER Rubens Charles
Né en 1877 à Clifton près de Bristol. Mort en 1905. XIXe-XXe siècles. Américain.
Peintre de genre, aquarelliste, dessinateur.
Il fut élève de la Bristol School of Art. Il collabora à des revues et journaux illustrés, dont le célèbre *Punch*.
MUSÉES : BRISTOL : *Les douze mois de l'année* – *Le bal des modèles* – *Signes précurseurs du printemps* – *Is a caddie always necessary ?*, aquar.

CARTER Samuel, le Jeune
XIXe siècle. Britannique.
Paysagiste.
Il exposa de 1880 à 1888 à Suffolk Street, à Londres.

CARTER Samuel John
Né en 1835 à Swaffham (Norfolk). Mort en 1892. XIXe siècle. Britannique.

Peintre de scènes de chasse, portraits, animaux.
De 1855 à 1892, il exposa à la Royal Academy, à la British Institution, à Suffolk Street et à la Grafton Gallery, à Londres.
MUSÉES : NORWICH : *Hippopotames.*
VENTES PUBLIQUES : LONDRES, 15 fév. 1908 : *Renards et Lapins :* GBP 22 – LONDRES, 12 déc. 1908 : *Chasse de nuit dans la forêt de Windsor :* GBP 23 – LONDRES, 30 mars 1908 : *Chiens de chasse à courre ; Chien de sport,* dess. : FRF 5 – LONDRES, 28 nov. 1972 : *Pur-sang tenu par une jeune femme en noir :* GBP 1 400 – LONDRES, 16 fév. 1982 : *Portrait de miss Ethel Buxton* 1887, h/t (71x91,5) : GBP 520 – CHESTER, 13 jan. 1984 : *A disputed meal* 1861, h/t (42x52) : GBP 1 100 – LONDRES, 17 nov. 1986 : *Biches dans une clairière* 1876, h/t (61x51) : GBP 1 800 – LONDRES, 9 fév. 1990 : *Une fière mère,* h/t (86,4x111,8) : GBP 6 600 – LONDRES, 25 mars 1994 : *Biche et Daim* 1882, h/t (71,2x91,4) : GBP 6 670 – LONDRES, 7 juin 1996 : *Portrait de John Muster en pied* 1877, h/t (245x204) : GBP 21 850.

CARTER Sydney
Né à Londres. XIXᵉ-XXᵉ siècles. Britannique.
Peintre.
Il a exposé à partir de 1894, à la Royal Academy de Londres. Il a figuré à Paris, au Salon des Artistes Français, en 1933.
VENTES PUBLIQUES : JOHANNESBURG, 17 mars 1976 : *Cap Winery,* h/t (63x76) : ZAR 1 000 – JOHANNESBURG, 21 juin 1983 : *The old Provost, Grahamstown,* h/cart. (43x60,5) : ZAR 850.

CARTER T.
XIXᵉ siècle. Britannique.
Peintre d'architectures.
Il exposa à la Royal Academy, à Londres, en 1815-1817.

CARTER Thomas
Mort le 5 janvier 1795. XVIIIᵉ siècle. Actif à Knightsbridge. Britannique.
Sculpteur.
Thomas Carter jouit de l'amitié du peintre Jervis qui facilita ses premiers succès, lorsqu'il travailla comme statuaire à Knightsbridge. On cite de lui le bas-relief du monument de Lord Townshend à Westminster Abbey. Membre du premier comité de la Royal Academy en 1755. Il fut le premier patron de Roubillac.

CARTER Thomas
XIXᵉ siècle. Britannique.
Sculpteur.
Il exposa de 1886 à 1889 à la Royal Academy, à Londres.

CARTER Tony
XXᵉ siècle. Britannique.
Sculpteur.
Il a montré ses œuvres dans une exposition personnelle en 1996 à la galerie Claudine Papillon à Paris.
Il emprunte à son environnement notamment culturel les formes mises en scène dans son travail. Dans *Dreaming Holbein,* il s'approprie, extraite du célèbre tableau du peintre hollandais *Les Ambassadeurs,* la figure du crâne en anamorphose qu'il reproduit en volume puis place sur un socle pour en montrer son destin : « objet de réflexion ou de curiosité pour historiens et amateurs d'art, objet de manipulation pour les sculpteurs ».
BIBLIOGR. : Paul Ardenne : *Tony Carter,* in : *Artpress,* nᵒ 219, Paris, déc. 1996.

CARTER William
Né vers 1630 à Londres. XVIIᵉ siècle. Britannique.
Graveur, illustrateur.
Ce graveur imita le style de Wenzel Hollar dont il fut l'élève. Il aurait aussi collaboré avec son maître dans plusieurs des ouvrages de celui-ci. La plupart de ses gravures furent des vignettes et des dessins d'ornements destinés à des livres. Le *Bryan Dictionary* cite également une série d'illustrations que William Carter fit pour la traduction d'*Homère,* par Ogilvy (1660).

CARTER William
XIXᵉ siècle. Actif à Londres. Britannique.
Peintre de paysages, architectures.
Il exposa de 1836 à 1876 à la Royal Academy, à la British Institution et à Suffolk Street, à Londres.
MUSÉES : LONDRES (Victoria and Albert Mus.) : *Une vue de la Tamise.*
VENTES PUBLIQUES : LONDRES, 8 avr. 1992 : *Paysage avec une vue de Belvoir Castle et des personnages au premier plan,* h/t (63x86,5) : GBP 3 740.

CARTER William
Né le 4 février 1863 à Swaffham (Norfolk). Mort le 20 décembre 1939 à Swaffham (Norfolk). XIXᵉ-XXᵉ siècles. Britannique.
Peintre de portraits, aquarelliste.
Il fut élève de la Royal Academy de Londres, où il résidait. Il y a exposé depuis 1883, aux Royal Academy, Suffolk Street, New Water-Colour Society, etc. Il a aussi exposé à Paris, au Salon des Artistes Français, mention honorable pour l'Exposition Universelle de 1889, deuxième médaille 1912.
MUSÉES : LONDRES (Tate Gal.).

CARTERET Antoine
XIXᵉ siècle. Vivant à Hanau (Allemagne) dans le premier quart du XIXᵉ siècle. Allemand.
Miniaturiste.
On connaît de lui une *Entrée des Alliés à Hanau,* 1814, sign. Carteret et Berneaud, sur une boîte en or (Coll. Paul Marmottan), et *Le Triomphe des Alliés,* 1814, sign. *A. Carteret,* sur une boîte en or (coll. H. d'Allemagne).

CARTERET D. H. de
Née le 29 janvier 1897 dans le Sussex. XXᵉ siècle. Britannique.
Peintre de paysages.
Elle fut élève d'Ernest Borough-Johnson de 1915 à 1919. Elle exposait à Londres, aux Royal Academy, Royal Society of British Artists, Royal Institute of Oil Painters.

CARTERON Charles Honoré
Né au XIXᵉ siècle à Avignon (Vaucluse). XIXᵉ siècle. Français.
Peintre de genre, portraits.
Élève de Guilbert d'Anelle. Il débuta au Salon en 1879.

CARTERON Claude
XVIIᵉ siècle. Actif à la Grand'Combe-des-Bois entre 1670-1692. Français.
Peintre.

CARTERON Eugène
Né en 1848 à Paris. XIXᵉ siècle. Français.
Peintre.
Élève d'Auguste et de Léon Glaize, et de Pils à l'École des Beaux-Arts. On cite de ce peintre : *L'Enfant prodigue* (1878 ; troisième médaille), au Musée de Béziers, *Les Marches de Saint-Sulpice* (1881), *Le Rebouteux* (1882), au Musée d'Agen, *Les deux cortèges* (1883), au Musée d'Orléans, *Vocation contrariée* (1883 ; médaille de bronze à l'Exposition Universelle de 1889), *Fin de carnaval* (1890), *Avant le combat* (1895).

CARTERON Marie-Zoé, née Valleray
Née le 21 juillet 1813 à Paris. XIXᵉ siècle. Française.
Peintre de portraits.
Élève de Granger et de Léon Cogniet. Elle exposa ses ouvrages au Salon de Paris à partir de 1839.

CARTES À JOUER, Maître des. Voir MAÎTRES ANONYMES

CARTET
XVIIIᵉ siècle. Actif au Mans. Français.
Peintre.
Travailla en 1780 à l'église Notre-Dame à Saint-Calais.

CARTEYNS Peeter
XVIIᵉ siècle. Actif à Anvers. Éc. flamande.
Sculpteur sur bois.

CARTHENNE Lucienne
Née à Paris. XIXᵉ-XXᵉ siècles. Française.
Peintre de paysages.
Elle résidait et travaillait à Avon, près de Fontainebleau. Elle fut élève de Charles Busson. Elle a exposé régulièrement à Paris, depuis la fin du XIXᵉ siècle, au Salon des Artistes Français, dont elle fut sociétaire. Elle peignit surtout des paysages de la forêt de Fontainebleau.

CARTHERY François
XVIIIᵉ siècle. Français.
Sculpteur.
Il fut reçu à l'Académie de Saint-Luc à Paris en 1778.

CARTHEUSER Margaretha ou Carthuser
XVᵉ siècle. Allemande.
Calligraphe et miniaturiste.
Membre de l'ordre des Dominicaines, elle travailla au couvent Sainte-Catherine à Nuremberg.

CARTIER, de son vrai nom : Claude Fortuné Ami
Né le 29 février 1824 à Marseille (Bouches-du-Rhône). XIXᵉ siècle. Français.

Peintre.

Entré à l'École des Beaux-Arts le 7 octobre 1846, il fut élève de H. Vernet et de H. Flandrin. Ayant embrassé plus tard l'état ecclésiastique, il continua cependant la pratique de son art. En 1848, il figura au Salon de Paris avec : *Le bienheureux Angelico, offrant ses pinceaux à Dieu*, et, en 1859, avec : *Un moine en méditation*. Il a peint une *Sainte Geneviève* à l'église des Carmes, une *Assomption* à la chapelle de l'hospice, à Bagnères-de-Bigorre et décoré diverses chapelles particulières. Le Musée de Draguignan conserve de lui : *Tête de vieillard* et *Vieille femme mangeant sa soupe*.

CARTIER Antoine
Né au Petit Saconnex (près de Genève). XVIIIe siècle. Suisse.

Graveur et ciseleur.

Cet artiste, mentionné dans le Dictionnaire du Dr Carl Brun, fut reçu bourgeois de Genève le 29 mars 1732.

CARTIER Christophe
Né en 1961 à Neuilly-sur-Seine (Hauts-de-Seine). XXe siècle. Français.

Peintre, technique mixte, dessinateur. Abstrait.

Il vit et travaille à Paris. Il participe à des expositions collectives, dont le Salon de Montrouge 1988. Il fait des expositions personnelles : 1986 Bruxelles, Centre Culturel de Troyes, 1987 Paris, 1989 Paris et Institut Français de Madrid, etc.

CARTIER Étienne
XIXe siècle. Français.

Dessinateur et graveur à l'eau-forte et au burin.

Le Blanc cite de lui : *Rosace de Saint-Étienne de Beauvais, Monnaies des Princes de Dombes, Monnaies des Princes de Bar*.

CARTIER Eugène
Né à Arles (Bouches-du-Rhône). XXe siècle. Français.

Peintre, graveur, sculpteur.

Il fut élève de Jean Carlus et de Jobbé-Duval. Il exposait à Paris, au Salon des Artistes Français, dont il devint sociétaire, mention honorable 1926. Il a peint un des panneaux de l'ensemble décoratif de la mairie de Clamart (Hauts-de-Seine).

CARTIER Francine
XXe siècle. Française.

Sculpteur.

Elle fut élève, et sans doute parente, de Thomas François Cartier. Elle exposait à Paris, au Salon des Artistes Français de Paris, obtenant une mention honorable en 1932.

CARTIER Gabriel
XVIe siècle. Français.

Sculpteur.

Il était « sculpteur du roi » à Paris en 1587.

CARTIER Jacques
Né en Arles (Bouches-du-Rhône). XIXe-XXe siècles. Français.

Peintre animalier.

Il fut élève, et peut-être fils, d'Eugène Cartier. Il a exposé à Paris, au Salon des Artistes Français, dont il devint sociétaire. Il a surtout peint des chiens de berger et des ours polaires.

VENTES PUBLIQUES : PARIS, 17 nov. 1992 : *Pointers*, h/pan. (46x55) : **FRF 3 000** – PARIS, 10 fév. 1993 : *Aras et cacatoes*, h/t, une paire (chaque 60x35) : **FRF 8 000**.

CARTIER Jean
Né à Paris. XXe siècle. Actif et naturalisé aux États-Unis. Français.

Peintre. Abstrait minimaliste-analytique.

Il vit à New York et expose depuis 1956 aux États-Unis. Son travail est très influencé par certains courants picturaux américains. Il présente de grandes toiles ou bien des plaques de plexiglas coloré dans la masse, où peintures et couleurs sont soumises à modulations. Dérivé du courant général minimaliste, ce type de pratiques fut prépondérant dans les avant-gardes du début des années soixante-dix. Il s'agissait alors de redéfinir, au cours d'une analyse, soit fondée sur une argumentation matérialiste, soit plus purement intuitive, le vocabulaire et la syntaxe de la peinture et sa fonction.

CARTIER Joseph Benjamin
Né en 1784 à Lyon. XIXe siècle. Français.

Peintre.

Il fut élève de Valencienne et dirigea l'École de dessins de Saint-Germain-en-Laye. Il exposa au Salon de Paris, de 1814 à 1841, des paysages historiques, des vues de monuments et des marines. On cite parmi ses envois : *Bélisaire sortant de chez Géli-*mar (1814), *Tibère ordonne à une famille de paysans d'attendre Bélisaire sur la route et de le secourir, Vue des environs de Dieppe* (1824), *Vue de l'abbaye de Saint-Wandrille* (1833), *Vue du Tréport* (1835), *Église cathédrale de Gournay* (1841).

CARTIER Karl
Né le 5 septembre 1855 à Paris. Mort en 1925. XIXe-XXe siècles. Français.

Peintre de paysages.

Élève de Barrias, Gérome et Carolus Duran à l'École des Beaux-Arts de Paris, il débuta au Salon en 1875. Il obtint une médaille d'or de deuxième classe à l'Exposition Universelle de 1889. Il fut également professeur de dessin dans plusieurs lycées parisiens et critique d'art, ayant publié, sous le pseudonyme de F. Bataille, quelques centaines de biographies de peintres contemporains. Ses paysages de bord de l'eau, pâturages, sont souvent teintés de mélancolie et représentés au coucher du soleil ou au clair de lune. Citons : *Retour des champs – Coucher de soleil au bord de la Marne – Retour du troupeau le soir – Les bords de Seine à Villeneuve 1891 – Solitude 1897 – En retard 1901*.

BIBLIOGR. : Gérald Schurr, in : *Les Petits Maîtres de la peinture 1820-1920, valeur de demain*, t. V, Les Éditions de l'Amateur, Paris, 1981.

MUSÉES : BOURGES : *Le récit au cabaret*.

VENTES PUBLIQUES : PARIS, 1er-3 mars 1923 : *Troupeau de moutons au clair de lune* : **FRF 180** – PARIS, 29 oct. 1925 : *La charrue aux bœufs* : **FRF 105** ; *Portrait de jeune femme*, past. : **FRF 50** – PARIS, 17 fév. 1933 : *Paysages animés*, deux pendants : **FRF 180** – NEW YORK, 15 oct. 1976 : *Paysage au moulin*, h/t (61x76) : **USD 1 000** – VERSAILLES, 27 jan. 1980 : *Notre-Dame et les quais*, past. (23x41) : **FRF 1 550** – SAINT-BRIEUC, 7 avr. 1980 : *Troupeau à la mare*, h/t (48x65) : **FRF 4 200** – BERNE, 21 oct. 1983 : *Berger et troupeau dans un paysage au clair de lune*, past. (27x40) : **CHF 2 200** – PARIS, 5 juin 1989 : *Nice 1918*, h/pan. (41x27) : **FRF 5 000** – REIMS, 17 juin 1990 : *Le village de Moret*, h/t (27x46) : **FRF 5 000** – PARIS, 25 mai 1992 : *Les lavandières à Moret*, h/t (55x81) : **FRF 12 000**.

CARTIER Louis
Né au XIXe siècle à Paris. Mort en 1900. XIXe siècle. Français.

Sculpteur.

Élève de Deloye et Guilbert d'Anelle. Il débuta au Salon de Paris en 1868, et dut, en 1870, renoncer à la pratique de son art.

CARTIER Roger
XXe siècle. Français.

Peintre, caricaturiste.

En 1929 il exposait au Salon des Humoristes les portraits-charges de Marcel Achard, Joseph Kessel et Poulbot.

CARTIER Thérèse
Née à Marseille (Bouches-du-Rhône). XIXe siècle. Active dans la seconde moitié du XIXe siècle. Française.

Pastelliste.

Élève de B. Constant. Exposant de l'Union des Femmes Peintres et Sculpteurs.

CARTIER Thomas François
Né le 21 février 1879 à Marseille (Bouches-du-Rhône). XXe siècle. Français.

Sculpteur animalier.

Il fut élève du sculpteur animalier Georges Gardet. Il exposait à Paris, au Salon des Artistes Français, dont il obtint diverses distinctions, notamment une médaille d'or en 1927. Il fut déclaré hors-concours. Il a figuré également au Salon d'Automne.

VENTES PUBLIQUES : PARIS, 23 juin 1971 : *Combat de cerfs*, bronze : **FRF 580** – LE HAVRE, 27 nov. 1972 : *Lionne marchant*, bronze : **FRF 650** – LONDRES, 19 nov. 1977 : *Panthère marchant*, bronze (long. 54) : **GBP 1 000** – VERSAILLES, 22 juin 1980 : *Combat de cerfs*, bronze : **FRF 4 000** – BREST, 19 juin 1983 : *Lionne sur un rocher*, bronze (H. 37) : **FRF 6 000** – PARIS, 27 mars 1984 : *Louve et louveteaux*, bronze (50x40) : **FRF 6 500** – LONDRES, 20 mars 1986 : *Lionne vers 1900*, bronze (H. 29) : **GBP 700** – MELBOURNE, 30 juin 1987 : *Cerf à dix-cors*, bronze (H. 72) : **AUD 3 000** – PARIS, 24 avr. 1988 : *Lionne rugissant sur un rocher*, bronze patine brune (L 51) : **FRF 4 500** – NEW YORK, 9 juin 1988 : *Groupe d'un loup portant sa proie*, bronze (H. 34,3) : **USD 1 320** – STRASBOURG, 29 nov. 1989 : *La lionne*, bronze (L. 54) : **FRF 6 000** – PARIS, 28 oct. 1990 : *Lion s'accouplant*, bronze à patine verte (H. 40, L. 58, l. 33) : **FRF 15 000** – NEW YORK, 3 juin 1994 : *Loup et louveteau*, bronze (H. 34,3, L. 50,8) : **USD 2 300** – NEW YORK, 20 juil. 1995 : *Jaguar*, bronze (H. 34,3, L. 50,8) : **USD 2 070** – PARIS, 20 déc. 1995 : *Lion combattant*, plâtre (H. 64) : **FRF 4 500**.

CARTIER Victor Émile

Né le 22 juillet 1811 à Versailles (Yvelines). Mort le 21 octobre 1866 à Paris. XIXᵉ siècle. Français.

Peintre d'animaux, paysages.

Il fut élève de Pâris. Il débuta au Salon de Paris, en 1833, avec : *Le soldat bouvier*. Il participa aux Salons jusqu'en 1864 se consacrant exclusivement à la peinture des troupeaux dans les pâturages.

MUSÉES : ORLÉANS : *Taureau effrayé par un serpent*.

VENTES PUBLIQUES : PARIS, 1865 : *Paysage avec animaux* : **FRF 260** – LONDRES, 1ᵉʳ mai 1931 : *L'abreuvoir* 1860 : **GBP 4** – BERNE, 5 avr. 1972 : *Paysage à la prairie* : **CHF 1 300** – BERNE, 3 mai 1985 : *Troupeau près de la mare*, h/cart. entoilé (41x50) : **CHF 2 500**.

CARTIER-BORDES Myriam

Née à Nice (Alpes-Maritimes). XXᵉ siècle. Française.

Peintre de natures mortes, dessinatrice.

Elle fut élève de l'Ecole des Arts Décoratifs de Nice. Elle a participé à des expositions collectives, notamment à Paris au Salon d'Automne. Elle a aussi montré ses peintures et dessins au fusain dans des expositions personnelles, à Paris, Marseille, etc.

CARTIER-BRESSON Henri

Né en 1908 à Chanteloup. XXᵉ siècle. Français.

Photographe, dessinateur.

Autour de 1975, l'éditeur Tériade persuada le célèbre photographe de renouer avec ses premières études de dessin et peinture. Ce cas n'est pas isolé, on connaît les dessins de nus à la plume de Brassaï. Depuis 1975, Henri Cartier-Bresson a donc montré ses dessins dans plusieurs expositions personnelles, jusqu'à celle qui fut organisée en 1989 à l'Ecole des Beaux-Arts de Paris.

Le dessinateur ne reprend qu'occasionnellement les thèmes du reporter-photographe. Il dessine des nus, des vues « en plongée » du Jardin des Tuileries, des paysages, des squelettes d'animaux.

BIBLIOGR. : Jean Clair, John Russel : *Trait pour trait – les dessins d'Henri Cartier-Bresson*, Arthaud, Paris, 1989.

CARTIER-BRESSON Louis Jules

Né le 5 octobre 1882 à Pantin (Seine-Saint-Denis). Mort pour la France durant la Première Guerre mondiale. XXᵉ siècle. Français.

Peintre de scènes de genre, portraits.

Il fut élève de l'École des Beaux-Arts de Paris, dont il remporta le Prix de Rome en 1910. Il exposait à Paris, au Salon des Artistes Français, obtenant une troisième médaille en 1912. Il figura aussi au Salon d'Automne.

VENTES PUBLIQUES : PARIS, 7 déc. 1931 : *La diligence* : **FRF 300**.

CARTINI L.

XIXᵉ siècle. Actif en Italie. Italien.

Graveur au burin.

Le Blanc cite de lui : *Tommasini (Jacobo)*, d'après G. Guizzardi.

CARTISSANI Niccolo

Né en 1670 à Messine. Mort en 1742 à Rome. XVIIᵉ-XVIIIᵉ siècles. Italien.

Peintre de paysages.

Il travailla longtemps à Rome.

CARTLEDGE William

Né le 30 juin 1891 à Manchester. XXᵉ siècle. Britannique.

Peintre.

CARTO P.

XVIIIᵉ siècle. Portugais.

Peintre.

Le Musée de Dunkerque conserve de lui : *Christ en croix* et *Ensevelissement du Christ* (1699).

CARTOLAIO Félici

XVᵉ siècle. Actif à Florence vers 1477. Italien.

Miniaturiste.

CARTOLARI Bartolomeo

Originaire de Vérone. Mort en 1813 à Vérone. XIXᵉ siècle. Italien.

Peintre.

Frère de Fabrizio Cartolari. Il fut professeur à l'Académie des Beaux-Arts de Vérone.

CARTOLARI Fabrizio

Né vers 1729 à Vérone. Mort en 1816 à Vérone. XVIIIᵉ-XIXᵉ siècles. Italien.

Peintre.

Élève de Carlo Salis. Il a peint des tableaux pour les églises de Vérone.

CARTOLARI Francesco

XVIIIᵉ siècle. Actif à Bologne vers 1769. Italien.

Peintre.

Élève de Crespi, dit Spagnuolo. Il était moine.

CARTON Charles

Né le 3 mai 1816 à Ypres. Mort le 31 décembre 1853. XIXᵉ siècle. Belge.

Élève des Académies d'Ypres et d'Anvers, et de Dyckmans. Le Musée d'Ypres conserve de lui : *Désespoir de famille*.

CARTON Enguerrand. Voir QUARTON

CARTON Jean Maurice

Né le 23 mai 1912 à Paris. Mort en décembre 1988 à Paris. XXᵉ siècle. Français.

Sculpteur de figures, nus, bustes, peintre de portraits, pastelliste, dessinateur, illustrateur.

Il fit l'apprentissage de la sculpture à l'Ecole des Arts Appliqués de la Ville de Paris, ne passant que brièvement par l'école Nationale des Beaux-Arts. Il fut surtout l'élève de Wlérick, qui l'avait remarqué dès l'âge de treize ans aux Arts Appliqués. Très jeune, il figura dans des expositions de groupe, en compagnie d'aînés tels que Maillol, Despiau, Gimond, Malfray dont il devint l'ami, etc., ainsi qu'au Salon des Tuileries à Paris en 1942-1944, au premier Salon de Mai en 1945, puis au Salon des Peintres Témoins de leur Temps, au Salon de la Jeune Sculpture, dont il fut un des membres fondateurs, etc. En 1994, la Biennale de Fontainebleau lui a rendu un Hommage posthume. Il a également participé aux expositions d'ensemble de sculpture française à Londres, Amsterdam, Bruxelles, Le Caire, aux États-Unis, au Canada, etc. Il montra ses sculptures et dessins dans des expositions personnelles depuis la première en 1938, puis en 1949, 1953, etc. En 1994, l'Hommage présenté à la Biennale de Fontainebleau, a été ensuite montré au Musée de Provins. Il fut attribué de Prix Blumenthal, en 1948 le Prix de la Villa Abd el Tif, qui lui valut un séjour de trois années à Alger. Il fut fait chevalier de la Légion d'Honneur et élu membre de l'Académie des Beaux-Arts.

Vers 1956, il eut commande de la sculpture du buste du Président Habib Bourguiba. Il a illustré *Encore un instant de bonheur* d'Henri de Montherlant, *La Jeune Parque* de Paul Valéry. Ses dessins et ses sculptures féminines le rattachent à la tradition française, alliant structure et grâce, qui court de Degas à Despiau, Belmondo, tandis que ses bustes masculins retrouvent à l'occasion la puissance expressive de Rodin. ■ J. B.

MUSÉES : OTTAWA – PARIS (Mus. Nat. d'Art Mod.) – TOULOUSE (Mus. des Augustins).

VENTES PUBLIQUES : PARIS, 21 déc. 1981 : *Portrait de femme*, h/t (41x31,5) : **FRF 2 200** – PARIS, 11 déc. 1987 : *L'Éphèbe*, n°3/8, bronze patiné (H 91) : **FRF 41 500** – PARIS, 11 mai 1990 : *Sortie de bain*, past. (21x11,5) : **FRF 6 100** – PARIS, 20 jan. 1997 : *Femme penchée* 1979, bronze patiné (H. 68) : **FRF 33 000** – PARIS, 11 avr. 1997 : *Tête de fillette*, bronze patine noire (H. 13, L. 12, l. 12) : **FRF 7 000**.

CARTON Melchior

XVIIᵉ siècle. Français.

Peintre.

Il fut reçu à l'Académie de Saint-Luc en 1661.

CARTON Norman

XXᵉ siècle. Américain (?).

Peintre. Abstrait.

Il séjourna à Paris au début des années cinquante. Il y exposa alors au Salon des Réalités Nouvelles.

Il peint des compositions abstraites très équilibrées, dans des gammes sombres et dans des matières très travaillées, notamment par des effets de grattage.

VENTES PUBLIQUES : NEW YORK, 17 oct. 1963 : *La danse du feu* : **USD 350**.

CARTON Viscardo

Né le 5 novembre 1867 à Vérone. XIXᵉ-XXᵉ siècles. Italien.

Peintre de compositions à personnages, compositions religieuses, portraits, architectures.

Il fut élève de Napoleone Nani à l'Académie de Vérone et de Luigi Cavenaghi à Milan.

Il a peint des tableaux d'autels et des fresques dans les églises et dans des demeures particulières.

MUSÉES : VÉRONE (Pina. mun.) : *La chaire de San Fermo*.

CARTONI Filippo
XIXᵉ siècle. Actif en Italie. Italien.
Peintre de compositions à personnages, graveur, dessinateur.
Il grava au burin.
VENTES PUBLIQUES : ROME, 16 déc. 1987 : *Académie d'homme* 1886, fus. (57,5x42) : **ITL 450 000.**

CARTORALI Girolamo
Originaire d'Urbino. XVIIᵉ siècle. Travaillant à Rome en 1607-1609. Italien.
Peintre.

CARTOSI Carlo
XVIIIᵉ siècle. Actif à Côme vers 1725. Italien.
Peintre de genre, bambochades.

CARTOSI Francesco et **Gaetano**
XVIIIᵉ siècle. Actifs à Côme. Italiens.
Peintres de grotesques.
Fils de Carlo Cartosi.

CARTOUX Marie-Thérèse
Née à Moulins. XXᵉ siècle. Française.
Peintre de natures mortes, fleurs.
Élève de E. Fougerat. A exposé au Salon des Artistes Français.

CARTOUX Maurice
Né au XXᵉ siècle à Sorgues. XXᵉ siècle. Français.
A exposé des paysages de France et d'Italie à la Société Nationale des Beaux-Arts et au Salon d'Automne.

CARTOYS Mathurin
XVIᵉ siècle. Actif à Tours. Français.
Sculpteur.
Il était, en 1563, sculpteur sur bois de la reine Catherine de Médicis.

CARTRY Nicolas
XVIIIᵉ siècle. Français.
Sculpteur.
Il fut reçu à l'Académie de Saint-Luc à Paris en 1748.

CARTTA N. H. N.
XXᵉ siècle. Français.
Peintre.
Exposant de la Société Nationale des Beaux-Arts en 1927.

CARTWRIGHT Charles
Né au XIXᵉ siècle à Boston. XIXᵉ-XXᵉ siècles. Américain.
Peintre.
Élève de Raphaël Collin. Il exposa au Salon de 1900 : *Intérieur de l'église Saint-Fiacre (Morbihan).*

CARTWRIGHT Frederick William
Né au XIXᵉ siècle. XIXᵉ siècle. Britannique.
Peintre de paysages, marines, aquarelliste.
Il exposa à partir de 1854, et jusqu'en 1893, à la Royal Academy, à la British Institution, à Suffolk Street, à la New Water-Colours Society, etc., à Londres.
VENTES PUBLIQUES : LONDRES, 16 déc. 1980 : *On the Thames at Dorney Reach,* aquar. (20,3x33,5) : **GBP 300.**

CARTWRIGHT J.
XIXᵉ siècle. Actif en 1801. Britannique.
Graveur à l'aquatinte.

CARTWRIGHT John
XVIIIᵉ-XIXᵉ siècles. Actif à Londres dans la dernière moitié du XVIIIᵉ siècle et le commencement du XIXᵉ siècle. Britannique.
Peintre de portraits, paysages.
Il exposa à la Royal Academy, entre 1778 et 1808. Graves cite un John Cartwright qui exposa des paysages entre 1767 et 1828. Serait-ce le même peintre ?
VENTES PUBLIQUES : LONDRES, 13 fév. 1909 : *Match-Girls ; Une gravure :* **GBP 4.**

CARTWRIGHT Joseph
Né vers 1789 en Angleterre. Mort en 1829. XIXᵉ siècle. Britannique.
Peintre de paysages, marines, aquarelliste, dessinateur.
Cet artiste exposa à la British Institution et à Suffolk Street, entre 1823 et 1829. Il fut nommé « peintre de l'Amirauté » en 1828. D'après Redgrave, il travailla à Dawlish. On cite de lui : *Venise, Vue des Jardins publics, Vésuve et la Baie de Naples, La Rade de Douvres.*

MUSÉES : LONDRES (British Mus.) : *Marché à Corfou,* aquar. – *Bateau de guerre,* aquar.
VENTES PUBLIQUES : LONDRES, 6 déc. 1926 : *La frégate des U.S.A. « President » :* **GBP 33** – LONDRES, 26 jan. 1984 : *La citadelle de Corfou,* aquar. et pl. (37,5x58,5) : **GBP 2 100** – LONDRES, 19 nov. 1985 : *Vue de Corfou,* aquar., cr. et pl. (37,7x58,8) : **GBP 1 400.**

CARTWRIGHT Rose, Miss
XIXᵉ siècle. Britannique.
Paysagiste.
Elle exposa de 1883 à 1888 aux Grafton et New Galleries, à Londres.

CARTWRIGHT William
XVIIIᵉ-XIXᵉ siècles. Britannique.
Graveur.
Il travailla à Londres. Le Blanc cite de lui 5 planches (*Vues de l'île de Wight,* d'après Walmsley). Il grava, d'après Holbein, un portrait de Thomas Cranmer, archevêque de Canterbury.

CARUANA Nicolas
Éc. de Malte.
Peintre.
La cathédrale de Malte conserve de cet artiste : *L'incarnation de Marie Immaculée.*

CARUBELLI Pietro Antonio
XVIIᵉ siècle. Actif à Crémone en 1603. Italien.
Peintre.

CARUCCI Jacopo da. Voir **PONTORMO**

CARUCHET Eugène
Né au XIXᵉ siècle à Paris. XIXᵉ siècle. Français.
Peintre de paysages.
Élève de Picot. Il débuta au Salon de Paris de 1868.

CARUCHET Henri
XIXᵉ siècle. Français.
Illustrateur. Art nouveau.
Parmi les ouvrages qu'il a illustrés, citons : *Voyage autour de sa chambre* 1896, de O. Uzanne ; *Balthazar et la reine Balkis* 1900, d'A. France ; *Le Pavillon sur l'eau* 1900, de Th. Gautier ; *Byblis* 1901, de Pierre Louÿs ; *La légende de sœur Béatrix* 1903, de C. Nodier ; *Les litanies de la mer* 1903, de J. Richepin.
Il a traité l'illustration de ces ouvrages dans un style floral délirant, caractéristique de l'Art nouveau.
BIBLIOGR. : Gérald Schurr, in : *Les Petits Maîtres de la peinture 1820-1920, valeur de demain,* Les Éditions de l'Amateur, t. III, Paris, 1976.
VENTES PUBLIQUES : PARIS, 18 juin 1974 : *Byblis,* exemplaire unique du livre de Pierre Louÿs comportant 43 aquar. : **FRF 16 000.**

CARUELLE d'ALIGNY Claude Félix Théodore
Né le 6 février 1798 à Chaumes (Nièvre). Mort le 24 février 1871 à Lyon (Rhône). XIXᵉ siècle. Français.
Peintre d'histoire, compositions à personnages, sujets religieux, paysages, graveur, dessinateur.
Élève de Regnault et de Watelet, il séjourna à Rome, où il connut les peintres lyonnais Orsel, Bonnefond et Vibert, puis se fixa à Paris. Il exposa à Lyon, en 1822, *Daphnis et Chloé,* à Paris, en 1831, *La persécution du Druidisme sous l'Empereur Claude,* qui lui valut une seconde médaille. Il envoya au même Salon de 1837 à 1842 une série de paysages historiques, de vues de monuments anciens, de compositions historiques ou religieuses ; obtint une première médaille en 1837 et fut décoré en 1842. En 1844, il fut envoyé en Grèce par le ministère et rapporta de ce voyage le texte et les planches de son ouvrage : *Vue des sites les plus célèbres de la Grèce Antique, dessinés sur nature et gravés par T. A.,* 1845. En 1860 les Lyonnais qu'il avait connus à Rome le firent nommer directeur de l'École des Beaux-Arts de Lyon ; il occupa ce poste jusqu'à sa mort. Il fut membre correspondant de l'Institut depuis 1863. Aligny connut Corot en Italie et lui donna des conseils. Il est dit Caruelle d'Aligny depuis 1859 environ.

BIBLIOGR. : Pierre Miquel, in : *Le paysage français au XIXᵉ siècle 1800-1900, l'école de la nature,* Éditions de La Martinelle, vol. II-III, Maurs-la-Jolie, 1985.
MUSÉES : AMIENS : *Le Bon Samaritain* – ANGERS : *Vue prise dans l'île de Capri* – AVIGNON : *Paysage mythologique* – BORDEAUX : *Enfance de Bacchus – Gorge aux loups et Longrocher – Chemin*

entre Interlaken et Lauterbrunn – CAEN : Reddition du château de Randan paysage – CLAMECY : Dessins – FONTAINEBLEAU : Amalfi – Villa italienne – LILLE : Villa Patissa – Vue prise dans la forêt de Fontainebleau – Vue della Rocca Stifano – Paysage – Dessins – LYON : Olevano – Meyringen – Paysage – Parc de Morfontaine, près Paris – Paysage – NANTES : Principale entrée de Corpio di Cava près de Naples – PARIS (Louvre) : Prométhée – Paysage – Villa italienne, Amalfi – RENNES : Paysage.

VENTES PUBLIQUES : PARIS, 1833 : Paysage avec épisode de Jésus et la Samaritaine : **FRF 750** ; Paysage dans la campagne de Rome : **FRF 1 000** – PARIS, 1859 : Ravin de Sorrente à Naples, dess. à la pl. : **FRF 45** – PARIS, 1876 : Château du gouverneur dans l'île de Capri, dess. : **FRF 120** ; Vue d'un couvent à Amalfi : **FRF 480** – PARIS, 15-16 nov. 1918 : Vue prise à Royat, dess. : **FRF 41** – PARIS, 23-24 mai 1921 : Rochers sous bois, aquar. : **FRF 37** – PARIS, 21 juin 1926 : Le vallon, environs de Vienne (Isère) : **FRF 200** – PARIS, 17 fév. 1937 : Vue de Monte Fenestra, dess. à la pl. : **FRF 110** – PARIS, 19 oct. 1942 : Le temple de Vesta et la cascade de l'Anïene : **FRF 500** – PARIS, 19 juin 1944 : L'étang : **FRF 1 700** – PARIS, 7 fév. 1949 : Paysage italien : **FRF 3 000** – PARIS, 19 mai 1950 : Paysage avec ruines : **FRF 11 800** – PARIS, 7 fév. 1951 : Paysage italien avec ruines : **FRF 2 000** – LONDRES, 27 juil. 1977 : Paysage d'Italie, h/t (53x74) : **GBP 3 800** – LONDRES, 20 juin 1979 : Village au bord d'une rivière, h/t (32x45) : **GBP 600** – LONDRES, 24 juin 1981 : Tailleurs de pierre italien parmi des ruines vers 1825, h/pap./t. (24x33) : **GBP 2 900** – PARIS, 27 fév. 1984 : Vue d'Italie 1856, aquar. et gche (36,5x26) : **FRF 10 500** – PARIS, 9 déc. 1985 : Paysage d'Italie, h/t (32,5x40,5) : **FRF 16 000** – PARIS, 3 déc. 1986 : Les Rochers de Fontainebleau : vue prise dans les gorges d'Apremont 1830, encre de Chine (60x48) : **FRF 21 000** – MONACO, 20 fév. 1988 : Fontaine de la nymphe Egérie, cr. (27,2x39,8) : **FRF 11 100** – PARIS, 30 mai 1988 : Paysage aux environs de Thiers 1833, dess. à la pierre noire avec reh. de craie (49x32) : **FRF 6 000** – PARIS, 20 oct. 1988 : Sous-bois 1827, pl. (33,5x23,5) : **FRF 6 800** – VERSAILLES, 5 mars 1989 : Scène de danse dans un pays oriental, h/t (112x60) : **FRF 31 000** – MONACO, 16 juin 1990 : La tarentelle, vue depuis l'ancien couvent des Capucins d'Amalfi 1857, h/t (72,5x105,5) : **FRF 122 100** – PARIS, 12 juin 1992 : Vue de Capri 1845, h/t (58x48) : **FRF 105 000** – MONACO, 18-19 juin 1992 : Vue de la Serpentara entre Olevano et Civitella 1825, encre (25,5x41) : **FRF 7 770** – PARIS, 13 mars 1995 : Paysage avec rochers 1834, encre (33,3x48,5) : **FRF 5 500** – PARIS, 23 mai 1997 : Vue de l'Acropole d'Athènes 1844, h/t (70x100) : **FRF 300 000**.

CARUS Carl Gustav

Né en 1789 à Leipzig. Mort en 1869 à Dresde. XIXe siècle. Allemand.

Peintre de paysages, aquarelliste.

Vrai personnage romantique, médecin, professeur de gynécologie, botaniste, écrivain, théoricien du paysage romantique, il illustra lui-même ses théories en étant l'un des représentants les plus importants de cette école si singulière du paysage romantique allemand. Malheureusement, pour lui, comme pour tous ces peintres, une grande partie de ses œuvres parmi les plus représentatives, fut détruite dans l'incendie du Glasspalatz de Munich, en 1931, pendant la grande exposition de la Peinture Romantique Allemande. Il devint membre honoraire de l'Académie des Beaux-Arts à Dresde.

Ce que David d'Angers disait de Friedrich, s'applique aussi bien à Carus ou à tout autre paysagiste romantique allemand : « Il a découvert la tragédie du paysage ». C'est à la rencontre de l'œuvre de Friedrich qui poussa le grand médecin Carus à peindre pour exprimer sa vision panthéistique et anthropomorphique de la nature, qu'il érigea en système dans ses écrits : Lettres sur la peinture de paysage, Lettres sur la vie de la terre, etc. C'est l'identification de l'homme au paysage, à l'énigme universelle qu'expriment les peintures de Carus. On cite parmi ses œuvres : Une scène de Pompéi, Souvenir de Rome, Le château de Warwick, Le chemin du pèlerin.

MUSÉES : DÜSSELDORF : En barque sur l'Elbe – LEIPZIG (Mus. des Beaux-Arts) : Cimetière sur l'Oybin 1828.

VENTES PUBLIQUES : MUNICH, 26 oct. 1978 : Paysage au clair de lune, h/t (45,5x54,5) : **DEM 12 500** – COLOGNE, 22 nov. 1979 : Paysages romantiques, deux h/pan. (10x6,5 et 10,6x7) : **DEM 25 000** – MUNICH, 28 nov. 1979 : La potence, aquar. et gche (25x19,5) : **DEM 6 200** – MUNICH, 29 juin 1982 : Paysage au clair de lune, h/cart. (20,5x14,5) : **DEM 4 800** – MUNICH, 5 juin 1984 : Paysage au clair de lune vers 1820, h/pan. (10x10) : **DEM 7 200** – MUNICH, 13 juin 1985 : Paysage 1868, techn. mixte (28x39) : **DEM 7 200** –

MUNICH, 5 déc. 1985 : Paysage au clair de lune, h/t (45x59,7) : **DEM 40 000** – MUNICH, 27 juin 1995 : Paysages de landes 1868, aquar./pap. (27,5x38) : **DEM 16 100**.

CARUSI Fabio

Originaire de Carrare. XVIIIe siècle. Travaillant à Gênes au début du XVIIIe siècle. Italien.

Sculpteur.

CARUSO Bruno

Né le 8 août 1927 à Palerme. XXe siècle. Italien.

Peintre de compositions à personnages, figures, dessinateur, illustrateur, peintre de décors de théâtre. Polymorphe.

Depuis 1948, il participe à de nombreuses expositions collectives en Italie et à l'étranger : Biennale de Venise, Quadriennale de Rome, Biennale des Jeunes de Paris en 1959, etc. De 1953 à 1956, il a dirigé la revue Sicilia, collaborant aussi à de nombreuses autres parutions, parmi lesquelles : Graphis – Fortune – Du, aussi bien avec des dessins que des articles. De 1958 à 1961, il a dirigé, avec Beppe Fazio, la revue Ciclope. Avec Aurelio Milloss, il a collaboré à la réalisation des décors et costumes pour de nombreux ballets et opéras. Il a illustré de nombreux ouvrages littéraires et politiques, entre autres : Deutschland über alles, réquisitoire contre le nazisme.

Ses peintures et surtout ses dessins sont le plus souvent engagés politiquement, dans la défense des individus et des peuples opprimés. L'étendue de sa culture et de ses activités est sans doute la cause de ce que ses œuvres personnelles reflètent des influences multiples et diverses, de George Grosz au pop art. ■ J. B.

BIBLIOGR. : Elio Mercuri : Bruno Caruso, Galleria N° spécial, avr. 1969 – Catalogue de l'exposition Bruno Caruso, Gal. Narciso, Turin, 1970.

VENTES PUBLIQUES : MILAN, 24 juin 1980 : Composition avec figure 1964, h/t (140x70) : **ITL 1 700 000** – MILAN, 14 avr. 1981 : Valkirietta 1970, gche (59x27,2) : **ITL 800 000** – ROME, 5 déc. 1983 : Le Fils Prodigue 1966, h/t (70x55) : **ITL 2 800 000** – LONDRES, 27 mars 1984 : Le voyeur, aquar. et encre noire (68,5x90) : **GBP 850** – ROME, 18 mars 1986 : Biba, techn. mixte/pap. (52x31,5) : **ITL 1 700 000** – MILAN, 14 mai 1988 : Gamin aux figues de Barbarie, past. et cr. (41,5x29,5) : **ITL 1 200 000** – ROME, 28 nov. 1989 : Personnage féminin, h/t (40x120) : **ITL 5 500 000** – ROME, 6 déc. 1989 : Clochard, aquar. et fus./pap. (43,5x13,5) : **ITL 1 725 000** – NEW YORK, 9 mai 1992 : Composition abstraite 1957, h/cart. (25,4x30,5) : **USD 825** – ROME, 3 juin 1993 : Jeune Romaine, encre et aquar./pap. (60x44,5) : **ITL 2 800 000** – ROME, 14 nov. 1995 : Camisole de force, techn. mixte/pap. (45x28) : **ITL 1 840 000**.

CARUSO Piero

XVIe siècle. Actif à Sessa Aurunca (Campanie). Italien. **Peintre.**

CARUSON S.

XIXe siècle. Travaillant à Londres et à Naples vers 1830-1840. Britannique.

Peintre de portraits, miniatures.

Exposa à la Royal Academy en 1839 et à l'Exposition de miniatures du Victoria and Albert Museum en 1865.

CARVACHO E.

XIXe siècle. Espagnol. **Peintre.**

Exposa à Madrid en 1880.

CARVAJAL Luis de. Voir **CARBAJAL Luis de**

CARVALHO

XVIe siècle. Actif au début du XVIe siècle. Portugais. **Peintre.**

A signé une Sainte Catherine conservée au Musée du Prado à Madrid.

CARVALHO Domingos Pereira de. Voir **PEREIRA-CARVALHO**

CARVALHO Flavio Rezende de

Né en 1899 à Amparo da Barra Mansa. Mort en 1973 à Valinhos. XXe siècle. Brésilien.

Architecte, peintre de figures, portraits. Expressionniste.

Il fit ses études d'architecture en Angleterre. À l'occasion d'une polémique ayant trait au caractère sociologique de l'architecture, Le Corbusier parla de lui comme d'un « romantique révolutionnaire ». Il commença à peindre, en particulier des portraits, dans un style expressionniste. Dès 1931, il a exposé dans les différents Salons officiels du Brésil, en particulier à la Biennale de São Paulo, et il a participé à plusieurs expositions d'art brésilien à l'étranger.

Ses nus, ses figures et ses portraits sont brutaux et pertubateurs, peints dans des compositions géométriques, des coloris soutenus et, parfois dans un style proche du surréalisme.

BIBLIOGR. : W. Zanini, sous la direction de... : *Flavio de Carvalho*, São Paulo, 1983.

MUSÉES : SÃO PAULO (Pina.) : *L'ascension définitive du Christ* 1932.

VENTES PUBLIQUES : SÃO PAULO, 20 oct. 1980 : *Femme assise*, encre de Chine (99x68) : **BRL 70 000.**

CARVALHO Gaspar
XVIᵉ siècle. Portugais.
Peintre d'armoiries.

CARVALHO Genaro de
Né en 1926 à Salvador (Bahia). XXᵉ siècle. Brésilien.
Peintre de paysages, de cartons de tapisseries, dessinateur.

Il fut élève de l'Ecole des Beaux-Arts de Paris, tout en étant plutôt influencé par le cubisme tempéré d'André Lhote. En 1945, il exposa pour la première fois à Rio de Janeiro. Ensuite, il exposa ses peintures aux Biennales de São Paulo, et en France aux Salons des Artistes Indépendants, d'Automne, de Mai. En 1950, il compléta ses moyens d'expression plastique par la découverte de la tapisserie. A partir de 1955, toute son activité a convergé sur la tapisserie et il eut, dans ce domaine, une influence décisive sur de nombreux artistes brésiliens. En 1965, il exposa ses tapisseries aux États-Unis et représentait le Brésil à la Biennale Internationale de la tapisserie de Lausanne.

Il représente des paysages avec un dessin linéaire et presque schématique, des couleurs vives et très contrastées.

CARVALHO José Rosa
XVIIIᵉ siècle. Portugais.
Peintre de fleurs.

Il travailla à Lisbonne ; étant l'aide de Feliciano Narciso.

CARVALHO ALEXANDRINO Pedro de. Voir ALEXANDRINO Pedro de Carvalho

CARVALLO-SHULEIN Suzanne. Voir SHULEIN Suzanne

CARVAO Aloisio
Né en 1918 à Belem do Para. XXᵉ siècle. Brésilien.
Peintre. Abstrait. Groupe Frente.

Il participe à des expositions collectives : 1953 Première exposition nationale d'art abstrait à Pétropolis, 1954 Salon d'Art Moderne, 1957 Biennale de São Paulo. Il est membre du groupe *Frente*, crée en 1953 à Rio, qui préfère privilégier les rencontres et les expositions à la réthorique.

CARVELLE Jean Baptiste
D'origine française. XVIIIᵉ siècle. Travaillant à Weimar, Teplitz et Berlin dans le dernier quart du XVIIIᵉ siècle. Français.
Dessinateur de miniatures.

CARVELLES Guillaume
XVIᵉ siècle.
Sculpteur et peintre.

Il travailla au château de Fontainebleau entre 1535 et 1537.

CARVER Grace R., Mrs
XXᵉ siècle. Britannique.
Peintre de fleurs.

Elle a exposé à Londres et à Manchester.

CARVER Robert
Né en 1730 à Dublin. Mort en 1791. XVIIIᵉ siècle. Travaillant à Dublin, puis à Londres. Britannique.
Peintre de paysages, marines, décorateur de théâtre.

Il reçut son premier enseignement de son père Richard, puis étudia avec Robert West à la Dublin Society School. Il fut élu en 1773 directeur, en 1776 vice-président de la Free Society of Artists. Il exposa en 1765 à la Free Society, entre 1770 et 1780 à la Society of Artists et en 1789 et 1790 à la Royal Academy, à Londres.

Carver a consacré une grande part de son activité à l'exécution de décors de théâtre.

VENTES PUBLIQUES : LONDRES, 23 mars 1966 : *Paysage vallonné animé de personnages* : **GBP 140** – LONDRES, 18 juin 1971 : *Paysages*, 2 toiles : **GBP 800** – LONDRES, 23 juin 1978 : *Paysage fluvial boisé*, h/t (104x143,5) : **GBP 6 000** – LONDRES, 10 mai 1983 : *Paysage aux ruines, animé de personnages* 1766, h/t (124x180) : **GBP 6 500** – DUBLIN, 26 mai 1993 : *Personnages près d'une cascade*, h/t (61x81,2) : **IEP 7 700.**

CARVILLANI Renato
Né à Rome. XXᵉ siècle. Italien.
Sculpteur de statues, bustes, monuments.

A Paris, il a exposé régulièrement, aux Salons de la Société Nationale des Beaux-Arts de 1920 à 1940, d'Automne de 1923 à 1931, des Artistes Indépendants de 1927 à 1930, des Artistes Français en 1945. On cite de lui un *Buste de Balzac* et un projet de fontaine.

VENTES PUBLIQUES : PARIS, 9 déc. 1986 : *Deux lévriers*, bronze (l. 72) : **FRF 19 000.**

CARVIN Anne
XXᵉ siècle. Française.
Peintre de genre, paysages animés. Naïf.

Elle est autodidacte et a commencé par exposer des gouaches à partir de 1975. Depuis 1980, elle peint à l'huile. Elle participe à des expositions collectives vouées à l'art naïf, notamment à Paris au Salon International d'Art Naïf. Plusieurs expositions personnelles lui ont été consacrées à Paris. Elle peint des scènes du quotidien familier.

CARVIN Auguste Jules Charles
Né à Sin-le-Noble (Nord). XXᵉ siècle. Français.
Sculpteur de figures allégoriques.

Il fut élève des sculpteurs Henri Gauquié et Albert Roze à l'Ecole des Beaux-Arts d'Amiens. Il exposait à Paris, au Salon des Artistes Français, mention honorable 1907, deuxième médaille 1913. On cite de lui : *Pâques au buis – Le soir.*

CARVIN Louis Albert
Né en 1860 à Paris. Mort en 1933. XIXᵉ-XXᵉ siècles. Français.
Sculpteur de figures, animaux.

Il fut élève de Frémiet et de Gardet. Sociétaire des Artistes Français, il participa aux Salons de cette association de la fin du XIXᵉ siècle à 1933, obtenant une mention honorable en 1894. On cite de lui : *La becquée, Lassitude, Maternité.*

VENTES PUBLIQUES : PARIS, 8 déc. 1971 : *Deux chevaux*, bronze : **FRF 4 050** – PARIS, 9 déc. 1982 : *The charleston*, bronze, cire perdue (L. 45) : **FRF 11 000** – BRUXELLES, 15 oct. 1984 : *Lévrier Saluki persan*, bronze, patine verte : **BEF 40 000** – LOKEREN, 16 fév. 1985 : *Lévrier debout*, bronze, patine verte (H. 31, Long. 60) : **BEF 60 000** – NEW YORK, 23 mai 1991 : *Chien au repos*, bronze à patine brune (H. 57,2) : **USD 1 430.**

CARWARDEN J.
XVIIᵉ siècle (?). Britannique.
Peintre.

Il est l'auteur d'un portrait du musicien Chr. Simpson (1659), conservé à l'Examination School à Oxford.

CARWARDINE J., Miss, plus tard Mrs Buller
Née au XVIIIᵉ siècle dans le Herefordshire. XVIIIᵉ siècle. Britannique.
Miniaturiste.

Elle exposa jusqu'en 1761 à Londres.

CARWITHAM John
Né en Angleterre. XVIIIᵉ siècle. Actif entre 1723 et 1741. Britannique.
Graveur.

Carwitham travailla beaucoup pour les éditeurs, gravant des feuilles de titre, et des planches pour quelques ouvrages, dont *Laocoon* (1741) et une édition de la *Bible*.

VENTES PUBLIQUES : NEW YORK, 29 jan. 1981 : *A South East of the Great Town of Boston in New England in America*, eau-forte coloriée et grav. (31,4x46,1) : **USD 2 000** – NEW YORK, 28 jan. 1987 : *A South West view of the city of New York in North America*, eau-forte et grav. (30,4x45,2) : **USD 16 500.**

CARWITHAM T.
Originaire de Twickenham. XVIIIᵉ siècle. Britannique.
Peintre et dessinateur d'architectures.

CARY
Vraisemblablement d'origine anglaise. XVIIᵉ siècle.
Peintre de miniatures.

Cité dans l'inventaire de la collection Wittenhorst.

CARY Francis Stephen

Né en 1808 à Kingsbury. Mort en 1880 à Abinger. XIXᵉ siècle. Britannique.

Peintre d'histoire, genre, portraits, paysages, natures mortes, fleurs.

Cary reçut son éducation artistique à Londres où il fut élève d'Henri Sass, où il fréquenta la Royal Academy School ainsi que l'atelier de sir Thomas Lawrence. Il devait la compléter ensuite à Paris, Munich et Rome. En 1842, il succéda à son maître Henry Sass à la direction de Sass's Academy qui devint Cary's Academy. Il y eut pour élèves entre autres, Millais et Rossetti.

VENTES PUBLIQUES : LONDRES, 13 mars 1992 : *Consolation*, h/t (86,4x111,6) : **GBP 3 850**.

CARY J.

XVIIIᵉ siècle. Actif à Londres. Britannique.

Graveur.

Il a gravé notamment d'après Ch. R. Ryley (*L'Embarras de madame de Mortimer*) et d'après Anne Trevingard (*L'éclaircissement de Pérégrine avec sa maîtresse*).

CARY William de La Montagne

Né en 1840. Mort en 1922. XIXᵉ-XXᵉ siècles. Américain.

Peintre de scènes et figures typiques.

Il s'est spécialisé dans la peinture de la vie des Indiens.

MUSÉES : OKLAHOMA CITY (Nat. Cowboy Hall of Fame and Western Heritage Center) : *Bateaux indiens sur le Missouri* vers 1875.

VENTES PUBLIQUES : LOS ANGELES, 8 nov. 1977 : *Indian Scene*, h/t (23x63,5) : **USD 6 500** – NEW YORK, 22 oct. 1982 : *The wigman*, h/t (75x62,2) : **USD 18 000** – NEW YORK, 31 mai 1984 : *Rounding up horses* 1867, h/t (76x152,5) : **USD 56 000** – BOLTON, 26 nov. 1985 : *Indien à cheval*, h/t (76,2x56) : **USD 3 000** – NEW YORK, 4 juin 1987 : *Portrait of a puppy*, h/t (28x20,6) : **USD 5 000**.

CARZAT de

XIXᵉ siècle. Français.

Miniaturiste.

Cité par Mireur.

CARZOU Jean

Né le 1ᵉʳ janvier 1907 à Moligt (près d'Alep), d'origine arménienne. XXᵉ siècle. Français.

Peintre de sujets oniriques, nus, paysages animés, paysages, natures mortes, peintre à la gouache, aquarelliste, pastelliste, peintre de techniques mixtes, collages, cartons de tapisseries, cartons de céramiques, de décors de théâtre, sculpteur, graveur, dessinateur, illustrateur. Tendance fantastique.

Né en Syrie, alors encore sous domination turque, il fut élevé en Égypte, sans doute à cause du génocide de 1915-1916. Une bourse lui permit de venir en France en 1924, afin d'entrer à l'Ecole Spéciale d'Architecture du boulevard Raspail. La proximité de Montparnasse l'incita à fréquenter les Académies libres du quartier, où il se forma somme toute en autodidacte à la peinture. Arrivé en France à l'âge de dix-sept ans, où il se fixa définitivement, sauf des voyages en Égypte, Grèce, Russie et Arménie, aux États-Unis et Liban, il considère n'avoir pas été influencé par ses origines ethnique et géographique et se ressent comme étant totalement de culture française. On ne sait jusqu'où il mena ses études d'architecture, mais, dès 1930, il exposait dans les Salons annuels de Paris, des Artistes Indépendants, d'Automne et des Tuileries, puis ensuite il participa à de nombreuses expositions collectives en France, dont le Salon des Peintres Témoins de leur Temps, et internationales. Après une première exposition personnelle à Paris en 1939, le succès vint lors de sa deuxième exposition en 1943. Il exposa ensuite en Suisse en 1951, de nouveau à Paris sur le thème de l'*Apocalypse* en 1957, en 1959 sur le thème de Venise pour lequel il sut créer une lumière de rêve, en 1962 sur celui des gares, etc. En 1966, eut lieu une importante exposition rétrospective de l'ensemble de son œuvre au Palais de la Méditerranée à Nice, puis à Genève. Il a reçu de nombreux Prix, parmi lesquels : 1949, 1952, 1955, Hallmark, 1953 Prix du public des Peintres Témoins de leur Temps pour *La promenade des amants*, 1954 de l'Ile-de-France, 1955 de l'Éducation Nationale du Japon. Il a illustré de nombreux écrivains : Camus, Ionesco, une série d'eaux-fortes pour *Les illuminations* de Rimbaud, Edgar Poë, Mauriac, Hémingway, Sartre, etc. Il a peint des cartons de tapisseries, dont de pour la Manufacture Nationale des Gobelins *L'invitation au voyage*. Il a créé les décors et costumes de nombreux ballets, opéras, pièces de théâtre : un des décors des *Indes galantes* de Rameau pour l'Opéra de Paris en 1952 et ceux pour le ballet *Le loup* de Dutilleux, en 1953, le consacrèrent

auprès du public. Suivirent en 1954 ceux du ballet romantique *Gisèle*, en 1955 ceux d'*Athalie* à la Comédie Française, en 1966 ceux d'*After Eden* pour les Ballets Harkness aux États-Unis, en 1970 ceux de *La Périchole* d'Offenbach, etc. En 1979, il fut élu membre de l'Académie des Beaux-Arts.

Après avoir expérimenté des modes d'expression divers, voire assez abstraits et comportant des collages, il peignit des compositions remarquables par leur luminosité, à partir alternativement de paysages, nus, natures mortes. Cependant, il ne fut vraiment remarqué qu'après la guerre de 1939-1945. Carzou était alors en pleine possession d'une technique et d'une vision qu'il s'est entièrement créées. S'il ne doit rien à personne, il est par contre très imité, ce qui confirme le caractère maniériste de son style et de son univers pictural. Il traite ses œuvres en visionnaire, hanté par les grands cataclysmes, la folie guerrière, le saccage de la planète des hommes. Le fantastique ou l'étrangeté que sa vision confère aux villes, aux forêts, aux fleuves et aux mers, tempère – ou transcende – cette angoisse des temps modernes. Ses peintures ou ses dessins, gravures, décors, sont construits comme des édifices, par grandes lignes volontairement entremêlées ou hérissées de pointes acérées et de reliefs épineux d'aspect végétal. Les teintes de ses fonds ou bien la tonalité dominante, qui conditionnent pour partie le climat psychologique de ses compositions, ont évolué par périodes : les fonds noirs du début ont fait place au vert, puis bleu-gris-vert, ocre, orangé, totalement rouge, puis de nouveau des tons clairs, et ainsi de suite par cycles. En général toutefois les éléments de la narration dans ses compositions sont dessinés et peints en tonalités diminuées qu'irradient de grandes et larges coulées de rouges, de verts et de bleus éclatants, créant des lueurs à la fois délicieuses et sournoises. Dans les périodes plus tardives, le dessin se développe et ramifie sur des fonds quasiment monochromes.

Après avoir exploité les thèmes nostalgiques des décombres, des jardins délaissés où rouillent les charrues d'anciens labours, quand ce ne sont les canons oubliés d'un siège de longtemps levé, il s'est inspiré de sujets plus contemporains : déploiement de voies de chemin de fer sans destination, élégants pylones du redoutable courant haute tension, nauséeuses raffineries de pétrole, angoissantes usines nucléaires muettes, fusées pointées sur l'innommé, inscrits dans le cycle de l'*Apocalypse* de 1956-1957, en tant que « ...paysages détruits et la machine régnant sur l'homme : les chemins de fer, les rails, les usines... tout ce côté inhumain de la civilisation ». Mais tout de même, là tout n'est pas que désolation, souvent au bout de la forêt s'ouvre une échappée, sur la mer incertaine, à peine détaché du quai, le grand voilier monte vers l'horizon qu'éclaircit un ciel limpide, et les femmes, que gardent ou surveillent des soldats bardés de fer, osent espérer. Suivirent des séries apaisées, avec en 1959 *le Paradis terrestre*, en 1960 des images de la Provence, où il s'est acclimaté, et où il fait renaître les saisons, les arbres, les champs, les fleurs, en 1968 les *Figures rituelles* qui renouent avec l'énigme existentielle.

Quels que soient les sujets, son graphisme hérissé et son sens aigu de la désolation et de l'abandon, transmuent tout paysage, tout sujet, en autre chose que son monde intérieur. Sous sa main, tout devient du Carzou. C'est avant tout une écriture, tant il est manifeste que ses œuvres ont pour fin de décrire, même s'il ne s'agit pas de la réalité, mais toujours de décrire des rêves d'épopées oubliées ou non avenues ou des songeries angoissées à propos de paysages menacés, décrire, objectiver quelque vision poétique, et non de répondre à un questionnement formel. Si Carzou ne s'est, volontairement, pas situé dans le vaste mouvement de remise en question, permanente depuis la fin du XIXᵉ siècle, des vocabulaire et syntaxe picturaux, au point de tout nier depuis et y compris Cézanne, il a limité son ambition à la mise en images de son univers poétique, en assumant le risque de maniérisme, avatar d'un style et d'un répertoire que la répétition exténue. ■ Jacques Busse

BIBLIOGR. : Denys Chevalier : *Carzou*, Paris, 1949 – P. Lambertin : *Carzou – Le temps et l'espace de Carzou*, Julliard, Paris, 1962

– André Verdet : *Carzou, Provence*, Monte-Carlo, 1966 – Jean Marcenac : *Carzou*, Coll. A B C, Hazan, Paris, 1972 – Jean-Marc Campagne : *Carzou*, Coll. Les Maîtres de la Peint. Mod., Flammarion, Paris, 1980.

Musées : PARIS (Mus. Nat. d'Art Mod.) – VENCE (Mus. Carzou) : plusieurs dizaines de peintures, idem d'aquarelles, idem de dessins, presque tout l'œuvre gravé.

Ventes Publiques : PARIS, 2 mai 1949 : *Nature morte à la lampe* : **FRF 12 100** – PARIS, 10 juin 1955 : *Venise*, aquar. : **FRF 80 000** – NEW YORK, 22 jan. 1960 : *La jetée de grosses pierres* : **USD 850** – PARIS, 9 mars 1961 : *Le port* 1958, gche : **FRF 6 500** – GENÈVE, 22 mai 1964 : *Santa Margherita*, aquar. : **CHF 6 000** – GENÈVE, 16 nov. 1968 : *L'armature* : **CHF 11 000** – VERSAILLES, 14 mars 1971 : *Les aiguillages* : **FRF 15 100** – VERSAILLES, 31 mai 1972 : *Portique dans la vallée* : **FRF 15 500** – VERSAILLES, 14 mars 1976 : *La gardienne* 1974, gche, aquar. et encre de Chine (49x64) : **FRF 16 500** – PARIS, 2 déc. 1976 : *Venise* 1953, h/t (61x50) : **FRF 22 000** – VERSAILLES, 8 juin 1977 : *Le château près du port* 1950, h/t (54x65) : **FRF 20 500** – PARIS, 26 mai 1978 : *Vue d'Olette en Roussillon* 1950, h/t (50x65) : **FRF 18 000** – PARIS, 28 nov. 1978 : *Paysage imaginaire* 1948, gche (23x31) : **FRF 9 500** – PARIS, 11 juin 1979 : *Voiliers à Murano* 1958, aquar. (53x68) : **FRF 15 800** – VERSAILLES, 18 juin 1980 : *Souvenir d'Italie* 1957, gche et aquar./pap. mar./t. (118x156) : **FRF 30 000** – VERSAILLES, 22 mars 1981 : *Souvenir d'Italie* 1957, gche et aquar./pap. mar./t. (118x156) : **FRF 31 000** – VERSAILLES, 2 juin 1982 : *le port* 1971, h/t (46x55) : **FRF 38 500** – PARIS, 10 juil. 1983 : *Fleurs*, aquar. (48x63) : **FRF 18 000** – PARIS, 12 déc. 1983 : *Paysage aux canons* 1964, encre de Chine et lav./pap. (49x63) : **FRF 4 500** – VERSAILLES, 13 juin 1984 : *Canal à Venise* 1956, h/isor. (50x65) : **FRF 51 500** – PARIS, 5 nov. 1985 : *Mougins* 1960, aquar. (49x64) : **FRF 29 000** – PARIS, 23 juin 1986 : *La barque échouée* 1951, h/t (97x130) : **FRF 68 000** ; *Le port* 1966, aquar. (49x64) : **FRF 16 000** – PARIS, 22 juin 1987 : *Le parc de Versailles* 1961, h/t mar./isor. (62,5x276) : **FRF 120 000** – VERSAILLES, 15 nov. 1987 : *Personnages à l'entrée d'un palais* 1970, aquar. et encre de Chine (64x49) : **FRF 32 000** – LONDRES, 24 fév. 1988 : *L'allée sous les arbres* 1954, gche et h/pap. (55x46) : **GBP 3 520** – VERSAILLES, 20 mars 1988 : *Venise* 1952, aquar. (48,5x32,5) : **FRF 33 000** – LONDRES, 18 mai 1988 : *Le village* 1954, h/pap. mar./t. (45,7x55,3) : **GBP 2 200** – PARIS, 1er juin 1988 : *Le Chevalier d'Éon* 1982, feutre et crayolor (50x65) : **FRF 6 000** – CALAIS, 3 juil. 1988 : *Paysage du Jura*, h/pap. mar./t. (46x55) : **FRF 40 000** – CALAIS, 13 nov. 1988 : *Village provençal* 1940, h/pan. (50x73) : **FRF 50 000** – PARIS, 20 nov. 1988 : *Le port* 1971, h/t (54x65) : **FRF 80 000** – PARIS, 1er fév. 1989 : *Jardins des tuileries*, cr. de coul. (54,5x45,5) : **FRF 18 300** – PARIS, 7 avr. 1989 : *Couple dans un parc* 1914, h/t (46x55) : **FRF 80 000** – PARIS, 18 déc. 1989 : *Paysage industriel*, h/t (54,5x65) : **FRF 105 000** – PARIS, 21 juin 1990 : *La Plage* 1949, h/t (59,5x65) : **FRF 200 000** – CALAIS, 9 déc. 1990 : *Paysage* 1955, aquar. : **FRF 22 000** – CALAIS, 10 mars 1991 : *Port normand*, h/t (46x55) : **FRF 50 000** – PARIS, 7 juin 1991 : *Bouquet de fleurs des champs* 1954, h/t (65x50) : **FRF 62 000** – PARIS, 11 mars 1992 : *La Guerre et la Paix* 1950, pl. (22x28,8) : **FRF 9 000** – LUCERNE, 21 nov. 1992 : *Les Machines aratoires* 1955, h/t (50x65,5) : **CHF 8 500** – PARIS, 6 avr. 1993 : *Paysage fantastique* 1951, aquar. et encre de Chine (48x63) : **FRF 18 000** – LONDRES, 13 oct. 1993 : *Personnages dans un intérieur* 1969, h/t (72,5x60) : **GBP 5 175** – PARIS, 17 déc. 1993 : *La Favorite* 1976, h/t (73x60) : **FRF 42 000** – NEW YORK, 23 fév. 1994 : *Rue vers le village* 1945, h/t (46,3x61) : **USD 5 520** – PARIS, 29 avr. 1994 : *Navires au milieu des arbres* 1964, encre de Chine et gche (29,5x39) : **FRF 15 000** – LE TOUQUET, 22 mai 1994 : *Promeneurs à l'entrée du village* 1945, h/t (46x60) : **FRF 70 000** – PARIS, 21 nov. 1995 : *Du fond de la vallée* 1975, h/t (60x73) : **FRF 57 000** – AMSTERDAM, 4 juin 1996 : *Projet de costume*, encre, peint. or et cr./pap. (26,5x19,5) : **NLG 1 062** – CALAIS, 7 juil. 1996 : *Le Conquérant* 1982, h/t (54x73) : **FRF 80 000** – PARIS, 24 nov. 1996 : *Le Portail* 1956, gche, aquar. et encre de Chine/pap. (41x55) : **FRF 11 500** – PARIS, 8 déc. 1996 : *Paysage aux bateaux* 1957, h/cart. (19x24) : **FRF 9 000** – CALAIS, 15 déc. 1996 : *La Jeune Princesse* 1965, aquar. (64x50) : **FRF 22 000** – LONDRES, 23 oct. 1996 : *Venise* 1954, h/pap. (19,5x27,5) : **GBP 2 070** – CALAIS, 3 mars 1997 : *Paris, le pont Saint-Michel*, h/pan. (16x22) : **FRF 27 000** – PARIS, 6 juin 1997 : *Paysage* 1957, h/t (50x65) : **FRF 15 000** – PARIS, 23 juin 1997 : *Femme au bord d'un lac* 1969, encre de Chine (48x58,5) : **FRF 5 000** – PARIS, 19 oct. 1997 : *La Ferme Boiseau* 1942, h/t (46x61) : **FRF 22 000**.

CASA Filippo dalla
XVIIIe siècle. Actif à Bologne. Italien.

Peintre d'architectures et d'ornements.
Frère de Francesco dalla Casa.

CASA Francesco dalla
XVIIIe siècle. Actif à Bologne vers 1765. Italien.
Peintre.
Élève de Vitt. Maria Bigari. Il a peint des paysages et des fleurs et aussi, pour des églises de Bologne, des sujets religieux (à l'huile et à fresque).

CASA Giacomo
Né vers 1835 à Conegliano. Mort en 1887 à Rome. XIXe siècle. Actif à Venise. Italien.
Peintre de genre, aquarelliste.
Ventes Publiques : ROME, 19 mai 1987 : *La sortita di mestre*, aquar. (32x25) : **ITL 1 600 000** – LONDRES, 5 oct. 1990 : *Deux scènes d'Othello*, h/t, une paire (chaque 35,5x53,7) : **GBP 2 640**.

CASA Giovanni Martino
Originaire de Vercelli. XVIe-XVIIe siècles. Travaillant à Milan, selon certains auteurs, au XVIIe siècle. Italien.
Peintre d'histoire et portraitiste.
Ventes Publiques : VENISE, 1894 : *Portrait de femme* : **FRF 210**.

CASA Nicolo della
Originaire de Lorraine. XVIe siècle. Actif à Rome au milieu du XVIe siècle. Éc. lorraine.
Graveur, dessinateur.
Il grava au burin.
Ventes Publiques : PARIS, 1776 : *La Vierge, l'Enfant Jésus et plusieurs saints*, dess. à la pierre noire : **FRF 10** – LONDRES, 20 nov. 1980 : *Baccio Bandinelli*, grav./cuivre (29,5x22) : **GBP 3 100** – BERNE, 26 juin 1987 : *Charles Quint*, grav./cuivre : **CHF 2 200**.

CASA Raymond
XXe siècle. Français.
Sculpteur.
Exposant des Indépendants.

CASABIANCA Charles Joseph Frédéric
Né à Bonifacio (Corse). XIXe-XXe siècles. Français.
Peintre de portraits et de paysages.
A exposé en 1910 à la Société Nationale des beaux-Arts et de 1912 à 1914 aux Artistes Français.

CASADEI M.
Né en 1899 à Forli. XXe siècle. Italien.
Peintre.
La Galerie d'Art Moderne à Rome conserve une de ses œuvres.

CASADÉI Marius René
Né à Lyon (Rhône). XXe siècle. Français.
Graveur sur bois.
Exposant des Artistes Français.

CASADESUS Béatrice
Née le 1er janvier 1942 à Paris. XXe siècle. Française.
Sculpteur de monuments, peintre. Abstrait.
Elle fut élève en peinture et de Henri-Georges Adam en sculpture à l'Ecole des Beaux-Arts de Paris à partir de 1959. Elle obtint le deuxième Grand Prix de Rome en 1964. Depuis lors, elle participe à Paris aux Salons de la Jeune Sculpture et de Mai. En 1968-1969, elle obtient une mention du jury de la Biennale Internationale de Paris. En 1977, elle participait à l'exposition organisée par G. Gassiot-Talabot : *Mythologies Quotidiennes* au Musée d'Art Moderne de la Ville de Paris, en 1979 à la Foire Internationale d'Art Contemporain (FIAC), en 1984 à *Sur invitation* au Musée des Arts Décoratifs. Elle fait peu d'expositions personnelles (1995, galerie Romagny, Paris), son travail requérant en général des dimensions incompatibles avec celles des galeries. Elle enseigne, en tant que plasticienne, dans une Unité Pédagogique d'Architecture à Paris.
Elle travaille essentiellement en corrélation avec des architectes, en vue d'une intégration de ses œuvres dans des ensembles bâtis. Ses sculptures sont constituées d'assemblages de formes répétitives, géométriquement simples. Les fonctions assumées par ses créations peuvent être très diverses, depuis des œuvres purement ornementales ou bien signaux et fontaines, et jusqu'à des structures de jeux pour les enfants. Depuis 1971, elle utilise surtout le polyester pour la constitution matérielle de ses constructions. Ses interventions se sont fondées ensuite sur des éléments peints et disposés dans l'espace, de façon à jouer sur des effets de perspective, et sur des effets de trames qui rendent lisible ou illisible une quelconque figure selon la distance d'observation. En 1978-1979 elle a réalisé *Masque noir*, soit 170 mètres carrés de façade pour une banque de Lomé au Togo, en

1980-1981 *Point de mire du cinéma*, 450 mètres carrés aux Quatre Temps à La Défense, en 1985 une mosaïque de 60 mètres carrés à Marne-la-Vallée, en 1983-1986 *Traversée de Mona Lisa* 3.000 mètres carrés pour les façades du Lycée de Trith-Saint-Léger (Nord), travail dans lequel elle applique son jeu de trames de grosseurs différentes à une image originellement connue et identifiable par tous : la Joconde. ■ J. B.

CASADO Rufino
XIXᵉ siècle. Espagnol.
Peintre et lithographe.
Il figura aux expositions de l'Académie San Fernando, à Madrid, vers 1850. Il a peint pour le Prado le portrait du roi Vamba et ceux de Bermudo III et de Ramiro II.

CASADO DEL ALISAL José
Né en 1830 à Villada près de Valence. Mort en 1886 à Madrid. XIXᵉ siècle. Espagnol.
Peintre d'histoire.
Casado del Alisal peut être classé au tout premier rang des peintres espagnols du XIXᵉ siècle. L'ampleur de sa composition et la perfection de sa technique en font un artiste d'une haute valeur, trop peu connu d'ailleurs, car maître fut essentiellement un modeste et aux jours les plus brillants de sa carrière, parvenu même au faîte de sa réputation artistique, il conserva toujours une certaine réserve dans l'acceptation des honneurs que lui valait son réel talent. Élève de l'Académie de San Fernando et de Federico de Madrazo à Madrid, il se fit remarquer très jeune. En 1860, il obtenait le Prix de Rome. Il exposa régulièrement à Madrid, avec succès, à partir de 1862 et devint plus tard directeur de l'Académie Royale Espagnole. On cite parmi ses œuvres : *Ultimos momentos de Fernando IV el Emplazado* (1856), *La muerte del Conde de Saldana* (1858), *Un prisionero et Semiramis en el infierno del Dante* (1860), *La rendicion de Bailen*, *El gran capitan Gonzalo de Cordoba*, *La serment des Cortès à Cadix en 1810* (1861, à la Chambre des Députés de Madrid), *Serment du roi Amédée II* (1871), *La campana de Huesca* (au Musée d'Art Moderne à Madrid), *La tirana* (id.), *Ophelia* (id.), *Santiago en la batalla de Clavijo* (à l'église San Francisco el Grande à Madrid), *Los devotos de San Antolin* (à la cathédrale de Palencia). Il a peint, d'autre part, un certain nombre de portraits parmi lesquels : *La reine Isabelle II, Le roi Alphonse XII, Le général Espartero.*
VENTES PUBLIQUES : PARIS, 1898 : *La cigale* : FRF 250 – NEW YORK, 1909 : *Intérieur de l'atelier de Goya* : USD 525.

CASAGEMAS Carlès
Né en 1880 en Espagne. Mort en 1901 à Paris. XIXᵉ siècle. Espagnol.
Peintre, pastelliste.
Il travaille tout d'abord à Barcelone, avec le décorateur Félix Urgelles. En 1900, il expose aux *Quatre Gats*, puis accompagne Picasso à Paris, pour visiter l'Exposition Universelle. Il rencontre alors Germaine, dont il fait un portrait saisissant, au fusain, et avec qui il a vécu des amours romantiques mais tragiques, puisqu'il met fin à ses jours en 1901. Picasso l'a immortalisé en le peignant sur son lit de mort.
BIBLIOGR. : Gérald Schurr, in : *Les Petits Maîtres de la peinture 1820-1920, valeur de demain*, Les Éditions de l'Amateur, t. VI, Paris, 1985.

CASAGLIA Giovanni
Né le 6 mai 1819 à Florence. Mort le 11 avril 1902 à Florence. XIXᵉ siècle. Actif à Florence. Italien.
Sculpteur.
Il étudia tout d'abord le dessin ; puis à l'École du Nu, de l'Académie des Beaux-Arts, sous la direction de Costoli, il se perfectionna dans la sculpture. En 1854, il fut nommé professeur de dessin à Pietrasanta. En 1863, il fut nommé adjoint à l'École d'ornement de l'Académie des Beaux-Arts, de Florence ; et, en 1869, il devint membre honoraire de cette Académie.

CASAGRANDE Marco
Né en 1804 à Campea (province de Trévise). Mort en 1880 à Venise. XIXᵉ siècle. Italien.
Sculpteur.
Il a travaillé longtemps en Hongrie, notamment à Eger et à Budapest.

CASALAN Monique
Née à La Guadeloupe. Française.
Peintre de paysages.
Elle exposa au Salon d'Automne.

CASALGRANDI Francesco
Mort en 1779. XVIIIᵉ siècle. Actif à Bologne. Italien.
Sculpteur sur bois.

CASALI Andrea
Né en 1705 à Civita Vecchia. Mort en 1784. XVIIIᵉ siècle. Italien.
Peintre de scènes mythologiques, sujets religieux, portraits, graveur.
Casali a été élève de Sebastiano Conca à Rome. Il demeura à peu près vingt-cinq ans en Angleterre et travailla pour des églises et à la décoration de demeures particulières. Ses planches sont presque toutes d'après des compositions originales.
VENTES PUBLIQUES : LONDRES, 4 juil. 1986 : *Portrait de Mrs Smart Lethieulier* 1738, h/t (134,6x97,2) : GBP 9 000 – LONDRES, 14 mars 1990 : *Sophonisbé prenant la coupe de poison*, h/t (154x246) : GBP 10 450 – AMELIA, 18 mai 1990 : *La forge de Vulcain*, h/t (90x76) : ITL 5 000 000 – LONDRES, 20 juil. 1990 : *Coriolan renié par sa famille*, h/t (259x314,5) : GBP 16 500 – NEW YORK, 11 oct. 1990 : *Loth et ses filles*, h/t (125x99) : USD 30 800 – PARIS, 15 déc. 1991 : *Lucrèce* 1763, h/t (210x163) : FRF 185 000 – MONACO, 18-19 juin 1992 : *Le sacrifice de Sophonisbé*, h/t, de forme ovale (48x120) : FRF 388 500 – LONDRES, 9 juil. 1993 : *Bacchus et Ariane ; Angelica et Medoro*, h/t, une paire (93,5x73,8 et 92x71,3) : GBP 69 700 – NEW YORK, 5 oct. 1995 : *Angelica et Medoro*, h/t (92,7x118,2) : USD 25 300.

CASALI Francesco et Giacomo
Giacomo né en 1598 à Gubbio et Francesco né en 1594 à Gubbio. XVIIᵉ siècle. Actifs à Gubbio. Italiens.
Sculpteurs sur bois.

CASALI Giovanni Battista
Né vers 1706. Mort vers 1735. XVIIIᵉ siècle. Italien.
Peintre et graveur.
Vénitien, il fut élève de Piazzetta.

I·B· Cᴵⁿᵛ.

CASALI Giovanni Vincenzo
Né vers 1540 à Florence. Mort en 1593 à Coimbre. XVIᵉ siècle. Italien.
Sculpteur et architecte.

CASALI Pietro
Né en 1819 à Lucques. Mort en 1857. XIXᵉ siècle. Actif à Lucques. Italien.
Sculpteur et ciseleur.

CASALINI Carlo Antonio
Né à Bologne. XVIIᵉ siècle. Travaillant à Bologne et à Pesaro à la fin du XVIIᵉ siècle. Italien.
Peintre.

CASALINI Lucia
Née en 1677 à Bologne. Morte en 1762. XVIIIᵉ siècle. Italienne.
Peintre d'histoire, portraits.
Lucia Casalini fut la femme du peintre Felice Torelli, son condisciple dans l'atelier de Giovanni-Giuseppe dal Sole. Elle peignit des tableaux historiques pour des églises, dans la manière de son mari, mais ce fut surtout comme portraitiste qu'elle obtint son plus grand succès. Le Musée des Offices, à Florence, conserve son portrait peint par elle-même.

CASALONGA Raymond Antoine Mathieu
Né à Paris. XXᵉ siècle. Français.
Sculpteur.
A exposé aux Artistes Français en 1932 et aux Indépendants en 1937.

CASALS Diego
XIXᵉ siècle. Espagnol.
Peintre.
Exposa à Madrid en 1882.

CASALS Y CAMS Emilio
Né à Barcelone. XIXᵉ siècle. Espagnol.
Peintre.
Élève de l'École des Beaux-Arts de Barcelone et d'Enr. Ferrant. Exposa à Madrid (1866) et à Barcelone à partir de 1870.
VENTES PUBLIQUES : NEW YORK, 1909 : *Chez l'apothicaire* : USD 100 – PARIS, 13 et 14 mars 1919 : *La promenade*, past. : FRF 830 ; *Danseuse espagnole*, past. : FRF 510 ; *Danseuse espagnole*, past. : FRF 800 – PARIS, 21 juin 1919 : *La promenade* : FRF 100.

CASANOVA A.
XIXᵉ siècle. Italien.
Graveur.
Il exposa à Londres, de 1878 à 1880.
Musées : Béziers (Mus. Fabregat) : *L'âne renversé – Paysage avec animaux* – Londres (Victoria and Albert Mus.) : *Andalouses – Le sourd – L'éducation de l'oiseau – Fin gourmet – Le mariage d'un prince – Tentation.*

CASANOVA Achille
Né vers 1850 à Bologne. XIXᵉ-XXᵉ siècles. Italien.
Peintre de compositions murales à fresque.
Il a exposé à Londres en 1878, 1879, 1880 et a participé au Salon de Paris, notamment en 1879, dans la mesure où il n'est pas confondu avec Antonio Casanova y Estorach.
Il a peint à fresque, plusieurs bâtiments de Bologne et la Caisse d'Épargne de Pistoia.
Bibliogr. : Gérald Schurr, in : *Les Petits Maîtres de la peinture 1820-1920, valeur de demain,* Les Éditions de l'Amateur, t. V, Paris, 1981.

CASANOVA Agostino di
XVIᵉ siècle. Italien.
Peintre.
Cet artiste gênois travailla au XVIᵉ siècle.

CASANOVA Antonio ou Antonio Maria
XVᵉ-XVIᵉ siècles. Italien.
Miniaturiste.
Termina, en 1474, un bréviaire, commencé par Crivelli. Il fit aussi des miniatures sur d'autres livres de la Cour de Ferrare. Il vivait encore à Ferrare en 1502. Voir aussi ANTONIO Maria.

CASANOVA Carlos
Né à Egea de los Caballeros (Aragon). Mort en 1762 à Madrid. XVIIIᵉ siècle. Travaillant à Madrid. Espagnol.
Peintre et graveur en taille-douce.
Il fut peintre du roi Ferdinand VI. Il a gravé quelques planches.

CASANOVA Diego
XVIIᵉ siècle. Actif à Mexico dans la seconde moitié du XVIIᵉ siècle. Mexicain.
Peintre.

CASANOVA Dolorès
Née à Rute. XIXᵉ siècle. Espagnole.
Peintre.
Exposa en 1881 à Madrid.

CASANOVA Domenico
XIXᵉ siècle. Actif à Naples. Italien.
Graveur au burin.
Graveur de reproductions. Il a travaillé pour le *Real Museo Borbonico.*

CASANOVA Francesco Giuseppe
Né en 1727 à Londres. Mort en 1802 à Brühl près de Vienne. XVIIIᵉ siècle. Italien.
Peintre de batailles, genre, portraits, animaux, paysages, marines, aquarelliste, peintre de cartons de tapisseries, graveur.
Il est le frère du célèbre chevalier. Cet artiste, né de parents italiens, reçut toute son instruction artistique en Italie. Il fut élève de Guardi, à Venise, et de Francesco Simonini, à Florence, où il travaille en se formant d'après les modèles de Borgognone. Après quelques années d'études pendant lesquelles il se distingua par la hardiesse de sa touche et la vigueur de son exécution, Casanova quitta l'Italie et voyagea à l'étranger, s'arrêtant un an à Paris, où il reçut les conseils de Parrocel vers 1751, pour se fixer à Dresde, où il résida six ans. De retour à Paris, il fut admis à l'Académie Royale en 1763. Entre cette année et 1783, il envoya au Salon des tableaux de batailles et de genre. Il dessina également d'excellents cartons de tapisseries pour la manufacture de Beauvais, notamment *Les Bohémiens,* et *Convois militaires.* En 1767, Londres, où il habita quelque temps, vit aussi deux tableaux de batailles de cet artiste, exposés à la Free Society of Artists. À Vienne, où il se rendit plus tard, Catherine II l'employa à peindre une série de toiles commémorant les victoires de Potemkine sur les Turcs. Dans ses tableaux de genre, de paysages ou d'animaux, son style montre l'influence de l'école hollandaise, et notamment de l'art de Wouverman, peintre qu'il copia souvent lors de son séjour à Dresde. Casanova laissa aussi quelques planches dessinées avec une grande habileté. Le Blanc cite de lui : *Le Champ de bataille, Combat de cavalerie, Le dîner*

de Casanova. On conserve ses tableaux dans un grand nombre de musées en France et dans les musées des grandes capitales de l'Europe centrale.
Bibliogr. : Caroline Juler, in : *Les Orientalistes de l'école italienne,* ACR Édition, Paris, 1994.
Musées : Abbeville – Amiens : *Grand paysage avec figures – Choc de cavalerie – Le paysage du gué* – Angers : *Attaque d'un fort – Convoi harcelé par des hussards* – Avignon : *Combat de cavalerie* – Berlin – Besançon : *Mêlée de cavaleries,* aquar. – Béziers : *Paysage avec animaux – L'âne renversé – Paysage avec animaux* – Bourges : *Paysage historique* – Chartres : *Ruine italienne* – Compiègne : *Esquisse d'un combat de cavalerie* – Dresde : *Dessins* – Kaliningrad, ancien. Königsberg : *Combat de cavaliers* – Lille : *Deux paysages* – Liverpool : *Paysage* – Londres (British Mus.) : *Dessins* – Metz : *Combat de cavalerie* – Montpellier – Nancy : *Halte de chasse – La pêche – Promenade en barque – La Chasse* – Nantes (Mus. des Beaux-Arts) : *Une bataille entre Musulmans et Chrétiens – Cavaliers turcs en marche* – Paris (Louvre) : *Bataille de Lens – Paysage avec animaux,* deux toiles – *Cavaliers se dirigeant vers la gauche – Troisième combat de Fribourg – Un cuirassier au galop* – Poznan – Prague – Rennes : *Voyageurs surpris par un orage – Scène d'ouragan* – Rouen : *Une escarmouche – Une halte militaire – Choc de cavaliers* – Saint-Pétersbourg : *La vache dans la prairie – Le bœuf dans la prairie – Troupeau traversant un ruisseau* – Schleisheim – Versailles (Mus. Nat. du château) : *Audience accordée à Constantinople par le Grand Vizir Aimali Carac à Monsieur de Saint-Priest le 18 mars 1779 – Portrait de Macdonald* – Vienne : *Combat de cavaliers,* deux toiles – Vienne (Czernin) : *Combat entre cavaliers turcs et cavaliers couverts d'armures – Partie de chasse,* deux œuvres – Vienne (Graphische Sammlung Albertina) : *dessins.*

Ventes Publiques : Paris, 1774 : *Un homme conduisant un troupeau dans la plaine :* **FRF 1 020** ; *Le lever et le coucher du soleil :* **FRF 1 020** – Paris, 1795 : *Une déroute militaire :* **FRF 14 000** – Paris, 1799 : *Déroute de cavalerie,* à la pl. et au bistre : **FRF 300** ; *Deux paysages, figures et animaux,* dess. lavés d'encre, reh. de blanc : **FRF 380** – Paris, 1811 : *Deux paysages avec ruines, figures et animaux :* **FRF 24** – Paris, 1873 : *Cavalier :* **FRF 1 800** – Paris, 1877 : *Deux batailles,* dess. au bistre : **FRF 800** ; *Un cavalier,* à la pl. et au bistre : **FRF 100** – Paris, 1897 : *Charge de cavalerie sur une batterie d'artillerie,* dess. : **FRF 200** – Paris, 1898 : *Escarmouche :* **FRF 345** – Paris, 1898 : *La halle des bergers,* cr. blanc/pap. gris : **FRF 360** ; *L'Orage,* deux pendants, dessins : **FRF 1 510** – Paris, 24 mars 1899 : *Scènes militaires,* trois tableaux : **FRF 1 050** – Paris, 6 fév. 1904 : *Le Passage du gué :* **FRF 300** – Paris, 15 juin 1904 : *L'Abreuvoir :* **FRF 500** – Paris, 13 au 15 mars 1905 : *Armée en marche :* **FRF 310** – Paris, 4 mai 1906 : *Matelots au bord de la mer :* **FRF 1 700** ; *Marchand au bord de la mer :* **FRF 1 700** – Paris, 11 et 12 mai 1906 : *Cavalier :* **FRF 485** – Paris, 23 mars 1908 : *Cavalier :* **FRF 1 400** – Paris, 7-8 et 9 mai 1908 : *Le repos des bergers :* **FRF 3 500** – Paris, du 11 au 15 mai 1908 : *Le Repos des Bergers :* **FRF 3 700** – Paris, 2 juin 1909 : *Halte de soldats :* **FRF 605** – Paris, 8 avr. 1910 : *Paysage avec bergers et animaux :* **FRF 400** – Paris, 27 avr. 1910 : *Paysanne trayant sa vache :* **FRF 130** – Paris, 7 déc. 1918 : *Voyageurs surpris par l'orage :* **FRF 1 000** – Paris, 21 fév. 1919 : *Convois et haltes militaires et chasse au faucon,* 5 dessins à l'encre de Chine : **FRF 245** – Paris, 31 mars-2 avr. 1919 : *L'embarquement :* **FRF** ; *Le camp,* 2 toiles : **FRF 10 500** – Paris, 14 et 15 avr. 1924 : *Le Cavalier :* **FRF 3 300** – Paris, 8 mai 1925 : *Une dame castillane à cheval :* **FRF 7 200** ; *Cavalier espagnol,* pendant du précédent : **FRF 7 200** – Paris, 29 avr. 1926 : *Frontispice pour les Géorgiques de Virgile,* encre de Chine : **FRF 1 580** – Paris, 10 et 11 mai 1926 : *Infanterie surprise par une attaque de cavaliers,* aquar. : **FRF 2 000** – Paris, 6 et 7 déc. 1926 : *Les plaisirs champêtres :* **FRF 31 100** – Paris, 9 déc. 1927 : *Combat de cavaliers :* **FRF 16 000** ; *Le berger endormi :* **FRF 2 150** – Paris, 25 juin 1929 : *Pointe de reconnaissance de cavalerie :* **FRF 5 000** – Londres, 8 juil. 1930 : *Paysage montagneux :* **GBP 24** – Paris, 12 mai 1937 : *Le campement,* craie et lavis de sépia : **FRF 2 520** – Paris, 24 mars 1939 : *Dragons aux avant-postes :* **FRF 3 300** ; *Halte de bergers et convoi d'armée,* deux pendants : **FRF 7 200** – Paris, 28 avr. 1941 : *Le Ponte Mamonolo,* autrefois attribué à Hubert Robert : **FRF 6 100** – Paris, 7 mars 1949 : *Le pont rompu :* **FRF 40 000** – Paris, 27 avr. 1951 : *Le pont brisé,* deux pendants : **FRF 60 000** – Paris, 5 et 6 déc. 1962 : *La chasse aux canards ; Le repas de chasse,* deux pendants : **FRF 48 000** – Versailles, 20 nov. 1966 : *Chocs de cavalerie,* deux aq. gouachées : **FRF 2 600** – Londres, 3 avr. 1968 : *Soldats se reposant dans un* *paysage* : **GBP 160** – Versailles, 14 déc. 1969 : *Deux hussards montés auprès de rochers* : **FRF 9 000** – Versailles, 5 déc. 1971 : *Halte des cavaliers* : **FRF 10 000** – Paris, 23 nov. 1972 : *Un combat de cavalerie*, aquar. gchée : **FRF 2 300** – Paris, 6 avr. 1976 : *Cavaliers*, h/t (57x45) : **FRF 17 000** – Versailles, 11 déc. 1977 : *Le Cavalier au cheval pie*, h/t (42,5x33,5) : **FRF 17 000** – Londres, 28 juin 1979 : *Scène de bataille* 1798, pl. et lav. reh. de blanc (47,7x68,4) : **GBP 3 600** – Londres, 8 avr. 1981 : *Nombreux personnages au bord d'une rivière*, h/t, de forme ovale (95x132) : **GBP 3 000** – Londres, 15 juin 1983 : *Bergers menant leur troupeau à l'abreuvoir*, lav. de brun et de vert sur trait de pierre noire/pap. (33,7x62,8) : **GBP 1 000** – Monte-Carlo, 5 mars 1984 : *Un coup de vent*, h/t (48x79) : **FRF 18 000** – Acqui Terme, 13 oct. 1985 : *Figures allégoriques*, quatre aquar. (33x40 et 40x31) : **ITL 8 500 000** – Amsterdam, 29 nov. 1988 : *Charge de cavalerie au pied d'une colline surmontée de ruines*, h/t (40,5x50) : **NLG 7 475** – Milan, 12 déc. 1988 : *Paysage avec un personnage à cheval*, h/t (42x33,5) : **ITL 20 000 000** – New York, 11 jan. 1989 : *Escarmouche de cavalerie*, h/t (50x69,2) : **USD 12 100** – New York, 12 oct. 1989 : *Cosaque à cheval*, h/pan. (63,5x49,5) : **USD 4 400** – Paris, 15 déc. 1989 : *Paysage rocheux animé de bergers*, t. (77x53) : **FRF 62 000** – Londres, 11 avr. 1990 : *La halte des chasseurs près d'une rivière dans une prairie*, h/t (113x154) : **GBP 60 500** – Stockholm, 16 mai 1990 : *Paysage italien avec des voyageurs près à s'embarquer*, h/t (95x132) : **SEK 97 000** – Monaco, 7 déc. 1990 : *La halte devant une auberge*, h/t (78x141,2) : **FRF 199 800** – Rome, 8 avr. 1991 : *Voyageuse avec son enfant et ses bêtes se reposant près d'un ravin*, h/t (51,5x46) : **ITL 4 600 000** – Paris, 24 avr. 1991 : *Bergers, bergères et leurs troupeaux*, pl., lav. brun et reh. de blanc (29,5x40) : **FRF 19 500** – Amsterdam, 2 mai 1991 : *Officier à cheval luttant avec un fantassin* 1771, h/t (38x46,5) : **NLG 16 100** – New York, 15 jan. 1992 : *Une charrette fuyant devant la tempête*, craie noire et lav. (36,8x50,2) : **USD 6 050** – Paris, 15 mai 1992 : *Soldats au repos*, dess., pl. et aquar. (48,5x68,5) : **FRF 40 000** – Heidelberg, 9 oct. 1992 : *Paysage avec des figures près d'un torrent*, craie et h. (29,8x42,5) : **DEM 4 400** – Paris, 31 mars 1993 : *Combat de cavaliers*, encre et lav. brun (24,5x38,5) : **FRF 8 000** – Paris, 10 déc. 1993 : *Cavalier en armure et groupe de personnages dans un paysage montagneux*, h/t (210x200) : **FRF 215 000** – New York, 18 mai 1994 : *Engagement de cavalerie*, h/t (80x64,5) : **USD 18 400** – Londres, 3 juil. 1995 : *Cavalier approchant d'un campement de gitans*, craie noire et lav. (35,5x49,8) : **GBP 1 150** – Paris, 25 avr. 1997 : *Le Corps de garde*, sanguine et pierre noire (14,7x20) : **FRF 10 000**.

CASANOVA Francisco
Né en 1734 à Saragosse. Mort en 1778 à Mexico. xviiie siècle. Espagnol.
Peintre, graveur en taille-douce et graveur en médailles.
Fils et élève de Carlos Casanova.

CASANOVA Gaspare
Mort en 1629 à Bologne. xviie siècle. Actif à Bologne. Italien.
Peintre.

CASANOVA Giovanni Battista
Né en 1730 à Venise. Mort en 1795 à Dresde. xviiie siècle. Italien.
Peintre de genre, paysages, architectures, graveur, dessinateur.
Giovanni Battista Casanova, frère aîné de Francesco Casanova, étudia la peinture à Dresde, sous la direction de Silvestre et de Dietrich. À Rome, où il alla en 1752, il bénéficia des conseils de Mengs et réussit à se servir du fusain avec beaucoup d'adresse. Il fut aussi élève de Piazzetta à Venise. Il fut surtout connu comme graveur et fournit les planches illustrant les *Monumenti Antichi*, de Winckelman, et fut nommé professeur à l'Académie de Dresde en 1764.

Casanova

Musées : Saint-Pétersbourg (Mus. de l'Ermitage) : *Sainte Ursule*.
Ventes Publiques : Londres, 6 juil. 1982 : *Taureau chargeant*, craie noire et lav. (37x53,6) : **GBP 550**.

CASANOVA Giuseppe
xviiie siècle. Actif à Bologne vers 1755. Italien.
Peintre.
Ventes Publiques : Versailles, 15 juin 1969 : *L'Empereur en costume de sacre* : **FRF 17 000**.

CASANOVA Lorenzo
Né à Alcoy. xixe siècle. Espagnol.
Peintre d'histoire et de genre.
Élève de Federico Madrazo à l'École des Beaux-Arts de Madrid. On cite de lui : *Charles Quint visitant François Ier dans sa prison*, *Saint François d'Assise*, et parmi ses tableaux de genre : *La papilla*, *Los primeros pasos*.
Ventes Publiques : Londres, 1907 : *La nourriture des poulets* : **GBP 5** – Versailles, 3 avr. 1950 : *Le maître d'école* : **FRF 20 000** – Londres, 7 oct. 1970 : *La Basse-cour* : **GBP 110**.

CASANOVA Marthe
Née à Paris. xxe siècle. Française.
Peintre pastelliste.
Elle expose au Salon des Artistes Français.

CASANOVA Y ESTORACH Antonio ou Antonio Salvador
Né le 9 août 1847 à Tortosa (Tarragone). Mort le 22 décembre 1896 à Paris. xixe siècle. Espagnol.
Peintre d'histoire, scènes de genre, pastelliste, graveur.
Élève de Federico Madrazo, Carlos Rivera et Claudio Lorenzale à l'École des Beaux-Arts de Barcelone, il exposa à Madrid à partir de 1865, à Barcelone et plusieurs fois à Paris à partir de 1876. En 1870, il fut envoyé à Rome comme pensionnaire de la province de Barcelone. C'est, sans doute, à cette époque qu'il rencontra Mariano Fortuny qui eut une forte influence sur lui.
Tout d'abord peintre d'histoire, comme le montre son tableau : *Alphonse VIII haranguant ses troupes avant la bataille de las Navas de Tolosa*, il fut aussi peintre de petites scènes de genre, dans la manière facile de Fortuny, avec des toiles comme : *Moines paillards* – *Une scène de banditisme au xvie siècle* – *l'Indiscret*. Ses petits tableaux de chevalet décrivent des événements de la vie quotidienne avec force détails, rendus très précisément.

A. Casanova

Bibliogr. : Carlos Gonzalez, in : *Cent années de peinture en Espagne et au Portugal 1830-1930*, Antiquaria, t. II, Madrid, 1987.
Musées : Béziers : *Paysage avec animaux* – Londres (Victoria and Albert Mus.) : *Le mariage d'un prince* – *Tentation* – *Fin gourmet* – *L'Andalouse*.
Ventes Publiques : Paris, 1897 : *Toujours le roi* : **FRF 2 600** ; *La tasse de café* : **FRF 2 150** – New York, 1900 : *L'attente* : **USD 270** – New York, 12-13 mars 1903 : *La danse* : **USD 925** – Paris, 22 fév. 1919 : *La déclaration* : **FRF 320** – Paris, 14-15 déc. 1925 : *Les amateurs de melon* : **FRF 1 220** – Paris, 23 déc. 1949 : *Violoniste et moine chantant* : **FRF 16 500** – Londres, 30 avr. 1965 : *L'atelier de l'artiste* : **GNS 200** – New York, 6 oct. 1966 : *Le franciscain dentiste* : **USD 950** – Londres, 20 avr. 1978 : *L'Atelier de l'artiste* 1878, h/t (53x80) : **GBP 4 500** – Bolton, 21 mai 1981 : *Le cardinal et la jeune femme* 1883, h/pap. (43x56,5) : **USD 7 250** – New York, 28 oct. 1986 : *Moines dans un intérieur* 1885, h/t (49x65,5) : **USD 16 000** – Londres, 14 fév. 1990 : *Beauté espagnole*, past. (84x62) : **GBP 3 300** – Paris, 19 juin 1990 : *Une conversation douce heureuse*, h/t (40x32) : **FRF 15 000** – Édimbourg, 26 avr. 1990 : *La lettre d'amour*, h/pan. (32,5x24,2) : **GBP 830** – Londres, 25 nov. 1992 : *L'échevaud tendu* 1881, h/t (42x50) : **GBP 6 600** – Paris, 1er déc. 1992 : *Le goût* ; *L'odorat*, h/pan., une paire (chaque 6,5x9) : **FRF 8 000** – New York, 20 fév. 1992 : *Le coffret de lettres*, h/pan. (32,4x23,8) : **USD 8 800** – Londres, 10 fév. 1995 : *La Sainte Alliance* 1894, h/t (32,5x40,5) : **GBP 5 175** – New York, 23 oct. 1997 : *Retenant toute l'attention* 1883, h/t (38,1x50,8) : **USD 18 400**.

CASANOVAS Enrique
Né au xixe siècle à Valence. xixe siècle. Espagnol.
Peintre et illustrateur.
Élève de Carlos Haes à Valence à l'École de peinture de Madrid. Il exposa à Madrid à partir de 1876.

CASANOVAS Enrique
Né en Espagne. xxe siècle. Espagnol.
Sculpteur.
L'un des représentants de la jeune sculpture espagnole.

CASANOVAS F.
xixe-xxe siècles. Actif à Barcelone. Espagnol.
Peintre.
Figura à l'Exposition de Bruxelles, en 1910.

CASANOVAS Rafael
xve siècle. Actif à Barcelone. Espagnol.
Peintre.

CASANOVAS Y ASTORZA Enrique
XIXe siècle. Espagnol.
Sculpteur de statuettes, figures, nus, bustes, céramiste, peintre.
VENTES PUBLIQUES : BARCELONE, 25 oct. 1984 : *Le modèle*, terre cuite (H. 44) : **ESP 250 000** – BARCELONE, 26 nov. 1985 : *Nu debout*, terre cuite (H. 58,5) : **ESP 165 000** – BARCELONE, 16 déc. 1986 : *Tête de jeune fille*, terre cuite (H. 37,5) : **ESP 150 000** – NEW YORK, 28 fév. 1991 : *Charrette à bœufs sur un sentier dans un vaste paysage montagneux*, h/t (80,7x130,2) : **USD 6 600** – LONDRES, 4 oct. 1991 : *Vaste paysage montagneux avec une charrette à bœufs sur un chemin*, h/t (80x130) : **GBP 3 080.**

CASANOVAS Y GORCHS Francisco
Né en 1853 à Barcelone. XIXe siècle. Travaillant à Barcelone. Espagnol.
Peintre de genres, portraits, paysages.

CASANOVAS-ROY Henri ou Enrique
Né en 1882 à Barcelone (Catalogne). Mort en 1948. XIXe-XXe siècles. Espagnol.
Sculpteur.
VENTES PUBLIQUES : BARCELONE, 31 jan. 1980 : *Printemps*, bronze (H. 62) : **ESP 125 000.**

CASANOVES Antonio
XVIIe siècle. Actif à Barcelone. Espagnol.
Peintre.

CASAREGGIO Andrea
Né en 1741 à Gênes. Mort en 1799 à Gênes. XVIIIe siècle. Travaillant à Gênes. Italien.
Sculpteur.

CASARENGHI Giuseppe Maria
XVIIe siècle. Actif à Bologne. Italien.
Miniaturiste.
Élève de son oncle Antonio Randa. Suivant Zani, il connut un grand renom à Bologne vers 1668.

CASARES Diego Antonio
XVIIe siècle. Actif à Séville dans la seconde moitié du XVIIe siècle. Espagnol.
Peintre.

CASARES Francisco
XVIIe siècle. Espagnol.
Graveur.

CASARI Francesco, dit **Malugano**
Né vers 1654. Mort en 1694. XVIIe siècle. Actif à Vérone. Italien.
Peintre.

CASARI Lazzaro ou Casario
Né en 1543. Mort avant 1593. XVIe siècle. Actif à Bologne. Italien.
Sculpteur.

CASARI Maurizio
Né en 1939 à Bergame. XXe siècle. Italien.
Sculpteur. Abstrait-géométrique.
Il fit d'abord des études d'architecture, à Vérone, puis à Venise où il fut diplômé en 1969. Il avait toutefois commencé à sculpter et, depuis 1963, il a participé à plusieurs reprises à la *Bronzetto* de Padoue, aux Biennales de Vérone et de Milan.
Ses sculptures, de tendance nettement abstraite-géométrique, seraient structurellement proches du minimal art, mais s'en écartent radicalement du fait de reliefs et accidents qui en animent les côtés.

CASARIEGO Y TERRERO Francisco
Né en 1890 à Oviedo (Asturies). Mort en 1958 à Oviedo (Asturies). XXe siècle. Espagnol.
Peintre de paysages urbains, scènes typiques, architecte.
Il exposait à Madrid, Oviedo, Santander, etc., et participait à l'Exposition Nationale des Beaux-Arts.
Il peignait surtout les sites, les vues de villes et les coutumes des Asturies.
BIBLIOGR. : In : *Cent ans de peinture en Espagne et au Portugal – 1830-1930*, Antiqvaria, Madrid, 1988.

CASARIN Alonso ou Alexander
Né à Mexico. Mort en 1907 à New York. XIXe siècle. Américain.
Peintre de genre et sculpteur.

CASARINI Athos
Né en 1884 à Bologne (Émilie). Mort en 1917. XXe siècle. Italien.
Peintre.

CASARINI Pino
Né en 1897 à Vérone. XXe siècle. Italien.
Peintre.

CASARRA Frank
Né en 1913. XXe siècle. Actif aux États-Unis. Italien.
Peintre de paysages urbains, sculpteur, graveur.
Il fut élève de la Detroit School of Art, au Colorado Springs Fine Arts Center et à l'université du Michigan.
Le musée-galerie de la Seita à Paris a présenté de ses œuvres en 1996 à l'exposition : *L'Amérique de la dépression – Artistes engagés des années trente*.
Dans les années trente, il réalisa de nombreuses lithographies engagées, où il représente les travailleurs, pour la *WPA, Work Projects Administration*, énorme entreprise à l'échelle américaine pour venir en aide aux artistes frappés par la récession, mise en place par l'administration de Roosevelt, et qui leur offrit, entre 1935 et 1939, des milliers de commandes diverses.
BIBLIOGR. : Catalogue de l'exposition : *L'Amérique de la dépression – Artistes engagés des années trente*, musée-galerie de la Seita, Paris, 1996.

CASAS Carlos
Né à Barcelone (Catalogne). XXe siècle. Espagnol.
Peintre.
Exposant des Indépendants.

CASAS José
XIXe siècle. Actif à Barcelone vers 1860. Espagnol.
Sculpteur.

CASAS Juan Vila
Né en 1920 à Sabardell. XXe siècle. Espagnol.
Peintre. Abstrait-informel.
Cité par Herbert Read dans son *Histoire de la Peinture Moderne*.

CASAS ABARCA Agapito
Né le 28 février 1874 à Barcelone (Catalogne). Mort en 1964 à Barcelone. XXe siècle. Espagnol.
Peintre de paysages, paysages animés. Postimpressionniste.
Frère de Pedro Casas Abarca. Contrairement à son frère, il est autodidacte de formation. Il expose depuis 1896, dans des manifestations collectives, notamment à l'Exposition de Madrid 1910, à l'Exposition de Bruxelles 1910, à l'Exposition Nationale des Beaux-Arts de Barcelone 1944, ainsi qu'à Dresde, Londres ou à titre individuel, notamment à Paris 1930.
Il a souvent peint les paysages et les scènes typiques de Catalogne.
BIBLIOGR. : In : *Cent ans de peinture en Espagne et au Portugal – 1830-1930*, Antiqvaria, Madrid, 1988.
VENTES PUBLIQUES : BARCELONE, 1er juin 1982 : *Paysage*, h/t (68x73) : **ESP 70 000** – BARCELONE, 26 mai 1983 : *Un jardin au printemps*, h/pan. (64x82) : **ESP 95 000.**

CASAS ABARCA Pedro
Né le 24 mars 1875 à Barcelone. Mort le 19 mars 1958 à Barcelone. XXe siècle. Espagnol.
Peintre de figures, portraits, paysages, intérieurs, compositions à personnages, sculpteur. Postimpressionniste.
Frère de Agapito Casas Abarca. Il mena parallèlement des études de droit et d'art à l'Ecole des Beaux-Arts de Barcelone. Il participa à des expositions collectives, où il obtint diverses distinctions. Des expositions personnelles lui furent organisées à Madrid et Barcelone. Il exerça de nombreuses activités, dans la presse, l'édition de lithographies, de photographies, etc. Il exerça aussi des fonctions honorifiques et fut décoré de l'Ordre d'Alphonse X le Sage.
Il fut surtout réputé en tant que peintre des jeunes femmes élégantes, dans leurs intérieurs ou au jardin.
BIBLIOGR. : In : *Cent ans de peinture en Espagne et au Portugal – 1830-1930*, Antiqvaria, Madrid, 1987.

CASAS Y CARBO Ramon
Né le 5 janvier 1866 à Barcelone (Catalogne). Mort en 1932 à Barcelone. XIXe-XXe siècles. Espagnol.
Peintre de figures, portraits, compositions à person-

nages, paysages animés, intérieurs, dessinateur. Post-impressionniste.

Ses dons artistiques se révélèrent très tôt. Il fut élève du Collège Carreras, puis d'une Académie privée. Dès 1882, à l'âge de seize ans, il vint à Paris, comme élève de Carolus Duran. Ensuite, il séjourna à Madrid, étudiant les grands peintres espagnols au Prado. Au cours d'un nouveau séjour à Paris jusque en 1894, il se lia avec Utrillo, Rusinol, Zuloaga et d'autres. Conservant le contact avec Paris, où il continua à faire de fréquents séjours, il exposa des portraits et surtout des portraits d'enfants au Salon de la Société Nationale des Beaux-Arts, dont il était sociétaire depuis 1903. Il fut fait chevalier de la Légion d'Honneur. Il se fixa à Barcelone, produisant un intense travail pictural, considéré comme chef-d'école de la jeune peinture catalane sur laquelle il exerça une forte influence, y compris sur le jeune Picasso, notamment en leur faisant connaître impressionnisme et symbolisme. Il participa à de nombreuses expositions et concours, où il obtint diverses distinctions, notamment à l'Exposition Nationale des Beaux-Arts : troisième médaille 1892, première 1904, et une salle d'honneur en 1968 à l'occasion du centenaire de sa naissance. Il figura annuellement à la Salle Pares à partir de 1890. À l'étranger, il obtint aussi des distinctions : médailles d'or à Berlin, Munich, Vienne, etc.

Il fut un peintre et dessinateur très doué. De quinze ans plus âgé que la plupart des artistes du fauvisme et du cubisme, il ne fut pas concerné par leurs recherches, mais resta attaché au climat impressionniste et à la narration symboliste, d'ailleurs beaucoup plus proche de Manet, par les thèmes et la facture, que les impressionnistes eux-mêmes. À ce titre, dans son œuvre, à certains portraits très « finis », on peut préférer les peintures plus libres, spontanées, travaillées par touches larges, directes, sans reprises, posées sur des fonds légers à peine effleurés. Il est considéré justement comme l'un des peintres catalans importants de la fin du siècle. Sa réputation s'est certainement trouvée accrue de son amitié avec Picasso. Ramon Casas y Carbo fut le personnage central du café Els Quatre Gats (Les quatre chats), qu'il avait fondé à l'imitation du Cabaret du chat noir de Paris, où, à la fin du siècle, se réunissaient les artistes locaux, dont le jeune Picasso, Rusinol, Utrillo, et leurs visiteurs étrangers. Ramon Casas a peint des scènes urbaines animées de nombreux personnages, de nombreux portraits de ses familiers. Il a aussi laissé des quantités de dessins, rapides et spirituels, des hôtes du lieu. D'ailleurs, toutes ses qualités de spontanéité se manifestent plus aisément dans les énormes quantités de dessins qu'il a laissées, dans les illustrations d'ouvrages littéraires, de même que dans les nombreuses affiches qu'il réalisa, parmi lesquelles les plus célèbres pour l'Anis del Mono – Cigarrillo Paris – Papel Boer – Garage Central, et. Dans ces croquis comme dans ces affiches, il montre un peu de l'aisance de Toulouse-Lautrec et du sens décoratif de Mucha. ■ Jacques Busse

BIBLIOGR. : Azucena Olmeda Sanchez, in : Cent années de peinture en Espagne et au Portugal – 1830-1930, Antiquaria, Madrid, 1987, important appareil documentaire – in : Diction. de la peint. espagnole et portugaise, Larousse, Paris, 1989.
MUSÉES : BARCELONE (Mus. des Beaux-Arts) : Autoportrait en costume andalou 1883 – Portrait de la Senora Carbo 1888 – Intérieur d'atelier après une fête 1891 – Plein air, paysage de Madrid, avec une figure féminine assise devant une table 1891 – La petite Maria Rusinol Denis 1893 – Le Sacré-Cœur de Montmartre 1893 – Corpus Domini, sortie de la procession de Santa Maria – Portrait de S.M. Alphonse XIII 1904, étude – très nombreux dessins – Portrait du peintre Ignacio Zuloaga, dessin – Autoportrait – Portrait de Pablo Ruiz Picasso – Portrait de José Maria Sert – CHICAGO (Art Inst.) : L'Hippodrome – MADRID (Mus. d'Art Mod.) : Garrote vil – Barcelone 1902 – SITGES (Mus. de Cau Ferrat) : Autoportrait 1889 – Hall du Moulin de la Galette 1890 – Une étude 1891 – Rusinol et Casas en train de peindre 1890 – Portrait de Santiago Rusinol 1904.
VENTES PUBLIQUES : PARIS, 12-13 nov. 1928 : Jeune femme dans un atelier d'artiste : FRF 500 – PARIS, 18 nov. 1936 : Espagnole à la mantille blanche, dess. pierre noire : FRF 250 ; Espagnole à la mantille noire, dess. pierre noire et past. : FRF 260 – PARIS, 22 mars 1950 : Le Couvent de Lau Benet : FRF 16 500 – MADRID, 20 déc. 1977 : Jeune femme prenant un rafraichissement, h/t (152x90) : ESP 55 000 – BARCELONE, 21 juin 1979 : Portrait de

femme, dess. au fus. aquarellé (38x30) : ESP 260 000 – BARCELONE, 19 juin 1981 : Julia, h/t (98x68) : ESP 2 800 000 – Barcelone, 28 jan. 1981 : Portrait de femme, h/t (47x37) : ESP 475 000 – BARCELONE, 20 oct. 1982 : Le manteau bleu, past. (61x45) : ESP 900 000 – BARCELONE, 26 mai 1983 : La femme à la mantille, fus. de coul./pap. (40x55) : ESP 650 000 – BARCELONE, 23 mai 1984 : Jeune femme vue de dos dans un jardin, h/t (40x32) : ESP 1 550 000 – BARCELONE, 28 nov. 1985 : Portrait de femme, past. et fus. (57x44) : ESP 675 000 – BRUXELLES, 19 déc. 1985 : La Manola, h/t (99x72) : ESP 6 000 000 – MADRID, 20 juin 1985 : Portrait de fillette, cr. reh. de coul. (50x38) : ESP 546 000 – BARCELONE, 28 mai 1986 : Le cloître de Sant Benet de bages, h/t (99x84) : ESP 2 400 000 – BARCELONE, 2 avr. 1987 : Paysage d'Automne vers 1896-1898, h/t (45x37) : ESP 1 700 000 – BARCELONE, 17 déc. 1987 : Portrait de femme, past. et fus./pap. (58x44) : ESP 3 900 000 – NEW YORK, 28 mai 1993 : Portrait d'un homme fumant la pipe 1909, fus., craie rouge et blanche/cart. (50,2x40,8) : USD 9 200 – NEW YORK, 15 fév. 1994 : Portrait d'homme, h/t (94x73,8) : USD 12 650 – NEW YORK, 18-19 juil. 1996 : Femme au nœud vert ; Femme au chapeau, fus., past. et aquar./pap. (47x31,1 et 46,7x30,8) : USD 4 600 – NEW YORK, 23 oct. 1997 : Autoportrait dans l'atelier 1882, h/t (60x73) : USD 79 500.

CASAS-GUARDIA Marguerite de, Mme
Morte en 1904. XIXe siècle. Française.
Peintre.
Elle fut sociétaire des Artistes Français.

CASAS OCAMPO Emilio
Né à Cordoba. XXe siècle. Argentin.
Sculpteur.
A exposé un nu aux Tuileries en 1938 ; on le retrouve aux Indépendants en 1939.

CASASUS Léon
Né à Mexico. XXe siècle. Mexicain.
Peintre de portraits, nus, paysages, natures mortes.
Il a exposé à Paris, aux Salons des Artistes Indépendants et des Tuileries, de 1933 à 1938.

CASATI Alexandre
XIXe siècle. Italien.
Peintre de paysages animés, paysages, marines.
Il débuta au Salon de Paris en 1831 et exposa jusqu'en 1844.
MUSÉES : VERSAILLES (Mus. du Grand Trianon) : La vente du poisson – Départ pour la ville.
VENTES PUBLIQUES : VERSAILLES, 27 avr. 1967 : Grands voiliers à quai dans un port d'Orient : FRF 2 750 – PARIS, 14 oct. 1983 : Pêcheur – Paysage d'Italie 1839, h/t, deux pendants (37x52) : FRF 13 500 – LONDRES, 5 mai 1989 : Paysage de torrent avec des pêcheurs et un château à l'arrière-plan, h/t (31,7x45,7) : GBP 990 – PARIS, 16 mars 1989 : Pêcheurs napolitains ; Tour en ruine à Rome, deux pendants (37x52) : FRF 34 000 – PARIS, 14 fév. 1990 : Barques de pêcheurs et groupe de chevaux dans les ruines antiques 1839, h/t, deux pendants (37x52) : FRF 31 000 – PARIS, 25 juin 1990 : Bateaux échoués sur la plage, h/t (32x48,5) : FRF 6 000 – PARIS, 31 mars 1995 : Paysans napolitains dans un paysage de ruines imaginaires 1841, h/t (44x66) : FRF 25 000.

CASATI Pietro Antonio
Originaire des environs de Lugano. XVIIe siècle. Suisse.
Stucateur.
Casati décora l'église du monastère de Saint-Florian à Ems vers 1681.

CASATTI B.
XIXe siècle. Italien.
Peintre de marines.
Le Musée de Bayonne conserve de lui une Marine, côtes de Normandie, et le Musée de Perpignan : Vue de la Rochelle.

CASAURANG-COMBELLAS Mary-Lou
Née en 1912. XXe siècle. Française.
Peintre de paysages, fleurs.
Elle expose à Paris, aux Salons des Artistes Indépendants, des Femmes peintres et sculpteurs. Elle figure aussi dans des expositions collectives à l'étranger.

CASAUX Léon
Né au XIXe siècle à Toulon (Var). XIXe siècle. Français.
Graveur au burin.
Sociétaire des Artistes Français. Mention honorable en 1898.

CASAZZA Alfiero
Né à Ferrare (Émilie). XXe siècle. Italien.

Peintre.

Il a exposé à Paris, au Salon des Artistes Indépendants, de 1935 à 1940.

CASBYKE Rumbol de. Voir **KERSBARKE Romboult Van**

CASCARET
Né à Lyon. Français.
Graveur.
Cité par Mireur.

CASCELLA Andrea
Né en 1920 à Pescara. Mort le 27 août 1990 à Milan. XXᵉ siècle. Italien.
Sculpteur de monuments. Abstrait.

Fils de Tommaso et frère de Pietro. Il se forma d'abord en peinture auprès de son père. Ensuite, il travailla avec son frère, pendant quelques années à Rome, comme sculpteur de reliefs en céramique destinés à l'architecture. Il se fixa alors à Milan et aborda son œuvre personnel, qu'il commença d'exposer à partir de 1949. Il a figuré à la Biennale de Venise en 1950 et en 1964 avec une salle entière qui lui valut le Prix National de Sculpture, à la Quadriennale de Rome en 1960. A titre personnel, il expose en Italie, notamment à plusieurs reprises à Milan, dans les pays étrangers, à Londres en 1962, au Musée d'Ixelles (Belgique) en 1968, au Palais des Beaux-Arts de Bruxelles en 1970, etc.

Dans les années cinquante, il réalisa des œuvres figuratives en bronze et en aluminium. Dans la suite, il opta définitivement pour la taille directe de la pierre et du marbre. Il collabore avec de nombreux architectes, ce qui lui permet d'exploiter ses qualités monumentales, notamment avec Ignazio Gardella pour la façade de l'immeuble Olivetti à Düsseldorf. Ses œuvres sont généralement de grandes dimensions, en marbre ou pierre, gardant souvent quelque chose de la forme originelle du bloc dont elles ont été dégagées. Robustement compactes, elles proposent cependant des correspondances avec des formes organiques sensuelles. ■ J. B.

BIBLIOGR. : Giovanni Carandente, in : *Nouveau diction. de la sculpt. mod.*, Hazan, Paris, 1970.

VENTES PUBLIQUES : MILAN, 8 juin 1976 : *Sculpture*, marbre rouge (26x25x23) : **ITL 3 000 000** – NEW YORK, 18 oct. 1979 : *Figure couchée* 1964, marbre noir (H. 23) : **USD 1 500** – MILAN, 24 oct. 1983 : *Sans titre*, pierre poreuse (46x58x45) : **ITL 5 000 000** – MILAN, 18 déc. 1984 : *Forme* 1963, granite (H. 36) : **ITL 4 500 000** – MILAN, 14 mai 1988 : *Composition, multiple*, marbre rose (15x11x20) : **ITL 1 000 000** – NEW YORK, 10 oct. 1990 : *Sans titre* 1960, marbre en deux parties (15,2x17,8) : **USD 1 760** – MILAN, 15 mars 1994 : *Sans titre*, quartz (22x35) : **ITL 13 800 000** – MILAN, 28 mai 1996 : *Ex voto*, marbre blanc (23,5x22x22) : **ITL 1 035 000**.

CASCELLA Basilio
Né en 1860 à Pescara. Mort en 1950. XIXᵉ-XXᵉ siècles. Travaillant à Pescara. Italien.
Peintre de compositions animées, paysages, lithographe.

Il est le père du paysagiste Michele Cascella et de Tommaso. Il a peint des compositions sur des thèmes fantastiques, parmi lesquelles : *Lotta e Fine, Suono e Sonno*.

MUSÉES : ROME (Mus. Mod.) : *Triomphe de la Mort de d'Annunzio*, dessin – *Tête de Méduse*, litho.

VENTES PUBLIQUES : ROME, 3 avr. 1984 : *Allégorie du fascisme*, h/t (38,5x26,5) : **ITL 1 100 000** – ROME, 17 avr. 1989 : *Personnages à la source*, cr. et sanguine/pap., étude pour une fresque destinée aux thermes de Montecatini (95x70) : **ITL 2 600 000** – ROME, 14 déc. 1991 : *Deux portraits d'un père et d'une fille*, h/t, une paire (chaque 73x42) : **ITL 5 175 000** – ROME, 3 déc. 1991 : *Allégorie fasciste*, h/t (38,5x26,5) : **ITL 2 400 000**.

CASCELLA Michele
Né le 7 septembre 1892 à Ortona a Mare (Chieti). Mort en 1989 à Milan. XXᵉ siècle. Italien.
Peintre de paysages, natures mortes, fleurs, aquarelliste, pastelliste, peintre de techniques mixtes.

Il était fils de Basilio, frère de Tommaso. Surtout peintre de paysages, il a œuvré principalement dans les Abruzzes. Il aimait traiter des natures mortes de fleurs placées devant un paysage.

Michele Cascella [signature]

MUSÉES : BRUXELLES : *Montecatini Alta* – LONDRES : *Paysage* – MILAN (Archives de la guerre) : dessins de guerre – PARIS (Mus. d'Orsay) : *Rome* – Couvent de Guardiagrele.

VENTES PUBLIQUES : LONDRES, 13 jan. 1971 : *Vase de fleurs* : GBP 3 650 – NEW YORK, 25 fév. 1976 : *Les Acacias* 1966, h/t (102,5x77) : USD 475 – MILAN, 14 juin 1977 : *Vase de fleurs*, past. (63x47) : ITL 1 500 000 – MILAN, 10 mai 1979 : *La Seine et Notre-Dame* 1931, aquar. (36x56) : ITL 1 000 000 – ROME, 24 mai 1979 : *Automne*, h/t (45x60) : ITL 1 700 000 – MILAN, 25 nov. 1980 : *Portofino* 1954, h/t (76x149) : ITL 14 500 000 – MILAN, 15 déc. 1981 : *Balcon à Portofino* 1956, h/t (101x74) : ITL 14 000 000 – MILAN, 6 avr. 1982 : *Amalfi* 1935, aquar. (96x63,5) : ITL 8 500 000 – MILAN, 14 juin 1983 : *Pasqua nell'Anno Santo* 1933, gche/pap. mar./pan. (76x109) : ITL 9 500 000 – MILAN, 13 juin 1984 : *Portofino, l'église* 1951, gche (35x42) : ITL 2 600 000 – ROME, 23 avr. 1985 : *A l'embouchure du Pescara* 1934, aquar. et encre de Chine/pap. (60x80) : ITL 10 000 000 – MILAN, 19 déc. 1985 : *Viale Premuda a Milano* 1928, h/t (90x110) : ITL 20 000 000 – MILAN, 10 avr. 1986 : *Paysage des Abbruzzes au printemps* 1933, temp./pap. (68x103) : ITL 9 000 000 – ROME, 8 mai 1986 : *La Festa del Santo Patrone* 1938, pl. et lav. (109x73) : ITL 4 800 000 – MILAN, 6 mai 1987 : *Chardons et Genêts*, h/cart. mar./t. (110x75) : ITL 13 000 000 – ROME, 24 nov. 1987 : *Santa Severina* 1934, techn. mixte/cart. (68x100) : ITL 12 500 000 – ROME, 7 avr. 1988 : *Nature morte au bouquet sur le rebord d'une fenêtre*, h/t (50x35) : ITL 4 600 000 – MILAN, 8 juin 1988 : *Siusi* 1938, détrempe/cart. (72x108) : ITL 11 000 000 – ROME, 15 nov. 1988 : *Nature morte dans un paysage*, h/t (40x60) : ITL 7 000 000 ; *Vecchia Pescara* 1920, h/t (75x59) : ITL 14 000 000 – MILAN, 14 déc. 1988 : *Nature morte* 1966, h/t (76x126) : ITL 30 000 000 – MILAN, 20 mars 1989 : *Paysage*, h/t (50x70) : ITL 10 000 000 – ROME, 17 avr. 1989 : *Filets au soleil* 1908, past./pap. (45x35) : ITL 3 800 000 – MILAN, 7 nov. 1989 : *Visite de la grotte* 1952, techn. mixte/pap./cart. (60x83) : ITL 8 500 000 – ROME, 28 nov. 1989 : *Rue Sainte Marguerite à Ligure* 1950, h/t (98,5x69) : ITL 40 000 000 – ROME, 10 avr. 1990 : *Souvenir d'Amalfi* 1973, h/t (70x50) : ITL 21 000 000 – MILAN, 24 oct. 1990 : *Capri* 1935, temp./cart. (72x100) : ITL 26 000 000 – MILAN, 13 déc. 1990 : *Champ de coquelicots*, h/t (70x100) : ITL 29 000 000 – MILAN, 20 juin 1991 : *Paysage des Abruzzes*, h/t (50x70) : ITL 15 000 000 – LUGANO, 12 oct. 1991 : *La maison de Faffi* 1950, h/t (75,5x110) : CHF 30 000 – ROME, 9 déc. 1991 : *Automne*, h/t (76x128,5) : ITL 43 700 000 – LONDRES, 25 nov. 1992 : *Une rue de Rome* 1932, encre et aquar. (69x104) : GBP 6 600 – MILAN, 15 déc. 1992 : *Bergame* 1939, temp./cart. (73x108) : ITL 21 000 000 – NEW YORK, 26 fév. 1993 : *Pastorale* 1923, aquar. et encre/cart. (45,7x66) : USD 2 875 – ROME, 27 mai 1993 : *Chinatown* 1960, h/t (76x100) : ITL 28 000 000 – MILAN, 22 nov. 1993 : *Portofino* 1949, h/pap./t. (69x99) : ITL 22 391 000 – MILAN, 5 mai 1994 : *Zinnias* 1938, temp./pap. (74x110) : ITL 34 500 000 – NEW YORK, 8 nov. 1994 : *Parc près de la ville*, aquar. et encre/pap. (48,3x65) : USD 3 680 – PARIS, 2 déc. 1994 : *Barques de pêche*, past. (49x59,5) : FRF 14 500 – MILAN, 9 mars 1995 : *Nervi* 1936, h/t (70x121) : ITL 29 000 000 – ROME, 14 nov. 1995 : *Ruelle de Gadames* 1934, aquar./cart. (67x92) : ITL 20 125 000 – NEW YORK, 30 avr. 1996 : *Les Tuileries en automne*, h/t (81,3x99,5) : USD 14 950 – MILAN, 23 mai 1996 : *Nature morte aux fruits et vase de fleurs*, past. gras/cart. (51x65) : ITL 10 350 000 – NEW YORK, 12 nov. 1996 : *La Pescara en 1909* 1968, h/t (77x127) : USD 19 550 – MILAN, 20 nov. 1996 : *Rome, Via del Foro Romano* 1931, aquar. et encre/pap./t. (73,5x103) : ITL 14 950 000 ; *Lien*, marbre (34x34x19) : ITL 7 360 000 – NEW YORK, 13 mai 1997 : *Bateau à voile en automne*, h/t (73,7x99) : USD 14 950 – MILAN, 18 mars 1997 : *Dahlias à Portofino*, h/t (76,5x101) : ITL 30 290 000 – ROME, 8 avr. 1997 : *Portofino vu du jardin Gallotti*, h/t (70x100) : ITL 39 610 000 – MILAN, 19 mai 1997 : *Café à Portofino* 1977, h/t (73x100) : ITL 29 900 000.

CASCELLA Pietro
Né en 1921 à Pescara. XXᵉ siècle. Italien.
Sculpteur de monuments. Abstrait.

Fils de Tommaso et frère d'Andrea, il commença sa formation en peinture dans l'atelier paternel, puis fut élève en sculpture de l'Ecole des Beaux-Arts de Rome. Ensuite, après 1945, il collabora à des réalisations de sculptures en céramique avec son frère. Il commença l'élaboration de son œuvre propre dans le contexte du mouvement général abstrait de l'après-guerre. Il a participé à de nombreuses expositions collectives internationales : 1964 l'Exposition Internationale de la Fondation Carnegie de Pittsburgh, 1965 à 1969 Salon de Mai à Paris, 1966 XXXIIIᵉ Biennale de Venise avec une salle entière, 1967 Biennale de Carrare dont il obtint le Prix, ayant déjà obtenu en 1950 le Prix de la Fondation Copley. Il montre aussi régulièrement ses œuvres lors d'expositions personnelles : à Rome depuis 1950, Milan, Venise, Paris, New York, etc.

Il réalise de nombreuses sculptures monumentales : le *Monument aux déportés politiques d'Auschwitz*, le projet primé en 1960 et réalisé en 1968, les sculptures du Ministère des Affaires Étrangères à Rome, celles du Palais des Expositions de Gênes, un monument pour le Congrès des Nations de Strasbourg, le *Monument à Mazzini* à Milan. Ses sculptures sont taillées dans le marbre ou dans des pierres dures. Abstraites, elles comportent souvent des pièces rapportées, qui leur confèrent une impression de fragilité de leur équilibre, de mouvement potentiel. Les lignes, les surfaces, les volumes en sont « tendus » et d'une rigueur qui les destine tout naturellement à l'intégration architecturale. Parfois, il recourt à des agencements insolites et d'apparence mécanistes, retrouvant une certaine inspiration surréalisante, telle qu'exploitée aussi par quelques pop'artistes, mais sans rien renoncer de la rigoureuse dignité monumentale qui caractérise son style. ■ J. B.

BIBLIOGR. : Denys Chevalier, in : *Nouveau diction. de la sculpt. mod.*, Hazan, Paris, 1970.

VENTES PUBLIQUES : NEW YORK, 22 oct. 1976 : *Figure*, patine noire, bronze (H. 53,5) : **USD 750** – MILAN, 18 avr. 1978 : *Tête du Musée* 1974, sculpt. (38,5x36x42) : **ITL 3 600 000** – MILAN, 24 juin 1980 : *Totem*, bronze (H. 14) : **ITL 400 000** – MILAN, 15 mars 1983 : *Composition*, bronze n° 1/3 (21x30x20) : **ITL 3 000 000** – MILAN, 18 nov. 1984 : *Composition*, marbre noir (25x36x25) : **ITL 2 800 000** – NEW YORK, 27 fév. 1985 : *Sans titre*, marbre (14,2x5) : **USD 800** – ROME, 15 nov. 1988 : *La lune* 1965, marbre blanc (H. 34 et diam. 39) : **ITL 7 500 000** – ROME, 17 avr. 1989 : *Les graines*, marbre (27x46x40) : **ITL 3 800 000** – ROME, 27 mai 1993 : *Sans titre* 1959, techn. mixte/t. de jute (46x38) : **ITL 4 000 000**.

CASCELLA Tommaso
Né en 1890 à Ortona a Mare (Chieti). Mort en 1968 à Pescara. XXe siècle. Italien.
Peintre de paysages, paysages animés, pastelliste, dessinateur.
Il était fils de Basilio et père d'Andrea et de Pietro. Peintre de paysages, il peignit aussi des paysages peuplés de bétail, des ports et leur animation.
VENTES PUBLIQUES : PARIS, 12-13 nov. 1928 : *Le pont de la Tournelle à Paris* : **FRF 280** – BERLIN, 19 sep. 1968 : *Les bords de l'Adriatique*, past. : **DEM 850** – PARIS, 26 nov. 1984 : *Les remorqueurs sur la Seine*, h/pan. (38x46) : **FRF 11 000** – ROME, 7 mai 1985 : *Fillette dans un champ de fleurs* 1918, past. (24x33) : **ITL 1 500 000** – ROME, 29 oct. 1985 : *Paysage aux environs de Nusco* 1901, past. (56x65) : **ITL 3 700 000** – ROME, 25 mai 1988 : *Troupeau en montagne* 1913, h/t (134x191) : **ITL 15 000 000** – ROME, 14 déc. 1988 : *Au cabaret*, cr. noir et coul. (22x29,5) : **ITL 700 000** ; *Moutons au pâturage*, past./pap. (63x107) : **ITL 1 900 000** – MILAN, 14 juin 1989 : *Au cabaret* 1912, cr./pap. (22x30) : **ITL 800 000** – NEW YORK, 25 oct. 1989 : *Un port au clair de lune*, h/pan. (38,1x46,3) : **USD 4 400** – MILAN, 17 déc. 1992 : *Marais*, h/pan. (17x30,5) : **ITL 1 100 000**.

CASCETTI Stefano
XVIIe siècle. Italien.
Peintre.
Cet artiste florentin travailla vers 1650.

CASCIANI Andrea
XVIIIe siècle. Actif à Florence. Italien.
Sculpteur sur bois.
Membre de l'ordre des Servites.

CASCIARO Giuseppe
Né le 9 mars 1863 à Ortelle (Lecce). Mort en 1945 à Naples. XIXe-XXe siècles. Italien.
Peintre de paysages animés, aquarelliste, pastelliste.
Il fut élève de Filippo Palizzi, de Domenico Morelli, Giovacchino Toma à l'Académie de Naples, y obtenant de nombreuses distinctions et Prix. Peintre de paysages, il fut surtout pastelliste et aquarelliste. Il exposa à Naples en 1889. En 1900, lors de l'Exposition Universelle de Paris, il obtint une médaille de bronze.

G Casciaro

MUSÉES : MUNICH : *Monte Solaro* 1901, past. – *Temps gris* 1902, past.
VENTES PUBLIQUES : PARIS, 3 fév. 1919 : *Chemin bordé de pins parasols*, aquar. : **FRF 110** ; *Le chemin montant dans la colline*, aquar. : **FRF 110** – MILAN, 21 oct. 1969 : *Cava di Tirreni* :

ITL 2 000 000 – MILAN, 24 mars 1970 : *Paysage* : **ITL 900 000** – MILAN, 25 nov. 1971 : *Sous-bois* : **ITL 600 000**. – MILAN, 28 oct. 1976 : *Capri*, temp. et past. (38x19) : **ITL 450 000** – MILAN, 14 mars 1978 : *Paysage* 1906, techn. mixte/cart. entoilé (19x37) : **ITL 1 100 000** – LONDRES, 10 mai 1979 : *La baie de Naples*, past. (27x19) : **GBP 480** – MILAN, 5 avr. 1979 : *Cava dei Tirreni*, h/t (48x83) : **ITL 2 300 000** – LONDRES, 5 déc. 1980 : *Paysage napolitain*, past. (18x36,8) : **GBP 900** – MILAN, 5 nov. 1981 : *Récif*, past. (40x90) : **ITL 5 000 000** – MILAN, 24 mars 1982 : *Paysage d'hiver*, h/pan. (40x50) : **ITL 3 300 000** – ROME, 26 oct. 1983 : *Oliviers à Capri* 1909, past. (45x50) : **ITL 3 200 000** – MILAN, 12 déc. 1983 : *Marée à Capri* 1896, h/t (85x57) : **ITL 8 000 000** – ROME, 3 avr. 1984 : *Le retour des pêcheurs*, past. (33x45) : **ITL 2 300 000** – ROME, 13 mai 1988 : *Castro* 1909, techn. mixte (46x52) : **ITL 3 200 000** – LONDRES, 27 mars 1987 : *Blé coupé* ; *Paysage* 1902 et 1904, past., une paire (31x50 et 32x44) : **GBP 4 200** – PARIS, 2 mars 1988 : *Paysage*, past. (17x22) : **FRF 3 000** – ROME, 25 mai 1988 : *Vue de Capri* 1913, past./pap. (29x40) : **ITL 2 000 000** – ROME, 14 déc. 1988 : *Paysage avec une prairie dominant la mer*, past./pap. (27,7x40,5) : **ITL 2 800 000** ; *Vue de Capri* 1913, past./pap. (29x40) : **ITL 2 000 000** – NEW YORK, 24 mai 1989 : *Panorama depuis le château d'Ischia* 1917, h/t (86,6x129,8) : **USD 11 000** – MILAN, 6 déc. 1989 : *La pinède au bord de mer à Ischia* 1907, past./pap. (29x40) : **ITL 4 000 000** – ROME, 12 déc. 1989 : *Cour de ferme à Ischia*, h/t (87x69) : **ITL 9 500 000** – ROME, 14 déc. 1989 : *Capri*, past. (42x68) : **ITL 7 475 000** – NEW YORK, 1er mars 1990 : *La mer à Capri*, h/t (57,8x88,9) : **USD 9 350** – MONACO, 21 avr. 1990 : *Paysage de printemps* 1927, past. (30x40) : **FRF 11 100** – ROME, 29 mai 1990 : *Promenade en calèche dans un paysage printanier*, past. (33x61) : **ITL 8 050 000** – ROME, 31 mai 1990 : *Le vieux Vomero*, techn. mixte/pap. (19x40,5) : **ITL 4 500 000** – ROME, 4 déc. 1990 : *Paysage de la région du Vésuve*, temp./pap. (29x41) : **ITL 4 400 000** – PARIS, 24 mai 1991 : *Vue d'un lac, vue d'un lac* 1891, h/t (24x37,5) : **FRF 20 000** – ROME, 28 mai 1991 : *Paysage hivernal*, past./cart. (18x25,5) : **ITL 1 700 000** – ROME, 24 mars 1992 : *Mer bleue à Ischia* 1917, h./contre-plaqué (75,5x123,5) : **ITL 25 300 000** – NEW YORK, 28 mai 1992 : *Vieille chapelle à Capri*, h/pan. (61x82,6) : **USD 7 700** – BOLOGNE, 8-9 juin 1992 : *Vue de Ischia* 1916, h/t (38,5x48,5) : **ITL 5 750 000** – MILAN, 16 juin 1992 : *Écueils à Capri* 1920, h/pan. (55x72) : **ITL 7 000 000** – AMSTERDAM, 2-3 nov. 1992 : *Repos* 1928, h/pan. (40x50) : **NLG 3 450** – ROME, 19 nov. 1992 : *La Promenade*, past. (23x31) : **ITL 3 450 000** – LONDRES, 1er oct. 1993 : *La lavandière*, past./pap. (32x51) : **GBP 3 910** – ROME, 29-30 nov. 1993 : *Paysage animé* 1927, h/t (70x100) : **ITL 11 785 000** – ROME, 6 déc. 1994 : *Il Camaldolilli di Napoli*, h/bois (50x70) : **ITL 17 678 000** – ROME, 25 mai 1995 : *Ischia et le château aragonais* 1917, h/cart. (23x34) : **ITL 4 714 000** – PARIS, 26 mars 1996 : *Chemin animé de personnages*, h/pan. (18x41) : **FRF 11 500** – ROME, 23 mai 1996 : *La Fontaine des Cavaliers, Villa Borghese*, past. (45x62) : **ITL 6 900 000** – ROME, 4 juin 1996 : *Paysage à Amalfi*, past./pap. (48,5x32) : **ITL 1 150 000** – NEW YORK, 18-19 juil. 1996 : *Personnages sur un chemin de campagne* 1900, past. (26,7x40) : **USD 3 737**.

CASCINA Francesco
XVIIe siècle. Actif à Aquila vers 1600. Italien.
Peintre.

CASCINO Stefano
XVe siècle. Actif à Palerme entre 1473 et 1487. Italien.
Sculpteur.

CASE. Voir aussi CAZE et CAZES

CASE Anne-Marie
XXe siècle. Française.
Peintre.
Elle a exposé aux Tuileries en 1938.

CASE Bertha, Miss
Née aux États-Unis. XIXe-XXe siècles. Américaine.
Peintre de portraits, intérieurs, natures mortes.
A exposé au Salon d'Automne, de 1911 à 1913.

CASE Pierre
Mort avant 1696. XVIIe siècle. Actif à Paris. Français.
Peintre.

CASEBLANQUE Georges
Né à Baixas (Pyrénées-Orientales). XXe siècle. Français.
Sculpteur.
Il a exposé à Paris, au Salon des Artistes Indépendants de 1935 à 1943, au Salon d'Automne en 1946.

CASEL Juan de
D'origine allemande. XVIᵉ siècle. Travaillant à Barcelone vers 1500.
Sculpteur.

CASELL Giacomo di ou **Caselli**
XVIIᵉ siècle. Travaillant à Rome. Éc. flamande.
Peintre.

CASELLA, de son vrai nom : **Agostino di Andrea**
Originaire de Fiesole. XVIᵉ siècle. Italien.
Sculpteur.
L'une de ses œuvres est conservée à la cathédrale d'Arezzo.

CASELLA Andrea
XVIᵉ siècle. Suisse.
Sculpteur.
Actif à Ciona-Carona près de Lugano, il travailla à Rome, notamment vers 1564 à la Villa Alessandro de Grandis sur le Monte della Trinità, et exécuta des ouvrages, en 1573, pour les cardinaux Ferrara et Borromeo.

CASELLA Antonio
XVᵉ-XVIᵉ siècles. Actif à Carona. Suisse.
Sculpteur et architecte.
On lui doit des décorations sculptées au Municipio de Brescia ainsi que certains ouvrages sur la façade de ce palais, datés du XVᵉ siècle.

CASELLA Barnaba
Originaire de Ciona-Carona. XVIᵉ siècle. Suisse.
Sculpteur.
Frère d'Andrea et de Battista Casella ; collabora avec ce dernier.

CASELLA Battista
Originaire de Ciona-Carona. XVIᵉ siècle. Travaillant à Rome. Suisse.
Sculpteur.
En collaboration avec son frère Andrea Casella, Battista travailla à la Villa Alessandro de Grandis sur le Monte della Trinità à Rome.

CASELLA Daniele
Originaire de Carona. XVIᵉ siècle. Travaillant à Gênes. Suisse.
Sculpteur et architecte.
Daniele Casella collabora avec son maître Taddeo Carlone à l'exécution de statues de saints à l'église San Pietro di Banchi à Gênes. On lui attribue également des sculptures dans la Loggia di Banchi et une esquisse pour une chapelle de l'église San Siro.

CASELLA Donato
XVIᵉ siècle. Actif à Pordenone. Italien.
Sculpteur.

CASELLA Ella
XIXᵉ-XXᵉ siècles. Travaillant à Londres. Britannique.
Sculpteur-modeleur de cire.
Il exposa à la Royal Academy, à Londres, à partir de 1884, au Salon de Paris entre 1884 et 1894 et à l'Exposition Universelle de Rome, en 1911.

CASELLA Fedele
Mort vers 1547. XVIᵉ siècle. Actif à Carona dans la première moitié du XVIᵉ siècle à Palerme. Suisse.
Sculpteur.
En collaboration avec son fils Scipione et avec Antonello Gaggini, dont il épousa la fille, Casella exécuta de nombreux ouvrages à Palerme.

CASELLA Francesco, dit **Casellano**
Probablement originaire de Crémone. XVIᵉ siècle. Italien.
Peintre.
Il aurait été l'élève de Boccaccino ou de Galeazzo Campi et aurait travaillé à Crémone. Le Musée de la Brera à Milan conserve de lui un *Martyre de saint Étienne*.

CASELLA Francesco
Originaire de Carona. XVIᵉ siècle. Travaillant dans la province de Pérouse et à Ferrare dans la dernière moitié du XVIᵉ siècle. Suisse.
Sculpteur.
Francesco Casella laissa nombre de ses œuvres à la cathédrale Santa Maria della Consolazione et à l'église San Fortunato à Todi, exécutées sur la commande de l'évêque Angelo Cesi. Il se rendit à Ferrare vers 1598.

CASELLA Giacomo. Voir l'article **CASELLA Giovanni Andrea**

CASELLA Giovanni Andrea
Originaire de Lugano. XVIIᵉ siècle. Suisse.
Peintre.
Après avoir étudié sous Pietro da Cortona à Rome, Casella vint à Turin, et exécuta des tableaux d'autel pour les églises de la ville, avec l'aide de son neveu Giacomo. On cite de lui des décorations mythologiques pour le palais royal. D'après Lanzi, Casella subit l'influence de son maître Pietro da Cortona et de Bernino.

CASELLA Giovanni Battista
XVIIᵉ siècle. Milanais, actif au XVIIᵉ siècle. Italien.
Sculpteur.

CASELLA Polidoro
XIVᵉ siècle. Italien.
Peintre.
C'est à lui et à Francesco Somenzo que les anciens auteurs attribuent les fresques ornant la voûte de la cathédrale de Crémone.

CASELLA Scipione da Carona
Originaire de Carona. Mort vers 1551 à Palerme. XVIᵉ siècle. Suisse.
Sculpteur.
Avec son père, Fedele Casella, Scipione travailla aux côtés des fils d'Antonello Gaggini à la décoration de la cathédrale de Palerme. Une statue de sainte Cécile qu'ils laissèrent inachevée fut terminée par Vincenzo et Fazio Gaggini. Di Marzo a fait la preuve que Fedele et Scipione da Carona se confondent avec les deux Casella.

CASELLAS Fernando. Voir **MIRANDA Y CASELLAS**

CASELLI
XIXᵉ siècle. Actif à Châlons-sur-Marne entre 1838 et 1858. Français.
Sculpteur.
Travailla à Châlons-sur-Marne entre 1838 et 1858 à la restauration de l'église Notre-Dame.

CASELLI Cristoforo, dit **le Temperello** ou **de Temperelli**
Né vers 1460 à Parme. Mort en 1521 à Parme. XVIᵉ siècle. Actif à Parme. Italien.
Peintre de sujets religieux.
Avant 1488 il travailla à Venise, et notamment dans l'atelier de Giovanni Bellini. Il retourna plus tard dans cette ville et y peignit un tableau d'autel : *La Madone et l'Enfant Jésus, entre saint Jean-Baptiste et saint Hilaire*.
VENTES PUBLIQUES : ROME, 19 nov. 1990 : *Saint Ludovic de Toulouse*, h/pan. (126×59) : ITL 115 000 000.

CASELLI Francesco Maria, fra
XVIIᵉ siècle. Vivant à Crémone vers 1640-1660. Italien.
Peintre.
Membre de l'ordre des Théatins.
Il a peint pour les églises des Théatins dans plusieurs villes d'Italie (Rome, Naples, Modène). La Galerie Estense à Modène conserve de lui deux *Martyre de saint Vincent*.

CASELLI Irène. Voir **MORETTI Irène**

CASELLI-MORETTI Lodovico
Né en 1859 à Pérouse. XIXᵉ siècle. Italien.
Peintre.

CASEMBROT Abraham
Né vers 1593, originaire des Pays-Bas. Mort vers 1658 à Messine. XVIIᵉ siècle. Hollandais.
Peintre de compositions religieuses, paysages, architectures, graveur, dessinateur.
Kramm suppose qu'il était de la famille de Jan Casembroot, secrétaire du comte Hoorne. À noter, de lui, dans l'église San Gioacchino à Messine, trois tableaux sur la *Passion du Christ*. Ses dessins sont pleins de sentiment et d'une saveur exceptionnelle. Il était aussi architecte.

A.b.C.f

VENTES PUBLIQUES : PARIS, 1858 : *Paysages*, deux dessins lavés d'encre, sur la même feuille : FRF 9 – PARIS, 28 nov. 1928 : *Navire et barques devant une ville*, dess. : FRF 2 200 – NEW YORK, 3 juin 1987 : *Scène de port méditerranéen 1646*, h/cart. (18,5×23,5) : USD 20 000 – LONDRES, 17 avr. 1996 : *Port méditerranéen avec des ruines*, h/cuivre (22,5×17,5) : GBP 2 875.

CASEMENT Kate
D'origine anglaise. XXᵉ siècle. Travaille à Dubrovnik (Yougoslavie). Britannique.

Peintre.
En 1934 elle envoyait un portrait au Salon de la Société Nationale des Beaux-Arts.

CASENBROOT Pierre
XVe-XVIe siècles. Éc. flamande.
Peintre.
On le cite à Bruges en 1471 et 1500.

CASENTINO Jacopo del. Voir LANDINI Jacopo

CASERO SANZ Antonio
Né le 19 novembre 1898. Mort en 1973. XXe siècle. Espagnol.
Peintre de compositions animées, dessinateur, illustrateur. Postimpressionniste.
Il avait commencé des études de droit à Madrid, puis s'inscrivit à l'Ecole Supérieure des Beaux-Arts de San Fernando. Il publiait ses dessins dans plusieurs parutions madrilènes. Il exposait ses peintures dans des manifestations collectives, telles que le Salon d'Automne de Madrid, et dans des expositions personnelles. Il a beaucoup illustré les thèmes de la tauromachie.
BIBLIOGR. : Antonio Pascual, in : *Cent ans de Peinture en Espagne et au Portugal – 1830-1930*, Antiquaria, Madrid, 1988.
VENTES PUBLIQUES : MADRID, 8 mai 1986 : *La puntilla* 1960, aquar. (59x40) : **ESP 140 000.**

CASETTI Alessandro
Né en 1844 près de Turin. XIXe siècle. Travaillant à Turin. Italien.
Sculpteur.
Élève, à Turin, de Gamba et Vela. On cite de lui les bustes de l'historien *Cesare Balbo*, de *Federico Sclopi*, de *G. Toselli* (Théâtre Rossini) et les statues du théologien *Federigo Allbert* et de *Vittorio Ferraro*. Il a exposé à Naples en 1887 : *L'Orphelin* et *Bablilla*, à Turin, en 1898, un *Portrait*.

CASETTI Giuseppe
XVIIIe siècle. Actif à Padoue. Italien.
Sculpteur.

CASEVITZ Albert
Né à Paris. XXe siècle. Français.
Peintre.
Il exposa à Paris, aux Salons des Artistes Indépendants de 1931, d'Automne de 1931 à 1933, des Tuileries en 1932 et 1933.

CASEY
XVIIIe siècle. Actif à Cork à la fin du XVIIIe siècle. Irlandais.
Graveur d'ex-libris.

CASEY Daniel
Né vers 1820 à Bordeaux (Gironde). Mort en 1885 à Paris. XIXe siècle. Français.
Peintre d'histoire, compositions religieuses, animalier.
Il suivit les cours du baron Gustave Wappers, alors très en vogue, à Anvers, et figura au Salon de Paris entre 1842 et 1880. Il réalisa en 1863, sur commande du ministère d'État, *Le martyre de saint Hippolyte sous les empereurs Valérien et Gallien*, qui montre combien il avait assimilé la leçon de son maître quant à la composition et à son admiration pour Rubens. Il a également peint des chevaux.
BIBLIOGR. : Gérald Schurr, in : *Les Petits Maîtres de la peinture 1820-1920, valeur de demain*, Les Éditions de l'Amateur, t. IV, Paris, 1979.
MUSÉES : AURILLAC : *Martyre de saint Hippolyte* – BÉZIERS : *Cruauté des Thuringes de l'armée d'Attila* – BORDEAUX : *Saint Louis à Damiette – Christ en croix* – CALAIS : *Les Amazones du Thermodon* – CHANTILLY : *Baba-Ali, cheval arabe du général Henri d'Orléans, duc d'Aumale.*
VENTES PUBLIQUES : PARIS, 30 juin 1924 : *Le coche*, mine de pb : **FRF 50** – PARIS, 19-20 mai 1926 : *Le martyre de saint Hippolyte* : **FRF 230** – PARIS, 23 mai 1943 : *Arabe tenant un cheval – Cheval*, deux h/t : **FRF 200** – PARIS, 19-20 janv. 1943 : *Cheval arabe* : **FRF 40** – VERSAILLES, 8 avr. 1979 : *Scène de chasse à courre : l'hallali*, h/t (64x92) : **FRF 9 500** – MONACO, 3 déc. 1989 : *Match de polo : rencontre franco-américaine*, h/t (59x80,5) : **FRF 105 450.**

CASEY John Archibald
XIXe siècle. Britannique.
Peintre d'histoire.
Il exposa à Londres de 1830 à 1859 à la Royal Academy, à la British Institution et à Suffolk Street.

CASEY John Joseph
Né en 1878. Mort en 1930. XIXe-XXe siècles. Français.

Peintre de genre.
En 1914, il exposait *Le paravent* au Salon des Artistes Français de Paris.
VENTES PUBLIQUES : NEW YORK, 24 oct. 1986 : *A quiet moment* 1922, h/t (61x45,7) : **USD 3 400.**

CASEY William Linnœus
Né en 1835 à Cork. Mort le 30 septembre 1870 à Londres. XIXe siècle. Irlandais.
Peintre, aquarelliste.
Fils d'un jardinier, étudia à l'École d'Art de Cork et plus tard, à l'École de dessin de Marlborough House. Il remplit les fonctions de maître à l'École d'art de Limerick de 1854 à 1856 et plus tard à l'École de Saint-Martin à Londres. Exposa de 1863 à 1868 à la Royal Academy, à Suffolk Street, etc.
MUSÉES : LONDRES (Victoria and Albert Mus.) : *Contadina reposant – Une rue à Dinan (Côtes-du-Nord) – Rue dans une ville, Normandie ? – Parc de Barnehuth.*

CASEZ Raymond
Né à Saint-Quentin (Aisne). XXe siècle. Français.
Peintre de paysages.
Il exposa à Paris, au Salon des Artistes Indépendants, de 1930 à 1943.

CASH Harold
Né le 20 septembre 1895 à Chattanooga (Tennessee). XXe siècle. Américain.
Sculpteur de bustes.
Il a exposé à Paris de 1929 à 1932, aux Salons des Artistes Indépendants, d'Automne et des Tuileries. Il a sculpté également des sortes de masques.
VENTES PUBLIQUES : NEW YORK, 11 avr. 1962 : *D'a-lal*, bronze : **USD 250.**

CASHIN F.
XIXe siècle. Actif dans la première moitié du XIXe siècle. Britannique.
Peintre d'architectures.
Le Musée Victoria and Albert conserve de lui une *Vue de Bristol*, datée de 1825.

CASHWAN Samuel Adolph
XXe siècle. Américain.
Sculpteur.
Exposa au Salon d'Automne en 1923.

CASILE Alfred
Né en 1848 à Marseille (Bouches-du-Rhône). Mort en 1909. XIXe siècle. Français.
Peintre de paysages, marines, aquarelliste.
Il exposa au Salon des Artistes Français de Paris à partir de 1879 ; obtenant une mention honorable en 1881, une médaille de troisième classe en 1885.
Admirateur de Corot, il était ami de Boudin et Jongkind, vivait à Paris et séjournait souvent sur les côtes de la Manche et de la mer du Nord, qu'il peignait avec un sens juste des gris de la lumière du nord et de l'immensité des ciels écrasant les falaises plates. Revenu, à la fin de sa vie, sur la côte méditerranéenne, il adopta une palette plus colorée et une écriture plus dure pour décrire la corniche marseillaise et la côte varoise.
BIBLIOGR. : Gérald Schurr : *1820-1920, Les Petits Maîtres de la Peinture, valeur de demain*, Les Éditions de l'Amateur, Paris, 1979.
MUSÉES : AIX : *Ruines de Fos (Provence)* – BÉZIERS : *La rade de Marseille* – GRENOBLE : *La Durance à Orgon* – TOURCOING : *Les rochers d'Orgon (Provence).*
VENTES PUBLIQUES : PARIS, 6 et 7 déc. 1899 : *La Seine à Paris* : **FRF 140** ; *Paysage avec rivière* : **FRF 177** ; *Vue à Villerville* : **FRF 195** ; *Le Rhône à Avignon* : **FRF 105** ; *Les terrains du Lazaret* : **FRF 235** – MARSEILLE, 18 déc. 1948 : *Bord de Seine à l'île Saint-Denis* : **FRF 31 000** – MARSEILLE, 9 déc. 1961 : *Paysage* : **FRF 1 200** – MARSEILLE, 14 déc. 1963 : *Bord de la corniche à Marseille* : **FRF 3 550** – MARSEILLE, 3 déc. 1965 : *Vue de Bretagne* : **FRF 5 000** – AIX-EN-PROVENCE, 21 juin 1971 : *Entrée du port de Marseille* : **FRF 11 400** – AIX-EN-PROVENCE, 15 mars 1976 : *Bord de rivière*, h/t (41x65) : **FRF 5 800** – SAINT-BRIEUC, 13 déc. 1981 : *Paysage de campagne*, h/t (22x33) : **FRF 5 000** – PARIS, 23 mars 1983 : *L'estacade* 1884, h/pan. (24x32) : **FRF 39 000** – STOCKHOLM, 16 avr. 1986 : *Paysage du Midi*, h/t (70x100) : **SEK 21 500** – NEW YORK, 7 avr. 1988 : *Distribution de grains aux poulets*, h/t mar./cart. (45x30) : **USD 550** – PARIS, 9 déc. 1988 : *Fermier dans la cour*, h/t (46x30) : **FRF 10 000** – PARIS, 22 juin 1992 : *Barques de*

pêcheurs sur le rivage de l'étang de Berre, h/pan. (27,5x35,5) : **FRF 25 000** – Paris, 8 avr. 1993 : *La charrette sur le chemin,* h/t (46,5x73,5) : **FRF 38 000** – Paris, 23 mars 1994 : *Marine,* h/cart. (20,5x33) : **FRF 11 000** – Calais, 24 mars 1996 : *Port aux environs de Marseille,* aquar. (26x38) : **FRF 5 000** – Paris, 28 mai 1997 : *Vue de port,* h/cart. (27x34,5) : **FRF 19 000** – Paris, 6 juin 1997 : *Le bateau sortant du port de Marseille,* h/t (32x40) : **FRF 36 000.**

CASILE Hélène
Née à Marseille (Bouches-du-Rhône). xxᵉ siècle. Française.
Peintre.
Elle exposa à Paris au Salon d'Automne.

CASILEAR John William
Né en 1811 à New York. Mort à Saratoga (New York), en 1893 ou 1872 selon d'autres sources. xixᵉ siècle. Américain.
Peintre de paysages animés, paysages, graveur. Post-romantique.
En 1989, il figurait à l'exposition *200 ans de peinture américaine. Collection du Musée Wadsworth Atheneum,* présentée à Paris, aux Galeries Lafayette.
Avec Frederick Kensett, il fut l'un des principaux paysagistes de la deuxième génération de l'École de l'Hudson, parfois appelés les « luministes ». Ceux-ci, contrairement à leurs prédécesseurs, ne recherchaient plus la nature américaine inviolée d'avant la colonisation, mais au contraire, le paysage familier de la périphérie des villes, accueillant à la détente du citadin.
Musées : Hartford (Wadsworth Atheneum Mus.) : *Le Lac George* 1960 – New York (Metropolitan Mus.) : *Dans la prairie* – *Vue de Catskill.*
Ventes Publiques : Paris, 1880 : *Paysage :* **FRF 2 500** – New York, 23-24 jan. 1901 : *Paysage, troupeau :* **USD 310** – New York, 24-25-26 fév. 1904 : *Peconic :* **USD 200** – New York, 15-16 mars 1906 : *Le lac de Windermere, Angleterre :* **USD 370** – New York, 16 mars 1967 : *Paysage :* **USD 475** – New York, 19 avr. 1968 : *Paysage :* **USD 800** – New York, 15 sep. 1971 : *Paysage :* **USD 550** – Los Angeles, 8 mars 1976 : *Personnage assis au bord d'une rivière* 1862, h/t (48,2x76,2) : **USD 3 250** – New York, 28 jan. 1977 : *Personnages dans un paysage escarpé,* h/t (30,5x23) : **USD 3 000** – New York, 24 avr. 1981 : *Shad fishing on lake George* 1868, h/t (26x46,5) : **USD 14 000** – New York, 26 oct. 1984 : *Paysage montagneux au lac* 1861, h/t (48,2x76,2) : **USD 16 000** – New York, 31 mai 1985 : *Paysage de l'Hudson* 1865, h/t (26,2x46,3) : **USD 3 500** – New York, 30 nov. 1989 : *Paysage lacustre au crépuscule* 1863, h/t (30,5x50,8) : **USD 39 600** – New York, 22 mai 1991 : *Un moment de solitude* 1862, h/t (49x76,4) : **USD 24 200** – New York, 26 sep. 1991 : *Cascade en montagne,* h/t/cart. (35,5x30,5) : **USD 6 050** – New York, 12 mars 1992 : *La charrette de foin* 1869, h/cart. (15,6x30,7) : **USD 3 850** – New York, 23 sep. 1992 : *Arbres,* h/t (40,7x37) : **USD 3 850** – New York, 26 mai 1993 : *Sentier forestier* 1859, h/t (ovale 51x43) : **USD 8 625** – New York, 14 sep. 1995 : *Paysage champêtre avec des vaches* 1888, h/t (61x111,8) : **USD 11 500** – New York, 3 déc. 1996 : *Dans les Catskills,* h/t/cart. (50x39,5) : **USD 4 600** – New York, 27 sep. 1996 : *East farms* 1868, h/t (28,6x48,3) : **USD 2 990.**

CASILI Francesco ou Casoli
Originaire de Pietrasanta. Mort en 1612 à Rome. xviiᵉ siècle. Italien.
Sculpteur.

CASILINO Giovanni Battista
Originaire de Naples. Mort en 1612 à Rome. xviiᵉ siècle. Italien.
Peintre.

CASIMACKER A. J. de
xixᵉ-xxᵉ siècles. Français.
Peintre de genre, portraits.
Il exposa aux Salons de la Société Nationale des Beaux-Arts en 1901 et 1906.

CASIMIR Germaine, Mme
Née à Évreux (Eure). xxᵉ siècle. Française.
Artiste décorateur.
Sociétaire des Artistes Français, elle a exposé des étains martelés, de 1923 à 1933 ; mention honorable en 1926.

CASIMIR Pierre
xxᵉ siècle. Français.
Peintre. Surréaliste.
En 1969, il fut sélectionné par Patrick Waldberg pour figurer à l'exposition *Renouveau du surréalisme,* qu'il organisa à Bruxelles.

CASIMIRO Manuel
Né en 1941 à Porto. xxᵉ siècle. Actif en France. Portugais.
Peintre. Abstrait.
Il vit et travaille à Nice depuis 1976. Il a figuré dans de nombreuses expositions collectives parmi lesquelles on peut citer : en 1969 *22 années de tapisserie de Portalegre* à Lisbonne, en 1971 la V Biennale de la tapisserie de Lausanne, en 1973 le Salon Grands et Jeunes d'Aujourd'hui à Paris, en 1974 *Perspective 74* à la Société Nationale des Beaux-Arts de Lisbonne, en 1975 *Artistes contemporains et les tentations de saint antoine* au Musée National d'Art Antique de Lisbonne et *Abstraction aujourd'hui* à la Société Nationale des Beaux-Arts de Lisbonne, en 1976 *25 artistes portugais* à la galerie Nika de Tokyo, en 1977 *A propos de Nice (Dates, Événements, Documents)* au Musée National d'Art Moderne de Paris, *La photographie dans l'art moderne portugais* au Centre d'Art Moderne du Musée National dos Reis de Porto. Il a présenté personnellement son travail en 1968 à la galerie Interior de Lisbonne, en 1967-1969-1972 à la galerie Alvarez de Porto, en 1969-1970 à la galerie 111 à Lisbonne, en 1972 à la galerie Judite da Cruz de Lisbonne, entre 1974 et 1977 régulièrement à la galerie d'Art Moderne de la Société Nationale des Beaux-Arts de Lisbonne, en 1978 à la Fondation Calouste Gulbenkian au Centre Culturel Portugais de Paris, en 1986 *Le cauchemar* au Musée des Beaux-Arts de Nice, en 1988 *Les fantômes du roi D. Sebastiano* au Musée National de Soares dos Reis à Porto, en 1989 *Vénus et l'amour* au Musée National d'Art Moderne Casa de Serralves à Porto, et en 1990 à la galerie Fluxus à Porto.
Dans les années 1970, il réalisait des dessins au marker sur papier, une succession de points formant des lignes et des jeux de trames évoquant parfois des œuvres de Paul Klee. Il a également travaillé au détournement de cartes postales avec des pastilles à l'encre de Chine apposées sur la représentation. Sa peinture abstraite met ensuite en situation des formes géométriques sur des fonds unis.
Bibliogr. : Christine Buci-Glucksmann, *Manuel Casimiro l'ombre de la peinture, Artpress,* nº 153, déc. 1990, pp 48-49.

CASINELLI Gilbert
Né vers 1830. xixᵉ siècle. Français.
Peintre de paysages, marines.
Il quitta la Provence pour le Havre, où il se lia avec Boudin. Les deux artistes ont parfois collaboré à une même toile, mais, bien souvent, la signature de Casinelli a été grattée de ces bords de mer, pour laisser le nom d'Eugène Boudin, plus connu.
Bibliogr. : Gérald Schurr, in : *Les Petits Maîtres de la peinture 1820-1920, valeur de demain,* Les Éditions de l'Amateur, t. II, Paris, 1982.

CASINI Amélie
Née à Dinan (Côtes-du-Nord). xixᵉ siècle. Active à Paris. Française.
Statuaire.
Elle fut l'élève de son père. Elle débuta au Salon en 1883 avec *C'est trop chaud* (plâtre). Principales œuvres : *M. Carnot-Gauchet, Il ne fait plus clair* (bronze), *Bonnes du petit frère* (plâtre), *Angelus* (plâtre), *La charité* (groupe plâtre), *A la fontaine* (plâtre), *Botteleur* (plâtre), *Jeune mère* (plâtre). Mention honorable à l'Exposition Universelle de 1889.

CASINI Attilio
xviiᵉ siècle. Actif à Florence vers 1670. Italien.
Peintre.

CASINI Bartolommeo
xviiiᵉ siècle. Italien.
Sculpteur et stucateur.
Il travaille vers 1793 à la Chartreuse de Pise.

CASINI Domenico. Voir CASINI Valore

CASINI Ernest
Né au xixᵉ siècle à Dinan (Côtes-du-Nord). xixᵉ siècle. Naturalisé en France. Italien.
Sculpteur, médailleur.
Élève de Dujardin. Il exposa aux Salons des Artistes Français dont il devint sociétaire en 1906. Il obtint une mention honorable au Salon de 1888 et à l'Exposition Universelle de 1900. Le Musée de Vire conserve de lui un portrait d'A. Gasté (médaillon).

CASINI Giovanni
Originaire de Bologne. xviᵉ siècle. Italien.
Peintre.
Il travailla dans la région de Sienne, notamment à Montalcino.

CASINI Giovanni
Né en 1689 à Varlungo (près de Florence). Mort en 1748.
XVIIIe siècle. Travaillant à Florence. Italien.
Peintre et sculpteur.

CASINI Giovanni Maria
XVIe siècle. Actif à Florence. Italien.
Peintre.

CASINI Lodovico
XVIIe siècle. Actif à Sienne au début du XVIIe siècle. Italien.
Sculpteur et stucateur.

CASINI Valore
XVIIe siècle. Actif à Florence au début du XVIIe siècle. Italien.
Peintre de portraits.
Il eut pour aide son frère Domenico.

CASINI Vittore ou **Cassini**
XVIe siècle. Actif à Florence. Italien.
Peintre.
Il est l'auteur d'une *Forge de Vulcain* au Palazzo Vecchio.

CASISSA Nicolo. Voir **CAFISSA**

CASLEELEN J. G.
Mort vers 1850 à Leyde. XIXe siècle. Actif à Leyde au début du XIXe siècle. Hollandais.
Sculpteur, peintre de paysages.

CASLEY William
XIXe siècle. Britannique.
Peintre de paysages, marines, aquarelliste, dessinateur.
Il exposa en 1891 à la New Water Colours Society, à Londres.
VENTES PUBLIQUES : LONDRES, 24 mai 1909 : *La baie de Kynance* ; *Kynance, vue du Tumulus*, dess. : **GBP 8** – LONDRES, 24 mai 1910 : *A Cornish Headland*, dess. : **GBP 4** – LONDRES, 27 fév. 1985 : *Bord de mer escarpé*, aquar. reh. de blanc (125x75) : **GBP 400**.

CASNEDI Raffaele
Né en 1822 à Remo (province de Côme). Mort en 1892 à Milan. XIXe siècle. Italien.
Peintre de genre, fresquiste, décorateur.
Il étudia à l'Académie des Beaux-Arts de Milan. En 1851, il fut lauréat du prix de Rome et se rendit à Rome pour se perfectionner. En 1856, il est nommé adjoint à l'École de dessin. En 1860, il obtient le poste de professeur dans la même école. En 1879, il fut décoré de la croix de la Couronne d'Italie. La plus grande partie des œuvres de cet artiste sont des fresques qui se trouvent dans un grand nombre d'églises de la région de Côme, notamment dans celles de Bezana, de Valmadrera, d'Asso.
VENTES PUBLIQUES : MILAN, 22 avr. 1982 : *La vecchia stamperia di Breria*, h/t (37x28) : **ITL 1 400 000** – MILAN, 30 mai 1990 : *La marchande de légumes place du Panthéon à Rome* 1860, h/t (44,5x34,5) : **ITL 16 500 000**.

CASODEVANTE
XVIIIe siècle. Actif à Tournai. Belge.
Peintre.

CASOLA Tomaso da ou **Cassola**
XVe siècle. Actif à Parme dans la seconde moitié du XVe siècle. Italien.
Peintre.

CASOLANI Cristoforo
Né à la fin du XVIe siècle à Rome, de parents lombards. XVIe-XVIIe siècles. Actif à Rome. Italien.
Peintre.
Élève de Roncalli. Certains auteurs lui attribuent un certain nombre d'ouvrages, notamment à Rome et à Sienne. Pour Baglione il est possible qu'il se confonde avec Ilario Casolano.

CASOLANI May
Née au XXe siècle. XXe siècle. Française.
Peintre.
A exposé à la Société Nationale des Beaux-Arts des dessins pour fresques.

CASOLANO Alessandro ou **Casolani**, dit aussi **Alessandro della Torre**
Né en 1552 à Sienne (Toscane). Mort en 1606. XVIe siècle. Italien.
Peintre de sujets religieux, graveur, dessinateur.
Casolani étudia à Rome et à Sienne, et eut pour maîtres Arcangelo Salimbeni et Roncalli qui formèrent son talent sans trop

influencer son style, quoique l'on découvre les traces de la manière de Roncalli dans quelques ouvrages. Il voyagea à l'étranger, s'arrêtant quelques années à Pavie, où il peignit pour la Chartreuse et d'autres édifices de la ville. Son chef-d'œuvre est le *Martyre de San Bartolommeo*, à Sienne, au couvent des Carmes, tableau qui lui valut l'admiration de Guido Reni et de Roncalli. On trouve de ses œuvres dans plusieurs villes de la Toscane, ainsi qu'à Naples, à Gênes et à Fermo. Dans cette dernière ville, il y a de lui un *Saint Louis roi* qui est considéré comme un de ses plus beaux ouvrages. Casolani fut souvent aidé par des collaborateurs, surtout dans ses tableaux de Sienne, dont les personnages et quelques autres détails furent exécutés par Vanni, par Ventura Salimbani et des élèves de son école.

Alex Casola

VENTES PUBLIQUES : PARIS, 1775 : *La Madeleine aux pieds du Seigneur*, dess. à la pl. et au bistre, deux sujets : **FRF 40** – PARIS, 27 mars 1919 : *Le martyre de saint Jean*, sanguine : **FRF 50** – MILAN, 25 oct. 1988 : *Sainte Catherine*, h/t (69x50) : **ITL 5 000 000** – MONACO, 15 juin 1990 : *Études de têtes de femmes*, sanguine, recto/verso (19,2x26,5) : **FRF 133 200** – NEW YORK, 12 jan. 1996 : *Vierge à l'Enfant avec saint Jean Baptiste*, h/pan. (82x63) : **USD 43 700**.

CASOLANO Ilario ou **Casolani**
Né en 1588 à Sienne. Mort en 1661 à Rome. XVIIe siècle. Italien.
Peintre.
Fils d'Alessandro Casolano. Ilario fut inférieur à son père, quoiqu'il ait collaboré parfois avec ce maître et achevé l'*Assomption* à l'église Saint-François, à Sienne, commencée par Alessandro qui mourut avant de l'avoir terminée. Après la mort de celui-ci, Ilario fut protégé par Roncalli qui le guida dans ses études artistiques, mais ne réussit pas à l'élever au rang de son père. Parmi ses ouvrages dans les églises de Rome, on cite une *Trinité*, à Santa Maria in Via, et une *Ascension* ainsi que quelques scènes de la *Vie de la Vierge*, à la Madonna dei Monti, attribuées, d'autre part, par certains auteurs à Cristoforo Casolani (voir l'article consacré à ce peintre).

CASOLI Alessandro
XVIIe siècle. Actif à Ferrare. Italien.
Peintre.

CASOLI Ippolito
XVIe-XVIIe siècles. Actif à Ferrare à la fin du XVIe et au début du XVIIe siècle. Italien.
Peintre.

CASONE Felice ou **Antonio** ou **Casoni, Cassoni**
Né en 1559 à Ancône. Mort en 1634 à Rome. XVIe-XVIIe siècles. Actif à Rome. Italien.
Architecte et sculpteur.

CASONE Giov. Battista
XVIIe siècle. Italien.
Peintre.
On lui attribue certains ouvrages se trouvant à Gênes et à La Spezia.

CASONI Baldassare
Originaire de Carrare. XVIIIe siècle. Italien.
Sculpteur.

CASORATI Daphné Maugham
Née en 1897 à Londres. XXe siècle. Active en Italie. Italienne.
Peintre de paysages.
MUSÉES : ROME (Gal. Mod.).
VENTES PUBLIQUES : ROME, 25 mars 1993 : *Paysage*, h/pan. (48x48) : **ITL 1 100 000**.

CASORATI Felice
Né le 4 décembre 1883 à Novare (Piémont). Mort en 1963 à Turin. XXe siècle. Italien.
Peintre de compositions à personnages, paysages urbains animés, figures, portraits, natures mortes, graveur, illustrateur. Symboliste. Groupe du Novecento.
Fils d'un officier, il entreprit des études de droit, s'adonnant en même temps à la musique et à la peinture, d'abord spontanément, puis sous les conseils du peintre padouan Giovanni Vianello. Il exposa pour la première fois à la Biennale de Venise de 1907. Avec Alberto Martini, Carra, Romolo Romani, Russolo, il

fut un des protagonistes, on peut même considérer qu'il fut le chef de file, du mouvement symboliste italien, très influencé par la Sécession viennoise, le symbolisme français et les dessinateurs anglais comme Aubrey Beardsley. Cette volonté de constituer un mouvement moderne, en résonance avec les nouvelles tendances à l'étranger, dans la peinture italienne du moment s'affirma à l'occasion d'une exposition du groupe à la Ca'Pesaro de Venise en 1913, où Casorati montrait une quarantaine de peintures. On peut toutefois remarquer que la référence au « Nouveau Style » était en 1913 tardive, quand ailleurs étaient déjà apparus fauvisme, expressionnisme, cubisme et début de l'abstraction. Ce fut pourtant à la faveur et en conséquence de cette détermination à faire bouger les choses qu'avait pu se manifester le futurisme, qui à son tour favorisa l'apparition de la *pittura metafisica*. La guerre de 1914-1918 interrompit son activité picturale. Il réapparut à la *Promotrice* de Turin en 1919, et surtout en 1920 il organisa de nouveau une exposition de son groupe « sécessionniste » à la Ca'Pesaro. A partir de cette année 1920, son style personnel étant bien affirmé, il eut une forte influence sur de plus jeunes peintres, Francesco Menzio, Gigi Chessa, Paola Levi-Montalcini. A peu-près en 1920, il devint membre du *Novecento*. Casorati fut nommé en 1928 professeur de peinture à l'Académie Albertina de Turin, où il eut de très nombreux élèves. Il avait atteint alors à une audience internationale et exposait à Milan, Rome, Venise, Paris, San Francisco, etc., recevant de nombreuses distinctions. La Biennale de Venise de 1924 lui consacrait une salle entière.
En 1938 il reçut le prix de peinture de la Biennale de Venise. Des expositions rétrospectives lui ont été consacrées après sa mort, dont Civitanova Alta en 1980 et Ferrare en 1981.
La personnalité ni le style de Casorati ne sont faciles à cerner au fil de son évolution. Dans sa première période, l'influence de la *Sezession* viennoise et en particulier de Klimt est évidente dans des compositions où fleurissent des éléments oniriques et décoratifs, ainsi que l'utilisation de la touche néoimpressionniste. Cette période symboliste amenait un renouveau dans la peinture italienne et son influence fut importante, d'autant que ce symbolisme et l'emploi de la touche divisionniste ne tardèrent pas à constituer pour partie les prémices du futurisme autour de 1910, auquel Casorati à son tour ne resta pas insensible. Cette participation discrète au futurisme, complétée par quelque influence du cubisme français, puis par celle tempérée de la « peinture métaphysique », dont il retint surtout l'utilisation de la perspective imaginée par le Quattrocento, constitua pour lui une deuxième période, interrompue par la guerre de 1914 jusqu'en 1918, et poursuivie ensuite pour peu de temps. De 1918 à 1922, avait paru la revue *Valori Plastici*, qui assimilait paradoxalement les images intemporelles de la « peinture métaphysique » à un refus et rejet des avant-gardes et à la valorisation d'un art archaïsant, position explicable a posteriori par l'abandon de la « peinture métaphysique » par Chirico et Carra eux-mêmes et leur retour à des figurations historiquement datées. À partir du moment où il adhéra au groupe du *Novecento* fondé par la critique Margherita Sarfatti vers 1920 pour soutenir les positions de *Valori Plastici*, Casorati en adopta les principes de retour aux valeurs traditionnelles de l'esprit latin reconnues dans les Musées, contre les valeurs trop seulement historiques des avant-gardes. Ces valeurs traditionnelles incluaient une solide construction des volumes et de l'espace, le hiératisme des personnages qui leur conférait un statut mythique et intemporel, une vertu narrative et poétique de l'image. Ce choix, qui déterminait sa troisième période, correspondait en fait aux goûts profonds de Casorati, et le confortait dans le néoclassicisme qui avait toujours été présent dans ses options successives.
Aussi bien dans ses gravures et illustrations, par exemple pour *Alice au pays des merveilles*, que dans ses peintures, au cours de son évolution il a emprunté aux différents mouvements rencontrés des éléments dont l'addition a fini par aboutir à sa vision personnelle, marquée par les structures architecturales perspectives de Turin, les usages des ses habitants, et à sa manière de les figurer plastiquement. Conjointement à ses compositions d'imagination, dans sa troisième période, il peignit de nombreux portraits d'une facture plutôt académique et quelques natures mortes d'une robuste constitution caractéristique. La peinture *La Méridienne* de 1921-1923, du Musée de Trieste, est au même titre que les natures mortes caractéristique de son style définitif : dans les tonalités assourdies de gris, d'ocre et de bruns colorés qu'on trouve au long de sa production, deux femmes nues, allongées sur une couverture jetée sur le sol d'une pièce que clôt un

rideau plissé, sommeillent, l'une est représentée dans un raccourci saisissant en référence à celui du célèbre *Christ mort* de Mantegna, les volumes des deux corps, de même que les plis de la couverture et du rideau, sont simplifiés de tout détail, presque géométrisés, comme façonnés en métal, rappelant Paolo Uccello ou d'autres peintres du Quattrocento ou bien encore les caravagesques, et par ricochet historique se rapprochant des peintres français du groupe *Forces Nouvelles*, entre autres Humblot ou Rohner, dont les motivations et références n'étaient pas éloignées et à peu près contemporaines de celles de *Valori Plastici*. La trajectoire de Casorati aura eu le mérite, d'une part de jouer un rôle de détonateur au début du xxᵉ siècle dans une peinture italienne presque absente de la scène européenne, d'autre part d'avoir alors contribué activement à un mouvement symboliste spécifiquement italien, puis, même si discrètement, au futurisme et à la *peinture métaphysique*, qui réintroduisirent l'Italie dans l'histoire de l'art, enfin d'avoir ressenti, dans la période de l'entre-deux-guerres exténuée de la première, anxieuse de la suivante, en accord avec des réactions similaires apparues dans plusieurs pays d'Europe, par exemple en France chez Derain ou chez d'autres anciens Fauves ou Cubistes, comme une nécessité conjoncturelle d'un retour à la réalité des images et à un retour via le Musée à un néoclassicisme de la forme. ■ Jacques Busse

F. CASORATI.

BIBLIOGR. : I. Cremona : *Felice Casorati*, M. Becchio, Accame-Torino, s. d – M. Valsecchi : *Casorati*, Editalia, Rome, 1927 – in : *Les Muses*, Grange Batelière, Paris, 1971 – P. Fossati et M. M. Lamberti : *Felice Casorati, 1883-1963*, Turin, 1985.

MUSÉES : AMSTERDAM – BERLIN – BOSTON (Mus. of Fine Arts) : *Les citadins* 1930 – FLORENCE – GAND – GÊNES – MILAN – PARIS – ROME (Gal. d'Arte Mod.) : *Les Vieilles* 1908-1909 – TRIESTE (Mus. Civico Revoltella) : *La Méridienne ou Midi* 1921-1923 – TURIN (Gal. d'Arte Mod.) : *Portrait de la sœur de l'artiste* 1908 – VENISE.

VENTES PUBLIQUES : MILAN, 21-23 nov. 1962 : *La sieste* : ITL 3 200 000 – MILAN, 28 oct. 1964 : *Les dormeurs en bleu* : ITL 4 500 000 – MILAN, 29 nov. 1966 : *Nu couché* : ITL 9 000 000 – MILAN, 28 oct. 1971 : *Nature morte* : ITL 13 000 000 – ROME, 28 nov. 1972 : *Œufs et flûtes* : ITL 7 000 000 – ROME, 9 déc. 1976 : *Les poires vertes* 1958, h/t (60x50) : ITL 11 000 000 – MILAN, 7 juin 1977 : *Modèle assis dans l'atelier* 1953, h/t (110x62) : ITL 13 500 000 – MILAN, 7 nov. 1978 : *Portrait de femme*, temp. et h/cart. monté/pan. (58x35) : ITL 7 500 000 ; *La lecture* 1928, h/pan. (110x100) : ITL 27 000 000 – MILAN, 26 juin 1979 : *Nu debout* 1935, h/t (100x85) : ITL 19 000 000 – MILAN, 25 nov. 1980 : *Nu assis, vu de dos*, h/pan. (50x32) : ITL 15 500 000 – MILAN, 16 juin 1981 : *Toile de fond pour L'Arlequin de Ferrucio Busoni*, temp. (50x70) : ITL 8 000 000 – MILAN, 6 avr. 1982 : *Nu assis par terre* 1960, temp./cart. entoilé (34x54) : ITL 9 000 000 – MILAN, 19 avr. 1983 : *Nature morte aux œufs et aux gentianes* 1960, temp./cart. entoilé (37,5x50,5) : ITL 14 000 000 – MILAN, 9 juin 1983 : *La sieste* 1927, eau-forte sur Japon (25x32,7) : ITL 1 700 000 – MILAN, 15 nov. 1984 : *Femme couchée*, aquar. et cr. (34x51) : ITL 5 500 000 – MILAN, 10 déc. 1985 : *Fleurs* 1931, h/pan. (37x55) : ITL 65 000 000 – MILAN, 9 mai 1985 : *Deux nus dans un paysage* 1939, encre et cr. (30,5x45) : ITL 6 000 000 – MILAN, 27 mai 1986 : *Fleurs* 1910, temp./t. (65x104) : ITL 130 000 000 – ROME, 24 nov. 1987 : *L'enfant à la pastèque* 1941, temp./cart. (55x39) : ITL 21 500 000 – MILAN, 18 juin 1987 : *Nu au peignoir (recto)* ; *Portrait de femme (verso)* 1930-1931, h/p (51,5x42,5) : ITL 75 000 000 – MILAN, 24 mars 1988 : *Personnages* 1952, h/t (70x60) : ITL 15 500 000 – MILAN, 14 mai 1988 : *Jeune femme assise sur un drapé* 1940, cr. gras (39,5x29) : ITL 7 700 000 – ROME, 15 nov. 1988 : *Fillette en train de s'habiller*, temp./t. (40x30) : ITL 6 500 000 – ROME, 21 mars 1989 : *Les sœurs* 1938, h/cart. (32x49) : ITL 50 000 000 – MILAN, 6 juin 1989 : *Portrait* 1933, h/cart. (59,5x35) : ITL 200 000 000 – ROME, 28 nov. 1989 : *Tête et livres* 1944, h/pan. (38x45) : ITL 200 000 000 – ROME, 10 avr. 1990 : *Chien de plâtre* 1927, h./contre-plaqué (75,5x53) : ITL 520 000 000 – MILAN, 24 oct. 1990 : *Gamine de Pavarolo* 1946, h/t (140x55) : ITL 310 000 000 – ROME, 9 avr. 1991 : *Intérieur avec une fillette devant un miroir*, h/pan. (41,5x36,5) : ITL 225 000 000 – ROME, 13 mai 1991 : *Nu*, temp./pap./t. (50x38) : ITL 32 200 000 – LONDRES, 3 déc. 1991 : *Femme assise*, h/cart. (48,9x35) : GBP 46 200 – MILAN, 19 déc. 1991 : *Femme au jeu de cartes* 1960, h/t (90x55) : ITL 200 000 000 – MILAN, 14 avr. 1992 : *Visage de jeune fille* 1930, h/cart. (50x39) : ITL 36 000 000 –

MILAN, 23 juin 1992 : *Tête appuyée* 1919, bronze (H. 25) : **ITL 6 500 000** – MILAN, 15 déc. 1992 : *Nu endormi* 1961, temp./cart. entoilé (61,5x49) : **ITL 43 000 000** – MILAN, 23 nov. 1993 : *Nu rose*, h/pan. (31x45) : **ITL 135 527 000** – MILAN, 5 mai 1994 : *Jeune Fille avec un livre* 1945, h/pan. (77x39,5) : **ITL 161 000 000** – MILAN, 27 avr. 1995 : *Nu aux cartes* 1954, h/t (150x80) : **ITL 347 899 000** – MILAN, 26 oct. 1995 : *Clelia* 1937, h/t (110x63) : **ITL 356 500 000** – MILAN, 28 mai 1996 : *Nature morte aux navets et radis*, h/t (44x36) : **ITL 80 400 000** – MILAN, 26 nov. 1996 : *Amants*, h/t (90x55) : **ITL 159 500 000**.

CASPAR

Originaire de Strasbourg. XIVᵉ siècle. Actif à Lucerne ou dans les environs vers 1372. Suisse.
Sculpteur.

CASPAR Carl

Né en 1747 à Wurzbach (Souabe). Mort en 1809 à Vienne. XVIIIᵉ siècle. Autrichien.
Peintre.
Il fut membre de l'Académie des Beaux-Arts de Vienne.

CASPAR Johann Franz

Mort avant le 27 novembre 1728. XVIIIᵉ siècle. Travaillant à Vienne. Autrichien.
Sculpteur.

CASPAR Joseph

Né en 1799 à Rorschach (canton de Saint-Gall). Mort en 1880 à Berlin. XIXᵉ siècle. Suisse.
Peintre et graveur au burin.

CASPAR Karl

Né en 1879 à Friedrichshafen. Mort en 1956 à Tegerndorf. XXᵉ siècle. Allemand.
Peintre de compositions allégoriques, religieuses, portraits, paysages, peintre de fresques, cartons de vitraux, lithographie. Expressionniste.
Il fut élève de l'Académie de Stuttgart, et de Ludwig Herterich à l'Académie de Munich. En 1905, il voyagea en Italie et à Paris. En 1909, il devint membre du *Deutscher Künstlerbund*. De 1922 à 1937, il fut professeur à l'Ecole des Beaux-Arts de Munich. En 1937, son art ayant été décrété « dégénéré » par les instances nazies, il fut mis à la retraite. Il retrouva son poste en 1946. Depuis 1905, il a figuré dans les expositions de Dresde, Karlsruhe, Munich, Cologne, Vienne, Darmstadt. En 1929, il participait à l'*Exposition des Peintres-Graveurs Allemands* à la Bibliothèque Nationale de Paris. En 1966, il était représenté avec trois œuvres à l'exposition *Le Fauvisme français et les débuts de l'Expressionnisme allemand*, au Musée d'Art Moderne de Paris et à Munich.
Il a exécuté de nombreuses fresques et des vitraux, dans des églises du Wurtemberg et dans des demeures particulières. Il traitait des sujets allégoriques : *Abundantia – Flora – Printemps*, et des sujets religieux : *Vierge – Pieta – Noli me tangere*. Il ne joua pas un rôle de premier plan lors des débuts de l'expressionnisme allemand, bien qu'étant alors à Munich d'où partit l'effervescence, mais il y participa. Son style et son chromatisme étaient sans doute moins violents que chez Kirchner ou Beckmann, mais c'était dans le choix des sujets qu'il exprimait souvent la violence de la condition humaine, comme par exemple dans les trois gravures qu'il exposa à la Bibliothèque Nationale en 1929 : *Résurrection – Flagellation – Homme criant.* ■ Jacques Busse
BIBLIOGR. : In : Catalogue de l'exposition *Le Fauvisme français et les débuts de l'Expressionnisme allemand*, Mus. Nat. d'Art Mod., Paris, 1966.
VENTES PUBLIQUES : MUNICH, 5 juin 1981 : *Le songe d'une nuit d'été*, craie brune (38x26) : **DEM 950** – HAMBOURG, 6 juin 1985 : *Bacchante endormie* 1911, h/t (72,5x91) : **DEM 14 000**.

CASPAR-FILSER Maria

Née en 1878 à Riedlingen (Wurtemberg). Morte en 1967 ou 1968. XXᵉ siècle. Allemande.
Peintre de paysages, natures mortes, fleurs.
Elle était la femme de Karl Caspar.

[signature : MCT]

VENTES PUBLIQUES : GENÈVE, 27 nov. 1965 : *Nature morte aux tulipes jaunes* : **DEM 1 100** – MUNICH, 21 mai 1968 : *Paysage d'été* : **DEM 2 000** – MUNICH, 1ᵉʳ juin 1981 : *Paysage de prin-*

temps, h/t (51x80,5) : **DEM 11 000** – MUNICH, 26 nov. 1984 : *Roses dans un vase vert*, h/t (72x98) : **DEM 16 500** – MUNICH, 5 déc. 1985 : *Nature morte aux fleurs*, h/t (125x98) : **DEM 28 000**.

CASPARI Gertrud

Née le 22 mars 1873 à Chemnitz. Morte en juin 1948 à Klotzsche-Dresde. XIXᵉ-XXᵉ siècles. Allemande.
Dessinatrice, illustratrice.
Elle était la sœur de Walter Caspari. Elle fut professeur de dessin. En 1899-1900, elle dessina des cartes-postales pour enfants. Ensuite, elle eut une prolifique activité d'illustrateur de livres pour enfants, dont quelques-uns en collaboration avec son frère, certains dont elle écrivait aussi les textes : *Pour les chers petits* 1913, *Mon livre de contes illustré* 1921, *Le livre du dessin et de la peinture* 1933, etc., d'autres dont elle n'était que l'illustrateur, mais parmi lesquels ne figurent guère d'auteurs connus : A. Holst : *Roi est notre enfant* 1910, W. Henck : *Je sais compter* 1926, etc.
Elle pratiquait un dessin particulièrement lisible, en aplats de couleurs cernés par le trait descriptif, les divers éléments ou personnages de chaque scène disséminés sur la page blanche.
BIBLIOGR. : Marcus Osterwalder : *Diction. des illustrateurs 1800-1914*, Hubschmid & Bouret, Paris, 1983.

CASPARI Hendrik Willem

Né le 28 janvier 1770 à Wesel. Mort le 8 septembre 1829 à Amsterdam. XVIIIᵉ-XIXᵉ siècles. Hollandais.
Peintre et graveur.
Élève de G. Grypmoed. Il travailla pour la fabrique de tapisseries Troost Van Groenendoelen, peignit plus tard des miniatures et dessina des portraits dont un certain nombre furent gravés par J.-E. Marcus.

CASPARI Jan Willem

Né en 1779 à Amsterdam. Mort vers 1838. XIXᵉ siècle. Hollandais.
Graveur.
Élève de Claessens et Portman. Il travailla d'après les miniatures de son frère Hendrik Willem.

CASPARI Johann Paul ou Casperi

XVIIIᵉ siècle. Allemand.
Peintre de théâtres.
Il travaillait à la cour de l'Électeur de Bavière, à Munich, en 1770.

CASPARI Walter

Né le 31 juillet 1869 à Chemnitz. Mort en 1913. XIXᵉ-XXᵉ siècles. Allemand.
Dessinateur, lithographe, illustrateur.
Il fut élève des Écoles des Beaux-Arts de Munich, Leipzig, Weimar. Il a participé avec des dessins à l'encre à des expositions collectives, il a réalisé des affiches, couvertures de livres, ex-libris, collaboré aux principales publications du temps, parmi lesquelles : *Simplicissimus – Fliegende Blätter – Berliner Illustrierte Zeitung*. Il a écrit et illustré plusieurs ouvrages, en 1907-1908 : *Pays de l'enfance, pays enchanté – Chères vieilles rimes – L'ABC amusant.* Il a en outre illustré plusieurs ouvrages littéraires.
Son dessin est habile et élégant, très en accord avec le style fin de siècle.
BIBLIOGR. : Marcus Osterwalder : *Diction. des illustrateurs 1800-1914*, Hubschmid & Bouret, Paris, 1983.

CASPERS Pauline

Née à Paris. XIXᵉ siècle. Française.
Peintre de fleurs et fruits.
Elle exposa à Paris, au Salon des Artistes Français de 1890 à 1902, en devenant sociétaire en 1892. Elle a figuré aussi au Salon du Blanc et Noir.
VENTES PUBLIQUES : PARIS, 14 mars 1941 : *Bouquet champêtre* : **FRF 160**.

CASQUEIRO Pedro

Né en 1959. XXᵉ siècle. Portugais.
Peintre. Abstrait.
Il a fait une exposition personnelle à Paris en 1989. Les compositions de Pedro Casqueiro se présentent comme des patchworks de fragments de peintures abstraites traversées de longues diagonales cernées de traits noirs. Fragments qui évoquent çà et là le Picasso cubiste ou des compositions géométriques des années cinquante, mêlés aux réalisations personnelles de l'artiste... ; répertoire de formes ou mémoire picturale, l'œuvre de Casqueiro semble chercher ses marques. Son rapport à l'abstrac-

tion historique n'est pas clair. Plutôt qu'un jeu de citations, il semble que Casqueiro adhère pleinement à un mode d'expression désormais classique.

En 1991, une exposition personnelle en Belgique permet le constat d'une sensible évolution. L'occupation globale de la surface de la toile est toujours assumée en façon de patchwork, mais les éléments qui en occupent séparément les compartiments ne ressemblent plus à des fragments de peintures abstraites cubisantes, mais semblent plutôt les dessins rehaussés d'outils et accessoires figurant sur une page d'un catalogue spécialisé, sauf qu'ici, malgré la précision de leur description graphique, on doit constater que ces objets ne sont pas identifiables. D'être aussi méticuleusement représentés en même temps qu'aussi évidemment inexistantes dans la réalité, apparente ces « choses » à celles qu'on rencontre dans les déserts de Tanguy.

BIBLIOGR. : Alexandre Melo, Joao Pinharanda : *Arte contemporânea Portughesa*, Lisbonne, 1986.

CASS George Nelson
Né en 1806. Mort en 1882 à Boston. XIX\e siècle. Actif à Boston. Américain.
Peintre de paysages, natures mortes.
VENTES PUBLIQUES : NEW YORK, 23 mars 1984 : *Nature morte aux fruits*, h/t (32,7x48) : **USD 1 200** – NEW YORK, 31 mars 1994 : *Prairie boisée*, h/t (50,8x76,2) : **USD 2 070**.

CASSAB Judy
Née en 1920. XX\e siècle. Australienne.
Peintre de sujets divers, peintre à la gouache.
VENTES PUBLIQUES : SYDNEY, 10 mars 1980 : *Mère et enfant*, h/t (76x63) : **AUD 900** – SYDNEY, 16 oct. 1989 : *Personnages archaïques*, h/t (200x150) : **AUD 3 000** – LONDRES, 30 nov. 1989 : *Abstraction 1961*, gche (63,5x48,2) : **GBP 440** – SYDNEY, 15 oct. 1990 : *Intérieur avec une guitare*, h/t (57x74) : **AUD 1 000** – SYDNEY, 2 déc. 1991 : *Près de Alice Springs*, h/cart. (36x53) : **AUD 800**.

CASSADY-DAVIS Cornelia, Mrs
Née au XIX\e siècle à Cincinnati. XIX\e siècle. Américaine.
Peintre.
Élève de la Art Academy de sa ville natale et membre du Woman's Art Club.

CASSAGNE Armand Théophile
Né en 1823 au Landin (Eure). Mort en 1907 à Fontainebleau (Seine-et-Marne). XIX\e siècle. Français.
Peintre de paysages, aquarelliste, dessinateur, lithographe.
Élève de Harding, il participa, à partir de 1857, au Salon des Artistes Français, dont il fut sociétaire.
Il est l'auteur de nombreux ouvrages d'art sur les lois de la perspective et sur la technique de l'aquarelle. Malgré cela, il traite avec une véritable spontanéité ses paysages de sous-bois, paysages de la vallée de Chevreuse, montagnes autour de Grenoble, peints dans une grande liberté de choix des couleurs. Parmi ses peinture à l'huile, citons : *Le dormoir – Les hauteurs du Mont-Ussy* 1869 – *Centenaires de la forêt – L'allée de Sully et l'étang des carpes*. Parmi ses aquarelles : *Château de Pierrefonds – L'Abbaye de Vaux-Cernay – La forêt le matin*.
BIBLIOGR. : Gérald Schurr, in : *Les Petits Maîtres de la peinture 1820-1920, valeur de demain*, Les Éditions de l'Amateur, t. III, Paris, 1981.
MUSÉES : CHÂTEAU-THIERRY : *Vue prise dans la forêt de Fontainebleau – Route dans la forêt de Fontainebleau*, aquar. – *Ruines de la Cour des Comptes à Paris.*
VENTES PUBLIQUES : PARIS, 1876 : *Le dormoir de la Tillaie, au printemps* : **FRF 700** – FONTAINEBLEAU, 25-26 avril. 1920 : *Vue du Paillon, environs de Grenoble* : **FRF 145** – PARIS, 27 mai 1970 : *Promenade en forêt* : **FRF 1 000** – PARIS, 7 fév. 1975 : *Le repos en forêt*, h/t (48x37) : **FRF 1 800** – PARIS, 30 oct. 1996 : *Promeneurs dans une allée bordée d'arbres*, aquar. (23,8x39) : **FRF 6 000**.

CASSAGNE Charles
XX\e siècle. Français.
Peintre de paysages urbains.
Il travailla à Paris, y exposant au Salon des Indépendants. Il s'est spécialisé dans les vues de Paris.

CASSAGNE Jean Henri
Né en 1842 à Toulouse (Haute-Garonne). XIX\e siècle. Français.
Sculpteur.
Il dut mourir jeune car on ne le cite plus après 1867.

CASSAGO Giuliano
Né en 1694. Mort en 1741. XVIII\e siècle. Actif à Brescia. Italien.
Peintre animalier.

CASSAIGNE Joseph
Né en 1871 à Toulouse (Haute-Garonne). XIX\e-XX\e siècles. Français.
Sculpteur de sujets allégoriques, mythologiques, scènes de genre, statues.
Sans doute identique à un Cassaigne Marius, de Toulouse, qui obtint une mention honorable au Salon des Artistes Français de 1897. Il fut élève de Falguière, Antonin Mercié, Jules Labatut. Il exposait à Paris, au Salon des Artistes Français, dont il devint sociétaire, mention honorable 1901, troisième médaille 1907. D'entre ses sujets allégoriques : *La Paix*, des sujets mythologiques : *L'Amour et Psyché*, des sujets de genre : *Soir de mariage – Retraites ouvrières et paysannes*. Il sculpta aussi une statue de *Clémence Isaure*, personnage imaginaire qui aurait fondé les Jeux Floraux de Toulouse au Moyen-Age, et que la tradition toulousaine tend à accréditer.

CASSAL Jean
Né à Ferrette (Haut-Rhin). XX\e siècle. Français.
Peintre.
Exposant du Salon d'Automne.

CASSALETTE Félix
Né à Aix-la-Chapelle (Allemagne). XX\e siècle. Français.
Peintre de nus, paysages, scènes de genre.
Il exposa à Paris de 1922 à 1942, aux Salons des Artistes Indépendants, d'Automne et des Tuileries.

CASSAMAJOR Tristan
Né en 1956 à Port-au-Prince (Haïti). XX\e siècle. Américain.
Sculpteur. Tendance abstraite.
De 1976 à 1980, il fut élève du Queens' College de New York ; de 1980 à 1984 de l'Académie des Beaux-Arts de Carrare. Il participe à de nombreuses expositions collectives depuis 1986, fréquemment à New York, en 1987 à Bâle, 1989 Stuttgart, 1992 Nuremberg, Bruxelles, Gand *Lineart*, 1993 Paris Salon de Mars. Il montre des ensembles d'œuvres dans des expositions personnelles : 1988 New York, 1991 Ulm, 1992 Nuremberg, 1993 Paris galerie du Fleuve...
En 1983, il a réalisé un bas-relief en grès à Fannano, un monument en marbre à Digne ; en 1988 un monument en granit à Teulada (Sardaigne) ; en 1992 un monument aux morts de la guerre à Modène. Il travaille différents matériaux. Ses sculptures, d'apparence abstraite au premier regard, révèlent ensuite des stylisations d'éléments du corps humain, agressivement emblématiques de nez, de seins, de sexes ou plus intimement de bouches, de regards.

CASSAN Jean François Léon
Né en 1822 à Charleville. Mort en 1874 à Nantes. XIX\e siècle. Français.
Peintre et dessinateur.
Le Musée Vivenel, à Compiègne, conserve de lui un portrait de *Dom Lalondrelle* (dessin à la craie).

CASSANA Abate Giovanni Agostino
Né vers 1658 à Gênes. Mort en 1720 à Gênes. XVII\e-XVIII\e siècles. Italien.
Peintre de genre, portraits, animaux, natures mortes.
MUSÉES : MAYENCE : *Animaux* – NICE : *Pommes et châtaignes* – VENISE : *deux natures mortes.*
VENTES PUBLIQUES : VIENNE, 14 mai 1968 : *Volatiles, fleurs et fruits* : **ATS 10 000** – LONDRES, 13 juil. 1977 : *Nature morte*, h/t (76x61) : **GBP 2 800** – ROME, 4 avr. 1979 : *Nature morte aux poissons*, h/t (67x88,5) : **ITL 7 000 000** – MILAN, 29 avr. 1980 : *Nature morte aux poissons*, h/pan. (60x74,5) : **ITL 20 000 000** – NEW YORK, 18 jan. 1983 : *Jeune fille versant à boire à des volatiles*, h/t (137x101,5) : **USD 11 000** – MONTE-CARLO, 29 nov. 1986 : *Le concert d'oiseaux*, h/t (46,5x64,5) : **FRF 125 000** – LONDRES, 31 mars 1989 : *Sanglier attaqué par un chien de meute dans un paysage boisé*, h/t (147x185) : **GBP 13 200** – MILAN, 12 juin 1989 : *Paysage avec moutons et chèvres*, h/t (120x160) : **ITL 27 000 000** – MONACO, 16 juin 1989 : *Nature morte avec du raisin et des figues et deux cochons d'Inde*, h/t (29x40) : **FRF 55 500** – AMELIA, 18 mai 1990 : *Paysanne jouant avec son enfant près d'un troupeau de bétail dans un paysage vallonné*, h/t (97x80) : **ITL 23 000 000** – NEW YORK, 14 jan. 1993 : *Lapins, volailles et pigeons devant un*

mur de pierre, h/t (93,3x116,8) : **USD 9 900** – Rome, 29 avr. 1993 : *Nature morte au dindon*, h/t (94x123) : **ITL 19 500 000** – Londres, 25 fév. 1994 : *Paysanne remplissant un chaudron d'eau pour une oie et un dindon avec une tortue à côté*, h/t (136,3x101,2) : **USD 25 300** – Milan, 18 oct. 1994 : *Nature morte au dindon*, h/t (94,3x123,5) : **ITL 46 000 000** – Londres, 28 mars 1996 : *Sanglier attaqué par un chien de meute sur une colline*, h/t (147x185) : **GBP 11 500** – New York, 6 fév. 1997 : *Une dinde, des coqs et des poulets dans un paysage*, h/t (88,9x134,6) : **USD 11 500**.

CASSANA Giovanni Battista
Né en 1668 à Gênes. Mort en 1738. XVII⁺-XVIII⁺ siècles. Actif à La Mirandole. Italien.
Peintre.
Giovanni Battista, fils cadet de Giovanni Francesco et son élève. Il excella dans la représentation des fruits et des fleurs.

CASSANA Giovanni Francesco
Né en 1611 à Cassana. Mort en 1690 à Mirandole. XVII⁺ siècle. Italien.
Peintre de natures mortes.
Il fut élève de B. Strozzi à Gênes. Il travailla à Venise un assez long temps, puis vint se fixer à Mirandole, où il fut au service du prince Alexandre II Pica.
Ventes Publiques : Rome, 15 mars 1983 : *Nature morte aux volatiles avec un chat et un chien*, h/t (114x87) : **ITL 3 500 000**.

CASSANA Grisante
Né en 1738 à Borgo San Donnino. Mort en 1783 à Borgo San Donnino. XVIII⁺ siècle. Italien.
Peintre.
Il travailla pour l'église des Capucins à Busseto.

CASSANA Niccolo, dit Nicoletto
Né en 1659 à Venise. Mort en 1714 à Londres. XVII⁺-XVIII⁺ siècles. Italien.
Peintre d'histoire, portraits, natures mortes.
Fils et élève de Giovanni Francesco Cassana, il dut son développement artistique aux conseils de son père, quoique Lanzi nous dise que son style se rapproche de celui de Strozzi. Ce fait n'a rien de bien extraordinaire, Strozzi ayant été le maître du père de cet artiste. Le même historien rapporte que Niccolo travailla avec un acharnement qui se transforma parfois en une crise de surexcitation nerveuse approchant de la frénésie, due souvent à un manque d'inspiration ou à une imperfection dans la composition d'un tableau. La conception désirée vint toujours à la suite de ces crises. Ce peintre fut en grande faveur auprès du prince Ferdinand, à Florence.
Niccolo fut l'un des plus brillants *luministes* de la célèbre famille des Cassana, et acquit une grande renommée comme portraitiste, surtout à Florence, où il passa une partie de sa vie, et en Angleterre. Ce fut à Londres qu'il peignit le *Portrait de la reine Anne*, ainsi que ceux des personnages de la haute noblesse anglaise. Parmi ses tableaux d'histoire, on cite une *Conspiration de Catilina*, à la Galerie de Florence, qui paraît être ce qu'il fit de mieux dans ce genre. Il fut choisi pour terminer un tableau de Raphaël transporté à Pescia et placé dans le Palais Pitti.
Musées : Florence (Offices) : *Buste d'homme – Conspiration de Catilina – Un chasseur – Portrait de l'artiste.*
Ventes Publiques : Londres, 15 avr. 1992 : *Portrait d'un jeune seigneur anglais avec un chapeau et une cape bordée d'hermine*, h/t (ovale 72x55) : **GBP 4 800** – Paris, 8 juin 1994 : *Bouquet de fleurs et canards*, h/t (45x59) : **FRF 61 000**.

CASSANA Maria Vittoria, suor
Née à La Mirandole. Morte en 1711 à Venise. XVIII⁺ siècle. Italienne.
Peintre de sujets religieux.
Maria était la fille de Giovanni Battista Cassana. Elle travailla à Venise, beaucoup pour les maisons particulières, peignant avec succès des petits tableaux de sujets religieux.

CASSANDRA, pseudonyme de O'Neill Cassandra
XX⁺ siècle. Américaine.
Peintre de paysages, fleurs.
Elle fut élève de l'Académie des Beaux-Arts de Pennsylvanie, de l'Ecole de Dessin de Phœnix (Arizona). Elle expose surtout à New York.

CASSANDRE, pseudonyme de Mouron Adolphe Jean-Marie
Né le 24 janvier 1901 à Kharkow (Russie). Mort le 18 juin 1968 à Paris. XX⁺ siècle. Français.

Peintre, dessinateur et graphiste publicitaire, créateur d'affiches, peintre de décors de théâtre. Art Déco.
Il est venu à Paris en 1915. Il fut élève de l'Académie Julian, puis se consacra à l'art publicitaire à partir de 1922.
D'entre ses campagnes publicitaires ou simplement affiches, les plus célèbres, et qui restent dans l'histoire des arts graphiques, pour n'en citer que quelques-unes : les meubles *Le Bûcheron*, 1923 – le quotidien *L'Intransigeant*, 1925 – *L'Étoile du Nord*, 1927 – les vins *Nicolas*, etc. Sa plus célèbre affiche fut probablement celle de l'apéritif *Dubonnet*, « Du beau – Du bon – Dubonnet ». Il a mené des études typographiques poussées, créant le caractère dit « Peignot ». Il a exécuté de nombreux décors, pour le théâtre : *Amphytrion 38* de Giraudoux, 1934, pour l'Opéra : *Don Juan*, 1952, pour de nombreux ballets : *Le chevalier et la damoiselle*, 1941 – *Drammaper Musica*, 1946 – *Mirages*, 1947. Il a donné à l'affiche, à l'image et au graphisme publicitaires, un style nouveau, en accord avec le style général dit Arts Déco 1930, dont il fut finalement dans son domaine un des créateurs, empruntant des éléments graphiques et plastiques à la modernité du moment dans les arts majeurs et les exploitant à son propre usage, par exemple n'hésitant pas à réduire, sans mépris mais non sans humour parfois, l'austérité fondamentale du cubisme à ses apparences décoratives, contribuant en cela encore à l'élaboration d'un véritable style d'époque, rayonnant depuis peinture et sculpture sans rupture jusqu'aux objets les plus utilitaires. ■ J. B.

A·M·CASSANDRE

Ventes Publiques : Paris, 26 juin 1979 : *Feuillages de vigne s'enroulant autour des piliers d'une balustrade*, six h/pan. (76x193, 110x193, 77x193, 106x193n 109x193 et 105x193) : **FRF 5 500** – Paris, 21 nov. 1980 : *Dubonnet, le bonhomme remplissant son verre*, gche (80x60) : **FRF 33 000** – Paris, 7 juil. 1981 : *Projet publicitaire pour Nicolas 1935*, gche (41x32,5) : **FRF 14 100** – Orléans, 1ᵉʳ mai 1983 : *Nord Express 1927* (104x74) : **FRF 11 000** – Paris, 8 juin 1983 : *Bazzar, l'étoile*, gche (49x37,5) : **FRF 8 000** ; *With you 1937*, gche (34,5x35) : **FRF 8 000** – Paris, 14 déc. 1984 : *Triplex*, gche, maquette de l'affiche (64x100) : **FRF 40 000** – Paris, 20 fév. 1985 : *Paysage montagneux*, h/isor. (58x66,5) : **FRF 10 000** – Paris, 26 juin 1986 : *Paysage méditerranéen*, gche (11,5x37,5) : **FRF 4 000** – Paris, 28 mars 1988 : *Jeune fille nue assise*, h/t (50x65) : **FRF 8 800** – Paris, 9 déc. 1988 : *Normandie*, affiche en coul. (99x61) : **FRF 14 000** – Paris, 10 nov. 1992 : *Grand sport, la casquette adoptée par tous les champions 1931*, affiche entoilée (160x120) : **FRF 53 000** – Marseille, 7 juin 1994 : *À la maison dorée*, affiche (348x160) : **FRF 170 000** – Paris, 24 juin 1994 : *Grèce*, gche, maquette d'affiche (44x34,5) : **FRF 42 000** – Londres, 25 oct. 1995 : *La rue 1949*, gche/pap., projet de décor pour Don Giovanni (38x66) : **GBP 4 600** – Paris, 5 juin 1997 : *Crève-cœur 1945*, h/t (81x101) : **FRF 18 000**.

CASSANELLO Angiola
Née en 1921 à Milan. XX⁺ siècle. Italienne.
Peintre de figures, nus, groupes, paysages, natures mortes. Tendance onirique.
Elle fut élève de l'Académie des Beaux-Arts de Bologne en 1938. En 1947, elle fit un premier séjour à Paris, en 1954 un deuxième séjour, et s'y installa durablement en 1955. Elle a commencé à exposer en 1947 à Bologne. Elle participe à des expositions collectives, parmi lesquelles : la Biennale de Venise 1948, 1950, 1954, puis d'autres occasions à Paris. Elle montre ses travaux dans des expositions personnelles : Venise 1948, 1950, Paris 1962, 1967, 1968, etc.
On a écrit de ses personnages, de ses couples nus, paysages, natures mortes, que « tout y respire le mystère du lointain pays de l'inconscient ».
Musées : Bologne (Mus. d'Art Mod.) – La Spezia (Mus. d'Art Mod.).

CASSANI Giovanni
XIX⁺ siècle. Actif à Milan. Italien.
Sculpteur.
A participé à beaucoup d'expositions nationales : Exposition de Turin (1884) avec *Adalgisa*, Exposition de Milan avec *Douleur sans nom* et *Une belle inspiration*.

CASSANI Nino
Né en 1930 à Viggiu. XX⁺ siècle. Italien.
Sculpteur.
Il fut élève de Marino Marini à l'Académie des Beaux-Arts de Milan. Il fut invité à la Biennale de Menton en 1972.

CASSANO Francesco
XVIIe siècle. Italien.
Sculpteur.
Il travailla à Naples en collaboration avec Michel Angelo Naccarini dans la première moitié du XVIIe siècle.

CASSANO Giuseppe
Mort en 1905 à Turin. XIXe siècle. Actif à Turin. Italien.
Sculpteur.

CASSANO Orlando da
XVIe siècle. Actif à Plaisance vers 1550. Italien.
Peintre.

CASSAR Hanns
XIXe-XXe siècles. Actif à Mannheim. Allemand.
Sculpteur.
Fils de Karl Cassar.

CASSAR Josef
Né en 1853. XIXe siècle. Actif à Francfort-sur-le-Main. Allemand.
Peintre de genre et paysagiste.

CASSAR Karl
Né en 1856 à Francfort-sur-le-Main. Mort en 1904 à Mannheim. XIXe siècle. Actif à Mannheim. Allemand.
Sculpteur.
Il étudia successivement à Francfort, à Vienne et à Munich. Il a exécuté un nombre important d'ouvrages décoratifs et de portraits.

CASSARD François Alphonse
Né en 1787 à Paris. Mort vers 1841. XIXe siècle. Français.
Peintre de sujets religieux, paysages, dessinateur.
Cet artiste figura au Salon de Paris entre 1835 et 1841. Il fut dessinateur de première classe au dépôt de la guerre. Il décora des églises à Bergerac, Vouvray, Limoges.
VENTES PUBLIQUES : PARIS, 1842 : *Troupes françaises en marche par un temps de neige* : FRF 65 – PARIS, 26 mars 1934 : *Paysages d'hiver*, deux pendants : FRF 200 – BRUXELLES, 28 fév. 1967 : *Paysage d'hiver* : BEF 40 000 – BERNE, 23 oct. 1970 : *Les joies du patinage* : CHF 1 100 – PARIS, 4 mars 1976 : *Paysages d'hiver* 1837, h/bois, deux œuvres se faisant pendants (11x15,5) : FRF 3 900 – PARIS, 27 fév. 1986 : *Scènes de patinage* 1837, deux h/pan. (13x17) : FRF 24 000.

CASSARD Pierre Léon
XIXe-XXe siècles. Actif au Cellier (Loire-Atlantique). Français.
Peintre de scènes de genre, paysages, portraits.
Il exposait à Paris depuis 1893, au Salon de la Société Nationale des Beaux-Arts. Il a souvent peint les paysages du Cellier où il vivait.
VENTES PUBLIQUES : NEW YORK, 16 fév. 1994 : *Mère et sa fille avec leurs ouvrages* 1892, h/t (43,8x45,1) : USD 10 350.

CASSARD-BIGOT Andrée, Mme
Née au XIXe siècle à Paris. XIXe siècle. Française.
Peintre.
Élève de Mme Debillemont-Chardon. Elle obtint une mention honorable à l'Exposition Universelle de 1900.

CASSARINI Bartolomeo ou **Casserini**
Mort en 1773 à Carrare. XVIIIe siècle. Actif à Carrare. Italien.
Sculpteur décorateur.

CASSARINI Jean
XXe siècle. Français.
Peintre. Postcubiste.
Il a figuré dans les Salons annuels traditionnels de Paris, ainsi qu'au Salon des Peintres Témoins de leur Temps dans les années soixante.

CASSAS Charles Hippolyte
Né le 27 février 1800 à Paris. XIXe siècle. Français.
Peintre de portraits.
Il fut élève de Gros à l'École des Beaux-Arts où il entra le 28 février 1814. Au Salon de Paris il figura entre 1833 et 1864.
VENTES PUBLIQUES : PARIS, 14-15 et 16 jan. 1878 : *Études de paysages et d'oiseaux* : FRF 16 ; *Paysages*, aquar. : FRF 17 ; *Diverses études de portraits, costumes, etc*, dess. aux trois cr., à la gche et à l'aquar. : FRF 27 – PARIS, 20-22 mai 1920 : *Danses et costumes villageois sur la route qui descend au lac de Némi, campagne de Rome*, aquar. : FRF 520.

CASSAS Louis François
Né le 3 juin 1756 à Azay-le-Ferron (Indre). Mort le 1er novembre 1827 à Versailles. XVIIIe-XIXe siècles. Français.

Peintre de scènes typiques, paysages, aquarelliste, graveur, dessinateur. Orientaliste.
Ses maîtres furent Vien, Lagrenée le Jeune et Leprince. Cet artiste ayant beaucoup voyagé, rapporta des vues des divers pays qu'il visita. Il en exposa quelques-unes au Salon de 1804 et à celui de 1814. Envoyé par Louis XVI en mission en Orient, il fit des centaines de dessins, notamment en Égypte. En collaboration avec Bance, il dessina et grava à l'eau-forte une série de vues pittoresques de la Grèce, de la Sicile et de Rome. On doit à Cassas des modèles d'architectures des différents peuples. Il était chevalier de Saint-Louis et de la Légion d'honneur.
Le musée de Tours a consacré, en 1995, une exposition de dessins de cet artiste, qui peut être considéré comme l'un des premiers orientalistes.
BIBLIOGR. : Catalogue de l'exposition : *Louis François Cassas*, musée des Beaux-arts, Tours, 1995.
MUSÉES : ORLÉANS : *Paysage*, aquar. – *Paysage*, aquar. – *Paysage*, aquar. – TOURS (Mus. des Beaux-arts) : dessins – VALENCIENNES : *Vue de la Corne d'Or et la pointe du Sérail de Constantinople*.
VENTES PUBLIQUES : PARIS, 1791 : *Différentes vues de Sicile*, bistre, quatre dessins : FRF 240 – PARIS, 1851 : *Vue du Caire*, dess. colorié : FRF 250 – PARIS, 31 jan. 1878 : *Vues d'Italie*, dess. avec reh. d'aquar. : FRF 28 ; *Vue prise en Bretagne*, sépia, sept dessins : FRF 14 ; *Vue de la grande galerie de Palmyre*, aquar. : FRF 200 ; *Vue de la grande mosquée à Jérusalem*, aquar. : FRF 60 ; *Paysage grec avec ruines et figures*, aquar. : FRF 88 – PARIS, mai 1898 : *Vue de monuments anciens aux environs de Rome* ; *Vue de la place Saint-Pierre à Rome*, dess. : FRF 127 – PARIS, 11 fév. 1921 : *Paysage animé* : FRF 210 – PARIS, 13-15 nov. 1922 : *Le petit temple antique*, pl. et sépia : FRF 470 – PARIS, 6 déc. 1923 : *Un cortège nuptial au Caire*, mine de pb, pl. et gche : FRF 700 – PARIS, 11-12 déc. 1924 : *Paysages orientaux avec ruines et figures*, aquar., deux pendants : FRF 580 – PARIS, 10-11 juin 1925 : *Magellon, consul de France en Égypte, visite la colonne de Pompée, Alexandrie*, dess. et aquar. : FRF 1 350 – PARIS, 26 juin 1925 : *Vue des jardins de la villa Conti à Frascati près de Rome*, pl. et aquar. : FRF 2 015 – PARIS, 18 nov. 1926 : *Grande galerie de Palmyre*, aquar. : FRF 3 000 – PARIS, 23 nov. 1927 : *Vue du port et de l'arsenal de Brest*, pl. et lav. : FRF 5 850 ; *Canot en rade*, pl. et aquar. : FRF 500 ; *Barques et navires dans un port d'Orient*, pierre noire : FRF 660 ; *Navire à poupe ornée*, pierre noire : FRF 160 – PARIS, 9 mars 1929 : *Le mariage turc*, dess. : FRF 140 – PARIS, 16-17 mai 1929 : *Paysage*, dess. : FRF 1 550 ; *Paysage boisé et montagneux*, dess. : FRF 400 – PARIS, 12 juin 1931 : *Paysage d'Orient avec de nombreux personnages*, aquar., deux pendants : FRF 1 100 ; *Vue des restes du Temple de Minerve à Syracuse* ; *Vue des restes d'un ancien monument de Syracuse*, pl. et lav. d'encre de Chine, deux pendants : FRF 1 650 – PARIS, 4-5 nov. 1937 : *Vue des restes du Temple de Minerve à Syracuse*, pl. et lav. de sépia : FRF 300 – PARIS, 11 juin 1942 : *Vues d'Antioche*, aquar., deux pendants : FRF 400 – VERSAILLES, 24 nov. 1963 : *Vues de Constinople, d'Égypte et paysage montagneux*, trois aquar. : FRF 1 400 – PARIS, 6 nov. 1980 : *Paysage oriental avec personnages, Turquie*, aquar., pl. et encre de Chine (33,5x51,5) : FRF 5 000 – PARIS, 13 déc. 1982 : *Ruines antiques*, aquar. gchées, deux pendants (44,5x69,5) : FRF 22 000 – PARIS, 6 juin 1983 : *Ruines des Temples de Mercure, Vénus et Diane à Baïes* 1780, sanguine (28,7x36,5) : FRF 10 500 – MONTE-CARLO, 8 déc. 1984 : *Vue du Caire*, aquar., gche et pl./pap./t. (58x103) : FRF 72 000 – PARIS, 29 mars 1985 : *Turcs parmi des ruines hellénistiques* 1826, gche (71,5x102,5) : FRF 95 000 – PARIS, 27 oct. 1986 : *Cortège du sultan le jour du Baïram* 1797, gche (37,5x100) : FRF 320 000 – MONACO, 20 fév. 1988 : *Orientaux devant une colonnade antique*, aquar. et pl. (49x66,5) : FRF 27 750 – PARIS, 7 mars 1988 : *Bergers sur le mont Liban*, aquar./traits gravés (69,5x93,5) : FRF 43 000 ; *La grande caravane dans le désert de Syrie*, aquar. (52,5x78,5) : FRF 75 000 ; *Repos d'une caravane près de la ville de Hems, le mont Liban dans le lointain*, aquar. (44x80) : FRF 58 000 – PARIS, 17 mars 1989 : *Vue du rivage du Nil et d'une petite mosquée au-dessus de la ville de Mansoura*, aquar. (57x78) : FRF 23 000 – PARIS, 6 avr. 1990 : *La grande caravane*, aquar. et h. diluée/pap./t. (41x55,5) : FRF 45 000 – PARIS, 27 mars 1992 : *La grande galerie de Palmyre*, pl. et aquar. (24,6x37,2) : FRF 55 000 – PARIS, 31 mars 1993 : *Vue du temple d'Esculape et du lac de la villa Borghèse à Rome*, aquar. (54x78) : FRF 33 000 – PARIS, 22 mars 1994 : *Bergers sur le Mont Liban*, aquar./traits gravés (58x80) : FRF 130 000 – PARIS, 25 oct. 1994 : *Ba'albek, le temple circulaire et le temple de Jupiter*, aquar./pl. (41x66) : FRF 200 000 – PARIS, 6 nov. 1995 : *Ba'albek, le temple de Jupiter*, aquar. (66x100) :

FRF 230 000 – LONDRES, 2 juil. 1996 : *Vue de l'acropole d'Athènes depuis le temple de Zeus à Olympie*, mine de pb, encre et aquar. (199,7x28,7) : **GBP 10 350** – PARIS, 9 déc. 1996 : *Vue de l'acropole*, aquar./traits gravés (50x73) : **FRF 32 000**.

CASSAS Osmin
Né à Samatan (Gers). XIXe-XXe siècles. Français.
Peintre de paysages.
Élève de R. Colin. Exposant des Artistes Français.

CASSATT Mary ou Mary Stevenson
Née le 22 mai 1844 à Allegheny (près de Pittsburgh, Pennsylvanie). Morte le 14 juin 1926 au château de Beaufresne (Mesnil-Théribus, Oise). XIXe-XXe siècles. Américaine.
Peintre de scènes de genre, portraits, paysages, peintre à la gouache, aquarelliste, pastelliste, graveur, dessinatrice.
Après avoir fait ses études à Philadelphie en 1864-1865, elle voyage en Europe, allant à Parme voir la peinture de Corrège, en Espagne, Velasquez, à Anvers et en Hollande, Rubens et Frans Hals. A Parme, elle est durant huit mois l'élève de Raimondi, avant de se fixer à Paris, en 1872, où elle fréquente l'atelier de J. Chaplin. Mais elle est immédiatement attirée par les impressionnistes et est surtout très frappée par un pastel de Degas qu'elle a vu dans une vitrine, et qui restera, pour elle, comme une obsession. Ainsi s'exprime-t-elle à ce sujet : « Je pris l'habitude d'aller coller mon nez à la vitre pour absorber tout ce que je pouvais de son art. Cela a transformé ma vie. A partir de ce moment-là, j'ai vu l'art comme je le désirais le voir. » Dès son arrivée, elle expose au Salon de Paris « *Au balcon* », puis en 1874 son *Portrait d'Ida* qui est remarqué par Degas. A partir de ce moment, Mary Cassatt et Degas deviennent des amis, il lui donne des conseils et l'introduit auprès des impressionnistes. Elle subit aussi l'influence de Renoir dont elle a pris les qualités de luministe. En 1877, Degas l'invite à exposer au Salon des Impressionnistes, ce qu'elle continue à faire ensuite régulièrement jusqu'en 1882, date à laquelle suivant l'exemple de Degas, elle refuse d'exposer. De son vivant, elle n'a pas eu de succès, que ce soit à New York ou à Paris ; seul Degas l'appréciait vraiment, disant qu'il n'était pas permis qu'une femme dessine aussi bien. A la fin de sa vie, elle a aidé ses amis américains à acquérir des tableaux français contemporains ; elle a ainsi participé à l'élaboration de la collection du Metropolitan Museum de New York. Devenue aveugle en 1914, elle doit abandonner son art, avant de mourir en France. En 1989, elle figurait à l'exposition *200 ans de peinture américaine. Collection du Musée Wadsworth Atheneum*, présentée à Paris, aux Galeries Lafayette.
Durant sa première période, Mary Cassatt réussit parfois à faire une synthèse des arts aussi différents que ceux de Degas, Renoir et Manet, ainsi sa *Petite fille dans un fauteuil bleu* (1878) est un des exemples les plus frappants avec sa mise en page à la manière de Degas, sa touche lumineuse proche de celle de Renoir et quelques aplats, dans le portrait de la petite fille, non éloignés de ceux de Manet. Mary fait de la peinture, mais elle marque une préférence pour le pastel, la gravure, l'aquatinte, ce qui lui demande un travail acharné. La gravure, puis l'estampe correspondent bien à ses nouvelles recherches et à son admiration pour Degas. Elle aime alors les grandes surfaces plates, cernées par un trait ferme. A son dessin ferme et vigoureux, « elle ajoute, écrit J. Rewald, un mélange de sentiment et de froide vivacité qui lui sont tout à fait particuliers ». Il n'est pas étonnant qu'elle ait été enthousiasmée par l'exposition japonaise qu'elle a visitée avec Degas, à Paris, en 1890.
A partir de cette époque, son intérêt pour les estampes lui fait faire une collection d'estampes presque exclusivement d'Utamaro. Elle-même fait des estampes selon une technique différente de celle des Japonais, puisqu'au lieu d'employer des plaques de bois, elle utilise des plaques de métal. L'exemple le plus significatif de ce goût japonisant est l'estampe intitulée : *La Toilette*, pour laquelle elle utilise un angle de vue bas et des couleurs plates et cernées. Cependant il ne faut pas exagérer l'importance de l'influence des Japonais sur son art, puisque dès 1883, elle peint un tableau : *Femme prenant le thé* où l'on pourrait déceler aussi une soi-disant influence japonaise. En fait, les recherches de Mary Cassatt correspondaient aux caractéristiques esthétiques des estampes japonaises, mais aussi de l'art de Degas. Plus tard, et tout naturellement elle s'est sentie attirée par ces deux formes d'art, affirmant alors son style.
D'ailleurs, il faut remarquer que le choix des couleurs de Mary diffère de celui des Japonais ; il demeure féminin, n'introduisant

pas de noirs, mais des roses et des bleus. Les thèmes qu'elle préfère sont surtout ceux de la femme, l'enfant : elle a réuni dix estampes en couleurs sous le nom de *Maternités*. Elle n'a d'ailleurs jamais abordé le paysage pour lui-même. ■ A. J.

BIBLIOGR. : A. Segard : *Mary Cassatt, un peintre, des enfants, des mères*, Paris, 1913 – Adelyn D. Breeskin, *L'Œil*, janvier 1959 – *Catalogue de l'exposition Mary Cassatt*, Chicago, 1965 – F. A. Sweet : *Miss Mary Cassatt, impressionist from Pennsylvania*, Norman, Oklahoma, 1966 – William H. Gerdts, D. Scott Atkinson, Carole L. Shelby, Jochen Wierich : *Impressions de toujours – Les peintres américains en France 1865-1915*, Mus. Américain de Giverny, Terra Foundation for the Arts, Evanston, 1992.
MUSÉES : GIVERNY (Mus. Américain Terra Foundation for the Arts) : *L'Abat-jour* 1890, 1891, estampe – *En bateau-mouche* 1890, 1891, estampe – *Jenny et son enfant endormi* vers 1891 – *La Leçon de banjo* 1894, estampe – *La Nourriture des canards* vers 1894, estampe – *L'Été* vers 1894 – *Femme et Enfant dans l'herbe* vers 1895, estampe – *Au bord de l'étang* vers 1898, estampe – *La Tasse de chocolat* 1897, past. – HARTFORD (Wadsworth Atheneum Mus.) : *Enfant tenant un chien* vers 1908, past.
VENTES PUBLIQUES : PARIS, 1881 : *Une tête d'enfant*, past. : **FRF 280** – PARIS, 29 avr. 1899 : *La Dame à l'éventail* : **FRF 1 900** – PARIS, 30 juin 1900 : *Liseuse dans un jardin en fleurs* : **FRF 1 200** – PARIS, 29 nov. 1901 : *Au jardin* : **FRF 820** – PARIS, 4 mars 1907 : *Maternité* : **FRF 1 300** ; *Portrait de Marcelin Desboutin* : **FRF 1 300** – PARIS, 16 juin 1908 : *Fillette* : **FRF 410** – PARIS, 6 déc. 1909 : *Fillette à la capeline verte* : **FRF 1 300** – PARIS, 5-16 nov. 1918 : *Jeune femme près d'une fenêtre*, pl. : **FRF 450** – PARIS, 27 fév. 1919 : *Tendresse maternelle*, cr. : **FRF 200** – PARIS, 13-14 mars 1919 : *Les Soins maternels*, past. : **FRF 15 000** – PARIS, 22 mai 1919 : *Mère et Enfant*, past. : **FRF 5 000** – PARIS, 20-22 mai 1920 : *Enfant tétant son pouce*, past. : **FRF 10 500** ; *Jeune femme assise, pressant son enfant contre sa poitrine*, aquar. : **FRF 780** – PARIS, 2-4 juin 1920 : *La Fillette au chapeau bleu*, past. : **FRF 7 100** – PARIS, 22 fév. 1922 : *Tendresse maternelle*, cr. : **FRF 1 100** – PARIS, 7 déc. 1922 : *La Nourrice* : **FRF 18 000** – NEW YORK, 30-31 déc. 1922 : *Femme à l'éventail (Clarissa turned right, with her hand to her ear)* vers 1895, past. (65,7x51,7) : **USD 1 800** – PARIS, 11-13 juin 1923 : *Femme assise dans un fauteuil et lisant*, fusain : **FRF 620** – PARIS, 28 juin 1923 : *Femme et Enfant*, aquar. : **FRF 800** – PARIS, 6 nov. 1924 : *Jeunes Filles*, past. : **FRF 35 000** ; *Femme et enfant*, past. : **FRF 18 500** – PARIS, 18 mai 1925 : *Jeune femme cousant* : **FRF 20 500** – PARIS, 16 juin 1926 : *L'Enfant blonde* : **FRF 50 000** – PARIS, 3 juin 1927 : *Jeune Mère et son enfant*, past. : **FRF 28 800** – PARIS, 29 oct. 1927 : *L'Église de Presle* : **FRF 1 550** – PARIS, 17 mars 1928 : *En famille*, past. : **FRF 93 000** – PARIS, 9 juin 1928 : *Maternité*, fusain : **FRF 2 000** – PARIS, 18-19 juin 1928 : *Jeune Mère et Fillette*, past. : **FRF 78 000** – PARIS, 26 nov. 1928 : *Jeune fille en buste*, past. : **FRF 73 000** – PARIS, 20 mars 1929 : *Étude de femme de trois quarts à gauche* : **FRF 10 000** – PARIS, 23 mars 1929 : *Femme, un enfant dans les bras*, dess. : **FRF 250** – PARIS, 27 avr. 1929 : *La Fillette au chien*, past. : **FRF 74 000** – NEW YORK, 10 avr. 1930 : *La Femme au tournesol* : **USD 8 500** ; *La Famille* : **USD 5 500** ; *Autoportrait*, gche : **USD 4 300** ; *Jeune mère, fillette et jeune garçon*, past. : **USD 1 400** – PARIS, 27 mars 1931 : *Masque d'homme aux yeux bleus et à la moustache rousse*, past. : **FRF 1 120** – PARIS, 20-21 avr. 1932 : *Le Chapeau vert*, aquar. : **FRF 600** – PARIS, 1er juin 1932 : *Maman et son bébé*, past. : **FRF 330** – PARIS, 17 nov. 1932 : *L'Enfant*, past. : **FRF 2 850** ; *La Mère et l'Enfant*, past. : **FRF 20 250** – PARIS, 10 mars 1933 : *Une jeune mère et sa fille*, aquar. : **FRF 4 100** – PARIS, 21 mars 1934 : *Étude d'enfant*, dess. au fus./pap. teinté : **FRF 310** – PARIS, 7 juin 1935 : *L'Heureuse Mère* : **FRF 21 000** – NEW YORK, 6 mai 1937 : *Femme aux cheveux bruns*, past. : **USD 160** – PARIS, 6-7 avr. 1938 : *Tête d'enfant*, fusain : **FRF 150** ; *Tête d'enfant*, dess./t. : **FRF 160** – PARIS, 17 juin

1938 : *Fillette*, past. : **FRF 20 000** ; *L'enfant blonde*, past. : **FRF 60 000** ; *La Jeune Mère*, past. : **FRF 61 000** – Paris, 24 nov. 1941 : *Fillette*, aquar. : **FRF 10 000** ; *Rêveuse*, aquar. : **FRF 13 800** ; *Fillette en prière*, aquar. : **FRF 20 000** – Paris, 15 déc. 1941 : *Mère et Jeune Fille*, past. : **FRF 25 000** – Paris, 19 mars 1942 : *Mère et Enfant*, dess. : **FRF 2 600** ; *La Robe verte à l'éventail* : **FRF 38 000** ; *Femme et Enfant* : **FRF 37 000** – Paris, 22 fév. 1943 : *Mère et Enfant*, aquar. : **FRF 32 500** – Paris, 4 mars 1943 : *Femme nue assise* : **FRF 43 000** – New York, 1-4 déc. 1943 : *Jeune femme allaitant son enfant* : **USD 5 000** – New York, 9-11 mars 1944 : *Jeune femme tenant un enfant sur ses genoux* : **USD 1 300** ; *Jeune femme accoudée*, past. : **USD 2 000** ; *Jeune femme accoudée*, past. : **USD 1 500** – New York, 17 jan. 1945 : *Mère et Enfant*, past. : **USD 900** – New York, 24 jan. 1946 : *Mère et Enfant* : **USD 7 500** – New York, 1er mai 1946 : *Jeune femme allaitant son enfant* : **USD 3 000** – New York, 1er avr. 1949 : *Portrait de jeune femme* : **FRF 320 000** – Paris, 19 avr. 1950 : *Le Repos dans l'herbe*, gche/t. : **FRF 406 000** – Paris, 1er-2 avr.1954 : *La Jeune Femme à la toque* : **FRF 800 000** – Paris, 11 juin 1958 : *Femme et Enfant*, aquar. : **FRF 30 000** ; *La Petite Fille au chapeau jaune* : **FRF 870 000** – Paris, 16 déc. 1958 : *Portrait de femme de profil*, past. : **FRF 1 750 000** – New York, 15 avr. 1959 : *Alexandre Cassatt et son fils, Robert Celso Cassatt* : **USD 39 000** – Paris, 16 juin 1959 : *Femme à sa toilette* : **FRF 4 700 000** – Paris, 10 déc. 1959 : *Jeune femme tricotant*, past. : **FRF 9 000 000** – New York, 16 mars 1960 : *Portrait d'une jeune femme*, past. : **USD 3 250** – Londres, 6 juil. 1960 : *Jeune Fille au chapeau vert* : **GBP 7 500** – Paris, 5 déc. 1960 : *Jeune femme assise* : **FRF 70 000** – New York, 25 jan. 1961 : *Femme et Enfant*, past. : **USD 30 000** – Londres, 4 juil. 1962 : *Femme assise, habillée en blanc* : **GBP 9 000** – Paris, 10 déc. 1962 : *Les Deux Sœurs*, past. : **FRF 106 000** – Londres, 1er déc. 1965 : *Mère et Enfant* : **GBP 14 000** – Londres, 24 juin 1966 : *Femme tenant une fillette sur ses genoux* : **GNS 17 000** – New York, 20 oct. 1966 : *Jeune Femme au corsage bleu et Fillette à la robe rouge*, past. : **USD 27 000** – New York, 26 oct. 1967 : *Jeune Fille au chapeau blanc* : **USD 32 500** – New York, 3 avr. 1968 : *Maternité*, past. : **USD 84 000** – New York, 15 oct. 1969 : *Mère et Enfant (Reine Lefèvre et Margot)*, past./pap. marron mar./t. : **USD 140 000** – Londres, 1er juil. 1970 : *Jeune femme tenant une petite fille sur les genoux* : **GBP 24 500** – New York, 28 oct. 1970 : *Jeune fille lisant*, past. : **USD 40 000** – New York, 10 mars 1971 : *Jeune Femme et fillette dans une barque* : **USD 150 000** – Paris, 17 mars 1971 : *Jeune Fille au chien*, past. : **FRF 245 000** – Los Angeles, 20 nov. 1972 : *Jules après le bain* : **USD 35 000** – Londres, 27 juin 1972 : *Hélène de Septeuil avec perroquet* : **GNS 12 000** – Londres, 6 oct. 1976 : *La Toilette 1891*, pointe sèche et aquat. (36,2x26,8) : **USD 6 500** – New York, 14 déc. 1976 : *Portrait de fillette vers 1875*, h/t (42x34,3) : **USD 10 000** – Londres, 30 mars 1977 : *Étude de jeune femme cueillant des fruits*, h/t (60x73) : **GBP 7 000** – New York, 12 mai 1977 : *Portrait de Reine et tête d'enfant vers 1902*, past. (54,5x45,7) : **USD 7 250** – Londres, 4 oct. 1977 : *Maternal caress 1891*, eau-forte, pointe-sèche et aquat. en eau-forte (36,8x26,8) : **GBP 9 800** – Berne, 7 juin 1978 : *Jeannette in a floppy bonnet leaning agains a chair vers 1904*, pointe-sèche : **CHF 3 300** – Paris, 9 juin 1978 : *Mère et Enfant*, aquar. (41,5x29,5) : **FRF 52 100** – Londres, 8 fév. 1979 : *Mère et Enfant*, pointe-sèche (20,9x14,9) : **GBP 400** – New York, 24 oct. 1979 : *Mère et Enfant*, (68x51) : **USD 20 000** – New York, 9 nov. 1979 : *Enfant en rose vers 1870*, h/t (61,6x51,1) : **USD 16 000** – New York, 9 juin 1979 : *Portrait of Katherine Kelso Cassatt vers 1905*, cr. (24,1x15,9) : **USD 7 000** – New York, 19 mai 1981 : *Femme à l'éventail (Clarissa turned right, with her hand to her ear) vers 1895*, past. (65,7x51,7) : **USD 280 000** – Paris, 17 mars 1983 : *Femme à l'enfant*, dess. aquarellé (26x20,5) : **FRF 30 000** – New York, 4 mai 1983 : *The bare-footed child vers 1898*, pointe-sèche et aquat. en coul. (24,5x31,5) : **USD 15 000** – New York, 17 mai 1983 : *La mère de l'artiste lisant Le Figaro vers 1883*, h/t (101x81,3) : **USD 1 000 000** – New York, 1er juin 1984 : *La Conversation vers 1896*, past./pap. mar./t. (64,6x81,2) : **USD 450 000** – New York, 5 déc. 1985 : *Bathing the young heir vers 1891*, h/t (73x59,7) : **USD 240 000** – Londres, 2 déc. 1986 : *Louise allaitant son enfant 1899*, past. (72,4x53,4) : **GBP 900 000** – New York, 29 avr. 1988 : *Étude pour jeune femme au petit chapeau tenant un chat*, aquar./pap. (47x32,3) : **USD 29 700** – New York, 11 mai 1988 : *La conversation*, past./pap. mar./t. (64,6x81,2) : **USD 4 510 000** – Paris, 14 juin 1988 : *Tête de femme de trois quart*, dess. (21x13,5) : **FRF 36 000** – Londres, 28 juin 1988 : *Agnès*, h/t (54,5x47) : **GBP 77 000** – Paris, 19 oct. 1988 : *Tête de Françoise, tournée légèrement à gauche 1908*, aquar./

pap. (33,5x23,5) : **FRF 12 500** – Amsterdam, 8 déc. 1988 : *Étude de petite fille 1888*, cr./pap. (30,5x23) : **NLG 24 150** – New York, 9 mai 1989 : *Augusta faisant la lecture à sa fille 1910*, h/t (116x89) : **USD 3 080 000** – New York, 10 mai 1989 : *Maman, Sara et le bébé*, past./pap. mar. sur pap. (91,5x75) : **USD 3 850 000** – Paris, 17 juin 1989 : *Tête de petite fille au bonnet 1901*, h/t (42x34) : **FRF 1 900 000** – New York, 18 oct. 1989 : *Femme cousant près d'une fenêtre en compagnie de son chien*, h., gche et past./pap. (61x41,2) : **USD 797 500** – New York, 14 nov. 1989 : *Jules debout près de sa mère*, h/t (64,5x59,3) : **USD 1 650 000** – New York, 15 nov. 1989 : *Deux jeunes filles, l'une enfilant une aiguille 1881*, h/t (61,5x43) : **USD 1 320 000** – Paris, 21 nov. 1989 : *Simone assise, coiffée d'un chapeau à plume, tenant un chien griffon vers 1903*, past. (64,5x53,5) : **FRF 2 000 000** – Londres, 3 avr. 1990 : *Tête de fillette, fond vert*, aquar. (33,7x48,2) : **GBP 33 000** – New York, 16 mai 1990 : *Enfant au sein*, past. et craie noire/pap. teinté/cart. (56,2x44,8) : **USD 121 000** – New York, 23 mai 1990 : *Sara avec un bonnet décoré d'une prune à gauche*, past. et encre de Chine blanche/pap. gris (60,5x45) : **USD 220 000** – Paris, 22 juin 1990 : *Fillette et son chien*, aquar. en coul (56x37,5) : **FRF 2 300 000** – New York, 7 mai 1991 : *Étude pour Sarah au bonnet vert*, past./tissu (62,8x33,4) : **USD 220 000** – New York, 23 mai 1991 : *Mère embrassant son enfant*, past./pap. (59,7x49,5) : **USD 231 000** – Londres, 25 juin 1991 : *Simone au chapeau à plume*, past./pap. d'épreuve (61x50) : **GBP 93 500** – New York, 5 nov. 1991 : *Elsie Cassatt avec un gros chien sur ses genoux*, past./pap./cart. (64,2x52,1) : **USD 1 540 000** – Paris, 10 avr. 1992 : *Femme et enfant dans l'herbe 1898*, pointe sèche et aquat. : **FRF 175 000** – New York, 13 mai 1992 : *La leçon de crochet 1913*, past./pap./t. (75,9x64,1) : **USD 935 000** – Munich, 26 mai 1992 : *Mère avec son enfant debout devant un miroir*, pointe sèche (21x15) : **DEM 1 495** – New York, 10 nov. 1992 : *Jeune femme dans une loge regardant vers la droite*, past. et gche/pap. (64,8x54,6) : **USD 2 530 000** – New York, 27 mai 1993 : *Mère et enfant regardant un livre d'images n°1*, past./pap. (35,6x48,3) : **USD 90 500** – Paris, 16 juin 1993 : *Portrait d'enfant*, h/t/cart. (24x23,5) : **FRF 250 000** – Londres, 22 juin 1993 : *Portrait de Marie-Louise Durand-Ruel 1911*, past./pap. (75x63) : **GBP 100 500** – New York, 2 nov. 1993 : *Femme au chapeau noir et au costume rose framboise*, past./pap. chamois (80x65,5) : **USD 1 542 500** – New York, 3 nov. 1993 : *Mère et enfant*, past./pap. chamois (73x59,7) : **USD 1 102 500** – Paris, 18 nov. 1994 : *Sarah avec son manteau*, litho. (50x41,5) : **FRF 38 000** – New York, 1er déc. 1994 : *Bébé s'endormant*, past./pap. (62,9x47,6) : **USD 222 500** – Londres, 14 mars 1995 : *La Belle Martiniquaise*, cr. (18x15) : **GBP 4 830** – Paris, 19 mars 1996 : *Sara et sa mère avec le bébé*, past./pap. (72x92) : **FRF 4 600 000** – New York, 30 avr. 1996 : *Maman, Sara et le bébé*, past./pap./pan. (91,5x75) : **USD 1 432 500** – New York, 23 mai 1996 : *Dans la loge*, h/t (43,8x62,2) : **USD 4 072 500** – New York, 2 oct. 1996 : *Sarah avec son bonnet et son manteau vers 1904*, litho. (50x41,5) : **USD 43 000** – New York, 9 oct. 1996 : *Femme avec son enfant sur les genoux*, aquar./pap. (43,8x28,9) : **USD 9 200** – New York, 5 juin 1997 : *Mère et enfant nu*, past./pap. (64,1x53,3) : **USD 992 500** ; *Marie-Thérèse Gaillard 1894*, past./pap. (51x54) : **USD 1 542 500** – New York, 6 juin 1997 : *Mrs Currey ; Mr Cassatt 1871*, h/t, deux croquis (81,9x68,6) : **USD 211 500**.

CASSAVETTI-ZAMBACCO Marie
Née en 1843 à Londres. XIXᵉ siècle. Grecque.
Sculpteur.

Élève à Londres de Burne Jones, à Paris de Alphonse Legros et Auguste Rodin. Elle exposa à la Royal Academy, à Londres, et à partir de 1896 à la Société Nationale des Beaux-Arts, à Paris. Elle obtint une médaille de bronze à l'Exposition Universelle de 1889 et à celle de 1900.

CASSE E.
Mort en 1909 à Guernesey. XIXᵉ siècle. Français.
Peintre.

CASSE Germaine
Née à Avignon (Vaucluse). XIXᵉ-XXᵉ siècles. Française.
Peintre de portraits, nus, paysages, fleurs.

Elle recherche les effets de nuit. Elle a peint des aspects de la Guadeloupe. Sociétaire de la Nationale. Chevalier de la Légion d'honneur.

CASSE Mathias
Né en 1803 à Copenhague. Mort le 6 avril 1854 à Copenhague. XIXᵉ siècle. Danois.
Peintre de portraits.

Élève de l'Académie en 1823. Il s'établit comme peintre miniaturiste en 1826.

CASSE René Charles Philippe
Né au XIXe siècle à Nancy (Meurthe-et-Moselle). XIXe siècle. Français.

Peintre et dessinateur.

Élève de Cabanel et de Carrier-Belleuse. Il exposa au Salon de 1903 : *Portrait de Dorival, de l'Odéon.*

CASSE René Marie Roger
Né en janvier 1880 à Paris. XXe siècle. Français.

Peintre de portraits, compositions à personnages, intérieurs, copiste.

Il fut élève de l'Ecole des Beaux-Arts de Nancy, puis de l'Atelier Cormon à l'Ecole des Beaux-Arts de Paris. A partir de 1907, il exposa régulièrement au Salon de la Société Nationale des Beaux-Arts, dont il devint sociétaire en 1932, et où il obtint une médaille d'argent lors de l'Exposition Universelle de 1937. De 1932 à 1944, il exposa aussi au Salon des Tuileries, et de 1932 à 1941 au Salon des Artistes Indépendants.

Il a surtout exposé des portraits d'avocats, de médecins, d'écrivains. Il a réalisé de grandes décorations, notamment pour une Maternité de Nancy : des scènes bucoliques sur deux triptyques et deux panneaux se faisant vis-à-vis, ainsi que : *La consultation* et *Visite du Professeur Fruhinsholz à une récente accouchée.* Destinée à la Haute-Cour de Justice du Pérou à Lima, il a exécuté une copie de *La justice divine et la vengeance poursuivant le crime* de Prud'hon.

Roger Casse

Musées : DIGNE : *Paysage* – LIMA : *Vue de Colmar*, dess. reh. – NICE : *Le port d'Antibes*, copie d'après Joseph Vernet – PARIS (Mus. d'Art Mod.) : Deux Paysages.

CASSÉE Dick
Né en 1931 à Bloemendaal. XXe siècle. Hollandais.

Peintre. Abstrait-géométrique.

Il vit et travaille à Amsterdam. De 1950 à 1954, il y fut élève de l'Académie d'Art et d'Industrie. En 1961, il vint à Paris et travailla en gravure à l'*Atelier 17* de Stanley William Hayter. Depuis 1960, il participe à des expositions collectives : au Stedelijk Museum d'Amsterdam, 1965 Biennale Internationale des Jeunes à Paris, 1966 Biennales de gravure de Ljubljana et Tokyo, 1968 Salon de Mai à Paris, etc.

Il pratique une abstraction quasi géométrique, dans laquelle, sur un fond monochrome totalement dépouillé, seules quelques lignes obliquent créent certains rythmes.

CASSEGRAN Guillaume ou **Cassegrin, Gassegrin**
XVIIe siècle. Français.

Sculpteur.

Il fut reçu à l'Académie de Saint-Luc à Paris en 1672.

CASSEL Axel
Né en 1955 en Allemagne. XXe siècle. Actif en France. Allemand.

Peintre, sculpteur, artiste de performances, graveur. Tendance conceptuelle.

Avec sa famille il arriva dans le Sud de la France en 1970, puis à Paris en 1972. Après y avoir commencé des études de droit et d'économie, il entra à l'Ecole des Beaux-Arts en 1977, où il travailla surtout en gravure. En 1980, il obtint une bourse de séjour à la Casa Vélasquez à Madrid. Il participe à quelques expositions collectives. Quelques expositions personnelles lui ont été demandées : Paris 1978, 1983, 1985 à la Galerie La Hune et à la Foire Internationale d'Art Contemporain (FIAC), 1986 à la Galerie Albert Loeb, 1995 Centre d'art contemporain Raymond Farbos, Mont-de-Marsan... Il a réalisé une quarantaine de livres, albums, porte-folios, dont une dizaine avec Michel Butor.

Dès l'enfance, il fut sensible au rapport entre la mort, la terre et la tombe. Dans le jardin de ses parents en Allemagne, il érigeait déjà un cimetière pour les taupes. Lors de ses premiers travaux de sculpture, il les conjuguait avec des interventions tenant de la performance et du body art : dans un chantier parisien il enterre un sarcophage de sa confection et en met en scène quelques jours plus tard l'invention en public : « Dès qu'on sort quelque chose de la terre, ça déclenche chez les gens une force de rêve et d'imagination énorme. » Lors de son exposition de 1983 au

Musée en Herbe, il produit l'action *Ouroboros* au cours de laquelle il se couvre et se masque de boue. A ces actions concernant la découverte, l'ensevelissement, il ajoute le marquage et investissement d'un lieu : dans le chantier des Halles à Paris, il exécuta l'action *Installation rituelle* qui consista à élever une sculpture sur une paroi du forage du chantier. Il effectua encore des actions de ce type à deux reprises en Nouvelle-Guinée : *Abri* et *Sculptures de voyage.* Dans la période qui suivit ce deuxième voyage, il produisit encore des sculptures constituées par l'association d'un objet de récupération et d'une sculpture créée en fonction de la forme et de la matière de cet objet. H.-F. Debailleux décrit les sculptures de l'exposition de 1986 à la Galerie Albert Loeb : « ... de grandes figurines en terre ou en bronze, métissées de références, dressées immobiles en plein silence, majuscules de hiératisme et juste surmontées d'une tête grave, au regard d'ombre qui rayonne pourtant d'intensité et leur donne cet aspect de parfaite beauté calme ». D'autres presque semblables grandes stèles, dont les rares adjonctions ne sont plus forcément à ressemblance humaine, sont posées au sol, renvoyant à l'évidence de tombes. Actions et créations d'Axel Cassel sont dans toutes ses phases en relation avec un groupe de notions dans lesquelles sont toujours présentes terre, forme, matière, cérémonial, tombe, mort. De toute évidence les éléments sont réunis pour un rituel, dont Gérard Barrière écrit : « On le sent bien, cette œuvre procède d'un rituel. Mais d'un rituel sans mythologie, sans mythes fixés... Alors d'un rituel vide ? Je crois plutôt qu'ici le rite précède le mythe... comme, chez Pascal, l'agenouillement engendre la foi. » ■ Jacques Busse

BIBLIOGR. : Henri François Debailleux : *Axel Cassel*, in : *Beaux-Arts*, automne 1986 – Gérard Barrière : *Notes, Stèles et Notules pour une exposition Axel Cassel*, in : *Opus International*, Paris, hiver 1986 – Catalogue de l'exposition *Axel Cassel*, Gal. Albert Loeb, Paris, sep. 1986.

VENTES PUBLIQUES : PARIS, 7 oct. 1996 : *Sans titre*, bronze (131x63,5x7) : FRF 20 000.

CASSEL Léon
Né à Lille (Nord). XIXe-XXe siècles. Français.

Peintre de paysages.

Il fut élève de Léon Bonnat, d'Auguste Glaize. Il exposait à Paris, aux Salons des Artistes Français, dont il était sociétaire, et des Artistes Indépendants. Il a peint des paysages de Belgique, notamment à Bruges dans les années trente.

VENTES PUBLIQUES : BREST, 12 déc. 1982 : *Marché aux halles de Quimper* 1918, h/t (64x90) : FRF 5 600 – PARIS, 26 juin 1992 : *Portrait de femme* 1898, h/t (116x89) : FRF 28 000 – AMSTERDAM, 1er juin 1994 : *Nonnes dans un béguinage* 1912, h/t (97x130) : NLG 1 150 – LOKEREN, 10 déc. 1994 : *Santa Maria della Salute à Venise*, h/t, h/pap./pan. (64x49) : BEF 30 000.

CASSEL Pierre André Victor Félix
Né le 6 avril 1801 à Lyon (Rhône). XIXe siècle. Français.

Peintre.

Élève de l'École des Beaux-Arts de Lyon où il entra en 1820, il exposa au Salon de Paris, de 1824 à 1848, des sujets religieux, des sujets de genre, quelques portraits et paysages. On peut citer parmi ses œuvres exposées à Paris : *Le retour inattendu* (1831), *Le Christ marchant sur les eaux* (1836), *Une distraction, scène de cabaret* (1839), *Le Christ au jardin des Oliviers* (1840), *Nina attendant son bien-aimé* (1841), *Le Christ mort* (1843), *L'Assomption* (1845), *Le Christ au milieu des docteurs* (1846), *L'Incrédulité de saint Thomas* (1848), *Portrait de Henri de Bourbon, prince de Condé* (Musée de Versailles). Il habitait Bruxelles vers 1838.

CASSELLARI Vincenzo
Né en 1841 à Murano. XIXe siècle. Travaillant à Paris à partir de 1868. Italien.

Peintre de genre, portraits, miniaturiste, lithographe.

Il fut élève à Venise du peintre et lithographe allemand Heinrich Reinhart. Il a peint des miniatures à l'aquarelle et à l'émail, et à l'huile, des portraits et des scènes de genre. On cite de lui un *Portrait du roi d'Espagne Alphonse XIII* (miniature).

VENTES PUBLIQUES : NEW YORK, 18 juin 1982 : *La révérence au cardinal*, h/t (65,5x50,5) : USD 1 100.

CASSETTI Giacomo, dit **Marinali**
Mort vers 1760. XVIIIe siècle. Actif à Vicence. Italien.

Sculpteur.

Gendre et élève d'Orazio Marinali.

CASSEVARI Giovanni Battista
Né en 1789 à Gênes. Mort en 1876. XIXe siècle. Italien.

Peintre de portraits, miniatures.
Cassevari étudia à Florence où il fréquenta l'Académie de Benvenuti. Il assista aux campagnes de 1813-1814 et de Paris, et habita successivement à Turin, à Gênes, ainsi qu'à Florence et à Rome, où il s'adonna à l'étude des grands maîtres de la Renaissance. Cassevari peignit des miniatures pendant son séjour en Italie, mais plus tard, se rendant en Angleterre, il s'essaya dans le portrait à l'huile, genre dans lequel il se rapprocha du style de l'école italienne et hollandaise. Le *Bryan Dictionary* cite de lui un tableau historique dans l'église de Frosini, représentant la *Madone avec l'Enfant Jésus*.

CASSI Enrico
Né en 1863 à Cuasso al Monte (province de Côme). XIXe siècle. Italien.
Sculpteur.
Élève de Domenico Rasetti et, à la Brera de Milan, de Barzaghi.

CASSIANI Stefano, padre, dit Certosino
Originaire de Lucques. XVIIe siècle. Italien.
Peintre.
Membre de l'ordre des Chartreux.
Élève de Poccetti. Il a peint des fresques à l'église de la Chartreuse de Pise (1660) et à l'église Saint-Martin à Pontignano, près Sienne.

CASSIDY Gérald, dit aussi Ira-Diamond Jérald
Né en 1879 à Cincinnati (Ohio). Mort en 1934. XXe siècle. Américain.
Peintre de paysages, aquarelliste, illustrateur.
Il peignait des sites typiques de l'Amérique.
VENTES PUBLIQUES : SAN FRANCISCO, 3 oct. 1981 : *Indian chief*, h/t (41x30,5) : **USD 8 500** – NEW YORK, 7 déc. 1984 : *Compères du village au Mexique* 1923, h/t (50,7x41) : **USD 19 000** – NEW YORK, 31 mai 1985 : *Old garden* 1926, h/t (45,7x38) : **USD 3 500** – SAN FRANCISCO, 20 juin 1985 : *Indian settlement*, aquar. (19x19) : **USD 1 400** – NEW YORK, 24 juin 1988 : *Maison du Nouveau Mexique*, aquar./pap. (18,8x29) : **USD 2 860** – NEW YORK, 1er Déc. 1988 : *La piste poussiéreuse*, h/t (50,8x76,2) : **USD 19 800** – NEW YORK, 31 mars 1994 : *L'éclaireur* 1910, gche/cart. (39,4x57,5) : **USD 4 888** – NEW YORK, 1er déc. 1994 : *The orphan mesa* 1925, h/t (50,8x50,8) : **USD 21 850**.

CASSIDY John
Né en 1861 à Slane (comté de Meath). XIXe-XXe siècles. Irlandais.
Sculpteur de bustes.
Élève de la School of Art à Manchester. Il a exécuté un grand nombre de portraits. Il exposa à la Royal Academy en 1879 un buste de *sir Charles Hallé* et, en 1904, ceux de *H. H. Hilton* et *James Gresham*, en 1899, le buste de *G. Milner* à la New Gallery.

CASSIDY John
Né à Littlewood. XIXe-XXe siècles. Britannique.
Sculpteur de sujets allégoriques.
Sans doute identique au précédent. Il exposa à la New Gallery en 1893.
MUSÉES : SALFORD (Mus.) : *À la dérive*, groupe.

CASSIDY Tom
Né à Saint Louis (Missouri). XXe siècle. Américain.
Peintre de compositions animées. Figuration libre.
Il vit et travaille à New York et Paris. Il montre ses peintures dans des expositions personnelles : à Paris, notamment à la Galerie Jean-Claude Riedel, en 1980, 1984, 1988, 1989, 1991, à New York 1985.
Il peint, avec des savoir-faire et des moyens techniques très rudimentaires, apparentés à l'art naïf, à l'art brut, à la « bad painting », à la figuration libre, des scènes en tous genres, pêle-mêle : le cirque, les automobiles, la crucifixion. Parfois et par endroits se trahit une compétence graphique et picturale, ce qui incite à penser que cette facture mal peinte est délibérée et en concordance avec un mouvement de mode expressionniste primitif.

CASSIE James
Né en 1819 à Keith Hall (Écosse). Mort en 1897 à Édimbourg. XIXe siècle. Britannique.
Peintre de genre, paysages, marines.
Cassie exposa à Londres entre 1854 et 1879, à la Royal Academy, à la British Institution, à Suffolk Street et à d'autres expositions publiques.
Il reçut très peu d'instruction, se développant par l'étude de la nature et y puisant l'inspiration pour les effets de soleil couchant

et de clair de lune qu'il rend avec un charme de vérité pénétrante. Il habita longtemps à Aberdeen et fut nommé associé de la Scottish Academy en 1869, puis membre en 1897, l'année de sa mort.
MUSÉES : ÉDIMBOURG : *Le Matin*.
VENTES PUBLIQUES : PERTH, 13 avr. 1976 : *The Aberdeenshire coast*, h/t (42x75) : **GBP 220** – PERTH, 13 avr. 1981 : *A Highland Village* 1861, aquar. (24x34,5) : **GBP 440** – ÉCOSSE, 30 août 1983 : *King's college, old Aberdeen* 1848, h/cart. (30,5x45,5) : **GBP 1 000** – GLASGOW, 4 fév. 1987 : *Jour de pluie* 1894, h/t (35,5x30,5) : **GBP 1 300** – ÉDIMBOURG, 30 août 1988 : *Soleil levant sur l'estuaire de la Forth* 1868, h/t (68x124) : **GBP 8 800** – GLASGOW, 7 fév. 1989 : *Crépuscule à Queenferry* 1868, h/t (35,5x61) : **GBP 4 400** – GLASGOW, 6 fév. 1990 : *Temps pluvieux* 1874, h/t (37x31) : **GBP 2 090** – PERTH, 27 août 1990 : *Le chéri de grand-'mère* 1865, h/t (82x61) : **GBP 2 750** – PERTH, 30 août 1994 : *L'estuaire de Forth depuis l'embouchure de l'Almond* 1864, h/t (39,5x76,5) : **GBP 370**.

CASSIEN Paul Marie Félix
Né le 23 février 1902 à Brest (Finistère). XXe siècle. Français.
Peintre, graveur.
Depuis 1929, il exposa à Paris, au Salon de la Société Nationale des Beaux-Arts.

CASSIEN Victor Désiré
Né en 1808 à Grenoble (Isère). Mort en 1893 à Grenoble (Isère). XIXe siècle. Français.
Graveur, lithographe.

CASSIER Thomas
Mort en 1614 à Anvers. XVIe-XVIIe siècles. Actif à Anvers. Éc. flamande.
Peintre.
Il fut reçu à la Gilde d'Anvers en 1593.

CASSIERI Sebastiano ou Casser
D'origine allemande. Mort après 1648 à Venise. XVIIe siècle. Travaillant à Venise. Italien.
Peintre.
Élève de Domenico Tintoretto, dont il épousa la sœur Ottavia.

CASSIERS Bruno
Né en 1949 à Bruxelles. XXe siècle. Belge.
Dessinateur, illustrateur.
Il fit des études d'architecture. Il illustre surtout des ouvrages traitant de botanique.
BIBLIOGR. : In : *Diction. biogr. illustré des artistes en Belgique depuis 1830*, Arto, Bruxelles, 1987.

CASSIERS Henry ou Hendrick
Né en 1858 à Anvers. Mort en 1944 à Bruxelles. XIXe-XXe siècles. Belge.
Peintre de paysages urbains, marines, aquarelliste, graveur, illustrateur.
Il fut élève en architecture de l'Académie de Bruxelles. Il travailla dans un bureau d'architecte à Bruxelles. Séjournant souvent en Hollande, il y fut influencé par le peintre anglais de paysages, Charles W. Bartlett, et se mit à peindre à l'aquarelle et à la gouache. Il peignit des cartes postales pour un éditeur de Bruxelles. Il composa des affiches touristiques pour des compagnies maritimes. Il a illustré : *Contes des Pays-Bas* de Cyrille Buysse, *Trois femmes de Flandres* de Camille Mauclair, et un album consacré à *Bruges*. Il devint membre de l'Académie Indépendante de Bruxelles, puis fut président de la Société Royale Belge des Aquarellistes.
Ses affiches et illustrations sont caractérisées par la superposition réciproque d'aplats noirs et de réserves blanches, sur lesquels s'inscrivent alternativement quelques lignes de dessin blanches et les lignes plus nombreuses noires du dessin synthétique des détails narratifs des grandes formes, des costumes et des visages. Cette écriture nette et pleine peut faire penser à Vallotton. Ses peintures, aquarelles et gouaches, outre quelques scènes de genre, sont presque exclusivement des paysages de Belgique et de Hollande, notamment des sites urbains et des vues de canaux.

MUSÉES : ANVERS : *À Axelle*, aquar. – BRUXELLES : *Le quai du pêcheur à Ostende* – *Katwyck* – *Dimanche en Zélande*.

VENTES PUBLIQUES : LONDRES, 14 mai 1909 : *Sur l'Escaut*, dess. : **GBP 14** – PARIS, 20 nov. 1918 : *Maisons au bord d'un canal en Hollande* : **FRF 205** ; *Jour gris en Zélande*, aquar. gchée : **FRF 236** – PARIS, 8 juil. 1931 : *Un canal à Bruges* : **FRF 400** – BRUXELLES, 11 déc. 1937 : *Peinture* : **BEF 1 200** – PARIS, 30 mars 1949 : *Quai à Hoorn* : **FRF 19 100** – BRUXELLES, 4 mai 1976 : *L'église de Termonde*, gche (72x60) : **BEF 24 000** – BREDA, 26 avr. 1977 : *La vieille église de Katwijk*, h/pan. (77x66) : **NLG 4 400** – ANVERS, 25 oct. 1977 : *Marine*, aquar. (15x25) : **BEF 22 000** – ANVERS, 18 avr. 1978 : *Visite de Charles Quint à Bruxelles*, h/pap. (40x35) : **BEF 40 000** – NEW YORK, 24 nov. 1981 : *Scène de canal avec une femme et un enfant*, gche et craie de coul. (132,8x78,1) : **USD 2 300** – BRUXELLES, 16 juin 1982 : *Rue de la Cigogone à Bruxelles*, h/cart. (22x22) : **BEF 40 000** – LOKEREN, 16 fév. 1985 : *Venise*, gche (55x56) : **BEF 70 000** – ANVERS, 21 oct. 1986 : *Plage à Heist 1883*, h/pan. (39x49) : **BEF 55 000** – PARIS, 6 mars 1987 : *Personnages près d'une vieille ville des Flandres*, gche (54x43) : **FRF 5 800** – LOKEREN, 28 mai 1988 : *Une route de campagne en Hollande*, aquar. (15x24) : **BEF 11 000** – BRUXELLES, 27 mars 1990 : *Paysage hivernal au moulin*, aquar. (27x21) : **BEF 42 000** – AMSTERDAM, 23 avr. 1991 : *L'heure de la traite des vaches*, gche et aquar. (30x50) : **NLG 2 760** – BRUXELLES, 7 oct. 1991 : *Vieux pont à Bruges*, gche (23x23) : **BEF 42 000** – AMSTERDAM, 5-6 nov. 1991 : *Dimanche matin à Katwijk*, past. (73x62,5) : **NLG 8 050** – AMSTERDAM, 2-3 nov. 1992 : *Pêcheurs de Volendam sur un quai*, h/pan. (15x24) : **NLG 2 185** – LOKEREN, 9 oct. 1993 : *Paysage urbain avec un canal*, h/cart. (54x54) : **BEF 95 000** – LOKEREN, 10 déc. 1994 : *Moulin à Volendam*, temp./pap. (23,5x22,5) : **BEF 30 000** – LOKEREN, 9 mars 1996 : *Une femme avec des poules dans le jardin*, h/cart. (21,5x22,5) : **BEF 26 000**.

CASSIGNEUL Jean-Pierre
Né le 13 juillet 1935 à Paris. XXᵉ siècle. Français.
Peintre de figures, groupes, fleurs et fruits, lithographe.
Il fut élève de l'École des Beaux-Arts de Paris. Il expose depuis 1952, régulièrement en France, et à New York, Tokyo, etc. En 1977 à Paris, il a participé, à l'exposition *Meubles Tableaux* du Centre Beaubourg, avec un meuble d'appui Louis XVI, dont il a décoré les portes et les côtés de personnages féminins.
Peintre de la femme, ayant beaucoup regardé du côté de Van Dongen, il ne néglige pas les grands chapeaux fleuris, ni les allusions à l'époque qu'on appela « les années folles ». Ces peintures, enlevées avec facilité, bénéficient du charme de leur thème et obtiennent le juste succès auquel elles visent.

Cassigneul

VENTES PUBLIQUES : VERSAILLES, 23 juin 1981 : *Vase de fleurs*, h/t (73x116) : **FRF 2 000** – LILLE, 14 mars 1987 : *Jeune femme au vase rouge*, h/t (80x59) : **FRF 57 000** – PARIS, 7 mars 1988 : *Deux femmes sur la plage 1966*, h/t (73x60) : **FRF 95 000** ; *Élégante de profil accoudée devant un verre*, litho. n° 144/150 (75x56) : **FRF 6 500** – PARIS, 28 oct. 1988 : *Modèle nu 1963*, h/t (81x60) : **FRF 140 000** – PARIS, 1ᵉʳ fév. 1989 : *Portrait de femme*, h/t (46x38) : **FRF 58 000** – PARIS, 29 sep. 1989 : *Nature morte de fleurs et fruits 1955*, h/t (60x73) : **FRF 110 000** – PARIS, 9 oct. 1989 : *Les promeneurs*, h/t (65x50) : **FRF 380 000** – PARIS, 19 fév. 1990 : *Le Bouquet dans les bras 1986*, h/t (92x65) : **FRF 970 000** – PARIS, 26 mars 1990 : *Le Coup de vent 1973*, h/t (46x38) : **FRF 340 000** – PARIS, 10 mai 1990 : *Deauville*, h/t (81x60) : **FRF 440 000** – PARIS, 21 juin 1990 : *Les Deux Amies*, h/t (131x90) : **FRF 1 600 000** – PARIS, 26 nov. 1990 : *Le Bonheur entrevu 1987*, h/t (81x65) : **FRF 650 000** – PARIS, 27 nov. 1990 : *Les Planches à Deauville*, h/t (81x60) : **FRF 320 000** – NEW YORK, 12 juin 1991 : *Arbres en fleurs 1976*, h/t (45,7x38,1) : **USD 20 900** – PARIS, 13 déc. 1991 : *Deux Jeunes Femmes dans un jardin fleuri*, litho. coul. (56x45) : **FRF 11 000** – LONDRES, 30 juin 1992 : *Femme nue dans la chambre bleue 1968*, h/t (92x65) : **GBP 9 900** – HEIDELBERG, 3 avr. 1993 : *Vœux, femme au chapeau de profil droit*, litho. coul. (22,2x27) : **DEM 1 600** – NEW YORK, 2 nov. 1993 : *Francine III*, h/t (92x65,5) : **USD 34 500** – PARIS, 6 déc. 1993 : *Nu à la capeline noire 1977*, h/t (81x60) : **FRF 212 000** – NEW YORK, 8 nov. 1994 : *Les Chaises longues*, h/t (81,2x60) : **USD 46 000** – PARIS, 8 déc. 1994 : *Nu au chapeau*, h/t (130x89) : **FRF 440 000** – PARIS, 8 avr. 1995 : *Les Géraniums*, h/t (81x65) : **FRF 265 000** – NEW YORK, 30 avr. 1996 : *Soir d'été*, h/t (81x65) : **USD 39 100** – PARIS, 5 juin 1996 : *Vue de port*, h/t (55x65) : **FRF 11 000** – NEW YORK, 12 nov. 1996 : *Danseuse*, h/t (80,6x59,7) : **USD 36 800** – NEW YORK, 10 oct.

1996 : *Saint-Paul-de-Vence*, h/t (54x64,8) : **USD 40 250** – PARIS, 27 juin 1997 : *Promenade à Deauville 1969*, h/t (92x73) : **FRF 105 000** – NEW YORK, 9 oct. 1997 : *Portrait de femme aux chrysanthèmes*, h/t (81,3x65,5) : **USD 40 250**.

CASSIGNOLA Giacomo da ou Castignola, Cosignola
D'origine lombarde. Mort en 1588 à Rome. XVIᵉ siècle. Travaillant à Rome. Italien.
Sculpteur.

CASSIGNOLA Giovanni Battista da ou Castignola, Cotignola
XVIᵉ siècle. Actif à Rome dans la seconde moitié du XVIᵉ siècle. Italien.
Sculpteur.

CASSILEAR John W. Voir CASILEAR

CASSIMAN Jacques
Né en 1940 à Ninove. XXᵉ siècle. Belge.
Peintre de nus, paysages, intérieurs, dessinateur.
Il fut élève de l'Académie de Bruxelles. Il obtint le Prix Anto Carte en 1978.
BIBLIOGR. : In : *Diction. biogr. illustré des Artistes en Belgique depuis 1830*, Arto, Bruxelles, 1987.

CASSIMAN Roland
Né en 1937 à Ninove. XXᵉ siècle. Belge.
Peintre de figures, portraits, nus, paysages, marines.
De l'utilisation du clair-obscur, il dégage des effets de mystère.
BIBLIOGR. : In : *Diction. biogr. illustré des Artistes en Belgique depuis 1830*, Arto, Bruxelles, 1987.

CASSIN Hélène, Mme. Voir CAROLI Hélène

CASSIN Jacques
Né le 7 janvier 1739 à Londres. Mort le 15 février 1800 à Genève. XVIIIᵉ-XIXᵉ siècles. Suisse.
Dessinateur.
Cassin étudia le dessin avec Soubeyran à Genève, puis séjourna à Paris, où il reçut des leçons de Vien. Depuis 1775, professeur à l'École de dessin de Genève. Succéda (avec Vanière) à Soubeyran comme directeur de l'Académie d'après nature fondée par la Société des Arts, poste qu'il garda jusqu'en 1799. Il fut le maître du peintre sur porcelaine, Constantin.

CASSIN-LASSALE Pierre
Né à Paris. XIXᵉ-XXᵉ siècles. Français.
Peintre.
Élève de J. Adler et Bergès. A exposé un paysage au Salon en 1928.

CASSIN SAINT-LOUIS Charles
Né à Nouméa (Nouvelle-Calédonie). XXᵉ siècle. Français.
Peintre.
Exposant des Indépendants.

CASSINA Ferdinando
XIXᵉ siècle. Actif à Milan. Italien.
Graveur.

CASSINARI Bruno
Né le 29 octobre 1912 à Piacenza. Mort le 29 mars 1992 à Milan. XXᵉ siècle. Italien.
Peintre de compositions animées, figures, portraits, nus, paysages, natures mortes, peintre à la gouache, aquarelliste, peintre de techniques mixtes, dessinateur. Post-cubiste, puis tendance abstraite.
Après avoir suivi les cours du soir de dessin de l'Académie de Piacenza de 1926 à 1929, il fut élève d'Aldo Carpi à l'Académie de Brera à Milan, jusqu'en 1934. En 1939, il reçut le Prix National de la Jeune Peinture, se joignit en 1940 au groupe *Corrente*, qui manifestait son hostilité à l'art officiel du régime fasciste, et pour la première fois exposa avec leur groupe. Il participe à de très nombreuses expositions collectives, parmi lesquelles : la Biennale de Venise à partir de 1950, la Quadriennale de Rome, la Biennale de São Paulo, à Paris le Salon de Mai en 1963, en 1995 *Attraverso l'Immagine*, au Centre Culturel de Crémone, etc. Il fait de nombreuses expositions personnelles depuis la première en 1940 à Milan, où il exposa ensuite en 1947, 1949, 1954, ainsi qu'à Antibes 1950, New York 1953, Londres et Munich 1957, Rome 1958, etc. En 1941, il avait reçu le Prix Bergamo, en 1952 le Grand Prix de la Biennale de Venise, en 1955 le Prix National de Peinture.
Il était culturellement attaché à Cimabue, Giotto, Piero della Francesca, mais à son propre usage pictural il étudia surtout

Cézanne et Modigliani. Son œuvre, d'une grande unité découle des trois orientations majeures du début du siècle : fauvisme français auquel se rattache l'expressionnisme allemand, cubisme et abstraction. Du fauvisme et de Van Gogh son œuvre affiche la très sonore gamme chromatique dans laquelle dominent les bleus et les tons froids, la partition rythmique de la toile en arabesques qui se recoupent et la spontanéité de l'acte pictural à partir de la sensation. Il acquiesce au célèbre précepte de Matisse : « La couleur vaut par elle-même », et s'y conformera durant toute sa carrière. Du cubisme, alors dominant dans les années quarante, et de Cézanne, et surtout dans ses premières peintures, il tenait un dessin analytique des formes et leur mise en aplat sans perspective. De l'abstraction, par l'intermédiaire du cubisme analytique, il retenait l'annulation de la ressemblance superficielle et anecdotique en faveur de la logique des formes pour elles-mêmes et de leurs rencontres et interférences. Toutefois, il réfutait son appartenance à l'abstraction, d'autant plus énergiquement qu'elle apparaissait comme l'influence et la tentation dominantes dans son œuvre : « Ma peinture ne pourra jamais être abstraite dans le sens où elle ne pourra jamais être détachée de la réalité des sensations, ni privée de la joie de la présence des choses. » Il est donc le peintre d'une réalité transposée, d'où il exclut toute anecdote et qu'il réduit à ses seules constituantes plastiques très élaborées.

Après la sévère et longue éclipse de la guerre de 1939-1945, il adhéra au groupe La Jamaïca avec Birolli, Peverelli et Dova, puis, dès 1946, il se rallia au manifeste de l'Oltre Guernica, aux côtés de Guttuso, Turcato et Vedova. Cette référence au Guernica de Picasso signifiait plusieurs choses : un refus du fascisme et une adhésion à la gauche politique, l'attachement à la réalité et l'affirmation de la figuration en peinture, mais en outre, à l'exemple de Guernica et de Picasso, la revendication de la liberté des moyens graphiques et plastiques pour figurer cette réalité. Dans ces années de l'après-guerre, il se rendit à Vallauris pour rencontrer Picasso. À cette époque, la production de Cassinari consistait surtout, non en portraits, mais en personnages anonymes, sans visages et sans traits distinctifs, qui n'étaient que le prétexte et le support de la forme, au même titre que les natures mortes qui les flanquaient souvent, quelques courbes en forme de hanches rompant la stricte composition en damier. Dans la suite, son évolution naturelle l'amena d'une part à élargir ses thèmes à des compositions animées, par exemple : Fête au bord de la mer de 1956 ou à des paysages, d'autre part à se rapprocher encore plus de l'abstraction surtout après 1950, tout en revendiquant l'origine de ses œuvres dans le regard porté sur le monde extérieur. En cela il est exemplaire d'une abstraction caractéristique au moins des artistes de l'Europe latine, qui n'ont jamais renié que pour eux l'abstraction consistait à abstraire des faits plastiques à partir du spectacle et du répertoire de formes de la réalité.

■ Jacques Busse

Cassinari

BIBLIOGR. : André Verdet : Cassinari, Musée de Poche, Édit. G. Fall, Paris – Denis Milhau, in : Les peintres contemporains, Mazenod, Paris, 1964 – in : Les Muses, Grange Batelière, Paris, 1971 – in : Diction. Univers. de la Peint., Robert, Paris, 1975 – in : Catalogue de l'exposition Attraverso l'Immagine, Centre Culturel Santa Maria della Pietà, Crémone, 1995.

MUSÉES : ANTIBES – MILAN – NEW YORK – ROME – SÃO PAULO – TURIN.
VENTES PUBLIQUES : MILAN, 21-23 nov. 1962 : Portrait de dame : ITL 550 000 – MILAN, 25 nov. 1965 : Portrait de Madame Pons : ITL 650 000 – MILAN, 7 nov. 1967 : Paysage : ITL 750 000 – MILAN, 17 avr. 1969 : La colline : ITL 2 000 000 – MILAN, 27 oct. 1970 : Femme au travail : ITL 3 200 000 – MILAN, 28 oct. 1971 : Figure en vert : ITL 4 000 000 – MILAN, 18 mai 1972 : Nu : ITL 4 500 000 – MILAN, 16 mars 1976 : Portrait de jeune fille 1964, aquar. (54,5x40,5) : ITL 750 000 – MILAN, 9 nov. 1976 : Maternité 1952, h/t (120x80) : ITL 10 000 000 – MILAN, 5 avr. 1977 : Femme en violet 1965, h/t (121x60) : ITL 7 000 000 – MILAN, 14 juin 1977 : Étude pour le portrait de sa mère, gche/cart. entoilé (68x36) : ITL 600 000 – MILAN, 18 avr. 1978 : Nature morte 1953, h/t (80x120) : ITL 5 000 000 – MILAN, 24 mai 1979 : Eté 1961, h/t (93x130) : ITL 3 800 000 – ZURICH, 29 mai 1979 : Nu 1971, dess. à la pl. aquarellé (70x50) : CHF 2 600 – ROME, 19 juin 1980 : La Mère 1957, h/t (120x60) : ITL 7 500 000 – MILAN, 14 avr. 1981 : Portrait d'enfant, pl. (24x19) : ITL 500 000 – MILAN, 17 nov. 1981 : Le Modèle 1975, techn. mixte (70x50) : ITL 1 800 000 – MILAN, 8

juin 1982 : Composition avec fleurs 1966, h/t (90x90) : ITL 6 000 000 – MILAN, 15 nov. 1983 : Portrait de Laura 1950, encre de Chine (48,2x38,2) : ITL 1 300 000 ; Portrait 1951, gche (55x36) : ITL 1 000 000 – MILAN, 15 nov. 1984 : Portrait de femme, gche (66x47) : ITL 1 800 000 – MILAN, 14-15 mai 1985 : Nu couché 1984, gche (48,5x69,5) : ITL 2 400 000 ; Tête 1970, bronze (H. 30) : ITL 3 300 000 – MILAN, 10 déc. 1985 : Anna 1955-1956, h/t (81x130) : ITL 23 000 000 – MILAN, 16 oct. 1986 : Cheval, bronze (78x110x61,5) : ITL 40 000 000 – MILAN, 6 mai 1987 : Centaure 1976, bronze (220x200x95) : ITL 70 000 000 – MILAN, 14 déc. 1987 : Le Poisson noir 1952, h/t (69x99) : ITL 26 000 000 – MILAN, 14 mai 1988 : Nu féminin, aquar. et cr./pap. (70x50) : ITL 2 400 000 ; Chevaux et personnages 1969, gche (49x59) : ITL 2 900 000 – MILAN, 8 juin 1988 : Personnage en bleu à Antibes 1951, h/t (90x60) : ITL 40 000 000 – MILAN, 14 déc. 1988 : Composition 1953, h/t (38,5x54,5) : ITL 16 000 000 – ROME, 17 avr. 1989 : L'Aube 1955, h/t (80x115) : ITL 31 000 000 – COPENHAGUE, 10 mai 1989 : Portrait d'Enrica 1953, h/t (60x50) : DKK 75 000 – COPENHAGUE, 20 sep. 1989 : Portrait de Jesi, h/t (110x36) : DKK 80 000 – ROME, 6 déc. 1989 : Amelia 1978, h/t (55x45) : ITL 19 550 000 – MILAN, 27 mars 1990 : L'ananas 1969, h/t (80x100) : ITL 29 000 000 – MILAN, 12 juin 1990 : Souvenir de l'autoroute 1961, h/t (82x100) : ITL 34 000 000 – MILAN, 20 juin 1991 : Cheval 1975, bronze (80x84x30) : ITL 50 000 000 – LUGANO, 19 déc. 1991 : Figure rouge 1962, h/t (121x60) : ITL 50 000 000 – LUGANO, 28 mars 1992 : Figure en vert 1978, h/t (110x120) : CHF 36 000 – MILAN, 14 avr. 1992 : Un oiseau dans un bois, h/t (92x60) : ITL 24 000 000 – ROME, 24 mars 1992 : Arlequin 1958, h/t (114x145) : ITL 41 000 000 – MILAN, 9 nov. 1992 : Nu, encre aquarellée (63x35) : ITL 1 400 000 – ROME, 25 mars 1993 : Danseuse 1952, h/t (130x74,5) : ITL 39 500 000 – ROME, 8 nov. 1994 : Personnage en rouge 1985, h/t (70x50) : ITL 32 200 000 – MILAN, 9 mars 1995 : Giovanna, h/t (92x60) : ITL 21 275 000 – MILAN, 26 oct. 1995 : Fleurs 1960, h/t (70x98) : ITL 26 450 000 – MILAN, 20 mai 1996 : Personnage féminin, encre et aquar./cart. (63,5x36,5) : ITL 2 070 000 – MILAN, 10 déc. 1996 : Nu féminin au miroir 1953, aquar./pap. (66x47) : ITL 5 475 000 ; Nature morte 1957, h/t (38x55) : ITL 17 475 000.

CASSINI Giovanni Maria
XVIIIe siècle. Actif à Rome à la fin du XVIIIe siècle. Italien.
Graveur au burin, dessinateur.
Élève de G.-B. Piranesi. Il a surtout gravé des architectures et des perspectives. On cite de lui : Pelei et Tethydis Nuptiæ et un recueil de quatre-vingts vues, paru à Rome en 1779 : Nuova Raccolta delle megliori Vedute.

CASSINI Prospero
XIXe siècle. Actif à Gênes vers 1850. Italien.
Graveur.

CASSIOLI Amos
Né en 1832 à Asciano, dans la province de Sienne (Toscane). Mort en 1891 à Florence (Toscane). XIXe siècle. Italien.
Peintre d'histoire, sujets allégoriques, portraits, nus.
Il apprit la musique et la littérature au Séminaire d'Arezzo. Ses progrès étant peu sensibles, il quitta cette institution à la mort de son père, et une dame charitable s'étant mise à la tête d'une souscription pour lui faire terminer ses études de dessin, il alla étudier deux ans à l'Académie de Sienne. De là, il se rendit à Rome avec une pension modeste que lui fit le grand-duc et put ainsi se perfectionner. Dans un concours où il fut lauréat, il présenta La Bataille de Legnano.

Amos Cassioli

MUSÉES : FLORENCE (Gal. d'art Mod.) : Offrande au Printemps – Portrait – La Bataille de Legnano.
VENTES PUBLIQUES : BERLIN, 1894 : Scène à Pompéi : FRF 525 – LONDRES, 25 jan. 1908 : Le Page : GBP 10 – LONDRES, 21 mars 1910 : Cellini montrant sa statue de Perseus : GBP 7 – VIENNE, 29 nov. 1966 : Le tour de prestidigitation : ATS 20 000 – MILAN, 20 mars 1980 : Autoportrait, h/cart. (24x19) : ITL 1 300 000 – LONDRES, 20 juin 1984 : Une famille romaine, h/t (35,5x53) : GBP 2 000 – LONDRES, 29 mai 1985 : Une histoire amusante 1876, h/t (69x94) : GBP 3 600 – ROME, 20 mai 1987 : Nu debout, h/t, de forme ovale (43x33) : ITL 3 500 000 – PARIS, 25 mars 1991 : Le jugement 1874, h/t (75,5x100) : FRF 30 000 – MILAN, 26 mars 1996 : Intérieur du Palais d'Este avec le Tasse et Eleonore, h/pan. ; Le Tasse récitant devant Eleonore d'Este, h/cart., une paire (19,5x31,5 et 20,5x28,5) : ITL 9 200 000.

CASSIOLI Giuseppe
Né en 1865 à Florence. XIXe siècle. Italien.
Peintre, sculpteur.
Fils d'Amos Cassioli. Élève de son père et du sculpteur Tito Sarrochi. Il a exposé à Florence en 1884 des portraits, en 1885 une *Sainte Thérèse*, en 1886 : *Gilliat tuant la pieuvre*. Il a collaboré avec son père à l'exécution des peintures décoratives du Palais Communal de Sienne.

CASSIONI Giovanni Francesco
XVIIe siècle. Actif à Bologne vers 1678. Italien.
Graveur sur bois.
On connaît très peu de détails sur la vie de cet artiste. Il fournit des planches pour l'ouvrage de Carlo Cesare Malvasia, intitulé : *Felsina Pittrice*, publié à Bologne en 1678. On cite encore de lui : *Helena Lucretia* et *Cornelia Piscopia*.

CASSIOPYN Ferdinandus
XVIIe siècle. Actif à La Haye. Hollandais.
Peintre.

CASSIOPYN Thomas
XVIIe siècle. Actif à La Haye. Hollandais.
Peintre.

CASSISA Nicola ou Cassissa. Voir CAFISSA Nicolo

CASSIUS-VIGNAU Marcel
Né à Philippeville (Algérie). XXe siècle. Français.
Peintre de paysages, marines. Orientaliste.
Il exposait à Paris, au Salon des Artistes Français, entre 1929 et 1939. Il prenait ses thèmes à partir du paysage et de l'animation quotidienne d'Afrique du Nord.
VENTES PUBLIQUES : PARIS, 20 jan. 1988 : *Tartane à quai*, h/pan. (73x92) : FRF 4 900 – PARIS, 21 avr. 1996 : *Pêcheurs dans le port en Algérie*, h/pan. (73x92) : FRF 8 000 – PARIS, 2 juin 1997 : *Port de pêche, le marché aux poissons*, h/pan. (72x92) : FRF 16 000.

CASSON Alfred Joseph
Né en 1898 à Toronto. Mort en 1992. XXe siècle. Canadien.
Peintre de paysages.
Il peignit surtout des paysages tourmentés, la nature dans les moments d'intempéries, voire de tempêtes, de déchaînement des éléments : *L'orage retardé*. Il a été président de l'Académie Royale Canadienne.
BIBLIOGR. : Paul Duval : *Alfred Joseph Casson*, Ryetson Press, Toronto, 1951.
VENTES PUBLIQUES : TORONTO, 17 mai 1976 : *Paysage orageux*, aquar. (27x33) : CAD 3 000 – TORONTO, 19 oct. 1976 : *Paysage d'octobre 1973*, h/cart. (30x38) : CAD 3 000 – TORONTO, 9 mai 1977 : *Backwater – Georgian Bay*, h/cart. (50x60) : CAD 9 500 – TORONTO, 15 mai 1978 : *Leaside 1924*, h/cart. (23x28,5) : CAD 5 600 – TORONTO, 5 nov. 1979 : *On Yonge dear Bond Lake 1928*, h/cart. (23,2x28,2) : CAD 11 000 – TORONTO, 27 mai 1980 : *Matin d'été 1948*, h/t (75x90) : CAD 5 500 – TORONTO, 26 mai 1981 : *Jour d'été*, h/t mar./cart. (50x60) : CAD 65 000 – TORONTO, 1er juil. 1982 : *Nouvelle vie 1963*, h/cart. (60x70) : CAD 20 000 – TORONTO, 3 mai 1983 : *Octobre, rive nord, Lac Supérieur 1928*, aquar. (42,5x50) : CAD 22 000 – TORONTO, 14 mai 1984 : *Oxtongue lake 1977*, h/cart. (30x37,5) : CAD 4 600 – TORONTO, 28 mai 1985 : *Blizzard*, h/cart. (60x75) : CAD 18 000 – TORONTO, 3 juin 1986 : *La cabane des Lumberman, rivière Ottawa 1971*, h/t (76,2x91,4) : CAD 31 000 – TORONTO, 28 mai 1987 : *Couleurs enflammées d'automne, Redstone*, h/cart. (22,9x27,9) : CAD 9 500 – MONTRÉAL, 1er sep. 1987 : *Fleurs*, gche (24x30) : CAD 850 – MONTRÉAL, 6 déc. 1994 : *Colline à Port Coldwell 1928*, h/pan. (23,1x27,5) : CAD 9 000.

CASSON Hugh, Sir
XXe siècle. Britannique.
Peintre-aquarelliste de paysages.
VENTES PUBLIQUES : LONDRES, 4 nov. 1981 : *Dymchurch*, aquar. (15x17,5) : GBP 410 – LONDRES, 10 mai 1988 : *La pelouse « Ha-Ha » à Glyndebourne 1976*, aquar., encre noire à la pl. et reh. de blanc, projet pour la couverture du programme (30x47,2) : GBP 1 760 ; *La pièce d'eau de Glyndebourne 1979*, aquar. et cr., projet pour la couverture du programme (35x52,5) : GBP 1 650.

CASSOU Alfred
XXe siècle. Français.
Peintre.
Invité aux Tuileries en 1933 et 1935.

CASSOU Charles Georges
Né le 24 novembre 1887 à Paris. XXe siècle. Français.

Sculpteur de scènes de genre, figures.
Il fut élève de Jules F. Coutan à l'École des Beaux-Arts de Paris. Il obtint le Prix de Rome en 1920. Il exposait régulièrement au Salon des Artistes Français, dont il devint sociétaire, médaille d'or en 1926, hors-concours.
MUSÉES : PARIS (Mus. d'Art Mod. de la Ville) : *Miroir de Vénus*.

CAST, pseudonyme de Casteleyn Maria
Née en 1932 à Anvers. XXe siècle. Belge.
Peintre de paysages, animalier, dessinateur.
Elle peint surtout les paysages de l'Escaut et des Flandres.
BIBLIOGR. : In : *Diction. biogr. illustré des Artistes en Belgique depuis 1830*, Arto, Bruxelles, 1987.

CASTA Philippe
XXe siècle. Travaillant à Ajaccio (Corse). Français.
Peintre de paysages.
Il exposa au Salon des Artistes Français de Paris.

CASTAGNA Antonio
Mort en 1434. XVe siècle. Actif à Plaisance. Italien.
Peintre.

CASTAGNA Curtio
XVIIe siècle. Actif à Modène. Italien.
Peintre.

CASTAGNA Giuseppe
Né à Civitavecchia (Rome). XXe siècle. Italien.
Peintre.
Il a exposé aux Indépendants.

CASTAGNA Pino
Né en 1932 à Vicence. XXe siècle. Italien.
Sculpteur, céramiste. Tendance abstraite.
On a pu le voir en France à l'occasion, en 1984, de la Biennale Européenne de Sculpture en Normandie, à Jouy-sur-Eure. Il a défini sa position en sculpture par une négation : s'opposer à la tradition multiséculaire qui a limité le domaine de la sculpture au seul corps humain ou animal. Ses sculptures se réfèrent au monde végétal et au minéral, et tendent à se fondre dans les formes et les apparences du contexte naturel.

CASTAGNARA Bartolomeo di Battista
Originaire de Gênes. XVIe siècle. Travaillant à Naples à la fin du XVIe siècle. Italien.
Peintre.

CASTAGNARY Gabrielle
Née à Saintes (Charente-Maritime). XIXe-XXe siècles. Française.
Peintre de paysages.
Exposa aux Indépendants en 1907 et 1910. Fille du critique d'art J. Castagnary et de Marie-Amélie.

CASTAGNARY Marie Amélie, née Viteau
Née dans la seconde moitié du XIXe siècle à Saint-Mandé (Seine). XIXe siècle. Française.
Peintre de portraits, fleurs.
Elle fut élève de Maillard, Henner et Carolus-Duran. Sociétaire du Salon des Artistes Français depuis 1883 ; elle obtint une mention honorable en 1899 et fut promu chevalier de la Légion d'honneur.
MUSÉES : SAINTES : *Pivoines en arbre*.
VENTES PUBLIQUES : NEW YORK, 14 nov. 1985 : *Fleurs et tambourin 1890*, h/t (50x100) : USD 2 600.

CASTAGNEZ Pierre
Né à Castillon-sur-Dordogne (Gironde). XXe siècle. Français.
Peintre de paysages. Orientaliste.
Il a exposé à Paris, de 1933 à 1940, aux Salons de la Société Nationale des Beaux-Arts et d'Automne. Il a surtout peint des vues du Sénégal, du Soudan, de la Guinée.

CASTAGNINO Juan Carlos
Né en 1908 à Mar-del-Plata (province de Buenos Aires). Mort en 1971. XXe siècle. Argentin.
Peintre. Muraliste.
Il fut élève de l'École Nationale des Beaux-Arts Ernesto de la Carcova, puis de l'École d'Architecture de la Faculté de Buenos Aires. En 1948, il obtint le Premier Prix du Ministère de l'Éducation, puis en 1956 le Grand Prix. En 1958, il figurait au Pavillon de l'Argentine à l'Exposition Internationale de Bruxelles, en 1960 à la Biennale de Mexico, en 1961 à l'exposition *150 ans d'Art Argentin*. Il a également montré ses œuvres au cours d'expositions personnelles, à Buenos Aires, Rio de Janeiro, Lima, Was-

hington. De 1943 à 1964, il exécuta plusieurs compositions murales en Argentine et en Uruguay.

Devenu familier, à l'occasion de ses nombreux voyages en Europe, avec les Avant-Gardes, de Carra à Picasso, et de Sironi à Léger, le travail de Castagnino allait s'en trouver imprégné à son retour en Argentine et jusqu'à la fin de sa vie.

VENTES PUBLIQUES : NEW YORK, 17 mai 1995 : *Réveil matinal* 1941, h/t (148x103,8) : USD 17 250.

CASTAGNO Andrea del. Voir ANDREA del Castagno

CASTAGNOLA Bartolomeo

XVIᵉ-XVIIᵉ siècles. Travaillant en Sardaigne. Italien.
Peintre.

CASTAGNOLA Gabriele

Né en 1828 à Gênes. Mort en 1883 à Florence. XIXᵉ siècle. Italien.
Peintre d'histoire, scènes de genre.
Il vécut longtemps à Florence.

G. Castagnola

MUSÉES : FLORENCE : *Filippo Lippi déclarant son amour à la religieuse Buti* – GÊNES (Gal. Bianco) : *Mort d'Alexandre de Médicis.*
VENTES PUBLIQUES : LOS ANGELES, 6 nov. 1978 : *Couple d'amoureux* 1873, h/t (84x65) : USD 1 800 – NEW YORK, 28 mai 1980 : *La couronne de fleurs* 1880, h/t (66x47) : USD 1 500 – MILAN, 22 avr. 1982 : *Filippo Lippi dichiari il suo amore alla monaca Buti* 1867, h/t (54x44) – MILAN, 23 mars 1983 : *Filippo Lippi et Lucrezia Buti*, h/t (60x40) : ITL 1 700 000 – MILAN, 7 nov. 1985 : *Filippo Lippi e la monaca Buti* 1879, h/t (60x40) : ITL 2 600 000 – ROME, 14 déc. 1988 : *La novice* 1876, h/pan. (16,5x10,5) : ITL 700 000 – NEW YORK, 17 jan. 1990 : *La rencontre* 1875, h/pan. (18,1x23,5) : USD 4 125 – NEW YORK, 20 fév. 1992 : *Faust et Marguerite* 1870, h/t (88,9x69,9) : USD 5 775 – NEW YORK, 28 mai 1992 : *Un geste amical* 1876, h/t (110,5x69,9) : USD 9 900 – NEW YORK, 26 mai 1993 : *La séduction* 1877, h/t (69,9x111,8) : USD 5 750.

CASTAGNOLA Joao

Né en 1775 à Lisbonne, de parents italiens. Mort en 1806. XVIIIᵉ-XIXᵉ siècles. Portugais.
Peintre de miniatures.

CASTAGNOLI Bartolomeo

Né à Castelfranco Veneto. XVIᵉ siècle. Travaillant à Trévise. Italien.
Peintre.

CASTAGNOLI Cesare

Né vers 1570 à Castelfranco Veneto. Mort en 1630. XVIᵉ-XVIIᵉ siècles. Italien.
Peintre.
Il est le frère de Bartolomeo Castagnoli. Il travailla surtout à Trévise.

CASTAGNOLI Giovanni

Né en 1864 à Borgotaro (province de Parme). XIXᵉ siècle. Travaillant à Parme, puis en Amérique du Sud. Italien.
Sculpteur.
Étudia à Parme et à Florence. Exposa, en 1886, à Florence : *Enfant dormant, Épisode du désastre de Casamicciola.*

CASTAGNOLO E. T.

XIXᵉ siècle. Italien.
Peintre d'histoire.
Le Musée de Sheffield conserve de lui : *Soldat italien* (aquarelle).

CASTAIGNE J. André

Né dans la seconde moitié du XIXᵉ siècle à Angoulême (Charente). XIXᵉ-XXᵉ siècles. Français.
Peintre de portraits.
Il fut élève de Gérôme. Sociétaire du Salon des Artistes Français depuis 1888, il y exposa entre 1885 et 1896, obtenant une mention honorable en 1889. Il fut décoré de la Légion d'honneur en 1899. On cite de lui : *Alexandre le Grand à Memphis.*

a. Castaigne

VENTES PUBLIQUES : NEW YORK, 30 oct. 1985 : *Le dépôt* 1911, h/t (48,2x79) : USD 3 800 – NEW YORK, 29 oct. 1987 : *L'arrivée à New*

York, h/t (78x51) : USD 22 000 – PARIS, 29 juin 1988 : *Un drame chez les forains*, h/t (65x65) : FRF 22 000.

CASTAIGNET Jean-Baptiste

Né le 29 janvier 1852 à Asques (Gironde). Mort le 2 septembre 1934 à Bordeaux. XIXᵉ-XXᵉ siècles. Français.
Peintre de paysages, aquarelliste.
Vers 1880, il s'inscrivit au cours de Louis Auguste Auguin à Bordeaux et fit partie, avec une dizaine d'artistes dont Rosa Bonheur, du groupe appelé *L'Atelier.* Depuis 1893, il a participé à de nombreuses expositions collectives, à Bordeaux, Toulouse, Pau, Royan et dans tout le Sud-Ouest jusqu'à Lorient. Il a reçu diverses distinctions. En 1992, le Musée de Libourne a organisé une exposition d'un ensemble important de ses œuvres. Depuis 1900, il fut professeur de peinture décorative à la Société Philomatique de Bordeaux.
Il a surtout peint les paysages de la Gironde, la Dordogne et la Garonne, la campagne et les sous-bois, les bords de mer, du Cap-Ferret, du Bassin d'Arcachon, Royan et Saint-Palais. Paysagiste, il a travaillé, en marge du courant impressionniste, se référant à Corot et aux peintres de Barbizon.
BIBLIOGR. : Catalogue de l'exposition *Jean-Baptiste Castaignet*, Mus. des Beaux-Arts, Libourne, 1992.

CASTAING Georges

Né le 6 janvier 1895 à Villeneuve-sur-Lot (Lot-et-Garonne). XXᵉ siècle. Français.
Peintre de portraits, nus, paysages. Expressionniste.
Il fut élève de Lucien Jonas et Michel Dupuy. Il exposait à Paris, de 1930 à 1968 au Salon des Artistes Indépendants, à partir de 1946 au Salon des Artistes Français, dont il devint sociétaire.

CASTAING Henry Joseph

Né le 1er août 1860 à Pau (Pyrénées-Atlantiques). Mort le 25 janvier 1918 à Pau. XIXᵉ-XXᵉ siècles. Français.
Peintre de portraits, d'œuvres religieuses, de décorations profanes, de scènes intimistes, dessinateur et pastelliste.
De 1881 à 1887, il fut élève de Victor Venat à Pau. Il passa ensuite deux années en Italie où il étudia la composition à l'Académie Santa Lucia de Rome sous la conduite des maîtres Brushi et Sciuti. En 1890, il entra à l'École des Beaux-Arts de Paris, dans l'atelier de Laparra, Léon Bonnat et Benjamin Constant. À partir de 1892, date de son retour à Pau, il partagea son temps entre l'enseignement du dessin et la production ininterrompue d'œuvres religieuses et profanes. Il exposa à Paris, au Salon des Artistes Français, entre 1898 et 1908, puis en 1914.
Sa profonde piété et son excellente connaissance de l'histoire et de l'iconographie religieuses sont sensibles dans la vingtaine d'églises et de chapelles qu'il décora. La série qu'il réalisa en 1895 pour la chapelle du Collège Notre-Dame d'Oloron-Sainte-Marie mérite en particulier d'être signalée, puisqu'elle suscita les éloges d'Eugène Carrière et de Maurice Denis, et fut inscrite en 1980 au catalogue portant « l'Inventaire général des Monuments et Richesses artistiques de la France ». On peut aussi citer les œuvres exécutées pour les églises Notre-Dame, Saint-Jacques et Saint-Martin de Pau. Mais Castaing fut également un portraitiste talentueux, et pour cette raison le peintre préféré de la société paloise de la Belle Époque, maîtrisant parfaitement des techniques aussi différentes que l'huile, la sanguine, le pastel.
MUSÉES : PAU (Mus. des Beaux-Arts).
VENTES PUBLIQUES : VERSAILLES, 21 fév. 1982 : *Mère et enfant*, past. (34,5x47) : FRF 4 000.

CASTAING René Marie Joseph

Né le 16 décembre 1896 à Pau (Pyrénées-Atlantiques). Mort le 8 décembre 1943 à Tarbes (Hautes-Pyrénées). XXᵉ siècle. Français.
Peintre de sujets religieux, portraits, paysages, compositions murales, peintre de cartons de vitraux.
Il était fils d'Henry Joseph Castaing, de qui il reçut les premiers conseils. Lors de la guerre de 1914-1918, il s'engagea à l'âge de dix-huit ans, envoyé en Champagne, en Lorraine, en Macédoine, puis, après l'armistice, en Algérie. À la mort de son père, Il fut aussi élève, en 1919, de William Laparra et Paul-Albert Laurens à l'Académie Julian de Paris. En 1920, il fut admis à l'École des Beaux-Arts, y obtint plusieurs récompenses, puis le premier Grand Prix de Rome en 1924, avec *Jésus chez Marthe et Marie.* Ensuite, retour de la Villa Médicis en 1928, vivant et travaillant à Pau, il continua à exposer à Paris, au Salon des Artistes Français, où il avait débuté à l'âge de seize ans, dont il devint sociétaire, médailles d'argent 1929 et 1930, Prix Antoine de Neuville 1932,

médaille d'or 1936 pour *La Résurrection de la chair* destinée à la décoration de l'église de Bizanos, hors-concours et Prix Gabriel-Ferrier 1939.

Il a donc fait carrière à Pau. Il traita des sujets très différents, adaptant son style selon les cas, académique, parfois baroque. Après 1932, la fréquentation de René Morère l'incita à des accents expressionnistes. Il donna des dessins humoristiques pour diverses publications, dont *L'Illustration*, *La Revue Française*, etc. Il a peint de nombreux portraits de la société paloise de son temps. Il a aussi peint des paysages pyrénéens. Les sujets religieux ont surtout été destinés à des travaux de décoration : 1930-1936, vingt-huit peintures pour l'église de Bizanos qui constituent sa réalisation la plus importante ; chemin de croix de l'église de Bidache ; décor de la chapelle de l'hôpital d'Auch ; décor de la salle de Lourdes dans un pavillon de l'Exposition Internationale de 1937. Il a aussi exécuté des décorations pour la Villa Saint-Basil's à Pau, pour le château de Diusse ; etc. Ses vingt-huit peintures destinées à la décoration de l'église de Bizanos l'ayant accaparé pendant six années, d'une part donnent une idée assez complète de son talent, d'autre part démontrent la diversité de ses références stylistiques, depuis les primitifs italiens, puis Michel-Ange, jusqu'aux réalistes des XIXe et XXe siècles, cette dernière référence étant particulièrement sensible dans l'ambitieuse composition de l'*Hommage des habitants de Bizanos à leur patron saint Magne*, où l'on retrouve l'écho de *L'Enterrement à Ornans* de Courbet. ■ J. B.

BIBLIOGR. : Annie Roux-Dessarps : *La Décoration de l'église de Bizanos par René-Marie Castaing, peintre et décorateur béarnais, 1896-1943*, in : *Festin*, revue cult. et artist. d'Aquitaine, oct. 1994, étude très complète, extraite de son mémoire de l'École du Louvre *Essai de catalogue de l'œuvre de René-Marie Castaing, Grand prix de Rome 1924, peintre et décorateur béarnais, 1898-1943*, non publié.

MUSÉES : BÉTHARRAM : *Ossaloise en costume traditionnel* – *Études pour l'illustration de l'histoire de saint Bernard de Morlaas* – PAU (Mus. des Beaux-Arts) : *La Relève* – *Jésus chez Marthe et Marie*, esquisse – *Portrait de René Morère* – *Le Chapeau de paille d'Italie* – *Autoportrait à l'âge de quarante-deux ans* – PAU (Mus. Béarnais) : *Autoportrait au béret et à la pipe* – deux feuilles d'études anatomiques – TARBES (Mus. Massey) : *Portrait d'homme, âgé, barbu*.

VENTES PUBLIQUES : NANTES, 18 oct. 1992 : *Étude pour L'Assomption 1937*, fus. et craie, dess. (64x57) : **FRF 6 100** – PAU, 23 oct. 1993 : *Portrait de femme*, trois cr., dess. : **FRF 8 000** ; *Autoportrait*, h/cart. (30x47) : **FRF 5 000**.

CASTAING-DARDENNE Marguerite, née **Castaing**

Née le 28 août 1900 à Pau (Pyrénées-Atlantiques). Morte le 28 octobre 1984 à Ridgeheld (Etats-Unis). XXe siècle. Française.

Peintre de portraits, nus, paysages, sculpteur. Post-impressionniste.

Fille de Joseph Castaing et sœur de René-Marie Castaing qui furent l'un puis l'autre ses professeurs, elle suivit à Paris l'enseignement de Pierre Bonnard. Elle fit d'abord carrière en France. Membre des Artistes Français, elle y expose de 1930 à 1938. En 1941, ayant épousé en secondes noces un Américain, elle part pour les États-Unis où se déroulera tout le reste de sa carrière. Elle s'y manifesta dans de nombreuses expositions à New York, Salisbury, Sarasota, Pittsfield.

Elle se définissait elle-même comme une impressionniste affectionnant particulièrement le bleu.

MUSÉES : NEW YORK (Nat. Gal.).

CASTALDI Francesco Maria

Originaire de Modène. XVIe siècle. Travaillant à Bologne. Italien.

Peintre.

CASTALDINI Luciano

Né à Bologne. XIXe siècle. Italien.

Peintre.

Cet artiste eut toujours du succès dans les expositions où il participa. Mentionnons : *Le Chœur de l'église de Sainte-Pétronille de Bologne* (exposé à Turin, en 1880), *Maisons rustiques des Apennins* (exposé à Rome en 1883).

CASTALDO Francesco Coppola. Voir COPPOLA CASTALDO Francesco

CASTALIUS von Katzenberg Daniel

XVIe siècle. Allemand.

Sculpteur.

CASTAN E.

XIXe siècle. Actif à Paris. Français.

Graveur à l'eau-forte, au burin, et à la manière noire.

Le Blanc cite de lui : *Faustin premier*, *Haumé, curé de Sainte-Marguerite*, d'après Léopold Parnet, *Pie IX*, Anonyme, *coiffé du fez des Turcs*, d'après Biennoury.

CASTAN Gustave Eugène ou **Élysée**

Né le 25 décembre 1823 à Genève. Mort le 29 juillet 1892 à Crozant (Creuse). XIXe siècle. Suisse.

Peintre de paysages, graveur, lithographe, illustrateur.

Il commença ses études artistiques sous la direction de Calame, qu'il suivit en Italie en 1845. Il se rendit ensuite à Paris, puis voyagea en France, Belgique ; exposa à Vienne en Autriche, à Turin, à Paris, etc. En 1891, il fut président de la classe des Beaux-Arts de la Société des Arts de Genève.

Il sait rendre la transparence des feuillages, allant jusqu'aux bifurcations des branches, mais les empâtements trop compacts. Influencé par Corot, il allège sa palette, utilisant fréquemment les tonalités grises pour ses roches nues. Parmi ses lithographies, citons celles pour : *Esquisses d'atelier*, publication du Cercle des artistes de Genève, 1853 ; *L'Album de la Suisse romane* ; parmi ses eaux-fortes, il en réalisa cinq pour le *Schweizer Kunst, Weihnachtsalbum*. Il fit également des illustrations pour les journaux illustrés tels que *La Suisse*.

Gustave CASTAN✓

BIBLIOGR. : Gérald Schurr, in : *Les Petits Maîtres de la peinture 1820-1920, valeur de demain*, Les Éditions de l'Amateur, t. IV, Paris, 1979.

MUSÉES : BÂLE : *Paysage au bord d'un fleuve* – *Moisson à la lisière d'un bois* – BERNE : *Première neige au bord du lac d'Oeischinen* – *Lisière de forêt près de Colombier* – *Côtes de Bretagne* – *Ruisseau sous bois* – *Aux Baux, près d'Arles* – *Sous les ombrages* – *Sur les bords du Suran* – douze études – CHAMBÉRY (Mus. des Beaux-Arts) : *Paysage d'hiver* – *Souvenir d'Anvers* – GENÈVE (Mus. Rath) : *Paysage d'hiver* – LANGRES : *Intérieur de forêt* – LILLE : *Paysage* – *Les bords de la Creuse à Gargilesse* – NEUCHÂTEL : *Dessous de bois* – *Porte aux Baux, Provence* – *Ruines aux Baux*.

VENTES PUBLIQUES : PARIS, 1872 : *Soleil couchant en hiver* : **FRF 2 500** – PARIS, 27 avr. 1900 : *Village au bord de la mer* : **FRF 170** – LUCERNE, 21 juin 1963 : *Paysages montagneux* : **CHF 1 250** – LUCERNE, 19 juin 1964 : *Oliveraie à Hyères* : **CHF 1 600** – BERNE, 23 oct. 1965 : *Côte normande* : **CHF 3 300** – BERNE, 18 nov. 1972 : *Bord de mer escarpé* : **CHF 7 200** – ZURICH, 28 mai 1976 : *Chasseur dans un paysage d'hiver*, h/t (80x130) : **CHF 3 400** – LUCERNE, 17 juin 1977 : *Paysage fluvial*, h/t (65,5x97,5) : **CHF 10 000** – BERNE, 24 août 1979 : *La Côte normande*, h/t (90x147) : **CHF 9 000** – LUCERNE, 25 mai 1982 : *Paysage boisé, ensoleillé*, h/t (80x130) : **CHF 36 000** – ZURICH, 3 juin 1983 : *Paysage de l'Oberland bernois*, h/t (79,5x130) : **CHF 24 000** – BERNE, 21 oct. 1983 : *Bord de mer escarpé*, aquar. (19x28) : **CHF 2 200** – BERNE, 3 mai 1985 : *Bord de lac escarpé*, aquar. (19x28) : **CHF 2 000** – LUCERNE, 28 mai 1985 : *Berner Oberland mit Rosenlaui 1864*, h/t (80x130) : **CHF 22 000** – BERNE, 30 avr. 1988 : *Paysage matinal au bord d'une rivière*, h/t (65x98) : **CHF 22 000** – BERNE, 12 mai 1990 : *Paysanne en forêt en automne*, h/cart./bois (40x60) : **CHF 9 000** – ZURICH, 7-8 déc. 1990 : *Soleil hivernal sur le quai du Mont Blanc à Genève*, h/pan. (32,7x45,8) : **CHF 22 000** – ZURICH, 29 avr. 1992 : *Paysage d'automne*, h/t (33x41) : **CHF 4 000** – ZURICH, 9 juin 1993 : *Chasseurs au soleil levant dans un bois*, h/t (66x97) : **CHF 13 800** – ZURICH, 2 juin 1994 : *Paysage breton*, h/pan. (38,5x59) : **CHF 8 050** – ZURICH, 4 juin 1997 : *À la Gemmi, petit lac*, h/bois (38x59) : **CHF 5 750**.

CASTAN Louis

Né en 1828 à Berlin. Mort en 1909. XIXe-XXe siècles. Allemand.

Sculpteur.

Élève de l'Académie de Berlin et de Rauch. Exposa en 1865 et 1867 à la Royal Academy, à Londres – où il était alors fixé –, et à Berlin en 1874.

CASTAN Pierre Jean Edmond

Né le 28 novembre 1817 à Toulouse (Haute-Garonne). XIXe siècle. Français.

Peintre de genre, portraits, paysages, graveur.

Il fut élève de Drolling et de Gérard. Il s'établit à Paris et figura au Salon, de 1844 à 1874. Parmi ses œuvres, signalons : *Le Braconnier*, *Effet de crépuscule*, *Le rendez-vous*.

Musées : Nîmes : *Une épave.*
Ventes Publiques : Londres, 24 juin 1900 : *La confiance :* **GBP 25** – Londres, 30 nov. 1907 : *Dérobant les confitures :* **GBP 6** – New York, 7 fév. 1910 : *Le jeu de cartes :* **GBP 95** – Londres, 12 fév. 1910 : *La mère aimante :* **GBP 15** – Paris, 30 avr. 1919 : *Près de la source :* **FRF 625** – Paris, 28-29 nov. 1923 : *Petite fille tricotant :* **FRF 1 250** – Londres, 4 avr. 1930 : *La lettre d'amour :* **GBP 13** – Paris, 18 juin 1930 : *Jeune berger dans les Pyrénées :* **FRF 350** – Londres, 17 nov. 1933 : *Les pas familiers 1876 :* **GBP 16** – Londres, 9 avr. 1934 : *La prière de la mère 1865 :* **GBP 10** – Londres, 21 mai 1937 : *La récréation :* **GBP 15** – New York, 18 fév. 1944 : *Sur la côte 1866 :* **USD 120** – Londres, 7 fév. 1968 : *Souvenirs :* **GBP 240** – Londres, 8 oct. 1971 : *Le retour :* **GNS 260** – New York, 21 jan. 1978 : *Après le bal,* h/pan. (33x25) : **USD 2 000** – Los Angeles, 23 juin 1980 : *Fillette nourrissant des poules,* h/t (21,5x16,5) : **USD 3 250** – Copenhague, 2 nov. 1982 : *Jeux d'enfants 1868,* h/pan. (37x46) : **DKK 62 000** – New York, 30 oct. 1985 : *La cour de l'école,* h/t (74,3x119,4) : **USD 18 000** – Londres, 26 fév. 1988 : *Réserve des poires pour l'hiver 1884,* h/pan. (29,2x20,3) : **GBP 2 640** – Calais, 3 juil. 1988 : *Le marchand d'étoffes 1876,* h/t (60x73) : **FRF 118 000** – New York, 19 fév. 1992 : *Les bonnes nouvelles 1869,* h/pan. (27,6x21,9) : **USD 15 400** – New York, 27 mai 1993 : *La petite maman 1873,* h/pan. (33x24,8) : **USD 9 775.**

CASTAN-BOURGEOIS Suzanne, Mme
Née à Revin (Ardennes). XXᵉ siècle. Française.
Peintre.
Elle exposait à Paris au Salon des Artistes Français en 1933.

CASTANE YXAMUSET Juan
Né à Barcelone. XIXᵉ siècle. Espagnol.
Peintre.
Élève de l'École des Beaux-Arts de Barcelone. Exposa à Madrid en 1864 et à Barcelone en 1866.

CASTANEDA Alfredo
Né en 1938. XXᵉ siècle. Mexicain.
Peintre de figures. Tendance surréaliste-naïve.
L'apparentement au surréalisme n'est dans le cas de Castaneda qu'une approximation. Dans bon nombre de ses peintures d'époques différentes, un visage d'homme, peint traditionnellement, qui ressemble un peu à Goya, plutôt impassible qu'interrogatif, occupe le bas de la peinture, et est surmonté tantôt au bout d'une hampe d'une tenture flottant comme un drapeau, tantôt d'une sorte de « bougé », est parfois vierge de tout texte, à moins d'y transférer – s'il y a – le titre de la peinture : *Qui te le dit ? Quoique ? Je veux seulement te demander pardon,* etc., titres qui ne peuvent qu'augmenter la perplexité du spectateur. Parfois le visage de ce personnage peut être prolongé en dessous par un buste, des bras et les mains afférentes. Son visage, peut-être en référence naïve à Picasso ou bien simplement pour créer un effet de « bougé », est parfois multiplié par deux nez et donc trois yeux. C'est une peinture qui se fonde sur l'énigme, une peinture qui a, par le moyen inhabituel du non-dit, évacué le sens au profit d'une image à deux aspects : le visage peint dans la bonne tradition, l'accessoire qui le surmonte dont forme et traitement technique peuvent évoquer la modernité. Comme parfois chez les peintres latino-américains, une technique apparemment savante laisse pourtant percer quelque naïveté d'intention. ■ J. B.

[signature]

Ventes Publiques : New York, 17 oct. 1979 : *Leve Brotava su Natural Primavera 1978,* h/isor. (78x78) : **USD 13 000** – New York, 9 mai 1980 : *Présence 1975,* acryl./t. (119,3x160,3) : **USD 7 000** – New York, 8 mai 1981 : *Homme avec propriété 1968,* aquar. et cr. (28,5x22) : **USD 1 600** – New York, 10 juin 1982 : *Que tipo de semillas tiene usted ? 1971,* acryl. et cr./cart. (66x51) : **USD 3 500** – New York, 12 mai 1983 : *Quelques préparatifs pour le voyage 1978,* h. et photo./bois (88,9x80) : **USD 5 000** – New York, 29 mai 1984 : *Vendeur de miracles 1971,* h/pan. (78,2x78,2) : **USD 14 000** – New York, 30 mai 1985 : *Tête 1971,* h/cart. (37x42) : **USD 3 000** – New York, 22 mai 1986 : *Miroir 1971,* h., collage, photo. et verre/pan. (50x50) : **USD 3 500** – New York, 17 nov. 1987 : *Bipartition d'un sage penseur 1969,* h/t (80x60) : **USD 34 000** – New York, 17 mai 1988 : *Miroir 1971,* h/cart., avec photo. et miroir (50x50) : **USD 2 640** – New York, 21 nov. 1988 : *La vocation d'Ézéchiel 1986,* h/t (120x120) : **USD 23 100** ; *Au début du voyage 1971,* h/t (80x80) : **USD 9 350** – New York, 17

mai 1989 : *Où pourrions nous ne pas être absents ? 1986,* h/t (80x80) : **USD 26 400** – New York, 21 nov. 1989 : *Ne pas comprendre 1973,* h/t (100x100) : **USD 26 400** – New York, 1ᵉʳ mai 1990 : *Figure nᵒ 14 1982,* h/t (40,3x40) : **USD 12 100** – New York, 2 mai 1990 : *Constamment divisé 1980,* h/pan. (78x78) : **USD 44 000** – New York, 20-21 nov. 1990 : *Le coin de l'affection 1972,* h. et collage de photo./pan. (100x100) : **USD 25 300** – New York, 24 nov. 1992 : *Voyante 1984,* graphite et cr. de coul./cart. (24,1x30,5) : **USD 4 950** – New York, 18 mai 1993 : *Figure dans un paysage 1980,* h/t (76,5x102) : **USD 48 300** – New York, 23-24 nov. 1993 : *Les derniers de Rosita 1970,* acryl. et collage/pan. (105,4x103) : **USD 63 000** – New York, 17 mai 1994 : *La fin ou le commencement ? 1986,* h/t (100x100) : **USD 96 000** – New York, 25-26 nov. 1996 : *Ici est le centre 1984,* h/t (100,6x100,6) : **USD 60 250** – New York, 29-30 mai 1997 : *Dos 1980,* h/t (101,3x75,9) : **USD 24 150.**

CASTANEDA Felipe
Né en 1933 à La Palma (Michoacan). XXᵉ siècle. Mexicain.
Sculpteur de statuettes de figures, nus.
Il fut élève de l'Académie *La Esmeralda* et de l'Institut des Beaux-Arts de Mexico (?). Il expose à Mexico et aux États-Unis.
Il travaille surtout l'onyx dans les teintes différentes, et le bronze.
Ventes Publiques : New York, 30 nov. 1983 : *Femmes discutant 1975,* onyx blanc (H. 38,5) : **USD 12 000** – New York, 27 nov. 1985 : *Pensive 1971,* onyx blanc (H. 40) : **USD 8 500** – Los Angeles, 9 juin 1988 : *Femme accroupie,* bronze (H. 37) : **USD 7 700** – New York, 21 nov. 1988 : *Nu assis 1975,* onyx noir (H. 31,3) : **USD 6 600** ; *Femme accroupie 1977,* onyx blanc (H. 38) : **USD 11 550** – New York, 21 nov. 1989 : *Nu endormi 1975,* onyx noir (H. 16,5 et L. 67,3) : **USD 6 600** – New York, 19-20 nov. 1990 : *Nue 1989,* bronze (H. 32) : **USD 12 100** – New York, 15-16 mai 1991 : *Femme assise 1981,* marbre blanc (H. 36,2) : **USD 11 000** – New York, 20 nov. 1991 : *Femme agenouillée 1985,* bronze à patine verte (H. 72,5) : **USD 13 200** – New York, 19-20 mai 1992 : *Maternité 1983,* bronze patine verte (H. 47,6 et l. 78,2) : **USD 17 600** – New York, 25 nov. 1992 : *Jeune indigène 1987,* bronze à patine verte (H. 65,1) : **USD 13 200** – New York, 18 mai 1993 : *Jeune femme assise 1981,* marbre (H. 35,5) : **USD 17 250** – New York, 18 mai 1994 : *Femme agenouillée 1980,* marbre blanc (21,6x40,6x22,2) : **USD 19 550** – New York, 21 nov. 1995 : *Femme aux bras levés 1981,* marbre noir (H. 45) : **USD 14 950** – New York, 16 mai 1996 : *Maternité 1974,* onyx blanc (H. 34,3) : **USD 10 350** – New York, 28 mai 1997 : *Femme assise 1981,* marbre noir (H. 41,3) : **USD 9 200.**

CASTANEDA Gregorio
Mort le 30 septembre 1629 à Valence. XVIIᵉ siècle. Actif à Valence. Espagnol.
Peintre.
Élève et gendre de Francisco Ribalta. On cite de lui une *Vierge du Rosaire* au couvent Sainte-Catherine de Sienne à Valence, et une *Notre-Dame-du-Peuple* au couvent des Ursulines. Le Musée de Valence conserve de lui un *Saint Michel,* dont une réplique se trouve à l'hôtel de ville.

CASTANEDA Manuel
Né à Séville. XIXᵉ siècle. Espagnol.
Peintre.
Élève de Antonio Cabral Bejarano. Exposa à Séville en 1839.

CASTANIE
XIXᵉ siècle. Français.
Peintre, miniaturiste.
Ventes Publiques : Paris, 1899 : *Portrait équestre du baron Dard :* **FRF 55** ; *Un officier de carabiniers :* **FRF 61** ; *Tambour-major d'infanterie de ligne,* miniat. : **FRF 180** ; *Sept portraits d'officiers du 8ᵉ hussards,* past. : **FRF 280.**

CASTANIE Josée
Née à Tourbes (Hérault). XXᵉ siècle. Française.
Peintre.
Elle a exposé au Salon des Artistes Français en 1932-1934.

CASTANIER Arthur
Né à Lamalou (Hérault). XIXᵉ siècle. Français.
Peintre.
Il participa à l'Exposition d'Angers en 1886 avec : *Les rives de l'Orb* et *Les plaines de l'Orb.*

CASTANIER Joan, dit Jean
Né en 1903 à Blanés (Catalogne). Mort en 1972 à Hyères (Var). XXᵉ siècle. Depuis 1925 actif en France. Espagnol.

Peintre. Polymorphe.

Il fut une des figures du Paris des années quarante, cinquante, lorsqu'il animait le cabaret *Le Catalan* de la rue des Grands-Augustins, où Picasso avait ses habitudes.
Surtout lorsqu'il termina sa vie à Hyères, il a peint un grand nombre de toiles, sur tous les sujets et dans toutes les manières.

CASTANO Agustin
Né à Astudilo. XVIIᵉ siècle. Travaillant à Valladolid. Espagnol.
Sculpteur.

CASTANO Jorge Perez
Né le 17 juin 1932 à La Havane. XXᵉ siècle. Cubain.
Peintre, peintre de cartons de vitraux. Abstrait-informel.

Il étudia l'architecture à l'Université de La Havane. Venu à Paris, il y étudia le vitrail.

CASTANO Ricardo Manuel
Né en Argentine. XXᵉ siècle. Argentin.
Graveur.
Exposait au Salon de 1933.

CASTANO GUERRERO Miguel
Né à Grenade. XIXᵉ siècle. Espagnol.
Peintre.

Élève de l'École de peinture de Madrid. Il exposa dans cette ville à partir de 1881 un grand nombre d'aquarelles (scènes de genre et paysages).

CASTANOS-AGANEZ Manuel
Né en 1875 à Séville (Andalousie). XIXᵉ-XXᵉ siècles. Espagnol.
Sculpteur.

Il fut élève du peintre madrilène Antonio Pena, et de l'Académie de Séville. Il a exposé à Madrid à partir de 1895.
Musées : CORDOUE – MADRID (Mus. d'Art Mod.).

CASTAYLS Jaime
XIVᵉ siècle. Travaillant à Barcelone. Espagnol.
Sculpteur.

Il sculpta pour la façade de la cathédrale de Tarragone les statues de quatre apôtres et de neuf prophètes. Le Musée de Tarragone conserve un bas-relief de lui (fragment du tombeau de la femme et des enfants du roi d'Aragon Pierre IV).

CASTBERG Oscar Ambrosius
Né en 1846 à Bygland. XIXᵉ siècle. Norvégien.
Sculpteur, peintre.

Élève de l'École des Beaux-Arts de Christiania et de Middelthun. Il a exposé au Salon de Paris en 1883 les bustes de *Björnsterne Björnson* et de *Joh. Sverdrup*.

CASTEDO Julian
XXᵉ siècle. Espagnol.
Peintre. Postcubiste.
Né en Castille, il a travaillé à Barcelone.

CASTEELEN Van der, dit F. de Castello
Né en 1586. Mort en 1636. XVIIᵉ siècle. Hollandais.
Peintre.
Cité par Mireur.
Ventes Publiques : PARIS, 1881 : *Port de mer* : FRF 280 – PARIS, 1895 : *Port de mer, nombreux personnages, navire et bateaux de pêche* : FRF 580.

CASTEELEN J. G.
Mort vers 1850 à Leyde. XIXᵉ siècle. Actif à Leyde. Hollandais.
Sculpteur, puis peintre de paysages.

CASTEELS Alexander
Mort en 1694 à Berlin. XVIIᵉ siècle. Actif à Berlin. Éc. flamande.
Peintre.

Serait, d'après quelques auteurs, le frère de Joseph Franz Casteels, et on devrait lui attribuer un tableau de bataille conservé à Schleisheim, que d'autres donnent à Pauwel Casteels.
Ventes Publiques : LONDRES, 7 fév. 1991 : *Engagement de cavalerie entre les Chrétiens et les Turcs*, h/t (61,4x90,6) : GBP 2 860.

CASTEELS Alexander
XVIIᵉ siècle. Actif à Anvers. Éc. flamande.
Peintre.

Auteur, d'après Rooses, d'un *Ommegang* conservé au Musée Plantin à Anvers. On attribue aussi des enluminures à un Alexander Casteels, à Anvers, aux XVIIᵉ-XVIIIᵉ siècles.

CASTEELS Carl
XVIIIᵉ siècle. Actif à Anvers. Éc. flamande.

Peintre.
Il était maître dans la gilde de Saint-Luc à Anvers en 1752.

CASTEELS Christian
XVIIᵉ siècle. Actif à Anvers. Éc. flamande.
Peintre.

CASTEELS Frans I
XVIIᵉ siècle. Éc. flamande.
Peintre.
Il faisait partie de la gilde de Saint-Luc à Anvers en 1687 et 1688.

CASTEELS Frans II
Né en 1686 à Anvers. Mort en 1727. XVIIIᵉ siècle. Éc. flamande.
Peintre.

Fils de Peter Casteels I et frère de Peter Casteels II. Serait l'auteur, d'après Van der Branden, de trois tableaux conservés à l'hôtel de ville d'Anvers, dont l'un, maintenant au Musée Plantin, *Ommegang op de Meir*, a été attribué par Rooses à Alexander Casteels.

CASTEELS Hendrik ou Henricus
XVIIIᵉ siècle. Actif à Anvers. Éc. flamande.
Dessinateur, calligraphe, illustrateur.

CASTEELS Jacob
XVIIᵉ-XVIIIᵉ siècles. Actif à Anvers. Éc. flamande.
Peintre.

CASTEELS Jan Baptist et Jan Frans
XVIIᵉ-XVIIIᵉ siècles. Actifs à Anvers. Éc. flamande.
Enlumineurs.

CASTEELS Joseph Franz
Originaire du Brabant. Mort sans doute 1699 à Berlin. XVIIᵉ siècle. Éc. flamande.
Peintre.
Il réalisa à Berlin des projets de tapisseries.

CASTEELS Pauwel
XVIIᵉ siècle. Actif à Anvers. Éc. flamande.
Peintre de sujets militaires, batailles.

Musées : BAMBERG – LEMBERG : *Bataille*, deux tableaux – OLDENBOURG : deux peintures, attr. – SCHLEISHEIM : *Bataille*, signé *Paul C.*, attr.
Ventes Publiques : NEW YORK, 20 mars 1981 : *Engagement de cavalerie*, h/pan. (85x109) : USD 6 500 – LOKEREN, 10 oct. 1992 : *Engagement de cavalerie*, h/pan. (56x86) : BEF 250 000 – NEW YORK, 20 juil. 1995 : *Engagement de cavalerie*, h/t (50,8x83,2) : USD 7 762.

CASTEELS Peter I
XVIIᵉ siècle. Actif à Anvers. Éc. flamande.
Peintre de paysages.

Il est le père de Peter Casteels II et de Frans Casteels II. Il faisait partie de la gilde de Saint-Luc à Anvers en 1673 et 1674. Le Dr. Wurzbach lui attribue les deux tableaux du Musée d'Oldenbourg signés *P. Kasteels* et donnés par Th. v. Frimmel à Pauwel Casteels. On lui a attribué aussi les trois peintures signées Petrus Castiels de la Galerie d'Apollon à Saint-Cloud.
Musées : OLDENBOURG – SAINT-CLOUD (Gal. d'Apollon).
Ventes Publiques : PARIS, 17 déc. 1987 : *Port méditerranéen animé de nombreux personnages*, h/t (21x29,5) : FRF 20 000 – PARIS, 25 juin 1993 : *Scènes de ports méditerranéens*, h/t, une paire (chaque 31,2x43) : FRF 132 000 – PARIS, 16 déc. 1997 : *Vue d'un port méditerranéen avec personnages*, t. (28x40,5) : FRF 42 000 – PARIS, 11 mars 1997 : *Scène de port méditerranéen*, t. (26,5x36,5) : FFR 60 000 – NEW YORK, 17 oct. 1997 : *Scène de port animé*, h/t, une paire (29,5x41) : USD 23 000.

CASTEELS Peter II
Né le 3 octobre 1684 à Anvers. Mort le 16 mai 1749 à Richmond. XVIIIᵉ siècle. Éc. flamande.
Peintre de paysages animés, animalier, natures mortes, fleurs, aquarelliste, graveur, dessinateur.

Fils et élève de Peter Casteels I, frère de Frans II, il vécut en Angleterre durant une grande partie de sa vie.
Musées : LÜBECK (Mus. de la Ville) : *Nature morte de fleurs.*
Ventes Publiques : PARIS, 20 avr. 1898 : *Oiseaux de basse-cour* : FRF 700 – LONDRES, 29 fév. 1908 : *Poule d'eau* : GBP 27 – LONDRES, 2 juil. 1909 : *Les jardins d'un palais* : GBP 63 – LONDRES, 3 fév. 1922 : *Basse-cour* : GBP 50 – LONDRES, 24 mars 1922 : *Épervier attaquant une basse-cour* 1719 : GBP 110 – LONDRES, 10 mai 1922 : *Canards* : GBP 42 – LONDRES, 20 avr. 1923 : *Des poules*

dans un jardin : **GBP 35** – Londres, 27 juil. 1923 : *Des poules et un paon* : **GBP 42** – Paris, 10 mars 1924 : *Canards exotiques sur un lac* : **FRF 1 500** – Londres, 4 mars 1927 : *Volailles près d'une fontaine* : **GBP 27** – Londres, 26 mars 1928 : *Basse-cour* : **GBP 105** – Paris, 27 avr. 1928 : *Vases de fleurs*, t., une paire : **FRF 8 300** – Paris, 9 mars 1929 : *Fleurs dans un vase orné* : **FRF 2 800** – Londres, 13 juin 1930 : *Volailles et pigeons* : **GBP 52** – Londres, 12 juin 1931 : *Gibier 1732* : **GBP 120** – Londres, 7 déc. 1933 : *Épervier attaquant une basse-cour* : **GBP 50** – Londres, 15 déc. 1933 : *Vase de fleurs* : **GBP 152** – Londres, 14 déc. 1934 : *Épervier attaquant un paon 1729* : **GBP 357** – Londres, 26 juin 1940 : *Canards et Canetons* : **GBP 21** – Paris, 26-27 mai 1941 : *Vase de fleurs* : **FRF 3 500** – Paris, 30 juin-1er juil. 1941 : *Poules et poussins dans un parc* : **FRF 2 700** – Paris, 6 juil. 1942 : *Vase de pierre sculptée et guirlandes de fleurs* : **FRF 25 000** – Londres, 12 nov. 1943 : *Volailles et Pigeons* : **GBP 73** – Paris, 6 avr. 1957 : *Vase de fleurs* : **FRF 410 000** – Londres, 25 fév. 1959 : *Nature morte* : **GBP 1 700** – Paris, 29 juin 1959 : *Fleurs dans un vase* : **FRF 230 000** – Londres, 6 nov. 1964 : *Nature morte aux fleurs* : **GNS 2 800** – Londres, 25 fév. 1966 : *Paon, canards et autres volatiles dans le parc d'un château* : **GNS 3 500** – New York, 3 nov. 1967 : *Volatiles dans un parc* : **USD 4 250** – Londres, 27 nov. 1968 : *Oies dans un paysage* : **GBP 5 000** – Londres, 24 avr. 1970 : *Bord de rivière* : **GNS 2 600** – Londres, 19 jan. 1972 : *Volatiles dans un parc* : **GBP 2 600** – Londres, 2 avr. 1976 : *Illustration d'Ésope : les plumes volées 1732*, h/t (123x120,5) : **GBP 3 000** – Londres, 15 juil. 1977 : *Volatiles dans un paysage*, h/t (99x98,8) : **GBP 3 200** – Londres, 15 déc. 1978 : *Volatiles dans un paysage*, h/t (176,2x245,3) : **GBP 7 500** – Lucerne, 30 mai 1979 : *Nature morte aux fleurs*, h/t (100x75) : **CHF 28 000** – Londres, 15 avr. 1981 : *Volatiles dans un paysage 1729*, h/t (89x136) : **GBP 11 000** – New York, 18 jan. 1984 : *Nature morte aux fleurs avec deux perroquets*, h/t (127x113) : **USD 19 000** – Londres, 4 juil. 1986 : *Fleurs dans une urne avec des figues et des cerises dans un paysage*, h/t (117,5x125,7) : **GBP 26 000** – Paris, 14 juin 1988 : *Oie et canards jouant dans une fontaine*, h/t (122x102) : **FRF 78 000** – New York, 2 juin 1989 : *Nature morte, composition florale dans un vase sur un entablement de pierre 1733*, h/t (73,5x61) : **USD 45 100** – Milan, 12 juin 1989 : *Composition florale dans une urne de marbre*, h/t (45x35) : **ITL 21 000 000** – Amsterdam, 20 juin 1989 : *Nature morte avec un cacatoès perché sur des fruits et des fleurs dans une coupe d'argent sur un entablement devant un rideau*, h/t, dessus de porte (59,3x129,5) : **NLG 69 000** – Londres, 18 oct. 1989 : *Nature morte de fleurs dans une urne de bronze avec une figue et du raisin ; Nature morte de fleurs dans une corbeille avec des pommes et du raisin*, h/t, une paire (chaque 42x54) : **GBP 31 900** – Londres, 15 nov. 1989 : *Paons et animaux de basse-cour divers dans des paysages*, h/t, une paire (chaque 46,5x58,5) : **GBP 35 200** – Londres, 8 déc. 1989 : *Volailles et pigeons dans un paysage boisé ; Grande mouette et différents canards au bord d'un lac 1727*, h/t, une paire (72x98,5 et 71,8x102,2) : **GBP 104 500** – Paris, 15 fév. 1990 : *Corbeille de fleurs sur un entablement de pierre 1704*, h/t (61x51) : **FRF 160 000** – Londres, 28 fév. 1990 : *Paon et autres volatiles dans un paysage 1719*, h/t (120,5x134) : **GBP 35 200** – Amsterdam, 12 juin 1990 : *Tulipes et volubilis dans un vase avec un narcisse et une tulipe sur un entablement*, h/t (68x50,8) : **NLG 34 500** – Paris, 26 juin 1990 : *Corbeille de fleurs sur un entablement*, h/t (49x76) : **FRF 80 000** – New York, 11 oct. 1990 : *Nature morte d'une composition florale dans une urne de métal sur un entablement*, h/t (89x68,5) : **USD 12 100** – Londres, 26 oct. 1990 : *Nature morte avec des roses, des narcisses, des pivoines et autres fleurs dans un panier*, h/t (48x58,4) : **GBP 8 250** – Rouen, 2 déc. 1990 : *Vases fleuris présentés sur un entablement*, h/t, une paire (chaque 78x65) : **FRF 26 000** – Londres, 12 avr. 1991 : *Coq, poule et poussins avec un faisan et un dindon dans un parc 1715*, h/t (106,2x127,7) : **GBP 27 500** – New York, 31 mai 1991 : *Corbeille de fleurs sur un entablement 1734*, h/t (63,5x111,8) : **USD 41 800** – Londres, 11 déc. 1992 : *Composition florale dans une urne de bronze sur un entablement*, h/t, une paire (25,5x30,5) : **GBP 26 400** – New York, 15 jan. 1993 : *Canards près d'une mare*, h/t (61x73) : **USD 17 250** – Stockholm, 30 nov. 1993 : *Nature morte de fleurs dans une corbeille*, h/t (45x90) : **SEK 25 000** – New York, 19 mai 1994 : *Nature morte de tulipes, pivoines, iris et autres fleurs dans un vase sur un entablement de pierre 1733*, h/t (73,7x61) : **USD 28 750** – Paris, 8 juin 1994 : *Nature morte d'oiseaux* (71x92) : **FRF 65 000** – Londres, 18 oct. 1995 : *Importante composition florale de roses, œillets, volubilis et autres dans une urne sculptée avec une branche d'oranger fleuri sur un entablement 1715*, h/t

(126,4x101,6) : **GBP 20 700** – Paris, 15 déc. 1995 : *Fleurs entourant un vase de pierre sculpté*, h/pan. (52,5x38,5) : **FRF 35 000** – New York, 9 jan. 1996 : *Étude d'un vautour royal et détail de la tête*, aquar. et craie (18,1x18) : **USD 1 610** – Londres, 30 oct. 1996 : *Fleurs dans un vase*, h/t, une paire (chaque 69x86) : **GBP 29 900** – Londres, 13 déc. 1996 : *Grue huppée, sarcelle, vanneau, poules, pintade, perroquet gris d'Afrique et flamand rose sur une terrasse*, h/t (150x158,7) : **GBP 100 500** ; *Canards dans une mare*, h/t (63x75,7) : **GBP 8 625** – Londres, 9 juil. 1997 : *Faisans dans un paysage*, h/t (126x98,5) : **GBP 31 050** – Londres, 12 nov. 1997 : *Volaille exotique dans un paysage avec des bâtiments classiques au loin 1719*, h/t (66,5x74,5) : **GBP 8 050** – Amsterdam, 6 mai 1997 : *Nature morte de fleurs dans un vase installé dans un paysage*, h/t (103x92,5) : **NLG 64 900** – New York, 22 mai 1997 : *Nature morte de fleurs dans un vase doré sur un socle de pierre sculpté, avec des fruits, un chien et un singe sous une arcade, le tout devant un lac avec des montagnes au loin*, h/t (127x101,6) : **USD 32 200** – New York, 16 oct. 1997 : *Un héron bleu avec une grenouille dans son bec, des canards sauvages et leurs petits au bord d'un cours d'eau, un héron, des canards sauvages et une bécasse volant au-dessus d'eux*, h/t (178x96) : **USD 27 600**.

CASTEELS Peter Franz
XVIIe siècle. Actif à Anvers. Éc. flamande.
Peintre de sujets religieux.
Élève de Verbruggen, il fut maître en 1697. Une *Annonciation* et une *Sainte Famille dans une guirlande de fleurs* de lui sont conservées à l'église Saint-Sauveur à Bruges.

CASTEGNARO Felice
Né en 1873 à Montebello (près Vicence). Mort en 1935. XIXe-XXe siècles. Italien.
Peintre de scènes de genre, figures.
Fixé à Venise, il y fut élève de l'Académie. Il y a exposé entre 1901 et 1910. Il exposa aussi à Milan en 1906. On cite parmi ses œuvres : *Rayons d'or* – *La joute* – *Heures chaudes* – *Mammina*.

CASTEL
XVIIIe siècle. Français.
Peintre sur porcelaine.
Il travailla à la Manufacture de Sèvres entre 1772 et 1797. Il peignit sur porcelaine des scènes de chasse et des paysages.
Musées : Sèvres (Mus. de la céramique).

CASTEL Alain
XVIIe siècle. Actif à Landivisiau (Finistère) à la fin du XVIIe siècle. Français.
Sculpteur, architecte.

CASTEL Auguste Félix Marius
Né à Montpellier (Hérault). XXe siècle. Français.
Peintre.
Il exposa au Salon des Indépendants, à Paris, entre 1927 et 1929.

CASTEL Henri
Né en 1783 à Grasse. XIXe siècle. Français.
Peintre, graveur.
Élève de Fragonard. On cite de lui un portrait de *Napoléon*.

CASTEL Jean
XVIe siècle. Actif à Caen. Français.
Peintre.

CASTEL Jean
XVIIe siècle. Italien.
Graveur.
Il est cité par Le Blanc à Bologne entre 1630 et 1660.

CASTEL Joseph
Né en 1798 à Nice. Mort en 1856 à Rome. XIXe siècle. Italien.
Peintre.
Élève de Mellis. Le Musée de Nice conserve de lui un *Portrait*.

CASTEL Louis Bertrand, Père
Né en 1688. Mort en 1757. XVIIIe siècle. Français.
Peintre.
Mathématicien, il eut l'idée de fixer les sons sur une toile. Il construisit un orgue oculaire, qui produisait une couleur pour chaque son. Il disait qu'il voulait « rendre visibles les sons », il rêvait à « une musique muette ». Newton avait effectué des expérimentations similaires. Cette recherche d'une correspondance entre sons et couleurs, sera souvent reprise, aussi bien par les

scientifiques que par les poètes et les artistes plasticiens. Notamment les artistes cinétiques des années 1960, se réfèrent souvent aux recherches du père Castel et à son orgue oculaire du XVIIIe siècle.

CASTEL Maurice
Né en 1927. XXe siècle. Français.
Peintre de paysages.
Il étudia à l'École des Beaux-Arts de Paris et fut élève de Gaston Monchau. En quelques années il trouve sa manière propre de transcrire la lumière qui a fait sa réputation. C'est un peintre de paysages baignés de lumière empreints de sérénité ou de ciels tourmentés.

CASTEL Moshe Élazar
Né en 1909 à Jérusalem. Mort en 1991 ou 1992. XXe siècle. Actif aussi en France. Israélien.
Peintre de figures, paysages urbains animés, peintre à la gouache, dessinateur. Polymorphe.
Il est fils de rabbin. Il fut élève de l'Académie des Beaux-Arts Bézalel de Jérusalem, de 1922 à 1925. Il se fixa à Paris de 1927 à 1940. Retourné en Israël, il s'installa à Safed, centre mystique juif historique. De 1951 à 1953, il séjourna aux États-Unis. À Paris, il exposa aux Salons d'Automne et des Artistes Indépendants. À son retour en Israël, il fonda en 1948 le groupe *Horizons Nouveaux*. Participant à des expositions collectives internationales, en 1959 il reçut le Grand Prix de la Biennale de São Paulo. Dans les différents pays qu'il a habités, il fit bon nombre d'expositions personnelles. Il a peint une grande décoration murale pour le Knesset de Jérusalem.
Pendant sa période parisienne, il pratiquait une peinture figurative, à tendance expressionniste, inspirée de la culture et des traditions du peuple juif, influencée par Soutine et Chagall. À la suite de son retour en Palestine en 1940 et de son installation à Safed, bien imprégné de la mystique juive, il évolua progressivement vers la spiritualité de l'abstraction. Son abstraction fut d'abord fondée sur une interprétation stylistique de la calligraphie des caractères hébreux dans les anciennes *Thora* ou encore des caractères de l'écriture hittite de l'antique Mésopotamie, redonnant au texte, réel ou évoqué, une valeur graphique dans les couleurs dominantes du bleu, du vert et du rouge : *Sacrifice* de 1942. Il fit la première exposition de ses œuvres abstraites en 1955 seulement. Entre-temps, en parallèle de ses peintures abstraites, il expérimenta un autre registre exploitant textures et natures des matériaux, les deux techniques se conjuguant parfois dans une même œuvre. Il semble que le recours dans ses peintures aux écritures hébraïques avait pour lui valeur de conciliation des êtres ainsi montrés par leur nom, avec l'interdit traditionnel de toute représentation humaine. ■ Jacques Busse

BIBLIOGR. : Haim Gamzu : *Painting and Sculpture in Israel*, Tel-Aviv, 1951 – *Diction. Univers. de la Peint.*, Robert, Paris, 1975 – Avram Kampf – *De Chagall à Kitaj, l'expérience juive dans l'Art du XXe siècle*, Londres, 1990.

MUSÉES : BALTIMORE – BOSTON (Mus. of Fine Arts) : *Sacrifice* 1942 – LONDRES (Tate Gal.) – NEW YORK (Mus. of Mod. Art) – NEW YORK (Jewish Mus.) – TEL-AVIV.

VENTES PUBLIQUES : NEW YORK, 12 juin 1968 : *Scène de rue à Jérusalem* : **USD 425** – ZURICH, 17 nov. 1976 : *Basalte émeraude* 1963, techn. mixte/t. (90x70) : **CHF 17 000** – TEL-AVIV, 3 mai 1980 : *Le déjeuner sur l'herbe* 1930, h/t (60x50) : **ILS 18 000** – PARIS, 26 mars 1981 : *La récolte* 1931, h/t (55x46,5) : **FRF 13 000** – TEL-AVIV, 15 mai 1982 : *Fête de famille* 1935-1938, h/t (46x55) : **ILS 87 000** – TEL-AVIV, 16 mai 1983 : *Mariage à Safed* 1935-1938, h/t (81x100) : **ILS 904 050** – TEL-AVIV, 17 déc. 1984 : *L'artiste dans son atelier*, h/t (38,5x46,5) : **USD 6 250** – TEL-AVIV, 11 juin 1985 : *Jacob et Rachel* vers 1938, h/cart. (54x45) : **ILS 6 250 000** – TEL-AVIV, 1er juin 1987 : *Paysage de Galilée* vers 1940, aquar. (49x34) : **USD 3 440** – NEW YORK, 7 oct. 1987 : *Basalte de Negev n° 1* 1963, h. et sable/t. (195x130,3) : **USD 6 500** – TEL-AVIV, 25 mai 1988 : *Personnages à Safed*, h. et gche/pap. (34x24) : **USD 3 190** – NEW YORK, 8 oct. 1988 : *Poésie hittite* 1963, sable et h/t (130,5x97,1) : **USD 8 800** – TEL-AVIV, 2 jan. 1989 : *Safed, fête avec un ange*,

aquar. (34x50) : **USD 8 250** – TEL-AVIV, 3 jan. 1990 : *Musiciens*, gche et h/pap./cart. (61x46) : **USD 10 450** ; *Kabbalat Sabbath*, h/t (46x38,5) : **USD 20 350** – TEL-AVIV, 19 juin 1990 : *Vue de Safed avec des personnages*, aquar. et gche (47,5x33,5) : **USD 12 100** – TEL-AVIV, 20 juin 1990 : *La fête du Sabbath*, h/t (38,5x47) : **USD 20 900** – LONDRES, 18 oct. 1990 : *Sans titre*, plâtre peint en doré/t., triptyque en relief (243,8x89,1) : **GBP 5 500** – TEL-AVIV, 1er jan. 1991 : *Psaume 10* 1958, h. et techn. mixte/t. (74x54,5) : **USD 9 900** – TEL-AVIV, 12 juin 1991 : *Homme et Femme*, techn. mixte/t. (46,5x39) : **USD 8 250** ; *Shrine* 1963, basalte et techn. mixte/t. (131,5x97) : **USD 13 200** – TEL-AVIV, 6 jan. 1992 : *La Nuit de Pâques*, h/t (50x65,5) : **USD 33 000** – TEL-AVIV, 20 oct. 1992 : *Le Repas du Sabbath*, h/t (38,5x47) : **USD 27 500** – TEL-AVIV, 14 avr. 1993 : *Groupe familial*, h/t (73,5x54,5) : **USD 51 750** – TEL-AVIV, 4 avr. 1994 : *Trois Femmes orientales dans un intérieur*, encre et lav. (18x24) : **USD 2 070** – TEL-AVIV, 25 sep. 1994 : *Ève*, h/pan. (61x46) : **USD 20 700** – NEW YORK, 14 juin 1995 : *Ur* 1966, h. et sable/t. (73,7x54,6) : **USD 10 350** – TEL-AVIV, 12 oct. 1995 : *Vue de Safed*, h/t (55,6x46,5) : **USD 51 750** – TEL-AVIV, 14 jan. 1996 : *Lettres*, bronze/pan./bois (48x37,5) : **USD 4 140** – TEL-AVIV, 11 avr. 1996 : *Scène de Paris*, h/t (45x54) : **USD 32 200** – TEL-AVIV, 7 oct. 1996 : *Pique-nique en Eretz Israël*, h/t (55,2x45,7) : **USD 88 300** ; *La Tombe de Rachel*, h/t (38,1x45,7) : **USD 70 700** – NEW YORK, 10 oct. 1996 : *Silhouettes*, gche/pap. (45,7x30,5) : **USD 2 875** – TEL-AVIV, 24 avr. 1997 : *Vue de Safed*, h/t (46,1x38,4) : **USD 42 000** – TEL-AVIV, 23 oct. 1997 : *Carnaval*, h/t (56,5x71) : **USD 25 300** – TEL-AVIV, 12 jan. 1997 : *Anges au-dessus de Safed* vers 1935, gche et aquar. (51x34,5) : **USD 13 800** – TEL-AVIV, 25 oct. 1997 : *Basalte* 1971, pierre de lave broyée et pigment/t. (81x99,3) : **USD 16 100**.

CASTELAIN J.
XVIIIe siècle. Actif à Tournai. Belge.
Sculpteur.

CASTELAIN-TERTIAUX Céline, Mme
Née à Saint-Quentin (Aisne). XXe siècle. Française.
Peintre.
Élève de F. Humbert. A exposé des paysages au Salon des Artistes Français.

CASTELARO Y PEREA José
Né à Madrid. Mort le 6 avril 1873 à Madrid. XIXe siècle. Espagnol.
Peintre d'histoire.
Élève de Vicente Lopez et de l'Académie de San Fernando. On cite de lui une *Immaculée Conception*, un *Saint Michel*, et des portraits de *Don Sanche III*, de *Fernand IV*. Il décora les oratoires des infantes Dona Amalia et Christina.

CASTELBAJAC Charles de
Né en 1936 à Fontainebleau (Seine-et-Marne). XXe siècle. Français.
Peintre, décorateur.
Il fut élève de l'Académie Julian, à Paris. À Paris, il a participé au Salon de la Jeune Peinture. Il a montré des ensembles de peintures dans des expositions personnelles : 1963 à Paris, 1966 Genève, 1974 Londres. En 1977 à Paris, il a participé, à l'exposition *Meubles Tableaux* du Centre Beaubourg, avec un meuble télévision qu'il avait entièrement décoré.

CASTELEIN Ernest
Né le 3 décembre 1887 à Anvers. XXe siècle. Belge.
Peintre.
Il a figuré à l'Exposition de Bruxelles de 1910, aux Triennales de Bruxelles et d'Anvers. Il a aussi exposé en Angleterre.

CASTELEYN Abraham
Né à Haarlem. Enterré le 14 janvier 1681 à Haarlem. XVIIe siècle. Hollandais.
Peintre, graveur sur bois.
En 1653, il était dans la gilde des libraires : en 1656 il fonda le *Courant à Haarlem*, existant encore aujourd'hui. Il fut aussi poète. D'après Thieme et Becker, Abraham Casteleyn fut seulement imprimeur.

MUSÉES : AMSTERDAM : *Triomphe de la mer* – BERLIN (Cab. des gravures) : *Jeunes cavaliers*, fus. et sanguines.

CASTELEYN Casper ou Jasper
XVIIe siècle. Hollandais.

Peintre de scènes mythologiques.
Il fut reçu dans la gilde de Haarlem le 6 mai 1653.
VENTES PUBLIQUES : LONDRES, 13 avr. 1983 : *Mars et Minerve* 1659, h/pan. (71x47) : **GBP 1 450.**

CASTELEYN Pieter
XVIIe siècle. Actif à Haarlem. Hollandais.
Peintre.
En 1635, il était élève de Willem de Poorter à Haarlem.

CASTELEYN Vincent
Mort le 6 avril 1658 à Haarlem. XVIIe siècle. Hollandais.
Peintre.
En 1616, dans la gilde des libraires ; élève de Frans Pieterzs de Grebber en 1634, il fut reçu dans la gilde des peintres de Haarlem en 1636.

CASTELL Anton
Né en 1810 à Dresde. Mort en 1867 à Dresde. XIXe siècle. Actif à Dresde. Allemand.
Peintre de paysages.
On cite parmi ses œuvres : *Le coucher de soleil sur l'Elbe, Vue de Teplitz, Vue de Dresde, Paysage des environs de Dresde.*
VENTES PUBLIQUES : COLOGNE, 21 avr. 1967 : *Vue de Dresde* : **DEM 6 000** – COLOGNE, 21 mai 1981 : *Vue de Dresde au clair de lune* 1842, h/t (61,5x83) : **DEM 28 000** – COLOGNE, 14 mars 1986 : *Vue de Heidelberg* 1842, h/t (62x83) : **DEM 15 000** – LONDRES, 2 oct. 1992 : *Ville au bord d'un fleuve* 1863, h/t (54x82,5) : **GBP 2 640** – NEW YORK, 17 fév. 1994 : *La capture*, h/pan. (27,9x34,3) : **USD 5 520.**

CASTELL Johann Christian
Né en 1681. Mort en 1747. XVIIIe siècle. Allemand.
Peintre.
Il travaillait à la cour de Dresde.

CASTELL Johann Christoph
Né en 1702. Mort en 1741 à Dresde. XVIIIe siècle. Allemand.
Peintre.
Fils de Johann Christian Castell.

CASTELL José ou Joseptembre
Né en 1952 à Paris. XXe siècle. Français.
Sculpteur, peintre, mosaïste, illustrateur.
Il fut élève des Écoles des Beaux-Arts d'Angers et d'Avignon. En 1974, il fit un séjour à Ravenne, pour l'étude de la mosaïque byzantine. Depuis 1976, il s'est établi en pays catalan, installant un complexe comportant ateliers de sculpture, peinture, graphisme, fonderie, salle d'exposition, où il reçoit des élèves de tous âges. Il participe à des expositions depuis 1975.
En 1990, au symposium de sculpture de Bouchara en Ouzbékistan, il a réalisé la sculpture en marbre *La pierre qui vole.* En 1991, en collaboration avec la fonderie de Lüneburg, il a réalisé *La Voûte des Mains,* sculpture monumentale en fonte de fer, de quarante tonnes et cinq mètres de haut, offerte à l'Allemagne. En 1996, il a réalisé la sculpture métallique *El Paso* de quatre mètres de haut pour le Centre Pablo Picasso de Horta Sant Joan, en Espagne.

CASTELL Pedro
XVe siècle. Actif à Barcelone vers 1406. Espagnol.
Peintre.

CASTELL Wilhelm
Né en 1704. Mort en 1760 à Dresde. XVIIIe siècle. Allemand.
Peintre.
Il succéda à son père Johann Christian Castell à la cour de Dresde.

CASTELL DOMENECH Vicente
Né en 1870 à Castellon de la Plana. Mort en 1934. XIXe-XXe siècles. Espagnol.
Peintre de scènes de genre, figures. Académique.
Il fut élève de l'École des Beaux-Arts de San Carlos de Valence, puis, grâce à une bourse municipale, de l'Ecole de San Fernando. En 1901, il fut également pensionné pour poursuivre ses études à Rome. Il participa à des expositions collectives, obtenant une médaille de bronze à l'Exposition de Barcelone en 1898, une troisième médaille à l'Exposition de Madrid 1901, une médaille d'or à Valence 1907.
Il a peint des portraits de caractère, personnages typiques : *L'enfant de chœur,* des scènes de genre édifiantes : *Le dernier bijou.* La technique est caractéristique de cette peinture académique du XIXe siècle qui se référait à des modèles sombres et en clair-obscur du XVIIe.

BIBLIOGR. : Gustavo Aguilar Alvarez, in : *Cent ans de Peinture en Espagne et au Portugal – 1830-1930,* Antiquaria, Madrid, 1988.
MUSÉES : CASTELLON : *Les faucheurs.*

CASTELLA Charlotte
Née le 3 août 1936 à Lyon (Rhône). XXe siècle. Française.
Peintre de paysages, aquarelliste.
Femme de Robert Perrachon. Elle fut élève de l'École des Arts Décoratifs de Grenoble, de 1956 à 1960. Elle vit et travaille à Tullins.
Elle participe avec son mari à de nombreuses expositions collectives régionales. Elle a figuré aussi à Paris, en 1984, aux Salons des Artistes Indépendants et d'Automne.
Elle a une prédilection pour les paysages sous la brume ou sous la neige, ces derniers souvent à l'aquarelle.

CASTELLA H.
XXe siècle. Français.
Peintre. Abstrait-lyrique.
Il a exposé au Centre d'Animation de Montbrison (Loire) en 1991.
Sur des feuilles de papier kraft de grandes dimensions, il travaille à l'acrylique, préparant des fonds à caractère matiériste, sur lesquels ensuite il trace des réseaux de lignes, brisées ou courbes selon les cas. Il cite un texte de Bissière dans lequel celui-ci déclare ne croire, concernant l'acte de peindre, qu'« à l'instinct le plus primitif ».

CASTELLA Hubert de
Né le 27 mars 1825 à Neuchâtel. XIXe siècle. Suisse.
Peintre, architecte.
Castella quitta l'Europe en 1853 pour l'Australie où il s'établit, s'enrichit et participa aux premières expositions artistiques. Il fut un des membres fondateurs de la Société des arts (devenue la Royal Society) de Melbourne. Castella n'exerça l'art de la peinture qu'en amateur, se liant d'amitié avant son départ pour l'Australie avec Gérôme, Hamon, E. Boulanger, David, Albert de Meuron à Paris où il était venu apprendre l'architecture. De retour en Suisse, il entra dans la Société des peintres et sculpteurs suisses en 1888, et présida la section de Fribourg de cette association. Il était également écrivain.

CASTELLACI Agostino
Né en 1670 à Pesaro. XVIIe siècle. Italien.
Peintre.
Il vécut et travailla à Pesaro.

CASTELLACI Giuliano
XVIIe siècle. Actif à Gênes. Italien.
Peintre.

CASTELLAN Antoine Laurent
Né le 1er février 1772 à Montpellier (Hérault). Mort le 2 avril 1838 à Paris. XVIIIe-XIXe siècles. Français.
Peintre d'histoire, paysages, aquarelliste, graveur, dessinateur.
Cet artiste à l'esprit si distingué fut élève de Valenciennes. Il exposa au Salon de Paris à partir de 1793 jusqu'en 1808. Il était décoré de la Légion d'honneur, membre de l'Académie des Beaux-Arts, du conseil des musées, de la commission de la préfecture du département de la Seine.
On lui doit des lettres sur la Morée, l'Hellespont, Constantinople, avec de nombreuses planches dessinées et gravées à l'eau-forte par lui-même. Il fournit au « Moniteur » des articles sur les Beaux-Arts et écrivit la vie de plusieurs artistes dans la Biographie universelle. En 1815, il fit imprimer un mémoire sur un procédé de peinture qu'il avait trouvé. Citons de lui : *Vue d'Italie, Vue des Alpes, Le retour de Télémaque.* Le Blanc cite parmi ses gravures : cinquante planches pour : *Les Lettres sur l'Italie,* quatre-vingt-quatre planches pour *Fontainebleau.*

$\mathcal{ALC}$

MUSÉES : MONTPELLIER : deux paysages.
VENTES PUBLIQUES : PARIS, 21-22 fév. 1919 : *Site d'Italie,* sépia : **FRF 125** – PARIS, 18-19 mai 1925 : *Entrée d'un couvent,* aquar. : **FRF 240** – PARIS, 25 nov. 1936 : *Personnages sur une terrasse,* aquar. gchée : **FRF 350** – PARIS, 13 mai 1981 : *La fenêtre sur le port,* h/t (92x60) : **FRF 3 100** – ALENÇON, 20 déc. 1987 : *Personnages dans un jardin italien,* h/t (65x82) : **FRF 8 500** – PARIS, 30 juin 1989 : *Rue d'une ville orientale,* pl., lav. et aquar. (19x28) : **FRF 4 000** – PARIS, 22 mai 1992 : *Jeune femme à la fontaine aux abords d'une villa,* encre, lav. et aquar. (28x23,5) : **FRF 7 500** –

PARIS, 30 juin 1993 : *Fontaine turque à Gallipolli* 1808, h/t (72x59) : **FRF 68 000**.

CASTELLANE Arlindo, pseudonyme de **Castellani de Carli A.**

Né le 6 septembre 1910 à São Paulo. XXᵉ siècle. Brésilien.
Peintre d'histoire, paysages, sculpteur de monuments, bustes.
Il fut élève du Lycée des Arts et Métiers de São Paulo. À partir de 1942, il a participé à de nombreuses expositions de groupe : Salon National des Beaux-Arts de Rio de Janeiro, Salon Officiel de São Paulo, etc., tant en sculpture qu'en peinture, remportant d'innombrables distinctions, médailles et bourses, assumant parfois présidences et jurys. Il a aussi montré ses œuvres dans de nombreuses expositions personnelles, dont une à Rome en 1955. Il est membre de l'Académie Brésilienne des Beaux-Arts depuis 1969.
Il est l'auteur de nombreux monuments érigés surtout dans des stades de nombreuses villes brésiliennes, de bustes de personnalités nationales. En peinture, il a décoré des églises de São Paulo et de villes de l'intérieur.

CASTELLANETTA Enrico

Né le 23 mai 1864 à Gioia del Colle (Italie). XIXᵉ siècle. Italien.
Peintre de portraits, paysages, marines.
MUSÉES : MULHOUSE : *Portrait de M. A. Tachard – Paysage à Capri.*
VENTES PUBLIQUES : PARIS, 29 jan. 1931 : *Marine (Capri)* : **FRF 220** – MILAN, 11 déc. 1986 : *Capri au coucher du soleil* 1921, h/t (94x145) : **ITL 2 000 000**.

CASTELLANI Benedetto

XIXᵉ siècle. Actif à Naples vers 1803. Italien.
Peintre.

CASTELLANI Charles

Né le 24 mai 1838 à Bruxelles. Mort le 1ᵉʳ décembre 1913 à Bois-le-Roi (Seine-et-Marne). XIXᵉ-XXᵉ siècles. Français.
Peintre d'histoire, sujets militaires, verrier.
Élève d'Yvon et d'Élie Delaunay, il fut initié à l'art du vitrail par Oudinot et, Steinheil, collaborateur de Viollet-le-Duc, lui demanda de réaliser les vitraux représentant *La résurrection de Lazare – Le repas du mauvais riche* à Saint-Germain-l'Auxerrois et plusieurs autres verrières pour Auray.
Steinheil l'incita à peindre et sa première grande composition fut : *Les Huns et le char de Mérovée.* Il débuta au Salon de Paris en 1864. Après la guerre de 1870, durant laquelle il fut fait prisonnier, il exposa régulièrement aux Salons parisiens des scènes militaires. En 1875, il lança l'idée du panorama et en 1876, exposa à Philadelphie, son diorama : *Les marins au Bourget le 21 décembre 1870*, fait en collaboration avec Desgallais. Cette œuvre fut refusée au Salon de Paris en 1878, ce qui incita Castellani à ouvrir un Salon des Peintres militaires. À Bruxelles, son panorama sur Waterloo eut beaucoup de succès et Castellani reçut plusieurs commandes de dioramas pour Madrid, Naples, Rome. À l'exposition Universelle de 1889, il montra un panorama sur le *Tout Paris.* En 1891, on refusa de lui une *Nature morte* que l'on prétendait une charge de Constans, alors ministre de l'Intérieur. En 1896, il participa à la mission Marchand qui remonta le cours de l'Oubanghi, dans un voyage très mouvementé, dont il rapporta plusieurs dessins, peintures, et dioramas. En 1904 on lui refusa *La ronde du diable.* Il fut aussi un écrivain très spirituel et un compositeur.
BIBLIOGR. : Gérald Schurr, in : *Les Petits Maîtres de la peinture 1820-1920, valeur de demain*, Les Éditions de l'Amateur, t. VI, Paris, 1985.
MUSÉES : AUTUN.
VENTES PUBLIQUES : PARIS, 1876 : *Intérieur d'église*, dess. à la pl. et au bistre : **FRF 22** – SAINT-BRIEUC, 13 nov. 1977 : *Barques près de la Tour de Nesles* 1903, h/t (73x116,5) : **FRF 6 100**.

CASTELLANI Enrico

Né le 4 août 1930 à Castelmassa (Vénétie). XXᵉ siècle. Italien.
Peintre. Abstrait-monochrome, tendance minimaliste.
Il fit ses études à l'Académie des Beaux-Arts de Bruxelles de 1952 à 1956. Revenu à Milan, il y fonda avec Manzoni, en 1959, le journal délibérément d'avant-garde *Azimuth.* À partir de 1960, il a participé à de nombreuses expositions collectives, en Italie, Allemagne, France, Grande-Bretagne, aux États-Unis et au Japon, etc. Il a aussi participé à la Biennale de Venise en 1963 et 1966. Il montre ses réalisations dans des expositions personnelles nombreuses et internationales.

Dans la période qui suivit ses études à Bruxelles, il pratiquait une peinture apparentée au vaste courant international de l'abstraction informelle. Peu après son retour en Italie, donc au début des années soixante, il commença à réaliser les peintures qu'il titra *Superficies.* Ce sont des monochromes, le plus souvent blancs, en symbiose avec les travaux contemporains de Lucio Fontana et Yves Klein. Ce qui distingue les monochromes de Castellani, consiste en ce que la surface qui reçoit la couleur monochrome est préalablement préparée par des effets de matières, de saillies, de reliefs, par froissage de certains matériaux, en drapant des textiles, etc., effets parfois répartis régulièrement, qui évidemment modulent la lumière et rompent la monochromie. Par exemple, dans cette finalité il a souvent utilisé des clous, les disposant en les plantant selon des schémas différents, ce qui pouvait rapprocher ce type de monochromes de l'art optique, alors en pleine expansion, puisque le déplacement du spectateur, modifiant la parallaxe, modifiait la perception de l'œuvre. Dans la suite, il a donné à ses *Superficies* divers prolongements, les disposant en triptyques, en environnements, en recouvrant les quatre murs d'un espace. ■ J. B.
BIBLIOGR. : In : *Diction. Univers. de la Peint.*, Robert, Paris, 1975 – A. Zevi : *Castellani*, Édit. Essegi, Ravenne, 1984.
MUSÉES : GRENOBLE.
VENTES PUBLIQUES : MILAN, 2 déc. 1971 : *Superficie blanche* : **ITL 1 000 000** – ROME, 9 déc. 1976 : *Superficie rouge* 1970, reliefs/t. (145x114) : **ITL 1 400 000** – MILAN, 7 juin 1977 : *Superficie jaune, Tokyo nᵒ 1* 1967, h/t jaune et relief (120x120) : **ITL 4 500 000** – MILAN, 18 avr. 1978 : *Superficie blanche* 1977, reliefs/t. blanche (100x120) : **ITL 3 400 000** – ROME, 24 mai 1979 : *Politico* 1968, h/t avec trous et clous (80x80) : **ITL 1 800 000** – NEW YORK, 6 mai 1982 : *Superficie Roma* 1963-1966, deux h/t reliées par une charnière, chaque (152,5x79) : **USD 1 600** – MILAN, 14 juin 1983 : *Superficie noire* 1968, mine de pb/t. (100x100) : **ITL 3 400 000** – MILAN, 24 oct. 1983 : *Noir* 1968, h/t « estroflessa » (83x141) : **ITL 4 400 000** – NEW YORK, 7 juin 1984 : *Surface blanche nᵒ 18* 1964, h/t clouée (177,8x177,8) : **USD 6 500** – ROME, 23 avr. 1985 : *Superficie bleue* 1965, t. bleue trouée (150x120) : **ITL 8 500 000** – ROME, 6 mai 1986 : *Superficie blanche* 1976, t. blanche trouée, de forme ronde (diam. 150) : **ITL 18 000 000** – MILAN, 16 déc. 1987 : *Monochrome blanc* 1959, t. travaillée (114x145) : **ITL 23 000 000** – ROME, 15 nov. 1988 : *Superficie* 1974, pap. jaune drapé (48x68) : **ITL 1 600 000** – ROME, 17 avr. 1989 : *Superficie* 1985, dess. en relief dans du pap. blanc (88x116) : **ITL 9 000 000** – LONDRES, 25 mai 1989 : *Superficie* 1961, h/t. mise en forme (80x120) : **GBP 22 000** – MILAN, 8 nov. 1989 : *Sans titre* 1959, t. argentée drapé (39,5x29,5) : **ITL 32 000 000** – ROME, 6 déc. 1989 : *Surface blanche* 1988, pap. gaufré travaillé en relief (63x78) : **ITL 9 775 000** – MILAN, 19 déc. 1989 : *Superficie noire* 1968, t. mise en forme (100x100) : **ITL 68 000 000** – MILAN, 27 mars 1990 : *Superficie blanche* 1967, t. façonnée (100x120) : **ITL 70 000 000** – MILAN, 20 juin 1991 : *Surface jaune* 1989, t. façonnée jaune (118x100) : **ITL 35 000 000** – MILAN, 23 juin 1992 : *Surface blanche* 1968, t. façonnée blanche (119x121) : **ITL 25 000 000** – COPENHAGUE, 3 nov. 1993 : *Surface blanche* 1965, h/t en relief (39x39) : **DKK 23 000** – MILAN, 16 nov. 1993 : *Sans titre* 1968, porte à double face avec relief de plastique blanc (208x88) : **ITL 12 075 000** – LONDRES, 3 déc. 1993 : *Surface blanche* 1967, h/t. façonnée (80x80) : **GBP 8 050** – MILAN, 22 juin 1995 : *Surface blanche* 1972, t. façonnée (120x100) : **ITL 21 850 000** – ROME, 14 nov. 1995 : *Surface bleue* 1972, h/t. façonnée (120x100) : **ITL 24 150 000** – LONDRES, 23 mai 1996 : *Surface blanche nᵒ 2* 1967, temp. et clous/t. (100x100) : **GBP 8 050** – MILAN, 24 mai 1996 : *Surface blanche*, t. façonnée (101x150) : **ITL 37 950 000** – NEW YORK, 20 nov. 1996 : *Surface blanche* 1962, t. et bois, trois pièces (chaque 125,7x80,7) : **USD 28 750**.

CASTELLANI Francesco Maria

XVIIIᵉ siècle. Actif à Florence. Italien.
Peintre.

CASTELLANI Leonardo

XVIᵉ siècle. Actif à Naples. Italien.
Peintre.

CASTELLANI Lodovico de

Mort avant 1505. XVᵉ-XVIᵉ siècles. Actif à Ferrare. Italien.
Sculpteur.

CASTELLANO Carmelo

XXᵉ siècle. Français.
Peintre de compositions animées.
VENTES PUBLIQUES : PARIS, 8 oct. 1989 : *Composition Juin,*

acryl./t. (100x100) : **FRF 4 000** – Les Andelys, 19 nov. 1989 : *Solo orange*, acryl./t. (116x89) : **FRF 3 500** – Versailles, 22 avr. 1990 : *Trinidad* 1989, acryl./t. (65,3x81) : **FRF 4 200** – Paris, 26 avr. 1990 : *Tempête et violettes*, acryl./t. (130x97) : **FRF 10 800** – Paris, 28 oct. 1990 : *Les grands d'Espagne* 1978, h/t (114x146) : **FRF 11 000** – Paris, 14 avr. 1991 : *Légende d'hiver*, acryl./t. (130x97) : **FRF 6 500** – Paris, 17 nov. 1991 : *Le ciel est noir*, acryl./t. (116x89) : **FRF 4 500** – Paris, 5 avr. 1992 : *Terre de Castille*, acryl./t. (100x81) : **FRF 6 000** – Paris, 4 avr. 1993 : *Vert*, acryl./t. (92x73) : **FRF 5 800**.

CASTELLANO Giuseppe
Né à Rome. Mort en 1724 à Rome. xviiie siècle. Actif à Naples. Italien.
Peintre.

CASTELLANO Manuel
Né le 3 février 1828 à Madrid. Mort le 3 avril 1880 à Madrid. xixe siècle. Espagnol.
Peintre.
Élève de Carlos Ribera à l'Académie royale de San Fernando. On cite parmi les meilleures toiles de cet artiste qui fut un des peintres les plus intéressants de l'art espagnol au xixe siècle : *La Mort de Luis Daoiz le 2 mai 1808*, *La mort du comte de Villamediana*, et de nombreux portraits. Il exposa assez régulièrement à Madrid et plusieurs fois à Paris, notamment en 1866 et 1878.

CASTELLANO Tommaso. Voir GARRI Colomba

CASTELLANOS Alberto
xixe siècle. Travaillant à Saint-Jean-sur-Mer (Alpes-Maritimes). Français.
Peintre de paysages.
Exposa entre 1893 et 1898 au Salon de la Nationale : *Lever de la lune* (1893), *Coucher de soleil* (1895), *Moisson* (1898).

CASTELLANOS Carlos Alberto
Né le 28 janvier 1881 à Montevideo. Mort en 1945. xxe siècle. Actif en France. Uruguayen.
Peintre d'histoire, figures typiques, portraits, paysages.
Après des études aux Beaux-Arts de Montevideo sous la direction de Carlos Maria Herrera, il entreprend de fréquents voyages en Europe, pour s'installer finalement à Paris en 1919. Il y demeure jusqu'en 1939, décorant en particulier le Pavillon de l'Uruguay pour l'Exposition Universelle de 1937. Avec la déclaration de guerre en Europe il repart rapidement en Uruguay. Il y poursuivra une carrière sans grand relief jusqu'à sa mort, remportant toutefois un Premier Prix au Salon de Montevideo en 1942, suivi d'un Grand Prix l'année suivante au même Salon. Ses meilleures réussites demeurent ses scènes de l'histoire américaine : *Espagnols surpris par des Indiens*, ou ses scènes de l'Amérique tropicale aux figures typiques ou mythologiques : *Marchand d'oiseaux*, *Narcisse*.
Musées : Buenos Aires : *Jeune fille* – Montevideo : *Narcisse* – Paris (Mus. d'Orsay) : *Marchand d'oiseaux*.
Ventes Publiques : Paris, 29 oct. 1926 : *Espagnols surpris par des Indiens* : **FRF 3 500** – Montevideo, 10 juin 1980 : *Vue d'une ville*, h/t (96x120) : **UYU 26 000** – New York, 24 nov. 1992 : *Paysannes dans un bois*, h/cart. (41x32,7) : **USD 7 150** – New York, 22-23 nov. 1993 : *Personnages sur la plage*, h/t (81,3x100,3) : **USD 14 500** – New York, 18 mai 1994 : *Personnages sur la plage*, h/t (46,4x55,2) : **USD 6 900** – New York, 14-15 mai 1996 : *Femme se reposant* 1912, h/t (60x69,8) : **USD 1 150** – New York, 28 mai 1997 : *Scène des Tropiques*, h/t (99x137,2) : **USD 20 700**.

CASTELLANOS Julio
Né en 1905 à Mexico. Mort en 1947 à Mexico. xxe siècle. Mexicain.
Peintre de compositions à personnages, lithographe, peintre de décors de théâtre, décorations murales.
Il fut élève de l'Académie de San Carlos à Mexico. Ensuite, il entreprit des voyages dans les pays d'Amérique latine, aux États-Unis, en Europe. Il fut nommé directeur des Entreprises Théâtrales au Ministère des Beaux-Arts. À ce titre, il réalisa de nombreux décors de ballets. Il peignit aussi quelques décorations murales, notamment pour une école de Coyoacan et pour une autre de Peralvillo.
À cause de ses fonctions officielles, et il était en outre enseignant, il produisit assez peu. Comme beaucoup de ses contemporains, il fut influencé dans un premier temps par Manuel Rodriguez Lozano. Il produisait alors une peinture descriptive assez neutre, en dépit de quelques emprunts stylistiques européens. Ensuite, on peut avancer qu'à son tour il a fait école : en effet, il fut suivi

d'un certain nombre d'artistes lorsqu'il préconisa un retour aux valeurs classiques, en opposition à ce qu'il taxait de grandiloquence, de régionalisme et de propagande chez les muralistes mexicains qui, autour de Diego Rivera, avec Orozco, Siqueiros, célébraient toujours depuis la révolution du début du siècle, la victoire du peuple, la conquête de la responsabilité de son travail à la ville comme aux champs, le bonheur conquis de son mode de vie et de ses coutumes, dans de très grandes peintures qui, se multipliant sur les murs, ont alors créé un environnement collectif spécifique du Mexique moderne. Quand Castellanos prônait un retour au classicisme, très ouvert aux influences européennes, il ne s'agissait pas pour lui que de références à des peintres tels que Renoir ou Chirico, et non d'un retour à quelque néoclassicisme d'après l'Antique. D'autre part, son opposition aux muralistes et à leurs thèmes, ne l'écarta pas pour sa part de célébrer aussi l'identité indienne et métisse. Il montrait les Indiens sous leurs aspects d'austérité dans les mœurs, de passivité devant la marche de l'histoire, et par allusions mettait en images leur monde mythique. ■ Jacques Busse
Bibliogr. : In : *Diction. Univers. de la Peint.*, Robert, Paris, 1975.
Musées : Mexico (Mus. Nac. de Artes Plasticas) : *La Hutte Maya*.
Ventes Publiques : New York, 6 nov. 1980 : *Le jour de San Juan* 1937, h/t (40x48) : **USD 46 000** – New York, 31 mai 1984 : *Le jeune flûtiste*, cr. et craie blanche (49,2x35) : **USD 4 000** – New York, 17 mai 1989 : *La chute des anges de l'enfer*, encre/cart. (40x27,3) : **USD 2 530** – New York, 1er mai 1990 : *Paysage avec le Popocatepetl vu du fleuve Churubusco*, h/t (25,5x35,5) : **USD 3 080**.

CASTELLANOS Manuel
Né en 1949 à Sancti-Spiritus. xxe siècle. Cubain.
Graveur, dessinateur.
Il fut élève de l'École Nationale d'Art en 1970. Il expose depuis 1976. En 1970, il obtint le Premier Prix de Dessin à l'Exposition du Centenaire de Lénine ; en 1974 et 1975 il obtint le Premier Prix de Dessin au Salon National des Jeunes. Il est professeur à l'École Nationale d'Art.
Bibliogr. : Divers, dont Alejo Carpentier, in : Catalogue de l'exposition *Cuba – Peintres d'aujourd'hui*, Mus. d'Art Mod. de la Ville, Paris, 1977-1978.

CASTELLANOS Tome
xvie siècle. Actif à Séville vers 1563. Espagnol.
Sculpteur.

CASTELLARPE Guglielmo
xviiie siècle. Actif à Gênes dans la première moitié du xviiie siècle. Italien.
Peintre.

CASTELLAS, Mlle
xviiie siècle. Active dans la première moitié du xviiie siècle. Française.
Peintre.

CASTELLAS Denis
Né en 1951 à Marseille. xxe siècle. Français.
Sculpteur, dessinateur. Protéiforme.
Il vit et travaille à Nice. Il montre ses œuvres dans des expositions personnelles : 1980, Nice ; 1981, galerie Anne Roger, Nice ; 1982, galerie Françoise Palluel, Paris ; 1986, Bologne, Galerie communale San Pietro Terme ; 1988, galerie Latitude, Nice ; 1989, Villa Arson, Nice ; 1989, galerie Jean-François Dumont, Bordeaux ; 1989, galerie Charles Cartwright, Paris ; 1995, Villa Arson, Nice ; 1997 galerie Jean-François Dumont à Bordeaux. L'œuvre de Castellas est protéiforme ; de petites constructions de métal et de papier voisinent avec de grandes feuilles de papier kraft et de grands panneaux de bois. L'extrême dénuement, la fragilité et le peu de moyens sont une constante des travaux, parfois éclairés du visage d'artistes comme Proust, Mapplethorpe ou Mozart.
Bibliogr. : Didier Arnaudet : *D. Castellas*, Art Press, n° 224, Paris, mai 1997.

CASTELLAZZI Michelangelo
Né en 1736 à Vérone. Mort en 1791 à Venise. xviiie siècle. Italien.
Peintre, sculpteur, architecte.
Il travailla à Vérone.

CASTELLAZZI Rosa, née Giorio
Née en 1754 à Vérone. Morte en 1818. xviiie-xixe siècles. Italienne.
Peintre de portraits, miniaturiste.

CASTELLI. Voir aussi **CASTELLO**

CASTELLI Alessandro
Né en 1809 à Rome. Mort en 1902 à Rome. xixᵉ-xxᵉ siècles. Italien.
Peintre de sujets religieux, paysages, dessinateur.
Il étudia le dessin avec son oncle Simon Ponsardi. En 1860, il visita la France, l'Allemagne, l'Angleterre et retourna à Rome en 1870.
VENTES PUBLIQUES : PARIS, 1855 : *Vue prise en Italie, à la Rocca dell' Antico Veio*, dess. à la pl., lavé de bistre et d'encre de Chine : FRF 3 – VIENNE, 22 mars 1966 : *Vue de Dresde* : ATS 15 000 – VIENNE, 17 mars 1970 : *Vue de Dresde* : ATS 12 000 – LONDRES, 6 mai 1977 : *Le Récital*, h/pan. (34,3x44,4) : GBP 850 – LONDRES, 16 fév. 1979 : *Bords de Méditerranée 1863*, h/t (99x160) : GBP 1 700 – ROME, 29-30 nov. 1993 : *Paysage avec des personnages près d'un village fortifié*, h/t (18x25) : ITL 1 650 000 – LONDRES, 15 juin 1994 : *Un élégant récital*, h/t (44x59) : GBP 3 680 – LONDRES, 17 juin 1994 : *Crucifixion 1875*, h/t (98,5x162,3) : GBP 3 220.

CASTELLI Alfio
Né le 20 septembre 1917 à Senigallia. xxᵉ siècle. Italien.
Sculpteur de groupes, figures, nus. Expressionniste.
Il fut élève de l'Académie des Beaux-Arts de Florence, puis de celle de Rome, où il s'est fixé. En 1950, il remporta le Prix International de Sculpture, avec le groupe *Adam et Ève*. En 1956, il réalisa une grande *Crucifixion* en terre cuite, pour une église de Rome. En 1957 et 1958, il dirigea l'École de la Médaille à Rome, puis il fut nommé professeur de sculpture de l'Institut d'Art de Venise, et, en 1960, de l'Académie des Beaux-Arts de Palerme. Toujours fidèle à une expression naturaliste, il a sculpté des petits bronzes, des bois et quelques plâtres patinés, représentant presque exclusivement des personnages, pâtres, acrobates, évêques, des nus. Son style, issu à l'origine de l'œuvre de Manzu, s'est développé dans une direction expressionniste, les formes s'étirant en longueur et s'articulant autour de quelques nœuds de force accrochant ponctuellement la lumière.
MUSÉES : ROME – TRIESTE – TURIN.

CASTELLI Andrea
Né sur le lac de Lugano, originaire de Melide. xviiᵉ siècle. Suisse.
Sculpteur sur pierre.
Il travailla à Cracovie entre 1630 et 1633. Un Andrea Castelli, de Melide, est mentionné à Rome en 1631. Il y aurait donc incompatibilité entre les deux informations. Il est toutefois clair qu'une famille, assez nombreuse, originaire de Melide, eut plusieurs de ses membres en activité à Cracovie.

CASTELLI Anton
xviiᵉ siècle. Suisse (?).
Sculpteur.
Il est cité pour la première fois à Cracovie en 1623. Il travailla dans cette ville aux côtés d'Andrea Castelli (voir cette notice). Il y a tout lieu de le supposer membre de la famille Castelli de Melide.

CASTELLI Antonio
xviiᵉ siècle.
Stucateur.
Il se confond peut-être avec Antonio Castello. Il travailla autour de 1615 en Bavière, et notamment à Neubourg.

CASTELLI Antonio
xviiᵉ siècle. Italien.
Sculpteur, architecte.
Il travailla à la façade de la cathédrale de Milan en 1635 et de 1648 à 1651.

CASTELLI Arturo
Né en 1870 à Brescia. xixᵉ-xxᵉ siècles. Italien.
Peintre de compositions à personnages, figures. Symboliste.
Il fut élève de l'Académie de la Brera à Milan. Il exposait dans des manifestations collectives, notamment à Milan en 1900, Venise 1901.

CASTELLI Battista
Originaire de Melide dans le Tessin. xviiᵉ siècle. Travaillant dans la première moitié du xviiᵉ siècle à Rome. Suisse.
Sculpteur.
On le voit à Rome de 1627 à 1635, travaillant à Monte Cavallo, et aussi en collaboration avec Carlo Fancetti à l'église Sant-Anastasia.

CASTELLI Bernardino
Né en 1750 à Pieve di Arsié (province de Trévise). Mort en 1810 à Venise. xviiiᵉ-xixᵉ siècles. Italien.
Peintre.
Élève de Giovanni d'Antonia à Feltre, puis d'Antonio Balestra. Il a peint des tableaux d'église et des portraits et travaillé à Trévise, à Padoue, à Venise, à Bologne, à Ferrare. Citons, parmi ses portraits, ceux des doges de Venise *Paolo Renier* et *Ludovico Manin*, ce dernier conservé au Musée de la Ville de Venise, avec trois portraits de femmes et celui de l'artiste par lui-même.

CASTELLI CAPUA Alan de
Né en 1958 à Bologne. xxᵉ siècle. Actif aussi en France. Italien.
Sculpteur d'assemblages.
Il vit et travaille à Vérone et Paris où il participe à de nombreuses expositions collectives. Il réalise des sculptures-assemblages accrochées sur les murs constituées de matériaux divers comme le carton, le bois, le fer, des objets, le tout recouvert de papier mâché peint à l'acrylique de couleurs vives. Il intègre également la lumière et ses réflexions dans ses travaux.

CASTELLI Carlo
xviiᵉ siècle. Actif à Bologne vers 1670-1680. Italien.
Peintre.

CASTELLI Carlo Girolamo
xviiᵉ siècle. Actif vers 1660. Italien.
Graveur.
Il est cité par Zani.

CASTELLI Christian Gottlob
Né en 1741 à Dresde. xviiiᵉ siècle. Actif à Dresde. Allemand.
Peintre de paysages, fresques, décors de théâtre.

CASTELLI Clément
Né le 4 janvier 1870 à Varzo-Ossola. Mort le 12 décembre 1959 à Paris. xxᵉ siècle. Actif aussi en France. Italien.
Peintre de paysages.
Il fut élève de Jules Adler et de Léon Bellemont. Il exposait également à Paris, aux Salons des Artistes Indépendants de 1914 à 1960, des Artistes Français en 1920 et 1921.
Ses première œuvres montrent une grande diversité d'inspiration : portraits, natures mortes, jardins de Paris, intérieurs d'églises, etc. À partir de 1920, il a surtout peint des paysages de montagne de son pays natal. Sa facture est référée aux paysagistes de la première moitié du xixᵉ siècle.
VENTES PUBLIQUES : AMSTERDAM, 21 avr. 1994 : *Vallée de montagne avec des vaches au bord d'une rivière dans le Piémont 1931*, h/pan. (25x34,5) : NLG 1 380.

CASTELLI Domenico
xviiᵉ siècle. Travaillant à Palerme à partir de 1698. Italien.
Sculpteur.
Il travailla surtout le stuc.
MUSÉES : PALERME (Mus. Nat.).

CASTELLI Ferdinando
Originaire de Cesate. xixᵉ siècle. Travaillant à Milan. Italien.
Peintre.
On cite parmi ses œuvres : *Entrevue d'Hector et Andromaque* (Musée de la Brera), *Enlèvement de Proserpine*, *Dante et Virgile*.

CASTELLI Francesco
Originaire de Melide dans le Tessin. xviᵉ-xviiᵉ siècles. Travaillant à Rome et à Venise. Suisse.
Sculpteur.

CASTELLI Francesco
Originaire de San Pietro près de Mendrisio (lac de Lugano). xviiᵉ siècle. Travaillant à Milan. Suisse.
Architecte et peintre de décorations.

CASTELLI Giov. Andrea
xviiᵉ siècle. Actif à Bologne dans la première moitié du xviiᵉ siècle. Italien.
Architecte et peintre de décorations.

CASTELLI Giovanni Paolo, pseudonyme : **lo Spadino**
Né en 1659 à Rome. Mort vers 1730. xviiᵉ-xviiiᵉ siècles. Italien.
Peintre de natures mortes, fleurs et fruits.
En 1687, il était actif à Florence.
MUSÉES : FLORENCE (Gal. Corsini) : *Nature morte avec des fruits*, une paire.
VENTES PUBLIQUES : MILAN, 24 nov. 1965 : *Natures mortes*, deux pendants : ITL 4 400 000 – VIENNE, 20 mars 1973 : *Nature morte*

avec fruits : **ATS 90 000** – Rome, 10 mai 1988 : *Nature morte aux pêches et raisins*, h/t (50x41,5) : **ITL 8 500 000** – Londres, 8 juil. 1988 : *Nature morte de fleurs, fruits et légumes divers sur une console de pierre*, h/t (99x135,5) : **GBP 57 200** – Rome, 13 déc. 1988 : *Nature morte de fruits avec deux colombes dans un jardin ; Nature morte de fruits avec deux lapins dans un jardin*, h/t, deux pendants (chaque 79x33) : **ITL 19 000 000** – Milan, 4 avr. 1989 : *Nature morte avec raisin et pêches, melon et grenade et un perroquet*, h/t (100x135) : **ITL 70 000 000** – Monaco, 7 déc. 1990 : *Nature morte au panier de fruits*, h/t (81x66) : **FRF 355 200** – Madrid, 21 mai 1991 : *Nature morte avec des fruits et des oiseaux exotiques dans un paysage*, h/t, une paire (chaque 92x130) : **ESP 12 320 000** – New York, 21 mai 1992 : *Raisin, pommes, pêches et prunes sur un entablement de pierre*, h/t (33,7x55,9) : **USD 24 200** – Londres, 11 déc. 1992 : *Nature morte aux fruits, pastèque, grenades, raisin, pommes et prunes avec un lapin*, h/t (73,3x98) : **GBP 41 800** – Rome, 22 nov. 1994 : *Nature morte de pommes et poires ; Nature morte de pêches et raisin*, h/t, une paire de forme ronde (diam. 21,5) : **ITL 12 650 000** – Rome, 9 mai 1995 : *Nature morte avec pêche et raisin ; Nature morte avec pommes et poires*, h/t, une paire (chaque 28,5x28,5) : **ITL 27 600 000** – New York, 19 mai 1995 : *Nature morte de fruits*, h/cuivre (diam. 22,9) : **USD 24 150** – Paris, 18 déc. 1996 : *Nature morte à la coupe de raisins, pêches et melon sur fond de paysage*, h/t (74x97,5) : **FRF 100 000**.

CASTELLI Girolamo
Mort en 1588. XVIe siècle. Italien.
Sculpteur.
Il travailla à la cathédrale de Milan entre 1575 et 1588.

CASTELLI Giuseppe Antonio, dit il Castellino
Originaire de Monza. XVIIIe siècle. Travaillant à Milan dans la première moitié du XVIIIe siècle. Italien.
Peintre.
Élève de G. M. Mariani. Il a peint des natures mortes (fleurs et fruits) et des architectures.

CASTELLI Horace
Né en 1825. Mort en 1889. XIXe siècle. Français.
Dessinateur sur bois.
A collaboré à l'illustration de livres pour la jeunesse (*Aventures d'un gamin de Paris*, par Boussenard, *La Sœur de Gribouille*, et presque toute l'œuvre de la Comtesse de Ségur, *Contes et Légendes* par Lanjon, etc.) et de publications comme *La Semaine des familles*.

CASTELLI Johann Peter et Karl Anton
XVIIIe siècle. Actifs dans la première moitié du XVIIIe siècle. Allemands.
Sculpteurs.
Ils travaillèrent surtout le stuc à Würzburg, Altenbourg, Francfort-sur-le-Main et Godesberg.

CASTELLI Karl
Né en 1776. Mort en 1809. XVIIIe-XIXe siècles. Travaillant à Dresde. Allemand.
Graveur.
Il fut élève de l'Académie de Dresde et de Casanova. Il est cité par Nagler.

CASTELLI Louis
Né en 1805. Mort en 1849. XIXe siècle. Actif à Dresde. Allemand.
Peintre d'histoire, portraits.

CASTELLI Luciano
Né en 1951 à Lucerne. XXe siècle. Depuis 1978 actif en Allemagne. Suisse.
Peintre de figures, peintre à la gouache, technique mixte, artiste de performances. Expressionniste.
Luciano Castelli est apparu sur la scène artistique internationale au début des années quatre-vingt, en même temps que le néo-expressionnisme allemand et la trans-avant-garde italienne. Il figurait dans la sélection de la section *Aperto* à la Biennale de Venise en 1980 ; en 1988 il figurait dans une exposition du Musée cantonal de Lausanne. Une exposition personnelle de ses travaux s'est tenue au musée de Dunkerque en 1987 ; une autre en 1998, galerie Baudoin-Lebon à Paris. Il vit et travaille à Berlin. Rapidement apparu comme la figure majeure du groupe baptisé de « Nouveaux Fauves » par la critique, Luciano Castelli pratique un art où performances, peintures et concert sont mêlés et complémentaires. En 1982, il a peint une série d'œuvres intitu-

lées *Hommage à Molinier*, en témoignage de son amitié admirative. Il utilise la toile comme un écran où il projette ses fantasmes sexuels et érotiques : *Jouissance en violet* 1985, mettant en scène son corps dans des situations diverses. Tour à tour travesti en geisha : *Nu japonais* 1985, en chien ou en torero, le visage dissimulé sous un masque vénitien, Castelli trace rapidement ses images colorées comme autant de portraits dédoublés de lui-même. ■ F. M.

Bibliogr. : Érika Billeter : *Luciano Castelli*, Berne, 1986 – Anne Tronche, *Luciano Castelli, Musée de Dunkerque*, in : Opus International, n° 105, Paris, 1987.

Ventes Publiques : Londres, 4 déc. 1984 : *Luciano et le cygne* 1981, acryl./t. (160x200) : **GBP 5 800** – Paris, 6 déc. 1985 : *Toscana* 1984, techn. mixte/pap. (102x72) : **FRF 11 000** – Paris, 18 oct. 1986 : *Nu rose* 1982, acryl. (200x240) : **FRF 68 000** – Paris, 4 juin 1987 : *Quatre femmes*, h/t (156x216) : **FRF 60 000** – New York, 3 mai 1988 : *Indiens III* 1982, acryl./t. (160x200,7) : **USD 28 600** – Paris, 15 juin 1988 : *Deux nus* 1985, acryl. et past. gras/pap. (100x70) : **FRF 12 000** – Paris, 16 oct. 1988 : *Nu* 1984, acryl. et past. gras/pap. (150x150) : **FRF 40 000** – Paris, 16 avr. 1989 : *Portrait Luciano/Salomé* 1892, gche/pap. (122x168) : **FRF 40 000** – New York, 4 oct. 1989 : *Chan* 1983, gche/ deux feuilles de pap. (196,2x69,9) : **USD 6 050** – Paris, 7 oct. 1989 : *Alida portrait II* 1987, acryl. et past./t. (80x100) : **FRF 68 000** – Paris, 18 fév. 1990 : *Notigung* 1982, h/t (290x350) : **FRF 145 000** – New York, 23 fév. 1990 : *Sabijin – nu assis* 1987, gche, aquar., encre et fus./pap. (139,7x99,7) : **USD 5 280** – Paris, 9 mai 1990 : *Female nude* 1983, acryl., gche et fus./pap. (157,5x211) : **FRF 91 000** – New York, 6 nov. 1990 : *Luciano et le cygne I* 1982, acryl./tissu (160x200) : **USD 13 200** – Lucerne, 24 nov. 1990 : *Couple de femmes* 1986, acryl./pap. (197x138) : **CHF 17 000** – Paris, 29 nov. 1990 : *Deux prostituées japonaises* 1980, acryl./t. (210x200) : **FRF 100 000** – Paris, 25 juin 1991 : *La prostituée et ses chiens à Venise* 1983, rés. synth. et feuille d'or/pap./t. (200x280) : **FRF 72 000** – Lucerne, 23 mai 1992 : *Petit cadeau*, petits objets de plâtre et collage (15x11) : **CHF 1 400** – Paris, 15 juin 1992 : *Nu à genoux*, acryl. et cr. de coul. (139x100) : **FRF 35 000** – Paris, 18 oct. 1992 : *Deux marins dans un bateau* 1982, acryl./t. (290x200) : **FRF 90 000** – Paris, 12 oct. 1994 : *Deux chiens* 1986, feuille d'or et h/t (160x200) : **FRF 35 000** – Paris, 13 déc. 1996 : *Hommage à Molinier* 1982, gche/pap. (200x140) : **FRF 7 500**.

CASTELLI Matteo
Originaire de Melide dans le Tessin. XVIIe siècle. Suisse.
Sculpteur.
Il travailla en 1612 aux sculptures d'une chapelle de Santa Maria Maggiore à Rome. On a émis l'hypothèse que ce sculpteur se confonde avec un Matteo Castelli, de la branche originaire de Melide, qui fut à partir de 1614 architecte du roi de Pologne Sigismond III et vécut à Cracovie où il était encore en 1620.

CASTELLI Mattia di
Originaire de Milan. XVe siècle. Travaillant à Ferrare. Italien.
Sculpteur.

CASTELLI Quirino
Originaire de Lugano. XVIIe siècle. Travaillant à Turin. Suisse.
Sculpteur sur bois.

CASTELLI Stefano
Originaire de Melide dans le Tessin. XVIIe siècle. Suisse.
Stucateur.
Certainement membre de la famille Castelli originaire de Melide. Il est mentionné à Rome, d'après le Dr. Brun, dans un document daté de 1631.

CASTELLI Vincenzo
Né vers 1785 à Camerino. XIXe siècle. Italien.
Peintre de portraits.

CASTELLINI Dario
Né à Carpi. XIXe siècle. Travaillant à Florence. Italien.
Peintre de portraits.

CASTELLINI Françoise
Née à Bastia (Corse). XXe siècle. Française.
Peintre.
Elle expose au Salon des Artistes Français en 1933-1934.

CASTELLINI G.
XIXe siècle. Actif à Milan vers 1800. Italien.
Graveur.

CASTELLINI Giacomo
Mort en 1678. XVIIe siècle. Actif à Bologne. Italien.
Peintre.

CASTELLINI Raffaelle
Né en 1792 à Rome. Mort en 1864 à Rome. XIXᵉ siècle. Italien.
Mosaïste.

CASTELLINI Tommaso
Né en 1803 à Brescia. Mort en 1869 près de Brescia. XIXᵉ siècle. Italien.
Peintre, graveur.

CASTELLINO Bartolommeo di Francesco
XVIᵉ siècle. Actif à Gênes à la fin du XVIᵉ siècle. Italien.
Sculpteur sur bois.

CASTELLINO Matteo d'Antonio da Carroa
XVIᵉ siècle. Actif à Gênes. Italien.
Sculpteur sur bois.

CASTELLIS
XVIᵉ siècle. Italien.
Miniaturiste.

CASTELLO. Voir aussi **CASTELLI**

CASTELLO, da. Voir aussi au prénom

CASTELLO Annibale
Né à Bologne. XVIᵉ siècle. Actif vers 1618. Italien.
Peintre.
Élève de Pietro Facini.

CASTELLO Antonio
Originaire de Lugano. XVIIᵉ siècle. Suisse.
Stucateur.
Il exécuta en collaboration avec son frère Pietro et avec Marziano de Lugano, des travaux en stuc, dans une église de Wettingen en 1606. Voir Antonio Castelli.

CASTELLO Arasmino
Originaire des environs de Lugano. XVᵉ siècle. Travaillant à Milan dans la seconde moitié du XVᵉ siècle. Suisse.
Sculpteur.
Participa aux travaux à la cathédrale de Milan en 1484.

CASTELLO Battista da
XVIᵉ siècle. Actif à Milan vers 1550. Italien.
Sculpteur.

CASTELLO Bernardino
XVIIᵉ siècle. Actif à Gênes. Italien.
Peintre, miniaturiste.
Membre de l'ordre des Frères Mineurs. C'est le fils de Bernardo Castello.

CASTELLO Bernardo ou **Castelli**
Né en 1557 à Gênes. Mort en 1629 à Gênes. XVIᵉ-XVIIᵉ siècles. Italien.
Peintre d'histoire, compositions mythologiques, sujets religieux, miniaturiste, graveur.
Probablement frère de Giovanni Battista et Pietro Castello. Bernardo fut élève de Luca Cambiaso et d'Andrea Semini, et se servit de la manière de l'un ou de l'autre jusqu'à l'époque de son voyage dans les différentes villes de l'Italie, où il put étudier les modèles des grands maîtres. Par la suite, il se forma un style personnel qui réunit des qualités de grâce et de fécondité d'invention. Sa facilité d'exécution le fit tomber dans le grand défaut d'abandonner le soigné pour la rapidité du travail. Bernardo peignit une *Vocation de saint Pierre* pour le Vatican, une représentation des *Martyres de saint Clément et de saint Agatagnolo* à l'église de Saint-Sébastien, ainsi qu'une *Sainte Anne* à l'église de Saint-Mathieu. Gênes possède nombre de ses œuvres, et l'on cite de lui un *Parnasse* dans la galerie Colonna, à Rome, qui serait un de ses meilleurs tableaux. Le peintre fut lié d'amitié avec plusieurs poètes de son époque, qui célébrèrent son génie et contribuèrent à sa réputation. Le Tasse l'employa à faire les dessins illustrant sa *Jérusalem Délivrée*, lesquels furent gravés en partie par Agostino Caracci. Bernardo Castello fut le maître de Barabbino.

MUSÉES : ROME (Gal. Colonna) : *Parnasse.*
VENTES PUBLIQUES : PARIS, 1799 : *Le calvaire*, dess. à la pl. et au bistre : FRF 18 – PARIS, 1820 : *Jésus aux Noces de Cana* : FRF 75 – PARIS, 1859 : *Le martyre de saint Étienne*, dess. à la pl. lavé de bistre : FRF 8,50 ; *Allégories sur la religion*, dess. à la pl. lavé d'encre : FRF 4 – BRUXELLES, 1865 : *Madone dans un médaillon* : FRF 20 – MILAN, 30 nov. 1982 : *Scène mythologique*, pl. et lav. (24,3x15,7) : ITL **1 700 000** – LONDRES, 5 juil. 1983 : *Scène de bataille*, craie noire, pl. et lav. reh. de blanc/pap. bis (40x93,5) : GBP 3 200 – LONDRES, 18 avr. 1996 : *Études de pendentifs : les évangélistes saint Jean et saint Luc*, encre et lav. avec reh. de blanc/pap. bleu (18,4x23,4) : GBP 575.

CASTELLO Carlo
XVIIIᵉ siècle. Actif à Gênes à la fin du XVIIIᵉ siècle. Italien.
Sculpteur.

CASTELLO Castellino
Né en 1579, originaire de Gênes. Mort en 1649 à Turin. XVIIᵉ siècle. Italien.
Peintre d'histoire, portraits.
Élève de G. B. Paggi. Il a travaillé à Gênes et, durant les dernières années de sa vie, à Turin, où il fut au service du duc. Il a exécuté une série de tableaux pour les églises de Gênes et peint de nombreux portraits dans les deux villes. Parmi ces derniers, citons ceux *de la duchesse de Turin (en sainte Christine), du chevalier Marino, du marquis Spinola.*
VENTES PUBLIQUES : LONDRES, 19 fév. 1910 : *Un pape, saint Augustin et saint Dominique* : GBP 8.

CASTELLO Elia
Originaire de Millesimo, province de Côme. Mort en 1602 à Salzbourg. XVIᵉ siècle. Italien.
Architecte, sculpteur et stucateur.
Il vint se fixer à Salzbourg alors qu'il avait trente ans et fut au service de l'archevêque de cette ville.

CASTELLO Eugène
Né le 12 janvier 1851 à Philadelphie. XIXᵉ-XXᵉ siècles. Américain.
Peintre, sculpteur.
Descendant direct de la famille d'artistes de Bergame, dont les représentants émigrèrent en Espagne sous Philippe II et de là en Amérique en 1712. Élève de Thomas Eakins à l'Académie des Beaux-Arts de Philadelphie. Sociétaire de l'Union Internationale des Beaux-Arts et des Lettres de Paris, et correspondant du « Studio » de Londres. Membre du Salmagundi Club de New York en 1904.

CASTELLO Fabrizio
Né en Italie. Mort en 1617 à Madrid. XVIIᵉ siècle. Italien.
Peintre d'histoire.
Fabrizio accompagna son père Giovanni Battista à Madrid et lui servit d'aide dans ses travaux comme peintre de la cour, au Prado. Après la mort de son père, il resta en faveur auprès de Philippe II, qui l'employa en collaboration avec d'autres peintres, à la décoration de l'Escurial. Le *Bryan Dictionary* dit qu'un des sujets représentés fut la *Victoire de Jean II sur les Maures de Grenade*, travail copié d'un tableau de Dello sur une toile de cent trente pieds de long, et qu'on trouva dans une armoire de l'Alcazar à Ségovie. De ses ouvrages au Prado, on cite les fresques et les ornements et grotesques qu'il fournit pour quelques travaux laissés inachevés par Cambiaso. Les quarante-huit bustes sculptés par Juan de Arfe à l'Escurial furent coloriés de la main de Fabrizio.

CASTELLO Félix ou **Castelo**
Né en 1602 à Madrid. Mort vers à Madrid, en 1651, 1652 ou 1656 selon certains biographes. XVIIᵉ siècle. Espagnol.
Peintre d'histoire, sujets religieux, batailles, portraits, fresquiste.
Il fut élève de son père, Fabrizio Castello, puis de Vicente Carducho. Ce fut un artiste fort estimé de son vivant pour l'ampleur de ses compositions.
Il décora divers palais de Philippe IV, réalisant entre autres des portraits de rois du Moyen Âge et des tableaux historiques pour l'Alcazar et le Buen Retiro. On cite encore de lui des sujets religieux, dont la *Parabole de l'invité aux noces*, et une fresque pour le tabernacle de la chapelle de l'Alcazar (aujourd'hui disparue).
BIBLIOGR. : In : *Dictionnaire de la peinture espagnole et portugaise du Moyen Âge à nos jours*, coll. Essentiels, Larousse, Paris, 1989.
MUSÉES : MADRID (Mus. du Prado) : *Prise d'un château par Don Fadrique de Tolède – Victoire de Baltasar de Alfaro sur les Hollandais* – MADRID (Mus. de l'Armée) : *Teodoric.*
VENTES PUBLIQUES : PARIS, 1858 : *Marche de guerriers, avec une forteresse dans le fond*, dess. à la pl. et au lav. : FRF 20.

CASTELLO Francesco da

Né en 1540, originaire des Pays-Bas. Mort après 1615 à Rome. XVIe-XVIIe siècles. Actif en Italie. Hollandais.
Peintre de sujets religieux, miniaturiste.
Il travailla à Rome.
VENTES PUBLIQUES : NEW YORK, 15 jan. 1993 : *Saint Sébastien*, h/t (141x106) : **USD 25 300.**

CASTELLO Francesco da, et Francesco da Cita di. Voir aussi FRANCESCO

CASTELLO Giovanni Battista, dit il Bergamasco pour

le distinguer de il Genovese
Né en 1509 à Gandino (Bergame). Mort à Madrid, en 1579 ou 1569 selon le dictionnaire Larousse. XVIe siècle. Italien.
Peintre d'histoire, sculpteur, architecte.
Après un voyage d'étude à Rome aux frais de son protecteur Tobia Pallavicini, il exécuta à Gênes et à Bergame une série de travaux. On cite dans cette dernière ville la fresque *Jésus portant sa croix* (actuellement à la Galerie Carrara), une décoration murale : *Mars, Vénus et l'Amour*, une série de fresques dont les sujets sont empruntés à *L'Odyssée*. À Gênes, il décora de fresques, parfois en collaboration avec Luca Cambiaso, palais et églises et peignit des tableaux d'autel. Appelé en 1564 par Philippe II en Espagne où il reçut le surnom de *el Bergamasco*, il y travailla à la restauration de l'Alcazar de Madrid et à la construction et la décoration de l'Escurial.
VENTES PUBLIQUES : PARIS, 1864 : *Un évêque martyr monte au ciel*, dess. à la pl. : **FRF 8** – PARIS, 2 déc. 1942 : *Projet d'autel*, dess. à la pl., reh. de lav. et de bistre : **FRF 650.**

CASTELLO Giovanni Battista, dit il Genovese pour le

distinguer de il Bergamasco
Né en 1547 à Gênes. Mort en 1637 ou 1639 à Gênes. XVIe-XVIIe siècles. Italien.
Peintre de sujets religieux, peintre à la gouache, miniaturiste, dessinateur.
Frère de Bernardo et de Pietro Castello (d'après Bermudez). Élève de Luca Cambiaso, il suivit son maître en Espagne, où il fut employé à la décoration des livres de chœur à l'Escurial. En Espagne, il était appelé Juan Bautista Scorza. Au Palais Bianco, à Gênes, se trouve une de ses miniatures représentant la *Transfiguration*. Il fut le plus célèbre miniaturiste de son temps.
MUSÉES : OSLO : deux œuvres.
VENTES PUBLIQUES : VERSAILLES, 28 mai 1963 : *L'Adoration des rois mages*, aquar. gchée/parchemin : **FRF 8 000** – LONDRES, 5 juil. 1976 : *L'Adoration des bergers* 1584, gche (18,9x13,9) : **GBP 760** – LONDRES, 28 juin 1979 : *Entrée du Christ à Jérusalem*, gche/parchemin (13,8x18,1) : **GBP 880** – NEW YORK, 3 juin 1980 : *Le Calvaire*, gche (22,8x17,8) : **USD 1 500** – NEW YORK, 7 jan. 1981 : *L'Adoration des Rois Mages*, gche (27x21) : **USD 34 000** – LONDRES, 12 avr. 1983 : *Saint Laurent allant au martyre* 1617, gche/parchemin mar./pan. (28,5x22,5) : **GBP 650** – NEW YORK, 12 jan. 1988 : *L'Adoration des bergers* 1583, craie noire et encre/pap. bleu (26x19,4) : **USD 8 800** – PARIS, 22 nov. 1988 : *Le serpent d'airain*, pl. et lav. gris (16,5x19) : **FRF 6 800** – LONDRES, 2 juil. 1990 : *Salomé emportant la tête de saint Jean-Baptiste vers Hérode à l'arrière-plan* 1582, gche/vélin (24x19,1) : **GBP 6 600** – NEW YORK, 17 jan. 1992 : *L'Adoration des Mages*, gche et peint. or/vélin/cart. (45,7x35,6) : **USD 71 500** – PARIS, 18 juin 1993 : *L'Assomption de la Vierge*, pl. et lav. brun (27,5x15) : **FRF 8 000** – NEW YORK, 10 jan. 1995 : *L'Adoration des bergers*, gche/vélin (21,2x14,3) : **USD 12 650.**

CASTELLO Giovanni Maria

XVIIe siècle. Vivant à Gênes. Italien.
Miniaturiste.
Cité par Zani, vers 1638. Il était fils et élève de Bernardo Castello.

CASTELLO Girolamo

Né à Gênes. Mort peu après 1637. XVIIe siècle. Italien.
Peintre.
Fils et élève de Giovanni Battista Castello. Le Musée des Offices, à Florence, conserve son portrait peint par lui-même.

CASTELLO Leonardo del

Originaire de Naples. XVIe siècle. Italien.
Sculpteur.

CASTELLO Michele da

Né en 1588 à Rome. Mort en 1636 à Rome. XVIIe siècle. Italien.
Peintre, miniaturiste.
Fils de Francesco da Castello.

CASTELLO Niccolo et Oberto da, père et fils

XVIe siècle. Actifs à Gênes. Italiens.
Sculpteurs sur bois.

CASTELLO Pietro

Né à Gênes. XVIe siècle. Italien.
Sculpteur, fondeur.
Fils de Giovanni Battista Castello il Bergamasco. Travailla, pour le compte de Philippe II, à Madrid, exécutant notamment la décoration en marbre et les ornements de bronze du maître-autel de la capilla mayor de l'Escurial.

CASTELLO Pietro

Originaire de Lugano. XVIIe siècle. Suisse.
Stucateur.
Collabora avec son frère Antonio aux travaux de l'église abbatiale de Wettingen en 1606.

CASTELLO Raffaele

Né en 1905 à Capri. XXe siècle. Italien.
Peintre. Abstrait.
Il suivit, mais peu de temps, les cours de l'Académie de Varsovie. Il voyagea ensuite beaucoup, notamment à Paris, et put rencontrer, et recevoir leurs conseils, Mondrian, Vantongerloo, Delaunay, Kupka, Herbin.
Il a participé à de nombreuses expositions collectives internationales, parmi lesquelles : la Biennale de Venise en 1938, 1940, 1942, 1952, 1956, 1962, la Quadriennale de Rome en 1939, 1943, 1948, 1955, 1959.
Ses peintures, à partir de 1928-1929, constituent l'une des premières manifestations de l'art abstrait en Italie. À ce titre, Castello devrait sans doute être réactualisé.

CASTELLO Valerio

Né en 1624 ou 1625 à Gênes. Mort en 1659 à Gênes. XVIIe siècle. Italien.
Peintre de compositions religieuses, dessinateur.
Il est le fils de Bernardo Castello, qui mourut lorsqu'il n'avait que cinq ans. Il semble s'être formé lui-même, étant néanmoins passé par les ateliers de Domenico Fiasella et de Giovanni Andrea de Ferrari, étudiant successivement les œuvres de Pierino del Vaga, de Proccaccino, et en dernier lieu, celles du Corrège, à Parme. Il eut aussi l'occasion de porter intérêt aux œuvres de la période génoise de Rubens. Les œuvres de Castello se distinguent par la recherche d'un clair-obscur non systématique et par l'expression du mouvement. Il déploya, au cours de sa carrière, une très grande activité, travaillant pour des églises de Gênes et d'autres villes, et pour des particuliers, et décorant des façades. Il eut pour élèves B. Biscaino et S. Magnasco.
MUSÉES : AIX : *Sainte Famille* – BORDEAUX : *Personnification de la Peinture* – *Personnification de la Musique* – CAEN : *Simon le magicien* – GÊNES : triptyque – GÊNES (Rosso) : *Enlèvement des Sabines* – *Madone avec l'Enfant endormi* – GÊNES (Palais Spinola) : *Mariage de la Vierge* – GÊNES (Oratoire St Jacques de la Marine) : *Le Baptême de saint Jacques* avant 1647 – NANCY : *Le Christ au tombeau* – NANTES : *Sainte Famille* – ROUEN : *La Sainte Famille*.
VENTES PUBLIQUES : PARIS, 1775 : *La Communion de sainte Thérèse et un autre sujet*, dess. à la pl. et au bistre : **FRF 52** – PARIS, 1785 : *La Vierge et l'Enfant Jésus* : **FRF 31** – PARIS, 1796 : *Moïse frappant le rocher* : **FRF 400** – PARIS, 1829 : *Moïse frappant le rocher* : **FRF 601** – PARIS, 1840 : *La Sainte Famille* : **FRF 500** – PARIS, 1859 : *Personnage secourant un malheureux*, dess. à la pl. lavé d'encre : **FRF 3,50** – LONDRES, 3 déc. 1926 : *Tobie guérissant son père aveugle* : **GBP 33** – PARIS, 28 oct. 1927 : *L'Adoration des Mages*, dess. à la pl. : **FRF 130** – PARIS, 8 mars 1928 : *Combat des Égyptiens et des Hébreux* : **FRF 800** – LONDRES, 25 juil. 1930 : *Le Massacre des Innocents* : **GBP 16** – MILAN, 20 nov. 1963 : *Suzanne au bain* : **ITL 1 350 000** – MILAN, 11 mai 1966 : *Saint Pierre baptisant saint Jean* : **ITL 3 200 000** – COPENHAGUE, 27 mars 1968 : *La Sainte Famille* : **DKK 72 000** – LONDRES, 10 avr. 1970 : *Moïse sauvé des eaux* : **GNS 4 200** – MILAN, 16 déc. 1971 : *Décollation de saint Jean-Baptiste* : **ITL 11 500 000** – VIENNE, 6 juin 1972 : *La mort de Messalino Bozzetto* : **ATS 45 000** – LONDRES, 1er déc. 1978 : *Ariane abandonnée*, h/t (148,6x190,5) : **GBP 5 500** – LONDRES, 10 juil. 1981 : *Abraham et les trois anges*, h/t (81x56) : **GBP 10 000** – LONDRES, 10 déc. 1986 : *Salomon adorant les idoles*, h/t (165x209) : **GBP 36 000** – LONDRES, 20 avr. 1988 : *Moïse sauvé des eaux*, h/t (47x71,5) : **GBP 4 180** – LONDRES, 22 avr. 1988 : *Angelots affutant leurs flèches* vers 1646, h/t (94x118,5) : **GBP 12 100** – NEW YORK, 1er juin 1989 : *La légende de sainte Geneviève de Brabant*, h/t (166x257) : **USD 1 100 000** – NEW YORK, 11 jan. 1990 : *Le jugement de Salomon*, h/t (131,5x160) :

USD 159 500 – PARIS, 9 avr. 1990 : *Abraham et les trois anges*, h/t (81x56) : FRF 380 000 – LONDRES, 2 juil. 1991 : *Le Christ au jardin des oliviers*, craie rouge, encre et lav. avec reh. de blanc (13x15,8) : GBP 39 600 – MONACO, 2 juil. 1993 : *La Vierge avec le Père éternel et sainte Claire entourés d'anges*, h/t (122x99) : FRF 177 600 – LONDRES, 22 avr. 1994 : *L'Adoration des mages*, h/t (127,3x157,5) : GBP 23 000 – NEW YORK, 18 mai 1994 : *Orphée attaqué par les Ménades*, h/t (38,1x46,3) : USD 11 500 – ROME, 24 oct. 1995 : *Vierge à l'Enfant avec saint Jean*, h/t, de forme ovale (72x53) : ITL 29 325 000 – ROME, 28 nov. 1996 : *Assomption de la Vierge*, h/t (141x171) : ITL 78 000 000.

CASTELLO Vincenzo et Girolamo
XVIe siècle. Actifs à Padoue. Italiens.
Sculpteurs.

CASTELLO Y AMAT Vicente
Né en 1787 à Valence. Mort le 2 juin 1860 à Valence. XIXe siècle. Espagnol.
Peintre.
Cet artiste fut un des peintres les plus intéressants de l'École de Valence au XIXe siècle. Élève de Vicente Lopez qui le présenta au roi Carlos IV, il fut dispensé par celui-ci du service militaire. Il devint plus tard directeur de l'Académie de San Fernando. On cite de lui un *Saint André* au palais archiépiscopal et plusieurs tableaux au Musée de Valence, notamment *Esther et Ahasverus* et *La Révolution de 1808 à Valence*.

CASTELLO Y GONZALEZ DEL CAMPO Antonio
Né à Valence. XIXe siècle. Espagnol.
Peintre.
Fils de Vicente Castello y Amat et élève à Madrid de Vicente Lopez et de Juan Ribera. Il exposa à Valence en 1845, 1846 et 1855. Le Musée de Valence conserve de lui : *Ultima Cena*.

CASTELLO Y GONZALEZ DEL CAMPO Vicente
Né le 5 mars 1815 à Valence. Mort en 1872 à Madrid. XIXe siècle. Espagnol.
Graveur sur bois et sur métal.
Fils et élève de Vicente Castello y Amat. Étudia à Madrid avec Vicente Lopez, puis à Paris, en 1847, avec H.-D. Porret. Il a travaillé pour des périodiques espagnols et illustré un certain nombre d'ouvrages.

CASTELLOTE Y VILLAFRUELA José Maria
Né à Séville. XIXe siècle. Espagnol.
Peintre.
Élève de l'École des Beaux-Arts à Séville et de Manuel Rodriguez de Guzman. Exposa à la Nationale des Beaux-Arts à Madrid en 1878.

CASTELLOTTI Lorenzo
XVIIIe siècle. Actif à Lucques à la fin du XVIIIe siècle. Italien.
Peintre.
Il a peint des paysages et décoré de fresques de style baroque, la cathédrale de Lucques.

CASTELLUCCI Katy
Née en 1905 à Laglio. Morte en 1985 à Rome. XXe siècle. Italienne.
Peintre de figures.
VENTES PUBLIQUES : ROME, 14 nov. 1995 : *Fillette avec son petit chien*, h/pan. (53,5x33) : ITL 4 600 000 – MILAN, 2 avr. 1996 : *Jeune fille au manteau d'Arlequin* 1942, h/pan. (54x35) : ITL 4 600 000.

CASTELLUCCI Pietro
Né en 1653 à Arezzo. XVIIe siècle. Italien.
Peintre.
Fils de Salvo Castellucci et élève de Pietro da Cortona, à Rome.

CASTELLUCI Salvo
Né en 1608 à Arezzo. Mort en 1672. XVIIe siècle. Italien.
Peintre.
Ce peintre fut un élève de Pietro da Cortona, à Rome, et un des plus fidèles disciples de son école imitant avec facilité la composition et l'exécution de son maître. Le Palais communal d'Arezzo contient une de ses fresques, représentant *La Vierge entourée des saints protecteurs de la ville*. Il travailla aussi pour la cathédrale et d'autres églises, et orna des maisons particulières de

tableaux décoratifs qui furent tous appréciés pour la finesse de leur coloris et la vivacité de l'exécution.

Salivs Castell.

CASTELNAU Alexandre Eugène
Né le 28 décembre 1827 à Montpellier. Mort en 1894. XIXe siècle. Français.
Peintre.
Élève de Gleyre. Il débuta au Salon de Paris en 1855. Il a peint des scènes de genre et des paysages d'eau, soit que l'élément aquatique y soit naturel : moulins, bords de rivières, etc., soit qu'il y soit accidentel : inondations. Citons de lui : *Le Gué, L'Inondation, Bords du Lez*.

E. Castelnau.

MUSÉES : MONTPELLIER : *Portrait de jeune fille* – *Paysage : un moulin à eau* – *Pauvre convalescente* – *Après une inondation* – *Paysage : les bords du Vidourle* – *Paysage (Les Garigues)* – Quatre études peintes d'après nature des environs de Montpellier – SÈTE : *La leçon de musique* – *Environs de Lasalle (Gard)* – trois dessins de paysages.

CASTELNOU Juan de
XVe siècle. Actif à Valence. Espagnol.
Sculpteur, orfèvre.

CASTELNUOVO-SCRIVIA Franceschino da
XVIe siècle. Italien.
Peintre.
Il exécuta en 1507 un tableau d'autel à l'église de la Sainte-Trinité à Pozzuolo-Formigaro. *Voir aussi MAÎTRE de CASTELNUOVO SCRIVIA.*

CASTELO Enrique
Né en 1918. XXe siècle. Espagnol.
Peintre, dessinateur.
Il a participé à la Biennale de Venise.
VENTES PUBLIQUES : PARIS, 18 fév. 1990 : *Un sistema que se derumba sin remedio*, encre de Chine/pap. (50x65) : FRF 15 000.

CASTELPOGGI Carlo
Mort en 1860 à Carrare. XIXe siècle. Actif à Carrare. Italien.
Sculpteur, décorateur, architecte.

CASTELSARDO, Maître de. Voir MAÎTRES ANONYMES

CASTELUCHO Rosita
Née à Paris. XXe siècle. Espagnole.
Peintre.
En 1924 elle exposait au Salon des Artistes Français : *Coin de marché à Madrid*.

CASTELUCHO DIANA Antonia
Née à Barcelone (Catalogne). XIXe-XXe siècles. Espagnole.
Peintre, décoratrice.
Fille d'Antonio Castelucho Vendrell et sœur de Claudio Castelucho Diana. Elle fut élève de l'École des Beaux-Arts de La Lonja. Elle a participé à des expositions collectives, notamment à Barcelone. Elle s'est spécialisée dans les projets pour des mantilles et des éventails.
BIBLIOGR. : In : *Cent ans de Peinture en Espagne et au Portugal – 1830-1930*, Antiquaria, Madrid, 1988.

CASTELUCHO DIANA Claudio
Né le 5 juillet 1870 ou 1871 à Barcelone (Catalogne). Mort le 31 octobre 1927, ou en 1932 au Plessis-Robinson (Hauts-de-Seine) selon d'autres sources. XIXe-XXe siècles. Actif en France. Espagnol.
Peintre de scènes typiques, portraits, paysages, peintre de décors de théâtre.
Fils d'Antonio Castelucho Vendrell, il se forma dans l'atelier paternel et à l'École des Beaux-Arts de La Lonja, puis à l'Académie Julian de Paris. Dans ses jeunes années, il rédigea avec son père un traité de scénographie, publié à Barcelone en 1896. Il y figura aussi dans les dernières années du siècle, avec des portraits, dans des expositions collectives. Il résida de nombreuses années à Paris, où il fut une figure typique de Montparnasse, y ayant fondé une Académie privée où il enseignait. Il y exposait aussi, aux Salons des Artistes Indépendants à partir de 1904, de la Société Nationale des Beaux-Arts à partir de 1910.
Dans une technique franche d'empâtements robustes charpentant un dessin synthétique, il a peint des portraits nombreux, des

compositions à personnages : *La sieste*, des scènes typiques ou de genre : *Danse arabe – Taureaux à Séville*, et quelques paysages : *Nuit de lune – Fleurs au Luxembourg*.

Castelucho (signature)

BIBLIOGR. : Eléna Sainz Magana, in : *Cent ans de Peinture en Espagne et au Portugal – 1830-1930*, Antiquaria, Madrid, 1988. **MUSÉES :** NICE (Mus. Chéret) : *Le tango*.
VENTES PUBLIQUES : PARIS, 8 mars 1919 : *L'escarpolette au Luxembourg :* FRF 50 – LONDRES, 6 mai 1977 : *En écoutant la musique*, h/t (100x73) : FRF 7 500 – PARIS, 15 juin 1980 : *Plage de Catalogne*, h/t (100x65) : FRF 5 500 – BERNE, 6 mai 1983 : *Le repos de la danseuse espagnole*, h/t (50x61) : CHF 1 500 – PARIS, 24 mai 1984 : *Jour de fête*, h/t (101x81) : FRF 5 000 – PARIS, 13 déc. 1986 : *La Rambla des fleurs à Barcelone*, h/t (73x100) : FRF 25 000 – LONDRES, 21 oct. 1988 : *Portrait de femme en costume*, h/t (81,3x49,5) : GBP 660 – NEW YORK, 3 mai 1989 : *Jeune fille aux courses*, h/t (81x54) : USD 10 545 – LONDRES, 6 oct. 1989 : *Danseuse*, h/t (81x60) : GBP 1 430 – LONDRES, 14 fév. 1990 : *Dans la bourrasque*, h/t (88x141) : GBP 9 900 – VERSAILLES, 25 nov. 1990 : *Danse espagnole*, h/t (81x54) : FRF 22 000 – NEW YORK, 23 mai 1991 : *En écoutant la musique*, h/t (100,5x72,5) : USD 8 800 – PARIS, 28 fév. 1996 : *Maternité*, h/t (132,5x91) : FRF 33 000.

CASTELUCHO VENDRELL Antonio
Né en 1838 à Barcelone (Catalogne). Mort en 1910 à Paris. XIXe siècle. Actif aussi en France. Espagnol.
Peintre de portraits, paysages, aquarelliste, graveur, dessinateur, lithographe.
Père de Claudio et d'Antonia Castelucho Diana. Il fut élève de l'École des Beaux-Arts de La Lonja, à Barcelone, poursuivant sa formation à Paris, où il résida quelques années. Il exposa à Barcelone en 1870, 1877, 1882, 1885, 1892, 1894, et obtint une mention honorable au Salon de la Nationale des Beaux-Arts en 1897. Parmi ses œuvres picturales, on mentionne : *Tête d'enfant, Diogène* et une *Vue panoramique de Barcelone*, prise à trois cent cinquante mètres d'altitude. Il se passionna également pour la mise en scène et rédigea, avec son fils Claudio, un traité qui fut publié à Barcelone en 1896.
BIBLIOGR. : In : *Cent ans de Peinture en Espagne et au Portugal – 1830-1930*, Antiquaria, Madrid, 1988.

CASTER Johann von
Originaire de Caster près de Juliers. Mort avant 1446 à Cologne. XVe siècle. Actif à Cologne. Allemand.
Peintre.

CASTERA Gaston de
Né à Dax (Landes). XIXe-XXe siècles. Français.
Peintre de genre.
Élève de J.-P. Laurens, A. Maignan et Jolyet. Il exposa au Salon de 1900 : *Symphonie en blanc*. Un C. d'Avezac de Castera, né aussi à Dax, et ayant eu les mêmes maîtres est indiqué au Salon de la même année avec : *Au ghetto*.

CASTERON G.
XVIe siècle. Actif à Burgo (Morbihan). Français.
Sculpteur.

CASTERTON Éda Nemoede
Née en 1877 à Oconto (Wisconsin). Morte en novembre 1969. XXe siècle. Américaine.
Peintre, miniaturiste de portraits.
Elle commença tôt à étudier la peinture de miniatures. Elle fut élève de l'École des Beaux-Arts de Minneapolis, de l'Institut d'Art de Chicago. En 1907, elle passa une année à Paris. Elle a exposé au Salon des Artistes Français de Paris, elle était membre de la Société Royale de Peintres de Miniatures de Londres, où elle exposa aussi. Elle était naturellement membre des Sociétés de Miniaturistes de Chicago, et y fut vice-présidente de la Société des Peintres de Miniatures. Elle reçut plusieurs distinctions, à Paris 1907-1908, San Francisco 1914, Philadelphie 1926. Elle a peint de très nombreux portraits à l'aquarelle sur ivoire, se spécialisant dans les portraits d'enfants.

CASTET DE BLAUGUE Madeleine
Née à Montrejeau (Haute-Garonne). XXe siècle. Française.
Peintre, graveur.
Elle fut élève de l'École des Beaux-Arts de Toulouse, de 1931 à 1935, y obtenant plusieurs prix. Elle participe à des expositions collectives dans diverses villes de France, et, à Paris, au Salon des Artistes Français, dont elle est sociétaire.

CASTEX Bertrand Maurice de
Né au XIXe siècle à Molsheim. XIXe siècle. Français.

Peintre de paysages.
Élève de Harpignies. Sociétaire des Artistes Français à partir de 1884. Il exposa aux Salons de cette Société et aux Salons de Blanc et Noir.

CASTEX Georges François
Né à Collioure (Pyrénées-Orientales). XXe siècle. Français.
Peintre de genre.
Il fut élève d'Antoine Auguste Hébert, Olivier Merson, Leon Bonnat à l'École des Beaux-Arts de Paris, où il exposa régulièrement au Salon des Artistes Français à partir de 1904, en devint sociétaire et continua d'y figurer jusqu'en 1936.
VENTES PUBLIQUES : MONTE-CARLO, 16 déc. 1978 : *La leçon de dessin*, h/t (110x120) : FRF 14 000.

CASTEX J. J.
Né au XVIIIe siècle à Toulouse. XVIIIe siècle. Actif à Paris. Français.
Sculpteur.
Il exposa au Salon, en 1796, une statuette de *Léda* et deux groupes de *Centaures*. Il fit partie de l'expédition d'Égypte, et modela, d'après les dessins qu'il avait rapportés de ce pays, un *Zodiaque*, qui figura au Salon de 1819 en même temps qu'un projet pour un *Tombeau du général Kléber*. Le Musée de Besançon conserve de lui un médaillon de terre cuite.

CASTEX Jacques
Né le 25 mars 1927 à Paris. XXe siècle. Français.
Peintre, sculpteur, graveur. Tendance art optique.
Il expose depuis 1966, dans des galeries privées et Salons collectifs, notamment au Salon de Mai en 1972, dans une exposition de groupe au Musée d'Art Contemporain de São Paulo, etc.
Ses recherches sont axées sur l'étude des différences de l'indice de réfraction des lumières colorées.

CASTEX Louis
Né le 2 décembre 1868 à Saumur (Maine-et-Loire). Mort le 3 août 1954 à Paris. XIXe-XXe siècles. Français.
Sculpteur de sujets religieux, groupes, figures.
Il fut élève de Louis Barrias, Pierre Cavelier, Henri Maurette. Il exposait à Paris, au Salon des Artistes Français de 1898 à 1933, deuxième médaille 1910.
Il était essentiellement sculpteur de sujets religieux : *Vision de la Vierge – Moine en contemplation – Statue de la Vierge – Communion de saint Stanislas Kostka*.

CASTEX Simone
XXe siècle. Française.
Peintre de paysages urbains. Naïf.
Une biographie est parue dans l'ouvrage *Paris et les naïfs*.
VENTES PUBLIQUES : PARIS, 25 nov. 1990 : *La gare de l'Est*, h/pan. (59x64) : FRF 7 500.

CASTEX-DÉGRANGE Adolphe Louis
Né le 23 mai 1840 à Marseille (Bouches-du-Rhône). Mort en 1918. XIXe-XXe siècles. Français.
Peintre de genre, paysages, natures mortes, fleurs, caricatures.
Malgré sa préférence pour une carrière militaire, il fut envoyé, en 1853, à l'École des Beaux-Arts de Lyon, où il étudia sous la direction de Vibert, de Reignier, puis de L. Guy. Admis tout d'abord dans l'atelier au gravure, il poursuivit ses études en classe de fleurs, avant de devenir dessinateur de fabrique. Il participa au Salon de Lyon à partir de 1876 et à celui de Paris à partir de 1870. En 1876, il alla se fixer à Paris, où il fit de la décoration, puis, pendant trois ans, de la céramique. Il revint à Lyon en 1884, pour succéder à Reignier comme professeur de dessin et de peinture de fleurs et de composition appliquée aux tissus.
En dehors de ses compositions florales, Castex-Dégrange est l'auteur de scènes de genre : *Gourmandise – À l'office – Pour le dessert – La dernière cueillette – Bataille – Avant le marché – Juin – Le cellier du jardinier – Coin de halle – La place de la mariée* ; d'œuvres décoratives, notamment pour l'hôtel de ville de Lyon et de la Préfecture du Rhône ; de caricatures et de paysages. Cependant, il est surtout le peintre de fleurs par excellence, renouvelant cet art en lui donnant un nouveau style décoratif, d'une touche vigoureuse, dans des coloris riches et lumineux qui vont de pair avec la prospérité de l'industrie de la soie.

Castex Degrange (signature)

BIBLIOGR. : Gérald Schurr, in : *Les Petits Maîtres de la peinture 1820-1920, valeur de demain*, Les Éditions de l'Amateur, t. VI, Paris, 1985.

Musées : Lyon (Mus. des Beaux-Arts) : *Gourmandise – À l'office – Pour le dessert – La dernière cueillette – Bataille – Avant le marché – Juin – Le cellier du jardinier – Ma table à modèles.*
Ventes Publiques : Paris, 14 déc. 1922 : *Gibiers et objets divers sur table :* **FRF 105** – Paris, 10 mai 1924 : *Nature morte :* **FRF 70** – New York, 24 mai 1985 : *Nature morte aux fleurs et au panier d'oranges* 1874, h/t (99,5x81,9) : **USD 5 500** – Paris, 11 oct. 1988 : *Fleurs des champs,* h/t, une paire (210x91) : **FRF 85 000** – Londres, 14 fév. 1990 : *Nature morte de pivoines et coquelicots,* h/t (91x60) : **GBP 9 350** – Londres, 6 juin 1990 : *Vase de fleurs printanières,* h/t (71x58) : **GBP 4 840** – Copenhague, 6 déc. 1990 : *Nature morte avec un bouquet de fleurs variées dans un vase de cuivre* 1874, h/t (98x130) : **DKK 56 000** – New York, 23 mai 1991 : *Nature morte de fleurs* 1874, h/t (99x130,2) : **USD 17 600** – Lyon, 5 nov. 1991 : *Pivoines et glycines,* h/t (44,5x29) : **FRF 9 000** – New York, 26 mai 1994 : *Jardin de dahlias* 1899, h/t (180x110,8) : **USD 13 800.**

CASTHELAZ Fanny Elisabeth
Née à Bellegarde-du-Loiret (Loiret). xixᵉ-xxᵉ siècles. Française.
Peintre.
Élève de Frémiet et Humbert. A exposé au Salon des Artistes Français et ensuite à la Nationale, notamment des portraits.

CASTIATELLI Giovanni di Cecco
xivᵉ-xvᵉ siècles. Italien.
Peintre de miniatures.
Il est cité à Pérouse entre 1397 et 1415.

CASTIGLIA Ferdinando
D'origine espagnole. xviiiᵉ siècle. Travaillant à Naples en 1777. Espagnol.
Peintre.

CASTIGLIONE Giovanni Benedetto, dit il Grechetto et il Benedetto
Né vers 1609 ou 1616 à Gênes. Mort vers 1664 ou 1670 à Mantoue. xviiᵉ siècle. Italien.
Peintre de sujets mythologiques, compositions religieuses, scènes de chasse, paysages, natures mortes, pastelliste, graveur.
Giovanni Benedetto fut élève de Giovanni Battista Paggi, à Gênes, et de Giovanni Andrea de Ferrari. Mariette rapporte que son caractère violent le faisait craindre et lui valut la haine de quelques-uns de ses contemporains. Il voyagea dans toute l'Italie : Gênes, Florence, Rome, Naples, Bologne, Venise, Mantoue. On attribue son départ de Gênes à de fâcheux incidents de dépit artistique causé par la malice de ses ennemis. Il quitta donc sa ville natale et vint à Rome, où il travailla pour Pellegrino Peri, un brocanteur de tableaux. Mais il fit bientôt la connaissance du duc de Mantoue, qui devint son bienfaiteur et l'amena avec lui dans sa capitale ; il resta à son service, probablement, de 1639 à 1661. La chronologie de son œuvre est peu connue et difficile à établir, une seule date est connue : celle de *La Crèche* de l'église San Luca à Gênes. C'est une composition baroque, moins encombrée que la plupart de ses autres tableaux. En effet, il avait l'habitude de peupler ses compositions de gibiers, volailles et toutes sortes de bêtes. *Les Marchands chassés du temple* (Louvre), peint dans une gamme claire et un peu enfumée, est ainsi chargée d'animaux. On peut y déceler de nombreuses influences dont celles de Rubens et Van Dyck qu'il a particulièrement étudiés. Il a subi l'ascendant de Bernin, comme le définit C. Marcerano : « cette façon de griffer plutôt que de peindre et de graver les tissus et les cheveux, les fourrures et les chairs... une visages craintifs et toujours en mouvement... tout cela ne peut s'expliquer sans le rayonnement de Bernin ». Vers 1660, Castiglione abandonne les sujets animaliers et le thème des caravanes de troupeaux au profit des scènes mythologiques. Célèbre dessinateur et graveur, il rend les plus subtiles variations d'ombre et de lumière. Il emploie une technique particulière pour le dessin, qui consiste à tremper le pinceau légèrement dans l'huile puis dans des pigments bruts et à les poser en larges touches sur le papier. Cette technique lui a sans doute été inspirée du souvenir des « bozzeti » à l'huile de Rubens, qu'il aurait vus à Gênes.

Bibliogr. : Catalogue de l'exposition : *Le Caravage et la peinture italienne du xviiᵉ siècle,* Paris, 1965 – Sylvie Beguin, in : *Dictionnaire Universel de l'Art et des Artistes,* Hazan, Paris, 1967 – Catalogue de l'exposition : *Le Cabinet d'un grand amateur, J. P. Mariette,* Paris, 1967.

Musées : Aix : *Sujet de chasse –* Besançon : *Canards sauvages –* Béziers : *Nature morte –* Bordeaux : *Bergère et son troupeau –* Bruxelles : *Portrait d'homme –* Calais : *Daphnis et Chloé –* Chartres : *Adoration des bergers –* Dresde : *Les Animaux pénétrant dans l'arche – Le Retour de Jacob –* Dublin : *Clio invoquant le feu du ciel –* La Fère : *Orphée –* Florence (Gal. Nat.) : *Bergère et animaux – Noé introduisant les animaux dans l'arche – Animaux – Médée et Eson – Circé et les compagnons d'Ulysse changés en bêtes – Castiglione par lui-même –* Fontainebleau : *Départ de Jacob de Mésopotamie pour retourner à Canaan –* Gênes : *Jésus en croix – Pasteur et brebis – Sortie de l'arche –* Gênes (Rosso) : *Le voyage de la famille d'Abraham – Fuite de brebis –* Lille : *Animaux de diverses espèces –* Madrid (Prado) : *Le voyage de Jacob – Un concert – Diogène cherchant un homme – Une gargote – Embarquement de troupes – Éléphants montés par des indiens dans un cirque – Gladiateurs romains disposés pour la lutte –* Milan : *Les Hébreux vers la Terre Promise –* Montpellier : *Caravane arabe –* Moscou (Roumianzeff) : *Faune et bergère faisant de la musique –* Munich : *Nègre avec chien et dromadaire – Animaux domestiques groupés autour des ustensiles –* Nantes : *Sacrifice à la sortie de l'arche – Entrée dans l'arche – Jeune fille montée sur un cheval conduisant un troupeau – Troupeau conduit par plusieurs hommes à cheval dans la campagne de Rome – Paysage animé – Bergers et troupeau,* attr. – Naples : *La mère et l'enfant –* Narbonne : *Le voyage de Jacob –* Paris (Louvre) : *Melchisédech et Abraham – Les Marchands chassés du Temple – Animaux et Ustensiles –* Reims : *Paysage d'Italie –* Rome (Gal. Colonna) : *Armes et bijoux –* Rome (Gal. Doria-Pamphily) : *Homme à cheval revenant de la chasse –* Saint-Brieuc : *Une caravane –* Saint-Pétersbourg : *Animaux –* Toulouse : *Paysage pastoral –* Vienne : *Noé faisant entrer les animaux dans l'arche – Noé et les animaux devant l'arche –* Vienne (Czernin) : *Ange annonçant aux bergers la naissance du Christ.*
Ventes Publiques : Paris, 1767 : *Trois figures et un marché d'animaux,* pl., lav. de bistre : **FRF 60** ; *Troupeau d'animaux,* pl. et bistre : **FRF 360** ; *La Vierge tenant l'Enfant Jésus endormi,* dess. colorié : **FRF 80** ; *L'Adoration des bergers :* **FRF 312** ; *Le Départ d'Abraham,* h., esquisse : **FRF 271** ; *La Vierge et l'Enfant Jésus endormi :* **FRF 80** ; *Paysage, figures et animaux :* **FRF 51** – Paris, 1773 : *Marché d'animaux dans un paysage :* **FRF 1 555** – Bruxelles, 1779 : *Le Retour de Jacob :* **FRF 1 260** ; *Tobie faisant enterrer les morts :* **FRF 630** ; *Orphée charmant les animaux au son de sa lyre :* **FRF 917** – Bruxelles, 1787 : *Le frappement du rocher :* **FRF 730** – Bruxelles, 1891 : *Visite à la convalescente :* **FRF 2 750** – Bruxelles, 1894 : *Animaux au repos,* deux pendants : **FRF 800** ; *Bergers et moutons ; Pâtres et bestiaux :* **FRF 720** – Bruxelles, 1894 : *Scène d'intérieur,* past. : **FRF 27** – Bruxelles, 1898 : *La Fuite en Égypte,* sépia : **FRF 250** – Bruxelles, 1899 : *Animaux au repos :* **FRF 800** – Londres, 27 mai 1908 : *Trois sujets bibliques et mythologiques,* dess. : **GBP 2** – Paris, 8-10 juin 1920 : *La Fuite en Égypte,* lav. : **FRF 1 500** – Paris, 17 nov. 1924 : *Le Retour du troupeau,* pl. : **FRF 140** – Paris, 21 mars 1925 : *Bergers et troupeau,* pl. ou sépia : **FRF 120** – Paris, 21 mars 1925 : *La Musicienne :* **FRF 320** – Paris, 30 mars 1925 : *Bergers et leur troupeau,* pl. et lav. : **FRF 100** – Paris, 12 déc. 1925 : *Eliezer et Rébecca,* attr. : **FRF 820** – Paris, 18 mars 1926 : *Pigeons et perdrix,* h/t, une paire : **FRF 600** – Paris, 3 mai 1926 : *Concert de satyres et de nymphes,* pl. et lav. : **FRF 305** – Londres, 25 mars 1927 : *Offrande à l'hymen :* **GBP 52** – Londres, 24 juin 1927 : *Le Voyage de Jacob :* **GBP 44** – Paris, 28 oct. 1927 : *Fermière et enfants dans une étable,* lav. de sépia : **FRF 200** – Londres, 27 juil. 1928 : *Noé et les animaux quittant l'arche :* **GBP 105** – Londres, 30 mars 1928 : *Les saints adorant le Christ pendant l'Ascension,* dess. aquarellé : **GBP 21** – Paris, 29 janv. 1929 : *Cavalier oriental,* dess. : **FRF 130** – Paris, 4 juil. 1929 : *Personnages apportant des offrandes sur l'autel d'un dieu,* aquar. : **FRF 2 200** ; *Un ensevelissement,* aquar. : **FRF 1 500** – Londres, 13 déc. 1929 : *Jeune Berger :* **GBP 23** – Londres, 23 fév. 1934 : *Groupe de paysans :* **GBP 33** – Paris, 28 nov. 1934 : *La Fuite en Égypte,* sanguine et brosse : **FRF 1 750** ; *Le Repos pendant la fuite en Égypte,* sanguine et brosse : **FRF 1 000** ; *Bacchanale,* pl. : **FRF 260** ; *Famille de faunes au milieu d'animaux,* lav. de bistre gouaché : **FRF 1 020** – Londres, 27-29 mai 1935 : *Le Sacrifice de Noé,* dess. : **GBP 27** – Londres, 4 juin 1937 : *La Découverte de Cyrus :* **GBP 378** – Paris, 29 nov. 1937 : *Animaux groupés ou Le Départ pour l'arche de Noé :* **FRF 3 200** – Paris, 8 déc. 1938 : *Étude de têtes,* pl. : **FRF 430** – Paris, 12-13 jan. 1942 : *Moines en prières devant un crucifix,* cr.

noir : **FRF 120** – Paris, 18 mai 1942 : *L'Annonce faite aux bergers*, pl. et lav. d'encre de Chine : **FRF 1 800** – Paris, 12 fév. 1951 : *Pastorale* : **FRF 60 000** – Londres, 28 juin 1962 : *Apollon et Marsyas* : **GBP 2 800** – Milan, 12-13 mars 1963 : *Paysage animé de bergers* : **ITL 1 600 000** – Londres, 4 déc. 1964 : *La Famille de Darius devant Alexandre*, h. et aquar. : **GNS 1 100** – Londres, 29 nov. 1968 : *Berger sur un cheval blanc* : **GNS 2 000** – Londres, 27 juin 1969 : *Cyrus* : **GNS 4 800** – Londres, 27 nov. 1970 : *Allégorie de la Vanité* : **GNS 18 000** – Milan, 16 déc. 1971 : *Pastorale* : **ITL 9 500 000** – Londres, 1er juil. 1976 : *L'Arche de Noé*, eau-forte (20,5x40,4) : **GBP 480** – Milan, 25 nov. 1976 : *Chasseurs dans un paysage ; Scène de marché*, h/t, une paire (chaque 42x73) : **ITL 15 000 000** – Londres, 29 juin 1978 : *Jeune berger à cheval avec son troupeau*, eau-forte (18,6x25) : **GBP 2 000** – Londres, 7 juil. 1978 : *Le Départ de Jacob*, h/t (140,3x205) : **GBP 30 000** – Londres, 24 avr. 1979 : *Circé*, eau-forte (22x31) : **GBP 900** – Londres, 4 mai 1979 : *Dieu apparaissant à Abraham*, h/t (97,8x73) : **GBP 11 000** – Milan, 18 juin 1981 : *Vierge à l'Enfant avec saint Jean*, temp. (26,5x20) : **ITL 1 600 000** – New York, 3 mai 1983 : *Dieu le Père et les anges adorant l'Enfant Jésus après 1647*, eau-forte (20,6x40,2) : **USD 1 400** – Stockholm, 2 nov. 1983 : *La Basse-cour*, h/t (164x259) : **SEK 130 000** – Londres, 7 déc. 1984 : *La Vierge et l'Enfant devant Dieu le père entouré d'anges*, eau-forte (20,7x40,2) : **GBP 3 000** – Londres, 5 déc. 1985 : *La création d'Adam* vers 1642, monotype (30,2x20,4) : **GBP 320 000** – Londres, 27 juin 1986 : *Pan couché devant une urne*, eau-forte (11,3x21,5) : **GBP 2 300** – Rome, 16 déc. 1987 : *Élégante cueillant des fleurs*, h/t (64x34) : **ITL 3 400 000** – Monaco, 20 fév. 1988 : *Noé guidant les animaux vers l'arche*, h/cart. (39,5x54,5) : **FRF 444 000** – Stockholm, 15 nov. 1988 : *Moïse faisant jaillir l'eau du rocher*, h/t (53x85) : **SEK 21 000** – Milan, 24 oct. 1989 : *Bacchanale*, h/t (116x143) : **ITL 35 000 000** – New York, 12 jan. 1990 : *Trois philosophes entourés de putti*, encre et lav. (25x39,7) : **USD 104 500** – Copenhague, 25-26 avr. 1990 : *Berger avec un troupeau de chèvres*, h/t (71x120) : **DKK 65 000** – Stockholm, 16 mai 1990 : *Soldats veillant sur leur butin*, h/t (100x134) : **SEK 75 000** – Stockholm, 14 nov. 1990 : *Rebecca près du puits*, h/t (115x160) : **SEK 120 000** – New York, 31 mai 1991 : *Les trois Marie près du tombeau*, h/pap./t. (54,3x38,1) : **USD 16 500** – Londres, 2 juil. 1991 : *Tête d'homme oriental de profil gauche*, encre noire, monotype (19,1x15,3) : **GBP 198 000** – Munich, 26 mai 1992 : *Pan devant une amphore sur un autel*, eau-forte (18x21) : **DEM 7 705** – Monaco, 4 déc. 1992 : *Deucalion et Pyrrha 1655*, h/t (153x120) : **FRF 1 332 000** – Paris, 15 mai 1993 : *La Découverte des corps de saint Pierre et saint Paul*, eau-forte et pointe sèche (30,2x20,9) : **FRF 5 000** – New York, 10 jan. 1995 : *Vision de l'Assomption*, encre et lav. (23,3x19,4) : **USD 8 050** – New York, 10 jan. 1996 : *Dieu le Père apparaissant à Jacob*, craies noire et rouge, aquar. et gche (29,1x42) : **USD 90 500** – Paris, 26 mars 1996 : *Circé avec les compagnons d'Ulysse changés en animaux*, eau-forte : **FRF 7 700** – Lille, 9 juin 1996 : *Circé changeant les compagnons d'Ulysse en animaux*, h/t (64x79) : **FRF 420 000** – Londres, 2 juil. 1996 : *Vierge à l'Enfant avec des putti*, sanguine, lav. brun et h/pap. (35,2x25,7) : **GBP 45 500** – Londres, 13 déc. 1996 : *Samson détruisant le temple des Philistins*, h/t (131,5x194) : **GBP 265 500** – New York, 30 jan. 1997 : *Le Sacrifice de Noé ; Tobie enterrant les morts*, h/t, une paire (40x54,6) : **USD 37 375** – Londres, 2 juil. 1997 : *La Pénitence de saint Pierre*, brosse, peint. bleue et rouge brun reh. de rouge et de blanc (40x29,9) : **GBP 26 450**.

CASTIGLIONE Giovanni Francesco

Né en 1641 à Gênes. Mort vers 1716 à Gênes. XVIIe-XVIIIe siècles. Italien.

Peintre de compositions religieuses, animaux, aquarelliste.

Fils et élève de Giovanni Benedetto Castiglione aux côtés de qui il travailla à Mantoue et plus tard à Gênes et auquel il succéda comme peintre du duc de Mantoue. Il imita la manière de son père et comme lui peignit des animaux.

Musées : Dresde : *Chiens de chasse et gardien* – Schleisheim : *Cheval et enfant nègre*.

Ventes Publiques : Londres, 9 déc. 1981 : *Noé et les animaux quittant l'Arche*, h/t (189x282) : **GBP 29 000** – Milan, 26 nov. 1985 : *Tobiolo e Sarra sulla vie del ritorno*, h/pan. (52x71) : **ITL 600 000** – Milan, 10 juin 1988 : *L'Arche de Noé*, h/t (34,5x49) : **ITL 10 000 000** – Milan, 4 avr. 1989 : *Le Départ pour Canaan*, encre et aquar. (28,3x41) : **ITL 6 000 000** – Monaco, 20 juin 1992 : *Les Animaux de l'Arche de Noé*, craie noire, encre et lav. (19,5x27,3) : **FRF 44 400** – New York, 18 mai 1994 : *Tobie*

enterrant un cadavre par défiance aux ordres du roi Sennachérib, h/t (65x80,6) : **USD 8 625** – Milan, 16-21 nov. 1996 : *Fuite de la famille d'Abraham*, h/t (150x174) : **ITL 29 125 000**.

CASTIGLIONE Giuseppe

Né en 1829 à Naples. Mort en 1908. XIXe-XXe siècles. Actif en France. Italien.

Peintre de scènes de genre, portraits, paysages.

Il vint de bonne heure à Paris où il commença à exposer en 1869. Sociétaire des Artistes Français et hors concours, il a exposé à Paris et à Turin. Il obtint une mention honorable en 1861, une médaille de bronze en 1900 à l'Exposition Universelle ; et fut décoré de la Légion d'honneur depuis 1893.

-G. Castiglione-

Ventes Publiques : Paris, 1885 : *Amalfi, Italie, XVIe siècle* : **FRF 2 300** ; *Mignon* : **FRF 620** ; *Taquinerie* : **FRF 460** ; *Italienne puisant de l'eau à une fontaine à Rome* : **FRF 870** ; *Une allée de pins dans la villa Pamphili* : **FRF 1 140** ; *Jeunes filles italiennes* : **FRF 460** – Paris, 20 jan. 1908 : *La Présentation* : **FRF 300** ; *La Partie d'échecs* : **FRF 460** ; *Le Café du cardinal* : **FRF 220** ; *Le cardinal amateur* : **FRF 380** – New York, 15 fév. 1945 : *Jardins d'un palais* : **USD 500** – Paris, 13 déc. 1950 : *Le mousquetaire endormi* : **FRF 2 200** – Vienne, 23 mars 1965 : *La promenade des Anglais, Nice* : **ATS 22 000** – Londres, 13 oct. 1967 : *La réception* : **GNS 420** – New York, 24 mai 1968 : *Place Pigalle* : **USD 300** – Londres, 19 avr. 1978 : *L'Arrivée du cardinal*, h/t (110x199) : **GBP 3 200** – Paris, 22 nov. 1982 : *Départ pour la fête*, h/t (64x91) : **FRF 19 000** – Londres, 19 juin 1985 : *Jeune élégante sur un balcon avec une vue du Vésuve à l'arrière-plan*, h/t (60x49) : **GBP 5 500** – Paris, 15 avr. 1988 : *Enfants parés pour le carnaval*, h/t (112x69) : **FRF 96 000** – New York, 23 mai 1990 : *Promenade des anglais à Nice*, h/t (69,9x130,8) : **USD 31 900** – Rome, 16 avr. 1991 : *Les jeunes pêcheurs*, h/t (50x40) : **ITL 9 200 000** – New York, 18 fév. 1993 : *Cardinal posant pour son portrait*, h/t (68,6x104,1) : **USD 22 000** – New York, 27 mai 1993 : *Présentations à son Éminence*, h/t (69,8x101,6) : **USD 28 750** – Milan, 9 nov. 1993 : *Avant le duel*, h/pan. (54,5x73) : **ITL 11 500 000** – Rome, 28 nov. 1996 : *La Porte de Capoue*, h/t (47,5x60) : **ITL 7 000 000**.

CASTIGLIONE Giuseppe. Voir aussi LANG SHINING

CASTIGLIONE Salvatore

XVIIe siècle. Travaillant à Gênes et à Mantoue. Italien.

Peintre de sujets religieux, graveur.

Frère de Giovanni Benedetto, il fut son élève et peignit d'après la manière de ce maître. On cite de lui une planche représentant la *Résurrection de Lazare*, qui est signée et datée de 1645.

Ventes Publiques : Londres, 20 nov. 1980 : *La résurrection de Lazare*, eau-forte (11,1x21,2) : **GBP 220**.

CASTIGLIONE-COLONNA Adèle de, duchesse, née d'Affry. Voir MARCELLO

CASTIGLIONI Luigi

Né à Milan. XXe siècle. Italien.

Peintre d'affiches publicitaires.

Il fut diplômé de l'Académie des Arts de la Bréra à Milan en 1957. En 1969, il obtint le Grand Prix Martini pour *Music-Hall*, affiche des Beatles, en 1979 lui fut décerné le Grand Prix de l'Affiche Française pour la ville de Cannes et son Festival, la même année il réalisa une peinture de cinq cent mètres carrés dans le commissariat de police de Maisons-Laffitte (Yvelines). Il se singularise surtout dans ses affiches pour le sport.

CASTIGNOLA da. Voir CASSIGNOLA

CASTILLE Colin

XVIe siècle. Rouennais, vivant au XVIe siècle. Français.

Sculpteur sur bois, imagier et architecte.

En 1503, il travailla au château de Gaillon ; en 1514, il fit, pour la cathédrale de Rouen, avec deux autres architectes, Jean Derbe et Richard Dubosc, le plan d'une nouvelle flèche. Il collabora aux stalles de la chapelle du château de Gaillon, qui sont aujourd'hui à Saint-Denis. Enfin il sculpta, à l'église Saint-Maclou, de Rouen, plusieurs crucifix et le buffet des orgues (1540).

CASTILLE Suzanne

Née à Vichy (Allier). XXe siècle. Française.

Peintre.

Elle exposa au Salon des Indépendants.

CASTILLEJO
XVIᵉ siècle. Actif à Séville. Espagnol.
Peintre.

CASTILLEJO Andres de
XVIᵉ siècle. Actif à Séville à la fin du XVIᵉ siècle. Espagnol.
Sculpteur.
Dans son bel essai de Dictionnaire, D. Jose Gestoso dit que cet artiste sculpta deux figures pour la porte de Triana (1589), et trois écus des armes de Séville pour l'église de San Diego-hors-les Murs (1591).

CASTILLEJO Juan
XVIᵉ siècle. Actif à Séville vers 1570. Espagnol.
Sculpteur.

CASTILLEJOS Pedro
XVIIIᵉ siècle. Travaillant à Séville en 1738. Espagnol.
Sculpteur.

CASTILLO Agustin del
Né en 1565 à Séville. Mort en 1626 à Cordoue. XVIᵉ-XVIIᵉ siècles. Espagnol.
Peintre.
Élève de Luis Fernandez. Il décora de fresques des églises et des monastères de Cordoue.

CASTILLO Antonio del. Voir CASTILLO Y SAAVEDRA

CASTILLO Carlos ou Castillo-Gonzalez
Né le 17 janvier 1963 à Managua. XXᵉ siècle. Depuis 1983 actif en France. Nicaraguayen.
Graveur, sculpteur d'installations.
En 1982, il obtint le diplôme d'enseignement d'arts plastiques à Managua, à la suite de quoi il vint en France, s'inscrivant à l'École Nationale des Beaux-Arts de Dijon, élève, entre autres, de Jean-Claude Chedal et Jacques Busse, obtenant le diplôme supérieur d'expression plastique en 1986, et où il est devenu enseignant pour la gravure en 1989. Il participe à des expositions collectives, dont : 1987 Salon de la Jeune Gravure Contemporaine à Paris, 1987-1988 Salon des Réalités Nouvelles à Paris, 1988-1989 XIᵉ Biennale de l'Union Méditerranéenne pour l'Art Moderne (U.M.A.M.) à Nice, dont il reçut le Premier Prix de Gravure, 1989-1990 exposition itinérante à partir du Salon International de la Gravure de Niort, qui lui attribua le Deuxième Prix *Images Plurielles*, 1992 *33 sculpteurs latino-américains* au Centre Culturel du Mexique à Paris... Il montre aussi ses réalisations dans des expositions personnelles : 1988 à l'Espace des Arts de Chalon-sur-Saône, 1992 *Quarto Cardo* interventions sculpturales sur quatre sites de la ville de Dijon, 1995 *Circulez...* peintures à l'Atheneum de Dijon.
Graveur originairement, il se montra très tôt attentif à la prise de possession de l'espace de monstration. Puis, découpant ses plaques de gravure, il leur conféra progressivement le statut d'éléments d'installations. ■ J. B.

BIBLIOGR. : Divers : Catalogue de l'exposition *Carlos Castillo*, Espace des Arts, Chalon-sur-Saône, 1988 – M.-F. Vo-Thi-Anh Cheylus, in : Art Press nº 146, Paris, avr. 1990 – Carlos Castillo, Ph. Blanchard, M.-F. Vo-Thi-Anh Cheylus : Catalogue de l'intervention urbaine *Carlos Castillo « Quarto Cardo »*, sculptures dans la ville, Dijon, 1992.

CASTILLO Fernando del
Né en 1740 à Madrid. Mort en 1777 à Madrid. XVIIIᵉ siècle. Espagnol.
Peintre, sculpteur.
Frère puîné de José del Castillo, il étudia la sculpture sous Felipe de Castro. Puis il fit partie, à Rome, de l'École de peinture de Corrado Giaquinto et remporta un prix à l'Académie en 1767. Quelque temps après, il fut nommé peintre de la manufacture royale de porcelaines de Buen Retiro.

CASTILLO Francisco del
XVIIᵉ siècle. Actif à Séville vers 1607. Espagnol.
Peintre.

CASTILLO Gonzalo de
Mort en 1547. XVIᵉ siècle. Actif à Palencia. Espagnol.
Peintre.
Beau-frère du sculpteur Francisco Giralte.

CASTILLO Jorge
Né en 1933 à Pontevedra (Galice). XXᵉ siècle. Espagnol.
Peintre de compositions à personnages, scènes de genre, figures, portraits, intérieurs, natures mortes,

peintre à la gouache, aquarelliste, dessinateur. Expressionniste.
Après avoir passé son enfance à Buenos Aires, il revint en Espagne en 1955 et s'y fixa. Il participe à de très nombreuses expositions collectives, parmi lesquelles : 1961 l'Institut Carnegie de Pittsburgh, à Tokyo *Contrastes de la peinture espagnole d'aujourd'hui*, Biennale de São Paulo, à partir de 1963 le Salon de Mai à Paris, etc. Il expose individuellement souvent en Espagne, et 1961 New York, 1963 Paris, 1964 Düsseldorf...
Il peint la réalité, piégée à travers des personnages pris pour cibles, dont il dénonce la cruauté et la laideur. Dans son langage pictural cependant très personnel, on peut déceler quelques influences diverses : son travail de la matière doit peut-être aux peintres de l'abstraction informelle, à Fautrier par exemple, d'autre part la vocation expressionniste, non isolée chez les peintres espagnols de sa génération, est évidente et s'appuie sur l'héritage, également très répandu dans cette même génération, de Bacon repensé à travers le pop art. ■ J. B.

BIBLIOGR. : M.L. Borras : Catalogue de l'exposition *Castillo*, Palau de la Virreina, Barcelone, 1990.

VENTES PUBLIQUES : PARIS, 3 déc. 1970 : *Femme au chien* : FRF 1 400 – PARIS, 18 juin 1971 : *La Vie de famille* : FRF 2 000 – MUNICH, 24 mai 1976 : *Le Déjeuner*, aquar., cr. et gche/pap. (49,8x65) : DEM 2 200 – MUNICH, 23 mai 1977 : *Grande Table* 1975, aquar. et encre de Chine (57x78,5) : DEM 2 640 – BARCELONE, 21 juin 1979 : *Clown*, h/isor. (90x63) : ESP 155 000 – MUNICH, 1ᵉʳ déc. 1980 : *Le Soldat* 1970, h/t (180x160) : DEM 14 500 – BARCELONE, 15 juil. 1982 : *Visage*, h/t (97x61) : ESP 100 000 – BIELEFELD, 29 sep. 1984 : *Composition fantastique* 1972, aquar. et pl. (57x38,5) : DEM 1 900 – MUNICH, 2 juin 1986 : *Ma Jolie* 1973, aquar. et pl., reh. de blanc (77,5x57,2) : DEM 4 500 – LONDRES, 20 mai 1987 : *Ruth avec un chat* 1964-1965, h/t (97x130) : GBP 4 600 – HAMBOURG, 12 juin 1987 : *La maison du sculpteur Berreguete* 1972, aquar. et encre de Chine (56,2x38,1) : DEM 1 500 – LONDRES, 25 fév. 1988 : *Le Toréador*, h/t (79x118) : GBP 4 400 – LONDRES, 20 oct. 1988 : *Portrait de femme*, techn. mixte (55,2x38) : GBP 2 420 ; *Sans titre* 1962, h/cart. (100,5x122,3) : GBP 7 480 – PARIS, 20 nov. 1988 : *Femme en bleu* 1965, h/t (73x60) : FRF 27 000 – LONDRES, 23 fév. 1989 : *Femme debout*, h/t (160,6x129,5) : GBP 26 400 – PARIS, 12 avr. 1989 : *Le chien Olga sous la couverture*, h. et temp./pan. (61x86) : FRF 40 000 – LONDRES, 22 fév. 1990 : *Maternité* 1963, h/t (162x130) : GBP 23 100 – LONDRES, 18 oct. 1990 : *Homme-pistolet*, h/t (63,5x81) : GBP 3 300 – PARIS, 26 oct. 1990 : *Petite fille sur un tabouret* 1961, h/t (149x100) : FRF 145 000 – MADRID, 25 avr. 1991 : *Nature morte*, h/cart. (100x122,5) : ESP 3 360 000 – LUCERNE, 25 mai 1991 : *Nature morte au poisson* 1962, aquar. et encre (69x100) : CHF 11 000 – PARIS, 25 juin 1991 : *Mère* 1974, h/t (150x100) : FRF 50 000 – LONDRES, 17 oct. 1991 : *Sans titre* 1965, h. et encre/t. (46x55) : GBP 4 180 – MADRID, 28 nov. 1991 : *Maternité*, h/t (150,5x130) : ESP 3 360 000 – NEW YORK, 14 mai 1992 : *Deux personnages* 1986, h/t (121,9x152,4) : USD 19 800 – LONDRES, 29 mai 1992 : *Bleu* 1969, h/t (150,5x100) : GBP 6 600 – NEW YORK, 6 oct. 1992 : *Intérieur bleu et rose*, acryl./t. (177,8x152,4) : USD 24 200 – MADRID, 26 nov. 1992 : *Fenêtre* 1985, acryl./t. (241x203) : ESP 3 136 000 – MADRID, 10 juin 1993 : *Sans titre*, encre de Chine et aquar./pap. (69x104) : ESP 230 000 – PARIS, 29-30 juin 1993 : *Personnage* 1966, aquar. et encre/pap. (99,5x69) : FRF 9 000 – PARIS, 24 mars 1997 : *Tête d'Indien*, h/t (35x27) : FRF 5 000 – PARIS, 28 avr. 1997 : *Neuf têtes d'Indiens*, gche et cr./pap. (63,5x49) : FRF 9 500 ; *Femme en noir* 1961, h/t (149x100) : FRF 40 000 – PARIS, 27 juin 1997 : *Le Repas* vers 1963, h/t (162x130) : FRF 37 500 – PARIS, 4 oct. 1997 : *Les Amants* vers 1965-1970, h/t (160x128) : FRF 12 000.

CASTILLO Jose
Né en 1955 à Saint-Domingue. XXᵉ siècle. Depuis 1979 actif en France. Dominicain.
Peintre de compositions animées. Figuration libre.
Il fut élève de l'École des Beaux-Arts de Saint-Domingue, puis de celle de Paris, où il s'est fixé. Il participe à des expositions collectives, dont : 1982 Salon de la Jeune Peinture à Paris, 1983 Salon des Artistes Français, 1984 Biennale de Saint-Domingue, 1985 *Peintres des Caraïbes* à l'UNESCO de Paris, 1988 Musée Latino-Américain de Monte-Carlo, 1990 Salon de Vitry-sur-Seine, 1991 Salon de Mai à Paris, etc. Il montre aussi ses peintures dans des expositions personnelles : 1983 à Honfleur et Vichy, 1985 Chamalières (Clermont-Ferrand), 1988 Paris, 1991 Lausanne...
Sur des supports souvent de fortune, panneau de porte, planches rabotées ensemble, souvent il colle ou fixe un mor-

ceau de pelage animal, des plumes, un fragment de tissu imprimé exotique, puis distribue généreusement sur toute la surface, efficacement simplifiés, violemment bariolés, figurés à plat et sans profondeur, des personnages agités, parfois en postures érotiques, des créatures fabuleuses, une tête emmanchée sur une jambe, un œil entre deux cornes sur un corps de femme callypige, des animaux le plus souvent imaginaires, des fleurs étranges, et encore quantité d'objets indéterminés et aussi des signes probablement rituels... Quant à ces peintures surpeuplées, sursaturées de figures et de couleurs, Jose Castillo en dit lui-même s'inspirer d'une tradition mêlant Espagnols et Noirs, Indiens et Créoles, comme il en est sur cette île partagée entre Haïti et Saint-Domingue. Jose Castillo concilie ainsi la quête de ses racines profondes avec un langage plastique véhiculaire, accordé à un courant expressionniste international et contemporain. ■ J. B.

BIBLIOGR. : Raymond Perrot : *Jose Castillo*, in : Artension, nº 29, Paris, nov. 1991.

CASTILLO José del
Né en 1737 à Madrid. Mort en 1793 à Madrid. XVIIIe siècle. Espagnol.

Peintre de sujets religieux, portraits, cartons de tapisseries, graveur, dessinateur.

Il fut élève de José Romeo. Il fut remarqué par le ministre d'État, José Carvajal qui, prévoyant en lui un artiste de talent, l'envoya à Rome à ses propres frais. Del Castillo y travailla d'abord sous Corrado Giaquinto quel il revint à Madrid en 1753. A son second voyage en Italie, il choisit pour maître Reciado. En 1764, de retour dans sa ville natale, il obtint les faveurs du roi qui chargea Mengs, son peintre, de donner du travail à del Castillo. Celui-ci eut à exécuter des dessins pour les tapisseries royales, à peindre deux portraits de Charles III et des tableaux religieux destinés à décorer les cellules du couvent royal de Salesas. Il grava d'après Luca Giordano *La Fuite en Égypte*, et d'après Cerezo *Le Souper d'Emmaüs*. Lorsque l'Académie de Madrid publia une édition de *Don Quichotte*, Castillo fut chargé de l'illustrer de ses dessins (1770).

VENTES PUBLIQUES : MONACO, 20 juin 1992 : *Allégorie de la Sagesse divine (recto)* ; *Sphinx (verso)*, craie noire et craie noire et rouge (25,5x14,5) – MADRID, 18 mai 1993 : *Projet d'une coupe ornementale* 1780, encre et aquar./pap. et cart. (53,2x20,4) : ESP 750 000 – PARIS, 8 juin 1994 : *Scène de carnaval*, h/t (43,5x35,5) : FRF 47 000.

CASTILLO José del
XIXe siècle. Actif à Séville. Espagnol.

Peintre.

On cite de lui : *Alphonse X dictant son testament* et le *Portrait d'Alphonse XII*.

CASTILLO Juan del
Né en 1584 à Séville (Andalousie). Mort en 1640 à Cadix (Andalousie). XVIIe siècle. Espagnol.

Peintre de compositions religieuses, portraits, dessinateur.

Il est le frère d'Agustin del Castillo. Grâce aux dons naturels qu'il possédait et aux excellents conseils qui lui furent prodigués par son maître Luis Fernandez et par ceux qu'il reçut de Juan de las Roelas, il devint un excellent peintre d'histoire. On paraît aujourd'hui assuré qu'il eut pour élèves Murillo, Alonso Cano et Pedro de Moya.

MUSÉES : SÉVILLE : six peintures qui décoraient le maître-autel de la chapelle du monastère du Monte Sion.

VENTES PUBLIQUES : PARIS, 1852 : *Conversion de saint Mathieu* : FRF 85 – PARIS, 1853 : *L'Assomption de la Vierge* : FRF 875 – LONDRES, 1853 : *L'Assomption* : FRF 600 – PARIS, 1858 : *Aug. de Castillo de Vélasquez*, trois dessins sur la même feuille : FRF 56 – LONDRES, 14 déc. 1990 : *La vision du moine de Soriano*, h/t (243,5x160,5) : GBP 71 500.

CASTILLO Juan Bautista del
XVIIe siècle. Actif à Antequera. Espagnol.

Sculpteur.

CASTILLO Luis del
XVIe siècle. Actif à Toro. Espagnol.

Peintre.

CASTILLO Marcos
Né en 1899 à Caracas. XXe siècle. Vénézuélien.

Peintre.

Il fut élève de l'Académie des Beaux-Arts de Caracas et y devint professeur de l'École d'Arts Plastiques.

VENTES PUBLIQUES : NEW YORK, 24 nov. 1982 : *Le sculpteur et poète Nicolas Pimental*, h/t (120,7x99) : USD 14 000.

CASTILLO Sarah
Née à Buenos Aires. XXe siècle. Argentine.

Peintre d'intérieurs.

Elle a exposé à Paris, au Salon des Artistes Français. Elle y est aussi membre de l'Union des Femmes Peintres et Sculpteurs.

CASTILLO Sergio
Né en 1925 à Santiago. XXe siècle. Chilien.

Sculpteur.

Il vint à Paris en 1948 et fut élève à l'Académie Julian. En 1952, retourné au Chili, il fut élève de l'École des Beaux-Arts de Santiago. Depuis 1957, il participe à d'importantes manifestations collectives de sculpture, dont, en 1961, la deuxième Exposition Internationale de Sculpture au Musée Rodin de Paris.

CASTILLO Y AGUADO Antonio del
Né le 14 novembre 1834 à Iznate, Malaga. Mort en 1870, fou. XIXe siècle. Actif à Madrid. Espagnol.

Peintre.

Élève à Madrid de Joaquin Espalter. Il séjourna en Italie vers 1857, puis revint en Espagne et exposa régulièrement aux Salons de Madrid. On cite de lui : *Un poète du XVIIe siècle, Vision de Maria de Padilla, La résurrection de la fille de Jaïre.*

A.C.

CASTILLO Y DIAZ Carolina
Née le 3 juillet 1867 à Gijón. Morte le 24 octobre 1933 à Gijón. XIXe-XXe siècles. Espagnole.

Peintre de portraits, nus, paysages. Postimpressionniste.

Elle fut élève de Cecilio Plà y Gallardo à Madrid. Elle a participé à des expositions collectives, obtenant en 1908 une mention honorable à l'Exposition Nationale et une autre à l'Exposition hispano-française de Saragosse, et en 1909 une troisième médaille à l'Exposition de Saint-Jacques-de-Compostelle.

Ses paysages ruraux sont empreints d'une poésie volontiers rêveuse, d'une facture marquée par l'impressionnisme.

BIBLIOGR. : In : *Cent ans de Peinture en Espagne et au Portugal – 1830-1930*, Antiquaria, Madrid, 1988.

CASTILLO HITA Benito del. Voir HITA-CASTILLO

CASTILLO Y SAAVEDRA Antonio del
Né vers 1603 à Cordoue. Mort en 1667 à Cordoue. XVIIe siècle. Espagnol.

Peintre de compositions religieuses, portraits, sculpteur.

Il était le neveu de Juan del Castillo, le maître de Murillo, et sans doute le fils d'Agustin. Il aurait été son élève, et, après sa mort, élève de Francisco Zurbaran, à Séville. Rubens était venu en Espagne et, à travers Velasquez, eut une grande influence sur les plus jeunes peintres espagnols, jusqu'à avoir un véritable imitateur en Miguel Manrique. Mais ce fut surtout Van Dyck qui influença Antonio del Castillo, en même temps que Murillo et Juan de Valdès Leal. Il aurait formé des élèves, parmi lesquels Alfaro, Quesada, Arias Contreras. Il était également poète.

Il a peint de nombreux tableaux pour les églises et les monastères de Cordoue et exécuté des portraits. Lorsqu'Antonio del Castillo peint des scènes de l'Ancien Testament, il les situe dans de vastes paysages, très exacts dans la description des détails de la vie rustique. Il y introduit volontiers des personnages pris sur le vif, faisant par là œuvre de chroniqueur scrupuleux. Son œuvre préfigure celle de Murillo, et, si elle a moins d'ampleur, Jacques Lassaigne lui accorde plus d'homogénéité et admire ses dessins conservés au Musée de Cordoue.

BIBLIOGR. : Jacques Lassaigne : *La Peinture Espagnole*, Skira, Paris, 1952 – J. Valverde, in : Catalogue de l'exposition *Antonio del Castillo y su epoca*, Cordoue, 1986.

MUSÉES : CORDOUE : *Le Baptême de saint François – Dessins – LONDRES : Sainte Famille – MADRID (Prado) : Adoration des Bergers – Histoire de Joseph*, en plusieurs tableaux – MADRID (BN) : Dessins.

VENTES PUBLIQUES : PARIS, 1843 : *Le Festin de Balthazar* : FRF 210 ; *Saint Jérôme*, pl. et lav. : FRF 2,50 – COLOGNE, 8-9 mars 1904 : *Saint François mort* : DEM 5 – GENÈVE, 21 juin 1976 : *La Mort d'Abel*, h/t (206x161) : CHF 90 000 – LONDRES, 5 juil. 1984 : *Tobias et l'ange*, h/t (163x120,5) : GBP 12 000 – LONDRES, 30 juin 1986 : *Deux martyrs*, pl. et lav. (25,5x20,4) : GBP 1 200 – LONDRES, 25 fév. 1994 : *Saint Pierre*, h/t (175,8x109,5) : GBP 5 520 –

LONDRES, 7 déc. 1994 : *L'Immaculée Conception*, h/t (193x131) : **GBP 13 800** – NEW YORK, 12 jan. 1995 : *Saint Jean-Baptiste*, h/t (165,1x103,5) : **USD 90 500** – LONDRES, 13 déc. 1996 : *David*, h/t (161,8x106,6) : **GBP 17 250.**

CASTILLON Jacques
XVIIIe siècle. Actif à Toulon en 1730. Français.
Peintre.

CASTILLON Jean Baptiste
XVIIIe siècle. Actif à Toulon au début du XVIIIe siècle. Français.
Peintre.

CASTILLON Laurent
XVIIe siècle. Actif à Toulon en 1695. Français.
Sculpteur.

CASTIN Jean Jacques Marie
Né le 26 mars 1797 à Rossillon (Ain). Mort en 1869 ou 1870 à Lyon. XIXe siècle. Français.
Peintre.
Il entra à l'École des Beaux-Arts de Lyon en 1823, et y fut élève de Bonnefond. Il a figuré aux Expositions, puis au Salon de Lyon, de 1833 à 1855-1856, avec des portraits à l'huile et en miniature (aquarelle).

CASTINEL André
Né le 8 juin 1934 à Versailles (Yvelines). XXe siècle. Français.
Peintre, sculpteur.
Diplômé de l'École Nationale des Beaux-Arts de Paris en 1966, il participe ensuite à de nombreuses expositions parisiennes.
VENTES PUBLIQUES : PARIS, 19 mai 1987 : *Le château de l'ombre*, h/t (65x54) : **FRF 4 000** – PARIS, 20 sep. 1990 : *Le nid 1968*, h/t (92x65) : **FRF 4 000.**

CASTINELLI Jacinto
XIXe siècle. Actif en Italie. Italien.
Graveur au burin.
Il a gravé pour le Museo Borbonico (Naples).

CASTLE Florence
XIXe siècle. Active à Peckham. Britannique.
Peintre de scènes de genre, portraits.
Elle exposa à la Royal Academy, à Londres, dès 1892.

CASTLE Wendell
Né en 1932. XXe siècle. Américain.
Sculpteur d'assemblages, peintre.
VENTES PUBLIQUES : NEW YORK, 2 mai 1989 : *La pendule du dieu Soleil 1985*, bois des Îles, feuille d'or et mouvement à quartz (240x99x48,3) : **USD 132 000** – NEW YORK, 25-26 fév. 1994 : *Sans titre (maison et échelles) 1986*, peuplier et urne à cendres japonaise en acier (180,3x81,3x63,5) : **USD 4 025** ; *Rocking chair 1977*, noyer et daim (93,3x100,3x65,4) : **USD 17 250.**

CASTLEDEN George T.
Né en 1851 à Canterbury. XIXe siècle. Britannique.
Aquarelliste, graveur.

CASTNER Friedrich Wilhelm August
XIXe siècle. Actif à Berlin dans la première moitié du XIXe siècle. Allemand.
Sculpteur, fondeur de bronze.

CASTNER Hans ou Kastner
XVIe siècle. Actif à Augsbourg. Allemand.
Peintre décorateur.

CASTOLDI Guglielmo
Né en 1852 à Milan. XIXe siècle. Italien.
Peintre.
Élève de la Brera à Milan. Il vécut dans cette ville. Peintre de scènes de genre et, plus tard, aussi de fleurs et de portraits, il fut bon coloriste. *Une Romance sur la lagune* obtint à l'Exposition Nationale de Parme (1870) le plus chaleureux accueil.

CASTOLDI Matteo
XVe siècle. Italien.
Sculpteur.
Il travailla à la cathédrale de Milan et à celle de Ferrare.

CASTOR Christian
Né en 1953. XXe siècle. Français.
Sculpteur, peintre de figures. Nouvelles figurations.
Sculpteur avec des moyens rudimentaires ou peintre travaillant surtout sur des panneaux de bois, il déforme en plagiant rudimentairement les grands aînés et colorie sauvagement.
VENTES PUBLIQUES : PARIS, 26 juin 1987 : *Les mariés*, h/t (98x130) :

FRF 3 800 – PARIS, 9 avr. 1989 : *Le Voyage*, acryl./t. (110x99) : FRF 5 000 – PARIS, 8 oct. 1989 : *Les gars de la marine*, acryl./t. (120x120) : FRF 5 200 – LES ANDELYS, 19 nov. 1989 : *La belle vie*, acryl./t. (95x105) : FRF 4 500 – PARIS, 26 avr. 1990 : *Tea time*, acryl./t. (150x150) : FRF 15 500 – PARIS, 28 oct. 1990 : *Acrobates n° 12*, acryl./bois (H. 120) : FRF 15 000 – PARIS, 7 fév. 1991 : *Acrobates n° 15*, acryl./sculpt. de bois (H. 150) : FRF 11 000 – PARIS, 14 avr. 1991 : *Sculpture 17*, acryl./bois (H. 150) : FRF 10 600 – PARIS, 17 nov. 1991 : *Sculpture carrée*, bois polychrome (H. 150) : FRF 10 800 – PARIS, 29 nov. 1992 : *Ma dernière sculpture acrobatique*, acryl./bois découpé (H. 200) : FRF 11 000 – PARIS, 21 nov. 1993 : *Les promeneurs*, acryl./t. (116x145) : FRF 5 200 – PARIS, 4 oct. 1994 : *Les voyageurs*, acryl./t. (100x100) : FRF 4 300 – PARIS, 16 nov. 1995 : *Sculpture noire*, alu. peint (H. 150) : **FRF 16 000.**

CASTORINA Nuccio
Né en 1923 à Reggio-de-Calabre. XXe siècle. Italien.
Peintre.
Il fut élève de Carlo Striccoli à l'Institut d'Art de Naples. Il a exposé à Florence, Bologne, San-Marino, Padoue, etc., obtenant de nombreuses distinctions.

CASTORIO di Nanni
XVe siècle. Actif à Sienne vers 1440. Italien.
Sculpteur.

CASTORO Rosemarie
XXe siècle. Américaine.
Sculpteur, artiste d'installations, dessinatrice.
Elle enseigne la peinture, le dessin et la sculpture aux États-Unis. Elle participe à de nombreuses expositions collectives aux États-Unis et en Europe. Elle montre ses œuvres dans des expositions personnelles aux États-Unis et en Europe, notamment à Paris à l'American Center au début des années quatre-vingt, et en 1993 à la galerie Arnaud Lefebvre.
Ses œuvres parllent du végétal, elles croissent, rampent sur le sol, prolifèrent, appelent à se blottir dans ce temple qu'est la nature. Elles évoquent aussi le monde féerique de la chevalerie.
MUSÉES : BEKERLEY (Univer. Art Mus.) – NEW YORK (Mus. of Mod. Art).
VENTES PUBLIQUES : NEW YORK, 19 nov. 1996 : *Flasher 1979*, acryl./feuille métalique (223,5x61x61) : **USD 2 185.**

CASTREJON Antonio de
Né en 1625 à Madrid. Mort en 1690 à Madrid. XVIIe siècle. Actif à Madrid. Espagnol.
Peintre.
Élève de Francisco Fernandez. Les œuvres qu'il avait exécutées pour S. Felipe el Real et S. Miguel, à Madrid, périrent dans un incendie. Celles qui étaient destinées à S. Ginés, au couvent des Carmes et à S. Maria de Gracia ont été conservées.

CASTRES Édouard
Né en 1838 à Genève. Mort en 1902 à Etrembières (près de Genève). XIXe-XXe siècles. Suisse.
Peintre de sujets militaires, scènes de genre, portraits, compositions décoratives, émailleur.
Élève de Barthélémy Menn à Genève, il se rendit à Paris où il étudia sous la direction de Zamacoïs, à l'École des Beaux-Arts de Paris, en 1868. Il exposa à Genève et au Salon de Paris. Il fut professeur et médaillé à Paris et à Vienne.
Peintre de scènes militaires, il est l'un des derniers à peindre des grands panoramas, notamment celui de *L'entrée de l'armée française à Verrières*, pour lequel il demanda la collaboration de plusieurs autres artistes à Lucerne. Parmi ses panneaux décoratifs, on cite une *Grande revue sur la plaine de Plainpalais 1840*. Ses nuances vaporeuses sont mises en valeur par quelques touches de couleurs vives.

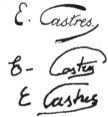

BIBLIOGR. : Gérald Schurr, in : *Les Petits Maîtres de la peinture 1820-1920, valeur de demain*, Les Éditions de l'Amateur, t. V, Paris, 1981.

VENTES PUBLIQUES : PARIS, 1877 : *Paysage du gué* : FRF 250 – PARIS, 1891 : *Dolce farniente* : FRF 1 650 – LUCERNE, 4 déc. 1965 : *Arrivée de l'armée du général Bourbaki* : CHF 2 600 – BERNE, 7 mai 1971 : *La rage de dents* : CHF 4 000 – BERNE, 5 mai 1972 : *Le maître-poste du Simplon* : CHF 10 000 – LUCERNE, 19 nov. 1976 : *Les joies du patinage*, h/t (90x125) : CHF 13 000 – BERNE, 20 oct. 1977 : *Batterie d'artillerie suisse aux Verrières*, h/t (38x55) : CHF 4 500 – BERNE, 26 oct. 1978 : *Sangliers dans un sous-bois*, h/cart. (32x42) : CHF 2 000 – ZURICH, 30 nov. 1981 : *Savoyards au Grand Saint-Bernard*, h/t (73,5x101) : CHF 36 000 – LUCERNE, 19 mai 1983 : *Der Büchsenmacher*, aquar. et gche (38x46,5) : CHF 4 800 – NEW YORK, 27 oct. 1983 : *Un bazar japonais* 1872, h/t (64,8x92,1) : USD 28 000 – LUCERNE, 7 nov. 1985 : *La frontière à Étrembières en hiver*, h/t (33x46,5) : CHF 22 000 – BERNE, 26 oct. 1988 : *Religieuse sur la terrasse du couvent*, aquar. (33x22) : CHF 1 500 – NEW YORK, 23 fév. 1989 : *La route de l'église*, h/t (78,8x24,5) : USD 22 000 – LONDRES, 6 oct. 1989 : *Un jardin japonais*, h/pan. (34,5x26) : GBP 7 700 – LUGANO, 8 mai 1990 : *Un homme jeune (J. J. Rousseau ?) faisant la lecture à une dame sur les bords du lac Léman*, h/t/cart. (48,3x38,2) : GBP 3 300 – BERNE, 12 mai 1990 : *Dragon à cheval*, h/t (102x70) : CHF 10 000 – PARIS, 29 juin 1990 : *Odalisque orientale*, h/pan. (20x27) : FRF 6 200 – PARIS, 30 oct. 1990 : *Jeune fille à la harpe* 1966, h/t (46x38) : FRF 9 200 – LONDRES, 25 nov. 1992 : *Jean-Jacques Rousseau au bord du lac Léman*, h/t (49x38) : GBP 1 870 – PARIS, 6 avr. 1993 : *La brodeuse* 1873, h/pan. (41x32) : FRF 16 000 – PARIS, 16 mai 1993 : *Jean-Jacques Rousseau au bord du lac Léman*, h/t (50x39) : CHF 7 500 – NEW YORK, 13 oct. 1993 : *L'amateur* 1870, h/t (46,4x38,1) : USD 6 325 – ZURICH, 24 nov. 1993 : *Brodeuse de St. Gall* 1873, h/pan. (40,5x32) : CHF 13 800 – LONDRES, 10 fév. 1995 : *La nouvelle poupée* 1872, h/pan. (22x16) : GBP 2 990 – ZURICH, 10 déc. 1996 : *Paris, janvier 1871 : l'armée de la Loire du général Chauzy*, h/t (46,5x70,5) : CHF 43 700 – NEW YORK, 23 oct. 1997 : *Jeune fille peignant un éventail*, h/t (45,7x33) : USD 18 400.

CASTRES Pierre de. Voir PIERRE de Castres

CASTRILLO Pedro de
XVIe siècle. Espagnol.
Sculpteur, architecte.

CASTRIQUE
XVIIIe siècle. Actif à la fin du XVIIIe siècle. Français.
Peintre de portraits, miniatures.

CASTRO de, Mrs
XVIIIe siècle. Active à Londres. Britannique.
Peintre de fleurs.
Elle exposa à Londres, à la Royal Academy en 1777 et 1778.

CASTRO Alice Auréa Rose de
Née à Valença do Minho. XXe siècle. Portugaise.
Peintre.

CASTRO Amilcar de
Né en 1920. XXe siècle. Brésilien.
Sculpteur.
Il participe à des expositions collectives : 1989 Biennale de São Paulo.

CASTRO Andrea
Originaire de Pirano. XIXe siècle. Actif dans la première moitié du XIXe siècle. Italien.
Peintre de portraits, miniatures.

CASTRO Antonio de
XVIe siècle. Actif à Burgos vers 1560. Espagnol.
Sculpteur.

CASTRO Baltazar de
XVIe siècle. Actif à Palencia en 1565. Espagnol.
Peintre.

CASTRO Bartolomé de
Mort en juin 1507. XVe-XVIe siècles. Actif à Séville. Espagnol.
Peintre de sujets religieux.
Le style de Castro suit la grande tradition narrative religieuse de Castille pendant le règne d'Isabel la Catholique.
BIBLIOGR. : C. R. Post : *Une Histoire de la Peinture Espagnole*, Cambridge, Mass., 1950 – J. Camon Aznar : *La Peinture espagnole du XVIe s.*, Madrid, 1970.
VENTES PUBLIQUES : GENÈVE, 21 juin 1976 : *La Vierge allaitant l'Enfant*, h/pan. (72x62) : CHF 175 000 – LONDRES, 31 mars 1989 : *Saint Jean-Baptiste*, h/pan. (90x47) : GBP 11 000 – MADRID, 20 fév. 1992 : *Saint Onofre*, h. et détrempe/pan. (103x44) :

ESP 10 080 000 – LONDRES, 23 avr. 1993 : *L'Archange Michel triomphant du démon*, h/pan. (87,2x53,7) : GBP 20 700 – PARIS, 30 juin 1993 : *Saint Jean-Baptiste (recto)* ; *Saint Antoine en grisaille (verso)*, h/pan., volet de retable double face (92x46,5) : FRF 108 000.

CASTRO Carlos
Né à Madrid. XIXe siècle. Espagnol.
Peintre de fruits.
Élève de Tiger. Il exposa à Madrid en 1864.

CASTRO Célia
Née à Santiago. XIXe-XXe siècles. Chilienne.
Peintre de paysages.
Elle a exposé à Paris au Salon des Artistes Français jusqu'en 1924, médaille de bronze à l'Exposition Universelle de 1889. En 1922, elle participa aussi au Salon d'Automne.

CASTRO Diego de
XVIe siècle. Actif à Valladolid vers le milieu du XVIe siècle. Espagnol.
Sculpteur.
Cet artiste participa à divers travaux exécutés dans les monuments publics de Valladolid et il apparaît comme témoin dans un procès intervenu entre Francisco Giralte et Juan de Juni, en 1549. C'est certainement le sculpteur sur bois du même nom qui travaillait en 1544 pour l'Infant Philippe II.

CASTRO Fabian de
Né le 20 janvier 1868 à Jaen (Andalousie). XIXe-XXe siècles. Espagnol.
Peintre de figures, portraits, groupes.
Il vint à Paris tout d'abord pour exercer son métier de guitariste. Imprégné de la tradition espagnole, on le nommait « El Gitan » dans le monde des ateliers de Montmartre et Montparnasse. Il s'initia à la peinture en autodidacte, fut plus tard encouragé par le sculpteur catalan Manolo (Manuel Hugue, dit), de quatre ans son cadet, et vers 1905 par le jeune Picasso. À Paris, il exposait au Salon des Artistes Indépendants.
Il vécut et travailla plutôt en solitaire, et longuement il travailla sur son propre portrait. Il composa pour une part sur des thèmes ambitieux : *Christ en croix – L'inquisiteur et la mort – Les femmes répudiées*, et pour une autre part sur des thèmes typiques de son origine : *Portrait de gitane – Les danseurs.*

CASTRO Felipe
XIXe siècle. Travaillant à Mexico. Mexicain.
Peintre.
Élève de Pelegrin Clavé.

CASTRO Felipe de
Né en 1711 à Noya (Galice). Mort en 1775 à Madrid. XVIIIe siècle. Espagnol.
Sculpteur.
Élève de Diego de Sande et, plus tard, de Miguel Romay, à Santiago, et de Pedro Cornejo, à Séville, où il travailla pour la cour. Pensionné par Philippe V, après un séjour à Rome et à Florence, il se fixa à Madrid où il fut nommé directeur général de l'Académie San Fernando en 1763. Il collabora à la décoration sculptée du Palais Royal, où l'on cite particulièrement de lui un des lions de l'escalier et les statues de *Trajan* et d'*Hadrien* dans le patio. Il fut nommé sculpteur de la chambre du roi. Il a exécuté pour les églises de Séville et de Madrid des bas-reliefs et des statues et on lui doit une série de bustes destinés à l'Académie San Fernando.

CASTRO Francisco
XVIe siècle. Actif à Séville vers 1520. Espagnol.
Peintre.

CASTRO Gabriel Henriquez de. Voir HENRIQUEZ DE CASTRO

CASTRO Giacomo di
Né vers 1597, à Sorrente, province de Naples, selon Dominici. Mort en 1687 à Sorrente. XVIIe siècle. Italien.
Peintre de marines.
D'abord élève de Giovanni Battista Caracciolo, il étudia plus tard sous la direction de Domenichino, lors du séjour à Naples de ce peintre.
Il travailla pour les églises de Sorrente.
VENTES PUBLIQUES : PARIS, 10 mars 1976 : *Vaisseaux de haut bord à l'ancrage*, h/t (61x95) : FRF 34 000 – PARIS, 17 juin 1980 : *Vaisseaux de haut bord à l'ancre dans un port italien aux quais animés de nombreux personnages*, h/t (61,5x94) : FRF 48 000 – PARIS, 16 déc. 1996 : *Le Retour d'une galère génoise après le combat*, h/t (43x76) : FRF 31 000.

CASTRO Gil Manuel. Voir **CASTRO GIL Manuel**

CASTRO Harry de
XIXe siècle. Travaillant à Londres, puis à Manchester. Britannique.

Peintre de paysages.

Il exposa à la Royal Academy, à Londres, entre 1880 et 1885.

CASTRO Humberto
Né en 1957 à La Havane. XXe siècle. Depuis 1989 actif en France. Cubain.

Peintre, créateur d'installations.

Depuis 1977, il participe à des expositions collectives à Cuba, ainsi qu'à l'étranger : 1981 Biennale de Ljubljana, 1983 Musée d'Art Contemporain de Madrid, 1988 Musée Mocha de New York, 1989 *Trajectoire cubaine* au Centre d'Art Pablo Neruda (Corbeil-Essonne). Il expose aussi individuellement depuis 1977 à La Havane, Varsovie, Porto Rico, en 1993 à Paris sous le titre *L'Envol d'Icare*...

Ses peintures mettent en place une figuration teintée d'expressionnisme, dont le corps est le thème central.

CASTRO Isabella de
Morte en 1724. XVIIIe siècle. Portugaise.

Peintre, calligraphe.

CASTRO José de
XVIIe siècle. Actif à Aranda de Duero en 1604. Espagnol.

Sculpteur.

CASTRO José de
XVIIIe siècle. Espagnol.

Graveur.

Pour Heinecken et Nagler, cet artiste se confond avec José del Castillo.

CASTRO Juan
XVIe siècle. Espagnol.

Sculpteur.

Prit part, avec d'autres artistes, aux œuvres de la cathédrale à Valladolid, en 1521, et probablement à la sculpture de l'arrière-chœur de Tolède, une des plus remarquables compositions de Berruguette.

CASTRO Juan de
XVIe siècle. Espagnol.

Sculpteur.

Actif à Burgos en 1523, il ne semble pas être identique au Juan Castro de Valladolid.

CASTRO Juan de
XVIIe siècle. Espagnol.

Peintre.

À Séville au commencement du XVIIe siècle, cet artiste peignit pour la procession de la Fête-Dieu un groupe intitulé : *Les Turcs*, en 1608, et, l'année suivante, d'autres groupes connus sous les titres de : *La chute de Lusbel et Le triomphe de saint Michel* et *Les Vertus*.

CASTRO L.
XVIIe-XVIIIe siècles. Travaillant en Angleterre vers 1700.

Peintre de genre.

Il se confond peut-être avec le peintre Laureys a Castro cité à Anvers en 1664 et 1665.

CASTRO Leonardo Antonio de
Né en 1655 à Lucena. Mort en 1745 à Lucena. XVIIe-XVIIIe siècles. Espagnol.

Peintre.

Élève de Bernabé Ximenez de Illescas, il subit dans sa manière l'influence de Simon Bonet. Ses œuvres se trouvent en grand nombre dans les églises de Lucena et de Cabra. Il était également poète.

CASTRO Lourdes
Née en 1930 à Funchal (île de Madère). XXe siècle. Depuis 1958 active en France. Portugaise.

Peintre, sculpteur d'installations, d'environnements multimédia, illustrateur. Polymorphe.

Pendant dix ans, elle fut élève de l'École des Beaux-Arts de Lisbonne, d'où elle sortit diplômée. Après un séjour à Munich, elle vint à Paris en 1958, avec son mari le peintre René Bertholo. Depuis 1954, elle participe à de nombreuses expositions collectives, notamment à la Biennale de São Paulo en 1958, en 1960 à celle de Paris, où elle figure régulièrement aux Salons Comparaisons, de Mai, de la Jeune Peinture. Elle participe en outre à de nombreuses expositions collectives en Allemagne, Italie, aux États-Unis, en Amérique latine. En 1968, les diverses illustrations de livres réalisées par elle furent exposées au Victoria and Albert Museum de Londres. Elle fait des expositions personnelles fréquentes, depuis sa première en 1963 à Paris, et à travers le monde, notamment en Amérique-Latine. En 1974, elle présenta le spectacle des *Ombres* à Anvers, Amsterdam, Aix-la-Chapelle, Hanovre, et en 1975 au Musée d'Art Moderne de la Ville de Paris.

Après des débuts encore sous les influences postimpressionniste puis post-cubiste, à partir de 1960 elle commença à élaborer des constructions en volume, faites d'éléments très disparates, auxquels contribuent des parties peintes, et où se mêlent des objets de rebut trouvés au « Marché aux Puces » avec des montages mécanisés précis, aboutissant à figurer, d'une façon allusive, symbolique, non exclusive d'humour, des évènements de sa vie strictement personnelle ou de la vie collective contemporaine, parfois sinon souvent des évènements socio-politiques auxquels elle n'hésite pas à prendre part et parti, au risque encouru d'affronter des mesures de censure. En 1963, avec des moyens plus simples mais également d'une technologie actuelle, elle commença sa série des *Ombres portées* : plaques de plexiglas découpées en forme de silhouettes humaines, peintes au pistolet, et superposées à quelque distance les unes des autres, de façon à donner une impression d'espace, d'autant accrue de la variation des décalages provoquée par le déplacement frontal du spectateur. Ce souci généralisé de l'actuel quotidien se retrouve dans un film expérimental de 1965 et dans ses illustrations de livres. De même que depuis 1970 environ, elle utilise des draps de lit sur lesquels elle brode des silhouettes de personnes couchées. Ainsi ses silhouettes, debout comme des cibles ou couchées comme des morts, sont sans doute un élément important, confirmé par leur permanence, de ce que l'énergique Lourdes Castro veut communiquer dans tout son œuvre, dans toutes ses interventions, tout en laissant flotter l'ambiguïté de la forme métaphorique, car il appartient au spectateur de consentir l'effort de la déchiffrer selon ses propres propensions.

■ Jacques Busse

BIBLIOGR. : In : *Diction. de la peint. espagnole et portugaise*, Larousse, Paris, 1989.
MUSÉES : LA HAVANE – LONDRES (Victoria and Albert Mus.) – MARSEILLE (Mus. Cantini) : *Ombre portée Linhof, blanc et fumé* – STOCKHOLM.
VENTES PUBLIQUES : PARIS, 24 mars 1996 : *La bouteille jaune* 1962, h/t (60x73) : **FRF 8 000**.

CASTRO Manoel de
D'origine portugaise. Mort en 1712 à Madrid. XVIIe-XVIIIe siècles. Travaillant à Madrid. Portugais.

Peintre d'histoire.

Élève de Claudio Coello à Madrid. Il se fixa dans cette ville en 1698. Il devint peintre du roi Charles II. On cite de lui deux tableaux au couvent de la Trinité : *La Vierge entourée d'anges* et *La Rédemption des captifs*.

CASTRO Manuel
XVIIIe-XIXe siècles. Actif à Madrid au début du XIXe siècle. Espagnol.

Peintre de portraits.

Élève de l'Académie de San Fernando à Madrid. Il dirigea longtemps une école d'art en France. Il se fixa de nouveau et définitivement à Madrid en 1805.

CASTRO Paul de
Né le 5 juillet 1882 à Paris. Mort en 1939. XXe siècle. Britannique.

Peintre de scènes de genre, portraits, natures mortes, paysages.

Il exposa aux Salons de la Société Nationale des Beaux-Arts, des Artistes Français, des Artistes Indépendants, à l'Automne dont il était sociétaire et où il exposa jusqu'à sa mort. Il était chevalier de la Légion d'honneur.

MUSÉES : ANVERS : *Provence* – AVIGNON : *Angles – Notre-Dame-de-Paris – Route de Lauris – Bonnieux – La Seine et l'Hôtel de Ville – Grenade – Caudebec – Villequier – Cagnes – Noirmoutier* – LA ROCHELLE : *Versailles – Rouen – Marseille – Le Panthéon*.
VENTES PUBLIQUES : PARIS, 12 fév. 1921 : *Salon de l'œil-de-bœuf, à Versailles* : **FRF 410** – PARIS, 25 juin 1927 : *Entrée de port* : **FRF 800** – PARIS, 5 mai 1937 : *La fenêtre ouverte et la pointe de l'île Saint-Louis* : **FRF 380** – PARIS, 18 déc. 1961 : *L'Arc de Triomphe* : **FRF 1 000** – GRENOBLE, 11 déc. 1972 : *Paysage pro-*

vençal : **FRF 2 000** – Bruxelles, 22 nov. 1979 : *La route « Les roches rouges » (Agay)* 1907, h/t (72x92) : **BEF 130 000** – Versailles, 23 juin 1981 : *La calèche près des pins au bord de la mer*, h/t (73x60) : **FRF 2 800** – Versailles, 19 oct. 1986 : *Cathédrale de Rouen*, h/t (92x88) : **FRF 16 500** – Versailles, 16 oct. 1988 : *Rue de village*, h/t (65x54) : **FRF 4 000**.

CASTRO Pedro Leon
Né à Caracas (Venezuela). xxᵉ siècle. Vénézuélien.
Peintre, dessinateur.
Il fit ses études à Caracas à l'École d'arts plastiques et arts appliqués et à l'Académie des Beaux-Arts. Il est professeur de dessin et d'éducation artistique aux lycées de Caracas.

CASTRO Robert de
Né à Winnipeg. xxᵉ siècle. Canadien.
Peintre, sculpteur. Abstrait.
Il étudia la sculpture avec Jan Zach entre 1953 et 1957. Ses œuvres en bois évoquent des civilisations lointaines, proches de la nature et des forêts vierges mythiques.

CASTRO Sebastian
xviiᵉ siècle. Actif à Anvers. Éc. flamande.
Peintre.

CASTRO Sergio de
Né le 15 septembre 1922 à Buenos Aires. xxᵉ siècle. Argentin.
Peintre de paysages, natures mortes, peintre à la gouache.
Son père étant diplomate, il voyagea souvent à l'étranger durant son enfance. En 1939 il étudia la musique et fit jouer ses œuvres à l'Université de Montevideo en 1940. À partir de 1951 il étudia la peinture sous la direction de Torres-Garcia avec lequel il travailla en 1944 à la décoration murale de l'Hôpital Saint-Bois de Montevideo. En 1945, renouant avec la musique, il devient l'assistant de Manuel de Falla.
En 1953 il abandonna la composition musicale pour se consacrer à la peinture, pratiquant la technique de la peinture à l'œuf jusqu'en 1955-1956. En 1956 il commence la réalisation des vitraux destinés à l'église des Bénédictines de Couvrechef à Caen. Il a exposé dans des manifestations collectives, parmi lesquelles : la Dokumenta de Kassel en 1959, au Musée d'Art Moderne de la Ville de Paris dans l'exposition *Art Argentin d'Aujourd'hui* en 1963. En 1952 se tint la première exposition personnelle de ses peintures à Paris et Buenos Aires. Il a exposé encore personnellement en 1958 à Londres, en 1961 et 1963 à Milan, en 1995 à Paris galerie Galarté. En 1960 il reçut le prix Hallmark à New York.
Dans ses peintures, natures mortes ou paysages, en général inspirées par la réalité extérieure, on retrouve l'influence timide de De Staël et parfois plus affirmée la trace des premiers Kandinsky. ■ J. B.
Bibliogr. : Denys Sutton : *Sergio de Castro*, Musée de Poche, Paris, 1964.
Ventes Publiques : Londres, 10 mai 1971 : *Linges, fruits et objets* : **GBP 100** – Berne, 24 juin 1981 : *L'atelier* 1961, gche (52x73,4) : **CHF 1 300** – Paris, 5 avr. 1987 : *Fleurs* 1958, h/t (92x73) : **FRF 21 000** – Paris, 15 juin 1988 : *L'étagère aux boîtes* 1959, h/t (81x60) : **FRF 30 000** – Paris, 26 oct. 1988 : *Composition* 1943, h/pan. (21x27) : **FRF 8 500** – Paris, 20 nov. 1988 : *L'atelier* 1965, h/t (73x92) : **FRF 21 000** – Paris, 11 oct. 1989 : *Les châssis*, h/t (116x89) : **FRF 75 000** – Lucerne, 23 mai 1992 : *Nature morte* 1965, h/t (65x80) : **CHF 3 200** – Paris, 24 nov. 1996 : *Nature morte argentée* 1960, gche/pap. Arches (56x75) : **FRF 5 000**.

CASTRO Vasquez
xxᵉ siècle. Cubain.
Peintre. Tendance surréaliste.
Il figurait dans l'exposition organisée par Patrick Waldberg à Bruxelles en 1969, consacrée aux signes d'un renouveau surréaliste.

CASTRO Wagner
Né en 1917 à Franca. xxᵉ siècle. Brésilien.
Peintre. Symboliste.
Il appartient aux rares représentants du symbolisme brésilien, dans un sens analytique et souvent didactique.

CASTRO Willys de
Né en 1926. Mort en 1988. xxᵉ siècle. Brésilien.
Peintre. Abstrait tendance cinétique.
Ses *Objets actifs* demandent au spectateur de faire un mouvement semi-circulaire devant eux afin de mieux en saisir la spatialité.

Bibliogr. : Damian Bayon et Roberto Pontual : *La Peinture de l'Amérique latine au* xxᵉ *siècle*, Mengès, Paris, 1990.

CASTRO CIMBRON Baltasar de
xviᵉ siècle. Actif à Murcie. Espagnol.
Peintre.

CASTRO GIL Manuel
Né en 1891 à Lugo (Galice). Mort le 3 avril 1963 à Madrid. xxᵉ siècle. Espagnol.
Peintre de compositions à personnages, paysages, graveur, illustrateur.
Il fit ses études à l'École des Arts et Offices de Lugo et bénéficia ensuite d'une bourse de la ville de San Fernando, approfondissant ses connaissances à Paris. Il participa à de nombreux concours, recevant plusieurs prix et médailles. Il voyagea en Hollande, Belgique et en France, exposant à New York, Mexico, Cuba et Buenos Aires. Il fut professeur d'Arts Graphiques à l'École Nationale à partir de 1934 et devint correspondant de l'Académie Royale des Beaux-Arts du Rosaire et de l'Académie Royale de Galice.
Il collabora d'abord aux revues *Blanco y Nero* et *La Esfera*. Il illustra le livre du marquis de Hoyos y Vinent *Les Bûchers de l'Espagne*.
Bibliogr. : In : *Cent ans de peinture en Espagne et au Portugal, 1830-1930*, Tome II, Antiquaria, Madrid, 1988.

CASTRO Y ORDONEZ Rafael
Né à Madrid. Mort le 2 décembre 1865 à Madrid. xixᵉ siècle. Espagnol.
Peintre.
Élève à Madrid de l'Académie de San Fernando et de Cogniet à Paris. Exposa à Madrid en 1850 et 1858. Il se suicida en 1865.

CASTRO Y VELASCO Palomino Antonio Acisclo, don.
Voir **PALOMINO DE CASTRO Y VELASCO**

CASTROCID Enrique
Né en 1937. xxᵉ siècle. Chilien.
Peintre. Conceptuel.
Il a travaillé à New York et a réalisé, dès les années soixante, des anamorphoses modernes.
Bibliogr. : Damian Bayon et Roberto Pontual : *La Peinture de l'Amérique latine au* xxᵉ *siècle*, Mengès, Paris, 1990.
Ventes Publiques : New York, 29 nov. 1983 : *My second aberial* 1963, collage, h., liquitex, gche, cr., stylo feutre noir/pap. mar./t. (167x135) : **USD 1 500**.

CASTRUZZI
xviiiᵉ siècle. Actif à Londres.
Peintre de portraits.
Il exposa à Londres, en 1774, à la Society of Art, deux portraits (dessins).

CASULA Antioco
xviᵉ siècle. Actif à Cagliari en 1593. Italien.
Peintre.

CAT Le. Voir **LE CAT**

CAT Roland
Né le 5 février 1943 à Paris. xxᵉ siècle. Français.
Peintre animalier, paysages, dessinateur. Tendance fantastique.
Il a reçu en 1967 le Prix de la Critique et en 1971 le Premier Prix de dessin de la Fondation David-Weill. Il a participé à de nombreuses expositions collectives en France et à l'étranger. Il a exposé personnellement en 1972 à la galerie Jean Camion à Paris, en 1974 à la galerie Alexander Braumüller à Paris, en 1977 et 1979 à la galerie Pierre Belfond à Paris, entre 1981 et 1985 chaque année à la galerie Isy Brachot à Paris et Bruxelles, en 1986 à la FIAC au Grand-Palais à Paris, en 1988 à l'Orangerie de Bagatelle.
Les œuvres de Roland Cat, preuve d'une grande virtuosité technique, évoquent les peintres fantastiques du passé, comme Altdorfer. Ses images créent un monde onirique où la nature est reine et l'homme physiquement absent ; il est simplement figuré par les villes qu'il a édifiées, les ouvrages d'art qu'il a conçus, à présent désertés et reconquis par une nature luxuriante ou détruits. Pour accorder un caractère insolite et étrange aux paysages qu'il décrit, Roland Cat les peuple d'incongrus animaux sauvages ou domestiques ; un ours blanc traverse une plaine, un éléphant, un cerceau dans la trompe, court dans la forêt. Au-dessus de ces environnements voluptueusement en dehors du temps plane une menace indéfinissable.

Bibliogr. : *Roland Cat : Dessins, 1972-1981,* Editions Natiris, 1981 – *Roland Cat : Peintures, 1977-1985,* Editions Natiris, 1985.
Ventes Publiques : Paris, 21 déc. 1981 : *Le mythe* 1977, h/pan. (50x37) : **FRF 24 000** – Neuilly, 10 mai 1983 : *Paysage aux cyprès* 1974, techn. mixte (15x25) : **FRF 5 000** – Paris, 26 nov. 1984 : *Le déménagement* 1977, h/bois (34x44) : **FRF 15 000** – Paris, 14 avr. 1986 : *Le rocher et l'échelle* 1977, h/pan. (27,5x39,5) : **FRF 28 000** – Paris, 12 oct. 1987 : *Paysage au pendule* 1977, techn. mixte/pap. (28,5x43,5) : **FRF 20 000** – Paris, 13 oct. 1987 : *La Comtesse Bathory dansant sur le corps de ses victimes,* gche (30x23,5) : **FRF 9 000** – Paris, 20 juin 1988 : *Deux grenouilles* 1976, encre de coul. et gche (23x23) : **FRF 8 000** ; *Le train* 1979, techn. mixte (21x30,5) : **FRF 10 000** – Paris, 14 oct. 1989 : *Le vol,* techn. mixte/ pap. (38x60) : **FRF 35 000** – Paris, 18 juin 1990 : *Paysage fantastique aux homards* 1974, h/pan. (19,5x25) : **FRF 17 000** – Versailles, 23 sep. 1990 : *La Comtesse Bathory,* techn. mixte/pap. (32x24,5) : **FRF 9 500** – Paris, 5 déc. 1991 : *La Locomotive* 1978, pl. (54x68) : **FRF 23 000** – Paris, 28 jan. 1994 : *Le Soliloque* 1985, h/pan. (54x79) : **FRF 14 500** – Paris, 27 juin 1994 : *Le Nid* 1982, techn. mixte/pap. (65x100) : **FRF 32 000** – Paris, 7 oct. 1996 : *Les Dominants* 1980, techn. mixte/pap. (83x62,5) : **FRF 24 000** – Paris, 29 nov. 1996 : *Le Souvenir* 1984, techn. mixte/pap. (54x74) : **FRF 9 500** – Paris, 16 mars 1997 : *Les Roues* 1983, encre et lav. (75x62) : **FRF 18 000.**

CATAJAPIERA Alvise et Carlo
xviiie siècle. Actifs à Venise vers 1770. Italiens.
Sculpteurs.

CATALA Federico
Né à Barcelone. xixe siècle. Espagnol.
Peintre.
Élève de l'École des Beaux-Arts de Barcelone. Exposa assez régulièrement à Madrid à partir de 1864. On cite de lui : *Don Quichotte, Livingstone dévoré par un lion,* et des *Marines.*

CATALA RAMON Sebastian
xixe siècle. Espagnol.
Peintre de paysages.
Il exposa à Valence en 1879.
Ventes Publiques : Londres, 28 mai 1981 : *Un lac des Andes,* h/t (91,5x115,5) : **GBP 220.**

CATALÀA-DARPEIX Françoise
Née le 29 avril 1944. xxe siècle. Française.
Sculpteur, créateur d'installations.
Elle fut élève de l'École des Beaux-Arts de Bordeaux, où elle reçut le diplôme de sculpture en 1975. Elle vit et travaille à Paris. Elle a participé à de nombreux Salons, notamment à Paris : Grands et Jeunes d'Aujourd'hui, Comparaisons, mais aussi Salons de Montrouge, du Bourget, où elle reçut, en 1982, le Premier Prix de Sculpture... Elle montre ses œuvres dans des expositions individuelles : à Paris, notamment à la galerie Charles Sablon, au Blanc-Mesnil, à la galerie Courtieux de Suresnes en 1995, à Colorado Spring, etc. Elle a reçu de nombreux Prix : 1976 médaille d'argent de la ville de Bordeaux, 1984 médaille d'argent à l'*Art' Expo* de New York... Elle est l'auteur de nombreuses réalisations monumentales en Gironde, Dordogne, Haute-Saône, à Paris. Elle bâtit, dans un dépouillement recherché, un univers poétique organisé selon une harmonie originale. De la matière, du bois généralement, laqué noir, blanc, rouge, elle fait jaillir une présence, un parcours initiatique, mêlant tension et pureté, dans des formes géométriques qui se succèdent pour mener « aux cieux les plus reculés ». ■ L. L.
Bibliogr. : In : Catalogue de l'exposition *Cinq Artistes en 89,* Galerie des Beaux-Arts, Bordeaux, 1989.

CATALANI Antonio, l'Ancien ou Catalano, dit il Romano
Né en 1560 à Messine. Mort en 1630. xvie-xviie siècles. Italien.
Peintre.
D'abord disciple du peintre napolitain D. Guinaccia, puis de Polidoro Caravaggio, il étudia ensuite à Rome avec Fed. Baroccio et à Bologne avec Fr. Albani. Il a peint dans cette ville des fresques et des tableaux d'autel. Il revint plus tard se fixer à Messine et travailla pour les églises de cette ville. Le Musée de Messine conserve une de ses œuvres.

CATALANI Antonio, le Jeune ou Catalano
Né en 1585 à Messine. Mort en 1666. xviie siècle. Italien.
Peintre.
Fils et élève de son père Antonio Catalani l'Ancien, il devait subir plus tard l'influence de Giovanni Simone de Comandé. Il a beaucoup produit.

CATALANI Francesco
Né vers 1610 à Bénévent. Mort après 1681 à Bénévent. xviie siècle. Travaillant à Rome. Italien.
Peintre.

CATALANI Giovanni Domenico
xviiie siècle. Actif à Gallipoli au début du xviiie siècle. Italien.
Peintre.

CATALANI Giuseppe ou Catalano
xviie siècle. Actif à Messine. Italien.
Peintre.
Fils d'Antonio Catalani l'Ancien. Il mourut jeune.

CATALANO Paolo
xixe siècle. Actif à Naples. Italien.
Peintre d'histoire.
Exposa à partir de 1870 à Parme, à Naples, à Turin.

CATALANOS Francos
Originaire de Thèbes. xvie siècle. Grec.
Il est l'un des élèves de l'école crétoise. Avec son frère Georges, il a décoré le monastère de la Transfiguration à Veltsista (vers 1564) et le narthex de l'église du couvent de Barlaam aux Météores en Grèce (vers 1566). Il a également couvert de fresques la chapelle Saint-Nicolas-de-Lavra au Mont Athos.

CATALDI Amieto
Né en 1886 à Naples. Mort en 1930. xxe siècle. Italien.
Sculpteur de bronze.
Il exposa au Salon des Artistes Français en 1924 et au Salon des Tuileries en 1929 et 1930.
Musées : Paris (Petit Palais) – Paris (Mus. Galliera) – Rome (Gal. d'Art Mod.) – Venise (Gal. d'Art Mod.).

CATANEO Aniello
Né à Portici. xviie siècle. Travaillant à Naples. Italien.
Graveur au burin.
Élève de Filippo Morghen.

CATANEO Carlo
xixe siècle. Actif à Naples dans la première moitié du xixe siècle. Italien.
Peintre et graveur.

CATANEO Charles Henri
Né au xixe siècle à Paris. xixe siècle. Français.
Sculpteur.
Élève de Cavelier. Il débuta au Salon de 1877.

CATANI Francesco di Lorenzo
Originaire de Florence. xviie siècle. Italien.
Peintre.
Il travailla à la cathédrale de Pise au début du xviie siècle.

CATANI Gino
Né à Florence. xxe siècle. Travaillant à São Paulo (Brésil) en 1910. Italien.
Peintre.

CATANI Giovanni Antonio
Né en 1700. xviiie siècle. Actif à Sienne. Italien.
Peintre.

CATANI Giuseppe
Né à Prato. xixe-xxe siècles. Italien.
Peintre.

CATANI Luigi
Né en 1762, originaire de Prato. Mort en 1840. xviiie-xixe siècles. Italien.
Peintre.
Il a peint des fresques et exécuté des décorations à Pistoia, à Lucques, à Florence, à San Gimignano.

CATANI Ugo
Né à Florence (Toscane). xixe-xxe siècles. Actif surtout en Angleterre. Italien.
Peintre de portraits, miniaturiste.
Ventes Publiques : Rome, 13 mai 1986 : *Portrait de Mark Twain* 1900, h/pan. (95x65) : **ITL 900 000.**

CATANII Stefano
Originaire de Rome. xviie siècle. Travaillant à Dresde et à Prague. Italien.
Peintre d'histoire.

CATANIO Francesco Costanzo ou Cattaneo, Catanco, Catani
Né en 1602 à Ferrare. Mort en 1665. xviie siècle. Italien.

Peintre.
Élève de Scarsellino et plus tard, à Bologne, de Guido Reni. Il a surtout travaillé à Ferrare, peignant pour les églises et les couvents de cette ville.

CATANIO Jacobello di Francesco
XIVe siècle. Actif à Venise dans le dernier quart du XIVe siècle. Italien.
Peintre.

CATANZANI Eustacchio
Originaire d'Arcevia. XVIIIe siècle. Italien.
Peintre de miniatures.
Moine.

CATARANI Giuseppe
Né à Venise. XVIIIe siècle. Travaillant à Parme. Italien.
Peintre.

CATARGI Georges
Né en Bessarabie. XXe siècle. Roumain.
Miniaturiste.
Élève de Pohitonoff. Exposa aux Artistes Français en 1933.

CATARGI Henri
Né en Roumanie. XXe siècle. Roumain.
Peintre.

CATARINO. Voir CATERINO

CATASIO Filippo ou Catasi
XVIIe siècle. Actif à Venise. Italien.
Sculpteur.

CATCHPOLE T. Frederic
Né à Londres. XIXe-XXe siècles. Britannique.
Peintre de sujets mythologiques, compositions à personnages.
Il exposa à la Royal Academy à Londres en 1897, au Salon de la Société Nationale des Beaux-Arts en 1906, au Salon des Artistes Français en 1913-1914.

CATEL A.
XIXe siècle. Travaillant à Paris. Français.
Graveur au burin et au pointillé.
Le Blanc cite de lui : *Napoléon III* et *Louis-Napoléon Bonaparte*.

CATEL Franz Ludwig
Né en 1778 à Berlin. Mort en 1856 à Rome. XIXe siècle. Allemand.
Peintre de compositions religieuses, scènes de genre, portraits, paysages, aquarelliste, illustrateur, sculpteur sur bois.
Après ses études à Berlin, il voyagea en France, Suisse, Italie. De 1798 à 1800, il étudia à Paris. Il commença à exposer des aquarelles, en 1802, à Weimar, tandis qu'il revint à Paris en 1807 et commença à aborder la peinture à l'huile. En 1811, lorsqu'il séjourna à Rome, il fit partie des peintres Nazaréens, autour de Cornelius, Overbeck et Schadow. De retour à Berlin, il devint membre de l'Académie et professeur en 1841.
Il débuta en tant que sculpteur sur bois et illustrateur, puis il aborda la peinture, peignant des scènes de genre et des paysages. Certaines de ses compositions montrent des paysages à travers des fenêtres largement ouvertes, dans des intérieurs relativement sombres, mettant ainsi en valeur la légèreté de l'air de ces paysages. Séjournant longtemps en Italie, il devint spécialiste de *vedute*, qu'il vendait avec succès de la Sicile à l'Angleterre, même si, à force de répétitions, elles devenaient conventionnelles. On cite parmi ses œuvres : *Le Roi des Aulnes – Vue de Rome – La Résurrection*.

C

BIBLIOGR. : Gérald Schurr, in : *Les Petits Maîtres de la peinture 1820-1920, valeur de demain*, Les Éditions de l'Amateur, t. VII, Paris, 1989.
MUSÉES : BERLIN (Nationalgal.) : *Schinkel à Naples 1824 – Villa romaine* – MUNICH : *Le Kronprinz Louis de Bavière – Vue d'Ariecia – Tempête à Amalfi – Golfe de Naples – Castel Gondolfo – Route du golfe de Palerme – Grotte d'Arétuse, près de Tivoli – Le jardin des Capucins à Syracuse* – STUTTGART : *Paysage*.
VENTES PUBLIQUES : PARIS, 1840 : *Entrée d'une procession de moines dans la cathédrale d'Amalfi* : FRF 520 – LUCERNE, 23-26 nov. 1962 : *Jeune artiste allemand à Rome, assis sur un balcon* : CHF 3 400 – COLOGNE, 11 mars 1966 : *La baie de Naples* :

DEM 6 500 – VIENNE, 16 mars 1976 : *Paysage d'Amalfi*, h/t (54,5x71) : ATS 90 000 – MUNICH, 9 mars 1978 : *Vue de Rome depuis le Monte-Pincio au soir couchant*, h/t (92x108,5) : DEM 20 000 – LONDRES, 3 fév. 1984 : *Les abords de Naples*, h/t (21,5x30,5) : GBP 1 200 – LONDRES, 19 juin 1985 : *Paysage du Midi*, h/t (18x26,6) : GBP 1 000 – BERLIN, 22 mai 1987 : *Vue d'Ischia et Procida depuis Posillipo* vers 1825, h/t (18x28) : DEM 5 000 – LONDRES, 19 juin 1992 : *Posillipo 1850*, h/t (62,3x77,5) : GBP 11 000 – MUNICH, 10 déc. 1992 : *Via Appia 1827*, cr. et aquar./pap. (15,9x28,8) : DEM 3 616.

CATEL Pieter ou Cattel
Né vers 1711 à Leyde. Mort en 1759. XVIIIe siècle. Travaillant à Leyde. Hollandais.
Peintre.
VENTES PUBLIQUES : AMSTERDAM, 7 mai 1996 : *Servante à une fenêtre tenant un hareng avec à côté d'elle un jambon sur un plat et une coque de harengs 1742*, h/t (29,5x24) : NLG 4 025 – AMSTERDAM, 19-20 fév. 1997 : *Vieille femme au verre de vin assise dans un intérieur*, h/pan. (25,3x20,5) : NLG 3 228.

CATELAND Amédée
Né en 1879 à Tarare (Rhône). XXe siècle. Français.
Dessinateur, architecte.
Il exposa au Salon de Lyon à partir de 1901 une série de dessins à la plume.

CATELAND Emmanuel
Né en 1876 à Tarare (Rhône). XXe siècle. Français.
Peintre de paysages, architecte.
Frère d'Amédée Cateland, il exposa au Salon de Lyon à partir de 1897 principalement des aquarelles.

CATELANI Bernardo ou Catalani
XVIe siècle. Actif à Urbino dans la première moitié du XVIe siècle. Italien.
Peintre.
Membre de l'ordre des Capucins.

CATELLANO Franco
XVIe siècle. Éc. byzantine.
Peintre de fresques.
Moine, il travailla au Mont Athos.

CATELLO Giuseppe
Né le 7 octobre 1814 à Naples. XIXe siècle. Italien.
Sculpteur.
Travailla surtout pour les églises et les couvents.

CATELYN Michiel
XVIIe siècle. Actif à Anvers. Éc. flamande.
Sculpteur.

CATELYN Nicolaes
XVIIe siècle. Actif à Anvers. Éc. flamande.
Sculpteur.

CATENA, de son vrai nom : Vincenzo di Biagio
Né vers 1470 à Venise. Mort en 1531 à Venise. XVe-XVIe siècles. Italien.
Peintre de compositions religieuses, portraits.
Il a d'abord été influencé par L. Bastiani et les Vivarini, donnant à son art une manière dure et une composition rigide. La *Sainte conversation*, la *Vierge vénérée par le Doge Leonardo Loredan* (avant 1520) conservent ces caractères. Bientôt sa peinture s'adoucit et prend des qualités des coloristes Giovanni Bellini et Giorgione. Selon certaines sources, Catena aurait été un élève de G. Bellini. L'influence de Giorgione sur Catena était assez forte pour se reconnaître dans la *Sainte Christine* (1520) et le *Noli me tangere*, mais aussi pour lui attribuer des compositions qui sont en fait de la main de Giorgione.
BIBLIOGR. : A. Chastel, in : *Dictionnaire de l'Art et des Artistes*, Hazan, Paris, 1967.
MUSÉES : BERLIN : *Sainte conversation* – MADRID (Prado) : *Le Christ remettant les clefs à saint Pierre* – MILAN (Brera) : *Noli me tangere* – SAINT-PÉTERSBOURG (Ermitage) : *La Vierge avec l'Enfant Jésus et des saints* – VENISE (Acad.) : *Sainte conversation* (Palais Ducal) : *La Vierge vénérée par le Doge Leonardo Loredan* – VENISE (Palais Querini Stampalia) : *Judith* – VENISE (Santa Maria Mater Domini) : *Sainte Christine* – VENISE : *Portrait d'homme*.
VENTES PUBLIQUES : LONDRES, 13 avr. 1923 : *Madone et enfants* : GBP 29 – LONDRES, 27 juil. 1928 : *Saint Jean-Baptiste* : GBP 52 – NEW YORK, 22 jan. 1931 : *Madone à l'Enfant* : USD 1 100 – LONDRES, 14 mai 1935 : *La Vierge adorant l'Enfant Jésus* : GBP 52 – LUCERNE, 21-27 nov. 1961 : *Sacra Conversazione* : CHF 10 000 –

LONDRES, 10 avr. 1970 : *La Vierge et l'Enfant entourés de deux saints* : **GNS 950** – LONDRES, 24 mars 1976 : *Portrait de jeune fille*, h/t (37x26,5) : **GBP 2 800** – ROME, 10 mai 1988 : *Vierge à l'Enfant*, h/pan. (75x60) : **ITL 37 000 000** – NEW YORK, 19 mai 1995 : *Vierge à l'Enfant avec deux anges musiciens et un paysage au fond*, h/pan. (50,8x47) : **USD 206 000**.

CATENA Van
Peintre, graveur.
Cité par Le Blanc ; on connaît de lui *Saint Jacques*.

CATENA Marco
XVIe siècle. Italien.
Sculpteur sur bois.
Il travaillait à Bosco près de Bologne, où il était l'aide de fra Raffaelo da Brescia.

CATENACCI Hercule
Né en 1816 à Ferrare. Mort en 1884 à Paris. XIXe siècle. Français.
Peintre, illustrateur.
Élève de Basoli à Bologne, il étudia aussi à Rome. Il dut quitter l'Italie pour des raisons politiques. Après un séjour à Corfou et un voyage en Grèce et en Orient, il vint se fixer à Paris et fut naturalisé Français. Il a exposé au Salon de 1869 : *Souvenir d'Italie*, et à celui de 1870 : *Rue aux Fèves à Lisieux*. Il a illustré un certain nombre d'ouvrages, et notamment les *Chansons populaires des provinces de France* de Weckerlin (1860) et *Les Merveilles de la céramique* (1866-1868).

CATENACCI Vincenzo
XIXe siècle. Travaillant à Rome dans la première moitié du XIXe siècle. Italien.
Lithographe, médailleur.

CATENARO Juan Bautista
Probablement d'origine italienne. XVIIIe siècle. Travaillant à Londres et à Madrid au début du XVIIIe siècle.
Peintre, graveur.
On cite de lui un *Portrait de Luca Giordano*, peint en Espagne et qu'il grava plus tard, à Londres.

CATENAZZI Francesco
Né le 12 janvier 1775 à Mendrisio (Tessin). Mort le 21 juin 1831 à Mendrisio. XIXe siècle. Suisse.
Peintre.
Après avoir travaillé (à partir de 1797) à la cour de Paul Ier à Saint-Pétersbourg, Catenazzi revint se fixer dans son pays natal. Il y exécuta des ouvrages pour des églises, notamment une fresque pour l'église della Torre, près Mendrisio (en collaboration avec Alb. Bugatti) : *L'archevêque Ambrosius défend l'entrée du Sanctuaire de Milan à l'empereur Theodorus*. L'artiste laissa aussi de nombreux travaux dans la Lombardie.

CATENE Giovanni Gerardo dalle
Originaire de Parme. XVIe siècle. Travaillant à Modène entre 1522 et 1528. Italien.
Peintre.

CATENI Giovanni Cammillo
Né vers 1662. Mort en 1732. XVIIe-XVIIIe siècles. Actif à Florence. Italien.
Sculpteur.

CATERINA Dario
Né en 1955 à Seraing. XXe siècle. Belge.
Peintre, sculpteur, dessinateur.
Il fut étudiant à l'Académie de Liège et y enseigne actuellement. Il participe à des expositions collectives et montre ses peintures et autres œuvres à l'occasion d'expositions personnelles, dont celle de Paris en 1991.
Ses peintures aux accords raffinés de gris, beiges et blancs jouent avec des formes géométriques et ses compositions-collages mettent en scène l'architecture. Souvent énigmatiques, elles associent des parties de personnages ou des objets emblématiques. Le sens porté par ces énigmes n'apparaît pas toujours clairement, bien que les images soient fortes.
BIBLIOGR. : In : *Diction. Biogr. Ill. des Artistes en Belgique depuis 1830*, ARTO, 1987.
VENTES PUBLIQUES : PARIS, 2 avr. 1990 : *Sans titre*, h/t (199x140) : **FRF 21 000** – PARIS, 3 fév. 1993 : *Homme en veston noir* 1990, h., fus. et past./t., diptyque (150x50 et 150x50) : **FRF 10 100**.

CATERINO
XIVe siècle. Italien.

Peintre de compositions religieuses.
Il est l'auteur, d'après Mancini, d'une *Madone allaitant l'Enfant Jésus* (Città di Castello).

CATERINO Veneziano
XIVe siècle. Travaillant à Venise. Italien.
Peintre et peut-être sculpteur sur bois.
Il a peint en 1374 un tableau d'autel pour l'église San Giorgio Maggiore (aujourd'hui disparu), en 1375 un *Couronnement de la Vierge*, conservé à l'Académie de Venise qui possède encore du même artiste un triptyque : *Le Couronnement de la Vierge avec sainte Lucie et saint Nicolas de Tolentino*. On cite un Caterino Veneziano, peintre, mort avant 1455.
VENTES PUBLIQUES : LONDRES, 21 fév. 1910 : *La Sainte Famille*, cuivre : **GBP 3** – VENISE, 7-8 oct. 1996 : *Madone sur son trône*, temp./pan. (80,5x53,5) : **ITL 57 500**.

CATERNAUST Pierre
XVIIIe siècle. Actif à Nantes vers 1753. Français.
Peintre.
Cité par de Granges de Surgères dans *Les Artistes nantais*.

CATES A. H.
XIXe siècle. Actif dans la première moitié du XIXe siècle. Britannique.
Graveur au burin et sur bois.
Le Blanc cite de lui quatorze planches pour : *The Palace of Architecture*.

CATESBY Mark
Né en 1679 en Angleterre. Mort en 1749. XVIIIe siècle. Britannique.
Graveur.
Ce graveur quitta son pays en 1712 pour étudier la flore et la faune de l'Amérique, où il resta pendant sept ans. À sa seconde visite aux États-Unis, il se fixa à Charleston (Caroline-du-Sud), mais fit de nombreux voyages à l'intérieur. Naturaliste, il privilégia les sujets d'histoire naturelle. De retour en Angleterre, il grava des planches pour son ouvrage intitulé : *L'Histoire naturelle de la Caroline, de la Floride et des Iles de Bahama*. Catesby fut membre de la Royal Society.

CATHALA-MONGOIN Nelly
Née en 1916 à Denisset (Rhône). XXe siècle. Française.
Peintre.
Elle fut élève de l'École des Beaux-Arts de Paris et exposa au Salon des Artistes Indépendants à partir de 1962. Membre du Salon des Artistes Français depuis 1964, elle y a reçu une mention en 1965. En 1966 elle a obtenu le prix Anna Canibel et en 1967 la médaille d'argent. Elle participe à de nombreuses expositions de groupe dans la région parisienne.
VENTES PUBLIQUES : VERSAILLES, 12 mai 1976 : *Le vase de fleurs*, h/t (81x65) : **FRF 4 100** – PARIS, 23 mars 1977 : *Le bouquet*, h/t (92x73) : **FRF 8 500** – VERSAILLES, 18 juin 1980 : *Grand bouquet de fleurs*, h/t (73x60) : **FRF 5 300**.

CATHELIN Bernard
Né le 20 mai 1919 à Paris. XXe siècle. Français.
Peintre de paysages, natures mortes, lithographe.
Il fut étudiant en 1945 à l'École des Arts Décoratifs de Paris et entra ensuite dans l'atelier de Maurice Brianchon. En 1950 il reçut le Prix Blumenthal et en 1958 le Prix Othon Friesz. À partir de 1958 il participa au Salon d'Automne et entre 1959 et 1966 au Salon des Peintres Témoins de leur Temps. Il a montré ses œuvres lors de nombreuses expositions personnelles, notamment à Paris Galerie Guiot, en 1998 galerie de la Bouquinerie de l'Institut.
Dérivées du fauvisme, touchant parfois à l'abstraction, les peintures de Bernard Cathelin sont construites en touches larges et très colorées, dominées par le bleu. Ces œuvres évoquent parfois les toiles de la dernière période de De Staël, sans toutefois en posséder les sentiments exacerbés.

Cathelin

BIBLIOGR. : In : *Diction. Univ. de la Peinture*, Tome I, Robert, Paris, 1975.
VENTES PUBLIQUES : PARIS, 13 mars 1981 : *Vase de fleurs* 1960, h/t (92x65) : **FRF 9 000** – PARIS, 27 mai 1987 : *La Seine à Paris*, pl., encre brune (32x41,5) : **FRF 3 200** – NEW YORK, 9 mai 1989 : *Scène de port* 1957, h/t (91,4x59,8) : **USD 5 720** – NEW YORK, 21

fév. 1990 : *Paysage d'Eure et Loir* 1961, h/t (80,1x80,1) : **USD 34 100** – Paris, 21 mars 1990 : *Le hameau* 1957, h/t (49x64) : **FRF 102 000** – New York, 10 oct. 1990 : *Bonifacio* 1962, h/t (96,6x128,3) : **USD 20 900** – Paris, 17 oct. 1990 : *Paseo* 1964, h/t (33x55) : **FRF 115 000** – New York, 5 nov. 1991 : *Marché aux grands arbres* 1966, h/t (129,6x89) : **USD 26 400** – Londres, 24 mars 1992 : *Le bégonia de Marie-Louise* 1985, h/t (72,3x50,1) : **GBP 17 600** – New York, 29 sep. 1993 : *Les roses rouges* 1983, h/t (91,4x73,7) : **USD 26 450** – New York, 8 nov. 1994 : *Bouquet au pot sicilien et au fond gris* 1978, h/t (82x117) : **USD 32 200** – Paris, 5 avr. 1995 : *Nature morte au pot en grès et à l'assiette d'œufs* 1986, h/t (73x93) : **FRF 75 000** – New York, 14 juin 1995 : *Été* 1963, h/t (61x38,1) : **USD 10 350** – New York, 12 nov. 1996 : *Les Picadors* 1977, h/t (195x195) : **USD 17 250** – New York, 10 oct. 1996 : *Villa impériale de Katsura* 1976, h/t (55,9x38,7) : **USD 9 775** – New York, 13 mai 1997 : *Nu à la fenêtre* 1980, h/t (162x130) : **USD 20 700**.

CATHELIN Louis Jacques
Né en 1739 à Paris. Mort en 1804 à Paris. XVIIIe-XIXe siècles. Français.
Graveur.
Il étudia avec J.-Ph. Lebas. Il fut agréé à l'Académie le 25 juin 1774 et reçu académicien le 26 avril 1777, avec le *Portrait de l'abbé Terray*, gravé d'après Roslin. Ayant débuté au Salon en 1775, il continua, à y exposer jusqu'à sa mort.
Ventes Publiques : Paris, 18 déc. 1771 : *Portrait de Pierre Jeliote*, dess. : **FRF 8** – Versailles, 23 fév. 1964 : *Le Village* : **FRF 1 000**.

CATHELINAUX Christophe
Né le 12 janvier 1819 à Warcq (Meuse). Mort le 1er janvier 1883 à Paris. XIXe siècle. Français.
Peintre animalier.
Élève de Drolling, à l'École des Beaux-Arts, où il entra le 9 octobre 1839. Il débuta au Salon, en 1857, avec : *Chienne d'arrêt et ses petits*. Il s'est consacré à la peinture des animaux avec un réel talent. Citons de lui : *Chiens courants, Un abreuvoir, Un limier, Pacage sous bois dans le Bas-Rhin, Une vache à l'étable* (Musée de Metz), *Pacage sous bois* (Musée de Châlons-sur-Marne).
Ventes Publiques : Paris, 8 mars 1919 : *La gardeuse d'oies* : **FRF 40**.

CATHELINE Marguerite E. Voir LUDOVICI Marguerite

CATHELINEAU Gaëtan
Né le 12 octobre 1787 à Montrichard (Loir-et-Cher). Mort le 28 mai 1859 à Tours (Indre-et-Loire). XIXe siècle. Français.
Peintre de compositions religieuses, scènes de genre, portraits.
Élève de David, il participa au Salon de Paris entre 1819 et 1855. Il fut nommé professeur de dessin au lycée de Tours en 1835. Il légua sa collection de cinquante tableaux de maîtres et quelques unes de ses œuvres au Musée de Tours.
Ses compositions religieuses, scènes campagnardes et portraits ne cèdent en rien à la théâtralité souvent de mise à de son époque. Citons de lui : *Un ermite en prières – Le Moulin des Prés – Ecce homo*.
Musées : Angers : *Mendiant* – Tours (Mus des Beaux-Arts) : *Autoportrait – La Vierge tenant l'Enfant Jésus dans ses bras – Ecce Homo – Dragon en tirailleur – Une cuisinière assise tricotant – Garçon en chapeau et jeune fille coiffée d'un mouchoir – Un vieux paysan – Tête de vieillard chauve endormi – Tête du Pape Jules Ier – Un prêtre italien*.
Ventes Publiques : Paris, 1863 : *Quatre sujets, dont un Christ en croix*, dess. à la sépia : **FRF 60** – Paris, 8 mai 1929 : *Une cave en Touraine* : **FRF 450**.

CATHELOUZE
Né en 1709 à Saint-Laurent-d'Eu. Mort le 26 janvier 1789 à Dieppe. XVIIIe siècle. Français.
Peintre.
On cite de lui : *L'Annonciation* et *La Résurrection du Sauveur*.

CATHERINE de La Mère
XVIe siècle. Belge.
Peintre de miniatures, enlumineur.
Nonne des sœurs de N.-D. à Bruges, elle acheva un missel en 1536.

CATHERWOOD Frederick
Né en 1799. Mort en 1854. XIXe siècle. Britannique.
Peintre de paysages, architectures, aquarelliste, graveur, dessinateur, illustrateur.
Il étudia d'abord l'architecture. Il a illustré les *Incidents de voyage en Amérique Centrale, Chiapas et Yucatan* de J.L. Stephens, montrant une bonne connaissance de l'architecture et de la civilisation Maya.
Musées : New Haven (Yale University Art Gal.).
Ventes Publiques : Londres, 14 juil. 1987 : *Panorama de Baalbec*, aquar. et cr. (27,5x37,5) : **GBP 24 000** – New York, 25 mai 1988 : *Les ruines de Thèbes*, aquar. avec reh. de blanc et gomme arabique (27,5x38,4) : **USD 2 420**.

CATHIARD Yvette
Née le 3 décembre 1946. XXe siècle. Française.
Peintre de compositions animées, figures. Tendance fantastique.
Elle est autodidacte en peinture. Elle participe depuis 1980 à des expositions de groupe, à Paris et en province. En 1991, elle a pris part à l'exposition *Paris, de Lutèce à la Grande-Arche*, à la Mairie du IXe arrondissement de Paris. Elle expose individuellement depuis 1972, à Paris, Lille, Lyon.
Elle pratique une technique traditionnelle de figuration précise. Elle affectionne les thèmes se situant entre l'imagerie surréaliste et l'érotisme.
Ventes Publiques : Paris, 25 mars 1990 : *Blue note*, h/t (116x89) : **FRF 16 000**.

CATHOIRE Paul Joseph
Né à Saint-Omer (Pas-de-Calais). XXe siècle. Français.
Peintre de figures.
Il exposa au Salon des Indépendants, à Paris.
Ventes Publiques : Versailles, 26 avr. 1987 : *Nu au miroir* 1912, h/t (83x44,5) : **FRF 3 100**.

CATI Pasquale
Né vers 1550 à Jesi. Mort vers 1620 à Rome. XVIe-XVIIe siècles. Italien.
Peintre.
Il semble être venu à Rome en 1576 ou 1577. On ne sait pas s'il eut un maître, mais il paraît certain qu'il subit l'influence de Michel-Ange. Au cours d'une longue existence, il a décoré de peintures et de fresques des églises de Rome et travailla au Vatican, au Quirinal, au Belvédère et à la Villa Médicis.

CATILLON Jean Louis Marie Léon
Né à Paris. XXe siècle. Français.
Sculpteur.
Élève de J. Camus. Il exposa aux Artistes Français.

CATIN René
Mort avant 1632. XVIIe siècle. Actif à Angers. Français.
Peintre.

CATINO Carmine
XVIIe siècle. Actif à Naples en 1665. Italien.
Peintre.

CATLETT Thomas
XVIIe siècle. Actif à Londres. Britannique.
Graveur.

CATLIN Christophe Herbert Henry
Né le 12 juillet 1902 à Londres. XXe siècle. Britannique.
Peintre.
Chauffeur de taxis, autodidacte s'adonnant à la peinture durant ses loisirs, ce peintre du dimanche anglais exposa à la Royal Society of British Artists dont il était membre depuis 1946.

CATLIN George
Né en 1796 à Wilkes-Barre (Pennsylvanie). Mort en 1872 à Jersey City (New Jersey). XIXe siècle. Américain.
Peintre de sujets de genre, scènes de chasse, portraits, animaux, peintre à la gouache, aquarelliste, dessinateur, illustrateur.
Après des études de droit, il vint seul à la peinture se spécialisant dans les portraits. Il s'établit à Philadelphie où il devint membre de l'Académie des Beaux-Arts, en 1824. Il se lia d'amitié avec Rembrandt Peale, Thomas Sully et John Neagle. À partir de 1837, il partagea son temps entre l'est et l'ouest des États-Unis, organisant plusieurs expéditions dans diverses tribus indiennes. Après 1852, il élargit ses voyages à l'Amérique du Sud.
Il montra ses œuvres dans diverses expositions : à partir de 1833, États-Unis ; à partir de 1839, Angleterre, Belgique ; 1845, Musée du Louvre, Paris ; entre 1858 et 1870, Amérique latine.
Entre 1837 et 1852, il continuait à faire des portraits lucratifs dans l'est des États-Unis, durant la période hivernale ; et l'été, il s'établissait dans l'ouest, où il se consacrait à la peinture de la civilisation indienne.

BIBLIOGR. : In : *Diction. de la peinture anglaise et américaine*, coll. Essentiels, Larousse, Paris, 1991.
MUSÉES : NEW YORK (Mus. d'Hist. naturelle) – WASHINGTON D. C. (Smithsonian Institution) : environ quatre cent cinquante tableaux.
VENTES PUBLIQUES : NEW YORK, 27 oct. 1971 : *Groupe d'Indiens*, aquar./parchemin : **USD 10 000** – NEW YORK, 25 oct. 1979 : *Chasse au léopard au Brésil*, gche et aquar. (53,3x68,6) : **USD 19 000** – NEW YORK, 17 oct. 1980 : *Battle between Sioux and Sauk and Fox (Eastern Dakota)*, h/t (65,4x81,3) : **USD 280 000** – NEW YORK, 22 oct. 1982 : *Tal-Lee, a warrior of distinction, Osage 1854*, aquar. (19x24,2) : **USD 25 000** – NEW YORK, 24 avr. 1985 : *La chasse au tigre dans un paysage d'Uruguay 1854*, h/t (49x67,5) : **USD 47 500** – NEW YORK, 29 mai 1986 : *The little Spanian, a warrior*, aquar. (23,5x17,2) : **USD 15 000** – NEW YORK, 30 nov. 1989 : *Bataille entre les Sioux et deux autres tribus indiennes dans l'est du Dakota*, h/t (65,4x81,3) : **USD 539 000** – NEW YORK, 3 déc. 1992 : *Chasse à l'affût des flamands roses en Amérique du Sud 1856*, aquar. et gche/pap. (53,3x67,9) : **USD 27 500** – NEW YORK, 2 déc. 1993 : *Élans à un point d'eau 1854*, h/t (48,3x67,3) : **USD 20 700** – NEW YORK, 4 déc. 1996 : *Chasse au jaguar*, h/t (48,3x66,7) : **USD 43 700**.

CATLING Brian
XXᵉ siècle. Britannique.
Sculpteur, peintre de collages, dessinateur, auteur de performances, multimédia.
Il enseigne la sculpture au Linacre College d'Oxford. Il est aussi poète.
Il montre ses œuvres dans des expositions personnelles : 1995 château Plüschow (Allemagne), Royal Albert Hall et South London Gallery à Londres, puis galerie Satellite à Paris.
Au milieu des années quatre-vingt-dix, il travaille sur la série des *Cyclopes*, créant des monstres complexes, qui parlent, sur écrans vidéos, qu'ils accompagnent de collages, dessins, images, photographies et écrits.

CATLOW George Spawton
XIXᵉ-XXᵉ siècles. Actif à Leicester. Britannique.
Peintre de paysages.
Il exposa de 1884 à 1900 à la Royal Academy et à la New Water-Colours Society, à Londres.

CATOIR L.
XIXᵉ siècle. Actif à Mayence dans la première moitié du XIXᵉ siècle. Allemand.
Peintre de paysages.

CATOIRE Gustave Albert
Né au XIXᵉ siècle à Paris. XIXᵉ siècle. Français.
Peintre de paysages.
Il fut élève de N. Péquégnot. Il débuta au Salon de Paris en 1875. On cite de lui : *Un moulin dans l'Oise, Une soirée d'août*.
VENTES PUBLIQUES : LONDRES, 21 juin 1984 : *Paysage au ruisseau*, h/t (33x46) : **GBP 1 500** – PARIS, 23 nov. 1987 : *Mare en forêt*, h/t (61x50) : **FRF 21 000** – AMSTERDAM, 19 sep. 1989 : *Volailles dans le jardin de la ferme et une paysanne à son balcon 1879*, h/t (61,5x42,5) : **NLG 1 840**.

CATOIS Jénia
Née à Périgueux (Dordogne). XXᵉ siècle. Française.
Peintre.
Elle a exposé des portraits aux Indépendants.

CATON Antoine
XVIIIᵉ siècle. Français.
Peintre.
Il a peint des figures et des scènes rustiques à la Manufacture de Sèvres entre 1749 et 1798. Le Musée de Sèvres conserve de lui un portrait au pastel.

CATON J. L.
XVIIIᵉ siècle. Suisse.
Graveur.

CATON WOODVILLE Dorothy Riestley
Née à Chislehurst. XXᵉ siècle. Britannique.
Peintre de portraits, miniatures.
Elle exposa dès 1910.

CATON WOODVILLE Richard. Voir **WOODVILLE**

CATON WOODVILLE William Passenam
Né le 14 avril 1884 à Kensington. XXᵉ siècle. Britannique.
Peintre.

Peint des sujets du XVIIIᵉ siècle, des natures mortes, et pratique l'illustration.

CATRAVA Zoé
Née à Céphalonie. XXᵉ siècle. Grecque.
Peintre, illustratrice.
Épouse du sculpteur Costas Valsamis, elle fit ses études à l'École des Beaux-Arts d'Athènes et de Paris puis à l'Académie Lhote en 1956. Elle a exposé au Salon des Tuileries en 1947 et 1948 et à celui de l'Automne en 1948 et 1967. Elle a exposé personnellement sur l'île de Rhodes en 1970. Elle a surtout réalisé des illustrations et des décorations.

CATRES Juan de. Voir **JUAN de Catres**

CATRICE Nicolas
XVIIIᵉ siècle. Français.
Peintre de fleurs et de fruits.
Il peignit sur porcelaine à la Manufacture de Sèvres entre 1757 et 1774.

CATRIE Antoon
Né en 1924 à Ronsele. Mort en 1977. XXᵉ siècle. Belge.
Peintre de sujets religieux, portraits.
Il fut élève de l'Institut Saint-Luc de Gand et reçut la médaille d'honneur de la ville de Bruxelles en 1962.
BIBLIOGR. : In : *Diction. Biogr. Ill. des Artistes en Belgique depuis 1830*, ARTO, 1987.
VENTES PUBLIQUES : LOKEREN, 5 oct. 1996 : *Paysan*, h/pan. (30x24) : **BEF 30 000** – LOKEREN, 8 mars 1997 : *Dromerij*, h/pan. (50x40) : **BEF 33 000**.

CATRINA Pietro della. Voir **PIETRO della Catrina**

CATRUFO Pierre
Né à Genève. Mort en 1854 à Paris. XIXᵉ siècle. Français.
Peintre.
Le Musée de Nantes conserve de lui une *Vue de Paris* qui fut exposée au Salon de 1852.

CATS Jacob
Né en 1741 à Altona. Mort en 1799 à Amsterdam. XVIIIᵉ siècle. Hollandais.
Peintre de paysages, dessinateur, graveur.
Élève de Abraham Starre et de Pieter Louw. Il travailla pour la fabrique de tapisseries Troost Van Groenendoelen et dessina les tableaux célèbres pour les collectionneurs Egl Sluyter et Dauzer Nyman.
VENTES PUBLIQUES : GAND, 1849 : *Vue des environs de Maarseveen*, aquar. : **FRF 7** – PARIS, 1ᵉʳ déc. 1857 : *Paysage boisé très étendu avec pâtre, bestiaux, rivière, etc.*, dess. lavé de bistre : **FRF 15** ; *Paysage avec champ de blé et troupeau*, dess. à l'encre de Chine : **FRF 10** ; *Paysage avec berger et moutons*, dess. au bistre : **FRF 13** – PARIS, 1858 : *Vue aux environs de Maarseveen*, aquar. : **FRF 19** ; *Entrée de forêt, avec figures et un chien venant sur un pont*, dess. : **FRF 18** – LONDRES, 1868 : *Paysage hollandais*, dess. : **FRF 110** – AMSTERDAM, 9-10 fév. 1909 : *Vue sur le village de Langendijk*, dess. : **NLG 23** – PARIS, 8-10 juin 1920 : *La Plage de Scheveningen*, pl. : **FRF 1 550** ; *Paysages*, trois dessins : **FRF 1 350** ; *Le Coup de l'étrier*, lav. : **FRF 2 500** – PARIS, 29 avr. 1921 : *Paysage, le départ à la chasse*, lav. : **FRF 60** – PARIS, 24-25 juin 1921 : *Sortie de la bergerie* ; *La Rentrée à la ferme* ; *Hiver*, trois dessins : **FRF 85** – LONDRES, 7 mai 1923 : *Paysage boisé* : **GBP 5** – PARIS, 2 juin 1923 : *Paysage d'hiver avec chaumière, fermier et paysage de porcs*, pl. et lav. de sépia et aquar. : **FRF 280** – PARIS, 20-21 juin 1924 : *Le Cavalier*, encre de Chine : **FRF 105** ; *Pastorales*, encre de Chine, deux dessins : **FRF 260** – PARIS, 14 juin 1926 : *La Ferme, l'hiver*, lav. : **FRF 500** – LONDRES, 25 mai 1927 : *Troupeau dans un paysage*, aquar. : **GBP 10** – PARIS, 12 juin 1950 : *Bûcherons dans un paysage d'hiver*, pl. et lav. reh. : **FRF 15 000** – AMSTERDAM, 31 oct. 1977 : *Le Bac 1786*, aquar. (11,5x17,7) : **NLG 2 000** – AMSTERDAM, 29 oct 1979 : *Scène champêtre 1786*, pl. et aquar. (11,4x17,8) : **NLG 11 500** – NEW YORK, 9 jan. 1980 : *Trois personnages dans un paysage*, aquar. (23,5x28,5) : **USD 650** – AMSTERDAM, 14 nov. 1983 : *Février, homme cassant la glace 1794*, aquar. (20,8x28,4) : **NLG 38 000** ; *Mars, paysans sur un chemin de campagne sous l'orage 1794*, aquar. (21x28,5) : **NLG 32 000** – AMSTERDAM, 15 avr. 1985 : *Vue de Loenershoot*, aquar. (14,2x21,5) : **NLG 16 000** – NEW YORK, 16 jan. 1985 : *Bergers et troupeau au bord d'une rivière 1785*, pl. et lav. (16,5x24,6) : **USD 1 600** – AMSTERDAM, 14 nov. 1988 : *Paysage avec des bergers et leurs animaux 1785*, encre (16,5x24) : **NLG 10 810** – NEW YORK, 11 jan. 1989 : *Femme rentrant un panier*

de fruits par sa fenêtre, une leçon de musique au fond de la pièce, encre et aquar. (38,2x29,2) : **USD 6 050** – Amsterdam, 25 nov. 1992 : *Paysage d'hiver avec des patineurs* 1784, craie noire, aquar. et encre (24x31,3) : **NLG 41 400** – New York, 13 jan. 1993 : *Scène d'orage avec des personnages déchargeant une barque près d'une maison sur le rivage* 1785, craie noire et lav. gris (25,8x34,5) : **USD 32 200** – New York, 12 jan. 1994 : *Paysans récoltant le houblon et le transportant en barque* 1795, encre et lav. (20,7x28,2) : **USD 11 500** – Paris, 17 juin 1994 : *Le Passage du gué,* aquar. (18,4x25,6) : **FRF 15 000** – Amsterdam, 15 nov. 1994 : *Paysage d'hiver,* craie noire et lav. (23,8x31,5) : **NLG 10 350** – Paris, 22 mai 1996 : *Bergers dans des ruines,* cr. et lav. gris, une paire (21x16,5) : **FRF 6 300** – Londres, 16-17 avr. 1997 : *Paysage avec des paysans et leur troupeau aux abords d'un ruisseau* 1781, craie noire et lav. gris (21,5x30,8) : **GBP 1 380.**

CATS Nicolas de
XVe siècle. Actif à Bruges. Éc. flamande.
Sculpteur.

CATTAMARA Paolo. Voir PAOLUCCI

CATTANEI, famille d'artistes
XIVe-XVIe siècles. Italiens.
Peintres.
Famille vivant à Bergame et comptant parmi ses membres les peintres Bertolino de C. da Colzate cité vers 1300, Antonio de C., cité en 1500, Giuseppe di Gerardo de C., cité en 1553.

CATTANEI Giovanni Siro de' ou de'Cattanei
XVe siècle. Actif à Pavie. Italien.
Peintre.

CATTANEO
XIXe siècle.
Graveur.
Auteur d'un portrait, d'après D. Rossi, et de la danseuse viennoise Th. Heberle.

CATTANEO Achille
Né en 1872 à Suinbiate. Mort en 1931 ou 1932 à Milan. XXe siècle. Italien.
Peintre de paysages urbains, intérieurs d'églises.
Il apppartient au groupe des derniers véristes et figura à la Biennale de Venise de 1926.

Ventes Publiques : Milan, 24 mars 1970 : *Naviglia San Cristoforo* : **ITL 300 000** – Milan, 14 déc. 1976 : *Naviglio San Marco,* h/t (60x50) : **ITL 650 000** – Milan, 5 nov. 1981 : *Vue de Milan sous la neige* 1911, h/pan. (49x39) : **ITL 1 700 000** – Milan, 17 juin 1982 : *Bord de mer,* h/pan. (50x64,5) : **ITL 1 500 000** – Milan, 23 mars 1983 : *La cour,* h/t (90x70) : **ITL 3 600 000** – Milan, 27 mars 1984 : *Cours Garibaldi à Milan,* h/t (69,5x90) : **ITL 2 400 000** – Milan, 7 nov. 1985 : *Le Naviglio à Milan,* h/pan. (65x77) : **ITL 2 800 000** – Milan, 28 oct. 1986 : *Intérieur d'église* 1927, h/t (90x70) : **ITL 2 800 000** – Milan, 10 déc. 1987 : *La Salute, Venise,* h/pan. (53x86,5) : **ITL 2 600 000** – Rome, 22 mars 1988 : *Trolleybus dans le vieux Milan,* h/pan. (29x19) : **ITL 700 000** – Milan, 6 déc. 1989 : *Vue du canal avec des barques à Milan* 1918, h/pan. (33x48) : **ITL 2 800 000** – Milan, 21 nov. 1990 : *Canal enneigé,* h/pan. (51x61) : **ITL 4 000 000** – Milan, 7 nov. 1991 : *Vue de Cernobbio près de Côme,* h/pan. (22,5x33,5) : **ITL 2 500 000** – Milan, 16 juin 1992 : *Milan sous la neige,* h/pan. (30x23) : **ITL 1 800 000** – Milan, 17 déc. 1992 : *L'Arc de la paix à Milan* 1928, h/pan. (60x49,5) : **ITL 3 700 000** – Milan, 8 juin 1994 : *La côte de Pegli,* h/pan. (49x64,5) : **ITL 2 530 000** – Milan, 19 déc. 1995 : *Place ducale à Venise,* h/pan. (50x60) : **ITL 4 025 000** – Milan, 18 déc. 1996 : *Église dans un paysage* 1924, h/t (40x50) : **ITL 2 097 000.**

CATTANEO Amanzio
Né en 1828 à Castellazo. XIXe siècle. Italien.
Peintre d'histoire.
Élève d'Hayez. Le Musée de Parme et le Musée de la Brera, à Milan, conservent des œuvres de lui.

CATTANEO Danese
Né vers 1509 à Colonnata près de Carrare. Mort en 1573 à Padoue. XVIe siècle. Italien.

Sculpteur et poète.
Élève, à Rome, de Jacopo Sansovino. Il retrouva celui-ci à Venise, ville où il devait exécuter au cours de sa carrière une série d'ouvrages, notamment à l'église du Saint-Sauveur et à l'église Saint-Jean et Saint-Paul (tombeau du Doge Leon Loredano). Il travailla aussi à plusieurs reprises à Vérone et à Padoue.
Ventes Publiques : Londres, 13 mai 1969 : *La Fortune,* bronze : **GNS 1 150.**

CATTANEO Felice
Né vers 1790. Mort en 1827. XIXe siècle. Italien.
Peintre.
Milanais, il fut élève de l'Académie de la Brera et de Gius. Bossi. On cite de lui : *Paolo et Francesca* (exposé à Milan en 1827).

CATTANEO Giacomo
XVIIe siècle. Actif à Bologne vers 1650. Italien.
Peintre.

CATTANEO Giuseppe et Sansone
XVIe siècle. Actifs à Ferrare. Italiens.
Peintres.

CATTANEO Maria, épouse Michis
Née à Milan. XIXe siècle. Italienne.
Peintre.
Étudia sous la direction de son père et du maître Angelo Rossi. Elle exposa à Milan. Elle se consacra par la suite à la peinture des fleurs. On cite parmi ses œuvres : *Roses blanches, Fleurs d'Ophélie, Gondole fleurie, Fleurs de Vénus* (au Musée Municipal de Milan). Mariée au peintre Michis.

CATTANEO Santo, dit Santino
Né en 1739 à Salo. Mort en 1819 à Brescia. XVIIIe-XIXe siècles. Italien.
Peintre.
D'abord sculpteur sur bois, il apprit son métier de peintre chez Antonio Dusi à Milan, et Francesco Monti, à Bologne. Il travailla beaucoup pour les églises de Brescia où il habita de 1773 jusqu'à sa mort.

CATTANI Kaspar Jos. Remigi ou Katani
Né le 28 août 1808 à Stans. Mort le 16 février 1827 à Stans. XIXe siècle. Suisse.
Peintre.
Il étudia avec L. von Deschwanden et Curti, à Rapperswill et avec Föhn à Schwyz. Il fit partie de la garde suisse, à Rome, en 1823, et revint mourir dans sa ville natale à dix-neuf ans. Il laissa des œuvres dans la chapelle Grafenort et au monastère des Capucins de Stans. On cite aussi de lui une vue lithographiée de Stans.

CATTANT Jean
Né le 1er septembre 1918 à Paris. XXe siècle. Français.
Sculpteur.
Il cherche à exprimer dans ses sculptures une resacralisation de l'homme. Il a figuré dans plusieurs salons et manifestations collectives : Salon d'Automne, Salon de la Jeune Sculpture, Salon d'Art Sacré (à partir de 1950), Salon Comparaisons, et à l'Exposition Internationale de Sculpture Contemporaine au Musée Rodin en 1966.

CATTAPANI Luca di Gabriele di Gio. Francesco ou Cattapane
Né vers 1570 à Crémone. Mort après 1597. XVIe siècle. Italien.
Peintre.
Ce peintre, dont on loue la vivacité de touche et le charme de la composition, fut élève de Vincenzo Campi, à Crémone. Il fut plus heureux dans ses tableaux à l'huile que dans ses travaux à fresque. Parmi ses meilleurs ouvrages, on cite : *La décollation de saint Jean Baptiste,* pour l'église San Donato, à Crémone.

CATTEAU Alfred Pierre Henri Antoine Joseph
Né à Tourcoing (Nord). XIXe-XXe siècles. Français.
Sculpteur.
Élève de Coutan. A exposé au Salon.

CATTEAU André
Né en 1886 à Roubaix (Nord). Mort en 1974. XXe siècle. Français.
Peintre de paysages et de fleurs, aquarelliste.
Il reçut les conseils d'Émile Bouzin et figura régulièrement dans les expositions collectives de la Ville de Cannes depuis 1955. Il exposa aussi à Paris au Salon des Artistes Français. Il peignit surtout les paysages de la Côte d'Azur.

CATTEAU Charles
Né à Douai (Nord). XXe siècle. Français.
Peintre de paysages.
Sociétaire du Salon des Artistes Français, il exposa également au Salon d'Automne.

CATTEL Pieter. Voir **CATEL**

CATTELAIN Philippe Auguste
Né en 1838 à Paris. XIXe siècle. Français.
Graveur.

CATTELAN Maurizio
Né en 1960 à Padoue. XXe siècle. Actif aussi aux États-Unis. Italien.
Artiste, sculpteur, dessinateur.
Il vit et travaille à New York et Milan. Il participe à des expositions collectives : 1987 palais des expositions de Faenza ; 1990 Institut des Innocents à Florence et musée Pecci au Prato ; 1991 galerie d'Art moderne de Bologne ; 1992 musée d'art contemporain de Bergame ; 1993 Biennale de Venise, musée Fridericianum de Kassel ; 1994 *L'Hiver de l'amour* à l'ARC au musée d'Art moderne de la ville de Paris ; 1994, 1995 castello di Rivoli à Turin ; 1995 Le Consortium de Dijon ; 1996 Institute of Contemporary Art de Londres, Le Magasin de Grenoble, musée d'Art contemporain de Marseille, Capc musée d'Art moderne de Bordeaux ; 1997 *Connexions implicites* à l'école des Beaux-Arts de Paris, centre d'art contemporain de Genève, Landesmuseum de Munster. Il montre ses œuvres dans des expositions personnelles : 1987 palais Albertini de Forli ; 1988, 1989 Bologne ; 1994, 1996 Londres ; 1994 New York, Cologne, Genève ; depuis 1995 à la galerie Perrotin à Paris ; 1997 Wiener Secession à Vienne, Le Consortium de Dijon, Biennale de Venise.
Il travaille sur l'inattendu, la subversion, en vue de déclencher l'ironie dans des œuvres protéiformes, sculptures, installations, performances, dessins, qui s'inspirent des mythologies modernes, notamment de la bande dessinée... En 1997, il a copié une exposition de Carsten Höller dans une galerie voisine : « Je ne suis pas artiste, je fais l'artiste ». Figure du monde de l'art qui aime à transgresser les normes, il s'intéresse essentiellement aux modalités de la communication entre l'œuvre et l'artiste, dans la lignée de Fabrice Hybert, ce qui l'amène à faire appel à des spécialistes pour ses œuvres.
BIBLIOGR. : Clarisse Hahn : *Maurizio Cattelan*, Art Press, n° 201, Paris, avr. 1995 – Ingrid Martaix : *Dossier Maurizio Cattelan*, Documents sur l'art, n° 10, Paris, hiver 1996-1997 – Hervé Gauville : *Cattelan fait son trou à Dijon*, Libération, Paris, 13 février 1997.

CATTELL Ray
Né en 1921 en Angleterre. XXe siècle. Britannique.
Peintre. Abstrait-informel.
Après des études au Birmingham College of Arts, il exposa dès 1963 des tableaux abstraits-informels. La surface presque monochrome des toiles est à peine occupée par un signe, une tache ou un mince relief. Ce travail peut être rapproché de celui de l'art concret américain, particulièrement de celui de Jules Olitsky et de Larry Poons.

CATTERINETTI Giuseppe
Né en 1814 à Vérone. Mort en 1903 à Vérone. XIXe siècle. Italien.
Peintre, poète et écrivain d'art.

CATTERMOLE Charles
Né en 1832 en Angleterre. Mort le 21 août 1900. XIXe siècle. Britannique.
Peintre de compositions à personnages, genre, figures, aquarelliste, dessinateur.
Ce peintre, neveu de George Cattermole, exposa à Londres entre 1858 et 1893. Il excella dans la peinture de figures à l'aquarelle, et ce fut à la Royal Institute of Painters in Water-Colours qu'on vit la plupart de ses œuvres. Il devint associé de cette société en 1864 et membre en 1870. Cattermole exposa aussi à la Royal Society of British Artists, dont il fut également membre ainsi qu'à la British Institution (1860-1863) et, en 1862, à la Royal Academy.
MUSÉES : BLACKBURN : *Vieux Blackburn* – LONDRES (Victoria and Albert Mus.) : *Prisonniers escortés par des cavaliers* – *La provocation* – *Scène de Henry V de Shakespeare* – trois dessins aquarellés – SYDNEY (N.-A.-G.) : *En danger*, aquar. – *Capture d'un canon*, aquar.
VENTES PUBLIQUES : LONDRES, 3 mai 1909 : *Le gué* : GBP 23 –

LONDRES, 11 juin 1909 : *Allant à la bataille* : GBP 24 – LONDRES, 28 mai 1923 : *Le repos* 1866, dess. : GBP 13 – LONDRES, 25 fév. 1927 : *La mort de Duncan, dans « Macbeth »*, dess. : GBP 13 – LONDRES, 3 fév. 1928 : *L'interrogation*, dess. : GBP 4 – LONDRES, 17 juin 1932 : *Jeanne d'Arc entrant à Orléans*, dess. : GBP 4 – LONDRES, 20 juin 1935 : *L'embuscade*, dess. : GBP 11 – LONDRES, 7 juil. 1977 : *Jeune orientale allongée* 1863, aquar. (18x31,5) : GBP 500 – LONDRES, 18 déc. 1980 : *The reluctant reconciliation*, aquar. (14,5x44) : GBP 280 – LONDRES, 21 juil. 1981 : *Macbeth*, aquar. et gche (20,6x13) : GBP 240 – LONDRES, 9 fév. 1983 : *The curiosity shop*, aquar. et gche (13x17) : GBP 520.

CATTERMOLE George
Né en 1800 à Dickleborough, en Norfolk. Mort le 24 juillet 1868 à Clapham Common (près Londres). XIXe siècle. Britannique.
Peintre de sujets religieux, genre, portraits, paysages, intérieurs, aquarelliste, dessinateur, illustrateur.
Cattermole exposa à la Royal Academy, à la British Institution et à la Society of Painters in Water-Colours, dont il fut membre de 1833 à 1850. Il fut nommé membre d'honneur de l'Académie d'Amsterdam et de la Société des Aquarellistes de Belgique.
Ce peintre se distingua à l'âge de seize ans par ses illustrations dans l'ouvrage de Britton : *Cathédrales Anglaises*. Il emprunta ses sujets aux antiquités architecturales de son pays, et se développa comme peintre de scènes romanesques et illustrateur de livres traitant d'épisodes historiques, tels que les *Nouvelles de Waverley*, de Walter Scott, et l'*Annuaire d'Histoire*, de son frère, le Rev. R. Cattermole. Il fournit aussi des illustrations pour *Barnaby Rudge*, de Charles Dickens.
MUSÉES : BLACKBURN : *Colomb-les-Moines*, aquar. – CARDIFF : *L'oratoire Narworth*, aquar. – DUBLIN : *Un réfectoire*, aquar. – *La pénitence de l'empereur Théodose devant saint Ambroise à l'église de Milan*, aquar. – ÉDIMBOURG : *Intérieur animé, armures* – GLASGOW : *Le réfectoire du monastère* – *Intérieur d'une cathédrale* – *Chevalier et dame* – LEICESTER : *La porte du monastère* – LONDRES (Water-Colours) : *Hamilton de Bothwellhaugh prêt à faire feu sur le régent Murray à Lintinthgow, 26 janvier 1570* – *La résurrection de Lazare* – *Cellini et les brigands* – *Pirates jouant aux cartes* – *Lady Macbeth* 1850 – *Paysage avec arbres et château* – *Chevalier et dame* – *Intérieur d'église en Espagne* – *Intérieur d'un château seigneurial, grande salle* – *Le ravin dans la forêt* – *Voyageurs approchant d'une embuscade* – *Chevalier et son page* – *L'air silencieux* – *Macbeth et les assassins de Banquo* – *La Diète de Spire* – *Charles Ier et son secrétaire* – *Combat sur un pont* – *Le départ du rival* – *Prière au réfectoire* – *La bibliothèque des moines* – *L'Attaque* – *Don Quichotte dans son cabinet* – *La tombe de la petite Nell (Le Magasin de curiosités, Dickens)* – *Haddonhall, comte de Derby* – *Portrait de Sir Thomas Wentworh, depuis comte de Strafford en John Payne à Greenwich* – *Portrait de l'artiste* – MANCHESTER : *Salvator Rosa esquissant au milieu des bandits des Abruzzes* – *Service dans la chapelle du baron* – *Résurrection de Lazare* – *Macbeth donne les instructions aux meurtriers* – NOTTINGHAM : *La résurrection de Lazare* – *Figures* – *Intérieur d'un couvent* – PRESTON : *La porte du doge de Venise*, aquar.
VENTES PUBLIQUES : PARIS, 1857 : *Prise d'un château par des brigands*, aquar. : FRF 400 – PARIS, 1865 : *Salvator Rosa chez les brigands des Abruzzes*, aquar. : FRF 2 677 – LONDRES, 1875 : *Essayant l'épée*, dess. : FRF 6 560 – LONDRES, 1877 : *Le hall du baron* : FRF 7 400 – LONDRES, 1877 : *Salvator dessinant les brigands*, dess. : FRF 10 700 – LONDRES, 15 juin 1908 : *Une scène tirée des Merry Wives of Windsor* : GBP 11 – LONDRES, 23 mars 1908 : *Le jeu de cartes* : GBP 11 – LONDRES, 12 juin 1908 : *L'Arsenal* : GBP 15 – LONDRES, 26 juin 1908 : *The Darnley Conspirators* : GBP 73 – LONDRES, 25 juin 1909 : *Le Hall du baron* : GBP 65 – LONDRES, 8 fév. 1910 : *La chambre des audiences* : GBP 5 – LONDRES, 18 nov. 1921 : *L'Hospitalité d'un baron*, dess. : GBP 24 – LONDRES, 17 fév. 1922 : *Une action de grâce* : GBP 15 – LONDRES, 16 fév. 1923 : *Sintram et ses compagnons* 1850, dess. : GBP 3 – LONDRES, 28 mai 1923 : *Prière dans la chapelle du baron*, dess. : GBP 10 – PARIS, 18 et 19 mai 1925 : *Intérieur de l'abbaye de Westminster*, aquar. : FRF 2 100 – LONDRES, 21 nov. 1927 : *Un vieux moulin à eau*, dess. : GBP 6 – LONDRES, 16 déc. 1929 : *Le festin* 1850, dess. : GBP 5 – LONDRES, 26 juin 1931 : *Benvenuto Cellini et les brigands*, dess. : GBP 17 – LONDRES, 5 août 1932 : *Scène de « Don Quichotte »*, aquar. : GBP 12 – LONDRES, 18 mars 1982 : *The armoury, Haddon Hall*, aquar. (14,5x22) : GBP 200 – LONDRES, 1er mars 1983 : *The Challenge*, aquar. reh. de blanc (109,5x139,5) : GBP 800 – LONDRES, 27 fév. 1985 : *Un banquet royal*, aquar. (63x84) : GBP 1 200 – LONDRES, 25 jan. 1989 : *Noble vénitien avec*

ses filles, aquar. et gche (20x27,5) : **GBP 605** – LONDRES, 25-26 avr. 1990 : *Chevalier racontant ses aventures à des moines*, aquar. et gche (29x42) : **GBP 550** – LONDRES, 14 mars 1997 : *Jour de mai à Holland House*, h/pan. (44,5x105,5) : **GBP 4 140**.

CATTERMOLE Lance
Né le 19 juillet 1898 dans le comté de Kent. XXᵉ siècle. Britannique.
Peintre.
Petit-fils de George Cattermole, il fut élève de la Central School of Arts and Crafts puis de la Slade School. Exposant à la Royal Academy, il était membre du Royal Institute of Oil Painters depuis 1938. Il fut professeur à la Brighton Art School et au West Sussex College of Art and Crafts.

CATTERMOLE Leonardo
XIXᵉ siècle. Britannique.
Peintre d'histoire, genre.
Il travailla à Londres, où il exposa de 1872 à 1886 à Suffolk Street et à la Grafton Gallery.

CATTERMOLLE Richard
Né en 1795 à Dickleborough (Norfolk). Mort en 1858 à Boulogne-sur-Mer. XIXᵉ siècle. Britannique.
Peintre, aquarelliste, dessinateur.
Frère aîné du peintre George Cattermole, il abandonna le pinceau pour l'habit ecclésiastique, remplissant les fonctions de vicaire à Little Marlow, Bucks. Entre les années 1814 et 1818, il exposa des aquarelles de sujets historiques et des dessins d'intérieurs à la Society of Painters in Water-Colours, à Londres.

CATTERSON-SMITH. Voir SMITH Robert Catterson et Stephen Catterson

CATTI Michele
Né le 8 avril 1855 à Palerme. Mort en 1914. XIXᵉ-XXᵉ siècles. Italien.
Peintre de paysages.
Il étudia sous la direction de Lojacono, puis abandonna son maître pour travailler seul, à la campagne, et se former au contact de la nature. En 1875, il exposa, à Palerme : *Bourrasque d'automne*, et en 1876 : *Tempête d'hiver*. Il figura encore aux Expositions de Milan (1883), Palerme (1892), Turin (1908).
VENTES PUBLIQUES : VIENNE, 21 mars 1972 : *Pêcheurs siciliens* : **ATS 20 000** – VIENNE, 16 mars 1976 : *Barques de pêche au large de la côte de Sicile*, h/t (50x77) : **ATS 30 000** – MILAN, 24 mars 1982 : *La cueillette des olives*, deux h/t (53x80) : **ITL 4 000 000** – MILAN, 19 oct. 1989 : *Journée pluvieuse à Palerme*, h/t (70,5x105,5) : **ITL 17 000 000**.

CATTIAUX Louis
Né le 17 août 1904 à Valenciennes (Nord). XXᵉ siècle. Français.
Peintre.
Après avoir préparé l'École des Arts et Métiers, il fut conduit, par les hasards du devoir militaire, de la Rhénanie au Dahomey, périple durant lequel il ne cessa jamais de dessiner. En 1930 il débuta au Salon des Artistes Indépendants, figura ensuite à celui des Surindépendants, à celui de l'Automne entre 1942 et 1944 et invité aux Tuileries entre 1943 et 1946. Il figura également dans des expositions à Londres et à la Haye.
Préoccupé à la fois de haute spiritualité et de plasticité formelle, étudiant les diverses branches de l'ésotérisme, cet artiste semble avoir mis au point une technique donnant aux toiles un émaillage, une transparence et une solidité particulières. Lié depuis 1928 avec Jean Marembert, ils animaient le groupe « Gravitations » avec Pierre Ino, Beothy et plus tard Coutaud, ne retenant du Surréalisme que les apparences pittoresques du fantastique. Depuis 1943 les œuvres de Cattiaux, jusque là hermétiques, paraissent plus abordables et familières.

Louis Cattiaux

MUSÉES : PARIS (Mus. d'Art Mod.) : *Les arbres australiens*.
VENTES PUBLIQUES : PARIS, 27 mai 1970 : *La Magicienne* : **FRF 400** – PARIS, 18 juin 1985 : *Nu allongé*, h/t (50x65) : **FRF 10 000**.

CATTIER Armand Pierre
Né le 20 février 1830 à Charleville. Mort le 5 juin 1892 à Ixelles (Bruxelles). XXᵉ siècle. Français.
Sculpteur.
Il étudia avec Eugène Simonis. Il débuta au Salon de Paris en 1857, exposa jusqu'en 1867 et se fixa ensuite en Belgique. On lui doit : *Le Point de Mire*, – *Après la bataille*. Le Musée de Sydney conserve de lui deux terres cuites : *Automne* et *Printemps*, celui de Bruxelles, un *Daphnis*.

CATTINI ou Catini
Né en 1725 à Venise. Mort vers 1800. XVIIIᵉ siècle. Italien.
Graveur.

CATTIVELLI. Voir BONELLI Aurelio

CATTOIR Simon
Né en 1711 à Uccle (Bruxelles). Mort en 1781 à Bruxelles. XVIIIᵉ siècle. Éc. flamande.
Graveur.

CATTOLI Gaspare
XVᵉ siècle. Actif à Faenza au XVᵉ siècle. Italien.
Peintre verrier.

CATTON Charles, le Jeune
Né en 1756 à Londres. Mort en 1819 en Amérique. XVIIIᵉ-XIXᵉ siècles. Britannique.
Peintre, dessinateur de sujets d'architecture, animalier, graveur.
Cet artiste se forma aux cours de la Royal Academy, à Londres, dont son père Charles fut un des premiers membres. Il s'adonna d'abord à l'exécution de sujets d'architecture, mais exposa plus tard des tableaux d'animaux, notamment à la Royal Academy, entre 1776 et 1800. En 1788, parut une *suite de dessins d'animaux* gravés par lui-même, et, en collaboration avec Edward Burney, il fournit les illustrations pour une édition des *Fables de Gay*. Catton partit pour l'Amérique en 1804 et y demeura jusqu'à sa mort. On cite parmi ses gravures : *La chasse aux bécasses* et *La chasse aux perdrix*, d'après G. Henri Morland.
VENTES PUBLIQUES : LONDRES, 20 juin 1822 : *A prospect of the park and house at Wanstead, Essex, from the North*, h/t (145x233,5) : **GBP 52** – LONDRES, 21 nov. 1984 : *A prospect of the park and house at Wanstead, Essex, from the North*, h/t (145x233,5) : **GBP 25 000** – LONDRES, 13 nov. 1997 : *Scènes de chasse* 1789, aquat., onze pièces : **GBP 1 495**.

CATTON Charles, l'Ancien
Né en 1728 à Norwich. Mort en 1798 à Londres. XVIIIᵉ siècle. Britannique.
Peintre héraldique d'animaux et de paysages.
Catton commença sa carrière comme apprenti chez un peintre de carrosses à Londres, et se fit une réputation considérable dans ce métier, en y déployant beaucoup d'habileté et une grande connaissance du dessin surtout dans la composition de blasons, etc., ce qui lui valut le poste de peintre de carrosse de George III, roi d'Angleterre. Il fut un des membres fondateurs de la Royal Academy et appartint aussi à la Martin's Lane Academy. En 1784, Catton fut nommé maître de la corporation des peintres décorateurs. On vit de lui des tableaux d'animaux à la Royal Academy et à la Society of Artists, entre 1760 et 1798. On cite aussi un *Ange délivrant saint Pierre* qui est à Saint-Peter Mancroft, à Norwich.

CATTORI Carlo
Né probablement vers le milieu du XVIIIᵉ siècle, originaire de Lamone, près de Lugano. Mort en 1826. XVIIIᵉ-XIXᵉ siècles. Suisse.
Stucateur.

CATTORI Gabriele
Originaire de Lamone, près de Lugano. XVIIᵉ siècle. Suisse.
Sculpteur, stucateur.
Gabriele Cattori était actif à Pise au XVIIᵉ siècle. Il travailla à la cathédrale de Pise vers 1600. Il laissa aussi des œuvres dans son pays natal et ses environs.

CATTORI Gabriele
XIXᵉ siècle. Italien.
Stucateur.
Fils de Carlo Cattori. Il travaillait à Milan et à Naples.

CATUFFE Claire
Née au XIXᵉ siècle à Tournon-sur-Rhône (Ardèche). XIXᵉ siècle. Française.
Portraitiste.
Elle fut élève de Henner et de Carolus Duran. Elle débuta au Salon de 1877.

CATUFI Luigi
XIXᵉ siècle. Italien.
Graveur.

CATULLE J., Mme
XIXᵉ-XXᵉ siècles. Française.
Miniaturiste.
Elle résidait à Fontenay-sous-Bois près de Paris. Elle exposa au Salon de la Nationale entre 1898 et 1908 un certain nombre de portraits en miniature, parmi lesquels ceux d'*E. Rostand*, de *P. Hervieu* et de *Catulle Mendès*. Sans doute femme du poète Catulle Mendès, ou tout au moins apparentée.
VENTES PUBLIQUES : PARIS, 26 jan. 1942 : *Jeune femme de profil* (miniature) : **FRF 320.**

CATUNDA Leda
XXᵉ siècle. Brésilienne.
Peintre, auteur d'assemblages, technique mixte. Figuratif, puis abstrait.
Elle fut élève de la FAAP de São Paulo et eut pour professeur Nelson Leirner.
Elle travaille à partir de techniques spécifiquement féminines, la broderie, la couture et puise dans le quotidien la base de son travail.
BIBLIOGR. : Agnaldo Farias : *Brésil : petit manuel d'instructions*, Artpress, nᵒ 221, Paris, fév. 1997.

CATUOGNO Domenico
XVIIIᵉ siècle. Italien.
Sculpteur.
Il travaillait à Naples vers 1740.

CATY Charles
Né en 1868 à Mons. Mort en 1947. XIXᵉ-XXᵉ siècles. Belge.
Peintre.
VENTES PUBLIQUES : AMSTERDAM, 7 nov. 1995 : *Danseuse espagnole*, h/t (100x80) : **NLG 1 180.**

CATZ Arnould de
Né à Utrecht. Mort après 1458. XVᵉ siècle. Hollandais.
Peintre, peintre verrier.
Il se maria à Avignon, avec la fille du peintre Guillaume Dambetti, le 19 mai 1430 et travailla en collaboration avec son beau-père. Il travailla à Avignon entre 1430 et 1453.

CAU Jean Christophe
XVIIᵉ-XVIIIᵉ siècles. Français.
Peintre.
Il fut actif de la fin du XVIIᵉ au commencement du XVIIIᵉ siècle. Il travaillait à Paris. Il fut reçu à l'Académie de Saint-Luc en 1673. Il peignit en 1690 pour le prince de Condé une *Bacchanale*, d'après une esquisse de Lebrun.

CAUBERE Geneviève Jean
Née en 1903 à Saïgon (alors Indochine). Morte en 1988 à Paris. XXᵉ siècle. Française.
Peintre de paysages, intérieurs, natures mortes.
À Paris, elle participait aux Salons d'Automne, des Indépendants, Terres Latines, et Populiste. Individuellement, entre 1950 et 1960, elle exposa à Paris, Londres, Genève, Lausanne et Milan.
VENTES PUBLIQUES : PARIS, 17 oct. 1990 : *Thoniers dans le port de Saint-Jean-de-Luz* 1956, h/t (92x60) : **FRF 11 000** ; *Coin d'atelier*, h/t (65x81) : **FRF 4 200.**

CAUBET Jean Eugène
Né à Saint-Clar (Gers). XIXᵉ-XXᵉ siècles (?). Français.
Aquarelliste.
Il a exposé, à Paris, au Salon des Artistes Français.

CAUBET Robert
Né à Marseille (Bouches-du-Rhône). XXᵉ siècle. Français.
Peintre.
Il a exposé, à Paris, au Salon des Artistes Français.

CAUBIOS Marthe
Née à Montevideo (Uruguay). XXᵉ siècle. Active en France.
Uruguayenne.
Peintre.
Elle a été élève de P.-A. Laurens et R.-M. Castaing. Elle a exposé, à Paris, au Salon des Artistes Français en 1934 et 1935 (*Le chapeau de paille d'Italie*).

CAUCANNIER Jean Denis Antoine ou Caucanier
Né vers 1860 à Paris. Mort en 1905 ou 1906. XIXᵉ siècle. Français.
Peintre de genre, portraits.
Élève de Pils, Ballavoine et Jules Lefebvre, il participa au Salon de Paris entre 1880 et 1905. Sociétaire des Artistes Français depuis 1883.

Ses compositions parfois douceureuses montrent un savoir faire de la lumière.
BIBLIOGR. : Gérald Schurr, in : *Les Petits Maîtres de la peinture 1820-1920, valeur de demain*, Les Éditions de l'Amateur, t. III, Paris, 1976.

CAUCAUNIER Jean Denis Antoine. Voir **CAUCANNIER Jean Denis Antoine**

CAUCHET Marcel
Né à Paris. XXᵉ siècle. Français.
Peintre de paysages.

CAUCHETEUX Julien
Né à Croix (Nord). XXᵉ siècle. Français.
Peintre.
Il a exposé, à Paris, au Salon des Artistes Français de 1927 à 1936.

CAUCHIE Paul
Né en 1875 à Ath. Mort en 1952 à Bruxelles. XXᵉ siècle. Belge.
Peintre de genre, portraits, paysages, peintre de compositions murales et architecte. Art-Nouveau.
Après avoir fait des études d'architecture à l'École des Beaux-Arts d'Anvers, il étudia la peinture à l'Académie de Bruxelles, sous la direction de Portaels. Il travailla également en Hollande. Dans ses travaux d'architecture et de décorations murales, il recherche toujours à réaliser une « synthèse équilibrée entre l'architecture et la décoration picturale ». Ses œuvres peintes, paysages déserts, scènes familiales, portraits, sont empreintes d'une certaine tristesse, d'une stylisation formelle, et comportent souvent un décor en harmonie avec les cadres qu'il exécute lui-même. Il travaille d'ailleurs dans l'esprit des artistes du Bauhaus, abolissant les frontières entre art et artisanat, créant des meubles en série et des décors intérieurs de maisons populaires préfabriquées.
BIBLIOGR. : In : *Diction. Biogr. Ill. des Artistes en Belgique depuis 1830*, ARTO, 1987 – Gérald Schurr, in : *Les Petits Maîtres de la peinture 1820-1920, valeur de demain*, Les Éditions de l'Amateur, t. VII, Paris, 1989.
MUSÉES : BEAUVAIS (Mus. départ. de l'Oise) : *La femme et la fille de l'artiste* 1910, dans son cadre d'origine et provenant de la maison construite par Cauchie à Bruxelles.
VENTES PUBLIQUES : LOKEREN, 28 mai 1988 : *Bateaux de pêche à l'amarrage*, gche (55x66) : **BEF 50 000** – BRUXELLES, 19 déc. 1989 : *Femmes à la plage* 1921, h/pan. (60x70) : **BEF 160 000** – BRUXELLES, 27 mars 1990 : *Maisons dans un parc*, past. (54x45) : **BEF 38 000.**

CAUCHOIS Eugène Henri
Né le 14 février 1850 à Rouen (Seine-Maritime). Mort le 11 octobre 1911 à Paris. XIXᵉ-XXᵉ siècles. Français.
Peintre de genre, paysages, marines, natures mortes, fleurs et fruits.
Élève de Cabanel et de Duboc, il participa au Salon de Paris à partir de 1874. Sociétaire des Artistes Français depuis 1890, il obtint une médaille de troisième classe en 1898, une médaille de bronze en 1900 et une médaille de deuxième classe en 1904.
À la fin de sa vie, il se consacra à la peinture décorative, peignant, entre autres, des panneaux de fleurs de toutes les saisons pour une école du VIᵉ arrondissement de Paris. Il traita largement ces compositions, à grandes touches empâtées.

BIBLIOGR. : Gérald Schurr, in : *Les Petits Maîtres de la peinture 1820-1920, valeur de demain*, Les Éditions de l'Amateur, t. V, Paris, 1981.
MUSÉES : LOUVIERS : *Chez le jardinier – Aux halles* – LOUVIERS (Gal. Roussel) : *Fruits – Animaux – Nature morte – Chrysanthèmes* – PERPIGNAN : *Marine* – ROUEN : *Collection d'horlogerie – La Porte rose.*
VENTES PUBLIQUES : PARIS, 26 nov. 1895 : *Nature morte* : **FRF 23** – PARIS, 26 mai 1920 : *Rosiers en fleurs à Osny* : **FRF 275** – PARIS, 18 jan. 1924 : *Deux vases de fleurs*, deux h/t : **FRF 150** – PHILADEL-

PHIE, 30-31 mars 1932 : *Moulin en Normandie* : **USD 22** 50 – PARIS, 2 juin 1943 : *Le pichet fleuri* : **FRF 850** – PARIS, 31 jan. 1949 : *Fleurs*, deux pendants : **FRF 11 500** – LONDRES, 18 déc. 1968 : *Nature morte* : **GBP 250** – LUCERNE, 12 juin 1970 : *Bouquet de fleurs* : **CHF 1 800** – LUCERNE, 26 nov. 1971 : *Bouquets de fleurs*, deux h/t, formant pendants : **CHF 5 800** – LUCERNE, 24 nov. 1972 : *Vase de fleurs* : **CHF 4 800** – VERSAILLES, 29 fév. 1976 : *Nature morte aux fleurs et aux fruits*, h/t (62,5x72) : **FRF 2 800** – LUCERNE, 18 nov. 1977 : *Nature morte aux fleurs*, h/t (65x54) : **CHF 3 500** – LONDRES, 5 oct. 1979 : *Fleurs dans un vase*, h/t (73x59) : **GBP 3 800** – VERSAILLES, 25 oct. 1981 : *Jeté de fleurs*, h/t (50x61) : **FRF 22 700** – NEW YORK, 19 oct. 1984 : *Bouquet de fleurs*, h/t (92x73) : **USD 5 000** – LONDRES, 12 fév. 1986 : *Vase de fleurs des champs*, h/t (63x52) : **GBP 3 000** – PARIS, 25 oct. 1987 : *Vase de fleurs des champs*, h/t (46x56) : **FRF 13 800** – REIMS, 20 déc. 1987 : *Nature morte aux huîtres et au champagne*, h/t (50x70) : **FRF 21 000** – MORLAIX, 28 fév. 1988 : *Bouquet de fleurs*, h/t (70x90) : **FRF 15 000** – NEUILLY, 1ᵉʳ mars 1988 : *Nature morte aux roses*, h/pan. (34x49) : **FRF 6 500** – NEW YORK, 24 mai 1988 : *Nature morte de marguerites, pêches et prunes sur une table*, h/t (54x74,4) : **USD 6 600** – PARIS, 12 juin 1988 : *Le panier de fleurs*, h/t (55x73) : **FRF 30 000** – TORONTO, 30 nov. 1988 : *Fleurs de jardin dans une jardinière de cuivre*, h/t (64x52) : **CAD 3 500** – PARIS, 9 déc. 1988 : *La table*, h/pan. (19x29) : **FRF 7 500** – NEW YORK, 23 mai 1989 : *Coffret à bijoux*, h/t (60x82) : **USD 12 650** – PARIS, 5 juin 1989 : *Fleurs dans un jardin*, h/t (80x116) : **FRF 30 000** – PARIS, 19 juin 1989 : *Nature morte de fleurs*, h/t (38x46) : **FRF 27 500** – NEW YORK, 24 oct. 1989 : *Nature morte de fleurs sauvages*, h/t (46,4x55) : **USD 9 350** – VERSAILLES, 19 nov. 1989 : *Pichet et vase de fleurs*, h/t (41x33) : **FRF 28 000** – LA VARENNE-SAINT-HILAIRE, 3 déc. 1989 : *Quelques roses*, h/t (38x45,5) : **FRF 24 500** – REIMS, 17 déc. 1989 : *Bouquet de fleurs dans un vase*, h/t (45x34) : **FRF 24 500** – BRUXELLES, 19 déc. 1989 : *Fleurs*, h/t (60x50) : **BEF 180 000** – LONDRES, 14 fév. 1990 : *Nature morte de fleurs dans un panier*, h/t (53x64) : **GBP 3 520** – NEW YORK, 28 fév. 1990 : *Nature morte de roses près d'un éventail*, h/t (53,3x64,8) : **USD 13 200** – PARIS, 11 mars 1990 : *Le grand bouquet*, h/t (108x74) : **FRF 59 000** – LONDRES, 28 mars 1990 : *Fleurs de printemps*, h/t (48x58,5) : **GBP 7 700** – PARIS, 10 avr. 1990 : *Bouquet de fleurs*, h/t (55x46) : **FRF 16 000** – NEW YORK, 23 mai 1990 : *Panier de roses et lilas*, h/t (54,3x65,4) : **USD 13 200** – PARIS, 12 juin 1990 : *Nature morte aux fleurs*, h/t (38x55) : **FRF 25 000** – LONDRES, 5 oct. 1990 : *Roses*, h/t (49,9x61) : **GBP 8 580** – LYON, 9 oct. 1990 : *La jardinière de fleurs d'été*, h/t (46x55) : **FRF 30 000** – PARIS, 12 oct. 1990 : *Corbeille de fleurs*, h/t (54x65) : **FRF 39 000** – NEW YORK, 24 oct. 1990 : *Bouquet d'été*, h/t (70x106,8) : **USD 28 600** – AMSTERDAM, 6 nov. 1990 : *Fleurs*, h/t (54x42) : **NLG 4 600** – PARIS, 17 mars 1991 : *Fleurs des champs dans un vase*, h/t (61x50) : **FRF 9 000** – NEW YORK, 28 fév. 1991 : *Composition florale, fruits et vaisselle précieuse sur une table*, h/t (101x130) : **USD 30 800** – BRUXELLES, 7 oct. 1991 : *Fleurs de printemps ; Fleurs d'automne*, h/t, une paire (chaque 46x55) : **BEF 220 000** – PARIS, 5 nov. 1991 : *Jeté de fleurs des champs*, h/t (38x55) : **FRF 14 000** – AMSTERDAM, 22 avr. 1992 : *Chrysanthèmes, roses et autres fleurs*, h/t (60x90) : **NLG 5 520** – NEW YORK, 27 mai 1992 : *Corbeille de fleurs des champs, coupe d'oranges et pichet renversé dans un paysage*, h/t (105,4x70,2) : **USD 11 000** – LE TOUQUET, 8 juin 1992 : *Jeté de roses et vase de lilas sur un entablement*, h/t (54x65) : **FRF 30 000** – LONDRES, 17 juin 1992 : *Nature morte avec un panier de pivoines*, h/t (50x70) : **GBP 5 500** – NEW YORK, 29 oct. 1992 : *Nature morte aux chrysanthèmes*, h/t (64,8x81,3) : **USD 23 100** – NEW YORK, 29 oct. 1992 : *Nature morte avec des grenades et des marguerites*, h/t (43,2x54) : **USD 4 180** – NEW YORK, 18 fév. 1993 : *Composition florale dans un vase oriental bleu ; Fleurs des champs dans un vase rouge*, h/t, une paire (chaque 46x38) : **USD 16 500** – AMSTERDAM, 20 avr. 1993 : *Nature morte de fleurs posées sur le sol*, h/t (26,5x34,5) : **NLG 9 200** – PARIS, 30 juin 1993 : *La maison de campagne*, h/t (46x55) : **FRF 9 000** – LOKEREN, 9 oct. 1993 : *Nature morte de fleurs*, h/t (62x86,5) : **BEF 260 000** – REIMS, 19 déc. 1993 : *Jeté de roses*, h/t (33x46) : **FRF 26 000** – NEW YORK, 15 fév. 1994 : *Nature morte de fleurs dans un vase et dans un panier*, h/t (50,2x61) : **USD 12 650** – LONDRES, 16 mars 1994 : *Nature morte de fleurs sauvages*, h/t (63,5x52) : **GBP 8 970** – PARIS, 27 mai 1994 : *Fleurs sur un entablement*, h/t (65x90) : **FRF 40 000** – NEW YORK, 16 fév. 1995 : *Vase de fleurs*, h/t (120x92,7) : **USD 16 100** – REIMS, 29 oct. 1995 : *Bouquet de fleurs dans un vase*, h/t (46x33) : **FRF 14 000** – NEW YORK, 23 mai 1996 : *Panier de fleurs 1906*, h/t (80,6x99,7) : **USD 20 700** – PARIS, 7 juin 1996 : *Fleurs des champs et fruits*, h/t (66x54) : **FRF 27 000** – LONDRES, 12 juin 1996 : *Nature*

morte de fleurs, h/t (54x65) : **GBP 10 120** – NEW YORK, 18-19 juil. 1996 : *Venise à la tombée du soir*, h/t (45,7x64,8) : **USD 2 645** – LONDRES, 31 oct. 1996 : *Nature morte avec partition, fleurs et fruits*, h/t (79x59) : **GBP 4 370** – LONDRES, 22 nov. 1996 : *Lilas dans une urne en pierre avec des roses sur un entablement*, h/t (68x66,7) : **GBP 2 530** – PARIS, 6 juin 1997 : *Nature morte à la branche de pommier*, h/t (46x55) : **FRF 15 000** – LONDRES, 12 juin 1997 : *Anémones dans une corbeille ; Anémones et bleuets dans une corbeille*, h/t, une paire (38,5x46) : **GBP 10 580** – NEW YORK, 22 oct. 1997 : *Jeté de roses ; Panier de fleurs*, h/t, une paire (54x64,1) : **USD 29 900** ; *Vase de fleurs à la boîte à bijoux ; Vase de fleurs au bol chinois*, h/t, une paire (chaque 64,1x54) : **USD 10 925**.

CAUCHOIS Jacques. Voir **LE BONHOMME**

CAUCHOIS DE LADEVÈZE Louise. Voir **LADEVÈZE-CAUCHOIS**

CAUCHY Pierre
Mort en 1687. XVIIᵉ siècle. Français.
Peintre.
Actif à Paris. Peut-être identique à COUCHY Pierre.

CAUCIG Franz
Né en 1762 à Görz. Mort en 1828 à Vienne. XVIIIᵉ-XIXᵉ siècles. Autrichien.
Peintre.
Il étudia à Vienne, Bologne, Rome, Mantoue et Venise. Il a été professeur, puis directeur (en 1820) de l'Académie de Vienne. Il a peint des sujets de mythologie et d'histoire, et aussi quelques tableaux d'autel et quelques portraits.

CAUCONNIER Pierre François
XVIIIᵉ siècle. Français.
Peintre.
Actif à Paris ; reçu à l'Académie de Saint-Luc en 1784.

CAUCOURT N.
XVIIIᵉ siècle. Français.
Peintre.
MUSÉES : VIRE : *Portrait de Thomas Pichon*.

CAUD Marcel Henri Léonce
Né le 10 mai 1883. XXᵉ siècle. Français.
Peintre de scènes de genre, portraits, natures mortes.
Il fut élève de Jean-Paul Laurens et de Jules Adler. Sociétaire du Salon des Artistes Français, il a décoré des églises.

CAUDA Luigi
Né à Turin. XIXᵉ siècle. Italien.
Sculpteur.
Il travailla à Turin.

CAUDAL Marthe
Née à Paris. XXᵉ siècle. Française.
Peintre de paysages.
Elle a exposé surtout des paysages, aux Indépendants, aux Tuileries et au Salon d'Automne, de 1928 à 1932.

CAUDE Camille
Né à Paris. XXᵉ siècle. Français.
Peintre de paysages.
Exposait au Salon d'Automne de 1924.

CAUDEL Madeleine
Née à Paris. XXᵉ siècle. Française.
Peintre de paysages, natures mortes.
Sociétaire des Artistes Français à Paris.

CAUDEL-DIDIER Mathilde
Née à Paris. XXᵉ siècle. Française.
Aquarelliste, pastelliste.
Exposant des Artistes Français.

CAUDELIERS Jacob
XVIIᵉ siècle. Éc. flamande.
Sculpteur.
Il était actif à Anvers au XVIIᵉ siècle.

CAUDELIERS Joannes
XVIIᵉ siècle. Éc. flamande.
Sculpteur.
Il travaillait à Anvers.

CAUDERAS Bartolomeu
Né en 1547, de parents espagnols. Mort en 1606. XVIᵉ-XVIIᵉ siècles. Portugais.
Peintre.

CAUDERLIER Pierre. Voir **CAULIER**

CAUDI José
Originaire de Valence. Mort en 1696 à Madrid. XVIIᵉ siècle. Espagnol.
Peintre, graveur, architecte.

CAUDIARD Simone
Née à Paris. XXᵉ siècle.
Peintre de paysages.
Elle a exposé, à Paris, au Salon d'Automne de 1927.

CAUDIN Jules de
Né en 1853. XIXᵉ siècle. Français.
Peintre.
MUSÉES : VERSAILLES : *Portrait de R.-N.-C.-A. de Maupeou.*

CAUDRELIER Gérard
Né à Lille (Nord). XXᵉ siècle. Français.
Peintre de portraits, paysages, fleurs.
Entre 1920 et 1937 il exposa aux Salon des Artistes Indépendants et de la Société Nationale des Beaux-Arts.
VENTES PUBLIQUES : NEW YORK, 9 oct. 1986 : *Pont sur le Loing* 1919, h/t (49,8x61) : **USD 3 800.**

CAUDRI Karel ou **Coudri**
XVIIᵉ siècle. Éc. flamande.
Peintre.
Il fut élève de Hendrick Van Bâlen. Il travaillait à Anvers.

CAUDRIET Jacob
XVIIᵉ siècle. Éc. flamande.
Sculpteur.
Il travaillait à Anvers au XVIIᵉ siècle.

CAUDRON Eugène
Né à Abbeville (Somme). XIXᵉ siècle. Français.
Peintre de genre, portraits, paysages.
Fils et élève de Jules Caudron. Il débuta au Salon de 1868.
VENTES PUBLIQUES : COLOGNE, 8 et 9 mars 1904 : *Portrait d'un homme d'État français du temps de Louis XIV* : **DEM 320.**

CAUDRON Henri Clément
Né à Arras (Pas-de-Calais). XXᵉ siècle. Français.
Peintre.
Il a exposé des fleurs, à Paris, au Salon de la Société Nationale des Beaux-Arts, et, en 1934 : *Souvenirs de 1830*, au Salon des Artistes Français.

CAUDRON Jacques Eugène
Né le 16 novembre 1818 à Paris. Mort le 5 août 1865 à Paris.
XIXᵉ siècle. Français.
Sculpteur.
Élève de David d'Angers à l'École des Beaux-Arts, où il entra le 2 avril 1835. En 1851, il débuta au Salon avec le *Buste de Grétry*. On cite de lui : *Chasseur indien, – Le Réveil, – L'Innocence cachant l'Amour, – Buste de Molière* (au Foyer du Théâtre Français), *– Christ* (à l'église Saint-Jacques du Haut-Pas), *– Judas* et *Gozlin* (à Notre-Dame de Paris).

CAUDRON Jules Désiré
Né le 22 octobre 1816 à Paris. Mort le 18 décembre 1877 à Abbeville (Somme). XIXᵉ siècle. Français.
Peintre.
Il entra à l'École des Beaux-Arts le 27 mars 1837 et se forma sous la conduite de David d'Angers. Il vécut et travailla à Abbeville. De 1842 à 1867, il figura au Salon de Paris. On cite de lui : *La prière, – Un fumeur, – Un ménétrier, – Une pêcheuse, – Mousse jouant avec un crabe*. Le Musée d'Abbeville conserve plusieurs œuvres de lui.
VENTES PUBLIQUES : PARIS, 16 mars 1931 : *Le vieux ménétrier* : **FRF 150** – PARIS, 25 oct. 1966 : *Les soins de l'enfant* : **FRF 1 650** – PARIS, 23 mars 1983 : *Intérieur de ferme avec personnages* 1853, h/t (53x65,5) : **FRF 13 800.**

CAUDRON Louis
XVIIᵉ siècle. Français.
Peintre.
Il vécut et travailla à Cambrai. Actif à la fin du XVIIᵉ siècle.

CAUDRON Théophile
Né le 21 mars 1805 à Combles (Somme). Mort en 1848 à Amiens (Somme). XIXᵉ siècle. Français.
Sculpteur.
Il eut pour maître Cartellier, à l'École des Beaux-Arts, où il entra le 13 octobre 1827. En 1833, il eut la médaille de deuxième classe. Au Salon de 1831, il figura avec un bas-relief en plâtre : *Louis*

XIV, accompagné de la reine-mère et du cardinal Mazarin, visite la ville d'Arles ; et à celui de 1833 avec : *Childebert, accompagné de sa cour, assiste dans les arènes d'Arles, à un combat de gladiateurs et de lions*. Ces deux bas-reliefs ont été coulés en bronze pour l'ornement de l'obélisque de la ville d'Arles. Sur l'une des places d'Amiens, on voit, de cet artiste, une statue en bronze de Charles Dufresne, sieur Du Cange.
MUSÉES : AMIENS : *Archimède*, deux fois – *Charles Dufresne, sieur Du Cange.*

CAUDRON CHATRY DE LA FOSSE Jane Alice
Née à Paris. XIXᵉ-XXᵉ siècles. Française.
Peintre.
Elle a exposé, à Paris, au Salon des Indépendants en 1922-1923.

CAUDUIRS Adrien François
XVIIᵉ siècle. Éc. flamande.
Graveur.
Travaillant probablement à Anvers. On cite sa gravure : *Paysage dans le style de Van Uden.*

CAUDURO Rafael
XXᵉ siècle. Mexicain.
Artiste d'installations.
Il a participé en 1994 à la Biennale d'art contemporain de La Havane.

CAUER Emil, l'Ancien
Né en 1800 à Dresde. Mort le 6 août 1867 à Kreuznach. XIXᵉ siècle. Allemand.
Sculpteur.
Élève de D. Chr. Rauch et, plus tard, de Joh. Haller à Munich. Après avoir séjourné quelque temps à Bonn et à Dresde, il se fixa à Kreuznach. Il a modelé un certain nombre de statuettes, figures de genre et allégories *(Les Saisons)*, personnages du théâtre de Shakespeare et hommes illustres du passé *(Hutten, Mélanchton, Mozart)*.

CAUER Emil, le Jeune
Né le 6 août 1867 à Kreuznach. XIXᵉ-XXᵉ siècles. Allemand.
Sculpteur.
Élève de son père Karl Cauer, il compléta ses études à Rome, puis s'établit à Berlin (1888).
MUSÉES : BERLIN : *Jeune fille puisant de l'eau* 1900, marbre.
VENTES PUBLIQUES : LINDAU, 6 mai 1982 : *Baigneuse*, marbre blanc (H. 76) : **DEM 2 900** – MUNICH, 14 mars 1984 : *Nu accroupi*, albâtre (H. 61) : **DEM 3 500.**

CAUER Friedrich
Né en 1874 à Kreuznach. XXᵉ siècle. Allemand.
Sculpteur, peintre.
Fils de Robert Cauer le vieux. Il travaillait à Obercassel, près de Düsseldorf.

CAUER Hanna
XXᵉ siècle.
Sculpteur.
En 1932, elle exposait, à Paris, au Salon des Tuileries le buste de *Mme Boas de Jouvenel*.

CAUER Hans
Né en 1870 à Kreuznach. Mort en 1900 à Kreuznach. XIXᵉ siècle. Allemand.
Peintre de figures, paysages.
Fils de Karl Cauer. Il travaillait à Kreuznach.

CAUER Hugo
Né en 1864 à Kreuznach. XIXᵉ-XXᵉ siècles. Allemand.
Sculpteur.
Fils de Karl Cauer. Il travaillait à Kreuznach.

CAUER Karl
Né en 1828 à Bonn. Mort le 18 avril 1885 à Kreuznach. XIXᵉ siècle. Allemand.
Sculpteur de portraits, figures.
Élève de son père Emil Cauer l'Ancien et de Albert Wolff à Berlin, il acheva ses études en copiant l'antique à Rome et à Londres. Il travailla à Rome et à Kreuznach.
Exposa, en 1869 et 1870, à la Royal Academy, à Londres. On cite parmi ses œuvres un certain nombre de portraits *(Roi Frédéric-Guillaume IV, – Empereur François-Joseph, – Prince de Metternich)* et des figures de composition, comme : *Le Vainqueur d'Olympie, – Achille mourant, – Cassandre, – Hector et Andromaque.*
MUSÉES : BERLIN : *La Sorcière.*

CAUER Ludwig
Né le 28 mai 1866 à Kreuznach. XIXe-XXe siècles. Allemand.
Sculpteur.
Élève de son père Karl Cauer et de Reinhold Begas et Albert Wolff à Berlin. Il étudia aussi à Rome, à Londres et à Paris, puis se fixa à Berlin.
Exposa à Londres, à la Royal Academy, notamment, en 1892-1893. A Paris, mention honorable au Salon en 1895 ; troisième médaille à l'Exposition Universelle de 1900.
MUSÉES : BERLIN : *Jeune Grec.*

CAUER Robert, l'Ancien
Né en 1831 à Dresde. Mort en 1893 à Cassel. XIXe siècle. Allemand.
Sculpteur de figures, portraits.
Fils d'Emil Cauer l'Ancien. Il travailla à Kreuznach. On retrouve dans son œuvre quelques thèmes chers à la poésie classique et au romantisme : *La Belle au bois dormant, – Blanche-Neige, – Le Chat botté, – Hermann et Dorothée, – Paul et Virginie, – La Lorelei, – Ondine.* Il a laissé, d'autre part, un certain nombre de portraits.
MUSÉES : COLOGNE (Mus. Wallraf Richartz) : *Portrait du poète C. Simrock* – HAMBOURG : *Portrait de Mme J. de Schmidt.*

CAUER Robert, le Jeune
Né en 1863 à Kreuznach. XIXe-XXe siècles. Allemand.
Sculpteur de portraits.
Fils et élève de Karl Cauer. Après un voyage d'étude à Rome, il fit un long séjour aux États-Unis (1889-92) au cours duquel il exécuta un certain nombre de portraits. Il travailla, à partir de 1893, à Kreuznach et à Berlin.

CAUER Stanislaus
Né en 1867 à Kreuznach. XIXe-XXe siècles. Allemand.
Sculpteur de figures.
Fils de Robert Cauer l'Ancien et son élève, à Rome. Il se fixa à Königsberg en 1907, date à laquelle il fut nommé professeur à l'Académie de cette ville.
MUSÉES : DRESDE (Albertinum) : *Femme debout* – KALININGRAD, ancien. Königsberg : *Jeune homme.*

CAUJAN François Marie
Né à Landerneau (Finistère). Mort le 20 février 1945. XXe siècle. Français.
Sculpteur de bustes et de figures.
Il exposa aux Salons d'Automne, des Artistes Indépendants, de la Société Nationale des Beaux-Arts et des Tuileries.

CAUKERCKEN Cornelis Van
Né vers 1625 à Anvers, probablement. Mort en 1680 à Bruges. XVIIe siècle. Éc. flamande.
Dessinateur, graveur.
En 1660, maître à Anvers.

CAULA Francisco
XIXe siècle. Espagnol.
Peintre de scènes religieuses.
Il exposa en 1875 à Santiago.

CAULA Sedio
Né à La Havane (Cuba). XXe siècle. Cubain.
Peintre.
Il a exposé une *Composition*, à Paris, au Salon des Artistes Français en 1937.

CAULA Sigismondo
Né en 1637 à Modène. Mort après 1713, d'après Dondi ou en 1724. XVIIe-XVIIIe siècles. Italien.
Peintre de scènes religieuses.
Il travailla pour les églises et les couvents de Modène et peignit notamment à la cathédrale de cette ville un *Saint Pierre et saint Paul.* Il eut pour élève Francesco Monti.
VENTES PUBLIQUES : ROME, 13 déc. 1988 : *Le Christ guérissant un infirme pendant un banquet*, h/t (33x43,5) : **ITL 6 500 000** – NEW YORK, 9 jan. 1991 : *La découverte de Moïse*, craies rouge et noire, encre et lav. avec reh. de blanc/pap. brun (25,4x33,7) : **USD 4 950** – MILAN, 31 mai 1994 : *Saint Charles Borromée en extase*, encre et lav., fus. et céruse/pap. (50,5x33,5) : **ITL 1 955 000** – NEW YORK, 10 jan. 1996 : *Femme recouverte d'une draperie allongée dans un paysage*, lav. avec reh. de blanc /pap. brun (21x29,2) : **USD 8 050.**

CAULAERT Jean-Dominique Van
Né en 1897 à Saint-Saulve (Nord). Mort le 11 juillet 1979 à Paris. XXe siècle. Actif en Belgique et aux États-Unis. Français.

Peintre de portraits, affichiste.
Ses parents étant belges, il s'installa à Bruxelles après son service militaire, il y fut élève de l'Académie. Il était chevalier de la Légion d'Honneur.
Il commença par réaliser des affiches pour le théâtre. À Paris en 1925, il exécute les portraits d'actrices et chanteuses en vogue, Sarah Bernhardt, Cecile Sorel et Mistinguette. Vers 1945 il quitte la France pour les États-Unis où il poursuit sa carrière de portraitiste de célébrités.

J. D. VAN CAULAERT

BIBLIOGR. : In : *Diction. Biogr. Ill. des Artistes en Belgique depuis 1830*, ARTO, 1987.
VENTES PUBLIQUES : NEW YORK, 1er nov. 1980 : *Un nouveau succès de Lys Gauty, Bistro du port* 1934, gche, encre de Chine et fus. (157x123) : **USD 20 000** – NEW YORK, 3 nov. 1981 : *Marlène Dietrich* 1936, h/t (160x104,5) : **USD 2 000** – NEW YORK, 13 déc. 1985 : *Alice Roberts* 1930, h/t (189x109,5) : **USD 1 900** – PARIS, 16 mars 1989 : *Portrait de femme* 1948, h/t (116x89) : **FRF 8 200** – PARIS, 15 mars 1993 : *Les baigneurs*, h/t (112x145) : **FRF 12 000** – PARIS, 10 avr. 1996 : *Portrait de jeunesse du comédien Pierre Ducornoy* 1936, h/t (73x60) : **FRF 8 000.**

CAULAY CONCEJO Antonio
Né en Corogne. XIXe siècle. Espagnol.
Peintre d'histoire, portraits, marines.
Élève de Juan et de Jenaro Villamil. Il exposa à Madrid à partir de 1874. Ce fut un artiste de talent.
MUSÉES : MADRID (Mus. d'Art Mod.) : *A Rumbo.*

CAULDWELL Leslie Giffen
Né le 18 octobre 1861 à New York. XIXe-XXe siècles. Américain.
Peintre de portraits, figures, décorateur.
Élève de Boulanger et de Carolus-Duran à l'Académie Julian à Paris. Il vécut et travailla à New York.
Il exposa des figures de genre et des portraits au Salon en 1885 et 1888, à la Nationale à Paris, et à la Royal Academy, à Londres, à partir de 1891. Il s'est surtout occupé de décoration depuis 1896.
VENTES PUBLIQUES : PARIS, 7 mars 1978 : *La Jeune Paysanne*, h/t (55x46) : **FRF 5 600** – LONDRES, 6 déc. 1979 : *A Breton garden* 1892, h/t (56x46) : **GBP 950.**

CAULERY Louis de. Voir **CAULLERY Louis de**

CAULES Ramon de
XIVe siècle. Espagnol.
Peintre.
Actif à Barcelone.

CAULEY
XIXe siècle. Britannique.
Peintre.
Exposa un tableau de fleurs (à l'aquarelle) à la Society of Artists, à Londres, en 1768.

CAULFIELD J.
XVIIIe-XIXe siècles. Britannique.
Peintre de miniatures.
Exposa trois portraits de femmes à la Royal Academy, à Londres, en 1792.

CAULFIELD Patrick
Né le 29 janvier 1936 à Londres. XXe siècle. Britannique.
Peintre d'intérieurs, graveur. Pop'art.
Il fit ses études à la Chelsea School of Art entre 1956 et 1959 et les poursuivit entre 1959 et 1963 au Royal College of Art. Depuis 1963 il est professeur à la Chelsea. En 1964 il a reçu une bourse de la Peter Stuyvesant Foundation et en 1965 le Prix des Jeunes Artistes pour ses œuvres graphiques à la quatrième Biennale des Jeunes à Paris. Il a exposé individuellement en 1965 et 1967 à la Robert Fraser Gallery de Londres, en 1966 et 1968 à la Robert Elkon Gallery de New York, en 1967 au Studio Marconi de Milan, en 1968 et 1971 aux Waddington Galleries de Londres, à Paris en 1992, 1993, 1996.
Il se rallia au mouvement anglais du pop art dès les débuts de celui-ci. Il décrit des intérieurs neutres, sans présence humaine, traités en aplats et encadrés d'un épais cerne noir qui évoque le style d'Adami, mais sans en emprunter les déformations. Ces intérieurs sont inspirés des reproductions de mauvaise qualité que l'on trouve dans les magazines anglais, mais étant plus géo-

métrisés et peints dans une gamme chromatique restreinte, ils offrent une vision ironique et sardonique du monde contemporain. Il introduit aussi des références à la peinture, empruntant des reproductions ou un style à Léger, Matisse, Magritte, Arp (...), proposant une visite dans le monde de l'art sur un mode ironique. Son exposition parisienne de 1993 témoignait d'un changement d'objectif, délaissant les pubs et autres intérieurs typiques, il n'y traite plus que d'objets isolés : pipes, verres, fleurs, fruits, en aplats et sans profondeur, dans une matière pigmentaire plus travaillée.

BIBLIOGR. : Catal. de l'exposition *La peinture anglaise aujourd'hui*, Musée d'Art Moderne de la ville, Paris, 1973 – in : *Diction. Univ. de la Peinture*, Le Robert, Paris, 1975 – Catal. de l'exposition *Patrick Caulfield – Paintings 1963-1981*, Tate Gallery, Londres, 1981 – Clarisse Hahn : *Patrick Caulfield*, Art Press, n° 178, Paris, mars 1993.

VENTES PUBLIQUES : LONDRES, 5 juil. 1979 : *Coat stand 1973*, sérig. en noir et blanc (56,3x78,8) : **GBP 280** – NEW YORK, 10 nov. 1983 : *Nature morte sur une table dressée 1968*, h/t (90,8x152,4) : **USD 13 000** – LONDRES, 28 juin 1984 : *Course de yacht 1966*, h/cart. (122,5x213) : **GBP 11 000** – LONDRES, 29 oct. 1987 : *Rose bottle 1975*, sérig. (76,5x102) : **GBP 220** – LONDRES, 20 sep. 1990 : *Piscine 1975*, tapisserie de laine (248,9x198,2) : **GBP 2 090** – LONDRES, 8 mars 1991 : *Composition*, gche (84x63,5) : **GBP 1 925** – LONDRES, 7 juin 1991 : *Boisson verte 1984*, acryl./t. (76x112) : **GBP 4 950** – LONDRES, 8 nov. 1991 : *Les pins debout 1961*, h/cart. (122x122) : **GBP 4 620** – LONDRES, 11 juin 1992 : *Cloison*, acryl. et h/t (213,5x183) : **GBP 4 950** – LONDRES, 24-25 mars 1993 : *La vaisselle de terre vernissée 1976*, encre et cr. de coul./cart. (54,8x76,5) : **GBP 1 495** – LONDRES, 25 oct. 1995 : *Virage de la route 1967*, h/t (121x215) : **GBP 14 375** – LONDRES, 30 mai 1997 : *Foyer 1993*, acryl./t. (213,4x213,4) : **GBP 36 700**.

CAULIER Jean Baptiste
XVIIIe siècle. Belge.
Sculpteur sur bois.
Actif à Tournai en 1750.

CAULIER Pierre ou Cauderlier
XVIIe siècle. Éc. flamande.
Sculpteur.
Actif à Malines.

CAULITZ Peter
Né vers 1650 à Berlin. Mort en 1719 à Berlin. XVIIe-XVIIIe siècles. Allemand.
Peintre de paysages, natures mortes.
Il fit ses études à Rome. De retour à Berlin en 1681, il devint peintre de la cour de Brandebourg en 1695.
MUSÉES : BERLIN – BRUNSWICK – POTSDAM.

CAULKIN Ferdinand Edward Harley
Né le 8 mars 1888. XIXe-XXe siècles. Britannique.
Peintre de figures, paysages.

CAULLE Alain
Né en 1952. XXe siècle. Français.
Peintre. Abstrait.
Depuis 1980, il expose annuellement à Paris, au Salon des Réalités Nouvelles.
Au début, ses peintures s'organisaient en formes souples et amples, de couleurs gaies, s'articulent entre elles avec élégance, et pouvaient rappeler la manière et le ton de Maurice Estève. Il se sépara de cette influence dans son évolution, durcissant les formes et leurs heurts, puis morcelant de plus en plus les surfaces et en conséquence les multipliant, créant une sorte de réseau ténu, comme les mailles d'un tressage de nouveau souple enserrant de zones d'ombre des éclats de lumières colorées.

CAULLERY Louis de ou Caulery ou Coulery
Né en 1555 à Cambrai. Mort en 1622 à Anvers. XVIe-XVIIe siècles. Français ou Flamand.
Peintre.
Cet artiste se confond peut-être avec l'artiste du même nom qui, en 1594, signa un livre illustré par lui et mourut (d'après Durieux) en 1598.
Les peintures que l'on connaît de lui, constituent des tableaux de mœurs, très importants quant à leur valeur de témoignage d'époque. Imagerie quelque peu naïve, elle n'en possède pas moins des qualités de joliesse, de charme, non exclusives en outre d'une technique soignée.
MUSÉES : HAMBOURG : *Le carnaval* – RENNES : *Bal sous Henri IV*.
VENTES PUBLIQUES : ANVERS, 4 et 5 avr. 1938 : *Les cinq sens* :

FRF 2 000 – PARIS, 4 mai 1951 : *Le bal masqué* : FRF 23 000 – VIENNE, 19 mars 1963 : *Bal au château* : **ATS 25 000** – MILAN, 31 mai 1966 : *La Tour de Babel* : **ITL 800 000** – LONDRES, 27 mars 1968 : *La Piazza Navona de Rome animée de nombreux personnages* : **GBP 2 000** – LONDRES, 13 déc. 1978 : *Troupeau au pâturage*, h/t (70x90) : **BEF 60 000** – LONDRES, 30 nov. 1979 : *Carnaval sur la place Saint-Marc, Venise*, h/pan. (48,2x73,6) : **GBP 20 000** – NANCY, 1er fév. 1981 : *La Tour de Babel*, h/pan. (49x92,5) : **FRF 62 500** – AMSTERDAM, 25 avr. 1983 : *Études d'élégants personnages*, pinceau et encre bleue et lav./pap. (18,7x27) : **NLG 1 900** – LONDRES, 5 juil. 1984 : *La Place Saint-Marc*, (43x72) : **GBP 25 000** – NEW YORK, 4 juin 1986 : *Crucifixion*, h/pan. (76x124,5) : **USD 35 000** – NEW YORK, 14 jan. 1988 : *L'Escorial avec des personnages sur une colline en premier plan*, h/t (81x110,5) : **USD 55 000** – PARIS, 28 juin 1988 : *Concert dans les jardins d'une villa italienne*, h/pan. (54,5x75) : **FRF 65 000** – NEW YORK, 21 oct. 1988 : *Fête galante dans un intérieur*, h/pan. (49x65) : **USD 13 200** – PARIS, 9 déc. 1988 : *Vue de Venise*, peint./cuivre (49x66) : **FRF 290 000** – MILAN, 4 avr. 1989 : *Scène de banquet*, h/pan. (49x65) : **ITL 36 000** – NEW YORK, 13 oct. 1989 : *Gentilhommes et dames nobles écoutant des musiciens dans une galerie*, h/pan. (40x56,5) : **USD 22 000** – MONACO, 2 déc. 1989 : *Crucifixion*, h/pan. (50,5x78) : **FRF 66 600** – PARIS, 8 déc. 1989 : *Nimrod surveillant la construction de la Tour de Babel*, h/pan. de chêne (48x75) : **FRF 110 000** – LONDRES, 11 avr. 1990 : *La place Saint Marc à Venise*, h/pan. (41x54) : **GBP 37 400** – STOCKHOLM, 16 mai 1990 : *Festivités dans un parc*, h/pan. (115x152) : **SEK 230 000** – AMSTERDAM, 22 mai 1990 : *Pique-nique élégant dans les dépendances d'un château*, h/pan. (42,5x63) : **NLG 47 150** – MONACO, 15 juin 1990 : *Caprice architectural – vue de Saint-Pierre de Rome avec le Belvédère*, h/pan. parqueté (48x71,5) : **FRF 233 100** – AMSTERDAM, 13 nov. 1990 : *Carnaval sur la place Saint-Marc à Venise*, h/pan. (50x69,5) : **NLG 149 500** – NEW YORK, 10 jan. 1991 : *Cavaliers sur un promontoire surplombant l'Escorial*, h/t (81x110,5) : **USD 66 000** – PARIS, 11 fév. 1991 : *Allégorie de la vue* ; *Allégorie de l'ouïe*, h/cuivre, une paire (chaque 29x16) : **FRF 60 000** – MILAN, 21 mai 1991 : *Cérès – allégorie de l'été*, h/cuivre (23x18) : **ITL 29 380 000** – MONACO, 5-6 déc. 1991 : *Vue d'un palais imaginaire*, h/pan. (33,5x48) : **FRF 72 150** – PARIS, 29 sep. 1992 : *L'incendie de Troie*, h/pan. (54x78) : **FRF 41 000** – LONDRES, 21 avr. 1993 : *Élégante société se promenant dans les jardins d'une villa*, h/pan. (51x86) : **GBP 69 700** – PARIS, 25 juin 1993 : *Jeune femme et jeune garçon jouant du luth*, h/cuivre (12,8x9,8) : **FRF 16 500** – PARIS, 5 mars 1994 : *Scène de carnaval sous la neige*, h/pan. (52x86) : **FRF 180 000** – LONDRES, 5 juil. 1995 : *La Crucifixion 1619*, h/pan. (53,5x75,5) : **GBP 27 600** – ROME, 14 nov. 1995 : *Le Colosse de Rhode*, h/cuivre (27,5x34) : **ITL 13 800 000** – PARIS, 12 déc. 1995 : *Les préparatifs du bal dans un intérieur de palais*, h/pan. (56,5x100) : **FRF 350 000** – NEW YORK, 12 jan. 1996 : *Fantaisie architecturale avec une fête populaire sur la place d'une ville*, h/pan. (45x60) : **USD 101 500** – LONDRES, 3 juil. 1996 : *Un tournoi avec des acrobates et des clowns sur la place d'une cité de la Renaissance*, h/pan. (48x71) : **GBP 84 000** – NEW YORK, 30 jan. 1997 : *Carnaval sur une place de ville*, h/pan. (100,3x134,6) : **USD 43 125** – NEW YORK, 22 mai 1997 : *Vaste paysage avec des personnages dans une fête à ciel ouvert*, h/pan. (47,3x64,8) : **USD 96 000** – PARIS, 17 juin 1997 : *Le Festin de Balthazar 1620*, pan. avec reh. d'or (55,5x85) : **FRF 280 000** – LONDRES, 30 oct. 1997 : *Couples dansant dans la cour d'un palais*, h/pan. (56,4x77,8) : **GBP 10 350** – LONDRES, 3-4 déc. 1997 : *Carnaval sur la place Saint-Marc, Venise*, h/pan. (49,2x73,8) : **GBP 98 300**.

CAULLET Albert
Né en 1875 à Courtrai. Mort en 1950 à Woluwe-Saint-Lambert. XXe siècle. Belge.
Peintre de scènes de genre, animaux, paysages, natures mortes.
Il fut élève de l'Académie de Courtrai.

A · Caullet

BIBLIOGR. : In : *Diction. Biogr. Ill. des Artistes en Belgique depuis 1830*, ARTO, 1987.
MUSÉES : COURTRAI.
VENTES PUBLIQUES : ANVERS, 8 avr. 1976 : *Vue de village*, h/t (60x80) : **BEF 28 000** – BRUXELLES, 25 sep. 1984 : *Troupeau au pâturage*, h/t (80x120) : **BEF 46 000** – LOKEREN, 28 mai 1988 : *Pay-*

sage champêtre avec des vaches, h/t (100x149) : BEF 55 000 – BRUXELLES, 12 juin 1990 : *Nature morte aux fruits* 1893, h/t (57x62) : BEF 25 000 – LOKEREN, 23 mai 1992 : *Le ruisseau Heule*, h/t (70x100) – LOKEREN, 12 mars 1994 : *Paysage d'été avec un berger et son troupeau* 1922, h/t (70x100) : BEF 70 000 – LOKEREN, 18 mai 1996 : *Paysage estival*, h/t (50x70) : BEF 26 000 – LOKEREN, 7 déc. 1996 : *Vaches dans un paysage d'été*, h/t (100x150) : BEF 300 000.

CAULLET Charles Alexandre Joseph
Né le 14 juillet 1741 à Berveaux, près du Luxembourg. Mort le 18 mars 1825 à Douai. XVIIIe-XIXe siècles. Français.
Peintre.
Depuis le 9 août 1774 jusqu'au 3 mars 1820, il remplit les fonctions de professeur à l'École de dessin de Douai, où il forma de nombreux élèves.
Les tableaux que cet artiste a laissés, et qui sont conservés par le Musée de cette ville, sont pleins de mérite. À la salle de spectacle de Douai, il exécuta de très belles décorations. Elles furent restaurées par Ciceri.
MUSÉES : DOUAI : *Portrait de Dom J. Goltran, sous-prieur à l'abbaye d'Anchin* – *Portrait de François-Joseph Magault* – *Portrait d'Antoine-Joseph Mellez, maire de Douai*.
VENTES PUBLIQUES : AIX-EN-PROVENCE, 11 oct. 1982 : *Vaches au pré*, h/t (147x200) : FRF 10 100.

CAULLET Helvétius
Né le 15 avril 1794 à Douai. XIXe siècle. Français.
Peintre de portraits.
Fils de Charles-Alexandre Caullet.
MUSÉES : DOUAI : *Jean de Bologne*.

CAULLET-NANTARD Maria
Née à Lyon (Rhône). XIXe-XXe siècles. Française.
Peintre, sculpteur.
Elle a exposé, à Paris, au Salon des Indépendants et au Salon des Artistes Français, dont elle est sociétaire depuis 1908 ; elle y obtint une médaille en 1907.

CAULO Antonin
XIXe siècle. Français.
Graveur d'ornements.
Il travaillait à Paris.

CAULT Jean Christophe
XIXe siècle. Français.
Peintre.
Peintre du prince Louis de Bourbon-Condé en 1689. Il est peut-être l'auteur du portrait de Louis de Bourbon-Condé et aussi de celui d'Henri-Jules de Bourbon-Condé, tous deux conservés à Versailles.

CAULTON J.
XIXe siècle. Britannique.
Peintre de fleurs, insectes.
Il exposa à la Royal Academy, à Londres, de 1800 à 1810.

CAUMARTIN Henry
XVIIIe siècle. Français.
Peintre.
Actif à Paris. Il a été reçu à l'Académie de Saint-Luc en 1740.

CAUMARTIN Louis Charles Le Fèvre, seigneur de
XVIIe-XVIIIe siècles. Français.
Dessinateur, graveur.
Actif en 1699. On cite de lui : *La vue du parterre et du treillage de la maison de Caumartin, rue Saint-Avoye à Paris.*

CAUMARTIN-KECK Mary
Née à Rochester (New York). XXe siècle. Active en Algérie. Française.
Peintre de paysages.
Elle travailla à Tours puis à Alger. Elle exposa au Salon de la Société Nationale des Beaux-Arts et au Salon d'Automne en 1936-1937.

CAUMIL Gérard
Né à Pézenas (Hérault). XXe siècle. Français.
Peintre, lithographe.
Il a été élève de Louis Huvey. Il a exposé, à Paris, au Salon des Artistes Français.

CAUMONT Jean de
Mort le 26 août 1659 à Louvain. XVIIe siècle. Éc. flamande.
Peintre verrier.
Il exécuta notamment quarante-deux vitraux pour le cloître de l'abbaye du Parc, représentant des épisodes de la vie de Saint-Norbert. Il avait épousé la fille du peintre verrier Simon Boels.

CAUMONT Jeanne Françoise Marguerite
XVIIIe siècle. Française.
Peintre.
Elle travaillait à l'Académie de Saint-Luc en 1747.

CAUMONT Joseph François Xavier de Seytres de, marquis
Né en 1688 à Avignon. Mort en 1745 à Avignon. XVIIIe siècle. Français.
Dessinateur, graveur.
MUSÉES : AVIGNON : *Portrait de Jean Althen*, dess.

CAUMONT Martial Denis
Né à Tarbes (Hautes-Pyrénées). XIXe-XXe siècles. Français.
Sculpteur.
Sociétaire, à Paris, du Salon des Artistes Français. Il obtint une mention honorable en 1908.

CAUMONT Simon de
XVIIe siècle. Éc. flamande.
Peintre verrier.
Fils de Jean de Caumont. Actif à Louvain au XVIIe siècle.

CAUNES de
Né au XIXe siècle à Ginestas (Aude). XIXe siècle. Français.
Peintre.
MUSÉES : NARBONNE : *Saint Jérôme*.

CAUNOIS François Augustin
Né le 13 juin 1787 à Bar-sur-Ornain (Meuse). Mort en 1859 à Paris. XIXe siècle. Français.
Sculpteur, graveur en médailles.
Il a été élève de Dejorex. Il exposa au Salon de Paris de 1819 à 1849, obtenant une deuxième médaille en 1824.
MUSÉES : AMIENS : *Jeune Spartiate vouant son bouclier à la patrie* – ROUEN : *Horace Vernet* – *Comte Mollien* – TROYES : *Horace Vernet*, plâtre, buste – *Simart Pierre-Charles*, profil en bas-relief – *Perrot Prailly, colonel de la garde nationale à Troyes*, médaille de bronze – *Profil, regardant à droite*, médaille de bronze – *Amédée Aufauvre, littérateur*, plâtre teint – VERSAILLES : *Poniatowski Joseph-Antoine, prince, maréchal de France*.

CAUNTAIN
XVe siècle. Éc. flamande.
Peintre.
Actif à Tournai en 1453-1454.

CAUPAIN Colinet ou Copain
XVe-XVIe siècles. Français.
Peintre.
Actif à Troyes, cité entre 1494 et 1500.

CAUPAIN Jean, l'Ancien ou Copain
XVe-XVIe siècles. Français.
Sculpteur sur bois, peintre, décorateur.
Père de Jean et de Pierre Caupain. Actif à Troyes, travaillant entre 1480 et 1534. Il travailla pour plusieurs églises de Troyes et exécuta un *Hector* pour le beffroi. Il dirigea en 1500 les travaux de décoration à l'occasion de la venue de Louis XII à Troyes.

CAUPAIN Jean, le Jeune ou Copain
XVe-XVIe siècles. Français.
Peintre, doreur.
Il était fils de Jean Caupain. Actif à Troyes en Champagne entre 1499 et 1514. Il travailla aux peintures de l'église Saint-Jean.

CAUPAIN Pierre ou Copain
XVe-XVIe siècles. Français.
Sculpteur sur bois et peintre.
Fils de Jean Caupain. Actif à Troyes, travaillant entre 1498 et 1522. Il travailla pour l'église Saint-Jean et Sainte-Madeleine, à Troyes.

CAUPAIN Pierre
Mort entre 1555 et 1569. XVIe siècle. Français.
Peintre.
Actif à Troyes en 1542.

CAURANT Philippe
Né en 1965 à Gourin (Morbihan). XXe siècle. Français.
Peintre, technique mixte. Abstrait.
Il fut élève de l'école des beaux-arts de Nantes. Il participe à des expositions collectives : 1993 musée de Pont-Aven ; 1994 Nantes et Rotterdam ; 1996 *Peinture ? Peintures !*, CREDAC d'Ivry-sur-Seine.

Il utilise des matières synthétiques industrielles qui se figent en serpentins, boudins, résilles de couleurs, incluant une part d'aléatoire dans l'œuvre.
Bibliogr. : Catalogue de l'exposition : *Peinture ? Peintures !*, CREDAC, Ivry-sur-Seine, 1996.

CAUS Isaac de ou Caux
Né à Dieppe. XVIIIe siècle. Français.
Architecte, ingénieur et graveur.
Neveu de l'architecte et physicien Salomon de Caux. Il publia à Londres deux ouvrages illustrés de gravures de sa main.

CAUSÉ Émile
Né en 1867 à Porrentruy (Suisse), de parents français. XIXe-XXe siècles. Français.
Dessinateur.
Élève de De la Rocque et de l'École Nationale des Arts décoratifs, à Paris.
Musées : LIMOGES : *La jeunesse des écoles à Sadi Carnot.*

CAUSÉ Hendrik ou Cause
Né en 1648 à Anvers. Mort en 1699 à Anvers. XVIIe siècle.
Éc. flamande.
Graveur de portraits, paysages.
Élève de Richard Collin. Il a gravé des vues du vieil Anvers et une série de portraits.

CAUSE John D.
XIXe siècle. Britannique.
Peintre de genre.
Il exposa en 1815 et 1817 à la British Institution, à Londres.

CAUSÉ Lamberecht ou Cause
XVIIe siècle. Éc. flamande.
Graveur.
Fils de Hendrik Causé.

CAUSEMILHE Jean André
XVIe siècle. Français.
Peintre.
Actif à Bordeaux.

CAUSER William Sydney
Né à Wolverhampton (Staffordshire). XXe siècle. Britannique.
Peintre de paysages.
Il exposa au Salon des Artistes Français à Paris en 1932-1933, ainsi qu'à la Royal Academy à Londres.

CAUSSADE Charles
Né en 1837 à Bordeaux. XIXe siècle. Français.
Peintre de paysages.
Élève de Carrier et de Ch. de Tournemine ; il exposa au Salon de Paris, entre 1865 et 1870, quelques paysages.
Ventes Publiques : BERNE, 2 mai 1979 : *Troupeau dans un paysage*, h/t (57x101) : **CHF 3 000** – VERSAILLES, 19 oct. 1980 : *Personnages à la fontaine*, h/t (55x100) : **FRF 5 800**.

CAUSSE
XIXe siècle. Français.
Peintre de portraits, pastelliste.
Actif au début du XIXe siècle. Il exposa au Salon de Paris en 1817, 1819, 1822. Il se confond avec un Caussé qui, vers 1790, a peint des portraits et dessiné des fleurs et des paysages.

CAUSSÉ
XIXe siècle. Français.
Peintre de marines.
Actif en 1842. Il est l'auteur d'une *Bataille de Trafalgar.*

CAUSSE Erasmus ou Cause
Né en 1660 à Courtrai. Mort en 1738 à Courtrai. XVIIe-XVIIIe siècles. Éc. flamande.
Peintre, ingénieur.
Élève de Peter Ykens à Anvers. Il voyagea durant dix ans, séjournant à Paris, Milan, Rome, Florence, Venise, Vienne (où il exécuta quelques portraits), Prague, Nuremberg, Francfort, Mayence. Il a illustré de nombreux dessins un récit de ses voyages qui n'a pas été imprimé.

CAUSSE Jules
Né à La Cavalerie (Aveyron). XIXe siècle. Français.
Peintre de genre.
Élève de Mallet, Barrias et Couture. Exposa au Salon de Paris, en 1864-1866.

CAUSSÉ Julien
Né à Bourges (Cher). XIXe siècle. Français.

Sculpteur.
Élève de Falguière. Exposa au Salon des Artistes Français et y obtint une mention honorable en 1892 et en 1900, et une médaille de troisième classe en 1893. Mention honorable à l'Exposition Universelle de 1900.
Ventes Publiques : MONTE-CARLO, 24 sep. 1978 : *La Fée des Glaces* vers 1900, métal patiné sur socle en verre opalisé (H. 59) : **FRF 13 000** – PARIS, 17 déc. 1980 : *La Fée des Glaces*, régulé patiné (H. 45) : **FRF 9 100** – MONTE-CARLO, 25 juin 1981 : *La Fée des Glaces* vers 1900, métal patiné et verre opalisé (H. 59) : **FRF 34 000**.

CAUSSE Marie Louise, née Ravenez
Née à Mulhouse. XIXe siècle. Française.
Peintre de figures, peintre sur porcelaine.
Élève de Chaplin, Carolus-Duran et Henner. Elle exposa d'abord au Salon, sous son nom de jeune fille, surtout des peintures sur porcelaine et plus tard, de 1885 à 1890, sous son nom de femme, des portraits de femmes et d'enfants.

CAUSSE Paul
Né à Auch. XXe siècle. Français.
Peintre, sculpteur.
Exposant du Salon d'Automne en 1936, des Tuileries en 1938-1939.

CAUSSEMILLE François
XVIIIe siècle. Français.
Peintre, sculpteur.
Fils de Jacques Caussemille. Actif à Toulon.

CAUSSEMILLE Jacques
XVIIe-XVIIIe siècles. Français.
Sculpteur.
Père de François Caussemille. Actif à Toulon.

CAUSSEMILLE Philippe
XVIIIe siècle. Français.
Peintre.
Il travaille à Toulon en 1720.

CAUSSIN Marque
XVe siècle. Français.
Peintre d'histoire et de décorations.
Il travaillait à Valenciennes en 1460 et 1479.

CAUSTREN Jan Van
Né en 1605 à Utrecht. Mort en 1645 à Rome. XVIIe siècle. Hollandais.
Peintre.

CAUTAERTS François
Né en 1810 à Bruxelles. Mort en 1881 à Bruxelles. XIXe siècle. Belge.
Peintre de genre.
On cite parmi ses œuvres : *Milton dictant à sa fille* ; *Vésale présentant son « Anatomie » à Charles V* ; *Le marchand de friandises* ; *Une châtelaine.*
Musées : BRUGES : *Le Fumeur* – LEIPZIG : *Soldat chantant.*

CAUTELLE Guyon
XVIe siècle. Français.
Peintre.
Actif à Troyes.

CAUTER Marcel Van
Né en 1919 à Schaerbeek. XXe siècle. Belge.
Peintre de paysages, aquarelliste. Postimpressionniste.
Bibliogr. : In : *Diction. biogr. illustré des artistes en Belgique depuis 1830*, Arto, Bruxelles, 1987.

CAUTERMAN Cécile
Née en 1882 à Gand. Morte en 1957. XXe siècle. Belge.
Peintre, dessinateur de figures et de compositions à personnages.
Elle fut élève de l'Académie de Gand. Elle figura à l'Exposition de Bruxelles de 1910. Elle a surtout dessiné des types populaires.
Bibliogr. : In : *Diction. Biogr. Ill. des Artistes en Belgique depuis 1830*, ARTO, 1987.
Ventes Publiques : BRUXELLES, 26 avr. 1971 : *La bonne aventure* : **BEF 8 000** – BREDA, 25 avr. 1977 : *Point d'orgue*, past. (80x64) : **NLG 4 200** – ANVERS, 27 oct. 1981 : *Vieil homme*, dess. (68x54) : **BEF 26 000** – LOKEREN, 28 mai 1988 : *Clown*, cr. et gche (70x50,5) : **BEF 45 000** – LOKEREN, 10 oct. 1992 : *Homme*, craie noire/pan. (68x58) : **BEF 36 000** – LOKEREN, 6 déc. 1997 : *Jeune femme 1931*, aquar. et cr. (86x67,5) : **BEF 100 000**.

CAUTET Jacques ou **Tautet**
xve siècle. Français.
Peintre.
Actif à Troyes entre 1415 et 1427.

CAUTLEY Yvo Ernest
Né le 14 juin 1893 à Dublin. xxe siècle. Irlandais.
Peintre.

CAUTY Horace Henry
Né vers 1846. Mort en 1909 à Londres. xixe-xxe siècles. Britannique.
Peintre de genre.
Il exposa à Londres à partir de 1867 à la Royal Academy, et à Suffolk Street.

CAUTY Horace Robert
xixe siècle. Britannique.
Peintre de paysages.
Actif à Londres, il exposa à partir de 1870 à Suffolk Street et à la New Water-Colours Society.
VENTES PUBLIQUES : LONDRES, 9 oct. 1979 : *La Partie de tennis* 1885, h/t (35,5x46) : **GBP 1 200** – LONDRES, 11 juil. 1985 : *Vues du vieux pont de Chelsea* 1884 et 1885, deux aquar. et gche (32,5x63) : **GBP 2 700** – CHESTER, 18 avr. 1986 : *Dull times*, h/pan. (31x21) : **GBP 700** – LONDRES, 25 jan. 1988 : *Le pont de Battersea* 1885, aquar. (33,5x63) : **GBP 1 045**.

CAUVET B.
xviiie siècle. Français.
Peintre.
Beljambe et Alix ainsi que M. Picquenot ont gravé des estampes d'après des œuvres de ce peintre.

CAUVET Gilles Paul
Né le 17 avril 1731 à Aix. Mort le 15 novembre 1788 à Paris.
xviiie siècle. Français.
Architecte, sculpteur, dessinateur ornemaniste.
Cet artiste, qui était sculpteur de Monsieur, frère du roi, avait beaucoup de goût. Bannissant de la décoration des appartements le genre maniéré, il se plaisait à imiter dans ses ornements la noblesse et la simplicité du genre antique. Directeur pendant longtemps de l'Académie de Saint-Luc, il fut l'organisateur de l'Exposition de 1774, à laquelle lui-même prit part. Pour la reine Marie-Antoinette, Cauvet fit exécuter d'après ses dessins quatre tables en acier argenté et rehaussées d'or. Longtemps conservées au Louvre, elles décorèrent plus tard le château de Saint-Cloud. On lui doit un excellent recueil d'ornements composé de 64 planches, qui ont été gravées par J. Le Roy, S.-C. Miger, Martini, Petit, Viel, Hemery et Mlle Liottier.
VENTES PUBLIQUES : PARIS, 1883 : *Galerie d'un palais*, dess. à la pl. et au lav. d'encre de Chine : **FRF 475** ; *La chambre d'un guerrier*, dess. à la pl. et au lav. d'encre de Chine : **FRF 383** – PARIS, 1896 : *Panneau rectangulaire*, dess. à la sanguine : **FRF 35** – PARIS, 7 fév. 1898 : *Projet de salle de Palais*, dess. à la pl. et au lav. d'encre de Chine : **FRF 425** – PARIS, 24 avr. 1907 : *Projet de salle de Palais*, dess. : **FRF 690** – PARIS, 31 mai 1920 : *Modèle de frise*, six dess. à la pl. : **FRF 600** – PARIS, 6-8 déc. 1921 : *Dessus de portes*, deux dess., pl. et lav. : **FRF 500** – PARIS, 7 et 8 juin 1928 : *Projet de décoration : arabesques et figures*, pl. : **FRF 420** – PARIS, 10 et 11 avr. 1929 : *Panneau d'arabesques*, dess. : **FRF 1 850** ; *Double projet de lit drapé à baldaquin*, dess. : **FRF 1 350** ; *Côté de galerie*, dess. : **FRF 1 300**.

CAUVET Raoul
Né à Marseille (Bouches-du-Rhône). xxe siècle. Français.
Peintre.
Exposant des Indépendants et du Salon d'Automne (1929).

CAUVIGNY de la Rozire, Mlle de. Voir **LE PELLETIER de La Pelleterie**

CAUVIN Antonin
Né à Marseille (Bouches-du-Rhône). xxe siècle. Français.
Aquarelliste.
Élève de J. Aubéry. Exposa au Salon des Artistes Français.

CAUVIN Édouard Charles
Né au Havre (Seine-Maritime). xixe-xxe siècles. Français.
Peintre de paysages.
Il exposa au Salon des Artistes Français entre 1911 et 1928.

CAUVIN Louis Édouard Isidore
Né en 1816 ou 1817 à Toulon (Var). Mort en 1900 à Toulon (Var). xixe siècle. Français.

Peintre de genre, paysages, marines.
Cousin de Vincent Courdouan, il fut tout d'abord son élève et débuta au Salon de Paris en 1839. En 1846, il fut nommé professeur de dessin à l'École de Navigation de Toulon. Décoré de la Légion d'Honneur en 1875.
Ses paysages du Maghreb, de la Turquie et de Provence sont peints selon des compositions à l'italienne, où des personnages aux costumes folkloriques évoluent dans une nature proche de celle des peintures du xviiie siècle et notamment d'Hubert Robert. On cite de lui : *Plage des Tamaris – Halte de Bohémiens*.
BIBLIOGR. : Gérald Schurr, in : *Les Petits Maîtres de la peinture 1820-1920, valeur de demain*, Les Éditions de l'Amateur, t. VII, Paris, 1989.
MUSÉES : MONTAUBAN : *Paysage* – TOULON : *Baie de Magaud, environs de Toulon – Le Bruse (marine)*.
VENTES PUBLIQUES : PARIS, 21 avr. 1988 : *Voiliers dans la crique* 1877, h/t (55x81) : **FRF 7 200** – PARIS, 31 mars 1993 : *Les pêcheurs* 1866, aquar., une paire (20,5x33) : **FRF 7 000**.

CAUVIN René André
Né à Paris. xixe-xxe siècles. Français.
Graveur sur bois.
Mention honorable au Salon des Artistes Français en 1912.

CAUVY Léon
Né le 12 janvier 1874 à Montpellier (Hérault). Mort en 1933.
xixe-xxe siècles. Français.
Peintre de genre, figures, paysages animés, paysages, peintre à la gouache, graveur, décorateur. Orientaliste.
Il fut élève d'Albert Maignan et participa au Salon de Paris à partir de 1901. Il fut sociétaire du Salon des Artistes Français à partir de 1906 et fut le premier pensionnaire de la Villa Abd-El-Tif à Alger en 1907. En 1911 il reçut la deuxième médaille, fut ensuite hors-concours et chevalier de la Légion d'Honneur en 1926. Il fut directeur de l'École des Beaux-Arts d'Alger.
Il peignit les paysages et le folklore algériens, et surtout la ville même d'Alger. Son goût pour l'ornemental, lui permettant de faire des maquettes de tapis et des modèles de meubles, se retrouve toujours dans ses compositions picturales.

L. cauvy

BIBLIOGR. : Gérald Schurr, in : *Les Petits Maîtres de la peinture 1820-1920, valeur de demain*, Les Éditions de l'Amateur, t. V, Paris, 1981.
MUSÉES : ALGER : *Aux abords de la villa Abd-El-Tif – Le lendemain du Rhamadan* – CONSTANTINE (Mus. de Cirta) – MONT-DE-MARSAN : *La chanson* – PARIS (Mus. d'Orsay) : *Suite algérienne*.
VENTES PUBLIQUES : PARIS, 18 fév. 1980 : *Femmes au cimetière* 1915, gche (20x25) : **FRF 4 200** – PARIS, 6 déc. 1982 : *Marché arabe de Maison-Carré (Alger)*, h/t (50x61) : **FRF 9 500** – PARIS, 16 nov. 1983 : *La place du marché* 1925, h/t (131x147,5) : **FRF 13 000** – PARIS, 11 avr. 1989 : *Ouled Nails*, h/t (188x230) : **FRF 70 000** – PARIS, 8 déc. 1989 : *L'Amirauté d'Alger*, gche et encre de Chine (44,5x37) : **FRF 40 000** – PARIS, 27 avr. 1990 : *Le bassin de l'Amirauté à Alger* 1923, gche (45x63) : **FRF 120 000** – PARIS, 22 juin 1990 : *Scène du Sud-Algérien* 1925, gche (47x58) : **FRF 69 500** – PARIS, 11 déc. 1991 : *Le Port d'Alger*, h/t (46x55) : **FRF 53 000** – PARIS, 22 juin 1992 : *Algéroise devant la villa du Bardo*, gche (37,5x45) : **FRF 31 000** – PARIS, 23 avr. 1993 : *Marché oriental*, h/t (60x73) : **FRF 28 000** – PARIS, 22 mars 1994 : *Marchands de fruits sur les quais d'Alger*, h/pan. (23,5x33) : **FRF 18 000** – LONDRES, 17 nov. 1994 : *Le Port d'Alger* 1924, gche, h/pan. (73x92,1) : **GBP 4 140** – PARIS, 12 juin 1995 : *Le Port d'Alger*, h/t (37x78) : **FRF 30 000** – PARIS, 22 avr. 1996 : *Le Port d'Alger vu des hauteurs* 1924, aquar. (39x46) : **FRF 58 000** – PARIS, 25 juin 1996 : *Café à Tunis* 1928, h/cart. (48x54,5) : **FRF 41 000** ; *Idylle à Tipasa, Algérie*, gche (45x53,5) : **FRF 20 000** – PARIS, 9 déc. 1996 : *Dans la cour d'un palais mauresque, Alger* 1919, h/pan. (33x41) : **FRF 58 000**.

CAUWELAERT Emil Jan Van
Né en 1860 à Gand. Mort en 1907 à Gand. xixe-xxe siècles. Belge.
Peintre.
Il a exposé à Bruxelles, à Gand, à Anvers, à Paris (membre de la Société Nationale des Beaux-Arts), à Saint Louis (États-Unis). On cite parmi ses œuvres : *Le passage sur le pont ; Le retour du troupeau ; Les veaux*.
VENTES PUBLIQUES : LOKEREN, 29 avr. 1978 : *Troupeau au pâturage*, h/t (70x90) : **BEF 60 000** – AMSTERDAM, 7 déc. 1982 : *Vaches dans un pré*, h/t (53x74) : **NLG 2 800**.

CAUWELIER Peeter
XVIIe siècle.
Peintre.
Actif à Anvers au début du XVIIe siècle.

CAUWENBERGH Jeanne Van
Née en 1907 à Destelbergen. Morte en 1971 à Gand. XXe siècle. Belge.
Peintre de figures, paysages, natures mortes. Tendance expressionniste.
Elle fut élève de l'Académie des Beaux-Arts de Gand, puis de Isidore Opsomer à Anvers. Elle voyagea à travers l'Europe et le Congo belge. En 1936, elle fut professeur à l'Académie de Gand.
BIBLIOGR. : In : *Diction. biogr. illustré des artistes en Belgique depuis 1830*, Arto, Bruxelles, 1987.

CAUWENBERGHE Robert Van
Né en 1905 à Gand. XXe siècle. Belge.
Peintre de genre, portraits.
Il fut élève de Jean Joseph Delvin et Georges Minne à l'Académie des Beaux-Arts de Gand, et de Isidore Opsomer à l'Institut Supérieur d'Anvers.
BIBLIOGR. : In : *Diction. biogr. illustré des artistes en Belgique depuis 1830*, Arto, Bruxelles, 1987.
MUSÉES : ANVERS.

CAUWER Benoît de
Né en 1785 à Beveren-Waes. Mort en 1820 à Gand. XIXe siècle. Belge.
Peintre de paysages.
Élève de son frère Joseph de Cauwer. Professeur à l'Académie de Gand.

CAUWER Carel ou **Couwer**
Mort avant 1657. XVIIe siècle. Éc. flamande.
Peintre.
Élève de Juliaen Teniers à Anvers en 1601.

CAUWER Émile Pierre Joseph de
Né en 1828 à Gand. Mort en 1873 à Berlin. XIXe siècle. Belge.
Peintre d'architectures.
Fils et élève de De Cauwer-Ronsse. Il figura à partir de 1862 aux Expositions de l'Académie de Berlin. On cite de lui : *L'intérieur de la cathédrale de Cologne* ; *La vue de la Synagogue* ; *Le château de Chambéry*.
MUSÉES : BERLIN (Nat. Gal.) : Dessins – COLOGNE : *Le quai du blé à Haarlem-Rotterdam* – GDANSK, ancien. Dantzig : *Église Saint-Laurent à Nuremberg* – *Église à Breslau* – STETTIN : *Église Saint-Jacques à Anvers.*
VENTES PUBLIQUES : COLOGNE, 26 nov. 1970 : *Vue de Caen* : **DEM 4 300** – BONN, 19 mars 1971 : *Jour de fête* : **DEM 1 700** – LONDRES, 21 juil. 1976 : *Vue de Dordrecht*, h/t (79x64) : **GBP 1 650** – NEW YORK, 14 jan. 1977 : *Intérieur d'église*, h/pan. (56,5x45) : **USD 1 200** – LONDRES, 3 oct. 1980 : *Intérieurs d'église* 1858, deux h/pan. (33x22,2) : **GBP 2 200** – AMSTERDAM, 16 avr. 1996 : *Personnages dans une église* 1855, h/pan. (22x17,5) : **NLG 4 012.**

CAUWER François ou **Couwer**
XVIIe siècle. Éc. flamande.
Peintre.
Actif à Anvers.

CAUWER Joseph de, dit **de Cauwer-Ronsse**
Né en 1779 à Beveren-Waes. Mort en 1854 à Gand. XIXe siècle. Belge.
Peintre.
Frère de Benoît et de Pierre Rombaut de Cauwer. Élève des Académies d'Anvers et de Gand. Il fut à partir de 1807 professeur à l'Académie de Gand et enseigna au Lycée de cette ville où il fonda en outre une école de dessin. Des œuvres de lui sont conservées dans des églises de Gand et d'autres villes de Belgique.
VENTES PUBLIQUES : BRUXELLES, 1851 : *Les Adieux de Van Dyck* : **FRF 140** – GAND, 1856 : *La mauvaise nouvelle* : **FRF 56** – BRUXELLES, 30 nov. 1983 : *Henriette-Marie de france, reine d'Angleterre déplorant avec ses deux enfants la mort du roi Charles Ier d'Angleterre* 1837, h/bois (66x52) : **BEF 60 000** – AMSTERDAM, 19 oct. 1993 : *La leçon de dessin*, h/t (43,5x55) : **NLG 5 175.**

CAUWER Léopold de
XIXe siècle. Allemand.
Peintre d'animaux, natures mortes.
Il travaillait à Fürstenwalde (près de Berlin). Il figura à partir de

1868 aux Expositions des Académies de Berlin et de Dresde. On cite de lui : *Les moineaux en hiver* ; *Le poulailler.*
VENTES PUBLIQUES : VIENNE, 18 juin 1968 : *La première dispute* : **ATS 9 000** – COLOGNE, 25 juin 1976 : *Troupeau à l'abreuvoir*, h/t (70x120) : **DEM 3 000** – NEW YORK, 9 déc. 1982 : *Intérieur d'étable* 1869, h/pan. (44x56,5) : **USD 1 200.**

CAUWER Pierre Rombaut de, dit **de Cauwer Van Beversluys**
Né le 19 février 1783 à Beveren-Waes. Mort le 18 janvier 1855 à Gand. XIXe siècle. Belge.
Peintre de paysages.
Frère et élève de Joseph de Cauwer. En 1820, à la mort de son frère Benoît, il devint professeur à l'Académie de Gand.

CAUWET Thierry
Né en 1958. XXe siècle. Français.
Peintre.
Vers 1982 il réalisa des performances et des vidéos. En 1990 il a exposé à la galerie Alain Oudin à Paris des peintures inspirées par un voyage aux Antilles dont il a exploré l'imaginaire et les formes en les intégrant à sa pratique personnelle. En 1996, dans deux lieux de Paris, il a exposé des *Visages*, lointainement inspirés du cubisme de Fernand Léger.

CAUWI Jean de
XVIe siècle. Français.
Sculpteur.
Actif à Cambrai. Il sculpta, en 1559, des écussons pour la citerne de la porte Saint-Sépulcre.

CAUWIS Martin
XVe siècle. Éc. flamande.
Sculpteur.
Actif à Tournai au début du XVe siècle.

CAUX, de. Voir aussi **DECAUX**

CAUX Catherine de
XVIIIe siècle. Française.
Peintre ?
Elle a été reçue à l'Académie de Saint-Luc en 1747.

CAUX Isaac de. Voir **CAUS**

CAUZIQUE Adèle
Née à Langon (Gironde). XIXe-XXe siècles. Française.
Peintre de genre.
Elle exposa au Salon des Artistes Français entre 1921 et 1928.

CAVA Gaetano
XVIIe-XVIIIe siècles. Italien.
Peintre.
Actif à Naples en 1696.

CAVACCIO Jacopo
Né en 1567. Mort en 1612 à Bassano. XVIe-XVIIe siècles. Italien.
Peintre, écrivain d'art.
Actif à Padoue. Il était moine.

CAVACEPPI Bartolomeo
Né vers 1716 à Rome. Mort en 1799 à Rome. XVIIIe siècle. Italien.
Sculpteur.
Élève de Monnot. Il a consacré la plus grande part de son activité à la restauration d'antiques, dont il fit d'ailleurs commerce. Il entretint des relations amicales avec Winckelmann et travailla beaucoup pour le cardinal Albani. Ses œuvres, peu nombreuses, sont, pour la plupart, de style baroque. On cite : *Buste de Cicéron*, – *Buste de Frédéric le Grand*, – *Diane* (à la Villa Borghèse), – *Saint Norbert* (à Saint-Pierre de Rome). Son frère Paolo (né en 1723, mort après 1804) et le fils de celui-ci, Constantino (1748-1801) furent aussi sculpteurs.

CAVACOS Emmanuel André ou **Andrew**
Né le 10 février 1885 à Potamos. XXe siècle. Actif aux États-Unis. Grec.
Sculpteur et peintre.
Il émigra tôt aux États-Unis. Il fut élève de l'École des Beaux-Arts de Baltimore et à Paris de Jules Coutan et de Peter. Il fut prix de Rome de l'Amérique du Nord (1911-1915). Au Salon des Artistes Français où il exposa jusqu'en 1933 il reçut une mention honorable en 1913 et au Musée des Arts Décoratifs une médaille d'argent en 1925.
MUSÉES : BALTIMORE.
VENTES PUBLIQUES : BORDEAUX, 30 mai 1979 : *Danseuse nue*, bronze (H. 54) : **FRF 4 100** – PARIS, 20 nov. 1981 : *Le danseur*,

bronze (H. 26) : **FRF 2 800** – Paris, 5 juil. 1988 : *Sur la pointe des pieds*, bronze patine verte (H. 49) : **FRF 1 800** ; *La source*, taille dir. marbre jaune de Sienne (H. 49) : **FRF 3 500** – Nanterre, 20 oct. 1994 : *La joie*, plâtre (H. 24,5) : **FRF 10 500** – Lokeren, 20 mai 1995 : *Jeune femme en buste*, marbre blanc (H. 36 et l. 35) : **BEF 65 000**.

CAVAEL Jacob
Mort avant 1401. XIVe siècle. Éc. flamande.
Peintre.
Il travaillait à Ypres. En 1397 et 1398 il exécuta des peintures murales pour la « halle » d'Ypres et dessina la croix du clocher de Saint-Pierre.

CAVAEL Rolf
Né le 27 février 1898 à Königsberg (Prusse-Orientale). Mort le 6 novembre 1979 à Munich. XXe siècle. Allemand.
Peintre, graveur. Abstrait.
Fils d'un architecte et conseiller pédagogique, Cavael né en Prusse Orientale quitte cette région après la mort de sa mère en 1907 pour Strasbourg où il vit près de son grand-père. En 1909 son père est muté en Westphalie et reprend ses enfants avec lui. En 1911 ils vivent à Kattowitz, en Haute-Silésie. Il est alors élève au Lycée Technique. Entre 1916 et 1918, Rolf Cavael est mobilisé alors qu'il était encore lycéen. En 1919, il travaille comme apprenti dans une grande exploitation agricole près de Prenzlau. Il fait des études cinématographiques et photographiques. En 1920 à Berlin, il prend contact avec la production cinématographique et rapidement est engagé comme metteur en scène assistant. En 1924 il reprend ses études, favorisées par un parent qui lui permet de fréquenter l'Ecole Städel à Francfort ; il y étudie la typographie et l'art graphique expérimental et y obtient une bourse. Entre 1926 et 1932 il est professeur d'Art Graphique expérimental à l'Ecole Technique Municipale et réalise ses premiers essais dans le domaine de la peinture abstraite. En 1930 il épouse Dorothea Schemel, fille d'un fabricant de tissu. Il rencontre Kandinsky au Bauhaus de Dessau, nouant avec lui des liens d'amitié qui se maintiendront même après l'émigration du peintre russe à Paris. Cette année là il est licencié en raison de l'ordonnance du Chancelier Brüning qui entraîne des restrictions budgétaires. Il s'installe alors sa femme à Berlin en tant qu'artiste indépendant. Les œuvres graphiques prédominent dans cette période. En 1933 il expose en compagnie de Josef Albers au Château de Braunschweig. La police ferme l'exposition qualifiant les œuvres d'« art dégénéré » et Rolf Cavael tombe sous le coup d'une interdiction d'exposer sous la troisième Reich. En 1934 il part pour Garmish et fonde une petite pension pour curistes afin d'assurer sa survie économique. En 1936 il est dénoncé, puis appréhendé par la Gestapo. Il sera détenu au camp de concentration de Dachau pendant neuf mois durant lesquels il parviendra à dessiner en secret. Outre sa première interdiction, il tombe sous le coup d'une interdiction de peindre et en 1937 de graver. En 1949 il réexpose pour la première fois, et participe à la fondation du groupe ZEN à Munich, constitué sous l'égide de Willi Baumeister comprenant Fritz Winter, Rupprecht Geiger, Gerhard Fietz et Brigitte Meier-Denning-Hof. En 1954 il s'établit à Munich et en 1955 est nommé professeur à l'École Supérieure des Beaux-Arts de Hambourg. En 1957 il reçoit le Prix de l'Art de la Ville de Munich. En 1958 il crée une « Association des artistes lithographes munichois » à la Maison Lenbach. Il expose à la XXIXe Biennale de Venise et reçoit le prix de la Triennale Internationale des Arts Graphiques de Gretchen en Suisse. De nombreuses expositions personnelles de ses œuvres se sont tenues très régulièrement à partir de 1949 dans les principales villes allemandes, en Autriche, en Italie, en Suisse, en France et aux États-Unis.
Ses œuvres dénotent des influences successives, celle du Kandinsky de l'époque du Bauhaus, évoluant ensuite vers une abstraction aux formes plus mouvantes évoquant certaines compositions de Bram Van Velde. Dans les années soixante-dix, son graphisme gagne en liberté, des signes s'éparpillant sur la surface de la toile à la manière de Michaux.

Musées : Bâle (Kunstmuseum) – Duisburg (Wilhelm-Lehmbruck-Museum) – Fulda (Städtisches Mus.) – Hambourg (Kunsthalle) – Hanovre (Niedersächsisches Landesmuseum) – Mainz (Mittelrheinisches Landesmuseum) – New York (The Salomon R. Guggenheim Mus.) – Verone (Mus. del Castelvecchio) – Witten (Märkisches Mus.).

Ventes Publiques : Hambourg, 3 juin 1971 : *Composition* : **DEM 350** – Cologne, 3 déc. 1980 : *Formes 1951*, techn. mixte (39x44) : **DEM 2 600** – Munich, 5 juin 1981 : *Composition 1964*, h/t (50,5x35,5) : **DEM 2 700** – Munich, 14 juin 1985 : *Composition n° 56/S 39 1956*, h/cart. (36,5x38,5) : **DEM 2 500** – Munich, 24 nov. 1986 : *Composition sur fond rose 1950*, techn. mixte (21,5x30,5) : **DEM 1 700** – Munich, 3 juin 1987 : *Composition « S2 » 1975*, h/t (80,5x80,5) : **DEM 8 000** – Munich, 1er-2 déc. 1992 : *Composition « Jn5 » 1963*, h/t (125,5x80,5) : **DEM 40 250** – Paris, 12 mai 1993 : *Composition 1948*, h/pap. (18,8x21,3) : **FRF 5 500** – Londres, 30 juin 1993 : *Composition 1960*, h/t (101x74) : **GBP 6 900** – Heidelberg, 15 oct. 1994 : *Composition 61/12 1961*, gche et encre (72,1x50,2) : **DEM 3 400**.

CAVAGGIONI Antonio ou **Cavagnoni** ou **Cavazzoni**
Né en 1702 à Vérone. Mort en 1767 aux environs de Vérone. XVIIIe siècle. Italien.
Peintre.
Il a peint pour les églises de Vérone, et notamment, pour Saint-Fermo et Saint-Rustique, une *Madone entre saint-François d'Assise et saint Charles Borromée*, qui passe pour sa meilleure œuvre.

CAVAGLIERI Mario
Né le 10 juillet 1887 à Rovigo (Vénétie). Mort en 1969 à Auch. XXe siècle. Italien.
Peintre de portraits, paysages, décorateur. Impressionniste.
Il peignait aussi des décorations. Il a, depuis 1926, exposé aux Indépendants, au Salon d'Automne et aux Tuileries.
Ventes Publiques : Rome, 23 nov. 1981 : *Notre-Dame de Paris*, h/t (73,3x60,5) : **ITL 4 500 000** – Rome, 5 mai 1983 : *La Couseuse 1908*, h/cart. (27,5x19,5) : **ITL 1 500 000** – Rome, 29 avr. 1987 : *Intérieur vénitien 1918*, h/t (90x90) : **ITL 8 500 000** – Milan, 6 avr. 1993 : *La Dame 1920*, h/t (100x100) : **ITL 52 000 000** – Milan, 22 juin 1995 : *Vieux manteau, fauteuil et bouteilles 1937*, temp. et past./pap. (47x31) : **ITL 5 750 000** – Milan, 23 mai 1996 : *Intérieur de chambre 1955*, gche/pap. (50x28) : **ITL 4 830 000** – Milan, 24 nov. 1997 : *Intérieur avec une console, une horloge et des chandeliers*, h/t (104x136) : **ITL 43 700 000**.

CAVAGNA Francesco
Né à Bergame. Mort en 1630. XVIe-XVIIe siècles. Italien.
Peintre.
Fils de Giovanni Paolo Cavagna.

CAVAGNA Giovanni Battista ou **Cavagni**
XVIe-XVIIe siècles. Italien.
Architecte, peintre.
Actif à Rome et à Naples entre 1570 et 1610.

CAVAGNA Giovanni Paolo
Né vers 1556 à Bergame. Mort en 1627 à Bergame. XVIe-XVIIe siècles. Italien.
Peintre.
Élève probablement de Baschenis et plus tard de G. B. Moroni dont l'influence est d'abord évidente dans son œuvre, comme le sera, à un certain moment, celle de Paolo Véronèse. Il a travaillé à Venise, à Bergame, à Crémone, à Treviglio, peignant pour les églises et décorant aussi parfois les façades et les salles des palais.
Ventes Publiques : Rome, 29 avr. 1993 : *Portrait d'un gentilhomme tenant une lettre*, h/t (96x77) : **ITL 20 000 000** – Milan, 16-21 nov. 1996 : *Vierge à l'Enfant en gloire avec des saints*, h/t (195x116) : **ITL 45 003 000**.

CAVAGNONI Antonio. Voir **CAVAGGIONI**

CAVAILLÉ Henri Paul Pierre
XXe siècle. Français.
Graveur sur bois.
Il a exposé, à Paris, au Salon des Artistes Français.

CAVAILLÉ Julie, née **Massenet**
Née en 1834 à Toulouse. XIXe siècle. Française.
Peintre de portraits.
Elle travailla à Paris. Elle fut élève de Pierre-Paul Cavaillé qu'elle épousa. Elle figura au Salon de Paris, y exposant des portraits de femmes et d'enfants, de 1865 à 1881.

CAVAILLÉ Pierre Paul
Né le 12 mars 1827 à Lauzerte (Tarn-et-Garonne). Mort le 25 juin 1877 à Paris. XIXe siècle. Français.

Peintre d'histoire, portraits.
Élève de Picot. Il exposa régulièrement au Salon à partir de 1857. Citons parmi ses œuvres : *Exécution du duc de Montmorency le 30 octobre 1632*, – *Portrait de la chanteuse Mlle de Lapommeraye*, – *Mort d'Abel*. Le Musée de Toulouse conserve de lui une copie de la toile de Prud'hon : *La Justice poursuivant le Crime*.
VENTES PUBLIQUES : PARIS, 30 oct. 1981 : *Vénus et Amours*, h/t (65,5x91) : FRF 2 800.

CAVAILLÉ-COLL Emmanuel
Né en 1860 à Paris. XIXᵉ-XXᵉ siècles. Français.
Peintre, architecte.
Élève de l'École des Beaux-Arts de Paris et de l'École des Arts décoratifs de Limoges.
MUSÉES : LIMOGES : *La peinture céramique*, aquar.

CAVAILLÉ-GARDETTE Sylvia
Née à Paris. XXᵉ siècle. Française.
Peintre.
Elle a exposé un paysage, à Paris, au Salon des Artistes Français en 1934.

CAVAILLÈS Jean Jules Louis
Né le 20 juin 1901 à Carmaux (Tarn). Mort le 29 janvier 1977 à Épigneul (Yonne). XXᵉ siècle. Français.
Peintre de figures, portraits, nus, paysages animés, paysages, natures mortes, fleurs et fruits, peintre à la gouache, pastelliste, dessinateur.
Alors dessinateur aux mines de Carmaux, il fit connaissance avec le « père Artigue », élève de Jean-Paul Laurens et ami d'Henri Martin, qui le poussa à venir étudier à Paris. Il fut élève de Pierre et Paul Albert Laurens à l'Académie Julian en 1925. Il exposa dans les salons parisiens, aux Artistes Français et à partir de 1928 aux Artistes Indépendants et à l'Automne, tout en tenant, pour vivre, une petite épicerie. Il est invité au Salon des Tuileries et chargé en 1936 de réunir le 14ᵉ groupe des *Artistes de ce temps* au Petit-Palais. Cette même année il reçoit la bourse Blumenthal et en 1937 décore le pavillon du Languedoc de l'Exposition Universelle.
Il peint par juxtaposition de couleurs pures, dérivées d'un fauvisme très adouci, suivant en cela un cheminement commun à de très nombreux peintres de l'entre-deux-guerres, délaissant l'intensité et l'esprit de recherche pour la joie de vivre. Il a exposé avec les peintres que l'on a pu dire de la « Réalité Poétique ».

Cavailles

BIBLIOGR. : In : *Diction. Univ. de la peinture*, Le Robert, Paris, 1975.
MUSÉES : ALBI – CHICAGO – HELSINKI – MONTPELLIER – PARIS (Mus. d'Art Mod.) : *Nature morte – Intérieur – Fenêtre à Honfleur* – TOULOUSE – ZURICH.
VENTES PUBLIQUES : PARIS, 29 avr. 1955 : *La Fenêtre ouverte sur Montauban* : FRF 80 000 – PARIS, 4 nov. 1960 : *L'Allée du parc à Albi* : FRF 1 150 – LONDRES, 8 juil. 1965 : *Les Cadeaux de Noël* : GBP 240 – NEW YORK, 18 mars 1970 : *Nature morte aux fleurs* : USD 670 – NEW YORK, 18 mars 1972 : *Vue de la fenêtre* : USD 750 – TOULOUSE, 14 juin 1976 : *Matinée à Cannes*, h/t (81x65) : FRF 3 500 – BRUXELLES, 23 mars 1977 : *Fête nationale à Cassis*, h/t (71x45) : BEF 65 000 – VERSAILLES, 27 juin 1979 : *Les Drapeaux sur la promenade au bord de la mer*, gche (61,5x42,5) : FRF 5 000 – NEW YORK, 21 oct. 1980 : *Matinée à Cannes*, h/t (81,4x65,7) : USD 2 500 – ZURICH, 15 mai 1981 : *La Cage à oiseaux 1930*, h/t (73x60) : CHF 5 000 – ZURICH, 24 nov. 1982 : *Matinée à Cannes*, h/t (81x65) : CHF 5 000 – PARIS, 10 juil. 1983 : *Fleurs et fruits*, h/t mar./pan. (88x128) : FRF 23 000 – NEW YORK, 16 nov. 1984 : *Matinée à Cannes*, h/t (81,2x64,8) : USD 4 750 – ZURICH, 6 juin 1985 : *Paysage animé*, past./pap. mar./pan. (30x20) : CHF 1 500 – VERSAILLES, 18 juin 1986 : *Intérieur au bouquet de fleurs*, h/t (92x73) : FRF 36 500 – VERSAILLES, 22 fév. 1987 : *Fleurs et fruits*, gche et peint./pap. mar./t. (47x60) : FRF 8 200 – VERSAILLES, 13 déc. 1987 : *Corbeille de fleurs devant la mer*, h/t (60x81) : FRF 36 500 – VERSAILLES, 20 mars 1988 : *Bouquet devant la fenêtre 1952*, gche (57x40) : FRF 22 000 – PARIS, 29 avr. 1988 : *Femme à la fenêtre*, h/pan. (47x37) : FRF 17 000 – VERSAILLES, 15 juin 1988 : *Nature morte et fleurs devant la fenêtre*, h/t/isor. (79x49) : FRF 31 000 – PARIS, 23 juin 1988 : *Ouistreham*, h/t (81,2x64,8) : FRF 41 000 – VERSAILLES, 6 nov. 1988 : *La Rue bordée d'arbres*, h/t (65x46) : FRF 10 000 – VERSAILLES, 13 déc. 1988 : *Corbeille de fleurs devant la mer*, h/t (60x81) : FRF 36 500 – VERSAILLES, 18 déc. 1988 : *Vase*

de fleurs au masque 1945 (65x49) : FRF 53 000 – LA VARENNE-SAINT-HILAIRE, 12 mars 1989 : *Bouquet fond bleu*, h/t (80x60) : FRF 73 000 – PARIS, 11 avr. 1989 : *Fleurs dans un vase blanc, sur une nappe rouge*, h/t (73x54) : FRF 55 000 – PARIS, 23 juin 1989 : *Nice, fenêtre ouverte sur la promenade des Anglais*, h/t (65x46) : FRF 91 000 – LE TOUQUET, 12 nov. 1989 : *Terrasse sur la plage*, h/pap. (55x46) : FRF 78 000 – PARIS, 26 nov. 1989 : *Le Rideau bleu*, h/t (54x81) : FRF 80 000 – LONDRES, 20 oct. 1989 : *Le Vase romantique*, h/t (64,7x38,1) : GBP 6 600 – CALAIS, 4 mars 1990 : *Fenêtre ouverte à Cannes*, h/t (72x46) : FRF 190 000 – PARIS, 21 juin 1990 : *Fenêtre ouverte sur le port 1962*, h/t (81x54,5) : FRF 175 000 – NEW YORK, 10 oct. 1990 : *Nature morte de fleurs devant une fenêtre ouverte*, h/t (92,9x64,8) : USD 19 800 – NEUILLY, 14 nov. 1990 : *Nu dans l'atelier*, h/t (65x54) : FRF 98 000 – PARIS, 27 nov. 1990 : *La Fenêtre à Cannes 1963*, h/t (81x60) : FRF 84 000 – NEW YORK, 12 juin 1991 : *Bouquet à l'oiseau noir*, h/t (91,4x63,5) : USD 11 000 – PARIS, 15 avr. 1992 : *La Coupe de cristal*, h/t (73x46) : FRF 58 000 – PARIS, 6 avr. 1993 : *Vue de Mougins*, h/pap./t. (46x61) : FRF 10 500 – PARIS, 23 juin 1993 : *Allée du parc à Albi*, h/t (81x60) : FRF 20 000 – NEW YORK, 29 sep. 1993 : *Matinée à Cannes*, h/t (80x64,8) : USD 7 763 – PARIS, 27 mai 1994 : *Nature morte au vase de fleurs 1948*, h/t (61x38) : FRF 16 500 – LONDRES, 30 nov. 1994 : *Fleurs et fruits*, h/t (60x134) : GBP 9 200 – LOKEREN, 7 oct. 1995 : *Paysage*, h/t (60x50) : BEF 80 000 – NEW YORK, 7 nov. 1995 : *Le Vase romantique*, h/t (81x54) : USD 3 450 – PARIS, 15 déc. 1995 : *La Pomme de pin*, h/t (116x89,5) : FRF 65 000 – PARIS, 29 nov. 1996 : *Voiliers au port, le bateau noir 1961*, h/t (73x46) : FRF 32 000 – PARIS, 16 mars 1997 : *Bouquet, fruits et éventail sur la table 1943*, gche/pap. (60x45) : FRF 14 000.

CAVAILLON Élisée
Né le 8 mars 1873 à Nîmes (Gard). XXᵉ siècle. Français.
Sculpteur et peintre.
Il exposa au Salon de la Société Nationale des Beaux-Arts entre 1903 et 1925, au Salon d'Automne à partir de 1913 et au Salon des Tuileries dès sa fondation.
MUSÉES : CARPENTRAS – NÎMES – TARBES.

CAVALAZZI Filippo de
Originaire d'Oleggio. XVIᵉ siècle. Italien.
Peintre.
Ses deux fils Tesco (mort en 1596 à Varallo) et Simone furent aussi peintres.

CAVALCA, comte Amos
XVIIIᵉ siècle. Italien.
Peintre de paysages.
Actif à Bologne.

CAVALCANTI Andrea di Lazzaro, dit **Buggiano**
Né en 1412 à Borgo a Buggiano. Mort en 1462 à Florence. XVᵉ siècle. Italien.
Sculpteur, architecte.
Il fut adopté alors qu'il était encore enfant par Brunelleschi qui, par la suite, devait lui léguer tous ses biens. Il ne semble pas douteux qu'il ait été aussi son élève, mais il paraît avoir subi surtout l'influence de Donatello. On cite parmi ses œuvres les sculptures ornant le tombeau de Giov. Bicci de Médicis et de sa femme, les bas-reliefs de la chaire de Santa Maria Novella, ainsi que les figures décorant le tombeau de Brunelleschi.

CAVALCANTI Emiliano di
Né en 1897 à Rio de Janeiro. Mort le 26 octobre 1976 à Rio de Janeiro. XXᵉ siècle. Brésilien.
Peintre de compositions animées, compositions murales, cartons de tapisseries.
Après des études de droit, il aborda la peinture et entra en contact avec l'art européen au cours de ses séjours en Europe en 1923 et 1935. À la deuxième Biennale de São Paulo, il obtint le Grand Prix. Sa première exposition personnelle s'est déroulée en 1918, tandis qu'une grande rétrospective de son œuvre s'est tenue au musée d'Art moderne de Rio de Janeiro en 1954. Il a réalisé de nombreuses peintures murales et tapisseries, notamment pour le Palais des Alvorades à Brasilia.
Emiliano Di Cavalcanti est l'initiateur d'un art authentique brésilien et résolument moderne. Il a su comprendre l'importance d'artistes comme Anita Malfati qu'il a poussée à exposer à São Paulo en 1917 et avec laquelle il créa, en 1922, la semaine d'Art Moderne à São Paulo. Il cherche à réaliser à la fois un art moderne et national. Et, lorsqu'en 1929 il réalise sa première fresque, il exprime déjà le particularisme de la nature brésilienne et la simple épopée de son pays. S'il est attiré par l'art de Picasso,

dans un premier temps, il est ensuite influencé par Chagall, puis s'oriente, dans les années 1930 vers un expressionnisme national. Cette sensibilité aux problèmes de son pays s'exprime particulièrement à travers un album intitulé *La Réalité brésilienne*, suite de douze encres de Chine dont les sujets : *Il faut sauver le café – Aux problèmes brésiliens, des solutions brésiliennes – La question sociale reste l'affaire de la police*, dévoilent ses préoccupations politiques. Le rôle de la femme, l'amour de la terre et une sensualité teintée de mélancolie sont caractéristiques de ses œuvres dont le style monumental n'est pas étranger à celui du muralisme mexicain. Toutefois, il a toujours refusé l'abstraction, l'opposant à la peinture brésilienne engagée, ainsi déclare-t-il en 1952 : « Il y a dans le Brésil d'aujourd'hui deux chemins à suivre par les peintres. La voie étroite de la peinture formelle, précieuse, fin de siècle : le décorativisme abstrait ou le primitivisme douillet. L'autre, celle de la peinture au service de la vie, ce qui veut dire participant au drame actuel de notre existence et à la construction quotidienne de notre futur de nation libre ». On sait quelle voie choisit Di Cavalcanti.   ■ A. P.

Bibliogr. : *Peintres Contemporains*, Mazenod, Paris, 1964 – Damian Bayon et Roberto Pontual : *La peinture de l'Amérique Latine au XXe s., identité et modernité*, Mengès, Paris, 1990.

Musées : Rio de Janeiro (Mus. Nat. des Beaux-Arts) : *Les Gitans* 1940.

Ventes Publiques : São Paulo, 20 oct. 1980 : *Figure*, aquar. (30x21,3) : **BRL 150 000** ; *Scène surréaliste*, gche (36,5x30) : **BRL 150 000** – New York, 5 mai 1981 : *La cocotte 1933*, gche (56x43) : **USD 16 000** – São Paulo, 15 sep. 1982 : *Figures et poissons*, aquar., cr., pl. et gche (40x30) : **BRL 700 000** – Rio de Janeiro, 20 et 23 mai 1983 : *Carnaval 1955*, gche (35x46) : **BRL 3 200 000** ; *Candomblé 1966*, h/t (145x97) : **BRL 20 000 000** – Rio de Janeiro, 21 mai 1984 : « *Semana de 22* », gche (43x32) : **BRL 34 000 000** – New York, 28 mai 1985 : *Deux femmes 1966*, h/t (72,3x91,5) : **USD 27 000** – New York, 25 nov. 1986 : *Trois filles 1949*, gche/pap. (68,8x51) : **USD 9 000** – New York, 17 nov. 1987 : « *Femmes et Peixe* » 1970, h/t (117x89) : **USD 58 000** – New York, 17 mai 1988 : *Macumba 1958*, h/t (63x100) : **USD 29 700** – New York, 11 nov. 1988 : *Deux saltimbanques*, aquar. et gche/pap. (31x23) : **USD 1 650** – New York, 17 mai 1989 : *Fleurs 1954*, h/t (81x65) : **USD 38 500** – New York, 21 nov. 1989 : *Nature morte aux fleurs 1958*, h/t (65x55) : **USD 32 800** – New York, 1er mai 1990 : *Mulâtre à la robe bleue*, h/t (99x64) : **USD 66 000** – New York, 20-21 nov. 1990 : *Sans titre*, gche et encre/pap. (54,6x40,7) : **USD 29 700** ; *Carnaval 1946*, h/t (59x83) : **USD 77 000** – New York, 15-16 mai 1991 : *Maternité*, h/t (75,5x60) : **USD 51 700** – New York, 19 nov. 1991 : *Carnaval 1946*, h/t (55x45,6) : **USD 38 500** – New York, 18-19 mai 1992 : *La fillette à l'oiseau*, h/t (61,5x46,6) : **USD 46 200** – New York, 23 nov. 1992 : *Maternité*, gche et h/pap./pan. (52,4x74,9) : **USD 31 900** – New York, 18 mai 1993 : *Deux femmes*, h/t (35x24,1) : **USD 14 950** – New York, 22-23 nov. 1993 : *Deux femmes 1946*, h/t (72,7x54,3) : **USD 118 000** – New York, 18 mai 1994 : *Nature morte au chat blanc 1969*, h/t (81x116) : **USD 68 500** – New York, 17 mai 1995 : *Deux femmes sur un balcon*, h/t (50,2x34,8) : **USD 57 500** – New York, 16 mai 1996 : *Trois femmes 1953*, h/t (65x54) : **USD 34 500** – New York, 25-26 nov. 1996 : *Deux femmes 1954*, gche/pap. (38,7x30,2) : **USD 19 550** ; *Femmes aux fruits*, h/t (60x100) : **USD 651 500** ; *Autoportrait*, cr., encre noire et pl./pap. (28,5x21,5) : **USD 32 200** – New York, 28 mai 1997 : *Mûlatresse 1952*, h/t (96,8x67,3) : **USD 145 500** – New York, 24-25 nov. 1997 : *Deux mulâtresses à la véranda 1951*, h/t (115x147) : **USD 354 500.**

CAVALCANTI Newton
Né en 1930 à Bom Conselho. XXe siècle. Brésilien.
Graveur.
Élève de Goeldi, il grave des sujets essentiellement symboliques et illustre des contes populaires nordestins.

CAVALCHINI Pietro
XIXe siècle. Italien.
Peintre.
Piémontais, il a peint des vues des lacs lombards et des paysages des rives de l'Adriatique.

CAVALCHINI-GAROFOLI Alessandro
XIXe siècle. Italien.
Peintre.
Piémontais, il s'est consacré aux scènes militaires. A Turin, en 1880, a exposé : *Batterie de montagne prenant ses positions* et, en 1884 : *Halte !* (escadron de cavalerie).

CAVALERI Lodovico ou Cavalieri Ludovico
Né en 1867 à Milan. Mort en 1924 ou 1942 à Cento. XXe siècle. Italien.
Peintre de paysages et de marines.
Il a exposé à Rome, Milan, Florence, Turin, Venise et Rome.

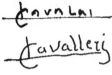

Ventes Publiques : Milan, 4 juin 1968 : *Marine* : **ITL 380 000** – Milan, 16 mai 1972 : *Le lac de Ghirla* : **ITL 420 000** – Milan, 28 oct. 1976 : *Reti al vento*, h/pan. (50x60,5) : **ITL 600 000** – Londres, 20 avr. 1978 : *Scène de canal, Venise 1902*, h/t (60x100) : **GBP 1 300** – Londres, 16 fév. 1979 : *Le Grand Canal à l'aube 1905*, h/t (52x71,6) : **GBP 850** – Milan, 16 déc. 1982 : *Lac majeur 1894*, h/pan. (34x22) : **ITL 3 200 000** – Milan, 12 déc. 1983 : *Le pâturage*, h/cart. (26,2x37) : **ITL 2 600 000** – Milan, 30 oct. 1984 : *Scène de port*, h/t (194x231) : **ITL 3 800 000** – New York, 31 oct. 1985 : *Mozart jouant devant la cour d'Autriche 1915*, h/t (61x100,3) : **USD 5 250** – Milan, 18 mars 1986 : *Marine 1926*, h/t (157x188) : **ITL 4 400 000** – Milan, 13 oct. 1987 : *Barques de pêche au port 1919*, h/t (90x120) : **ITL 4 500 000** – Londres, 29 avr. 1988 : *Cerfeuil sauvage dans une prairie 1904* (50x100) : **GBP 10 450** – Milan, 1er juin 1988 : *Escalier dans le jardin d'une villa à Albissola 1926*, h./contre-plaqué (99x124,5) : **ITL 5 000 000** – Milan, 14 juin 1989 : *Matinée d'automne*, h/t (71,5x97,5) : **ITL 9 000 000** – Milan, 6 déc. 1989 : *Voiliers sur la lagune au coucher du soleil 1912*, h/t (44x59,5) : **ITL 10 500 000** – Milan, 12 mars 1991 : *Moutons à l'abreuvoir au soleil couchant*, h/pan. (93x113) : **ITL 9 000 000** – Milan, 16 mars 1993 : *Le Valambrone à Livourne 1934*, h/pan. (85,5x160) : **ITL 9 000 000** – Rome, 6 déc. 1994 : *Prairie fleurie 1922*, h/bois (50x60) : **ITL 7 071 000.**

CAVALIÉ Cesare
Né en 1835 à Bergame. Mort en 1907. XIXe siècle. Italien.
Peintre de paysages.
Cet artiste est connu par ses tableaux exposés à Genève entre 1856 et 1861, notamment à la Société des Arts et aux Beaux-Arts de Genève. On cite notamment : une *Vue du lac d'Iséo en Lombardie*. Il exposa également à Parme, à Milan, à Naples, à Venise, et à Turin, ainsi qu'à Düsseldorf.
Ventes Publiques : Berne, 12 mai 1990 : *Paysage lacustre 1865*, h/t (60x94) : **CHF 4 800.**

CAVALIER J.
XVIIe-XVIIIe siècles. Français.
Sculpteur sur ivoire.
Il a travaillé en Allemagne, en Angleterre et en Suède.
Musées : Berlin : deux médaillons en ivoire.

CAVALIER Lucie
Née à Paris. XXe siècle. Française.
Peintre.
Elle a exposé des portraits aux Indépendants depuis 1929, et au Salon d'Automne en 1936.

CAVALIER D'ARPIN ou Cavaliere d'Arpino. Voir ARPINO d'

CAVALIERE Alik
Né le 5 août 1926 à Rome. XXe siècle. Italien.
Sculpteur. Expressionniste puis tendance surréaliste.
Il a figuré dans de nombreuses expositions de groupe parmi lesquelles on peut citer la Biennale de Venise en 1964. Il a exposé personnellement à Milan en 1952, 1959, 1961, 1964, à Rome en 1953. Depuis 1956, il enseigne à l'Académie de Brera à Milan de Marino Marini.
L'œuvre de cet expressionniste convaincu se teinta de fantastique à partir de 1959, rejoignant le courant surréaliste, adjoignant aux matériaux classiques du verre, des miroirs, de la porcelaine, des éléments mobiles voire lumineux à l'intérieur de structures. Après 1961 il fut réceptif à la démarche des Nouveaux réalistes et au Pop'Art. Il amorça dans ses œuvres des processus très nets d'appropriation de la réalité quotidienne, comme on le voit dans la *Grande fleur* de 1965, moulage d'une sorte de chou monté en graine.
Bibliogr. : Giovanni Carandente, in : *Nouveau diction. de la sculpture moderne*, Hazan, Paris, 1979.

VENTES PUBLIQUES : MILAN, 18 déc. 1979 : *Arboribusque* 1963, bronze (25x20x38) : **ITL 2 600 000** – LOKEREN, 28 mai 1988 : *La Pomme* 1965, bronze (H. 22) : **BEF 55 000** – NEW YORK, 4 mai 1989 : *L'imagination déçue en pensant à sa pérennité*, bronze (60,3x41,6x39,4) : **USD 2 860** – MILAN, 19 déc. 1989 : *That which imagination deceaves itself into thinking its alive* 1964, bronze (60x41,5x39,5) : **ITL 10 500 000** – ROME, 8 nov. 1994 : *Branche d'arbre*, bronze (49x43x10) : **ITL 5 175 000** – MILAN, 23 mai 1996 : *Signal pour un sourire* 1996, laiton, bronze, pb et fer (H. 30) : **ITL 1 725 000**.

CAVALIERI Dionisio di
XVIIᵉ siècle. Italien.
Graveur.
Il travaillait vers 1600.

CAVALIERI Giovanni Battista de. Voir CAVALLERIIS

CAVALIERIS Pietro de
Italien.
Graveur.
Il travailla d'après Fr. Vanie ; cité par Le Blanc.

CAVALLA Giuseppe
Né en 1859 à Turin. XIXᵉ-XXᵉ siècles. Italien.
Peintre.

CAVALLARI Antonio
XVIᵉ siècle. Italien.
Sculpteur.
Il travailla en Angleterre sous Henri VIII, et, avec Benedetto Rovezzano, au tombeau du Cardinal Wolsey.

CAVALLARO Enrico
Né le 9 mai 1858 à Palerme. XIXᵉ-XXᵉ siècles. Italien.
Peintre décorateur.
Fils et élève de Giuseppe Cavallaro. A noter, parmi ses décorations, celles du palais du comte Tesca, de la comtesse de Mazarin, du prince de Ganci et de l'église des Franciscains, à Palerme.

CAVALLARO Giuseppe
Né en 1832 à Palerme. XIXᵉ siècle. Italien.
Peintre décorateur.
Élève de Giov. Lentini. On cite, parmi ses principaux travaux, la décoration du grand théâtre de Palerme.

CAVALLE Jean
XVIᵉ siècle. Français.
Peintre.
Il travailla à Angers, en 1566, à l'occasion de l'entrée de Charles IX dans cette ville.

CAVALLEIRO Henrique Campos
Né en 1892 à Rio de Janeiro. Mort en 1975. XXᵉ siècle. Brésilien.
Peintre de portraits, paysages.
A exposé un portrait au Salon de la Nationale de 1923.
VENTES PUBLIQUES : SÃO PAULO, 21 oct. 1980 : *Paysage*, h/t (81x62,5) : **BRL 350 000**.

CAVALLERI Ferdinando
Né en 1794 à Turin. Mort en 1865 à Rome, par suicide. XIXᵉ siècle. Italien.
Peintre d'histoire, portraits.
Il étudia à Rome où il devint professeur à l'Académie de Saint-Luc.
MUSÉES : CHAMBÉRY (Mus. des Beaux-Arts) : *Marius sur les ruines de Carthage*.
VENTES PUBLIQUES : LONDRES, 21 mars 1979 : *Portrait of Sir Thomas and Lady Cullum with their daughter* 1824, h/t (105x140) : **GBP 700** – NEW YORK, 15 fév. 1985 : *Le comte Frédéric de Pourtalès de Neuchâtel* 1830, h/t (90,2x65,4) : **USD 3 000** – LONDRES, 26 fév. 1988 : *Le joueur de mandoline* 1840, h/t (92,5x75,4) : **GBP 2 860** – ROME, 22 mars 1988 : *Portrait d'une dame près d'une fenêtre*, h/t (205x140) : **ITL 6 300 000** – LONDRES, 18 mars 1992 : *Portrait d'un gentilhomme*, h/t (128x97) : **GBP 2 750**.

CAVALLERI Vittorio
Né en 1860 à Turin. Mort en 1938. XIXᵉ-XXᵉ siècles. Italien.
Peintre de scènes de genre, paysages.
Élève à l'Académie de Turin de Gamba et Gastaldi. Il a exposé (à partir de 1884), à Turin, Venise, Milan et Gênes, ainsi qu'à Paris où il y obtint une médaille de troisième classe. Membre de l'Académie de la Brera, à Milan, et de l'Académie Albertine, à Turin, où il fut professeur. Il travailla à Turin et à Garbido.
MUSÉES : TURIN (Mus. mun.) : *Joies maternelles – Fleurs de cimetière – Le Triste Hiver*.

VENTES PUBLIQUES : MILAN, 14 déc. 1978 : *Retour des champs*, h/t (57x76) : **ITL 1 100 000** – MILAN, 5 avr. 1979 : *Paysage d'automne*, h/cart. (35x44) : **ITL 1 200 000** – MILAN, 20 mars 1980 : *Bateaux au port*, h/t (175x155) : **ITL 10 000 000** – MILAN, 10 juin 1981 : *Vue d'un port*, h/t (175x155) : **ITL 8 500 000** – MILAN, 10 nov. 1982 : *Les promenades dans le parc*, h/t (85x124) : **ITL 6 500 000** – MILAN, 29 mai 1984 : *Paysage*, h/cart. (26,5x36,5) : **ITL 950 000** – ROME, 21 mars 1985 : *Fleurs*, h/cart. (45x35) : **ITL 3 200 000** – MILAN, 18 déc. 1986 : *Paysage*, h/pan. (34x44) : **ITL 3 300 000** – MILAN, 10 déc. 1987 : *Paysage animé*, h/t (110x155) : **ITL 14 000 000** – LONDRES, 26 fév. 1988 : *Femme avec un livre de prière*, h/cart. (44,5x35) : **GBP 1 320** – ROME, 22 mars 1988 : *Tête d'enfant*, h./contreplaqué (36x31) : **ITL 500 000** – MILAN, 14 mars 1989 : *Après l'orage* 1920, h/t (146x218) : **ITL 190 000** – MILAN, 6 déc. 1989 : *Moutons au pâturage*, h/pan. (31,5x45) : **ITL 3 000 000** – MILAN, 5 déc. 1990 : *Le navire école des mousses « Garavantini Redenzione » à Portofino*, h/pan. (34,5x45) : **ITL 6 500 000** – ROME, 28 mai 1991 : *Les foins*, h/pan. (30x39) : **ITL 4 000 000** – MILAN, 19 mars 1992 : *Jeune fille lisant en haut de la falaise*, h/cart. (34,5x44,5) : **ITL 7 000 000** – ROME, 31 mai 1994 : *Voiliers à Chiogga*, h/pan. (16x23) : **ITL 1 768 000**.

CAVALLERIIS Giovanni-Battista de ou Cavalieri
Né en 1525 à Lagertale (Trentin). Mort en 1597 à Rome. XVIᵉ siècle. Italien.
Graveur.
Il s'inspira de la manière d'Æneas Vico, mais il lui demeura inférieur. Son œuvre, très important, comprend plus de 380 planches, dont la plupart reproduisent les ouvrages des grands maîtres italiens et portent le monogramme CB.
VENTES PUBLIQUES : MILAN, 1ᵉʳ déc. 1982 : *Pianto sul Cristo morto* 1558, burin (31,5x22,8) : **ITL 400 000**.

CAVALLERINO Girolamo
XVIᵉ siècle. Italien.
Peintre, sculpteur, graveur.
Actif à Modène.

CAVALLET
XXᵉ siècle. Italien.
Peintre. Postimpressionniste.
Il travaille en Italie. Il a subi l'influence des maîtres français. Il figurait à la Biennale de Venise en 1948.

CAVALLETTI Adriana
XXᵉ siècle. Italienne (?).
Peintre.
En 1986 elle a exposé à l'ARC au Musée d'Art Moderne de la Ville de Paris et au Salon de Montrouge.
VENTES PUBLIQUES : PARIS, 13 avr. 1988 : *Tête*, techn. mixte (41x31) : **FRF 5 500** ; *Les deux bandes blanches*, techn. mixte/pap. (184x150) : **FRF 14 000** – PARIS, 12 fév. 1989 : *Tête*, gche et past. sec/pap. (46x36) : **FRF 9 000**.

CAVALLETTO Giovanni Battista de
XVᵉ-XVIᵉ siècles. Italien.
Peintre de miniatures.
Actif à Bologne. Il a décoré de miniatures un *Statuti dei Mercanti e Drappieri di Bologna* (1523), conservé au Musée Municipal de Bologne.

CAVALLETTO Scipione de
XVIᵉ siècle. Italien.
Peintre de miniatures.
Fils et élève de Giov. Battista de Cavalletto. Il travaillait à Bologne dans la première moitié du XVIᵉ siècle. Entre 1519 et 1523 il décora de miniatures les livres de chœur de l'église San Petronio à Bologne. Il vivait encore dans cette ville en 1528. Benvenuto Cellini, alors qu'il avait seize ans, travailla quelque temps dans l'atelier de Cavalletto (vers 1516).

CAVALLI Alberto
Originaire de Savone (ou de Mantoue). XVIᵉ siècle. Italien.
Peintre, stucateur.
Il travaillait dans la première moitié du XVIᵉ siècle.

CAVALLI Antonio
XVIᵉ siècle. Italien.
Graveur sur bois.
Actif à San Pietro près de Bologne. Élève de Parmigianino.

CAVALLI Emanuele
Né en 1904 à Lucera. Mort en 1981 à Florence. XXᵉ siècle. Italien.
Peintre de sujets divers.

Dans une technique encore académique, il peignit surtout des figures et des compositions d'objets.

VENTES PUBLIQUES : MILAN, 16 oct. 1986 : *Femmes à leur toilette* 1940, h/pan. (61x50,5) : **ITL 8 500 000** – MILAN, 26 mai 1987 : *Nature morte*, h/pan. (40x47) : **ITL 3 000 000** – ROME, 15 nov. 1988 : *Narcisse*, h/cart. (35x25) : **ITL 4 000 000** – ROME, 17 avr. 1989 : *Nature morte*, h/pan. (40x35) : **ITL 6 000 000** – ROME, 8 juin 1989 : *Composition avec des boîtes d'emballage*, h./contreplaqué (48,5x59) : **ITL 8 500 000** – MILAN, 12 juin 1990 : *Nu féminin à la mandoline* 1946, h/pan. (58x44) : **ITL 12 000 000** – ROME, 30 oct. 1990 : *Vue d'Avignon*, h/pan. (34,5x42) : **ITL 7 800 000** – MILAN, 20 juin 1991 : *Baigneuses* 1932, h/t (62x76) : **ITL 19 000 000** – ROME, 30 nov. 1993 : *Loth et ses filles*, h/pan. (26x31) : **ITL 5 175 000.**

CAVALLI François Antoine
Né en 1835, originaire de Santa Maria Maggiore (Italie). Mort à Paris. XIXᵉ siècle. Italien.
Peintre de portraits.
Il travailla successivement à Lausanne (de 1872 à 1878), à Lyon et à Paris.

CAVALLI Gian Marco
Né à Viadana, près de Mantoue. XVᵉ-XVIᵉ siècles. Italien.
Sculpteur, orfèvre et graveur de poinçons.

CAVALLI Giuseppe
Né en 1840 à Turin. XIXᵉ siècle. Italien.
Peintre de miniatures.
Il travaillait à Naples. Il fut élève de Morelli.

CAVALLI Nicolo
Né en 1730 à Longarone près de Bellune. Mort en 1822 à Venise. XVIIIᵉ-XIXᵉ siècles. Italien.
Graveur au burin.
Il fut élève de Gius. Wagner.

CAVALLI Vitale. Voir VITALE d'Aimo de'Cavalli

CAVALLIER Louis
Né le 8 janvier 1869 à Montpellier. XXᵉ siècle. Français.
Peintre de sujets religieux.
Il fut élève d'Ernest Michel, de Jean-Paul Laurens et Léon Bonnat. Il exposa entre 1897 et 1931 au Salon des Artistes Français, recevant une mention honorable en 1897 et une médaille de troisième classe en 1898.

L.CAVALLIER

MUSÉES : MONTPELLIER : *Le Christ insulté.*

CAVALLINI Antonio ou Colombi
XVIᵉ siècle. Italien.
Sculpteur.
Actif à Carrare.

CAVALLINI Bernardo ou Colombi
XVIᵉ siècle. Italien.
Sculpteur.
Actif à Palerme. Frère d'Antonio Cavallini.

CAVALLINI Francesco
Originaire de Carrare. XVIIᵉ siècle. Italien.
Sculpteur.
Élève de Cosimo Francelli. Il travaillait à Rome. Dans les nombreux ouvrages qu'il exécuta pour les églises de Rome il s'est montré très influencé par le style baroque du Bernin.

CAVALLINI Pietro
XIIIᵉ-XIVᵉ siècles. Italien.
Peintre de compositions religieuses.
Peintre romain, vivant entre 1250 et 1330. Né d'après les indications discordantes de Vasari soit en 1269, soit en 1279. Un document de 1273 qu'on a voulu mettre en rapport avec lui ne semble pas le concerner. Il a signé les mosaïques de la *Vie de la Vierge*, de S. Maria in Trastevere exécutées probablement en 1291, ce qui indiquerait une date de naissance antérieure à 1269. En 1308 il est mentionné comme se trouvant à Naples au service du roi Robert II d'Anjou. On peut supposer qu'il a vécu jusqu'à 1330 environ.
Les deux principales œuvres de Cavallini sont les mosaïques précitées exécutées d'après ses cartons (*Naissance et Mort de la Vierge, Annonciation, Nativité, Adoration des Mages, Présentation, Madone avec saint Pierre, saint Paul et Bertoldo Stefaneschi*) et le cycle de fresques, découvert en 1901 seulement, dans une

autre église romaine, Sainte-Cécile, datant de 1293 à peu près et représentant le *Jugement dernier*, ainsi que des scènes de l'Ancien et du Nouveau Testament dans l'exécution desquelles Cavallini se fit aider par ses disciples. En outre, on lui attribue généralement : à Rome, les fresques de S. Giorgio in Velabro peintes bientôt après 1295 (*Le Christ en gloire*, dans l'abside, entre *Saint Sébastien, saint Pierre, une sainte et saint Georges*), celles, fortement restaurées, du Sanctus Sanctorum à Saint-Jean de Latran (*Le martyre de saint Pierre, de saint Paul et d'autres saints* et *Le Sauveur trônant entouré de saints*), celle de S. Maria in Araceli, au-dessus du tombeau du cardinal Matteo Acquasparta (*La Madone avec saint François, un autre saint et le cardinal agenouillé*), la mosaïque de S. Crisogono (*La Madone trônant entre saint Jacques et saint Chrisogone*) qui pourrait, du reste, n'être qu'un ouvrage d'atelier, et à Naples, où il se serait rendu à l'appel de Charles d'Anjou, à la chapelle Saint-Laurent de la cathédrale la fresque (restaurée) de l'arbre de Jessé, et à S. Maria in Donna Regina la fresque du *Jugement dernier* et quelques autres où la part de ses élèves semble prépondérante (après 1308). Parmi les tableaux d'autel assez nombreux de dérivation cavallinienne, un seul semble provenir de l'atelier même de l'artiste : le *Couronnement de la Vierge avec les apôtres Pierre et Paul* au Musée de Valence (Espagne).
Le rôle de Cavallini dans l'essor général de la peinture italienne à son époque est considérable, ne serait-ce que par l'influence que son art a presque certainement exercée sur le jeune Giotto, qui était son cadet d'au moins quinze ans et ne put donc pas être son maître, comme voudrait le laisser entendre Vasari. Cavallini appartenait encore au Duecento finissant, avec Cimabue, Duccio. Toutefois les traces de son style personnel se perdent assez rapidement au XIVᵉ siècle : les valeurs esthétiques qui lui sont propres ne sont pas celles que recherchera l'avenir immédiat. L'origine de ce style doit être cherchée à part égale dans la tradition de peinture monumentale préservée à Rome (peut-être même dans un appel direct aux sources précarolingiennes de cette tradition) et dans l'étude de modèles byzantins se rattachant à l'art non pas des provinces mais de la capitale. L'interprétation de ces modèles, telle qu'on la trouve chez Cavallini est très différente de celle des Florentins Coppo di Marcovaldo et Cimabue. Ceux-ci mettent l'accent sur la monumentalité de la composition et la clarté incisive de la forme ; Cavallini le place sur l'effet harmonieux aussi bien de la composition que du dessin et y ajoute un modelé lumineux en demi-teintes, proprement coloristique, dont certains éléments ont pu lui être suggérés par des peintures et des mosaïques du VIIᵉ et du début du VIIIᵉ siècle dans le genre de celles de S. Maria Antiqua et de l'oratoire du pape Jean VII au Vatican. Cavallini est loin de rompre avec le passé, mais des éléments qu'il en retient il arrive à tirer une synthèse personnelle parfaitement homogène et d'un très grand charme. Le fondu remarquable de la touche, la douceur du clair-obscur qui suggère le volume sans l'imposer brutalement – et sans accomplir le *salto mortale* dans la troisième dimension qui sera la prérogative de Giotto – la suavité par laquelle il remplace en toute chose la spiritualité byzantine, caractérisent son style propre. ■ Wladimir Weidlé, J. B.

MUSÉES : VALENCE, Espagne : *Couronnement de la Vierge avec les apôtres Pierre et Paul.*
VENTES PUBLIQUES : COLOGNE, 1862 : *L'Annonciation ; l'Ange et la Vierge* : **FRF 56** – PARIS, 1863 : *Sainte Famille* : **FRF 100.**

CAVALLINO Bernardo
Né en 1616 à Naples. Mort en 1656 ou 1658 à Naples. XVIIᵉ siècle. Italien.
Peintre.
Élève d'Andrea Vaccaro et de Massimo Stanzioni, il devait par la suite subir à la fois l'influence de Ribera et de Velasquez et celle de Van Dyck. Disons que, sous le prétexte de représenter des scènes tirées de la Bible, exprimant en fait les sentiments simples du peuple napolitain au milieu duquel il vivait, il s'affirmait comme un des continuateurs de l'esprit du Caravage, mettant en relief l'humanité des acteurs de l'Évangile avec une familiarité populaire. C'est à travers l'œuvre de Caracciolo, un des continuateurs napolitains du Caravage, qui avait fait un séjour dans la ville, que Cavallino saisit le changement de point de vue qu'avait apporté le Caravage dans la peinture de son temps, délaissant le point de vue historique pour partir à la recherche des hommes sous les personnages. L'influence plus tardive de Van Dyck, vive à Naples entre 1630 et 1640, raffermit encore l'humanisme délicat de son inspiration, jusqu'à laisser présager la peinture de genre du siècle suivant, sans rien perdre toutefois de la force caravagesque de ses éclairages.

BIBLIOGR. : Lionello Venturi : *La peinture italienne*, Skira, Paris, 1952 – Maria Letizia Casanova, in : Catalogue de l'exposition *Le Caravage et la Peinture Italienne du XVIIᵉ siècle*, Louvre, Paris, 1965.

MUSÉES : MUNICH (Château de Schleisheim) – NAPLES (Mus. Nat.) : *La cantatrice* – ROME (Mus. Nat.) : *Départ de Tobie* – VÉRONE (Mus. mun.)

VENTES PUBLIQUES : PARIS, 1775 : *Deux sujets de l'histoire de David*, dess. à la pl. et au bistre : **FRF 14** – LONDRES, 27 jan. 1928 : *La Fuite en Égypte* : **GBP 23** – LONDRES, 4 avr. 1962 : *Le rêve de saint Joseph* : **GBP 720** – LONDRES, 21 avr. 1967 : *Loth et ses filles* : **GNS 6 200** – MILAN, 20 oct. 1970 : *Loth et ses filles* ; *L'ivresse de Noé* : **ITL 15 500 000** – LONDRES, 26 mars 1971 : *Rebecca et Eliezer* : **GNS 2 200** – MILAN, 5 déc. 1978 : *L'Immaculée Conception*, h/t (74x57) : **ITL 6 000 000** – ROME, 27 mars 1980 : *Sainte Catherine*, h/t (103x76) : **ITL 8 000 000** – LONDRES, 9 mars 1983 : *Sainte Cécile*, h/t (96,5x75) : **GBP 11 000** – LONDRES, 2 juil. 1986 : *L'Ange gardien*, h/t (101x93) : **GBP 15 000** – NEW YORK, 12 jan. 1989 : *Loth et ses filles* ; *L'ivresse de Noé*, h/t, une paire (chaque 40,5x37,5) : **USD 1 925 000** – BOLOGNE, 8-9 juin 1992 : *Salomé avec la tête de Jean-Baptiste*, h/t (100x126,5) : **ITL 149 500 000** – LONDRES, 9 déc. 1992 : *Tête de jeune femme*, h/t (42x35,4) : **GBP 55 000** – NEW YORK, 12 jan. 1994 : *L'Archange saint Michel intercédant pour les âmes du purgatoire*, h/t (102,3x94,6) : **USD 36 800** – ROME, 10 mai 1994 : *Les apôtres Pierre et Paul*, h/t (411x31) : **ITL 28 750 000** – NEW YORK, 30 jan. 1997 : *Le Repos pendant la fuite d'Égypte* vers 1650, h/t (76,8x63,5) : **USD 167 500** – VENISE, 24 mai 1997 : *Martyre de San Lorenzo*, h/t (50x63) : **ITL 55 000 000**.

CAVALLO Ricardo

Né le 13 avril 1954 à Buenos-Aires. XXᵉ siècle. Depuis 1975 actif en France. Argentin.

Peintre de compositions animées, figures, portraits, paysages, natures mortes, peintre de décors de théâtre.

Il fut élève de l'école des beaux-arts de Paris, où il vit et travaille. Depuis 1984, il participe à des expositions collectives, régulièrement à Paris : 1984 *Sur invitation* au Musée des Arts Décoratifs ; 1986 *Autoportraits Contemporains* au Musée-Galerie de la SEITA ; 1993 *Carnets et Dessins* à la galerie Pierre Brullé ; ainsi que : 1984, 1992 Salon de Montrouge ; 1991 *Jeune peinture d'Europe* à Trente (Italie). Il montre ses œuvres dans des expositions personnelles, dont : 1984 Foire Internationale d'Art Contemporain (FIAC) à Paris, présenté par la galerie Karl Flinker ; 1985 Bad Kissingen (Allemagne) ; 1992 église San-Cristoforo de Lucca (Italie) ; 1994, 1997 galerie Pierre Brullé à Paris...

À ses débuts peintre abstrait, il réalise ensuite des sculptures en terre glaise d'après modèle, dont il ne subsiste que des photographies. Il évolue dans des peintures figuratives peintes sur le motif sur des plaquettes de bois puis découpées après mise au carreau. Il travaille ensuite chaque fragment indépendamment puis assemble de nouveau les différentes pièces. Cette technique originale de morcellement des formes confère à l'ensemble un caractère post-cubiste. S'il peint des sujets très divers, il privilégie cependant les figures pour lesquelles il travaille avec des modèles, et des sortes de natures mortes, en fait des énormes assemblages, des objets et des « choses » les plus divers, hétéroclites, étagères bourrées, tables surchargées, amoncellements écroulés, avec des espèces d'animaux naturalisés, parfois un homme au cœur de ce fatras, maître des lieux, hébété (et il y a de quoi).

BIBLIOGR. : Dora Vallier : Catalogue de l'exposition *Ricardo Cavallo*, Galerie Pierre Brullé, Paris, 1994.

MUSÉES : PARIS (FNAC) – STOCKHOLM (Mod. Mus.) – TRENTE (Palazzo delle Abere).

VENTES PUBLIQUES : PARIS, 21 sep. 1989 : *Le démiurge III* 1984, h/pan., dyptique (114x62 et 130x162) : **FRF 11 000**.

CAVALLO-PEDUZZI Émile Gustave

Né en 1851 à Paris. Mort en 1917 à Lagny (Oise). XIXᵉ-XXᵉ siècles. Français.

Peintre de portraits, paysages, graveur. Néo-impressionniste.

Élève de Gérome à l'École des Beaux-Arts de Paris, il exposa des portraits en 1879 et 1880 et prit part aux expositions des Indépendants vers 1889. Il devint professeur de dessin à Paris.

Philosophe, écrivain, inventeur, graveur sur bois et à l'eau-forte, il fut l'un des peintres du groupe de Lagny, et dès 1885, adopta le principe du divisionnisme de son ami Seurat, dans des tonalités presque fauves. Selon la remarque de Jean Sutter : « il est passé

directement du Barbizonisme au Néo-Impressionnisme sans avoir été touché par l'Impressionnisme ».

BIBLIOGR. : Gérald Schurr, in : *Les Petits Maîtres de la peinture 1820-1920, valeur de demain*, Les Éditions de l'Amateur, t. II, Paris, 1982.

VENTES PUBLIQUES : PARIS, 1895 : *Vue de Gouverness, coucher de soleil*, past. : **FRF 200** – LONDRES, 7 déc. 1978 : *Paysage 1887*, h/t (38x46) : **GBP 3 800** – LONDRES, 6 déc 1979 : *Les lavandières, Normandie*, h/t (45x36,5) : **GBP 2 800** – LONDRES, 2 avr. 1981 : *Paysage 1887*, h/t (36x46) : **GBP 4 000**.

CAVALLON Giorgio, puis Georges

Né en 1904 à Sorio (Italie). Mort en 1989. XXᵉ siècle. Américain.

Peintre. Abstrait-géométrique.

Il vint aux États-Unis âgé de seize ans et suivit les cours de la National Academy of Design de New York entre 1925 et 1930. Après un séjour de trois ans au pays natal, il revint à New York et travailla sous la direction de Hans Hofmann. En 1936 il prend part à la fondation du groupe « American Abstract Artists » et expose régulièrement avec eux de 1936 à 1957. Il a participé à de très nombreuses expositions collectives parmi lesquelles *L'art abstrait en Amérique* au Musée d'Art Moderne de New York en 1951 ; au Carnegie International à Pittsburgh en 1959, 1961 ; à la Dokumenta II de Kassel en 1959, au Whitney Museum en 1959 et 1961 ; au Musée Guggenheim de New York en 1961. En 1950 il a figuré au Salon des Réalités Nouvelles à Paris. Sa première exposition personnelle se tint à Vicence en 1932, suivie de nombreuses manifestations aux États-Unis.

Sa peinture procède d'une organisation de la surface de la toile en plans de couleurs vives animés de rythmes internes très souples, formant des compositions beaucoup plus mobiles que la plupart des œuvres abstraites géométriques alors en vigueur. Cavallon est un de ces artistes qui contribua à la diffusion de l'abstraction picturale aux États-Unis.

BIBLIOGR. : In : *Peintres contemporains*, Mazenod, 1964 – in : *Diction. Univ. de la peinture*, Le Robert, Paris, 1975.

MUSÉES : BUFFALO (Albright Art Gal.) – NEW YORK (Guggenheim Solomon R. Mus.) – NEW YORK (Whitney Mus.).

VENTES PUBLIQUES : NEW YORK, 11 mars 1982 : *Paysage 1935*, aquar. (35,5x53,4) : **USD 950** – NEW YORK, 9 nov. 1983 : *Sans titre 1957*, h/t (61x51) : **USD 4 200** – NEW YORK, 10 mai 1984 : « *It is – number 3* » 1955, h/t (178,5x99,1) : **USD 28 000** – NEW YORK, 1ᵉʳ oct. 1985 : *Sans titre 1974*, h/t (143x173) : **USD 14 000** – NEW YORK, 6 mai 1986 : *Sans titre 1959-1960*, h/t (193x182,9) : **USD 35 000** – NEW YORK, 4 nov. 1987 : *Sans titre 1964*, h/t (66,2x50,9) : **USD 6 500** – NEW YORK, 10 nov. 1988 : *Sans titre 1958*, h/t (76,8x66,5) : **USD 20 900** – NEW YORK, 3 mai 1989 : *Sans titre 1972*, h/t (142x183) : **USD 41 250** – NEW YORK, 9 nov. 1989 : *Sans titre 1956*, h/t (182,8x121,3) : **USD 99 000** – NEW YORK, 27 fév. 1990 : *Sans titre 1986*, h/t (183x183) : **USD 49 500** – NEW YORK, 7 nov. 1990 : *Sans titre 1958*, h/t (193x182,8) : **USD 79 200** – NEW YORK, 13 nov. 1991 : *Sans titre 1962*, h/t (131,3x97,4) : **USD 24 200** – NEW YORK, 19 nov. 1992 : *Sans titre 1964*, h/t/pan. (44,1x29,2) : **USD 7 700** – NEW YORK, 9 sep. 1993 : *Sans titre 1935*, aquar./pap. (38,1x55,9) : **USD 4 600** – NEW YORK, 3 mai 1995 : *Sans titre 1956*, h/t (182,9x121,3) : **USD 54 625** – NEW YORK, 20 nov. 1996 : *Sans titre, novembre 1964* 1964, h/t (172,7x132,1) : **USD 46 000**.

CAVALLUCCI Antonio

Né en 1751 ou 1752 à Sermoneta. Mort en 1795 ou 1798 à Rome. XVIIIᵉ siècle. Italien.

Peintre de sujets religieux, portraits.

Il fut élève, à Rome, de Stef. Pozzi et de Gaet. Lapis. Il devint membre de l'Académie de Saint-Luc en 1786 et, à partir de 1790, fut attaché comme professeur à l'Académie de Portugal à Rome. Il a travaillé pour des églises de Rome et d'autres villes, peignant notamment pour la cathédrale de Pise la *Prise de voile de sainte Bona* (1792).

VENTES PUBLIQUES : LONDRES, 6 juil. 1978 : *Portrait de saint Benedict Joseph Labre*, h/t (57,2x44) : **GBP 4 000** – ROME, 8 mars 1990 : *L'Immaculée avec des anges musiciens*, h/t (24x18,5) : **ITL 7 500 000** – ROME, 19 nov. 1991 : *Deux tableaux destinés au chœur de Saint-Martin de Monti représentant des saints et saintes dans des niches*, h/t, une paire (44x75) : **ITL 25 000 000** – NEW YORK, 14 jan. 1994 : *Le Christ et Madeleine* ; *Le Christ recevant la nourriture après la tentation*, h/t, une paire (98,4x121,9) : **USD 40 250** – ROME, 21 nov. 1995 : *La prise de voile de santa Bona*, h/t (74x74) : **ITL 64 817 000**.

CAVALLUCCI Benedetto

xviiie siècle. Actif dans la seconde moitié du xviiie siècle. Italien.

Peintre.

Il a travaillé pour un certain nombre d'églises de Pérouse.

CAVALORI Mirabello di Antonio. Voir SALINCORNO

CAVANNA Angelo ou Girolamo ou Cavana

xviiie siècle. Travaillant à Lodi et à Milan, dans la seconde moitié du xviiie siècle. Italien.

Sculpteur sur bois et sur ivoire.

CAVARI Carlo

Né en 1702 à Bologne. xviiie siècle. Actif à Bologne. Italien.

Peintre de portraits et de paysages.

CAVARI Filippo

xviie siècle. Actif à Bologne dans la seconde moitié du xviie siècle. Italien.

Peintre.

CAVARO Charles Adolphe Richard. Voir RICHARD-CAVARO Charles Adolphe

CAVARO Lorenzo

xvie siècle. Travaillant en Sardaigne. Italien.

Peintre.

Il fait partie de la famille de peintres, Cavaro, établie au xvie siècle à Cagliari, et dont les autres membres sont Pietro et Michele. Il a signé un polyptyque, daté de 1501, actuellement à la sacristie de l'église San Michele Arcangelo.

CAVARO Michele

Né en 1517. Mort en 1584. xvie siècle. Italien.

Peintre.

Fils de Pietro Cavaro, il continue la tradition de son père qui faisait figure de tête de file. Il constitue un centre de médiation entre les ateliers espagnols et ceux du midi de l'île, pénétrés des influences italiennes.

CAVARO Pietro

Né en 1508. Mort entre 1537 et 1538. xvie siècle. Italien.

Peintre.

Selon Summonte, il réside en Sardaigne la plus grande partie de sa vie, où il exécute le grand *Retable de Villamar*, signé et daté de 1518. En 1533, il peint le polyptyque de l'église Saint-François de Oristano, dont un panneau se trouve à la mairie et l'autre dans l'église. Enfin sa meilleure composition est le *Retable des Conseillers de la Mairie de Cagliari*.

CAVAROC Honoré

Né le 18 décembre 1846 à Lyon (Rhône). Mort en 1930. xixe-xxe siècles. Français.

Peintre de portraits, paysages, natures mortes, fleurs, pastelliste.

Élève à l'École des Beaux-Arts de Lyon en 1866, il suivit également les cours de Jean Seignemartin. En 1872, il débuta au Salon de sa ville natale. Sociétaire du Salon des Artistes Français à Paris, il y prit part jusqu'en 1929, obtenant une troisième médaille en 1886. Il reçut également une troisième médaille aux Expositions Universelles de 1889 et 1900.

Ses toiles sont composées selon une juxtaposition de taches de couleurs qui mettent en valeur ses contre-jours aux gris et violets raffinés. Parmi ses dernières œuvres, peintes à plus de quatre-vingts ans, citons : *La gaîté des prairies à Montmoyen* (Côte d'Or) et *Entrée du parc à Oullins (Rhône)*.

BIBLIOGR. : Gérald Schurr, in : *Les Petits Maîtres de la peinture 1820-1920, valeur de demain*, Les Éditions de l'Amateur, t. II, Paris, 1982.

CAVAROZZI Bartolomeo, appelé aussi Crescenzi ou dei Crescenzi

Né vers 1600 à Viterbe. Mort le 21 septembre 1625 à Rome. xviie siècle. Italien.

Peintre de sujets religieux.

Il vint jeune à Rome, où il fut élève de Roncalli. Le marquis Giov. Batt. Crescenzi, amateur d'art et surintendant des monuments de Rome, le prit auprès de lui et lui donna tout son appui. Ils séjournèrent quelque temps ensemble à Madrid, où Cavarozzi déploya une grande activité. Une *Vierge à l'Enfant, avec sainte Anne*, qu'il avait peint pour l'église Santa Anna dei Funari, a disparu, ainsi que son *Saint Charles Borromée en prière* (autrefois à l'église Sant'Andrea della Valle). Dans l'église de l'Académie Sainte-Cécile se trouve sa *Légende de sainte Ursule*.

VENTES PUBLIQUES : LONDRES, 17 juil. 1964 : *La Vierge et l'Enfant* : GNS 480 – NEW YORK, 6 juin 1984 : *La Sainte Famille*, h/t (175,3x114,2) : USD 55 000.

CAVARRETTA Giuseppe

Né en 1830 à Naples. Mort en 1891 à Naples. xixe siècle. Actif à Naples. Italien.

Peintre de genre.

Il a peint notamment des scènes tirées des *Fiancés* de Manzoni et du *Barbier de Séville*. On cite encore de lui : *Salvatore Rosagiovinetto, Goldoni e Corallina*.

CAVART Giuseppe

D'origine française. xviiie siècle. Travaillant à Rome vers 1732. Français.

Sculpteur.

CAVATORTA Pietro

Originaire de Crémone. xviiie siècle. Italien.

Peintre.

CAVATORTA degli Oddi Margherita

Née en 1690. Morte en 1740. xviiie siècle. Italienne.

Peintre et graveur.

Élève de Cav. Donato Creti.

CAVAZZA Alessandro

Né vers 1825 à Modène. Mort le 20 novembre 1873 à Modène. xixe siècle. Actif à Modène. Italien.

Sculpteur.

CAVAZZA Angelica, née Cantelli

xviie siècle. Active à Bologne vers 1676. Italienne.

Peintre de figures.

CAVAZZA Bernardino ou Cavaria

xvie siècle. Actif à Ferrare, vers 1538. Italien.

Sculpteur sur bois.

CAVAZZA Giovanni Battista

Né vers 1620 à Bologne. xviie siècle. Italien.

Peintre et graveur.

Il fut l'élève de Cavedone et de Guido Reni. On lui doit les fresques des saints se trouvant au-dessus des chapelles de l'Annunziata, à Bologne, ainsi qu'un certain nombre de tableaux peints pour les bâtiments publics de la même ville. Il exécuta plusieurs gravures d'après ses propres ouvrages.

CAVAZZA L.

xviie siècle. Italien.

Graveur.

Le Blanc cite de lui : *Saint Antoine prêchant dans le désert*.

CAVAZZA Pier Francesco

Né en 1675 ou 1677 à Bologne. Mort le 14 octobre 1738 d'après Lanzi ou 1733 d'après Zanotti. xviiie siècle. Italien.

Peintre.

Élève successivement de Giovani Vanni et de son fils Domenico Vanni. Il a peint de nombreux tableaux pour des églises de Bologne et des environs. Son œuvre, qui se partage entre les principales églises de Bologne, se compose principalement de portraits de saints. On voit dans l'église des Servi une *Naissance du Christ*, un *Saint Pellegrino Laziosi*, un *Saint Laurent* et un *Saint Giovacchino*. L'église des Saints Sébastien et Roch renferme une *Conception*, un *Saint Roch* et *Saint Sébastien*, une *Sainte Marie l'Égyptienne dans le désert*, une *Sainte Catherine parmi les docteurs*. On voit encore : à l'église Saint-Dominique un *Triomphe de la Croix*, à celle du Saint-Ange-Gardien les *Saints Nicolas et Jean*, à Saint-André-du-Marché une *Adoration des Rois mages*, à Saint-Pétrone un *Saint-Bernardin de Sienne*, à Saint-Omobono une *Madone avec le saint*.

CAVAZZOLA Paolo Moranda ou Morando, dit il Cavazzola

Né en 1486 à Vérone. Mort en 1522. xvie siècle. Italien.

Peintre.

Il fut, d'après Vasari, successivement élève de Fr. Bonsignori et de Fr. Domenico Morone, maître dont l'œuvre, tableaux et fresques, se distingue principalement par la pureté du dessin et qui vécut de 1442 à 1503 (on le confond parfois avec son frère Francesco ou même avec Moroni, portraitiste bergamasque né en 1525). On s'accorde à considérer Cavazzola comme le plus grand peintre de l'École véronaise de son époque. Parmi les qualités qui lui sont reconnues, la vigueur du coloris, la spiritualité dans l'expression s'unissent à la pureté du dessin dans une noblesse dramatique issue des exemples romains. La Pinacothèque de Vérone renferme la plupart de ses tableaux. On y voit : la *Madona con due santi* (1517), une Vierge glorieuse tenant l'Enfant Jésus, entourée de deux saints franciscains et dominant un groupe de six autres saints, qui est peut-être son œuvre la plus connue. Puis : le *Christ descendu de la Croix*, le *Christ portant sa Croix*, le *Christ au Jardin*, *Saint Bonaventure*, *Saint Joseph et saint Jean*, le *Christ ressuscité*, le *Christ à la colonne*, le *Lavement des pieds*, le *Christ couronné d'épines*, la *Madone avec l'Enfant Jésus et saint Jean*. En outre, une fresque représentant le *Baptême de Jésus*. Dans l'église des Saints Nazaire et Celse, on trouve encore une *Annonciation* et deux saints. Un *Portrait de femme* appartient à la Galerie Morelli de Bergame ; enfin deux autres tableaux, un *Saint Roch* et un *Saint Jean Baptiste*, sont à Londres et le *Portrait de Giovanni Emilio de' Meglio* au Musée de Dresde.

Musées : BUDAPEST : *Saint François* – CHARTRES : *La Vierge et saint François* – DRESDE : *Portrait d'homme* – FLORENCE (Offices) : *Portrait d'un homme de guerre avec son page* – LONDRES : *Madone* – *La Vierge, saint Jean Baptiste et un saint* – VÉRONE : *Madone* – *Scènes de la Passion* – *Madone entourée de saints et Catarina da Sacco* – *La Vierge et Jean Baptiste enfant* – *Têtes de saints* – *Thomas l'incrédule* – *Saint Michel et saint Paul* – *La Flagellation* – *Saint Pierre et saint Jean Baptiste* – *Jésus est couronné d'épines* – *Saint François, religieuses et saints.*

CAVAZZONI Angelo Michele
Né en 1672 à Bologne. Mort en 1743 à Bologne. XVIIe-XVIIIe siècles. Italien.
Peintre et graveur.
Élève de Giovanni Giuseppe Santi.

CAVAZZONI Antonio. Voir CAVAGGIONI

CAVAZZONI Francesco
Né en 1559 à Bologne. Mort en 1616. XVIe-XVIIe siècles. Italien.
Peintre de sujets religieux.
Il fut élève de B. Passarotti. Il travailla pour un certain nombre d'églises de Bologne.
VENTES PUBLIQUES : LONDRES, 8 juil. 1994 : *Sainte Marie Madeleine*, h/t (96,5x74) : **GBP 8 280**.

CAVAZZONI Zanotti Giovanni Pietro. Voir ZANOTTI

CAVE Henry
Né vers 1780 à York. Mort le 4 août 1836 à York. XIXe siècle. Actif à York. Britannique.
Graveur et peintre.
Le Blanc cite de lui 41 frontispices et planches pour : *Antiquités of York drawn and etched*, etc. Il exposa de 1814 à 1825 à la Royal Academy et à la British Institution, à Londres.

CAVE James
XIXe siècle. Travaillant à Winchester. Britannique.
Peintre et illustrateur.
On lui doit les illustrations de l'*Histoire de Winchester*, par Milner, publiée en 1809, et l'on sait qu'il exposa entre 1801 et 1817 à la Royal Academy, à Londres, des architectures et des paysages.

CAVÉ Jules Cyrille
Né le 4 janvier 1859 à Paris. XIXe siècle. Français.
Peintre de genre, figures, portraits, fleurs.
Élève de Bouguereau et de Tony Robert-Fleury, il devint sociétaire des Artistes Français en 1887. Il obtint une médaille de troisième classe en 1886, deux médailles de bronze en 1889 et en 1900. Il exposait encore en 1939. On cite de lui : *Martyre aux catacombes*, *Première gelée*, *Moisson de fleurs*, *Fleurs des champs*.
VENTES PUBLIQUES : NEW YORK, 1er fév. 1901 : *Tête de jeune fille* : **USD 435** – NEW YORK, 3 jan. 1907 : *Méditation ingénue* : **USD 640** – LONDRES, 12 mai 1922 : *L'Enfance* 1902 : **GBP 28** – PARIS, 9 fév. 1927 : *Jeune Bretonne* : **FRF 2 600** ; *Jeune fille aux roses* : **FRF 2 150** ; *Fillette parée de fleurs des champs* : **FRF 2 120** – LONDRES, 13 jan. 1971 : *La Lavandière* : **GBP 100** – PARIS, 24 mai 1976 : *Les Premières Roses*, h/t (67x48,5) : **FRF 2 850** – NEW YORK, 13 fév. 1985 : *Innocence* 1903, h/t (61x51,5) : **USD 2 500** – PARIS, 26 fév. 1990 : *Le Jeune Martyr*, h/t (43x95) : **FRF 8 000** – NEW YORK, 17 oct. 1991 : *La Fleur éclose* 1903, h/t/rés. synth. (90,2x71,1) : **USD 29 700** – NEW YORK, 23-24 mai 1996 : *Rêve de jour* 1903, h/t/masonite (90,2x71,1) : **USD 79 500**.

CAVÉ Marie Elisabeth, Mme. Voir BOULANGER

CAVE P. La, ou le. Voir LA CAVE

CAVEDONE Giacomo ou Cavedoni
Né en 1577 à Sassuolo (État de Modène). Mort en 1660 à Bologne. XVIIe siècle. Italien.

Peintre de sujets religieux, dessinateur.
Entré dès sa jeunesse au service d'un grand seigneur dilettante, qui possédait une collection de tableaux de grande valeur, cet artiste occupa ses moindres instants de loisir à copier à sa manière les œuvres qu'il admirait. Ces essais naïfs tombèrent sous les yeux de son maître qui fut aussitôt frappé des extraordinaires dispositions qu'ils révélaient. Il les montra à Annibale Carracci qui encouragea l'enfant et l'admit parmi ses élèves. Les progrès de Cavedone furent surprenants ; il étudia ensuite les peintures du Titien, et acquit cet admirable coloris par lequel il surpassa, dit-on, les autres peintres de son école. À son retour à Bologne, il exerça son talent avec tant d'éclat que l'on peut comparer ses œuvres à celles de son maître. Son dessin était irréprochable, sa touche hardie, gracieuse et toujours originale. Lanzi relate que l'Albane étant interrogé pour savoir s'il y avait à Bologne des tableaux du Titien, répondit : « Non, mais nous en avons deux de Cavedone qui peuvent y suppléer et qui sont même peints avec plus de hardiesse. » Ces deux ouvrages étaient : une *Crèche* et une *Épiphanie* (dans l'église Saint-Paul). Bologne possède de lui le *Sant'Alo dei Mendicanti* ; on trouve également, à Imola, un *Saint Étienne* (dans l'église du même nom), que certains attribuent aux Carrache. Dans sa manière de peindre à fresques, Cavedone employait fort peu de couleurs différentes, mais il obtenait cependant une telle perfection que Guido le prit pour modèle et voulut l'associer à ses travaux de Rome. Il fut le maître de Malvasia, auquel il apprit le dessin, que lui-même pratiquait dans un style assez différent de celui de sa peinture. Ses études de silhouettes massives sont largement rythmées d'effets de clair-obscur. De nombreux chagrins domestiques et surtout la mort d'un fils ébranlèrent la raison du malheureux artiste qui, manquant d'ouvrage, termina sa vie dans la plus affreuse misère, à l'âge de quatre-vingt-trois ans. Peu de temps avant sa mort, il avait peint une *Ascension* que la confrérie de Saint-Martin à Bologne, possède aujourd'hui et qu'on ne peut voir sans ressentir une profonde pitié pour l'auteur.

Musées : BORDEAUX : *Judith* – BUDAPEST : *L'Évangéliste saint Jean* – FLORENCE (Offices) : *Sainte Marie-Madeleine* – *Portrait de Cavedone* – MADRID (Prado) : *L'Adoration des bergers* – MODÈNE : *Sainte Marie-Madeleine* – *Ascension de saint Étienne* – MOSCOU (Roumianzeff) : *L'enlèvement de la Croix* – MUNICH : *Christ mort sur un roc, pleuré par un ange* – NANTES : *Les quatre évangélistes* – *Les quatre pères de l'Église* – NAPLES : *Hyménée* – PARIS (Louvre) : *Sainte Cécile* – STUTTGART : *Loth et ses filles* – VIENNE : *Saint Sébastien* – VIENNE (Lichtenstein) : *Saint Laurent.*

VENTES PUBLIQUES : PARIS, 1756 : *Nativité*, grisaille à l'huile sur papier : **FRF 50** ; *L'Adoration des bergers*, grisaille : **FRF 24** ; *Sujets mythologiques*, deux dessins lavés de bistre : **FRF 5** – PARIS, 1791 : *Vénus et l'Amour* : **FRF 580** – PARIS, 1813 : *Hérodiade tenant la tête de saint Jean* : **FRF 600** – PARIS, 1857 : *Adoration de la Vierge* : **FRF 1 820** – PARIS, 1859 : *L'Adoration des mages*, dess. à la pl. lavé de bistre : **FRF 3** – LONDRES, 11 mai 1908 : *La résurrection de la Vierge* : **GBP 10** – NEW YORK, 1909 : *Le Christ et un pénitent* : **USD 85** – NEW YORK, 22 mai 1928 : *Moine prosterné*, dess. à la craie : **GBP 12** ; *Ecclésiastique assis*, dess. à la craie : **GBP 10** – PARIS, 17 déc. 1928 : *Un triomphe*, dess. à la sanguine : **FRF 60** – LONDRES, 16 avr. 1937 : *Noli me tangere* : **GBP 28** – LONDRES, 6 juil. 1966 : *Diane* : **GBP 350** – MILAN, 21 mai 1981 : *Judith avec la tête d'Holopherne*, h/t (112x115) : **ITL 11 500 000** – LONDRES, 12 avr. 1983 : *L'Assomption de la Vierge*, craie noire, pl. reh. de blanc (41,4x27,5) : **GBP 4 500** – LONDRES, 30 juin 1986 : *La Sainte Famille*, pl. et lav. reh. de blanc, étude (17,5x24) : **GBP 6 200** – LONDRES, 7 juil. 1987 : *Le repos pendant la fuite en Égypte*, craie noire, encre et lav. (33,3x46,4) : **GBP 3 800** – LONDRES, 2 juil. 1991 : *Le Christ bénissant un petit enfant*, craie noire, encre et lav. avec reh. de blanc et de jaune/pap. (6,8x24) : **GBP 20 900** – LONDRES, 15 avr. 1992 : *Vierge à l'Enfant*, h/t (43,8x55,2) : **GBP 3 000** – NEW YORK, 13 jan. 1993 : *Guerrier avec une épée et un bouclier vu du dessous* (recto) ; *Étude de mains jointes* (verso), craies blanche et noire/ pap. bleu (26,8x37,6) : **USD 16 100** – LONDRES, 5 juil. 1993 : *La naissance de saint Jean Baptiste*, encre et vernis (39,6x27,2) : **GBP 2 300** – NEW YORK, 10 jan. 1996 : *Le miracle de saint Eligius*, sanguine, encre et lav./pap. brun (21,5x16,5) : **USD 3 680** – NEW YORK, 29 jan. 1997 : *La tête d'un homme barbu* (recto) ; *La tête*

d'un homme regardant à droite (verso), craie noire (40x27,9) :
USD 13 800.

CAVEDONE Pellegrino
XVIe siècle. Actif à Modène, vers 1570. Italien.
Peintre.
Père de Giacomo Cavedone.

CAVEL Félix
Né le 28 décembre 1903 à Oléron. XXe siècle. Français.
Peintre de paysages, aquarelliste.
Sociétaire du Salon des Artistes Français, il peint des paysages fidèles de ses régions de prédilection, la Saintonge, le Portugal, Madère.

CAVELIER. Voir CUVELIER Hugues

CAVELIER Le. Voir LE CAVELIER

CAVELIER Adrien Louis Marie
Né en 1785 à Paris. Mort en 1867. XIXe siècle. Français.
Architecte et dessinateur.
Père de Pierre Jules Cavelier. Il dessina avec Prud'hon les cinq planches de la *Toilette de l'impératrice Marie-Louise* (gravées par Odiot, Thomire, etc.).

CAVELIER Louis
XIXe siècle. Actif à Paris. Français.
Peintre.
Exposa au Salon de 1838.

CAVELIER Pierre Jules
Né le 30 août 1814 à Paris. Mort en 1896 à Paris. XIXe siècle. Français.
Sculpteur de groupes, figures, bustes.
Il est le fils de A.-L.-M. Cavelier. Il fut élève de David d'Angers et de P. Delaroche, à l'École des Beaux-Arts de Paris, où il entra le 2 avril 1831. En 1836, il obtint le second prix au concours de Rome avec *La mort de Socrate,* et le prix, en 1834, avec *Diomède enlevant le palladium.* Cette même année il fut médaillé de troisième classe, ainsi qu'en 1855. La médaille d'honneur lui fut accordée en 1849, 1853 et 1861. Professeur à l'École des Beaux-Arts depuis 1864, il fut nommé membre de l'Institut le 29 juillet 1865. Cavelier fut élu membre du jury d'admission et des récompenses en 1864, 1865, 1866 et 1867.
Outre ses œuvres de fantaisie, on doit à cet artiste les cariatides et le couronnement du pavillon Turgot, au Louvre, ainsi qu'un des groupes de cariatides supportant le fronton du grand pavillon du côté du midi et le bas-relief encadrant l'horloge du pavillon central, la statue en marbre de *Blaise Pascal,* à la Tour Saint-Jacques-la-Boucherie ; les bustes du *Dante ;* d'*Ary Scheffert ;* de *Henriquet-Dupont ;* une statue en marbre de *Napoléon Ier ;* le buste d'*Horace Vernet ;* celui d'*Isaac Péreire ;* la statue d'*Abeilard,* au nouveau Louvre. Pour l'église Notre-Dame de Paris, il exécuta la statue de *Saint Mathieu* au portail principal, et la statue de *Mgr Affre* dans la cour de la nouvelle sacristie, et pour celle de Saint-Augustin, les statues en pierre de *Saint Augustin,* de *Saint Thomas d'Aquin,* de *Moïse,* d'*Élie.* À l'Hôtel de Ville de Paris, il fit les deux figures surmontant l'horloge : *La Seine, Le Rhin.* Le groupe allégorique représentant *La Justice,* à l'église de la Trinité, est aussi de lui.
MUSÉES : LE PUY-EN-VELAY : *La Science* – ROUEN : *E. Perrin,* buste – VALENCIENNES : *Modèle de la statue de Gluck.*
VENTES PUBLIQUES : PARIS, 28 jan. 1981 : *Femme au miroir,* bronze (H. 44) : FRF 2 400.

CAVELL John Scott
XIXe siècle. Britannique.
Peintre.
Il exposa à la British Institution, à la Royal Academy et à Suffolk Street, à Londres, entre 1851 et 1863.

CAVENAGHI Emilio
Né en 1852 à Caravaggio. Mort en 1876 à Milan. XIXe siècle. Italien.
Peintre.
Comme son frère Luigi, il fut élève de Bertini à l'Académie de Milan. Il a peint des architectures notamment durant un long séjour qu'il fit à Pise pour des raisons de santé. Il collabora avec Bertini à la décoration de la salle et du rideau de scène du théâtre Manzoni à Milan. Il a illustré, d'autre part, un certain nombre d'ouvrages, exécutant des dessins pour des gravures sur bois. La Galerie de La Brera conserve de lui deux *Intérieurs,* celui de l'*Église Saint-Marc* et celui du *Palais Clerici, à Milan.*

CAVENAGHI Luigi
Né en 1844 à Caravaggio. XIXe siècle. Italien.

Peintre.
Étudia à l'Académie de Milan avec Bertini. Il a décoré de peintures à fresques un certain nombre d'églises de Milan et d'autres villes de Lombardie. Il a consacré ensuite, aux côtés de Bertini, une grande part de son activité à la restauration des peintures des vieux maîtres. Il fut nommé en 1909 directeur artistique du Musée du Vatican.

CAVENAGO Umberto
Né en 1959 à Milan. XXe siècle. Italien.
Sculpteur d'installations, assemblages.
Il occupe l'espace avec des éléments industriels volumineux, parties de machines assemblées hors de tout fonctionnement possible.
BIBLIOGR. : Ezio Quarantelli : *Nouvelle génération : les lendemains de la trans-avant-garde,* Art Press n° 164, Paris, déc. 1991.

CAVENS Fri
Né en 1934 à Turnhout. XXe siècle. Belge.
Peintre. Abstrait.
Il reçut sa formation artistique aux Académies de Malines, Louvain et Gand. Il expose depuis 1981 à Louvain, Ostende, Bruxelles, Bruges, etc.
Sa peinture participe de l'abstraction-matiériste. Elle consiste en signes simples, frustes, occupant l'espace de la toile, brossée ou couverte de gris et noirs qu'exalte soudain un aplat d'une couleur pure.

CAVERLEY Charles
Né en 1883 à Albany (New York). Mort en 1914 à Essex Falls (New Jersey). XXe siècle. Américain.
Sculpteur.

CAVERN, captain. Voir CAPTAIN CAVERN

CAVERNE André
Né à Bordeaux (Gironde). XXe siècle. Français.
Peintre.
Il a exposé au Salon des Artistes Français, à Paris.
VENTES PUBLIQUES : PARIS, 1er juil. 1987 : *La vie heureuse, composition aux putti,* techn. mixte/t. (83x105) : FRF 14 000.

CAVEROC Blanche, Mme, née Hardy
Née à Paris. XIXe-XXe siècles. Française.
Peintre.
Sociétaire des Artistes Français depuis 1888. Elle exposa au Salon de Blanc et Noir en 1892.

CAVET François
XVIIIe siècle. Français.
Peintre.
Il fut reçu à l'Académie de Saint-Luc en 1751.

CAVI Romeo
Né en 1862. Mort en 1908. XIXe siècle. Italien.
Peintre décorateur et aquarelliste.
Il a travaillé à Rome et à Bucarest.

CAVIN Pierre
Né vers 1675. Mort le 14 juin 1736. XVIIIe siècle. Français.
Peintre.
Il fut reçu en 1689 à l'Académie de Saint-Luc et portait dès 1705 le titre de « peintre ordinaire du roi ». Il a travaillé pour le duc de Saint-Simon, exécutant le portrait de celui-ci et ceux de plusieurs membres de sa famille.

CAVINA Sebastiano
XVIIIe siècle. Actif à Bologne. Italien.
Dessinateur, graveur, sculpteur.
Publia avec Panfili en 1795 un *Raccolta di Cartelle Pubblicate per uso della gioventù studiosa.* Il fut également orfèvre.

CAVONI Ascanio. Voir ASCANIO da Cortona

CAVRIOLI
XVe siècle. Travaillant à Reggio d'Emilia, vers 1470. Italien.
Peintre.
Il est cité par Mariette.

CAVRIOLI Francesco
Originaire de Seravalle, province de Trévise. XVIIe siècle. Travaillant à Venise dans la seconde moitié du XVIIe siècle. Italien.
Sculpteur.

CAWALL
Né vers 1700 à Hambourg. Mort vers 1740 à Hambourg. XVIIIe siècle. Actif à Hambourg. Allemand.
Peintre d'histoire.

CAWELL Oscar
Né à Vienne. xxᵉ siècle. Travaillant à Vienne. Autrichien.
Peintre de figures.
Il appartient au groupe « Secession ».

CAWEN Alvar
Né en Finlande. xxᵉ siècle. Finlandais.
Peintre de sujets typiques et de paysages.
Il a décrit les multiples et caractéristiques aspects de la vie campagnarde en Finlande.
VENTES PUBLIQUES : STOCKHOLM, 5 sep. 1992 : Le moulin à eau, h/t (48x28) : SEK 18 000.

CAWENBERGH. Voir **COUWENBERG**

CAWOOD Herbert Harry
Né le 21 juillet 1890 à Sheffield (Yorkshire). xxᵉ siècle. Britannique.
Sculpteur de bustes et de statuettes.

CAWSE Clara
xixᵉ siècle. Britannique.
Peintre.
Elle exposa des portraits, des sujets d'histoire et des scènes de genre, de 1841 à 1867, à la Royal Academy, à la British Institution et à Suffolk Street, à Londres.

CAWSE John
Né vers 1779. Mort en 1862 à Londres. xixᵉ siècle. Britannique.
Peintre de genre, portraits, paysages.
Il commença à peindre des portraits et exposa à la Royal Academy en 1802. Il s'adonna ensuite à la peinture historique, mais il est surtout connu par l'ouvrage qu'il publia en 1840 : L'art de peindre à l'huile les portraits, paysages, animaux et draperies. De 1801 à 1845, son nom paraît dans les catalogues de la British Institution, de Suffolk Street, de la Old Water-Colours Society et de la Royal Academy, à Londres.
MUSÉES : LONDRES (Nat. Portrait Gal.) : Joseph Grimaldi.
VENTES PUBLIQUES : LONDRES, 11 mai 1908 : Une scène de « King Henry V » : GBP 27 – LONDRES, 24 juin 1909 : Intérieur d'un cabaret, sur une route, près de Portsmouth : GBP 8 – LONDRES, 28 avr. 1922 : Une épouse acariâtre : GBP 22 – LONDRES, 21 jan. 1927 : Vue de Whitehall : GBP 33 – LONDRES, 29 nov. 1929 : Le harpiste aveugle : GBP 10 – LONDRES, 3 juil. 1931 : Aventure d'une guitare : GBP 5 – LONDRES, 22 mars 1968 : La partie de cartes : GNS 150 – LONDRES, 22 mars 1972 : L'heure de la musique : GBP 700 – NEW YORK, 25 mai 1984 : Falstaff and Prince Hal, h/t (68,6x82,5) : USD 2 000.

CAWSEY Henry Bernard
Né le 30 juin 1907 à Chalford. xxᵉ siècle. Britannique.
Peintre de portraits.

CAWTHORNE Neil
Né en 1936. xxᵉ siècle. Britannique.
Peintre de scènes de sport équestre.
VENTES PUBLIQUES : NEW YORK, 4 juin 1987 : Les Courses de Cheltham 1979, h/t, suite de 4 (51x76) : USD 17 000 – NEW YORK, 17 jan. 1990 : Au paddock 1984, h/t (50,8x24,3) : USD 1 210 – NEW YORK, 7 juin 1991 : Échauffement des chevaux à Newmarket 1984, h/t (50,2x75,6) : USD 1 650 – NEW YORK, 5 juin 1992 : Chevaux et jockeys se rendant à la ligne de départ, h/t (50,8x76,2) : USD 4 180 – NEW YORK, 4 juin 1993 : Après la course, h/t (50,8x71,1) : USD 4 888 – NEW YORK, 3 juin 1994 : Chevaux prenant place sur la ligne de départ, h/t (50,8x71,1) : USD 8 050 – NEW YORK, 12 avr. 1996 : Sur la même ligne, h/t (50,8x76,2) : USD 2 875 – LONDRES, 13 nov. 1996 : Sur la ligne de départ, h/t (66x101,5) : GBP 7 130 ; La Dernière Course, Towcester 1994, h/t (51x71) : GBP 4 370 – LONDRES, 12 nov. 1997 : Tous au tournant, h/t (51x101,5) : GBP 4 370.

CAWTHRA Hermon
Né en 1886 à Londres. xxᵉ siècle. Britannique.
Sculpteur de monuments.
Il exposa à la Royal Academy, fut associé du Royal College of Art en 1911, membre de la Royal Society of British Sculptors en 1937.

CAXES Eugenio ou **Cajes, Caxesi, Caxete**
Né en 1575 ou 1577 à Madrid. Mort en 1634 ou 1642. xviᵉ-xviiᵉ siècles. Espagnol.
Peintre d'histoire, compositions religieuses, fresquiste, dessinateur.

Il fut élève de son père, le peintre italien Patrizio Caxes, fixé en Espagne. Il fut nommé peintre du roi en 1612. Il représente la période transitoire entre le Maniérisme et le Naturalisme baroque en Espagne.
Il travailla avec son père à la décoration du Prado et y exécuta un Jugement de Salomon. Il décora également de fresques l'Alcazar de Madrid, et la cathédrale de Tolède, où il collabora avec Vicente Carducho. On cite encore de lui un Christ au Calvaire 1619, au couvent de la Merci à Madrid ; une Sainte Léocadie, à l'église Santa Leocadia à Tolède. Ses œuvres décèlent souvent l'influence du Corrège.

Caxef.

BIBLIOGR. : In : Dictionnaire de la peinture espagnole et portugaise du Moyen-Âge à nos jours, coll. Essentiels, Larousse, Paris, 1989.
MUSÉES : BUDAPEST : Adoration des Mages – MADRID (Mus. du Prado) : Vierge avec l'Enfant endormi – MADRID (École des Beaux-Arts) : L'Étreinte à la Porte dorée.
VENTES PUBLIQUES : PARIS, 1775 : Saint François, dess. au bistre reh. de blanc : FRF 31 – PARIS, 1843 : Adoration des Mages : FRF 260 – MADRID, 29 oct. 1991 : La Sainte Famille 1619, h/cuivre (43,5x31) : ESP 5 040 000.

CAXÉS Francisco Gregorio
xviiᵉ-xviiiᵉ siècles. Espagnol.
Graveur.

CAXES Patrizio ou **Caxesi, Cajesi, Caxete**
Originaire d'Arezzo. Mort en 1612. xviᵉ-xviiᵉ siècles. Travaillant à Rome, puis à Madrid. Italien.
Peintre.
Il quitta Rome pour Madrid en 1567. Il a exécuté des peintures à l'Alcazar et travaillé au maître-autel de l'église S. Felipe de Real, à Madrid. Il fut peintre du roi pendant quarante-quatre ans, sous Philippe II et Philippe III et suivait en général la cour. Il peignit, avec Bartolomé Carducho, dans le palais royal de Valladolid, la salle dans laquelle la reine Marguerite donna une fête, en 1604. Tenant, avec les deux autres peintres italiens de la Cour, Carducho et Nardi, et contre le modernisme de Velasquez, de l'esthétique classique de l'académisme romain du xviᵉ siècle. Il décorait avec son fils Eugenio la Galerie et la salle d'audience de la reine au château d'El Pardo lorsqu'il mourut.

CAY Isabelle
Née au xixᵉ siècle en Angleterre. xixᵉ siècle. Britannique.
Peintre de genre.
Exposa en 1900 au Salon des Artistes Français.

CAY Jacob
Originaire de Lützen. xviᵉ siècle. Travaillant à Würzburg. Allemand.
Peintre.

CAYE F.
xixᵉ siècle. Actif à Laval. Français.
Graveur au burin.
Le Blanc cite : Notre-Dame de Bon-Secours.

CAYEUX Charles André ou **Cahieux**
xviiiᵉ siècle. Actif à Paris en 1766. Français.
Peintre.
Frère de Claude Philibert Cayeux.

CAYEUX Claude Philibert ou **Cahieux**
Mort le 30 octobre 1766 à Paris. xviiiᵉ siècle. Français.
Peintre.
Frère de Charles-André Cayeux, il fut reçu à l'Académie de Saint-Luc à Paris en 1755.

CAYEUX Claude Philippe
Né en 1688 à Humières (Pas-de-Calais). Mort en 1769 à Paris. xviiiᵉ siècle. Actif à Paris. Français.
Sculpteur.
Reçu à l'Académie de Saint-Luc en 1722, il en devint par la suite directeur. En 1739-1745 il travailla à la décoration de la fontaine de la rue de Grenelle ; en 1755 il exécuta pour des peintures de Joseph Vernet quatre cadres richement sculptés.

CAYLA Jules Joseph
Né au xixᵉ siècle à Lunas (Hérault). xixᵉ siècle. Français.
Paysagiste.
Élève de E. Michel. Il exposa au Salon, en 1878 et en 1880, deux paysages de la région dont il était originaire.

CAYLA Pierre
Né à Ancenis (Loire-Atlantique). XXᵉ siècle. Français.
Peintre, aquarelliste.
Exposa au Salon des Artistes Français en 1930.

CAYLEY Emma
XIXᵉ siècle. Britannique.
Sculpteur.
Elle exposa à la Royal Academy, à Londres, en 1830, un portrait-buste et des portraits d'enfants.

CAYLEY Neville Henry Peniston
Né en 1853. Mort en 1903. XIXᵉ siècle. Australien.
Peintre animalier de volatiles, paysages d'eau animés.
VENTES PUBLIQUES : LONDRES, 10 fév. 1982 : *Cygnes noirs sur un lac au crépuscule* 1890, aquar. (21,5x26,5) : **GBP 200** – LONDRES, 26 jan. 1984 : *Canards au bord d'un lac*, aquar./trait de cr. (39x64) : **GBP 500** – SYDNEY, 29 oct. 1987 : *Black Swans*, aquar. (44,5x59) : **AUD 2 600** – SYDNEY, 4 juil. 1988 : *Grues*, aquar. (18x27) : **AUD 700** – SYDNEY, 16 oct. 1989 : *Nids d'hirondelles*, aquar. (51x31) : **AUD 1 200** – SYDNEY, 15 oct. 1990 : *Canards sur un lac*, aquar. (46x66) : **AUD 600** – LONDRES, 25 fév. 1992 : *Oiseaux australiens se battant*, cr. et aquar. avec reh. de blanc (35x24) : **GBP 440.**

CAYLINA Bartolomeo di Pietro
Originaire de Brescia. Mort entre 1489 et 1503. XVᵉ siècle. Travaillant à Pavie. Italien.
Peintre.
Frère de Paolo Caylina l'Ancien ; et beau-frère de Vincenzo Foppa aux côtés de qui il est souvent cité. Ils semblent s'être tous deux fixés de bonne heure à Pavie. Caylina a aussi travaillé en collaboration avec Bartolommeo della Canonica, et notamment pour l'exécution de fresques décoratives à la Chartreuse de Pavie (1465).

CAYLINA Paolo, l'Ancien
XVᵉ siècle. Italien.
Peintre de sujets religieux.
Il est le frère de Bartolomeo di Pietro Caylina. Comme celui-ci il a parfois travaillé avec Foppa. On cite parmi ses œuvres une *Vierge et deux saints* (à l'église S. Nazzaro e Celso, à Brescia).
MUSÉES : TURIN : *La Vierge et quatre saints* signé et daté de 1458, tableau d'autel.

CAYLINA Paolo, le Jeune
Né vers 1485. Mort après 1547. XVIᵉ siècle. Italien.
Peintre de sujets religieux.
Fils de Bartolomeo Caylina et neveu de Vincenzo Foppa, il est cité pour la première fois à Milan en 1503. Après la mort de son oncle (1515 ou 1516) dont il hérita, il vint habiter la maison de celui-ci à Brescia.
VENTES PUBLIQUES : MILAN, 3 avr. 1996 : *Prière dans le jardin des oliviers*, h/pan. (48x36,5) : **ITL 20 700 000.**

CAYLUS Anne Claude Philippe de Tubières de, comte
Né le 31 octobre 1692 à Paris. Mort le 5 septembre 1765 à Paris. XVIIIᵉ siècle. Français.
Graveur, dessinateur.
Fils de la comtesse de Caylus, il prit part à la guerre de la succession d'Espagne, puis, la paix rétablie, voyagea en Italie, en Grèce, en Asie Mineure d'où il rapporta des trésors archéologiques recueillis au cours de ses recherches pour découvrir les ruines de Troie, d'Éphèse et de Colophon. Revenu en France, il se consacra à la gravure à l'eau-forte et publia plus de deux cents estampes d'après les dessins de Rubens, de Van Dyck et de Léonard de Vinci réunis au cabinet du roi. Il fut reçu conseiller honoraire à l'Académie royale de peinture et sculpture le 24 novembre 1731, puis en 1742 il entra à l'Académie des Inscriptions. Il a laissé un grand nombre d'estampes d'après Watteau, mais la majeure partie de cette œuvre doit être attribuée à Boucher qui au début de sa carrière artistique travailla à ses gages. Le comte de Caylus fut réellement un mécène qui encouragea les artistes et un lettré qui a laissé quelques ouvrages remarquables d'archéologie, ainsi que des biographies d'artistes de son époque.
VENTES PUBLIQUES : PARIS, 1823 : *Étude de six têtes de femmes*, dess. à la sanguine : FRF 4.

CAYMARI Francisco
Né en 1741 à Selva (île de Majorque). XVIIIᵉ siècle. Espagnol.
Peintre.
Élève de Jeronimo Berard y Sola. Il a peint pour la cathédrale et un certain nombre de couvents de Palma (il appartenait à l'ordre de Saint-François).

CAYMOX Balthasar ou Caimochs ou Keymox
Originaire du Brabant. Mort en 1635 à Nuremberg. XVIIᵉ siècle. Travaillant à Nuremberg. Allemand.
Graveur et éditeur.

CAYMOX Cornelis ou Cornelius ou Caimochs ou Keimox
Mort en 1615 à Anvers. XVIIᵉ siècle. Allemand.
Peintre et sculpteur.

CAYMOX Eduard ou Caimochs ou Keimox
XVIIᵉ siècle. Actif à Anvers. Éc. flamande.
Peintre.
Cité comme maître dans la gilde d'Anvers en 1612.

CAYNE E. D.
XVIIIᵉ siècle. Britannique.
Peintre et graveur à la manière noire.
On mentionne une estampe de cet artiste : *Une tête de mort*, avec les mots : *Ecce quid eris*, signée : *E. D. Cayne pinx fec. et ex.*

CAYO L. D.
XVIIIᵉ siècle. Suisse.
Peintre.
D'après ses œuvres, on le croit élève ou imitateur de Giovanni-Battista Tiepolo. On conserve de lui au Musée de Soleure : une *Adoration des Rois* et *Sainte Anne avec sainte Marie*, peintes sur cuivre.

CAYOL Pierre
Né le 14 août 1939 à Salon-de-Provence (Bouches-du-Rhône). XXᵉ siècle. Français.
Peintre de nus, paysages, natures mortes, fleurs, aquarelliste, graveur, illustrateur.
De 1957 à 1960, il fut élève de l'École des Arts-Décoratifs de Grenoble ; de 1960 à 1962 de l'École des Arts Appliqués de Paris ; de 1964 à 1966 de l'École des Beaux-Arts et de l'Académie Julian de Paris. En 1987, il a voyagé en Arizona et au Nouveau-Mexique, ayant prix contact avec les Indiens Navajos et Apaches.
Il participe à des expositions collectives ; il est notamment sociétaire des Salons des Artistes Français et d'Automne, à Paris. Il expose individuellement dans les villes du Midi, ainsi qu'à Paris en 1992, galerie Amyot.
MUSÉES : BAGNOLS-SUR-CÈZE – SALON-DE-PROVENCE : gravures – SEDAN – TOULON – UZÈS.

CAYON Henri Félix
Né le 31 juillet 1878 à Paris. XXᵉ siècle. Français.
Peintre de figures et de paysages, architecte.
Il fut élève de Jacques Fernand Humbert et de R. Collin. Sociétaire du Salon des Artistes Français, il reçut une mention honorable en 1921 et fut chevalier de la Légion d'honneur.

CAYON-ROUAN Marguerite
Née à Lyon (Rhône). XXᵉ siècle. Française.
Peintre de nus, paysages.
Elle exposa au Salon des Artistes Français de Paris, dont elle était sociétaire depuis 1939.

CAYOT Claude Augustin
Né en 1667 à Paris. Mort en 1722 à Paris. XVIIᵉ-XVIIIᵉ siècles. Français.
Sculpteur.
D'abord élève du peintre Jouvenet, il étudia la sculpture dans l'atelier de Le Hongre. Il obtint en 1695 le prix de l'École Académique, en 1696 le prix de Rome. Après son retour d'Italie, il travailla quatorze années sous les ordres de Corneille Van Clève. À partir de 1709, il travailla à la chapelle du château de Versailles (bronzes de l'autel de la Vierge) et maître-autel de Notre-Dame de Paris (deux anges en prière). Membre de l'Académie (1711), il y fut professeur à partir de 1720. On mentionne parmi ses œuvres : *L'Amour et Psyché*, 1706, marbre (Musée Wallace, Londres) ; *L'Amour et Psyché*, terre cuite (Musée d'Aix-en-Provence) ; *La Mort de Didon*, 1711, marbre (Musée du Louvre) ; *Nymphe à la chasse*, marbre (autrefois dans le jardin des Tuileries).

CAYRON Jules
Né le 28 septembre 1868 à Paris. Mort en 1940. XXᵉ siècle. Français.
Peintre de genre, portraits.
Élève de Jules Lefebvre et d'Alfred Stevens, il participa au Salon

des Artistes Français, dont il devint sociétaire en 1888. Il obtint une médaille d'or à l'Exposition Universelle de 1937 puis fut hors-concours. Officier de la Légion d'Honneur.

Il a excellé à rendre l'élégance de la femme moderne, devenant également le peintre officiel de l'aristocratie internationale, faisant notamment les portraits de la princesse d'Arenberg et de la princesse Sixte de Bourbon. Ses portraits sont exécutés dans une touche rapide et nourrie, échappant à la mièvrerie de ses scènes de genre. Citons : *Le potin – Doux repos – Harmonies.*

Jules Cayron

BIBLIOGR. : Gérald Schurr, in : *Les Petits Maîtres de la peinture 1820-1920, valeur de demain,* Les Éditions de l'Amateur, t. IV, Paris, 1979.

MUSÉES : PARIS (Mus. Carnavalet) : *Portrait de Boni de Castellane en oriental.*

VENTES PUBLIQUES : PARIS, 6-8 déc. 1926 : *Portrait de femme,* past. : FRF 140 – PARIS, 16 juin 1944 : *Portrait de femme :* FRF 420 – ROUEN, 17 déc. 1972 : *Les toits d'ardoise :* FRF 500 – BERNE, 11 mai 1984 : *Les petits paysans aux champs* 1892, h/t (46x55) : CHF 1 500 – NEW YORK, 15 fév. 1985 : *L'heure du thé* 1907, h/t (127x141) : USD 13 000 – PARIS, 7 avr. 1986 : *Portrait de femme* 1929, h/t (145x98) : FRF 8 200 – NEW YORK, 25 fév. 1987 : *Souvenirs* 1897, h/t (167x120,6) : USD 5 000 – NEUILLY, 20 mai 1992 : *Une élégante* 1907, fus. et past. (62x39) : FRF 3 500 – PARIS, 4 mars 1994 : *Jeune femme aux lévriers* 1912, fus., sanguine et craie blanche (67x48) : FRF 4 200 – LONDRES, 15 nov. 1995 : *Promenade en barque,* h/t (71x99) : GBP 5 175.

CAYRON L. M.
XIXᵉ-XXᵉ siècles. Français.
Sculpteur de bustes.

Il exposa entre 1911 et 1913 au Salon des Artistes Français. Il sculpta surtout des bustes d'enfants.

CAYRON Olivier de
Né le 24 février 1958. XXᵉ siècle. Français.
Peintre, technique mixte, peintre de collages, graveur, illustrateur, peintre de décors de théâtre, affichiste. Abstrait.

Il s'est formé à la peinture en autodidacte, tout en prêtant attention aux œuvres de Pollock, Dubuffet, souvent Michaux. Il vit et travaille à Cachan, près de Paris. En 1985, il fut un des cofondateurs de l'association *Art-Scènes* et contribue à l'édition de la revue du même titre. Il participe à des expositions collectives diverses à Paris et dans d'autres villes en France et à l'étranger, notamment : en 1984 et 1985 Festival de poésie murale en Sologne ; 1985 Paris Salon Lettres et Signes ; 1985 Osaka Festival international d'Art Graphique ; Paris Salon Écriture ; depuis 1986 Paris, régulièrement groupes à la galerie Michel Broomhead ; 1987 et 1989 Nice Salon Art Jonction international ; 1988 Gand Foire Linéart ; etc. Il montre des ensembles d'œuvres dans des expositions personnelles : depuis 1988 à la galerie Broomhead de Paris, et, en 1991 à la chapelle Saint-Libéral de Brive. En 1984, il a obtenu le Prix de peinture de l'American Academy de Paris, où il a enseigné la gravure.

Il a illustré plusieurs recueils de poésies. En peinture, au long de son évolution se précisent pour lui deux principes : ne pas chercher à se constituer un dogme esthétique ; subordonner la technique à l'émotion et à l'instant, d'où la vivante diversité de sa production, où alternent les périodes de fluidités verticales et les périodes matiéristes horizontales. Abstrait, il n'en préserve pas moins la trace de l'émotion originelle.

BIBLIOGR. : Divers : Catalogue de l'exposition *Olivier de Cayron,* gal. Broomhead, Paris, 1989 – Catalogue de l'exposition *Olivier de Cayron,* Chapelle Saint-Libéral, Brive, 1991.

CAYRON-VASSELON Marie Rose Marguerite, Mme
Née au XIXᵉ siècle à Craponne (Haute-Loire). XIXᵉ siècle. Active à Paris. Française.
Peintre.

Élève de Carolus Duran et de Henner. Sociétaire des Artistes Français depuis 1884, elle a participé régulièrement aux Salons de cette société. On cite d'elle : *Dans l'atelier, Petite fille lisant,* ainsi qu'un certain nombre de portraits.

CA YU SHUI
Né en 1963 à Ji Nan. XXᵉ siècle. Chinois.
Peintre de genre, peintre de décorations murales, dessinateur.

Il est diplômé de l'Académie des Beaux-Arts de Shandong (Chine) et sa première exposition personnelle eut lieu dans cette ville en 1988. Pour la première fois il reçut un prix en 1994 à « l'Exposition d'art chinois de toute la Chine ». Il est le plus jeune artiste honoré d'une grande exposition dans le Hall central des Expositions de Pékin et l'État lui a commandé un décor mural de bronze pour la ville de Pékin.

À la suite d'un voyage à Bali, ses récentes peintures sont inspirées de scènes de ce pays.

VENTES PUBLIQUES : SINGAPOUR, 5 oct. 1996 : *Combat de lutte Kris,* cr./pap. (79x109) : SGD 23 000.

CAZABAN Louis Joseph.
Né à Carcassonne (Aude). XIXᵉ-XXᵉ siècles. Français.
Peintre de portraits et de scènes de genre, lithographe.

Il fut élève de François Cormon et sociétaire du Salon des Artistes Français à partir de 1905. Il exposa également au Salon des Artistes Indépendants, recevant une mention honorable en 1905 et une médaille de troisième classe en 1907. Il a gravé quelques lithographies d'après Henner.

CAZABON Michel J.
Né en 1814. XIXᵉ siècle. Français.
Peintre de paysages, aquarelliste, dessinateur.

Il débuta au Salon de Paris en 1839 et exposa jusqu'en 1847. On cite de lui : *Plage des Lucques, Petite plage du Calvados.*

VENTES PUBLIQUES : PARIS, 26 oct. 1942 : *Paysage colonial :* FRF 1 200 – LONDRES, 10 fév. 1982 : *West-Indies natives bathing in a river,* h/t (34x44,5) : GBP 1 900 – LONDRES, 27 sep. 1985 : *La résidence de feu Charles Fabian à Trinidad,* h/cart. (28x39,4) : GBP 6 500 – LONDRES, 27 nov. 1985 : *Port of Spain, Trinidad,* aquar., gche, cr. : GBP 2 800 – MONACO, 2 déc. 1988 : *La vallée « Diego Martin »* à *Cascade Estate,* aquar. (30,5x25,5) : FRF 35 520 – MONACO, 15 juin 1990 : *Brésiliens,* aquar. avec reh. de gche (27,5x21,5) : FRF 13 320.

CAZAC Yoran
Né en 1938 à Paris. XXᵉ siècle. Français.
Peintre, aquarelliste.

Il fut étudiant à l'École des Beaux-Arts de Tours. Il a exposé au Salon Comparaison à Paris en 1960, et personnellement à la galerie Karl Flinker en 1961, en 1963 à la galerie Conq-Mars, en 1977 au Centre Culturel Français de Florence, en 1978 à la Galerie l'Œil Sévigné, en 1979 à la Galerie de la Différence à Bruxelles, en 1982 dans plusieurs villes italiennes, et en 1996, avec *Aquarelles 1960-1995,* à la Galerie Pierre Brullé à Paris.

En 1955 il réalise ses premières toiles abstraites, qui toutefois semblent se référer à des spectacles naturels.

CAZAL Philippe
XXᵉ siècle. Français.
Artiste multimédia.

Il a exposé à la galerie Krief à Paris en 1989 dans *Mec-Art-Techno-Pub.* Philippe Cazal travaille dans une importante agence française de design, « Minium », et applique au domaine artistique des procédés publicitaires. Philippe Cazal est moins un artiste qu'un nom appliqué sur les œuvres d'art produites ; c'est encore bien davantage qu'une signature, c'est un label, un véritable « fait d'art ». C'est une marque qui sera apposée sur divers supports, des photographies, des sculptures ou des plaquettes et des catalogues d'expositions. Elle se substitue à l'acte de peindre, de sculpter, de fabriquer. Les pièces ne sont pas réalisées par Philippe Cazal mais par des exécutants qui mettent en œuvre ses projets. Ces différentes expressions ont pour objet de décrire *L'artiste dans son milieu.* Le travail entier fonctionne sur le code, le signe visuel, l'identification et la référence. Brassant tous ces systèmes, il dessine une image de l'artiste brillante et facile, fidèle à la somme des clichés où l'artiste évolue dans une ambiance luxueuse et sophistiquée tout entière résumée par son attribut principal : la coupe de champagne.

BIBLIOGR. : Jean-François Bory : *Un lapin, le chapeau dont il sort,* Public, nᵒ 1, 1984, p. 30 – J. Sans, in : catal. de l'exposition *Philippe Cazal : Relations extérieures,* Barbican Centre, Londres, mai-juin 1988 – Catherine Fayet, *Le label Philippe Cazal,* « l'artiste communiqué »,* Opus International, nᵒ 109, juil-août 1988, p. 30 – catal. de l'exposition *Mec-Art-Techno-Pub,* Galerie Krief, Paris, 1989.

CAZALET Jessica Mary
Née à Malvern (Worcester). XXᵉ siècle. Britannique.
Peintre.

En 1921 elle exposa des paysages au Salon d'Automne.

CAZALIÈRES Jacqueline
Née le 26 mars 1913 à Paris. xxᵉ siècle. Française.
Peintre de compositions, de portraits et de nus. Tendance abstrait.
Elle fit ses études à l'Académie de la Grande Chaumière sous la direction de Mac-Avoy. Sociétaire du Salon des Femmes Peintres et du Salon d'Automne, elle a reçu la médaille d'or de la ville de Saint-Brieuc en 1971.
Peintre à mi-chemin entre l'abstraction et le figuratif, ses œuvres mettent en scène des fleurs, des crustacés, d'étranges plantes marines où la matière est affirmée par des empâtements et des projections de sable. Elle réalise également des dessins, en général des portraits. Après un voyage en Afrique, elle retourne à la figuration, exposant un grand nu blanc au Salon d'Automne en 1972.
Musées : Ohio – Paris (Mus. d'Art Mod. de la ville) – Paris (BN).

CAZALIS Blanche
xxᵉ siècle. Française.
Peintre de fleurs.
Elle fut élève de Vladimir de Terlikowski et exposa des peintures de fleurs au Salon des Tuileries, à Paris, en 1932-1933.

CAZALS F.-A
Né en 1865 à Paris. Mort en 1941 à Paris. xixᵉ-xxᵉ siècles. Français.
Peintre, dessinateur de portraits, illustrateur.
Également poète et chansonnier, il illustra son recueil intitulé *Le Jardin des Ronces* de croquis évoquant les soirées de la revue *La Plume* et celles du Procope. Il restera surtout comme le meilleur iconographe de Paul Verlaine dont il fut très jeune le dévoué compagnon. En 1907, il illustra *Le Moutardier du Pape* d'Alfred Jarry. Il sait restituer l'atmosphère enfumée des salles de rédaction et des cafés littéraires de la « Belle Époque ». Un remarquable *Verlaine à l'hôpital* fut visible au Musée du Luxembourg.
Ventes Publiques : Paris, 19 juin 1951 : *Portrait de Verlaine*, dess. reh. de gche : FRF 19 500.

CAZALS Louis
Né le 3 mars 1912 à Prades (Pyrénées-Orientales). Mort le 28 décembre 1995 à Saint-Féliu-d'Avall (Pyrénées-Orientales). xxᵉ siècle. Français.
Peintre, aquarelliste.
Apprenti peintre en bâtiment à Prades, il vint à Paris compléter son apprentissage en 1930, il y visita les musées et galeries. De retour en 1932, il se fixa comme peintre-décorateur dans son village du Roussillon. Ayant commencé à peindre paysages et natures mortes en autodidacte, il reçut les conseils du peintre catalan-espagnol Rafaël Bénet. En 1940, il fut prisonnier en Allemagne, puis rapatrié en 1942. Il exposa ses œuvres de captivité à Prades, et rencontra à cette occasion le violoncelliste Pau Casals et le président Albert Sarraut, qui s'intéressèrent activement à lui et à son travail. Ensuite, il a participé à de nombreuses expositions collectives, notamment à Paris, à partir de 1943, les Salons des Artistes Français et d'Automne, de nombreux groupements dans des villes de la province. Il montre fréquemment ses peintures dans des expositions personnelles centrées sur le thème d'une ville ou d'un port, etc.
S'il peint des vues de son village de Saint-Féliu-d'Avall, il a souvent négligé les âpres paysages du Roussillon. Malgré les difficultés pour le modeste peintre en bâtiment qu'il était, il réussit à exploiter ses moindres congés pour rejoindre, dans une automobile-atelier, les sites préférés : 1943 le Gers et le Lot pour sa première exposition à Toulouse, 1944 sur les conseils de Dunoyer de Segonzac : l'Île de France, la vallée du Morin, 1945 les rues de Paris et les ponts et quais de la Seine, 1946 Saint-Tropez avec Dunoyer de Segonzac, 1947 Perpignan. En 1948, à l'occasion d'un séjour qui lui fut offert, il peignit les ports d'Amsterdam et de Rotterdam, travailla aussi à Ostende et Bruges, prolongea son séjour en Bretagne, s'éprenant de la lumière des pays du Nord. Il poursuivit ses périples actifs : 1949 Provence, 1950-1952 paysages et ports du Maroc, 1954 Bretagne et Normandie, 1955 Côte basque et Landes, 1956 de nouveau Normandie, où il rencontra Othon Friesz, 1958 Vendée et le port de la Rochelle, 1972 Venise, 1972 à 1975 retours à la mer du Nord et à la Baltique : Amsterdam, Rotterdam, Hambourg... Il est devenu, au fil des voyages, un peintre des canaux d'Amsterdam et d'Amiens, des quais de Paris, des bassins du parc de Versailles, des ports de Rotterdam, d'Honfleur et de Concarneau, c'est-à-dire un peintre de la lignée des peintres de l'eau et du ciel. Aussi bien dans ses croquis que dans ses peintures, exécutées preste-

ment, on reconnaît la parenté avec l'écriture picturale elliptique d'Albert Marquet. ■ J. B.
Bibliogr. : Pierre Camo : *L. Cazals*, Conflent, s. l. n. d., important appareil documentaire.
Musées : Céret – Chicago : *Honfleur – La Seine vue du Pont-Neuf* – Paris (Mus. d'Art Mod.) : *Port breton – Paysage* – des dessins de Paris – Perpignan – Schenectady : *Les ponts de Paris*.
Ventes Publiques : Auxerre, 30 nov. 1980 : *La Seine à Asnières* 1942, h/t (33x46) : FRF 2 400.

CAZALY Jean Joseph
xviiiᵉ siècle. Français.
Peintre de fleurs, peintre sur porcelaine.
Il travailla à la Manufacture de Sèvres entre 1755 et 1759.

CAZAMAJOR Victorine, Mme
Née à Paris. xixᵉ siècle. Française.
Peintre de genre et miniaturiste.
Élève de Couture et Léon Cogniet. Elle débuta au Salon de 1868.

CAZAMIAN Fanny
Née à l'île de la Réunion. xxᵉ siècle. Française.
Peintre.
Élève de A. Leroux et G. Roussin. Sociétaire des Artistes Français.

CAZANA Jean André
xviiiᵉ siècle. Français.
Maître graveur.
Mari d'Elisabeth Pajou ; il appartint à l'Académie de Saint-Luc et est cité en 1783.

CAZANAVE Charles Antoine Alain
Né le 17 février 1882 à Carcassonne (Aude). Mort en 1957 à Palaja (Aude). xxᵉ siècle. Français.
Peintre de figures, nus, compositions à personnages, sculpteur.
Il fut élève du graveur Antoine Delzers puis exposa au Salon de la Société Nationale des Beaux-Arts et à celui des Artistes Français.
Ventes Publiques : Paris, 20 jan. 1988 : *Le page boudeur*, h/t (65x130) : FRF 52 000 – Paris, 8 nov. 1993 : *Le page boudeur*, h/t (65x130) : FRF 50 000.

CAZANOVE Raymond
Né le 22 mai 1922 à Paris. Mort le 17 juin 1982 dans la région parisienne. xxᵉ siècle. Français.
Peintre de sujets religieux, portraits, paysages, intérieurs d'églises. Postimpressionniste.
Il fit ses études à l'École des Arts Appliqués à Paris et à l'École des Beaux-Arts de Tours, ville dans laquelle il exposa en 1942 et 1944. À Paris, il exposa dans de nombreux salons, notamment aux Moins de Trente Ans, au Salon des Jeunes Peintres, au Salon d'Automne. En 1976, une exposition de ses toiles s'est tenue à l'Orangerie du Luxembourg. Il a obtenu le prix de la Société des Amis des Arts.
Dans une tradition postimpressionniste, il est sensible aux variations chromatiques et atmosphériques, comme l'illustre la série du *Jour et la Nuit*. Il a travaillé plusieurs années sur un ensemble de toiles sur saint François d'Assise offert au Couvent des Franciscains, à Paris.

CAZARES Lorenzo
Mort en 1678 à Burgos. xviiᵉ siècle. Actif à Burgos. Espagnol.
Peintre.

CAZASSUS
Né en 1932 dans les Pyrénées-Atlantiques. xxᵉ siècle. Français.
Peintre de scènes de genre, portraits.
Il expose depuis 1970 au Salon des Artistes Français des portraits et des scènes de genre réalisés dans une technique traditionnelle, utilisant fréquemment de nombreux glacis. Désireux de rendre la meilleure expression possible dans ses portraits, il n'hésite pas à recourir à l'emploi de déformations physiques, toujours avec humour.

CAZAUBON
xviiiᵉ siècle. Actif à Paris. Français.
Peintre de miniatures.
Peintre des « menus plaisirs ». Peut-être s'agit-il de Louis Antoine Cazaubon.

CAZAUBON Alfred Pierre Noël
Né à Pau (Pyrénées-Atlantiques). xxᵉ siècle. Français.

Sculpteur de bustes et de figures.

Sociétaire du Salon d'Automne, il travaille le bois et réalise des bustes et diverses figures parmi lesquelles on cite un *Athlète*.

VENTES PUBLIQUES : PARIS, 7 déc. 1983 : *La porteuse d'eau* 1927, plâtre (H. 190) : **FRF 19 500** – GRANDVILLE, 1er fév. 1987 : *L'Eurasienne*, bronze (H. 107) : **FRF 39 000**.

CAZAUBON Louis Antoine
XVIIIe siècle. Français.
Peintre.
Il fut reçu à l'Académie de Saint-Luc à Paris en 1760.

CAZAUBON Pierre Alfred
Né à Pau (Pyrénées-Atlantiques). XXe siècle. Français.
Graveur en médailles, sculpteur.
Il exposa à Paris au Salon des Artistes Français.

CAZAUBON Pierre Louis
Né le 28 juin 1872 à Bordeaux (Gironde). XIXe-XXe siècles. Français.
Peintre de genre, sujets typiques, paysages, marines, compositions murales.
Il fut élève de l'École des Beaux-Arts de Paris et travailla dans l'atelier de Louis Cabié. Sociétaire du Salon des Artistes Français à partir de 1905, il reçut une mention honorable en 1912. Il participa à de nombreuses expositions en Angleterre, Allemagne, États-Unis.
Il a peint de nombreux paysages du Bordelais. Ses sujets maritimes, scènes de genre, notamment les thèmes orientalistes, sont peints dans une pâte de plus en plus généreuse et des coloris plus recherchés. Il est l'auteur d'une des grandes décorations murales de la salle de la Fédération Maritime de Bordeaux.
BIBLIOGR. : Gérald Schurr, in : *Les Petits Maîtres de la peinture 1820-1920, valeur de demain*, Les Éditions de l'Amateur, t. V, Paris, 1981.
VENTES PUBLIQUES : BREST, 3 mars 1981 : *Vieilles femmes des Sables-d'Olonne*, aquar. (29x47) : **FRF 2 600**.

CAZAUD Roger
Né à Paris. XXe siècle. Français.
Sculpteur.
Il a exposé au Salon des Artistes Français.

CAZAUX Édouard
Né en 1889 à Canneille (Landes). Mort en 1974. XIXe-XXe siècles. Français.
Sculpteur de bustes, figures, céramiste.
Il a exposé aux Salons des Artistes Indépendants, de la Société Nationale des Beaux-Arts et des Tuileries. En 1997, le casino de Biarritz a présenté une exposition personnelle de ses œuvres.
Céramiste, il se fit remarquer par ses incrustations de cuivre dans un décor, son traitement original des oxydes et explora diverses techniques comme le grès Norton (kaolin et argile blanche), la pâte sur pâte. Côtoyant Schnegg, il privilégia d'abord la simplicité en référence à la statuaire grecque classique, puis se laissa séduire par le cubisme avant de développer un style personnel.
BIBLIOGR. : Régine Mazion : *Édouard Cazaux, le bronze, la faïence et le grès*, Beaux-Arts, n° 154, mars 1997.
MUSÉES : SAINT-MAUR.

CAZE fils
XVIIIe siècle. Français.
Peintre.
Membre de l'Académie de Saint-Luc, il exposa en 1751 et 1753 *Acis et Galathée, Portrait d'homme, Apollon et Daphné, Alphée et Aréthuse, Vue de Rome du Campo Vaccino, Jupiter et Callisto*. Voir l'article : Cazes (Jacques Nicolas et Pierre Michel).

CAZE Alexandre
XIXe siècle. Français.
Peintre de paysages.
Il exposa à Paris en 1802, notamment des vues de Tivoli.

CAZE Jacques Nicolas
XVIIIe siècle. Français.
Peintre d'histoire.
Reçu à l'Académie de Saint-Luc à Paris en 1750, il exposa en 1752 diverses œuvres, parmi lesquelles : *Notre-Seigneur et la Femme adultère, Notre-Seigneur ressuscitant le fils de la veuve de Naïm*, les *Quatre heures du jour, Léandre traversant la mer pour aller voir Héro, Portrait de l'auteur*, etc. Voir l'article : Cazes (Jacques Nicolas et Pierre Michel).

CAZE Louis
Né au XIXe siècle à Paris. XIXe siècle. Français.

Portraitiste.
Élève de Franque. Il débuta au Salon de 1879 et y exposa jusqu'en 1882.

CAZEBAS Francisco Javier
XIXe siècle. Espagnol.
Peintre de portraits.
Participa à l'Exposition de Pontevedra en 1880.

CAZEJUS Bernard
XVIIe siècle. Travailla à Bordeaux et à Cadillac (Gironde) au début du XVIIe siècle. Français.
Peintre.

CAZELLES Marguerite Marie Blanche
Née à Boulogne-Billancourt (Hauts-de-Seine). Française.
Peintre.
Élève de Mlle Minier. Elle fut sociétaire du Salon des Artistes Français à Paris.

CAZENAVE André
Né en 1928 à Pau (Pyrénées-Atlantiques). XXe siècle. Français.
Sculpteur. Groupe Art-Cloche.
Il fut élève de l'École des Beaux-Arts de Bordeaux. Dans les années quatre-vingt, il a fait partie du groupe Art-Cloche et participé à ses manifestations.
Il sculpte ou assemble des environnements, grandeur nature, en y incluant des objets réels : miroir, horloge, etc.
BIBLIOGR. : In : *Art Cloche. Élément pour une rétrospective. Squatt artistique*, catalogue de ventes, Me Pierre Cornette de Saint-Cyr, lundi 30 janvier 1989, Paris.

CAZENAVE J. F.
Né vers 1770 à Paris. XVIIIe siècle. Français.
Peintre, graveur.
Il a reproduit *Pâris*, d'après Gautherat ; *Le Lion de Florence*, d'après Monsiau ; *L'Effroi maternel*, d'après Schall. On lui doit comme œuvres originales *L'Amour couronné ; Napoléon Ier*. D'après Salicetti, il grava une planche pour la *Campagne d'Italie* de Salicetti.
VENTES PUBLIQUES : LONDRES, 20 nov. 1980 : *À l'amour il faut se rendre – Le nid d'amour*, deux grav. : **FRF 3 500**.

CAZENAVETTE Louise Henriette
Née à Tarbes (Hautes-Pyrénées). XXe siècle. Française.
Peintre de paysages.
Elle fut l'élève de Paul Devambez, Paul-Albert Laurens et Louis Roger. Sociétaire du Salon des Artistes Français, elle exposa également au Salon d'Automne à partir de 1941.

CAZENEUVE Fernande
Née à Lyon (Rhône). XXe siècle. Française.
Peintre de fleurs et de natures mortes.
Elle a exposé au Salon des Artistes Français.

CAZENOVE Jean
XXe siècle. Français.
Peintre animalier.
Il exposa au Salon des Humoristes des figures d'animaux sauvages.

CAZENOVE Pierre David
XVIIe siècle. Français.
Sculpteur.

CAZES le Fils. Voir CAZES Jacques Nicolas et Pierre Michel

CAZES Clovis
Né à Lannepax (Gers). Mort en 1922. XIXe-XXe siècles. Français.
Peintre de portraits et de compositions.
Il fut élève de François Cormon, Carolus Duran et Jean-Jacques Henner. Sociétaire du Salon des Artistes Français à partir de 1909, il reçut cette même année une médaille de troisième classe, le Prix Lefebvre-Glaize et une bourse de voyage.

CAZES Gassiot de
XVIe siècle. Actif à Bordeaux. Français.
Peintre.

CAZES Jacques Nicolas et Pierre Michel
XVIIIe siècle. Français.
Peintres.
Fils de Pierre-Jacques Cazes, cités dans l'acte de décès de celui-ci. Il faut attribuer à l'un des deux frères (*selon Thieme et Becker*) deux dessins conservés au Musée de Montpellier et un

dessin conservé au Louvre, ce dernier signé *Cazes le Fils*, ainsi qu'un *Saint Paul et Barnabas à Lystra* (à l'église Saint-Médard à Paris) et le portrait en miniature d'une *Actrice en costume oriental* (signé : *Caze*, 1772), exposé à la Bibliothèque Nationale en 1902. Voir, d'autre part, les articles : Caze (fils) et Caze (Jacques-Nicolas).

CAZES L. F.
XVIII⁰ siècle. Actif dans la seconde moitié du XVIIIᵉ siècle. Français.
Paysagiste.
Cité par Mireur.
VENTES PUBLIQUES : PARIS, 1ᵉʳ fév. 1898 : *Entrée de forêt*, dess. à la pl. : **FRF 60**.

CAZES Pierre Jacques
Né en 1676 à Paris. Mort le 25 juin 1754 à Paris. XVIIIᵉ siècle. Français.
Peintre de scènes mythologiques, compositions religieuses, paysages.
Il eut pour maîtres R.-A. Houase et Bon Boulogne. En 1698, il remporta le second prix au concours de Rome et le premier prix en 1699. Le 28 juillet 1703, il fut reçu académicien. On le nomma professeur-adjoint le 28 septembre 1715, professeur le 30 avril 1718, recteur-adjoint le 2 juillet 1737, recteur le 6 juillet 1743, directeur le 28 mars 1744 et chancelier le 26 mars 1746.
En 1727, Cazes fut un des douze peintres qui prirent part au concours qui eut lieu dans la galerie d'Apollon. Le duc d'Antin, surintendant des bâtiments, avait obtenu du roi une somme de cinq mille livres à partager entre les deux meilleures œuvres exposées. Cazes fit pour le château de Sans-Souci en Prusse : *La naissance de Vénus, La toilette de Vénus, L'enlèvement d'Europe, Bacchus et Ariane.* Il exécuta pour Charlottenbourg : *Jésus-Christ appelant les enfants auprès de lui, La Cène, Le jugement de Pâris.*

C₁₃ᴱˢ.

MUSÉES : DOUAI : *Madeleine et Jésus* – FONTAINEBLEAU : *Paysage* – MARSEILLE : *Léda et Jupiter transformé en cygne* – PARIS (Louvre) : *Saint Pierre ressuscitant Tabithe*, esquisse – RENNES : *Télémaque racontant ses aventures à Calypso* – ROUEN : *L'Enfant Jésus au milieu des docteurs* – STOCKHOLM : *Acis et Galatée* – TOULOUSE : *La Vierge et l'Enfant.*
VENTES PUBLIQUES : PARIS, 1767 : *Vénus avec l'Amour* : **FRF 36** – PARIS, 1777 : *Vénus sur les eaux* : **FRF 802** ; *Adam et Ève dans le paradis terrestre* : **FRF 3 299** – PARIS, 1887 : *Vénus sur les eaux* : **FRF 750** – PARIS, 6 mai 1921 : *Sainte Anne instruisant la Vierge* : **FRF 220** – PARIS, 4 mai 1942 : *La Clémence d'Alexandre*, pierre noire et gche blanche sur pap. gris : **FRF 100** – PARIS, 28 juin 1982 : *Femme assise au bord de la mer, entourée de divers personnages*, pl. et lav. d'encre de Chine (28,5x19) : **FRF 4 500** – LONDRES, 29 nov. 1983 : *La Résurrection*, pl. et lav. gris/pap. (31,7x23,1) : **GBP 950** – PARIS, 19 mai 1989 : *Mercure confie Bacchus aux nymphes de l'île de Naxos*, h/t (84x116) : **FRF 41 500** – PARIS, 16 mars 1990 : *Études de personnages pour le baptême du Christ (recto)* ; *Personnages (verso)*, pierre noire et reh. de blanc/pap. bleu (233,2x30,2) : **FRF 13 500** – MONACO, 20 juin 1992 : *Empereur discutant le plan d'une église*, craie noire, encre et lav. avec reh. de blanc/pap. beige (13,4x24,8) : **FRF 35 520** – PARIS, 28 avr. 1993 : *Le bain de Diane*, h/t (46x37) : **FRF 15 000** – PARIS, 8 juin 1994 : *Portrait d'une femme avec son enfant*, h/t (74x80) : **FRF 25 000** – PARIS, 5 avr. 1995 : *La toilette de Vénus*, h/t (54x61,5) : **FRF 40 000** – NEW YORK, 5 oct. 1995 : *Le triomphe de Galatée*, h/t (82,5x101,6) : **USD 6 325** – PARIS, 16 déc. 1996 : *Alphée poursuivant Arétuse*, h/t (94,5x130) : **FRF 32 000** – NEW YORK, 22 mai 1997 : *La Naissance de Vénus*, h/t (130,2x194,3) : **USD 35 650**.

CAZES Pierre Michel. Voir CAZES Jacques Nicolas et Pierre Michel

CAZES Romain
Né en 1808 ou 1810 à Saint-Béat (Haute-Garonne). Mort en 1881 à Saint-Gaudens (Haute-Garonne). XIXᵉ siècle. Français.
Peintre de compositions religieuses, portraits, compositions murales, fresquiste. Néo-classique.
Élève d'Ingres, il figura au Salon de Paris de 1835 à 1878, obtenant une médaille de troisième classe en 1839. Décoré de la Légion d'honneur en 1870.
Il consacra une bonne partie de son œuvre à la décoration

murale. Ayant résidé longtemps en Italie, il décora le théâtre de Naples. On cite parmi ses œuvres, une série de fresques à l'abside, la coupole, les chapelles de l'église de Saint-Mamet, près de Luchon ; aux thermes et à l'église Notre-Dame de Bagnières-de-Luchon ; à l'église de Sainte-Croix d'Oléron ; à Notre-Dame de Bordeaux ; à Saint-François-Xavier et à la Trinité de Paris ; à Albi. Il a travaillé dans un style classique, issu de l'art de Raphaël. Son dessin aux lignes épurées et aux formes pleines montrent l'influence de son maître, Ingres. On cite aussi : *Tobie – Captivité des Juifs à Babylone – Gethsémanie – Ruth et Booz – Ave Maria – Assomption.*
BIBLIOGR. : Gérald Schurr, in : *Les Petits Maîtres de la peinture 1820-1920, valeur de demain*, Les Éditions de l'Amateur, t. V, Paris, 1981.
MUSÉES : TOULOUSE : *Le Couronnement de la Vierge* – VERSAILLES : *Portraits d'un Prince et d'une Princesse de Condé.*
VENTES PUBLIQUES : PARIS, 27 jan. 1995 : *La femme et la lyre*, sanguine (47x30) : **FRF 4 500**.

CAZET Louis M.
XIXᵉ-XXᵉ siècles. Actif à Paris. Français.
Peintre.
Sociétaire des Artistes Français depuis 1894.

CAZIEL, pseudonyme de **Zielenkiewicz Casimir**
Né en 1906 à Sosnowiec. XXᵉ siècle. Actif en France. Polonais.
Peintre. Abstrait.
Après ses études au collège de Lodz, il fut élève de l'École des Beaux-Arts de Varsovie. Boursier du gouvernement polonais, il vint à Paris en 1937 et voyagea en Italie. De retour en France, il reçut les conseils de Pierre Bonnard. Volontaire à la Légion polonaise en 1939, il se fixa ensuite à Paris.
Il a réalisé des fresques pour l'Observatoire de Pop Ivan, dans les Carpathes. Il participa à l'Université d'Aix-en-Provence en 1945 et 1946, à Paris à l'exposition internationale de peinture moderne de l'U.N.E.S.C.O., et fréquemment aux Salons des Surindépendants et de Mai. Ses compositions abstraites mettent les volumes en évidence.

CAZIN Jean Baptiste Louis
Né avant 1782. Mort après 1850. XVIIIᵉ-XIXᵉ siècles. Français.
Peintre de paysages, graveur, dessinateur.
Il fut élève de Jollain. Il participa aux Salons de Paris, de 1791 à 1810. Parmi ses œuvres, on cite un *Intérieur de ferme, Vue d'un château près de Provins*, et *Vue de Paris*. Le Blanc cite parmi ses gravures : *Porte du parc de Versailles.*
VENTES PUBLIQUES : PARIS, 11 jan. 1924 : *Ruines d'un château-fort*, dess. à la pierre noire : **FRF 155** – PARIS, 18-19 déc. 1940 : *Les agréments de l'été*, attr. : **FRF 2 480** – PARIS, 7 juil. 1942 : *Vue de Paris* : **FRF 42 000** – MUNICH, 25 nov. 1982 : *Les naufragés*, h/t (59x77) : **DEM 3 600**.

CAZIN Jean Charles
Né en 1841 à Samer (Pas-de-Calais). Mort en 1901 au Lavandou (Var). XIXᵉ siècle. Français.
Peintre d'histoire, scènes de genre, paysages, compositions murales, céramiste, graveur, dessinateur.
Il fut d'abord élève de l'École des arts décoratifs, puis travailla sous la direction de Lecoq de Boisbaudran. Nommé professeur à l'École d'Architecture en 1866, il devint, deux ans plus tard, directeur de l'École des Beaux-Arts à Tours et conservateur du Musée de cette ville. En 1871, il fit un voyage en Angleterre et passa la plus grande partie de son temps à travailler au Victoria and Albert Museum. La même année, il visita l'Italie et la Hollande. Revenu en France au début de 1875, il se fixa à Paris. Cazin fut chargé en 1898 d'achever au Panthéon les décorations murales que Puvis de Chavannes n'avait pu terminer. Lui-même, déjà malade, ne survécut que de très peu à l'achèvement de ce travail.
Il commença à exposer en 1876. Les premières années de sa production artistique furent employées à une tentative de restauration de la peinture à la cire. Sa première toile exposée, *Le Chantier*, fit sensation, non seulement par l'application de ce procédé, mais aussi en raison des qualités de sentiment qu'elle révélait chez son auteur. De cette époque date son plafond, *L'Art*, exposé au Salon de 1879. L'année suivante, Cazin, sans avoir suivi l'habituelle hiérarchie des récompenses, obtint une médaille de première classe avec *Ismaël et Agar* et *La Terre*. Ses œuvres suivantes : *Souvenir de fête, La chambre mortuaire de Gambetta* furent bien accueillies. Nommé chevalier de la Légion d'honneur en 1882, il fut promu officier en 1889. Aux Expositions Univer-

selles de Paris, il obtint en 1889 une médaille d'or et en 1900 un Grand Prix.

Cazin est un peintre intéressant de la fin du XIXᵉ siècle. Assez en dehors des courants esthétiques contemporains, ses tableaux d'histoire se font remarquer par une science très grande de la composition, mais ses paysages surtout ont fait sa réputation. Dans une pâte nourrie et ferme, une touche vigoureuse sans dureté, il excelle à rendre la mélancolie prenante des crépuscules et ses toiles dans leur tonalité grise sont encore très lumineuses.

■ M. B. de G., J. B.

J.C. CAZIN

J.C.CAZIN

Musées : Berlin : *Paysage le soir avec Marie-Madeleine* – Douai : *Moulin* – Lille : *Tobie* – Lyon : *La journée faite* – Montréal : *Un jour chaud d'été* – Paris (ancien Mus. du Luxembourg) : *Agar et Ismaël* – *Terrain de culture, Paris, Petit Palais* – *Souvenir de fête* – Pontoise : *Paysage avec chaumières.*

Ventes Publiques : Paris, 3 fév. 1883 : *Agar et Ismaël* : FRF 1 905 ; *L'Automne* : FRF 2 800 – Paris, 1890 : *La vieille route* : FRF 5 900 ; *Effet de lune* : FRF 5 100 ; *L'étang* : FRF 6 300 – Paris, 1891 : *Chaumière à Outreau* : FRF 4 700 – Paris, 1892 : *Halte de voyageurs* : FRF 30 000 – Paris, 1893 : *Sur la route* : FRF 32 000 ; *Les meules* : FRF 26 500 ; *Crépuscule d'été* : FRF 13 500 – Paris, 1895 : *La Moisson* : FRF 8 250 ; *Le moulin à vent près de Dunkerque* : FRF 6 000 – New York, 1895 : *La route* : FRF 1 300 ; *Les ruines* : FRF 3 750 – Paris, 1897 : *Le chemin perdu* : FRF 11 000 – Paris, 1899 : *Ancien fort de Wimereux* : FRF 18 000 – New York, 1899 : *La nuit* : FRF 4 650 – New York, 1899 : *Paysage* : FRF 11 000 – Paris, 1900 : *L'entrée du village* : FRF 14 000 ; *Le moulin* : FRF 10 600 – New York, 10 avr. 1900 : *Le Monastère* : USD 825 – New York, 28 fév. 1901 : *La ferme du château* : USD 1 700 – Paris, 23 avr. 1901 : *L'Arc-en-ciel* : FRF 3 100 – Paris, 29 nov. 1901 : *Estuaire de rivière* : FRF 11 000 ; *Dans les prairies de Hollande* : FRF 15 500 – Paris, 21 juin 1902 : *Maison au bord d'un canal* : FRF 15 100 ; *Les chaumières* : FRF 11 600 – New York, 3 fév. 1905 : *Chronfield Castle* : USD 6 600 – New York, 26 jan. 1906 : *La route* : USD 13 400 – Paris, 1906 : *Château rouge* : FRF 48 000 ; *La fuite en Égypte* : FRF 25 000 ; *La route* : FRF 28 500 ; *Zaandam* : FRF 13 700 ; *La lecture* : FRF 1 900 ; *Ferme, près d'Anvers* : FRF 9 000 – Paris, 17 déc. 1906 : *Barque à marée basse* : FRF 2 705 ; *Rue de village* : FRF 9 000 – Paris, 3 juin 1907 : *Cabane de marinier* : FRF 9 000 – Londres, 22 mai 1908 : *Paysage* : GBP 304 ; *Vue près d'une ferme* : GBP 378 – Paris, 16 juin 1908 : *La lecture* : FRF 8 000 – Londres, 10 juil. 1908 : *Tobie et l'Ange* : GBP 115 – Londres, 21 mai 1909 : *Scène de rivière* : GBP 346 – Paris, 22 mai 1909 : *Les meulettes* : FRF 4 500 – Paris, 3 juin 1909 : *Faubourg de Charenton* : FRF 7 200 ; *Venise* : FRF 6 620 – Paris, avr. 1910 : *Atelier d'artiste sur la colline* : FRF 27 000 – New York, 1910 : *Crépuscule* : FRF 20 000 ; *La maison de l'artiste* : FRF 21 000 – Paris, 15 et 16 nov. 1918 : *Chaumière en Picardie*, dess. : FRF 310 – Paris, 4-5 déc. 1918 : *Ménagère faisant sécher son linge dans la campagne* : FRF 2 200 ; *Blessé endormi 1871*, dess. : FRF 120 ; *La grange*, dessin : FRF 120 – Paris, 3 fév. 1919 : *L'arc-en-ciel* : FRF 34 550 ; *Le Zuyderzee* : FRF 16 000 – Paris, 21 fév. 1919 : *Bords de rivière*, préparation au bistre sur t. : FRF 530 – Paris, 21 juin 1919 : *Construction au bord d'un canal*, dessin : FRF 90 ; *Une bastide*, dessin : FRF 45 ; *Maison de village*, dessin : FRF 25 ; *La barrière de bois*, dessin : FRF 35 – Paris, 16-17 déc. 1919 : *Le chemin bordé de platanes*, cr. : FRF 220 – Paris, 1-2 mars 1920 : *Le village* : FRF 8 050 ; *Entrée de village* : FRF 13 000 – Paris, 4-5 mars 1920 : *Bateau-lavoir à Paris* : FRF 410 – Paris, 6 mars 1920 : *Crépuscule aux environs de Boulogne-sur-Mer* : FRF 150 – Paris, 31 mars 1920 : *À Amsterdam*, cr. : FRF 52 ; *Paysages*, cinq études au crayon : FRF 200 – Paris, 2-4 juin 1920 : *Le village d'Équihen*, cr. : FRF 105 ; *Tête d'homme endormi*, cr. : FRF 110 ; *Figure allégorique*, cr. : FRF 95 – Paris, 4-5 mars 1921 : *Chaumière parmi les vignes* : FRF 2 700 – Paris, 18 avr. 1921 : *Paysage et maison* : FRF 3 400 ; *La ferme* : FRF 3 400 – Paris, 25 mars 1922 : *L'Entrée d'un puits de mine dans un charbonnage en Artois*, préparation au bistre sur t. : FRF 135 – Londres, 19 mai 1922 : *À Équihen* : GBP 399 – Paris, 1ᵉʳ juin 1922 : *La Madeleine* : FRF 6 100 ; *Le pont de l'estacade* : FRF 5 500 – Londres, 10 juil. 1922 : *Le foyer* : GBP 47 – Paris, 26 oct. 1922 : *Maisons derrière les arbres*, dess. : FRF 170 ; *Sur la falaise à Équihen*, mine de pb :

FRF 70 – Paris, 5-6 mars 1923 : *La Route* : FRF 13 200 ; *Crépuscule* : FRF 10 200 – Paris, 26-27 mars 1923 : *Rue d'un hameau avec chaumières*, cr. : FRF 450 – Paris, 11 mai 1923 : *Moulin à vent en Artois* : FRF 19 500 – Paris, 12 mai 1923 : *Vue prise en Hollande*, mine de pb : FRF 220 – Dordrecht, cr. : FRF 100 – Paris, 28 juin 1923 : *La Route*, cr. : FRF 705 – Paris, 6 déc. 1923 : *Troupeau au crépuscule* : FRF 800 – Paris, 4 avr. 1924 : *Paysage maritime*, cr. : FRF 85 – Paris, 30 mai 1924 : *Les tailleurs de pierre*, dess., reh. past. : FRF 155 – Paris, 19 fév. 1925 : *Vue dans un parc*, miniat., pl. reh. d'aquar. : FRF 1 150 – Paris, 16 mars 1925 : *Village d'Équihen*, dess. : FRF 250 – Paris, 8 avr. 1925 : *Un port*, cr. : FRF 65 ; *Les Tailleurs de pierres*, cr. : FRF 85 – Paris, 12 juin 1925 : *Vue d'un port*, cr. : FRF 105 – Paris, 17 et 18 juin 1925 : *Paysage*, cr. : FRF 170 – Paris, 14 et 15 déc. 1925 : *La maison au bord de la route*, cr. : FRF 325 – Paris, 26 fév. 1926 : *Paysage et moulin en Artois* : FRF 600 – Paris, 13 mars 1926 : *Coin de village*, dess. : FRF 235 – Paris, 5 nov. 1926 : *Matinée de printemps à Arcueil : arbres en fleurs* : FRF 275 ; *Fontenay : FRF 290 ; Plaine de Recloses : lever de lune* : FRF 550 – Paris, 21-23 mars 1927 : *Barque de pêche sur la grève : lever de lune* : FRF 6 500 – Paris, 25 avr. 1927 : *La route dans la campagne*, dess. : FRF 110 – Londres, 13 mai 1927 : *Coucher de soleil sur les dunes* : GBP 304 ; *Église normande* : GBP 141 ; *Village de la côte française* : GBP 252 – Paris, 17-18 juin 1927 : *Village sur la falaise, au clair de lune* : FRF 15 000 – Paris, 22 juin 1927 : *Fleurs dans un verre* : FRF 900 – Paris, 3 déc. 1927 : *Portrait d'homme*, cr. noir : FRF 105 – Paris, 14-15 déc. 1927 : *Route à l'entrée d'un village*, mine de pb : FRF 140 – Paris, 28-29 mars 1928 : *Rêverie*, mine de pb : FRF 140 – Londres, 30 mars 1928 : *Le champ de blé* : GBP 367 ; *Le lever de la lune* : GBP 262 ; *La chaumière* : GBP 462 – Paris, 26 avr. 1928 : *Les carrières d'Équihen : effet de soleil couchant* : FRF 4 000 – Paris, 31 mai 1928 : *Chaumières au soleil couchant*, dess. reh. : FRF 500 ; *Les hangars près du moulin*, cr. noir : FRF 550 ; *Le vieux moulin*, cr. : FRF 550 – Paris, 23 juin 1928 : *Entrée de village*, aquar. : FRF 18 000 – Paris, 31 jan. 1929 : *Paysage et moulin en Artois* : FRF 700 – Paris, 15 fév. 1929 : *Maisons de pêcheurs sur la falaise d'Équihen en hiver* : FRF 7 600 – Paris, 27 fév. 1929 : *L'allée d'arbres au printemps* : FRF 10 100 – Paris, 21 mars 1929 : *Paysage au bord de la rivière avec moulin*, dess. : FRF 180 – Paris, 24-26 avr. 1929 : *Meules et maisons en bordure d'un champ*, dess. : FRF 520 – New York, 15 nov. 1929 : *Vue du Tréport* : USD 2 500 – New York, 4-5 déc. 1931 : *Le calvaire près de la route* : USD 480 – New York, 29 oct. 1931 : *Le crépuscule* : USD 75 – Paris, 12 fév. 1932 : *Le Printemps dans les dunes* : FRF 3 400 – Paris, 27 avr. 1932 : *Meules et maisons en bordure d'un champ*, cr. noir : FRF 80 – Londres, 6 mai 1932 : *Lever de lune* : GBP 52 – Paris, 12 mai 1932 : *Les Dunes* : FRF 6 100 – Paris, 1ᵉʳ juin 1932 : *Port de rivière* : FRF 30 – Paris, 7 juil. 1932 : *Paysage au grand arbre*, cr. noir : FRF 70 ; *Paysage*, cr. noir : FRF 10 – Paris, 3 avr. 1933 : *Le Moulin du Portel* : FRF 310 ; *Ferme, moulins et meules en Artois* : FRF 200 – Paris, 19 juin 1933 : *Le Chantier naval* : FRF 1 850 ; *La Carrière de pierre* : FRF 1 400 ; *Le village*, dess. : FRF 50 – New York, 26 oct. 1933 : *Champs de blé* : USD 650 – New York, 29 mars 1934 : *Paysage hollandais* : USD 900 – New York, 23 nov. 1934 : *La moisson* : USD 1 400 ; *La route* : USD 2 600 – Paris, 2 juil. 1935 : *Paris, le pont d'Austerlitz*, préparation au bistre : FRF 150 – Paris, 29 nov. 1935 : *La grand'place de Montreuil-sur-Mer* : FRF 7 000 ; *Dordrecht* : FRF 1 800 – New York, 22 oct. 1936 : *Le dernier quartier de lune* : USD 1 200 – Paris, 1ᵉʳ juin 1938 : *Aux champs* : FRF 6 300 – Paris, 12 mai 1939 : *Le repos dans la forêt ; La partie de campagne*, deux pendants : FRF 16 200 – Paris, 16-17 mai 1939 : *L'Orage* : FRF 1 050 – Paris, 2 avr. 1941 : *Le Chemineau*, dess. : FRF 170 – Paris, 23 mai 1941 : *Vue prise en Belgique : Clair de lune*, préparation sur t. : FRF 900 – Paris, 5-7 nov. 1941 : *La Chaumière*, préparation sur t. : FRF 1 150 – Paris, 4 déc. 1941 : *Vue de Venise*, esquisse sur toile : FRF 1 500 – New York, 4 et 5 déc. 1941 : *Chaumière au clair de lune* : USD 525 – Paris, 6 mars 1942 : *Paysage* : FRF 18 000 – Paris, 24 avr. 1942 : *Chaumière*, préparation sur t. : FRF 720 – Paris, 21 déc. 1942 : *Rue de village*, cr. noir : FRF 1 200 ; *Chaumière*, cr. noir : FRF 500 – Paris, 23 déc. 1942 : *Clair de lune sur le canal* : FRF 3 100 – Paris, 4 mars 1943 : *Moulins au bord d'un canal*, cr. noir : FRF 500 ; *Le Moulin à vent*, cr. noir sur pap. calque : FRF 250 ; *Les Moulins à vent*, cr. noir : FRF 400 – New York, 1-4 déc. 1943 : *Le moulin* : USD 650 – New York, 17 déc. 1943 : *Paysage d'automne* : FRF 2 100 ; *Le verger* : FRF 9 000 – New York, 2 mars 1944 : *Café de la Paix* : USD 900 ; *Agar et Ismaël* : USD 1 100 – New York, 16 mars

1944 : *Étang en Picardie* : **USD 1 150** – NEW YORK, 1er mai 1944 : *Route en Normandie* : **USD 550** – PARIS, 22 mai 1944 : *La petite église* : **FRF 3 500** – NEW YORK, 28 fév. 1945 : *Le jardin* : **USD 600** – NEW YORK, 15 mai 1946 : *Agar et Ismaël* : **USD 700** – NEW YORK, 20 juin 1951 : *La route* : **FRF 41 000** – LONDRES, 1er juil. 1959 : *Paysage en Automne* : **GBP 180** – NEW YORK, 6 avr. 1960 : *Le temps de la récolte* : **USD 450** – NEW YORK, 10 mai 1961 : *Sur la rive du lac, le soir* : **USD 500** – LONDRES, 7 juil. 1961 : *L'étoile du soir* : **GBP 105** – NEW YORK, 6 nov. 1963 : *Paysage* : **USD 550** – LONDRES, 30 avr. 1964 : *Scène de rue par clair de lune* : **GBP 200** – NEW YORK, 6 oct. 1966 : *Bord de mer* : **USD 375** – NEW YORK, 13 déc. 1967 : *Le moulin à vent* : **USD 1 400** – VERSAILLES, 20 déc. 1970 : *Hameau au bord du fleuve* : **FRF 5 000** – NEW YORK, 4 juin 1971 : *La côte bretonne* : **USD 775** – PARIS, 11 déc. 1972 : *La maraîcherie* : **FRF 6 800** – NEW YORK, 15 oct. 1976 : *Nuit étoilée*, h/t (54x65,5) : **USD 1 100** – LONDRES, 20 juil. 1977 : *Les Maraîchères* 1872, h/t (72x100) : **GBP 1 200** – NEW YORK, 4 mai 1977 : *Prairie au clair de lune*, h/t (52x65) : **USD 2 800** – LONDRES, 19 avr. 1978 : *La Route de campagne au clair de lune*, h/t (53x64) : **GBP 800** – WASHINGTON D. C., 31 mai 1981 : *Les meules de foin*, h/t (73,5x94) : **USD 10 000** – LONDRES, 21 juin 1983 : *Le soir à Auvers*, h/t mar./pan. (129x144) : **GBP 7 000** – NEW YORK, 15 fév. 1985 : *Une route en Normandie*, h/t (59,7x73) : **USD 2 800** – PARIS, 8 déc. 1986 : *Rue de village*, past. (55x51) : **FRF 11 000** – PARIS, 20 jan. 1988 : *Achères, la forêt*, h/t (22x27,5) : **FRF 7 000** – NEUILLY, 9 mars 1988 : *Le moulin au soleil couchant*, h/t (66x82) : **FRF 17 000** – BERNE, 30 avr. 1988 : *Paysage de Lande bretonne*, h/pan. (33x41) : **CHF 4 000** – LONDRES, 24 juin 1988 : *La carrière de M. Pascal près de Nanterre*, h/t (70x90) : **GBP 7 920** – PARIS, 9 déc. 1988 : *Effet de lune*, h/t (52x65) : **FRF 18 000** – PARIS, 30 mars. 1989 : *Scieur de bois près du canal*, h/t (32,5x46) : **FRF 14 500** – NEW YORK, 3 mai 1989 : *Village au clair de lune* 1899, h/t (86,5x86,5) : **USD 14 430** – PARIS, 23 mars 1990 : *Paysage au moulin*, h/t (33x46) : **FRF 4 500** – PARIS, 26 avr. 1990 : *Maisons dans la campagne*, h/pan. (23x32) : **FRF 10 000** – NEW YORK, 19 juil. 1990 : *Fin de journée*, h/t (64,8x81,4) : **USD 8 525** – PARIS, 4 mars 1991 : *Paysage d'Italie*, h/t (55x73) : **FRF 18 000** – AMSTERDAM, 24 avr. 1991 : *À la source*, h/t (40,5x61) : **NLG 4 600** – NEW YORK, 23 mai 1991 : *L'arc-en-ciel* 1888, h/t (131x145) : **USD 28 600** – NEW YORK, 19 fév. 1992 : *La route du village*, h/t (49,5x64,2) : **USD 8 800** – NEW YORK, 27 mai 1992 : *Village français au bord d'une rivière*, h/t (81,2x100) : **USD 22 000** – PARIS, 30 juin 1993 : *Croissant de lune à l'aube* 1864, h/pap./pan. (24x27) : **FRF 6 000** – LONDRES, 1er oct. 1993 : *Une ferme dans un paysage boisé*, h/pan. (32x40) : **GBP 2 300** – LONDRES, 22 nov. 1996 : *Paysage boisé* 1876, h/t (45,7x33) : **GBP 1 495** – PARIS, 2 juin 1997 : *Les Anémones* 1863, h/pan. (27x20) : **FRF 18 000**.

CAZIN Jean-Marie Michel
Né le 14 avril 1869 à Paris. Mort le 1er février 1917 à Dunkerque (Nord), pour la France. XIXe-XXe siècles. Français.
Sculpteur, médailleur, graveur, céramiste.
Fils et élève de Jean Charles Cazin, mari de Marie Berthe Yvart. Il participait à Paris, au Salon des Artistes Français, à partir de 1885, obtenant une mention honorable en 1888 (dessin et gravure) et une bourse de voyage (gravure en médailles), une mention honorable (gravure) pour l'Exposition Universelle de 1889. À partir de 1889, il exposait au Salon de la Société Nationale des Beaux-Arts, 1893 sociétaire. En 1917, mobilisé comme gardevoie, il fut affecté à Dunkerque. Le 1er février, il fut invité, par le lieutenant de vaisseau Erzbischoff, à bord du *La Rafale* dans le port de Dunkerque. L'explosion d'une torpille fit couler le bâtiment. J.-M. Michel Cazin fut tué dans l'explosion.
Il a gravé des médailles : *Médaille de l'Orphelinat des Arts*, *Médaille commémorative* offerte à Puvis de Chavannes pour sa soixante-dixième année. Il était aussi graveur de reproductions : *La Famille* d'après Holbein, *L'Après-dîner à Ornans* d'après Courbet, des *Portraits* d'après Rembrandt.
BIBLIOGR. : Henri Malo : *Critique sentimentale, souvenirs sur les Cazin, et sur Albert Lechat*, Chiberre, Paris, 1922.
VENTES PUBLIQUES : LONDRES, 9 juil. 1965 : *Flandre-Occidentale* : **GNS 320.**

CAZIN Marie, née Guillet
Née en 1844 à Paimbeuf (Loire-Atlantique). Morte en 1924 à Équihen (Pas-de-Calais). XIXe-XXe siècles. Française.
Peintre de genre, figures, paysages animés, paysages, marines, sculpteur de figures, statuettes, bas-reliefs.
Elle fut élève puis femme de Jean Charles Cazin. Elle travailla aussi avec Rosa Bonheur. En 1876, elle débuta au Salon de Paris,

exposant des paysages et des statuettes, 1889 médaille d'or pour l'Exposition Universelle, 1900 médaille d'argent pour l'Exposition Universelle. À partir de 1890, elle devint sociétaire du Salon de la Société Nationale des Beaux-Arts, où elle figura jusqu'en 1914. Elle a aussi exposé à la Royal Academy de Londres.
En peinture, elle donnait un prétexte anecdotique à ses paysages et affectionnait les effets d'éclairage du soir, coucher de soleil, crépuscule. Sculpteur, elle créait aussi des motifs ornementaux.
MUSÉES : PARIS (Mus. d'Orsay) : *Jeunes filles*, groupe en bronze.
VENTES PUBLIQUES : PARIS, 3 juin 1909 : *Villefranche* : **FRF 510** – LONDRES, 1er juin 1923 : *Coucher de soleil à Écouen* : **GBP 89** – NEW YORK, 30 jan. 1930 : *Le Soir* : **USD 200** – PARIS, 20 mars 1940 : *La Fuite en Égypte* : **FRF 400** – PARIS, 8 mars 1943 : *Ânes paissant*, cadre orné de deux bas-reliefs en terre : **FRF 2 000** – LONDRES, 17 avr. 1970 : *Le Semeur* : **GNS 110** – LONDRES, 8 nov. 1972 : *Bord de mer* : **GBP 1 000** – LONDRES, 25 juin 1976 : *La Laitière sur le chemin du retour*, h/pan. (40,5x31) : **GBP 260** – LONDRES, 6 avr. 1979 : *Chaumière au bord de la mer, coucher de soleil*, h/t (25 ; 5x31) : **GBP 1 400** – LONDRES, 22 mai 1981 : *Village au bord de la mer*, h/pan. (23x31) : **GBP 450** – LONDRES, 21 fév. 1989 : *Moissonneur au soleil couchant*, h/pan. (31,4x22,9) : **GBP 1 210.**

CAZIN Marie Berthe, née Yvart
Née le 16 août 1872 à Boulogne-sur-Mer (Pas-de-Calais). Morte le 1er juin 1971 à Sèvres (Hauts-de-Seine). XIXe-XXe siècles. Française.
Peintre, céramiste, orfèvre.
Élève de Jean Charles Cazin, femme de son fils J.-M. Michel Cazin. À Dunkerque, où elle avait accompagné son mari mobilisé, le 1er février 1917, ils furent invités à bord du torpilleur *La Rafale*. L'explosion d'une torpille fit couler le bâtiment. J.-M. Michel Cazin fut tué dans l'explosion, elle-même fut sauvée, mais un décollement de la rétine la rendit presque aveugle. Elle exposa à Paris, au Salon de la Société Nationale des Beaux-Arts. Elle produisit surtout des œuvres décoratives, vases, assiettes, travaillant la céramique, le métal martelé ou repoussé, cuivre, argent, le cuir, la corne, l'écaille, etc., développant des ornements de fruits, fleurs, feuilles, branches stylisés.
MUSÉES : PARIS (Mus. d'Orsay) – PARIS (Mus. des Arts Décoratifs) – SÈVRES.

CAZIN-RAYNAUD Renée
Née à Lyon (Rhône). XXe siècle. Française.
Peintre de portraits, nus.
Sociétaire du Salon des Artistes Français depuis 1931 elle y exposa nombre de portraits et de nus féminins.

CAZOT Paul
Né à Avignon (Vaucluse). XIXe-XXe siècles. Français.
Peintre de genre, paysages.
Il a exposé au Salon des Artistes Français et aux Indépendants, à Paris.

CAZUA Jacqueline
Née à Bergerac-sur-Dordogne (Dordogne). XXe siècle. Française.
Peintre de paysages.
Élève de Mlle Minier. Membre de l'Union des Femmes Peintres et sculpteurs.

CAZZANIGA Ambrogio
XVIIIe siècle. Italien.
Sculpteur.
Il travailla au Dôme de Milan en 1740.

CAZZANIGA Francesco. Voir aussi CACCIANIGA

CAZZANIGA Francesco et Tommaso ou Caccianiga ou Cassaniga
XVe siècle. Actifs à Milan dans la seconde moitié du XVe siècle. Italiens.
Sculpteurs.
Ils étaient fils d'un Antonio Cazzaniga. Ils appartiennent à l'École d'Amadeo et de Montegazza. Francesco, l'aîné, est cité comme ayant travaillé en 1470 à la cathédrale de Milan. Tommaso travailla à cet édifice jusqu'en 1504, et figure aussi, à la même époque, sur la liste des sculpteurs occupés à la Chartreuse de Pavie.

CAZZANIGA Giancarlo
Né en 1930 à Monza. XXe siècle. Italien.
Peintre, fleurs, technique mixte de figures, intérieurs, paysages.

Ventes Publiques : Milan, 25 nov. 1980 : *Le saxophoniste* 1961, techn. mixte (39x29) : ITL 450 000 – Milan, 10 avr. 1986 : *Fleurs* 1965, h/t (55,5x46,5) : ITL 1 200 000 – Milan, 6 mai 1987 : « *Ginestra al Conero* », h/t (92x72,5) : ITL 1 300 000 – Milan, 7 nov. 1989 : *Intérieur* 1972, h/t (81x100) : ITL 1 500 000 – Milan, 19 déc. 1989 : *Le saxophoniste* 1958, h/t (70x44) : ITL 3 000 000 – Milan, 27 sep. 1990 : *Interno al Conero* 1977, h/t (64x80,5) : ITL 1 500 000 – Milan, 13 déc. 1990 : *Genêts*, h/t (40x30) : ITL 950 000 – Milan, 14 nov. 1991 : *Joueur de jazz*, h/t (119x80) : ITL 5 000 000 – Milan, 22 juin 1993 : *Paysage breton* 1975, h/t (116x88) : ITL 1 900 000 – Rome, 30 nov. 1993 : *La garenne* 1985, h/t (65x55) : ITL 1 840 000 – Milan, 9 mars 1995 : *Jazzman* 1959, h/t (64x50) : ITL 4 140 000.

CAZZANIGA Paolo. Voir **CACCIANIGA**

CAZZOLA Claudio
Né le 2 avril 1940 à Turin. xxᵉ siècle. Italien.
Peintre. Abstrait.
Sur des fonds fluides et mouvants, Cazzola pose quelques signes abstraits, semblables à de larges virgules en suspension dans l'espace. Depuis 1961 il expose à Paris et en Europe.

CEA Baltasar de
xviᵉ siècle. Actif à Séville. Espagnol.
Sculpteur.
Un fragment d'acte public le signale comme travaillant en 1553.

CEA Juan de
xviᵉ siècle. Espagnol.
Peintre.
Travailla à la cathédrale de Burgos en 1565 et 1587.

CEA GUTTIEREZ Pedro de
xviiᵉ siècle. Actif à Valladolid. Espagnol.
Sculpteur et architecte.

CEAN BERMUDEZ Juan Agustin
Né en 1749 à Gijon (Asturies). Mort en 1829 à Madrid. xviiiᵉ-xixᵉ siècles. Espagnol.
Peintre et écrivain d'art.
Élève de Juan Espinal à Séville et de A.-R. Mengs à Madrid et à Rome. De retour à Séville à partir de 1778, il y peint des portraits de ses amis et quelques compositions décoratives, ainsi que plusieurs tableaux pour l'église de Gijon. Il se fixa à Madrid en 1788. C'est dans cette ville qu'il écrivit une série d'ouvrages sur l'art espagnol, et notamment son *Diccionario historico de los mas illustres profesores de las B. Artes en Espana* (1800) ainsi qu'une *Descripcion artistica de Sevilla* (1804).

CÉBOUL Charles
Né à Paris. xxᵉ siècle. Français.
Peintre de paysages.
Il a exposé au Salon des Artistes Français entre 1927 et 1935.

CEBRIA Félix
Né à Valence. xviiᵉ siècle. Espagnol.
Peintre.
Élu membre de l'Académie de Valence vers 1660.

CEBRIAN José
Mort en 1870. xixᵉ siècle. Actif à Murcie. Espagnol.
Sculpteur.
Il pourrait s'agir du précédent.

CEBRIAN José
xixᵉ siècle. Espagnol.
Peintre d'histoire, paysages, aquarelliste, lithographe.
Il a peint, à l'aquarelle des paysages et des scènes historiques et a illustré un certain nombre d'ouvrages parmi lesquels : l'*Historia de Madrid*, de Amador de los Rios. On cite encore de lui une lithographie de *La Conception*, d'après Murillo.

CEBRIAN Y MEZQUITA Julio
Né le 21 avril 1854 à Valence. xixᵉ siècle. Espagnol.
Peintre d'histoire, sujets religieux, portraits, fleurs.
Élève de Carlos Giner et de l'Académie de San Carlos, à Valence. Pensionnaire de sa province à Rome. Il exposa à Madrid à la Nationale des Beaux-Arts entre 1877 et 1893. Il a peint des compositions historiques, des portraits, des fleurs et exécuté quelques peintures décoratives dans des maisons particulières de Valence et d'Alicante. On cite de lui : *Saint François d'Assise en extase*, *La vengeance de Fulvie*, *Baptême du Christ*, *Portrait de la reine régente d'Espagne*, *Portrait du cardinal Monescillo y Viso*.

CEBULSKI Pierre
Né à Varsovie. xviiᵉ siècle. Polonais.
Peintre.

CECAN Vilko
Né en 1894 à Kuzely (Yougoslavie). xxᵉ siècle. Yougoslave.
Peintre. Figuratif tendance expressionniste.
Il commença ses études à Zagreb et les poursuivit à Munich et à Prague. Ses premières toiles sont révélatrices de l'influence du cubisme synthétique. Il évolua ensuite vers une figuration, néo-réaliste teintée d'expressionnisme, comme de nombreux peintres de sa génération.
Bibliogr. : In : *Diction. Univ. de la Peinture*, Le Robert, Paris, 1975.

CECCA Giovanni d'Antonio della
xvᵉ siècle. Italien.
Peintre.
Il travailla avec Benozzo Gozzoli et d'autres peintres, comme aide de Fra Angelico, lorsque celui-ci décorait une des chapelles de Saint-Pierre de Rome en 1447.

CECCARELLI A. ou Ceccherelli
xviiiᵉ siècle. Actif vers 1750. Italien.
Graveur au burin.
Le Blanc cite de lui : *La Madonna dell. Vertighe di Monte Sansovino in Toscana* (1746).

CECCARELLI Ezio
Né en 1865 à Montecatini. xixᵉ siècle. Actif à Florence. Italien.
Sculpteur.
Élève à l'Académie de Florence, de Rivalta et de Bortone.

CECCARELLI Jean-Jacques
Né le 20 septembre 1948 à Marseille. xxᵉ siècle. Français.
Peintre.
Il a participé à de nombreuses expositions collectives parmi lesquelles on peut citer : en 1980 *Dix ans de création* au Musée Cantini à Marseille, en 1981 à Tours *Le style*, en 1982 le xxviᵉ Salon de Montrouge, en 1983 à Marseille *Dessins* à la galerie La Touriale, en 1984 *Cantini 84* au Musée Cantini de Marseille, en 1988 *Cantini 88* au Musée Cantini également. Il a exposé personnellement en 1975 et 1982 à Saint-Rémy-de-Provence, en 1976 et 1978 à Marseille à la galerie Athanor, en 1981 à Ajaccio, en 1983 à Orléans à la galerie Lapeyrade, en 1986 et 1988 à la galerie Pierre Lescot à Paris, en 1987 au musée d'Orange et à *L'autre Musée* à Bruxelles, en 1988 au Centre Culturel de Cherbourg.
Il est autodidacte et se forma au contact de groupes informels de peintres et d'écrivains. À ses débuts il était plutôt influencé par la postérité dada et surréaliste, réalisant à un seul exemplaire des livres-objets qu'il cessa d'exposer en 1974. Il se consacre depuis au dessin, partant de photographies personnelles pour finalement délaisser le motif initial. Il réintroduit ensuite la couleur dans ses compositions, faisant intervenir l'eau dans ses moyens picturaux. Un premier dessin est tracé avec un morceau de brou de noix cristallisé puis la feuille est abandonnée à l'action de la pluie.
Bibliogr. : Catal. de l'exposition *Cantini 84*, Musée Cantini, Marseille, mai-août 1984 – Catal. de l'exposition *Cantini 88*, Musée Cantini, Marseille, 1988 – Catal. de l'exposition *Ceccarelli – aquarelles et collages*, galerie Jeanne Bucher, Paris, 1990.
Musées : Grenoble (Mus. de peinture) – Marseille (Mus. Cantini) : *Vous voyez-là un réveillon*, dess. à la pl. (88,5x62,5) – Martigues (Mus. Ziem) – Orange.

CECCARELLI Nado. Voir **CECCHARELLI da Siena Naddo**

CECCARINI Alessandro
Né en 1825 à Rome. Mort en 1905 à Rome. xixᵉ siècle. Italien.
Peintre d'histoire, paysages.
Il a exposé à Rome, Milan, Paris et Turin. On cite de lui *Ultimo sacrifizio*, *Battesimo nelle catacombe*, *Unzione d'un martire*, *La Vedova del martire* (à la Galerie d'Art Moderne, à Rome).

CECCARINI Camillo
xixᵉ siècle. Actif à Rome vers 1820. Italien.
Sculpteur.

CECCARINI Carlo Curtio
Né au xviiiᵉ siècle à Fano. xviiiᵉ siècle. Italien.
Graveur.
Frère de Sebastiano Ceccarini.

CECCARINI Giovanni
xixᵉ siècle. Travaillant à Rome dans la première moitié du xixᵉ siècle. Italien.
Sculpteur.

CECCARINI Giuseppe
Originaire de Fano. XVIIIe siècle. Italien.
Peintre.

CECCARINI Sebastiano
Né en 1703 à Fano. Mort en 1783 à Fano. XVIIIe siècle. Italien.
Peintre de sujets religieux, scènes de genre, portraits, natures mortes, fleurs et fruits.
Il fut élève de Francesco Mancini qu'il accompagna à Rome. Il devait séjourner longtemps dans cette ville (il y travaillait encore en 1741). De retour à Fano, il y dirigea une école de peinture. Il a beaucoup travaillé pour les églises de sa ville natale.
VENTES PUBLIQUES : ROME, 27 mars 1980 : *Portrait du comte Castracane degli Antelminelli*, h/t (92x72) : **ITL 2 600 000** – AMELIA, 18 mai 1990 : *Allégorie avec Hercule vainqueur couronné dans le jardin des Hespérides*, h/t (96x47) : **ITL 10 000 000** – ROME, 4 déc. 1991 : *Portrait d'une dame avec un vase de fleurs*, h/t (119x96) : **ITL 8 625 000** – MONACO, 19 juin 1994 : *Portrait d'une mère et de sa fille*, h/t (120x80) : **FRF 155 400**.

CECCATI Domenico Francesco ou **Cucchati**
Né en 1642 à Stiano (province de Modène). Mort en 1719 à San Martino di Corneto. XVIIe-XVIIIe siècles. Italien.
Sculpteur sur bois.

CECCATO Antonio
Né en 1777. Mort en 1836. XIXe siècle. Actif à Feltre. Italien.
Sculpteur sur bois.

CECCATO Lorenzo di Battista
XVIe-XVIIe siècles. Actif à Venise. Italien.
Mosaïste.

CECCHARELLI da Siena Naddo
XIVe siècle. Actif à Sienne vers 1347. Italien.
Peintre de compositions religieuses.
VENTES PUBLIQUES : LONDRES, 25 nov. 1966 : *Vierge à l'Enfant* : **GNS 35 000** – LONDRES, 8 déc. 1971 : *Triptyque, panneau central : Vierge à l'Enfant ; panneaux latéraux : Saints personnages* : **GBP 9 000** – NEW YORK, 31 mai 1990 : *La Vierge de l'Annonciation*, temp. sur pan. à fond or (24,1x14,6) : **USD 407 000** – NEW YORK, 19 mai 1995 : *Vierge avec l'Enfant tenant une fleur et une orange*, temp./pan. à fond or (39,4x26) : **USD 178 500** – LONDRES, 8 déc. 1995 : *Le Christ des larmes*, temp./pan. à fond or (21x19,7) : **GBP 25 300**.

CECCHERELLI A. Voir **CECCARELLI**

CECCHERINI Antonio
XVIIIe siècle. Italien.
Peintre.

CECCHETTI Francesco
Mort en 1652 à Pérouse. XVIIe siècle. Actif à Pérouse. Italien.
Peintre.

CECCHI Adriano
Né en 1825 à Prato. Mort en 1903. XIXe siècle. Italien.
Peintre de genre, intérieurs.
Il étudia à l'Académie des Beaux-Arts de Florence. En 1879, il partit pour l'Angleterre, où il resta vingt-deux mois. De retour à Florence, il fit un peu d'enseignement pour vivre, puis s'adonna complètement à son art. Peu de tableaux de lui ont figuré à des Expositions.

AECcchi

VENTES PUBLIQUES : LONDRES, 27 avr. 1908 : *Une nouvelle histoire* : **GBP 8** – LONDRES, 6 mars 1909 : *Le Concert* : **GBP 19** – GLASGOW, 24 mars 1931 : *Personnages dans un intérieur* : **GBP 17** – LONDRES, 9 jan. 1963 : *La Surprise* : **GBP 420** – LONDRES, 21 juil. 1976 : *Jeune fille aux fleurs – Billet doux*, deux h/t chaque (29x20) : **GBP 1 550** – LONDRES, 15 fév. 1978 : *Le Concert*, h/t (42,5x57) : **GBP 3 200** – CHESTER, 19 mars 1981 : *L'heure de musique*, h/t (33x43) : **GBP 1 550** – NEW YORK, 15 oct. 1984 : *Jeune femme et son soupirant*, h/t (43,2x57,5) : **USD 5 500** – LONDRES, 19 juin 1985 : *La sérénade*, h/t (32x46) : **GBP 4 200** – NEW YORK, 29 oct. 1987 : *La leçon de musique*, h/t (42,5x57) : **USD 6 000** – AMSTERDAM, 3 mai 1988 : *La mauvaise surprise*, h/t (44x58) : **NLG 21 850** – NEW YORK, 25 oct. 1989 : *La leçon d'art*, h/t (38,7x50,8) : **USD 15 400** – NEW YORK, 22-23 juil. 1993 : *Le flirt*, h/t (45,7x62,2) : **USD 5 175** – LONDRES, 18 nov. 1994 : *Jeune fille aux fleurs*, h/t

(36,8x27,3) : **GBP 1 725** – LONDRES, 12 juin 1996 : *Premiers pas*, h/t (61x104) : **GBP 16 100**.

CECCHI Augusto
Originaire de Rome. XIXe siècle. Actif au XIXe siècle. Italien.
Peintre de genre, portraits.
Il exposa à Turin, en 1884 : *Le petit cadavre*, tableau intéressant par la crudité des teintes. À Florence, en 1886, il présenta : deux *Demi-figure*, *Un Bédouin*, *Souvenance*, *Joueurs*.
VENTES PUBLIQUES : LONDRES, 4 mai 1977 : *La Sérénade au cabaret*, h/t (35,5x45) : **GBP 1 600** – LONDRES, 9 mai 1979 : *La leçon de couture*, h/t (41,5x56,5) : **GBP 5 400** – LONDRES, 10 oct. 1984 : *Une beauté brune*, h/t (60x44,5) : **GBP 2 500** – LONDRES, 25 mars 1987 : *La lecture*, h/t (34,5x44) : **GBP 5 000**.

CECCHI Dario
Né en 1918 à Florence. XXe siècle. Italien.
Peintre de paysages.
Il a décrit les villes italiennes et leurs monuments.
MUSÉES : ROME (Gal. d'Art Mod.).
VENTES PUBLIQUES : GENÈVE, 23 mai 1964 : *Venise* : **CHF 1 360**.

CECCHI Filippo
Mort au début du XVIIIe siècle. XVIIe-XVIIIe siècles. Actif à Florence. Français.
Peintre.
Elève de Gabbiani.

CECCHI Francesco Antonio
Né à Lucques. Mort après 1812. XVIIIe-XIXe siècles. Travaillant à Lucques et à Rome. Italien.
Peintre.

CECCHI Gaetano
Né à Florence. XVIIIe siècle. Travaillant à Florence pendant la seconde moitié du XVIIIe siècle. Italien.
Graveur au burin.

CECCHI Giovanni Battista
Né entre 1748 et 1749 à Florence. Mort après 1807. XVIIIe siècle. Italien.
Graveur.

CECCHI-CONTI Francesco
XVIIe siècle. Actif à Florence. Italien.
Graveur au burin.

CECCHI PIERACCINI Leonetta
Née le 30 octobre 1883 à Poggibonsi (Sienne). XXe siècle. Italienne.
Peintre de portraits.
Elle fut élève de l'Institut des Beaux-Arts de Florence où elle eut durant deux ans Giovanni Fattori pour professeur. Elle a peint de nombreux portraits dont on a vanté le naturel d'expression.
MUSÉES : ROME (Gal. d'Art Mod.).

CECCHINI Antonio
Né vers 1600 à Pesaro (?). Mort en 1680. XVIIe siècle. Italien.
Peintre.

CECCHINI Francesco
Mort avant 1811. XVIIIe-XIXe siècles. Actif à Rome à la fin du XVIIIe siècle et au commencement du XIXe siècle. Italien.
Graveur.
VENTES PUBLIQUES : PARIS, 18 avr. 1803 : *Le miracle des cinq pains et des poissons*, dess. arrêté à la pl. et lavé de bistre : **FRF 127** ; *Apollon dans son char*, dess. à la pl. : **FRF 33**.

CECCHINI Giovanni Battista
Né en 1804 à Venise. Mort en 1879 à Venise. XIXe siècle. Italien.
Architecte et peintre.

CECCHINI Giulio
Né en 1832 à Padoue. XIXe siècle. Italien.
Peintre de paysages.
Il est le frère d'Eugenio Cecchini-Prichard. Il fut élève, à Bruxelles, de Kindermanns. Il exposa à Venise en 1881 : *Vers le soir* et *Murano*.
VENTES PUBLIQUES : LONDRES, 27 oct. 1993 : *Canal de la Giudecca à Venise*, h/t (21x30,5) : **GBP 1 000**.

CECCHINI-PRICHARD Eugenio
Né en 1843 à Padoue. XIXe siècle. Italien.
Peintre de marines.
Élève, à Bruxelles, de Clay. A fait des séjours à Paris et à Hambourg. Le prix de la fondation Querini Stampalia, dont le mon-

tant est de 5000 lires, lui fut décerné à Venise. Il exposa à Berlin, en 1876 : *Lagunes de Venise au crépuscule*, en 1880 à Turin : *Côte de Normandie*, en 1883 à Milan : *Clair de lune sur l'Océan Indien*. Le Musée de Melbourne conserve de lui : *Vue du Cap Gris-Nez*.

CECCHINO
Originaire de Florence. XVIe siècle. Italien.
Peintre.
Il travailla au Vatican en 1563.

CECCHINO, da. Voir aussi au prénom

CECCHINO del Frate. Voir **FRATE**

CECCHINO di Giorgio
XVe siècle. Italien.
Sculpteur.
Cet artiste florentin travailla à Pistoia en 1453.

CECCHINO da Verona
XVe siècle. Travaillant à Vérone. Italien.
Peintre.
Le Musée de la cathédrale de Trente conserve de lui une *Madone entre saint Vigilius et saint Sisinus*.

CECCI-CONTI Francesco. Voir **CECCHI-CONTI**

CECCO
XIIIe-XIVe siècles. Italien.
Sculpteur.
Il travailla à la cathédrale de Pise entre 1299 et 1304.

CECCO
XIVe siècle. Actif à Sienne en 1310. Italien.
Peintre.

CECCO ou Ceco, Zecco da Roma
Originaire de Rome. XVe siècle. Actif à Padoue à partir de 1451. Italien.
Peintre.

CECCO
Originaire de Caravaggio. XVIIe siècle. Italien.
Peintre.
Il travailla à Rome sous les ordres d'Agostino Tasso en 1619.

CECCO Masuzzi
XIVe siècle. Actif à Gubbio en 1338. Italien.
Peintre.

CECCO di Ciolo ou di Ciccolo
XVe siècle. Actif à Pérouse. Italien.
Miniaturiste.

CECCO di Giovanni
XVe siècle. Italien.
Peintre.
Siennois, il fut élève et vraisemblablement aide de Sassetta.

CECCO di Giovanni del Giuca
XIVe siècle. Actif à Sienne dans la seconde moitié de XIVe siècle. Italien.
Sculpteur sur bois et marqueteur.

CECCO di Gregorio
Originaire de Lucques. XIVe-XVe siècles. Italien.
Peintre.

CECCO di Lupo
Originaire de Sienne. XIVe siècle. Travaillant à Pise au début du XIVe siècle. Italien.
Sculpteur.

CECCO di Manno
XVe siècle. Actif à Sienne en 1407-1408. Italien.
Peintre.

CECCO di Martino
XIVe siècle. Actif à Sienne vers 1380. Italien.
Peintre.

CECCO di Naro
XIVe siècle. Actif à Palerme entre 1377 et 1380. Italien.
Peintre.

CECCO di Pietro
Mort avant 1402. XIVe siècle. Actif à Pise (Toscane). Italien.
Peintre de compositions religieuses, fresques.
Il fut aide de Francesco da Volterra, lorsque celui-ci travaillait au Campo Santo de Pise (1371-72), où nous le retrouvons en 1379 restaurant une fresque. Il est cité souvent dans les documents anciens.

MUSÉES : PISE (Mus. mun.).
VENTES PUBLIQUES : LONDRES, 21 avr. 1982 : *Triptyque : Crucifixion (centre) ; Sainte Catherine d'Alexandrie ; Saint Pierre et Saint Gabriel (gauche) ; Saint Jean Baptiste et Marie Madeleine (droite)* (57,5x48) : **GBP 40 000**.

CECCO di Salimbene
Né près de Florence, originaire de Campi. XIIIe siècle. Actif à la fin du XIIIe siècle. Italien.
Peintre.

CECCO di Schiaccio
XIVe siècle. Italien.
Peintre.
Cité à Pise en 1302.

CECCO del Tadda. Voir **FERRUCCI Francesco**

CECCO di Tommaso
XIVe siècle. Actif à Sienne vers la fin du XIVe siècle. Italien.
Peintre.

CECCO BRAVO. Voir **MONTELATICCI Francesco**

CECCOBELLI Bruno
Né en 1952 à Todi. XXe siècle. Italien.
Peintre, graveur, sculpteur. Polymorphe, trans-avant-garde.
Il a exposé personnellement en 1977 à Rome, en 1980 à Amsterdam, en 1981 et 1989 à Paris à la galerie Yvon Lambert, en 1983 à New York à la galerie Salvatore Ala, en 1984-1985 à Rome à la galerie Gian Enzo Sperone, en 1986 à Nagoya au Japon, en 1987 au Studio Marconi de Milan, en 1988 à la Jack Shainman Gallery de New York, en 1989 Galerie Yvon Lambert de Paris, 1990 Francfort, 1991 Vienne, 1992 Paris...
Les œuvres de Ceccobelli sont à mi-chemin entre la sculpture et la peinture, constituées de planches en bois ou sortes de boîtes-retables dont les volets se referment, peintes dans des couleurs sombres et froides, associées à des objets trouvés et à des matériaux vieillis, évoquant des architectures, des autels, des triptyques, des portes d'habitation. Le plomb, le bois brûlé ou simplement noirci, l'oxydation rongeant le métal participent d'une « poétique de la destruction » qui donne sa cohérence au travail. « J'appelle mes œuvres : événements enregistrés, comme des traces d'un rituel magique qui concerne non seulement l'objet mais aussi le comportement de l'artiste autour de l'objet. Mes racines sont certainement dans l'art conceptuel, dans le mimimal, mais avec une attention plus grande au contenu qui doit dépasser la forme » dit-il. Exploitant indifféremment figuration et abstraction, il est considéré comme faisant partie de la transavantgarde italienne, dont la définition, et donc les appartenances, restent très ouvertes. ■ F. M., J. B.

BIBLIOGR. : Ludovico Pratesi : *Bruno Ceccobelli*, Beaux-Arts Magazine, jan. 1989, Paris, p. 80 – Philippe Dagen : *Bruno Ceccobelli*, Art Press, 1987.

VENTES PUBLIQUES : LONDRES, 3 juil. 1987 : *Collective* 1981, collage pap., tissu, encre noire/t. d'emballage (23,5x19,7) : **GBP 1 200** – PARIS, 25 oct. 1987 : *Avancer rapidement*, gche (60x39) : **FRF 6 000** – PARIS, 20 mars 1988 : *Trovatore* 1986, h/pan. ovale (65x45) : **FRF 11 000** ; *Mania ballerina* 1986, collage et h/pan. (60x50) : **FRF 12 000** – PARIS, 15 juin 1988 : *Sans titre* 1986, h., collage et gche/pap. (88x77) : **FRF 18 000** – MILAN, 14 déc. 1988 : *Pensées intérieures* 1986, bois peint. (53,5x32) : **ITL 1 600 000** – MILAN, 20 mars 1989 : *Elsa* 1987, techn. mixte/pan. (72x43,5) : **ITL 3 600 000** – NEW YORK, 4 oct. 1989 : *Sessi*, acryl. et sable/pap. (228,6x163,8) : **USD 12 100** – ROME, 6 déc. 1989 : *Œufs de corbeau*, techn. mixte/rés. synth. (56x34) : **ITL 4 600 000** – MILAN, 19 déc. 1989 : *Lumière d'Orient* 1987, bois et t. délavée (87x25) : **ITL 5 000 000** – PARIS, 15 fév. 1990 : *Morabramo* 1988, techn. mixte/bois (220x140) : **FRF 65 000** – COPENHAGUE, 21-22 mars 1990 : *Mania Ballerina* 1986, h/t (60x50) : **DKK 23 000** – PARIS, 10 juin 1990 : *Urra*, h. et cire/ bois, triptyque (217x273) : **FRF 120 000** – PARIS, 13 juin 1990 : *Brio numérique* 1987, bois peint (169,5x55x10) : **ITL 13 000 000** – STOCKHOLM, 5-6 déc. 1990 : *Tirotoro* 1982, techn. mixte (17,5x12,5) : **SEK 6 500** – PARIS, 5 fév. 1991 : *Pietà* 1983, h/t (196x88) : **FRF 12 000** – NEW YORK, 7 mai 1991 : *Vient de l'Orient* 1989, craie, acryl., graphite, collage de pap. (155,5x95,2) : **USD 9 900** – NEW YORK, 3 oct. 1991 : *Singe en cage* 1985, h/bois (122x245) : **USD 11 000** – PARIS, 8 oct. 1991 : *Au milieu vous ne ferez qu'un* 1989, techn. mixte/pan. (205x157) : **FRF 52 000** – MILAN, 19 déc. 1991 : *Le culte est au centre* 1990, peint. sur pan. de bois (121,5x78,5) : **ITL 11 500 000** – MILAN, 14 avr. 1992 :

L'écoute de l'œuf 1991, polymatériaux et collage/pan. (140x50) :
ITL 8 000 000 – New York, 9 mai 1992 : Vanité 1988, craie grasse,
pb et h/pap./bois (166,3x99x15,8) : USD 4 180 – Paris, 14 mai
1992 : Sculpture montgolfière, techn. mixte/rés. polyester (H.
100, diam. 100) : FRF 38 000 – Milan, 23 juin 1992 : Sans titre,
gche/pap. (38,5x60) : ITL 2 600 000 – Milan, 9 nov. 1992 : Père et
mère et fils et fille 1991, collage et techn. mixte/pan. (60x160) :
ITL 6 500 000 – Londres, 2 déc. 1993 : Sermon de l'avenir 1988,
gche, collage de pap., acier et branches dans une construction
de bois (206x254x15) : GBP 4 830 – New York, 3 mai 1994 : Tous
les autres 1988, construction de bois avec vernis, acryl., collage
de pap. et t. d'emballage, pigment sec, graphite et métal, triptyque (219,1x270,2x15,2) : USD 4 025 – Amsterdam, 1er juin 1994 :
Sans titre, techn. mixte (87x29) : NLG 6 210 – Rome, 13 juin
1995 : Colore fissarmonica 1988, techn. mixte/bois (75,5x47) :
ITL 4 600 000 – Venise, 12 mai 1996 : Formelle d'attesa, techn.
mixte/pap. façonné (75x83) : ITL 6 600 000 – Fossona, 7-8 sep.
1996 : Sans titre 1988, h/pap. (62x41) : ITL 1 600 000.

CECCOLUS de platea San Petri
xive siècle. Italien.
Peintre.
Il travailla en 1369 aux côtés de Taddeo Gaddi et de Giovanni da
Milano aux chapelles du Vatican.

CECCON Luigi
Né en 1833 à Padoue. xixe siècle. Travaillant à Venise. Italien.
Élève de l'Académie de Venise. Il exposa dans cette ville en 1857
quelques sculptures en bois, notamment un Ange endormi. On
cite de lui Le Patriote et le Monument de Pétrarque, érigé à
Padoue.

CECCONI Alberto
Né en 1897 à Florence. Mort en 1971. xxe siècle. Italien.
**Peintre de compositions à personnages, paysages ani-
més, paysages.**
Il a surtout peint les paysages typiques de la Toscane et des vues
de la petite ville escarpée d'Assise.
Ventes Publiques : Milan, 10 déc. 1980 : Personnages attablés,
h/t (60x80) : ITL 3 800 000 – Milan, 10 juin 1981 : Canal au crépuscule, h/t (60x80) : ITL 1 800 000 – Milan, 16 déc. 1982 : Paysage de Toscane, h/t (69,5x89,5) : ITL 2 600 000 – Milan, 1er juin
1988 : Maisons villageoises à Assise, h/pan. (42x31,5) :
ITL 2 400 000 – Rome, 12 déc. 1989 : Paysage toscan, h/t
(57,5x78) : ITL 2 200 000 – Londres, 30 mars 1990 : Le Monastère
Saint-François à Assise, h/t (100,6x75,3) : GBP 6 380 – Rome, 31
mai 1990 : Eté, h/t (50x69,5) : ITL 1 800 000 – Rome, 16 avr. 1991 :
Paysage avec des bovins, h/pan. (50x35,5) : ITL 2 530 000 – Fossano, 7-8 sep. 1996 : La Récolte, h/t (92x154) : ITL 6 000 000.

CECCONI Eugenio
Né en 1842 à Livourne. Mort en 1903 à Florence. xixe siècle.
Italien.
Peintre de genre, portraits, animaux, paysages.
Après des études de droit, il se consacra à l'art pictural. Il exposa
notamment en 1883 à Rome : Les dernières armes ; 1884 à Turin :
Le 8 septembre à Montenero ; 1885 à Florence : Voilà le maître et
plusieurs études d'après nature ; 1886 à Milan : Les chercheurs à
Maremma et Chiens. Faisant tout d'abord partie du groupe tos-
can des Macchiaioli, peintres de plein-air dans la suite des
peintres de Barbizon, il fut ensuite profondément marqué par un
voyage en Tunisie, effectué en 1875 et à la suite duquel il libéra sa
peinture, en employant une pâte beaucoup plus riche, des coloris plus ensoleillés, des volumes simplifiés. Citons encore : Journée de repos – Manquant à l'appel – Assemblée de chasseurs –
Les gardiens de chevaux – Les lavandières de Torre du Lac –
Femme qui pêche – Chiffoniers de Livourne.
Bibliogr. : Caroline Juler, in : Les Orientalistes de l'École ita-
lienne, ACR Édition, Paris, 1994.
Musées : Florence (Mus. d'Art Mod.) : Poules d'eau – Aboie-
ments au loin – Bouvier de la Maremme – Rome (Mus. d'Art
Mod.) : Chasse au sanglier.
Ventes Publiques : Milan, 26 nov. 1968 : Paysage : ITL 500 000
– Milan, 14 déc. 1976 : Cavalcade fantastique, h/t (25x50) :
ITL 4 000 000 – Milan, 29 déc. 1977 : Le Parc, h/t (105x78) :
ITL 9 500 000 – Milan, 15 avr. 1979 : Trophée de chasse, h/pan.
(32x19,5) : ITL 2 400 000 – Milan, 5 nov. 1981 : Coup de vent,
h/pan. (35x28) : ITL 14 500 000 – Rome, 3 avr. 1984 : Le champ de
blé, h/pan. (19x31) : ITL 4 000 000 – Milan, 28 oct. 1986 : L'embouchure de l'Arno, h/pan. (13x28) : ITL 12 500 000 – Milan, 9
juin 1987 : Allégorie, h/t (52,5x143) : ITL 12 000 000 – Milan, 18

oct. 1990 : La plage de Maremma, h/pan. (19x32) : ITL 23 000 000
– Amsterdam, 30 oct. 1990 : Les meneurs de chiens, h/t (45,5x70) :
NLG 66 700 – Bologne, 8-9 juin 1992 : Premiers froids, h/t
(44x33) : ITL 34 500 000 – Milan, 3 déc. 1992 : Paysage, h/pan.
(39,5x21,5) : ITL 6 780 000 – Rome, 27 avr. 1993 : La brocanteuse,
h/pan. (32,5x19,5) : ITL 15 764 700 – Milan, 22 nov. 1993 : Paysage de la région des marais en Toscane, h/t (18x61) :
ITL 14 142 000 – Rome, 23 mai 1996 : Jeune Paysanne, h/t
(29,5x23) : ITL 8 050 000.

CECCONI Lorenzo
Né en 1863 ou 1867 à Rome. Mort en 1947. xixe siècle. Italien.
**Peintre de genre, paysages animés, paysages, restaura-
teur.**
Il fut élève de l'Institut des Beaux-Arts de Rome et de On. Carlandi. Il était le fils du restaurateur de tableaux Pietro Cecconi-
Principi, bien connu à Rome, et il a consacré une part de son
activité à la restauration de peintures des maîtres anciens. Il a
également peint des scènes de genre du passé, notamment du
xviiie siècle.
Musées : Rome (Acad. de San Luca) : Addio all' estate – Pioggia
autunnale.
Ventes Publiques : Rome, 14 nov. 1991 : Bergère et son troupeau, h/t (45x35) : ITL 2 760 000 – Rome, 6 déc. 1994 : Campagne
romaine, h/t (30x60) : ITL 2 003 000 – Rome, 5 déc. 1995 : Bergère
dans un pâturage, h/t (48x37) : ITL 2 593 000.

CECCONI Niccolo
Né en février 1835 à Florence. xixe siècle. Italien.
Peintre de genre et de portraits.
Études à l'Académie de Florence. Principales toiles : Bain pom-
péien, Les Chanteurs, La contrebasse de l'oncle, Un article de
Yorick, Une offre simple, Dans l'attente, L'Indécise, Le Cuvier de
Frascati, Entre deux poses, La Vierge et l'Étoile. Cet artiste fit
aussi les portraits du Roi Victor-Emmanuel et du Roi Humbert
qui se trouvent à Venise et celui de la Reine de Serbie.

CECCOTTI Sergio
Né en 1935 à Rome. xxe siècle. Italien.
Peintre de paysages urbains et d'intérieurs.
Entre 1956 et 1961, il suivit des cours de dessin à l'Académie de
France à Rome puis étudia à Salzbourg où il fut élève de
Kokoschka et de Slavi Soucek. Depuis 1961 il a participé à de
nombreuses expositions collectives principalement en Italie
mais également en France : en 1961-1965-1968 aux 3e, 5e et 6e
Biennales de Rome ; entre 1971 et 1975 au Salon de la Jeune
Peinture à Paris ; en 1976-1978-1980 au Salon Comparaisons ; en
1977 Art en Italie ; 1960-1977 à la Galerie Civique d'Art Moderne
de Turin et au Salon Grands et Jeunes d'Aujourd'hui à Paris ; en
1978 au xxiiie Salon de Montrouge et au Salon Figuration Critique au Grand-Palais à Paris. Il a exposé personnellement à partir de 1961 dans des galeries italiennes, à Munich et à Paris.
Ceccotti apparaît comme l'héritier de la peinture métaphysique,
peignant des rues de Rome ou de Paris, des passages silencieux
ou des escaliers déserts où semble toujours planer un mystère.
Bibliogr. : Philippe Soupault, Sergio Ceccotti, Opus International, N°78, automne 1980, p 34 – Jean-Luc Chalumeau, Ceccotti, existe-t-il un art que l'on appelle peinture ?, Opus International, N°84, printemps 1982, p 50.
Musées : Altenburg (Staatliches Lindenau Mus.) – Bagheria
(Gal. d'Arte Mod.) (Civica Pina.) – Paris (BN) – Paris (Bibl. Litt.
Doucet) – San Giminiano – Villeneuve-sur-Lot (Mus. Gaston-
Rapin).

CECERE Gaetano
Né en 1894 à New York. xxe siècle. Américain.
Sculpteur.

CECHBAUER Johann Paul
Mort en 1728. xviiie siècle. Travaillant à Chrudim. Tchécoslo-
vaque.
Sculpteur.

CECHYN Wenzel
xvie siècle. Actif à Prague à la fin du xvie siècle. Tchécoslovaque.
Peintre.

CECI Carlo
xixe siècle. Actif à Naples de 1850 à 1898. Italien.
Peintre de genre, dessinateur, illustrateur.
Il illustra son ouvrage : Piccoli Bronzi del R. Museo Borbonico...
(Naples, 1854).

VENTES PUBLIQUES : LONDRES, 16 fév. 1990 : *Pêcheurs à Naples*, h/t/cart. (30,5x61) : **GBP 1 430.**

CECIL Samuel Hollings
Né en 1804. Mort en 1849 à Maestricht. XIXᵉ siècle. Actif à Dronfield (Derbyshire). Britannique.
Graveur et lithographe.

CECILL Thomas
XVIIᵉ siècle. Travaillant à Londres entre 1628 et 1635. Britannique.
Dessinateur et graveur.
Il est l'auteur d'une série de portraits et de plusieurs frontispices.

CECIONI Adriano
Né en 1836 ou 1838 à Fontebuona près de Florence. Mort en 1886 à Florence. XIXᵉ siècle. Italien.
Sculpteur, peintre, caricaturiste.
Il fut élève de l'Académie de Florence (1850-1860). Après un voyage à Naples où il se lia d'amitié avec de Nittis, il exposa à Florence *Le Suicidé* (à l'Académie de Florence) et exécuta un buste de *Léopardi* (à la Bibliothèque Marucelliana, à Florence). Il partit ensuite pour Paris, où il modela son *Enfant au coq*, exposé au Salon de 1872. Puis il se fixa quelque temps à Londres ; il y collabora au journal *Vanity Fair*, où il publia des caricatures de personnalités politiques. De retour en Italie, il exposa à Turin en 1880 (et plus tard à Milan) son groupe *Madre*, et à Rome, en 1883 : *L'Enfant au chien* et *Premiers pas*. Compagnon des peintres du groupe des *macchiaioli* (tachistes), qui étaient à l'Italie du XIXᵉ ce que les impressionnistes étaient en France, il laissa des essais théoriques sur ce mouvement et un tableau amusant représentant le *Café Michel-Ange*, où se réunissaient les artistes du groupe. Il fut nommé en 1885 professeur de dessin à la Scuola Superiore di Magistero à Florence. Cecioni écrivit au cours de sa vie un certain nombre d'essais critiques sur l'art, réunis et publiés à Florence en 1905.
MUSÉES : FLORENCE (Gal. d'Art Mod.) : *Enfant au coq.*
VENTES PUBLIQUES : NEW YORK, 14 nov. 1980 : *Enfant avec coq*, bronze patiné (H. 35,5) : **USD 1 400** – NEW YORK, 23 mai 1991 : *L'enfant au coq*, bronze à patine brune (H. 29,9) : **USD 4 400** – COLOGNE, 28 juin 1991 : *L'enfant au coq* (H. 48) : **DEM 5 000** – NEW YORK, 20 fév. 1992 : *L'enfant au coq*, bronze (H. 78,7) : **USD 5 225** – NEW YORK, 27 mai 1992 : *L'enfant au coq*, bronze (H. 38,7) : **USD 5 280.**

CEDER. Voir QUELLIN Jan Erasmus

CEDERCREUTZ Emile Herman Robert de, baron
Né à Helsingfors (Helsinki). XIXᵉ-XXᵉ siècles. Finlandais.
Sculpteur animalier, de groupes et de figures.
Il travailla à Seipohja en Finlande, et a exposé au Salon de la Société Nationale des Beaux-Arts de Paris dont il fut associé à partir de 1908.

CEDERGREN Per Vilhelm
Né le 17 novembre 1823 à Stockholm. Mort le 3 octobre 1896 à Stockholm. XIXᵉ siècle. Suédois.
Peintre de paysages d'eau, paysages portuaires, marines.
Élève de l'Académie en 1844 et 1845, il fit ensuite des voyages d'étude à l'étranger. Attaché au ministère de la Marine et du génie depuis 1872, il peignit de préférence des vaisseaux.
MUSÉES : STOCKHOLM (Mus. Nat.) : *Vaisseaux de guerre suédois après un combat* 1861.
VENTES PUBLIQUES : STOCKHOLM, 30 oct. 1979 : *Marine* 1883, h/t (105x82) : **SEK 11 000** – STOCKHOLM, 11 nov. 1981 : *Le port de Stockholm*, h/t (49x68) : **SEK 22 600** – STOCKHOLM, 30 oct. 1984 : *Vue de Stckholm en hiver*, h/t (93x134) : **SEK 30 000** – STOCKHOLM, 13 nov. 1985 : *Vue de Stockholm* 1874, h/t (42x57) : **SEK 20 000** – STOCKHOLM, 19 avr. 1989 : *Marine avec des voiliers rentrant au port au soleil couchant*, h/t (80x117) : **SEK 37 000** – STOCKHOLM, 15 nov. 1989 : *Paysage lacustre animé avec des embarcations à voile*, h. (38x52) : **SEK 8 500** – STOCKHOLM, 14 nov. 1990 : *Le château des Trois Couronnes à Stockholm la nuit*, h/t (62x93) : **SEK 17 000** – STOCKHOLM, 29 mai 1991 : *Le port de Stockholm immobilisé en hiver* 1867, h/pan. (21x30) : **SEK 10 000** – STOCKHOLM, 28 oct. 1991 : *Embarcations sur Ladugardsviken près de Stockholm*, h/t (25x35) : **SEK 5 000.**

CEDERLUND Gustave
Né à Stockholm. XIXᵉ-XXᵉ siècles. Suédois.
Peintre de paysages et de scènes de genre, graveur.
Il a exposé des paysages à la pointe sèche au Salon des Artistes

Indépendants entre 1907 et 1910 et au Salon des Artistes Français entre 1920 et 1928.

CEDERSTRÖM C., Mme
XIXᵉ-XXᵉ siècles. Suédoise.
Sculpteur.
A exposé un portrait au Salon des Artistes Français en 1912.

CEDERSTRÖM Gustaf Olaf de, baron
Né en 1845 à Stockholm. Mort en 1933. XIXᵉ-XXᵉ siècles. Suédois.
Peintre d'histoire, genre, portraits.
Il fut élève de Fagerlin, à Düsseldorf, et de Bonnat, à Paris. Il fut officier entre 1864 et 1870. Il exposa à Stockholm à partir de 1870 et débuta au Salon de Paris en 1874. Il obtint une médaille de deuxième classe à l'Exposition Universelle de Paris en 1878.
MUSÉES : STOCKHOLM : *Enterrement à Alsike (Suède)* – *Hiver* – *Narva* – *Les funérailles de Charles XII.*
VENTES PUBLIQUES : NEW YORK, 28 fév. 1901 : *À son aise* : **USD 400** – NEW YORK, 1ᵉʳ-2 avr. 1902 : *Examinant les trésors* : **USD 975** – NEW YORK, 1908 : *Le Prélat lettré* : **USD 200** – NEW YORK, 1ᵉʳ avr. 1909 : *Faire échec et mat* : **USD 600** – STOCKHOLM, 8 avr. 1981 : *Les clairons à cheval*, h/t (66x106) : **SEK 47 000** – STOCKHOLM, 30 oct. 1984 : *Trois officiers* 1880, h/t (144x110) : **SEK 86 000** – STOCKHOLM, 4 nov. 1986 : *Le trompette 1884*, h/pan. (34x26) : **SEK 87 000** – STOCKHOLM, 13 nov. 1987 : *Le trompette* 1899, h/pan. (35x26) : **SEK 24 000** – LONDRES, 16 mars 1989 : *Intérieur avec une femme lisant près d'une table* 1897 (55x46,4) : **GBP 19 800** – STOCKHOLM, 19 avr. 1989 : *Littoral au coucher de soleil vu depuis Arild* 1893, h/t (68x89) : **SEK 29 000** – STOCKHOLM, 15 nov. 1989 : *Le cheval tombé* 1896, h. (26x34) : **SEK 4 700** – STOCKHOLM, 16 mai 1990 : *Portrait d'un pape* 1898, h/t, étude de détail (35x28) : **SEK 5 000** – STOCKHOLM, 28 oct. 1991 : *Fältprästen, la dernière nuit à Poltava* 1916, h/t (79x49) : **SEK 11 500.**

CEDERSTRÖM Minna, Mme
Née à Stockholm. XXᵉ siècle. Suédoise.
Miniaturiste.
Élève de Gabrielle Debillemont-Chardon. A exposé au Salon des Artistes Français en 1928.

CEDERSTRÖM Ture Nikolaus de, baron
Né le 25 juin 1843 à Aryd. Mort en 1924. XIXᵉ-XXᵉ siècles. Travaillant à Munich. Suédois.
Peintre de genre.
Il fut officier de cavalerie de 1868 à 1871. Il étudia à Paris (1868-1869), puis à Düsseldorf et à Weimar.
Il a peint surtout des scènes de la vie monastique. On cite parmi ses œuvres : *Les cinq sens, Journal amusant, Rayon de soleil, Un vieux chant, Cardinal, Quatuor, Épreuve de musique.*
MUSÉES : GÖTEBORG : *Journal amusant* – MAGDEBOURG (Mus. mun.) : *Rayon de soleil* – STOCKHOLM : *Dernières nouvelles.*
VENTES PUBLIQUES : LONDRES, 8 déc. 1922 : *Compagnie dangereuse* 1881 : **GBP 86** – NEW YORK, 29 oct. 1931 : *Une farce* : **USD 210** – NEW YORK, 24 mars 1945 : *L'histoire du visiteur* : **USD 975** – BERLIN, 6 déc. 1968 : *Moine jouant du violon* : **DEM 1 800** – NEW YORK, 14 jan. 1969 : *Les vendanges* : **USD 500** – LONDRES, 5 juil. 1978 : *Ecclésiastique faisant de la musique*, h/t (54x41,5) : **GBP 3 800** – LONDRES, 3 oct. 1979 : *Le joueur de cor*, h/t (24,5x19) : **GBP 1 500** – NEW YORK, 11 fév. 1981 : *La répétition des moines*, h/t (56x70) : **USD 17 000** – NEW YORK, 25 mai 1984 : *Moine jouant de la clarinette*, h/pan. (18,8x13,7) : **USD 2 500** – LONDRES, 19 mars 1986 : *Café et bénédictine*, h/t (56x71) : **GBP 1 700 000** – STOCKHOLM, 5 fév. 1987 : *Les joueurs d'échecs*, h/t (53,3x66) : **GBP 4 800** – STOCKHOLM, 16 mai 1990 : *Intérieur avec un moine chantant en s'accompagnant à la mandoline*, h/pan. (36x24) : **SEK 20 000** – NEW YORK, 13 oct. 1993 : *Le balladin*, h/t (39,4x53,3) : **USD 11 500** – NEW YORK, 12 oct. 1994 : *La partie d'échecs*, h/t (55,9x71,1) : **USD 12 650** – LONDRES, 11 oct. 1995 : *Deux moines jouant un duo*, h/t (54x40) : **GBP 5 175.**

CEDINI Costantino
Né en 1741 à Padoue. Mort en 1811 à Venise. XVIIIᵉ-XIXᵉ siècles. Italien.
Peintre de fresques.
Élève de Jac. Guarana à Venise. Il travailla dans cette ville, notamment à San Barnaba et à San Cassiano.

CEDRINI Marino di Marco ou Citrinus
XVᵉ siècle. Italien.
Sculpteur et architecte.
Il travailla à Venise, Ravenne, Forli, Amendola, Loreto.

CÉELLE, pseudonyme de Lajonie Colette, née Durand
Née le 25 août 1929 à Paris. XXᵉ siècle. Française.

Peintre, graveur, dessinateur, aquarelliste, graphiste. Post-cubiste.

Elle fut élève de l'Ecole des Arts Décoratifs et de l'Ecole Estienne à Paris. Elle fut alors professionnelle dans le graphisme publicitaire. En tant que peintre et graveur, elle figure dans les Salons annuels : des Artistes Français, des Indépendants, de la Société Nationale des Beaux-Arts, d'Automne, Comparaisons, Groupe 109, etc. Elle participe à de très nombreuses expositions collectives dans des villes de France, ainsi qu'en Allemagne, au Canada, Japon, Etats-Unis, etc. Également nombreuses expositions personnelles dans des villes de France, où elle remporte de nombreuses distinctions, et à l'étranger. En 1993, la galerie Hamon du Havre a présenté un ensemble rétrospectif de ses peintures.

De ses activités de graphiste, elle a conservé l'acuité du trait, la rigueur de la composition dans le format. Elle peint dans des gammes de gris colorés et de bruns. Si elle s'inspire de scènes de marchés, d'arbres, de marines, de façades d'immeubles, de colombages, de portes et fenêtres, elle en élimine l'anecdote pour n'en conserver que la structure et la poésie. Son écriture post-cubiste ne cesse de frôler l'abstraction.   ■ J. B.

CEFALUS. Voir **BLOEMEN Norbert Van**

CEFALY Andrea
Né en 1827 à Certale (Calabre). Mort en 1907 à Certale. XIXᵉ siècle. Italien.
Peintre.
Passionné de sujets guerriers et imitateur de Salvator Rosa. Principales œuvres : *Mort de Spartacus, La Bataille de Legnago*, exposé à Turin en 1884, *Amour et Mort, Le voyage de Caïn, Francesca da Rimini* (au Musée de Capodimonte), *Paysage de Calabre* (à l'Hôtel de Ville de Naples), *La barque de Charon* (au Musée de Cantazaro).

CEFFIS Giovanni
Né à Vérone. Mort en 1688. XVIIᵉ siècle. Italien.
Peintre.
Il a travaillé pour les églises de Vérone. Il eut pour élève Balestra.

CEFFO di Giovanni
XIVᵉ siècle. Actif à Sienne dans la première moitié du XIVᵉ siècle. Italien.
Sculpteur.

CEGLINSKI Julian
Né en 1827 à Varsovie. Mort après 1892. XIXᵉ siècle. Travaillant à Varsovie. Polonais.
Peintre et lithographe.
Élève d'Al. Kokular, puis de Piwarski et de Breslauer à l'École d'Art de Varsovie.

CEGRETIN Paul
Né à Clamecy. XIXᵉ siècle. Français.
Peintre et dessinateur.
Musées : CLAMECY : *Une gardeuse d'oies*, past. – *Paysage, bords d'une rivière*, dess.

CEHES Claude
Née en 1949 à Alger. XXᵉ siècle. Française.
Sculpteur.
Elle participe à des expositions collectives en France et à l'étranger. Elle montre ses travaux dans des expositions personnelles à Paris, Galerie de L'Œil-de-Bœuf 1980, Montpellier 1984, Luxembourg 1985, Paris Galerie George Fall 1986 et Lyon, Musée de Saint-Dizier 1987, Paris de nouveau 1990, 1996 galerie Lavignes-Bastille, etc.
Claude Cehes sculpte la pierre, le marbre et le bronze qui reste son matériau de prédilection, qu'elle travaille parfois avec une certaine rugosité archaïque. Elle a réalisé une série de travaux appelée *Les portes*, grandes structures montées sur pieds d'où tombent des pans de bronze travaillés, à l'aspect précieux qui contraste avec la rudesse et la monumentalité de la charpente. Elle a exécuté une sculpture monumentale pour le Ministère des Finances de Paris en 1988. Elle a réalisé en 1993 une série d'œuvres en bronze sur le thème du jeu de tarot, sorte de parcours initiatique où les rouges et les noirs dominent.
Bibliogr. : Claude Cehes : *Les Lames du tarot*, chez l'artiste, 1993.
Musées : PARIS (FRAC d'Île de France) : *Pyramide*, marbre.
Ventes Publiques : PARIS, 30 janv. 1989 : *Aiguille*, bronze à patine brune et verte, pièce unique (72x20x9,5) : FRF 15 000 – PARIS, 22

mai 1989 : *Aiguille à la colonne* 1987, bronze à patine brune et marbre vert (104x39x17) : FRF 19 000.

CEI Cipriano
Né en 1867 à Biella. Mort en 1922 à Rome. XIXᵉ-XXᵉ siècles. Italien.
Peintre d'histoire, sujets religieux, genre, portraits.
Il entra dans le monde artistique encore très jeune et montra très tôt des dispositions remarquables. Parmi ses principales œuvres, on mentionne : *Pax vobis, Tête de femme, Mida, Mon élève, Le Repos, Supplice de Tantale, Viny, Tik-Tik-Tik, À la Fontaine, Souvenir, Sans mère, Gina, Bonne humeur.*
Musées : LISBONNE (Gal. Nat.) : *Dernières paroles.*
Ventes Publiques : NEW YORK, 1900-1905 : *La Vierge et l'Enfant* : USD 500 – NEW YORK, 22 janv. 1982 : *Les voleurs de raisins*, h/t (61x86) : USD 4 100 – MILAN, 15 juin 1983 : *La funambula*, h/t (65x42) : ITL 4 500 000 – MILAN, 6 juin 1991 : *Le bonnet d'âne*, h/t (51x39) : ITL 5 000 000 – ROME, 2 juin 1994 : *Le drame*, h/t (133x87) : ITL 2 530 000 – LONDRES, 10 fév. 1995 : *Enfant vêtu à l'oriental*, h/t (22x18,5) : GBP 2 070.

CEI Francesco
XVIᵉ siècle. Actif à Pise. Italien.
Peintre.
Son fils Guido fut aussi peintre.

CEINTREY
XVIIIᵉ siècle. Actif à Nancy. Éc. lorraine.
Sculpteur sur bois.
Il travailla pour les princes de Lorraine, à Nancy, en 1718.

CELA Raymondo
Né au Brésil. XXᵉ siècle. Brésilien.
Peintre.
A exposé un *Paysage* au Salon des Artistes Français de 1922.

CELADA Sebastian de
XVIᵉ siècle. Actif à Séville dans la seconde partie du XVIᵉ siècle. Espagnol.
Peintre.
Fut un des aides de Valles Miguel, vers 1575.

CELADA Ugo, dit **de Virgilio**
Né en 1895 à Virgilio. XXᵉ siècle. Italien.
Peintre de figures, natures mortes, fleurs et fruits.
Ventes Publiques : ROME, 25 nov. 1987 : *Magnolias*, h/pan. (85x59,5) : ITL 3 400 000 – MILAN, 19 oct. 1989 : *Jeune femme en costume oriental*, h/pan. (90,5x60,5) : ITL 6 500 000 – MILAN, 21 nov. 1990 : *L'étudiante*, h/pan. (65x50) : ITL 6 000 000 ; *Nature morte avec des verres, un vase et du raisin*, h/pan. (50x65) : ITL 6 500 000 – MILAN, 14 juin 1995 : *Nature morte avec des vases, un livre, une loupe et un instrument de musique*, h/pan. (65,5x90) : ITL 3 450 000 – MILAN, 2 avr. 1996 : *Le soir autour de la table* 1921, h/t (1033x132) : ITL 9 200 000.

CELAN-LESTRANGE Gisèle
Née le 19 mars 1927 à Paris. XXᵉ siècle. Française.
Peintre, graveur.
Elle fit ses études à l'Académie Julian entre 1945 et 1949 puis entra en 1954 dans l'atelier Friedlander. Elle devint l'épouse du poète Paul Celan. A partir de 1957 elle travailla dans son propre atelier et participe à des travaux dans l'atelier du graveur Jean Frélaut. En 1957 elle figure dans l'exposition internationale de gravure de Ljubljana, suivie d'une manifestation au Musée de Wupperthal et au Cabinet des Estampes de Brême.

CÉLARIE F. F. Gaston
Né à Homps (Gers). XIXᵉ-XXᵉ siècles. Travaillant à Montauban (Tarn-et-Garonne). Français.
Peintre de genre, portraits.
Élève de Cormon. Sociétaire des Artistes Français depuis 1883, et prend part aux Expositions de ce groupement entre 1885 et 1903 (*Portrait de mon père, Coin d'atelier*, etc.).

CÉLARIER Jean ou **Cellarier, Cellerier, Salarier**
Mort en 1451 à Lyon. XVᵉ siècle. Français.
Peintre.
Il fut au service des ducs de Berry à Lyon comme peintre verrier et peintre de décorations à partir de 1390.

CELEBI Ali
Né en 1904 à Istanbul. XXᵉ siècle. Turc.
Peintre de natures mortes.
Il figurait avec une nature morte en 1946 à l'Exposition Inter-

nationale d'Art Moderne organisée à Paris au Musée d'Art Moderne par l'organisation des Nations Unies.

Ali Celebi [signature]

CELEBONOVIC Marko ou Celebonovitch, dit parfois Marko

Né en 1902 à Belgrade (Serbie). XXᵉ siècle. Actif aussi en France. Yougoslave.
Peintre de compositions à personnages, de natures mortes, d'intérieurs, de portraits.
Entre 1919 et 1922 il fit des études d'économie à Oxford et de droit à Paris. Il travailla ensuite quelques temps dans l'atelier de Bourdelle. Il se consacra à la peinture à partir de 1923 et exposa pour la première fois à Paris en 1924. Il fait de longs séjours à Paris et dans le Midi de la France. Entre 1949 et 1952 il fut conseiller d'ambassade de Yougoslavie à Paris. Il est retourné à Belgrade en 1952 où il a été professeur à l'Académie des Beaux-Arts jusqu'en 1960.
Figuratif, il peint divers sujets non sans une interprétation très sensible de la réalité poétique.   ■ J. B.
BIBLIOGR. : In : *Les Peintres Célèbres*, Mazenod, Paris, 1964 – in : *Diction. Univ. de la Peinture*, Le Robert, Paris, 1975.
MUSÉES : BELGRADE (Mus. d'Art Mod.) : *Nature morte* 1960.

CELEBRANO Francesco

Né en 1729 à Naples. Mort en 1814. XVIIIᵉ-XIXᵉ siècles. Italien.
Peintre de sujets religieux, scènes de genre, sculpteur. Baroque.
Dans l'ancienne chapelle Sansevero, devenue au cours des XVIIᵉ et XVIIIᵉ siècles église Santa Maria di Pietà dei Sangro, Francesco Celebrano réalisa pour le maître-autel une *Déposition* impressionnante, sur le principe du tableau de marbre, dont malheureusement l'éclairage tend à écraser les reliefs au détriment des ombres, ce qui rend l'ensemble difficile à analyser.
MUSÉES : NAPLES : *Le Sacrifice d'Élie.*
VENTES PUBLIQUES : ROME, 11 nov. 1980 : *Les vendanges*, h/t (60x98) : ITL 8 500 000 – MONTE-CARLO, 3 avr. 1987 : *Couple accueilli par un prêtre près d'une ruine*, h/t (72x95) : FRF 100 000.

CELEN Peter

XVIᵉ siècle. Actif à Anvers en 1519. Éc. flamande.
Peintre, maître.

CELENTANO Bernardo

Né en 1835 à Naples. Mort en 1863 à Rome. XIXᵉ siècle. Italien.
Peintre de sujets religieux, genre, portraits.
Il fit ses études artistiques à Naples et à Rome. On cite de lui : *Le Tasse atteint des premiers symptômes de la folie, Le conseil des dix, Ensevelissement de saint Étienne, Communion de saint Stanislas.*
MUSÉES : FLORENCE (Gal. des Offices) : *Autoportrait* – NAPLES (Inst. des Beaux-Arts) : *Portrait de la sœur de l'artiste* – *Portrait du peintre F. Ruggieri.*
VENTES PUBLIQUES : MILAN, 26 nov. 1968 : *Jeune femme jouant du piano* : ITL 220 000 – MILAN, 15 mars 1977 : *Portrait de Domenico Morelli*, h/t (66x52) : ITL 1 500 000 – ROME, 13 mai 1986 : *Couple dans un paysage, avec vue de Saint-Pierre de Rome à l'arrière-plan*, h/t (17x27) : ITL 1 700 000 – ROME, 25 mai 1988 : *Depuis l'atelier du peintre*, h/t (47x36) : ITL 1 800 000.

CELENTANO Raimo

XVIIIᵉ siècle. Actif à Naples en 1705. Italien.
Peintre.

CELERE Vido ou Guido, dit Pre Vido

Né vers 1470 à Lovere (Bergame). XVᵉ siècle. Travaillant à Venise et à Rome. Italien.
Miniaturiste.

CELÉRIER Édouard

XIXᵉ-XXᵉ siècles. Actif à Paris. Français.
Peintre de genre et de portraits.
Membre de la Société des Artistes Français, prend part à ses Expositions depuis 1887. Figura en 1892 et 1895 au Salon de la Société Nationale des Beaux-Arts.

CELERIER Renée Paulette

Née à Rochefort-sur-Mer (Charente-Maritime). XXᵉ siècle. Française.

Peintre de natures mortes et de paysages.
Elle fut élève de Georges Delplanque. Elle exposa au Salon des Artistes Français en 1936-1937 des natures mortes et des paysages.

CELERS Zacharie ou Cellers

XVIᵉ siècle. Actif à Amiens entre 1551 et 1560. Français.
Peintre.
Il fut employé en 1551 aux décorations de la ville lors de l'entrée de Henri II à Amiens.

CELESTI Andrea

Né en 1637 à Venise. Mort à Venise, en 1700 d'après Lanzi ou 1706 d'après Bryan ou 1712 d'après d'autres sources. XVIIᵉ siècle. Italien.
Peintre d'histoire, scènes mythologiques, sujets religieux, portraits, dessinateur.
Il fut élève de Matteo Ponzone. On trouve des œuvres de lui dans un certain nombre d'églises : à Venise, Trévise, Brescia, Vérone, Vicence.
MUSÉES : BORDEAUX : *Bacchantes et satyres* – DRESDE : *Le meurtre des enfants à Bethléem* – *Les Israélites apportant leurs bijoux* – KASSEL : *Le fils du roi malade* – METZ : *Venise* – VIENNE (Albertine) : *Festin de Cléopâtre*, dess.
VENTES PUBLIQUES : MILAN, 24 nov. 1964 : *L'enlèvement d'Europe* : ITL 1 000 000 – MILAN, 26 nov. 1985 : *Abraham répudiant Agar et Ismaël*, h/t (125x168) : ITL 10 500 000 – MILAN, 3 mars 1987 : *La Résurrection de Lazare*, h/t (71,5x54) : ITL 16 000 000 – NEW YORK, 10 jan. 1990 : *Le Roi Hérode avec la tête de saint Jean Baptiste*, h/t (60,7x139,7) : USD 30 800 – NEW YORK, 10 oct. 1991 : *Les filles du Pharaon découvrant Moïse*, h/t (100,3x105,4) : USD 8 250.

CELESTINO Andrea

Originaire de Naples. XIXᵉ siècle. Actif au début du XIXᵉ siècle. Italien.
Peintre d'histoire, scènes de genre, paysages.
Élève de l'Académie de Naples. Il travailla à Rome, et sollicita en 1823 le poste de directeur de l'Académie de Naples, exposant dans cette ville la même année : *Jésus au temple* et *Charité.*
VENTES PUBLIQUES : PARIS, 24 juin 1929 : *Le repos pendant la fuite en Égypte*, dess. : FRF 185 ; *Deux jeunes filles et berger gardant des moutons*, dess. : FRF 120 ; *Amour couché sur des coussins*, dess. : FRF 95 ; *Femme à demi nue étendue sur un lit de repos*, dess. : FRF 100.

CELI Giovannantonio

XVIᵉ siècle. Actif à Crémone en 1516. Italien.
Peintre de fresques.

CELI Placido

Né en 1645 à Messine. Mort en 1710 à Messine. XVIIᵉ-XVIIIᵉ siècles. Italien.
Peintre.
Élève de Scillo (qu'il suivit à Rome), de Maratta et de Morandi. Il travailla à Rome et, plus tard, à Messine.

CELIBERTI Giorgio

Né en 1929 à Udine. Mort en 1960 à Udine. XXᵉ siècle. Italien.
Peintre de paysages, animalier, natures mortes.
VENTES PUBLIQUES : ROME, 25 nov. 1987 : *Nature morte 1960*, h/t (80x60) : ITL 700 000 – ROME, 15 nov. 1988 : *Nature morte sur le rebord de fenêtre*, h/t (61x47) : ITL 750 000 – ROME, 30 oct. 1990 : *Le chat 1959*, h/t (90x63,5) : ITL 1 400 000 – ROME, 25 mars 1993 : *Périphérie romaine 1954*, h/t (60x100) : ITL 2 200 000 – ROME, 13 avr. 1994 : *Paysage*, h/cart. (41x60) : ITL 1 610 000 – ROME, 13 juin 1995 : *Chat 1959*, h/t (90x65) : ITL 1 150 000.

CELIC Stojanvier

Né le 16 février 1925 à Bosanski Novi (Serbie). XXᵉ siècle. Yougoslave.
Peintre, graveur, peintre de cartons de tapisseries, mosaïste. Abstrait.
Il vit et travaille à belgrade. Il fit ses études à l'Académie des Beaux-Arts de Belgrade jusqu'en 1951 et suivit ensuite le cours spécial de perfectionnement jusqu'en 1953. Il fut membre des groupes *Samostalni* (Indépendants) et *Decembarska* (Décembre). Professeur à l'Académie des Beaux-Arts de Belgrade, il est rédacteur en chef de la très importante revue *Umetnost* (Art), qui, dans une présentation aérée et audacieuse, propage en Yougoslavie une information artistique non limitative et qui rend compte objectivement de toutes les expériences les plus actuelles à travers le monde, concrétisant le libéralisme intellec-

tuel caractéristique de ce pays. Il a participé à de nombreuses expositions collectives yougoslaves et internationales parmi lesquelles on peut citer : en 1961-1962 *L'Art Contemporain Yougoslave* au Musée d'Art Moderne de Paris, New York et Stockholm, à partir de 1962 le Salon d'Octobre de Belgrade, en 1964 la XXXe Biennale de Venise, en 1965 la VIIIe Biennale de Tokyo, en 1966 à Washington à la Corcoran Gallery *L'Art Yougoslave-La Jeune Génération*. Des expositions personnelles de ses travaux se sont tenues à Ljubljana en 1963, à Belgrade en 1964 (gravures), en 1965 à Split, à Belgrade, Skopje et Sarajevo en 1966, à Nis et Belgrade en 1967. Il a reçu le Prix de la IIIe exposition de Gravure Yougoslave de Zagreb, en 1965 un prix à la VIe exposition internationale de gravure de Ljubljana, en 1966 un prix pour la tapisserie au Salon d'Octobre des Arts Décoratifs de Belgrade.
Son abstraction sereine introduit de discrets dessins géométriques dans des compositions au chromatisme raffiné. ■ J. B.
BIBLIOGR. : In : *Diction. Univ. de la Peinture*, Le Robert, Paris, 1975.

CELICE Pierre
Né le 25 novembre 1932 à Paris. XXe siècle. Français.
Peintre, sculpteur, lithographe.
Il commença à exposer en 1952. Entre 1958 et 1964 il figura au Salon de la Jeune Peinture et au Salon Comparaisons. En 1960, 1962, 1964 il participa à la Biennale de Tokyo et à celle de Paris en 1963 et 1965. Depuis 1957 il a montré ses travaux lors d'expositions personnelles, à Paris en 1961, 1962, 1964, 1965 et en 1991, 1993 (Galerie Mostini), ainsi qu'à Londres et à Bruxelles. Il a reçu le prix Victor Chocquet en 1962.
Sa peinture, claire, colorée et joyeuse, relève d'une figuration synthétique à la limite de l'abstraction, tout en empruntant des éléments au Pop'art et à Alan Davie. Il réalise également des reliefs en tôle peinte et cuits au four destinés à habiller l'architecture.

Celice 78

VENTES PUBLIQUES : PARIS, 11 fév. 1987 : *Composition* 1986, acryl. (97x130) : FRF **7 500** – PARIS, 23 mars 1989 : *Sans titre* 1987, acryl./t. (130x195) : FRF **32 000** – PARIS, 8 oct. 1989 : *Sans titre* 1986, acryl./t. (130x161) : FRF **31 000** – PARIS, 8 nov. 1989 : *Pattern* 1981, acryl. (87x100) : FRF **19 000** – PARIS, 7 mars 1990 : *Composition* 1988, acryl./t. (81x116) : FRF **25 000** – PARIS, 31 oct. 1990 : *Composition* 1990, acryl./t. (76,5x102) : FRF **36 000**.

CELIE Pieter, pseudonyme de Van de Bult Théo
Né en 1942 à Eindhoven (Pays Bas). XXe siècle. Actif en Belgique. Hollandais.
Sculpteur.
Il fit ses études à Eindhoven et à l'Institut supérieur d'Anvers. Il réalise des pastiches d'objets usuels et quotidiens à partir de planches sciées, attachées et laquées.

CÉLINE, pseudonyme de Moutafian Céline
Née en 1970. XXe siècle. Française.
Peintre. Groupe Art-Cloche.
Dans les années quatre-vingt, elle découvrit la peinture par le groupe art-cloche. Elle peint sur des toiles libres ou sur du papier maroufié.
BIBLIOGR. : In : *Art Cloche. Élément pour une rétrospective. Squatt artistique*, catalogue de ventes, Me Pierre Cornette de Saint-Cyr, lundi 30 janvier 1989, Paris.

CELINSKI Slawomir
Né en 1852 à Varsovie. XIXe siècle. Polonais.
Sculpteur.
Élève de l'École d'Art de Cracovie et de Matejko, puis de l'Académie de Vienne, où il eut pour maître Kaspar Zumbusch. En 1878 il se fixa à Varsovie qu'il quitta pour Saint-Pétersbourg en 1889. Entre 1899 et 1902 il vécut en Mandchourie ; puis il partit pour l'Amérique.

CELIO Gaspare
Né en 1571 à Rome. Mort en 1640 à Rome. XVIe-XVIIe siècles. Italien.
Peintre et dessinateur.
Il étudia, selon Baglione, avec Niccolo Circignani, selon Titi, avec Roncalli. Il travailla pour un certain nombre d'églises de Rome. Quelques-uns de ses dessins sont conservés à la Galerie des Offices, à Florence, et au Musée du Louvre.

CELIO Giovanni Battista
XVIIe siècle. Actif à Aquila. Italien.
Peintre.

CELIS Agustin
Né en 1932 à Comillas (Santander). XXe siècle. Espagnol.
Peintre.
Il fut élève de l'École des Beaux-Arts de Madrid. Lauréat du Grand Prix de Rome en 1960, il y demeura jusqu'en 1965. Il a voyagé à travers l'Europe. Il obtint le Prix National de Peinture en 1971. il est professeur à l'École Technique Supérieure d'Architecture de Madrid et Conservateur du Musée d'Art de Villafames. Il participe à de nombreuses expositions collectives depuis 1962 parmi lesquelles on peut citer : en 1963 Salon de la Jeune Peinture, 1967 Ve Biennale de Paris, 1968 XXXIVe Biennales de Venise et de São Paulo, 1971 Biennale de São Paulo, etc. Il a montré ses travaux lors d'expositions personnelles à partir de 1957 dans différentes villes d'Espagne, en Italie en 1963, 1964 et 1965, à New York en 1970 et à Paris en 1975.
Sa peinture remarquablement exécutée, tente de concilier les expressions stylistiques les plus diverses, abstraction-géométrique, collages surréalistes, art optique, iconographie du Pop art, etc.
BIBLIOGR. : Catal. de l'exposition *Celis*, Paris, 1975.
MUSÉES : BILBAO (Mus. des Beaux-Arts) – MADRID (Mus. d'Art Contemp.) – QUITO-EQUATEUR (Mus. d'Art Contemp.) – SANTANDER (Mus. d'Art) – SANTANDER (Mus. Redondo) – SANTANDER (Mus. El Sedo) – SÉVILLE (Mus. d'Art Contemp.) – VILLAFAMES (Mus. d'Art Contemp.).

CELIS Perez
Né en 1939 à Buenos Aires. XXe siècle. Argentin.
Peintre.
Il a reçu de nombreux prix lors d'expositions réalisées en Argentine, au Pérou et à Tokyo entre 1956 et 1963.

Perez Celis

BIBLIOGR. : Gaston Diehl : *Perez Celis*, Gaglionone, Buenos Aires, 1981.
MUSÉES : BOGOTA (Mus. d'Art Mod.) – BUENOS AIRES (Mus. d'Art Mod.) – CHASCOMUS (Mus. mun. des Beaux-Arts) – LA PAZ (Mus. Nat. des Beaux-Arts) – TANDIL (Mus. des Beaux-Arts).
VENTES PUBLIQUES : NEW YORK, 17 mars 1988 : *Résonance* 1987, h/t (122x137) : USD **13 200** – NEW YORK, 21 nov. 1988 : *Souvenir de métaux II* 1980, h/t (80x100) : USD **6 600** ; *Substances terrestres* 1984, h/t (168x152) : USD **11 000** – NEW YORK, 21 nov. 1989 : *La voix de la conscience* 1977, h/t (100x80) : USD **4 180** – NEW YORK, 2 mai 1990 : *Vision de messages* 1984, h/t (157,5x132) : USD **13 200** – NEW YORK, 19-20 nov. 1990 : *Le déchiffrage des messages* 1984, acryl./t. (163x132) : USD **8 800** – NEW YORK, 15-16 mai 1991 : *Rencontre de forces* 1984, acryl./t. (168,5x152,7) : USD **8 800** – NEW YORK, 12 juin 1991 : *Pouvoirs inconnus* 1977, h/t (129,5x99,1) : USD **3 300** – NEW YORK, 21 nov. 1995 : *Tension éco-logique* 1992, h/t (203,2x177,8) : USD **2 530**.

CELIS Rémy
Né le 23 octobre 1931 à Bruxelles. XXe siècle. Belge.
Peintre de nus, paysages urbains, dessinateur, graveur.
Il travailla à partir de 1949 à l'Académie des Beaux-Arts de Bruxelles dans les ateliers de Jean Ransy et Jacques Maes. Il exposa à Amsterdam en 1969, à Bruxelles en 1970 et 1972, à Paris en 1973.
Peintre de paysages, en particulier du vieux Bruxelles, il joue des contrastes de couleurs sourdes, créant une atmosphère étrange. Peintre intimiste, il est inspiré par l'insolite du quotidien urbain. Ses nus féminins conjuguent réalisme et imaginaire.
BIBLIOGR. : In : *Diction. Biogr. Ill. des Artistes en Belgique depuis 1830*, ARTO, 1987.

CELLA Gabrielle della
Originaire de Côme. XVe siècle. Travaillait à Gênes en 1474. Italien.
Peintre.

CELLA Giovanni della
XVIe siècle. Actif à Modène en 1508. Italien.
Peintre.

CELLAI Raffaello
Né en 1840 à Florence. XIXe siècle. Italien.

Sculpteur.

Élève de Pio Fedi. Il travailla, entre 1864 et 1876, à Vienne, Dresde, Berlin et Munich, puis revint à Florence, où il exécuta, d'après les equisses de Henze, les figures du *Monument de la Victoire*, érigé à Dresde en 1880.

CELLARD Andrée
XXᵉ siècle. Française.
Peintre.

Elle exposa au Salon de la Société Nationale des Beaux-Arts en 1924.

CELLARIER Jean. Voir CÉLARIER

CELLARIUS Hermann Wilhelm
Né en 1815 à Aurich (Frise). Mort en 1867 à Leipzig. XIXᵉ siècle. Actif à Leipzig. Allemand.
Peintre de paysages, décorateur.

VENTES PUBLIQUES : COLOGNE, 20 mai 1985 : *Paysage alpestre*, h/cart. mar./t. (52,5x43,5) : **DEM 2 200**.

CELLE Dominique
Né à Toulouse. XVIᵉ siècle. Français.
Dessinateur d'ornements.

Il vivait en Italie vers le milieu du XVIᵉ siècle. Il dessina des modèles de broderie et n'est connu que par un volume in-4°, sans date, contenant vingt-cinq feuillets et cinquante-quatre planches de patrons de lingerie et de broderie. Le titre (19 vers) porte : *Ce livre est plaisant et utile A gens qui besongnent de l'aiguille... Corrigé est nouvellement Dung honneste homme par bon zelle... Son nom est Dominique Celle. Domicile a en Italie, En Thoulouse a prins sa naissance...* Les vers qui suivent indiquent que les planches ont été gravées par Jean Coste qui vivait à Lyon en 1515 et 1560. Un peintre du nom de Florent Celle travaillait à Lyon en 1575.

CELLE Edmond Carl de
Né le 26 septembre 1889 à New York. XXᵉ siècle. Américain.
Peintre, graveur, illustrateur.

Il fit ses études artistiques en Angleterre et en Belgique. Il fut membre de la Southern States Art League. Il a réalisé les décorations murales de plusieurs monuments publics pour la ville de Mobile en Alabama, ainsi que dix panneaux dans l'église du Sacré-Cœur et un panneau à la Bibliothèque Camberwell de Londres.

CELLE Giovanni Luca et Girolamo, les frères
XVIIIᵉ siècle. Actifs à Gênes. Italiens.
Peintres.

Ils décorèrent de fresques, en 1765, le Palais Serra.

CELLERIER Jean. Voir CÉLARIER

CELLÉRIER Mathilde
Née à Genève. XIXᵉ siècle. Suisse.
Peintre, aquarelliste, céramiste.

Élève de Castres, de Hébert, de Terrier et de Bouguereau. Mathilde Cellerier a exposé à Genève. Elle a décoré des céramiques. Le Musée de Neuchâtel conserve une de ses œuvres.

VENTES PUBLIQUES : PARIS, 1898 : *Perspective d'un monument*, aquar. : **FRF 150**.

CELLERIN Fernand
Né à Paris. XXᵉ siècle. Français.
Peintre de paysages.

Il exposa au Salon des Artistes Indépendants entre 1921 et 1927.

CELLERS Zacharie. Voir CELERS

CELLES Jean
XIVᵉ siècle. Français.
Sculpteur.

Il travaillait en 1390, sous la direction de Claus Sluter, aux tombeaux de la Chartreuse de Dijon.

CELLESI Donato
XIXᵉ siècle. Actif à Florence. Italien.
Dessinateur et graveur.

Il a dessiné et gravé les illustrations de son livre : *Sei Fabbriche di Firenze* (1851).

CELLI A.
XIXᵉ siècle. Actif à Londres. Britannique.
Peintre.

Il exposa à Londres, entre 1808 et 1812 à la British Institution.

CELLI Ansano
XVIIIᵉ siècle. Actif à Sienne. Italien.

Graveur au burin.

Le Blanc cite : *Bustes de Cérès et de Bacchus, Deux amours volant dans les airs.*

CELLI Elmiro
Né à Voghera (Italie). XXᵉ siècle. Français.
Peintre de paysages.

Il tenta d'imposer une école dite du « Sensationnisme », ne s'y attarda point et peignit des paysages traditionnels. Il exposa entre 1920 et 1927 aux Salons d'Automne, des Artistes Indépendants et de la Société Nationale des Beaux-Arts.

CELLI Giovanni di Ser Bartolo
XVᵉ siècle. Actif à Pérouse. Italien.
Peintre de sujets religieux.

VENTES PUBLIQUES : PARIS, 2 déc. 1981 : *Vierge à l'Enfant* 1500, h/bois (48x33) : **FRF 25 500**.

CELLI Lelio
XIXᵉ-XXᵉ siècles. Italien.
Peintre.

MUSÉES : FLORENCE (Gal. d'Art Mod.) : *Jeune femme*.

CELLI Luciano
Né en 1940 à Trieste. XXᵉ siècle. Italien.
Sculpteur. Abstrait.

Il fit d'abord des études d'architecture à Venise, recevant son diplôme en 1964. A partir de 1967, il exposa des sculptures abstraites composées de plusieurs figures géométriques s'emboîtant les unes dans les autres. Il a participé à plusieurs salons italiens et au Salon des Grands et Jeunes d'Aujourd'hui à Paris en 1972.

CELLIER Aloys
Né à Genève. XIXᵉ-XXᵉ siècles. Travaillant à Paris. Suisse.
Sculpteur.

On cite de cet artiste un buste d'*Antoine Carteret* et une statuette *Désespérance* (1893), au Musée Rath. A pris part à l'Exposition Nationale de Genève en 1896 et exposa au Salon des Artistes Français, entre 1888 et 1891, des bustes (portraits) et *Le Tireur d'arc*.

CELLIER Alphonse
Né en 1875 à Gardanne (Bouches-du-Rhône). Mort en 1936. XXᵉ siècle. Français.
Peintre de paysages et de compositions à personnages.

Il fut élève de Léon Bonnat et de Jean-Paul Laurens. Il aimait à peindre les paysages d'Auvergne, la Provence et les environs de Paris. Il fut sociétaire du Salon des Artistes Français, recevant la médaille d'argent en 1931.

VENTES PUBLIQUES : PARIS, 19 mai 1919 : *Vue de Provence* : **FRF 55**.

CELLIER Arnoult Antoine
Mort en 1730 à Paris. XVIIIᵉ siècle. Travaillant à Paris. Français.
Sculpteur.

CELLIER Célestin
Né en 1745 à Valenciennes (Nord). Mort le 23 mai 1793 à Valenciennes. XVIIIᵉ siècle. Français.
Peintre de sujets religieux, genre, portraits.

Il fut professeur à l'Académie des Beaux-Arts de Valenciennes. La plupart des œuvres de ce peintre ont été perdues au cours de la première Révolution. Il avait été souvent employé pour la décoration des églises. Il fit aussi de nombreux portraits.

MUSÉES : VALENCIENNES : *La ville de Valenciennes protégeant les arts.*

VENTES PUBLIQUES : VERSAILLES, 29 fév. 1976 : *Le billet doux*, h/t (90x70) : **FRF 3 500**.

CELLIER Charles Robert Camille
Né à Bègles (Gironde). XIXᵉ-XXᵉ siècles. Français.
Sculpteur.

Il fut élève de François Raoul Larche et de Jules Coutan. Sociétaire du Salon des Artistes Français il reçut la troisième médaille en 1914.

CELLIER François Placide
Né le 21 août 1768 à Valenciennes (Nord). Mort le 8 août 1849. XVIIIᵉ-XIXᵉ siècles. Français.
Peintre.

En 1787, il remporta la première médaille d'honneur qui fut décernée après la fondation de l'Académie de Valenciennes. Fils et élève de Célestin Cellier. Il se trouva à la mort de son père à la tête d'une importante fortune et il ne s'occupa plus d'art qu'en amateur. Le Musée de Valenciennes conserve de lui : *Méléagre et Atalante* et *Idylle*.

CELLIER Jacques
Né vers 1550. Mort vers 1620 à Laon. XVIe-XVIIe siècles. Travaillant à Laon, puis à Reims. Français.
Dessinateur, calligraphe et musicien.
On conserve de lui deux séries de dessins à la Bibliothèque Nationale à Paris et à la Bibliothèque de Reims.

CELLIER Jean Louis
XVIIIe siècle. Français.
Peintre.
Il fut reçu à l'Académie de Saint-Luc à Paris en 1784.

CELLIER Jules Henri
Né le 7 juin 1826 à Valenciennes (Nord). XIXe siècle. Travaillant à Douai. Français.
Peintre.
Entré à l'École des Beaux-Arts de Paris le 8 avril 1846, il devint l'élève de Picot et d'Abel de Pujol. Il débuta au Salon de Paris en 1859 et continua à y exposer des portraits et des scènes de genre jusqu'en 1889. Il a exécuté les peintures décoratives de l'Hôtel de Ville et du Théâtre de Douai (1851-1880). Un certain nombre d'églises de Douai et d'autres villes de la même région possèdent des tableaux ou des décorations de sa main. Le Musée de Douai conserve de lui les portraits du statuaire Théophile Bra et de L.-J. Queter.

CELLIER Nicolas Claude
XVIIIe siècle. Français.
Peintre.
Il fut reçu à l'Académie de Saint-Luc à Paris en 1778.

CELLIER Paul Victor Alfred
Né le 4 février 1826 à Paris. XIXe siècle. Français.
Peintre de genre.
Il fut l'élève de Picot à l'École des Beaux-Arts de Paris où il entra le 7 octobre 1846 et fut médaillé en 1868. Il débuta au Salon de Paris en 1848.
VENTES PUBLIQUES : PARIS, 1881 : *La perruche* : FRF 285 – PARIS, 3 juil. 1950 : *Jeune femme fleurissant son intérieur* : FRF 15 000.

CELLIER Pierre
Né à Rueil-Malmaison (Hauts-de-Seine). XXe siècle. Français.
Peintre.
A exposé des paysages et des fleurs au Salon des Artistes Français, 1932-33.

CELLIER-EQUIF Marie-Thérèse
Née à Paris. XXe siècle. Française.
Peintre de paysages.
Elle exposa au Salon d'Automne entre 1934 et 1937 et fut invitée au Salon des Tuileries en 1938.

CELLIÈRE MARTIN-GALTIER Monique
Née en 1945 à Marseille (Bouches-du-Rhône). XXe siècle. Française.
Peintre de cartons de céramiques, mosaïques, tapisseries, dessinateur. Tendance fantastique.
Elle figurait dans l'exposition des collections du Musée Cantini à Marseille en 1984. Elle fit ses études à l'École d'Art et d'Architecture de Luminy de Paris et fut élève de Mario Prassinos pour la tapisserie. En 1969 elle se consacre à la décoration architecturale, pratiquant la céramique, la mosaïque et la peinture sur fibrociment. Vers 1970 elle travaille surtout la peinture, expérimentant l'utilisation de matériaux divers comme le tissu, le sable et le bois. C'est en 1973 qu'elle réalise ses premiers dessins à l'encre de Chine, au lavis et au crayon. Partant d'éléments réalistes, elle crée un univers onirique. Elle est professeur à l'École d'Art et d'Architecture de Marseille-Luminy.
BIBLIOGR. : Catal. de l'exposition *Cantini 84*, Musée Cantini, Marseille, mai-août 1984.
MUSÉES : MARSEILLE (Mus. Cantini) : *La bicyclette*, cr. Conté, (50x65) – *L'atelier*, cr. Conté, (50x65).

CELLINI Benvenuto
Né en 1500 à Florence (Toscane). Mort en 1571 à Florence. XVIe siècle. Italien.
Dessinateur, sculpteur, orfèvre.
Benvenuto Cellini appartient à une famille d'artistes : son grand-père était architecte ; son père musicien et voulait l'engager dans cette forme d'art. Mais Benvenuto préféra travailler chez un orfèvre, avant de s'établir très tôt à son compte. Aventurier et condamné pour coups et blessures, il doit quitter Florence pour Rome. Ses aventures sont d'ailleurs relatées dans ses *Mémoires* (écrits entre 1558 et 1562), où il ne manque ni de se vanter ni de raconter avec quelque exagération les épisodes mouvementés de sa vie. Au moment du sac de Rome, en 1527, Cellini rejoint le pape Clément VII au château Saint-Ange, il y aurait tué le Connétable de Bourbon ; puis démonté les tiares pontificales et les pierreries de la chambre apostolique pour les coudre dans la doublure des vêtements du pape et son homme de confiance (un palefrenier français). Après cet épisode romanesque, Cellini voyage en Italie, toujours poursuivi pour ses violences. On le retrouve à Paris, où il se heurte au Rosso, peintre à la cour de François Ier à Fontainebleau. Il repart presque aussitôt à Rome où l'attend le malheur : Pier-Luigi Farnèse (fils du nouveau pape) l'accuse d'avoir dérobé plus de quatre-vingt mille ducats de joyaux à Clément VII. Arrêté, enfermé au fort Saint-Ange, aux prises avec le gouverneur fou, il s'évade, est blessé, condamné à mort. Aidé par Marguerite d'Autriche, il est enfin sauvé par le cardinal de Ferrare, fils de Lucrèce Borgia, agissant au nom de François Ier. Cette fois, il retourne à Paris où il reste cinq ans.
Travaillant à la cour, il fait des candélabres, des statues en argent, des ornements de table, dont la fameuse salière en or qu'il termine en 1543. Cette pièce d'orfèvrerie, représentant *Neptune et Amphitrite*, face à face, ne laisse pas présager de son talent de sculpteur. Il exécute alors le modèle de la *Nymphe de Fontainebleau*. Après quelque intrigue, soupçonné d'avoir détourné de l'argent, opposé à son rival qui est maintenant Le Primatice il quitte Paris et revient à Florence où il entre au service de Cosme Ier, en qualité de sculpteur, orfèvre et graveur de monnaie. C'est à cette époque que s'opère définitivement la transformation de Benvenuto Cellini : d'orfèvre, il devient sculpteur. Il produit tout d'abord des bustes, dont celui de Cosme Ier de Médicis, entre 1546 et 1547, auquel il donne une physionomie altière, rendue terrible par ses yeux, mais où il laisse encore transparaître son art d'orfèvre lorsqu'il cisèle la cuirasse du prince. Il sculpte son fameux *Persée*, qui lui est commandé en 1546, auquel on ne peut enlever sa jeunesse triomphante, soulignée par une ligne toute florentine et rendue avec raffinement. Cette œuvre est le résultat de nombreuses recherches dont nous gardons quelques témoignages : le modèle en cire du Bargello où il se montre un continuateur de Verrocchio, Donatello, divers croquis aux lignes nerveuses accusant les muscles. Enfin, il se décide à fondre la statue monumentale en bronze, destinée à prendre place dans la Loggia dei Lanzi à Florence. Il eut de nombreuses difficultés, sa maison faillit brûler, il dut jeter sa vaisselle d'étain dans la fusion du métal. Le résultat a donné une statue différente du modèle en cire, sa ligne reste florentine, mais son seul défaut est de conserver un caractère d'orfèvrerie pour le socle. À cette époque il sculpta une œuvre moins célèbre mais tout aussi intéressante : un *Christ* en marbre blanc sur une croix noire, aujourd'hui à l'Escurial. Le meilleur de lui-même se retrouve dans les cires perdues du Bargello qui sont bien souvent négligées par les visiteurs.
L'art de Cellini est fait de souvenirs des grands sculpteurs florentins Donatello et Verrocchio, de la grâce de Raphaël, surtout pour les nus féminins, et de la force de Michel-Ange qu'il admirait. Marqué par le courant maniériste, qu'il définit particulièrement bien à travers sa *Nymphe de Fontainebleau*, il donne à ses statues une grâce calculée, un balancement des membres allongés. Cet équilibre raffiné se retrouve chez la *Danaé avec le jeune Persée* (détail du socle du *Persée*), mais aussi par le *Ganymède* où s'opposent et s'équilibrent le poli du corps du jeune homme et le plumage de l'aigle. Enfin Benvenuto Cellini personnifie l'esprit de la Renaissance italienne avec ses tendances idéalistes, ses violences, sa poésie et ses faiblesses, même ses crimes.
BIBLIOGR. : F. Berence : *Benvenuto Cellini, aventurier et grand artiste*, Jardin des Arts, septembre 1964 – P. Murray in : *Dictionnaire de l'Art et des Artistes*, Hazan, Paris, 1967.
MUSÉES : BOSTON (Isabella Stewart Gardner Mus.) : *Portrait de Bindo Altoviti* – FLORENCE (Bargello) : *Ganymède* – *Apollon et Hyacinthe* – *Cosme Ier de Médicis* – FLORENCE (Loggia des Lanzi) : *Persée* – PARIS (Louvre) : *Modèle en bronze de la Nymphe de Fontainebleau* – VIENNE (Kunsthistoriches Mus.) : *Salière de François Ier en or*.
VENTES PUBLIQUES : PARIS, 1842 : *Un miroir entouré d'ornements et de figures*, dess. à la pl. au bistre : FRF 200 – PARIS, 1857 : *Ornements pour une porte divisée en deux montants*, dessin : FRF 101 – PARIS, 1882 : *Baignoire avec mascarons et figures en bas-relief* ; *Vases et statues*, deux dessins à l'encre de Chine :

FRF 27 – Paris, 1896 : *Modèles de salières*, deux dessins à la plume et à la sépia : **FRF 100** – Londres, 16 mai 1968 : *Junon*, bronze : **GBP 32 000** – Monaco, 7 déc. 1990 : *Apollon*, encre et lav. brun (28,4x20) : **FRF 310 800**.

CELLINI Gaetano
Né à Ravenne. xxᵉ siècle. Italien.
Sculpteur de groupes, figures.
Il exposa à Turin, Venise et Munich.
Musées : Rome (Gal. d'Arte Mod.) : *L'Humanité contre le Mal*.

CELLINI Giuseppe
Né en 1855 à Rome. xixᵉ siècle. Travaillant à Rome. Italien.
Peintre.
Élève de F. Prosperi et de Domenico Bruschi à l'Institut des Beaux-Arts à Rome, puis disciple de Giovanni Costa. Peintre de décorations, il passa quelques années à Lisbonne, où il enseigna à l'Académie. De retour en Italie, il s'adonna à la miniature sur parchemin. Il a illustré les *Poèmes* de d'Annunzio.

CELLOMI Pasquale ou Celommi
Né en 1851 à Montepagano (Abruzzes). Mort en 1928. xixᵉ-xxᵉ siècles. Italien.
Peintre de genre.
Il fut élève de l'Académie de Florence et d'Ant. Ciceri. Il a exposé à Turin en 1880 : *Un vieux des Abruzzes* et *Odalisque* ; en 1898 : *Il mio gioiello* ; à Florence en 1886 : *La Cueillette des courges* ; à Rome en 1896 : *Il ciabattino*. Il travaillait à Florence et à Montepagano.
Ventes Publiques : New York, 28 oct. 1987 : *La Promenade du dimanche*, h/t (62,2x111,7) : **USD 5 500** – New York, 25 fév. 1988 : *L'Assiette brisée*, h/t (55,8x78,8) : **USD 11 000** – Rome, 14 déc. 1989 : *Sourire*, h/t (55x64) : **ITL 5 750 000** – Monaco, 21 avr. 1990 : *Branches printanières*, h/t (100x60) : **FRF 61 050** – Milan, 16 juin 1992 : *Femmes sur une plage*, h/t (80x157) : **ITL 19 500 000** – Milan, 9 nov. 1993 : *Flirt 1903*, h/t (70,5x45,5) : **ITL 7 475 000** – Londres, 16 nov. 1994 : *Fille de pêcheur sur la grève*, h/t (97x59) : **GBP 4 025** – Rome, 6 déc. 1994 : *Jeune fille de pêcheur*, h/t (90x60) : **ITL 11 196 000**.

CELLONY Joseph, l'Ancien
Né en 1663 à Aix-en-Provence. Mort le 18 janvier 1731 à Aix-en-Provence. xviiᵉ-xviiiᵉ siècles. Français.
Peintre de portraits.
Lors de la décoration de la grande salle des Conseils à l'Hôtel de Ville d'Aix-en-Provence il prit part à l'exécution des portraits des anciens comtes de Provence et de leurs successeurs les rois de France. Son portrait du marquis d'Argens a été gravé par J. Coelemans.

CELLONY Joseph, le Jeune
Né le 16 février 1730 à Aix. Mort en 1786. xviiiᵉ siècle.
Peintre d'histoire.
Fils de Joseph André Cellony. Il fut l'élève d'André Bardon. Il a peint pour plusieurs églises de Marseille. On cite de lui : *La mort d'Alceste*.
Ventes Publiques : Paris, 1775 : *La sépulture donnée à un mort*, dess. au bistre reh. de blanc : **FRF 75** – Paris, 1779 : *Le même dessin* – **FRF 10** – Paris, 4 mai 1942 : *La mort d'Alceste*, pl., lav. de sépia, reh. de gche blanche : **FRF 240**.

CELLONY Joseph André
Né à Aix-en-Provence. Mort le 7 février 1746. xviiiᵉ siècle. Français.
Peintre de portraits.
Fils et élève de Joseph Cellony l'Ancien. Il surpassa son père dans le portrait. Il travailla aussi avec Rigaud.
Musées : Aix-en-Provence : *Portrait de M. de Panisson* – *Portrait du même* – *Portrait de Mme de Cabanes* – *Portrait de dame inconnue*.

CELMA Benito
xviᵉ siècle. Actif à Valladolid. Espagnol.
Sculpteur.

CELMA Juan Bautista
Originaire d'Aragon. xviᵉ-xviiᵉ siècles. Travaillant à Santiago. Espagnol.
Peintre ferronnier et fondeur.

CELMA Juan Tomas
Né en 1518. Mort avant 1595. xviᵉ siècle. Actif à Valladolid. Espagnol.
Peintre, sculpteur et fondeur.

CELMINA Inta
Née le 7 janvier 1946. xxᵉ siècle. Russe-Lettone.

Peintre de figures, animalier.
De 1957 à 1964, elle fut élève à l'École Rozental, puis entra à l'Académie des Beaux-Arts de Lettonie. En 1976, elle y fut nommée professeur. Depuis 1969, elle participe à des expositions collectives en U.R.S.S. : Riga, Moscou, et aussi à l'étranger : Japon, Italie, Bulgarie, Allemagne, Pologne, France, U.S.A., ayant reçu quelques distinctions.
Elle est surtout peintre de figures féminines, nues ou à demi nues, qu'elle traite avec une certaine théâtralité, obtenue par l'éclairage et par la couleur.
Musées : Cologne (Mus. d'Art Mod.) – Moscou (min. de la Culture) – Moscou (Gal. Tretiakov) – Riga (Mus. Nat. de Lettonie).
Ventes Publiques : Paris, 11 juil. 1990 : *Carmen* 1989, h/t (146x113) : **FRF 3 000**.

CELMINS Vija
Née en 1938 à Riga (Lettonie). xxᵉ siècle. Depuis 1948 active aux États-Unis. Russe.
Peintre de natures mortes, dessinateur.
Sa famille a émigré aux États-Unis en 1948 pour s'établir à Indianapolis (Indiana). En 1961, elle a suivi les cours d'été de la Yale University Art School de Norkolk dans le Connecticut. Elle y rencontra des artistes de sa génération tel Chuck Close, Brice Marden et David Novros. Elle a ensuite gagné Los Angeles. Elle vit et travaille à Venice en Californie.
Elle participe à des expositions collectives, notamment : 1998, *Être nature*, Fondation Cartier pour l'art contemporain, Paris. Elle montre ses œuvres dans des expositions personnelles : 1995, Whitney Museum of American Art, New York ; 1995, Fondation Cartier, Paris.
Attiré, à ses débuts, par l'abstraction, elle abandonna définitivement cette forme d'expression dès la fin de ses études. Elle a commencé par peindre dans les années soixante, grandeur nature, les objets de son atelier, puis la nourriture qu'elle mangeait et les ustensiles de cuisine nécessaire à sa préparation. L'étrangeté de ces natures mortes est accentuée par la sobriété de leur représentation : image centrée, fond souvent neutre, camaïeu de couleurs. Son œuvre n'est en rien une déclinaison critique et « popartisante » d'objets de la société de consommation. Elle traduit, au contraire, un sentiment d'angoisse personnelle au regard des tragédies du monde. Vers le milieu des années soixante-dix, elle a orienté sa figuration vers des paysages énigmatiques : ciels étoilés, vagues de la mer, éclats de lumière... Récemment, elle a réalisé des peintures représentant des pierres dont les formes de certaines sont coulées en bronze et fixées à même le tableau.
Bibliogr. : S. C. Larsen : *Vija Celmins*, Los Angeles, 1979.
Ventes Publiques : Los Angeles, 1ᵉʳ fév. 1982 : *Ocean* 1972, litho. (15,5x106,5) : **USD 550** – New York, 4 mai 1989 : *Petit désert* 1975, graphite/pap. (30,7x38,2) : **USD 19 800** – New York, 9 nov. 1989 : *Sans titre*, graphite et acryl./pap. (37,5x30,2) : **USD 23 100** – New York, 5 mai 1994 : *Vaste océan #3* 1973, graphite et acryl./pap. (75,6x109,2) : **USD 23 000** – New York, 5 mai 1996 : *Constellation de Jupiter* 1983, mezzo-tinto imprimé en noir et gris (27,5x19,3) : **USD 805**.

CELNIKIER Isaac
Né le 8 mai 1923 à Varsovie. xxᵉ siècle. Depuis 1957 actif en France. Polonais.
Peintre et graveur, de nus, de portraits et de paysages. Expressionniste.
A l'âge de seize ans, il fut enfermé dans le ghetto de Bialystok puis déporté à Birkenau, Auschwitz et en d'autres camps, en réchappant miraculeusement. Après la guerre, il commença des études artistiques en Pologne, dont il préféra quitter le climat antisémite, les poursuivant en Tchécoslovaquie où le grand peintre cubiste tchèque Filla, ami de Braque, fut son professeur. Il se fixa à Paris en 1957 tout en faisant de nombreux séjour en Israël. En 1967, il est nommé chevalier des Arts et Lettres par André Malraux. Ses œuvres firent l'objet d'expositions particulières en 1962 à Carpentras, à Paris en 1964, à Tel-Aviv en 1966, à Jérusalem en 1967, au musée d'Ein-Harod la même année, au musée d'Haïfa et à Paris en 1968, au musée Lohamei Hagetaoth en Israël en 1969, au Musée Tel-Aviv en 1976, au Yad Vashem art Museum à Jérusalem, au Troms Museum (Norvège) en 1990, au Musée des Augustins de Toulouse en 1991.
Il peint dans un langage expressionniste qui n'est pas sans évoquer les œuvres de Picasso ou Soutine, avec des coulées de matière généreuse. Il aime peindre des nus sensuels. Il a peint des vues de Prague où il séjourna, en France il peint les paysages

de Haute Provence. On cite surtout les grandes compositions qu'il a consacrées au ghetto, aux camps de concentration nazis (*La mémoire gravée*, vingt-quatre gravures originales). Pour une grande partie, son œuvre répond à l'engagement qu'il a pris lorsqu'il se retrouva vivant à l'issue de ses déportations : « Même l'intransmissible sera dit. » ■ J. B.

BIBLIOGR. : Waldemar-George, in Catal. de l'exposition *Isaac Celnikier*, Paris, 1969.

MUSÉES : ISRAËL (Mus. d'Israël) – ISRAËL (Mus. d'Ein-Harod) – PARIS (Mus. d'Art Mod.) – TEL-AVIV (Mus. Helena Rubinstein) – TEL-AVIV (Mus. Lohamei Hagetaoth) – VARSOVIE.

CELOMMI Raffaello

Né en 1883 à Roseto degli Abruzzi. XXᵉ siècle. Italien.
Peintre de compositions à personnages, scènes de genre, figures.

VENTES PUBLIQUES : ROME, 21 mars 1985 : *Couple de paysans sur un chemin de campagne*, h/t (49x80) : **ITL 1 800 000** – MONTRÉAL, 30 oct. 1989 : *Jeunes Garçons sur la plage*, h/t (56x87) : **CAD 1 430** – ROME, 12 déc. 1989 : *Premiers Pas*, h/t (46x63) : **ITL 4 500 000** – NEW YORK, 15 oct. 1991 : *Le Déchargement de la pêche*, h/t (45,7x66) : **USD 2 860** – ROME, 10 déc. 1991 : *Retour des champs*, h/t (55x79) : **ITL 8 000 000** – LOKEREN, 4 déc. 1993 : *Enfants au bord de la mer*, h/t (55,5x87,5) : **BEF 85 000** – ROME, 23 mai 1996 : *Le Salut des pêcheurs*, h/t (60x120) : **ITL 6 325 000**.

CELON André

XVIIᵉ siècle. Actif à Fontainebleau en 1632. Français.
Peintre.

CELOR Dieudonné

Né à Haïti. XXᵉ siècle. Haïtien.
Peintre de fleurs. Naïf.

Il peint des fleurs d'après l'observation de la nature ou tirées de ses rêves, dans un style naïf. Il a figuré dans une exposition de l'U.N.E.S.C.O. en 1947.

CÉLOS Henri

Né vers 1850. XIXᵉ siècle. Français.
Peintre de paysages.

Élève de Daubigny et de Jules Dupré, il participa, entre 1877 et 1889, au Salon des Artistes Français, dont il devint sociétaire. Il peint, avec une certaine liberté, des paysages et plus particulièrement des forêts.

BIBLIOGR. : Gérald Schurr, in : *Les Petits Maîtres de la peinture 1820-1920, valeur de demain*, Les Éditions de l'Amateur, t. II, Paris, 1982.

MUSÉES : AVIGNON (Mus. Calvet) : *Côtes de Vétheuil*.

CÉLOS Julien

Né en 1884 à Anvers. Mort en 1953. XXᵉ siècle. Belge.
Peintre de paysages animés et de compositions à personnages.

Il fut élève de l'Académie d'Anvers où il eut pour professeur le peintre de paysages Franz Courtens. Il travailla sur le motif dans les villes historiques de Belgique et de Hollande. Il réalisa également un ensemble important de gravures en couleurs. En 1910 il figurait à l'Exposition de Bruxelles et en 1912 exposa au Salon des Artistes Indépendants.

J.-Célos

VENTES PUBLIQUES : ANVERS, 5 déc. 1972 : *Paysage* : **BEF 7 500** – BRUXELLES, 28 avr. 1983 : *Béguinage*, h/t (61x53) : **BEF 32 000** – ANVERS, 21 mai 1985 : *Barques au bord du canal*, h/t (90x100) : **BEF 90 000** – BRUXELLES, 30 avr. 1986 : *Maisons le long du canal*, h/t (100x98) : **BEF 65 000** – LONDRES, 7 juin 1989 : *La porte du jardin*, h/t (59x53) : **GBP 1 045** – BRUXELLES, 7 oct. 1991 : *Vue de Bruges*, h/cart. (28x31) : **BEF 21 000** – LOKEREN, 8 oct. 1994 : *L'arrivée de l'orage à Zierikzee*, h/t (100x121) : **BEF 50 000** – LOKEREN, 11 mars 1995 : *Une rue de Bruges*, h/t (48,5x42,5) : **BEF 26 000**.

CELS Albert

Né le 29 novembre 1883 à Bruxelles. XXᵉ siècle. Belge.
Peintre et dessinateur de portraits.

Il est le petit neveu de Cornelis Cels. Il fit ses études à l'Académie de Bruxelles, à Glasgow où il eut pour professeur son compatriote Jean Delville, et enfin à Paris où il reçut les conseils de Jacques Emile Blanche. Il exposa au Salon de Bruxelles.

BIBLIOGR. : In : *Diction. Biogr. Ill. des Artistes en Belgique depuis 1830*, ARTO, 1987.

CELS Cornelis

Né le 10 juin 1778 à Lierre. Mort en 1859 à Bruxelles. XIXᵉ siècle. Belge.
Peintre de sujets religieux, portraits.

Il fut successivement élève du sculpteur Pompe et du peintre P. S. Denis, de Lens à Bruxelles, de Suvée à Paris. Il fit ensuite un séjour de sept années à Rome, au cours duquel il peignit quelques-unes de ses œuvres les plus caractéristiques : *Cincinnatus*, *La Visitation* (à l'église des Augustins, à Anvers), *La Descente de Croix* (à Saint-Paul, à Anvers). De retour dans sa patrie en 1807, il habita tour à tour Anvers, La Haye, où il exécuta une série de portraits, notamment celui du *roi Guillaume* et celui de la *princesse d'Orange*, Tournai, où il fut durant sept ans directeur de l'Académie, et en dernier lieu, Bruxelles. Mentionnons encore parmi ses œuvres : *La Décollation de saint Jean* (à Saint-Gommaire, à Lierre), *Le Martyre de sainte Barbara* (à Saint-Sauveur, à Bruges), *Thomas l'incrédule*.

MUSÉES : AMSTERDAM : *Paysanne suisse* – *Jehan Cornelis Van der Hoop* – ROTTERDAM (Mus. Boymans) : *Portrait de Gysbert Karel van Hogendorp*.

VENTES PUBLIQUES : PARIS, 1815 : *Buste d'une Vierge de douleurs* : **FRF 75** – PARIS, 1834 : *Une Mater dolorosa* : **FRF 84** – PARIS, 1838 : *Un intérieur de boucherie* : **FRF 120** – PARIS, 17 déc. 1990 : *Portrait de jeune enfant 1817*, h/t (83x62) : **FRF 52 000**.

CELS Jean Michel

Né en 1819 à La Haye. Mort en 1894 à Bruxelles. XIXᵉ siècle. Belge.
Peintre de paysages.

Il est le fils de Cornelis Cels. Il fut élève de son père et de Hellemans.

VENTES PUBLIQUES : BRUXELLES, 27 oct. 1976 : *Vue des environs et du château de Tervueren 1843*, h/t (70x125) : **BEF 46 000**.

CELSO de MENEZES Antonio

Né en 1897 à Caxias. XXᵉ siècle. Brésilien.
Sculpteur.

Il étudia la sculpture à Paris dans l'atelier de Bourdelle et de retour au Brésil se spécialisa dans l'étude de la sculpture indienne. En 1944, il remporta un important succès avec l'œuvre intitulée la *Mère* mais il semble qu'il soit retombé dans l'oubli.

CELSO LAGAR. Voir LAGAR-ARROYO Celso

CELY Claude

Né à Paris. XIXᵉ siècle. Français.
Peintre.

Il exposa au Salon de Paris entre 1877 et 1880 des paysages et une *Vieille paysanne*.

CELY de, comte

XVIIIᵉ-XIXᵉ siècles. Français.
Peintre et graveur.

CÉLY Nelly

XXᵉ siècle. Française.
Peintre de natures mortes.

Elle exposa au Salon des Femmes Peintres et Sculpteurs.

CEMAL TOLLU. Voir TOLLU

CEMEGINO Niccolo di Antonio ou Cimigini

XVᵉ-XVIᵉ siècles. Actif à Ferrare, 1496-1508. Italien.
Peintre.

CEMERSKI Gligor

Né en 1940 à Kavadarci (Macédoine). XXᵉ siècle. Yougoslave.
Peintre. Expressionniste.

Il fit ses études à l'Académie des Arts Plastiques de Belgrade en 1963 et reçut son Diplôme d'Études Supérieures du 3ᵉ cycle en 1965. En 1969-1970 il reçut une bourse du gouvernement français qui lui permit de faire des séjours d'études en Égypte, Grèce, Italie, France, Hollande et Suède. Il fut lauréat du premier prix du journal *Mlad Borec* à Skoplje. Il participa au Salon d'Octobre de Belgrade entre 1963 et 1965 et à de nombreuses expositions collectives en Yougoslavie, en Europe et aux États-Unis. Il a exposé personnellement en France en 1971 à Versailles, en 1988 et 1995 à Paris à la galerie du Fleuve.
Au début de son activité artistique, Cemerski puisait son inspiration dans ses souvenirs d'enfance, les légendes et les contes anciens de son pays mêlés à ses connaissances de l'histoire, de la littérature et de l'art. Au début des années soixante, il figurait dans un groupe officieux composé de Todor Stevanovic et de Radomir Trkulga. Leurs œuvres étaient alors caractérisées par une ligne tracée avec douceur et souplesse, une palette aux cou-

leurs estompées et des sujets tirés de visions dionysiaques de la nature et d'interprétations légendaires et mythiques. Cemerski abandonne ces recherches vers la deuxième moitié des années soixante-dix pour une approche plus expressionniste de la peinture. Depuis 1980, la référence aux œuvres les plus expressionnistes de Picasso est clairement avouée, et les toiles figurent un monde chaotique, mélant hommes et animaux dans une gamme chromatique aux accords violents. Il a réalisé plusieurs œuvres monumentales : sa première fresque *Terre chaude* pour la *Stopanska Banka* à Skopje en 1971, sa première mosaïque *l'Homme et la lumière* pour la ville de Vrutok exécutée entre 1975 et 1986, et la plus importante le *Monument à la Liberté* de la ville de Kocani en Macédoine. Cette réalisation à hauts-reliefs de bronze exécutée en collaboration avec l'architecte Ratko Radjenovic supporte une mosaïque de cinq-cent-vingt mètres carrés, dont le thème principal est la lutte du peuple macédonien pour sa liberté.

L'œuvre de Cemerski est issue de multiples inspirations, le folklore traditionnel, des images plus lointaines comme celle de la préhistoire ou du vieux Mexique, et des références plus récentes comme les œuvres de Picasso ou de Léger.

BIBLIOGR. : Catal. de l'exposition *Gligor Cemerski*, Art Gallery, Skopje, 1987.
VENTES PUBLIQUES : PARIS, 14 avr. 1991 : *Eldorado*, h. et acryl./t. (100x70) : **FRF 24 000.**

CEMIN Saint Clair

Né en 1951 à Cruz Alta (Brésil). XXe siècle. Actif aux États-Unis et en France. Brésilien.
Sculpteur. Tendance abstraite.
À l'âge de vingt-deux ans il s'installe à Paris, où il étudie à l'École Nationale des Beaux-Arts. Il habite New York et Paris.
Il participe à des expositions collectives, entre autres : 1987, *Similia/Dissimilia : Modes of abstraction in Painting, Sculpture and Photography today*, Kunsthalle de Düsseldorf ; 1987, Galerie Leo Castelli, Galerie Sonnaend ; *Art at the end of the Social*, Rooseum, Malmö ; *The Binational : American Art of the late 80 s'*, Museum of Fine Arts, Boston ; 1991, *Desplazamientos : Aspectos de la identidad y las culturas*, Centro Atlantico de Arte Moderno, Las Palmas ; 1991-92, *Altrove/fra immagine e identità, fra identità e tradizione*, Musée d'Art Contemporain Luigi Pecci, Prato ; 1997, *Artistes Latino-Américains*, galerie Daniel Templon, Paris. Il réalise aussi des expositions individuelles : 1979, 1981, 1982, Galerie Projecta, São Paulo ; 1980, Hasselt ; 1981, Porto Alegre, et très fréquemment, à New York, dans différentes galeries.

Son *Hommage à Darwin*, bronze installé dans la cité, invite le passant à le contourner. Posé sur un socle en forme de cercle, ce dernier se répète, de la base de la sculpture pour s'étirer graduellement en une sorte d'ovale d'où s'élancent de chaque côté des formes aux contours ondulants qui s'apparentent à des animaux et se rejoignent selon le tracé d'une anse, en laissant ainsi un espace libre au centre, gracieusement découpé. Point de droite dans cet ensemble, les lignes courbes des trois formes principales, captent le mouvement de bas en haut et de haut en bas. Une sculpture qui, par sa composition et sa réalisation, dénote un équilibre classique, reflétant, entre autres, l'influence du sculpteur anglais Henri Moore. Dans d'autres travaux, il agrandit des petits objets ou en miniaturise d'autres de grandes tailles. Le travail de Cemin est marqué par l'éclectisme des sources culturelles et des genres contradictoires qu'il semble tenter de réconcilier. ■ C. D.

BIBLIOGR. : *La Sculpture Contemporaine après 1970*, catalogue de l'exposition, Fondation Daniel Templon, Fréjus, 1991 – *Saint Clair Cemin*, textes de l'artiste, catalogue de l'exposition, Witte de With Center for Contemporary Art, Rotterdam, 1991.
MUSÉES : PARIS (FNAC) : *Monument to the iberic Orator* 1994.
VENTES PUBLIQUES : NEW YORK, 3 mai 1989 : *Mercure*, bronze (63,5x61x43,2) : **USD 57 750** – NEW YORK, 8 nov. 1989 : *Bébé de fer* 1987, bronze (62,8x61,5x66,7) : **USD 33 000** – NEW YORK, 7 nov. 1990 : *Fierté domestique* 1987, acajou et bronze (56x101,6x30,5) : **USD 16 500** – NEW YORK, 2 mai 1991 : *Sans titre* 1986, bronze, acier, bois et verre (36,8x91,4x91,4) : **USD 13 200** – NEW YORK, 12 nov. 1991 : *Double poignée* 1989, bronze (126,5x35,5x35,5) : **USD 3 520** – NEW YORK, 27 fév. 1992 : *Utopia* 1987, terre-cuite (53,2x17,8x28) : **USD 3 300** – NEW YORK, 6 mai 1992 : *Homme debout* 1987, bronze (76,8x40,6x28) : **USD 17 600** – NEW YORK, 19 nov. 1992 : *Sans titre* 1988, acajou et bronze (34,3x109,9x36,5) : **USD 20 900** – PARIS, 4 déc. 1992 : *Fontaine à pluie*, marbre et bronze (137x117,5) : **FRF 90 000** – NEW YORK, 24 fév. 1993 : *Brouette*, plâtre et roues de caoutchouc, bronze

(97,8x102,9x53,4) : **USD 20 900** – LONDRES, 25 mars 1993 : *Sans titre (homme grand)* 1988, bronze (256,5x89) : **GBP 6 325** – NEW YORK, 4 mai 1993 : *Tripode avec une statue* 1987, bronze moulé et plâtre avec une base de bronze (182,9x45,7x45,7) : **USD 13 800** – NEW YORK, 9 mai 1996 : *Chien laborieux*, bronze (32,7x45,7x29,2) : **USD 6 325** – NEW YORK, 19 fév. 1997 : *L'Amélioration du moi* 1987, hydrocal, bois et bronze (142,2x121,9x81,3) : **USD 14 950** – NEW YORK, 6-7 mai 1997 : *Sans titre* 1987, bronze patine verte (36,8x48,9x72,4) : **USD 24 150.**

CEMP Leonhard ou Kemp

XVIe-XVIIe siècles. Actif à Anvers entre 1594 et 1614. Éc. flamande.
Peintre.

CÉNAC Raoul

Né à Londres. XXe siècle. Français.
Peintre.
Exposa au Salon des Indépendants de 1923 à 1929.

CENATIEMPO Geronimo

XVIIIe siècle. Actif à Naples. Italien.
Peintre.
Il a travaillé pour les églises de Naples (tableaux et fresques).

CENCETTI Adalberto

Né en 1847 à Rome. Mort en 1907 à Rome. XIXe siècle. Italien.
Sculpteur.
Élève de l'Académie de Saint-Luc à Rome. On cite parmi ses œuvres : *Il gioiello della vedova* (exposé au Salon de Paris en 1902), *Troppo presto* (groupe marbre), *L'Arte trionfante fra lo Studio e la Pace* (groupe de grandes dimensions pour le fronton du Palais des Expositions de Rome), *Buste d'Alfred de Reumont* (à l'Académie de Saint-Luc), *Ignara mali* (exposé à Rome, en 1893, à Paris en 1900, et conservé à la Galerie d'Art Moderne, à Rome), *Tentazione* (conservé au Musée Revoltella, à Trieste).
VENTES PUBLIQUES : LONDRES, 2 août 1972 : *Bustes*, une paire : **GBP 70.**

CENCI Filippo

Né vers 1810. XIXe siècle. Actif à Florence. Italien.
Graveur au burin.
Élève de Rafaello Morghen. On cite de lui : *Fornarina*, d'après Raphaël, *Raffaello Sanzio*, d'après lui-même.

CENCIONI Carlo

XVIIIe siècle. Actif à Orvieto vers 1790. Italien.
Peintre.

CENDEJAS Manuel

XVIIIe siècle. Mexicain.
Peintre.
Plusieurs de ses tableaux sont conservés à la cathédrale de La Puebla.

CENDRE-DESTOUCHES Madeleine

Née à Paris. XXe siècle. Française.
Peintre de paysages et de fleurs.
A exposé au Salon des Indépendants de 1935 à 1943.

CENESTRELLI G.

XIXe siècle. Italien.
Dessinateur.

CENNAMELLA Francesco ou Cennamelli

Originaire de Volterra. XIVe siècle. Travaillant à Florence. Italien.
Peintre.

CENNI Giovanni ou Ceni

XVIIIe siècle. Actif à Brescia vers 1790. Italien.
Peintre.

CENNI Leopolda

Née à Gênes. XIXe-XXe siècles. Italienne.
Peintre, aquarelliste.
Elle exposa au Salon d'Automne à partir de 1910 et au Salon des Artistes Français en 1928.

CENNI Pietro Paolo

XVIIe siècle. Italien.
Peintre.
Le Musée d'Ajaccio conserve une œuvre de lui.

CENNI Quinto

Né à Imola. XIXe siècle. Italien.
Peintre de sujets militaires.

CENNI d'Agnolo

XIVe siècle. Actif à Sienne en 1388. Italien.
Sculpteur sur bois.

CENNI di Francesco
XVe siècle. Actif à Sienne. Italien.
Sculpteur.
Il sculpta sur ivoire.

CENNI di Francesco di Ser Cenni
XVe siècle. Actif à Florence de 1410 à 1415. Italien.
Peintre de sujets religieux.
VENTES PUBLIQUES : LONDRES, 3 juil. 1985 : *La Vierge et l'Enfant entourés de saints personnages et anges ; Résurrection du Christ*, temp./pan., fond or haut arrondi, prédelle (87x48) : **GBP 130 000** – LUGANO, 1er déc. 1992 : *Saint Vescovo surmonté d'un chérubin dans la pointe du panneau*, temp./pan. (110,5x33,5) : **CHF 105 000** – ROME, 9 mai 1995 : *Crucifixion (en haut) ; Adoration des Mages (en partie basse)*, temp./pan. (triangulaire en haut 68x34) : **ITL 70 150 000** – LONDRES, 16 avr. 1997 : *La Madone et l'Enfant*, temp. et fond or/pan. (101,5x55) : **GBP 20 700**.

CENNINI Bartolommeo
Né à Florence. Travaillant à Rome et à Florence. Italien.
Sculpteur et fondeur.

CENNINI Cennino ou **Cennini d'Andrea,** ou **di Drea**
Né entre 1350 et 1360 à Colle di Valdelsa. Mort à Florence. XIVe-XVe siècles. Italien.
Peintre de compositions religieuses, fresquiste.
Élève pendant douze années d'Agnolo Gaddi, toutes ses œuvres ont disparu, mais il a laissé, vers 1390, un traité sur la technique des peintres de son temps : *Le Livre de l'Art*, concernant les matériaux et des recettes de savoir-faire. Il se rendit, plus tard, à Padoue où, en 1398, il était au service du mécène Francesco Carrara.
Selon Vasari, il peignit une fresque : *La Vierge et des saints*, à l'Hospice San Giovanni Battista de Florence.
BIBLIOGR. : In : *Diction. de la peinture italienne*, coll. Essentiels, Larousse, Paris, 1989.
VENTES PUBLIQUES : NEW YORK, 22 avr. 1932 : *La Vierge et l'Enfant* : **USD 900** – NEW YORK, 17 jan. 1985 : *La Vierge et l'Enfant*, temp./pan., fond or (haut cintré 114,6x61) : **USD 20 000**.

CENNINI Damiano
XVIIe siècle. Actif vers 1650. Italien.
Sculpteur et fondeur.
Fils de Bartolommeo Cennini.

CENNINI Giovanni Battista di Jacopo
XVIe-XVIIe siècles. Italien.
Sculpteur.
Cet artiste florentin travailla entre 1597 et 1630.

CENSINI Pietro
XIXe siècle. Actif vers 1800. Italien.
Peintre de miniatures.

CENTANARO Gaetano
XIXe siècle. Travaillant à Gênes. Italien.
Sculpteur et peintre.
Élève de l'Academia Ligustica. Il expose à Turin, en 1884, un ensemble de peintures : *Spartaco, Amor che muove, Portrait de Victor-Emmanuel II, Portrait du duc de Galliera*.

CENTANARO Gaetano
Né en 1778. Mort en 1826. XIXe siècle. Actif à Gênes. Italien.
Décorateur.
Fils de Girolamo Centanaro et élève d'Andrea Casareggio, de N. S. Traverso et de Barabino. Il a travaillé pour les palais et les églises.

CENTANARO Girolamo
Né en 1741. Mort en 1812. XVIIIe-XIXe siècles. Actif à Gênes. Italien.
Stucateur.
Il travailla pour les palais de Gênes et les églises de la Ligurie.

CENTANARO Girolamo
Mort après 1865. XIXe siècle. Actif à Gênes. Italien.
Décorateur.
Neveu et élève de Gaetano Centanaro, dont il continua les travaux.

CENTENARI Sidonio
Né en 1841 à Parme. Mort en 1902 à Parme. XIXe siècle. Italien.
Peintre de genre et restaurateur.
Le Musée de Parme conserve de lui : *Famille de cordonniers*.

CENTENO VALLENILLA Pedro
Né le 13 juin 1904 à Barcelone. XXe siècle. Vénézuélien.
Peintre.
Il fut élève de l'Académie des Beaux-Arts de Caracas. Il exposa en Espagne, en Italie et à Liège où il reçut un prix d'honneur.

CENTER Edward K.
Né le 24 juillet 1902 à Aberdeen. XXe siècle. Britannique.
Peintre de portraits, de figures et de paysages.
Il fut élève de la Grey's School of Art. Il exposa à Aberdeen.

CENTI Jacopo di Giovanni
XVe siècle. Italien.
Peintre.
Il était chanoine à la cathédrale de Pistoia en 1497.

CENTI Jacopo di Giovanni
XVIe siècle. Actif à Florence. Italien.
Sculpteur.

CENTNERSZWER Stanislas
Né à Varsovie. XIXe-XXe siècles. Polonais.
Peintre.
Il exposait au Salon de la Société Nationale des Beaux-Arts en 1911.

CENTORE Emmanuel
XXe siècle. Italien.
Sculpteur.
En 1938 il exposa une *Gitane* au Salon des Tuileries, à Paris.
VENTES PUBLIQUES : BREST, 13 mai 1979 : *L'Incantation ou la Prière aux dieux*, sculpt. en bois (H. 95) : **FRF 4 900**.

CENTURION Emilio
Né en 1894 à Buenos Aires. Mort en 1970. XXe siècle. Argentin.
Peintre de compositions murales.
De 1910 à 1912, il a étudié avec Gino Moretti. En 1928-1929, il a travaillé en Europe. Il exposait à Buenos Aires, au Salon National depuis 1911, obtenant un Premier Prix en 1920, le Grand Prix d'Acquisition en 1935.
Il a peint des compositions à personnages dans des bâtiments de Buenos Aires.
VENTES PUBLIQUES : NEW YORK, 20 nov. 1989 : *Étude de baigneurs*, h/t (45,7x53,7) : **USD 2 475** – NEW YORK, 19-20 mai 1992 : *Paysage 1930*, h/pan. (55,9x67,3) : **USD 16 500**.

CEN-XUEGONG
Né en 1917 en Mongolie intérieure. XXe siècle. Chinois.
Peintre de paysages.
Il fut diplômé en 1944 du Département des Beaux-Arts de l'Université centrale nationale. Il est membre de l'Association des Peintres Chinois dans la province du Sichuan. Il a figuré dans l'exposition *Peintres traditionnels de la République Populaire de Chine* organisée en octobre 1980 à la galerie Daniel Malingue à Paris.
Les trois gorges du fleuve Yangtsé et le mont Emei ont été ses principaux sujets d'inspiration.

CEOLLA Giacomo
Né en 1696 à Vérone. XVIIIe siècle. Italien.
Sculpteur.

CEPEDA, el capitan
Originaire de Cordoue. XVIe siècle. Travaillant à Séville en 1580. Espagnol.
Sculpteur.
Peut-être identique à Alonso de Cepeda.

CEPEDA Alonso de
XVIIe siècle. Travaillant à Séville vers 1620. Espagnol.
Sculpteur.
Fut le collaborateur de Pedro de la Cueva dans les travaux qu'il exécuta à la cathédrale.

CEPHISODOROS I
IVe siècle avant J.-C. Antiquité grecque.
Sculpteur.
Son nom est cité par Pausanias et par Pline l'Ancien. Il aurait exécuté plusieurs sculptures importantes au Pirée, ainsi une *Athéna* et un *Zeus*, en bronze.

CEPHISODOROS II
Ier siècle avant J.-C. Antiquité grecque.
Sculpteur.
On a retrouvé à l'Acropole d'Athènes la signature de cet artiste sur un socle ayant porté la statue perdue de *P. Cornelius Scipio*.

CEPHISODOTE, l'Ancien
IVe siècle avant J.-C. Actif à Athènes. Antiquité grecque.
Sculpteur.

Selon certains auteurs, il aurait été le père du grand Praxitèle, mais aussi le fils d'un Praxitèle le Vieux, sculpteur inconnu. Céphisodote travaille à une époque de transition durant laquelle certains recherchent davantage une imitation de la nature, tandis que d'autres inventent toutes sortes de drapés et d'attitudes décoratifs. D'après l'œuvre la plus connue de Céphisodote : l'Eiréné portant l'enfant Ploutos, il semble que cet artiste s'oriente plutôt vers un effort pour dégager la réalité de l'abstraction classique. Pourtant ce groupe est un monument officiel, puisqu'il est destiné à symboliser la Paix portant la Richesse ; et la paix était celle de 374, signée entre Athènes et Sparte. La sobriété de la draperie d'Eiréné est faite pour mettre en valeur l'aisance plus naturelle de son corps, qui accuse un hanchement franc, ouvrant ainsi la voie au rythme praxitélien. Céphisodote a également voulu donner un caractère plus humain à l'ensemble, bien que les rapports mère-enfant soient des plus élémentaires et que le corps de Ploutos ait un caractère conventionnel. On cite également de lui, des Victoires exécutées après les succès athéniens à Cnide et Naxos, et des statues pour la ville de Mégalopolis.
BIBLIOGR. : J. Charbonneaux : La sculpture grecque classique, Genève, 1964.

CEPHISODOTE, le Jeune
IVe siècle avant J.-C. Actif à Athènes à la fin du IVe siècle avant J.-C. Antiquité grecque.
Sculpteur.

Fils de Praxitèle, il travailla toute sa vie avec son frère Timarchos. Il avait été élève de Praxitèle. On lui doit surtout un Portrait de Ménandre. Très apprécié dans l'antiquité, son art, très admiré des Romains, était bien représenté dans les collections de la noblesse italienne à l'époque classique.

CEPPALUNI Filippo, dit il Muto
Mort en 1725. XVIIIe siècle. Actif à Naples. Italien.
Peintre.

CEPPARELLI Garibaldo
Né en 1860 à San Gimignano. XIXe siècle. Travaillant à Florence. Italien.
Peintre.

Fit ses études à l'Académie des Beaux-Arts de Florence. Exposa dans cette ville, en 1886 : Dernier salut et Tempête d'hiver, en 1887 : Le mois de mai et Hiver dans les montagnes. Prit part en 1900 au Concours Alinari avec un tableau à la détrempe, dans le style du XVe siècle : Mater purissima et deux autres toiles : Regina Martirum et La Vierge des fleurs.

CEPPARULI Francesco
XVIIIe siècle. Actif à Naples. Italien.
Graveur au burin.

CEPPARULO Salvatore
XIXe-XXe siècles. Actif à Naples. Italien.
Sculpteur.

CEPPI Ricciero
Originaire de Vérone. Mort en 1726 à Ferrare. XVIIIe siècle. Italien.
Peintre de portraits.

CEPTOWSKI Karl
Né en 1801 à Poznan. Mort en 1848 à Cracovie. XIXe siècle. Polonais.
Sculpteur.

Élève de Malinski à l'École d'Art de Varsovie, de König à Breslau. Il séjourna à Munich, puis à Rome où il resta quatre ans dans l'atelier de Thorwaldsen. On le retrouvera en 1834 à Potsdam, où il travailla sous les ordres de Schinkel, puis à Brunswick, sous la direction d'Ottmer. Il alla ensuite à Paris où il travailla longtemps avec Pradier. Il fut nommé en 1840 professeur de sculpture à l'École d'Art de Cracovie.

CERA Renée Sylvie
Née à Nice (Alpes-Maritimes). XXe siècle. Française.
Peintre.

A exposé des portraits au Salon des Indépendants, de 1923 à 1927.

CERACCHI Giuseppe
Né en 1751 à Rome. Mort en 1801 à Paris, guillotiné. XVIIIe siècle. Italien.
Sculpteur.

Élève à Rome de Tom. Righi et de l'Académie de Saint-Luc. Vers 1773, il vint à Londres, travailla pour Carlini, et exposa à la Royal Academy entre autres : Castor et Pollux (1777). Il revint ensuite à Rome par la Hollande et Vienne, où il travailla pour la cour. Il visita l'Amérique en 1791, revint en Europe, et séjourna à Rome avant de se fixer à Paris. Dans cette dernière ville, il fit partie d'un complot pour l'assassinat de Napoléon Ier et fut condamné à mort. Le Musée de Nantes conserve de lui : Washington (terre cuite).

CERACCHI Romuald
XIXe siècle. Travaillant à Vienne. Autrichien.
Graveur au burin.

Fils de Giuseppe Ceracchi. Il a gravé en 1821 avec son frère Johan Ceracchi (travaillant à Lemberg, vers 1820) un Monument du prince Karl Philipp von Schwarzenberg.

CERACCHINI Gisberto
Né en 1899 à Foiano della Chiara. Mort en 1982 à Patrignano del Lago. XXe siècle. Italien.
Peintre de compositions animées, sujets religieux, natures mortes.

Peintre de compositions rythmiques, d'un dessin sévère. On cite surtout : Poésie du travail.
VENTES PUBLIQUES : ROME, 20 mai 1986 : Maisons 1959, h/cart. (34,5x42) : **ITL 2 200 000** – ROME, 25 nov. 1987 : Le mariage de la Vierge vers 1940, h/pan., d'après Raphaël (66x55) : **ITL 7 500 000** – ROME, 15 nov. 1988 : Vase de fleurs 1955, h/pan. (60x50) : **ITL 1 400 000** – ROME, 17 avr. 1989 : La discorde 1935, h/t (116x138) : **ITL 29 000 000** – ROME, 3 juin 1993 : Coupole 1948, h/rés. synth. (40x60) : **ITL 1 400 000**.

CERAGIOLI Giorgio
Né en 1861 à Turin. Mort en 1947. XIXe-XXe siècles. Travaillant à Turin. Italien.
Peintre de sujets religieux, sculpteur.
VENTES PUBLIQUES : MILAN, 11 déc. 1986 : La Vierge à l'Enfant et saint Jean, h/pan. (50x22) : **ITL 2 000 000**.

CERAIOLO Antonio del. Voir ANTONIO del Ceraiolo

CERAMANO Charles Ferdinand
Né en 1829 à Thielt (Belgique). Mort en 1909 à Barbizon. XIXe siècle. Belge.
Peintre de genre, animaux, paysages.

Cet artiste étudia avec Charles Jacque, qu'il aida pendant un certain temps et dont il fut plus tard l'imitateur. Il a travaillé pendant quarante années à Barbizon. Il a exposé au Salon des Artistes Français de Paris en 1893, 1895 et 1897. On cite ses troupeaux de moutons, ses intérieurs de bergerie.

Ceramano

MUSÉES : TOULON : Charlemagne et Roland au mont Ussy (forêt de Fontainebleau).
VENTES PUBLIQUES : PARIS, 1876 : Paysage animé de moutons : **FRF 1 280** – PARIS, 1895 : Bergère conduisant son troupeau dans la forêt : **FRF 235** ; Moutons dans la bergerie : **FRF 116** – PARIS, 1900 : Moutons : **FRF 105** – NEW YORK, 5 fév. 1900 : Le retour du troupeau : **USD 210** – NEW YORK, 1er-2 déc. 1904 : Moutons dans un paysage : **USD 400** – PARIS, 15 juin 1905 : Bergerie : **FRF 125** – PARIS, 29 fév. 1908 : Intérieur de bergerie : **FRF 210** – LONDRES, 2 avr. 1910 : Troupeau de moutons : **GBP 3** – PARIS, 30 avr. 1919 : Moutons et poules dans la bergerie : **FRF 230** – PARIS, 5 et 6 mai 1919 : Bergère et ses moutons : **FRF 300** ; Bergerie : **FRF 100** ; En forêt de Fontainebleau : **FRF 350** ; Le bouvier des Vaux de Cernay : **FRF 100** – PARIS, 15 nov. 1919 : Troupeau de moutons à la lisière de la forêt de Fontainebleau : **FRF 750** – PARIS, 19 mars 1924 : Moutons au pâturage : **FRF 500** – PARIS, 16 déc. 1925 : Moutons à la bergerie : **FRF 195** – PARIS, 13 mars 1926 : Moutons au pâturage : **FRF 720** – PARIS, 27 mars 1926 : Les Meules en hiver, neige et soleil couchant : **FRF 420** ; Troupeau de moutons pâturant au bord de la mer, effet de soleil couchant : **FRF 520** ; Bergère et moutons sous des chênes : **FRF 1 650** ; Cour de ferme : la distribution des betteraves aux moutons : **FRF 700** ; La sortie du troupeau, du parc, la nuit : **FRF 360** – PARIS, 3 mai 1926 : Moutons à la bergerie : **FRF 500** – PARIS, 29 juin 1927 : Bergère gardant ses moutons : **FRF 580** – PARIS, 21 janv. 1928 : Meules en hiver, neige et soleil couchant : **FRF 160** – PARIS, 5 et 6 mars 1928 : Moutons et pâtre quittant la bergerie : **FRF 720** – PARIS, 23 avr. 1928 : La rentrée du troupeau : **FRF 1 800** – PARIS, 31 janv. 1929 : Meules en hiver, soleil couchant : **FRF 220** – PARIS, 28 avr. 1937 : Moutons dans l'étable : **FRF 170** – PARIS, 12 mai 1944 : La Berge-

rie : FRF 5 000 – Paris, 27 juin 1949 : *La bergère* : FRF 28 000 – Paris, 11 fév. 1954 : *Moutons sous les grands arbres*, deux pendants : FRF 52 000 – Lucerne, 2 déc. 1967 : *Paysage avec berger et bergère* : CHF 2 800 – Berne, 23 oct. 1970 : *Moutons à l'étable* : CHF 1 700 – Berne, 7 mai 1971 : *La forêt de Fontainebleau* : CHF 2 100 – Berne, 5 mai 1972 : *Bergère et son troupeau* : CHF 3 800 – Paris, 26 oct. 1976 : *Souvenir d'Arcachon 1881*, h/t (61x100) : FRF 3 300 – Munich, 9 mars 1978 : *Troupeau dans un paysage boisé*, h/t (70x100) : DEM 10 000 – Londres, 9 mai 1979 : *Bergère et troupeau dans une clairière 1879*, h/t (53x64) : GBP 2 100 – Zurich, 20 mai 1981 : *Berger et son troupeau*, h/t (72x100) : CHF 9 000 – Zurich, 6 juin 1984 : *Berger au bord du lac*, h/t (91x73,5) : CHF 7 500 – Lucerne, 22 mars 1986 : *Bergère et troupeau dans un paysage boisé*, h/t (49x65) : CHF 4 600 – Paris, 11 avr. 1989 : *Moutons à la bergerie*, h/pan. (19x35) : FRF 6 100 – Londres, 22 nov. 1989 : *Chien de berger empêchant les moutons de s'échapper de leur enclos*, h/t (138x228) : GBP 6 050 – New York, 19 juil. 1990 : *Berger surveillant son troupeau 1881*, h/t/rés. synth. (99,1x81,4) : USD 4 125 – Douai, 24 mars 1991 : *Troupeau 1879*, h/t (ovale 46x55) : FRF 5 000 – New York, 21 mai 1991 : *Moutons franchissant la barrière du pré*, h/t (38,6x55,9) : USD 2 420 – Paris, 24 mai 1991 : *Scène pastorale*, h/t (200x300) : FRF 75 000 – Barbizon, 13 oct. 1991 : *Berger et son troupeau*, h/t (250x300) : FRF 135 000 – Amsterdam, 30 oct. 1991 : *Moutons et volailles à l'intérieur d'une grange 1875*, h/t (35,5x65) : NLG 7 475 – Paris, 22 mai 1992 : *Bergère*, h/t (65x48) : FRF 23 000 – Londres, 17 juin 1992 : *Bergère gardant son troupeau dans une clairière*, h/t (81x66) : GBP 2 860 – Zurich, 21 avr. 1993 : *Troupeau dans un paysage boisé*, h/t (60x80,5) : CHF 3 600 – New York, 19 jan. 1994 : *Bergère et son troupeau à la lisière d'un bois*, h/t/cart. (73,7x99,1) : USD 4 600 – Paris, 21 mars 1994 : *Troupeau de moutons*, h/pan. (38x46) : FRF 15 500 – Paris, 10 oct. 1994 : *Bergère et moutons*, h/pan. (24x52) : FRF 10 000 – Londres, 22 fév. 1995 : *Journée brumeuse en Belgique*, h/t (65x91) : GBP 1 150 – Montréal, 3 déc. 1996 : *Gardant les moutons au pâturage*, h/t (54,5x66) : CAD 3 400.

CERANI Giorgio
xviiᵉ siècle. Actif à Crémone dans la seconde moitié du xviiᵉ siècle. Italien.
Peintre de paysages et de portraits.

CERANO
xixᵉ siècle. Actif à Novare. Italien.
Peintre d'histoire.
Siret cite de lui : *Déposition de Croix*.

CERANO, il. Voir **CRESPI Giovanni Battista**

CERASO Pietro
xviiᵉ siècle. Actif à Naples dans la première moitié du xviiᵉ siècle. Italien.
Sculpteur.

CERASOLA Fernando
xvᵉ siècle. Actif à Valence. Espagnol.
Peintre.

CERBELAUD-PIGELET J. L. B.
Né à Paris. xixᵉ-xxᵉ siècles. Français.
Peintre.
Sociétaire des Artistes Français ; médaille de bronze en 1900.

CERBONE di Giovanni, dit **della Soniglia**
Né en 1499. Mort en 1545. xviᵉ siècle. Actif à Pérouse. Italien.
Sculpteur sur bois.

CERCHA Ézéchiel
Né à Cracovie. Mort en 1820 à Varsovie. xixᵉ siècle. Polonais.
Peintre et miniaturiste.

CERCHA Maximilien
Né en 1818 à Cracovie. Mort en 1907. xixᵉ siècle. Polonais.
Peintre et dessinateur.

CERCHA Stanislaus
Né en 1867 à Cracovie. xixᵉ siècle. Polonais.
Peintre et dessinateur.
Fils de Maximilian Cercha.

CERCHIARI Giuseppe
xviiᵉ siècle. Actif à Modène vers 1670. Italien.
Sculpteur.

CERCHIARI Rinaldo
Mort en 1494. xvᵉ siècle. Actif à Ferrare. Italien.
Peintre.

CERCONE Ettore
Né le 23 novembre 1850 à Messine. Mort en 1896 à Sorrente. xixᵉ siècle. Italien.
Peintre de sujets religieux, genre, portraits.
Officier de marine, il voyagea pendant de longues années et visita tour à tour le Japon, la Chine, l'Inde et l'Australie, mettant à profit le peu de temps que lui laissaient les exigences de sa carrière pour faire des études des spectacles qu'il lui était donné d'admirer. Il exposa à Naples et à Milan, en 1883 : *Aux Pyramides*.
Musées : Naples (Mus. San Martino) : *L'amiral Caracciolo prie pour être enterré chrétiennement* – Naples (Mus. Capodimonte) : *Danse Orientale* – Rome (Gal. d'Art Mod.) : *Madone*.
Ventes Publiques : Milan, 25 nov. 1971 : *Portrait d'une Espagnole* : ITL 240 000 – New York, 23 fév. 1989 : *Guides égyptiens assistant une élégante voyageuse 1888*, h/t (70,5x53,3) : USD 13 200 – Rome, 16 avr. 1991 : *Portrait d'une jeune fille*, h/t (33,5x24) : ITL 4 830 000 – New York, 19 jan. 1994 : *Portrait d'une jeune femme*, h/pan. (31,1x19,1) : USD 1 955 – Londres, 11 avr. 1995 : *Leila*, h/pan. (19x30) : GBP 6 325.

CERDA José
xixᵉ siècle. Actif à Barcelone. Espagnol.
Sculpteur.

CERDA Pablo
xviiiᵉ siècle. Actif à Madrid à la fin du xviiiᵉ siècle. Espagnol.
Sculpteur.

CERDA Pedro
xvᵉ siècle. Actif à Valence en 1416. Espagnol.
Peintre.

CERDA DE VILLARESTAU Francisco
Né en 1814 à Barcelone. Mort le 10 juin 1881 à Madrid. xixᵉ siècle. Espagnol.
Peintre.
Élève de l'École des Beaux-Arts de Barcelone. Séjourna vers 1840-1841 à Rome, puis à Constantinople. Il exposa à Madrid et à Paris en 1858. On cite de lui : *Éliézer et Rebecca*, *La Transfiguration*, *Isabelle la Catholique donnant la liberté au fils de Boabdil*, *Melchisédech* (au Musée de Barcelone), *Enlèvement de Ganymède* (au Musée de Barcelone) et des portraits. Le Musée du Prado possède de lui : le *Portrait d'Alphonse XI*.

CERDÀ Y BISCAL Lorenzo
Né en 1862 à Pollensa-Mallorca. Mort en 1955 à Palma. xixᵉ-xxᵉ siècles. Espagnol.
Peintre d'histoire et de paysages.
Il débuta ses études à Palma, et compléta sa formation à l'Académie madrilène en 1883-1884 puis à Rome en 1886-1887. Il exerça comme professeur de dessin à l'École des Arts et Offices de Palma entre 1889 et 1932 puis comme directeur de cette institution et du Musée provincial de cette même ville. Il figura aux Expositions Nationales des Beaux-Arts en 1904, 1906 et 1908. Il exposa personnellement à Barcelone et à Palma.
Sa formation classique eut une influence durable sur son œuvre ; dans un premier temps il réalisa de nombreux tableaux d'histoire et devint par la suite un paysagiste sensible.
Bibliogr. : In : *Cent ans de peinture en Espagne et au Portugal*, 1830-1930, t. II, Antiquaria, Madrid, 1988.
Ventes Publiques : Londres, 17 mai 1991 : *Au bord du lac 1889*, h/t (59,5x138,5) : GBP 3 300.

CERECEDO Juan de
Né à Valladolid. xviᵉ siècle. Travaillant à Alcala de Henares à la fin du xviᵉ siècle. Espagnol.
Peintre d'histoire.

CEREDA Giuseppe
xviiiᵉ siècle. Actif à Milan. Italien.
Graveur.
Le Blanc cite de lui : *Isaia Profeta*, 1797 (d'après Raphaël).

CEREGETTI Franz
xixᵉ siècle. Actif à Vienne. Autrichien.
Peintre d'histoire.

CEREGETTI Josef ou **Cereghetti**
Né en 1722 à Chrudim (Bohême). Mort en 1799 à Chrudim. xviiiᵉ siècle. Travaillant à Chrudim. Autrichien.
Peintre.
Élève de Herrmann, à Chrudim. Ses œuvres maîtresses sont conservées à Chrudim (fresques et tableaux d'autel). On cite aussi de lui quelques portraits, celui du *prince de Auersperg*,

celui de *Marian Hermann, abbé de Strahov,* celui de l'*impératrice Marie-Thérèse,* celui du *prince Ferdinand de Lobkowitz, duc de Raudnitz,* celui de *Joseph II et de sa première femme.*

CERÉMONIE Jean Adolphe
Né à Paris. XIXᵉ siècle. Français.
Sculpteur.
Il exposa à partir de 1869 des portraits et surtout des animaux (*Cheval de renfort d'omnibus, Un bœuf de halage, Un cheval difficile à ferrer, Étalon percheron*).

CERESA Carlo
Né en 1609 à San Giovanni Bianco (Valle Brembana). Mort en 1679 à Bergame. XVIIᵉ siècle.
Peintre de compositions religieuses, portraits.
Il fut élève de D. Crespi et probablement aussi de Guido Reni. Il a peint un nombre considérable de tableaux pour les églises de la région de Bergame.
Musées : BERGAME (Gal. Carrara) : divers tableaux religieux et portraits.
Ventes Publiques : LONDRES, 8 déc. 1965 : *Portrait d'un gentilhomme entouré de sa famille :* **GBP 2 900** – LONDRES, 26 nov. 1971 : *Portrait de Lorenzo Sala :* **GNS 2 600** – MILAN, 18 oct. 1977 : *Portrait d'un gentilhomme ; Portrait d'une dame de qualité,* deux toiles (190x99) : **ITL 9 000 000** – NEW YORK, 12 juin 1981 : *Portrait d'une dame de qualité,* h/t (119,5x95) : **USD 4 000** – LONDRES, 22 juil. 1983 : *Portrait d'un aristocrate* 1651, h/t (110,8x99) : **GBP 3 200** – MILAN, 16 avr. 1985 : *Portrait du comte Carlo Benaglio* 1649, h/t (210x99) : **ITL 16 000 000** – MOZZO, 1ᵉʳ mars 1987 : *Portrait de Cornelia Vitalba Yerzi,* h/t (98x79) : **ITL 18 000 000** – MILAN, 21 avr. 1988 : *Portrait d'un gentilhomme avec des gants et une épée,* h/t (196,5x99) : **ITL 30 000 000** – ROME, 24 mai 1988 : *Portrait d'une jeune femme,* h/t (76x63) : **ITL 4 000 000** – MILAN, 10 juin 1988 : *Portrait d'un prélat,* h/t (74x57) : **ITL 6 500 000** – MILAN, 12 déc. 1988 : *Portrait d'un gentilhomme avec des gants et une épée,* h/t (196,5x99) : **ITL 24 000 000** – MILAN, 4 avr. 1989 : *Vierge et l'Enfant entourés de deux saints,* h/t (91x104) : **ITL 13 500** – PARIS, 31 oct. 1991 : *La montée au Calvaire,* h/t (7,5x97,5) : **FRF 40 000** – MILAN, 28 mai 1992 : *Portrait d'un gentilhomme,* h/t (40x30) : **ITL 10 500 000.**

CERESA Giovanni
Né en 1801 à Pavie. Mort en 1825 à Pavie. XIXᵉ siècle. Italien.
Graveur au burin.

CERETTI Mino
Né en 1930 à Milan. XXᵉ siècle. Italien.
Peintre de portraits et de compositions à personnages.
Il fit ses études à l'Académie Brera de Milan. A partir de 1955 il expose à la Quadriennale de Rome et en 1956 il expose avec Giuseppe Guerreschi et Giuseppe Romagnoni à Milan, Rome et Venise. Il reçut de nombreux prix. On a qualifié ses œuvres de « réalisme existentiel ». Les œuvres réalisées dans les années soixante-dix traitaient des problèmes de la violence sous le titre générique de *L'Homme persécuté* et la série des *Portraits manqués* traduit l'impossibilité de l'artiste de parvenir à la perfection esthétique.
Ventes Publiques : MILAN, 16 oct. 1986 : *Dal diario di E.D.C.,* h/t (92x73) : **ITL 950 000** – MILAN, 7 juin 1989 : *Portrait raté* 1969, h/t (116x116) : **ITL 1 400 000** – MILAN, 19 juin 1991 : *Histoire anatomique* 1959, h/t (110x135) : **ITL 4 500 000** – MILAN, 12 oct. 1993 : *Description* 1961, h/t (97x110) : **ITL 5 290 000** – MILAN, 5 mai 1994 : *Composition* 1961, techn. mixte/pap. (50x71) : **ITL 1 150 000.**

CEREZEDO Antonio de
XVIᵉ siècle. Travaillant à Séville. Espagnol.
Sculpteur.
Cet artiste sculpta des fleurons pour le plafond de bois d'un corridor de l'Alcazar.

CEREZO Andrés
Mort en 1607 à Madrid. XVIᵉ siècle. Espagnol.
Peintre.

CEREZO Mateo, l'Ancien
XVIIᵉ siècle. Actif à Burgos au début du XVIIᵉ siècle. Espagnol.
Peintre.
Il est le père de Mateo Cerezo le Jeune et son premier maître.

CEREZO Mateo, le Jeune ou **Cereso**
Né en 1635 à Burgos. Mort en 1685 à Madrid. XVIIᵉ siècle. Espagnol.
Peintre de sujets religieux, dessinateur.

Il fut élève de son père Mateo Cerezo l'Ancien, à Burgos, puis de Juan Carreno, à Madrid. Il égala bientôt son maître et acquit très jeune une réputation considérable. Peu d'artistes se sont montrés aussi féconds. De son maître Carreno, il avait repris le thème de l'*Immaculée Conception* et le traita avec un égal succès. Dans le maniement de la couleur, il s'inspira de Van Dyck. On considère que son chef-d'œuvre est, à Madrid : *Les Pèlerins d'Emmaüs,* au couvent des Récollets. Ses œuvres se trouvent notamment à Madrid, à Badajoz, à Valladolid, à Valence, à Burgos et à Malaga.

M·Cerezo.

Musées : BERLIN : *Christ sur la Croix* – BUDAPEST : *Jésus-Christ* – DARMSTADT : *Enfant porté au ciel par des anges* – KASSEL : *Jean Baptiste* – LEIPZIG : *Saint Jérôme* – VIENNE (Gal. Czernin) : *Madeleine pénitente.*
Ventes Publiques : PARIS, 1852 : *Les disciples d'Emmaüs :* **FRF 160** – LONDRES, 1853 : *Saint Martin :* **FRF 675** ; *Saint Thomas de Villanera faisant l'aumône :* **FRF 1 725** – PARIS, 1875 : *L'Apparition de la Vierge à saint François :* **FRF 3 000** – PARIS, 1884 : *Vierge en Adoration :* **FRF 17 060** – NEW YORK, 1906 : *Un Prélat espagnol :* **USD 170** – COLOGNE, 15 oct. 1988 : *Marie Madeleine repentante,* h/t (54x42) : **DEM 5 500** – LONDRES, 20 avr. 1994 : *Le mariage mystique de sainte Catherine,* h/t (183x232,5) : **GBP 29 900** – NEW YORK, 12 jan. 1995 : *Le Christ sur un trône flanqué de la Vierge Marie ; Saint Jean l'Évangéliste et de deux autres saints,* craie rouge, encre et lav. (19,6x14) : **USD 2 530.**

CERF Ivan
Né le 4 février 1883 à Verviers. Mort en 1963. XXᵉ siècle. Belge.
Peintre de figures, animaux, paysages, natures mortes, dessinateur, illustrateur.
Il fut élève de l'Académie de Liège et de Jules Lefebvre et T.A. Fleury à Paris. Il exposa au Salon de la Nationale de 1924 à 1940, au Salon d'Automne de 1922 à 1942 et aux Tuileries de 1927 à 1929, à Paris.
Il travaillait dans le Midi de la France, exécutant des paysages lumineux et des natures mortes. Il a illustré de nombreux ouvrages littéraires.
Bibliogr. : In : *Diction. Biogr. Ill. des Artistes en Belgique depuis 1830,* ARTO, 1987.
Musées : LIÈGE.
Ventes Publiques : PARIS, 27 déc. 1926 : *Nature morte :* **FRF 450** ; *Paysage de Provence :* **FRF 200** – PARIS, 2 mars 1934 : *Femme nue indo-chinoise accroupie de profil à gauche,* gche : **FRF 100** – PARIS, 19 déc. 1941 : *Femme arabe* 1921 : **FRF 480** – PARIS, 7 nov. 1986 : *Village de montagne avec rivière,* h/t (81x100) : **FRF 9 000** – PARIS, 7 mars 1988 : *Pont sur la rivière,* h/t (39x47) : **FRF 7 000** – PARIS, 6 oct. 1993 : *Hommage à la musique* 1922, h/t (65x100) : **FRF 4 300.**

CERGHETI Santino
XVIIᵉ siècle. Travaillant en Bohême. Italien.
Stucateur.

CERI Andrea de' ou de'Ceri
XVIᵉ siècle. Actif à Florence vers 1500. Italien.
Peintre.
Il eut pour élève Pierino Buonaccorsi del Vaga.

CERI Pierino de. Voir **BUONACCORSI Pietro de**

CÉRIA Edmond
Né le 26 janvier 1884 à Évian-les-Bains (Haute-Savoie). Mort en juillet 1955, d'autres sources donnent 1956. XXᵉ siècle. Français.
Peintre de figures, nus, paysages, paysages urbains, marines, natures mortes, illustrateur.
Après le collège d'Évian, il fut élève de l'École des Beaux-Arts de Genève, comme décorateur et peintre en lettre ; puis vint à Paris en 1904, où il suivit les cours de l'Académie Julian. Il effectua ensuite un voyage décisif en Toscane en 1919. Ensuite, il fit des séjours sur la Côte d'Azur, à Château-Landon, en Savoie, à Pise, Rome, en Bretagne, etc.
Il débuta en 1907 au Salon des Artistes Indépendants. Sociétaire du Salon d'Automne où il y figura depuis 1912, il exposait également au Salon des Tuileries depuis la fondation en 1925. En 1937, il occupait à l'Exposition des *Maîtres de l'Art Indépendant 1895-1937* organisée au Petit-Palais, comme l'écrivait André Salmon : « la place où le portaient alors les suffrages de ses pairs et

de la critique ». Il exposait aussi individuellement : 1924 Paris, galerie Devambez ; 1926 Paris, galerie Marcel Bernheim ; 1930 Londres, galerie Brown et Philips, et Lyon ; 1932 Paris, galerie Marcel Bernheim ; 1935 Paris, galerie A. Schoeller ; 1937 Stockholm ; 1951 Beyrouth et Afrique du Sud ; 1953 Paris, galerie Pétridès ; 1954 New York, galerie Wildenstein. En 1934, il fut fait chevalier de la Légion d'honneur, peintre de la Marine en 1945, officier de la Légion d'honneur en 1953.

En 1938, il obtint un des Prix Carnegie, trouvant ainsi la consécration aux États-Unis. Ce fait illustre bien la confusion qui régnait alors jusqu'aux États-Unis. Chaque époque eut, ou a, son « pompiérisme », serait-il d'avant-garde, mais cette époque de l'entre-deux-guerres en avait deux, le premier celui du Salon des Artistes Français, qui donnait bonne conscience au second, celui du Salon d'Automne ou des Tuileries, dont les exposants étaient certains de représenter, avec une bonne peinture de paysages et de nus, construite et savoureuse, la vérité et la mesure, ayant renié les audaces de fauvisme et cubisme pour un post-cézannisme stylisé et ignorant en toute bonne foi l'existence des expressionnistes allemands ou encore les débuts de l'abstraction de Klee, Kandinsky ou Mondrian, même quand ces derniers habitaient Paris.

Céria a illustré en 1929 La gerbe d'or d'Henri Béraud, en 1943 Les amours jaunes de Tristan Corbière, ainsi que Catherine-Paris de la princesse Bibesco, et Marseille d'Edmond Jaloux. En 1936, il a exécuté deux panneaux pour le Foyer du Palais du Trocadéro, en construction pour l'Exposition Internationale de 1937. Il fit la peinture que suscitait une époque bourgeoise, n'omettant pas de traiter tous les thèmes du catalogue. ■ J. B.

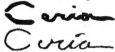

BIBLIOGR. : Jean Alazard : Céria, Crès, Paris, 1930 – Luc Monod, in : Manuel de l'amateur de Livres Illustrés Modernes 1875-1975, Ides et Calendes, Neuchâtel, 1992.

MUSÉES : ALGER – BREST – CHAMBÉRY : Port de Saint-Guénolé – Port de pêche – Paysage – Vue de Pise – Trois nus féminins – Bord de mer – Marine – Chemin enneigé en Bretagne – LE HAVRE – PARIS (Mus. d'Art Mod.) : Nature morte au gibier – Saint-Guénolé – Nu couché – L'Orangerie des Tuileries.

VENTES PUBLIQUES : PARIS, 14 mai 1925 : La Rentrée des mineurs : FRF 200 – PARIS, 29 juin 1928 : Paysage de Céret : FRF 1 620 – PARIS, 1er juin 1933 : Nu assis, le bras droit sur la tête : FRF 100 – PARIS, 23 mars 1938 : Fruits : FRF 400 ; Nu assis : FRF 1 100 – PARIS, 30 nov. 1942 : Paysage du Midi : FRF 8 000 – PARIS, 17 mars 1950 : Saint-Guénolé : FRF 59 000 – PARIS, 11 juin 1959 : Port du Guilvinec : FRF 340 000 – GENÈVE, 29 juin 1968 : Paysage de Saint-Tropez : CHF 7 000 – VERSAILLES, 26 nov. 1972 : Les Roses dans le vase polychrome : FRF 5 300 – VERSAILLES, 10 oct. 1976 : Le Petit Port breton, h/pan. (27x35) : FRF 2 700 – VERSAILLES, 25 mai 1977 : La Côte à Saint-Guénolé, h/t (33x55) : FRF 4 000 – PARIS, 4 déc. 1979 : Bord de Méditerranée, h/t (27x46) : FRF 5 000 – PARIS, 23 nov. 1981 : Vue de Château-Landon, h/t (65x92) : FRF 9 000 – VERSAILLES, 5 déc. 1982 : Paris, les quais et la place de la Concorde, h/t (64,5x91,5) : FRF 13 000 – VERSAILLES, 11 déc. 1983 : Colline aux oliviers près de Sanary, h/t (60x81) : FRF 12 000 – PARIS, 26 mars 1984 : Le Port à marée basse en Bretagne, h/t (65x81) : FRF 16 000 – VERSAILLES, 17 mars 1985 : La Colline aux oliviers près de Sanary, h/t (60x81) : FRF 15 200 – PARIS, 26 juin 1986 : Port breton, h/t (64x91) : FRF 16 000 – VERSAILLES, 25 oct. 1987 : L'Arno à Pise, h/t (33x55) : FRF 12 000 – PARIS, 20 mars 1988 : Paris, le Vert Galant, h/t (60x81) : FRF 35 000 – PARIS, 3 juin 1988 : Bretagne, Le Guilvinec, h/t (27x41) : FRF 8 000 – CALAIS, 13 nov. 1988 : Bigouden au pardon de la Madeleine, h/pan. (27x35) : FRF 8 000 – VERSAILLES, 18 déc. 1988 : Grand vase de fleurs et livres sur la table, h/t (91x65) : FRF 34 000 – VERSAILLES, 12 fév. 1989 : Village en Bretagne, h/t (65x81) : FRF 43 000 – PARIS, 10 avr. 1989 : Jardin de Paris, h/t (72x91) : FRF 15 000 – PARIS, 17 avr. 1989 : La Place de la Concorde, h/t (65x92) : FRF 50 000 – LE TOUQUET, 12 nov. 1989 : Petit port de pêche en Bretagne, h/t (41x27) : FRF 17 000 – PARIS, 21 nov. 1989 : Rue de village, h/t (45,5x33) : FRF 14 000 – VERSAILLES, 26 nov. 1989 : Le Port breton, h/t (27,5x35,5) : FRF 16 500 – STRASBOURG, 29 nov. 1989 : Barques à marée basse à Port-Saint-Pierre, h/t (65x50) : FRF 16 000 – CALAIS, 10 déc. 1989 : Le Lavoir à Guilvinec, h/t (27x35) : FRF 14 000 – PARIS, 21 janv. 1990 :

Nu allongé, h/t (38x55) : FRF 15 000 – PARIS, 27 mars 1990 : La Pointe à Lechiagate, h/t (33x41) : FRF 28 000 – PARIS, 19 juin 1990 : Le Port de Lechiagate, h/t (46x66) : FRF 35 000 – SAINT-DIÉ, 23 juin 1991 : La Jetée de Saint-Guénolé, h/t (33x46) : FRF 15 000 – PARIS, 13 déc. 1991 : Nature morte aux champignons, h/t (50x65) : FRF 6 000 – PARIS, 21 fév. 1992 : Chapelle et maisons bretonnes, h/t (27x35) : FRF 9 000 – PARIS, 23 mars 1993 : Nu allongé, h/t (36x47) : FRF 14 000 – PARIS, 27 mai 1994 : Paysage du Midi, h/t (74x92) : FRF 29 600 – NEW YORK, 14 juin 1995 : Le Port, h/t (33x55,2) : USD 1 035 – CALAIS, 24 mars 1996 : Vue de Port-Carn, h/t (33x46) : FRF 10 500 – PARIS, 14 juin 1996 : Port breton, h/t (39x61) : FRF 10 000 – PARIS, 16 oct. 1996 : Le Repos du modèle, h/t (34x46,5) : FRF 7 500 – PARIS, 24 mars 1997 : Paris, le Pont Marie, h/pan. (24x35) : FRF 11 000 ; Paysage au palmier, h/t (53x64) : FRF 8 500 – PARIS, 23 juin 1997 : Le Port de Concarneau, h/t/marr./cart. (26,5x34,5) : FRF 4 500 – PARIS, 19 oct. 1997 : Village des Pyrénées, h/t (73x93) : FRF 16 000 ; Paris, la Seine vue du quai de la Mégisserie, h/pan. (26,5x35) : FRF 9 500.

CERIA Jacques. Voir DESPIERRE J.

CERIBELLI César

Né le 11 juillet 1841 à Rome. XIXe siècle. Actif puis naturalisé en France. Italien.

Sculpteur de groupes, figures, bustes.

Il fut élève de Rodolini et de Chelli à l'Académie de France à Rome. Il vint en France et se fit naturaliser vers 1866. Membre de la Société des Artistes Français, il a participé assez régulièrement aux Salons de Paris. On cite de lui : La Méchanceté (1879), Bianca Capella (1881), La Femme au masque (1886), Les Pigeons de Venise, La Nounou, terre cuite (1887), La Jeunesse, buste marbre (1892), Jacques Fénoux, buste bronze (1894), La Jeunesse de Paul et Virginie (1900), Les Roses (1907).

VENTES PUBLIQUES : NEW YORK, 17 mai 1983 : Jeune sultane, bronze doré (H. 44,5) : USD 1 400.

CERIBELLI Marguerite

Née à Paris. XIXe-XXe siècles. Française.

Sculpteur de bustes, de médailles, de figures et d'animaux.

Fille de César Ceribelli, elle exposa au Salon entre 1912 et 1926. Elle travaillait à Boulogne-sur-Seine.

CERIEZ Théodore

Né le 11 octobre 1832 à Poperinghe. Mort en septembre 1904 à Ypres. XIXe siècle. Belge.

Peintre de genre, portraits.

Il fut élève des académies d'Ypres, d'Anvers, et de Fauvelet à Paris.

T. Gerres

MUSÉES : SHEFFIELD : Savoyard sous Louis XV – YPRES : L'Estaffette.

VENTES PUBLIQUES : PARIS, 3 fév. 1919 : Le joueur de luth : FRF 525 – LONDRES, 7 juil. 1930 : L'attente de la diligence : GBP 23 – PARIS, 24 mai 1943 : Tête de paysanne 1854 : FRF 50 – LONDRES, 20 mai 1970 : Le joueur de mandoline : GBP 240 – LONDRES, 7 mai 1976 : Le jeu de quilles, h/pan. (22x37) : GBP 1 100 – LONDRES, 28 nov. 1979 : Les Patineurs 1873-74, h/t (85,5x168) : GBP 6 000 – LONDRES, 2 juin 1982 : La partie de cartes, h/t (55x46,5) : GBP 420 – VIENNE, 14 mars 1984 : Le dessert, h/pan. (23x37,5) : ATS 60 000 – AMSTERDAM, 14 mars 1986 : La lecture, h/t (45x55) : NLG 5 200 – LONDRES, 26 fév. 1988 : Une partie de quilles, h/t (21,6x36,9) : GBP 1 650 – LONDRES, 22 mai 1992 : À la librairie ; À la taverne, h/pan., une paire (chaque 20,3x35,6) : GBP 3 300 – AMSTERDAM, 19 oct. 1993 : Joueurs de cartes, h/pan. (26,5x35,5) : NLG 8 625 – LONDRES, 15 nov. 1995 : Le marché aux fleurs, h/pan. (50x80) : GBP 5 750.

CERIGHELLI Pietro

Vraisemblablement originaire de Bergame. XVIIIe siècle. Travaillant à Bergame vers 1740. Italien.

Peintre.

CERINI Andrea

XIXe siècle. Actif en Italie dans la seconde partie du XIXe siècle. Italien.

Graveur.

Cité par Le Blanc.

CERINI Fabrizius

Né en 1648. Mort en 1730 à Vienne. XVIIe-XVIIIe siècles. Actif à Vienne. Autrichien.

Peintre d'histoire et de portraits.

CERINI Giuseppe
Né en 1862 à Arcuneggia près de Côme. XIXᵉ siècle. Italien.
Sculpteur.

CERINI Pietro
XVIIIᵉ siècle. Actif à Rome. Italien.
Dessinateur d'ornements.

CERIOUX
XIXᵉ siècle. Français.
Graveur au pointillé et au burin.
Il est cité par Le Blanc à Paris en 1815.

CERISIER Simone Marie
Née le 29 avril 1903 à Ancenis (Loire-Atlantique). XXᵉ siècle.
Française.
Peintre de figures.
Elle fut élève de l'École des Beaux-Arts de Nantes où elle eut
pour professeur Emmanuel Fougerat. Professeur diplômée, elle
exposa au Salon des Artistes Français et à l'Union des Femmes
Peintres et Sculpteurs.

CERLES Célestin
Né à Firmi (Aveyron). XIXᵉ-XXᵉ siècles. Français.
Sculpteur.
Élève de Mercié et Denys Puech. Exposant du Salon des Artistes
Français.

CERMAK Franz. Voir **CZERMAK Franz**

CERMAK Jaroslav ou **Czermak**
Né en 1831 à Prague. Mort en 1878 à Paris. XIXᵉ siècle. Tchécoslovaque.
Peintre d'histoire, genre, portraits, dessinateur.
Il fit ses études à l'Académie de Prague sous la direction de
Ruben, à celle d'Anvers et à Bruxelles avec Gallait, dont il adopta
trop complètement la manière. Il vint enfin à Paris et reçut les
conseils de Robert-Fleury. Il fut rapidement remarqué aux
Salons parisiens par ses scènes empruntées à l'histoire et à la vie
de la Bohême. Un voyage qu'il fit en 1858 en Turquie eut la plus
heureuse influence sur son talent. Il fut médaillé au Salon de
Paris en 1861 et en 1868.
MUSÉES : AGRAM (Mus. de l'Acad.) : *Transport d'un chef monté-
négrin blessé* – BRUXELLES : *Le butin de guerre* – LEIPZIG : *Porcher
hongrois* – PRAGUE (Gal. Mod.) : *Épisode de l'antiréforme en
Bohême* – *Portrait de Mme Gallait-Boucheron* – VIENNE (Czer-
nin) : *Le poète Simon von Lomnitz mendie sur le pont de Prague*.
VENTES PUBLIQUES : PARIS, 1858 : *Un coq mort*, dess. à l'aquar. :
FRF 410 – PARIS, 1872 : *Jeune paysanne croate et son enfant* :
FRF 9 000 – BRUXELLES, 1873 : *Le cimetière juif, à Prague* :
FRF 3 050 – PARIS, 1876 : *Jeune femme monténégrine amusant
son enfant avec un miroir* : FRF 925 – PARIS, 1877 : *Monténégrins
en embuscade dans un défilé de montagnes* : FRF 3 750 ;
Pêcheur et son fils dans leur bateau, un pleine mer : FRF 1 600 ;
Petites paysannes pleurant leur coq trouvé mort : FRF 1 500 –
PARIS, 1877 : *Le sac d'un village arabe* : FRF 930 – PARIS, 1880 : *Un
tableau, sans désignation de sujet* : FRF 10 100 ; *Un tableau,
sans désignation de sujet* : FRF 6 900 ; *Le miroir* : FRF 21 210 ;
Jeunes recrues pour les harems : FRF 14 490 – LA HAYE, 1889 :
Jeune fille de l'Herzégovine menant des chevaux à l'abreuvoir :
FRF 30 000 – PARIS, 1892 : *Le premier baiser, souvenir de l'Her-
zégovine* : FRF 5 100 – PARIS, 1899 : *Jeunes chrétiennes capturées
par les bachi-bouzouks* : FRF 5 000 – AMSTERDAM, 25 oct. 1904 :
Le miroir : NLG 2 550 – BRUXELLES, 28 mars 1979 : *La Promenade
des familles juives au cimetière de Prague 1857*, h/t (112x147) :
BEF 170 000 – LONDRES, 8 fév. 1984 : *La veuve 1858*, h/t
(74,5x44,5) : GBP 1 300.

CERMAK Karel
Né à Pilsen (Bohême). XXᵉ siècle. Tchécoslovaque.
Peintre de paysages.
Il a peint des paysages de Saint-Tropez exposés au Salon des
Artistes Indépendants entre 1929 et 1931.

CERMANI J. G.
XIXᵉ-XXᵉ siècles.
Peintre paysagiste.
Cité par miss Florence Levy.
VENTES PUBLIQUES : NEW YORK, 12-13 mars 1903 : *Une vallée
dans les Alpes* : USD 35.

CERMANSKY Jean
Né à Cracovie. XXᵉ siècle. Polonais.
Peintre et dessinateur.
Sociétaire du Salon d'Automne, il exposait en 1928 deux dessins
colorés caricaturaux : *Kisling* et *Foujita*.

CERMIGNANI Vincent
Né à Giulianova (Abruzzes). XXᵉ siècle. Italien.
Peintre de paysages.
Il exposa au Salon des Tuileries en 1933 et 1935 ainsi qu'au Salon
des Artistes Indépendants entre 1935 et 1940.
VENTES PUBLIQUES : PARIS, 26 fév. 1943 : *Paysage méditerranéen* :
FRF 1 000.

CERNAT Ilana
Née le 27 août 1914 à Lugoj (Roumanie). XXᵉ siècle. Active en
Israël. Roumaine.
Peintre. Tendance surréaliste.
Elle travailla pendant six ans dans l'atelier du peintre expres-
sionniste Emil Lenhardt. Elle suivit parallèlement les cours de la
Faculté de Droit où elle reçut en 1940 le diplôme de docteur en
droit. Jusqu'en 1963 elle partage son activité entre la profession
de conseiller juridique et la peinture. C'est en 1963 qu'elle quitte
définitivement la Roumanie pour s'établir en Israël. Elle a exposé
personnellement à partir de 1974 dans de nombreuses villes
d'Israël.
Avant de peindre des tableaux apparentés au surréalisme, Ilana
Cernat avait franchi les étapes du postimpressionnisme et de
l'abstraction. Ses œuvres mettent en scènes de grands espaces
peuplés de figures étranges et de quelques arbres maigres,
créant le mystère à la manière des surréalistes belges.
BIBLIOGR. : In : Ionel Jianou, *Les artistes roumains en Occident*,
American Romanian Academy of Arts and Sciences, Los
Angeles, 1986.

CERNATESCO Jana
Née le 13 janvier 1925 à Stana (Roumanie). XXᵉ siècle. Active
en Belgique. Roumaine.
Peintre de compositions à personnages. Naïf.
Elle quitta la Roumanie en 1961 pour s'installer en Belgique.
Entre 1969 et 1975 elle suivit les cours du soir à l'École d'Art de
Bruxelles et à partir de 1975 fréquenta l'atelier de gravure de
l'École d'Arts Plastiques de Nice et de lithographie de
l'Académie de Bruxelles. Elle a travaillé comme dessinatrice
pour le béton armé dans des bureaux d'études à Paris et
Bruxelles jusqu'en 1975, date à laquelle elle se consacra exclu-
sivement à la peinture. Elle a figuré dans de nombreuses exposi-
tions collectives en France, Belgique, Allemagne, Suisse,
Monaco, Japon etc. En 1977 elle a reçu le Prix Emile Lebon à
Bruxelles et le Prix du Jury au Grand Prix International d'Art
Contemporain de Monte-Carlo. En 1980 elle a obtenu le 1ᵉʳ Prix
d'Art Naïf au XVIᵉ Grand Prix International de Peinture de la Côte
d'Azur à Cannes. Elle est membre de la Fédération Féminine des
Peintres Belges. Elle a exposé personnellement à Nice, Bruxelles
et Munich.
Elle réalise une peinture naïve riche en couleurs, inspiré par l'art
populaire roumain, notamment par les icônes sur verrre et les
estampes populaires.
BIBLIOGR. : Ionel Jianou, *Les artistes roumains en Occident*,
American Romanian Academy of Arts and Sciences, Los
Angeles, 1986.

**CERNEL Marie Jeanne Louise Françoise Suzanne
Champion de**. Voir **CHAMPION de Cernel**

CERNIL Moritz
Né en 1859 à Gr.-Wisternitz (Moravie). XIXᵉ siècle. Autri-
chien.
Sculpteur.
Il travailla à Horitz, en Bohême, où il devint professeur en 1885.

CERNILOVIC Hristifor
Né à Vlasotince (Vranje). XXᵉ siècle. Travaille à Skoplje.
Yougoslave.
Peintre.
En 1923, il présentait au Salon de la Société Nationale des
Beaux-Arts une *Tête de Jeune fille*.

CERNOTTO Stefano
XVIᵉ siècle. Actif en Vénétie. Italien.
Peintre.

CERNUSCO, da. Voir au prénom

CERNY Karel puis **Charles**
Né le 12 août 1892 à Prague. Mort en 1965. XXᵉ siècle. Actif en
France. Tchécoslovaque.

Peintre d'histoire, portraits, paysages.

Il arriva en France en 1913 pour y poursuivre ses études et s'engagea dans l'armée pour la durée de la guerre. A Paris il exposa au Salon des Artistes Indépendants à partir de 1913, au Salon de la Société Nationale des Beaux-Arts en 1922, au Salon des Artistes Français entre 1930 et 1939 dont il fut sociétaire hors concours et au Salon d'Automne entre 1922 et 1932. Il a peint des paysages du Danube, quelques portraits et fut nommé peintre de la Marine en 1952. Il peignit également des compositions historiques pour des navires militaires et des portraits de marins illustres du passé.

Musées : Honfleur – Prague (Mus. d'Art Mod.).

Ventes Publiques : Paris, 20 fév. 1980 : *Sur les bords du Fusain*, h/t (130x97) : **FRF 3 200** – Sceaux, 11 mars 1990 : *Femmes 1918*, aquar. (16,5x25) : **FRF 8 200**.

CEROLI Mario
Né en 1938 à Castel Frentano (Chieti). xxᵉ siècle. Italien.
Sculpteur, céramiste.
Pericle Fazzini et Ettore Colla furent ses professeurs à l'Institut d'Art de Rome. Il reçut ensuite les conseils du céramiste Leoncillo.
A partir de 1958 il réalisa des œuvres constituées de pièces de bois grossièrement assemblées à l'aide de longs clous, peut-être inspirées de Nino Franchina. Après 1961 il remplaça le bois par de la tôle d'aluminium. En 1963 il amorce une nouvelle recherche, taillant de simples objets dans les blocs de bois, abordant symboliquement cette nouvelle série par la taille d'un A. Ces œuvres furent exposées à Rome en 1964. Après 1966, ce sont des silhouettes humaines qu'il tailla et assembla selon des reconstructions mythiques ou historiques, *La Cène – La révolution chinoise*. ∎ J. B.

Bibliogr. : Giovanni Garandente, in : *Nouveau Diction. de la sculpt. mod.*, Hazan, Paris, 1970.

Ventes Publiques : Milan, 2 déc. 1971 : *Caisse 1966* : **ITL 750 000** – Milan, 24 oct. 1972 : *Statue 1969* : **ITL 1 300 000** – Rome, 18 mai 1976 : *Adam et Ève 1964*, bois partiellement peint. en vert (210x157x22) : **ITL 11 000 000** – Milan, 9 nov. 1982 : *Io sono*, bois (120x160x20) : **ITL 4 000 000** – Milan, 14 juin 1983 : *Personnages dans une pièce 1966*, bois (190x180x34,5) : **ITL 6 000 000** – Milan, 10 déc. 1985 : *cinq profils de Daria Nicolodi*, bois (48,5x49,5x11) : **ITL 3 700 000** – Londres, 25 juin 1986 : *L'Homme de Léonard 1964*, assemblage bois (20x200x22) : **GBP 8 500** – Milan, 18 juin 1987 : *Fenêtre 1971*, multiple en bois (79,5x71x14,5) : **ITL 1 300 000** – Rome, 7 avr. 1988 : *Dessus de table*, pin de Russie et marqueterie de marbre rose du Portugal (35x200x200) : **ITL 11 500 000** – Milan, 14 mai 1988 : *Profil 1968*, fus. et cr./pap. (105x75) : **ITL 2 200 000** – Rome, 15 nov. 1988 : *La silhouette de Daria 1968*, pin de Russie (H. 173) : **ITL 10 000 000** – Rome, 17 avr. 1989 : *Profil féminin 1969*, pin de Russie (40x40x30) : **ITL 5 000 000** – Rome, 28 nov. 1989 : *Hommes*, pin de Russie (personnage assis : 150x110x44, personnage debout 187x35x35) : **ITL 20 000 000** – Milan, 19 déc. 1989 : *Papillon 1967*, pin de Russie façonné (75x104) : **ITL 10 500 000** – Milan, 27 mars 1990 : *X rouge 1962*, pin de Russie peint. et assemblé (52x80x15) : **ITL 13 000 000** – Milan, 15 déc. 1992 : *Guerre 1967*, relief de pin de Russie (100x115x16) : **ITL 12 000 000** – Milan, 6 avr. 1993 : *Meubles de la vallée 1968*, deux chaises en pin de Russie (198,5x54x50) : **ITL 5 000 000** – Milan, 22 juin 1993 : *La panthère 1964*, pin de Russie peint. (100x200x21,5) : **ITL 13 500 000**.

CERONI Giovanni ou Juan Antonio
Né en 1579 à Milan. Mort en 1640 à Madrid. xviiᵉ siècle. Italien.
Sculpteur.

CERONI Luigi
Originaire de Rome. xixᵉ siècle. Italien.
Graveur.
Cet artiste distingué cité par Béraldi, travaillait à Paris pour l'éditeur Blaisot en 1864. Il a surtout gravé des portraits exécutés avec beaucoup de soin. On mentionne notamment de lui cinquante portraits gravés d'après les émaux de Petitot conservés au Louvre et six petits médaillons pour *Les Amours de Louis XV*.

CERONI Maria, née Suppioti
Née en 1730 à Vicence. Morte à Vicence. xviiiᵉ siècle. Travaillant à Vérone et à Vicence. Italienne.
Peintre de sujets mythologiques, compositions religieuses, portraits, pastelliste, graveur.
Élève de Giambettino Cignaroli. Elle fut membre de l'Académie de Vérone. Elle a surtout pratiqué le pastel et traité des sujets mythologiques et religieux ainsi que des portraits.

CERQUOZZI Michelangelo, dit Michelangelo delle Battaglie ou delle Bambocciate
Né à Rome, le 2 février 1602, en 1608 selon Baldinuccià. Mort le 6 avril 1660. xviiᵉ siècle. Italien.
Peintre d'histoire, compositions religieuses, batailles, genre, natures mortes, fleurs et fruits, graveur, dessinateur.
Les surnoms donnés à cet artiste disent assez quels furent ses deux genres favoris. Très jeune il eut pour maître le Cavaliere d'Arpino, puis le peintre de batailles Jakob de Hase. Il acquit rapidement une grande renommée dans la peinture des batailles et surpassa le Tempesta par la valeur du coloris, tout en lui restant inférieur quant au dessin. Il n'était pas d'ailleurs, à l'époque où il peignit ses sujets historiques, en pleine possession du talent qu'il déploya plus tard dans un genre tout différent de Van Laen. Dès 1626, très lié avec celui que l'on nommait le Bamboche, il devint lui-même l'un des principaux représentants du genre : caravagisme superficiel appliqué à des scènes bouffonnes, ou simplement populaires, traitées sur des petits formats, dont le succès était souvent dû au fait qu'ils accusaient l'avilissement du menu peuple réduit à la misère. Dans la suite, il exécuta des tableaux de fruits et de fleurs qui furent très estimés. Mariette vante ses dessins et en déplore la rareté. On cite parmi ses gravures : *La Sainte Famille et saint Jean* et *La Tentation de Jésus-Christ*.

Mic. AB.

Bibliogr. : Lionello Venturi : *La peinture italienne*, Skira, Paris, 1952.
Musées : Amiens : *Fleurs et fruits* – *Fruits* – Bergues : *Carnaval italien* – *Travesti italien* – Berlin : *Sortie d'un pape de Rome* – Bordeaux : *Une Embuscade de voleurs* – Caen : *Fleurs* – Fruits – Châlons-sur-Marne : *Attribut des Arts* – Chartres : *Bamboche tenant un mousquet* – Dresde : *Pillage après la bataille* – *Enterrement pendant la bataille* – Dunkerque : *Grappes de raisins et un citron* – Florence (Gal. Nat.) : *Vieille femme filant* – Genève : *Joueurs de boules* – *Musicienne ambulante* – *Le Savetier* – *Les Gueux* – Le Havre : *Fleurs* – Kassel : *Vie d'artiste romain* – Liège : *Fruits* – Madrid (Prado) : *La cabane* – Metz : *Un combat de cavalerie* – Munich : *Repos à la chasse* – Nancy : *Fruits d'Italie* – *Les Raisins* – *Fruits variés* – Naples : *Joueurs de cartes devant une auberge* – *Paysage* – *Cavaliers espagnols* – Paris (Louvre) : *Fruits sur une table* – *Même sujet* – Périgueux : *Corbeille de fruits* – *Fruits et légumes* – Le Puy-en-Velay : *Champ de bataille* – Rennes : *Fleurs et fruits sur un tapis* – Rochefort : *Une bataille* – Rome (Borghèse) : *Scènes de la vie populaire* – *Même sujet* – Rome (Gal. Colonna) : *Saint Jean prêchant au désert* – Rouen : *Nature morte* – *Nature morte* – Stockholm : *Saint Martin laissant un morceau de son manteau à un mendiant* – *Cheval blanc qui broute dans un paysage* – *Cheval blanc emparadé dans un paysage* – Toulouse : *Le maréchal-ferrant* – *Le Rémouleur* – Troyes : *Fruits* – *Même sujet*.

Ventes Publiques : Amsterdam, 1702 : *Un marché romain, avec personnages* : **FRF 880** – Amsterdam, 1713 : *Un champ de bataille* : **FRF 1 700** – Amsterdam, 1735 : *Le siège d'Ostende* : **FRF 1 400** – Paris, 1777 : *Le Jugement de Salomon* : **FRF 942** ; *Un combat de cavalerie* : **FRF 601** – Italiens jouant une parade : **FRF 35** – Paris, 1867 : *Fleurs, fruits et attributs* : **FRF 1 155** – Paris, 1890 : *La récolte des fruits* : **FRF 1 200** – Paris, 1897 : *Fruits, légumes et fleurs* : **FRF 480** – Paris, 19 fév. 1903 : *Nature morte* : **FRF 275** – Paris, 17 oct. 1903 : *Fleurs et fruits, deux pendants* : **FRF 107** – Paris, 3 déc. 1904 : *Fleurs dans un vase* : **FRF 1 400** – Paris, 16 mars 1907 : *Nature morte* : **FRF 245** – Paris, 28 fév. 1919 : *Grenades, raisins, figues* ; *Pêches, poires, raisins, deux toiles* : **FRF 610** – Paris, 14-16 nov. 1927 : *Fleurs et fruits* : **FRF 5 600** – Londres, 20 juil. 1960 : *Jeune paysan et jeune fille cueillant des raisins* : **GBP 440** – Milan, 12-13 mars 1963 : *Nature morte dans un paysage* : **ITL 160 000** – New York, 25 mars 1964 : *Intérieur d'église animé de personnages* : **USD 1 500** – Londres, 3 nov. 1965 : *Paysage avec ruines antiques animé de personnages* : **GBP 750** – Milan, 11 mai 1966 : *La récolte des fruits* : **ITL 5 000 000** – Vienne, 12 sep. 1967 : *Troupes françaises et espagnoles devant une ville du Nord* : **ATS 80 000** – Londres, 27 nov. 1970 : *Paysage fluvial boisé* : **GNS 1 900** – El Quexigal (Prov. de Madrid), 25 mai 1979 : *Enfants cueillant des fruits*, h/t (198x170) : **ESP 1 250 000** – New York, 19 mars 1981 : *Saint Jean baptisant les nouveaux convertis*, h/t (71x96,5) : **USD 11 000** – Londres, 4 avr. 1984 : *Jeune homme au panier de fleurs et vase de fleurs*, h/t

(96,5x130) : **GBP 15 500** – Londres, 3 avr. 1985 : *Nature morte et satyre dans un paysage*, h/t (187x187) : **GBP 33 000** – Rome, 10 mai 1988 : *Vendeurs de fruits à l'entrée d'une propriété*, h/t (71x98) : **ITL 39 000 000** – Milan, 10 juin 1988 : *Scène de bataille*, h/t (72x97) : **ITL 10 500 000** – Rome, 13 déc. 1988 : *Idylle champêtre, h/t/pan.* (diam. 33) : **ITL 5 000 000** – Rome, 23 mai 1989 : *Erminie et les bergers*, h/t (81,5x108) : **ITL 30 000 000** – Paris, 30 juin 1989 : *L'Adoration des Mages*, t. (41x44,5) : **FRF 22 000** – Londres, 31 oct. 1990 : *Scène de foire*, h/t (180,5x145) : **GBP 39 600** – Stockholm, 19 mai 1992 : *Nature morte avec des fruits dans une corbeille dans un paysage avec un couple de promeneurs et un chien au fond*, h/t (103x74) : **SEK 100 000** – Paris, 28 avr. 1993 : *Marchande de raisins au bord d'une route*, h/t (39x50) : **FRF 48 000** – Londres, 22 avr. 1994 : *Paysage boisé avec un paysan et sa mule près d'une mare*, h/t (93,7x120) : **GBP 13 800** – Paris, 12 juin 1995 : *Le peintre dans son atelier peignant une scène de genre*, h/t (38,5x49,5) : **FRF 120 000** – New York, 5 oct. 1995 : *Paysans dansant sous les murs d'une ville fortifiée*, h/t (55,5x74) : **USD 9 775** – Rome, 21 nov. 1995 : *Réunion galante de gitans sur une côte méditerranéenne*, h/t (87x116) : **ITL 20 035 000.**

CERRA Domenico della
XVIIIe siècle. Actif à Naples. Italien.
Graveur au burin.

CERRA Mirta
Née en 1904 ou 1908. Morte en 1986. XXe siècle. Cubaine.
Peintre. Abstrait.
Elle achève ses études à l'Académie d'art de San Alejandro en 1934 et une bourse d'études lui permet de poursuivre à l'Art Students League à New York, où elle suit les cours de graphisme et de sculpture. Elle voyage en Europe, puis rejoint Cuba. Sa première exposition personnelle se tient en 1943 au Havana's Lyceum. Elle participe à de nombreuses expositions collectives tant à Cuba qu'à l'étranger. Une rétrospective de ses œuvres comprenant plus de cent peintures a eu lieu en 1979 au Musée national cubain.
Elle a évolué de la représentation dans le plus pur style du réalisme socialiste des années trente à l'abstraction des années soixante.
Ventes Publiques : New York, 28 nov. 1984 : *Sans titre*, h/t (57,2x45,8) : **USD 2 200** – New York, 28 mai 1997 : *Compagnon 1943*, h/t (80x105,3) : **USD 25 300.**

CERRACCHIO Eugenio Filiberto
Né en 1880 à Castel Vetro Val Eurtore. XXe siècle. Italien.
Sculpteur.

CERRES Caroline, née Baudry de Balzac
Née en 1799 à Metz. XIXe siècle. Française.
Peintre.
Élève de Gérard Van Spaendonck. Elle fut plus tard professeur de dessin, pendant l'espace de six ans, à l'École royale de Saint-Denis. Entre 1824 et 1833, elle exposa au Salon sous son nom de jeune fille. Elle a peint surtout des fleurs.

CERRETELLI Giovanni Antonio
XVIe siècle. Actif à Sienne vers 1594. Italien.
Peintre.

CERRI Vincenzo
Né en 1857. Mort en 1903. XIXe siècle. Actif à Florence. Italien.
Sculpteur.
Ventes Publiques : New York, 16 fév. 1995 : *La porteuse d'eau*, marbre blanc et cuivre (H. 185,4) : **USD 151 000.**

CERRINI Giovanni Domenico ou Giandomenico, dit il Cavaliere Perugino
Né en 1609 à Pérouse. Mort en 1681. XVIIe siècle. Italien.
Peintre de scènes mythologiques, compositions religieuses, sujets allégoriques, genre, portraits, dessinateur.
Il fut élève de Scaramuccia, Guido Reni et Domenichino. Il travailla surtout à Rome pour les papautés. Il a peint un grand nombre de sujets religieux que conservent des églises de Rome et de Pérouse.
Musées : Florence (Gal. Corsini) : *La femme à la corbeille d'œufs.*
Ventes Publiques : Paris, 1859 : *Plusieurs saints dans les nuages, contemplant le ciel*, pl., lavé d'encre de Chine : **FRF 9** – New York, 5 juin 1980 : *La Vierge et l'Enfant avec des fleurs*, h/t (152,5x113) : **USD 5 500** – Londres, 10 déc. 1986 : *Une figure allégorique ou mythologique*, h/t (110,5x83,8) : **GBP 22 000** – New

York, 3 juin 1988 : *Joseph interprétant les rêves*, h/t (175x147) : **USD 44 000** – Rome, 28 avr. 1992 : *La Sainte Famille avec saint Jean et un ange*, h/t (222x208,5) : **ITL 46 000 000** – Londres, 8 juil. 1992 : *Diane*, h/t (89,5x74,5) : **GBP 23 100** – Rome, 24 nov. 1994 : *Saint Sébastien soigné par les Saintes Femmes*, h/t (241x160) : **ITL 27 105 000** – New York, 16 mai 1996 : *Allégorie de la musique*, h/t (97,8x74,9) : **USD 6 900** – New York, 3 oct. 1996 : *Mercure*, h/t (73x59,7) : **USD 10 350** – New York, 13 nov. 1997 : *Apollon*, h/t (121,5x163,2) : **USD 25 300** – Venise, 31 mai 1997 : *Saint Sébastien*, h/t (155x113) : **ITL 37 000 000.**

CERRINI Lorenzo
Né en 1590 à Florence. Mort en 1659 à Florence. XVIIe siècle.
Actif à Florence. Italien.
Peintre.
Élève de Cristoforo Allori.

CERRONE Domenico
Originaire d'Arpino. XVIe siècle. Travaillant à Rome en 1527.
Italien.
Peintre.

CERRONE Giovanni Cola
Originaire d'Arpino. XVIIe siècle. Travaillant à Naples. Italien.
Peintre.

CERRUTI Antonio, Francesco et Giovanni, les frères, appelé aussi Fea
XVIIe siècle. Actifs à Chieri. Italiens.
Peintres.
Les deux derniers des trois frères travaillaient en 1645 au palais des ducs de Savoie à Turin.

CERRUTI Michelangelo
Né en 1666 à Rome. Mort en 1748 à Rome. XVIIe-XVIIIe siècles.
Actif à Rome. Italien.
Peintre et graveur.
Il a beaucoup travaillé pour les églises de Rome (huile et fresque).

CERRUTI-BEAUDUC Felice
Né en 1817 à Turin. Mort en 1896 à Turin. XIXe siècle. Italien.
Peintre de sujets militaires, scènes de genre, sujets typiques, portraits. Orientaliste.
Après des études de chirurgie vétérinaire à Fossano, il s'engagea dans les guerres d'indépendances italiennes de 1840-1850, puis s'orienta vers l'art pictural, suivant les cours d'Horace Vernet à Paris.
Outre ses sujets militaires, il peignit des portraits, des scènes de genre, des thèmes nord-africains. Citons : *Bataille de Pavie – Bataille de Goito – Bataille de San Martino – Marché aux bêtes – Portrait du duc de Gênes*. Le château de Turin, le Palais Bianco à Gênes conservent de ses œuvres.
Bibliogr. : Caroline Juler, in : *Les Orientalistes de l'école italienne*, ACR Édition, Paris, 1994.
Musées : Rome (Palais du Quirinal) – Turin (Gal. d'Arte Mod.) : *Fantasia arabe* – Turin (Mus. Civoco) : *Caravane arabe*.
Ventes Publiques : Paris, 19 juil. 1984 : *Les colombes pompéiennes 1881*, h/t (54x65) : **FRF 31 500.**

CERTOWICZ Tola
Née en 1864 en Ukraine. XIXe siècle. Travaillant à Cracovie et à Paris. Polonaise.
Sculpteur.
En 1881 elle a fait ses études à Cracovie avec Guyski, ensuite à Paris avec Saint-Marceaux, Mercier et Chapu. Elle exposa au Salon de Paris en 1885, 1887 et 1888. On cite parmi ses œuvres : *Le bon Berger, Sainte Cécile* (au Musée de Poznan), *Morphée* (au Musée Czapski à Cracovie).

CERU Bartolomeo, appelé aussi Bartolomeo degli Occhiali
Mort avant 1660. XVIIe siècle. Actif à Venise. Italien.
Peintre et dessinateur de perspectives et d'ornements.

CERU Domenico
XVIIe siècle. Éc. tyrolienne.
Peintre.
Peintre de Cour à Innsbruck, entre 1650 et 1670.

CERULLI Martin
Né vers 1715. Mort après 1765. XVIIIe siècle. Allemand.
Peintre de miniatures, graveur, dessinateur.
Actif à Johannesburg et Königsberg.
Ventes Publiques : Monte-Carlo, 22 juin 1985 : *Trompe-l'œil*

aux gravures et pages de livres, deux aquar., gches et pl. (28x21,5) : FRF 18 000.

CERUTI Cesare ou Cerutti, Ceruto
XVIIe siècle. Actif à Crémone au début du XVIIe siècle. Italien.
Peintre.

CERUTI Fabio
Mort en 1761. XVIIIe siècle. Travaillant à Milan. Italien.
Peintre de paysages.
Il fut élève d'Agricola.

CERUTI Giacomo, dit il Pitocchetto
Né en 1698 à Milan ou à Brescia. Mort en 1767. XVIIIe siècle. Travaillant entre 1724 et 1738. Italien.
Peintre de compositions religieuses, genre, portraits, natures mortes, fruits.
Ce peintre du XVIIIe siècle n'a été redécouvert que par la critique moderne. On ne sait que peu de choses de sa vie. Il voyagea à Venise et Padoue. Il a peint des tableaux religieux, mais ce sont ses portraits et surtout ses scènes de genre qui retiennent l'attention. On sait que le Portrait de Giovanni Maria Fenaroli est daté de 1724 ; qu'en 1728, il peignit quinze portraits symboliques pour le Broletto de Brescia ; que le Mendiant de la collection Bassi-Rattgeb de Bergame est daté de 1734. Il a peint des scènes de genre à proprement parler : joueurs de cartes ; les petits métiers : blanchisseuses ; mais aussi les déshérités : gueux, mendiants, nains et estropiés. S'il peint ce menu peuple, ses tâches et ses peines, avec une attention héritée lointainement de l'humanisme caravagesque, ce n'est pas du tout, comme chez les Bamboccianti, à des fins de cruelle dérision, mais au contraire avec une bienveillance fraternelle. Sa technique picturale a parfois la clarté de celle des Le Nain. Dans la redécouverte contemporaine du réalisme post-caravagesque, la figure et la place de Ceruti seront à préciser.

BIBLIOGR. : Lionello Venturi : La peinture italienne, Skira, Paris, 1952.

MUSÉES : MILAN (Pina. de la Brera) : Portrait de l'artiste – Portrait d'homme – Fruits – Nature morte.

VENTES PUBLIQUES : LONDRES, 25 nov. 1960 : Le marchand de romances : GBP 945 – MILAN, 15 mai 1962 : Portrait de la femme de Agostino Romano : ITL 750 000 – MILAN, 29 oct. 1964 : Portrait d'un gentilhomme : ITL 1 400 000 – MILAN, 29 mai 1968 : Portrait de Agostino Romano : ITL 1 100 000 – LONDRES, 3 déc. 1969 : La partie de cartes : GBP 1 800 – MILAN, 16 déc. 1971 : Les masques : ITL 9 500 000 – MILAN, 25 nov. 1976 : Le chasseur et ses chiens, h/t (180x108) : ITL 6 000 000 – NEW YORK, 10 jan. 1980 : Portrait d'un gentilhomme – Portrait d'une dame de qualité, deux h/t (110x81,2) : USD 10 000 – LONDRES, 17 nov. 1982 : Nature morte aux poissons, h/t (63x67) : GBP 32 000 – LONDRES, 6 juil. 1983 : Fillette avec un chat – Jeune garçon avec un chien, deux h/t (54x42) : GBP 36 000 – NEW YORK, 19 jan. 1984 : Portrait de Donna Alba Regina del Ferro, h/t (105,5x79) : USD 65 000 – LONDRES, 11 avr. 1986 : Épagneuls dans des intérieurs, deux h/t (47x72,7) : GBP 40 000 – ROME, 24 mai 1988 : Portrait d'un gentilhomme, h/t (82x65) : ITL 3 200 000 – NEW YORK, 13 oct. 1989 : Portrait d'une femme agée vêtue de noir et tenant un livre, h/t (71x57) : USD 20 900 – LONDRES, 8 déc. 1989 : Portrait d'un jeune garçon en habit bleu et bonnet rouge tenant un carlin sur un coussin 1645, h/t (61x47,5) : GBP 88 000 – LONDRES, 24 mai 1991 : Jeune paysanne avec une vache et un mouton dans un paysage rocheux, h/t (119x91) : GBP 60 500 – LONDRES, 8 juil. 1992 : Portrait d'un jeune garçon vêtu d'un uniforme militaire, h/t (63,5x48,5) : GBP 11 000 – NEW YORK, 20 mai 1993 : Portrait d'une jeune femme tenant un masque, h/t (61x49,5) : USD 10 925 – DAX, 1er oct. 1995 : Portrait d'homme à l'habit rouge, h/t (199x116) : FRF 620 000 – LONDRES, 3 juil. 1996 : Jeune femme tenant une rose, h/t (73x56) : GBP 26 450.

CERUTI Giovanni Battista
Né en 1803. Mort en 1876. XIXe siècle. Italien.
Peintre.
Il travaillait à Milan.

CERUTTI Edoardo
Né à Naples. XIXe-XXe siècles. Italien.
Peintre.
Figura en 1900 à l'Exposition Alinari avec son tableau : Madone et Enfant, en restant hors concours.

CERVA Antonio
XVIIe siècle. Actif à Bologne vers 1620. Italien.
Peintre de miniatures.

Fils et élève de Giovanni-Paolo Cerva, peintre d'oiseaux originaire de Malvoisie. Il a peint des natures mortes et des animaux. Il travaillait à Cataio, résidence d'été des ducs de Parme.

CERVA Giacinto ou Cervi
Mort en 1652 à Bologne. XVIIe siècle. Actif à Bologne. Italien.
Peintre.
De la suite d'A. Metelli. Il peignit avant tout des quadratures et des perspectives.

CERVA Giovanni Battista della
Mort après 1548. XVIe siècle. Actif à Milan. Italien.
Peintre.
Il s'instruisit avec Gaudenzio Ferrari dont il fut aussi l'aide pour l'exécution d'une Cène à l'église de la Passion. Il a peint, avec B. Lanino, un Martyre de sainte Catherine (fresque) à San Nazaro. Sant Ambrogio conserve de lui une fresque : La Descente de Croix et Sant Aquilino : Le Christ avec ses apôtres et saint Thomas l'Incrédule.

CERVA Giovanni Maria
XVIIe siècle. Travaillant à Bologne. Italien.
Peintre d'architectures et de décorations.
Parent d'Antonio et Pierantonio Cerva ; certains auteurs le confondent avec ce dernier.

CERVA Pierantonio
Né en 1600, originaire de Bologne. Mort vers 1670. XVIIe siècle. Italien.
Peintre d'architectures et de décorations.
Parent d'Antonio Cerva, il fut élève de Menghino del Brizio. Il travailla à Bologne, à Venise et à Trévise.

CERVAN John
XVIIIe siècle. Actif à Exeter. Britannique.
Peintre de paysages.
Il exposa deux paysages à la Royal Academy, à Londres, en 1776.

CERVANTES Pedro
Né en 1915 dans l'Arizona. XXe siècle. Américain.
Peintre. Naïf.
Il figurait en 1938 à l'exposition Masters of Popular Painting organisée au Musée d'Art Moderne de New York.
BIBLIOGR. : Oto Bihalji-Merin : Les Peintres naïfs, Delpire, Paris.

CERVEAU Christophe. Voir CHERVEAU Cristofle

CERVEAU Louis Marie
Né à Nîmes (Gard). XXe siècle. Français.
Peintre.

CERVELLI Angelo Antonio
XIXe siècle. Italien.
Peintre verrier.
Il travailla à la cathédrale d'Orvieto en 1807-1809.

CERVELLI Federigo
Né vers 1625 à Milan. Mort avant 1700. XVIIe siècle. Travaillant à Venise. Italien.
Peintre de scènes mythologiques, sujets allégoriques.
VENTES PUBLIQUES : LONDRES, 15 déc. 1978 : Vénus et Cupidon, h/t (86,3x72,3) : GBP 1 700 – MILAN, 4 juin 1985 : Allégorie de la Paix – Allégorie de la Justice, deux h/t (97x78) : ITL 15 000 000 – MILAN, 24 oct. 1989 : Pâris avec la pomme d'or, h/t (99,5x74,5) : ITL 21 000 000.

CERVELLIERA Giovanni Battista del
Né en 1489 à Pise. Mort vers 1570 à Pise. XVIe siècle. Travaillant à Pise. Italien.
Sculpteur, marqueteur et architecte.

CERVELLIERA Giovanni di Francesco del
Mort en 1459. XVe siècle. Actif à Florence. Italien.
Peintre et miniaturiste.

CERVENG John
XVIIIe siècle. Britannique.
Peintre.
Il exposa en 1771 et en 1772 à la Royal Academy, en 1773 à la Society of Artists, à Londres.

CERVERA Antonio
Né à Santander. Mort en 1879 à Santander, jeune. XIXe siècle. Espagnol.
Peintre.
Après un voyage en Amérique du Sud, il se fixa à Séville. Il a peint notamment un certain nombre de portraits d'hommes politiques sud-américains.

CERVERA Antonio de
XVIᵉ siècle. Actif à Plasencia en 1569. Espagnol.
Peintre.

CERVERA Blas de
XVIIᵉ siècle. Travaillant à Valladolid. Espagnol.
Peintre.
Élève de José Martinez. Vers 1644, en collaboration avec Gil de Mena et Diego Valentin Diaz, il a peint pour le couvent des Franciscains une série de tableaux représentant des scènes de la vie de saint François.

Bern^vs Cer.F.

CERVERA Martin
XVIIᵉ siècle. Actif à Salamanque en 1611. Espagnol.
Peintre.

CERVERA Mateo
XIVᵉ siècle. Actif à Barcelone vers 1364. Espagnol.
Peintre.

CERVERA R.
Peintre d'histoire.
Cité par Florence Lévy.
VENTES PUBLIQUES : NEW YORK, 30 jan. 1902 : *Absalon et Tamar* : USD 110.

CERVERA Y LACOUR Saturnino
Né à Torrente. XIXᵉ siècle. Espagnol.
Peintre de genre, portraits, natures mortes.
Élève de l'École des Beaux-Arts de Valence et de Madrid. Exposa en 1878 à Lisbonne un portrait, une scène de genre (*Vendedor de pescados*) et plusieurs natures mortes.

CERVETTI Felice
XVIIIᵉ siècle. Actif à Turin en 1764. Italien.
Peintre.

CERVETTI Sebastiano
Né à Sestri. XVIIᵉ siècle. Travaillant vers 1650-69. Italien.
Peintre.

CERVETTO Giovanni Paolo
Né vers 1630. Mort en 1657. XVIIᵉ siècle. Italien.
Peintre.
Cet artiste génois fut élève de Valerio Castelli.

CERVI Bernardino
Né vers 1596 à Modène. Mort en 1630. XVIIᵉ siècle. Italien.
Peintre et graveur.
Élève d'abord de Schedoni, à Parme ; il est vraisemblable qu'après la mort de celui-ci il devint l'élève de Guido Reni, à Bologne. Il a travaillé pour les églises de Modène. Il mourut de la peste, lors de l'épidémie qui ravagea Modène en 1630.
VENTES PUBLIQUES : NEW YORK, 1889 : *Le tableau contesté* : FRF 5 125.

CERVI Giulio
XIXᵉ siècle. Italien.
Peintre de genre, aquarelliste.
Il fit ses études à l'Académie des Beaux-Arts de Rome. Il exposa à Turin, en 1880 : *Parini lisant ses Satires*, et à Venise, à l'Exposition Nationale de 1887 : *Au camp.*
VENTES PUBLIQUES : PHILADELPHIE, 22 avr. 1922 : *Quel côté ?* 1884 : USD 40 – LONDRES, 29 mai 1964 : *Une élégante compagnie écoutant un abbé réciter des vers* : GNS 700 – NEW YORK, 28 avr. 1977 : *La Fête de bébé*, h/t (75x107) : USD 5 750 – NEW YORK, 27 fév. 1982 : *Le marchand des rues* 1884, aquar. (56,3x38,3) : USD 800 – ANGERS, 11 juin 1985 : *La halte* 1884, aquar. (74x52) : FRF 6 500 – NEW YORK, 28 oct. 1986 : *La réception du baptême*, h/t (73,6x106,6) : USD 20 000 – LONDRES, 5 oct. 1990 : *Le sonnet* 1873, h/t (62,2x45,7) : GBP 6 600.

CERVICORNUS Eucharius, appelé aussi Hirtzhorn
XVIᵉ siècle. Actif à Cologne, de 1528 à 1555. Allemand.
Graveur sur bois.
Le Blanc cite de lui : Frontispice de : *Commentarii initiatorii in quator evangelia*, Frontispice de : *Egreii Evangeliæ Veritatis*, etc. Il fut également libraire et éditeur.

CERVIO Francesco
XVIᵉ siècle. Actif à Pavie vers 1500. Italien.
Sculpteur.

CESA della. Voir CHIESA

CÉSAIRE Claudius
Né au XIXᵉ siècle. XIXᵉ siècle. Français.
Peintre.
Il débuta au Salon de Paris en 1834, et travailla en France. On lui doit des vues du Mont Saint-Michel et de Normandie. Il exposa au Salon jusqu'en 1843.

CESAR
XIVᵉ siècle. Français.
Peintre.
Il travaillait en 1367, à Avignon. Cet artiste paraît avoir eu, de son vivant, une grande réputation. Ses œuvres ont disparu.

CÉSAR, pseudonyme de Baldaccini César
Né le 1ᵉʳ janvier 1921 à Marseille (Bouches-du-Rhône), de parents originaires de Toscane. Mort le 6 déc. 1998 à Paris. XXᵉ siècle. Français.
Sculpteur de figures, animaux, compressions, expansions.
César est issu d'une famille italienne d'origine toscane implantée à Marseille. Son père était tonnelier et tint par la suite un bistrot dans le quartier de la Belle de Mai. En 1933 César quitte l'école communale pour l'aider et en 1935, sur les conseils d'un voyageur de commerce, est inscrit par sa mère à l'École des Beaux-Arts de Marseille. Il fréquente d'abord le cours du soir de dessin, puis successivement les ateliers de buste, de torse et de modèle vivant jusqu'en 1939. Le professeur le plus frappant qu'il ait eu fut un Monsieur Cornu qui avait été praticien chez Rodin, et dont César se souvient qu'« ... il ne nous parlait jamais d'art mais de métier ». En 1942 il reçoit une bourse et part en fin d'année pour Paris. En octobre 1943 il est admis temporairement à l'École Nationale des Beaux-Arts qu'il fréquentera à sa manière durant environ dix ans. Il travaille successivement dans les ateliers de Gaumont et d'Alfred Janniot et sera nommé par la suite Grand Massier des sculpteurs de l'École. Il habite alors dans la même maison qu'Alberto Giacometti. En 1944, à court de ressources, il est obligé de regagner Marseille. En 1946 il retourne à Paris. C'est en 1954 qu'il reçoit le prix du « Collabo » (les « Trois Arts ») à l'École des Beaux-Arts pour *Le poisson* qu'il avait bricolé à partir de ferrailles soudées pour compléter un projet présenté par des camarades architectes. L'œuvre est exposée dans la cour de la galerie Lucien Durand et grâce à Bernard Dorival, entrera dès 1955 au Musée National d'Art Moderne. Ses premières expositions datent de cette époque.
En 1955 il figure pour la première fois au Salon de Mai où il exposera encore en 1958, 1959, 1960, 1966 et 1967, en 1956 une salle lui est attribuée au Pavillon Français de la Biennale de Venise, en 1957 il participe à la Biennale de São Paulo et à celle de Carrare recevant le 1ᵉʳ Prix de participation étrangère, en 1958 il obtient le 3ᵉ prix du Carnegie Institute de Pittsburgh et figure au Pavillon français de l'Exposition Universelle de Bruxelles recevant la Médaille d'argent, en 1959 il participe à la Dokumenta II de Kassel, en 1960 à *Cent sculpteurs de Daumier à nos jours* au Musée d'Art et d'Industrie de Saint-Etienne, en 1961 à *L'Objet* au Musée des Arts Décoratifs de Paris et à l'exposition mondiale de Seattle, en 1963 au Second Festival du Nouveau Réalisme à Munich, en 1964 à la Dokumenta III de Kassel, en 1965 à *La main* chez Claude Bernard et à la Biennale de São Paulo où il figure à nouveau en 1967, se voyant décerner un prix d'encouragement aussitôt refusé au profit de Jean-Pierre Raynaud. En 1968 il figure à la Dokumenta IV de Kassel et à la Triennale de Milan ; en 1969 à l'exposition inaugurale du Hakone Open Air Museum au Japon ; en 1970 dans *Le peintre photographié* au Musée des Arts Décoratifs à Paris et à l'*Exposition pour le Xᵉ anniversaire des Nouveaux Réalistes* à la Rotonda della Via Besana de Milan ; en 1971 dans *Métamorphose de l'objet*, exposition itinérante à Bruxelles, Rotterdam, Berlin et Milan et à la VIᵉ Biennale de sculpture au Musée Rodin à Paris ; en 1973 au Festival d'Edimbourg pour l'*Art français contemporain*, en 1976 à Tokyo et Osaka pour l'*École de Nice* et à la galerie Beaubourg dans *Les Nouveaux Réalistes* ; en 1986 au Musée d'Art Moderne de la ville de Paris dans *Les Nouveaux Réalistes* et au Musée National d'Art Moderne de Paris dans *Qu'est ce que la sculpture moderne ?* ; en 1988 au Musée National d'Art Moderne de Paris dans *les Années 50*, et participe à *Olympic for Peace*, au Parc de Sculpture à Séoul en Corée. En 1970 il est nommé professeur chef d'atelier à l'École Nationale des Beaux-Arts de Paris. Il a été sélectionné pour représenter la France à la Biennale de Venise de 1995.
L'œuvre de César a fait l'objet d'une foule d'expositions personnelles : en 1955 chez Lucien Durand, en 1957 à Londres, en 1961 à New York, en 1969 chez Mathias Fels, en 1970 à la galerie

Arturo Schwartz à Milan, en 1971 à Oslo et Hambourg ; des expositions rétrospectives sont organisées à partir de 1973 : en 1973 au Centre Culturel de Romainville, en 1976 se tient la première grande manifestation itinérante de ce type en Europe (Genève, Grenoble, Knokke-le-Zoute, Rotterdam, Paris), en 1977 au Musée d'Art et d'Industrie de Saint-Étienne, au Musée des Beaux-Arts de Grenoble, au Musée National d'Art Moderne de Paris, à Antibes au Musée Picasso, en 1981-1982 à Liège au Musée d'Art Moderne, à Nice et au Japon. En 1988 il a reçu le Prix Rodin au Musée Utsukushi-ga-hara, à l'Open-Air Museum de Tokyo. En 1989 la galerie Beaubourg a exposé ses compressions de 1959 à 1989. En 1990 ses *œuvres majeures* ont été présentées au C.N.I.T. à La Défense. En 1996, la galerie Daniel Templon a présenté *Les Compressions de Venise*.

César a avoué et on a répété qu'il avait choisi de souder la ferraille parce que le marbre et la pierre étaient trop coûteux. Si douter de la véracité de cette affirmation est justifié, elle n'en est pas moins significative de la dualité permanente qui anime César dès ses débuts : l'amour du métier dû à cette longue formation classique d'une part, et d'autre part ce désir d'innovation qui l'habite : l'*Homo faber* opposé à l'*Homo ludens*, comme l'a distingué Pierre Restany. Vers 1947-1949 il s'essayait à ses premières recherches avec du plâtre et du fer, puis avec du plomb repoussé et du fil de fer. Vers 1952, des amis propriétaires d'une petite usine vers Trans en Provence lui donnent la possibilité d'utiliser leurs déchets métalliques et de souder. L'humour est un des traits dominants des œuvres de cette première époque. César assemble des boulons, des bielles, des engrenages, des pièces mécaniques de rebuts de toutes sortes et crée des femmes-robots, des volatiles issus d'une basse-cour démente, des insectes énormes mais néanmoins bienveillants, un *Homme* avec un réveille-matin à la place du cœur, « et qui marche » précisait-il en le remontant. Historiquement, la démarche de César s'inscrit dans la voie ouverte d'abord par Picasso – sa référence majeure –, Giacometti puis par Gargallo et Gonzalez au sein de la sculpture métallique, par les constructivistes russes et enfin Calder qui durant les années trente devait adopter le métal comme unique matériau. Il faut souligner également l'apport de l'œuvre de Germaine Richier qui – bien qu'il s'en défende –, influença durablement César. Entre 1954 et 1966 environ, il travaille dans une petite usine d'un faubourg du nord de Paris, Villetaneuse. C'est là qu'il donne naissance à un bestiaire varié, à des personnages divers et à des tableaux-portraits où apparaît le goût de la frontalité, les figures étant parfois soudées sur un fond métallique, le tout inséré dans une architecture présentoir. Entre 1957 et 1960, il touche simultanément à la maturité de son style et à la consécration sociale. Il est l'artiste vedette de la galerie Claude Bernard. Les figures sont accompagnées des *Animaux – Reliefs – Boîtes – Éléments de moteur*. C'est en 1960 que César crée l'événement autant que le scandale au Salon de Mai, lieu d'exposition qu'il privilégie volontiers de ses manifestations décisives et au comité duquel il appartient. Grâce à une presse américaine mise en service dans une usine de récupération de métaux de la région de Gennevilliers, César a réalisé trois compressions de carrosseries d'automobiles hors d'usage. La même année, il adhère au groupe des Nouveaux Réalistes fondé par Pierre Restany au domicile d'Yves Klein au mois d'octobre. Restany écrit à propos des compressions : « Cette compression communique par le fer un pouvoir d'expression nouveau, une puissance de concentration jamais encore atteinte. La matière compressée est dotée d'une densitée totale sans commune mesure avec les densités particulières de ses composantes initiales... L'objet réduit à un concentré de lui-même vient se fondre dans l'homogénéité de la masse tout en y inscrivant sa trace essentielle, à la manière d'un fossile dans sa couche géologique. » Ces premières compressions, assimilées à un geste dada, sont perçues par certains comme un attentat commis contre la sculpture métallique. César exploitera pendant trois ans les possibilités formelles des compressions, aboutissant en 1961 aux *Compressions dirigées*, dont l'aspect est déterminé par le choix délibéré des matériaux utilisés. La presse n'est plus qu'un outil dans les mains du plasticien. César commence à collaborer avec la régie Renault en 1965, réalisant *L'Hommage à Louis*, une compression de pare-chocs et d'enjoliveurs de voitures. La statuaire n'est cependant pas abandonnée : la *Vénus de Villetaneuse*, est réalisée en 1962 et la *Victoire de Villetaneuse* en 1965. La série des fers soudés s'achève avec la *Pacholette* en 1966. César connaît à ce moment-là une période de crise, qui aboutit à la séparation avec son marchand. Les empreintes

humaines, son pouce géant (1964) et le sein d'une danseuse du Crasy-Horse (1966) vont renouveler son vocabulaire artistique. C'est la découverte du pantographe, outil qui permet d'agrandir un moulage en plâtre à une échelle supérieure et la proposition par la galerie Claude Bernard d'une série d'expositions internationales sur le thème de la main qui sont à l'origine de ces pièces. Son pouce sera reproduit en une série de matériaux et de tailles différents, le plus important fondu en bronze atteignant une hauteur de 2 mètres. L'étude des problèmes de la fonte en plastique l'amène à la découverte du polyuréthane et de ses propriétés expansives et organiques. C'est lors de la grande expansion orange du Salon de Mai de 1967 que César donne le premier morceau de mousse à une spectatrice, geste qui deviendra un rite lors des démonstrations qui deviendront un spectacle promené partout dans le monde entre 1967 et 1969. La dernière aura lieu à Milan en 1970 pour fêter les dix ans du Nouveau Réalisme. Comme l'écrit Pierre Restany les *Compressions* et les *Expansions* « témoignent de la même intelligence des limites limites d'expressivité d'un matériau issu de la technologie contemporaine ». A partir de 1969, les expansions ne sont plus éphémères mais remoulées et armées d'une pellicule protectrice qui leur donne l'aspect de belles structures monumentales. A partir de 1970, César alterne les réalisations dans les divers domaines, travaillant en 1969 dans les ateliers de la cristallerie Daum des expansions de cristal en fusion, compressant des motocyclettes à Nice, des bijoux en or et en argent en 1971, puis des feuilles de plexiglas transparent. En 1972 il commence la série des masques avec le moulage de son visage et en 1978 aborde les *Portraits de compression* et les *Compressions plates*, des compressions collées sur un support de bois. Vers 1980 il réinvente ses sculptures en modifiant ou en agrandissant les moulages de plâtre d'anciennes pièces en fer : cela donne naissance aux *Bronzes soudés*. Vers 1985 il entreprend la série des *Poules Patineuses* en bronze soudé. César a réalisé de nombreuses œuvres monumentales : la *Pale d'hélice* pour le Mémorial des Rapatriés à Marseille, l'*Hommage à Eiffel*, une plaque de dix-sept mètres de haut exécutée à partir des fragments d'un escalier de la tour, en place dans le parc de la Fondation Cartier à Jouy-en-Josas, *Le Centaure*, carrefour Croix-Rouge à Paris. Avec *Le Centaure*, César s'affirme comme un véritable sculpteur contemporain, le seul osant et étant capable de réaliser une statue équestre au xxᵉ siècle. Hommage à Picasso de 4,7 mètres de hauteur, commencé en 1983 et achevé en 1985, il a le visage de César mais porte le masque de Picasso renversé sur le haut du crâne. Affirmation d'une filiation comme de la reconnaissance d'un héritage classique, il peut résumer à lui seul tout le travail de César. ■ Florence Maillet, Jacques Busse

BIBLIOGR. : Douglas Cooper : *César*, Bodensee Verlag, Suisse, 1960 – Catal. de l'exposition *César*, Musée Cantini, Marseille, 1966 – Pierre Restany : *Les nouveaux réalistes*, Planète, Paris, 1968 – François Pluchart, *La quatrième révolution de César*, xxᵉ siècle, Paris, 1969 – Catal. de l'exposition : *Compressions*, Mathias Feld, Paris, 1969 – Michel Ragon : *25 ans d'art vivant*, Casterman, Paris, 1969 – in : *Les Muses*, Grange Batelière, Paris, 1971 – in : *L'Art Moderne à Marseille, la Collection du Musée Cantini*, Musée Cantini, Marseille, 1988 – Pierre Restany, *César*, La Différence, 1990, appareil biographique et bibliographique complet – *Dossier César*, Opus International, N°120, juil-août 1990, p. 7 à 25

MUSÉES : ANTIBES (Mus. Picasso) : *Le Centaure* 1983 – BRUXELLES (Mus. roy. de Belgique) : *Torse* – DUNKERQUE (Mus. d'Art Contemp.) : *La Vénus de Villetaneuse – Village-compression* – GRENOBLE (Mus. de peint. et de sculpt.) : *Victoire de Villetaneuse – Pouce* – HUMLEBAEK (Fond. Lousiana) : *Victoire de Villetaneuse – Pouce* – LONDRES (Tate Gal.) : *Plaque – Aile – Trois compressions – Pouce – Dessins et papiers arrachés* – MARSEILLE (Mus. Cantini) : *Plaque – Pacholette – Hommage à Louis – Expansion dirigée* – NEW YORK (Mus. of Mod. Art) : *Compression* – OTERLOO (Fond. Kroller Muller) : *La sœur de l'autre* – PARIS (Mus. Nat. d'Art Mod.) : *Le poisson – Le diable – La tortue – La chauve-souris – Compression* – RENNES (Mus. des Beaux-Arts) : *L'échassier* – RIO DE JANEIRO (Mus. d'Art Mod.) : *Compression* – SÃO PAULO (Mus. d'Art Contemp.) : *Expansion controlée* – STOCKHOLM (Mod. Mus.) : *Expansion dirigée rose* – STRASBOURG (Mus. d'Art Mod.) : *Compression murale de carton* 1981-1982 – TOULON : *Grand sein* 1966.

VENTES PUBLIQUES : PARIS, 15 déc. 1961 : *Poule*, fer forgé et soudé : **FRF 5 000** – NEW YORK, 13 oct. 1965 : *L'écorché*, cuivre et acier : **USD 3 500** – PARIS, 26 nov. 1972 : *L'Insecte*, bronze doré : **FRF 22 500** – GENÈVE, 29 juin 1976 : *Compression 1973*, argent, sculpture (14x15x24,5) : **CHF 15 500** – LONDRES, 31 mars 1977 : *La Mounine*, bronze (H. 54) : **GBP 2 800** – VERSAILLES, 26 fév. 1978 : *Allumettes brûlées* 1971, collage en relief (64x48) : **FRF 7 400** – LONDRES, 5 avr. 1979 : *La Victoire de Villetaneuse* 1966, bronze (H. 230) : **GBP 8 000** – PARIS, 27 oct. 1980 : *L'Insecte*, bronze doré (37x50x37) : **FRF 20 000** – PARIS, 23 oct. 1981 : *Composition* 1961, h. et arrachage/pap. mar./bois (164x124,5) : **FRF 12 500** – PARIS, 22 avr. 1983 : *Sculpture*, métal (170x60) : **FRF 105 000** – MILAN, 14 juin 1983 : *Homme*, report photo. en relief (75,5x56,5) : **ITL 1 300 000** – NEW YORK, 9 mai 1984 : *Le Pouce*, bronze (142x79x56) : **USD 62 500** – NEW YORK, 16 mai 1985 : *La Vénus de Villetaneuse* 1962, bronze (H. 105,5) : **USD 11 500** – NEW YORK, 11 nov. 1986 : *L'Écorché* 1958, acier forgé et fer (H. 96,5) : **USD 38 000** – PARIS, 24 nov. 1987 : *Poulet dansant le tango*, bronze, patine dorée (H.34) : **FRF 85 000** – PARIS, 3 déc. 1987 : *Squelette de poisson*, dess. pointe bille et feutre/pap. (28x20) : **FRF 10 000** – PARIS, 10 déc. 1987 : *La Ginette* 1958-1965, bronze (H. 133) : **FRF 650 000** – PARIS, 29 jan. 1988 : *Pochette d'allumettes* 1971, collage (22x14) : **FRF 7 000** – LONDRES, 25 fév. 1988 : *Compression*, or et diamant, pendentif (5,7x3) : **GBP 3 300** – PARIS, 20 mars 1988 : *Compression murale, vélo* 1970, pièce unique (H. 62 et 44x21) : **FRF 70 000** ; *Le pigeon* 1957, bronze doré (28x22) : **FRF 57 000** – PARIS, 22 mars 1988 : *Expansion en polyuréthane* vers 1968, un des premiers prototypes réalisés par l'artiste : **FRF 36 000** – LOKEREN, 28 mai 1988 : *Compression*, or et pierres fines, bijou (2,8x2,9) : **BEF 120 000** – LONDRES, 30 juin 1988 : *La Poule à ailettes*, bronze (H. 70) : **GBP 28 600** – LONDRES, 20 oct. 1988 : *Pied de vestiaire*, bronze (136x78) : **GBP 26 400** – MILAN, 14 déc. 1988 : *Cycles* 1970, compression (66x46x35) : **ITL 32 000 000** – PARIS, 6 avr. 1989 : *La Ginette*, bronze, patine noire (H. 128) : **FRF 1 760 000** – PARIS, 18 mai 1989 : *La Vénus de Villetaneuse* 1962, bronze doré (H. 105) : **FRF 800 000** – LONDRES, 29 juin 1989 : *Panneau début* 1959, bronze (171x79x94) : **GBP 52 800** – PARIS, 7 oct. 1989 : *La Motocyclette*, techn. mixte (27x17) : **FRF 80 000** – PARIS, 9 oct. 1989 : *Nu à la belle de mai* 1980, bronze à patine brune (150x38x57) : **FRF 900 000** – MILAN, 8 nov. 1989 : *Compression* 1970, compression de tubes à dentifrice de coul. (34x34x16) : **ITL 26 000 000** – NEW YORK, 9 nov. 1989 : *Sans titre* 1960, compression de bidons d'alu. (35,5x22,9x10,2) : **USD 28 600** – PARIS, 18 fév. 1990 : *Accumulation de drapeaux*, techn. mixte/pan. (101x81) : **FRF 150 000** – LONDRES, 22 fév. 1990 : *Tango* 1960, bronze, patine dorée (43,2x35) : **GBP 60 500** – NEW YORK, 27 fév. 1990 : *Sans titre*, fer soudé (71x35,5x19,6) : **USD 82 500** – PARIS, 26 avr. 1990 : *La Poule*, sculpt. rés. (H. 35) : **FRF 43 000** – PARIS, 3 mai 1990 : *Composition de bombes insecticides* (20x35x35) : **FRF 100 000** – PARIS, 21 mai 1990 : *Compression de bijoux* vers 1971, en or jaune, or blanc et pierres de coul., pendentif (H. 5) : **FRF 92 000** – LONDRES, 28 juin 1990 : *Le Scorpion* 1954, fer soudé (H. 47, L. 64) : **GBP 132 000** – PARIS, 27 oct. 1990 : *Vénus de Villetaneuse* 1962, bronze (183x62x52) : **FRF 2 070 000** – STOCKHOLM, 5-6 déc. 1990 : *Compression de boîtes de Coca-Cola, Perrier, Orangina, etc.*, incluse dans du Plexiglass (H. 34) : **SEK 36 000** – PARIS, 14 fév. 1991 : *Panneau debout* 1959, bronze (181x79x34) : **FRF 890 000** – LONDRES, 21 mars 1991 : *Petite plaque*, bronze, cire perdue (52x27) : **GBP 14 850** – PARIS, 26 mars 1991 : *Grande Rambaud*, bronze, patine brune (190x190) : **FRF 2 100 000** – ROME, 13 mai 1991 : *Sans titre*, bronze (34x47x4) : **ITL 21 850 000** – VERSAILLES, 23 juin 1991 : *Le Centaure*, bronze soudé (H. 145) : **FRF 2 050 000** – NEW YORK, 3 oct. 1991 : *Sans titre*, cr. et collage de pennies/cart. (81x71x5,5) : **USD 13 200** – NEW YORK, 11 mai 1992 : *Composition*, bronze (33,7x22,5x9,2) : **USD 35 200** – LOKEREN, 23 mai 1992 : *Arrache lavis*, lav./pap. (64x49,5) : **BEF 260 000** – PARIS, 28 oct. 1992 : *Panneau debout* 1959, bronze (172x79x34) : **FRF 380 000** – VERSAILLES, 22 nov. 1992 : *La Victoire de Villetaneuse* 1965, bronze (230x98x92) : **FRF 1 900 000** – LONDRES, 3 déc. 1992 : *Grande Rambaud* 1987, bronze (186x200x150) : **GBP 107 800** – PARIS, 31 jan. 1993 : *Le Plat* 1979, bronze (18x48x48) : **FRF 112 000** – VERSAILLES, 4 avr. 1993 : *Le Centaure (Hommage à Picasso)*, bronze (102x110x48) : **FRF 840 000** – AMSTERDAM, 26 mai 1993 : *Canard*, bronze (30x60x37) : **NLG 49 450** – PARIS, 3 juin 1993 : *Hommage à Eiffel* 1984, bronze (H. 280, l. 190) : **FRF 780 000** – MILAN, 14 déc. 1993 : *Compression* 1970, cyclomoteur compressé (41,5x17x41,5) : **ITL 23 000 000** – PARIS, 16 déc. 1993 : *Mao* 1970, biscuit de porcelaine blanche noyé dans de la mousse de polyuréthane rouge, buste (53x49) : **FRF 58 000** – PARIS, 10 mars 1994 : *Le Centaure* 1983, bronze (H. 96) : **FRF 800 000** – PARIS, 21 juin 1994 : *Spoutnik* 1960, fer soudé et œuf d'autruche (31x40) : **FRF 280 000** –

PARIS, 15 déc. 1994 : *Poule Andrée*, bronze soudé (H. 55, larg. 65, prof. 30) : **FRF 245 000** – ZURICH, 14 nov. 1995 : *Théière écrasée* 1971, expansion avec du bleu et collage/bois (71x51) : **CHF 5 500** – PARIS, 4 déc. 1995 : *Hommage à Morandi, nature morte n° 6* 1983, acryl. et émail/pan. (90x110) : **FRF 145 000** – LOKEREN, 9 déc. 1995 : *Sein*, or et brillant : **BEF 110 000** – SAINT-GERMAIN-EN-LAYE, 10 déc. 1995 : *Écorché*, bronze (H. 97) : **FRF 167 000** – PARIS, 28 mars 1996 : *Les Roberts d'Evelyne* 1991, bronze (126x130x100) : **FRF 451 000** – PARIS, 19 juin 1996 : *La Rambaud* 1987, bronze soudé patine brune (95x90x65) : **FRF 300 000** – PARIS, 5 oct. 1996 : *Marionnette* 1955, bronze patine brune (H. 106, l. 76) : **FRF 135 000** – LONDRES, 4 déc. 1996 : *L'Homme de Villetaneuse* 1957, fer soudé (120x90x18) : **GBP 139 000** – PARIS, 12 déc. 1996 : *Les Cafetières*, compression de deux cafetières dans un plexiglas : **FRF 60 000** – PARIS, 16-17 déc. 1996 : *Vénus de Villetaneuse* 1962, bronze patine brun clair (105x26x24) : **FRF 300 000** – LONDRES, 5 déc. 1996 : *Victoire de Villetaneuse* 1961-1965, fer (230x98x92) : **GBP 188 500** – PARIS, 20 jan. 1997 : *Oscar* 1968, bronze doré (24x28x19,5) : **FRF 18 000** – PARIS, 28 avr. 1997 : *Conserve expansion*, métal et polystyrène, en collaboration avec Martial Raysse (14x50) : **FRF 3 500** ; *Portrait de compression*, cart./pan., compression (60x49) : **FRF 32 000** ; *Chauve-souris* 1956, bronze patine brune (H. 75, l. 64, P. 17) : **FRF 98 000** ; *Poulette* 1987, bronze soudé (20x10x11) : **FRF 55 000** – PARIS, 25 avr. 1997 : *Plaque Tesconi*, bronze soudé (83x47x20) : **FRF 90 500** – LONDRES, 26 juin 1997 : *Tubes* 1959, fer (193x105x50) : **GBP 128 000** – PARIS, 16 juin 1997 : *Compression* vers 1970 (106x40x44) : **FRF 150 000** ; *Compression Renault*, métal brillant ou peint. (27x28) : **FRF 50 000** – PARIS, 18 juin 1997 : *Marionnette*, bronze soudé patine brune (H. 105) : **FRF 200 000** ; *Raie* 1955, fer soudé (43x26x15) : **FRF 270 000** – CANNES, 8 août 1997 : *Le Poing* 1980, bronze poli et doré (30x55x27) : **FRF 150 000** – PARIS, 21 nov. 1997 : *Chandelier à trois branches* 1989, bronze soudé patine brune, une paire (82x32x23) : **FRF 145 000** – LONDRES, 23 oct. 1997 : *Césarine* 1987, bronze (50,1x24,6x35) : **GBP 14 950**.

CESAR Armand
Né à Marseille (Bouches-du-Rhône). XXᵉ siècle. Français.
Peintre.
Exposant du Salon des Artistes Français.

CESAR August
XIXᵉ siècle. Autrichien.
Peintre.
Viennois, il exposa en 1865 à Düsseldorf *Lansquenets jouant*. Il a peint aussi des portraits, notamment celui du poète Brachvogel, qui figurait à l'exposition de l'Académie des Beaux-Arts de Berlin en 1896. Cet artiste résidait à Brünn vers 1880, à Baden, près de Vienne, en 1901.

CÉSAR Claude
XVIIIᵉ siècle. Actif à Nancy en 1724. Français.
Sculpteur.

CÉSAR Jean
XVᵉ siècle. Actif à Tournai en 1470. Éc. flamande.
Enlumineur.

CESAR Joseph
Né en 1814 à Hernals (près de Vienne). Mort en 1876 à Vienne. XIXᵉ siècle. Autrichien.
Sculpteur et graveur en médailles.

CESAR Paulette
Née à Fontaine-le-Port (Seine-et-Marne). XIXᵉ-XXᵉ siècles. Française.
Peintre.
Élève de Zo. Elle a exposé au Salon d'Automne en 1930 et au Salon des Artistes Français en 1931.

CÉSAR-BRU Jean. Voir **CÉZAR-BRU**

CESARANO
XVIIIᵉ siècle. Actif vers 1785. Italien.
Graveur au burin.
Le Blanc cite de lui une planche de mosaïques antiques, d'après Casanova. Un Niccolo CESARANO, graveur au burin, est cité à Naples au XIXᵉ siècle.

CESARE Carlo de
XVIᵉ siècle. Italien.
Sculpteur et fondeur.
Élève de Giov. da Bologna, cet artiste florentin fut au service du grand duc de Toscane. A partir de 1590 il séjourna à Freiberg où il exécuta une série de travaux, notamment à la cathédrale.

CESARE Francesco de
XVIIᵉ siècle. Actif à Naples en 1690. Italien.
Peintre.

CESARE d'Ancona
XVIᵉ siècle. Italien.
Peintre.
Il travailla entre 1583 et 1585 avec Pasquale Catti au Palais di Montecavallo, à Rome.

CESARE da Bologna
XVᵉ siècle. Actif à Bologne. Italien.
Peintre.

CESARE dal Borgo
XVIᵉ siècle. Italien.
Graveur sur bois.
Il était actif à Florence.

CESARE da Conegliano
XVIᵉ siècle. Travaillant à Venise. Italien.
Peintre.
Ce fut un peintre de talent. On cite de lui un tableau : *La Cène*, à l'église des SS. Apostoli, Venise.

CESARE de' Faloppi. Voir **FALOPPI**

CESARE da Matelica
XVIᵉ siècle. Italien.
Peintre.
Il fut peut-être l'élève de Luca di Paolo à Matelica, où il travaillait en 1521.

CESARE di Meneco Paridis
XVIᵉ siècle. Actif à Pérouse en 1533. Italien.
Peintre.

CESARE da Napoli
Né en 1550. XVIᵉ siècle. Actif à Messine. Italien.
Peintre.
Élève de D. Guinaccia. Il subit l'influence de Polidoro da Caravaggio. Il a travaillé pour plusieurs couvents et églises de Messine et d'autres villes de Sicile (Barcellona, Pozzo di Gotto).

CESARE di Piemonte ou **da Saluzzo**
XVIᵉ siècle. Travaillant à Rome vers 1580. Italien.
Peintre de paysages.
Il a peint dans la manière des Bril.

CESARE da Reggio
Originaire de Reggio en Calabre. XVIᵉ siècle. Travaillant à Parme au début du XVIᵉ siècle. Italien.
Peintre de décorations.

CESARE di Romolo. Voir **FERRUCCI**

CESARE da Sesto. Voir **SESTO**

CESARE dalle Vieze ou **Veze**
XVᵉ-XVIᵉ siècles. Italien.
Peintre de miniatures.
Sans doute parent d'ANDREA dalle Vese. Il travailla à la Cour de Ferrare, entre 1491 et 1528.

CESARE AUGUSTO Ferrarese. Voir **FERRARI Cesare**

CESAREI Piero, dit Pierino di Cesareo da Perugia
Né vers 1530 à Pérouse. Mort en 1602 à Spolète. XVIᵉ siècle.
Italien.
Peintre.
Il a travaillé pour plusieurs églises de Spolète, où Il résida presque constamment, mais aussi dans d'autres villes de la même région.

CESAREI Serafino
Né au début du XVIᵉ siècle. XVIᵉ siècle. Actif à Pérouse. Italien.
Peintre.

CESAREO Marcantonio
XVIIᵉ siècle. Actif à Bergame jusque vers 1660. Italien.
Peintre.
Peintre de la suite d'Enea Talpino, qui était son parent.

CESARES J.
XIXᵉ siècle. Travaillant en Espagne en 1820. Espagnol.
Peintre et graveur à l'aquatinte.
Le Blanc cite de lui : *Entrée du général Don Rel Riego dans Séville, Destruction de la maison du Saint-Office de Murcie*.

CESARI Antonio
XIXᵉ siècle. Italien.
Peintre d'histoire.

CESARI Bernardino
Né à Rome. Mort en 1614 à Rome, jeune. XVIIᵉ siècle. Italien.
Peintre.
Il était le frère de Giuseppe Cesari et, après avoir été son élève, il travailla fréquemment en collaboration avec lui. Il mourut trop jeune pour laisser beaucoup d'œuvres personnelles, mais on a de lui la fresque qu'il peignit à Saint-Jean de Latran pour Clément VIII.

CÉSARI Charles
Né en 1938. XXᵉ siècle. Français.
Sculpteur. Abstrait, tendance géométrique.
Il vit et travaille à Paris, où il expose régulièrement aux Salons des Réalités Nouvelles et Grands et Jeunes d'Aujourd'hui.
Il travaille des matériaux divers, qu'il assemble à partir d'une structure métallique qui paraît soutenir les autres. Ses assemblages sont constitués d'éléments correspondant à peu près à des figures géométriques simples, occupant des situations différentes dans l'espace et sur des plans virtuels obliques les uns par rapport aux autres.

CESARI Desiderio
XIXᵉ siècle. Actif à Milan. Italien.
Sculpteur et ciseleur.

CÉSARI Doune. Voir **TISSOT-CÉSARI Doune**

CESARI Giuseppe, ou **Josépin**. Voir **ARPINO il cavaliere d'**

CESARIANO Cesare di Lorenzo
Né en 1483 à Milan. Mort en 1546, ou en 1543 d'après Lanzi. XVIᵉ siècle. Italien.
Architecte, peintre et écrivain.
Il étudia l'architecture avec Bramante, et, en même temps, dessinait et peignait dans l'atelier de Léonard de Vinci. Certains documents anciens indiquent qu'il exécuta des peintures à différents moments d'une existence assez agitée, notamment à Reggio et à Milan. D'après certains auteurs il aurait aussi peint des miniatures. Cesare Cesariano a publié une traduction de Vitruve (1521).

CESARINI Giulio
Originaire de Vérone. XVIIIᵉ siècle. Travaillant au début du XVIIIᵉ siècle. Italien.
Peintre.

CESARIO Romano
XVIᵉ siècle. Actif à Rome en 1527. Italien.
Sculpteur.

CESARO
XVIIᵉ siècle. Actif à Naples. Italien.
Sculpteur.

CESARO Giuseppe
Né en 1630. XVIIᵉ siècle. Italien.
Peintre.
Fils de Marcantonio Cesareo, il travaillait à Bergame.

CESBRON Achille Théodore
Né le 5 novembre 1849 à Oran. Mort le 4 janvier 1915. XIXᵉ-XXᵉ siècles. Français.
Peintre de scènes de genre, portraits, natures mortes, fleurs, pastelliste.
Élève de Bonnat et de Cormon, il exposa régulièrement au Salon des Artistes Français, dont il devint sociétaire en 1883, obtenant une mention honorable en 1882, une médaille de troisième classe en 1884 et une de deuxième classe en 1886. Il reçut le Prix Marie Bashkirtseff en 1886, une médaille d'argent à l'Exposition Universelle de Paris en 1889 et 1900 et fut décoré de la Légion d'honneur en 1898.
Ses compositions montrent des personnages placés dans des décors familiers, peints dans une atmosphère floue, à la manière des œuvres d'Eugène Carrière.
BIBLIOGR. : Gérald Schurr, in : *Les Petits Maîtres de la peinture 1820-1920, valeur de demain,* Les Éditions de l'Amateur, t. II, Paris, 1982.
MUSÉES : ANGERS (Grand Séminaire) : *Portrait d'évêque* – GRAY (Mus. du baron Martin) : *La Fille du jardinier* – MULHOUSE : *Les Fleurs du sommeil* – PARIS (Mus. des Arts Déco.) – PLOMBIÈRES : *Français chez lui.*
VENTES PUBLIQUES : PARIS, 1890 : *Bouquet de jonquilles* : **FRF 22** – PARIS, 1899 : *Un champ de rosiers* : **FRF 230** – PARIS, 16-17 mars

1904 : *Les Roses* : FRF 410 – Paris, 12 déc. 1921 : *Le Soir sur la Seine*, past. : FRF 100 – Paris, 9 fév. 1942 : *Les Bleuets* : FRF 2 300 – Paris, 29 nov. 1982 : *Maternité* vers 1900, h/t (37x62) : FRF 2 000 – Paris, 25 oct. 1985 : *Nature morte aux légumes*, h/t (46,5x61) : FRF 4 500 – Paris, 6 mars 1987 : *Jetée de fleurs*, h/t (54x98) : FRF 4 000 – Paris, 3 juin 1988 : *Les Roses*, h/cart. (50x61) : FRF 3 800 – Calais, 12 déc. 1993 : *Vase de pivoines*, h/t (61x50) : FRF 16 300 – Paris, 13 oct. 1995 : *Plat de prunes* ; *Étude de poires Belle angevine* 1884, h/t et h/pan. : FRF 6 000 – Calais, 23 mars 1997 : *Le Rosier*, h/t (91x65) : FRF 20 200.

CESBRON C.
XIXᵉ-XXᵉ siècles. Actif à Paris. Français.
Peintre de scènes de genre, paysages, intérieurs, dessinateur.
Fils d'Achille Théodore Cesbron. Il a exposé, à Paris, au Salon des Artistes Français en 1898, 1899 et 1902 et à celui de la Société Nationale des Beaux-Arts en 1903.
On cite parmi ses œuvres : *Coin des pauvres*, *Église abbatiale de Fécamp*, *Vue d'un monastère*, *Un atelier de menuiserie dans le palais de Charles V, à Grenade*.
Ventes Publiques : Paris, 20-22 oct. 1924 : *Intérieur d'église*, dess. reh. de past. : FRF 60.

CESBRON Jacques
XXᵉ siècle. Français.
Peintre.
Exposant du Salon de la Société Nationale des Beaux-Arts de Paris.

CESBRON Suzette
XXᵉ siècle. Française.
Peintre de genre.
Elle exposa à Paris au Salon de la Société Nationale des Beaux-Arts.

CESCHINI Giovanni
Né en 1583 à Vérone. Mort en 1649. XVIIᵉ siècle. Italien.
Peintre.
Peintre de la suite d'Al. Turchi, dit l'Orbetto dont il fut l'élève et qu'il accompagna à Rome. Il a travaillé pour les églises de la région de Vérone.

CESETTI Giuseppe
Né en 1902 à Tuscania (Toscane). Mort en 1990. XXᵉ siècle. Italien.
Peintre de portraits, paysages, natures mortes, fleurs. Naïf.
Il est autodidacte. Son style narratif recourt à un romantisme décoratif. Il enseigne à l'Académie des Beaux-Arts de Venise.

C e s c K,

Bibliogr. : Oto Bihalji-Merin, *Les peintres naïfs*, Delpire, Paris.
Ventes Publiques : Milan, 10 déc. 1970 : *Vase de fleurs* : ITL 1 200 000 – Rome, 25 fév. 1976 : *Le Derby*, h/t (50x60) : ITL 1 470 000 – Rome, 17 nov. 1977 : *Chevaux*, h/t (50x60) : ITL 950 000 – Rome, 6 déc. 1978 : *Le Pont Neuf*, h/t (82x64) : ITL 2 000 000 – Milan, 26 avr. 1979 : *Cavaliers*, h/t (110x119) : ITL 3 300 000 – Milan, 24 juin 1980 : *Nature morte aux fleurs*, h/t (50x70) : ITL 3 400 000 – Rome, 23 nov. 1981 : *Femme nue et troupeau dans un paysage* 1928, h/pan. (78x145) : ITL 8 500 000 – Rome, 16 nov. 1982 : *Taureau dans un paysage*, h/t (69,5x91) : ITL 8 500 000 – Milan, 24 oct. 1983 : *Baigneuses*, h/t (33x56) : ITL 6 500 000 – Milan, 18 juil. 1984 : *Chevaux et cavalier*, h/t (49,5x38) : ITL 8 000 000 – Rome, 3 déc. 1985 : *Portrait de femme, Venise* 1935, h/cart. entoilé (58x42) : ITL 9 000 000 – Milan, 19 juin 1986 : *Chevaux* 1946, h/t (73,5x54) : ITL 8 500 000 – Rome, 7 avr. 1988 : *Chevaux au pré*, h/t (38x55) : ITL 5 200 000 ; *Vase de fleurs sur un tabouret*, h/t (70x50) : ITL 7 500 – Milan, 8 juin 1988 : *Cheval au pré*, h/t (35,5x45) : ITL 4 600 000 ; *Les baigneuses* 1931, h/t (32,5x56) : ITL 20 000 000 – Rome, 15 nov. 1988 : *Autoportrait à la campagne*, h/pan. (42x40) : ITL 16 000 000 – Milan, 14 déc. 1988 : *Nature morte*, h/t (50x60) : ITL 4 300 000 – Milan, 20 mars 1989 : *Paysage avec des ruines*, h/t (40x50) : ITL 7 000 000 – Rome, 21 mars 1989 : *Venise* 1938, h/t (48x58,5) : ITL 26 000 000 – Rome, 17 nov. 1989 : *Chevaux et bœufs dans un paysage*, h/t (70x100) : ITL 6 500 000 – Rome, 28 nov. 1989 : *Cercle de chevaux*, h/t (89x116) : ITL 10 000 000 – Rome, 10 avr. 1990 : *Chevaux au pré*, h/t (60x73) : ITL 10 500 000 – Milan, 12 juin 1990 : *Cavalier*, h/t (100x80) : ITL 11 000 000 – Milan, 13 déc. 1990 : *Baigneuses* 1931, h/t (32,5x76) : ITL 27 000 000 – Rome, 9 avr. 1991 : *Vaches dans un pré*, h/t (59,5x79,5) : ITL 6 500 000 – Milan, 20 juin 1991 : *Chevaux*, h/t (40x50) : ITL 9 000 000 – Rome, 3 déc. 1991 : *Bœufs dans un pré*, h/t (50x70) : ITL 10 000 000 – Rome, 12 mai 1992 : *À l'hippodrome*, h/t (50x60) : ITL 9 000 000 – Rome, 23 juin 1992 : *Paysage* 1979, h/t (50x40) : ITL 4 000 000 – Milan, 9 nov. 1992 : *Camargue* 1971, h/t (89x116) : ITL 19 000 000 – Rome, 19 nov. 1992 : *Chevaux dans un pré*, h/t (100x100) : ITL 16 500 000 – Milan, 6 avr. 1993 : *Fleurs* 1979, h/t (70x70) : ITL 9 000 000 – Rome, 19 avr. 1994 : *Bœufs à l'ombre d'un chêne*, h/t (55x65) : ITL 8 050 000 – Milan, 9 mars 1995 : *Les Bœufs*, h/t (79x59,5) : ITL 10 350 000 – Milan, 19 mars 1996 : *Portrait d'homme* 1930, h/t (93x56) : ITL 28 750 000.

CESI Bartolomeo
Né en 1556 ou 1557 à Bologne. Mort en 1620 ou 1629 à Bologne. XVIᵉ-XVIIᵉ siècles. Italien.
Peintre de sujets religieux, genre, portraits, dessinateur.
Il eut pour maître Giovanni-Francesco Bezzi et étudia les œuvres de Pellegrino Tibaldi. Il a peint pour des églises d'Imola, Bologne, Florence, Ferrare, Sienne, Modène, Sassuolo.
Ventes Publiques : Londres, 24 nov. 1976 : *Jeune homme jouant de la viole de gambe*, craie rouge reh. de blanc/pap. bleu (23,4x16,4) : GBP 19 000 – Londres, 2 juil. 1990 : *Un moine avec les mains et les yeux levés vers le ciel (recto)* ; *Deux croquis d'un moine de profil et de sa main gauche (verso)*, craies rouge et blanche/pap. gris-vert (28,1x19,2) : GBP 2 750 – Londres, 7 juil. 1992 : *Jeune homme portant un fagot (recto)* ; *Femme avec la tête recouverte d'un voile priant (verso)*, craies rouge et blanche/pap. bleu (34x22) : GBP 16 500 – New York, 13 jan. 1993 : *Jeune homme debout portant une cape et une épée et tenant une écuelle*, craies rouge et blanche/pap. bleu (29x15,1) : USD 24 200 – Paris, 18 juin 1993 : *Tête de jeune garçon*, cr. noir, sanguine et reh. de blanc (21x16) : FRF 98 000.

CESILLES Juan
XIVᵉ siècle. Actif à Barcelone à la fin du XIVᵉ siècle. Espagnol.
Peintre.

CESIO Carlo ou Cesi
Né en 1626 à Antrodoco. Mort en 1686 à Rieti. XVIIᵉ siècle. Italien.
Peintre et graveur.
Il fut un des meilleurs élèves de Pietro da Cortona, à Rome. Il était venu jeune dans cette ville qu'il ne devait quitter que peu de temps avant sa mort. On cite, parmi ses œuvres, le *Jugement de Salomon* qu'il peignit pour le Palais du Quirinal, et une série de tableaux conservés dans des églises de Rome (Santa Maria Maggiore, Santa Maria della Pace, Chiesa della Propaganda, etc.). Le Musée du Prado, à Madrid, conserve une de ses peintures. Son œuvre gravée revêt quelque importance en ce sens qu'elle reproduit la série des fresques de P. da Cortona et d'autres maîtres tels que Annibale Carracci, Lanfranco, Guido Reni.
Ventes Publiques : Avignon, 1779 : *Combat de cavalerie* ; *Une défaite*, deux dessins faisant pendants : FRF 72 – Paris, 1859 : *Le Christ mort sur les genoux de Dieu le Père*, lav. : FRF 7 – Paris, 9 et 10 mars 1927 : *Homme assis contre un arbre*, pl. et lav. : FRF 130.

CESOLIVERES Juan
XIVᵉ siècle. Actif à Barcelone vers 1363. Espagnol.
Peintre.

CÉSPEDES Pablo de, appelé à Rome Paolo Cedaspe
Né en 1538 à Cordoue. Mort le 28 juillet 1608 à Cordoue. XVIᵉ siècle. Espagnol.
Peintre, sculpteur et architecte.
Il étudia d'abord la philosophie, puis les langues orientales. Ce fut durant un séjour à Rome qu'il commença à peindre sous la direction d'un élève de Michel-Ange. Il y exécuta quelques fresques pour des chapelles et ses travaux lui valurent à Rome même le nom de *Raphaël espagnol*. Sa ville natale lui ayant offert un canonicat, il revint à Cordoue, en 1575 ou 1577, puis définitivement après un second voyage à Rome en 1583. Ce fut là qu'il exécuta son tableau de *La Cène* réputé pour son chef-d'œuvre et que Lebrun louait si fort. Bien qu'influencé par les Italiens, Céspedes y laisse libre cours à son lyrisme espagnol, la composition y est surchargée de détails anecdotiques mais signifiants, le dessin est déformé dans le sens de l'expression, la couleur audacieuse jusqu'aux heurts. *La Cène* est conservée aujourd'hui au musée de Séville. Il a exécuté en outre, à la cathédrale de Séville

des fresques à sujets allégoriques que Murillo devait retoucher plus tard, et a travaillé pour plusieurs églises de Cordoue. P. de Céspedes a formé de nombreux élèves, J. L. Lembrano, Antonio de Contreras, Cristobal Vela, entre autres.

VENTES PUBLIQUES : LONDRES, 1853 : *Le portrait de Céspedes par lui-même* : FRF 1 050 – PARIS, 1858 : *La Vierge, Jésus et saint François*, dess. à la pl. lavé de bistre : FRF 16 – PARIS, 1868 : *La Conception* : FRF 880.

CESSIER
XVIIIe siècle. Français.
Peintre de fleurs.
Il peignit sur porcelaine à la Manufacture de Sèvres entre 1756 et 1758.

CESSON Victor Étienne
Né en 1835 à Coincy (Aisne). Mort le 7 juin 1902 à Coincy. XIXe siècle. Français.
Peintre.
Élève d'Amaury-Duval. Il commença à exposer au Salon de Paris en 1864. Il travailla avec Amaury-Duval aux décorations de l'église de Saint-Germain-en-Laye et aux peintures du château de Linières en Vendée. Sa personnalité s'est un peu effacée derrière celle de son maître qui le considérait comme le meilleur de ses élèves. Il aida de la même façon Puvis de Chavannes au cours de quelques-uns de ces grands travaux. Cesson a peint des paysages et des portraits. Le Musée de Château-Thierry possède de lui : *La Frileuse.*

CESSY Martial
Né vers 1723 à Bordeaux. Mort en 1794. XVIIIe siècle. Français.
Sculpteur.
Académicien en 1770, et professeur à l'École académique. Il exposa au Salon de Bordeaux entre 1771 et 1787. Parmi ses œuvres nombreuses et diverses, citons un *Buste de Montaigne* et un *Saint Jérôme.*

CESTARO Giacomo
XVIIIe siècle. Actif à Naples dans la seconde moitié du XVIIIe siècle. Italien.
Peintre.
Le Palais Royal et quelques églises de Naples possèdent des œuvres de lui (fresques et tableaux).

CESURA Pompeo, dit Pompeo dell'Aquila ou Aquilano
Né à Aquila. Mort en 1571 à Rome. XVIe siècle. Italien.
Peintre et sculpteur sur bois.
Il vint de bonne heure à Rome et y fut, dit-on, l'élève de Raphaël. Il a travaillé pour des églises, notamment à Rome et à Aquila. Bon peintre de fresques et à l'huile. On cite notamment la *Descente de Croix* de l'église du Saint-Esprit à Rome. On voit de nombreuses fresques de lui à Aquila.

CETTO Domenico
D'origine italienne. XVIIe siècle. Travaillant à Vienne en 1672. Italien.
Peintre.

CEUCLER Jean François
XVIIe siècle. Actif à Tournai en 1683. Éc. flamande.
Peintre.

CEULAERS Guillaume
Né en 1876. Mort en 1964. XXe siècle. Actif à Bruxelles. Belge.
Peintre.

CEULEMANS Peter
XVIe-XVIIe siècles. Travaillant à Malines. Éc. flamande.
Peintre.
En 1599, il exécuta 4 tableaux pour l'entrée de l'archiduc à Malines. Il peignit une *Résurrection* pour l'église Notre-Dame au-delà de la Dyle, en 1595. Il vivait encore en 1619.

CEULEMANS Peter
XVIIe siècle. Actif à Anvers entre 1677 et 1689. Éc. flamande.
Sculpteur.

CEULEN Cornelis Janssens, Janson, Johnson ou Jonson Van, l'Aîné ou Johnson Cornelius Ceulen
Baptisé le 14 octobre 1593 à Londres. Mort vers 1664 à Amsterdam ou Utrecht. XVIIe siècle. Hollandais.

Peintre de portraits.
Il travailla en Angleterre de 1618 à 1643, s'y maria en 1622, eut un fils, Cornelis, et ne s'en alla, dit-on, que tourmenté par la renommée de Van Dyck, ou plus simplement par la guerre civile. En 1643, il fut dans la gilde de Middelbourg et, en 1650, y fit le portrait des chefs des arbalétriers. En 1646, il était à Amsterdam, en 1647, à La Haye, où il fit le portrait du *Conseil*. Certains auteurs croient qu'il resta en Angleterre jusqu'en 1648.
Ses portraits sont présentés en buste dans un ovale en trompe-l'œil. Il concentre tout l'intérêt sur les visages.

MUSÉES : AIX-LA-CHAPELLE : *Un jeune homme* – AMSTERDAM : *Le bourgmestre Geelvinck* – BERLIN : *Un vieillard* – BRUNSWICK : *Portrait d'homme* – BRUXELLES : *Portrait de femme* – COLOGNE : *Deux portraits, homme et femme – Deux portraits* – DRESDE : *Un homme ses gants à la main – Une dame, son éventail à la main* – FRANCFORT-SUR-LE-MAIN : *Portrait de femme* – LA HAYE : *Le Conseil de La Haye* – KARLSRUHE : *Elisabeth van Essen – Dame âgée* – LILLE : *Portrait de femme* – LONDRES (Buckingham) : *Charles Ier à Green-Park* – LONDRES (Dulwich College) : *Deux portraits de femmes* – LONDRES (Nat. portrait Gal.) : *Richard Weston, 1er comte de Portland – Roi Guillaume III – Edward Coke – Thomas, baron Coventry* – LONDRES (Hampton Court) : *Georges Villiers, 1er duc de Buckingham – Elisabeth, reine de Bohême – Henry Cary, 1er lord Falkland* – LYON : *Portrait d'une dame* – MIDDELBURG : *Arquebusiers* – MILAN : *Une dame âgée* – NAPLES : *Portrait de magistrat* – OLDENBURG : *Un vieillard* – ROTTERDAM : *Un noble – Une jeune dame avec un voile* – SAINT-PÉTERSBOURG (Ermitage) : *Un homme en manteau noir – Une dame en noir avec des perles* – SCHWERIN : *Un homme à un pupitre – Un homme âgé – Duc Adolf Friedrich et sa femme* – UTRECHT : *Jeune homme noble – Antonie van Hilten, secrétaire du Conseil d'Utrecht.*

VENTES PUBLIQUES : BRUXELLES, 1882 : *Portrait d'homme* : FRF 760 – PARIS, 1889 : *Portrait d'un gentilhomme* : FRF 1 600 ; *Portrait d'une dame de qualité* : FRF 2 450 ; *Portrait présumé d'Henriette de France* : FRF 3 400 – PARIS, 1899 : *Portrait d'homme en buste* : FRF 2 100 – PARIS, 9-10 et 11 avr. 1902 : *Portrait d'homme* : FRF 1 450 – PARIS, 16 mai 1904 : *Portrait de M. Neudigate* : FRF 1 350 – PARIS, 10 juin 1904 : *Portrait d'homme* : FRF 2 200 – PARIS, 8 mai 1906 : *Portrait d'un gentilhomme* : FRF 920 – PARIS, 20 avr. 1907 : *Portrait d'homme en buste* : FRF 630 – PARIS, 21-22 juin 1920 : *Portrait de femme* : FRF 12 500 – PARIS, 4 déc. 1920 : *Portrait d'homme* : FRF 2 300 – PARIS, 22 déc. 1920 : *Portrait d'un seigneur ; Portrait d'une dame, deux crayons* : FRF 510 – PARIS, 18 et 19 mai 1922 : *Portrait d'un officier en armure* : FRF 1 000 ; *Portrait de Sir John Cage* : FRF 745 – PARIS, 16 mai 1924 : *Portrait d'un magistrat* : FRF 900 – PARIS, 18 mars 1929 : *Portrait de femme* : FRF 580 – LONDRES, 24 oct. 1929 : *Dame en robe noire* : GBP 29 – NEW YORK, 4 et 5 fév. 1932 : *Dame à l'éventail* : USD 170 – NEW YORK, 7 et 8 déc. 1933 : *Portrait d'une femme* : USD 650 – NEW YORK, 23 mars 1937 : *Portrait de Charles Ier* : CHF 4 200 – COLOGNE, 4 mai 1937 : *Henriette d'Orléans* : DEM 5 000 ; *Lady Warwick* : DEM 5 000 – NEW YORK, 16 jan. 1942 : *Portrait d'une dame* : USD 190 – PARIS, 6 mars 1942 : *Portrait d'homme* : FRF 80 000 – NEW YORK, 29 avr. 1965 : *Portrait d'homme à la collerette* : USD 350 – PARIS, 10 juin 1966 : *Portrait d'homme* : FRF 8 500 – BRUXELLES, 19 oct. 1968 : *Portrait de Lady Laetitia vicomtesse Falkland* : BEF 60 000 – VIENNE, 16 mars 1971 : *Portrait de Margaret lady Hungerforf* : ATS 160 000 – LONDRES, 8 déc. 1971 : *Sir William Godolphin ; Lady Godolphin, deux toiles* : GBP 1 300 – PARIS, 23 nov. 1972 : *Portrait d'homme* : FRF 23 000 – LONDRES, 26 mars 1976 : *Portrait d'un gentilhomme*, h/cart. (30,5x23) : GBP 1 500 – LONDRES, 24 juin 1977 : *Portrait de Dorothy Lee 1623*, h/pan. ovale (67,4x51) : GBP 1 200 – PARIS, 15 juin 1978 : *Portrait d'homme*, h/bois (72x59) : FRF 10 000 – LONDRES, 17 mars 1978 : *Portrait d'un gentilhomme en armure 1659*, h/t (124,4x99) : GBP 2 600 – LONDRES, 22 juin 1979 : *Portrait de Lady Hunsdon 1628*, h/pan. (76,2x62,2) : GBP 2 600 – PARIS, 2 avr. 1981 : *Dame à l'éventail*, h/t (120x90) : FRF 21 000 – LONDRES, 18 mars 1981 : *Portrait d'Elizabeth Petre 1620*, h/pan., de forme ovale (67x61) : GBP 11 500 – NEW YORK, 25 mars 1983 : *Portrait of lady Wilhelmina Shelley 1633*, h/t (75x61,5) : USD 4 500 – LONDRES, 13 juil. 1984 : *Portrait of Elizabeth, daughter of Sir Thomas Norris 1624*, h/t (200,5x126,9) : GBP 24 000 – LONDRES, 16 déc. 1986 : *Portrait de Letitia, vicomtesse Falkland*, h/t

(77x64) : **GBP 13 000** – LONDRES, 11 mars 1987 : *Portrait d'un jeune garçon*, h/pan., à vue ovale (74x62) : **GBP 5 200** – NEW YORK, 7 avr. 1988 : *Portrait présumé de Ed. Cornewall en buste*, h/t (75x61,5) : **USD 6 875** – LONDRES, 18 nov. 1988 : *Portrait d'une dame en buste avec une robe de brocard et une fraise de dentelle* 1624, h/pan. (66,1x49) : **GBP 13 200** – NEW YORK, 12 jan. 1989 : *Portrait d'un gentilhomme*, h/t (73x55,5) : **USD 11 000** – NEW YORK, 2 juin 1989 : *Portrait d'une petite fille en robe rose avec son petit chien familier* 1652, h/t (109x89) : **USD 143 000** – LONDRES, 14 juil 1989 : *Portrait d'un gentilhomme assis vêtu de noir avec une fraise et des poignets blancs*, h/t (127x101) : **GBP 8 800** – NEW YORK, 12 oct. 1989 : *Portrait en buste de la reine Henriette Marie vêtue d'une robe de satin jaune garnie de dentelle et portant une parure de perles*, h/t (73,6x62,2) : **USD 41 800** – LONDRES, 17 nov. 1989 : *Portrait de Dorothy Wylde portant une robe rose à broderies d'argent et col de dentelle* 1636, h/t (ovale 79,5x65) : **GBP 18 700** – NEW YORK, 10 jan. 1990 : *Portrait de Sir Christopher Nevill vêtu de noir avec un col de dentelle blanche et la main barrée d'un cordon rouge ; Portrait de lady Nevill en robe d'apparat avec des perles de corail et un col de dentelle* 1627, h/t, une paire (78,8x62,2) : **USD 41 800** – NEW YORK, 5 avr. 1990 : *Portrait d'une dame élégante portant une robe jaune au col de dentelle et deux roses roses dans les cheveux* 1635, h/t (75x62) : **USD 9 350** – LONDRES, 11 juil. 1990 : *Portrait de Sir Richard Fanshawe vêtu d'un pourpoint noir et d'une fraise blanche* 1632, h/pan. (79x63) : **GBP 11 550** – LONDRES, 10 avr. 1991 : *Portrait de Edward Sackville, 4e comte de Dorset vêtu d'un pourpoint noir et blanc à col de dentelle et portant l'ordre de la Jarretière*, h/pan. (79x60,5) : **GBP 22 000** – LONDRES, 17 juil. 1992 : *Portrait d'un gentilhomme debout, en habit bleu*, h/cuivre (32x24) : **GBP 11 000** – LONDRES, 7 avr. 1993 : *Portrait de deux enfants debout vêtus de robes blanches avec un lévrier* 1648, h/t (133,4x118,2) : **GBP 14 950** – PARIS, 26 avr. 1993 : *Portrait de jeune femme* 1654, h/t (103,3x83,2) : **FRF 70 000** – LONDRES, 10 nov. 1993 : *Portrait de Sir John Finch vêtu de l'habit et de la chaîne de sa charge*, h/t (60x50) : **GBP 7 130** – LONDRES, 13 avr. 1994 : *Portrait de Henry Oxenden de Maydeken dans le Kent de buste*, h/t (74,5x61,5) : **GBP 8 970** – NEW YORK, 18 mai 1994 : *Portrait en buste de George Villiers, duc de Buckingham*, h/t (77,5x63,5) : **USD 11 500** – LONDRES, 6 nov. 1995 : *Portrait d'une dame*, h/t, de forme ovale (73,5x61) : **GBP 4 830** – LONDRES, 13 nov. 1996 : *Portrait d'un gentilhomme avec un enfant*, h/t (127x97) : **GBP 8 050** – AMSTERDAM, 11 nov. 1997 : *Portrait en buste d'un gentilhomme*, h/pan. (63,5x54) : **NLG 7 080** – PARIS, 20 juin 1997 : *Portrait de gentilhomme*, t. (112x79) : **FRF 80 000** – AMSTERDAM, 11 nov. 1997 : *Portrait en buste de Anna Reesen, née van der Stringe, portant une robe de soie noire avec des manches à crevés, une chemise en dentelle, une broche, un collier de perles, des boucles d'oreille et une garniture de perles dans les cheveux, ses armoiries figurant en haut à droite*, h/pan., un fragment (72,3x76,2) : **NLG 23 064**.

CEULEN Cornelis Janssens, le Jeune
Né après 1622 en Angleterre. XVIIe siècle. Britannique.
Peintre de portraits, miniatures.
Fils de Cornelis Ceulen. Il revint avec son père en Hollande ; en 1664, il était à Utrecht et en 1675, en Angleterre ; il vivait encore à Utrecht en 1698 ; il mourut dans la misère, ruiné par la prodigalité de sa seconde femme.
MUSÉES : AMSTERDAM : *Portrait d'homme*.
VENTES PUBLIQUES : LONDRES, 14 mars 1990 : *Portrait d'un jeune garçon portant une robe rouge et blanche, appuyé sur une canne avec son chien à ses pieds*, h/t (112x90) : **GBP 15 400**.

CEULEN Jan Jansz Van
XVIIe siècle. Actif à Amsterdam. Hollandais.
Peintre.
Il se maria en 1672, à Amsterdam.

CEVA Filippo
XVIIIe siècle. Italien.
Graveur.
Il était prêtre à Mantoue.

CEVA Giovanni Carlo
XVIIIe siècle. Actif à Mantoue. Italien.
Graveur.
Membre de l'ordre des Servites.

CEVADERO Juan
XVIe siècle. Actif à Séville vers 1514. Espagnol.
Peintre.

CEVASCO Giovanni Battista
XIXe siècle. Italien.
Sculpteur.
Élève de G. B. Caraventa et de l'Académie Ligustica à Gênes, où il résidait encore en 1866. On cite parmi ses œuvres : *Pietà*, bois (église de Novi), statues décoratives de la villa Pallavicini à Pegli, près de Gênes, statue du roi *Charles-Albert de Savoie* (Palais Carignano, à Turin), *Christophe Colomb et Isabelle la Catholique*, bas-relief du socle du monument de Colomb, érigé à Gênes, *Monument de la Révolution* (Panthéon de Lima, Pérou).

CEVOLA Francesco
XVIe siècle. Actif à Venise en 1541. Italien.
Peintre.

CEVOLI Domenico ou Ceuili
XVIIIe siècle. Actif à Pise vers 1739. Italien.
Peintre amateur.

CEYTAIRE Jean-Pierre ou Cetayre
Né en 1946. XXe siècle. Français.
Peintre de figures, compositions animées, sculpteur. Nouvelles figurations.
Il a exposé en 1985 à la Biennale de Caen, de 1984 à 1987 au Salon de la Jeune Peinture au Grand-Palais à Paris et à l'exposition *Figuration critique* au Grand-Palais. En 1991, il a pris part à l'exposition de la Mairie du 9e arrondissement de Paris, sur le thème *Paris, de Lutèce à la Grande-Arche*. En 1995, la galerie Les Larmes d'Éros à Paris a présenté une exposition personnelle de ses peintures.
À partir d'une excellente technique picturale, il déforme à plaisir êtres et choses diverses, non dans une intention caricaturale, mais plutôt en fonction d'un humour, frôlant volontiers l'érotisme façon Klossowski, auquel il fait penser aussi quant à la qualité du dessin, et parfois le surréalisme.
BIBLIOGR. : J.-C. Gaubert et divers : *Ceytaire*, Jas de la Rimade, Carcès, 1991.
VENTES PUBLIQUES : PARIS, 13 avr. 1988 : *Histoire du chien index pointé*, h/t (160x120) : **FRF 16 000** – PARIS, 1er juin 1988 : *Apéro cacahuettes* 1988, h/t (73x60) : **FRF 7 900** ; *Apéro cacahuettes* 1988, gche et encre de Chine (38x31) : **FRF 5 000** – PARIS, 18 juin 1989 : *Madame S.P.A. phile*, h/t (73x60) : **FRF 15 000** ; *Apéro cacahuettes*, h/t (41x27) : **FRF 9 600** ; *Fin tireur, bois découpé, bas nylon et jarretelle/cart. ondulé* (41x27) : **FRF 7 100** – PARIS, 12 fév. 1989 : *Ces doigts s'effilochent II*, h/t (66x54) : **FRF 12 000** – PARIS, 9 avr. 1989 : *Apéro cacahuettes*, h/t (41x27) : **FRF 7 200** – PARIS, 29 sep. 1989 : *Apéro cacahuettes* 1988, gche et encre de Chine (38x31) : **FRF 10 500** – PARIS, 8 oct. 1989 : *Sacrée sainte Ursule*, h. et feuille d'or/t. (65x54) : **FRF 25 000** – LES ANDELYS, 19 nov. 1989 : *Jolie dame et appui couché*, h/t (66x54) : **FRF 7 000** – PARIS, 18 fév. 1990 : *Histoire de plage*, techn. mixte/t. (42x27) : **FRF 38 000** – TROYES, 3 mars 1990 : *Prélude au massacre des Innocents*, h/t (73x60) : **FRF 95 000** – PARIS, 14 mars 1990 : *Belle écervelée qui pouffe et deux niais*, h. et feuille d'or/t. (73,5x60) : **FRF 71 000** – PARIS, 21 mai 1990 : *Histoire de plage* 1989, gche (68x49) : **FRF 13 500** – PARIS, 30 mai 1990 : *Le Col de chemise*, h/t (130x96,5) : **FRF 60 000** – PARIS, 10 juin 1990 : *Le baiser vénéneux*, h/t (38x46) : **FRF 80 000** – LUCERNE, 24 nov. 1990 : *Deux belles, apéro cacahuettes*, h/t (41x27) : **CHF 6 000** – PARIS, 14 avr. 1991 : *L'homme compte sur ses doigts les femmes qu'il a eues*, h/t (41x27) : **FRF 28 500** – PARIS, 31 jan. 1993 : *Petit satyre en rut dans les bois* 1992, bronze (23x40x7) : **FRF 5 000** – PARIS, 2 avr. 1993 : *Le retour de Zagorsk*, h/t (41x27) : **FRF 18 500** – PARIS, 26 oct. 1993 : *Écervelée qui pouffe et deux niais*, techn. mixte (73x60) : **FRF 38 000** – PARIS, 13 déc. 1996 : *Madame en prière et deux petits curés* 1990, h/t (73x60) : **FRF 18 000**.

CEZ Jean-Paul, pseudonyme de Carrère
Né à Bordeaux (Gironde). XXe siècle. Français.
Peintre de compositions à personnages, graveur.
Il exposa au Salon des Artistes Indépendants entre 1928 et 1931 et au Salon des Artistes Français en 1930-1931. Il a peint et gravé à l'eau-forte des scènes historiques et mythologiques.

CÉZANNE Paul
Né le 19 janvier 1839 à Aix-en-Provence (Bouches-du-Rhône). Mort le 22 octobre 1906 à Aix-en-Provence. XIXe siècle. Français.
Peintre de compositions à personnages, figures, portraits, paysages animés, paysages, marines, natures mortes, fleurs et fruits, peintre à la gouache, aquarelliste, graveur. Impressionniste.
Le père de Cézanne fut d'abord chapelier. Paul, ainsi que sa sœur Marie, étaient les enfants naturels que le chapelier avait

eus avec l'une de ses ouvrières, Honorine Aubert, qu'il n'épousa qu'en 1844, un troisième enfant, Rose, devant naître en 1854. Marie resta fille et fut une des affections fidèles de Paul. En 1847, le chapelier racheta la banque Barges, en faillite, et, prenant un associé, fonda, en 1848, la Banque Cézanne et Cabassol, alors la seule de la ville d'Aix. Au cours de ses études au Collège Bourbon, le jeune Cézanne se lia étroitement avec Émile Zola. En même temps que ses études, il suivit, à partir de 1856, les cours de Joseph Marc Gibert à l'École de Dessin d'Aix, remportant un deuxième prix en 1858, la même année qu'il passait son baccalauréat de lettres, avec mention. Zola alla poursuivre ses études à Paris, au Lycée Louis-le-Grand, tandis que Cézanne, rêvant d'aller étudier la peinture à Paris, devait s'inscrire à la Faculté de Droit d'Aix. En 1859, le nouveau banquier, dont les affaires prospéraient, acheta, dans la campagne d'Aix, le Jas de Bouffan, où Paul Cézanne s'installa un atelier, de plus en plus résolu à devenir peintre.

D'entre ses amis, et à part Zola avec qui il entretenait une correspondance intense et qui l'incitait à venir le rejoindre à Paris, il voyait surtout à Aix : le sculpteur Philippe Solari, avec lequel il restera lié jusqu'à sa mort et qui fit, en 1904, un buste de lui qui, bien qu'inachevé, est conservé par la ville d'Aix, le peintre Achille Emperaire et le critique Valabrègue. En 1861, son père céda enfin et l'accompagna à Paris, où il l'installa rue des Feuillantines. À l'Académie Suisse (du nom du propriétaire), il rencontra déjà Guillaumin et Pissarro qu'il admirait. Pourtant, ayant échoué au concours d'entrée à l'École des Beaux-Arts, découragé, il revint à Aix et prit un emploi dans la banque paternelle. Il y fréquenta de nouveau l'École de Dessin. Au Jas de Bouffan, il décora des murs avec *Les quatre saisons* et une *Scène d'intérieur*, compositions claires et gaies, inspirées de diverses sources, sans grande originalité autre que des qualités ingresques de construction du dessin. En novembre 1862, il revint à Paris et recommença à travailler à l'Académie Suisse, se liant plus familièrement avec Guillaumin, Pissarro, ainsi qu'avec Bazille, Monet, Sisley, Renoir. Visitant le Salon des Refusés de 1863, en compagnie de Zola, il fut particulièrement sensible aux œuvres de Delacroix et de Courbet. Ses envois au Salon de Paris étaient régulièrement refusés ; de nouveau découragé, il retourna à Aix en, 1864, et, jusqu'en 1870, se partagea alternativement entre Paris et Aix, traduisant son instabilité à Paris dans de nombreux changements de domiciles. Pourtant, en 1865, au milieu de ces déceptions, il avait été présenté à Manet, qui avait eu un mot aimable pour ses natures mortes. En 1867, alors que le Salon venait, une nouvelle fois, de refuser son *Grog au vin ou l'Après-midi à Naples*, il avait rencontré Marie-Hortense Fiquet, un jeune modèle, qu'il emmena en 1870 avec lui à l'Estaque, où il fuyait la conscription. En 1871, après la chute de la Commune, il revint à Paris, avec sa compagne, qui lui donna son fils Paul en 1872. En 1872 aussi, il rejoignit à Pontoise Pissarro, de qui la sollicitude avait, et eut de tout temps, un grand ascendant sur lui. Il le retrouva à Auvers-sur-Oise, où il vint se fixer pour deux années, à partir de 1872, auprès du docteur Gachet, l'ami des impressionnistes. En 1872-1873, il a gravé les seules cinq eaux-fortes de sa vie, dont un portrait-charge de Guillaumin, dit « au pendu », tirées probablement sur la presse d'amateur du docteur Gachet, à Auvers. En 1874, la protection de Pissarro l'imposa à la première exposition du groupe des impressionnistes, où il montra : *Paysage à Auvers, La Maison du pendu, Une moderne Olympia*. Ses trois peintures furent celles qui obtinrent le plus grand succès d'hilarité et de scandale. Toutefois le comte Doria acheta *La Maison du pendu*. Cézanne trouvait auprès du docteur Gachet aide et compréhension, y nouait de solides amitiés, rencontra Van Gogh, commença à vendre quelques toiles. Un employé du ministère, Victor Chocquet, devint son ami et, à plusieurs reprises, son modèle. De 1874 à 1877, à Paris et à Aix, il connut une période de calme relatif. Peut-être en raison, à ce moment, de son détachement de l'esthétique impressionniste, sûrement en relation avec son caractère bourru et méfiant, qui lui faisait avant tout craindre de « se laisser mettre le grappin », en 1876 il refusa de participer à la deuxième exposition des impressionnistes, continuant par contre à ambitionner d'être admis au Salon de Monsieur Bouguereau. Il est vrai pourtant qu'en 1877, il figura de nouveau à la troisième exposition des impressionnistes, avec dix-sept natures mortes et paysages, prêtés à Pontoise et à Auvers. En 1878, sa mésentente avec son père, qui n'admettait ni sa vocation ni sa liaison, s'aggrava, et son ami Zola dut lui venir matériellement en aide. Devenu encore plus irritable, ses amis commençaient à

l'éviter ; toutefois, en 1882, Antoine Guillemet, peintre très officiel, pourtant estimé de Manet et ami de Zola, réussit à faire admettre au Salon une peinture de Cézanne, il est vrai en tant qu'« élève de Guillemet ». À partir de 1882, sauf pour de courts voyages, il ne quitta plus la Provence, où venaient parfois le visiter Renoir ou Monet. En 1883, il parcourut la Provence en compagnie de Monticelli. En 1886, il épousa Hortense Fiquet en présence de son père, qui mourut peu après, lui laissant une fortune considérable. Une incompréhension croissante de Zola envers l'œuvre de Cézanne, en même temps qu'envers celles des impressionnistes qu'il avait pourtant longtemps soutenus de sa plume, pesait sur leur ancienne amitié. La rupture fut consommée avec la parution, en 1886, de *L'Œuvre*, où le peintre Claude Lantier, identifié avec Cézanne depuis *Le Ventre de Paris*, prend conscience de son impuissance et se suicide. Cézanne ne surmonta jamais la perte de l'ami de sa jeunesse et de leurs rêves communs. Lorsqu'en 1902, il en apprit la mort, il s'enferma pour pleurer toute une journée.

En 1887, il exposa à Bruxelles, invité par le *Groupe des XX*. En 1888, il fit encore un séjour d'un an à Paris, y voyant régulièrement Van Gogh, Gauguin et Émile Bernard. En 1889, grâce à la protection de Chocquet, il put figurer à l'Exposition Décennale Universelle. À partir de 1891, sa misanthropie s'accrut encore sous les premières atteintes du diabète. En 1892, il fit un séjour à Fontainebleau. À l'automne 1894, il résida chez Monet, à Giverny, chez qui il rencontra Rodin, Gustave Geffroy, Clémenceau. En 1895 eut lieu sa première exposition personnelle d'ensemble, chez Vollard qui venait de racheter à sa mort le fonds du Père Tanguy, marchand de fournitures pour artistes et protecteur folklorique des impressionnistes. En 1896, il fit la connaissance du jeune poète Joachim Gasquet, qui deviendra l'un de ses plus ardents défenseurs. En 1897-1898, il travailla souvent chez son beau-frère Conil, à Montbriant, près de Gardanne ; il avait également loué un cabanon près de la Carrière Bibemus. En 1898, il réalisa trois lithographies. En octobre 1898, la mort de sa mère l'affecta profondément ; ce fut sans doute la raison pour laquelle il vendit le Jas de Bouffan, auquel était attaché son souvenir. Lui-même s'installa, à l'écart de sa femme et de son fils, dans un appartement d'Aix, avec une gouvernante, Madame Brémond, qui lui tiendra compagnie jusqu'à sa mort. En 1899, il exposa trois peintures au Salon des Indépendants ; après la mort de Victor Chocquet, sept de ses peintures furent vendues pour la somme de dix-sept mille six cents francs. En 1900, il fut invité à participer à l'Exposition Centennale Universelle ; la Galerie Nationale de Berlin acquit un de ses paysages ; Maurice Denis peignit son *Hommage à Cézanne*, qui représente autour de lui : Bonnard, Maurice Denis, Redon, K.-X. Roussel, Sérusier et Vuillard. En 1901, il exposa à *La libre esthétique* à Bruxelles, ainsi qu'au Salon des Indépendants ; il fit bâtir un dernier atelier dans Aix. Persistant à rêver aux honneurs officiels, alors même qu'il était conscient de ce qu'il entrait de son vivant dans la gloire, le petit bourgeois d'Aix qui côtoyait en lui le créateur génial, puritain, allant régulièrement à la messe, antidreyfusard (l'ami de Zola !), se vit refuser la Légion d'honneur, qu'il avait sollicitée par l'intermédiaire d'Octave Mirbeau. En 1904, il fit un bref séjour à Paris et Fontainebleau ; une salle entière lui était consacrée au Salon d'Automne. En 1905, il exposa de nouveau au Salon d'Automne (l'année de la salle des Fauves), et au Salon des Indépendants. En 1906, il exposa encore au Salon d'Automne. Le 15 octobre, alors qu'il peignait dans la campagne *Le Cabanon de Jourdan*, il fut surpris par un orage et frappé de congestion. On le ramena chez lui sur une charrette de blanchisseuse ; il mourut le 22 octobre, muni des sacrements de l'église.

De nombreuses expositions furent consacrées à son œuvre depuis sa mort, d'entre lesquelles : en 1936 le Musée de l'Orangerie de Paris organisa la première rétrospective générale de l'œuvre de Cézanne, pour le trentième anniversaire de sa mort ; en 1978, les Galeries Nationales du Grand-Palais de Paris : *Cézanne. Les dernières années (1895-1906)*, reprise à New York et Houston ; en 1988-1989, la Royal Academy de Londres, le Musée d'Orsay de Paris, la National Gallery of Art de Washington : *Cézanne : Les années de jeunesse (1859-1872)* ; en 1989 la Kunstmuseum de Bâle : *Paul Cézanne. Les Baigneuses* ; en 1990 la National Gallery of Scotland d'Édimbourg : *Cézanne et Poussin. La vision classique du paysage* ; en 1990 aussi le Musée Granet d'Aix-en-Provence : *Sainte-Victoire*. ; en 1995 les Galeries Nationales du Grand-Palais : *Cézanne*, seule nouvelle rétrospective complète depuis celle de 1936 ; en 1996 la Tate Gallery de Londres.

Son premier retour à Paris, en 1862, marqua le départ d'une période de son œuvre qui dura jusqu'en 1872, pendant laquelle il peignit d'abord des portraits : *Portraits de Valabrègue, d'Emperaire*, de *Son père lisant le journal L'Événement* (où paraissaient en 1867 les premiers articles de Zola sur Manet), puis des compositions d'une inspiration post-romantique, dont le dessin, emporté et déformé dans le sens de l'expression, frôle la caricature, et dont la matière pigmentaire, grasse, triturée, est extrêmement sombre et très peu colorée, notamment, en 1869, les compositions baroquisantes à sujets assez lourdement érotiques : *L'Enlèvement, L'Orgie, La Tentation de saint Antoine.* Dans les peintures de cette période, plus ou moins adroitement marquées par les grands baroques expressionnistes, depuis le Tintoret, Magnasco, Crespi et Goya, jusqu'à Daumier, quelques-unes se signalent par la force de l'expression : *L'Autopsie, Le Nègre Scipion, La Madeleine ou la douleur, La moderne Olympia.* À partir de 1872 à Pontoise, et de 1873 à Auvers, l'influence de Pissarro va devenir sur lui prépondérante et déterminer le grand tournant pour l'accomplissement de son œuvre. Directement sous ses conseils, il peignit de nombreux paysages, d'entre lesquels *La Maison du pendu à Auvers.* En fait, Pissarro l'a amené à l'impressionnisme. Sa palette s'est éclaircie radicalement, il pratique la division de la touche en couleurs qui reconstituent le ton local complété des phénomènes d'éclairage et de reflets, et surtout il renonce, pour toute sa période proprement impressionniste, aux compositions ambitieuses, pour une peinture d'après le modèle, sur nature et pour le plein-air. Bien que brève, sa période impressionniste détermina toute la suite de son évolution. Il ne la renia jamais, considérant que son travail ultérieur consistait à faire de l'impressionnisme quelque chose de plus élaboré : « du Poussin sur nature ».
De 1874 à 1877, à Paris et à Aix, il passa dans son travail de sa manière impressionniste : *Le Bassin du Jas de Bouffan*, à une construction plus structurée de la nature, renonçant à la fluidité impressionniste : *La Mer à l'Estaque* de 1876, évolution qui n'allait que se confirmer dans les œuvres suivantes. De la période 1885-1895, datent un grand nombre de ses plus importants chefs-d'œuvre, avec : *La Commode, Le Vase bleu, Le Mardi-gras*, la série des *Portraits de Madame Cézanne* ; en 1892 : les cinq versions des *Joueurs de cartes*, la série des *Baigneuses*, la série des *Montagne Sainte-Victoire* ; et en 1895 : le *Portrait de Gustave Geffroy*, le *Jeune homme au gilet rouge* dans ses trois versions. Alors, sans être totalement à contre-courant de l'impressionnisme, son souci n'est plus de traduire la fluidité immatérielle des formes dissociées dans les masses colorées de la lumière, mais au contraire de transcrire la pérennité de la forme, du volume aussi bien que de l'espace considéré comme une entité géométriquement matérialisable, non plus par la convention arbitraire du modelé et de quelque système perspectif, mais par, d'une part, une réduction géométrique stabilisatrice de la forme, ainsi que, d'autre part, par les effets psychophysiologiques de la perception des contrastes de couleurs. D'une part, concernant le traitement du volume et de l'espace par la géométrie, il préconise de : « Traiter la nature par le cylindre, la sphère, le cône, le tout mis en perspective... Or, la nature, pour nous hommes, est plus en profondeur qu'en surface... » D'autre part, concernant leur traitement par la couleur, il précise :« ... d'où la nécessité d'introduire dans nos vibrations de lumière, représentées par les rouges et les jaunes, une somme suffisante de bleutés, pour faire sentir l'air. », innovant donc le jeu alterné des tons chauds pour la lumière et les plans les plus proches que leur tonalité chaude semble faire avancer vers l'œil du spectateur, et les tons froids pour les ombres et les plans éloignés qu'ils semblent repousser : « Quand la couleur est à sa richesse, la forme est à sa plénitude. » Ce fut aussi peu avant 1895, qu'il commença à peindre ses désormais très nombreuses aquarelles. Elles exigent d'être examinées particulièrement, car Cézanne y innove un nouveau traitement de cette technique. Quelques touches de couleurs légères et transparentes, où l'on retrouve l'alternance de tons chauds et froids modulant les plans, parsèment la surface du papier laissée en grande partie vierge, dont le blancheur joue alors le rôle de l'air et de l'espace entre les taches colorées. Quelque chose de cette technique aérienne se retrouvera ensuite dans les peintures, jusqu'à des petites parties de la toile non peintes. L'aquarelle étant une technique incompatible avec les retouches, on peut donc supposer que Cézanne s'y montrait rapide, contrairement à sa réputation de lenteur. Quant à cette lenteur, elle ne devait se manifester qu'en certaines occasions, en particulier portraits et natures mortes, car l'abondance même de l'œuvre la dément pour l'ensemble.

En 1897-1898, depuis Gardanne, il peignit les paysages de la vallée de l'Arc dominée par la Sainte-Victoire ; il travaillait aussi au *Château-Noir* près du Tholonet. En 1905, il termina les *Grandes Baigneuses*, aujourd'hui au musée de Philadelphie, auxquelles il travaillait depuis sept années. Dans ces œuvres des dix dernières années de sa vie, à partir de 1895, on retrouve des traces du baroquisme de sa toute première période. Peut-être pour mieux affirmer son rejet de la perspective classique et pour rendre plus évidente l'efficacité de sa « modulation » (terme qu'il privilégiait) par le seul contraste des couleurs, sans plus recourir au modelé par l'ombre, la forme est bousculée, les objets chancellent sur les tables bancales, la Montagne Sainte-Victoire se « romantise » comme un dessin de Hugo, le Château-Noir s'embrase sous un ciel d'orage, les Baigneuses se contorsionnent comme les personnages du Gréco.
Rien n'est simple dans le cas Cézanne, ni le personnage, ni l'œuvre, les deux étant tissés de contradictions, l'homme et l'artiste formant un tout paradoxal. Pour ce qui concerne le personnage même Paul Cézanne, rien n'est plus réducteur que l'appellation de « bonhomme Cézanne » qui lui est souvent plaquée. Certes, il fut généralement perçu comme un misanthrope solitaire. L'aspect fruste, pour ne pas dire rustre, du personnage a souvent été souligné et il ressort aussi de sa propre correspondance ; pourtant, à la consulter attentivement, on s'aperçoit que le bourgeois farouche et réactionnaire qu'il devint avait été aussi un jeune homme enthousiaste, l'ami d'Émile Zola, avec lui aimant la vie dans tous ses aspects, littéraire, latiniste, versificateur, musicien, familier d'un joyeux groupe d'amis, facilement amoureux, comme lui assuré d'un avenir glorieux. Qu'avait-il bien pu se passer ? Sans doute le fils du chapelier devenu banquier, bien que bénéficiant d'une jeunesse aisée, eut-il à souffrir de n'être que tardivement reconnu de son père. Sans doute aussi, n'étant à l'aise que dans sa Provence natale et avec les Provençaux de sa jeunesse, ne s'accoutuma-t-il que peu ou pas du tout au monde et aux us des artistes de la capitale, y forçant par provocation ses manières provinciales. Mais surtout le blessa la rupture avec Zola, avec lequel il perdait sa jeunesse.
Pour ce qui concerne le peintre et son œuvre, celui de qui le poète Rainer Maria Rilke écrivait qu'« il ne savait presque rien exprimer. Les phrases auxquelles il s'essaie s'allongent, s'embrouillent, se hérissent, forment des nœuds, et il finit par les abandonner, furieux », on peut en effet, ici aussi, s'interroger sur la cohérence qui peut relier ce que Lionello Venturi sépare en trois époques : romantique, impressionniste et classique, les scènes de bacchanales déchaînées de la jeunesse, grassement empâtées, l'adhésion momentanée et réservée au paysage impressionniste, brossé par superposition de touches ténues, puis la lente élaboration du style, impérieux, austère et majestueux à la fois, qui s'empare irrésistiblement des thèmes, peints comme légèrement aquarellés, des grandes *Natures mortes*, des *Baigneuses* et de la *Montagne Sainte-Victoire*. De nouveau, la consultation de sa correspondance atteste au contraire d'un artiste passionné, non irrésolu mais perpétuellement inquiet et dans le doute, et surtout toujours conscient des raisons qui motivaient sa quête picturale obstinée. Sa référence juvénile aux grands exemples du passé ayant été assouvie, insatisfait aussi des artifices impressionnistes pour produire l'illusion du changement dans la fixité de la chose peinte, il a tendu alors de toutes ses capacités à fondre les accidents intermédiaires dans un regard élaboré reliant le début et la fin du temps, faire de la sensation impressionniste « quelque chose de solide et durable comme l'art des musées ». Quand il déclare que Monet n'est « qu'un œil, mais quel œil ! », il précise sa propre conception de la peinture :« ... il y a deux choses : l'œil et le cerveau, il faut travailler à leur développement mutuel, à l'œil, par la vision sur nature, au cerveau, par la logique des sensations organisées... »
Par là, Cézanne, plus que d'avoir rejeté la sensibilisation impressionniste à la mouvance accidentelle des apparences, semble au contraire avoir voulu la dépasser, en inclure les différents moments dans une transcription synthétique, retrouver une permanence structurelle des choses au-delà de leur apparence temporaire. Ainsi, par sa réduction de la ligne et du volume à l'idéalité de leur structure élémentaire, par sa découverte et l'application de la « fonction spatiale » de la couleur, privilégiant par rapport au « motif » (son propre terme où il faut entendre « prétexte ») ce qu'il désigne du terme de « fait plastique », Cézanne a-t-il ouvert la voie à la plus grande part des avant-gardes du premier quart du XXᵉ siècle : de son vivant les symbolistes ; juste à sa mort les fauves et les expressionnistes, y trouvant à la fois la

libération de la couleur et de la ligne dans les dernières œuvres ; à partir de 1908 les cubistes, utilisant directement sa construction de l'espace par la géométrie ; à partir de 1910, certains des créateurs de l'abstraction, Mondrian pour son dessin structurel et Delaunay qui mena plus loin sa recherche des contrastes simultanés. Et puis, si riche qu'il fût, l'héritage cézannien fut épuisé, dégénéra dans le post-cézannisme où se réfugia l'académisme de l'École de Paris de l'entre-deux-guerres.

Jusqu'à son dernier souffle, frappé de congestion en peignant encore sous l'orage, alors que reconnu et célébré par ses cadets, Cézanne doutait encore de son œuvre : « Je travaille opiniâtrement, j'entrevois la terre promise. Serai-je comme le grand chef des Hébreux ou bien pourrai-je y pénétrer ?... J'ai réalisé quelques progrès. Pourquoi si tard et si péniblement ? » ou encore faisant allusion au peintre du *Chef-d'œuvre inconnu* de Balzac : « Frenhofer c'est moi ». Dans ses ultimes années, peignant les *Portraits du jardinier Vallier*, c'était lui-même qu'il peignait sous les traits de ce vieillard douloureux et résigné, donnant un prolongement inattendu et bouleversant aux derniers autoportraits de Rembrandt. La postérité surmonta les propres doutes de Cézanne et lui donna sa place dans l'histoire, tel qu'en lui-même. Effaçant tout mouvement éphémère de la surface des choses, pour n'en garder que la structure permanente, il a immobilisé à la fois l'espace et le temps. L'espace absolu de Cézanne, dégagé de ses aspects fortuits, oppose à la brève saisie de l'instant impressionniste l'équivalence plastique d'un temps immobile, oppose à l'instant aboli les structures de l'éternité.

■ Jacques Busse

BIBLIOGR. : Ambroise Vollard : *Paul Cézanne*, Vollard, Paris, 1914 – Gustave Coquiot : *Paul Cézanne*, Paris, 1914 – Émile Bernard : *Souvenirs sur Paul Cézanne*, Paris, 1921 – Joachim Gasquet : *Cézanne*, Paris, 1921 – Élie Faure : *Paul Cézanne*, Paris, 1926 – Lionello Venturi : *Cézanne, son art, son œuvre*, Paris, 1936 – Paul Cézanne : *Correspondance* réunie par John Rewald, Paris, 1937, nouvelle édition définitive, Paris, 1978 – John Rewald : *Cézanne, sa vie, son œuvre, son amitié pour Zola*, Paris, 1939 – Rainer Maria Rilke : *Lettres sur Cézanne*, Paris, 1944 – Bernard Dorival : *Paul Cézanne*, Paris, 1948 – Meyer Shapiro : *Cézanne*, New York, 1952, nouvelle édition 1973 – Maurice Raynal, in : *Peinture moderne*, Skira, Genève, 1953 – Maurice Raynal : *Cézanne*, Skira, Genève, 1954 – Frank Elgar, in : *Diction. de la peint. mod.*, Hazan, Paris, 1954 – Sandra Orienti, A. Gatto : *L'œuvre complet de Cézanne*, Paris, 1975 – Lionello Venturi : *Cézanne*, Skira, Genève, 1978 – John Rewald, divers : Catalogue de l'exposition *Cézanne, les dernières années, 1895-1906*, Gal. Nat. du Grand Palais, Paris, 1978 – John Rewald : *Les Aquarelles de Cézanne. Catalogue raisonné*, Paris, 1984 – John Rewald : *Cézanne*, New York-Paris, 1986 – John Rewald, divers : Catalogue de l'exposition *Cézanne : Les années de jeunesse, 1859-1872*, Mus. Nat. d'Orsay, Paris, 1988-89 – Jean Cherpin, Paul Gachet : *L'Œuvre gravé de Cézanne*, in : Arts et Livres de Provence, N°82, Marseille, vers 1990 – Lawrence Gowing : *Cézanne : La logique des sensations organisées*, Paris, 1992 – Maria Teresa Benedetti : *Cézanne*, Gründ, Paris, 1995 – J. Busse, in : *L'Impressionnisme : une dialectique du regard*, Ides et Calendes, Neuchâtel, 1996 – John Rewald : *Les peintures de Paul Cézanne : un catalogue raisonné*, Thames and Hudson, Londres, 1996 – Françoise Cachin, Henri Loyrette, Stéphane Guégan, sous la direction de... : *Cézanne aujourd'hui*, RMN, Paris, 1997.

MUSÉES : AIX-EN-PROVENCE (Mus. des Beaux-Arts) : *Nu acadé-*

mique 1859, dess. – *Sucrier, poires et tasse* 1866 – AIX-LES-BAINS (Mus. du Dr. Faure) : *Vue de Bonnières* 1866 – BÂLE (Kunstmus.) : dessins pour : *L'Après-midi à Naples* 1867 – *Nu accroupi* 1868 – *Le Fruit défendu* 1868 – *L'Après-midi à Naples* 1870 – *Groupe en mouvement* 1870 – *L'Éternel féminin* 1872 – *Feuille d'études de Baigneuses* 1872 – *Le Repos* 1872 – *La Maison, du docteur Gachet à Auvers* vers 1873 – *Baigneuses* 1879 – *Portrait du petit Paul* 1880 – *Deux études de nus* 1885 – *Cinq baigneuses* 1885-87 – *Tête de Louis Guillaume costumé en Pierrot* 1888 – *Autoportrait* 1889 – *La Montagne Sainte-Victoire vue des Lauves* 1904-06 – *Cheval* s.d. – trois carnets de dessins contenant 97 feuilles d'études – BÂLE (Mus. Bachofen Burckhardt) : *La Maison du docteur Gachet* 1872-73 – *Assiette de fruits* 1879 – *Eaux et feuillages* 1888 – BALTIMORE (Mus. of Art) : *La Montagne Sainte-Victoire vue de Bibemus* vers 1897 – BERNE (Nat. Gal.) : *Nature morte : pots, bouteille, tasse et fruits* vers 1871 – *Moulin sur la Couleuve à Pontoise* vers 1873-79 – *Fleurs et fruits* 1881 – BERNE (Kunstmus.) : *Autoportrait* 1879-82 – BOSTON (Mus. of Fine Arts) : *Au bord de l'étang* 1873-75 – *Madame Cézanne à la jupe rayée ou au fauteuil rouge* vers 1877 – *La Montagne de l'Estaque* 1886 – BRÊME (Kunsthalle) : *Village derrière les arbres* 1885 – *L'Amour de Puget* 1895, dess. – BROOKLYN (Mus. des Beaux-Arts) : *Gardanne* 1885 – BUDAPEST (Mus. des Beaux-Arts) : *Nature morte* 1872 – *Feuille d'études* 1872, dess. – *Autoportrait* 1873, dess. – *Le Buffet* 1873-77 – *Paysage de Provence* 1890 – *L'Amour de Puget* 1895, aquar. – *Paysage provençal* vers 1900, cr., aquar. – CAMBRIDGE (Fitzwilliam Mus.) : *Portrait de l'oncle Dominique de profil* 1866 – *L'Enlèvement* vers 1867 – *Vue sur l'Estaque et le château d'If* 1882-85 – CANBERRA (Australian Nat. Gal.) : *L'Après-midi à Naples (avec servante noire)* 1866-67 – CARDIFF (Nat. Mus. of Wales) : *Trois baigneuses surprises* vers 1875-77, cr., aquar., gche – *Montagnes en Provence* 1886-90 – CHICAGO (Art Inst.) : *Étude pour L'Autopsie* vers 1865, dess. au fus. – *Auvers, vue panoramique* 1873 – *Étude d'après L'Écorché* vers 1875-76, dess. au cr. – *Figure allégorique d'un fleuve* 1878-81, étude d'après Delacroix – *Route* 1883, aquar. – *Le Golfe de Marseille vu de l'Estaque* 1886-90 – *Arlequin* 1886, dess. au cr. – *Rideau, cruchon et compotier* 1890 – *Vase de tulipes* 1890-94 – *La Corbeille de pommes* 1890-94 – *Le Pistachier dans la cour du Château Noir* vers 1900, aquar. – *Baigneuses* vers 1900-05 – CINCINNATI (Art Mus.) : *Nature morte, pain et œufs* 1865 – CLEVELAND (Mus. of Art) : *Pigeonnier à Bellevue* 1888-92 – COPENHAGUE (Ny Carlsberg Glypt.) : *Assiette et compotier* 1879 – *Cézanne au chapeau melon* 1883 – DALLAS (Mus. of Art) : *Nature morte : pommes sur un dressoir* 1900-06, aquar. – DETROIT (Inst. of Arts) : *Baigneurs* 1879-80 – ELBERFELD (Städt. Mus.) : *Pontoise, l'Ermitage* 1875 – ESSEN (Folkwang Mus.) : *Maisons et pigeonnier* 1888 – *Carrière Bibemus* 1898 – FORT WORTH (Kimbell Art Mus.) : *Paysan en blouse bleue* vers 1897 – GLASGOW (Art Gal. and Mus.) : *Le Château de Médan* 1879-81 – HAMBOURG (Kunsthalle) : *La Seine à Bercy* 1873 – HARTFORD (Wadsworth Atheneum) : *Baigneur debout, vu de dos* 1879-1906, cr., aquar. – LA HAYE (Gemeente Mus.) : *Nature morte : le pain et les œufs* 1865 – *Maison à Bellevue* 1882 – *La Mer à l'Estaque* 1883 – *Bouilloire et fruits divers* 1890 – *Assiette de pêches* 1895 – *Nature morte : assiette de poires* 1895 – HELSINKI (Atheneum Mus.) : *Le Viaduc à l'Estaque* 1882 – HONOLULU (Acad. of Fine Arts) : *Un Clos* vers 1885-87 – HOUSTON (Mus. of Fine Arts) : *Portrait de Madame Cézanne* 1885-87 – KANSAS CITY (Rockhill Nelson-Atkins Mus. of Art) : *La Montagne Sainte-Victoire* 1902-06 – LONDRES (British Mus.) : *L'Amour de Puget* 1888, dess. – LONDRES (Nat. Gal., Milbank Tate Gal.) : *Portrait de Louis Auguste Cézanne* vers 1862 – *Les Marronniers et le bassin du Jas de Bouffan* vers 1871 – *Nature morte* 1879 – *Portrait de l'artiste au papier peint olivâtre* 1880-81 – *Nature morte aux melons* 1890-94 – *Nature morte à la cruche* 1895-1900 – *Sous-bois devant les grottes au-dessus du Château Noir* 1900-04 – *Grandes Baigneuses* 1894-1905 – *Montagnes en Provence* s.d. – *Vieille femme au chapelet* s.d. – LONDRES (Courtauld Inst.) : *Grands arbres au Jas de Bouffan* vers 1885-87 – *La Montagne Sainte-Victoire au grand pin* vers 1885-87 – *Fleurs et fruits* vers 1890 – *L'Homme à la pipe* 1890-92 – *Nature morte avec l'amour en plâtre* 1895 – LOS ANGELES (County Mus. of Art) : *Cerises et pêches* 1883-87 – MAGDEBOURG (Kaiser Friedrich Mus.) – MALIBU (J. Paul Getty Mus.) : *Portrait d'Antony Valabrègue* vers 1871 – MANNHEIM (Kunsthalle) : *Fumeur accoudé* 1895 – MERION (Barnes Fond.) : *Deux pommes et une demie* 1873 – *L'Homme à la veste* 1875 – *Trois baigneuses* 1875 – *Les Baigneurs au repos* 1875 – *Le Village de l'Estaque vu de la mer* 1878 – *Le Pilon du roi* 1878 – *La Toilette* 1878 – *La Conduite d'eau* 1879 – *Place de village, Pontoise* 1879 – *Assiette de fruits* 1879 – *Nature morte* 1879 – *Vers la Montagne Sainte-*

Victoire 1882 – *Gardanne* 1885 – *La Plaine de Bellevue* 1885 – *Maison dans la campagne aixoise* 1885 – *La Montagne Sainte-Victoire* 1885 – *Meule et citerne en sous-bois* 1885 – *Portrait de Madame Cézanne* 1885 – *Paysage provençal* 1885, aquar. – *Le Jardinier* 1886 – *Paysan debout, les bras croisés* 1888 – *Les Joueurs de cartes* 1890-92 – *Groupe de baigneurs* 1890 – *Nature morte* 1890 – *Rideau, cruchon et compotier* 1890 – *Garçon au gilet rouge* 1890 – *Montagne Sainte-Victoire* 1890, aquar. – *Maison et arbres* 1890-94 – *Portrait de femme* 1892 – *Madame Cézanne* 1894 – *Jeune homme à la tête de mort* 1894 – *Le Vase paillé* 1895 – *Nature morte* 1895 – *Un coin de table* 1895 – *Nature morte au crâne* 1895 – *Arbres* 1895, aquar. – *Le Château Noir* 1895, aquar. – *Le Fumeur accoudé* 1895, aquar. – *Jeune homme à la tête de mort* 1896-1898 – *La Carrière Bibemus* 1898 – *Vase fleuri* 1900 – *Grosse poire* 1900 – *Grandes baigneuses* 1900-1905 – *Baigneurs* s.d., litho. – MILAN (Civiche Raccolte d'Arte) : *Les Voleurs et l'âne* 1869-70 – MINNEAPOLIS (Inst. of Arts) : *Les Marronniers du Jas de Bouffan en hiver* 1885-87 – MONTRÉAL (Mus. des Beaux-Arts) : *Route tournante en Provence* vers 1868 – MOSCOU (Mus. d'Art Mod. Occidental) : *Scène d'intérieur* 1860 – *Jeunes filles au piano* 1869 – *Fleurs dans un vase* 1873 – *Le Clos des Mathurins à Pontoise* 1875 – *Nature morte* 1879 – *Autoportrait* 1879 – *Grand pin et terres rouges* 1885 – *Marronniers et ferme du Jas de Bouffan* 1885 – *L'Aqueduc* 1885 – *Mardi-gras* 1888 – *Nature morte* 1888 – *Le Pont de la Marne à Créteil* 1888 – *Le Pont sur l'étang* 1888 – *Pigeonnier de Bellevue* 1888 – *Le Bain* 1892 – *Le Fumeur* 1895 – *Dame en bleu* 1900 – *Fleurs et verdure* 1900 – *Paysage en bleu* 1900 – *La Montagne Sainte-Victoire* 1905 – MOSCOU (Mus. Pouchkine) : *Le Plateau de la Montagne Sainte-Victoire* 1882-85 – *Le Jas de Bouffan* 1885-87 – *L'Aqueduc* 1885-87 – *Mardi-gras* 1888 – *Pont sur la Marne à Créteil (Les Bords de la Marne)* 1888 – *Le Pont* vers 1888-90 – *Nature morte : pêches et poires* vers 1888-90 – *L'Homme à la pipe (Le Fumeur)* 1890-92 – *Les Fleurs* vers 1900 – MUNICH (Neue Pinakothek) : *La Tranchée avec la Montagne Sainte-Victoire* 1867-70 – *Portrait de l'artiste au bonnet blanc* 1875-77 – *Nature morte à la commode* 1883-85 – NEW HAVEN (Mus. of Art, Yale University) : *Paysage au moulin à eau* vers 1871 – *Les grands marronniers au Jas de Bouffan* 1885 – NEW YORK (Metropol. Mus.) : *L'Homme au bonnet de coton (L'Oncle Dominique)* vers 1866 – *L'Homme au chapeau de paille (Portrait de Gustave Boyer)* 1870-71 – *Baigneuses* 1874-75 – *Poterie, tasse et fruits* vers 1877 – *Paul, le fils de l'artiste* vers 1877-79 – *Le Golfe de Marseille vu de l'Estaque* 1883-85 – *La Montagne Sainte-Victoire vue de Bellevue ou vue de Montbriand* vers 1885-87 – *Arbres et maisons* vers 1885-87 – *Gardanne* 1885-86 – *Gardanne* 1885, dess. – *La Colline des pauvres (Le Domaine Saint-Joseph)* 1888-95 – *L'Écorché de Houdon* 1888, dess. – *Madame Cézanne (au fauteuil jaune)* 1890-94 – *Nature morte aux aubergines* 1890-94 – *Madame Cézanne dans la serre* 1891-92 – *Roches* 1894-98 – NEW YORK (Mus. of Mod.Art) : *Poires et couteau* 1879 – *Portrait de Chocquet* 1879 – *Neige fondante à Fontainebleau* 1879-82 – *Baigneurs* 1882, aquar. – *Portrait de Madame Cézanne* 1883 – *Gardanne, le vieux pont* 1885, aquar. – *Paysage en Provence* 1885, aquar. – *Bouteille de liqueur* 1888 – *La Barrière, Chantilly* 1888, aquar. – *Arbres et maisons* 1890, aquar. – *Le Garçon au gilet rouge* vers 1890-95 – *Nature morte aux pommes* 1895-1998 – *Vase paillé et sucrier* 1895 – *Rochers à Bibémus* 1895, aquar. – *Le Pont* 1895, aquar. – *Feuille d'étude de feuillage* vers 1900, aquar. – *Sous-bois provençal* 1900 – *Montagne Sainte-Victoire* 1900, aquar. – *Arbres parmi les rochers, au Château Noir* 1900, aquar. – *Le Château Noir* 1903-04 – NORTHAMPTON (Smith College Mus. of Art) : *Route tournante de La Roche-Guyon* 1885 – OSLO (Nat. Gal.) : *Paysage près du Jas de Bouffan* 1878 – *Arbres et maisons* 1885 – *Pot au lait et fruits sur une table* 1888 – *Portrait de Joachim Gasquet* 1896 – PARIS (Louvre, Cab. des dessins) : *Maison en Provence* 1865-67, cr., aquar., gche – *Portrait d'Achille Emperaire* 1867-70, dess. au fus. – *Les Pots de fleurs* vers 1885, aquar. – *Le Cruchon vert* vers 1885-87, cr., aquar. – *La Montagne Sainte-Victoire* 1900-02, cr., aquar. – PARIS (Mus. d'Orsay) : *Tête de vieillard* vers 1865 – *L'Oncle Dominique en avocat* 1866 – *La Madeleine ou la douleur* vers 1868 – *La moderne Olympia* 1868 – *Portrait du peintre Achille Emperaire* 1868-70 – *Pastorale ou Idylle (Don Quichotte sur les côtes de Barbarie* vers 1870 – *Nature morte à la bouilloire* vers 1870 – *La Maison du pendu à Auvers* 1872-73 – *La Femme étranglée* vers 1872 – *Pissaro allant peindre* 1872, aquar. – *Route de village, Auvers* 1872-74 – *La Maison du docteur Gachet à Auvers* vers 1873 – *Carrefour de la rue Rémy à Auvers* 1873 – *Dahlias dans un pot de Delft* 1873 – *Bouquet au petit Delft* vers 1873 – *Une moderne Olympia* vers 1873 – *Portrait de l'artiste* 1873-76 – *La Tentation de saint Antoine* 1873-77 – *Les cinq baigneurs* 1875-77 – *Trois baigneuses* 1875-77 – *Nature morte à la soupière* vers 1877 – *Portrait de l'artiste* 1877-80 – *Cour de ferme à Auvers* 1879 – *Le Golfe de Marseille vu de l'Estaque* 1879 – *Le Pont de Maincy* vers 1879 – *Madame Cézanne au jardin* 1880-85 – *Paysage à l'Estaque* 1882-83 – *Pommes, bouteille et soupière* 1883 – *Le Vase bleu* 1883 – *Les Pots de fleurs* 1883, aquar. – *Les Rideaux* 1885, aquar. – *Le Cruchon* 1885, aquar. – *Portrait de Madame Cézanne* 1885-90 – *Le Vase bleu* 1887 – *La Table de cuisine (Nature morte au panier)* 1888-90 – *Les Joueurs de cartes* 1890-92 – *Moulin au pont des trois Sautets* 1890, aquar. – *Baigneurs* 1890-1900 – *La Femme à la cafetière* 1890-94 – *Nature morte aux oignons et bouteille* vers 1895 – *Pommes et oranges* 1895 – *Portrait de Camille Pissarro*, dess. – PARIS (Mus. du Petit Palais) : *Le Printemps* – *L'Été* – *L'Automne* – *L'Hiver* 1860-1862 – *Portrait d'Ambroise Vollard* 1899 – *Rochers et branches à Bibémus* 1900-04 – PARIS (Mus. de l'Orangerie) : *Le Déjeuner sur l'herbe* vers 1875 – *Fruits, serviette et boîte à lait* 1879-82 – *Portrait de Paul Cézanne, fils de l'artiste* 1880-85 – *Arbres et maisons* vers 1885-87 – *La Barque et les baigneurs* 1890-94 – *Le Rocher rouge* vers 1900 – PHILADELPHIE (Mus. of Art) : *Le Quartier Four à Auvers* vers 1873 – *Olympia* vers 1877, cr., aquar. – *Nature morte : pommes et poires* vers 1877-79 – *Saint-Henri et le golfe de Marseille* 1882-85 – *La Montagne Sainte-Victoire* vers 1885-1900, cr. et aquar. – *Madame Cézanne aux cheveux dénoués* vers 1890-92 – *La Meule* vers 1898-1900 – *Le Balcon* vers 1900, cr. et aquar. – *Grandes Baigneuses* 1898-1906 – PRAGUE (Gal. Nat.) : *Nature morte* 1879 – *Maison et ferme au Jas de Bouffan* 1885 – *Portrait de Joachim Gasquet* 1896-97, aquar. – PRINCETON (University Art Mus.) : *Pin et rochers près des grottes au-dessus du Château Noir* vers 1900, cr., aquar. – PROVIDENCE (Mus. of Art) : *Marronniers et ferme au Jas de Bouffan* 1885 – *Le Village de l'Estaque* 1885, dess. – *Branches et pierres* 1895, aquar. – ROME (Gal. Nat. d'Art Mod.) : *Le Cabanon de Jouirdan* 1906 – SAINT-LOUIS (City Art Mus.) : *Portrait de la mère de l'artiste* vers 1866-67 – *Portrait de Marie Cézanne, sœur de l'artiste* 1867 – *Baigneurs* 1890-94 – SAINT-PÉTERSBOURG (Mus. de l'Ermitage) : *L'Ouverture de Tannhäuser (Jeune fille au piano)* 1869-70 – *Portrait de Cézanne à la casquette* 1873-75 – *Fleurs dans un vase* 1873-75 – *Nature morte : les fruits* 1879-82 – *Les Bords de la Marne (Villa au bord de la rivière)* vers 1888 – *Le Fumeur accoudé* 1895 – *Nature morte* 1895 – *Grand pin près d'Aix* vers 1895 – *La Montagne Sainte-Victoire audessus de la route du Tholonet* vers 1896-98 – *Nature morte au rideau* vers 1899 – *La Dame en bleu* vers 1900-04 – *Paysage bleu* 1904-06 – SAN FRANCISCO (Fine Arts Mus.) : *Intérieur de forêt* vers 1898-1899 – *São Paulo* (Mus. de Arte) : *Le Nègre Scipion* 1866-68 – *Paul Alexis lisant à Émile Zola* 1869-70 – *Rochers à l'Estaque* 1882-85 – *Madame Cézanne* 1890-94 – *Le grand pin* 1992-96 – STOCKHOLM (Nat. Mus.) : *Paysage* 1879 – *L'Amour en plâtre* 1895 – TOKYO (Nat. Mus. of Western Art) : *La Buire et la soupière* vers 1888, aquar. – TOKYO (Bridgestone Mus.) : *Bol et boîte à lait* 1873-77 – VIENNE (Kunsthistorisches Mus.) : *Pommes, carafe et sucrier* vers 1900, cr., aquar. – VIENNE (Albertina Mus.) : *La Danse* 1869-71, dess. au cr. – *La Vallée de l'Arc* 1883, aquar. – *Le Saint Georges de Donatello* 1885, aquar. – *Château Noir et Montagne Sainte-Victoire* 1895, aquar. – VIENNE (Mod. Gal.) : *Pommes, bouteille, sucrier* 1885, aquar. – WASHINGTON D. C. (Nat. Gal. of Art) : *Portrait d'Antony Valabrègue* 1866 – *Louis Auguste Cézanne, père de l'artiste, lisant L'Événement* 1866 – *La Maison du père Lacroix à Auvers* 1873 – *Portrait de Louis Guillaume* 1879-82 – *Portrait de Paul Cézanne, fils de l'artiste* 1885-90 – *Les Pots de géraniums* vers 1885-90, cr., aquar. – *La Bouteille de menthe* 1890-95 – *Nature morte : pot à lait et fruits* vers 1900 – *Le Château Noir* 1900-04 – *Le Jardinier Vallier* 1904-06 – *Nature morte au vase pique-fleurs (Nature morte avec pommes et pêches)* vers 1905 – WASHINGTON D. C. (Duncan Phillips Memorial Gal.) : *Autoportrait* 1877-80 – *La Montagne Sainte-Victoire au grand pin* 1885 – *Fruits et pot paillé (Le Pot de gingembre)* 1890-93 – WORCESTER : *Le Joueur de cartes* 1890 – WUPPERTAL (Von der Heydt Mus.) : *Arbres parmi les rochers* vers 1890, cr., aquar. – ZURICH (Kunsthaus) : *Pain et gigot d'agneau* vers 1866 – *L'Ermite* 1870, aquar. – *Paysage en Provence* vers 1875-80, cr., aquar., gche – *Château de Médan* 1879, aquar. – *La Médée de Delacroix* 1879, aquar. – *La Montagne, Marseille-Veyre* 1882, aquar. – *Arbre dépouillé au Jas de Bouffan* 1885, aquar. – *Étude pour un arbre* 1885, aquar. – *Paysan assis* vers 1900, aquar. – *Rochers dans le bois* vers 1894-98 – *La Montagne Sainte-Victoire, vue des Lauves* 1902-06 – ZURICH (Fond. E.Gal. Bührle) : *La Neige fondue à l'Estaque (Les Toits rouges)* vers 1870 – *La Tentation de saint Antoine* vers 1870 – *Portrait de l'artiste à la palette* 1885-87 – *Le Garçon au gilet rouge* 1890-95.

VENTES PUBLIQUES : PARIS, 1894 : *Une route dans un village* : FRF 800 ; *Nature morte* : FRF 660 ; *La Moisson* : FRF 650 – PARIS, 1894 : *Coin de village* : FRF 215 ; *Ferme* : FRF 145 ; *Le Pont* : FRF 170 ; *Village* : FRF 175 ; *Autre village* : FRF 102 – PARIS, 1897 : *Mardi-gras* : FRF 4 400 ; *La Méditerranée* : FRF 1 500 ; *Été* : FRF 1 400 ; *Au fond du ravin* : FRF 1 500 ; *Auvers, vue des environs* : FRF 250 ; *Auvers* : FRF 20 620 ; *En sortant d'Auvers* : FRF 1 000 ; *Le petit pont* : FRF 2 200 ; *Un coin de bois* : FRF 1 450 ; *Un pré* : FRF 800 ; *L'Été* : FRF 900 ; *Une ferme à Auvers* : FRF 750 ; *Fleurs et fruits* : FRF 1 300 ; *La Route* : FRF 1 900 ; *Les Petites Maisons d'Auvers* : FRF 1 500 ; *La Barrière* : FRF 880 ; *Un dessert* : FRF 3 500 ; *La Fontaine* ; *Nymphes au bord de la mer, deux dessus de porte* : FRF 2 800 ; *Fleurs dans un vase* : FRF 2 000 ; *Fleurs épanouies* : FRF 950 ; *Les Pêcheurs* : FRF 2 350 ; *Le Ruisseau* : FRF 145 ; *Naïades* : FRF 275 ; *Tigre* : FRF 480 ; *La Baigneuse* : FRF 505 ; *Chemin à l'entrée de la forêt* : FRF 1 200 ; *Fleurs* : FRF 1 400 ; *Pommes et Gâteaux* : FRF 2 000 ; *Fruits* : FRF 2 000 ; *Fleurs et Fruits*, aquar. : FRF 390 ; *Forêt, roches parmi les bruyères*, aquar. : FRF 155 ; *Chemin dans la montagne*, aquar. : FRF 180 – PARIS, 1899 : *La Neige fondante, forêt de Fontainebleau* : FRF 6 750 – PARIS, 1899 : *L'Estaque, environs de Marseille* : FRF 2 300 – PARIS, 24 mars 1900 : *Nature morte* : FRF 7 000 ; *Maison à la campagne* : FRF 5 500 – PARIS, 6 mai 1901 : *Nature morte* : FRF 2 950 – PARIS, 4 mars 1907 : *Paysage d'été* : FRF 14 200 ; *Fruits* : FRF 19 000 – PARIS, 24 fév. 1919 : *Portrait de l'artiste* : FRF 25 000 ; *Le Pêcheur à la ligne* : FRF 22 000 ; *Quatre Pêches* : FRF 18 000 ; *Le Déjeuner sur l'herbe* : FRF 13 000 ; *La Paysanne* : FRF 20 600 ; *Au bain* : FRF 20 000 ; *L'Assiette bleue* : FRF 17 000 ; *Au fond du ravin, l'Estaque* : FRF 41 000 ; *Portrait de l'artiste* : FRF 15 000 ; *L'Orée du bois*, aquar. : FRF 4 200 ; *Les Nymphes attaquées par les faunes*, aquar. : FRF 6 000 – PARIS, 22 mars 1920 : *Baigneuses* : FRF 41 200 ; *La Baignade* : FRF 84 100 – PARIS, 23-24 fév. 1922 : *Le Village de l'Estaque* : FRF 30 000 – PARIS, 24-25 juin 1925 : *Géraniums*, aquar. : FRF 46 000 ; *La Sainte-Victoire* : FRF 300 100 ; *Le Grand Arbre au lieu-dit Montbriant* : FRF 528 000 ; *Fleurs* : FRF 100 000 – PARIS, 28 oct. 1926 : *La Montagne Sainte-Victoire* : FRF 280 000 – PARIS, 16-17 juin 1927 : *Déjeuner sur l'herbe*, aquar. : FRF 26 100 ; *Baigneuses* : FRF 475 000 – PARIS, 14 juin 1928 : *Le Jeune Homme au petit chapeau* : FRF 360 000 – NEW YORK, 10 avr. 1930 : *L'Enlèvement* : USD 24 000 – PARIS, 6 déc. 1930 : *Reflets d'arbres dans l'eau*, aquar. : FRF 21 600 – PARIS, 19 mars 1932 : *Bords de rivière* : FRF 24 000 – PARIS, 9 juin 1932 : *Village provençal à travers les arbres* : FRF 250 000 ; *Pommes sur une table* : FRF 320 000 – PARIS, 7 juin 1935 : *Bords de rivière*, aquar. : FRF 2 500 ; *Entrée du Jas de Bouffan, l'allée des marronniers* : FRF 201 500 – PARIS, 23 avr. 1937 : *La Barque du Dante, copie d'après Delacroix* : FRF 33 000 – NEW YORK, 29 avr. 1937 : *Les Grands Arbres*, dess. : USD 1 500 – PARIS, 30 mars 1938 : *Bords de rivière* : FRF 31 000 – PARIS, 18 fév. 1939 : *Le Pilon du roi ou de Bellevue 1884* : FRF 542 000 – LONDRES, 26 juil. 1939 : *La Montagne Sainte-Victoire* : GBP 4 200 – PARIS, 8 mai 1942 : *Les Rochers à Bibemus*, aquar. : FRF 80 000 – PARIS, 11 déc. 1942 : *La Vallée de l'Arc et la montagne Sainte-Victoire* : FRF 5 000 000 – NEW YORK, 16 mars 1944 : *Les Oranges* : USD 2 900 – NEW YORK, 11 mai 1944 : *Mas provençal dans les arbres*, aquar. : USD 1 550 ; *La Montagne Sainte-Victoire*, aquar. : USD 1 450 ; *Nature morte au couteau et aux poires* : USD 4 100 ; *Madame Cézanne* : USD 1 600 – NEW YORK, 24 jan. 1946 : *Portrait de Madame Cézanne* : USD 24 500 – PARIS, mai 1952 : *Nature morte aux pommes* : FRF 33 000 000 ; *Arbres et maisons* : FRF 20 000 000 – LONDRES, 26 mars 1958 : *La Carrière Bibemus*, aquar. : GBP 2 800 – NEW YORK, 19 nov. 1958 : *Garçon au gilet rouge* : USD 220 000 – PARIS, 16 juin 1959 : *Paysage méditerranéen* : FRF 2 600 000 – NEW YORK, 27 avr. 1960 : *Les Pommes* : USD 200 000 – PARIS, 9 mars 1961 : *Château de Montgeroult 1899*, aquar. : FRF 121 000 – LONDRES, nov. 1964 : *Les Grandes Baigneuses* : GBP 500 000 – NEW YORK, 2 mai 1965 : *Nature morte : bouilloire, pot au lait, sucrier et sept pommes vers 1900-1906*, aquar. (46x61,5) : USD 620 000 – NEW YORK, 14 oct. 1965 : *L'Entrée de jardin*, aquar. : USD 37 000 ; *Maisons à l'Estaque* : USD 800 000 – LONDRES, 26 avr. 1967 : *Nature morte : bouilloire, pot au lait, sucrier et sept pommes vers 1900-1906*, aquar. (46x61,5) : GBP 145 000 – NEW YORK, 17 avr. 1969 : *Chaumière dans les arbres, Auvers* : USD 220 000 – NEW YORK, 28 oct. 1970 : *Étude pour la Partie de cartes* : USD 370 000 – LONDRES, 27 juin 1972 : *Auvers, vu des environs 1875-1877* : GBP 260 000 – BERNE, 18 nov. 1972 : *L'Arbre tordu* : CHF 1 480 000 – PARIS, 21 mars

1974 : *Paysage du Midi* : FRF 2 400 000 – LONDRES, 7 avr. 1976 : *L'Église du village ou Vieille Ferme à Montgeroult, près de Pontoise vers 1888*, aquar. et cr. (33,5x51,5) : GBP 39 000 – LONDRES, 29 juin 1976 : *Nature morte, pomme et poire vers 1879-1882*, h/t (27x35) : GBP 195 000 – NEW YORK, 18 mai 1977 : *Les Baigneurs 1898*, litho. coul. (40,8x51) : USD 12 750 – LONDRES, 26 avr. 1978 : *Les Baigneurs 1898*, litho. coul., grande planche (41x51) : GBP 4 400 – LONDRES, 26 juin 1978 : *Portrait de Fortuné Marion vers 1874*, h/t (40,6x32,5) : GBP 150 000 – NEW YORK, 6 nov. 1979 : *Paysage vers 1873-77*, h/t (46x55) : USD 300 000 – BERNE, 20 juin 1979 : *Les Baigneurs 1898*, litho. noir, grande planche : CHF 10 000 – LONDRES, 4 juil. 1979 : *Arbres et Maisons vers 1883-87*, aquar. (26x36) : GBP 40 000 – BERNE, 20 juin 1979 : *Environs de la Montagne Sainte-Victoire vers 1885/86*, cr. (29x43) : CHF 35 000 – LONDRES, 1ᵉʳ juil. 1980 : *Nature morte : bouilloire, pot au lait, sucrier et sept pommes vers 1900-1906*, aquar. (46x61,5) : GBP 480 000 – BERNE, 22 juin 1983 : *Les Baigneurs*, litho. coul. : CHF 32 000 – NEW YORK, 15 nov. 1983 : *Crâne sur une draperie (recto) ; Arbres et rochers à Bibemus (verso)*, aquar. et cr. (31,2x48) : USD 500 000 ; *Sucrier, poires, tapis vers 1893-94*, h/t (51,5x61,9) : USD 3 600 000 – NEW YORK, 15 mai 1985 : *Homme nu assis vers 1865-1867*, craie noire (50,5x32,4) : USD 25 000 – NEW YORK, 18 nov. 1986 : *Au Jas de Bouffan vers 1882-85*, h/t (58,2x71,7) : USD 1 350 000 – PARIS, 20 nov. 1987 : *L'assiette bleue, abricots et cerises vers 1873-1877*, h/t (16x22) : FRF 3 000 000 ; *Rue des Saules à Montmartre*, h/t (31,5x40) : FRF 1 500 000 ; *Arbres à Vichy vers 1877-1980*, aquar. (46,5x30,5) : FRF 4 700 000 – LONDRES, 29 mars 1988 : *Baigneuses*, h. diluée/t. préparée (33x41) : GBP 44 000 ; *Paysage*, h/pap. mar./t. (20x21,5) : GBP 37 400 – PARIS, 24 mars 1988 : *Feuilles et fleurs (recto) vers 1855*, mine de pb et aquar. ; *Femme et enfant (verso) 1872-75*, mine de pb (18x11,5 et 19,4x11,4) : FRF 800 000 – LONDRES, 30 mars 1988 : *Sous-bois vers 1895-1900*, aquar./cr. (39,4x52,4) : GBP 308 000 – NEW YORK, 12 mai 1988 : *Paysage, cr. et traces d'aquar.* (50x32,5) : USD 88 000 – LONDRES, 29 nov. 1988 : *Arlequin*, h/t (62,2x47) : GBP 4 400 000 – PARIS, 16 déc. 1988 : *Tête d'enfant*, h/t (22x16) : FRF 8 900 000 – LONDRES, 4 avr. 1989 : *Nature morte au melon vert*, aquar. et cr. (31,5x47,5) : GBP 2 530 000 – PARIS, 10 avr. 1989 : *Tête du petit Paul, fils de l'artiste*, h/t (28,5x33) : FRF 6 000 000 – NEW YORK, 9 mai 1989 : *Pichet et fruits sur une table*, h/pap./pan. (42,5x72) : USD 11 550 000 – NEW YORK, 18 oct. 1989 : *Les Reflets dans l'eau*, h/t (65x92) : USD 5 060 000 – NEW YORK, 15 nov. 1989 : *Carrière de Bibémus*, h/t (65x54) : USD 6 600 000 – LONDRES, 27 nov. 1989 : *Pommes et serviette*, h/t (49,2x60,3) : GBP 11 000 000 – PARIS, 29 nov. 1989 : *Bord de rivière*, h/t (92x77) : FRF 100 000 – PARIS, 4 fév. 1990 : *Paysage*, h/cart./pan. (36,6x40,5) : FRF 4 000 000 – LONDRES, 4 avr. 1990 : *Dans le forêt II*, cr. et aquar./pap. (47x32) : GBP 319 000 – PARIS, 5 avr. 1990 : *Le Viaduc*, aquar./pap. (32,5x49) : FRF 2 020 000 – NEW YORK, 16 mai 1990 : *Don Quichotte vu de dos*, h/t (22,2x16,5) : USD 363 000 – NEW YORK, 17 mai 1990 : *La Route tournante à Auvers*, h/t (59,7x49) : USD 1 760 000 – NEW YORK, 12 nov. 1990 : *Le Jas de Bouffan*, h/t (74x55) : USD 7 150 000 – PARIS, 22 nov. 1990 : *Les deux enfants 1860*, h/t (55x46) : FRF 1 450 000 – LONDRES, 4 déc. 1990 : *Vue depuis l'atelier des Lauves*, aquar. et cr./pap. (30,2x44,5) : GBP 165 000 – L'ISLE-ADAM, 9 déc. 1990 : *Bord de rivière*, h/t (92x77) : FRF 6 000 000 – NEW YORK, 7 mai 1991 : *Route tournante*, aquar. et cr. (27,3x21) : USD 82 500 – LONDRES, 24 juin 1991 : *La Maison du Jas Bouffan*, h/t (60x73) : GBP 1 760 000 – NEW YORK, 5 nov. 1991 : *Arbres au bord de l'eau (recto) ; Étude de paysage (verso)*, aquar./pap. (32,5x49,5) : USD 440 000 – LONDRES, 1 déc. 1992 : *Baigneuses*, h/t (29,2x23,5) : GBP 792 000 – NEW YORK, 11 nov. 1992 : *Arbres au Jas de Bouffan*, h/t (55,5x73,5) : USD 1 677 500 – LONDRES, 30 nov. 1992 : *Le Bassin du Jas de Bouffan*, h/t (47x56,2) : GBP 1 540 000 ; *Les Cinq Baigneurs*, h/t (60,7x74) : GBP 3 025 000 ; *L'Homme à la pipe*, h/t (43,2x34,3) : GBP 3 520 000 ; *La montagne Sainte-Victoire vue des Lauves*, aquar./pap. (47,5x53,5) : GBP 1 430 000 – NEW YORK, 11 mai 1993 : *Nature morte : les grosses pommes*, h/t (45,7x54) : USD 28 602 500 – NEW YORK, 13 mai 1993 : *Portrait d'homme*, cr./pap. (13,6x13,6) : USD 43 700 – NEW YORK, 3 nov. 1993 : *Nature morte avec une assiette et des fruits*, h/t (38,4x46,4) : USD 3 522 500 – PARIS, 26 nov. 1993 : *La Maison de Montbriand sur la colline, Bellevue*, aquar. gchée (43x54) : FRF 2 800 000 – NEW YORK, 10 mai 1994 : *Coussin sur une chaise*, cr./pap. (30x22,5) : USD 101 500 ; *Fleurs dans un vase*, h/t (46x55) : USD 1 047 500 – LONDRES, 27 juin 1994 : *Paysage boisé*, aq. et cr./

pap. (31,7x46,8) : **GBP 133 500** – PARIS, 24 mars 1995 : *Les Baigneurs* 1897, litho. coul. (41,5x51) : **FRF 112 000** – NEW YORK, 8 mai 1995 : *Portrait de Marie Cézanne, sœur de l'artiste*, h/t (50,2x39,4) : **USD 376 500** – NEW YORK, 8 nov. 1995 : *Arbres au Jas de Bouffan*, h/t (54,3x73,3) : **USD 1 377 500** – LONDRES, 27 nov. 1995 : *Les Baigneurs*, h/t (19x26) : **GBP 1 431 500** – PARIS, 13 juin 1996 : *Les Petits Baigneurs* 1897, litho. (23,5x29) : **FRF 52 000** – NEW YORK, 12-13 nov. 1996 : *Bethsabée* 1885-1890, h/t (32,1x23,5) : **USD 442 500** ; *La Côte du Galet à Pontoise* vers 1879-1881, h/t (60x75,6) : **USD 11 002 500** ; *Assiette de pêches* vers 1895-1900, cr. et aquar./pap. (20,3x26,7) : **USD 277 500** – LONDRES, 4 déc. 1996 : *Arbres*, h/t (46x38) : **GBP 89 500** – PARIS, 18 déc. 1996 : *Les Petits Baigneurs* 1896-1897, litho. coul. (23,5x29) : **FRF 29 000** – NEW YORK, 14 nov. 1996 : *Le Hêtre* 1883-1885, aquar. et cr./pap. (28,2x28,2) : **USD 55 200** – NEW YORK, 13 nov. 1996 : *Scène légendaire* vers 1878, h/t (47x55) : **USD 1 762 000** – NEW YORK, 12 mai 1997 : *Madame Cézanne au fauteuil jaune* 1888-1890, h/t (80,4x64,4) : **USD 23 102 500** – NEW YORK, 14 mai 1997 : *L'Estaque vu à travers les arbres* 1878-1879, h/t (44,7x53,4) : **USD 5 502 500** ; *Pot de gingembre et fruits sur une table* 1888-1890, aquar. sur cr./pap. (26x37,8) : **USD 1 762 500** – PARIS, 18 juin 1997 : *Les Trois Grâces* 1881-1884, cr./pap. (47x25) : **FRF 220 000** – LONDRES, 24 juin 1997 : *Ferme en Normandie, été (Hattenville)* 1882, h/t (65x81) : **GBP 3 081 500**.

CÉZAR Eduardo Oliveira
Né en 1942. XXe siècle. Argentin.
Peintre. Hyperréaliste.
Il peint des architectures très sobres, des intérieurs, des escaliers, des murs, qui, paradoxalement, donnent toujours l'impression d'espaces habités sans jamais aucune présence humaine. Ce monde, fait de silence et d'intimité, est servi par des tonalités grises qui suggèrent le blanc sans l'employer franchement. Cézar évite toute impression de froideur grâce aux jeux de lumière qui sont également là pour mieux construire la composition.
BIBLIOGR. : Damian Bayon et Roberto Pontual : *La Peinture de l'Amérique latine au XXe siècle*, Mengès, Paris, 1990.

CÉZAR-BRU Jean
Né le 7 août 1870 à Senlis (Oise). XIXe-XXe siècles. Français.
Sculpteur.
Il fut élève de Falguière et de Théophile Barrau. Il exposait à Paris, depuis 1898 au Salon des Artistes Français, dont il devint sociétaire, troisième médaille en 1902.

CHAB Victor
Né le 6 septembre 1930 à Buenos Aires. XXe siècle. Argentin.
Peintre et graveur.
Il exposa en Amérique du Sud, aux États-Unis et à Paris.
VENTES PUBLIQUES : NEW YORK, 24 nov. 1982 : *Collage* 1967, collage et h/t (90,2x59,8) : **USD 450** – NEW YORK, 21 mai 1986 : *L'Oiseau* 1967, acryl./t. (99,5x81) : **USD 1 900** – NEW YORK, 21 nov. 1988 : *Faire les courses* 1987, collage/t. (177,8x148,5) : **USD 17 600** – NEW YORK, 17 mai 1989 : *Sans titre* 1962, h/t (90x60) : **USD 4 125** – NEW YORK, 30 mai 1997 : *El Sueno del Arquitecto* 1990, collage et h/t (179,6x149,2) : **USD 8 625**.

CHABA Karel
Né en 1925 au lieu-dit Sedlec (Bohême du Sud). XXe siècle. Tchécoslovaque.
Peintre de paysages urbains.
Cuisinier, ouvrier dans les théâtres et chauffeur au Musée d'Art Industriel, il commence à peindre dès son plus jeune âge mais c'est à partir de 1955 qu'il s'y consacrera vraiment. Il expose pour la première fois en 1957 et à partir de 1960 participe régulièrement à des expositions à Prague. Il a subi les influences conjuguées du cubisme et du surréalisme. En 1964 il figurait dans l'exposition *Le Monde des Naïfs* organisée au Musée National d'Art Moderne de Paris.

CHABAL Régis
Né le 25 août 1930 à Paris. XXe siècle. Français.
Peintre de paysages.
Il fit des études d'architecture à l'École des Beaux-Arts de Paris avant de se consacrer à la peinture. Élève à l'Académie de la Grande Chaumière il eut pour professeur Yves Brayer dont il devait conserver l'empreinte dans son œuvre. Il voyagea en Europe du Sud, en Suisse et en Belgique. Il a été sélectionné pour le prix Othon Friesz en 1961. Il a figuré aux Salons d'Automne, des Artistes Indépendants, des Beaux-Arts de Lyon etc. Il peint avec prédilection les paysages aux alentours de Saint-Rémy de Provence et des Baux-de-Provence.

BIBLIOGR. : M. E. Trabault : *Régis Chabal*, Lacroix, Saint-Rémy de Provence, 1965.

CHABAL-DUSSURGEY, de son vrai nom : **Pierre Adrien Chabal**
Né le 9 août 1819 à Charlieu (Loire). Mort en 1902 à Nice. XIXe siècle. Français.
Peintre de natures mortes, fleurs et fruits, compositions décoratives, peintre à la gouache, lithographe.
Élève de l'École des Beaux-Arts de Lyon, de 1833 à 1838, sous Bonnefond et Thierriat. Il se fixa à Paris vers 1844 et fut attaché, en 1850, comme professeur, à la manufacture des Gobelins.
Il exposa aux Salons de Lyon (1839-1901) et de Paris (depuis 1841) des tableaux de fleurs peints à l'huile et surtout à la gouache, des panneaux décoratifs et parfois des dessins ou lithographies représentant des fleurs, des plantes ou des oiseaux. Il est l'auteur des panneaux de fleurs qui décorent le foyer du Théâtre Français.
MUSÉES : LYON : *Vase de fleurs* – *Tête de la Concorde au milieu d'une couronne de fleurs* – NICE : *Un rosier de mon jardin* – SAINT-ÉTIENNE : *Le printemps*, panneau décoratif – TOULON : *Étude de chrysanthèmes, bouquet*, gche.
VENTES PUBLIQUES : LONDRES, 18 nov. 1994 : *Pêches dans un plat de porcelaine de Chine sur une table drapée*, h/t (50,2x60,8) : **GBP 13 800**.

CHABALIER Georgette
Née à Marseille. XXe siècle. Française.
Aquafortiste.
Elle expose au Salon des Artistes Français.

CHABAN Janik
XXe siècle. Française.
Peintre.
En 1940, elle exposait au Salon de la Société Nationale un *Paysage des environs d'Arcachon*.

CHABANIAN Arsène
Né en 1864 à Erzerum (Arménie). Mort en 1949 à Paris. XIXe-XXe siècles. Actif puis naturalisé en France. Français.
Peintre de paysages, marines, pastelliste, graveur.
Après des études chez Paoletti, il devient, à Paris, l'élève de Gustave Moreau.
A obtenu une mention honorable en 1896 au Salon des Artistes Français et une autre à l'Exposition Universelle de 1900 ; il a exposé à la Société nationale des Beaux-Arts et participé à l'Exposition de Bruxelles en 1910. Chevalier de la Légion d'honneur la même année. Il a pris part au Salon des Artistes Français en 1939 et à celui des Indépendants en 1943.

A - Chabanian -

VENTES PUBLIQUES : PARIS, 25 fév. 1900 : *Les Sables d'Olonne* : **FRF 120** – PARIS, 22 mars 1919 : *Marine* : **FRF 510** – PARIS, 22 mai 1919 : *Coucher de soleil sur la mer* ; *Ciel d'orage* : **FRF 2 300** – PARIS, 4 et 5 mars 1920 : *Lever de lune sur la mer* : **FRF 600** – PARIS, 21 et 22 nov. 1920 : *Marée basse*, past. : **FRF 215** ; *Sur la plage*, past. : **FRF 200** – PARIS, 24 et 25 nov. 1920 : *Mer : Effet de lune*, past. : **FRF 330** – PARIS, 6 juin 1921 : *Effet de lune sur la mer à marée basse*, past. : **FRF 240** – PARIS, 19-23 juin 1922 : *Vagues dans les rochers*, past. : **FRF 200** – PARIS, 27 jan. 1923 : *Falaises d'Yport*, past. : **FRF 980** – PARIS, 9 fév. 1923 : *Clair de lune sur la baie* : **FRF 650** – PARIS, 28 mai 1923 : *Vagues dans les rochers*, past. : **FRF 275** – PARIS, 28 juin 1923 : *Coucher de soleil*, past. : **FRF 300** ; *Les Martigues, ciel nuageux*, past. : **FRF 500** ; *Les Martigues, effet de soleil*, past. : **FRF 490** – PARIS, 18 et 19 déc. 1923 : *Paysage maritime* : **FRF 415** ; *Bords de la Méditerranée* : **FRF 315** – PARIS, 19 déc. 1923 : *Le Vieux Pont* : **FRF 625** ; *Les Laveuses* : **FRF 700** ; *Marine* : **FRF 1 200** – PARIS, 18 jan. 1924 : *Rose et bibelots*, past. : **FRF 55** ; *La plage d'Ostende*, past. : **FRF 101** – PARIS, 28 jan. 1924 : *Les Martigues, effet de soleil*, past. : **FRF 390** ; *Marée basse au clair de lune*, past. : **FRF 590** – PARIS, 16 mai 1924 : *Les pêcheuses de crevettes*, past. : **FRF 165** ; *Biarritz* : **FRF 1 080** ; *Pins à Eze* : **FRF 740** – PARIS, 30 mars 1925 : *Rochers à marée basse* : **FRF 90** – PARIS, 20 mai 1925 : *Plage d'Ostende*, past. : **FRF 280** ; *Le matin à Ostende*, past. : **FRF 360** ; *Le Grand Croissant*, past. : **FRF 195** ; *Mer argentée* : **FRF 355** ; *Ostende* : **FRF 385** ; *Lever de lune* : **FRF 305** – PARIS, 25 mai 1927 : *Marine, au bord de l'Océan* : **FRF 930** – PARIS, 26 jan. 1929 : *Lever de lune sur canal en Hollande*, past. : **FRF 400** – PARIS, 24-26 avr. 1929 : *Bateaux de pêche, soleil voilé*, past. : **FRF 430** – PARIS, 15 mai 1931 : *Les Falaises* : **FRF 90** – PARIS, 18 nov. 1933 :

Coucher de soleil sur la mer, past. : **FRF 210** – Paris, 26 fév. 1934 : *Clair de lune au bord de la mer*, past. : **FRF 200** – Paris, 17 fév. 1937 : *Marine* : **FRF 260** – Paris, 19 mars 1937 : *Coucher de soleil* ; *Clair de lune sur la mer*, deux pastels : **FRF 125** – Paris, 23 mai 1940 : *Pêcheurs* : **FRF 150** – *Pêcheuse de crevettes* : **FRF 500** : *Les œillets*, past. : **FRF 60** – Paris, 8 déc. 1941 : *Clair de lune sur la mer* : **FRF 1 550** – Paris, 15 oct. 1942 : *Marine. Coucher de soleil* : **FRF 3 500** – Paris, 29 et 30 mars 1943 : *Deux Baigneuses*, past. : **FRF 1 900** – Paris, 10 mai 1943 : *Le clair de lune sur la mer* : **FRF 6 000** – Paris, 17 mai 1943 : *Marine* : **FRF 3 100** – Paris, 23 juin 1943 : *Marée basse* : **FRF 1 500** – Paris, 23 juin 1943 : *Effets de vagues*, past. : **FRF 1 100** – Paris, 18 fév. 1944 : *Coucher de soleil au bord de la mer* : **FRF 3 000** – Paris, 11 fév. 1954 : *Le port au clair de lune* : **FRF 1 500** – Paris, 25 fév. 1972 : *Marine au clair de lune* : **FRF 300** – Paris, 5 nov. 1976 : *Marine, soleil couchant*, h/t (70x87) : **FRF 1 500** – Paris, 25 sep. 1981 : *Coucher de soleil*, past. (38x55) : **FRF 2 000** – Douarnenez, 10 août 1984 : *Bord de mer*, past. (46x61) : **FRF 6 500** – New York, 6 fév. 1985 : *Paysage maritime au clair de lune*, h/t (61x73) : **USD 500** – Paris, 18 mars 1985 : *La Seine à Paris*, deux past., formant pendants (21x26) : **FRF 5 600** – Paris, 21 déc. 1987 : *Grand nu sur fond blanc*, h/t (73x100) : **FRF 3 000** – Paris, 21 nov. 1989 : *Coucher de soleil*, past. (52x63) : **FRF 15 000** – Versailles, 28 jan. 1990 : *Effets de soleil sur un paysage de neige*, past. (38x46) : **FRF 4 300** – Paris, 4 juil. 1990 : *Coucher de soleil méditerranéen*, h/t (55x46) : **FRF 6 500** – Paris, 28 sep. 1994 : *Bord de mer*, past. (45x63) : **FRF 4 900** – New York, 17 jan. 1996 : *Clair de lune à Antibes*, h/t (60,3x81) : **USD 5 175**.

CHABANNE Flavien Emmanuel
Né le 22 décembre 1799 à Lons-le-Saulnier. xixe siècle. Français.
Peintre de miniatures et graveur.
Il vécut à Lyon où il était déjà établi en 1826 et où il peignit un grand nombre de portraits (miniatures). Il exposa à Lyon, de 1826 à 1858-59, et à Paris depuis 1831, des miniatures parmi lesquelles : un *Portrait de Charlet* (Lyon, 1852-53) et une *Vierge d'après Raphaël* (Lyon, 1858-59). Il a gravé à l'eau-forte, notamment un *Portrait de J.-B. Baron*, l'aquafortiste lyonnais, d'après la miniature qu'il avait peinte, et un *Portrait de Robert Dumesnil*. Sa collection de gravures fut vendue, à Lyon, en 1858.

CHABANNE Jeanne
Née à Paris. xxe siècle. Française.
Peintre.
Élève de Roger. Elle expose au Salon des Femmes Peintres et Sculpteurs.

CHABANNES LA PALICE Jean Pierre Charles de, comt
Né le 8 avril 1862 à Clermont-Ferrand. xixe siècle. Vivant à Neuilly-sur-Seine. Français.
Peintre et sculpteur.
Élève de MM. Benjamin Constant et Jean-Paul Laurens. Débuta au Salon en 1902 avec *Lygie chez Aclée* ; il y exposa *Lassitude* en 1903 et *Les Nuits* en 1904. On cite encore de lui de nombreux portraits et quelques sculptures. Sociétaire des Artistes Français ; troisième médaille en 1903.
Ventes Publiques : Paris, 20 nov. 1981 : *Portrait de femme à sa tapisserie*, h/pan. (68x54) : **FRF 4 500**.

CHABANOFF Alexei Petrovitch ou Chabanov, Chébanoff
Né le 5 octobre 1764. xviiie siècle. Russe.
Peintre d'histoire.
Fils d'un militaire. Élève de l'Académie de Saint-Pétersbourg, de 1770 à 1785, et de Levitsky, de 1785 à 1790. Médailles en 1782, deux en argent ; en 1784, une en argent ; en 1785, deux en or pour son tableau : *Agar avec son petit-fils Ismaïl*. Il acheva ses études à l'Académie. Diplômé premier, il acquit ainsi le droit de porter l'épée. On lui décerna une pension pour l'Italie et il demeura à Rome de 1785 à 1790, avec Ougrumoff.

CHABANY
xviiie siècle. Actif au Mans. Français.
Graveur.

CHABAS Marcel ou Maurice ou Chabas-Chigny
Né en 1890 à Brest (Finistère). Mort en 1948 à Paris. xxe siècle. Français.
Peintre de paysages, de natures mortes et d'intérieurs.
Il fit ses études à l'École des Beaux-Arts de Lyon, puis après la première guerre mondiale à l'Académie Ranson. Il reçut également les conseils de Maurice Denis, Luce et Sérusier. Il exposa

aux Salons des Artistes Indépendants et d'Automne des peintures de paysages, des natures mortes et des intérieurs. Il fut un des fondateurs du Salon des Tuileries où il exposa en 1929-1930. Durant le deuxième conflit mondial, il participe à la Résistance à Lyon et dès 1942 est en Normandie où il deviendra le peintre de la Résistance, réalisant des peintures qui sont autant de cartes détaillées des lieux stratégiques de la région et que la population fait circuler de main en main. Une rétrospective de ses œuvres s'est tenue à l'Hôtel d'Escoville à Caen en 1978.
Ventes Publiques : Paris, 10 avr. 1989 : *Paysage*, h/t (81x65) : **FRF 7 500**.

CHABAS Maurice
Né en septembre 1862 à Nantes (Loire-Atlantique). Mort le 11 décembre 1947 à Versailles. xxe siècle. Français.
Peintre d'histoire, portraits, paysages.
Il fut élève de William Bouguereau et de Tony Robert-Fleury. Il reçut la médaille de troisième classe, une médaille de deuxième classe en 1904 et une médaille de bronze à l'exposition Universelle de 1900 à Paris. Il figura à l'Exposition Universelle de Bruxelles de 1910. Il fut membre du Comité du Salon des Tuileries, membre d'honneur du Salon d'Automne, Chevalier de la légion d'Honneur. Il exposa fréquemment à l'étranger, notamment à l'Institut Carnegie de Pittsburgh.
Il a peint de nombreuses toiles au sujets inspirés par la mythologie ou dominés par la psychologie. Il a réalisé des panneaux décoratifs à l'Hôtel de Ville de Vincennes et à la Mairie du xive arrondissement de Paris ainsi qu'à la gare de Lyon Perrache. Ses paysages, où sont mêlées femmes et fleurs, évoquent l'art de Maurice Denis et des nabis.

M. CHABAS

Musées : Hanovre : *Neméa* – *Exilée* – Laval : *Paysage imaginaire*.
Ventes Publiques : Paris, 6 déc. 1924 : *Allégorie*, esq. peinte : **FRF 28** – Paris, 14 mars 1931 : *Crépuscule* : **FRF 100** – Paris, 2 juin 1943 : *Baigneuse* : **FRF 8 000** – Paris, 30 déc. 1968 : *Élégante sur la plage* : **FRF 2 300** – Versailles, 23 juin 1971 : *Calme du soir sur la rivière*, h/t (38x55) : **FRF 4 000** ; *Le saule au bord du lac*, h/t (81x100) : **FRF 5 500** – Versailles, 1er oct. 1972 : *Les bords de l'Erdre* : **FRF 3 000** – Versailles, 25 oct. 1976 : *Château fort dominant la vallée*, h/t (73x60) : **FRF 4 000** – Brest, 18 déc. 1977 : *Jeune fille sur la lande bretonne*, h/t (81x108) : **FRF 11 000** – Enghien-les-Bains, 28 oct. 1979 : *La lecture*, h/t (55x38,5) : **FRF 9 000** – Brest, 14 déc. 1980 : *Le petit port*, h/pan. (38x29) : **FRF 8 200** – Brest, 13 déc. 1981 : *Paysage à Pont-Aven*, h/t mar. (38x55) : **FRF 15 900** – Brest, 12 déc. 1982 : *Les bords de l'Aven*, gche (48x63) : **FRF 6 000** – Brest, 18 déc. 1983 : *Repos sous l'arbre près du rivage*, aquar. (23x30) : **FRF 6 000** – Douarnenez, 10 août 1984 : *Barque de pêche sur l'Aven*, h/t (55x46) : **FRF 26 500** – Paris, 10 juin 1985 : *Le voilier*, h/t (92x73) : **FRF 12 500** – Paris, 5 mai 1986 : *Rêverie au bord de l'eau*, h/t (73x100) : **FRF 66 000** – Paris, 25 oct. 1987 : *Bord de mer*, h/t (74x62) : **FRF 102 000** – Paris, 24 nov. 1987 : *Baigneuses*, h/t (37,5x55,5) : **FRF 28 000** ; *Le cours d'eau dans la forêt*, h/t (46,5x61,5) : **FRF 9 500** – Versailles, 21 fév. 1988 : *Jeune paysan*, h/t (45,5x27) : **FRF 10 100** – Paris, 19 mars 1988 : *Le Voilier*, h/t (54x443) : **FRF 11 000** ; *Bretonne au bord de l'eau*, h/pap. mar./t. (34,5x27) : **FRF 14 000** – Versailles, 20 mars 1988 : *Paysage de montagne*, h. et peint. à l'essence vernissée/pap. mar./t. (41x57) : **FRF 7 000** – Paris, 21 avr. 1988 : *Le songe*, esc. pl. et lav. (34x51,5) : **FRF 2 200** – Paris, 29 avr. 1988 : *Allégorie de femmes*, past. (58x72) : **FRF 1 500** – Versailles, 15 mai 1988 : *Jeunes femmes sous l'arbre près du lac*, h., encre de Chine et peint. à l'essence/t. mar./cart. (31,5x39,5) : **FRF 7 500** ; *Sérénité*, h/cart. (35x75) : **FRF 13 500** – Paris, 23 juin 1988 : *La porteuse d'eau*, h/t (61x46) : **FRF 35 000** – Paris, 24 juin 1988 : *La crique*, h/t (81x65) : **FRF 90 000** – Versailles, 6 nov. 1988 : *L'appel vers la lumière*, h/t mar./cart. (33x40,5) : **FRF 16 000** – Versailles, 11 jan. 1989 : *La côte sauvage*, h/isor. (50x60,5) : **FRF 17 000** – Paris, 22 mars 1989 : *Baigneuses au crépuscule*, h/t (38,5x47) : **FRF 21 500** – Paris, 11 avr. 1989 : *Profils aux fleurs*, h/t (49x48) : **FRF 40 000** – Versailles, 19 nov. 1989 : *Rêverie au bord du lac*, h/t (33x41) : **FRF 70 000** – Versailles, 19 nov. 1989 : *Rêverie au bord du lac*, h/t (33x41) : **FRF 16 000** – Le Touquet, 12 nov. 1989 : *Rêveur contemplant la baie*, h/t : **FRF 26 000** – Paris, 26 avr. 1990 : *Femmes à la fontaine*, h/t (61x46) : **FRF 35 000** – Paris, 19 juin 1990 : *Enfant au bord de l'eau*, pl. et lav. (37x45) : **FRF 4 000** – Paris, 25 nov. 1990 : *Les deux amies*, h/t (81x64) : **FRF 250 000** – Paris, 22 avr. 1992 : *La lecture*, h/t (55x38) :

FRF 11 000 – PARIS, 1er juil. 1992 : *Autour de la fontaine*, h/t (55x55) : **FRF 38 000** – LE TOUQUET, 14 nov. 1993 : *Bord de fleuve*, h/pan. (38x61) : **FRF 12 000** – PARIS, 18 nov. 1993 : *Promeneur au bord de la rivière*, h/t (80x65) : **FRF 48 000** – CALAIS, 3 juil. 1994 : *Le marais poitevin*, h/t (54x73) : **FRF 6 000** – PARIS, 25 fév. 1996 : *Le Pêcheur*, h/t (50,3x65) : **FRF 7 000** – PARIS, 13 nov. 1996 : *Rivière avec personnages et voiliers*, h/t (46x38) : **FRF 19 000** – AMSTERDAM, 2 déc. 1997 : *Bateaux sur une rivière* 1907, h/t (65x81) : **NLG 29 983**.

CHABAS Paul Emile

Né en 1869 à Nantes (Loire-Atlantique). Mort en 1937 à Paris. XXe siècle. Français.

Peintre de compositions à personnages, nus, portraits.

Il fut élève de William Bouguereau et de Tony Robert-Fleury. Il reçut en 1899 le Prix National du Salon et une médaille d'or en 1900. Il est membre du Comité des Artistes Français. Il reçut la médaille d'honneur en 1912, fut membre de l'Institut en 1921 et commandeur de la Légion d'Honneur.

Il a peint des nus féminins selon les codes et les recettes du plus traditionnel académisme, appartenant à l'ultime cohorte qui consacra la totale faillite de l'ancien Salon des Artistes Français qui n'avait plus jamais su reconnaître les chemins de la création vivante depuis le début du XIXe siècle.

Paul-Chabas

MUSÉES : MULHOUSE : *Le bain* – NANTES : *Joyeux ébats* – PARIS (anc. Mus. du Luxembourg) : *Baigneuse* – TOURCOING : *Coin de table*.
VENTES PUBLIQUES : PARIS, 1900 : *Le Havre, la rade* : **FRF 150** – PARIS, 24 nov. 1922 : *Étude de jeune garçon* : **FRF 235** – LONDRES, 13 avr. 1928 : *La Mère Corot* : **GBP 18** 18s – PARIS, 16-17 mai 1939 : *Fillette* : **FRF 330** – VERSAILLES, 14 mai 1969 : *La toilette* : **FRF 1 850** – VERSAILLES, 4 avr. 1976 : *La Pythie au temple de Delphes*, h/t (53x43,5) : **FRF 2 100** – NEW YORK, 26 jan. 1979 : *L'algue*, h/t (211x160) : **USD 17 000** – NEW YORK, 22 juil. 1980 : *Maternité*, h/t (64x54) : **USD 1 500** – ENGHIEN-LES-BAINS, 27 juin 1982 : *La baie des Dizes (Nymphes du Nord)*, h/t (100x130) : **FRF 15 600** – NEW YORK, 26 oct. 1983 : *Jeune baigneuse*, h/t (53,3x43,8) : **USD 3 800** – PARIS, 12 déc. 1984 : *Chez Monsieur et Madame Alphonse Lemerre, Ville d'Avray* 1895, h/t (285x338) : **FRF 90 000** – PARIS, 15 mai 1985 : *Esquisse pour Matinée de septembre*, h/pan. (24x31) : **FRF 7 500** – PARIS, 24 mars 1986 : *Portrait de femme*, gche (52x42) : **FRF 6 500** – NEW YORK, 29 oct. 1987 : *Les sirènes*, h/t (127x111,6) : **USD 7 500** – PARIS, 30 mai 1988 : *Femme assise dans un paysage*, h/pan. (31x36,5) : **FRF 3 000** – LONDRES, 21 oct. 1988 : *Femme assise dans un paysage*, h/cart. (44,5x38,2) : **GBP 3 520** – PARIS, 4 avr. 1990 : *Une nymphe*, h/t (36x61) : **FRF 40 000** – PARIS, 12 oct. 1990 : *Baigneuse*, h/t (81x62) : **FRF 24 500** – NEW YORK, 21 mai 1991 : *Buste de jeune femme avec des voiliers amarrés à l'arrière-plan*, h/t (46,4x38,6) : **USD 880** – LONDRES, 21 juin 1991 : *Jeunes Filles au coquillage*, h/t (152,2x103) : **GBP 7 700** – NEW YORK, 15 oct. 1993 : *Jeune fille au bain*, h/t (74,9x53,3) : **USD 3 220** – PARIS, 22 déc. 1993 : *Baigneuse*, past. (58x86) : **FRF 29 000** – PARIS, 25 mars 1994 : *La sortie du bain*, h/pan. (108x170) : **FRF 35 000** – PARIS, 24 jan. 1996 : *Petite Baigneuse au rocher*, h/t (80,5x60,5) : **FRF 16 500** – LONDRES, 12 juin 1996 : *Repos dans l'arbre*, h/t (49x62,5) : **GBP 3 450** – NEW YORK, 18-19 juil. 1996 : *Jeune Femme parmi les plantes aquatiques* 1889, h/t (36,2x59,1) : **USD 4 887** – LONDRES, 20 nov. 1996 : *Deux Baigneuses*, h/t (67x83) : **GBP 8 625**.

CHABAUD Auguste Élisée

Né le 4 octobre 1882 à Nîmes (Gard). Mort le 23 mai 1955 au Mas de Martin (près de Graveson, Bouches-du-Rhône). XXe siècle. Français.

Peintre de figures, de compositions à personnages, de paysages.

Il fit ses études au Lycée puis à l'École des Beaux-Arts d'Avignon, où sa famille s'était fixée depuis 1890. Il eut pour professeur Pierre Grivolas, artiste avignonais enjoignant ses élèves à ne suivre devant la nature que « leur pente naturelle ». En 1890 ses parents se fixent au Mas de Martin à Graveson, au cœur du pays de Frédéric Mistral. En 1899 il va à Paris et fréquente l'Académie Julian et parfois l'Académie libre de Fernand Cormon à l'École des Beaux-Arts. Ses parents n'étant plus en mesure de l'entretenir, il s'engage dans la marine marchande en qualité de

pilotin, découvrant le Sénégal et le Dahomey. En 1902 il effectue son service militaire en Tunisie comme tirailleur, rapportant de Bizerte et Tunis de nombreux croquis de militaires et d'indigènes, d'intérieurs de maisons closes et de bars peuplés de filles et de matelots. De retour en France, il séjourne à nouveau à Paris, à Montmartre et Montparnasse mais demeure un artiste solitaire, restant à l'écart de l'élaboration du mouvement fauve tel qu'il se préparait à Chatou ou dans l'atelier de Gustave Moreau. Au Salon d'Automne de 1907 s'il rejoint la fameuse « cage aux fauves », c'est animé d'un désir personnel et non par la volonté de se reconnaître dans un groupe. À une date mal déterminée – on pense que ce fut avant 1914 – il participe à une exposition collective aux États-Unis avec Matisse et Picasso. Depuis 1906 il exposait au Salon des Artistes Indépendants, figurant régulièrement au Salon d'Automne dont il était sociétaire et aux Tuileries à partir de 1927. En 1966 il figurait dans la manifestation intitulée *Le Fauvisme français et les débuts de l'Expressionnisme allemand*, qui se tint au Musée d'Art Moderne de la Ville de Paris et au Haus der Kunst de Munich. En 1912, il présente ses œuvres à la galerie Bernheim-Jeune. D'importantes expositions rétrospectives de son œuvre se tinrent en 1952 et 1965 à Paris, en 1956 au Musée Cantini à Marseille, en 1986 à Orléans au Musée des Beaux-Arts.

Durant son séjour dans la capitale, il décrit la vie parisienne des quartiers typiques et des boulevards, des cafés-concerts, des bals, du monde peuplant les cirques et les cabarets. Il cerne durement les figures, emploie des couleurs violentes et contrastées, ce qui l'apparente à l'expressionnisme, quand le choix de ses sujets le rapproche plutôt de Van Dongen. De retour à Graveson vers 1914, il peint des paysages de la Montagnette, les paysans, les écuries, dans une gamme chromatique adoucie, où voisinent des noirs nuancés, des blancs teintés et des bleus aux accords profonds. Après la guerre, il se fixe définitivement à Graveson, épousant en 1921 la fille d'un fermier voisin dont il aura sept enfants. Il a écrit une importante œuvre littéraire en provençal *Poésie pure, peinture pure* ; *Le Tambour Gautier, Le Taureau sacré*. Auguste Chabaud a également pratiqué la sculpture. ■ J. B., F. M.

A. Chabaud.

BIBLIOGR. : Maximilien Gauthier : *Auguste Chabaud*, Paris, 1962 – in : *Les Muses*, Grange Batelière, Paris, 1971 – in : *Diction. Univ. de la Peinture*, Le Robert, Paris, 1976 – in : Catal. de l'exposition *L'Art Moderne à Marseille, la Collection du Musée Cantini*, Musée Cantini, Marseille, 1988.
MUSÉES : GENÈVE (Mus. du Petit-Palais) : *Au Salon 1905* – MARSEILLE (Mus. Cantini) : *Filles accueillant les spahis*, h/cart., (78,5x50) – PARIS (Mus. d'Art Mod. de la Ville) : *Repos en vue du petit mas* – *Pont en Provence* – *Le Moulin de la Galette* 1907.
VENTES PUBLIQUES : PARIS, 3 mars 1927 : *Pots et bouteilles* : **FRF 1 000** – PARIS, 26 et 27 fév. 1934 : *Le marché de Tarascon (Bouches du Rhône)* : **FRF 160** – VERSAILLES, 23 mai 1962 : *La terrasse*, h/cart. mar./t. : **FRF 3 100** – VERSAILLES, 1er déc. 1968 : *Chemin vers la montagnette* : **FRF 4 500** – AIX-EN-PROVENCE, 9 fév. 1976 : *Paysage*, h/pan. (38x53) : **FRF 6 800** – PARIS, 2 déc. 1976 : *Le penseur* 1911, bronze, patine médaille (18x15x11) : **FRF 4 000** – MARSEILLE, 17 mai 1977 : *Intérieur de ferme*, h/cart. (75x56) : **FRF 14 500** – VERSAILLES, 26 nov. 1978 : *Dans la montagnette* vers 1950, h/t (54x73) : **FRF 10 000** – LONDRES, 4 juil. 1979 : *Devant la porte, le soir* 1910, h/t (180x190) : **GBP 8 500** – LONDRES, 6 juin 1980 : *Le Moulin Rouge, la nuit*, h/cart. (82x60) : **GBP 14 500** – PARIS, 25 nov. 1981 : *Arbres dans un paysage*, h/t (73x106) : **FRF 20 000** – PARIS, 13 déc. 1982 : *Route de village*, h/pap. mar./pan. (76,5x54) : **FRF 18 500** – VERSAILLES, 16 juin 1983 : *La chambre*, h/t (33x46) : **FRF 15 000** – CANNES, 7 jan. 1984 : *Route dans les ravins*, h/t (73x50) : **FRF 16 000** – VERSAILLES, 8 déc. 1985 : *Femme à la plume* 1907, h/cart. mar./pan. parqueté (63,5x53) : **FRF 80 000** – VERSAILLES, 28 oct. 1986 : *Le peintre dînant en compagnie*, aquar. (41x55,5) : **FRF 10 500** – GENÈVE, 16 nov. 1986 : *Belle de Nuit*, h/cart. (104x59) : **CHF 31 000** – VERSAILLES, 19 juil. 1987 : *Le mas provençal*, h/t (65x89) : **FRF 40 000** – PARIS, 23 juin 1988 : *Route en Provence*, h/t (55x81) : **FRF 18 000** – CALAIS, 13 nov. 1988 : *Paysage du Midi*, h/pan. (16x22) : **FRF 8 000** – PARIS, 22 nov. 1988 : *Route dans la montagne en Provence*, h/pan. (46x54,5) : **FRF 21 000** – PARIS, 16 déc. 1988 : *Modèle à sa coiffeuse*, h/pap. (39,5x21,5) : **FRF 15 000** – PARIS, 16 mars 1989 : *Le calvaire*, h/cart. (37,5x53) : **FRF 11 000** – SAINT-DIÉ, 23 juil. 1989 : *Route dans la montagne*, isor. (45,5x55) :

FRF 31 500 – Paris, 21 mars 1990 : *La route de Frigolet* 1909, techn. mixte (24x31,5) : **FRF 18 000** – Neuilly, 27 mars 1990 : *Croisée de routes,* h/t (55x38) : **FRF 34 000** – Cassis, 9 juin 1990 : *Aqueduc et carrière à Nîmes,* h/cart. (75x106) : **FRF 135 000** – Marseille, 26 juin 1990 : *Femme à l'écharpe verte,* h/t (116,5x59) : **FRF 420 000** – Paris, 7 déc. 1990 : *Chemin vers la Juverte* 1935, h/cart. mar./pan. (76x106) : **FRF 55 000** – Neuilly, 23 fév. 1992 : *La route vers la chapelle d'Eygalieres,* h/cart. (54x85) : **FRF 85 000** – New York, 12 juin 1992 : *Le troupeau dans la vallée* 1949, h/t (54x73) : **USD 5 225** – Paris, 22 juin 1992 : *Route dans les Alpilles,* h/t (65x81) : **FRF 90 000** – New York, 10 nov. 1992 : *Laboureur près des cyprès en Provence,* h/cart. (77x107) : **USD 10 450** – Paris, 22 mars 1993 : *La Route de Frigolet vers le Pied du Bœuf,* h/t (49,5x73) : **FRF 34 000** – Paris, 27 mars 1994 : *Nu,* encre noire (19x9) : **FRF 4 000** ; *Coin de cheminée au mas Martin à Graveson,* h/t (74x51) : **FRF 75 000** – Lyon, 16 oct. 1994 : *Paysage animé,* h/cart. (76x107) : **FRF 68 000** – Paris, 22 nov. 1994 : *Au restaurant,* encre de Chine, mine de pb et cr. rouge (31x24) : **FRF 22 000** ; *L'âne sur un chemin dans la montagnette* 1924, h/t (75x106) : **FRF 55 000** – New York, 24 fév. 1995 : *Route blanche longeant les collines,* h/t (65,4x91,4) : **USD 5 750** – Londres, 14 mars 1995 : *Scène de cirque,* h/t (73x92) : **GBP 6 900** – Le Touquet, 21 mai 1995 : *Ane attelé sur la route blanche,* h/t (65x91) : **FRF 60 700** – Paris, 13 nov. 1996 : *Femme au chapeau* vers 1906, h/cart. (75x52,5) : **FRF 55 000** – Paris, 22 nov. 1996 : *La Salle à manger,* h/t (81x65) : **FRF 150 000** – Paris, 16 juin 1997 : *La Chanteuse* 1907, h/cart. mar./t. (53x38) : **FRF 190 000** – Paris, 24 oct. 1997 : *Nature morte au gibier,* h/cart. mar./pan. (38,5x54) : **FRF 17 500** – Paris, 27 oct. 1997 : *La Route de Tarascon,* h/cart. (38x52,5) : **FRF 10 000**.

CHABAUD Félix Louis
Né le 14 mars 1824 à Venelles (Bouches-du-Rhône). Mort en avril 1902 à Venelles (Bouches-du-Rhône). XIXᵉ siècle. Français.
Sculpteur et graveur en médailles.
Élève de Pradier. Il s'adonna surtout à la gravure sur médaille et obtint le prix de Rome en 1848. Il a exécuté cependant plusieurs sculptures, parmi lesquelles on cite notamment : *L'Agriculture,* pour la fontaine monumentale d'Aix, *La Chasse* (statue), *L'Abolition de l'Esclavage* (bas-relief). On lui doit, en outre, les décorations du Palais de Justice, du Musée et de la Préfecture de Marseille.

CHABAUD Louis
Né en 1941 à Aubagne (Bouches-du-Rhône). XXᵉ siècle. Français.
Peintre, sculpteur de figures.
Autodidacte, il montre ses œuvres dans des expositions personnelles et collectives : 1985 Fondation Murillo à Paris, 1988 et 1989 Orangerie du Musée de Laval, 1993 SAGA à Paris, 1996 galerie Cères Franco à Paris, etc. En 1994, il a créé à Praz-sur-Arly (où il vit et travaille) un Festival d'art hors normes qui a lieu tous les deux ans.
Il réalise des sculptures très colorées, à tendance primitive. Dans le catalogue *Art brut et compagnie,* Laurent Danchin écrit à son propos : « Truculent, chaleureux, un rien sentencieux parfois, il développe, avec la verve du fabuliste, une critique essentiellement bienveillante des ridicules de la comédie humaine : la femme, le funambule ou la spirale de la vie faisant partie de ses thèmes favoris ».
Bibliogr. : In : catalogue *Art brut et compagnie,* 1995 – in : catalogue *Le pluriel des singuliers,* « Espace 13 », Galerie d'Art du Conseil Général des Bouches-du-Rhône, Aix-en-Provence, 1998.

CHABAUD LA TOUR Raymond de
Né le 28 mars 1865 à Paris. Mort en 1930. XIXᵉ-XXᵉ siècles. Français.
Peintre de figures, nus, paysages.
Exposant du Salon de la Société Nationale des Beaux-Arts, sociétaire du Salon d'Automne, invité au Salon des Tuileries ; il peignit des figures et des paysages.
Ventes Publiques : Amsterdam, 9 nov. 1993 : *Nu allongé* 1926, h/t (100x145) : **NLG 6 900**.

CHABCHAY Marie
XXᵉ siècle.
Peintre.
A exposé au Salon des Tuileries en 1939.

CHABELLARD André
Né au XIXᵉ siècle. XIXᵉ siècle. Actif à Paris. Français.

Peintre.
Il a exposé au Salon des Artistes Français depuis 1891 des portraits et des figures de genre (*Somnolence, La bonne pipe, Femina,* etc.).

CHABELLARD J.-Charles
Né à Nancy (Meurthe-et-Moselle). XIXᵉ-XXᵉ siècles. Français.
Peintre de paysages.
Elève de Déchenaud, Royer et J. P. Laurens, il a exposé au Salon des Artistes Français, notamment de 1921 à 1938.

CHABERT DES NOTS-TOLLET Marie-Louise
Née à Lyon (Rhône). XXᵉ siècle. Française.
Peintre de portraits et de scènes de genre.
Elève de Tony Tollet, elle a exposé au Salon des Artistes Français, dont elle est devenue sociétaire et où elle a obtenu une mention honorable en 1932.

CHABIN André
Né à Paris. XXᵉ siècle. Français.
Peintre de paysages.
Il a participé au Salon d'Automne et au Salon des Artistes Indépendants à Paris, de 1935 à 1942.

CHABIN Elisabeth
Née en 1944. XXᵉ siècle. Française.
Peintre de sujets allégoriques, compositions à personnages, figures.
Ventes Publiques : Paris, 20 nov. 1988 : *L'enfant* 1988, h/t (130x98,5) : **FRF 3 350** – Paris, 18 juin 1989 : *Les forces de la nuit,* h/t (178x115) : **FRF 13 000** – Paris, 9 avr. 1989 : *La danse,* h/t (130x97) : **FRF 11 100** – Paris, 8 oct. 1989 : *La famille,* h/t (130x97) : **FRF 8 000** – Paris, 5 mars 1990 : *Le rêve,* h/t (130x97) : **FRF 16 000** – Paris, 26 avr. 1990 : *Pas de deux,* h/t (116x89) : **FRF 12 500**.

CHABIN H.
XIXᵉ siècle. Actif à Paris. Français.
Peintre verrier.

CHABIRAND Maurice Marcel Théodore Jean
Né le 1ᵉʳ février 1922 à La Langon (Vendée). XXᵉ siècle. Français.
Peintre de genre, aquarelliste.
Il participe à des expositions collectives, essentiellement dans la région vendéenne, ainsi qu'au Salon des Indépendants à Paris depuis 1987 et dont il est sociétaire. Il montre des ensembles de ses peintures dans des expositions personnelles depuis 1985, surtout à La Roche-sur-Yon. Il a reçu divers Prix et distinctions. Il peint des saynètes diverses, anecdotiques ou tendant au symbole, qu'il situe volontiers dans une atmosphère onirique.

CHABLET Jean
Originaire de Lorraine. Mort en 1653 en Lorraine. XVIIᵉ siècle. Français.
Peintre.
Il se fixa à Rome dès 1641.

CHABLOZ Alfred
Né le 24 octobre 1866 à Genève. XIXᵉ siècle. Suisse.
Peintre.
Élève de l'École des Beaux-Arts de Paris. A débuté au Salon de 1893 où Puvis de Chavannes le remarqua. On lui doit des portraits et des paysages et il a occupé à Genève la situation d'un maître.

CHABLYKINE Uri
Né en 1932 à Léningrad. XXᵉ siècle. Russe.
Peintre de natures mortes.
Il a suivi les cours de l'École Moukine à Léningrad. Il a participé à des expositions nationales et a exposé personnellement à Léningrad. Il est membre de l'Union des Artistes de l'URSS.
Musées : Moscou (min. de la Culture) – Omsk (Mus. des Beaux-Arts) – Saint-Pétersbourg (Mus. de la Défense).
Ventes Publiques : Paris, 24 sep. 1991 : *Les marguerites,* h/cart. (60x65) : **FRF 4 200**.

CHABO Henri
XVᵉ siècle. Actif à Tournai. Éc. flamande.
Peintre.

CHABOCHE Léon
XIXᵉ siècle. Français.
Dessinateur et lithographe.
Élève de Pierre Vincent Gilbert, à Chartres. Le Musée de cette ville conserve deux dessins de lui.

CHABOD Émile Delphes
Né à Nantua (Ain). XIXe siècle. Français.
Peintre.
Élève de Signol et Gérome. Il exposa au Salon entre 1868 et 1881.
On cite de lui : *Christ mort, Bacchante endormie, Au pain sec.*

CHABOD Jeanne Henriette
Née à Paris. XXe siècle. Française.
Peintre de genre et de fleurs.
Elle a participé au Salon des Artistes Français, notamment de
1920 à 1933 et au Salon des Artistes Indépendants à Paris, de
1924 à 1943.
VENTES PUBLIQUES : PARIS, 25 mai 1992 : *Grand bouquet de fleurs,*
h/t (137x98) : **FRF 11 000.**

CHABOISSON François
Né le 26 février 1954 à Boussay (Indre-et-Loire). XXe siècle.
Français.
Peintre. Surréaliste.
Après des études classiques, une maîtrise d'arts plastiques, un
diplôme d'esthétique et une maîtrise de psychologie, Chabois-
son s'est consacré à la peinture. Il a exposé à Paris en 1985, 1989
et à Milan en 1989. S'il n'eut effectivement pas de maître, il fut
fortement impressionné par Max Ernst qui a quelque peu marqué ses premières œuvres avant de s'en dégager en peignant un
monde cosmique abstrait en mouvement.

CHABOLAT J.
XVIe siècle. Français.
Sculpteur d'ornements.
Il a jugé l'ornementation d'une petite colonne de la cathédrale
de Sens.

CHABOR
Né à Berlin. XXe siècle. Russe.
Peintre.
A exposé des paysages au Salon d'Automne en 1928-29.

CHABORD Joseph
Né en 1786 à Chambéry (Savoie). Mort en 1848 à Paris. XIXe
siècle. Français.
Peintre d'histoire, sujets allégoriques, portraits.
Élève de Regnault, il participa au Salon de Paris, de 1806 à 1838.
Peintre du grand-duc de Francfort, de la duchesse douairière
d'Orléans et de la duchesse de Bourbon, il laissa plusieurs portraits officiels. Il peignit deux portraits équestres de Napoléon,
l'un pour la ville de Gap, l'autre pour celle de Francfort ; tous
deux ont été gravés par Marchand. Il exécuta également des
tableaux allégoriques, dont *La Paix,* pour la ville d'Odessa en
1814 ; mais aussi des tableaux historiques, comme *Le sacre de
Charles X,* pour l'Angleterre ou *Une revue de Charles X au
Champs-de-Mars* en 1827. La galerie du château de Valençay, du
prince de Talleyrand, était ornée de toiles de Chabord.
BIBLIOGR. : Gérald Schurr, in : *Les Petits Maîtres de la peinture
1820-1920, valeur de demain,* Les Éditions de l'Amateur, t. VI,
Paris, 1985.
MUSÉES : CHAMBÉRY (Mus. des Beaux-Arts) : *Portrait de Mgr de
Solles – Portrait de Mgr Martinet, archevêque de Chambéry –*
VERSAILLES : *La mort de Turenne.*

CHABOSEAU Jean
Né à Paris. XXe siècle. Français.
Peintre de paysages.
Il a figuré au Salon des Artistes Indépendants à Paris, en 1927-
1931 et au Salon des Tuileries en 1934-1935.

CHABOT A.
XIXe siècle. Britannique.
Paysagiste.
Il travailla à Londres, où il exposa entre 1841 et 1846.

CHABOT André
Né en 1941 à Saint-Etienne (Loire). XXe siècle. Français.
Sculpteur d'installations.
Licencié ès-Lettres, il s'est cependant orienté vers une carrière
artistique. Il a participé aux divers Salons parisiens, notamment
à celui des Artistes Indépendants à partir de 1962, à celui de la
Jeune Peinture depuis 1970, au Salon de Mai presqu'annuellement à partir de 1972, aux Salons Grands et Jeunes d'Aujourd'hui depuis 1972, Comparaisons de 1974 à 1984, de la Jeune
Sculpture de 1975 à 1979, Figuration Critique de 1978 à 1981,
Écritures en 1979, des Artistes Décorateurs en 1987. Il a en outre
participé boulimiquement à d'innombrables expositions collectives, d'entre lesquelles : 1972 *Impact 2* au Musée de Céret, 1973

Rencontres à Limoges, 1977 *Mythologies Quotidiennes* au
Musée d'Art Moderne de la Ville de Paris, 1982 *L'humour noir* au
Centre Georges Pompidou à Paris, etc. Il a souvent participé à
des rencontres régionales régulières et souvent été sélectionné
au Prix de Vitry. Depuis 1978, il a aussi fait des expositions personnelles, plusieurs à Paris, Florence 1978, Ingrandes 1979,
Saint-Maximin 1987, Le Bourget 1989, Saint-Cyr-l'École 1990,
etc.
Chabot réalise des installations ou assemblages d'objets plus ou
moins quotidiens, détournés de leur usage et dont la juxtaposition leur confère un caractère explosif, violemment provocateur, agressif, volontiers blasphématoire, porteur d'accusa-
tions, de dénonciations à objectifs divers, pamphlétaires,
sociologiques ou politiques. Il y a sans doute dans cette attitude
une volonté de libération de fantasmes personnels que Chabot
met en scène en trois dimensions avec une intarissable imagination. Parmi ses cibles de prédilection : un évident antimilitarisme
hérité d'un grand-père détruit par la guerre de 1914-18, et ce
qu'on pourrait dire un érotisme funèbre ou funéraire, s'il n'était
en partie désamorcé en tant qu'érotisme pur par le sérieux de la
longue quête et enquête sociologique à travers quantité de cimetières en France et étrangers, sur les traces et témoignages d'un
érotisme à objet féminin dans les rites, accessoires et monuments de la mort, enquête que Chabot mène, plus que par obsession, avec un humour noir ravageur. ■ J. B
BIBLIOGR. : André Chabot : *L'érotique du cimetière,* Henri Vey-
rier, collection *Les plumes du temps.*

CHABOT Charles
Né en 1815. Mort en 1882. XIXe siècle. Actif à Londres.
Lithographe.

CHABOT Hendrik
Né en 1894 à Sprang. Mort en 1949. XXe siècle. Hollandais.
**Peintre, sculpteur, peintre de paysages animés, de
figures, de compositions à personnages, de marines.
Expressionniste.**
En 1951 des rétrospectives de ses œuvres se sont tenues au
Musée Boymans Van Beuningen de Rotterdam et au Stedelijk
Museum d'Amsterdam.
C'est en 1906 que sa famille choisit de se fixer à Rotterdam, où il
commença à travailler comme décorateur tout en suivant les
cours du soir à l'Académie. À partir de 1915 il est restaurateur de
tableaux ; en 1921-1922 il voyage en Allemagne et à Vienne.
C'est en 1922 qu'il commence à sculpter et devient membre du
groupe rotterdamois *De Branding.* Il chercha son style pendant
longtemps, passant d'un symbolisme expressif tardif à une stylisation abstraite. Il fut très influencé par les expressionnistes flamands tels que Cantré et Permeke, particulièrement par ce dernier dont il avait visité la rétrospective en 1930 à Bruxelles. Une
gamme chromatique dominée par les jaunes, les ocres et les
verts, un dessin affirmé sont requis pour décrire l'image d'un
terroir fruste et rustique. Ses paysages peuplés de figures
humaines et d'animaux sont dominés par un sentiment de culpa-
bilité inspiré de la croyance calviniste. Il fut profondément marqué par la guerre. En mai 1940 le bombardement de Rotterdam
par les allemands lui inspira un tableau, *L'incendie de Rotterdam,* sobrement évocateur. Les œuvres des années d'occupation
dépeignent le monde des déportés, des résistants, des juifs tra-
qués, dans un style qui tend à devenir répétitif. Les paysages tardifs, peints dans des tons chauds, orangés, rouges et jaunes sont
empreints de davantage de lyrisme. Hendrik Chabot est aussi
l'auteur de statues exécutées pour Rotterdam. Son œuvre dessiné compte de nombreuses études au fusain, à la craie noire et à
l'encre de chine.
BIBLIOGR. : In *Diction. Univ. de la Peinture,* Le Robert, tome 1,
Paris, 1975 – in : *Dictionnaire de la peinture flamande et hollandaise,* Larousse, 1989.
VENTES PUBLIQUES : AMSTERDAM, 26 avr. 1977 : *Portrait d'un paysan,* h/t (59x44,5) : **NLG 6 000** – AMSTERDAM, 23 avr. 1980 : *Paysan
riant,* h/t (60x50) : **NLG 5 600** – AMSTERDAM, 19 nov. 1985 : *Portrait
d'un paysan,* h/t (60x50,5) : **NLG 5 000** – AMSTERDAM, 30 août
1988 : *Marine,* h/pan. (21,5x25,5) : **NLG 1 150** – AMSTERDAM, 13
déc. 1989 : *Paysanne,* ciment (H. 81) : **NLG 9 775** – AMSTERDAM, 10
déc. 1992 : *Masque,* sculpt. de bois (H. 32,8) : **NLG 9 200** – AMS-
TERDAM, 8 déc. 1993 : *Un poulain dans une prairie,* h/pan. (150x93) :
NLG 29 900 – AMSTERDAM, 7 déc. 1994 : *Marine,* h/pan. (23,5x38) :
NLG 1 380 – AMSTERDAM, 6 déc. 1995 : *Une femme épluchant les
pommes de terre avec sa fille* 1946, h/t (154x113) : **NLG 34 500.**

CHABOT Jean
Né le 4 février 1914 à Cerizay (Deux-Sèvres). XXe siècle. Français.
Peintre de paysages. Postimpressionniste.
Elève à l'Ecole des Beaux-Arts de Nantes, il travailla sous la direction de Paul Delbombe. Il reçut le Prix du Gouvernement Général de l'Algérie en 1948. Ses paysages sont à la fois traités dans un style qui relève de l'impressionnisme par sa technique et du fauvisme par le choix des couleurs vives posées en larges touches.

CHABOT Joseph
XVIIe siècle. Vivant au Puy-en-Velay en 1675. Français.
Sculpteur.

CHABOT Yvon
Né le 3 mai 1936 à Aubenas (Ardèche). XXe siècle. Français.
Peintre de paysages. Postimpressionniste.
Après ses études à Montpellier, il s'est fixé et travaille à Valence. Depuis 1977, il participe à des expositions collectives dans plusieurs villes de province, obtenant des distinctions régionales ; à Paris, en 1979 au Salon des Indépendants, en 1982 au Salon des Artistes Français ; et à l'étranger. Il montre des ensembles d'œuvres dans des expositions personnelles, dont : 1977 Lausanne, 1979 Montpellier et Lausanne, 1980 Annecy et Aubenas, 1982 Lausanne et Strasbourg, 1989 Saint-Péray, 1992 Château d'Aubenas.
Il peint surtout les paysages du Midi.

CHABOUILLET Denis
Mort en 1731. XVIIIe siècle. Français.
Graveur.
Petit-fils de Pierre Chabouillet, il fut baptisé en 1661. Il fut actif à Troyes.

CHABOUILLET Philippe
XVIIIe siècle. Français.
Peintre.
Cité par Granges de Surgères. Il était actif à Nantes vers 1740. Il appartient à la même famille que les autres artistes de ce nom (Voir notice Pierre Chabouillet).

CHABOUILLET Pierre
Mort en 1668. XVIIe siècle. Français.
Sculpteur sur bois.
Il travailla pour l'église Saint-Jean, à Troyes. Pour ce travail, il était aidé par un de ses fils, Pierre Chabouillet, sculpteur sur bois, baptisé en 1634, mort en 1677. Il eut trois autres fils : Jean, mort en 1684, qui était peintre de portraits (au pastel) ; Denis (1639-1704), qui était sculpteur ; François (1646-1713), également sculpteur (sur bois et sur pierre).

CHABOUNIN Nikolaï Avénirovitch
Né en 1866. Mort en 1907. XIXe siècle. Russe.
Peintre.
VENTES PUBLIQUES : SAN FRANCISCO, 4 mai 1980 : La moissonneuse, h/t (146,5x138,5) : USD 1 100.

CHABRE-BINY Augustin Marie
Né à Grenoble (Isère). XIXe-XXe siècles. Français.
Sculpteur de bustes.
Il a exposé au Salon des Artistes Français, dont il est devenu membre, obtenant une mention honorable en 1898. Il a également participé au Salon de la Société Nationale des Beaux-Arts de Paris, de 1911 à 1914.

CHABREDIER Joseph Ludovic Victor
Né en 1916 à Lyon (Rhône). XXe siècle. Français.
Peintre de paysages, décorations murales, sculpteur. Post-cubiste.
Il fut élève des cours municipaux de dessin de la Ville de Lyon. Il participe à des expositions collectives régionales et à Paris notamment au Salon des Artistes Indépendants, dont il est sociétaire. Montre aussi ses œuvres dans des expositions personnelles, particulièrement à Montélimar, Privas, Le Teil, etc. Il a aussi réalisé des décorations murales et des bas-reliefs.
Dans ses peintures, au sujet desquelles est parfois cité le nom de Jacques Villon, il inclut souvent des éléments d'aluminium teinté et d'or.

CHABRIDON Jean Joseph
Né à Clermont-Ferrand (Puy-de-Dôme). XXe siècle. Français.
Peintre et aquafortiste.
Elève de Studder, il a exposé au Salon des Artistes Français dont il est devenu sociétaire, recevant une mention honorable en 1924. Il est surtout célèbre pour ses eaux-fortes en couleurs.

CHABRIE Jean Charles
Né le 22 mars 1842 à Paris. Mort en 1897 à Paris. XIXe siècle. Actif à Paris. Français.
Peintre de paysages, sculpteur.
Elève de Jouffroy et de Chevillard. Il débuta au Salon de 1868.
MUSÉES : AMIENS : Rêverie d'enfant 1874.
VENTES PUBLIQUES : ZURICH, 21 nov. 1986 : La maison de Théodore Rousseau à Barbizon, h/t (27x40,5) : CHF 3 000.

CHABRIER Nathalie
Née le 30 septembre 1932 à Paris. XXe siècle. Française.
Peintre de paysages, natures mortes, scènes de genre, décorateur, lithographe et illustrateur.
Elle fut élève des Écoles des Arts Appliqués et des Beaux-Arts de Paris. Femme de Roger Forissier. Elle s'est tout d'abord consacrée aux arts décoratifs, notamment au vitrail, à la tapisserie, la céramique et la peinture murale. Elle a participé, à ses débuts, au Salon de la Jeune Peinture en 1954, au Salon des Indépendants en 1955, elle figure ensuite aux Salons des Tuileries, d'Automne, Comparaisons, ainsi qu'aux Biennales de Paris, Menton, Conches, à la Biennale Internationale de la Lithographie à Cincinnati. Elle a obtenu des Prix : d'État d'Art Plastique 1959, des Musées de Nice 1963. Sa première exposition personnelle s'est déroulée à Paris en 1959, elle fut suivie de beaucoup d'autres à Paris en 1962, 1965, 1969, 1977, 1979 et 1991 ; à Nice en 1962, 1969 et rétrospective au Palais de la Méditerranée en 1970 ; à Genève en 1962 et 1969 ; à Zurich en 1964 ; à Lyon en 1965, 1969, 1971 ; à Lausanne en 1968 ; à Romans et Toulouse en 1974 ; à Tokyo en 1976, etc. Lithographe, elle a également illustré des ouvrages, dont L'intrus de William Faulkner, Chiens perdus sans collier et Avoir été de Gilbert Cesbron. Chabrier a traité le monde du cirque et des clowns, a peint des vues de Paris, des scènes de la vie quotidienne, dans des couleurs franches posées en aplats, dans un style proche de l'art naïf.
BIBLIOGR. : Catalogue de l'exposition : Chabrier, Palais de la Méditerranée, Nice, 1970.
MUSÉES : CINCINNATI – NICE – PARIS (Mus. de la Ville de Paris) – RODEZ.

CHABRIER Paul Marcel
Né à Paris. XXe siècle. Français.
Peintre de paysages.
Il a exposé au Salon de la Société Nationale des Beaux-Arts de Paris en 1927-28, et au Salon des Artistes Français en 1930-33.

CHABRIÈRE Marie
XXe siècle. Française.
Peintre de fleurs.

CHABRILLAC Charles Raymond
Né le 26 août 1804 à Paris. XIXe siècle. Français.
Peintre de portraits.
Elève de Lethière à l'École des Beaux-Arts, où il entra le 18 octobre 1823. Il exposa au Salon de Paris, entre 1833 et 1842, des portraits de femmes.
VENTES PUBLIQUES : PARIS, 1896 : Quatre-vingt-six pièces diverses, dess. à la pl., à l'aquar. et au cr. de coul. : FRF 31.

CHABRILLAN Roselyne de, marquise
Née à Neuville-sur-Oise (Val d'Oise). XXe siècle. Française.
Peintre de nus, paysages, natures mortes et fleurs.
Elle a exposé aux Salons d'Automne, des Tuileries et des Artistes Indépendants à Paris de 1922 à 1945.
VENTES PUBLIQUES : PARIS, 27 jan. 1961 : La nef 1959 : FRF 3 500 – VERSAILLES, 21 juin 1962 : Composition : FRF 14 400 – VERSAILLES, 6 juin 1963 : Composition : FRF 24 000.

CHABRY, père et fils
XVIIIe siècle. Français.
Sculpteurs.
Ils travaillèrent pour la Manufacture de Sèvres.

CHABRY Frank
Né le 25 avril 1916 à Lausanne. Mort le 29 juillet 1979 à Genève. XXe siècle. Suisse et Français.
Peintre de fleurs, natures mortes, figures, portraits. Tendance symboliste.
Il fit des études à l'École des Arts Industriels et à l'École des Beaux-Arts de Genève en 1930-32. Après des activités dans le domaine de la publicité, entre 1932 et 1948, et après avoir obtenu une bourse de l'État Fédéral suisse, il fit des études à Paris, à la Grande Chaumière et à l'Académie Julian, sous la direction de Planson, Lestrille et Mac'Avoy, entre 1948 et 1950. Il fut profes-

seur à l'Ecole des Arts Décoratifs de Genève, de 1961 à 1979. Il a participé à l'Exposition Internationale de Paris en 1937, également à Paris, au Salon d'Art Libre en 1968, au Salon des Artistes Français en 1976, et en 1977 au Salon d'Automne, dont il est devenu sociétaire. Il a régulièrement fait des expositions personnelles à Genève à partir de 1939, à la Galerie Moos, à la Galerie Motte, au Musée Rath, et au Musée de l'Athénée (1964). Il a aussi exposé à Paris.

La peinture de Chabry, fortement colorée, a retenu les acquis du Fauvisme.

Musées : Genève (Mus. d'Art et d'Hist.).

CHABRY Jean Baptiste
XVIIIe siècle. Français.
Sculpteur.
Il est le fils de Marc I. Chabry. Il travailla en 1731 à Lyon, en 1737 à Paris.

CHABRY Léonce
Né en 1832 à Bordeaux (Gironde). Mort en 1883 à Bordeaux (Gironde). XIXe siècle. Français.
Peintre de paysages, graveur.
Après avoir suivi l'enseignement de J. P. Allaux et de Léo Drouyn à Bordeaux, il fut élève de Troyon à Paris, débuta au Salon de Paris en 1865. Il habita quelque temps à Barbizon, en compagnie de Millet, Rousseau, Diaz, etc., puis séjourna à Bruges, avant de résider sept ans à Bruxelles. Il retourna, vers 1863, dans sa ville natale qu'il quitta à nouveau en 1880, pour faire un voyage en Orient.
Son art évolue entre l'influence de Troyon et de Millet, pour en arriver à un style qui le rapproche de celui des impressionnistes.
Bibliogr. : Gérald Schurr, in : *Les Petits Maîtres de la peinture 1820-1920, valeur de demain*, Les Éditions de l'Amateur, t. III, Paris, 1976.
Musées : Besançon : *Marais dans les Landes* – Bordeaux : *La vague – Orage sur le bassin d'Arcachon – Plaine aux environs de Bruxelles* – Bruxelles : *Ruines de Thèbes* – Cognac : *Le marais de Boutant à Bordeaux* – Douai : *Lisière de forêt.*
Ventes Publiques : Paris, 16-19 déc. 1901 : *Vue prise à Louqsor* : **FRF 105** – Paris, 15 déc. 1904 : *Au bout du village* : **FRF 310** – New York, 1909 : *Dans les landes de Gascogne* : **USD 500** – Paris, 20 juin 1975 : *Paysage animé*, h/pan. (23x52) : **FRF 2 600** – Lucerne, 2 juin 1981 : *Lavandière dans une cour de ferme*, h/t (25x40) : **CHF 3 200** – Versailles, 18 mars 1990 : *Pâturage sous les arbres*, h/t (32x47,5) : **FRF 25 000** – New York, 19 jan. 1994 : *Bétail dans les prés aux alentours de Barbizon* 1870, h/t (30,5x46,4) : **USD 1 955** – Paris, 16 déc. 1994 : *Le Nil à Assouan*, h/t (32,5x48,5) : **FRF 6 000**.

CHABRY Marc I
Né vers 1660 à Barbentane (Bouches-du-Rhône). Mort le 4 août 1727 à Lyon. XVIIe-XVIIIe siècles. Français.
Peintre et sculpteur.
Élève de Puget, il fut agréé à l'Académie le 31 décembre 1688, mais ne devint jamais académicien. D'Argenville lui attribue, à Lyon, les travaux suivants : la peinture et la sculpture du maître-autel de l'église Saint-Antoine, le bas-relief placé au-dessus de la porte de l'Hôtel de Ville, représentant Louis XIV à cheval, l'autel de la chapelle de la seconde congrégation de l'Oratoire.

CHABRY Marc II
XVIIIe siècle. Actif à Lyon entre 1731 et 1761. Français.
Sculpteur.
Fils du précédent.

CHACALLIS Louis
Né le 8 mars 1943 à Alger. XXe siècle. Français.
Peintre.
Il vit et travaille à Nice. Il fut élève à l'Ecole des Arts Décoratifs de Nice. Il a exposé dans plusieurs manifestations collectives parmi lesquelles : en 1969 et 1974 à la Maison des Artistes à Cagnes-sur-Mer, en 1970 à la galerie Ben à Nice, en 1973 à la 8e Biennale de Paris au Musée d'Art Moderne de la ville de Paris, en 1977 *A propos de Nice* au Musée National d'Art Moderne de Paris, en 1981 *Baroques 81* à l'ARC au Musée d'Art Moderne de la ville de Paris, en 1982 à la galerie Athanor de Marseille, en 1983 à New York et *Nœuds et ligatures* à la Fondation des Arts Graphiques à Paris. Il a exposé personnellement en 1976 à la galerie La Salle de Vence, en 1977 à la galerie Piltzer à Paris, en 1979 à New York, en 1981 à la galerie Beaubourg à Paris, en 1983 au Musée de Toulon, en 1984 *Paris/Tokyo* à la Fuji TV Gallery de Tokyo et à la galerie Le Chanjour de Nice, en 1985 au Centre Pablo Neruda de

Corbeil-les-Essonnes, à la galerie Beaubourg à Paris et à la galerie Etages à Munster, en 1986 à la galerie d'Art Contemporain des Musées de Nice et à la galerie Laureens Daane à Amsterdam, en 1991 au Musée de Toulon.
Durant les années 1970 il appartenait au *Groupe 70* composé de Miguel, Maccaferri, Charvolen et Isnard. Le groupe, à l'instar de *Support Surface* met en question la peinture, son histoire, son fonctionnement et sa critique. Il exécute alors des *Boîtes* dans lesquelles se décompose toute une série de travaux sur de petits morceaux de tissu, mettant en évidence la trame et la chaîne, le format, la couleur, s'inscrivant dans une problématique générale de la matérialité de la peinture. En 1975, Chacallis quitte le groupe et crée une série de personnages, les « Indiens », symbole chargé de multiples sens qui lui permet d'interroger la culture et la peinture, ici déplacée dans la troisième dimension. Il réalise ensuite différentes figures mythiques et travaille sur le signe et sa situation dans l'espace. Il crée des « arcs », de dimensions variables, structure rigide supportant des personnages peints sur une toile torsadée puis tendue.
Bibliogr. : Sabine Gowa, *Louis Chacallis, objets du vide / le vide comme objet*, N°44, janv. 1981, p. 20 à 21 – Catal. de l'exposition *Louis Chacallis*, Musée de Toulon, juil.-sept. 1983.
Ventes Publiques : Paris, 22 mars 1977 : *Groupe 70* 1973, empreinte de t./t. (200x250) : **FRF 1 600** – Paris, 6 déc. 1985 : *Poupée fétiche*, techn. mixte (H. 37) : **FRF 2 800** – Paris, 16 déc. 1989 : *Clown*, sculpt. personnage en t. peinte pliée et collée sur bois avec des collages de bois boulonnés (H. 122) : **FRF 3 200** – Paris, 18 oct. 1992 : *Indiens* 1972, Trois poupées, pap. mâché (H. 67, 18x9) : **FRF 7 500** – Paris, 17 nov. 1993 : *Bouillonés* 1980, acryl./t. et bois (149x30x18) : **FRF 12 000**.

CHACATON Jean Nicolas Henri de
Né le 30 juillet 1813 à Chézy (Allier). Mort en 1886. XIXe siècle. Français.
Peintre de genre, sujets typiques, figures, paysages. Orientaliste.
Élève d'Ingres, Marilhat, Hersent, il participa au Salon de Paris entre 1835 et 1857, obtenant des médailles en 1838, 1844, 1848. Il voyagea beaucoup en Italie, mais surtout au Proche-Orient, d'où il rapporta des scènes de genre et des paysages peints avec brio, dans des tonalités ocres et dorées. Citons : *Le prisonnier de Chillon – Départ d'une caravane – Arabe près d'une citerne.*
Bibliogr. : Gérald Schurr, in : *Les Petits Maîtres de la peinture 1820-1920, valeur de demain*, Les Éditions de l'Amateur, t. V, Paris, 1981.
Musées : Moulins : *Fantassin arabe – Vue prise dans la vallée de Josaphat – Cavalerie d'Ibrahim Pacha.*
Ventes Publiques : Neuilly, 21 juin 1983 : *Rue d'une ville en Syrie*, h/t (26x29) : **FRF 11 800**.

CHACERÉ DE BEAUREPAIRE Louise. Voir GAILLARD Louise

CHACHANIOL Pierre
Originaire de Lyon. XVIIIe siècle. Travaillant à Grenoble en 1780. Français.
Sculpteur.

CHACHAU
XVIIIe siècle. Actif à Paris vers 1780. Français.
Graveur au burin.
Le Blanc cite de lui des planches d'après les dessins d'Henry de Sève, pour l'*Histoire Naturelle* de Buffon.

CHACHIN Jean, dit Lépine
XVIIe siècle. Français.
Peintre.
Il fut reçu à l'Académie Saint-Luc en 1696.

CH'A CHI-TSO. Voir CHA JIZUO

CHACHKOV Youri Pavlovitch
Né en 1932 à Moscou. XXe siècle. Russe.
Peintre de paysages, fleurs.
Il fut membre de l'Union Nationale des Peintres Soviétiques et a exposé en 1979 à Moscou ; 1981 Berlin ; 1988 Lakhti (Finlande) et Paris ; 1989 Salzbourg, Paris, Lyon, Grenoble, Hambourg ; 1990 Tokyo, Bâle.
Il peint en matières épaisses triturées, technique maniériste en accord avec ses harmonies « pastels » et ses thèmes décoratifs : natures mortes et vases de fleurs indéterminés, paysages champêtres passe-partout, petits clowns mièvres.
Musées : Moscou (Gal. Trétiakov).

Ventes Publiques : Paris, 29 mai 1989 : *Au cirque* 1987 (69x55) : **FRF 4 800** – Paris, 8 oct. 1989 : *Le soir*, h/t (80x107) : **FRF 6 800** – Paris, 15 déc. 1989 : *Le cirque* 1980, h/t (106x112) : **FRF 9 000** – Paris, 14 mai 1990 : *Lueurs de lune*, h/t (100x81) : **FRF 4 000** – Paris, 29 nov. 1990 : *Artistes du cirque*, h/cart. (66x60) : **FRF 3 500.**

CHACK Madeleine
Née à Paris. xxᵉ siècle. Française.
Peintre de paysages.
A exposé au Salon des Artistes Français, 1922-24.

CHACON
xvɪᵉ siècle. Actif à Séville en 1561. Espagnol.
Sculpteur.

CHACON Fernando
xvᵉ siècle. Actif à Tolède. Espagnol.
Sculpteur.
Travailla à partir de 1459, sous la direction d'Hennequin de Egas, à la façade de la cathédrale de Tolède.

CHACON Francisco
xvᵉ siècle. Actif à Tolède. Espagnol.
Peintre.
Il fut peintre de la reine Isabelle en 1480.

CHACON Juan
Mort avant 1595. xvɪᵉ siècle. Actif à Séville. Espagnol.
Peintre.
La peinture et la dorure d'un retable pour l'autel principal du monastère de la Chartreuse de Séville lui furent confiées en octobre 1563, et le prix en fut fixé à 1550 ducats, ce qui témoigne de l'importance de ce travail.

CHACON Luis
Né en 1927 à Maracaibo. xxᵉ siècle. Vénézuélien.
Peintre.
Il fit ses études à l'Ecole d'Art Plastique de Caracas, puis à Barcelone et à Madrid. En 1972, il a participé à la Biennale de Menton.

CHADBURN George Haworthe
Né en 1871 dans le Yorkshire. xxᵉ siècle. Britannique.
Peintre de paysages et de portraits.
Après des études à Londres, il fut l'élève de Tony Robert-Fleury et de Lefèvre à Paris. Il exposa à la Society of British Artists et à la Royal Academy de Londres, mais aussi dans les Salons parisiens. Parmi ses portraits, citons celui de sa femme *Mabel Chadwick*, qui était illustrateur de livres d'enfants.

CHADEL Jules
Né en 1870 à Clermont-Ferrand (Puy-de-Dôme). Mort en 1942. xxᵉ siècle. Français.
Peintre d'histoire et de genre.
Elève à l'Ecole Nationale des Arts Décoratifs, il travailla sous la direction de Hector Lemaire et Genuys. Il a exposé au Salon de la Société Nationale des Beaux-Arts, dont il fut sociétaire. Il a surtout peint des sujets religieux, mais aussi des scènes de genre.
Musées : Limoges : *Les Hercules forains à Paris – Les confetti le jour de la mi-carême à Paris – La fin d'une journée d'élections dans un section de quartier à Paris – Conférence de Sébastien Faure à la salle Darras.*
Ventes Publiques : Paris, 6 déc. 1924 : *Sainte Famille*, encre de Chine : **FRF 197** – Paris, 26 fév. 1925 : *L'Adoration des Bergers*, encre de Chine : **FRF 300** – Paris, 16 et 17 mars 1928 : *Le village au bord de l'eau*, aquar. : **FRF 400** ; *l'Adoration des Bergers*, lav. d'encre de Chine : **FRF 500** – Paris, 24 juin 1942 : *Port de Douarnenez*, aquar. : **FRF 380** ; *Bateaux au sec*, aquar. ; *Retour de pêche*, lav. d'encre de Chine : **FRF 560** – Paris, 2 avr. 1943 : *Port de pêche* ; *Pêcheur dans sa barque*, deux aquar. : **FRF 800.**

CHADENET-HUOT Marie, Mme
Née à Saint-Julien (Aube). xɪxᵉ siècle. Française.
Peintre.
Élève de D. Royer et A. Rapin. Exposa au Salon de 1887 : *Dans le parc des cornes*. Le Musée de Troyes conserve d'elle *Le matin à Morimont (Meuse).*

CHADER
Né en 1929. xxᵉ siècle. Belge.
Peintre. Tendance surréaliste.
Il participa à plusieurs salons, obtenant divers prix, notamment une médaille d'or au Salon International de Charleroi en 1969, le Premier Prix du Festival International de Peinture et d'Art Graphique à Paris en 1977, etc. Son œuvre n'est pas sans évoquer la veine surréaliste de la peinture belge.

CHADEWE Colins ou Chadelre
xɪvᵉ siècle. Travaillant au début du xɪvᵉ siècle. Français.
Miniaturiste.
Il a signé une *Apocalypse* (de 1313), conservée à la Bibliothèque Nationale, à Paris : *Colins Chadewe l'ordinat et l'enluminat.*

CHADT Josef Gottlieb
Né en 1812 à Wittingau (Bohême). Mort en 1882 à Vienne. xɪxᵉ siècle. Éc. de Bohême.
Peintre sur émail.

CHADWICK Charles Wesley
Né en 1861 à Red Hook (New York). xɪxᵉ siècle. Américain.
Graveur, illustrateur.
Élève de Juengling, de Miller et de Frank French. A exposé à Paris, à Buffalo et à Saint Louis. Il collabora comme illustrateur au *Century* et au *Schribner's Magazine.*

CHADWICK Emma, née Löwstädt
Née en 1855 à Stockholm. Morte en 1932. xɪxᵉ-xxᵉ siècles. Suédoise.
Peintre de scènes de genre, paysages animés, paysages.
Elle étudia à l'Académie de Stockholm, puis à Paris ; épousa en 1882 le peintre américain Francis Brook Chadwick et résida alors en France. Elle participa aux Salons de Paris et obtint deux mentions honorables, une en 1887 et une autre à l'Exposition Universelle de Paris en 1889.
On cite, parmi ses œuvres : *Le Retour du pêcheur, La Soupe des gens de mer, Les Églantiers, Lecture, Fandango, Travaux d'école.*
Ventes Publiques : Göteborg, 24 mars 1976 : *La gitane au tambourin*, h/t (112x68) : **SEK 3 400** – Stockholm, 23 avr. 1980 : *Paysage d'Afrique, El Kantara*, h/pan. (31,5x46) : **SEK 2 000** – Stockholm, 15 nov. 1988 : *Nature morte avec une panoplie de peintre*, h. (54x65) : **SEK 9 500** – Stockholm, 14 nov. 1990 : *Paysage lacustre avec une paysanne et sa fille*, h/pan. (23x38) : **SEK 8 200** – Londres, 28 nov. 1990 : *L'Heure du thé dans le jardin*, h/t (51x62) : **GBP 11 000** – Londres, 25 nov. 1992 : *Maternité*, h/t (53x64) : **GBP 4 400.**

CHADWICK Ernest Albert
Né le 29 février 1876 à Marston Green (Warwicksh.). Mort en 1955. xxᵉ siècle. Travaillant à Birmingham. Britannique.
Peintre de paysages, fleurs, aquarelliste, graveur sur bois.
Expose à la Royal Academy, à Londres, depuis 1900.
Ventes Publiques : Londres, 9 mai 1984 : *Austrian Briar Rose*, aquar. et cr. (18,5x27) : **GBP 750** – Londres, 29 avr. 1986 : *Hockley Heath, Warwickshire* 1912, aquar. et cr. (26x37) : **GBP 900** – Londres, 21 juil. 1987 : *Madonna Lilies and Poppies*, aquar. (37,7x54,1) : **GBP 3 500** – Londres, 26 sep. 1990 : *Une allée de jardin*, aquar. (27x36,5) : **GBP 1 012** – Londres, 14 juin 1991 : *East Garston dans l'est de Berkshire* 1924, cr. et aquar. (27,4x38,7) : **GBP 1 540** – Londres, 3 mars 1993 : *La bordure de delphiniums* 1909, aquar. (19x27) : **GBP 1 150** – Londres, 5 nov. 1997 : *Après-midi à Branksome Dene*, aquar. (16,5x23,5) : **GBP 2 070.**

CHADWICK Francis Brook
xɪxᵉ-xxᵉ siècles. Vivant à Paris. Américain.
Peintre.
Il exposa entre 1881 et 1888 aux Artistes Français, en 1892 à la Nationale des Beaux-Arts. A peint des portraits et des études de genre. Il a épousé, en 1882, à Paris, Emma Löwstadt.

CHADWICK Henry Daniel
xɪxᵉ siècle. Actif à Londres. Britannique.
Peintre de compositions à personnages, portraits, architectures, paysages, marines.
Personnage secret, il vécut à Londres changeant souvent d'adresse.
Il exposa à la Royal Academy et à Suffolk Street, entre 1879 et 1896.
Il a peint des compositions à personnages et des portraits. On connaît aussi de lui des architectures et des marines.
Ventes Publiques : Londres, 31 mai 1977 : *On Waterloo Bridge* 1880, h/t (74x148) : **GBP 480** – Londres, 3 nov. 1989 : *La liberté sur le pont* 1880, h/t (74x148) : **GBP 20 350** – Londres, 14 juin 1991 : *Macbeth et les sorcières*, h/t (98x153,5) : **GBP 2 860.**

CHADWICK J. W.
Né dans la première moitié du xɪxᵉ siècle en Angleterre. xɪxᵉ siècle. Britannique.
Graveur sur bois et dessinateur.

CHADWICK Louise, Mme
Née à Saint-Germain-en-Laye (Yvelines). xxᵉ siècle. Française.

Peintre de fleurs.
A exposé aux Indépendants, de 1938 à 1943.

CHADWICK Lynn
Né en 1914 à Londres. Mort en 1988. xxᵉ siècle. Britannique.
Sculpteur de groupes, figures, animaux.
Après avoir fait des études au collège des « Merchant Taylors »,
il s'orienta vers l'architecture, obtenant son diplôme en 1935 et
ne vint à la sculpture qu'en 1945. Il a participé aux grandes manifestations artistiques de son temps, dont la Biennale de Venise
en 1952 et en 1956, date à laquelle il a obtenu le Grand Prix International de Sculpture. Il a figuré aux Expositions Internationales
de Sculpture en plein air de Londres en 1951, 1954, 1957, à celles
d'Anvers-Middelheim en 1953 et 1957, ainsi qu'à celle de Paris
en 1956. Il a participé à l'exposition *New Decade* au Musée d'Art
Moderne de New York en 1955, à Documenta I et II de Kassel en
1955 et 1959, à la ivᵉ Biennale de Sao Paulo en 1957, à l'Exposition Internationale de Bruxelles en 1958. Dès 1950, il avait fait
une exposition personnelle à Londres, tandis qu'une rétrospective lui était consacrée au pavillon britannique de la Biennale de Venise en 1956, puis il a exposé individuellement à
Vienne, Munich, à Paris encore en 1992, Amsterdam et
Bruxelles. En 1953, il avait obtenu un prix au concours international pour le monument au Prisonnier Politique Inconnu.
Son expérience de pilote dans l'aéronavale durant la Seconde
Guerre mondiale l'aurait-elle orienté vers une sculpture dont les
éléments se meuvent dans l'air ? Toujours est-il qu'à ses débuts,
il n'avait d'autre ambition que de faire des *Mobiles* servant à la
décoration de stands d'exposition. Évidemment l'influence de
Calder, à cette époque était primordiale, toutefois il donnait à ses
sculptures une dynamique saccadée, imprévisible, et donc
inquiétante, qui est étrangère à l'art de Calder. Enfin, il se
dégage, dès 1951, de l'influence de Calder, avec des œuvres
constituées d'une carcasse à l'intérieur de laquelle tournaient
sur des pivots excentrés des éléments hérissés comme des crocs,
donnant l'impression de créatures animales assez agressives,
insectes rebutants, animaux inquiétants, oiseaux étranges, puis
finalement créatures humaines, silencieuses et hostiles avec les
Étrangers et les *Veilleurs*, plus amicales avec les *Figures dansantes* et les *Rencontres*. Toutes ces créatures, animaux tendant
à l'apparence humaine, êtres apparemment humains avec des
façons d'insectes, sont bâties à partir de carcasses de tiges
métalliques entrecroisées dont les volumes sont remplis, selon
les époques, par des matériaux divers, dont la nature même
contribue à l'expression. Chadwick, à l'intérieur d'une évolution
personnelle modérée qui n'a concerné que l'apparence de ses
créatures, est resté fidèle à une même conception de prise de
possession de l'espace par le moyen de cette sorte de filet métallique caractéristique de sa manière. Avant d'exécuter ses
sculptures, il a fait des esquisses au crayon, dont la manière incisive annonçait déjà l'agressivité des œuvres à venir. Il est
reconnu, notamment en Angleterre, comme l'un des plus importants sculpteurs anglais de sa génération.
Bibliogr. : B. Dorival : *Lynn Chadwick au Musée National d'Art
Moderne*, Paris, 1957 – M. Seuphor : *La sculpture de ce siècle*,
Neuchâtel, 1959 – H. Read : *Lynn Chadwick*, Amrisvil, Suisse,
1960.
Musées : Lausanne (Mus. canton. des Beaux-Arts) : *Conjunction
XII* 1970 – Londres (Tate Gal.) : *Figures ailées* – New York (Mus. of
Mod. Art) : *L'Œil intérieur*.
Ventes Publiques : Hambourg, 2 juin 1962 : *Les prisonniers*, fer :
DEM 4 900 – Berne, 9 mai 1963 : *Le gardien*, bronze : **CHF 6 700**
– Paris, 2 juin 1964 : *Trois figures ailées* : **FRF 9 500** – New York,
13 oct. 1965 : *Oiseau*, métal : **USD 2 750** – Londres, 23 juin 1966 :
Danseurs II, acier : **GBP 850** – New York, 25 sep. 1968 : *Deux per-
sonnages*, bronze : **USD 5 500** – New York, 29 oct. 1970 : *Stanger
VII*, bronze à patine vieil or, cire perdue : **USD 6 000** – New York,
1ᵉʳ mars 1972 : *Figure couchée* 1968 : **USD 5 250** – New York, 17
mars 1976 : *Figure ailée, or* 1972 (H. 17,1) : **USD 12 500** – New
York, 21 oct. 1977 : *Oiseau*, patine brune et grise : **USD 2 750** –
Londres, 16 nov. 1977 : *Figures ailées* 1972, or (H. 16,5) :
GBP 5 000 – Londres, 5 déc. 1978 : *Figure ailée* 1972, or, 18 crts
(H. 17,8) : **GBP 6 200** – New York, 18 mai 1979 : *Teddy boy and
Girl* 1974, bronze (H. 188) : **USD 19 000** – Londres, 1ᵉʳ juil. 1980 :
Prismes 1972-1974, or (H. 15,2) : **GBP 6 500** – New York, 15 mai
1981 : *Figure assise* 1962, bronze (150x173x91,5) : **USD 26 000** –
Johannesburg, 21 juin 1983 : *Veilleur III*, N°4/4 1960, bronze (H.
68,5) : **ZAR 5 000** – Londres, 4 déc. 1984 : *Étranger*, N°4/4, bronze
(H. 105) : **GBP 9 500** – New York, 14 nov. 1985 : *Jubilee II* 1983,
bronze, 2 pièces (l. 114,3) : **USD 28 000** – New York, 5 déc. 1986 :

Teddy boy and girl II 1957, bronze (H. 208,5) : **GBP 50 000** –
Londres, 9 avr. 1987 : *Femme debout*, bronze (H. 38) : **GBP 4 200**
– Londres, 25 fév. 1988 : *Étude pour une sculpture* 1966, encre/
pap. (53x42) : **GBP 715** – Londres, 3-4 mars 1988 : *Jeune fille
assise* 1986, bronze à patine noire (h. 18,7) : **GBP 3 300** –
Londres, 29 mars 1988 : *Figure IX vêtue*, bronze à patine brune
(h. 183) : **GBP 66 000** – Londres, 9 juin 1988 : *Couple masqué
assis*, bronze (H. 24,5) : **GBP 8 800** – Londres, 6 avr. 1989 : *Beast
XXI* 1959, bronze (H. 100) : **GBP 30 800** – New York, 4 mai 1989 :
Teddy boy, bronze (52,7x28,2x17,2) : **USD 20 900** – Londres, 25
mai 1989 : *Conjonction 5* 1957, fer et congloméré (H.53) :
GBP 99 000 – Paris, 9 oct. 1989 : *Boy and Girl IV* 1959, bronze
(11x32x25) : **FRF 360 000** – Milan, 8 nov. 1989 : *Personnage*
1956, bronze (H. 38) : **ITL 21 000 000** – New York, 13 nov. 1989 :
Maquette pour Jubilee III – deux personnages féminin et masculin
1984, bronze à patine brune et poli (H. 50,5 et 52,1) : **USD 60 500**
– Copenhague, 22 nov. 1989 : *Composition avec personnage* 1975,
encre (25x32) : **DKK 4 500** – Londres, 22 fév. 1990 : *Etranger VI*
1959, bronze à patine brune (H. 79, l. 90) : **GBP 41 800** – Paris, 25
avr. 1990 : *Couple étendu*, bronze (21x40x28) : **FRF 90 000** –
Londres, 24 mai 1990 : *Deux veilleurs V*, bronze (H. 182) :
GBP 104 500 – New York, 5 oct. 1990 : *Maquette n° 2 pour Jubilee III*, deux figures de bronze (50,5x22,6x48,5 et et
51,1x33,6x47,6) : **USD 40 700** – New York, 15 fév. 1991 : *Pyramides* 1962, bronze à patine brun doré (H. 68,5) : **USD 27 500** –
Londres, 21 mars 1991 : *Trois veilleurs* 1975, bronze (H. 20, L. 30,
prof. 16) : **GBP 10 450** – Londres, 8 nov. 1991 : *Deux figures
assises V* 1973, bronze à patine grise et poli sur les visage (H. 48) :
GBP 20 900 – New York, 13 nov. 1991 : *#606* 1970, bronze
(72,3x29,8x20,3) : **USD 41 800** – Amsterdam, 11 déc. 1991 :
Maquette pour « Aile de diamant » 1970, bronze (H. 70) :
NLG 63 250 – New York, 13-14 mai 1992 : *Animal* 1956, bronze à
patine verte (H. 95,3) : **USD 27 500** – New York, 11 nov. 1992 :
Gratte-ciels, fer et composition (H. 65,4) : **USD 18 700** – Londres,
3 déc. 1992 : *Conjonction VII*, bronze (H. 75,5) : **GBP 26 400** –
Copenhague, 10 mars 1993 : *Promeneurs en manteau VIII* 1980,
bronze (H. 28) : **DKK 110 000** – Amsterdam, 26 mai 1993 : *Oiseau
III* 1958, bronze (H. 34, L. 122) : **NLG 78 200** – Londres, 24 juin
1993 : *Seconde fille assise sur un banc* 1988, bronze (H. 96) :
GBP 33 350 – Copenhague, 3 nov. 1993 : *Maquette VII - Deux
figures ailées* 1973, bronze (chaque H.45) : **DKK 185 000** – New
York, 4 nov. 1993 : *Maquette II Elektra* 1969, bronze et plaques de
cuivre (H. 77,5) : **USD 34 500** – Zurich, 3 déc. 1993 : « *Trig. b* »
1966, aquar. (62,5x47,5) : **CHF 1 100** – Paris, 25 mars 1994 :
Étude pour Figure debout 1961, encre de Chine et aquar./pap.
(56x37,5) : **FRF 9 500** – Londres, 25 mai 1994 : *Teddy avec une
fille II*, bronze (H. 208) : **GBP 62 000** – Tel-Aviv, 27 sep. 1994 :
Electra assise II 1968, bronze brut et bronze poli (H. 47,6) :
USD 36 800 – Paris, 30 mars 1995 : *Maquette II Jubilee III* 1984,
bronze, une paire (52x30x47) : **FRF 95 000** – New York, 9 nov.
1995 : *Deux personnages dansant* 1956, bronze (H. 175,3) :
USD 93 250 – Londres, 22 mai 1996 : *Radar*, fer soudé (H. 67, L.
101,6) : **GBP 15 525** – New York, 13 nov. 1996 : *Couple de figures
assises* 1972, bronze patine noire (H. 49,5) : **USD 40 250** –
Londres, 5 déc. 1996 : *L'Orateur* 1956, fer (59x45) : **GBP 20 700** –
Londres, 6 déc. 1996 : *Sans titre* 1973, bronze or (5x9x3,8) :
GBP 6 900 – Paris, 23 fév. 1997 : *Personnage debout* 1977,
bronze patine noire (21,5x6x6) : **FRF 25 000** – Paris, 28 avr.
1997 : *Couple assis* 1973, bronze patine noire (H. 29) : **FRF 85 000**
– New York, 14 mai 1997 : *Maquette Jubilee II* 1983, bronze patine
noire (H. 92,7 et L. 116,8) : **USD 96 000** – Amsterdam, 4 juin 1997 :
Two winged figure II 1976, bronze (H. 49) : **NLG 51 894** – Paris,
20 juin 1997 : *Femme assise* 1986, bronze patine noire
(12x14,5x7,5) : **FRF 34 000** – Copenhague, 22-24 oct. 1997 :
Conjonction XII 1970, bronze patiné (H. 59) : **DKK 170 000** –
Amsterdam, 1ᵉʳ déc. 1997 : *Précurseur I* 1964, bronze (H. 38) :
NLG 12 390.

CHADWICK William
Né en 1879. Mort en 1962. xxᵉ siècle. Américain.
Peintre de paysages. Postimpressionniste.
D'août 1978 à janvier 1980, une exposition lui a été consacrée par
la Lyme Historical Society *William Chadwick (1879-1962) : Un
impressionniste américain*.
Essentiellement peintre de paysages, il a cependant peint quel-
ques figures, intérieurs, tableaux de fleurs. Dans ses paysages, il
se montre sensible à la marche des saisons et aux conditions
météorologiques.
Ventes Publiques : New York, 3 juin 1983 : *Pilgrims landing, Old
Lyme, Ct*, h/t (61,1x77,4) : **USD 9 500** – New York, 21 sep. 1984 :

Paysage enneigé, h/t (76,2x76,2) : **USD 2 500** – New York, 30 sep. 1985 : *Les lauriers, Old Lyme*, h/t (51x61) : **USD 9 500** – New York, 29 mai 1986 : *Le ruban rose*, h/t (101,6x79,4) : **USD 20 000** – New York, 1er oct. 1987 : *Pot de fleurs*, h/t (61x50,8) : **USD 1 600** – New York, 25 mai 1989 : *Dégel au printemps*, h/t (76x76) : **USD 15 400** – New York, 30 nov. 1989 : *Ruisseau près d'une ferme* (61x76,3) : **USD 27 500** – New York, 16 mars 1990 : *Printemps précoce*, h/t (50,8x61) : **USD 5 500** – New York, 15 mai 1991 : *Vagues et rochers*, h/cart. (35,6x45,7) : **USD 2 695** – New York, 4 déc. 1992 : *Mildred dans un intérieur*, h/t (61x50,8) : **USD 19 800** – New York, 26 mai 1993 : *Le ruisseau près de la ferme en hiver*, h/t (61x76,3) : **USD 17 250** – New York, 20 mars 1996 : *Savannah en Géorgie*, h/t (61x76,2) : **USD 4 887**.

CHAEP. Voir SCHAEP

CHAEV
Né en Russie. xxᵉ siècle. Russe.
Ébéniste et amateur d'art.
Figure singulière du monde artistique soviétique. Il fabrique des cadres estimés ; les peintres russes lui ont fait don d'œuvres composant une collection importante que l'Union des Peintres de Moscou a présentée au public à la Maison des Travailleurs d'Art.

CHAFANEL Jacques
Né à Sancé (Saône-et-Loire). xxᵉ siècle. Français.
Peintre.
A exposé des portraits au Salon des Artistes Français, de 1932 à 1939.

CHAFAUDIER Huet
xivᵉ siècle. Français.
Sculpteur, ornemaniste.
Il travailla, en 1320, à la cathédrale de Sens.

CHAFES Rui
Né en 1966 à Lisbonne. xxᵉ siècle. Portugais.
Sculpteur, créateur d'installations, dessinateur.
Il étudia à la Kunstakademie de Düsseldorf entre 1990 et 1992. Il vit et travaille à Lisbonne.
Il participe à des expositions collectives : 1991 musée d'Art contemporain de Gand, 1992 Exposition universelle de Séville et Centre d'art moderne – fondation Calouste Gulbenkian à Lisbonne, 1993 Musée Arc de Gunma, 1994 musée national d'Art Anliga de Lisbonne et Centre d'art contemporain du Buisson à Noisiel. Il montre ses œuvres dans des expositions personnelles : depuis 1986 régulièrement à Lisbonne, notamment en 1993 au Centre culturel de Belem de Lisbonne ; 1989, 1990 Porto ; 1994 Madrid.
Il poursuit une œuvre rigoureuse, en fer peint en noir ou en gris, qui se réfère au corps. Chaque série est accompagnée de dessins, textes et lectures-reflexions, qui sont le fruit d'une attitude conceptuelle.

CHAFFANEL Eugène
Né en 1860 à Nancy (Meurthe-et-Moselle). xixᵉ-xxᵉ siècles. Français.
Peintre de genre, paysages.
Il a exposé au Salon de la Société Nationale des Beaux-Arts à Paris de 1910 à 1934.
Il peint des paysages de la Marne et recherche des effets de clair-obscur inédits, notamment pour des sujets parfois misérabilistes, comme *L'aveugle*.
Bibliogr. : Gérald Schurr, in : *Les Petits Maîtres de la peinture 1820-1920, valeur de demain*, Les Éditions de l'Amateur, t. VI, Paris, 1985.
Musées : Vesoul (Mus. Garret) : *L'aveugle*.

CHAFFART Erica
Née en 1943 à Anvers. xxᵉ siècle. Belge.
Peintre animalier, dessinateur, sculpteur céramiste.
Élève à l'Académie des Beaux-Arts d'Anvers, elle obtint le Prix Verlat pour sa peinture animalière.
Ventes Publiques : Lokeren, 23 mai 1992 : *Singe en cage*, sculpt. d'argile cuit sur plateau de Plexiglas (H. 30, l. 17) : **BEF 36 000**.

CHAFFEE O. N.
Né à Detroit. xixᵉ-xxᵉ siècles. Américain.
Peintre.
A exposé des paysages au Salon d'Automne, 1913-26.

CHAFFIN-BENNATI Marie Noémie, Mme
Née à Mouzainville (Algérie). xxᵉ siècle. Française.
Peintre.

A exposé des portraits et des paysages au Salon des Artistes Français, 1926-27.

CHAFFIOL-DEBILLEMONT Fernand
Né le 19 octobre 1881 à Paris. xxᵉ siècle. Français.
Peintre de paysages et écrivain.
Fils du peintre miniaturiste G. Debillement-Chardon, il a régulièrement exposé au Salon des Artistes Indépendants à Paris, à partir de 1912. Ses paysages présentent des vues de Bretagne, du Jura et d'Ile-de-France. Il était également poète, romancier et critique, publiant, par exemple, *Au Pays des Eaux mortes*, où il exaltait la vie et l'œuvre des maîtres flamands et hollandais.

CHAFFREY Pierre-Jean
Né le 14 mars 1926 à Alger. xxᵉ siècle. Français.
Peintre de natures mortes, de paysages et de cartons de tapisseries. Tendance surréaliste.
Il suit des cours à l'Ecole des Beaux-Arts à Alger, puis part pour les États-Unis en 1944. De retour en France en 1947, il voyage en Europe et en Afrique. Il participe régulièrement, depuis 1965, aux Salons d'Automne et des Artistes Indépendants à Paris. Il a exposé à Marseille en 1968, à Karlsruhe en 1975, à Paris en 1979 et 1981, à Lyon en 1980 et 1982.
Ventes Publiques : Versailles, 17 mai 1981 : *Pomme et casserole*, h/t (41x27) : **FRF 5 000** – Vienne, 14 nov. 1982 : *Le plateau florentin*, h/t (41x27) : **FRF 6 000**.

CHAFRION Lorenzo, dit Fray Matias de Valencia
Né en 1696 à Valence. Mort en 1749 à Grenade. xviiiᵉ siècle. Espagnol.
Peintre d'histoire.
Élève à Rome de Corrado Giaquinto. Revenu en Espagne, il travailla à Valence et à Grenade. Il entra en religion dans l'Ordre des Capucins à Grenade en 1747 et peignit une *Cène* dans le réfectoire du monastère.

CHAGALL Marc
Né le 7 juillet 1887 à Vitebsk (Russie). Mort le 28 mars 1985 à Saint-Paul-de-Vence (Alpes-Maritimes). xxᵉ siècle. Depuis 1937 naturalisé en France. Russe.
Peintre de sujets religieux, scènes de genre, portraits, paysages animés, paysages, peintre à la gouache, aquarelliste, peintre de compositions murales, cartons de vitraux, cartons de mosaïques, sculpteur de bas-reliefs, céramiste, graveur, décorateur, illustrateur. Réaliste fantastique et poétique.
D'une famille juive peu aisée, pour ne pas dire pauvre, puisque son père était commis dans un dépôt de harengs, Marc Chagall s'est initié au dessin en copiant des illustrations de livres. Dès 1906, il s'inscrit à l'Ecole de peinture de Jehudo Pen, à Vitebsk. L'année suivante, il réussit à partir pour Saint-Pétersbourg où il entre à l'Ecole Impériale d'Encouragement des Arts. Peu satisfait de cet enseignement, il se fait admettre, en 1908, à l'Ecole Zvanseva où son professeur, Léon Bakst, lui fait connaître l'art de Cézanne, de Gauguin et de Van Gogh. En 1910, grâce à une bourse, il peut réaliser son rêve : aller à Paris, où il s'installe à « la Ruche », à l'époque havre des artistes non fortunés. Il y rencontre Max Jacob, Guillaume Apollinaire et Blaise Cendrars, puis Modigliani, Delaunay et La Fresnaye. En 1911, il participe pour la première fois au Salon des Artistes Indépendants à Paris, et en 1914, il expose pour la première fois à la galerie *Der Sturm* à Berlin. C'est également l'année où il revient en Russie et épouse Bella Rosenfeld en 1915. Leur fille, Ida, naîtra un an plus tard. A ses débuts, Chagall adhère à la Révolution russe et, en 1917, il est nommé commissaire des Beaux-Arts de Vitebsk, fonde une Académie où Lissitzky, Malévitch et Puni (Pougny) sont professeurs. Il participe, en 1919, à la première exposition officielle de l'Art révolutionnaire de Pétrograd. Mais il ne tarde pas à entrer en conflit avec les Suprématistes, et notamment avec Malévitch qui, avec l'appui de ses amis, profite d'une absence de Chagall pour prendre le contrôle de l'Académie. Chagall démissionne et part pour Moscou en 1920, donnant une nouvelle orientation à son art, puisqu'il travaille à la réalisation de la commande de Granovsky, directeur du théâtre d'art juif de Moscou, pour lequel il réalise non seulement des décors et des costumes, mais aussi des peintures murales et le rideau de scène. Chagall achève en quelques mois les six grands panneaux. La politique antisémite de Staline entraîne la fermeture du théâtre en 1949. La Galerie Trétiakov conserva pendant plus de quarante ans dans ses réserves les toiles, et ce n'est qu'en 1973, que Chagall, de retour dans son pays natal, revoit ses toiles et les signe. A partir de 1920, il commence à rédiger son auto-

biographie, *Ma vie*, qui sera publiée en France en 1931. En 1922, il part pour Berlin et décide de retourner en France, Vollard lui demandant d'illustrer *Les Âmes mortes* de Gogol à partir de 1923, puis *Les Fables* de La Fontaine en 1925. Il expose pour la première fois en Belgique en 1924, année de sa première rétrospective à Paris. Il découvre la France à travers quelques voyages en Bretagne, en Auvergne et en Savoie. Après sa première exposition à New York en 1926, il voyage en Hollande, en Espagne, puis, Vollard lui ayant commandé l'illustration de la Bible en 1931, il part pour l'Egypte, la Syrie et la Palestine. En 1933, une grande rétrospective a lieu à Bâle, mais en même temps, en Allemagne, Goebbels ordonne un autodafé de ses œuvres. L'inquiétude de Chagall s'amplifie devant l'évolution de la situation politique et l'antisémitisme croissant ; le thème de la *Crucifixion* apparaît précisément en 1935. Il reçoit le Prix Carnegie en 1939, se réfugie en Provence en 1940, puis accepte l'invitation du Museum of Modern Art de New York à venir s'installer dans cette ville en 1941. Il y retrouve Léger, Masson, Mondrian, Breton, Zadkine. Il reçoit, en 1942, la commande des décors et costumes pour le ballet *Aleka*, de Tchaïkovsky, au Mexique. Malheureusement, Bella meurt en 1944 et, un peu plus tard, il achève une toile commencée en 1937, intitulée tout naturellement *Autour d'elle*. Ce procédé de remaniement, mais aussi de découpage d'une toile, est fréquent chez ce peintre qui a, par exemple, remanié deux fois la *Chute de l'Ange*, tandis que le panneau de gauche de la *Révolution de 1937* est devenu, en 1948, *La Résistance, la Résurrection, la Libération*. En 1945, il compose les décors et costumes de *L'Oiseau de feu* de Strasvinsky, pour le Metropolitan Opera de New York.

Entre 1945 et 1947, New York et Chicago lui organisent une rétrospective. Il revient définitivement en France en 1947 et l'année suivante, il expose au Musée d'Art Moderne de Paris, puis à Amsterdam et à Londres. On lui décerne le premier prix de gravure à la vingt-cinquième Biennale de Venise (1948). Cette année-là sont publiées les lithographies pour *Les Mille et Une Nuits*. En 1949, il s'installe dans le Midi de la France et entreprend d'importantes décorations murales, notamment au foyer du Watergate Theatre de Londres. Chagall retrouve le bonheur, il épouse Valentine Brosky, et son activité ne cesse de se développer. Son installation à Saint-Paul-de-Vence en 1950 l'incite à faire de la céramique, puis des sculptures en terre cuite et en pierre. Il continue aussi son œuvre d'illustrateur avec le *Décaméron* de Boccace en 1950 et, après un voyage en Grèce, avec *Daphnis et Chloé* de Longus, tandis qu'en 1956 paraissent les lithographies sur le thème du cirque. En 1957, il exécute deux vitraux, deux bas-reliefs et une céramique : *La Traversée de la Mer Rouge* pour l'église du plateau d'Assy en Savoie ; sa *Bible*, qui avait été commandée par Vollard, est éditée cette année-là. Dans le domaine du spectacle, il crée les costumes et décors de *Daphnis et Chloé* de Ravel en 1958. En 1959, il peint une *Comedia dell'Arte* pour le foyer du théâtre de Francfort, commence le plafond de l'Opéra de Paris qui sera inauguré en 1964, décore un grand auditorium à Tokyo et à Tel Aviv. Egalement en 1959, trois rétrospectives l'honorent à Paris, Munich et Hambourg. Entre 1959 et 1968, il travaille à la réalisation des vitraux de la cathédrale de Metz, puis à la synagogue du nouvel hôpital de Hadassah à Jérusalem en 1962 et à l'église de Pocantino Hill, entre 1964 et 1967. Entre ses grosses commandes de décorations monumentales, il réalise, en 1965-1966, les décors et costumes de *La Flûte enchantée* de Mozart. En 1966, il crée une mosaïque et douze panneaux muraux pour le nouveau Parlement de Jérusalem, deux grandes compositions murales pour le Metropolitan Opera de New York et une mosaïque pour la Fondation Maeght à Saint-Paul-de-Vence, où lui est rendu un hommage en 1967. De grandes rétrospectives à Zurich et Cologne en 1967, une importante exposition à la Pierre Matisse Gallery à New York en 1968, une rétrospective aux Galeries Nationales du Grand Palais à Paris en 1970, l'inauguration du Musée National du Message Biblique Marc Chagall à Nice en 1973 et une exposition au Musée du Louvre à Paris en 1977, consacrent son art. Alors qu'en 1973, une exposition confidentielle n'avait été ouverte qu'aux invités de la Galerie Trétiakov à Moscou, en 1987, deux ans après sa mort, le Musée Pouchkine a ouvert une grande rétrospective en son honneur.

Très tôt Chagall a défini son style, sans vraiment le renouveler tout au long de sa vie. Sa peinture intemporelle montre un monde séduisant et immédiatement reconnaissable, fait de rêves, d'irréalités, d'apesanteur, sans toutefois s'apparenter au surréalisme. Les mêmes thèmes reviennent périodiquement : ce sont les rabbins, les amoureux, les clowns, les écuyères, les violonistes, les animaux, etc., dans des scènes tirées des épisodes bibliques, du folklore et des légendes russes. Chagall est un poète sensible aux choses de la vie, de la sienne d'abord, de celles du monde ensuite, et du monde juif en particulier. C'est avant tout un peintre russe, marqué par son appartenance à une modeste famille juive, pour qui la Bible est le livre de référence. A ses débuts, lorsqu'il a travaillé sous la direction de Léon Bakst, découvrant les tendances nouvelles de l'art, il a réagi en employant des couleurs plutôt sourdes. Mais au cours de sa première période parisienne (1910-1914), il profite des leçons du cubisme et du fauvisme, décomposant les volumes et donnant un éclat nouveau à la couleur. Il a trouvé à Paris la « lumière-liberté », sans oublier l'univers de sa jeunesse, comme l'indiquent les titres de ses toiles : *Moi et le village* 1911, *A la Russie, aux ânes et aux autres* 1911, *Autoportrait aux sept doigts* 1912-1913, où il oppose Paris à son village natal, *Hommage à Apollinaire* 1911-1912. Selon André Breton, la totale explosion lyrique de son art date de 1911 : « C'est de cet instant que la métaphore, avec lui seul, marque son entrée triomphale dans la peinture moderne ». A la même époque, il exécute des gouaches d'une grande liberté d'expression et d'une touche très fluide. Au moment de son mariage avec Bella (1915), commence une période de bonheur, où apparaissent les couples d'amoureux, ce sont *Les Amoureux gris, le Poète allongé, Fenêtre à la campagne, Le Mariage*, 1917. Dans les années vingt, un voyage à Bréhat lui inspire des toiles aux tonalités plus claires : *La fenêtre* ou *Ida à la fenêtre*, dans lesquelles le thème de la fenêtre revient fréquemment. D'après F. Meyer, la permanence de ce thème correspond « à la situation même du peintre qui n'accorde jamais tout le pouvoir *au dehors*, mais cherche toujours à équilibrer *le dehors* et *le dedans*. » Toujours sensible à son environnement, Chagall, à travers ses toiles, fait part de son inquiétude devant l'antisémitisme, notamment à partir de 1935, au moment où apparaissent ses *Crucifixions*. Ses toiles d'alors reflètent la souffrance du monde, en particulier : *Solitude*, que commente ainsi Raïssa Maritain dans *Chagall ou l'Orage enchanté* : « La douleur du monde est présente aussi, sous les signes d'une contemplation grave et mélancolique, mais les symboles de la consolation voisinent toujours avec elle. S'il y a un pauvre dans la neige, du moins joue-t-il du violon ; si un rabbin, tenant la Thora dans ses bras, est plongé dans un songe douloureux, la présence à ses côtés d'une innocente vache blanche dit la tranquillité de l'univers. » Cet optimisme et même cet enthousiasme se traduisent dans sa faculté d'aborder tous les genres de techniques possibles, travaillant avec acharnement dans tous les domaines, surtout à partir de sa dernière installation en France en 1947. Ses peintures, comme ses illustrations, décors, costumes, compositions monumentales, vitraux sont tous le reflet à la fois du quotidien et du fantastique, le réel étant pour Chagall, selon le mot d'Apollinaire, le « sur-naturel ». Chagall, dont la peinture de rêve n'est pourtant pas étrangère à la vie, « aura contribué, selon A. Breton, à la fusion de la poésie et des arts plastiques ».

■ Annie Pagès

BIBLIOGR. : L. Venturi : *Marc Chagall*, Genève, 1956 – J. Lassaigne : *Chagall*, Paris, 1957 – Marc Chagall : *Ma vie*, Paris, 1957 – F. Meyer : *Marc Chagall, l'œuvre gravé*, Paris, 1957 – M. Brion : *Chagall*, Brême, 1959 – J. Cain : *Chagall lithographe*, Monte-Carlo, 1960 – J. Leymarie : *Vitraux pour Jérusalem*, Monte-Carlo, 1962 – F. Mourlot : *Chagall lithographe, 1957-62*, Monte-Carlo, 1963 – F. Meyer : *Marc Chagall, sa vie, son œuvre*, Paris, 1964 – J. Cassou : *Chagall*, Paris, 1966 – Catalogue de l'exposition : *Hommage à Marc Chagall*, Paris, 1969-70 – André Pierre de Mandiargues, *Chagall*, Édition Maeght, Paris – Pierre Schneider : *Chagall à travers le siècle*, Flammarion, Paris, 1995 – Catalogue de l'exposition : *Chagall 1907-1922 : les années russes*, Musée d'Art Moderne, Paris, 1995.

Musées : Amsterdam (Stedelijk Mus.) : *Portrait de l'artiste aux sept doigts* 1912 – *Le violoniste* 1912-13 – *Femme enceinte* 1913 – *Ida devant la fenêtre* 1924 – *Synagogue à Safed* 1931 – *L'écuyère* 1931 – *Portrait de Bella en vert* 1934-35 – *La Madone en traîneau* 1947 – Bâle (Kunstmus.) : *Bella aux gants noirs* 1909 – *Le marchand de bestiaux* 1912 – *Le rabbin* 1923 – *Le veau jaune* 1932-33 – Berne (Kunstalle) : *A ma fiancée* 1911 – Chicago (Art Inst.) : *La naissance* 1911 – *Le rabbin de Vitebsk* 1914 – *La Crucifixion blanche* 1938 – *Le jongleur* 1943 – Cologne : (Walraf-Richartz Mus.) : *Sabbath* 1910 – Düsseldorf : *Jour de fête* 1914 – Eindhoven (Van Abbe Mus.) : *Hommage à Apollinaire* 1911 – Grenoble (Mus. de Peinture et Sculpture) : *Le Songe d'une nuit d'été* 1939 – Liège (Mus. des Beaux-Arts) : *La maison bleue* – Londres (Tate Gal.) : *Le poète allongé* 1915 – *Bouquet de fleurs aux amoureux* 1947 – Moscou (Trétiakov) : *La pendule* 1914 – *Les amoureux au-dessus de la ville* 1915 – *La noce* 1917 – *L'amour sur la scène* 1920-21 – *La Musique* 1920-21 – *La Danse* 1920-1921 – *Le Théâtre* 1920-1921 – *La Littérature* 1920-1921 – *Introduction au théâtre juif* 1920-21 – New York (Mus. of Mod. Art) : *Moi et le village* 1911 – *Golgotha* 1912 – *Le temps n'a pas de rive* 1930-39 – New York (Guggenheim Foundat.) : *Le soldat boit* 1912 – *La maison brûle* 1913 – *Vue de Paris par une fenêtre* 1913 – *L'anniversaire* 1915 – *Le violoniste vert* 1918 – *Fleurs dans la rue* 1933 – Paris (Mus. Nat. d'Art Mod.) : *A la Russie, aux ânes et aux autres* 1911 – *Autoportrait* 1917 – *Double portrait au verre de vin* 1917 – *La maternité* 1925 – *L'acrobate* 1935 – *A ma femme* 1933-34 – *Guerre* 1943 – *Autour d'elle* 1945 – *L'âme de la ville* 1954 – *Le coq blanc* 1947 – Paris (Mus. d'Art Mod. de la Ville) : *Le rêve* 1927 – Philadelphie (Mus. of Art) : *Le poète ou Half-past three* 1911 – *Dédié à ma fiancée* 1911 – *Moi et le village* 1923 – Saint-Pétersbourg (Mus. d'Etat Russe) : *Le père* 1914 – *Le miroir* 1914 – *La promenade* 1917-18.

Ventes Publiques : Paris, 13-14 juin 1921 : *Nu dans un paysage* : FRF 2 000 – Paris, 4 juil. 1922 : *La Couseuse*, h/t (73x54) : FRF 40 – Paris, 14 fév. 1927 : *L'homme au chien* : FRF 12 500 – Paris, 26 mars 1928 : *Éléments mécaniques* : FRF 9 000 – Paris, 28 avr. 1930 : *Mécanicien dans l'usine* : FRF 5 100 – Paris, 5 nov. 1937 : *La table de travail*, dess. : FRF 510 – Paris, 27 nov. 1940 : *Les clés* : FRF 3 000 – Paris, 19 mars 1942 : *À la cuisine*, aquar. : FRF 2 000 – Paris, 30 nov. 1942 : *Profils* 1928 : FRF 14 500 – New York, 13 avr. 1944 : *Abstraction avec des silhouettes* : USD 300 – Paris, oct. 1945-juil. 1946 : *Femme cousant* : FRF 40 000 – Munich, 8 déc. 1956 : *Composition avec personnages, pierre noire* : DEM 1 850 – Paris, 15 déc. 1958 : *Nature morte au pot vert*, aquar. : FRF 550 000 – Paris, 16 mars 1959 : *Liberté, j'écris en ton nom* : FRF 1 060 000 – Stuttgart, 20 nov. 1959 : *Composition*, gche et encre de Chine : DEM 12 000 – New York, 16 mars 1960 : *Le fumeur* : USD 82 500 – Londres, 28 juin 1961 : *Nature morte* : GBP 5 400 – Londres, 2 avr. 1962 : *Les maisons* : GBP 13 000 – Paris, 24 mars 1963 : *Projet de vitraux, aquar.* : FRF 15 000 – New York, 18 nov. 1964 : *Le Coq*, bronze patiné : USD 3 700 – New York, 23 mars 1966 : *L'escalier* 1914, 2ᵉ état : USD 100 000 – Genève, 7 nov. 1969 : *Branche R*, bronze : CHF 54 000 – Paris, 26 nov. 1970 : *La partie de campagne* 1970 : FRF 87 000 – New York, 3 mai 1973 : *Arbres et maisons* : USD 225 000 – Paris, 12 juin 1974 : *Les femmes aux perroquets*, gche/cart. : FRF 650 000 – Paris, 24 juin 1976 : *Nature morte au couteau* 1950, h/t (64x91) : FRF 210 000 – Londres, 30 juin 1976 : *Homme dans la rue* 1919, aquar. (40,5x30) : GBP 22 000 – New York, 18 mars 1976 : *Étude pour le remorqueur* 1917, aquar. noire et lav. (23,5x28,3) : USD 14 000 – Berne, 10 juin 1976 : *Jeune fille de face* 1928, litho. (24,1x17,3) : CHF 3 600 – Cologne, 19 mai 1979 : *Couple au bouquet de fleurs*, encre de Chine/trait de cr. (23,3x19,4) : DEM 9 500 – Londres, 30 juin 1981 : *Les arbres dans les maisons* 1913, h/t (73x92) : GBP 460 000 – Londres, 27 mars 1985 : *L'acrobate bleu* 1976, pinceau et encre, cr. de coul. et aquar. (65x48) : GBP 68 000 – Paris, 23 nov. 1987 : *Le garçon de café* 1920, h/t (93x65) : FRF 10 000 000 – Paris, 10 déc. 1987 : *Nadia* 1950, mine de pb (45x30,5) : FRF 56 000 – New York, 18 fév. 1988 : *Composition abstraite, porcelaine émaillée, tirage à 250 exemp* (44,4x34) : USD 4 950 ; *Deux femmes*, gche et encre/pap. (70,5x54,6) : USD 57 200 – Londres, 24 fév. 1988 : *Cheval noir* 1953, plaque de céramique (45,7x38,2) : GBP 4 400 – Paris, 12 juin 1988 : *Composition abstraite, relief en bronze* (61,5x40) : FRF 1 620 000 – Paris, 3 oct. 1988 : *Villa america* 1930, dess. (25x19) : FRF 50 000 – Berne, 26 oct. 1988 : *Femme lisant, aquar.* (51x46) : CHF 17 000 – New York, 12 nov. 1988 : *Etude pour La grande parade* 1953, gche et encre/pap. (55x69,5) : USD 308 000 – Paris, 20 nov. 1988 : *Nature morte* 1927, aquar. et dess. cr. (17,4x14,5) : FRF 220 000 – Paris, 21 nov. 1988 : *La*

femme couchée, h/t : FRF 6 000 000 ; *Deux têtes* 1920, dess. mine de pb (40x30) : FRF 900 000 – Londres, 5 avr. 1989 : *Composition aux fusils* 1929, h/t (46x38) : GBP 85 800 – Londres, 27 juin 1989 : *Le clown* 1918, h/t (33x24) : GBP 726 000 – Calais, 2 juil. 1989 : *Composition vers* 1942, gche (36x29) : FRF 165 000 – Paris, 7 oct. 1989 : *Femme au perroquet* 1952 (18,5x15) : FRF 310 000 – Paris, 8 oct. 1989 : *Sao Paulo, étude, gche/pap.* (41,5x33,5) : FRF 535 000 – New York, 15 nov. 1989 : *La racine jaune*, h/t (66x91,5) : USD 1 210 000 – Paris, 19 nov. 1989 : *Le Godert, portrait de Philippon* 1917, aquar./cr. (35,5x26) : FRF 2 500 000 – Paris, 23 nov. 1989 : *Sketch for the United Nations General Assembly Hall* 1952, gche (29x49) : FRF 145 000 – Londres, 27 nov. 1989 : *Contrastes de formes* 1913, h/t (81x65) : GBP 9 350 000 – New York, 26 fév. 1990 : *Composition nᵒ 5*, gche et encre/pap., projet de céramique polychrome (36x27) : USD 35 200 – Paris, 20 mars 1990 : *Femme acrobate* 1940, gche et encre (59x44) : FRF 1 120 000 – Paris, 25 mars 1990 : *Femme tenant une fleur* 1930, h/t (92x65) : FRF 12 000 000 – Paris, 15 mai 1990 : *Deux femmes couchées* 1913, gche et encre/pap. d'emballage/pap. (50,1x64,1) : USD 770 000 – Copenhague, 30 mai 1990 : *Composition* 1942, gche, esq. pour l'Etoile de mer (18x23) : DKK 260 000 – Paris, 17 juin 1990 : *Nature morte au vase bleu* 1949, h/t (92,5x65) : FRF 3 900 000 – Londres, 25 juin 1990 : *Nature morte aux losanges* 1928, h/t (65,2x54) : GBP 330 000 – New York, 3 oct. 1990 : *La fleur qui marche*, bronze cire perdue (H. 66,3) : USD 40 700 – New York, 14 nov. 1990 : *La maison sous les arbres* 1913, h/t (92x73) : USD 9 900 000 – Paris, 28 nov. 1990 : *Nature morte au couteau* 1950, h/t (65x92) : FRF 3 000 000 – Londres, 4 déc. 1990 : *Composition au perroquet* 1951, h. et gche/pap./t. (40x60,3) : GBP 154 000 – Londres, 25 mars 1991 : *La ballerine* 1955, gche rouge et encre/pap. (44,2x37,5) : GBP 7 700 – New York, 8 mai 1991 : *Le chat et le coq* 1953, gche et encre/pap. (40x60,3) : USD 85 250 – Paris, 25 mai 1991 : *Peinture* 1938, h/t (73x92) : FRF 4 400 000 – Londres, 26 juin 1991 : *Trois nus* 1920, cr. (41,5x62) : GBP 506 000 – New York, 5 nov. 1991 : *Le petit déjeuner* 1921, h/t (96,5x129,5) : USD 7 700 000 – Londres, 2 déc. 1991 : *Personnages et plantes* 1938, h/t (74x90) : GBP 286 000 – Paris, 13 déc. 1991 : *Nature morte aux six fruits* 1938, h/t (54x65) : FRF 780 000 – New York, 25 fév. 1992 : *Figure polychrome*, gche et encre de Chine/pap. (49,5x35,5) : USD 52 800 – Lugano, 28 mars 1992 : *Composition à la feuille jaune* 1930, h/t (65x92,5) : CHF 550 000 – New York, 11 mai 1992 : *Trois femmes* 1921, cr./ pap. teinté (31,4x42) : USD 308 000 – Paris, 24 mai 1992 : *Composition mécanique, aquar./pap./cart.* (32x24) : FRF 880 000 – New York, 24 nov. 1992 : *Nature morte* 1931, h/t (46,6x65,4) : USD 165 000 – Paris, 24 nov. 1992 : *André Mare au col dur* 1904, aquar. et lav. d'encre de Chine/pap. (25,5x15,5) : FRF 135 000 – Amsterdam, 10 déc. 1992 : *Les vitrines*, gche (52,5x31,5) : NLG 13 800 – Londres, 1ᵉʳ déc. 1992 : *Le moteur (1ᵉʳ état)* 1918, h/t (40,8x32,8) : GBP 506 000 – Paris, 4 déc. 1992 : *Paysage américain, collage et h/t* (62,5x51,7) : FRF 450 000 – New York, 25 fév. 1993 : *La branche*, bronze cire perdue (H. 55,2) : USD 28 750 – Zurich, 21 avr. 1993 : *Le Campeur*, sérig. coul. (77x59) : CHF 2 000 – New York, 11 mai 1993 : *Trois Personnages* 1920, h/t, esquisse pour Les Quatre Personnages (54,6x64,8) : USD 1 157 500 – Paris, 3 juin 1993 : *Composition au vase bleu* 1919, gche et aquar. et encre de Chine/pap. (39,4x28,3) : FRF 640 000 – Heidelberg, 15-16 oct. 1993 : *Composition aux dominos, pochoir/grav.* (64,5x49,7) : DEM 2 500 – Londres, 29 nov. 1993 : *Nature morte aux trois fruits* 1936, h/t (89x130) : GBP 331 500 – Paris, 10 mars 1994 : *Les Joueurs de cartes* 1917, pl., étude (16,5x22,5) : FRF 250 000 – Paris, 29 avr. 1994 : *Le Vélo sur fond bleu* 1929, h/t (91,5x64,5) : FRF 2 000 000 – New York, 11 mai 1994 : *Deux Femmes au bouquet* 1921, h/t (65,7x50,2) : USD 827 500 – Lokeren, 8 oct. 1994 : *L'Oiseau magique* 1953, aquat. (55,8x36,7) : BEF 38 000 – Paris, 15 nov. 1994 : *Nature morte, tête et grande feuille* 1927, h/t (102x83) : FRF 1 500 000 – Londres, 29 nov. 1994 : *Contrastes de formes* 1913, gche et encre/ pap. (49,5x63) : GBP 441 500 – Zurich, 7 avr. 1995 : *Le Tire-bouchon et l'Échelle*, h/t (64,8x54) : CHF 100 000 – Paris, 19 juin 1995 : *Papillons polychromes* 1938, h/t : FRF 1 500 000 – Rennes, 24 oct. 1995 : *Acrobates et Musiciens* 1953, gche et encre de Chine (61x76) : FRF 520 000 – New York, 8 nov. 1995 : *La Pipe* 1918, h/t (90,2x71,1) : USD 6 602 500 – Milan, 12 déc. 1995 : *Nature morte* 1930, h/t, cartonnée (33x41) : ITL 82 800 000 – Paris, 13 déc. 1995 : *L'Insecte dans la fleur* 1949, h/t (73x92) : FRF 770 000 – Paris, 10 juin 1996 : *Couple au ciel bleu* 1946-1947, gche (46,5x32,5) : FRF 400 000 – Londres, 24-25 juin 1996 : *Les*

Amoureux 1916, h/cart. (70,7x50) : **GBP 2 751 500** ; *L'Aviateur* 1920, h/t (50,2x64,8) : **GBP 1 079 500** – TEL-AVIV, 7 oct. 1996 : *David et Bethsabée*, aquar., encre indienne, cr. coul./pap. (66,5x51) : **USD 57 500** – PARIS, 29 nov. 1996 : *Le Peintre*, litho. (20x16) : **FRF 8 500** – LONDRES, 2 déc. 1996 : *Mania à table* 1914-1915, h/pap./cart. (49,5x37) : **GBP 265 500** – LONDRES, 3 déc. 1996 : *Bouquet à la colombe* vers 1956, gche et h/cart. (68,5x53,2) : **GBP 139 000** – LONDRES, 4 déc. 1996 : *Le Pot de terre et le Pot de fer* vers 1926-1927, gche/pap. (51x40,5) : **GBP 63 100** ; *Autoportrait* 1954, stylo feutre, cr. et estompe/pap. (44,5x36,5) : **GBP 11 500** – PARIS, 10 déc. 1996 : *Circus Pirouette* 1961, litho. coul. (65x50) : **FRF 20 000** – COPENHAGUE, 15 mars 1997 : *Le Coq rouge* 1958, litho. coul. : **DKK 49 000** – TEL-AVIV, 26 avr. 1997 : *Femme allongée* 1972, h/t (33x41) : **USD 167 500** – TEL-AVIV, 23 oct. 1997 : *Amants et bouquets de fleurs*, h/t (19x25) : **USD 90 500** – TEL-AVIV, 12 jan. 1997 : *Couple* 1924-1925, aquar. (26x21,5) : **USD 80 450** – MILAN, 18 mars 1997 : *Bouquet sur fond bleu* vers 1980, h./masonite (46x38) : **ITL 407 750 000** – HEIDELBERG, 11-12 avr. 1997 : *Le Bouquet rouge* 1969, litho. coul. (56x38,4) : **DEM 14 000** – NEW YORK, 14 mai 1997 : *Les Mariés et le bouquet de fleurs rouges* 1964, h/t (73x59,7) : **USD 1 047 500** ; *Le Paysan allongé* 1962, h/t (95,2x90,2) : **USD 1 047 500** – 17 juin 1997 : *Le Bouquet sur la table* 1959, h/t (33x25,5) : **FRF 450 000** ; *Autoportrait* 1965, aquar. et encre de Chine/pap. (34x25) : **FRF 200 000** – LONDRES, 25 juin 1997 : *Homme, âne et poulet* 1952, pl. et brosse et encre et lav. et craies coul./pap. (38,5x30) : **GBP 17 250** ; *Couple au-dessus de Paris* vers 1960, aquar. et craies coul./pap. (33x24) : **GBP 37 800**.

CHAGNIAT-BECHE Lucy

Née à Paris. XXᵉ siècle. Française.
Peintre.
Elle exposa à Paris au Salon des Indépendants en 1937.

CHAGNIOT Alfred Jean

Né en 1905 à Paris. Mort en novembre 1991 à Paris. XXᵉ siècle. Français.
Peintre de figures, nus, portraits, intérieurs, paysages animés, paysages, marines, natures mortes, fleurs. Post-impressionniste.
Il fut élève de Montézin. À Paris, depuis 1936 il a exposé au Salon des Artistes Français dont il est devenu sociétaire en 1938, hors-concours, et en fut membre du jury et organisateur, en ayant reçu divers Prix et médailles, dont le Prix Marie Bashkirtseff et le Prix Fernand Renaud. Il a également exposé aux Salons des Artistes Indépendants, d'Hiver, de l'École Française. Il a participé à des Salons de la périphérie, obtenant diverses distinctions. En 1971, il obtint le Grand Prix du Salon de l'École Française, dont il devint commissaire général, et en fut l'invité d'honneur au Musée du Luxembourg à Paris en 1990. Individuellement il a exposé à la galerie Beauvau-Miromesnil de Paris en 1982. En 1993, la municipalité de Croissy-sur-Seine a organisé une exposition rétrospective de son œuvre au Château de Croissy. Il était officier d'Académie, chevalier du Mérite artistique et culturel. Il eut une activité de professeur à Asnières, Bois-Colombes, Chatou.
Ses paysages et marines ont été peints dans de nombreuses régions de France, ainsi que sur les rivages de la Méditerranée, Italie, Espagne, Portugal, Grèce.

Chagniot

BIBLIOGR. : Catalogue de l'exposition rétrospective *Alfred Chagniot*, Château de Croissy-sur-Seine, 1993.
VENTES PUBLIQUES : AUCH, 13 déc. 1981 : *Le Marché de Garenne*, h/t (55x62) : **FRF 3 300** – VERSAILLES, 22 fév. 1987 : *Nature morte au vase d'anémones*, h/t (46x55) : **FRF 3 200** – VERSAILLES, 22 avr. 1990 : *Le Pont*, h/t (38x46) : **FRF 5 500** – PARIS, 14 mars 1991 : *Le Port de Juan les Pins*, h/t (46x55) : **FRF 5 500** – REIMS, 9 juin 1991 : *Honfleur*, h/t (46x55) : **FRF 7 000** – REIMS, 13 déc. 1992 : *Jour du marché sur la route d'Olargues*, h/t (55x46) : **FRF 3 400** – NEW YORK, 26 fév. 1993 : *Un petit port de pêche*, h/t (47x54,6) : **USD 978**.

CHAGNOUX Christine

Née en 1937 à Paris. XXᵉ siècle. Française.
Peintre, dessinateur et graveur d'animaux. Naïf.
Elle participe au Salon des Femmes Peintres, dont elle est sociétaire et où elle expose régulièrement depuis 1968. Elle a fait des expositions personnelles à Paris, New York, Indianapolis, La Nouvelle-Orléans et Lausanne. Elle a décoré une école maternelle à Asnières, près de Paris. Son art se rattache à celui des peintres naïfs. Ses thèmes sont réduits aux animaux pour la gravure et le dessin, et uniquement aux chats pour la peinture.

CHAGOT Edmond

Né le 3 novembre 1832 à Paris. XIXᵉ siècle. Français.
Peintre de paysages.
Il étudia avec Durand-Brager et Ziem. Entre 1864 et 1885, il figura au Salon de Paris.

CHAHART Jean Baptiste

XVIIᵉ siècle. Français.
Peintre.
Il fut reçu à l'Académie Saint-Luc en 1689.

CHAHINE Edgar

Né en 1874 à Vienne. Mort en 1947 à Paris. XXᵉ siècle. Depuis 1925 actif et naturalisé en France. Autrichien.
Peintre de scènes de genre, figures, peintre à la gouache, aquarelliste, pastelliste, graveur, illustrateur.
D'origine arménienne, il passa son enfance à Constantinople, fit ses études à Venise chez Paoletti, puis s'installa en 1895 à Paris où il suivit des cours à l'Académie Julian. Il participa au Salon des Artistes Français dès 1895, débutant à la section de gravure en 1899 ; il avait appris les divers procédés de gravure chez Eugène Delâtre. Il figura aussi au Salon de la Société Nationale des Beaux-Arts, dont il fut sociétaire et obtint une médaille d'or à l'Exposition Universelle de Paris en 1900.
Il est le peintre des scènes de rues et de fêtes parisiennes. Sur ce thème, il illustra *Fêtes foraines* de Gabriel Mourey et *Histoire comique* d'Anatole France. Parmi ses illustrations multiples, citons : *Dans l'antichambre*, d'O. Mirbeau (1905), *Lettres* de N. de Lenclos, *La mort de Venise* de M. Barrès (1926), *Novembre* (1928) et *Madame Bovary* (1935) de G. Flaubert, *Les plus belles poésies* de Verlaine, *Les Géorgiques* de Virgile. Il a également publié un album de quarante-neuf gravures : *Impressions d'Italie*. Très apprécié des amateurs d'estampes et des critiques d'art, il exécuta plus de six cents pièces à l'eau-forte et à l'aquatinte. Certaines de ses œuvres ont été imprimées en couleur.
MUSÉES : PARIS (Mus. Carnavalet) : *Illustration de Histoire comique d'A. France.*
VENTES PUBLIQUES : PARIS, 9 fév. 1920 : *Jeunes femmes et enfant*, past. : **FRF 150** – PARIS, 1ᵉʳ-2 et 3 juin 1927 : *Bords de la Seine*, dess. : **FRF 1 350** ; *La marchande de fleurs*, past. : **FRF 900** – PARIS, 12 déc. 1935 : *Maisons à Venise, effet d'ombre et de soleil*, past. : **FRF 300** – PARIS, 2 avr. 1943 : *Portrait de Louise France*, cr. bistre : **FRF 1 000** – PARIS, 21 avr. 1943 : *Élégantes*, aquar. : **FRF 1 250** – PARIS, 5 mars 1975 : *Buste de femme*, fus. (50x28) : **FRF 1 000** – ENGHIEN-LES-BAINS, 18 fév. 1979 : *La promenade* 1902, pointe-sèche, eau-forte et aquat. : **FRF 6 400** – SEMUR-EN-AUXOIS, 6 mai 1983 : *Groupe de jeunes femmes* 1935, temp. (68x52) : **FRF 40 100** – PARIS, 29 juin 1983 : *Un chemineau* 1899, pointe-sèche : **FRF 11 000** – LONDRES, 27 mars 1984 : *Danseuse de foire foraine* 1939, h/cart. (56,5x76) : **GBP 1 200** – PARIS, 23 oct. 1985 : *Vue de Venise* 1920, past. (21x26) : **FRF 9 000** – PARIS, 11 déc. 1987 : *Femmes de la rue* 1937, h/cart. (45x60) : **FRF 37 000** – PARIS, 27 avr. 1988 : *Femme à sa toilette*, fus. et past. (62,5x46) : **FRF 8 500** – PARIS, 5 déc. 1990 : *Portrait de femme* 1936, gche (58x46) : **FRF 67 000** – PARIS, 21 fév. 1992 : *La Promenade* 1902, pointe-sèche, eau-forte (46,1x66,3) : **FRF 13 000** – PARIS, 25 fév. 1993 : *Impressions d'Italie* 1906, eau-forte et pointe-sèche : **FRF 21 500** – LONDRES, 17 juin 1994 : *Au café*, fus./pap./cart. (57,7x73) : **GBP 3 450** – PARIS, 3 fév. 1995 : *Le Promenoir* 1903, eau-forte, aquat. et pointe sèche (30x46,5) : **FRF 7 000** – PARIS, 7 juin 1996 : *Le Matin aux acacias* 1902, pointe sèche et eau-forte (17,5x46,6) : **FRF 6 000** – PARIS, 24 nov. 1996 : *Élégante au chapeau*, past./pap. (23,5x15) : **FRF 5 000**.

CHAHN Ben. Voir BEN CHAHN

CHAHNAZAR Kouyoumdjian

Né à Chabin-Kara-Hissar. XIXᵉ-XXᵉ siècles. Arménien.
Peintre.
Élève de J.-P. Laurens. Troisième médaille au Salon des Artistes Français en 1928 ; sociétaire du Salon d'Automne. On connaît ses vues de Paris.

CHAÏBIA

Née en 1929 à Chtouka. XXᵉ siècle. Marocaine.
Peintre de figures. Expressionniste.
Elle n'a commencé à peindre qu'en 1965, donc âgée de trente-six ans, encouragée par son fils Tallal et par le peintre Cherkaoui, le

grand précurseur, trop tôt disparu, d'une peinture marocaine contemporaine hors folklore et pourtant ancrée sur des éléments culturels traditionnels spécifiques. Sans aucune formation, elle s'est lancée dans la peinture et, inconsciente des risques, elle a tout osé. En toute innocence, elle s'est retrouvée en accord avec bien des conditions climatiques qui ont caractérisé le paysage artistique des années soixante : mépris de la ségrégation entre abstraction et figuration, dans ses peintures les figures se mêlant aux éléments ornementaux abstraits, dessin descriptif des personnages, primitif et sauvage, proche de l'art brut promu par Dubuffet, couleur violemment expressive dans la mouvance COBRA des Appel et Corneille, n'a-t-on pas vu Pierre Alechinsky acquérir une peinture de Chaïbia à la FIAC (Foire Internationale d'Art Contemporain) ? Tôt remarquée, elle fut tôt exposée, collectivement au Salon de Mai de Paris, et individuellement montrée fidèlement en particulier par Céres Franco dans sa galerie très parisienne de L'œil-de-bœuf. En 1988, elle fut exposée, avec dix autres artistes, au Musée d'Art Moderne de la Ville de Paris, par Catherine Huber, responsable du Musée des Enfants, sous la pertinente interrogation-titre : Singuliers, bruts ou naïfs ? On écrit que Chaïbia est un personnage important. En effet et à plus d'un titre : elle est probablement la première femme-peintre marocaine de réputation internationale, mais aussi de stature et de port elle n'est pas indifférente : chevelure et sourcils noirs, un beau visage expressif aux traits forts, des yeux scrutateurs, de forte carrure et toujours vêtue de superbes robes d'apparat. Quand elle a commencé à peindre, elle a pris pour modèles tout ce qui l'entourait, dans son existence quotidienne et dans les abords, mais plutôt que de prendre pour modèles, elle réinvente son univers, peuplé de personnages familiers ou étranges, d'oiseaux, de soleils, de taches de couleurs qui n'existent que pour elles-mêmes et s'imbriquent en façon de puzzle. C'est une peinture qui ressemble à son peintre : directe, robuste, surabondante d'énergie, et qui dans sa parure se garde bien de se poser des questions sur la nature du bon goût. ■ Jacques Busse

BIBLIOGR. : Khalil M'rabet : Peinture et identité – L'expérience marocaine, L'Harmattan, Rabat, après 1986 – Sijelmassi, in : L'Art contemporain au Maroc, Paris, 1989.

VENTES PUBLIQUES : PARIS, 20 nov. 1988 : Mouna 1988, h/t (82x73) : FRF 22 500 – PARIS, 8 oct. 1989 : L'amoureuse, h/t (70x80) : FRF 30 000 – PARIS, 26 avr. 1990 : El hamma, h/t (82x66) : FRF 14 000 – PARIS, 29-30 juin 1995 : Les spectateurs de tennis 1987, acryl./t. (147x113) : FRF 9 500.

CH'AI CHEN. Voir CHAI ZHEN

CHAI CHI-CH'ANG. Voir ZHAI JICHANG

CHAIDRON Jacques
Né en 1938 à Mouzaives-sur-Semois. XXᵉ siècle. Belge.
Peintre de paysages et de figures. Figuratif puis tendance abstraite.
Son univers semble en changement permanent, évoluant de la peinture figurative vers une forme d'abstraction. Tous ses thèmes : forêts, femmes énigmatiques, villes rêvées, sont ponctués de traits lumineux et donnent l'impression d'irradier.
BIBLIOGR. : In : Diction. biogr. illustré des Artistes en Belgique depuis 1830, Arto, Bruxelles, 1987.
VENTES PUBLIQUES : LOKEREN, 28 mai 1994 : Constellation, h/t (80x80) : BEF 44 000 – LOKEREN, 8 oct. 1994 : Constellation 1989, h/t/pan. (80x80) : BEF 30 000.

CHAIGNEAU Berthe
Née à Limoux (Aude). XXᵉ siècle. Française.
Peintre.
A exposé à Paris des portraits au Salon d'Automne de 1924 et à celui de la Nationale de 1926.

CHAIGNEAU Jean-Ferdinand
Né le 6 mars 1830 à Bordeaux (Gironde). Mort le 30 octobre 1906 à Barbizon (Seine-et-Marne). XIXᵉ-XXᵉ siècles. Français.
Peintre de paysages animés, animaux, paysages, graveur.
Entré à l'École des Beaux-Arts de Paris en 1849, il fut élève de Picot, Brascassat et Jules Coignet, mais exposa au Salon de Paris dès 1848. Il obtint le troisième prix au concours pour Rome en 1854. De 1865 à 1881, il a souvent exposé à Londres. Une médaille de bronze lui a été décernée à l'Exposition Universelle de 1889.
Après avoir peint des paysages du Bordelais, des Landes, du Limousin et de Normandie, il s'installa, en 1858, à Barbizon, où il

reproduisit des sites de la forêt de Fontainebleau, mais surtout des troupeaux de moutons de la plaine de Chailly, tout comme le faisait Charles Jacque qui l'influença tout particulièrement. Ses scènes de troupeaux et de bergers sont baignées d'une lumière diffuse et grise. Citons : Moutons en plaine – Petit troupeau – Femme gardant les moutons, et une série de douze planches : Voyage autour de Barbizon. Dans sa muséographie, on remarque des sujets insolites : Lysidas et Moeris, La Samaritaine.

S. Chaigneau

BIBLIOGR. : Gérald Schurr, in : Les Petits Maîtres de la peinture 1820-1920, valeur de demain, Les Éditions de l'Amateur, t. III, Paris, 1976.
MUSÉES : AMIENS : Fruits – BORDEAUX : Paysage (Lysidas et Moeris) – Paysage, la Samaritaine – Le soir – LONDRES (Victoria and Albert Mus.) : Moutons en plaine – Le petit troupeau – Moutons et poules – Femme gardant des moutons – En plaine.
VENTES PUBLIQUES : PARIS, 1882 : Moutons au repos : FRF 1 550 – PARIS, 22-23-24 avr. 1901 : La rentrée du troupeau : FRF 1 150 – PARIS, 26 fév. 1920 : Moutons au pâturage, Saint-Valéry : FRF 1 500 – LONDRES, 1ᵉʳ juin 1923 : Moutons et meules de foin : GBP 6 – LONDRES, 22 juil. 1927 : Troupeau au coucher du soleil : GBP 21 – PARIS, 28 oct. 1942 : Vaches à la mare en forêt : FRF 6 800 – PARIS, 31 mars 1944 : Bergère et son troupeau : FRF 14 200 – PARIS, 6 nov. 1953 : Gardeuses de moutons : FRF 30 000 – NEW YORK, 29 avr. 1965 : Le berger et son troupeau à la tombée de la nuit : USD 250 – BERNE, 27 oct. 1967 : Berger et son troupeau dans un paysage : CHF 1 900 – PERPIGNAN, 5 juin 1972 : Bergère et son troupeau : FRF 2 300 – PARIS, 28 juin 1975 : Troupeau à la mare, h/t (26x40) : FRF 6 000 – NEW YORK, 15 oct. 1976 : La gardienne du troupeau, h/pan. (55x45) : USD 1 800 – BERNE, 20 oct. 1977 : Berger et troupeau dans un paysage, h/pan. (18x26) : CHF 8 000 – LINDAU, 9 mai 1979 : Troupeau au pâturage, h/t (38,5x46,5) : DEM 4 000 – BERNE, 6 mai 1981 : Berger et troupeau de moutons (20x26,5) : CHF 1 900 – NEW YORK, 25 mai 1984 : Transhumance, h/pan. (62,9x83,9) : USD 3 800 – LA VARENNE-SAINT-HILAIRE, 7 déc. 1986 : Bergère et son troupeau, h/pan. (30x47,5) : FRF 21 800 – PARIS, 22 mars 1988 : Bergers et moutons, h/pan. (19x24) : FRF 7 000 – BERNE, 26 oct. 1988 : Une clairière en automne, h/t (22x16) : CHF 1 900 – LONDRES, 6 oct. 1989 : Berger gardant son troupeau dans une prairie boisée, h/pan. (18,5x24) : GBP 3 300 – PARIS, 5 avr. 1991 : Berger et ses moutons, h/pan. (18,5x24) : FRF 11 200 – BARBIZON, 14 avr. 1991 : Retour du troupeau, h/t (46x55,5) : FRF 40 000 – LONDRES, 4 oct. 1991 : Berger et ses moutons dans un pré à l'orée d'un bois, h/pan. (35,6x26,7) : GBP 1 870 – PARIS, 11 mars 1994 : Berger gardant ses brebis, plume, aquar. et gche blanche (33,5x45) : FRF 13 500.

CHAIGNEAU Paul
XIXᵉ-XXᵉ siècles. Français.
Peintre de paysages animés, animaux.
On ne peut qu'être intrigué par les similitudes, surtout quant aux sujets traités, entre ce Paul Chaigneau et Jean Ferdinand CHAIGNEAU. On peut craindre des confusions.
VENTES PUBLIQUES : ENGHIEN-LES-BAINS, 2 juin 1977 : Coucher de soleil sur le pâturage, h/t (33,5x41) : FRF 4 500 – VERSAILLES, 14 oct. 1979 : Berger et ses moutons au soleil couchant, h/t (33x41) : FRF 11 000 – VIENNE, 20 jan. 1981 : Troupeau de moutons, h/pan. (27x35) : ATS 25 000 – VICHY, 26 nov. 1983 : Moutons dans un paysage, h/t (47x55) : FRF 8 500 – PARIS, 19 déc. 1986 : Bergère et moutons, h/pan. (27,5x21,5) : FRF 20 000 – PARIS, 1ᵉʳ déc. 1989 : Bergère et ses moutons, h/t (30,5x40,5) : FRF 19 000 – CALAIS, 8 juil. 1990 : Berger et son troupeau au crépuscule, h/t (33x41) : FRF 205 000 – NEUILLY, 7 avr. 1991 : Moutons s'abreuvant au coucher du soleil, h/t (34x42) : FRF 11 000 – PARIS, 2 déc. 1991 : Berger dans les bruyères et troupeau se désaltérant, h/pan. (27x35) : FRF 17 500 – PARIS, 6 nov. 1992 : Troupeau au soleil couchant, h/t (33,5x41) : FRF 8 500 – PARIS, 23 juin 1993 : Scène pastorale sous les arbres, h/pan. (27x35,5) : FRF 9 000 – PARIS, 17 nov. 1995 : Paysage de clairière aux moutons, h/pan. (23x32) : FRF 18 000.

CHAIGNET Hippolyte
Né en 1820 à Dijon (Côte-d'Or). Mort en 1865 à Dijon (Côte-d'Or). XIXᵉ siècle. Français.
Peintre.

Élève de Léon Cogniet. Le Musée de Dijon conserve quelques-unes de ses toiles, et notamment son portrait par lui-même, ainsi que des dessins.

CHAIGNIOT. Voir **CHÉNIOT**

CHAIGNON Alphonse
Né le 9 septembre 1828 à Paris. xixe siècle. Actif à Paris. Français.
Peintre de compositions religieuses, paysages, fresquiste, peintre sur émail.
Élève de Belloc.
Il débuta au Salon en 1865, y exposant jusqu'en 1868 quelques paysages (huile) et, entre 1876 et 1880, des peintures sur émail.
Il a, d'autre part, décoré de fresques l'église de Montargis et, à Paris, Saint-Jean-Baptiste de Belleville et Saint-Pierre de Montmartre.
VENTES PUBLIQUES : PARIS, 30 mai 1988 : *Les bords du Loing, vieilles maisons* 1880, peint./plaque de porcelaine (35x60) : **FRF 18 300.**

CHAILLAUD Jeanne
Née à Levallois-Perret (Hauts-de-Seine). xxe siècle. Française.
Graveur.
Élève de Ch. Clément. A exposé au Salon des Artistes Français.

CHAILLET François
Né à Colombier-Fontaine (Doubs). xxe siècle. Français.
Peintre.
A exposé des *Fleurs* au Salon des Artistes Français en 1936.

CHAILLET Françoise
Née le 12 janvier 1936 à Paris. xxe siècle. Active en France. Suissesse.
Peintre. Tendance surréaliste.
Dans un premier temps, elle fit des études d'architecture à l'Ecole des Beaux-Arts de Paris, puis elle travailla comme modéliste et journaliste pour des revues de mode. Dans le domaine pictural, elle a exposé en 1963 avec l'Ecole de Paris, en 1965 à l'Exposition Internationale du Surréalisme à Paris, en 1966 au Salon des Galeries Pilotes à Lausanne et en 1968 aux *Dix ans d'Art Vivant* à la Fondation Maeght à Saint-Paul-de-Vence.
Sa peinture montre un univers fantastique, peuplé d'êtres larvaires disséminés sur des fonds désertiques. Ses toiles dégagent une étrange impression de solitude et d'angoisse.

CHAILLET Robert Edouard Edmond
Né à Liège. xxe siècle. Belge.
Peintre.
Élève de Lefèvre et Verdier. A exposé au Salon des Artistes Français, 1929-30 ; Sociétaire du Salon d'Hiver.

CHAILLON Louis de. Voir **CHÂTILLON**

CHAILLON Paulus
Né à Bailleau-le-Pin (Eure-et-Loir). xxe siècle. Français.
Peintre.
A exposé des paysages au Salon des Indépendants, depuis 1939.

CHAILLON Philibert
xviie siècle. Français.
Sculpteur.
Il fit, en 1674, deux figures de Pallas soutenant une inscription en marbre noir sur la partie intérieure du corps de garde, à l'Hôtel de Ville de Toulouse ; ces figures subsistent encore aujourd'hui.

CHAILLOT
xixe siècle. Actif à Paris dans la première moitié du xixe siècle. Français.
Graveur à l'eau-forte et au burin.
Collabora à l'ouvrage *Galerie historique de Versailles*, pour lequel il a gravé deux portraits de Napoléon.

CHAILLOT Louis de. Voir **CHÂTILLON**

CHAILLOU Élisabeth ou **Challiou**
xviiie siècle. Travaillant à Paris. Français.
Graveur au pointillé.

CHAILLOU Étienne Joseph
xviiie siècle. Français.
Peintre de miniatures, graveur.
Il fut reçu à l'Académie Saint-Luc à Paris en 1760. Il était aussi éditeur d'estampes.

CHAILLOU François Marie
xviiie siècle. Français.

Sculpteur.
Il fut reçu à l'Académie Saint-Luc à Paris en 1759.

CHAILLOU Jean
xvie siècle. Actif à Rouen. Français.
Sculpteur.
Sous la direction de Roullant Leroux, il travailla, dans la cathédrale de Rouen, au tombeau du cardinal Georges d'Amboise.

CHAILLOU Jean
xviiie siècle. Français.
Sculpteur.
Il fut reçu à l'Académie Saint-Luc à Paris en 1738.

CHAILLOU Narcisse
Né le 12 mars 1837 à Nantes. xixe siècle. Actif à Baud (Morbihan) et à Rennes. Français.
Peintre.
Élève de Hébert, Bonnat et Corot. Exposa au Salon des Artistes Français entre 1870 et 1896. Il a peint surtout des scènes de genre et des portraits. Le Musée de Sheffield conserve de lui : *Le Rémouleur* et *Un marchand de rats pendant le siège de Paris.*

CHAILLOU P. J. ou **Challiou**
xviiie-xixe siècles. Actif à Paris. Français.
Dessinateur et illustrateur.

CHAILLOUX A.
xixe siècle. Français.
Graveur au burin.
Beraldi cite de ce graveur : *La Vierge au silence* (1865).

CHAILLOUX Fernand
Né en 1878. Mort en 1904 à Paris. xixe siècle. Français.
Sculpteur.
Élève de Jules Thomas. Exposa au Salon des Artistes Français.

CHAILLOUX Robert
Né le 23 avril 1913 à Paris. xxe siècle. Français.
Peintre de natures mortes et de paysages.
Il fit des études à l'Ecole spéciale de dessin du boulevard de Belleville. Il participe pour la première fois, en 1940, au Salon des Artistes Français, en 1943 au Salon de la Société Nationale des Beaux-Arts et en 1945 au Salon des Artistes Indépendants à Paris. Il a régulièrement exposé au Salon d'Hiver et au Salon de la Marine.
Il peint, dans une facture minutieuse, des natures mortes, mais aussi des paysages d'Ile-de-France, et des compositions parfois allégoriques.
VENTES PUBLIQUES : NEW YORK, 18 juil. 1984 : *Nature morte*, h/t (50,8x61) : **USD 1 000.**

CHAILLY
xixe-xxe siècles. Français.
Peintre.
Le musée de Rochefort conserve une aquarelle de l'arc de triomphe érigé dans cette ville en 1823 en l'honneur de la duchesse d'Angoulême.

CHAILLY Jacques
xixe siècle. Actif à Paris au début du xixe siècle. Français.
Graveur.
Le Blanc cite de lui un *Portrait de Napoléon Ier.*

CHAILLY Victor
Né au xixe siècle. xixe siècle. Français.
Peintre de genre, scènes de chasse, paysages animés, paysages.
Entre 1842 et 1848, il exposa au Salon de Paris.
A peint des scènes de chasse et des paysages d'Allemagne.
VENTES PUBLIQUES : PARIS, 17 mars 1978 : *La Ferme à Mussidan* 1845, h/pan. (29x41) : **FRF 7 500** – LONDRES, 14 fév. 1979 : *Voyageurs dans un paysage* 1844, 2 pan. (32,5x41) : **GBP 4 000** – VIENNE, 20 mai 1987 : *Scène champêtre*, h/t (38x52) : **ATS 50 000.**

CHAIMOWICZ Georg
Né le 3 juin 1929 à Vienne. xxe siècle. Autrichien.
Peintre. Abstrait.
Élève à l'Ecole des Beaux-Arts de Bogota de 1940 à 1941, il continue ses études à Vienne de 1948 à 1955. Il participe à la Biennale de gravure de Ljubljana en 1961, au Salon Grands et Jeunes d'Aujourd'hui à Paris en 1966, à l'exposition *La peinture autrichienne* au Musée de Bochum en 1973. Dès 1958, il avait fait une exposition personnelle à Vienne, suivie de beaucoup d'autres, notamment à Paris et Venise. Il travaille dans le sens d'une peinture abstraite à laquelle il ajoute des collages.
MUSÉES : PARIS (Mus. d'Art Mod.) – VIENNE (Albertina).

CHAIMOWICZ Marc Camille
Né en 1946 à Paris. XXᵉ siècle. Français.
Peintre, dessinateur.
Il étudia à la Slade School of Fine Arts de Londres. Il montre ses œuvres dans des expositions personnelles : 1984 musée d'Art et d'Histoire de Genève.
Il travaille sur les matériaux et les supports les plus divers : tissus imprimés, toiles, papiers, meubles, etc... et réalise des œuvres ayant un important rôle décoratif.
BIBLIOGR. : M. C. Chaimowicz : *Vocabulary*, Lyon, 1990 – in : *Dict. de l'art mod. et contemp.*, Hazan, Paris, 1992.

CHAIN Jean
XVIIᵉ siècle. Français.
Sculpteur.
Il fut reçu à l'Académie Saint-Luc à Paris en 1692.

CHAINAYE Achille, dit Champal
Né le 26 août 1862 à Liège. XIXᵉ siècle. Belge.
Sculpteur.
Élève de l'Académie de Liège. Débuta dans cette ville au Cercle Artistique vers 1882. On cite de lui : *L'Enfant de chœur, Le Vieux, Buste de San Giovannino.*

CHAINBAUX Louis Nicolas
XIXᵉ siècle. Français.
Peintre de paysages.
De 1831 à 1851, il exposa ses paysages au Salon de Paris. On lui doit notamment des vues de Picardie, de Bourgogne, des environs de Limoges et surtout des bords de l'Oise.

CHAINE Achille, Mme, née Joséphine Olivier
Née le 9 août 1847 à Lyon (Rhône). Morte le 2 février 1882 à Lyon. XIXᵉ siècle. Française.
Peintre.
Élève de Mme Salles-Wagner et d'Achille Chaine (son mari). Elle exposa, à Lyon, de 1865 à 1880 (sous son nom de jeune fille jusqu'en 1869), des tableaux de genre et de portraits signés, depuis 1870, « J. Chaine-Olivier ».

CHAINE Jeanne
Née au XXᵉ siècle à Nuremberg. XXᵉ siècle. Française.
Peintre.
A exposé, de 1923 à 1926, des portraits et des natures mortes au Salon des Indépendants.

CHAINE Jules
Né à Paris. XIXᵉ siècle. Français.
Sculpteur.
Élève de Layraud et Halon. A débuté au Salon de 1877 avec un buste terre cuite.
BIBLIOGR. : G. Schurr, 1820-1920 : *Les petits maîtres de la peinture, valeur de demain* les Éditions de l'Amateur, Paris, 1969.

CHAINE Nicolas Achille
Né le 24 octobre 1814 à Verdun (Meuse). Mort le 29 janvier 1884 à Lyon (Rhône). XIXᵉ siècle. Français.
Peintre de genre, figures, portraits, intérieurs, paysages, miniaturiste, dessinateur, caricaturiste.
Il fut élève de Chenavard et de Thierriat à l'École des Beaux-Arts de Lyon de 1831 à 1834. Il séjourna ensuite à Paris, visita l'Italie et revint se fixer à Lyon, où il participa régulièrement au Salon, tandis qu'il ne figurait que de manière irrégulière au Salon de Paris. Nommé professeur à l'École des Beaux-Arts de Lyon en 1862, il fut directeur d'une école municipale de dessin et, en 1880, conservateur des musées.
Auteur de miniatures, dessins, il est aussi connu pour ses caricatures de personnages lyonnais parues, pour la plupart, dans les ouvrages d'Alexis Rousset. Ses dessins et ses scènes anecdotiques conservent l'agilité due à la technique de la caricature. Ses portraits à l'huile restent d'inspiration ingresque par leur ligne synthétique, nets et stylisés. Citons : *Magicien turc* 1843 – *Une courtisane* 1844 – *L'appel à la danse – Villa à Rome – Jeune fille à la fontaine* 1846-47.
BIBLIOGR. : Gérald Schurr, in : *Les Petits Maîtres de la peinture 1820-1920, valeur de demain*, Les Éditions de l'Amateur, t. VII, Paris, 1989.
MUSÉES : LYON (Mus. des Beaux-Arts) : *Portrait de Mme Louvier, née Chenavard* 1852.

CHAINEUX Désiré
Né en 1851 près de Bruxelles. XIXᵉ siècle. Belge.
Dessinateur.

CHAINQUER
XIXᵉ siècle. Actif à Paris dans la première moitié du XIXᵉ siècle. Français.
Graveur au pointillé.

CHAINTRIER Jean
Né en juin 1933 à Paris. XXᵉ siècle. Français.
Peintre et lithographe. Abstrait.
Il commence à peindre en 1961 et fait sa première exposition de groupe en 1972. Ses lithographies ont été présentées à la Bibliothèque Nationale de Paris, dans le cadre de l'exposition *L'Estampe d'Aujourd'hui*, en 1979. Il a fait des expositions personnelles à Paris en 1972, 1975, 1976, 1986, à Bruxelles en 1972, à Uppsala de 1974 à 1984, à Rotterdam et Leyde en 1984. Il utilise une perspective classique pour faire ses toiles où se déroulent des formes abstraites, sortes de rubans aux volutes nombreuses.
BIBLIOGR. : Catalogue de l'exposition *Réalité Seconde*, Gal. d'Art Contemp., Chamalières, 1986.

CHAIR R. B. de
XVIIIᵉ siècle. Français.
Peintre de miniatures.
Il exposa à la Royal Academy, à Londres, en 1785.

CHAIR VASFI
XVᵉ siècle. Turc.
Miniaturiste.
Célèbre représentant de l'École de Brousse, sous le règne du Sultan Mourad III.

CHAIRESTRATOS, fils de Chairedemos
Originaire de Rhamnus (Attique). IIIᵉ siècle avant J.-C. Vivant au début du IIIᵉ siècle avant J.-C. Antiquité grecque.
Sculpteur.
Il exécuta une statue de *Themis* conservée au Musée d'Athènes.

CHAISE Charles
Mort en 1790 à Paris. XVIIIᵉ siècle. Français.
Peintre et doreur.
Mari de Marie-Louise Guibert et père de Charles-Édouard Chaise. Il fut reçu à l'Académie Saint-Luc à Paris en 1760.

CHAISE Charles Édouard
Né en 1759 à Paris. Mort en 1798 à Fontainebleau. XVIIIᵉ siècle. Français.
Peintre.
En 1778, il eut le second prix au concours de Rome. Il fut agréé à l'Académie le 26 septembre 1789. Au Salon de 1791 et à celui de 1793, il exposa un certain nombre de travaux parmi lesquels on cite : *L'offrande à Pan, Fête de Bacchus, Septime Sévère, Jeune Femme à sa toilette.*
VENTES PUBLIQUES : PARIS, 1814 : *La maladie d'Antiochus*, dess. au bistre : FRF 7 – PARIS, 1818 : *Les filles d'Athènes tirant au sort pour être livrées au Minotaure* : **FRF 200.**

CHAISMEL Guillaume
D'origine bretonne. XVᵉ siècle. Français.
Sculpteur.
Il alla s'établir à Mortain, en 1445, et y sculpta les stalles de l'église, qui subsistent encore.

CHAISSAC Gaston
Né en 1910 à Avallon (Yonne). Mort le 6 novembre 1964 à Vix (Vendée). XXᵉ siècle. Français.
Peintre de figures, portraits, animaux, natures mortes, peintre à la gouache, aquarelliste, peintre de technique mixte, collages, peintre de compositions murales, sculpteur, dessinateur, illustrateur. Art-brut.
Autodidacte, il passe par plusieurs apprentissages avant de peindre : marmiton, commis de quincaillerie, apprenti bourrelier, apprenti cordonnier. Son premier contact avec l'art pictural vient d'une demoiselle Guignepied qui enseignait le dessin à sa sœur, sous son regard attentif. Le plus surprenant, dans cette histoire, vient de ce que cette même demoiselle aurait fait part de ses conceptions artistiques au jeune Dubuffet, lorsqu'il était en vacances dans cette région de l'Yonne. Cette coïncidence permet à Chaissac d'écrire, non sans humour : « Dubuffet, lui aussi, suivit l'enseignement Guignepied et c'est à se demander si lui et moi ne sommes pas le résultat de cet enseignement » ! S'il a pris contact avec la peinture, dès l'âge de 15 ans, c'est à travers son métier de bourrelier, alors qu'il maniait le pinceau et préparait la couleur. En 1934, il s'installe avec son frère à Paris, où ils ouvrent une échoppe de cordonnier sans succès, mais Chaissac utilisait déjà des morceaux de cuir dans ses compositions. De santé pré-

caire, il doit faire un séjour à Villapourçon pour se faire soigner, puis revient à Paris en 1937. C'est un moment important de sa vie, puisqu'étant installé chez son frère, il fait la connaissance de ses voisins de palier : les peintres Otto Freundlich et Jeanne Kosnick-Kloss qui l'encouragent vivement et le soutiennent. Chaissac, sans travail, sans ressources, atteint de tuberculose, a bien besoin de cette aide. Soigné à l'hospice de Nanterre puis au sanatorium d'Asnières (Eure), il fait des centaines de dessins rehaussés de gouache, qu'il expose en 1938 à la galerie Gerbo à Paris, où le remarquent Albert Gleizes, Robert Delaunay et André Bloc.

En 1944, il exécute ses premières peintures à l'huile et, grâce à Jeanne Kosnick, qui s'est occupée fidèlement de le faire participer à des expositions de groupe, il l'expose au Salon des Artistes Indépendants en 1944, à celui des Surindépendants en 1945, où il attire l'attention de Raymond Queneau, Jean Paulhan et Dubuffet. Il expose également au premier Salon des Réalités Nouvelles à Paris en 1946. A partir de cette époque commence une correspondance abondante et savoureuse avec R. Queneau, J. Paulhan et Dubuffet qui sera publiée en 1951, sous le titre : *Hippobosque au bocage* (Gallimard). En 1948, il s'installe à Sainte-Florence-de-L'Oie (Vendée), où sa femme, institutrice, est nommée et où il subit l'hostilité et l'intolérance de son environnement, n'étant plus soutenu que par André Bloc. Il exécute alors des peintures murales : *Les Géants de muraille*, aujourd'hui disparues. Il collabore à de nombreuses revues poétiques et, à partir de 1954, écrit des chroniques dans *La Nouvelle Revue Française*, notamment *Les Chroniques de l'oie* en 1958-60. Après avoir répondu à l'invitation de Dubuffet à séjourner à Vence en 1956, il s'installe définitivement à Vix en 1961, où il devait mourir trois ans plus tard, au moment où il devenait célèbre, sans en tirer aucune satisfaction.

Depuis sa première exposition personnelle à Paris en 1938, il avait exposé à Limoges en 1941 ; puis de nouveau à Paris en 1943, 1947, 1949, 1961, 1963 ; à Nantes en 1949, 1957, 1961, 1963 ; à Milan en 1961, 1962, 1963 ; à Gênes en 1963 et enfin à New York et Minneapolis en 1964. Après sa mort, de nombreux hommages lui sont rendus, entre autres, à Paris et Nantes en 1965, à Lyon en 1968, aux Sables-d'Olonne en 1969, au Musée National d'Art Moderne de Paris en 1973, à Nice et La Rochelle en 1976, à Rochefort et à l'École des Beaux-Arts de Saint-Étienne en 1986. En 1998, successivement les musées de Nantes, Montpellier, Charleroi, ont produit une exposition d'ensemble de son œuvre. Gaston Chaissac est un être exceptionnel, trop souvent assimilé à un « peintre paysan », donc facilement classé du côté des naïfs, comme bien des autodidactes, ce dont il se défend à juste titre. C'est avec clairvoyance qu'il expose son cas : « Mon cas est une exception car il est exceptionnel de réussir à faire dessiner des manuels comme ils sont d'emblée capables de le faire et encore plus difficile de les faire persévérer sans sortir de là. J'ai persévéré et ça a donné du plutôt inhabituel. La plupart des autodidactes ont cherché à peindre à la façon des peintres académiques ». En conséquence, il est effectivement hors de question de le classer parmi les peintres naïfs. Peu encombré de préjugés, Chaissac jouissait d'une grande liberté intellectuelle et d'un instinct dégagé de tout bagage culturel, il pouvait explorer de nombreux domaines, notamment utiliser des matériaux de rebut et les promouvoir à la dignité d'œuvre d'art. Cette façon de procéder avait attiré l'attention de Dubuffet qui travaillait, vers 1948, à l'élaboration de ce qu'il devait appeler l'« Art Brut ». Et même si Chaissac se défend d'appartenir à cette catégorie de peintres, il a exposé avec eux en 1949 chez Drouin et surtout eu une forte influence sur l'œuvre de Dubuffet, grand maître de cet « Art Brut ».

Ainsi, les dessins de Chaissac de l'année 1947 annoncent-ils avec précision ceux du cycle de *L'Hourloupe* qu'entreprendra Dubuffet à partir de 1964. Chaissac avait réalisé, dès 1948, des sculptures en charbon de bois et en assemblages de souches, telles celle que montrera Dubuffet peu après. Chaissac a laissé une abondante correspondance, éditée chez Gallimard avec des poèmes et des contes, écrits dans ce style de « rustique moderne » comme il se qualifiait lui-même, que Dubuffet reprit également à son propre compte.

On peut distinguer plusieurs périodes au long de son œuvre : de 1938 à 1941, apparaissent des formes imbriquées : oiseaux, serpents ou bêtes éléphantesques aux cellules divisées en écailles, ce sont les formes premières ou primordiales exécutées au dessin, à l'aquarelle, à la gouache ou à l'encre de Chine. A partir de 1942, au moment où il est encouragé par Albert Gleizes, il fait

des compositions et des dessins sur papier jaspé ou moucheté avec des petits personnages ; c'est le moment où apparait le thème de l'enfant qui pleure. Entre 1948 et 1950, ses huiles et gouaches sont faites à partir d'empreintes de toutes sortes d'objets et parfois, telle la *Composition au personnage coiffé* (gouache de 1948), avec des épluchures de courges. Il crée des sculptures naturelles, utilisant des vieilles souches, ficelles, bidons, compressions, ustensiles ménagers détériorés etc. Il est alors en relation avec la Belgique par l'intermédiaire de Koenig et marque une influence certaine sur le groupe Cobra. En 1950-1951, il peint des compositions abstraites sur fonds colorés qui reflètent moins la spontanéité de son art. On retrouve davantage sa personnalité à travers ses premiers collages de 1953-54, ses pierres peintes et surtout ses objets peints, cuvettes, bassines, couvercles de lessiveuses, dessous d'assiettes émaillées, cafetières, etc., pour lesquels il laisse aller son imagination en toute liberté. Arrivent en 1959, les premiers *Totems*, longues figures en bois peint, dont les personnages sont définis par des taches de couleurs irrégulières, comme placées de guingois et cernées de noir, comme le montrent *Totem figure*, *casquette à l'étoile* ou *Y'a de la joie* ou *Anatole* (1960) ou encore *Les Deux Sardines tête-bêche* (1962). Entre 1961 et 1963, il exécute de grands collages à base de papiers de tapisserie. Enfin, en 1964, il fait des compositions et notamment des *Totems*, aux couleurs non cernées.

Au long de ces diverses périodes, il utilise les techniques les plus variées : gouache, huile, empreintes de détritus et d'ustensiles, assemblages d'écorces, papiers déchirés ou découpés, objets usuels ou de récupération peints en « modification », tôles pliées et peintes. C'est dire la liberté d'expression de ce peintre qui fut aussi écrivain, dont les textes savoureux n'en sont pas moins subtils et expriment avec clairvoyance sa situation, ainsi écrivait-il : « J'accentuais, à l'occasion ma maladresse, m'étant aperçu que plus mon dessin était mal foutu, moins il avait la raideur de l'apprenti dessinateur. On est élégant à sa façon ».

■ Annie Pagès

G. CHAISSAC
CHAISSAC

BIBLIOGR. : Catalogue de l'exposition *Gaston Chaissac*, Musée National d'Art Moderne, Paris, 1973 – Catalogue de l'exposition *Gaston Chaissac*, Cahiers de La Serre, Ecole Régionale des Beaux-Arts de Saint-Étienne, 1986 – Françoise Monnin : *Tableaux choisis. L'art brut*, Editions Scala, Paris, 1997.

MUSÉES : LAUSANNE (Mus. d'Art Brut) – LYON (Mus. des Beaux-Arts) : *Totem* – PARIS (Mus. Nat. d'Art Mod.) : *Composition 1947-1948*, h/bois, (199,5x105) – *Maxime aux bas verts* 1961, h/isor., (30,5x45) – *Personnage* 1961-1962, collage de pap. peints et reh. de gche/pap. mar./t., (102x69,5) – ROCHECHOUART (Mus. départ. d'Art Contemp.) : *Treizième évangile* vers 1960 – LES SABLES-D'OLONNE (Mus. de l'Abbaye Sainte-Croix) : *Visage rouge* 1962, gche et collage de papiers peints – SAINT-ÉTIENNE (Mus. d'Art et d'Industrie) : *Bête*, encre de Chine – *Totem* 1964, h. sur bois.

VENTES PUBLIQUES : PARIS, 12 mars 1972 : *Composition* : FRF 20 000 – GENÈVE, 17 juin 1972 : *Composition* : CHF 12 000 – PARIS, 12 mars 1976 : *Composition*, tôle peinte (140x60) : FRF 7 000 – PARIS, 25 mai 1976 : *Personnage* 1961, gche (50x64) : FRF 8 000 – PARIS, 22 mars 1977 : *Deux personnages*, mur et animaux 1961, gche (23,5x32) : FRF 3 600 – PARIS, 26 mars 1977 : *Totem*, h/bois découpé (285x40) : FRF 13 000 – LONDRES, 3 déc. 1981 : *Homme debout*, h/pan. (102x15) : GBP 4 800 – PARIS, 7 déc. 1981 : *Jeune femme*, aquar. et encre (18x26) : FRF 6 400 – PARIS, 25 oct. 1982 : *Animal fantastique*, gche (63,5x48,5) : FRF 13 000 ; *Personnage*, h/pap. mar./t. (95x64) : FRF 40 000 – PARIS, 6 nov. 1983 : *Composition au caneton, personnage de profil à gauche*, h/isor. double face (51x100) : FRF 93 000 – PARIS, 22 avr. 1983 : *Le Couple* vers 1937, gche (25,5x25) : FRF 25 000 – PARIS, 26 nov. 1984 : *Personnage*, gche/pap. peint. (54x30) : FRF 42 000 – LONDRES, 27 juin 1985 : *Iris Totem* 1961, bois peint. (H. 286) : GBP 14 500 – ZURICH, 8 nov. 1985 : *Les Serpents bénéfiques*, techn. mixte/t. (65x50) : CHF 30 000 ; *Personnage souriant*, h/t (65x48) : CHF 24 000 – PARIS, 14 déc. 1986 : *Personnage*, h/pap./t. (101x65) : FRF 115 000 – PARIS, 15 déc. 1986 : *Composition au personnage : le charbonnier*, collage d'impressions et de pap. peint. avec encre de Chine (58x55) : FRF 80 000 – PARIS, 15 oct. 1986 : *Personnage*, encre et collage (32x21) : FRF 32 500 –

Paris, 24 nov. 1987 : *Personnages imbriqués* 1940-41, dess. à l'encre de Chine (15x23) : FRF 15 000 – Paris, 4 déc. 1987 : *Le Chapeau jaune*, gche/pap. journal (58,5x41) : FRF 8 500 – Paris, 17 fév. 1988 : *Personnage grotesque*, dess. à l'encre de Chine (34x28) : FRF 42 000 – Paris, 23 mars 1988 : *Animal fantastique*, collage et encre (22,5x15) : FRF 24 000 ; *Composition* 1955, collage et encre (27,5x19,5) : FRF 35 000 – Paris, 24 mars 1988 : *Composition*, h/cart. (28,5x15) : FRF 36 000 – Paris, 12 juin 1988 : *Le Maréchal-ferrand*, gche (100x63) : FRF 285 000 ; *La dame de compagnie*, h., gche et collage (82x58) : FRF 195 000 – Paris, 22 juin 1988 : *Personnage* 1942, aquar. et encre (22x17) : FRF 52 000 – Paris, 16 oct. 1988 : *Personnage* vers 1960, h/pan. d'isor. (77x31,5) : FRF 120 000 – Paris, 28 oct. 1988 : *Personnages*, acryl./cart. mar./t. (65x46) : FRF 190 000 – Paris, 21 nov. 1988 : *Composition* 1955, collage et encre (29x20) : FRF 47 000 – Paris, 12 déc. 1988 : *Portrait*, encre légendée : FRF 20 000 – Paris, 14 déc. 1988 : *Le Blondin*, dess. à l'encre/pap. calque (32x32) : FRF 18 000 – Paris, 30 mars 1989 : *Composition, taches soufflées* 1961, encre de Chine et gche/pap. (24,5x31,5) : FRF 20 000 – Paris, 11 avr. 1989 : *Composition aux fleurs et papillons*, h/pan. (100x72) : FRF 220 000 – Paris, 15 juin 1989 : *Personnage*, h/métal (161x66) : FRF 1 500 000 – Londres, 6 avr. 1989 : *Sans titre* 1963, gche et collage/pap. (65x50) : GBP 18 700 – Paris, 9 oct. 1989 : *Personnage* 1962, h/pan. (96x64) : FRF 610 000 – Paris, 5 avr. 1990 : *Personnage* 1961, collage /pap. (97,5x62,5) : FRF 760 000 – Paris, 30 mai 1990 : *Composition abstraite*, h. et gche (30x15,5) : FRF 125 000 – Paris, 10 juin 1990 : *Personnage sur fond moucheté* 1942, aquar. et encre de Chine/pap. (21,5x14,6) : FRF 95 000 – Paris, 13 juin 1990 : *Composition*, collage et techn. mixte/pap. entoilé (65,5x50,5) : ITL 34 000 000 – Paris, 18 juin 1990 : *Le presbytère et l'école du curé*, h. et collage/pap. (49x64) : FRF 960 000 – Paris, 19 juin 1990 : *Collage* 1955, pap. déchirés de Chine (14x13,5) : FRF 5 500 – Paris, 29 oct. 1990 : *Composition* 1949-50, h/pap. mar./cart. (46,5x63) : FRF 320 000 – Paris, 14 fév. 1991 : *Personnage*, collage de papiers en encre de Chine, h/t (31x23) : FRF 180 000 – Paris, 25 mars 1991 : *Composition*, gche et collage/pap./t. (65,5x50) : FRF 220 000 – Paris, 30 mai 1991 : *Personnage* 1961, collage de pap. muraux publicitaires et cartographiques et encre de Chine (66x100,5) : FRF 380 000 – Paris, 21 mai 1992 : *Os peint*, peint./omoplate (H. 27) : FRF 80 000 – Paris, 11 déc. 1992 : *Mon Vieux Fernand*, peint./pan. (61x49) : FRF 230 000 – Milan, 6 avr. 1993 : *Paris* 1949, collage et techn. mixte/pap. (48x67) : ITL 16 000 000 – Paris, 3 juin 1993 : *Totem* 1964, h./sculpt. bois (163x25) : FRF 450 000 – Londres, 2 déc. 1993 : *Composition*, h/t (66x50,2) : GBP 11 500 – Paris, 10 mars 1994 : *Personnage*, collage de pap. peint. et h/t (84,5x60) : FRF 121 000 – Paris, 25 mars 1994 : *Le Mur* 1938, gche/pap. (32,5x26) : FRF 175 000 – Milan, 15 mars 1994 : *Personnage*, acryl./pap. toilé (95x64) : ITL 43 700 000 – Paris, 23 nov. 1994 : *Composition*, h/pap./t. (64,5x49,5) : FRF 280 000 – Paris, 4 déc. 1995 : *Personnage* 1962, h/pap./t. (95x64) : FRF 161 000 – Paris, 15 avr. 1996 : *Personnage en pied*, encre de Chine/pap. kraft (100x61) : FRF 59 000 – Paris, 19 juin 1996 : *Composition à trois têtes sur fond moucheté* vers 1955, aquar. et encre de Chine/pap. (22,4x14,7) : FRF 23 000 – Paris, 7 oct. 1996 : *Personnages* 1962-1963, collage (49x64) : FRF 60 000 – Londres, 24 oct. 1996 : *Australien* 1955, collage/cart. fort (38x28) : GBP 2 415 – Paris, 22 nov. 1996 : *Personnage*, gche/pap. kraft (40x31) : FRF 18 000 – Paris, 29 nov. 1996 : *Personnages*, h/cart. (40x30) : FRF 70 000 – Paris, 20 jan. 1997 : *Personnage* vers 1959, h/t (18x12) : FRF 27 000 – Paris, 20 juin 1997 : *Loupot* 1955, collage de pap. déchirés et encre (25,3x19,3) : FRF 35 000.

CHAI TA-K'UN. Voir ZHAI DAKUN.

CHAIX Andrée

Née à Montcaret (Dordogne). XXᵉ siècle. Française.

Peintre de fleurs, natures mortes et scènes de genre.

Elle a participé à Paris au Salon de la Société Nationale des Beaux-Arts de 1933 à 1940 et au Salon des Artistes de Lyon.

Musées : Lyon – Marseille – Vienne (Isère).

CHAIX Auguste Hippolyte Cyrille

Né le 1ᵉʳ novembre 1860 à Vienne (Isère). Mort en 1922. XIXᵉ-XXᵉ siècles. Français.

Peintre de sujets militaires, scènes de genre, figures, paysages.

Frère de Francisque. Élève de Zacharie.

Il a exposé, à Lyon depuis 1891, à Paris depuis 1898, des sujets militaires, des figures et des tableaux de genre, parmi lesquels :

En lecture (Lyon, 1897, troisième médaille), *Grand'mère* (Paris, 1898), *Dormeur* (Paris, 1899).

Ventes Publiques : Berne, 21 oct. 1983 : *Paysage du Midi*, h/t (38x60) : CHF 3 000.

CHAIX Désirée, Mme

Née à Paris. XIXᵉ siècle. Française.

Peintre de genre et de paysages.

Élève de Corot. Exposa au Salon entre 1870 et 1880.

CHAIX Francisque

Né le 20 décembre 1859 à Vienne (Isère). Mort le 15 juin 1915 à Lyon. XIXᵉ-XXᵉ siècles. Français.

Peintre de portraits et de paysages.

Élève de Zacharie. Ed. Cochet cite ses paysages de Vienne, Lyon, Paris, Vevey, Montreux et Beaulieu.

CHAIX Georges Pierre Paul Joseph

Né le 19 octobre 1784 à Madrid, d'origine française. Mort en 1834 à Mornex près de Genève. XIXᵉ siècle. Français.

Peintre d'histoire, compositions à personnages, scènes de genre, portraits, paysages, fresquiste.

Élève de J.-L. David pendant le séjour de sa famille en France. Chaix s'adonna à la peinture historique dans la manière de son maître et au portrait.

Il prit part aux expositions de Genève où il s'était fixé à partir de 1816 et exposa aussi à la Royal Academy à Londres, où il habitait en 1832.

On cite, parmi ses œuvres : *Œdipe à Colone* (au Musée Rath, à Genève), *Délivrance de Bonivard* (au Musée Rath), *Religieux du Saint-Bernard secourant une famille ensevelie sous la neige*. Il a, en outre, décoré de fresques le Château Borély, à Marseille.

Musées : Genève (Mus. Rath) : *Œdipe à Colone* – *Délivrance de Bonivard*.

Ventes Publiques : Berne, 27 avr. 1978 : *Premier amour* 1830, h/t (55x46) : CHF 3 500 – Berne, 24 oct. 1979 : *Paysage, Mornex* 1833, h/t (65x92) : CHF 8 500.

CHAIX Jean-Paul

Né le 15 octobre 1931 à Marseille (Bouches-du-Rhône). XXᵉ siècle. Français.

Peintre de paysages, figures.

Il fut élève de l'École des Beaux-Arts de Marseille. Ayant une activité professionnelle autre, il ne reprit la peinture qu'après 1970. Il participe à quelques expositions collectives régionales. Depuis 1985, il montre sa peinture dans une galerie qu'il gère lui-même à Vence. Il est influencé par Pierre Ambrogiani et peint au couteau dans une tendance expressionniste.

Ventes Publiques : Cannes, 18 oct. 1990 : *L'olivier*, h/t : FRF 1 700.

CHAIX Joseph Marie Alexis

Né vers 1790 à Avignon. Mort après 1849. XIXᵉ siècle. Français.

Peintre.

Élève de Raspay et de J.-L. David. Il fut directeur de l'École de dessin d'Avignon. Il exposa au Salon en 1814 : *Priam pleurant la mort de son dernier fils*.

Musées : Avignon : *Peinture du porche de l'église Notre-Dame des Doms d'Avignon – Soffite de l'archivolte de la porte de l'église Notre-Dame des Doms – Vue de la campagne de Rome*.

CHAIX L.

XVIIIᵉ siècle. Actif au milieu du XVIIIᵉ siècle. Français.

Graveur à l'eau-forte.

Voir aussi CHAYS (Louis). Le Blanc cite de lui : un *Portrait de Pierre Puget* d'après le portrait de cet artiste par lui-même.

CHAI ZHEN ou Ch'ai Chen ou Tch'ai Tchen, surnom Junzheng, noms de pinceau Shian et Shizhai

Né à Dongping (province du Shandong). XIVᵉ siècle. Chinois.

Paysagiste.

CHA JIZUO ou Cha Chi-Tso ou Tch'a Ki-Tso, surnom Yihuang, noms de pinceau Dongshan, Diaosou...

Né en 1601 à Haining (province du Zhejiang). Mort en 1677. XVIIᵉ siècle. Chinois.

Peintre.

Lettré, auteur d'ouvrages d'histoire, il aime à peindre des paysages dans le style de Huang Gongwang.

CHAKHOVSKY Nikolaï Pavlovitch

Né le 7 juillet 1850. XIXᵉ siècle. Russe.

Peintre d'histoire.

Élève de l'Académie de Saint-Pétersbourg.

CHAKRAVERTI Ajoy
Né aux Indes. xxᵉ siècle. Travaillant aux Indes. Indien.
Graphiste.
On cite ses *Images du Ramayana* (poème épique de l'Inde).

CHAKRAVORTY Khagen
Né en Inde. xxᵉ siècle. Indien.
Peintre et graveur.
Il a participé à l'Exposition de l'Art Hindou, organisée à Paris, en 1946, par l'U.N.E.S.C.O. Son art est moderne et occidental.

CHAKRAVORTY Ramendra Nath
Né en Inde. xxᵉ siècle. Indien.
Peintre de paysages.
Il a figuré à l'Exposition de l'Art Hindou organisée, en 1946, à Paris, par l'U.N.E.S.C.O.

CHAKROUN Mostari
Né le 9 janvier 1942 à Bizerte. xxᵉ siècle. Tunisien.
Peintre, peintre à la gouache. Occidental, tendance abstraite.
Après des études à l'Ecole des Beaux-Arts de Tunis entre 1960 et 1969, il poursuit ses études à l'Ecole des Beaux-Arts de Paris de 1966 à 1969. Il a participé à la Biennale de São Paulo en 1971, au Festival international de peinture à Cagnes-sur-Mer en 1977 et a exposé avec le groupe « Ettaswir » au Centre d'Art Vivant de la Ville de Tunis en 1981. Ses expositions personnelles se sont déroulées à Bizerte en 1966 et, régulièrement à Tunis à partir de 1970. Sa peinture est occidentale. Elle s'intègre dans le courant typiquement européen du paysagisme-abstrait. Formellement abstraite, elle provient d'un regard sur le monde extérieur, dont elle restitue la coloration affective.

CHALAMBERT Marie Alexandre Abel de
Né le 27 février 1838 à Paris. Mort vers 1920. xixᵉ-xxᵉ siècles. Travaillant à partir de 1907, à Dammartin-en-Goële. Français.
Peintre et sculpteur.
Élève de Boischevalier, Gustave Boulanger et Jules Lefebvre. Membre des Artistes Français, il débuta au Salon de 1877. On cite de lui, parmi ses peintures : *Tir à l'arc* ; *Sainte Elisabeth de Hongrie* ; et, parmi ses sculptures : *Saint Martin* (bronze) ; *La Guerre* (bronze) et *Hallali* (bronze).

CHALAMBERT Marie Thérèse de
Née à Rumy-Bémont (Oise). xxᵉ siècle. Française.
Sculpteur.
A partir de 1927, elle a exposé au Salon des Artistes Français et au Salon d'Automne à Paris.

CHALAMET Pierre Louis Victor
Né le 6 août 1805 à Paris. xixᵉ siècle. Français.
Peintre de genre, portraits, intérieurs.
Entré à l'École des Beaux-Arts le 1ᵉʳ octobre 1828, il se forma sous la conduite de Ponce Camus et de Picot.
De 1835 à 1846, il exposa au Salon plusieurs de ses ouvrages, notamment des portraits.
Ventes Publiques : Dijon, 1894 : *Intérieur d'artiste* : FRF 56 – Paris, 23 juin 1976 : *Deux scènes d'intérieur* l'une datée de 1838, deux h/t (41x33) : FRF 10 200.

CHALAND-BARRIER Alexis Clotilde
Née le 11 janvier 1868 à Roanne (Loire). Morte le 27 mars 1960 au château de Bayard à La Talaudière (Loire). xixᵉ-xxᵉ siècles. Française.
Peintre, aquarelliste, dessinateur de portraits, paysages, architectures, natures mortes, fleurs.
Elle reçut les conseils de plusieurs professeurs. Elle voyagea fréquemment en Algérie et au Maroc. Aristocrate, elle peignait en amateur, sans rechercher le contact avec le public. Elle a exposé au Salon des Artistes Français, à Paris, régulièrement jusqu'en 1925, mention honorable en 1914, Prix Guérinot pour la miniature en 1921, et y figura de nouveau en 1938. Elle figura également au Salon des Femmes Peintres et Sculpteurs. En 1993, une galerie a présenté une exposition d'ensemble de son œuvre. Surtout aquarelliste, elle a peint des tableaux de fleurs alliant maîtrise technique et sensibilité.
Musées : Roanne (Mus. Joseph Deschelette) – Saint-Étienne (Mus. d'Art et d'Industrie).

CHALE Gertrudis
Né en 1910 à Vienne (Autriche). Mort en 1954. xxᵉ siècle. Active aussi en Amérique latine. Autrichienne.
Peintre de scènes typiques, figures, groupes, dessinateur.

Elle fit ses études à Vienne, Munich et Paris. En 1934 elle partit pour l'Argentine, puis, intéressée par l'Amérique latine, elle voyagea en Bolivie, au Pérou et en Équateur.
Des ses voyages elle rapporta des scènes des différentes ethnies et de la vie locale.
Ventes Publiques : New York, 5 mai 1981 : *Figures*, h/cart. (63x86,5) : **USD 18 000** – New York, 19 mai 1992 : *Femmes assises*, h/cart. (34,7x49,7) : **USD 1 650** – New York, 18 mai 1994 : *Mères et enfants de l'Anteplano*, temp. et fus./pap. (45,7x60,3) : **USD 3 450.**

CHALEIL Andrée Marguerite
Née au Mans (Sarthe). xxᵉ siècle. Française.
Peintre de paysages.
Élève de R. F. X. Prinet, elle a exposé à Paris au Salon des Artistes Français et au Salon d'Automne à partir de 1925.

CHALET Jean Bernard
xviiᵉ siècle. Actif à Rennes. Français.
Peintre.

CHALET Raymond Charles Fernand
Né à Saint-Lô (Manche). xxᵉ siècle. Français.
Lithographe.
Il a régulièrement participé à Paris au Salon des Artistes Français, dont il est devenu sociétaire, recevant une mention honorable en 1927 et une troisième médaille en 1931.

CHALETTE, Mlle
Née vers 1757. Morte après 1810 à Paris. xviiiᵉ-xixᵉ siècles. Française.
Peintre de miniatures.

CHALETTE Jean
Né en 1581 à Troyes. Mort en 1643 à Toulouse. xviiᵉ siècle. Français.
Peintre.
Fixé à Toulouse dès 1610, il s'y maria et y fonda une école de dessin. Il fut nommé en 1612 peintre de la ville et exécuta les portraits des capitouls, magistrats municipaux de la cité. On lui doit aussi les miniatures des six volumes des Annales de l'Hôtel de Ville de Toulouse, manuscrit qui comptait à l'origine soixante feuillets et dont il ne reste que des fragments. Il fut peut-être formé par François Pourbus, en tout cas sa formation est flamande. Il égale des Flamands dans le rendu des étoffes. Le genre du portrait collectif qu'il a illustré fut surtout pratiqué par les Hollandais, toutefois il connut une grande vogue dans la France de la fin du xviᵉ siècle et du xviiᵉ, dans les provinces de France, où l'on vit le genre évoluer de Philippe de Champaigne à Largillière. Pour sa part, Chalette a su, profitant de l'apparente gêne de l'uniformité du costume des dignitaires, les individualiser au contraire par la force de l'expression psychologique des visages.
Bibliogr. : Charles Sterling : *Catalogue de l'exposition Les Peintres de la Réalité en France au xviiᵉ siècle*, Mus. de l'Orangerie, Paris, 1934.
Musées : Toulouse (Augustins) : *La Vierge aux prisonniers – Les capitouls de Toulouse* – Troyes : *Les capitouls de Toulouse.*

CHALEVEAU Guillaume
xviᵉ siècle. Actif à Tours. Français.
Sculpteur.
En 1523, il collabora, avec Guillaume Regnault, neveu de Michel Colombe, à l'exécution du tombeau de Louis de Poncher, conseiller du roi, et de Roberte Legendre, sa femme, monument qui est aujourd'hui au Louvre.

CHALEVEAU Jean ou **Challuau, Chalumeau**
xviᵉ siècle. Français.
Sculpteur.
Il travailla au château de Fontainebleau entre 1537 et 1550 et au château de Saint-Germain entre 1555 et 1558.

CHALEYE Joannès ou **Jean**
Né le 22 avril 1878 à Saint-Étienne (Loire). Mort en 1960 au Puy (Haute-Loire). xxᵉ siècle. Français.
Peintre de paysages, fleurs. Postimpressionniste.
Élève à l'École des Arts Décoratifs de Lyon, il poursuivit ses études à l'École des Beaux-Arts de Paris, dans l'atelier de Cormon. Il a participé au Salon des Artistes Français à partir de 1902. En 1903, il décida de s'installer au Puy pour organiser l'apprentissage de la dentelle au fuseau. Il reprit son activité picturale vers 1912 et, en 1931, fut nommé directeur de l'École des Arts et Industries textiles à Roubaix. Enfin, il se retira au Puy à partir de 1940.

Ses paysages, traités dans un style postimpressionniste, à la limite de l'expressionnisme, cherchent à rendre des effets d'ombre et de lumière, dans une touche grasse et des couleurs émaillées.

BIBLIOGR. : Gérald Schurr, in : *Les Petits Maîtres de la peinture 1820-1920, valeur de demain,* Les Éditions de l'Amateur, t. III, Paris, 1976.

VENTES PUBLIQUES : PARIS, 12 juin 1975 : *Haute-Loire, coucher de soleil,* h/t (46x55) : **FRF 10 000** – PARIS, 5 juin 1987 : *Le croquet à Mondon 1924,* h/pan. (86x113) : **FRF 32 000** – NEW YORK, 24 oct. 1989 : *Mélange de fleurs,* h/t (73x100,3) : **USD 6 050** – VERSAILLES, 25 nov. 1990 : *Nature morte de fleurs, pêches et poires,* h/pan. (50x69) : **FRF 15 000**.

CHALFANT Jefferson David
Né le 6 novembre 1856 en Pennsylvanie. Mort en 1931. XIXe siècle. Américain.
Peintre de genre, figures.
Élève de Bouguereau, Robert-Fleury et Lefebvre à Paris. Établi à Wilmingtow (Delaware).
Exposa à la National Academy de New York en 1898 : *Le Vieil Horloger.*
MUSÉES : BROOKLYN (Inst. of Arts and Sciences).
VENTES PUBLIQUES : NEW YORK, 24-25 et 26 fév. 1904 : *Une bonne histoire :* **USD 340** – NEW YORK, 28 oct. 1971 : *Le forgeron :* **USD 9 500** – NEW YORK, 22 mai 1980 : *A bad bay,* cr. (36,4x29,3) : **USD 550** – NEW YORK, 8 déc. 1983 : *Playing soldier 1886,* h/t (16,85x10,8) : **USD 20 000** – NEW YORK, 1er déc. 1988 : *Le soldat,* h/pan. (43,2x24,7) : **USD 24 200** – NEW YORK, 27 mai 1993 : *Le joueur de cor de chasse,* cr./pap. (29,8x24,1) : **USD 26 450** – NEW YORK, 14 sep. 1995 : *Le bottier,* h/t (83,8x64,1) : **USD 85 000**.

CHALGALO, pseudonyme de Lombard Charles Albert Gaston
XXe siècle. Français.
Peintre de paysages, de scènes de genre et de portraits. Naïf.
Son pseudonyme est tiré de l'assemblage des deux premières lettres de ses prénoms et nom : CHarles ALbert GAston LOmbard. Autodidacte, il a laissé peu de renseignements sur sa vie qui s'est déroulée dans l'ombre. Il a exposé, à partir de 1941, au Salon des Artistes Indépendants à Paris.
Il a peint des paysages de Paris, mais aussi des scènes de plage, des scènes de genre et des portraits. Comme souvent les artistes que l'on dit naïfs, il se place devant le motif comme un appareil photographique, recherche le point de vue parfait pour une carte postale souvenir. Ses vues ont le charme, pourquoi toujours désuet ? que l'on est maintenant accoutumé à trouver dans la poésie gentille des autodidactes de la peinture, quand un génie autre ne les transfigure pas.
BIBLIOGR. : Anatole Jakovsky : *La peinture naïve,* J. Damase, Paris, 1947.

CHALIAPINE Boris
Né à Moscou. XXe siècle. Russe.
Sculpteur.
Élève d'Arkhipov et de Kardovsky, il a participé au Salon d'Automne en 1930-31 et au Salon des Artistes Français à Paris en 1934.
VENTES PUBLIQUES : PARIS, 5 déc. 1985 : *Portrait du danseur Anton Dolin 1932,* h/t (100x81) : **FRF 13 000**.

CHALINE Paul
Né à Paris. XXe siècle. Français.
Peintre.
A exposé des tableaux de genre au Salon des Indépendants depuis 1935.

CHALKER Cissie, Miss
XIXe siècle. Britannique.
Miniaturiste.
Elle exposa à la Royal Academy à partir de 1890.

CHALL Jean Frédéric. Voir SCHALL

CHALLAMEL Jules Robert Pierre Joseph, d'après Bellier-Auvray
Né en 1813 à Paris. XIXe siècle. Français.
Dessinateur et lithographe.
Élève d'Ingres et de Rémond. Il exposa au Salon entre 1835 et 1848 un certain nombre de lithographies, en partie originales, en partie d'après Poussin et Lesueur. Il collabora aux *Voyages pittoresques et romantiques dans l'ancienne France* (1820-1863) du baron Taylor.

CHALLAN Claude, dit Lagneau
XVIIe siècle. Français.
Peintre et doreur.
A Lyon, où il vivait en 1648 et 1651, il fit des peintures et des travaux de dorure à l'Hôtel de Ville.

CHALLAND Louis Ferdinand Auguste
Né le 13 mai 1845 à Lausanne. Mort sans doute en 1900 à Paris. XIXe siècle. Suisse.
Peintre et architecte.
Challand vécut à Paris, à Nice et dans sa ville natale. Il prit part aux expositions de la Société suisse des Beaux-Arts à Zurich, en 1875, et à Lausanne, en 1882.

CHALLAND Lydia
Née le 2 avril 1843 à Lausanne. XIXe siècle. Travaillant à Lausanne. Suisse.
Peintre.
Sœur de Louis-Ferdinand-Auguste Challand. Elle exposa en 1884 et 1886 à la Société des Beaux-Arts de Lausanne.

CHALLARD Achille Auguste
Né à Sens (Yonne). XIXe siècle. Français.
Peintre.
A exposé au Salon de Paris, de 1868 à 1876, des portraits et des figures de genre.

CHALLE Noël
XVIIIe siècle. Travaillant à Amsterdam. Français.
Peintre.
Le Rijksmuseum à Amsterdam conserve de lui le *Portrait de Sandrina Van der Broecke* (1764).

CHALLE Simon ou Challes
Né en 1719 à Paris. Mort en 1765 à Paris. XVIIIe siècle. Français.
Sculpteur, dessinateur.
Frère cadet de Charles-Michel-Ange Challe. Il obtint en 1741 le premier prix de l'Académie, et fut pensionnaire de l'Académie de France à Rome (1744-1752). Ce sculpteur ordinaire du roi fut agréé à l'Académie royale de peinture et de sculpture en 1754 et devint académicien en 1756, sur une statuette en marbre représentant une *Naïade debout appuyée sur son urne.* Il exposa aux Salons du Louvre de 1755 à 1765. On cite parmi ses œuvres : *Méléagre domptant un sanglier,* terre cuite, *Vierge avec l'Enfant Jésus,* marbre, *Turenne enfant endormi sur l'affût d'un canon,* terre cuite, *Christophe Colomb découvrant l'Amérique.* On lui doit la *Chaire de l'église Saint-Roch,* à Paris, qui existe encore (les quatre évangélistes qui la soutiennent, œuvre de G. Boichot, ayant remplacé quatre cariatides dorées qui représentaient les vertus cardinales).
VENTES PUBLIQUES : PARIS, 10 et 11 avr. 1929 : *Fontaine,* dess. : **FRF 800** – PARIS, 8 et 9 déc. 1933 : *Une fontaine,* pl. et lav. d'encre de Chine : **FRF 130** – PARIS, 4 fév. 1969 : *Fantaisie d'architecture,* pl. et lav. d'encre de Chine (44x59) : **FRF 23 000**.

CHALLENER Frederik Sproston
Né en 1869 à Whetstone près Londres. Mort en 1959. XIXe-XXe siècles. Canadien.
Peintre de paysages.
Élève de G. A. Reid à Toronto. Étudia aussi en Angleterre, Italie, Égypte, et en Orient.
Il se fixa à Toronto où il devint membre de la Royal Canadian Academy en 1899. Membre de la Ottowa Society of Artists en 1890.
MUSÉES : OTTAWA (Nat. Gal.) – TORONTO (prov. Art Gal.).
VENTES PUBLIQUES : PARIS, 4 juin 1981 : *Eternal Spring,* craies de coul. (39,4x70,6) : **CAD 1 500** – TORONTO, 2 mars 1982 : *Paysage fluvial 1930,* h/t (70x90) : **CAD 1 000**.

CHALLES Charles Michel-Ange ou Challe
Né le 18 mars 1718 à Paris. Mort le 8 janvier 1778 à Paris. XVIIIe siècle. Français.
Peintre, graveur, architecte et écrivain.
Challes ou élève de Boucher et d'André Lemoine. En 1739, il obtint le prix au concours de Rome avec *La Guérison de Tobie.* En 1753, il fut reçu académicien. Il avait exécuté une peinture allégorique pour le plafond de la salle de l'Académie comme

morceau de réception. Grâce à la faveur royale, il fut successivement nommé professeur de perspective en 1758, dessinateur du cabinet du roi en 1765. Louis XV l'anoblit en 1770 et le fit chevalier de l'Ordre de Saint-Michel.

Challes fut chargé de diriger les spectacles organisés à Fontainebleau en 1765 et de dessiner les illuminations de Versailles à l'occasion de la naissance du Dauphin. On conduisit d'après les dessins les funérailles de don Philippe, du Dauphin, du roi de Pologne, de la reine d'Espagne, de Marie Leczinska et de Louis XV. Le succès remporté par ses tableaux et ses dessins fut considérable. Ses toiles étaient vendues avant d'être achevées et des prix exorbitants pour l'époque étaient offerts à Challes. Parmi les meilleures de ses toiles sont citées : *La mort de Cléopâtre, La mort de Sénèque, Didon sur le bûcher*. On cite aussi de lui deux eaux-fortes se faisant pendant : *Jeune fille se baignant* et *Baigneuse vue de dos*. ■ M. B. de G.

CM Challe.

MUSÉES : CHARTRES : *Joueuse de guitare* – NANTES : *Allégorie à la liberté – Danseuse dans le costume du temps* – REIMS : *Mort du Cardinal de Berulle*.

VENTES PUBLIQUES : PARIS, 1769 : *Quatre vues d'Italie*, dess. à la pierre noire : **FRF 10** ; *Vue d'une ruine*, dess. : **FRF 9** ; *Vue d'Italie*, quatorze dessins au crayon et coloriés : **FRF 85** – PARIS, 1875 : *Les appâts multipliés*, dess. à la gche : **FRF 540** – PARIS, 1884 : *La fontaine des amours* ; *Le Berger couronné* : **FRF 7 500** – PARIS, 1891 : *Flore et Zéphyr* : **FRF 500** – PARIS, 1898 : *La Comparaison* : **FRF 3 300** – PARIS, 1899 : *Quatre panneaux décoratifs*, toiles cintrées : **FRF 8 700** – PARIS, 16-18 mai 1907 : *La Comparaison* : **FRF 1 100** – PARIS, 24 mai 1923 : *Renaud et Armide*, dessus de porte, pendant des suivants : **FRF 3 650** ; *Renaud abandonne Armide*, dessus de porte, pendant du précédent : **FRF 3 650** ; *Le sommeil de Renaud*, dessus du porte, pendant des précédents : **FRF 3 650** – PARIS, 6 déc. 1924 : *La Coquetterie*, attr. : **FRF 1 000** – PARIS, 13 mars 1925 : *Vue de la porte Saint-Sébastien, à Rome* ; *Lieux où furent portés les trophées de Marius*, deux crayons, rehauts : **FRF 65** ; *Cascade de la villa d'Este, à Tivoli* ; *Intérieur de l'Amphithéâtre de Tite, à Rome*, deux crayons, rehauts de blanc : **FRF 140** – PARIS, 27 oct. 1926 : *Le temple de la fièvre*, cr. noir reh. : **FRF 125** – PARIS, 7 mars 1928 : *Flore et Zéphyr avec amours dans un paysage*, sanguine : **FRF 1 460** – PARIS, 9 juin 1928 : *Vue du ravin et des cascatelles de Tivoli, près Rome*, pierre noire reh. : **FRF 140** – PARIS, 4 juil. 1929 : *Deux sujets mythologiques* ; *Figures et amours musiciens*, dess. double face : **FRF 250** – PARIS, 25 mai 1934 : *La Fileuse*, sanguine : **FRF 850** – NEW YORK, 25 jan. 1935 : *La Toilette* : **USD 35** – PARIS, 26 avr. 1933 : *La Fontaine* ; *L'Escalier*, pl. et lav., deux pendants : **FRF 1 500** – NEW YORK, 6 déc. 1946 : *Le portrait chéri* : **USD 4 100** – PARIS, 16 juin 1960 : *Le galant berger* : **FRF 3 200** – LONDRES, 26 juin 1963 : *La jarretière* : **GBP 2 600** ; *Psyché et l'Amour*, deux toiles de forme octogonale, dessus de porte : **FRF 3 500** – VERSAILLES, 23 mai 1978 : *La Bergère surprise* 1752, h/t (115x156) : **FRF 16 500** – VERSAILLES, 15 mars 1981 : *La bergère endormie*, h/t (116x159) : **FRF 14 000** – NEW YORK, 21 jan. 1983 : *Projet de décor*, pl. et lav. (20,7x27,5) : **USD 2 200** – PARIS, 9 mars 1988 : *Vue des palais des empereurs sur le Mont Palatin*, cr. noir (32x50) : **FRF 6 000** – PARIS, 22 nov. 1988 : *Personnages près du temple de Tivoli*, pierre noire et reh. de blanc/pap. bleuté (30,7x38,5) : **FRF 6 500** – NEW YORK, 8 jan. 1991 : *Composition architecturale entre des escaliers monumentaux menant à un palais*, encre et lav. (14,2x22,2) : **USD 11 000** – LYON, 8 avr. 1992 : *Fantaisie d'architecture*, encre et aquar. (48,5x64) : **FRF 38 000** – PARIS, 15 mai 1992 : *L'Arc de Constantin*, pierre noire reh. de blanc/pap. bleu (30x46) : **FRF 13 000** – LONDRES, 9 déc. 1992 : *Vénus et Cupidon*, h/t (73x91,5) : **GBP 11 000** – PARIS, 16 mars 1994 : *Caprice architectural*, pierre noire, pl. et lav. (20,5x27) : **FRF 18 500** – PARIS, 5 avr. 1995 : *Érato entourée d'amours*, h/t (91x170) : **FRF 45 000** – PARIS, 24 nov. 1995 : *Personnages dans des ruines romaines*, pierre noire et reh. de blanc (28,8x44,4) : **FRF 5 000** – LONDRES, 12 déc. 1996 : *Femme endormie dans une cour de ferme et homme la regardant*, craie blanche et noire (30,4x47,4) : **GBP 1 150**.

CHALLICE Annie Jane
XIXᵉ siècle. Britannique.
Peintre de genre, portraits.
Elle travailla à Londres, où elle exposa de 1866 à 1884 à la Royal Academy et à Suffolk Street.

CHALLIÉ Alphonsine de, Mlle
Née au château de Gaultret (Deux-Sèvres). XIXᵉ siècle. Française.

Peintre de genre, de fleurs et de portraits.
Élève de Chaplin. A exposé à Paris au Salon à partir de 1878 à 1891.

CHALLIÉ Jean Laurent, pseudonyme de Buffet
Né en 1880 à Celenoz-la-Meline (près de Vesoul, Haute-Saône). Mort en 1943 à Paris. XXᵉ siècle. Français.
Peintre de nus, de fleurs et de scènes d'intérieurs. Post-impressionniste.
Venu de son Jura natal, il s'installa à Paris où il suivit les cours du peintre académique Gérôme et se lia avec Valtat, Bonnard, Friesz et Dufy. Il a exposé au Salon des Artistes Français dont il est devenu sociétaire, et a également participé au Salon de la Société Nationale des Beaux-Arts à Paris, à partir de 1922. Il a figuré au Salon des Tuileries de 1927 à 1930.
Lorsqu'il peint des scènes d'intérieurs, il insère des paysages lumineux, présentés à la manière des Flamands. Après quarante années d'oubli, Challié fut redécouvert dans les années 80. Sa peinture montre des qualités de coloriste et d'intimiste.
BIBLIOGR. : G. Schurr : *1820-1920, les petits maîtres de la peinture, valeur de demain*, Les Éditions de l'Amateur, Paris 1969.
VENTES PUBLIQUES : PARIS, 30 mai 1931 : *Sapins sous la neige* : **FRF 80** – PARIS, 27 avr. 1933 : *Fillette au chien, assise* : **FRF 160** – PARIS, 30 mai 1933 : *le thé* : **FRF 190** ; *Fenêtre ouverte devant la mer, vase de fleurs* : **FRF 220** – PARIS, 2 mars 1934 : *Jeune mère allaitant son enfant* : **FRF 200** – PARIS, 5 mai 1937 : *Vase de roses blanches* : **FRF 260** – HONFLEUR, 15 juil. 1984 : *La rentrée des foins* 1930, h/t (81x100) : **FRF 5 100** – PARIS, 23 oct. 1985 : *Intérieur au vase*, h/t (50x61) : **FRF 5 500** – NEW YORK, 11 fév. 1987 : *Nu au tabouret vers 1912*, h/t (61,2x46,2) : **USD 1 400** – LONDRES, 24 fév. 1988 : *Boules de neige et giroflées*, h/t (92x73) : **GBP 4 180** – LONDRES, 18 mai 1988 : *La couture*, h/t (73x92) : **GBP 7 480** – LONDRES, 22 fév. 1989 : *Les dahlias jaunes*, h/t (90x150) : **GBP 7 480** – CALAIS, 4 mars 1990 : *La Clarté au coucher du soleil vers 1908*, h/t (54x65) : **FRF 38 000** – PARIS, 26 oct. 1990 : *Vase de fleurs*, h/t (65x81) : **FRF 9 000**.

CHALLIER
XVIIIᵉ siècle. Actif à Lille vers 1785. Français.
Dessinateur.

CHALLIER Antoine. Voir CHOLLIER

CHALLIOL Marcelle
Née à Orléansville (Algérie). XXᵉ siècle. Française.
Peintre de paysages et de marines.
A exposé à Paris au Salon des Artistes Français de 1928 à 1933.

CHALLIOT Pierre
XVIIIᵉ siècle. Français.
Peintre.
Il fut reçu à l'Académie Saint-Luc à Paris en 1778.

CHALLIS Ebenezer
XIXᵉ siècle. Actif à Londres. Britannique.
Peintre et graveur sur acier.
Exposa de 1846 à 1863 à la Royal Academy et à Suffolk Street, à Londres.

CHALLONS Jean Nicolas ou Chalon
Né en 1742. Mort en 1812. XVIIIᵉ-XIXᵉ siècles. Actif à Genève. Suisse.
Peintre et graveur.

CHALLOT Jean Baptiste ou Chaillot
XVIIIᵉ siècle. Français.
Peintre.
Peintre des Bâtiments du Roi, il fut reçu à l'Académie de Saint-Luc en 1781.

CHALLOU Francis
Né à Bordeaux (Gironde). XXᵉ siècle. Français.
Décorateur.
En collaboration avec son frère Jacques, il a exécuté des laques gravés.

CHALLUAU Jean. Voir CHALEVEAU

CHALLUIAU Marcel Henri Emile
Né à Montpellier (Hérault). XXᵉ siècle. Français.
Peintre de paysages.
Il a exposé, à Paris, au Salon des Artistes Indépendants et à celui des Artistes Français dont il était sociétaire.
VENTES PUBLIQUES : COLOGNE, 30 mars 1984 : *Paysage fluvial* 1919, h/cart. (58x78) : **DEM 1 500**.

CHALMANDRIER Nicolas
XVIIIᵉ siècle. Travaillant à Paris. Français.
Graveur.

CHALME Alfred
Né à Villedieu (Manche). XIXᵉ siècle. Français.
Peintre et émailleur.
Élève de O. Mathieu. Exposa au Salon de 1868 à 1874 des portraits à l'huile ou en émail.

CHALMERS George, Sir
Né à Edimbourg. Mort en 1791 à Londres. XVIIIᵉ siècle. Britannique.
Peintre.
Élève d'Allan Ramsay. Il exposa plusieurs portraits à la Royal Academy entre 1775 et 1790. Sans doute identique à un graveur de même nom, à Edimbourg au XVIIIᵉ siècle.
VENTES PUBLIQUES : PARIS, 1778 : *Portrait de James Graham* : FRF 19 – LONDRES, 21 nov. 1930 : *Portrait d'une dame tenant une rose* 1778 : GBP 29 – NEW YORK, 25 jan. 1935 : *Dorothy Eversfield* 1765 : USD 170 – ÉDIMBOURG, 22 juin 1935 : *Oliver Colt* : GBP 26 – LONDRES, 13 nov. 1936 : *Homme en tenue de chasse* 1776 : GBP 44 – LONDRES, 15 nov. 1968 : *Portrait d'un navigateur* : GNS 260.

CHALMERS George Paul
Né en 1833 à Montrose. Mort le 20 février 1878 à Édimbourg. XIXᵉ siècle. Britannique.
Peintre de genre, figures, portraits, paysages.
Il travailla avec Lauder, à l'École de dessin d'Édimbourg.
Il exposa de 1863 à 1876 à la Royal Academy, à Londres. En 1871, il fut élu membre de la Scottish Academy, dont il était associé depuis quatre ans.
Il peignit d'abord des portraits et ne s'adonna que plus tard au paysage.
MUSÉES : DUNDEE (Albert Inst.) : *Portrait de John Ch. Bell* – ÉDIMBOURG : *La légende – Le matin – Repas paisible* – GLASGOW : *Portrait de John M. Gavin.*
VENTES PUBLIQUES : LONDRES, 6 mars 1909 : *Le sentier à travers bois* : GBP 25 – LONDRES, 12 fév. 1910 : *Tête de vieillard* : GBP 115 – ÉDIMBOURG, 8 mars 1930 : *Le repas solitaire* : GBP 32 – ÉDIMBOURG, 5 avr. 1930 : *La ravaudeuse* : GBP 9 ; *Un jour de pluie* : GBP 8 – ÉDIMBOURG, 25 avr. 1931 : *Un cavalier* : GBP 5 – GLASGOW, 2 nov. 1933 : *Le bon livre* : GBP 6 – LONDRES, 13 avr. 1934 : *La veillesse* : GBP 21 – ÉDIMBOURG, 3 avr. 1937 : *La lecture des nouvelles* : GBP 7 – LONDRES, 28 mai 1937 : *Jeune fille lisant* 1865 : GBP 11 – PERTH, 13 avr. 1981 : *Bateau de pêche en mer*, h/t (28x46) : GBP 360 – GLASGOW, 7 juil. 1983 : *Portrait d'homme en costume tyrolien* 1863, h/t (40,5x35,5) : GBP 850 – LONDRES, 14 fév. 1986 : *Portrait d'un jeune garçon*, h/pan. (151x82) : GBP 4 500 – NEW YORK, 7 avr. 1988 : *Rivière dans le bois avant l'orage*, h/t (53,8x90,3) : USD 550 – ÉDIMBOURG, 30 août 1988 : *Automne*, h/t (54x90) : GBP 1 210 – ÉDIMBOURG, 22 nov. 1988 : *Portrait d'une jeune fille en robe rouge et écharpe jaune*, h/t (24,2x20,3) : GBP 1 200 – LYON, 29 nov. 1988 : *Portrait de jeune fille* 1861, h/t (30x24,5) : FRF 15 000 – MONTRÉAL, 19 nov. 1991 : *L'heure des histoires avant de s'endormir*, h/t (66x85,7) : CAD 3 400 – ÉDIMBOURG, 28 avr. 1992 : *Fillette lisant*, h/t (65x85) : GBP 2 970 – PERTH, 20 août 1996 : *Les histoires de grand'mère* 1867, h/pan. (23x17) : GBP 2 300.

CHALMERS Hector
Né en 1849. Mort en 1943. XIXᵉ-XXᵉ siècles. Britannique.
Peintre de genre, paysages, marines.
MUSÉES : GLASGOW (Art Gal.) : *La Foire – Champ de navets – Paysage.*
VENTES PUBLIQUES : GLASGOW, 1ᵉʳ déc. 1982 : *Largo Bay*, h/t (51x69) : GBP 190 – LONDRES, 29 juill. 1988 : *Le voilier miniature échoué*, h/t (47,5x75) : GBP 1 650 – ÉDIMBOURG, 30 août 1988 : *À Glie*, h/t. (28x38) : GBP 1 430 – GLASGOW, 6 fév. 1990 : *Enfants et le bateau miniature*, h/t (48x76) : GBP 3 300 – PERTH, 26 août 1991 : *Déchargement de la pêche* 1879, h/t (66x101,5) : GBP 1 650 – PERTH, 20 août 1996 : *À Ardrishaig*, h/t/cart. (25x35) : GBP 460.

CHALMERS Isabel MacLagan, Mrs, née **Scott**
Née le 9 octobre 1900 à Glasgow (Écosse). XXᵉ siècle. Britannique.
Graveur et dessinateur.
Expose au Royal Glasgow Institute of Fine Arts et à la Royal Scottish Academy.

CHALMERS J.
XVIIIᵉ siècle. Actif à Londres. Britannique.
Dessinateur.

CHALMERS R., Sir
XVIIIᵉ siècle. Britannique.

Peintre de marines.
Il exposa de 1790 à 1799 à la Royal Academy, à Londres.

CHALMERS W. A.
XVIIIᵉ siècle. Actif à Londres. Britannique.
Peintre.
On croit que cet artiste mourut jeune. Il a laissé des vues d'architectures, notamment de l'Abbaye de Westminster, et quelques portraits d'acteurs dont : *Kemble, dans l'Étranger,* et *Mrs Jordan, dans le personnage de Sir Harry Wildair.* Il exposa de 1790 à 1798 à la Royal Academy de Londres.

CHALON Alfred Edward
Né en 1780 à Genève. Mort le 3 octobre 1860 à Kensington (Londres). XIXᵉ siècle. Britannique.
Peintre d'histoire, figures, portraits, miniaturiste, aquarelliste, illustrateur.
Frère de John James Chalon. Chalon est surtout célèbre pour ses portraits de personnages de marque en Angleterre où il s'était établi très jeune, après un séjour en Irlande. Il fut élève de l'Académie de Londres, dont plus tard il devint membre.
De 1801 à 1860, il exposa à la Royal Academy et à la British Institution.
Chalon fut nommé peintre de la cour par la reine Victoria. Parmi ses portraits, on cite ceux de la *Reine Victoria,* de *Georgina* et *Luisa Russell,* de *Lady Blessington,* de l'actrice *Madame Vestris.* On lui doit aussi une composition : *John Knox à la cour de la reine Marie.* Chalon fournit des illustrations pour la *Galerie des Grâces,* publiée à Londres de 1832 à 1834, pour des ouvrages de Walter Scott, etc. Il est l'auteur de la *Sylphide, souvenir d'adieu de Marie Taglioni,* parue à Londres et à Paris en 1845.

MUSÉES : LONDRES : *Portrait de Edward George Cte Lytton Bulwer, 1ᵉʳ baron Lytton – Portrait de Lucia Elizabeth Bartolozzi – Madame Vestris, Mme Charles James Mathews,* aquar. – *Marguerite Power, comtesse de Blessington,* aquar. – MANCHESTER : *Phœbe,* aquar. – NOTTINGHAM : *Le septième âge.*
VENTES PUBLIQUES : LONDRES, 29 fév. 1908 : *Portrait de Mrs. Fairie avec ses deux enfants,* dess. : GBP 8 – PARIS, 14 nov. 1919 : *Portrait de lady Sontag,* lav. : FRF 430 – LONDRES, 4 et 5 mai 1922 : *La comtesse Brownlow en travesti,* dess. : GBP 6 – LONDRES, 7 juil. 1922 : *La Toilette* : GBP 12 – LONDRES, 11 avr. 1930 : *Portrait de femme en robe mauve* : GBP 31 – NEW YORK, 14 déc. 1933 : *Miss Elisabeth Asche* : USD 100 – LONDRES, 2 juil. 1934 : *La duchesse de Kent* 1837, dess. : GBP 9 – NEW YORK, 25 jan. 1935 : *Miss Emmie Asche* : USD 100 – LONDRES, 14 mai 1935 : *Les Trois Grâces : Marie Taglioni, Carlotta Grisi, Amélia Joury* 1850, aquar. : GBP 21 – LONDRES, 19 nov. 1976 : *Voyageurs devant une auberge,* h/t (42x52) : GBP 1 400 – LONDRES, 28 jan. 1977 : *Portrait of Mrs Thomson and her daughter Caroline,* h/t (89x69) : GBP 800 – ZURICH, 29 oct. 1980 : *La reine Victoria,* h/t (78x54) : CHF 6 000 – LONDRES, 29 mars 1984 : *Sophia western,* h/t (63,5x75) : GBP 750 – LONDRES, 3 fév. 1993 : *Ecce Homo* 1844, h/t (221x132) : GBP 690.

CHALON Charles de
XVIIᵉ siècle. Actif à Grenoble. Français.
Sculpteur.
Travailla à l'hôtel du connétable de Lesdiguières.

CHALON Christina, plus tard Mme **C. F. Rüppe**
Née en 1748. Morte en 1808 à Leyde. XVIIIᵉ siècle. Hollandaise.
Dessinateur de scènes de genre, figures, aquarelliste.
Fille de Hendrik Chalon. Élève de Sara Troost et de C. Ploos Van Amstel.
VENTES PUBLIQUES : PARIS, 1823 : *Une vieille femme debout,* dess. à la pl., lavé d'aquar. : FRF 7 – PARIS, 1858 : *Homme et femme, avec enfant,* deux dessins en couleur : FRF 2 – PARIS, 1858 : *Homme et femme, avec enfants devant une maison,* aquar. : FRF 9 – PARIS, 20 mars 1924 : *La jeune mère,* pinceau et lavis : FRF 500 – PARIS, 4 mai 1928 : *Intérieur hollandais,* cr. noir : FRF 500 – PARIS, 8 déc. 1938 : *Les joueurs de tric-trac,* pierre noire : FRF 420 / *Étude de figures,* pl. : FRF 350 – AMSTERDAM, 18 nov. 1980 : *Femme et enfants devant une école,* pl. et aquar. (10,1x7,3) : NLG 2 300 – AMSTERDAM, 12 nov. 1996 : *Bébés, enfants et leurs mères,* cr., encre brune et lav., trois études (6,6x21 ; 7,7x10,8 ; 5,3x4,8) : NLG 6 490.

CHALON Claude

XVIe siècle. Actif à Troyes en 1541 et 1542. Français.

Peintre.

Cité par Natalis Rondot dans son ouvrage *Les peintres de Troyes.*

CHALON Georges

Né à Paris. XIXe-XXe siècles. Français.

Sculpteur.

Élève de Louis Chalon. A exposé des bustes au Salon des Artistes Français. Peut-être identique à Georges Abel C.

CHALON Georges Abel

Né à Paris. XIXe-XXe siècles. Français.

Peintre de paysages.

Élève de Rochegrosse, J.-P. et P.-A. Laurens. Il expose au Salon des Artistes Français.

CHALON Henry Bernard

Né en 1770 à Londres. Mort en 1849 à Londres. XVIIIe-XIXe siècles. Britannique.

Peintre de figures, animaux, lithographe.

Fils de Jan Chalon. Il fut peintre animalier à la cour du prince régent et du duc d'York. Le Dictionnaire de Graves le cite comme exposant à la Royal Academy, à la British Institution, à Suffolk Street et à la Old Water-Colours Society, à Londres, de 1792 à 1849. Il a exécuté de nombreux portraits de chevaux et de chiens, et, entre autres, celui du cheval pur sang *Fidget,* conservé au Victoria and Albert Museum.

VENTES PUBLIQUES : LONDRES, 15 juin 1923 : *Chasseurs à cheval 1822* : **GBP 73** – LONDRES, 28-29 juin 1927 : *Cheval au paddock 1811* : **GBP 21** – LONDRES, 22 déc. 1927 : *Cheval de course, monté par son jockey* : **GBP 57** – LONDRES, 4 juil. 1928 : *Cheval de course, monté par son jockey* : **GBP 36** – LONDRES, 25 juin 1930 : *Chasseurs 1801* : **GBP 10** – LONDRES, 23 mai 1931 : *The Bibury Club Welter Stakes* : **GBP 25** – PHILADELPHIE, 22 avr. 1932 : *The Bibury Club Welter Stakes* : **USD 67** – LONDRES, 17 avr. 1935 : *Le Rendez-vous de chasse* : **GBP 9** – LONDRES, 29 avr. 1935 : *Un cheval de course 1776* : **GBP 21** – LONDRES, 9 avr. 1937 : *Bristow, un poney,* dess. : **GBP 5** – NEW YORK, 15 mai 1946 : *Un tableau* : **USD 1 050** – PARIS, 21 juin 1963 : *Portrait de deux chevaux : Strawberry et Little Fellow* : **FRF 2 500** – LONDRES, 1er mai 1964 : *Le cheval bai* : **GNS 460** – LONDRES, 22 nov. 1967 : *Chevaux et cavaliers dans un paysage* : **GBP 4 500** – LONDRES, 23 juin 1972 : *Hump et Stump dans une écurie* : **GNS 800** – LONDRES, 17 nov. 1976 : *Les Chevaux persans du roi George IV 1819,* h/t (101x141,5) : **GBP 34 500** – LONDRES, 23 mai 1977 : *Deux Chevaux dans un paysage 1798,* h/t (73,5x93,5) : **GBP 2 300** – LONDRES, 21 mars 1979 : *Cheval arabe dans le désert,* h/t (63,5x84,5) : **GBP 16 000** – LONDRES, 20 nov. 1981 : « *The colonel* » *a chestnut racehorse with William Scott up 1829,* h/t (63,6x102,2) : **GBP 10 000** – LONDRES, 14 mars 1984 : *A Tibetan Spaniel in a landscape 1807,* h/t (69x89) : **GBP 4 800** – NEW YORK, 6 juin 1985 : *Portrait of the Bower family with their hunters, Welham Hall, Yorkshire 1824,* h/t (130x163,5) : **USD 115 000** – LONDRES, 27 juin 1985 : *Chevaux sauvages,* litho. (23x32,2) : **GBP 1 100** – LONDRES, 15 juil. 1988 : *Epagneul dans un paysage 1801,* h/t (50,8x61) : **GBP 3 080** ; *Officier du 1er Life Guard monté sur un cheval noir dans un paysage boisé 1796,* h/t (63,5x76,5) : **GBP 10 450** – LONDRES, 21 juil. 1989 : *Trotteur bai sellé attaché à la porte de l'écurie avec un caniche blanc 1819,* h/t (45,5x60,7) : **GBP 2 750** – LONDRES, 9 fév. 1990 : *Le Pur-sang Sligo Waxy avec un bulldog noir dans un enclos entouré de murs 1824,* h/t (61x76,5) : **GBP 5 500** – NEW YORK, 7 juin 1991 : *Jument et Poulain 1799,* h/t (111,8x144,8) : **USD 22 000** – LONDRES, 12 juil. 1991 : *Le Pur-sang Sligo Waxy avec un bulldog noir dans un enclos entouré de murs 1824,* h/t (61x76,5) : **GBP 4 950** – NEW YORK, 5 juin 1992 : *Un bichon maltais 1819,* h/pan. (16,5x25,4) : **USD 4 125** – LONDRES, 25 mars 1994 : *Épagneul King-Charles sur la berge d'une rivière,* h/t (43,1x53,3) : **GBP 2 760** – NEW YORK, 3 juin 1994 : *Cheval de course monté par un jockey 1816,* h/t (71,1x91,4) : **USD 51 750** – LONDRES, 8 nov. 1995 : *Le Carlin préféré 1802,* h/t (71x91,5) : **GBP 11 500** – LONDRES, 6 juin 1996 : *Écureuil roux sur une branche 1833,* h/pan. (29,8x24,1) : **GBP 1 265** – NEW YORK, 11 avr. 1997 : *Hunter alezan dans un paysage 1801,* h/t (71,1x88,9) : **USD 9 200.**

CHALON Jan

Né le 4 juin 1738 à Amsterdam. Mort le 11 juin 1795 à Londres. XVIIIe siècle. Hollandais.

Graveur.

Fils de Hendrik Chalon. Il voyagea en France et à Londres, où il donna des leçons de musique. Il a gravé, entre 1788 et 1793, un certain nombre de gravures dans la manière de Rembrandt.

CHALON John James

Né en 1778 à Genève. Mort en 1854 à Londres. XIXe siècle. Britannique.

Peintre de paysages, lithographe.

Frère du peintre Alfred Edward Chalon, il fit ses études à l'Académie de Londres et exposa dans cette ville. Il fut nommé membre de la Royal Academy en 1846.

Il s'est rendu célèbre, en Grande-Bretagne, pour ses paysages de montagnes suisses, ses bords de rivières et paysages de moissons.

BIBLIOGR. : Gérald Schurr, in : *Les Petits Maîtres de la peinture 1820-1920, valeur de demain,* Les Éditions de l'Amateur, t. IV, Paris, 1979.

MUSÉES : DUBLIN : *Jeunes pêcheurs,* aquar. – LONDRES (Victoria and Albert Mus.) : *Flore et Zéphyr – Paysage gallois – Scène sur le bord d'une rivière – Rivière du Devonshire – Lande de Hampstead – Scène dans la rue, Erith, Kent – Paysage, moulin à eau – Scène sur une rivière –* SUNDERLAND : *Marine.*

VENTES PUBLIQUES : LONDRES, 16 fév. 1922 : *Église au Mont-Solivi à Mentier,* aquar. : **GBP 10** – LONDRES, 5 avr. 1935 : *La Tamise à Richmond* : **GBP 16s** – LONDRES, 25 avr. 1940 : *La poste d'un cabaret 1800* : **GBP 105** – LONDRES, 23 mars 1966 : *Scène de moisson* : **GBP 1 150** – LONDRES, 15 déc. 1972 : *Le marché autour de la Fontaine des Innocents, à Paris 1822* : **GNS 10 000** – LONDRES, 15 fév. 1976 : *Paysage à l'arc-en-ciel,* h/t (110,5x93) : **GBP 750** – LONDRES, 25 nov. 1977 : *Paysage à la rivière animé de personnages 1810,* h/t (106x90) : **GBP 1 400** – LONDRES, 11 juil. 1978 : *La Traversée de la rivière 1827,* h/t (121x90) : **GBP 3 800** – LONDRES, 21 juil. 1979 : *Brocket Hall, near Hatfield,* h/t (39,5x78,2) : **GBP 3 800** – LONDRES, 18 mars 1980 : *Les moissonneurs,* aquar. (18,5x26,3) : **GBP 1 600** – LONDRES, 2 mars 1983 : *Le bac 1814,* h/t (75x150,5) : **GBP 4 800** – LONDRES, 11 juil. 1985 : *La charrette de foin,* aquar. (18x26) : **GBP 2 200** – NEW YORK, 22 mai 1986 : *Vue du marché des Innocents, Paris 1822,* h/t (106,7x152,2) : **USD 40 000** – LONDRES, 13 juil. 1993 : *La charrette de foin rentrant dans la cour de ferme,* h/t (71,1x91,5) : **GBP 2 530.**

CHALON Louis

Né en 1687 à Amsterdam. Mort en 1741 à Amsterdam. XVIIIe siècle. Hollandais.

Peintre de paysages animés, paysages, dessinateur.

Imitateur de H. Saftleven et de Jan et Robert Griffier. Son fils Hendrik fut père de Jan Chalon ; une de ses filles épousa Cornelis Troost.

MUSÉES : BRUNSWICK : *Fleuve –* SCHWERIN : *Quatre paysages du Rhin.*

VENTES PUBLIQUES : PARIS, 1772 : *Deux vues des bords du Rhin,* dess. : **FRF 192** – PARIS, 1776 : *Vue d'un village et d'un canal de Hollande avec patineurs,* deux dessins à la gouache : **FRF 172** – PARIS, 1780 : *La boutique d'un épicier,* dess. colorié : **FRF 131** – PARIS, 1858 : *Vues au bord du Rhin, bateaux et figures,* deux gouaches : **FRF 10** – PARIS, 1869 : *Vues des bords du Rhin,* deux pendants : **FRF 130** – PARIS, 21 fév. 1924 : *Vue des bords du Rhin, animée de personnages et embarcations,* lav. de sépia : **FRF 102** – PARIS, 21 et 22 mai 1928 : *Débarquement d'un bateau,* lav. : **FRF 190** – PARIS, 8 nov. 1950 : *Paysage des bords du Rhin* : **FRF 28 000** – PARIS, 19 fév. 1971 : *Vues présumées du Rhin,* deux pendants : **FRF 14 000** – AMSTERDAM, 15 nov. 1976 : *Paysage montagneux ; Paysage montagneux avec pont 1736,* deux h/t (41x32,5) : **NLG 27 000** – AMSTERDAM, 24 avr. 1978 : *Paysages fluviaux animés de personnages 1736,* deux toiles (41x32,5) : **NLG 29 000** – LILLE, 28 fév. 1982 : *Les patineurs sur la rivière,* h/t : **FRF 64 000** – VERSAILLES, 17 juil. 1983 : *Patineurs sur la glace,* h/t : **FRF 8 800** – AMSTERDAM, 14 nov. 1983 : *Paysage d'hiver avec patineurs 1737,* gche (16,7x42,2) : **NLG 8 800** – PARIS, 3 déc. 1985 : *Vue des bords du Rhin 1722,* h/t (57x81) : **FRF 51 000** – SAINT-DIÉ, 16 oct. 1988 : *Vues des bords du Rhin animées de nombreux personnages,* h/t deux pendants (chaque 56x72) : **FRF 120 000** – NEW YORK, 13 jan. 1993 : *Vue du Rhin avec des personnages au premier plan,* gche/vélin (13x17,2) : **USD 4 313** – LONDRES, 16 avr. 1997 : *Vaste paysage rhénan avec des marchands chargeant leurs bateaux 1733,* h/t, une paire (chaque 40,9x33,5) : **GBP 8 050.**

CHALON Louis

Né le 15 janvier 1866 à Paris. XIXe-XXe siècles. Français.

Peintre de compositions mythologiques, compositions animées, portraits, illustrateur, sculpteur.

Élève de J. Lefebvre et de Boulanger, il participa au Salon de Paris, obtenant une mention honorable en 1885 et 1898, une troisième médaille en 1891 et, également une mention honorable aux Expositions Universelles de 1889 et 1900. Mention honorable pour la sculpture en 1898. Il collabora à *La Vie Parisienne*, à *L'Illustration* et au *Figaro illustré*. Parmi ses illustrations, on cite des œuvres de Rabelais, Boccace et un *Balzac* édité à New York. Il place ses thèmes mythologiques dans des paysages savamment équilibrés. Citons encore : *Agamemnon* 1887 – *Circé* 1888 – *Le silence* 1889 – *La mort de Sardanapale* 1891 – *Hélène dévastatrice* 1893 – *Salomé* 1895 – *Portrait de M. Mesureur* 1896 – *Portrait de Mme Mesureur* 1897 – *Orphée* 1898 – *Phryné aux fêtes de Vénus*.

BIBLIOGR. : Gérald Schurr, in : *Les Petits Maîtres de la peinture 1820-1920, valeur de demain*, Les Éditions de l'Amateur, t. II, Paris, 1982.

VENTES PUBLIQUES : PARIS, 19 fév. 1971 : *Vues du Rhin*, deux h/t, formant pendants (65x82) : FRF 14 000 – LONDRES, 2 nov. 1977 : *Nymphe au tambourin* vers 1890, bronze, patine brune (H. 89) : GBP 720 – MONTE-CARLO, 23 juin 1979 : *Les filles de la mer* vers 1900, vase en bronze doré (H. 43,5) : FRF 19 000 – ENGHIEN-LES-BAINS, 1er juin 1980 : *Le chevalier et la fée Mélusine*, bronze, patine brune argent et or (H. 56) : FRF 11 250 – WASHINGTON D. C., 1er mars 1981 : *Personnage de cirque* 1889, h/t (81,5x53,5) : USD 2 700 – LONDRES, 17 mars 1983 : *Amazone au javelot* vers 1910, bronze (H. 73) : GBP 2 000 – NEW YORK, 24 oct. 1984 : *La Walkyrie*, bronze polychrome (H. 94,5) : USD 4 500 – LONDRES, 21 mars 1985 : *La Walkyrie* vers 1910, bronze (H. 73) : GBP 1 600 – NEW YORK, 14 juin 1986 : *Une walkyrie*, bronze polychrome (H. 99) : USD 4 500 – VERSAILLES, 5 mars 1989 : *Jeune femme sur la terrasse dominant la mer* 1888, h/t (54x81) : FRF 12 000 – PARIS, 12 mai 1989 : *L'Orientale*, h/t (81x59,5) : FRF 8 500 – PARIS, 13 déc. 1989 : *Femmes aux statuettes antiques*, sculpt. chryséléphantine en bronze polychrome brun, vert antique et or (H. 59) : FRF 42 000 – NEW YORK, 17 jan. 1990 : *Princesse orientale*, h/t (81,4x60,3) : USD 4 400 – PARIS, 27 nov. 1992 : *Walkyrie*, bronze à double patine sur socle d'onyx (H. 74) : FRF 48 000 – NEW YORK, 17 jan. 1996 : *L'attente du bateau du soir*, h/t (81,3x60,3) : USD 2 760 – NEW YORK, 23 oct. 1997 : *Jardin aux hortensias et aux paons blancs*, h/pan. (64,5x81) : USD 14 950.

CHALON Maria A., plus tard Mrs **H. Moseley**
Née en 1800 à Londres. XIXe siècle. Britannique.
Peintre de miniatures.
Fille de Henry Bernard Chalon, elle épousa le portraitiste H. Moseley. Elle fut miniaturiste du duc d'York. Elle exposa de 1819 à 1840 à la Royal Academy et à Suffolk Street, à Londres.

CHALONNAX Jean Baptiste
Né en 1819 à Clermont-Ferrand (Puy-de-Dôme). XIXe siècle. Français.
Peintre et sculpteur.
Élève de Rude et de Barye. Il exposa au Salon en 1869, 1878, 1882 et 1885.
MUSÉES : LE PUY-EN-VELAY : *Le général de Chabron (Marie-Étienne-Emmanuel-Bertrand)*, sculpture – *Buste de Félix Grellet*, ancien député, sculpture – *Portrait du général de Chabron, général de division*, sénateur de la Haute-Loire, peint.

CHALONS, de. Voir au prénom

CHALOPIN Albert
Né à Dijon (Côte d'Or). XIXe-XXe siècles. Français.
Sculpteur.
Élève de Barrias et Coutan. On cite de lui des bustes exposés au Salon des Artistes Français, à Paris, de 1912 à 1925.

CHALOT Antoine
Né le 21 mars 1825 à Nantes (Loire-Atlantique). XIXe siècle. Actif à Paris. Français.
Peintre.
Élève d'Amaury-Duval et de l'École des Beaux-Arts de Paris. Il exposa au Salon en 1846 une *Flagellation du Christ* et, entre 1877 et 1880, un certain nombre de portraits, notamment celui de Ponsard et celui du graveur E. Belot.

CHALOT Édouard
Né à Paris. XXe siècle. Français.
Peintre de paysages.
Exposant des Indépendants.

CHALS
XIXe siècle. Actif à Paris au début du XIXe siècle. Français.

Graveur au burin.
Le Blanc cite de lui des planches pour les ouvrages publiés par Ch.-P. Landon et : *J.-C. recevant la Vierge dans le ciel*, d'après J. Stella.

CHALUMET Jean
XVIIIe siècle. Actif à la fin du XVIIIe siècle à Paris. Français.
Graveur.

CHALUS Cécile
Née à Valenciennes (Nord). XIXe siècle. Française.
Peintre.
Élève de J. Lefebvre et Benjamin Constant. Débuta au Salon en 1890 avec *Fantaisie*. Membre de la Société des Artistes Français depuis 1892.

CHALUS Marie-Antoinette
Née en 1947. XXe siècle. Française.
Peintre de figures. Tendance surréaliste.
Après des études à l'Ecole des Beaux-Arts de Clermont-Ferrand, elle a exposé, à partir de 1981, au Salon des Artistes Français et à celui d'Automne à Paris. Elle a également participé aux Foires de New York et de Bologne.
VENTES PUBLIQUES : PARIS, 11 oct. 1989 : *Flagellation*, h/t (130x97) : FRF 15 000.

CHALUT Jean
Né à Lezoux (Puy-de-Dôme). XXe siècle. Français.
Peintre de paysages.
Il travaille dans son pays natal, mais expose à Paris, au Salon des Artistes Français de 1931 à 1939 et au Salon des Artistes Indépendants de 1935 à 1939.

CHALVERS Anton Ignaz ou **Calfers**
Né en 1699. Mort en 1757. XVIIIe siècle. Actif à Reichenberg. Éc. de Bohême.
Peintre.

CHAM, de son vrai nom : **Amédée Charles Henri, Comte de Noé**
Né le 26 janvier 1819 à Paris. Mort en septembre 1879 à Paris. XIXe siècle. Français.
Dessinateur caricaturiste.
Son père, le comte Louis de Noé, pair de France, le destinait à l'École polytechnique ; Cham échoua à l'examen pour avoir fait la charge d'un examinateur, affirme-t-on. Il s'en consola en entrant comme stagiaire au Ministère des Finances, mais l'Administration ne lui convenant pas, il entra dans l'atelier de Charlet, puis dans celui de Paul Delaroche. Il débuta en 1839 par quelques albums et adopta le pseudonyme de Cham, en sa qualité de fils de Noé. Il obtint un grand succès et cette réussite se maintint jusqu'à sa mort. Cham est surtout remarquable par son esprit, car, ainsi que le fait remarquer avec raison M. Beraldi, le fécond caricaturiste ne mit jamais en scène qu'un certain nombre de fantoches, grimaçant toujours de la même façon pour accompagner les amusantes légendes dans lesquelles il résumait l'actualité. Cham savait aussi rendre, sur le mode humoristique, les œuvres exposées aux Salons. L'œuvre de Cham a malheureusement beaucoup vieilli.
VENTES PUBLIQUES : PARIS, 1892 : *Collection de plus de cinq cents dessins* : FRF 400 – PARIS, 23 nov. 1895 : *Croquis* : FRF 24 – NEW YORK, 1898 : *Scène de la Commune*, aquar. : FRF 550 – PARIS, 1899 : *On ne passe pas !*, aquar. : FRF 80 – PARIS, 29 et 30 avr. 1910 : *Portrait charge : Cham à l'âge de 5 ans* : FRF 15 – PARIS, 2-4 juin 1920 : *Un grenadier*, aquar. : FRF 130 – PARIS, 2 mars 1925 : *Le Polonais ivre*, aquar. : FRF 205 – PARIS, 13 déc. 1937 : *Étude d'homme assis un chat sur la jambe droite*, dess. à la mine de pb : FRF 20 – PARIS, 9 et 10 fév. 1938 : *Zouave assis et fumant la pipe*, lav. à l'encre de Chine : FRF 70 – PARIS, 24 mars 1938 : *Le déjeuner interrompu*, aquar. : FRF 40 – PARIS, 8 mars 1943 : *Polonais*, aquar. : FRF 100 – PARIS, 6 déc. 1943 : *Le beau zouave*, lav. d'encre de Chine : FRF 150 – PARIS, 28 fév. 1944 : *Bal masqué*, aquar. : FRF 1 700.

CHAMAILLARD Ernest Henri Ponthier de
Né en 1862 à Quimper (Finistère). Mort en 1930 à Paris. XXe siècle. Français.
Peintre de paysages et sculpteur.
Avoué à Chateaulin, il a tout d'abord peint en amateur, jusqu'à sa rencontre avec P. Gauguin qui l'a incité à se consacrer à l'art pictural et à laisser son métier initial. Il a régulièrement participé au Salon d'Automne, dont il est devenu sociétaire. Avec Gauguin, il a sculpté des meubles qui sont, aujourd'hui, très rares. Il peint des paysages bretons aux couleurs claires.

Ventes Publiques : Paris, 20 mai 1922 : *Paysage d'automne* : **FRF 100** – Paris, 23 fév. 1925 : *La ferme de Tronéoni près de Quimper* : **FRF 1 020** – Paris, 14 mai 1925 : *La Grève du Riz à Douarnenez* : **FRF 720** – Paris, 16 nov. 1928 : *Le tournant de la Marne à Alfortville* : **FRF 405** – Paris, 29 déc. 1941 : *Maisons au bord de la mer* : **FRF 650** – Paris, 2 juil. 1965 : *L'allée d'arbres* : **FRF 1 400** – Londres, 13 mai 1967 : *Les chutes à Saint Herbot* : **GBP 280** – Paris, 27 nov. 1972 : *Le village de Gourbigen, près de Quimper* 1909 : **FRF 5 100** – Brest, 18 déc. 1977 : *Petite chaumière à Pont-Aven*, h/t (61x50) : **FRF 18 500** – Brest, 17 déc. 1978 : *Village breton*, h/t (60x73) : **FRF 23 500** – Brest, 16 déc. 1979 : *L'anse de Port Sac'h près du Pouldu*, h/t (81x65) : **FRF 24 700** – Paris, 18 mai 1980 : *Environ de Pont-Aven*, h/t (60x73) : **FRF 62 500** – Brest, 3 mars 1981 : *Bord de mer en Bretagne*, h/t (54x73) : **FRF 30 000** – Brest, 13 déc. 1981 : *Lavandière à la rivière*, past. (46x55) : **FRF 17 000** ; *Baigneuses sous les arbres*, coffre en bois sculpté, la porte en façade, la partie haute et les 2 côtés latéraux entièrement sculpté (58x42) : **FRF 29 500** – Brest, 16 mai 1982 : *Paysage près du château*, h/t (65x80) : **FRF 30 000** – New York, 22 juin 1983 : *Pont-Aven au printemps*, h/t (46x55) : **USD 4 000** – Paris, 19 juin 1984 : *Village au bord de la rivière*, aquar. (28x21) : **FRF 16 000** ; *Le manoir de l'artiste*, h/t (72,5x91) : **FRF 49 000** – Brest, 19 mai 1985 : *Vue de Paris*, aquar. (17x22) : **FRF 5 000** – Paris, 27 juin 1986 : *Vue de la côte de Morgat en Bretagne* 1903, h/t (117x182) : **FRF 78 000** – Lorient, 27 juin 1987 : *Les tas de pois à Camaret*, h/t (74x92) : **FRF 71 000** – Versailles, 26 nov. 1989 : *Dans le parc*, h/t (60x73) : **FRF 45 000** – Paris, 20 fév. 1990 : *Le jardin public*, h/t (60x73) : **FRF 28 000** – Paris, 17 oct. 1990 : *Le château fort*, aquar. (12x16) : **FRF 7 500** – Paris, 23 juin 1993 : *Côte bretonne*, h/t (60x73) : **FRF 41 000** – Paris, 9 déc. 1994 : *La ferme du Plessix (Pont Aven)* 1889, aquar. gchée (12x9) : **FRF 9 500**.

CHAMANT Jean Joseph
Né le 24 septembre 1699 à Haraucourt (Meurthe). Mort en 1768 à Vienne. XVIIIᵉ siècle. Français.
Peintre, architecte et graveur.
Élève de Barilly, Claude Charles et Fr. Bibiena. Il travailla d'abord pour le prince Charles de Lorraine et, plus tard, fut attaché à la cour de l'empereur d'Autriche François Iᵉʳ. Le Musée de l'Ermitage, à Leningrad, conserve un dessin de lui.
Ventes Publiques : New York, 11 jan. 1994 : *Décoration temporaire pour la façade de San Lorenzo à Florence pour les funérailles de la Duchesse Élisabeth Charlotte d'Orléans*, craie noire, encre brune et lav. (34,5x26) : **USD 3 450**.

CHAMAR, pseudonyme de Martin-Chave Alain
Né le 2 juin 1926 à Marseille. Mort le 1ᵉʳ janvier 1980. XXᵉ siècle. Français.
Peintre de figures, paysages, aquarelliste. Figuratif puis surréaliste.
Autodidacte, participant à des expositions collectives, il a exposé pour la première fois individuellement à Marseille en 1959, galerie Merenciano ; puis dans plusieurs villes de France, dont Megève et Paris.
Entre 1952 et 1970, il commence à peindre des cirques, des arlequins et des paysages du Midi et de Venise, dans une pâte généreuse. Dans une seconde période, de 1970 à 1974, il simplifie ses formes, donne plus d'ampleur à ses compositions. À l'occasion d'une exposition sur le thème de la moto, en 1974, il utilise des laques où les supports en aluminium. Enfin, dans une dernière période, il s'oriente vers un art surréalisant, étant attiré par le monde minéral, il peint des « femmes-rochers », dont les formes arrondies prennent la qualité de la pierre polie.

CHAMARD Albert Louis
Né le 28 septembre 1879 à Paris. XXᵉ siècle. Français.
Sculpteur.
Élève de J. Perrin, il a exposé au Salon des Artistes Français, dont il est devenu sociétaire et où il obtint une mention honorable en 1913.

CHAMARD Émile
XXᵉ siècle. Actif à Paris. Français.
Sculpteur.
Membre de la Société des Artistes Français, depuis 1900, il prend part à ses expositions.

CHAMARD-BOIS Émile Sylvain
Né à Asnières (Hauts-de-Seine). XXᵉ siècle. Français.
Peintre de paysages.
Sociétaire des Artistes Français ; mention honorable en 1933. A exposé aussi aux Tuileries, 1938-39.

CHAMAU
Français.
Graveur au burin.
Cité par Le Blanc comme ayant travaillé aux ouvrages d'architecture de Krafft.

CHAMBARD Louis Léopold
Né le 25 août 1811 à Saint-Amour (Jura). Mort en 1895 à Paris. XIXᵉ siècle. Actif à Paris. Français.
Sculpteur de bustes, statues, reliefs.
Entré à l'École des Beaux-Arts le 31 mars 1836, il étudia sous la conduite d'Ingres et de David d'Angers. En 1837, il obtint le prix de Rome et fut médaillé en 1842.
De 1841 à 1868, il exposa au Salon.
Citons parmi ses œuvres : *Marius sur les ruines de Carthage* ; *Bacchus*, statue en marbre ; *Le Christ*, buste en marbre ; *Jeune fille écoutant le bruit d'un coquillage*, marbre ; *La modestie*, statue en marbre. On lui doit le buste en marbre de *Charles Nodier*. Pour la chapelle du château de Dreux, il exécuta une *Adoration des Mages* ; pour la Tour Saint-Jacques-la-Boucherie, une *Statue de saint Paul* ; pour la Tour Saint-Germain-l'Auxerrois, une *Statue de Philippe-Auguste*. À l'église Saint-Augustin de Paris, on voit, de lui, les statues de *Saint Grégoire* et de *Jérémie* ; dans la cour des Tuileries, un *Mercure*, et dans le parc de Saint-Cloud, un *Jupiter* ; *La fuite en Égypte*, relief, à l'église de Notre-Dame de la Sainte-Croix à Ménilmontant.
Musées : Angers : *L'Amour enchaîné* – Nancy : *Adam et Ève*.
Ventes Publiques : Londres, 25 mars 1981 : *Noir nu attaché* 1835, bronze (H. 18) : **GBP 260** – Londres, 7 juin 1984 : *Le bûcheron* vers 1880, bronze (H. 104) : **GBP 1 200** – Cologne, 14 mars 1986 : *Le bûcheron*, bronze (H. 88) : **DEM 4 500**.

CHAMBARON
Originaire de Toulouse (Haute-Garonne). Mort en 1869 à Toulouse. XIXᵉ siècle. Travaillant à Paris. Français.
Graveur sur bois.
Il exécuta des vues de Toulouse, Rodez, Carcassonne, d'après Soulié, F. Mazzoli et Duplessis. Il fut probablement le graveur qui collabora au *Charivari* et à une partie des dessins de l'*Histoire de France* publiée par Havard, ainsi qu'à des bois de *La Saison des Eaux* d'après Cham.

CHAMBARS Thomas ou Chambers
Né vers 1724 à Londres, d'origine irlandaise. Mort en 1789 à Londres, noyé accidentellement dans la Tamise. XVIIIᵉ siècle. Britannique.
Graveur.
Étudia la gravure et le dessin à Dublin et à Paris. Graveur associé de la Royal Academy de Londres en 1770. Il exposa aux expositions de ce groupement et à la Society of Artists de 1761 à 1773. Il exécuta un certain nombre de planches pour les collections de John Boydell et collabora à l'illustration de *The Works of Horatio Walpole, Earl of Oxford* (Londres, 1798).

CHAMBAS Jean-Paul
Né le 11 mars 1947 à Vic-Fezensac (Gers). XXᵉ siècle. Français.
Peintre et peintre de décors de théâtre.
En France, il a participé au Salon de la Jeune Peinture à partir de 1969. En Italie, où il a vécu une partie du temps, il a exposé à partir de 1973. Dans un premier temps, il peignait des éruptions volcaniques, mêlant des éléments tachistes qui « explosaient » sur des paysages paisibles. Il réussit à concilier son métier de décorateur de théâtre et sa vocation de peintre, créant des décors pour la *Tosca* à l'Opéra de Paris, *Les Fourberies de Scapin* à Avignon puis au théâtre des Amandiers de Nanterre, *La Mère coupable* pour la Comédie Française à Paris, etc. En 1989, dans sa série *Voleurs de feu*, ses compositions sont faites de multiples collages de photos de journaux, magazines, cartes postales, pochettes de disques ou tout autre document, froissés et déchirés. Toutes ces images font partie de l'environnement direct de Chambas, elles sont, en quelque sorte, le reflet de sa vie, même lorsqu'il fait des soi-disants portraits de Joseph Beuys, Glenn Gould, Malcom Lowry ou Antonin Artaud. Il y a toujours juxtaposition de ces portraits, faits à base de photos déchirées, et d'indications relatives à sa propre vie, recherchant surtout à rendre l'essentiel, c'est-à-dire l'émotion. Ainsi voit-on Glenn Gould debout, derrière un paysage de Syrie, dans un tableau intitulé *Buck John*, en raison de l'insertion du titre d'une bande dessinée que Chambas avait beaucoup aimée dans sa jeunesse, tandis que des caractères chinois sont inscrits en arrière-plan, faisant référence à la répression de la Place Tien Anmen à

Pékin, où sa compagne se trouvait alors et d'où elle lui envoyait des documents. Ces tranches de vie sont ainsi rassemblées par des moyens rudimentaires, comme des rubans adhésifs peints dans un léger trompe-l'œil. A travers ses œuvres, Chambas cherche à rendre la réalité d'une émotion.

BIBLIOGR. : Jean-Luc Chalumeau, in : *Opus International*, n° 117, jan.-fév., Paris, 1990.

VENTES PUBLIQUES : PARIS, 26 avr. 1982 : *Deux cœurs, une chaumière* 1974, acryl./t. (97x130) : FRF 4 000 – PARIS, 12 oct. 1987 : *Trackl* 1983, h/t (161x130) : FRF 37 000 – PARIS, 15 oct. 1987 : *Portrait d'Ernest Hemingway*, aquar./pap. (48x35,5) : FRF 10 000 – PARIS, 24 mars 1988 : *Verdi* 1982, h/t (100x100) : FRF 15 000 ; *Autoportrait à la trompette* 1982, h/t (146x113,5) : FRF 18 000 – PARIS, 26 sep. 1989 : *Sans titre*, aquar./pap. (20x17) : FRF 8 000 – PARIS, 3 mai 1990 : *Kafka*, acryl./t. (120x120) : FRF 40 000 – PARIS, 23 oct. 1990 : *Smoking Op's* 1978, gche et cr./pap. (101x71) : FRF 6 500 – PARIS, 20 nov. 1990 : *La Traviata et Lautrec*, past., fus. et cr. (64,5x50) : FRF 46 000 – PARIS, 25 juin 1991 : *Puccini* 1981, gche et aquar./pap. (42x29,5) : FRF 14 000 – PARIS, 14 mai 1992 : *Souvenir d'Égypte*, cr. de coul. (69x53) : FRF 5 500 – PARIS, 8 juin 1994 : *Lautrec en Égypte* 1979, acryl./t., diptyque (150x324) : FRF 14 800.

CHAMBAUD Artme (?)
XIXe siècle. Français.
Graveur au burin.
Il était actif à Paris vers 1826. Le Blanc cite de lui : *J. L. A. M. Lefebvre de Cheverus.*

CHAMBELLAN, dit Duplessis
Français.
Sculpteur.
Il fut membre de l'Académie Saint-Luc à Paris.

CHAMBELLAN Marcel
Né aux États-Unis. XIXe-XXe siècles. Français.
Sculpteur.
Mention honorable au Salon des Artistes Français à Paris en 1911.

CHAMBELLAN Victor Amand
Né le 12 février 1810 à Paris. Mort le 16 novembre 1845 à Paris. XIXe siècle. Français.
Peintre d'histoire et de portraits.
Élève de Gros à l'École des Beaux-Arts où il entra le 31 mars 1819. Il exposa au Salon entre 1835 et 1844 (*Portrait de Clermont de Montoison ; Mars et Vénus ; Le Christ guérit les malades*) ; médaillé en 1844.

CHAMBERLAIN Christopher
Né le 1er novembre 1918 à Worthing (Sussex). XXe siècle. Britannique.
Peintre de paysages et de figures.
Il fit des études à Londres, à la Clapham School of Art de 1934 à 1938, puis au Royal College of Arts, une première fois en 1938-39, et une seconde fois, après la guerre, de 1946 à 1948. Il a exposé à la Royal Academy à partir de 1951.
MUSÉES : LONDRES (Tate Gal.).

CHAMBERLAIN Emily Hall
Née à Shelby (Ohio). Morte en 1916 à New York. XXe siècle. Américaine.
Peintre et illustrateur.

CHAMBERLAIN Jack B.
Mort en 1907 à Lakewood, Nouvelle-Zélande. XIXe siècle. Néo-Zélandais.
Illustrateur.

CHAMBERLAIN John
Né en 1927 à Rochester (Indiana). XXe siècle. Américain.
Sculpteur. Abstrait.
Il fut élève de l'Art Institute de Chicago de 1950 à 1952 et suivit l'enseignement du Black Mountain College, sous la direction du peintre Josef Albers. Il travaille actuellement en équipe (l'un découpe, l'autre soude, le troisième peint...) à Sarasota, en Floride.
Il a participé à de nombreuses expositions internationales de groupe, notamment à la Biennale de São Paulo à partir de 1961 et à la Biennale de Venise à partir de 1964. Il a exposé pour la première fois à Chicago en 1957, ensuite à New York depuis 1960 et encore en 1990 ; à Paris en 1961 et 1991, 1993 ; à Madrid en 1984 ; au Musée d'Art Contemporain de Los Angeles en 1986 ; à la Collection Menil de Houston 1987 ; à Cologne

1989 ; Musée National d'Art de Dresde et aux Musée National de Baden-Baden en 1991...
Il se fit rapidement connaître pour n'utiliser, dans une première période, vers 1957, que des éléments d'automobiles au rebut, ordonnancés en sculptures ou en reliefs, relevés par la polychromie d'origine de ses pièces détachées. Il s'inspirait alors des sculptures en métal soudé de David Smith et travaillait dans le même esprit que les peintres gestuels Franz Kline ou Willem de Kooning. Comme César ne le fit que pour quelques rares réalisations, Chamberlain choisit ses morceaux de voitures en fonction de leur forme et de leur couleur, les traitant comme un matériau forme-couleur. Il assemble ces éléments selon deux processus : l'un purement abstrait, voire même relevant du Nouveau Réalisme, quand il accumule ces pièces prélevées du folklore urbain sans aucune recherche de modification ni même d'arrangement ; l'autre plus traditionnellement plastique, quand il organise ces éléments en fonction d'un projet défini, qu'il en obtienne les silhouettes inquiétantes évoquant des personnages en haillons, des chevaliers en armures, des animaux hérissés de membres agressifs, des végétations étranges, etc. Quel que soit le processus, Chamberlain utilise ces morceaux de tôle usagée, sans arrière-pensée philosophique, mais parce qu'il est commode d'en trouver une grande quantité à un prix raisonnable et que c'est un matériau tout à fait contemporain. Dans la suite, il compléta cette démarche, par des interventions sur des sculptures en polyuréthane blanchâtre, qu'il cassait pour en réorganiser les fragments, en sorte de susciter chez le spectateur une impression de détérioration généralisée. Après le polystyrène, il fit des sculptures à partir de sacs en papier, puis en feuilles d'aluminium. Entre 1970 et 1980, ses sculptures sont composées de métal blanc froissé, de parties chromées brillantes, tandis qu'il couvre d'autres éléments métalliques de peintures acides ou y ajoute des graffiti. C'est en 1977 qu'il exécute pour Andy Warhol sa première sculpture graffiti en acier peint. A la fin des années 80, ses compositions deviennent plus complexes, multipliant les petits éléments tordus comme des rubans sinueux, évoluant vers un art plus maniériste, où un certain érotisme n'est pas exclu. ■ J. B.

BIBLIOGR. : Herta Wescher, in : *Nouv. diction. de la sculpt. mod.*, Hazan, Paris, 1970 – Julie Sylvester : *Catalogue raisonné de la sculpture de Chamberlin, 1954-1985*, New York, 1986 – Joan Altabe : *John Chamberlain et sa méthode*, Art Press, Paris, nov. 1991.

VENTES PUBLIQUES : NEW YORK, 11 mai 1967 : *Bulfwinkle*, métal peint. : USD 600 – NEW YORK, 18 nov. 1970 : *Johny Bird*, fer émaillé : USD 6 750 – NEW YORK, 27 oct. 1972 : *Rouge et blanc*, acier peint. : USD 4 000 – NEW YORK, 21 oct. 1976 : *Ma Green* 1964, métal peint. (51x61x51) : USD 2 600 – LONDRES, 30 juin 1977 : *Sans titre vers 1962-63*, pièces de fer blanc et métal montées/cart. (27x31x19) : GBP 2 000 – NEW YORK, 3 nov. 1978 : *Sans titre vers 1960*, métal peint. (55x58x55,5) : USD 8 500 – NEW YORK, 18 mai 1979 : *I. Mencius vers 1974*, morceaux de voitures compressés (142,5x117x67) : USD 16 000 – NEW YORK, 16 mai 1980 : *Miss Remember Ford (149)* 1961, carrosserie d'automobile broyée (68,5x86,5x67,5) : USD 11 000 – NEW YORK, 8 nov. 1983 : *Artur Banres* 1977, morceaux de voiture compressés avec acier forgé et émail (213x84x53,5) : USD 15 000 – NEW YORK, 5 nov. 1985 : *Vandam Billy* 1981, chrome forgé et acier peint. (165x172,7x106,8) : USD 27 000 – NEW YORK, 10 nov. 1986 : *Sans titre vers 1962*, chrome forgé et acier peint. (77x89x61) : USD 25 000 – NEW YORK, 7 oct. 1987 : *Sans titre vers 1962*, étain peint./isor. (31,7x31,7) : USD 9 000 – NEW YORK, 4 nov. 1987 : *Va, dam Billy* 1981, acier chromé et peint. (165x172,7x106,8) : USD 39 000 – NEW YORK, 3 mai 1988 : *Tonk* 1983, acier peint. (15x24x14) : USD 17 600 ; *Salanaugie* 1977, acier peint. (61x124,5x76,2) : USD 46 750 ; *Papagayo*, acier galvanisé (188x121,8x116,8) : USD 55 000 – NEW YORK, 3 mai 1989 : *L'Aurore aux doigts de rose* 1983, placage de chrome et acier peint. (54,5x141x29,3) : USD 60 500 – NEW YORK, 5 oct. 1989 : *Sans titre 1962*, construction de bois et métal peint. (46x52,8x15,3) : USD 110 000 – NEW YORK, 8 nov. 1989 : *Ultima Thule*, acier galvanisé (162,5x111,5x91,5) : USD 253 000 – PARIS, 15 fév. 1990 : *Night Talk* 1987, acier peint. et chrome (56x70x47) : FRF 450 000 – NEW YORK, 8 mai 1990 : *Olympus photo* 1987, acier peint. et chromé (41,9x69,8x34,9) : USD 55 000 – NEW YORK, 5 oct. 1990 : *Pollo primavera*, acier chromé et peint. (112,4x126,3x118,1) : USD 55 000 – PARIS, 16 déc. 1990 : *Sans titre 1981*, porcelaine (69x40,6x28) : FRF 11 000 – NEW YORK, 30 avr. 1991 : *La Colonne de Fenollosa* 1983, acier peint. et chromé (319x135x120,5) :

USD 77 000 – New York, 6 mai 1992 : *Sans titre* 1963, acier peint. et chromé (182,9x121,9x106,5) : **USD 104 500** – New York, 6 oct. 1992 : *Sans titre* 1960, acier (152,4x152,4) : **USD 85 250** – New York, 18 nov. 1992 : *Le caniche Tomato* 1988, vernis/acier chromé (264,2x127x119,4) : **USD 71 500** – New York, 24 fév. 1993 : *Wooten's whisper* 1988, vernis/acier chromé (39,4x81,9x45,7) : **USD 28 600** – Londres, 25 mars 1993 : *Tonk 11-83* 1983, acier peint. (12,1x33,6x9,5) : **GBP 4 830** – New York, 3 mai 1993 : *Madame Lune* 1964, acier soudé peint. et chromé (48,3x73,7x53,3) : **USD 46 000** – New York, 9 nov. 1993 : *Objets de décharges* 1986, acier chromé et vernis (279,4x158,8x110,5) : **USD 79 500** – Londres, 2 déc. 1993 : *Falconer-fitten* 1960, acier pressé peint. (85,1x99,1x94) : **GBP 31 050** – New York, 2 mai 1995 : *Coconino* 1969, acier chromé et peint., coffre de machine à laver écrasé (148,6x195,6x153,7) : **USD 365 500** – Londres, 26 oct. 1995 : *Orco* 1961, techn. mixte et relief pap./cart. (30,5x30,5) : **GBP 7 130** – Londres, 27 juin 1996 : *Sans titre*, métal peint. (21x23x16,5) : **GBP 9 200** – Londres, 6 déc. 1996 : *Tonka* 1983, métal peint. (17x23,5x14) : **GBP 5 750** – New York, 20 nov. 1996 : *Sans titre* 1961, techn. mixte (30,5x30,5x7,6) : **USD 11 500** – New York, 7-8 mai 1997 : *Garter Trolley* 1988, vernis/acier chromé (276,9x161,3x146,2) : **USD 90 500** ; *La Langue du sphinx* 1988, acier peint. et chrome (274,3x162,6x120) : **USD 107 000**.

CHAMBERLAIN Joseph

Né à Lambourne. xxe siècle. Britannique.
Peintre de paysages et dessinateur.

CHAMBERLAIN Judith

Née à Portland (Oregon). xxe siècle. Américaine.
Peintre.
A exposé au Salon des Indépendants de 1923.

CHAMBERLAIN Samuel

Né à Cresco (Iowa). xxe siècle. Américain.
Graveur.
Elève de l'aquafortiste français Edouard Léon, il a exposé des pointes sèches au Salon des Artistes Français à Paris, de 1925 à 1932. Médaille de bronze en 1928.

CHAMBERLAIN W. B.

xixe siècle. Actif à Brighton. Britannique.
Paysagiste.
Membre de la Royal Scottish Water-Colours Society. Il exposa à la Royal Academy et à la New Water-Colours Society, à Londres, de 1879 à 1889.

CHAMBERLAIN William

Né à Londres. Mort en 1817 à Hull. xixe siècle. Actif à Londres. Britannique.
Peintre.
Il avait étudié à l'École de la Royal Academy, sous la direction d'Opie. Il exposa à Londres plusieurs toiles, particulièrement des portraits. Cité dans les catalogues de la Royal Academy de Londres de 1794 à 1817.
Ventes Publiques : Londres, 11 juin 1937 : *Jeune garçon avec un chien* 1796 : **GBP 71**.

CHAMBERLIN Amy Gertrude, Mrs

Née à Londres. xxe siècle. Britannique.
Miniaturiste.

CHAMBERLIN Frank Tolles

Né en 1873 à San Francisco (Californie). xixe-xxe siècles. Américain.
Sculpteur, graveur et peintre.
Il obtint en 1909 le prix Lazarus, qui lui permit un séjour à l'Académie d'Amérique à Rome.

CHAMBERLIN Mason, l'Ancien

Né en 1727. Mort en 1787 à Londres. xviiie siècle. Britannique.
Peintre de portraits.
Il eut pour maître Frank Hayman.
Comme tableau de réception à la Royal Academy, il présenta le portrait du *Docteur Hunter*, conservé à Londres, comme le portrait du *Docteur Chandler* (Royal Society). Ces deux ouvrages ont été reproduits par la gravure. Il exposa de 1760 à 1786 à la Society of Artists, à la Free Society, et à la Royal Academy.
Il exécuta des portraits d'une ressemblance remarquable.
Ventes Publiques : Londres, 6 mai 1910 : *Portraits de M. Jesser et de Mrs. Jesser*, deux tableaux : **GBP 12** – Londres, 25 juin 1923 : *Dame avec un fichu* 1782 : **GBP 1** – Londres, 24 juin 1927 : *Dame en robe verte* 1782 : **GBP 10** – Londres, 30 mai 1930 : *Por-*

trait d'un historien : **GBP 57** – Londres, 13 juin 1930 : *Portrait d'homme* : **GBP 52** – Londres, 21 nov. 1930 : *Portrait d'homme* : **GBP 39** – New York, 20 nov. 1931 : *Portrait de William Canton* : **USD 250** – Londres, 7 déc. 1933 : *Portrait de Charles Jennens* : **GBP 36** – Londres, 23 nov. 1934 : *Lewis Charles Daubuz* : **GBP 10** – Londres, 11 juin 1937 : *Colonel George Smith* : **GBP 52** – Londres, 14 juil. 1939 : *Capitaine John Albert Bentinck* : **GBP 22** – Londres, 7 juil. 1967 : *Portrait de Charles Jennens* : **GNS 550** – Londres, 19 nov. 1976 : *Portrait d'un gentilhomme*, h/t (119,4x95,2) : **GBP 750** – Londres, 23 mars 1979 : *Portrait of a gentleman*, h/t (126,4x100,3) : **GBP 750** – Londres, 11 juil. 1984 : *Portrait of a gentleman with his son*, h/t (104x82) : **GBP 1 600** – Londres, 19 nov. 1986 : *Portrait of Master Simon Deney* 1783, h/t (125x100) : **GBP 42 000** – Londres, 5 juil. 1990 : *Portrait de Elisabeth Ourry vêtue d'une robe bleue garnie de nœuds blancs et d'un châle de mousseline avec une coiffe blanche*, h/t (76,5x63,5) : **GBP 3 740** – Londres, 10 juil. 1991 : *Portrait du Dr Hornby de West Drayton à Windsor*, h/t (70x90) : **GBP 1 430**.

CHAMBERLIN Mason, le Jeune

xviiie-xixe siècles. Britannique.
Peintre de paysages.
Fils de Mason Chamberlin l'Ancien.
Il exposa de 1786 à 1827 à la Royal Academy, à la British Institution et à Suffolk Street, à Londres.
Ventes Publiques : Londres, 15 fév. 1983 : *A country pasture* 1835, h/t (69x88,5) : **GBP 850**.

CHAMBERS Alfred P.

xixe siècle. Britannique.
Peintre d'histoire.
Il exposa à la British Institution, à Suffolk Street, etc., à Londres, de 1859 à 1862.

CHAMBERS Alice J.

Née en Angleterre. xxe siècle. Britannique.
Peintre.
Elève de F. Spenlove-Spenlove. A exposé des paysages au Salon des Artistes Français, de 1933 à 1936.

CHAMBERS Alice May

xixe siècle. Active de 1880 à 1893. Britannique.
Peintre de figures, portraits, aquarelliste. Préraphaélite.
Elle exposa à la Royal Academy de Londres, à la New-Colour Society et à la New Gallery, à Londres, entre 1881 et 1893.
On cite parmi ses œuvres : *Cydippe* ; *An Egyptian Fellah Woman* ; *During the prelude* ; *Portrait de Mrs. Patterson*.
Elle se classe nettement parmi les suiveurs des Préraphaélites et les titres de ses œuvres suggèrent l'influence de Rossetti, H. Hunt et Burne-Jones.
Ventes Publiques : Londres, 4 juin 1982 : *Une prêtresse de Cérès*, aquar. et encre de Chine (45,7x36,2) : **GBP 300** – Londres, 22 mars 1984 : *Jeune fille arabe* 1883, aquar. reh. de blanc (71,6x51,5) : **GBP 1 500** – Londres, 29 oct. 1991 : *Portrait de femme en buste*, craies rouge et blanche (38,2x34,3) : **GBP 3 740** – Londres, 10 mars 1995 : *Portrait d'une jeune fille en buste*, sanguine (44,5x33) : **GBP 8 050**.

CHAMBERS Christine Gray

Née à Philadelphie (Pennsylvanie). xxe siècle. Américaine.
Peintre de portraits.
Elève de l'Académie des Beaux-Arts de Pennsylvanie, elle a exposé à Philadelphie et à New York, notamment au Worcester Art Museum.

CHAMBERS Fanny Muhsell

Née à Brooklyn (New York). Morte en 1920. xxe siècle. Américaine.
Illustrateur.

CHAMBERS Frank Portland

Né en novembre 1900. xxe siècle. Américain.
Sculpteur et architecte.

CHAMBERS Frederick

xixe siècle. Britannique.
Peintre de paysages.
Il exposa de 1886 à 1891 à la Royal Academy et à Suffolk Street, à Londres.

CHAMBERS George, l'Ancien

Né en 1803 à Whitby. Mort en 1840 à Brighton. xixe siècle. Britannique.
Peintre de batailles, marines, aquarelliste.

Il était le fils d'un pêcheur du comté d'York. Au cours des voyages qu'il faisait comme mousse à bord d'un navire marchand, il s'essayait à des esquisses qui faisaient la joie des matelots. Après avoir pris, à Whitby, quelques leçons de dessin, il exécuta quelques petites études qu'il vendit avec facilité. Il se rendit à Londres, où il travailla à la peinture du Panorama de Londres, ou Colosseum de Regent's Park. Devenu peintre de décors au Pavillon Theater, il fut remarqué par l'amiral Lord Mark Herr, qui le protégea et le présenta au roi Guillaume IV. Chambers travailla avec une assiduité que sa faible constitution, déjà ébranlée par la rude existence de la mer, ne put longtemps supporter. Il mourut à l'âge de 37 ans. Il faisait partie depuis quelques années de la Société des aquarellistes, à Londres ; il exposa, de 1827 à 1840, à presque toutes les associations d'art de Londres...

Il fait preuve d'un beau talent dans ses peintures de batailles navales.

Musées : Bristol : *Le Bombardement d'Alger* – *Vue de Bristol, prise de la rivière* – *Bristol, vue de la rivière* – Cardiff : *Bateaux de pêche* – Dublin : *Marine* – *Barque de Douvres, esquisse du précédent* – *Barque de pilote de Douvres sur une mer agitée* – Greenwich (Hôpital) : *La Capture de Portobello* – *Le Bombardement d'Alger* – *Destruction de la flotte française à La Hague, copie du tableau de West* – Londres (Victoria and Albert Mus.) : *Gros vent, bateaux dans la tempête* – *Sur la Tamise* – *Le Port de Sunderland, clair de lune* – *Navire à l'ancre, tempête* – *Côte rocheuse, navire désemparé* – *Marine* – *Vue de Whitby* – *Marine* – *Vue de Whitby, navire en marche* – Londres (British Art) : *Marine* – Manchester : *Signalant un pilote* – *Barque hollandaise* – *Pêche au hareng* – Montréal (S. d'Art) : *Matin* – Norwich : *Le vieux marché au foin, Norwich*, gravure – Nottingham : *le Port de Whitby* – Preston : *Quittant Portsmouth* – Sheffield : *Marine*.

Ventes Publiques : Londres, 11 mai 1889 : *Cutter under Full Sail near a fishing Boat*, aquar. (14,5x25,5) : **GNS 13** – New York, 7-8 avr. 1904 : *Les contrebandiers se glissant pour éviter un piège* : **USD 510** – Londres, 1er mai 1908 : *Scène sur une côte* ; *Traversant la lande* : **GBP 6** – Londres, 20 juil. 1908 : *Pêche par mauvais temps* ; *Le Naufrage*, dess. : **GBP 6** – Londres, 4 juin 1909 : *Navires à l'embouchure d'une rivière* : **GBP 22** – Londres, 11 juin 1909 : *Vaisseaux quittant Sheerness* : **GBP 120** – Londres, 21 juil. 1922 : *Bateaux à Portsmouth* : **GBP 37** – Londres, 26 jan. 1923 : *Le pont de Londres levé*, dess. : **GBP 52** – Londres, 16 fév. 1923 : *Margate*, dess. : **GBP 50** – Londres, 23 avr. 1923 : *Bateaux de pêche rentrant au port* : **GBP 12** – Londres, 13 déc. 1926 : *Marine 1833*, dess. : **GBP 11** – Londres, 2 déc. 1927 : *Bateau à l'île de Wight* : **GBP 21** – Londres, 23 juil. 1928 : *Un port hollandais* : **GBP 15** – Londres, 25 juil. 1930 : *Pêche à l'embouchure d'un fleuve* : **GBP 10** – Londres, 15 juil. 1931 : *Marine* : **GBP 10** – Londres, 25 mai 1934 : *L'île de Wight* : **GBP 25** – Londres, 8 mars 1935 : *Vue de Staithes*, dess. : **GBP 13** – Londres, 4 avr. 1935 : *Marine 1831* : **GBP 19** – Londres, 18 déc. 1936 : *La Tamise à Greenwich* : **GBP 14** – Londres, 30 avr. 1937 : *Bateaux à Douvres 1838*, dess. : **GBP 10** – Londres, 21 mai 1937 : *Vue de la Tamise à Greenwich* : **GBP 35** – Londres, 20 mars 1963 : *Off Ramsgate* : **GBP 200** – Londres, 18 nov. 1966 : *Le port de Portsmouth* : **GNS 380** – Londres, 28 jan. 1972 : *Bateaux de pêche par gros temps 1857* : **GNS 450** – Londres, 14 mai 1976 : *Le port de Portsmouth 1833*, h/t (59,7x84) : **GBP 1 800** – Londres, 20 juil. 1976 : *Soldat dans une barque*, aquar. et reh. de blanc (39,5x65) : **GBP 1 100** – Londres, 28 jan. 1977 : *Bateaux au large de la côte*, h/t (47x65) : **GBP 1 700** – Londres, 3 juil. 1979 : *Bateaux au crépuscule*, h/t (92x132) : **GBP 2 800** – Londres, 13 déc. 1979 : *Bateau rentrant au port*, aquar. reh. de blanc (37,7x53,5) : **GBP 2 400** – Londres, 17 nov. 1981 : *Bateaux au large de la côte 1883*, aquar. (24x36,5) : **GBP 2 400** – Londres, 30 mars 1983 : *Bateaux de pêche au large de la côte du Kent 1839*, aquar. (24x37,5) : **GBP 2 000** – Londres, 11 juil. 1984 : *Bateaux de pêche au large de Douvres 1837*, h/pan. (36x45,5) : **GBP 4 000** – Londres, 17 déc. 1986 : *The launching of H.M.S. Royal George and Chatham 1827*, h/t (86,5x132) : **GBP 8 000** – Londres, 12 mars 1987 : *Cutter under Full Sail near a fishing Boat*, aquar. (14,5x25,5) : **GBP 4 000** – Londres, 31 mai 1989 : *La remontée des filets 1836*, h/t (48x71) : **GBP 2 200** – Londres, 5 oct. 1989 : *Un brick au large de Whitby*, h/t (43x60) : **GBP 2 860** – Londres, 22 mai 1991 : *Lever l'ancre* ; *Naufrage 1834*, h/t (chaque diam. 39,5) : **GBP 3 850** – Londres, 22 nov. 1991 : *Le baleinier Phœnix entrant dans le port de Whitby 1825*, h/t (63,4x91,4) : **GBP 7 700** – Londres, 13 avr. 1994 : *Barques de pêche abaissant les voiles 1837*, h/t (61x84) : **GBP 8 625** – Londres, 3 mai 1995 : *L'Embouchure de la Medway*

1835, h/t (51x71) : **GBP 10 350** – Londres, 30 mai 1996 : *La Rade 1830*, h/cart. (14x19) : **GBP 2 530** – Londres, 29 mai 1997 : *Margate, Kent*, h/t (71x97,5) : **GBP 12 650**.

CHAMBERS George, le Jeune
Né vers 1830. Mort vers 1900. XIXe siècle. Britannique.
Peintre de marines.

Il exposa de 1848 à 1862 à la Royal Academy, à la British Institution et à Suffolk Street, à Londres.

Ventes Publiques : Londres, 7 sep. 1976 : *Barque de pêche rentrant au port*, h/t (40x66) : **GBP 220** – Londres, 25 mai 1979 : *Voiliers au large de la côte 1859*, h/t (34,2x48,8) : **GBP 1 100** – Londres, 24 mars 1981 : *Riding a squall*, h/t (50x76) : **GBP 1 700** – Londres, 6 juin 1984 : *Bateaux de guerre*, h/t (43x53) : **GBP 1 100** – Londres, 11 nov. 1986 : *Bateaux de pêche au large de Whitby 1856*, h/t (39,3x59,7) : **GBP 800** – Paris, 4 déc. 1987 : *Scène d'abordage en mer entre une frégate et un lougre*, h/pan. (24x33) : **FRF 10 000** – Londres, 3 mars 1993 : *Le Parlement et Westminster 1867*, h/cart. (30,5x48) : **GBP 805** – Londres, 3 mai 1995 : *Navigation au large de Douvres*, h/t (84,5x154,5) : **GBP 5 980** – Londres, 29 mai 1997 : *Douvres*, h/t/pan. (63,5x76) : **GBP 4 600**.

CHAMBERS J. K.
Né en Irlande. Mort en 1916 à Boston. XXe siècle. Américain.
Peintre.

CHAMBERS John Jack
Né en 1931 à London (Ontario). Mort en 1978 à London. XXe siècle. Actif aussi en Espagne. Canadien.
Peintre.

A la suite d'études dans un collège technique local, où l'atmosphère puritaine et le mépris de toute activité artistique régnaient, Chambers part pour l'Europe en 1953, afin d'y poursuivre un enseignement artistique. En 1954, il s'inscrit à l'Ecole des Beaux-Arts de Madrid, s'installant près de Madrid jusqu'en 1961. A cette date, il revient au Canada, à Ontario près de sa ville natale, ce qui a une importance primordiale sur son œuvre. Le peintre se préoccupe surtout d'expériences vécues, et les choses liées à son enfance prennent alors une résonance nouvelle, à la fois surréelle, intellectuelle et émotive. Il regroupe ses expériences de manière à faire comprendre leurs mécanismes et nous rendre conscients des objets qui nous entourent et des relations que nous établissons avec eux, rejoignant en cela les tentatives de la figuration narrative. Au moment de son retour au Canada, la couleur tenait une place prépondérante dans son œuvre, mais s'est peu à peu atténuée au profit de grands espaces blancs, d'où se distinguent à peine des personnages baignés d'une lumière diffuse. Dans ses dernières toiles, aux teintes argentées, dont les qualités deviennent plus typiquement cinématographiques, des effets de mouvement et les rapports négatifs-positifs permettent d'introduire une réelle notion de temps.

Bibliogr. : Paul Duval : *Quatre décennies, 1930-1970*, Clarke, Irwin & Company Ltd, 1972 – Patricia Godsell : *Peinture Canadienne Heureuse*, General Publishing Cº Ltd, 1976 – Dennis Reid : *Une Histoire concise de la Peinture Canadienne*, Oxford University Press, Toronto, 1988.

Musées : Londres, Ontario (Régional Art Gal.) : *Regatta Nº1 1968.*

CHAMBERS L., Mrs
XIXe siècle. Active au début du XIXe siècle. Britannique.
Peintre.

Edw. Scriven grava d'après elle le *Portrait de Rosamond Chambers*.

CHAMBERS M.
XIXe-XXe siècles.
Peintre.

A exposé des natures mortes au Salon des Artistes Français, 1913-1914.

CHAMBERS R.
XIXe siècle. Travaillant en 1820-26. Américain.
Graveur.

CHAMBERS Robert
XVIIIe siècle. Britannique.
Sculpteur.

Il exposa à la Society of Artists et à la Free Society de Londres de 1761 à 1783.

CHAMBERS Robert William
Né en 1865 à Brooklyn (New York). Mort en 1933. XIXe-XXe siècles. Américain.
Illustrateur.

CHAMBERS Thomas

Né vers 1808 ou 1815 en Angleterre. Mort en 1866 aux États-Unis. XIXe siècle. Américain.

Peintre de portraits, paysages, marines. Naïf.

Il arriva aux États-Unis en 1832 et prit la nationalité américaine. Peintre « naïf » de paysages et portraits, il semble s'inspirer des gravures représentant des scènes de la vie américaine, et se fit connaître à New York en 1834. Ensuite, il peignit surtout des scènes de la mer et des ports.

VENTES PUBLIQUES : NEW YORK, 27 nov. 1972 : *Vue de West Point* : USD 2 500 – NEW YORK, 30 avr. 1981 : *Deux chasseurs dans un paysage du Hudson* vers 1840, h/t (45,9x61) : USD 20 000 – NEW YORK, 18 avr. 1984 : *Paysage montagneux au crépuscule*, h/t (45,7x61) : USD 4 000 – NEW YORK, 26 oct. 1985 : *Capture of the H.M. Frigate Macedonia by the U.S. Frigate United States, 1812* vers 1850, h/t (53,4x76,2) : USD 40 000 – NEW YORK, 31 jan. 1987 : *View of West point*, h/t (54x73,7) : USD 40 000.

CHAMBERS Thomas. Voir aussi CHAMBARS

CHAMBERS William

Né en 1726 à Stockholm. Mort en 1796 à Londres. XVIIIe siècle. Britannique.

Peintre de paysages, compositions décoratives, dessinateur, architecte.

Il fut aussi écrivain d'art.

VENTES PUBLIQUES : PARIS, 1896 : *Album de croquis, mascarons, casques, vases, frises, corniches, nombreux sujets*, dess. à la pl. et au pinceau, avec reh. d'encre de Chine et de lav., volume de 26 feuilles : FRF 100 – LONDRES, 2 avr. 1965 : *Vue de la Mersey à Liverpool* : GNS 280 – LONDRES, 25 juin 1981 : *Dessin sur un pont dans le goût chinois pour Sanssouci*, pl. et aquar. (32x47) : GBP 1 800 – LONDRES, 30 nov. 1983 : *Design for the library ceiling at Woburn Abbey*, aquar. et pl. (69,7x47,1) : GBP 7 000 – LONDRES, 6 juin 1984 : *Le « Scotia » au large de la côte*, h/t (66x102) : GBP 1 100.

CHAMBERS William

XIXe siècle. Britannique.

Graveur.

Peut-être identique à Robert William C. Il exposa en 1892 et en 1893 à la Royal Academy, à Londres.

CHAMBERS Winnie, Miss

Née en Irlande. XIXe-XXe siècles. Irlandaise.

Peintre.

Exposa aux Indépendants en 1907.

CHAMBERT Erik

Né le 17 décembre 1902 à Norrköping. XXe siècle. Suédois.

Peintre et designer. Post-cubiste, puis abstrait constructiviste.

A partir de 1944, il a participé à de nombreuses expositions de groupe, en Suède, en particulier au Salon de Stockholm depuis 1958, à Paris, au Salon des Réalités Nouvelles de 1952 à 1956. Le Musée de la Ville de Norrköping lui a organisé une exposition rétrospective, avant de lui décerner un bourse culturelle en 1967. Il s'est d'abord fait connaître comme dessinateur de meubles fonctionnels. Sur le plan pictural, dans une première période, que l'on peut dire post-cubiste, il appréhende la réalité avec une maîtrise consciente et rationnelle. Dans un deuxième temps, sa peinture est abstraite et, dans une troisième période, elle prend une sévérité impersonnelle venue du constructivisme.

BIBLIOGR. : Catalogue de l'exposition *Erik Chambert*, Musée de Norrköping, 1964.

MUSÉES : LINKÖPING – LUND (Nation Ostrogothique) – NORRÖPING – STOCKHOLM (Mus. Nat.) – STOCKHOLM (Mus. Mod.).

CHAMBERT Germain

Né en 1784 à Grisolle (Languedoc). Mort en 1821 à Toulouse. XIXe siècle. Français.

Peintre et graveur.

Il fut dessinateur et graveur attitré de l'Académie des Sciences de Toulouse. On connaît de lui une toile (*L'Assomption de la Vierge*) et trois gravures, parmi lesquelles un *Ecce Homo* d'après Mignard.

CHAMBERT Julien

Né vers 1690. Mort avant 1772 à Besançon. XVIIIe siècle. Actif à Besançon. Français.

Sculpteur.

On cite de lui : un autel dans l'église de Pesmes (Haute-Saône) et des sculptures dans l'église du Saint-Suaire à Besançon. Il avait pour élève Luc Franc. Breton en 1743.

CHAMBIGES Léger ou Cambiche

XVIe siècle. Français.

Sculpteur et architecte.

Il travailla à la cathédrale de Beauvais et à celle de Troyes, sous la direction du célèbre architecte Martin Chambiges, son oncle. Il vécut à Troyes de 1500 à 1512.

CHAMBINIÈRE Maurice

Né à Niort. XIXe siècle. Français.

Peintre de portraits, fleurs, aquarelliste.

Exposa des aquarelles au Salon de Paris à partir de 1879.

VENTES PUBLIQUES : LONDRES, 5 juil. 1978 : *Nature morte aux fleurs*, h/t (85x58) : GBP 800.

CHAMBLIN de

XVIIIe siècle. Français.

Architecte et dessinateur d'ornements.

CHAMBO, famille d'artistes

XVe-XVIe siècles. Actifs à Tournai. Éc. flamande.

Peintres.

CHAMBO MIR Manuel

Né le 5 janvier 1848 à Valence. XIXe siècle. Actif à Valence. Espagnol.

Sculpteur.

Il exécuta de nombreux ouvrages pour les églises de Valence. L'Ateneo à Valence conserve de lui un buste du Dante (1874).

CHAMBON, Mme. Voir CABAUD Reine

CHAMBON Charles Marius

Né en 1876 à Arpajon (Essonne). Mort en 1962. XIXe-XXe siècles. Français.

Peintre et graveur de paysages urbains, natures mortes.

Élève de G. Moreau et de F. Flameng, il a régulièrement exposé au Salon des Artistes Français à Paris, dont il est devenu sociétaire et où il obtint une mention honorable en 1920. Il fut également membre du Salon des Tuileries. Il a surtout peint, au couteau, des vues de Montmartre et de la banlieue parisienne.

VENTES PUBLIQUES : PARIS, 9 avr. 1927 : *Quai des Orfèvres* : FRF 450 – PARIS, 9 fév. 1929 : *L'auberge du Lapin agile* : FRF 160 – PARIS, 22 nov. 1976 : *Élégantes au bord de mer*, h/t (73x92) : FRF 6 300 – PARIS, 4 avr. 1977 : *Sous les oliviers* 1911, h/t (100x80) : FRF 5 700 – ZURICH, 28 oct. 1983 : *Pont à Paris*, h/t (50x61) : CHF 1 800 – VERSAILLES, 2 mars 1986 : *Canal de la Villette*, h/cart. (40x55) : FRF 10 000 – ROME, 7 avr. 1988 : *Nature morte aux fruits* 1915, h/t : ITL 5 500 000 – PARIS, 28 juin 1995 : *Jeune fille au jardin*, h/t (65x54) : FRF 68 000.

CHAMBON Émile François

Né en 1905 à Genève. Mort en 1993. XXe siècle. Suisse.

Peintre, fresquiste et peintre de cartons de tapisseries.

Il fit ses études artistiques à l'École des Beaux-Arts de Genève, entre 1919 et 1921. Après un séjour de trois ans à Paris, il a voyagé à travers l'Europe entre 1931 et 1939 et a participé à plusieurs expositions de groupe dans le monde. Il fit plusieurs expositions personnelles à Genève et dans d'autres villes de Suisse, entre 1929 et 1970, et à Paris en 1962. Il a beaucoup travaillé en tant que peintre décorateur, puisqu'il a reçu, à Genève, des commandes de fresques pour le collège moderne (1951-52), de tapisseries pour le Palais de Justice (1956) et pour l'Hospice du Prieuré (1963-64).

Il ne recherche pas d'effets particuliers de couleurs, les teintes sont étendues à plat, sèches, tandis que ses compositions reposent sur une construction linéaire disciplinée et logique.

E CHAMBON

MUSÉES : AARAN – BERNE – GENÈVE – LAUSANNE – THOUNE.

VENTES PUBLIQUES : GENÈVE, 30 juin 1976 : *Nature morte 1950*, h/cart. (38x46) : CHF 1 200 – ZURICH, 26 mai 1978 : *Les Vernets 1935*, h/t (73x116) : CHF 5 000 – BERNE, 22 oct. 1980 : *Portrait de jeune femme 1975*, h/cart. (37x28,5) : CHF 1 200 – BERNE, 19 nov. 1984 : *la Cocotte 1947*, h/pan. (33x24,5) : CHF 2 200 – GENÈVE, 24 nov. 1985 : *Dimanche après-midi aux Bastions 1952*, h/cart. (33x27,5) : CHF 2 400 – ZURICH, 14 nov. 1986 : *Nature morte au poisson 1936*, h/t (38x55) : CHF 4 400 – PARIS, 20 fév. 1990 : *La sortie du bain 1982*, h/t (75x63) : FRF 130 000 – BERNE, 12 mai 1990 : *Nature morte aux poissons 1936*, h/t (38x55) : CHF 2 800 – PARIS, 25 nov. 1993 : *La Petite Curieuse 1954*, h/t (54x65) :

FRF 18 000 – LUCERNE, 23 nov. 1996 : *La Gare de Milan* 1952, h/t (50x61) : CHF 3 200.

CHAMBON J.
XVIIe siècle. Actif à Avignon vers 1650. Français.
Graveur à l'eau-forte et au burin.
Le Blanc cite de lui deux *Vues d'Avignon.*

CHAMBORD Fernand-Maximilien de
Né en 1840 à Paris. Mort en 1899 à Sète. XIXe siècle. Français.
Peintre de genre, portraits, miniaturiste.
Élève de Hodin et de Jules Lefèvre.
A exposé au Salon des Artistes Français, entre 1868 et 1887, des portraits et des sujets de genre, en miniature.
MUSÉES : SÈTE : *Message d'amour.*
VENTES PUBLIQUES : PARIS, 24 jan. 1908 : *Tête de jeune femme* : FRF 155 – NEW YORK, 4 et 5 fév. 1931 : *Le marchand d'oranges* 1882 : USD 200 – LONDRES, 3 oct. 1980 : *Rêverie,* h/pan. (27,5x21,5) : GBP 400 – CALAIS, 10 déc. 1989 : *L'essayage et la leçon de piano* 1886, h/pan. (38x46) : FRF 40 000.

CHAMBOULERON A. A., Mme. Voir CARRÉ-CHAMBOULERON

CHAMBOVET Marguerite
XIXe-XXe siècles. Actif à Marseille. Français.
Dessinateur.

CHAMBRADE Gaspard
Originaire d'Arconsat (Puy-de-Dôme). XXe siècle. Français.
Sculpteur.
Il exposa au Salon de Lyon à partir de 1904.

CHAMBRAUD Pierre
Né le 14 mai 1915 à Paris. XXe siècle. Français.
Peintre de paysages, de décorations. Polymorphe.
Il fut élève de l'École des Beaux-Arts de Paris, dans l'atelier de René Jaudon, et de celle de Rabat dans l'atelier de Paul Lavalley. Il participe à des expositions collectives diverses, dont à Paris : le Salon des Indépendants dont il est sociétaire depuis 1989, le Salon d'Automne en 1967, 1970, 1971, 1972, 1973... Il a montré des ensembles d'œuvres dans des expositions personnelles à Mantes-la-Jolie (Yvelines), Paris et Rabat.
Peu résolu, il change indifféremment de manière, du paysage décoratif à l'abstrait.

CHAMBRE, Mrs
XIXe siècle. Active à Putney. Britannique.
Peintre de figures.
Elle exposa de 1869 à 1874 à Suffolk Street, à Londres.

CHAMBRÉ Dominique
Né à Nancy. Mort le 10 avril 1690 à Nancy. XVIIe siècle. Français.
Peintre.

CHAMBRÉ François
XVIIe siècle. Actif à Nancy en 1653. Français.
Peintre.
Fils ou neveu de Dominique Chambré.

CHAMBRET Alfred
Né à Chalonnes-sur-Loire (Maine-et-Loire). XXe siècle. Français.
Peintre.
A exposé des paysages, à Paris au Salon des Indépendants, de 1938 à 1943.

CHAMBREZ Ignaz
Né en 1752 à Holleschau (Moravie). XVIIIe siècle. Autrichien.
Peintre d'histoire, dessinateur, architecte et écrivain d'art.

CHAMBREZ Johann
Né vers 1700 près de Prague. Mort vers 1784 à Teschen. XVIIIe siècle. Travaillant en Moravie. Autrichien.
Peintre.
Père d'Ignaz Chambrez.

CHAMBRIN Jack
Né le 26 mars 1919 à Rambouillet (Yvelines). Mort en 1992 (?) XXe siècle. Français.
Peintre de paysages et décorateur.
Élève de Maurice Denis, il a régulièrement participé aux Salons d'Automne, de Mai et des Tuileries à Paris. Il a aussi travaillé auprès de P. E. Clairin en son ermitage en Seine-et-Marne, où il a réalisé d'importantes décorations murales. Il a voyagé en Hol-

lande, en Allemagne, au Danemark et a fait des expositions personnelles à Amsterdam, Milan, Turin, etc. En 1954, il a reçu le Prix Fénéon, et en 1956, a participé à une mission au Musée de l'Homme.
MUSÉES : ALGER – MELUN – ORAN – PARIS (Mus. mun. d'Art Mod.) – PARIS (Mus. Nat. d'Art Mod.) – POITIERS – REHQVOT – SKOPJE – UTRECHT.
VENTES PUBLIQUES : PARIS, 8 mars 1982 : *Le pré rose,* h/t (46x55) : FRF 2 100 – PARIS, 6 nov. 1984 : *Village d'Île-de-France* 1961, h/t (65x54) : FRF 6 500 – PARIS, 20 juin 1986 : *Amsterdam, le cargo bleu,* h/t (54x65) : FRF 3 500 – PARIS, 2 fév. 1987 : *Le peintre et son modèle* 1970, h/t (130x97) : FRF 3 800 – AMSTERDAM, 17 sep. 1991 : *Nature morte au cargo* 1956, h/t (66x54) : NLG 2 300 – AMSTERDAM, 26 mai 1993 : *Canal sous les grands arbres,* h/cart. (65x54) : NLG 1 725 – PARIS, 18 nov. 1994 : *Nature morte* 1956, h/t (50x60) : FRF 4 800.

CHAMBRULARD J. de
Né le 4 mai 1764 à Langres. Mort le 6 juin 1847 à Langres. XVIIIe-XIXe siècles. Français.
Peintre miniaturiste.
Il vécut quelques années à Londres où il exposa des portraits à la Royal Academy (1799-1802). Le Musée de Langres conserve de lui une miniature sur ivoire, *Saint Jean l'Évangéliste,* d'après Domenichino.

CHAMBRUN Jean de, comte
Né le 8 mars 1903 à Paris. XXe siècle. Français.
Peintre.
Il a décoré d'une *Fuite en Égypte,* d'après Fra Angelico, la chapelle du Préventorium Lozérien.

CHAMCHINE Mikhaïl Nikititch
Né le 15 mai 1777. Mort le 24 mars 1846. XIXe siècle. Russe.
Portraitiste.
Père de Petr Michaïlovitch C. Élève de l'Académie de St-Pétersbourg.

CHAMCHINE Petr Mikhaïlovitch
Né le 10 janvier 1811. Mort le 6 février 1895. XIXe siècle. Russe.
Peintre.
Élève de l'Académie de Saint-Pétersbourg. Il a peint plusieurs sujets religieux pour des églises de Leningrad. Le Musée Russe de cette ville conserve de lui *Sainte Famille* et *Portrait de l'artiste,* et la Galerie Tretiakoff de Moscou, *Portrait de la comtesse J. F. Tolstaïa.*
MUSÉES : MOSCOU (Gal. de Tretiakoff) : *Le portrait de la fille du peintre F. P. Tolstoï – Portrait d'une inconnue – La Thraceteverine dansant –* MOSCOU (Roumianzeff) : *Étude – Saint Alexandre Nevski –* SAINT-PÉTERSBOURG (Mus. russe) : *La Sainte Famille – Portrait de l'artiste.*

CHAMECIN Adèle
Née à Lyon (Rhône). XIXe-XXe siècles. Française.
Peintre.
Élève à Lyon, de Guichard et de Miciol ; à Paris, de Carolus Duran, Henner et Luc-Olivier Merson. Elle expose à Lyon, depuis 1884, des portraits, des figures et parfois des fleurs (à l'huile, au pastel et à la gouache). Elle a exposé à Paris, en 1901, *Le Crucifix* (troisième médaille).

CHAMERLAT Jules Marc
Né le 9 novembre 1828 à Avesnes (Nord). Mort le 30 avril 1868 à Paris. XIXe siècle. Français.
Peintre.
Élève de Cogniet. Il débuta au Salon, en 1859, avec son tableau : *Moines se rendant à l'office de nuit.* Citons encore de lui : *Le soir de l'exécution de l'empereur Maximilien* et *Les Saintes Femmes.* Le Musée de Boulogne-sur-Mer conserve de lui : *La petite ravaudeuse* (1860).

CHAMERON Andrée
Née à Saint-Maur (Seine). XXe siècle. Française.
Peintre de fleurs et de paysages.
Elle a participé au Salon des Artistes Indépendants à Paris de 1920 à 1943, au Salon d'Automne de 1924 à 1930 et au Salon des Tuileries de 1930 à 1935.

CHAMEROT-VIARDOT Claudie
Née au XIXe siècle. XIXe siècle. Française.
Peintre de figures, portraits, pastelliste.
Elle a exposé, à Paris à la Nationale des Beaux-Arts depuis 1892, notamment des portraits.

On cite parmi ses œuvres : *Portrait de la danseuse Zambelli* (1897), *Japonaise*, pastel (1986).
Ventes Publiques : Pau, 23 oct. 1983 : *Femme en robe de mousseline* 1894, past. (128x85) : **FRF 4 500**.

CHAMIER Barbara Dorothy
Née le 14 avril 1885 à Faizazad (Inde). XXᵉ siècle. Britannique.
Peintre de portraits et miniaturiste.
Elle a exposé régulièrement à la Royal Academy de Londres et au Salon des Artistes Français à Paris en 1914.

CHAMIER Lena M.
Née en Inde. XXᵉ siècle. Britannique.
Peintre.
Elle a exposé à Paris, au Salon des Artistes Indépendants en 1909-10 et au Salon d'Automne.

CHAMINADE Albert
Né le 6 juin 1923 à Paris. XXᵉ siècle. Français.
Peintre. Abstrait-paysagiste.
Il fut élève de l'École Supérieure des Arts et Industries Graphiques Estienne en 1941. Il a figuré dans de nombreuses expositions de groupe, notamment au Salon des Réalités Nouvelles, régulièrement à partir de 1957 ; au Salon Comparaisons, en tant qu'organisateur de la Section *Abstraits Expressionnistes* en 1960-61-62-63 ; à *Ligne 4* à Paris en 1961, 1962, 1963 ; à *École de Paris* en 1963 ; à « Peinture et Poésie objective » en 1964 ; à la Maison de la Culture du Havreen 1966 ; à *Images pour le Mur* à Toulouse 1971 et 1986 ; au Salon International d'Art à Toulon en 1977-78 ; à *Aspect de l'Art en France de 1950 à 1980* au Musée Ingres à Montauban. Il a également participé à des expositions collectives à l'étranger : en 1960 au Japon ; 1961 Madrid, Londres (sélection du Salon des Réalités Nouvelles), Autriche, Allemagne ; 1962 et 1966 Neuchâtel ; 1963 Bruges et Bruxelles ; 1964 Munich ; 1972 Heidelberg ; 1973 et 1981 Luxembourg. Il avait commencé à faire des expositions personnelles à Paris dès 1949, suivies de beaucoup d'autres, notamment en Suisse à partir de 1960 et à Toulouse depuis 1970. De 1955 à 1988, il a déployé une importante activité pédagogique : à l'École Alsacienne de 1955 à 1970, d'où l'exposition circulante *Du jeu au signe* ; à l'École Estienne depuis 1967 ; à l'U.E.R. d'Arts Plastiques de l'Université de Paris depuis 1970 ; à l'Inspection des Enseignements Artistiques depuis 1975. Il obtint un Prix de la Ville de Biarritz en 1960 et le Prix « Confrontations » à Paris.
Dans les années 50, Chaminade avait été classé parmi les paysagistes abstraits, sa démarche étant axée sur la recherche des équivalences d'espace et de lumière dans des structures non-objectives. Son art reste intimiste, produisant des tableaux ne dépassant pas un mètre dans leur plus grande dimension. Si sa palette reste à base de bruns, d'ocres et de bleus, ses toiles, qui étaient nourries d'une succession de touches, laissent ensuite apparaître le fond blanc. Les couleurs sombres du début s'éclaircissent pour donner une matière plus fluide, plus claire, à la limite de la calligraphie, de l'effleurement.
Bibliogr. : J.-J. Lévêque : *Dix ans d'art actuel*, Publipast, Paris, 1964.
Musées : Paris (Mus. Nat. d'Art Mod.) : *Peinture* – Paris (Mus. d'Art Mod. de la Ville) : deux huiles sur papier.
Ventes Publiques : Paris, 3 mars 1989 : *Composition* 1970, h/pap. mar./t. (73x100) : **FRF 20 000** – Paris, 14 juin 1990 : *Composition*, h/t (92x73) : **FRF 10 000** – Paris, 27 janv. 1992 : *Composition abstraite* 1962, h/t (116x89) : **FRF 7 000**.

CHAMINAT Claude
XVIIᵉ siècle. Vivant au Puy-en-Velay en 1617. Français.
Sculpteur.

CHAMISSO Adalbert de
Né en 1781 au château de Boncourt (Champagne). Mort en 1838 à Berlin. XIXᵉ siècle. Allemand.
Peintre de genre, paysages, plantes, illustrateur, dessinateur.
Il avait appris, dans sa jeunesse, à Würzburg et plus tard à Bayreuth la peinture en miniature, en même temps que ses frères Charles et Hippolyte.
Il travailla un long temps, en qualité de peintre, à la Manufacture de porcelaine de Berlin. Au cours de son voyage autour du monde (1815-1818) il collabora avec le dessinateur Ludwig Choris qui l'accompagnait et, plus tard, exécuta, pour illustrer le récit de ce voyage, des dessins de plantes et de paysages. Il fut également poète.
Ventes Publiques : Reims, 26 avr. 1992 : *Le vieillard et l'enfant blessé* 1824, cr. et fus. (44,5x34) : **FRF 5 500**.

CHAMISSO Charles et Hippolyte de, les frères
XVIIIᵉ-XIXᵉ siècles. Allemands.
Peintres.
Frères d'Adalbert de Chamisso. Exposèrent deux miniatures en 1797 à l'Académie de Berlin et devinrent membres la même année de cette compagnie. Le musée du Louvre conserve de Charles de Chamisso un dessin qu'il a signé, représentant un chasseur de sangliers.
Ventes Publiques : Paris, 16 mai 1925 : *Portrait d'un prince de Pologne*, miniature, sans indication de prénom : **FRF 550**.

CHAMNEY Catherine Rosabelle
Née aux Indes. XXᵉ siècle. Britannique.
Peintre de paysages.

CHAMOIS
XIXᵉ siècle. Actif à Nantes en 1852. Français.
Graveur au burin.
Le Blanc cite de lui : *Nantes, ancien temple, rue du port Maillard*, d'après E. Perrigaud.

CHAMONARD C.
XIXᵉ-XXᵉ siècles. Actif à Mâcon (Saône-et-Loire). Français.
Sculpteur.
Exposa au Salon des Artistes Français en 1888 (*Buste de Beethoven*), en 1898, 1907, 1911 (*Buste de l'ancien ministre Dupuy*).

CHAMONT Simone
Née à Billancourt (Hauts-de-Seine). XXᵉ siècle. Française.
Peintre.
Elle expose, à Paris, au Salon des Artistes Français.

CHAMOREAU Jacques
XVIIᵉ siècle. Actif à Angers en 1699. Français.
Peintre.

CHAMORRO Andres
Mort après 1665. XVIIᵉ siècle. Espagnol.
Peintre.
Il fut admis à Séville, où il travaillait, dans la corporation le 21 mai 1614.

CHAMORRO Juan
XVIᵉ siècle. Actif à Saragosse. Espagnol.
Peintre.

CHAMORRO Juan
XVIIᵉ siècle. Actif à Séville. Espagnol.
Peintre.
Élève de François Herrera le vieux. Président de l'Académie de Séville en 1669.

CHAMOUARD Marcelle
XXᵉ siècle. Française.
Sculpteur.
A exposé, à Paris, au Salon des Artistes Français de 1937.

CHAMOUILLET Simone
Née le 10 juin 1899 à Tours (Indre-et-Loire). XXᵉ siècle. Française.
Peintre.
Élève de Guillaumin, dont elle suit l'exemple impressionniste. Elle expose, à Paris, au Salon de la Nationale depuis 1934.

CHAMOUIN Claude Hilaire Alphonse
Né en 1808 à Paris. XIXᵉ siècle. Vivait encore en 1841. Français.
Peintre de paysages et graveur.
Fils de Jean-Baptiste Marie Chamouin. Il fut élève de E. Aubert et de C. Rémond.

CHAMOUIN Jean Baptiste Marie
Né en 1768 à Paris. XVIIIᵉ siècle. Français.
Graveur.
Il vécut et travailla à Paris. Il a gravé des planches topographiques.

CHAMOUTON Yvonne Henriette Louise
Née à Paris. XXᵉ siècle. Française.
Miniaturiste.
Elle exposa à Paris au Salon des Artistes Français.

CHAMP Marcelle
Née à Bordeaux (Gironde). XXᵉ siècle. Française.
Peintre.
A exposé des portraits, à Paris, au Salon d'Automne de 1935.

CHAMP Marion de
Née en Égypte. XXᵉ siècle. Égyptienne.

Peintre.
A exposé, à Paris, un portrait au Salon des Artistes Français, en 1937.

CHAMP Saint Elme
XIX⁰ siècle. Français.
Peintre de paysages.
Il exposa au Salon de Paris, de 1833 à 1836.

CHAMP-RENAUD Thérèse de
Née à Romont (Suisse). XIX⁰ siècle. Française.
Peintre de figures, natures mortes.
Elle exposa à Paris au Salon des Artistes Français entre 1885 et 1895.
MUSÉES : ROCHEFORT : *Jeune femme faisant le portrait d'un jardinier.*
VENTES PUBLIQUES : NEW YORK, 19 jan. 1994 : *Nature morte de pêches* 1886, h/t (45,7x64,8) : USD 8 050.

CHAMP-RICORD Anne Marie
Née le 29 octobre 1891 à Aurillac (Cantal). XX⁰ siècle. Française.
Graveur.
Sociétaire, à Paris, du Salon des Artistes Français. On cite d'elle : *L'arrivée au Mont Saint-Michel.*

CHAMPAGNE
XVIII⁰ siècle. Français.
Peintre.
Il fut reçu à l'Académie Saint-Luc à Paris en 1781.

CHAMPAGNE, de. Voir au prénom

CHAMPAGNE A. Claude
XVII⁰ siècle. Actif à Paris. Français.
Peintre.
Parent de Philippe de Champaigne, il est cité comme peintre et « valet de chambre » dans les comptes de la maison du roi entre 1636 et 1657.

CHAMPAGNE Christian
Né le 15 juillet 1939 à Puteaux (Hauts-de-Seine). XX⁰ siècle. Français.
Sculpteur d'architectures.
Il s'est établi à Honfleur. Depuis 1971, il expose dans de nombreuses villes de France, en Belgique, aux États-Unis. Il a reçu diverses distinctions.
Il travaille la terre à faïence ou à grès ; il en dose lui-même le chamottage, effectue des cuissons volontairement irrégulières et pratique l'enfumage. S'inspirant des architectures du XII⁰ au XIX⁰ siècles, il recrée d'imagination ce qu'il appelle des « Fragments d'architectures » ornementales et souvent animées de petites statues.
VENTES PUBLIQUES : FONTAINEBLEAU, 21 nov. 1987 : *Labyrinthe*, terre cuite (80x80) : FRF 3 500.

CHAMPAGNE Claude Balon
D'origine française. XVII⁰ siècle. Travaillant à Fribourg. Français.
Peintre.
Il devint bourgeois de Fribourg en 1653 et fut reçu dans la confrérie de Saint-Luc en 1654.

CHAMPAGNE Émilienne
Née à Paris. XX⁰ siècle. Française.
Peintre.
Élève de D. Lucas. A exposé au Salon des Artistes Français en 1932.

CHAMPAGNE France-Lyne
Née le 13 juillet 1947 à Arras (Pas-de-Calais). XX⁰ siècle. Française.
Peintre de figures, compositions à personnages. Réaliste-photographique.
Elle vit à Arras (Pas-de-Calais). Elle fit d'abord des études musicales. Elle fut professeur d'Arts Plastiques à Pompey (Meurthe-et-Moselle), de 1968 à 1972. Autodidacte en peinture, elle expose à Paris, aux Salons d'Automne depuis 1983, de l'Union des Femmes Peintres, et surtout des Artistes Français, dont elle est sociétaire, et y a obtenu le Prix Rosa Bonheur en 1986, puis d'autres distinctions à ce même Salon et en d'autres groupements ou institutions. Elle participe à de très nombreuses expositions collectives régionales. Elle fait des expositions personnelles, depuis la première à Arras en 1985, entre autres : Paris en 1988.

Elle peint des personnages dans leurs occupations quotidiennes, avec une précision telle qu'on la qualifierait d'hyper réaliste, s'il n'y avait doute sur l'implication exacte de cette appellation.
BIBLIOGR. : In : *L'Officiel des Arts*, Édit. du Chevalet, Paris, 1988.

CHAMPAGNE Georges
XVII⁰ siècle. Actif à Paris. Français.
Peintre de portraits.
Entre 1662 et 1666, il peignit les portraits de deux maires de Nantes.

CHAMPAGNE Henri
XVII⁰ siècle. Français.
Peintre.
Il travailla au Louvre en 1656.

CHAMPAGNE Jean
XVII⁰ siècle. Français.
Architecte et sculpteur.
Pensionnaire de l'Académie de France à Rome à partir de 1679, où il était nommé Giovanni Sciampagna, il travailla pour des églises de cette ville et y modela un buste colossal de Louis XIV. A Pérouse, on cite ses sculptures en stuc à l'église de la Confraternita dei disciplinati di San Francesco, ainsi que deux statues allégoriques dans la chapelle S. Carlo Borromeo de l'église San Ercolani. De retour à Paris il exécuta pour le couvent des Grands Augustins une statue de *Saint Augustin* et un *Christ* pour l'église du Saint-Sépulcre. Il est probablement identique à Jean REGNAULT.

CHAMPAGNE Jean Julien
Né en 1877. Mort en 1932 à Paris. XX⁰ siècle. Français.
Peintre et dessinateur.
Disciple et ami du mystérieux Fulcanelli, il s'est spécialisé dans l'illustration de ses grands traités alchimiques : *Le Mystère des Cathédrales* et *Les Demeures Philosophales.*

CHAMPAGNE Marie
XIX⁰-XX⁰ siècles. Active à Paris. Française.
Peintre.
Membre de la Société des Artistes Français depuis 1901, elle participe à ses expositions.

CHAMPAIGNE Jean Baptiste de ou Champagne
Né en août 1631 à Bruxelles. Mort en 1681 à Paris, le 29 octobre 1681 ou 27 octobre 1684 selon d'autres biographes ou 1693. XVII⁰ siècle. Éc. flamande.
Peintre d'histoire, compositions religieuses.
Élève de son oncle Philippe, dont il imita la manière. Il vint à Paris, en 1642, et y perdit son fils unique ; il fut, en 1663, membre de l'Académie, voyagea quinze mois en Italie et se remaria le 9 mars 1670.
Des œuvres de lui sont conservées dans des églises de Paris, Vincennes, au musée de Nancy, Saint-Paul, Saint-Étienne et au musée de Marseille.
La même année, un peintre appelé Champaigne était dans la gilde de Bruxelles, d'après le Dr Wurzbach.
MUSÉES : BRUXELLES : *Assomption de la Vierge* – DOUAI : *Portrait d'un homme sur son lit de mort* – LYON : *Adoration des Bergers* – MARSEILLE – NANCY – PARIS (Louvre) : *L'éducation d'Achille, tir de l'arc – L'éducation d'Achille, course de chars* – ROTTERDAM (Boymans) : *Double portrait de J.B. de Champaigne et de Nicolas de Plattemontagne*, en collaboration avec Nicolas de Plattemontagne – VERSAILLES (Salon de Mercure, plafond) : *Mercure sur un char traîné par deux coqs – Alexandre reçoit une ambassade d'Indiens et entre auprès de lui le philosophe Calamus – Ptolémée s'entretenant avec des savants dans sa bibliothèque – Auguste recevant une ambassade d'Indiens.*
VENTES PUBLIQUES : PARIS, 1777 : *Louis XIII met sa couronne sous la protection de la Vierge* : FRF 240 – PARIS, 1869 : *Portrait d'un abbé* : FRF 425 – LONDRES, 11 déc. 1985 : *Portrait d'un gentilhomme*, h/t (109x89,5) : GBP 6 500 – NEW YORK, 14 jan. 1988 : *Portrait d'un gentilhomme*, h/t (87,5x71) : USD 14 850 – PARIS, 15 déc. 1992 : *Le Christ au désert servi par les anges*, h/t (79,5x101,5) : FRF 158 000 – NEW YORK, 14 jan. 1994 : *Moïse frappant le rocher*, h/t (68,6x92,1) : USD 29 900 – NEW YORK, 12 jan. 1995 : *La Vierge de l'Annonciation avec une colombe* ; *L'Archange Gabriel avec un lis*, h/t, une paire (90,8x73,7) : USD 27 600 – LONDRES, 2 juil. 1996 : *Étude de Sainte Thérèse en buste*, sanguine et craie blanche/pap. brun clair (30,7x21,2) : GBP 8 625.

CHAMPAIGNE Philippe de ou Champagne
Né en 1602 à Bruxelles. Mort le 12 août 1674 à Paris. XVII⁰ siècle. Éc. flamande.

Peintre de compositions religieuses, portraits.

Philippe de Champaigne était d'une famille de la bourgeoisie aisée des Flandres, qui avait de lointaines origines rémoises. Il aurait d'abord travaillé avec Jean Bouillon et Michel Bourdeaux (ou de Bordeaux), puis avec le peintre de paysages Fouquières (pour l'Abbaye de Port-Royal, il peindra des épisodes de la vie des saints ermites qu'il situera dans des paysages, œuvres aujourd'hui à peu près inconnues et conservées dans les réserves du Louvre). Peut-être ce fut son maître Jacques Fouquières, qui travaillait aux décorations du palais du Luxembourg, qui l'incita à venir à Paris, en 1621, âgé donc de 19 ans. Il serait passé par l'atelier de Georges Lallemand, pour compléter sa formation. Puis Duchesne, premier peintre de la reine Marie de Médicis, qui dirigeait les travaux de décoration du Luxembourg, l'appela à y collaborer, peut-être, dit-on, sur l'intervention de Nicolas Poussin, avec lequel il se serait lié à son arrivée à Paris. Champaigne trouva là l'occasion de manifester son talent. Certaines sources suggèrent que Duchesne aurait pris ombrage du succès de son protégé et qu'à la suite de différends entre eux, Champaigne serait retourné à Bruxelles pour préparer un voyage en Italie. Duchesne étant mort, c'est à Bruxelles que Champaigne reçut la proposition de Marie de Médicis de lui succéder dans sa charge. Il renonça à Rome pour Paris, épousa la fille de Duchesne et prit possession de son poste en 1628. On lui alloua un logement au Luxembourg et une pension de 1.200 livres. Il remplit ensuite les obligations de sa charge en s'acquittant des compositions historiques et religieuses qui lui étaient commandées. La mort de sa femme renforça son inclination au mysticisme et, à partir de 1643, il fut intimement lié avec les solitaires de Port-Royal. Lors de la fondation de l'Académie de Peinture, en 1648, il fut nommé parmi les premiers douze « Anciens », et par conséquent professeur et plus tard recteur. À ce titre, il prononça plusieurs discours consacrés à l'analyse des tableaux de Poussin. Il voua la dernière partie de sa vie et de son œuvre à la peinture de portraits et très spécialement de ceux des hommes et des femmes qui représentaient le jansénisme en France.

Après qu'il eut reçu une formation flamande, dont on retrouve la trace dans la perfection du métier déployé dans certaines compositions (La Madeleine pénitente du Musée de Rennes) et dans la gravité de l'expression des visages de ses portraits les plus chargés de pensée ; sans qu'il eut fait le voyage de Rome, il avait cependant reçu, à son arrivée à Paris, un complément de formation directement issu de l'académisme romain. De ces deux influences, il sut dégager la synthèse qui lui paraissait correspondre à la spiritualité spécifique de la société française du temps de Louis XIII, puis de la Régence. Il se dégagea progressivement de la superficialité de l'extériorisation des sentiments qu'il tenait des Italiens, et qui avait compromis l'expression de ses compositions religieuses. Il garda plus des Flamands, en accord avec toute la peinture française depuis le XVe siècle, se défaisant cependant d'un faire trop méticuleux au bénéfice d'un métier plus directement expressif, et d'une dramatisation trop poussée des sentiments exprimés au profit d'une gravité plus intériorisée et partant plus impassible, mais en cela la nuance est fragile et ne saurait suffire à différencier les caractères de la peinture de figures en France et dans les Flandres, surtout à l'aube du XVIIe siècle.

À son installation à Paris, sur ordre de la reine mère, il peignit des décors dans maintes maisons religieuses et surtout pour les Carmélites de la rue Saint-Jacques, six grandes compositions : La Nativité, La Circoncision, L'Adoration des Rois, La Présentation au Temple, La Résurrection de Lazare, L'Assomption. Richelieu, qui estimait autant son talent que sa piété, le fit travailler pour la Galerie du Palais Cardinal, à la suite consacrée aux Hommes Illustres, pour laquelle il peignit le Gaston de Foix souvent cité (1635), et pour la Sorbonne. Le roi Louis XIII, dont on connaît la valeur du jugement en matière de peinture, le tint aussi en haute estime et lui demanda de peindre, en 1634, La réception du duc de Longueville dans l'Ordre du Saint-Esprit, et, en 1638, pour Notre-Dame de Paris, Le vœu de Louis XIII, dans lequel le roi est représenté à genoux devant le Christ, en souvenir du vœu qu'il avait fait à Lyon en 1630. Tandis que sa charge le tient à poursuivre de très nombreux travaux que l'on peut dire de décoration, pour lesquels il se fait de plus en plus aider, il sent que ses aptitudes les plus profondes le portent à la peinture de portraits. Toutefois, il avait travaillé encore pour Saint-Séverin, le Val-de-Grâce, le château de Vincennes, l'hôpital de Pontoise, la cathédrale de Rouen ; il peignit encore les compositions pour

Saint-Germain-l'Auxerrois : Saint-Germain, L'Assomption, Saint-Vincent. S'il s'acquitta avec conscience de la représentation des scènes d'histoire et des compositions religieuses qui lui étaient demandées, c'est dans le portrait qu'il va se confirmer et révéler le meilleur de son œuvre.

Le portrait en pied qu'il peignit du Cardinal Richelieu (au Louvre), plût tant à celui-ci qu'il demanda à Champaigne de retoucher d'après cette dernière peinture tous les autres portraits qu'il avait peints de lui auparavant. Portraitiste en faveur à la cour, tous les plus grands personnages du Royaume sollicitèrent son talent : Mazarin, Turenne, Mansart, l'architecte Perrault, le jeune Louis XIV, le chancelier Séguier, Colbert. S'il a peint La reine Anne d'Autriche, les dames de la Cour évitèrent son pinceau, qui ne flattait pas et recherchait la pensée. Pour trouver des portraits de femmes en accord avec son génie, il faut attendre ceux qu'il peindra bientôt des austères et peu vaines dames de Port-Royal.

Philippe de Champaigne était attiré par l'austérité du sentiment religieux des milieux jansénistes, plus en accord avec sa propre nature et le climat spirituel qu'il avait trouvé lors de son arrivée à la cour de Louis XIII, que la religion triomphante et temporelle qui s'instaurait avec la Régence. Il travailla d'abord à la chapelle de Port-Royal et plaça ses deux filles à l'école du monastère. La cadette mourut jeune et l'aînée prit l'habit sous le nom de Catherine de Sainte-Suzanne. Il devint le familier et le peintre attitré des solitaires. Il usa de toute son influence auprès de l'archevêque de Paris, en faveur des sœurs persécutées et cacha chez lui Lemaistre de Sacy. C'est dans cette période où l'on a pu le dire le « Peintre de Port-Royal », que son œuvre a atteint à ses plus beaux sommets de la spiritualité qui s'en dégage, souvent renforcée par le contraste de l'austérité des expressions de l'âme avec la splendeur du métier qui traduit les traits du visage, des mains, des étoffes, les meubles et parfois le paysage. Il n'invente pas, mais il porte à sa perfection la peinture psychologique, qui sera toujours, surtout dans l'ordre de la pensée intérieure, une des vacations spécifiques de la peinture française. Ainsi peignit-il les portraits de Saint-Cyran, du grand Arnault, de Jean Hamon, de Lemaistre de Sacy, de la Mère Angélique et de la Mère Agnès Arnauld. Enfin, un événement qui concernait ses sentiments paternels autant que ses sentiments religieux lui inspira ce qui est souvent considéré comme son plus pur chef-d'œuvre : sa fille, Catherine de Sainte-Suzanne, était atteinte depuis 1660 d'une fièvre ininterrompue et d'une sorte de paralysie. Elle était abandonnée des médecins. Plusieurs neuvaines pour obtenir sa guérison avaient été dites dans la maison, en vain. La Mère Catherine-Agnès décida d'une ultime neuvaine et, le 6 janvier 1662, fièvre et paralysie se dissipèrent définitivement. Philippe de Champaigne commémora cette guérison miraculeuse dans le tableau représentant La Mère Catherine-Agnès Arnauld et Sœur Catherine de Sainte-Suzanne. La sœur de Sainte-Suzanne est assise dans un fauteuil de paille, les mains jointes, un reliquaire ouvert sur les genoux, les jambes reposant sur un tabouret. Près d'elle, sur une chaise également paillée, un livre d'heures. En arrière d'elle, à genoux, la Mère Agnès, éclairée par un rayon de lumière quasi céleste, prie les mains jointes. La scène est dominée par la présence d'une grande croix de bois au mur nu de la cellule. La somptuosité simple des étoffes drapées fait opposition aux visages rudes et sans apprêts. Les lignes des vêtements, des corps, des mains, des capes qui encadrent les visages, de la lumière que suivent les regards, composent une pyramide ascendante matérialisant symboliquement l'élévation spirituelle de la scène, tandis que les deux visages ne laissent paraître que l'intensité d'une ferveur tout intérieure. ■ J. B.

BIBLIOGR. : Louis Dimier : Histoire de la Peinture Française, Van Oest, Paris, 1925-1927 – Charles Sterling : Catalogue de l'exposition Les Peintres de la Réalité en France au XVIIe siècle, Musée de l'Orangerie, Paris, 1934 – Bernard Dorival : Catalogue de l'exposition Philippe de Champaigne, Musée de l'Orangerie, Paris, 1952 – Bernard Dorival : Philippe de Champaigne. La vie, l'œuvre, le catalogue raisonné de l'œuvre, L. Laget, Paris, 1976 –

Louis Marin : *Philippe de Champaigne*, Hazan, coll. *35/37*, Paris, 1995 – José Gonçalvez : *Philippe de Champaigne*, Édit. de l'Amateur, Paris, 1995.

Musées : Aix : *Portrait de Pompone de Bellièvre* – *Portrait de l'abbé Henri Arnauld, évêque de Toul* – *Portrait d'un échevin de Paris* – Alençon : *Assomption de la Vierge* – *La Trinité* – Amiens : *Portrait de Mgr de Harlay 1662* – *Comte de Richelieu*, attr. – Amsterdam (Rijksmuseum) : *Jacobus Goyaerts* – *Portrait d'un Gentilhomme* – Angers : *Jésus parmi les docteurs* – *Les disciples d'Emmaüs* – Avignon : *Portrait d'homme* – Bagnères-de-Bigorre : *Portrait de Charles Patu, curé de Saint-Martial* – Bâle : *Portrait d'un conseiller parlementaire* – Bergues : *Homme* – Besançon : *Turenne* – *Un vieillard* – *Un conseiller* – *Cardinal de Richelieu* – *Homme à barbiche* – Bordeaux : *Songe de saint Joseph* – Bourges : *Portrait d'homme* – *Le crucifiement* – Bruxelles : *Présentation au Temple* – *Sainte Geneviève* – *Saint Joseph* – *Saint Ambroise* – *Saint Étienne* – *Saint Benoît nourri par le frère Romain* – *Saint Benoît recevant la visite du curé de Monte Preclaro* – *La pierre exorcisée par le frère Maur* – *Le pain empoisonné* – *La fontaine miraculeuse* – *La hache rattachée à son manche* – *L'enfant ressuscité* – *L'incendie imaginaire* – *Saint Benoît chez sa sœur* – *Portrait de Philippe de Champaigne* – Budapest : *Portrait de femme* – *Portrait d'homme* – Caen : *Le Vœu de Louis XIII* – *L'Annonciation* – *La Samaritaine* – *Tête de Christ* – Chantilly : *Portrait du cardinal Richelieu* – *Portrait du cardinal Mazarin* – *Portrait de la Mère Angélique* – Chartres : *Portrait de Henri de la Tour d'Auvergne, vicomte de Turenne* – Cherbourg : *Homme d'église* – *Assomption de la Vierge* – Darmstadt : *Portrait d'un chevalier* – Dijon : *Deux têtes d'homme* – *La Présentation au Temple* – Douai : *Richelieu sur son lit de mort* – Florence : *Saint Pierre appelé par Jésus sur le bord de la mer* – *Portrait d'homme* – Florence (Palais Pitti) : *Portrait d'homme* – Genève (Rath) : *Religieuse de l'Ordre de Sainte Brigitte sur son lit de mort* – *Saint Rémy refusant le vase de Soissons* – Grenoble : *Louis XIV conférant l'ordre du Saint-Esprit au duc d'Anjou* – *Assomption de la Vierge* – *Saint Jean-Baptiste dans le désert* – *Portrait de l'abbé de Saint-Cyran* – *Portrait de l'auteur* – Hambourg : *Portrait d'homme* – *Louis XIV consacre à la Vierge son sceptre et sa couronne* – Hanovre : *Portrait d'un vieillard* – La Haye : *Portrait de Jacobus Govaerts* – Liège : *Portrait d'homme* – Lille : *L'Annonciation* – *La crèche* – *Le bon pasteur* – Lille (Mus. des Beaux-Arts) : *La Nativité* – Londres : *Trois portraits du cardinal de Richelieu, faits pour le sculpteur Meccki pour faire un buste* – *Portrait du même* – *Cardinal de Retz* – Londres (coll. Wallace) : *Le mariage de la Vierge* – *Portrait de Robert Arnaud d'Andilly* – *L'Adoration des Bergers* – *L'Annonciation* – Lyon : *Portrait de trois enfants*, attr. – *Invention des reliques de saint Gervais et saint Protais* – *Jésus-Christ célébrant la Pâque avec ses disciples* – *Portrait d'un magistrat* – Madrid (Prado) : *Une Madone donnant une leçon à la Sainte Vierge* – *Portrait de Louis XIII* – Le Mans (Mus. de Tesse) : *Sainte Famille* – *Le sommeil du prophète Élie* – Marseille (Mus. des Beaux-Arts) : *Ravissement de Madeleine Metz* : *Portrait d'Antoine de Maistre* – *Une Madone aux mains jointes* – Montauban : *Portrait d'un religieux du couvent de Saint-Jean-de-Dieu* – Munich : *Portrait-buste du maréchal de camp Henri de la Tour d'Auvergne* – *Marie pressant contre elle l'Enfant endormi* – Nancy : *Ecce Homo* – *La Charité* – Nantes : *Portrait de femme âgée* – *Souper à Emmaüs* – *Portrait en pied de Suger, abbé de Saint-Denis dans le XIIᵉ siècle* – Narbonne : *Un maréchal de France* – Orléans : *Saint Charles Borromée* – Paris (Louvre) : *Le repas chez Simon le Pharisien* – *J.-C. célébrant la Pâque avec ses disciples* – *La Cène* – *Le Christ en croix* – *Le Christ mort couché sur son linceul* – *L'apôtre saint Philippe* – *Le prévost des marchands et les échevins de la ville de Paris* – *Portrait de Jean Antoine de Mesme, président à mortier au Parlement de Paris* – *Portrait de Philippe de Champaigne* – *Portrait de Robert Arnaud d'Andilly* – *Portrait de Le Maistre de Sacy* – *Portrait d'homme* – *Portrait d'un petite fille* – *Portrait d'une fillette de 5 à 6 ans au faucon* – *Portrait de femme* – *Portrait de François Mansard* – *Portrait de Claude Perrault, architecte* – *Portraits de la mère Catherine-Agnès Arnauld et de sœur Catherine de Sainte-Suzanne, fille de Ph. de Champaigne* – *Paysage* – *Louis XIII couronné par la Victoire, h/t* – Paris (Église Saint-Séverin) : *Nativité* – Paris (Val-de-Grâce) : *La Madeleine aux pieds du Sauveur* – Paris (Saint-Germain-l'Auxerrois) : *L'Assomption, saint Germain et saint Vincent* – Périgueux : *Jeune seigneur costumé en héros de ballet* – Reims (Mus. des Beaux-Arts) : *Les enfants Montmort* – Rennes : *La Madeleine pénitente* – Rotterdam (Boymans) : *Portraits de son*

neveu Jean-Baptiste de Champaigne et de Nicolas Van Plattenburg, ses élèves – Rouen : *Portrait du cardinal de Richelieu* – *Esquisse du grand portrait du cardinal de Richelieu* – *Un concert d'anges* – Saint-Pétersbourg (Ermitage) : *Moïse* – *Portrait d'homme* – Stuttgart : *Le Christ en prières au Mont des Oliviers* – Toulouse : *Le Crucifiement* – *Les âmes du Purgatoire* – *L'Annonciation* – *Réception du duc d'Orléans* – Tours : *Le bon pasteur portant sur ses épaules une brebis* – *Saint Zozime présentant le Viatique à sainte Marie Égyptienne* – Troyes : *Portrait de Claude Jolly* – *Réception par Louis XIII de Claude Bouthillier de Chavigny* – Valenciennes : *Portrait d'un seigneur mort* – Versailles : *Louis XIII* – *Jacques Tubœuf, président de la chambre des comptes* – *Du Verger de Hauranne, abbé de Saint-Cyran* – *Catherine-Agnès de Saint-Paul Arnault, abbesse de Port-Royal* – *Gaston de Foix, duc de Nemours* – *Armand du Plessis* – *Fr. Mansart et Cl. Perrault* – Vienne : *Adam et Ève pleurent la mort d'Abel* – Vosges : *L'Adoration des bergers* – *Portrait d'homme, époque Louis XIV* – Washington D. C. (Nat. Gal.) : *L'avocat général Omer Talon 1649*.

Ventes Publiques : Paris, 1777 : *La fraction du pain :* **FRF 2 390** – Paris, 1803 : *Portrait de N. Poussin, cr. noir :* **FRF 104** – Paris, 1806 : *Un naturaliste au XVIIᵉ siècle :* **FRF 2 001** – Paris, 1827 : *La Crèche ou Nativité :* **FRF 4 900** – Paris, 1831 : *La Vierge et l'Enfant Jésus dans une gloire :* **FRF 7 801** – Londres, 1846 : *L'Annonciation :* **FRF 1 250** – Londres, 1849 : *L'Adoration des Bergers :* **FRF 9 810** – Paris, 1855 : *Portrait d'une dame assise dessinant, sanguine :* **FRF 130** – Paris, 12 fév. 1857 : *Adam et Ève pleurant la mort d'Abel, h/t (130x172) :* **FRF 700** – Paris, 1865 : *Le Mariage de la Vierge :* **FRF 43 500** – *La fuite en Égypte :* **FRF 3 400** – Paris, 1868 : *Portrait en pied du cardinal de Richelieu :* **FRF 10 600** – Paris, 1875 : *Portrait d'Angélique Arnaud :* **FRF 4 900** – Paris, 28-29 avr. 1885 : *Adam et Ève pleurant la mort d'Abel, h/t (130x172) :* **FRF 130** – Paris, 1890 : *Portrait d'un pasteur protestant :* **FRF 7 000** – Paris, 1895 : *Portrait de Jacqueline Pascal, dess. :* **FRF 780** – Paris, 1897 : *Portrait d'Arnaud d'Andilly :* **FRF 5 500** – Paris, 1900 : *La Vierge et l'Enfant Jésus :* **FRF 600** – Paris, 22-24 avr. 1901 : *Portrait de Pierre Dupuy :* **FRF 210** – *La Vierge en buste :* **FRF 140** – Paris, 13 mai 1904 : *Henri de la Tour d'Auvergne :* **FRF 3 050** – Paris, 17-21 mai 1904 : *Portrait d'homme :* **FRF 1 720** – New York, 1904 : *Armand du Plessis :* **USD 300** – Paris, 8 mai 1906 : *Portrait de jeune femme :* **FRF 1 500** – Paris, 11-12 mai 1906 : *Portrait présumé de l'abbé de Saint-Cyran :* **FRF 400** – Paris, 16-18 mai 1907 : *Moïse :* **FRF 950** – Londres, 8 fév. 1908 : *Portrait du cardinal de Richelieu :* **GBP 115** – Paris, 1ᵉʳ avr. 1909 : *Portrait :* **FRF 1 200** – Paris, 20 avr. 1910 : *Portrait d'un conseiller :* **FRF 1 860** – Paris, 22 mai 1919 : *Vision de saint Joseph :* **FRF 7 100** – Paris, 17-19 nov. 1919 : *Portrait d'homme en costume noir :* **FRF 2 550** – Paris, 31 mai-1ᵉʳ juin 1920 : *Le Repas d'Emmaüs :* **FRF 20 000** – Paris, 8-10 juin 1920 : *Portrait présumé d'Anne d'Autriche, pl. :* **FRF 1 050** – Paris, 1922 : *Étude pour une Vierge tenant l'Enfant, sanguine :* **FRF 3 700** – Londres, 23 juin 1922 : *Le comte de Guilvriant :* **GBP 84** – Paris, 17 nov. 1924 : *Tête de religieuse, pierre noire et sanguine :* **FRF 1 080** – Paris, 10 mars 1926 : *Portrait de jeune femme en robe de satin blanc, parée d'un collier de perles :* **FRF 3 450** – Paris, 28 mai 1937 : *Portrait présumé de Catherine de Champaigne, fille aînée de l'artiste, à l'âge de 10 ans, pierre noire et sanguine :* **FRF 10 500** – Londres, 2 juil. 1937 : *Les sœurs Arnauld :* **GBP 44** – Bruxelles, 6-7 déc. 1938 : *Fénelon en soutane bleue :* **BEF 12 000** – Londres, 26 avr. 1939 : *L'abbé de Saint-Cyran :* **GBP 58** – Londres, 20 nov. 1941 : *Portrait d'homme en buste :* **FRF 70 500** – Londres, 10 déc. 1943 : *La Présentation au Temple :* **GBP 147** – Paris, 1ᵉʳ juin 1949 : *Portrait de l'architecte Jacques Lemercier :* **FRF 600 000** – Paris, 19 déc. 1949 : *Moïse présentant les tables de la loi :* **FRF 230 000** – Paris, 7 juin 1955 : *Le denier de César :* **FRF 430 000** – Londres, 27 nov. 1959 : *L'Annonciation :* **GBP 787** – Londres, 24 mai 1963 : *La présentation au temple :* **GNS 7 500** – Londres, 3 juil. 1963 : *Sainte Thérèse :* **GBP 9 000** – Londres, 2 juil. 1965 : *L'Adoration des bergers :* **GNS 6 000** – Londres, 27 mars 1968 : *Mère Marie-Jacqueline-Angélique Arnauld :* **GBP 4 800** – Paris, 16 juin 1977 : *Portrait de N. Douin, Docteur Principal de Poitiers 1625, h/t (60x47) :* **FRF 160 000** – Paris, 14 déc. 1979 : *Saint-Jacques le Majeur, h/t (61x52) :* **FRF 140 000** – Paris, 28 nov 1979 : *Vierge à l'Enfant, sanguine (42,2x30,8) :* **FRF 32 000** – Paris, 7 déc. 1981 : *Henri de La Tour d'Auvergne, vicomte de Turenne, h/t, à vue ovale (73x60) :* **FRF 38 000** – Londres, 2 déc. 1983 : *Portrait du docteur Bouin de Poitiers 1625, h/t (60,4x47) :* **GBP 52 000** – New York, 17 jan. 1985 : *Portrait de Louis XIII, h/t, de forme ovale (72x59) :* **USD 145 000** – Monte-Carlo, 29 nov. 1986 : *La Pentecôte, h/t (251x232) :* **FRF 1 200 000** – Monte-Carlo, 7 déc. 1987 :

Adam et Ève pleurant la mort d'Abel, h/t (130x172) : FRF 500 000 – PARIS, 12 déc. 1988 : *Portrait de Martin de Barcos, abbé de Saint Cyran*, h/t (58x51) : FRF 380 000 – MONACO, 15 juin 1990 : *Les trois âges*, h/t (54x65) : FRF 943 000 – MONACO, 7 déc. 1990 : *L'Annonciation*, h/t (95x129) : FRF 777 000 – LONDRES, 12 déc. 1990 : *La Visitation*, h/t (114x88,5) : GBP 132 000 – PARIS, 9 avr. 1991 : *Portrait de Louis XIII en buste*, h/t ovale (74x62) : FRF 900 000 – MONACO, 22 juin 1991 : *Scène de la vie de Saint Benoit*, h/t (93x148) : FRF 888 000 – MONACO, 5-6 déc. 1991 : *Portrait en pied de Louis XIII*, h/t (207x144) : FRF 799 200 – MONACO, 20 juin 1992 : *Portrait de Madame de Champaigne*, craies rouge et blanche (22x19,6) : FRF 377 400 – LONDRES, 11 déc. 1992 : *Saint Jérôme dans le désert*, h/t (78,2x61,8) : GBP 85 800 – PARIS, 11 déc. 1992 : *Bénédictin agenouillé en prière*, pierre noire à reh. blancs/pap. chamois (28,1x18,9) : FRF 45 000 – MONACO, 19 juin 1994 : *Portrait de Thierry Bignon 1660*, h/t (73x58,5) : FRF 133 200 – NEW YORK, 11 jan. 1995 : *Le sacrifice d'Abraham*, h/t (179,8x149,5) : USD 77 300 – LONDRES, 19 avr. 1996 : *Céphalus et Procris*, h/t (103,5x170,5) : GBP 36 700 – PARIS, 25 juin 1996 : *Le Sacrifice d'Isaac*, h/t (179,5x149,5) : FRF 500 000 – LONDRES, 3 déc. 1997 : *Portrait d'un gentilhomme en manteau noir et col blanc 1650*, h/t (75,3x60,7) : GBP 34 500.

CHAMPAVIER Suzette. Voir BARLANGUE-CHAMPA-VIER

CHAMPCHESNEL-COUPIGNY Jeanne de
Morte en 1920. XXe siècle. Française.
Peintre.
Elle exposa, à Paris, au Salon des Artistes Français.

CHAMPCOMMUNAL Joseph
Né à Paris. Tombé au champ d'honneur durant la Première Guerre mondiale (1914-1918). XXe siècle. Français.
Peintre de paysages et d'intérieurs.
A partir de 1906, il a participé à plusieurs Salons, notamment à celui de la Société Nationale des Beaux-Arts en 1913.

CHAMPEAUX André
Né en 1917. Mort en 1978. XXe siècle. Français.
Peintre de figures, intérieurs, paysages, aquarelliste, peintre à la gouache, dessinateur.
Il a peint dans la plupart des régions de France.
VENTES PUBLIQUES : FONTAINEBLEAU, 25 jan. 1987 : *Vue citadine en hiver*, gche (52x42) : FRF 3 300.

CHAMPEAUX Bertrand Edouard de
XXe siècle. Français.
Peintre de paysages, paysages animés, paysages urbains, marines, aquarelliste.
Il a participé aux divers Salons parisiens, dont le Salon d'Automne en 1922, le Salon de la Société Nationale des Beaux-Arts en 1926-27, le Salon des Artistes Français en 1929.
Il a laissé des aquarelles du Pays d'Auge, des rues d'Orbec, Bolbec, Pont-l'Évêque, Lisieux, témoignages d'une époque révolue, avec les lavandières sur la Touque, les calèches attelées.

B de Champeaux

VENTES PUBLIQUES : CALAIS, 26 mai 1991 : *Fillette dans le jardin fleuri*, h/t (50x65) : FRF 7 000.

CHAMPEAUX Paul
Né le 23 décembre 1904 à Yvetot (Seine-Maritime). XXe siècle. Français.
Peintre de paysages.
Autodidacte, il a exposé à Paris et à New-York. Il a surtout peint des vues de l'Ile-de-France.

CHAMPEAUX DE LA BOULAYE Octave de
Né le 16 juin 1827 ou 1837. Mort en 1903 à Barbizon (Seine-et-Marne). XIXe siècle. Français.
Peintre de paysages.
Élève de Diaz et de Dupré, il figura au Salon de 1866 à la fin de sa vie, obtenant une mention honorable en 1896. Il travailla tout d'abord dans le Nord de la France, fit un voyage en Italie en 1870, séjourna souvent à Autun, puis se fixa à Barbizon.
Appartenant à l'École de Barbizon, il peint des paysages de Bretagne et la forêt de Fontainebleau dans un style qui montre l'influence de Dupré, mais qui reste encore assez attaché aux règles du paysage classique, surtout dans ses effets de contre-jour.

BIBLIOGR. : Gérald Schurr, in : *Les Petits Maîtres de la peinture 1820-1920, valeur de demain*, Les Éditions de l'Amateur, t. II, Paris, 1982.
MUSÉES : AUTUN (Mus. Rolin) : *Le temple de Janus à Autun 1876.*
VENTES PUBLIQUES : PARIS, 1872 : *Paysage, soleil couchant* : FRF 110 – PARIS, 1890 : *Venise* : FRF 350 – VIENNE, 4 déc. 1962 : *Paysage à Barbizon* : ATS 10 000 – PARIS, 16 mars 1989 : *Personnage dans la clairière*, h/pan. (35x26) : FRF 4 300.

CHAMPEIL Jean Baptiste Antoine
Né le 19 février 1866 à Paris. Mort le 12 octobre 1913 près d'Alençon (Orne). XIXe-XXe siècles. Actif à Paris. Français.
Sculpteur de monuments.
Élève de Charles Gauthier et de Jules Thomas. Il obtint le Prix de Rome en 1896 avec *Mucius Scaevola* et la même année une troisième médaille. En 1900, il eut une deuxième médaille et une médaille d'argent à l'Exposition Universelle ; première médaille en 1902. Il était chevalier de la Légion d'honneur.
Il a érigé à Aurillac en 1903 le *Monument aux Enfants du Cantal.*

CHAMPEIL Odile, plus tard Mme Philippart
Née le 31 décembre 1860 au Havre (Seine-Maritime). XIXe siècle. Française.
Sculpteur.
Elle a exposé, depuis 1904, au Salon des Artistes Français dont elle était sociétaire, y obtenant une mention en 1905 et une médaille de bronze en 1913.

CHAMPEL Adrien
Né à Baume-les-Dames (Doubs). XIXe siècle. Français.
Peintre de paysages.
Élève de Gudin, il participa au Salon de Paris à partir de 1839. Attiré par la mer, il peint des paysages de Bretagne et d'Algérie, dans des tonalités où les bleus nuancés dominent.
BIBLIOGR. : Gérald Schurr, in : *Les Petits Maîtres de la peinture 1820-1920, valeur de demain*, Les Éditions de l'Amateur, t. II, Paris, 1982.
MUSÉES : GRENOBLE : *Naufrage d'un bateau de pêche au large de Penmarch* – VALENCE : *Vue d'Alger.*

CHAMPENOIS Jacques
Né à Paris. XVIIIe siècle. Français.
Peintre paysagiste.
Il fut reçu à l'Académie Saint-Luc en 1748. Il exposa au Salon de 1751.

CHAMPENOIS-SCHARFF Gustave Charles
Né à Chatou (Seine-et-Oise). XXe siècle. Français.
Peintre de paysages.
A exposé aux Indépendants de 1922 à 1935.

CHAMPETIER DE RIBES Antoinette
Née à Paris. XXe siècle. Française.
Sculpteur de monuments, bustes et d'animaux.
Élève de Landowski, elle a exposé à Paris, au Salon des Artistes Français en 1930, au Salon des Tuileries de 1933 à 1939, au Salon d'Automne en 1934-1935. Elle a surtout sculpté des animaux, jouant sur les rapports très sobres de surfaces planes et de surfaces courbes, mais elle est aussi l'auteur de bustes et d'une *Imploration.*

CHAMPEVILLE Pierre Léon Charles de
Né à Versailles (Yvelines). XXe siècle. Français.
Peintre.
Exposant, à Paris, du Salon des Artistes Français.

CHAMPIER Louise
Née à Paris. XXe siècle. Française.
Sculpteur de bustes.
Élève de Ollé, elle a exposé, entre 1921 et 1933, au Salon des Artistes Indépendants dont elle est devenue sociétaire.

CHAMPIEUX Marc
Né en 1947 à Montpellier. XXe siècle. Français.
Peintre. Abstrait.
Entre 1966 et 1971, il fut élève de Descossy à l'École des Beaux-Arts de Montpellier. Il a exposé pour la première fois à Montpellier en 1972, puis en 1979, 1983, 1985, 1986. Il obtint une bourse de l'Office régional de la Culture en 1984 et une médaille de la Ville de Montpellier en 1985.
Ses toiles largement peintes, au graphisme dépouillé, au relief né d'une pâte riche, sont passées des contrastes de noir, blanc et gris, à des ocres, des terres d'ombres et des bleus.

CHAMPIGNEULLE Charles
Né en 1853 à Metz. Mort en 1905 à Savonnières-en-Perthois. XIXe siècle. Français.

Peintre verrier.

Il travailla dès son enfance avec son père, directeur de l'établissement des vitraux de Metz. Il fit la guerre de 1870, puis vint à Paris où il fut élève de Cavelier. Il exposa vers 1873 des toiles, puis revint à l'art du vitrail. Il a notamment exécuté la verrière de l'hôtel du *Figaro*, et des vitraux pour la cathédrale de Metz, l'église Saint-Philippe-du-Roule à Paris et une église de Saint-Pétersbourg.

CHAMPILLOU Jeanne
Née à St-Jean-le-Blanc (Loiret). XXᵉ siècle. Française.
Graveur.
A exposé, à Paris au Salon de la Nationale, de 1934 à 1936.

CHAMPIN Amélie ou Champein
Née en 1865 à Paris, d'origine belge selon Immerzeel. XIXᵉ siècle. Active à Paris. Française.
Peintre.
Élève de Wappers. En 1845, elle débuta au Salon. La Maison du roi lui commanda, en 1847 : *La Sainte Famille en Égypte*, et en 1865, par ordre du Ministère des Beaux-Arts, elle exécuta : *La Vierge et l'Enfant Jésus*. Elle s'est consacrée exclusivement à la peinture religieuse.

CHAMPIN Élisa Honorine, Mme, née Pitet
Née à Paris. Morte en 1871 à Sceaux. XIXᵉ siècle. Française.
Peintre, aquarelliste, lithographe.
Élève de Mlle Riché. Elle exposa au Salon, sous son nom de jeune fille, de 1833 à 1836. Ayant ensuite épousé Jean-Jacques Champin, elle figura sous ce nom, à partir de 1837. Elle a peint des fleurs et des fruits. On cite d'elle une lithographie originale : *Poème silencieux*.
VENTES PUBLIQUES : PARIS, 23 mai 1997 : *Grappe de raisin vert* ; *Grappe de raisin noir* 1964, aquar., une paire (26,7x36,5) : **FRF 12 000**.

CHAMPIN Jean Jacques
Né le 8 septembre 1796 à Sceaux. Mort le 25 février 1860 à Paris. XIXᵉ siècle. Français.
Peintre de compositions religieuses, scènes de genre, paysages urbains animés, aquarelliste, lithographe.
Élève de Félix Storelli et d'Auguste Régnier, il participa au Salon de Paris entre 1819 et 1859, obtenant une médaille de deuxième classe en 1824 et de première classe en 1831.
Très attaché à l'histoire de Paris, il a peint des événements de la capitale, présentés selon des vues plongeantes, où les mouvements de foule ordonnent les compositions par plans lumineux. Il collabora avec Régnier à l'élaboration de suites, dont : *Promenades dans les rues de Paris – Les habitations des personnages célèbres*. Il illustra un *Paris historique* avec un texte de Charles Nodier et le *Voyage dans l'Amérique du Sud* de Castelnau. Parmi ses toiles, on peut citer : *La campagne à Clermont – Jésus-Christ sur la montagne – Jésus aux Oliviers*.
BIBLIOGR. : Gérald Schurr, in : *Les Petits Maîtres de la peinture 1820-1920, valeur de demain*, Les Éditions de l'Amateur, t. VI, Paris, 1985.
MUSÉES : PARIS (Mus. Carnavalet) : *Quatre vues de Paris, dont : Fête de la Concorde, le 21 mai 1848*.
VENTES PUBLIQUES : PARIS, 1823 : *Paysage*, aquar. : **FRF 120** – PARIS, 10 nov. 1943 : *La pièce d'eau du parc de Sceaux* : **FRF 5 200** – PARIS, 15 nov. 1950 : *Vues de villes*, deux aquar. et douze dess. : **FRF 10 500** – PARIS, 2 déc. 1986 : *Moine en méditation devant les ruines d'une abbaye* 1819, aquar. (53x80) : **FRF 18 000** – PARIS, 7 avr. 1987 : *Maison de Châteaubriand à Aunay*, h/pap. (31x24) : **FRF 3 800** – PARIS, 17 juin 1994 : *Vue de Paris à vol d'oiseau depuis Notre-Dame*, cr. noir, lav. et aquar. (50x106) : **FRF 9 000** – LONDRES, 17 nov. 1995 : *Intérieur de l'atelier de l'artiste* 1833, cr. et aquar. avec reh. de blanc (27,6x38,4) : **GBP 9 200**.

CHAMPION A.
XIXᵉ siècle. Actif au début du XIXᵉ siècle. Français.
Dessinateur, graveur et lithographe.
Élève de Guérin, il eut Géricault comme camarade d'atelier. On lui doit un certain nombre de ces scènes sentimentales, à la mode sous le Premier Empire et la Restauration. Beraldi cite aussi de lui une lithographie politique sur la charte de 1814 et les portraits de Louis XVIII et de Charles X.
VENTES PUBLIQUES : LONDRES, 11 avr. 1908 : *Le Printemps*, dess. : **GBP 1** – LONDRES, 26 avr. 1909 : *L'Attente*, dess. : **GBP 5**.

CHAMPION Benoît Claude
Né à Sevrey (Saône-et-Loire). XIXᵉ-XXᵉ siècles. Français.
Sculpteur.
Élève de Falguière. Exposant du Salon des Artistes Français.

CHAMPION Bonaventure
XVIIᵉ siècle. Français.
Peintre.
Il fut reçu à l'Académie de Saint-Luc en 1686.

CHAMPION Claude
XVIᵉ siècle. Lorrain, actif au XVIᵉ siècle. Français.
Sculpteur et architecte.
Avec Bastien de Bar, il se chargea, pour le compte du duc de Lorraine, de la décoration de la galerie du château de Gondreville, près de Toul (1531).

CHAMPION Edme Théodore
Né à XIXᵉ-XXᵉ siècles. Français.
Peintre de paysages.
Élève de M. Touillon. Il débuta au Salon de 1869. Le Musée de Toulouse conserve de cet artiste un paysage : *Auvergne*.

CHAMPION Edward C.
XIXᵉ siècle. Britannique.
Peintre de genre.
Il exposa de 1870 à 1883 à la Royal Academy et à Suffolk Street, à Londres.

CHAMPION Georges
XIXᵉ siècle. Actif à Paris. Français.
Peintre de genre.
Membre de la Société des Artistes Français depuis 1897, il prit part à ses expositions en 1890, 1898 et 1899.
VENTES PUBLIQUES : LOS ANGELES, 8 mars 1976 : *Le messager* 1854, h/t (112,5x91,5) : **USD 1 000**.

CHAMPION H., Mrs
XIXᵉ siècle. Britannique.
Peintre de figures.
Elle exposa de 1868 à 1885, à la Royal Academy, à Suffolk Street, à la New Water-Colours Society, etc., à Londres.

CHAMPION Jean Marie
XXᵉ siècle. Travaillait à Valenciennes (Nord). Français.
Peintre de paysages.
A exposé au Salon de la Nationale, 1937-1939.

CHAMPION Jeanne
Née dans le Jura. XXᵉ siècle. Française.
Peintre. Abstrait à tendance surréaliste.
En 1964, elle a participé à l'exposition *50 ans de Collage*, au Musée de Saint-Étienne, puis au Musée des Arts Décoratifs de Paris, et fut invitée au Salon de Mai, notamment en 1967. Elle avait fait sa première exposition personnelle à Paris en 1963, puis en 1970. Ses compositions abstraites créent un climat onirique non sans attaches avec l'imagination surréaliste.
VENTES PUBLIQUES : PARIS, 27 nov. 1985 : *Structure n° 15* 1969, h/t (60x73) : **FRF 4 500** – PARIS, 14 juin 1990 : *Profil de la femme coq* 1966, h/t (100x73) : **FRF 15 000**.

CHAMPION Joseph Victor
Né le 30 septembre 1871 à Chaumont (Haute-Marne). Mort le 7 décembre 1953 à Vars (Haute-Saône). XIXᵉ-XXᵉ siècles. Français.
Peintre.
Il fut élève de Gustave Moreau à l'Ecole des Beaux-Arts de Paris.
VENTES PUBLIQUES : CALAIS, 10 mars 1991 : *Jeté de fleurs dans un paysage* 1897, h/t (54x65) : **FRF 18 000**.

CHAMPION Nicolas
XVIIIᵉ siècle. Actif à Pont-à-Mousson. Français.
Peintre.
A. Jacquot cite de lui un *Saint Laurent*, exécuté pour le monastère de Dieulouard.

CHAMPION Odette
Née à Paris. XIXᵉ-XXᵉ siècles. Française.
Peintre.
A exposé des *Portraits* au Salon d'Automne de 1913.

CHAMPION Petit Jean
XVIᵉ siècle. Français.
Peintre.
Il était au service de François Iᵉʳ, à partir de 1525.

CHAMPION Théo
Né en 1875 à Düsseldorf. Mort en 1952 à Zell-sur-Moselle. XXᵉ siècle. Allemand.
Peintre de paysages animés et de natures mortes.

Il fut élève à l'Académie des Beaux-Arts de Düsseldorf, puis à celle de Weimar. Il a fondé le groupe des sept en 1932, et fut nommé professeur à l'Académie des Beaux-Arts de Düsseldorf de 1947 à 1952. Ses paysages rappellent les voyages qu'il a fait en France, en Italie et en Hollande.

Champion

VENTES PUBLIQUES : MUNICH, 29 nov. 1976 : *Paysage au grand arbre* 1939, h/t mar./pan. (40x49,6) : **DEM 6 000** – COLOGNE, 30 mars 1979 : *Le court de tennis* 1924, h/t (54x34) : **DEM 3 500** – COLOGNE, 3 déc. 1980 : *Jardin sous la neige* 1929, h/t (53,7x33) : **DEM 6 600** – COLOGNE, 23 oct. 1981 : *Paysage fluvial animé de personnages* 1930, h/cart. (16x27) : **DEM 6 000** – COLOGNE, 6 déc. 1983 : *Jour d'été,* temp./pan. (40x50) : **DEM 5 000** – COLOGNE, 7 déc. 1984 : *Cour intérieure par temps de neige* 1922, h/t (43x42) : **DEM 8 500** – COLOGNE, 31 mai 1986 : *Idylle champêtre* 1938, h/t mar./pan. (16x20,3) : **DEM 4 500** – COLOGNE, 15 oct. 1988 : *Retour du vigneron avec sa hotte de raisin* 1937, h/pap. (50x40) : **DEM 5 000** – AMSTERDAM, 28 fév. 1989 : *Passants dans une rue vus d'un jardin en automne* 1927, h/t (45x35) : **NLG 10 925** – COLOGNE, 28 juin 1991 : *Paysage de Hollande,* h/t (45x64) : **DEM 3 300** – NEW YORK, 29 oct. 1992 : *Village au bord d'une rivière un jour de vent,* h/t (40,6x58,4) : **USD 2 200**.

CHAMPION DE CERNEL Marie Jeanne Louise Françoise Suzanne, appelée aussi **Emira** (anagramme de Marie), née **Marceau-Desgraviers**

Née le 11 juillet 1753 à Chartres. Morte en 1834 à Nice. XVIIIe-XIXe siècles. Française.

Graveur, dessinateur.

Élève de Sergent, qu'elle devait épouser en 1795. La même année elle s'exila avec son mari avec qui elle vécut deux ans à Bâle. De retour à Paris elle y séjourna jusqu'en 1803, mais dut à cette date s'exiler de nouveau et gagna l'Italie, dans cette ville. Elle était la sœur du général Marceau. Elle exposa au Salon de 1793 un ensemble de ses travaux. Elle a gravé d'après Moreau, Cochin, Monnet, Eisen, Marillier, Baudoin. Elle a collaboré à l'ouvrage de Sergent : *Personnages célèbres de l'histoire de France* (1787-1789), pour lequel elle grava les portraits de Descartes, Poussin, Duguay-Trouin, Suffren, Villiers de l'Isle-Adam.

CHAMPION DE CRESPIGNY Rose, Mrs

Née à Londres. XXe siècle. Britannique.

Aquarelliste.

CHAMPION DES DAMES, Maître du. Voir **MAÎTRES ANONYMES**

CHAMPION-MÉTADIER Isabelle

Née en 1947 à Paris. XXe siècle. Française.

Peintre. Abstrait.

Elle fit ses études à l'école des Beaux-Arts de Tours et aux Beaux-Arts de Paris. Elle a exposé personnellement à partir de 1977 à Paris, en 1980 à Stockholm, en 1981 à Lisbonne, au Musée de la Vieille-Charité à Marseille en 1983, en 1984 à la galerie d'art contemporain de Tours, en 1985 à la galerie Maeght à Paris, en 1987 à Venise à la galerie Totem, en 1988 à la galerie Eric Franck à Genève et en 1989 au Musée de Dunkerque.

Les premiers travaux d'Isabelle Champion-Métadier présentaient des formes géométriques mises en rapport les unes avec les autres. La série des *Pluies* abandonne la seule problématique de la géométrie pour aborder la couleur de front, en surfaces saturées. Vers 1980, les recherches sur l'espace pictural aboutissent à la réalisation de toiles de formats différents assemblées pour dessiner une figure géométrique en forme de puzzle sur le mur. Ces œuvres sont généralement travaillées au sol. Vers la fin des années quatre-vingt, des signes figuratifs identifiables succèdent aux motifs abstraits. Les figures sont insérées dans un réseau plastique complexe, suggérant une signification multiple, sans abandonner une grande élégance chromatique et de subtils effets de matière. ■ F. M.

BIBLIOGR. : Giovanni Joppolo : *Isabelle Champion-Métadier, la ligne émotive,* Opus International, N°79, 1980, p 30 – Anne Tronche : *Isabelle Champion-Métadier,* Opus International, N°102, 1986, p 80.

VENTES PUBLIQUES : PARIS, 8 oct. 1989 : *Objets terrestres* 1986, h/t (230x210) : **FRF 24 000** – PARIS, 5 mars 1990 : *Sans titre* 1978, h/pan. (72x61,5) : **FRF 7 000**.

CHAMPLAIN Duane

Né en 1889 à Black Mountain. XXe siècle. Américain.

Sculpteur.

CHAMPMARTIN Charles Émile. Voir **CALLANDE DE CHAMPMARTIN**

CHAMPNEY Benjamin

Né le 20 novembre 1817 à New-Ipswich (New Hampshire). Mort le 11 décembre 1907. XIXe-XXe siècles. Vivant à Boston. Américain.

Peintre de genre, paysages, natures mortes, fleurs, lithographe.

Il étudia à Boston et à Paris (1841-1848).

Il a peint des paysages et des fleurs. Son livre *Sixty years' Memories of Art and Artists* reste un précieux document.

VENTES PUBLIQUES : NEW YORK, 26 mai 1971 : *Paysage du Vermont* 1877 : **USD 400** – NEW YORK, 28 avr. 1978 : *Vase de roses,* h/t (40,6x61) : **USD 2 000** – PORTLAND, 4 avr. 1981 : *Idylle de printemps* 1875, h/t (50,8x40,5) : **USD 2 500** – NEW YORK, 26 oct. 1984 : *Summer rowboat* 1875, h/pan. (43,2x62,9) : **USD 3 750** – NEW YORK, 20 juin 1985 : *Nature morte aux fleurs* 1859, h/t (40,6x61) : **USD 2 000** – NEW YORK, 27 sep. 1990 : *Les Montagnes blanches dans le New Hampshire,* h/pap./cart. (ovale7x9) : **USD 1 100** – NEW YORK, 28 mai 1992 : *Fenaison* 1867, h/t (25,5x20,3) : **USD 5 280** – NEW YORK, 9 sep. 1993 : *Nature morte d'un bouquet de fleurs,* h/t (53,3x43,2) : **USD 1 725**.

CHAMPNEY James Wills ou **Wells**, dit aussi **Champ**

Né en 1843 à Boston. Mort en 1903 à New York. XIXe siècle. Américain.

Peintre de genre, portraits, paysages, aquarelliste, pastelliste, dessinateur, illustrateur.

Élève du Lowell Institute. Il entra chez un graveur sur bois à 16 ans et, plus tard, enseigna le dessin dans une école de Lexington (Massachusetts). Puis, vers 1866, il vint à Paris, étudia avec Édouard Frère, et passa aussi quelque temps à l'Académie d'Anvers.

Membre de la Society of Painters in Water-Colours. Associé de la National Academy de New York. Exposa à Paris en 1875.

Il voyagea en Italie, en Espagne, etc... et fournit des dessins pour *l'Illustration* de Paris et pour un ouvrage descriptif du Sud des États-Unis.

VENTES PUBLIQUES : NEW YORK, 21-22 jan. 1904 : *The Mission Lundnay school Presented to Messiah Home for Children* : **USD 500** ; *Maurice de Saxe* : **USD 290** ; *Madame Molé Raymond* : **USD 420** – NEW YORK, 1909 : *Le chant de la mer* : **USD 105** – NEW YORK, 23 avr. 1964 : *Sweet Williams* : **USD 375** – NEW YORK, 23 sep. 1981 : *Portrait de jeune femme au manchon,* past. (64,7x54,5) : **USD 1 700** – NEW YORK, 21 oct. 1983 : *Barques de pêche,* aquar. (22,9x53,2) : **USD 1 200** – NEW YORK, 1er juin 1984 : *Deerfield valley* 1877, h/t (66x45,7) : **USD 42 000** – NEW YORK, 20 juin 1985 : *Barques de pêche,* aquar. (21,5x50,8) : **USD 1 400** – NEW YORK, 30 mai 1986 : *A cottage in Brooklyn,* h/pan. (40,6x50,3) : **USD 9 000** – NEW YORK, 26 mai 1988 : *Poète de la nature,* h/t (30,7x51) : **USD 3 300** – NEW YORK, 25 mai 1989 : *Le jardin de Versailles,* aquar. et cr./pap. (37,5x54) : **USD 4 400** – NEW YORK, 16 mars 1990 : *L'éventail* 1882, aquar./cart. (33,8x47,5) : **USD 4 400** – NEW YORK, 15 mai 1991 : *Portrait de jeune femme,* past./cart. (59,4x49,5) : **USD 2 310** – NEW YORK, 18 déc. 1991 : *Portrait de jeune femme,* past./cart. (59,4x49,5) : **USD 2 970** – NEW YORK, 10 juin 1992 : *Poésie de la nature,* h/t (29,8x50) : **USD 2 640** – NEW YORK, 2 déc. 1992 : *Le sceau de l'affection,* h/t (56,2x45,8) : **USD 8 800** – NEW YORK, 15 nov. 1993 : *Heureuse enfance* 1870, h/cart. (30,5x25,5) : **USD 3 450** – NEW YORK, 20 mars 1996 : *Portrait de Raymond Rogers,* past./pap. (47x47) : **USD 747**.

CHAMPOD Jean Pierre

XVIIIe siècle. Travaillant à Genève en 1745. Suisse.

Peintre.

CHAMPOD Pierre Amédée

Né le 5 octobre 1834. XIXe siècle. Travaillant à Paris dans la dernière moitié du XIXe siècle. Suisse.

Peintre sur émail et dessinateur.

Champod étudia sous la direction de Constantin et de Charles Glardon. Il exécuta des dessins pour *l'Illustration* et le *Monde Illustré* à Paris entre 1860 et 1881. Il a exposé à Paris et à Genève. Le Musée des Arts décoratifs de Genève conserve plusieurs de ses œuvres.

CHAMPOLLION Eugène André

Né le 30 mars 1848 à Embrun (Hautes-Alpes). Mort en 1901 à Lettret (Hautes-Alpes). XIXe siècle. Français.

Graveur.

Il vint à Paris avec l'intention de se faire architecte. Des essais d'eau-forte, d'après les indications du *Manuel Roret* et dont quelques-uns parurent en 1876, décidèrent de sa vocation. Gaucherel lui donna des conseils. Champollion occupa une place marquante parmi les graveurs modernes.

CHAMPON Edmond Charles Constantin
Né le 21 mai 1887 à Paris. XXᵉ siècle. Français.
Peintre de paysages, natures mortes, fleurs et fruits, illustrateur et décorateur.
Élève de Bonnat, Ponscarme et Pelez, il a participé au Salon d'Automne de 1903 à 1922, au Salon des Artistes Indépendants de 1909 à 1943, au Salon de la Société Nationale des Beaux-Arts en 1912 et au Salon des Artistes Français en 1930. Il pratiquait volontiers le pastel.

CHAMPROBERT A.
XIXᵉ siècle. Travaillant à Clermont-Ferrand. Français.
Peintre verrier.

CHAMPY Clotaire
Né le 7 avril 1887 à Varzy (Nièvre). Mort le 5 septembre 1960 à Paris. XXᵉ siècle. Français.
Sculpteur.
Élève de Peter et Injalbert, il a exposé, depuis 1913, au Salon des Artistes Français, dont il est devenu sociétaire, obtenant une deuxième médaille en 1932. Ses sujets, comme *Faune* ou *Faunesse*, sont souvent tirés de la mythologie.

CHAMPY Huguette
Née à Rilly (Marne). XXᵉ siècle. Française.
Peintre de genre, portraits, paysages.
Entre 1928 et 1938, elle a participé au Salon des Artistes Indépendants à Paris. Ses scènes de genre prennent un style orientalisant par leur représentation de la vie en Algérie.

CHAMS Ali
Né en 1943 à Wardanieh (dans le Chouf). XXᵉ siècle. Libanais.
Peintre. Abstrait.
Entre 1970 et 1974, il fut élève de l'Institut des Beaux-Arts de l'Université libanaise à Beyrouth, puis partit en 1975, en U.R.S.S., où il poursuivit sa formation à l'Académie des Beaux-Arts de Leningrad, jusqu'en 1980. Durant les quatre années suivantes, il fréquenta l'Ecole Nationale des Arts Décoratifs à Paris. Il a participé à Beyrouth, au Salon du Printemps en 1974-75, au Salon du Musée Sursock en 1974 et 1982, à l'Association des Artistes Peintres et Sculpteurs libanais en 1974 et 1986, au Centre Culturel irakien en 1975. Il a exposé à l'Académie des Beaux-Arts de Leningrad en 1980 et, à Paris, d'où à diverses expositions de groupe, notamment à l'U.N.E.S.C.O., à l'Ecole Nationale des Arts Décoratifs (1982, 1983), au Centre Culturel des étudiants du Proche et du Moyen Orient en 1984, au Salon des Réalités Nouvelles en 1984. Il a aussi participé à des expositions au Musée de Beit-Eddine au Liban en 1984 et à Londres en 1988. Il a personnellement exposé à Beyrouth en 1982 et 1986. A travers sa peinture abstraite, il peut faire passer ses préoccupations concernant la guerre au Liban, comme le montre par exemple, sa toile *Émigration massive*, 1986, qui s'inspire des incessants déplacements de populations provoqués par la guerre civile depuis 1975.
BIBLIOGR. : Catalogue de l'exposition : *Liban, le regard des peintres, 200 ans de Peinture Libanaise*, Institut du Monde Arabe, 1989.

CHAMSON Christine
Née le 26 octobre 1960 à Paris. XXᵉ siècle. Française.
Graveur et illustratrice.
Études à L'École Nationale Supérieure des Beaux-Arts de Paris. Plusieurs expositions collectives : 1985 Institut central des Beaux-Arts de Pékin, Centre Culturel d'Avranches ; 1986 Centre Culturel Antananarivo à Madagascar ; 1987 Saga (Grand-Palais, Paris), Centre Culturel français au Caire, Chalcographie de Madrid. Présente de nouveau au Saga en 1989, 1990, 1991 (Galerie Michèle Broutta), au Salon des Réalités Nouvelles en 1986, 1987, 1988. Deuxième Triennale de l'Estampe Chamalières 1991. Exposition personnelle : Galerie M. Broutta en 1991. Mention au Prix Lacourière 1990.
Gravures représentant parfois des animaux (crapauds, tortues, escargots) ou des personnages (hommes préhistoriques, individus mythologiques) au style simple, ouvert, dans lesquelles la ligne faite à la pointe-sèche, la matière, et la discrète aquatinte jouent un rôle prépondérant.

MUSÉES : ANTIBES (Mus. Picasso) – PARIS (Mus. de l'Assistance Publique).

CHAMU
XVIᵉ siècle. Actif vers 1585. Français.
Peintre verrier.
Il travailla à l'église Saint-Merri, à Paris.

CHAMUSSET
Né vers 1700. XVIIIᵉ siècle. Français.
Peintre.
Le Musée Postal de Paris conserve de lui un tableau daté de 1760 et intitulé : *Un facteur*.

CHAN
Né en 1948 en Chine. XXᵉ siècle. Depuis 1970 actif en France. Chinois.
Sculpteur.
De 1962 à 1970, date à laquelle il s'installe définitivement à Paris, il vit à Hong-Kong. Il a étudié à l'École des Beaux-Arts de Paris. Il participe à de nombreux Salons et expositions collectives, notamment à Paris : Salon de Mai, Jeune Sculpture, MAC 2000, mais aussi Salon de Montrouge. Il a exposé individuellement à Paris en 1985 à la Galerie Caroline Corre, et en 1992 à la Galerie Jean-Claude Riedel.
Ses sculptures à la tête d'oiseau semblent venir d'étranges contrées. Imaginaires, guerriers en armes, vêtus d'or et de pourpre, se côtoient exhibant un faste baroque. Pleins de dignité, mais porteurs aussi d'une certaine ironie, ces créatures extraordinaires affirment la rencontre possible des cultures, de l'Orient à l'Étalagisme post-moderne.
BIBLIOGR. : Christophe Domino : Catalogue de l'exposition *Chan*, Galerie Jean-Claude Riedel, Paris, 1992.

CHAN Gaylord, pseudonyme de Chen Yusheng
Né en 1925 à Hong Kong. XXᵉ siècle. Chinois.
Peintre. Occidental.
Peintre autodidacte, il obtint en 1970 le diplôme d'Art et Design de l'Université de Hong Kong. En 1974, il fut l'un des membres fondateurs de la Société des Arts Visuels. Depuis 1969, il expose à Hong Kong et aussi en Allemagne, Suisse, Taïwan et autres pays asiatiques. En 1990, la ville de Hong Kong lui a décerné le titre d'*Artiste de l'Année*.
BIBLIOGR. : In : Catalogue Sotheby's, vente Taipei, 22 mars 1992.
VENTES PUBLIQUES : TAIPEI, 22 mars 1992 : *Vaisseau spatial* 1988, h/t (153x106,4) : TWD 176 000 – HONG KONG, 22 mars 1993 : *Bain de soleil* 1986, acryl./t. (121,5x121,5) : HKD 57 500.

CHANA ORLOFF, pseudonyme de Orloff Chana ou Hanna
Née le 12 juillet 1888 à Tsaré-Constantinowska (Ukraine). Morte le 18 décembre 1968 à Tel-Aviv. XXᵉ siècle. Russe-Ukrainienne.
Sculpteur de figures, nus, portraits, animaux, dessinateur, graveur. Tendance cubiste.
Sa famille quitta la Russie en 1904, fuyant les persécutions antisémites et l'incendie de leur maison, pour se fixer à Jaffa (alors Palestine). Elle-même vint s'installer en 1910 à Paris, où elle rencontra des peintres et poètes de Montparnasse, comme Picasso, Foujita ou Apollinaire. Élève de l'École des Arts Décoratifs à Paris en 1911, elle y débute en sculpture dès 1912, époque à laquelle elle se lie avec Modigliani, dont elle subira l'influence. Elle fréquentait aussi le cours privé de Marie Vassilieff. Poursuivie par les Allemands pendant l'occupation, elle se réfugia en Suisse en 1942 et revint en 1945 à Paris, Elle exposa des bustes au Salon d'Automne dès 1913, auquelle elle participa ensuite régulièrement, mais aussi au Salon des Artistes Indépendants et à celui des Tuileries. Outre les expositions collectives, elle montra ses réalisations dans des expositions personnelles, dont, après 1929, plusieurs aux États-Unis, puis à Zurich, Amsterdam, Tel-Aviv, Londres, etc. Elle fut l'un des sculpteurs représentés à l'Exposition des Maîtres de l'Art Indépendant, au Petit Palais à Paris, à l'occasion de l'Exposition Internationale de 1937. Elle exposa régulièrement à Paris à partir de 1946, ainsi qu'à Amsterdam, Oslo et New York. Elle mourut à Tel-Aviv, où elle était venue pour l'inauguration de l'exposition rétrospective organisée au musée pour son quatre-vingtième anniversaire. En 1971, le musée Rodin à Paris organisa une exposition de ses sculptures, ainsi qu'en 1992 la galerie Katia Granoff à Paris, ainsi que le musée Despiau-Wlerick à Mont-de-Marsan. Elle a réalisé diverses commandes publiques, notamment en 1965 *Colombe de la paix* à la Maison de la Nation de Jérusalem, Vers 1913, elle

exécutait surtout des sculptures en bois, mais aussi des dessins, laissant des portraits de Picasso, Matisse, Archipenko. Dans ses premières années de création, elle fut sensible au cubisme. Elle a travaillé aussi la pierre. Elle ne s'attacha pas à la lettre du cubisme, mais bientôt à une stylisation maniériste d'allongement des formes, l'apparentant à Modigliani. Entre les deux guerres mondiales, elle acquit une réputation de portraitiste, la rendant dépendante de nombreuses commandes, mais lui donnant l'occasion de quelques bustes réputés, dont celui de Widhopff. Selon Robert Rey, elle « dépouille l'individu qu'elle observe de tous les incidents périssables ; il en reste comme un moule intérieur sur lequel plus rien n'est à prélever et où s'enclosent la vie extérieure et la vie mentale du sujet ». Dans ses œuvres personnelles, parmi ses thèmes, la femme, l'enfant et les animaux étaient ses sujets favoris, comme l'attestent les titres d'un grand nombre de ses sculptures : *Femme assise, Les Pigeons, Petite fille, Maternité, Vénus, Madone, Mon fils, l'Oiseau, Le Chien*, etc. À partir de 1928, son œuvre se scinda en deux parties : les œuvres figuratives, réalistes et classiques, les autres, parfois en ciment et marbre, allusivement figuratives, mais librement exprimées jusqu'à frôler l'abstraction, d'entre lesquelles le *Poisson-requin* de 1958 ou le *Grand Oiseau blessé* de 1963, mesurant deux mètres quarante de hauteur, commémorant des aviateurs israéliens. Depuis 1945, elle exécuta aussi des sculptures en bronze. Son évolution à l'inverse de la figuration n'empêchait pas une profonde humanité, comme le remarquait Haim Gamzu : « Plus elle s'éloigne du naturalisme, plus elle avance dans la découverte d'une vérité tout intérieure, sorte de synthèse entre la vérité de l'expression et du caractère dans le modèle et la vérité de l'expression plastique du sculpteur ». ■ J. B.

BIBLIOGR. : Denys Chevalier, in : *Nouveau Dictionnaire de la sculpture moderne*, Hazan, Paris, 1970 – Félix Marcilhac : *Chana Orloff – Catalogue raisonné*, Édit. de l'Amateur, Paris, 1991.

MUSÉES : NEW YORK (Mus. of Mod. Art) – PARIS (Mus. Nat. d'Art Mod.) : *Lucien Vogel* 1922 – PARIS (Mus. d'Art Mod. de la Ville).

VENTES PUBLIQUES : PARIS, 24 fév. 1934 : *Poissons*, marbre : **FRF 320** – PARIS, 8 mai 1941 : *Nu couché*, pl. : **FRF 60** – PARIS, 31 mars 1976 : *Nu debout*, bronze patiné (H. 69) : **FRF 14 000** – MONTE-CARLO, 25 nov 1979 : *Le dindon*, bronze (H. 51,5) : **FRF 32 000** – ENGHIEN-LES-BAINS, 28 nov. 1982 : *A. Iakovleff* 1921, ciment pierre (H. 72) : **FRF 70 000** – LONDRES, 26 juin 1984 : *Deux danseuses* vers 1914, bronze, patine lustrée (H. avec socle 78,5) : **GBP 12 500** – PARIS, 5 déc. 1985 : *Vénus* 1925, bronze, patine brune (H. 61) : **FRF 95 000** – NEW YORK, 22 mars 1986 : *Buste de jeune fille* 1951, bronze patine brune (H. 44,5) : **USD 3 800** – TEL-AVIV, 26 mai 1988 : *Baigneuse allongée* 1924, bronze (L. 46 H. 25) : **USD 16 500** – LONDRES, 19 oct. 1988 : *Nu* 1929, fus. (39x25,3) : **GBP 935** – NEUILLY, 22 nov. 1988 : *Danseuse* 1933, terre-cuite (H. 53) : **FRF 47 000** – LONDRES, 29 nov. 1988 : *Nu assis*, bronze (H. 41) : **GBP 10 450** – PARIS, 30 mars. 1989 : *Bretonne* (H. 63, base : 14,5x15) : **FRF 125 000** – PARIS, 9 avr. 1989 : *Mon fils* 1923, bronze, patine brune (H 120,6) : **FRF 580 000** – PARIS, 16 avr. 1989 : *Nu assis* 1927, bronze à patine noire (H. 41) : **FRF 180 000** – TEL-AVIV, 30 mai 1989 : *Nu féminin assis* 1939, bronze (H. 54) : **USD 28 500** – PARIS, 17 juin 1989 : *L'Accordéoniste Per Krogh* 1924, bronze (91x60x46) : **FRF 440 000** – NEW YORK, 5 oct. 1989 : *Maternité* 1915, bronze gravé (H. 51,7) : **USD 55 000** – PARIS, 8 avr. 1990 : *Mon fils* 1931, bronze à patine brune (55x28x19) : **FRF 160 000** – TEL-AVIV, 30 mai 1990 : *Nu assis* 1927, bronze (H. 41,3) : **USD 24 200** – RAMBOUILLET, 28 oct. 1990 : *L'accordéoniste*, bronze (H. 93, l. 64) : **FRF 406 000** – TEL-AVIV, 26 sep. 1991 : *Baigneuse accroupie* 1925, bronze (H. 118) : **USD 82 500** – NEW YORK, 5 nov. 1991 : *Jeune fille à la balle* 1966, bronze à patine noire (H. 87,5) : **USD 12 100** – PARIS, 23 mars 1992 : *Grande baigneuse accroupie*, bronze à patine brune (115x70x60) : **FRF 862 000** – PARIS, 24 mai 1992 : *Nu assis dans un fauteuil* 1927, bronze (H. 41) : **FRF 150 000** – NEW YORK, 5 oct. 1992 : *Athlète-baigneur* 1927, bronze à patine noire (H. 59,7) : **USD 24 200** – TEL-AVIV, 20 oct. 1992 : *Jeune fille à la natte* 1951, bronze (H. 45) : **USD 6 600** – PARIS, 10 fév. 1993 : *Autoportrait* 1935, encre (27x21) : **FRF 4 500** – PARIS, 4 avr. 1993 : *Portrait de David Ben Gourion* 1949, stylo à bille (29,5x20,5) : **FRF 5 500** ; *Baigneuse accroupie* 1924, bronze (H. 38) : **FRF 121 000** – PARIS, 22 nov. 1993 : *Femme enceinte* 1916, bronze (H. 56) : **FRF 120 000** – PARIS, 27 mars 1994 : *Maternité* 1947, bronze (H. 50) : **FRF 110 000** – TEL-AVIV, 4 avr. 1994 : *Danseuse-ballerine* 1939, bronze (H. 73,7) : **USD 32 200** – NEW YORK, 12 mai 1994 : *Deux Danseuses*, bronze (H. 78,1) : **USD 28 750** – AMSTERDAM, 1er juin 1994 : *Nu assis dans un fauteuil* 1927, pierre (H. 43) : **NLG 24 150**

– PARIS, 19 juin 1995 : *Femme ôtant sa chemise* 1928, bronze (H. 67) : **FRF 102 000** – TEL-AVIV, 12 oct. 1995 : *Madeleine Folain – Méditation* 1941, bronze (H. 42) : **USD 16 100** – NEW YORK, 9 nov. 1995 : *Nu assis dans un fauteuil*, bois (H. 41,9) : **USD 36 800** – TEL-AVIV, 11 avr. 1996 : *Oiseau* 1914-1918, bronze (H. 100,5) : **USD 57 500** – PARIS, 17 juin 1996 : *Mon Fils* 1923, bronze à patine noire (121x31x25) : **FRF 195 000** – NEW YORK, 10 oct. 1996 : *Fish fountain* 1929, bronze patine brune (H. 40,6) : **USD 9 200** – TEL-AVIV, 30 sep. 1996 : *Les deux danseuses* 1914-1952, bronze patine brune et verte (H. 77,7) : **USD 29 900** – NEW YORK, 9 oct. 1996 : *Chien boxer* 1931, bronze patine brune (H. 54) : **USD 16 100** – NEW YORK, 14 nov. 1996 : *L'Homme à la pipe* 1924, bronze patine brune (H. 105) : **USD 79 500** – TEL-AVIV, 26 avr. 1997 : *Maternité* 1924, bronze (H. 62,8) : **USD 28 750**.

CHANAL Eugène
Né à Bruxelles. xxe siècle. Belge.
Décorateur.
En 1921-22, il a exposé au Salon des Indépendants des étains.

CHANALEILLES Gustave
Né au xixe siècle à Paris. xixe-xxe siècles. Français.
Peintre.
Exposa au Salon de 1910.
VENTES PUBLIQUES : PARIS, 8 mars 1919 : *Vieille marchande d'oranges à Nice*, past. : **FRF 40**.

CHANAS Jacques Albert
Né à Grenoble (Isère). xxe siècle. Français.
Peintre.
A exposé des nus et des paysages au Salon des Indépendants de 1924 à 1932.

CHANASE Richard Dane
Né en Italie. xxe siècle. Américain.
Peintre.
A exposé un *Portrait* au Salon d'Automne de 1929, aux Artistes Français en 1930 et aux Indépendants en 1931.

CHANAUD Gaston de
Né à Paris. xxe siècle. Français.
Peintre.
A exposé des tableaux de genre au Salon des Indépendants, 1937-38.

CHANAVESE Antonio
xviiie siècle. Autrichien.
Peintre.
Peintre de la cour de Vienne.

CHANAZAR
Né en Arménie. xxe siècle. Arménien.
Peintre.
Exposant des Salons de Paris. A figuré, en 1945, au Salon des Artistes Libres Arméniens.

CHANCE Julia Charlotte, Mrs W. Chance, née Strachey
xixe-xxe siècles. Britannique.
Dessinatrice.
Elle vivait aux environs de Godalming (Surrey), et avait épousé en 1884 l'écrivain d'art sir William Chance. Elle exposa à la Royal Academy, à Londres, des dessins de chats (1896-1898), publia en 1898 une suite d'esquisses (*A Book of Cats*) et illustra une traduction de l'ouvrage de Th. Gautier (*A Domestic Menagerie*).

CHANCEL Benoît
Né le 9 mars 1819 à Lyon. Mort le 11 avril 1891 à Paris. xixe siècle. Français.
Peintre.
Élève de Bonnefond à l'École des Beaux-Arts de Lyon, où il entra en 1836. Il travailla ensuite à Lyon, avec Auguste Flandrin, puis, à Paris, avec Hippolyte Flandrin, à qui il servit souvent d'aide, notamment pour la décoration de Saint-Paul de Nîmes, de Saint-Vincent-de-Paul à Paris et de Saint-Martin-d'Ainay à Lyon. Il débuta à Lyon, au Salon de 1842-43, avec *L'Éducation de la Vierge*, au Salon de Paris, en 1845, avec *Le Rédempteur du Monde*. Il exposa, au même Salon, des tableaux religieux, des figures, des portraits, et des dessins, notamment : *Jeune femme au bain* (1848), *Apparition du Christ à Madeleine* (1859), *Les quatre Évangélistes*, cartons de vitraux (1865), *Recueillement* (1880). Il peignit, en 1860, le retable de la chapelle de sainte Clotilde, à Sainte-Clotilde de Paris (*Le mariage de sainte Clotilde* et *Le baptême de Clovis*). Il dessina pour la même église les vitraux des hautes fenêtres du transept (côté gauche). Il signait « Chancel ».

CHANCEL Roger
xxᵉ siècle. Français.
Peintre.
A exposé au Salon des Humoristes.

CHANCEREL Huberte
Née à Châteauneuf-sur-Loire (Loiret). xxᵉ siècle. Française.
Miniaturiste.
Sociétaire du Salon des Artistes Français.

CHAN CHING-FÊNG. Voir **ZHAN JINGFENG**

CHANCO Roland, pseudonyme de **Chanconnier**
Né en 1914 à Reignac (Indre). xxᵉ siècle. Français.
Peintre de figures et de natures mortes, peintre à la gouache, pastelliste. Post-cubiste à tendance expressionniste.

Âgé de seize ans, attiré par la sculpture, il arriva à Paris et a travaillé avec Marcel Gimond. Puis, il abandonne la sculpture pour la peinture et la couleur. À Montmartre, il fréquente les ateliers d'Edmond Heuzé, d'Utrillo, de Gen-Paul, rencontre Picasso. En 1947, il quitta Paris pour s'établir à Antibes, puis se retira dans l'arrière-pays niçois. Il expose dans plusieurs Salons annuels de Paris et montre des ensembles de ses peintures dans des expositions personnelles.

Dans ses premières années parisiennes et jusqu'en 1939, il peignait des paysages urbains entre postimpressionnisme et expressionnisme. En 1942, dans le contexte de la guerre, il délaissa définitivement le paysage pour ne plus peindre que des personnages et plus tard des natures mortes. Pendant quelque temps jusqu'en 1960, il peignait des groupes de têtes ou de personnages dans un chromatisme violent mais sur un fond noir ou de couleurs très sombres, dans ce qu'il appela sa « période noire ». En 1960, il renonça à sa « période noire » et adopta une manière, issue en droite ligne du cubo-expressionnisme de Picasso, mais d'un caractère clownesque, ne serait-ce que par les sujets ou l'interprétation qu'il en donne dans une exubération joyeuse; la décomposition cubiste laisse le sujet très lisible, peint dans une gamme chromatique violente, plutôt incandescente. Après 1970, à ses peintures de personnages, il ajouta des natures mortes, très construites, sursaturées à partir d'une surabondance d'éléments, guitares, pots, corbeilles, carafons, coupes, verres, fruits, poissons, homards, et jusqu'au chat vivant attiré par l'odeur, posés sur des nappes bariolées couvrant la table entourée de chaises.

En regard de la référence évidente au Picasso tardif, l'œuvre paraît certes mineure, un peu la faute au côté clownesque signalé, auquel d'ailleurs échappent les natures mortes. Mais, dans les mêmes marges de l'exemple picassien, on connaît bien d'autres œuvres qui ne présentent pas cette densité. ■ J. B.

BIBLIOGR. : S. Cylver, in : Catalogue de la vente publique *Chanco*, Drouot, Paris, 15 avr. 1996, bonne documentation.

VENTES PUBLIQUES : PARIS, 14 avr. 1986 : *La femme au tabouret*, h/t (92x73) : **FRF 22 000** – PARIS, 9 mars 1987 : *La guitare bleue*, h/t (92x73) : **FRF 15 000** – PARIS, 14 déc. 1987 : *La poupée russe*, h/t (92x73) : **FRF 4 000** ; *Place de Grasse* 1950, h/cart. (92x73) : **FRF 35 000** ; *Nature morte à la partition*, h/t (92x73) : **FRF 10 000** ; *Séduction* 1964, h/t (100x81) : **FRF 16 000** – PARIS, 12 mars 1991 : *Les pichets blancs*, h/t (92x73) : **FRF 32 000** ; *Place du Peyrat à Vence*, h/t (92x73) : **FRF 38 000** – PARIS, 10 fév. 1992 : *Rue des Saules à Montmartre* 1942, h/t (92x73) : **FRF 19 000** ; *Guitare et pommes* 1972, h/t (100x81) : **FRF 9 500** ; *Les poissons rouges* 1974, h/t (100x73) : **FRF 15 500** – PARIS, 25 nov. 1993 : *Femme au chat*, h/cart. (73x92) : **FRF 3 800** – PARIS, 20 avr. 1994 : *Guitare et partition* 1972, h/t (100x81) : **FRF 4 700** – PARIS, 15 avr. 1996 : *Montmartre, Le Lapin A Gil (sic)* 1939, h/t (60x50) : **FRF 14 000** ; *La cruche bleue* 1972, h/t (100x81) : **FRF 9 000**.

CHANCOURTOIS René Louis Maurice Béguyer de, ou **Bégoyer**
Né le 4 mai 1757 à Nantes (Loire-Atlantique). Mort le 6 juillet 1817 à Paris. xviiiᵉ-xixᵉ siècles. Français.
Peintre d'histoire, paysages animés, paysages, peintre de décorations murales, architecte et graveur.

Il entra à l'École de l'Académie royale le 4 avril 1778 comme élève de Jollain et de Peyre jeune.

Il débuta au Salon de 1791 avec *La Mort d'Hippolyte*, paysage historique. Il continua à prendre part aux Expositions avec des œuvres de même genre ou des paysages jusqu'en 1812. Il a travaillé en Italie, à Paris et à Nantes et on mentionne notamment, dans cette dernière ville, les peintures décoratives qu'il exécuta à l'hôtel Doré-Graslin.

VENTES PUBLIQUES : PARIS, 1814 : *Monuments*, quatre dessins : **FRF 19** ; *Trois vues dont deux de Rome*, dess. : **FRF 30** – PARIS, 1894 : *Charles et Ubald à la recherche de Renaud dans le jardin d'Armide*, dess. : **FRF 280** – PARIS, 21 nov. 1904 : *Paysages animés de figures*, deux pendants : **FRF 150** – PARIS, 26 et 27 mai 1941 : *Pêcheurs au pied des cascatelles de Tivoli ; Baigneuses sous une grotte au bord d'une cascade*, deux gches : **FRF 1 750** – PARIS, 13 juin 1977 : *Angelica et Médor*, deux gches formant pendants (chaque 52x61) : **FRF 12 600** – CHARTRES, 8 mai 1983 : *Vue du Temple de la Sibylle à Tivoli*, pl. et lav. (53x65) : **FRF 6 500** – PARIS, 17 juin 1994 : *Hommage à Guillaume Tell*, plume, aquar. et gche (58,6x94,4) : **FRF 98 000** – NEW YORK, 9 jan. 1996 : *Paysage avec des personnages sur une route*, encre et lav./craie noire (28x45,4) : **USD 250**.

CHANCRIN René
Né en 1920. xxᵉ siècle. Français.
Peintre de natures mortes.

VENTES PUBLIQUES : LYON, 23 oct. 1985 : *La Lampe à huile* 1964, h/t (81x65) : **FRF 49 000** – LYON, 1ᵉʳ déc. 1987 : *Lanterne et Coquillage*, h/t (73x60) : **FRF 30 000** – NEW YORK, 26 fév. 1993 : *Trompe-l'œil*, h/t (73x59,7) : **USD 1 380** – PARIS, 24 mai 1996 : *Nature morte au corail, papillon et coquillage* 1954, h/t (54x65) : **FRF 10 200**.

CHANCUIN Henri
xviiiᵉ siècle. Français.
Sculpteur.
Actif à Lyon, il travailla aussi à Grenoble.

CHAND Nek
Né au Pakistan. xxᵉ siècle. Indien.
Sculpteur. Naïf.

Fils de paysan, réfugié pakistanais, il arrive au Pendjab au moment de l'indépendance de l'Inde, proclamée en 1947. Lorsqu'en 1951, Nehru décide de faire construire Chandigarh, nouvelle capitale du Pendjab, Nek Chand se fait embaucher comme cantonnier. Il découvre alors les décharges et les débris de toutes sortes que l'on y trouve. Comme le facteur Cheval, cinquante ans plus tôt, l'avait fait pour construire son *Palais de rêve* dans la Drôme, il se met à ramasser toutes les pierres, débris de poteries, céramiques et même tissus pour faire son *Rock garden*. Ce jardin immense, peuplé de sculptures surréalistes est un lieu mystique où, selon Chand, les hommes, les dieux et déesses peuvent vivre face à face. Au début de la réalisation de cette entreprise gigantesque, Chand a travaillé tout seul, la nuit, puis il s'est fait aider par sa famille et des amis. Enfin, après la visite des services de santé de Chandigarh et des officiers du gouvernement en 1973, le gouvernement lui alloue une aide et un terrain pour agrandir le *Roch garden* qui est ouvert au public depuis 1976.

Ce jardin est composé de plus de vingt-cinq mille sculptures, réparties en zones définies par des allées bordées d'oiseaux, des labyrinthes de murs couverts de mosaïques claires, sur lesquels sont assis des singes stylisés, des pavillons moghols, des grottes et cascades, des chambres reliées entre elles par des arches. L'art de Chand est inspiré de la vie quotidienne indienne, des fêtes villageoises. On y voit des hommes à cheval, des laboureurs et leur charrue, des porteurs de vasques dans lesquelles s'épanouissent des plantes luxuriantes, des armées de petits enfants, des porteurs de thé, des animaux fantastiques, etc. Il a stylisé tous les visages de ces statues faites en terre et incrustées des débris récoltés. Tout naturellement la démarche de Neck Chand évoque celle d'autres créateurs fantastiques, comme l'architecte catalan Gaudí et son parc Güell à Barcelone ou Picassiette à Chartres ou Tatin dans la Mayenne ou le facteur Cheval dans la Drôme. ■ Annie Pagès

CHAND Suruchi
Née en 1944 en Inde. xxᵉ siècle. Indienne.
Peintre de compositions à personnages.

Elle a exposé à la *Nouvelle Biennale de Paris* en 1985. Elle présente personnellement ses travaux dans des galeries en Inde depuis 1971, à Bombay et New Delhi. Ses peintures ont été également montrées en 1980 à l'Iwalewa Museum en RFA et en 1984 à l'Institute for Urban Ressources à New York.

Suruchi Chand cherche à interpréter les épisodes de la mythologie hindoue dans un contexte contemporain. Les dieux et les personnages mythiques côtoient les humains dans des compositions qui s'inspirent des miniatures traditionnelles. Suruchi Chand s'intéresse particulièrement à la place de la femme, sa relation aux mythes féminins et ses multiples représentations dans l'art indien.

Bibliogr. : In : Catalogue de la *Nouvelle Biennale de Paris*, 1985, Electa-Le Moniteur, pp 202-203.

CHANDA Rani
Né en Inde. xxᵉ siècle. Indien.
Peintre.
Il a participé à l'Exposition de la Peinture hindoue organisée à Paris, en 1946, par l'U.N.E.S.C.O. Son art se ressent de l'influence des anciens fresquistes.

CHANDA S. D.
Né en Inde. xxᵉ siècle. Indien.
Peintre de genre.
Il a figuré à l'Exposition ouverte à Paris en 1946, au Musée d'Art Moderne, par l'Organisation des Nations Unies. Ses scènes de genre sont souvent le reflet des rites de son pays, comme le montre : *Scène d'adoration dans la vallée du Kulu.*

CHANDART Jean
xviiᵉ siècle. Actif à Châlons. Français.
Sculpteur sur bois.
Il fit, en 1636, les boiseries du buffet des orgues de l'église Notre-Dame de Châlons, qu'il surmonta d'un groupe en bois : *la Résurrection.*

CHANDELIER Barthélemy
xvᵉ siècle. Travaillant à Dijon en 1474. Français.
Peintre.

CHANDELIER Guillaume
xvᵉ-xviᵉ siècles. Français.
Sculpteur.
On le cite à Dijon entre 1483 et 1498 ; il vivait encore en 1502.

CHANDELIER Jehan
xvᵉ siècle. Français.
Peintre.
Il travailla pour la ville de Dijon entre 1483 et 1498.

CHANDELIER Jules Michel
Né en 1813 à La Rochelle (Charente-Maritime). Mort en 1871. xixᵉ siècle. Français.
Peintre de paysages, marines, vues de villes, aquarelliste, dessinateur, lithographe.
Élève de Jean Charles Joseph Rémond, il participa au Salon de Paris entre 1836 et 1868.
Peintre des bords de Loire, du port de La Rochelle, des villages de Bretagne, Normandie, Auvergne et de Venise, il est aussi l'auteur de croquis de mode, de costumes de théâtre. On cite parmi ses lithographies : *La tour du buffet – Port de La Rochelle – Bains de mer à La Rochelle – Marais en Vendée.*
Bibliogr. : Gérald Schurr, in : *Les Petits Maîtres de la peinture 1820-1920, valeur de demain*, Les Éditions de l'Amateur, t. V, Paris, 1981.
Musées : La Rochelle : *Le gué – Vue prise en Auvergne*, étude – *Vue prise aux environs de La Rochelle – Vue de Beaugency*, Loiret, aquar. – *Souvenir de l'Algérie*, aquar.
Ventes Publiques : Paris, 1894 : *Marine*, aquar. : FRF 22 – Paris, 31 mars-1ᵉʳ avr. 1924 : *Vue d'Italie*, aquar. : FRF 310 – Paris, 10 avr. 1924 : *Le départ des ravitailleurs pour le Mont Saint-Michel*, aquar. : FRF 325 – Versailles, 28 juin 1981 : *Les moulins*, h/pan. (35x52) : FRF 17 500 – Paris, 9 juil. 1992 : *Le retour des foins*, h/pan. (32x47,5) : FRF 16 000 – Paris, 18 déc. 1995 : *Vue présumée de la ville de La Rochelle*, h/pan. (31,5x48) : FRF 6 500.

CHANDELLE, Maître à la. Voir BIGOT Trophime

CHANDELLE Andreas Joseph
Né en 1743 à Francfort-sur-le-Main. Mort en 1820 à Francfort-sur-le-Main. xviiiᵉ-xixᵉ siècles. Allemand.
Pastelliste.

CHANDELLE Dorothea
Née en 1784 à Francfort-sur-le-Main. Morte en 1866 à Francfort-sur-le-Main. xixᵉ siècle. Allemande.
Pastelliste.
Fille et élève de Andreas Joseph Chandelle.

CHANDELLIER Marie
Née à Rueil (Seine-et-Oise). xixᵉ-xxᵉ siècles. Française.
Peintre.
Sociétaire du Salon des Artistes Français ; mention honorable en 1920.

CHANDEPIÉ DE BOIVIERS J. C.
Né à Jersey. xixᵉ siècle. Travaillant à Paris. Français.
Peintre de portraits, peintre de miniatures.

Élève de David. Il exposa au Salon de Paris entre 1800 et 1827 et à la Royal Academy à Londres, où il résida à cette époque, entre 1819 et 1823.

CHANDLER A.
xixᵉ siècle. Britannique.
Peintre de fleurs.
Il travailla à Londres, où il exposa à la Royal Academy en 1825.

CHANDLER Clyde Giltner, Miss
Née au xixᵉ siècle à Evansville (Indiana). xixᵉ siècle. Américaine.
Sculpteur.
Élève de Lorado Taft. Second prix à l'Exposition des artistes de Chicago.

CHANDLER George Walter
Né dans la seconde moitié du xixᵉ siècle à Milwaukee (Wisconsin). xixᵉ-xxᵉ siècles. Américain.
Graveur.
À Paris, il fut élève de Jean-Paul Laurens et il a exposé des gravures à l'eau-forte au Salon des Artistes Français, dont il était membre.

CHANDLER John Westbrooke
Né en 1764. Mort en 1804 ou 1805. xviiiᵉ-xixᵉ siècles. Britannique.
Peintre de compositions à personnages, portraits, miniaturiste.
Il était le fils naturel de Lord Warwick. Il mourut jeune. Exposa de 1787 à 1791 à la Royal Academy de Londres.
Ventes Publiques : Londres, 9 juil. 1909 : *Portrait de Mrs Franklin* : GBP 115 – Londres, 25 juil. 1909 : *Portrait d'une dame* : GBP 46 – Londres, 15 juin 1923 : *Les enfants du Rév. R. L. Townsend 1804* : GBP 47 – Londres, 13 juil. 1923 : *La femme du Rév. R. L. Townsend* : GBP 68 – Londres, 12 déc. 1930 : *Charles George Perceval* : GBP 57 – New York, 17 fév. 1944 : *Les Sorcières de Macbeth 1787* : USD 225 – Paris, 27 avr. 1951 : *Portrait d'homme* : FRF 150 000 – Londres, 20 nov. 1964 : *Portrait de Lady Frances Herbert* : GNS 350 – Londres, 6 juil. 1983 : *Enfants jouant Macbeth et les sorcières*, h/t (195,5x147,5) : GBP 5 800 – Londres, 26 mai 1989 : *Portrait de Mrs Anne Sladen vêtue d'une robe blanche ceinturée de bleu*, h/t, de forme ovale (76x63,5) : GBP 2 420 – Londres, 18 oct. 1989 : *Portrait de Miss Bowman portant une robe blanche et un chapeau de paille à rubans oranges*, h/t (71,5x58) : GBP 3 300 – Londres, 6 avr. 1993 : *Portrait d'une dame en buste vêtue d'une robe noire à écharpe blanche*, h/t (76x63,5) : GBP 3 450.

CHANDLER Robert Winthrop
Né en 1872 à New York. xixᵉ-xxᵉ siècles. Américain.
Peintre.
Probablement descendant de Winthrop C. On cite de lui des fresques.

CHANDLER Rose M., Miss
xixᵉ siècle. Active à Haslemere (Surrey). Britannique.
Peintre de genre, aquarelliste.
Elle exposa de 1882 à 1891 à Suffolk Street et à la New Water-Colours Society, à Londres.

CHANDLER Winthrop
Né en 1747 à Woodstock (Connecticut). Mort en 1790 à Thompson (Conn.). xviiiᵉ siècle. Américain.
Peintre de portraits. Naïf.
Peintre naïf, il fit surtout des portraits des membres de sa famille et de ses amis de Woodstock, où il passa la plus grande partie de sa vie. Différent en cela de la plupart des peintres naïfs, il ne voyagea pas, mais vécut seulement quelques années à Worcester. Il représente ses personnages de façon théâtrale. N'ayant pas connu de succès, il mourut dans la misère.
Ventes Publiques : New York, 30 avr. 1981 : *Portrait du révérend Ebenezer Gay 1773*, h/t (96,5x73,6) : USD 50 000.

CHANDON Francesca
Née le 10 juillet 1929 à Paris. xxᵉ siècle. Française.
Peintre, graveur et illustrateur. Abstrait-lyrique, puis tendance minimaliste.
En 1947, elle est élève à l'École des Arts Décoratifs à Paris, puis travaille à l'Académie Julian en 1950. Elle a participé aux Salons des Réalités Nouvelles et Comparaisons et était invitée à la viiᵉ Biennale de Menton. Elle expose individuellement, notamment en 1995 à Paris, galerie J.-J. Dutko. Elle a illustré d'eaux-fortes *Le Matin de tous les jours*, recueil de poèmes d'André Frénaud, de Murilo Mendès et de Giuseppe Ungaretti.

Ses gravures ont un caractère linéaire « capillaire ». Elle peint dans des harmonies secrètes, faites d'impulsions dynamiques qui révèlent une puissance d'inspiration où la méditation transparaît.

MUSÉES : NEW YORK (Guggenheim Mus.) – PARIS (FNAC).

VENTES PUBLIQUES : PARIS, 7 mars 1990 : *Sans titre* 1989, acryl./t. (95x101) : **FRF 10 000**.

CHANEAU A.
Français.
Miniaturiste.
Cité par Mireur.

CHANET Gustave
XIXe-XXe siècles. Français.
Peintre de genre.
Élève de Cormon, il a exposé, à partir de 1890, au Salon des Artistes Français dont il est devenu sociétaire et où il obtint une deuxième médaille en 1927.

G·CHANET

VENTES PUBLIQUES : NEW YORK, 2 avr. 1976 : *Le repos du peintre* 1890, h/t (33x24) : **USD 850**.

CHANET Henri
Né à Paris. XIXe-XXe siècles. Français.
Peintre de genre, portraits.
Élève de Giard, Bonnat, J. Goupil. Il débuta au Salon de 1874.
MUSÉES : DUBLIN : *Portrait de Miss Julia Kavanagh ; Tête de jeune fille arabe*.
VENTES PUBLIQUES : PARIS, 29 oct. 1980 : *Le modèle pudique*, h/pan. (33x41) : **FRF 2 000** – VIENNE, 23 mars 1983 : *Avant la course*, h/t (62x51) : **ATS 20 000**.

CHANET Raoul
Né en 1935 à Schulen. XXe siècle. Belge.
Peintre, dessinateur de figures et de nus.
Élève de l'Académie des Beaux-Arts de Bruxelles, il est professeur d'art plastique à Tongres. Ses œuvres, d'un réalisme parfois surréalisant, tendent d'autres fois vers un hyperréalisme. Ses figures et nus érotiques, aux lignes fluides et aux tonalités tempérées, ont un caractère onirique.
BIBLIOGR. : In : *Diction. Biogr. illustré des Artistes en Belgique depuis 1830*, Arto, 1987.

CHANEZ
Né à Langres. XXe siècle. Français.
Peintre.
Le Musée de Langres conserve une aquarelle de cet artiste : *Fleurs*.

CHAN-FU. Voir **ZHANFU**

CHANG I. Voir **ZHANG YI**

CHANG AN-CHIH. Voir **ZHANG ANZHI**

CHANG CHAO. Voir **ZHANG ZHAO**

CHANG CH'ÊNG-LUNG. Voir **ZHANG CHEN-GLONG**

CHANG CHING-YING. Voir **ZHANG JIN-GYING**

CHANG CH'I-TSU. Voir **ZHANG QIZU**

CHANG CHO. Voir **ZHANG ZHUO**

CHANG CH'UNG. Voir **ZHANG ZHONG**

CHANG CHUNG. Voir **ZHANG ZHONG**

CHANG CH'UNG-JEN. Voir **ZHANG CHON-GREN**

CHANGENET Jacques ou Changenot
Mort vers 1508 à Avignon. XVe-XVIe siècles. Actif à Avignon. Français.
Peintre.

CHANGENET Jean ou Changenot
Originaire d'Avignon. XVe siècle. Travaillant à Dijon vers 1450-1466. Français.
Peintre.
Probablement identique à l'un des deux suivants.

CHANGENET Jean, dit le Bourguignon
Mort avant le 17 janvier 1495. XVe siècle. Français.
Peintre.
Cet artiste, originaire de Langres, travailla à Avignon vers 1485. Il peignit des retables pour différentes églises de la ville ou des environs, notamment à l'église de Mazan près Carpentras et au monastère de Saint-Praxède à Avignon.

CHANGENET Jean
XVe-XVIe siècles. Actif à Avignon. Français.
Peintre et miniaturiste.
Frère de Jacques Changenet, à qui il succéda comme peintre de la ville avant 1509.

CHANGENET Pierre
XVe-XVIe siècles. Actif à Dijon entre 1478 et 1500. Français.
Peintre.

CHANG FANG-JU. Voir **ZHANG FANGRU**

CHANG FÊNG. Voir **ZHANG FENG**

CHANG FU. Voir **ZHANG FU**

CHANG HAO. Voir **ZHANG HAO**

CHANG HI. Voir **SHANG XI**

CHANG HO. Voir **ZHANG HE**

CHANG HSIA. Voir **ZHANG XIA**

CHANG HSI-AI. Voir **ZHANG XIAI**

CHANG HSIN. Voir **ZHANG XIN**

CHANG HSIUNG. Voir **ZHANG XIONG**

CHANG HSÜAN. Voir **ZHANG XUAN**

CHANG HSÜEH-TSÊNG. Voir **ZHANG XUEZENG**

CHANG HSÜN. Voir **ZHANG XUN**

CHANG HSÜN-LI. Voir **ZHANG XUNLI**

CHANG HUI. Voir **ZHANG HUI**

CHANG HUNG. Voir **ZHANG HONG**

CHANG HUNG-WEI. Voir **ZHANG HONGWEI**

CHANG JÊN-SHAN. Voir **ZHANG RENSHAN**

CHANG JO-AI. Voir **ZHANG RUOAI**

CHANG JO-CH'ÊNG. Voir **ZHANG RUOCHENG**

CHANG-JOUEI. Voir **SHANGRUI**

CHANG JUI-T'U. Voir **ZHANG RUITU**

CHANG K'AI-CHI. Voir **ZHANG KAIJI**

CHANG K'AN. Voir **ZHANG KAN**

CHANG KÊNG. Voir **ZHANG GENG**

CHANG K'I. Voir **SHANG QI**

CHANG-KOUAN TCHEOU. Voir **SHANGGUAN ZHOU**

CHANG KU. Voir **ZHANG GU**

CHANG KUAN. Voir **ZHANG GUAN**

CHANG KUANG-YÜ. Voir **ZHANG GUANGYU**

CHANG KU-CH'U. Voir **ZHANG GUCHU**

CHANG K'UNG-SUN. Voir **ZHANG KONGSUN**

CHANG K'UN-I. Voir **ZHANG KUNYI**

CHANG LING. Voir **ZHANG LING**

CHANG LI-YING. Voir **ZHANG LIYING**

CHANG LO-P'ING. Voir **ZHANG LEPING**

CHANG LU. Voir **ZHANG LU**

CHANG LUNG-CHANG. Voir **ZHANG LONGZHANG**

CHANG MAO. Voir **ZHANG MAO**

CHANG MÊNG-K'UEI. Voir **ZHANG MENGKUI**

CHANG MU. Voir **ZHANG MU**

CHANG NAI-CHI. Voir **ZHANG NAIJI**

CHANG NING. Voir **ZHANG NING**

CHANG P'EI-TUN. Voir **ZHANG PEIDUN**

CHANG P'ÊNG-CH'UNG. Voir **ZHANG PENGCHONG**

CHANG SU. Voir **ZHANG SU**

CHANG SÊNG-YU. Voir **ZHANG SENGYOU**

CHANG SHAN-TZU. Voir **ZHANG SHANZI**

CHANG SHAO-CHIU. Voir **ZHANG SHAOJIU**

CHANG SHÊN. Voir **ZHANG SHEN**

CHANG SHÊNG. Voir **ZHANG SHENG**

CHANG SHENG-FU
Né en Chine. xxᵉ siècle. Chinois.
Peintre.
A exposé un paysage au Salon de la Nationale en 1939.

CHANG SHÊNG-WÊN. Voir **ZHANG SHENGWEN**

CHANG SHIH-CHANG. Voir **ZHANG SHIZHANG**

CHANG SHOU-CHUNG. Voir **ZHANG SHOUZHONG**

CHANG SHU-CH'I. Voir **ZHANG SHUQI**

CHANG SHUHONG ou **Ch'ang Shu-Hung** ou **Tch'ang Chou-Hong**
Né en 1907 à Hangzhou (province du Zhejiang). xxᵉ siècle. Chinois.
Peintre. École moderne.
Après avoir passé six ans en France, il est nommé professeur à l'Académie Nationale de Hangzhou. En 1943, il est nommé directeur de l'Institut National de Recherches sur Dunhuang, site où se trouvent des grottes d'Asie Centrale, véritable porte d'entrée et de sortie de la Chine à l'entrée du désert de Gobi. Assisté de Dong Xiwen, il copie, à la peinture à l'huile, les fresques de ces grottes.

CH'ANG SHU-HUNG. Voir **CHANG SHUHONG**

CHANG SHUN-TZŬ. Voir **ZHANG SHUNZI**

CHANG SSŬ-KUNG. Voir **ZHANG SIGONG**

CHANG TAO-FAN
Né en Chine. xxᵉ siècle. Chinois.
Peintre.
A exposé un portrait au Salon de la Nationale en 1926.

CHANG TAO-WU. Voir **ZHANG DAOWU**

CHANG TA-TS'IEN. Voir **ZHANG DAQIAN**

CHANG TCHOU. Voir **SHANG ZHU**

CHANG T'IEN-CH'I. Voir **ZHANG TIANQI**

CHANG T'ING-CHI. Voir **ZHANG TINGJI**

CHANG T'ING-YEN. Voir **ZHANG TINGYAN**

CHANG TS'AI. Voir **ZHANG CAI**

CHANG TSÊ. Voir **ZHANG ZE**

CHANG TSÊ-CHIH. Voir **ZHANG ZEZHI**

CHANG TSÊ-TUAN. Voir **ZHANG ZEDUAN**

CHANG TSE-YU
Né à Kiang-Son. xxᵉ siècle. Chinois.
Peintre.
A exposé un paysage au Salon d'Automne de 1940.

CHANG TSOU. Voir **SHANG ZUO**

CHANG-TSUNG CHIN. Voir **ZHANGZONG JIN**

CHANG TSUNG-TS'ANG. Voir **ZHANG ZONGCANG**

CHANG TUNG. Voir **ZHANG DONG**

CHANG TUN-LI. Voir **ZHANG DUNLI**

CHANG TZ'Ŭ-NING. Voir **ZHANG CINING**

CHANG TZŬ-WEN. Voir **ZHANG ZIWEN**

CHANG TZŬ-YŬ. Voir **ZHANG ZIYU**

CHANG WAN-CH'UAN
Né en 1908 à Taipei. xxᵉ siècle. Chinois.
Peintre de natures mortes.
Il étudia la peinture à l'Institut Kawabata et à l'Institut d'Art Hongou au Japon. Il participa à l'exposition des « Artistes d'Osaka ». De retour à Taipei il remporta le prix spécial de peinture occidentale de l'Exposition Municipale de Taipei. Il adhéra à l'Association des Beaux-Arts de Taïwan et plus tard participa à la création de « Mouve Painters Association » et à l'Association d'Art Plastique. Dans les années 1940, il enseigna la peinture occidentale à l'Institut des Beaux-Arts Amoy.
VENTES PUBLIQUES : TAIPEI, 22 mars 1992 : *Capucines*, h/cart. (31x37) : TWD 704 000.

CHANG WÊN-T'AO. Voir **ZHANG WENTAO**

CHANG WU. Voir **ZHANG WO**

CHANG YANG-HSI. Voir **ZHANG YANGXI**

CHANG YEN. Voir **ZHANG YAN**

CHANG YEN-CH'ANG. Voir **ZHANG YANCHANG**

CHANG YEN-FU. Voir **ZHANG YANFU**

CHANG YI-HSIUNG ou **Zhang Yixiong**
Né en 1914 à Chia-i. xxᵉ siècle. Chinois.
Peintre de paysages, natures mortes.
Il commença ses études à Tokyo en 1928 et obtint le diplôme de l'Université d'Art Musashiwo en 1940. Plus tard il enseigna les beaux-arts à l'Université Normale Nationale de Taipei, puis à l'Académie Nationale des Arts. Dans les années 1960, il partit pour le Japon où plusieurs galeries lui réservèrent des expositions personnelles. En 1980, il fit un voyage à Paris et participa au Salon d'Automne.
VENTES PUBLIQUES : TAIPEI, 22 mars 1992 : *Nature morte de fleurs dans un pichet bleu* 1981, h/t (49,7x64,7) : TWD 990 000 – HONG KONG, 28 sep. 1992 : *Venise* 1988, h/t (22x27) : HKD 55 000 – TAIPEI, 18 oct. 1992 : *Scène de rue à Paris* 1981, h/t (90,6x72,5) : TWD 1 760 000 – TAIPEI, 16 oct. 1994 : *Scène de rue à Paris* 1980, h/t (38x45,5) : TWD 460 000.

CHANG YIN. Voir **ZHANG YIN**

CHANGYING ou **Ch'ang-Ying** ou **Tch'ang-Ying**, nom de prêtre **de Li Zhaoheng** ou **Li Chao-Hêng** ou **Li Tchao-Heng,** surnom **Huijia,** noms de pinceau **Ke Xue** et **Zuio**
Né à Jiaxing (province du Zhejiang). xvIIᵉ siècle. Actif vers 1630-1647. Chinois.
Peintre.
Paysagiste, fils de Li Rihua (1565-1635), il se fait moine.

CHANG YU. Voir **ZHANG YOU**

CHANG YŬ. Voir **ZHANG YU**

CHANG YÜAN. Voir **ZHANG YUAN**

CHANG YÜAN-CHÜ. Voir **ZHANG YUANJU**

CHANG YÜAN-SHIH. Voir **ZHANG YUANSHI**

CHANG YÜEH-HU. Voir **ZHANG YUEHU**

CHANG YÜEH-KUANG. Voir **ZHANG YUGUANG**

CHANG YÜ-SÊN. Voir **ZHANG YUSEN**

CHANG Yu Shu ou **Chang You** ou **Sanyu**
Né le 14 octobre 1900 ou 1901 à Shun-Ching (Sichuan). Mort le 3 août 1966 à Paris. xxᵉ siècle. Depuis 1921 actif en France. Chinois.
Peintre de scènes animées, figures, nus, portraits, animalier, natures mortes, fleurs, aquarelliste, graveur, dessinateur.
Il fréquenta le Collège d'Art de Shangaï et, en 1919 et 1920, étudia la peinture au Japon. Il arriva à Paris en 1921, avec une bourse du gouvernement chinois. Avec Xu Beihong, Jiang Pimei, Hang Daopan et d'autres artistes de la *Première génération*, il fonda l'Association *Tian gou hui* à Paris. En 1923, il fut élève de l'Académie de la Grande Chaumière. De 1948 à 1950, il séjourna à New York.
À partir de 1925, il exposa régulièrement dans les Salons parisiens : 1925 Salon d'Automne ; 1932, 1955 Salon des Indépendants ; 1932 Salon des Tuileries. Il figura aussi dans des expositions collectives ou personnelles dans des galeries de Paris ; en 1932 à Haarlem ; en 1933, 1934 et 1939 à Amsterdam ; en 1950 à New York. Il a aussi montré des ensembles de ses œuvres dans des expositions personnelles : en 1962 à Taipei ; en 1965 à Paris. Après sa mort, en 1977 et 1980, la galerie J.-C. Riedel de Paris montra deux expositions de ses œuvres ; en 1978, 1984, 1990, le Musée National d'Histoire de Taipei organisa trois expositions rétrospectives ; d'autres organismes, surtout à Taipei, montrent régulièrement de ses œuvres.
Bien que s'étant tôt occidentalisé, l'art de Sanyu, surtout dans ses dessins au trait et gravures, a su préserver le caractère elliptique du dessin traditionnel chinois. ■ J. B.
VENTES PUBLIQUES : PARIS, 6 juil. 1983 : *Nu aux bas gris* 1929, encre de Chine et aquar. (39x28) : FRF 6 700 – PARIS, 22 juin 1984 : *Nus en rose* 1930, h/t (73x50) : FRF 72 000 – TAIPEI, 22 mars 1992 : *Bouquet de marguerites*, h/t (80x46) : TWD 2 750 000 – TAIPEI, 18 oct. 1992 : *L'Éléphant blanc*, h/cart. (50x64,7) : TWD 704 000 – PARIS, 19 mars 1993 : *Corbeille de fruits*, h/t (38x45) : FRF 48 000 – TAIPEI, 18 avr. 1993 : *Modèle assis*, aquar./pap. (31x24) : TWD 322 000 ; *Lotus*, h/pan. (113x66) : TWD 1 370 000 ; *Femme nue assise*, h/rés. synth. (127,5x79) : TWD 2 360 000 – HONG KONG, 29 avr. 1994 : *Nu*, encre/pap. (28x44,5) : HKD 34 500 – PARIS, 29 juin 1994 : *Bouquet de lotus et arum*, h/pap./pan. (155x76,5) : FRF 270 000 – TAIPEI, 16 oct. 1994 : *Le chaton, l'oiseau et les oisillons dans un nid,*

h/rés. synth. (154x77) : TWD 5 220 000 ; *Fleurs dans un pot* 1929, h/t (81x45) : TWD 2 140 000 – TAIPEI, 15 oct. 1995 : *Lotus blanc*, h/t (195x97) : TWD 13 250 000 ; *Acrobate sur un cheval*, h/pap. cartonné/pan. (44,5x38) : TWD 1 700 000 – PARIS, 1er avr. 1996 : *Femme dans un fauteuil*, aquar. et encre de Chine (30x45) : FRF 45 000 – TAIPEI, 14 avr. 1996 : *Nu blanc*, h/t (50x81) : TWD 3 790 000 – TAIPEI, 20 oct. 1996 : *Pivoines blanches et Papillons noirs* 1955, h./masonite (130x81) : TWD 6 210 000 – PARIS, 24 nov. 1996 : *A la Grande Chaumière*, aquar. et encre de Chine/pap. (39x26) : FRF 14 000 – PARIS, 28 avr. 1997 : *Bouquets de roses sur fond noir* 1924, h/t (73x50) : FRF 380 000 – TAIPEI, 19 oct. 1997 : *Poisson d'or*, h/t (73,5x50) : TWD 7 200 000 – TAIPEI, 13 avr. 1997 : *Fleurs dans un vase* vers 1935, h/pan. (33x27,5) : TWD 529 000 ; *Dame dessinant*, aquar./pap. (21x13,5) : TWD 172 500.

CHANG YÜ-SSÜ. Voir **ZHANG YUSI**

CHANG YÜ-TS'AI. Voir **ZHANG YUCAI**

CHANH Nguyen Phan. Voir **NGUYEN Phan Chanh**

CHAN HO. Voir **ZHAN HE**

CHANHOMME Alfred Marcel
Né à Paris. XXe siècle. Français.
Peintre de paysages et de fleurs.
Il a participé au Salon des Artistes Indépendants à Paris, entre 1927 et 1932.

CHANIOT Jean Claude ou **Chaigniot**. Voir **CHÉNIOT**

CHANLAIRE Richard
Né à Paris. XXe siècle. Français.
Peintre de portraits, de paysages et de fleurs.
Il a régulièrement figuré à Paris, aux Salons de la Société Nationale des Beaux-Arts en 1928-29, des Tuileries 1929-30 et des Artistes Indépendants 1931-32.

CHANLER Albert
Né le 13 mai 1880 à Glasgow (Écosse). XXe siècle. Britannique.
Peintre et graveur.

CHANNEBOUX A.
XIXe siècle. Française.
Sculpteur.
Elle exposa au Salon de Paris entre 1883 et 1890 plusieurs portraits-bustes de femmes.

CHANNER C. Alfreda, Mrs
XIXe siècle. Britannique.
Dessinateur.
Elle travailla à Londres, où elle exposa à partir de 1876 à la Royal Academy, à Suffolk Street, à la New Water-Colours Society.

CHANNON M. E., Miss
XIXe siècle. Britannique.
Peintre de fleurs.
Elle exposa de 1858 à 1865 à la Royal Academy et à Suffolk Street, à Londres.

CHANOIS Claude
XVIe siècle. Français.
Peintre.

CHANOT Albert
XXe siècle. Français.
Peintre de nus et de paysages, sculpteur.
Élève du peintre H. Pinta, il a participé au Salon des Artistes Français, dont il est devenu sociétaire et où il obtint une mention honorable en 1909. Il a également exposé au Salon des Artistes Indépendants de 1927 à 1943 et au Salon des Tuileries à partir de 1930.

CHANOT Éléonore
Née le 9 décembre 1915. XXe siècle. Active en France. Polonaise.
Peintre.
Élève de l'École des Beaux-Arts de Varsovie, elle est venue en France poursuivre ses études artistiques. Elle a régulièrement participé aux Salons d'Automne, des Artistes Indépendants et Populiste. Elle a également exposé à l'étranger et en province.

CHANOU, famille d'artistes
XVIIIe-XIXe siècles. Français.
Ces artistes travaillaient à la Manufacture de Sèvres.

CHANOU Julie, Mme, née **Durosey**
XVIIIe-XIXe siècles. Française.

Peintre de fleurs.
Elle peignit sur porcelaine à la Manufacture de Sèvres de 1753 à 1800.

$\mathcal{JD}.$

CHANQUER
XIXe siècle. Actif à Paris vers 1828. Français.
Graveur.
Le Blanc cite de lui : *Saint-Louis de Gonzague*, d'après Duvivier.

CHANSON Charles
Né le 17 février 1820 à Paris. XIXe siècle. Travaillant à Paris. Français.
Peintre, aquarelliste.
Son éducation artistique se fit sous la conduite de Reinhard et de Lequien.
Entre 1848 et 1866, il se fit représenter au Salon de Paris, le plus souvent par des aquarelles. Il fit aussi de l'émail sur lave.

CHANSON Émile Charles
Né le 30 octobre 1849 à Paris. Mort le 22 novembre 1876. XIXe siècle. Français.
Peintre de portraits sur émail.

CHANSON L.
XIXe siècle. Actif à Paris. Français.
Graveur au burin.

CHANT James John
Né vers 1820 à Londres. XIXe siècle. Britannique.
Graveur.
Il exposa de 1861 à 1883 à la Royal Academy de Londres.

CHANTAL Louis Jean Adelin
Né en 1822 à Amsterdam. Mort le 14 novembre 1899 à Arnhem. XIXe siècle. Hollandais.
Peintre de genre, figures, portraits, aquarelliste.
Élève de Jan Adam Kruseman. Il occupa le poste de conservateur du Musée Fodor à Amsterdam, qui conserve un dessin de lui.
VENTES PUBLIQUES : AMSTERDAM, 18 mai 1981 : *Étude de têtes, braque et chaumière* 1854, aquar. (22x32,2) : NLG 1 800 – MADRID, 21 oct. 1985 : *La coquette*, h/pan. (60x36) : ESP 160 000.

CHANTAL-QUENNEVILLE
Née à Criquebœuf-sur-Seine (Eure). XXe siècle. Française.
Peintre de portraits, paysages, natures mortes.
Elle a régulièrement participé au Salon des Artistes Indépendants, au Salon d'Automne et au Salon des Tuileries, où elle est invitée depuis 1927. Elle est peut-être l'auteur d'une toile signée du seul nom de *Chantal*, exposée au Salon des Réalités Nouvelles en 1955 et qui ressortait du paysagisme abstrait.

CHANTALAT Édouard
XIXe-XXe siècles. Français.
Peintre de portraits.
On cite de lui un *Portrait du prince H. de Bourbon* (Salon de 1890) et un *Portrait de Verlaine* (Musée du Luxembourg).
VENTES PUBLIQUES : PARIS, 15 avr. 1924 : *La République* : FRF 140.

CHANTAREL Jacques
Né le 7 juin 1924 à Paris. XXe siècle. Français.
Peintre. Abstrait-paysagiste.
Il expose régulièrement à Paris, aux Salons d'Automne, des Moins de trente ans, Grands et Jeunes d'Aujourd'hui et des Réalités Nouvelles. Il a participé à plusieurs expositions de groupe à Paris, dans diverses villes de France, à Amsterdam, Mannheim, New York, etc. Ses expositions personnelles se sont déroulées à Amsterdam en 1947, à Paris à partir de 1949, Toulouse 1965, Mannheim, Lyon 1970.
Son propos est clair : il peint par grands balayages, dans la lignée de Jean Messagier, donnant à ses peintures pour titre unique avec continuité : *Composition paysagée*.
MUSÉES : PARIS (Mus. Nat. d'Art Mod.) – PARIS (Mus. d'Art Mod. de la Ville).

CHANTEAU Alphonse
Né le 13 mai 1874 à Nantes (Loire-Atlantique). Mort le 9 février 1958 à Morgat-Crozon (Finistère). XXe siècle. Français.
Peintre de paysages, céramiste et graveur.
Frère jumeau de Gabriel Chanteau, il fut élève de L. O. Merson et de A. Besnard. Avec son frère, il fut chargé de la décoration de la

classe 71 à l'Exposition Universelle de Paris en 1900. Après un voyage d'études en Italie en 1901, tous deux partent aux États-Unis en 1903 et sont engagés par le New York World, comme dessinateurs d'actualité. Entre 1911 et 1913, ils reprendront ce genre de travail, exécutant une série de panneaux humoristiques décoratifs et d'actualité et une importante série de caricatures de parlementaires. A partir de 1910, il étaient nommés, tous les deux, peintres attachés au département de la Marine. Alphonse Chanteau avait exposé, entre 1901 et 1906 au Salon de la Société Nationale des Beaux-Arts à Paris, il a participé à l'Exposition des Arts décoratifs et industriels modernes en 1925. Ayant travaillé en tant que céramiste pour la faïencerie de Quimper, il obtint, dans ce domaine, une médaille d'or à l'Exposition Coloniale de Paris en 1931.

Musées : Paris (Mus. d'Art Mod. de la Ville) : *Bords de l'Aulne.*

CHANTEAU Gabriel Marie Jacques François
Né le 13 mai 1874 à Nantes (Loire-Atlantique). Mort le 11 septembre 1955 à Morgat-Crozon (Finistère). XXᵉ siècle. Français.
Peintre de marines.
Frère jumeau d'Alphonse, il suivit une carrière parallèle à celle de son frère, depuis leur formation jusqu'à leur nomination au département de la Marine. Voir Alphonse Chanteau.

CHANTELIX Félix, de son vrai nom : Félix Chantemesse
Né à Saint-Julien-Chapteuil (Haute-Loire). XXᵉ siècle. Français.
Peintre.
Exposant des Indépendants.

CHANTELOUP de, sieur
Peintre.
Cité par Ris Paquot.

CHANTEMESSE. Voir CHANTELIX

CHANTERAC François de
Né au XIXᵉ siècle à Paris. XIXᵉ siècle. Français.
Peintre de paysages.
Élève de J. Noël. Il débuta au Salon de 1879.
Ventes Publiques : Paris, 13 déc. 1989 : *Péniche au bord de quai*, h/t (44x55) : FRF 7 500.

CHANTERANNE Roger Joseph
Né le 24 février 1900 à Paris. XXᵉ siècle. Français.
Peintre de genre.
Il a participé au Salon des Artistes Indépendants à Paris entre 1924 et 1939.

CHANTEREAU Jérôme François ou Chanterau, Chantreau
Né en 1710. Mort le 7 décembre 1757 à Paris. XVIIIᵉ siècle.
Actif à Paris. Français.
Peintre de sujets militaires, scènes de chasse, sujets de genre, peintre à la gouache, dessinateur, graveur.
Il était membre de l'Académie de Saint-Luc où il exposa en 1751, 1752 et 1753.
Il exécuta avant 1741 cinq tableaux pour le roi de Danemark. Il a peint des scènes militaires, des scènes de chasse, des scènes villageoises. Ph. Le Bas, Godinot et Duret ont gravé d'après ses œuvres. Les estampes que lui-même a gravées sont rares. On cite parmi celles-ci : *Halte de soldats, Marche de troupes, L'île de Cythère, La fête vénitienne, Le champ de bataille, Divertissement par eau et par terre.*
Chantereau subit l'influence des grands maîtres du XVIIIᵉ siècle, Watteau, Pater, Chardin.

Musées : Paris (Mus. du Louvre) : cinq dessins – Stockholm : *Villageois dans une cuisine regardant danser un chien – Enfant devant une ferme jouant avec des cartes.*

Ventes Publiques : Paris, 28 juin 1934 : *L'exode d'un chef oriental* ; *L'exode des bergers*, deux pendants : FRF 9 800 – New York, 16 oct. 1959 : *Scènes militaires I et II*, gche : USD 275 – Paris, 29 oct. 1984 : *Paysan tenant sa palette dans sa main gauche*, pierre noire et reh. de blanc (17x14,2) : FRF 4 200 – Paris, 13 juin 1986 : *La collation champêtre – L'embarquement pour Cythère*, deux h/t (46x56) : FRF 48 000 – Monaco, 22 juin 1991 : *Deux jeunes paysans debout portant des chapeaux*, craies noire, rouge et blanche (22x19) : FRF 166 500 – Paris, 31 mai 1995 : *Le dresseur de chien*, sanguine (19x17) : FRF 30 500.

CHANTEREINE Camille de, Mme
Née à Paris. Morte le 10 mars 1847 à Paris. XIXᵉ siècle. Active à Paris. Française.
Peintre de fleurs et fruits, peintre à la gouache, aquarelliste.
Élève de Redouté. Elle fut médaillée en 1835 et 1840. Ses débuts au Salon datent de 1827.
Elle a peint des fleurs et des fruits à l'aquarelle.
Ventes Publiques : New York, 2 mars 1967 : *Vases de fleurs*, t., deux pendants : USD 425 – Paris, 12 juin 1981 : *Bouquet de fleurs*, aquar. (39x33) : FRF 5 400 – Paris, 22 jan. 1988 : *Bouquet de pivoines et lilas* 1838, aquar. gchée/pap. (58x45) : FRF 37 000 – New York, 10 jan. 1996 : *Un vase de fleurs sur un entablement* 1836, gche/vélin (58,5x47,5) : USD 33 350.

CHANTEREINE Nicolas
D'origine française. XVIᵉ siècle. Portugais.
Sculpteur.
Il ne subit aucunement les influences du style local et répandit au Portugal des édifices typiquement français, rappelant le style charnière entre le flamboyant et la Renaissance que l'on trouve à Champmol. En janvier 1517, il réalisa le portail occidental de l'église de Belém à Lisbonne, avec les statues agenouillées du roi Manuel et de la reine Marie. Entre 1518 et 1530, il travaillait à Coimbra, à cause du calcaire de la région qu'il utilisa pour le monastère de Santa Cruz, où il sculpta les statues de la façade, la chaire de la nef et des gisants dans le chœur ; pour la porte du chœur du monastère de Celas et pour le retable du maître-autel de Sao Marcos. Toutes ces réalisations, d'une extrême grâce, représentent un art de cour, auquel on peut reprocher la superficialité. On suppose qu'il contribua à la décoration de la porte Renaissance de la cathédrale. Après 1530, il travailla à Sintra, près de Lisbonne, sculptant le retable en albâtre du maître-autel de la chapelle de la Pena. Il travailla ensuite à Evora, où il délaissa le calcaire tendre pour le marbre rose, réalisant les pilastres pour le couvent de Paraiso, le tombeau d'Alvarez de Costa, celui de don Alfonso de Portugal, celui de don Francisco de Melo.

CHANTEREL Jacques ou Chantrel
Mort avant le 29 septembre 1558. XVIᵉ siècle. Français.
Sculpteur sur pierre et sur bois.
Il travailla, en 1555, à Fontainebleau, aux lambris du cabinet du roi, avec Ambroise Perret. Avec le même artiste et sous la direction de Philibert de l'Orme, il prit part à la partie décorative du tombeau de François Iᵉʳ, à Saint-Denis. Il fut également maître d'œuvre à Paris.

CHANTEROU Raphaël
Né à Liège. XXᵉ siècle. Actif en France. Belge.
Peintre de portraits et de paysages.
Il a figuré au Salon de la Société Nationale des Beaux-Arts en 1920, au Salon des Artistes Indépendants de 1921 à 1927 et au Salon d'Automne en 1922. Ses paysages présentent surtout des vues de Paris et de l'Île-de-France.
Ventes Publiques : Paris, 6 mars 1920 : *Le square du Vert-Galant* : FRF 600 – Paris, 3 mars 1924 : *La moisson* : FRF 440.

CHANTEUX Berthe
Née à Paris. XIXᵉ-XXᵉ siècles. Française.
Graveur au burin.
Sociétaire du Salon des Artistes Français ; mention honorable en 1901.

CHANTIER Guillaume
XVIIᵉ-XVIIIᵉ siècles. Actif à Nantes entre 1685 et 1711. Français.
Peintre.

CHANTILLY, Maître de. Voir MAÎTRES ANONYMES

CHANTON Louise, Mme. Voir LAMBERT TRISTAN

CHANTRE Aimée, plus tard Mme Wagnon-Chantre
Née le 15 février 1818 à Genève. Morte le 4 janvier 1899 à Genève. XIXᵉ siècle. Suisse.
Peintre miniaturiste sur émail.
Élève de J.-Marc Henry. On cite parmi les œuvres qu'elle a exposées : *Portrait du roi de Rome, Portrait de J. Ant. Arland*, d'après Largillière (au Musée des Arts Décoratifs à Genève), *Le Christ*, d'après Moralès, *Portrait du syndic Rigaud*, d'après Hornung.

CHANTRE Ami
Né en 1826 à Genève. Mort en 1875 à Genève. XIXᵉ siècle. Suisse.
Graveur.
Apprenti d'abord chez son frère aîné Daniel, il s'associa avec

celui-ci en 1852 et plus tard dirigea seul l'atelier de gravure. Il fut membre de la Société des Arts.

CHANTRE Fleury
Né le 2 juin 1806 à Lyon (Vaise). XIXe siècle. Français.
Peintre de sujets allégoriques, animaux, paysages, fleurs et fruits, aquarelliste.
Élève de Thierriat à l'École des Beaux-Arts de Lyon (1825-27). Il exposa à Lyon (1848-49 à 1858-59) des tableaux de fleurs et de fruits, à l'huile ou à l'aquarelle. En 1855, il figura à Paris, à l'Exposition Universelle avec deux toiles : *Aux Arts, à l'Industrie*, et *Lisière du bois*. Il fut, à Lyon, directeur d'un cours de dessin appliqué à l'industrie.
VENTES PUBLIQUES : LONDRES, 27 nov. 1985 : *Pensées sauvages, tulipes et crapaud* 1851, h/t (40,5x54) : **GBP 3 800** – AMSTERDAM, 24 avr. 1991 : *Tulipes perroquets* 1849, aquar. avec reh. de blanc/ pap. (52x69) : **NLG 8 970.**

CHANTRE François
Né à Lyon. Mort en 1859 à Lyon. XIXe siècle. Français.
Peintre.
MUSÉES : BAGNÈRES-DE-BIGORRE : *Bouquet de roses*, aquar. – *Raisin* – MOULINS : *Rat fruitier mangeant un raisin.*

CHANTREL Marie Madeleine
Née à Paris. XIXe-XXe siècles. Française.
Sculpteur.
Élève de Ferrand. A exposé au Salon des Artistes Français de 1914 à 1926.

CHANTRELL Lydie
XXe siècle. Française.
Peintre de portraits, paysages, peintre à la gouache, aquarelliste.
VENTES PUBLIQUES : PARIS, 25 nov. 1987 : *Paysage*, gche (46,5x34) : **FRF 5 000** ; *Le poète Jean Follain*, h/t (73x60) : **FRF 20 000** – PARIS, 23 mars 1988 : *Dents du Midi*, aquar. (27x27) : **FRF 5 000** ; *Portrait d'homme*, h/t (73x60) : **FRF 20 000** – PARIS, 22 juin 1988 : *Cosmos*, h/t (60x73) : **FRF 6 500** – PARIS, 21 nov. 1988 : *Les rues dans l'aurore* 1975, h/t (92x73) : **FRF 7 500.**

CHANTRELLE Lucien
Né le 9 avril 1890 à Beaumont (Oise). XXe siècle. Français.
Peintre de portraits et de paysages. Postimpressionniste.
Élève de J. P. Laurens, il a régulièrement participé au Salon des Artistes Français, dont il est devenu sociétaire et au Salon des Artistes Indépendants à Paris.

CHANTREY Francis Legatt, Sir
Né le 7 avril 1781 près de Norton (Derbyshire). Mort le 25 novembre 1842 à Londres. XIXe siècle. Britannique.
Sculpteur de bustes, peintre de portraits.
Fils d'un charpentier, Chantrey travailla d'abord comme apprenti chez un sculpteur sur bois, reçut quelques conseils du graveur Raphaël Smith, puis fréquenta les cours de la Royal Academy de Londres, quoiqu'il ne fût jamais l'élève de cette institution.
Vers 1802 il commença à peindre des portraits pour deux guinées, se maria en 1809 et s'établit à Londres. Il fut en 1811 chargé de l'exécution d'une *Statue de George III* pour la ville de Londres. À partir de ce moment, Chantrey fut un homme célèbre. Il visita la France et l'Italie, devint associé, en 1816, puis membre, en 1818, de la Royal Academy.
MUSÉES : CAMBRIDGE : *Buste d'Edward Daniel Clarde, professeur de minéralogie*, marbre – *Buste de Hornbroke*, marbre – DUBLIN : *Marquess Wellesley*, bronze – ÉDIMBOURG : *Francis Horner* – LONDRES : *Buste de Robert Stewart, 2e marquis de Londonderry* – *Buste de John Rennie*, marbre – *Buste de George Canning*, marbre – *Edward Bird*, plâtre – *Henry Kirke White*, médaillon – *Buste de Sir Walter Scott*, marbre – *Buste de Benjamin West*, marbre – *Sir Jeffrey Wyatoille*, dess. au cr. – *Portrait de Augustus Wall Callcott*, cr. – *Portrait de Henry Cline*, cr. – SALFORD : *Sir Walter Scott* – *Le sommeil de la paix.*
VENTES PUBLIQUES : LONDRES, 29 juin 1923 : *L'artiste enfant* : **GBP 6** – LONDRES, 9 déc. 1976 : *Buste de Georges IV* 1827, marbre blanc (H. 84) : **GBP 1 600** – LONDRES, 12 mars 1980 : *Portrait de Thomas Creswick*, h/t (75x62) : **GBP 1 250** – LONDRES, 20 juin 1983 : *Buste de Mrs Maconochie*, marbre (H. 66) : **GBP 1 300** – LONDRES, 12 déc. 1985 : *Buste de Sir C.M. Clark, Bart.* 1840, marbre (H. 72,5) : **GBP 800** – LONDRES, 11 déc. 1986 : *Portrait de Miss Sarah Brooke (?)* 1821, marbre blanc, médaillon (diam. 38) : **GBP 50 000** – LONDRES, 24 sep. 1987 : *Buste d'un gentilhomme*

âgé, marbre (H. 62) : **GBP 3 300** – PERTH, 26 août 1996 : *Buste de Sir Walter Scott*, marbre blanc (H. 65) : **GBP 8 625.**

CHANTRIER Louis Marcellin. Voir CRAM

CHANTRIOZ Louis Pierre ou Chantriaux
Né en 1766 à Châlons-sur-Marne. Mort en 1841 à Amiens. XVIIIe-XIXe siècles. Français.
Peintre.
Il était professeur à l'École de dessin d'Amiens vers 1835.
MUSÉES : VALENCE : *Tigre.*

CHANTRON Alexandre Jacques
Né le 28 janvier 1842 à Nantes. Mort en 1918. XIXe-XXe siècles. Français.
Peintre de sujets religieux, figures, nus, portraits, natures mortes, pastelliste.
Élève de Pirot, de Bouguereau et de Tony Robert-Fleury.
Débuta au Salon de 1877 avec un tableau d'histoire : *Le Christ à la Colonne*. Mention honorable en 1893. Médaille de troisième classe en 1899, de deuxième classe en 1902.
Il a peint d'abord des tableaux de genre et d'histoire, des portraits, des natures mortes (fleurs) et plus tard des nus, à la manière de Bouguereau (*La Toilette du mannequin, La Cigale*).
MUSÉES : CALAIS : *Le papillon* – NANTES : *Chrysanthèmes* – *Poissons* 1871 – *Le repos* 1886.
VENTES PUBLIQUES : PARIS, 1900 : *Tête de jeune femme* : **FRF 102** – PARIS, 20 mars 1979 : *Marie-Madeleine repentante*, h/t (130x90) : **FRF 6 000** – ANGERS, 25 juin 1980 : *Nu allongé*, past. (54x122,5) : **FRF 6 000** – PARIS, 4 mars 1991 : *Nu allongé*, h/t (33x46) : **FRF 5 000** – PARIS, 26 avr. 1991 : *Musicienne au pré*, past. (38,5x80) : **FRF 16 500** – NEW YORK, 18-19 juil. 1996 : *Nu aux lierres après la vendange* 1897, h/t (196,9x90,2) : **USD 9 200** – PARIS, 2 avr. 1997 : *Nature morte aux fleurs*, h/t (37x67) : **FRF 9 600.**

CHANTRON Antoine
Né en 1771 à Avignon. Mort en 1842 à Avignon. XVIIIe-XIXe siècles. Français.
Peintre.
Il étudia avec Raspey. Officier d'artillerie, il ne fit de la peinture qu'en amateur. Possesseur d'une belle collection de gouaches et de pastels, il en fit don au Musée d'Avignon. Nommé administrateur de ce musée, il réunit les documents nécessaires à la rédaction du catalogue, qui fut publié en 1857.
MUSÉES : AVIGNON : *Le Palais des Papes et les ponts d'Avignon* – *Vue de la Tour d'Espagne, près d'Avignon* – *Vue de Montmajour, près d'Arles*, aquar. – *Deux vues d'Avignon et d'une partie de l'île de la Barthelasse.*

CHANTRON Antoine
Né en 1819 à Bastia (Corse). Mort en 1892 à Avignon. XIXe siècle. Français.
Peintre.
Élève de son père Antoine Chantron. Le Musée d'Avignon conserve de lui : *Vue de la rivière du Gardon* (signé A. C. en monogramme).
VENTES PUBLIQUES : PARIS, 30 mars 1894 : *Passage d'un ruisseau* : **FRF 400** – PARIS, 1894 : *Marine, un grain* : **FRF 200.**

CHANTRY John
Mort en 1662. XVIIe siècle. Travaillant à Oxford. Britannique.
Graveur.
Vivait au temps de Charles II. Il exécuta un certain nombre de portraits, mais il travailla surtout comme illustrateur pour le compte des libraires. Il gravait au burin dans un style assez dur ; ses ouvrages sont souvent signés *J. Ch.*

CHANTRY N.
XVIIIe-XIXe siècles. Actif à Londres. Britannique.
Peintre de genre, portraits, natures mortes.
Il exposa à Londres, de 1797 à 1838 à la Royal Academy, à la British Institution, à Suffolk Street.

CHAN TZÛ-CH'IEN. Voir ZHAN ZIQIAN

CHANU Jacques
XVIIe siècle. Actif à Paris. Français.
Peintre, sculpteur.

CHANU-BAUHAIN Yvonne, Mme
XIXe-XXe siècles. Active à Paris. Française.
Peintre.
Membre de la Société des Artistes Français, elle prend part à ses expositions.

CHANUEL Gonnet
Né à Avignon. xvie siècle. Actif vers 1560.
Peintre.
Cet artiste produisit des œuvres fort admirées.

CHANUT Alfred Marie Claude
Né le 2 février 1851 à Bourg-en-Bresse (Ain). Mort le 15 mai 1918 à Lyon (Rhône). xixe-xxe siècles. Français.
Peintre de compositions religieuses, scènes de genre, figures, portraits, intérieurs, natures mortes.
Après avoir étudié à l'École des Beaux-Arts de Lyon, il poursuivit ses études à Paris, dans l'atelier de Bonnat. Il débuta en 1872 au Salon de Lyon, où il obtint une première médaille en 1895 ; et en 1878 à celui de Paris, où il eut une mention honorable en 1897. Il peint sur des toiles de grands formats sur des sujets aimables ou gaillards, où les personnages sont souvent de grandeur nature, tels : *Saint Sébastien, martyr* 1880 – *Chasseurs à l'auberge* 1882 – *À l'office* 1893 – *Le Bon Samaritain* 1895 – *Au cantonnement* 1897, mais aussi des natures mortes abondantes.
BIBLIOGR. : Gérald Schurr, in : *Les Petits Maîtres de la peinture 1820-1920, valeur de demain*, Les Éditions de l'Amateur, t. IV, Paris, 1979.

CHANUT Charles
Né le 9 avril 1822 à Dijon (Côte-d'Or). xixe siècle. Actif à Paris. Français.
Peintre de paysages.
Entre 1849 et 1866, il figura plusieurs fois au Salon de Paris.

CHANUT Danielle Marie, née Rolandey
Née en 1935 à Chambéry (Savoie). xxe siècle. Française.
Sculpteur, décorateur.
Autodidacte, elle crée depuis 1963 des masques pour le spectacle, Festival du Marais, Mime Marceau, Théâtre Renaud-Barrault, etc., qu'elle met occasionnellement en scène dans des expositions collectives nombreuses ou des environnements. Elle montre ses réalisations dans des expositions personnelles, dont : 1963 Paris, galerie du siècle ; 1971 Aix-en-Provence, galerie Lachens ; 1975 Lyon, galerie Saint-Dominique ; 1981 Paris, galerie Au Gay Savoir ; 1985 Venise, galerie Graziussi ; 1998 Sens, galerie Abélard ; 1999 Paris, galerie Graphes ; etc.
Elle commence, par ailleurs, en 1991, la création de livres détournés réalisés par associations de matières à fort pouvoir évocateur (peau, coquillages, racines...) et d'objets récupérés au hasard d'une vie d'antiquaire-libraire. Il en résulte des œuvres ludiques, chaque pièce étant l'occasion de raconter une histoire très complète, on mentionne entre autres : *Jeanne la Pucelle, Histoire du peuple juif, Robinson*. Pleines d'esprit, ces sculptures singulières deviennent le support poétique d'un récit merveilleux.

CHANUT Pierre Henri
Né le 4 septembre 1857 à Lyon (Rhône). xixe siècle. Français.
Peintre.
Élève de Clément à l'École des Beaux-Arts de Lyon, où il entra en 1874. Il a exposé à Lyon, depuis 1878, des portraits ; en 1889 : *Nature morte* ; et en 1897 : *Atelier de montage de serrurerie*.

CHANVALON Lucie
Née à Berck-Plage (Pas-de-Calais). xxe siècle. Française.
Peintre.
Elle a exposé des paysages et des fleurs au Salon des Artistes Français, dont elle est sociétaire, de 1932 à 1936, et aux Indépendants de 1926 à 1939.

CHANVIN Edme
xviiie siècle. Français.
Sculpteur.
Il fut reçu à l'Académie de Saint-Luc à Paris en 1759.

CHAO BUZHI ou Ch'ao Pu-Chih ou Tch'ao Poutche, surnom Wujin, nom de pinceau Guilaizi
Né en 1053 à Juye (province du Shandong). Mort en 1110. xie-xiie siècles. Chinois.
Peintre d'animaux, figures, paysages.
Lettré fonctionnaire, il fut aussi poète. Outre ses personnages et animaux, il peignit des arbres.

CHAO CH'ANG. Voir **ZHAO CHANG**

CHAO CHÊ. Voir **ZHAO ZHE**

CHAO CH'ENG. Voir **ZHAO CHENG**

CHAO CHIH-CH'ÊN. Voir **ZHAO ZHICHEN**

CHAO CHIH-CH'IEN. Voir **ZHAO ZHIQIAN**

CHAO CHÜ. Voir **ZHAO JU**

CHAO CHUNG. Voir **ZHAO ZHONG**

CHAO FU. Voir **ZHAO FU**

CHAO GE
Né en 1957 en Mongolie intérieure. xxe siècle. Chinois.
Peintre de nus, paysages.
Il passa son enfance en Mongolie Intérieure puis entra à l'Académie Centrale des Beaux-Arts de Pékin. Il obtint son diplôme en 1982 et retourna en Mongolie où il enseigne les Beaux-Arts à l'Université. En 1988, il fut nommé conférencier dans la section Peinture à l'huile de l'Académie Centrale des Beaux-Arts. Il expose en Chine et aussi à l'étranger : Canada, Singapour.
Son grand sens de la couleur et l'adresse de son dessin l'ont amené à réinterpréter des sujets traditionnels, tels que les portraits et le paysage. Ses paysages ne se veulent pas descriptifs, ils sont marqués par la volonté d'établir un dialogue entre formes et couleurs, comme dans *Nuage rouge*.
VENTES PUBLIQUES : HONG KONG, 30 mars 1992 : *Nuage rouge* 1991, h/t (60,5x81) : **HKD 49 500** ; *Brise du matin* 1986, h/t (108x79,2) : **HKD 99 000**.

CHAO HSI-YÜAN. Voir **ZHAO XIYUAN**

CHAO HSÜN. Voir **ZHAO XUN**

CHAO I. Voir **ZHAO YI**

CHAO JU-YIN. Voir **ZHAO RUYIN**

CHAO KAN. Voir **ZHAO GAN**

CHAO KAO. Voir **SHAO GAO**

CHAO K'O-HSIUNG. Voir **ZHAO KEXIONG**

CHAO KUANG-FU. Voir **ZHAO GUANGFU**

CHAO K'UEI. Voir **ZHAO KUI**

CH'AO-K'UEI. Voir **CHAOKUI**

CHAOKUI ou Ch'ao-K'uei ou Tch'ao-K'ouei, nom de prêtre du peintre Wen Guo, surnom : Lunan
Né vers 1620 à Suzhou (province du Jiangsu). Mort vers 1700. xviie siècle. Chinois.
Peintre.
Paysagiste, Chaokui est un descendant du peintre Wen Zhengming. Il devint prêtre vers 1680, mais plus tard il sera appelé à servir au Palais Impérial. Il reçut le titre posthume de Wenjue Chanshi, conféré à des prêtres bouddhistes.
MUSÉES : TAIPEH (Mus. du Palais) : *Paysage illustrant des vers du poète Tang Du Mu*, œuvre signée.

CHAO KUNG-YU. Voir **ZHAO GONGYOU**

CHAO LIN. Voir **ZHAO LIN**

CHAO LING-CHÜN. Voir **ZHAO LINGJUN**

CHAO LING-JANG. Voir **ZHAO LINGRANG**

CHAO LING-SUNG. Voir **ZHAO LINGSONG**

CHAO MÊNG-CHIEN. Voir **ZHAO MENGJIAN**

CHAO MÊNG-FU. Voir **ZHAO MENGFU**

CHAO MÊNG-YÜ. Voir **ZHAO MENGYU**

CHAO MI. Voir **SHAO MI**

CHAO MING-SHAN. Voir **ZHAO MINGSHAN**

CHAO PAO. Voir **SHAO BAO**

CHAO PEI. Voir **ZHAO BEI**

CHAO PING-CH'UNG. Voir **ZHAO BINGCHONG**

CHAO PO-CHÜ. Voir **ZHAO BOJU**

CHAO PO-SU. Voir **ZHAO BOSU**

CH'AO PU-CHIH. Voir **CHAO BUZHI**

CHAO SHAO-ANG. Voir **ZHAO SHAOANG**

CHAO SHIH-CH'ÊN. Voir **ZHAO SHICHEN**

CHAO SHIH-LEI. Voir **ZHAO SHILEI**

CHAO SHU-JU. Voir **ZHAO SHURU**

CH'AO SHUO-CHIH. Voir **CHAO SHUOZHI**

CHAO SHUOZHI ou Ch'ao Shuo-Chih ou Tch'ao Chouo-Tche, nom de pinceau Jingyuyidao
Né en 1059. Mort en 1129. xie-xiie siècles. Chinois.

Peintre.

Peintre d'oies sauvages et paysagiste, il est le frère du peintre Chao Buzhi.

Musées : Pékin (Mus. Nat.) : *Hérons et oies rassemblés dans une rivière à l'automne*, rouleau en longueur auquel sont attachés trois inscriptions datées 1132, 1313 et 1342.

CHAO TA-HÊNG. Voir **ZHAO DAHENG**

CHAO TSO. Voir **ZHAO ZUO**

CHAO TSUNG-HAN. Voir **ZHAO ZONGHAN**

CHAO WANG-YÜN. Voir **ZHAO WANGYUN**

CHAO WU-CHI. Voir **ZHAO WUJI**

CHAO YEN. Voir **ZHAO YAN**

CHAO YÜAN. Voir **ZHAO YUAN**

CHAO YUNG. Voir **ZHAO YONG**

CHAPAIEV Féodor

Né en 1927. xxᵉ siècle. Russe.

Peintre de genre, figures, portraits, fleurs. Réaliste.

Il a étudié sous la direction de K. Maximov à l'École des Beaux-Arts de Sourikov à Moscou. Il a participé, en 1988 à Prague, à l'exposition *Cinquante chefs-d'œuvre de la collection des Musées et Galeries soviétiques*.

Un métier traditionnel lui a valu une considération que seul le régime du réalisme-socialiste pouvait lui accorder.

Ventes Publiques : Paris, 18 oct. 1993 : *Lilas dans une corbeille*, h/t (60x70) : **FRF 9 500** – Paris, 29 nov. 1993 : *Loin de la mère patrie*, h/t (70x90) : **FRF 9 100** – Paris, 4 mai 1994 : *Les lilas*, h/t (70x70) : **FRF 9 600** – Paris, 1ᵉʳ juin 1994 : *Portrait d'Irotchka*, h/t (65x60) : **FRF 7 500** – Paris, 5 déc. 1994 : *Hortensias*, h/t (65x60) : **FRF 7 000** – Paris, 7 juin 1995 : *Lilas en corbeille*, h/t (60x68) : **FRF 5 800**.

CHAPALAY Emily

xixᵉ siècle. Travaillant à Genève dans la dernière moitié du xixᵉ siècle. Suisse.

Peintre.

Cette artiste a exposé à Genève en 1889.

CHAPARD Gabriel

xvɪᵉ siècle. Français.

Sculpteur sur bois.

Il restaura les stalles de la cathédrale de Clermont (Auvergne) entre 1505 et 1516.

CHAPAUD Magdeleine

Née à Saint-Claud (Charente). xxᵉ siècle. Française.

Peintre de paysages.

De 1931 à 1939, elle a exposé au Salon des Artistes Français dont elle était sociétaire.

CHAPAUD Marc

Né en 1914. xxᵉ siècle. Français.

Peintre de paysages.

marc chapaud

Ventes Publiques : Paris, 16 juin 1993 : *Vieille maison dans la banlieue de Paris* 1974, h/t (80x80) : **FRF 5 000** – Paris, 31 oct. 1997 : *Paysage de Sologne*, h/t (38x46) : **FRF 5 000**.

CHAPCHAL Jacques

Né à Leningrad. xxᵉ siècle. Actif en France. Russe.

Peintre de paysages et de natures mortes.

Il se fixa à Paris où il exposa, à partir de 1910, au Salon de la Société Nationale des Beaux-Arts, au Salon d'Automne dont il devint sociétaire et au Salon des Artistes Indépendants.

Ventes Publiques : Paris, 22 oct. 1920 : *Le Paradis terrestre* : **FRF 200** – Paris, 13 juil. 1942 : *La Place du village* : **FRF 750**.

CHAPDELAINE Jacques

Né en 1932 à Montréal. xxᵉ siècle. Canadien.

Sculpteur sur bois. Abstrait.

Il s'est formé seul et a travaillé le matériau traditionnel de son pays : le bois. Il fit de nombreux séjours en Inde, dont la civilisation, la religion, la philosophie, l'ont durablement influencé. Il voyagea également en Europe. Il a participé à de nombreuses expositions de groupe, notamment au Salon de la Jeune Sculpture au Musée Rodin à Paris en 1965, et au Salon Inter-national de la Sculpture au Musée d'Art Moderne de Milan en 1967. Il fut l'un des membres fondateurs de l'Association des Sculpteurs du Québec et fit partie de la Société des Sculpteurs du Canada.

Ses sculptures de bois, abstraites, exécutées selon une technique rustique, évoquent les formes de croissances végétales, orga-niques, tout en conservant un lien avec les totems des arts primi-tifs.

Bibliogr. : Guy Viau, in : *Nouveau diction. de la Sculpt. mod.*, Hazan, Paris, 1970.

CHAPE Jean Georges

Né le 9 août 1913 à Paris. xxᵉ siècle. Français.

Peintre d'histoire, scènes de genre. Figuratif puis abs-trait.

Il a participé au Salon des Artistes Français, à Paris, à partir de 1934, au Salon des Tuileries en 1936 et Salon d'Automne à partir de 1938. Alors qu'il était prisonnier de guerre, il envoya une toile inspirée par sa captivité, qui lui fut refusée par le Salon d'Au-tomne, ce qui provoqua des polémiques. En 1959, il expose pour la première fois au Salon des Peintres Témoins de leur Temps et, de 1960 à 1962, au Salon Comparaisons.

Ses œuvres se divisent en deux catégories : les toiles figuratives dont les thèmes peuvent se répertorier ainsi : les amants, les bai-gneuses, les visages, les batailles, Histoire d'O, les calvaires, et d'autre part, les toiles abstraites.

CHAPEAU

xixᵉ siècle. Français.

Sculpteur et restaurateur.

Il travailla pour des églises d'Angers entre 1850 et 1880.

CHAPEAU Jean ou **Chappeau**

xvᵉ-xvɪᵉ siècles. Travaillant à Lyon en 1498 et 1529. Français.

Peintre et peintre verrier.

CHAPEAU Pierre

Originaire d'Orléans. xvɪᵉ siècle. Français.

Sculpteur sur bois.

Il travailla à l'église de Cléry-sur-Loire en 1512.

CHAPEL Guy

Né en 1871 à Detroit (Michigan). xixᵉ-xxᵉ siècles. Actif à Chicago. Américain.

Peintre.

Élève de G. G. Hopkins, R. S. Robbins et de l'Académie Smith à Chicago. Exposa dans cette ville en 1898 un paysage (*A Gray Day*).

CHAPEL Marguerite

Née à La Couronne (Charente). xxᵉ siècle. Française.

Peintre de genre et de paysages.

De 1935 à 1943, elle a participé au Salon des Artistes Indépen-dants à Paris.

CHAPELAIN Luc

Né en 1946 à Ancenis (Loire-Atlantique). xxᵉ siècle. Français.

Sculpteur, céramiste. Expressionniste-abstrait.

Il fut élève des Écoles des Beaux-Arts de Saint-Lô et de Rennes en 1964, diplômé en 1967, licence d'histoire de l'art 1971. Il vit et travaille à Dinan (Côtes-d'Armor). Il participe à des expositions collectives, notamment : 1975, 1976 Paris Salon de Mai, 1976 Salon de Montrouge, 1984 Foires Internationales d'Art Contem-porain de Chicago et de Zurich, 1988, 1990 Paris Salon Grands et Jeunes d'Aujourd'hui, etc. Il fait des expositions personnelles : depuis 1973 plusieurs Maisons de la Culture, Rennes, Fougères, Quimper, depuis 1979 nombreuses expositions à la galerie Alain-Oudin à Paris, 1987 Dinan, 1988 à l'Hôtel-Dieu de Rennes, 1989 lauréat de la vᵉ Biennale de Céramique Contemporaine de Châteauroux, 1990 Foire Internationale d'Art Contemporain de Paris (FIAC), etc.

De 1979 à 1981, il a qualifié ses sculptures de *Structures géomé-triques dans le bois brut*, de 1982 à 1987 de *Totems*, avec l'inter-ruption en 1984 des *Cases d'un Échiquier* en hommage à Roger Caillois. Depuis 1987, il a délaissé le bois pour la délicate tech-nique de la céramique et crée des *Colonnes*, d'environ deux mètres de hauteur, au sujet desquels il a été écrit qu' : « il pour-suit depuis 1978 un travail sur la dimension verticale, assimilée classiquement à une expression de spiritualité ; mais para-doxalement cette expression affiche depuis 1986 un violent parti-pris organique, de plus en plus rocailleux et baroque,... agglomérat et concrétions de végétaux ou d'animaux plus ou moins mollusques ou concrétions naturelles... » ■ J. B.

CHAPELAIN-MIDY Roger
Né le 24 août 1904 à Paris. Mort le 30 mars 1992 à Paris. xxᵉ siècle. Français.

Peintre de compositions animées, figures, paysages, natures mortes, peintre à la gouache, aquarelliste, peintre de compositions murales, cartons de tapisseries, décors de théâtre, dessinateur, illustrateur. Figuration-fantastique.

Après des études secondaires au Lycée Louis-le-Grand, il entre à l'École des Beaux-Arts de Paris, où il ne reste que quatre mois dans l'atelier de Cormon, ce qui ne l'a sans doute pas influencé beaucoup dans sa formation. Il a préféré s'inscrire dans une Académie de Montparnasse où Charles Guérin, André Favory et Picart-le-Doux lui ont donné des conseils. Dès 1927, il expose au Salon d'Automne où il est nommé sociétaire la même année. À partir de 1929, on le retrouve au Salon des Artistes Indépendants ainsi qu'à celui des Tuileries. En 1930, il fait un voyage en Italie au cours duquel il découvre « la modernité » de Piero della Francesca qui l'impressionne particulièrement. À son retour d'Italie, il travaille à des décorations murales, notamment à la mairie du ivᵉ arrondissement de Paris en 1934, au foyer du Théâtre du Palais de Chaillot en 1937, à l'Institut national agronomique et au Museum d'Histoire Naturelle en 1938. Il participera à d'autres décorations, en particulier : Lycée d'Enghien, Préfecture de Mézières, Lycée de la Folie Saint-James (Neuilly), Palais des Congrès à Versailles, Faculté des Sciences de Rennes, Jardin de la Nouvelle Faculté des Sciences de Paris, sur les paquebots *Provence, Jean Laborde, Bretagne, Compiègne, France*. Il a pris part à de nombreuses expositions à l'étranger, dont l'Exposition d'Art français de Londres en 1935, la Biennale de Venise en 1937, l'Exposition d'Art français de Bruxelles, Berlin, Amsterdam, Namur en 1938, Aarhus au Danemark en 1939, Bucarest, Buenos Aires, Chicago, New York en 1939, Lisbonne et Barcelone en 1942. Il avait obtenu le Prix Carnegie à Pittsburgh en 1938 et, à l'occasion de son exposition à Buenos Aires en 1939, il avait visité l'Argentine, le Pérou, la Bolivie. Il poursuivit son périple en Égypte, Inde, Russie et Asie. Après la guerre, il a fait de nombreuses expositions personnelles à Paris en 1947, 1955 au Musée Galliera, 1962, 1967, à New York en 1954, Londres 1957, Genève 1958, 1966, rétrospective au Musée des Beaux-Arts de Bordeaux 1965, rétrospective au Musée de La Rochelle et au Musée de l'Athénée de Genève 1966, rétrospective au Palais de la Méditerranée de Nice 1968, Venise 1969, Tokyo, New York, Houston 1970, Bruxelles 1971, de nouveau Paris 1972, Toulouse 1975, 1978, rétrospective au Musée de la Poste de Paris 1979, rétrospective à Vichy 1981, Hommage au Salon d'Automne de Paris 1984, rétrospectives à Salon-de-Provence et à Lyon 1988.
Il a réalisé de nombreux décors et costumes de théâtre, notamment : 1942 *Ginevra* à l'Opéra-Comique de Paris, 1946 *Le Soldat et la sorcière* de Salacrou monté par Dullin au Théâtre Sarah-Bernhardt, 1952 ballet *Les Caprices de Cupidon* à l'Opéra, les *Indes Galantes* de Rameau à l'Opéra, 1954 *La Flûte enchantée* de Mozart également à l'Opéra, 1963 ballet *La Répétition* à l'Opéra de Cologne, 1972 *Les Femmes savantes* de Molière à la Comédie Française. Il a reçu le Grand Prix du Théâtre à la Biennale de São Paulo en 1962, pour ses décors et costumes du *Soldat et la sorcière* de Salacrou. Il avait aussi composé des cartons de quatre grandes tapisseries murales sur le thème des *Quatre Éléments* pour la Manufacture des Gobelins. Parmi ses illustrations : 1951 *L'Immoraliste* d'André Gide, 1960 *Les Entretiens sur la pluralité des mondes* de Fontenelle, *Les Mille et une Nuits*, *Le Cid* de Corneille, 1967 *Le Cardinal d'Espagne* et *La Guerre civile* d'Henri de Montherlant, ainsi que *Vitrines* de Ch. Vildrac, *La Fenêtre des Rouet* de G. Simenon, les *Œuvres complètes* d'André Gide. Il fut professeur à l'École des Beaux-Arts de Paris à partir de 1955. Il reçut le Prix de l'Île-de-France en 1952, le Prix de la Ville de Paris en 1955. Chevalier de Légion d'honneur, il était officier des Arts et Lettres.
Chapelain-Midy s'attache à faire une peinture lisible par tous, il s'est nettement prononcé contre ce qu'il considérait comme l'hermétisme formel des avant-gardes, professant que l'art du peintre doit être un langage communicable. Il prend cependant des libertés avec le réalisme jusqu'à atteindre souvent, et peut-être est-ce dans ses meilleurs moments, une formulation non éloignée du surréalisme. Au titre de l'aspect fantastique de son œuvre, l'exposition de 1992 de La Roche-sur-Yon, qu'il avait lui-même préparée peu avant sa mort, aura été révélatrice, ayant montré au long de sa carrière : 1968 *Florence au pays*

des merveilles*, où l'on voit de dos une petite fille, face à d'énormes coquillages et un œuf posés sur un plan horizontal, dans un paysage maritime, devant un soleil voilé, 1977 *La Jeune Veuve*, de deuil peu voilée de la tête au nombril et plus du tout en-dessous, 1978 *Les Sorcières* nues devant un crâne de bœuf, 1980 *Le Minotaure* au crâne de bœuf, dressé devant un paysage de ruines antiques que fuient deux vierges nues, 1980 *La Dictature* aux symboles quelque peu pesants, 1980 *Le Monde comme il va où*, désertique, défilent des mannequins de couturière, 1984 *L'Autre*, reflet dans un miroir d'une tête de mort devant l'absence de visage du mannequin qui s'y projette, 1989 *L'Infini*, nature morte à la manière des *Vanités* d'autrefois, dans laquelle sont disposés des objets symboliques devant un vaste firmament traversé d'étoiles filantes, thème repris, en diverses variantes dans plusieurs autres natures mortes : 1989 *Le Miroir vide*, 1989 *Le Cabinet italien*. C'est à son sujet que Cl. Hémon écrit : « En donnant aux objets, par des correspondances imprévues, une certaine intensité à la fois plastique et spirituelle, le peintre oriente ici la figuration vers une poétique teintée de surréalisme ».
Entre les deux guerres, il compta au nombre de ce vaste courant de peintres qui, profitant de l'ancien renom de l'École de Paris, et l'annexant à leur compte, contribuèrent à détourner l'attention du public de la profonde révolution des langages artistiques, feignant ignorer les conquêtes plastiques et spirituelles du fauvisme, du cubisme et ignorant réellement l'apparition, à travers l'Europe, de Kandinsky, Klee ou Mondrian. Toutefois, en raison de la part importante de son œuvre fondée sur une figuration-fantastique, le cas de Chapelain-Midy peut donner lieu à une révision d'un jugement hâtif et partiel.

■ Annie Pagès, Jacques Busse

Chapelain Midy [signature]

BIBLIOGR. : B. Champigneulle : *Chapelain-Midy*, La Colombe, Paris, 1943 – Jean-Albert Cartier : *Chapelain-Midy, Documents*, P. Cailler, Genève, 1955 – René Huyghe : *Chapelain-Midy et le monde intérieur*, Romanet, Paris, 1961 – B. Champigneulle : *Chapelain-Midy*, P. Cailler, Genève, 1965 – Magny-Furhange : *Chapelain-Midy*, Morancé, Paris, 1968 – Raymond Cogniat : *Chapelain-Midy et le théâtre*, Hazan, Paris, 1975 – divers : *Chapelain-Midy, le sens des choses*, P. de Tartas, Paris, 1979 – x : *Chapelain-Midy*, Bibliothèque des Arts, Paris, 1982 – divers : Catalogue de l'exposition *Hommage à Chapelain-Midy*, Hôtel du Département de la Vendée, La-Roche-sur-Yon, 1992.

MUSÉES : ALBI – ALGER – AMSTERDAM – ANGERS – BIRMINGHAM – BORDEAUX : *Le Retour des vendangeurs* – BOULOGNE-SUR-MER – BRUXELLES – BUENOS AIRES – LE CAIRE – CAMBRAI – DIJON – DREUX – ÉPINAL – FONTAINEBLEAU – LONDRES (Victoria and Albert Mus.) – LYON – LE MANS – MENTON – PARIS (Mus. Nat. d'Art Mod.) : *Nature morte aux vanneaux* 1932 – *Symphonie de l'été* 1936 – *Avant le bal* – PARIS (Mus. d'Art Mod. de la Ville) : *Le Raisin* – REMIREMENT – LA ROCHELLE : *Bateaux au sec* 1966 – RODEZ – ROUEN – SAINTES – SAINT-ÉTIENNE – SAN FRANCISCO – SÃO PAULO – SOFIA – LA TRONCHE – TUNIS – VENISE.

VENTES PUBLIQUES : PARIS, 20 juin 1944 : *Musiciens au bord de la Seine* : FRF 28 000 – PARIS, 16 juin 1955 : *Les Alpilles* : FRF 72 000 – PARIS, 5 jan. 1960 : *Grenades et Piments* : FRF 3 800 – PARIS, 21 mars 1963 : *Volendam* : FRF 4 100 – PARIS, 17 juin 1965 : *L'Assiette de fruits* : FRF 23 000 – PARIS, 1ᵉʳ déc. 1967 : *Les Bateaux de Nazaré* : FRF 10 600 – VERSAILLES, 6 déc. 1970 : *Les Pêches d'Italie* : FRF 5 600 – BERNE, 18 nov. 1972 : *Les Pavots* : CHF 6 000 – TOULOUSE, 15 mars 1976 : *L'Entrée du port de Saint-Martin de Ré*, h/t (73x92) : FRF 14 000 – ENGHIEN-LES-BAINS, 2 juin 1977 : *Nature morte au faisan* 1929, h/t (60x92) : FRF 6 000 – VERSAILLES, 12 mars 1978 : *Les Falaises de Douvres*, h/t (60x81) : FRF 10 000 – PARIS, 28 nov. 1979 : *Marée basse à l'île d'Yeu*, h/t (81x65) : FRF 16 000 – PARIS, 27 nov. 1980 : *Le carré rouge*, h/t (65x81) : FRF 16 000 – VERSAILLES, 18 juin 1981 : *Alice au Pays des Merveilles*, h/t (100x100) : FRF 25 000 – PARIS, 20 oct. 1982 : *Nature morte à l'ananas*, h/t (82x66) : FRF 15 500 – PARIS, 10 juil. 1983 : *Nature morte au héron*, h/t mar./pan. bombé (287x198) : FRF 105 000 – PARIS, 19 déc. 1984 : *Nature morte aux oranges sur la nappe rouge*, h/t (85x85) : FRF 22 000 – PARIS, 28 juin 1985 : *La Ramasseuse de pommes* 1949, h/t (60x81) : FRF 22 500 – BRUXELLES, 19 mars 1986 : *La coupe de fruits*, h/t (72x59) :

BEF 100 000 – Paris, 11 déc. 1987 : *Marée basse à La Flotte (Île de Ré)*, h/t (60x72,5) : **FRF 25 000** – Paris, 21 mars 1988 : *Le Rêve*, gche/pap. (50x70) : **FRF 12 000** – Paris, 28 avr. 1988 : *Le Plateau de cerises* 1956, h/t (80x65) : **FRF 28 000** – Paris, 24 avr. 1988 : *Jetée*, h/t (65,6x81) : **FRF 22 500** – Paris, 3 juin 1988 : *Paysage*, h/t (65x81) : **FRF 32 000** – Paris, 23 juin 1988 : *Le Plateau de cerises* 1956, h/t (81x65) : **FRF 56 000** – Paris, 24 juin 1988 : *Village en Normandie*, h/t (60x80) : **FRF 26 000** – Versailles, 23 oct. 1988 : *Les Poires* 1932, h/t (27x46) : **FRF 22 000** – Versailles, 18 déc. 1988 : *Bouquet de fleurs au guéridon noir*, h/t (81x60) : **FRF 40 000** – Paris, 19 déc. 1988 : *Nature morte aux fruits*, h/t (60x73) : **FRF 28 000** – Saint-Dié, 23 juil. 1989 : *Symphonie en rouge*, h/t (72x59) : **FRF 38 500** – Paris, 23 oct. 1989 : *Nature morte aux fruits, pêches, cerises et oranges*, h/t (33x55,5) : **FRF 61 000** – Paris, 13 déc. 1989 : *Nature morte aux cerises et aux coquillages*, h/t (54x65) : **FRF 56 000** – Paris, 24 jan. 1990 : *L'Île d'Yeu*, h/t (60x81) : **FRF 42 000** – Calais, 4 mars 1990 : *Fin de journée à Rivedoux*, h/t (60x81) : **FRF 65 000** – Paris, 11 mars 1990 : *Composition aux fruits* 1956, h/t (38x46) : **FRF 51 000** – Paris, 15 juin 1991 : *Nature morte aux fruits*, h/t (60x73) : **FRF 60 000** – Paris, 4 mars 1992 : *Vase de fleurs*, h/t (55x46) : **FRF 23 000** – Calais, 14 mars 1993 : *Baigneurs sur la plage*, h/t (54x65) : **FRF 8 500** – Londres, 23-24 mars 1994 : *Paysage du Midi*, h/t (65x80,5) : **GBP 10 925** – Paris, 15 juin 1994 : *Jeux de miroirs*, aquar. gchée (64x48,5) : **FRF 8 000** – Paris, 15 déc. 1994 : *La Plage*, h/t (65x81) : **FRF 17 000** – Lokeren, 11 mars 1995 : *Nature morte de fruits*, h/t (48x63) : **BEF 90 000** – Paris, 24 mai 1996 : *Les Dahlias simples*, h/t (92x60) : **FRF 13 500** – Paris, 24 nov. 1996 : *Venise, le quai des Esclavons près de l'Arsenal*, aquar. et gche/pap. (49x64) : **FRF 4 000** – Calais, 15 déc. 1996 : *Promenade près des rochers* 1944, h/t (27x46) : **FRF 9 000**.

CHAPELET Marie
Née à Pesmes (Haute-Saône). XIXᵉ siècle. Française.
Peintre d'histoire et de genre.
Élève de Mme Algrain. Elle débuta au Salon de 1877.

CHAPELET Roger
Né en 1902. XXᵉ siècle. Français.
Peintre de marines, peintre à la gouache.
Ventes Publiques : Grandville, 14 nov. 1982 : *Voilier en pêche au Groenland*, gche (54x39) : **FRF 5 500** – Paris, 6 déc. 1990 : *Ketch en fuite par gros temps*, h/t (46x61) : **FRF 16 000**.

CHAPELL Reuben. Voir **CHAPPELL Reuben**

CHAPELLE
Mort en 1773. XVIIIᵉ siècle. Français.
Céramiste.
Il fut entrepreneur de la Manufacture de faïence japonnée de Sceaux.

CHAPELLE Carlo
Né en 1949. XXᵉ siècle. Belge.
Peintre, dessinateur, aquarelliste et graveur de paysages.
Il aime peindre des cieux tourmentés et de vastes horizons.

CHAPELLE Dominique
Née en 1941. XXᵉ siècle. Française.
Peintre de paysages animés. Postimpressionniste.
Elle fut élève de Grau Sala. Elle traite parfois des sujets du monde des champs de course.

Ventes Publiques : Paris, 23 oct. 1987 : *Femme au bouquet rouge*, h/t (65x50) : **FRF 4 800** – Paris, 16 mai 1988 : *Le pays d'Auge*, h/t (65x54) : **FRF 3 500** – Paris, 3 mars 1989 : *Un dimanche aux courses*, h/t (54x65) : **FRF 5 000** – Reims, 22 oct. 1989 : *Coquelicots en Bretagne*, h/t (27x22) : **FRF 1 900** – Paris, 20 fév. 1990 : *Soirée panthère*, h/t (65x54) : **FRF 8 000** – Paris, 22 nov. 1990 : *Paysage*, h/pan. (46,5x55) : **FRF 12 500** – Paris, 17 mars 1991 : *Bouquet au vase blanc*, h/t (65x50) : **FRF 3 500**.

CHAPELLE François
XVᵉ siècle. Actif à Besançon entre 1417 et 1456. Français.
Peintre verrier.

CHAPELLE François
XVIIIᵉ siècle. Actif dans la seconde moitié du XVIIIᵉ siècle. Français.

Peintre.
Travailla pour la Manufacture de tapisseries d'Aubusson.

CHAPELLE Jean Herbert
Né à Paris. XXᵉ siècle. Français.
Sculpteur.
Élève de Pouhlan et Géo Lefèvre. Exposant du Salon des Artistes Français.

CHAPELLE Louis
XVIIIᵉ siècle. Français.
Peintre.
Il fut reçu à l'Académie de Saint-Luc à Paris en 1761.

CHAPELLE Suzanne J.
XXᵉ siècle. Française.
Peintre de compositions à personnages, intérieurs, natures mortes. Post-cubiste, puis abstrait.
Elle participe à de nombreuses expositions collectives, d'entre lesquelles, à Paris, les Salons de la Jeune Peinture dont elle fut présidente, des Femmes Peintres et Sculpteurs dont elle fut secrétaire générale puis vice-présidente. Elle fut sélectionnée pour le Prix de la Critique en 1960. Elle a obtenu de nombreuses distinctions.
Ses premières peintures datent du début des années quarante. Elle peignait alors des sujets traditionnels : femmes et fillettes dans des intérieurs, natures mortes, marqués d'une facture post-cubiste, rappelant parfois la manière de Georges Braque. Elle évolua radicalement à l'abstraction après 1963, dont elle explore les diverses options, avec des peintures, graphiques et plus souvent matiéristes, dont certaines peuvent évoquer des cités de buildings, des mouvements de vagues, d'autres ressortissant à l'abstraction géométrique, d'autres encore au tachisme.
Bibliogr. : Catalogue de la vente *Suzanne Chapelle*, Paris, 14 mai 1990.
Ventes Publiques : Paris, 14 mai 1990 : *Maternité*, h/t (200x155) : **FRF 19 000** ; *L'enfant au tub*, h/t (200x155) : **FRF 16 000** ; *La brocanteuse*, h/t (195x130) : **FRF 12 000** – Paris, 8 avr. 1991 : *Le contrôleur*, h/t (120x125) : **FRF 6 800** ; *Retour de pêche*, h/t (190x150) : **FRF 8 000**.

CHAPELLIER José
Né en 1946 à Chênée-Liège. XXᵉ siècle. Belge.
Peintre de sujets allégoriques, scènes de genre, nus, intérieurs, sculpteur.
Élève à l'Académie des Beaux-Arts de Liège, il a travaillé sous la direction de R. Julien, P. Renott, puis à partir de 1983, de Slabbinck. Il a reçu le Prix de la Province de Brabant en 1974 et celui de Blois (France) en 1984. Son art dépouillé montre un goût des couleurs franches cernées de noir.

CHAPEIIIÉR

Bibliogr. : In : *Diction. biogr. illustré des Artistes en Belgique depuis 1830*, Arto, 1987.

CHAPERON Émile
Né le 17 mars 1868. XXᵉ siècle. Français.
Peintre décorateur.
Fils de Philippe Marie Émile Chaperon auquel il succéda dans sa fonction de décorateur de théâtre à l'Opéra, à la Comédie Française et à l'Odéon. Il a exposé au Salon des Artistes Français, dont il est devenu sociétaire, prenant part aux Salons d'Hiver et des Artistes Indépendants à Paris. En dehors de ses décors de théâtre, il a peint des intérieurs d'église.
Ventes Publiques : Paris, 18 juin 1980 : *L'église Saint-Étienne-du-Mont et la montagne Sainte-Geneviève*, h/t (50x61) : **FRF 15 000**.

CHAPERON Eugène
Né le 7 février 1857 à Paris. XIXᵉ siècle. Français.
Peintre de genre, dessinateur, illustrateur.
Fils de Philippe Marie Émile Chaperon. Élève de Pils et Detaille à l'École des Beaux-Arts (1875-1878). Expose depuis 1878.
Principales œuvres : *À l'Aube* (1880), *En batterie* (1881, Musée d'Avranches), *Waterloo* (1882), *Le Convoi d'un mobile* (1884, mention honorable), *La Répétition* (1885), *La Douche au régiment* (troisième médaille, 1887, et troisième médaille, Exposition Universelle de 1889), *Longue Étape* (1891), *La Critique des grandes manœuvres* (1892), *Le Général de Galiffet aux manœuvres de l'Est* (1895), *Masséna à la bataille de Wagram* (1894), *Le Général Macard* (1895). A illustré : *Le Soldat* (Quentin), *Soldats de France*

(Lemerre), *Victor Hugo* (Testard), *Les Chants du Soldat*, de P. Déroulède, *La Légende de l'Aigle*, de G. d'Esparbès. A collaboré aux principaux journaux illustrés. Chevalier de la Légion d'honneur.

MUSÉES : AVRANCHES : *En batterie* 1881.

VENTES PUBLIQUES : PARIS, 1895 : *Le char de la Concorde et de la Paix*, dess. : **FRF 26** – PARIS, 1898 : *La voiture de la cantinière*, dess. : **FRF 145** ; *En congé*, dess. : **FRF 120** – PARIS, 7 nov. 1977 : *L'Arrivée de la diligence* 1930, h/t (87x115) : **FRF 9 600** – NEW YORK, 19 oct. 1984 : *La douche au régiment* 1887, h/t (113x161) : **USD 60 000** – VERSAILLES, 24 fév. 1985 : *Travaux dans la cour de la caserne*, h/t (37,5x55) : **FRF 5 600** – LONDRES, 7 fév. 1986 : *Le départ du soldat* 1889, h/t (104x74,2) : **GBP 1 200** – NEW YORK, 28 mai 1992 : *Fête de la Garde Nationale le 28 juillet 1835, le défilé des troupes* 1927, h/t (72,4x100,3) : **USD 3 300** – NEW YORK, 29 oct. 1992 : *Les trophées glorieux* 1903, h/t (73,7x91,4) : **USD 18 700** – NEW YORK, 26 mai 1993 : *La douche au régiment* 1887, h/t (113x161,3) : **USD 51 750** – PARIS, 27 mai 1994 : *Le 2ème peloton* 1908, h/t (86x111) : **FRF 16 000** – NEW YORK, 26 mai 1994 : *Courage* 1898, h/t (168,3x146,1) : **USD 17 250**.

CHAPERON F. J. ou Chapron
XVIIe siècle. Actif dans la seconde moitié du XVIIe siècle. Français.
Dessinateur.

CHAPERON Jean
Né dans les dernières années du XIXe siècle à Paris. XIXe siècle. Français.
Peintre et dessinateur.
Il fut tout d'abord humoriste.

CHAPERON Jehan
XVIe siècle. Actif à Tours en 1502. Français.
Peintre.

CHAPERON Nicolas. Voir CHAPRON

CHAPERON Philippe Marie Émile
Né le 2 février 1823 à Paris. Mort en 1907 à Paris. XIXe-XXe siècles. Français.
Peintre d'intérieurs, paysages, décors de théâtre, aquarelliste.
Peintre décorateur de l'Opéra, il a exécuté la plupart des décors des théâtres subventionnés, sans compter les principaux théâtres de France et d'étranger et les Expositions Universelles. Il a peint d'après nature des aquarelles dont quelques-unes sont conservées au Musée de l'Opéra. Père d'Eugène Chaperon et d'Émile Chaperon, qui lui succéda.

MUSÉES : PARIS (Mus. de l'Opéra).

VENTES PUBLIQUES : PARIS, 1895 : *Intérieur de Notre-Dame de Paris* : **FRF 190** – PARIS, 25 nov. 1921 : *Décor du IV acte d'Aïda*, aquar. gchée : **FRF 50** – PARIS, 16 fév. 1927 : *Les gorges du Dnieper*, aquar. : **FRF 100** – PARIS, 14 mars 1931 : *Le quai aux fleurs* ; la *Tour de l'Horloge*, aquar. : **FRF 65** ; *Décor pour Roméo et Juliette*, gche : **FRF 130** ; *Chateldon (Puy-de-Dôme)* ; *Une rue à Angers* ; *Vieille rue à Vichy*, trois dessins : **FRF 75** ; *Intérieur d'église*, gche : **FRF 155** – PARIS, 7 juil. 1982 : *Vue d'intérieur*, h/t (36x45) : **FRF 3 100** – PARIS, 29 juin 1984 : *Maquette de décor pour l'Opéra de Paris* 1889, aquar. (20,5x30,8) : **FRF 8 200**.

CHAPIN Bryant
Né en 1859. Mort en 1927. XIXe-XXe siècles. Américain.
Peintre de portraits, paysages, natures mortes de fruits.
il fut élève de l'École de peinture de Fall River (Massachusetts). Il poursuivit un demi-siècle de tradition de fastueuses natures mortes. Il aborda également la peinture de paysages et de portraits.

VENTES PUBLIQUES : WASHINGTON D. C., 18 sep. 1976 : *Nature morte aux pommes*, h/t (25,5x33) : **USD 425** – CHICAGO, 4 juin 1981 : *Nature morte aux fruits*, h/t (28x38) : **USD 1 500** – NEW YORK, 4 avr. 1984 : *Pêches*, h/t (25,3x35) : **USD 1 250** – BOLTON, 15 mai 1986 : *Nature morte aux fruits*, h/t (22,8x33) : **USD 1 100** – NEW YORK, 14 sep. 1995 : *Panier de pommes* 1907, h/t (66x97,2) : **USD 18 400** – NEW YORK, 26 sep. 1996 : *Nature morte aux fruits* 1897, h/t (27,9x38,1) : **USD 8 050**.

CHAPIN Cornelia
Née à Waterford (Connecticut). XXe siècle. Américaine.
Sculpteur.
Sociétaire du Salon d'Automne, depuis 1935, elle y a exposé des animaux, notamment : *Éléphant* et *Ourson*.

CHAPIN Francis
Né aux États-Unis. XXe siècle. Américain.

Peintre.
En 1928, il exposait au Salon d'Automne : *Cheval sur le boulevard Montparnasse, Un homme retourne à Roscoff*.

CHAPIN James Ormsbee
Né en 1887. Mort en 1975. XXe siècle. Américain.
Peintre de compositions animées, paysages animés, paysages urbains, paysages.
Élève de J. de Vriendt à l'Académie Royale d'Anvers, il reçut un prix à la Carnegie International Exhibition en 1930. Il exposa également au Worcester Art Museum en 1933.
Il peint des sujets très divers, dans un style réaliste de constat, « froid », représentatif d'un courant important dans la peinture américaine de cette époque, courant qui s'opposait aux avant-gardes européennes et se donnait pour objectif de rendre compte de la spécificité de la vie américaine dans tous ses aspects.

VENTES PUBLIQUES : LOS ANGELES, 9 mars 1977 : *Le concert de blues* 1939, h/t (53,3x89) : **USD 1 300** – NEW YORK, 5 déc. 1980 : *Le moissonneur* 1928 (83,8x81,5) : **USD 4 000** – NEW YORK, déc. 1982 : *Time for a drink* 1927, h/t (86,5x81,3) : **USD 6 000** – NEW YORK, 24 sep. 1992 : *Les musiciens* 1923, aquar./pap. (33,7x24,1) : **USD 4 950** – NEW YORK, 28 sep. 1995 : *Le gagnant et son manager* 1930, h/t (53,7x48,6) : **USD 4 370**.

CHAPIN Jean
Né le 21 février 1896 à Paris. XXe siècle. Français.
Peintre de nus, portraits, paysages, marines.
Mis en apprentissage dans l'ameublement, à l'École Boulle, il fréquenta de manière occasionnelle l'Académie de la Grande Chaumière, mais n'y trouva pas de maître. Ses premières toiles datent de 1913, puis sa carrière fut interrompue par la guerre de 1914-18. Il a participé au Salon des Artistes Indépendants, dont il est élu sociétaire en 1919, tandis qu'il est sociétaire du Salon d'Automne en 1921 et associé au Salon de la Société Nationale des Beaux-Arts en 1942. Il a également exposé au Salon des Tuileries et au Salon de la Marine à Paris. Il a régulièrement exposé à Paris, de 1926 à 1955, et, après s'être retiré, a de nouveau montré ses toiles en 1972.
Ses peintures, notamment ses marines, sont peintes avec vigueur, utilisant peu de couleurs, et sachant rendre la rudesse de la mer, la lumière filtrée à travers les nuages et la mélancolie des sites.

VENTES PUBLIQUES : PARIS, 27 avr. 1992 : *Bretonnes sur la grève*, h/pan. (60x73) : **FRF 3 500**.

CHAPIN John R.
Né le 2 janvier 1823 à Providence (Rhode Island). XIXe siècle. Américain.
Peintre et illustrateur.
Élève de Samuel F. B. Morse. Fondateur et premier directeur de la rubrique artistique de la revue *Harpers Magazine* à New York. D'après Florence Lévy, il se spécialisa dans les sujets militaires.

CHAPIN William
Né en 1802 à Philadelphie. Mort en 1888 à Philadelphie. XIXe siècle. Américain.
Graveur.

CHAPIRO Jacques
Né le 16 juin 1823 à Dvinsk. Mort en 1972. XXe siècle. Depuis 1925 actif en France. Russe.
Peintre de figures, paysages, natures mortes, intérieurs, décorateur.
Fils d'un sculpteur sur bois, il commence son éducation artistique dès l'âge de dix ans. Il entre à l'École des Beaux-Arts de Kharkov en 1915 et à l'Académie des Beaux-Arts de Kiev en 1918. En 1919, il dirige deux écoles de peinture à Dniepropetrovic, exécutant des peintures murales pour l'État. En 1920, il dirige l'école des enfants, tout en poursuivant ses études à l'Académie des Beaux-Arts de Leningrad. En 1921, il exécute des décors constructifs pour le théâtre Meyerhold à Moscou, où il expose également dans des groupes. Installé à Paris depuis 1925, il expose régulièrement, dès 1926, aux Salon d'Automne, des Artistes Indépendants, des Tuileries et des Surindépendants.
Il suggère plus qu'il ne décrit ses scènes, vues, natures mortes, dans un style fougueux.

BIBLIOGR. : Gérald Schurr, in : *Les Petits Maîtres de la peinture 1820-1920, valeur de demain*, Les Éditions de l'Amateur, t. IV, Paris, 1979.

MUSÉES : CHICAGO : *Femme à table* – *Intérieur* – MOSCOU : *Scène mythologique*, fresque – PARIS : *Les bleuets*.

VENTES PUBLIQUES : PARIS, 7 juil. 1932 : *Nature morte* : **FRF 20** – PARIS, 13 juil. 1942 : *Les vieilles maisons* : **FRF 1 250** ; *Péniches amarrées* : **FRF 1 800** – VERSAILLES, 27 juin 1982 : *La table servie* 1929, h/t (73x60) : **FRF 4 500** – ZURICH, 29 août 1984 : *Vue de la fenêtre*, h/t (73x54) : **CHF 5 000** – TEL-AVIV, 17 juin 1985 : *L'atelier* 1938, gche (57x44,5) : **ILS 850 000** – PARIS, 6 avr. 1987 : *Femme à sa toilette*, h/t (73x60) : **FRF 9 500** – PARIS, 20 mars 1988 : *Les bords de Seine*, h/t (22x27) : **FRF 10 500** – PARIS, 16 mai 1988 : *Femme peignant à son chevalet*, h/t (41x33) : **FRF 4 000** – PARIS, 1er juil. 1988 : *Le Crestet dans le Vaucluse* 1942, h/t (47x55) : **FRF 3 400** – PARIS, 3 mars 1989 : *Nature morte aux fleurs* 1937, h/pap. mar./t. (55x47) : **FRF 5 500** – TEL-AVIV, 3 jan. 1990 : *Sentier à travers bois*, h/cart. (48x59) : **USD 1 320** – PARIS, 14 mars 1990 : *Nature morte au poisson*, h/t (54x74) : **FRF 7 000** – PARIS, 8 avr. 1990 : *Nature morte aux fruits*, h/t (46x55) : **FRF 30 000** – TEL-AVIV, 20 juin 1990 : *Femme assise à table*, h/t (81x65) : **USD 9 900** – PARIS, 14 jan. 1991 : *L'intérieur au bouquet* 1947, h/t (92x65) : **FRF 16 000** – PARIS, 12 fév. 1992 : *Paysage du midi* 1945, h/t (50x73) : **FRF 6 000** – PARIS, 17 mai 1992 : *Portrait de femme* 1937, h/t (64x49) : **FRF 16 000** – TEL-AVIV, 20 oct. 1992 : *Fillette tenant une poupée*, h/t (73,2x60) : **USD 5 500** – PARIS, 4 avr. 1993 : *La crèche, jeux d'enfants* 1947, h/t (73x60) : **FRF 17 500** – PARIS, 13 oct. 1995 : *Nature morte* 1925, h/t (65x81) : **FRF 8 000** – PARIS, 17 avr. 1996 : *L'inspiration du peintre*, gche et collage (87x57) : **FRF 5 600** ; *Le Printemps*, h/t (130x162) : **FRF 12 000** – TEL-AVIV, 7 oct. 1996 : *Céret* 1938, h/t (54,5x72,5) : **USD 5 175**.

CHAPKAROFF Stilyan
Né à Sofia. XXe siècle. Bulgare.
Peintre de scènes de genre, natures mortes, paysages.
Il a exposé au Salon des Artistes Indépendants à Paris, de 1931 à 1943.

CHAPLAIN Jules Clément
Né le 12 juillet 1839 à Mortagne. Mort le 13 juillet 1909 à Paris. XIXe-XXe siècles. Français.
Sculpteur de bustes, graveur en médailles, dessinateur, lithographe.
Cet artiste est surtout connu comme graveur en médailles. Mais on lui doit cependant quelques bustes remarquables.
Élève de Jouffroy et d'Oudiné, il remporta le prix de Rome en 1863. Il fut décoré de la Légion d'honneur en 1877, promu officier en 1888 et commandeur en 1900.
Graveur d'estampes de valeur, il fut membre du jury de gravure et lithographie à l'Exposition Universelle de 1900. Membre de l'Académie des Beaux-Arts depuis 1881, il mourut en son domicile de l'Institut.
VENTES PUBLIQUES : NEW YORK, 26 oct. 1990 : *Portrait de Madame Vallet* 1881, cr. et craie/pap. (48,3x38,1) : **USD 1 650**.

CHAPLEAU Eugène Jean Alexandre
Né le 20 octobre 1882 à Paimbœuf (Loire-Atlantique). XXe siècle. Français.
Peintre d'histoire, portraits, fresquiste. Postimpressionniste à tendance fauve.
Au Salon de la Société Nationale des Beaux-Arts de Paris, il a présenté, entre 1913 et 1924, des sujets religieux et mythologiques. Il est également peintre de portraits et a pratiqué la fresque. Son style a été influencé à la fois par un postimpressionnisme et un fauvisme tardifs.

CHAPLET Ernest
Né en 1835 à Paris. Mort en 1909 à Choisy-le-Roy. XIXe-XXe siècles. Français.
Céramiste.
Ami de Paul Gauguin, il cuisina dans son propre four une poterie du maître de Tahiti : *Oviri* et, les portes du Salon demeurant fermées à Gauguin, il exposa dans sa propre vitrine. Le nom de Gauguin ne figurait pas au catalogue : sur la terre cuite c'était trop encore. Sommé d'enlever *Oviri*, Chaplet menaça de retirer toute sa vitrine, imposant ainsi, plus ou moins, chez les officiels son ami « artiste maudit ».

CHAPLIN Alice Mary
XIXe siècle. Active à Londres. Britannique.
Sculpteur animalier, aquarelliste.
Elle exposa à Londres, à partir de 1877 à la Royal Academy, à la New Water-Colours Society, aux Grafton et New Galleries, etc.
VENTES PUBLIQUES : LONDRES, 7 nov. 1985 : *Trois chiens vers* 1882, bronze, patine brune (H. 31) : **GBP 3 600**.

CHAPLIN Arthur
Né en 1869 à Jouy-en-Josas (Yvelines). Mort en 1935. XIXe-XXe siècles. Français.

Peintre de portraits, fleurs.
Fils du peintre Charles Chaplin, il fut élève de Bonnat et de Bernier. Dès 1899, il a exposé au Salon des Artistes Français à Paris, obtenant une mention honorable en 1903 et une médaille de troisième classe en 1904.
Il a tout d'abord peint des œuvres décoratives, puis, après un voyage en Hollande en 1898, il s'est consacré à la peinture de fleurs. Il a également peint des portraits.
VENTES PUBLIQUES : NEW YORK, 11 déc. 1930 : *Fleurs* 1913 : **USD 125** – NEW YORK, 29 sep. 1972 : *Nature morte aux roses* : **USD 3 700** – ZURICH, 26 mai 1978 : *Nature morte aux fleurs* 1920, h/pan. (35x26,5) : **CHF 4 500** – LONDRES, 25 jan. 1980 : *Bord de rivière fleuri*, h/pan. (17,8x22,8) : **GBP 680** – NEW YORK, 28 oct. 1981 : *Fleurs et insectes dans un vase sur un entablement* 1901, h/pan. (40x31,1) : **FRF 6 000** – VERSAILLES, 24 avr. 1983 : *Vases de fleurs sur un entablement*, gche (67x57) : **FRF 5 100** – PARIS, 24 avr. 1985 : *Fleurs dans une vasque*, aquar. (71x52) : **FRF 8 000** – LONDRES, 19 juin 1989 : *Nature morte aux fleurs d'été*, gche (72x55) : **GBP 3 000** – NEW YORK, 15 fév. 1994 : *Roses, œillets et fleurs sauvages dans une corbeille sur un entablement de marbre* 1906, h/pan. (29,9x34,9) : **USD 25 300**.

CHAPLIN Charles
Né le 8 juin 1825 aux Andelys (Eure). Mort le 20 janvier 1891 à Paris. XIXe siècle. Français.
Peintre de scènes allégoriques, scènes de genre, figures, portraits, aquarelliste, graveur, dessinateur.
Ce charmant artiste, qui peignit la femme jeune avec autant de grâce et plus de vérité que François Boucher, était fils d'un Anglais, marié à une Française. Il ne se fit naturaliser français, du reste, qu'en 1886. Élève de Drolling, il débuta comme peintre de portraits et de paysages. Ses premiers ouvrages marquèrent une nature puissante et forte guidée par un grand souci de réalisme. Mais il ne tarda pas à modifier sa forme pour le genre gracieux qui fit sa réputation. Son dessin a la force et la souplesse, son coloris est brillant et délicat. Sa qualité d'étranger l'empêcha d'obtenir le prix de Rome. Cependant le jury lui décernait une troisième médaille en 1851, une de deuxième classe l'année suivante, une de première classe en 1865. Chevalier de la Légion d'honneur en 1879, officier en 1881.
Rappeler les œuvres de Chaplin nous entraînerait trop loin ; un grand nombre furent populaires. Indépendamment de ses tableaux de chevalet, il exécuta diverses décorations, notamment le plafond et les dessus de portes du Salon des Fleurs, aux Tuileries, et un grand panneau : *Un rêve*, pour le prince Demidoff. Chaplin, comme graveur, n'est pas moins intéressant ; sa pointe est franche, souple, puissante. La plupart de ses eaux-fortes sont originales ; il a cependant fait quelques reproductions d'après Rembrandt, Decamp et Leleux.

MUSÉES : BAYEUX : *Une rue d'Auvergne* – BAYONNE (Bonnat) : *Figure représentant la Nuit* – BORDEAUX : *L'Appel dans les bruyères* – BOURGES : *Saint Célestin, pape* – LONDRES (Victoria and Albert Museum) : *La Pêche* – *Roses de Mai* – MULHOUSE : *Jeune Fille*, aquar. – *Jeune Fille*, dess. – *Primavera* – *Dame en rose* – *Petite Fille en prière* – *Baigneuse* – REIMS : *Femme assise* – ROUEN : *La Partie de loto* – SAINTES : *Étude pour un portrait*, aquar.
VENTES PUBLIQUES : PARIS, 1858 : *Le Moulin* : **FRF 80** – PARIS, 1860 : *Une jeune fille de ferme* : **FRF 245** – PARIS, 1877 : *Jeune fille regardant un nid d'oiseaux* : **FRF 2 800** ; *Une première* : **FRF 2 780** – PARIS, 1879 : *Jeune Fille aux tourterelles* : **FRF 5 000** ; *Jeune fille pinçant de la guitare* : **FRF 3 600** – PARIS, 9 fév. 1881 : *La Partie de loto* : **FRF 4 000** – LONDRES, 1883 : *Les Premières Roses* : **FRF 8 400** – PARIS, 1886 : *La Nuit* : **FRF 8 000** – PARIS, 1891 : *Dans les rêves* : **FRF 25 000** ; *L'Âge d'or* : **FRF 16 500** ; *Les Lilas* : **FRF 15 000** – NEW YORK, 1895 : *Jeune Fille et Pigeons* : **FRF 2 600** – PARIS, 1897 : *Rêverie* : **FRF 4 500** – PARIS, 1900 : *La Partie de loto* : **FRF 5 600** – PARIS, 7 mai 1901 : *La Toilette* : **FRF 6 700** – NEW YORK, 10 fév. 1903 : *Le Baigneur* : **USD 200** – LONDRES, 3 avr. 1909 : *Réflexion* ; *Soupçons* : **GBP 79** – PARIS, 11 avr. 1910 : *Baigneuses* : **FRF 1 050** – PARIS, 20 nov. 1918 : *La Beauté enlevée par les Amours* : **FRF 1 500** – PARIS, 2 déc. 1918 :

La Jeune Fille aux roses pâles : FRF 7 500 – PARIS, 4-5 déc. 1918 : *Coquetterie* : FRF 5 800 – PARIS, 3 fév. 1919 : *L'Étoile* : FRF 19 500 – PARIS, 16 mai 1919 : *Roses dans un vase* : FRF 43 200 – PARIS, 20 mai 1921 : *Jeune Femme endormie* : FRF 13 100 – PARIS, 26 avr. 1922 : *L'Étoile du matin* : FRF 14 500 – PARIS, 1er juin 1922 : *Voluptueuse*, aquar. : FRF 2 950 ; *La Peinture*, aquar. en forme d'éventail/peau : FRF 1 080 ; *Les Tourterelles*, gche : FRF 1 700 ; *Rêverie* : FRF 3 000 ; *La Jeune Aquarelliste* : FRF 1 605 ; *Buste de jeune femme* : FRF 4 150 ; *Le Sommeil* : FRF 7 100 ; *Jeune Fille blonde* : FRF 10 200 ; *Indolence* : FRF 6 900 ; *Jeune Femme en buste* : FRF 7 400 – PARIS, 7 déc. 1922 : *Innocence*, aquar. : FRF 3 200 – PARIS, 17-18 juin 1927 : *La Lecture* : FRF 12 600 – PARIS, 29 juin 1927 : *Soubrette lisant*, aquar. : FRF 335 – PARIS, 7 nov. 1927 : *Les Petits Mendiants* : FRF 3 000 – PARIS, 21 jan. 1928 : *La Cigale* : FRF 10 700 – PARIS, 26 juin 1928 : *La Leçon de lecture*, aquar. : FRF 1 750 – LONDRES, 6 juil. 1928 : *Dame jouant de la guitare* : GBP 105 ; *Dimanche matin* : GBP 110 – PARIS, 8 nov. 1928 : *Jeune Femme au tambourin*, aquar. : FRF 3 500 – PARIS, 24 mai 1929 : *La Poésie* ; *Le Chant*, deux toiles : FRF 19 100 ; *Femme nue étendue sur un lit* : FRF 6 300 – PARIS, 17 mai 1930 : *La Femme au ruban noir*, aquar. : FRF 2 000 – PARIS, 17 mai 1930 : *La Leçon de lecture* : FRF 9 000 ; *La Jeune Fille aux colombes* : FRF 12 000 – NEW YORK, 11 déc. 1930 : *Le matin*, sanguine : USD 60 – PARIS, 11-12 mai 1931 : *Frère et Sœur* : FRF 22 000 – LONDRES, 24 juil. 1931 : *Rêverie* : GBP 46 – PARIS, 12 fév. 1932 : *Les Roses* : FRF 14 500 – NEW YORK, 23 nov. 1934 : *Préparatifs pour le bain* : USD 80 – PARIS, 5 déc. 1936 : *Divertissement champêtre* : FRF 1 500 – PARIS, 16-17 mai 1939 : *Jeune Fille à la colombe* : FRF 6 450 ; *Sylphide aux Amours* : FRF 2 000 ; *Rêverie*, aquar. : FRF 2 220 – PARIS, 23 mai 1941 : *La Lettre* : FRF 9 000 – PARIS, 8 déc. 1941 : *Trois Amours*, composition pour une décoration : FRF 3 550 ; *Flore* : FRF 2 900 – PARIS, 15 déc. 1941 : *Rêveuse* : FRF 35 000 ; *Dormeuse* : FRF 10 000 – NEW YORK, 5 oct. 1943 : *Nu* : USD 300 – PARIS, 13-14 déc. 1943 : *L'Oiseau s'envole*, aquar. gchée : FRF 7 000 – PARIS, 17 mai 1944 : *La Baigneuse* : FRF 75 100 – NEW YORK, 22 nov. 1944 : *La Jeune Fille aux colombes* : USD 650 ; *La Leçon de lecture* : USD 950 – PARIS, 28 mars 1949 : *Le Rêve* : FRF 110 500 – PARIS, le 2 déc. 1954 : *La Jeune Fille aux fleurs* : FRF 210 000 – PARIS, 8 avr. 1959 : *La Lettre* : FRF 200 000 – PARIS, 12 déc. 1962 : *Rêverie* : FRF 5 800 – PARIS, 6 fév. 1967 : *Les Boutons de rose* : FRF 7 800 – NEW YORK, 31 oct. 1968 : *Allégorie à l'Architecture* : USD 1 300 – ZURICH, 5 mai 1972 : *Portrait de femme 1874* : CHF 7 600 – LONDRES, 7 mai 1976 : *Jeune femme dans son boudoir*, h/t (20x10,5) : GBP 600 – VERSAILLES, 17 mars 1977 : *Jeune Femme*, aquar. (38x28) : FRF 830 – MILAN, 20 déc. 1977 : *Portrait de jeune fille*, h/t (35x27,5) : ITL 2 200 000 – NEW YORK, 2 mai 1979 : *Nu endormi*, h/t (44,5x59) : USD 3 200 – VERSAILLES, 14 oct. 1979 : *Jeune femme blonde au chat*, past. (79x57) : FRF 5 200 – NEW YORK, 11 fév. 1981 : *La punition de Cupidon*, h/t (166x117) : USD 21 000 – LONDRES, 22 nov. 1983 : *Doux rêves 1886*, h/t (79x140) : GBP 23 000 – ZURICH, 9 nov. 1984 : *Portrait de jeune femme*, gche (38x31) : CHF 2 600 – NEW YORK, 23 mai 1985 : *Les joueurs de loto*, h/t (66x54,5) : USD 19 000 – MONTE-CARLO, 22 fév. 1986 : *Jeune fille aux yeux baissés 1876*, aquar. (22,7x16,8) : FRF 8 500 – LONDRES, 26 fév. 1988 : *Jolie française*, h/t (72x45) : GBP 1 320 – CALAIS, 28 fév. 1988 : *Jeune femme au buste voilé*, h/t (65x54) : FRF 52 000 – PARIS, 5 mai 1988 : *Buste de jeune femme*, past. (32x27) : FRF 3 000 – PARIS, 6 juin 1988 : *Ronde d'Amours 1876*, h/t (50x142) : FRF 5 500 – PARIS, 14 juin 1988 : *Jeune femme au bouquet de fleurs 1854*, h/t (27,5x21,5) : FRF 24 000 – STOCKHOLM, 15 nov. 1988 : *Amours dans les nuées*, h/t (55x46) : SEK 9 000 – NEW YORK, 24 oct. 1989 : *Après le bal masqué*, h/t (80x47,7) : USD 71 500 – PARIS, 21 mars 1990 : *Jeux d'enfants*, h/t (18,5x15,5) : FRF 39 000 – LONDRES, 30 mars 1990 : *L'Extase 1873*, h/t (73x51) : GBP 7 700 – BERNE, 12 mai 1990 : *Nu féminin*, h/pan. (27,5x19,5) : CHF 2 700 – ROME, 29 mai 1990 : *Allégorie de la Gloire, femme et putto sur les nuages*, h/pan. (18x24) : ITL 2 990 000 – LONDRES, 6 juin 1990 : *Rêverie*, h/t (67,5x49,5) : GBP 4 950 – NEW YORK, 19 juil. 1990 : *Déesse et putti*, h/t (15,2x22,4) : USD 1 430 – AMSTERDAM, 6 nov. 1990 : *La lettre*, h/t (41,5x25) : NLG 13 800 – LONDRES, 28 nov. 1990 : *Fillette avec un chat*, h/t (72x50) : GBP 9 350 – PARIS, 30 jan. 1991 : *Allégorie du Sommeil*, h/t (88,5x83,5) : FRF 50 000 – NEW YORK, 28 fév. 1991 : *La Lettre*, h/t (42,5x26,6) : USD 13 200 – MONACO, 6 déc. 1991 : *Scène allégorique*, h/t (80,5x66,5) : FRF 38 850 – NEW YORK, 27 mai 1992 : *Personnification des Sciences*, h/t (101,6x126) : USD 22 000 – LONDRES, 17 juin 1992 : *Portrait de la marquise de la Rochefortenilles 1888*, h/t (72,5x49,5) : GBP 4 400

– NEW YORK, 29 oct. 1992 : *Femme aux oiseaux*, h/t (47x29,5) : USD 11 550 – NEW YORK, 16 fév. 1993 : *Nu endormi*, h/t (27,4x47) : USD 4 620 – PARIS, 25 mars 1993 : *Amours jardiniers*, h/t (18x39) : FRF 3 200 – NEW YORK, 12 oct. 1994 : *Le Château de cartes*, h/t (130,2x97,2) : USD 222 500 – LONDRES, 12 juin 1996 : *Allégorie du Printemps : deux jeunes filles et un putto tressant des fleurs*, h/t (42,5x42,5) : GBP 1 955 – PARIS, 29 nov. 1996 : *Nu endormi après le bal*, h/pan. (31x49) : USD 14 500 – NEW YORK, 12 fév. 1997 : *Jeune fille caressant un chat*, h/t (80,7x54) : USD 24 150 – LONDRES, 12 juin 1997 : *Portrait d'une dame élégante, assise de trois quarts, portant une robe blanche en satin 1890*, h/t (106,7x74,2) : GBP 9 200.

CHAPLIN Christine, plus tard Mrs Brush
Née en 1842 à Bangor (Maine). XIXe siècle. Américaine.
Peintre de fleurs et fruits, aquarelliste.
Elle vécut quelque temps en Europe et fut élève de Charles Chaplin et d'Harpignies à Paris, de Bomford à Londres. Elle résida à partir de 1878 à Boston ; exposa à New York et au Boston Art Club, à Boston.
VENTES PUBLIQUES : NEW YORK, 18 déc. 1991 : *Pommes 1885*, aquar./pap. (35,6x25,4) : USD 495.

CHAPLIN Élisabeth
Née à Fontainebleau (Seine-et-Marne). XXe siècle. Française.
Peintre.
Sociétaire du Salon de la Nationale depuis 1922 ; elle a exposé des toiles des genres les plus divers et a pratiqué la fresque.

CHAPLIN Henry
XIXe siècle. Actif à Worcester. Britannique.
Peintre de genre, natures mortes.
Il exposa à la Royal Academy, à la British Institution, à Suffolk Street, etc., à Londres, de 1855 à 1879.
VENTES PUBLIQUES : LONDRES, 9 juil. 1985 : *Un homme et son chien au bord d'une rivière 1877*, h/t (30x45) : GBP 900.

CHAPMAN
XVIIIe siècle. Français.
Graveur.
Il vécut et travailla à Paris. Il pratiqua la gravure au burin et au point.

CHAPMAN, Miss
XIXe siècle. Britannique.
Peintre de fleurs.
Elle exposa à la Royal Academy, à Londres, de 1815 à 1836.

CHAPMAN Carlton Theodore
Né en 1860 à New London (Ohio). Mort en 1926 à New York. XIXe-XXe siècles. Américain.
Peintre de paysages, marines, graveur, illustrateur.
Élève à New York de la National Academy et de la Art Students' League, à Paris de l'Académie Julian.
Médaillé à Boston, à l'Exposition Internationale de Chicago en 1893, et à Atlanta en 1895. Membre de l'American Society of Artists. Exposa aussi à New York et Philadelphie.
MUSÉES : NEW YORK (Brooklyn Inst. of Arts Mus.) : *Calm in Gloucester Harbour 1890*.
VENTES PUBLIQUES : NEW YORK, 1900-1903 : *Une soirée à Marlo* : USD 145 – NEW YORK, 1908 : *Le navire en feu* : USD 50 – NEW YORK, 1909 : *Le retour du galion* : USD 100 – NEW YORK, 30 mai 1985 : *New York harbour 1904*, h/t,, triptyque (centre : 50,8x76,2) : USD 5 000 – EAST DENNIS (Massachusetts), 30 juil. 1987 : *Le trois-mâts Guinevere*, h/t (61x91,5) : USD 7 000 – NEW YORK, 4 mai 1993 : *Ruisseau dans un paysage enneigé*, h/t (35,6x50,8) : USD 1 495.

CHAPMAN Charles
XVIIIe siècle. Britannique.
Peintre de portraits, pastelliste, peintre de compositions murales.
Fils d'un directeur de théâtre de Richmond. Il fut l'élève de Francis Hayman, aux côtés de qui il travailla à une suite de panneaux décoratifs pour le Vauxhall Garden près de Londres. Il fut actif à Londres et y exposa à la Royal Academy, en 1776, quatre portraits au pastel.

CHAPMAN Charles S.
Né en 1879 à Morristown (New York). Mort en 1962. XXe siècle. Américain.
Peintre de paysages, sujets divers, illustrateur.
Il fut élève de W. Chase et de W. Appleton Clark.
VENTES PUBLIQUES : NEW YORK, 16 mars 1967 : *Paysage* :

USD 275 – New York, 14 mars 1968 : *Paysage* : USD 400 – New York, 26 juin 1981 : *La nouvelle ère*, h/cart. (57,7x112) : USD 2 800 – New York, 24 jan. 1989 : *La machine à carder le coton*, h/cart. (50,7x110) : USD 4 950 – New York, 26 sep. 1996 : *Le Grand Canyon*, h/pan. (111,1x182,9) : USD 6 325.

CHAPMAN Conrad Wise
Né en 1842 à Rome. Mort en 1910. xix⁰-xx⁰ siècles. Américain.

Peintre de scènes de genre, paysages, paysages urbains, natures mortes, aquarelliste, graveur.

Ventes Publiques : New York, 27 jan. 1984 : *Scène de plage*, h/pan. (22,8x40,6) : USD 12 000 – Londres, 20 nov. 1986 : *Plage de Trouville 1879*, h/pan. (24,1x40,3) : GBP 14 500 – New York, 21 nov. 1988 : *La Vallée et la ville de Mexico vues depuis Chapultepec 1873*, aquar./pap. (21x47) : USD 7 700 – New York, 1⁰ᵉ déc. 1989 : *Plage de Trouville 1876*, h/pan. (22,2x40,6) : USD 22 000 – New York, 30 nov. 1990 : *Partie de cartes*, h/t (53x65) : USD 7 700 – New York, 19-20 mai 1992 : *Nature morte de fruits et de fleurs 1908*, h/t (43,8x61) : USD 71 500 – New York, 24 nov. 1992 : *Un paysan mexicain*, aquar./cart. (29,2x20,6) : USD 10 450 – New York, 10 mars 1993 : *Scène de plage en Normandie 1880*, h/pan. (14x22,2) : USD 12 650 – New York, 18-19 mai 1993 : *La Vallée de Mexico depuis la hacienda des Morales 1902*, h/t (22,1x47) : USD 46 000 – Orléans, 26 mars 1994 : *Paysage du Mexique 1877*, h/t (48x65) : FRF 400 000 – New York, 17 mai 1994 : *Mexico depuis la hacienda Morales 1874*, h/t (45,1x89,2) : USD 90 500 – Brive-la-Gaillarde, 19 fév. 1995 : *Mexico*, h/t : FRF 81 000 – New York, 17 mai 1995 : *La Vallée de Mexico 1876*, h/pan. (21,9x41) : USD 101 500 – New York, 4 déc. 1996 : *Plage de Brighton 1875* (21,8x41) : USD 20 700 – New York, 27 mai 1996 : *Plage de Trouville 1876*, h/pan. (21,5x40,7) : USD 11 500 – New York, 28 mai 1997 : *La Vallée de Mexico 1871*, h/pan. (14x21) : USD 51 750 – New York, 23 avr. 1997 : *Personnages sur la plage*, h/pan. (22,2x41,3) : USD 13 800 – New York, 29-30 mai 1997 : *La Vallée de Mexico 1895*, h/pan. (11,1x23,2) : USD 82 250 – New York, 24-25 nov. 1997 : *Texcoco 1878*, h/pan. (10,8x14) : USD 63 000.

CHAPMAN Cyrus Durand
Né en 1856 à Irvington (New-Jersey). Mort en 1918 à Irvington. xix⁰-xx⁰ siècles. Américain.

Peintre de natures mortes, illustrateur.

Ventes Publiques : New York, 30 sep. 1982 : *Nature morte à la pipe et au tabac*, h/t (27,8x35,5) : USD 1 600.

CHAPMAN Dinos et Jake
Dinos né en 1962 et Jake né en 1966. xx⁰ siècle. Britanniques.

Artistes, sculpteurs de figures, dessinateurs.

Frères et artistes, ils commencent à travailler ensemble en 1992, déléguant l'exécution à des assistants. Ils vivent et travaillent à Londres.

Ils participent à des expositions collectives en Angleterre et à l'étranger : 1994 *Brilliant ! New art from London* au Walker Art Center de Minneapolis ; 1995, *The Institute of Cultural Anxiety : Works from the Collection*, Institute of Contemporary Arts, Londres ; 1996, *Brilliant ! New Art from London*, The Museum of Contemporary Art, Houston ; 1996, *Life/Live. La scène artistique au Royaume-Uni en 1996*, Musée d'Art Moderne de la Ville de Paris ; 1997, *Sensation. Prime Cuts from Saatchi*, Royal Academy, Londres. Ils ont montré une exposition personnelle, *Chapmanworld*, en 1996 à l'Institute of Contemporary Arts de Londres ; puis en 1998 à Paris, galerie Daniel Templon.

Ils mettent en scène des mannequins d'enfants mutants, dotés d'attributs sexuels à la place de la bouche ou du nez. Leur art décadent, à forte connotation pornographique, joue sur la provocation et la transgression. Lors de l'exposition *Life/live* en 1996 au Musée d'Art Moderne de la Ville de Paris, ils avaient présenté *Ironic Hallucination Box n⁰ 2*, une caisse en bois fermée, munie d'un seul orifice au travers duquel apparaissait en flashs violents une vision de trois corps déformés, mais à peine identifiables. Ailleurs ils avaient exécuté des dessins maculés de couleurs et mouchetés d'inscriptions morbides et sexuelles ; en 1998, à la galerie Templon, réalisé un mannequin de fillette plutôt mignonne affublée de deux paires de jambes. Dans la première moitié du siècle aussi étaient montrés (et évidemment aussi fabriqués) des créatures monstrueuses, mais c'était sur les foires avec les baraques et manèges de l'horreur. ∎ J. B.

Bibliogr. : Mark Sladen : *Cinq Champions du vice*, Art Press, n⁰ 214, Paris, juin 1996.

Ventes Publiques : Londres, 23 juin 1997 : *Satyre 1996*, fibre de verre, rés. et peint. (130x60x70) : GBP 11 000.

CHAPMAN Elizabeth Maria
Née à Manchester. xx⁰ siècle. Britannique.

Peintre et lithographe.

CHAPMAN Ernest Zeeland
Né en 1864 à Lyttleton (Nouvelle-Zélande). xix⁰ siècle. Britannique.

Peintre.

Élève de Jean-Paul Laurens à Paris.

CHAPMAN George
Né le 1⁰ᵉ octobre 1908 à Londres. xx⁰ siècle. Britannique.

Peintre.

Élève de la Slade School et du Royal College of Art, il expose au New Art Club. Il est membre associé du Royal College of Art.

CHAPMAN George R.
xix⁰ siècle. Britannique.

Peintre de portraits.

Il exposa de 1863 à 1874 à la Royal Academy, à Londres.

CHAPMAN H.
xix⁰ siècle. Britannique.

Peintre de paysages.

Il exposa de 1823 à 1841 à la British Institution et à Suffolk Street, à Londres.

CHAPMAN J.
xix⁰ siècle. Britannique.

Peintre de sujets religieux.

Il exposa deux œuvres, de 1819 à 1836, à la Royal Academy, à Londres.

CHAPMAN John
xviii⁰ siècle. Britannique.

Dessinateur d'architectures.

Il exposa à Londres à la Society of Artists et à la Royal Academy, entre 1772 et 1778.

CHAPMAN John
xviii⁰-xix⁰ siècles. Travaillant entre 1792 et 1823. Britannique.

Graveur.

CHAPMAN John Gadsby
Né en 1808 à Alexandria (Virginie). Mort en 1890 à Brooklyn (New York). xix⁰ siècle. Américain.

Peintre de figures, paysages, graveur, dessinateur, illustrateur.

Il étudia en Italie, puis il revint s'établir à New York, où il devint un des membres fondateurs du Century Club, et membre de l'Académie Nationale en 1836. Vers 1848, il retourna à Rome pour s'y fixer. Il fournit des illustrations pour des ouvrages littéraires et pour la Bible de Harper.

Ventes Publiques : New York, 23 avr. 1964 : *The sun fish* : USD 900 – New York, 14 mars 1968 : *Vendanges* : USD 750 – New York, 12 mai 1978 : *Jeune berger au flûteau*, h/t (76x65) : USD 3 250 – New York, 14 mars 1968 : *Jeune garçon endormi et son chien 1847*, h/t (167,6x122) : GBP 1 700 – New York, 23 sep. 1981 : *New York from Weehawken 1838-1840*, h/t (40,6x61) : USD 3 500 – New York, 3 juin 1983 : *Musiciens des rues*, h/t (41,9x32,4) : USD 5 000 – New York, 27 jan. 1984 : *The desertion of sergeant Champe* vers 1838, h/t (58,5x72,4) : USD 3 250 – New York, 30 mai 1985 : *Le Bûcheron* ; *La Laitière* ; *Le Voiturier* ; *Le Forgeron 1840*, h/pan., suite de quatre (chaque 27,7x20,4) : USD 12 000 – New York, 14 nov. 1991 : *Le lac d'Albano 1873*, h/t (68,6x109,3) : USD 2 860 – New York, 31 mars 1994 : *L'aqueduc de Claude et les collines d'Albe*, h/t (40,6x152,4) : USD 17 825 – Rome, 5 déc. 1995 : *Sabines faisant les vendanges 1874*, h/t, de forme ovale (85x62) : ITL 7 660 000.

CHAPMAN John Linton
Né en 1839 à Rome. Mort en 1905. xix⁰ siècle. Américain.

Peintre de genre, figures, paysages animés, paysages, aquafortiste.

Ventes Publiques : New York, 29 avr. 1976 : *Paysage à l'aqueduc*, h/t (35,5x71,2) : USD 2 600 – New York, 26 juin 1981 : *Via Appia 1867*, h/t (72,3x183) : USD 13 000 – New York, 30 sep. 1985 : *La baie d'Alexandrie*, h/cart. (12,8x35,8) : USD 2 500 – New York, 30 mai 1990 : *Femme cueillant du raisin* ; *Jeune Famille*, h/cart., une paire (chaque 35,6x25,4) : USD 1 650 – New York, 26 sep. 1991 : *Via Appia 1870*, h/t (76,2x181,6) : USD 28 600 – New York, 22 mai 1996 : *Ladds Dock sur le lac Champlain 1883*, h/t (51,4x87) : USD 11 500.

CHAPMAN John Watkins
xix⁰ siècle. Actif à Londres de 1853 à 1903. Britannique.

Peintre de genre, aquarelliste, graveur.

Il exposa à Londres, de 1853 à 1890, un grand nombre d'œuvres à la Royal Academy, à la British Institution, à Suffolk Street, et à la New Water-Colours Society.

VENTES PUBLIQUES : LONDRES, 2 fév. 1923 : *L'achat de l'anneau de mariage* : GBP 19 – NEW YORK, 30 et 31 oct. 1929 : *La Galerie des Uffizi à Florence* : USD 80 – LONDRES, 16 déc. 1929 : *Le cabinet des miniatures* : GBP 10 – LONDRES, 26 avr. 1935 : *Le cadeau de mariage* : GBP 23 – LONDRES, 5 avr. 1937 : *Le cadeau de mariage* : GBP 6 – LONDRES, 3 avr. 1968 : *La petite Nell et son grand-père* : GBP 200 – LONDRES, 20 juin 1972 : *Le Match de boxe* : GBP 550 – LONDRES, 16 juil. 1976 : *Dimanche matin – Dimanche après-midi 1867*, h/t, une paire (65x93) : GBP 1 200 – LONDRES, 5 juin 1980 : *Le chœur du village*, h/t (71,6x92,2) : GBP 3 200 – LONDRES, 2 nov. 1984 : *Little Nell and her grandfather in the old curiosity shop*, h/t (69,8x90,8) : GBP 6 500 – LONDRES, 22 mars 1985 : *Private box, Drury lane 1837* ; *Drury lane 1857*, h/t, une paire (71x91,5) : GBP 9 000 – NEW YORK, 24 fév. 1987 : *Prince of Wales Theatre : Private Box and The Gallery*, h/t, une paire (71,1x91,4) : USD 20 000 – LONDRES, 19 déc. 1991 : *Le magasin d'antiquités*, h/t (50,8x66) : GBP 9 900 – LONDRES, 10 mars 1995 : *Le chœur du village*, h/t (71,1x92,1) : GBP 7 130.

CHAPMAN Kenneth Milton

Né en 1875 à Ligonier (Indiana). XXe siècle. Américain.
Peintre.

CHAPMAN Minerva Joséphine

Née le 6 décembre 1858 à Altmar (New York). XIXe-XXe siècles. Active aussi en France. Américaine.
Peintre de genre, portraits, paysages, natures mortes.
Élève de Annie Shaw et du Chicago Art Institute, elle poursuivit ses études à Paris, sous la direction de Robert-Fleury, Bouguereau, Courtois.
Elle a régulièrement exposé au Salon de la Société Nationale des Beaux-Arts de Paris, dont elle fut associée en 1906 et où elle exposa jusqu'en 1926.
Elle a peint des paysages de Californie et de France.

VENTES PUBLIQUES : BARBIZON, 31 oct. 1982 : *La lecture*, h/pan. (16,2x12,3) : FRF 7 000.

CHAPMAN R. Hamilton

XIXe siècle. Britannique.
Peintre de paysages.
Il travailla à Londres, où il exposa de 1881 à 1891 à la Royal Academy, à Suffolk Street et à la New Water-Colours Society.

CHAPMAN R. W.

XIXe siècle. Actif à Londres. Britannique.
Peintre de genre.
Il exposa à Londres, de 1855 à 1861, à la Royal Academy et à Suffolk Street.

CHAPMAN Stephen Halley

Né à Londres. XXe siècle. Britannique.
Peintre.
A exposé au Salon des Artistes Français en 1934.

CHAPMAN William

XIXe siècle. Britannique.
Graveur.
Il travailla à York et à Londres où il exposa de 1866 à 1869 à la Royal Academy.

CHAPOCHNIKOFF Lew ou Léon

Né le 5 septembre 1882 à Rostov-sur-le-Don. XXe siècle. Russe.
Peintre de paysages urbains, marines. Symboliste.
Il a participé, à Paris, aux Salons des Artistes Indépendants, d'Hiver et de la Société Nationale des Beaux-Arts. Ses paysages présentent souvent des vues de Moscou.

CHAPON

XIXe-XXe siècles. Français.
Peintre de portraits, peintre de miniatures.
Figurait à l'Exposition de miniatures de Vienne, 1905.

CHAPON Auguste Louis

Né aux Salles-du-Gardon (Gard). XIXe-XXe siècles. Français.
Graveur sur bois.
Mention honorable en 1898 ; deuxième médaille en 1920 ; médaille d'or en 1925 ; hors-concours.

CHAPON Léon Louis

Né le 5 mars 1836 à Paris. Mort après 1900. XIXe siècle. Français.

Graveur.
Élève de Trichon à l'École des Beaux-Arts, où il entra le 31 mars 1853, il débuta, au Salon, en 1859, avec neuf gravures sur bois. Chapon a collaboré à *Paris-Guide* (1867), à *l'Illustration*, au *Monde illustré*, à la *Gazette des Beaux-Arts* et à *l'Histoire des peintres*. Citons, parmi ses œuvres originales, les *Portraits de Galloche, de Guérin, de Mme Vigée-Lebrun, de Voltaire, de Marie-Antoinette et de ses enfants.* Il obtint une médaille de deuxième classe en 1892 et une médaille d'or à l'Exposition Universelle de Paris en 1900.

CHAPONNET. Voir DESNOYERS-CHAPONNET

CHAPONNIER J. E.

XIXe siècle. Français.
Peintre de genre, animaux, intérieurs, aquarelliste, dessinateur.
Il exposa à Paris, où il travaillait, à partir de 1814.

CHAPONNIÈRE Alexandre ou Chaponnier

Né en 1753 à Genève. Mort en 1806 probablement à Paris. XVIIIe siècle. Suisse.
Graveur.
Il étudia la gravure à Paris, où il passa la plus grande partie de sa vie d'artiste. Il prit une place marquante parmi les graveurs au pointillé et produisit un grand nombre de gravures à succès, d'après Huet, Regnault, L. Boilly, Van Spaendonck, J. Opie.

CHAPONNIÈRE Jean Étienne, dit John

Né le 11 juillet 1801 à Genève. Mort le 19 juin 1835 à Mornex (près Genève). XIXe siècle. Suisse.
Sculpteur, peintre, dessinateur.
Venu de bonne heure à Paris, il travailla d'abord à l'École des Beaux-Arts et en 1825, il entra chez le sculpteur Pradier, qui lui avait conseillé de suspendre ses études de peinture pour concentrer ses efforts sur la sculpture. Après deux ans chez Pradier, il partit pour l'Italie et séjourna à Naples de 1826 à 1829. De retour à Paris, après avoir en vain sollicité le poste de professeur de modelage à l'École de dessin de la Société des Arts, Chaponnière se trouva aux prises avec les plus cruelles vicissitudes. Il renonça quelque temps à la sculpture et se remit à la peinture et au dessin. Grâce à la bienveillance de Thiers, il put enfin trouver une commande digne de son talent, et exécuta, en 1835, le bas-relief de la *Prise d'Alexandrie par Kléber* pour l'Arc de Triomphe à Paris. Ce fut son chef-d'œuvre et son dernier ouvrage, car les privations qu'il avait subies amenèrent sa mort prématurée.

CHAPONNIÈRE Marguerite

Née à Reims. XIXe-XXe siècles. Française.
Sculpteur.
Élève de Coutan. A exposé au Salon des Artistes Français de 1912 à 1932.

CHAPOTON Grégoire

Né le 21 décembre 1845 à Saint-Rambert-sur-Loire (Loire). Mort en 1915. XIXe-XXe siècles. Français.
Peintre de genre, natures mortes, fleurs et fruits.
Admis à l'École des Beaux-Arts de Lyon en 1863. Élève de Soulary et Reynier.
Principales œuvres : 1870 : *Pêle-Mêle* ; 1872 : *Aulx et Oignons* ; 1873 : *Pommes cuites et confitures* ; 1874 : *Oseilles en fleurs et roses* ; 1875 : *Les préparatifs du baptême* ; 1876 : *Fleurs et fruits* ; 1880 : *Razzia faite au jardin* ; *Roses et sureaux* ; 1881 : *Visite au verger* ; 1882 : *Sans permission* ; 1883 : *Fleurs* ; 1884 : *Fleurs et fraises des bois.* ■ André Granger
MUSÉES : LAVAL – SAINT-ÉTIENNE – TOURS.
VENTES PUBLIQUES : NEW YORK, 24 fév. 1987 : *Nature morte aux fleurs et aux fruits*, h/t (145,4x105,4) : USD 9 000 – PARIS, 22 juin 1994 : *Fleurs dans un vase*, h/t (41x33) : FRF 6 800.

CHAPOVAL Youla parfois Jules

Né le 3 novembre 1919 à Kiev (Ukraine). Mort fin décembre 1951 dans son atelier à Paris. XXe siècle. Depuis 1924 actif et naturalisé en France. Russe-Ukrainien.
Peintre de décorations murales, natures mortes, peintre à la gouache, peintre de collages, dessinateur. Abstrait-géométrique.
Venu en France dès l'âge de sept ans, naturalisé français, il commença des études de médecine qu'il abandonna pour la peinture, sur les conseils du sculpteur Fenosa.
Pendant l'occupation allemande, il alla étudier tout d'abord à l'École des Beaux-Arts de Marseille puis à celle de Toulouse. Après la guerre, revenu à Paris, en 1947, il reçut le Second Prix

de la Jeune Peinture et, en 1949, le Prix Kandinsky. Homme jeune de grande distinction et civilité, il s'attira de nombreuses amitiés flatteuses, et son talent lui valut tôt le soutien de critiques influents du moment, notamment Roger Van Gindertael, Charles Estienne, Jacques Lassaigne, Guy Marester.

La même année 1949, il exposait avec le groupe *Les mains éblouies* à la Galerie Maeght, où furent regroupés les jeunes artistes abstraits de l'immédiat après-guerre. Par ailleurs, outre différents groupes dans les galeries Denise René, Henri Bénézit, il participa au Salon de Mai en 1950 et 1951, et au Salon des Réalités Nouvelles en 1950.

Il avait fait une première exposition personnelle à Paris en 1947 à la galerie Jeanne Bucher, puis de nouveau en 1949. En 1951, sur la commande de l'État, il exécuta trois peintures murales pour l'École Langevin à Suresnes. On devait le retrouver mort, dans son atelier, dans les derniers jours de décembre 1951. Le Musée d'Art Moderne de la Ville de Paris lui a consacré une exposition rétrospective en 1964 ; et, en 1991, au Centre d'Art Contemporain de Villeneuve-d'Ascq. En 1996 à Paris, la galerie Callu Mérite a organisé une exposition « en parallèle » *Chapoval-Chastel*.

Après la guerre, jusqu'en 1946 ou peu après, il produisait une peinture issue de la figuration post-cubiste qui caractérisait encore une bonne part de la peinture internationale du moment, puis il s'est totalement donné à l'abstraction, dans un style à tendance géométrique, fondé sur une étude rigoureuse de l'espace, mais non exclusif de souplesses graphiques, d'élans spontanément lyriques, et finalement d'une grande diversité dans cette époque de la deuxième génération abstraite, resurgie du long cataclysme de la guerre mondiale. Vie et carrière furent brèves, pourtant, réalisées dans la ferveur et l'enthousiasme ; environ quatre cents peintures constituent un œuvre encore très présent dans le contexte historique. ■ Jacques Busse

Chapoval

BIBLIOGR. : Michel Seuphor, in : *Diction. de la peint. abstraite*, Hazan, Paris, 1957 – Catalogue de l'exposition rétrospective *Chapoval*, Mus. d'Art Mod. de la Ville, Paris, 1964 – Catalogue de l'exposition rétrospective *Chapoval*, Mus. d'Art Mod., Villeneuve d'Ascq, 1991 – Lydia Harambourg, in : *L'École de Paris 1945-1965. Diction. des Peintres*, Ides et Calendes, Neuchâtel, 1993.

MUSÉES : NANTES (Mus. des Beaux-Arts, Donation Gal. Fardel) – PARIS (Mus. Nat. d'Art Mod.) – VILLENEUVE-D'ASCQ (Mus. d'Art Mod., Donation Masurel).

VENTES PUBLIQUES : MILAN, 24 juin 1980 : *Composition* 1948, h/t (92x65) : **ITL 1 300 000** – ROME, 23 nov. 1981 : *Composition* 1948, h/t (92x65) : **ITL 1 300 000** – PARIS, 19 nov. 1982 : *Composition jaune et noire* 1949, h/t (82,5x60) : **FRF 14 500** – PARIS, 24 avr. 1983 : *Nature morte à la lampe et au pichet*, h/isor. (73x50) : **FRF 15 500** – PARIS, 14 déc. 1984 : *Composition* 1948, aquar. gchée (48x63,5) : **FRF 20 000** – PARIS, 27 oct. 1985 : *Composition au journal* 1947, gche et collage (31x24) : **FRF 21 000** – PARIS, 12 juin 1986 : *14-juillet 1950*, h/pap. mar./t. (81x100) : **FRF 38 000** – PARIS, 27 nov. 1987 : *Sans titre* 1949, h/t (128x86) : **FRF 100 000** ; *Sans titre* 1949, h/t (128x86) : **FRF 100 000** – PARIS, 20 mars 1988 : *Nature morte au compotier*, dess. au fus. (47x61) : **FRF 8 500** ; *Nature morte au bougeoir*, h/t (33x40) : **FRF 15 000** – PARIS, 1er juin 1988 : *Couseuse* 1945, h/t (33x24) : **FRF 100 000** ; *Composition* 1948, gche et encre (43x32,5) : **FRF 6 500** – VERSAILLES, 15 juin 1988 : *Composition* 1950, h/t/cart. (35x27) : **FRF 30 000** – NEUILLY, 20 juin 1988 : *Sans titre* 1958, dess. au fus. (26x20) : **FRF 4 800** – PARIS, 23 juin 1988 : *Personnage* 1946, h/t (55x46) : **FRF 45 000** – PARIS, 28 oct. 1988 : *Abstraction* 1950, h/t (37x46) : **FRF 20 000** – PARIS, 22 nov. 1988 : *Composition jaune*, cr. de coul. (37x23) : **FRF 5 000** – NEUILLY-SUR-SEINE, 22 nov. 1988 : *Nature morte au poisson* 1946, h/t (60x72) : **FRF 62 000** – PARIS, 16 déc. 1988 : *Composition* 1949, h/t (22x27) : **FRF 16 000** – PARIS, 7 oct. 1989 : *Composition* 1948, h/t (47x55) : **FRF 59 000** – NEW YORK, 9 mai 1989 : *Sans titre* 1950, aquar. et gche/pap. (38,1x28) : **USD 1 650** – PARIS, 8 nov. 1989 : *Composition* 1950, gche (37x27) : **FRF 18 000** – PARIS, 28 nov. 1989 : *Composition* 1951, gche/pap. (22,7x27) : **FRF 13 000** – SAINT-DIÉ, 11 fév. 1990 : *Composition* 1948, encre de Chine et aquar. (25,5x20) : **FRF 20 000** – PARIS, 18 fév. 1990 : *Le poisson* 1950, h/t (27x46) : **FRF 41 000** – AMSTERDAM, 23 mai 1991 : *Composition*, h/t (60x81) : **NLG 13 800** – PARIS, 11 juin 1991 : *Composition* 1949, h/t

(54x65) : **FRF 60 000** – PARIS, 6 nov. 1992 : *Nature morte*, h/pan. (16x36) : **FRF 12 000** – PARIS, 2 juin 1993 : *Assomption* 1949, h/t (162x97) : **FRF 66 000** – LOKEREN, 4 déc. 1993 : *Composition* 1948, h/t (34x24,5) : **BEF 110 000** – PARIS, 21 mars 1994 : *Composition jaune* 1951, h/t (60x75) : **FRF 28 000** – NEW YORK, 24 fév. 1995 : *Composition* 1950, h/t (87,6x73,7) : **USD 5 750** – PARIS, 17 mai 1995 : *Composition* 1950, h/pan. (17x38) : **FRF 6 200** – PARIS, 5 oct. 1996 : *Composition* 1956, h/t (65x50) : **FRF 28 000** – PARIS, 16 déc. 1996 : *Composition bleue* 1951, gche et encre/pap. (18,5x26) : **FRF 5 000** – PARIS, 24 mars 1997 : *Nature morte au verre, pipe et pot à tabac*, h/pap. (27x54) : **FRF 18 000** – PARIS, 28 avr. 1997 : *Composition* 1950, h/t (87x74) : **FRF 22 000** – PARIS, 20 juin 1997 : *Composition* 1949, h/t (114x146) : **FRF 46 000**.

CHAPPE Gabriel
Né vers 1620. XVIIe siècle. Actif à Reims. Français.
Peintre.
Père de Hubert Chappe.
MUSÉES : REIMS : *Portrait du médecin Colin*, attri.

CHAPPE Hubert I
Né le 15 avril 1640. Mort vers 1688. XVIIe siècle. Actif à Reims. Français.
Peintre.
Frère de Gabriel Chappe.
MUSÉES : REIMS : *Portrait du médecin Pierre Rainssant*, attri. – *Portrait du médecin Jean Roussin*, attri. – *Portrait du chanoine Lalemant*, attri.

CHAPPE Hubert II
Né vers 1650. Mort après 1717. XVIIe-XVIIIe siècles. Actif à Reims. Français.
Peintre.
Fils de Gabriel Chappe.
MUSÉES : REIMS : *Portrait du prince Armand-Jules de Rohan* – *Portrait de M. Lucas*.

CHAPPE Jean
Né vers 1660. XVIIe siècle. Actif à Reims. Français.
Peintre.
Fils de Gabriel Chappe. Il fit des portraits et des natures mortes.
MUSÉES : REIMS : *Petit chien, fruits et perroquet* – *Fleurs et fruits sur une table*.

CHAPPE Jean
Né en 1685 à Reims. Mort en 1740. XVIIIe siècle. Français.
Peintre.
Fils et élève de Hubert II Chappe. Le Musée de Reims conserve de lui un *Portrait* signé et daté de 1718.

CHAPPÉE Julien
Né au Mans (Sarthe). XIXe-XXe siècles. Français.
Peintre.
Il exposa au Salon des Artistes Indépendants à Paris à partir de 1904 et au Salon des Artistes Français en 1933.

CHAPPEL Edward
Né en 1859 à Anvers, de parents anglais. Mort en 1946 à Cagnes (Alpes-Maritimes). XIXe-XXe siècles. Actif aussi en Belgique, depuis 1924 en France. Britannique.
Peintre d'animaux, paysages, natures mortes, fleurs, pastelliste.
Il fut élève de C. Verlat à l'Académie des Beaux-Arts d'Anvers. Il fut membre-fondateur du cercle « Als ik kan » (Comme je peux). Pendant sa période anversoise, il se rendait fréquemment à Paris, suivant les cours de l'Académie Julian et rencontrant Renoir, Sisley, Pissarro. En 1890, il s'établit à Londres jusqu'en 1923. Il fit de nombreux séjours en France, rencontrant Whistler, jusqu'à son installation définitive, en 1924, à Cagnes-sur-Mer.
En 1890, il exposa pour la première fois à Anvers. En 1891, il a participé à l'Exposition Internationale de Berlin et à l'Exposition des Beaux-Arts de Barcelone où il obtint une médaille d'or. Il a exposé à la Royal Academy de Londres entre 1892 et 1903, ainsi qu'au Royal Institute of oil Painters, à la Pastel Society ; au Salon d'Automne à Paris en 1907. Il a participé au Salon des Artistes Français à Paris, où il obtint une mention honorable en 1922. En outre, il a figuré dans des expositions à Pittsburgh, Glasgow, Chicago, Venise. En France, il a été décoré de la Légion d'honneur. Il montrait des ensembles de ses œuvres dans des expositions personnelles : 1917, 1925 Paris, galerie Georges Petit ; 1930 Londres, à l'Abbey Gallery ; en 1973, la galerie Pirra de Turin a organisé une exposition rétrospective de son œuvre et édité le catalogue de l'œuvre.

En France, pendant sa période londonienne, il allait peindre à Barbizon, Auvers-sur-Oise, Valmondois, Pontoise. Après son installation à Cagnes, il peignit des paysages du Midi. Sa peinture se situe dans une position de compromis entre les romantiques de Barbizon et le début de l'impressionnisme.

E.CHAPPEL

Bibliogr. : *Catalogue raisonné de l'œuvre de Edward Chappel*, gal. Pirra, Turin, 1973.
Musées : Anvers : *Marché aux poissons* – Cagnes-sur-Mer – Kobé – Nice (Mus. Chéret) – Paris (Mus. d'Orsay).
Ventes Publiques : Londres, 17 mars 1930 : *Roses dans un vase bleu* : GBP 8 – Anvers, 17 mai 1983 : *Fleurs* 1884, h/t (96x70) : BEF 50 000 – Paris, 16 nov. 1984 : *Les hauts de Cagnes*, h/t (110x148) : FRF 6 000 – Versailles, 25 oct. 1987 : *Cour de ferme aux toits rouges*, past. (25x33,5) : FRF 2 500 – Londres, 28 oct. 1992 : *Nature morte de roses*, h/t (48x59) : GBP 825 – Amsterdam, 20 avr. 1993 : *Un renard capturant une oie*, h/t (100x135,5) : NLG 4 255 – New York, 23 mai 1997 : *Nature aux azalées roses et blancs dans un vase blanc et bleu*, h/t (80x59,7) : USD 20 700.

CHAPPELL Reuben, dit Chappell of Goole
Né en 1870. Mort en 1940. xixe-xxe siècles. Britannique.
Peintre de marines, aquarelliste, dessinateur.
Ventes Publiques : Chester, 24 juin 1982 : *The pearl of Bournemouth – The Mary Barrow*, deux aquar. (35,5x53) : GBP 360 – Copenhague, 4 oct. 1985 : *Portrait*, gche (36x56) : DKK 12 500 – Londres, 3 juin 1986 : *The Cutty Sark*, aquar. reh. de gche (36x56) : GBP 580 – Londres, 17 juil. 1992 : *La brigantine Minnie Sommers au large de Folkestone*, cr. encre et aquar. avec reh. de gche (49,5x71,7) : GBP 990 – Londres, 11 mai 1994 : *Le deux-mâts Katie de Padstow toutes voiles dehors*, aquar. avec reh. de blanc (35x50) : GBP 460.

CHAPPELL William
xixe siècle. Britannique.
Peintre de genre.
Il exposa à Londres, de 1858 à 1882 à la Royal Academy, à la British Institution, à Suffolk Street.

CHAPPELLE Conradin ou Couradin
xve siècle. Actif à Orléans. Français.
Sculpteur sur bois.
Il exécuta, en 1413, en collaboration avec J. Droin et Jacques Chappelle, les sculptures des stalles du chœur de l'abbaye de Saint-Benoît-sur-Loire, qui existent encore et celles de l'église Saint-Jean l'Évangéliste d'Angers.

CHAPPELSMITH J.
xixe siècle. Actif à Londres. Britannique.
Peintre de portraits.
Il exposa à Londres, à la Royal Academy en 1842.

CHAPPERON Mathurin
xvie siècle. Français.
Peintre.
Il vécut à Tours où il travailla à l'église Saint-Martin entre 1545 et 1548.

CHAPPET M. L., Mme, née Herpin
xixe-xxe siècles. Active à Suresnes (Seine). Française.
Peintre.
Membre de la Société des Artistes Français depuis 1897, elle prend part à ses expositions.

CHAPPON Jean
xviie siècle. Vivant au Puy-en-Velay en 1637. Français.
Peintre.

CHAPPUIS Adolphe
Né au xixe siècle à Paris. xixe siècle. Travaillant à Paris. Français.
Graveur.
Élève de M. C. Sauvageot. Il débuta au Salon de 1869.

CHAPPUIS Jean
xve siècle. Actif à Lyon entre 1444 et 1447. Français.
Sculpteur.

CHAPPUIS Jean Marc
Né en 1825. Mort en 1875. xixe siècle. Actif à Genève. Suisse.
Peintre sur émail.

CHAPPUY Victor François
Né le 14 août 1832 à Grenoble (Isère). Mort en 1896. xixe siècle. Actif à Paris. Français.

Sculpteur.
Entré à l'École des Beaux-Arts le 8 avril 1852, il devint l'élève de A. Toussaint. Il débuta au Salon en 1857, avec une statuette en plâtre : *Dénicheur d'écureuils*, qu'il exécuta en marbre en 1863. Citons de lui : *Le joueur de bilboquet*. Il a exécuté la statue de la Ville de Grenoble pour la façade de l'Hôtel de Ville de Paris. Le Musée de Grenoble conserve de lui : *Moïse sauvé des eaux* (1879), *Le Tondeur de moutons* (1869), *Sara la baigneuse* (1870), *Statue de Jacques Vaucanson* (1855).

CHAPRON Claude
xviie siècle. Français.
Peintre.
Il fut reçu à l'Académie de Saint-Luc en 1692.

CHAPRON Germaine
Née à Rennes. xxe siècle. Française.
Peintre.
Élève de Sabatté. Sociétaire du Salon des Artistes Français.

CHAPRON Nicolas ou Chaperon
Né le 19 octobre 1612 à Châteaudun, en 1596 selon Larousse. Mort vers 1656 à Rome, en 1647 selon Larousse. xviie siècle. Français.
Peintre de sujets mythologiques, compositions religieuses, graveur, dessinateur.
Plus connu par ses gravures que par ses peintures. Nous savons qu'il fut l'élève de Simon Vouet.
En 1640, Chapron acheva une suite de 54 pièces : *Les loges du Vatican de Raphaël*. Dans la planche qui sert de frontispice, l'artiste s'est représenté assis près d'un piédestal sur lequel est placé le buste de Raphaël que couronne la Renommée. Nicolas Poussin parle à différentes reprises dans sa correspondance d'une Copie de la *Transfiguration* de Raphaël commandée à Chapron et que celui-ci n'acheva pas. L'illustre Normand traita rudement le copiste surtout à propos de son manque de délicatesse. On cite encore : *L'Alliance de Bacchus et de Vénus, Le Vieux Silène, Les Suivants de Silène, Le Faune et sa femelle.*

NCHſ. CJ

Musées : Nantes – Paris (Mus. du Louvre) – Perpignan – Saint-Pétersbourg (Ermitage).
Ventes Publiques : Paris, 1845 : *Diane et Endymion* : FRF 100 – Paris, 1888 : *Un bacchanal* : FRF 38 – Paris, 12 mai 1937 : *Bacchanale*, pl. et lav. de bistre. attr. : FRF 340 – Paris, 28-29 jan. 1980 : *La résurrection de Lazare*, pl. et lav. d'encre de Chine (22x30,5) : FRF 9 500 – Milan, 16 avr. 1985 : *Apollon et Marsyas*, h/pan. couvercle d'une épinette (63x90,5) : ITL 18 000 000 – Paris, 18 déc. 1991 : *L'ivresse de Silène*, h/t (148x111) : FRF 60 000.

CHAPRONT Geneviève
Née le 30 octobre 1909 à Rochefort-sur-Mer (Charente-Maritime). xxe siècle. Française.
Peintre de figures, paysages, intérieurs, fleurs.
Élève de son père, le peintre Henry Chapront, elle débuta au Salon d'Automne en 1933, sous le nom de Khmelukova, puis reprit son nom lorsqu'elle exposa au Salon des Tuileries entre 1935 et 1946 et au Salon des Femmes Peintres, notamment en 1946. Elle a fait de nombreux voyages en Angleterre, Belgique, Hollande, Suède, Finlande, Italie, Espagne, Portugal, aux Açores et en egypte.
Musées : Lwow – Rochefort-sur-Mer.
Ventes Publiques : Paris, 23 avr. 1947 : *Femme nue assise se coiffant*, gche et past. : FRF 3 000 – Paris, 20 juin 1947 : *Marguerites dans un vase* : FRF 3 500 – Paris, 28 jan. 1955 : *Lavandières* : FRF 23 000.

CHAPRONT Henry
Né le 26 février 1876 à Rochefort-sur-Mer (Charente-Maritime). Mort le 15 juin 1965 à La Bachellerie (Dordogne). xxe siècle. Français.
Peintre et illustrateur.
Avant de faire des illustrations pour des éditions de luxe, il avait été mêlé, très jeune, aux milieux symbolistes, collaborant à de nombreuses publications littéraires. Il a notamment illustré : *Les Chevaux de Diomède – Lilith – Oraisons mauvaises* de R. de Gourmont, *Là-bas* de J. K. Huysmans, *Monsieur de Phocas, Astarté* de J. Lorrain, *Les Paradis artificiels* de Baudelaire, *Gaspard de la nuit* d'A. Bertrand, *Historiettes, Contes et Fabliaux* de

Sade, *Veillées d'Ukraine* de Gogol, *L'Utopie* de T. Morus, *Colloques choisis* d'Erasme, *Werther* de Goethe, *Tartuffe* de Molière, *La Guerre de Troie ou la fin de l'Iliade* de Quintus de Smyrne, *De Napoléon au Soldat Inconnu* de L. Barthou.

CHAPSAL Jean Éloi
Né le 25 janvier 1811 à Aurillac (Cantal). Mort le 20 juillet 1882 à Aurillac. XIXe siècle. Français.
Peintre de genre, portraits, paysages.
Il entra à l'École des Beaux-Arts de Paris en 1833 et participa au Salon de Paris de 1840 à 1846.
Certaines de ses toiles ont un caractère romantique et peuvent faire songer à l'art de David par l'assurance de leur ligne et la dominante des tons ocre.
BIBLIOGR. : Gérald Schurr, in : *Les Petits Maîtres de la peinture 1820-1920, valeur de demain*, Les Éditions de l'Amateur, t. IV, Paris, 1979.
MUSÉES : AURILLAC : *Poète mourant à l'hôpital – Le Pèlerin de Saint-Jacques de Compostelle.*

CHAPTAL André
Né en 1906 à Génolhac (Gard). Mort le 3 mai 1949. XXe siècle. Français.
Peintre de nus, portraits, paysages, natures mortes, aquarelliste.
Conjointement à des études de droit, il suivit les cours de l'École des Beaux-Arts de Marseille, où il fut élève de Louis Maistre. Ensuite, il revint se fixer dans la demeure familiale de Génolhac, dans les Cévennes, où il créa et présida, à Alès, l'association *L'Art Cévenol*, et à la Grand'Combe *L'Essor Cévenol*, pour venir en aide aux artistes régionaux. Il exposait à Nîmes, Montpellier, Alès. À Paris, il figurait au Salon des Indépendants, et exposa au Salon des Tuileries en 1939.
Peintre régionaliste, ses contemporains le qualifiaient de « Chantre des Cévennes » et de « Cézanne Cévenol ». Il prônait la sensibilité sur l'exécution.
MUSÉES : ALÈS : quatre peintures.

CHAPU Henri Michel Antoine
Né le 29 septembre 1833 au Mée (Seine-et-Marne). Mort en 1891 à Paris. XIXe siècle. Français.
Sculpteur de statues, aquarelliste, graveur.
Ses parents, concierges, lui avaient fait apprendre le dessin pour être tapissier. Ses dons lui valurent une bourse. Le 9 octobre 1849, il entra à l'École des Beaux-Arts où il se forma sous la conduite de Pradier et de Duret. Au concours pour Rome, en 1851, il eut le second prix. En 1855, il remporta le prix. Il fut médaillé en 1863, 1865, 1866. Au mois d'août 1867, la grande médaille lui fut décernée.
Cet artiste, qui s'est plus à faire des camées, s'est surtout distingué comme sculpteur. On lui doit, au Musée du Luxembourg : *Mercure inventant le Caducée*, statue en marbre, *Jeanne d'Arc*, médaillon en bronze, pour la ville de Melun, *L'Art mécanique*, statue en pierre (au tribunal de commerce de la Seine), le buste en bronze de *Léon Bonnat*. Au palais de l'Exposition Universelle de 1867, il exécuta les cariatides de la nef des machines. Il fut chargé, en 1868, de l'exécution des sculptures dans la salle de la cour d'assises de la Seine. Les statues de *saint Louis de Gonzague* et de *saint Jean* que l'on voit à l'église Saint-Étienne-du-Mont dans la chapelle des Catéchismes, sont de lui. Il fut également graveur en pierre fine. Exposa en 1877 à la Grafton Gallery, Londres. Il fut nommé membre de l'Institut en 1882. Il rapportait de la campagne romaine, où il allait souvent se délasser, des aquarelles bien écrites.
MUSÉES : AJACCIO : *Sadi Carnot*, demi-buste en biscuit de Sèvres – ANGERS : *La jeunesse* – BAYONNE (Bonnat) : *Buste de M. Léon Bonnat – Tête de jeune homme – Vénus Anadyomède – La lecture – Sphinx – La jeunesse*, terre cuite – *Héro et Léandre – Danseuse*, bronze – croquis au crayon noir, projet de bas-relief – dessin à la pierre noire et à la sépia – *Danseuse*, bronze – *Danseuse* – Maquette du monument de Félicien David, bronze – *Portrait en haut relief de M. Bonnat* – BORDEAUX : *Baron Joseph de Carayon la Tour* – BOURGES : *Portrait de Léonce Melchior, marquis de Vogüé*, buste en plâtre – CHALONS-SUR-MARNE : *Jeanne d'Arc* – LAUSANNE (Mus. canton. des Beaux-Arts) : *Buste de Gleyre 1876* – NANTES : *L'immortalité* – PARIS (Louvre) : *Jeanne d'Arc agenouillée 1870* – PARIS (ancien Mus. du Luxembourg) : *Mercure inventant le Caducée* – PROVINS : *Buste de Pierre Lebrun* – SENS : *Buste de M. Edouard Charton* – TOUL : *Carnot.*
VENTES PUBLIQUES : PARIS, 18-21 déc. 1918 : *Vue de Capri*, dess. : FRF 15 – PARIS, 1er juil. 1932 : *Haut-relief*, bronze : FRF 190 ; *La*

Jeunesse, bronze : FRF 280 – PARIS, 22 fév. 1936 : *Le Modèle*, dess. à la mine de pb : FRF 11 – VERSAILLES, 23 fév. 1964 : *Jeanne d'Arc assise à terre, les mains jointes*, marbre : FRF 1 600 – PARIS, 20 juin 1977 : *Femme assise*, terre cuite (H. 37) : FRF 6 500 – LONDRES, 10 nov. 1983 : *Jeune femme assise* vers 1880, bronze, haut relief, patine brune (H. 86) : GBP 680 – COPENHAGUE, 12 nov. 1984 : *La Renommée*, bronze (H. 135) : DKK 46 000 – LONDRES, 6 nov. 1986 : *Jeanne d'Arc* vers 1880, bronze patiné (H. 70) : GBP 2 000 – NEUILLY, 1er mars 1988 : *Jeanne d'Arc*, bronze à patine brun foncé (H. 68) : FRF 14 000 – PARIS, 29 juin 1988 : *Projet pour un gisant*, terre cuite (H. 24) : FRF 23 500 – PARIS, 30 juin 1989 : *Jeune paysanne songeuse*, sculpt. en bronze à patine brune (H. 46) : FRF 5 000 – PARIS, 12 juin 1991 : *Ferdinand Hérold en pied*, terre cuite (H. 72) : FRF 85 000 – PARIS, 22-23 juil. 1993 : *Femme aux voiles*, bronze (H. 41,3) : USD 1 380 – NEW YORK, 26 mai 1994 : *Jeanne d'Arc à Domrémy*, bronze (H. 67,3) : USD 6 900 – NEW YORK, 19 jan. 1995 : *Jeune fille cueillant des fleurs*, bronze (H. 71,1) : USD 8 625 – LOKEREN, 9 mars 1996 : *Jeanne d'arc adolescente*, bronze (H. 45,5) : BEF 35 000.

CHA PU ou Ch'a P'u ou Tch'a P'ou
XVIIIe-XIXe siècles. Actif à la fin du XVIIIe siècle et au début du XIXe. Chinois.
Peintre.
MUSÉES : PARIS (Mus. Guimet) : *Côte rocheuse devant les collines abruptes – Feuille d'album portant un collophon du peintre* signée et datée 1821.

CHAPUIS, l'Aîné
XVIIIe siècle. Français.
Peintre de fleurs et d'oiseaux.
Il était actif à la Manufacture de Sèvres, entre 1761 et 1787.

CHAPUIS, le Jeune
XVIIIe siècle. Français.
Peintre de fleurs.
Il peignit sur porcelaine à la Manufacture de Sèvres entre 1772 et 1777.

CHAPUIS André Marius
Né à Saint-Étienne (Loire). XXe siècle. Français.
Peintre.
Il exposa à Paris au Salon des Indépendants.

CHAPUIS François
Né le 23 juin 1928 à Beaune (Côte-d'Or). XXe siècle. Français.
Sculpteur et peintre verrier.
Il fit ses études à Nancy, puis est entré à l'École des Beaux-Arts de Paris entre 1948 et 1950. Il débuta en travaillant, en tant que peintre verrier, à la restauration de plus de deux cent cinquante églises. Tout en étant peintre, il oriente l'essentiel de son activité vers l'intégration de diverses formes d'art à l'architecture et notamment du « mur-lumière » qu'il a inventé. Il fait également figure de pionnier dans l'utilisation, à grande échelle, des plastiques dans l'art, et a considérablement contribué à leur donner leurs lettres de noblesse.

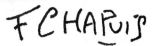

CHAPUIS Germaine Madeleine
Née à Paris. XXe siècle. Française.
Peintre de fleurs.
Depuis 1920 elle expose au Salon d'Automne et à celui des Indépendants.

CHAPUIS Hippolyte
Né le 11 août 1843 à Dijon (Côte-d'Or). XIXe siècle. Actif à Paris. Français.
Peintre et illustrateur.
Élève à l'École des Beaux-Arts de Dijon et de Cabanel à Paris. Principales œuvres : *Derniers moments de saint Dominique* (acquis par le Président de la République de l'Uruguay). A illustré différents ouvrages.
VENTES PUBLIQUES : PARIS, 1895 : *Chèvres aux pâturages* : FRF 100.

CHAPUIS Honoré
Né le 23 avril 1817 à Arlay (Jura). XIXe siècle. Français.
Peintre de genre, portraits, paysages.
Élève d'Adolphe Brune et de Gigoux. Il débuta au Salon de Paris en 1857. En 1868, il exposa : *La chute des feuilles*. La mairie d'Ar-

lay, où il naquit, conserve de lui : *Une famille fuyant l'incendie,* grande composition qu'il avait peinte en 1884 à Besançon, où il vécut jusqu'à la fin de sa vie.

Musées : Besançon : *Tête d'étude* – *Le Doubs* 1859.

Ventes Publiques : Saint-Dié, 12 déc. 1982 : *La colporteuse,* h/t (67x82) : FRF 13 000.

CHAPUIS Jehan
xve siècle. Français.
Peintre.
Attaché à la cour du roi René et cité à Aix en 1448.

CHAPUIS Johann Joseph
Mort vers 1844 à Cologne. xixe siècle. Allemand.
Lithographe.

CHAPUIS Maurice
Né en 1922 à Baume-les-Dames (Doubs). xxe siècle. Français.
Peintre de paysages. Tendance expressionniste.
Élève à l'École des Beaux-Arts de Dijon puis à celle de Paris, dans l'atelier d'Eugène Narbonne. Sélectionné au Prix Eugène Carrière en 1963, au Prix Othon Friesz en 1964 et au Prix de la Critique en 1971, il expose dans les principaux salons parisiens. Ses toiles sont traitées en couleurs vives, saturées.

CHAPUIS Michel
Né le 11 août 1925 au Château de Beauvoir (Pas-de-Calais). xxe siècle. Français.
Peintre de figures et de paysages. Néo-fauve.
En 1944, il entre à l'École des Beaux-Arts de Bordeaux. Également poète, il fait partie en 1949 du C.N.E. (Comité National des Écrivains), proche du parti communiste et rencontre Éluard, Aragon et Tzara. Plus tard, il fait la connaissance de Prévert, de Picasso, de Zervos, de Queneau (qui lui édite chez Gallimard en 1958 un recueil d'aphorismes, *Bâtons rompus*), et se lie d'amitié avec Roger Vailland, puis Édouard Pignon. En 1960 il devient producteur d'émissions de télévision : *Plaisirs des arts, Terre des arts* (avec Max-Pol Fouchet, Jacques Floran et Jean-Luc Déjean), *Voir, La peinture se cache, Champs visuel* (avec Pierre Schneider), *Le monde des arts.* Puis viennent d'autres amitiés, en 1963 : Poliakoff et Brauner. Ce n'est qu'en 1969 qu'il se décide à présenter sa première exposition personnelle, à la Galerie Villand-Galanis à Paris, après avoir longtemps refusé de le faire : « c'est horrible d'accrocher sa peinture pour la première fois. Avec elle, c'est toute mon intimité que je livre ». Il devient en 1975 producteur du *Pont des Arts* sur France-Culture ; il publie également des recueils de poèmes et des livres d'art. En 1980, la Maison de la Culture d'Amiens lui consacre une rétrospective. Il expose en 1988 à la Galerie Arts et Civilisations de Quimper, en et 1992 fait paraître une monographie sous la forme d'une autobiographie, intitulée *Les Sources de l'œuvre.*
Chapuis peint depuis le début sans concessions, parfois même brutalement ; et la peinture, une fois sèche, garde la trace des gestes rapides et violents qui ont jeté les couleurs sur la toile. Travailleur passionné, il s'est d'abord consacré essentiellement à l'abstraction, large part de son œuvre dont il détruisit par la suite la plupart des toiles, mais dont il a gardé son assurance dans l'organisation des compositions et sa parfaite maîtrise de la matière. Sa peinture aux couleurs éclatantes, voire stridentes, peut d'abord rappeler le fauvisme, et lorsque les motifs colorés sont cernés de noir, on pense à Rouault. L'expressionnisme affirmé de certaines compositions, peuplées de monstres effrayants, de silhouettes fantomatiques, évoque tour à tour Odilon Redon et Edvard Munch. Quant à la matière, riche, grasse, épaisse et veloutée, elle est bien proche de celle de son ami Bengt Lindström. Enfin, la simplicité et la force des moyens mis en œuvre ne sont pas sans parenté avec l'Art brut.
■ Antoine Gründ

Bibliogr. : Catalogue de l'exposition *Michel Chapuis : « Les Anonymes »,* Paris, 1981 – Michel Chapuis : *Les Sources de l'œuvre,* Éditions Alain Bargain, Quimper, 1992.

Ventes Publiques : Paris, 13 oct. 1987 : *L'allée des Marmoussets* à Versailles 1983, h/t (73x60) : FRF 9 000 – Paris, 20 nov. 1989 : *La famille bleue n° 2* 1958, h/pap. (100x64,5) : FRF 10 000 – Paris, 12 déc. 1990 : *La coiffe d'arbre* 1989, h/t (100x61) : FRF 12 000.

CHAPUIS Nicolas
Né à Neuf château (Lorraine). Mort vers 1683. xviie siècle. Travaillait à Grenoble vers 1640. Français.
Peintre et doreur.
Louis Carlès et le duc de Lesdiguières le firent d'abord travailler comme doreur ; plus tard, il sculpta plusieurs retables d'églises,

dont un orné de statues pour le chanoine Aymon, en 1647 ; en 1653, celui de l'église des Saillans, en 1665, celui de Saint-Pierre d'Entremont et surtout celui de l'église de la Visitation de Sainte-Marie-d'en-Haut, à Grenoble (1666). Ses peintures, quoique moins nombreuses et moins connues que ses sculptures, offrent cependant un réel intérêt. Plusieurs d'entre elles sont des fresques.

CHAPUIS Pierre
xviiie siècle. Actif à Grenoble en 1793. Français.
Peintre.

CHAPUIS Pierre Marie Alfred
Né en 1863 à Paris. Mort le 23 septembre 1942. xixe-xxe siècles. Français.
Peintre de genre, paysages, décors de théâtre.
Il a participé aux principaux Salons parisiens, notamment à celui de la Société Nationale des Beaux-Arts dès 1906, au Salon d'Automne en 1907 et au Salon des Indépendants jusqu'à sa mort.
Célèbre, à l'époque, pour ses décors de théâtre, il est mieux connu, par la suite, pour la finesse de tons de ses aquarelles de paysages de Trouville, Deauville.

Bibliogr. : Gérald Schurr, in : *Les Petits Maîtres de la peinture 1820-1920, valeur de demain,* Les Éditions de l'Amateur, t. III, Paris, 1976.

Musées : Trouville.

Ventes Publiques : Paris, 20 fév. 1931 : *La rivière de Quimper* : FRF 42 – Paris, 7 fév. 1944 : *Le Bois de Boulogne,* past. : FRF 1 000 – Londres, 10 mai 1979 : *Trouville,* pl., cr. de coul. et aquar. reh. de blanc (16,5x24) : GBP 920 – Vienne, 18 nov. 1981 : *Travaux des champs,* h/t (39x56) : ATS 12 000 – Paris, 16 mai 1986 : *Étude de printemps au bois* 1903, h/t (38x46) : FRF 8 000 – Paris, 16 déc. 1987 : *Paysage de l'île Saint-Denis* 1915, past. (18,5x26,5) : FRF 2 500 – Paris, 20 nov. 1991 : *Paris – la Seine au Louvre* 1913, h/pap. (25,5x34) : FRF 3 800 – Paris, 11 déc. 1992 : *Les Grands Boulevards avec les portes Saint-Martin et Saint-Denis* 1905, gche (30,5x39,5) : FRF 11 500.

CHAPUS Berthe
Née à Paris. xixe siècle. Française.
Lithographe.
Elle obtint une mention honorable au Salon de 1891.

CHAPUS Guillot
Originaire de Beaune. xvie siècle. Français.
Sculpteur.
Il travaillait en 1534 dans l'atelier de Jean Guiramand à Aix-en-Provence.

CHAPUS Jean
xve siècle. Français.
Peintre.
Il était actif en Avignon et travailla à Marseille en 1441 pour l'église des Accoules. On cite de lui un retable représentant *Saint Crépin.* Le Chanoine Requin (le découvreur d'Enguerrand Quarton au xixe siècle) proposait de l'identifier comme le Maître de l'Annonciation d'Aix, dont on sait aujourd'hui qu'il s'agit de Barthélémy d'Eyck.

CHAPUT Jean-Pierre
Né en 1935 en Espagne, d'origine française. xxe siècle. Français.
Peintre de figures, portraits.
Élève de Brianchon, il a fait sa première exposition personnelle à Paris en 1965. Son succès remporté, surtout dans le monde du spectacle, vient de ses portraits, de ses représentations de clowns et de « personnages » connus.

CHAPUY
xviiie siècle. Français.
Sculpteur.

CHAPUY A.
xixe siècle. Parisien, actif au xixe siècle. Français.
Sculpteur.

CHAPUY André
Né à Paris. Mort le 9 juillet 1941. xxe siècle. Français.
Peintre de genre, nus, portraits, paysages.
Dès 1907, il a participé au Salon des Artistes Indépendants à Paris, puis à celui de la Société Nationale des Beaux-Arts, dont il est devenu sociétaire en 1914. Il figura également au Salon d'Automne, dont il fut aussi sociétaire et au Salon des Tuileries.
Sa manière rappelle assez celle de Gervex par ses sujets et la richesse de ses tons émaillés.

Bibliogr. : Gérald Schurr, in : *Les Petits Maîtres de la peinture 1820-1920, valeur de demain*, Les Éditions de l'Amateur, t. II, Paris, 1982.
Musées : Paris (Mus. d'Orsay) : *Effet de neige*.
Ventes Publiques : Paris, 19 mai 1920 : *Quai du Midi à Beaulieu* : FRF 385 – Paris, 14 mai 1925 : *Femme nue dans un intérieur* : FRF 110 – Paris, 29 mars 1985 : *Le Casino de Deauville*, h/cart. (54x65) : FRF 8 500 – Versailles, 7 déc. 1986 : *Paris, calèche et animation quai de Montebello*, h/t (54x81) : FRF 8 800.

CHAPUY Claude
XVIIᵉ siècle. Actif à Lyon dans la seconde moitié du XVIIᵉ siècle. Français.
Sculpteur.

CHAPUY Jean Baptiste
Né vers 1760 à Paris. Mort en 1802 à Paris. XVIIIᵉ siècle. Français.
Graveur, dessinateur.

CHAPUY Jean Désiré Baptiste Agénor
Né au XIXᵉ siècle à Francheville (Eure). XIXᵉ siècle. Actif à Paris. Français.
Sculpteur.
Élève de Calmels et Jouffroy. Il débuta en 1868 et exposa régulièrement au Salon de Paris. On cite de lui : *Rieuse* et de nombreux bustes. Le Musée de Gray possède de lui : *Alcibiade*. On ne sait plus rien de lui après 1899.

CHAPUY Nicolas Marie Joseph
Né en 1790 à Paris. Mort le 23 juillet 1858 à Paris. XIXᵉ siècle. Français.
Dessinateur d'architectures, paysages, illustrateur, lithographe.
Ex-officier du génie maritime, il obtint pour la lithographie la médaille de troisième classe en 1833. Il avait débuté au Salon en 1824.
On lui doit nombre de lithographies intéressantes : vues, paysages, monuments, curiosités historiques. Il a collaboré à l'illustration du *Voyage en Orient* de Laborde et Bussière, des *Voyages pittoresques dans l'ancienne France*, de Nodier, Taylor et Cayeux, des *Souvenirs de Grenade et de l'Alhambra*, de Giraud de Pranzey, de *L'Ancien Bourbonnais*, de Desroziers, etc.
Ventes Publiques : Paris, 18 nov. 1926 : *Vue générale de la Ville de Lyon*, sépia : FRF 470 – Paris, 30 nov. 1927 : *La place du Châtelet vers 1840*, mine de pb : FRF 450 ; *La Fontaine et le Marché des Innocents*, mine de pb : FRF 280 – Zurich, 8 nov. 1982 : *Vue de Coire et du mont Calanda*, litho. (20,8x33) : CHF 1 100.

CHAPUY René Thomas
Mort le 7 mai 1762. XVIIIᵉ siècle. Français.
Peintre.
Il était le mari de Marie-Marguerite Blondelle et fut reçu à l'Académie de Saint-Luc à Paris.

CHAR-POU
Né au Mans (Sarthe). XIXᵉ siècle. Français.
Peintre de paysages et aquarelliste.
Il exposa au Salon des Indépendants en 1909 et 1910.

CHARAF Rafic
Né en 1923 à Baalbeck. XXᵉ siècle. Libanais.
Peintre.
Étant enfant, il couvrait les murs de la ville de dessins faits au charbon. Il entre à l'Académie des Beaux-Arts de Beyrouth en 1952. En 1955, le gouvernement espagnol lui offre une bourse pour deux années d'études à l'Académie San Fernando de Madrid. Puis, en 1960, le gouvernement italien lui accorde une autre bourse, lui permettant de fréquenter l'Académie Pietro Vanucci de Pérouse. Il a participé à plusieurs exposition de groupe, notamment aux Salons du Musée Sursock en 1962 et 1974, aux Biennales de Paris (1963) et de São Paulo (1973), à Moscou, Zagreb, Rome, Venise, Vienne, Belgrade, Tokyo, Palerme, au Koweit et à Tunis. Il a fait plusieurs expositions personnelles au Liban, mais aussi à Vienne, Madrid, Washington, Kansas City, Detroit et Riyad. Il enseigne à l'Institut des Beaux-Arts de l'Université Libanaise, qu'il a dirigé entre 1982 et 1987. Il a reçu le premier prix lors de l'exposition organisée par l'U.N.E.S.C.O. à Beyrouth en 1955 et le Prix de l'État libanais en 1973.
L'œuvre de Charaf comporte plusieurs facettes : il peut peindre des paysages d'un type classique, dessiner avec humour et même le sens de la caricature, notamment des sujets tirés de la littérature arabe anté-islamique. Il utilise, enfin, des signes calligraphiques, versets du Coran qu'il dispose harmonieusement, avec d'autres petits dessins, sur des fonds de couleurs fondues, dans des compositions qui rappellent celles de Klee.
Bibliogr. : Catalogue de l'exposition : *Liban, le regard des peintres, 200 ans de Peinture Libanaise*, Institut du Monde Arabe, Paris, 1989.

CHARAIRE Georges
Né à Corbeil (Essonne). XXᵉ siècle. Français.
Peintre de paysages et de marines.
Il a exposé au Salon des Artistes Français, notamment en 1911, 1920 et 1926. Il a surtout représenté des scènes maritimes.

CHARASSON Eugène
Né à Aigurande (Indre). XXᵉ siècle. Français.
Peintre de paysages.
De 1919 à 1939, il a régulièrement exposé aux Salons des Artistes Indépendants, de la Société Nationale des Beaux-Arts et d'Automne. Il participait au Salon des Tuileries de 1934.

CHARAVEL Paul Frédéric Antoine
Né le 2 avril 1877 à Marseille (Bouches-du-Rhône). Mort en 1961. XXᵉ siècle. Français.
Peintre de genre, portraits.
Il a travaillé sous la direction de Bonnat et d'Albert Maignan. Il a régulièrement participé au Salon des Artistes Français, dont il est devenu sociétaire en 1901, obtenant une mention honorable en 1902, une médaille de troisième classe en 1907 et la médaille d'or en 1927.
Ses scènes de genre et surtout de baignades prennent un caractère solide, grâce à la lumière qui sculpte les formes.

Paul Charavel

Bibliogr. : G. Schurr : *Les Petits Maîtres de la peinture 1820-1920, valeur de demain*, Paris, 1969.
Ventes Publiques : Paris, 2 déc. 1938 : *Baigneuse allongée* : FRF 65 – Versailles, 26 nov. 1967 : *Plaisir de l'été* : FRF 2 800 – Paris, 9 déc. 1968 : *Naïades dans la campagne* : FRF 4 200 – Versailles, 14 juin 1970 : *Après le bain* : FRF 20 000 – Paris, 25 oct. 1976 : *Paysage maritime*, h/t (54x81) : FRF 2 200 – Paris, 28 mars 1977 : *Montfort l'Amaury 1936*, h/t (16x21) : FRF 8 000 – Versailles, 28 juin 1981 : *Villeneuve-sur-Yonne 1942*, h/t (27x35) : FRF 5 000 – Versailles, 7 mars 1982 : *Clair de lune sur le golfe 1913*, h/t (173x268) : FRF 9 000 – Enghien-les-Bains, 26 fév. 1984 : *Le retour des pêcheurs 1947*, h/cart. (27x26) : FRF 6 100 – Versailles, 25 mars 1986 : *Baigneuses près des pins au bord de la mer*, h/t (73x91,5) : FRF 6 200 – Paris, 15 mai 1987 : *Terrasse de la villa l'Oustalet del Pescadoux à Saint-Tropez 1913*, h/pan. (26,5x35) : FRF 6 100 ; *Portrait d'enfant 1896*, h/t (46x38) : FRF 3 300 – Paris, 3 juin 1988 : *La plage à marée basse*, aquar. (30,5x47) : FRF 1 100 – Versailles, 25 sep. 1988 : *Vase de fleurs*, h/t (46x38) : FRF 4 000 – Versailles, 6 nov. 1988 : *Baigneuses dans un paysage*, h/cart. (23,5x31) : FRF 6 100 – Versailles, 18 déc. 1988 : *La terrasse dans le Midi*, h/t (49,5x64) : FRF 4 500 – Versailles, 11 jan. 1989 : *Pins parasols à Pampelonne*, h/pan. (22x27) : FRF 3 300 – Paris, 15 fév. 1989 : *Bord d'étang*, h/t (73x92) : FRF 5 200 – Cologne, 15 juin 1989 : *« Le Pinet »* : *paysage de la côte méditerranéenne en France 1933*, h/pap. (16x22) : DEM 1 500 – Paris, 22 jan. 1990 : *Paysage au bord de l'eau*, h/t (54x73) : FRF 7 300 – Neuilly, 7 avr. 1991 : *Après le bain 1953*, h/pan. (73x60) : FRF 12 000 – Paris, 13 oct. 1995 : *La maison de Mme Touraille à Villeneuve-en-Marche (Creuse)*, h/t (41x33) : FRF 8 000.

CHARAY Guillaume
Né à Lyon. XVIᵉ siècle. Français.
Peintre.
Il est mentionné à Lyon en 1540.

CHARAZAC Robert
Né à Bordeaux (Gironde). XXᵉ siècle. Français.
Peintre.
A exposé au Salon d'Automne de 1935.

CHARBON Charles
XVIIIᵉ siècle. Actif à Nantes en 1763. Français.
Peintre.

CHARBONNEAU Alexandre
XVIIᵉ siècle. Français.
Peintre.
Fut pendant trois ans l'élève d'Antoine Van Halder.

CHARBONNEAU G. L.
XIXᵉ-XXᵉ siècles. Français.
Peintre.
Peut-être s'agit-il de Georges Charbonneau. Figurait au Salon des Artistes Français de 1913.

CHARBONNEAU Georges
XIXᵉ-XXᵉ siècles. Français.
Peintre d'histoire, portraits, paysages.
Obtint en 1893 un second prix avec *Samson tournant la meule* (au Musée d'Angers) ; figurait au Salon des Artistes Français de 1898 avec un portrait d'homme.
VENTES PUBLIQUES : VERSAILLES, 3 fév. 1980 : *Péniches amarrées au pont de l'Archevêché, derrière l'abside de Notre-Dame de Paris*, h/t (38x55) : FRF 5 000.

CHARBONNEAU Jean-Luc
Né en 1951. XXᵉ siècle. Français.
Peintre de figures, groupes. Fantastique.
En 1971, il entre dans l'atelier Chapelain-Midy et sort diplômé de l'École des Beaux-Arts de Paris en 1974. Dès 1975, il expose pour la première fois à Angers, puis à Nantes en 1976 et à Paris en 1977. Il a participé à l'exposition Peintres de Bretagne, au Musée des Beaux-Arts de Nantes en 1978. Après avoir fait des travaux publicitaires et quelques séjours en Afrique du Nord, entre 1979 et 1981, il a de nouveau exposé à Paris en 1982, 1986, 1988, 1990, 1991 et 1992, à Palma de Majorque en 1984 et 1987, à Fontevraud et Valence en 1987, Monaco en 1989. Il figurait à l'Art Expo de Tokyo en 1990.
Son art relève du monde des songes, dans lequel des grappes humaines, animales et minérales semblent entrer en lutte ou participer à des processions étranges ou à des rites encore plus étranges. Comme dans un rêve, les choses ne sont pas notées clairement, les scènes représentées sont volontairement inachevées et de larges coups de pinceau viennent les brouiller en un éblouissement. Les couleurs, peu nombreuses, sont là pour évoquer une clarté mystérieuse, une lumière étrange, vers laquelle convergent toutes les lignes de force du tableau.

CHARBONNEAU Pierre
Né à Reims (Marne). XIXᵉ-XXᵉ siècles. Français.
Sculpteur.
Exposant du Salon des Artistes Français ; mention honorable en 1909.

CHARBONNÉE Angélique ou Charbonnier
XVIIIᵉ siècle. Active à Paris vers le milieu du XVIIIᵉ siècle. Française.
Graveur.
A comparer avec Anne Charbonnier. Grava notamment d'après Téniers.

CHARBONNEL Charles
XIXᵉ siècle. Actif à Paris au milieu du XIXᵉ siècle. Français.
Peintre de fleurs et aquarelliste.
Exposa au Salon de 1838 une étude de fleurs.

CHARBONNEL Jean Baptiste
Né à Casset (?). XVIIIᵉ siècle. Français.
Peintre.

CHARBONNEL Louis Jean
Né vers 1845 à Bélinais (Cantal). XIXᵉ siècle. Français.
Peintre de compositions religieuses, sujets allégoriques, scènes de genre, nus, portraits, graveur.
Élève de Léon Cogniet, Gérome, Carolus Duran, il participa au Salon de Paris entre 1868 et 1882.
Ses thèmes sont très variés, allant du sujet religieux : *Apothéose de sainte Marguerite* 1868, à la scène de genre : *Les deux grigous*, au nu : *La sortie de bain* 1873, au sujet allégorique : *Vice et Innocence* 1880, aux portraits : *Autoportrait* 1872 – *Portrait de Mgr Lamouroux* 1878 – *Portrait de M. Le Saint* 1882. Il les traite avec un réalisme qui fait penser à l'art de Courbet.
BIBLIOGR. : Gérald Schurr, in : *Les Petits Maîtres de la peinture 1820-1920, valeur de demain*, Les Éditions de l'Amateur, t. II, Paris, 1982.
MUSÉES : BAGNÈRES-DE-BIGORRE : *Les deux grigous*.

CHARBONNIER
XIXᵉ siècle. Actif dans la seconde moitié du XIXᵉ siècle. Français.
Peintre.
Le Musée de Toul conserve de lui : *Tête de moine*, et *La pose du modèle*.

CHARBONNIER Anne
XVIIIᵉ siècle. Active à Paris. Française.
Graveur.
Le Blanc cite : *Jésus-Christ en Croix*.

CHARBONNIER Étienne
Né à Paris. XIXᵉ siècle. Français.
Sculpteur.
Sociétaire des Artistes Français depuis 1890.

CHARBONNIER Henri
Né à Brie. XVIIᵉ siècle. Français.
Sculpteur.
Travailla au chantier naval de Toulon. Cité en 1671, 1681 et 1686 à l'occasion de la construction des vaisseaux *Henry, Le Magnifique, L'Indépendant*.

CHARBONNIER Louise
Née à Nice (Alpes-Maritimes). XXᵉ siècle. Française.
Peintre de genre, portraits.
Elle a exposé aux Salons des Tuileries, d'Automne et des Artistes Indépendants à Paris, de 1933 à 1940.

CHARBONNIER Madeleine Élise
Née à Paris. XXᵉ siècle. Française.
Peintre de portraits et de natures mortes.
Elle a participé au Salon des Artistes Français de 1923 à 1927 et au Salon d'Automne de 1936.

CHARBONNIER Pierre
Né le 24 août 1897 à Vienne (Isère). Mort le 2 juillet 1978 à Paris. XXᵉ siècle. Français.
Peintre de paysages, paysages urbains, marines, natures mortes, aquarelliste, illustrateur, décorateur.
Élève à l'École des Beaux-Arts de Lyon en 1915, il fut élève à l'École des Beaux-Arts de Paris en 1920. C'est en dehors de l'École qu'il reçut des leçons de Maurice Denis, Vuillard et Bonnard. Il a participé au Salon des Artistes Indépendants de 1919 à 1926, au Salon d'Automne de 1923 à 1928 et au Salon des Tuileries depuis sa fondation. Il a également figuré dans de nombreuses expositions de groupe, parmi lesquelles : la Biennale de São Paulo en 1952 et 1954, le Salon de Mai en 1967. Il reçut le Prix Lissone en 1953. Il a fait sa première exposition personnelle en 1921 dans le foyer du Théâtre de l'Œuvre à Paris, suivie de beaucoup d'autres, surtout à Paris et en Belgique. En 1974, une exposition de ses œuvres a circulé en province, à la Maison de la Culture de Saint-Étienne et au Musée de Montpellier. Ami des poètes, ses expositions ont souvent été présentées par André Salmon, René Char, Francis Ponge, Jacques Prévert.
Il a eu une grande activité de décorateur et d'illustrateur, peignant, par exemple, une décoration florale pour une construction d'Auguste Perret et illustrant : *Les Noces exemplaires de Mie Saucée* d'A. Salmon, *Atala* de Chateaubriand, et *Le Bestiaire* de F. Dodet. Il a beaucoup travaillé dans le domaine cinématographique : on lui doit un décor de cinéma pour *Ode*, ballet de B. Kochno aux Ballets S. de Diaghilev. Il a réalisé les films : *Contact* (Électricité belge), 1930, *Pirates du Rhône* et *Bracos de Sologne*, avec J. Aurenche en 1933. Dès 1934, il a produit un dessin animé de long métrage : *La Fortune enchantée*. Il est l'auteur des décors de presque tous les films de Robert Bresson. Il a également réglé le décor lumineux du mystère de *L'Agneau Mystique* représenté sur le parvis de la cathédrale de Gand en Belgique.
Depuis la Seconde Guerre mondiale, ses peintures sont souvent le constat, faussement naïf, de l'envahissement de l'espace urbain par les constructions de béton, auxquelles il oppose un regard angélique, s'attachant à détailler la délicatesse des jeux de la lumière sur les façades interminables. Son trait âpre gouverne les rares harmonies de couleurs de ses toiles.
BIBLIOGR. : Catalogue de l'exposition *Pierre Charbonnier*, Galerie Albert Loeb, Paris, 1972.
MUSÉES : ARLES – LUXEMBOURG – LYON – MARSEILLE – NANCY – PARIS (Mus. Nat. d'Art Mod.) – PARIS (Mus. mun. d'Art Mod.) – RIO DE JANEIRO – SAINT-ÉTIENNE – SÃO PAULO – TOKYO – TURIN – VALENCE.
VENTES PUBLIQUES : PARIS, 4 juin 1925 : *En bateau*, aquar. : FRF 140 – PARIS, 20-21 déc. 1926 : *Le Chemin de la ferme* : FRF 400 – PARIS, 29 avr. 1927 : *Enfant au jardin* : FRF 200 – PARIS, 9 mars 1942 : *Maisons* : FRF 110 – PARIS, 7 mai 1943 : *Nature morte* : FRF 400 – PARIS, 22 fév. 1982 : *Marine au Portugal*, h/t (65,5x46,5) : FRF 2 500 – PARIS, 21 mai 1990 : *Les Docks* 1960, h/t (72,5x92) : FRF 15 000 – NANCY, 24 juin 1990 : *Marine*, h/t (54x73) : FRF 6 500 – PARIS, 24 mars 1997 : *Ville de Lyon*, h/t (100x104) : FRF 8 000.

CHARBONNIER René
XVIIᵉ siècle. Actif à Nantes en 1676. Français.
Peintre verrier.

CHARCHOUNE Serge
Né le 4 août 1888 à Bougourouslan (département de Samara, Oural). Mort le 24 novembre 1975 à Paris. XXᵉ siècle. Actif en France. Russe.
Peintre de paysages, natures mortes, peintre à la gouache, dessinateur. Cubiste ornemental, puis abstrait.
Après une enfance passée à l'ouest des Monts Oural, dans une petite ville au bord du Kinel, affluent de la Volga, il fut un étudiant médiocre et n'eut aucune envie de succéder à son père qui possédait un comptoir d'étoffes. Voulant se consacrer à l'art pictural, il se présente au concours d'entrée à l'École des Beaux-Arts de Kazan, auquel il échoue. Il part pour Moscou en 1909, travaille dans plusieurs Académies, rencontre Larianoff et Gontcharova. Il découvre également les Impressionnistes du Musée Trétiakoff, notamment Monet. Préférant déserter, plutôt que de faire son service militaire, il s'enfuit à Berlin, puis arrive à Paris en 1912, il fréquente l'Académie de La Palette où il est élève de Le Fauconnier, dont il subit l'influence, à travers ses couleurs sourdes et ses décompositions des volumes. Il connaît aussi Metzinger, dont le langage savant l'effraie, tandis que le fauvisme et le cubisme l'enthousiasment. Pour la première fois, en 1913, il participe au Salon des Artistes Indépendants à Paris. N'étant pas naturalisé français, il ne peut être mobilisé à la déclaration de la guerre en 1914, et il part pour l'Espagne. A Barcelone, il découvre l'art hispano-mauresque avec les azuléjos, carreaux de faïence qui couvrent les murs, et les arabesques du style mudejar qui lui révèlent le graphisme mozarabe, l'espace sans profondeur et les couleurs pures posées en aplats. C'est à ce moment que se définit son cubisme ornemental avec des toiles couvertes d'idéogrammes. Ces arabesques se retrouveront plus tard, à partir de 1929, dans ses *Paysages élastiques*. Toujours à Barcelone, il rencontre Picabia, entre en contact avec le mouvement Dada qui n'affectera pas directement son art pictural, mais aura une influence sur ses écrits, plus particulièrement à son retour en France en 1920. Avant cela, Charchoune avait fait deux expositions personnelles à Barcelone en 1916 et 1917. De nouveau à Paris en 1920, où il expose pour la première fois, il participe aux activités du groupe Dada, envoie régulièrement des dessins à la revue *391*, publie en français *Foule immobile* qu'il illustre lui-même en 1921. Pris de l'envie de retourner dans son pays, il passe par Berlin pour obtenir un visa ; il y rencontre Maïakovski, Isidora Duncan qui l'en dissuadent. Cependant il reste à 1923 à Berlin où il publie en russe *Le Transbordeur Dada* et un recueil d'articles sur le Dadaïsme. Il participe à des expositions : Der Sturm, Zaria, et la Grande Exposition berlinoise. Il collabore aux revues *Manomètre, Merz, Mecano*, etc. et fait deux expositions en 1922 et 1923.
En 1927, il rencontre Ozenfant qui l'impressionne fortement et l'oriente vers le purisme, donnant une œuvre dont la construction rigoureuse se fond dans la juxtaposition de ses touches. Après un moment de découragement et d'isolement, entre 1930 et 1939, durant lequel il peint peu de ses petites toiles, et donne plus d'importance à son activité littéraire, il reprend courage lorsqu'il obtient en 1940 un atelier à la cité Falguière et qu'il vend des toiles. Alors viennent deux types d'inspiration : l'eau et la musique qui l'entraînent vers l'abstration fondée sur le rythme linéaire de l'élément liquide ou de la musique et sur la réduction de la couleur, proche de la monochromie, tendant vers le blanc, considérée par Charchoune comme « couleur absolue ». A cette époque, il a régulièrement figuré aux Salons des Artistes Indépendants, Art Sacré, Comparaisons, de Mai et des Réalités Nouvelles. Il était représenté à l'Exposition *Aspect de l'avant-garde russe de 1905 à 1925*, organisé à Paris en 1969 et a fait de nombreuses expositions personnelles à Paris, Montréal, Copenhague, New York, Milan, Düsseldorf, Genève, Luxembourg, Bâle, Berne, Amsterdam, Lyon. Une rétrospective lui a été consacrée en 1971 au Musée National d'Art Moderne de Paris, et après son décès, un *Hommage à Charchoune* lui a été rendu au même Musée d'Art Moderne à Paris en 1976.
L'œuvre de Charchoune n'est pas toujours facile à saisir, elle suit une évolution non linéaire, faite de constants retours en arrière qui permettent au peintre de fusionner ou d'alterner les époques. On dit, un peu trop vite, qu'il n'a jamais écrit de figures et pourtant il est l'auteur d'une *Liseuse* en 1933 et à nouveau en 1938 qui, il est vrai, n'est prétexte qu'à une évocation lumineuse d'une silhouette perdue dans une sorte de brouillard et assise

sur un banc. Ses natures mortes, comme ses paysages ou plutôt espaces, dérivent rapidement vers l'abstraction. On définit souvent la peinture de Charchoune comme austère, sobre, équilibrée, dont les couleurs subtiles sont souvent éteintes, proches de la monochromie, dans des harmonies sourdes, mais parfois la couleur éclate, les rouges, oranges et jaunes s'entrechoquent pour un *Réveil en fanfare* ou une *Percussion* ou encore *Hautbois et orchestre*. S'il a souvent indiqué des références musicales à ses peintures, en fait son art appartient à ce que l'on pourrait appeler la peinture pure. Remplissant les surfaces par petites touches juxtaposées, il organise ses surfaces les unes par rapport aux autres dans un souci surtout rythmique, où les lignes des contours jouent le rôle principal, construisant un réseau de lignes qui se croisent, se complètent, se superposent, se séparent pour mieux se répondre. Raymond Creuze évoque ainsi les touches de Charchoune : elles « distillent les notes d'une orchestration, avec la précision, la finesse et l'exactitude néo-impressionniste ». Enfin, la peinture de Charchoune reste toujours sensuelle, elle est riche en matière et haute en relief, ce qui lui permet de différencier les petites touches, même de ses toiles presque monochromes. ■ Annie Pagès

BIBLIOGR. : In : *Diction. de la Peinture Abstraite*, Hazan, Paris, 1957 – William N. Copley : *Charchoune*, W. et N. Copley Foundation, Chicago, 1961 – Pierre Brisset : *Charchoune le solitaire*, Gal. J.-L. Roque, Paris, 1970 – Raymond Creuze : *Catalogue raisonné de l'œuvre de Charchoune*, Paris, 1975-1976 – Claude Bouyeure, in : *Opus International*, nº 107, 1988 – Patricia Delettre : Catalogue de l'exposition *Charchoune – Œuvres de 1913 à 1974*, Gal. Fanny Guillon-Laffaille, Paris, 1988 – Jean Hélion, Patricia Delettre : Catalogue de l'exposition *Charchoune – 1888-1975*, Centre Culturel de la Somme, Amiens, 1989, abondantes documentations – Raymond Creuze : *Charchouniana*, Paris, 1989 – Patricia Delettre : *Catalogue raisonné de l'œuvre peint de Serge Charchoune*, en préparation.

MUSÉES : ALÈS (Mus.-Biblioth. P.A. Benoit) – BELGRADE (Gal. Nat.) – BERLIN (Nationalgal., Staatl. Mus.) – BRATISLAVA (Gal. Nat. Slovaque) – CHARLEVILLE-MÉZIÈRES (Mus. Rimbaud) – COLOGNE (Mus. Ludwig) – DIJON (Mus. des Beaux-Arts, Donat. Granville) – GENÈVE – GRENOBLE (Mus. de Peinture et de Sculpture) : *Nature morte olivâtre* 1928 – LODZ (Mus. des Beaux-Arts) – LONDRES – MOSCOU (Gal. Tretiakov) – NEW-HAVEN (Yale University Art Gal.) – NICE (Mus. d'Art Mod. et d'Art Contemp.) – NORFOLK (Chrysler Mus.) – PARIS (Mus. Nat. d'Art Mod.) : *Concerto pour piano nº 4 de Beethoven* 1960 – PARIS (Mus. d'Art Mod. de la Ville) – PONTOISE (Mus. Tavet) – PRAGUE (Gal. Nat.) – REIMS (Mus. Saint-Denis) – ROANNE (Mus. Joseph Déchelette) – LES SABLES-D'OLONNE (Mus. de l'Abbaye Ste-Croix) – SAINT-ÉTIENNE (Mus. d'Art Mod.) – SKOPJE (Mus. d'Art Contemp.) – STRASBOURG (Mus. des Beaux-Arts) – VILLEFRANCHE-SUR-MER (Mus. de la Citadelle, Fond. Henri Goetz) – VILLENEUVE-D'ASCQ (Mus. d'Art Mod., Donat. Masurel) : *La liseuse* 1933 – Nature morte au couteau 1943.

VENTES PUBLIQUES : PARIS, 3 mars 1927 : *Vases et fruits* : FRF 350 – PARIS, 26 mars 1928 : *Le bol* : FRF 180 ; *Cubisme ornemental* : FRF 155 – PARIS, 5 nov. 1937 : *Harmonie blanche* : FRF 55 ; *Objets abstraits* : FRF 100 – PARIS, 8 mars 1954 : *Composition* : FRF 16 000 – PARIS, 1ᵉʳ déc. 1964 : *Composition* : FRF 1 500 – VERSAILLES, 14 mai 1966 : *La mer impétueuse* : FRF 10 100 – PARIS, 12 nov. 1968 : *Les poissons* : FRF 2 400 – PARIS, 26 nov. 1971 : *Trio à cordes de Beethoven* : FRF 12 000 – PARIS, 15 nov. 1972 : *Composition 1955* : FRF 13 000 – PARIS, 2 déc. 1976 : *Variations blanches 1946-1947*, h/t (24x41) : FRF 7 500 – VERSAILLES, 8 juin 1977 : *Composition ardoise 1927*, h/t (38x55,5) : FRF 18 000 – VERSAILLES, 26 fév. 1978 : *Composition chocolatée*, h/t (46x55) : FRF 19 000 – VERSAILLES, 13 juin 1979 : *Nature morte aux cuillères 1943*, h/t (60x72,5) : FRF 19 000 – PARIS, 27 oct. 1980 : *Coucher de soleil 1950*, gche/pap. mar./t. (12x15) : FRF 8 000 – VERSAILLES, 18 juin 1981 : *Composition*, gche (54x75) : FRF 10 000 – PARIS, 18 oct. 1982 : *Cubisme ornemental Nº B 10 1922*, h/pan. (34x24) : FRF 35 000 – PARIS, 5 déc. 1983 : *Composition*, aquar. (55x75) : FRF 9 000 – PARIS, 17 déc. 1984 : *Composition 1926-1928*, h/t (33x41) : FRF 25 000 – LONDRES, 4 déc. 1985 : *Projet de couverture pour un catalogue d'exposition 1916*, gche et encre de Chine (11,2x12) : GBP 5 500 – VERSAILLES, 7 déc. 1986 : *Danse, arabesque 1948*, h/pap. mar./t. (60x73) : FRF 66 000 – PARIS, 27 nov. 1987 : *Mendelssohn, Songe d'une nuit d'été, Variation III*, h/t

(50x72) : **FRF 14 000** – Versailles, 13 déc. 1987 : *Le peigne blanc*, h/pap. mar./t. (50x61) : **FRF 94 000** – Paris, 15 fév. 1988 : *Composition 1951*, h/t (33x46) : **FRF 20 000** – Londres, 24 fév. 1988 : *Composition 1946*, h/t (35x24) : **GBP 4 950** – Paris, 18 mars 1988 : *Énergie 1945*, h/t (27x35) : **FRF 38 000** ; *Orphée 1948*, h/pap. mar./t. (65x50) : **FRF 45 000** – Paris, 20 mars 1988 : *Mendelssohn, Songe d'une nuit d'été – Var III*, h/t (50x73) : **FRF 20 000** ; *Musical*, h/t (38,5x61,5) : **FRF 38 000** – Versailles, 20 mars 1988 : *Valse à trois temps 1947*, h/t (51,5x29,2) : **FRF 80 000** – Paris, 21 mars 1988 : *Cristallisation 1947*, h/t (65x50) : **FRF 38 000** ; *Composition*, h/t (55x46) : **FRF 7 000 000** – Paris, 18 avr. 1988 : *Composition en bleu*, gche/pap. (34x26) : **FRF 4 000** – Paris, 30 mai 1988 : *Gondola 1952*, h/t (50x73) : **FRF 37 000** – Milan, 8 juin 1988 : *Composition 1945*, h/t (12,5x26,5) : **ITL 7 000 000** – Paris, 12 juin 1988 : *Symphonie vers 1948*, h/t (50x65) : **FRF 80 000** – Versailles, 15 juin 1988 : *Violon blanc 1946*, h/t (54x73) : **FRF 198 000** – Paris, 20-21 juin 1988 : *Composition blanche*, gche (62x48) : **FRF 10 000** – Paris, 23 juin 1988 : *La poire et l'avocat 1926*, h/t (33x41) : **FRF 100 000** – Paris, 7 oct. 1988 : *Composition surréaliste aux tons orangés 1929*, h/t (13x35,5) : **FRF 13 000** – Paris, 12 fév. 1989 : *Drakkar 1950*, h/t (54x81) : **FRF 800 000** – Paris, 12 fév. 1989 : *Fleur mystique 1944*, h/t (18x27,5) : **FRF 54 000** – Paris, 12 fév. 1989 : *Fiasque 1946*, h/t (60x73) : **FRF 230 000** – Londres, 24 mai 1989 : *Composition 1927*, h/t (25,5x30) : **GBP 12 100** – Paris, 4 juin 1989 : *Pain brûlé 1925*, h/t (33x41) : **FRF 250 000** – Paris, 8 oct. 1989 : *Danse-arabesque 1948*, h/t (59x72) : **FRF 240 000** – Saint-Dié, 15 oct. 1989 : *Composition musicale*, h/t (33x55) : **FRF 35 000** – Paris, 22 nov. 1989 : *Les bons conseils*, h/t (162x130) : **FRF 630 000** – Calais, 10 déc. 1989 : *Composition*, h/t (25x28) : **FRF 63 000** – New York, 26 fév. 1990 : *Composition abstraite 1958*, h/t (46,3x65,1) : **USD 46 200** – Paris, 11 mars 1990 : *Galapagos 1973*, h/t (54x73) : **FRF 106 000** – Paris, 30 mars 1990 : *Rythme musical*, h/t (64,5x92) : **FRF 300 000** – Londres, 4 avr. 1990 : *L'abysse*, h/t (130x195) : **GBP 38 500** – Neuilly, 10 mai 1990 : *Composition*, gche/pap. (45x37) : **FRF 30 000** – Amsterdam, 22 mai 1990 : *Nature morte à la poire 1926*, h/t (50x81) : **NLG 115 000** – Paris, 11 juin 1990 : *Nature morte*, h/pap. (18x36) : **FRF 130 000** – Paris, 27 nov. 1990 : *Violon blanc 1946*, h/t (54x73) : **FRF 190 000** – Amsterdam, 12 déc. 1990 : *Nature morte 1926*, h/pan. (34,4x47) : **NLG 23 000** – Paris, 20 jan. 1991 : *Composition géométrique 1943*, h/t (15,5x23,5) : **FRF 48 000** – Paris, 19 mars 1992 : *Composition élastique 1942*, h/t (21x37,5) : **FRF 67 000** – Amsterdam, 10 déc. 1992 : *Nature morte*, h/t/cart. (18x39) : **NLG 6 900** – Paris, 6 avr. 1993 : *Pain brûlé 1925*, h/t (33x41) : **FRF 45 000** – Amsterdam, 8 déc. 1993 : *Nature morte grise*, h/pan. (24x66) : **NLG 18 400** – Paris, 21 mars 1994 : *Le vaisseau fantôme ou La chute de l'ange 1954*, h/t (50x61) : **FRF 40 000** – Calais, 25 juin 1995 : *Nature morte 1942*, h/t (24x66) : **FRF 20 000** – Paris, 27 mars 1996 : *Nature morte*, h/t/isor. (20x36) : **FRF 22 000** – Londres, 23 mai 1996 : *Sans titre (Violon rustique) 1946*, h/t (56x38) : **GBP 7 820** – Paris, 5 oct. 1996 : *Composition Boccherini Allegretto 1955-1957*, h/t (46x61) : **FRF 16 000** – Paris, 16 déc. 1996 : *Griserie de l'archet 1946*, h/t (41x24) : **FRF 30 000** ; *Boccherini composition*, h/t (81x130) : **FRF 40 000** – Paris, 20 mars 1997 : *Interrogation élastique, point d'ironie 1928*, h/t (15x21) : **FRF 16 000** – Paris, 28 avr. 1997 : *Monteverde*, h/t (33x55) : **FRF 8 000** – Paris, 29 avr. 1997 : *Roulis 1950*, h/t (65x81) : **FRF 24 000** – Paris, 5 juin 1997 : *Composition 1940*, h/pan. (27x35) : **FRF 21 000** – Paris, 10 oct. 1997 : *Composition abstraite blanche*, h/t (22x27) : **FRF 36 500**.

CHARCOT Meg Jean, Mme, née Cléry
Née à Bougival (Seine). xixe-xxe siècles. Française.
Peintre.
Élève de B. Constant, J.-P. Laurens et J. Lefebvre. Elle a exposé des paysages et des fleurs au Salon des Artistes Français. Mention en 1904.

CHARCOT-ALLART Monique, Mme
Née à Neuilly-sur-Seine (Seine). xxe siècle. Française.
Peintre.
Élève de Sabatté. Sociétaire du Salon des Artistes Français depuis 1935.

CHARD Walter Goodman
Né en 1880 à Buffalo (New York). xxe siècle. Américain.
Sculpteur.

CHARDAR Charles
Né à Buenos Aires. xixe-xxe siècles. Français.
Sculpteur.
Élève d'H. Lemaire, de Camille Lefebvre et de Niclausse. Socié-

taire du Salon des Artistes Français, il a exposé des bustes, de 1926 à 1929.

CHARDE Hugh C.
Né à Queenstown (Irlande). xxe siècle. Irlandais.
Peintre de paysages.

CHARDEL Jean Marie
Né à Lille (Nord). xxe siècle. Français.
Sculpteur.
Élève de A. Guilloux et R. Busnel. Sociétaire du Salon des Artistes Français, il a exposé en 1929 un *Judas*, statue de plâtre.

CHARDENAL Claire
Née à Boulogne-sur-Mer (Pas-de-Calais). xxe siècle. Française.
Artiste décorateur.
Membre du Salon d'Automne ; a exposé aussi aux Indépendants des céramiques et des émaux.

CHARDERON Francine
Née en 1861 à Lyon (Rhône). Morte en 1928. xixe-xxe siècles. Française.
Peintre de genre, figures, portraits, fleurs.
Élève de Rey et de Loubet à Lyon, elle suivit ensuite les cours d'Ernest Hébert et de Carolus-Duran à Paris. Elle participa régulièrement au Salon de Lyon à partir de 1885, obtenant une première médaille en 1902, et exposa moins régulièrement au Salon de Paris à partir de 1893. Elle ouvrit un atelier à Lyon.
Elle s'est surtout spécialisée dans les portraits d'enfants, notamment de petites filles, qui n'échappent pas à une certaine mièvrerie, même si le dessin est sûr, si la transparence du teint est particulièrement bien rendu. Citons d'elle *La robe à traîne*.
Bibliogr. : Gérald Schurr, in : *Les Petits Maîtres de la peinture 1820-1920, valeur de demain*, Les Éditions de l'Amateur, t. VII, Paris, 1989.
Musées : Lyon (Mus. des Beaux-Arts) : *Petite fille aux roses* 1897.

CHARDET Louis
Né à Illiers (Eure-et-Loir). xviie siècle. Français.
Peintre.

CHARDIGNY Barthélemy François
Né en 1757 à Rouen. Mort en 1813 à Paris. xviiie-xixe siècles. Français.
Sculpteur.
Élève d'Allegrain, il eut le prix de Rome en 1782 avec son ouvrage *Parabole du Samaritain*. Chardigny travailla beaucoup pour les villes d'Aix et de Marseille. Il fut membre de l'Académie de cette dernière ville, qui lui doit entre autres œuvres : *Le Génie funèbre*, qui décore la place Saint-Ferréol et les bas-reliefs de l'ancienne fontaine de la place des Fainéants. Cet artiste mourut d'une chute en terminant au Louvre deux bas-reliefs : *Jupiter* et *Junon*.
Musées : Aix : *Statue de Henri IV – Statue du roi René – Buste du roi René – Buste d'un inconnu – La justice – Daphnis et Chloé – Priam tenant le corps inanimé d'Hector – Buste de la Liberté coiffée du bonnet phrygien* – Pontoise : *Têtes de chiens*.

CHARDIGNY Jules
Né au xixe siècle à Londres. Mort fin 1892. xixe siècle. Français.
Sculpteur et peintre.
Fils et élève de son père Pierre Joseph Chardigny. Il débuta au Salon de 1868, avec *Paul et Virginie* (groupe en plâtre). Il a fait aussi de la peinture, notamment des portraits.

CHARDIGNY Pierre Joseph
Né le 20 février 1794 à Aix-en-Provence (Bouches-du-Rhône). Mort en 1866 à Paris. xixe siècle. Français.
Sculpteur et graveur en médailles.
D'abord élève de son père, Barthélemy François Chardigny, il entra, le 15 septembre 1814, à l'École des Beaux-Arts où il se forma sous la conduite de Bosio et de Cartellier. En 1819, il débuta au Salon de Paris par des médailles et deux bas-reliefs représentant : *Homère* et *Bélisaire*. Il exposa à la Royal Academy à Londres (où il séjournait alors) en 1842 et 1843.
Musées : Aix : *Médaillon de Jacques Réattu* – Troyes : *Louis Ulbach*.

CHARDIN Camille François
Né le 19 septembre 1841 à Paris. xixe siècle. Travaillant à Paris. Français.
Sculpteur.
Élève de Schœnewerk à l'École des Beaux-Arts où il entra le 9

octobre 1865. Il débuta la même année au Salon avec un buste en terre cuite. On ne sait s'il renonça tôt à son art ou si sa mort fut prématurée ; on ne revit rien de lui après 1867.

CHARDIN Gabriel Gervais

Né le 21 novembre 1814 à Paris. Mort en octobre 1907 à Paris. XIXe-XXe siècles. Français.

Peintre d'animaux, paysages, natures mortes.

Il eut pour maîtres C. Roqueplan et Troyon et exposa au Salon de Paris entre 1841 et 1868.

MUSÉES : BAGNÈRES-DE-BIGORRE : *Crépuscule* – ÉTAMPES : *Chasse royale dans la prairie d'Étampes* – TOULOUSE : *Pâturage.*

VENTES PUBLIQUES : PARIS, 4 et 5 déc. 1918 : *Au bord de la mer* : FRF 60 – ROUEN, 3 mars 1976 : *Nature morte aux fruits et aux fleurs* 1849, h/t mar. (70x90) : FRF 3 100 – SAINT-BRIEUC, 11 déc. 1983 : *Le retour des troupeaux*, h/t (54x76) : FRF 11 500 – PARIS, 15 fev. 1989 : *Berger faisant entrer son troupeau dans la bergerie*, h/t (49x65) : FRF 8 500.

CHARDIN Jean Baptiste Siméon

Né le 2 novembre 1699 à Paris. Mort le 6 décembre 1779 à Paris. XVIIIe siècle. Français.

Peintre de scènes de genre, portraits, natures mortes, fruits et fleurs, pastelliste.

J. B. Siméon Chardin naquit à Paris, rue de Seine, et, tout enfant encore, suivit son père, le menuisier Jean Chardin, qui fabriquait les billards de Louis XIV, dans la rue du Four, au coin de la rue Princesse. Une origine aussi roturière convenait à merveille à l'artiste si excellent, à l'homme si bon et si modeste qui allait devenir l'un des plus grands intimistes de la peinture. Les portraits exécutés par La Tour (pastel, au Louvre) et par Cochin fils, mais surtout les deux admirables pastels que Chardin a laissés de lui-même : le *Chardin aux bésicles* et le *Chardin à l'abat-jour*, aujourd'hui au Louvre, trahissent la rusticité et la bonhomie de cette physionomie franche, ouverte et qui, durant quatre-vingts ans, ne cessa de refléter toutes les émotions de la nature. Le jeune Chardin reçut d'abord des leçons de P. J. Cazes, artiste que Voltaire a vanté, mais un fusil qu'il peignit dans un tableau de chasse de Noël-Nicolas Coypel, l'aide qu'il apporta à J. B. Van Loo dans la restauration de certaines fresques du palais de Fontainebleau, le rapprochèrent bientôt de sa manière véritable. Il remporta son premier succès avec une *Enseigne* au plat-fond qu'il peignit pour la boutique d'un chirurgien et qui représentait le chirurgien soignant un duelliste blessé. En 1728, il exposa en plein air, place Dauphine, à la procession de la Fête-Dieu, le *Buffet* et la *Raie*, aujourd'hui au Louvre et de laquelle Diderot dira, émerveillé, un jour : « C'est la chair même du poisson, c'est sa peau, c'est son sang ! » Nul, depuis Rembrandt (le *Bœuf écorché*), le Rubens des allégories, Willem Kalf ou Johannes Fyt, n'avait apporté un tel sentiment à peindre les ustensiles ménagers, les gibiers, les fruits, les fleurs, le pain, les vaisselles, les nappes, les cuivres, tous les objets inanimés de la cuisine et de l'office. Le succès fut tel, qu'il fut reçu à l'Académie Royale, la même année. Avec lui – et c'est ce qui l'élève très au-dessus de Snyders, d'Oudry, de Desportes, la « nature morte » est la nature vivante. Diderot, qui fut en son temps l'ami le plus sincère et le plus sûr critique du maître, admirait ces qualités de relief et de couleur qui donnaient une beauté si saisissante aux ouvrages de Chardin : « Vous prendriez les bouteilles par le goulot si vous aviez soif, s'écrie Diderot dans son *Salon de 1759* ; les pêches et les raisins éveillent l'appétit et appellent la main » ; et le même, dans son *Salon de 1763* : « Il n'y a qu'à prendre ces biscuits et à les manger ; cette bigarade, l'ouvrir et la presser ; ces fruits, les peler ; ce pâté, y mettre le couteau ». Cette vie toute passive et contenue des objets n'excluait, chez Chardin, ni la sobriété des teintes, ni le recueillement, ni la lumière. « *Messieurs, Messieurs, de la douceur !* » conseillait-il aux élèves qui venaient le solliciter de ses conseils. Le *Bocal d'olives*, le *Gobelet d'argent*, le *Panier de raisins*, la *Table de cuisine*, la *Fontaine de cuivre*, un *Dessert* et les *Pêches* que M. La Case a légués au Louvre attestent avec quelle intelligence Chardin entendait la lumière, avec quelle magie il la répandait à tous les contours. Diverses peintures allégoriques, comme les *Attributs des Arts et des Sciences*, les *Attributs de la Musique*, commandés par M. de Marigny, directeur des Bâtiments, exposés aux Salons de 1765 et de 1767 et destinés aux châteaux de Choisy et de Bellevue, montrent « à quel degré de beauté Chardin, ainsi que Cochin l'écrit, portait l'imitation des choses ». Les biographes attribuent à un mot de l'excellent peintre Aved, disant par raillerie qu'un « portrait ne se peut peindre aussi facilement qu'un saucisson »,

la détermination que prit Chardin de se livrer à la peinture de genre. Bien que Chardin ait exécuté l'année même de cette boutade, c'est-à-dire en 1737, le *Philosophe* ou *Chimiste dans son laboratoire*, portrait même d'Aved, qui eût pu passer pour la plus spirituelle des répliques, l'anecdote n'en est pas moins fausse par ce fait, disent les Goncourt, « qu'il existe un tableau représentant une *Dame cachetant une lettre*, dont la gravure porte la preuve que Chardin le peignit en 1732 ». Quant à la *Fontaine*, peinte pour le chevalier de Laroque, et gravée par Cochin, exposée en 1737, Lady Emilia Dilke l'a vue à Stockholm « signée et datée : *Chardin*, 1733 ».

Selon Berck, envoyé du comte de Tessin, amateur suédois qui avait commandé au peintre les *Amusements de la vie privée* et l'*Économe*, « jamais d'un tableau n'était entrepris à la fois » ; et, comme l'artiste était extrêmement lent, probe et méticuleux, obligé, dit Mariette, « d'avoir continuellement sous les yeux l'objet qu'il se proposait de peindre », il n'est pas possible d'admettre la sorte d'improvisation avec laquelle Chardin se serait disposé à peindre des scènes de genre. La vérité c'est que J. B. Siméon, le 1er février 1731, s'était marié à une jeune fille de sa condition, Marguerite Saintard, et que les deux enfants qu'il avait eus d'elle, Pierre, né le 18 novembre 1731, et Marguerite-Agnès, née le 3 août 1733, avaient, avec leur jeune mère, commencé à peupler la solitude de sa vie, à éveiller en lui ce sentiment si profond et si pénétrant de la vie intime et familiale à laquelle il dut de composer tant d'émouvants chefs-d'œuvre. Le malheur voulut que Marguerite Saintard fût de ces femmes à santé chétive dont l'artiste a si bien exprimé, dans sa toile *Aliments de la convalescence*, la résignation frileuse et douillette ; au bout de quatre ans de mariage, le 14 avril 1735, elle s'éteignit lentement, épuisée de langueur. Au Salon du Louvre de 1737, il envoya *La Lettre cachetée* (1733), *La blanchisseuse* (1734), *Le château de cartes* (1735). Le succès de ces scènes intimes fut grand. Au Salon de 1738, il envoya huit tableaux, dont *L'Écureuse*, *Le Jeune Dessinateur*, *L'Enfant au toton*, *Le Jeune Homme au violon*. En 1739, il présente *La Pourvoyeuse* ; en 1740 *Le Bénédicité* et *La Mère laborieuse*. Il peignait à petites touches juxtaposées qui captaient les moindres reflets d'un objet sur un autre et présageaient l'Impressionnisme. Le 26 novembre 1744, Chardin se remaria avec Marguerite Pouget, veuve en premières noces de Charles de Malnoé. Normande d'origine, Marguerite Pouget apparaît dans le *Portrait* que son mari a laissé d'elle, la fine et prudente bourgeoise qu'ont connue Diderot, Sedaine, Rameau, Cochin, Le Bas, Aved, Wille Vernet et tous ceux qui viendront souvent, à dater de 1757, visiter le ménage dans le logement que le roi accordera au peintre aux galeries du Louvre. Reçu et agréé à l'Académie de peinture, depuis 1728, Chardin, le 22 mars 1755, fut nommé trésorier de la même compagnie ; sa femme, toujours active et courageuse, l'aida à maintenir l'ordre dans les modestes finances académiques, et l'artiste se plaisait à écrire lui-même, au comte d'Angiviller, successeur de M. de Marigny, à la Direction des Bâtiments, que, sans le secours de cette auxiliaire, il eût « été souvent fort embarrassé de bien des détails de cette place très étrangère aux arts ». Mme Chardin n'a pas inspiré à son mari que le pastel du Louvre, elle se retrouve dans les *Amusements de la vie privée* et dans la *Serinette*. Observateur attentif des mères et des enfants, J. B. Siméon Chardin, dans ses œuvres, telles que le *Bénédicité*, la *Mère laborieuse*, la *Gouvernante*, le *Négligé ou la toilette du matin*, s'est fait le peintre exquis et délicat de la famille française d'avant la Révolution. Dans un tel genre, il a égalé, sinon dépassé les meilleurs des Hollandais : Ter Borch, Metsu, Mieris, Peter de Hooch. Dans l'art français, les Le Nain seuls ont atteint à ce réalisme heureux, à ce respect de la vérité, dont de rustiques œuvres : un *Garçon cabaretier qui nettoie un broc*, une *Récureuse*, la *Ménagère*, l'*Économe*, la *Pourvoyeuse* et la *Ratisseuse* sont, chez Chardin, les manifestations les plus expressives. Le Louvre, en se rendant acquéreur, en 1907, pour la somme de 350000 francs, des deux tableaux achetés à Mme Émile Trépard, le *Jeune Homme au violon* et l'*Enfant au toton*, a remis en honneur tous ces charmants motifs où le maître a représenté les scènes d'étude ou de jeu de l'enfance et de l'adolescence : le *Château de cartes*, le *Petit Garçon debout avec son tambour*, les *Fillettes aux cerises et au volant*, le *Jeune dessinateur*, la *Petite maîtresse d'école*, les gamins jouant à l'oye, aux osselets, ou soufflant des bulles. Chardin, nous dit Diderot, parlait bien de son art, et il le comprenait à merveille chez les autres. Fragonard, arrivé de Grasse à Paris, a été son élève avant d'être celui de Boucher. Chose curieuse, Chardin fut, avec Pierre, Pigalle,

Cochin, etc... l'un de ceux qui votèrent, en 1778, des encouragements au jeune Louis David. Le fils du vieux maître, Pierre Chardin, ne fut pas dénué de qualités picturales. Prix de Rome à 22 ans avec un *Mathathias*, il mérita d'être admis à l'École dite des Élèves protégés. Il exposa, en 1755, un *Alexandre s'endormant avec une boule dans la main*. Envoyé à Rome, Pierre Chardin, placé sous la direction de Natoire, se montra assez négligent de ses études. Il revint à Paris, en 1762 ; mais, en 1767, le marquis de Paulmy, ambassadeur de France, l'emmena avec lui à Venise ; il disparut, vers 1768, et l'on suppose, du moins Cochin l'écrit, qu'il serait tombé dans un canal. J. B.-Siméon Chardin éprouva un grand chagrin de cette perte ; ce chagrin, les querelles académiques qu'il eut à soutenir contre Pierre, favori de M. d'Angiviller, le mauvais état de sa vue, mais surtout la maladie de la pierre ne tardèrent point à l'abattre. Ses pastels furent son dernier triomphe, et, comme les Goncourt le disent, « les adieux de sa lumière ». Il succomba à tous ses maux, dans son logement du Louvre, le 6 décembre 1779. ■ Edmond Pilon

Jchardin. Chardin

☐H   Jchardin ☐H

BIBLIOGR. : G. Wildenstein : *Chardin*, Ed. Wildenstein, Paris, 196 – Catalogue de l'exposition « Chardin », Paris Grand Palais, 1979 – P. Rosenberg – *Tout l'œuvre peint de Chardin*, Flammarion, 1983 – Marianne Roland Michel : *Chardin*, Hazan, Paris, 1994.
MUSÉES : ALENÇON : *Gigot et choux – Poissons, chaudron, oignons*, attribué – AMIENS (Mus. de Picardie) : *Lapins de garenne – Ustensiles de ménage – Une corbeille de raisins – Quatre Natures mortes* – ANGERS (Mus. des Beaux-Arts) : *Trois Natures mortes* – BERLIN : *Nature morte : les Attributs des Sciences – Le Petit Oranger – Nature morte – Cuisinière retournant du marché – Nature morte – La Fille à la raquette – Les Lapins morts – Nature morte – Une cuisinière écorçant des raves – Une dame qui cachette une lettre – Le Dessinateur – Femme de cuisine – La Carafe – Nature morte – Portrait de Sedaine – La Cruche d'étain – Avant d'aller à l'école – Cuisinière écorçant une orange* – BORDEAUX : *Nature morte* – BUDAPEST : *Nature morte à la dinde* – CARCASSONNE (Mus. des Beaux-Arts) : *Les Apprêts d'un déjeuner* – CHARTRES (Mus. des Beaux-Arts) : *Nature morte – Le Singe peintre – Le Singe antiquaire* – CHERBOURG : *Table de cuisine* – DUBLIN : *Les Tours de cartes* – ÉDIMBOURG : *Nature morte* – FLORENCE (Offices) : *La Petite Fille au volant* – GLASGOW (Hunter Mus.) : *Dame buvant du thé – Le Garçon cabaretier – L'Écureuse* – GRENOBLE : *Tête de femme*, dess. – LILLE (Mus. des Beaux-Arts) : *Gobelet d'argent – Le Singe savant* – LONDRES : *Nature morte – La Fontaine – La Leçon – Maison de Jeu* – LONDRES (Gal. Nat.) : *Étude de nature morte – La Fontaine* – MONTAUBAN : *Une brioche, des cerises et un verre de vin* – MOSCOU (Mus. Pouchkine) : *Les Attributs des Arts* – MUNICH (Pina.) : *Cuisinière assise sur une chaise avec couteau et rave* – NARBONNE : *Portrait d'une jeune fille inconnue* – PARIS : *Le Singe peintre – Melon, poires et pêches – Raisins et grenades – Le Bocal d'olives – La Fontaine de cuivre – Un dessert – Pêches, noix, raisin et verre de vin – Ustensiles divers – Poires et verre de vin – Le gobelet d'argent – La Table de cuisine – Le Panier de raisins – Ustensiles de cuisine et œufs – Le Bénédicité – Lapin mort et ustensiles de chasse – Menu de maigre – Menu de gras – Le Singe antiquaire – Les Attributs des Arts – La Pourvoyeuse – Les Attributs de la Musique – Pipes et vases à boire sur une table de pierre – Panier de pêches sur une table de pierre – Le château de cartes – La mère laborieuse – Le Bénédicité – Le chat dans le garde-manger – Fruits sur une table de pierre, chien et perroquet – Autoportrait à l'abat-jour vert – Portrait de Madame Chardin – Jeune homme au violon – L'enfant au toton – La raie – Le Souffleur* – RENNES (Mus. des Beaux-Arts) : *Panier de prunes – Les Verres – Nature morte de fruits, pêches et raisins* – Le *Panier de prunes* – ROUEN : *Nature morte – Nature morte* – SAINT-PÉTERSBOURG (Ermitage) : *Le Bénédicité – La Blanchisseuse – Château de cartes* – STOCKHOLM : *Jeune femme faisant de la tapisserie – Artiste dessinant – Blanchisseuse – Jeune servante puisant de l'eau – Toilette du matin ou Le négligé – Le Bénédicité – Mère et fille – Lièvre mort – Dame lisant* – VENISE (Gal. Nat.) : *Nature morte avec un crâne au milieu de papiers et de fleurs* – VIRE : *Nature morte* – VOSGES : *Portrait de femme âgée* – WASHINGTON D. C. (Nat. Gal.) : *Le château de cartes.*
VENTES PUBLIQUES : PARIS, 1745 : *Jeune écolier jouant au toton* : **FRF 575** ; *L'ouvrière en tapisserie* : **FRF 50** ; *Une marmite et un*

lapin : **FRF 6** – PARIS, 1770 : *Le bénédicité* : **FRF 900** – PARIS, 1780 : *La gouvernante* ; *La mère laborieuse*, ensemble : **FRF 30** – PARIS, 1843 : *Le nœud d'épée* ; *La Toilette*, les deux : **FRF 1 000** – PARIS, 1855 : *Portrait d'une dame assise et dessinant*, dess. à la sanguine : **FRF 130** – PARIS, 1855 : *La leçon de lecture* : **FRF 1 525** ; *Nature morte : chaudron, bouilloire en cuivre, etc.* : **FRF 1 500** – PARIS, 1856 : *Le gobelet d'argent* : **FRF 2 000** – PARIS, 1865 : *La serinette* : **FRF 7 100** ; *La petite rêveuse* : **FRF 8 300** – PARIS, 1867 : *La pourvoyeuse* : **FRF 4 050** ; *Les tours de cartes* : **FRF 1 100** ; *Le lièvre* : **FRF 1 100** – PARIS, 12 mars 1873 : *La serinette* : **FRF 11 600** ; *La gouvernante* : **FRF 4 500** – PARIS, 1873 : *Le gobelet d'argent* : **FRF 3 800** ; *La marmite de cuivre* : **FRF 4 550** – PARIS, 1876 : *L'écureuse* : **FRF 23 200** ; *Nature morte* : **FRF 1 440** – PARIS, 1879 : *Le lièvre* : **FRF 3 150** – PARIS, 1881 : *Portrait d'un peintre*, past. : **FRF 1 100** – PARIS, 1883 : *Portrait du peintre Bachelier*, past. : **FRF 2 550** – PARIS, 1886 : *La fontaine des amours* : **FRF 6 000** – PARIS, 1888 : *Un coin de l'atelier Pigalle* : **FRF 8 000** – PARIS, 1892 : *L'écolier* : **FRF 13 000** – PARIS, 1896 : *Une jeune femme*, gche et cr. de coul. : **FRF 1 700** – PARIS, 1897 : *L'Homme à la boule*, sanguine estompée : **FRF 2 200** – PARIS, 1898 : *Portrait du peintre Bachelier*, past. : **FRF 5 250** – PARIS, 1898 : *Les tours de cartes* : **FRF 13 300** – BERLIN, 1898 : *La mère laborieuse* : **FRF 225** – BRUXELLES, mai 1899 : *La surprise* : **FRF 110** – PARIS, 1899 : *Nature morte* : **FRF 6 100** – PARIS, 1900 : *L'Académie de peinture, le soir* : **FRF 7 500** – PARIS, 14 déc. 1901 : *Nature morte* : **FRF 875** – PARIS, 6 et 7 fév. 1902 : *Le Jeu du toton* : **FRF 650** – COLOGNE, 8 et 9 mars 1904 : *Nature morte* : **DEM 300** – PARIS, 26-27-28 et 29 avr. 1904 : *Nature morte* : **FRF 13 700** – PARIS, du 17 au 21 mai 1904 : *Le marché aux bestiaux* : **FRF 300** – PARIS, du 15 au 15 mars 1905 : *Jeune homme* : **FRF 3 700** – PARIS, 25 mai 1905 : *La soupière d'argent* : **FRF 22 700** – NEW YORK, 1906 : *Portrait d'une dame* : **USD 510** – PARIS, 16 avr. 1907 : *Un lion de pierre* : **FRF 580** – PARIS, 16-17 et 18 mai 1907 : *Le château de cartes* : **FRF 28 000** – PARIS, 21 déc. 1907 : *Un pierrot en prison* : **GBP 44** – PARIS, 5-6 et 7 mai 1908 : *Portrait de Sedaine* : **FRF 56 000** – LONDRES, 12 déc. 1908 : *Fruits, nature morte* : **GBP 42** – LONDRES, 1910 : *Un bossu et un singe* : **GBP 5** – PARIS, 29 et 30 mai 1911 : *Le chat gobeur d'huîtres* : **FRF 18 000** – PARIS, 25 nov. 1918 : *La maîtresse d'école*, Salon de 1749 : **FRF 172 000** – PARIS, 12 et 13 mai 1919 : *Portrait de jeune homme* : **FRF 14 500** – PARIS, 22 mai 1919 : *Son portrait*, past. : **FRF 45 000** – PARIS, 17 nov. 1919 : *Le Message*, Salon du Louvre, 1738 : **FRF 21 000** – PARIS, 8 mars 1920 : *Le Singe antiquaire* : **FRF 18 000** – PARIS, 10 et 11 mai 1920 : *Portrait du peintre J.-J. Bachelier*, past. : **FRF 20 500** – PARIS, 6-8 déc. 1920 : *La raie* : **FRF 28 100** ; *Les harengs* : **FRF 29 500** – PARIS, 13 mars 1922 : *Natures mortes*, deux toiles : **FRF 40 500** – PARIS, 12 mai 1922 : *Portrait présumé de Mme de Graffigny*, cr. reh. : **FRF 10 700** – LONDRES, 12 juin 1922 : *Les oiseaux morts* : **GBP 115** – PARIS, 14 et 15 déc. 1922 : *La Bouillotte* : **FRF 36 000** ; *Le Chaudron en cuivre* : **FRF 20 100** – LONDRES, 19 jan. 1923 : *Enfant en brun* : **GBP 94** – PARIS, 7 et 8 mai 1923 : *Le service à café* ; *Le Vide-poche*, lav. sépia, rehauts aquar., une paire : **FRF 30 000** – PARIS, 8 mai 1925 : *Le lièvre* : **FRF 110 000** ; *Le Faisan*, pendant du précédent : **FRF 39 000** – PARIS, 17 et 18 juin 1925 : *Son portrait par lui-même*, past. : **FRF 126 000** ; *Intérieur*, cr., pl. et lav. : **FRF 67 000** ; *Les Amateurs*, pl. et cr. : **FRF 20 000** ; *Les Aliments de la convalescence* : **FRF 145 000** ; *La Nappe blanche*, devant de cheminée : **FRF 202 000** ; *Les Prunes* : **FRF 220 000** ; *Les Pêches* : **FRF 153 000** ; *Le Lièvre* : **FRF 100 000** ; *Le Gobelet d'Argent* : **FRF 136 000** ; *Le Chat friand d'huîtres* ; *Le Larron en bonne fortune*, deux pendants : **FRF 206 000** – LONDRES, 6 mai 1927 : *Tête de jeune homme de profil* : **GBP 220** – PARIS, 1ᵉʳ juin 1928 : *Le dessinateur* ; *L'ouvrière en tapisserie*, deux panneaux : **FRF 125 000** – LONDRES, 25 juin 1930 : *Une femme et un enfant dans un intérieur* : **GBP 800** – NEW YORK, 11 déc. 1930 : *Le Singe antiquaire* : **USD 400** ; *Jeune femme surprise en écrivant* : **USD 375** – LONDRES, 31 mai 1932 : *Servante pelant des pommes de terre*, dess. : **GBP 30** – LONDRES, 28 mai 1937 : *Nature morte* : **GBP 462** – LONDRES, 4 mai 1938 : *Le rempailleur de chaises*, dess. : **GBP 11** – NEW YORK, 18 nov. 1943 : *Étude de femme assise*, cr. noir : **USD 825** – PARIS, 23 mai 1951 : *Les apprêts d'un déjeuner ou Le gobelet d'argent* : **FRF 4 500 000** – LONDRES, 10 juin 1959 : *Lapin avec une gibecière et une poire à poudre* : **GBP 2 000** – NEW YORK, 21 oct. 1959 : *Nature morte de fruits* : **USD 1 200** – LONDRES, 29 juin 1960 : *Peintre dessinant* : **GBP 800** – NEW YORK, 31 oct. 1962 : *Une tranche de saumon* : **USD 50 000** – NEW YORK, 13 avr. 1963 : *Portrait de jeune homme dessinant* : **USD 20 000** – LONDRES, 8 déc. 1965 : *Nature morte au lièvre* : **GBP 4 000** – PARIS, le 1ᵉʳ déc.

1966 : *Autoportrait, à son chevalet*, past. : **FRF 680 000** ; *Le retour de chasse* : **FRF 580 000** – Versailles, 13 mai 1970 : *Nature morte à la perdrix et à la poire* : **FRF 160 000** – Londres, 23 avr. 1982 : *Un jeune écolier qui dessine*, h/pan. (21x17,1) : **GBP 165 000** – New York, 9 juin 1983 : *Table de cuisine avec une raie*, h/t (40,5x33) : **USD 100 000** – Paris, 8 déc. 1983 : *Autoportrait dit Portrait de Chardin à l'abat-jour*, past. (44x36) : **FRF 1 250 000** – Clermont-Ferrand, 24 avr. 1986 : *Autoportrait aux bésicles 1773*, past. (45x38) : **FRF 6 000 000** – New York, 14 jan. 1988 : *Nature morte d'une bassine à confitures de cuivre d'un pichet de poissons et légumes*, h/t (47x84,5) : **USD 792 000** – Paris, 14 avr. 1988 : *Table de cuisine avec marmite de cuivre, égrugeoir et son pilon, un poireau, trois œufs, et un petit pot en faïence blanche*, h/t (38,5x46) : **FRF 1 700 000** – Versailles, 18 fév. 1990 : *Chien barbet devant un col-vert*, h/t (81x99) : **FRF 1 850 000** – New York, 17 jan. 1992 : *Nature morte avec un pichet de cuivre, trois noix, des pêches dans une corbeille et deux poires*, h/t (37x45) : **USD 2 200 000** – Monaco, 20 juin 1992 : *Table de cuisine avec une marmite de cuivre, un mortier et son pilon, un poireau, trois œufs et un pichet de faïence blanche*, h/t (36x45) : **FRF 2 109 000** – Paris, 14 déc. 1992 : *Le chien barbet*, h/t (195x112) : **FRF 8 000 000** – New York, 14 jan. 1993 : *Nature morte avec une raie suspendue avec une botte d'oignons, un pichet vert, une marmite de cuivre, un poulet, une meule de fromage, des œufs et un mortier sur une table*, h/t (40,3x31,8) : **USD 44 000** – Paris, 17 déc. 1993 : *Portrait du chirurgien André Levret*, h/t (65x54) : **FRF 1 000 000** – Paris, 10 mai 1995 : *Le Toton*, eau-forte et burin (17x20) : **FRF 6 300** – Londres, 11 déc. 1996 : *Nature morte à la raie avec panier d'oignons, œufs, fromage, etc.*, h/t (40,5x32) : **GBP 23 000** – New York, 21 oct. 1997 : *Betteraves, une boîte à épices, un torchon, une marmite, un plat en grès flambé, une écumoire sur un entablement avec au-dessus de la viande suspendue à un crochet*, h/t (32,1x39,7) : **USD 662 500**.

CHARDIN Paul Louis Léger
Né le 20 août 1833 à Paris. xixᵉ siècle. Français.
Peintre de genre, portraits, paysages, vues de villes.
Élève de Dauzats et de Justin Ouvrié, il participa au Salon de Paris entre 1855 et 1875.
Ses vues de Florence, Venise, Versailles et des bourgs de Basse-Bretagne, prennent souvent un caractère anecdotique. On cite de lui, un *Portrait du compositeur Kreutzer*.
Bibliogr. : Gérald Schurr, in : *Les Petits Maîtres de la peinture 1820-1920, valeur de demain*, Les Éditions de l'Amateur, t. III, Paris, 1976.
Musées : Aix-en-Provence – Londres (Victoria and Albert Mus.) : *Porte de l'Orangerie à Versailles – Une rue à Aix-les-Bains – Au chenil de Meudon* – Orléans : *Intérieur de chaumière au Gouz-Bihan, à Colpo-d'Armor*.
Ventes Publiques : Paris, 9 juin 1980 : *La colline de Sion... dessinée du mont des Oliviers 1879*, mine de pb (28,5x19) : **FRF 4 700**.

CHARDIN Pierre Jean Baptiste
Né le 18 novembre 1731 à Paris. Mort en 1768 probablement à Venise. xviiiᵉ siècle. Français.
Peintre.
Cet artiste était le fils du célèbre Chardin qui fut d'ailleurs son seul maître. Il eut le prix de Rome en 1754, mais il mourut, alors que son talent commençait à peine à s'épanouir. Le Musée de Nantes conserve de lui une *Scène d'intérieur à Venise* et un *Portrait de femme*.
Ventes Publiques : Paris, 12 juin 1923 : *Femmes tricotant*, attr. : **FRF 490**.

CHARDIN Sébastien
Né au xviiiᵉ siècle à Paris. xviiiᵉ siècle. Français.
Sculpteur.
Neveu du grand Chardin. Il étudia dans l'atelier de Slodtz et figura au Salon, en 1791, avec une *Tête de Christ*, en marbre, et une *Statue de Mars*, en terre cuite. On lui doit aussi le *Buste de Rollin* (plâtre).

CHARDINI P. J. Voir CHARDIGNY Pierre Joseph

CHARDON, Mme, née Vernisy
xixᵉ siècle. Active à Paris vers 1800. Française.
Miniaturiste.

CHARDON Alexandre
Né au xixᵉ siècle. xixᵉ siècle. Français.
Peintre de paysages et d'architectures.
Il exposa au Salon de Paris de 1831 à 1836.

CHARDON Anne Étienne
xviiiᵉ siècle. Français.
Peintre.
Il fut reçu à l'Académie de Saint-Luc à Paris en 1763.

CHARDON Jean
Né en 1819 à Andard (Maine-et-Loire). Mort en 1898. xixᵉ siècle. Français.
Sculpteur.
Il eut pour maître Simonis. Il débuta au Salon de Paris, en 1855, avec une statue en plâtre : *Le joueur de palet* ; il cessa d'exposer après 1868, on pense même qu'il changea d'état.

CHARDON DU RANQUET Isabelle
Née à Tassin (Rhône). xxᵉ siècle. Française.
Miniaturiste.
Elle exposa à Paris au Salon des Artistes Français.

CHARDONNET A. de
Née à Lyon (Rhône). xxᵉ siècle. Française.
Sculpteur de statues, groupes, bustes, sujets de genre.
Elle fut élève des frères sculpteurs J.-P. Paschal et Jules Franceschi. Elle exposa à Paris, au Salon des Artistes Français, de 1911 à 1926.
Elle traitait souvent des sujets de genre : *Sérénade – La Walkyrie endormie*.

CHAREAU Pierre
xixᵉ-xxᵉ siècles. Français.
Décorateur.
En 1932, il exposait des meubles au Salon des Artistes Français.

CHARES
viᵉ siècle avant J.-C. Vivant à Corinthe. Antiquité grecque.
Peintre de vases.

CHARES
Originaire de Lindos, île de Rhodes. ivᵉ siècle avant J.-C. Vivait vers l'an 300 avant J.-C. Antiquité grecque.
Sculpteur et fondeur de bronze.
Élève de Lysippe. Il est l'un des fondateurs de l'école de sculpture rhodienne, qui aura beaucoup d'influence sur l'art hellenistique et romain. On sait que cette école avait le goût des attitudes mouvementées, des gesticulations violentes, pour arriver à créer le Laocoon. Elle aimait aussi le colossal et Charès s'est rendu célèbre en faisant le colosse de Rhodes, la plus grande des cent statues colossales d'Helios qui s'élevaient dans l'île de Rhodes, et l'une des sept merveilles du monde. Toute de bronze, elle mesurait plus de 32 mètres. Elle se dressait au fond du port. Renversée en 223 avant J.-C. par un tremblement de terre, relevée plus tard par les Romains, elle fut définitivement détruite par les Arabes au viiᵉ siècle de notre ère.
Bibliogr. : Roland Martin in : *Dictionnaire de l'Art et des Artistes*, Paris, 1967.

CHARETTE Suzanne de, Mme
Née à Louisville. xxᵉ siècle. Française.
Peintre.
A exposé aux Indépendants en 1931 et 1932.

CHARETTE-DUVAL François
xixᵉ siècle. Belge.
Peintre de fleurs et fruits.
Il exposait à Bruxelles entre 1836 et 1878.
Ventes Publiques : Berne, 20 juin 1970 : *Nature morte aux fleurs et aux fruits* : **GBP 900** – New York, 28 mai 1982 : *Nature morte aux fleurs 1872*, h/t (100,5x90,8) : **USD 2 800**.

CHAREYRE Louis
Né à Montauban (Tarn-et-Garonne). xxᵉ siècle. Français.
Peintre.
En 1939 il exposait au Salon des Artistes Français et aux Indépendants des natures mortes et des scènes marocaines.

CHARIFKER Guita
Née en 1936. xxᵉ siècle. Brésilienne.
Peintre de paysages animés. Naïf.
Ses compositions, notamment ses encres et aquarelles mêlent animaux, personnages et plantes dans des forêts vierges fantastiques.
Bibliogr. : Damian Bayon et Roberto Pontual : *La Peinture de l'Amérique latine au xxᵉ siècle*, Mengès, Paris, 1990.

CHARIGNY André Auguste
Né le 27 janvier 1902 à Paris. xxᵉ siècle. Français.
Peintre de paysages ruraux, paysages animés.

Il fut élève de Fernand Cormon et Paul-Albert Laurens. Il exposait à Paris, régulièrement au Salon des Artistes Français, dont il était sociétaire et obtint la médaille d'or en 1931, hors-concours.
Ventes Publiques : Nancy, 24 juin 1990 : *L'air à Port du Navoy (Jura)*, h/pan. (27x35) : FRF 4 100.

CHARING

XVIIIe siècle. Actif au milieu du XVIIIe siècle. Suédois.
Graveur.

CHARION

XIXe siècle. Français.
Portraitiste.
Le musée de Toulon possède de lui deux portraits.

CHARIOT Pierre

Né en 1929 à Saint-Mard. XXe siècle. Belge.
Peintre de paysages, aquarelliste.
Il fut élève de l'Académie de Gand.
Il peignit surtout à l'aquarelle, notamment les paysages des Ardennes.
Bibliogr. : In : *Diction. biogr. illustré des Artistes en Belgique depuis 1830*, Arto, Bruxelles, 1987.

CHARITONOFF Gawrilo Tichonowitsch

XVIIIe siècle. Russe.
Graveur.

CHARLAMOFF Alexei Alexeiewitsch ou Harlamoff

Né en 1842 ou 1849 à Saratoff. Mort vers 1922. XIXe-XXe siècles. Russe.
Peintre de genre, portraits, pastelliste.
Il fut élève de l'Académie des Beaux-Arts de Saint-Pétersbourg, puis il travailla quelque temps avec Léon Bonnat à l'École des Beaux-Arts de Paris.
Il peignit une série de portraits, parmi lesquels, on cite ceux d'Yvan Tourgueniev, de Pauline Viardot-Garcia, du Tsar Alexandre II, du Prince Demidoff-San Donato. On lui doit aussi des sujets de genre, comme : *Heure de musique*, ainsi que des têtes d'enfants et de jeunes filles d'Italie et de Bohême.

A Harlamoff

Musées : Moscou (Gal. Tretiakoff) : *Portrait de E. A. Tretiakova* – Moscou (Mus. Roumianzeff) : *Une tête* – Saint-Pétersbourg : *Tête de garçon bohémien* – *Portrait de I. S. Tourgueniev*.
Ventes Publiques : Londres, 20 fév. 1976 : *Fillette au bouquet de fleurs*, h/t (118x85) : GBP 7 500 – Paris, 28 nov. 1977 : *La Belle Caucasienne*, h/t (73x60) : FRF 5 000 – Londres, 21 avr. 1979 : *Fillettes cousant dans un intérieur*, h/t (119x90) : GBP 17 000 – Londres, 16 févr 1979 : *Les petites marchandes de fleurs* 1885, h/t (108,6x144,1) : GBP 25 000 – Monte-Carlo, 9 fév. 1981 : *Portrait de jeune fille*, past. (65x51) : FRF 4 500 – Londres, 20 mars 1981 : *Fillette jouant à la maman*, h/t (91,5x71) : GBP 19 000 – New York, 24 fév. 1983 : *La Jeune Couseuse*, h/t (117,5x89) : USD 30 000 – New York, 13 déc. 1985 : *Mignon*, past. (43x33,6) : USD 1 800 – Londres, 26 nov. 1986 : *La Fille de l'artiste*, h/t (43,5x30,5) : GBP 20 000 – Munich, 13 mai 1987 : *Gitane aux fleurs* 1907, h/t (129x78) : DEM 22 000 – Londres, 23 mars 1988 : *Jeune fille au chômage*, h/t (46x35) : GBP 16 500 – Versailles, 15 mai 1988 : *Fillette blonde en buste*, h/t (55x46) : FRF 12 500 – Londres, 6 oct. 1988 : *Gitane tenant une brassée de fleurs* 1907, h/t (127x87) : GBP 15 950 – New York, 23 fév. 1989 : *Portrait de la Princesse Youssoupoff* 1904, h/t (48,9x33,9) : USD 7 150 – New York, 24 oct. 1989 : *Portrait d'une jeune napolitaine*, h/t (34,3x25,4) : USD 8 250 – Londres, 22 nov. 1989 : *Le jeune modèle*, h/t (44,5x33) : GBP 28 600 – Londres, 28 mars 1990 : *Petite fille au tablier rempli de fleurs*, h/t (100x64) : GBP 77 000 – Paris, 22 mars 1990 : *Petite Fille aux fleurs*, h/pan. (26x36,5) : FRF 68 000 – Amsterdam, 25 avr. 1990 : *La proposition*, h/pan. (41x32) : NLG 3 680 – New York, 23 mai 1990 : *Portrait de Francis Lois Booth*, h/t (47x36,2) : USD 37 400 – Londres, 21 juin 1991 : *Moment de repos* 1886, h/t (38,5x55,5) : GBP 12 100 – Londres, 20 mars 1992 : *Le premier ouvrage* 1892, h/t (105,4x72,4) : GBP 41 800 – Montréal, 1er déc. 1992 : *Innocence*, h/t (44,5x31,7) : CAD 32 000 – New York, 27 mai 1993 : *Petite fille avec des fleurs*, h/t (118,8x86,4) : USD 85 000 – Londres, 19 nov. 1993 : *La composition d'un bouquet*, h/t (73,6x103,5) : GBP 100 500 – Paris, 21 mars 1994 : *L'entrée du village*, h/pan. (32,5x23) : FRF 6 000 – Londres, 18 nov. 1994 : *Les bulles de savon*, h/t (66x49,5) : GBP 78 500 – Londres, 17 mars 1995 : *Petite*

Fille, h/t (46x36,5) : GBP 87 300 – Paris, 19 mai 1995 : *Jeune Fille de profil*, past. (53x42) : FRF 14 000 – Londres, 12 juin 1996 : *Fillette aux yeux noisette*, h/t (62x47) : GBP 63 100 – Londres, 20 nov. 1996 : *Jeune Fille au ras-du-cou*, h/t (46,5x32,5) : GBP 41 000 – Londres, 21 mars 1997 : *Une jeune beauté*, h/t (45x37) : GBP 13 800 – Londres, 13 juin 1997 : *Le Jeune Modèle*, h/t (66x48,8) : GBP 32 200 – New York, 9 jan. 1997 : *Beauté souriante*, h/t (55,9x43,2) : USD 12 075 – Londres, 13 mars 1997 : *Portrait d'une jeune fille en buste à l'épaule gauche drapée de rouge*, h/t (45,1x35,5) : GBP 5 080 – Londres, 12 juin 1997 : *Une beauté élégante* 1922, h/t (78x59,5) : GBP 5 175.

CHARLAMOFF Michail Wassiliewitsch

XIXe siècle. Russe.
Sculpteur de figures.
Il fut élève de l'Académie des Beaux-Arts de Saint-Pétersbourg.
Musées : Saint-Pétersbourg (Acad. des Beaux-Arts) : *Semeur*.

CHARLAY-POMPON Charles

Né vers 1850 à Paris. XIXe siècle. Français.
Peintre de paysages.
Élève d'Alex Rapin, il participa au Salon de Paris entre 1880 et 1894.
Ses paysages, notamment ses bords de rivière, sont peints dans une technique fluide, des couleurs fraîches, selon des compositions rigoureuses.
Bibliogr. : Gérald Schurr, in : *Les Petits Maîtres de la peinture 1820-1920, valeur de demain*, Les Éditions de l'Amateur, t. V, Paris, 1981.
Ventes Publiques : Versailles, 16 avr. 1978 : *Prairie près de la rivière*, h/t (51x72) : FRF 2 500 – Paris, 22 fév. 1980 : *Le chemin menant au hameau*, h/pap. (18x26) : FRF 600.

CHARLÉ Ch.

Né en 1772 à Paris. XVIIIe-XIXe siècles. Français.
Peintre de paysages, miniaturiste et lithographe.
Élève de Delamarre. Il exposa au Salon de 1814 à 1824. On cite de lui : *Vue du Polder d'Osterweel*, dans les environs d'Anvers.

CHARLE Melchior ou Careles ou Scharle

XVIIe siècle. Actif à Anvers. Éc. flamande.
Peintre.

CHARLE-ALBERT

XIXe siècle. Actif à Bruxelles vers 1870. Belge.
Architecte et peintre décorateur.

CHARLÉLIE

Né en 1956 à Nancy (Meurthe-et-Moselle). XXe siècle. Français.
Peintre, dessinateur, multimédia.
Il fut élève et diplômé de l'École des Beaux-Arts de Nancy. Depuis 1973, il participe à des expositions collectives et montre des ensembles de sa production multimédia dans des expositions personnelles : 1989 à Genève.

CHARLEMAGNE Adolf Jossifowitsch

Né en 1826 à Saint-Pétersbourg. Mort en 1901 à Saint-Pétersbourg. XIXe siècle. Russe.
Peintre et illustrateur.
Petit-fils d'un Jean-Baptiste Baudet-Charlemagne, artiste rouennais qui se fixa en Russie où l'avait appelé Catherine II. Pourrait être fils de Iosif Adolfovitch Charlemagne. Il fut, à l'Académie des Beaux-Arts de Saint-Pétersbourg, l'élève de Th. Bruni et de Wiltewalde, puis séjourna à Munich et à Paris. On cite parmi ses œuvres : *Souvarov au Saint-Gothard* ; *Entrée de Souvarov à Milan* ; *La dernière nuit de Souvarov en Suisse* ; *Catherine II dans l'atelier de Falconnet*.
Musées : Moscou (Gal. Tretiakoff) : *Le discours du Tsar Jhoann IV sur le lieu du supplice en 1550* – *Une chasse royale au XVIe siècle*.
Ventes Publiques : New York, 24 fév. 1982 : *Vue de Saint-Pétersbourg*, aquar. et cr. (36,2x48,8) : USD 350 – Londres, 6 oct. 1988 : *Traineau attelé l'hiver à Saint-Pétersbourg*, gche/cart. (ovale L. 27) : GBP 2 860 – New York, 14 nov. 1988 : *Vue du Palais d'été et des jardins depuis la Néva à Saint-Pétersbourg* 1855, aquar. (19x29,5) : GBP 3 740.

CHARLEMAGNE Hippolyte

Né en 1856 à Toulouse (Haute-Garonne). Mort en 1905. XIXe siècle. Français.
Peintre de portraits.
Élève de Cabanel. Il exposa au Salon entre 1879 et 1887. Père de Paul Charlemagne.

CHARLEMAGNE Iosif Adolfovitch

Né en 1782. Mort en 1861. XIXᵉ siècle. Russe.

Peintre de paysages, paysages urbains.

VENTES PUBLIQUES : LONDRES, 5 oct. 1989 : *Vue de la Néva 1804*, aquar. et cr. (15x23,8) : **USD 3 520.**

CHARLEMAGNE Joseph Adolfowitsch

XIXᵉ-XXᵉ siècles. Russe.

Peintre de vues de villes, architectures, dessinateur et illustrateur.

Fils d'Adolf-Jossifowitsch Charlemagne. Il était actif à Saint-Pétersbourg.

MUSÉES : SAINT-PÉTERSBOURG (Mus. Russe) : *Vue du Palais Michailowski.*

VENTES PUBLIQUES : PARIS, 23 juin 1943 : *Une place animée d'équipages*, dess. à la mine de pb, reh. : **FRF 1 450.**

CHARLEMAGNE Paul

Né le 9 août 1892 à Paris. XXᵉ siècle. Français.

Peintre de figures, portraits, paysages, marines, fleurs, natures mortes, décorateur.

Il a commencé à exposer à partir de 1923. A ses débuts, il obtint le Prix Blumenthal. Il était exposant du Salon des Artistes Indépendants, fut invité au Salon des Tuileries, était sociétaire du Salon d'Automne. Il eut aussi une activité de décorateur. Il fut fait chevalier de la Légion d'Honneur.

On disait de lui une facture qu'elle était d'un accent moderne. En effet, la touche est énergique et grasse, à l'inverse de la facture minutieuse et lissée de l'académisme.

VENTES PUBLIQUES : NEW YORK, 23 avr. 1937 : *Les feuilles d'iris* : **USD 130** ; *La table de travail* : **USD 210** – PARIS, 8 mai 1942 : *Les maisons bretonnes* : **FRF 2 900** ; *Le modèle* : **FRF 1 500** – PARIS, 9 juil. 1942 : *Pivoine rose* : **FRF 700** ; *Soucis* : **FRF 850** – PARIS, 20 nov. 1942 : *Maison bretonne* : **FRF 3 800** – PARIS, 20 juin 1944 : *Dahlias au pot vert* : **FRF 17 000** – PARIS, 14 avr. 1986 : *Dans la forêt*, h/t (55x43,5) : **FRF 4 500** – PARIS, 9 oct. 1987 : *Femme allongée aux cartes*, h/t (89x131) : **FRF 8 500** – PARIS, 15 avr. 1988 : *Nature morte à la pipe*, h/t (33x46) : **FRF 2 800** – PARIS, 8 juin 1988 : *Portrait de femme*, h/t (90x73) : **FRF 2 200.**

CHARLEMAGNE Philippe Claude

Né le 30 avril 1840 à Gray (Haute-Saône). Mort le 8 décembre 1913 à Grenoble (Isère). XIXᵉ-XXᵉ siècles. Français.

Peintre de paysages, marines.

Il était garde général des Eaux et Forêts. Son premier poste fut en Corse et il en peignit les paysages. À partir de 1885, nommé conservateur en Algérie des régions de Constantine, puis d'Alger, il en traita les paysages. En 1900, il prit sa retraite à Grenoble et devint le peintre du Trièves, de l'Oisans.

Il exposait à Paris au Salon des Artistes Français, dont il devint sociétaire en 1905. Il participa à l'Exposition Coloniale en 1906. Il fut président de la Société des Amis des Arts de Grenoble. Il fut décoré de la Légion d'Honneur.

Il était peintre des ciels clairs et lumineux, dont il guettait les effets sur le paysage.

BIBLIOGR. : Maurice Wantellet : *Deux siècles et plus de peinture dauphinoise*, Imprim. Eymond, Grenoble, 1987.

MUSÉES : GRAY : *Sur les crêtes de l'Atlas.*

VENTES PUBLIQUES : LUCERNE, 25 mai 1982 : *Paysage de l'Oberland bernois*, h/t (52,5x72,5) : **CHF 1 200** – AMSTERDAM, 25 avr. 1990 : *Le port d'Alger*, h/t/pan. (28x39) : **NLG 3 220.**

CHARLEMONT Eduard

Né en 1848 à Vienne. Mort en 1906 à Vienne. XIXᵉ siècle. Autrichien.

Peintre de genre, figures, portraits, natures mortes, aquarelliste, dessinateur.

Frère de Hugo Charlemont, il fit ses études à l'Académie de Vienne sous la direction de Engerth, avant de compléter ses connaissances par des voyages en Italie, Allemagne et France. Il exposa à Paris, où il obtint une mention honorable en 1878, une médaille de troisième classe en 1885, une médaille de bronze à l'Exposition Universelle de 1900. Il devint membre honoraire de l'Académie de Vienne en 1888.

Ses sujets sont proches de ceux de Meissonier, mais il leur donne parfois un style qui rappelle les œuvres de Watteau ou de Fragonard. On cite parmi ses œuvres : *Un homme examinant une épée – L'intérieur – L'antiquaire.*

BIBLIOGR. : Gérald Schurr, in : *Les Petits Maîtres de la peinture 1820-1920, valeur de demain*, Les Éditions de l'Amateur, t. III, Paris, 1976.

VENTES PUBLIQUES : PARIS, 1881 : *Nature morte* : **FRF 1 350** – PARIS, 1883 : *Le chanteur florentin* : **FRF 5 300** – PARIS, 1900 : *L'engagement tacite* : **FRF 5 750** ; *Charmeurs de serpents, intérieur nègre* : **FRF 7 100** ; *Le stratège*, aquar. : **FRF 805** – NEW YORK, 30 jan. 1902 : *Traçant les plans de campagne* : **USD 1 225** – PARIS, avr. 1910 : *Les pages* : **FRF 32 000** – LONDRES, 22 déc. 1926 : *À la fenêtre* : **GBP 20** – PARIS, 28 mars 1949 : *Conversation* : **FRF 99 000** – LONDRES, 2 déc. 1959 : *Un artiste dans son atelier* : **GBP 500** – VIENNE, 10 oct. 1967 : *Le manège* : **ATS 5 500** – VIENNE, 22 juin 1976 : *Le géographe 1883*, h/pan. (18,5x14) : **ATS 28 000** – VIENNE, 19 avr. 1977 : *Jeune fille*, h/pan. (41x67) : **ATS 20 000** – BERNE, 2 mai 1979 : *Le Vieux violoniste et l'enfant*, h/pan. (54,5x41,5) : **CHF 11 000** – VIENNE, 19 mai 1981 : *Allégorie de l'Asie 1872*, h/t, de forme ronde (Diam. 146) : **ATS 90 000** – VIENNE, 14 sep. 1983 : *Femme dans un intérieur admirant une cruche 1884*, h/pan. (45,5x41,5) : **ATS 38 000** – NEW YORK, 13 fév. 1985 : *Mère et enfant dessinant dans un parc 1886*, h/t (283x120) : **USD 5 000** – VIENNE, 19 mai 1987 : *O Sirene II*, h/pan. (93x69) : **ATS 40 000** – NEW YORK, 25 mai 1988 : *Mère et son enfant dessinant dans un parc 1886*, h/t (283x120) : **USD 17 600** – NEW YORK, 23 mai 1989 : *Une main secourable*, h/pan. (54x41,3) : **USD 7 700** – NEW YORK, 1ᵉʳ mars 1990 : *Leçon de musique*, h/pan. (54x41,2) : **USD 7 700** – NEW YORK, 12 oct. 1994 : *La dentellière 1889*, h/pan. (42,5x33,7) : **USD 26 450** – LONDRES, 18 nov. 1994 : *Vermeer dans son atelier*, h/pan. (91x72) : **GBP 20 700** – NEW YORK, 23 mai 1997 : *Vermeer dans son atelier 1890*, h/pan. (91,4x72,4) : **USD 68 500.**

CHARLEMONT Hugo

Né en 1850 à Jamnitz (Moravie). Mort en 1939. XIXᵉ-XXᵉ siècles. Autrichien.

Peintre de figures, paysages, natures mortes, aquarelliste, graveur.

Il est le frère d'Eduard Charlemont. Il fit ses études à l'Académie de Vienne sous la direction du professeur de Lichtenfels. On cite de lui : *Un paysage, La forge, L'attente, Le printemps.*

MUSÉES : VIENNE : *La forge – Prairie* – KLOSTERNEUBOURG, gche – *Cadeaux de fiançailles*, aquar.

VENTES PUBLIQUES : LONDRES, 3 avr. 1909 : *Fruits et fleurs* : **GBP 11** – VIENNE, 21 jan. 1964 : *La gardeuse de chèvres* : **ATS 9 000** – VIENNE, 22 juin 1976 : *Paysage du Tyrol*, h/pan. (34x39) : **ATS 22 000** – COLOGNE, 16 juin 1977 : *Nature morte 1882*, h/pan. (60x45) : **DEM 4 000** – VIENNE, 13 fév. 1979 : *Les Nénuphars*, h/t (58x30) : **ATS 20 000** – LONDRES, 24 juil. 1979 : *Le verger 1901*, temp. (44x63) : **ATS 30 000** – VIENNE, 13 oct. 1982 : *Nature morte 1917*, techn. mixte/cart. (40x36) : **ATS 20 000** – LONDRES, 21 oct. 1983 : *Villageois sur un chemin de campagne*, h/t (71,6x102,2) : **GBP 5 500** – LONDRES, 19 juin 1985 : *Nature morte aux fleurs*, h/t (12,5x67) : **GBP 2 800** – VIENNE, 19 mars 1987 : *Vue d'un parc*, aquar. (32x41) : **ATS 12 000** – LONDRES, 5 mai 1989 : *La forge du maréchal ferrant 1882*, h/pan. (37,5x23,5) : **GBP 2 200** – NEW YORK, 29 oct. 1992 : *Nature morte avec des iris et des pivoines avec un vase Renaissance*, h/t (62,2x88,3) : **USD 5 500** – LONDRES, 25 nov. 1992 : *Paysans dans un chemin forestier 1900*, h/t (81x66) : **GBP 3 300** – PARIS, 9 juin 1993 : *Le lavoir près de l'étang*, h/pan. (41x31) : **FRF 8 200** – NEW YORK, 22-23 juil. 1993 : *Brioni 1906*, aquar./pap. (18,4x27,9) : **USD 3 163** – AMSTERDAM, 19 oct. 1993 : *Été idyllique*, h/cart. (48x63,5) : **NLG 25 300** – PARIS, 24 nov. 1993 : *Troubadour 1881*, h/t (173x110) : **FRF 48 000** – MUNICH, 21 juin 1994 : *Près d'une ferme*, h/cart. (38,5x55) : **DEM 4 600** – NEW YORK, 20 juil. 1994 : *À la forge 1883*, h/pan. (38x46) : **USD 6 900** – LONDRES, 16 nov. 1994 : *Nature morte aux objets décorés 1878*, h/pan. (25x37) : **GBP 3 565** – MUNICH, 6 déc. 1994 : *Dans le poulailler*, h/pan. (46x74) : **DEM 9 200** – PARIS, 8 mars 1995 : *Objet de curiosité 1883*, h/pan. (31x43) : **FRF 26 500** – MUNICH, 25 juin 1996 : *Dans la forge 1885-1886*, h/t (64x106) : **DEM 15 600** – ÉDIMBOURG, 27 nov. 1996 : *Une ouvrière couturière assise et examinant des tissus*, h/t (61x74,2) : **GBP 5 175.**

CHARLEMONT Louis Charles

Né le 21 novembre 1862 à Paris. XIXᵉ siècle. Français.

Sculpteur.

Exposant de la Société Nationale des Beaux-Arts. Chevalier de la Légion d'honneur.

CHARLEMONT Matthias Adolf

Né en 1820 à Brünn. Mort en 1872. XIXᵉ siècle. Autrichien.

Peintre.

Père d'Eduard, Hugo et Théodor Charlemont.

CHARLEMONT Théodor

Né en 1859 à Znaim. Mort en 1938. XIXe-XXe siècles. Autrichien.
Sculpteur.
Élève, à l'Académie de Vienne, de Kaspar von Zumbusch et d'Edmund Hellmer.
Des œuvres de lui sont conservées au Parlement de Vienne, au musée d'Histoire naturelle de cette ville et au musée de Reichenberg.
Musées : Reichenberg – Vienne (Mus. d'Hist. naturelle).
Ventes Publiques : Cologne, 22 mars 1980 : *Jeune mendiant* 1892, bronze (H. 59) : **DEM 1 200**.

CHARLES

Mort avant 1776. XVIIIe siècle. Français.
Sculpteur.
Reçu à l'Académie de Saint-Luc, il exposa au Salon de 1762 des bustes et des sujets allégoriques.

CHARLES

Né vers 1794 à Lyon. Mort en 1820. XIXe siècle. Actif à Lyon. Français.
Sculpteur.
Élève de l'École des Beaux-Arts de Lyon, de Marin et de Chinard. Le Musée de Lyon conserve de lui : *La Reine Ultrogothe*.

CHARLES, Mme, née Huard

XIXe siècle. Française.
Peintre de fleurs, aquarelliste.
Elle peignit sur porcelaine à la Manufacture de Sèvres entre 1827 et 1833 et exposa quelques aquarelles au Salon de Paris de 1839 à 1842.

CHARLES André

Né le 4 juillet 1899 à Suresnes (Seine). XXe siècle. Français.
Peintre de paysages et dessinateur.
Exposa au Salon des Indépendants de 1924 à 1932.

CHARLES Ch.

XIXe siècle. Français.
Dessinateur et graveur au burin et au pointillé.
Élève de Delamarre. Il est cité par Le Blanc à Paris de 1830 à 1845.

CHARLES Charles

Né à Paris. XXe siècle. Français.
Sculpteur.
Il fut élève d'Antoine Injalbert. Il exposa à Paris, au Salon des Artistes Français, de 1913 à 1930.
Ventes Publiques : Londres, 18 juil. 1983 : *Groupe de trois lévriers sautant un obstacle*, bronze (33,5x83,5) : **GBP 680**.

CHARLES Chérie Anne, Mlle, plus tard Mme Léon-Paul Fargue. Voir CHÉRIANE

CHARLES Claire Thérèse, née d'Ancré

Née à Malines. Morte en 1703 à Malines. XVIIe siècle. Éc. flamande.
Peintre.

CHARLES Claude

Né le 9 septembre 1661 à Nancy. Mort le 4 juin 1747 à Nancy. XVIIe-XVIIIe siècles. Actif à Nancy. Français.
Peintre.
Cet artiste, qui fut peintre ordinaire du duc de Lorraine Léopold, et son héraut d'armes, avait étudié avec Gérard. Ce prince le mit à la tête de l'Académie de peinture fondée par lui. Les églises de Nancy doivent à Charles de nombreux tableaux. Le musée de Metz conserve de lui : *Le prophète Élie*.
Musées : Nancy : *La Sainte Famille – Portrait de l'auteur –* Provins : *Portrait de l'artiste – Joseph, frère de l'artiste*.

CHARLES Constantin

Né à Boulogne-sur-Mer (Pas-de-Calais). Mort en 1887. XIXe siècle. Français.
Sculpteur.
Élève de Dumont et de Bonnassieux. Il cessa d'exposer après 1872.

CHARLES Georges

Né à Paris. XXe siècle. Français.
Graveur en médailles.
Élève de Hiolin et Aubé. Exposant du Salon des Artistes Français (1929).

CHARLES H.

Américain.
Aquafortiste.

CHARLES James

Né le 5 janvier 1851. Mort le 27 août 1906. XIXe siècle. Britannique.
Peintre de genre, paysages, dessinateur.
Il étudia en Angleterre et à Paris. Il exposa à partir de 1865 à la Royal Academy, à Suffolk Street, à la Grafton Gallery et à la New Gallery de Londres.

J Charles

Musées : Édimbourg (Scott. Nat. Gal.) : *Champ de blé, environs de Wooler –* Londres (Nat. Gal. of British Art) : *Will it Rain – Esquisses à l'aquarelle – Feuilles d'études –* Londres (Tate Gal.) – Manchester (Art Gal.) : *Paysage du Sussex – Signant le registre de mariage – Étude d'une tête de vieillard –* Warrington : *Une femme du Sussex – Le pique-nique – Skittle Players*.
Ventes Publiques : Londres, 18 juin 1909 : *Dans le verger* : **GBP 92** ; *Patience* : **GBP 33** – Londres, 30 avr. 1910 : *La fenaison* : **GBP 3** – Londres, 27 jan. 1922 : *Une route en Normandie* : **GBP 9** – Londres, 3 mars 1922 : *Dans le champ de foin* : **GBP 11** – Londres, 9 juin 1922 : *Dans le champ de foin* : **GBP 14** – Londres, 9 fév. 1923 : *La meule de foin* : **GBP 25** – Londres, 22 juin 1923 : *Les joncs coupés* 1882 : **GBP 19** – Londres, 22 avr. 1927 : *Les canards* : **GBP 23** – Londres, 13 mai 1927 : *Vue de Montreuil* : **GBP 42** – Londres, 1er et 2 juin 1927 : *Une tasse de thé*, dess. : **GBP 5** – Londres, 17 fév. 1928 : *Dans le verger* : **GBP 8** – Londres, 18 juin 1928 : *A marée haute* : **GBP 14** – Londres, 25 avr. 1930 : *Le gros arbre* : **GBP 9** – Londres, 20 fév. 1931 : *Paysage d'hiver* 1887 : **GBP 5** – Londres, 26 nov. 1931 : *Troupeau à l'abreuvoir* 1904 : **GBP 4** – Londres, 2 nov. 1934 : *Dans le champ de blé* : **GBP 6** – Londres, 13 juil. 1935 : *Pommiers en fleurs à Montreuil* : **GBP 12** – Londres, 7 sep. 1976 : *Retour des champs*, h/t (57x53,5) : **GBP 550** – Londres, 21 oct. 1977 : *Le Champ de blé*, h/t (87,6x120,6) : **GBP 1 100** – New York, 25 jan. 1980 : *Le retour du troupeau*, h/t (135x161,5) : **USD 3 750** – Londres, 14 juil. 1983 : *Enfants cueillant des fleurs devant une chaumière*, h/t (33x26,5) : **GBP 750** – Londres, 1er nov. 1985 : *Fillette à l'ombre d'un arbre* 1890, h/t (53,5x40,5) : **GBP 7 000** – Londres, 12 juin 1987 : *Vue du Grand Canal, Venise* 1892, h/t (45,7x35,5) : **GBP 5 500** – Londres, 13 juin 1990 : *Distribution de nourriture aux poulets*, h/t (46x38) : **GBP 4 400** – Londres, 5 juin 1991 : *Fillette puisant de l'eau à la rivière*, h/t (30,5x23) : **GBP 1 705** – Londres, 29 sep. 1994 : *Paturages en été*, h/t (61x86,5) : **GBP 1 725** – Londres, 29 mars 1995 : *L'heure chaude de la journée à Venise* 1892, h/t (47x38) : **GBP 3 910** – Londres, 29 mars 1996 : *Dans un chaume*, h/t (38,8x53,3) : **GBP 4 140**.

CHARLES Jean

XVIe siècle. Français.
Peintre.
Il exécuta en 1520 un tableau au-dessus du maître-autel de Notre-Dame de Senlis.

CHARLES Jean

XXe siècle. Français.
Peintre.
Il exposa un paysage de Bretagne au Salon de la Nationale de 1940.

CHARLES John

XIXe siècle. Britannique.
Portraitiste.
Il exposa de 1875 à 1888 à la Royal Academy, à Londres.

CHARLES Laurent

Né le 12 juin 1875 à Paris. XXe siècle. Français.
Sculpteur de sujets de genre, bustes.
Il fut élève de Louis Auguste Moreau et d'Émile Thomas. Il a exposé très régulièrement à Paris, au Salon des Artistes Français, mention honorable en 1895, sociétaire depuis 1906, médaille de troisième classe en 1909.
Il a exécuté des portraits en bustes, et des sujets de genre : *Un revenant* 1898, *Seuls* 1908.
Ventes Publiques : Versailles, 20 déc. 1981 : *La cavalière fantastique* 1930, bronze : **FRF 3 200**.

CHARLES Madeleine

Née à Verdun (Meuse). XXe siècle. Française.

Peintre de paysages.
Elle exposait à Paris, aux Salons d'Automne de 1922 à 1927, des Artistes Indépendants de 1926 à 1932. Elle a souvent peint à Versailles et à Honfleur.

CHARLES Nicole
Née à Paris. XXᵉ siècle. Française.
Peintre.
Élève de X. Bricard et Wuillaume. A exposé une nature morte au Salon des Artistes Français en 1939.

CHARLES Philippe
XVIᵉ siècle. Français.
Peintre.
Il travailla au Château de Fontainebleau vers 1540 et 1550.

CHARLES Pierre
XVIIᵉ siècle. Actif à Tournai en 1604. Éc. flamande.
Peintre verrier.

CHARLES Pierre, dit la Forest
XVIIᵉ siècle. Français.
Sculpteur.
Il fut reçu à l'Académie de Saint-Luc le 25 juin 1682.

CHARLES Pierre
Né à Suresnes (Hauts-de-Seine). XXᵉ siècle. Français.
Peintre de paysages.
Il exposait à Paris, au Salon des Artistes Indépendants de 1926 à 1932.

CHARLES W.
XIXᵉ siècle. Britannique.
Peintre de marines, paysages.
Il exposa en 1870 et 1871 à Suffolk Street, à Londres.
VENTES PUBLIQUES : NEWCASTLE (Angleterre), 23 mai 1932 : *Bateaux de pêche sur une plage* 1872, dess. : **GBP 4.**

CHARLES William
Né en Écosse. Mort en 1820 en Écosse. XIXᵉ siècle. Actif aux États-Unis. Écossais.
Aquafortiste.
Il vécut à New York, puis à Philadelphie.

CHARLES Yvonne
Née à Bourg-la-Reine (Seine). XXᵉ siècle. Française.
Peintre.
Depuis 1923 elle expose au Salon d'Automne des portraits et des paysages.

CHARLES de Châlon. Voir CHALON Charles de

CHARLES d'Ypres. Voir FOORT Karel

CHARLES-BITTE Émile
Mort début 1895 à Paris. XIXᵉ siècle. Actif à Paris. Français.
Peintre de genre, portraits.
Il exposa au Salon à partir de 1889. On cite parmi ses envois : *Dalila* (1891), *Pendant la leçon* (1892), *La poupée au piano* (1894), *Portrait de l'artiste par lui-même* (1895).
VENTES PUBLIQUES : NEW YORK, 19 jan. 1995 : *L'enfant de chœur* 1871, h/t (89,5x116,8) : **USD 3 450.**

CHARLES-LOUIS Roger Julien
Né à Levallois-Perret (Seine). XXᵉ siècle. Français.
Graveur.
Élève de Jouenne. Exposant du Salon des Artistes Français.

CHARLES-VENARD Salomé. Voir VENARD Salomé

CHARLESON
XVIIIᵉ siècle. Actif vers 1788. Britannique.
Caricaturiste.

CHARLESWORTH Alice
XIXᵉ-XXᵉ siècles. Britannique.
Peintre de portraits.
Elle exposa entre 1896 et 1903 à la Royal Academy, à Londres.

CHARLESWORTH Éléanor
Née le 11 janvier 1891 à Londres. XXᵉ siècle. Britannique.
Peintre de paysages, fleurs.
Elle a exposé à Paris, au Salon des Artistes Français de 1932 à 1934.

CHARLESWORTH Violet Mary, née Rutherford
Née à Gaspereau (Canada). XXᵉ siècle. Britannique.
Peintre-aquarelliste.
Elle fut élève de l'Italien Dante Ricci, sans doute au cours du voyage de celui-ci aux États-Unis. Elle a exposé à Paris, aux

Salons des Artistes Français en 1928, des Artistes Indépendants en 1929.

CHARLET Albert
Né à Xermaménil (Meurthe-et-Moselle). XXᵉ siècle. Français.
Peintre de scènes de genre.
Il exposait à Paris, au Salon des Artistes Indépendants, entre 1921 et 1930.
VENTES PUBLIQUES : ALENÇON, 21 déc. 1986 : *« Le succube »*, h/cart. (50x70) : **FRF 9 500.**

CHARLET André
XVIIᵉ siècle. Travaillant à Laon vers 1650. Français.
Sculpteur.

CHARLET André Lucien
Né au Raincy (Seine-et-Oise). XXᵉ siècle. Français.
Peintre de paysages.
En 1928 il exposait au Salon d'Automne : *Haut-fourneau à Homécourt.*

CHARLET Émile
Né en 1851 à Bruxelles. XIXᵉ-XXᵉ siècles. Travaillant à Bruxelles. Belge.
Peintre de genre, portraits, paysages, natures mortes.
Élève de Portaels. Débuta en 1874 à Namur et à Gand, puis en 1875 à Bruxelles avec : *Le Bon Samaritain.* Il a exposé à Paris en 1877 et 1878. Il participa à l'Exposition Universelle de Bruxelles en 1910.
On cite de lui : *Intérieur de forge,* et des portraits.
VENTES PUBLIQUES : BRUXELLES, 17 mars 1981 : *Femme arabe et enfant,* h/t (65x45) : **BEF 30 000** – NEW YORK, 16 fév. 1995 : *Nature morte de fruits et de fleurs* 1898, h/t (73,7x54) : **USD 8 050.**

CHARLET Franz ou Frantz
Né en 1862 à Bruxelles. Mort en 1928. XIXᵉ-XXᵉ siècles. Belge.
Peintre de scènes de genre, figures, paysages, aquarelliste.
Il fut élève de Jan Portaels à l'Académie de Bruxelles, puis de Jules Lefebvre, Carolus Duran et Jean Léon Gérome à l'École des Beaux-Arts de Paris. En partie en compagnie de Théo Van Rysselberghe il visita l'Espagne, le Maroc et l'Algérie. Il séjourna avec Whistler à Marken et à Volendam. Avec Théo Van Rysselberghe et James Ensor, il fut un des fondateurs du groupe *Les Vingt,* dont la tradition devait être poursuivie par *La Libre Esthétique.* Il a exposé à Bruxelles, notamment au groupe des *Vingt,* à Londres, à Paris au Salon des Artistes Français, obtenant une mention honorable 1884, une troisième médaille 1885, au Salon de la Société Nationale des Beaux-Arts dont il devint sociétaire en 1903.
Franz Charlet eut son importance dans la peinture belge, à l'époque de transition entre impressionnisme, symbolisme, expressionnisme. Il peignit de nombreuses scènes de genre intimistes autour de la famille, de la mère et des enfants, des bébés, de la demeure. Paysagiste, il peignit les paysages de Belgique, Bruxelles, Ostende, mais aussi des vues de Paris, des paysages de Normandie, Caudebec, Honfleur.

MUSÉES : ANVERS : *Veuf* – BRUXELLES (Mus. roy. des Beaux-Arts) : *La femme du pêcheur,* aquar.
VENTES PUBLIQUES : NEW YORK, 1ᵉʳ avr. 1909 : *Les sollicitudes de la famille* : **USD 580** – PARIS, 16-17 déc. 1919 : *Paysanne épluchant des oignons à l'entrée de sa demeure* : **FRF 1 120** – PARIS, 27 mai 1920 : *L'heure de la soupe* : **FRF 2 000** – *Le saut de la rivière* : **FRF 1 000** – PARIS, 4-5 mars 1921 : *Autour du berceau* : **FRF 1 250** – PARIS, 16 mai 1924 : *Les courses à Bruxelles,* pastel : **FRF 2 800** – PARIS, 1ᵉʳ mars 1940 : *Vue de Paris* : **FRF 160** – PARIS, 8 déc. 1941 : *Ostende* : **FRF 500** – LONDRES, 2 juin 1964 : *Le cakewalk* : **GBP 100** – PARIS, 25 oct. 1965 : *Paris, la Madeleine* : **FRF 1 500** – ANVERS, 10 oct. 1972 : *Intérieur* : **BEF 26 000** –

ANVERS, 19 oct. 1976 : *Moulin en hiver*, h/t (50x70) : **BEF 36 000** –
ANVERS, 18 avr. 1978 : *Dans le port de pêche*, h/t (76x101) :
BEF 60 000 – NEW YORK, 26 jan. 1979 : *Enfants construisant un
bateau*, h/t (63,5x81) : **USD 3 300** – ANVERS, 28 oct. 1980 : *Inté-
rieur*, h/t (80x60) : **BEF 18 000** – LONDRES, 24 juin 1987 : *Enfant
dans un verger*, h/t (40,5x56) : **GBP 3 800** – LONDRES, 24 fév. 1988 :
La famille, h/t (69,5x89,5) : **GBP 1 430** – NEW YORK, 24 mai 1988 :
La charmeuse de perroquets, h/t (145,3x90,8) : **USD 15 400** –
NEW YORK, 24 oct. 1989 : *Le voilier modèle réduit*, h/t (73x92,4) :
USD 28 600 – NEW YORK, 28 fév. 1990 : *Enfants jouant avec leur
voilier*, h/t (61x73,6) : **USD 13 200** – PARIS, 6 juin 1990 : *Scène
d'intérieur*, h/t (54x72,5) : **FRF 15 000** – LOKEREN, 23 mai 1992 :
Dans le port, aquar. (64x94) : **BEF 150 000** – LOKEREN, 10 oct.
1992 : *Trois enfants cueillant des pâquerettes dans une prairie*,
aquar./cart. (42,5x65,5) : **BEF 240 000** – LOKEREN, 5 déc. 1992 :
Intérieur, h/t (55x66) : **BEF 190 000** – LOKEREN, 20 mai 1995 : *Le
désert*, h/t (31x46) : **BEF 70 000** – NEW YORK, 9 juin 1995 : *Au
pesage 1907*, h/t (134,6x144,8) : **USD 206 000** – LONDRES, 14 juin
1995 : *Le Bourgmestre*, h/t (60x81,5) : **GBP 3 450** – LOKEREN, 9
déc. 1995 : *Famille dans un intérieur campagnard*, h/t (60x73) :
BEF 160 000.

CHARLET Georges
Né à Paris. XXᵉ siècle. Français.
Peintre.
En 1929 et 1930 il exposait des paysages au Salon d'Automne.

CHARLET Henri P. Alexandre
Né au XIXᵉ siècle à Paris. XIXᵉ siècle. Français.
Graveur au burin.
Sociétaire des Artistes Français depuis 1904. Mention hono-
rable en 1904.

CHARLET Jane
Née à Ostende. XXᵉ siècle. Belge.
Peintre de nus, paysages, natures mortes.
Elle a exposé à Paris, aux Salons des Artistes Indépendants de
1923, des Tuileries de 1932.

CHARLET José
Né le 10 octobre 1916 à Bourg-en-Bresse (Ain). XXᵉ siècle.
Français.
Sculpteur, peintre. Abstrait.
Entré à l'Ecole des Beaux-Arts de Paris en 1937, il y obtint un
diplôme d'architecture. Après la guerre de 1939-1945, il exposa
des peintures à Paris. Poussé par le sculpteur espagnol Condoy,
il aborda la sculpture en 1951, qu'il pratiqua bientôt exclusivement.
Il participe à des expositions collectives à Paris, parmi lesquelles : depuis 1955 Salon de la Jeune Sculpture, depuis 1957
Salon des Réalités Nouvelles. Sa première exposition personnelle eut lieu aussi à Paris, en 1955.
Il sculpte l'acajou, le buis, l'ébène. Ses œuvres, abstraites, sont
construites à partir de thèmes symboliques, qui semblent matérialiser un mouvement dans l'espace vacant. Certaines de ses
sculptures sont constituées de plusieurs et différentes pièces de
bois, assemblées ensemble par des chevilles.

CHARLET Nicolas Toussaint
Né en 1792 à Paris. Mort en 1845 à Paris. XIXᵉ siècle. Français.
Peintre d'histoire, scènes de genre, aquarelliste, dessinateur, graveur, lithographe.
Dès sa plus petite enfance Charlet témoigna d'un goût marqué
pour le dessin. Mais les ressources très limitées dont disposait sa
famille, il était fils d'un dragon mort à la guerre et d'une bona-
partiste, ne lui permirent pas de suivre sa vocation et, tout jeune,
en 1809, il accepta une place dans une mairie de Paris. En 1814, il
se distingua à la défense de la barrière de Clichy. Mais dès que
Louis XVIII remonta sur le trône, les opinions exaltées que Charlet manifestait en faveur du bonapartisme lui coûtèrent sa place.
En 1817, il entra dans l'atelier de Gros et commença à étudier
simultanément la peinture et la lithographie. Ses idées politiques
lui inspirèrent de suite les sujets de ses premières créations et
ses gravures, ses dessins, ses toiles retraçant les épisodes les
plus populaires des campagnes de l'Empire, déchaînèrent l'enthousiasme parmi tous les adversaires du gouvernement de la
Restauration. Durant tout le règne de Louis XVIII, puis sous
Charles X, il continua à glorifier le régime napoléonien et à lui
opposer le manque de grandeur de la monarchie. A ce titre, il
peut être considéré comme un des promoteurs les plus actifs de
la Révolution de Juillet. En 1832, il accompagna le général de
Rigny au siège d'Anvers. En 1838, il fut nommé professeur de

dessin à l'École Polytechnique et il conserva ce poste jusqu'à sa
mort.
Peintre assez médiocre, coloriste très uniforme, Charlet fut, par
contre, un dessinateur et un lithographe de talent. Son œuvre
comporte environ 1 500 dessins et 1 100 lithographies. On s'accorde à louer l'exactitude de son crayon, et la largeur de ses
compositions. Ce fut aussi un humoriste et ses légendes ne sont
pas moins spirituelles que les dessins qu'elles accompagnent. Il
fut aussi l'inspirateur de Raffet. Ses tableaux les plus connus
sont : *Épisode de la retraite de Russie*, le *Passage du Rhin à Kehl
par Moreau*, et le *Convoi de blessés*.

■ M. Boucheny de Grandval

charlet

MUSÉES : AVIGNON : *Napoléon et le grenadier* – BAYONNE (Bonnat) : *La bénédiction du mourant* – CHANTILLY : *Soldat de la République* – GENÈVE (Rath) : *Grenadier en bonnet de police* – LILLE :
Napoléon Iᵉʳ – LYON : *Épisode de la retraite de Russie* – NANCY :
Soldat Louis XV au cabaret – *Portrait d'Abel Hugo, frère du poète*
– PARIS (Louvre) : *Le grenadier de la garde* – *Halte de troupes à
l'entrée d'un village* – PONTOISE : *Le peintre d'enseignes* – *Soldat
d'Afrique* – *Un centenaire*, aquar. – REIMS : *Lanciers* – ROUEN :
aquarelle – *Une école mixte* – *La maîtresse d'école* – VALEN-
CIENNES : « *C'est ma fête* » – *Le ravin* – VERSAILLES : *Passage du Rhin
à Kehl*.

VENTES PUBLIQUES : PARIS, 1824 : *Une bataille*, aquar. : **FRF 400** –
PARIS, 1833 : *Les joueurs de boules*, dess. à la sépia : **FRF 1 205** –
PARIS, 1836 : *Le retour au cabaret* : **FRF 460** – PARIS, 21 mars
1860 : *Suite de quatre cent quatre-vingt-treize dessins pour illustrer le « Mémorial de Sainte-Hélène »*, la plupart à la mine de
plomb : **FRF 14 861** – PARIS, 1860 : *La fête du grand-papa*,
aquar. : **FRF 1 810** – PARIS, 1860 : *Le marchand de gâteaux* :
FRF 330 ; *Un homme heureux* : **FRF 139** – PARIS, 1863 : *Épisode
de la bataille de Wagram* : **FRF 1 610** ; *Les balayeurs* : **FRF 620** –
PARIS, 1877 : *Épisode de la guerre d'Espagne* : **FRF 2 100** – PARIS,
1881 : *Un grenadier de la vieille garde* : **FRF 6 700** – PARIS, 1886 :
Le Savetier, aquar. : **FRF 55** – PARIS, 1890 : *Halte de cavaliers près
d'une ferme* : **FRF 2 975** – PARIS, 1898 : *La dispute* : **FRF 210** –
PARIS, 1899 : *Napoléon Iᵉʳ le soir de Waterloo* : **FRF 5 400** – PARIS,
1899 : *Militaires*, dess. : **FRF 110** – NEW YORK, 8 et 9 jan. 1903 : *Un
grenadier* : **USD 200** – PARIS, 26-27-28 et 29 avr. 1904 : *Le convoi
des blessés*, aquar. : **FRF 1 000** – PARIS, 18 déc. 1920 : *Retraite de
l'Armée autrichienne après la bataille de Rivoli*, aquar. :
FRF 1 500 – PARIS, 22 déc. 1920 : *La bonne aventure* : **FRF 170** –
PARIS, 14-16 fév. 1921 : *La petite fille au chat* : **FRF 200** – PARIS, 23
et 24 mai 1921 : *Épisodes de la guerre d'Italie*, deux mines de
plomb : **FRF 200** – PARIS, 24 oct. 1921 : *L'école au village* :
FRF 1 100 – PARIS, 26 oct. 1926 : *Portrait de Napoléon Iᵉʳ* ; *Portrait
de Joséphine*, deux aquarelles sur ivoire : **FRF 3 000** – PARIS, 31
mars 1927 : *Un Conventionnel*, dess. reh. : **FRF 500** – PARIS, 13
juin 1927 : *La pipe du grand-père*, aquar. ; *Le gros aubergiste*,
sépia, ensemble : **FRF 950** – LONDRES, 17 juin 1927 : *La retraite
devant Moscou* : **GBP 44** – PARIS, 19 nov. 1927 : *L'ouverture de la
chasse*, sépia : **FRF 900** ; *La marchande de poires*, sépia :
FRF 1 100 ; *Fantassin en faction dans la neige*, aquar. :
FRF 2 100 – PARIS, 26 avr. 1928 : *La Bonne aventure* : **FRF 950** ;
Cantonnement de grenadiers : **FRF 2 100** – PARIS, 26 juin 1929 :
La marchande de lait, dess. : **FRF 1 200** – PARIS, 19 juin 1933 :
L'heure de la soupe, aquar. : **FRF 2 100** – LONDRES, 27-29 mai
1935 : *Paysan italien*, aquar. : **GBP 12** – LONDRES, 5 mars 1937 :
*Portrait de Lola Montes en amazone coiffée d'un grand feutre gris
à plume et tenant une cravache* : **FRF 5 700** – LONDRES, 27 oct.
1938 : *L'Exercice dans le parc*, aquar. : **FRF 680** – LONDRES, 18 et
19 déc. 1940 : *Le chien Rebelle, scène de la vie militaire*, aquar. :
FRF 750 – LONDRES, 23 mai 1941 : *La Baignade, étude sur panneau* : **FRF 610** – LONDRES, 8 juil. 1942 : *Napoléon Iᵉʳ assis devant
le foyer d'un intérieur rustique* : **FRF 4 350** – LONDRES, 1ᵉʳ fév.
1950 : *Retraite de Russie* : **FRF 10 000** – BERNE, 17 nov. 1967 : *Soldats se reposant dans un paysage* : **CHF 1 100** – PARIS, 20 déc.
1968 : *Le grenadier de la Vieille Garde* : **FRF 2 500** – DEAUVILLE, 26
août 1969 : *L'Empereur à cheval* : **FRF 8 000** – BERNE, 2 mai 1979 :
Don Quichotte et Sancho Pança, h/t (45,5x67,5) : **CHF 2 500** –
VERSAILLES, 23 mars 1980 : *Les grognards de l'Empire*, h/t
(55,5x73,5) : **FRF 8 500** – MONTE-CARLO, 26 juin 1983 : *Napoléon à
cheval*, h/t (49x60) : **FRF 12 000** – PARIS, 30 nov. 1983 : *À l'école :
la punition*, aquar. (26x25) : **FRF 7 800** – PARIS, 6 juin 1984 : *La
lecture du Constitutionnel*, h/t (24,5x19,5) : **FRF 4 500** – REIMS, 25
mai 1986 : *Épisode de la retraite de Russie*, h/pan. (14x19) :
FRF 4 200 – VERSAILLES, 18 juin 1986 : *Les joueurs de dames 1832*,

aquar. (21,5x28,5) : **FRF 12 000** – Paris, 21 mars 1990 : *La Taverne ou scène de cabaret*, cr. noir/pap. glacé (17,5x20,5) : **FRF 7 500** – Paris, 17 oct. 1990 : *Après le souper*, h/t (34x23,5) : **FRF 9 200** – Neuilly, 3 fév. 1991 : *La lecture*, aquar. (20x15) : **FRF 11 000** – New York, 16 juil. 1992 : *Tireuse de cartes*, aquar./pap. (18,1x14,6) : **USD 2 200** – Paris, 2 déc. 1992 : *La convocation au paiement*, lav. d'encre brune (13x18,5) : **FRF 3 600** – Paris, 28 mai 1993 : *Le retour du soldat*, plume, aquar. et gche blanche (18,5x22) : **FRF 6 000** – Neuilly, 5 déc. 1993 : *Deux grenadiers*, h/t (31x38) : **FRF 6 000** – Paris, 25 oct. 1994 : *Bonaparte à cheval suivi d'officiers*, aquar. (27x37) : **FRF 10 000** – Londres, 16 nov. 1994 : *Le retour de Napoléon de l'île d'Elbe*, h/t (25x33) : **GBP 1 495** – Paris, 2 déc. 1994 : *Halte d'un convoi dans la campagne*, h/t (33,5x41) : **FRF 13 000** – Paris, 2 juin 1997 : *Épisode de la campagne napoléonienne en Espagne, la prise de Saragosse*, t. (36x55) : **FRF 13 000**.

CHARLET Pierre Louis Omer
Né le 2 janvier 1809 à l'île d'Oléron. Mort en 1882 au château d'Oléron. xixᵉ siècle. Actif à Paris. Français.
Peintre.
Élève de Gros et d'Ingres, il entra à l'École des Beaux-Arts le 5 octobre 1833. Il exposa au Salon de Paris, en 1841, sous le nom d'Omer-Charlet, et obtint une médaille de troisième classe. En 1843, il eut la médaille de deuxième classe.
Musées : Douai : *La Paix* – Rochefort : *Les orphelines de la mer* – *Petite marchande de poissons* – *Le petit mousse* – *La lune de miel* – *La lune rousse* – *Danses italiennes* – La Rochelle : *Épisode du siège de La Rochelle en 1628* – *Guiton, sur les marches de l'Hôtel de Ville, exhorte ses concitoyens à ne pas se rendre* – *Tout passe*.

CHARLI Antoine
xviiiᵉ siècle. Travaillant en Pologne vers 1700. Français.
Peintre.

CHARLIER Charles Henri
Né à Paris. xxᵉ siècle. Français.
Peintre de sujets religieux, sculpteur, décorateur.
Il était sociétaire à Paris du Salon d'Automne, il y figura aussi au Salon des Artistes Indépendants en 1922 et 1923.
Il a produit un très grand nombre d'œuvres d'art sacré, vitraux, peintures à fresque, sculptures, broderies rituelles, etc., en sculpture, on cite de lui un *Saint Vincent de Paul* en taille directe pour un linteau de porte.

CHARLIER Charles Louis Henri
Né à Torcy. xixᵉ siècle. Français.
Peintre.
Élève d'Ingres. Il exposa au Salon entre 1838 et 1848 des portraits et aussi quelques tableaux d'histoire sainte (*Saint Mathieu*, en 1838, *Le Christ et ses disciples à Emmaüs*, en 1847, *Tête de Christ*, en 1848).

CHARLIER Constant
Né en 1902 à Louvain. xxᵉ siècle. Belge.
Peintre de cartons de vitraux, céramiste.
Il a créé à Louvain : les vitraux de la cathédrale Saint-Pierre, de l'Hôtel-de-Ville, de la Bibliothèque Universitaire.
Bibliogr. : In : *Diction. biogr. illustré des Artistes en Belgique depuis 1930*, Arto, Bruxelles, 1987.

CHARLIER Guillaume
Né en 1854 à Ixelles (Bruxelles). Mort en 1925. xixᵉ-xxᵉ siècles. Belge.
Sculpteur, peintre de genre, paysages, peintre à la gouache.
Élève de Cavelier. Il obtint le Prix de Rome en 1882. Il exposa à Paris à partir de 1885 et en fut longtemps membre de la Société Nationale des Beaux-Arts. Il obtint deux mentions honorables en 1885 et 1886, une médaille de troisième classe en 1887 et une médaille d'or à l'Exposition Universelle de Paris en 1889. Il a également exposé à Bruxelles, Cologne, Munich, Dresde.
On cite parmi ses œuvres : *La Vanité*, *Léonidas*, *Devant la Madone*, *L'inquiétude maternelle*, *L'aveugle*.

Gurll Charlier

Musées : Barcelone : *Inquiétude maternelle* – Bruxelles : *La Prière* – Dresde : *La Jeune mère* – Tournai : *Le semeur du mal*.
Ventes Publiques : Lokeren, 9 mars 1996 : *Voiliers 1911*, gche (51,5x71,5) : **BEF 33 000**.

CHARLIER Isabelle
Née à Reims (Marne). xxᵉ siècle. Française.
Peintre.
Élève de l'École Nationale des Arts Décoratifs. A exposé des gouaches au Salon des Artistes Français en 1931 et 1932.

CHARLIER Jacques
Né en 1720. Mort en 1790. xviiiᵉ siècle. Travaillant à Paris. Français.
Peintre de compositions mythologiques, sujets allégoriques, figures, nus, portraits, miniaturiste.
Il fut l'élève de Boucher. Il fut protégé par le comte de Caylus, le prince de Conti et en 1753 il figurait sur la liste royale comme « Peintre en miniature du roi ». Il travailla également pour Madame de Pompadour, le duc d'Aumont, le duc d'Orléans.
Il se consacra presque exclusivement à la miniature, remportant un vif succès, comme le prouve la prédilection que lui témoigna Sir Richard Wallace qui réunit un très grand nombre de ses œuvres dans sa collection. Il reçut aussi de nombreuses commandes pour les « Menus Plaisirs ».

J. Charlier

Musées : Londres (coll. Wallace) : *Portrait de Mme Elisabeth*, miniat. – *Nymphe au bain*, gche, d'après Boucher – *Jeunes filles au bain*, gche, d'après Boucher – *Vénus couronnée de fleurs*, gche – *Conversation galante*, gche – *Vénus et l'Amour endormis*, miniature – *Jeunes filles au bain*, gche, d'après Boucher – *Jupiter sous la forme d'un satyre, surprenant Antiope*, miniat. – *Jeune fille dormant*, miniat. – *Pan et Syrinx*, d'après le tableau de Boucher à la Nat. Gall. – *Vénus et l'Amour couchés dans les nuages*, miniat. – *Nymphes et Amours*, gche, d'après Boucher – *Vénus et l'Amour*, miniat. d'après Boucher – *Bacchante et l'Amour*, miniat. – *Deux nymphes, surprises par un cygne*, d'après Boucher – *Vénus et l'Amour reposant* – *La toilette de Vénus* – *Nymphes et l'Amour*, miniat. style Boucher – *Nymphes et Amours*, gche, d'après Boucher – *La Naissance de Vénus*, gche, d'après Boucher – *Le Jugement de Pâris*, d'après Boucher.
Ventes Publiques : Avignon, 1779 : *Femme nue dans un paysage*, miniat. ovale : **FRF 63** ; *Suzanne et les vieillards*, miniat. : **FRF 12** – Paris, 1799 : *Triomphe de Galathée* ; *Vénus accompagnée des Grâces et des Amours*, quatre miniatures sur ivoire : **FRF 118** – Paris, 1846 : *Le sommeil de Diane* ; *Pomone*, deux aquarelles gouachées : **FRF 349** – Paris, 1859 : *Léda surprise au bain*, miniat. : **FRF 231** – Paris, 15 mars 1875 : *Danaé*, gche : **FRF 3 180** – Paris, 29 avr. 1878 : *Portrait d'une fille de Louis XV*, miniat. : **FRF 500** – Paris, 1882 : *Nymphe nue, accroupie, dans un paysage et sortant de l'onde*, miniat. : **FRF 145** ; *Le sommeil des Bacchantes*, gche : **FRF 3 240** – Paris, 21 jan. 1884 : *Baigneuse*, gche : **FRF 695** ; *Vénus désarmant l'Amour*, dess. : **FRF 70** – Paris, 1887 : *Baigneuse*, dess. de forme ronde : **FRF 505** – 1891 : *Vénus et l'Amour*, aquar. : **FRF 800** – Paris, 1893 : *Pygmalion et Galathée*, past. : **FRF 1 500** ; *Le cuvier*, gche : **FRF 141** – Paris, 1899 : *Le réveil de Mme Murphy*, gche : **FRF 1 401** ; *Les appâts multipliés*, gche : **FRF 1 500** – Paris, 1900 : *Le Satyre amoureux*, miniat. : **FRF 460** – Paris, 22 mai 1900 : *Diane et Actéon*, gche : **FRF 175** – Paris, 4 mai 1906 : *Femmes sortant du bain*, gche : **FRF 700** – Paris, 25 mars 1907 : *Nymphe au bain*, miniat. : **FRF 410** – Paris, 8 avr. 1919 : *Vénus et l'Amour*, miniat. : **FRF 1 150** ; *Le miroir*, peinte en émail, montée sur boîte en or, époque Louis XVI., attr. : **FRF 2 300** – Paris, 8 avr. 1919 : *Les Baigneuses*, miniat., d'après Boucher : **FRF 1 000** ; *Mars et Vénus*, miniat., d'après Boucher : **FRF 700** ; *Le galant berger*, miniat. : **FRF 1 520** ; *Le réveil*, miniat., d'après Boucher : **FRF 2 100** – Paris, 26 et 27 mai 1919 : *Le repos*, miniat., d'après Lancret : **FRF 1 050** – Paris, 21 nov. 1919 : *Léda et le Cygne*, aquar. gchée., attr. : **FRF 1 550** – Paris, 8 et 9 déc. 1919 : *Nymphes endormies*, gouache, attr. : **FRF 300** – Paris, 21 et 22 juin 1920 : *Vénus et l'Amour*, aquar. gchée : **FRF 6 300** ; *Amphitrite*, aquar. gchée : **FRF 8 100** – Paris, 15 avr. 1921 : *Jupiter et Léda*, miniat., d'après Boucher : **FRF 1 620** – Paris, 5 avr. 1922 : *Mars et Vénus*, miniat. : **FRF 700** – Paris, 22 et 23 mai 1922 : *La Fidélité*, gche : **FRF 4 000** – Londres, 24 nov. 1922 : *L'Hommage à Minerve*, gche : **GBP 178** – Paris, 4 juin 1923 : *Léda et le Cygne*, gche : **FRF 4 300** – Paris, 26 déc. 1923 : *Vénus et Bacchus* : **FRF 3 300** – Paris, 13 nov. 1924 : *Mademoiselle O' Murphy couchée sur un divan*, gche : **FRF 2 350** – Paris, 9 mai 1927 : *Baigneuse*, gche : **FRF 5 100** – Paris, 28 juin 1928 : *Jupiter et Junon*, gche sur boîte écaille : **FRF 2 100** – Paris, 15 et 16 mai 1931 :

Nymphe surprise par un faune, gche : **FRF 550** – Paris, 12 juin 1931 : *Le sommeil de Vénus*, gche : **FRF 1 700** – Londres, 9 déc. 1936 : *Bacchante*, gche : **GBP 50** ; *Léda et le Cygne*, past. : **GBP 160** ; *Diane et Calisto*, past. : **GBP 160** – Paris, 4 et 5 nov. 1937 : *Les Lunettes, conte de la Fontaine*, gche : **FRF 1 050** – Paris, le 2 déc. 1954 : *Danaé : le Triomphe d'Amphitrite*, pend. gche ovale : **FRF 320 000** – Paris, 1ᵉʳ avr. 1965 : *Les trois Grâces jouant avec des Amours et des Naïades*, gche : **FRF 3 200** – Versailles, 20 nov. 1977 : *Scène pastorale*, gche sur parchemin (29x37) : **FRF 5 500** – Londres, 8 déc. 1981 : *Les Trois Grâces*, gche (32,8x24) : **GBP 1 000** – Paris, 2 mars 1983 : *Jeune femme étendue sur un sofa*, gche (29x35) : **FRF 17 000** – Paris, 29 nov. 1985 : *Baigneuses*, gche (21x28,5) : **FRF 45 000** – Paris, 30 mars 1987 : *La baigneuse*, gche/vélin (22x17) : **FRF 20 000** – Paris, 20 oct. 1988 : *Femme sur un lit embrassant un oreiller – Femme sur un lit semblant regretter l'absence de son amant*, gches, deux pendants de forme ovales (30x35) : **FRF 120 000** – Paris, 22 nov. 1990 : *Allégories des Arts*, gche : **FRF 230 000** – Paris, 19 juin 1992 : *Vénus et ses suivantes*, aquar. et gche (12,2x17,2) : **FRF 23 000** – New York, 11 jan. 1994 : *Allégorie de l'Art de la peinture*, aquar. et gche, projet de plafond (27,5x22,5) : **USD 2 530.**

CHARLIER Jacques
Né en 1939 à Liège. xxᵉ siècle. Belge.
Artiste multimédia.

Il vit et travaille à Liège. Il participe à diverses expositions collectives, parmi lesquelles : 1967 *Jeunes peintres wallons* à Verviers ; 1971 2ᵉ Triennale de Bruges ; 1974 *Dibbets, Charlier, Baldessari, Lewitt, Broodthaers* à la galerie Vega de Liège, *Artistes belges* à Bruxelles et Oxford ; 1975 *Vidéos d'artistes* au Palais des Beaux-Arts de Bruxelles ; 1977 *Barry, Charlier, Shafrazi, Wilson* à la galerie M.T.L. de Bruxelles, 4ᵉ quadriennale des jeunes artistes liégeois à Liège ; 1980 *Art belge*, à la Fondation Gulbenkian à Lisbonne ; 1991 *L'Art en Belgique – Flandre et Wallonie au xxᵉ siècle, un point de vue* au Musée d'Art Moderne de la Ville de Paris. Il montre également ses œuvres dans des expositions personnelles : 1962, 1963 peintures et collages à Anvers ; 1966 Adams Gallery à Cincinnati (États-Unis) ; 1967 galerie Baudoux à Liège ; 1970, 1975, 1978 galerie M.T.L. à Bruxelles, galerie Yellow à Liège ; 1971 Neue Galerie à Aix-la-Chapelle ; 1972-1973 Musée d'Anvers ; 1976 galerie Maier-Hahn à Düsseldorf ; 1977 galerie Eric Fabre à Paris ; 1978 galerie Marzona à Düsseldorf ; 1981 Musée de Peinture et de Sculpture de Grenoble ; 1983 Palais des Beaux-Arts de Bruxelles ; 1984 Palais des Beaux-Arts de Charleroi ; 1993 FIAC (Foire Internationale d'Art Contemporain) à Paris ; 1995 galerie Fortlaan à Gand.
Jacques Charlier a fait paraître *La route de l'art* en bande dessinée aux éditions Gewad et Moretti à Gand, en 1982. Il multiplie les activités, peinture, sculpture, vidéo, films, bandes dessinées, qui se complètent et s'interfèrent, pour en général traiter d'un même thème : l'art, le monde de l'art, en mettant au jour ses contradictions et ses paradoxes. Exposant des photographies de rapports, les *Paysages professionnels*, d'un organisme belge, le STP, il ne se désigne pas comme leur signataire mais comme leur présentateur. À l'inverse d'artistes comme les nouveaux réalistes par exemple, Charlier ne s'approprie pas un « objet trouvé », il le propulse dans le contexte artistique pour dynamiser ce dernier et amener à un questionnement de son fonctionnement interne. Un autre travail, réalisé vers 1975, vise directement l'art et ses rituels. Charlier a alors chargé des photographes de couvrir plusieurs vernissages importants en Belgique et dans ses environs. Les clichés représentent le public des invités au buffet ou un verre à la main, tournant le dos aux œuvres exposées... Plutôt qu'une dénonciation Charlier tend un miroir dans les lieux et aux acteurs-mêmes de ces numéros répétitifs qui semblent, selon lui, résumer les activités du monde de l'art. Travail de sape qu'il poursuit avec les *Plinthures*, singeant la peinture néo-expressionniste et celle de la trans-avant-garde. Il nous propose également des images à l'esthétique désuète, voire réactionnaire qui, dans leur théâtralité, soulignent la nature artificielle de toute image et celle de l'art en particulier. Ainsi, par le biais de mises en scène, l'artiste démonte les mécanismes d'images, telles que la figure de Jeanne d'Arc ou le mythe de Léda, pour en faire voir les rouages, il tente de montrer comment elles ont pu être le siège de projections sémantiques changeantes. ■ F. M., S. D.
Bibliogr. : Catalogue de l'exposition *Dans les règles de l'art*, Palais des Beaux-Arts de Bruxelles, Éditions Lebeer Hossmann, Bruxelles, 1983 – Catalogue de l'exposition *Références*, Palais

des Beaux-Arts de Charleroi, fév.-mars 1984 – in : *Dict. de l'art mod. et contemp.*, Hazan, Paris, 1992 – Gérard Mans : *Jacques Charlier. Léda ou la fascination du signe*, in : *Art press*, N°210, Paris, fév. 1996.
Musées : Lille (FRAC, Nord-Pas-de-Calais) : *À la pointe de l'art* 1983, sculpt. – *Peinture de club* 1992.
Ventes Publiques : Lokeren, 9 déc. 1995 : *Peinture de secours* 1989, h/pan. et sonnette (71x61) : **BEF 155 000.**

CHARLIER Jean. Voir GIOVANNI di Francia

CHARLIER Jean Guillaume, orthographe erronée pour Carlier

CHARLIER Michel. Voir HALDORF Erik

CHARLIER Paul
Né à Paris. xxᵉ siècle. Français.
Peintre de paysages.

Il a exposé à Paris, au Salon des Artistes Indépendants de 1931 à 1939.

CHARLIER Victor Jean Baptiste
Né en 1866 à Saverne (Bas-Rhin). xixᵉ siècle. Français.
Peintre.

Élève de Daux, à Reims. Le musée de Reims conserve de lui les *Portraits de Eug. Courmeaux* et de *L. A. Duchenoy*.

CHARLIN Jean Louis Auguste
xixᵉ siècle. Actif à Paris vers 1815. Français.
Graveur.

Il grava 17 planches relatives à la Campagne d'Égypte. On lui doit aussi : *Le départ pour Saint-Malo* et *Les trois passions de l'homme*.

CHARLINSKI Franz Vinzenz
xviiiᵉ siècle. Actif à Varsovie. Polonais.
Peintre.

CHARLON Léon Paul
Né à Paris. xxᵉ siècle. Français.
Peintre de paysages urbains.

Il exposait à Paris, des vues de Montmartre et des ponts de Paris, au Salon des Artistes Indépendants de 1926 à 1932.

CHARLOPEAU Gabriel Louis Maurice, pseudonyme de Bernard Louis
Né en novembre 1889 à Fontenay-le-Comte (Vendée). Mort en juin 1967. xxᵉ siècle. Français.
Peintre de paysages, natures mortes, fleurs, portraits, nus. Postimpressionniste.

Il entra à l'Académie Julian en 1906, où il fut élève de Mercel Baschet, Henri Royer, puis de Jean-Paul Laurens. Plus tard, sa rencontre d'Albert Marquet lui fut profitable. Il a résidé la plupart du temps à Paris, mais a parfois voyagé et travaillé sur place : 1927 Dordogne, 1927-1928 Espagne, 1957 Tours, et chaque année en Charente. Il participait à des expositions collectives à Paris depuis 1920 : Salons de la Société Nationale des Beaux-Arts, des Artistes Indépendants, d'Automne dont il devint sociétaire en 1927 et où il figura régulièrement. Il montra ses peintures dans des galeries privées, à Paris 1931, 1937, Limoges 1933, Nantes 1954, Cognac 1956, La Roche-sur-Yon 1959, et chaque année dans une galerie de La Rochelle. En 1953, il exposa au Musée Vendéen de Fontenay-le-Comte, et en 1955 et 1956 à celui de La Roche-sur-Yon. En 1969, le Musée de La Rochelle lui organisa une exposition rétrospective en 1969.
Il a peint quelques portraits, natures mortes, fleurs et nus, mais il fut surtout peintre de paysages : il a travaillé en Espagne : *Cathédrale de Burgos*, en province : *Cathédrale de Tours*, en Dordogne, à Paris : *La Place de la Concorde – Le Pont des Arts*, mais surtout en Charente-Maritime : *Peupliers en grisaille à Chaniers* et en Vendée. Ses marines : *Marine aux Sables-d'Olonne – Marine à la voile jaune* à Nieul-sur-Mer, rendent évidente la filiation qui relie Manet et Marquet, et montrent clairement que c'est à cette sensibilité-là qu'appartient l'œuvre de Charlopeau.
■ J. B.
Bibliogr. : Catalogue de l'exposition rétrospective *Charlopeau*, Mus. des Beaux-Arts, La Rochelle, 1969.
Musées : Fontenay-le-Comte (Mus. Vendéen) : *Paysage de Rouchereau* – Nantes (Mus. des Beaux-Arts) : *L'orage – Le printemps* – Paris (Mus. Nat. d'Art Mod.) : *Le chemin Aunis* 1926 – La Rochelle (Mus. des Beaux-Arts) : *Rue de Nieul-sur-Mer – Les pivoines.*
Ventes Publiques : La Rochelle, 18 nov. 1978 : *Quai de La Rochelle*, h/t (60x60) : **FRF 4 400** ; *Rue de Lauzières* : **FRF 5 000** –

La Rochelle, 29 juin 1980 : *Quai de la Rochelle*, h/t (50x40) : **FRF 7 100** – Paris, 16 mars 1983 : *Jardin à Nieul-sur-Mer*, h/t (55x48) : **FRF 19 000** – Versailles, 26 avr. 1987 : *Notre-Dame vue des quais*, h/t (46,5x55) : **FRF 3 000**.

CHARLOT Aliette Jeanne

Née à Nantes (Loire-Atlantique). XXᵉ siècle. Française.
Peintre de paysages.
Elle exposait à Paris, au Salon des Artistes Français depuis 1932 et en devint sociétaire.

CHARLOT Jean

Né en 1898 à Paris. Mort le 20 mars 1979 à Honolulu. XXᵉ siècle. Actif aussi au Mexique, aux États-Unis. Français.
Peintre de figures, compositions à personnages, peintre à fresque.
Il exposait à Paris dans les années vingt, au Salon d'Automne. Dès 1921, il alla au Mexique et participa, parmi les premiers, au mouvement muraliste. Avec Alva de La Canal, ils étaient les seuls à peindre véritablement « à fresque ». Il fut l'un des assistants de Diego Rivera lorsque ce dernier exécuta une de ses premières compositions murales pour l'École Nationale Préparatoire. Au Mexique, il attira l'attention du public sur les gravures de José Guadalupe Posada. Il participa ensuite, en 1927-1928, à l'expédition archéologique de Sterling, au Yucatan, et réalisa de nombreux dessins sur site qui furent ensuite publiés sous le titre *The Temple of the Warriors*. Il a enseigné à l'Université de Columbia, puis à Yale et à l'Université de Georgie. En 1949, il s'était retiré à Honolulu et, jusqu'en 1966, donna des cours à l'Université d'Hawaï.
À Mexico, il peignit une composition murale à l'Ecole Nationale Préparatoire : *Le massacre du grand temple*, et une autre au Secrétariat de l'Education Publique. Il a souvent traité les thèmes du couple, de la maternité, de l'enfance.

JEAN CHARLOT

Musées : Paris (Mus. Nat. d'Art Mod.).
Ventes Publiques : New York, 20-21 oct. 1943 : *Malinches* 1930 : **USD 250** – New York, 20 fév. 1964 : *Mère et enfant* : **USD 600** – New York, 26 mai 1977 : *Mère et enfant* 1926, h/t (35,5x28,5) : **USD 2 800** – New York, 5 avr. 1978 : *« La Tourmente » (Orage II)* 1935, h/t (117,5x66,5) : **USD 7 500** – New York, 14 mai 1979 : *Mère et enfant* 1938, aquar. (70,5x52,3) : **USD 1 800** – New York, 9 mai 1980 : *Danse des Malinches* 1930, h/t (99x147,3) : **USD 27 000** – New York, 8 mai 1981 : *Jeu d'enfants*, aquar. (23,2x30) : **USD 1 200** – New York, 9 juin 1982 : *« Mecedora »*, h/cart. (19,6x15) : **USD 800** – New York, 24 oct. 1982 : *Personnage assis* 1924, aquar. (32x25) : **USD 850** – New York, 13 mai 1983 : *Mère et enfant* 1936, h/cart. entoilé (52x43) : **USD 400** – New York, 31 mai 1984 : *Femme assise*, aquar., pl. et cr. (50x37,5) : **USD 1 100** – New York, 29 mai 1985 : *L'accident* 1924, h/t (28,2x35,6) : **USD 2 400** – New York, 25 nov. 1986 : *Tisseuse guatémaltèque* 1975, h/t (47x57) : **USD 1 200** – New York, 21 nov. 1988 : *Amants*, h/t (15x15) : **USD 1 320** – New York, 17 mai 1989 : *Le tressage des cheveux*, h/t (122x61) : **USD 28 600** – New York, 21 nov. 1989 : *Maternité* 1937, h/t (61,2x51) : **USD 15 400** – New York, 1ᵉʳ mai 1990 : *Mères et enfants* 1924, h/t (36x28) : **USD 5 500** – New York, 20-21 nov. 1990 : *Mère et enfant*, h/t (71x56) : **USD 20 900** – New York, 20 nov. 1991 : *Lavandières* 1937, h/t (38,5x49,5) : **USD 8 800** – New York, 18-19 mai 1992 : *Enfants abandonnés* 1938, h/t (76,6x102) : **USD 20 900** – New York, 12 juin 1992 : *La danse des enfants*, aquar./pap./cart. (39,4x57,2) : **USD 4 125** – New York, 24 nov. 1992 : *Mère et enfant* 1937, h/t (61x50,8) : **USD 16 500** – New York, 18-19 mai 1993 : *Coiffure* 1930, h/t (27,9x20) : **USD 5 175** – New York, 23-24 nov. 1993 : *La fuite en Égypte* 1945, h/t (50,8x60,3) : **USD 11 500** – New York, 18 mai 1994 : *L'éveil* 1932, h/t/rés. synth. (74,9x93,7) : **USD 8 050** – New York, 14-15 mai 1995 : *Les commères I*, h/t (88,9x89,2) : **USD 4 887**.

CHARLOT Léone

Née à Paris. XXᵉ siècle. Française.
Peintre de fleurs.
Exposa aux Indépendants, de 1926 à 1928.

CHARLOT Louis

Né le 26 avril 1878 à Cussy-en-Morvan (Saône-et-Loire). Mort le 31 mai 1951 à Uchon (Saône-et-Loire). XXᵉ siècle. Français.
Peintre de figures typiques, paysages, paysages animés. Postimpressionniste.

Dans la jeunesse de Louis Charlot, il y avait à Autun un tapissier, Alexandre Huet, qui peignait en amateur autodidacte mais non sans goût, affichant le genre artiste parisien dans sa province. Ce Monsieur Huet lui indiqua les premiers rudiments de la peinture, et surtout le plaça chez un décorateur. A l'âge de vingt ans, Louis Charlot vint à Paris. Léon Bonnat s'intéressa à lui, le prépara au concours d'entrée à l'Ecole des Beaux-Arts où il fut admis en 1898 ou 1899. A l'Exposition Universelle de 1900, il eut la révélation des impressionnistes, et de là subit durablement la double influence de Pissarro et de Cézanne. En 1905, il vint pour la première fois à Uchon, où il établit ensuite la maison familiale. Il exposait à Paris, aux Salons des Artistes Français depuis 1901, d'Automne depuis 1906 et dont il devint sociétaire, de la Société Nationale des Beaux-Arts depuis 1911, des Tuileries de 1927 à 1943. Il fut fait officier de la Légion d'Honneur. En 1951, le Salon dijonnais de *L'Essor* organisa un hommage rétrospectif. En 1976, le Musée Rolin d'Autun lui consacra une exposition rétrospective.
Dans son œuvre abondant, il s'est toujours montré attaché à exprimer l'âme de son pays natal, à travers surtout ses paysages nombreux : *Le village sous la neige – Morvan, les hêtres sur la montagne – Le Morvan au printemps*, etc., et aussi ses habitants : *Paysans attablés – Les braconniers – Bergers et bergères en Morvan – Petit berger jouant de la flûte*, etc. Il a réalisé les peintures murales de l'église de Digoin. Il a aussi eu l'occasion de peindre en Bretagne et en Provence. Sa facture a varié au cours des périodes différentes, peut-être aussi en relation avec les régions visitées. Dans la continuité, on retrouve toujours chez lui l'influence impressionniste, plus marquée dans ses débuts : *Après-midi de Dimanche* 1905, *Coin de table le matin* 1905, comme chez Pissarro, le sens frémissant de la nature : *L'arbre roux*, et plus prégnante la construction maçonnée des volumes : *L'église d'Uchon – Automne – Rochers de La Motte, fin de neige*. ■ J. B.

Louis Charlot

Bibliogr. : Georges Lecomte : *Louis Charlot*, Georges Petit, Paris, 1926 – Gustave Vuillemot : *Catalogue de l'exposition Louis Charlot, peintre du Morvan*, Musée Rolin, Autun, 1976.
Musées : Bergerac (Mus. mun.) – Buenos Aires – Castelnaudary (Mus. mun.) – Chalon-sur-Saône (Mus. Denon) – Chambéry (Mus. des Beaux-Arts) : *Maison près d'un étang – Paysage – Fermes sous la neige – Village au printemps* – Dijon (Mus. des Beaux-Arts) – Grenoble (Mus. de Peinture et Sculpture) – Lyon : *Paysage du Morvan* – Mâcon (Mus. mun.) – Nantes : *L'aquarelliste* – Paris (Orsay) : *Bergère – Le buveur* – Paris (Petit-Palais) : *Jeune berger jouant de la flûte – Fillette aux marguerites* – Paris (Mus. de l'Armée) : *Tirailleurs algériens* 1917 – La Rochelle (Mus. des Beaux-Arts) – Tokyo : *Église de village* – Yokohama.
Ventes Publiques : Paris, 21 fév. 1920 : *Le berger* : **FRF 880** – Paris, 21 mars 1922 : *Paysage d'Auvergne* : **FRF 2 520** – Paris, 4 juin 1925 : *Vue du Morvan* : **FRF 2 100** – Paris, 25 avr. 1927 : *Paysage du Morvan au printemps, chemin montant* : **FRF 5 900** – Paris, 3 mai 1929 : *La liseuse* : **FRF 4 000** – Paris, 12 fév. 1932 : *Baigneuse* : **FRF 1 000** – Paris, 27 fév. 1933 : *Les paysans du Morvan* : **FRF 2 800** – Paris, 10 mai 1933 : *Jeune berger du Morvan* : **FRF 1 300** – Paris, 15 déc. 1933 : *La bergère* : **FRF 1 220** – Paris, 27 nov. 1940 : *Effet d'automne, pigeonnier* : **FRF 420** – Paris, 5 mars 1941 : *Eté en Morvan, le moulin sur la rivière* : **FRF 1 200** – Paris, 28 jan. 1942 : *Effet de neige, la plaine* : **FRF 1 000** – Paris, 8 mai 1942 : *L'étang* : **FRF 3 800** – Paris, 27 jan. 1943 : *L'Étang* : **FRF 4 100** – Paris, 12 avr. 1943 : *Paysan assis* : **FRF 4 200** – Paris, 4 juin 1943 : *La route* : **FRF 5 600** – Paris, 25 mars 1944 : *Neige en Morvan* : **FRF 3 200** – Paris, 5 juin 1944 : *Effet de neige* : **FRF 9 000** – Paris, 29 oct. 1948 : *Paysage du Midi* : **FRF 17 200** – Paris, 22 nov. 1954 : *Scène champêtre* : **FRF 20 000** – Paris, 6 mars 1970 : *Village du Morvan* : **FRF 3 200** – Versailles, 25 oct. 1976 : *Les baigneuses*, h/t (81x101) : **FRF 1 600** – Zurich, 6 juin 1980 : *Hameau sous la neige*, h/t (73x92) : **CHF 9 000** – Versailles, 2 déc. 1984 : *Baigneuses près de la mer*, h/t (81x100,5) : **FRF 4 600** – Versailles, 23 nov. 1986 : *Maisons sous la neige*, h/pan. (46x55) : **FRF 625** – Paris, 11 déc. 1987 : *Morvandiau et enfant*, h/t (100x81) : **FRF 6 600** – Paris, 27 nov. 1989 : *Paysage*, h/pap. (25x33) : **FRF 4 500** – Paris, 6 oct. 1990 : *Le peintre sur le motif* 1915, h/t (92x73) : **FRF 13 000** – Paris, 11 avr. 1996 : *Femme au turban*, h/t (92x73) : **FRF 6 500** – Paris, 27 mai 1997 : *Nu allongé*, h/t (84x68) : **FRF 12 000**.

CHARLOT Paul

Né le 24 juin 1906 à Paris. Mort en 1985. XXe siècle. Français.
Peintre de paysages animés, paysages ruraux et urbains, marines, fleurs, peintre à la gouache. Réalité poétique.
Il fut élève de Joseph Bergès, d'Henri Ottman, puis d'André Lhote. Il a participé à de nombreuses expositions collectives à Paris : Salons des Artistes Indépendants depuis 1931 et en devint sociétaire, d'Automne depuis 1934 et devint membre du comité, de la Société Nationale des Beaux-Arts depuis 1938 puis sociétaire, puis après la guerre de 1939-1945 : Salons des Peintres Témoins de leur Temps et Comparaisons dont il fut membre du comité. Il fut aussi invité aux Salons de Mai, des Tuileries, à la Biennale de Menton, etc. Il montre également son travail dans des expositions personnelles. Il a été fait officier des Arts et Lettres et chevalier de la Légion d'Honneur.
Il a commencé par exposer des portraits, des nus et des paysages, peints dans une technique strictement réaliste, mais fondée sur une analyse minutieuse. Après la guerre, ayant suivi une évolution profonde, il s'est créé un langage à mi-chemin entre réel et rêve, développant un système d'équivalences poétiques à partir de la réalité, dont Brianchon avait jeté les bases. Il peignit d'abord des compositions comportant des nus incorporés au paysage. Puis, de 1948 à 1951, il peignit des plages et des marines inspirées des Sables-d'Olonne. Il prit ensuite pour point de départ des paysages des boulevards extérieurs de Paris, où il habitait, puis des paysages de Bourgogne qui l'amenèrent au thème de la forêt, qui occupa ensuite une place prépondérante dans son œuvre, même après qu'en 1966 le thème des paysages de banlieue vint lui apporter des éléments de renouvellement. Quoi qu'il traite, mais tout particulièrement quand il prend la forêt pour sujet, on retrouve chez lui cette construction caractéristique, où les lignes s'entrecroisent à la manière des filets de pêche, filets où il prend au piège les lambeaux de ses souvenirs, emmêlés à l'inextricable du rêve, dans une confusion que n'éclaircissent pas les vertiges de la lumière, verte et bleue sous les feuillages, orange et rouge à travers les branches qui tremblent. ■ Jacques Busse
VENTES PUBLIQUES : VERSAILLES, 29 nov. 1961 : *Les Baliveaux :* FRF 1 150 – NEW YORK, 24 jan. 1963 : *Abstraction pour l'Age mécanique,* gche : USD 250 – GENÈVE, 22 mai 1964 : *L'Arbre sec :* CHF 1 300 – MARSEILLE, 6 déc. 1980 : *Place Pigalle,* h/t (81x100) : FRF 15 000 – PARIS, 18 oct. 1982 : *Le Chemin Benoit 1956,* h/t (61x50) : FRF 3 500 – PARIS, 10 juil. 1983 : *Les Baliveaux 1961,* h/t mar./pan. (90x130) : FRF 10 000 – PARIS, 1er juil. 1986 : *Composition au bouquet de marguerites 1944,* h/t (60x80) : FRF 6 000 – PARIS, 30 jan. 1987 : *La Plaine 1973,* h/t (33x55) : FRF 4 500 – VERSAILLES, 25 sep. 1988 : *Les Compaings 1958,* h/t (38x46) : FRF 12 000 – PARIS, 18 juil. 1990 : *Composition végétale 1956,* gche (43,5x32) : FRF 11 600 – CALAIS, 26 mai 1991 : *L'Épine noire 1956,* h/t (73x58) : FRF 16 500 – PARIS, 11 mars 1992 : *Paysage bleu 1952,* h/t (54x65) : FRF 14 500 – LE TOUQUET, 8 juin 1992 : *Les Baliveaux,* h/t (61x46) : FRF 14 500 – CALAIS, 14 mars 1993 : *Vue de Malleval 1958,* h/t (81x60) : FRF 21 000 – PARIS, 26 oct. 1994 : *La Grillote 1964,* h/t (61x38) : FRF 6 000 – PARIS, 16 déc. 1996 : *L'Après-midi d'été 1955,* h/t (131x163) : FRF 29 000 – CALAIS, 23 mars 1997 : *La Brise 1954,* h/t (65x81) : FRF 10 000.

CHARLOT DE COURCY Alexandre Frédéric de

Né le 28 mars 1832 à Paris. XIXe siècle. Français.
Peintre.
Entré à l'École des Beaux-Arts le 10 octobre 1850, il y fut l'élève de Picot. Il exposa au Salon entre 1861 et 1882 sous le nom de Courcy des peintures à l'huile et des émaux. Il fut attaché à la Manufacture de Sèvres entre 1864 et 1886. On cite parmi ses œuvres : *Pâques ; Louis XIV enfant, à sa leçon d'équitation ; Clarisse Harlowe,* et une série d'émaux, notamment d'après Gustave Moreau.

CHARLOT de La Haye

XVIe siècle. Actif à Tournai en 1504. Éc. flamande.
Sculpteur.

CHARLOTTE Carlotta, Marie Caroline, grande-duchesse d'Autriche, plus tard reine des Deux-Siciles

Née en 1752 à Schœnbrünn. Morte en 1814 à Hetzendorf. XVIIIe-XIXe siècles. Autrichienne.
Peintre et graveur.
Elle a gravé un certain nombre de planches et plus tard, à Naples, s'adonna à la peinture, aidée des conseils de Francesco de Muros.
VENTES PUBLIQUES : NEW YORK, 30 jan. 1997 : *Nature morte soi-*

gnée de fleurs dans un vase d'albâtre sculpté posé sur un entablement de marbre, avec un ananas et d'autres fruits, h/t (100x81) : USD 123 500.

CHARLOTTE AUGUSTA MATILDA

Née en 1766 à Londres. Morte en 1828 à Louisbourg. XVIIIe-XIXe siècles. Britannique.
Graveur.
Fille du roi d'Angleterre George III, elle se maria à Friedrich Ier, roi de Wurtemberg. On connaît d'elle un certain nombre de planches, et notamment un portrait de son frère Octavius d'après Gainsborough.

CHARLTON Alan

Né en 1948 à Sheffield (Yorkshire). XXe siècle. Britannique.
Peintre. Abstrait-minimaliste.
Étudiant de la Sheffield School of Arts en 1965-66, puis de la Camberwell School of Art et de la Royal Academy de Londres de 1966 à 1972. Il vit à Londres et commence à y exposer dès 1972. Il montre son travail dans des expositions personnelles, dont : 1972, 1973 Düsseldorf et Londres ; 1974 Turin, Rome, Amsterdam ; 1975 Düsseldorf, Zurich ; 1976 New York, galerie Léo Castelli ; Eindhoven, Stedelijk Van Abbemuseum ; Londres, Bâle, Milan ; 1977 Paris, galerie Durand-Dessert ; Amsterdam, Düsseldorf ; 1978 Paris, galerie Durand-Dessert ; Hambourg, Londres, Bâle, Édimbourg ; 1979 Zurich, Halle pour le nouvel art international ; Düsseldorf ; 1980 Paris, galerie Durand-Dessert ; Bruxelles, Édimbourg, Amsterdam ; 1981 Londres ; 1982 Eindhoven, Stedelijk Van Abbemuseum ; 1983 Paris, galerie Durand-Dessert ; Zurich, Amsterdam ; 1984 Hanovre, Düsseldorf ; 1985 Édimbourg ; 1986 Paris, galerie Durand-Dessert ; Amsterdam, Londres, Düsseldorf ; 1987 Lyon, Musée Saint-Pierre ; Nantes ; 1988 Charleroi, Palais des Beaux-Arts ; 1989 Paris, Musée d'Art Moderne de la Ville, en même temps que la galerie Durand-Dessert montrait également un ensemble de ses peintures ; et Düsseldorf, Londres, etc. ; 1990 Genève, Francfort, Vienne, etc. ; 1991 New York, Londres, etc. ; 1992 Düsseldorf, Los Angeles, etc. ; 1993 Paris, galerie Durand-Dessert ; Londres, Munich, etc. ; 1994 Varsovie, Rome, New York, etc. ; 1995 Naples, etc. ; 1996 Londres, Milan, etc. ; 1997 Nîmes, Carré d'Art du Musée d'Art Contemporain, etc.
Depuis le début des années soixante-dix, ses peintures, de plus en plus nombreuses pour satisfaire à toutes ses expositions, se présentent généralement comme des polyptyques composés de plusieurs panneaux ou secteurs monochromes, souvent de gris différents. Ses présentations de peintures impliquent une certaine occupation de l'espace, leur perception étant donc conditionnée par le lieu et changeant avec lui et avec la déambulation différente du spectateur. Il refuse de s'exprimer sur sa peinture. D'ailleurs il a raison, elle parle d'elle-même : par exemple la peinture de 2 mètres 29 sur 3 mètres 97, acquise par le Centre Georges Pompidou en 1982, se compose d'un fond monochrome au milieu duquel se succèdent horizontalement trois lignes d'environ 1 mètre chacune. Nous sommes informés de ce que le spectateur, particulièrement réceptif, ressentira « une rare qualité de silence ou, à l'inverse, une sonorité grave ». ■ J. B.
BIBLIOGR. : Guy Tosatto : Catalogue de l'exposition *Alan Charlton,* Carré d'Art, Mus. d'Art Contemp., Nîmes, 1997.
MUSÉES : GRENOBLE – LYON (Mus. Saint-Pierre d'Art Contemp.) – PARIS (Mus. Nat. d'Art Mod.) : *Peinture 1971* – ROCHECHOUART (Mus. départ. d'art Contemp.) : *6 parts paintings 1988.*
VENTES PUBLIQUES : LONDRES, 26 oct. 1994 : *12 panneaux 1986* (en tout 137,5x373,5) : GBP 8 050.

CHARLTON Edith, Mrs, née Vaughan

XIXe-XXe siècles. Britannique.
Miniaturiste.
Mariée à John Charlton. Elle exposa à la Royal Academy à Londres entre 1894 et 1901 des portraits en miniature.

CHARLTON Edward William

Né en 1859 dans le comté de Kent. XIXe siècle. Britannique.
Peintre et graveur.

CHARLTON George

Né le 18 février 1899. Mort à Londres. XXe siècle. Britannique.
Peintre de paysages, figures, dessinateur humoriste.
Il fut élève de la Slade School of Art à partir de 1914. Depuis 1916, il a exposé au New English Art Club, dont il devint membre en 1921.
MUSÉES : LONDRES (Tate Gal.).

VENTES PUBLIQUES : LONDRES, 2 mars 1989 : *Brighton* 1932, h/t (75x112,5) : **GBP 4 950** – LONDRES, 27 sep. 1991 : *Baltic Exchange vers Ste Mary*, h/cart. (91,5x61) : **GBP 770**.

CHARLTON George Dick
Né le 5 février 1864 à Wanstrow (Somerset). XIXᵉ siècle. Britannique.
Aquarelliste.

CHARLTON John
Né en 1849 à Bamborough (Northumberland). XIXᵉ-XXᵉ siècles. Britannique.
Peintre de batailles, scènes de genre, portraits, animaux, paysages, aquarelliste.
Fixé d'abord à Newcastle-on-Tyne, il y étudia à l'École d'art de W. Bell Scott et subit à ce moment l'influence des œuvres de Bewick. A partir de 1870 il exposa régulièrement tous les ans à la Royal Academy et fut représenté aussi à Suffolk Street, à la New Water-Coulours Society et à la Grafton Gallery, à Londres. Après 1882, lors de la campagne en Égypte, Charlton se spécialisa dans la peinture de batailles. Médailles de bronze aux Expositions Universelles de 1889 et 1900.
MUSÉES : BLACKBURN : *Balaclava* – NOTTINGHAM : *L'artillerie anglaise entrant dans les lignes ennemies à Tel-el-Kebir* – SYDNEY (Nat. Art Gal.) : *Dîner à bord d'un transport.*
VENTES PUBLIQUES : LONDRES, 12 juin 1908 : *Le chien empoisonné* : **GBP 84** – LONDRES, 11-14 nov. 1921 : *L'écho des montagnes* 1909-1910 : **GBP 37** – LONDRES, 20 juil. 1923 : *La Traversée de la Manche* 1882 : **GBP 16** – LONDRES, 3 fév. 1928 : *Mauvaises nouvelles* 1887 : **GBP 21** – LONDRES, 16 déc. 1929 : *Chasse au renard* 1875 : **GBP 29** – LONDRES, 25 avr. 1969 : *Enfant sur un poney dans un paysage* : **GNS 750** – LONDRES, 29 nov. 1972 : *Jeune garçon sur un poney* : **GBP 950** – LONDRES, 9 mars 1976 : *Homewards* 1879, h/t (69x90) : **GBP 420** – LONDRES, 24 mars 1981 : *Scène de chasse* 1882, h/t (137x229) : **GBP 2 200** – CHESTER, 5 mai 1983 : *Hounds breaking cover* 1910, h/t (76x127) : **GBP 3 300** – LONDRES, 16 avr. 1986 : *Louis Priestman Esq., présentation portrait* 1908 : **GBP 24 000** – LONDRES, 13 déc. 1989 : *Trois chiens familiers* 1880, h/t (101,5x142) : **GBP 3 850** – LONDRES, 9 fév. 1990 : *Portrait d'un cavalier sur son cheval de selle* 1881, h/t (87x113) : **GBP 3 300** – LONDRES, 13 juin 1990 : *La femme de l'artiste sur un cheval rouan* 1903, h/pan. (27x21) : **GBP 792** – LONDRES, 12 juil. 1990 : *Mr. et Mrs Lewis Priestman chassant à courre avec la meute de Braes of Derwent* 1908, h/t (183,5x184) : **GBP 55 000** – NEW YORK, 27 mai 1993 : *L'entraînement des chevaux* 1890, h/t (138,4x198,1) : **USD 6 900** – LONDRES, 29 mars 1995 : *La revue du corps des volontaires de Shangaï* 1892, h/t (91,5x160) : **GBP 9 775** – LONDRES, 6 nov. 1996 : *Le Taureau favori* 1871, h/t (51x68,5) : **GBP 3 335**.

CHARLTON William Henry
Né au XIXᵉ siècle. XIXᵉ siècle. Vivant à South Gosforth, près de Newcastle-on-Tyne (Northumberland). Britannique.
Peintre de paysages, dessinateur, pastelliste.
Élève, à Paris, de Rollin et de Th. Chartran. Il a surtout dessiné à la plume, à la craie et parfois au pastel des vues de villes de France et d'Angleterre.
VENTES PUBLIQUES : PERTH, 26 août 1991 : *Le port de Eyemouth dans le Berwickshire*, h/t (63,5x76) : **GBP 2 200**.

CHARLTON-RAFALSKY Eugène
Né le 13 août 1919 à Cairo (Illinois). XXᵉ siècle. Actif aussi en Italie. Américain.
Peintre. Abstrait.
Il exposa pour la première fois à Houston en 1940, puis dans de nombreuses villes des États-Unis, et aussi en Italie, à Paris dans une exposition collective du Musée d'Art Moderne en 1955. Il s'est fixé en Italie à Positano.
Avant 1968, sa peinture appartenait sans conteste à l'abstraction. Ensuite, il y a introduit personnages et scènes de groupe, à la manière des collages.

CHARMADAS
VIIIᵉ ou VIᵉ siècle avant J.-C. Antiquité grecque.
Peintre de vases.
Contemporain de Deinias et d'Hygiainon, il vivait au VIIIᵉ ou, suivant certains auteurs, au VIᵉ siècle avant J.-C.

CHARMAISON Raymond Louis
Né en 1876 à Paris. Mort en 1955. XXᵉ siècle. Français.
Peintre de paysages urbains.
Il exposait à Paris, aux Salons des Artistes Français dont il devint sociétaire en 1907, d'Automne sociétaire en 1919, de la Société

Nationale des Beaux-Arts sociétaire en 1921. Il a exposé aussi au Salon des Tuileries.
Il a surtout peint des vues de Paris et de Versailles et son château.
VENTES PUBLIQUES : PARIS, 8 mars 1919 : *Le bassin des Tuileries* : **FRF 20** – PARIS, 21 déc. 1933 : *Décoration de fleurs* : **FRF 340** – PARIS, 23-24 fév. 1939 : *Vue du château de Versailles* : **FRF 350** – PARIS, 15 déc. 1943 : *Vue de Paris* : **FRF 480** – PARIS, 31 oct. 1991 : *Le bassin des lézards à Versailles* 1908, h/t (73x92) : **FRF 7 500** – PARIS, 4 déc. 1991 : *Perroquet et pampre*, gche/pap. calque (123x95) : **FRF 9 000** – PARIS, 4 juil. 1997 : *Femmes, deux dessins* : **FRF 12 000**.

CHARMANTIDES
IVᵉ siècle avant J.-C. Antiquité grecque.
Peintre.
Il est cité par Pline comme élève d'Euphranor.

CHARMEIL E., Mme
XIXᵉ siècle. Française.
Peintre.
On vit d'elle, aux Salons de Paris de 1835, 1838, 1841 et 1844, des aquarelles. Citons : *Un geai sur une branche de cerisier.*

CHARMET Pierre
Né le 20 mars 1912. XXᵉ siècle. Français.
Peintre de paysages, fleurs, dessinateur, pastelliste, peintre à la gouache.
Il fut élève de l'Ecole des Arts Décoratifs et de l'Ecole des Beaux-Arts de Paris. Il reçut les conseils de Jean-Gabriel Domergue, Paul Colin et André Lhote. Il participe à des expositions collectives : à Paris Salon des Artistes Indépendants, à Charleroi Salon des Artistes Belges (?). Il montre des expositions personnelles à Paris et dans la périphérie parisienne.
Il a beaucoup peint en Normandie et en Bretagne.

CHARMET Raymond
Né en 1906 à Paris. Mort en août 1973. XXᵉ siècle. Français.
Peintre de paysages, intérieurs. Intimiste.
Agrégé de lettres en 1927, il fit une brillante carrière universitaire et se consacra également à la critique d'art qu'il pratiqua pendant plus de vingt ans. Écrivain d'art, il a publié de nombreux ouvrages et monographies essentiellement sur la peinture moderne.
En 1972, presque au terme de sa vie, il décida de montrer au public lors d'une exposition personnelle : *Quarante ans de peintures secrètes*, réalisées tout au long de sa vie, dans lesquelles il était resté fidèle à une figuration volontiers intimiste, paysages et scènes d'intérieur, où transparaît la leçon des Nabis, de Vuillard en particulier.

CHARMETON ou Charmetton, famille d'artistes
XVIᵉ-XVIIᵉ siècles. Actifs à Lyon. Français.
Claude Charmetton, fils d'un maître maçon, baptisé à Lyon le 5 mai 1598, maître de métier pour les peintres en 1632, 1648, 1659, eut six enfants, dont : Georges, peintre (1623-1674), Jean, décorateur, né entre 1632 et 1648, Vincent peintre, vivant à Lyon en 1667 et 1670, et Christophe sculpteur, mort à Paris en 1708. Vincent eut un fils, André, peintre et doreur, né à Lyon, en 1670, mort à Lyon le 3 juillet 1722, maître de métier pour les peintres en 1717. André eut un fils, Jean, né à Lyon en 1701, qui s'établit à Paris et s'y maria le 4 juin 1742. On trouve encore à Lyon : Jean Charmetton, peintre, en 1624 et 1627, et Richard Charmetton, peintre, vivant en 1665 et 1689, maître de métier pour les peintres en 1665, 1668, 1672 et 1687.

CHARMETON Christophe
Mort en 1708 à Paris. XVIIᵉ siècle. Français.
Sculpteur.
Il fut reçu à l'Académie de Saint-Luc en 1683.

CHARMETON Georges ou Charmetton
Baptisé à Lyon le 31 octobre 1623. Mort le 18 septembre 1674 à Paris. XVIIᵉ siècle. Français.
Peintre et ornemaniste.
Élève de Jacques Stella et établi à Paris, il fut reçu académicien, le 26 mai 1663, comme peintre d'architectures et de paysages avec un *Salon antique où se trouve Apollon au milieu des Muses qu'il associe à la peinture*. En 1663, Sébastien Bourdon, chargé de décorer l'Hôtel de Bretonvilliers, confia à Charmeton l'ornementation architecturale de cet hôtel, et peut-être l'exécution des sujets historiques. On cite encore, de Charmeton, des peintures, faites en 1668, pour les fêtes de Versailles et un paysage

mythologique : *Diane allant à la chasse avec ses nymphes.* Il reste surtout de lui des dessins de plafonds et d'ornements (pour montants, encoignures, pentes de lits, vases, panneaux, trophées, corniches, etc.), dessins de style Louis XIV avec des réminiscences de Louis XIII, qui ont été gravés par Nicolas Robert, A. du Cerceau, Fay et autres.

VENTES PUBLIQUES : PARIS : 23 avr. 1937 : *Panneau d'arabesques*, pl. et lav. de bistre : **FRF 480.**

CHARMETON Jean
Né entre 1632 et 1648 à Lyon. XVIIe siècle. Français.
Peintre de décorations.
Fils de Claude Charmeton. Il travailla dans le sud de la France, et en premier lieu à Toulon où il fut chargé en 1686, avec Louis Vanloo, des peintures du vaisseau « Le Pompeux ». On le retrouve plus tard à Montpellier où il peint le paysage d'une composition à laquelle avait travaillé Jean Troy (mort en 1691) et dont Ant. Ranc exécuta les figures.

CHARMIER J. C., dit Claudius
XIXe siècle. Actif à Lyon au début du XIXe siècle. Français.
Graveur à l'eau-forte.
Cet artiste ou amateur lyonnais a gravé à l'eau-forte des paysages (une vingtaine de pièces). Un Claude Charmier était élève de l'École des Beaux-Arts de Lyon en 1823-1824.

CHARMOIS Martin de
Né en 1605 au Mans. Mort en 1661 au Mans. XVIIe siècle. Français.
Peintre.
Il fut ami du Poussin. Il fonda l'Académie de peinture du Mans.

CHARMOT Georges
Né en 1866. Mort en 1899 à Genève. XIXe siècle. Suisse.
Sculpteur.
Auteur des bustes de *Diday* (Promenade du lac) et de *Carteret* (devant l'Université de Genève).

CHARMOT Jacqueline
Née le 18 novembre 1907 à Argenteuil (Val d'Oise). XXe siècle. Française.
Peintre de natures mortes, paysages, marines, illustrateur, décorateur.
Elle reçut les conseils d'Henry Gazan. Elle eut une activité multiple : elle a créé des motifs de tissus et de papiers peints, surtout elle a illustré de nombreux ouvrages littéraires : *Des notes* de Paul Morand, *L'autre monde* de Cyrano de Bergerac, *La chasse à l'aube* d'O. Séchan, *Les contrerimes* de Paul-Jean Toulet, etc. Elle obtint une médaille d'or à l'Exposition Universelle de Paris en 1937. Sa première exposition de peintures eut lieu à Paris en 1960. On a écrit de ses peintures qu'elles sont empreintes de mystère et d'insolite.

CHARMOY Cozette de
Née à Londres, de père français et de mère anglaise. XXe siècle. Franco-Canadienne.
Peintre, dessinateur, graveur, créateur de livres d'artiste, poète, éditeur.
Elle a vécu et travaillé à Londres, au Canada et en Suisse, mais n'a suivi aucune académie des Beaux-Arts, ni en Angleterre ni au Canada. C'est sa connaissance des avant-gardes des années soixante et soixante-dix qui l'incite à aller de l'avant, puis des rencontres, notamment celle, en 1965, avec Henri Chopin éditeur de la revue *OU*, puis avec les époux Themerson, fondateurs des éditions Gaberbocchus. Elle vit et travaille à Codognan et à Paris. Depuis 1972, elle est co-éditeur avec Rodney Grey des Éditions Ottezec.
Elle participe à des expositions collectives, parmi lesquelles : 1964, 81e Salon de Printemps, Musée des Beaux-Arts, Montréal ; 1965, *Blanc et noir/ Graphisme International*, Musée de Saint-Paul-de-Vence ; 1966, *Aquarelles, estampes et dessins 1966*, Galerie Nationale du Canada ; 1975, Exposition internationale de Poésie Concrète, University of East Englia, Norwich ; 1976, *Timbres et Tampons d'artistes*, Cabinet des Estampes, Musée d'Art et d'Histoire, Genève ; 1977, IIIe Biennale d'art graphique, Vienne ; 1981, *Libres d'Artista/ Artists Books*, Metronom, Barcelone ; 1987, *La revue/Collection OU/Chopin*, galerie Donguy, Paris ; 1989, *Livres Réservés, Livres Dévoilés*, Bibliothèque muni-

cipale de Nîmes ; 1995, *L'Art du tampon*, Musée de la Poste, Paris.
Elle montre ses œuvres dans des expositions personnelles, dont : 1962, 1967, Woodstock Gallery, Londres ; 1975, 1977, Galerie Dédale, Genève ; 1985, rétrospective, Galerie du Manoir de la Ville de Martigny ; 1990, *L'ange des Poètes*, Centre d'art contemporain, Varsovie ; 1995, Centre international de Poésie, La Vieille Charité, Marseille ; 1996, Musée-Bibliothèque, Pierre-André Benoit, Alès et Carré d'Art-Bibliothèque, Nîmes.
Cozette de Charmoy est connue principalement pour son œuvre graphique où se mêlent les techniques du collage, du dessin, du tampon, et de la gravure (lithographie et sérigraphie). Son univers est celui du surréalisme et de la poésie visuelle et sonore. Elle a réalisé plusieurs livres d'artistes, parmi lesquels : *Fatrada* (son premier livre), Éditions Ottezec (1972) ; puis : le roman collage *The True Life of Sweeney Todd*, Gaberbocchus Press (1973) ; *Le mensonge colossal/The Colossal Lie*, Éditions Henri Chopin (1974) ; *Final Notice*, Éditions Ottezec (1976) ; *L'ange des poètes*, Correspondance des Arts (1990) ; *Chaman/Lieu*, F. Despalles (1993).

BIBLIOGR. : *Cozette de Charmoy*, catalogue d'exposition, Musée-Bibliothèque Pierre-André Benoit, Alès ; Carré d'art Bibliothèque, Nîmes, 1995-1996.

MUSÉES : NÎMES (Carré d'art, Bibl.).

CHARMOY Georges
XXe siècle. Actif à Vincennes (Seine). Français.
Sculpteur.
Membre de la Société des Artistes Français depuis 1901.

CHARMOY José de
Né à l'île Maurice. Mort en 1919 à Paris. XVIIIe-XIXe siècles. Actif à Paris. Français.
Sculpteur.
Exposant du Salon de la Nationale et sociétaire du Salon d'Automne où il figure jusqu'à sa mort, il a signé des bustes, dont celui de *J. d'Estournelles de Constant*, des figures d'oiseaux, des projets funéraires. Son œuvre principale est le *Monument à la mémoire de Charles Baudelaire*, qui se trouve au cimetière Montparnasse et pour lequel posa le tragédien Edouard de Max (1901). On lui doit encore le *Buste de Sainte-Beuve* érigé au Jardin du Luxembourg.

CHARMOYS Charles
XVIe siècle. Français.
Peintre.
Rabelais mentionne dans son *Pantagruel* un peintre de ce nom attaché à la cour du roi Mégiste, à qui il attribue deux ouvrages (« au vif painct le visaige d'ung appelant » et « le pourtraict d'ung varlet qui cherche maistre »). Il est possible que Rabelais ait songé à un Charles Carmoy qui figure sur les livres de comptes du château de Fontainebleau, entre 1537 et 1550 et qui, d'après Félibien, aurait aussi exécuté des peintures dans la chapelle du château de Vincennes. Pour Heulhard il s'agirait d'un *maître Charles* qui se trouvait en Guyenne en 1543 et exécuta pour le cardinal du Bellay en 1545 et 1546 des peintures décoratives au château de Saint Maure.

CHARMY Emilie
Née le 2 avril 1877 ou 1878 à Saint-Etienne (Loire). Morte le 7 novembre 1974 à Paris. XXe siècle. Française.
Peintre de figures, nus, paysages, marines, intérieurs, natures mortes, fleurs et fruits, aquarelliste.
Elle fut l'épouse du peintre George Bouche. Elle débuta à Lyon et, bien que s'étant fixée à Saint-Cloud (Hauts-de-Seine), ne cessa pas d'y exposer. A Paris, elle exposait au Salon des Artistes Indépendants à partir de 1904, puis au Salon d'Automne dont elle devint sociétaire en 1910. Une exposition d'ensemble de ses peintures eut lieu sous le seul titre de *Toiles*. Elle fut faite chevalier, puis officier de la Légion d'Honneur.
Vers 1920, elle eut la fortune d'être révélée au grand public par d'éminents écrivains. Colette lui consacra « quelques pages » célébrant « Charmy (...) servante magistrale d'une chair féminine (...) le pinceau, subtil, sans artifices et guidé par une lucide passion ». Henri Béraud, Louis-Léon Martin, Roland Dorgelès duquel elle peignit le portrait, Pierre Mac Orlan s'unirent pour son éloge. Durant sa longue vie, elle eut une considérable production. A consulter des catalogues de ses œuvres, tels que ceux des ventes publiques ci-après, on pourrait penser qu'elle toucha un peu au hasard et sans grande détermination à tous les genres, comme on rencontre certains « peintres à tout faire », ce qui serait une déduction hâtive. En fait, elle disposait de plu-

sieurs thèmes, qu'elle a développés parallèlement, mais chaque thème étant nettement délimité : le thème de la femme, nue ou vêtue, développé dans la multiplicité des modèles, comme celui des natures mortes diversifiées par leurs objets ou celui des fleurs naturellement innombrables, les paysages et marines en nombre restreint ne constituant pas séries. De l'école lyonnaise, elle tient le maniement de pâtes pigmentaires grasses et généreuses, si caractéristique depuis Ravier, Carrand, surtout chez Georges Bouche, et jusqu'à Cottavoz. ■ J. B.

E. Charmy

BIBLIOGR. : M. Bunoust : *Quelques femmes peintres*, Stock, Paris, 1936 – Colette : *Quelques toiles de Charmy*, Galerie d'art ancien et moderne, Paris, s.d.
MUSÉES : PARIS (Mus. Nat. d'Art Mod.) : *Tête d'enfant.*
VENTES PUBLIQUES : PARIS, 28 mars 1919 : *La petite « Thermidor »* : **FRF 520** ; *Fleurs et fruits* : **FRF 380** – PARIS, 14 nov. 1921 : *Fleurs dans un vase* : **FRF 310** ; *L'orage* : **FRF 1 250** ; *Les nuages* : **FRF 900** ; *Femme à l'album* : **FRF 5 000** – PARIS, 15 mars 1923 : *Femme couchée sur un canapé vert* : **FRF 1 300** ; *Le sommeil* : **FRF 1 700** ; *Jeune fille en bleu* : **FRF 1 750** ; *Chrysanthèmes* : **FRF 2 150** ; *Marine* : **FRF 320** – PARIS, 3 mars 1924 : *Roses dans un vase de porcelaine blanche* : **FRF 70** – PARIS, 2 mars 1925 : *Paysage de Corse* : **FRF 350** – PARIS, 23 avr. 1925 : *Jeune fille en rose* : **FRF 1 000** ; *Jeune fille en bleu* : **FRF 1 000** – PARIS, 21 déc. 1926 : *Le repos* : **FRF 1 250** – PARIS, 16-17 juin 1927 : *Branches de lilas* : **FRF 2 800** – PARIS, 9 juin 1928 : *Jeune fille assise* : **FRF 1 300** – PARIS, 24 nov. 1928 : *Fille au corsage bleu* : **FRF 5 000** – PARIS, 8 déc. 1928 : *Vase de fleurs* : **FRF 1 050** – PARIS, 30 mai 1929 : *Danseuse sur un sofa* : **FRF 1 800** – PARIS, 25 mars 1935 : *La danseuse* : **FRF 900** ; *Nu couché sur fond rouge* : **FRF 150** – PARIS, 15 jan. 1943 : *Fleurs* : **FRF 600** – PARIS, 21 avr. 1943 : *Fruits* : **FRF 4 000** – PARIS, 2 juil. 1943 : *Soucis* : **FRF 4 000** – PARIS, 3 mai 1944 : *Vase de fleurs* : **FRF 2 850** – PARIS, 16 juin 1955 : *Vase de fleurs* : **FRF 82 000** – PARIS, 19 juin 1962 : *Vase de fleurs* : **FRF 2 450** – LONDRES, 3 juil. 1981 : *Paysage de Marnat 1922*, h/cart. (91x62) : **GBP 7 000** – PARIS, 20 juin 1985 : *Scène de maison*, h/t (71,5x71,5) : **FRF 5 200** – PARIS, 9 déc. 1986 : *Baigneuse à Deauville 1917*, h/t (116x89) : **FRF 50 000** – CANNES, 7 juil. 1987 : *Roses dans un vase*, h/pap. (38x46) : **FRF 3 600** – PARIS, 3 juin 1988 : *La Maison sous la neige*, h/cart. (36x28) : **FRF 9 000** – BERNE, 26 oct. 1988 : *Azalée en fleurs*, h/cart. (41x33) : **CHF 1 200** – PARIS, 4 mars 1991 : *Nu*, h/t (89x137) : **FRF 50 000** – PARIS, 22 sep. 1992 : *Bouquet de fleurs*, h/t (81x60) : **FRF 17 500** ; *Bouquet de marguerites*, h/pan. (54x43) : **FRF 9 000** – PARIS, 13 oct. 1995 : *Nu de dos*, h/t (130x97) : **FRF 9 500** – PARIS, 28 oct. 1996 : *Fruits sur une table et bouillotte*, h/t (54x81) : **FRF 12 500** ; *Femme nue couchée*, h/t (54x65) : **FRF 13 500** – PARIS, 24 mars 1997 : *Le Repos du modèle*, h/t (54x65) : **FRF 11 000** – PARIS, 2 juin 1997 : *Nature morte aux fruits*, h/pan. (30x40,5) : **FRF 14 000**.

CHARNACÉ S. de, Mme
Née à Paris. XXᵉ siècle. Française.
Peintre.
De 1936 à 1939 elle a exposé au Salon des Artistes Français.

CHARNAUX Madeleine ou Charnot-Bénard
Née à Vichy (Allier). Morte en 1936. XXᵉ siècle. Française.
Sculpteur.
Dans les années trente, elle exposa à Paris, aux Salons d'Automne et des Tuileries. Également audacieuse aviatrice, elle mourut tragiquement.

CHARNAY Armand
Né le 6 janvier 1844 à Charlieu (Loire). Mort le 6 décembre 1916 à Marlotte (Seine-et-Marne). XIXᵉ-XXᵉ siècles. Français.
Peintre de genre, paysages, graveur.
Élève de Feyen-Perrin et de Pils, il participa au Salon de Paris à partir de 1865, obtenant une médaille de troisième classe en 1876, une médaille de deuxième classe en 1886 et une médaille d'argent à l'Exposition Universelle de 1889. Chevalier de la Légion d'Honneur en 1908.
Ses paysages forestiers, bords de mer, prouvent sa sensiblité aux tons changeants de la nature qu'il rend dans des compositions très souvent décoratives. On cite parmi ses œuvres : *Une écluse dans les étangs de Forez – Four à chaux abandonné – La leçon d'équitation – Le jour des Morts – La pêche à l'épervier – Une boucherie à Aurillac – Une rue à Carcenague – Le parc de Sansac – La terrasse aux chrysanthèmes – Soir d'automne en Tou-*

raine *– La leçon de patinage – Retour de chasse.* Il est également l'auteur d'un panneau décoratif pour le grand escalier de l'Hôtel de Ville de Paris.

A Charnay

BIBLIOGR. : Gérald Schurr, in : *Les Petits Maîtres de la peinture 1820-1920, valeur de demain*, Les Éditions de l'Amateur, t. VI, Paris, 1985.
MUSÉES : LONDRES (Victoria and Albert Mus.) : *Bords du Sornin – Un terrier de renard à Châteauneuf – Les derniers beaux jours* – ROANNE (Mus. Déchelette) – ROUEN (Mus. des Beaux-Arts) : *Ancien presbytère – Paysage.*
VENTES PUBLIQUES : NEW YORK, 17 jan. 1902 : *Le petit jardinier* : **USD 120** – PARIS, 10 déc. 1920 : *La partie de pêche sur la plage à Yport* : **FRF 1 050** – LONDRES, 21 juil. 1922 : *Les pêcheurs 1877* : **GBP 21** – LONDRES, 10 nov. 1971 : *Élégantes sur la plage* : **GBP 1 350** – NEW YORK, 4 jan. 1980 : *La marchande de fleurs*, h/t (38x25,4) : **USD 2 500** – LONDRES, 9 oct. 1987 : *Château Morand*, h/t (25x36) : **GBP 3 200** – NEW YORK, 22 mai 1990 : *Une journée à la campagne*, h/t (29,2x36,9) : **USD 14 300**.

CHARNELET-VASSELON Gabrielle
Née à Paris. XXᵉ siècle. Française.
Peintre.
On cite les fleurs en plein air exposées par cette artiste au Salon de l'Union des Femmes Peintres et Sculpteurs.

CHARNEY Melvin
Né en 1935. XXᵉ siècle. Canadien.
Sculpteur d'architectures, dessinateur.
Il participe à des expositions collectives, parmi lesquelles : 1986, Biennale de Venise, exposait *Une construction dans Venise : Regards à partir de l'église.* Il montre ses œuvres dans des expositions personnelles, dont : 1984, *Architecture de fête*, Chambre des Architectes de l'Académie du Land Rhin-Nord – Westphalie, Düsseldorf ; 1984, *Exposition Internationale d'Architecture Martin Gropius*, Berlin ; 1985, *Alta pour Alberta*, galerie d'art de l'Alberta-Sud, Lethbridge, exposait *Construction de Lethbridge* ; 1987, galerie Blouin, Montréal ; 1997, Frac Basse Normandie, Caen.
En 1976, il avait fait une intervention remarquée dans le cadre de l'exposition collective *Corridart* en marge des Jeux Olympiques de Montréal. Il avait reconstitué à leur ancien emplacement les façades des pavillons architecturalement et historiquement typés, qui avaient été détruits sans raison sur ordre municipal. Il a été dit sculpteur d'architectures, comme on dit peintre d'architectures. En effet, ses sculptures sont des architectures en quelque sorte. Elles ne reproduisent pas des architectures existantes, comme fait souvent la peinture d'architectures, elles ne construisent pas de vraies architectures utilisables, sinon ce seraient tout simplement des architectures. Avec des moyens simples, en général du bois, mais dans une réalisation soignée, les constructions de Charney dialoguent avec l'architecture réelle, soit en sorte de commentaire complémentaire mettant en relief l'espace de la conception architecturale, soit le plus souvent en sorte de commentaire critique à partir de la même notion d'espace de l'architecture. Ses réalisations, qui comportent au moins des plans architecturaux, souvent en perspective axonométrique, mettent « en relief » les concepts-clefs que recouvre ou devrait recouvrir, l'architecture, et qui sont selon Melvin Charney : monument, archétype, conscience collective, histoire. Son propos, certainement très clair pour lui, n'est qu'assombri totalement par l'article structuralissime d'*Art Press* cité en référence. ■ J. B.
BIBLIOGR. : In : *Les vingt ans du musée à travers sa collection*, Mus. d'Art Contemp., Montréal, 1985 – Johanne Lamoureux : *Melvin Charney – L'architecture mise en jeu*, Art Press, Paris, Nᵒ 123.
MUSÉES : CAEN (FRAC Basse Normandie) : *Série de paraboles, the magus and the steel works 1994* – MONTRÉAL (Mus. d'Art Contemp.) : *Édifice 3 1979.*

CHARNIER. Voir aussi CHARRIER
CHARNIER Bernard
XVIᵉ siècle. Actif à Lyon. Français.
Peintre.
Il vivait à Lyon en 1528 et 1548.

CHARNOCK Ellen
XIXᵉ siècle. Britannique.

Peintre de fleurs.
Elle exposa de 1852 à 1861 à Londres.

CHARNOTET Jean
Né en 1930. Mort en 1978. XX⁰ siècle. Français.
Peintre de compositions animées, affichiste, lithographe, peintre de costumes de théâtre.
Il fut élève de Paul Colin et de Vertès. Il a exposé à Paris, Deauville, Bruxelles, Rome. Il eut une activité importante dans le domaine de la publicité.
Peintre, il a été influencé par la manière illustrative aimable de Marcel Vertès. Il a peint des paysages de Paris, des scènes du monde des courses de chevaux et des plages de Deauville. Il a peint aussi des figures d'Arlequins.

CHARNY Lambert
XVIII⁰ siècle. Français.
Sculpteur.
Il fut reçu à l'Académie de Saint-Luc à Paris en 1752.

CHARNY Louis
XVIII⁰ siècle. Français.
Sculpteur.
Il travailla à Paris. Il fut reçu à l'Académie de Saint-Luc en 1748, devint conseiller, puis professeur. Il exposa des bustes en 1762.

CHARNYÈRES Jacques de
XVI⁰ siècle. Actif à Tours en 1521. Français.
Sculpteur.
Il fut « tailleur d'ymaiges de marbre ».

CHARODEAU François Auguste
Né en 1840 à Issoudun (Indre). Mort en 1882 à Romorantin. XIX⁰ siècle. Français.
Peintre et sculpteur.
Élève, à l'École des Beaux-Arts de Paris, de Jouffroy (1859). Après un séjour en Angleterre puis à New York, il entra à son retour à Paris dans l'atelier de Bonnat et se consacra à la peinture. Il a exposé au Salon de 1879 à 1882.
Musées : CHÂTEAUROUX : *La petite vendangeuse napolitaine – Baigneuse*, plâtre – ISSOUDUN : *Vieille laboureuse – Faucheuse d'Orsennes.*

CHARON Alexandre Lucien
Né au XIX⁰ siècle à Paris. XIX⁰ siècle. Français.
Peintre et sculpteur.
Sociétaire des Artistes Français, il participe à ses expositions ; il exposa également au Salon des Indépendants en 1910.

CHARON Guy
Né le 4 février 1927 à Écueillé (Indre). XX⁰ siècle. Français.
Peintre de paysages.
Il est autodidacte de formation. Il expose, depuis 1954, à Paris aux Salons d'Automne, des Artistes Indépendants, puis Comparaisons, Peintres Témoins de leur Temps.
Sa fréquentation des expositions et musées lui fit connaître le fauvisme. Coloriste, il aime les teintes vives et contrastées, qu'il manie avec un sens décoratif évident, faisant penser parfois à Charles Lapicque, dans l'écriture fortement cernée et dans la couleur. Il peint surtout les paysages méditerranéens, dont il aime les refuges intimes des jardins sous l'ombrage changeant qui oppose la lumière et l'ombre.
VENTES PUBLIQUES : VERSAILLES, 12 déc. 1976 : *Pins au bord de la mer*, h/t (54x65) : **FRF 1 800** – FONTAINEBLEAU, 18 nov. 1990 : *Quiétude*, h/t (60x73) : **FRF 29 000** – PARIS, 21 mars 1995 : *Bateau à Capri*, h/t (65x80) : **FRF 7 500** – PARIS, 19 nov. 1995 : *Lauriers roses* 1984, acryl./t. (81x100) : **FRF 10 000** – PARIS, 23 juin 1997 : *Bouquet d'anémones*, h/t (65x54) : **FRF 4 800.**

CHARON Honoré Henri ou Charron
Né à Angers (Maine-et-Loire). Mort en juin 1900 à Angers. XIX⁰ siècle. Travaillant à Angers. Français.
Sculpteur.
Il apprit seul la sculpture dans sa ville natale en étudiant les œuvres de son compatriote David d'Angers. Il a exposé à deux reprises, en 1885 et 1888 au Salon, où il envoya le *Buste de Mgr Freppel* (plâtre, actuellement au Musée d'Angers) et la *Statue de Jeanne de Laval* (au Musée Saint-Jean, à Angers). On lui doit encore un certain nombre de bustes (*Le Père Leduc, Godard Faultrier*) et quelques monuments (*Le Chevalier Guérin des Fontaines, Jeanne d'Arc*).

CHARON Louis François
Né en 1783 à Versailles. Mort après 1831. XIX⁰ siècle. Actif à Paris. Français.

Graveur.
Cet artiste, à qui l'on doit le perfectionnement de la gravure sur acier, fut l'élève de Chasteignier.

CHARON Luc
Né le 26 avril 1861 à Paris. Mort le 15 décembre 1923. XIX⁰-XX⁰ siècles. Français.
Peintre.
Il exposait au Salon des Indépendants des paysages et des natures mortes depuis 1893.

CHARON Pierre
Né à Château-Gontier (Mayenne). XIX⁰-XX⁰ siècles. Français.
Peintre de compositions à personnages, paysages, pastelliste, sculpteur de bustes.
Élève de Gérôme, Henner et Barrias. A exposé une toile : *Pastorale* en 1898, puis des bustes au Salon des Artistes Français, de 1902 à 1932.
VENTES PUBLIQUES : SAINT-BRIEUC, 2 déc. 1979 : *Bord de rivière en Mayenne* 1898, h/t (119x92) : **FRF 4 900** – SAINT-BRIEUC, 9 nov. 1980 : *Jeunes femmes dans la châtaigneraie* 1902, h/t (60x81) : **FRF 4 000** – VERSAILLES, 13 mai 1981 : *Femmes et enfants au bord de la rivière* 1905, past. (46x61) : **FRF 8 500.**

CHARON-LÉMÉRILLON Benjamin Théophile
Né le 18 avril 1807 à Paris. XIX⁰ siècle. Français.
Peintre d'histoire, compositions religieuses, portraits.
Il entra à l'École des Beaux-Arts le 10 avril 1824 et devint l'élève de Lethière.
Il débuta au Salon en 1831 ; il fut médaillé en 1839. L'église Saint-Pierre de Montmartre conserve huit grandes toiles représentant des scènes de la vie de Jésus.
MUSÉES : VERSAILLES : *Portrait de Jules Hardouin Mansart.*
VENTES PUBLIQUES : MONACO, 17 juin 1988 : *Méléagre reprenant les armes sur la prière de son épouse*, h/t (113x146,5) : **FRF 28 860.**

CHARONTON Enguerrand. Voir QUARTON

CHAROST de, duc
XVIII⁰ siècle. Français.
Graveur amateur.
Le Blanc cite l'une de ses planche, datée de 1754, *La Ville fortifiée.*

CHAROUSSET Henri M. A.
Né en 1876 à Saint-Étienne (Loire). Mort en 1964. XX⁰ siècle. Français.
Peintre, aquarelliste, lithographe, illustrateur.
Il fut élève de Gustave Moreau et Pierre Vignal. Il exposait à Paris, au Salon des Artistes Français, de 1922 à 1939, il en devint sociétaire, mention honorable 1924. Il fut un excellent illustrateur des *Caractères* de La Bruyère.

CHAROUX Lothar
Né en 1912 à Vienne. Mort en 1987. XX⁰ siècle. Actif au Brésil. Autrichien.
Peintre. Art-optique.
Il est arrivé au Brésil en 1928 et s'associa au groupe « Ruptura » aux alentours de 1952.

CHAROUX Siegfried
Né le 15 novembre 1896 à Vienne. XX⁰ siècle. Autrichien.
Sculpteur de statues, monuments.
Il fut élève d'Eduard Bitterlich à l'Académie des Beaux-Arts de Vienne. Il fut très réputé, il exposait à Vienne, Munich, Berlin, Essen, à la Royal Academy de Londres, à New York, Chicago. Entre autres réalisations, il sculpta le monument de Lessing à Vienne, la fontaine de l'Hôpital Wilhelmine et le monument d'Amy Johnson à Hull.
MUSÉES : LONDRES (Tate Gal.).
VENTES PUBLIQUES : LONDRES, 24 avr. 1985 : *Le violoniste*, bronze (H. 49,5) : **GBP 500.**

CHAROVA Elena
Née en 1931. XX⁰ siècle. Russe.
Peintre de paysages animés, portraits. Postimpressionniste.
Elle fit ses études à l'Institut Répine de l'Académie des Beaux Arts de Leningrad. À partir de 1951 elle expose régulièrement à Moscou et à Leningrad. En 1972 à Tokyo elle participe à l'exposition *L'Art Soviétique*, et, en 1983 à Cuba, à *La paix et le sport*.
Comme chez la plus grande part des artistes autorisés par les instances soviétiques, les sujets des peintures de Charova sont inoffensifs, soporifiques, puisqu'il s'agissait d'endormir la conscience des peuples. Quant à la technique, elle se réfère à un pseudo-impressionnisme non compris.

MUSÉES : BIELGOROD (Mus. des Beaux-Arts) – KEMEROVO (Mus. d'Art Soviétique Contemp.) – MOSCOU (min. de la Culture) – SAINT-PÉTERSBOURG (Mus. de l'Acad. des Beaux-Arts) – SOUMSK (Gal. de Peinture Contemp.).

VENTES PUBLIQUES : PARIS, 25 mars 1991 : *Musique sous le kiosque du parc 1961*, h/cart. (50x70) : **FRF 17 000**.

CHAROY Bernard

Né le 26 mai 1931 à Nant-le-Grand (Meuse). XXe siècle. Français.

Peintre de figures, lithographe.

En 1955, il fut élève, en dessin, peinture, lithographie, d'une académie privée de Montmartre. Après diverses expositions en France, en 1982 il est représenté par la galerie Tamenaga de Paris. Dès lors, il participe à de nombreux Salons et expositions internationaux, notamment au Japon, en Allemagne, aux États-Unis.

En 1960, à ses débuts, il a collaboré à des magazines et éditions français et étrangers. En peinture, à l'instar de Touchagues ou bien d'autres, il s'est spécialisé dans la représentation de la « petite Parisienne », aimant, quant à lui, la situer, au goût du public, dans des attitudes mutines, voire coquines, et à la mode « Belle Époque ».

VENTES PUBLIQUES : ANVERS, 28 oct. 1981 : *Anne*, h/t (55x46) : **BEF 50 000** – RAMBOUILLET, 10 juin 1990 : *Le Déshabillé*, h/t (64x53) : **FRF 65 000** ; *La Surprise*, h/t (64x53) : **FRF 66 000**.

CHARPAUX Marcel Louis

Né le 7 octobre 1890 à Paris. XXe siècle. Français.

Peintre de paysages, natures mortes.

Il exposa à Paris, de 1922 à 1935, aux Salons des Artistes Indépendants et d'Automne.

CHARPENNE Louis Émile

Né à Crest (Drôme). XXe siècle. Français.

Peintre de paysages.

Il fut élève de l'Académie Julian à Paris. Il, a exposé de 1928 à 1938, à Paris, au Salon des Artistes Français, dont il devint sociétaire.

CHARPENTIÉ Albert F.

Né dans la seconde moitié du XIXe siècle à Leipzig. XIXe siècle. Naturalisé en France. Allemand.

Graveur sur bois.

Exposant du Salon des Artistes Français. Mention honorable en 1888.

CHARPENTIER

XVIIIe siècle. Actif à Château-Gontier à la fin du XVIIIe siècle. Français.

Peintre.

Il fit une *Résurrection* à l'église Saint-Rémy en 1780.

CHARPENTIER

Peintre.

Il est l'auteur d'un portrait de *Daniel Huet*, évêque d'Avranches, conservé à la Bibliothèque de Caen.

CHARPENTIER Albert

Né le 18 décembre 1878 à Paris. Mort en 1916, tombé au champ d'honneur. XXe siècle. Français.

Peintre d'histoire, scènes de genre, portraits. Académique.

Il fut élève de Gérôme et de Fernand Cormon. Il exposait à Paris, au Salon des Artistes Français, mention honorable 1904, médaille de troisième classe et bourse de voyage 1905, médaille de deuxième classe 1910.

Se voulant, à travers ses maîtres, héritier de la peinture d'histoire du XIXe siècle, il avait traité des sujets ambitieux : *Mort de Mâtho* 1904, *Hannibal traverse les Alpes* 1905, *Vercingétorix prisonnier* 1909. Il traita aussi des thèmes typiques : *Le Bûcheron* 1908 ou des sujets de genre : *L'Aveu* 1911.

VENTES PUBLIQUES : PARIS, 18 juin 1928 : *La Danse sacrée*, sépia : **FRF 730** – PARIS, 2 avr. 1993 : *Le Port de Gênes 1906*, h/t (33x41) : **FRF 3 400** – PARIS, 22 mars 1994 : *La Cliente du boucher*, h/t (56x38) : **FRF 5 200** – PARIS, 19 juin 1996 : *Les Souks à Tunis 1907*, h/cart. (27x22) : **FRF 5 000**.

CHARPENTIER Alexandre Louis Marie

Né le 10 janvier 1856 à Paris. Mort le 3 mars 1909 à Neuilly. XIXe siècle. Français.

Sculpteur.

Élève de Ponscarme. Il débuta au Salon en 1874 et exposa d'abord des médaillons. En 1883, il obtint une mention honorable. En 1900, il fut décoré de la Légion d'honneur et obtint un Grand Prix à l'Exposition de 1900.

On cite de lui le *Monument de Charlet*, érigé au square du Lion de Belfort.

MUSÉES : AIX : *Mère allaitant son enfant* – BERLIN : *Tête d'enfant* – BRUXELLES : *La danse N° 1* – *La danse N° 2* – *La Glyptique* – LIMOGES : *Maternité – Médaille de la société de la médaille française* – STOCKHOLM : *Mère et enfant.*

VENTES PUBLIQUES : COLOGNE, 22 juin 1979 : *Jeune mère allaitant son enfant*, bronze, relief (45,5x30,5) : **DEM 1 800** – PARIS, 18 mars 1981 : *Les boulangers*, terre cuite patiné (H. 27) : **FRF 4 000** – PARIS, 16 mars 1983 : *Mère allaitant son enfant*, plaque en bronze, patine médaille (24,5x16,5) : **FRF 19 000** – PARIS, 20 mars 1984 : *Femme assise et enfant*, terre cuite (H. 29) : **FRF 8 500** – ENGHIEN-LES-BAINS, 15 nov. 1987 : *Naïade*, bronze (H. 15) : **FRF 4 000** – PARIS, 24 mars 1988 : *Ève, la Tentation*, plaque de bronze à patine brune (22,5x14,5) : **FRF 2 200** – PARIS, 11 avr. 1988 : *Nymphe à la source*, plaque de bronze à patine brune (22,5x15) : **FRF 1 500**.

CHARPENTIER Alfred Simon

Né le 1er janvier 1825 à Paris. XIXe siècle. Français.

Peintre.

Élève de Lapito. Il débuta au Salon en 1861 et peignit des paysages. Il exposa jusqu'en 1870.

CHARPENTIER Auguste

XIXe siècle. Actif à Besançon (Doubs). Français.

Peintre d'histoire, sujets religieux, portraits.

Il débuta au Salon en 1808, y exposant deux portraits et *Henri-le-Grand dominant ses passions*. Il y exposa par la suite jusqu'en 1824 : *Portrait du compositeur Mansui* (1814), *Marie l'Égyptienne* (1822), *Le Christ enfant dormant sur la Croix* (1824).

CHARPENTIER Auguste

Né en 1813 à Paris. Mort en 1880 à Paris. XIXe siècle. Français.

Peintre d'histoire, compositions religieuses, portraits, paysages.

Élève d'Ingres et de Gérard, il exposa au Salon de Paris entre 1833 et 1870, obtenant une médaille de deuxième classe en 1840. Ses paysages italiens ne manquent pas de charme, tandis que ses portraits des célébrités du Second Empire, dont ceux d'*Alexandre Dumas – George Sand – Mlle Rachel – Général baron Sibuet – M. Diaz*, ne manquent pas d'esprit. Enfin, il est l'auteur de onze compositions religieuses pour l'église Saint-Roch à Paris.

BIBLIOGR. : Gérald Schurr, in : *Les Petits Maîtres de la peinture 1820-1920, valeur de demain*, Les Éditions de l'Amateur, t. IV, Paris, 1979.

VENTES PUBLIQUES : PARIS, 1861 : *Tête de femme* : **FRF 100** – PARIS, 1885 : *Portrait de Vergniaud* : **FRF 340** – PARIS, 3 nov. 1923 : *Jeune Napolitain ; Jeune Napolitaine*, deux h/t : **FRF 630** – PARIS, 19 mai 1927 : *Le pâtre* : **FRF 100**.

CHARPENTIER Charles

XVIIe siècle. Actif à la fin du XVIIe siècle. Français.

Sculpteur.

Il fut prix de Rome en 1698, sur ce sujet : *La coupe de Joseph trouvée dans le sac de Benjamin.*

CHARPENTIER Constance-Marie

Née en 1767 à Paris. Morte le 3 août 1849 à Paris. XVIIIe-XIXe siècles. Française.

Peintre de genre, portraits.

Élève de Wilck, David, Laffitte, Gérard et Bouillon, elle exposa régulièrement au Salon de Paris, entre 1798 et 1819, année où elle obtint une médaille de deuxième classe.

Son art possède à la fois la rigueur de David et la grâce rêveuse, le charme de Gérard. Parmi ses portraits, citons celui de *Mme Delille*, de *Danton* et du *Docteur Larrey*.

BIBLIOGR. : Gérald Schurr, in : *Les Petits Maîtres de la peinture 1820-1920, valeur de demain*, Les Éditions de l'Amateur, t. III, Paris, 1976.

MUSÉES : AMIENS : *La mélancolie* – PARIS (Mus. Carnavalet) : *Portrait de Danton.*

VENTES PUBLIQUES : PARIS, 1863 : *L'écolier* : **FRF 450** – PARIS, 1884 : *Le ménage du poète ; Le ménage du peintre*, ensemble : **FRF 5 800** – PARIS, 25-26 nov. 1904 : *Le marchand de raisins* : **FRF 2 100** – PARIS, 19 mars 1906 : *La toilette* : **FRF 2 500** – PARIS, 25 nov. 1925 : *Baigneuse* : **FRF 160** – PARIS, 9-10 nov. 1953 : *Portrait de jeune fille devant un clavecin* : **FRF 10 000** – PARIS, 31 oct. 1979 : *Le Servante réprimandée*, h/t (70x56) : **FRF 25 000** –

MONACO, 7 déc. 1990 : *Une mère et sa fille*, h/t (81x103) : **FRF 166 500** ; *Les cinq sens*, h/t (90x120) : **FRF 111 000** – PARIS, 31 mai 1995 : *Portrait présumé de l'artiste*, h/pan. (58x49,5) : **FRF 10 500** – PARIS, 9 juin 1995 : *Jeune femme tenant une tasse de café* ; *Portrait d'homme cachetant une lettre*, h/t, une paire (chaque 79x63) : **FRF 130 000** – PARIS, 27 juin 1997 : *Portrait d'Angélique Gaudo*, h/pan. chêne (59x49) : **FRF 12 000.**

CHARPENTIER Édouard
Né le 4 avril 1846 à Rouen (Seine-Maritime). XIXᵉ siècle. Français.
Peintre.
Élève de Morin. Il exposa au Salon entre 1872 et 1880, des tableaux de genre et des dessins. On cite de lui *La Veillée* (1876), *Le Serment d'Harold* (1880).

CHARPENTIER Étienne ou le Charpentier
Né vers 1705. Mort après 1764. XVIIIᵉ siècle. Français.
Graveur et marchand d'estampes.
Il fut élève de Jean Jos. Bâlechou. Il était marchand rue Saint-Jacques, à Paris. Il travaillait en 1762 aux *Tableaux anatomiques* de Didier.

CHARPENTIER Eugène Louis
Né le 1ᵉʳ juin 1811 à Paris. Mort en 1890 à Paris. XIXᵉ siècle. Français.
Peintre d'histoire, sujets militaires, scènes de genre, dessinateur.
Élève de Gérard et de Cogniet. Il débuta au Salon en 1831 et fut médaillé de troisième classe en 1841 et 1857. Il a exposé à Londres en 1874.
Parmi ses toiles, on cite : *Rupture d'une digue hollandaise, Postillon attaqué par des loups*. Il a également peint beaucoup de tableaux de batailles.
MUSÉES : BOULOGNE-SUR-MER : *Les élèves de l'École Polytechnique à la bataille de Paris, le 30 mars 1814* – LE HAVRE : *Petit porte-carnier blessé* – LYON : *Halte de l'armée française sur le plateau du Grand Saint-Bernard en mai 1800* – PONTOISE : *L'estaffette*, aquar. gchée – *Un legs sacré, campagne de Russie, 1812*, panneaux – *Frères d'armes* – ROUEN : *Portrait de Bocage, artiste dramatique* – *Postillon de retour* – TROYES : *Pose de la première pierre de l'abbaye de N.-D. aux Nonnains*, aquar. – *Versailles : Jourdan J.-B. en pied – Le duc d'Orléans au siège d'Anvers 1832 – Le général Desprez Crassier remet le commandement en chef au duc de Chartres établi sur les hauteurs de Gravellona, 1792.*
VENTES PUBLIQUES : PARIS, 1894 : *Bacchante et enfant* : **FRF 305** ; *Le bénédicité à la ferme* : **FRF 295** – PARIS, 1895 : *Un marché* : **FRF 350** – PARIS, 15 déc. 1904 : *Chevaux de halage au bord de la Marne* : **FRF 400** – PARIS, 12 mars 1919 : *Manœuvres au camp de Satory* : **FRF 31** – PARIS, 27 mars 1919 : *Projet de fleuron*, cr. : **FRF 40** – PARIS, 21 mai 1919 : *Officier de spahis* : **FRF 105** – PARIS, 10 mai 1926 : *Manœuvres d'automne, batterie prenant position* : **FRF 320** – PARIS, 16 nov. 1938 : *L'État-Major en campagne* : **FRF 350** – PARIS, 28 oct. 1942 : *Bonaparte à Toulon* : **FRF 800** – PARIS, 18 jan. 1943 : *Attelage de fardier* : **FRF 5 800** – PARIS, 18 déc. 1950 : *Le petit gourmand* : **FRF 18 500** – PARIS, 21 fév. 1968 : *Portrait du général Hoche* : **FRF 1 520** – PARIS, 15 mars 1976 : *Chef arabe*, h/pan. (25x19,5) : **FRF 1 600** – STOCKHOLM, 14 nov. 1990 : *Après la bataille*, h/t (75x114) : **SEK 28 000** – PARIS, 25 mars 1993 : *Les tirailleurs*, h/t (55x46) : **FRF 4 000.**

CHARPENTIER Félix Maurice
Né le 10 janvier 1858 à Bollène (Vaucluse). Mort le 7 décembre 1924 à Paris. XIXᵉ-XXᵉ siècles. Français.
Sculpteur. Art nouveau.
Élève de Cavelier à l'École des Beaux-Arts. À partir de 1882 il expose régulièrement au Salon, notamment des allégories.
F. Charpentier est l'auteur d'un des groupes de pierre *L'Art contemporain* décorant la façade du musée d'Orsay et de deux bas-reliefs *La navigation* et *La vapeur* à la façade de la gare de Lyon. Ses œuvres principales sont : *Jeune faune* (1884, 3ᵉ médaille, acquis par la Ville de Paris), *Improvisateur* (1887, deuxième médaille, ancien Musée du Luxembourg), *Lutteurs*, plâtre, et *La Chanson*, marbre (1890, première médaille et prix du Salon, acquis par l'État), *Lutteurs*, marbre (1893, médaille d'honneur acquis par l'État), *Illusion*, marbre (1895, ancien Musée du Luxembourg), *Le Globe endormi, Étoile filante* (1896), *Monument du centenaire de l'annexion du Comtat Venaissin à la France* (inauguration à Avignon), *Le petit baigneur* (Musée d'Avignon). Officier de la Légion d'honneur.
Sa technique est caractérisée par un sentiment de force et d'expression. Son exécution est assez libre et tire tout son charme de

la beauté des formes. Ses motifs entremêlés de la femme et de la fleur sont caractéristiques de l'Art nouveau.
MUSÉES : AVIGNON : *Le petit baigneur* – PARIS (ancien Mus. du Luxembourg) : *Improvisateur 1887* – *Illusion 1895*, marbre.
VENTES PUBLIQUES : MADRID, 18 oct. 1979 : *Brise*, bronze (H. 80) : **ESP 150 000** – LOKEREN, 16 fév. 1980 : *Improvisateur*, bronze (H. 78) : **BEF 55 000** – PARIS, 18 mai 1983 : *Les lutteurs*, bronze (H. 64) : **FRF 8 500** – LONDRES, 8 mars 1984 : *Nu debout vers 1870*, bronze, patine verte (H. 72) : **GBP 700** – PARIS, 3 fév. 1986 : *Danseuse au voile*, bronze en forme de palette de peintre, patine médaille (H. 41) : **FRF 7 800** – PARIS, 9 nov. 1987 : *L'improvisateur*, bronze (H. 78) : **FRF 10 600** – FONTENAY-LE-COMTE, 21 oct. 1991 : *Ces fleurs qui m'aiment*, stèle en marbre (H. 106) : **FRF 84 000.**

CHARPENTIER Francine
Née à Paris. XXᵉ siècle. Française.
Sculpteur.
Elle exposa en 1907 et 1908 au Salon des Artistes Français : *Poussin* et *Amateur de Chianti*.

CHARPENTIER François Philippe
Né le 3 octobre 1734 à Blois. Mort le 22 juillet 1817 à Blois. XVIIIᵉ-XIXᵉ siècles. Actif à Paris. Français.
Dessinateur et graveur.
On lui doit l'invention d'un procédé purement mécanique pour la gravure au lavis et en couleur. Ayant vendu son secret, le comte de Caylus s'en servit le premier. Charpentier inventa également une machine propre à graver des dessins pour les fabricants de dentelle. Il obtint le titre de mécanicien du roi et fut logé au Louvre pendant trente ans et ensuite aux Gobelins. Au Salon de 1812, il exposa : *La décollation de saint Jean Baptiste* d'après Le Guerchin, imitant le lavis.

CHARPENTIER Gabrielle
Née à Paris. XXᵉ siècle. Française.
Peintre.
A exposé des portraits et un nu au Salon d'Automne et aux Tuileries, 1941-42.

CHARPENTIER Gaston
Né au XIXᵉ siècle à Paris. XIXᵉ siècle. Français.
Peintre de genre.
Il obtint une mention honorable au Salon de 1890.
VENTES PUBLIQUES : LONDRES, 21 mars 1980 : *Le repas frugal 1890*, h/t (88,2x68,5) : **GBP 1 100.**

CHARPENTIER Georges
Né au XIXᵉ siècle à Paris. XIXᵉ siècle. Actif à Paris. Français.
Peintre de paysages animés, paysages, graveur.
Élève de Hedouin et Monziès. Il débuta au Salon en 1880.
Il a gravé des paysages, notamment d'après Van Marcke et Troyon.
VENTES PUBLIQUES : PARIS, 16 nov. 1981 : *Les chasseurs au bord de la mer 1875*, h/t (19x34) : **FRF 6 600.**

CHARPENTIER Georges
Né le 10 mai 1937 à Prignac (Charente Maritime). XXᵉ siècle. Français.
Sculpteur de nus, figures, groupes.
Autodidacte, il dessine très tôt puis se familiarise avec le bois dans la scierie paternelle, où il commence à sculpter en 1965. Il réalise alors quelques œuvres en marbre et en bois, et produit ses premiers bronzes en 1971. Il expose dès cette époque, et depuis 1977 ses sculptures sont régulièrement présentées par la galerie Félix Vercel, à Paris et New York.
Ses œuvres expriment l'admiration qu'il porte au corps féminin, et il est selon A. Parinaud l'un des participants les plus actifs des chemins que la nouvelle sculpture française a pris.
BIBLIOGR. : Catalogues d'expositions, Galerie Félix Vercel, 1977, 1984, 1988 – Catalogue par Gérard Dufaud, 1996.
MUSÉES : MEXICO – MUNICH – NAZARETH (Centre Culturel Français) – NEW YORK (Mus. d'Art Mod.) – NICE – SÃO PAULO – TOKYO.
VENTES PUBLIQUES : NEW YORK, 24 fév. 1995 : *Femme au miroir*, bronze (H. 39,4) : **USD 1 840.**

CHARPENTIER Georges Émile
Né à Paris. XIXᵉ-XXᵉ siècles. Français.
Peintre de paysages, marines, sculpteur, graveur.
Il fut élève de Fernand Cormon. Il exposait à Paris, au Salon des Artistes Français, médaille de troisième classe en 1908.
VENTES PUBLIQUES : PARIS, 28 oct. 1932 : *Le port d'Amalfi* : **FRF 210** – NEW YORK, 28 mai 1992 : *Dans le port de La Rochelle*,

h/t (64,8x81,3) : **USD 14 300** – Lokeren, 12 mars 1994 : *1+1=3,* bronze (H. 27, l. 17,5) : **BEF 55 000**.

CHARPENTIER H. P., Mlle
xixᵉ-xxᵉ siècles. Française.
Peintre.
A exposé des paysages et des fleurs au Salon de la Nationale en 1911 et 1912.

CHARPENTIER Henri Désiré
Né en 1806 à La Rochelle. Mort en 1883 à Vertou. xixᵉ siècle. Français.
Graveur, lithographe, imprimeur et éditeur.

CHARPENTIER Henri Fernand
Né à Paris. xxᵉ siècle. Français.
Peintre de portraits, paysages, fleurs.
Il fut élève de Fernand Cormon. Il exposait au début du siècle à Paris, au Salon des Artistes Français, dont il était sociétaire.

CHARPENTIER Jacques
Né à Caen (Calvados). xxᵉ siècle. Français.
Sculpteur.
Exposant du Salon d'Automne en 1937.

CHARPENTIER Jean
Né vers 1500 à Orléans. Mort en 1580. xviᵉ siècle. Français.
Peintre, graveur.

CHARPENTIER Jean
xviiiᵉ siècle. Français.
Peintre.
Il fut reçu à l'Académie de Saint-Luc en 1760.

CHARPENTIER Jean
xviiiᵉ siècle. Français.
Peintre de genre, portraits, doreur.
Fils de François-Armand Charpentier et mari d'Anne-Elisabeth Lamarre, il fut reçu à l'Académie de Saint-Luc en 1748 et directeur le 19 octobre 1756. Entrepreneur et peintre, il exposa divers portraits aux Salons de 1762, 1764 et 1774.

CHARPENTIER Jean
xxᵉ siècle. Français.
Peintre. Abstrait.
De 1953 à 1955, il a figuré à Paris au Salon des Réalités Nouvelles, avec des compositions abstraites, qui peuvent évoquer des mouvements de fumée, ce qui l'apparenterait à l'abstraction nuagiste, mais dont les plus récentes étaient d'une facture à tendance géométrique.

CHARPENTIER Jean Baptiste, dit par erreur Joseph l'Ancien
Né en 1728 à Paris. Mort le 3 décembre 1806 à Paris. xviiiᵉ siècle. Français.
Peintre d'histoire, scènes de genre, portraits, intérieurs, aquarelliste, dessinateur.
Peintre ordinaire du duc de Penthièvre, il était aussi professeur à l'Académie de Saint-Luc. Il prit part aux expositions, de 1762 à 1785. Dans l'intervalle, il figura également au Salon de la Correspondance. Ce n'est qu'en 1791 qu'il commença à exposer au Louvre, après la suppression des privilèges de l'Académie Royale, dont il ne fit jamais partie. On cite de lui : *Une marchande de marrons* (1762), *Une bouquetière* (1764), *Un marchand de melons* (1774), *Chasseurs assis sur un coteau* (1781).
Musées : Rennes : *Portrait du duc de Penthièvre.*
Ventes Publiques : Paris, 1853 : *L'Heureux Ménage* : **FRF 450** – Paris, 1885 : *La Jeune Mère* : **FRF 1 000** – Paris, 1893 : *La Lessiveuse* : **FRF 520** – Paris, 27 mai 1902 : *Les Lavandières* : **FRF 400** ; *Le Charbonnier galant* : **FRF 350** – Paris, 28 mars 1903 : *Fillette aux fleurs* : **FRF 260** – Paris, 3-4 avr. 1919 : *Le Jeune Écolier* : **FRF 2 000** – Paris, 31 mai 1919 : *Portrait de femme* : **FRF 320** – Paris, 21 nov. 1919 : *Portrait de Mme de Reignac* : **FRF 4 800** – Paris, 8-9 déc. 1919 : *La Petite Villageoise* : **FRF 2 900** – Paris, 13 déc. 1920 : *Le Joueur de vielle* : **FRF 2 800** ; *La Réprimande maternelle* ; *La Jeune Mère*, deux toiles : **FRF 8 000** – Paris, 27 jan. 1921 : *Portrait de jeune femme*, attr. : **FRF 290** – Paris, 8-9 avr. 1921 : *La Petite Fille à la marmotte* : **FRF 1 850** – Paris, 28 juin-2 juil. 1921 : *Le Sommeil mis à profit*, attr. : **FRF 450** – Paris, 27 déc. 1921 : *Portrait d'adolescent, en buste*, attr. : **FRF 1 700** – Paris, 30 juin 1921 : *L'Heureuse Famille*, aquar. : **FRF 1 500** – Paris, 30 janv.-3 fév. 1922 : *Portrait en buste de Marie-Antoinette* : **FRF 2 450** – Paris, 13 fév. 1922 : *La Lecture*, attr. : **FRF 410** – Paris, 6 mai 1922 : *La Rose enlevée* : **FRF 550** – Paris, 18-19 mai 1922 : *Le Marchand de galettes* : **FRF 15 050** –

Paris, 24 mai 1922 : *Le Montreur de marmottes* : **FRF 200** – Paris, 15-16 juin 1922 : *Intérieur villageois* ; *Les Soins du ménage*, deux sanguines : **FRF 1 720** – Paris, 4 déc. 1922 : *La Lecture familiale*, attr. : **FRF 300** – Paris, 22 nov. 1923 : *La Marchande de saucisses* ; *La Marchande de cerises*, deux pendants : **FRF 19 000** – Paris, 10 déc. 1923 : *Portrait de fillette* ; *Portrait de garçonnet*, deux pendants : **FRF 8 050** – Paris, 25 mars 1925 : *Intérieur de cuisine de ferme*, aquar. et rehauts, attr. : **FRF 1 100** – Paris, 25 mai 1927 : *La Marchande de volailles* : **FRF 7 000** – Paris, 7 nov. 1927 : *La Jeune Savoyarde* : **FRF 4 100** – Paris, 14 nov. 1927 : *L'Avis du docteur* : **FRF 2 750** – Paris, 25 avr. 1928 : *Les Petits Pénicheurs* ; *Les Cerises*, deux toiles, attr. : **FRF 2 050** – Paris, 1ᵉʳ juin 1931 : *La Jeune Paysanne* : **FRF 5 000** – Paris, 15 avr. 1944 : *L'Heureuse Famille* : **FRF 76 000** – New York, 12 déc. 1959 : *La Marchande de poissons* : **USD 550** – Paris, le 1ᵉʳ avr. 1965 : *Les Enfants à la cage* : **FRF 29 000** – Paris, 19 mars 1966 : *La Marchande de poissons* : **FRF 6 000** – New York, 27 nov. 1968 : *Pastorales*, deux toiles de forme circulaire : **USD 2 000** – Paris, 29 mai 1969 : *La Marchande de saucisses* ; *La Marchande de cerises*, deux pendants : **FRF 33 000** – Paris, 31 mars 1971 : *Portrait d'un jeune homme et d'une jeune fille* : **FRF 5 450** – Versailles, 15 juin 1977 : *Les Enfants à la cage*, h/t (72x58) : **FRF 60 000** – Paris, 8 avr. 1981 : *La Marchande de marée*, h/pan. (23,1x32,3) : **FRF 18 000** – Paris, 8 mars 1982 : *Les Enfants à la cage*, h/t (72x58) : **FRF 50 000** – Monte-Carlo, 11 nov. 1984 : *La Marchande de saucisses* ; *La Marchande de cerises*, deux h/t, formant pendants (40x32) : **FRF 380 000** – Monte-Carlo, 22 fév. 1986 : *Portrait d'une famille dans un jardin*, h/t (64,5x81) : **FRF 60 000** – New York, 11 jan. 1990 : *Portrait d'une dame près d'une volière (présumée être Madame Victoire)* 1768, h/t (71,5x53,5) : **USD 22 000** – Paris, 26 juin 1990 : *Portrait d'une mère et de son enfant*, h/pan. (44x32,5) : **FRF 30 000** – Paris, 31 jan. 1991 : *Le Verre d'eau*, h/pan. (32,5x23,5) : **FRF 48 000** – Monaco, 21 juin 1991 : *Portrait présumé de la Princesse de Lamballe dans un parc*, h/t (114x90) : **FRF 1 443 000** – Paris, 9 juin 1993 : *Portrait d'homme en habit rouge* 1763, h/t (77x61) : **FRF 26 000** – Paris, 29 mars 1994 : *Le Petit Marchand de brioches*, h/pan. de chêne (41x32,5) : **FRF 100 000** – Londres, 10 juin 1994 : *Jeune Garçon avec une cage vide*, h/t (47x37,5) : **GBP 10 925** – Paris, 16 juin 1995 : *La Marchande d'huîtres*, h/t (45x37) : **FRF 32 000** – Londres, 11 déc. 1996 : *Jeune Servante faisant ses comptes*, h/t (52,3x42,3) : **GBP 38 900** – New York, 21 oct. 1997 : *L'Analyse médicale*, h/pan. (41,3x66,7) : **USD 23 000**.

CHARPENTIER Jean Baptiste, le Jeune
Né en 1779 à Paris. Mort le 14 juillet 1835 à Paris. xixᵉ siècle. Français.
Peintre d'histoire, portraits.
Élève de son père, Jean-Baptiste Charpentier. Il exposa au Salon de Paris, de 1817 à 1824.

CHARPENTIER Joseph. Voir CHARPENTIER Jean Baptiste

CHARPENTIER Julie
Née à Blois. Morte en 1843 à Paris. xixᵉ siècle. Française.
Sculpteur.
Fille du graveur François-Philippe Charpentier. Elle fut l'élève de Pajou. Elle débuta en 1787 au Salon de la Correspondance, y exposant un buste de sa sœur et un portrait du duc d'Orléans (relief bronze). Elle figura souvent au Salon entre 1793 et 1824 présentant la plupart du temps des bustes (portraits) parmi lesquels on cite : *François Montgolfier* (1800), *Marcel, directeur de l'Imprimerie impériale* (1804), *Hauptmann Morland* (1808), *Le Roi de Rome, L'architecte Pierre Lescot* (1812), *Le général Ordener* (1814), *Le graveur Gérard Audran* (1817).
Musées : Abbeville : *Buste du géographe Nic. Sanson*, plâtre – Blois : *Mlle Charpentier*, deux bustes en terre cuite – Bourges : *Portrait de la fausse marquise de Denhault* – Lyon : *Buste de Joseph-Marie Vien.*

CHARPENTIER Léon Jean François
Né au xixᵉ siècle à Méru (Oise). xixᵉ siècle. Français.
Peintre de genre, marines.
Sociétaire des Artistes Français depuis 1890. Il exposa aux Salons de cette société et aux Salons de Blanc et Noir.
Musées : Toulouse : *Le vieux forgeron* 1885.
Ventes Publiques : Le Raincy, 14 juin 1987 : *Barque de pêche par mer agitée*, h/t (55x73) : **FRF 12 500**.

CHARPENTIER Louis
xviiᵉ siècle. Français.

Peintre.
Il fut reçu à l'Académie de Saint-Luc en 1680.

CHARPENTIER Lucien
Né à Paris. xxᵉ siècle. Français.
Graveur sur bois.
Élève d'Auger et Froment. Exposant du Salon des Artistes Français.

CHARPENTIER Marc Antoine
Mort en 1677 à Saumur. xviiᵉ siècle. Actif à Tours. Français.
Sculpteur.
Il se maria en 1646 à Tours et fut à la tête d'un important atelier où travaillèrent entre autres son fils Antoine et son gendre, René Chéron et il exécuta une série de travaux pour des églises de Tours, Angers, Saint-Laud, Plessis-lès-Tours, Pontlevoy, Saumur, Saint-Benoît-sur-Loire.

CHARPENTIER Marcel
Né le 29 septembre 1888 à Saint-Mandé (Val-de-Marne). xxᵉ siècle. Français.
Décorateur.
Spécialiste de la laque, il a exposé à Paris, aux Salons des Artistes Décorateurs et d'Automne. Il a décoré le fumoir et le salon de lecture du paquebot *Ile de France*, ainsi que le *Train bleu*.

CHARPENTIER Michel
Né le 6 septembre 1927 à Auvers-sur-Oise (Val-d'Oise). xxᵉ siècle. Français.
Sculpteur de figures, animalier.
Il fut élève de l'Ecole des Beaux-Arts de Paris, où il obtint un Prix de Rome de Sculpture. En 1957 il fit un séjour à Amsterdam. Il participa à Paris à l'exposition du Musée Rodin : *Synthèse des Arts Plastiques*. En 1959, il fut invité à la première Biennale des Jeunes de Paris, et en 1961 obtint un Prix de Sculpture à la deuxième. A partir de 1962, il participe au Salon de Mai, dont il fut nommé membre du comité en 1968. En 1963 il participa à *Actualité de la Sculpture*. Première exposition personnelle en 1961 à Paris, suivie d'autres, notamment à Amsterdam.
Empreinte de classicisme, sa sculpture pour l'essentiel est vouée au corps humain, non sans une certaine dérision cruelle. Il sculpte aussi des animaux.

CHARPENTIER Nicolas
xviiᵉ siècle. Français.
Peintre.
Il fut reçu à l'Académie de Saint-Luc en 1668.

CHARPENTIER Nicolas
xviiᵉ siècle. Français.
Peintre.
Il fut reçu à l'Académie de Saint-Luc en 1675.

CHARPENTIER Nicolas
xviiᵉ siècle. Français.
Sculpteur.
Il fut reçu à l'Académie de Saint-Luc en 1691.

CHARPENTIER Nicolas
Mort en 1663 à Paris. xviiᵉ siècle. Français.
Peintre.
Il fut peintre ordinaire des bâtiments du Roy.

CHARPENTIER P.
xixᵉ siècle. Vivant dans la seconde moitié du xixᵉ siècle. Français.
Peintre miniaturiste.
On connaît de lui un *Portrait de L. M. Dulieu de Chenevoux, né à Lyon le 13 juillet 1752* (coll. David Weill).

CHARPENTIER Paul Alfred Marius
Né à Saint-Gervais (Isère). xxᵉ siècle. Français.
Peintre, graveur, céramiste.
Il exposait à Paris, au Salon des Artistes Français, dont il devint sociétaire, mention honorable en 1928.

CHARPENTIER Philippe
Né en 1949 à Paris. xxᵉ siècle. Français.
Peintre. Abstrait-informel.
Ce ne fut qu'en 1976, ayant alors vingt-sept ans, qu'il fut élève de l'Académie privée d'Henri Goetz et d'Yvaral. Il avait alors entrepris une carrière de batteur d'orchestre de jazz. En 1979, il abandonna la musique pour se consacrer entièrement à la peinture, puis commença à participer à des expositions collectives, parmi lesquelles : 1981 sélectionné au Prix Fénéon, à partir de 1982 de

nombreux Centres Culturels de province, depuis 1983 Foire de Bâle, depuis 1985 Foire de Stockholm, depuis 1986 à Paris Salons des Réalités Nouvelles, Comparaisons, Jeune Peinture, Groupe 109, etc.. Il expose également individuellement : 1981 Paris et Bordeaux, 1984 Suisse et Belgique, 1985, 1987 Paris, 1986 Göteborg, Avignon, 1987 Genève, Montluçon, Clermont-Ferrand, Stockholm, Bâle, Nice, 1991 Paris Galerie Fanny Guillon-Laffaille, 1993 FIAC (Foire Internationale d'Art Contemporain) à Paris, 1995 galerie Area, Paris, 1997 galerie Arnoux, Paris.
A ses débuts, il fut marqué par la découverte de la peinture américaine : Rothko, Kline, De Kooning, Motherwell. Ses références n'étaient pas exclusives, sa peinture ne le fut pas non plus. Au début, dans des harmonies sourdes, la matière était prépondérante, grasse, sensuelle, accapareuse d'éléments hétérogènes par collages, et même des suggestions de réalités extérieures pouvaient parfois s'y insérer. Dans le cours de son évolution, la couleur reprit de l'importance pour jouer sa partie dans l'ensemble. C'est une peinture d'instinct, de pulsion, de tempérament, instantanée, une peinture jazz. Talentueuse, globalisante, additionnant dans les volutes et les hautes pâtes chromatiques de l'informel des aspects déjà vus depuis des décennies dans la déjà longue histoire de l'abstraction, c'est une peinture sans apport neuf par rapport à l'acquis, une peinture raffinée dans la consommation courante, garante, ce qui n'est pas rien, du plaisir de peindre. Peut-être désormais faudra-t-il s'interroger si le pourtant vaste domaine de l'abstraction a été totalement exploré ou à tout le moins pour certains de ses secteurs, l'informel, le paysagisme, le nuagisme, le géométrique ? ■ Jacques Busse
Bibliogr. : Michel Faucher : *Philippe Charpentier*, Area, Paris, 1986 – Françoise Bataillon : *Philippe Charpentier*, Beaux-Arts, Paris, octobre 1988.
Ventes Publiques : Paris, 22 nov. 1987 : *Composition* 1986, h/pap. (58x45) : FRF 6 000 – Paris, 25 avr. 1990 : *Sans titre*, techn. mixte/t. (140x197) : FRF 28 000 – Lucerne, 24 nov. 1990 : *Composition* 1987, h., techn. mixte et collage/pap./t. (139x138) : CHF 4 400 – Paris, 20 nov. 1991 : *Sans titre*, techn. mixte/t. (140x197) : FRF 20 000 – Paris, 4 oct. 1993 : *Sans titre*, acryl. et collage/t./isor. (50x50) : FRF 5 800 – Paris, 4 nov. 1994 : *La citrouille* 1988, techn. mixte/t. (110x110) : FRF 8 000.

CHARPENTIER Pierre
Né à Paris. xxᵉ siècle. Français.
Peintre.
Il fut élève de l'Ecole des Arts Décoratifs de Paris, où il exposait au Salon des Artistes Français, mention honorable 1934, médaille d'or 1937 à l'occasion de l'Exposition Universelle.

CHARPENTIER René
Né en 1680 à Cuillé (Mayenne). Mort le 11 mai 1723 à Paris. xviiiᵉ siècle. Français.
Sculpteur.
Élève de Girardon. Il obtint le Prix de Rome en 1700 avec : *Entrevue de Jacob et de son fils Joseph*. Il travailla au château de Potsdam, à la chapelle du château de Versailles, à Notre-Dame de Paris, au Palais des Tuileries et fut chargé de la direction des travaux de sculpture à l'église Saint-Roch, à Paris.

CHARPENTIER René Jacques
Né en 1733 à Caen. Mort en 1770. xviiiᵉ siècle. Français.
Graveur et éditeur.
Il travaillait rue de la Harpe, à Paris. On a de lui une gravure originale : *Le Christ en croix*.

CHARPENTIER-BOSIO André Amédée
Né le 9 février 1822 à Chartres (Eure-et-Loir). xixᵉ siècle. Français.
Lithographe et peintre de genre.
Gendre du sculpteur Astyanax-Scevola Bosio. Entré à l'École des Beaux-Arts le 1ᵉʳ octobre 1840, il se forma sous la direction de Grévedon et de Picot. Il débuta au Salon en 1852 et y exposa jusqu'en 1879. On cite parmi ses envois : *Le déjeuner* (1861), *L'eau bénite* (1863), *Portrait de Napoléon III* (1865), *Paysages* (aquarelles) (1870 et 1875), *Portrait du vice-amiral Tréhouart* (1877), *Portrait du comte N.* (1879).

CHARPENTIER-BOSIO Gaston
Né au xixᵉ siècle à Paris. xixᵉ siècle. Français.
Peintre de figures, de paysages et de portraits.
Élève de MM. Bouguereau, T. Robert-Fleury et Albert Maignan. Sociétaire des Artistes Français, il obtint une mention honorable en 1892, une médaille de troisième classe en 1895 et une médaille

de bronze à l'Exposition Universelle de Paris en 1900. On cite parmi ses envois : *Portrait de Mlle Renée Du Minil* (1902), *Portrait de Mlle Kesly* (1905), *Retour du pèlerinage, Croatie* (1900).
VENTES PUBLIQUES : PARIS, 11 juin 1942 : *En promenade* : FRF 300.

CHARPENTIER-MIO Maurice
Né à Paris. XXe siècle. Français.
Sculpteur de statuettes, bustes.
Il exposait à Paris, au Salon de la Société Nationale des Beaux-Arts, dont il devint sociétaire.
Il a surtout exposé des figurines, des terres cuites, des petits sujets en pâtes de couleurs. Il a sculpté le buste du romancier *Marcel Boulenger*.
VENTES PUBLIQUES : PARIS, 27 nov. 1937 : *Danseuse*, bronze : FRF 510 – MONTE-CARLO, 26 juin 1976 : *Karsavina et Massine dans Carnaval 1919*, plaque en bronze (11x29) : FRF 2 200 – LONDRES, 13 mars 1980 : *Croquis de gestes dansés (Isadora Duncan)*, plaque de bronze (19,5x36) : GBP 380 – LONDRES, 9 juin 1983 : *Isadora 1912*, bronze (H. 14) : GBP 500 – ANGERS, 13 mars 1985 : *La mode 1910*, bronze (H. 22) : FRF 6 000 – PARIS, 4 nov. 1987 : *Nijinsky et Karsavina*, grès (16x14) : FRF 3 200 – PARIS, 17 déc. 1989 : *Nu dansant*, past. (32x24) : FRF 4 500 – PARIS, 9 mai 1994 : *Bacchanale 1928*, terre cuite (H. 30) : FRF 6 500 – PARIS, 30 jan. 1995 : *Shéhérazade (Karsavina et Nijinsky) 1913*, plaque de bronze (11,5x19) : FRF 10 000.

CHARPENTREAU Armand
Né au XIXe siècle à Paris. XIXe siècle. Français.
Sculpteur.
Élève de A. Dumont. Il débuta au Salon de 1877.

CHARPIDÈS Christo
Né en 1909 à Samos. XXe siècle. Depuis 1935 environ actif en France. Grec.
Peintre de scènes typiques, paysages, paysages urbains.
Il s'est établi à Paris dans les années 1930, puis a épousé la fille du peintre Henri-Jacques Delpy. Il vivait à Montmartre, près du « Bateau-Lavoir ». À Paris, de 1939 à 1943, il a exposé des paysages, surtout de Paris, au Salon des Artistes Indépendants.
Ses thèmes favoris étaient Paris, la Bretagne et la Grèce.
VENTES PUBLIQUES : COUTANCES, 16 mai 1993 : *Danse bigoudène*, h/pan. (50x60) : FRF 8 800.

CHARPIGNON Claude ou Cherpignon, Carpion
XVIIe siècle. Français.
Graveur.

CHARPIN ou Cherpin
XVIe-XVIIe siècles. Actifs à Lyon. Français.
Peintres et peintres verriers.
Les artistes qui suivent furent peintres et peintres verriers à Lyon : Henri, en 1586-1591 ; Jérome, fils du précédent, baptisé à Lyon, le 7 avril 1586, inhumé à Lyon le 24 juillet 1639. Maître de métier pour les peintres en 1626, il était en 1639, maître-verrier de la cathédrale de Lyon ; Martial, inhumé à Lyon le 12 janvier 1641. Il travaillait à Lyon en 1611, et portait, en 1622, le titre de « peintre verrier de la reine ». Il fit des verrières pour le Consulat lyonnais, qui l'employa, de 1629 à sa mort, comme « ingénieur es artifices et pouldres de feux de joye » de la Ville. À la fin du XVe et au début du XVIe siècle, deux doriers ou orfèvres, originaires d'Allemagne, Jacques et Jean Charpin, étaient établis à Lyon.

CHARPIN Albert
Né le 30 janvier 1842 à Grasse (Alpes-Maritimes). Mort le 7 mars 1924 à Asnières. XIXe-XXe siècles. Français.
Peintre de genre, animalier, paysages.
Élève de Daubigny, il participa régulièrement aux Salons parisiens, de 1875 à 1923.
Les œuvres de Charpin montrent des paysages de campagne mélancoliques, peints dans des tonalités délicates et harmonieuses, qui les rendent plus proches de ceux de Millet que de ceux de Daubigny. Citons : *Troupeau dans la Camargue – Soir d'automne en Sologne – Le soir dans les Alpes-Maritimes – Troupeau fuyant l'orage*.
BIBLIOGR. : Gérald Schurr, in : *Les Petits Maîtres de la peinture 1820-1920, valeur de demain*, Les Éditions de l'Amateur, t. IV, Paris, 1979.
MUSÉES : BERNAY : *La gardeuse de dindons – Troupeau de moutons* – NICE : *Sur le versant des Alpes-Maritimes.*
VENTES PUBLIQUES : PARIS, 1890 : *Vaches au repos* : FRF 1 420 – PARIS, 1900 : *Moutons au pâturage* : FRF 200 – PARIS, 8 nov. 1918 : *Moutons au pâturage* : FRF 300 – PARIS, 20 nov. 1925 : *Troupeau*

de moutons sur un chemin au bord du bois : FRF 700 – PARIS, 11-12 juin 1928 : *Berger et son troupeau* : FRF 400 – PARIS, 18 oct. 1943 : *Moutons* : FRF 2 000 – NICE, 29-30 déc. 1954 : *Troupeau sous bois* : FRF 14 000 – VIENNE, 16 mars 1976 : *Troupeau de montons au pâturage*, h/t (38x55,5) : ATS 18 000 – PARIS, 22 juin 1977 : *Les vaches à la mare*, h/pan. (27x42) : FRF 1 800 – PARIS, 31 mai 1978 : *La gardienne de moutons*, h/t (46x55) : FRF 4 000 – VERSAILLES, 8 mars 1981 : *Le berger et son troupeau de moutons sur la lande*, h/t (60x80,5) : FRF 6 150 – VENDÔME, 5 fév. 1984 : *Vache au bord de la mer*, h/t (38,5x55) : FRF 1 800 – PARIS, 30 juin 1993 : *La bergère et son troupeau*, h/pan. (22x27) : FRF 4 000 – PARIS, 21 oct. 1997 : *Barque sur l'étang au lever du jour*, h/pan. (19x25) : FRF 3 500.

CHARPIN E., Miss
XVIIIe siècle. Britannique.
Miniaturiste.
Elle exposa de 1761 à 1767 à la Society of Artists et à la Free Society, à Londres.

CHARPIOT Charles
XIXe siècle. Actif à Kansas City. Américain.
Peintre et dessinateur.

CHARPY Edme ou Edmond
Né à Troyes. XVIIe siècle. Actif au début du XVIIe siècle. Français.
Graveur.

CHARPY Félix Marie Fernand
XXe siècle. Français.
Peintre.
Élève d'Émile Renard et Ernest Laurent. Il a exposé un paysage et un nu au Salon des Artistes Français en 1927 et 1929.

CHARPY Jeanne
Née à Moulins (Allier). XXe siècle. Française.
Peintre de portraits.
Elle reçut les conseils de Louis Roger. Elle a exposé à Paris, au Salon des Artistes Français, de 1926 à 1934, et en devint sociétaire.

CHARQUILLON Charles
Né à Paris. XXe siècle. Français.
Peintre de paysages.
A exposé au Salon des Indépendants, de 1926 à 1930.

CHARRA Alain
Né le 8 novembre 1941 à St Rambert d'Albon (Drôme). XXe siècle. Français.
Peintre. Abstrait.
Alors qu'il avait entrepris des études de théologie, il fit la rencontre du peintre Gomery et devint son élève dès 1960. Six ans plus tard, il finit par interrompre ses études théologiques pour se consacrer à la peinture, encouragé par Manessier, puis par le critique d'art Cl. Roger-Marx. En 1974, il entre dans l'atelier de gravure de Hayter. Il a participé à plusieurs expositions collectives, notamment au Salon Grands et Jeunes d'Aujourd'hui à Paris en 1983. Ses expositions personnelles se sont déroulées au Danemark (1972), à Paris (1979), Cologne (1981), Granges-les-Valence (1983), Vanves (1986), Sèvres (1988).
Ses œuvres abstraites, soulignées par un réseau de lignes tantôt courbes, tantôt brisées, évoquent soit l'infiniment petit à la manière de vues microscopiques, soit l'infiniment grand à la manière d'espaces sidéraux. A travers ses peintures, Alain Charra montre une sensibilité à l'électronique et à l'informatique, ce qui ne l'empêche pas d'être poète, publiant plusieurs recueils de poèmes. Il fait jouer la diversité des bleus, verts, jaunes et rouges dont l'intensité donne corps à ses tableaux.

CHARRAD Arnold
Né en 1946 à Odessa. XXe siècle. Actif aux États-Unis. Russe.
Peintre de compositions animées. Figuration narrative.
Il a exposé en URSS, ainsi qu'en Italie, France et États-Unis.
Dans ses peintures, il montre un talent aimable d'illustrateur ou de décorateur.

CHARRASSE Charles
Né le 8 septembre 1814 à Lyon (Rhône). Mort le 20 avril 1881 à Saint-Laurent-de-Mure (Isère). XIXe siècle. Français.
Graveur en taille-douce et en médailles.
Élève de J. Dantzell. Il s'établit en 1838 graveur et lithographe à Lyon, grava des portraits et des vignettes en couleurs.

CHARRAT Louis
Né le 19 octobre 1903 à Fontaine-sur-Saône (Rhône). XXe siècle. Français.

Peintre de portraits, d'intérieurs.
Il fut élève du Lyonnais Georges Décôte. A partir de 1934, il a exposé à Paris, au Salon des Artistes Français, dont il devint sociétaire en 1936.
Musées : Lyon.
Ventes Publiques : Lyon, 21 mai 1987 : *Quais de Saône*, h/t (38x55) : FRF 6 700.

CHARRETIE Anna Maria, Mrs John, née Kenwell
Née en 1819 à Vauxhall. Morte en 1875 à Kensington. xixe siècle. Britannique.
Peintre de figures, portraits.
Élève de Mrs Valentine Bartholomew. Elle fut obligée de se servir de son art comme moyen d'existence à la mort de son mari. Exposa de 1839 à 1875 un grand nombre de ses œuvres à la Royal Academy, à la British Institution et à Suffolk Street, à Londres.
Elle a peint, entre autres tableaux : *Lady Betty Germain, La servante de Lady Betty et Lady Betty faisant ses emplettes.*
Ventes Publiques : Rome, 28 mai 1991 : *Petite fille dans un intérieur*, h/t (46x35,5) : ITL 3 800 000.

CHARRETON Enguerrand. Voir QUARTON

CHARRETON Marcel
Né le 14 juin 1907 à Bois-Colombes (Hauts-de-Seine). xxe siècle. Français.
Peintre de paysages.
Neveu de Victor Charreton. Il exposait à Paris, au Salon des Artistes Français, dont il devint sociétaire. Il a peint des paysages de différentes régions de France, notamment sur la Côte d'Azur. Il s'est montré sensible aux variations climatiques, aux effets de neige.

CHARRETON Victor Léon Jean Pierre
Né le 2 mars 1864 au château de Bourgoin (Isère). Mort le 26 novembre 1936 à Clermont-Ferrand (Puy-de-Dôme). xixe-xxe siècles. Français.
Peintre de paysages, fleurs, peintre à la gouache, pastelliste. Postimpressionniste.
Son père était géomètre. Victor Charreton passa son enfance à Chaumont, alla au collège de Bourgoin, puis fit à partir de 1885 des études de droit à la Faculté de Grenoble et fut en 1892 avoué près la Cour d'Appel de Lyon. En peinture, qu'il pratiquait en amateur depuis l'enfance, il reçut les conseils d'Ernest Hareux lui-même, et non de son seul traité de peinture jadis réputé, puis de Louis Japy. En 1902, il renonça à sa carrière juridique pour se vouer totalement à la peinture. En 1902 aussi, il s'installa à Paris. L'été, à partir de 1912, il rejoignait sa maison de Saint-Amant-Tallende près de Clermont-Ferrand, pays de son épouse. Il voyagea aussi : 1905 Algérie, 1912 Espagne et Angleterre, 1913 Belgique et Hollande, visitant de nombreux musées en chemin. Il visita aussi la Corse, l'Allemagne. Il menait une vie d'esthète et d'homme de culture, amateur de poésie et de musique.
Il débuta au Salon de Lyon en 1894 avec *Matin à Montpeyroux*, commença d'exposer à Paris la même année au Salon des Artistes Français avec *Soir d'Octobre*, mention honorable en 1910, médaille d'argent en 1912, médaille d'or en 1913, hors-concours en 1914, il en fut membre du comité et du jury, et il y figura jusqu'à sa mort. Il a participé à des expositions collectives à Toulouse, Clermont-Ferrand, Roubaix, Bordeaux, ainsi qu'à l'étranger : New York, Genève, Barcelone. En 1915, il eut une exposition personnelle à la galerie Georges Petit de Paris. Il exposa à New York 1916, 1920, 1921, 1924, 1925, à Toledo (États-Unis) 1926, 1934, Pittsburgh 1933, Cleveland 1934, au Japon 1920, 1928. En 1931, il inaugurait le Musée de Bourgoin en lui donnant une vingtaine d'œuvres, musée qui prit alors le nom de Musée Victor Charreton. Il fut aussi l'un des fondateurs du Salon d'Automne, dont il fut secrétaire général. En 1914, il fut fait chevalier de la Légion d'Honneur. En 1972, le Musée de Montmartre organisa une exposition posthume rétrospective de son œuvre, en 1987 et en 1989-1990 deux autres eurent lieu dans une galerie parisienne.
Il fut un paysagiste de la tradition lyonnaise, avec le goût des empâtements pigmentaires sensuels, recherchant les effets momentanés, instantanés, qu'avaient su saisir les impressionnistes, effets des heures et des saisons, de crépuscule ou de neige. Après avoir, jeune, saisi les environs de Bourgoin, il fut amené en Auvergne par son mariage en 1893, et en exprima les caractères spécifiques. On estime aux deux tiers la place qu'occupent les paysages d'Auvergne dans l'ensemble de son œuvre. Apte à capter les infimes modifications du temps qu'il fait

comme du temps qui passe, il était apte à capter l'esprit des lieux nouveaux. Outre son Dauphiné natal et l'Auvergne d'adoption, il fut ainsi sensible aux charmes de l'Ile-de-France, du Paris de Montmartre, du Jardin du Luxembourg ou du Parc Montsouris, de la Provence, de la Creuse, de la Bretagne. Mais, on ne trouve aucune trace peinte de ses voyages à l'étranger. Qu'on ne se méprenne pas, lorsqu'il est relevé qu'il peignit dans telle ou telle région, en aucun cas il n'en peignait les beaux motifs touristiques. À l'inverse, il en recherchait les aspects intimistes, des hameaux discrets, d'un humble pont sur un cours d'eau anonyme, d'un arbre commun devant une masure. Avec le flamboiement des paysages d'automne et à l'inverse de cette somptuosité chromatique, les effets de neige ont toujours eu sa faveur, la neige qui égalise tout lui étant un point de départ idéal pour magnifier la nature à partir de son apparent dénuement. Au cours de son évolution, après avoir peint des crépuscules, des contre-jours dans des demi-teintes, des couchers de soleil embués, il donna de plus en plus d'importance à la lumière et à la couleur, se situant dans la continuité de Ravier et, comme Guillaumin, un peu précurseur du fauvisme ou bien en complicité avec lui à la façon de Maurice Marinot. Son dessin évolua conjointement à l'évolution de la couleur, celle-ci vers toujours plus d'éclat, notamment dans les violets qu'il affectionnait, jusqu'à des contrastes étonnants, le dessin vers plus d'évidence, par suppression des détails non signifiants pour dégager les masses qui construisent la composition générale. Pour le situer dans son temps, précisons que Victor Charreton est né un an après Signac, la même année que Toulouse-Lautrec, trois ans avant Bonnard, cinq ans avant Matisse. Il n'a pas pris rang parmi les novateurs de l'après-impressionnisme, Gauguin, Seurat, Van Gogh ou Cézanne. Plus âgé que Matisse, déjà lui-même de beaucoup l'aîné des Fauves, il s'est satisfait de les avoir précédés, sans aller jusqu'à ce qu'il considérait comme leurs outrances. Il s'est situé exactement à la charnière du siècle de l'impressionnisme finissant et du siècle des soubresauts débutés par le fauvisme. Sa vie le prouve, les thèmes majeurs de son œuvre en témoignent, il s'est choisi régionaliste, et en tant que tel son talent et ses qualités apparaissant avec une évidence que n'aurait peut-être pas révélée une carrière plus ambitieuse.

■ Jacques Busse

Bibliogr. : Divers et Maurice Genevoix : *Victor Charreton, peintre de la nature et de la lumière*, Les Amis de Victor Charreton, Paris, 1966 – divers et Maurice Genevoix : *Un magicien de la couleur, Victor Charreton*, Les Amis de Victor Charreton, Paris, 1970 – in : *Les Muses*, Grange Batelière, Paris, 1971 – Maurice Wantellet : *Deux Siècles et plus de Peinture Dauphinoise*, Imprimerie Eymond, Grenoble, 1987 – Colette E. Bidon : *Victor Charreton, peintre de l'Auvergne*, Paris – Robert Chatin : *Victor Charreton – Vie et œuvre*, Édit. de l'Amateur, Paris.
Musées : Albi (Mus. Toulouse-Lautrec) – Boston – Bourgoin (Mus. Victor Charreton) – Carcassonne (Mus. des Beaux-Arts) – Chambéry (Mus. des Beaux-Arts : *Maison dans un jardin – Maison dans les arbres* – Charleston : *Automne auvergnat* – Clermont-Ferrand (Mus. et Hôtel-Dieu) – Cleveland, Ohio : *La maison du curé à Murol* – Concord : *Église de Murol* – Genève (Mus. du Petit-Palais) : *La Route de Saint-Saturnin – Maisons sous la neige à Murol* – Grenoble – Lyon (Mus. des Beaux-Arts) – Madrid : *Fleurs en plein air* – Madrid – Metz – Narbonne – New York : *Pluie d'hiver* – New York (Brooklyn Mus.) : *Été d'Auvergne* – La Nouvelle Orléans (Delgrado Mus.) : *Hiver à Crouzols* – Paris (Orsay) : *Paysage de neige* – Paris (Petit-Palais) : *Paysage* – Riom – Toulouse (Mus. des Augustins).
Ventes Publiques : Paris, 12-13 janv. 1921 : *Paysage* : FRF 350 – Paris, 19 déc. 1923 : *La Neige sur les masures, paysage d'Auvergne* : FRF 960 – Paris, 30 juin 1937 : *La Maison au milieu des fleurs* : FRF 950 – Paris, 1er juin 1937 : *Rochers au bord de la mer* 1916 : FRF 500 – Paris, 4 mars 1943 : *Coin de parc* : FRF 3 200 – Paris, 2 juin 1943 : *Effet de neige* : FRF 6 800 – Paris, 6 juil. 1951 : *Neige en Auvergne* : FRF 10 100 – Londres, 25 nov. 1964 : *Le Pêcheur* : GBP 200 – Paris, 27 juin 1968 : *Le Château de Saint-Amand-Tallande sous la neige* : FRF 10 500 – Paris, 5 déc. 1969 : *Paysage à l'église* : FRF 16 000 – Paris, 25 nov. 1970 : *Village sur la colline* : FRF 16 000 – Troyes, 8 janv. 1971 : *Lavandières*

au hameau : **FRF 16 000** – Versailles, 26 nov. 1972 : *Le Village enneigé* : **FRF 11 000** – Grenoble, 11 déc. 1973 : *Jardin en fleurs* : **FRF 8 000** – Versailles, 6 juin 1973 : *Jardin en fleurs* : **FRF 13 500** – Bordeaux, 3 déc. 1975 : *Le Bougainvillier* : **FRF 25 100** – Reims, 29 fév. 1976 : *Paysage champêtre* : **FRF 7 500** – Toulouse, 6 déc. 1976 : *La Maison en fleurs*, h/t (50x61) : **FRF 13 500** – Toulouse, 5 déc. 1977 : *Paysage de neige à Murol*, h/pan. (57x74) : **FRF 12 500** – Roubaix, 29 oct. 1978 : *Village sous la neige*, h/t (40x60) : **FRF 18 000** – Versailles, 13 juin 1979 : *La Grande Maison dans le parc fleuri en été* 1913, h/t (67x92) : **FRF 15 000** – Lyon, 4 déc. 1980 : *Vallon ensoleillé sous la neige*, h/t (64x80) : **FRF 23 500** – Grenoble, 18 mai 1981 : *La rivière traversant la clairière*, h/t (58,5x71,5) : **FRF 23 500** – Grenoble, 17-18 mai 1982 : *Retour au village dans la campagne enneigée*, h/pan. (60x73) : **FRF 38 500** ; *L'arbre devant la maison*, h/t (50x61) : **FRF 23 100** – Enghien-les-Bains, 17 avr. 1983 : *Paysage d'automne* : **FRF 73 000** – Enghien-les-Bains, 18 déc. 1983 : *Soleil d'après-midi au printemps* : **FRF 73 000** – Paris, 28 mai 1984 : *Paysage de neige* : **FRF 78 000** – Enghien-les-Bains, 23 juin 1985 : *Reflets sur l'étang*, h/t (53,5x73) : **FRF 80 000** – Avignon, 23 mars 1986 : *Effet de soleil à Trianon*, h/cart. (50x61) : **FRF 63 000** – Versailles, 11 mai 1986 : *Le Jardin fleuri près de la maison*, h/cart. mar./pan. (59x72,5) : **FRF 145 000** – Paris, 10 déc. 1987 : *Façade au soleil et jardin fleuri*, h/t (60x73) : **FRF 82 000** – Paris, 16 déc. 1987 : *Sous-bois d'Automne*, h/cart. (60x73) : **FRF 95 000** – Versailles, 21 fév. 1988 : *La Châtaigneraie à Crouzols*, h/cart. (36,5x52,5) : **FRF 26 000** – La Varenne-Saint-Hilaire, 6 mars 1988 : *Promeneuse dans le parc*, h/cart. (46x55) : **FRF 62 000** – Paris, 11 mars 1988 : *Paysage sous la neige*, h/cart. (59,5x71,5) : **FRF 98 000** – Paris, 14 mars 1988 : *Village et rivière*, gche/cart. (50x65) : **FRF 13 000** – Paris, 21 avr. 1988 : *Village en automne*, h/cart. (32x41) : **FRF 57 000** – Paris, 9 mai 1988 : *Le Ruisseau dans les arbres*, h/t (60x73) : **FRF 140 000** – Paris, 14 juin 1988 : *Côteau Saint-Amand, automne*, h/t (60x50) : **FRF 86 000** – Paris, 23 juin 1988 : *Maisons sous la neige à Crouzols*, h/t (65x81) : **FRF 75 000** – Londres, 19 oct. 1988 : *Neige et verglas au village de Murols dans le Puy de Dôme*, h./c (60x73) : **GBP 12 100** – Calais, 13 nov. 1988 : *Les hortensias*, h/t (72x92) : **FRF 38 000** – Paris, 16 déc. 1988 : *Village sous la neige*, peint./cart. (35,5x45) : **FRF 83 000** – New York, 5 oct. 1989 : *La terrasse en automne*, h/t (73x92,1) : **USD 49 500** – Paris, 19 mars 1989 : *bord de mer au printemps*, h/cart. (37x44) : **FRF 101 500** – Paris, 11 oct. 1989 : *Sous-bois ensoleillé*, h/pan. (26,5x34,5) : **FRF 160 000** – Le Touquet, 12 nov. 1989 : *Paysage d'Automne*, h/pap. (45x65) : **FRF 220 000** – Lyon, 13 nov. 1989 : *Printemps*, h/cart. (36,5x44) : **FRF 66 000** – Paris, 22 nov. 1989 : *Hameau sous la neige*, h/cart. (77x105) : **FRF 220 000** – New York, 26 fév. 1990 : *L'église de Murol en hiver* 1928, h/t (92,8x73,8) : **USD 77 000** – Neuilly, 27 mars 1990 : *La ferme*, h/t (32x40,5) : **FRF 167 000** – Paris, 13 juin 1990 : *Le Prélong à Murol*, h/cart. (59x71) : **FRF 355 000** – Paris, 22 juin 1990 : *Le verger sous la neige* (50x60) : **FRF 172 000** – New York, 2 oct. 1990 : *Rue de village ensoleillée*, h/t (54x65,1) : **USD 49 500** – Paris, 27 nov. 1990 : *Neige à Murol : le four*, h/cart. (72,5x89,5) : **FRF 182 000** – Neuilly, 7 avr. 1991 : *Une rue du village d'Autezat*, h/pan. (46x39) : **FRF 71 000** – New York, 12 juin 1991 : *Paysage de printemps avec un village*, h/t (67,3x92,1) : **USD 17 600** – New York, 25-26 fév. 1992 : *Jardin de ville au printemps*, h/t (46x54,6) : **USD 29 700** – Le Touquet, 8 juin 1992 : *Verger sous la neige*, h/pan. (18x25) : **FRF 24 000** – Calais, 12 déc. 1993 : *Arbre en fleurs au printemps*, h/pan. (50x61) : **FRF 36 000** – New York, 11 mai 1994 : *Paysage*, h/t (60,3x73,7) : **USD 21 850** – Amsterdam, 8 déc. 1994 : *Canal d'Amsterdam*, h/cart. (57,5x70) : **NLG 19 550** – Paris, 8 déc. 1994 : *Le Pont*, h/t (60x53) : **FRF 150 000** – New York, 8 nov. 1995 : *Le Printemps*, h/cart./rés. synth. (61x71,1) : **USD 12 650** – Paris, 15 déc. 1995 : *Jardin en fleurs*, peint./cart. (60x73) : **FRF 70 000** – Chamalières, 31 mars 1996 : *Givre et neige sur la terrasse de la Tour Fondue*, h./finette (80x64) : **FRF 360 000** – Paris, 21 juin 1996 : *Le Jardin de Saint-Amand de Tallende*, h./finette (54x65) : **FRF 44 000** – Paris, 28 juin 1996 : *Maison au fond du jardin fleuri*, h/cart. (38,5x46) : **FRF 38 000** – New York, 12 nov. 1996 : *Maison en forêt*, h/cart./masonite (50,7x74) : **USD 11 500** – Calais, 15 déc. 1996 : *Le Portail du château*, h/pan. (38x46) : **FRF 53 000** – Paris, 16 mars 1997 : *Printemps à Bornes-les-Mimosas, ou la Chapelle en briques* 1930, h/t (54x65) : **FRF 49 000** – Paris, 23 mai 1997 : *Paysage de printemps*, h/t (60,5x73) : **FRF 51 000** – Paris, 11 juin 1997 : *Les Burons dans la vallée de Chaudefour* vers 1928, h/t (73x92) : **FRF 130 000** – Paris, 23 juin 1997 : *Maisons sous la neige en Auvergne*, h/t (39x46) : **FRF 33 500** – Calais, 6 juil.

1997 : *Neige à Saint-Amand de Tallende, Puy-de-Dôme*, h/t (67x81) : **FRF 75 000**.

CHARRIÉ Jean Marc
Né le 24 juin 1745 à Genève. Mort le 16 mai 1827. XVIIIe-XIXe siècles. Suisse.
Peintre miniaturiste.

CHARRIER ou Charryer, Charnier, Charvrie
XVIe siècle. Actifs à Lyon. Français.
Peintres.
On trouve à Lyon deux peintres de ce nom : Matieu, qui vit en 1529 et 1540 et est souvent employé par le Consulat, Guillaume, vivant en 1530, et 1548 et travaillant, pour des entrées, en 1533, 1540, 1548.

CHARRIER Bernard. Voir CHARNIER

CHARRIER Daniel
Né à Monségur (Gironde). XXe siècle. Français.
Peintre.
De 1920 à 1924, il a exposé au Salon des Indépendants des peintures idéologiques.

CHARRIER F.
XXe siècle. Français.
Peintre de paysages.
Ventes Publiques : Paris, 20 jan. 1988 : *Les chalands près du pont* 1986, h/t (24,5x32,5) : **FRF 3 900** ; *Clocher et allée bordée d'arbres* 1989, h/t (38x55) : **FRF 8 500.**

CHARRIER Henri Georges
Né le 19 septembre 1859 à Paris. Mort en 1950. XIXe-XXe siècles. Français.
Peintre de compositions religieuses, scènes de genre, paysages, aquarelliste, pastelliste, fresquiste.
Fils du sculpteur Pierre Édouard Charrier, dont il reçut les premiers conseils, il fut ensuite élève de Jean-Paul Laurens et de J. Blanc. Il participa aux salons parisiens à partir de 1881, devenant sociétaire des Artistes Français en 1892, date à laquelle il obtint une mention honorable, tandis qu'il eut une troisième médaille en 1894. Chevalier de la Légion d'Honneur en 1933.
À ses débuts, il subit l'influence de J.-P. Laurens, dont il préparait chaque matin les couleurs de la palette, mais il n'emprunta les thèmes historiques du Moyen Âge, peints à la détrempe. À partir de 1891, il retrouva périodiquement dans la Creuse, ses amis Guillaumin, Detroy, Alluaud, avec lesquels il peignit sur le motif, formant ce qu'on a appelé l'École de Crozant. Il est l'auteur de fresques dans plusieurs églises, notamment à l'abside de Notre-Dame de l'Assomption à Fauville-en-Caux et à l'église de Saint-Vincent de Chavonne (Aisne). Citons, parmi ses œuvres : *Tobie recouvrant la vue* 1882 – *Le premier sillon* 1892 – *Les fileuses* 1908 – *Le reliquaire* 1910. Ses aquarelles et pastels ont une facture plus libre, parfois imprécise, dans des tonalités qui les apparentent aux œuvres des symbolistes.

HCharrier

Bibliogr. : Gérald Schurr, in : *Les Petits Maîtres de la peinture 1820-1920, valeur de demain*, Les Éditions de l'Amateur, t. III, Paris, 1976.
Ventes Publiques : Paris, 10 mai 1974 : *Côtes bretonnes* 1919, aquar. (13x25) : **FRF 900** ; *Reflets sur la Creuse*, h/pan. (40x52) : **FRF 2 300** – Paris, 19 juin 1974 : *Vallon ensoleillé* 1910, h/t : **FRF 1 500** – Paris, 21 fév. 1975 : *Nymphe au torrent*, aquar. (19x11) : **FRF 750** ; *La mare aux oies*, h/t (46x54) : **FRF 1 800** – Versailles, 16 nov. 1986 : *Baigneuses près de la rivière*, h/t (46x61) : **FRF 12 500** – Paris, 12 juin 1988 : *Paysage au ruisseau*, h/t (51x60) : **FRF 12 000** – Paris, 14 juin 1991 : *Paysage creusois au soleil couchant*, h/t/pan. (46x38) : **FRF 3 500.**

CHARRIER Jean
XVIe siècle. Français.
Enlumineur.
Il vécut à Troyes où il décora un psautier entre 1518 et 1525.

CHARRIER Madeleine Henriette
Née à Paris. XXe siècle. Française.
Peintre de paysages urbains.
Elle fut élève de René Xavier Prinet et Fernand Humbert. Elle exposait à Paris, en 1929 au Salon des Artistes Indépendants, de 1930 à 1932 au Salon des Artistes Français. Elle peignit surtout des paysages parisiens.

CHARRIER Maxime
Né au XIXe siècle à Paris. XIXe siècle. Actif à Paris. Français.

Peintre et miniaturiste.
Élève de Cogniet et Lemonnier. Il débuta au Salon de 1872.

CHARRIER Nicolas
xviie siècle. Français.
Sculpteur.
Il fut reçu à l'Académie de Saint-Luc en 1682.

CHARRIER Pierre Édouard
Né le 12 juin 1820 à Niort (Deux-Sèvres). Mort en 1895. xixe siècle. Actif à Paris. Français.
Sculpteur.
Il débuta au Salon de Paris en 1853. De 1854 à 1855, il collabora à la décoration du nouveau Louvre ; il exécuta plusieurs bustes dont celui du *Général Cler*, commandé par l'État, pour le musée de Versailles ; le musée de Niort conserve de lui un *Portrait de femme*, le musée de Tours, un *Buste de J.-F. Carl*.

CHARRIER René Albert
Né le 29 octobre 1913 à Cholet (Maine-et-Loire). Mort en 1941. xxe siècle. Français.
Peintre, dessinateur.
Typographe autodidacte, il se fit connaître jeune comme poète. À l'âge de 21 ans il connut Auguste de Roeck, disciple de Léon Bonnat et Gustave Moreau, qui lui enseigna le dessin et la peinture. Une exposition rétrospective lui fut consacrée à Paris en 1958.

CHARRIER-ROY Marguerite
Née le 14 mai 1870 à Tours (Indre-et-Loire). Morte en 1961. xixe-xxe siècles. Française.
Peintre de fleurs.
Elle fut élève du peintre de fleurs Pierre Bourgogne. Elle a exposé à Paris, aux Salons des Artistes Français, dont elle devint sociétaire en 1938, d'Hiver et de l'Union des Femmes Peintres et Sculpteurs.
Ventes Publiques : Londres, 6 juin 1990 : *Nature morte de pivoines dans un vase*, h/t (95x81) : **GBP 7 480** – Calais, 5 juil. 1992 : *Bouquet de phlox*, h/t (62x46) : **FRF 12 000**.

CHARRIÈRE Édouard Marcel
Né à Évreux (Eure). Mort en 1920. xxe siècle. Français.
Peintre de portraits, paysages.
Il a exposé à Paris, au Salon des Artistes Français, obtenant une mention honorable en 1913.

CHARRIN Fanny
Née à Lyon. Morte en 1854 à Paris. xixe siècle. Française.
Peintre de portraits, peintre de miniatures.
Elle fut élève de Legay et attachée à la Manufacture de Sèvres. Elle a exposé à Paris de 1803 à 1824. Le musée de Sèvres possède d'elle un *Portrait de Madame de Sévigné* et un *Trompette* (d'après Gérard Dou).

ℱ·C

Ventes Publiques : Paris, 12 déc. 1919 : *Portrait présumé de la comtesse de Laborde*, grande miniature : **FRF 1 200** – Londres, 16 fév. 1923 : *L'Artiste 1835*, dess. : **GBP 9** – Paris, 1er avr. 1949 : *Portrait d'homme en manteau vert*, miniature ronde sur porcelaine de Sèvres : **FRF 27 000**.

CHARRIN Philibert. Voir PHILIBERT-CHARRIN

CHARRIN Sophie
Née à Lyon. Morte en 1856 à Paris. xixe siècle. Française.
Peintre de portraits.
Sœur de Fanny Charrin. Elle a exposé, à Paris, de 1806 à 1817, des portraits, parmi lesquels : *Portrait de Coustou* et *Portrait de ma sœur* (1806).
Musées : Pontoise : *Autoportrait – Portrait de ma sœur – Portrait de l'auteur*, miniature.

CHARROL Charles Marie Auguste
Né à Carpentras (Vaucluse). xxe siècle. Français.
Peintre.
Élève de G. Baudoin. Sociétaire des Artistes Français.

CHARRON Alfred Joseph
Né le 8 juillet 1863 à Poitiers (Vienne). xixe siècle. Français.
Sculpteur.
Élève de Cavelier, Barrias et Coutan. A exposé au Salon des Artistes Français depuis 1883 ; sociétaire en 1889 ; mention honorable en 1892.

CHARRON Amédée
Né en 1837 à Saint-Denis (Seine). xixe siècle. Français.

Sculpteur.
Il fut élève de l'Académie des Beaux-Arts de Poitiers. Il devint directeur d'un grand atelier de sculpture religieuse.
Musées : Poitiers : *Joueur de violon – Brennus – Clovis après Tolbiac*.

CHARRON Martine
xxe siècle. Française.
Peintre.
Deuxième Second Prix de Rome en 1945.

CHARRON Micheline Renée
Née à Paris. xxe siècle. Française.
Peintre.
A exposé au Salon d'Automne en 1936.

CHARRONDIÈRE Georges
Né à Paris. xxe siècle. Français.
Peintre de paysages.
Il exposa à Paris, au Salon des Artistes Français depuis 1932 et dont il devint sociétaire, au Salon des Artistes Indépendants depuis 1937.

CHARRUA Antonio
Né en 1925 à Lisbonne. xxe siècle. Portugais.
Peintre, dessinateur, graveur. Abstrait.
Il suivit quelque temps les cours de l'Ecole des Beaux-Arts de Lisbonne. Il fut d'abord influencé par la peinture, robuste, chaleureuse, inventive, du Mexicain Rufino Tamayo. Il fit une première exposition personnelle en 1953. En 1961 il voyagea en Europe, et participa à une exposition en Finlande.
A partir des années soixante-dix, ses peintures, souvent monochromes, sont construites à partir de formes abstraites, qui vont de la rigueur jusqu'à un flou nuancé.

CHARRY Henri Marie
Né à Ottange (Moselle). xixe-xxe siècles. Français.
Peintre de paysages.
Il expose à Paris, au Salon des Artistes Français depuis 1913.
Ventes Publiques : Paris, 8 déc. 1980 : *Voyageurs arabes 1872*, h/t (31,5x47) : **FRF 2 000**.

CHARRY Vincent
xvie siècle. Actif à Paris en 1597. Français.
Sculpteur.

CHARSLEY Matilda
xixe siècle. Active à Beaconsfield. Britannique.
Sculpteur.
Elle exposa de 1867 à 1869 à la Royal Academy, à Londres.

CHARTAS
vi[e] siècle avant J.-C. Spartiate, actif au début du vi[e] siècle avant Jésus-Christ. Antiquité grecque.
Sculpteur.

CHARTCHOUK Catherine
Née à Luck Wolyne (Pologne russe). xxe siècle. Russe.
Décorateur.
En 1928 elle présentait des tapisseries, au Salon des Indépendants.

CHARTELLE Antoine
xviie siècle. Français.
Sculpteur.
Il fut reçu à l'Académie de Saint-Luc en 1689.

CHARTERIS F. W., captain
xixe siècle. Actif à Quidenham. Britannique.
Paysagiste.
Exposa de 1876 à 1883, à la New Water-Colours Society, à la Grafton Gallery, à Londres.

CHARTERIS Louisa
xixe siècle. Britannique.
Aquarelliste.
Elle travailla à Londres, où elle exposa des paysages à partir de 1876.

CHARTERIS OF AMISFIELD
Né en 1913. xxe siècle. Britannique.
Sculpteur de figures, ornemaniste.
Il fit ses études à Eton et Sandhurst, servit en Palestine et, à son retour, devint le secrétaire privé de la princesse Elizabeth, et, jusqu'en 1978, écuyer de la reine. De 1978 à 1991, il occupa de hautes fonctions à Eton, fut administrateur du British Museum et parallèlement étudia la sculpture avec Oscar Nemon, partageant son atelier dans St-James Palace.

Il réalise de nombreuses commandes privées, fontaines, armoiries.

VENTES PUBLIQUES : PERTH, 26 août 1996 : *Une belle famille ou « Je suis un homme marié »*, bronze (21x19) : **GBP 3 450.**

CHARTEUR Simon
Né vers 1702. Mort en 1732 à Paris. XVIIIᵉ siècle. Français.
Peintre.

CHARTIEAU L.
XIXᵉ-XXᵉ siècles. Français.
Peintre.
On remarqua ses paysages au Salon des Artistes Français, de 1911 à 1914.

CHARTIER Albert Louis Edmond
Né le 7 mai 1898 à Coutres (Loir-et-Cher). XXᵉ siècle. Français.
Sculpteur.
Il fut élève de Jules Félix Coutan. Il exposait à Paris, au Salon des Artistes Français depuis 1923, en devint sociétaire et obtint une troisième médaille en 1925.

CHARTIER Alex Charles
Né le 5 août 1894 à Paris. XXᵉ siècle. Français.
Peintre de figures, portraits, paysages. Polymorphe.
Il fut élève de l'Ecole Germain Pilon, puis étudia l'architecture paysagiste à l'Ecole Nationale d'Horticulture de Versailles. En 1914 il fut mobilisé pour la durée de la guerre. Fixé à Avignon, il y suivit les cours de l'École des Beaux-Arts, commença à peindre en 1921 et reçut les conseils d'Alfred Lesbros. Il participa régulièrement depuis 1927 aux Salons du Sud-Est, de Lyon, des Indépendants d'Avignon. Il a exposé à Paris, au Salon d'Automne en 1928 et 1937. Il a décoré le Foyer Communal de Villaure et le Foyer du Soldat d'Avignon.
Il traversa tour à tour impressionnisme, divisionnisme, expressionnisme et abstraction, ce qui le fit inviter au premier Salon des Réalités Nouvelles à Paris en 1946.

Alt Charles Chartier (signature)

MUSÉES : ARLES : *Portrait de Mme Marie Frédéric Mistral* – AVIGNON : *Les Angles* – *Pont Saint-Martin* – *Paysage de Durance* – *La femme à la croix* – *Sous-bois*, aquar. – GORDES : *La tour Philippe-le-Bel.*

CHARTIER Henri Georges Jacques
Né le 25 février 1859 à Château-Chinon (Nièvre). Mort le 8 septembre 1924 à Paris. XIXᵉ-XXᵉ siècles. Français.
Peintre d'histoire, sujets militaires, paysages.
Élève de Cabanel et de Lavoignat, il participa, à partir de 1885, au Salon des Artistes Français, où il eut une mention honorable en 1894, et dont il devint sociétaire en 1904, obtenant une médaille de troisième classe en 1906.
Il peint d'une touche fougueuse ses compositions militaires relatant les victoires de Napoléon Iᵉʳ, comme sa déconfiture, tels : *Montmirail* 1904 – *La veille de Waterloo* 1907 – *Marengo 1800* 1908 – *La chute de l'Aigle* 1910. Il traite ses paysages avec tout autant de fougue.

HChartier (signature)

BIBLIOGR. : Gérald Schurr, in : *Les Petits Maîtres de la peinture 1820-1920, valeur de demain*, Les Éditions de l'Amateur, t. V, Paris, 1981.
MUSÉES : AUTUN (Mus. Rolin) : *Vue de Château-Chinon*, gche.
VENTES PUBLIQUES : PARIS, 18 jan. 1924 : *Charge de lanciers rouges* : FRF 115 ; *Hussards en reconnaissance* : FRF 115 – PARIS, 3 et 4 mars 1926 : *Halte-là !* 1918 : FRF 380 – VERSAILLES, 18 fév. 1979 : *Charge de cavalerie*, h/t (45x81) : **FRF 3 000** – LOS ANGELES, 22 juin 1981 : *L'homme au balai* 1885, h/pan. (40,5x32) : **USD 1 200** – PARIS, 5 fév. 1986 : *Charges de cavalerie* 1892, deux h/t, formant pendants (46x38) : **FRF 6 700.**

CHARTIER Jacques
XIVᵉ siècle. Français.

Sculpteur.
Il travailla au vieux Louvre.

CHARTIER Jean
Né vers 1500 à Orléans. Mort en 1580. XVIᵉ siècle. Français.
Graveur.
VENTES PUBLIQUES : PARIS, 1887 : *Baigneuse*, dess. : **FRF 505.**

CHARTIER Lydia
XXᵉ siècle. Française.
Peintre de portraits, nus.
Depuis 1941, elle a exposé à Paris, aux Salons d'Automne et des Artistes Indépendants.

CHARTIER Marie Jeanne
XVIIIᵉ siècle. Française.
Peintre ou sculpteur.
Elle fut reçue à l'Académie de Saint-Luc en 1759. Ses ouvrages sont inconnus.

CHARTIER Nicolas
XVIIᵉ siècle. Français.
Sculpteur.
Il fut reçu à l'Académie de Saint-Luc en 1682.

CHARTIER Noëlle, Mme
Née à Valenciennes (Nord). XXᵉ siècle. Française.
Peintre.
Élève de Ph. de Winter. En 1934 elle exposait au Salon des Artistes Français : *Vieux jardinier.*

CHARTIER Paul Louis
Né à Neuilly-Saint-Front (Aisne). XXᵉ siècle. Français.
Peintre.
A exposé aux Indépendants, de 1924 à 1929.

CHARTIER Pierre
Né à Blois. Mort en 1574. XVIᵉ siècle. Français.
Peintre sur émail.

CHARTIER Pierre
Né le 5 janvier 1618 à Blois. Mort à Paris probablement, après 1683 ou en 1692 selon le dictionnaire Larousse. XVIIᵉ siècle. Français.
Peintre miniaturiste et orfèvre.
En 1651, établi à Paris, il a un grand talent pour peindre des fleurs. E. Molinier lui attribue une plaque du Musée de la Forêt Verte à Dresde.

CHARTIER Pierre
Né à Épernay (Marne). XXᵉ siècle. Français.
Exposant des Indépendants en 1929 et 1937.

CHARTIER Sylvain
XXᵉ siècle.
Sculpteur, dessinateur, auteur d'installations.
Il a montré ses œuvres dans une exposition personnelle en 1996 à la salle de l'Aubette à Strasbourg (place Kléber), café-dancing, décoré en 1926 par Arp, Taeuber-Arp et Théo Van Doesburg. Il a réalisé des sculptures en papier ou plâtre.
BIBLIOGR. : Claude Rossignol : *Sylvain Chartier*, Art Press, nᵒ 216, sept. 1996, Paris.

CHARTON Camille
XIXᵉ siècle. Actif à Paris au début du XIXᵉ siècle. Français.
Peintre et restaurateur de tableaux.

CHARTON Edme
Né le 7 novembre 1667 à Autun. XVIIᵉ siècle. Français.
Peintre.
Fils d'Étienne-Guy et père d'Étienne-Guy Charton.

CHARTON Édouard
Né vers 1855 à Paris. XIXᵉ siècle. Français.
Peintre de paysages, natures mortes. Postimpressionniste.
Élève de Justin Lequien et de Bourgogne, il débuta au Salon de Paris en 1881.
Ses compositions, aux accords chromatiques subtils, sont ponctuées de taches lumineuses qui leur donnent une force expressive soutenue.
BIBLIOGR. : Gérald Schurr, in : *Les Petits Maîtres de la peinture 1820-1920, valeur de demain*, Les Éditions de l'Amateur, t. II, Paris, 1982.
MUSÉES : LOUVIERS : *Coin de table* – *Panier de ravenelles* – PÉRIGUEUX : *Nature morte : un colin.*

VENTES PUBLIQUES : PARIS, 7 avr. 1987 : *Village sous la neige* 1903, h/pan. (11,5x18) : **FRF 3 500**.

CHARTON Enguerrand. Voir QUARTON

CHARTON Ernest
Né en 1813. Mort en 1905. XIXe siècle. Français.
Peintre de paysages.

Er. CHarton

BIBLIOGR. : A. R. Romera : *Ernesto Charton, Histoire de la peinture chilienne*, 1960.
VENTES PUBLIQUES : NEW YORK, 27 nov. 1984 : *Le chemin de Valparaiso à Santiago* 1865, h/t (70,2x11,8) : **USD 14 000** – NEW YORK, 21 nov. 1988 : *Vue générale de Panama* 1852, h/t (70,5x105,5) : **USD 49 500** – NEW YORK, 18-19 mai 1992 : *Valparaiso* 1862, h/t (70,5x112) : **USD 46 200**.

CHARTON Étienne Guy I
XVIIe siècle. Actif à Autun. Français.
Peintre.
Fils de Jean Charton et père d'Edme Charton.

CHARTON Étienne Guy II
Né le 7 septembre 1694 à Autun. XVIIIe siècle. Français.
Peintre.
Il était fils d'Edme Charton. On cite de lui : le *Portrait de l'Archevêque de Blitters-Wich de Moncley en 1732*. Le Musée d'Autun conserve de lui une *Descente de Croix*.

CHARTON Eugène
Né le 22 mars 1816. XIXe siècle. Français.
Peintre et dessinateur.
Il vécut longtemps en Équateur où il fonda une Académie de Peinture en 1849. Il collabora avec son frère Édouard pour les illustrations de récits dans des revues fondées par ce dernier : « L'Illustration ; Le Tour du Monde... » On ignore la date de sa mort.

CHARTON Gabriel
Né en 1775 à Genève. Mort en 1853. XIXe siècle. Suisse.
Peintre de paysages, miniaturiste, lithographe, graveur.
Il pratiqua la gravure sur zinc.
VENTES PUBLIQUES : ZURICH, 8 nov. 1982 : *Vue d'Olten dans le canton de Soleure*, litho. : **CHF 900**.

CHARTON Jacques
XVIIIe siècle. Actif à Paris. Français.
Dessinateur d'ornements.

CHARTON Jean
XVIIe siècle. Actif à Autun en 1643. Français.
Peintre.
Il était le père d'Étienne-Guy Charton I.

CHARTON Jeanne
Née en 1934. XXe siècle. Française.
Peintre. Abstrait.
Elle expose régulièrement à Paris, au Salon des Réalités Nouvelles dans les années quatre-vingt.
Sa peinture se compose de formes amples, imbriquées les unes dans les autres, se détachant presque en volume sur des fonds sombres.

CHARTON Marcel
Né à Paris. XXe siècle. Français.
Peintre de portraits, natures mortes.
Il exposait à Paris, au Salon des Artistes Indépendants, de 1937 à 1943.
VENTES PUBLIQUES : PARIS, 6 déc. 1965 : *Portrait de petite fille* : **FRF 1 500**.

CHARTON Suzanne
Née le 7 avril 1927. XXe siècle. Française.
Peintre de paysages, nus, animalier.
Elle fut élève à Paris des Académies libres Julian et de la Grande-Chaumière. Elle participe à de nombreuses expositions collectives en province et à Paris, aux Salons d'Automne depuis 1964, des Artistes Français dont elle est sociétaire, des Artistes Indépendants.
Les courses de chevaux sont un de ses sujets de prédilection.
VENTES PUBLIQUES : PARIS, 9 nov. 1971 : *Le pont de pierre* : **FRF 410**.

CHARTRAIN Saint Yves
Né au XIXe siècle à Paris. XIXe siècle. Français.

Sculpteur.
Élève de l'École des Beaux-Arts et de A. Dumont. Il débuta au Salon de 1873.

CHARTRAN Théobald
Né le 20 juillet 1849 à Besançon (Doubs). Mort le 18 juillet 1907 à Neuilly-sur-Seine. XIXe siècle. Français.
Peintre d'histoire, sujets religieux, scènes de genre, portraits, compositions décoratives, dessinateur.
Ce peintre, représentant de l'École académique, fut élève de Cabanel à l'École des Beaux-Arts. Grand Prix de Rome en 1877, il exposait depuis 1872. Il exposa à partir de 1881 à la Royal Academy et à la Grafton Gallery, à Londres. Il obtint une troisième médaille en 1877, une deuxième médaille en 1881, une médaille d'argent à l'Exposition Universelle de 1889. Chevalier de la Légion d'honneur.
Il compta aussi parmi les portraitistes à la mode. Les œuvres principales de ce peintre sont : *Jeanne d'Arc, Angélique et Roger, Saint Saturnin* (église de Champigny), *Le Cierge* (Musée de Caen), *Vision de saint François* (Musée de Carcassonne), *Martyr chrétien* (Musée de Besançon), *Portraits de S.S. Léon XIII, Carnot, Mmes Brandès, Reichenberg, Sarah Bernhardt*. Décoration de l'escalier d'honneur de la Sorbonne, du Salon des Arts à l'Hôtel de Ville (Paris), de la salle des mariages de la mairie de Montrouge, du chœur de l'église de Champigny (troisième médaille, 1877).
MUSÉES : BESANÇON : *Martyr chrétien* – CAEN : *Le Cierge* – CARCASSONNE : *Vision de saint François* – LONDRES (Nat. Gal.) : *Rue Neuve* – REIMS : *Environs de Rome*.
VENTES PUBLIQUES : PARIS, 1886 : *Le modèle à l'atelier* : **FRF 370** ; *Le duo interrompu* : **FRF 100** – PARIS, 1891 : *Diane chasseresse* : **FRF 2 400** – PARIS, 1898 : *Petit portrait de Julia Depoix* : **FRF 800** – PARIS, 8 fév. 1898 : *Importante composition ayant servi à l'illustration du « Figaro illustré »*, dess. : **FRF 100** ; *Portrait de Mlle Depoix*, dess. à la mine de pb : **FRF 40** – PARIS, 20 mai 1904 : *Mousquetaires assis fumant la pipe* : **FRF 380** – PARIS, 15 au 19 juin 1906 : *Portrait de femme* : **FRF 140** – NEW YORK, 1906 : *Juliette* : **USD 1 400** – LONDRES, 12 fév. 1910 : *Joueurs de cartes* : **GBP 9** – PARIS, 23 et 24 nov. 1923 : *Gigia, jeune vénitienne* 1880 : **FRF 1 850** – PARIS, 14 nov. 1924 : *Mounet-Sully dans le rôle d'Hamlet* : **FRF 1 200** – PARIS, 4 mars 1925 : *Buste de jeune femme* : **FRF 90** – PARIS, 20 nov. 1925 : *Les Captifs* : **FRF 550** – PARIS, 22 jan. 1927 : *Le Torrent* : **FRF 240** – PARIS, 25 et 26 juin 1928 : *L'apparition*, cr. noir : **FRF 140** – PARIS, 29 juin 1929 : *Jeune femme brodant*, dess. : **FRF 90** – PARIS, 21 et 22 oct. 1936 : *Portrait de Mme F. Raimbeaux, née Hortense Mocquard*, en collaboration avec François Flameng : **FRF 1 150** – PARIS, 8 mars 1943 : *Femme nue endormie*, dess. à la mine de pb : **FRF 200** – PARIS, 17-18 mai 1979 : *Scène romaine* 1895, h/t (37x53) : **FRF 5 800** – PARIS, 1980 : *Femme dans son boudoir* 1884, h/pan. (42x31) : **FRF 8 800** – LONDRES, 25 juin 1981 : *Lady Waterford* 1883, aquar. et cr. (30x19) : **GBP 260** – NEW YORK, 13 fév. 1985 : *Une beauté orientale* 1872, h/t (116,2x88,8) : **USD 9 000** – LONDRES, 18 mars 1992 : *Portrait d'une dame* 1882, h/cart. (35x25) : **GBP 1 870** – NEW YORK, 19 jan. 1995 : *Portrait de femme* 1891, h/pan. (55,9x45,7) : **USD 2 300**.

CHARTRAND Esteban Sebastian
Né en 1825 ou 1824. Mort en 1889 ou 1884. XIXe siècle. Cubain.
Peintre de paysages animés, paysages typiques.
Né dans une exploitation productrice de canne à sucre, il a vécu et travaillé à La Havane, ayant été apprécié dès le XIXe siècle.
Il s'attache à peindre les paysages ruraux cubains. Sa peinture révèle l'influence du courant romantique français.
VENTES PUBLIQUES : NEW YORK, 28 nov. 1984 : *Paysage*, h/t (25,5x51) : **USD 2 800** – NEW YORK, 28 mai 1985 : *La moisson* 1872, h/t (39,4x75) : **USD 4 800** – NEW YORK, 19 mai 1987 : *Paysage de Cuba* 1872, h/t (59,5x90,5) : **USD 4 800** – NEW YORK, 21 nov. 1988 : *Paysage cubain* 1882, h/t (8x30,5) : **USD 3 520** – NEW YORK, 21 nov. 1989 : *Paysages cubains*, h/pan., une paire (chaque 11,5x20,7) : **USD 4 400** – NEW YORK, 20-21 nov. 1990 : *Lever de soleil* 1883, h/t (45,5x61) : **USD 4 620** – NEW YORK, 24 nov. 1992 : *Paysage*, h/t (26x51,1) : **USD 7 700** – NEW YORK, 18 mai 1993 : *La maison à la campagne* 1882, h/t (30,5x45,6) : **USD 20 700** – NEW YORK, 22-23 nov. 1993 : *Paysage cubain* 1882, h/t (76,2x121,3) : **USD 64 100** – NEW YORK, 18 mai 1994 : *Paysage cubain* 1872, h/t (50,5x90,8) : **USD 48 875** – NEW YORK, 21 nov. 1995 : *Jungle cubaine* 1880, h/t (56x30) : **USD 23 000** – NEW YORK, 25-26 nov.

1996 : *Un après-midi à Puentes-Grandes* 1881, h/t (45,7x83,8) : USD 21 850.

CHARTRELLE Pierre
XVIIᵉ siècle. Français.
Sculpteur.
Il travailla pour l'église des Invalides en 1691.

CHARTRES Antoine
Né le 2 janvier 1903 à Lyon (Rhône). XXᵉ siècle. Français.
Peintre de figures, portraits, nus, paysages, natures mortes.
Depuis 1926, il a figuré aux expositions indépendantes de Lyon et au Salon d'Automne de Paris. De 1933 à 1943, il a également exposé au Salon des Tuileries. Il fut professeur à l'École des Beaux-Arts de Lyon.
On cite surtout ses paysages, qui sont dits empreints d'un sentiment dramatique.
MUSÉES : LYON.
VENTES PUBLIQUES : LYON, 28 juin 1984 : *L'artiste à la terrasse*, h/t (89x106) : FRF 20 500 – LYON, 7 mars 1985 : *Vue de Saint-Jean*, h/t (72x116) : FRF 20 000 – LYON, 21 mai 1987 : *Nu*, buste h/t (61x50) : FRF 5 800.

CHARTRES Clément de
XVIIIᵉ siècle. Français.
Peintre verrier.
Il exécuta en 1775 un vitrail représentant l'histoire de Joseph pour la cathédrale de Rouen.

CHARTRES Edmond
Né au XIXᵉ siècle à Val-Saint-Pierre (Aisne). XIXᵉ siècle. Français.
Peintre de paysages.
Débuta au Salon de 1880.

CHARTRES Louis Philippe Joseph de, duc
Né en 1726 à Versailles. Mort en 1785 à Paris. XVIIIᵉ siècle. Français.
Dessinateur et graveur de paysages, amateur.
Le Blanc cite de lui différents paysages.

CHARTRES Philippe de. Voir PHILIPPE de Chartres

CHARTREUSE DE STRASBOURG, Maître de la. Voir MAÎTRES ANONYMES

CHARTUNI Maria Héléna
Née en 1942 à São Paulo. XXᵉ siècle. Brésilienne.
Peintre de figures, compositions à personnages. Tendance Pop'art.
Travaillant en couleurs acryliques, elle a réalisé, en 1967, le *Diptyque d'Elisabeth Taylor*.

CHARUE Pauline, Mme, née Lafargue
XIXᵉ siècle. Française.
Peintre sur porcelaine.
Elle exposa quelques portraits au Salon, en 1838-41.

CHARUEL Raymond
Né au Havre (Seine-Maritime). XXᵉ siècle. Français.
Peintre.
Exposant des Indépendants.

CHARVE Louis
Né à Rueil (Hauts-de-Seine). XXᵉ siècle. Français.
Peintre de paysages.
Il fut élève de Jules Lefebvre, Tony Robert-Fleury, Benjamin Constant, à l'Ecole des Beaux-Arts de Paris. Il a exposé à Paris, au Salon des Artistes Français depuis 1911, dont il devint sociétaire, mention honorable 1927.

CHARVET Alice, plus tard Mme Léon Charvet, née Guyard
Née à Amange (Jura). XIXᵉ-XXᵉ siècles. Française.
Peintre.
Élève de Pommayrac, O. Merson et Baschet. Fixée à Lyon puis à Paris, elle a exposé, à Lyon, depuis 1877, et à Paris depuis 1879, des porcelaines, des émaux et des portraits (miniatures sur émail ou ivoire) signés jusqu'en 1888 de son nom de jeune fille. Parmi ces œuvres : *Portrait de Faure dans Hamlet* (Paris, 1880), *Portrait de M. Charvet* (Lyon, 1897), *Angélique attachée au rocher* (Lyon, 1899), *Une miniaturiste* (Lyon, 1904), *Un fumeur* (Paris, 1905), *L'Ancolie* (Paris, 1906), *Vieillard* (Paris, 1909).

CHARVET François
XVIIIᵉ siècle. Français.
Sculpteur.
Il fut reçu à l'Académie de Saint-Luc à Paris en 1763.

CHARVET Henri
Né le 25 mars 1866 à Lyon (Rhône). Mort le 6 août 1891 à Saint-Étienne-des-Ouillières (Rhône). XIXᵉ siècle. Français.
Dessinateur et peintre.
Fils de l'architecte lyonnais L. Charvet, il entra, en 1885, à l'École des Beaux-Arts de Lyon, où il suivit les classes de Bardey et de Poncet, puis se fixa à Nice, où il fit de la décoration. Il a peint à l'huile et surtout à l'aquarelle des paysages, des scènes et des costumes du Carnaval de Nice, des projets de décorations et d'affiches. Une de ses aquarelles (*Entrée de S. M. Carnaval XIX*), figura, en 1892, au Salon de Lyon.

CHARVET Jean Gabriel
Né en 1750 à Serrières. Mort en 1829 à Tournon. XVIIIᵉ-XIXᵉ siècles. Français.
Dessinateur.
Élève de l'École de dessin de Lyon et de Nonnotte. Il fonda en 1785 une école de dessin à Annonay.

CHARVET Joseph
XVIIIᵉ siècle. Français.
Sculpteur.
Il fut reçu à l'Académie de Saint-Luc à Paris en 1732.

CHARVET Marie
Née au XIXᵉ siècle à Elbeuf (Seine-Maritime). XIXᵉ siècle. Française.
Paysagiste.
Le musée de Saint-Omer conserve d'elle un *Paysage*.

CHARVET Nicolas
XVIIIᵉ siècle. Français.
Sculpteur.
Il fut reçu à l'Académie de Saint-Luc à Paris en 1759.

CHARVET Pierre
XVIIIᵉ siècle. Français.
Sculpteur.
Il fut reçu à l'Académie de Saint-Luc à Paris en 1750.

CHARVINE Jakof Vassilievitch
Né en 1838. Mort en 1880. XIXᵉ siècle. Russe.
Peintre de genre et acteur.
Élève de l'Académie de Saint-Pétersbourg. La Galerie Tretiakoff, de Moscou, conserve de lui *Au chevet de la mère*.

CHARVOLEN Max
Né le 10 décembre 1946 à Cannes (Alpes-Maritimes). XXᵉ siècle. Français.
Peintre, sculpteur, multimédia. Abstrait-analytique. Groupe 70.
Admis en 1964 à l'École des Arts Décoratifs de Nice, puis à l'École d'Art de Marseille-Luminy, où il fut élève de Busse. À partir de 1968, il fit des études d'architecture. Il fut nommé professeur aux Beaux-Arts de Marseille où il enseigna de 1976 à 1986, puis de 1986 à 1989 aux Beaux-Arts de Nice, de nouveau à Marseille, en art, depuis 1989.
Il a commencé à participer à de nombreuses expositions collectives à partir de 1967, d'entre lesquelles : 1968 *Dossier 68* à Nice, 1969 Salon de Mai (sélection niçoise) au Musée d'Art Moderne de la Ville de Paris, 1970 *De l'Unité à la Détérioration* Galerie *Ben doute de tout* à Nice, 1972 *Impact 2* au Musée d'Art Moderne de Céret, 1973 VIIIᵉ Biennale de Paris, 1975 *Contemporains 2* au Musée National d'Art Moderne du Centre Beaubourg à Paris, 1977 *A propos de Nice* au Musée du Centre Beaubourg et *Collectif Génération* dans les Galeries Contemporaines du même Centre, 1979 *Pittura Ambiente* au Palazzo Reale de Milan, 1988 *L'art moderne à Marseille – La collection du Musée Cantini*.
En 1970, il fut un des co-fondateurs du *groupe 70*, avec Martin Miguel, Serge Maccaferri, Vivien Isnard, Louis Chacallis. Il fit dans la suite des expositions nombreuses ou des actions, soit personnelles, soit avec tout ou partie du groupe, entre autres : 1970 Céret, 1971 intervention extérieure Rio de Janeiro, (Groupe 70) dans le Vieux-Nice et au Théâtre de Nice, 1973 (Groupe 70) Goethe Institut de Marseille, 1974 (Groupe 70) Galerie Claudio Botello à Turin, 1978 Galerie Michelle Lechaux à Paris, 1982 Galerie d'Art Contemporain des Musées de Nice, 1986 Castel San Pietro de Bologne, 1990 Institut Français de Naples et Galerie Itinéraires à Nice, 1991 *Groupe 70 et Support-Surface* dans divers lieux de Marseille, 1992 au Théâtre Comœdia d'Aubagne, 1994 *Œuvres récentes* à Marseille, 1997 à l'Académie des Beaux-

Arts de Liège, à Paris galerie Alessandro Vivas, à Saint-Martin-d'Hères, *Max Charvolen – Travaux sur Bâti*, à l'Espace Vallès.
Dans ses tout débuts, dans les années 1968-1969, il s'est attaché à inventorier les possibilités proposées par des feuilles libres de plastiques transparentes, qu'il découpait, superposait et cousait. Il utilisait le plus souvent des formes simples (torses féminins) dans des processus répétitifs. Peu ensuite, à partir de 1969, et en accord avec les investigations du groupe *70*, parallèlement aux démarches du groupe *Support-Surface*, son travail s'est orienté dans une direction beaucoup plus analytique, partant d'une forme primaire, souvent un rectangle évidé selon différents schémas, il mettait en évidence son format et son rapport à l'espace de présentation. À cette époque, les dimensions conséquentes des toiles, leur présentation libre sans châssis, ont favorisé pour les artistes de cette mouvance la pratique des expositions de rue au contact avec un public aussi étendu que divers. À partir de 1972, tout en conservant le même fondement à sa pratique, issu du processus analytique, et en utilisant toujours des formes simples, mais complétées de sortes de châssis de bois structurant l'espace dans sa troisième dimension, dans ses *Grandes Échelles*, il a accordé dans ses installations une plus grande importance à la couleur. Dans les phases de sa réflexion et de sa création qui se sont succédé, contrairement à de nombreux participants de Support-Surface ayant radicalement délaissé leur pratique initiale, Max Charvolen est demeuré ancré à son même type de démarche, le variant, l'enrichissant selon des combinatoires renouvelées, découpant, pliant, cousant, suspendant, recouvrant, sciant, assemblant, peignant. Olivier Cousinou décrit et analyse son attitude créatrice : « ... Max Charvolen se situe délibérément sur le terrain de la matérialité. Dans ce cadre, matériau, outil, couleur et rapport de l'objet à son environnement, sont autant de problèmes irréductibles conditionnant la fabrication de l'œuvre. » L'originalité du groupe 70 consistait en ce que, se situant dans la problématique d'une matériologie plastique, les promoteurs du groupe revendiquaient en outre l'aspect visible de leurs créations en tant qu'images en-soi, images d'elles-mêmes, chez Charvolin souvent esthétiques, renvoyant à l'image des corps, corps de l'artiste au travail, corps des spectateurs, participant de l'espace qu'elles investissent. On retrouve cette volonté de prendre en compte l'aspect résultant d'un processus, dans les réalisations qu'il exposait d'abord en 1981 au Musée de Nice et jusqu'en 1990, résultant de l'action d'envelopper de toile des objets ou des lieux, pelle de jardinier, bidet, escalier, façade, de façon très ajustée comme sur des momies, ensuite d'encoller ces enveloppes de toile avec des colles diversement colorées, puis ces moules une fois secs de les découper pour pouvoir les retirer et les mettre à plat en tant que peintures, issues d'un processus pour une part méthodologique, pour l'autre aléatoire, pour une part moulage on ne peut plus concret, pour l'autre peinture abstraite.
■ Jacques Busse

BIBLIOGR. : Raphaël Monticelli : *Max Charvolen – groupe 70*, Gal. Michelle Lechaux, Paris, 1978 – Claude Fournet, Marie-Claude Chamboredon, divers : Catalogue de l'exposition *Max Charvolen*, Galeries d'Art Contemporain des Musées de Nice, 1981 – Marcelin Pleynet, in : Catalogue de l'exposition *Charvolen, Jaccard, Kermarrec*, Musée Cantini, Marseille, 1982 – Claire Bernstein : *Max Charvolen – Galeries Itinéraires*, Art Press, Paris, janvier 1990 – Jacques Lepage, Raphaël Monticelli : *Au Sud – Groupe 70 et Support-Surface*, co-édit. Art Transit et Gal. Athanor, Marseille, 1992 – Raphaël Monticelli, divers : *Les portulans de l'immédiat*, Al Dante, Marseille, 1997 – divers : Catalogue de l'exposition *Max Charvolen – Travaux sur Bâti*, Espace Vallès, Saint-Martin-d'Hères, 1997.
MUSÉES : MARSEILLE (Mus. Cantini) : *Bois et tissu* 1971-72 – MARSEILLE (FRAC) : *Table et tiroir* 1982 – NICE (Mus. d'Art Mod. et d'Art Contemp.) : *Sans titre* 1982 – *Masse* 1983.

CHARVOLIN Félix

Né le 27 avril 1832 à Lyon. XIXe siècle. Actif à Lyon. Français.
Peintre.
Élève de l'École des Beaux-Arts de Lyon, de 1846 à 1850, sous Genod, Thierriat et Bonnefond. Il débuta en, 1858-1859, au Salon de cette ville, où il exposa, jusqu'en 1866, des fleurs et des natures mortes, et, depuis 1888, des paysages du Lyonnais et des marines. Il a obtenu à ce Salon une deuxième médaille, en 1902, avec *Carqueiranne, soirée* et *Carqueiranne, matinée*. Il figura au Salon de Paris, en 1905, avec *Matinée à Sanary* et *Sur la falaise*. Il signe « F. Charvolin », les initiales formant monogramme.

CHARVOT Eugène

Né en 1847 à Moulins (Allier). XIXe siècle. Français.

Peintre de paysages et graveur à l'eau-forte.
Élève de MM. Giacomotti et Bonnat. Il débuta au Salon de 1876 et figura en 1898 à l'Exposition municipale de Genève, ville où il résida longtemps (*Vue prise à Bourbon-l'Archambault, Rue Alfahouine à Tunis, Vue de Constantine*). Ce fut un artiste fort remarquable. On cite encore de lui : *Un chemin creux, Prairies bourbonnaises*. Il obtint à la section de gravure une mention honorable en 1904.

CHAS LABORDE, pseudonyme de Laborde Charles

Né le 8 août 1886 à Buenos Aires, de parents français. Mort le 30 décembre 1941 à Paris. XXe siècle. Français.
Peintre de figures, nus, dessinateur, graveur, illustrateur, aquarelliste.
Ses parents étaient d'origine basquo-béarnaise. Il fut élève à Paris de Henri Royer et Marcel Baschet à l'Académie Julian, de William Bouguereau et Luc-Olivier Merson à l'Ecole des Beaux-Arts. A l'âge de quinze ans, il donnait déjà des dessins aux journaux humoristiques. Il voyagea en France et en Angleterre. Il s'engagea en 1914, fut gazé et réformé en 1917. Du front, il avait envoyé de nombreux dessins au *Rire rouge* et à *La baïonnette*. Après sa mort eut lieu, en 1942 à Paris, une importante exposition rétrospective de l'ensemble de son œuvre peint et gravé.
Dans une toute première période, il dépeignait avec réalisme et acuité, bien que moins cruellement que George Grosz dans la même époque de l'après-guerre en Allemagne, les mondes de la bourgeoisie et de la galanterie. En peinture, il évolua du réalisme satirique de ses débuts à une inspiration heureuse et sensuelle : *Nu sur l'édredon – Noce transparente – La paradis terrestre – Léda – La belle au bois dormant – Au salon*. Il peignit aussi quelques scènes des champs de course. Il eut surtout une considérable activité de dessinateur et de graveur-illustrateur. Il a laissé des quantités de croquis. Il a peu usé de la lithographie, il gravait surtout à l'eau-forte et au burin. Il a parfois illustré ses propres textes : *Théodore et le petit Chinois – Autour du libre-arbitre*, ce dernier album de 75 compositions, paru en 1931, avait affirmé l'intellectualité aiguë de l'artiste. On lui doit aussi des suites réunies en albums, observations souvent amères des spectacles de la rue, en France et à l'étranger : *Rues et Visages de Paris* texte de Valery Larbaud, *Rues et Visages de Londres* texte de Pierre Mac Orlan, *Rues et Visages de Berlin* texte de Jean Giraudoux, *Rues et Visages de Moscou* avec son propre texte, *Rues et Visages de New York* qui ne parut qu'après sa mort en 1945, et encore quelques autres albums : *Visages de la Révolution Espagnole – Paris en 1937 – Tableaux de Paris*. Il a illustré un nombre considérable d'ouvrages littéraires : de Francis Carco : *Bob et Bobette s'amusent – Les innocents – L'ami des filles – Rien qu'une femme*, de Pierre Mac Orlan : *Le nègre Léonard – Malice – L'inflation sentimentale – Les démons gardiens*, de Paul Morand : *Tendres stocks*, de Jacques de Lacretelle : *La belle journée – Album napolitain*, de Marcel Aymé : *La jument verte*, de Willy et Colette Willy : *Claudine à l'école – Claudine à Paris – Claudine s'en va*, de Colette : *L'ingénue libertine*, de Valery Larbaud : *Barnabooth – Fermina Marquez*, de Philippe Soupault : *Terpsichore*, de Claude Farrère : *Les civilisés*, de Guy de Maupassant : *Monsieur Parent – Le rosier de Madame Husson – Une vie* ; *Pierre et Jean, Éloge de la folie* d'Érasme, *Les lettres persanes* de Montesquieu, *Les liaisons dangereuses* de Choderlos de Laclos, les *Contes* de Perrault, *Jocaste et le chat maigre* d'Anatole France, *Nana* d'Émile Zola, *Mon amie Nane* de Paul-Jean Toulet, *Juliette au pays des hommes* de Jean Giraudoux, *Histoire de la bienheureuse Raton, fille de joie* de Fernand Fleuret, etc. ■ André Salmon, J. B.

Chas. Laborde

VENTES PUBLIQUES : PARIS, 12 déc. 1925 : *Les bocards de La Villette*, lav. : FRF 120 ; *La maison-close*, aquar. : FRF 450 – PARIS, 27 fév. 1932 : *Au Salon*, aquar. : FRF 460 – PARIS, 31 jan. 1938 : *Femme allongée*, aquar. : FRF 200 – PARIS, 16 juin 1942 : *La loge*, dess. reh. : FRF 1 850 ; *L'examen*, aquar. : FRF 1 000 – PARIS, 10 déc. 1980 : *Le bal*, dess. gché (39x31) : FRF 2 600 – PARIS, 20 oct. 1986 : *Portrait de jeune femme*, h/cart. (55,5x38,5) : FRF 4 800 – PARIS, 19 oct. 1988 : *Femme dévêtue assise*, aquar. (44x29) : FRF 28 000 – PARIS, 12 déc. 1988 : *Portrait de Rossetti 1927*, h/t (80x60) : FRF 4 500 – PARIS, 22 déc. 1993 : *Scène de maison close*, aquar. et encre de Chine (27x44) : FRF 6 500.

CHASCHNIK Ilya Grigoreich. Voir CHASHNIK

CHASE Adelaïde Cole, Mrs Wm. Chester Chase, née Foxcroft

Née en 1868 à Boston. XIXe siècle. Américaine.

Portraitiste.
Exposa et fut médaillée à Saint Louis en 1904. Membre de la Society of American Artists et de la Copley Society, et associée de la National Academy de New York.

CHASE Althea
XXᵉ siècle. Travaillant à Pocatello vers 1905-1906. Américaine.
Peintre.
Elle fut élève du Chicago Art Institute et de Whistler, Mucha, Collin et L.-O. Merson, à Paris.

CHASE Elisabeth
XXᵉ siècle. Américaine.
Sculpteur de bustes.
Elle a exposé des bronzes au Salon des Tuileries de Paris, de 1927 à 1930.
VENTES PUBLIQUES : NEW YORK, 5 avr. 1984 : *Femme assise dans un paysage de dunes,* h/t (48,3x35,5) : **USD 900.**

CHASE Emily
Née en 1868 à Londres. XIXᵉ siècle. Active aux États-Unis. Britannique.
Peintre.
Élève du Chicago Art Institute où elle exposa, et présidente de la Art Students' League de cette ville.

CHASE Emmie Émilie, Mrs Gordon
Née à Londres. XXᵉ siècle. Britannique.
Peintre de paysages, aquarelliste.
Elle fut élève de Franck Spenlove. Elle signait E. Gordon Chase. Elle exposait surtout à Londres, au Royal College of Art, au Royal Institute of Oil Painters, au Royal Institute of Painters in Watercolours, ainsi qu'à la Royal Scottish Academy. À Paris, elle a exposé au Salon des Artistes Français en 1926 et 1928. Elle appréciait les effets de neige.

CHASE Frank
XIXᵉ siècle. Britannique.
Peintre de paysages animés, paysages.
Il travailla à Londres, où il exposa à la Royal Academy entre 1875 et 1895.
VENTES PUBLIQUES : LONDRES, 6 nov. 1996 : *Plage à Folkestone,* h/t (35,5x56) : **GBP 1 610.**

CHASE G.
XVIIIᵉ-XIXᵉ siècles. Britannique.
Peintre de portraits, peintre de miniatures.
Il exposa de 1797 à 1811 à la Royal Academy, à Londres.

CHASE Henry, dit Harry
Né en 1853 à Woodstock (Vermont). Mort en 1889 à Swannee (Tennessee). XIXᵉ siècle. Américain.
Peintre de marines.
Étudia avec Soyer à Paris. Exposa au Salon à partir de 1878 et à la National Academy de New York. On vit *Marée basse, côte de Galles,* à la Mechanic's Fair de Boston en 1878.
VENTES PUBLIQUES : NEW YORK, 25 fév. 1905 : *Fruit* : **USD 70** ; *La réponse aux signaux, loin de la côte française* : **USD 325** – NEW YORK, 26 mai 1971 : *Brume sur le port de New York* : **USD 525** – NEW YORK, 18 mars 1983 : *Yachting,* h/t (30,5x50,9) : **USD 2 600** – NEW YORK, 17 déc. 1990 : *L'hiver au bord de la rivière* 1876, h/t (30,5x50,8) : **USD 1 540** – NEW YORK, 31 mars 1993 : *Marine* 1878, h/t (38,1x55,9) : **USD 690.**

CHASE John
Né en 1810 à Londres. Mort en 1879 à Londres. XIXᵉ siècle. Britannique.
Peintre de paysages et de sujets d'architectures.
Il travailla sous la direction de Constable qui s'intéressait grandement à ses étonnantes dispositions. Dès l'âge de 14 ans, il exposa son premier tableau à la Royal Academy et dix ans plus tard il fut l'un des premiers membres de la Société des Aquarellistes ; ses œuvres y parurent régulièrement.
MUSÉES : LONDRES (Victoria and Albert Mus.) : *Moulin à vent près d'une rivière* – SYDNEY (Nat. Art Gal.) : *Palais de Justice, Bruges,* dess.
VENTES PUBLIQUES : LONDRES, 13 avr. 1908 : *Palais de justice de Bruges,* dess. : **GBP 2.**

CHASE Joseph Cummings
Né en 1878 à Kent Hills (Maine). XXᵉ siècle. Américain.
Peintre.

CHASE Louisa
Née en 1951. XXᵉ siècle. Américaine.

Peintre. Abstrait.
Elle crée des œuvres abstraites très colorées, aux fonds lumineux griffés de traits noirs.
BIBLIOGR. : In : *Artforum,* New York, Vol. 21, N°4, déc. 1982, p. 74-75 – in : *Artforum,* Vol. 13, N°7, mars 1975, p. 70-71.
VENTES PUBLIQUES : NEW YORK, 3 mai 1985 : *Sans titre* 1981, aquar. et pl. (81,3x119,5) : **USD 1 400** – NEW YORK, 7 oct. 1987 : *Flurry* 1982, h/t (213,5x244) : **USD 12 000** – NEW YORK, 20 fév. 1988 : *La tentation de saint Antoine* 1979, h/t (198,2x182,8) : **USD 6 600** – NEW YORK, 4 mai 1988 : *Aveuglement* 1984, h/t (122x106,7) : **USD 4 180** ; *Mer perpétuelle* 1979, h. et encaustique/t. (178x203,3) : **USD 11 000** – NEW YORK, 3 mai 1989 : *Mer rouge* 1983, h/t (213,3x274,3) : **USD 16 500** – NEW YORK, 5 oct. 1989 : *Pose bleue* 1979, h/t (198x183) : **USD 12 650** – NEW YORK, 27 fév. 1990 : *Habitant d'un gratte-ciel* 1980, h/t (177,8x203,2) : **USD 15 400** – NEW YORK, 17 nov. 1992 : *St. Sebastian* 1979, encaustique/t. (183,2x198,4) : **USD 3 850** – NEW YORK, 25-26 fév. 1994 : *Sans titre* 1981, h/t (213,4x335,3) : **USD 8 050.**

CHASE Marian Emma
Née en 1844 à Londres. Morte en 1905. XIXᵉ siècle. Britannique.
Peintre de genre, natures mortes, fleurs et fruits, aquarelliste, dessinateur.
Fille et élève de John Chase. Membre du Royal Institute et de la New Water-Colours Society de Londres. Elle exposa à partir de 1866, notamment à la Water-Colours Society, à la Royal Academy, à Suffolk Street, etc., à Londres.
Elle a peint des figures et des fleurs. On cite parmi ses œuvres : *Neglecting her Work* (International Exhibition Londres 1871), *Lys blancs, Wild Flowers* (Victoria and Albert Museum, à Londres).
MUSÉES : LONDRES (Victoria and Albert Mus.) : *Wild Flowers.*
VENTES PUBLIQUES : LONDRES, 2 déc. 1927 : *Dahlias* 1884, dess. : **GBP 9** ; *Dahlias,* dess. : **GBP 7** – LONDRES, 13 fév. 1976 : *Nature morte aux fleurs et aux fruits,* h/t (60x49,5) : **GBP 240** – LONDRES, 13 mai 1980 : *Wild roses* 1893, aquar. reh. de gche (36x25,5) : **GBP 300** – LONDRES, 26 jan. 1987 : *Pyrethrums,* aquar. reh. de gche (37x48) : **GBP 760** – LONDRES, 29 mars 1995 : *Orchidées des landes parmi des fougères* 1874, aquar. et reh. (40x31,5) : **GBP 920** – LONDRES, 17 nov. 1995 : *Catastrophe littéraire,* cr. et aquar. avec reh. de gche (26x39,5) : **GBP 4 370.**

CHASE Mary Ann, née Rix
XIXᵉ siècle. Britannique.
Peintre, aquarelliste.
Femme de John Chase. Elle exposa entre 1836 et 1839 à la New Water-Colours Society, à Londres.

CHASE Powell
XIXᵉ-XXᵉ siècles. Actif à Londres. Britannique.
Peintre.
Il exposa à Londres, à la Royal Academy et à Suffolk Street, à partir de 1893 et figura au Salon des Artistes Français à Paris en 1908 avec *Cool for the Galeka.*

CHASE William Arthur
Né le 17 mai 1878 à Bristol (Gloucester). XXᵉ siècle. Britannique.
Peintre de portraits, fleurs.
A Londres, il fut élève de la City and Guilds School of Art et de la Regent Street Polytechnic Art School, puis il y exposa à la Royal Academy.

CHASE William Merritt
Né en 1849 à Franklin Township (Indiana). Mort en 1916 à New York. XIXᵉ-XXᵉ siècles. Américain.
Peintre de scènes de genre, nus, portraits, paysages, natures mortes, fleurs, pastelliste, dessinateur. Impressionniste.
Il fut élève de Barton S. Hayes à Indianapolis en 1868, puis de Joseph O. Eaton et Lemuel Wilmarth à la National Academy of Design à New York. En 1872, il vint en Europe et travailla avec Alexandre von Wagner et Karl von Piloty à l'Académie des Beaux-Arts de Munich. En 1877, il visita, en compagnie de Franck Duveneck et de John Henry Twachtman, l'Italie, particulièrement Venise, où il s'attacha à l'étude des tableaux du Tintoret. Il revint aux États-Unis en 1878, devenant membre fondateur de la Society of American Artists, puis il adhéra au Tile Club (association de dessinateurs). En 1887, il s'installa avec sa famille à Brooklyn. Il enseigna à la Brooklyn Art School, au Chicago Art Institute, ainsi qu'à la Pennsylvania Academy of Fine Arts. Il

fonda également sa propre école d'art, la Shinnecock Summer School of Art, à Shinnecock Hills, dans la région de Southampton. C'est lui qui, en 1889, fit recevoir deux œuvres d'Édouard Manet par le Metropolitan Museum de New York, alors que le Louvre et le Musée du Luxembourg lui gardaient encore portes fermées.

Il exposa à plusieurs reprises au Salon des Artistes Français de Paris, obtenant une mention honorable en 1881, une médaille d'argent à l'Exposition Universelle de 1889 et une médaille d'or à l'Exposition Universelle de 1900. Plusieurs de ses œuvres ont figuré à l'exposition *Impressionnistes Américains*, au Musée du Petit Palais, à Paris, en 1982 ; ainsi qu'à l'exposition *200 ans de peinture américaine. Collection du Musée Wadsworth Atheneum*, présentée aux Galeries Lafayette, à Paris, en 1989.

Il commença par peindre les jardins publics de Brooklyn, thème qui fut ensuite très exploité par les autres peintres impressionnistes américains. Puis, il travailla d'après nature à Shinnecock Hills, animant souvent ses vastes paysages lumineux de petites formes humaines, généralement sombres, de manière à introduire un contraste de couleur dans la composition. Au début du vingtième siècle, il peignit surtout des portraits, dont : *Portrait des enfants du professeur Piloty*, *Portrait de Miss Dora Wheeler*, *Portrait du peintre Duveneck*, et des natures mortes. Il se jugeait lui-même comme un peintre réaliste et se plaisait à peindre des natures mortes d'objets familiers. Il affirmait que la beauté d'une peinture était conditionnée par la beauté de la technique de l'artiste et que le sujet était sans importance, tout pouvant être rendu attractif. Il dira à ses élèves : « Si vous pouvez peindre un pot, vous pourrez peindre un ange ». Peintre remarquable, autant pour la pureté de son dessin que pour le réalisme de son coloris, William Merrit Chase fit partie des peintres américains qui furent directement influencés par Monet et l'impressionnisme, passant d'une palette sombre à des teintes plus claires. Cependant, l'artiste n'adopta que tardivement, au début de ce siècle, le traitement par petites touches de couleur de l'impressionnisme français. ■ Sandrine Vézinat

W M Chase

BIBLIOGR. : Catalogue de l'exposition *William Merritt Chase, 1849-1916 : A Retrospective Exibition*, The Parrish Art Museum, Southampton, New York, 1957 – Ronald G. Pisano : catalogue de l'exposition *The Students of William Merritt Chase*, Heckscher Museum, New York, 1973 – Catalogue de l'exposition : *Impressionnistes américains*, Musée du Petit-Palais, Paris, 1982.
MUSÉES : EVANSTON (The Terra Mus. of American Art) : *Le grand laurier rose* vers 1907 – FLORENCE (Gal. des Offices) : *Autoportrait* – GIVERNY (Terra Foundation Mus.) – HARTFORD (Wadsworth Atheneum Mus.) : *Jeune fumeur (L'Apprenti)* 1875 – *Portrait de femme* 1878 – NEW YORK (Library and Art Gal.) : *Un coin de l'atelier* vers 1898 – WASHINGTON D. C. (Smithsonian Inst.) : *Vue du port* 1895 – YOUNGSTOWN, Ohio (The Butler Inst. of American Art) : *Me parlez-vous ?* 1900.
VENTES PUBLIQUES : NEW YORK, 1895 : *Coucher de soleil empourpré* : FRF 1 000 ; *Tête de jeune fille* : FRF 425 – NEW YORK, 1900 : *Rivière de l'Est* : USD 110 – NEW YORK, 1er fév. 1901 : *Dans le parc de Belle-Vue* : USD 140 – NEW YORK, 14 fév. 1902 : *Portrait* : USD 325 – NEW YORK, 1907 : *Le Kimono* : USD 260 – NEW YORK, 1909 : *Enfants sur la plage* : USD 240 – PARIS, 11-13 juin 1923 : *La Plage* : FRF 350 – NEW YORK, 15 nov. 1929 : *Pivoines* : USD 200 – NEW YORK, 10 avr. 1930 : *Vase de fleurs* : USD 1 500 – NEW YORK, 1er mai 1930 : *Nature morte* : USD 450 – NEW YORK, 4-5 fév. 1931 : *Gibier* : USD 70 – NEW YORK, 5 mai 1932 : *Vieille paysanne* : USD 160 – NEW YORK, 25 oct. 1934 : *Le livre japonais* : USD 125 – NEW YORK, 4 jan. 1935 : *Gibier* : USD 40 – NEW YORK, 28 oct. 1936 : *La jeune fille au boléro rouge* : USD 80 – NEW YORK, 6 mai 1937 : *La belle-sœur de l'artiste* : USD 110 – NEW YORK, 16 jan. 1942 : *Champs de blé* : USD 105 – NEW YORK, 14 oct. 1943 : *Jeune fille espagnole* : USD 190 – NEW YORK, 2 mars 1944 : *Rivière et bateaux* : USD 175 – NEW YORK, 22 avr. 1961 : *Cueilleuse de fleurs* : USD 1 600 – NEW YORK, 29 jan. 1964 : *Portrait de jeune fille* : USD 950 – NEW YORK, 18 nov. 1965 : *Portrait de Mrs Chase en Espagnole* : USD 4 250 – NEW YORK, 19 avr. 1968 : *Paysage, Monterey, Californie* : USD 5 250 – NEW YORK, 19 mars 1969 : *Autoportrait*, past. : USD 16 500 ; *Guerrier arabe assis* : USD 9 000 – NEW YORK, 21 mai 1970 : *La plage de Zandvoort* : USD 16 000 – NEW YORK, 13 sep. 1972 : *Coin de mon atelier* : USD 17 000 – LOS ANGELES, 8 mars 1976 : *Jeune femme en robe*

blanche, h/t (183x91,5) : **USD 5 500** – NEW YORK, 21 avr. 1977 : *Shinnecock*, h/t (73,7x93,4) : **USD 13 000** – LOS ANGELES, 6 juin 1979 : *Fillette dans un parc*, h/t (35,5x49,5) : **USD 45 000** – NEW YORK, 20 avr. 1979 : *Gowanus bay* vers 1887, h/pan. (25,4x39,3) : **USD 10 500** – NEW YORK, 29 mai 1981 : *Gravesend bay* vers 1888, past. (50,8x76,2) : **USD 820 000** – NEW YORK, 2 juin 1983 : *A long Island lake* vers 1890, past./t. (40,6x50,8) : **USD 52 500** – NEW YORK, 6 déc. 1984 : *Prospect park* vers 1885-86, h/cart. (26x40,7) : **USD 410 000** – NEW YORK, 30 mai 1985 : *On the lake, Central Park* 1894, h/cart. : **USD 430 000** – NEW YORK, 4 déc. 1987 : *Vue de Venise*, aquar. et cr./cart. (31,7x25,1) : **USD 15 000** – NEW YORK, 26 mai 1988 : *Nature morte*, h/t (75,6x91,5) : **USD 33 000** – NEW YORK, 30 sep. 1988 : *Portrait d'Helen*, h/pan. (29,8x22,9) : **USD 11 000** – NEW YORK, 1er déc. 1988 : *La baie de Gravesend*, past./pap./t. (50,8x76,2) : **USD 2 200 000** – NEW YORK, 24 mai 1989 : *Sur le chemin de Shinnecock*, h/pan. (30,5x45,8) : **USD 1 100 000** – NEW YORK, 1er déc. 1989 : *La jeune marocaine*, h/t (61x45,7) : **USD 25 300** – NEW YORK, 23 mai 1990 : *Repos*, past./pap./t. (74x61,2) : **USD 110 000** – NEW YORK, 24 mai 1990 : *Le chasseur à l'affût*, past./t. (55,9x99) : **USD 352 000** – NEW YORK, 14 mars 1991 : *Tête de fillette*, h/t (20,2x15,5) : **USD 8 800** – NEW YORK, 12 avr. 1991 : *Le Ponte Vecchio*, h/pan. (21,6x31,1) : **USD 49 500** – NEW YORK, 22 mai 1991 : *Nu allongé*, past./t. (27,6x50,1) : **USD 24 200** – NEW YORK, 22 mai 1991 : *Bambin dans l'allée d'un jardin*, h/pan. (27,6x43,4) : **USD 132 000** – NEW YORK, 5 déc. 1991 : *Intérieur de l'atelier de Shinnecock*, past./pap. (40,6x50,8) : **USD 693 000** – NEW YORK, 27 mai 1992 : *Nature morte au vase de Chine, casserole de cuivre, pomme et grappe de raisin*, h/t (40,6x50,8) : **USD 22 000** – NEW YORK, 28 mai 1992 : *Nature morte avec une poivrière et une carotte*, h/t (44,8x59,7) : **USD 24 200** – NEW YORK, 3 déc. 1992 : *Paysage de Shinnecock*, h/pan. (16,5x23,5) : **USD 82 500** – NEW YORK, 27 mai 1993 : *Pivoines*, past./pap. (121,9x121,9) : **USD 3 962 500** – NEW YORK, 1er déc. 1994 : *Fleurs sur la falaise*, h/t (74,9x99,1) : **USD 2 422 500** – NEW YORK, 14 mars 1996 : *Prospect Park à Brooklyn*, h/pan. (15,9x24,1) : **USD 156 500** – NEW YORK, 5 déc. 1996 : *Après-midi ensoleillé, Shinnecock Hills* 1898, h/pan. (30,5x38,1) : **USD 145 500** – NEW YORK, 5 juin 1997 : *Près de Bay Ridge*, h/t (25,2x37,2) : **USD 55 200**.

CHASE Chen
Né en 1962 à Shanghai. xxe siècle. Actif aux États-Unis. Chinois.
Peintre de compositions animées.
Talent précoce, il traversa la Révolution Culturelle en se réfugiant dans l'art, trouvant ses premiers enseignements dans les livres de la bibliothèque familiale. Autodidacte jusqu'en 1976, il entra à l'Académie des Beaux-Arts de Shangaï. En 1978, en compagnie de sa mère et de sa sœur, il émigra aux États-Unis où il reprit ses études pour une courte période. Très jeune, à seulement neuf ans, il avait participé à une exposition au Palais des Enfants de Shangaï. Depuis 1987, il expose régulièrement à Los Angeles où il vit, et également à Singapour, Hong Kong et Taïwan.
Réaliste, sa peinture a subi l'influence du monde occidental.
VENTES PUBLIQUES : HONG KONG, 30 mars 1992 : *Saison du rêve, clair de lune* 1991, h/t (91,5x152,4) : **HKD 374 000** – HONG KONG, 28 sep. 1992 : *Deux jeunes filles* 1992, h/t (122x122) : **HKD 162 000**.

CHASELEU Renault
xvie siècle. Travaillant au début du xvie siècle à Beauvais. Français.
Peintre d'histoire.

CHASEMORE Archibald
xixe siècle. Britannique.
Illustrateur.
Il collabora notamment à la revue amusante « Judy » à Londres ; exposa dans cette ville de 1874 à 1878.

CHA SHIBIAO ou Ch'a Shih-Piao ou Tch'a Che-Piao ou Tch'a Che-Peao, surnom Erzhan, nom de pinceau Meihe
Né en 1615 à Haiyang (province du Anhui). Mort en 1698. xviie siècle. Chinois.
Peintre.
Fonctionnaire lettré à la fin de la dynastie Ming (1368-1644), après la chute de cette dernière, il s'adonne à l'écriture et à la peinture. Il est considéré comme l'un des « Quatre Maîtres du Anhui », travaillant d'abord dans le style de Ni Zan puis dans celui de Wu Zhen et de Dong Jichang.
MUSÉES : BERLIN : *Paysage de rivière avec pavillons, illustrant*

quelques vers de Tao Yuanming, dans le style de Huang Gong-wang, signé – LONDRES (British Mus.) : *Arbres épars et pavillon* signé et daté 1697, feuille d'album – *Grands arbres et promeneur*, signé – PARIS (Mus. Guimet) : *Paysage avec un homme cheva-chant un âne et passant sur une digue*, poème du peintre daté 1678 – *Paysage de rivière avec de grandes falaises et un pavillon au premier plan*, poème du peintre – PÉKIN : *Deux feuilles d'un album de paysages, portant le sceau de l'artiste*, l'une d'entre elles est datée 1672 – STOCKHOLM (Mus. Nat.) : *Chaîne de montagnes et promeneur solitaire*, signé avec deux vers datés 1675 – WASHING-TON D. C. (Freer Gal.) : *Pavillons au pied d'une montagne élevée*, signé et daté 1694, d'après Li Sixun.

VENTES PUBLIQUES : NEW YORK, 4 déc. 1989 : *Calligraphie en écri-ture courante*, encre/pap., kakémono (145x51,5) : **USD 2 200** – NEW YORK, 31 mai 1990 : *Paysage d'après Dong Yuan*, encre/pap., kakémono (40,7x20,6) : **USD 6 600** – NEW YORK, 29 mai 1991 : *Calligraphie en écriture courante*, encre/satin, kakémono (207x49,8) : **USD 14 300** – NEW YORK, 25 nov. 1991 : *Album de peintures et calligraphies*, encre/pap., huit feuilles (chaque 17,5x11,8) : **USD 41 250** – NEW YORK, 2 déc. 1992 : *Paysage*, encre/pap. (189x96,8) : **USD 8 800** – NEW YORK, 29 nov. 1993 : *Pêchers fleuris au printemps* 1692, encre et pigments/soie, maké-mono en deux parties (image 33,3x369,6 et calligraphie 33,3x173,4) : **USD 68 500** – NEW YORK, 21 mars 1995 : *Paysage*, encre/pap., kakémono (119,4x58,4) : **USD 34 500**.

CHASHNIK Ilya Grigoreich ou Chaschnik, Chasnik
Né en 1902 à Liucite (Lithuanie). Mort en 1929 à Leningrad. XXe siècle. Russe.
Peintre, aquarelliste, décorateur, architecte. Abstrait-constructiviste, suprématiste.
Il commença ses études en 1919 sous la direction de Malevitch à L'Institut d'Arts Appliqués de Vitebsk. Il y apprit l'application de l'esthétique suprématiste à l'art industriel, en accord avec le pro-gramme « productiviste », mis en place sous les directives de Jdanov, qui pensait ainsi mettre un terme aux mouvements d'avant-garde, considérés comme d'essence bourgeoise, en les assimilant à l'art décoratif, et instaurer le « réalisme socialiste » conforme au projet pédagogique officiel d'éducation des masses laborieuses et méritantes par la célébration des bienfaits du communisme. À partir de 1923, il fut l'assistant de Malevitch dans ses projets de réalisations suprématistes. A Vitebsk, il créa deux groupes : *Posnowis* puis *Unowis*, en total accord avec l'en-seignement de Malevitch. Cette association étroite avec Male-vitch eut une profonde influence sur les 10 dernières années de sa courte vie.
L'étude du Suprématisme, de 1919 à 1921, le mena à un style unique s'exprimant de deux manières : incorporation d'élé-ments flottants sur deux champs de couleurs, ou : utilisation intégrale de compositions symétriques suprématistes. En 1922, accompagné de Suetine et Judin, il rejoignit Malevitch dans l'« Inkhuk » de l'usine de porcelaine Lomonosov de Petrograd où il créa de nombreux motifs décoratifs toujours dans la manière suprématiste. Malevitch le poussa également à approfondir ses recherches en matière d'architecture et finalement leurs points de vue divergèrent. Chashnik se concentra sur une approche symétrique et projeta des architectures gigantesques alors que Malevitch conservait des modèles de dimension humaine et asy-métriques, et ce fut surtout dans ses propres peintures que Chashnik s'écarta des principes fondamentaux du suprématisme, y introduisant des schémas dynamiques dans une organi-sation rythmique et séquentielle. En définitive, le recul du temps a plutôt gommé les différences théoriques et accentué les nom-breux points de ressemblance. On retrouve dans les peintures de Chashnik le heurt des couleurs chaudes, rouge, orangé, jaune, superposées aux froides, violet, bleu, vert, la distribution éparse à travers la surface du support des rectangles colorés longilignes, leur disposition en horizontales et verticales en fonction d'une structure générale en croix, que ne contredit pas un cercle centralisateur. ■ Monique Marcaillou, Jacques Busse
BIBLIOGR. : Divers : Catalogue de l'exposition *Aspects histo-riques du constructivisme et de l'art concret*, Mus. d'Art Mod. de la Ville, 1977 – in : Catal. de l'exposition *Les vingt ans du musée à travers sa collection*, Musée d'Art Contemporain, Mon-tréal, 1985.
MUSÉES : MONTRÉAL (Mus. d'Art Contemp.) : *Sans titre* 1922-1923, aquar. et cr./pap., (25x17).
VENTES PUBLIQUES : LONDRES, 27 mars 1984 : *Composition supré-matiste* vers 1922-1925, gche (32,5x40) : **GBP 11 000** – NEW YORK, 12 nov. 1987 : *Carré rouge et croix* vers 1928, aquar., encre de

Chine et cr. (19x18) : **USD 21 000** – LONDRES, 6 oct. 1988 : *Archi-tecture suprématiste*, aquar./pap. (14,6x15,2) : **GBP 6 600** – LONDRES, 23 mai 1990 : *Projet d'architecture suprématiste* 1923, gche, aquar. et cr. (23,4x32) : **GBP 33 000** – LONDRES, 4 déc. 1991 : *Composition abstraite*, cr. aquar. et gche (15,6x22,5) : **GBP 15 400** – LUGANO, 28 mars 1992 : *Composition*, gche/pap. (34,5x26) : **CHF 10 000**.

CHASLES
XVIIe siècle. Français.
Dessinateur.
Il travailla pour le Cabinet du Roi.

CHASLES Albert
Né à Nogent-sur-Eure (Eure-et-Loir). Mort le 20 octobre 1928. XXe siècle. Français.
Peintre.
A exposé des paysages au Salon des Indépendants, de 1926 à 1928.

CHASLES Jacqueline
Née à Blois (Loir-et-Cher). XXe siècle. Française.
Décorateur.
A exposé des projets de tissus au Salon des Artistes Français en 1929 et 1930.

CHASSAGNE-BACHELIER Yvonne
Née à Paris. XXe siècle. Française.
Peintre.
A exposé *Scène de marché* et *Paysage* au Salon d'Automne en 1935 et 1937.

CHASSAIGNE Jean René
Né à Sainte-Croix-du-Mont (Gironde). XXe siècle. Français.
Peintre de paysages.
Élève de Salzédo et H. Delpech. Sociétaire des Artistes Français depuis 1938.

CHASSAIGNE René
Né à Orléans (Loiret). Mort en 1903. XIXe siècle. Français.
Sculpteur.
Élève de G.-J. Thomas et A. Péchiné. De 1882 à 1886 il exposa au Salon des bustes, des médaillons et des figures de chiens de chasse.

CHASSAIN DE LA PLASSE Raoul
Originaire de Roanne (Loire). XIXe siècle. Français.
Peintre.
Le Musée de Roanne conserve de lui : *Vieille maison de la place Saint-Étienne*.

CHASSAING Édouard
Né à Clermont-Ferrand (Puy-de-Dôme). XXe siècle. Français.
Sculpteur de statues, bustes.
A partir de 1920, il a exposé à Paris, aux Salons de la Société Nationale des Beaux-Arts et d'Automne dont il est devenu socié-taire.
VENTES PUBLIQUES : PARIS, 22 juin 1988 : *Femme à la robe pan-thère*, bronze à patine noire (H. 74) : **FRF 29 600**.

CHASSANET Geoffroy et Michel
XVIe siècle. Actifs à Bordeaux. Français.
Peintres.

CHASSANY Marie Louise Marguerite
Née à Paris. XXe siècle. Française.
Peintre de portraits, paysages, scènes de genre.
Dans les années trente, elle a exposé à Paris, aux Salons de la Société Nationale des Beaux-Arts, d'Automne, des Tuileries.

CHASSARD Marcel R.
Né le 29 juin 1907 à Paris. Mort le 17 octobre 1997 à Paris. XXe siècle. Français.
Peintre de nus, portraits, paysages, natures mortes, fleurs. Postcubiste.
Il fut élève de l'École des Arts Appliqués de Paris, diplômé en 1924. Il eut une activité professionnelle dans les arts et métiers du livre. Il commença à exposer de façon régulière en 1947. Il participa à de très nombreuses expositions collectives régio-nales, récoltant des distinctions diverses. À Paris, il exposa annuellement au Salon des Peintres Témoins de leur Temps, de 1972 à 1984, devint sociétaire du Salon des Artistes Indépen-dants en 1984, exposa au Salon des Artistes Français en 1987. Il a montré des ensembles de ses peintures dans des expositions personnelles, à Paris en 1947, notamment deux en 1950 et 1952 à la Galerie Durand-Ruel, suivies de quelques autres, en 1975 Fon-

tainebleau, 1979 Barbizon, 1981 et 1985 Versailles, 1986 Thionville, 1989 Levallois-Perret, 1990 Valence.

A juste titre, il se réfère à Camille Hilaire, usant aussi d'un dessin inspiré du postcubisme, traitant un peu les mêmes thèmes « grand-public » : nus pulpeux ou provocants, sous-bois verdoyants accueillants, fleurs capiteuses et natures mortes d'objets rares et précieux. Audace que lui permettent auprès de son public ses thèmes de plaisir, il ose tous les heurts des couleurs les plus crues.

Bibliogr. : André Flament : *Marcel Chassard*, Édit. de l'Archipel, Paris, 1973 – André Flament : *Chassard ou la géométrie des nuances* et divers, Chronique des Arts N° 15, Paris, 1974.

Ventes Publiques : Paris, 2 nov. 1987 : *Repos en calanque d'azur* 1980, h/t (130x81) : **FRF 13 500**.

CHASSE
xviiᵉ siècle. Actif à Marseille au début du xviiᵉ siècle. Français.
Peintre.
Il a peint une *Madone* pour l'église des Franciscains d'Aix-en-Provence et un tableau pour l'église des Capucins de Marseille.

CHASSE Barthélemy
xviiiᵉ siècle. Français.
Graveur.
Cité par Le Blanc.

CHASSE François
Né vers 1615. Inhumé à Paris. xviiᵉ siècle. Français.
Sculpteur.

CHASSEIGNE-BOUCHET Marguerite Aline. Voir BOU-CHET

CHASSEL Charles
Né à Rambervillers. Mort avant 1685. xviiᵉ siècle. Français.
Sculpteur.
Il exécuta une *Vénus* pour le palais ducal à Nancy (1654).

CHASSEL David
xviiᵉ siècle. Actif à Rambervillers en 1687. Français.
Sculpteur.
Cité par A. Jacquot dans son *Essai de Répertoire des Artistes Lorrains*.

CHASSEL Dominique
xviiiᵉ siècle. Actif à Paris. Français.
Sculpteur.
Il était fils de Dominique Chassel, sculpteur et doreur à Épinal, mort le 10 novembre 1767. On ignore la date de sa réception à l'Académie de Saint-Luc.

CHASSEL Rémy
Né en 1650. Mort après 1702. xviiᵉ siècle. Actif à Nancy. Français.
Sculpteur.

CHASSEL Rémy François
Né vers 1665 à Metz. Mort le 5 octobre 1752 à Nancy. xviiᵉ-xviiiᵉ siècles. Français.
Sculpteur.
Il alla travailler à Paris où il fut élève de Le Comte. Revenu en Lorraine, il fut nommé directeur de l'Académie de peinture et de sculpture de Nancy.

CHASSELAT Charles Abraham
Né en 1782 à Paris. Mort en 1843 à Paris. xixᵉ siècle. Français.
Peintre, dessinateur et lithographe.
D'abord élève de son père, Pierre Chasselat, il étudia ensuite avec Vincent. En 1804, son tableau : *Mort de Phocion*, lui valut le deuxième prix au concours pour Rome. Entre 1812 et 1842, il exposa plusieurs fois ses ouvrages au Salon. Le musée de Montpellier conserve de lui : *Un Jeune Savoyard* (dessin) ; le musée de Versailles, *Le Sacre de Charles X à Reims* (deux aquarelles) et *Le Char funèbre de Louis XVIII* (dessin à la plume). Il a illustré les œuvres de Racine, Molière et Voltaire, les *Contes des Mille et Une Nuits* et les *Contes aux Enfants de France*, de Bouilly.

Ventes Publiques : Paris, 21 et 22 fév. 1919 : *Scène de Paris : le dentiste ambulant*, sépia : **FRF 115** – Paris, 30 nov.-1ᵉʳ et 2 déc. 1920 : *Rêverie : jeune fille au fuseau*, cr. : **FRF 1 100** – Paris, 4 mai 1921 : *Jeune femme assise de côté, dans un fauteuil*, cr. reh. : **FRF 850** – Paris, 19 mars 1924 : *Bonaparte enfant à l'école de Brienne*, encre de Chine : **FRF 220** ; *Hyménée*, trois sépias : **FRF 150** ; *La Bascule de l'amour* ; *Un amour* ; *Les enfants de France*, trois sépias : **FRF 580** – Paris, 15-17 déc. 1924 : *Vignette d'illustration*, pl. et lav. de sépia : **FRF 50**.

CHASSELAT Henri Jean Saint-Ange
Né le 10 février 1813 à Paris. Mort le 1ᵉʳ avril 1880 à Paris. xixᵉ siècle. Français.
Peintre d'histoire, scènes de genre, portraits, architectures, paysages animés, aquarelliste.
Fils du peintre Charles Abraham Chasselat, il fut élève de Guillon et de Lethière à l'École des Beaux-Arts de Paris, où il entra en 1830, obtenant le deuxième prix de Rome en 1833. Il participa au Salon de Paris, de 1833 à 1868, ayant eu une médaille de troisième classe en 1838.

Il donne un ton lyrique à ses paysages animés, le plus souvent italiens, et scandés d'architectures. On cite de lui : *Un jour d'aumône à la Chartreuse – Un enterrement au village – Sortie de l'église – Après l'orage*.

Bibliogr. : Gérald Schurr, in : *Les Petits Maîtres de la peinture 1820-1920, valeur de demain*, Les Éditions de l'Amateur, t. V, Paris, 1981.

Musées : Besançon : *Famille napolitaine assaillie par un buffle*, aquar. – Niort : *La tentation de saint Antoine* – Versailles : *Souvie Gilles, marquis de Courtenaux, en buste*.

Ventes Publiques : Paris, 3 oct. 1980 : *Fleurs et melons*, h/t (105x87) : **FRF 13 000** – Monaco, 18-19 juin 1992 : *Vue de Pierrefonds*, aquar. et lav. (26x43,3) : **FRF 4 995**.

CHASSELAT Pierre
Né en 1753 à Paris. Mort en 1814 à Paris. xviiiᵉ-xixᵉ siècles. Français.
Peintre de genre, portraits, miniaturiste, peintre à la gouache, aquarelliste, dessinateur.
Élève de Vien. Père de Charles-Abraham Chasselat. Il figura au Salon en 1793 avec deux gouaches : *La Surprise* et *Les regrets inutiles*, et à ceux de 1798 à 1810 avec des dessins et des miniatures.

Musées : Londres (coll. Wallace) : *Danseuse dans un paysage de théâtre* – Montpellier : *Une femme sortant du bain*.

Ventes Publiques : Paris, 1897 : *Jeune femme assise de côté dans un fauteuil*, dess. au cr. noir reh. de craie : **FRF 1 100** ; *Femme assise dans un fauteuil*, dess. au cr. noir reh. de craie : **FRF 1 800** – Paris, 1898 : *Portrait de jeune femme*, dess. à la sanguine, reh. de blanc : **FRF 705** – Paris, 1898 : *Le Petit écolier*, dess. au cr. noir : **FRF 1 020** – Paris, 15 et 16 juin 1922 : *Jeune femme assise*, cr. : **FRF 520** – Paris, 14 et 15 déc. 1922 : *Portrait de jeune femme*, cr. reh. de blanc : **FRF 410** – Paris, 8 mai 1926 : *Portrait d'homme*, miniature : **FRF 360** – Paris, 23 et 24 mai 1927 : *Jeune femme assise, les mains croisées*, dess. reh. : **FRF 1 250** – Paris, 23 nov. 1927 : *Le repos dans le parc*, pierre noire reh. : **FRF 400** – Paris, 11 et 12 juin 1928 : *Le départ de la laitière* ; *Le Retour de la laitière*, deux dess., sans indication de prénom et en collaboration avec Blaisot : **FRF 1200** – Paris, 22 et 23 fév. 1929 : *Jeune femme debout, esquissant un pas de danse*, dess. : **FRF 5 000** – Paris, 16 et 17 mai 1929 : *Le rêve d'amour*, dess. : **FRF 800** – Paris, 5 déc. 1932 : *Portrait d'un jeune garçon tenant un carton à dessin*, pierre noire : **FRF 1 280** – Paris, 14 mai 1936 : *La dame au catogan*, pierre noire : **FRF 800** – Paris, 22 fév. 1937 : *Portrait de femme*, pierre noire : **FRF 650** – Paris, 13 fév. 1939 : *Jeune femme blonde en robe bleue*, miniature : **FRF 385** – Paris, 2 avr. 1941 : *Le galant entretien*, pl. et lav., attr. : **FRF 200** – New York, 21 jan. 1983 : *Chiens à l'entrée d'une maison*, aquar. et cr. (22x27) : **USD 500** – New York, 11 jan. 1989 : *Femme assise dans un fauteuil*, craies/pap. d'emballage (30,4x24,6) : **USD 9 900**.

CHASSE-POT, pseudonyme de Rancillac Jean Jules Paul
Né en 1934 à Paris. xxᵉ siècle. Français.
Sculpteur de compositions d'imagination. Tendance fantastique.
Il est le frère de Bernard Rancillac. À Paris, collectivement, il a participé au Salon de la Jeune Sculpture depuis 1967 et en reçut le Prix en 1971 ; il expose très régulièrement au Salon de Mai. Individuellement, il montre des ensembles de ses sculptures dans des galeries privées, ou, par exemple, en 1996 à l'Hôtel Donadeï de Campredon à l'Isle-sur-la-Sorgue. L'œuvre de Chasse-pot surprend. Il fabrique ses sculptures en papier mâché. Il réalise des êtres très pachydermiques, plutôt animaliers mais indéterminés, qu'il assimile, et dans les attitudes et par les vêtements, aux êtres humains. La première réaction est de les considérer comme des œuvres humoristiques. En fait, elles sont plus réellement profondes qu'il semble au premier abord. Au fil de ses créations, il constitue un bestiaire d'abrutis tranquille-

ment dévastateur, avec une ironie aussi méticuleuse que pernicieuse, parmi les pensionnaires duquel on peut redouter de se reconnaître un jour.

VENTES PUBLIQUES : PARIS, 12 juin 1989 : *Grand Sculpture* 1970 (H. 140) : **FRF 25 000** – PARIS, 26 sep. 1989 : *L'homme au chien*, terre cuite (H. 20 L. 14) : **FRF 8 500** – PARIS, 10 avr. 1992 : *Homme en buste* 1984, bois et rés. peinte (H. 51,5) : **FRF 16 800** – PARIS, 28 fév. 1994 : *L'amour de la sculpture* 1992, sculpt. de rés., bois, pap., yeux de verre (48x25x27) : **FRF 16 000** – PARIS, 30 jan. 1995 : *Nouveau romantique* 1989, sculpt. en rés. et pap. (H. 96) : **FRF 26 000**.

CHASSERAT Louis
XVIIIe siècle. Français.
Peintre.
Il fut reçu à l'Académie de Saint-Luc à Paris en 1783.

CHASSÉRIAU Théodore
Né le 20 septembre 1819 à Sainte-Barbe de Samana, de parents français. Mort le 8 octobre 1856 à Paris. XIXe siècle. Français.
Peintre d'histoire, scènes typiques, portraits, paysages, peintre à la gouache, aquarelliste, graveur, dessinateur.
Né de père français et de mère créole, à Saint-Domingue, il rentre en France avec ses parents, en 1822, mais son père et sa mère partent en Amérique en 1829 et Théodore reste à Paris où il est élevé par son frère. Attiré très jeune par le dessin, sa famille lui permet d'abandonner les études générales pour se consacrer aux activités artistiques. Il entre à l'âge de onze ans dans l'atelier d'Ingres où il est remarqué par Théophile Gautier en 1830. Une profonde amitié lie Chassériau à Ingres et celui-ci, une fois à Rome, souhaiterait le voir venir auprès de lui, mais Chassériau n'en n'a pas la possibilité. En attendant, il travaille à des portraits (*Adèle*), des sujets religieux (*Christ au jardin des Oliviers*), mythologiques (*Diane et Actéon*). Enfin, en 1840, il va rejoindre Ingres à Rome, mais les deux hommes ne s'entendent plus comme par le passé, Chassériau ayant évolué vers un style plus romantique, il ne se trouve plus sur le même plan que son maître. Chassériau reste six mois en Italie, où il fait de nombreux croquis des paysages qu'il découvre. A son retour, il continue ses travaux orientés suivant les mêmes options : portraits et tableaux d'histoire ; mais en plus, il commence une carrière de décorateur monumental. On ne peut dire qu'il soit totalement opposé à Ingres, et le portrait de ses *Deux sœurs* (1843) est la preuve de son goût pour la ligne ingresque, tandis que le choix de ses couleurs chatoyantes, ses harmonies plus osées, l'éloignent d'Ingres. *Esther se parant* (1842), aux couleurs franchement brillantes et recherchées montre un goût oriental, tandis que la ligne du corps d'Esther, qui se prolonge dans les mouvements des bras est tout à fait ingresque. Ainsi par la couleur, il se rapprochera de l'art de Delacroix considéré toujours comme l'opposé de celui de Ingres, dont Chassériau aurait conservé la ligne. Cette opposition n'est pas toujours justifiée et il serait exagéré de présenter Ingres simplement comme un artiste académique. L'admiration sincère de Chassériau pour l'un comme pour l'autre est la preuve qu'un lien, peut-être difficile à définir, existe entre les deux hommes, bien que ceux-ci s'en défendent et même entretiennent cette antinomie. Chassériau reçoit, en 1841, la commande pour décorer une chapelle de l'église Saint-Merri à Paris, où il peint la *Conversion de sainte Marie l'Égyptienne* et son *Apothéose*. Entre 1844 et 1848, il décore le grand escalier de la Cour des Comptes, de figures allégoriques. Ces tableaux ont été en grande partie détruits, des suites de l'incendie de 1871, puis de l'inondation dans les réserves du Louvre où ils avaient été mis à l'abri. Enfin, en 1846, Chassériau accomplit un voyage en Algérie, ce qui achève de marquer sa parenté avec Delacroix. Il fait ce voyage, répondant à l'invitation du Calife de Constantine, Ali Hamed, dont il avait fait le portrait en 1845 ; d'où avait été exposé au Salon. On lui a reproché de s'être inspiré du *Portrait du Sultan du Maroc* peint par Delacroix, c'est dire combien sa tendance orientaliste s'était accentuée. Les notes et croquis pris en Algérie alimenteront dans ce sens les œuvres des dix dernières années de sa vie. Revenu de ce voyage, on a l'impression qu'il s'épanouit pleinement dans des thèmes tels que les *Juives d'Alger au balcon* (1849), *Marché arabe à Constantine* (1853) et enfin *Intérieur de harem*, qui reste inachevé en 1856. Cependant ces scènes orientales ne sont pas les seuls sujets qui l'intéressent ; il continue à faire des portraits au crayon, comme Ingres, mais avec moins de facilité dans le trait ; il peint aussi des sujets religieux : *Adoration des Mages, Suzanne et les vieillards*. Et surtout, il exécute, en

1850, la décoration des fonts baptismaux à Saint-Roch, pour lesquels il a choisi la scène de *Saint Philippe baptisant l'eunuque de la reine d'Éthiopie*, thème haut en couleurs. En 1852, il décore l'abside de Saint-Philippe-du-Roule. Pour toutes ces décorations, Chassériau a employé la peinture à l'huile et non la fresque.
Mort à trente-sept ans, il n'a pas eu le temps de s'accomplir pleinement, mais c'est toujours avec sincérité qu'il a évolué, ayant eu une passion pour Ingres, puis une sorte de ferveur pour Delacroix. Cependant Baudelaire est injuste lorsqu'il dit que Chassériau a pastiché Delacroix. Le caractère de Chassériau, fait de langueur et d'ardeur, de nostalgie et de passion correspond à ces deux attirances, et aboutit finalement à un style personnel qui n'est pas vraiment un compromis entre ses deux maîtres. ■ A. J.

Cachet de vente

BIBLIOGR. : L. Benedite : *Théodore Chassériau, sa vie et son œuvre*, A. Dezarrois, Paris, 1931 – L. Benoist, in : *Dictionnaire de l'art et des artistes*, Paris, 1967.
MUSÉES : AVIGNON : *Baigneuse endormie près d'une source* – BAGNÈRES-DE-BIGORRE : *Saint François-Xavier baptisant les Indiens* – LE HAVRE : *Un abreuvoir arabe* – NANTES : *Portrait d'Adèle Chassériau* – PARIS (Louvre) : *Le Tépidarium* – *La chaste Suzanne* – *Vénus marine* – *Portrait du Père Lacordaire* – *Esther se parant pour recevoir Assuérus* – *Les deux sœurs* – POITIERS : *Étude de négresse* – QUIMPER : *Mlle Babarrus* – LA ROCHELLE : *Retour de l'enfant prodigue* – VERSAILLES : *François VI, duc de La Rochefoucault* – *Portrait de Hali Hamed*.
VENTES PUBLIQUES : PARIS, 12 déc. 1854 : *Macbeth* : **FRF 660** – PARIS, 1857 : *Suzanne et les vieillards* : **FRF 1 700** ; *Intérieur oriental* : **FRF 1 400** ; *Intérieur d'un harem* : **FRF 515** – PARIS, 1868 : *Combat de cavaliers arabes* : **FRF 5 100** – PARIS, 1872 : *Après la bataille* : **FRF 2 120** – PARIS, 1894 : *Arabes à la fontaine* : **FRF 1 200** ; *Mazeppa* : **FRF 1 000** – PARIS, 7 fév. 1903 : *Cavaliers arabes emportant leurs morts* : **FRF 555** – PARIS, 23 nov. 1907 : *Mélancolie* : **FRF 505** – PARIS, 30 avr. 1919 : *Portrait présumé de M. de Lussé*, dess. : **FRF 95** – PARIS, 21 nov. 1919 : *Portrait de femme*, mine de pb : **FRF 3 400** ; *Portrait de Lamartine*, mine de pb : **FRF 3 600** – PARIS, 26-27 mars 1920 : *Académie d'homme* : **FRF 200** – PARIS, 6-7 mai 1920 : *Vénus Anadyomède* : **FRF 31 000** – PARIS, 2-4 juin 1920 : *Buste de femme mauresque*, cr. : **FRF 620** – PARIS, 3 et 4 juin 1920 : *Deux bustes de femmes*, mine de pb : **FRF 320** ; *Un moine*, cr. : **FRF 100** ; *Hamlet*, cr. : **FRF 165** – PARIS, 29 déc. 1920 : *La sortie de Vercingétorix devant les murs d'Alésia*, h/pap./t., étude : **FRF 1 100** – PARIS, 6 avr. 1922 : *Homme et femme assis*, étude/t. : **FRF 280** – PARIS, 23 mai 1922 : *Intérieur oriental : le harem* : **FRF 8 500** ; *Odalisque* : **FRF 5 000** – PARIS, 28 jan. 1925 : *La Foi, l'Espérance, la Charité*, attr. : **FRF 55** – PARIS, 22-26 nov/ 1926 : *Portrait d'homme*, dess. : **FRF 300** – PARIS, 29 juin 1927 : *Portrait de Barthe*, dess. : **FRF 4 000** – PARIS, 18 mars 1929 : *Portrait présumé de M. de Lussé*, dess. : **FRF 2 500** – PARIS, 12 juin 1929 : *Saint ressuscitant un enfant*, dessin., attr. : **FRF 230** – PARIS, 29 juin 1929 : *Galanteries*, deux aq. : **FRF 350** – PARIS, 4 mars 1932 : *Études d'après les tableaux d'Andrea del Sarto*, mine de pb, deux pendants : **FRF 420** – PARIS, 13 juin 1932 : *Le rêve de Jacob*, attr. : **FRF 90** – PARIS, 19 mai 1938 : *La Jeune fille au gant blanc* : **FRF 80 000** – PARIS, 18 fév. 1942 : *Étude de Marocains*, attr. : **FRF 480** – PARIS, 23 juin 1943 : *Portrait de femme*, mine de pb : **FRF 9 100** – PARIS, 8 mai 1944 : *L'Orientale à l'éventail* : **FRF 16 200** – PARIS, 10 mai 1944 : *Sainte Catherine* 1885 : **FRF 19 100** – PARIS, 14 juin 1944 : *Portrait de Mademoiselle Alice Ozy* : **FRF 21 000** – PARIS, 25 mars 1949 : *Études de femme pour le Tépidarium* : **FRF 51 000** – PARIS, 22 mars 1955 : *Alice Ozy dans le rôle de Marie Stuart* : **FRF 75 000** – PARIS, 16 juin 1960 : *Portrait de la comtesse de Ranchicourt, née d'Hollebeke* : **FRF 88 000** – LONDRES, 7 juil. 1960 : *Tête de jeune garçon*, cr. : **GBP 980** – PARIS, 14 juin 1961 : *Le poète arabe*, pap. sur pan. : **FRF 16 500** – PARIS, 31 mars 1962 : *Othello et Desdémone*, aquar. : **FRF 8 600** – LONDRES, 21 mai 1963 : *Saint Jérôme*, aquar. : **GBP 90** – VERSAILLES, 1er mars 1967 : *Le Christ au Jardin*

des oliviers : FRF 30 000 – Paris, 21 mars 1969 : *Sapho* :
FRF 16 000 – New York, 5 mai 1971 : *Othello et Desdémone,*
aquar. : USD 1 700 – Paris, 26 nov. 1976 : *Desdémone venant de*
chanter la romance du Saule 1850, h/t (33x25,5) : FRF 44 000 –
Londres, 10 fév. 1978 : *La Sainte Vierge* 1839, h/t (135x90) :
GBP 6 200 – Berne, 12 oct. 1978 : *Daphné et Apollon agenouillé*
1844, litho. : CHF 400 – Los Angeles, 12 mars 1979 : *Deux jeunes*
Juives de Constantine berçant un enfant 1851, h/t (57x46) :
USD 95 000 – New York, 7 juin 1979 : *Portrait de Louis Marcotte*
de Quivières 1841, cr. (33,5x25,5) : USD 102 000 – New York, 28
mai 1981 : *Caïn maudit* 1836, h/t (121x163) : USD 10 000 – New
York, 15 nov. 1983 : *Hadji, étalon arabe de la province de*
Constantine 1853, h/pan. marqueté (61x74) : USD 90 000 – Paris,
14 juin 1984 : *Portrait du Comte Oscar de Ranchicourt* vers 1836,
mine de pb (29,7x24,4) : FRF 168 000 – Paris, 25 mars 1985 :
Autoportrait, cr. noir reh. de gche blanche (23x17) : FRF 420 000
– Monte-Carlo, 21 juin 1986 : *Tête d'ange*, h/t (46x38) :
FRF 100 000 – Paris, 27 nov. 1987 : *Portrait de la sœur de l'artiste*,
fus. et craie blanche, étude pour la tête de Madeleine de la cha-
pelle Saint-Roch (45x30,3) : FRF 180 000 – Paris, 18 mars 1988 :
Portrait d'une jeune Arabe, vue de profil, dess. cr. noir (27x19,5) :
FRF 270 000 – Paris, 22 mars 1988 : *Portrait de William Haus-*
soulier 1850, dess. mine de pb (27,6x22,1) : FRF 850 000 – Paris,
22 juin 1988 : *Petit Kouloughly, teint d'ambre* 1846, dess. à la mine
de pb (24x18) : FRF 750 000 – Monaco, 2 déc. 1988 : *Héro et*
Léandre 1839, cr. avec reh. blancs/pap. beige (23,5x11,8) :
FRF 66 600 – Lille, 29 Jan.1989 : *L'adoration des Mages* 1856,
h/pan. (65x53) : FRF 870 000 – Paris, 17 mars 1989 : *Portrait de*
Madame Gras 1846, mine de pb et pierre noire (26,2x21,1) :
FRF 360 000 – Paris, 16 juin 1989 : *Portrait de femme, en*
buste, h/pan. (37x29,5) : FRF 144 300 – Monaco, 3 déc. 1989 :
Avez-vous fait votre prière ce soir, Desdémone ? 1847, aquar.
(20,8x16,2) : FRF 777 000 – Londres, 19 juin 1990 : *Arabe et son*
cheval 1851, cr. (23,5x17,5) : GBP 17 600 – Paris, 26 juin 1991 :
Odalisque couchée 1853, h/pan. (210x340) : FRF 3 550 000 –
Paris, 29 nov. 1991 : *Étude de la tête de Vercingétorix*, pl. et reh.
de blanc (23,1x17,8) : FRF 66 000 – Londres, 7 juil. 1992 : *Étude*
d'une jeune femme en buste 1852, cr. (28,1x18,2) : GBP 6 600 –
Paris, 2 avr. 1993 : *Othello*, eau-forte et roulette (28x21) :
FRF 4 000 – Monaco, 4 déc. 1993 : *Desdémone venant chanter la*
romance du saule (Othello, acte IV) 1850, h/pan. (33,1x25,7) :
FRF 94 350 – Paris, 16 déc. 1993 : *Cavaliers arabes enlevant leurs*
morts, mine de pb et aquar. (15,2x22,5) : FRF 45 000 – Londres,
15 juin 1994 : *Deux jeunes femmes jouant avec un enfant* 1841, cr.
(18x20,5) : GBP 23 000 – Paris, 22 juin 1994 : *Caïd faisant l'au-*
mône à des mendiants maghrébins 1850, h/pan. (33x25) :
FRF 4 600 000 – Paris, 15 déc. 1994 : *Esquisse pour la Vierge à*
l'Enfant, lav. avec reh. de gche (29x23) : FRF 73 000 – New York,
12 jan. 1995 : *La romance du saule (Othello)*, encre avec reh. de
blanc/pap. brun (28x21,8) : USD 68 500 – Paris, 12 déc. 1995 :
Portrait de femme, cr. (51,5x36,5) : FRF 152 000 – New York,
23-24 mai 1996 : *Desdémone chantant la romance du saule* 1850,
h/pan. (33x25,4) : USD 51 750 – Londres, 21 nov. 1996 : *Nymphes*
dansant dans un bois, encre brune/pap. bleu (20,9x28) :
GBP 5 175 – Londres, 11 juin 1997 : *Deux jeunes juives de*
Constantine berçant un enfant 1846, aquar. et gche reh. de
touches de gomme arabique (55x38,5) : GBP 188 500 – Paris, 20
juin 1997 : *Étude de tête de saint Jean*, cr. noir (15,5x12,5) :
FRF 22 000.

CHASSÉRIAUD Madeleine
Née à Paris. xxᵉ siècle. Française.
Miniaturiste.
Élève de Mme Mingret. Sociétaire des Artistes Français.

CHASSEVENT Louis Marie Charles
Né le 20 septembre 1864 à Paris. xixᵉ siècle. Français.
Peintre de paysages.
Critique d'art au *Journal des Arts*, où il signait Louis de Lutèce, il
fut l'un des fondateurs du Salon des Indépendants auquel il resta
fidèle. Le Musée d'Angers conserve de lui : *La Nuit.*

CHASSEVENT Marie Joseph Charles
Né à Paris. xixᵉ siècle. Français.
Peintre.
Élève de Cogniet et de Diaz. Il débuta au Salon en 1851 et parti-
cipa au Salon de Blanc et Noir en 1886. On cite parmi ses envois
au Salon : *Marguerite* (1861), *Sous la croix* (1866), *Madeleine et Le*
Bain de Phryné (1868), *La Pomme d'or* (1869), *Portrait d'homme*
(1887).
Ventes Publiques : Paris, 9 mai 1927 : *Jeune nymphe et amours* :
FRF 580.

CHASSEVENT-BACQUES Gustave Adolphe
Né le 4 février 1818 à Paris. Mort en 1901. xixᵉ siècle. Français.
Peintre de compositions religieuses, sujets typiques,
portraits, pastellistes.
Élève de M. L. Coignet, il débuta au Salon de Paris en 1845.
Auteur de portraits aimables, souvent réalisés au pastel, il exé-
cute aussi des compositions religieuses, notamment pour les
églises Saint-Lambert, Saint-François-de-Salles, à Paris. On lui
doit quelques œuvres orientalistes, dont une *Algérienne.*
Bibliogr. : Gérald Schurr, in : *Les Petits Maîtres de la peinture*
1820-1920, valeur de demain, Les Éditions de l'Amateur, t. IV,
Paris, 1979.
Musées : Rouen : *Portrait de Pierre Corneille.*
Ventes Publiques : Los Angeles, 13 nov. 1972 : *L'Algérienne* :
USD 1 000.

CHASSIAUT René
Né à Paris. xxᵉ siècle. Français.
Peintre.
Il a exposé des paysages aux Indépendants, en 1939, et au Salon
d'Automne, en 1940.

CHASSIGNOLLE
xviiiᵉ siècle. Actif à Lyon. Français.
Sculpteur.

CHASTAIGNE Guillaume ou Chastaingue
xivᵉ siècle. Français.
Miniaturiste.

CHASTANET Hermine
Née le 25 septembre 1919 à Lyon (Rhône). xxᵉ siècle. Française.
Peintre de compositions animées, sculpteur. Onirique.
Elle fit d'abord des études d'architecture, à l'Ecole des Beaux-
Arts de Paris avec Gromort Arretche de 1942 à 1945, puis avec
Le Corbusier jusqu'en 1957. Parallèlement, elle suivait des cours
d'art appliqué et d'art graphique. Elle fit ensuite des études de
peinture avec Albert Gleizes et Fernand Léger, et des études de
sculpture avec André Bloc. Elle participe à Paris, où elle vit, à des
expositions collectives, parmi lesquelles les Salons des Réalités
Nouvelles de 1950 à 1955, puis Comparaisons et de la Société
Nationale des Beaux-Arts. Elle participe aussi à des expositions
à l'étranger. Elle expose également individuellement.
Dans une première période, sa peinture et ses sculptures maté-
rialisaient des surgissements, des élans, dans une formulation
plastique post-brancusienne. Elle travaille souvent en vue d'une
intégration architecturale de ses œuvres, qu'elle réalise souvent
en résines synthétiques sous forme de totems et d'assemblages
d'éléments préfabriqués. Elle s'est aussi intéressée à la philosophie et à l'astrologie et a réalisé une série de portraits zodia-
quaux. Dans une période ultérieure, elle habille des couleurs les
plus vives les illustrations, simples et presque naïves, de ses
rêveries et imaginations poétiques, par exemple un œil tout seul,
succinctement figuré, qui pleure de grosses larmes.
Bibliogr. : In : *L'Officiel des Arts*, Edit. du chevalet, Paris, 1988.
Musées : Montréal – Paris (Mus. mun. d'Art Mod.).

CHASTANET Madeleine
Née à Paris. xxᵉ siècle. Française.
Peintre.
Élève de E. Wéry et P. Montézin. A exposé au Salon des Artistes
Français en 1932 et 1933.

CHASTANET Yvonne
Née le 27 août 1913 à Paris. xxᵉ siècle. Française.
Peintre de compositions animées. Naïf.
Autodidacte de formation, elle expose depuis 1961 dans dif-
férents Salons annuels de Paris, des Artistes Français et des
Artistes Indépendants desquels elle est devenue sociétaire.
Musées : Laval (Mus. d'Art Naïf).

CHASTANIER Félicité
Née à Paris. xixᵉ siècle. Française.
Peintre de portraits.
Elle exposa quelques portraits au Salon, entre 1839 et 1846.

CHASTANIER Marie Victoire
Née en 1813 à Paris. xixᵉ siècle. Française.
Peintre de portraits.
Sœur de Félicité Chastanier. Entre 1833 et 1848, elle exposa au
Salon quelques études et des portraits (à l'huile et au pastel).

CHASTEAU Guillaume
Né le 18 avril 1635 à Orléans. Mort le 15 septembre 1683 à
Paris. xviiᵉ siècle. Français.

Graveur au burin et à l'eau-forte.
Élève de Greuter et de Bloemaert. Il séjourna longtemps à Rome, puis revint à Paris où il fut employé par Colbert. On cite de lui 41 planches de théologie chrétienne, d'après Nicolas Poussin, A. Carrache, P. Berrettini, R. Sanzio, N. Coypel et F. Albane, une planche de théologie païenne, quatre planches d'histoire et cinq portraits.
VENTES PUBLIQUES : PARIS, 1753 : *La Vierge, l'Enfant Jésus et le jeune saint Jean*, miniature : **FRF 30**.

CHASTEAU Nicolas
Mort en 1704 à Paris. XVIIᵉ siècle. Français.
Peintre.
Sans doute identique à Nicolas du Chasteau, il fut reçu membre à l'Académie de Saint-Luc à Paris en 1671.

CHASTEAU Nicolas ou Chateau
Né vers 1680 à Paris. Mort vers 1750. XVIIIᵉ siècle. Français.
Graveur.

CHASTEAU Noël
XVIIᵉ siècle. Français.
Peintre.
Il fut reçu à l'Académie de Saint-Luc, à Paris, en 1696.

CHASTEAU Pierre
XVIIᵉ siècle. Actif à Grenoble en 1690. Français.
Peintre.

CHASTEAUNEUF Jean de
Né le 24 août 1877 à Labatisse (Puy-de-Dôme). Mort le 9 novembre 1961 à Labatisse. XXᵉ siècle. Français.
Peintre de portraits, paysages.
Il fut élève de Jean-Paul Laurens. Il exposait régulièrement à Paris, au Salon des Artistes Français, dont il devint sociétaire, deuxième médaille en 1929. Paysagiste, il recherchait les effets de neige.

CHASTEL Daniel
Né en 1596, originaire de Montbéliard. Mort le 4 septembre 1679 à Genève. XVIIᵉ siècle. Français.
Peintre.
Fondateur d'une famille de peintres de Genève. Il fut reçu bourgeois de cette ville en 1647.

CHASTEL Daniel
Né le 31 mars 1639 probablement à Genève. Mort le 2 novembre 1699 probablement à Genève. XVIIᵉ siècle. Suisse.
Peintre.
Fils du précédent.

CHASTEL Daniel
Né le 16 mars 1682. Mort le 3 mai 1737. XVIIIᵉ siècle. Suisse.
Peintre.
Il travaillait à Genève et appartenait probablement à la famille des deux précédents.

CHASTEL Isaac
Né le 25 juin 1644. Mort le 7 février 1725. XVIIᵉ-XVIIIᵉ siècles. Travaillant à Genève. Suisse.
Peintre.

CHASTEL Jean Hippolyte Gaspard
XVIIIᵉ siècle. Français.
Sculpteur.
Il travaillait à Aix-en-Provence, où il succéda à son père Jean Pancrace comme professeur de sculpture vers 1788.

CHASTEL Jean Pancrace
Né en 1726 à Avignon. Mort le 30 mars 1793 à Aix-en-Provence. XVIIIᵉ siècle. Français.
Sculpteur.
A partir de 1774, il fut professeur de sculpture à l'École d'art, d'Aix-en-Provence.
MUSÉES : AIX-EN-PROVENCE : *Mausolée à Reillane – Mausolée à Reillane*, maquette de l'ensemble du mausolée – *Médaillon de Nicolas-Claude Fabry de Peiresc – Médaille de Pierre de Gassendi, philosophe – Médaille de Nicolas-François-Xavier de Clapiers – Lévrier couché – Maquette du fronton de la Halle aux grains à Aix – Statue tombale de Guillaume II – Damiette prise d'assaut par Saint Louis – Bataille de Mansourah*, bas-relief.

CHASTEL Marie Roza Azize
Née à Laghouat (Algérie). XXᵉ siècle. Française.
Décoratrice.
En 1932 et 1933 elle a exposé des mosaïques au Salon des Artistes Français à Paris.

CHASTEL Philippe
Né le 3 juin 1689. Mort le 18 janvier 1730. XVIIIᵉ siècle. Travaillant à Genève. Suisse.
Peintre.

CHASTEL Roger
Né le 25 mars 1897 à Paris. Mort le 12 juillet 1981 à Saint-Germain-en-Laye (Yvelines). XXᵉ siècle. Français.
Peintre de compositions animées, paysages, natures mortes, graveur, illustrateur, peintre de cartons de tapisseries, décors et costumes de théâtre. Postcubiste.
Son père était banquier et collectionneur. En 1914, Roger Chastel entra à l'Atelier Cormon à l'École des Beaux-Arts de Paris, qu'il quitta assez rapidement pour l'Atelier Jean-Paul Laurens à l'Académie privée Julian. Ayant été mobilisé en 1916, il fut libéré en 1919 et s'inscrivit à l'Académie Ranson. Dans le même temps, encouragé par le caricaturiste Sem, il donna des dessins de mode et des dessins humoristiques dans les journaux, entre autres à la *Gazette du Bon Ton*. Il dessinait aussi des costumes pour des revues à grand spectacle, illustrait les programmes des Ballets Suédois. En 1924, au Salon d'Automne, il exposa pour la première fois. Malgré les difficultés, il décida en 1925 de se vouer entièrement à la peinture. Dès 1928, il se fixa définitivement à Saint-Germain-en-Laye. Il a participé à quantité d'expositions collectives, parmi lesquelles : d'abord les Salons d'Automne, des Tuileries, des Surindépendants, puis 1935 *Temps présent* au Petit-Palais de Paris ; 1936 au Carnegie Institute de Pittsburgh ; 1938 Biennale de Venise ; 1946 *Les Quatre Murs* à la Galerie Maeght ; 1951 Biennale de Menton et première Biennale de São Paulo dont il reçut le Grand Prix ; 1953 deuxième Biennale de São Paulo ; 1956 au Musée Guggenheim de New York ; le Salon des Réalités Nouvelles de Paris, où il se sentait à l'aise et qui lui consacra un Hommage en 1892 ; etc. Il a montré sa peinture dans de nombreuses expositions personnelles : Paris 1930, 1932, 1933, 1935, 1942, 1946, 1956, 1958, 1961, 1968, 1970 au Musée du Luxembourg, 1984 rétrospective posthume au Musée d'Art Moderne de la Ville de Paris, puis 1987. Ainsi que, en dehors de Paris : Copenhague 1951, 1959 ; Lausanne 1957 ; La Chaux-de-Fonds 1959 ; Le Havre au Musée d'Art Moderne 1962 ; Genève Musée Rath 1962 ; Aix-en-Provence Pavillon Vendôme 1968 ; Nice Galerie des Ponchettes et Musée de Metz 1970 ; Musée de Pontoise et Musée Vendéen de Fontenay-le-Comte 1972 ; Musée de Saint-Germain-en-Laye 1976 ; Musée de Pontoise de nouveau en 1981, rétrospective posthume au Manège Royal de Saint-Germain-en-Laye 1984. En France, il a reçu le Prix de Peinture de la Fondation Georges Bernheim-Darnétal et le Grand Prix National de Peinture en 1932, le Prix National des Arts en 1961. De 1963 à 1968, il fut un professeur attentif et écouté à l'École des Beaux-Arts de Paris, où il offrit à ses élèves une ouverture bienveillante sur les moyens d'expression les plus contemporains. En 1968, il fut élu membre de l'Institut des Beaux-Arts.
Il a aussi créé les décors et costumes pour l'opéra-bouffe *Philippine* de Marcel Delanoy au Théâtre des Champs-Élysées en 1937, pour le ballet *La pantoufle de vair* du même à l'Opéra-Comique en 1943, pour le ballet *Les noces fantastiques* du même à l'Opéra en 1954-55, et en même temps pour *La guerre de Troie n'aura pas lieu* de Giraudoux, montée par Jean Vilar au Théâtre National Populaire (T.N.P.). Il a créé deux cartons de tapisseries pour les Gobelins : 1953 *Le concert*, 1954 *Le quatorze juillet à Toulon*. En 1938, il exécuta, Bonnard pressenti étant empêché, *Pax Genetrix* un des quatre panneaux décoratifs offerts par la France pour la Salle des Assemblées du Palais de la Société des Nations (S.D.N.) à Genève, les trois autres étant dus à Édouard Vuillard, K.-X. Roussel, Maurice Denis. Il a également illustré des ouvrages littéraires : 1943 *La Patte à l'Aile* de Colette, 1946 *La Jeune Fille Verte* de Paul Jean Toulet, 1948 *Le Bestiaire* de Paul Éluard, 1949 *À la Gloire de la Main*, 1968 *Passe par la Tête*.
Dès ses débuts, il admirait Braque, Picasso, et aussi Modigliani et Matisse, en accord avec sa génération pour laquelle ce fut l'objectif, sinon l'obsession, de concilier fauvisme et cubisme, Matisse et Picasso. Ses propres œuvres dénotaient d'emblée l'influence cubiste. En 1929-1930, il revint à une figuration néo-réaliste : *Les enfants du boulanger* 1932-34, à un moment où se manifesta fréquemment, pour des raisons réactionnaires historiquement diverses, une désaffection envers les avancées esthétiques du début du siècle. Dans cette même attitude d'esprit, il poursuivit son œuvre sur quelques thèmes familiers : portraits, fenêtres, intérieurs, personnages dans leur intimité, dans des compositions où les détails du décor, objets divers, fleurs,

prennent souvent le pas sur le sujet central. À cette époque, il se lia avec le grand collectionneur Paul Guillaume.

À la veille de la seconde guerre mondiale, il reprit du cubisme la multiplicité des projections planes de chaque objet, mais dans un graphisme plus libre et dans des gammes colorées sensibles. Pendant les années de guerre, il se réfugia dans le Lot. On peut dater d'à partir de 1943 son habitude de travailler par séries, à la fois simultanées et successives : 1943-1952 les *Veillées*, 1943-1958 les *Amoureux au bistrot*, 1945 les grandes compositions paysannes consacrées à une prétendue *Famille Roumégous*, dont les différents membres sont représentés dans leur cadre familier, série qui fit l'objet de l'exposition à Paris d'octobre 1946. À partir de 1945, avec *La coiffure*, et 1946, avec *La leçon de piano*, puis de 1949 à 1954 avec *Hareng et pichet*, il se détacha progressivement de l'apparence de la réalité, recherchant avant tout l'équilibre des plans colorés, dans une gamme austère et retenue, où éclate souvent une stridence, apparentée aux gammes sourdes de Braque. Dans les premières années cinquante, il peignait de grandes compositions prenant appui sur les thèmes de concerts, leçons de musique, intérieurs de bistrots. D'environ 1952-54 à 1968, il développa les thèmes du *Tour de cartes* et du *Quatorze juillet à Toulon*, celui-ci lié à la création de la tapisserie des Gobelins. Puis vinrent des paysages, dont il retenait beaucoup plus la saveur, l'odeur, l'émotion qu'ils communiquaient que leur apparence matérielle. Suivirent les séries de la *Nature morte à la pomme verte* et du *Petit Colleone* 1957, des *Lettres* 1959-1961, des *Pianos* 1960, du *Cirque* 1962. Le sujet perdait sa mesure de plus en plus de son importance propre, mais le propos de Chastel ne fut pourtant jamais la création de formes purement abstraites. Le souvenir quasiment proustien du thème qui éveillait tout d'abord son émotion lui importait, et il le maintenait en éveil à travers l'alchimie très intellectualisée des métamorphoses formelles qu'il imposait au prétexte narratif. Ayant subi et traversé successivement ce que Jean Lescure nomme « paroxysme de la couleur et paroxysme du tonalisme, paroxysme de la fulgurance et paroxysme de la lenteur », Chastel, duquel Jean Lescure encore dit que « tempérament excessif, c'est excessivement qu'il s'est contraint », venu des cubistes et de Matisse, s'est retrouvé, au bout d'un cheminement d'une rare cohérence dialectique, aux confins de l'abstraction, n'ayant cependant jamais voulu forcer son talent au-delà de son authenticité. ■ Jacques Busse

[signature: Chastel]

Bibliogr. : J. Mistler, in : Collection *Les Maîtres de Demain*, Sequana, Paris, 1943 – Bernard Dorival : *Les étapes de la peinture française contemporaine*, Gallimard, Paris, 1946 – Bernard Dorival : *Les peintres du xxe siècle*, Tisné, Paris, 1957 – in : *Diction. de la peint. abstr.*, Hazan, Paris, 1957 – Jean Cassou : *Panorama des arts plastiques*, Paris, 1960 – Jacques Lassaigne, in : *Peintres contemporains*, Mazenod, Paris, 1964 – R. Huygue, J. Rudel, in : *L'art et le monde moderne*, Paris, 1970 – Luc Vezin : *Saint-Germain-en-Laye : Roger Chastel*, in : Beaux-Arts, Paris, sept. 1984.

Musées : Baltimore-Boston – La Chaux-de-Fonds – Luxembourg – Paris (Mus. Nat. d'Art Mod.) : *Les enfants du boulanger*, et autres œuvres – Paris (Mus. d'Art Mod. de la Ville) – Pittsburgh (Carnegie Inst.) – Pontoise : plusieurs œuvres – São Paulo – Tunis – Turin.

Ventes Publiques : Paris, 8 juil. 1954 : *Petite fille à la chaise* : **FRF 17 500** – Versailles, 27 nov. 1962 : *Nature morte aux bouteilles* : **FRF 1 600** – Paris, 16 mars 1971 : *Le piano* : **FRF 920** – Paris, 29 nov. 1972 : *Jeune fille à la robe rose* : **FRF 3 200** – Paris, 30 mars 1976 : *Lampes et oranges* 1947, h/t (81x100) : **FRF 5 500** – Saint-Germain-en-Laye, 6 mai 1979 : *Le tour de cartes XIII* 1957, h/t (54x65) : **FRF 14 500** – Paris, 15 mai 1981 : *Lampe, pichet, hareng* 1953-1954, h/t (73x92) : **FRF 12 000** – Versailles, 20 nov. 1983 : *Hommage à Cézanne* 1942, h/t (91,5x72,5) : **FRF 7 300** – Paris, 29 nov. 1984 : *Le petit Colleone*, h/t (118x73) : **FRF 16 000** – Douai, 24 mars 1985 : *Nature morte cubiste à la cafetière* 1923, h/t (41x27) : **FRF 25 000** – Enghien-les-Bains, 13 avr. 1986 : *Piano n° 7*, h/t (165x197) : **FRF 58 000** – Neuilly, 16 juin 1987 : *Composition* 1923, h/pan. (41x27) : **FRF 25 000** – Versailles, 25 sep. 1988 : *Iris au fauteuil vert* 1939, h/t (65x50) : **FRF 9 000** – Paris, 28 oct. 1988 : *Nature morte*, h/t (41x27) : **FRF 11 000** ; *Iris au fauteuil vert* 1939, h/t (65x51) : **FRF 20 000** – Paris, 20 nov. 1989 : *Le brisant*, h/pap. (23x36) : **FRF 3 800** – Paris, 19 mars 1990 : *Les genêts* 1949, h/t (18x13,5) : **FRF 9 000** – Douai, 1er avr. 1990 : *Composition*, h/t (46,5x73) : **FRF 15 300** – Paris, 4 mars 1991 : *La petite fille en rose*, h/t (130x81) : **FRF 39 000** – Paris, 5 nov. 1992 : *Les amoureux au bistrot* 1946, h/t (46x27) : **FRF 7 000** – Paris, 6 oct. 1993 : *L'enfant roi*, h/t (135x85) : **FRF 23 500** – Paris, 27 avr. 1994 : *La ligne de chemin de fer*, h/t (38x55) : **FRF 4 000** – Paris, 13 oct. 1995 : *Nature morte*, h/pap. (48x32,5) : **FRF 9 000** – New York, 10 oct. 1996 : *Annonciation*, h/t (162,6x121,3) : **USD 2 587** – Paris, 20 juin 1997 : *Le Bistrot XXVIII, Bistrot des Maçons*, h/t (46x55) : **FRF 11 300**.

CHASTEL Samuel
Né le 21 avril 1698. Mort le 22 septembre 1724. xviiie siècle. Travaillant à Genève. Suisse.
Peintre.

CHASTELAIN Charles
Né le 17 mars 1672 à Paris. Mort le 2 août 1755 à Paris. xviie-xviiie siècles. Français.
Peintre de paysages et de marines.
Inspecteur de la Manufacture des Gobelins, il fut reçu académicien le 30 juillet 1740. À partir de cette époque et jusqu'en 1753, il exposa au Salon. On cite de lui : *Un coup de tonnerre, Vue prise à Bonneuil.*

CHASTELET Claude
Mort après 1791. xviiie siècle. Français.
Sculpteur.
Il fut reçu à l'Académie de Saint-Luc à Paris en 1765.

CHASTELET Claude Louis. Voir CHATELET

CHASTELLAIN Philibert
Né en 1830 vraisemblablement aux Antilles. Mort en 1865 en Angleterre. xixe siècle. Britannique.
Peintre de paysages.
Chastellain dont le père fut officier au service du grand-duché de Bade, fit ses études en Allemagne et avec Calame, en Suisse. Puis il s'établit en Angleterre (à partir de 1856). Il figura à une exposition de Zurich en 1853.
Ventes Publiques : Paris, 5 déc. 1928 : *Bergère et son troupeau* : **FRF 380**.

CHASTELLAN Jean ou Chastellin
xvie siècle. Français.
Peintre verrier.
Il travailla au château de Fontainebleau.

CHASTENAY Marie de, Mme
xixe-xxe siècles. Active à Paris. Française.
Peintre.
Sociétaire des Artistes Français depuis 1905.

CHASTENAY Simon
xvie siècle. Français.
Sculpteur.
Il travailla au château de Fontainebleau entre 1540 et 1550.

CHASTENET André de
Né le 18 mars 1879 à Bayonne (Pyrénées-Atlantiques). Mort le 13 janvier 1961 à Tourouvre (Orne). xxe siècle. Français.
Sculpteur de statues, bustes, monuments.
Il fut élève de Louis Barrias. Il a exposé régulièrement à Paris, depuis 1906 au Salon de la Société Nationale des Beaux-Arts, dont il est devenu sociétaire, au Salon d'Automne à partir de 1922. Il fut combattant de la guerre 1914-1918, blessé, Croix de Guerre.
Il a sculpté des sujets religieux : *Jeanne d'Arc* 1929 ; *Sainte Thérèse ; Vierge ; Jésus prêchant* ; une *Ève* 1933, dite *La tentation* ; la statue du poète *François Coppée*, disparue d'une place de Paris pendant la guerre de 1939-45 ; des monuments aux morts de la guerre 1914-1918, notamment en Haute-Loire, Tence et Yssingeaux, à Fréméréville près de Verdun, celui de l'École des Hautes Études Commerciales, détruit lors du transfert de l'École de Paris à Jouy-en-Josas ; et d'assez nombreux bustes dont ceux d'*Albert Sorel, Max Outrey, Marcel Jousse* ; ainsi que diverses statuettes.

CHASTILLON
xviiie siècle. Français.
Peintre.
Il travailla à Toulon en 1720 pour la marine royale.

CHASTILLON. Voir aussi CHATILLON

CHATAIGNER Alexis
Né en 1772 à Nantes. Mort en 1817 à Paris. xviiie-xixe siècles. Français.

Dessinateur, graveur à l'eau-forte et au burin et éditeur.
Élève de François-Marie Queverdo. Chataigner fut un des graveurs les plus féconds de la Révolution et de l'Empire.
VENTES PUBLIQUES : PARIS, 14 déc. 1935 : *Le départ de l'Époux ;
Le retour de l'Époux,* deux aquarelles gouachées : **FRF 1 600.**

CHATAIGNER Marie Amélie
XVIIIe-XIXe siècles. Française.
Graveur.
Fille d'Alexis Chataigner. Elle épousa en 1812 le graveur Coiny.

CHATAIGNIER
XIXe siècle. Actif à Philadelphie vers 1814.
Graveur.

CHATANAY
XXe siècle. Français.
Décorateur.
Cet ensemblier a décoré et meublé l'un de nos premiers avions de grand luxe : le Latécoère 631-02.

CHATARD Jean
XIVe siècle. Actif à Lyon. Français.
Peintre.

CHATARD Louis
Actif à Paris. Français.
Peintre.
On ignore la date de sa réception à l'Académie de Saint-Luc.

CHATARINUS de Venetiis. Voir **VENETIIS**

CHATAUD Marc Alfred
Né en 1833 à Marseille (Bouches-du-Rhône). Mort en 1908 à Alger. XIXe siècle. Actif aussi en Algérie. Français.
Peintre de sujets typiques, architectures, aquarelliste. Orientaliste.
Élève d'Émile Loubon à Marseille en 1857, il travailla également sous la direction de Charles Gleyre à Paris. Il participa au Salon de Paris de 1864 à 1868, à celui de Marseille, et enfin à la Société des Artistes algériens et orientalistes, salon qu'il créa en 1897 à Alger.
À ses débuts, il peignit des paysages d'Ile-de-France, puis fit un premier voyage en Algérie en 1856, qui fut suivi de beaucoup d'autres, allant parfois jusqu'au Maroc et en Tunisie, ce qui l'orienta vers la représentation de sujets typiques.
Influencé par les œuvres mélodramatiques d'Henri Regnault, il peignit tout d'abord des scènes d'un Orient de fantaisie. Après son installation à Alger en 1892, il fit beaucoup d'études à l'aquarelle, des esquisses et dessins d'architectures sans personnages et d'éléments décoratifs d'art musulman. Ses œuvres, quelle que soit leur technique, sont toujours prestement enlevées.
BIBLIOGR. : Lynne Thornton, in : *Les orientalistes, peintres voyageurs,* ACR Édition, Paris, 1993-1994.
MUSÉES : ALGER : *Fantasia en Kabylie – Razzia entre tribus arabes – Mauresques dans la rue Sidi Abdalha – Sidi Abder Rahman, la mosquée – Marabout Sidi Abder Rhaman – Mauresque à la cruche,* étude – *Étude d'après la Judith et Holopherne d'Henri Regnault* – CONSTANTINE (Mus. des Beaux-Arts) : *Farniente* – MARSEILLE (Mus. des Beaux-Arts) : *Un drame dans le sérail* – *Musiciens nègres à Alger.*
VENTES PUBLIQUES : PARIS, 1900 : *Une rue arabe :* **FRF 100** – PARIS, 22 jan. 1919 : *La caravane :* **FRF 66** – PARIS, 18 avr. 1928 : *Repos de la caravane :* **FRF 300** – PARIS, 6 déc. 1982 : *Groupe d'enfant dans un intérieur – Rue animée,* deux aquar. (12x9) : **FRF 3 800** – ENGHIEN-LES-BAINS, 4 mars 1984 : *Femme algérienne préparant le couscous sur la terrasse,* h/pan. (22,5x15,5) : **FRF 19 000** – PARIS, 13 déc. 1985 : *Jeunes Algériennes dans un intérieur,* h/t (75x55) : **FRF 130 000** – NEW YORK, 28 oct. 1987 : *Le marchand de tapis,* h/t (43x29,1) : **USD 2 500** – PARIS, 29 juin 1988 : *Scène orientaliste,* h/pan. (41x33) : **FRF 8 000** – PARIS, 8 déc. 1989 : *Fête algérienne,* h/t (22x16,5) : **FRF 20 000** – PARIS, 27 avr. 1990 : *Ruelles de la casbah d'Alger,* h/pan., une paire (chaque 29,5x16,5) : **FRF 50 000** – PARIS, 20 nov. 1990 : *La lecture du Coran,* h/t (55x46) : **FRF 130 000** – PARIS, 16 déc. 1991 : *Musiciennes dans la casbah,* h/t (35,5x28) : **FRF 30 000** – PARIS, 22 mars 1994 : *Entrée de la grande mosquée,* h/pan. (25x16) : **FRF 15 000** – PARIS, 11 déc. 1995 : *Emplettes dans la casbah d'Alger,* h/t (41x28) : **FRF 50 000** – PARIS, 17 nov. 1997 : *Jeunes femmes au bas de l'escalier,* h/t (35x28) : **FRF 23 000** – PARIS, 10-11 juin 1997 : *Algérienne et son servant 1866,* h/t (41x32,5) : **FRF 8 200** – CANNES, 7 août 1997 : *Les Commentaires du Coran,* h/t (52x32) : **FRF 125 000.**

CHATAUX Nicolas, le Jeune
XVIIe siècle. Français.
Peintre.
Il fut reçu à l'Académie de Saint-Luc en 1689.

CHATEAU, Mlle
XVIIIe siècle. Française.
Peintre de miniatures.
Elle eut la clientèle de la cour de Philippe d'Orléans où elle travailla de 1701 à 1725.

CHATEAU Georges
Né à Bordeaux (Gironde). XXe siècle. Français.
Peintre de paysages.
Il fut élève de Paul Quinsac, Henri Marcel Magne, Didier-Pouget. Depuis 1929, il a exposé à Paris, au Salon des Artistes Français.
Il a surtout peint les paysages du Bassin d'Arcachon.

CHATEAU Louis Charles
XVIIIe siècle. Français.
Graveur au burin.
Il fut élève de Ponce à Paris. Le Blanc cite de lui deux sujets tirés des lettres d'Héloïse.

CHATEAU Marc Alfred. Voir **CHATAUD**

CHATEAU Nicolas
XIXe siècle. Actif à Paris. Français.
Dessinateur et graveur au burin.

CHÂTEAU DE LICHTENSTEIN, Maître du. Voir **MAÎTRES ANONYMES**

CHATEAUBOURG de, chevalier. Voir **DECHATEAUBOURG**

CHATEAUBRIANT Alphonse René Marie de
Né à Saint-Sulpice (Vendée). Mort en 1890. XIXe siècle. Français.
Peintre de natures mortes, fruits, dessinateur.
Élève de Vigot, Bernard et Cabanel. Il a exposé au Salon en 1878 et 1879.

CHATEAUBRUN René de
Né à Noironte (Doubs). XIXe-XXe siècles. Français.
Sculpteur.
Élève de M. Thomas. Sociétaire des Artistes Français depuis 1901. Il obtint une mention honorable en 1900.

CHATEAUGOMBERT Xavier
XIXe siècle. Actif à Paris. Français.
Sculpteur.
Sociétaire des Artistes Français depuis 1893.

CHATEIGNON Ernest
Né à Paris. XXe siècle. Français.
Peintre de paysages ruraux animés, sculpteur de figures.
Il exposait à Paris, au Salon des Artistes Français depuis 1887, sociétaire depuis 1905.
Il semble qu'il ne fit de la sculpture que dans ses débuts : divers bronzes 1907, *Berger* 1908. Peintre, il s'est spécialisé dans les scènes de la vie champêtre, moissons et fenaisons : *La rentrée de la moisson – Le départ pour les champs – Sieste – La rentrée des foins – Les glaneuses,* etc. Il a su aussi traiter les scènes familières du village : *À l'ombre du parapluie – Retour du lavoir.*
VENTES PUBLIQUES : NEW YORK, 27 jan. 1906 : *Le milieu du jour :* **USD 110** – LONDRES, 18 jan. 1908 : *Retour du lavoir :* **GBP 10** ; *La moisson :* **GBP 15** – PARIS, 11 fév. 1919 : *La moisson :* **FRF 355** ; *La fenaison, fin de journée :* **FRF 150** – PARIS, 16 déc. 1921 : *La moisson :* **FRF 220** – PARIS, 15 avr. 1921 : *La moisson :* **FRF 400** – PARIS, 17 juin 1971 : *L'atelier de Chateignon, le départ du modèle :* **FRF 750** – NEW YORK, 21 jan. 1978 : *Travaux des champs,* h/t (60,5x81) : **USD 2 000** – PARIS, 6 mai 1981 : *La charrette de foin,* h/t (60x81) : **FRF 9 200** – NEW YORK, 1er mars 1984 : *Scènes rustiques,* 2 h/t (38,1x55,2) : **USD 3 200** – BERNE, 30 avr. 1988 : *La moisson,* h/t (38x46) : **CHF 2 100** – PARIS, 23 mai 1990 : *Léda et le cygne,* h/t (18,5x32) : **FRF 3 500** – PARIS, 22 nov. 1996 : *La Bergère,* bronze, épreuve (H. 41,5) : **FRF 6 500** – NEW YORK, 26 fév. 1997 : *La Moisson,* h/t (46,3x61) : **USD 6 325.**

CHATEIGNON Jean
Né à Paris. XXe siècle. Français.
Sculpteur.
Fils et élève d'Ernest Chateignon. Il fut élève aussi d'Edgar Boutry, de Philippe Perrotte. Il exposa à Paris, au Salon des Artistes Français, de 1911 à 1924.

CHATEL Alice
Née à Pont-Sainte-Maxence (Oise). XIXᵉ-XXᵉ siècles. Française.
Peintre et miniaturiste.
Élève de Mme Latruffe et de Cuyer. Elle obtint une mention honorable à l'Exposition Universelle de 1900. Sociétaire des Artistes Français depuis 1901.

CHATEL Anatole
XVIIᵉ siècle. Français.
Sculpteur et graveur.
Cet artiste franc-comtois, vivait à Dôle (Jura). Il fit, en 1614, la balustrade de la Sainte-Chapelle de Dôle et porta, de 1614 à 1631, le titre de graveur de la monnaie du Comté.

CHATEL Françoise, dite Fanny
Née en 1832 à Genève. Morte le 22 juin 1874 à Genève. XIXᵉ siècle. Suisse.
Peintre sur émail.
Élève de Constantin et de Glardon le jeune, puis de Lamunière, associée plus tard avec la veuve de celui-ci. En 1872, elle exposait *L'Antiope*, d'après Le Corrège. On connaît d'elle une *Vierge*, d'après Murillo (Musée des Arts Décoratifs de Genève).

CHATELAIN Alexandre Humbert
Né en 1788 à Saint-Amour (Jura). Mort en 1852. XIXᵉ siècle. Français.
Peintre et graveur amateur.
Ce collectionneur a peint, dessiné et gravé à l'eau-forte, dans les premières années du XIXᵉ siècle, des paysages, des monuments, des scènes de la vie contemporaine et des portraits. Il a exposé des paysages au Salon de Lyon.

CHATELAIN Alfred Joseph
Né en 1867 à Moutier (Canton de Berne). XIXᵉ-XXᵉ siècles. Français.
Peintre de sujets allégoriques, portraits, paysages, pastelliste.
Il fut élève de Fritz Schider à l'École des Arts et Métiers de Bâle, puis à Paris de l'Académie Julian et de Fernand Cormon. Il a exposé à Paris au Salon des Artistes Français en 1897 et 1900, puis au Salon d'Automne dont il devint sociétaire en 1912, à Munich en 1901, à Genève et Bâle.
Il a peint des sujets allégoriques ou mythologiques : *L'Harmonie – Andromède*. Outre quelques portraits, il fut surtout peintre des paysages bretons et normands.

CHATELAIN Antoine
Né en 1794. Mort en 1859 à Rome. XIXᵉ siècle.
Peintre.

CHATELAIN Augusto
XIXᵉ siècle. Actif à Rome.
Peintre.
Fils d'Antoine Chatelain.

CHATELAIN F. B.
XVIIIᵉ siècle. Actif à Paris dans la seconde moitié du XVIIIᵉ siècle. Français.
Graveur au burin.
Élève de Lempereur. On cite de lui des planches pour la *Galerie des Peintres hollandais* de Le Brun, l'édition de *Robinson Crusoé*, publiée par Cazin en 1784, et les *Œuvres de l'abbé Prévost* (1783-84).

CHATELAIN Jean Baptiste Claude ou Chatelin
Né vers 1710 à Paris. Mort vers 1771 à Paris. XVIIIᵉ siècle. Français.
Dessinateur de paysages, graveur.
D'après Le Blanc, il serait né à Londres. Il fut d'abord soldat et fit la campagne de Flandre comme officier. Cependant son goût pour les arts, peut-être son penchant pour le plaisir l'incitèrent à renoncer à la carrière militaire.
Ce fut surtout dans le paysage qu'il fit preuve de ses plus belles qualités et il reproduisit les œuvres de maîtres comme H. Robert, Caresme, Ricci. Il grava aussi beaucoup de sujets anglais. Ses dessins sont fort intéressants.
VENTES PUBLIQUES : PARIS, 13 juin 1908 : *Lac de Zoua* ; *Vallée de Lauterbrunn*, quatre dessins : **FRF 16** – YORK (Angleterre), 12 nov. 1991 : *La traversée d'un ruisseau*, encre et lav. (16x21) : **GBP 440**.

CHATELAIN Joséphine Cora Marie
Née au XIXᵉ siècle à Montrouge (Hauts-de-Seine). XIXᵉ siècle. Française.

Peintre de portraits.
Élève de Mlle Solon. Elle figura au Salon de 1880.

CHATELAIN Laure
Née en 1847 à La Chaux-de-Fonds (Suisse). XIXᵉ siècle. Suisse.
Peintre de portraits et de paysages.
Elle a fait ses études artistiques à Paris. Elle a exposé à Paris et à Genève et figura aussi aux expositions des Amis des Arts à Neuchâtel et aux Beaux-Arts Suisses.

CHATELAIN Leo
Né en 1839 à Neuchâtel. XIXᵉ siècle. Suisse.
Architecte, peintre, aquarelliste.

CHATELAIN Paul
Né à Dombasle-sur-Meurthe (Meurthe-et-Moselle). XXᵉ siècle. Français.
Peintre.
A exposé au Salon des Indépendants à Paris de 1932 à 1937.

CHATELAIN Pierre
XVIIIᵉ siècle. Français.
Peintre.
Il fut reçu à l'Académie de Saint-Luc à Paris en 1753.

CHATELAIN-CEZ Gaston
Né à Blamont (Doubs). XXᵉ siècle. Français.
Peintre.
A exposé des *Paysages vosgiens* au Salon des Indépendants à Paris en 1937.

CHATELET Claude Louis ou Chastelet
Né en 1753 à Paris. Mort le 7 mai 1794 à Paris, mort guillotiné. XVIIIᵉ siècle. Français.
Peintre de paysages animés, paysages, peintre à la gouache, aquarelliste, dessinateur.
Républicain ardent, il fit partie du tribunal révolutionnaire. Arrêté quelques mois après le 9 Thermidor, il fut jugé, condamné et exécuté.
MUSÉES : FONTAINEBLEAU : *Paysage* 1781 – *La pêche* – ORLÉANS : *Cascade*.
VENTES PUBLIQUES : PARIS, 1866 : *Paysages*, deux tableaux de forme ovale : **FRF 940** – PARIS, 1866 : *Vue de l'Etna*, dess. colorié : **FRF 22** ; *Autre vue de l'Etna*, dess. colorié : **FRF 28** – PARIS, 1880 : *Moulin* ; *Chute d'eau dans l'intérieur de la ville d'Arbois, Jura*, sépia, deux pendants : **FRF 32** – PARIS, 1885 : *Rousseau à Ermenonville*, aquar. : **FRF 200** – PARIS, 1899 : *Vue du Temple de l'Amour, à Trianon*, gche : **FRF 800** – PARIS, 26 fév. 1900 : *Intérieur d'une posada*, dess. : **FRF 160** – PARIS, 1900 : *Vue de l'Etna* ; *Vue du phare et du détroit de Messine* : **FRF 137** – PARIS, 1900 : *Le Temple de l'Amour à Trianon*, aquar. : **FRF 800** – PARIS, 18-25 mars 1901 : *Tombeau de Jean-Jacques Rousseau à Ermenonville* : **FRF 150** – PARIS, 25 mars 1907 : *Le dôme de l'église Saint-Antoine* : **FRF 125** – PARIS, 27-30 nov. 1918 : *Le désespoir*, lav. : **FRF 520** – PARIS, 20 mars 1920 : *Les anciens bains romains du Château de Madame* : **FRF 820** – PARIS, 27 jan. 1921 : *Les eaux du parc de Neuilly Saint-James* : **FRF 2 600** – PARIS, 11 fév. 1921 : *Paysage avec personnages*, aquar. : **FRF 275** – PARIS, 24-25 juin 1921 : *Siège d'une ville*, aquar. : **FRF 105** – PARIS, 27 mai 1922 : *Le Pont rustique*, aquar. : **FRF 220** – PARIS, 15-16 juin 1922 : *Vue de l'Etna prise de Taormina*, aquar. : **FRF 1 400** – PARIS, 10-11 juin 1925 : *Paysage d'Italie*, pl. et aquar. : **FRF 2 920** – PARIS, 25-26 juin 1925 : *Vue prise au pied du temple de Minerve à Agrigente*, aquar. : **FRF 1 020** – PARIS, 4 mai 1926 : *Vue prise dans les environs de Reggio* ; *Vue de l'Etna prise de Taormina*, aquar. gchée, une paire : **FRF 10 750** – PARIS, 11 mai 1927 : *Vue d'une place à Catane*, aquar. : **FRF 2 350** – PARIS, 15 déc. 1927 : *Temple de la Concorde et temple de Jupiter, à Agrigente* ; *Paysage d'Orient*, deux aq. : **FRF 1 200** – PARIS, 4 mai 1928 : *Villa Negroni*, aquar. : **FRF 1 800** – PARIS, 7-8 juin 1928 : *Vue de l'Etna prise de la maison des capucins de Toarmina* ; *Costumes calabrais dans les environs de Reggio*, pl. aquarellée, une paire : **FRF 28 000** ; *Pont fortifié en Sicile*, pl. aquarellée : **FRF 6 800** ; *L'Hermitage suisse* ; *Maison suisse*, deux lavis : **FRF 1 600** – PARIS, 15 nov. 1928 : *Les jardins de Boboli à Florence animés de personnages*, deux dess. : **FRF 5 850** – PARIS, 13-15 mai 1929 : *Grotte de sainte Rosalie au sommet du mont Pelegrino près de Palerme* ; *Vue d'un château gothique bâtie sur le haut du mont Erix*, deux dess. : **FRF 17 000** – PARIS, 16-17 mai 1929 : *Paysage avec fleuve et voilier, château et personnages* ; *Paysage suisse avec vieux château à terrasse au bord d'un cours d'eau*, deux dess. : **FRF 1 800** ; *Vues de Sicile* ; *Carrière avec grotte* ; *Rue de ville animée de personnages*, deux

dess. : FRF 4 400 – PARIS, 28 mai 1937 : *Vue générale du port et de la ville de Termini, en Sicile*, pl. et aquar. : FRF 1 100 – PARIS, 14-15 juin 1937 : *Vue de l'Etna prise de la maison des Capucins au village de Tre Castagne, Sicile*, pl. et lav. : FRF 1 150 ; *Paysage de montagne*, pl. et aquar. : FRF 1 300 – PARIS, 13-14 fév. 1941 : *Le Miroir d'eau* : FRF 66 500 – PARIS, 16-17 juin 1941 : *La Fontaine ; La Halte au bord de l'eau*, deux pendants : FRF 28 000 – PARIS, 19 jan. 1942 : *Vue de la fontaine de Sainte-Sophie à Bénévent ; Vue de la place publique de Trani*, deux aq. dans le même encadrement : FRF 9 000 – PARIS, 6 juil. 1942 : *La Visite au mausolée 1785* : FRF 145 000 – NEW YORK, 9 jan. 1943 : *Scènes dans un palais*, deux aq. : USD 1 000 – PARIS, 3 mars 1944 : *Vue prise dans la vallée d'Ispica, située dans le val de Nolo en Sicile*, aquar. et pl. : FRF 8 600 – PARIS, 10 juin 1949 : *Vue de la Scaletta, près de Messine*, aquar. : FRF 16 000 – PARIS, 16 juin 1950 : *Les amants dans un parc*, aquar. : FRF 30 000 – PARIS, 15 mai 1963 : *Vue de Sicile*, aquar./trait de pl. : FRF 1 200 – PARIS, 1er juil. 1963 : *Vue d'un parc animé de personnages* : FRF 8 000 – PARIS, 3 déc. 1965 : *Vue des restes d'un théâtre* : FRF 1 500 – PARIS, 9 déc. 1968 : *Vue extérieure d'une grotte près de l'abbaye de San Vito di Polignano* : FRF 8 800 – LONDRES, 5 déc. 1969 : *Le Temple de l'Amour à Trianon* : GNS 11 500 – PARIS, 3 mars 1972 : *La cascade* : FRF 12 000 – PARIS, 2 déc. 1976 : *Le jeu de bagues chinois au Petit Trianon*, aquar. (18x23) : FRF 10 000 – PARIS, 7 juin 1979 : *Jeune jardinier*, pl., lav. et aquar. (27x35) : FRF 6 000 – LONDRES, 7 juil. 1981 : *Vue de Catanzaro, Calabre*, aquar. et pl. reh. (17,3x26,4) : GBP 800 – NEW YORK, 15 jan. 1986 : *Voyageurs près d'une cascade dans un paysage montagneux 1781*, h/t (90x168) : USD 75 000 – LONDRES, 9 déc. 1986 : *Personnages à une fontaine dans un paysage boisé*, aquar., craie noire et encre grise (21,2x16,1) : GBP 1 800 – PARIS, 18 déc. 1987 : *Vue de la cascade de Fiume Negro, dans les Deux-Siciles*, pl. et aquar. (20x33) : FRF 11 000 – NEW YORK, 13 oct. 1989 : *La cascade de Marmorelle près de Terni*, h/pap./t. (96,5x63,5) : USD 44 000 – TROYES, 19 nov. 1989 : *Vue des environs de l'abbaye de La Cava*, pl. et aquar. (19x31) : FRF 27 000 – NEW YORK, 12 jan. 1990 : *Vaste paysage avec de nombreux personnages près des ruines d'un temple antique*, aquar. et encre sur craie noire (26,5x40,4) : USD 7 700 – PARIS, 25 juin 1990 : *Le Temple de l'Amour à Versailles près du Trianon*, h/t (54,5x73) : FRF 200 000 – PARIS, 9 avr. 1991 : *Promeneurs dans un parc 1773*, h/t (49x70) : FRF 160 000 – MONACO, 21 juin 1991 : *Paysages avec des cascades*, h/t, une paire (83x55,5 et 83x55) : FRF 299 700 – PARIS, 22 nov. 1991 : *Personnages jouant sous une tonnelle*, lav. et cr. (22,8x16,3) : FRF 6 000 – NEW YORK, 13 jan. 1993 : *Paysage avec un torrent et une cascade et des personnages dans une barque au premier plan*, lav. gris avec reh. de blanc/pap. bleu (23,5x32,9) : USD 2 300 – PARIS, 31 mars 1993 : *Grande maison mal entretenue à l'entrée d'un village*, encre et aquar. (13,5x22,5) : FRF 3 000 – NEW YORK, 12 jan. 1994 : *Un éperon rocheux sur l'île de Capri avec des personnages au premier plan*, encre et aquar. (22,9x34,8) : USD 10 350 – PARIS, 17 juin 1994 : *Parc avec fabriques animé de personnages*, pl. et aquar. (23,5x49,5) : FRF 20 000 – LONDRES, 4 juil. 1994 : *Promontoire rocheux dans l'île de Capri avec des figures au premier plan*, encre et aquar. (23x34) : GBP 4 140 – PARIS, 7 avr. 1995 : *Le cerf-volant*, aquar. et encre brune (32x48,5) : FRF 70 000 – NEW YORK, 9 jan. 1996 : *La cascade de Schaffouse*, encre et lav./pap. bleu (24x34) : USD 10 925 – SAINT-GERMAIN-EN-LAYE, 30 juin 1996 : *Vue extérieure d'une grotte au bord de la mer près de l'abbaye San Vito di Polignano*, h/t (61x61) : FRF 260 000 – LONDRES, 3 juil. 1996 : *Vue de l'amphithéâtre romain en haut de Taormina*, encre et aquar. (22,1x34,8) : GBP 3 680 – PARIS, 26 nov. 1996 : *Pont et tour dans un paysage*, aquar., pl. et encre noire (21,2x18,5) : FRF 12 000 – PARIS, 25 avr. 1997 : *Vue de la Scaletta près de Messine*, aquar., pl. et encre noire (23x33,5) : FRF 21 000.

CHATELIN Jean Baptiste Claude. Voir **CHATELAIN**

CHATELIN Nicolas Ambroise
XIXe siècle. Français.
Peintre de genre.
Il exposa au Salon de Paris en 1842 : *Une jeune orpheline*, en 1844 : *Un moine en prières* et *Les dernières consolations*, en 1848 : *Une séance d'anatomie*, en 1849, un portrait de femme.

CHATELLERAULX Étienne de
XVIe siècle. Actif à Tours en 1554. Français.
Sculpteur sur bois.

CHATELLEREAU N.
XVIIIe siècle. Actif à Nantes vers 1722. Français.

Sculpteur.
À rapprocher de Jean CUCHET.

CHATENET Geneviève
Née au Vésinet (Yvelines). XXe siècle. Française.
Miniaturiste.
Élève de Mlle Martinet. A exposé au Salon des Artistes Français de 1930 à 1933.

CHATFIELD Edward
Né en 1802. Mort en 1839. XIXe siècle. Britannique.
Peintre d'histoire et de portraits.
Élève de Haydon. Il exposa entre 1823 et 1838 à la Royal Academy, à la British Institution et à Suffolk Street, à Londres. On cite parmi ses œuvres : *Mort de Moïse, Pénélope et l'arc d'Ulysse, Mort de Locke, La bataille de Killiecrankie, Ophélia.*

CHATFIELD H., R. P.
XVIIIe-XIXe siècles. Britannique.
Peintre de natures mortes.
Il exposa de 1797 à 1811 à la Royal Academy, à Londres.

CHATIGNY Jean-Baptiste, dit **Joanny**
Né le 19 janvier 1834 à Lyon (Rhône). Mort le 11 juillet 1886 à Lyon (Rhône). XIXe siècle. Français.
Peintre de compositions à personnages, scènes de genre, portraits, lithographe, sculpteur.
Élève de Vibert, à l'École des Beaux-Arts de Lyon entre 1848 et 1852, il travailla ensuite sous la direction de Picot, Thomas Couture et Paul Chenavard à l'École des Beaux-Arts de Paris. Après un voyage en Italie, il participa, à la fois, au Salon de Lyon, de 1864 à 1884, et à celui de Paris, de 1864 à sa mort.
Ses tableaux de genre, scènes médiévales, font preuve d'imagination délicate et féconde, souvent mal servie par une couleur sombre et une facture sans vigueur qui manque de précision. Il fit des copies d'après Michel-Ange et d'après des fresques d'Herculaneum et de Pompéi. Il demanda parfois à François Verney de peindre ses fonds de paysages. Il a décoré plusieurs intérieurs d'églises de Lyon, Chalon-sur-Saône, Paray-le-Monial, Villefranche. Il est aussi l'auteur de médaillons et de quelques bustes.
BIBLIOGR. : Gérald Schurr, in : *Les Petits Maîtres de la peinture 1820-1920, valeur de demain*, Les Éditions de l'Amateur, t. III, Paris, 1976.
MUSÉES : ISSOUDUN : *L'enfant et l'agneau* – LYON : *Célébrités lyonnaises* – TARARE : *Le dernier bijou.*
VENTES PUBLIQUES : PARIS, 22 nov. 1984 : *Élégante et personnages lisant des affiches*, h/t (65x54) : FRF 13 000.

CHATILLON Alfred
XXe siècle. Français.
Il exposa à Paris, où il travaillait, au Salon des Artistes Français à partir de 1902.

CHATILLON Auguste de
Né en 1808 ou 1813 à Paris. Mort en 1881 à Paris. XIXe siècle. Français.
Peintre de compositions religieuses, genre, portraits, sculpteur, poète.
Élève de Guillon-Léthière à l'École des Beaux-Arts de Paris en 1827, il participa au Salon à partir de 1831.
Collaborateur et ami d'André Gill, il publia des recueils de poèmes, dans ce dernier illustra et qui furent préfacés par Théophile Gauthier : *À la Grand'Pinte* et *Levrette en pal'tot.*
Il fut à la fois portraitiste officiel de la famille royale : la duchesse de Berry, la duchesse d'Orléans, mais aussi portraitiste de ses amis poètes, tels Victor Hugo ou Théophile Gauthier. Il fut également l'auteur de sujets religieux : *Vision de saint Augustin*, de scènes de genre : *Le petit ramoneur.* Parmi ses sculptures, citons une *Tête de jeune Romaine.* Il sut occuper une place exceptionnelle dans le mouvement romantique et l'époque réaliste.
BIBLIOGR. : Gérald Schurr, in : *Les Petits Maîtres de la peinture 1820-1920, valeur de demain*, Les Éditions de l'Amateur, t. III, Paris, 1976.
MUSÉES : ROUEN : *Petit ramoneur* – VERSAILLES : *Portrait de Marie-Louise – Portrait d'Élisabeth d'Orléans, duchesse de Berry – Portrait de Louise Marie Adélaïde de Bourbon, duchesse d'Orléans.*
VENTES PUBLIQUES : PARIS, 12-13 nov. 1928 : *La sainte Jeanne* : FRF 310.

CHATILLON Charles de
Né en 1777 à Doullens (Somme). Mort en 1844. XVIIIe-XIXe siècles. Français.

Peintre de sujets mythologiques, scènes de genre, portraits, miniaturiste, peintre à la gouache, aquarelliste.
De 1795 à 1808, il figura au Salon avec des miniatures, des sujets de genre et des gouaches. On lui doit aussi les portraits de Napoléon (Coll. Wallace, à Londres) et de Marie-Louise, gravés par Audouin.
Musées : LONDRES (coll. Wallace).
Ventes Publiques : PARIS, 19 mars 1924 : *Portrait d'homme, la main contre la joue*, gche : **FRF 3 050** – PARIS, 27 déc. 1926 : *Portrait de femme*, aquar. : **FRF 450** – PARIS, 4 nov. 1927 : *Homme vu de face*, miniat. : **FRF 2 200** ; *Femme vêtue de blanc, assise près d'une source*, miniat. : **FRF 1 000** – PARIS, 25 nov. 1936 : *Portrait en pied d'une jeune femme, grande miniature* : **FRF 2 580** – PARIS, 27 juin 1951 : *Scènes de genre, sujets mythologiques*, dix aquar. : **FRF 18 500** – NEW YORK, 18 jan. 1983 : *Un artiste au pied d'un escalier dans un parc*, h/t (76x65) : **USD 6 500** – NEW YORK, 11 oct. 1990 : *Personnage au pied d'un escalier dans un parc à l'italienne*, h/t (77,5x65) : **USD 7 150**.

CHATILLON Claude ou Chastillon
Né en 1547 à Châlons-sur-Marne. Mort en 1616 à Paris. XVIe-XVIIe siècles. Français.
Ingénieur, dessinateur et graveur.
On lui doit un certain nombre de planches topographiques fort estimées, notamment : *Topographie française ou représentation de plusieurs villes, bourgs, châteaux, maisons de plaisance, remises et vestiges d'antiquités du royaume de France*, publiées en 1641 (deuxième édition avec additions en 1647).

CHATILLON Henri Guillaume
Né en 1780 à Paris. Mort vers 1856 à Versailles. XIXe siècle. Français.
Peintre et graveur au burin.
Élève de Girodet-Trioson et de Girardet.

CHATILLON Louis de ou Chastillon, appelé parfois, par erreur, Chaillon ou Chaillot
Né en 1639 à Sainte-Menehould (Marne). Mort le 28 avril 1734 à Paris. XVIIe-XVIIIe siècles. Français.
Peintre et graveur.
Élève de Pezey et de Lebrun. Il excella dans la peinture sur émail et exécuta de 1698 à 1719 des dessus de boîtes pour les Menus Plaisirs. Le Musée d'Art et d'Histoire de Genève conserve de lui un *Portrait de magistrat*.
Ventes Publiques : PARIS, 1752 : *Portrait en émail de Louis XIV* : **FRF 120** ; *Desjardins, sculpteur* : **FRF 130** ; *Louis XIV* : **FRF 21** ; *Monsieur, fils de Louis XIV* : **FRF 78** ; *Princesse de Conti* : **FRF 181** – PARIS, 1785 : *Portrait en émail de la duchesse de Fontanges* ; *Portrait en émail de Louis XIV*, ensemble : **FRF 121** – PARIS, 1786 : *Portrait de Mme de Grignan* : **FRF 200** – PARIS, 1806 : *Portrait de la duchesse de Fontanges*, émail : **FRF 350** – PARIS, 28 nov. 1898 : *Portrait présumé de saint Just en buste*, miniature montée en médaillon : **FRF 255** – PARIS, 1900 : *Portrait de Charles II, roi d'Angleterre* : **FRF 1 350**.

CHATILLON Lucie
Née vers 1840 à Vilvoorde. XIXe siècle. Belge.
Peintre de fleurs et de fruits.

CHATILLON Pierre
Né en 1885 à La Chaux-de-Fonds. Mort en 1974 à Berne. XXe siècle. Suisse.
Peintre de paysages, aquarelliste.
Ventes Publiques : BERNE, 6 mai 1981 : *Vue de Berne*, aquar. (69x57) : **CHF 1 400** – BERNE, 30 avr. 1988 : *Berne en hiver 1963*, aquar. (42x51) : **CHF 2 700**.

CHATILLON Zoé Laure de, née Delaune
Née en 1826 à Chambray-sur-Eure. Morte en 1908 à Clarens (Suisse). XIXe siècle. Française.
Peintre.
Elle exposa au Salon entre 1851 et 1887. Elle a peint de nombreux portraits (*Général Cissey, Mgr Bauer, Princesse Mathilde*), quelques tableaux d'église (*L'Éducation de Jésus, Les Filles de la Croix*) et une série de toiles inspirées par la guerre de 1870-1871 (*L'Esclave*).
Musées : AUXERRE : *Revanche* – CARCASSONNE : *L'Option* – CHÂTEAU-GONTIER (Mayenne) : *Conversion de Rollon* – CLERMONT-FERRAND : *L'Année terrible* – COMPIÈGNE : *Jeanne d'Arc vouant ses armes à la Vierge*.
Ventes Publiques : PARIS, 29 mars 1895 : *L'amour de l'art*, aquar. : **FRF 18**.

CHATINIÈRE Antonin Marie
Né en avril 1828 à Montpellier (Hérault). XIXe siècle. Français.
Peintre et lithographe.
Élève de Mattet. Il figura au Salon de Paris en 1859, 1861 et 1867.
Musées : PONTOISE : *Couple d'amoureux à cheval* – *Jeune cavalier et jeune fille près d'une fontaine* – SÈTE : *Retour des champs*.

CHATOKYNE Ivanov
Né en 1939. XXe siècle. Russe.
Peintre de paysages.
Il est membre de l'Union des peintres de l'URSS. À partir de 1963, il participe à de nombreuses expositions à Leningrad (Saint-Pétersbourg) et en URSS. Puis, à partir de 1968, il expose au Canada, en Pologne, Bulgarie, Allemagne, Tchécoslovaquie et Finlande.
Il peint ses paysages, sous des couleurs douces, presque pastel. Les couleurs se fondent, rappelant certains dégradés de l'aquarelle.

CHATOULENKO-TREMLETT Alexandra
Née à Vevey (Canton de Vaud). XXe siècle. Suisse.
Peintre.
Élève de Mlle Minier. A exposé des fleurs au Salon des Artistes Français en 1933.

CHATRANEZ Nicolas ou Chanterene Nicolau
Vraisemblablement d'origine française. XVIe siècle.
Sculpteur.
Travailla notamment à l'autel de la chapelle de la Pena près de Cintra.

CHATRNY Dalibor
Né le 28 août 1925 à Brno (Slovaquie). XXe siècle. Tchécoslovaque.
Graveur, sérigraphe. Tendance conceptuelle.
Il fut élève de l'École des Beaux-Arts de Prague, jusqu'à son diplôme en 1953. Il participe à de nombreuses expositions collectives : 1964 Cracovie, 1968 Ottawa, ainsi qu'à Rome, Montréal, Turin, Florence, etc. Sa première exposition personnelle eut lieu à Prague en 1958, depuis il expose régulièrement à Brno. Il réalise en sérigraphie des diagrammes assez proches de l'art conceptuel et de certaines tendances de l'avant-garde américaine.

CHATROUSSE Émile François
Né le 6 mars 1829 à Paris. Mort le 12 novembre 1896 à Paris. XIXe siècle. Français.
Sculpteur de statues.
Élève de Rude et d'Abel de Pujol.
Il débuta au Salon en 1848 et fut médaillé en 1863, 1864 et 1865. Pour l'église Saint-Eustache, il exécuta une statue en marbre : *La Résignation* ; pour l'église de la Trinité, il fit la statue en pierre de *Saint Simon*, apôtre ; pour l'église Saint-Ambroise, il exécuta un *Saint Joseph*, statue en pierre. Au palais du Conseil d'État, on voit, de lui, une *Statue de Portalis* ; il a en outre orné de figures l'Hôtel de Ville de Paris et le théâtre du Châtelet. Critique d'art, il a collaboré à l'*Artiste*, au *Pays*, au *Bien Public* et au *National*. Chatrousse terminait sa statue de la *Source endormie* quand il mourut subitement.
Musées : ANVERS : *Pitié* – DUNKERQUE : *Madeleine repentante* – NANCY : *Les crimes de la guerre* – SÈTE : *Benserade*.
Ventes Publiques : PARIS, 2 déc. 1983 : *La liseuse*, bronze, patine médaille doré (H. 65) : **FRF 7 500** – LONDRES, 8 mars 1984 : *Nu et enfant* vers 1860, bronze, patine brun-vert (H. 61) : **GBP 800** – LILLE, 25 nov. 1985 : *La lecture*, bronze patiné (H. 65) : **FRF 7 600**.

CHATROUSSE Hélène Jeanne
Née à Oran (Algérie). XXe siècle. Française.
Décoratrice.
De 1923 à 1926 elle a exposé des tapis au Salon des Artistes Français ; mention honorable en 1923.

CHATROUSSE Luisa, née Léchelle
Née à Madrid, de parents français. XIXe siècle. Française.
Peintre.
Élève de Jean Geoffroy. Sociétaire des Artistes Français depuis 1898, elle exposa au Salon de ce groupement dès 1897, obtenant cette année-là une mention honorable ; elle y figura encore en 1904 et en 1905. Chevalier de la Légion d'honneur.

CHATRY Paul Maurice Gustave
Né aux Clouzeaux (Vendée). Mort en 1930. XXe siècle. Français.
Peintre de paysages.

Il fut élève de Fernand Cormon. Il exposait à Paris, au Salon des Artistes Français, obtenant des mentions honorables en 1921 et 1926.

CHATTAWAY William
Né en 1927 à Coventry. xxᵉ siècle. Actif aussi en France. Britannique.
Sculpteur. Expressionniste.
De 1945 à 1948, il fut élève de la Slade School de Londres. En 1950, il s'installa à Paris, où, à partir de 1951 il a exposé au Salon de Mai, puis dans d'autres Salons annuels. En 1964, il a participé à la première Biennale de Sculpture Contemporaine au Musée Rodin.
On l'a appelé « le grand tailleur de formes rêches » et, en effet, les formes qu'il sculpte, évoquant les corps, semblent taillées à coups de serpe, à la fois massives, anguleuses et rugueuses. Témoigne de ce style personnel, aussi étranger à la figuration qu'à l'abstraction, le buste monumental de l'écrivain chrétien Georges Bernanos, dont l'articulation des plans aux arêtes vives est structurée à la fois par le rappel des traits synthétisés du personnage et par l'évocation de la croix. Ce monument, commande d'état, est érigé à Paris, en haut du Boulevard Saint-Michel, sur le terreplein de l'avenue Georges Bernanos.
VENTES PUBLIQUES : NEW YORK, 17 mars 1976 : *Torso* 1974, or (H. 13,3) : **USD 4 500** – LONDRES, 5 déc. 1978 : *Buste* 1973, or, 18 carats (H. 12,7) : **GBP 2 400** – PARIS, 9 avr. 1989 : *Tête de Selmine*, bronze patiné : **FRF 42 000** – PARIS, 29 mars 1990 : *Buste d'homme* 1957, bronze à patine brune (23,5x36x19) : **FRF 150 000** – PARIS, 16 oct. 1994 : *Tête de Debbie*, bronze (H. 34,5x22x20) : **FRF 10 000** – PARIS, 17 avr. 1996 : *Femme debout* 1968, bronze (H. 40) : **FRF 16 000** – PARIS, 26-27 nov. 1996 : *Buste de Bernanos* 1986, bronze, épreuve (H. 41) : **FRF 4 800**.

CHATTERTON Clarence K.
Né en 1880 aux États-Unis. Mort en 1973. xxᵉ siècle. Américain.
Peintre de paysages.
À New York, il étudia avec William Chase, Francis Mora, Fr. Du Mond. En 1913, il obtint un Prix du Salmagundi Club. En 1933, il figura dans une exposition du Worcester Art Museum. Il fut professeur d'art au Vassar College.
VENTES PUBLIQUES : LONDRES, 3 déc. 1976 : *Scène de rue (recto) ; Scène de parc (verso)* vers 1918, h/t (71x92) : **GBP 800** – NEW YORK, 20 avr. 1979 : *Chadeayne place, Cornwall* 1917, h/t (71x91,5) : **USD 6 250** – PORTLAND, 5 juil. 1980 : *Paysage* h/t (46x56) : **USD 2 200** – PORTLAND, 4 avr. 1981 : *La classe d'art, un après midi dans le Maine* 1922, h/cart. (29,2x40) : **USD 1 500** – NEW YORK, 30 sep. 1982 : *Plage réduite à Ogunquit*, h/cart. (20,3x25,4) : **USD 1 000** – LONG ISLAND, 17 nov. 1985 : *Street by Washington Headquarters, New-Burgh, New York*, h/t (71,2x92) : **USD 8 000** – NEW YORK, 23 juin 1987 : *Dans le parc*, h/t. (30,5x40,5) : **USD 14 000** – NEW YORK, 14 fév. 1990 : *Jetée au clair de lune* 1912, h/pan. (31,3x46,7) : **USD 4 400** ; *Les maisons de Kennebunk*, h/t. cartonnée (20,3x25,4) : **USD 1 650** – NEW YORK, 3 déc. 1992 : *« Snake Hill »* 1906, gche et cr./pap./cart. (32,4x47) : **USD 3 300** – NEW YORK, 26 mai 1993 : *Régate à Kennebunkport*, h/cart. (30,5x40) : **USD 11 500** – NEW YORK, 20 mars 1996 : *Les maisons de Kennebunk* 1928, h/t. cartonnée (20,3x25,4) : **USD 1 380**.

CHATTOCK Richard Samuel
Né en 1825 à Solihull (Warwick). Mort en 1906 à Clifton. xixᵉ siècle. Britannique.
Peintre de paysages et graveur.
Fit ses études à Rugby. Il travailla successivement à Birmingham et dans sa ville natale. Il a exposé à la Royal Academy, à Suffolk Street et à la New Water-Colours Society, à Londres, à partir de 1865. Membre de la Society of Painter-Etchers.

CHATTON Blanche
Née à Saint-Ouen (Seine-Saint-Denis). xxᵉ siècle. Française.
Peintre d'intérieurs.
Élève de Lasare. Elle a exposé au Salon des Artistes Français à Paris, de 1922 à 1924.

CHATZ Boris
Né au xixᵉ siècle à Vorno. xixᵉ siècle. Russe.
Sculpteur.
Élève de Antokolsky et Cormon. Participa à l'Exposition Universelle de Paris en 1900.

CHATZMAN Boris
Né le 1ᵉʳ décembre 1896 à Rostow-sur-le-Don. xxᵉ siècle. Russe.

Peintre de paysages, fleurs, natures mortes.
Sans doute à l'occasion d'un séjour, il a exposé à Paris de 1926 à 1939, aux Salons des Artistes Indépendants, d'Automne, des Tuileries.
VENTES PUBLIQUES : PARIS, 8 avr. 1990 : *« Le Shtelt »*, h/isor. (44x60) : **FRF 8 000**.

CHATZOPOULO Georges
Né à Patras. xixᵉ siècle. Grec.
Paysagiste.
Élève de George Jakobidés. Participa à l'Exposition Universelle de Paris en 1900.

CHAU Diep Minh. Voir DIEP MINH CHAU

CHAUBARD Aimée
Née à Toulouse (Haute-Garonne). xxᵉ siècle. Française.
Peintre de genre.
Elle a exposé à Paris, au Salon des Artistes Indépendants, de 1932 à 1938.

CHAUBARD Marie Louise
xxᵉ siècle. Française.
Peintre de portraits.
A exposé aux Indépendants à Paris, de 1941 à 1943.

CHAUCHARD Pierre Edmond
Né à Hérisson (Allier). xxᵉ siècle. Français.
Peintre de paysages, natures mortes.
A exposé aux Indépendants à Paris, de 1926 à 1929.

CHAUCHEFOIN Marie Louise
Née au xixᵉ siècle à Paris. xixᵉ siècle. Française.
Peintre.
Elle obtint une mention honorable au Salon des Artistes Français de Paris en 1895.

CHAUCHET-GUILLERÉ Charlotte
Née à Charleville (Ardennes). xxᵉ siècle. Française.
Peintre de genre, paysages, portraits, décorateur.
Elle fut élève de Gabriel Thurner. Elle exposa régulièrement à Paris, au Salon des Artistes Français, mention honorable 1901, médaille de troisième classe 1902, bourse de voyage 1904, elle fut faite chevalier de la Légion d'Honneur. Elle a également exposé aux Salons des Artistes Indépendants de 1910, d'Automne de 1907 à 1912 et en devenant sociétaire. En 1921-22, elle a exposé des œuvres d'art décoratif.
MUSÉES : BESANÇON : *Portrait de la mère de l'artiste* – BOURY : *Intérieur de cuisine* – GRAY : *Souvenir de l'abbaye de Noirlac*.

CHAUDÉ Émile Paul
Né à Magny-en-Vexin (Val-d'Oise). Mort le 1ᵉʳ avril 1937. xixᵉ-xxᵉ siècles. Français.
Peintre-aquarelliste de paysages.
Il a exposé à Paris, au Salon des Artistes Indépendants de 1927 à sa mort.

CHAUDÉ Georges
Mort en 1900. xixᵉ siècle. Français.
Peintre.
Il était membre de la Société des Artistes Français et prit part à ses expositions.

CHAUDENAY Gilles de
Né au xxᵉ siècle à Paris. xxᵉ siècle. Français.
Peintre.
Invité au Salon des Tuileries en 1934, il y expose *Marin* ; on le retrouve en 1935 aux Indépendants, à Paris.

CHAUDERON Michel ou Chaulderon
xviiᵉ siècle. Français.
Peintre.
Il fut reçu à l'Académie de Saint-Luc en 1653.

CHAUDET Antoine Denis
Né le 3 mars 1763 à Paris. Mort le 19 avril 1810 à Paris. xviiiᵉ-xixᵉ siècles. Français.
Sculpteur de statues, bustes, bas-reliefs, peintre d'histoire, sujets religieux, dessinateur, illustrateur.
Élève de J. B. Stouf et E. Gois. Au concours pour Rome, en 1781, il eut le second prix, et le premier prix en 1784 avec son tableau : *Joseph vendu par ses frères.*
Le 30 mai 1789, il fut agréé à l'Académie royale de peinture, mais il ne devint jamais académicien. Il connut le succès, dès les premières sculptures : *Bélisaire* (1791), *Paul et Virginie au berceau* (1795). Il fut nommé membre de l'Institut le 12 janvier 1805. Il fut professeur à l'École des Beaux-Arts et prit part, à l'Institut, à la

rédaction du Dictionnaire de la langue des Beaux-Arts. Il collabora à l'édition de Racine, entreprise par Diderot.
De 1798 à 1810, il exposa au Salon de Paris des sculptures et des
peintures.
En 1810, le jury sur les prix décennaux cita dans son rapport la
statue de Napoléon, en César, qui figura jusqu'en 1814 sur la
colonne Vendôme et qui avait été exécutée par cet artiste. Cette
œuvre a été gravée par Baltard. On doit encore à Chaudet le bas-
relief allégorique, placé à la cour du Louvre, dans l'angle du
pavillon de Beauvais, la *Statue de la Paix*, exécutée en argent et
placée aux Tuileries, celle de Cincinnatus pour la salle du Sénat,
le fronton du palais du Corps législatif.
MUSÉES : ANGERS : *Bonaparte, premier consul* – CHÂLONS-SUR-
MARNE : *Bonaparte* – COUTANCES : *Frise pour le Panthéon* –
ÉTAMPES : *Buste de Napoléon* – LILLE : *Buste de Napoléon* – *Napo-
léon Ier*, buste en marbre – NIORT : *Napoléon* – *L'amour* – PÉRI-
GUEUX : *Napoléon Ier, premier consul*, sculpt. sous marbre – TOULON :
Ciparisse pleurant son jeune cerf qu'il a tué par mégarde – TOURS :
Buste de Napoléon – *Buste du ministre de l'Intérieur Chaptal en
costume contemporain* – VALENCIENNES : *Buste de Napoléon Ier* –
VERSAILLES : *Dugommier Jacques, général en chef*, statue –
Dugommier Jean-François-Coquille, général en chef – *Fourcroy
Antoine*, buste en plâtre.
VENTES PUBLIQUES : PARIS, 1814 : *Scène du déluge*, dess. à la pl.,
lavé d'encre et reh. de blanc : FRF 48 ; *Diverses esquisses*, dix
dessins : FRF 44 – PARIS, 1880 : *Sujet tiré de l'histoire romaine*,
dess. au cr. et à la sépia : FRF 520 ; *Dix pièces pour illustration*,
dess. à la sépia et à l'encre de Chine, reh. de blanc : FRF 18 –
PARIS, 9 juin 1978 : *Buste officiel représentant l'Empereur vu de
face*, bronze (60x31) : FRF 9 500 – PARIS, 29 oct. 1980 : *Les outres
de vin*, plume, lav. gris et reh. de blanc (17,8x12,8) : FRF 4 800 –
ORLÉANS, 28 sep. 1995 : *L'Amour agenouillé jouant avec un papillon*, bronze (H. 88) : FRF 93 000.

CHAUDET Charles. Voir l'article CHAUDET Henri-Marc-François

CHAUDET Georges Alfred
Né en 1870. Mort en 1899 à Paris. XIXe siècle. Français.
Peintre de portraits, paysages, natures mortes.
Il prit part aux expositions de la Société des Artistes Français,
dont il fut membre. Ami de Gauguin, qu'il avait rencontré à
Douarnenez, il devint son marchand, mais sa boutique fit faillite
en 1898. Lui-même n'eut que très peu de temps pour peindre,
puisqu'il mourut à vingt-neuf ans.
Ses paysages et natures mortes montrent une certaine influence
de Gauguin par ses coloris rares et un hiératisme dans ses
compositions qui les rapprochent de celles de Cézanne.
BIBLIOGR. : Gérald Schurr, in : *Les Petits Maîtres de la peinture
1820-1920, valeur de demain*, Les Éditions de l'Amateur, t. II,
Paris, 1982.
VENTES PUBLIQUES : BREST, 14 déc. 1980 : *Portrait de Pauline
Chaudet, femme de Rasetti*, h/t (71x47) : FRF 2 000 – BREST, 15
déc. 1985 : *Paysage à la chaumière et au clocher*, h/t (54x65) :
FRF 7 500.

CHAUDET Henri Marc François
Né le 10 janvier 1845 à Vevey. XIXe siècle. Suisse.
Architecte et sculpteur.
Chaudet étudia à l'École industrielle de Vevey et à l'École polytechnique fédérale. Il s'associa avec son frère Charles en 1873, et
fonda un atelier de sculpture à Clarens. Les frères Chaudet fournirent les sculptures pour le monument à Paul Baudry érigé au
Musée de La Roche-sur-Yon, et la grande stèle du monument à
la mémoire de ce peintre à Paris.

CHAUDET Henriette Amélie. Voir PEYNOT Amélie

CHAUDET Jeanne Elisabeth, appelée aussi Husson, née Gabiou
Née le 23 janvier 1767 à Paris. Morte le 18 avril 1832 à Paris.
XVIIIe-XIXe siècles. Française.
**Peintre de sujets mythologiques, scènes de genre, por-
traits, paysages.**
Élève de Madame Vigée-Lebrun et du sculpteur Antoine Denis
Chaudet qu'elle épousa, elle participa au Salon de Paris de 1798
à 1817. Devenue veuve en 1812, elle épousa en secondes noces
Pierre Aristide Denis Husson, archiviste de la couronne.
Ses sujets de genre sont dans le goût élégiaque du Consulat et de
l'Empire. Son trait assuré fait penser au trait d'Ingres et le sfu-
mato de ses portraits rappelle l'œuvre de Prud'hon.
BIBLIOGR. : Gérald Schurr, in : *Les Petits Maîtres de la peinture*

1820-1920, valeur de demain, Les Éditions de l'Amateur, t. III,
Paris, 1976.
MUSÉES : ARRAS : *Portrait de M. Husson* – *Enfant en costume de
lancier* – *Jeunes filles construisant un château de cartes* – *La
Colombe morte* – *L'Évasion* – *Portrait du roi de Rome* – *Tête
d'étude* – *L'Écolière en pénitence* 1810 – *Tristesse et Regrets* 1804
– NICE : *Énée portant Anchise, son père, pendant l'incendie de
Troie* – PARIS (Mus. Marmottan) : *Petite fille mangeant des cerises*
– ROCHEFORT : *Petite fille apprenant à lire à un jeune chien* – VER-
SAILLES : *Marie Laetitia Joseph Murat, comtesse Pepoli*.
VENTES PUBLIQUES : PARIS, 1888 : *Portrait de jeune garçon* :
FRF 110 – PARIS, 1890 : *L'amour adulte tenant une rose* : FRF 820
– PARIS, 1897 : *Portrait de jeune fille* : FRF 510 ; *Ernestine de
Dampierre* : FRF 580 – MONACO, 16 juin 1989 : *Buste de Madame
Augustin, née M. P. du Cruet de Barailhon, portant une robe noire
et un voile transparent*, h/t (55,5x46) : FRF 388 500 – PARIS, 17
juin 1991 : *Le Roi de Rome enfant*, h/t (92x72,5) : FRF 155 000 –
MONACO, 19 juin 1994 : *Portrait d'homme 1811*, h/t (59,5x49) :
FRF 9 990 – PARIS, 18 déc. 1996 : *Jeune fille tenant le sabre de son
père vers 1817*, h/t (41x32) : FRF 570 000.

CHAUDEURGE
XXe siècle. Français.
Peintre verrier.

CHAUDHURY Arya Khumar
Né à Calcutta. XXe siècle. Indien.
Peintre, aquarelliste.
A exposé au Salon des Artistes Français en 1930 et 1931.

CHAUDIER Jean
Né le 15 mai 1834 à Voiron (Isère). XIXe siècle. Français.
Peintre de figures, portraits, natures mortes.
Élève de V. Vibert à l'École des Beaux-Arts de Lyon où il entra en
1859.
Il a exposé à Lyon, depuis 1866, des portraits, des figures et sur-
tout des natures mortes et notamment : *Vieux mendiant* (1872),
Panier de fraises (1885), *Coin d'atelier de MM. Chapuis et Hazg*
(1892, troisième médaille), *Poissons* (1895).
VENTES PUBLIQUES : PARIS, 30 jan. 1989 : *Brochet sur une table de
cuisine* 1892, h/t (55,5x85,5) : FRF 15 000.

CHAUDIÈRES Georges
Né à Paris. XXe siècle. Français.
Dessinateur.
En 1935 il a exposé deux fusains aux Indépendants, à Paris.

CHAUDOUËT Yves
XXe siècle. Français.
Peintre de paysages, peintre de monotypes, illustrateur.
Expressionniste.
Il fut diplômé de l'École des Beaux-Arts de Paris en 1985. En
1986, il a créé des monotypes « autour de Samuel Beckett ». Il a
eu une exposition personnelle à New York en 1988.
Ce très jeune peintre pratique un paysagisme presque abstrait,
d'un expressionnisme très romantique.

CHAUDRON Pierre
XVIIe siècle. Actif à Amiens en 1686. Français.
Sculpteur.

CHAUDUN-FROIDEFOND Germaine, Mme
Née à Paris. XXe siècle. Française.
Sculpteur.
Élève de Guénardeau. En 1923, elle exposait au Salon des
Artistes Français un *Portrait d'enfant* (médaille en plâtre).

CHAUFFARD-HUGUES Mariet
XXe siècle. Français.
Peintre.
Exposa au Salon des Tuileries de 1934.

CHAUFFER Pierre Charles
Né en 1779 à Rouen. XIXe siècle. Français.
Peintre d'histoire et de genre.
Élève de David. Cité par Siret et Gabet.

CHAUFFREY Jean Bernard
Né le 8 mars 1911 à Paris. XXe siècle. Français.
**Peintre de paysages animés, illustrateur, peintre de
décors et costumes de théâtre.**
Il a voyagé en Espagne, Italie, Grèce, aux États-Unis, au Maroc,
d'où il a rapporté des études personnelles. Il a exposé régulièrement à Paris, aux Salons d'Automne, de Mai, des Tuileries. Il a
créé les décors et costumes pour *Les juges* de J.-M. Créach au

Studio des Champs-Élysées. Il a illustré *La maison de Bernarda* de Federico Garcia Lorca.

CHAUFOUR Anne
Née au xxᵉ siècle à Paris. xxᵉ siècle. Française.
Peintre de portraits, natures mortes.
A exposé au Salon des Artistes Français à Paris, de 1938 à 1940.

CHAUFOURRIER Jean ou **Chaufourier**
Né en 1679 à Paris. Mort le 28 novembre 1757 à Saint-Germain-en-Laye. xviiiᵉ siècle. Français.
Peintre et graveur.
Le titre le plus intéressant de Chaufourrier est peut-être d'avoir été le professeur de dessin de Jean-Pierre Mariette. Grâce à la protection du duc d'Antin, il fut reçu à l'Académie Royale de peinture en 1735 et fut nommé professeur-adjoint de perspective. Peu après, il succéda à M. de Boullogne dans l'emploi de dessinateur de l'Académie des belles-lettres. Mais M. de Maurepas ayant jugé de la médiocrité du talent de Chaufourrier, fit donner la place de dessinateur à Bouchardon, en 1736. C'est alors que Chaufourrier se retira à Saint-Germain-en-Laye, où il avait épousé la fille du célèbre graveur G. Edelinck. On cite de lui notamment une suite de huit paysages, d'après ses dessins et une *Vue de Ville*.
Ventes Publiques : Paris, 1767 : *La perspective du chœur de Notre-Dame de Paris*, dess. colorié : FRF 80 ; *Deux vues dont une de la villa Farnèse*, dess. à la pl. lavé de bistre : FRF 24 ; *Deux vues sur les bords du Tibre*, dess. bistre, reh. de blanc : FRF 57 – Paris, 1773 : *Paysages*, trois dess. : FRF 3 – Paris, 1896 : *Vues de Paris*, deux dess. à la pl., avec reh. de sépia : FRF 405 – Paris, 22 fév. 1934 : *Rochers et cascade*, aquar. : FRF 95.

CHAUGNAC Robert de, Frère. Voir **ROBERT**, dom

CHAUKE Johannes
xxᵉ siècle. Sud-Africain.
Sculpteur de figures.
Il réalise des hommes-animaux en bois, disant le mélange des races, des ethnies.

CHAULET
xviiᵉ-xviiiᵉ siècles. Travaillant entre 1670 et 1750. Français.
Graveur.
On connaît de lui un *Portrait de Mlle de la Vallière*, d'après Mignard. Cité par Zani.

CHAULEUR Joseph Alphonse
Né à Lille (Nord). xxᵉ siècle. Français.
Peintre d'intérieurs, paysages.
Vivant à Lille, il exposait à Paris, au Salon des Artistes Français, dont il fut sociétaire, médaille d'argent 1934. Paysagiste, il a notamment travaillé dans la région de Saint-Tropez.
Ventes Publiques : Paris, 14 nov. 1995 : *Petite place près du port*, h/t (50x61) : FRF 4 800.

CHAULEUR Madeleine
Née à Lille (Nord). xxᵉ siècle. Française.
Sculpteur.
A pris part au Salon des Artistes Français de 1926 à Paris.

CHAULEUR-OZEEL Jane Agnès
Née à Lille (Nord). xxᵉ siècle. Française.
Peintre de scènes de genre, natures mortes.
Vivant à Lille, elle exposait à Paris, au Salon des Artistes Français, médaille d'or 1936, hors-concours.

CHAUMARD Henri Marien
Né à Vichy (Allier). xxᵉ siècle. Français.
Peintre de genre, paysages, pastelliste, peintre de cartons de vitraux.
Il fut élève de J. L. Gérome. Il exposait à Paris, au Salon des Artistes Français, dont il devint sociétaire, et au Salon des Artistes Indépendants. En 1929, il exposait *La petite écolière*.
Ventes Publiques : Paris, 9 oct. 1931 : *Amours et personnages*, deux past. ensemble : FRF 90.

CHAUMAT Odette
Née à Paris. xxᵉ siècle. Française.
Peintre de genre, natures mortes, fleurs.
Elle exposa à Paris, au Salon des Artistes Indépendants de 1926 à 1942.

CHAUMEIL Henri
Né à Gennevilliers (Hauts-de-Seine). xxᵉ siècle. Français.
Céramiste.
Exposant des Indépendants et du Salon d'Automne, dont il est sociétaire.

CHAUMET-SOUSSELIER Marie J. L., Mme
xixᵉ-xxᵉ siècles. Active à Paris. Française.
Peintre.
Élève de Lefebvre, Saintpierre et G. Bienvêtu. Depuis 1891, sociétaire des Artistes Français ; mention honorable en 1904 ; cette artiste, connue surtout par ses pastels, est également sociétaire du Salon d'Hiver.

CHAUMONNOT. Voir **CHOSSAT-CHAUMONNOT**

CHAUMONT Antoine Bernard
Né en 1755 à Aurillac. Mort en 1828 à Rennes. xviiiᵉ-xixᵉ siècles. Français.
Sculpteur.
Le Musée de Rennes conserve de lui : *Ornements* (bas-relief en plâtre).

CHAUMONT Émile
Né à Périgueux (Dordogne). xxᵉ siècle. Français.
Peintre de paysages.
Il fut élève de Jean-Paul Laurens. Il a exposé à Paris, au Salon des Artistes Français de 1912 à 1927.

CHAUMONT Louis de
xivᵉ siècle. Actif dans la première moitié du xivᵉ siècle. Français.
Sculpteur.
Travailla à la décoration de Saint-Jacques-L'Hôpital, à Paris.

CHAUMONT Michelle
xviiiᵉ siècle.
Peintre ou sculpteur.
Elle fut reçue à l'Académie de Saint-Luc en 1763.

CHAUMONT-QUITRY de, marquis
xixᵉ-xxᵉ siècles. Actif à Paris. Français.
Sculpteur.
Sociétaire des Artistes Français en 1901. Il figurait au Salon de 1914.

CHAUMOT Georges
Né à Paris. xxᵉ siècle. Français.
Sculpteur de bustes, nus.
De 1935 à 1942, il a exposé à Paris, aux Salons d'Automne et des Tuileries.

CHAUNAC LA FONTA Madalette
xixᵉ-xxᵉ siècles. Française.
Peintre.
De 1912 à 1920, a exposé des portraits au Salon des Artistes Français.

CHAUNDLER ou **Chandler**
Né vers 1418 à Wells. Mort en 1490. xvᵉ siècle. Britannique.
Miniaturiste et écrivain.

CHAU Nguyen Thanh. Voir **NGUYEN THANH CHAU**

CHAURAND-NAURAC Jean Raoul
Né le 28 février 1878 à Lyon (Rhône). Mort le 3 octobre 1948 à Paris. xxᵉ siècle. Français.
Peintre de paysages animés, portraits, fleurs, animalier, dessinateur, aquarelliste.
Il fut élève de l'Ecole des Beaux-Arts de Lyon, puis de celle de Paris où, dans l'Atelier Gustave Moreau, il fut le condisciple de Matisse, Rouault, Marquet, Camoin. Il exposa régulièrement à Paris, au Salon des Artistes Indépendants, puis, après 1920, au Salon d'Automne. Il a montré des ensembles d'œuvres dans des expositions personnelles, à Paris, depuis 1925, d'autres ayant été organisées à titre posthume, notamment un Hommage au Salon d'Automne de 1981. Il se trouva souvent là où il fallait : il habita le « Bateau-Lavoir » de Montmartre, il habita aussi « la Ruche » de Vaugirard.
Cependant, il ne profita pas pleinement des opportunités : si proche des créateurs du fauvisme, il ne participa pas à l'aventure. Tenté par le cubisme, il n'en fut qu'effleuré. Il dessinait aisément, il était bon coloriste, artiste doué il manqua d'esprit de décision. S'il peignit parfois des paysages, des fleurs, des portraits, en fait, dès ses débuts, il adopta un thème, certainement par attirance personnelle, mais un thème tellement narratif en soi qu'il l'écarta de toute réflexion sur la nature de la peinture en tant que telle, en tant que fait plastique selon l'expression cézannienne. Il se détermina peintre du cheval, son œuvre abonde en toiles, aquarelles et dessins saisis sur les champs de courses, aux Concours Hippiques, « au Bois », au Polo, aux chasses-à-courre.
∎ J. B.

BIBLIOGR. : André Salmon : Catalogue de l'exposition *Chaurand-Naurac*, Gal. Vavin, Paris, 1925 – Léon Werth : Catalogue de l'exposition *Chaurand-Naurac*, Gal. Montparnasse, Paris, 1928 – Maximilien Gauthier : *Chaurand-Naurac, sa vie, son œuvre*, Imprim. E. Durand, Paris, 1977 – Jeanine Warnod : Présentation de l'exposition *Chaurand-Naurac*, Gal. Katia Granoff, Paris, 1980.
MUSÉES : AUBENAS (Château-Musée) : *Fondation-donation Chaurand-Naurac* – PARIS (Mus. Nat. d'Art Mod.) : *Jument et son poulain* 1902.
VENTES PUBLIQUES : PARIS, 24 juin 1978 : *Jockey*, h/t (66x55) : FRF 420.

CHAURAY Jean-Claude
Né le 14 avril 1934 à Rochefort-sur-Mer (Charente-Maritime). XXe siècle. Français.
Peintre de natures mortes. Réaliste.
Autodidacte en peinture, il expose à Paris, aux Salons des Artistes Français dont il est sociétaire, des Artistes Indépendants et Comparaisons.
Il a fait partie du groupe des peintres de la réalité.
VENTES PUBLIQUES : PARIS, 2 fév. 1992 : *Nature morte*, h/t (19x26,5) : FRF 20 000 – PARIS, 23 mars 1993 : *Nature morte aux citrons et au pichet d'étain*, h/t (36x27) : FRF 19 000 – PARIS, 29 juin 1994 : *Le pondoir*, h/t (33x41) : FRF 48 500 – PARIS, 18 nov. 1994 : *Nature morte au plat d'étain*, h/t (46x55) : FRF 80 000 – PARIS, 19 oct. 1997 : *Nature morte aux citrons 1962*, h/t (45,7x61) : FRF 6 800.

CHAUSSARD
XIXe siècle. Actif à Paris au début du XIXe siècle. Français.
Graveur.

CHAUSSAT Emma, Mme
Née en 1840 à Mantes (Yvelines). XIXe siècle. Active à Paris. Française.
Peintre de genre et de natures mortes.
Élève de Chapsal et Couture. Exposa au Salon en 1861, 1864 et 1868.

CHAUSSE-TRAPPE, Maître à la. Voir **TRIBOLO**

CHAUSSERIE-LAPRÉE Madeleine
Née à Melun (Seine-et-Marne). XXe siècle. Française.
Peintre.
A exposé des paysages au Salon d'Automne de 1933.

CHAUTARD Joseph Thomas
Né le 5 août 1821 à Avignon. XIXe siècle. Français.
Peintre de compositions religieuses, genre, portraits.
Élève de Scheffer et de Lehmann. Il débuta au Salon de Paris en 1845. En 1861, il exécuta des peintures murales dans la chapelle du couvent de la Visitation de Riom, représentant : *La Présentation au temple, La Visitation, Le Christ et les petits enfants*. Dans la chapelle de Vassirière (Puy-de-Dôme) il fit d'autres peintures murales représentant : *La naissance de la Vierge*, la *Présentation au temple*, le *Couronnement de la Vierge*. Pour Notre-Dame de la Salette de Grenoble, il fit le carton de la *Transfiguration*.
MUSÉES : AVIGNON : *Saint Jean Baptiste* – *Le denier de la veuve* – *Portrait de son fils Émile* – *Sujet tiré d'un poème provençal d'Aug. Boudin*, past.

CHAUTARD Thérèse
XIXe siècle. Française.
Peintre de miniatures.
Elle exposa au Salon de Paris entre 1874 et 1882.

CHAUTARD Victor Saint Just
XIXe siècle. Français.
Graveur-médailleur de portraits.
Élève de Guillaume et de Ponscarmé. Exposa au Salon de Paris, entre 1870 et 1880, des médaillons et des médailles (portraits).
VENTES PUBLIQUES : PARIS, 14 déc. 1990 : *Portrait de jeune fille 1881*, h/t (61,5x50) : FRF 7 000.

CHAUTARD-CARRAU Marie Amélie
Née à Pau (Pyrénées-Atlantiques). XXe siècle. Française.
Aquarelliste.
Élève de l'École des Beaux-Arts de Bordeaux. Membre de l'Union des Femmes Peintres et Sculpteurs.

CHAUVANCY Jean
Né à Paris. XXe siècle. Français.
Sculpteur.
Il exposait un buste au Salon des Artistes Français de 1927.

CHAUVAUX Oscar
Né le 19 mars 1874 à Bruxelles. Mort en 1965 à Montgeron (Essonne). XXe siècle. Naturalisé et actif en France. Belge.
Peintre de scènes de genre, portraits, paysages animés, paysages.
Il fut élève de Gabriel Guay. Il exposait à Paris, au Salon des Artistes Français, dont il devint sociétaire, mention honorable 1920, deuxième médaille 1923, médaille d'or 1927, médaille d'argent pour l'Exposition Universelle de 1937, hors-concours. Il a exposé également à Amsterdam, Tokyo, Bruxelles, Madrid. Il fut chargé d'organiser le Musée de Locronan qu'il inaugura en 1934.
Il a surtout peint les paysages de Bretagne, dont les teintes douces, nostalgiques, mystérieuses, l'inspiraient particulièrement. Citons aussi : *Paysage de Lavardin* – *L'heure de l'office* – *Portrait de ma mère*.
BIBLIOGR. : Gérald Schurr, in : *Les Petits Maîtres de la peinture 1820-1920, valeur de demain*, Les Éditions de l'Amateur, t. VI, Paris, 1985.
MUSÉES : BREST – LOCRONAN – ROUBAIX.
VENTES PUBLIQUES : BREST, 15 mai 1977 : *Entrée de la Messe à Lesneven*, past. (44x53) : FRF 3 500 – BREST, 18 déc. 1977 : *Sortie de messe à Audierne*, h/t (130x105) : FRF 5 200 – BREST, 14 déc. 1980 : *Le manoir de Locquénolé*, h/pan. (36x41) : FRF 2 500.

CHAUVAUX René
XVIIe siècle. Français.
Sculpteur.
Il fut reçu à l'Académie de Saint-Luc en 1693.

CHAUVEAU Camille
Né en 1826 à Boulogne-sur-Mer. XIXe siècle. Français.
Peintre.
Élève de Drolling. Le Musée de Boulogne-sur-Mer possède de lui : *Défilé de cavalerie*.

CHAUVEAU Charles
XVIIe siècle. Actif à Paris vers 1683. Français.
Peintre.

CHAUVEAU Claude
Né le 25 avril 1651 à Chartres. Mort le 25 janvier 1705 à Chartres. XVIIe siècle. Français.
Peintre.

CHAUVEAU Évrard
Né le 19 janvier 1660 à Paris. Mort le 23 mars 1739 à Paris. XVIIe-XVIIIe siècles. Français.
Peintre.
L'archevêque de Rouen l'occupa beaucoup à Gaillon. En 1695, son frère René l'appela en Suède. Ayant obtenu ses entrées à la cour, il peignit, pour la reine, les plafonds d'une des grandes galeries et celui du salon, représentant la *Naissance de Pandore*. Il exécuta, en outre, de nombreux travaux au château royal et dans les palais de divers seigneurs suédois.

CHAUVEAU François
Né le 10 mai 1613 à Paris. Mort le 3 février 1676 à Paris. XVIIe siècle. Français.
Peintre de miniatures et graveur.
Mariette dit de cet artiste qu'il avait une imagination très féconde. Le fait est que son œuvre est considérable et d'autant plus méritoire, qu'une partie très importante est originale. Il fut élève de La Hire. Le 14 avril 1663, il fut reçu académicien et plus tard devint conseiller.

CHAUVEAU Jacques
Mort le 16 juillet 1769. XVIIIe siècle. Actif à Rouen puis à Paris. Français.
Graveur.
Père de Pierre-Joseph Chauveau. Il fut reçu à l'Académie de Saint-Luc à une date inconnue.

CHAUVEAU Léopold
Né en 1870 à Lyon (Rhône). Mort en 1940 à Paris. XIXe-XXe siècles. Français.
Peintre, sculpteur.
Il était un chirurgien réputé. Il écrivait aussi et Bonnard illustra ses *Histoires du petit Renaud*. Il pratiquait sculpture et peinture et exposa à Paris, au Salon d'Automne en 1911 et 1913.

CHAUVEAU Louis
Né en 1656 à Paris. Mort après 1695. XVIIe siècle. Travailla surtout en Angleterre. Français.

Peintre.
Fils de François Chauveau. Un Louis Chauveau, peintre, fut reçu à l'Académie de Saint-Luc, en 1736.

CHAUVEAU Pascal
Né le 18 février 1962 à Cherbourg (Manche). XXᵉ siècle. Français.
Peintre. Tendance abstraite.
Il est autodidacte en peinture. Depuis 1988, il participe à des expositions collectives, notamment à Paris : de 1988 à 1990 Salon d'Automne ; en 1989, 1990 Salon de la Société Nationale des Beaux-Arts ; en 1992 Salon du Dessin et de la Peinture à l'eau ; 1992 Salon Comparaisons. En 1998, la Fondation Européenne lui a décerné le Prix de la Fondation et la distinction de Commandeur de l'Ordre de l'Étoile de l'Europe.
Ses peintures se présentent comme des panneaux décoratifs. Issues d'influences très diverses, elles sont fondées à partir tantôt d'une imagerie surréalisante, tantôt d'éléments abstraits.

✎HAUVEAU P.

VENTES PUBLIQUES : PARIS, 30 nov. 1994 : *Volupté* 1989, feutre, cr. de coul. encre de Chine (62x47) : **FRF 11 000** – PARIS, 12 avr. 1996 : *L'antichambre* 1989, acryl./pap. (69x50) : **FRF 13 000** – VERSAILLES, 23 mars 1997 : *Le mur enchanté* 1996, techn. mixte/pap. (84x56) : **FRF 16 000** ; *Le chant du cygne* 1996, techn. mixte/pap. (84x56) : **FRF 15 500**.

CHAUVEAU Patrick
Né en 1940 à Issoire (Puy-de-Dôme). XXᵉ siècle. Français.
Peintre, peintre de décors de théâtre.
Il est diplômé des Écoles des Beaux-Arts et des Arts Décoratifs de Paris. Il expose surtout à Cannes, Nice et Paris.
VENTES PUBLIQUES : PARIS, 11 oct. 1989 : *Maisons nᵒ 1*, acryl./kraft mar. (143,5x100) : **FRF 12 500**.

CHAUVEAU Pierre André
Né à Paris. XXᵉ siècle. Français.
Peintre.
Élève de Baschet et H. Roger. A exposé au Salon des Artistes Français en 1928 et 1929 des paysages de la Seine.

CHAUVEAU Pierre Joseph
XVIIIᵉ siècle. Français.
Graveur sur bois.
Il fut élève de Papillon et de J. Oudry. Il travailla à Rouen en 1767. On cite de lui : *Un Gueux*, estampe d'après Callot. Il signait : CH., ch. f.

CHAUVEAU René
Né le 1ᵉʳ avril 1663 à Paris. Mort le 6 juillet 1722 à Paris. XVIIᵉ-XVIIIᵉ siècles. Français.
Sculpteur.
Élève de Girardon et de Ph. Caffieri. Fils de François Chauveau et frère d'Évrard Chauveau. D'abord directeur des travaux de sculpture aux Gobelins, il alla ensuite en Suède, au service de Charles XI, de 1693 à 1697, puis à Berlin, et revint à Paris en 1700 ; il sculpta, pour le comte Davaux, à Roissy-en-Brie, des frontons : l'*Amour divin* et l'*Amour profane*. Les figures de *Saint Étienne* et de *Sainte Geneviève*, sur le maître-autel de l'église Saint-Étienne-du-Mont sont ses œuvres (1705-1706). Il travailla aussi aux Bains d'Apollon et à la chapelle du château de Versailles. Le Musée de Stockholm conserve de lui : *Deux lions* (esquisses en cire).
VENTES PUBLIQUES : TOKYO, 27 mai 1969 : *Diane chasseresse*, marbre : **GBP 1 752**.

CHAUVEAU René
Né à Lyon (Rhône). XXᵉ siècle. Français.
Peintre de paysages, pastelliste.
A exposé aux Indépendants à Paris en 1930 et 1932.

CHAUVEAU Robert
Né à Bordeaux (Gironde). XIXᵉ-XXᵉ siècles. Français.
Sculpteur.
Exposant du Salon d'Automne et de la Société Nationale où il présentait en 1913 : *Le Désespoir*.

CHAUVEL Clémence, Mme
Née le 6 juillet 1865 à Paris. XIXᵉ siècle. Française.
Graveur à l'eau-forte.
Élève de Th. Chauvel. Sociétaire des Artistes Français depuis 1889, elle obtint une mention honorable en 1896, une médaille de troisième classe en 1898, une médaille de bronze à l'Exposition Universelle de 1900 ; médaille de deuxième classe en 1902. Hors-concours.

CHAUVEL Frédéric
XIXᵉ siècle. Actif dans la seconde moitié du XIXᵉ siècle. Français.
Graveur.

CHAUVEL Georges
Né le 7 septembre 1886 à Elbeuf (Seine-Maritime). Mort le 26 février 1962 à Val-Saint-Germain (Yvelines). XXᵉ siècle. Français.
Sculpteur de statues, nus.
Il exposait à Paris, notamment au Salon d'Automne, dont il était sociétaire, ainsi qu'aux Salons des Artistes Indépendants et des Tuileries. Il fut fait chevalier de la Légion d'Honneur.
Artiste d'expression moderne dans la figuration, il a sculpté des figures mythologiques ou de la fable : *Léda – Cariatide – Ondine*, des danseuses et des nus.
MUSÉES : LAUSANNE (Mus. canton. des Beaux-Arts) : *Nu au collier* – PARIS (Mus. Nat. d'Art Mod.) : *La femme à la sandale – La femme au collier* – SAINT-ÉTIENNE (Mus. d'Art et d'Industrie) : *La femme au collier*, réplique – SAINT-QUENTIN : *Femme endormie*.

CHAUVEL Jacques
XVIᵉ siècle. Travaillant à Rome en 1536. Français.
Peintre.

CHAUVEL Marc, dit Duperche
Né en 1680 ou 1681. Mort en 1733 à Nancy. XVIIIᵉ siècle. Français.
Sculpteur.
Il travaillait en 1728 à la décoration de la cathédrale de Nancy.

CHAUVEL Marie Blanche
Née le 27 mars 1895 à Paris. XXᵉ siècle. Française.
Décoratrice.
Elle a exposé au Salon des Artistes Décorateurs des fleurs stylisées et des arbustes décoratifs ; médaille d'or à l'Exposition des Arts Décoratifs de 1925.

CHAUVEL Théophile Narcisse
Né le 2 avril 1831 à Paris. Mort en janvier 1910 à Paris. XIXᵉ-XXᵉ siècles. Français.
Peintre de paysages, graveur, lithographe, illustrateur.
Élève de Picot, Aligny et Bellel, entra à l'École des Beaux-Arts le 4 mars 1854 et fit d'abord de la peinture. Il obtint la même année le second prix de Rome pour le paysage historique.
Son premier envoi au Salon date de 1855 ; c'était un paysage : *Souvenir du parc de Neuilly*. Il exposa de la peinture jusqu'en 1859. Chauvel fut médaillé en 1870, 1873, à l'Exposition Universelle de 1878. Chevalier de la Légion d'honneur en 1879, médaille d'honneur en 1881, grand prix en 1889, officier de la Légion d'honneur en 1896, grand prix en 1900.
À partir de 1859, il s'adonna à l'eau-forte, d'abord avec des estampes originales, notamment des vues de la forêt de Fontainebleau, puis avec des reproductions d'œuvres des maîtres de l'école de 1830 et dans ce genre obtint un très grand succès. Il travailla beaucoup pour le journal l'*Art* et y donna des estampes d'après Th. Rousseau, Jules Dupré, Diaz. Mais ce fut surtout dans ses interprétations de Corot qu'il affirma toute sa maîtrise. Son œuvre est considérable. Ses estampes, après avoir été très recherchées, ont été, par la suite, assez délaissées par les amateurs.
VENTES PUBLIQUES : PARIS, 11 mars 1925 : *Chemin à la lisière d'un bois. Effet de couchant* : **FRF 105** ; *Marée basse. Soleil couchant* : **FRF 70** – NEW YORK, 5 mai 1932 : *Paysage d'automne* : **USD 100** – LONDRES, 24 fév. 1988 : *Place de l'église*, h/t (61x50) : **GBP 1 980** – LE TOUQUET, 19 mai 1991 : *Rocher à Royat* 1853, h/t (47x33) : **FRF 8 000** – CALAIS, 26 mai 1991 : *Clairière en forêt*, h/cart./t. (39x30) : **FRF 5 500**.

CHAUVEL DE CANTEPIE François ou Cantpie
XVIIᵉ siècle. Français.
Sculpteur et graveur au burin.
Il fit, pour Falaise, en 1655, le retable de l'église de la Sainte-Trinité et un tabernacle, en 1663, pour l'église abbatiale de Belle-Étoile, près de Domfront (Orne). Il a gravé une suite d'ornements : *Frises nouvellement inventées...* (6 pièces).

CHAUVEL DE CANTEPIE François ou Cantpie
Né vers 1664. Mort en 1736. XVIIᵉ-XVIIIᵉ siècles. Français.
Sculpteur.
Vraisemblablement fils de François Chauvel de Cantepie, il était actif à Falaise. Il travailla pour l'église d'Almenèches près d'Argentan (Orne).

CHAUVELIN Yett
XXᵉ siècle. Français.
Céramiste.
A exécuté des services de table, des objets usuels et des figurines, non pas tournées, mais façonnées à la main.

CHAUVELON Gabriel
Né le 2 juillet 1875 à Nantes (Loire-Atlantique). XXᵉ siècle. Français.
Peintre de paysages.
Il fut élève de Ferdinand Gosselin et Alfred Renaudin. Il exposait à Paris, au Salon des Artistes Français, dont il devint sociétaire, médaille d'or en 1937 pour l'Exposition Universelle, hors-concours, chevalier de la Légion d'Honneur.
Ses paysages de Bretagne sont rendus dans une technique empâtée, aux tonalités sobres évoquant le brouillard ou la pénombre, laissant toutefois dominer les verts et les ocres.
Bibliogr. : Gérald Schurr, in : *Les Petits Maîtres de la peinture 1820-1920, valeur de demain*, Les Éditions de l'Amateur, t. V, Paris, 1981.

CHAUVENET-DELCLOS Marcel Marie Auguste
Né à Perpignan (Pyrénées-Orientales). Mort le 21 août 1988. XXᵉ siècle. Français.
Sculpteur de bustes, nus.
Il fut élève de Jean Boucher. Il exposait à Paris, au Salon des Artistes Français.
Musées : Paris (Mus. Nat. d'Art Mod.) : *Demi-figure nue debout.*

CHAUVET André Joseph
Né à Nantes (Loire-Atlantique). XXᵉ siècle. Français.
Décorateur.
Il a exposé des objets d'art métalliques, au Salon des Artistes Français de 1923.

CHAUVET Edmond
Né à Reims (Marne). XXᵉ siècle. Français.
Peintre de genre, paysages, natures mortes.
Il fut élève de François Flameng et Lucien Simon. Il exposait à Paris, au Salon des Artistes Français dont il fut sociétaire, ainsi qu'au Salon des Artistes Indépendants en 1921. Il a peint notamment des paysages de la Corse.

CHAUVET Florentin Louis
Né le 4 mars 1878 à Béziers (Hérault). XXᵉ siècle. Français.
Peintre de portraits, nus, paysages, fleurs, natures mortes, sculpteur de bustes.
Il fut élève de Paul Thomas. Il exposait ses peintures à Paris, au Salon des Artistes Français depuis 1902, troisième médaille en 1905. Il les exposa ensuite au Salon de la Société Nationale des Beaux-Arts, dont il devint sociétaire en 1921. D'entre ses peintures, on cite : *Femmes habillées, se déshabillant et nues.* Plus tard, il exposa des sculptures, surtout des bustes, au Salon des Tuileries.

CHAUVET Jean-Pierre
Né en 1947 à Béziers (Hérault). XXᵉ siècle. Français.
Peintre. Abstrait.
Il s'installe à Paris en 1971. Entre 1980 et 1985, il a une activité de critique d'art. Il a participé à des expositions collectives parmi lesquelles : en 1983 *Tendances contemporaines n° 1* à Paris au nouveau Drouot, en 1984 *Tendances contemporaines n°2* au nouveau Drouot et à la galerie James Mayor, en 1985, 1987, 1988 au Salon de Mai à Paris. Il a exposé personnellement en 1981 à la galerie D. Briand-Picard à Paris, en 1982 à la galerie Le Pantographe à Lyon, en 1983 au Centre d'Art d'Aubervilliers et à la galerie Breteau à Paris, en 1985 à la galerie G. à Paris.
Jean-Pierre Chauvet peint une œuvre abstraite à partir de dessins exécutés en pleine nature, « sur le motif » à la manière des impressionnistes. Sur la toile, ses sensations sont traduites par des couleurs pures, la géométrie des paysages par l'ordonnancement des larges traits de pinceau. À ses yeux, sa peinture est du ressort d'une volonté figurative.
Bibliogr. : Catal. de l'exposition à la galerie Le Pantographe, Lyon, 1982 – in : *Diction. de l'art abstrait*, Maeght, Paris, 1989.
Musées : Paris (FNAC) : *L'après-midi à Marignac* 1985, h/t (170x200).

CHAUVET Jules Adolphe
Né en 1828 à Péronne (Somme). XIXᵉ siècle. Français.
Peintre de paysages urbains, dessinateur, illustrateur.
Il entra dans l'atelier de Charles Ciceri en 1844, et commença une carrière de dessinateur et d'illustrateur. Il s'engagea ensuite

dans l'armée d'Afrique, dont il démissionna en 1855 pour entrer dans l'administration. Son nouveau poste lui laissa suffisamment de loisir pour lui permettre de reprendre ses travaux d'art graphique.
Il s'est spécialisé dans la reproduction de vues de Paris, les quais, les ponts, les vieux quartiers, les nouveaux travaux. Il est l'auteur de vignettes pour les éditions d'Horace ; de *L'Éloge de la Folie*, d'Érasme ; du *Dictionnaire de la langue verte*, d'A. Delvau ; de l'*Histoire des comtes de Foix*, de Garnier ; ainsi qu'une illustration d'une réimpression de *Manon Lescaut.* Il créa également des ex-libris, des couvertures de programmes de théâtre, de titres de romances populaires, de cartes d'invitation aux bals officiels et aux dîners mondains, de projets de menus, de modèles pour les chromos dont le commencent à être à la mode.
Bibliogr. : Gérald Schurr, in : *Les Petits Maîtres de la peinture 1820-1920, valeur de demain*, Les Éditions de l'Amateur, t. VII, Paris, 1989.
Musées : Sceaux (Mus. de l'Ile-de-France) : *Chantier du Sacré-Cœur à Clichy-Levallois* 1894.
Ventes Publiques : Paris, 1896 : *Vues des quais de Paris*, trois dess. : FRF 55.

CHAUVET Odette
Née à Nantes (Loire-Atlantique). XXᵉ siècle. Française.
Peintre de portraits, intérieurs, natures mortes.
Elle exposait à Paris, au Salon d'Automne depuis 1919, elle exposa aussi au Salon des Artistes Indépendants.

CHAUVIAC Ludo
Né à Montpellier. XXᵉ siècle. Français.
Peintre de nus, paysages, marines.
Il fut élève de Fernand Cormon. Il exposait à Paris, au Salon des Artistes Français, mention honorable en 1933.
Ventes Publiques : Berne, 2 mai 1986 : *Nu agenouillé*, h/t (92x60) : CHF 2 400 – Berne, 26 oct. 1988 : *Port de pêche dans le midi de la France*, h/t (57x73) : CHF 1 300.

CHAUVIER DE LÉON Ernest Georges
Né le 21 novembre 1835 à Paris. Mort en 1907. XIXᵉ siècle. Français.
Peintre de paysages.
Il fut élève de Loubon à l'École des Beaux-Arts de Marseille. Débuta au Salon en 1875 avec *Cabane de gardiens en Camargue* (Musée d'Avignon) et *Crépuscule en Camargue.*
Ses œuvres principales sont : *L'Étang de la Roque, Le Brasinvert en Camargue* (Cercle artistique de Montpellier), *Clair de lune en Camargue, Les Pins de la Bocca* (1877), *Bords de l'étang en Camargue, 1879* (Musée de Béziers), *Impression solitaire en Camargue* (1881), *Une manade de chevaux dans les marais, 1895* (Musée de Marseille), *Temps orageux en Camargue* (1894).

Chauvier de Léon

Musées : Béziers : *Bords de l'étang en Camargue* 1879 – Marseille : *Une manade de chevaux dans les marais* 1895.
Ventes Publiques : Paris, 23 nov. 1970 : *Les quais de Paris* : FRF 2 100 – Neuilly, 12 déc. 1993 : *Cabane en Camargue*, h/t (67x126) : FRF 48 000.

CHAUVIGNÉ Auguste
Né au XIXᵉ siècle à Tours. XIXᵉ siècle. Français.
Peintre de paysages et de natures mortes.
Élève d'Achille. Il débuta au Salon de 1868. Le Musée d'Auxerre conserve une œuvre de lui.

CHAUVIGNY Chantal de
Née à Bessé-sur-Braye (Sarthe). XXᵉ siècle. Française.
Peintre de portraits.
Elle exposait à Paris, au Salon des Artistes Français, sociétaire, Prix Maguelonne-Lebebvre-Glaize en 1931.

CHAUVIN
XVIIIᵉ siècle. Travaillant à Lyon. Français.
Sculpteur sur bois.
Il exécuta des statues de *Saint Antoine* et de *Sainte Marguerite* pour l'église de Saint-Trivier-en-Dombes (1735).

CHAUVIN Andrée, Mme
Née à Levallois-Perret (Hauts-de-Seine). XXᵉ siècle. Française.
Peintre.
A exposé au Salon des Indépendants à Paris.

CHAUVIN August

Né en 1810 à Liège. Mort en 1884 à Liège. XIXᵉ siècle. Belge. Peintre.

Élève de Schadow il se rattache à la vieille école de Düsseldorf. Il exposa en 1851 à la Royal Academy de Londres.

Musées : Liège : *Saint Lambert au banquet de Pépin d'Héristal – Dernière séance des bourgmestres Beeckman et Lamelle à l'Hôtel de Ville de Liège 1631 – Portrait de Louis Jamme.*

Ventes Publiques : Gand, 1856 : *Anges gardiens veillant sur deux enfants endormis* : **FRF 150**.

CHAUVIN Charles

Né le 3 août 1820 à Rome. Mort en 1889. XIXᵉ siècle. Actif à Paris. Français.

Peintre de paysages et de décorations.

Il était fils de Pierre Athanase Chauvin et fut élève de Duban. La croix de chevalier de la Légion d'honneur lui fut décernée au mois d'août 1864. Par ordre du ministère de la Maison de l'empereur et des Beaux-Arts, il décora, en 1865, la salle des concerts du Conservatoire impérial. On doit aussi à cet artiste la décoration des galeries de l'École des Beaux-Arts de Paris.

Ventes Publiques : Paris, 1899 : *Paysage de la campagne de Rome* : **FRF 175** ; *Paysage d'Italie avec figures* : **FRF 180** ; *Paysage d'Italie avec figures* : **FRF 200** – Paris, 1904 : *Paysages d'Italie, deux pendants* : **FRF 315** – Paris, 15-17 mars 1920 : *Paysages d'Italie, deux toiles rondes* : **FRF 800**.

CHAUVIN Edme

XVIIIᵉ siècle. Français.

Sculpteur.

Il fut reçu à l'Académie de Saint-Luc à Paris en 1759.

CHAUVIN Eugène Louis Henri

Né au Mans. XIXᵉ siècle. Français.

Peintre de paysages, aquarelliste.

Élève de Paisant-Duclos. Il débuta au Salon de 1880.

CHAUVIN Gabriel Georges

Né le 28 septembre 1895 à Paris. XXᵉ siècle. Français.

Sculpteur de monuments, statues, bustes, céramiste.

Il fut élève d'Antoine Injalbert, Charles Desvergnes. Il exposa à Paris, d'abord au Salon des Artistes Français, mention honorable en 1924, médaille d'argent en 1930, puis au Salon de la Société Nationale des Beaux-Arts.

Dans ces Salons, outre des bustes, il exposa en 1927 une *Jeune Bacchante* en plâtre ; ainsi qu'une *Fontaine monumentale*, dont on ne sait si elle fut réalisée. En 1934 à l'Hôtel des ducs de Rohan, il exposa une *Sainte Famille* en plâtre patiné. En 1925, il a créé un *Christ à la colonne*, grandeur nature, pour le sanctuaire de Notre-Dame de Sarrance (Pyrénées-Atlantiques) ; en 1932 un *Saint François* pour l'église Saint-François-Xavier de Paris ; en 1945 un *Saint Antoine ermite* pour l'église Notre-Dame d'Espérance de Paris. Il a également créé des éléments décoratifs en céramique.

CHAUVIN Jacques

Né à L'Isle-Adam (Val-d'Oise). XXᵉ siècle. Français.

Peintre.

On remarqua un paysage de cet artiste au Salon d'Automne de 1942.

CHAUVIN Jacques Antony. Voir CHOVIN

CHAUVIN Jean, ou Louis Jean

Né le 30 mars 1889 à Rochefort-sur-Mer (Charente-Maritime). Mort le 15 mai 1976. XXᵉ siècle. Français.

Sculpteur de monuments, statues, figures, dessinateur. Abstrait.

On connaît peu de cet artiste secret. Il fut élève d'Antonin Mercié, mais surtout, il travailla jusqu'en 1914 dans l'atelier parisien de Joseph Bernard, duquel il fut l'élève, puis le praticien, retirant de ces années d'apprentissage une technique incomparable. À partir de 1913, il exposa à Paris, au Salon d'Automne. Il n'exposa pourtant que rarement, dans quelques groupes ou Salons. Toutefois, il figura en 1962 à la Biennale de Venise. Ce ne fut que par l'importante exposition personnelle de la Galerie Maeght à Paris, en 1949, qu'on prit connaissance et mesure de son œuvre. On revit de lui des expositions personnelles encore à Paris en 1958 et 1974, puis, après sa mort, dans les galeries Vallois et Artcurial, et, en 1992, à la Fondation de Coubertin à Saint-Rémy-lès-Chevreuse en même temps qu'à l'espace *Art et Patrimoine* de Paris.

Après des débuts inspirés des œuvres néo-classiques de son maître, dépassant le cubisme il atteint, dès la fin de la première guerre mondiale, à l'abstraction, dont il fut l'un des premiers pionniers. Avec un même bonheur technique, il travaille les matériaux les plus divers : essences de bois rares, terre, marbre, bronze, jusqu'à la plus grande tension dans le polissage des surfaces. Dans le même temps, il a accumulé une œuvre dessiné considérable. Entre 1924 et 1939, il a tendu à la création d'un univers poétique des formes avec des sculptures telles que : *Fleur d'eau – Ile dans la nuit – Oiseau d'or*. Plus tard, après 1942, ses créations devinrent plus lyriques, se teintant même de surréalisme, non de l'imagerie mais de l'esprit surréaliste : *Nuit blanche – Tour des Silences – L'Homme à la voile*. En définitive, son art ne cessa d'évoluer vers toujours plus de dépouillement, avec une tendance géométrisante, faisant appel à une genèse des formes selon des lois de symétrie, ce qu'exprime Stanislas Fumet en écrivant que cette façon de faire grandir, dans un rigoureux parallélisme, deux formes semblables « ne ressortit pas à la décoration, mais à l'architecture ». D'autres raisons, que leurs titres indiquent, concourent à expliquer cette gémellité, la présence dans ses œuvres de notions symbolisées du double : *Narcisse* 1919, de la symétrie dans les organismes vivants : *Chrysalide*, de l'accouplement : *Le Sommeil des amants* 1939, du repliement sur soi-même : *Méditation* 1950. ■ Jacques Busse

Bibliogr. : Denys Chevalier, in : *Diction. de la sculpt. mod.*, Hazan, Paris, 1960 – Christian Zervos : *Jean Chauvin, 1960*, Les Cahiers d'Art, Paris, 1960.

Musées : Paris (Mus. Nat. d'Art Mod.) : *Incantation maternelle* 1947, bronze doré et socle de marbre noir (47x24,5x18).

Ventes Publiques : New York, 13 oct. 1965 : *Fleur d'eau*, bronze : **USD 2 000** – Paris, 4 déc. 1972 : *Sculpture abstraite*, pierre polie : **FRF 4 200** – Paris, 1ᵉʳ juin 1977 : *Une hirondelle* 1953, loupe de tuya, pièce unique (H. 17) : **FRF 6 500** – Enghien-les-Bains, 21 mars 1982 : *Compositions cubistes* vers 1920, deux h/cart. (90x70) : **FRF 42 000** – Enghien-les-Bains, 25 nov. 1984 : *Figure*, bois ciré noir sculpté et poli (H. 68,5) : **FRF 139 000** – Paris, 28 mars 1988 : *Sans titre*, bois noirci, sculpture (49x13x13) : **FRF 78 000** – Paris, 22 mai 1989 : *Don Juan* 1945, bronze patine brune (23x25x17) : **FRF 100 000** – Paris, 2 avr. 1990 : *Naja*, bronze (H. 47) : **FRF 220 000** – Paris, 21 mai 1990 : *La Mandragore* 1951, bronze, à patine noire (43x38x22) : **FRF 115 000** – Lucerne, 24 nov. 1990 : *Composition abstraite*, bois au fus./pap. (49x30) : **CHF 1 700** – Neuilly, 3 fév. 1991 : *Les Jumeaux* 1945, bronze (29x21x14) : **FRF 49 000** – Paris, 25 juin 1991 : *Fleur d'eau*, bronze (H. 78,5) : **FRF 90 000** – Lokeren, 9 oct. 1993 : *Figure* 1930, bronze (H. 56, l. 18,5) : **BEF 200 000** – Douai, 15 juin 1996 : *Avril*, bois, sculpt. abstraite (49x13x13) : **FRF 72 000** – Paris, 28 nov. 1996 : *Naja*, bronze patine brune (46x27,5) : **FRF 40 000** ; *Martin-pêcheur* 1950, bronze poli (35x27x22) : **FRF 19 000**.

CHAUVIN Jeanne Marie Marguerite

Née à Jargeau (Loiret). XXᵉ siècle. Française.

Peintre, lithographe.

Elle fut élève d'Antoine Guillemet, Émile Cagniart, Émile Renard. Elle exposait à Paris, régulièrement au Salon des Artistes Français, sociétaire depuis 1904, mention honorable en 1920.

CHAUVIN Jules Rodolphe

XIXᵉ siècle. Actif à Paris. Français.

Peintre.

Sociétaire des Artistes Français depuis 1886.

CHAUVIN Maurice Raymond Jean

Né à Paris. XXᵉ siècle. Français.

Peintre.

Exposant au salon des Indépendants à Paris.

CHAUVIN Odette

Née à Marseille (Bouches-du-Rhône). XXᵉ siècle. Française.

Sculpteur de figures.

Elle fut élève de Paul Landowski. Elle débuta à Paris en 1930, au Salon des Artistes Français, puis participant aussi au Salon d'Automne. Elle fut invitée au Salon des Tuileries en 1939. Elle a surtout sculpté des figures féminines.

CHAUVIN Pierre

XVIᵉ siècle. Français.

Sculpteur sur bois.

Il sculpta, en 1556, un banc d'œuvre pour la cathédrale de Valenciennes (Nord).

CHAUVIN Pierre Athanase
Né le 9 juin 1774 à Paris. Mort le 29 octobre 1832 à Rome. XVIIIe-XIXe siècles. Actif en Italie. Français.
Peintre de portraits, paysages.
Élève du paysagiste Valenciennes, il débuta au Salon de Paris en 1793, obtenant une médaille de première classe en 1819. Après s'être fixé à Rome en 1813, il devint membre de l'Académie Saint-Luc de cette ville et membre correspondant de l'Institut. Chevalier de la Légion d'Honneur en 1828.
Ses vues d'Italie montrent l'influence d'Ingres et restent à la fois classiques et réalistes.

Chauvin F Roma 1811

BIBLIOGR. : Gérald Schurr, in : *Les Petits Maîtres de la peinture 1820-1920, valeur de demain*, Les Éditions de l'Amateur, t. II, Paris, 1982.
MUSÉES : CHAMBÉRY (Mus. des Beaux-Arts) : *Paysage d'Italie* – MONTPELLIER : *Vue prise aux environs de Naples* – MOULINS (Mus. mun.) : *Portrait du curé Martinet* – NANTES : *Paysage, environs de Naples* – OSLO : *Paysage italien*.
VENTES PUBLIQUES : PARIS, 1824 : *Paysage représentant les fourches caudines* : FRF 750 – PARIS, 1839 : *Vue de la villa Mécène à Tivoli* : FRF 735 – PARIS, 1865 : *Vue des environs de Salerne* : FRF 290 – LONDRES, 20 mars 1981 : *Vue de Saint-Pierre de Rome, depuis le Quirinal*, h/t (45,7x59,7) : GBP 6 500 – LONDRES, 26 nov. 1986 : *Moines lisant leur bréviaire dans les jardins de la Villa d'Este* 1809, h/pap. mar./t. (55,5x40,5) : GBP 20 000 – MONACO, 17 juin 1989 : *Paysage d'Italie* 1810, h/t (80x112) : FRF 1 054 500 – SAINT-NAZAIRE, 11 mars 1990 : *Paysage de rivière*, h/t (diam. 32,5) : FRF 300 000 – MONACO, 18-19 juin 1992 : *Paysage arcadien* 1810, h/pan. (24,2x32,4) : FRF 19 980 – PARIS, 26 avr. 1993 : *Paysage des environs de Bénévent*, h/t (71x98) : FRF 125 000.

CHAUVIRAY François
XVIIe siècle. Français.
Peintre.
Parisien, il travailla à Avignon en 1694.

CHAUVISÉ Germaine Andrée
Née à Mont-Saint-Sulpice (Yonne). XXe siècle. Française.
Peintre de fleurs.
A exposé au Salon des Indépendants à Paris.

CHAUVRIS C., Mme
XIXe-XXe siècles. Française.
Peintre.
En 1914 elle exposait un *Nu* au Salon des Artistes Français à Paris.

CHAUX Berthe Mélina
Née à Paris. XIXe-XXe siècles. Française.
Miniaturiste.
Élève de M. Parrot et de Mmes Thoret, Debillement-Chardon et Delaroche. Sociétaire des Artistes Français depuis 1901.

CHAUX Pierre Louis
Né à Paris. XXe siècle. Français.
Graveur.
A exposé au Salon de la Société Nationale des eaux-fortes tirées sur satin (paysages de Versailles).

CHAVAGNAC Antoine
XVIIIe siècle. Actif à Lyon. Français.
Sculpteur.

CHAVAGNAT Antoinette
Née à Rouen (Seine-Maritime). XXe siècle. Française.
Peintre de fleurs et fruits, aquarelliste.
Elle fut élève de Marie Mac Nab, d'Antoinette Cliquot, de François Rivoire. Elle exposait à Paris, dans les premières décennies du siècle, au Salon des Artistes Français, dont elle devint sociétaire, et où elle figurait encore en 1933.
MUSÉES : ROUEN : *Pivoines, Papavers – Chrysanthèmes*.
VENTES PUBLIQUES : PARIS, 13 mars 1907 : *Groseilles*, aquar. : FRF 195.

CHAVAILLON Pierre, dit **Théogène**
Né à Saint-Amand-Montrond (Cher). XIXe-XXe siècles. Français.
Peintre.
Élève de L.-O. Merson et de Baschet. Sociétaire des Artistes Français ; on cite ses aquarelles.

CHAVAL, pseudonyme de **le Louarn Yvan**
Né en 1915 à Bordeaux (Gironde). Mort en 1968 à Paris. XXe siècle. Français.
Dessinateur, graveur, cinéaste.
Il fut élève de l'École des Beaux-Arts de Bordeaux, où il épousa sa camarade d'atelier, le peintre Fourtina, et où il lia amitié avec Edgard Pillet. D'abord graveur, il figura dans diverses expositions collectives, parmi lesquelles à Paris le Salon de Mai dans les premières années de sa création juste au lendemain de la guerre. Mais dès ces mêmes années, il connut le plus grand succès en tant que dessinateur humoriste, où il se montre de ceux qui concilient l'humour et un dessin de qualité. En fait d'humour, chez Chaval il est toujours grinçant, quand ce n'est franchement noir. Son trait, violent, noir, épais, heurté, crée tout un monde d'êtres humains et d'animaux, où les plus abrutis ne sont pas toujours les seconds. Son personnage du vieillard barbu, au regard bovin, aux attitudes figées dans la perplexité, est demeuré en mémoire. Se passant souvent de légender ses dessins, il aimait pourtant écrire de courtes nouvelles, désabusées plutôt que cruelles : *Les gros chiens*. Quand il légendait ses dessins, c'était presque toujours sous forme de sentences, de dictons : « Paris ne s'est pas construit en un jour, d'ailleurs ce n'est toujours pas fini », « Qui vole un bœuf est drôlement costaud ». Il traquait l'aliénation de l'individu dans le collectif : « Faux gendarme serrant la main d'un vrai gendarme ». Ses constats de la bêtise humaine déviaient volontiers sur l'absurde, il écrivait courtoisement à sa caisse de Sécurité Sociale : « Madame ma Caisse, tu n'es pas gentille avec moi... » Ses dessins paraissaient en général dans les hebdomadaires, souvent attendus pour « le Chaval ». Il furent ensuite presque tous réunis dans des albums. Il réalisa aussi quelques campagnes publicitaires. Passionné de cinéma, dont il voulait faire carrière dans sa jeunesse, il a réalisé plusieurs courts-métrages d'animation, il insistait sur d'animation et non de dessin animé, car les dessins se succédaient sans suggestion de mouvement. Son film *Les oiseaux sont des cons* obtint le Prix Émile Cohl.
Fragile au physique comme au moral, lassé de l'obligation quotidienne d'être drôle, lassé des tracasseries de l'existence qu'il n'avait plus le cœur à moquer, il quitta la vie, un an après que sa femme en eût fait autant. ■ J. B.

CHAVALLIAUD Léon Joseph
Né en 1858 à Reims. Mort en 1921. XIXe-XXe siècles. Actif à Reims. Français.
Sculpteur.
Élève de Jouffroy et Roubeaud jeune. Sociétaire des Artistes Français depuis 1890. Il obtint des mentions honorables en 1885 et 1886 et une médaille de troisième classe en 1891. Le Musée de Dublin conserve de lui le buste en bronze du Rév. James Holy.

CHAVALON Lucie
Née à Berck-Plage (Pas-de-Calais). XXe siècle. Française.
Peintre de paysages et de fleurs.
Elle a participé au Salon des Artistes Indépendants à Paris de 1926 à 1939. Entre 1932 et 1936, elle a exposé au Salon des Artistes Français, dont elle est devenue sociétaire.

CHAVANE E.
XIXe siècle. Actif vers 1850. Britannique.
Graveur.

CHAVANE Jean ou **Chavanne**
XVIIe siècle. Actif à Lyon vers 1672-1684. Français.
Graveur et éditeur.

CHAVANE DE DALMASSY Odette
XXe siècle. Français.
Peintre et sculpteur.
A exposé au Salon des Indépendants à Paris en 1942.

CHAVANNE Étienne
Né en 1797 à Culoz (Ain). Mort le 14 mars 1887 près de Lyon. XIXe siècle. Français.
Peintre de genre, portraits, fleurs et fruits.
Élève de l'École des Beaux-Arts de Lyon et de Jacomin. Il exposa au Salon de Lyon de 1848-1849 (peut-être dès 1845-1846) jusqu'à 1863. Il a peint aussi des miniatures. Le Musée de Lyon conserve de lui un *Portrait de Mme Chavanne mère*.

CHAVANNE François
Né le 24 octobre 1799 à Culoz (Ain). XIXe siècle. Français.
Peintre.
Sans doute frère d'Étienne C. Ce peintre fut élève, à l'École des

Beaux-Arts de Lyon, de Thierriat et de Revoil (1827-1830). Il exposa à Lyon des portraits en 1833.

CHAVANNE Jean. Voir CHAVANE

CHAVANNE Jean Marie
Né le 2 janvier 1797 à Lyon. Mort à Lyon. XIXᵉ siècle. Français.

Peintre d'histoire, genre, sujets religieux, portraits, paysages, sculpteur, graveur.

Fils du graveur en médailles lyonnais, Jean-Marie Chavanne (1766-1826), il fut élève de l'École des Beaux-Arts de Lyon, où il entra en 1813 et étudia, semble-t-il, la sculpture avec Légendre-Héral. Il vécut à Lyon, où il figura aux expositions, puis au Salon annuel, de 1822 à 1851-52 (et peut-être 1860), avec des bustes, groupes et statuettes de femmes, et avec des peintures.

CHAVANNE Pierre Salomon Domenchin de. Voir DOMENCHIN de Chavanne

CHAVANNES Alfred
Né le 2 janvier 1836 à La Sarraz. Mort le 10 janvier 1894 à Aigle. XIXᵉ siècle. Suisse.

Peintre de paysages.

Après des études d'architecture, il s'orienta vers l'art pictural, suivant les cours de Bryner à Lausanne, Calame à Genève, Oswald Achenbach à Düsseldorf. Il se fixa à Lausanne vers 1874. Il a exposé à Berlin et à Düsseldorf.

Ses vues de lac, ses paysages alpins, sont solidement construits, tant par la couleur que par la ligne.

alfred Chavannes

BIBLIOGR. : Gérald Schurr, in : *Les Petits Maîtres de la peinture 1820-1920, valeur de demain*, Les Éditions de l'Amateur, t. VI, Paris, 1985.

MUSÉES : COLOGNE : *Paysage alpin* – DÜSSELDORF : *Paysage alpin* – GRAZ : *Vue sur le lac de Genève* – LAUSANNE : *Val de Madran* – *Vue de la Dent d'Oche*.

VENTES PUBLIQUES : GENÈVE, 23 mars 1937 : *Paysage* : CHF 1 800 – NEW YORK, 14 mai 1976 : *Le Pont de bois 1868*, h/t (33x47,5) : USD 750 – ZURICH, 15 mai 1981 : *Sous-bois 1881*, h/t (64,5x51) : CHF 2 200 – COLOGNE, 30 mars 1984 : *Lac alpestre*, h/t (56x73) : DEM 3 300 – BERNE, 2 mai 1986 : *Paysage montagneux 1861*, h/t (110x88) : CHF 7 500 – ZURICH, 14 avr. 1997 : *À Gleyrolles*, h/t (33x47) : CHF 14 950.

CHAVANNES Blanche Cora
Née en 1853 à Cossonay. XIXᵉ siècle. Suisse.

Peintre.

Élève de J. J. Geisser. Prit part en 1896 à l'Exposition nationale de Genève et figura dans les Expositions de la Société suisse des Beaux-Arts. Elle a peint à l'huile et exécuté des émaux.

CHAVANNES Herminie
Née en 1798 à Vevey. Morte en 1853. XIXᵉ siècle. Suisse.

Dessinateur et écrivain.

CHAVANNES Ninette, née Perdriollat
Née le 18 septembre 1859 à Lausanne. XIXᵉ siècle. Française.

Peintre sur porcelaine et ivoire.

Ninette Chavannes étudia chez Mlle Sandoz à Lausanne et Mlle Hébert à Genève. Elle s'adonna presque exclusivement à la miniature. Exposa en 1896.

CHAVANNES Pierre Puvis de. Voir PUVIS DE CHAVANNES Pierre

CHAVANON Albert
Né le 4 avril 1931 à Paris. XXᵉ siècle. Français.

Peintre de marines.

Il fut élève de Jean Souverbie et Edmond Heuzé à l'École des Beaux-Arts de Paris. En 1960, il obtient le Prix de la Casa Velasquez. Il participe à diverses expositions collectives, notamment à Paris au Salon des Artistes Français, dont il a reçu une médaille d'argent.

Il peint les paysages marins typiques de Bretagne, les bateaux échoués sur les grèves à marée basse ou ancrés au port.

CHAVARD Auguste
Né en 1810. Mort en 1885. XIXᵉ siècle. Français.

Peintre.

Il est entré dans l'atelier d'Ingres qui ne devait pas toujours convenir à son caractère romantique. Il est resté méconnu, d'autant qu'à sa mort sa famille a gardé jalousement ses toiles. Cer-

tains de ses intérieurs font penser à Vuillard, par leur sérénité un peu mystérieuse, d'autres montrent une palette grasse et une matière translucide.

BIBLIOGR. : G. Schurr : *1820-1920, Les petits maîtres de la peinture, valeur de demain*, Paris, 1969.

CHAVARD Jean, veuve
Française.

Peintre.

On ignore la date de sa réception à l'Académie de Saint-Luc.

CHAVARITO Dominique ou Echevarria Domingo
Né en 1676 à Grenade. Mort en 1750 à Grenade. XVIIIᵉ siècle. Espagnol.

Peintre et graveur.

Élève de J. Risueno, à Grenade et de Ben. Luti à Rome, où il séjourna quelque temps avant de se fixer définitivement à Grenade.

CHAVARRI Clara
Née à Lyon. XIXᵉ siècle. Française.

Peintre de portraits.

Élève de Mariano Belmonte. Elle exposa à Madrid en 1881.

CHAVAS Albert ou Chavaz
Né en 1907 à Genève ou Berne. Mort en 1990. XXᵉ siècle. Suisse.

Peintre de compositions religieuses, portraits, paysages.

De 1927 à 1932, il fut élève de l'École des Beaux-Arts de Genève. En 1933, il vint à Paris, compléter sa formation à l'Académie privée de la Grande-Chaumière. Il appartient dès ses débuts, avec Émilio Bérette et Paul Monnier, à *L'École Genevoise des Pâques*, qui se reconnaissait Alexandre Cingria pour maître. À partir de 1931, Chavas a participé à tous les Salons et Expositions Nationales de Suisse. Il a exposé à Genève, Berne, Lausanne, et aussi São Paulo, Paris, Florence. En 1994, la fondation Pierre Gianadda à Martigny a organisé une importante rétrospective de son œuvre. On a pu assimiler sa peinture à un « paysagisme synthétique ».

Orb Chavaz

VENTES PUBLIQUES : LUCERNE, 25 juin 1976 : *Portrait d'une jeune valaisanne*, h/t (81x54) : CHF 3 400 – BERNE, 7 mai 1982 : *Nu couché*, h/cart. (17x24) : CHF 1 100 – BERNE, 28 mai 1985 : *Portrait d'homme*, h/t (81x60) : CHF 2 600 – GENÈVE, 24 nov. 1985 : *Saint Antonin d'Aux et la sainte Victoire 1963*, aquar. (25,5x35,5) : CHF 2 000 – GENÈVE, 29 nov. 1986 : *Paysage valaisan 1977*, aquar. (25,5x20,5) : CHF 1 800 – ZURICH, 3 avr. 1996 : *Serveuses valaisannes 1977* ; *Dans le bistro* ; *Paysage 1975*, aquatintes en coul. (chaque 49,5x65,8) : CHF 1 600.

CHAVASSIEU D'HAUDEBERT Adèle
Née en 1788 à Niort. Morte après 1832. XIXᵉ siècle. Française.

Peintre, peintre sur émail.

Elle débuta au Salon de Paris en 1806 avec un tableau : *Sainte Geneviève, patronne de Paris*. Plus tard, elle ne fit plus que des émaux, presque tous d'après des tableaux de maîtres, exposés au Salon de 1810 à 1824 ; notamment : la *Vierge à la chaise* ; *Jeanne d'Albret* (1810) ; *Madeleine*, d'après le Corrège ; *La Vierge, l'Enfant Jésus et saint Jean*, d'après Fra Bartolommeo ; *Christ*, d'après le Titien ; *Bélisaire*, d'après Gérard (1814) ; *Sainte Catherine*, d'après le Guide ; *Zéphire*, d'après Prud'hon ; *l'Amour et Psyché*, d'après David (1822) ; *La Vierge à la chaise*, d'après Raphaël (1824). On connaît également de cette artiste : *La duchesse de Berry inspirant toutes les vertus au duc de Bordeaux et à Mademoiselle* (collection Pierpont Morgan), ainsi que 78 émaux dans le legs Sommariva (Musée del Castello, à Milan).

CHAVAZ Albert. Voir CHAVAS Albert

CHAVENES
XIXᵉ siècle. Travaillant à Paris vers 1850. Français.

Graveur au burin.

On cite de cet artiste des *Vues de France*, gravées d'après Rauch.

CHAVENON Roland
Né le 19 décembre 1895 à Paris. XXᵉ siècle. Français.

Peintre de portraits, intérieurs, paysages, natures mortes.

Il fut influencé par la construction cézannienne de l'espace et du volume. Il expose à Paris, depuis 1919 au Salon d'Automne, dont

il devint sociétaire. Il a figuré également au Salon des Artistes Indépendants jusqu'en 1929, ainsi qu'au Salon des Tuileries.
Musées : Grenoble – Nantes.
Ventes Publiques : Paris, 4 juin 1925 : *Paysage* : **FRF 180** – Paris, 22 nov. 1926 : *Pot de fleurs et mandoline* : **FRF 380** – Paris, 24 fév. 1934 : *Venise le port* : **FRF 170**.

CHAVENT Joachim
xxe siècle. Français.
Peintre.
On a vu de lui, à Paris, en 1950, des peintures abstraites, à tendance nettement gestuelle, aux 4e et 5e Salons des Réalités Nouvelles.

CHAVEPEYER Albert
Né en 1899 au Châtelet. xxe siècle. Belge.
Peintre de scènes typiques, dessinateur d'affiches.
Il fut élève de l'Académie de Liège. Il co-fonda plusieurs Cercles depuis 1921, à Charleroi, de la Sambre, etc.
Ses scènes typiques du folklore, des *Binches* souvent, sont alertement dessinées et peintes, et animées.
Bibliogr. : In : *Diction. biogr. illustré des Artistes en Belgique depuis 1830*, Arto, Bruxelles, 1987.

CHAVEPEYER Gomer
Né en 1922 au Châtelet. xxe siècle. Belge.
Peintre de portraits, paysages, fleurs, natures mortes.
Il fut élève de l'Ecole des Arts Décoratifs de Paris. Il étudia aussi à Charleroi, où il est devenu professeur de dessin.
Il dessine par cernes discrets et est soucieux de perspective.
Bibliogr. : In : *Diction. biogr. illustré des Artistes en Belgique depuis 1830*, Arto, Bruxelles, 1987.

CHAVEPEYER Hector
Né en 1891. Mort en 1967 à Châtelet. xxe siècle. Belge.
Peintre.

CHAVES Alonso de
xve siècle. Actif à Séville vers 1480. Espagnol.
Peintre.

CHAVES Alonso de
Né en 1741 à Madrid. xviiie siècle. Espagnol.
Sculpteur.
Élève de L. Salvador Carmona et de Fr. Gutierez. L'Institut San Fernando à Madrid conserve un bas-relief de lui.

CHAVES Francisco de
xve siècle. Actif à Séville vers 1480. Espagnol.
Peintre.
À rapprocher d'Alonso de Chaves.

CHAVES João Luiz
Né en 1924 à São Paulo. xxe siècle. Brésilien.
Peintre, graveur.
Il commença l'étude de la peinture à São Paulo en 1948, celle de la gravure en 1949. Il participa à la Biennale de São Paulo en 1951. Il vint à Paris et fut élève de l'Atelier Friedlaender. Il participa au Salon de Mai en 1955.

CHAVES Paulo
Né en 1921 à Iguape (sud de São Paulo). xxe siècle. Brésilien.
Peintre. Abstrait.
Il a commencé à exposer en 1947 au Salon des Beaux-Arts de la ville de Saint-André, où il était étudiant en art. En 1954, il vint poursuivre ses études de peinture et d'histoire de l'art à Paris, où il habitait dans la Cité Universitaire. De là, il visita les musées de France, Allemagne, Belgique, Hollande, Suisse, Italie, Espagne, Portugal. Retourné au Brésil, à partir de 1956 il a participé aux importantes manifestations collectives : v^e, vi^e et ixe Biennale de São Paulo, Salon Paulista, Salon National d'Art Moderne. Au Salon Paulista, il obtint une médaille de bronze 1956, médaille d'argent 1960, petite médaille d'or 1966, grande médaille d'or 1967. Il obtint d'autres distinctions au Salon de Saint-André dont il reçut le Premier Prix avec une salle spéciale, au Salon d'Art Moderne, au Salon d'Art de Santos où il reçut aussi la grande médaille d'or. Il montre également son travail dans des expositions personnelles à Saint-André, Santos, dans d'autres villes et surtout à São Paulo en 1959, 1964, 1967, 1969, 1973, 1975, 1976, 1979, 1981, 1984, 1987. Il expose aussi à l'étranger, individuellement ou collectivement : Rio de Janeiro, Curitiba, Campinas, New York, San Francisco, Passadena, à Barcelone, à Bruxelles pour l'exposition *Image du Brésil* en 1973, à Tokyo pour l'exposition d'art *Brésil-Japon* en 1977 et en 1981, à La Paz pour l'exposition *Peinture actuelle* en 1982, etc. Il a été chargé de diverses

fonctions honorifiques, notamment en 1979 au congrès de l'Association Internationale des Artistes Plasticiens sous le patronage de l'UNESCO, puis auprès de plusieurs Salons brésiliens.
Il fait une peinture pleine de charme, qu'on peut dire ressortissant à l'abstraction internationale issue de Paul Klee. Bien calées dans le format, des formes nettement dessinées s'articulent entre elles pour constituer le massif central. Il y a encore de la nature morte dans ces compositions, on peut penser à Tamayo ou à Clavé. La matière est travaillée, riche, variée, dans des gammes de tons rabattus, gris colorés, ocres, les bruns du brun-rouge jusqu'aux terres-vertes, seul le bleu est utilisé saturé.

■ J. B.

Bibliogr. : Catalogue de l'exposition *Paulo Chaves – 40 ans d'expositions*, Gal. Tema Arte Contemporânea, São Paulo, 1987.
Musées : Campinas (Mus. d'Art Mod.) – Florianópolis – Joinville – La Paz – Penapolis – Santo-Andre (Pina.) – Sao-Bernardo (Pina.) – Sao-Caetano Do Sul (Pina.) – Sao-Jose Do Rio-Preto – São Paulo (Mus. d'Art Mod.) – São Paulo (Mus. d'Art Brésilien).

CHAVET Victor Joseph
Né le 21 juillet 1822 à Pourcieux (Var). Mort en 1906 au Creusot (Saone-et-Loire). xixe siècle. Français.
Peintre de genre, portraits, aquarelliste.
Il fit son apprentissage chez Pierre-Henri Revoil et chez Roqueplan. Il participa régulièrement au Salon de Paris, obtenant une médaille de troisième classe en 1853, de deuxième classe en 1855. Chevalier de la Légion d'Honneur en 1859. Vers 1874, il alla se fixer à Genève, où il figura dans plusieurs expositions. Il fut membre de l'Académie d'Amsterdam.
Chavet exécuta une aquarelle : *Promenade dans la Galerie des Glaces*, à Versailles, pour l'album offert par Napoléon III à la reine Victoria. Dans ses scènes de genre et portraits, il montre une prédilection pour la belle matière.
Bibliogr. : Gérald Schurr, in : *Les Petits Maîtres de la peinture 1820-1920, valeur de demain*, Les Éditions de l'Amateur, t. IV Paris, 1979.
Musées : Aix-en-Provence : *La Religieuse – Portrait de Mme E. Loubon* – Douai : *Portrait de J. F. Romanelli* – Versailles : *Jacques Bergeret, vice-amiral*.
Ventes Publiques : Paris, 1837 : *Le tapissier* : **FRF 1 220** – Paris, 3 mai 1901 : *Sonate pour flûte* : **FRF 340** – New York, 24-26 fév. 1904 : *La promenade* : **USD 55** – Londres, 29 juin 1908 : *Les connaisseurs* : **GBP 69 6s** – Paris, 18 juin 1920 : *L'amateur d'estampes* : **FRF 1 020** – Paris, 6 juin 1928 : *La liseuse* : **FRF 4 900** – Paris, 14-15 déc. 1933 : *Le solo de violoncelle* : **FRF 1 000** – Paris, 13-14 déc. 1943 : *Le violoncelliste* : **FRF 2 000** – Londres, 6 oct. 1972 : *Jeune femme dans un boudoir* : **GNS 420** – Berne, 20 oct. 1977 : *Peintre à son chevalet 1884*, h/pan. (23,5x17,5) : **CHF 2 500** – New York, 29 mai 1981 : *La lecture*, h/pan. (25,5x19,5) : **USD 3 500** – Londres, 5 oct. 1983 : *L'heure de musique 1871*, h/t (26,5x35) : **GBP 3 000** – Vienne, 11 sep. 1985 : *Le messager*, h/pan. (27x22) : **ATS 32 000** – New York, 19 mai 1987 : *L'artiste à son chevalet 1870*, h/pan. (35,5x29,8) : **USD 3 200** – New York, 26 mai 1994 : *Séance de pose pour un portrait 1871*, h/t (27,3x38,1) : **USD 8 625**.

CHAVEZ Carolina de
Née à Lima (Pérou). xxe siècle. Péruvienne.
Sculpteur.
Elle a exposé au Salon d'Automne de Paris, entre 1927 et 1931 ; on cite d'elle une *Indienne*.

CHAVEZ Gerardo. Voir CHAVEZ-LOPEZ

CHAVEZ José de, appelé aussi Chavez y Artiz
Né en 1839. Mort en 1903. xixe siècle. Actif à Séville. Espagnol.
Peintre de genre, figures, portraits.
Élève de l'École des Beaux-Arts de Séville. Exposa dans cette ville à partir de 1860 et à Cadix vers 1880.
On cite de lui : *Un picador*, *Type africain* et des portraits (notamment pour la Biblioteca Colombina, à Séville).

J. Chavez

Ventes Publiques : Paris, 14 déc. 1925 : *Toréador dans l'atelier d'un peintre* : **FRF 125** – New York, 8 fév. 1935 : *Toréador* : **USD 110** – Paris, 4 et 5 mai 1955 : *Deux picadors au cabaret* : **FRF 48 000** – Londres, 19 mars 1971 : *Toréadors et matadors* : **GBP 280** – New York, 1er mars 1990 : *En attendant l'appel*, h/t (61x47) : **USD 10 450**.

CHAVEZ Luiz Eduardo
Né le 4 mars 1908 à Valence. Mort le 13 juillet 1987. xxᵉ siècle.
Espagnol.
Peintre de sujets religieux, portraits, paysages animés, paysages, fleurs, pastelliste.
Il étudia dans l'atelier de Leopoldo La Madriz, à Valence. Il fut également compositeur et poète.
Sa première exposition eut lieu en 1933 à l'Athénée de Caracas ; Athénée qui, par la suite, se déplaça à Valence ; depuis 1985, cette dernière lui consacre régulièrement des expositions rétrospectives.
On lui doit des paysages, quelques scènes d'inspiration biblique, mais son thème de prédilection reste la flore ; dans son *Autoportrait avec chemise jaune* 1972, le sujet est un prétexte pour peindre les fleurs et la nature tropicale mystérieuse et pléthorique de lumière. Ses œuvres, de tendance expressionniste, sont traitées avec des teintes très vives appliquées vigoureusement par de larges touches.

CHAVEZ-LOPEZ Gerardo
Né le 16 novembre 1937 à Trujillo. xxᵉ siècle. Actif en France.
Péruvien.
Peintre de compositions à personnages. Onirique.
Il fut élève de l'Ecole des Beaux-Arts de Lima. Il fit sa première exposition personnelle en 1959 à la galerie de l'Université de Trujillo. Dans la même année 1959, il entreprit un voyage en Europe et exposa à la Biennale des Jeunes de Paris. En 1961, il reçut le Prix de la Ville de Viareggio. Il s'est fixé à Paris, où il participe à des expositions collectives, notamment le Salon Grands et Jeunes d'Aujourd'hui. Il participe aussi à des expositions collectives internationales : 1966 la xxxiiiᵉ Biennale de Venise et le Prix Europe à Ostende où il reçut une mention honorifique. Il expose aussi individuellement à Paris, à la Galerie du Dragon, volontiers ouverte aux tendances fantastiques.
Avec une facture graphique précise et virtuose, qui peut rappeler Matta ou Lam, des gammes de tons très discrètes, il peint des personnages schématiques ou hybrides à la façon de Jérôme Bosch, qui s'agitent furieusement et s'entremêlent dans des postures acrobatiques, dispersés à travers un vaste espace aérien aux couleurs quelque peu infernales, dans un climat ouaté, feutré, brumeux, pesant. Ses œuvres ressortissent au domaine du fantastique, voire du surréalisme. L'apparente représentation d'une réalité concrète et précise n'est que le tremplin vers l'irréel, l'onirique, l'inquiétant. ■ J. B.
Bibliogr. : In : Catalogue de l'exposition *Vision 24 – Peintres et Sculpteurs d'Amérique Latine*, Institut Italo-Latino-Américain, Rome, 1970 – in : *L'Officiel des Arts*, Edit. du Chevalet, Paris, 1988.
Musées : Bruxelles (Mus. roy. des Beaux-Arts).
Ventes Publiques : Paris, 24 nov. 1976 : *Composition* 1970, h/t (114x147) : FRF 2 600 – Paris, 18 nov. 1978 : *Animal fantastique*, h/t (130x97) : FRF 5 300 – New York, 17 oct. 1979 : *L'attente* 1978, techn. mixte avec past./t. (129,8x79,7) : USD 4 000 – New York, 20 mai 1987 : *Les doigts fous, hommage à mon ami cubain Acosta Leon* 1972, past./t. (146x114) : USD 2 800 – New York, 17 mai 1989 : *Sans titre* 1964, h/t (110,5x96) : USD 13 200 – Paris, 31 oct. 1990 : *Le minotaure*, h/pan. (38x47) : FRF 7 000 – Stockholm, 5-6 déc. 1990 : *Le guetteur de l'ancien chaos*, past./t. (130x97) : SEK 7 000 – New York, 20 nov. 1991 : *Feu et lumière* 1990, h/t (62x81) : USD 5 280 – Paris, 29 mars 1995 : *Le citoyen d'Innsmouth* 1973, h/t (40x45) : FRF 6 000.

CHAVEZ-MORADO José
Né en 1909 à Silao. xxᵉ siècle. Mexicain.
Peintre de compositions à personnages, compositions murales, cartons de mosaïques, graveur sur bois, lithographe. Expressionniste.
Il fut d'abord ouvrier itinérant à travers les États-Unis. Il s'est initié à la peinture à Los Angeles. Revenu au Mexique, il fut l'un des fondateurs de l'*Atelier Populaire d'Art Graphique*. Dans la tradition du graveur José Guadalupe Posada, il produisit des gravures sur bois d'un humour souvent funèbre. En 1933, il fut nommé professeur dépendant du Ministère de l'Instruction Publique, puis en 1940 directeur. Il a exécuté à Mexico des peintures murales et des mosaïques pour la nouvelle Cité Universitaire et pour le Secrétariat des Travaux Publics.
Dans sa peinture, comme beaucoup d'artistes mexicains apparus depuis la Révolution, il se tourne vers la tradition indienne et le paysage national, dans des compositions réalistes souvent destinées en tant que fresques à des intégrations architecturales

didactiques. Avec un accent expressionniste goyesque, il représente la réalité moderne, non sans y glisser quelques notes visionnaires : *Les vierges folles* 1943, *Assaut nocturne* 1945.
■ J. B.
Bibliogr. : In : *Diction. Univers. de la Peint.*, Robert, Paris, 1975.
Ventes Publiques : New York, 26 mai 1977 : *Paysage de San Miguel* 1938, h/t (46x62) : USD 2 000 – New York, 8 mai 1981 : *Construction* 1959, h/t (116,2x150,5) : USD 4 000 – New York, 30 mai 1984 : *Village riverain* 1982, h/t (80x100) : USD 3 000 – New York, 29 mai 1985 : *Ciudad azteca* 1961, h. et acryl./t. (110,5x150,5) : USD 9 500 – New York, 15-16 mai 1991 : *Le fauteuil rouge* 1987, h/rés. synth. (72x80) : USD 9 900 – New York, 19 mai 1992 : *Procession la nuit* 1956, h/rés. synth. (61x80,4) : USD 4 400 – New York, 17 mai 1995 : *Le cracheur de feu* 1945, gche et aquar./pap. fort (49,5x64,9) : USD 18 400.

CHAVIGNAUD Léopold
Né le 18 décembre 1861 à Châteaulin (Finistère). xixᵉ siècle.
Français.
Peintre.
A exposé des aquarelles au Salon des Artistes Français.

CHAVIGNIER Louis
Né en 1922 à Montboudif (Cantal). Mort le 25 juillet 1972 à Clermont-Ferrand (Puy-de-Dôme). xxᵉ siècle. Français.
Sculpteur de monuments, compositions, figures.
Après une enfance auvergnate, il entra après la Libération à l'École des Beaux-Arts de Paris où il fréquenta plusieurs ateliers.
À ses débuts, il œuvra dans le domaine de la sculpture traditionnelle, travaillant comme restaurateur aux départements égyptien et chaldéen du Louvre et au Musée Guimet, exécutant par ailleurs de nombreux monuments, en particulier des monuments aux morts de la guerre, en général dans sa région natale.
Michel Ragon constate que : « Chavignier ne s'est trouvé que lentement ». Dans le même temps que ses réalisations académiques, il entreprend d'inventorier des moyens d'expressions plus actuels et plus personnels. En 1952 il reçut le Prix Fénéon pour la sculpture et débutait aux Salons des Réalités Nouvelles, de la Jeune Sculpture et à la Biennale d'Anvers. Il participé à l'Exposition d'Art Français de Zurich, à la Biennale de Paris et à la Biennale Internationale de Sculpture d'Anvers en 1957, à une exposition collective de la Galerie Claude Bernard de Paris, à l'Exposition Internationale d'Yverdon et à celle d'Arnheim en 1958. En 1957 il avait obtenu avec Antoine Poncet le prix de Sculpture d'Auvers-sur-Oise. En 1982, la première Biennale Européenne de Sculpture en Normandie, à Jouy-sur-Eure, lui rendit un hommage.
Sa première exposition particulière se tint à Paris en 1958 ; il y présentait des sortes de totems baroques, à mi-chemin entre le règne minéral et le végétal. Très joliment, Michel Ragon précise : « Ce sont bien des totems si l'on veut, mais ces totems paysans, bien de chez nous, ces totems du verger et du jardin que l'on nomme épouvantails. » Chavignier lui-même a confié à Édouard Jaguer que l'une des plus fortes impressions à la fois esthétique et psychologique qu'il gardait en mémoire lui venait des épouvantails grinçant dans le vent du plateau central de son enfance.
Toutes les sculptures de cette époque ne sont pas réductibles à la notion de totem. Édouard Jaguer évoque des « concrétions hagardes... juchées d'un équilibre apparemment précaire dans des attitudes en porte-à-faux, coquilles désertées de quelque sanglot ou de quelque rire extérieurs à notre réalité... Costauds, ouvertes, arrachées, malaxées ou jaillies en grappes vénéneuses... » Les qualités architecturales évidentes de ses sculptures ont incité plusieurs architectes, notamment Novarina, à travailler en collaboration avec Chavignier. Il réalisa ensuite la série appelée les *Manèges*, entreprises abstraites de prise de possession de l'espace et du mouvement. Dans ses dernières années, il a effectué un retour à la figuration et au baroquisme, et l'on peut citer comme caractéristique de cette période le *Miroir aux alouettes*, une coiffeuse munie de miroirs, et la *Maison du berger*, haute tour de bois dans laquelle se balance un pendu. Quelques mois avant sa disparition, il a réalisé une monumentale *Porte du soleil* au plateau d'Assy, primitivement destinée à enjamber l'Autoroute du Sud à la sortie de Paris. La continuité de l'œuvre de Chavignier, sensible aux fluctuations du goût artistique et anxieux de ne pas s'éloigner de l'actualité, reste assez difficile à saisir mais les réalisations isolées retiennent toujours l'intérêt. ■ Jacques Busse
Bibliogr. : Édouard Jaguer : *Sculpture 1950-1960 – Poétique de la Sculpture*, Musée de Poche, Paris, 1960 – Michel Ragon, *Vingt-*

cinq ans d'art vivant, Casterman, Paris, 1969 – Denys Chevalier, in : *Nouveau diction. de la Sculp. Mod.*, Hazan, Paris, 1970 – in : *Les Muses*, Grange-Batelière, Paris, 1971.

VENTES PUBLIQUES : MARSEILLE, 3 déc. 1965 : *Gisant*, bronze : **FRF 1 380** – PARIS, 23 nov. 1984 : *Le tour du monde 1960*, bronze (20x23x15) : **FRF 14 000** – PARIS, 28 nov. 1986 : *Miroir aux alouettes*, bronze : **FRF 4 500** – PARIS, 22 mai 1989 : *Le couple*, bronze poli (17x4x5) : **FRF 10 000**.

CHAVILLE Pauline, Mme
XIXe siècle. Active à Paris. Française.
Peintre.
Sociétaire des Artistes Français depuis 1884.

CHAVIN-COLIN Louisette
Née à Marche (Doubs). XXe siècle. Française.
Graveur sur bois.
A exposé au Salon des Artistes Français en 1933.

CHAWNER Thomas
Né en 1775. Mort en 1851. XIXe siècle. Britannique.
Dessinateur d'architectures, architecte.
Le British Museum conserve de lui quelques dessins et aquarelles de vieilles maisons de Londres. Il se confond, selon toute vraisemblance avec un T. Chawner qui exposa entre 1791 et 1800 à la Royal Academy, à Londres, des dessins d'architectures.
MUSÉES : LONDRES (British Mus.).
VENTES PUBLIQUES : LONDRES, 30 nov. 1983 : *Design for a British Museum 1794*, cr., pl. et lav. (37x22) : **GBP 2 000**.

CHAYLLERY Eugène Louis
Né au XIXe siècle à Angers (Maine-et-Loire). XIXe siècle. Actif à Paris. Français.
Peintre de genre.
Élève de Cormon et de Busson.
Exposant au Salon des Artistes Français, il obtient une mention honorable en 1894, une médaille de troisième classe en 1895, une de deuxième classe en 1897 ; une de bronze à l'Exposition Universelle de 1900.
MUSÉES : AVIGNON : *Logis familial 1902*.
VENTES PUBLIQUES : PARIS, 27 nov. 1937 : *Le repas de l'enfant* : **FRF 210** ; *Le repas du soir* : **FRF 140** – LOS ANGELES, 22 juin 1981 : *Écoliers à leurs devoirs 1906*, h/pan. (40,5x30,5) : **USD 1 100**.

CHAYS L.
Graveur.
On connaît de lui deux planches, *Thermes de Caracalla* et *Tombeau des Horaces*, à Rome.

CHAYS Louis ou Chaix
Né vers 1740 à Marseille (Bouches-du-Rhône). XVIIIe-XIXe siècles. Français.
Peintre d'architectures, paysages, dessinateur.
Élève, à Paris, de J.-A. Beaufort. Il exposa en 1802 au Musée Central des Arts et en 1804 au Salon de l'An XII de la République. Voir les articles CHAYS (L.) CHAYS (S.) et CHAIX (L.).
VENTES PUBLIQUES : PARIS, 21 et 22 fév. 1919 : *Une terrasse : Frascati*, sanguine : **FRF 400** – PARIS, 6 déc. 1923 : *Ruines*, sanguine : **FRF 920** – PARIS, 20 mars 1924 : *Paysage d'Italie, avec un temple rond sur une terrasse*, pierre noire : **FRF 750** ; *Cascade avec une église en contre-haut*, pierre noire : **FRF 330** – PARIS, 26 oct. 1925 : *Paysage avec arcade*, pierre noire : **FRF 200** – PARIS, 23 nov. 1927 : *Cascade à Tivoli*, pierre noire : **FRF 300** – PARIS, 4 et 5 nov. 1937 : *Le Colisée à Rome 1775*, deux dess. à la pierre noire, reh. de sanguine et de blanc, deux vues différentes : **FRF 160** – PARIS, 23 jan. 1980 : *Vue de l'intérieur du Colisée à Rome*, sanguine (53x39) : **FRF 2 200** – LONDRES, 7 juil. 1981 : *Un escalier dans une catacombe*, pierre noire (49,5x30,5) : **GBP 380** – LONDRES, 6 juil. 1982 : *Le Colisée 1772*, pierre noire (40,4x53,4) : **GBP 600** – PARIS, 31 mars 1993 : *Village près de Frascati 1779*, pierre noire (41,5x53,5) : **FRF 16 000** – NEW YORK, 12 jan. 1995 : *Une fontaine dans les jardins de la Villa Ludovisi à Frascati avec deux personnages* (51,5x39) : **USD 9 200**.

CHAYS S.
XVIIIe siècle. Actif vers 1775.
Peintre.
Il a réalisé l'ouvrage de 36 feuilles conservé à Berlin tiré des *Portefeuilles du Cn. S. Chays, peintre*, dessinées par lui d'après nature, et gravées à l'eau-forte.

CHAZAL Antoine Toussaint de
Né le 7 novembre 1793 à Paris. Mort le 12 août 1854 à Paris. XIXe siècle. Français.

Peintre de compositions religieuses, portraits, animalier, fleurs, fruits, illustrateur, graveur.
Élève de Misbach, Bidault et Van Spaendonck, il participa au Salon de Paris de 1822 à 1853, obtenant une médaille de deuxième classe en 1831. Croix de la Légion d'Honneur en 1838. Nommé professeur d'iconographie au Jardin des Plantes de Paris, il peint ses tableaux de fleurs, fruits, animaux avec une exactitude, une vérité scientifique perfectionniste. Il illustre avec tout autant de soin, ses propres ouvrages : *Leçons de tapisserie* 1822, *Flore pittoresque* 1825, *Enseignement du dessin* 1841. Il est l'auteur d'une *Sainte Famille*, à l'église de Riom.
BIBLIOGR. : Gérald Schurr, in : *Les Petits Maîtres de la peinture 1820-1920, valeur de demain*, Les Éditions de l'Amateur, t. IV Paris, 1979.
MUSÉES : AMIENS : *Fleurs et fruits* – BAGNÈRES-DE-BIGORRE : *La branche de lilas*, past. – CHÂTEAU-THIERRY : *La cascade du Ru-Fondu* – VALENCIENNES – VERSAILLES : *Marguerite d'Autriche, duchesse de Parme* – *Claude de Joyeuse, Sr de Saint-Sauveur*.
VENTES PUBLIQUES : PARIS, 12 avr. 1954 : *Bouquet de fleurs*, aquar. : **FRF 12 100** – PARIS, 7 déc. 1967 : *Le bouquet de fleurs* : **FRF 6 500** – GENÈVE, 11 oct. 1976 : *Bouquet de fleurs dans un vase en pierre posé sur un entablement 1837*, h/t (70x46,5) : **CHF 2 500** – VERSAILLES, 4 mars 1979 : *Femme assise dans son intérieur 1845*, h/t (66,5x55) : **FRF 5 500** – PARIS, 8 avr. 1981 : *Nature morte*, h/pan. (36,5x46) : **FRF 5 500** – PARIS, 27 juin 1989 : *Bouquet de fleurs* (14x14,5) : **FRF 30 000** – AMSTERDAM, 19 oct. 1993 : *Roses dans un vase de verre sur un entablement 1849*, h/métal (22x17) : **NLG 5 520** – LONDRES, 13 déc. 1996 : *Aigle doré et aigle à tête blanche 1834*, aquar. et gche (16,4x10,2) : **GBP 1 840** – NEW YORK, 23 mai 1997 : *Yucca gloriosa 1844*, h/t (64,1x54) : **USD 20 700**.

CHAZAL Charles Camille
Né le 20 mai 1825 à Paris. Mort le 5 avril 1875 à Paris. XIXe siècle. Français.
Peintre de scènes mythologiques, compositions religieuses, genre, portraits.
Fils du précédent, il fut élève de Drolling et de Picot à l'École des Beaux-Arts, où il entra le 19 septembre 1842. Il débuta au Salon en 1849 et eut, cette même année, le second prix au concours pour Rome, avec : *Ulysse reconnu par Euryclée*. Il eut la médaille de troisième classe en 1851 et celle de deuxième classe en 1861. On cite de lui : *Le Christ prêchant la charité, La lecture, La prière, Peau d'âne*.

Camille Chazal. [1]

MUSÉES : CHÂTEAU-THIERRY : *Pèlerins*, esquisse – DIEPPE : *Portrait de Camille Saint-Saëns, jeune* – MONTPELLIER : *Jésus chez Simon* – SAINT-ÉTIENNE : *La reine de Saba*.
VENTES PUBLIQUES : BRUXELLES, 24 fév. 1987 : *Jeune femme se mirant*, h/pan. (59x39) : **BEF 55 000** – PARIS, 10 déc. 1996 : *Lecture dans un jardin 1842*, h/t (32,5x24,5) : **FRF 5 500**.

CHAZAL Malcolm de
Né le 12 septembre 1902 à Vacoas. Mort le 1er octobre 1981. XXe siècle. Britannique.
Peintre d'animaux, paysages, natures mortes, peintre à la gouache. Naïf.
Sujet britannique, il descendait d'une famille forézienne établie sur l'île Maurice depuis plusieurs générations. Ingénieur, il fut ensuite philosophe et poète. Auteur d'aphorismes, fables, nouvelles, poésies, il commença à peindre en 1957.
Ses œuvres ont été présentées dans des expositions personnelles : à l'Île Maurice notamment au Centre culturel français en 1996, à Londres, à Dakar notamment au Musée Dynamique, à Marseille au centre de la Vieille Charité en 1996.
Encouragé par Georges Braque, il réalise des gouaches colorées, nées de l'intuition, de l'émotion, et présente un univers plein de gaieté, riche de fantaisie.
BIBLIOGR. : Michel Ellenberger : *Malcolm de Chazal*, Artpress, n° 221, Paris, fév. 1997.
VENTES PUBLIQUES : PARIS, 1er juil. 1992 : *Vase*, gche (77,5x58) : **FRF 11 000** – PARIS, 2 juil. 1993 : *Maison rouge*, gche/pap. (52x77) : **FRF 9 500** – PARIS, 28 juin 1994 : *Le lys*, gche/pap. (58x79) : **FRF 5 000** – PARIS, 30 jan. 1995 : *La théière*, gche/pap. (56x79) : **FRF 4 000**.

CHAZALVIEL Albert Édouard
Né à Paris. XIXᵉ-XXᵉ siècles. Français.
Peintre de portraits, paysages.
Il exposa à Paris au Salon des Artistes Indépendants entre 1912 et 1928, figurant à la rétrospective de 1926. Il exposa aussi au Salon d'Automne entre 1912 et 1921.

CHAZALY
Né en 1926. XXᵉ siècle. Français.
Peintre de scènes animées. Naïf.

chazaly

VENTES PUBLIQUES : SAINT-BRIEUC, 13 déc. 1981 : *Petit village*, h/t (27x35) : **FRF 3 300** – VERSAILLES, 19 juin 1985 : *La noce au village*, h/t (50x65) : **FRF 8 500** – VERSAILLES, 18 juin 1986 : *Mariage à Fréjus*, h/t (65x46) : **FRF 7 000** – VERSAILLES, 17 juin 1987 : *Bal champêtre en Auvergne*, h/t (60x92) : **FRF 13 500** – VERSAILLES, 21 fév. 1988 : *La place du marché*, h/t (38x46) : **FRF 5 500** – VERSAILLES, 20 mars 1988 : *Jeux dans la neige*, h/t (38x46) : **FRF 5 000** – PARIS, 23 juin 1988 : *Dimanche en Beaujolais*, h/t (65x92) : **FRF 13 500** – VERSAILLES, 6 nov. 1988 : *Les plaisirs de la nature*, h/t (50x65) : **FRF 7 000** – VERSAILLES, 21 déc. 1988 : *La place du marché*, h/t (38x46) : **FRF 5 500.**

CHAZAT Antonin, dit **Clément**
XVIIIᵉ siècle. Français.
Peintre.
Il fut reçu à l'Académie de Saint-Luc en 1782.

CHAZELLE Magdeleine
Née à Paris. XXᵉ siècle. Française.
Peintre de scènes de genre, dessinatrice de bijoux.
Elle exposa des tableaux de genre à Paris au Salon des Artistes Indépendants entre 1928 et 1930 et au Salon d'Automne de 1928. À la section des Arts Décoratifs du Salon des Artistes Français elle exposa des dessins de bijoux entre 1928 et 1930, recevant une mention honorable en 1927.

CHAZELLE Pierre Toussaint de. Voir **DÉCHAZELLE**

CHAZERAND Claude Louis Alexandre
Né le 24 avril 1757 à Besançon. Mort le 22 avril 1795 à Besançon. XVIIIᵉ siècle. Français.
Peintre.
Élève de Wyrsch. Cet artiste, après de brillants débuts, se laissa entraîner aux excès et à la débauche qui furent cause de sa mort prématurée. Le peu d'ouvrages qu'il a laissés sont assez remarquables.
MUSÉES : BESANÇON : *Le Christ – Vulcain – Neptune – Martyre de saint Pancrace*, pl., esquisse.

CHEADLE Henry
Né le 14 mai 1852 à B'ham. XIXᵉ siècle. Britannique.
Peintre de paysages animés, paysages.
Exposant à Londres, Liverpool, Manchester, Bristol, Cardiff et B'ham ; il signait : « H. Cheadle ».
VENTES PUBLIQUES : LONDRES, 11 mars 1970 : *Paysages*, deux toiles : **GBP 100** – LONDRES, 4 oct. 1979 : *Paysage fluvial*, h/t (61x91,5) : **GBP 1 100** – LONDRES, 12 juin 1985 : *Ramasseuse de fagots près d'une rivière* 1885, h/t (50x75) : **GBP 1 200** – PARIS, 26 oct. 1990 : *Paysage à la bergère* 1877, h/t (38x63) : **FRF 3 200** – LONDRES, 13 fév. 1991 : *Scène des rivages de la Weir à Ludlow* 1888, h/t (44x36) : **GBP 1 155.**

CHEATER Violet, Mrs
XXᵉ siècle. Britannique.
Peintre.
Pratiquant l'huile, l'aquarelle et s'adonnant à la miniature, elle expose à la Royal Academy et au Royal Institute, à Londres ; elle signe : « V. Linton ».

CHEBAÂ Mohamed
Né en 1935 à Tanger. XXᵉ siècle. Marocain.
Peintre. Abstrait.
De 1965 à 1969, il fit partie d'un groupe d'artistes-enseignants de l'Ecole des Beaux-Arts de Casablanca, qui eurent une action déterminante sur la réflexion concernant la compatibilité des signes traditionnels de la culture arabe avec les formes modernes de la peinture abstraite, en général à tendance géométrique, et évidemment sur l'exploitation de cette compatibilité.

Pour sa part, Chebaâ, parti d'une expression spontanée et apparentée à l'abstraction lyrique, s'est astreint à la « soumettre à un rigoureux contrôle, presque mathématique, pour s'intéresser aux formes pures, aux contrastes simultanés, à l'alternance du solide et du vide. »
BIBLIOGR. : Khalil M'rabet : *Peinture et identité – L'expérience marocaine*, L'harmattan, Rabat, après 1986.

CHEBANOFF. Voir **CHABANOFF**

CHEBAULT E.
XVIIIᵉ siècle. Actif vers 1776. Français.
Peintre de miniatures.

CHEBDA Stanislas
Né à Cracovie. XVIᵉ siècle. Polonais.
Peintre.

CHEBOUIEFF Vassili Kouzmitch
Né le 2 avril 1777 à Cronstadt. Mort le 17 juin 1855 à Saint-Pétersbourg. XIXᵉ siècle. Russe.
Peintre de sujets religieux, graveur au burin et lithographe.
Il fit ses études à l'Académie de Saint-Pétersbourg et à Rome ; de retour à Saint-Pétersbourg, il fut nommé professeur à l'Académie et en devint ensuite directeur. On cite de lui : *Saint Basile le Grand, Saint Grégoire, Saint Chrysostome*, dans la cathédrale de Kazan, *Le patriote Igolkin*, etc.
MUSÉES : MOSCOU (Gal. de Tretiakoff) : *Les anges avec des objets d'église – Le prophète Moïse et les dix commandements – La mise en bière – Saint Jean Baptiste et le prophète Ézéchiel – Le prophète Azor David avec des psaltérions – Les prophètes Isaïe et Jonas – La vision d'Ézéchiel – La transfiguration – Ascension du Christ – Saint Basile – Portrait de E. M. Chebouïeva, femme de l'artiste – La Cène – La Sainte famille –* et nombreux dessins – SAINT-PÉTERSBOURG (Mus. russe) : *Saint Jean Baptiste dans le désert – La Cène – L'exploit du négociant Igolkin – L'Assomption de la Vierge – Les apôtres Pierre et Jean guérissent un boiteux – Saint Orthodoxe Grand-duc Alexandre Nevsky.*

CHECA Y DELICADO Felipe
Né le 24 mars 1844 à Badajoz. XIXᵉ siècle. Espagnol.
Peintre d'histoire et de genre.
Élève de Pablo Gonzalvo à l'École spéciale de Peinture de Madrid. Exposa à la Nationale des Beaux-Arts à Madrid à partir de 1867. Il fut souvent médaillé. On cite de lui : *Louis de Morales visitant Philippe II à Badajoz.*
VENTES PUBLIQUES : LONDRES, 7 mai 1971 : *Bon appétit !* : **GNS 200.**

CHECA Y SANZ Ulpiano
Né le 3 avril 1860 à Colmenar de Oreja (Nouvelle Castille) près de Madrid. Mort le 16 janvier 1916 à Dax (Landes). XIXᵉ-XXᵉ siècles. Actif en France. Espagnol.
Peintre d'histoire, scènes de genre, portraits, animaux, paysages, sculpteur.
Il fit ses études à Madrid à l'École des Arts et Offices puis à l'École Supérieure de Peinture de l'Académie de San Fernando entre 1876 et 1883, étant élève de Manuel Dominguez, Federico de Madrazo et P. Gonzalvo. En 1884, il fut pensionné à Rome à l'Académie Espagnole et en 1887 à Paris où il s'établit en 1890. Il participe alors aux Salons officiels jusqu'à chaque année à partir de 1888. En 1891 il fut nommé Chevalier de l'Ordre de Carlos III par le gouvernement espagnol et en 1894 Chevalier de la Légion d'Honneur par le gouvernement français. Médaille d'or à l'Exposition Universelle de Paris en 1900.
À Rome, Checa peignit le tableau initiateur de sa carrière, *L'invasion des barbares*, pour lequel il reçut la médaille de première classe à l'Exposition Nationale des Beaux-Arts. À partir de là, il réalisa une série importante de grandes compositions historiques, dont *Course de chars à Rome* 1890 – *Mazeppa* 1900 – *Idylle à Pompéi*, mais aussi des scènes de genre, où l'animal est souvent présent : *À l'abreuvoir*. En 1900 il fit paraître un *Traité de perspective*. Il décora à fresque l'église de son village natal.

BIBLIOGR. : In : *Cent ans de peint. en Espagne et au Portugal, 1830-1930*, Antiquaria, Madrid, 1988 – Gérald Schurr, in : *Les Petits Maîtres de la peinture 1820-1920, valeur de demain*, Les Éditions de l'Amateur, t. IV Paris, 1979.

MUSÉES : AMIENS (Mus. de Picardie) : *Chemin de la Beria* – ANGERS : *La Saturnale* – AUXERRE : *À la foire de Séville* – BUENOS AIRES : *Les Amazones* – COLMENAR DE OREJA (Mus. Checa) : *Les peaux rouges* 1893 – *Le ravin de Waterloo* 1895 – *Naumaquia* – *Nuage* – *L'antiquaire* – MULHOUSE : *Le rapt gaulois* 1897 – *Fantaisie arabe* 1898 – *Mazepa* 1900 – *Chevaux à l'abreuvoir* 1903 – *Entre deux oasis* 1911 – *La chanteuse – La carrière* – ROUEN – VALLADOLID (Mus. d'Arte Mod.) : *L'invasion des barbares*.
VENTES PUBLIQUES : PARIS, 17 mai 1895 : *Le retour du marché* : **FRF 300** – PARIS, 23-26 nov. 1908 : *Combat entre Grecs et Amazones* : **FRF 440** – PARIS, 21 juin 1919 : *Une halte* : **FRF 1 480** – PARIS, 4-5 mars 1920 : *Au balcon* : **FRF 2 200** – PARIS, 6 mai 1929 : *La veuve*, aquar. : **FRF 680** – PARIS, 10 mai 1943 : *Deux prélats en conversation* : **FRF 1 500** – NEW YORK, 16 déc. 1965 : *Scène de marché* : **USD 500** – PARIS, 7 fév. 1972 : *La course de char* : **FRF 2 800** – MADRID, 18 fév. 1976 : *Maja*, h/t (53x50) : **ESP 75 000** – MADRID, 21 nov. 1979 : *Chevaux à l'abreuvoir*, h/t (51x62) : **ESP 225 000** – PARIS, 30 oct. 1980 : *Course de chars romains*, aquar. (30x44) : **FRF 1 700** – PARIS, 26 oct. 1983 : *La course romaine*, bronze ciselé et doré (45x49) : **FRF 17 000** – MONTEVIDEO, 26 oct. 1984 : *Le pont des Soupirs, Venise*, h/t (60x40) : **UYU 110 000** – LONDRES, 18 juin 1986 : *La lecture du Coran* 1910, h/t (69x41) : **GBP 3 000** – BARCELONE, 28 mai 1987 : *L'Odalisque*, h/t (46x61) : **FRF 18 000** – LONDRES, 23 nov. 1988 : *Nature morte avec un bronze de Napoléon et différents objets*, h/t (70x100) : **GBP 1 980** – LONDRES, 17 fév. 1989 : *L'enlèvement*, h/t (85x150) : **GBP 6 600** – LONDRES, 21 juin 1989 : *Un voyage harassant*, h/t (52,5x71) : **GBP 7 150** ; *Vue de la place de la Concorde*, h/pan. (26x40,6) : **USD 49 500** – STRASBOURG, 29 nov. 1989 : *Au café*, h/t (33,5x57) : **FRF 50 000** – LONDRES, 15 fév. 1990 : *L'Arc de Triomphe à Paris*, h/t (51x101) : **GBP 385 000** – MADRID, 27 juin 1991 : *Un coin de Tolède*, h/pan. (40x20) : **ESP 291 200** – NEUILLY, 20 oct. 1991 : *Nu allongé*, cr. et mine de pb (37x30) : **FRF 4 800** – NEW YORK, 29 oct. 1992 : *Place Saint Marc*, h/t (70,5x48,3) : **USD 28 600** – LONDRES, 25 nov. 1992 : *Course de chars à Rome* 1890, h/t (50x85) : **GBP 15 400** – LONDRES, 7 avr. 1993 : *Odalisque*, h/t (60x37) : **GBP 1 840** – NEW YORK, 15 fév. 1994 : *Scène de rue à Paris* 1889, h/t (62,8x91,4) : **USD 173 000** – NEW YORK, 19 jan. 1995 : *Le relais de chevaux*, h/pan. (29,8x50,2) : **USD 12 650** – PARIS, 22 fév. 1995 : *Bouquets de fleurs*, h/t, une paire (chaque 112x50) : **FRF 21 000** – LONDRES, 17 nov. 1995 : *Marché aux fleurs au bord de la Seine*, h/t (31,8x45) : **GBP 8 050** – CALAIS, 7 juil. 1996 : *Jeune femme lisant*, h/t (56x47) : **FRF 21 000** – LONDRES, 20 nov. 1996 : *La Charge de la cavalerie*, h/t (98x170) : **GBP 20 125**.

CHECCHI Arturo
Né en 1886. Mort en 1971. XXᵉ siècle. Italien.
Peintre.
MUSÉES : FLORENCE (Gal. d'Art Mod.).
VENTES PUBLIQUES : STOCKHOLM, 5 sep. 1992 : *Plage*, h/pan. (40x60) : **SEK 8 000**.

CHECCHI Giovanni
XVIIᵉ-XVIIIᵉ siècles. Actif à Livourne. Italien.
Peintre.

CHECCHINI Peregrino
XVIᵉ siècle. Italien.
Sculpteur.
Il travailla à Ferrare en 1536 et en 1542.

CHECCHINO del quondam Basio
XIVᵉ siècle. Actif à Padoue en 1389. Italien.
Peintre.

CHECCIA Francesco
XVIIᵉ siècle. Espagnol.
Stucateur.
Il vivait à Morcote vers 1631.

CHÉCHÉNINE Evdokim
Mort en 1667. XVIIᵉ siècle. Actif à Moscou. Russe.
Graveur.

CHÉCHÉNINE Sémen
XVIIIᵉ siècle. Actif à Moscou au milieu du XVIIIᵉ siècle. Russe.
Graveur.

CHECKLEY C., Mrs
XIXᵉ siècle. Britannique.
Peintre de fleurs, fruits.
Elle exposa notamment à la Royal Academy, à Londres, en 1828-1831.

CHEDAL Jean
XXᵉ siècle. Français.

Peintre de figures, nus, intérieurs, paysages, natures mortes, fleurs. Postcubiste.
Il fut un élève de Jean Lombard et fit partie du groupe du *Vert-Bois* créé par lui autour de ses nombreux élèves. Il a exposé dans divers Salons et galeries parisiens entre 1949 et 1957. Son fonds d'atelier (280 tableaux) a été dispersé en vente publique à Avranches en 1990.
VENTES PUBLIQUES : AVRANCHES, 3 juin 1990 : *Nu cubiste* 1950, h/t : **FRF 12 500** ; *La chaise jaune* 1963, h/t : **FRF 10 300** ; *Nu aux poires*, h/t (100x81) : **FRF 35 000** ; *Nature morte à la draperie jaune*, h/t : **FRF 22 000**.

CHEDAL Jean-Claude
Né le 13 novembre 1939 à Bonneville (Haute-Savoie). XXᵉ siècle. Français.
Peintre de figures, intérieurs, paysages, natures mortes, dessinateur, graveur.
Il fut élève de l'École des Beaux-Arts de Paris, remportant le deuxième Prix de Rome en 1962, comptant au nombre des Prix de Rome récents désormais plus tournés vers les recherches contemporaines, que voués au maintien de la tradition. Il fut lauréat du Prix de la Casa Vélasquez, dont il fut pensionnaire en 1963 et 1964. Il participe à des expositions collectives à Madrid, Tokyo, Genève, et principalement à Paris ou dans des grandes villes de province, Mulhouse, Nancy, Dieppe, Metz, Strasbourg, Bordeaux, etc. Il montre ses peintures dans des expositions personnelles, à Paris depuis 1962, Limoges, Brest, etc. Il a été successivement professeur dans les Écoles Nationales des Beaux-Arts de Nancy, Limoges, Dijon, Cergy-Pontoise. Il intervient aussi en tant que professeur-plasticien dans une Unité Pédagogique d'Architecture de Paris.
Dans une première période, il a traité ce qu'on peut appeler les « sujets d'école » : figures, intérieurs, natures mortes, dans une technique éprouvée et une sensibilité chromatique développée. Suivit une période de natures mortes de légumes, traitées avec retenue, presque austérité. Puis, pratiquant le processus poétique du « collage », il juxtaposait sur un même plan, des détails comme arrachés vifs de la réalité quotidienne, et des échappées oniriques qui se dissolvent dans des pâleurs laiteuses. Ces échappées oniriques ont finalement débouché sur une longue série de peintures et de dessins, titrés génériquement *Paysages oniriques*, ayant fait intégralement l'objet de l'exposition personnelle de la Galerie du Roi de Sicile en 1987. Dans ces paysages totalement imaginaires, et souvent improbables, dont nul être ne rompt le silence, entrevus en général depuis une hauteur jusqu'à l'horizon reculé et que barrent des lacs et des collines surmontées de quelques architectures désertées, Jean-Claude Chedal montre à la fois ses qualités techniques de perspectiviste impeccable et son sens poétique d'une lumière implacable.
BIBLIOGR. : J. Busse, G. Joppolo : Catalogue de l'exposition *Jean-Claude Chedal*, Gal. du Roi de Sicile, Paris, 1987.
VENTES PUBLIQUES : PARIS, 17 fév. 1988 : *Intérieur* 1939, h/t (65x81) : **FRF 4 000** – VERSAILLES, 23 oct. 1988 : *Conversation sur la plage*, h/t (65x81) : **FRF 3 800**.

CHEDEL Quentin Pierre
Né en 1705 à Châlons-sur-Marne. Mort en 1762 à Paris. XVIIIᵉ siècle. Actif à Paris. Français.
Graveur.
Il étudia sous la conduite de Lemoine et de L. Cars, mais il ne paraît pas avoir jamais figuré au Salon. Cependant son œuvre est assez considérable. Comme œuvres originales, on lui doit quarante-deux sujets de l'ancien Testament.

VENTES PUBLIQUES : PARIS, 6 déc. 1923 : *Tête d'homme, étude*, pl. et sauce : **FRF 200** – PARIS, 18 nov. 1926 : *Cérémonie en Chine*, mine de pb : **FRF 60**.

CHEDEL-WROBEL Mira Jeanne de
Née à Besançon (Doubs). XXᵉ siècle. Active en France. Polonaise.
Peintre de portraits et de fleurs.
Elle exposa aux Salons des Artistes Indépendants et de l'Automne entre 1926 et 1937. Elle aimait décrire les personnages typiques, comme le clown *Paolo Fratellini*.

CHÉDEVILLE Jules Marie
XIXᵉ siècle. Actif à Paris. Français.
Peintre de paysages.

Sociétaire des Artistes Français depuis 1888.
VENTES PUBLIQUES : PARIS, 7 avr. 1997 : *Bord de mer*, h/pan. (26x41) : FRF 2 700.

CHÉDEVILLE Léon
Né à Rosay (Eure). Mort le 2 février 1883 à Paris. XIXe siècle. Français.
Sculpteur.
Élève de Millet et de Villeminot. On cite de lui : *Jeanne* (plâtre), *Nègre* (1882), et de nombreux bustes. Il a exposé régulièrement au Salon depuis 1875.

CHEDEVILLE R.
XIXe-XXe siècles. Français.
Sculpteur.
En 1911 il exposait au Salon des Artistes Français : *La proie, Vautour et gazelle.*

CHEERE Henry, Sir
Né en 1703. Mort en 1781. XVIIIe siècle. Actif à Londres. Britannique.
Sculpteur et fondeur.
Élève de Schumakers. Membre en 1755 du premier comité réuni pour la fondation d'une Royal Academy, à Londres, il y exposa un dessin en 1798. Auteur de la statue équestre du duc de Cumberland à Cavendish square et des bustes au Collège de Tous les Saints à Oxford.

CHEESBOROUGH Mary Hugger
Morte en 1902 à Saratoga (New York). XIXe siècle. Américaine.
Peintre.

CHEESMAN Edith
Née à Wistwell (Kent). XXe siècle. Britannique.
Peintre d'animaux, paysages, aquarelliste, graveur.
Peintre animalier, gravant des paysages ou réalisant des aquarelles, elle exposa à la Royal Academy de Londres.

CHEESMAN Thomas
Né en 1760. Mort en 1834 ou 1835 à Londres. XVIIIe-XIXe siècles. Britannique.
Graveur.
Il eut Bartolozzi pour maître et l'aida dans ses travaux. Parmi ses meilleures gravures, il convient de citer *Le dernier enjeu de la Dame*, d'après Hogarth, et ses reproductions des portraits de Romney. Ce graveur s'est fait remarquer par la sincérité de sa composition et l'élégance de son dessin.

CHEETHAM, Mme Roche
Née à Hanley (Angleterre). XXe siècle. Britannique.
Peintre.
A exposé des aquarelles au Salon des Artistes Français, de 1930 à 1933.

CHEETHAM Marcelle, Mme, née Marais
Née à Le Houlme (Seine-Maritime). XXe siècle. Française.
Sculpteur.
Élève d'Epstein et Carli. Exposant des Artistes Français.

CHEFFER Henri Lucien
Né le 30 décembre 1880 à Paris. Mort en 1957. XXe siècle. Français.
Peintre de compositions à personnages, paysages, aquarelliste, graveur, illustrateur.
Élève de Léon Bonnat et de Jean Patricot, il obtint le Prix de Rome en 1906. Sociétaire du Salon des Artistes Français, il y reçut la mention honorable en 1902, la première médaille en 1911, fut hors-concours, obtint la médaille d'honneur en 1927 et fut membre du jury. Il a exposé exclusivement dans ce Salon parisien et dans les Expositions internationales de Liège, Londres, São Paulo, Florence et Madrid des eaux-fortes et des aquarelles. Il fut Chevalier de la Légion d'Honneur.
Son métier de graveur de billets de banque et de timbres-postes a sans doute influencé la qualité du graphisme sténographique de ses aquarelles. Il collabora durant vingt-cinq ans à *L'Illustration* et illustra quelques ouvrages à tirage limité.

Henry Cheffer

BIBLIOGR. : Gérald Schurr, in : *Les Petits Maîtres de la peinture 1820-1920, valeur de demain*, Les Éditions de l'Amateur, t. V Paris, 1981.
VENTES PUBLIQUES : PARIS, 30 nov. 1927 : *« Taube » exposé aux Invalides*, aquar. gchée : FRF 240 – PARIS, 14 et 15 déc. 1927 : *Procession en Bretagne*, aquar. : FRF 210 – BREST, 13 déc. 1981 : *Ouessant*, aquar. (30x39) : FRF 3 800.

CHEFFINS Mary
XIXe siècle. Active à Hoddesdon. Britannique.
Peintre de paysages.
Elle exposa, notamment à la Royal Academy, à Londres, entre 1830 et 1850.

CHEGAL Grigori
Né en 1889 à Kozielsk. Mort en 1956 à Moscou. XXe siècle. Russe.
Peintre de portraits. Réaliste-socialiste.
Il étudia aux Vkhoutémas de Moscou de 1922 à 1925. Il fut professeur à l'académie nationale des beaux-arts de Moscou de 1937 à 1941. Une de ses œuvres a été présentée en 1997 à l'exposition *Les Années trente en Europe. Le temps menaçant* au musée d'Art moderne de la ville de Paris. Il pratiqua une peinture figurative académique, obéissant aux principes du réalisme socialiste, et s'attacha à rendre la réalité historique notamment dans des scènes de la vie quotidienne.
BIBLIOGR. : In : Catalogue de l'exposition *Les Années trente en Europe. Le temps menaçant*, Musée d'Art moderne de la ville, Paris musées, Flammarion, Paris, 1997.
MUSÉES : SAINT-PÉTERSBOURG (Mus. russe) : *Le Chef, le Professeur et l'Ami* 1937.

CHEGNAY Henri Marie
XIXe siècle. Français.
Peintre de paysages.
Il exposa au Salon, de 1835 à 1848. On cite de lui : *L'Approche de l'orage* et des vues de la forêt de Fontainebleau.

CHEHATA Farouk
Né en 1938 à Alexandrie. XXe siècle. Égyptien.
Graveur sur bois.
Il est diplômé de l'École des Beaux-Arts d'Alexandrie, où il fut ensuite répétiteur. Il participe aux Biennales d'Alexandrie, où il obtint deux fois le Prix de Gravure, à la Biennale des Jeunes de Paris, et Biennale de Gravure de Ljubljana, à l'exposition *Visages de l'art contemporain égyptien* au Musée Galliera de Paris en 1971. Il a aussi montré ses gravures dans des expositions personnelles. Il est devenu Ministre de la Culture dans les années quatre-vingt.
Habile graveur sur bois, il profite de la violente opposition du noir et du blanc que permet cette technique, dans des images très stylisées, fondées sur des représentations symboliques : *Les liens – Le cri*.
MUSÉES : ALEXANDRIE (Mus. des Beaux-Arts) – LE CAIRE (Mus. d'Art Mod.)

CHEHET M. T. J., Mll
XXe siècle. Française.
Peintre de genre.
Elle a exposé au Salon des Artistes Français de 1911 à 1914 ; on cite d'entre ses tableaux de genre : *Une rescapée de Messine* et *Annic*.

CHEIDER Paul
XVIIIe siècle. Français.
Sculpteur.
Il fut reçu à l'Académie de Saint-Luc à Paris en 1779.

CHEIEST Alice
Née à Linaux (Yonne). XXe siècle. Française.
Graveur.
Élève de Tattegrain. A exposé une eau-forte au Salon des Artistes Français de 1933.

CHEIKH MOHAMMED ou Shaykh Muhammad
Originaire de Chiraz ou de Sebzevar. XVIe siècle. Actif à la fin du XVIe siècle. Éc. persane.
Peintre de miniatures.
Il semble se confondre avec MOHAMMED ALI, ou avec MOHAMMEDI IBN MIRZA ALI, ou peut-être même avec SULTAN MOHAMMED. Celui-ci travailla à la Bibliothèque Impériale des Séfévides et termina sa vie comme décorateur d'un palais construit par Shah Abbas à Qazvin. On le trouve souvent mentionné en des termes contradictoires, il aurait été influencé par la peinture chinoise, ou bien il aurait été au contraire influencé par la peinture européenne. De toute façon, on ne connaît plus que peu d'œuvres de lui, bien qu'il ait certainement joui de son temps d'une grande réputation, un manuscrit à la Freer Gallery de Washington et quelques dessins.

CHEILLEY Jeanne. Voir **GAUPILLAT Jenny**

CHEIO ou **Cego**
XIVᵉ siècle. Italien.
Peintre.
Il vécut et travailla à Florence.

CHEIRISOPHOS
VIᵉ siècle avant J.-C. Crétois, vivant probablement au début du VIᵉ siècle av. J.-C. Antiquité grecque.
Sculpteur.
Pausanias attribue à ce sculpteur une statue dorée d'Apollon, qui se trouvait à Tégée, statue dont il est fait mention, d'autre part, dans une inscription datant du Iᵉʳ siècle avant ou après J.-C. On peut supposer que Cheirisophos faisait partie du groupe de sculpteurs crétois qui, au début du VIᵉ siècle vinrent s'établir dans le Péloponèse.

CHEIZE Renée
Née au XXᵉ siècle. XXᵉ siècle. Française.
Peintre de paysages, marines, fleurs.
En 1942 et 1943, elle a exposé au Salon des Indépendants à Paris.

CHE JOUEI. Voir **SHI RUI**

CHE-K'I. Voir **KUNCAN**

CHE KIANG. Voir **SHI JIANG**

CHE K'O. Voir **SHI KE**

CHELAZZI Tite
Né en 1835 à San-Casciano (Val di Pesa). Mort en 1892 à Florence. XIXᵉ siècle. Italien.
Peintre.
Élève d'Aless. Marini, de l'Académie de Florence et, plus tard, de Stef. Ussi. Il s'est consacré à la peinture des fleurs et a exécuté une série de panneaux décoratifs, travaillant notamment pour les souverains d'Italie, le roi de Wurtemberg et la princesse de Russie Maria Pawlona.

CHELE di Pino
XIIIᵉ siècle. Actif à Florence en 1295. Italien.
Peintre.

CHELE di Vanni
XIVᵉ siècle. Actif à Sienne en 1366. Italien.
Peintre.

CHELET Raymond Charles Ferdinand
Né le 14 février 1905 à Saint-Lô (Manche). XXᵉ siècle. Français.
Graveur.
Sociétaire du Salon des Artistes Français.

CHELIA Leila
Née en 1958 à Tbilissi. XXᵉ siècle. Russe-Géorgienne.
Peintre. Postcubiste.
Elle fut lauréate de l'Académie des Beaux Arts de Tbilissi. Membre de l'Union des Artistes Soviétiques. Elle participe à des expositions collectives aux Philippines, en Pologne et en Syrie. Ses œuvres sont exposées en Allemagne, en France, en Hollande et aux USA.
Ses compositions de lieux et d'objets sont structurées dans un esprit postcubiste géométrisant, frôlant l'abstraction, les différents écrans gris et colorés situant les profondeurs relatives.
MUSÉES : MOSCOU (Gal. Tretiakov) – TBILISSI (Mus. d'Art Mod.).
VENTES PUBLIQUES : PARIS, 23 mai 1990 : *La nuit blanche*, h/t (105x95) : **FRF 5 200.**

CHELIMSKY Oscar
Né le 5 janvier 1923 à New York. XXᵉ siècle. Français.
Peintre. Abstrait.
Entre 1939 et 1943 il fut étudiant à New York à la Cooper Union, à l'Art Student's League et dans l'atelier de Hans Hofmann en 1946-1947. Arrivé à Paris en 1948, il y travailla à l'Académie de la Grande Chaumière. Il a participé à de nombreuses expositions de groupe à Paris, notamment aux Salons annuels, ainsi qu'à Amsterdam, Madrid et aux États-Unis. Sa première exposition particulière se tint à Paris en 1953.
Jusqu'en 1955 il peignait à la caséine mate, dans une écriture calligraphique légère et sensible, abstraite mais qui n'était pas sans évoquer la peinture extrême-orientale traditionnelle de feuillages. Depuis 1955 il emploie la peinture à l'huile, les vernis et les empâtements.
MUSÉES : BRUXELLES (Mus. des Beaux-Arts).

CHE LIN. Voir **SHI LIN**

CHELINI Piero. Voir **PIERO di Chelini**

CHELIOUTO Nikolaï
Né en 1906. Mort en 1984. XXᵉ siècle. Russe.
Peintre de paysages.
Il fut élève de l'École des Beaux-Arts d'Odessa. il devint peintre émérite d'URSS.
VENTES PUBLIQUES : PARIS, 23 mars 1992 : *Un dimanche au bord de l'eau*, h/t (99x149) : **FRF 5 000.**

CHELIS
VIᵉ siècle avant J.-C. Actif en Attique vers l'an 500 avant Jésus-Christ. Antiquité grecque.
Potier.

CHELIUS Adolf
Né en 1856 à Francfort-sur-le-Main. Mort en 1923. XIXᵉ-XXᵉ siècles. Actif à Munich. Allemand.
Peintre d'animaux, paysages animés, paysages.
Il fit ses études aux Académies de Berlin et de Vienne, ainsi qu'à l'Institut de sa ville natale et les poursuivit à Cronberg sous la direction d'Anton Burger.
Il a exposé à Francfort (depuis 1880), à Düsseldorf (1881), à Londres (Royal Academy, en 1892), à Berlin (1886-1890 et 1901), à Munich (1888, 1901, 1904, 1908).
On cite de lui : *L'écurie, Le chemin de bois, Le bouvillon*.
VENTES PUBLIQUES : MUNICH, 17 mai 1984 : *Paysage d'hiver* 1883, h/pan. (20,5x34) : **DEM 2 800** – MUNICH, 22 mars 1985 : *Enfants dans un paysage* 1916, h/t (60x90) : **DEM 3 000.**

CHELKOVNIKOFF Andreï Mikhaïlovitch
Né le 29 novembre 1788. Mort vers 1845. XIXᵉ siècle. Russe.
Graveur au burin et lithographe.

CHELLES, de. Voir au prénom

CHELLI Carlo
Né en 1807 à Carrare. Mort en 1877. XIXᵉ siècle. Travaillant à Bologne et à Rome. Italien.
Sculpteur.
Élève de l'Académie de Carrare. On cite parmi ses œuvres : *Ganymède*, marbre (exposé à la Royal Academy en 1839), *Il soldato ferito, Danzatrice, Statue du général Gravinski, Statue du prophète Ézéchiel*.

CHELLI Carlo
Mort en 1890 à Florence. XIXᵉ siècle. Actif à Livourne. Italien.
Peintre.
Principales toiles : *Galilée menacé de la torture, Pense à moi, L'Amant des fleurs, Servite Dominum in lœtitia, La Rencontre des deux sœurs*, exposées à Turin en 1884.

CHELLI Domenico
XVIIᵉ siècle. Actif à Rome vers 1620. Italien.
Peintre.

CHELLI Gianfrancesco
XVIIᵉ siècle. Travaillant à Rome. Italien.
Peintre.

CHELLINI Pietro. Voir **PIERO di Chelini**

CHELLO Antonio de
XIVᵉ siècle. Travaillant à Florence vers 1397, d'après Zani. Italien.
Miniaturiste.

CHELMINSKI Jan Van
Né le 27 janvier 1851 à Brostow. Mort en 1925. XIXᵉ-XXᵉ siècles. Polonais.
Peintre de sujets militaires.
Élève de Julius Kossak à Varsovie. En 1784, il se rendit à Munich et travailla avec le peintre militaire Frantz Adam. Il partit peu après pour l'Amérique où il séjourna jusqu'en 1877, revint à Londres, puis à Munich, et, après de longs voyages en Europe, se fixa à Paris.
Il a exposé depuis 1890 à la Royal Academy à Londres et à Bruxelles en 1910.
Ses meilleures toiles sont : *Les Manœuvres bavaroises, La*

Retraite de Moscou, Campagne de France, 1814, Le Maréchal Ney.

[signature: Jan V. Chelminski]

Ventes Publiques : New York, 24-25-26 fév. 1904 : *L'Inter-rogation* : **USD 300** – Londres, 7 déc. 1907 : *Allant à la rencontre* : **GBP 8** – Londres, 22 juin 1923 : *Les Aides-de-camp* : **GBP 21** – Londres, 21 fév. 1927 : *Le rendez-vous de chasse 1877* : **GBP 9** – New York, 30 et 31 oct. 1929 : *Après la bataille* : **USD 70** – New York, 29 oct. 1931 : *La Campagne de Solférino* : **USD 45** ; *Le Duel*, aquar. : **USD 40** – New York, 4 et 5 fév. 1932 : *Napoléon en Russie* : **USD 225** ; *L'allée cavalière à Hyde Park* : **USD 200** – Paris, 12 et 13 mars 1934 : *Napoléon et son état-major* : **FRF 810** – New York, 29 mars 1934 : *Promenade matinale 1887* : **USD 60** – Londres, 16 avr. 1934 : *Chasse* : **GBP 8** – New York, 23 nov. 1934 : *Le cuirassier* : **USD 125** – New York, 25 jan. 1935 : *Napoléon en Russie* : **USD 250** ; *La course en traîneau 1884* : **USD 275** – New York, 22 oct. 1936 : *Un cuirassier* : **USD 110** – New York, 15 jan. 1937 : *La chasse à courre* : **USD 600** – New York, 10 mai 1961 : *Retour de Russie de Napoléon* : **USD 1 100** – New York, 21 nov. 1964 : *Trois cavaliers demandant leur chemin* : **USD 1 700** – New York, 24 nov. 1965 : *Cavalier dans un paysage de neige* : **USD 550** – Londres, 31 mai 1967 : *Patrouille autrichienne en hiver* : **GBP 170** – New York, 23 fév. 1968 : *Napoléon à Vauchamps* : **USD 3 500** – Los Angeles, 22 mai 1972 : *Napoléon à cheval* : **USD 2 300** – Londres, 23 fév. 1979 : *Lune de miel en traîneau*, h/t (64x76) : **GBP 1 600** – New York, 13 fév. 1981 : *Napoléon sur la route de Soisson*, h/cart. (73,6x52) : **USD 4 500** – Londres, 30 nov. 1984 : *Le duel 1881*, h/t (99x148) : **GBP 7 500** – Londres, 17 mai 1985 : *Napoléon chevauchant à la tête de ses troupes dans un paysage de neige*, h/t (62,2x101,7) : **GBP 6 000** – New York, 23 fév. 1989 : *Napoléon et son escorte 1900*, h/t (40,6x65,4) : **USD 6 050** – New York, 19 juil. 1990 : *Chevauchée le long des falaises 1882*, h/pan. (26,7x36,2) : **USD 4 400** – Londres, 5 oct. 1990 : *Une estafette de Napoléon*, h/pan. (30,5x22,9) : **GBP 990** – New York, 17 oct. 1991 : *Le retour de Napoléon de Moscou 1887*, h/t (50,8x76,2) : **USD 10 450** – New York, 29 oct. 1992 : *Le retour du combat 1878*, h/pan. (24x35,5) : **USD 3 520** – New York, 13 oct. 1993 : *Jour d'hiver place du château à Varsovie*, h/t (35,6x50,8) : **USD 18 400** – New York, 16 fév. 1995 : *Napoléon et son état major pendant la campagne de 1814*, h/t (40,3x66) : **USD 14 950** – Montréal, 18 juin 1996 : *L'Estafette de Napoléon*, h/pan. (30,5x22,8) : **CAD 9 000** – New York, 11 avr. 1997 : *La Promenade à cheval de l'après-midi 1878*, h/t (57,2x71,8) : **USD 8 050**.

CHELMINSKI Romain
Né à Paris. xxᵉ siècle. Polonais.
Peintre.
A exposé un paysage au Salon des Artistes Français en 1939.

CHELMINSKA Wanda
Née en 1898 à Varsovie. xxᵉ siècle. Polonaise.
Peintre de compositions à personnages, sujets religieux, paysages.
Elle exposa aux Salons de la Société Nationale des Beaux-Arts en 1924, des Artistes Indépendants entre 1927 et 1929 et au Salon d'Automne en 1927. Elle fut invitée au Salon des Tuileries en 1930.
Elle a peint des paysages de son pays natal et des scènes intimes : *Repos – Le pyjama jaune – Jeune fille*. Les thèmes religieux ont parfois retenu son attention : *Les Rois mages – Procession*.

CHELMONSKI Josef ou Chelmonsky Jozef
Né le 6 novembre 1850 à Boczki (près de Varsovie). Mort le 10 avril 1914 à Kuklowska. xixᵉ-xxᵉ siècles. Polonais.
Peintre de genre, paysages.
Élève de Gerson à Varsovie, il travailla ensuite à Munich en 1873 et 1874. Après un séjour en Ukraine, il se rendit à Paris fin 1875 et commença à exposer au Salon des Artistes Français à partir de 1876, obtenant une mention honorable en 1882. Mention honorable à Berlin en 1891, Grand Prix à l'Exposition Universelle de Paris en 1900.
Parti pour Vienne en 1878, il s'arrêta à Venise, puis s'installa en Ukraine en 1883, s'établit à Varsovie en 1887 et enfin se fixa dans sa maison de campagne de Kublowska. Très souvent en rapport avec Paris, puisqu'il collabora au *Monde illustré*, il fut soutenu par le marchand Goupil qui lui acheta plusieurs de ses tableaux qu'il publia sous forme d'un album photographique.
Comme la plupart des artistes polonais, postérieurs à l'insurrection de 1863, il réagit contre l'influence germanique et adopta un langage dérivé de l'impressionnisme, par lequel, retourné en Pologne, en 1887, il exprima les réalités quotidiennes de la vie et du paysage polonais. Citons : *Devant le cabaret – Cosaques de ligne – Marché aux chevaux – Dimanche en Pologne*. Il ambitionnait de traduire les odeurs et les sons en peinture.
Bibliogr. : Gérald Schurr, in : *Les Petits Maîtres de la peinture 1820-1920, valeur de demain*, Les Éditions de l'Amateur, t. VI, Paris, 1985.
Musées : Cracovie : *La tempête – La campagne – Une voiture à quatre chevaux*.
Ventes Publiques : Paris, 1887 : *Cabaret en Pologne* : **FRF 1 060** ; *Traîneau à trois chevaux* : **FRF 1 300** – Paris, 1892 : *Le dégel* : **FRF 620** – New York, 12-13 mars 1903 : *Les traîneaux en Russie* : **USD 210** – New York, 4 nov. 1971 : *La fin du bal* : **USD 3 500** – Londres, 19 mai 1976 : *La sortie du bal au petit matin 1877*, h/t (53x138) : **GBP 2 000** – New York, 21 jan. 1979 : *Danse polonaise*, h/t (68,5x130,7) : **USD 20 000** – Paris, 23 fév. 1981 : *Attelage à quatre chevaux, au galop vu de face*, pl. (27x46) : **FRF 3 800** – New York, 17 jan. 1990 : *Deux gamins fumant*, h/cart. (35,6x29,3) : **USD 8 800** – New York, 26 fév. 1997 : *Après l'orage 1872*, h/t/masonite (69,8x129,5) : **USD 10 350**.

CHELONI Pietro
xixᵉ siècle. Italien.
Sculpteur sur bois.
Figura à l'Exposition Nationale de Naples en 1877 et à la Royal Academy, à Londres, en 1882.

CHELOUASTRE Sébastien
xviiᵉ siècle. Français.
Sculpteur.
Il fut reçu à l'Académie de Saint-Luc en 1691.

CHEMAMA Frederique
Née en 1955 à Biskra (Algérie). xxᵉ siècle. Active en France. Algérienne.
Peintre. Abstrait.
Elle a participé en 1975 au Grand Prix International de Peinture de la Côte d'Azur et au Salon des Artistes Indépendants.

CHEMAY Jacques
Né le 24 août 1938 à Gand. xxᵉ siècle. Belge.
Peintre, sculpteur, graveur. Abstrait et fantastique.
Venu à Paris en 1960, il y exposa à partir de 1963, obtenant cette même année une mention honorable à l'exposition à Bruxelles de la Jeune Peinture Belge. En 1964 il reçut le Grand Prix Europe à Ostende et participa la même année à une manifestation internationale à Tokyo où il reçut une mention. En 1965 il figura dans l'exposition *Présent contesté* à Bologne et au Salon de la Jeune Peinture à Paris. En 1966 il figura au Salon Grands et Jeunes d'Aujourd'hui et à celui de la Jeune Peinture et en 1968 fut invité au Salon de Mai. Il exposa personnellement à Bruxelles en 1966. En 1973 il reçut le prix international de gravure de la Biennale de São Paulo.
Bibliogr. : In : *Diction. Biogr. ill. des Artistes en Belgique depuis 1830*, Arto, 1987.
Ventes Publiques : Amsterdam, 13 déc. 1989 : *Mangeurs de soleil 1963*, h/t (81x100) : **NLG 1 610** – Paris, 15 oct. 1990 : *La trépanation du végétarien 1972*, acryl./t. (193x97) : **FRF 5 000**.

CHEMELAT Jean, dit Saint-Martin
xviiᵉ siècle. Français.
Peintre.
Il fut reçu à l'Académie de Saint-Luc, en 1686.

CHEMELLIER Georges de. Voir PETIT de Chemellier

CHEMIAKIN Mihail ou Mikhaïl ou Michel
Né en 1943 à Moscou. xxᵉ siècle. Depuis 1971 actif en France, depuis 1980 aux États-Unis. Russe.
Peintre de compositions animées, natures mortes, peintre de techniques mixtes, aquarelliste, dessinateur, graveur, lithographe, illustrateur, sculpteur. Symboliste et tendance fantastique.
Né d'un père militaire et d'une mère actrice, il suivit son père en occupation à Dresde, où ils restèrent de 1945 à 1957. De retour

en Russie, il s'inscrivit à l'École d'Art Répine, d'abord en sculpture, puis par manque de matériaux en « art plan », d'où il fut renvoyé en 1959. Il dut alors exercer divers métiers. En U.R.S.S. dans ces années-là, seuls les artistes pratiquant un art conforme aux directives du réalisme socialiste, d'un académisme attristant, avaient le droit d'exposer et de recevoir un salaire. À côté de ceux-ci pouvait exister un courant semiclandestin, dont les protagonistes devaient faire preuve de beaucoup d'ingéniosité pour montrer leurs œuvres, mais aussi pour les réaliser, et encore plus pour subsister. Chemiakin fit sa première exposition de peintures au Club L'Étoile. Puis, en 1964, le Musée de l'Ermitage lui en organisa une autre, mais qui fut interdite et fermée au bout de trois jours, le directeur responsable de l'initiative perdant sa place dans l'aventure. 1965 : nouvelle exposition au Club L'Étoile, avec des œuvres graphiques et des illustrations pour Dostoïevsky et Hoffmann, de nouveau fermée au bout de trois jours. 1966 : exposition au Conservatoire Rimsky-Korsakoff, peintures et gravures, interdite au bout de sept jours. 1967 : importante exposition à l'Académie des Sciences, où avaient lieu traditionnellement des expositions célèbres, à la suite de laquelle la galerie de l'Académie fut fermée. En 1967 aussi, Chemiakin entra dans un syndicat indépendant d'arts graphiques de Leningrad Garkom des Peintres-Graveurs. En 1970 parut son premier livre illustré Épigrammes espagnols, en 1971 son second. Ce fut en 1971 qu'il parvint à Paris, à l'occasion d'une exposition, et s'y fixa. Il resta à Paris jusqu'en 1980. À partir de 1980, Chemiakin se fixa aux États-Unis. Cependant, après son départ de Paris s'ouvrit boulevard Pereire un Chemiakin Center. Ce lieu est-il lié au fait qu'en octobre 1987, une vente publique proposa un ensemble de soixante-quinze de ses œuvres en tant que « Collection de Mr. X », qui aurait pu être son mécène des années parisiennes, tandis que la Ville de Paris patronait au Trianon de Bagatelle une importante exposition organisée par ce même Chemiakin Center ? À New York, une très grande exposition lui est consacrée en 1989. En 1990, une galerie parisienne a exposé une série de peintures sur le thème, très constant dans son œuvre, du Carnaval de Saint-Pétersbourg 1990. En 1991, Chemiakin a présenté, à Paris de nouveau et sur le même thème du carnaval annuel de Pierre-le-Grand, une exposition de sculptures. En 1992, la galerie de Paris Le monde de l'art a présenté une exposition de ses œuvres monumentales en peinture, sculpture et pastels-collages. À partir de 1988, le vent a tourné en Russie et Chemiakin est considéré comme un des plus importants peintres de la nouvelle école russe. Des expositions sont organisées en 1989 à Moscou et à Leningrad, inaugurées par M. Gorbatchev. Aux expositions clefs, il convient d'ajouter que depuis l'exposition de 1971 à Paris, la liste de ses expositions à travers le monde entier a atteint des proportions phénoménales, qui confirment une opération de grande envergure sur l'œuvre de Chemiakin.

Son talent est divers. Ses illustrations anciennes se référaient volontiers à un XVIIIe siècle réinventé, selon une étrange synthèse d'imagerie populaire et du Max Ernst des Décalcomanies. À la même époque, ses peintures et ses gravures isolées (hors illustrations), souvent peintes à la main, appartenaient au courant symboliste, qu'il préférait qualifier de « métaphysique synthétique », probablement en référence à Chirico. Elles se présentent le plus souvent comme d'inquiétants blasons, constitués de figures mystérieuses, animaux écorchés, flanqués de signes cabalistiques ou de symboles maçonniques. Il travaille aussi beaucoup sur papier, à l'encre de Chine, à l'aquarelle, en technique mixte, dans des œuvres plus spontanées, dans lesquelles se libèrent fantaisie, imagination, inconscient. Cette partie importante de sa production échappe à l'auto-contrôle stylistique et n'est guère classable dans son œuvre qu'au titre de notations au fil des jours, selon l'humeur du temps. Il est vrai qu'on peut en dire autant d'une grande partie de l'œuvre de Paul Klee. Cette caractéristique est le propre des peintres-poètes. Au cours de son séjour parisien a débuté le thème du Carnaval de Saint-Pétersbourg, qu'il poursuit depuis. Représentations imaginaires et fantastiques d'un supposé carnaval, qui mélangent les genres, le farce et le cruel, en fait inspirées du carnaval auquel Pierre-le-Grand, géant de deux mètres, conviait annuellement les grands personnages de son empire, afin de relativiser leur pouvoir. Pour cette série aussi on retrouve dans le dessin débridé et la polychromie tonitruante ou dans la baroquisme grotesque des sculptures sur le thème, l'influence de l'imagerie populaire russe, de la truculence folklorique. Dans la surcharge du détail décoratif qui morcelle les surfaces de certaines de ses peintures,

on peut identifier une influence de Filonov, ce peintre si longtemps occulté, mais duquel il devait connaître l'œuvre. Dans l'époque parisienne, on trouve aussi un assez grand nombre de natures mortes d'objets du quotidien.

Il est à remarquer que Chemiakin n'est pas compris dans l'opération, très « médiatique », d'introduction sur le marché de l'art de la jeune peinture soviétique, à la faveur du dégel provoqué par Gorbatchev. À cela deux raisons : parti de Russie depuis plus de vingt ans, il est considéré comme un peintre occidental, en outre il est un peu plus âgé que la nouvelle génération récemment sortie de l'ombre. De ce peintre, tenu longtemps éloigné des grands courants régénérateurs de l'art contemporain, les influences, d'être frappées d'interdit, en ont été plus marquantes et, au lieu de se substituer l'une à l'autre au cours de leur découverte, se sont additionnées, juxtaposées. La diversité nuit évidemment à la cohérence de l'ensemble, mais, complexe, étrange, inquiète, à la faveur des diverses séries, une indéniable personnalité s'est fait jour. ■ Jacques Busse

BIBLIOGR. : Catalogue de l'exposition Chemiakin, Paris, 1971.
VENTES PUBLIQUES : VERSAILLES, 15 juin 1976 : Buste métaphysique 1975, gche et encre de Chine (40,5x40,5) : **FRF 11 080** – PARIS, 22 juin 1976 : Personnage, peint. et gche vernissée/pap. (50x36) : **FRF 14 000** – PARIS, 21 juin 1979 : Personnage 1974, techn. mixte (49x35) : **FRF 9 000** – ENGHIEN-LES-BAINS, 28 mars 1982 : Nature morte à la bouteille et aux pichets 1981, temp. (33x38) : **FRF 15 000** – PARIS, 22 avr. 1982 : Composition abstraite aux personnages 1976, h/pap. (31,5x32) : **FRF 11 000** ; Hommage à Saint-Pétersbourg 1976, h/pap. : **FRF 11 000** – PARIS, 10 oct. 1983 : L'ange rouge 1975, aquar. (52x37) : **FRF 33 500** – PARIS, 21 mars 1984 : Femme au masque et au chat 1973, aquar. (30x30) : **FRF 15 000** – PARIS, 7 juin 1985 : Nature morte 1975, gche (47x70,5) : **FRF 31 000** – PARIS, 14 avr. 1986 : Le rêve 1973, techn. mixte/pap. (30,5x60) : **FRF 60 000** – PARIS, 9 déc. 1986 : Les Trois Militaires 1977, pl. et encre de Chine (29x43) : **FRF 10 000** – ARGENTEUIL, 20 nov. 1987 : The spirit of the knight, bronze (32x30,5) : **FRF 45 000** – PARIS, 14 déc. 1987 : L'homme et l'oiseau 1975, encre et aquar. (22,5x23) : **FRF 12 500** – PARIS, 25 oct. 1987 : Joyeuses Pâques 1975, techn./pap. (31,5x37) : **FRF 81 000** – L'ISLE-ADAM, 31 jan. 1988 : Personnages métaphysiques 1975, dess. aquarellé (30x23,5) : **FRF 15 500** – PARIS, 17 fév. 1988 : Nature morte, 2 peint./t. (34x33 et 33x39) : **FRF 28 000** – LA VARENNE-SAINT-HILAIRE, 8 mars 1988 : Composition aux poires et aux fruits, techn. mixte (32x39) : **FRF 34 000** – L'ISLE-ADAM, 24 avr. 1988 : Personnages métaphysiques 1985, gche, aquar. et cr. coul. (100x75) : **FRF 40 000** – L'ISLE-ADAM, 11 juin 1988 : Métaphysical figure 1988, past. à l'h. (110x75) : **FRF 70 000** – L'ISLE-ADAM, 25 sep. 1988 : Personnages métaphysiques 1975, techn. mixte (55x40) : **FRF 46 000** – PARIS, 26 oct. 1988 : Le Clystère (le carnaval de Saint-Pétersbourg) 1987, techn. mixte/pap. (32,5x32,5) : **FRF 42 000** – NEUILLY, 22 nov. 1988 : L'ermite et son double 1986, past. à l'h. (100x75) : **FRF 50 000** – PARIS, 9 juin 1989 : Escargot métaphysique 1984 (105x105) : **FRF 66 000** – NEUILLY-SUR-SEINE, 5 déc. 1989 : Nature morte au masque, litho. (36x61) : **FRF 6 200** – PARIS, 31 jan. 1990 : Personnages métaphysiques 1975, aquar. (25x34) : **FRF 34 500** – PARIS, 14 mai 1990 : Nature morte à la cruche, aquar./pap. (38x50) : **FRF 17 000** – PARIS, 10 juin 1990 : Nature morte 1973, h/bois (45,5x49) : **FRF 85 000** – PARIS, 6 oct. 1990 : Les Courtisans 1977, aquar. et encre de Chine (31x31) : **FRF 18 000** – PARIS, 11 oct. 1990 : Carnaval de Saint-Pétersbourg 1974, techn. mixte (50x35) : **FRF 60 000** – PARIS, 22 nov. 1990 : Personnage métaphysique, litho. (60x43) : **FRF 115 000** – PARIS, 9 juil. 1992 : Trois personnages, encre/cart. (30x24) : **FRF 6 000** – PARIS, 28 oct. 1992 : Ourka 1990, bronze (H. 121,6) : **FRF 50 000** – NEW YORK, 10 nov. 1992 : Portrait de femme 1969, h/t (50,8x40) : **USD 2 860** – PARIS, 14 oct. 1993 : Portrait de femme russe 1969, h/t (50,8x40) : **FRF 51 000** – PARIS, 25 nov. 1993 : Carnaval de Saint-Pétersbourg 1982, techn. mixte (48x48) : **FRF 29 500** ; Carnaval de Saint-Pétersbourg 1990, bronze (H. 50) : **FRF 27 000** ; Nature morte, h/t (89x114) : **FRF 45 000** – PARIS, 24 juin 1994 : Wooster Street 1984, gche (101x75) :

FRF 6 500 – PARIS, 6 nov. 1995 : *Carnaval*, acryl./t. (132,5x132,5) : FRF 38 000 – PARIS, 24 mars 1996 : *Carnaval*, bois polychrome (77x48x73) : FRF 48 000 – PARIS, 10 juin 1996 : *La Rencontre* 1988, past. (220x121) : FRF 17 000 – PARIS, 30 sep. 1996 : *Carnaval de Saint-Pétersbourg* 1992-1993, bois polychrome, sculpture (H. 69) : FRF 38 000.

CHEMIAKIN Mikhaïl Fedorovitch ou Shemiakin
Né en 1875 à Moscou. Mort en 1944. XXe siècle. Russe.
Peintre de portraits, fleurs et fruits.
Il fut étudiant deux ans à Munich et exposa à Saint-Pétersbourg en 1908. Il a surtout peint des portraits d'artistes : *Portrait de la violoniste Lioubochitz* – *Portrait du poète J. Verkhlitsky.*
MUSÉES : KLIN (Mus. Tchaikovsky) : *Trio* – *Quatuor* – MOSCOU (Gal. Tretiakoff) : *La mère et l'enfant.*
VENTES PUBLIQUES : LONDRES, 18 mai 1988 : *Tête de femme*, h/t (80,5x69) : GBP 5 060.

CHEMIN
XVIIIe siècle. Actif dans la seconde moitié du XVIIIe siècle.
Paysagiste.
Se confond peut-être avec Sebastiano Chemin. Il travailla à La Rochelle.

CHEMIN Edgar Gaston
Né à Landouzy-la-Ville (Aisne). XXe siècle. Français.
Peintre de paysages.
Il exposa au Salon des Artistes Indépendants entre 1920 et 1930.

CHEMIN Sainctot
XVIe siècle. Français.
Sculpteur.
Il était charpentier. Il a travaillé dans le pays manceau, à La Ferté-Bernard et à Souvigné.

CHEMIN Sebastiano
Né en 1756 à Bassano. Mort en 1812. XVIIIe-XIXe siècles. Actif à Bologne. Italien.
Peintre de portraits, paysages, miniatures.
Élève de Giulio Golini.

CHEMIN Victor Joseph
Né le 25 août 1825 à Paris. Mort en 1901. XIXe siècle. Français.
Sculpteur animalier.
Il fut élève d'Antoine Louis Barye. Il débuta au Salon de Paris en 1857.
Il a surtout modelé des chiens, des renards et des lièvres. Sculpteur de chevaux, il les fait souvent accompagner de cavaliers.
VENTES PUBLIQUES : PARIS, 20 nov. 1981 : *Le singe musicien*, bronze (H. 32) : FRF 4 000 – LONDRES, 7 nov. 1985 : *Cheval et son jockey* vers 1870, bronze, patine verte (H. 27) : GBP 1 600 – NEW YORK, 24 mai 1989 : *Pur sang et son jockey*, bronze (H. 26) : USD 1 100 – NEW YORK, 5 juin 1992 : *La cigogne et le loup*, bronze à patine brune (H. 38,1) : USD 2 200 – PARIS, 8 nov. 1995 : *Cheval de cirque au passage*, bronze (H. 20) : FRF 20 000.

CHEMINADE Abel Narcisse
Né à Orléans (Loiret). XXe siècle. Français.
Peintre de genre.
Il exposa au Salon des Artistes Indépendants à Paris entre 1923 et 1929.

CHEMLA
Né à Tunis. XXe siècle. Tunisien.
Potier.
Il travaille dans sa ville natale.

CHEMS ed-DIN. Voir SHAMS al-Din

CH'ÊN I. Voir CHEN YI

CH' EN Georgette
Née en 1907 à Chekiang (province du Zhejiang). Morte en 1992. XXe siècle. Chinoise.
Peintre de portraits, de paysages et de natures mortes.
Elle fit ses études à Paris et New York. Elle partit pour l'Extrême-Orient en 1934, vivant à Shanghaï, à Hong Kong où elle séjourna jusqu'en 1949, puis s'installa à Penang, où elle fut professeur pendant quelques années. En 1953, l'Académie des Beaux-Arts Nanyang de Singapour lui offrit un poste d'enseignant, qu'elle occupa jusqu'à la fin de sa carrière en 1981. Elle fut décorée de la Médaille de la Culture en 1982.
À Paris, elle participa au Salon d'Automne entre 1930 et 1937, au Salon des Tuileries en 1935, au Salon de la Société Nationale des Beaux-Arts en 1936 et au Salon des Artistes Indépendants en

1937 et 1938. Distinction rare, elle fut honorée de deux expositions individuelles rétrospectives à la Galerie du Musée National de Singapour et à la Galerie Nationale d'Art de Malaisie en 1985.
VENTES PUBLIQUES : SINGAPOUR, 5 oct. 1996 : *Paysage* 1947, h/t (66x81,5) : SGD 124 750.

CHENAILLIER Henri
Mort en 1903. XIXe siècle. Actif à Paris. Français.
Peintre de paysages.
Il était sociétaire des Artistes Français et prit part à deux expositions de ce groupement.
VENTES PUBLIQUES : PARIS, 28 juin 1982 : *Au bord de l'eau*, h/pan. (30,5x50) : FRF 2 500.

CHENARD Nicolas
Né en 1943 à Paris. XXe siècle. Français.
Sculpteur.
Il travaille à Bar-le-Duc et figurait au Salon de Mai de 1969.

CHENARD-HUCHÉ Georges
Né le 14 juin 1864 à Nantes (Loire-Atlantique). Mort le 5 septembre 1937. XIXe-XXe siècles. Français.
Peintre de paysages.
Il débuta en 1887 à Paris, au Salon des Artistes Français dont il devint sociétaire en 1891. Il exposa ensuite au Salon des Artistes Indépendants et au Salon d'Automne à partir de 1910 jusqu'à sa mort. Il a également participé aux expositions internationales de Gand, Buenos Aires, Munich, Zurich et Stockholm. Il fut l'un des membres fondateurs de la Société des Peintres et Graveurs de Paris. Il fut fait chevalier de la Légion d'Honneur.
Il fut un paysagiste prolifique, peignant des quartiers typiques de Paris, *Maquis de Montmartre* – *La neige à Montmartre*, des vues de Hollande ou de la région toulonnaise où il s'était retiré.

(signature : Chenard Huché)

VENTES PUBLIQUES : PARIS, 26 nov. 1927 : *Paysage provençal* : FRF 350 – VERSAILLES, 15 fév. 1970 : *Paysage* : FRF 900 – VERSAILLES, 14 juin 1972 : *Le village de montagne* : FRF 1 500 – COPENHAGUE, 7 juin 1977 : *Vue de Concarneau*, h/t (47x72) : DKK 16 500 – COPENHAGUE, 6 nov. 1979 : *Vue du port de Concarneau*, h/t (47x72) : DKK 19 000 – NÎMES, 19 nov. 1981 : *Vue d'une ville* (27,5x35) : FRF 3 000 – COPENHAGUE, 12 nov. 1985 : *Vue du port de Concarneau*, h/t (46x73) : DKK 21 000 – PARIS, 4 mars 1991 : *Marine*, h/t (35x41,5) : FRF 5 000 – LONDRES, 17 mars 1993 : *Montmartre au crépuscule en hiver* 1909, h/t (49x72) : GBP 4 830 – PARIS, 8 avr. 1993 : *La route aux oliviers aux environs de Toulon*, h/t (33x55) : FRF 9 000 – PARIS, 6 déc. 1995 : *Les locomotives*, h/t (38x46) : FRF 4 500.

CHENART Jacques
XVIIe siècle. Actif à Paris en 1622. Français.
Peintre.

CHENAUD Henri Félix
Né à Évreux (Eure). XXe siècle. Français.
Peintre de paysages.
Élève de Cormon. A exposé aux Indépendants et au Salon des Artistes Français, 1933-1935.

CHENAVARD Claude Aimé
Né en 1798 à Lyon. Mort le 16 juin 1838 à Paris. XIXe siècle. Français.
Peintre et ornemaniste.
Si la date de sa naissance est exacte, il est inscrit à l'état civil sous des prénoms différents. Artiste érudit, il réunit, un peu au hasard, en fouillant dans les documents anciens, une série d'éléments ornementaux empruntés aux vieux styles français et tenta d'introduire l'art dans l'industrie par l'utilisation de ces styles pour la composition des œuvres d'art décoratif. Le mouvement dont il fut l'initiateur et qui s'étendit, vers 1830, à tous les arts du mobilier ne produisit que des créations hybrides, dont la riche ornementation manquait d'équilibre et d'unité. En 1830, Brongniard s'attacha, comme conseil, à la Manufacture de Sèvres, Aimé Chenavard, qui fit exécuter une série d'œuvres (vitraux, guéridon chinois, vase Renaissance, surtout de table pour le duc d'Orléans, etc.). Les Musées de Sèvres et d'Angers conservent des cartons de Chenavard.

CHENAVARD François Marie
Né en 1753 à Lyon. XVIIIe siècle. Français.

Peintre de fleurs.
Il succéda à son père, en 1780, comme fabricant de soieries à Lyon.

CHENAVARD Paul Marc Joseph
Né le 9 décembre 1807 à Lyon. Mort le 12 avril 1895 à Paris. XIXe siècle. Français.
Peintre.
Attiré tour à tour, à sa sortie du collège, par la littérature, les voyages et enfin par la peinture, il partit pour Paris, en 1825, travailla quelque temps, avec Hersent, Ingres et Delacroix, et alla séjourner deux ans à Rome, à Florence et dans d'autres villes d'Italie, où il fit des copies d'après les maîtres. De retour à Paris, il se livra à l'étude de la philosophie et de l'esthétique, rêvant de transformer l'Art, qu'il jugeait en pleine décadence, et de lui donner un rôle politique et social. Une grande toile qu'il commença alors, *Luther devant la diète de Worms*, resta inachevée ; une esquisse, *Le jugement de Louis XVI*, qu'il envoya, en 1833, au Salon de Paris, en fut retirée par ordre, parce qu'il y avait représenté Philippe-Égalité causant avec Marat. Chenavard repartit pour l'Italie, vit à Rome, Cornélius et Overbeck et regagna Paris, toujours occupé de recherches philosophiques et historiques. La Révolution de 1848 lui fit espérer la réalisation du projet, qu'il avait conçu depuis longtemps, de décorer l'intérieur du Panthéon d'une série de grisailles résumant l'histoire de l'Humanité et de son évolution morale (ce qu'il appelait la « Palingénésie universelle »). Le gouvernement provisoire accepta en effet son plan et lui confia la décoration du monument. Il y travaillait depuis trois ans, ne voulant recevoir, pour lui et chacun de ses aides, qu'une rétribution de dix francs par jour, lorsqu'un décret, du 6 décembre 1851, rendit le Panthéon au culte catholique. Chenavard, découragé, cessa à peu près de peindre et n'exposa plus qu'une fois, en 1869. Indépendant, grâce à sa fortune, il voyagea, habita Naples et Florence, et, depuis 1871, partagea entre Paris et Lyon, où il avait des amis et des intérêts, une existence d'artiste dilettante, à l'âme à la fois païenne et mystique. Il avait obtenu à Paris une médaille de première classe à l'Exposition Universelle de 1855, avait été nommé chevalier de la Légion d'honneur, en 1853, officier en 1887. Les cartons en grisaille pour le Panthéon (53 compositions) furent donnés à l'État au Musée d'Amiens, qui les céda, en 1877, au Musée de Lyon.
VENTES PUBLIQUES : PARIS, 1861 : *Portrait en pied de saint Just, Robespierre et David*, dess. mine de pb : FRF 29 – PARIS, 1898 : *Un dessin* : FRF 100 – PARIS, 5 mai 1926 : *Venus genitrix*, sanguine : FRF 390.

CHENAY Paul ou Pierre
Né en 1818 à Lagnieu (Ain). Mort en 1906 à Paris. XIXe siècle. Français.
Graveur.
Élève de Bosio et de Durand. Il exposa au Salon, de 1851 à 1867. Il exécuta, gravure originale, les portraits de *Rubens, Balzac, Louis Boulanger, Jules Janin*. Paul Chenay, beau-frère de Victor Hugo, grava les dessins du grand poète. Très jeune, il avait visité la Belgique et la Hollande et il obtint, à La Haye, un succès suffisant pour graver les portraits du roi, de la reine de Hollande et celui du prince d'Orange. Très répandu dans les milieux littéraires et mis en lumière par son alliance avec Victor Hugo, il jouit d'une réputation notable. Il avait installé son atelier à Bourg-la-Reine ; la guerre de 1870 le ruina. Une maladie des yeux l'empêchant de graver, il fit un livre sur Victor Hugo intime, qui sévèrement jugé, le brouilla avec tous les amis du maître. À 82 ans, à moitié guéri de son mal, il prit part en 1900 à l'Exposition Universelle et au Salon et y fut récompensé. On cite de cet artiste : *La Sainte Vierge portant l'Enfant Jésus* ; *Saint Joseph et petit saint Jean*, d'après P. Perugino ; *Le Christ ressuscitant*, d'après Palma le jeune ; *Dessins de Victor Hugo*, texte de Théophile Gautier, 28 pages et 25 dessins, 1862 ; *Mme de Pompadour* (1900).

CHEN BAIYANG. Voir CHEN SHUN

CHEN BANDING
Né en 1877. Mort en 1970. XXe siècle. Chinois.
Peintre de paysages animés, fleurs, dessinateur. Traditionnel.
Il peint avec des encres et des couleurs à l'eau, sur les supports traditionnels, les sujets classiques de la tradition chinoise : personnages dans les paysages, arbres, plantes et fleurs.
VENTES PUBLIQUES : HONG KONG, 12 jan. 1987 : *Two immortals* 1907, encre et coul. (128,3x61,6) : **HKD 5 800** – HONG KONG, 19 mai 1988 : *Glycine*, encres noire et coul./pap. (97,5x32,3) :

HKD 33 000 – HONG KONG, 17 nov. 1988 : *Deux pins enlacés*, encre, kakémono (131x33) : **HKD 11 000** – HONG KONG, 18 mai 1989 : *Paysage animé*, encre et pigments, kakémono (113,4x49,5) : **HKD 57 200** – HONG KONG, 15 nov. 1989 : *Paysage*, encre et pigments/pap., kakémono (132x54) : **HKD 49 500** – HONG KONG, 15 nov. 1990 : *Lettrés dans un paysage*, encre et pigments/pap., éventail (19,2x47) : **HKD 37 400** – NEW YORK, 29 mai 1991 : *Magnolias*, encre et pigments/pap., kakémono (126,3x32,1) : **USD 4 125** – HONG KONG, 31 oct. 1991 : *Pavillon d'un lettré dans un paysage* 1944, kakémono, encre et pigments/pap. (102x33,4) : **HKD 39 600** – NEW YORK, 25 nov. 1991 : *Palmier et narcisses*, encre et pigments/pap., kakémono (126,4x31,7) : **USD 2 750** – HONG KONG, 30 avr. 1992 : *Lettrés dans un paysage* 1944, kakémono, encre et pigments/pap. (101,6x32,6) : **HKD 28 600** – HONG KONG, 22 mars 1993 : *Paysage*, encre et pigments/pap. (97,5x33) : **HKD 25 300** – NEW YORK, 16 juin 1993 : *Chou blanc avec un poème de la dynastie Song*, encre/pap., kakémono (92,7x33) : **USD 3 738** – HONG KONG, 5 mai 1994 : *Paysage* 1927, éventail, encre et pigments/pap. (20,3x53,2) : **HKD 66 700**.

CHEN CHE. Voir SHEN SHI

CHEN CHE-KENG. Voir SHEN SHIGENG

CH'ÊN CHÊN. Voir CHEN ZHEN

CH'ÊN CHÊNG. Voir CHEN ZHENG

CH'EN CH'ENG-PO
Né en 1895 à Chia-yi. Mort en 1947. XXe siècle. Chinois.
Peintre de scènes de genre, de nus.
Il obtint le diplôme de l'École japonaise de Taipei en 1917 et poursuivit ses études à l'Institut des Beaux-Arts de Tokyo. Encore étudiant, il participa aux 7e et 8e expositions organisées par le Collège Impérial des Beaux-Arts et remporta plusieurs Premiers Prix à des expositions provinciales. Il obtint le diplôme de peinture occidentale en 1929 et partit enseigner en Chine continentale où il occupa des postes dans plusieurs écoles. De retour à Taiwan en 1934, il fonda l'Association des Beaux-Arts taiwanaise. Prix d'Excellence de l'Exposition de Taiwan, il fut également membre du jury pour les expositions provinciales.
VENTES PUBLIQUES : TAIPEI, 22 mars 1992 : *Nu assis* 1932, aquar./pap. (47,3x36,7) : **TWD 572 000** – TAIPEI, 18 oct. 1992 : *Un musée en automne* 1926, h/t (33,5x45,2) : **TWD 1 760 000** – TAIPEI, 18 avr. 1993 : *Tamsui*, h/t (90,5x116) : **TWD 9 070 000** – TAIPEI, 10 avr. 1994 : *Le parc Lin Ben Yuan*, h/t (38x45,5) : **TWD 1 590 000** – TAIPEI, 16 oct. 1994 : *La maison Tai-Bao (Chiayi)* 1943, h/t (24x33,5) : **TWD 920 000** ; *Les feuilles rouges* 1926, h/t (40,8x53) : **TWD 1 645 000** – TAIPEI, 14 avr. 1996 : *Vacances*, h/pan. (23,6x33,4) : **TWD 862 500** – TAIPEI, 19 oct. 1997 : *Au bord du lac* l'été 1930, h/t (32x41,5) : **TWD 3 130 000**.

CH'ÊN CHÊN-HUI. Voir CHEN ZHENHUI

CHEN CHE-TCH'ONG. Voir SHEN SHICHONG

CH'EN CHIA-YEN. Voir CHEN JIAYAN

CH'ÊN CHIEN-JU. Voir CHEN JIANRU

CH'ÊN CHIH. Voir CHEN ZHI

CH'ÊN CHIH-FU. Voir CHEN ZHIFO

CH'ÊN CHI-JU. Voir CHEN JIRU

CH'ÊN CH'I-K'UAN. Voir CHEN QIKUAN

CH'ÊN CH'ING. Voir CHEN QING

CH'EN CHING-JUNG. Voir CH'EN CHING-JUNG

CH'ÊN CH'ING-PO. Voir CHEN QINGBO

CH'ÊN CH'IU-TSAO. Voir CHEN QIUCAO

CHEN CHONG-SWEE. Voir CHEN ZHONG-RUI

CH'ÊN CHUAN. Voir CHEN ZHUAN

CH'ÊN CHÜ-CHUNG. Voir CHEN JUZHONG

CH'ÊN CHUNG-JÊN. Voir CHEN ZHONGREN

CHEN DANCHONG ou Ch'ên Tan-Chung ou Tch'en Tan-Tchong, surnoms : Wenzhao et Shejiang
Originaire de Nankin. XVIIe siècle. Actif dans la première moitié du XVIIe siècle. Chinois.
Peintre de paysages, fleurs.
Peintre de bambous et paysagiste, il passe l'examen de lettré accompli en 1640. Par la suite, il devient moine sous le nom de Daoxin.

CHEN DANQING
Né en 1953 à Shanghai. XXe siècle. Actif en France puis aux États-Unis. Chinois.

Peintre de compositions à personnages, paysages.
Dans les années 1970, il vécut au Tibet où il commença à peindre. En 1978, de retour à Pékin, il entra à l'Académie Centrale des Beaux-Arts. Ayant obtenu son diplôme en 1980, il fut nommé conférencier à l'Université. En 1982, il émigra en France et l'année suivante aux États-Unis. En 1982, à Paris, il figura au Salon de Printemps. Depuis 1983, il participe régulièrement à des expositions collectives aux États-Unis. En Chine, la Galerie de l'Université de Pékin et, à New York, la galerie Wally Findlay, lui ont organisé des expositions personnelles.
Il conserve de son séjour au Tibet le souvenir de paysages et des coutumes des indigènes qui restent sa principale source d'inspiration.
VENTES PUBLIQUES : HONG KONG, 30 mars 1992 : *Le lavage des cheveux* 1988, h/t (61x76) : HKD 55 000 – HONG KONG, 4 mai 1995 : *Dara debout dans le désert* 1986, h/t (76,2x101,6) : HKD 57 500.

CHEN DAOFU ou Ch'en Tao-Fu ou Tch'en Tao-Fou, de son vrai nom : Chenshun, surnoms : Fufu et Boyangshanren
Né en 1483 à Changzhou (province du Jiangsu). Mort en 1544. XVIᵉ siècle. Chinois.
Peintre.
MUSÉES : PARIS (Mus. Guimet) : *Oiseau sur un rocher* signé Daofu et daté 1544, encre sur pap., un chant inscrit par Wen Zhengming en 1548.

CHEN DAYU
Né en 1913. XXᵉ siècle. Chinois.
Peintre de fleurs et d'oiseaux.
Il est professeur à l'Institut des Beaux-Arts de Nanjing. S'inspirant de l'art de Qi Baishi, il crée son propre style en puisant dans le répertoire traditionnel. Il calligraphie et grave les caractères chinois.
BIBLIOGR. : Catal. de l'exposition : *Peintres traditionnels de la Chine*, galerie Daniel Malingue, Paris, octobre 1980.

CHEN DEWANG ou Ch'en Te'wang
Né en 1909 à Taipei. Mort en 1984 à Taipei. XXᵉ siècle. Chinois.
Peintre. Style occidental.
En 1927 il fut élève de Kinichiro Ishikawa pour l'étude de la peinture occidentale. De 1929 à 1940 il vint au Japon et fréquenta les grandes écoles d'art. Après son retour à Taiwan, il adhéra à l'Association des Beaux-Arts de Taiyvan. Il ne fut pas un artiste prolifique mais plutôt un chercheur perfectionnant ses créations.
VENTES PUBLIQUES : TAIPEI, 15 oct. 1995 : *Guan Yin Shan* 1974, h/t (31,8x40,5) : TWD 1 590 000 – TAIPEI, 19 oct. 1997 : *Bord de la mer près de Yeliu* 1979, h/t (50x65) : TWD 4 230 000.

CHEN DING ou Ch'ên Ting ou Tch'en Ting, nom de pinceau Lizhai
Né à Tongcheng (province du Anhui). XVIIᵉ-XVIIIᵉ siècles. Chinois.
Paysagiste.
Il est contemporain du peintre Wang Hui (1632-1717).

CHENÉ Jean
Né à Nantes (Loire-Atlantique). XXᵉ siècle. Français.
Peintre de paysages, natures mortes, fleurs.
Cet artiste qui a son atelier à Nantes a exposé au Salon de la Nationale de 1933 à 1936, au Salon d'Automne en 1931 et aux Indépendants de 1930 à 1943.

CHENEL
XVIIIᵉ siècle. Français.
Sculpteur.
Travailla, en 1712, au château de Nancy.

CHENESSON Antoine
Né en 1440 à Orléans. XVᵉ-XVIᵉ siècles. Français.
Il travailla à Orléans vers 1482, au château de Gaillon en 1507-1509.

CHENESSON Jean. Voir CHEVESSON

CHENET Henri
XXᵉ siècle. Français.
Peintre de nus, paysages, intérieurs, fleurs.

CHENET Madeleine
Née à Paris. XXᵉ siècle. Française.
Décoratrice.

De 1928 à 1933, elle a exposé des reliures d'art à la Section des Arts Décoratifs du Salon des Artistes Français.

CHENET Suzanne Alix
Née à Saint-Maurice (Val-de-Marne). XXᵉ siècle. Française.
Pastelliste.
Élève de Mlle Carpentier. A exposé en 1929 au Salon des Artistes Français.

CHÈNEVAT Benigne
Né à Dijon. XVIIᵉ siècle. Français.
Peintre.
En 1630, il exécuta les peintures de l'hôtel du duc de Créqui, à Grenoble.

CHENEVEAU A.
XIXᵉ siècle. Actif vers 1850. Français.
Dessinateur et lithographe.

CHENEVÈRE Claude
XVIᵉ siècle. Français.
Sculpteur.
Il travailla à Dijon en 1548, à l'occasion de l'entrée de Henri II dans cette ville.

CHENEVIER
XVᵉ-XVIᵉ siècles. Actifs à Lyon. Français.
Peintres.
Simon travaillait à Lyon pour l'entrée de Louis XII, en 1499 ; Michel vivait à Lyon en 1553 et 1555.

CHENEVIÈRE Guillaume
XVIᵉ siècle. Français.
Sculpteur sur bois.
Il sculpta, avec Pierre Petitot, de 1545 à 1560, les stalles des églises Saint-Étienne et Saint-Jean à Besançon.

CHENEVIÈRE Henri de
XIXᵉ siècle. Actif à Paris. Français.
Peintre.
Sociétaire des Artistes Français depuis 1888.

CHENEVIÈRE Jacques
XVIᵉ siècle. Actif à Besançon. Français.
Sculpteur sur bois.

CHENEVIÈRE Jean Jacques
Né en 1695 à Genève. XVIIIᵉ siècle. Suisse.
Graveur.

CHENEVIÈRE Pierre
XVIᵉ siècle. Actif à Besançon. Français.
Sculpteur sur bois.

CHENEVIÈRES Philippe
XVIᵉ siècle. Actif à Tours en 1539. Français.
Peintre.

CHENEY John
Né en 1801 à Manchester (Connecticut). Mort en 1885 à Manchester (Connecticut). XIXᵉ siècle. Américain.
Graveur.
Après quelques années passées à Boston il alla poursuivre ses études en Angleterre et en France. À son retour en Amérique il résida surtout à Boston et à Philadelphie.

CHENEY Russell
Né en 1881. XXᵉ siècle. Américain.
Peintre de portraits, paysages.
Il exposa un portrait au Salon des Artistes Français à Paris en 1911.
VENTES PUBLIQUES : NEW YORK, 29 jan. 1970 : *Paysage fluvial* : USD 60 – NEW YORK, 7 mars 1981 : *Caudebec-en-Caux* 1925, h/t (73x91,5) : USD 2 100.

CHENEY Seth Wells
Né en 1810 à East Hartford (Connecticut). Mort en 1856 à North Manchester (Connecticut). XIXᵉ siècle. Vivant à Boston. Américain.
Graveur.
Frère de John Cheney, dont il fut élève à Boston (1829-1830). Il alla poursuivre ses études à Paris, où il fut élève d'Isabey et de Delacroix.

CHEN FANGZHI
Né en 1946 à Zhongshan (province du Guangdong). XXᵉ siècle. Chinois.
Peintre de paysages. Néo-impressionniste.

Très jeune, il fréquenta les artistes de Canton qui lui enseignèrent les techniques de la peinture. En 1964, il effectua un stage de design à l'Académie Drama de Shangaï. Dès la fin de ses études, il travailla pour l'opéra de Canton. Il participa à de nombreuses expositions nationales d'Art et à l'étranger, il eut des expositions personnelles à Singapour (1987 et 1990) et Taïwan (1988).

Il peint des paysages typiques de son pays, saisissant avec adresse la lumière, l'atmosphère, touches par touches.

VENTES PUBLIQUES : HONG KONG, 30 mars 1992 : *Digue de mûriers* 1982, h/t (63,5x76,5) : **HKD 46 200** – HONG KONG, 22 mars 1993 : *Reflets* 1981, h/t (50,5x72) : **HKD 57 500**.

CHEN FENG. Voir SHEN FENG

CHEN FUSHAN, pseudonyme : Chan Luis
Né en 1905 à Panama, de parents chinois. XXᵉ siècle. Chinois.
Peintre de compositions animées, paysages animés, dessinateur. Néo-impressionniste.

Il est né en Amérique centrale mais sa famille vint s'établir à Hong Kong alors qu'il avait cinq ans. Il se consacra à des activités de création artistique et en 1927 suivit les cours par correspondance de l'École de Presse Artistique de Londres. Il appartient à la première génération d'artistes chinois s'intéressant à l'art moderne et œuvrant pour son développement en particulier à Hong Kong. En 1938, il créa l'Atelier d'Art de Hong Kong, puis, en 1953, l'Atelier Fushan où il enseignait. Il fut l'un des fondateurs de l'Association chinoise d'Art Moderne et conseiller du Musée d'Art de Hong Kong jusqu'en 1961. Il a participé à des très nombreuses expositions, notamment en Chine en 1957-1958 avec le « Groupe des 10 », à l'Exposition d'Art Contemporain de Hong Kong, à l'Exposition de l'Université de Hong Kong en 1976 et 1978 et à l'Institut du Commonwealth de Londres.

Dans sa peinture, il utilise une sorte de pointillisme systématique, visant plus à un maniérisme qu'au mélange optique des néo-impressionnistes. Il pratique les techniques traditionnelles d'encres et de pigments colorés, qu'il applique sur des supports de papier ou carton, parfois sous la forme de kakémonos. Dans des paysages schématisés, il situe des personnages imaginaires et étranges.

VENTES PUBLIQUES : HONG KONG, 12 jan. 1987 : *Flying up to sky*, encre et coul. (134,6x71,1) : **HKD 24 000** – HONG KONG, 15 nov. 1990 : *Une île dans le ciel* 1977, encre et pigments/pap. (95x71) : **HKD 52 800** – HONG KONG, 31 oct. 1991 : *Amoureux aquatiques*, encre et pigments/pap., kakémono (152,2x82,2) : **HKD 99 000** – HONG KONG, 30 avr. 1992 : *La chanson du printemps* 1975, encre et pigments/pap. (37,5x166,5) : **HKD 71 500** – TAIPEH, 22 mars 1992 : *Rêve de célibataire* 1975, h/cart. (53,4x76,1) : **TWD 264 000** – HONG KONG, 28 sep. 1992 : *Bazar* 1955, h/cart. (35,5x46) : **HKD 56 000** – HONG KONG, 29 oct. 1992 : *L'Île fantastique* 1980, encre et pigments/pap., une paire (chaque 85x34,5) : **HKD 55 000** – HONG KONG, 22 mars 1993 : *Les étrangers* 1972, acryl./cart. (46x61) : **HKD 59 800** – HONG KONG, 29 avr. 1993 : *Vie en ville*, pigments, encre et gche/pap., album de 10 feuilles de dimensions différentes : **HKD 138 000** – AMSTERDAM, 14 juin 1994 : *Composition abstraite* 1963, h. (19,5x17,5) : **NLG 1 725**.

CHENG CHAO-SIEN. Voir SHENG SHAOXIAN

CH'ÊNG CH'ÊNG-K'UEI. Voir CHENG ZHENGKUI

CH'ÊNG CH'I. Voir CHENG QI

CH'ÊNG CHI. Voir CHENG JI

CH'ÊNG CHIA-SUI. Voir CHENG JIASUI

CHÊNG CH'IEN. Voir ZHENG QIAN

CHÊNG CHIH-YEN. Voir ZHENG ZHIYAN

CHÊNG CHUNG. Voir ZHENG ZHONG

CHENG HONG. Voir SHENG HONG

CHÊNG HSI. Voir ZHENG XI

CHÊNG HSIEH. Voir ZHENG XIE

CHENG JI ou Ch'eng Chi ou Tch'eng Ki
Né en 1912 à Wuxi (province du Jiangsu). XXᵉ siècle. Chinois.
Peintre.

Il fut professeur pendant quatre ans à l'Université Saint-Jean de Shangaï. En 1947 il séjourna aux États-Unis où il devint membre de la Société Américaine de Peinture à l'Eau. Son réalisme conjugué à sa dextérité technique rencontrent un succès consi-

dérable à Shangai et aux États-Unis. Comme beaucoup de ses contemporains, il est très influencé par la peinture occidentale, demeurant chinois seulement par le choix des sujets et sa signature.

BIBLIOGR. : Catal. de l'exposition : *Peintres traditionnels de la Chine*, galerie Daniel Malingue, Paris, octobre 1980.

CHENG JIASUI ou Ch'êng Chia-Sui ou Tch'eng Kia-Souei, surnom Mengyang, nom de pinceau Songyuan Laoren
Né en 1565 à Xiuning (province du Anhui). Mort en 1643. XVIᵉ-XVIIᵉ siècles. Chinois.
Peintre de paysages.

Poète, peintre de paysages dans les styles des grands maîtres de la dynastie Yuan (1279-1368), il vit à Jiading, province du Jiangsu.

MUSÉES : COLOGNE (Mus. für Ostasiatische Kunst) : *Paysage* daté 1629, encre et coul. légères sur pap. doré, éventail dans le style de Li Tang, signé par le nom de pinceau – NEW YORK (Metropolitan Mus.) : *Coq près d'un arbre* signé et daté 1616, éventail – PARIS (Mus. Guimet) : *Paysage*, sur fond d'or, en forme d'éventail – SHANGHAI : *Paysage de rivière* signé et daté 1635, dans le style de Ni Zan – STOCKHOLM (Mus. Nat.) : *Vue de rivière avec pins sur la rive* signé et daté 1635.

VENTES PUBLIQUES : TAIPEI, 10 avr. 1994 : *Paysages*, encre et pigments/pap. doré, ensemble de quatre éventails (chaque approx. 17x54) : **TWD 299 000**.

CH'ÊNG JU-YEN. Voir CHEN RUYAN

CHENG K'O. Voir ZHENG KE

CHENG LEI-CH'ÜAN. Voir ZHENG LEIQUAN

CHENG MAO-HOUA. Voir SHENG MAOYE

CHENG MEOU. Voir SHENG MAO

CHÊNG MIN. Voir ZHENG MIN

CHENG MING ou Ch'êng Ming ou Tch'eng Ming, Yousheng, nom de pinceau Songmen
Originaire de Xiexian, province du Anhui. XVIIIᵉ siècle. Actif au début du règne de l'empereur Qing Qianlong (1736-1796). Chinois.
Peintre.

Il travaille dans le style du peintre Daoji (Shitao).

MUSÉES : STOCKHOLM (Mus. Nat.) : *Cyprès et deux rochers* signé et daté 1736.

CHENG PAN-CH'IAO. Voir ZHENG XIE

CHENG QI ou Ch'êng Ch'i ou Tch'eng K'i, surnom Yifu, nom de pinceau Suizhai
XIIIᵉ siècle. Actif dans la seconde moitié du XIIIᵉ siècle. Chinois.
Peintre.

MUSÉES : WASHINGTON D. C. (Freer Gal.) : « *Gengzuo tu* », vingt et une images illustrant la culture du riz, maintenant montées en rouleau en longueur, chaque image est accompagnée d'un poème en caractères sigillaires, plusieurs collophons.

CHENG SHIFA
Né en 1921. XXᵉ siècle. Chinois.
Peintre de figures typiques, paysages animés, animalier, paysages, natures mortes, fleurs, calligraphe. Traditionnel.

VENTES PUBLIQUES : HONG KONG, 12 jan. 1987 : *Xiao Xhi Cheng Shan* 1986, encre et coul. (34,2x137) : **HKD 26 000** – HONG KONG, 19 mai 1988 : *Montagnes dans les nuages* 1986, encres noire et coul./pap., makémono (49,5x76) : **HKD 28 600** – NEW YORK, 2 juin 1988 : *Jeune fille adossée à des bambous*, encre/pap., kakémono (95x58,5) : **USD 2 200** – HONG KONG, 17 nov. 1988 : *Chrysanthèmes* 1986, encre et pigments/pap., kakémono (115,4x52,7) : **HKD 35 200** – HONG KONG, 18 mai 1989 : *Trois chèvres*, encre et pigments/pap., kakémono (91,5x49,3) : **HKD 35 200** – HONG KONG, 15 nov. 1989 : *Album de sujets variés* 1988, 15 doublefeuilles, dont 12 encres et pigments/pap. et 3 calligraphies (chaque 23,8x35,6) : **HKD 132 000** – NEW YORK, 31 mai 1990 : *Paysage d'automne*, encre et pigments/pap., kakémono (67,3x44,4) : **USD 4 675** – HONG KONG, 31 oct. 1991 : *Album de paysages* 1990, encre et pigments/pap. tacheté d'or, huit feuilles (chacune 47x30,2) : **HKD 396 000** – HONG KONG, 30 avr. 1992 : *Roses des montagnes*, encre et pigments/pap. or, ensemble de six kakémonos (en tout : 134x202) : **HKD 341 000** – NEW YORK, 1ᵉʳ juin 1992 : *Jeune femme se reposant sous un arbre en fleurs*, encre et pigments/pap., kakémono (82,6x58,4) : USD 2 200 – Hong Kong, 28 sep. 1992 : *Jeunes fille voyageant sur un buffle* 1964, kakémono, encre et pigments/pap. (83x58,5) : HKD 49 500 – Hong Kong, 29 oct. 1992 : *Fruits, poissons et fleurs* 1992, encre et pigments/pap., album de huit feuilles (chaque 60x52) : HKD 165 000 – New York, 2 déc. 1992 : *Paysage*, encre et pigments/pap., kakémono (135,9x67,9) : USD 4 950 – Hong Kong, 29 avr. 1993 : *Album de figures d'opéra* 1990, 10 feuilles, encre et pigments/pap. (chaque 42x31,5) : HKD 184 000 – Hong Kong, 3 nov. 1994 : *Deux jeunes marchandes de fleurs* 1982, encre et pigments/pap. (95x87,5) : HKD 103 500 – Hong Kong, 30 oct. 1995 : *Oies* 1972, encre et pigments/pap., kakémono (137,7x67,2) : HKD 55 200 – Hong Kong, 29 avr. 1996 : *Fillette gardant ses chèvres* 1962, encre et pigments/pap., kakémono (83,5x43) : HKD 39 100 – New York, 22 sep. 1997 : *En jouant de la cithare* 1988, encre et coul./pap. (90,2x64,8) : USD 6 325 – Hong Kong, 28 avr. 1997 : *Dame jouant du Qin* 1986, encre et pigments/pap., kakémono (96x59,3) : HKD 59 800.

CHÊNG SHIH. Voir ZHENG SHI

CHENG SHOUGUI
Né en 1940 dans la province du Henan. xxe siècle. Chinois.
Peintre de paysages, fleurs.
Il est peintre attaché au Musée de la Culture de Kaifeng dans la province du Henan. Peintre de paysages et de fleurs, il est également connu pour ses arbres fruitiers.
Bibliogr. : Catal. de l'exposition : *Peintres traditionnels de la Chine*, galerie Daniel Malingue, Paris, octobre 1980.

CHÊNG SSU-HSIAO. Voir ZHENG SIXIAO

CHÊNG SUI ou Ch'êng Sui ou Tch'eng Souei, surnom Muqian, noms de pinceau Jiangdong Buyi et Gou Daoren
xviie siècle. Actif à Xiexian (province du Anhui) vers 1650-1680. Chinois.
Peintre.
Ce peintre, qui vit à Yangzhou, fait des paysages dans les styles de Juran (actif vers 960-980) et de Huang Gongwang (1269-1354).
Musées : Pékin (Huihua Guan) : *Deux hommes se rencontrant sous de vieux arbres, sur un fond de collines* signé et daté 1676 – Washington D. C. (Freer Gal.) : *Deux hommes assis au pied d'un grand pic*, sceau du peintre et deux poèmes de contemporains.

CHENG TAN. Voir SHENG DAN

CHÊNG T'IEH-YAI. Voir ZHENG TIEYAI

CHÊNG TIEN-HSIEN. Voir ZHENG DIANXIAN

CHENG TINGLU ou Ch'êng T'ing-Lu ou Tch'eng T'ing-Lou, surnom Xubo, noms de pinceau Hengxiang et Ruoan
Né en 1797 à Jiading (province du Jiangsu). Mort en 1857 ou 1859. xixe siècle. Chinois.
Peintre de paysages.
Il fait des paysages dans le style du peintre Ming, Li Liufang (1575-1629), et auteur de nombreux ouvrages sur la peinture.
Ventes Publiques : New York, 29 mai 1991 : *Paysages* 1857, encre et pigments/pap., album de dix feuilles (chaque 23,3x26,3) : USD 5 500 – New York, 29 nov. 1993 : *Paysages* 1857, encre et pigments/pap., album de dix feuilles (chaque 23,3x26,4) : USD 4 313 – Hong Kong, 30 oct. 1995 : *Voyage dans le Yang Shan* 1839, encre/pap., deux makémonos (27,3x137,5 et 27,3x171,5) ; *Album de cinq feuilles*, encre et pigments/pap. (chaque 29,6x38,8) : HKD 143 750 – Hong Kong, 4 nov. 1996 : *Bravant la mer* 1855, encre et pigments/pap. (46,7x74) : HKD 103 500.

CHENG TSAI-TUNG. Voir ZHENG ZAIDONG

CH'ÊNG TSÊNG-HUANG. Voir CHENG ZENG HUANG

CHEN GUA ou Ch'ên Kua ou Tch'en Koua, surnom : Ziheng, nom de pinceau Tuojiang
Originaire de Suzhou, province du Jiangsu. xvie siècle. Actif vers 1550-1554. Chinois.
Peintre.
Il est connu pour ses fleurs dans le style de Xu Chongsi et ses paysages d'après Huang Gongwang.
Musées : Pékin : *Pins, bambous et chrysanthèmes près d'une rivière* signé et daté 1550 – *Deux feuilles d'un album de fleurs*, avec le sceau de l'artiste – Stockholm (Mus. Nat.) : *Pêcheurs sur une rivière*, encre et coul. sur pap. tacheté d'or, en forme d'éventail.

CHÊNG WU-CH'ANG. Voir ZHENG WUCHANG

CHÊNG YAO-NIEN. Voir ZHENG YAONIAN

CHENGYI ou Ch'êng-i ou Tch'eng-i
xve siècle. Actif dans la province du Zhejiang pendant l'ère Yongle (1403-1424) de la dynastie Ming. Chinois.
Peintre.

CHENG YUN ou Ch'êng Yün ou Tch'eng Yun ou (Iun), surnom : Yulin
Originaire de Huangzhou, province du Hubei. xviie siècle. Actif vers 1630-1650. Chinois.
Peintre de paysages.
Après la chute de la dynastie Ming, il se retire de la vie active.

CHENG ZENGHUANG ou Ch'êng Tsêng-Huang ou Tch'eng Tseng-Houang
Né dans la province du Zhejiang. xixe siècle. Actif vers le milieu du xixe siècle. Chinois.
Peintre.
Ce peintre, spécialiste de fleurs de prunier, vivait à Shanghai.

CHENG ZHANG
Né en 1869. Mort en 1938. xixe-xxe siècles. Chinois.
Peintre animalier et de fleurs. Traditionnel.
Ventes Publiques : Hong Kong, 18 mai 1989 : *Gibbons* 1922, encre et pigments/pap. (107x53) : HKD 33 000 – Hong Kong, 15 nov. 1989 : *Écureuils* 1931, kakémono et pigments dilués/pap. (132x42,7) : HKD 44 000 – Hong Kong, 15 nov. 1990 : *Toile d'araignée*, encre et pigments/pap., kakémono (99,4x55,8) : HKD 66 000 – New York, 26 nov. 1990 : *Chats, papillons et lis tigrés*, encre et pigments/pap., kakémono (160,6x46,1) : USD 1 760 – Hong Kong, 30 mars 1992 : *Singes se balançant dans des branches de pins*, encre et pigments/pap., kakémono (152,5x83,5) : HKD 93 500 – New York, 1er juin 1992 : *Singes sur une branche de pin enneigée*, encre et pigments/pap., kakémono (137,5x67,6) : USD 3 300 – Hong Kong, 29 oct. 1992 : *Libellule et papillon*, encre et pigments/pap., éventail (15,7x44,5) : HKD 77 000 – New York, 29 nov. 1993 : *Poisson et glycine*, encre et pigments/soie, kakémono (39,1x55,2) : USD 2 300 – Hong Kong, 3 nov. 1994 : *Lapins et gibbons* 1921, encre et pigments/pap., éventail (20,3x48) : HKD 69 000 – Hong Kong, 4 mai 1995 : *Paysage avec des pins et des cyprès*, encre et pigments/pap., makémono (31x149,7) : HKD 103 500.

CHENG ZHENGKUI ou Ch'êng Chêng-K'uei ou Tch'eng Tch'eng-K'ouei, de son vrai nom Zhengkui, surnoms : Duanbo, Juling et Qingji Daoren
Originaire de Xiaogan, province du Hubei. xviie siècle. Actif vers 1657-1674. Chinois.
Peintre de paysages.
Ce peintre, qui vit à Nankin, passe l'examen de lettré accompli en 1631, puis devient fonctionnaire de la dynastie Qing jusqu'en 1657, date à laquelle il se retire. Calligraphe, poète et paysagiste, il fait partie de l'École de Nankin, dont le personnage central est le lettré fonctionnaire Zhou Lianggong (1612-1672).
Ami du moine peintre Kuncan (actif 1657-1674), Cheng, dans sa jeunesse, étudie la peinture avec Dong Qichang à qui il prend quelques éléments pour adapter à son propre style, telle que cette transparence due à la minimisation de la texture et du détail. C'est un amateur, mais il a beaucoup produit.
Musées : Chicago (Art Inst.) : *Paysage de montagnes* daté 1646, encre sur pap., rouleau en longueur – *Rochers fantastiques et paysages de larges rivières avec arbres et pavillons* signé et daté 1655, rouleau en longueur – Nankin : *Paysage*, coul. sur pap., feuille d'album portant le sceau de l'artiste – Stockholm (Nat. Mus.) : *Rochers suspendus et grands pins près d'un ruisseau de montagne* signé et daté 1674, encre et coul. sur pap.
Ventes Publiques : New York, 31 mai 1989 : *Paysage de rivière*, encre et pigments/pap., makémono : USD 88 000 – New York, 29 nov. 1993 : *Paysage fluvial* 1659, encre et pigments/pap., makémono (26,7x703,6) : USD 63 000.

CHEN HAO ou Ch'ên Hao ou Tch'en Hao, surnom : Lanzhou, noms de pinceau Maian et Moweng
Né à Renhe (province du Zhejiang). xviiie siècle. Chinois.
Peintre de paysages, fleurs.

CHEN HAO. Voir aussi SHEN HAO

CHEN HENG. Voir SHEN HENG

CHEN HENGKE ou Ch'en Heng-Ko ou Tch'en Heng Ko, surnom : Shizeng ou Shi-Tseng ou Che-Tseng, noms de pinceau : Huaitang, Xiu Daoren
Né en 1878 à Xinshui (province du Jianxi). Mort en 1923. xxe siècle. Chinois.

Peintre de paysages, fleurs, dessinateur. Lettré traditionnel.

Ce peintre fut bien connu à Pékin au début de l'époque républicaine. Ayant reçu une formation picturale occidentale, il cherche à en opérer la synthèse avec l'art traditionnel chinois. Il est spécialiste de paysages et de fleurs mais peint parfois des scènes satiriques.

Musées : PÉKIN : *Fleurs d'automne*, coul./pap., kakémono.

Ventes Publiques : HONG KONG, 12 jan. 1987 : *Lotus*, encre et coul. (89x46,5) : **HKD 17 000** – HONG KONG, 17 nov. 1988 : *Ermite dans un paysage* 1921, encre et pigments/pap. (30,5x107,4) : **HKD 143 000** – HONG KONG, 16 jan. 1989 : *Paysage* 1913, encre/pap., kakémono (67,3x33,2) : **HKD 44 000** – HONG KONG, 15 nov. 1989 : *Paysage* 1921, encre et pigments/pap., kakémono (142,9x60,8) : **HKD 286 000** – NEW YORK, 31 mai 1990 : *Album de paysages d'après Daoji*, encre et pigments/pap., kakémono, 8 feuilles (17,5x26,7) : **USD 8 800** – HONG KONG, 2 mai 1991 : *Chrysanthèmes*, encre et pigments/pap. (171,5x47) : **HKD 187 000** – HONG KONG, 31 oct. 1991 : *Fleurs et rochers*, encre et pigments/pap., kakémono (137x33,3) : **HKD 44 000** – NEW YORK, 25 nov. 1991 : *Lys d'un jour*, encre et pigments/pap., kakémono (64,4x32,4) : **USD 3 025** – HONG KONG, 30 mars 1992 : *Lotus*, encre et pigments/pap., kakémono (162,8x46,2) : **HKD 104 500** – HONG KONG, 28 sep. 1992 : *Un pin*, encre et pigments/pap. (93x44,6) : **HKD 35 200** – NEW YORK, 29 nov. 1993 : *La théière* 1921, kakémono (93,3x46) : **USD 3 450** – HONG KONG, 5 mai 1994 : *Paysage et calligraphie*, encre/pap. gaufré, éventail (17,5x48) : **HKD 27 600**.

CH'EN HENG-KO. Voir **Chen Hengke**

CHEN HILO

Né en 1942. XXᵉ siècle. Américain.

Peintre de nus. Hyperréaliste.

Il peint par séries de thèmes archétypaux : plage, trottoir, chambre à coucher, salle de bain, etc., prétexte pour montrer des femmes nues et bien en chair. Il fut sans doute influencé par John Kacere, grand maître dans le genre, mais lui choisit de montrer leur torse, dos ou fesses, que de fines gouttelettes de sueur, car le soleil est toujours torride, imperceptiblement recouvrant.

Ventes Publiques : NEW YORK, 8 nov. 1979 : *Beach 55* 1977, h/t (137,5x203,8) : **USD 4 750** – NEW YORK, 27 nov. 1980 : *Plage 1975*, acryl./pap. (68,6x103,5) : **USD 1 500** – NEW YORK, 16 oct. 1981 : *Trottoir 7* 1973, h/t (185,5x244) : **USD 2 500** – NEW YORK, 2 nov. 1984 : *Beach 74* ; *Beach 62* 1980, h/t, une paire (17,1x22,8) : **USD 800** – NEW YORK, 22 fév. 1984 : *La plage I* 1973, h/t (186,7x243,8) : **USD 7 750** – NEW YORK, 20 fév. 1987 : *Beach 3* 1974, acryl./t. (186,7x243,3) : **USD 8 500** – NEW YORK, 23 fév. 1990 : *Chambre à coucher 20*, acryl./t. (101,5x142,2) : **USD 3 850** – NEW YORK, 10 oct. 1990 : *Salle de bains 20*, h/t (137,2x203,4) : **USD 4 675** – NEW YORK, 12 nov. 1991 : *Plage 2*, acryl./t. (76,2x101,6) : **USD 2 750** – NEW YORK, 9 mai 1992 : *Plage 35*, acryl./t. (183x183,5) : **USD 6 600** – NEW YORK, 30 juin 1993 : *Ying Yang* 1974, h/t (137,2x203,2) : **USD 5 750** – PARIS, 18 sep. 1993 : *Beach 61* 1979, h/t (77x102) : **FRF 22 000** ; *Beach 64*, h/t (97x142) : **FRF 40 000** – NEW YORK, 3 mai 1994 : *Plage 33*, acryl./t. (122,8x172,8) : **USD 7 475** – NEW YORK, 10 oct. 1996 : *Salle de bains 20* 1978, h/t (138,4x203,2) : **USD 3 162**.

CHEN HIUAN. Voir **SHEN XUAN**

CHEN HONG ou **Ch'ên Hun** ou **Tch'eng Hong**

Né à Kuaiji (province du Zhejiang). VIIIᵉ siècle. Chinois.

Peintre.

Il fut introduit à la cour de la dynastie Tang pendant l'ère Kaiyuan (713-742). On sait qu'il a fait les portraits des empereurs Xuanzong (713-756) et Suzong (756-762) et qu'il a illustré les chasses impériales.

Musées : KANSAS CITY (Nelson Gal. of Art) : *Huit portraits de militaires méritants et de fonctionnaires civils représentés séparément en uniforme*, coul. sur soie, seulement six subsistent.

CHEN HONGSHOU ou **Ch'ên Hung-Shou** ou **Tch'en Hong-Cheou**, surnom : **Zhanghou**, noms de pinceau **Laolian, Fuchi, Yunmenseng** et d'autres, après 1644 il se fait appeler **Huichi** ou **Wuchi**

Né en 1598 dans la province du Zhejiang, d'une famille noble de Zhuqi. Mort en 1652. XVIIᵉ siècle. Chinois.

Peintre de genre, animaux, paysages, fleurs, calligraphe.

Poète et calligraphe, c'est un peintre doué. Il accepte un titre académique honorifique mais refuse celui de peintre de cour. Après

la chute de la dynastie Ming, en 1644, il s'associe avec des artistes et des loyalistes hors-la-loi et entre en religion ; en fait, beaucoup de ses amis se suicident pour ne pas servir la nouvelle dynastie étrangère, celle des Qing mandchous, et Chen ne se pardonnera jamais de ne pas l'avoir fait. Ses dernières œuvres sont souvent signées Laolian (vieux lotus).

Cet artiste, qui a reçu une formation de lettré, mais ne fait pas de carrière officielle, fait partie des maîtres fantastiques de la fin des Ming, tout en voulant s'inspirer des maîtres anciens. Il peint habilement les paysages, les fleurs, les oiseaux, les insectes ; ses personnages sont grands et terrifiants mais pas hors de proportions. Il fait graver plusieurs séries d'illustrations littéraires et représente un bon exemple de collaboration entre peintre et graveur.

Musées : HONOLULU (Acad. of Art) : *Illustration d'un album du poète Tao Yuanming* signé et daté 1650, rouleau en longueur – PARIS (Mus. Guimet) : *Le Dieu de Longévité avec deux compagnons* – STOCKHOLM (Mus. Nat.) : *En saluant la vieille mère*, signé – TAIPEI (Mus. du Palais) : *Fleurs et papillons*, encre et coul. sur soie, rouleau en hauteur – *Oiseaux de montagne et fleurs de prunier*, encre et coul. sur soie, rouleau en hauteur.

Ventes Publiques : NEW YORK, 31 mai 1989 : *Enfants apportant des offrandes au Bouddha*, encre et pigments/soie, kakémono (122,5x56,8) : **USD 23 100** – NEW YORK, 1ᵉʳ juin 1992 : *Lotus et rocher*, encre et pigments/soie, kakémono (95,9x48,3) : **USD 22 000** – NEW YORK, 2 déc. 1992 : *Le poète Tao Yuanming*, encre et pigments/soie, page d'album montée en kakémono (28,3x23,2) : **USD 6 050** – NEW YORK, 28 nov. 1994 : *Un lettré préparant du thé*, encre et pigments/soie, kakémono (124,5x48,3) : **USD 68 500**.

CHEN HONGSHOU ou **Ch'ên Hung-Shou** ou **Tch'en Hong-Cheou**, surnom : **Zigong**, noms de pinceau **Mansheng** et d'autres

Né en 1768, originaire de Hangzhou, province du Zhejiang. Mort en 1822. XVIIIᵉ-XIXᵉ siècles. Chinois.

Peintre de paysages, fleurs.

Il privilégia les bambous dans ses œuvres.

Ventes Publiques : NEW YORK, 6 déc. 1989 : *Chrysanthèmes et feuilles de bananier*, encre et pigments/pap., kakémono (129,5x31) : **USD 4 400** – NEW YORK, 26 nov. 1990 : *Fleurs*, encre et pigments/pap., makémono (25,7x219,8) : **USD 4 950** – NEW YORK, 29 mai 1991 : *Strophe calligraphiée*, encre/pap. doré, kakémono, une paire (chaque 128,9x29,2) : **USD 3 575**.

CHEN HOUAN. Voir **SHEN HUAN**

CH'ÊN HSIEN. Voir **CHEN XIAN**

CH'ÊN HSIEN-CHANG. Voir **CHEN XIANZHANG**

CH'ÊN HSING. Voir **CHEN XING**

CHEN HUAN ou **Ch'ên Huan** ou **Tch'en Houan**, surnom **Ziwen**, nom de pinceau **Yaofeng**

Originaire de Suzhou. XVIIᵉ siècle. Actif vers 1600. Chinois.

Peintre de paysages.

Il fait des paysages dans le style du peintre Shen Zhou.

Ventes Publiques : NEW YORK, 1ᵉʳ juin 1992 : *Paysage* 1600, encre et pigments/pap., makémono (25,1x251,5) : **USD 35 200**.

CHEN HUI ou **Ch'ên Hui** ou **Tch'en Houei**, surnom **Menghe**

XVIIᵉ siècle. Chinois.

Peintre.

CHEN HUIKUN

Né en 1906 à Taichong (Taiwan). XXᵉ siècle. Chinois.

Peintre de paysages.

Il entra à l'Institut de Peinture Kawabata de Tokyo en 1927 et obtint le diplôme de l'École d'Art de Tokyo en 1931. De retour à Taiwan, il devint professeur dans plusieurs établissements, mettant fin à sa carrière universitaire en 1977 pour se consacrer à la publication d'un ouvrage sur Vincent Van Gogh. Il remporta la médaille d'or récompensant l'un des dix meilleurs artistes de Taichong en 1989. Le Musée des Beaux-Arts de Taipei en 1986, et le Musée National d'Histoire en 1991, lui organisèrent des expositions rétrospectives.

Ventes Publiques : TAIPEI, 18 avr. 1993 : *Samois-sur-Seine près de Fontainebleau* 1973, h/t (80x100) : **TWD 805 000** – TAIPEI, 10 avr. 1994 : *Le Pont-Neuf à Paris* 1979, h/t (33,5x41,5) : **TWD 207 000**.

CH'ÊN HUNG. Voir **CHEN HONG**

CH'ÊN HUNG-SHOU. Voir **CHEN HONGSHOU**

CHENIBAULT Pierre
XVIᵉ siècle. Français.
Peintre.
Il travailla au château de Gaillon en 1507.

CHENIER Hanse
XVᵉ siècle. Travaillant en Provence. Français.
Peintre.
Travailla pour les Dominicains de Saint-Maximin.

CHENILLEAU René
Né à Parthenay (Deux-Sèvres). XXᵉ siècle. Français.
Peintre de paysages.
Élève de Giraudeau-Laurent et M. des Fontaines. Sociétaire des Artistes Français depuis 1938.

CHENILLION Jean Louis
Né le 15 novembre 1810 à Auteuil. Mort le 30 octobre 1875 à Paris. XIXᵉ siècle. Français.
Sculpteur.
Entré à l'École des Beaux-Arts le 5 octobre 1829, il étudia sous la conduite de David d'Angers et de Daubigny. Au Salon de 1835, il débuta avec une statue en plâtre : *Jeune captif méditant sur son esclavage*. Il exposa pour la dernière fois en 1863. Sur commande du ministère de l'Intérieur, il exécuta : *Le Christ à la colonne* et *Saint Protais, martyr* et sur commande du Ministère de la Maison de l'Empereur et des Beaux-Arts il fit un groupe en plâtre, représentant des *Religieux du Moyen Âge taillant la vigne*, et, en marbre, le *Buste du cardinal Morlot*. On lui doit en outre de nombreux bustes d'hommes politiques du règne de Louis-Philippe. Il a collaboré sous la direction de Viollet-le-Duc à la restauration de Notre-Dame.
Musées : Bourges : *Buste du comte d'Agoult*, marbre – Chartres : *Jeune berger* – Langres : *Buste du cardinal Morlot, archevêque de Paris*, marbre – Saint-Brieuc : *Chien flairant son maître* – Versailles : *Buste de Corneille Thomas*, marbre.

CHENIN Pierre
XVIIᵉ siècle. Français.
Sculpteur.
Il fut actif à Grenoble, où il se maria en 1691.

CHÉNIN-MOSELLY Germaine
Née à Paris. XXᵉ siècle. Française.
Peintre et graveur.
Elle fut élève de Pierre Dusouchet. Elle exposa à Paris, au Salon des Artistes Français entre 1924 et 1930 ; au Salon des Artistes Indépendants en 1929.

CHÉNIOT Charles ou **Chaigniot**
XVIIIᵉ siècle. Français.
Sculpteur.
Fils de Jean-Claude Chaignot. Il travailla à Nancy où il se maria en 1754.

CHÉNIOT Jean Claude ou **Chaniot, Chaigniot**
Né vers 1700 à Nancy. Mort le 23 août 1761 à Nancy. XVIIIᵉ siècle. Actif à Nancy. Français.
Sculpteur.
Frère de Charles Chéniot, il était actif à Nancy. Il est cité par A. Jacquot dans son *Essai de répertoire des Artistes Lorrains*.

CHEN JIANRU ou **Ch'ên Chien-Ju** ou **Tch'en Tsien-Jou**
Originaire de Hangzhou, province du Zhejiang. XIVᵉ siècle. Actif vers 1320. Chinois.
Peintre de portraits.
Musées : Séoul (Mus. Nat. de Corée) : *Portrait de Li Qixian, lettré coréen* daté 1319.

CHEN JIANZHONG ou **Chan Kin-Chung**
Né en 1939 à Guandong. XXᵉ siècle. Chinois.
Peintre de paysages.
Il obtint le diplôme du Collège des Beaux-Arts de Guandong en 1961. en 1962 il partit pour Hong Kong et en 1969, pour Paris où il vit. Ses œuvres figurent dans plusieurs musées d'Europe.
Ventes Publiques : Taipei, 18 oct. 1992 : *Forêt* 1992, h/t (89x116) : **TWD 352 000** – Taipei, 10 avr. 1994 : *Composition n° 9 – 83* 1983, h/t (46x55) : **TWD 184 000**.

CHEN JIAYAN ou **Ch'ên Chia-Yen** ou **Tch'en Kia-Yen**
Né en 1539, originaire de Jiaxing, province du Zhejiang. Mort après 1625. XVIᵉ-XVIIᵉ siècles. Chinois.
Peintre d'animaux, fleurs.
Musées : Chicago (Art Inst.) : *Magnolias, roses, fleurs de prunier et arbres fruitiers* signé et daté 1625 – Tientsin : *Oiseaux d'hiver*

sur prunier et bambou colophon daté 1607, encre sur pap., rouleau en hauteur.
Ventes Publiques : New York, 31 mai 1989 : *Corneilles sur les branches d'un prunus*, encre/pap., kakémono (202x93,3) : **USD 17 600** – New York, 6 déc. 1989 : *Corneilles* 1604, encre et pigments dilués/pap., kakémono (131,5x59,4) : **USD 52 250**.

CHEN JIN ou **Chin**
Née en 1907 à Hsin-chu. XXᵉ siècle. Chinoise.
Peintre de fleurs.
Encouragée par son professeur, elle partit finir ses études au Japon en 1926 et y séjourna pendant plusieurs années. Elle revint enseigner à Taiwan pendant quelques années, fit un nouveau séjour au Japon et revint définitivement à Taiwan. Elle fut un précurseur dans l'utilisation de l'acrylique à Taiwan.
Ventes Publiques : Taipei, 18 oct. 1992 : *Orchidées en pleine floraison* 1991, gche/cart. (44,5x52,5) : **TWD 660 000**.

CHEN JINFANG ou **Tsing-Fang**
Né en 1936 à Tainan (Taiwan). XXᵉ siècle. Chinois.
Peintre de compositions à personnages.
Dès l'adolescence il s'intéressa à l'art et étudia la peinture avec Guo Baichuan. Il fit ses études générales à l'Université de Taiwan jusqu'en 1959. Diplômé de Français, il vint à Paris pour suivre des cours de langue à l'Université et obtint son diplôme en 1965. Simultanément, il fréquenta l'École des Beaux-Arts de Paris et travailla dans les ateliers de Legeult et de Yankel. En 1975, il partit pour les États-Unis visiter les musées et finalement décida de s'y installer. Il expose à Paris, aux États-Unis, à Amsterdam, ainsi qu'à Taiwan, notamment en 1969, au Musée National Historique de Taipei et, en 1990, au Musée Provincial de Taizhong.
Ses œuvres sont fortement influencées par la peinture occidentale, ainsi dans cette œuvre surprenante *Les musiciens des rues*, dans lesquels on reconnaît au premier plan *Les musiciens* de Picasso sur le fond *Le café, le soir* de Van Gogh.
Ventes Publiques : Hong Kong, 30 mars 1992 : *Les musiciens des rues* 1991, h/t (122x91,4) : **HKD 264 000**.

CHEN JINGRONG ou **Ch'en Ching-Jung**
Né en 1934 à Zhanghua (Taiwan). XXᵉ siècle. Chinois.
Peintre de compositions à personnages, paysages.
En 1956, il sortit diplômé de l'Université Nationale de Taiwan. C'est au Japon qu'il termina ses études : de 1960 à 1963 à l'École des Beaux-Arts Musashino de Tokyo, puis à l'Université Gakugai. En 1967, il obtint le diplôme de l'Université Nationale des Beaux-Arts et de Musique de Tokyo. De retour à Taiwan, à partir de 1972, il fut conférencier au département des Beaux-Arts de l'Académie Nationale des Arts et professeur à l'Université de la Culture Chinoise et à l'Université Normale Nationale de Taiwan. Menant sa carrière en parallèle, il participe à de nombreuses expositions nationales. Il est membre de plusieurs associations artistiques tant en Chine continentale qu'à Taiwan. Il fait également partie des différents jurys pour les expositions dans les provinces.
Ses paysages ne s'inspirent pas uniquement des vues de son pays. Devant certaines toiles, comme *Le Temple d'Athènes*, au sujet et à la facture occidentals, il est difficile de deviner ses origines.
Musées : Taipei (Mus. des Arts) – Taipeh (Mus. des Beaux-Arts) – Taipei (Mus. d'Hist. Nat.).
Ventes Publiques : Hong Kong, 30 mars 1992 : *Le Temple d'Athènes* 1984, h/t (80x100) : **HKD 330 000** – Taipei, 22 mars 1992 : *Près du lac* 1988, h/t (69x95,7) : **TWD 1 155 000** – Taipei, 18 oct. 1992 : *Paysage de Penghu* 1990, h/t (79,8x99,2) : **TWD 1 320 000**.

CHEN JIRU ou **Ch'ên Chi-Ju** ou **Tch'en Ki-Jou**, surnom **Zhongshun**, noms de pinceau **Migong, Meigong, Xuetang, Bo Shiqiao**
Né en 1558 à Huating (province du Jiangsu). Mort en 1639. XVIᵉ-XVIIᵉ siècles. Chinois.
Peintre de paysages, fleurs, calligraphe.
Écrivain et poète, auteur de nombreux ouvrages, il est connu comme paysagiste et comme peintre de fleurs de prunier et de bambous.
Musées : Seattle (Art Mus.) : *Premières neiges, poème par le peintre*, encre sur pap., rouleau en longueur.
Ventes Publiques : New York, 31 mai 1990 : *Calligraphie en écriture courante*, encre sur éventail de pap. doré (16,2x53) : **USD 1 760** – New York, 2 déc. 1992 : *Calligraphie en écriture courante*, encre /pap. or, éventail (16,5x53,3) : **USD 2 750**.

CHEN JONG. Voir **SHEN RONG**

CHEN JUN. Voir **DASHOU**

CH'ÊN JUNG. Voir **CHEN RONG**

CHEN JUZHONG ou **Ch'en Chü-Chung** ou **Tch'en Tsiu-Tchong**
XIIIᵉ siècle. Chinois.
Peintre.
Peintre officiel à l'Académie de Peinture de Hangzhou entre 1201 et 1204, sous la dynastie des Song, c'est un spécialiste de chevaux, de cavaliers mongols et de scènes militaires, doué d'un grand sens de la composition et de la couleur.
MUSÉES : BOSTON (Mus. of Art) : *Quatre œuvres illustrant certaines scènes de la vie de Wen Ji* – NEW YORK (Metropolitan Mus.) : *Aigle de mer, en forme d'éventail* – PÉKIN (Mus. Nat.) : *Aubergines, choux et papillons*, sigle, sceaux de collectionneurs Yuan et Ming – TAIPEI (Mus. du Palais) : *Dame Wenji retournant en Chine*, encre et coul. sur soie, rouleau en hauteur – *Questions sur la vie hors du Palais*, encre et coul. sur soie, rouleau en hauteur.

CHEN KE ou **Ch'ên K'o** ou **Tch'en K'o**, surnom **Xiaokuan**
XVIIᵉ siècle. Actif au début de la dynastie Qing (1644-1911). Chinois.
Peintre.
Ce serait le même peintre ou le frère du peintre Chen Mai, surnom Xiaoguan, fils de Chen Yuansu, actif vers 1620-1650.

CHEN KE ZHAN
Né en 1959. XXᵉ siècle. Indonésien.
Peintre de fleurs. Traditionnel.
Il étudia la peinture traditionnelle et la calligraphie avec les maîtres Fan Chang Tien, Chao Shaoan et Fung Kang-ho. Il vint en France et étudia à la fois l'art et la musique. Il y participa à de nombreuses expositions collectives et remporta en 1985, une médaille d'argent du Salon des Artistes Français.
Son œuvre est presque exclusivement une série de variations sur le lotus.
MUSÉES : SINGAPOUR (Mus. d'Art).
VENTES PUBLIQUES : HONG KONG, 29 avr. 1996 : *Séries des lotus 1996*, encre et pigments/pap. (7,5x138) : HKD 46 000 – SINGAPOUR, 5 oct. 1996 : *Lotus*, encre et pigments/pap. (68,5x68,5) : SGD 5 750.

CH'ÊN K'O. Voir **CHEN KE**

CH'ÊN KUA. Voir **CHENG GUA**

CHEN KUN ou **Ch'ên K'un** ou **Tch'en K'ouen**, surnom **Zaian**
Né à Changshu (province du Jiangsu). XVIIᵉ-XXᵉ siècles. Actif pendant la dynastie Qing (1644-1911). Chinois.
Peintre de fleurs et d'oiseaux.
Peintre de fleurs et d'oiseaux, il réalisa quelques portraits.

CHEN LAIXING ou **Lai-Hsing**
Né en 1949 à Zhanghua (Taiwan). XXᵉ siècle. Chinois.
Peintre de compositions animées.
Il fit ses études artistiques au Collège National d'Art de Taiwan jusqu'en 1972. Une exposition personnelle lui a été consacrée au Centre Culturel Américain de Taipei en 1981.
Ses œuvres se caractérisent par un traitement spontané de la couleur, une liberté des formes et de la composition, revendiquant une vision originale du sujet.
VENTES PUBLIQUES : HONG KONG, 30 mars 1992 : *Temps perdu 1990*, h/t (80x65) : HKD 33 000.

CHEN LIAN ou **Ch'en Lien** ou **Tch'en Lien**, **Mingqing**, nom de pinceau **Xiu Shui**
Originaire de Songjiang, province du Jiangsu. XVIIᵉ siècle. Actif vers 1620. Chinois.
Paysagiste.
Il fut élève de Zhao Zuo.

CH'ÊN LIEN. Voir **CHEN LIAN**

CHEN LIN ou **Ch'en Lin** ou **Tch'en Lin**, surnom **Zhongmei**
XIIIᵉ-XIVᵉ siècles. Actif à Hangzhou (province du Zhejiang) vers 1260-1320. Chinois.
Peintre.
Fils d'un peintre officiel de l'Académie de Peinture de Hangzhou, il ne fait pas partie du groupe des peintres lettrés. C'est un ami du peintre Zhao Mengfu. Il est paysagiste de même que peintre de fleurs, d'oiseaux et de personnages.

MUSÉES : TAIPEI (Mus. du Palais) : *Canard debout sur une rive* daté 1301, encre et coul. légères sur pap. – *Collophons par Zhao Mengfu, Qiu Yuan et Ke Jiusi*, poème de l'empereur Qing Qianlong.

CHEN LISHAN ou **Ch'ên Li-Shan** ou **Tch'en Li-Chan**
Originaire de Haiyan, province du Zhejiang. XIVᵉ siècle. Chinois.
Peintre.
Pendant l'ère Zhizheng (1341-1367), de la dynastie Yuan, il sert comme Censeur dans la province du Zhejiang. Il est célèbre comme peintre de fleurs de prunier.
MUSÉES : PÉKIN : *Légères fleurs de prunier* signé et daté 1351.

CH'ÊN LO. Voir **CHEN LUO**

CHEN LU ou **Ch'ên Lu** ou **Tch'en Lou**, **Xianzhang**, nom de pinceau **Juyin Jushi**
Originaire de Kuaiji, province du Zhejiang. XVᵉ siècle. Actif vers 1440. Chinois.
Peintre de fleurs.
Il se fit un nom dans la peinture de bambous et de fleurs de pruniers.
MUSÉES : BERLIN : *Fleurs de prunier sous la pleine lune*, signé.

CHEN LUO ou **Ch'en lo** ou **Tch'en lo**, appelé à **l'Origine Chen Zan** ou **Ch'en Tsan** ou **Tch'en Tsan**, surnoms **Shu Luo** et **Chengjiang**, nom de pinceau **Boshi**
XVIIᵉ siècle. Actif à Suzhou, province du Jiangsu, vers 1610-1640. Chinois.
Peintre.
Il peint des paysages dans le style de Zhao Boju, Zhao Mengfu et Wen Zhengming.

CHEN MAI ou **Ch'ên Mai** ou **Tch'en Mai**. Voir **CHEN KE**

CHEN MAN ou **Ch'ên Man** ou **Tch'en Man**, surnom **Changqian**, nom de pinceau **Yadaoren**
XVIIᵉ siècle. Actif à Shanghai, vers 1630-1670. Chinois.
Peintre.
Poète et peintre, il est influencé par le style de Mi Fei.

CHEN MEI ou **Ch'ên Mei** ou **Tch'en Mei**, surnom **Dianlun**, nom de pinceau **Daidong**
XVIIIᵉ siècle. Actif à Luxian (province du Jiangsu) vers 1730-1742. Chinois.
Peintre.
Peintre de cour sous le règne de l'empereur Qing Yongzheng (1723-1735), il est connu pour ses paysages, ses personnages et ses fleurs. Il suit le style des grands maîtres de la dynastie Song (960-1279), mais est aussi influencé par la peinture occidentale.

CHEN MIN ou **Ch'ên Min** ou **Tch'en Min**, surnom : **Shanmin**
Originaire de Changshu, province du Jiangsu. XVIᵉ-XVIIᵉ siècles. Chinois.
Peintre de paysages.
Il fut élève du peintre Cheng Jiasui (1565-1643). Il se spécialisa dans la peinture de pruniers.

CHENNEVIÈRES Albert Florimond
Né au XIXᵉ siècle à Saint-Cyr-du-Vaudreuil. XIXᵉ siècle. Français.
Peintre de sujets typiques, paysages animés.
Élève de Pils et de Lazerges. Il débuta au Salon de 1878.
VENTES PUBLIQUES : PARIS, 21 avr. 1996 : *Campement dans le sud algérien*, h/t (38x55) : FRF 14 500.

CHEN NIAN ou **Ch'en Nien** ou **Tch'en Nien**, dit aussi **Banting** ou **Pant'ing**
Né en 1876 en Chine du Nord. XXᵉ siècle. Chinois.
Peintre. Lettré traditionnel.

CH'ÊN NIEN. Voir **CHEN NIAN**

CHEN NINGER
Né en 1942 à Hangzhou (province du Zhejiang). XXᵉ siècle. Chinois.
Peintre de paysages, de portraits.
Il commença ses études dans la section de peinture ancienne de l'École des Beaux-Arts de Zhejiang jusqu'en 1986. En 1987, il partit pour les États-Unis, où il étudia au Collège Potsdam de New York, puis à l'Institut Pratt et obtint son diplôme en 1989. Il participa en Chine à la VIᵉ Exposition Nationale des Beaux-Arts. Il expose également dans des galeries des États-Unis. La Conférence Politique Consultative du Peuple Chinois de Pékin a fait l'acquisition de son portrait du Dr Sun Yat-Sen.

Ses peintures, aux tonalités claires, sont tout en nuances.
Musées : Zhejiang.
Ventes Publiques : Hong Kong, 30 mars 1992 : *Scène de canal 1988*, h/t (61x79) : HKD 88 000 – Hong Kong, 28 sep. 1992 : *La barque du passeur en rase campagne 1992*, h/t (61x89) : HKD 41 800 – Hong Kong, 22 mars 1993 : *Canal 1988*, h/t (91x91) : HKD 36 800.

CHENOIS Claude
XVIe siècle. Français.
Peintre.
Cité par Siret à Nancy en 1527.

CHENOT-ARBENZ Denise
Née à Nantes (Loire-Atlantique). XXe siècle. Française.
Sculpteur.
Élève de Sicard et Carli. Exposant des Artistes Français ; mention honorable en 1927.

CHENOU Camille, Mme, née Levesque
XIXe siècle. Française.
Peintre.
Elle exposa au Salon de Paris, de 1834 à 1844, des aquarelles représentant des fleurs. On cite de cette artiste des dessins (figures), exécutés de 1811 à 1830.

CHENOUX Pierre
Né à Fribourg. XXe siècle. Suisse.
Peintre.
A exposé des natures mortes, à Paris aux Indépendants, de 1930 à 1932.

CHEN PEIQIU
Né en 1922. XXe siècle. Chinois.
Peintre de paysages et paysages d'eau animés, oiseaux, fleurs. Traditionnel.
Ventes Publiques : Hong Kong, 16 jan. 1989 : *Paysage*, encre et pigments/pap. (66x133,3) : HKD 41 800 – Hong Kong, 2 mai 1991 : *Navigation sur une rivière au printemps*, encre et pigments/soie (29,3x118) : HKD 49 500 – Hong Kong, 31 oct. 1991 : *Orchidées*, encre et pigments/soie, makémono (28x238) : HKD 44 000 – Hong Kong, 30 mars 1992 : *Paysage*, encre et pigments/pap. makémono encadré (76,5x67,5) : HKD 22 000 – Hong Kong, 30 avr. 1992 : *Papillon et bégonia*, encre et pigments/pap. (68,5x33,6) : HKD 39 600 – Hong Kong, 29 oct. 1992 : *Fleur d'automne*, encre et pigments/soie (25,8x78,6) : HKD 35 200 – Hong Kong, 3 nov. 1994 : *Bambous et oiseau 1982*, encre et pigments/pap. (77,5x50,5) : HKD 11 500 – Hong Kong, 30 oct. 1995 : *Pigeons et camelias*, encre et pigments/soie, kakémono (57,7x87,6) : HKD 55 200.

CHEN QIKUAN ou Chi-Kwan
Né en 1921 dans la province du Sichuan. XXe siècle. Actif aux États-Unis. Chinois.
Peintre et architecte.
Il appartient à l'École Moderne. Il fit ses études à Boston et travaille aux États-Unis. C'est un des artistes chinois à l'étranger parmi les plus originaux de sa génération. Il a suivi des études d'architecture à Harvard puis s'est joint au personnel de l'Institut de Technologie du Massachusetts. Son œuvre est à la fois chinoise et contemporaine : il va de la caricature à la nostalgie poétique pour sa terre natale, qu'il traduit avec délicatesse et précision. Il représente la vie quotidienne des gens qu'il aime : la vie d'un village, une scène de rue, l'animation d'un canal.
Ventes Publiques : Hong Kong, 19 mai 1988 : *Midi*, encre et pigments/pap., kakémono (45,4x45,4) : HKD 132 000 – Hong Kong, 18 mai 1989 : *Chambre à l'ouest 1982*, kakémono, encre et pigments/pap. (144x29,2) : HKD 99 000 – Hong Kong, 31 oct. 1991 : *Vue de la fenêtre*, encre et pigments/pap., kakémono (121,8x23) : HKD 176 000 – Hong Kong, 30 mars 1992 : *Afar*, encre et pigments/pap., kakémono (181x31) : HKD 352 000 – Hong Kong, 28 sep. 1992 : *Terre*, encre et pigments/pap., kakémono (183x30,6) : HKD 254 000 – Taipei, 18 oct. 1992 : *Un vol d'oiseau 1983*, encre et pigments/pap. (182x31) : TWD 748 000 – Hong Kong, 29 oct. 1992 : *Paysage*, encre et pigments/pap., kakémono (184,5x29,5) : HKD 176 000 – Taipei, 18 avr. 1993 : *Brume du soir*, encre et pigment/pap. (21,8x184,5) : TWD 690 000 – Hong Kong, 29 avr. 1993 : *Les cieux sont éternels*, encre et pigments/pap., kakémono (120,8x23,2) : HKD 230 000.

CHEN QING ou Ch'ên Ch'ing ou Tch'en Ts'ing, surnom : Wuyu
XVe siècle. Actif probablement pendant l'ère Chenghua (1465-1487) de la dynastie Ming. Chinois.
Peintre.

CHEN QINGBO ou Ch'ên Ch'ing-Po ou Tch'en Ts'ing-Po
Originaire de Qiantang, province du Zhejiang. XIIIe siècle. Chinois.
Peintre.
Il fut membre officiel de l'Académie de Peinture de Hangzhou pendant l'ère Baoyu (1253-1258) de la dynastie Song. Paysagiste, il représente souvent des vues du Lac de l'Ouest de Hangzhou.

CHEN QINGFEN ou Ch'en Ch'eng-Fen
Né en 1913 à Taipei. Mort en 1987. XXe siècle. Chinois.
Peintre.
Il commença ses études à Taiwan et les poursuivit au Japon. En 1928 il obtint le diplôme de la section « peinture occidentale » de l'Institut des Beaux-Arts de Tokyo. Il décida alors de poursuivre ses études à Paris et, après cinq ans, il fut invité à participer au Salon d'Automne. Sa première exposition personnelle eut lieu à Taiwan en 1933. Il fut l'un des membres fondateurs de l'Association des Beaux-Arts de Taiwan.
Ventes Publiques : Taipei, 16 oct. 1994 : *Les ombres vertes (Peitou) 1951*, h/t (50x60,5) : TWD 1 150 000.

CHEN QIUCAO ou Ch'en Ch'iu-Ts'ao ou Tch'en Ts'ieou-Ts'ao
XXe siècle. Chinois.
Peintre. Traditionnel.
En 1923-1924 il crée l'Institut de l'Oie Blanche pour la Recherche sur la Peinture (Bai E Huiha Yanjiu Suo) à Shanghaï.

CHEN RONG ou Ch'ên Jung ou Tch'en Jong, surnom Gongchu, nom de pinceau Suoweng
Originaire de la province du Sichuan. XIIIe siècle. Chinois.
Peintre.
Il passe l'examen de lettré accompli en 1235. Connu comme poète pendant l'ère Baoyu (1253-1258) de la dynastie Song, il est surtout peintre de dragons.
Musées : Boston : *Quatre dragons dans des rochers ; Neuf dragons à travers vagues et nuages* daté 1244 – Kansas City (Nelson Gal. of Art) : *Cinq dragons entrelacés*, signé – Princeton (University Mus.) : *Douze dragons sortant de la brume*, signé.

CHEN RUYAN ou Ch'ên Ju-Yen ou Tch'en Jou-Yen, Weiyun, nom de pinceau Qiushui
Né à Suzhou (province du Jiangsu). XIVe siècle. Actif vers 1340-1380. Chinois.
Peintre.
Poète et peintre, ami de l'artiste Wang Meng, il a un poste de secrétaire provincial dans la province du Shandong, au début de la dynastie Ming. Il fait des paysages dans le style de Zhao Mengfu et des personnages dans celui de Ma Hozhi.
Musées : Taipei (Mus. du Palais) : *Feuille d'album d'après un poème Tang*, encre sur papier, inscription du peintre Ni Zan – *La rivière Jin*, encre sur soie, rouleau en hauteur portant des inscriptions des peintres Ni Zan et Wang Meng.

CHENSHAN. Voir LIU SHENSHAN

CHEN SHAN ou Ch'ên Shan ou Tch'en Chan, surnom : Ruoshui
Originaire de Pékin. XVIIe-XVIIIe siècles. Chinois.
Peintre de paysages.
Il fut peintre de cour sous le règne de l'empereur Kangxi (1662-1722) des Qing.
Ventes Publiques : New York, 18 sep. 1995 : *Montagnes et ruisseaux dans le style de Guan Dong 1745*, encre/soie, kakémono (165,1x104,1) : USD 2 300.

CHEN SHAOMEI
Né en 1909 ou 1910. Mort en 1954. XXe siècle. Chinois.
Peintre.
Il vit et travaille à Shangai.
Musées : Cologne (Mus. Für Ostasiatische Kunst) : *Tao Yuanming, le « Poète des cinq saules »*, encre et coul. légères/pap.
Ventes Publiques : Hong Kong, 29 avr. 1996 : *Album de Guanyin*, quatorze feuilles encre/soie et six feuilles encre et pigments/soie, album de vingt (chaque 26,8x19) : HKD 207 000 – Hong Kong, 2 nov. 1997 : *Montagnes au ravin*, encre et pigments/soie, kakémono (83,8x45,7) : HKD 63 250.

CHEN SHAOYING ou Ch'ên Shao-Ying ou Tch'en Chao-Ying, surnom : Shengfu, noms de pinceau Huan, Kuaan et Wuhuai
Né à Hangzhou (province du Zhejiang). XVIIe siècle. Chinois.
Peintre de paysages.
Il fait des paysages d'après le peintre Wu Zhen.

CHEN SHIWEN ou **Ch'en Shi-Wen** ou **Tch'en Che-Wen**
Né en 1908 à Shanjun (province du Zhejiang). XXe siècle.
Chinois.
Peintre de portraits et d'intérieurs.
Entre 1928 et 1937 il fit ses études en France, puis en 1937 de retour en Chine vit à Shanghaï où il est professeur à l'Académie. Il a exposé à Paris, en 1936 et 1937 au Salon d'Automne et à celui de la Société Nationale des Beaux-Arts.

CHEN SHU ou **Ch'ên Shu** ou **Tch'en Chou**, surnom **Yuanshu**, nom de pinceau **Daoshan**
Originaire de Nankin. XVIIe siècle. Actif encore en 1687.
Chinois.
Peintre d'animaux, fleurs.
Il passe l'examen de lettré accompli en 1687. Son style se situe « entre Chen Shun et Xu Wei ».

CHEN SHU ou **Ch'ên Shu** ou **Tch'en Chou**, surnoms : **Shangyuan Dizi, Shangyuan Laoren** et **Nanlou Laoren**
Née en 1660 à Xiushui (province du Zhejiang). Morte en 1736. XVIIe-XVIIIe siècles. Chinoise.
Peintre.
Femme de Qian Lunguang, son fils est un poète connu : Qian Chenqun. Elle se spécialise dans les fleurs, herbes et insectes, mais fait aussi des paysages. Elle se dit influencée par le peintre Wang Meng, mais l'influence de Wang Hui est très évidente.
MUSÉES : NEW YORK (Metropolitan Mus.) : *Cacatoès blancs* signé et daté 1721 – PÉKIN : *Paysages*, petit album d'après des Maîtres anciens, inscriptions du mari de l'artiste – TAIPEI (Mus. du Palais) : *Mer de nuages sur le Mont Huang*, encre sur papier, rouleau en longueur – *Nouvel an*, coul. sur soie, rouleau en hauteur, l'artiste avait 76 ans.

CH'ÊN SHU-JEN. Voir **CHEN SHUREN**

CHEN SHUN ou **Ch'ên Shun** ou **Tch'en Chouen, Daofu, Fufu** et **Baiyang Shanren,** nom de pinceau : **Boyang**
Né en 1483 à Changzhou (province du Jiangsu). Mort en 1544. XVIe siècle. Chinois.
Peintre d'animaux, paysages, fleurs, calligraphe.
Célèbre peintre de fleurs, disciple et ami du peintre Wen Zhengming, influencé aussi par le peintre Shenzhou.
MUSÉES : CHICAGO (Art Inst.) : *Pavillon aux huit poèmes* inscription du peintre datée 1538 – KANSAS CITY (Nelson Gal. of Art) : *Crabes et algues* signé et daté 1538 – *Paysage et poème*, signé – *Trois poèmes et deux sceaux de l'artiste*, encre et coul. légères sur pap. – KYOTO (Nat. Mus.) : *Verdure d'hiver*, encre et coul. légères sur pap. – NEW YORK (Metropolitan Mus.) : *Paysage de rivière avec trois bateaux*, inscription du peintre – PARIS (Mus. Guimet) : *Oiseau sur un petit rocher* signé et daté 1544, poème de Wen Zhengming daté 1548 – SHANGHAI : *Camélia et Narcisse*, encre sur pap., rouleau en hauteur – TAIPEI (Mus. du Palais) : *Fleurs*, encre et coul. sur pap., rouleau en hauteur – *Pivoines*, encre et coul. sur pap., rouleau en hauteur – WASHINGTON D. C. (Freer Gal.) : *Paysage dans le style de Mi Youren* signé et daté 1535.
VENTES PUBLIQUES : NEW YORK, 31 mai 1989 : *Fleurs*, encre/pap., makémono (33x209,5) : **USD 7 700** – NEW YORK, 4 déc. 1989 : *Les plaisirs de la pluie*, encre/pap., kakémono (151x38,5) : **USD 77 000** – NEW YORK, 6 déc. 1989 : *Paysage* 1542, kakémono, encre et pigments dilués/soie (119,3x63,2) : **USD 16 500** – NEW YORK, 31 mai 1990 : *Nuages blancs au-dessus des fleuves Xiao et Xiang*, encre et pigments/soie, makémono (19x124,7) : **USD 49 500** – NEW YORK, 26 nov. 1990 : *Calligraphie*, encre/pap., makémono (33,6x1254,8) : **USD 115 500** – NEW YORK, 2 déc. 1992 : *Calligraphie en écriture cursive*, encre/pap., makémono (35,9x749,1) : **USD 49 500** – NEW YORK, 29 nov. 1993 : *Calligraphie en écriture courante*, encre/pap., kakémono (128,3x31,1) : **USD 12 650** – NEW YORK, 28 nov. 1994 : *Pivoines et poèmes*, encre et pigments/pap., makémono en deux parties (26,4x161,3 et 26,4x233,7) : **USD 11 500** – NEW YORK, 18 sep. 1995 : *Fleur et Rocher*, encre et pigment/soie, kakémono (86,4x142,2) : **USD 134 500** – NEW YORK, 27 mars 1996 : *Fleurs*, encre/pap., makémono (30,5x685,8) : **USD 6 900** – NEW YORK, 22 sep. 1997 : *Fleurs*, encre/pap. (27,1x472,5) : **USD 68 500**.

CHEN SHUN ou **Ch'ên Shun** ou **Tch'en Chouen**
Originaire probablement de Xincheng, province du Shandong. XVIIe siècle. Actif vers le milieu du XVIIe siècle. Chinois.
Peintre.

CHEN SHUREN ou **Ch'en Shu-Jen** ou **Tch'en Chou-Jen**
Né en 1883 ou 1884 à Canton. Mort en 1948. XXe siècle.
Chinois.

Peintre. Traditionnel.
Il fit ses études au Japon. C'est un membre vétéran du parti Guomindang et fonctionnaire du gouvernement. Il a fondé avec Gao Jianfu et son frère cadet Gao Qifeng le mouvement Lingnan Pai à Canton, œuvre d'artistes traditionnels désireux d'actualiser leurs œuvres. Ils sont tous étroitement liés au mouvement révolutionnaire centré à Canton dans les années 1911-1920 et cherchent à marier les arts occidentaux et orientaux, influencés comme ils le sont par ce qu'on peut appeler « le réalisme décoratif » japonais contemporain. Le style sec de Chen rappelle un peu la qualité picturale des maîtres Yuan Huang Gongwang et Ni Zan. On retrouve chez son disciple Zhao Shaoang, actif à Hong Kong, son talent pour dépeindre les insectes et les plantes.
VENTES PUBLIQUES : HONG KONG, 19 mai 1988 : *Fleurs de kapok et perdrix* 1948, encre et coul./pap., kakémono (105,5x35) : **HKD 22 000** – HONG KONG, 16 jan. 1989 : *Embarcation sur un lac de l'ouest*, encre et pigments/pap. (38,7x60,2) : **HKD 13 200** – HONG KONG, 15 nov. 1989 : *Sur le chemin de la Porte de l'épée* 1932, encre et pigments/pap., kakémono (98,2x33,3) : **HKD 46 200** – HONG KONG, 2 mai 1991 : *Pied de coton* 1934, encre et pigments/pap., kakémono (122,5x50,5) : **HKD 46 200** – HONG KONG, 28 sep. 1992 : *Ruisseau de montagne après la pluie*, encre et pigments/pap., kakémono (112x55) : **HKD 121 000** – HONG KONG, 29 oct. 1992 : *Printemps*, encre et pigments/pap. (101,5x39,4) : **HKD 46 200** – HONG KONG, 4 nov. 1996 : *Printemps à Lingnan* 1926, encre et pigments/pap. (130x63) : **HKD 161 000**.

CHEN SIANG. Voir **SHEN XIANG**

CHEN SONG ou **Ch'ên Sung** ou **Tch'en Song**, surnom : **Shoushan**
Originaire de Tianchang, province du Anhui. XVIIIe siècle. Chinois.
Peintre d'animaux, fleurs.
Il s'est spécialisé dans la peinture de pins, de fleurs et d'oiseaux.

CH'ÊN SUNG. Voir **CHEN SONG**

CH'ÊN TAN-CHUNG. Voir **CHEN DANCHONG**

CH'EN TAO-FU. Voir **CHEN DAOFU**

CHEN TCHE. Voir **SHEN ZHI**

CHEN TCHEN. Voir **SHEN ZHEN**

CHEN TCHEOU. Voir **SHEN ZHOU**

CHEN TCHO. Voir **SHEN ZHUO**

CH'EN TE-WANG ou **Dewang**
Né en 1909 à Taipei. Mort en 1984. XXe siècle. Chinois.
Peintre de natures mortes.
Pendant ses études secondaires, il commença à étudier la peinture occidentale à l'Institut Ta-tao-cheng, sous la direction de Ishikawa Kinichiko. Plus tard, au Japon, il fut élève de l'Institut d'Art Kawabada, de l'Institut Hongo, de l'Institut de Peinture Soda, de l'Atelier de Peinture Yoshimura Yoshimatsu. De retour à Taiwan, il devint membre de l'Association des Beaux-Arts de Taiwan et participa à de nombreuses expositions. Il fut également l'un des promoteurs de l'Association des Peintres *Mouve* et de l'Association de l'Art Plastique. Après 1945 il participa activement à l'organisation de l'Exposition *L'Art du Siècle*. Ses œuvres sont réputées rares. Il peint de façon elliptique, par masses simplifiées, les détails étant synthétisés.
VENTES PUBLIQUES : TAIPEI, 22 mars 1992 : *Nature morte aux fleurs* 1980, h/t (32,9x40,7) : **TWD 1 540 000** – TAIPEI, 16 oct. 1994 : *Nature morte* 1982, h/t (31x39) : **TWD 1 425 000**.

CHEN T'IEN-SIANG. Voir **SHEN TIANXIANG**

CH'ÊN TING. Voir **CHEN DING**

CHEN TING
Né en 1911 à Fuzhou (province du Fujian). XXe siècle. Chinois.
Peintre de paysages.
Il est attaché au Musée de la province du Fujian et peint essentiellement des paysages de la Chine du sud.
BIBLIOGR. : Catal. de l'exposition : *Peintres traditionnels de la Chine*, galerie Daniel Malingue, Paris, octobre 1980.

CHEN TING-SHIH. Voir **SHEN DINGSHI**

CHENTOFF Polia ou **Pauline**
Née à Vitebsk (Russie). XXe siècle. Russe.
Peintre et graveur.
A exposé des figures féminines, à Paris, au Salon d'Automne de 1926 à 1928.

CHEN TONG ou **Ch'ên T'ung** ou **Tch'en T'ong**, surnom : **Shisheng,** noms de pinceau **Yunding** et **Juseng**
Originaire de Louxian, province du Jiangsu. XVIIIe siècle. Actif vers 1732. Chinois.
Peintre de fleurs et d'oiseaux.

CH'EN TSING-FANG
Né en 1936 à Tainan. XXe siècle. Chinois.
Peintre de compositions à personnages.
Diplômé du Département des langues étrangères de l'Université de Taiwan, il obtint une bourse du gouvernement français et suivit les cours de l'Université de Paris. Il mène de front une double carrière de peintre et d'éditeur d'art, engagé dans les mouvements culturels internationaux. En tant que peintre il est très prolifique et expose aussi bien en Europe qu'aux États-Unis.
Sa peinture est très marquée par la culture occidentale. Il manie un humour qui peut être assimilé à la peinture de citation. Dans sa peinture *Le peintre des iris*, on reconnaît le Vermeer de *L'atelier du peintre* en train de peindre *Les Iris* de Van Gogh. Son métier est aisé, le dessin est ferme, la matière est largement brossée.
VENTES PUBLIQUES : TAIPEI, 22 mars 1992 : *Le peintre des iris* 1991, h/t (91,3x121,7) : **TWD 1 320 000**.

CHEN TS'IUAN. Voir **SHEN QUAN**

CHEN TSONG-K'IEN. Voir **SHEN ZONGQIAN**

CHEN TSONG-KING. Voir **SHEN ZONGJING**

CHEN TSOU-YONG. Voir **SHEN ZUYONG**

CH'ÊN TSUN. Voir **CHEN ZUN**

CH'ÊN TSUNG-HSÜN. Voir **CHEN ZONGXUN**

CH'ÊN TSUNG-JUI. Voir **CHEN ZONGRUI**

CH'ÊN TZÛ. Voir **CHEN ZI**

CH'ÊN TZÛ-HO. Voir **CHEN ZIHE**

CHENU Augustin Pierre Bienvenu, dit **Fleury**
Né le 12 mai 1833 à Briançon (Hautes-Alpes). Mort le 9 mai 1875 à Lyon (Rhône). XIXe siècle. Français.
Peintre d'histoire, scènes de genre, portraits, animaux, paysages.
Vers 1846, il suivit sa famille qui vint s'installer à Lyon, où il fut élève de Genod et de Bonnefond, à l'École des Beaux-Arts. Il travailla aussi sous la direction du peintre animalier L. Guy. Il débuta au Salon de Lyon en 1854 avec : *Annibal défait les Romains à Cannes* et *Effet du matin*, puis à celui de Paris en 1867 avec : *Sur le quai* et *La neige*.
Le succès qu'il remporta rapidement grâce à ses paysages de neige, et notamment celui remarqué et acheté par Alexandre Dumas au Salon de 1867, l'incita à se spécialiser dans ce genre. À force de répéter ce thème, Chenu en arriva à le traiter presque de manière abstraite, dans des tonalités presque monochromes. Il a laissé aussi quelques portraits, scènes de genre, de batailles ou de chasse, des paysages verts et ensoleillés et des animaux, surtout des chiens.
BIBLIOGR. : Gérald Schurr, in : *Les Petits Maîtres de la peinture 1820-1920, valeur de demain*, Les Éditions de l'Amateur, t. III, Paris, 1976.
MUSÉES : LYON : *Plaine et village de Champdor*.
VENTES PUBLIQUES : PARIS, 1872 : *Le départ, effet de neige* : **FRF 2 350** – PARIS, 1877 : *Le maréchal-ferrant* : **FRF 7 900** – PARIS, 16-17 déc. 1919 : *Charrette sur la route, en hiver* : **FRF 1 180** – PARIS, 1er et 2 mars 1920 : *La neige sur la campagne* : **FRF 720** – PARIS, 12-13 nov. 1928 : *Bataille de boules de neige* : **FRF 900** – PARIS, 29 nov. 1976 : *La laitière*, h/t (33x46) : **FRF 1 600** – LUCERNE, 20 mai 1980 : *Chiens de chasse*, h/t (32x24) : **CHF 1 800** – VILLEURBANNE, 16 avr. 1985 : *Vieux château dans un paysage de neige* 1860, h/t, de forme ovale (32x40) : **FRF 5 000** – LONDRES, 18 juin 1986 : *Première neige d'hiver*, h/t (59,5x44) : **GBP 1 500** – PARIS, 17 déc. 1989 : *Promenade dans la neige*, h/pan. (23,5x18,5) : **FRF 12 000**.

CHENU Denis
Né en 1630 à Reims. XVIIe siècle. Français.
Peintre.
Élève de N. Harmand. On lui a attribué deux portraits conservés au musée de Reims.

CHENU Denis Marie
XVIIIe siècle. Français.
Sculpteur.

Parent de Nicolas François Chenu. Il fut reçu à l'Académie Saint-Luc à Paris en 1781. Il séjournait à Londres en 1794 et y exposa cette année-là, à la Royal Academy, deux bustes d'enfants.

CHENU Didier
XXe siècle. Français.
Peintre. Nouvelles figurations.
Dans les années quatre-vingt, quatre-vingt-dix, il expose à Paris avec le Groupe 109.
Sa figuration s'inspire directement de l'esprit de la bande dessinée pour enfants.
VENTES PUBLIQUES : PARIS, 26 avr. 1990 : *La Misère est humaine*, h/t (100x100) : **FRF 9 500** – PARIS, 10 juin 1990 : *Portrait de famille*, techn. mixte/t. (90x90) : **FRF 5 500** – PARIS, 28 oct. 1990 : *En route vers de nouvelles aventures*, techn. mixte/t. (80x80) : **FRF 5 200**.

CHENU Jacques
XVIIe siècle. Actif à Paris vers 1667. Français.
Sculpteur.

CHENU Jeanne Marie
XIXe-XXe siècles. Française.
Peintre de genre, portraits.
Élève de Félix Barrias.
Elle exposa au Salon des Artistes Français entre 1885 et 1903.
Elle a peint de nombreux portraits, notamment celui de Barrias conservé au Musée de Picardie, à Amiens. On cite parmi ses autres œuvres : *La Sieste* (1885) et *Le Pain béni* (1894).
MUSÉES : AMIENS (Mus. de Picardie) : *Portrait de Barrias*.
VENTES PUBLIQUES : PARIS, 5 avr. 1992 : *Jeunes filles lisant* 1899, h/t (96,5x100) : **FRF 65 000**.

CHENU Marguerite Marie
Née en 1829 à Belleville (Seine). XIXe siècle. Active à Paris. Française.
Peintre.
Élève de Gelée et de L. Cogniet. Elle exposa au Salon de Paris entre 1852 et 1861 des scènes de genre sur des thèmes historiques et des portraits. On cite parmi ses envois : *Bonaparte prisonnier au quartier général de Nice* (1852), *La fille de Cromwell reproche à son père la mort de Charles Ier* (1859), *Scène de la vie de Charles XII, roi de Suède*.

CHENU Nicolas François
Mort après 1792. XVIIIe siècle. Français.
Sculpteur.
Reçu à l'Académie Saint-Luc à Paris en 1755, il y fut nommé adjoint à professeur et exposa des portraits en 1764.

CHENU Peter Francis
XVIIIe-XIXe siècles. Britannique.
Sculpteur.
Il fut élève de la Royal Academy à Londres où il obtint une médaille d'or en 1786. Exposa de 1771 à 1833 à la British Institution, la Royal Academy, la Free Society et Suffolk Street, à Londres. On cite parmi ses œuvres : *Mercure enseignant Cupidon* (1788), *Le Génie pleurant* (1790), *L'Amour et Psyché* (1812), *Le Bon Samaritain* (1817), *Le Temps* (1822).

CHENU Pierre
Né en 1730 à Paris. Mort à la fin du XVIIIe siècle. XVIIIe siècle. Français.
Graveur.
Élève de Ph. Lebas. Il a gravé d'après Pierre, Largilière, les maîtres flamands et italiens.

CHENU Thérèse, née **Desmaisons**
XVIIIe siècle. Travaillant à Paris dans la seconde moitié du XVIIIe siècle. Française.
Graveur au burin.
Sœur de Pierre Chenu. Élève de J.-P. Lebas.

CHENU Toussaint
XVIIe siècle. Français.
Sculpteur.
Il fit, en 1624, une statue qui dominait la fontaine de la place de Grève, devant l'Hôtel de Ville, et qui représentait *l'Abondance*. Membre de l'Académie Saint-Luc.

CHENU Victoire
XVIIIe siècle. Travaillant à Paris dans la seconde moitié du XVIIIe siècle. Française.
Graveur au burin.
Sœur de Pierre et de Thérèse Chenu. Élève de J.-P. Lebas. On cite de cette artiste : *Vue des environs de Villers-Cotterets*, gravé avec Le Tellier, d'après Kloss.

CHENU-TOURNIER Jacques François

Né en 1906 à Amiens (Somme). Mort en 1986. xxe siècle. Français.

Peintre de figures, de paysages et de natures mortes.

Il fut élève de Paul Albert Laurens, Eugène Poughéon et Louis Roger. Il débuta au Salon des Artistes Français en 1935 et en devint sociétaire en 1938. Entre 1938 et 1942 il exposa au Salon d'Automne et en 1943 au Salon des Artistes Indépendants.

Ventes Publiques : Paris, 14 nov. 1984 : *Bijoux* 1939, h/t (100x73) : **FRF 17 000.**

CHEN WANSHAN

Né en 1962 dans la province de Zhejiang. xxe siècle. Chinois.

Peintre de nus, sculpteur.

Il commença par étudier la sculpture à l'École des Beaux-Arts de Zhejiang et obtint son diplôme en 1985, puis aborda la peinture. Il fut nommé professeur à l'École Centrale des Beaux-Arts et de Technologie de Pékin. Ses œuvres, tant sculptures que peintures figurent dans de nombreuses expositions nationales. Il est le premier artiste à avoir bénéficié d'une exposition personnelle au Musée National en 1989.

Comme dans ses sculptures, il cherche à exprimer dans ses nus, en deux dimensions, la beauté des formes et des volumes.

Bibliogr. : Shao Dazhen : *Le nu chinois dans la peinture à l'huile*, Art Book Co. Ltd, Taipei, 1989.

Ventes Publiques : Hong Kong, 30 mars 1992 : *Nuit brumeuse* 1988, h/t (85x85) : **HKD 49 500** – Hong Kong, 28 sep. 1992 : *Nu* 1992, h/t (100,4x81,6) : **HKD 49 500** – Hong Kong, 30 avr. 1996 : *Nu* 1989, h/t (59,7x81,4) : **HKD 28 750.**

CHEN WENXI ou Ch'ên Wen-Hsi ou Tch'en Wen-Hi

Né en 1906 dans la province du Guangdong. xxe siècle. Depuis 1949 actif en Malaisie. Chinois.

Peintre de paysages, d'animaux.

Peintre de l'école traditionnelle et moderne, il a fait ses études à l'Académie Xinhua (Nouvelle Culture) de Shanghai. Depuis 1949, il vit en Malaisie, où il a d'abord enseigné l'art au lycée chinois de Singapour, puis, de 1951 à 1959, à l'École des Beaux-Arts Nanyang de Singapour. Il a participé à diverses expositions collectives et a montré ses œuvres dans des expositions individuelles, surtout dans l'Asie du sud-est, mais aussi en Europe. En 1980, il a reçu la médaille d'or du Musée d'Histoire National de Taipei.

Il est l'un des peintres les plus en vue de Malaisie. Il transcrit de façon convaincante les couleurs vibrantes et la lumière crue du paysage malais. Certaines de ses œuvres sont proches de l'abstraction.

Ventes Publiques : Hong Kong, 15 nov. 1989 : *Canards*, encre et pigments/pap., kakémono (128x68) : **HKD 68 200** – Hong Kong, 30 mars 1992 : *Canards sous les saules*, encre et pigments/pap., kakémono (130x67) : **HKD 154 000** ; *Village de pêcheurs* 1970, h/t (81x101) : **HKD 286 000** – Hong Kong, 30 avr. 1992 : *Singes*, encre et pigments/pap., kakémono (137,7x75,5) : **HKD 57 200** – Hong Kong, 28 sep. 1992 : *L'eau est riche*, encre et pigments/pap., kakémono (54,5x70) : **HKD 55 000** – Taipei, 18 oct. 1992 : *Terre généreuse* 1971, h/pan. (103x129) : **TWD 550 000** – Hong Kong, 29 avr. 1993 : *Aigrettes*, encre et pigments dilués/pap. (44x47,8) : **HKD 40 250** – Hong Kong, 5 mai 1994 : *Gibons*, encre et pigment/pap., kakémono (138x69,5) : **HKD 402 500** – Singapour, 5 oct. 1996 : *Nu*, encre de Chine et pigments/pap. (75x54,5) : **SGD 5 175.**

CHEN XIAN ou Ch'ên Hsien ou Tch'en Hien, surnom Xisan, noms de pinceau Taixuan et Bishui

xviie siècle. Chinois.

Peintre de figures.

Il travailla pour la secte Huangbo, vers 1635-1675. Il a représenté de nombreux personnages bouddhiques.

CHEN XIAN ou Ch'ên Hsien ou Tch'en Sien, surnom : Lianting

xviiie siècle. Actif à Xiushui (province du Zhejiang) à la fin du xviiie siècle. Chinois.

Peintre.

Calligraphe et peintre, c'est un élève du peintre Liang Tongshu sous le règne de l'empereur Qing Qianlong (1736-1796). Il fait des portraits, mais aussi des fleurs de prunier et des bambous.

CHEN XIANZHANG ou Ch'ên Hsien-Chang ou Tch'en Hien-Tchang

Né à Guiji (province du Zhejian). xive-xviie siècles. Chinois.

Peintre de fleurs.

Peintre de la dynastie Ming (1368-1644).

Musées : Taipei (Mus. du Palais) : *Dix mille fleurs de prunier*, encre sur soie, rouleau en hauteur.

CHEN XIANZHANG ou Ch'ên Hsien-Chang ou Tch'en Sien-Tchang, Gongfu, nom de pinceau Shizai

Né en 1428 à Xinhui (province du Guangdong). Mort en 1500. xve siècle. Chinois.

Peintre de fleurs, calligraphe.

Lettré et philosophe de l'Académie Hanlin, il peint des fleurs de prunier.

Ventes Publiques : New York, 4 déc. 1989 : *Oraison funèbre du cousin de l'artiste en calligraphie courante*, encre/pap., makémono (25,5x49,5) : **USD 14 300** – New York, 29 mai 1991 : *Poèmes en calligraphie courante*, encre/pap., makémono (29,5x308) : **USD 28 600.**

CHEN XING ou Ch'ên Hsing ou Tch'en Sing, surnom Risheng

Né en 1723 à Suzhou (province du Jiangsu). Mort vers 1810. xviiie-xixe siècles. Actif pendant la Dynastie Qing. Chinois.

Peintre d'animaux, fleurs.

Ventes Publiques : New York, 31 mai 1989 : *Lapin regardant la lune*, encre et pigments/soie, kakémono (130,8x57,1) : **USD 990.**

CHEN YANNING

Né en 1945 à Guangzhou. xxe siècle. Chinois.

Peintre de portraits, d'animaux.

Ses dons artistiques se manifestèrent très tôt et à douze ans il commença ses études à l'école préparatoire à l'Académie des Beaux-Arts de Guangzhou où il resta jusqu'en 1965. Pendant les cinq années suivantes, il fut décorateur pour la *Modern Drama Company* de Hainan. Après cette interruption il reprit ses études à l'Académie des Beaux-Arts de Guangdong de 1970 à 1986. Invité par l'Australie en 1985, dans le cadre d'échanges culturels, il vint en Écosse où il s'installa quelques mois avant de partir l'année suivante aux États-Unis où il participa à l'exposition *La peinture à l'huile contemporaine dans la République Populaire de Chine*. En 1988 il enseigna dans la section d'art de l'Université d'Oklahoma City. Ses œuvres figurent dans les collections de plusieurs musées chinois et australian. Lors de sa période d'activités théâtrales, il fut fasciné par les acteurs, leurs visages et leurs moyens d'expression corporelle ce qui le conduit, dans ses portraits, à saisir et traduire la personnalité de son modèle.

Bibliogr. : Catalogue de vente Christie's Hong Kong, 30 mars 1992.

Musées : Australie (Mus. Nat. Ouest-australien) – Guangzhou.

Ventes Publiques : Hong Kong, 30 mars 1992 : *Heureux canards* 1988, h/t (61x76) : **HKD 44 000** ; *L'éventail de bois de santal* 1991, h/t (101,5x76) : **HKD 143 000** – Hong Kong, 28 sep. 1992 : *Nuit d'été* 1992, h/t (96,5x117,5) : **HKD 176 000** – Hong Kong, 22 mars 1993 : *La porte ovale* 1992, h/t (162,5x122,6) : **HKD 402 500** – Taipei, 16 oct. 1994 : *Dame avec un chien*, h/t (116x148) : **TWD 1 150 000** – Hong Kong, 4 mai 1995 : *Ruisseau tranquille*, h/t (76,2x101) : **HKD 69 000.**

CHEN YELIN

Né en 1947 dans la province du Zhejiang. xxe siècle. Chinois.

Peintre de paysages.

Il est professeur de peinture et peint essentiellement des paysages reprenant les thèmes classiques de la montagne et de l'eau.

Bibliogr. : Catal. de l'exposition : *Peintres traditionnels de la Chine*, galerie Daniel Malingue, Paris, octobre 1980.

CHEN YI ou Ch'ên I ou Tch'en I, surnoms : Zonglu et Lunan, noms de pinceau Shiting et Xiaopo

Né en 1469 à Ningpo (province du Zhejiang). Mort en 1583. xve-xvie siècles. Chinois.

Peintre.

Lettré, calligraphe, ce paysagiste qui réside à Nankin, est un admirateur de Su Dongpo et ami de Wen Zhengming.

CHEN YIFEI

Né en 1946 à Zhenhai (provine du Zhejiang). xxe siècle. Chinois.

Peintre de compositions à personnages, de portraits, de paysages.

Diplômé de l'École des Beaux-Arts de Shanghai en 1965, il commença sa carrière dans le cadre de cette institution et dirigea la section de peinture. De 1972 à 1979 il fut sollicité pour participer à de nombreuses expositions nationales notamment à Pékin et à Shanghai. En 1980, délaissant la Chine et la notoriété qu'il y avait acquise, il partit recommencer une carrière aux États-Unis. Rapidement reconnu, il participa dès la première année à plusieurs expositions importantes, remportant en 1982 le premier prix de la Revue Chinoise Nationale d'Art. Sa peinture *Pont de la Paix* fut choisie pour illustrer le programme d'ouverture de la cession de l'ONU en 1985.

Depuis plusieurs années, il peint de préférence des musiciens, des danseurs et des paysages de Chine, du Tibet et de Venise. Il réalise aussi, sur commande, les portraits de nombreux hommes d'affaires ou d'hommes politiques du monde entier.

VENTES PUBLIQUES : HONG KONG, 30 mars 1992 : *Soirée* 1991, h/t (137x208) : **HKD 1 980 000** – TAIPEI, 22 mars 1992 : *Venise*, h/t (61x86) : **TWD 1 100 000** – HONG KONG, 28 sep. 1992 : *La passerelle (Suzhou)* 1990, h/t (137x107,3) : **HKD 660 000** – TAIPEI, 18 oct. 1992 : *Suzhou au crépuscule*, h/t (71,5x101,5) : **TWD 1 012 000** – HONG KONG, 22 mars 1993 : *Nostalgie de Shanghai : l'âge d'or* 1993, h/t (152,5x198,1) : **HKD 1 230 000** – NEW YORK, 28 nov. 1994 : *Une rue de Suzhou*, encre et pigments/pap. (54,3x69,9) : **USD 12 650** – HONG KONG, 4 mai 1995 : *Panégyrique du Fleuve Jaune* 1972, h/t (380x160) : **HKD 1 285 000**.

CHEN YIMING
Né en 1951 à Shanghai. XXᵉ siècle. Chinois.
Peintre de compositions à personnages, paysages, natures mortes.

Il fréquenta en même temps l'École d'Art de Shanghai et la section de peinture de l'Académie Drama de Shanghai jusqu'en 1979. Il enseigna à l'École des Arts Industriels de Shanghai jusqu'à son départ pour les États-Unis en 1981 où il rejoignit son frère Chen Yifei. Il collabora avec les galeries Hammer et Wally Findlay qui le firent rapidement connaître à New York. Il a de nombreuses expositions personnelles ou partagées avec son frère.

Il s'attache à reproduire avec une extrême précision, quasi photographique, son environnement ainsi que des scènes de vie quotidienne, dans lesquels la lumière rayonne.

VENTES PUBLIQUES : HONG KONG, 30 mars 1992 : *Reflets* 1989, h/t (91,5x117) : **HKD 286 000** ; *Nature morte* 1991, h/t (50,8x71,1) : **HKD 88 000** ; *Marée basse au crépuscule* 1991, h/t (91,5x127) : **HKD 132 000** – HONG KONG, 28 sep. 1992 : *Les filles de pêcheurs* 1990, h/t (66x86,3) : **HKD 121 000** – HONG KONG, 22 mars 1993 : *Brise marine* 1992, h/t (86,4x117) : **HKD 207 000** – HONG KONG, 4 mai 1995 : *Marée montante*, h/t, séries du sud Fujian (81,3x116,8) : **HKD 138 000**.

CHEN YING-HOUEI. Voir SHEN YINGHUI

CH'EN YINHUI ou Yin-Huei
Né en 1931 à Jiayi (Taïwan). XXᵉ siècle. Chinois.
Peintre de compositions à personnages, de paysages.

Il est diplômé d'art de l'École de l'Éducation Nationale en 1954. De 1966 à 1991, il a participé à de nombreuses expositions tant à Taiwan qu'à l'étranger. Parmi ses nombreuses récompenses, on peut citer : la Coupe d'Or de l'Association Nationale de Peinture en 1980, et le Prix de Création Artistique de la Fondation d'Art Sun Yat-Sen en 1986.

Il décompose les formes en plans, à la manière cubiste, déterminant ainsi des plages de couleurs complémentaires qui donnent beaucoup de luminosité à ses compositions.

VENTES PUBLIQUES : HONG KONG, 30 mars 1992 : *Modèles* 1984, h/t (90,9x116,7) : **HKD 308 000** – TAIPEI, 22 mars 1992 : *Village de pêcheurs* 1982, h/t (90,9x116,7) : **TWD 2 200 000** – TAIPEI, 18 avr. 1993 : *Port grec*, h/t (53x72,5) : **TWD 644 000** ; *Modèle nu en bleu* 1960, h/t (65x53) : **TWD 552 000** – TAIPEI, 15 oct. 1995 : *Latern* 1969, h/t (80x100) : **TWD 747 500** – TAIPEI, 14 avr. 1996 : *Latern* 1967, h/t (92x73) : **TWD 483 000** – TAIPEI, 13 avr. 1997 : *Paysage doré* 1967, h/t (72,5x90,4) : **TWD 667 000**.

CHEN YIN-MO. Voir SHEN YINMO

CH'EN YO. Voir CHEN YUE

CHEN YONGZHI ou Ch'ên Yung-Chih ou Tch'en Yong-Tche
Né à Yancheng (province du Henan). XIᵉ siècle. Chinois.
Peintre.

Membre de l'Académie de Peinture pendant l'ère Tiansheng (1023-1032), sous la dynastie Song. Peintre habile de personnages bouddhistes et taoïstes, ainsi que de sujets profanes, il fut très apprécié pour l'exactitude de ses détails.

MUSÉES : BOSTON (Mus. des Beaux-Arts) : *Bouddha sous un arbre à mangues*, couleurs sur soie, rouleau en hauteur.

CHEN YU ou Ch'ên Yü ou Tch'en Yu, surnom **Zhongxing**, nom de pinceau **Jingcheng**
Né en 1313, originaire de Nankin. Mort en 1384. XIVᵉ siècle. Chinois.
Peintre de portraits, paysages.

On connaît de lui des portraits de l'empereur Ming Hongwu (règne 1368-1399) et des paysages.

CHEN YÜ. Voir SHEN YU

CHEN YUAN ou Ch'ên Yüan ou Tch'en Yuan, surnom **Zhongfu**
XIVᵉ siècle. Chinois.
Peintre.

Frère cadet du peintre Chen Yu (1313-1384).

CHEN YUAN. Voir aussi SHEN YUAN

CHEN YUANSU ou Ch'ên Yüan-Su ou Tch'en Yuan-Sou, surnom **Gubo**, nom de pinceau **Suweng**
XVIIᵉ siècle. Actif vers 1620-1650. Chinois.
Poète, calligraphe et peintre de fleurs.

Il se spécialisa dans la peinture de fleurs d'orchidées.

MUSÉES : STOCKHOLM (Mus. Nat.) : *Buisson de fleurs poussant sur une plante* signé et daté 1630, sur pap. tacheté d'or.

CHEN YUE ou Ch'ên Yo ou Tch'en Yo, surnom : **Jiangsheng**
Originaire de Jinjiang, province du Fujian. XVIIIᵉ siècle. Actif à la fin du XVIIIᵉ siècle. Chinois.
Peintre d'oiseaux.

CH'EN YUNG-CHIH. Voir CHEN YONGZHI

CHEN ZAO XIANG
XXᵉ siècle. Chinois.
Créateur d'installations. Conceptuel.

Il travaille avec les néons.

BIBLIOGR. Jean Paul Fargier : *La Queue de l'éléphant*, Art Press, n° 194, Paris, sept. 1994.

CHEN ZHE
Né en 1937 à Chiayi. XXᵉ siècle. Chinois.
Peintre.

Il est diplômé de l'Université Nationale Normale. Il expose à Taiwan depuis 1989.

Dans des agencements d'éléments post-cubistes à la limite de l'abstraction, il laisse subsister des suggestions de figures et d'objets.

VENTES PUBLIQUES : TAIPEI, 18 oct. 1992 : *Atelier* 1989, h/t (90,5x70,2) : **TWD 528 000**.

CH'EN ZHEN ou Ch'ên Chên ou Tch'en Tchen, surnom : **Liyuan**
Originaire de Qiantang, province du Zhejiang. XIVᵉ siècle. Actif vers 1350. Chinois.
Peintre.

Surtout paysagiste.

MUSÉES : PÉKIN : *L'étude dans des montagnes de nuages blancs, avec un poème de l'empereur Qianlong (1736-1796)* signé et daté 1351.

CHEN ZHEN
Né en 1955 à Shanghai. XXᵉ siècle. Depuis 1986 actif en France. Chinois.
Artiste d'assemblages, installations. Tendance conceptuelle.

Il a participé à la FIAC (Foire Internationale d'Art Contemporain) à Paris, en 1993. Il a été sélectionné en 1995 pour la xᵉ bourse d'art monumental d'Ivry-sur-Seine. Ses installations conçues en fonction de lieux donnés. Il met en rapport les éléments naturels : eau, sable, bois, pierre, etc., avec des ensembles d'objets usuels, et le plus souvent de déchets, résidus, de ces objets, leur conférant ainsi comme un surplus d'existence.

CHEN ZHENG ou Ch'ên Chêng ou Tch'en Tcheng, surnom **Kaitian**
XIVᵉ-XVIIᵉ siècles. Chinois.
Peintre.

Peintre de la dynastie Ming (1368-1644).

CHEN ZHENHUI ou Ch'ên Chên-Hui ou Tch'en Tchen-Houei, surnom : **Ding Sheng**
Originaire de Yixing, province du Jiangsu. XIVᵉ-XVIIᵉ siècles. Actif à la fin de la dynastie Ming (1368-1644). Chinois.
Peintre.

Plus connu comme poète que comme peintre.

CHEN ZHI ou **Ch'ên Chih** ou **Tch'en Tche**, surnom **Shu-fang,** nom de pinceau **Shendu**
Né en 1293 à Suzhou (province du Jiangsu). Mort en 1362. xivᵉ siècle. Chinois.
Peintre de paysages.

CHEN ZHIFO ou **Ch'ên Chi-Fu** ou **Tch'en Tche-Fou**
Né en 1896 dans la province du Zhejiang. Mort en 1962. xxᵉ siècle. Chinois.
Peintre de fleurs et d'oiseaux.
Il fit ses études au Japon entre 1919 et 1924 puis s'intéressa à la peinture occidentale. Il enseigna ensuite à l'Académie d'Art Oriental et au Collège d'Art de Shanghaï, et à partir de 1930 à l'Université Nationale Centrale de Nankin. Il est considéré comme l'un des dessinateurs les plus accomplis de la Chine de la première moitié du xxᵉ siècle : ses fleurs et ses oiseaux font la preuve d'une grande délicatesse et d'un réalisme minutieux, caractéristiques de l'art académique traditionnel de la région de Nankin. Il était également critique et historien d'art et publia de nombreux ouvrages sur la peinture, l'art appliqué et l'enseignement artistique parmi lesquels *Comment apprendre l'art aux enfants* de 1925. Son expérience et ses intérêts étaient bien plus étendus que sa peinture ne le laissait supposer.
Ventes Publiques : Hong Kong, 16 jan. 1989 : *Oiseaux sur une branche de prunier fleurie au dessus de camélias*, encres/pap., kakémono encadré (77,5x43,2) : **HKD 46 200** – Hong Kong, 18 mai 1989 : *Deux pigeons*, encre et pigments/pap., kakémono (85x44,1) : **HKD 44 000** – Hong Kong, 15 nov. 1990 : *Oiseau de proie sur une branche de prunus* 1946, kakémono, encre et pigments/pap. (129x48) : **HKD 110 000** – Hong Kong, 28 avr. 1997 : *Bambou et moineaux* 1945, encre et pigments/pap., kakémono (128,3x51,7) : **HKD 92 000.**

CHEN ZHIZHONG. Voir **CHEN ZIZHUANG**

CHEN ZHONGREN ou **Ch'ên Chung-Jên** ou **Tch'en Tchong-Jen**
Originaire de la province du Jiangsu. xivᵉ siècle. Actif au début du xivᵉ siècle. Chinois.
Peintre.
Très estimé par le grand peintre Zhao Mengfu, il est aussi doué pour les fleurs, les oiseaux et les paysages que pour les personnages.
Musées : Pékin : *Maison sous les saules au bord d'une rivière* signé et daté 1362, feuille d'album – Taipei (Mus. du Palais) : *Les cent moutons*, signé.

CHEN ZHUAN ou **Ch'ên Chuan** ou **Tch'en Tchouan**, surnom : **Lengshan,** nom de pinceau **Yuji Shanren**
Originaire de Ningbo, province du Zhejiang. xviiiᵉ siècle. Actif dans la première moitié du xviiiᵉ siècle. Chinois.
Peintre.
Paysagiste et peintre de fleurs, en particulier de fleurs de prunier, il vit à Hangzhou et à Yangzhou.

CHEN ZI ou **Ch'ên Tzǔou Tch'en Tseu**, surnom **Wuuming,** nom de pinceau **Xiaolian**
xviiᵉ-xxᵉ siècles. Actif au tout début de la dynastie Qing (1644-1911). Chinois.
Peintre.
Peintre de personnages, de fleurs et d'oiseaux, il est le fils du peintre Chen Hongshou (1598-1652).

CHEN ZIHE ou **Ch'ên Tzǔ-Ho** ou **Tch'en Tseu-Ho**, nom de pinceau **Jiuxian**
Né à Pucheng (province du Fujian). xviᵉ siècle. Actif vers 1500. Chinois.
Peintre.
Originellement sculpteur, il s'adonne plus tard à la peinture dans les styles de Lin Liang et Wu Wei.
Musées : Londres (British Mus.) : *Rochers et chrysanthèmes*, sceau du peintre – Tokyo (Mus. Nat.) : *Deux faisans sur un rocher*, signé.

CHEN ZIZHUANG
Né en 1913 dans la province de Shanxi. Mort en 1976. xxᵉ siècle. Chinois.
Peintre de paysages et fleurs. Traditionnel.
Il était membre de l'Association des Objets Culturels de Xian.
Il pratique la peinture traditionnelle à l'encre et aux pigments de couleurs sur kakémono. Il peint essentiellement des paysages, parfois animés de personnages du passé et d'animaux, dans lesquels se mêlent pins, bambous, orchidées et autres fleurs.

Ventes Publiques : Hong Kong, 17 nov. 1988 : *Paysage* 1975, encre et pigments/pap. (76x22,5) : **HKD 33 000** – Hong Kong, 16 jan. 1989 : *Fleurs de prunier dans un vase*, encres, kakémono (67,4x36,2) : **HKD 30 800** – Hong Kong, 18 mai 1989 : *Paysage* 1971, encre et pigments/pap., kakémono (81,6x25,8) : **HKD 44 000** – Hong Kong, 15 nov. 1990 : *Pivoines et rochers*, encre et pigments/pap., kakémono (136x71,4) : **HKD 165 000** – Hong Kong, 2 mai 1991 : *Canards mandarins*, encre et pigments/pap., kakémono (137x35) : **HKD 63 800** ; *Paysage*, encre et pigments/pap., kakémono (96,8x58,8) : **HKD 77 000** – Hong Kong, 31 oct. 1991 : *Aigle* 1966, encre et pigments/pap. (104x41) : **HKD 77 000** – Hong Kong, 4 mai 1995 : *Fleurs et fruits* 1962, encre et pigments/pap., album de 8 feuilles (chaque 22,8x15,3) : **HKD 69 000.**

CHEN ZONGRUI ou **Ch'ên Tsung-Jui** ou **Tch'en Tsong-Jouei,** appelé aussi **Chen Chong-Swee**
Né en 1911 dans la province du Kuangdong. xxᵉ siècle. Actif en Malaisie.
Peintre de paysages. Traditionnel.
Il fut étudiant à l'Académie de Shanghai. Peintre des écoles traditionnelle et moderne, il vit depuis 1931 à Singapour. Il semble être le seul artiste chinois vivant dans ce pays, qui tente de, et réussisse à, traduire, avec les moyens classiques de la peinture chinoise, la beauté du pays malais, les villages à perte de vue, les palmiers ployant au-dessus des interminables plages de sable blanc. Ses meilleures œuvres furent réalisées peu après son arrivée en Malaisie, avant que l'aspect romantique du pays ne vienne affadir son style.

CHEN ZONGXUN ou **Ch'ên Tsung-Hsün** ou **Tch'en Tsong-Hiun**
xiiiᵉ siècle. Actif à Hangzhou (province du Zhejiang). Chinois.
Peintre.
Membre de l'Académie de Peinture pendant l'ère Shaoding (1228-1233), sous la dynastie Song. Il peint des personnages dans le style de Su Hanchen.

CHEN ZUN ou **Ch'ên Tsun** ou **Tch'en Tsouen**, surnom : **Zhongzun,** noms de pinceau **Weiting** et **Boti Huayin**
Originaire de Suzhou, province du Jiangsu. xviiiᵉ siècle. Actif vers 1780. Chinois.
Peintre.
Paysagiste, élève de Zhai Dakun (actif vers 1770-1804).

CHEN ZUN ou **Ch'ên Tsun** ou **Tch'en Tsouen**
Originaire de Jiaxing, province du Zhejiang. xivᵉ-xviiᵉ siècles. Actif pendant la dynastie Ming (1368-1644). Chinois.
Peintre.
Peintre de fleurs et d'oiseaux qui vit à Suzhou.

CHEONG LAITONG
Né en 1932. xxᵉ siècle. Actif en Malaisie. Chinois.
Peintre. Expressionniste-abstrait.
Il était encore enfant quand sa famille émigra en Malaisie. En 1960, il obtint une bourse pour partir étudier à l'École de Peinture de Skowhega dans le Maine (USA), plus tard il se perfectionna à la Centrale School of Arts and Crafts de Londres.
Il fut l'un des premiers artistes malais à assimiler les principes de l'expressionisme abstrait. La connaissance de la calligraphie chinoise au pinceau est décelable dans ses peintures à l'huile.
Ventes Publiques : Singapour, 5 oct. 1996 : *Nageurs* 1959, h/cart. (18x122) : **SGD 3 680.**

CHEONG SOO PIENG
Né en 1917. xxᵉ siècle. Actif en Malaisie. Chinois.
Peintre. Polymorphe, tendance abstraite.
Il fit ses études dans les Académies de Amoy et de Xinhua. Il émigra à Singapour en 1947. Il devint enseignant à Nanyang pendant de longues années, formant une génération entière d'artistes de Singapour et de Malaisie, dans l'œuvre desquels on retrouve encore son influence. Innovateur, il s'exerça dans l'utilisation de différents mediums et styles.
Ventes Publiques : Singapour, 5 oct. 1996 : *Abstraction, sans titre*, encre et pigments/pap. (91,5x46) : **SGD 7 130.**

CHE P'OU. Voir **SHI PU**

CHEPPY Henri Julien
Né à Paris. xxᵉ siècle. Français.
Peintre de fleurs, aquarelliste.
Exposant des Indépendants.

CHER Bernard
Né à Conin (Pologne russe). xixᵉ siècle. Polonais.

Peintre.
A exposé des paysages, à Paris, au Salon d'Automne en 1910 et 1911.

CHÉRAMI Gesner
Né en 1954. XXᵉ siècle. Haitien.
Peintre.
Il étudia pendant cinq ans au Foyer des Arts Plastiques de Port-au-Prince. Ses œuvres ont été exposées à l'Institut français.
VENTES PUBLIQUES : PARIS, 14 déc. 1992 : *Jungle imaginaire aux éléphants* 1988, h/t (60,5x50,5) : **FRF 4 000**.

CHERAMY Edmée, Mme
XIXᵉ siècle. Active à Paris. Française.
Peintre.
Sociétaire des Artistes Français depuis 1883.

CHÉRAT Anne Françoise
XVIIIᵉ siècle. Française.
Peintre ?
Elle fut reçue à l'Académie Saint-Luc en 1754.

CHERBONNEAU Charles
Né à Paris. XIXᵉ-XXᵉ siècles. Français.
Aquafortiste.
Exposant du Salon des Artistes Français ; mention honorable en 1910.

CHERBONNIER René
Mort avant 1711 à Nantes. XVIIIᵉ siècle. Français.
Peintre verrier.

CHERCHE de ou Cherches. Voir DECHERCHES

CHERCHI Sandro
Né en 1911 à Gènes. XXᵉ siècle. Italien.
Sculpteur. Abstrait.
Actif à Milan dans les années trente, Sandro Cherchi fut un des premiers sculpteurs à se rallier au mouvement « Corrente » en réaction contre l'académisme régnant. Ses œuvres mêlent alors une sensibilité néo-impressionniste et le reflet des expériences spatiales de Boccioni. En 1945 il est installé à Turin et travaille en solitaire. Dès 1950 il rencontre le succès et accepte la chaire de sculpture à l'Académie Albertina. Le travail de Cherchi est perpétuellement en quête de renouvellement des formes plastiques, fidèle à une conception dynamique de la création.
BIBLIOGR. : In : *Les Muses*, t. V, Grange Batelière, Paris, 1970.
VENTES PUBLIQUES : MILAN, 17 nov. 1981 : *Figure*, bronze (H. 22) : **ITL 650 000** – ROME, 7 avr. 1988 : *Accolade* 1951, céramique polychrome (30x17x8) : **ITL 1 400 000**.

CHEREAU Anne Louise, née Foy de Vallois
Morte en 1771 à Paris. XVIIIᵉ siècle. Française.
Graveur.

CHEREAU Antoinette. Voir LAPOTER ANTONINE

CHÉREAU Claude Eugène Armand
Né le 31 décembre 1883 à Villejuif (Val-de-Marne). XXᵉ siècle. Français.
Peintre et graveur de nus, de portraits, de paysages.
Camarade d'atelier de Dunoyer de Segonzac et de Luc-Albert Moreau dans l'atelier de Jean-Paul Laurens, il fut remarqué par des études de nus au trait aigu et dont il composa deux albums devenus rares. Ami des écrivains de sa générations, il s'intéressa à l'édition de luxe et dirigea *La Belle Édition* de 1910 à 1914 en collaboration avec François Bernouard. Il figura dans les Salons parisiens : à partir de 1911 il commença à exposer régulièrement au Salon des Artistes Indépendants, de la Société Nationale des Beaux-Arts et d'Automne. Il présenta également ses œuvres à Rome. En 1955 il reçut la médaille d'argent de la ville de Paris. Il a été conservateur du Musée Ganne établi à Barbizon dans l'ancienne auberge des peintres de la forêt. Il fut fait chevalier de la Légion d'Honneur et officier des Arts et Lettres. En 1972 il a fait publier ses *85 ans de Souvenirs*. Il aimait les scènes de nus ou des portraits mais surtout les paysages des régions qu'il affectionnait, la Creuse, le Midi de la France et des vues de Paris.
VENTES PUBLIQUES : PARIS, 6 nov. 1972 : *Gargilesse* : **FRF 2 300** – GRENOBLE, 18 mai 1981 : *La partie de pêche au bord de la Seine*, h/pan. (33x41) : **FRF 3 500** – PARIS, 10 fév. 1988 : *Pont sur la Creuse*, h/t (46x55) : **FRF 2 400**.

CHEREAU François, l'Ancien
Né le 20 mars 1680 à Blois. Mort le 15 avril 1729 à Paris. XVIIIᵉ siècle. Français.
Graveur.

Élève de Gérard Audran et de P. Drevet. Il fut reçu académicien le 26 mars 1718. Ce fut un des plus féconds graveurs de portraits du règne de Louis XIV et les plus célèbres peintres de l'époque furent reproduits par lui. On lui doit aussi des sujets religieux, d'après Raff. Sanzio, Mignard, etc.

CHEREAU François, le Jeune
Né en 1717 à Paris. Mort en 1755 à Paris. XVIIIᵉ siècle. Français.
Graveur, éditeur d'estampes.
Il travailla pour le roi.

CHEREAU Jacques, dit le Jeune
Né le 29 octobre 1688 à Blois. Mort le 1ᵉʳ décembre 1776 à Paris. XVIIIᵉ siècle. Français.
Graveur et marchand d'estampes.
Frère de François Chéreau, dont il fut l'élève. Il grava en Angleterre un portrait de George Iᵉʳ, d'après Kneller. On cite encore, parmi ses œuvres, le portrait de l'évêque Colbert de Montpellier, d'après Raoux, et celui de la reine Marie Leczynska, d'après Van Loo.

CHEREAU Jacques François
Né en 1742 à Paris. Mort en 1794 à Paris. XVIIIᵉ siècle. Français.
Graveur et marchand d'estampes.
Fils de François Chéreau le jeune.

CHEREAU Jacques Simon
Né en 1732 à Paris. XVIIIᵉ siècle. Français.
Graveur et marchand d'estampes.
Fils de Jacques Chéreau.

CHÉRELLE Léger
Né le 8 avril 1816 à Versailles. XIXᵉ siècle. Français.
Peintre et pastelliste.
Élève d'Eugène Delacroix. Il débuta au Salon de Paris, en 1841, et continua à exposer, jusqu'en 1872, des natures mortes et quelques tableaux de genre.

CHEREMET Yvo
XXᵉ siècle. Français.
Peintre.
En 1935 il exposait des fleurs et des paysages au Salon des Tuileries.

CHEREMETEFF Vassili Vassiliévitch de
Né le 10 décembre 1829 à Moscou. XIXᵉ siècle. Russe.
Peintre d'histoire et de genre.
Élève à Saint-Pétersbourg de Alexeïeff, Lomteff, Chiltsov et Svertchkoff, puis à Paris en 1859 de Couture et de Boulanger. Il débuta au Salon de 1861 et a depuis cette date exposé régulièrement à Paris, notamment au Cercle de l'Union artistique et aux Indépendants. On cite de lui : *Le Cosaque messager* ; *Retour de la chasse à l'ours* ; *Alerte de Cosaques*. Il a décoré beaucoup de monuments, notamment, à Paris, l'église russe, *Fuite en Égypte* et *Départ pour Emmaüs*, l'église roumaine, et à Londres l'Ambassade de Russie.

CHEREMETIEVA
Née en 1964 à Saint Pétersbourg. XXᵉ siècle. Russe.
Peintre de natures mortes.
Elle fit ses études à l'École des Arts de Sérov, puis à l'institut Répine de Saint Pétersbourg. Elle devint membre de l'Union des peintres d'URSS.
Ses natures mortes sont peintes dans un style tout à fait traditionnel, tant dans la manière, que dans le choix des éléments représentés.
MUSÉES : MOSCOU (min. de la Culture) – SAINT-PÉTERSBOURG (Mus. de l'Inst. des Beaux-Arts) – SAINT-PÉTERSBOURG (Mus. d'Hist.) – SAINT-PÉTERSBOURG (Mus. de la Révolution).
VENTES PUBLIQUES : PARIS, 24 sep. 1991 : *Nature morte au citron*, h/t (54x64) : **FRF 5 000** – PARIS, 27 jan. 1992 : *Composition au citron*, h/t (54x39,5) : **FRF 4 400** – PARIS, 13 mars 1992 : *Nature morte à la montre*, h/t (37,5x50) : **FRF 4 000**.

CHÉRER François
Né le 14 novembre 1868 à Verviers (Belgique). XXᵉ siècle. Français.
Sculpteur de figures et de groupes.
Il fut élève d'Alphonse Cordonnier et sociétaire du Salon des Artistes Français à partir de 1904.
Il a créé de nombreuses figures allégoriques telles que *Douleur – Le temps et la résignation* et mythologiques *Écho*.
VENTES PUBLIQUES : BARCELONE, 25 oct. 1984 : *Moïra*, marbre de carrare (H. 56) : **ESP 95 000**.

CHÉREST Alice
Née à Linant (Yonne). xxᵉ siècle. Française.
Miniaturiste.
Elle fut sociétaire du Salon des Artistes Français de Paris.

CHÉREST Marcel
Né à Seignelay (Yonne). xixᵉ-xxᵉ siècles. Français.
Peintre de paysages.
Élève de J. Lefebvre. Exposant du Salon des Artistes Français.

CHÉRET Charles
xviiᵉ siècle. Français.
Sculpteur.
Il fut reçu à l'Académie de Saint-Luc en 1681.

CHÉRET Gustave Joseph
Né le 12 septembre 1838 à Paris. Mort le 13 juin 1894 à Paris.
xixᵉ siècle. Français.
Sculpteur.
Frère cadet de Jules Chéret. Élève de Vallois et de Carrier-Belleuse, dont il épousa la fille Marie.
Il débuta au Salon de 1863 ; mention honorable en 1883 et 1886 ; il passa à la Société Nationale des Beaux-Arts, sociétaire en 1894. En 1887 il avait succédé à son beau-père à la direction des travaux d'art de la Manufacture Nationale de Sèvres.
On lui doit un *Médaillon de l'Impératrice*, des vases, des terres cuites, dont beaucoup sont conservés au Musée des Arts Décoratifs.
Musées : Paris (Mus. des Arts Décoratifs).
Ventes Publiques : Paris, 27 jan. 1971 : *La vague (Nymphe)* : **FRF 300** – New York, 13 oct. 1993 : *L'Amour et ses putti*, jardinière de terre-cuite (H. 41,9, L. 44,5) : **USD 2 070.**

CHÉRET Jacques
Mort en 1692 à Paris. xviiᵉ siècle. Français.
Peintre et sculpteur.
On ignore la date de sa réception à l'Académie Saint-Luc.

CHÉRET Jean
xviiiᵉ siècle. Français.
Il fut reçu à l'Académie Saint-Luc à Paris en 1740.

CHERET Jean Louis. Voir **LACHAUME de GAVAUX**

CHÉRET Jules
Né le 31 mai 1836 à Paris. Mort en 1932 à Nice (Côte d'Azur).
xixᵉ-xxᵉ siècles. Français.
Peintre de scènes de genre, portraits, paysages, fleurs, peintre à la gouache, pastelliste, sculpteur, graveur, lithographe, dessinateur, affichiste.
Il a créé un genre, donné une forme nouvelle à l'affiche et inauguré une technique destinée à faire école. A 13 ans, il est apprenti chez un lithographe, employé à y dessiner des lettres. Mais ses ambitions étaient autres. Sans maître, il apprit le dessin, ne prenant pour le guider que son goût très sûr et l'originalité très vive de son tempérament artistique. Il réalisa alors de nombreuses vignettes lithographiques pour des brochures ou des couvertures de livres. En 1856, il partit pour l'Angleterre où il étudia sur place les procédés nouveaux de la lithographie en couleur. Il y resta dix ans, puis revint à Paris et en 1866 fonda son imprimerie et lança ses deux premières affiches illustrées en couleur : *La Biche au bois* pour la Porte Saint-Martin et le *Bal de Valentino*. Le succès fut énorme, mais dû, d'ailleurs, plus encore à la verve du dessinateur qu'à l'habileté du lithographe. Chéret mourut aveugle et Grand Officier de la Légion d'honneur.
Il avait connu une première réussite, dès 1858, avec l'affiche en trois couleurs pour *Orphée aux enfers* d'Offenbach. D'entre les très nombreuses affiches qui jalonneront sa carrière de succès, on cite en particulier : *Le bal du Moulin rouge*, 1889 ; *La Loïe Fuller aux Folies Bergère*, 1893 ; *Le Palais de Glace*, 1894 ; *L'Eldorado*, 1894 ; *La Bodinière*, 1900. Influencé tout d'abord par Toulouse-Lautrec, mais exprimant ses danseuses à froufrous avec plus d'élégante malice que de profondeur humaine, il revint, après 1900, à une technique plus proche de l'impressionnisme. Il a obtenu une médaille d'or à l'Exposition Universelle de 1900. La verve de Chéret est admirable ; il dessine sans effort, avec une extraordinaire sûreté de coup d'œil. Sa ligne est élégante et son coloris d'une extrême harmonie savamment graduée. Chéret est, au surplus, un consciencieux : bien qu'il ait cédé en 1881 son imprimerie à la Maison Chaix, n'en restant depuis cette date que le directeur artistique, il apporta à son travail le même souci de détails qu'au temps de ses débuts et non content de créer le cro-

quis sur le papier ou la toile, il lui arriva bien souvent encore d'en exécuter le dessin sur la pierre. Chéret, dans ses affiches, est le peintre de la grâce féminine, de la coquetterie enfantine, comme il est l'interprète vivant et joyeux des clowns, des acrobates, des danseuses. Jules Chéret est également un très remarquable paysagiste trop peu connu.

Bibliogr. : Camille Mauclair : *Jules Chéret*, Paris, 1930.
Musées : Nice (Mus. Chéret) : importante collection d'affiches, pastels et peintures.
Ventes Publiques : Paris, 1894 : *Carnaval* : **FRF 520** – Paris, 1895 : *Bal masqué de l'Opéra*, dess. de l'affiche : **FRF 20** ; *La Danse*, dess. : **FRF 25** ; *Madame Sans-Gêne*, dess. : **FRF 25** – Paris, 1897 : *Folie et gaieté*, past. : **FRF 570** ; *La Danse*, past. : **FRF 465** – Paris, 1898 : *Un pastel* : **FRF 205** ; *Un dessin* : **FRF 100** – Paris, 1899 : *Dessin*, sanguine : **FRF 100** – Paris, 1900 : *La Danse*, past. : **FRF 770** – Paris, 13 juin 1900 : *Pierrette*, aquar. : **FRF 200** – Paris, 29 nov. 1900 : *Jeune femme buvant*, past. : **FRF 120** ; *Scène de carnaval*, past. : **FRF 400** ; *Folie*, past. : **FRF 270** ; *Le Repos du modèle*, aquar. : **FRF 300** – Paris, 1900 : *Étude de femme arabe* : **FRF 110** ; *Autre étude de femme arabe* : **FRF 105** ; *Le Bal de l'Opéra* : **FRF 400** ; *La Chanson de Colombine* : **FRF 670** ; *Loïe Fuller*, dess. : **FRF 95** ; *Joueuse de mandoline*, dess. : **FRF 90** ; *Merveilleuse dansant*, dess. : **FRF 125** ; *Chanteuse*, past. : **FRF 280** ; *Femme aux fleurs*, past. : **FRF 360** ; *Composition décorative*, past. : **FRF 155** – Paris, 18-19 nov. 1901 : *Polichinelle, Colombine et Pierrot* : **FRF 255** ; *La Femme en jaune* : **FRF 520** – Paris, 17 mars 1904 : *Loïe Fuller* : **FRF 215** – Paris, 28 fév. 1908 : *Coquette* : **FRF 302** – Paris, 11 mars 1909 : *La Femme en jaune* : **FRF 160** – Paris, 4-5 déc. 1918 : *Pierrette assise sur le sol*, dess. : **FRF 160** – Paris, 22 jan. 1919 : *La Peinture*, sanguine : **FRF 30** – Paris, 28 mars 1919 : *La Danse*, aquar., esquisse : **FRF 300** ; *La Joueuse de mandoline*, aquar., esquisse : **FRF 310** – Paris, 16 mai 1919 : *Danseuse et Polichinelle* : **FRF 850** – Paris, 8-9 déc. 1919 : *Farandole de masques*, past. : **FRF 650** – Paris, 21 fév. 1920 : *Colombine et Pierrot* : **FRF 600** – Paris, 2-4 juin 1920 : *Projet d'affiche*, past. : **FRF 560** – Paris, 22 déc. 1920 : *Le Bal*, past. : **FRF 220** – Paris, 17 juin 1921 : *Clownesse*, past. : **FRF 165** – Paris, 12 déc. 1921 : *Carnaval*, past. : **FRF 600** ; *Bébés et pantins*, past. : **FRF 380** ; *Sourire*, past. : **FRF 430** – Paris, 12 déc. 1921 : *La Danse au tambourin*, past. : **FRF 380** ; *La Danse des fleurs*, past. : **FRF 380** – Paris, 8-10 mai 1922 : *La Danse*, past. : **FRF 500** – Paris, 1ᵉʳ juin 1922 : *Le Bal masqué* : **FRF 800** – Paris, 26 oct. 1922 : *Pierrot et Colombine*, past. : **FRF 300** ; *Arlequin assis*, sanguine : **FRF 120** ; *Pierrette*, past. : **FRF 300** – Paris, 27 jan. 1923 : *Fantaisie*, past. : **FRF 550** – Paris, 9 fév. 1923 : *La Danseuse aux coquelicots* : **FRF 430** ; *La Chanson de Colombine* : **FRF 935** – Paris, 25 mai 1923 : *Carnaval*, past. : **FRF 1 350** – Paris, 26 avr. 1926 : *Jeune femme*, past. : **FRF 320** ; *Danseuse*, past. : **FRF 380** ; *Jouant des castagnettes*, past. : **FRF 500** ; *Jeune guitariste*, past. : **FRF 340** ; *Pierrette*, past. : **FRF 310** ; *Danseuse*, Fantaisie, deux past./t. : **FRF 1 550** – Paris, 10 mai 1926 : *Une parisienne* : **FRF 1 000** – Paris, 11 déc. 1926 : *Danseuse au tambour de basque*, past. : **FRF 1 200** – Paris, 3 mars 1927 : *Femmes*, dess. : **FRF 480** – Paris, 19-20 mai 1927 : *Femme à la mandoline* : **FRF 1 150** – Paris, 30-31 mai 1927 : *Au bal travesti* : **FRF 5 200** ; *Arlequin et Colombine dansant* : **FRF 8 100** – Paris, 13 juin 1927 : *La Danseuse au masque*, past. : **FRF 2 100** – Paris, 15-16 juin 1927 : *La Danse*, past. : **FRF 2 080** – Paris, 25 juin 1927 : *Pierrette*, past. : **FRF 2 550** ; *La Marchande de fleurs*, past. : **FRF 2 700** – Paris, 5 mai 1928 : *Danseuses au tambourin*, past. : **FRF 4 300** – Paris, 15 fév. 1929 : *Colombine*, past. : **FRF 4 500** ; *La Rentrée des barques de pêche, à Trouville, à marée basse* : **FRF 14 000** ; *Le Rivage* : **FRF 11 100** ; *Bateaux de pêche à marée basse* : **FRF 11 000** – Paris, 16 mars 1929 : *Pierrot et Colombine*, past. :

FRF 3 100 – Paris, 24-26 avr. 1929 : *Clown*, dess. : FRF 510 – Paris, 5-6 juin 1929 : *Fantaisie*, past. : FRF 3 950 ; *Projet d'affiche*, dess. : FRF 1 100 – Paris, 15 juin 1929 : *La Femme au vent*, past. : FRF 5 500 – Paris, 27 fév. 1930 : *Joueuse de mandoline*, sanguine et past. : FRF 620 – Paris, 12 avr. 1930 : *Marianne* : FRF 5 200 – Paris, 15 déc. 1930 : *Pierrette* : FRF 2 800 – Paris, 7 déc. 1931 : *Pierrette*, past. : FRF 1 100 ; *Colombine*, past. : FRF 1 220 ; *Musardise*, past. : FRF 2 700 ; *La Source*, fusain, rehauts coul. : FRF 800 ; *Rieuse* : FRF 2 650 ; *Parisienne* : FRF 2 150 ; *Le Carnaval* : FRF 2 800 ; *Le Jeu d'adresse*, t. marouflée : FRF 1 200 ; *Palais de glace* : FRF 1 000 ; *Les Quatre Saisons* : FRF 5 250 – Paris, 9 déc. 1931 : *La Danse*, past. : FRF 2 400 ; *Femme assise souriant*, sanguine : FRF 165 ; *Femme assise en négligé*, sanguine : FRF 95 – Paris, 4 mars 1932 : *Femme en travesti portant un plateau*, past. : FRF 1 520 – Paris, 13-14 jan. 1941 : *La Danseuse aux fleurs*, past. : FRF 2 000 ; *La Partie de campagne* : FRF 5 000 – Paris, 12 mars 1941 : *Danseuse tendes fleurs*, past. : FRF 1 100 – Paris, 23 mai 1941 : *La Belle Rousse*, past. : FRF 2 900 ; *Femme en travesti assise*, past. : FRF 400 – Paris, 20 juin 1941 : *Pierrettes* : FRF 1 050 – Paris, 27 juin 1941 : *Joueuse de mandoline*, gche : FRF 400 – Paris, 30 juin 1941 : *Tête de femme*, dess. : FRF 42 – Paris, 24 nov. 1941 : *Joueuse de mandoline*, dess. : FRF 1 800 – Paris, 8 déc. 1941 : *Affiche pour le Moulin de la Galette*, past. : FRF 2 000 ; *La Femme à l'éventail*, past. : FRF 4 500 ; *La Pêcheuse rose*, past. : FRF 4 400 – Paris, 26 jan. 1942 : *Croquis de femmes jouant de la trompette*, cr. noir : FRF 210 – Paris, 28 jan. 1942 : *Buste de femme au bouquet* : FRF 6 000 – Paris, 20 fév. 1942 : *La Joueuse de mandoline*, sanguine : FRF 480 – Paris, 9 mars 1942 : *Buste de femme* ; *La Femme au loup blanc*, deux dess. : FRF 400 ; *La Joueuse de mandoline*, fusain : FRF 510 ; *La Femme aux masques* ; *Le Carnaval* ; *La Folie et la Musique* ; *La Danse*, quatre affiches en tirage original : FRF 400 – Paris, 13 mars 1942 : *La Jeune Femme brune*, past. : FRF 2 000 ; *La Jeune Femme au boa*, fusain : FRF 380 ; *Jeune Femme assise*, fusain : FRF 480 – Paris, 19 mars 1942 : *Grisettes* : FRF 7 300 – Paris, 1er avr. 1942 : *Femme assise tenant un éventail*, aquar. gchée : FRF 1 000 – Paris, 23 déc. 1942 : *La Joueuse de mandoline*, sanguine rehaussée de blanc : FRF 2 500 ; *Femme au panier fleuri*, gche : FRF 9 000 – Paris, 21 mai 1943 : *Joueuse de mandoline et Pierrots*, past. : FRF 10 800 – Paris, 16 juin 1943 : *La Femme aux cymbales*, past. : FRF 2 200 – Paris, 17 déc. 1943 : *Joueuse de mandoline*, sanguine et rehauts de gche blanche/pp chamois : FRF 3 500 – Paris, 7-8 fév. 1944 : *Femme à l'éventail*, past. : FRF 4 600 ; *La Fée des fleurs* : FRF 40 000 – Paris, 15 avr. 1944 : *Jeune Femme assise dans la campagne*, past. : FRF 5 000 – Paris, 3 mai 1944 : *La Joueuse de mandoline*, past. : FRF 6 000 ; *Femme à la capeline*, sanguine : FRF 800 ; *Jeune Femme assise*, sanguine : FRF 450 – Paris, 12 mai 1944 : *Sur la plage*, past. : FRF 9 100 – Paris, 22 nov. 1948 : *Danseuse au tambourin*, past. : FRF 18 500 – Paris, 17 mars 1950 : *Jeune Femme rousse* : FRF 26 000 – Paris, 9 mai 1955 : *La Farandole* : FRF 42 000 – Versailles, 20 oct. 1963 : *Pierrot et Colombine* : FRF 1 900 – Paris, le 3 déc. 1964 : *La Parisienne*, past. : FRF 2 200 – Paris, 4 juin 1965 : *La Pastorale* : FRF 4 000 – Londres, 14 nov. 1966 : *Coquette*, past. : GNS 450 – Londres, 3 mai 1967 : *La Farandole* : GBP 600 – Paris, 27 nov. 1968 : *Le Bal de l'Opéra*, past. : FRF 7 200 – Paris, 20 nov. 1969 : *Danseuse au tambourin*, past. : FRF 16 600 – Versailles, 7 mars 1971 : *L'Enfant endormi*, terre-cuite : FRF 1 300 – Versailles, 26 mai 1971 : *Farandole à Montmartre* : FRF 28 000 – Versailles, 31 mai 1972 : *Le Carnaval* : FRF 11 000 – New York, 22 oct. 1976 : *Vase de fleurs*, h/t (55x35) : USD 1 000 – Versailles, 24 oct. 1976 : *Colombine*, past. (100x46) : FRF 12 000 – Paris, 28 fév. 1977 : *Jeune Femme à l'éventail*, past. (89x56) : FRF 13 500 – Paris, 7 nov. 1977 : *Farandole*, h/t (72x130) : FRF 15 000 – Grenoble, 22 mai 1978 : *Les Trois Jeunes Filles*, h/t (40x65) : FRF 9 000 – Paris, 6 avr. 1979 : *Femme au bal masqué*, h/t (109x81) : FRF 16 500 – Londres, 5 juil. 1979 : *Alcazar d'été. Lidia*, affiche coul. (124x87,5) : GBP 350 – Enghien-les-Bains, 9 déc. 1979 : *Joueur de Mandoline et Arlequin*, past. (60x50) : FRF 19 000 – Paris, 13 fév. 1981 : *Les Musiciens*, h/t : FRF 32 000 – Orléans, 1er mai 1983 : *Théâtre de l'Opéra 1898* (124x88) : FRF 9 600 – New York, 3 mai 1984 : *Le Bal costumé*, past. (61,2x38) : USD 3 750 – Enghien-les-Bains, 2 déc. 1984 : *Le Déjeuner sur l'herbe*, h/t (102x202) : FRF 72 000 – Paris, 12 déc. 1985 : *Élégante à l'éventail*, h/pan. (33x24,6) : FRF 91 000 – Enghien-les-Bains, 23 nov. 1986 : *Carnaval*, past. (117x67) : FRF 68 000 – Paris, 7 déc. 1987 : *Musiciens dans un jardin*, past. (40x58) : FRF 28 000 – Paris, 11 déc. 1987 : *La Fête à Pierrot*, gche (55x38) : FRF 47 000 – Paris, 18 jan. 1988 : *Faran-*

dole au tambourin, past. (42x23) : FRF 39 000 – Paris, 21 mars 1988 : *La Soubrette 1900*, aquar. (29x19) : FRF 5 500 ; *La Danse 1892*, past. (78x48) : FRF 40 000 – Paris, 6 juin 1988 : *Jeune Femme à la coupe*, sanguine (32x22) : FRF 2 100 – Paris, 10 juin 1988 : *Chérette montmartroise*, past. (61x34) : FRF 40 500 – Paris, 15 juin 1988 : *Le Pique-nique*, h/t (70x61) : FRF 65 000 – Paris, 24 juin 1988 : *Élégante à l'ombrelle*, past. (46x27) : FRF 29 000 – Versailles, 6 nov. 1988 : *Danseuse à la guirlande de fleurs*, past. (33,5x20) : FRF 10 500 – Paris, 5 mars 1989 : *Clowns*, fus. (37,5x22,5) : FRF 4 000 – Paris, 15 mars 1989 : *Élégantes*, fus. avec reh. de craie blanche (44x28,5) : FRF 16 000 – Paris, 11 avr. 1989 : *La Danseuse aux fleurs*, h/t (50x25,5) : FRF 62 000 – Paris, 19 mai 1989 : *Pierrot et Colombine au Moulin de la Galette à Montmartre*, h/t (100x70) : FRF 180 000 – Paris, 21 nov. 1989 : *Portraits de femme au chapeau 1910*, past. (39x62) : FRF 30 000 – Paris, 19 mars 1990 : *Jeune Femme à l'ombrelle*, aquar. gchée (21,5x13,5) : FRF 20 000 – Paris, 4 juil. 1990 : *La Danse*, h/t (40x61) : FRF 87 000 – Paris, 5 déc. 1990 : *Couple à la mandoline*, past. (78x48) : FRF 100 000 – New York, 21 mai 1991 : *Arlequin*, h/t (53,4x38) : USD 6 050 – Fontainebleau, 27 oct. 1991 : *Élégante*, h/pan. (28,5x21) : FRF 15 000 – New York, 29 oct. 1992 : *Femme élégante*, h/t (47x27,3) : USD 6 050 – Paris, 18 nov. 1992 : *Danseuse au tambourin et Danseuse au voile*, h/t (93x52,5) : FRF 155 000 – New York, 17 fév. 1993 : *Sur la plage 1887*, h/pan. (28,6x21) : USD 7 763 – Paris, 6 oct. 1993 : *Élégante*, sanguine (40x25) : FRF 3 800 – Londres, 11 fév. 1994 : *Jeux d'enfants*, past./pap./cart. (80x49,5) : GBP 5 060 – New York, 16 fév. 1994 : *Pierrot et Colombine 1908*, h/t (60x103,2) : USD 24 150 – Paris, 21 mars 1994 : *Paimpol 1902*, h/pan. (20,5x35) : FRF 4 800 – Paris, 8 avr. 1994 : *Moulin Rouge 1889*, gche (121x84,5) : FRF 130 000 – Paris, 18 nov. 1994 : *Folies Bergère, la Loïe Fuller 1897*, litho., affiche (117x82,5) : FRF 20 500 – Aubagne, 15 jan. 1995 : *La Danse*, h/t (42x22) : FRF 31 500 – New York, 20 juil. 1995 : *Jeune Fille en robe rose*, h/t (55,9x32,4) : USD 7 475 – Paris, 6 oct. 1995 : *La Joueuse de cymbales*, h/t (80,5x45) : FRF 56 000 – Neuilly, 9 mai 1996 : *Scène pastorale*, past. (26x34) : FRF 15 000 – Paris, 13-14 juin 1996 : *Scaramouche vers 1890-1891*, gche, projet d'affiche (122x85) : FRF 28 000 ; *La Loïe Fuller 1893*, litho. (118,5x82,3) : FRF 27 000 – Paris, 28 oct. 1996 : *Le Défilé 1899*, aquar. gchée/soie, projet (64x50) : FRF 5 000 – Paris, 18 déc. 1996 : *Palais de Glace* ; *Champs-Élysées*, litho. coul., une paire (57x38 et 51x34) : FRF 7 000 – Copenhague, 7 juin 1997 : *Yvette Guilbert, concert parisien 1891*, litho., affiche : DKK 3 000 – Paris, 10 juin 1997 : *Palais de Glace 1893*, litho. (250x89) : FRF 23 000 – Paris, 18 juin 1997 : *La Danseuse aux cymbales*, past. (64x44,5) : FRF 82 000.

CHERET Philippe
Originaire de Montpellier. xviiie siècle. Travaillant à Genève au début du xviiie siècle. Suisse.
Sculpteur.
Il fut aussi tourneur.

CHERET Simon
xviie siècle. Actif à Paris. Français.
Peintre.

CHERFAOUI Affif
Né le 5 mars 1948 à Oran. xxe siècle. Algérien.
Peintre. Abstrait-paysagiste.
Son grand-père était sculpteur sur bois. Il fut élève de l'École des Beaux-Arts d'Oran à partir de 1962. Il partit pour la France en 1966, d'abord à l'École des Beaux-Arts de Tourcoing, puis à celle de Nantes où il obtint un diplôme de Décoration-Volume. Revenu en Algérie en 1975, il y fut nommé professeur de l'École des Beaux-Arts d'Oran. Il participe à de nombreuses expositions collectives dans divers pays. Il montre des ensembles de ses peintures dans des expositions personnelles depuis 1965, à Oran et dans les principales villes d'Algérie, et, en 1992 à Paris, au Centre Culturel Algérien.
Raffinant sur les techniques, coulures, empâtements, il chemine dans les marges de l'abstraction, surtout informelle, tout en gardant un regard sur la nature.

CHERFILS
Mort en janvier 1771. xviiie siècle. Français.
Peintre d'histoire et portraits.
Il fut reçu à l'Académie Saint-Luc à Paris en 1755. Il exposa des portraits aux Salons de 1756 et 1762.

CHÉRIANE, pseudonyme de **Fargue Chérie-Anne-Charles**
Née le 16 juin 1900 à Paris. xxe siècle. Française.

Peintre de compositions à personnages, figures, nus, portraits, paysages, natures mortes, fleurs.

Elle était la femme de Léon-Paul Fargue et fut élève des Écoles de la Ville de Paris et de l'Académie Julian. Elle débuta en 1921 au Salon des Artistes Indépendants pour exposer ensuite régulièrement au Salon d'Automne, dont elle devint sociétaire en 1925, et au Salon des Tuileries dès sa fondation. Elle a également figuré dans des expositions officielles à Prague, Vienne et New York.

Elle a peint principalement des compositions à personnages, des portraits féminins et des nus *Jeunes filles aux tourterelles – Nu au hamac*, mais également des paysages de Provence, des vues de Paris et de Madagascar où elle séjourna, *Paysage blanc – Quais de la Seine*. Elle a réalisé une importante décoration pour la Mairie de Châtillon-Commentry : *Vulcain et Cérès* et pour l'hôpital de Tananarive (Madagascar) une composition intitulée *Tournée de médecins dans la brousse*. Son panneau de *La Musique* décorait le Pavillon de l'Enseignement à l'Exposition Universelle de 1937. Elle a illustré d'aquarelles *Paul et Virginie* de Bernardin de Saint-Pierre, *De la mode* de Léon-Paul Fargue et *Refaire l'amour* de Rachilde.

Musées : BORDEAUX – COPENHAGUE – LYON – NANTES – PARIS (Mus. d'Art Mod.) : *Nature morte à l'assiette rose – Le Printemps sur les quais –* PARIS (Mus. des Colonies) – TANARIVE.

Ventes Publiques : PARIS, 18 nov. 1925 : *Maternité* : **FRF 1 000** – PARIS, 23 déc. 1927 : *Petite fille à la tortue* : **FRF 350** – PARIS, 24 mars 1930 : *Femme à la glace* : **FRF 400** – PARIS, 13 juil. 1942 : *Nu étendu* : **FRF 550** – PARIS, 6 mars 1970 : *Les quais de la Seine* : **FRF 1 000** – COPENHAGUE, 7 déc. 1982 : *Les petits marchands*, h/t (92x73) : **DKK 2 600** – VERSAILLES, 15 nov. 1987 : *Les deux sœurs* 1928, h/pan. (37x45,5) : **FRF 3 000**.

CHERICO Francesco d'Antonio del

XVe siècle. Italien.
Miniaturiste.
Il vécut et travailla à Florence.

CHÉRIER Bruno Joseph

Né le 15 août 1819 à Valenciennes. Mort le 17 décembre 1880. XIXe siècle. Actif à Tourcoing (Nord). Français.
Peintre.
Entré à l'École des Beaux-Arts le 27 mars 1837, il étudia sous la conduite de Perrin, d'Orsel et de Picot. Il exposa au Salon de Paris, de 1845 à 1867. Il fut professeur de dessin à l'École de Tourcoing. Cet artiste a décoré, en 1866, la chapelle de Notre-Dame-du-Rosaire, à Saint-Christophe de Tourcoing.

CHÉRIN Jean

Mort après 1786. XVIIIe siècle. Français.
Sculpteur.
Il fut reçu à l'Académie Saint-Luc à Paris en 1760.

CHERKAOUI Ahmed

Né le 2 octobre 1934 à Boujad (près de Oued-Zem). Mort le 17 août 1967 à Casablanca. XXe siècle. Marocain.
Peintre. Abstrait.
Il fut élève de l'École des Métiers d'Art de Paris et diplômé en 1959. En 1960, il fréquenta l'Atelier Aujame, à l'Académie de la Grande-Chaumière, toujours à Paris, et commença d'entretenir des rapports fréquents et confiants, bientôt d'amitié, avec Busse, alors également professeur à la même Académie. En 1961, une bourse lui procura un séjour d'un an à l'Académie des Beaux-Arts de Varsovie, séjour dont il parlait comme lui ayant été très profitable, car il y avait été en contact avec le peintre constructiviste Henryk Stazewski, ami de Michel Seuphor et ancien membre du groupe Cercle et Carré lors de son séjour à Paris dans les années trente. Il a commencé à exposer en 1959. En 1961, il participa au Salon d'Automne de Casablanca, montra son travail à Varsovie, exposa au Goethe Institut de Casablanca, fut sélectionné pour la Biennale des Jeunes Peintres de Paris, où il fut encore sélectionné en 1963. À partir de 1962, il a exposé annuellement au Salon de Mai. Il a figuré dans des expositions collectives en Suède, à Londres, Tunis, etc. Il a aussi montré ses peintures à plusieurs reprises dans des expositions personnelles à Paris, notamment en 1996 à l'Institut du Monde Arabe. Après sa mort brutale, à la suite d'une opération chirurgicale en principe bénigne, la Biennale de Paris, les Salons de Mai et d'Art Sacré lui organisèrent des hommages. Une exposition d'ensemble de ses œuvres eut lieu à Rabat. En 1991, il figurait à l'exposition de quatre *Peintres du Maroc* à l'Institut du Monde Arabe à Paris, qui lui consacra une exposition d'ensemble en 1996.

L'œuvre de Cherkaoui retient l'attention à plusieurs titres. Tout d'abord par ses qualités plastiques, mais aussi par son rôle historique dans l'histoire de l'art du Maroc et plus généralement de l'Afrique du Nord. Au cours de et à la suite de l'époque coloniale, intellectuels et artistes marocains ou dans les autres territoires colonisés ou « protégés », subissant des frustrations diverses, furent l'objet d'une crise d'identité assez généralisée. Il s'agissait pour eux de redécouvrir et revendiquer un patrimoine culturel et artistique ancien et riche, ignoré des puissances colonisatrices quand ce n'était pas méprisé et nié. D'autre part, le danger eût été de s'isoler exclusivement et de s'enliser dans cette reconquête d'une identité ethnologique et nier les apports incessants de la culture et de l'art occidentaux, qui eux n'avaient pas connu d'interruption et qui de toute façon s'étaient internationalisés dans un moule culturel devenu véhiculaire, dont il n'était plus possible de se désolidariser totalement, sous peine d'asphyxie. L'urgence était de se ressourcer dans sa tradition propre, tout en opérant la synthèse de cette identité avec l'autre tradition devenue universelle. Ce fut le succès talentueux et le mérite historique de Cherkaoui d'avoir concilié les deux pôles. Après lui, nombreux furent les jeunes artistes influencés par son exemple, dans la recherche archéologique de leur identité enfouie. Dans le volume II de la *Grande Encyclopédie du Maroc*, consacré aux Arts et Traditions, Khalil M'rabet n'a pas la moindre hésitation à affirmer que Cherkaoui a frayé « le premier les voies à la recherche concrète, patiente, d'une spécificité plastique agissante. » Cherkaoui se découvre naturellement abstrait. Tout en ne privilégiant pas outre mesure l'interdit islamique de non-représentation de la réalité, tombé en désuétude, les réminiscences de la tradition, dans l'inconscient collectif, ont tout de même fait que certains jeunes artistes du grand Maghreb ont ressenti, comme et depuis Cherkaoui, l'abstraction comme leur milieu d'expression naturel.

A partir de 1961, dans une première période, Cherkaoui fut particulièrement attentif aux peintres occidentaux, dont l'œuvre montrait des points de contact avec l'art ornemental du Proche-Orient, en particulier Paul Klee et Bissière, puisque lui-même se donnait pour but de frayer le chemin inverse, et fut également sensible à l'utilisation par Matisse de la couleur en tant que lumière. Exploitant les ressources et réserves formelles des signes et caractères de l'écriture arabe et les éléments du décor architectural et de l'ornement dans le quotidien et le costume, communs à toute l'Afrique du Nord, se référant tout spécialement aux motifs géométriques des tapisseries berbères, il brossait de larges traces de couleurs somptueusement assemblées, dont l'éclat s'avivait d'être posées sur de la toile de jute rugueuse et terne, leur servant d'écrin et de repoussoir. Dans la dernière période, de 1966 à sa mort l'année suivante, il avait commencé une expérimentation du cuir comme matériau, à la fois support et surface extérieure, sans que cette recherche modifie foncièrement sa pratique antérieure, ce que l'interruption de son œuvre oblige à appeler son style. A la façon des conteurs arabes, il fut un intarissable inventeur, qui s'en émerveillait lui-même, de rythmes, d'« arabesques », de grecques et de volutes bariolées et précieuses comme des gemmes serties à gros traits noirs qui les exaltent, dont l'apparence extérieure si sensuelle n'occulte pas la confidence pudique de sentiments délicats ou graves.

■ Jacques Busse

Bibliogr. : Georges Boudaille : *Cherkaoui*, Inframar, Rabat, M.U.C.F., s.d – divers : *La peinture d'Ahmed Cherkaoui*, Edit. Shoof, Casablanca, 1976 – Khalil M'rabet : *Peinture et identité – L'expérience marocaine*, L'Harmattan, Rabat, après 1986.

Ventes Publiques : PARIS, 26 mai 1986 : *Composition* 1966, gche et encre (24x31) : **FRF 10 500** – PARIS, 6 déc. 1986 : *Talisman rouge*, h/t (73x92) : **FRF 23 000** – PARIS, 30 jan. 1987 : *Sans titre* 1965, h/t (22,5x27,5) : **FRF 12 000** – NEUILLY-SUR-SEINE, 16 mars 1989 : *Al. Buruj*, h/t (61x50) : **FRF 20 000** – PARIS, 29 sep. 1989 : *Sans titre* 1964, aquar. vernie (55x32) : **FRF 6 500** – PARIS, 13 déc. 1991 : *Fontaine rouge I* 1967, peint./pap. (25x32) : **FRF 10 500** – PARIS, 5 oct. 1996 : *Composition au mobile* 1963, aquar., lav. d'encre de Chine/cart./pan. (26,5x26) : **FRF 4 200**.

CHERKASHIN Valeri

XXe siècle. Russe.
Peintre de collages.
Il a participé en 1994 à l'exposition consacrée aux artistes russes du XXe s présentée chez les Southern Plains de l'Oklahoma.
À partir de photographies, il réalise des collages.
Bibliogr. : James Scarborough : *Art post-soviétique*, Art Press, n° 194, Paris, sept. 1994.

CHERMAYEFF Serge Ivan
Né en 1900 en Russie. xxᵉ siècle. Depuis 1942 actif et depuis 1946 naturalisé aux États-Unis. Russe.
Peintre, designer, architecte. Abstrait.
Il fit ses études à Londres entre 1916 et 1917 puis en Allemagne. En 1942 il était professeur d'architecture au Brooklyn College et entre 1946 et 1951 directeur de l'Institute of Design de Chicago. Il a participé à de très nombreuses expositions de peinture aux États-Unis. Des expositions particulières de ses œuvres se sont tenues aux États-Unis, notamment à Chicago en 1950.
Ses œuvres abstraites peintes dans une gamme chromatique riche et vive sont très organisées.
Ventes Publiques : Londres, 3 déc. 1985 : *Décor pour un ballet* 1944, h/isor. (61x41) : **GBP 750.**

CHERNIKOV Iakov
Né en 1889. Mort en 1951. xxᵉ siècle. Russe.
Peintre, dessinateur, graphiste, architecte. Constructiviste.
Il fut élève d'un frère d'Alexandre Benois à l'Académie de Saint-Pétersbourg. Il devint lui-même l'un des promoteurs de l'avant-garde russe.
Son œuvre se situe à la rencontre du suprématisme et du constructivisme. Surtout graphiste, il a maîtrisé une remarquable capacité à imaginer et à dessiner des architectures et des machines oniriques. En 1931, il a publié deux ouvrages : *Fondements de l'architecture contemporaine, la construction de formes architecturales et mécaniques*, en 1933 *Fantaisies architecturales.*
Ventes Publiques : Londres, 2 avr. 1987 : *Compositon 1924,* gche et pl. (43x33,5) : **GBP 1 100** – Londres, 6 avr. 1989 : *Association non-constructive of plans*, encre (30x24) : **GBP 9 350** – Londres, 13 oct. 1993 : *Composition, de la série « Manufacture »,* encre et aquar. (29,7x23,8) : **GBP 3 680.**

CHÉRON Aimée, Mme, née Jovin
Née à Paris. xixᵉ siècle. Française.
Peintre de portraits, peintre de miniatures.
Élève de Meuret. Elle débuta au Salon de 1848, sous son nom de jeune fille. Elle exposa sous le nom de Chéron, à partir de 1852.

CHÉRON André
xxᵉ siècle. Français.
Peintre.
En 1939 il exposait un paysage, à Paris au Salon des Artistes Français.

CHÉRON Cécile
Née à Mortagne (Orne). xixᵉ siècle. Française.
Peintre sur porcelaine.
Élève de P. Flandrin, Montfort, Vidal et Brunel-Rocque. Exposa des portraits au Salon de Paris, entre 1868 et 1880.

CHÉRON Charles François
Né le 17 mai 1724 à Lunéville. Mort le 29 mars 1797 à Lunéville. xviiiᵉ siècle. Français.
Miniaturiste.
Fils de Charles-Louis Chéron. Il était également avocat. Il fut secrétaire et le peintre du grand-duc de Toscane François-Étienne, (le futur empereur d'Allemagne François Iᵉʳ).

CHÉRON Charles Jean François
Né le 29 mai 1635 à Lunéville. Mort en 1698 à Paris. xviiᵉ siècle. Français.
Peintre et graveur.
Fils de Jean-Charles Chéron. Cet artiste vécut longtemps à Rome ; puis revint à Paris où Louis XIV le nomma son premier graveur. Il était membre de l'Académie en 1676. Il a peint, en collaboration avec François Verdier, une suite de 19 tableaux pour l'église des Carmes de Paris. Il pratiqua la gravure en taille-douce, en creux et en bas-reliefs.

CHÉRON Charles Louis
Né le 27 janvier 1676 à Vic (Lorraine). Mort le 29 juillet 1749 à Lunéville. xviiiᵉ siècle. Français.
Peintre de portraits et d'histoire.
Il étudia à Paris, chez Antoine Coypel fils, puis à Rome en 1697. Il fut nommé peintre ordinaire de Léopold et fit alors les portraits de Louis XIII, d'Anne d'Autriche, de Louis XIV, de Marie-Thérèse, pour le château de Lunéville, de 1719 à 1724. Le Musée de Milan conserve de lui : *Esther devant Assuérus* et *Chaste Suzanne.* Il exécuta également un *Christ et la Madeleine,* dans l'église de Lunéville. On cite encore de lui d'autres œuvres, conservées dans la collection de A. Jacquot qui donne

de cet artiste de très intéressantes notes dans son ouvrage sur les peintres lorrains.

CHÉRON Élisabeth Sophie, épouse le Hay
Née le 3 octobre 1648 à Paris. Morte le 3 septembre 1711 à Paris. xviiᵉ-xviiiᵉ siècles. Française.
Peintre, graveur.
Musicienne et femme de lettres, cette artiste fut reçue membre de l'Académie de peinture le 11 juin 1672. Elle était protestante, mais elle se convertit au catholicisme. On raconte à son sujet qu'à l'âge de 60 ans elle fit un mariage de raison en épousant Jacques Le Hay, ingénieur du roi, qui était du même âge qu'elle. A partir de 1699, elle fut membre des Ricoverati de Padoue. Elle était fille du peintre et graveur Henri Chéron.
Musées : Paris (Louvre) : *Portrait de l'artiste* – Rennes : *Madeleine tenant un vase de parfums* – Versailles : *Portrait de l'artiste.*
Ventes Publiques : Paris, 1830 : *Le portrait de l'artiste la palette à la main :* **FRF 20.**

CHÉRON Fanny
Née le 27 novembre 1830 à Mortagne (Orne). xixᵉ siècle. Française.
Peintre de portraits.
Elle étudia sous la direction de Belloc et de Galbrund. Elle exposa au Salon de Paris quelques portraits entre 1851 et 1881.

CHÉRON Françoise
xxᵉ siècle. Française.
Peintre de natures mortes. Naïf.
Ses toiles aux teintes douces et étouffées représentent souvent des natures mortes ou des vues d'intérieurs tranquilles.

CHÉRON Gabriel
xixᵉ siècle. Actif à Paris. Français.
Sculpteur.
Sociétaire des Artistes Français depuis 1905.

CHÉRON Georges
Né à Créteil (Val-de-Marne). xxᵉ siècle. Français.
Peintre de paysages.
Entre 1921 et 1927 il exposa au Salon de la Société Nationale des Beaux-Arts.

CHÉRON Henri
Né à Meaux. Mort en 1677 ou 1697 à Meaux ou à Lyon. xviiᵉ siècle. Français.
Peintre sur émail et graveur.
Père d'Élisabeth-Sophie, de Marie-Anne et de Louis Chéron.

CHÉRON Hierosme
xviiᵉ siècle. Français.
Peintre.
Il fut reçu à l'Académie Saint-Luc à Paris en 1694.

CHÉRON Jean Charles
xviiᵉ siècle. Français.
Graveur.
Frère de Henri Chéron et père du médailleur Charles-Jean-François Chéron. Il travailla à Nancy pour le duc de Lorraine Charles IV. Il fut aussi joaillier.

CHÉRON Jean René, dit Charpentier
xviiiᵉ siècle. Actif à Paris. Français.
Sculpteur.
Fils de René Chéron.

CHÉRON Jérôme
xviiiᵉ siècle. Français.
Peintre et sculpteur.
Élève de Louis Perrin. Il fut reçu à l'Académie Saint-Luc à Paris en 1740.

CHÉRON Louis
Né le 2 septembre 1660 à Paris. Mort vers 1715 à Londres. xviiᵉ-xviiiᵉ siècles. Français.
Peintre de compositions mythologiques, sujets religieux, compositions décoratives, graveur.
Il était fils de Henri Chéron et fut son élève ainsi que de David et de Bouillon. Il obtint le premier Prix de Rome.
À son retour à Paris, il peignit deux tableaux pour le mai des orfèvres (1687 et 1690) ainsi qu'une *Visitation* pour le couvent des Jacobins de la rue Saint-Jacques. En 1695, il se rendit à Londres et s'y fixa. Il avait trouvé un puissant protecteur dans la personne de Milord Montagu, pour qui il exécuta de grandes compositions dans son château de Boughton : *L'Assemblée des dieux,* pour le plafond du salon : *le Jugement de Pâris,* pour le

plafond de l'escalier. Il décora également les châteaux de Barleigh et de Chatsworth.
Mariette dit que cet artiste ne fut jamais qu'un peintre médiocre. Protestant fanatique, il dut s'exiler pour échapper aux poursuites dont il était menacé.

L. C; inv.

VENTES PUBLIQUES : PARIS, 1775 : *Quatre sujets de l'Histoire Sainte*, dess. à la pl. et lavés d'encre de Chine : FRF 9 – PARIS, 1864 : *Une scène du déluge*, dess. à la pl., lavé d'encre de Chine : FRF 2 – LONDRES, 27 mai 1909 : *L'Amour et Psyché* ; *Vénus* : GBP 7 – NEW YORK, 12 jan. 1988 : *Hercule et le Centaure*, sanguine et encre (23,8x16,2) : USD 1 100 – LONDRES, 30 oct. 1991 : *Le déluge*, h/t (72x90,5) : GBP 1 540.

CHÉRON Lucien Henri Eugène
Né à Paris. XXe siècle. Français.
Peintre.
Exposa des fleurs aux Indépendants en 1928 et 1929.

CHÉRON Marie
XIXe siècle. Française.
Peintre de marines.
Elle débuta au Salon de 1877.

CHÉRON Marie Anne
Née le 22 juillet 1649 à Paris. Morte avant 1718. XVIIe-XVIIIe siècles. Française.
Peintre miniaturiste.
Elle se convertit au catholicisme en 1668, et épousa, le 12 novembre 1701, à l'âge de 52 ans, le peintre Alexis-Simon Belle qui n'en avait que 20.
VENTES PUBLIQUES : PARIS, 28 juin 1924 : *Portrait de Marie-Adélaïde de Savoie, duchesse de Bourgogne*, gche : FRF 390.

CHÉRON Olivier
Né au XIXe siècle à Saint-Loup-Soulangy (Calvados). XIXe siècle. Actif à Paris. Français.
Peintre de paysages.
Élève de Guillemet et J. Desbrosses. Sociétaire des Artistes Français depuis 1883 ; mention honorable en 1908. Le Musée de Caen conserve de lui : *Rue de village* (dessin).

CHÉRON Pierre Denis
Français.
Peintre.
On ignore la date de sa réception à l'Académie Saint-Luc à Paris.

CHÉRON René
XVIIe siècle. Français.
Sculpteur.
Gendre de Marc-Antoine Charpentier, aux côtés de qui il travailla. Après la mort de son beau-père (1677), il termina les travaux que celui-ci avait commencé d'exécuter à l'église Notre-Dame des Ardilliers, à Saumur. Il sculpta pour l'église Saint-Pierre, dans la même ville, les statues de *Saint Pierre* et de *Saint Paul* (1677).

CHÉRON Simon
XVIIe siècle. Actif vers 1618. Français.
Peintre.

CHÉRONNET-CHAMPOLLION René
Né au XIXe siècle à Paris. XIXe siècle. Français.
Peintre de portraits.
Élève de Cabanel. Il débuta au Salon de 1878.

CHEROT Ernest
Né en 1814 à Cholet. Mort en 1883 à Bruxelles. XIXe siècle. Français.
Peintre de marines et de paysages.
Élève de Théodore Rousseau. Débuta au Salon de 1869 et peignit au début de sa carrière des sites des bords de l'embouchure de la Loire. Le musée de Niort conserve de lui : *La mare aux mouettes*.
VENTES PUBLIQUES : NEW YORK, 6 et 7 mai 1908 : *Une église à Cannes* : USD 170.

CHERPIN. Voir aussi **CHARPIN**

CHERPIN Alexina, plus tard Mme Lecomte-Cherpin
Née le 1er mars 1834 à Lyon. XIXe siècle. Française.
Peintre.
Élève de Baïle et de Grobon. Elle a exposé à Lyon depuis 1855-56, à Paris depuis 1861 et jusqu'en 1894, des fleurs et des fruits (à l'huile et à la gouache) et les tableaux suivants : *Le Gar-*

dien (Lyon, 1863), *Dans un bazar égyptien, Gazelles au désert, Levrauts dans les bruyères* (Lyon, 1866), *Une vieille* (Lyon, 1870), *La ruche* (Paris, 1870), *Souvenirs d'Orient* (Lyon, 1872), *Les apprêts d'un repas* (Lyon, 1890), *Balsamines et roses* (Lyon, 1894).

CHERPITEL Mathurin
Né en 1736 à Paris. Mort le 13 novembre 1809 à Paris. XVIIIe siècle. Français.
Architecte, dessinateur et graveur.
Cherpitel dont nous ne parlerons pas comme architecte bien qu'il eût obtenu le Prix de Rome en 1758, fut un très habile dessinateur. Il fut intimement lié avec Hubert Robert et Fragonard avec qui il se trouva à Rome et puisa dans cette intimité son goût pour le dessin. Après sa mort, 300 dessins de lui d'après les principaux monuments de Rome et des plus grandes villes d'Italie, furent vendus (en janvier 1810).
VENTES PUBLIQUES : PARIS, 1814 : *Groupe de monuments funéraires*, dess. à la pl. : FRF 20 – PARIS, 20 mars 1924 : *Vue prise dans les environs d'Aulnay*, pierre noire et estampe, reh. : FRF 515 – PARIS, 15 et 16 juin 1927 : *L'accident*, aquar. : FRF 105 – PARIS, 4 et 5 nov. 1937 : *Les environs d'Aulnay*, pierre noire et reh. de blanc : FRF 140.

CHERR Antonina Dimitrievna
XIXe siècle. Russe.
Peintre d'histoire et de genre.
MUSÉES : MOSCOU (Roumianzeff) : *L'abdication du prince Alex – Un convoi de blessés pendant la guerre russo-ottomane.*

CHERRIER Claude
XVIIIe siècle. Actif à Lunéville. Français.
Sculpteur.
En 1740, il travailla pour la chapelle Saint-Firmin, au prieuré de Flavigny.

CHERRIER Prosper Adolphe Léon
Né en 1806 à Flessingue (Pays-Bas), de parents français. XIXe siècle. Français.
Graveur sur bois.
Élève de Lacoste père et de Godard. Excellent graveur habituel des ouvrages de l'époque de Grandville. Il collabora au *Journal des jeunes personnes* et signa le frontispice de *La Caricature* (d'après Johannot). Il a gravé d'après Arnoult, Grandville, Gigoux, T. Johannot, Forest, Lecurieux, Aug. Bouquet, Jules David, Becœur, Gavarni. Il signait : C. H.

CHERRIER René
Né à la Ferté-Bernard (Sarthe). XXe siècle. Français.
Peintre.
Il exposa régulièrement, à Paris, au Salon de la Société Nationale des Beaux-Arts entre 1928 et 1938. Il travaillait au Mans.

CHERRIER Victor Eugène Gabriel
Né à Paris. XXe siècle. Français.
Sculpteur de bustes.
Il fut élève d'Auguste Moreau. Il a principalement sculpté des bustes, en bronze ou en marbre, qu'il a exposés au Salon des Artistes Français entre 1929 et 1933.

CHERRY Emma Richardson
Née en 1859 à Aurora (Illinois). XIXe siècle. Américaine.
Peintre.
Elle étudia à Chicago, à New York et à Paris (à l'Académie Julian). Fixée à Chicago, elle a peint des portraits et des paysages.

CHERRY Herman
Né en 1919 à Atlantic City (New Jersey). XXe siècle. Américain.
Peintre.
Il fit ses études à Philadelphie et Los Angeles, puis à New York avec Macdonald Wright à l'Arts Student's League et avec Thomas Benton. Il a effectué de nombreux voyages dans les deux Amériques et en Europe. Il a été professeur. Il a figuré dans de multiples expositions collectives et présenté personnellement ses œuvres notamment à l'Oakland Museum et au Pasadena Museum.

CHERSALLE Jean
XVIe siècle. Actif à Bourges. Français.
Sculpteur.
Travailla en 1509 au château de Gaillon et en 1513 et 1515 à la cathédrale de Bourges.

CHERTEMPS Nicolas
XVIIe-XVIIIe siècles. Actif à Fontainebleau. Français.
Sculpteur.

CHERTON Jean
xvie siècle. Français.
Peintre.
Il travailla au château de Fontainebleau vers 1541.

CHERUBIN
xve siècle. Actif à Kassa en 1460-1468. Hongrois.
Peintre.

CHERUBINI Andrea
Né en 1833 à Rome. xixe siècle. Italien.
Peintre d'animaux, paysages, marines.
Spécialiste de paysages et de marines. Traita plus volontiers les vues de l'Italie méridionale. A Rome, en 1883, *Une Marine* fut assez admirée. Parmi ses autres toiles, mentionnons : *Huit vues de Capri* et *Vues de l'Île d'Ischia et de ses environs.*
VENTES PUBLIQUES : NEW YORK, 28 oct. 1981 : *Poule et Poussins* 1865, h/t (56,5x69,9) : **USD 3 500** – NEW YORK, 27 mai 1983 : *Poule et Poussins* 1865, h/t (62,2x74,9) : **USD 1 500** – LONDRES, 30 mai 1986 : *Poule et Poussins* 1873, h/t (61x71) : **GBP 2 200** – LONDRES, 2 nov. 1989 : *Le Colisée à Rome* 1863, h/t (76,2x99) : **GBP 11 000** – ROME, 14 nov. 1991 : *Le Ponte Lucano sull'Aniene* 1870, h/t (62x100) : **ITL 13 800 000** – LONDRES, 12 juin 1996 : *Becquée pour les poussins* 1873, h/t (62x73,5) : **GBP 3 680.**

CHERUBINI Antonio
xviiie-xixe siècles. Travaillant vraisemblablement aux xviiie et xixe siècles. Italien.
Peintre.
On ne connaît de lui que deux portraits exposés à Florence en 1911.

CHERUBINI Biasio
xvie siècle. Actif à Rome. Italien.
Peintre.
Il fut membre de l'Académie di San Luca à Rome, en 1527.

CHERUBINI Carlo
Né en 1897 à Ancône. xxe siècle. Italien.
Peintre de compositions à personnages, figures, nus.
VENTES PUBLIQUES : PARIS, 23 fév. 1987 : *Le salon d'essayage*, h/t (91x160) : **FRF 15 000** – CALAIS, 28 fév. 1988 : *Conversation mondaine*, h/t (116x78) : **FRF 20 500** – MILAN, 6 déc. 1989 : *Nu féminin*, h/pan. (22x17) : **ITL 1 600 000** – PARIS, 25 mars 1993 : *Carnaval à Venise*, h/t (46,5x61) : **FRF 6 000** – LE TOUQUET, 21 mai 1995 : *La loge*, h/t (35x27) : **FRF 13 000.**

CHERUBINI Caterina
Morte en 1811. xviiie-xixe siècles. Italienne.
Peintre.
Elle fut reçue à l'Académie di San Luca en 1760.

CHERUBINI Giuseppe
Né en 1867 à Ancône. Mort en 1960. xixe-xxe siècles. Actif à Venise. Italien.
Peintre de paysages, aquarelliste.
Il a surtout peint des vues de Venise et de la campagne romaine.
VENTES PUBLIQUES : LONDRES, 25 juin 1982 : *La place San Marco, Venise*, h/cart. (68,3x11,3) : **GBP 900** – LONDRES, 20 juin 1985 : *L'angle de la basilique Saint-Marc et du Palais des Doges* 1924, aquar. (66,5x101,7) : **GBP 1 300** – MILAN, 9 juin 1987 : *Portiques de la Place Saint-Marc*, h/t (33x48) : **ITL 900 000** – ROME, 25 mai 1988 : *Appia antica*, h/t (60x124) : **ITL 15 000 000.**

CHERUBINI Marzio
Né à Pérouse. xixe siècle. Travaillant à Pérouse et à Rome. Italien.
Peintre.
Il a été à Pérouse l'élève de Valeri.

CHERUBINO de Retto da Borgo San Sepolcro
xvie siècle. Actif à Rome vers 1598. Italien.
Peintre.

CHÉRUZEL Pierre
xviiie siècle. Actif à Grenoble. Français.
Peintre et sculpteur.

CHERVEAU Cristofle ou Cerveau
xviie siècle. Français.
Peintre.
Il fut reçu à l'Académie Saint-Luc à Paris en 1660.

CHERVET Léon
Né le 19 juin 1839 à Tramayes (Saône-et-Loire). Mort en 1900 à Paris. xixe siècle. Actif à Paris. Français.

Sculpteur.
Élève de Dumont à l'École des Beaux-Arts, où il entra en 1864. Il fut médaillé à Paris en 1868. Le Musée de Niort conserve de lui : *Giotto enfant.*

CHERVIN Louis
Né à Paris. xxe siècle. Français.
Peintre de paysages urbains, marines, natures mortes.
Il expose à Paris au Salon d'Automne depuis 1923, fut invité au Salon des Tuileries en 1944, et reçut le prix de la Critique en 1953.
Il a surtout peint des vues de Montmartre et de ses personnages typiques. Il a aussi peint dans le Midi de la France, notamment des marines. Son œuvre comporte encore quelques natures mortes.
MUSÉES : PARIS (Mus. d'Art Mod.) : *Le square Saint-Pierre, à Montmartre.*
VENTES PUBLIQUES : PARIS, 21 avr. 1943 : *Environs de Martigues*, aquar. gchée : **FRF 420** – PARIS, 28 avr. 1954 : *Rue Lepic et Moulin de la Galette* : **FRF 19 000** – PARIS, 3 juin 1987 : *Le port de Gravelines* 1959, h/t (12x22) : **FRF 2 000.**

CHERVINKO Ivan
xxe siècle. Russe.
Peintre. Abstrait-constructiviste, suprématiste.
On sait peu de choses sur cet artiste, duquel on connaît peu d'œuvres. Il fut élève de Malévitch et travailla dans son atelier de Vitebsk.

CHERVOUD. Voir **SHERWOOD VLADIMIR OSSIPO-VITCH**

CHERY Jean René
Né en 1929. xxe siècle. Haïtien.
Peintre de natures mortes.
VENTES PUBLIQUES : NEW YORK, 6 mai 1980 : *La construction de la citadelle*, h/isor. (51x71,2) : **USD 2 100** – NEW YORK, 19 mai 1992 : *Fruits d'Haïti*, h/rés. synth. (50,8x61) : **USD 715** – NEW YORK, 21 nov. 1995 : *Baptême*, h/rés. synth. (61,3x122,5) : **USD 2 760** – PARIS, 25 mai 1997 : *Tap-Tap, l'Île d'Haïti*, acryl./t. (61x92) : **FRF 6 000.**

CHERY Louis
Né en 1791 à Thionville. xixe siècle. Français.
Peintre de genre et de portraits, et animalier.
Élève de David et de Bouillon. Débuta au Salon de 1843 avec *Cheval au vert.* On trouve son nom sur les catalogues jusqu'en 1851.
VENTES PUBLIQUES : PARIS, 1867 : *Le jeune volontaire armé par son père* : **FRF 1 740.**

CHÉRY Philippe
Né le 15 février 1759 à Paris. Mort le 28 février 1838 à Paris. xviiie-xixe siècles. Français.
Peintre d'histoire et de portraits.
Élève de Vien et écrivain. Il débuta au Salon en 1791 et il continua à exposer jusqu'en 1835. Républicain ardent, il fut blessé au siège de la Bastille, où il se trouva à la tête d'une compagnie de gardes françaises. Plus tard, il fut arrêté et ne recouvra la liberté qu'après le 9 thermidor. Continuant à s'occuper de politique, il fut maire de Charonne et de Belleville, puis chef de la police civile et militaire. Bonaparte l'exila après le 18 brumaire. Les événements de 1814 et 1815 l'avaient ramené à Paris, mais il y fut arrêté par suite de son exaltation politique. On lui doit surtout des portraits. Cependant, il a peint également quelques tableaux d'histoire parmi lesquels on cite : *Mercure amoureux d'Hersé, Napoléon décorant des blessés après Iéna, Alcibiade banni.* Le Musée de Soissons conserve de lui : *David apaisant Saül.*
VENTES PUBLIQUES : PARIS, 7 et 8 mai 1923 : *Costume de Sémiramis*, aquar. : **FRF 300** – PARIS, 28 juin 1962 : *Portrait d'homme en perruque poudrée* : **FRF 1 080.**

CHESAL Cœsarius
xviiie siècle. Actif à Cologne. Allemand.
Calligraphe et miniaturiste.
Membre de l'ordre de Saint François.

CHESCHINI Jean
Né au xviie siècle à Vérone. xviie siècle. Italien.
Peintre d'histoire.
Élève de A. Turchi. Cité par Siret.

CHESER G.
xixe-xxe siècles. Britannique.
Peintre.

Cité par le Art Prices Current.

Ventes Publiques : Londres, 13 fév. 1909 : *Quand le vent souffle, le moulin tourne* : **GBP 18.**

CHESHAM Francis
Né en 1749. Mort en 1806 à Londres. xviiie siècle. Britannique.
Dessinateur et graveur au burin et à l'eau-forte.

CHESNAU Aimé
Né au xixe siècle à Paris. xixe siècle. Français.
Sculpteur.
Élève de Carrier-Belleuse et J. Salmson. Il exposa de 1863 à 1875 à la Royal Academy et à Suffolk Street, à Londres, et débuta au Salon des Artistes Français, à Paris, en 1868 avec une médaille de bronze : *Portrait de Mlle M. F.*

CHESNAU Léon E.
xixe siècle. Travaillant à Paris. Français.
Graveur.
Sociétaire des Artistes Français depuis 1903.

CHESNAY Denise
Née en 1923 à Versailles (Yvelines). xxe siècle. Française.
Peintre. Abstrait.
Son enfance se déroula à Alger. Elle vint à Paris en 1944 et exposa au Salon des Réalités Nouvelles dès le premier, en 1947. Si sa peinture se rattache aux tendances abstraites, elles n'en fait pas moins appel à des éléments pris dans la réalité et organisés en surfaces ornementales sensibles.

CHESNAY Léon
Né à Moisy (Loir-et-Cher). xxe siècle. Français.
Graveur et peintre.
Sociétaire des Artistes Français ; troisième médaille en 1928.

CHESNAY Louis
Né à Paris. xixe-xxe siècles. Français.
Peintre de paysages.
Il exposa dès 1911 au Salon des Artistes Français, en 1937 au Salon d'Automne et au Salon des Artistes Indépendants entre 1937 et 1940.

CHESNEAU Georges
Né le 5 mai 1883 à Angers (Maine-et-Loire). Mort le 6 novembre 1955 à Angers (Maine-et-Loire). xxe siècle. Français.
Sculpteur.
Il fut élève de Louis Barrias et de Jules Coutan. Sociétaire du Salon des Artistes Français et exposant au Salon de ce groupement à partir de 1905, il a reçu la troisième médaille en 1913.

CHESNEAU Georgette Marthe
Née à Nantes (Loire-Atlantique). xxe siècle. Française.
Peintre.
Elle exposa à Paris au Salon des Indépendants en 1923-1924.

CHESNEAU Léon Edmond
Mort en 1920. xxe siècle. Français.
Graveur sur bois.
Il exposait, à Paris, au Salon des Artistes Français.

CHESNEAU Marcel
Né à Nantes (Loire-Atlantique). xxe siècle. Français.
Peintre.
En 1942 il exposait un *Portrait d'enfant*, à Paris, au Salon d'Automne.

CHESNEAU Nicolas
xvie siècle. Actif vers 1564. Français.
Graveur sur bois, imprimeur et éditeur.
Brulliot cite de lui : *Un évêque tenant une crosse et un livre.*

CHESNEAU Noël René
Né à Paris. xxe siècle. Français.
Peintre de nus, sujets orientaux, compositions à personnages.
Il fut élève de Paul-Albert Laurens et d'Albert Laurens. Il exposa au Salon des Artistes Français, dont il était sociétaire, des nus et des compositions à personnages, pour la plupart des scènes marocaines. Il reçut la deuxième médaille en 1936.

CHESNEAU Pierre
xviie siècle. Français.

Sculpteur.
Il fut reçu à l'Académie Saint-Luc à Paris en 1637.

CHESNEAU Pierre
Né à Paris. xxe siècle. Français.
Peintre de paysages, natures mortes.
Il fut élève de Paul Albert Laurens et exposa au Salon des Artistes Français et au Salon d'Automne entre 1933 et 1935.

CHESNEAU Toussaint
xvie siècle. Français.
Sculpteur et architecte.
Il reconstruisit, de 1540 à 1542, le clocher de l'église Saint-Pierre-de-Bueil, en Touraine, et exécuta une statue de Sainte Néomaye.

CHESNEL Jacques
Né en 1928. xxe siècle. Français.
Peintre. Abstrait.
Peintre, il est aussi critique et spécialiste de la musique de jazz, aux multiples activités et fonctions. Il vit et travaille à Caen.
Il expose depuis 1960. Il participe à des expositions de groupe, notamment régulièrement à Caen, et : 1965 Musée Galliéra de Paris, *L'Âge du Jazz* ; 1966 Paris, *40 peintres inspirés par le jazz* ; 1975-76, exposition itinérante en France *Véloscopie* ; 1985-1988 exposition itinérante en France et au Cameroun, à Yaoundé et Douala, *Jazz sur papier, Jazz sur toile* ; 1993 Musée des Beaux-Arts de Caen, *Henri Dutilleux et les peintres*. Il montre ses compositions dans des expositions personnelles, dont plusieurs à Caen, et : 1960 et 1963 Paris, galerie Le Soleil dans la Tête ; 1976 Paris, galerie Maître Albert ; 1989 Malakoff, Centre culturel, *2 Peintres du Jazz* ; 1991 Brazzaville, Centre culturel, *Jazzmen Portraits...*
Dans la suite des « musicalistes » d'Henry Valensi avec Bach ou plus proche de Ekkehart Rautenstrauch avec Stockhausen, Chesnel construit ses compositions abstraites en parallélisme avec les grands musiciens de jazz de notre époque. À l'instar et au gré des musiques qui l'inspirent, il passe, avec la portée de la toile, de passages en modulations tachistes ou matiéristes, à des séquences géométriquement rythmées.

CHESNOY Victor
Né à Paris. xxe siècle. Français.
Peintre de natures mortes, de fleurs et de paysages.
Il exposa au Salon des Artistes Indépendants entre 1928 et 1932.

CHE SÖ. Voir **SHI SE**

CHESSA Carlo
Né en 1855 à Cagliari. xixe siècle. Italien.
Peintre, graveur et lithographe.
Élève de l'Academia Albertina à Turin. Il a exposé au Salon des Artistes Français à Paris ; mention honorable en 1901 ; deuxième médaille en 1906 ; hors-concours.

CHESSA Gigi
Né en 1895 ou 1898 à Turin. Mort en 1935. xxe siècle. Italien.
Peintre de nus et de compositions à personnages.
Il est un des représentants de ce que l'on peut désigner comme une sorte de néo-classicisme à tendance synthétique, commun à certains artistes de la génération de 1900.
Musées : Florence (Gal. d'Art Mod.) : *Figure* – Rome (Mus. d'Art Mod.).

CHESTAKOVA Véra
Née en 1912 à Oriopl. xxe siècle. Russe.
Peintre de natures mortes, de fleurs.
Elle fit ses études à l'Académie des Beaux-Arts de Léningrad. Elle est membre de l'Union des Artistes d'URSS.
Musées : Irkoutch (Mus. des Beaux-Arts) – Kiev (Mus. d'Art Russe) – Moscou (Mus. de la Révolution) – Saint-Pétersbourg (Mus. de la Ville).
Ventes Publiques : Paris, 26 avr. 1991 : *Les lilas*, h/t (70x70) : **FRF 5 000** – Paris, 15 mai 1991 : *Roses de Crimée* 1958, h/cart. (38x45) : **FRF 6 300** – Paris, 24 sep. 1991 : *Le vase bleu*, h/t (99x75) : **FRF 4 100.**

CHESTER George
Né en 1813. Mort en 1897. xixe siècle. Britannique.
Peintre de paysages.
Il a exposé à Birmingham, Manchester, Dublin, Edimbourg, Bath, Bristol et Londres (à la Royal Academy 1849 et 1889, à la British Institution entre 1846 et 1867, à Suffolk Street et à la New Gallery).
Ventes Publiques : Londres, 14 mars 1934 : *Paysage* : **GBP 7.**

CHESTER George Frederick
xixe siècle. Britannique.

Peintre de genre, paysages.
Il exposa de 1861 à 1889 à la Royal Academy, à la British Institution et à Suffolk Street, à Londres.
VENTES PUBLIQUES : LONDRES, 21 mars 1910 : *Un vieux moulin à vent* : **GBP 9** – LONDRES, 20 juil. 1994 : *Promenade le long de la rivière 1864*, h/t (106,5x156,5) : **GBP 2 875.**

CHESTER J.
XVIIIe siècle. Britannique.
Peintre de portraits.
Il exposa en 1783 à la Royal Academy, à Londres, un portrait d'homme.

CHESTER Luke Barzillai
Né le 15 février 1865 à Northampton. XIXe siècle. Britannique.
Peintre de paysages.
Cet artiste, qui signait « Luke B. Chester », exposait à la Royal Academy et au Royal Institute of Oil Painters.

CHESTER Richard
Né le 28 septembre 1954 en Inde. XXe siècle. Indien.
Graveur.
Il a fait ses études à Katmandu au Népal, puis à l'Université de Dehli. En France il passe par l'Atelier 17 de W.S. Hayter à Paris.
Il a exposé en 1979 à New Delhi, en 1982 à la Biennale d'Ibiza en Espagne, en 1982-1983-1984 à Cadaquès en Espagne ses *Petits formats*, en 1984 à la Biennale de Sarcelles, en 1985 au Salon de Mai et à Ouistreham.
Il grave en tenant compte des aspérités du métal pour obtenir un rendu granité et une fluorescence de la couleur.

CHESTON Charles Sydney
Né le 2 avril 1882 à Londres. XXe siècle. Britannique.
Graveur, peintre, aquarelliste.
Il exposa à la Royal Academy, à la Royal Society of Painters in Water-Colours à laquelle il appartient et au New English Art Club.
MUSÉES : LONDRES (Tate Gal.).

CHESTON Evelyn
Née le 8 septembre 1875 à Ronmoor (Sheffield). Morte le 31 octobre 1929 dans le Devon. XXe siècle. Britannique.
Peintre, aquarelliste.
Elle fit ses études à la Royal Female School of Art entre 1892 et 1894, puis à la Slade School en 1899. Mariée avec Charles Cheston en 1904, elle expose au New English Art Club à partir de 1906 et en devient membre en 1909. En 1929 une rétrospective de ses œuvres s'est tenue à la Société Royale d'aquarelle à Londres.
MUSÉES : LONDRES (Tate Gal.) : *Betchwort Lane.*

CHESWORTH Franck
Né en 1868 à Liverpool. XXe siècle. Britannique.
Peintre et dessinateur.
Il a collaboré à l'illustration de périodiques comme *The Pall Mall Magazine* ou *Pick me up*, etc.

CHET LA MORE
Né aux États-Unis. XXe siècle. Américain.
Peintre.

CHE-T'AO ou Shih-T'ao. Voir DAOJI SHITAO YUANJI

CHE TCHONG. Voir SHI ZHONG

CHÉTIVET Albert
Né à Paris. XXe siècle. Français.
Sculpteur.
A exposé en 1927 un *Buste de Jean Jaurès* au Salon des Indépendants.

CHE-TSENG. Voir CHEN HENGKE

CHE TS'ING. Voir SHI QING

CHE-TSOU TS'ING. Voir SHIZU QING

CHETTLE Elizabeth M.
XIXe-XXe siècles. Britannique.
Peintre.
Elle travailla à Londres, où elle exposa entre 1880 et 1904 à la Royal Academy, à la New Gallery et à Suffolk Street.

CHETWOOD-AIKEN Edward Hamilton
Né le 3 avril 1867 à Bristol. XIXe siècle. Britannique.
Peintre de paysages et de fleurs.

CHETWOOD-AIKEN Walter C.
Né en 1866 à Bristol. XIXe siècle. Britannique.

Peintre de compositions à personnages, scènes de genre.
Cet artiste, mort très jeune, travaillait très lentement, sans doute en raison de sa mauvaise santé.
Il exposa, en 1897, à la Royal Academy, à Londres : *Chanson au printemps* et *Dans l'ombre de la Croix*. En 1898, ce fut *Danse bretonne*. Après sa mort, il parut encore une œuvre de lui (1899) : *Le pardon de Sainte Barbe*. Il exposait aussi, à Paris, au Salon des Artistes Français, où il obtint une mention en 1898.
VENTES PUBLIQUES : DUBLIN, 6 juin 1990 : *Chanson de printemps* : **IEP 93 500** – DUBLIN, 12 déc. 1990 : *Le pardon de Sainte Barbe au Faouët*, h/t (188,6x115,5) : **IEP 47 000.**

CHEURET Albert
XIXe-XXe siècles. Actif à Paris. Français.
Sculpteur.
Élève de Perrin et Lemaire. Sociétaire des Artistes Français depuis 1907, il a exposé tour à tour des statues et de menus objets d'art.
VENTES PUBLIQUES : PARIS, 19 nov. 1979 : *Marabout*, bronze, patine verte (H. 160) : **FRF 50 000.**

CHEUVREUL Robert François
XVIIe siècle. Français.
Peintre.
Il fut reçu à l'Académie Saint-Luc à Paris en 1691.

CHEVAEL de
XVIIe siècle. Actif à Anvers. Éc. flamande.
Sculpteur.

CHEVAL Alain
Né le 21 juin 1941 à Lyon (Rhône). XXe siècle. Français.
Peintre de paysages, fleurs.
Il fut élève des Écoles des Beaux-Arts et des Industries textiles de Lyon. Il expose à Paris, depuis 1979 au Salon des Artistes Français, dont il est sociétaire, depuis 1980 au Salon d'Automne ; ainsi qu'à divers groupements en France et à l'étranger. Il montre des ensembles de ses peintures dans des expositions personnelles : 1984 Angoulême, 1991 Lyon, 1994 Colmar, 1995 Lyon, 1996 Nancy.
Ses paysages comportent en général des constructions, le plus souvent des vues de villages. Végétations et bâtiments sont géométrisés, en sphères et en cubes.

CHEVAL Henri Georges
Né le 2 décembre 1897 à Paris. XXe siècle. Français.
Peintre de nus, de portraits, de figures, de paysages, de marines et de fleurs.
Il est sociétaire du Salon d'Automne où il expose régulièrement depuis 1924, il a figuré également aux Salons des Artistes Indépendants et des Tuileries. En 1928 il figurait dans l'Exposition du Palais des Beaux-Arts de Bruxelles et en 1929 à l'Exposition Internationale de Barcelone. Il a reçu le prix Velasquez et le prix de l'Institut de France en 1930. À l'Exposition Universelle de 1937 il a obtenu la médaille d'or.
Il se présente comme un interprète hardi de la réalité et un coloriste très personnel, s'attachant à des sujets variés.
VENTES PUBLIQUES : PARIS, 22 juil. 1942 : *L'atelier de l'artiste* : **FRF 6 100** – VERSAILLES, 17 oct. 1971 : *Nu à sa coiffure* : **FRF 680** – PARIS, 22 fév. 1982 : *La lecture*, h/t (65x100) : **FRF 3 000** – PARIS, 25 nov. 1987 : *Nature morte aux fruits*, h/t (37x61) : **FRF 4 000** – PARIS, 21 mars 1995 : *Le Louvre et les quais de Paris*, h/t (61x73) : **FRF 4 000.**

CHEVAL Joseph Ferdinand, dit le Facteur Cheval
Né en 1836 à Charmes (près d'Hauterives, Drôme). Mort le 19 août 1924 à Hauterives (Drôme). XIXe-XXe siècles. Français.
Sculpteur.
Ce facteur n'était pas, comme on l'a prétendu, un être inculte : il était titulaire du Certificat d'Études primaires, lisait beaucoup et avait même été en Algérie. Lorsqu'il était encore facteur, il avait décidé de construire son palais : cette idée lui était venue après avoir fait un rêve. Durant ses tournées postales et ses jours de loisirs, il allait ramasser des pierres dont la forme ou la matière lui semblaient convenir à l'exécution de son projet. De 1879 à 1912, il édifia une étrange construction, connue maintenant sous le nom de « Palais idéal » du Facteur Cheval et classée monument historique en 1969. Cet édifice - long de vingt-cinq mètres et haut de quatorze - entremêle en une architecture et une statuaire oniriques, les styles les plus divers : égyptien, khmer, indien, musulman, roman et baroque... imaginés et repensés par cet artiste visionnaire. Il écrivit l'histoire de sa construction,

d'une manière assez agréable, malgré quelques effets – voulus ou inconscients – de lyrisme emphatique, comme cet exemple en témoigne : « D'un songe j'ai sorti la reine du monde ». Son palais achevé, il consacra ses dernières années à se bâtir un tombeau dans le cimetière d'Hauterives : ce monument, aussi étrange que son palais, permet de discerner encore plus clairement les concepts manichéens et sexuels qui hantèrent l'imagination de cet homme, travailleur infatigable qui édifia pratiquement seul ses rêves de pierre. Loué par les surréalistes, le Palais idéal attire d'année en année de plus en plus de visiteurs. ■ Pierre-André Touttain

BIBLIOGR. : Marie-José Gérard : *Le musée imaginaire du Facteur Cheval*, Paris, Le Jardin des Arts, novembre 1956 – Gilles Ehrmann : *Les inspirés et leurs demeures*, Paris, 1962 – Alain Borne : *Le Facteur Cheval*, Paris, 1969 – Maurice Verillon : *Le Palais idéal du Facteur Cheval*, Gazette des Beaux-Arts, Paris, septembre 1970 – Françoise Monnin : *Tableaux choisis. L'art brut*, Editions Scala, Paris, 1997.

CHEVAL-BERTRAND, pseudonyme de **Bourg Jean-Paul**
Né le 19 mai 1932 à Paris. Mort le 18 septembre 1966 à Paris. XXᵉ siècle. Français.
Peintre de compositions à personnages, animaux. Figuratif, abstrait, puis figuration narrative.
Il prit ce pseudonyme pour la publication de ses premiers poèmes dans la revue *Janus* entre 1948 et 1950. À cette époque son choix entre l'écriture et la peinture était déjà tranché, la première expression étant délaissée au profit de la seconde dès son entrée à l'École des Beaux-Arts de Paris. Il préférera ensuite la liberté de l'Académie Julian où il ira dessiner, peignant dans la solitude.
Il a participé à diverses expositions collectives à partir de 1962 : *Dix ans de peinture* à la galerie Le Soleil dans la tête à Paris ; en 1963 *Donner à voir* au Salon de la Jeune Peinture à Paris ; de 1964 à 1966 Salon des Réalités Nouvelles à Paris ; 1964 manifestation internationale d'art moderne au musée d'Alger ; 1965 *La Figuration Narrative* à la galerie Creuze à Paris et IVᵉ Biennale de Paris où il reçoit le Prix des Critiques avec un plafond peint ; 1966 Salon de la Jeune Peinture à Paris et avec les artistes de la *Figuration narrative* il expose à Lyon et Prague. Il a montré personnellement ses œuvres à la galerie Le Soleil dans la tête en 1954, 1956, 1957, 1958, 1963. En 1965, il obtient le Prix Lissone à Milan et le Prix des Onze à la Galerie Boissière, et en 1966 le Prix Arnys. Des expositions rétrospectives posthumes se sont tenues en 1966 lors de *Schèmes 66* dans la salle organisée par Gassiot-Talabot, ainsi qu'au Salon de la Jeune Peinture ; en 1967 aux Salons des Réalités Nouvelles, de Mai et au Musée d'Art Moderne de la Ville de Paris ; en 1970 à la Maison de la Culture et des Loisirs et au Musée d'Art et d'Industrie de Saint-Étienne.
Sa première période figurative conciliait la délicatesse de la touche de Bonnard et l'organisation colorée de la surface de Matisse. Une brève période abstraite lui succède, dans des toiles où les allusions à la réalité sont flagrantes et non dénuées d'intentions humoristiques, et où les ressources chromatiques d'une palette riche et vive sont éloquemment mises en œuvre. En 1965, la figure fait sa réapparition, dans un style qui mêle les emprunts au pop'art international et l'introduction de personnages tirés des souvenirs préservés de l'enfance parmi lesquels le cow-boy tient une place privilégiée. En 1966, son vocabulaire formel s'affine. Il est essentiellement composé d'images désuètes et anonymes tirées des illustrations d'une ancienne édition du dictionnaire Larousse ; ce sont principalement des figures mythologiques ou des archétypes humains tels que l'Indien, le gaucho, le funambule, l'alpiniste, assortis à des motifs héraldiques ou zodiacaux. Ces figures linéaires aux contours sinueux s'interpénètrent, se mêlent aux différents champs colorés dans une composition où tout semble flotter, le tout ordonnant un récit résolument placé sous le signe de la poésie. ■ J. B.

BIBLIOGR. : Catal. de l'exposition *Cheval-Bertrand*, Musée d'Art Moderne de la ville de Paris, nov. 1967 – Catal. de l'exposition *Cheval-Bertrand*, Maison de la Culture et des Loisirs, Musée d'Art et d'Industrie, Saint Etienne, déc. 1969 – jan. 1970 – in : *Diction. Univ. de la Peinture*, Le Robert, Paris, 1975.

VENTES PUBLIQUES : PARIS, 31 oct. 1990 : *Toi et moi* 1983, h/t (126x130) : FRF 10 000.

CHEVALARD André
Né le 22 mai 1908 à Saint-Étienne (Loire). Mort le 13 juin 1987. XXᵉ siècle. Français.

Peintre de figures, nus, sculpteur de médailles.
Il exposait à Paris, aux Salons des Artistes Indépendants et d'Automne.

CHEVALARD Antoine
XVIIIᵉ siècle. Français.
Dessinateur et graveur amateur.
Ce prêtre peignait à Paris dans la première moitié du XVIIIᵉ siècle.

CHEVALET J.M.
XVIIIᵉ siècle. Actif à Paris. Français.
Dessinateur d'architectures.

CHEVALIER
Mort après 1751. XVIIIᵉ siècle. Actif à Paris. Français.
Sculpteur ornemaniste.
Travailla pour les châteaux de Meudon et de Chaville.

CHEVALIER
Mort après 1770. XVIIIᵉ siècle. Français.
Sculpteur ornemaniste.
Vraisemblablement parent du précédent. Exécuta des travaux de décoration au château de Versailles et à la chapelle de l'Hôtel Beaujon, à Paris.

CHEVALIER
XVIIIᵉ siècle. Actif à Lunéville. Français.
Stucateur.
Cité par A. Jacquot dans son *Essai de Répertoire des Artistes Lorrains*.

CHEVALIER A.
Français.
Aquarelliste.
Le Musée de Toulon conserve de lui : *Brick dans le port vieux de Marseille*. Il s'agit peut-être d'Antonia VIGH-CHEVALIER.

CHEVALIER A.H.
XIXᵉ-XXᵉ siècles. Français.
Peintre.
En 1914 il exposait un *Effet de neige* au Salon des Artistes Français, à Paris.

CHEVALIER Adelina Louise
Née au XIXᵉ siècle à Paris. XIXᵉ siècle. Française.
Peintre de paysages et aquarelliste.
Élève de Mlle Petit-Jean. Elle débuta au Salon de 1880.

CHEVALIER Adolf
Né en 1831 à Crossen-sur-l'Oder (Brandebourg). XIXᵉ siècle. Actif à Berlin. Allemand.
Peintre de paysages.
Élève de Wilh. Krause, à l'Académie de Berlin. Il figura entre 1856 et 1870 aux expositions de cette Académie.
On cite de lui : *Soirée d'Automne, Après l'orage*.

VENTES PUBLIQUES : COLOGNE, 21 mai 1977 : *Paysage de Suisse* : DEM 1 450 – VIENNE, 11 sep. 1985 : *Paysage au crépuscule*, h/t (63x90) : ATS 50 000 – AMSTERDAM, 20 avr. 1993 : *Une ville au pied de son château*, h/t (44x72) : NLG 5 175.

CHEVALIER Andrée
Née à Paris. XIXᵉ-XXᵉ siècles. Française.
Peintre de paysages, natures mortes, fleurs.
Elle exposa aux Salons des Artistes Indépendants, d'Automne et des Tuileries entre 1941 et 1943.

VENTES PUBLIQUES : LONDRES, 23 juil. 1976 : *Le port de Malte* 1893, h/t (43x150) : GBP 550.

CHEVALIER Antoine
Né au XIXᵉ siècle à Paris. XIXᵉ siècle. Actif à Paris. Français.
Peintre sur émail.
Élève de Carantya. Il exposa au Salon entre 1870 et 1876 des peintures sur émail et sur faïence.

CHEVALIER Antoine Sébastien
XVIIIᵉ siècle. Français.
Peintre.
Il fut reçu à l'Académie Saint-Luc à Paris en 1782.

CHEVALIER Charles Gilbert
Né en 1803 à Clermont-Ferrand (Puy-de-Dôme). XIXᵉ siècle. Actif à Paris. Français.
Peintre et dessinateur.
Élève de Lethière. Exposa au Salon en 1831, 1833 et 1834. Il a collaboré à l'illustration du *Magasin Pittoresque* (1838).

CHEVALIER Claire. Voir **BOUCHOT**

CHEVALIER Émile Louis Auguste ou **Chevalier-Milo**
Né à Briare (Loiret). XXᵉ siècle. Français.

Peintre de paysages.
Élève de Romanet. Exposant des Indépendants.

CHEVALIER Ernest Jean
Né vers 1867 à La Rochelle (Charente-Maritime). Mort en 1917 à Saint-Germain-en-Laye (Yvelines). XIXᵉ-XXᵉ siècles. Français.
Peintre de paysages et de marines.
Il fut élève d'Henri Gervex, Jacques-Fernand Humbert et Alfred Roll. Sociétaire du Salon des Artistes Français depuis 1888, il y exposa en 1901, 1906 et 1910 et reçut une médaille de bronze à l'Exposition Universelle de 1900. Il figura au Salon de la Société Nationale des Beaux-Arts entre 1911 et 1914. Il était chevalier de la Légion d'Honneur.
Il a peint les paysages de la Loire et des vues de Bretagne.
Musées : LA ROCHELLE : *La mer bleue à Noirmoutier* – SANTIAGO : *L'Erdre à Nantes.*
Ventes Publiques : PARIS, 16 mars 1925 : *Les Andelys* : FRF 130 ; *Chalands à Conflans* : FRF 75 – PARIS, 23 déc. 1942 : *Le port de La Rochelle* : FRF 4 800.

CHEVALIER Étienne
Mort le 30 mai 1663 à Paris. XVIIᵉ siècle. Actif à Paris. Français.
Peintre, sculpteur.
Cité par Herluison. Il fit partie de l'Académie Saint-Luc.

CHEVALIER Étienne
Né à Paris. Mort en 1763. XVIIIᵉ siècle. Français.
Peintre d'histoire, scènes de genre, portraits.
Élève de J. Raoux.
Musées : REIMS : *Portrait de l'abbé Pluche.*
Ventes Publiques : PARIS, 3 déc. 1979 : *Daniel François Marie de Noailles, enfant 1762, h/t (79x62)* : FRF 18 000.

CHEVALIER Étienne
Né en 1910 dans le Poitou. Mort en 1982. XXᵉ siècle. Français.
Peintre de paysages, marines, natures mortes, fleurs.
Il commença à peindre très jeune. Il fut élève de l'Ecole des Beaux-Arts d'Alger. Il séjourna à Paris de 1931 à 1935, fréquentant l'Atelier Gromaire à l'Académie Scandinave.
Il participait annuellement à Paris aux Salons d'Automne et des Tuileries. Il a figuré aussi au Salon des Artistes Indépendants. Il a participé à des expositions collectives à Alger, Oran. Il fit des expositions personnelles à Paris en 1934 et 1938, année où il obtint la Bourse de la Casa Vélasquez. En 1940, il obtint le Grand Prix Artistique de l'Algérie. En 1990, eut lieu à Paris une exposition rétrospective posthume.
Ses paysages et ses autres peintures se situent entre l'Algérie de sa jeunesse et le Poitou natal où il revint vivre.

CHEVALIER Eugène
Né au XIXᵉ siècle à Paris. XIXᵉ siècle. Français.
Graveur.
Élève de Mme Bruse. Il débuta au Salon de 1870.

CHEVALIER Ferdinand
XIXᵉ siècle. Actif à Bruxelles. Belge.
Peintre de paysages.
Il fit ses études sous la direction d'Achenbach à Düsseldorf. On cite de lui : *Paysage d'hiver.*
Ventes Publiques : PARIS, 25 mars 1927 : *La cascade sous bois* : FRF 130 – PARIS, 27 et 28 juin 1927 : *La cascade sous bois* : FRF 145.

CHEVALIER François Frédéric
Né le 7 juillet 1812 à Orléans (Loiret). Mort en 1849 à Paris. XIXᵉ siècle. Français.
Peintre, dessinateur et lithographe.
Il a signé un nombre important de portraits (lithographies), illustrant les *Recherches historiques sur la Ville d'Orléans*, de D. Lottin père (Orléans, 1836-1845).

CHEVALIER François Louven
XVIIIᵉ siècle. Français.
Peintre.
Il fut reçu à l'Académie Saint-Luc à Paris en 1756.

CHEVALIER Franz
XIXᵉ siècle. Actif à Berlin. Allemand.
Lithographe.

CHEVALIER Gabriel
Né le 26 juin 1921 à Montjavoult (Oise). XXᵉ siècle. Français.
Peintre de paysages, natures mortes, scènes de genre.
Postimpressionniste.

Il a exposé, à Paris aux Salons des Artistes Français, des Artistes Indépendants, à Aix-en-Provence, Avignon, Marseille, Grenoble. Il a reçu plusieurs récompenses.
Il peint dans une technique traditionnelle postimpressionniste, divers sujets parmi lesquels les paysages animés dominent.
Ventes Publiques : VERSAILLES, 29 oct. 1989 : *Tréminis-le-Haut sous la neige 1980, h/pan. (65x81)* : FRF 3 800.

CHEVALIER Georges
Né à Ivry-sur-Seine (Seine). XXᵉ siècle. Français.
Peintre de paysages, natures mortes.
Il exposa au Salon d'Automne et au Salon des Artistes Indépendants à partir de 1919.

CHEVALIER Georges Camille
Né à Paris. XXᵉ siècle. Français.
Graveur en médailles.
Élève de Pastey et Lordonnois.

CHEVALIER Jacques
XVIIIᵉ siècle. Français.
Sculpteur.
Il fut reçu à l'Académie Saint-Luc à Paris le 17 octobre 1763.

CHEVALIER Jacques Marie Hyacinthe
Né le 7 avril 1825 à Saint-Bonnet-le-Château (Loire). Mort en octobre 1895 à Paris. XIXᵉ siècle. Français.
Sculpteur.
Entré à l'École des Beaux-Arts en 1847, il se forma sous la direction de Toussaint. Il débuta au Salon de Paris en 1852 ; mention honorable à l'Exposition de 1889. Les Musées de Clermont-Ferrand et de Lisieux conservent de ses œuvres.

CHEVALIER Jean
Né en 1532 probablement à Rennes. XVIᵉ siècle. Français.
Peintre d'ornements.
Il travailla pour la ville de Rennes.

CHEVALIER Jean
Né vers 1620, d'origine française. Mort en 1654 à Rome. XVIIᵉ siècle. Français.
Peintre.

CHEVALIER Jean
Né vers 1725 à Paris. Mort vers 1790 à Paris. XVIIIᵉ siècle. Français.
Peintre de portraits.
Élève de J. Raoux. Un certain nombre de ses portraits ont été gravés par R. Gaillard, P. Aveline, G.-E. Petit, J.-G. Wille.

CHEVALIER Jean
XXᵉ siècle. Français.
Peintre. Abstrait.
Il exposa au premier Salon des Réalités Nouvelles en 1947, une toile abstraite construite rythmiquement selon la leçon de Delaunay et de Gleizes.

CHEVALIER Jean Alexandre
XVIIIᵉ siècle. Actif à Paris vers 1770. Français.
Graveur à l'eau-forte amateur.
Il était également ingénieur.

CHEVALIER Jean Baptiste
XVIIᵉ siècle. Français.
Peintre.
Il fut reçu à l'Académie Saint-Luc en 1662.

CHEVALIER Jean François
XVIIIᵉ siècle. Français.
Peintre.
Il fut reçu à l'Académie Saint-Luc à Paris en 1745 et devint directeur en 1771.

CHEVALIER Jean Godart
XVIIIᵉ siècle. Français.
Peintre de portraits.
Reçu à l'Académie Saint-Luc à Paris en 1732, il devint adjoint à professeur et exposa des portraits en 1751, 1752, 1753, 1756, 1762, 1764 et 1774.

CHEVALIER Jean Louis
XVIIIᵉ siècle. Français.
Peintre.
Il fut reçu à l'Académie Saint-Luc à Paris en 1760.

CHEVALIER Julien
Mort en 1688 à Angers. XVIIᵉ siècle. Actif à Angers puis à Brissac. Français.
Peintre.

CHEVALIER Louis
Mort après 1763. XVIIIᵉ siècle. Français.
Sculpteur.
Il fut reçu à l'Académie Saint-Luc en 1751.

CHEVALIER Louis Auguste
Né vers 1865 au Creusot (Saône-et-Loire). XIXᵉ-XXᵉ siècles. Français.
Peintre de paysages, marines, compositions murales.
Élève de Gérome, il fut sociétaire du Salon d'Automne.
Il montre l'influence de son maître à travers ses grandes décorations, comme celle de la chapelle de l'École Militaire de Paris. Il est également l'auteur de marines aux irisations nuancées.
BIBLIOGR. : Gérald Schurr, in : *Les Petits Maîtres de la peinture 1820-1920, valeur de demain*, Les Éditions de l'Amateur, t. II, Paris, 1982.
MUSÉES : L'ISLE-ADAM (Mus. Senlecq) : *Étude de bateau.*

CHEVALIER Louis Marie Jean Baptiste
Né à Rive-de-Gier. XIXᵉ siècle. Français.
Peintre.
Élève de Gérome. Exposa à Paris de 1876 à 1894 ; en 1876 : *Légende de la folle aux bleuets* ; en 1877 : *Abel* ; en 1879 et 1880 : *L'Aumônier militaire, De profundis, Panneaux pour la chapelle de l'École militaire* ; en 1882 : *Mort de Viala* ; en 1883 : *L'oncle Jean* ; en 1884 : *Étude dans un atelier* ; en 1885 : *La Cathédrale de Chartres* ; en 1887 : *Chevalier à l'Ile Adam* (étude de bateaux) ; en 1888 : *Escalier champêtre* ; en 1891 : *Le Yacht Wattermich, effet du matin* ; en 1894 : *Marinière.* ■ André Granger
VENTES PUBLIQUES : LONDRES, 10 juil. 1908 : *Le pêcheur* : **GBP 4** – VIENNE, 9 fév. 1971 : *Paysage de neige* : **ATS 15 000.**

CHEVALIER Marcel Ghislain
Né en 1911 à Forrières. XXᵉ siècle. Belge.
Peintre. Expressionniste, puis abstrait.
Il commença à peindre à la suite de sa captivité en Allemagne pendant la guerre de 1939-1945. Il expose assez rarement, toutefois quelques expositions personnelles à Londres et Paris, Charleroi en 1991.
Dans sa période abstraite, ses peintures sont formées d'entrelacs serrés, de traces linéaires, colorés discrètement, entremêlés comme pelotes de laine déroulées.
BIBLIOGR. : In : *Diction. Biogr. Ill. des Artistes en Belgique depuis 1830*, Arto, Bruxelles, 1987.
MUSÉES : BÂLE – DINANT – LIÈGE – PARIS (Mus. d'Art Mod. de la ville) – STRASBOURG – VERVIERS.

CHEVALIER Marie Sophie
Née le 10 janvier 1838 à Nantes. XIXᵉ siècle. Française.
Peintre.
Élève de Tissier et de Mlle Durand. Elle exposa au Salon, entre 1861 et 1882, successivement des peintures sur porcelaine (copies) et des portraits originaux sur émail.

CHEVALIER Maurice
Né à Paris. XXᵉ siècle. Français.
Peintre.
Il exposa au Salon des Artistes Indépendants entre 1935 et 1939.

CHEVALIER Miguel
Né en 1959 à Mexico. XXᵉ siècle. Actif en France. Mexicain.
Artiste, multimédia.
Il fut étudiant à Paris, de l'École Nationale Supérieure des Arts Décoratifs et de l'École Nationale des Beaux-Arts.
Il participe à plusieurs expositions collectives parmi lesquelles : *Ateliers 88* à l'ARC au Musée d'Art Moderne de la ville de Paris, *Nos années 80* à la Fondation Cartier à Jouy-en-Josas en 1989, *L'art fractal* à l'Espace Paul Ricard à Paris en 1997. Il a exposé personnellement à la galerie Sylvana Lorenz en 1988, à la galerie Jade à Colmar en 1989, à la galerie Krief à Paris en 1990 et à la Galerie des Beaux-Arts à Nantes en 1991.
Miguel Chevalier travaille à partir de plusieurs matériaux et médias, dont le plus important est l'informatique. Utilisant des images extraites de la presse, il les retraite sur ordinateur, cet « inépuisable et fabuleux dictionnaire de formes et de couleurs qui fait éclater l'image, la modifie et la régénère... » Ce mouvement d'appropriation et de transformation-recyclage d'une image n'est pas très novateur en soi, mais les facultés d'expression graphique de l'ordinateur sont ici pleinement exploitées ; les cibachromes obtenus sont présentés sous forme de caissons qui rappellent l'écran de télévision et fonctionnent parfois en paire ou en ensemble. ■ F. M.

BIBLIOGR. : Catal. de l'exposition *Nos années 80*, Fondation Cartier, 1989 – Catal. de l'exposition *Mec-Art-Techno-Pub*, Galerie Krief, Paris, 1989.
VENTES PUBLIQUES : PARIS, 11 oct. 1989 : *Telecom* 1988, t. de vinyl. tendue/châssis métallique : **FRF 15 000** – PARIS, 16 mai 1990 : *Vecteur* 1988-1989, cibachrome, Plexiglas et alu. laqué (H. 120, L. 120, P. 15) : **FRF 18 500** – PARIS, 14 juin 1990 : *Bi-Stabilité-État binaire* 1990, cibachrome, Plexiglas et alu. laqué (80x80) : **FRF 20 000** – PARIS, 23 mars 1992 : *Vecteurs* 1988-89, cibachrome, Plexiglas et alu. peint. (84,5x100x15) : **FRF 11 000** – PARIS, 3 fév. 1993 : *L'Aéroport*, aquar. gchée/soie, quadriptyque (50x50) : **FRF 15 000** – PARIS, 24 juin 1994 : *Sumo, la lutte* 1989, sérig./Plexiglas (127x127) : **FRF 7 000** – PARIS, 26 fév. 1996 : *Le Culte du corps* 1989, cibachrome, alu. et Plexiglas, diptyque (chaque 110x10) : **FRF 10 500** – PARIS, 19 juin 1996 : *Module* 1988, scanner/vinyl. tendu sur châssis métallique (220x220) : **FRF 15 000.**

CHEVALIER Nicholas ou Nicolas
Né en mai 1828 à Saint-Pétersbourg, d'un père suisse et d'une mère russe. Mort en 1902 à Londres. XIXᵉ siècle.
Peintre de paysages, d'histoire et graveur.
Il quitta Saint-Pétersbourg à 17 ans et suivit ses parents à Lausanne où il étudia au Musée Arland, avec Guignard. Il passa de Munich, à Londres et en Italie, travaillant aussi l'architecture. En 1854, Chevalier se rendit à Melbourne, en Australie, et collabora au premier journal illustré publié dans cette colonie. Il voyagea en Nouvelle-Zélande et rapporta des études intéressantes dont il fit des aquarelles exposées plus tard à Londres et à Paris. Il fut aussi un des fondateurs de la première galerie de tableaux en Australie et accompagna en qualité de peintre, le duc d'Edimbourg dans son voyage autour du monde. De retour en Europe, il se fixa à Londres.
MUSÉES : LONDRES (Nat. Gal.) : *Les rangées de Buffalo, Victoria* – *Portrait du Dr Maund, praticien à l'ancienne Melbourne* – *Croquis original pour l'« Indian shepherd »* – SUNDERLAND : *Climats ensoleillés, Tahiti* – SYDNEY : *Paysage – Lac de Genève*, aquar. – *Trois Paysages*, aquar. – *La course au marché à Tahiti.*
VENTES PUBLIQUES : LONDRES, 9 mai 1938 : *Les détroits de Cook, Nouvelle-Zélande*, dess. : **GBP 5** – LONDRES, 11 mai 1976 : *Paysage de Nouvelle-Zélande* 1872, aquar. reh. de gche (20,3x31) : **GBP 980** – NEW YORK, 14 mai 1976 : *Paysage des Ardennes* 1886, h/t (69x92) : **USD 3 400** – LONDRES, 1ᵉʳ juin 1977 : *Paysage de Nouvelle-Zélande* 1878, aquar. (25,5x37,5) : **GBP 1 200** – SYDNEY, 17 oct. 1984 : *The Drago Valley, Mount Macmillan in the distance* 1865, h/t (30,2x47,2) : **AUD 46 000** – LONDRES, 8 nov. 1984 : *Paysage montagneux* 1891, aquar. (55x39) : **GBP 1 300** – TORONTO, 29 mai 1986 : *North Mavora lake, Central Otago, New Zealand, with Maori hunting party*, h/t (49,5x75) : **CAD 70 000** – LONDRES, 10 juin 1986 : *Lake Manapouri, South Island, New Zealand* 1882, aquar. (50,2x74,9) : **GBP 42 000** – HOBART, 26 août 1996 : *Vue de la Dargo Valley, aborigènes au premier plan et le mont McMillan au loin* 1865, h/t (30,2x47,2) : **AUD 51 750.**

CHEVALIER Nicolas
XVIᵉ siècle. Actif à Paris en 1559. Français.
Peintre.

CHEVALIER Nicolas ou Chevallier ou Cavalier
Né à Sedan. Mort en 1720 à Utrecht. XVIIᵉ siècle. Français.
Médailleur, graveur, imprimeur, amateur d'art et marchand.
Lors de la révocation de l'Édit de Nantes (1685) il se réfugia en Hollande, où il résida à Amsterdam et à Utrecht.

CHEVALIER Nicolas ou Chevallier
XVIIIᵉ siècle. Actif à Paris au début du XVIIIᵉ siècle. Français.
Dessinateur et graveur au burin.
On cite surtout de lui des ornements pour les orfèvres et 12 planches du recueil intitulé : *Galerie du Sr. Girardon, sculpteur ordinaire du roi.* Il a quelquefois signé avec ses initiales. Il fut reçu à l'Académie Saint-Luc en 1741.

CHEVALIER Odette
Née à Cahors (Lot). XXᵉ siècle. Française.
Peintre de nus, de paysages et de fleurs.
Elle exposa entre 1933 et 1935 au Salon d'Automne, au Salon des Tuileries et des Artistes Indépendants.

CHEVALIER Paul Maurice
Né le 22 novembre 1898 à Paris. Mort le 2 février 1984 à Paris. XXᵉ siècle. Français.
Peintre et illustrateur. Abstrait-lyrique.

Il connut une vie hachée par les difficultés matérielles et les guerres, tantôt professeur de dessin, tantôt ouvrier, il reçut les conseils les plus divers qui ne lui permettaient guère qu'une activité de peintre-amateur. Habitant Boulogne-sur-Seine, il rencontra Lipchitz, Le Corbusier mais surtout au lendemain de la deuxième guerre mondiale Marcel Burtin, Pignon et Dayez qui l'intégrèrent au sein du groupe « Synthèse » et le firent exposer au Salon de Mai entre 1945 et 1950. Entre 1928 et 1960 il exposa également au Salon des Artistes Indépendants ainsi qu'au Salon des Surindépendants. Il a exposé personnellement ses œuvres en 1948, 1963, 1966, 1970 et 1973 à Paris.

Ses toiles sont composées de formes abstraites-lyriques, qui, associées avec un souci d'harmonie évoquent parfois l'art d'un Pignon. Trois thèmes reviennent dans cette œuvre dont Vladimir Jankelevitch a pu écrire : « Cette peinture abstraite-concrète a quelque chose de musical : car la musique aussi évoque et suggère, sans rien imposer à l'imagination visuelle. »

Musées : Paris (Mus. d'Art Mod. de la ville) – Saint-Denis (Mus. d'Art et d'Hist.).

CHEVALIER Peter
Né en 1953. xxᵉ siècle. Américain (?).
Peintre de compositions d'imagination, pastelliste. Figuration fantastique.

Sa pratique est techniquement traditionnelle, fondée sur un dessin clairement narratif et des colorations soutenues et contrastées mais cependant plausibles. Ses peintures procèdent par accumulation, comme dans des dispositions de natures mortes, d'éléments très hétérogènes, ce qui rapproche son processus du principe surréaliste des rencontres fortuites et insolites.

Ventes Publiques : Paris, 5 avr. 1987 : *Sans titre* 1983, past. (42,5x60,5) : **FRF 5 000** – New York, 14 fév. 1989 : *La chanson du coquillage* 1984, acryl./t. (220x238) : **USD 9 350** – Londres, 21 mars 1991 : *Madone et cheval* 1984, h/t (221x240,5) : **GBP 4 950** – New York, 7 mai 1991 : *Chien avec un chariot*, h/t (249,5x199,4) : **USD 6 600** – New York, 23-25 fév. 1993 : *Paysage idéal IX* 1985, h/t (81,3x99,7) : **USD 1 265** – New York, 24 fév. 1995 : *Plus grande tête* 1983, h/t (200,7x160) : **USD 1 725**.

CHEVALIER Philippe François
xviiᵉ siècle. Français.
Peintre.

Il fut reçu à l'Académie Saint-Luc en 1674.

CHEVALIER Pierre
xviiiᵉ siècle. Actif à Avignon en 1780. Français.
Sculpteur.

CHEVALIER Pierre César
Français.
Peintre.

On ignore la date de sa réception à l'Académie Saint-Luc à Paris.

CHEVALIER Pierre François
xviiiᵉ siècle. Français.
Peintre de fleurs.

Il peignit sur porcelaine à la Manufacture de Sèvres entre 1755 et 1757.

CHEVALIER Pietro
xixᵉ siècle. Actif dans la première moitié du xixᵉ siècle. Italien.
Lithographe.

CHEVALIER Renée
Née à Paris. xxᵉ siècle. Française.
Peintre.

Elle exposa à Paris au Salon des Indépendants.

CHEVALIER Robert J.
Né le 23 janvier 1907 à Paris. xxᵉ siècle. Français.
Aquafortiste.

Élève de Laguillermie et de Lucien Simon. Exposant des Artistes Français.

CHEVALIER Robert Magnus
xixᵉ siècle. Britannique.
Peintre de sujets typiques, paysages, aquarelliste. Orientaliste.

Il travailla à Londres, où il exposa à partir de 1876 à la Royal Academy, à Suffolk Street, à la New Water-Colours Society et à d'autres salons.

Ventes Publiques : New York, 1904 : *Une rue au Caire* : **USD 175** – New York, 26 mai 1983 : *Procession dans une ville arabe*, h/t (91x71) : **USD 4 000** – New York, 28 oct. 1986 : *La procession* 1908, h/t (91,5x71,2) : **USD 6 000**.

CHEVALIER Roberte Jeanne Aimée
Née le 23 janvier 1907 à Paris. xxᵉ siècle. Française.
Peintre de nus, compositions à personnages, paysages. Postimpressionniste.

Elle suivit les cours de l'École de Dessin de la Ville de Paris en 1924 et des cours de peinture et gravure à l'École Nationale des Beaux-Arts. Elle est sociétaire du Salon des Artistes Français depuis 1931 et depuis 1954 du Salon des Artistes Indépendants. Depuis 1939 elle a figuré régulièrement au Salon d'Hiver et à celui de l'Art Libre. Elle a également montré ses œuvres lors d'expositions particulières à Paris et en province.

CHEVALIER William
xixᵉ siècle. Travaillant à Londres. Britannique.
Graveur de reproductions.

CHEVALIER D'ARPIN. Voir ARPINO il cavaliere d'

CHEVALIER-HILS Émile Louis
Né à Briare (Loiret). xxᵉ siècle. Français.
Peintre.

Exposant du Salon d'Automne, 1928-29.

CHEVALIER MANCIAU. Voir MANSIAUX

CHEVALIER MONTESA, Maître du. Voir MAÎTRES ANONYMES

CHEVALLERIE Friedrich Wilhelm von
xviiiᵉ siècle. Actif à Bayreuth. Allemand.
Peintre d'histoire, miniatures.

Il fut chambellan du margraviat, à Bayreuth.

CHEVALLET Claire Louise Charlotte, Mme, née Boverat
Née au xixᵉ siècle à Paris. xixᵉ siècle. Française.
Peintre.

Élève de Mme Thoret. Elle débuta au Salon de 1877.

CHEVALLEY Pierre
Né le 6 mars 1926 à Yverdon. xxᵉ siècle. Suisse.
Peintre, peintre de cartons de tapisseries, vitraux, compositions monumentales. Abstrait.

Il fut élève de l'École des Beaux-Arts de Paris. De 1973 à 1991, il a été professeur de peinture à l'École Cantonale des Beaux-Arts de Lausanne.

Il a exposé à partir de 1959, cette année-là et en 1961 à la Biennale de Paris ainsi qu'à la Biennale de la Tapisserie de Lausanne en 1967 et 1969. Il montre ses oeuvres dans des expositions personnelles à Paris en 1969 ; en 1987 au Musée des Beaux-Arts de Lausanne ; en 1994 à la galerie Le Troisième Œil à Paris ; en 1995 au Musée Jenisch des Beaux-Arts de Vevey ; en 1997 de nouveau galerie Le Troisième Œil avec James Guitet ; en 1998 au Musée Suisse du Vitrail, au château de Romont. En 1993, il fut lauréat du premier Prix Gustave Buchet.

A partir de 1955 il a réalisé des vitraux, des tapisseries, des verrières en polyester et des travaux d'intégration architecturale. Il travaille dans la tradition du néo-plasticisme, dans l'esprit des variations sur le carré d'Albers. Il utilise des matériaux divers tels que l'aluminium, et le verre, qui se prêtent bien à l'intégration architecturale. Il a exécuté des œuvres monumentales à Nîmes, Orléans, Yverdon, Marseille, Nancy, Genève, Lausanne (un triptyque à l'École Polytechnique Fédérale) et une fresque de 700 mètres carrés à Courbevoie.

Bibliogr. : Divers : *Pierre Chevalley. Les Vitraux*, Mus. Suisse du Vitrail, Skira, Genève, 1998.

CHEVALLIER Antoine
Mort entre 1518 et 1528. xvᵉ-xviᵉ siècles. Français.
Peintre et graveur sur bois.

Cité à partir de 1499 à Lyon.

CHEVALLIER Antoine ou Chevalier
xviᵉ siècle. Actif à Troyes. Français.
Peintre.

Il travaillait entre 1540 et 1550 au château de Fontainebleau.

CHEVALLIER Étienne
xviᵉ siècle. Français.
Peintre.

Il travailla à Lyon en 1515-1517. Il est connu comme « peintre en papier ».

CHEVALLIER Henri
Né en 1808 ou 1809 à Lyon (Rhône). Mort le 19 mars 1893 à Lyon (Rhône). xixᵉ siècle. Français.
Peintre de paysages, marines.

Élève à l'École des Beaux-Arts de Lyon, il travailla, de 1839 à 1843, sous la direction de Fonville, puis alla étudier à Paris avant de revenir dans sa ville natale. Il débuta au Salon de Lyon en 1845-46, et à celui de Paris en 1859, exposant dans ces deux villes jusqu'en 1890.

Tout d'abord dessinateur de fabrique, il accompagna ensuite son ami Carrand, parcourant l'Isère, l'Auvergne, l'Ain, afin de peindre, sur le motif, les paysages de ces régions, dans des tonalités transparentes. Enfin, à partir de 1870, il brossa quelques marines du littoral méditerranéen.

BIBLIOGR. : Gérald Schurr, in : *Les Petits Maîtres de la peinture 1820-1920, valeur de demain*, Les Éditions de l'Amateur, t. III, Paris, 1976.

VENTES PUBLIQUES : VERSAILLES, 8 mars 1981 : *Pêcheurs près de la chaumière en bord de mer*, h/t (54x72,5) : FRF 6 300 – BERNE, 26 oct. 1988 : *Paysage fluvial dans les environs de Lyon*, h/t (39x61) : CHF 1 500.

CHEVALLIER Hervé
XVIIe siècle. Actif à Nantes en 1684. Français.
Peintre verrier.

CHEVALLIER Jacques ou **Chivallier**
XVIe siècle. Actif à Lyon en 1548 et 1574. Français.
Peintre.

CHEVALLIER Jean
XVIe siècle. Actif à Lyon en 1569 et 1574. Français.
Peintre.

CHEVALLIER Michel
XVIIe siècle. Actif à Nantes. Français.
Peintre verrier.
Il travailla à la cathédrale de Nantes en 1634.

CHEVALLIER Michel
XVIIIe siècle. Actif au Mans. Français.
Sculpteur.
Il travailla à l'église Sainte-Jamme-sur-Sarthe en 1703, à l'église de Pontlieue en 1712, à la chapelle Saint-Léon à La Couture en 1716, et exécuta 12 bustes pour la bibliothèque de l'abbaye de Beaulieu en 1720.

CHEVALLIER Olivier
Né en 1705 à Nantes. Mort le 15 mars 1786 à Nantes. XVIIIe siècle. Français.
Peintre.

CHEVALLIER Pierre
XVIIIe siècle. Actif au Mans. Français.
Sculpteur.
Cité par M. l'abbé René Esnault pour avoir travaillé à l'église de Thorigné en 1737 et 1740.

CHEVALLIER-KERVEN Marie Renée, Mme
Née à Landerneau (Finistère). XXe siècle. Française.
Graveur sur bois.
Exposant des Artistes Français ; mention honorable en 1929.

CHEVALLIER-TAYLER Albert. Voir TAYLER Albert Chevallier

CHEVANDIER Jeanne Anaïs
Née dans la deuxième moitié du XIXe siècle à Die (Drôme). XIXe siècle. Française.
Peintre.
Elle obtint une mention honorable en 1896.

CHEVANDIER DE VALDRÔME Paul
Né en 1817 à Saint-Quirin (Meurthe). Mort en 1877 à Pourville. XIXe siècle. Français.
Peintre de paysages.
Élève de Marilhat et de Picot, il participa régulièrement au Salon de Paris à partir de 1836, obtenant une médaille de troisième classe en 1845 et une de deuxième classe en 1851.
La plupart de ses paysages de Normandie, d'Italie, et même d'Afrique du Nord restent attachés aux règles du paysage historique, toutefois, quelques paysages de Provence sont plus libres dans leur composition et leur touche.
BIBLIOGR. : Gérald Schurr, in : *Les Petits Maîtres de la peinture 1820-1920, valeur de demain*, Les Éditions de l'Amateur, t. V, Paris, 1981.
MUSÉES : NANCY (Mus. des Beaux-Arts) : *Les bœufs en Camargue* – PARIS (ancien Mus. du Luxembourg) : *Crépuscule à Marseille*.

CHEVARIN Mireille
Née à Paris. XXe siècle. Française.

Décorateur.
A exposé au Salon des Artistes Français des projets de tissus et papiers peints, de 1932 à 1937.

CHEVARRIER Marie de, Mme, née **Pène**
Née à Paris. Morte en 1899 à Biarritz. XIXe siècle. Active à Paris. Française.
Peintre de portraits, peintre de miniatures.
Élève de Pommeyrac. Elle exposa au Salon entre 1852 et 1882.

CHEVASSU Robert
XXe siècle. Français.
Sculpteur. Abstrait.
Dans les années soixante-dix, il expose régulièrement à Paris, au Salon Grands et Jeunes d'Aujourd'hui. Ses sculptures, parfois sortes d'ailes élancées, d'autre fois conques offertes, ont une fonction décorative et appartiennent à ce qu'on peut nommer l'abstraction internationale.

CHEVAUCHET
XIXe siècle. Français.
Graveur sur bois, illustrateur.
Il a gravé pour les *Grooms célèbres* les *Axiomes au crayon* et *L'Ancien Amoureux*, de Gavarni. On trouve de lui quelques planches dans les *Chansons de Béranger* ; il grava aussi pour le *Gil Blas*, de Gigoux, l'*Histoire populaire de Napoléon*, *Les Français peints par eux-mêmes*, *Les Étrangers à Paris*, le *Robinson Crusoé*, de Borel, les *Scènes populaires*, d'Henry Monnier.

CHEVAUCHET Jean
Né le 23 août 1937 à Chavannes-sur-Reyssouze (Ain). XXe siècle. Français.
Peintre de natures mortes, paysages. Réaliste, trompe-l'œil.
D'origine bourguignonne, il est diplômé de l'École d'Agriculture de Fontaines-Mercurey (Saône-et-Loire). Il fut d'abord cadre d'entreprise. Puis il opta pour la peinture, à laquelle il s'était formé en autodidacte amateur de musées. Il participe à divers Salons en France et à l'étranger, mais plus que dans des expositions collectives, il montre son travail dans des expositions personnelles.
L'un de ses préfaciers écrit que pour lui « le temps s'est arrêté ». En effet, ses référents sont Brueghel de Velours et les peintres de natures mortes flamands des XVII et XVIII[e]s siècles. Comme eux, il peint des ensembles d'objets précieux, de fleurs et de choses gourmandes. Parfois, il peint des paysages, mais seulement des paysages ordonnancés par l'homme, de la ferme modèle au château historique, en passant par les alignements du vignoble réputé. À l'influence flamande, il ajoute celle plus inattendue de Salvador Dali, les deux pour la minutie du rendu réaliste, le second à cause de la pointe d'étrangeté que lui-même introduit volontiers, non sans humour parfois, dans ses natures mortes, par exemple : des escargots insolites près d'un bouquet de roses, en hommage à sa Bourgogne natale.
BIBLIOGR. : Paul Valentin : *Le peintre du plaisir Jean Chevauchet*, L'Œil, Lausanne, avr. 1989.
VENTES PUBLIQUES : PARIS, 7 mars 1986 : *Fleurs et fruits*, h/t (39x29) : FRF 6 100.

CHEVAUX Henri ou **Cheveaux** ou **Chevau**
XVIIIe siècle. Français.
Peintre de compositions animées, aquarelliste, dessinateur, illustrateur.
Selon toute vraisemblance originaire de Bordeaux où un peintre de ce nom fut en 1773 agréé et en 1774 membre de l'Académie. Il résida plus tard à Londres. Il a illustré notamment les *Romans et Contes*, de Voltaire (Paris, 1781) et la *Vie de Marianne*, de Marivaux (Londres, 1782).
VENTES PUBLIQUES : PARIS, 29 et 30 nov. 1920 : *Berger surpris par des nymphes*, lav. : FRF 150 – PARIS, 18 et 19 fév. 1921 : *Sainte Famille*, pierre noire. attr. : FRF 100 – PARIS, 23-25 mai 1921 : *Renaud et Armide*, dess. reh. : FRF 950 – PARIS, 7 et 8 mai 1923 : *Paysage avec un temple*, aquar. : FRF 700 – PARIS, 26 juin 1925 : *Paysage montagneux, pont et personnages*, aquar. : FRF 430 – PARIS, 10 déc. 1926 : *Étude de femme pêchant*, pl. et dess. : FRF 115 – PARIS, 31 mai 1929 : *Henri IV et Gabrielle d'Estrées* : FRF 1 700 – PARIS, 28 mai 1937 : *La cage ouverte* : FRF 3 300 – PARIS, 22 nov. 1996 : *La Jolie Jardinière* ; *Les Oiseaux chéris* 1790, h/t, une paire (chaque 38x30,5) : FRF 11 000.

CHEVÉ Léon E. R.
XIXe siècle. Actif à Paris. Français.
Peintre.
Sociétaire des Artistes Français depuis 1890.

CHEVEAU Claude
Né à Paris. xxᵉ siècle. Français.
Peintre de portraits et de paysages.
A exposé aux Indépendants depuis 1911.

CHEVEAU N.
xviiiᵉ siècle. Actif à Nantes en 1717. Français.
Peintre.

CHEVENEAU Claude ou **Chaveneau**
xviiᵉ siècle. Actif à Nancy. Français.
Peintre.
Il travailla pour le duc Henri II en 1616, et pour le comte Vaude-mont. Il travailla aussi à la décoration du château de Nancy à l'occasion de l'entrée de Louis XIII dans cette ville.

CHEVENEAU Jean ou **Chaveneau**
xviiᵉ siècle. Actif à Nancy. Français.
Peintre.

CHEVENIER Nicolas
xviᵉ siècle. Actif à Angers en 1566. Français.
Peintre de décorations.

CHEVERNEY Thierry
xxᵉ siècle. Français.
Peintre.
Il a exposé à la galerie Charles Cartwright et à l'abbaye de Port-Royal en 1989.
Son travail de peintre consiste en une exploration et une déconstruction de la peinture avec ses moyens mêmes : il juxta-pose des morceaux de carton, les assemble dans le cadre, joue de leur différences de texture, et enfin ajoute la couleur. Il connaît l'œuvre finale, régie par une technique qu'il maîtrise parfaitement, avant même de commencer, et la nomme, aimant le paradoxe, « Aquarelles ».

CHEVERNY Philippe
Né en 1936. xxᵉ siècle. Français.
Peintre. Abstrait.
Sa première exposition date de 1970. Il montrait des toiles abs-traites, où se mêlaient la laque, des « drippings » et des dorures dans une matière somptueuse.

CHEVERTON Benjamin
Né en 1794. Mort en 1876. xixᵉ siècle. Britannique.
Sculpteur.
Musées : Édimbourg (Nat. Portrait Gal.) : buste en porcelaine.
Ventes Publiques : Londres, 3 juil. 1986 : *Portrait d'un avocat en buste*, ivoire (H. 15) : **GBP 2 400.**

CHÉVERY, Mme
xviiiᵉ siècle. Active à Paris vers 1770. Française.
Graveur.
Elle signait : femme Chévery.

CHEVESSON Jean ou **Chenesson**
xviᵉ siècle. Actif à Tours. Français.
Peintre verrier.

CHEVEU Jules. Voir **LACOSTE**

CHEVEULX Abraham de ou **Cheveux**
Né à Arbois (Franche-Comté). xviᵉ siècle. Vivait à Lausanne en 1573. Français.
Peintre et peintre verrier.

CHEVIGNOT Jean
xviiᵉ siècle. Français.
Peintre.
Il travailla à Nancy en 1638 et fut mentionné à Rome en 1656-1658.

CHEVIGNY Antoine
Mort en 1753 à Paris. xviiiᵉ siècle. Français.
Peintre.
Il fut membre de l'Académie Saint-Luc à Paris, et exerça égale-ment le métier de doreur.

CHEVILLARD Jacques Louis ou par erreur **Jean Louis**
Né en 1680. Mort en 1751. xviiiᵉ siècle. Actif à Paris. Français.
Graveur.
On lui doit le plan de l'église royale de Saint-Denis, des planches pour le Nobiliaire de Normandie ainsi que pour l'armorial de Bourgogne et de Bresse.

CHEVILLE André
Né en 1625 en Savoie. xviiᵉ siècle. Travaillant à Turin. Fran-çais.

Peintre.
Grand-père et premier maître de François de l'Ange (né en 1675).

CHEVILLET Juste
Né en 1729 à Francfort-sur-l'Oder. Mort en 1790 à Paris. xviiiᵉ siècle. Français.
Dessinateur et graveur.
Il travailla d'abord avec Schmidt à Berlin, puis vint à Paris où il fut l'élève de J.-G. Wille. Près de cet excellent maître, il acquit un burin net et souple qui donne à ses estampes une incontestable valeur. Il reproduisit surtout des maîtres français, Chardin, Greuze, Watteau de Lille, Santerre, Raoul, ainsi que quelques petits maîtres hollandais. Chevillet avait épousé la belle-sœur de Wille et l'on voit par les mémoires de ce dernier qu'il retouchait fréquemment les planches de son ancien élève.

CHEVILLIARD Vincent Jean Baptiste ou **Chevillard**
Né le 19 juillet 1841 à Frascati, de parents français. Mort en 1904. xixᵉ siècle. Français.
Peintre de genre, aquarelliste, dessinateur.
Il entra à l'École des Beaux-Arts en 1865 et fut élève de Picot, de Tirnelli et de Cabanel. Cette même année, il débuta au Salon de Paris avec son tableau : *Une malade.*

V. Chevilliard

Musées : Semur-en-Auxois : *Le chemin de la Belle-Marie à Barbizon en hiver* – Stockholm : *La fin du carême.*
Ventes Publiques : Paris, 1878 : *Une lecture amusante* : **FRF 880** – Paris, 1898 : *Entr'actes* : **FRF 1 500** – Paris, 1898 : *La gourmandise est un péché*, aquar. : **FRF 510** – Paris, 1900 : *Un abbé, vu de dos* : **FRF 450** – Londres, 25 jan. 1905 : *Le jeu de cartes*, dess. : **GBP 31** – Paris, 13 mai 1905 : *En attendant l'office* : **FRF 500** – Londres, 29 juin 1908 : *Il n'y a que la foi qui sauve* : **GBP 31** – Londres, 12 fév. 1910 : *Le Naturaliste* : **GBP 19** – Paris, 9 fév. 1922 : *Une grande restauration*, aquar. : **FRF 300** ; *Laissez venir à moi les petits enfants*, aquar. : **FRF 490** – Londres, 27 avr. 1923 : *Le pêcheur* : **GBP 29** – Paris, 26 et 27 mai 1924 : *La Perruche* : **FRF 135** – Londres, 1ᵉʳ et 2 juin 1927 : *Le piège à rats* : **GBP 22** ; *Devant le feu*, dess. : **GBP 22** – Londres, 23 et 24 mai 1928 : *Le piège à rats* : **GBP 25** – Londres, 17 mars 1930 : *Quaerens quem devoret* : **GBP 34** – Londres, 1ᵉʳ mai 1931 : *La pluie*, dess. : **GBP 12** – Newcastle (Angleterre), 23 mai 1932 : *Deux prêtres*, dess. : **GBP 6** – Londres, 23 mars 1934 : *La discorde*, dess. : **GBP 16** – Londres, 2 août 1934 : *La prière du matin* : **GBP 5** – New York, 23 oct. 1936 : *Fâcheux contre-temps* : **USD 80** – Londres, 2 juin 1939 : *Le bon vin*, dess. : **GBP 13** – Londres, 19 mai 1971 : *La Tentation* : **GBP 340** – Londres, 20 fév. 1976 : *Le bibliophile*, h/pan. (25,5x19,5) : **GBP 950** – Londres, 20 juin 1979 : *La Restauration de la statue*, h/pan. (21,5x28) : **GBP 1 600** – New York, 28 mai 1982 : *Qui vient dîner ?*, aquar. et cr. (23,5x18,5) : **USD 800** – New York, 29 fév. 1984 : *Son premier miroir*, h/t (25x32,5) : **USD 5 750** – New York, 13 fév. 1985 : *Le repas du prélat*, aquar. et cr., reh. de gche (23x18) : **USD 1 000** – Londres, 21 mars 1985 : *La becquée*, h/t : **GBP 7 000** – Londres, 17 mai 1991 : *La perruque du dimanche*, h/pan. (19x14,5) : **GBP 1 650.**

CHEVILLON
xviiiᵉ siècle. Français.
Peintre.
Il travailla à la Manufacture des Gobelins entre 1749 et 1757.

CHEVILLON Claude Michel
xviiiᵉ siècle. Français.
Peintre.
Il fut reçu à l'Académie Saint-Luc à Paris en 1761.

CHEVILLON Jean
xviᵉ siècle. Actif à Troyes vers 1548. Français.
Peintre.
Cité par Rondot dans son ouvrage sur les peintres de Troyes.

CHEVILLON Jean Baptiste
Mort avant 1786. xviiiᵉ siècle. Actif à Paris. Français.
Peintre.

CHEVILLON Jean Louis
xviiiᵉ siècle. Français.
Peintre.
Il fut reçu à l'Académie Saint-Luc à Paris en 1758.

CHEVILLON Jean Louis
xixᵉ siècle. Français.

Sculpteur.
Il exposa en 1836 un *Lévrier assis*, dont le Musée du Puy conserve une reproduction.

CHEVILLON Onésime
Né à Grez-sur-Loing (Seine-et-Marne). xxᵉ siècle. Français.
Peintre de paysages.
A exposé aux Indépendants, de 1937 à 1939.

CHEVILLON Pierre
xvɪᵉ siècle. Français.
Peintre.
Actif à Troyes en 1548, il travaillait au château de Fontainebleau en 1560 et 1561.

CHEVIN Victor Joseph
Né à Paris. xɪxᵉ siècle. Travaillant à Samois (Seine-et-Marne) vers 1840-50. Français.
Graveur sur bois.
En 1840, il figura au Salon et obtint une médaille de troisième classe (vignettes pour l'*Histoire de la France*, de Th. Burette, d'après J. David, Paris 1840). Il a gravé aussi des bois pour le *Guide de Paris à Rouen*, les *Galeries des Femmes de George Sand*, d'après François Nanteuil (Bruxelles, 1843), *La Morale en action ou Les Bons exemples*, d'après J. David (Paris, 1842) et pour la publication *L'Unité, organe des intérêts de la France et du Monde.*

CHEVIOT Lilian
xɪxᵉ-xxᵉ siècles. Britannique.
Peintre, animalier.
Elle résidait à South-Molesey (Surrey). Elle était active entre 1894 et 1930. Elle exposa à Londres, à la Royal Academy, en 1895 et 1899.

Lilian Cheviot

Lilian Cheviot

Lilian Cheviot

Ventes Publiques : Édɪmbourg, 6 juin 1931 : *Deux petits chats* : **GBP 5** – Londres, 14 mars 1980 : *Le meilleur des amis*, h/t (60,2x50,2) : **GBP 400** – Chester, 13 jan. 1984 : *Derby et Joan*, h/t (75x61) : **GBP 2 600** – New York, 6 juin 1986 : *A tibetan, a Cairn and a Sily terrier* 1910, h/t (56,5x67,7) : **USD 9 000** – Paris, 13 déc. 1989 : *Prise de chasse*, h/t (63x76) : **FRF 30 000** – Londres, 14 fév. 1990 : *Un terrier des Highlands et un lévrier irlandais*, h/t (63,5x76,2) : **GBP 1 650** – Londres, 15 jan. 1991 : *Royal – un épagneul springer tricolore*, h/t (76,2x63,5) : **GBP 13 200** – Paris, 27 nov. 1991 : *Randonnée dans les Prets*, h/t (28x38) : **FRF 9 000** – Londres, 5 mars 1993 : *Un Dandie Dinmont*, h/t (66x55,9) : **GBP 17 250** – Londres, 25 mars 1994 : *Les meilleurs amis*, h/t (55,9x66) : **GBP 3 220** – Londres, 2 nov. 1994 : *Controverse littéraire*, h/t (33x43,5) : **GBP 5 520** – New York, 9 juin 1995 : *Bons amis*, h/t (55,9x66) : **USD 17 250.**

CHEVKET. Voir CHEWKET Bey

CHEVOBBE Charles Aristide Auguste
Né à Froideterre (Haute-Saône). xxᵉ siècle. Français.
Peintre de paysages et de nus.
Il a exposé au Salon des Artistes Indépendants entre 1935 et 1943 et au Salon des Artistes Français en 1933.

CHEVOLLEAU Jean
Né le 18 novembre 1924 à La Roche-sur-Yon (Vendée). Mort le 1ᵉʳ novembre 1996 à La Roche-sur-Yon. xxᵉ siècle. Français.
Peintre de figures, animaux, nus, paysages, paysages portuaires, natures mortes, peintre à la gouache, peintre de technique mixte, collages, dessinateur. Tendance postcubiste.
Il fut élève de l'école des Beaux-Arts de Paris entre 1945 et 1948, puis en 1946 d'Othon Friesz à l'Académie de la Grande Chaumière. Il participe ensuite à de nombreuses expositions en pro-

vince et aux Salons d'Automne et des Artistes Indépendants à Paris.
Bien que traitant des sujets divers, notamment paysages portuaires ou côtiers, natures mortes, il a deux thèmes de prédilection : d'abord le monde du cheval, sur les champs de course ou dans les sports équestres ; ensuite celui des volailles de basse-cour. Il peint des paysages, souvent par temps d'orage, parfois tragiques, baignés d'harmonies bleu-orangé et d'une luminosité intense, d'où le lyrisme n'est pas exclu. Il travaille dans un style synthétique et rythmé, imprégné d'un esprit postcubiste.

J. Chevolleau

Bɪbʟɪogʀ. : G. Prouteau et M. Ragon : *Chevolleau*, Ed. de l'Amateur, Paris.
Ventes Publiques : Versaɪlles, 30 avr. 1972 : *Le Pesage* : FRF **1 450** – Parɪs, 8 nov. 1976 : *Étude de coq*, h/t (65x50) : FRF **1 200** – Megève, 16 juil. 1983 : *Polo*, h/t (60x73) : **FRF 5 700** – Megève, 20 jan. 1984 : *Polo*, h/t (50x61) : **FRF 6 100** – Megève, 19 jan. 1985 : *Polo*, h/t (55x46) : **FRF 6 500** – Parɪs, 7 nov. 1986 : *Paddock* 1960, h/t (73x92) : **FRF 7 800** – Parɪs, 30 nov. 1987 : *Coq au poulailler* 1975, mine de pb (31x24) : **FRF 5 100** – Parɪs, 16 déc. 1987 : *Les Bouteilles*, h/t (82x65) : **FRF 4 500** – Parɪs, 24 mars 1988 : *La Rochelle*, h/t (65x92) : **FRF 17 000** – Versaɪlles, 17 avr. 1988 : *Lumière sur la côte* 1962, h/t (60x73) : **FRF 6 900** – Versaɪlles, 15 mai 1988 : *La toilette*, h/t (92x60) : **FRF 10 500** – Neuɪlly, 20 juin 1988 : *Le port de La Meule*, h/t (65x81) : **FRF 13 000** – Parɪs, 12 juil. 1988 : *Village d'Auzay* 1959, h/t (60x46) : **FRF 4 000** – Douaɪ, 23 oct. 1988 : *Nature morte au banjo*, h/t (60x81) : **FRF 9 000** ; *La Rochelle*, h/t (19x27) : **FRF 2 500** – Parɪs, 6 nov. 1989 : *Nature morte à la chaise*, h/t (32x21) : **FRF 4 200** – Parɪs, 1ᵉʳ déc. 1989 : *Nature morte* (60x73) : **FRF 28 000** – Parɪs, 31 jan. 1990 : *Le Port de La Meule, Île d'Yeu*, h/t (50x65) : **FRF 20 200** – Parɪs, 30 mai 1990 : *Le Grand Marché*, h/t (98x130) : **FRF 72 000** – Nanterre, 24 avr. 1990 : *Maisons à Saint-Sauveur – Ile d'Yeu* 1984, gche (36x55) : **FRF 6 100** – Parɪs, 18 juin 1990 : *Les Courses*, h/t (60x72,5) : **FRF 16 000** – Parɪs, 11 oct. 1990 : *Tolède, au pont San Martin*, h/t (162,5x113,5) : **FRF 60 000** – Parɪs, 28 jan. 1991 : *Nu debout*, encre de Chine et gche (18x7,5) : **FRF 35 000** – Parɪs, 28 oct. 1991 : *Descente de croix*, h/t (81x65) : **FRF 12 500** – Neuɪlly, 23 fév. 1992 : *Le Port de la Meule*, h/t (50x65) : **FRF 26 000** – Reɪms, 13 déc. 1992 : *Les Bouchots*, h/pap. (49x64) : **FRF 3 000** – Parɪs, 4 avr. 1993 : *Mosaïque* 1960, techn. mixte et collage/t. (58x40) : **FRF 4 000** – Le Touquet, 30 mai 1993 : *Le Thé*, h/t (41x46) : **FRF 11 000** – Parɪs, 8 fév. 1995 : *Composition au poisson*, h/t (38x46) : **FRF 4 500** – Parɪs, 19 nov. 1995 : *Port de Peniscola en Espagne* 1989, h/t (65x92) : **FRF 16 000** – Parɪs, 3-5 juin 1996 : *Voilier*, encre de Chine/pap. (48,5x59,5) : **FRF 7 500** ; *Rue à l'île de Ré* 1975, h/t (50x61) : **FRF 12 000** – Parɪs, 20 jan. 1997 : *La Pêche miraculeuse* 1959, h/t (115x146) : **FRF 13 000** – Parɪs, 20 juin 1997 : *Le Port de La Rochelle* 1977, h/t (60x81) : **FRF 16 000** – Parɪs, 19 oct. 1997 : *Le Lit défait*, h/t (73x100) : **FRF 15 000** – Parɪs, 24 oct. 1997 : *Chevaux au pré* 1961, h/t (60x92) : **FRF 6 500.**

CHÈVRE Paul Romain
Né au xɪxᵉ siècle à Bruxelles, de parents français. xɪxᵉ siècle. Actif à Paris. Français.
Sculpteur.
Élève de Cavelier et de Barrias. Il obtint une mention honorable en 1891, une médaille de troisième classe en 1895, une bourse de voyage en 1897 et une médaille de bronze à l'Exposition Universelle de 1900. Sociétaire des Artistes Français depuis 1897, il figura aux expositions de ce groupement entre 1895 et 1913.

CHEVREAU
xvɪɪɪᵉ siècle. Français.
Sculpteur.
Il obtint un prix à l'École Académique de Paris en 1758.

CHEVREAU Eugène Louis
Né à Nantes. xɪxᵉ siècle. Vivait à Paris. Français.
Peintre de portraits.
Élève de Lehmann et de Galbrund. Il figura au Salon de 1880.

CHEVREAU Pierre
Né à Paris. xxᵉ siècle. Français.
Peintre.
A exposé des paysages aux Indépendants, de 1931 à 1935.

CHEVREL Fanny
Née à Montesquieu-Volvestre (Haute-Garonne). xxᵉ siècle. Française.

Peintre.
A exposé des portraits au Salon de la Nationale, 1929-30.

CHEVRET Jules
Né à Marseille (Bouches-du-Rhône). XXe siècle. Français.
Peintre.
A exposé aux Indépendants de 1924 à 1930.

CHEVRET Manclou
XVIe siècle. Actif à Troyes entre 1530 et 1552. Français.
Peintre.

CHEVRETEAU Michel
Né le 4 février 1930 à Versailles (Yvelines). XXe siècle. Français.
Peintre de natures mortes.
Il fit ses études en 1946 à l'École des Beaux-Arts de Versailles. Depuis 1960 il expose dans différents Salons ; il fut sociétaire du Salon des Artistes Indépendants, des Artistes Français, du Salon d'Automne et du Salon National des Artistes Animaliers. Il a exposé personnellement dans plusieurs galeries.
Il peint dans une technique réaliste des natures mortes à thème, *L'atelier du luthier – Le canard aux pommes*, démonstration d'un beau métier et d'une fidélité au classicisme pictural où apparaissent quelques trompe-l'œil.

CHEVRETTE Alain
Né en 1947 à Lyon (Rhône). XXe siècle. Français.
Peintre de compositions à personnages, figures, intérieurs, portraits, paysages, paysages urbains, marines, natures mortes. Expressionniste.
En 1963 et 1964, il fut élève de l'École des Beaux-Arts de Lyon. Il participe à des expositions collectives, d'entre lesquelles : depuis 1976 Lyon, Salon du Sud-Est ; 1977 Musée de Mâcon ; 1978 Musée de Nice ; etc. Il montre des ensembles de ses peintures dans des expositions personnelles, dont : depuis 1977 à Lyon, régulièrement galerie Saint-Georges ; depuis 1993 Lyon, galerie Olivier Houg ; 1996 Paris, galerie Bernard Bouche ; 1997 Paris, galerie Guénégaud ; 1998 Lyon, rétrospective *30 ans de peinture* ; etc.
Alain Chevrette n'est pas pour rien de Lyon, il est bien un continuateur de cette école de Lyon, mal connue, mal aimée ailleurs. À grands coups de brosse, souvent au couteau, il triture des matières pigmentaires épaisses et grasses. En fait de dessin, de composition, il privilégie les masses au détail, les silhouettes des choses et des êtres à leur identité, leur anonymat, ici ce n'est pas convenable de se faire remarquer. Lyon est aussi la ville des traboules, où s'évanouir sans laisser trace. Là où Alain Chevrette s'affirme le plus individuellement, par rapport par exemple à des Cottavoz ou Fusaro, c'est en ce qu'il est un peintre de l'ombre, évidemment redevable à l'œuvre de Georges Bouche. Peu de couleurs, ce qu'on appelle couleurs c'est-à-dire les couleurs vives, il les connaît et pratique pourtant toutes, mais atténuées, presqu'exténuées, plus souvent assombries qu'éclaicies. D'ailleurs, il préfère la nuit au jour. Du jour, il peut retenir le jour qui se lève ou le crépuscule, tout ce qui contredit le jour : contrejour, clair-obscur, même Venise doit copier Londres et les reflets sur les canaux évoquer la Tamise. Alors, il est bien obligé de prendre en compte les éclairages électriques, les lumières de la ville, réverbères et vitrines, au long des rues noires, les projecteurs du port aveuglant l'appareillage nocturne des cargos et, particulièrement hostiles à toute chaleur humaine, les néons au plafond des bistros. ■ J. B.
Bibliogr. : René Pierre Colin : *Alain Chevrette, Peintures*, gal. Saint-Georges, gal. Olivier Houg, Lyon, 1994, bonne documentation.

CHEVREUIL André Robert
Français.
Peintre.
On ignore la date de sa réception à l'Académie Saint-Luc à Paris.

CHEVREUIL Marie Léon Martial
Né au XIXe siècle à Paris. XIXe siècle. Français.
Portraitiste et paysagiste.
Élève de Gérôme. Il exposa au Salon entre 1877 et 1898.

CHEVREUL Henry
Né à Cuiseaux (Saône-et-Loire). XXe siècle. Français.
Peintre.
Élève de Baschet et de Royer. A exposé au Salon des Artistes Français, 1931-33.

CHEVREUSE Marie Charles Louis d'Albert de, duc de Montfort et pair de France

Né le 24 avril 1717. Mort le 8 octobre 1771. XVIIIe siècle. Français.
Graveur à l'eau-forte et dessinateur amateur.
Cité par Brulliot comme ayant gravé un buste de femme d'après Fr. Boucher et des paysages, exactement six eaux-fortes, quatre paysages (dont un daté de 1754), et deux têtes d'après Boucher, qu'il aurait exécutées avec son frère le cardinal de Luynes. L. Henriquel-Dupont grava d'après lui une planche allégorique : *La ville de Métaponte*.

LDM

CHEVREUSE Valentine de, Mme la duchesse, née **de Contades**
Née au XIXe siècle à Angers. XIXe siècle. Française.
Peintre.
Elle débuta au Salon de 1875.

CHEVREUX Alexis
XXe siècle. Français.
Il exposa au Salon des Indépendants, à Paris.

CHÈVREVILLE Lucien Théophile Langlois de. Voir **LANGLOIS DE CHÈVREVILLE**

CHEVRIER Charles, abbé
Né à Saint-Ursanne (Suisse). XXe siècle. Suisse.
Peintre.
Élève de Montézin. A exposé des paysages au Salon des Artistes Français, 1936-37.

CHEVRIER Cornélie. Voir **ÉDOU-CHEVRIER**

CHEVRIER Edmond Hippolyte
Né à Hennezel (Vosges). XIXe-XXe siècles. Français.
Peintre.
Élève de Gérome et G. Barlangue. A exposé des aquarelles au Salon des Artistes Français.

CHEVRIER Henri Charles
XVIIe siècle. Actif vers 1650. Français.
Peintre de portraits.

CHEVRIER Hugues. Voir la notice **Chevrier Mathieu**

CHEVRIER Jean
XIVe siècle. Parisien, actif dans la première moitié du XIVe siècle. Français.
Enlumineur.
Travailla aux côtés de Jean Pucelle, à la décoration du *Bréviaire de Belleville*, conservé à la Bibliothèque Nationale de Paris.

CHEVRIER Jules
Né le 9 février 1816 à Chalon-sur-Saône (Saône-et-Loire). Mort le 15 octobre 1883 à Farges (Saône-et-Loire). XIXe siècle. Français.
Peintre animalier, paysages, natures mortes.
Commerçant, il apprit la peinture en amateur, dans l'atelier de Couture, en 1853-1855. Il débuta au Salon de Lyon en 1853-54, à celui de Paris en 1859 et figura aux deux jusqu'en 1883. Il fit des eaux-fortes publiées dans ces ouvrages : *Douze eaux-fortes par J. Chevrier 1873* ; *Les amoureux du livre 1877*, par L. Fertiault ; *Chalon-sur-Saône pittoresque et démoli 1883*. Chevrier fut aussi archéologue et fonda en 1866, le musée de Chalon, dont il fut le premier conservateur. Il se plaisait à représenter des rats dans certaines de ses natures mortes qui, par ailleurs, montrent un esprit de synthèse. Citons : *Une question de casserole à vider entre rats et lapins.*
Bibliogr. : Gérald Schurr, in : *Les Petits Maîtres de la peinture 1820-1920, valeur de demain*, Les Éditions de l'Amateur, t. II, Paris, 1982.
Musées : CHALON-SUR-SAÔNE : *Liseuse – Tout n'est pas rose – Les hochets.*
Ventes Publiques : PARIS, 22 juin 1921 : *Le festin des rongeurs* : FRF 130 – BERNE, 2 mai 1979 : *Les Souris 1870*, h/pan. (61x50) : CHF 7 500.

CHEVRIER Mathieu
XVe-XVIe siècles. Français.
Peintre.
Mathieu Chevrier, né vers la fin du XVe siècle, se maria à Lyon, où il travailla pour le Consulat, de 1516 à 1548, à des décorations pour des entrées. En 1539, lorsqu'on prépara, à Paris, l'entrée de Charles Quint, il fut chargé de composer les dessins des décorations projetées pour cette solennité, au cas où le Rosso ne pour-

rait s'en charger. Il testa, à Lyon, le 30 décembre 1552, et vivait encore en 1555. Il eut deux fils, Michel et Hugues, qui furent peintres : Hugues, dit Hugues le peintre, vivait à Lyon en 1538 et mourut entre 1559 et 1562 ; il travailla pour des entrées en 1533, 1540, 1548. Michel vivait à Lyon en 1533 et 1552. On trouve, d'autre part, un Mathieu Chevrier, peintre, employé, en 1574, par le Consulat, pour l'entrée de Henri III, vivant en 1594.

CHEVRIER Michel. Voir la notice **Chevrier Mathieu**.

CHEVRIEZ
XVIᵉ siècle. Français.
Sculpteur.
Élève de Rosso. Il exécuta une statue d'argent massif représentant Hercule, que les habitants de Paris offrirent à Charles Quint, en 1539.

CHEVRON Benoît Joseph
Né le 18 mars 1824 à Lyon. Mort fin 1875 à Villefranche (Rhône). XIXᵉ siècle. Français.
Graveur.
Élève de Vibert à l'École des Beaux-Arts de Lyon (1837-1842), puis d'Henriquel-Dupont à l'École des Beaux-Arts de Paris (1842-1844), il revint suivre à Lyon, pendant un an, la classe de Vibert. Il débuta dans cette ville, au Salon de 1845-1846 avec une gravure : *La Sainte Famille.* Il exposa ensuite à Paris des gravures à l'eau-forte et au burin.

CHEVRON J. N.
XIXᵉ siècle. Travaillant à Paris. Français.
Dessinateur et graveur à l'eau-forte et au burin.
Élève de Vibert. On cite parmi ses gravures : *L'Assomption,* d'après Guido Reni, 3 *Vues de Liège.*

CHEVRON Louis Adolphe
Né le 10 avril 1854 à Tours (Indre-et-Loire). XIXᵉ siècle. Français.
Graveur.
Fils du graveur Benoît-Joseph Chevron. Il fut élève de l'École des Beaux-Arts de Lyon de 1869 à 1871. Il a gravé au burin un *Portrait de J. P. Bissuel,* architecte lyonnais.

CHEVROT Mangin ou **Chevron**
Né au XVᵉ siècle à Donchéry (Ardennes) ou à Vichery (Vosges). XVᵉ siècle. Français.
Sculpteur.
Il travailla en 1450 à la façade de la cathédrale de Toul.

CHEVRYOT Jean
XVIᵉ-XVIIᵉ siècles. Actif à Besançon de 1596 à 1610. Français.
Peintre et sculpteur.
Il était fils d'un plâtrier nommé Didier.

CHEVTCHENKO Guennadi
Né en 1939 à Orenbourg. XXᵉ siècle. Russe.
Peintre de paysages.
Jusqu'en 1962 il étudia à l'Institut Agricole d'Orenbourg, puis jusqu'en 1966 à l'Institut Polytechnique de cette même ville dont il sortit diplômé. Membre de l'Union des Peintres d'URSS depuis 1980. Il a commencé à exposer en 1970.
Il pratique une peinture de paysage sans caractéristiques particulières.
VENTES PUBLIQUES : PARIS, 11 déc. 1991 : *Le repas des partisanes,* h/pan. (100x100) : FRF 9 000.

CHEVTCHENKO Ivan
Né en 1937. XXᵉ siècle. Russe.
Peintre de compositions à personnages.
Il fit ses études à l'Institut Répine de l'Académie des Beaux-Arts de Léningrad. Il fut élève de Andrei Milnikov. Il obtient le titre de Peintre émérite d'URSS.
VENTES PUBLIQUES : PARIS, 23 mars 1992 : *La laitière,* h/t (87x63) : FRF 6 300.

CHEVTCHENKO Jaras Grigoriévitch
Né le 9 mars 1814 à Morintsy (près de Kiev). Mort le 10 mars 1861 à Saint-Pétersbourg. XIXᵉ siècle. Russe.
Peintre, graveur et poète.
Dans sa ville natale un petit musée conserve, en plus d'objets, des tableaux qu'il avait peints lui-même et où il racontait sa vie. Né serf, il avait été racheté par des écrivains russes qui admiraient ses vers. Un tableau décrit sa libération. Élève de l'Académie de Saint-Pétersbourg de 1839 à 1845, il dut revenir souvent en Ukraine. Luttant contre le régime tzariste, il a fait de la prison, puis a été exilé. A sa mort le peuple ukrainien lui a élevé un tom-

beau en amoncelant de grosses pierres qui, par la suite ont été remplacées par un monument officiel d'un intérêt bien moindre, évidemment.
MUSÉES : KIEV : plusieurs peintures et dessins – MORINTSY (Mus. Chevtchenko) : *Tableaux autobiographiques* – MOSCOU (Tretiakoff) : *Portrait d'un acteur et quelques dessins* – MOSCOU (Mus. Historique) : *Portrait de l'artiste par lui-même,* sépia – MOSCOU (Mus. de Littérature) : *plusieurs dessins* – SAINT-PÉTERSBOURG (Mus. Russe) : *Portrait de Lounin et quelques autres dessins,* dess.

CHEWETT Jocelyn
Née en 1906 à Weston (Ontario). XXᵉ siècle. Active en France. Canadienne.
Sculpteur. Figuratif puis abstrait.
Elle commença par étudier la sociologie et l'histoire des religions avant d'apprendre le modelage avec Henry Tonks à la Slade School de Londres entre 1927 et 1931. A Paris en 1931 elle travaille avec Zadkine durant deux ans, qui lui enseigne la taille directe. En Angleterre, elle épouse le peintre et sculpteur Stephen Gilbert. De retour à Paris en 1946, elle s'y fixe.
Elle a exposé au Salon de la Société Nationale des Beaux-Arts en 1932 et entre 1932 et 1934 au Salon des Tuileries. Elle a figuré au Salon des Réalités Nouvelles notamment en 1953 et au Salon de la Jeune Sculpture notamment en 1952 et 1953.
Elle crée à ses débuts des personnages dans un esprit géométrique synthétisant. En 1931 l'influence de Zadkine renforce sa tendance à une synthétisation géométrique de la forme. Vers 1932 elle réalise des statues de personnages bibliques et mythologiques. En Angleterre, elle exécute entre autres travaux deux groupes de pierre à l'entrée d'un parc à Keltering. En France, sous l'influence de Brancusi, elle évolue vers l'abstraction puis vers 1950 subissant celle de Malévitch et de Vantongerloo, réduit ses formes à leur essentiel géométrique, utilisant des pierres dures comme le granit et le marbre qui demandent une extrême rigueur. ■ J. B.

CHEWKET Bey
XXᵉ siècle. Turc.
Peintre d'intérieurs.
Il exposa à Munich en 1909 et à Paris au Salon des Artistes Français en 1933. Il s'est spécialisé dans la peinture d'intérieurs d'églises et de mosquées.

CHEYMOL Yvonne, née **Brudieux**
Née en 1884 à Excideuil (Dordogne). Morte en 1980. XXᵉ siècle. Française.
Peintre de paysages, de fleurs et d'intérieurs.
Elle fut l'élève de Jules Adler. Sociétaire du Salon des Artistes Français elle y exposa à partir de 1928, hors-concours, médaille d'or 1961, membre du jury 1967, officier de l'Instruction Publique, elle avait obtenu plusieurs Prix.
VENTES PUBLIQUES : PARIS, 26 mai 1989 : *Bateaux échoués,* h/t (65x81) : FRF 4 000.

CHEYNE Ian Alec Johnson
Né le 10 mai 1895 à Glasgow. XXᵉ siècle. Britannique.
Graveur sur bois.
Il fut élève de Maurice Greiffenhagen. Il a exposé des gravures sur bois en couleur à la Royal Scottish Academy et à la Society of Scottish Artists.

CHEYNEY Lucy M., Miss
XIXᵉ siècle. Britannique.
Peintre de fleurs, paysages.
Elle exposa de 1837 à 1868 à la Royal Academy et à Suffolk Street, à Londres.

CHEYSSIAL Georges Robert
Né le 9 décembre 1907 à Paris. Mort le 2 avril 1997 à Paris. XXᵉ siècle. Français.
Peintre de genre, peintre de décorations murales, peintre à la gouache.
Cheyssial fut élève de l'École des Beaux-Arts de Paris, de l'un des Laurens, sans doute Paul Albert. En 1932, il obtint le Prix de Rome et fut pensionnaire de la Villa Médicis, de 1932 à 1937. Il exposait à Paris, surtout aux Salons des Artistes Français, d'Automne, ayant obtenu tous les Prix, distinctions, médailles et décorations possibles, d'entre lesquels officier des Arts et Lettres et officier de la Légion d'honneur. Après avoir été président de la Fondation Taylor, il en était président d'honneur. Depuis 1958, il était membre de l'Institut.
Il a surtout bénéficié de commandes officielles, a fait œuvre de décorateur dans des collèges et universités, notamment au

Palais de la Découverte de Paris, à l'église Notre-Dame du Calvaire de Chatillon-sous-Bagneux.

VENTES PUBLIQUES : PARIS, 23 juin 1986 : *L'enfant aux jouets*, h/t (60x73) : **FRF 5 800** – PARIS, 15 mai 1987 : *Bal costumé*, gche (37x67) : **FRF 3 000** – PARIS, 23 nov. 1990 : *Baigneuses*, h/t (74x98) : **FRF 8 500** – PARIS, 27 avr. 1992 : *Petite fille au bouquet*, h/t (65x46) : **FRF 6 500** – PARIS, 5 avr. 1995 : *Le jeune chasseur*, h/t (92x73) : **FRF 11 500**.

CHE YUAN. Voir **SHI YUAN**

CHE YUN-YU. Voir **SHI YUNYU**

CHEZELLES Marguerite de, vicomtesse Henry, née **d'Estreux de Maingoval**
Née en 1815 à, Paris. Morte en 1899. XIXᵉ siècle. Française.
Peintre.
Élève de Chaplin et Lalanne. Elle débuta au Salon de 1874.
VENTES PUBLIQUES : PARIS, 21 fév. 1992 : *Un parc clos de murs près d'Auteuil*, dess. à la pierre noire (40x55,5) : **FRF 6 000**.

CHÉZI-QUEVANNE, Mme
XIXᵉ siècle. Active au début du XIXᵉ siècle. Française.
Peintre.
Élève de Bounieu. Figura au Salon de 1802. En l'an IV de la République, elle se présenta au concours pour obtenir la chaire de dessin à l'école centrale de Chartres, mais on la lui refusa à cause de son sexe. Ayant alors adressé une requête au conseil des Cinq-Cents, on renvoya l'examen de cette pétition à Chapelain, membre du Corps législatif. L'admission de Mme Chézi-Quevanne en qualité de professeur à l'École centrale de Chartres fut conclue par le rapporteur, mais l'Assemblée ajourna définitivement le projet et se borna à faire imprimer le rapport.

CHÉZY Max
Né en 1808 à Paris. Mort en 1846 à Heidelberg. XIXᵉ siècle. Allemand.
Peintre.
Fils de l'écrivain Helmina von Chézy. Élève d'Hartmann à Dresde, il étudia ensuite à Vienne, à Munich et à partir de 1829 à Paris. Il a résidé successivement à Munich, à Düsseldorf et à Baden-Baden. Il a peint surtout des portraits, à l'aquarelle et en miniature.

CHHABDA Bal
Né en 1924 à Punjab (Inde). XXᵉ siècle. Indien.
Peintre.
Autodidacte, il vit et travaille à Bombay.
Il a participé, entre autres, au Salon de la Jeune Peinture à Paris en 1960 ; à la Biennale de Tokyo de 1961 ; à des expositions d'art contemporain et indien à Londres en 1965 et 1982 ; à Washington, en 1973 ; au Japon en 1988 ; à l'exposition *Sept peintres indiens contemporains* au Monde de l'Art à Paris, en 1995.
Le blanc lie les divers éléments de ses toiles qui semblent des collages de papiers déchirés, où l'on retrouve parfois des personnages, notamment des femmes indiennes, mais aussi des villes, dont certains éléments architecturaux rappellent son pays.

CHHUAH T'IEN-TENG. Voir **CAI TIANDING**

CHIA Sandro
Né en 1946 à Florence. XXᵉ siècle. Italien.
Peintre de figures, peintre à la gouache, aquarelliste, pastelliste, sculpteur, dessinateur. Citationniste. Groupe « Trans-avant-garde ».
Il fit ses études à l'Académie des Beaux-Arts de Florence. Il reçut son diplôme en 1969. Il voyage alors en Europe et en Inde, vivant à Rome puis à New York. De septembre 1980 à août 1981 il travaille comme boursier en Allemagne fédérale à Mönchengladbach. Il vit et travaille à New York et près de Rome.
Il a figuré dans de nombreuses manifestations collectives et internationales : en 1973 *Italy Two : Art Around' 70* au Museum of the Philadelphia Civic Center à Philadelphie, en 1977 à la Xᵉ Biennale de Paris au Musée d'Art Mod. de la Ville de Paris, en 1979 à la XVᵉ Biennale de São Paulo ; 1980 est l'année de l'apparition et de la multiplication des expositions de la Trans-avant-garde : *Die enthauptete Hand – 100 Zeichnungen aus Italien (Chia, Clemente, Cucchi, Paladino)* au Kunstverein de Bonn puis à la Städtische Galerie de Wolfsburg et au Groninger Museum, *Sandro Chia, Francesco Clemente, Enzo Cucchi, Nicola de Maria, Luigi Ontani, Mimmo Paladino, Ernesto Tatafiore* présentée à la Kunsthalle de Bâle, au Museum Folkwang à Essen et au Stedelijk Museum d'Amsterdam, *Aperto' 80* à la Biennale de Venise,

Après le classicisme au Musée d'Art et d'Industrie de Saint-Etienne, en 1981 à New York et Los Angeles, en 1982 *Italian Art Now : An American Perspective* au Solomon R. Guggenheim Museum de New York, à la Documenta 7 de Cassel, *'60-80 attitude/concepts/images – a selection from twenty years of visual arts* au Stedelijk Museum d'Amsterdam, en 1983 *Bonjour Monsieur Manet* au Musée National d'Art Moderne de Paris, et *New Art* à la Tate Gallery de Londres, en 1985 à la Nouvelle Biennale de Paris.
Il a exposé personnellement à partir de 1971 à la galerie La Salita à Rome, à Naples, Turin, Bologne, à partir de 1980 à New York chez Sperone Westwater Fisher, en 1981 à la galerie Bruno Bischofberger à Zurich, en 1983 au Städtisches Museum Abteiberg à Mönchengladbach, à la Staatliche Kunsthalle de Berlin et à l'ARC au Musée d'Art Moderne de la Ville de Paris en 1984.
Sandro Chia est le chef de file du mouvement italien baptisé la « Trans-avant-garde », apparu au début des années quatre-vingts. Au milieu de l'année 1979 Achille Bonito Oliva, critique d'art italien publie un texte qui tente de circonscrire une nouvelle tendance de l'art contemporain en Italie : *La Post-avant-garde et une nouvelle idée de l'art*. Y sont déjà présents les principaux thèmes développés par la suite. Six mois plus tard dans la revue Flash-Art, il lance le néologisme « Trans-avant-garde ». Le ton militant fait de ce texte le véritable manifeste du mouvement. La Trans-avant-garde considère le langage artistique comme un répertoire de formes dans lequel les « artistes nomades » peuvent puiser à volonté. La vision linéaire de l'évolution de l'histoire de l'art selon laquelle les avant-gardes se succèdent sans retour ou écart possible est abandonnée, la peinture et la figure reprennent leurs droits après les rigueurs de l'art minimal et conceptuel ou de l'Arte Povera spécifiquement italien. Un mouvement similaire, le « néo-expressionnisme », se développe simultanément en Allemagne, prônant la valorisation de l'identité culturelle et l'exploitation du patrimoine artistique national. On notera qu'une telle attitude était apparue dans l'entre-deux-guerres en Italie, dominée par un retour au musée, à la culture et à la figure, trouvant en la revue « Valori Plastici » et en Chirico ses principaux interprètes ; cette vision transversale de l'histoire de l'art en réponse aux avant-gardes est présentée comme une régénérescence de la peinture figurative italienne.
Les premiers travaux de Sandro Chia étaient proches de l'art conceptuel. Les peintures qui en feront le chef de file de la Trans-avant-garde mettent en scène des figures empruntées à Chagall, Picasso, Carrà futuriste ou à Chirico. Les images deviennent alors un ensemble de références, dominées par les figures masculines, seules ou en groupe. La profusion des couleurs, la richesse de la matière, la multiplicité des détails donnent lieu à des toiles opulentes et volubiles, des inscriptions, de courtes phrases ou des mots évocateurs étant souvent inscrits sur les peintures. Ses sculptures, généralement en bronze, campent des personnages massifs, dans une facture néo-classique. Œuvre dominée par l'omniprésence de la figure qui semble en être le seul trait permanent, l'œuvre de Chia ne semble pas dépasser cette formule de l'emprunt citationniste, sans finalement renouveler ni régénérer le langage pictural de façon convaincante.

■ F. M.

BIBLIOGR. : Achille Bonito Oliva, *La Trans-avant-garde italienne* in : Flash-Art, nº 92-93, pp 17 à 20, Milan, oct-nov. 1979 – Catal. de l'exposition itinérante : *Sandro Chia, Francesco Clemente, Enzo Cucchi, Nicola de Maria, Luigi Ontani, Mimmo Paladino,*

Ernesto Tatafiore, Kunsthalle de Bâle, Museum Folkwang d'Essen, Stedelijk Museum d'Amsterdam, Bâle, 1980 – Achille Bonito Oliva : *The Italian Trans-avantgarde / La Transavanguardia Italiana*, Milan, 1980 – Catal. de l'exposition *Sandro Chia*, Musée d'Art Moderne de la ville de Paris, mai-juin 1984 – in : Catal. de la *Nouvelle Biennale de Paris*, Electa-Le Moniteur, pp 214-215, Paris, 1985 – Loredana Parmesani : *Sandro Chia : la genèse de l'image*, in Artstudio, *La Trans-avant-garde italienne*, n° 7, pp 38 à 55, Paris, hiver 1987-1988.

VENTES PUBLIQUES : LONDRES, 1er déc. 1981 : *Sans titre 1978* (35x30) : **GBP 950** – NEW YORK, 9 nov. 1983 : *Alla sostanza 1980*, h/t (219,7x200) : **USD 39 000** – MILAN, 9 juin 1983 : *Composition*, techn. mixte/pap. (29x39) : **ITL 3 200 000** – MILAN, 4 avr. 1984 : *Cavaliers* 1972, temp. et cr. (40x30) : **ITL 1 800 000** – NEW YORK, 1er oct. 1985 : *Sans titre* 1983, bronze (H. 79) : **USD 17 000** – NEW YORK, 3 mai 1985 : *Tre o quatro uomi* 1983, cr. aquar. et pl./pap. (21,7x30,5) : **USD 2 200** – LONDRES, 26 juin 1986 : *Carnaval* 1984, past. et h/pap. (160x140) : **GBP 16 500** – LONDRES, 20 mai 1987 : *Sans titre* 1984, gche et aquar./trait de cr. et de fus. (116,5x102) : **GBP 5 800** – NEW YORK, 5 nov. 1987 : *Portrait de Bruno* 1980, h/t (201x244) : **USD 45 000** ; *Reflective man* 1984, plâtre bleu (H. 177,8) : **USD 43 000** – ROME, 7 avr. 1988 : *Etats 16.807*, collage/cart. léger (71x50) : **ITL 2 200 000** – NEW YORK, 3 mai 1988 : *Enfant et bélier*, bronze peint. (152x116,8x66,2) : **USD 33 000** ; *Sans titre* 1981, collage et h./deux feuilles reliées, dédicacé à Andy Warhol (153x107,3) : **USD 71 500** ; *Danse des chaises, avec des mouches*, h/t (196,3x159,4) : **USD 38 500** ; *Femme et ours* 1985, bronze (97,2x158,7x81,3) : **USD 41 250** ; *Personnage percé d'une flèche* 1982, bronze (43,2x51,4) : **USD 15 400** – MILAN, 8 juin 1988 : *Très proche de la sculpture* 1982, techn. mixte (69x50) : **ITL 10 000 000** – NEW YORK, 8 oct. 1988 : *L'homme aux chiens*, past. et fus./pap. (35,5x32,4) : **USD 3 575** – LONDRES, 20 oct. 1988 : *Sans titre* 1982, acryl./t. (118x122) : **GBP 14 300** – NEW YORK, 10 nov. 1988 : *Trois élèves* 1982, cr. et h/pap./rés. synth. (220,5x256,7) : **USD 44 000** – MILAN, 14 déc. 1988 : *Personnages* 1987, past. et h/cart. (87x70) : **ITL 22 000 000** – MILAN, 20 mars 1989 : *Nu* 1986, aquar./pap. (75,5x57) : **ITL 11 500 000** – LONDRES, 6 avr. 1989 : *Brave* 1981, détrempe et craie noire (160x217) : **GBP 35 200** – PARIS, 16 avr. 1989 : *Le peintre poète* 1983, (H. 181) : **FRF 300 000** – NEW YORK, 4 mai 1989 : *Sans titre* 1982, acryl. et bois/t. (64,1x63,5x12,5) : **USD 33 000** – PÉKIN, 4 mai 1989 : *Ritratto Rupezstre* 1988, acier inoxydable (60x25x25x) : **FRF 90 640** – NEW YORK, 4 oct. 1989 : *Le chaudron d'or* 1980, h/t (162,5x129,5) : **USD 82 500** – MILAN, 8 nov. 1989 : *Sans titre* 1982, h/pap. (96x67) : **ITL 15 000 000** – NEW YORK, 9 nov. 1989 : *Peintre-poète* 1983, bronze (183x76x137) : **USD 110 000** – PARIS, 18 fév. 1990 : *Personnage aux larmes* 1982, bronze (170x68) : **FRF 460 000** – PARIS, 23 fév. 1990 : *Le jeune homme aux rougets* 1984, craies grasses de coul./cart./t. (154,2x136,5) : **USD 77 000** – ROME, 10 avr. 1990 : *Sans titre* 1989, temp./contreplaqué (65x42,5) : **ITL 18 000 000** – NEW YORK, 9 mai 1990 : *Le peintre* 1982, h/t (246x140) : **USD 126 500** – MILAN, 13 juin 1990 : *Arrogant mais triste* 1981, h. et collage/cart. (42x31) : **ITL 22 000 000** – LONDRES, 18 oct. 1990 : *Sans titre* 1980, gche/pap./t. (152x138,2) : **GBP 35 200** – NEW YORK, 7 nov. 1990 : *Poète-peintre* 1983, bronze (183x76x137) : **USD 71 500** – AMSTERDAM, 12 déc. 1990 : *La face* 1987, h/t (50x100) : **NLG 23 000** – NEW YORK, 1er mai 1991 : *Homme bleu avec des fleurs* 1986, h/cart. (101x73,7) : **USD 41 250** – NEW YORK, 4 mai 1991 : *Si tu est né pour être pendue tu ne te noieras jamais* 1988, h/t (182,8x152,4) : **USD 60 500** – LONDRES, 17 oct. 1991 : *Le chaudron d'or* 1980, h/t (162,5x129,5) : **GBP 30 800** – ROME, 29 oct. 1991 : *Homme grand debout*, aquar. et cr./pap. (35x28) : **ITL 10 925 000** – PARIS, 16 fév. 1992 : *Personnage aux flèches* 1982, bronze (125x180x80) : **FRF 180 000** – NEW YORK, 25-26 fév. 1992 : *Chasseur d'essaim d'abeilles* 1984, h/t (167,6x149,9) : **USD 74 250** – NEW YORK, 7 mai 1992 : *Peintre et poète* 1983, bronze (182,9x76,2x137,2) : **USD 121 000** – LONDRES, 2 juil. 1992 : *La pêche dans le lac* 1982, h./deux pan. réunis (220x185) : **GBP 37 400** – NEW YORK, 6 oct. 1992 : *Peintures, sculptures et poussière* 1981, h/t (154,9x154,9) : **USD 71 500** – PARIS, 28 oct. 1992 : *Personnage aux larmes* 1982, bronze (170x68) : **FRF 200 000** – NEW YORK, 19 nov. 1992 : *Garçon et chien endormis* 1983, h/t (198,1x233,7) : **USD 71 500** – NEW YORK, 23-25 fév. 1993 : *Danse des chaises et des mouches* 1981, h/t (195,6x160) : **USD 43 125** – ROME, 25 mars 1993 : *Tête couronnée*, techn. mixte/pap. (75x75) : **ITL 6 000 000** – PARIS, 14 oct. 1993 : *Amitiés particulières* 1989, h/t dans un cadre de bronze peint. (124x103) : **FRF 110 000** – NEW YORK, 10 nov. 1993 : *Peintre sculpteur* 1983, h/t (233,6x195,6) : **USD 101 500** – NEW

YORK, 3 nov. 1994 : *Projet de sculpture* 1982, h. et craies de coul./pap. (236,2x106,6) : **USD 68 500** – LONDRES, 1er déc. 1994 : *Sans titre* 1987, cr. et h/pap. (84x72) : **GBP 3 450** – PARIS, 7 mars 1995 : *Sans titre* 1993, techn. mixte/pap. (39,5x30,4) : **FRF 12 000** – NEW YORK, 3 mai 1995 : *Le campagnard rêveur et ses poulets* 1986, gche et craie grasse/pap. (188x136,5) : **USD 43 125** – MILAN, 22 juin 1995 : *Sans titre* 1977, h/t (69x64) : **ITL 20 700 000** – ZURICH, 14 nov. 1995 : *Homme avec un chien* 1982, aquar. et stylo bille/pap. (22,8x29,7) : **CHF 2 400** – MILAN, 12 déc. 1995 : *Après-midi* 1990, h/t (73x92) : **ITL 27 600 000** – LONDRES, 15 mars 1996 : *L'Homme astral* 1990, h/t (162,8x154,3) : **GBP 21 850** – MILAN, 23 mai 1996 : *Père et Fils*, cr. gras/pap. (28x25,5) : **ITL 2 530 000** – NEW YORK, 8 mai 1996 : *Le Vol des abeilles* 1976, pap. journal, cr. noir et coul., feutre et h/t (209,5x132,7) : **USD 34 500** – LONDRES, 24 oct. 1996 : *Family Freud* 1984, h/t (210x200) : **GBP 40 000** – VENISE, 12 mai 1996 : *Deux Figures*, techn. mixte/pap. (30x36) : **ITL 2 300 000** – LONDRES, 5 déc. 1996 : *L'Ange* 1990, cr. et aquar./pap. (76x58,3) : **GBP 2 070** – LONDRES, 6 déc. 1996 : *27 mars* 1988, cr. et h/cart./pap. (101x72,5) : **GBP 4 830** – LOKEREN, 8 mars 1997 : *Jolie Femme assise* 1983, cr./pap. (35x27,5) : **BEF 85 000** – NEW YORK, 6 mai 1997 : *Tutti Mi Abbandonano* 1985, graphite/pap. (81,2x101,5) : **USD 5 750** – LONDRES, 29 mai 1997 : *Méditation*, h/t (162,3x130,2) : **USD 87 300** – NEW YORK, 8 mai 1997 : *Rencontre de jumeaux* 1989, bronze (91,4x39,4x18,4) : **USD 28 750** – LONDRES, 23 oct. 1997 : *Angelo Solo* 1994, h/t (114,9x98) : **GBP 13 800.**

CHIA Yu Chian
Né en 1936 en Malaisie. Mort en 1991. XXe siècle. Indonésien.
Peintre de genre. Populiste.

Il reçut l'enseignement privé d'un peintre de Singapour, Chen Wen Hsi. En 1959, il fut le premier étudiant malais à recevoir une bourse de l'État français pour venir à l'École Nationale Supérieure des Beaux-Arts de Paris. Il y fut très actif, participant à de nombreuses expositions, étant membre du comité de la Société des Artistes de Montmartre.
De retour en Indonésie, il vécut dans le quartier chinois de Kuala Lumpur, qui fut l'une de ses principales sources d'inspiration.
VENTES PUBLIQUES : SINGAPOUR, 5 oct. 1996 : *Logements populaires* 1976, h/rés. synth. (65,3x42) : **SGD 7 130.**

CHIABA Vincenzo
XVIe siècle. Actif à Venise. Italien.
Prêtre, peintre.

CHIA CH'ÜAN. Voir JIA QUAN

CHIAFFARINO Carlo Filippo
Né en 1856 à Gênes. Mort en 1884. XIXe siècle. Italien.
Sculpteur.

Il fit ses études à Rome. On lui doit cinq bas-reliefs de bronze (à l'église de l'Immacolata, à Gênes), un *Ange de la Paix* (au cimetière de Bassegia), une *Statue du duc Gius. Canevaro* (à Zoagli) et un *David*, conservé à la Bibliothèque du Vatican et dont le Musée de sa ville natale conserve une réplique en bronze.

CHIAIESE Domenico
Mort en 1714. XVIIIe siècle. Actif à Naples. Italien.
Peintre.

CHIAIESE Francesco
Mort en 1691. XVIIe siècle. Actif à Naples. Italien.
Peintre.

CHIAIESE Giuseppe
Mort en 1712. XVIIIe siècle. Actif à Naples. Italien.
Peintre.

CHIALIVA Luigi
Né en 1842 à Castano (Tessin). Mort en 1914 à Paris. XIXe siècle. Suisse.
Peintre de scènes de genre, animaux, paysages animés, paysages, paysages de montagne, peintre à la gouache, aquarelliste, pastelliste, dessinateur.

Il fut élève de Semper au Polytechnicum de Zurich, de Mancini à l'École d'Art de Milan et de Ferdinand Heilbuth à Paris. Il obtint, en 1868, un premier prix de la Fondation Mylins, pour un tableau d'animaux. Vers 1872, il vint à Paris, puis, deux ans plus tard s'établit à Écouen. Jusqu'en 1874, il fit plusieurs séjours en Angleterre. Après son mariage, il se fixa en France et exposa au Salon, puis à la Société Nationale des Beaux-Arts, dont il fut associé, puis sociétaire en 1912. Il avait aussi une formation d'architecte, mais surtout de chimiste, ce qui lui permit de mettre au point une technique pour fixer les pigments des pastels. Ses connaissances en technique picturale lui permirent de conseiller son ami Degas pour la restauration du *Portrait de la famille Bellelli*, qui avait été détérioré par l'humidité.

Ses compositions minutieuses, équilibrées, sous un éclairage à la Corot, ne manquent pas de spontanéité.

BIBLIOGR. : Gérald Schurr, in : *Les Petits Maîtres de la peinture 1820-1920, valeur de demain*, Les Éditions de l'Amateur, t. V, Paris, 1981.

MUSÉES : PARIS (Mus. du Luxembourg) : *Gardeuse de dindons* – ROME (Mus. d'Art Mod.) : *L'Incontro* – SHEFFIELD : *Paysage avec bétail.*

VENTES PUBLIQUES : PARIS, 1887 : *Troupeau au bord de la mer* : **FRF 2 300** – NEW YORK, 1902 : *Bergère et Moutons* : **USD 325** – NEW YORK, 3 fév. 1905 : *Jeune fille gardant des dindons* : **USD 625** – LONDRES, 4 avr. 1908 : *Demandant sa route*, dess. : **GBP 32** 11s – LONDRES, 12 mai 1922 : *La Gardeuse d'oies*, dess. : **GBP 24** 3s – PARIS, 29-30 nov. 1937 : *La Lecture au bord du lac*, aquar. : **FRF 300** – VIENNE, 20 sep. 1977 : *La Gardeuse d'oies*, h/pan. (35,5x62) : **ATS 140 000** – NEW YORK, 3 mai 1979 : *Le Vieux Berger*, h/t (77x115,6) : **USD 6 250** – PARIS, 20 fév. 1980 : *Gardeuse d'oies et Pêcheur à l'épervier*, past. (58x48) : **FRF 1 000** – NEW YORK, 21 nov. 1980 : *La Bergère et son troupeau*, aquar. (57,5x91,9) : **USD 2 500** – NEW YORK, 26-27 mai 1983 : *Bergère et troupeau au bord de la rivière*, h/t (86x68,5) : **USD 6 250** ; *Le repos du berger et de son troupeau*, aquar., gche et cr. (48x39) : **USD 1 750** – LONDRES, 20 juin 1985 : *Jeune garçon gardant des oies*, aquar. et gche blanche (30,5x45) : **GBP 1 400** – LONDRES, 27 nov. 1985 : *Berger et enfants gardant leur troupeau*, h/t (65x104) : **GBP 8 000** – PARIS, 6 juin 1988 : *Moutons dans un pré*, h/t (38x30) : **FRF 27 000** – BERNE, 26 oct. 1988 : *Paysage avec un vieux moulin*, h/cart. (35,5x20,5) : **CHF 1 800** – NEW YORK, 23 fév. 1989 : *Paysannes regardant un enfant rouler de jeunes chiots dans une brouette*, h/t (59x42,5) : **USD 16 500** – PARIS, 22 oct. 1992 : *Village dans la campagne (Besse-en-Chandesse ?)*, aquar./cart. (30,5x54) : **FRF 5 000** ; *Jeune Femme au bâton avec la main droite en visière*, past. (48,5x63,5) : **FRF 13 500** – PARIS, 9 juin 1993 : *La Maison derrière les arbres*, aquar. (28,4x47,5) : **FRF 10 500** ; *La Couseuse dans les herbes*, h/t (30,7x47,4) : **FRF 19 500** – LONDRES, 27 oct. 1993 : *Près de la mare*, h/t (60x82) : **GBP 3 910** – NEW YORK, 16 fév. 1994 : *L'Averse*, h/t (55,2x76,8) : **USD 25 300** – LONDRES, 15 juin 1994 : *Au lavoir*, h/t (48,5x72) : **GBP 14 375** – LONDRES, 11 oct. 1995 : *Petite Fille assise dans une prairie*, h/pan. (26,5x35) : **GBP 2 990** – MILAN, 23 oct. 1996 : *Cabane de montagne avec vaches et moutons*, h/t (46x65) : **ITL 25 630 000.**

CHIALLI Giuseppe
Né à Citta di Castello. XIXe siècle. Actif dans la première moitié du XIXe siècle. Italien.
Sculpteur.

Élève de Tom. Minardi à Pérouse, de Canova et de Thorwaldsen à Rome. Il travailla dans cette ville de 1800 à 1839, surtout pour le duc di Torlonia, les rois de Sardaigne et de Suède. Le Musée de sa ville natale conserve une œuvre de lui.

CHIALLI Vincenzo
Né en 1787 à Citta di Castello. Mort en 1840. XIXe siècle. Italien.
Peintre.

Il fut, à Rome, l'élève de Camuccini, dont il imita la manière. Il résida successivement dans cette ville, à Borgo San Sepolcro et à Cortone où il fut chargé de diriger une école d'art. On cite parmi ses ouvrages : *Accampamento di soldati al lume di luna*, *Famiglia povera*, *Messa cantata* et *Esequie d'uno cappuccino*, conservés à l'Académie de Florence, *Giardino di monache* et *Ritorno della provista delle Legne*, acquis par le roi de Saxe, *Coro di Cappuccini* (au Musée Mancini, à Citta di Castello), *Retour du jeune Tobie*, *Dante au monastère de Montecorvo*, *Raphaël auprès de Fra Bartolommeo* au couvent de Saint-Marc à Florence.

CHIANALE
XVIIIe siècle. Actif à Turin vers 1796. Italien.
Graveur.

CHIANG AI. Voir **JIANG AI**

CHIANG CHANG. Voir **JIANG ZHANG**

CHIANG CHAO-HO. Voir **JIANG ZHAOHE**

CHIANG CHAOSHEN. Voir **JIANG ZHAOSHEN**

CHIANG CH'ÊNG-TSUNG. Voir **JIANG CHENGZONG**

CHIANG CHIEH. Voir **JIANG JIE**

CHIANG CH'IEN. Voir **JIANG QIAN**

CHIANG CHING. Voir **JIANG JING**

CHIANG CHU. Voir **JIANG ZHU**

CHIANG ER-SHIH. Voir **JIANG ERSHI**

CHIANG FENG. Voir **JIANG FENG**

CHIANG HAN. Voir **JIANG HAN**

CHIANG HÊNG. Voir **JIANG HENG**

CHIANG HSIAO-CHIEN. Voir **JIANG XIAOJIAN**

CHIANG HSÜN. Voir **JIANG XUN**

CHIANG LI-KANG. Voir **JIANG LIGANG**

CHIANG LING-CHIEN. Voir **JIANG LINGJIAN**

CHIANG LU-HSI. Voir **JIANG LUCY**

CHIANG PAO-HUA. Voir **JIANG BAOHUA**

CHIANG PAO-LIN. Voir **JIANG BAOLIN**

CHIANG P'U. Voir **JIANG PU**

CHIANG SHIH-CHIEH. Voir **JIANG SHIJIE**

CHIANG SSÜ-CHOU. Voir **JIANG SIZHOU**

CHIANG SUNG. Voir **JIANG SONG**

CHIANG TA-LAI. Voir **JIANG DALAI**

CHIANG TING. Voir **JIANG DING**

CHIANG T'ING-HSI. Voir **JIANG TINGXI**

CHIANG TS'AN. Voir **JIANG CAN**

CHIANG TZÜ-CH'ÊNG. Voir **JIANG ZICHENG**

CHIANG-YEE
Né en Chine. XXe siècle. Travaillant à Oxford. Chinois.
Peintre.

Il a fait à Londres des expositions de ses œuvres.

CHIANG YIN. Voir **JIANG YIN**

CHIANG YÜ. Voir **JIANG YU**

CHIANG YÜ-CHIEN. Voir **JIANG YUJIAN**

CHIANTORE Giuseppe
Né en 1747 à Cumiane (Piémont). XVIIIe siècle. Italien.
Peintre.

Son fils Etienne, attaché à la cour de Turin, était peintre de portraits et restaurait les tableaux de la Galerie royale ; sa fille, dont le nom est inconnu, était peintre d'histoire.

CH'IAO CHUNG-CH'ANG. Voir **QIAO ZHONGCHANG**

CHIAO HSÜN. Voir **JIAO XUN**

CHIAO PING-CHÊN. Voir **JIAO BING ZHEN**

CHIAPE Joao Andrea
XIXe siècle. Portugais.
Peintre.

Probablement élève de Clama. Vivait à Porto en 1818. On a de lui au Musée de Tibaes une toile intitulée : *La Mère des Douleurs.*

CHIAPORY Bernard Charles
Originaire de Marseille. XIXe siècle. Français.
Peintre.

Élève d'Aubert et de Loubon. Il résida à Lyon, entre 1851 et 1854 et se fixa ensuite à Paris. Il a exposé au Salon de Lyon, de 1851 à 1858-59, des marines, des figures et des portraits à l'huile et au pastel. Le Musée de Reims conserve de lui : *Jeune mère.*

CHIAPPATI Giuseppe
XVIIe-XVIIIe siècles. Italien.
Peintre.

Il travailla à Bergame vers 1600, d'après Zani, contemporain, d'après Soprani-Ratti, du peintre génois C. A. Tavella (1668-1738).

CHIAPPE Giovanni Battista
Né en 1723 à Novi. Mort en 1765 à Novi. XVIIIe siècle. Italien.
Peintre.

Il avait longtemps étudié le dessin à Rome avec G. Paravagna et s'était ensuite fixé à Milan, où il exécuta plusieurs ouvrages qui semblaient annoncer à leur auteur une brillante carrière. Malheureusement, Chiappe mourut avant la pleine maturité de son talent.

CHIAPPINI
XIXe siècle.

Peintre.

Il exposa en 1800 à la Royal Academy, à Londres où il habitait alors, un *Enfant prodigue*.

CHIAPPINI J.
Né en 1922 à Haïti. xxe siècle. Haïtien.
Peintre. Naïf.

On ne sait rien de cet artiste sinon qu'il figura dans l'exposition de 1964 *Le Monde des Naïfs* au Musée d'Art Moderne de la ville de Paris avec un *Portrait de Toussaint Louverture*.

CHIAPPINI Vincenzo
xviie siècle. Actif à Gubbio. Italien.
Peintre.

CHIARADIA Enrico
Né en 1851 à Caneva (Alpes vénitiennes). Mort en 1901 à Sacite près d'Udine. xixe siècle. Italien.
Sculpteur.

Étudia d'abord à Munich et Vienne, puis fut l'élève, à Rome, de Monteverde. Ses meilleurs travaux sont : *Caïn*, exposé à Rome, en 1880, *Une figure de femme*, exposé à Venise en 1887. Cet artiste a un talent tout spécial pour rendre l'expression du visage.

CHIARAMONTE Gaetano
xixe-xxe siècles. Actif à Naples. Italien.
Sculpteur.

CHIARANDO Charles
Né à Caltagirone (Sicile). xixe siècle. Italien.
Peintre.

Exposa à Turin, en 1884 : *Le Modèle impertinent* et à Venise, en 1887 : *Souvenir d'Aïeul*.

CHIARELLA Gabriele
xviiie siècle. Actif à Naples vers 1750. Italien.
Peintre.

CHIARELLI Antonio di Domenico
xvie siècle. Italien.
Sculpteur.

Cet artiste florentin travailla à Rome en 1511. Un sculpteur du même nom est mentionné à Orvieto en 1468, 1489 et 1500 ; il semble bien qu'il s'agisse d'un autre artiste.

CHIARELLI Giacomo
xviie siècle. Italien.
Peintre.

Ce Bolonais fut élève de Pasinelli.

CHIARI Alessandro ou par erreur Antonio
xixe siècle. Actif à Florence. Italien.
Peintre et graveur.

Le Blanc cite de lui une collection d'estampes au trait d'après les fresques d'Andrea del Sarto. Un tableau d'autel de lui est conservé à l'église San Michele à Castello près Sesto Fiorentino.

CHIARI Antonio
xviiie siècle. Actif à Crémone vers 1750. Italien.
Sculpteur sur bois.

CHIARI Bernardino da
xvie siècle. Italien.
Peintre.

Il est mentionné à Brescia en 1525.

CHIARI Fabrizio
Né en 1621 à Rome. Mort en 1695 à Rome. xviie siècle. Italien.
Peintre et graveur.

On possède de cet artiste plusieurs gravures d'un beau style, d'après Nicolas Poussin. On connaît aussi de lui un certain nombre de tableaux et de fresques dans des églises et des palais de Rome.

F C.

Ventes Publiques : Londres, 16 avr. 1937 : *La Nativité* : **GBP 5** – Londres, 25 fév. 1938 : *Nativité* : **GBP 15**.

CHIARI Giovanni Battista da
xvie siècle. Italien.
Peintre.

Il est mentionné à Brescia en 1525.

CHIARI Giuseppe
Né à Crémone. Mort vers 1750. xviiie siècle. Actif à Crémone. Italien.
Sculpteur.

CHIARI Giuseppe Antonio
xviiie siècle. Actif à Crémone vers 1740. Italien.
Peintre.

CHIARI Giuseppe Bartolomeo
Né en 1654 à Rome. Mort en 1724 à Rome. xviie-xviiie siècles. Italien.
Peintre de compositions religieuses, peintre de techniques mixtes.

Élève et aide de Maratta, il fut avec Berrettoni un des plus doués parmi ceux qui lui succédèrent. Un nombre important de ses œuvres se trouvent dans des églises et des palais de Rome et aussi à Pérouse, Crémone, Urbino, Cisterna.

Musées : Dresde : *Adoration des Rois* – Florence (Mus. des Offices) : *dessins*.

Ventes Publiques : Londres, 24 mars 1971 : *L'Adoration des bergers* : **GBP 2 100** – Londres, 6 avr. 1977 : *Le Christ et la Femme de Samarie*, h/t (134x97) : **GBP 1 800** – Londres, 9 juil. 1982 : *La Fuite en Égypte*, h/t (120,5x88) : **GBP 3 200** – New York, 6 juin 1984 : *Le Repos pendant la fuite en Égypte*, h/t (66x89) : **USD 8 000** – Londres, 2 juil. 1984 : *La Sainte Famille avec Saint Jean Baptiste enfant et un ange (recto)* ; *Esquisse de Sainte Famille (verso)*, sanguine (23,2x26,4) : **GBP 1 750** – Londres, 5 juil. 1985 : *Vierge à l'Enfant*, h/t (98x75) : **GBP 5 000** – Rome, 28 mars 1990 : *La Sobriété de Scipion*, h/t (62x68) : **ITL 22 000 000** – New York, 31 mai 1991 : *Rebecca et Eliezer près du puits*, h/t (62,3x75) : **USD 22 000** – Rome, 29 avr. 1993 : *Vénus et Adonis*, h/t (100x133) : **ITL 64 000 000** – Milan, 19 mars 1996 : *Sans titre*, techn. mixte et collage/t. (69x50) : **ITL 8 855 000** – Londres, 11 déc. 1996 : *Retour d'Égypte*, h/t (152x114) : **GBP 51 000** – Londres, 30 oct. 1997 : *Apollon et Daphné*, h/t/pan. (79,4x62) : **GBP 12 650**.

CHIARI Luiz
xixe siècle. Actif à Lisbonne dans la première moitié du xixe siècle. Italien.
Peintre et architecte.

CHIARI Tommaso
Né en 1665. Mort en 1733 à Rome. xviie-xviiie siècles. Italien.
Peintre de compositions religieuses.

Romain, frère et aide de G.-B. Chiari.

Ventes Publiques : Paris, 26 avr. 1991 : *Vierge à l'Enfant*, h/t (105x83,5) : **FRF 16 000**.

CHIARI Vincenzo da
xvie siècle. Italien.
Peintre.

Il travaillait à Brescia vers 1525, ainsi que Bernardino.

CHIARINI Bartolomeo
Originaire de Rome. xvie siècle. Italien.
Sculpteur sur bois.

En collaboration avec Benvenuto Tortelli il exécuta les sculptures des stalles de l'église bénédictine San Severino et San Sosio à Naples (1560-1575).

CHIARINI Marc Antonio
Né en 1652 à Bologne. Mort en 1710 à Bologne. xviie siècle. Italien.
Peintre d'architectures et graveur.

Il fut l'élève de F. Quaino et de Domenico Santi. Il travailla fréquemment pour les princes et les grands en Italie et en Allemagne ; dans ce dernier pays, il exécuta plusieurs peintures du palais d'Eugène de Savoie, en collaboration avec Lanzani. Sigismondo Caula peignit souvent des figures pour ses motifs d'architecture. Le Musée de Turin conserve une œuvre de lui. On cite parmi ses gravures : *Un Livre de perspective*, d'après Mitelli (7 pièces) et *Les Fontaines de Bologne*.

CHIARO Alessandro di Salvatore del
xvie siècle. Italien.
Sculpteur.

Il vécut et travailla à Florence.

CHIAROLANZA Giuseppe ou Joseph
Né en 1868 à Milan ou le 17 mars 1864 à Miano près de Naples. Mort en 1920 à Milan. xixe-xxe siècles. Italien.
Peintre de paysages.

S'il n'y a pas confusion entre deux artistes distincts, il fut élève d'Alfonso Simonetti, à Naples. En 1882, à l'Exposition des Beaux-Arts de Naples (?), sa peinture *Le bois de Capodimonte* fut remarquée.

VENTES PUBLIQUES : ROME, 31 mai 1990 : *Maison campagnarde*, h/t (52x47,5) : ITL 2 600 000.

CHIAROTTINI Francesco ou Chiarattini

Né en 1748 à Cividale (Frioul). Mort en 1796 à Wahnsinn. XVIIIe siècle. Italien.

Peintre décorateur et graveur.

Élève, à Venise, de Fontebasso et de Colonna, et, à l'Académie de cette ville, de Guaranna et de Maggiotto. Plus tard il poursuivit ses études à Rome où il se lia d'amitié avec Canova. Il a peint des décors de théâtre et des fresques.

CHIA SHIH-KU. Voir JIA SHIGU

CHIATTI Luigi

XVIIIe siècle. Actif à Pérouse. Italien.

Peintre décorateur.

CHIATTONE Antonio

Né en 1856 à Lugano. Mort en 1904 à Lugano. XIXe siècle. Suisse.

Sculpteur.

Chiattone reçut des leçons de Barzaghi-Cattaneo et de Vincenzo Vela à Ligornetto. Il étudia aussi à Milan et à Florence. De retour à Lugano, il s'y établit. L'impératrice Élizabeth d'Autriche lui commanda le monument du prince héritier Rodolphe pour son château à Corfou et plus tard, lors de la mort de cette souveraine, il sculpta sa statue pour le monument à Montreux, érigé à sa mémoire. Chiattone reçut le grand prix à l'Exposition Universelle de 1900, à Paris. Parmi ses œuvres, il convient de signaler : *Le Repos*, *Été* et *Hiver* (exposés à Zurich en 1883), *Monument pour le ministre suisse G.-B. Piodo* à Lugano.

CHIATTONE Giuseppe

Né en 1865 à Lugano. XIXe siècle. Suisse.

Sculpteur.

Élève de son frère Antonio et des Académies de Milan et de Turin. Il est l'auteur d'un *Ave Maria*, exposé à Paris, en 1900, et acheté pour le Musée de Berne.

CHIAVARINO Domenico

Né vers 1578 à Rome. Mort en 1637 à Rome. XVIe-XVIIe siècles. Italien.

Peintre.

Le rapprochement avec Domenico Clavarino semble hasardeux.

CHIAVENNA Giovanni Antonio, dit Ciavatta ou Zavatta

XVIe siècle. Actif à Ferrare dans la première moitié du XVIe siècle. Italien.

Peintre de fresques.

CHIAVERINI Ferrari Miriam

Née en 1940 à Sao Paulo. XXe siècle. Brésilienne.

Graveur.

Son travail relève d'une écriture à la fois symbolique et expressionniste.

CHIAVETTI Francesco

XVIIe siècle. Travaillant à Rome. Français.

Peintre.

CHIAVISTELLI Jacopo

Né en 1621 à Florence. Mort en 1698. XVIIe siècle. Italien.

Peintre de perspectives et d'architectures.

CHIA YU CHIAN. Voir XIE YUQIAN

CHIBANOFF Mikhail

XVIIIe siècle. Actif dans la seconde moitié du XVIIIe siècle. Russe.

Peintre de portraits et de genre.

Serf du prince G. A. Potemkin, Chibanoff était un remarquable peintre de portraits et de genre. Il a peint de petites scènes de la vie des paysans russes, fait leurs portraits, chose bien rare pour les peintres russes du XVIIIe siècle. Il fit le portrait de Catherine II quand l'Impératrice voyageait en Ukraine (1787) et la représenta habillée en costume de route. D'après l'ordre de Catherine II, on a commandé une copie en miniature de ce portrait à P. Y. Jarkov, le peintre de la Cour, et le graveur anglais D. Walker en fit par la suite deux gravures. On l'identifia jadis à tort avec Alekséï Pétrovitch Chabanov ou Chébanov.

MUSÉES : Moscou (Gal. de Trétiakov) : *Portrait d'A. G. Spiridov – Le repas des paysans – Portrait de M. G. Spiridov – Le contrat de mariage –* SAINT-PÉTERSBOURG (Mus. Russe) : *Portrait du comte A. M. Dmitriév-Mamonov.*

CHIBOTTE N.

XVIIe siècle. Travaillant à Dôle et à Besançon en 1606-1608. Français.

Peintre.

CHIBOURG Pierre Justin Léopold

Né le 12 mai 1823 à Paris. XIXe siècle. Français.

Peintre de genre, paysages.

Élève de Picot. Il débuta au Salon de Paris, en 1852. Parmi ses œuvres, on peut citer : *Bords de la Rance* ; *Les Faneurs* ; *Vue de Saint-Raphaël* et *Un ravin dans les Pyrénées.*

VENTES PUBLIQUES : PARIS, 27 fév. 1985 : *L'exode de 1833*, d'après Hippolyte Lecomte, h/t (51x65) : FRF 9 500 – PARIS, 23 oct. 1991 : *Scène villageoise 1833*, h/t (65x51) : FRF 25 000 – PARIS, 17 déc. 1993 : *Le maître d'école 1842*, h/t (61,5x75) : FRF 30 000.

CHIBOUST B.

XVIIe siècle. Travaillant à Paris vers 1678-1699. Français.

Graveur.

CHICCARI Antonio

XVIIe siècle. Italien.

Sculpteur sur bois.

Il travailla à la cour du pape Alexandre VII, entre 1655 et 1659.

CH'I CHAI-CHIA. Voir QI ZHAIJIA

CHICHARRO Y AGUERA Eduardo

Né le 17 juin 1873 à Madrid. Mort en 1949 à Madrid. XIXe-XXe siècles. Espagnol.

Peintre de paysages et de compositions à personnages.

Il fut élève, à l'Académie de Madrid, de Manuel Dominguez y Sanchez et de Joaquin Sorolla y Bastida. En 1897 il reçut une mention honorifique à l'Exposition Nationale et en 1899 une seconde médaille à la Nationale des Beaux-Arts. Il voyage à Rome où il étudie les œuvres de Michel-Ange, Raphaël et Botticelli, et à Florence où il voit celles de Donatello et de Fra Angelico. Il voyage également en Hollande et en France. Il a exposé à Madrid en 1904, recevant la première médaille de la Nationale, à Barcelone en 1907 recevant la première médaille, à Valence, Buenos Aires, et Mexico où il obtint également une première médaille d'or. Il fonde à Madrid l'Association des Peintres et Sculpteurs où vient travailler Diego Rivera. En 1912 il est nommé directeur de l'Académie de Rome où il demeurera jusqu'en 1925. À cette époque, sa profonde admiration pour le poète Rabindranath Tagore le pousse à étudier la culture, la philosophie hindoue et la religion bouddhique. Il peint alors le tableau intitulé *Les tentations de Bouddha*. À Madrid, il est nommé professeur de couleur par l'École San Fernando et en sera directeur par la suite. En 1934 il est nommé directeur de l'École des Beaux-Arts. Il a figuré aux Biennales de Lisbonne, de Venise, et figuré aux Expositions Nationales de Madrid et de Barcelone. En 1944 il exposa au Salon d'Automne.

Il a peint des paysages et de larges compositions à personnages d'inspiration romantique et naturaliste.

BIBLIOGR. : In : *Cent ans de peint. en Espagne et au Portugal, 1830-1930*, Antiquaria, Madrid, 1988.

VENTES PUBLIQUES : NEW YORK, 25 fév. 1946 : *Paysan de Castille* : USD 525 – MADRID, 24 oct. 1983 : *Le voleur de pommes*, h/t (84x44) : ESP 180 000 – MADRID, 24 oct. 1984 : *Le voleur de Burgondo*, h/t (190x190) : ESP 500 000 – MADRID, 20 mai 1984 : *Danseuse et guitariste*, h/t (193x194) : ESP 225 000 – MADRID, 21 déc. 1987 : *Portrait de la mère de l'artiste 1899*, h/t (37,5x30) : ESP 225 000 – LONDRES, 23 nov. 1988 : *La fille d'un pêcheur 1907*, h/t (40,5x44) : GBP 2 500 – MADRID, 25 mai 1993 : *Gitane*, h/t (100x73) : ESP 373 750.

CHICHE François

XVIIIe siècle. Travaillant en Italie au début du XVIIIe siècle. Français.

Graveur.

On cite de lui : *Apparato funebre nel duomo di Palerma*, d'après Paolo Amato.

CHI CHÊN. Voir JI ZHEN

CHICHESTER Henrietta

Née à Londres. XXe siècle. Britannique.

Peintre.

En 1923 elle exposait aux Indépendants.

CHICHINSKI Leonid. Voir SCHICHINSKI

CHICHKINE Ivan Ivanovitch ou Schischkin

Né le 13 janvier 1831 à Elabouga (Viatka). Mort le 8 mars 1898 à Saint-Pétersbourg. XIXe siècle. Russe.

Peintre de paysages, graveur.

Il avait épousé le peintre Olga Lagoda. Il étudia à l'École des

Beaux-Arts de Moscou de 1852 à 1856 et à l'Académie de Saint-Pétersbourg avec Vorobiëv. Il travailla à Munich, Zurich, Genève et Düsseldorf. Membre de l'Académie de Saint-Pétersbourg. Décoré de l'ordre de Stanislav.

Il a peint avec prédilection les forêts de pins du Nord de la Russie.

Musées : Moscou (Gal. de Trétiakov) : *Les champignons tue-mouches*, étude – *Forêt de sapins* – *Une route dans les montagnes* – *Crimée*, étude – *Fougères dans la forêt, Sivérskaia*, étude – *Des pins éclairés par le soleil*, étude – *Les fleurs de champs près de l'eau*, étude – *Sur les côtes de la mer*, étude – *Forêt de sapins*, étude – *Intérieur d'une forêt*, étude – *Dans la forêt de la comtesse Mordvinova Pétergoff* – *Le Tourillon* – *L'abattage d'un bois* – *Promenade dans la forêt* – *Midi, environ de Moscou* – *Une forêt pinède* – *Bois de mâts, Gouvernement de Viatka* – *Un chêne au jour gris* – *Un bois de conifères* – *Le seigle* – *Un bouleau et les petits sorbiers*, étude – *Vers l'automne*, étude – *L'épaisseur d'une forêt* – *Une ruche* – *Un étang en lisière de forêt Siverskaia* – *Les lointains de forêt* – *Un coin du jardin envahi* – *Côté d'un petit bois, chênaie de Pierre le Grand à Séstroretsk* – *Les petis chênes* – *Un petit bois, chênaie* – *Un chêne, soir* – *Matin dans la forêt de pins*, treize toiles et des dessins – Saint-Pétersbourg (Mus. Russe) : *Le petit bois de construction navale* – *Dans un petit bois* – *À temps de coucher du soleil* – *Fin fond de la forêt* – *Les chênes* – *Sentier de forêt*, plusieurs tableaux et dessins.

Ventes Publiques : Paris, 28 nov. 1948 : *La forêt* : FRF 50 000 – New York, 15 oct. 1976 : *Chemin sous bois*, h/t (30,5x46) : USD 900 – Copenhague, 31 oct. 1985 : *Personnages priant devant un calvaire à la risière d' un bois* 1891, h/t (58x47) : DKK 31 000.

CHICHKO Serguëi. Voir SCHICHKO

CHICHKOFF Matvëi Andréévitch
Né en 1832 à Moscou. Mort en 1897 à Saint-Pétersbourg. xixe siècle. Russe.
Peintre, décorateur.
Il fréquenta l'École des Beaux-Arts de Stroganov à Moscou, fournit en décors depuis 1857 les théâtres impériaux de Saint-Pétersbourg, et fut professeur de peinture décorative.
Musées : Moscou (Gal. Trétiakov) : *Terem de princesse*, aquar., esquisse de décoration.

CHICHMANIAN Raphaël
Né le 15 juin 1885 à Lijik (Arménie). xxe siècle. Arménien.
Peintre de portraits, de natures mortes et de paysages.
Il fut élève de l'École Nationale des Beaux-Arts à Paris et sociétaire du Salon des Artistes Indépendants à partir de 1919. Il a illustré *Les perles éparpillées*, un conte arabe de Wacif Boutros Ghali.
Musées : Erivan (Turquie).

CHICHORRO Mario
Né en décembre 1932 à Torres Vedras. xxe siècle. Depuis 1963 actif en France. Portugais.
Peintre de compositions animées. Art-brut, figuration libre.
Il fit des études d'architecture à l'École des Beaux-Arts de Coimbra. Il exerça l'architecture jusqu'en 1968, après quoi il se consacra entièrement à la peinture. Il montre son travail dans de nombreuses expositions personnelles depuis 1972, notamment : dans des villes du Sud de la France, 1974, 1976, Atelier Jacob à Paris, très fréquemment à Lyon depuis 1976, très fréquemment à Perpignan depuis 1979, en Allemagne dans diverses villes depuis 1979, puis fréquemment à Heidelberg depuis 1981, 1984 à l'Institut Français de Barcelone, fréquemment à Roanne depuis 1986, etc.
Il fait une peinture à la fois primitive et savante. Primitive par les sujets, qu'on pourrait attribuer à quelque folklore lointain, où s'entremêlent personnages exotiques et animaux des faunes sauvages. Savante par l'art justement avec lequel le dessin se joue de cet entremêlement des corps avec de grosses têtes et des ribambelles d'animaux, de corps entiers conjugués avec les parties des gros visages, de corps entiers inclus dans des personnages encore plus grands, comme le mélange réussi de deux ou trois puzzles différents.

CH'I CHUNG. Voir QI ZHONG

CHICKENAM
xxe siècle. Sud-Africain.
Artiste.
Il a participé en 1995 à la Biennale *Africus* de Johannesburg.
Il travaille dans l'esprit de Ben, avec des pancartes peintes, qui posent des questions sans en apporter les réponses.

CHICOT
xviiie siècle. Français.
Sculpteur.
Il travailla à la Manufacture de Sèvres de 1763 à 1774.

CHICOT Louis
Né à Mâcon (Saône-et-Loire). Mort en 1896. xixe siècle. Français.
Sculpteur.
A exposé de nombreux bustes au Salon, de 1876 à 1890.

CHICOTOT Georges Alexandre
Né au xixe siècle à Paris. xixe siècle. Français.
Peintre de genre.
Élève de Hanoteau, P.-J. Blanc et Hébert. Il obtint une mention honorable à l'Exposition Universelle de 1889, une médaille de troisième classe la même année et une médaille de bronze à l'Exposition Universelle de 1900. Officier de la Légion d'honneur.
Ventes Publiques : Londres, 20 mars 1909 : *Les deux sœurs* : GBP 13.

CHICOTOT Rosette
Née à Paris. xixe-xxe siècles. Française.
Peintre de figures, paysages et de natures mortes.
Elle fut élève de Jean-Paul Laurens, de François Schommer et Octave Guillonet. Sociétaire du Salon des Artistes Français, elle y exposa régulièrement, recevant une mention honorable en 1928.
Ventes Publiques : Paris, 13 juin 1969 : *Fleurs des champs au tapis à carreau*, h/t (55x38) : FRF 1 000 – Paris, 30 mai 1988 : *Nu à la toilette*, h/cart. (41x33) : FRF 3 200.

CHICOTOT-STINUS Rose
Née à Paris. xxe siècle. Française.
Peintre.
Elle a exposé des fleurs et des natures mortes au Salon des Indépendants.

CHIDEN Tan an
xvie siècle. Japonais.
Peintre.
Actif vers 1500. Il fut sans doute l'élève de Sôami. Il appartenait à l'école de peinture à l'encre de l'époque Muromachi, et était prêtre du temple Shôkokuji de Kyoto.

CHIEH-HSI SSŬ. Voir JIEXI SI

CH'IEN FÊNG. Voir QIAN FENG

CH'IEN HSIN-TOU. Voir QIAN XINDAO

CH'IEN HSÜ. Voir QIAN XU

CH'IEN HSÜAN. Voir QIAN XUAN

CH'IEN-I. Voir QIANYI

CH'IEN KU. Voir QIAN GU

CH'IEN KUNG. Voir QIAN GONG

CH'IEN-LUNG, empereur Qing. Voir QIANLONG

CH'IEN SHAN-YANG. Voir QIAN SHANYANG

CH'IEN SUNG. Voir QIAN SONG

CH'IEN TSAI. Voir QIAN ZAI

CH'IEN TU. Voir QIAN DU

CH'IEN TUNG. Voir QIAN DONG

CH'IEN WEI-CH'ÊNG. Voir QIAN WEICHENG

CH'IEN WEI-CH'IAO. Voir QIAN WEIQIAO

CHIER Ferdinando ou Chieni (d'après Zani)
xviiie siècle. Actif vers 1700. Italien.
Peintre et graveur.

CHIERCHIA Angelo
xviiie siècle. Actif à Naples en 1777. Italien.
Peintre.

CHIEREGHIA Felice
Né vers 1750 à Padoue. Mort après 1817. xviiie-xixe siècles. Italien.
Sculpteur.
Travaille à Trieste en 1817.

CHIERICATI Ascanio
xixe siècle. Actif à Vicence. Italien.
Peintre.
Il exposa dans les dernières années du xixe siècle, notamment *L'Eterno Femminino* en 1898 à Padoue.

CHIERICATI Lodovico ou **Chieregati**
Né en 1482 à Vicence. Mort en 1573. XVIᵉ siècle. Italien.
Médailleur.
Archevêque d'Antivari et primat de Serbie.

CHIERICI Alfonso
Né en 1816 à Reggio d'Emilia. Mort en 1873 à Rome. XIXᵉ
siècle. Actif à Rome. Italien.
Peintre.
Il a peint des compositions religieuses (*San Biagio che risana un
fanciullo, Cristo che caccia i mercanti dal tempio*), des tableaux
d'histoire (*Marcant. Colonna innanzi a Pio V*), des toiles de genre.
La Galerie d'Art Moderne, à Rome, conserve de lui deux
esquisses (Scènes de l'Othello, de Shakespeare).

CHIERICI Gaetano
Né en 1838 à Reggio Emilia. Mort en 1920 à Reggio Emilia.
XIXᵉ-XXᵉ siècles. Travaillant à Reggio d'Emilia. Italien.
Peintre de genre, figures, portraits.
Il étudia à Florence. Il exposa aussi à la Royal Academy de
Londres de 1877 à 1881, ainsi qu'à Boston, Milan, Parme,
Naples, etc. D'après Clément et Hutton, la Corcoran Gallery de
Washington (E.-U.) possède une de ses œuvres.
Ses sujets préférés sont les enfants, dont il rend admirablement
les mouvements gauches et charmants.
MUSÉES : GÊNES : *Une Scène domestique* – PRATO : *Heureuse
Mère* – STUTTGART : *Reggio 1838* – *Surprise 1888* – *Portrait de l'au-
teur*.
VENTES PUBLIQUES : PARIS, 1877 : *La Tentation* : FRF 780 ; *Le
bain* : FRF 3 080 – BERLIN, 1894 : *Joies d'enfants* : FRF 500 ;
Enfant renversé par des oies : FRF 4 875 ; *La Bouillie* :
FRF 3 187 ; *L'Assiette cassée* : FRF 4 387 – LONDRES, 1894 : *La
Polenta* : FRF 6 443 – LONDRES, 1896 : *La Cuisine envahie* :
FRF 3 940 ; *Horrible état de choses* : FRF 4 725 – NEW YORK,
1900-1903 : *Prenant l'avantage* : USD 2 500 – NEW YORK, 27 jan.
1905 : *Chauffant les mains de sa poupée* : USD 600 – NEW YORK,
1909 : *Charité* : USD 525 – LONDRES, 28 mars 1930 : *La Mère
menaçante 1875* : GBP 15 – LONDRES, 30 oct.-2 nov. 1936 : *La Cuisine envahie 1881* : GBP 102 – NEW YORK, 4 mai 1944 : *Le Bain de
bébé 1865* : USD 1 650 – LONDRES, 14 mars 1962 : *La Famille
joyeuse* : GBP 2 600 – LONDRES, 10 nov. 1971 : *Une famille heureuse* : GBP 8 000 – MILAN, 16 mars 1973 : *Les Premiers Pas* :
ITL 7 000 000 – LONDRES, 29 oct. 1976 : *Leçon au monastère 1864*,
h/t (46x57,5) : GBP 3 200 – LONDRES, 22 juil. 1977 : *Leçon au
couvent 1864*, h/t (92x74) : ITL 700 000 – PARIS, 14 fév. 1978 : *La
Becquée*, h/t, deux pendants (chacune
71x93) : FRF 21 000 – LONDRES, 20 avr. 1979 : *Leçon au monastère
1864*, h/t (45,7x57,2) : GBP 950 – LONDRES, 18 juin 1980 : *Le Repas
des enfants 1874*, h/t (53x79) : GBP 15 500 – LONDRES, 22 nov.
1983 : *Les Enfants heureux 1895*, h/t (76x97) : GBP 37 000 –
LONDRES, 19 juin 1985 : *Les Premiers Pas*, h/t (42x61) : GBP 33 500
– MILAN, 9 juin 1987 : *L'Instinct des armes 1876*, h/t (76x104) :
ITL 64 000 000 – LONDRES, 26 fév. 1988 : *Deux Moines dans un
cloître*, h/t (76,5x56) : GBP 4 950 – LONDRES, 24 juin 1988 : *Jeux
avec le bébé*, h/t (33x42) : GBP 57 200 – NEW YORK, 28 fév. 1990 :
Patatrach !, h/t (32,4x47) : USD 187 000 – MONACO, 21 avr. 1990 :
Le Chant de l'oiseau, h/t (46,5x58) : FRF 510 600 – NEW YORK, 23
mai 1990 : *L'Heure de la soupe 1870*, h/t (73,5x104) : USD 297 000
– NEW YORK, 22 mai 1991 : *Le Jeu de tarots 1884*, h/t (62,2x80) :
USD 242 000 – NEW YORK, 17 oct. 1991 : *La poupée se réchauffe
les mains à la cheminée 1878*, h/t (69,9x52,1) : USD 198 000 –
LONDRES, 19 juin 1992 : *L'Aumône à un moine 1866*, h/t
(45,7x58,4) : GBP 11 000 – MILAN, 16 mars 1993 : *Les Premiers
Pas*, cr. et h/t, étude (35x47) : ITL 17 000 000 – NEW YORK, 26 mai
1993 : *Joie et Douleur 1871*, h/t, une paire (57,8x47) :
USD 145 500 – LONDRES, 16 mars 1994 : *La Bouillie 1878*, h/pan.
(73,5x103) : GBP 89 500 – MILAN, 14 juin 1995 : *La Fête de la
maman 1895*, h/t (66,5x50,5) : ITL 132 250 000 – NEW YORK, 1ᵉʳ
nov. 1995 : *La Nouvelle Couvée*, h/t (33x41,9) : USD 145 500 –
ROME, 4 juin 1996 : *La Bouillie 1868*, h/t (47x58) : ITL 41 400 000 –
LONDRES, 21 nov. 1996 : *Il desinare della vedova 1877*, h/t
(92,5x119,5) : GBP 194 000 – NEW YORK, 24 oct. 1996 : *Taquinant
la poule 1893*, h/t (22,2x28,6) : USD 90 500 – LONDRES, 13 juin
1997 : *Je n'en veux plus 1873*, h/t (42,2x55,2) : GBP 41 100 – NEW
YORK, 26 fév. 1997 : *Il Selenzio del chiostro 1868*, h/t (46,6x57,5) :
USD 8 625 – LONDRES, 19 nov. 1997 : *La Pappa 1891*, h/t (39x53) :
GBP 64 200.

CHIERICI Giovanni
Né en 1830 à Bigarello près Mantoue. XIXᵉ siècle. Actif à
Parme. Italien.
Sculpteur.

CHIERICI Tommaso
XVIIᵉ siècle. Actif à Ferrare vers 1630. Italien.
Peintre.
Élève de Guerchin.

CHIERICO Sebastiano
XVIIᵉ siècle. Actif à Ferrare vers 1630. Italien.
Miniaturiste.

CHIERICONI G.
XIXᵉ siècle. Travaillant vers 1830. Italien.
Lithographe.

CHIESA Antonio ou **Cesa**
XVᵉ-XVIᵉ siècles. Actif à Bellune. Italien.
Peintre.

CHIESA Giampaolo
XVIIIᵉ siècle. Travaillant à Plaisance. Italien.
Peintre.

CHIESA Giorgio
XVᵉ siècle. Actif à Milan en 1479. Italien.
Peintre.

CHIESA Giovanni della
Peut-être originaire de Pavie. XVᵉ siècle. Italien.
Peintre.
Cité pour la première fois à Lodi, en 1490. Il a exécuté à l'église
de l'Incoronata, dans cette ville, une série de peintures, et notam-
ment un *Couronnement de la Vierge* (1493).

CHIESA Innocente
XIXᵉ siècle. Actif à Sagno (Tessin). Suisse.
Peintre.

CHIESA Jacopo ou **Jacobello Dalla**, dit aussi **Giacomo
dal Musaico**
XVᵉ siècle. Italien.
Peintre, mosaïste.
Il travailla à l'église Saint-Marc à Venise en 1414.

CHIESA Matteo ou **Cesa**
XVIᵉ siècle. Actif à Bellune vers 1500. Italien.
Peintre.
Des œuvres de cet artiste sont conservées au Musée de Bellune,
et au Kaiser Friedrich Museum, à Berlin.
VENTES PUBLIQUES : MILAN, 4 avr. 1995 : *Vierge sur un trône avec
l'Enfant*, temp./pan. (113x43) : ITL 51 750 000.

CHIESA Matteo della
XVᵉ-XVIᵉ siècles. Travaillant à Lodi en 1493 et 1494, à Milan en
1518. Italien.
Peintre.
Fils de Giovanni della Chiesa, qu'il aida dans certains de ses travaux à l'église de l'Incoronata, à Lodi. Ne paraît pas identique au
précédent.

CHIESA Pietro
Né en 1876 ou 1878 à Sagno. Mort en 1959 à Soregno. XXᵉ
siècle. Suisse.
Peintre de compositions à personnages, natures mortes.
Il fut élève de l'Académie de Milan. Il figura dans les Expositions
Internationales de Venise, Munich et Paris. Il a illustré une édi-
tion de la *Divine Comédie* de Dante et pour les recueils de son-
nets de son frère, Francesco Chiesa : *La Cattedrale* – *La Reggia* –
La Citta.

P. CHIESA

P. CHIESA

P. CHIESA

MUSÉES : GENÈVE (Mus. Rath) : *Le repos* – *Fête de village*.
VENTES PUBLIQUES : LUCERNE, 24 juin 1966 : *Villa du Tessin* :
CHF 1 200 – LUCERNE, 16 juin 1977 : *Paysage du Tessin* :
CHF 1 250 – BERNE, 26 oct. 1978 : *Fillette à la poupée 1921*, past.
(83x53) : CHF 2 000 – BERNE, 30 avr. 1980 : *Jeune fille à la jupe
bleue*, past. (52x36) : CHF 2 700 – ZURICH, 14 mai 1982 : *Avril
1952*, h/t (54x73) : CHF 3 200 – BERNE, 21 avr. 1983 : *Jour d'été*,

h/pan. (48,5x58) : **CHF 6 000** – ZURICH, 8 nov. 1985 : *Paysage du Tessin*, h/t (50x35) : **CHF 4 400** – LUCERNE, 15 mai 1986 : *Village du Tessin*, h/pan. (46x38) : **CHF 3 400** – LUCERNE, 3 juin 1987 : *Fillette jouant* 1948, h/t (42x56) : **CHF 7 500** – PARIS, 30 avr. 1988 : *Paysanne du Tessin* 1950, past./pap. (62x47) : **CHF 4 800** – ZURICH, 29 avr. 1992 : *Fleurs* 1940, h/cart. (53,5x39,3) : **CHF 4 800** – ZURICH, 24 juin 1993 : *La Cueillette des pommes*, past. (64x40,5) : **CHF 3 000** – ZURICH, 24 nov. 1993 : *La Missive*, h/t (61x50,5) : **CHF 6 900** – ZURICH, 8 déc. 1994 : *Autoportrait* 1915, h/cart. (50x39,5) : **CHF 19 550** – ZURICH, 4 juin 1997 : *La Lampe* 1957, h/t (100x80) : **CHF 14 950**.

CHIESA Sebastiano
XVIIIᵉ siècle. Italien.
Sculpteur sur bois.
Il travailla en 1720-1721 à l'église de la Chartreuse de Parme.

CHIESA Silvestro
Né en 1623 à Gênes. Mort en 1657 à Gênes. XVIIᵉ siècle. Italien.
Peintre.
Il avait étudié avec Luciano Borzone et, de bonne heure, fait preuve d'un remarquable talent dans l'exécution de ses portraits (peints de mémoire pour la plupart) lorsqu'il fut enlevé par la peste, en 1657. Il a peint pour l'église des Servites Sta Maria un *San Pellegrino* et un *San Giovacchino Piccolomini*, et pour l'église de Padri de Scuole Pie *La Vierge et San Giov. Calasanzio*.

CHIESI Giorgio
Né en 1941 à Felina (Reggio Emilia). XXᵉ siècle. Italien.
Peintre de compositions, figures.
Il vit et travaille à Milan. Il a exposé personnellement dans de nombreuses galeries dans les principales villes italiennes.
Il peint des figures, des animaux ou des objets sur un fond uni, parfois tronqués en partie et simplement légendés de leur nom : *Figure – Œuf – Pomme*... Description du monde ou livre d'images à portée éducative ?

CHIEWITZ Elis
Né en 1784. Mort en 1839. XIXᵉ siècle. Suédois.
Peintre de paysages, aquarelliste, dessinateur.
VENTES PUBLIQUES : LONDRES, 1ᵉʳ juin 1983 : *Le Parthénon, Athènes*, aquar. (32x46) : **GBP 1 700**.

CHIÈZE Jean André
Né en 1898 à Valence (Drôme). Mort en 1975. XXᵉ siècle. Français.
Graveur sur bois, illustrateur.
Il exposa au Salon des Artistes Français et au Salon d'Automne. Il a illustré *L'Illustre Servante* de Cervantès et les *Fables* de La Fontaine. Il a réalisé un ensemble de douze bois gravés qui constitue une intéressante tentative de rénovation de l'imagerie populaire : *Les Saints Patrons des Métiers*.

CHIÈZE Maurice
Né le 4 août 1945. XXᵉ siècle. Français.
Peintre de paysages animés.
Il fit ses études à l'École des Beaux-Arts d'Annecy et peint des scènes de la vie estivale.
BIBLIOGR. : In : *L'officiel des arts*, Editions du Chevalet, 1988.
VENTES PUBLIQUES : DOUAI, 24 mars 1991 : *Le pêcheur à la ligne*, h/t (33x55) : **FRF 4 000**.

CHIEZO Taro
Né en 1962 à Tokyo. XXᵉ siècle. Japonais.
Artiste d'installations.
Il expose aux États-Unis.
Il met en scène la vision idyllique de la fillette japonaise, véhiculée par les médias et les parents, dans des robots sans tête, vêtus de robes de petites filles sages, qui avancent de façon désordonnée, détruisant tout sur leur passage.
BIBLIOGR. : Bonnie Clearwater : *Arrêt sur enfance*, Art Press, n° 197, Paris, déc. 1994.

CHIFFELIN Olivier
XVᵉ siècle. Actif en Anjou. Français.
Peintre.
Il fut chargé par Philippe de Commines d'exécuter des peintures dans la chapelle du château de Dreux.

CHIFFLARD
D'origine française. XIXᵉ siècle. Travaillant à Saint-Pétersbourg vers 1812-1815. Français.
Peintre, graveur.

CHIFFLARD Nicolas-François
Né le 21 mars 1825 à Saint-Omer (Pas-de-Calais). Mort le 19 mars 1901. XIXᵉ-XXᵉ siècles. Français.

Peintre d'histoire, scènes de genre, portraits, graveur, dessinateur, illustrateur.
Élève de M. L. Cogniet à l'École des Beaux-Arts de Paris, où il entra en 1844, il débuta au Salon en 1845, reçut le troisième prix au concours de Rome en 1850, et l'année suivante, remporta le grand Prix, avec : *Périclès au lit de mort de son fils*. Il ne fit pas la brillante carrière qu'il pouvait espérer car il refusait de se plier aux exigences des commanditaires, de faire appel à tout appui officiel, si bien qu'il mourut dans la plus grande misère. Jules Joets, en publiant des lettres de Chifflart, a montré les rancœurs de ce peintre condamné pour vivre à se cantonner dans l'illustration et ne trouvant même pas dans ce renoncement à ses espérances les plus chères de quoi faire face aux nécessités de la vie.
Il montre, dans ses toiles, à la fois une fougue romantique qui fait penser à Delacroix et une certaine froideur de style. Ses portraits ont le naturel et l'allure de ceux de Courbet. Il a surtout laissé une œuvre d'illustrateur. Il collabora au *Monde illustré*, illustra, entre autres, les *Travailleurs de la Mer* 1882, de Victor Hugo.
BIBLIOGR. : Gérald Schurr, in : *Les Petits Maîtres de la peinture 1820-1920, valeur de demain*, Les Éditions de l'Amateur, t. II, Paris, 1982.
MUSÉES : CALAIS : *Roméo et Juliette* – LONDRES (Victoria and Albert Mus.) : quinze dessins – *Salvator Rosa et les brigands* – *L'affliction* – *Un jour de récompense* – *Les liens du mal* – SAINT-OMER : *David vainqueur* – *Brisée par le malheur*.
VENTES PUBLIQUES : NEW YORK, 1909 : *Nymphes au bain* : **USD 65** – PARIS, 3 fév. 1919 : *Portrait de Courbet* : **FRF 720** – PARIS, 26 mai 1920 : *Portrait de Courbet* : **FRF 450** – PARIS, 9 mars 1944 : *Le char d'Apollon*, dess. à la pl./calque : **FRF 70** – PARIS, 16 mars 1994 : *Scène d'assassinat*, encre brune/pap. bleu (30,5x40,5) : **FRF 13 500** – NEW YORK, 19 jan. 1995 : *Deux personnages masculins dans un paysage*, h/t (29,2x48,3) : **USD 4 025**.

CHIFLET Marie Ferdinand Xavier Fiel de, vicomte
Né le 29 novembre 1812 à Besançon (Doubs). Mort le 30 mai 1879 à Besançon. XIXᵉ siècle. Français.
Dessinateur amateur.
Le Musée de Besançon conserve deux dessins de lui : *Trophée de la victoire* et *Le Bibliomane*.

CHIGGIO Ennio
XXᵉ siècle. Actif à Padoue. Italien.
Artiste. Lumino-cinétique. Groupe « N ».
Il appartient au groupe « N » de Padoue qui réalise des images résultant de la projection sur des écrans de faisceaux lumineux en mutation continue de couleur et de position.

CHIGHINE Alfredo
Né le 9 mars 1914 à Milan. Mort en 1974 à Pise. XXᵉ siècle. Italien.
Peintre, graveur.
Il étudia la peinture à l'Institut Supérieur d'Arts Décoratifs de Monza et la sculpture à l'Académie Brera de Milan. Il a participé, avec des œuvres transcrites poétiquement de la réalité ou du souvenir, à la Biennale de Venise en 1948, 1958, 1960, à la Biennale de São Paulo en 1961, à la Quadriennale de Rome en 1959 et à la Pittsburgh International Exhibition en 1958.
MUSÉES : BOLOGNE – LONDRES – MILAN – ROME – LA SPEZIA – TURIN.
VENTES PUBLIQUES : MILAN, 26 mars 1962 : *Rochers de Positano* : **ITL 220 000** – MILAN, 23 mars 1971 : *Forme en brun et rose* : **ITL 1 000 000** – MILAN, 6 avr. 1976 : *Figure et paysage*, h/t (46x38) : **ITL 360 000** – MILAN, 24 juin 1980 : *Barques au crépuscule* 1962, h/t (45x65) : **ITL 1 300 000** – MILAN, 16 juin 1981 : *Le jardin* 1970, h/t (97x116) : **ITL 2 800 000** – MILAN, 21 déc. 1982 : *Composition* 1960, h/t (145x97) : **ITL 3 400 000** – MILAN, 14 juin 1983 : *Broussailles d'automne* 1957, h/isor. (130x102) : **ITL 3 300 000** – MILAN, 5 avr. 1984 : *Composition* 1962, temp. (75x60) : **ITL 1 600 000** – MILAN, 12 nov. 1985 : *Oianura lombarda* 1957, h/t (100x81) : **ITL 4 800 000** – MILAN, 6 mai 1987 : *La mer*, n° 6-9 1958, h/t (81x100) : **ITL 15 000 000** – MILAN, 1ᵉʳ déc. 1987 : *Composition* 1962, gche (34x54,5) : **ITL 1 900 000** – MILAN, 14 déc. 1988 : *Composition* 1953, h/t (100x80) : **ITL 21 000 000** – MILAN, 6 juin 1989 : *Image sur fond gris* 1959, h/t (116x81) : **ITL 20 000 000** – MILAN, 19 déc. 1989 : *Coucher de soleil* 1957, h/t (63x70) : **ITL 40 000 000** – MILAN, 27 mars 1990 : *Bleu et violet* 1958, h/t (81x100) : **ITL 24 000 000** – MILAN, 13 déc. 1990 : *Composition* 1964, h/t (40x30) : **ITL 15 000 000** – MILAN, 20 juin 1991 : *Composition* 1959, h./contre plaqué (56x68,5) : **ITL 21 000 000** – MILAN, 14 nov. 1991 : *Paysage avec figure* 1960, h/t (131x89) : **ITL 36 000 000** – MILAN, 19 déc. 1991 : *Espace gris*

1972, h/t (54x65) : **ITL 10 000 000** – MILAN, 9 nov. 1992 : *Le petit bassin du port* 1967, h/t (46x38) : **ITL 9 500 000** – MILAN, 22 juin 1993 : *Composition en gris et violet* 1961, h/t (65x81) : **ITL 12 500 000** – MILAN, 26 oct. 1995 : *Nature morte* 1961, h/t (89x115) : **ITL 12 650 000** – MILAN, 28 mai 1996 : *Forme rouge jaune* 1954, h/t (100x73) : **ITL 16 100 000**.

CHIGNOLI Girolamo
XVIIe siècle. Actif à Milan vers 1630. Italien.
Peintre.

CHIGOT Alphonse
Né à Garçay (Cher). XIXe-XXe siècles. Français.
Peintre de sujets militaires.
Élève de Potier. A exposé au Salon de la Société des Artistes Français, notamment en 1908.
Ses ouvrages sont appréciés pour leur composition et l'éclat du coloris.
MUSÉES : BOURGES : *L'armée de l'Est* – CAMBRAI : *Devant un Héros* – *Orléans, 5 décembre 1870* – VALENCIENNES : *Le Duel*.
VENTES PUBLIQUES : PARIS, 25 mars 1981 : *Jonction de deux colonnes expéditionnaires en Algérie* 1869, h/t (135x95) : **FRF 15 000** – COMPIÈGNE, 25 sep. 1983 : *Guerriers dans la neige*, h/t (89x116) : **FRF 10 000**.

CHIGOT Delphine
Née à Limoges (Haute-Vienne). XXe siècle. Française.
Peintre de nus.
Elle exposa au Salon des Artistes Indépendants en 1938 et 1939.

CHIGOT Eugène Henri Alexandre
Né le 22 novembre 1860 à Valenciennes (Nord). Mort en 1927. XIXe-XXe siècles. Français.
Peintre d'histoire, scènes de genre, paysages, marines.
Postimpressionniste.
Élève de son père Alphonse Chigot, il entra à l'École des Beaux-Arts de Paris en 1880 et travailla dans les ateliers de Vayson, Cabanel et Bonnat. Il participa au Salon de Paris entre 1884 et 1924, obtenant une mention honorable en 1886, une troisième médaille en 1887, une deuxième médaille en 1890. Après un voyage en Espagne, il revint s'installer en Flandres, à Étaples, en 1887. Fixé ensuite à Paris, il fit partie de l'équipe qui fonda le Salon d'Automne. Médaille de bronze à l'exposition Universelle de 1889 et 1900 à Paris. Personnellement, il exposa pour la première fois à Paris en 1905. Il était inspecteur des musées et du dessin et peintre du ministère de la Marine. Officier de la Légion d'honneur.
Il débuta par la grande peinture d'histoire, mais devint rapidement paysagiste, rapportant de ses nombreux voyages, des vues du Midi de la France, d'Italie, Auvergne, Vendée, Bretagne, et des Flandres dont il fut particulièrement sensible à la lumière. Certaines de ses œuvres font penser à l'art de Pissarro.

Eugène Chigot [signature]

BIBLIOGR. : Catalogue de l'exposition rétrospective : *Eugène Chigot*, Musée Galliera, Paris, 1954 – Gérald Schurr, in : *Les Petits Maîtres de la peinture 1820-1920, valeur de demain*, Les Éditions de l'Amateur, t. III, Paris, 1976.
MUSÉES : AGEN : *Entrée du canot de l'amiral Avellan dans le port de Toulon* 1893 – AMIENS : *Échouage par gros temps* – CHARLE-VILLE-MÉZIÈRES : *Fuyant l'invasion* – LILLE : *La prière du soir* – LIMOUX : *La pêche interrompue* – NANTES : *Perdus au large* – PARIS (Mus. d'Art Mod.) : *Tendresses nocturnes* – *Le château sous la neige* – TOURCOING : *Le Lengenoer*, Dunkerque – VALENCIENNES : *Marine* – *Marius échappe aux émissaires de Sylla*.
VENTES PUBLIQUES : PARIS, 21 fév. 1920 : *Dans les roses, à Antibes* : **FRF 2 850** – PARIS, 26 jan. 1927 : *Barques de pêche au large*, *effet de couchant* : **FRF 365** – PARIS, 11 déc. 1942 : *Rivière en Normandie* : **FRF 5 500** – PARIS, 29 oct. 1948 : *L'âge d'or* : **FRF 14 000** – PARIS, 16 mai 1972 : *La Pergola de Juan-les-Pins* : **FRF 2 500** – PARIS, 17 fév. 1975 : *Pêche à marée basse*, h/t (54x81) : **FRF 2 000** – PARIS, 27 oct. 1976 : *La villa Roquebella à Monte-Carlo* 1915, h/t (65x81) : **FRF 4 000** – LILLE, 26 oct. 1982 : *Pêcheuses à Étaples*, h/t (51x85) : **FRF 14 000** – ENGHIEN-LES-BAINS, 6 mars 1983 : *Cygnes sur l'étang*, h/t (73x92) : **FRF 18 000** – DOUARNENEZ, 10 août 1984 : *Soleil couchant*, h/t (39x50) : **FRF 10 000** – VIENNE, 10 sep. 1985 : *Scène de rue, Paris*, h/t (34x41) : **ATS 35 000** – PARIS, 15 mai

1986 : *Lavandière en Normandie*, h/t : **FRF 37 000** – VERSAILLES, 20 mars 1988 : *Fête de nuit au château*, h/t (65x81) : **FRF 24 000** – PARIS, 27 avr. 1988 : *Deux femmes conversant sur le chemin d'un village bordé d'un jardin fleuri*, h/t (56x61) : **FRF 29 000** – VERSAILLES, 23 oct. 1988 : *Maisons au bord du canal*, h/t (73,5x60) : **FRF 6 800** – PARIS, 17 avr. 1988 : *Jardin en fleurs*, h/t (54x65) : **FRF 45 000** – DOUAI, 23 avr. 1989 : *Bruges*, h/t (73x60) : **FRF 19 000** – DOUAI, 2 juil. 1989 : *Pêcheurs*, h/t (60x81,5) : **FRF 27 000** – CALAIS, 10 déc. 1989 : *Jeune fille sur la grève au clair de lune*, h/t (150x61) : **FRF 20 000** – PARIS, 27 avr. 1990 : *Le Cap Martin* 1912, h/t (65x80) : **FRF 36 000** – PARIS, 5 nov. 1991 : *Maisons fleuries*, h/t (46x55) : **FRF 12 500** – LONDRES, 25 mars 1992 : *Place d'un village animé*, h/t (54x73) : **GBP 7 700** – PARIS, 18 juin 1992 : *Voiliers au soleil couchant*, h/t (40x51) : **FRF 10 000** – CALAIS, 13 déc. 1992 : *Vue de la ville de Calais* 1917, h/pan. (41x33) : **FRF 7 000** – NEW YORK, 12 oct. 1993 : *L'arsenal de Toulon*, h/t (125,1x219,7) : **USD 7 475** – AMSTERDAM, 19 oct. 1993 : *Gracieux patinage*, h/t (28x40,5) : **NLG 8 050** – PARIS, 13 nov. 1996 : *Le Grand Trianon vers* 1912, h/t (81x65) : **FRF 9 000** – NEW YORK, 10 oct. 1996 : *Antibes* 1918, h/t (38,1x49,5) : **USD 1 380**.

CHIGOT Francis
Né à Limoges (Haute-Vienne). XXe siècle. Français.
Peintre de cartons de vitraux.
Exposant des Artistes Français.

CHIHOPARIA-RATIHIRSKY Voïslas ou Chikoparia
Né en Serbie. XXe siècle. Yougoslave.
Sculpteur.
A exposé au Salon de la Nationale des bustes et diverses figures.

CH'I HSÜ. Voir QI XU

CH'I HUANG. Voir QI HUANG

CHI-HUI. Voir JIHUI

CHIHULY Dayle
XXe siècle. Américain.
Sculpteur ornemaniste sur verre.
Il s'inspire souvent de la faune ou de la flore marines.
VENTES PUBLIQUES : NEW YORK, 8 oct. 1988 : *Améthyste de mer aux lèvres noires* 1986, coupe de verre (16,5x36,2x20,3) : **USD 3 300** – NEW YORK, 14 fév. 1989 : *Sea Form Series* 1982, sculpt. de verre en trois parties (12x38x48,8 et 17,2x24,2x15,2 et 16,5x23,5x17,8) : **USD 7 700** – NEW YORK, 27 fév. 1990 : *Coupe de verre vénitien rouge indien tacheté et bleu de prusse* 1988 (52x28x28) : **USD 12 100** – NEW YORK, 6 nov. 1990 : *Sea Form Series* 1986, verre soufflé et décoré (71,1x27,9x53,3) : **USD 6 600** – NEW YORK, 18 nov. 1992 : *Sans titre*, verre soufflé, sept parties (diam. le plus large 50,8) : **USD 14 300** – NEW YORK, 25-26 fév. 1994 : *Art L.A. 89 installation #1*, verre soufflé (148,6x208,3x104,1) : **USD 48 875** – NEW YORK, 8 mai 1996 : *Vase de verre à la vénitienne*, boule bleue décorée d'épines dorées (H. 20,3) : **USD 12 650** ; *Plateau persan* 1987, verre soufflé bleu, blanc et rouge opalescents, treize éléments (H. 25,4) : **USD 21 850**.

CHI K'ANG. Voir JI KANG

CHIKANOBU
Né en 1660. Mort en 1728 à Tokyo. XVIIe-XVIIIe siècles. Japonais.
Peintre.
Fut l'un de ceux qui imitèrent les peintres Kaigetsudo.

CHIKAYUKI
Né en 1837. Mort en 1882 à Tokyo. XIXe siècle. Japonais.
Peintre.

CHIKUDEN Tanomura, de son vrai nom Tanomura Kōken, surnom : Kun-I ; nom familier Kōzō ; noms de pinceau Chikuden, Kyūjō-Senshi, Ran-Suikyôkaku, Set-sugetsu-Shōdō, Hosetsuro
XVIIIe-XIXe siècles. Japonais.
Peintre. École Nanga (peinture de lettré)
Issu d'une famille de physiciens du clan des Oka de Bungo, près de l'actuelle Oita (nord de l'île de Kyûshû), il fait des études confucéennes et en 1810 devient chef de la famille et de l'école du clan. En 1811, une insurrection de paysans le pousse à proposer un plan de réforme de l'administration du clan. Son projet ayant été refusé, il laisse sa place à son fils et se retire pour vivre désormais de sa poésie et de sa peinture. Il part alors à Osaka et à Kyoto, où il apprend les techniques du Nanga et devient ami et protégé de l'historien Rai Sanyō (1780-1832). Il passe le reste de

sa vie entre son pays natal et la région Kyoto-Osaka. Sa santé fragile explique pour certains la délicatesse de son œuvre. Le plus savant des artistes Nanga de son époque, on lui doit aussi de nombreux écrits sur la poésie et la peinture dont *Sanjûjin-jôzetsu* (Propos sur la peinture) et *Chikuden Shiyû Garoku* (Propos sur la peinture du Maître Chikuden et de ses amis) qui est une source d'informations pour l'art de cette période. Très imprégné de culture chinoise, Chikuden est doué d'une profonde compréhension des styles picturaux chinois. Il affectionne les formats hauts et étroits où il construit son œuvre autour de schémas répétés tels que des arbres nus, des buissons, des pruniers en fleurs ou des zones de feuillage, le regard étant amené à s'élever par le cheminement de diagonales vers la partie supérieure de la peinture. Sa délicatesse, sa poésie transparaissent sous une construction due à une accumulation patiente de traits à la brosse sèche où contrastent les lavis. En outre, ses couleurs pâles et relativement froides sont propices à l'expression de ses sentiments subtils. Son disciple le plus important est Sôhei Takahashi (1802-1833).

Musées : NARA (Neiraku Art Mus.) – TOKYO (Idemitsu Art Mus.) – TOKYO (Nat. Mus.).

CHIKUDO Kishi Shôroku
Né en 1826. Mort en 1897. XIXe siècle. Japonais.
Peintre d'animaux, paysages.
Il fut élève de Kishi Renzan. Peintre d'animaux, il était membre du Comité Impérial d'Art. Il résidait à Kyoto.
VENTES PUBLIQUES : NEW YORK, 29 mars 1990 : *Grenouille sous un prunier*, encre et pigments/soie, kakémono (130x49) : **USD 7 150** – NEW YORK, 23 oct. 1991 : *Vue de Kyoto*, encre et pigments légers/pap., kakémono, une paire (131,5x53,7) : **USD 8 800**.

CHIKUHA Odake Somekichi
Né en 1878. Mort en 1936. XXe siècle. Japonais.
Peintre de figures.
Il fut élève de Kawabata Gyokusho et membre du groupe *Teiten*.

CHIKUKEI Nakabayashi, de son vrai nom Nakabayashi Narishige, surnom : Kingo, nom de pinceau : Chikukei
XIXe siècle. Actif entre 1816 et 1867. Japonais.
Peintre. École Nanga (peinture de lettré).
Élève de son père Chikutô Nakabayashi (1776-1853), il vit à Kyoto et est connu comme paysagiste.

CHIKUKYO. Voir IKE NO TAIGA

CH'I KUNG. Voir QI GONG

CHIKUÔ Katsuta Teikan
XVIIe siècle. Actif au milieu du XVIIe siècle. Japonais.
Peintre.
Appartenant à l'école Kanô, il fut l'élève de Kyûnaku. Il fut au service de Tokugawa Iyemitsu, comme peintre. Il vécut à Edo (Tokyo).

CHIKUSEKI Nagama Chi Ki
Né en 1747 à Sanuki. Mort en 1805. XVIIIe-XIXe siècles. Japonais.
Peintre.
Il fut élève de Tabeke Ryôtaî, dans l'école Nanga. Il peignit des paysages.

CHIKUTO Nakabayashi, de son vrai nom Nakabayashi Seishô, noms de pinceau Chikutô, Taigen-an, Tôzan-Inshi, Chûtan
Né en 1776. Mort en 1853. XVIIIe-XIXe siècles. Japonais.
Peintre d'animaux, paysages. École Nanga (peinture de lettré).
Fils d'un médecin de Nagoya, Chikutô devient à l'âge de quinze ans le protégé d'un riche homme d'affaires et collectionneur de cette même ville : Kamiya Tenyû, chez qui il rencontre de nombreux artistes et étudie les techniques picturales chinoises. C'est là qu'il fait la connaissance du peintre Baiitsu Yamamoto (1783-1856). L'un et l'autre comptent parmi les meilleurs représentants du Nanga japonais. Ils partent ensemble à Kyoto en 1802 et s'adjoignent au cercle du grand érudit Rai Sanyô (1780-1832). Chikutô s'installe définitivement à Kyoto en 1815.
Malgré toute son expérience de la peinture chinoise, Chikutô a un style peu varié et une attitude didactique qui sous-tendent ses compositions plutôt statiques et conventionnelles. Leur charme peut être dû à leur valeur décorative et à une légèreté de touches dont les effets sont heureux et singuliers. Esprit clair et systématique, il est le théoricien du mouvement de peinture lettrée japonaise, comme le prouvent ses écrits : *Bunga-yûeki* (Méthode de

peinture à l'encre) et *Chikutô-garan* (Cahiers de Chikutô). Son fils, Nakabayashi Chikukei, est aussi connu comme peintre.
Musées : TOKYO (Mus. Nat.).
VENTES PUBLIQUES : NEW YORK, 17 oct. 1989 : *Oiseaux dans la neige*, encre/soie, kakémono (134,5x51,5) : **USD 4 620**.

CHIKUYÔ
XVIIe siècle. Actif dans la première partie du XVIIe siècle. Japonais.
Peintre.
Il fit partie de l'école de peinture à l'encre à l'époque Muromachi. Il a peut-être été prêtre zen.

CHILAVERT Luis
XIXe siècle. Actif à Valence. Espagnol.
Sculpteur.

CHILBERRI Pierres de
XVIIe siècle. Actif à Ségovie en 1674. Espagnol.
Peintre verrier.

CHILCOT Thomas Charles
Né le 26 décembre 1883 à Londres. XXe siècle. Britannique.
Illustrateur.

CHILD Charles
Né aux États-Unis. XXe siècle. Américain.
Peintre.
Il a longtemps voyagé puis est retourné se fixer aux États-Unis en 1930. En 1933 il expose au Worcester Art Museum. Il a illustré l'ouvrage intitulé *A book of Americans*.

CHILD Edwin Burrage
Né en 1868 à Gouvernor (New York). Mort en 1937. XIXe-XXe siècles. Américain.
Peintre de figures, portraits, illustrateur.
Élève de l'Art Students League, à New York, et de John La Farge. Il exposa à la Society of American Artists et la National Academy of design.
VENTES PUBLIQUES : NEW YORK, 30 avr. 1980 : *Mère et enfant*, h/t (71x45,7) : **USD 2 250** – NEW YORK, 3 oct. 1984 : *Portrait de jeune fille en robe blanche* 1911, h/t (113,5x81,5) : **USD 1 400**.

CHILD G.
XVIIIe siècle. Actif à Londres. Britannique.
Graveur.

CHILD James Warren ou Childe
Né en 1778. Mort en 1862. XIXe siècle. Britannique.
Miniaturiste.
Il exécuta une série de portraits d'acteurs et d'actrices et exposa fréquemment à la Royal Academy de 1815 à 1853.
VENTES PUBLIQUES : PARIS, 9 fév. 1928 : *Portrait de deux garçons debout dans un parc*, aquar. : **FRF 550**.

CHILD Jane
Née à New York. XIXe-XXe siècles. Américaine.
Peintre.
Elle fut élève de Julius Rolshoven à Paris. En 1895 elle reçut la médaille de bronze à l'exposition d'Atlanta et en 1901 le prix Corcoran au Water-Colour Club de Washington. Elle fut vice-présidente de la Washington Society of Artists en 1904-1905.

CHILD Lucy, Miss
Née à Coleshill. XXe siècle. Britannique.
Aquarelliste.
A exposé au Salon des Artistes Français en 1930.

CHILD Robert Coleman
Né en 1872 à Richmond. XXe siècle. Américain.
Peintre.
Il fut élève de la Corcoran School of Art à Washington et de la Lowell School puis de l'Institut Technologique de Boston. Il fut trésorier de la Society of Washington Artists entre 1900 et 1905.

CHILD W. ou R.
XVIIIe siècle. Britannique.
Peintre.
Il exposa à la Royal Academy, à Londres entre 1783 et 1788.

CHILDE Elias
XIXe siècle. Actif de 1798 à 1848. Britannique.
Peintre de paysages animés, paysages, aquarelliste.
Ses ouvrages ont été exposés à la Royal Academy, à la Water-Colours Society, et à la Society of British Artists, entre 1824 et 1848.
Musées : LONDRES (Victoria and Albert Mus.) : *Clair de lune*.

VENTES PUBLIQUES : LONDRES, 30 oct. 1985 : *Cour de ferme 1817*, h/t (62x75) : **GBP 2 200** – NEW YORK, 17 jan. 1990 : *Pêcheurs sur la grève à Douvres*, h/t (63,8x77,2) : **USD 2 310** – LONDRES, 20 juil. 1990 : *Pêcheurs débarquant leur prise sur la grève*, h/t (66x91) : **GBP 1 760** – ST. ASAPH (Angleterre), 2 juin 1994 : *L'ancien moulin à Rye dans le Sussex 1833*, h/t (76x61) : **GBP 8 625**.

CHILDER. Voir SCHILDER Andreï

CHILDERS Milly, Miss
XIXᵉ-XXᵉ siècles. Britannique.
Peintre de sujets de genre, portraits, paysages.
Elle travailla à Londres, où elle exposa à la Royal Academy entre 1894 et 1904 ; et figura au Salon, à Paris, en 1888, 1891 et 1892.

CHILDS Agnes
XIXᵉ siècle. Britannique.
Peintre de fleurs.
Elle exposa de 1837 à 1868 à la Royal Academy et à Suffolk Street, à Londres.

CHILDS Benjamin
Né en 1814 à Cambridgeport (Massachusetts). Mort en 1863. XIXᵉ siècle. Travaillant à New York. Américain.
Graveur sur bois.

CHILDS Bernard
Né le 1ᵉʳ septembre 1910 à Brooklyn. Mort le 27 mars 1985 à New York. XXᵉ siècle. Actif en France. Américain.
Peintre, graveur.
Il fit ses études à l'Université de Pennsylvanie puis avec Kimon Nicolaides et Amédée Ozenfant en 1947. Fixé à Paris, il figura au Salon des Réalités Nouvelles en 1953 et à la Documenta de Kassel en 1958. Il a exposé personnellement à Rome en 1951, à Paris en 1953 et à Francfort en 1955.
Ses peintures abstraites expriment une poésie du flou. Dans le domaine de la gravure, il pratique une technique nouvelle qui consiste en un petit foret actionné électriquement.
VENTES PUBLIQUES : PARIS, 8 fév. 1995 : *OM 1968*, h/t (61x104,5) : **FRF 4 000**.

CHILDS Cephas Giovanni
Né en 1793 à Bucks County. Mort en 1871 à Philadelphie. XIXᵉ siècle. Américain.
Graveur, lithographe.

CHILDS George
XIXᵉ siècle. Britannique.
Peintre de paysages, lithographe.
Il travailla à Londres, où il exposa à la Royal Academy, à Suffolk Street, à la British Institution et à la New Water-Colours Society, de 1826 à 1873.

CHILDS Joseph
Mort en 1909 à Westport. XIXᵉ-XXᵉ siècles. Américain.
Illustrateur.

CHILDS Julia
XIXᵉ siècle. Britannique.
Peintre de natures mortes, miniaturiste.
Elle travailla à Londres, où elle exposa de 1851 à 1864 à la Royal Academy et à Suffolk Street.

CHILHOLZE Remigius ou Chilhotz
Mort avant 1661. XVIIᵉ siècle. Actif à Rome vers 1629.
Sculpteur sur bois.

CHILINGOVSKY Pavel Alexandrovitch ou Schillingovsky
Né le 16 février 1887. XXᵉ siècle. Russe.
Peintre, graveur.
Il fut élève de l'Académie de Saint-Pétersbourg et devint professeur à l'Académie d'Art de Léningrad.

CHILLIDA Eduardo
Né le 10 janvier 1924 à Saint-Sébastien (Pays Basque). XXᵉ siècle. Actif aussi en France. Espagnol.
Sculpteur, peintre de collages, graveur, illustrateur, dessinateur. Abstrait.
Il commença par étudier l'architecture à Madrid en 1942, mais abandonna ces études en 1947 pour se consacrer au dessin dans une académie libre et commencer à sculpter. De 1948 à 1951 il réside à Paris, où entre 1948 et 1949, il modèle en plâtre et réalise une terre intitulée *Pensadora*. En 1949 Bernard Dorival, conservateur du Musée National d'Art Moderne de Paris, l'invite à exposer au Salon de Mai ; Chillida y présente ses deux premières œuvres : *Forma* et *Pensadora* dans lesquelles apparaît la tenta-

tion de la figure. En 1950, il figure de nouveau au Salon de Mai puis retourne à Saint-Sébastien où il se marie, regagnant la France juste après. Il participe à l'exposition des *Mains éblouies* organisée par la galerie Maeght. En 1951 le couple rentre au Pays Basque et s'établit à Hernani. En 1954 il participe à la section espagnole de la Triennale de Milan, présentant dix sculptures et remportant un diplôme d'honneur. Il figure également dans l'exposition *Eisenplastik* organisée à la Kunsthalle de Berne, et la Graham Foundation de Chicago lui décerne son Prix. En 1958 il expose à la Biennale de Venise et reçoit le Grand Prix International de Sculpture. En 1960 il reçoit le Prix Kandinsky, attribué par Nina Kandinsky à un jeune artiste, et en 1964 le Prix Carnegie de Sculpture au Pittsburgh International. En 1968, il figure à la Documenta 4 de Kassel. En 1975 il reçoit le Prix Rembrandt à Saint-Sébastien. En 1978, il se voit décerner le Prix de la Paix, remis par l'Institut de Polémologie Victor Seix (institution catalane « Pau y Treva »), et partage avec Willem de Kooning le Prix Andrew W. Mellon. Les expositions personnelles d'Eduardo Chillida se sont succédé, principalement à la galerie Maeght à Paris à partir de 1956 mais également à la galerie Maeght de Zurich. Des rétrospectives de ses œuvres se sont tenues au Musée de Duisburg en 1966 et au Musée de Houston lors d'une exposition itinérante dans plusieurs autres musées américains. 1969 est l'année des grandes rétrospectives en Europe, à Bâle, Zurich, Amsterdam (Stedelijk Museum), Munich, et 1973 celle des manifestations au Pays Basque, à Pampelune, Sanguesa et Estela. En Espagne il a présenté ses œuvres à Madrid à la galerie Iolas Velasco en 1972 et 1977. En 1990 il exposé à la galerie Lelong (ex Maeght) à Paris. En 1992, le Musée Picasso d'Antibes a présenté l'exposition de ses *Dessins, collages, papiers découpés, terres*. En 1995, la galerie Lelong a présenté l'exposition *Chillida. Terres et Gravitations*, rassemblant sculptures en terre chamottée et collages de papiers découpés. Parallèlement à son œuvre sculpté, il crée des papiers découpés, collés, agraffés ou cousus, superposés en épaisseur et complétés souvent d'interventions graphiques au pinceau, noires et larges, rappelant les tiges d'acier de ses sculptures. Il édite aussi des gravures, souvent en morsure profonde, donc en relief creux, et illustre des ouvrages littéraires et poétiques : *Le chemin des devins* d'André Frénaud, *Méditation in Kastillien* de Max Hölzer, *Die Kunst und der Raum* de Martin Heidegger. Dans ses gravures et papiers découpés, surtout quand il n'y intervient pas par des parties noires, on peut rapprocher la rigueur classique de Chillida de celle de Ben Nicholson.
Les premiers torses archaïsants ne constituaient qu'une transition dans les premières recherches menées par Eduardo Chillida. De retour au Pays Basque, il renoue avec la tradition millénaire du fer forgé. En octobre 1951, il réalise sa première œuvre non-figurative en fer forgé, *Ilarik*, sorte de stèle funéraire aux formes géométriques simples articulées les unes aux autres. À partir de là, Chillida sculpte le fer. Dans un premier temps, il s'agit de formes « dynamiques », de torsades souples qui partant du sol s'épanouissent dans l'espace. Les œuvres créées entre 1952 et 1959, que Chillida a dites ses « propositions agressives », parmi lesquelles s'inscrivent les séries *Rumeurs de limites* – *Enclumes de rêves*, présentent des formes aiguës et jaillissantes, en sorte de griffes, de crocs, qui se courbent souplement ou prennent possession de l'espace. Les titres de ses sculptures ont de fréquents accents bachelardiens : *Éloge du feu* – *Éloge de l'air* – *Tremblement de fer* – *Rêverie articulée*. À ce propos, Gaston Bachelard l'a dit un « singulier forgeron (pour lequel) les traditions et les rêveries sont étrangement consonantes ». C'est en 1959 avec *Rumeur de limites IV* qu'il emploie pour la première fois l'acier, parfois associé au bois et au granit. Il a travaillé aussi le grès, à partir de terre chamottée. Naissent alors les *Peignes du vent* et plus tard, dans la période dite de la « gravité », la série *Autour du vide*, à propos de laquelle Chillida écrit : « La forme se dessine toute seule en fonction de cet espace qui se fabrique sa demeure à la façon de l'animal qui sécrète sa coquille. Comme cet animal, je suis un architecte du vide. » De fait, les sculptures d'Eduardo Chillida offrent une réflexion sur le plein et le vide, sur l'espace qu'elles suggèrent, mais aussi sur celui qui les entoure, donnant à voir des ruptures et des limites. Octavio Paz écrit à leur propos : « Entre leurs parois métalliques et à travers leurs corridors rugueux ou lisses, nul ne passe, sinon le vent. Le fer édifie de vastes terrasses et de hauts parapets, creuse de secrètes chambres et de profondes galeries pour un peuple incorporel ». Avec le bois est réalisée la série de sculptures appelées *Chant rude*.

À la suite d'un voyage en Méditerranée en 1963, il travailla aussi l'albâtre pour la série de l'*Éloge de la lumière*. Il a également utilisé le béton pour l'exécution d'œuvres monumentales qui donnent naissance aux *Lieux de rencontres*. Eduardo Chillida a sculpté de nombreuses réalisations monumentales : en 1954 il a reçu des moines franciscains la commande des quatre portes de la basilique d'Aranzazu, exécutées en méplat, en 1955 il a élevé un monument en pierre à la mémoire de Sir Alexander Fleming à Saint-Sébastien, en 1966 il sculpte *Abesti Gogora II* pour le Musée de Houston et en 1969 *Campo espacio de paz* destiné à la ville de Lund. En 1977 trois sculptures, de celles intitulées *Peignes du vent* furent fixées sur les rochers à Saint-Sébastien, battues par la mer à marée haute.

Ainsi, comme l'acier avec le vent ou la mer, dans les sculptures d'Eduardo Chillida s'opposent deux forces, contradictoires et pourtant conciliées : l'air et la terre, la lumière et l'opaque, l'élan et la chute, et toujours, fondement de sa dialectique plastique : le plein et le vide. ■ Jacques Busse, F. M.

BIBLIOGR. : In : *Les Muses*, t. V, Grange Batelière, Paris, 1971 – Claude Esteban, *Chillida*, Maeght, Paris, 1972 – Catalogue d'expositions citées dans le texte, Maeght Editeur, dates diverses – Octavio Paz, *Chillida*, Maeght, Paris, 1979 – in : Catalogue de l'exposition *L'Art Moderne à Marseille, La Collection du Musée Cantini*, Musée Cantini, juil-sept. 1988 – Gilbert Lascault, *Les sculptures philosophiques d'Eduardo Chillida*, in : Artstudio, *Espagne : deux générations*, n° 14, automne 1989, pp. 48 à 59 – Jacques Dupin, Eduardo Iglesias F. Berridi : *Chillida. Terres et Gravitations*, Repères n° 86, agal. Lelong, Paris, 1995 – Heinz Peter Schwerfel : *Chillida – De Feu, de fer et de vent*, Beaux-Arts, n° 134, mai 1995.

MUSÉES : MADRID (Mus. du Paseo de la Castellana) – MARSEILLE (Mus. Cantini) : *Stèle à Goethe* 1982, acier Corten.

VENTES PUBLIQUES : HAMBOURG, 8 juin 1979 : *Hommage à Picasso* 1971, eau-forte : **DEM 1 000** – HAMBOURG, 12 juin 1981 : *Composition* vers 1968, collage (100x70) : **DEM 14 500** – NEW YORK, 31 oct. 1984 : *Projet de monument pour Düsseldorf* 1970, acier (29,8x50,8x43,2) : **USD 50 000** – PARIS, 24 mars 1984 : *Sans titre*, encre de Chine et collage (90x70) : **FRF 19 500** – MADRID, 15 nov. 1987 : *Sans titre*, collage (26,5x18) : **ESP 658 000** – PARIS, 28 mars 1988 : *Sans titre*, terre cuite (41x26x26) : **FRF 83 000** – LONDRES, 22 fév. 1990 : *Composition* 1962, rés. synth./pan. (69,5x58,5) : **GBP 27 500** – PARIS, 10 juin 1990 : *Collage noir* 1969, collage/pap. (100x70) : **FRF 130 000** – NEW YORK, 4 oct. 1990 : *Sans titre*, encre de Chine/pap. (28x19) : **USD 14 300** – NEW YORK, 14 nov. 1990 : *Du plan obscur* 1956, fer forgé (23x44,4x24,2) : **USD 253 000** – ZURICH, 7-8 déc. 1990 : *Composition*, collage (46,3x33,8) : **CHF 28 000** – PARIS, 20 nov. 1991 : *Sans titre* 1959, collage (24x42) : **FRF 52 000** – PARIS, 30 nov. 1991 : *Albâtre* 1974, sculpt. albâtre (33x30) : **FRF 220 000** – MADRID, 28 avr. 1992 : *Désir*, fer (H. 96) : **ESP 30 000 000** – LONDRES, 29 mai 1992 : *Lurra*, argile cuite (39x28x28) : **GBP 28 600** – PARIS, 15 juin 1992 : *Composition* 1985, encre de Chine et collage (75x64) : **FRF 40 000** – MUNICH, 1er-2 déc. 1992 : *Gravure II* 1967, eau-forte (9,5x12) : **DEM 1 553** – MADRID, 26 nov. 1992 : *Estela V* 1973, acier (28x20x13) : **ESP 12 320 000** – LONDRES, 24 juin 1993 : *Le Peigne du vent II* 1959, fer (30x48x17) : **GBP 166 500** – PARIS, 3 déc. 1993 : *Ikur* 1968, bois gravé (61,5x50) : **FRF 4 500** – LONDRES, 30 juin 1994 : *Enclume de rêve III*, bronze et bois (71x28x18) : **GBP 62 000** – PARIS, 29-30 juin 1995 : *Forme* 1950, pierre taille directe, sculpture (H. 45) : **FRF 450 000** – PARIS, 18 déc. 1995 : *Composition*, encre de Chine (35x50) : **FRF 20 000** – PARIS, 10 juin 1996 : *Sans titre*, encre de Chine/pap. dans boîte plexiglas (34x37) : **FRF 26 100** – LONDRES, 26 juin 1996 : *Sans titre*, terre cuite (18,3x26x15) : **GBP 47 700** – LONDRES, 24 oct. 1996 : *Sans titre* 1970, collage/cart. fort (104x90) : **GBP 32 000** – LONDRES, 5 déc. 1996 : *Enchaînement* 1956, fer (40x112x33) : **GBP 150 000** – PARIS, 17 déc. 1996 : *Gravitation n° 25* 1988, collage/pap. (60x80) : **FRF 165 000** – LONDRES, 29 mai 1997 : *Lurra* 1980, terre cuite (44x56x4,5) : **GBP 28 750** – PARIS, 20 juin 1997 : *Gravitation* 1989, encre de Chine/pap. (166x118,5) : **FRF 180 000** – LONDRES, 25 juin 1997 : *Étude pour Hommage à Kandinsky* 1965, albâtre (21x36,5x33,5) : **FRF 73 000** – LONDRES, 26 juin 1997 : *Sans titre* 1978, terracotta (20x20x15) : **GBP 21 850** – PARIS, 19 oct. 1997 : *Composition*, eau-forte et gaufrage (57x42) : **FRF 4 600**.

CHILLION Jean
XIVᵉ siècle. Français.

Sculpteur.

Sous la conduite de Guy de Daumartin, il travailla, en 1383, au palais du duc de Berry, à Poitiers.

CHILMAN Lizzie ou Elizabeth (?)
XIXᵉ siècle. Britannique.

Peintre de fleurs.

Elle exposa de 1856 à 1864 à la Royal Academy et à Suffolk Street, à Londres.

CHILOFF Yvan Anfimovitch
Né en 1788. Mort en 1827. XIXᵉ siècle. Russe.

Médailleur.

Élève de l'Académie de Saint-Pétersbourg, il devint académicien en 1810 et y fut professeur de 1815 à 1825.

CHILONE Vincenzo
Né en 1758. Mort en 1839. XVIIIᵉ-XIXᵉ siècles. Actif à Venise. Italien.

Peintre de paysages d'eau, paysages.

VENTES PUBLIQUES : PARIS, 12 juin 1936 : *Les arcades du Palais des Doges, à Venise* : **FRF 4 500** – VERSAILLES, 24 nov. 1968 : *La place Saint-Marc et le Palais des Doges* : **FRF 8 500** – LONDRES, 20 avr. 1977 : *San Giovanni e Paolo, Venise*, h/pan. (32,5x47,5) : **GBP 1 000** – LONDRES, 18 oct. 1989 : *Venise : le Molo avec le Palais ducale et la Bibliothèque à droite ; Venise : la rive des esclaves et Saint Georges le Majeur à droite*, h/t, une paire (chaque 51x80) : **GBP 88 000** – LONDRES, 10 déc. 1993 : *Place Saint-Marc à Venise*, h/t (28,2x40,7) : **GBP 24 500** – NEW YORK, 18 mai 1994 : *La place Saint-Marc avec un théâtre de plein air sous le Campanile à Venise*, h/t (57,8x90,8) : **USD 74 000** – LONDRES, 9 déc. 1994 : *La place Saint-Marc à Venise*, h/t (52x69,8) : **GBP 28 750**.

CHILTIAN Grigor
Né au Caucase. XXᵉ siècle. Russe.

Peintre de natures mortes, fleurs.

Il exposa au Salon d'Automne, au Salon des Tuileries et à celui des Artistes Indépendants entre 1926 et 1931.

VENTES PUBLIQUES : PARIS, 15 jan. 1943 : *Artichaut et radis* : **FRF 1 120** – PARIS, 23 fév. 1968 : *Fleurs et fruits* : **FRF 1 200**.

CHILTSOFF Pavel Sawitch ou Schilizoff
Né le 4 novembre 1820. Mort en 1893. XIXᵉ siècle. Russe.

Peintre de sujets religieux, scènes de genre.

Élève de l'Académie de Saint-Pétersbourg. La Galerie Tretiakoff, à Moscou, conserve de lui un portrait de peintre.

CHIMAER VAN OUDENDORP D.
XIXᵉ siècle. Actif vers 1800. Hollandais.

Graveur.

CHIMAER VAN OUDENDORP Wilhelmus Cornelius
Né en 1822. Mort en 1873. XIXᵉ siècle. Travaillant entre 1850 et 1870. Hollandais.

Peintre de portraits, lithographe.

VENTES PUBLIQUES : AMSTERDAM, 11 avr. 1995 : *Portrait d'homme ; Portrait de femme* 1848, h/t, une paire (48x40) : **NLG 5 192**.

CHIMAY de, princesse, née Thérésia Cabarrus
Née en 1773 en Espagne. Morte en 1835 au Château de Chimay. XVIIIᵉ-XIXᵉ siècles.

Peintre et lithographe amateur.

Mariée au marquis de Fontenay, puis à Tallien, elle épousa en 1805 le comte de Caraman, plus tard prince de Chimay. A l'Exposition de miniatures de Londres (1865) figurait, d'elle, un portrait en miniature de l'Impératrice Joséphine (à l'aquarelle).

CHIMENTI Jacopo, dit Jacopo da Empoli
Né en 1554 à Empoli (près de Florence). Mort en 1640. XVIᵉ-XVIIᵉ siècles. Italien.

Peintre de sujets religieux, portraits, fresques.

Élève de Tomaso Manzuoli da San Friano, il continua, dans ses œuvres, les traditions de son maître, et notamment dans l'exécution de ses premières peintures. Plus tard, il se créa une manière plus souple, plus moelleuse. Son *Saint Yves*, conservé aux Uffizi de Florence, excite souvent plus d'admiration que les tableaux des maîtres qui l'entourent. Chimenti réussit également dans la peinture des fresques ; on cite celles qu'il exécuta à la chartreuse et au monastère de Boldrone. Étant tombé de son échafaudage pendant qu'il y travaillait à ce dernier ouvrage, il renonça à ce genre de peinture et ne peignit plus que des tableaux à l'huile.

MUSÉES : CHAMBÉRY (Mus. des Beaux-Arts) : *Portrait de veuve* – *Portrait de jeune femme* – FLORENCE (Gal. Nat.) : *Saint Yves – Le* *sacrifice d'Abraham – Noé dans son ivresse – Portrait de l'auteur – Création d'Adam – Portrait de Giovanni-Battista Gambetti –* MADRID : *La prière au jardin des Oliviers –* PARIS (Louvre) : *Vierge glorieuse –* PRATO : *Vocation de Saint Matthieu.*

VENTES PUBLIQUES : PARIS, 1775 : *Quatre compositions différentes, dont :* L'Annonciation et les pèlerins d'Emmaüs, dess. au bistre et à la pierre noire : **FRF 30** – PARIS, 1859 : *Étude de jeune homme,* dess. au cr. noir : **FRF 3** – LONDRES, 15 juil. 1927 : *Portrait de Cosimo Lapi :* **GBP 78** – LONDRES, 29 juin 1928 : *Portrait de Cosimo Lapi :* **GBP 50** – MILAN, 27 mai 1980 : *Le miracle de saint Benoît,* pl. et lav. de sépia (19,7x33) : **ITL 500 000** – LONDRES, 4 avr. 1984 : *Portrait de jeune femme en sainte Barbara (?),* h/t (74,5x53,5) : **GBP 22 000** – LONDRES, 12 déc. 1984 : *Étude de personnage drapé,* sanguine (40,8x26,3) : **GBP 2 600** – MILAN, 21 avr. 1986 : I progenitori, h/pan. (100x77) : **ITL 38 000 000** – NEW YORK, 21 oct. 1988 : *Évêque élevant le calice,* h/t (74x62) : **USD 2 750** – LONDRES, 3 juil. 1989 : *Un saint en calice,* encre avec une craie noire/pap. teinté (27x29,5) : **GBP 6 050** – NEW YORK, 12 jan. 1990 : *Un ecclésiastique en prière de profil,* craie noire (39,9x27,4) : **USD 3 630** – LONDRES, 2 juil. 1990 : La Vierge en majesté avec des saints, encre et lav. (38,9x25,5) : **GBP 2 750** – LONDRES, 4 juil. 1994 : *La Sainte Famille avec sainte Anne,* encre et craie noire (40,8x28) : **GBP 2 990** – NEW YORK, 10 jan. 1996 : *Étude pour* La Vierge du secours *(recto) ;* Homme tenant une corde *(verso),* craie noire et reh. de blanc/pap. gris (33,3x22,5) : **USD 3 680** – PARIS, 25 avr. 1997 : *Jeune homme à la cape vu de profil,* pl. et lav. d'encre brune (13,7x12,5) : **FRF 19 500.**

CHIMENTI Raffaele
XIVe siècle. Actif à Florence en 1350. Italien.
Peintre.

CHIMENTI di Piero ou Cimenti di Piero
Né en 1436 à Florence. Mort avant 1498 à Florence. XVe siècle. Italien.
Peintre.
Il semble avoir été l'élève de Lorenzo di Puccio.

CHIMETTO
XVe siècle. Actif à Padoue vers 1470. Italien.
Miniaturiste.

CHIMICOS Paëlla, pseudonyme de Palacios Michel
Né en 1962. XXe siècle. Français.
Peintre de figures. Figuration libre.
Il vit à Paris. Fils d'immigrés espagnols, le père ancien combattant républicain réfugié de la guerre civile. Il commença à dessiner à l'âge de dix-huit ans. Il a commencé à peindre à Paris, et fréquemment, dans des lieux marginaux à partir de 1983. Puis, il eut des expositions personnelles : 1988 au Théâtre Municipal de Tulle, 1989 dans une galerie privée de Vannes, et avec *Caryatides et Portefaix* à la piscine de la rue de Pontoise à Paris, 1990 à Nevers et Paris, 1991 avec *Sur fond de guerre civile* et *Tout papier* dans deux galeries de Paris, etc.
Il se fit connaître en affichant dans Paris, de 1985 à 1990, des milliers de petits « posters », constitués du dessin d'une sorte de tête en forme de spirale et de textes concernant les évènements. Ses peintures comportent une sorte de personnage sommaire, les *Paëllas,* de couleur rose, déformés comme en caoutchouc, pour occuper entièrement le format du support qui est leur espace clos, ayant une protubérance en spirale en place de tête afin de ne rien exprimer par le visage, et sont comme encadrées par des lignes de texte calligraphique. Il considère sa peinture comme son arme personnelle contre l'indifférence d'un monde anesthésié. La réalité est-elle à la mesure de son ambition ? En doute-t-il lui-même, puis refuse-t-il d'être catalogué dans les figurations libres, alors qu'elles seules pourraient justifier la rusticité de ses images ? ■ J. B.
BIBLIOGR. : Emmanuel Daydé : *Paëlla Chimicos,* in : Artension, Paris, sept. 1991.
VENTES PUBLIQUES : PARIS, 8 oct. 1989 : *Le coureur de peinture,* acryl./t. (100x156) : **FRF 5 300** – PARIS, 26 avr. 1990 : *La Boîte sans couvercle,* acryl./t. (97x130) : **FRF 5 500** – PARIS, 29 juin 1990 : « Elle s'imaginait tel un dessin... », techn. mixte (93x64x66) : **FRF 2 800** – PARIS, 18 oct. 1990 : *Chambre 164* 1989, acryl./t. (60x130) : **FRF 5 500.**

CHIMKEVITCH Sacha
Né le 17 août 1920 à Paris. XXe siècle. Français.
Peintre de genre, figures. Figuratif.
Il entama des études d'architecture aux Beaux-Arts de Paris en 1938, puis se forma à l'Académie de la Grande Chaumière en

1946-1947. Dès ses premières expositions apparaît le thème majeur de son travail : le jazz. Il participe à ce titre à de nombreux festivals, que ce soit pour présenter ses œuvres ou pour réaliser les affiches de ces manifestations : festival de jazz de Saumur, festival Django Reinhardt de Samois-sur-Seine...
La peinture de Chimkevitch tend à rendre visibles les sons du jazz, par une technique tendant à la géométrisation et au pointillisme, et qui associe les couleurs à des ambiances musicales, un peu à la manière d'un éclairagiste : les rouges et les jaunes dominent pour représenter un ensemble de cuivres, des bleus pour un pianiste solo, etc.
BIBLIOGR. : Sacha Chimkevitch et Francis Hofstein : Jazz, Paris, Fragments, 1995.
VENTES PUBLIQUES : ZURICH, 23 sep. 1981 : *Au cirque,* h/isor. (46x54) : **CHF 1 500.**

CHIMONAS Nicolas ou Chimona Nicolaï Petrovitch
Né entre 1865 et 1866 à Eupatoria (Crimée). Mort en 1929 à Athènes. XIXe-XXe siècles. Actif aussi en Russie. Grec.
Peintre de paysages. Postimpressionniste.
Il fut élève de Archip Ivanovitch Kuindshi à l'Académie des Beaux-Arts de Saint-Pétersbourg, de 1890 à 1894. Il y devint professeur de 1896 à 1918, et y exposa des paysages. De retour en Grèce en 1920, il a pris part à de nombreuses expositions collectives à Paris, Munich, Londres et aux États-Unis.
On signale des compositions harmonieuses et une lumière juste et délicate.
MUSÉES : ATHÈNES (Pina. Nat.) – ATHÈNES (Pina. mun.) – RHODES (Gal. d'Art) – SAINT-PÉTERSBOURG (Mus. Rus.).

CHIMOT Édouard
Né à Lille (Nord). XXe siècle. Français.
Peintre de figures, compositions à personnages, aquarelliste, graveur, dessinateur, illustrateur.
Il a illustré de nombreux ouvrages parmi lesquels : *L'Enfer* de Henri Barbusse, *Le Spleen de Paris* de Baudelaire, *Les après-midi de Montmartre* de R. Baudu, *Mouki le délaissé* d'A. Cuel, *L'Annonciation* de G. Isarlov, *Les Chansons de Bilitis – La Femme et le Pantin – Les Poésies de Méléagre* de Pierre Louys, *Les Belles de Nuit – La Montée aux Enfers – Les Soirs d'Opium* de M. Magre, *Meïpe* ou *la Délivrance* d'A. Maurois, *Le Fou* d'A. Patorni, *La petite Jeanne Pâle* de J. de Tinan.
VENTES PUBLIQUES : PARIS, 23 déc. 1943 : *Femme nue ; Danseuse espagnole,* aquar., une paire : **FRF 2 000** – LONDRES, 15 jan. 1981 : *Aux Folies-Bergères,* h/t (54,6x46) : **GBP 240** – LONDRES, 25 juin 1985 : *Scène de théâtre,* h/t (56,5x45,5) : **GBP 850.**

CHIMOT Louise, Mme
Née à Paris. XXe siècle. Française.
Peintre.
Élève de Sabatté. Sociétaire des Artistes Français, elle a exposé aussi au Salon des Tuileries.

CHINARD Joseph ou par erreur Pierre
Né le 12 février 1756 à Lyon (Rhône). Mort le 9 mai 1813 à Lyon. XVIIIe-XIXe siècles. Français.
Sculpteur de groupes, figures, bustes.
Il fut élève de Blaise. Il alla à Rome et y remporta, en 1786, le prix fondé par le pape sur le sujet de *Persée délivrant Andromède.* Il débuta au Salon de 1798, à Paris, avec *Enfant échappant au naufrage en se faisant une nacelle avec les armes de l'amour.* Chinard, on le voit, sacrifiait au goût de l'époque. Il acquit une rapide réputation et fut professeur à l'École de Lyon, membre correspondant de l'Institut. Il exécuta un grand nombre de bustes, notamment ceux de la famille Bonaparte. Il mourut de la rupture d'un anévrisme.
MUSÉES : GRENOBLE : *La Sculpture – L'Architecture – Buste de Minerve –* LYON : *Persée délivrant Andromède,* non achevé – *Laocoon et ses fils – Bacchante – Bacchante – Centaure dompté par le génie de l'ivresse – Enlèvement de Déjanire – Jeune femme tenant un manteau sur un léopard – Composition mythologique – Philippe d'Orléans – Portrait de femme – Portrait de Mme Chinard – Portrait de l'auteur – Vases décorés des bustes de Napoléon et de Joséphine –* MOREZ : *Lyon relevé de ses ruines après le siège,* allégorie – STOCKHOLM : *Buste de l'impératrice Joséphine – Buste d'Eugène de Beauharnais –* VERSAILLES : *Leclerc (Charles), général en chef,* buste – *Baraguay d'Hilliers (Louis), général de division,* buste – *Desaix (Louis), général de division,* buste – *Desaix (Louis), général de division,* buste.
VENTES PUBLIQUES : PARIS, 15 juin 1962 : *Buste de jeune fille coiffée d'un fichu noir,* terre cuite : **FRF 2 200** – PARIS, 4 déc. 1963 : *Buste présumé de Joseph Bonaparte,* terre cuite : **FRF 3 000** –

PARIS, 21 mars 1968 : *Buste présumé du fils de Camille Jordan*, terre cuite : **FRF 13 500** – PARIS, 22 nov. 1971 : *Lion héraldique*, terre cuite : **FRF 2 200** – PARIS, 9 avr. 1976 : *Buste de femme*, terre cuite (H. 28) : **FRF 4 500** – LONDRES, 8 déc. 1977 : *L'Impératrice Joséphine*, terre cuite (H. 68) : **GBP 2 300** – PARIS, 10 déc. 1980 : *Jeune femme les épaules dénudées*, marbre (H. 60) : **FRF 16 000** – NEW YORK, 30 avr. 1983 : *L'impératrice Joséphine en buste*, terre cuite (H. 29,2) : **USD 7 000** – LONDRES, 2 juil. 1985 : *Lions tenant des armoiries*, terre cuite, une paire (21x30 et 21x28) : **GBP 7 500** – PARIS, 15 déc. 1995 : *Autoportrait de profil gauche*, terre cuite, médaillon (diam. 19) : **FRF 68 000** ; *Buste de jeune femme à l'antique, les cheveux tirés sur le front et nattés haut sur la nuque*, terre cuite (H. 46) : **FRF 400 000**.

CHIN CAI GUO QUIANG
XXe siècle. Japonais.
Artiste.
Il a participé en 1995 à la Biennale *Africus* de Johannesburg.

CH'IN CH'ING-TSENG. Voir QIN QINGZENG

CHIN CHIO Chio
XXe siècle. Chinois.
Peintre de portraits, animaux, natures mortes.
Il exposa au Salon de la Société Nationale des Beaux-Arts à Paris en 1939 et 1940 des peintures sur soie.
VENTES PUBLIQUES : PARIS, 1er juil. 1943 : *Coq et poule*, peint./soie : **FRF 2 100**.

CHINCHÔ Hakawa
Né vers 1679. Mort en 1754. XVIIIe siècle. Japonais.
Peintre.
Élève de Kiyonobu, il appartenait à l'école d'Ukiyo-e (estampes). Il vécut à Edo (Tokyo) et peignit des figures féminines.

CHINCHOLLE-BEAUDOUIN Marcelle
Née à Paris. XIXe-XXe siècles. Française.
Peintre.
Sociétaire des Artistes Français ; mention honorable en 1906.

CHIN CHÜN-MING. Voir JIN JUNMING

CHINET Charles Louis Auguste
Né en 1891 à Rolle. XXe siècle. Suisse.
Peintre de paysages, natures mortes.
Il fit ses études à Lausanne, puis séjourna longtemps à Londres et à Paris où il s'essaya à la littérature. En 1918 il retourne dans sa ville natale et s'y consacre à la peinture. Dès 1922, il a figuré dans les principales expositions nationales suisses. Il représentait son pays à la Biennale de Venise en 1936, et en 1946 participait à l'exposition de l'Art Suisse à Paris. Il a exécuté deux peintures destinées au hall du tribunal à Lausanne.
Il s'est principalement attaché à décrire les paysages montagneux de sa région ; ses natures mortes de fruits, de fleurs et d'oiseaux empaillés évoquent l'esprit des animaliers du dix-huitième siècle.
MUSÉES : AARAU – BERNE – LAUSANNE – SAINT-GALL – WINTERTHOUR.
VENTES PUBLIQUES : LUCERNE, 25 juin 1976 : *La liseuse*, h/t (55x38) : **CHF 1 300** – ZURICH, 25 mai 1979 : *Le déjeuner*, h/t (37,5x46) : **CHF 2 000** – LAUSANNE, 3 mai 1980 : *Nature morte aux fruits*, h/t (48,5x60) : **CHF 6 000** – ZURICH, 3 juin 1983 : *Au bord du Léman*, h/t (59,5x72,5) : **CHF 6 800** – GENÈVE, 29 nov. 1986 : *Bouquet de roses*, h/t (33,5x24) : **CHF 3 000**.

CHINET Patricia
XXe siècle. Française.
Peintre de compositions.
Elle a fait ses études à l'École des Beaux-Arts de Paris et exposé en 1985 à La Défense et en 1987 à la Maison des Arts d'Évreux.
VENTES PUBLIQUES : PARIS, 13 avr. 1988 : *Les infos*, techn. mixte/t. (110x110) : **FRF 4 000** – LES ANDELYS, 19 nov. 1989 : *Les touristes*, techn. mixte/t. (110x110) : **FRF 3 000**.

CHING HAO. Voir JING HAO

CHING I-YÜAN. Voir JING YIYUAN

CHIN HSIAO
Né en 1935 à Shanghai. XXe siècle. Depuis 1957 actif en Italie. Chinois.
Peintre. Abstrait.
Il fit ses études aux cotés du maître Li-Chun-Sen à Taipei, puis gagna l'Europe en 1956. En 1957 il fut cofondateur du groupe « Ton-Fan » et se fixa à Milan. Il a exposé en 1966 et en 1970 à Bochum ; en 1967 à Berlin ; 1980 Musée de Wuppertal ; 1982 Paris, Goethe Institut ; Bourges, Musée de la ville ; Londres,

Goethe Institut ; Festival d'Édimbourg ; 1983 Musée de Mülheim.
VENTES PUBLIQUES : COLOGNE, 31 mai 1986 : *TY 1* 1961, acryl./t. (70x80) : **DEM 2 000** – MILAN, 19 déc. 1989 : *Sans titre* 1986, acryl./t. (90x60) : **ITL 1 800 000** – MILAN, 27 mars 1990 : *Tuannn !!* 1964, temp./t. (100x100) : **ITL 1 800 000** – MILAN, 27 sep. 1990 : *Peinture GH* 1959, h/t (60x70) : **ITL 1 700 000** – PARIS, 27 mars 1995 : *Pu-g* 1961, h/t (70x60) : **FRF 11 500** – MILAN, 12 déc. 1995 : *Peinture EU* 1959, h/t (90x60) : **ITL 1 150 000** – PARIS, 5 oct. 1996 : *Sans titre* 1960, aquar. et encre/pap. (57x41) : **FRF 3 000**.

CH'IN HSÜAN-FU. Voir QIN XUAN FU

CHINI Dario
Mort en 1897 à Florence. XIXe siècle. Actif à Florence. Italien.
Peintre, restaurateur de fresques.

CHINI Galileo
Né en 1873 à Borgo San Lorenzo (près de Florence). Mort en 1945 ou 1956 à Forte dei Marmi. XXe siècle. Italien.
Peintre de sujets mythologiques, compositions religieuses, paysages, natures mortes, fresquiste.
Fils et élève de Dario Chini. À partir de 1901 il exposa à Venise, Milan, Munich et à Paris au Salon d'Automne.
MUSÉES : FLORENCE (Gal. d'Art Mod.).
VENTES PUBLIQUES : ROME, 19 juin 1980 : *Nature morte*, h/t (125x125) : **ITL 3 800 000** – ROME, 15 mai 1984 : *Une rue de Verlungo* 1930, h/pan. (45x58) : **ITL 1 700 000** – MILAN, 11 juin 1985 : *Nature morte aux citrouilles* 1930-1932, h/isor. (64x70) : **ITL 10 500 000** – MILAN, 11 déc. 1986 : *Nature morte aux champignons* 1893, h/t (45x60) : **ITL 7 000 000** – ROME, 29 avr. 1987 : *Nature morte aux tasses, potiche et fruits* vers 1935, h/t (125x125) : **ITL 42 000 000** – MILAN, 8 juin 1988 : *Nature morte*, h/pan. (85x105) : **ITL 27 000 000** – ROME, 15 nov. 1988 : *À la Villa*, h/pan. (32x42,5) : **ITL 4 000** – MILAN, 6 juin 1989 : *Nature morte au vase de Chine et coquillages*, h/pan. (49x60) : **ITL 33 000 000** – MILAN, 14 juin 1989 : *Icare* 1908, h/t (90x116) : **ITL 38 000 000** – ROME, 10 avr. 1990 : *Nature morte* 1932, h/t (60x93) : **ITL 34 000 000** – MILAN, 20 juin 1991 : *Fête à Bangkok*, h/t (68x81) : **ITL 34 000 000** – MILAN, 14 juin 1995 : *Plage en Ligurie, Paraggi* 1937, h/pan. (64,5x78) : **ITL 29 325 000** – MILAN, 27 mai 1996 : *Nature morte aux coquillages* 1930, h./contre plaqué (53x48) : **ITL 11 500 000** – MILAN, 25 nov. 1996 : *Nature morte* 1912, h/pan. (64x70) : **ITL 26 450 000** – MILAN, 19 mai 1997 : *Maisonnette dans la pinède* 1936-1937 (70x55) : **ITL 16 100 000**.

CHINI Giovanni di Girolamo
XVIIe siècle. Milanais, actif à Rome en 1605. Italien.
Peintre.

CH'IN I. Voir QIN YI

CHINILLIER Giacomo
XVIIe siècle. Vivait à Rome en 1656. Français.
Peintre.

CHINKAI
Né en 1092. Mort en 1152. XIIe siècle. Japonais.
Peintre.
Prêtre du temple Zenriji de Yamashiro, il aimait beaucoup peindre « Tokaï Monju » (le Bouddha Monju traversant les flots).

CHIN K'AN. Voir JIN KAN

CHIN K'UN. Voir JIN KUN

CHIN KUNG-PO. Voir JIN SHAOCHENG

CH'IN LANG. Voir QIN LANG

CHIN LI-YING. Voir JIN LIYING

CHINN S. Thomas
XIXe siècle. Actif à Londres. Britannique.
Peintre de portraits.
Il exposa à Londres, de 1833 à 1845 à la Royal Academy et à Suffolk Street.

CHINNEN Onishi
Né en 1792. Mort en 1851. XIXe siècle. Japonais.
Peintre.
Appartenant à l'école Nanga, il étudia avec Watanabe Nangaku et plus tard suivit la technique de Bunchô. Il vivait à Edo (Tokyo) et était samouraï attaché au gouvernement des Tokugawa.

CHINNERY George
Né en 1748 près de Tipperary. Mort en 1847 à Macao (Chine). XVIIIe-XIXe siècles. Britannique.

Peintre de portraits, paysages, peintre à la gouache, pastelliste, dessinateur.

Il exposa à la Royal Academy de Londres, entre 1791 et 1846. En 1798, il fut nommé membre de la Royal Hibernian Academy. Après avoir habité quelque temps Dublin, il vécut environ cinquante ans dans les Indes et en Chine ; il rapporta de ces lointains pays un certain nombre d'esquisses, d'une exécution intéressante et spirituelle, mais il est surtout connu comme peintre de portraits.

MUSÉES : ÉPINAL : *Portrait de jeune femme* – LONDRES (Nat. Portrait Gal.) : *Autoportrait* – LONDRES (coll. Wallace) : *Paysage maritime avec personnages* 1801.

VENTES PUBLIQUES : LONDRES, 21 nov. 1908 : *Une forge chinoise* ; *L'hiver de Wilson* : **GBP 3** – LONDRES, 7 déc. 1908 : *Un gentilhomme avec ses enfants et un domestique hindou*, dess. : **GBP 19** – LONDRES, 17 mars 1922 : *Une dame chinoise* ; *Un mandarin* ; *L'artiste*, ensemble : **GBP 94** – LONDRES, 27-28 juin 1922 : *Lord Byron, enfant*, past. : **GBP 1** – LONDRES, 17 mars 1922 : *Autoportrait à son chevalet*, h/t (26x22,8) : **GNS 90** – LONDRES, 22 déc. 1926 : *Miss Garrett en robe bleue* : **GBP 10** – PARIS, 8 nov. 1928 : *La fillette au chien*, past. : **FRF 3 450** – LONDRES, 13 juin 1930 : *Sir Charles d'Oyly* : **GBP 5** – LONDRES, 25 nov. 1931 : *Paysage d'Orient* : **GBP 5** – LONDRES, 8 avr. 1932 : *La baronne Langford* : **GBP 7** – LONDRES, 30 mai 1932 : *Vue de Macao*, h/t (44,5x87) : **GBP 26 000** – LONDRES, 24 nov. 1933 : *Portrait de Miss Bennett* : **GBP 50** – LONDRES, 18 déc. 1933 : *Une dame chinoise* : **GBP 11** – LONDRES, 19 fév. 1937 : *Un potentat chinois* : **GBP 18** ; *Une jeune fille chinoise* : **GBP 19** – PARIS, 24 avr. 1937 : *Portrait de jeune femme*, gche : **FRF 2 200** – PARIS, 16 juin 1960 : *Portrait d'une jeune femme*, aquar. et gche : **FRF 1 900** – LONDRES, 24 juin 1960 : *Portrait d'une femme*, gche : **GBP 336** – LONDRES, 3 mai 1961 : *Une jonque et autres navires rentrant au port*, dess. : **GBP 110** – LONDRES, 14 nov. 1962 : *Portrait de l'artiste* : **GBP 500** – LONDRES, 29 mai 1963 : *Le barbier chinois* : **GBP 1 050** – LONDRES, 17 juin 1966 : *Scène de rue à Macao* : **GNS 1 100** – LONDRES, 11 nov. 1969 : *Jardin à Macao*, aquar. et encre : **GNS 1 600** – LONDRES, 22 mars 1972 : *Scène de rue en Chine* : **GBP 2 300** – LONDRES, 26 mars 1976 : *Portrait d'un officier*, h/t (27x21) : **GBP 2 900** – LONDRES, 24 juin 1977 : *Portrait de Robert Downie of Appin Argyll*, h/t, de forme ovale (22,3x17,8) : **GBP 40 000** – LONDRES, 22 nov. 1977 : *Pêcheur chinois devant la citadelle de Macao*, aquar. et pl. (12,8x17,5) : **GBP 1 300** – LONDRES, 22 juin 1979 : *Autoportrait à son chevalet*, h/t (26x22,8) : **GBP 14 000** – LONDRES, 19 juil. 1979 : *La jeune dessinatrice* 1810, aquar. et cr. (28x21,5) : **GBP 2 600** – LONDRES, 16 juil. 1981 : *Indiens autour d'un feu*, aquar. (20x29) : **GBP 700** – LONDRES, 14 juin 1983 : *Portrait d'une dame* ; *Portrait d'un gentilhomme*, aquar. et cr., une paire (12,7x10,1) : **GBP 3 600** – LONDRES, 6 juil. 1983 : *Portrait of a gentleman and his wife*, h/t (46x37) : **GBP 12 000** – LONDRES, 9 juil. 1985 : *Lord and Lady Napier's house, Macao*, aquar. et pl. (20,2x18,8) : **GBP 9 000** – LONDRES, 19 nov. 1985 : *Étude de jeune Chinoise* 1841, cr. et pl. (20x14) : **GBP 5 500** – LONDRES, 18 avr. 1986 : *Chinois prenant le thé sur une place de marché*, h/t (15,9x23,2) : **GBP 21 000** – LONDRES, 15 juil. 1988 : *Portrait d'un jeune homme, probablement le Comte de Limerick, debout dans un habit sombre un chapeau haut-de-forme à la main*, h/t (54,2x43,7) : **GBP 8 250** – NEW YORK, 24 mai 1989 : *La famille Fulton réunie autour du piano*, encre (13,1x15) : **USD 3 520** – LONDRES, 12 juil. 1989 : *Portrait de Francis Rawdon Hastings, 2e comte de Moira et 1er marquis de Hastings, debout portant l'Ordre de la Jarretière*, h/t (87,5x57) : **GBP 11 000** – LONDRES, 17 nov. 1989 : *Portrait d'un jeune garçon sur un poney et d'un autre debout, lui tenant la main, dans le jardin d'une maison de campagne*, h/t (76,2x101,1) : **GBP 66 000** – NEW YORK, 9 jan. 1991 : *Temple indien à Macao*, encre et aquar./pap. (15,9x20,6) : **USD 3 080** – LONDRES, 8 avr. 1992 : *Portrait d'une petite fille assise sur un balcon vêtue d'une robe blanche à rubans roses et tenant une rose sur ses genoux avec Macao en arrière-plan*, h/t (39,5x33) : **GBP 19 250** – LONDRES, 7 avr. 1993 : *Portrait d'un jeune garçon sur un poney et d'un autre debout, lui tenant la main, dans le jardin d'une maison de campagne*, h/t (76,2x101,1) : **GBP 40 000** – LONDRES, 13 juil. 1993 : *Chinois près de leurs habitations*, cr., encre et aquar. (13,7x20,5) : **GBP 6 900** – LONDRES, 12 juil. 1995 : *Port intérieur à Macao vu depuis Casa Gardens*, h/t (44x34) : **GBP 98 300**.

CHIN NUNG. Voir **JIN NONG**

CHINO Shigeru
Né en 1913 à Niigata. XXe siècle. Japonais.

Sculpteur.

Il est professeur à l'Université d'Art de Tokyo et expose à l'Association d'art japonais dont il est membre.

CH'IN PING-WÊN. Voir **QIN BINGWEN**

CHIN SHAO-CH'ENG. Voir **JIN SHAOCHENG**

CHIN SHÊNG. Voir **JIN SHENG**

CHIN SHIH. Voir **JIN SHI**

CHINTILLA Spiru
Né en 1921 en Bulgarie. XXe siècle. Roumain.

Peintre de compositions à personnages, natures mortes. Réaliste-socialiste.

Il fit ses études à l'Institut d'Arts Plastiques de Bucarest puis entreprit de voyager à travers les Républiques Populaires de l'Est. Il exposa personnellement en 1959 à Baia Mare et en 1964 fut secrétaire de l'Union des Arts Plastiques de Roumanie. En 1959 il réalisa une grande composition animée en mémoire de l'insurrection armée de 1944. Son sujet de prédilection, fidèle à l'inspiration du réalisme socialiste, est la description et la célébration de la vie des ouvriers, mais il a également peint quelques natures mortes.

MUSÉES : BUCAREST – PLOESTI.

CHIN T'ING-PIAO. Voir **JIN TINGBIAO**

CHINTREUIL Antoine
Né le 15 mai 1816 à Pont-de-Vaux (Ain). Mort le 7 août 1873 à Septeuil (Seine-et-Oise). XIXe siècle. Français.

Peintre de paysages.

Élève de Corot, il débuta au Salon de Paris, en 1847, après y avoir été refusé à plusieurs reprises, et fut médaillé en 1867. Il a peint de très nombreux paysages et s'y est affirmé peintre de premier ordre. Chintreuil est peut-être le disciple le plus remarquable de Corot. Nul mieux que lui n'a su transcrire le sentiment du maître avec, cependant, une vision tout à fait personnelle. Chintreuil ne montra dans ses œuvres aucune concession à ce que nous appellerions volontiers « l'Art commercial », et il en subit les dures conséquences. Plus tard, Chintreuil, malgré ses succès au Salon, malgré l'estime dont il jouissait près des artistes, fut heureux de trouver l'amitié du peintre Desbrosses pour échapper à la gêne.

Il a beaucoup peint les sites des environs de Paris, notamment Igny et la vallée de la Bièvre. On le vit parfois à Barbizon. Sauf peut-être parmi quelques impressionnistes, dont il fut, avec Boudin, Jongkind, les peintres de Barbizon, l'un des précurseurs, on chercherait vainement un peintre ayant mieux exprimé la fraîcheur de la nature printanière.

BIBLIOGR. : F. Baudson : *Le Livre du Centenaire*, catalogue de l'exposition Antoine Chintreuil, Bourg-en-Bresse et Pont-de-Vaux, 1973 – Pierre Miquel, in : *Le paysage français au XIXe siècle 1800-1900, l'école de la nature*, Éditions de La Martinelle, vol. II-III, Maurs-la-Jolie, 1985.

MUSÉES : AMIENS : *La Lune – Falaise à Étretat – Crépuscule du soir* – ANGERS : *Paysage* – ARRAS : *Rivière* – DIJON : *Paysage* – DOUAI : *Étude de terrain à Montmartre* – FRANCFORT-SUR-LE-MAIN : *Paysage, vallée large avec fleuve* – LILLE : *Les vapeurs du soir – Paysage – Paysage* – MONTPELLIER : *Une mare, effet du soir après l'orage* – MULHOUSE : *Coucher de soleil en Bretagne* – NIORT : *Clair de lune* – PARIS (Louvre) : *L'Espace – Le bosquet aux chevreuils – Pluie et soleil – dix-sept études diverses* – REIMS : *Paysage au crépuscule – Paysage en automne – Sous-bois – Vue dans un parc* – ROCHEFORT : *La Plaine au temps des avoines* – TOURCOING : *Pont de Vaux – Les Friches de Carnette* – TROYES : *Après l'orage*.

VENTES PUBLIQUES : PARIS, 1875 : *Sentier dans le bois dit Le Bruly* : **FRF 3 100** ; *Les Vapeurs du soir* : **FRF 4 900** ; *Le soleil boit la rosée du matin* : **FRF 5 600** ; *La route blanche* : **FRF 4 680** ; *Les champs aux premières clartés* : **FRF 9 800** – PARIS, 1881 : *Un soleil couchant* : **FRF 8 000** – PARIS, 1897 : *L'épave* : **FRF 4 200** – PARIS, 1899 : *Une vallée* : **FRF 3 800** – PARIS, 1900 : *Le Printemps à l'orée du bois* : **FRF 1 280** – PARIS, 22-23 mars 1901 : *La maison du douanier à Equileren* : **FRF 390** – PARIS, 18-19 nov. 1901 :

Soleil couchant : FRF 1 800 – Paris, 26-27 mai 1902 : *Soir d'été, bord de rivière* : FRF 4 400 – New York, 14-15 avr. 1904 : *Paysage* : USD 160 – Paris, 7 mai 1906 : *Chevrier dans les bois de la Tournelle* : FRF 3 900 – Paris, 22 mai 1906 : *Vue prise dans les bois d'Igny* : FRF 1 800 – Paris, 18 avr. 1907 : *Devant la maison* : FRF 1 190 – Paris, 11-12 mars 1908 : *Un parc* : FRF 2 280 – Paris, 1909 : *La Tournelle* : FRF 1 400 – Paris, 4-5 mars 1920 : *Le chemin à travers la prairie* : FRF 1 400 – Paris, 3-4 mai 1923 : *La Chute du jour* : FRF 1 850 ; *Le lavoir sur la Voulx (Indre-et-Loire)* : FRF 730 – Paris, 12 mai 1923 : *Le Chemin de la ferme de Commervillers, effet de soir, par temps nuageux* : FRF 350 ; *Bords de rivière* : FRF 480 – Paris, 4 mai 1928 : *Prairie à l'orée d'un bois* : FRF 3 300 – Londres, 5 juin 1930 : *Le sentier vers le village* : GBP 15 – Paris, 5 juin 1936 : *Le champ de trèfle* : FRF 1 520 – Paris, 3 nov. 1937 : *La charrue dans la plaine* : FRF 1 900 ; *Les Champs en été* : FRF 2 700 – Paris, 2 nov. 1942 : *Sous-bois* : FRF 2 400 ; *Paysage* : FRF 2 700 – Paris, 8 jan. 1943 : *Sous-bois avec pont* : FRF 3 000 – Paris, 29 mars 1943 : *Paysage aux meules* : FRF 3 400 – Paris, 7 avr. 1943 : *Crépuscule. Les Pêcheurs* : FRF 6 100 – Paris, 18 oct. 1943 : *Paysage, aquar.* : FRF 1 050 – Paris, 17 mars 1944 : *Chaumières à Limon* : FRF 6 500 ; *Soleil couchant à Aigny* : FRF 3 900 – Paris, 25 mars 1944 : *Paysage boisé* : FRF 4 000 – Paris, 15 mai 1944 : *Les Ruines de la Féerie à la Tournelle* : FRF 1 000 – Paris, 17 mai 1944 : *La Remise aux chevreuils* : FRF 16 000 ; *La Fenaison à Igny* : FRF 77 000 ; *Les Fonds de Garancières* : FRF 5 800 ; *Le Parc de Millemont* : FRF 5 100 ; *L'Étang de Millemont* : FRF 7 000 ; *Jeune paysanne cueillant des fleurs* : FRF 5 000 ; *La Cueillette* : FRF 28 000 – Paris, 14 juin 1944 : *La Charrette de foin,* pap. mar. : FRF 5 000 – Paris, 30 mars 1955 : *Le chevrier dans la clairière* : FRF 34 000 – Londres, 8 mai 1963 : *Paysage* : GBP 150 – Londres, 25 nov. 1964 : *Paysage montagneux* : GBP 180 – Paris, 22 mars 1965 : *Pommiers en fleurs*, cart. mar./t. : FRF 1 500 – Paris, 24 oct. 1966 : *Paysage* : FRF 1 600 – Munich, 6 juin 1968 : *Paysage boisé* : DEM 2 900 – Paris, 19 juin 1972 : *Le Pont sur la rivière* : FRF 1 100 – Rouen, 3 mars 1976 : *Paysage*, h/t (27x38) : FRF 6 100 – Grenoble, 12 déc. 1977 : *Le Troupeau s'abreuvant dans la rivière*, h/t (35x70) : FRF 15 000 – Berne, 2 mai 1979 : *Paysage boisé orageux*, h/t (32,5x45,5) : CHF 8 500 – Fontainebleau, 13 déc. 1981 : *Les vaches au bord de la mare*, h/t (51x100) : FRF 25 000 – Paris, 7 mars 1984 : *Paysage*, h/t (14x30) : FRF 16 000 – Glasgow, 12 déc. 1985 : *Balmoral Castle*, h/t (59,7x100,3) : GBP 3 000 – Paris, 23 nov. 1987 : *La métairie*, h/t (38x47) : FRF 65 000 – Paris, 22 mars 1988 : *Hameau soleil couchant*, h/t (38x46) : FRF 5 800 – Paris, 24 mars 1988 : *Sous-bois animé*, h/t (130x80) : FRF 35 500 – Londres, 24 juin 1988 : *Moissonneurs dans un vaste paysage*, h/t (66x96,5) : GBP 3 850 – Neuilly, 22 nov. 1988 : *Paysage à la maisonnette*, h/t (35x68) : FRF 15 000 – Neuilly-sur-Seine, 16 mars 1989 : *Paysage*, h/pan. (21,5x38,5) : FRF 48 000 – Paris, 20 nov. 1989 : *Paysage au soleil couchant*, h/pan. (31x41) : FRF 20 100 – Paris, 21 mars 1990 : *Sous-bois crépusculaire*, h/pan. (54x45) : FRF 20 000 – Paris, 15 oct. 1990 : *Paysage*, h/pan. (25,5x39) : FRF 16 000 – Calais, 9 déc. 1990 : *Paysage de neige au soleil couchant*, h/pan. (31x41) : FRF 38 000 – Barbizon, 14 avr. 1991 : *La Ferme sur le coteau*, h/t (26x40) : FRF 61 000 – Paris, 27 nov. 1991 : *Crépuscule sur un hameau*, h/t (38x46) : FRF 10 000 – Paris, 30 juin 1993 : *Coucher de soleil sur les étangs de Barbizon*, aquar. (19,5x41) : FRF 5 500 – New York, 13 oct. 1993 : *Vue depuis les falaises*, h/t (35,6x72,4) : USD 5 750 – New York, 16 fév. 1994 : *Falaise au soleil couchant*, h/t (83,8x131,4) : USD 7 475 – Calais, 3 juil. 1994 : *Cerisiers en fleurs*, h/t (27x35) : FRF 19 000 – Paris, 2 déc. 1994 : *Paysanne au sous-bois*, h/pan. (27x20) : FRF 10 000 – Paris, 15 fév. 1995 : *La Clairière*, h/t (49x36,5) : FRF 13 000 – Calais, 24 mars 1996 : *Chemin à l'orée du bois*, h/t (28x23) : FRF 8 000 – Londres, 16 juin 1996 : *Allée ensoleillée dans le parc de Millemont*, h/t (210x135) : GBP 62 000 – Calais, 7 juil. 1996 : *Jeune fille et son chien*, h/t (24x34) : FRF 8 500 – Londres, 31 oct. 1996 : *Paysage à la rivière*, h/t (20x35) : GBP 977 – Paris, 22 nov. 1996 : *Campement de bûcherons*, h/t (38x56) : FRF 7 500 – Reims, 15 déc. 1996 : *Coucher de soleil sur l'étang*, h/t (35,5x56) : FRF 24 000 – Paris, 28 mai 1997 : *Vacher dans la forêt de pins*, h/t (51x66) : FRF 7 500 – Paris, 20 oct. 1997 : *Bord de Mer du Nord*, h/t (44,5x72,5) : FRF 22 000.

CHIN TSUN-NIEN. Voir **JIN ZUNNIAN**

CH'IN TSU-YUNG. Voir **QIN ZUYONG**

CHIN WÊN-CHIN. Voir **JIN WENJIN**

CHIN YÜEH. Voir **JIN YUE**

CHINZAN Tsubaki, de son vrai nom : **Tsubaki Hitsu** ; surnom : **Chûta** ; noms de pinceau : **Takukadô, Kyûan, Shikûan, Hekiin-Sambô**.
Né en 1801 à Édo (aujourd'hui Tokyo). Mort en 1854. xixᵉ siècle. Japonais.
Peintre. École Nanga (peinture de lettré).
Samouraï attaché au gouvernement des Tokugawa, il était officier dans la troupe des Lances. L'art de Tsubaki Chinzan se forma sous l'influence de Watanabé Kazan, avec lequel il entretiendra une amitié constante. A cette époque, beaucoup d'officiers lettrés consacraient leurs loisirs à des recherches intellectuelles et Chinzan se consacra à la peinture et acquit rapidement une grande renommée, il excellait aussi dans l'art de l'orgue. Il éleva Shoka, fils de Kazan après la mort de celui-ci. Dans ses thèmes préférés, les fleurs et les oiseaux, il a une technique très différente de celle de Kazan et emploie des couleurs fines et riches.

CHIÔ. Voir **TOTSUGEN**

CHIOCCA Geronimo
xviᵉ siècle. Travaillant à Milan vers 1500. Italien.
Peintre d'histoire.

CHIOCCHI Francesco
xviiiᵉ siècle. Actif à Viadana (Mantoue). Italien.
Peintre.

CHIOCHETTI Giovanni Battista
Né en 1843 à Moena (près de Trente). xixᵉ siècle. Italien.
Peintre.

CHIODAROLO Giovanni Antonio di Bartolommeo ou **Chiodaroli**
xvᵉ-xviᵉ siècles. Italien.
Peintre.
Peintre bolonais.

CHIODAROLO Giovanni Maria ou **Chiodaruolo**
xvᵉ-xviᵉ siècles. Italien.
Peintre.
Ce Bolonais fut, d'après Malvasia, élève de Francesco Francia. Dans une série de fresques exécutées par plusieurs artistes, entre autres Francia, Aspertini et Costa, à l'oratoire de Sainte-Cécile, à Bologne, on lui attribue celle qui représente *Saint Valérian et sainte Cécile couronnés par un ange*. On le croit aussi l'auteur d'une *Nativité* conservée dans la galerie de la même ville. La Galerie Doria-Pamphily, à Rome, conserve de lui une *Sainte Famille*.

Ventes Publiques : New York, 4 mai 1944 : *La Vierge et l'Enfant avec un oiseau* : USD 1 700.

CHIODI Jacopo di Mariotto
xviᵉ siècle. Actif à Pise entre 1534 et 1573. Italien.
Peintre.

CHIODINI Domenico
xviᵉ siècle. Actif à Ancone. Italien.
Peintre.

CHIONA Cristoforo da ou **Ciona**
Originaire des environs de Lugano. xvᵉ siècle. Italien.
Sculpteur, architecte.
Il travailla au Dôme de Milan au commencement du xvᵉ siècle.

CHIONA Francesco da
xviᵉ siècle. Actif à Venise. Italien.
Sculpteur.

CHIONA Gianantonio da
xviᵉ siècle. Travaillant aux environs de Venise. Italien.
Sculpteur, architecte.

CHIONA Michele da
xviᵉ siècle. Actif à Venise. Italien.
Sculpteur.

CHIOSSONE Domenico
Né vers 1810 à Gênes. xixᵉ siècle. Italien.
Graveur au burin.
Le Blanc cite de lui : *André del Sarte*, d'après lui-même. Le Musée de Nice conserve de cet artiste : *Le Paradis*, d'après Fra Angelico.

CHIOSSONE Edoardo
Né à Gênes. Mort en 1898 à Yokohama (Japon). xixᵉ siècle. Italien.
Graveur.

CHIOSTRI Carlo
Né en 1863 à Florence. Mort en 1939 à Florence. xxᵉ siècle. Italien.
Dessinateur, illustrateur.
Les originaux de cet artiste étaient des aquarelles, transposées pour la gravure sur bois. Il se fit principalement connaître par ses illustrations de Pinocchio. Il a travaillé essentiellement pour les éditeurs Salani, Bemporad et Calasanziana à Florence.

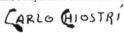

BIBLIOGR. : In : Marcus Osterwalder, *Diction. des Illustrateurs, 1800 – 1914*, Hubschmid & Bouret, Paris, 1983.

CHIOT René
Né à Gisors (Eure). xxᵉ siècle. Français.
Peintre de portraits, nus, paysages.
Il a exposé au Salon des Artistes Indépendants à Paris entre 1935 et 1939.

CHIOUSE
Français.
Peintre.
Un tableau d'autel *(Couronnement de la Chaire)* de ce peintre se trouvait, avant la Révolution, à l'église de l'Observance, à Marseille.

CHIOUSSE François
xviiᵉ siècle. Actif à Toulon en 1667. Français.
Sculpteur, doreur.

CHIOZZI Francesco
Né en 1725 à Casalmaggiore. Mort en 1785 à Casalmaggiore. xviiiᵉ siècle. Actif à Casalmaggiore. Italien.
Peintre.
Également écrivain.

CHIOZZINI Niccolo
xviiiᵉ siècle. Travaillant à Ferrare vers 1770. Italien.
Peintre d'ornements.
Il peignit surtout des quadratures.

CHIOZZO, peut-être de son vrai nom : **Piero di Culliari**
xivᵉ siècle. Actif à Florence. Italien.
Peintre.

CH'I PAI-SHIH. Voir **QI BAISHI**

CHIPART
Né en 1774 à Paris. xviiiᵉ-xixᵉ siècles. Français.
Peintre.
Il quitta la France entre 1791 et 1807, travailla à Copenhague où il brossa des décors de théâtre, parcourut la Russie, la Suède, l'Angleterre et vécut quelque temps à Hambourg. Des dessins de sa main (paysages) sont conservés au Cabinet des estampes de Copenhague et au Musée d'Orléans *(Un âne)*.
VENTES PUBLIQUES : PARIS, 1883 : *Allégorie sur la République et Bonaparte*, dess. à la pl., de forme ronde : FRF 10 – PARIS, 7 juil. 1933 : *Les Tuileries* ; *La Place Royale*, gche, une paire : FRF 7 000.

CHIPARUS Démètre ou **Déméter H.**
Né en 1888 en Roumanie. Mort en 1947 ou 1950. xxᵉ siècle. Actif en France. Roumain.
Sculpteur de figures.
Il fut élève de Jean Boucher et de Marius Jean Antoine Mercié. Il figura au Salon des Artistes Français entre 1914 et 1928, recevant une mention honorable en 1914.
Il a sculpté des statuettes dont le style est typique des années 1925-1930, qui avaient cessé de plaire et qui, à la faveur des aléas de la mode et du goût, suscitèrent un regain d'intérêt dans les années 1970. Les danseuses, acrobates, femmes orientales et personnages de comédie furent les sujets de prédilection de Chiparus, alors chef de file des statuaires de ce genre. L'originalité de ses œuvres consiste dans la technique chryséléphantine qu'il employait, associant l'ivoire au métal. Si les éléments de bronze étaient moulés industriellement, les ajouts en ivoire étaient eux sculptés pièce par pièce. Les statuettes étaient montées sur des socles aux architectures complexes, taillées dans une matière prestigieuse, marbre ou onyx.
VENTES PUBLIQUES : VERSAILLES, 10 déc. 1972 : *Danseuse en costume oriental*, bronze : FRF 1 900 – PARIS, 20 juin 1973 : *Les amis de toujours*, bronze et ivoire : FRF 5 800 – LONDRES, 10 nov. 1976 : *La danseuse exotique*, bronze et ivoire (H. 64) : GBP 5 200

– LONDRES, 20 juil. 1977 : *Couple de danseurs*, bronze et ivoire (H. 62,5) : GBP 2 800 – BRUXELLES, 26 avr. 1978 : *Prêtresse orientale accroupie*, bronze et ivoire : BEF 450 000 – LONDRES, 25 avr. 1979 : *Danseuse*, bronze et ivoire (H. 58) : GBP 3 600 – VICHY, 15 juin 1980 : *Groupe de cinq danseuses*, bronze et ivoire : FRF 195 000 – NEW YORK, 5 déc. 1981 : *Danseuse doré et ivoire* (H. 64,8) : USD 26 000 – NEW YORK, 26 mai 1983 : *Thaïs*, bronze doré émaillé et ivoire (H. 56,2) : USD 50 000 – NEW YORK, 24 mai 1984 : *Danseuse exotique*, bronze argenté et ivoire (H. 69) : USD 45 000 – LONDRES, 30 avr. 1985 : *Danseuse* vers 1930, bronze émaillé et ivoire (H. 58,4) : GBP 7 000 – LONDRES, 19 déc. 1985 : *The starfish girl* vers 1930, bronze émaillé et ivoire (H. 74,5) : GBP 22 000 – PARIS, 20 oct. 1986 : *Danseuse cosaque*, bronze à patine verte, or et argent et parties émaillées : FRF 110 000 – LONDRES, 15 avr. 1987 : *Les amis de toujours*, bronze et ivoire (63,5x65) : GBP 20 000 – PARIS, 25 mars 1988 : *Jeune femme au perroquet*, patine verte, bronze (H. 37) : FRF 4 000 – PARIS, 29 avr. 1988 : *Danseuse aux bras levés*, chryséléphantine bronze et ivoire (H. 46,5) : FRF 30 000 – PARIS, 10 juin 1988 : *Bison*, bronze patine dorée (34x61) : FRF 10 000 – PARIS, 5 juil. 1988 : *Le secret*, sculpt. chryséléphantine bronze polychrome (H. 55) : FRF 120 000 – MONTRÉAL, 17 oct. 1988 : *Les vendanges*, bronze sur socle de marbre (H. 33) : CAD 5 400 – PARIS, 20 oct. 1988 : *Femme à la balustrade*, chryséléphantine bronze trois patines et ivoire (H. 37) : FRF 20 000 – PARIS, 6 juil. 1989 : *Accident de chasse*, bronze (L. 58) : FRF 13 000 – STOCKHOLM, 14 déc. 1989 : *Coup de vent – jeune femme debout avec un manchon*, bronze à patine brune et or (H. 31,5) : SEK 33 000 – PARIS, 13 déc. 1989 : *Sans titre*, sculpt. chryséléphantine en bronze doré, bras, tête et buste en ivoire (H. 49) : FRF 120 000 – SCEAUX, 10 juin 1990 : *Danseuse russe*, bronze patine verte et argent, tête et mains en ivoire (H. 34) : FRF 32 000 – ANGERS, 12 juin 1990 : *Les girls*, sculpt. chryséléphantine (H. 37,5) : FRF 725 000 – PARIS, 17 avr. 1991 : *Ronde d'enfants*, chryséléphantine (H. 19,5) : FRF 43 500 – PARIS, 30 avr. 1993 : *Pierrot jouant de la mandoline*, chryséléphantine en bronze et ivoire (H. 66,5) : FRF 60 000 – PARIS, 14 mars 1994 : *Danseuse à l'écharpe*, bronze (H. 66) : FRF 40 000 – LOKEREN, 10 déc. 1994 : *Petit mendiant*, bronze et ivoire (H. 20 et L. 13) : BEF 60 000 – MÂCON, 5 mars 1995 : *Danseuse au scarabée*, chryséléphantine (H. 40) : FRF 52 000 – PARIS, 21 mars 1996 : *Antinéa ou la belle figurine*, sculpt. chryséléphantine bronze et ivoire (H. 66,5) : FRF 140 000 – MOULINS, 24 mars 1996 : *Danseuse de cabaret*, chryséléphantine, bronze et ivoire (H. 46) : FRF 69 500 – LOKEREN, 7 déc. 1996 : *Danseuse égyptienne*, bronze patine dorée (73,8x29 avec socle) : BEF 240 000 – PARIS, 16 juin 1997 : *La Petite Danseuse* vers 1930, bronze patine dorée (22x8) : FRF 15 000 – LOKEREN, 6 déc. 1997 : *Le Maître d'école*, bronze et ivoire, patine argent et or (16,5x11,5) : BEF 70 000.

CHIPATCHEV Livii
Né en 1926. xxᵉ siècle. Russe.
Peintre de nus, paysages.
Il fit ses études à l'École des Beaux-Arts de V. Sourikov à Moscou et travailla sous la direction de Vassili Iefanov. Il fut nommé Artiste du Peuple.
VENTES PUBLIQUES : PARIS, 23 mars 1992 : *Le matin*, h/t (102x65) : FRF 21 000 – PARIS, 17 juin 1992 : *Le soir doré*, h/t (66x99) : FRF 7 700.

CHIPAULT ou **Chipot**, famille d'artistes
xviᵉ-xviiᵉ siècles. Français.
Jean était orfèvre et émailleur du Roi à Paris vers 1576 ; son fils Jean lui succède dans cette charge (1599-1611) ; le fils de ce dernier, Benjamin, était peintre et vécut à Fontainebleau (1614-1618) et, plus tard, à Saintes.

CHIPP Herbert
xixᵉ siècle. Britannique.
Peintre de paysages.
Il exposa de 1877 à 1885 à Suffolk Street et à la New Water-Colours Society à Londres.

CHIPPAULT Isaac
Né à Paris. xviiᵉ siècle. Français.
Sculpteur.
Cité à Sens en 1661.

CHIPPENDALE Thomas, l'Ancien
Né vers 1709 en Worcestershire. Mort en 1779 à Londres. xviiiᵉ siècle. Britannique.
Ébéniste d'art et dessinateur.

Célèbre pour ses dessins de meubles publiés au milieu du XVIIIᵉ siècle et connu comme un des plus grands ornemanistes du règne de Georges Iᵉʳ d'Angleterre. Ses meubles sont aujourd'hui très recherchés et d'autant plus copiés.

CHIPPENDALE Thomas, le Jeune
Né vers 1750 à Londres. Mort en décembre 1822 ou janvier 1823 à Londres. XVIIIᵉ-XIXᵉ siècles. Britannique.
Ébéniste d'art, dessinateur et peintre.
Fils de Thomas Chippendale l'Ancien.

CHIPPERFIELD Phyllis Ethel
Née le 22 avril 1887 à Bloxham (Oxon). XXᵉ siècle. Britannique.
Peintre, aquarelliste, miniaturiste.
Elle exposa à la Royal Academy, au Royal Institute et à la Society of Miniaturists.

CHIQUET
XVIIIᵉ siècle. Actif à Paris au début du XVIIIᵉ siècle. Français.
Graveur.
Il fut également éditeur.

CHIQUET Eugène Marie Louis
Né le 8 septembre 1863 à Limeray (Indre-et-Loire). XIXᵉ-XXᵉ siècles. Français.
Graveur à l'eau-forte et au burin.
Il fut élève d'Alexandre Cabanel et d'Henriquel-Dupont. Sociétaire du Salon des Artistes Français, il obtint une mention honorable en 1890 et la première médaille en 1903. Il reçut la médaille de bronze à l'Exposition Universelle de 1900. Parmi ses œuvres : un *Portrait de Balzac* d'après L. Boulanger, *Le lecteur* d'après Meissonier, le *Portrait d'une jeune fille* d'après Greuze. Il a collaboré à l'illustration de la *Revue de l'Art ancien et moderne*.

CHIQUET Georges Maxime
Né à Paris. XXᵉ siècle. Français.
Sculpteur.
Il fut élève d'Henri Bouchard et exposa au Salon des Artistes Français en 1933.

CHIQUET Maxime Louis
Né à Paris. XXᵉ siècle. Français.
Sculpteur.
Il fut élève de Paul Landowsky et exposa au Salon des Artistes Français en 1933.

CHIRAC A. Désiré
Français.
Peintre.
Le Musée de Toulouse conserve de lui un *Lion mettant en pièces un zèbre*.

CHIRADE-DEVORE M., Mme. Voir **DEVORE-CHIRADE M.,** Mme

CHIRAT Benoît
Né le 3 juin 1795 à Lyon. Mort en 1870. XIXᵉ siècle. Français.
Peintre de genre, portraits, natures mortes, fleurs et fruits, dessinateur.
Élève de Revoil et de Berjon à l'École des Beaux-Arts de Lyon. On le trouve en 1813 dans cette ville ; il se fixa ensuite à Paris où il exposa, de 1841 à 1866, des natures mortes, des fleurs, des fruits, et quelques portraits ou sujets de genre (huile ou pastel). Intéressé par la manière « archéologique » de Blaise Desgoffe, il mêle bronze et pierres dures à ses natures mortes.

CHIRAT Benoîte Anaïs, Mme **Duchesne** depuis 1848
Née le 8 octobre 1820 à Lyon. XIXᵉ siècle. Française.
Peintre, pastelliste, dessinatrice.
Fille du peintre Benoît Chirat, elle fut, à Lyon, élève de Genod. Elle se fixa à Paris où elle exposa de 1840 à 1849, des portraits, des natures mortes et des sujets de genre. Elle était représentée au Musée de Lyon par une toile : *Le premier regard dans l'avenir*, qui n'est plus exposée.

CHIRIAEFF Eugène
Né à Toula (Russie). XIXᵉ-XXᵉ siècles. Russe.
Peintre de compositions à personnages, portraits, nus, paysages, intérieurs, natures mortes.
Il exposa à Paris, au Salon d'Automne entre 1913 et 1935 et au Salon de la Société Nationale des Beaux-Arts de 1925 à 1940.
VENTES PUBLIQUES : PARIS, 17 mars 1923 : *La promenade cavalière* : FRF 850 / *Paysage* : FRF 1 180 – PARIS, 22 mars 1926 : *Ballet russe* : FRF 250.

CHIRICO Alberto Savinio di. Voir **SAVINIO Alberto**

CHIRICO Angelo di
Originaire de Messine. XVIᵉ siècle. Italien.
Peintre.

CHIRICO Giacomo di, cavaliere
Né en 1845 à Venosa. Mort en 1884 à Naples. XIXᵉ siècle. Italien.
Peintre de genre, portraits, paysages.
Il fit ses premiers essais avec les conseils de son frère Nicolas, sculpteur ; puis, grâce à une petite pension, put se rendre à Naples pour y poursuivre ses études auprès de Tom. de Vivo. Son premier travail fut : *Lecture de la sentence de mort à Mario Pagano dans sa prison*. À Turin, en 1875, il exposa : *Le Viatique, Le Maire du village, Les Bohémiens*. Il travailla aussi avec Morelli.

G. Chirico

VENTES PUBLIQUES : GÖTEBORG, 4 nov. 1982 : *Vénus au perroquet*, h/t (106x132) : **SEK 25 500** – LONDRES, 28 nov. 1984 : *Un moine heureux 1882*, h/t (77x59) : **GBP 10 000** – PARIS, 21 déc. 1987 : *Rue montante de Capri*, h/pan. (41,5x24) : **FRF 38 000** – ROME, 14 déc. 1989 : *Buste de gitane*, h/pan. (25x16) : **ITL 805 000** – NEW YORK, 18 fév. 1993 : *Le baptême*, h/t (98x63) : **USD 33 000** – NEW YORK, 26 fév. 1997 : *Au bas de l'escalier*, h/t (53,3x27,3) : **USD 10 350**.

CHIRICO Giorgio de
Né le 10 juillet 1888 à Volo (Thessalie). Mort le 19 novembre 1978 à Rome. XXᵉ siècle. Italien.
Peintre de compositions animées, portraits, nus, animaux, paysages, fleurs, natures mortes, peintre de décors de ballet, illustrateur, sculpteur. Métaphysique.
Son père était originaire de Palerme et sa mère de Gênes. Il est né en Thessalie, où son père était ingénieur à la construction du chemin de fer, un de ces « ingénieurs du XIXᵉ siècle européen, barbus et puissants », a-t-il écrit lui-même. Chirico est né gréco-latin et sa vision restera liée à l'ordonnance antique et à la dure lumière attique, d'autant qu'ayant reçu une éducation classique. Son père l'inscrivit à l'âge de douze ans à l'Institut Polytechnique d'Athènes, où la famille s'était installée en 1899 ; il y suivit des cours de dessin et de peinture pendant deux années, puis, après la mort de sa sœur et surtout de son père en 1905, lui, sa mère et son frère Andrea (futur Alberto Savinio) se fixèrent à Munich. Il y fut élève pendant deux ans de l'Académie des Beaux-Arts. Ce fut pendant cette période de Munich qu'il s'enflamma pour la lecture de Schopenhauer, et surtout de Nietzsche, toutes expressions d'une mentalité symboliste, attachée à la relecture des mythes originaux, et qu'on a pu dire pré-freudienne. En 1908, il revint en Italie, où il s'installa à Florence après quelques séjours à Milan et surtout à Turin, où il fut bouleversé par les architectures rectilignes des vastes places, peuplées de statues placées à hauteur d'homme qui semblent faire partie de la foule des passants, et par la violence des contrastes entre l'éclairage du sol et les ombres portées. En 1911, il décida de venir rejoindre son frère Alberto Savinio, écrivain, musicien, et qui devint peintre plus tard, à Paris où il arriva le 14 juillet. Il avait apporté avec lui premières peintures intitulées *Énigmes* qu'il exposa dès 1912 et 1913 au Salon d'Automne, et au Salon des Artistes Indépendants en 1913 et 1914, auxquelles il joignit les premières peintures faites à Paris, alors souvent inspirées par la gare Montparnasse. Picasso et Apollinaire le remarquèrent. Il peignit un *Portrait d'Apollinaire* qu'il représenta avec une cible placée sur le front, à la place où peu après dans la guerre le frappa un éclat d'obus. Bientôt il connut aussi Max Jacob, le marchand Paul Guillaume et l'historien d'art Maurice Raynal, irremplaçable témoin de cette époque irremplaçable : « L'art de Chirico, dès son apparition, nous séduisit immédiatement par toute sa poésie. C'était une poésie romantique un peu littéraire, plutôt qu'une poésie originalement plastique ». En 1916, André Breton fut bouleversé par *Le Cerveau de l'enfant* aperçu dans la vitrine du marchand Paul Guillaume et vit en Chirico un point de repère aussi important que Lautréamont pour la détermination du surréalisme. Après avoir rencontré un certain succès au Salon des Indépendants de 1914, Chirico dut regagner l'Italie dans l'été 1915. Il fut appelé à fin d'incorporation à Ferrare, où il fut presque aussitôt hospitalisé pour ce qu'on nomme aujourd'hui une dépression nerveuse. Ce fut pendant cette période de Ferrare qu'il récupéra le concept « métaphysique » à l'usage de sa peinture et de l'orientation qu'il entendait lui imprimer ultérieurement. En janvier 1917, en traitement à l'hôpital de Ferrare, il fit la connais-

sance de Carlo Carrà, qui se sépara alors du mouvement futuriste pour adhérer à la recherche de Chirico, qui prit officiellement son appellation de « scuola metafisica », et que rejoindront encore Morandi et fortuitement De Pisis. En 1918, il remportait le plus éclatant succès à l'exposition *L'Epoca* de Rome. En 1919, et jusqu'en 1921, il était l'un des leaders du groupe *Valori Plastici* auquel il avait adhéré, groupe qui se rallia ensuite aux principes du fascisme. Guillaume Apollinaire vit bien ce qui rendait alors la peinture de Chirico si singulière : « ... ce peintre d'accent si particulier est peut-être le seul peintre européen vivant qui n'ait pas subi l'influence de la jeune école française ».

Ce fut à ce moment que se produisit la plus surprenante mutation à laquelle on pouvait s'attendre de la part d'un créateur de cette taille : sous couvert d'étudier les techniques traditionnelles, il commença à copier dans les musées les œuvres de Raphaël, Michel-Ange, Botticelli, Titien, puis peignit des portraits, des nus et des paysages d'un assez morne réalisme, que venaient encore ponctuer parfois les statues de chevaux cabrés dans le marbre, aimables rappels superficiels d'un passé renié. Pourtant, en 1920, il signa encore le manifeste italien de *Dada* publié dans la revue *Bleu* de Mantoue. Même, revenu à Paris en 1924, il y fut accueilli comme un précurseur par les surréalistes, qui, mal informés de son évolution, le firent participer à leur première exposition de 1925. Entretenant l'équivoque, Chirico tenta de renouer avec son ancien domaine mental, peignant des chevaux, des gladiateurs, qui ne sont plus que les fantômes vides des figurations énigmatiques d'antan. En 1926, les surréalistes consacrèrent la rupture, en gardant leur admiration aux œuvres peintes entre 1910 et 1918, dont ils organisèrent eux-mêmes une exposition sous le titre *Ci-gît Giorgio de Chirico*. André Breton a déploré plus tard l'incompréhensible renoncement : « Quelle plus grande folie que celle de cet homme, perdu maintenant parmi les assiégeants de la ville qu'il a contruite, et qu'il a faite imprenable ! » Il peignit ensuite des décors pour les *Ballets Suédois* et pour la compagnie des *Ballets Russes* de Monte-Carlo. En 1929, il écrivit le singulier récit onirique, auto-psychanalytique *Hebdomeros*, dernier sursaut d'une conscience déchirée, d'un être probablement authentiquement double. À partir de 1930, Chirico rompit violemment tout contact avec son passé, s'en prenant furieusement à toutes ses œuvres antérieures, se séparant avec éclat de tous ses anciens amis, et s'enfonça définitivement dans le plus plat académisme, n'évitant même pas l'officialité que lui offrit le régime fasciste. En 1933, il peignit les fresques du Palais de la Triennale à Milan. À cette époque, il fut aussi et pourtant l'illustrateur de *Le Mystère laïc* de Jean Cocteau, de *Défense de savoir* de Paul Éluard, de *Cruautés de la nuit* de Roger Vitrac, tous plus ou moins proches des surréalistes. On a pu voir les œuvres des quatre dernières décades de sa longue carrière à l'exposition d'ensemble de son œuvre à Paris en 1946, lors de l'exposition rétrospective de Milan en 1970. Dans la toute dernière période de son œuvre, qu'il ne montra guère qu'à l'occasion de la grande exposition rétrospective du Musée Marmottan, à Paris en 1975, célébrant son élection à l'Institut de France en 1974, on y retrouva épars, la pugnacité en moins, les thèmes imités, autoplagiés, de la période métaphysique. Suivirent les expositions rétrospectives posthumes de Cologne 1981, Rome 1981-1982, l'exposition itinérante internationale en 1982-1983, une nouvelle rétrospective au Musée Marmottan en 1983.

Les œuvres de jeunesse de Chirico ne consistent qu'en paysages, marines, portraits et autoportraits, dont l'éclairage théâtralisé, caravagesque, constitue la seule originalité. Lors de son séjour à Munich, il subit les influences de Franz Stuck à l'Académie des Beaux-Arts, de Max Klinger, notamment à cause de la suite de gravures intitulée *Paraphrase sur la découverte d'un gant*, et surtout de Arnold Böcklin, dont le romantisme fin de siècle lié à la transcription symbolique du sentiment de la mort et de l'au-delà lui paraissaient répondre à ses lectures du moment, Schopenhauer et Nietzsche en tant que découvreurs, avant la psychanalyse, des symboles cachés sous les mythes originels. Après ses séjours à Milan et Turin, lors de son installation à Florence, durant toute la période de son œuvre qui occupa une place de premier plan dans l'entreprise généralisée à l'aube du XXᵉ siècle de remise en question des expressions plastiques, il s'est rappelé sa première vision des perspectives italiennes, hantées des simulacres de l'Antiquité et qu'il éclaira du soleil implacable du ciel de la Grèce de son enfance. Il peignit alors, en 1910, les toiles qui constituent le véritable début de son œuvre, la série des *Énigmes : Énigme de l'Oracle - Énigme d'un soir d'Automne*, et

autres. Dès son arrivée à Paris, il donne une suite aux peintures de colonnades italiennes en y introduisant la façade de la gare Montparnasse de Paris. Il a pris la précaution de commenter lui-même ses œuvres de cette période : « Parfois l'horizon est défini par un mur derrière lequel s'élève le bruit d'un train qui disparaît. Toute la nostalgie de l'infini nous est révélée derrière la précision géométrique de la place. Nous éprouvons les émotions les plus inoubliables lorsque certains aspects du monde dont nous ignorons complètement l'existence, nous confrontent soudainement avec la révélation de mystères qui restaient tout le temps à portée de nous, que nous ne pouvons pas voir parce que nous avons la vue trop courte et que nous ne pouvons pas sentir parce que nos sens sont mal développés ». Bientôt, encore dans cette période dite « des arcades », les places jusque là désertes ou animées de rares présences masquées et voilées, se sont peuplées de quelques objets, de canons, de locomotives et surtout de statues. Nombreux ont remarqué l'importance inquiétante que prennent dans les œuvres de cette époque-là les ombres portées sur le sol et les murs, soit qu'elles soient les ombres portées de choses ou de personnes figurant sur la toile, soit plus encore si elles sont les ombres portées de choses, de statues ou de personnes situées hors du champ et qu'il ne reste qu'à deviner d'après la silhouette de l'ombre : *Mélancolie et mystère d'une rue* 1914. Pierre Courthion en écrit : « ... l'ombre portée qui sabre, glissante diagonale, la place aveuglante ou tourne, aiguille, autour de la statue ». Dans les peintures de cette première période, larges places publiques désertées, colonnades interminablement vides, statues muettes, l'absence est le véritable personnage ou bien s'il y a quelques personnages, venus de l'Antiquité, c'est qu'ils se séparent. C'est à ce moment qu'il commence les réflexions qui le menèrent à développer ensuite à son propre usage le concept de métaphysique : « Pour qu'une œuvre d'art soit vraiment immortelle, il faut qu'elle sorte complètement des limites de l'humain. », où l'on retrouve l'influence de Nietzsche ou encore : « Ce que j'écoute ne vaut rien : il n'y a que ce que mes yeux voient ouverts et, plus encore, fermés. », où se manifeste pour lui l'importance des fonctionnements mentaux inconscients.

A partir de 1913, en premier plan de ses colonnades, il peignait des objets très divers : artichauts, bananes, mains d'écorché, objets les plus insolites en cette place et en cette situation, répondant au célèbre principe esthétique de Lautréamont : « beau comme la rencontre inattendue d'une machine à coudre et d'un parapluie sur une table de dissection ». Puis, après les places désertes et les objets insolites, Chirico a reconstitué dans ses peintures une sorte d'humanité, mais une humanité de mannequins. D'ailleurs, dans l'ensemble des périodes qui constituent la partie métaphysique de son œuvre, Chirico n'a presque jamais représenté la personne humaine, sauf en 1914 le buste masqué de lunettes noires du *Rêve du poète*, le *Portrait d'Apollinaire* au front caché par une cible. En 1914, les évènements se calquent sur le climat de précataclysme caractéristique de sa peinture, où il réintroduisait la présence de l'homme, mais sous la forme de mannequins ou de robots, aveugles et sourds, asservis à l'écrasante fatalité qui allait les faire se jeter mortellement les uns contre les autres. D'abord encore drapés de nostalgiques péplums pompéiens, à partir de 1915 ils ne furent plus que de pauvres automates nus et désarticulés, constitués d'un assemblage de pièces détachées disparates. Ce fut lors de son séjour à l'hôpital de Ferrare qu'il définit assez approximativement ce qu'il entendait par peinture « métaphysique ». À propos des fuites de colonnades de ses œuvres passées, il écrivit par exemple : « Qui peut nier le rapport troublant qui existe entre la perspective et la métaphysique ? », affirmation péremptoire, probablement « clairvoyante », à laquelle on peut toutefois préférer l'explication donnée par Maurice Raynal en 1953 : « Ce mot évoquait le rêve prométhéen de l'artiste, d'arracher aux choses, à leur silence, leur inertie, leur impassibilité, quelques-uns de leurs secrets surnaturels ». Dans ce même sens, quand Chirico se réfère à Nietzsche, ce n'est pas tant à celui de la volonté de puissance et du surhomme, qu'au Nietzsche de l'éternel retour dont il entrevit la possibilité dans des moments d'extase ontologique. Avant Chirico, Nietzsche lui-même avait éprouvé un choc similaire en découvrant les vastes places, les arcades et les statues de Turin. Chirico indique, en recourant au medium du terme privilégié : métaphysique, l'influence qu'eut ensuite sur sa vision du monde l'aspect de la ville de Ferrare : « Certaines vitrines, certains magasins et certains quartiers, comme par exemple le vieux ghetto où on peut trouver des pâtisseries et des bonbons dans une extraordinaire forme métaphysique », et l'on retrouve en effet dans ses peintures biscuits et galettes, peints en trompe-l'œil, imbriqués soit dans des accumulations d'objets étrangers entre eux, soit dans des constructions plus concertées, mais qui ressortissent de toute façon au principe des rencontres irrationnelles, des relations inattendues, au cours desquelles les objets qui y sont mêlés retrouvent leur nudité originelle et acquièrent leur signification ontologique. C'est sans doute dans cette période dite des « Mannequins », anatomiques ou de couturière, qu'il peint ses toiles les plus significatives, outre *Les muses inquiétantes*, plusieurs versions de *Hector et Andromaque, Le troubadour*, des thèmes le concernant plus personnellement : *Le philosophe et le poète* de 1914, *Le vaticinateur* de 1915. Or, ces derniers personnages dans lesquels s'est dans une certaine mesure projeté Chirico, sont des mannequins qu'il a voulu sans visage autre qu'une boule marquée de signes ésotériques ou cicatrices, comme des doubles de lui-même, immobilisés, intemporels, sortis de la vie. La peinture métaphysique trouvait pleinement sa justification en tant que réaction contre le formalisme dynamique du futurisme, exaltant au contraire la signification profonde de l'expression plastique, à travers le recours aux puissances obscures du rêve et des mythologies. Infirmant en partie l'assertion d'être une peinture littéraire, sa mise en forme fut élaborée par une synthèse qui reliait la composition solidement mathématique d'Uccello ou de Piero della Francesca et certains aspects de l'analyse volumétrique du cubisme. Chez Chirico comme chez Carra, qui démarquait à vrai dire d'assez près son chef de file, se multiplièrent les mannequins assemblés à la façon de Bracelli ou d'Arcimboldo. La peinture métaphysique s'opposait essentiellement au futurisme par un retour au sujet et par la recherche d'une spiritualité signifiante de la forme. Faisant suite aux mannequins, dans la période postérieure au séjour à Ferrare, les « Intérieurs métaphysiques », chambres closes sur elles-mêmes renferment des sortes de natures mortes où s'accumulent, s'échafaudent, souvent les symboles signifiants de la civilisation dont il veut exprimer l'agression ou plus simplement le bric-à-brac des symboles muets qui encombrent les greniers de l'inconscient, des instruments de peintre, chevalets, d'architecte ou de navigateur, équerres, compas, cartes marines, et encore des rangées de biscuits et galettes, des jeux, damiers, etc. et parfois l'évocation du monde extérieur par une peinture, rappel des paysages de ses débuts, représentant un phare, une usine, qu'il eût été malaisé de faire entrer en vrai dans ces greniers, pirandellien tableau dans le tableau.

Né en 1888, Chirico connut une vie remarquablement longue et pourtant la lecture des textes le concernant laisse l'impression de sa disparition entre 1920 et 1930. Cette occultation de plus de quarante années d'une carrière de peintre, si elle s'explique dans les textes uniquement consacrés à la période métaphysique, surprennent dans les textes concernant la totalité de sa vie. L'explication tient à ce que, dans les années vingt, il soit devenu un peintre très académique, en dépit d'une touche de romantisme ou de grandiloquence. Après sa redécouverte de la peinture italienne de la Renaissance, à travers Raphaël, les Vénitiens et surtout le Titien, il pratiqua une imagerie et une technique néoclassiques, qu'il qualifiait lui-même de « bonne peinture », appliquées à quelques thèmes : fleurs, natures mortes, paysages, nus, portraits. Dans les paysages, il introduisait la redite édulcorée d'anciens thèmes et surtout de celui des statues de chevaux cabrés. Dans les portraits s'impose l'importante série des *Autoportraits* en costumes de théâtre, où se révèle pleinement une autosatisfaction mégalomaniaque qui ne laisse pas d'intriguer ou d'inquiéter. Pierre Cabanne a décrit les peintures de la longue fin comme « un académisme d'une déplorable banalité où les thèmes *métaphysiques* apparaissaient abâtardis, affaiblis, dévitalisés ». Dans la notice le concernant de l'Encyclopédie *Les Muses*, peu suspecte de polémique, on lit : « Ce pionnier de l'art moderne renie son passé jusqu'à déclarer fausses certaines de ses premières toiles, pour revenir à ce qu'il appelle *la vraie peinture*, c'est-à-dire un académisme d'une affligeante banalité ». Chirico se défendit d'avoir jamais appartenu au groupe surréaliste, ni d'en avoir adopté « l'esprit décadent ». Il ne rédigea ses *Mémoires* que dans la seule intention de faire accréditer sa deuxième carrière, dans laquelle on ne peut s'empêcher de discerner la présence active d'un double de cet anciennement génial créateur, qui avait ambitionné de faire de la peinture une activité divinatoire et prophétique, et qui croyait aux revenants. Toutefois, il ne serait pas équitable de ne pas mentionner l'expo-

sition *Giorgio de Chirico néo-baroque*, organisée par la galerie Artcurial de Paris en 1985, donc dans une période de « relecture » de la tradition et de la figuration, et où le choix judicieusement sélectif d'œuvres des dernières décennies de sa vie, obligeait à moduler le rejet total de cette période. Dans le *Saint Georges terrassant le Dragon* de 1940, le saint Georges sur son cheval cabré ne manque pas d'allure dans son rappel de la dernière manière du Titien, même si la femme nue du premier plan est d'un charme un peu mièvre. On retrouve encore la fougue titianesque dans le *Cheval blanc dans les bois* de 1948. Tandis que, de 1948 également, la *Sérénité antique*, dans laquelle on retrouve une statue naufragée de la période métaphysique, plus timidement traitée, évoquerait plutôt l'Antiquité d'André Bauchant, ce qui n'est pas si mal. Donc, et sans se prononcer ici, au redoutable « Giorgio de Chirico, vingt fois sur le métier remettez votre outrage » de Desnos, il convient d'opposer la prudence de Duchamp : « La postérité pourrait avoir son mot à dire ».

■ Jacques Busse

BIBLIOGR. : Roger Vitrac : *Giorgio de Chirico*, Paris, 1927 – Maurice Raynal : *La Peinture en France de 1906 à nos jours*, Édit. Montaigne, Paris, 1927 – Lionello Venturi : *La Peinture italienne*, Skira, Genève, 1952 – Maurice Raynal : *Peinture moderne*, Skira, Genève, 1953 – Jacques Lassaigne : *Histoire de la peinture moderne*, Hazan, Paris, 1954 – Herbert Read : *Histoire de la peinture moderne*, Somogy, Paris, 1960 – André Breton : *Le Surréalisme et la peinture*, Gallimard, Paris, 1965 – José Pierre : *Le surréalisme*, Édit. Rencontre, Lausanne, 1966 – Pierre Cabanne, Pierre Restany : *L'Avant-garde au XXᵉ siècle*, Balland, Paris, 1969 – in : *Les Muses*, Grange Batelière, Paris, 1971 – C. Bruni : *De Chirico – Catalogue général*, 6 vols, Electa, Venise, 1971-1976 – in : *Diction. Univers. de la Peint.*, Robert, Paris, 1975 – I. Far : *Giorgio de Chirico*, Livre de Paris, Paris, 1975 – G. Legrand : *Giorgio de Chirico*, Filipacchi, Paris, 1975 – Claudio Bruni Sakraischik : *Catalogue général de Giorgio Chiricho, œuvre de 1931 à 1950*, Éditions Electra, Milan – Maurizio Fagioo dell'Arco et Paolo Baldacci : *Giorgio de Chirico, Parigi, 1924-1929*, Milan, 1982.

MUSÉES : CHICAGO (Art Inst.) : *La victoire du philosophe* 1914 – FLORENCE (Gal. d'Arte Mod.) : *Chanson méridionale – Nature morte* – GRENOBLE (Mus. des Beaux-Arts) : *Portrait de Paul Guillaume* 1915 – *Le couple* 1926 – MUNICH (Gal. Nat. d'Art Mod.) : *Autoportrait* 1920 – NEW YORK (Mus. of Mod. Art) : *Le Voyage anxieux* 1913 – *Les Délices du poète* 1913 – *Nostalgie de l'infini* 1913-1914 – *Chant d'amour* 1914 – *Le Mauvais Génie d'un roi* 1914-1915 – *Le Prophète* 1915 – *Le Grand Métaphysique* 1917 – PARIS (Mus. Nat. d'Art Mod.) : *Portrait prémonitoire de Guillaume Apollinaire* 1914 – PHILADELPHIE (Mus. of Art) : *La Récompense du devin* 1913 – SAINT-LOUIS (City Art Mus.) : *Le Rêve transformé* 1913 – SAN FRANCISCO (Mus. of Art) : *Les Incertitudes du penseur* 1915 – STOCKHOLM (Nat. Mus.) : *Le Cerveau de l'enfant* 1914 – VENISE (coll. Peggy Guggenheim) : *Le Rêve du poète* 1914 – *La Tour rose*.

VENTES PUBLIQUES : PARIS, 22 jan. 1921 : *Paysage* : **FRF 1 350** – PARIS, 3 juil. 1924 : *L'intérieur métaphysique* : **FRF 280** ; *La douleur de la séparation* : **FRF 550** – PARIS, 29 oct. 1926 : *Chevaux au bord de la mer* : **FRF 5 000** – PARIS, 20-21 déc. 1926 : *Nature morte* : **FRF 8 100** – PARIS, 29 avr. 1927 : *Le trouble du thaumaturge* : **FRF 3 200** – PARIS, 12 déc. 1927 : *Nature morte au verre de vin* : **FRF 3 610** ; *Portrait de l'artiste* : **FRF 1 100** – PARIS, 9 juin 1928 : *La séparation* : **FRF 2 700** – PARIS, 14 juin 1930 : *Panorama* : **FRF 3 300** – PARIS, 23 avr. 1931 : *Chevaux au bord de la mer* : **FRF 1 100** – PARIS, 9 juin 1933 : *Les loisirs de l'astronome* : **FRF 1 350** – NEW YORK, 17-18 mai 1934 : *Guerriers homériques* : **USD 110** – PARIS, 19 juin 1934 : *La mélancolie d'une belle journée* : **FRF 1 650** – PARIS, 22 fév. 1936 : *Les chevaux du Parthénon*, gche : **FRF 660** – PARIS, 13 déc. 1940 : *Samson* : **FRF 1 600** – PARIS, 20 juin 1941 : *Le Paysagiste* : **FRF 14 000** – PARIS, 28 jan. 1942 : *Sur la terrasse* : **FRF 18 000** – PARIS, 18 mai 1942 : *Guerriers romains* : **FRF 18 000** – NEW YORK, 26-27 jan. 1944 : *Combat* : **USD 500** – NEW YORK, 17-18 jan. 1945 : *Rivages de Thessalie* : **USD 1 500** – PARIS, 6 avr. 1954 : *Deux chevaux sur une plage* : **FRF 95 000** – NEW YORK, 15 jan. 1958 : *Constructeurs de* trophées : **USD 2 200** – Bruxelles, 14 nov. 1959 : *Intérieur métaphysique* : **BEF 160 000** – Londres, 6 juil. 1961 : *Personnages et ruines* : **GBP 4 500** – Milan, 22 nov. 1961 : *Famille métaphysique* : **ITL 10 000 000** – New York, 11 avr. 1963 : *Mannequins*, gche : **USD 800** – New York, 20 fév. 1964 : *Architecture spatiale* : **USD 2 800** – Londres, 31 mars 1965 : *Mannequin assis* : **GBP 3 000** – New York, 10 mars 1966 : *Oreste et Pilade*, sculpt. bronze : **USD 4 100** – Milan, 29 nov. 1966 : *Gladiateurs au repos* : **ITL 12 000 000** – Milan, 27 avr. 1967 : *Les Archéologues*, sculpt. bronze : **ITL 4 600 000** – Genève, 16 nov. 1968 : *Piazza d'Italia* : **CHF 35 000** – Versailles, 3 juin 1970 : *Les Archéologues*, gche, past. et fus. : **FRF 25 100** – New York, 28 oct. 1970 : *Meubles dans un paysage* : **USD 35 000** – Milan, 9 mars 1972 : *Fruits* : **ITL 20 000 000** – Paris, 18 mars 1972 : *La Muse inquiétante*, sculpt. laiton : **FRF 20 000** – Rome, 16 déc. 1976 : *Chevaux antiques*, litho. (70x50) : **ITL 3 900** – Milan, 28 mars 1977 : *L'Arche de Noé*, aquar. et past. (11,5x13,5) : **ITL 3 300 000** – Rome, 5 mai 1977 : *Les Bourgeois*, litho. : **ITL 750 000** – New York, 2 nov. 1978 : *Électre consolant Oreste* vers 1924, aquar. et cr. (30x21) : **USD 9 500** – Rome, 6 déc. 1978 : *Cavallo a Villa Falconieri 1954*, litho. coul. (38x48) : **ITL 1 100 000** – New York, 5 nov. 1979 : *Étude pour le portrait d'Apollinaire* (61x54) : **USD 125 000** – Milan, 10 mai 1979 : *Le Termopili*, litho. coul. épreuve d'artiste (78,5x58) : **ITL 900 000** – New York, 17 mai 1979 : *Étude pour une illustration de « Le Mystère Laïc » de Jean Cocteau 1927*, cr./pap. mar./cart. (32x24,8) : **USD 5 500** – New York, 23 oct. 1980 : *Étude pour une tête mythologique* vers 1930, aquar., gche et fus. (47,6x64,2) : **USD 13 000** – New York, 4 nov. 1981 : *Les Bains mystérieux* vers 1935-1936, gche (31x35,5) : **USD 36 000** – Rome, 23 nov. 1982 : *Villa Falconieri à Frascati 1949*, temp. (39x67) : **ITL 17 000 000** – Londres, 23 mars 1983 : *Trophée 1926*, past. (105x74,5) : **GBP 78 000** ; *Les Archéologues 1925*, cr. coul. reh. de craie blanche (40x18,5) : **GBP 16 000** – Rome, 5 mai 1983 : *Ma jeunesse antique 1929*, litho. (33,6x40) : **ITL 2 400 000** – New York, 15 nov. 1984 : *Nu sur la plage* vers 1930, gche (37,5x45) : **USD 35 000** – Rome, 11 déc. 1984 : *Cavallo e cavallere*, bronze patine brune (26x16) : **ITL 15 000 000** – Londres, 24 juin 1985 : *Mannequin séduit 1926*, h/t (92x72,4) : **GBP 165 000** – Milan, 19 déc. 1985 : *La nostalgie de l'inconnu 1915*, pl./pap. mar./cart. (25,5x33,5) : **ITL 54 000 000** – Milan, 27 mai 1986 : *Villa romana 1922*, h/t (74x93) : **ITL 340 000 000** – New York, 12 mai 1987 : *Aiace 1970*, bronze, patine dorée (H. 41,5) : **USD 38 000** – Saint-Maur, 18 oct. 1987 : *L'archéologue et l'architecture*, gche (53,3x40,5) : **FRF 855 000** – Paris, 21 déc. 1987 : *Rue montante à Capri*, h/pan. (41,5x24) : **FRF 38 000** – New York, 18 fév. 1988 : *Dionysos*, aquar. et encre/pap. (31,7x19) : **USD 6 600** ; *Chevaux*, h/t (27x41,3) : **USD 50 600** – L'Isle-Adam, 20 mars 1988 : *Chevaux dans un paysage*, h/t (42x50) : **FRF 430 000** ; *La muse poméridienne*, h/t mar. (25,5x18) : **FRF 380 000** – Milan, 24 mars 1988 : *Nostalgie d'Italie ou Les gladiateurs 1926*, h/t (45,5x33,5) : **ITL 88 000 000** ; *Place d'Italie, 9 juin 1962*, h/t (40x50) : **ITL 92 000 000** ; *Archéologie*, h/t (60x50,5) : **ITL 143 000 000** ; *Tête de fillette*, h/cart. entoilé (24,5x19,5) : **ITL 21 000 000** ; *Cheval dans un paysage*, cr. et encre reh. d'aquar./cart. (15x19) : **ITL 7 500 000** – Londres, 29 mars 1988 : *Cheval et cavalier à Riva al Mare*, h/t (33x41) : **GBP 41 800** – Rome, 7 avr. 1988 : *Paysage avec chevaux et château* vers 1970, cr., détrempe et céruse/cart. (20,5x23,5) : **ITL 10 500 000** – Milan, 8 juin 1988 : *Nature morte de fruits dans un paysage*, h/t (50x60) : **ITL 78 000 000** – Paris, 22 juin 1988 : *Modèle devant la fenêtre*, h/t (92x73) : **FRF 1 300 000** – Londres, 28 juin 1988 : *Autoportrait 1923*, h/t (28x26) : **GBP 116 600** – Londres, 19 oct. 1988 : *Hector et Andromaque 1970*, bronze (H. 48) : **GBP 12 650** – Rome, 15 nov. 1988 : *Paysage 1933*, h/t (42x48) : **ITL 92 000 000** ; *La maison aux volets verts ou La maison dans la maison 1924*, h/t (73x54) : **ITL 470 000 000** – Paris, 20 nov. 1988 : *Le Printemps géographique 1916*, dess. cr. (29x21) : **FRF 1 150 000** – Londres, 4 avr. 1989 : *Deux chevaux sur une plage*, h/t (46,5x55,6) : **GBP 126 500** – Rome, 17 avr. 1989 : *Le Fil d'Ariane 1940*, h/t (84,5x66) : **ITL 215 000 000** – New York, 9 mai 1989 : *Personnages au bord de la mer 1921*, h/t (114x85) : **USD 660 000** – New York, 10 mai 1989 : *La tragèdia d'Eschilo 1925*, h/t (87,5x73,6) : **USD 935 000** – Milan, 6 juin 1989 : *Intérieur métaphysique 1926*, h/t (81x65) : **ITL 900 000 000** – New York, 15 nov. 1989 : *Nature morte évangélique 1916*, h/t (80,5x71,4) : **USD 5 280 000** – Londres, 29 nov. 1989 : *Arbres dans la chambre (Equinoxe) 1926*, h. et cr./t. (92x73,5) : **GBP 528 000** – Rome, 6 déc. 1989 : *Cavalier en costume romantique près d'un lac 1960*, h/t (40x50) : **ITL 126 500 000** – Paris, 20 mars 1990 : *Hector et Andromaque*

1974, h/cart. (18x25) : **FRF 380 000** – New York, 18 mai 1990 : *Nature morte*, h/t (75x60,2) : **USD 770 000** – Milan, 12 juin 1990 : *Troubadour*, h/t (60x50) : **ITL 395 000 000** – Londres, 26 juin 1990 : *Nature morte*, h/t (46,3x35) : **GBP 52 800** – New York, 14 nov. 1990 : *Chevaux au bord de la mer*, h/t (89,5x65,5) : **USD 583 000** – New York, 15 nov. 1990 : *Nature morte 1915*, h/t (61,9x48,6) : **USD 187 000** – Milan, 13 déc. 1990 : *Hector et Andromaque 1963*, h/t (80x60) : **ITL 400 000 000** – New York, 15 fév. 1991 : *Vie silencieuse 1923*, temp./t. (46,4x63) : **USD 297 000** – Rome, 9 avr. 1991 : *Chevaux antiques*, h/t (80x60) : **ITL 250 000 000** – New York, 8 mai 1991 : *Les archéologues 1927*, h/t (146x114) : **USD 1 650 000** – Londres, 24 juin 1991 : *Trophée 1926*, past./pap. écru (103x73) : **GBP 220 000** – Lugano, 12 oct. 1991 : *Nymphes près d'un torrent 1952*, h. et temp./cart. (32x25) : **CHF 42 000** ; *Le gladiateur et l'arbitre*, h/t (84,5x65,7) : **CHF 410 000** – New York, 6 nov. 1991 : *Les plaisirs du poète 1913*, h/t (69,5x86,3) : **USD 2 420 000** – Paris, 22 nov. 1991 : *Chevaux, bord de mer*, h/t (33x42) : **FRF 455 000** – Rome, 9 déc. 1991 : *Cheval et zèbre*, h/t (50x60) : **ITL 212 750 000** – New York, 25-26 fév. 1992 : *La muse 1970*, bronze (H. 94) : **USD 52 250** – New York, 12 mai 1992 : *Mannequins au bord de la mer 1926*, h/t (81x59,8) : **USD 660 000** – Londres, 29 juin 1992 : *Hector et Andromaque*, h/t (92,5x66) : **GBP 231 000** – Lugano, 10 oct. 1992 : *Gladiateurs dans l'arène 1927*, h/t (55x46) : **CHF 600 000** – Milan, 9 nov. 1992 : *L'île San Giorgio*, h/t (40x50) : **ITL 160 000 000** – Monaco, 14 mars 1993 : *Cheval tenu par un homme sur la plage*, h/t (38x46) : **FRF 450 000** – New York, 12 mai 1993 : *Hector et Andromaque*, h/t (91,5x72) : **USD 717 500** – Milan, 16 nov. 1993 : *Hipolyte sur le rivage de la mer Égée*, h/t (35x55) : **ITL 105 800 000** – Paris, 22 nov. 1993 : *Deux chevaux ou Deux amis 1972*, aquar. et cr. (30x40) : **FRF 180 000** – New York, 11 mai 1994 : *Les Archéologues*, temp. et encre/pap. transfert (32,1x24,8) : **USD 107 000** – Milan, 24 mai 1994 : *Place en Italie 1968*, h/t (50x40) : **ITL 234 640 000** – Londres, 28 juin 1994 : *Le Printemps du destin, paysage dans une chambre 1927*, h/t (81x60) : **GBP 172 000** – New York, 10 nov. 1994 : *Meubles dans la vallée 1962*, h/t (80x60) : **USD 464 500** – Milan, 9 mars 1995 : *La Vierge du temps 1919*, h/t (83x60) : **ITL 448 500 000** – Paris, 15 nov. 1995 : *Hector et Andromaque*, h/t (80x60) : **FRF 690 000** – Milan, 19 mars 1996 : *Le Soleil dans un fauteuil 1971*, h/t (80x60) : **ITL 241 500 000** – Milan, 20 mai 1996 : *Cheval paissant*, encre/pap. (23,5x34,5) : **ITL 11 500 000** – Londres, 24 juin 1996 : *Deux Chevaux 1927*, h/t (80x100) : **GBP 199 500** – New York, 13 nov. 1996 : *Le Poète solitaire 1970*, bronze patine cr. (H. 50,8) : **USD 27 600** – Milan, 25 nov. 1996 : *Tulipes*, h/t (40x50) : **ITL 91 700 000** – Londres, 4 déc. 1996 : *Tête* vers 1935, h/t (53x43) : **GBP 140 100** ; *Le Grand Découvreur 1971*, bronze (H. 91,5) : **GBP 34 500** – New York, 9 oct. 1996 : *Cavallo e cavallere*, bronze platine or (H. 38,7) : **USD 19 550** – Londres, 19 mars 1997 : *Il minotauro pentito 1969*, bronze (H. 44,5) : **GBP 10 350** – Milan, 19 mai 1997 : *Cheval effrayé par la tempête 1958*, h/cart. toilé (20x30) : **ITL 57 500 000** – Paris, 20 juin 1997 : *Place d'Italie, gare 1945*, h/t (20x30) : **FRF 95 000** – Londres, 24 juin 1997 : *La Pureté d'un rêve 1915*, h/t (65x50) : **GBP 936 500** – Londres, 25 juin 1997 : *Ettore e Andromaca*, h/pan. (18x25,5) : **GBP 25 300** – Milan, 24 nov. 1997 : *Le Troubadour* vers 1960, h/t (50x40) : **ITL 153 850 000**.

CHIRINO Martin
Né en 1925 à Las Palmas de Gran Canaria. XXe siècle. Espagnol.
Sculpteur.

Il fit ses études à l'École des Beaux-Arts de Madrid avant de séjourner à Paris et à Londres. De retour à Madrid il y expose à partir de 1958. Il a figuré dans plusieurs expositions collectives, parmi lesquelles : la Biennale de São Paulo en 1955 et 1959, la Biennale de Venise en 1964 et 1966, *L'Art d'aujourd'hui* en Espagne au Musée de Bochum en 1967. Il a exposé personnellement à New York, à Chicago et à Paris en 1967.
Ses travaux métalliques abstraits utilisent des formes géométriques avec un lyrisme certain.

CHIRINOS Juan de
Né en 1564 à Madrid. Mort en 1620 à Madrid. XVIe-XVIIe siècles. Espagnol.
Peintre.
Peut-être élève du Greco. Travailla au couvent d'Atocha, aux côtés de Bartolomé de Cardenas.

CHIROKOV Michel de
Né en Russie. XIXe-XXe siècles. Russe.

Peintre de portraits, paysages, natures mortes.
Il exposa à Paris, au Salon d'Automne dont il était sociétaire, entre 1910 et 1930.

CHIROL Marguerite
Née à Mantes-la-Jolie (Yvelines). XXᵉ siècle. Française.
Peintre de paysages.
Elle fut élève de Louis Roger et de Paul Laurens et exposa à Paris au Salon des Artistes Français en 1927-1928 et au Salon des Artistes Indépendants en 1932.

CHIROUZE Yvonne Germaine
Née à Laghouat (Algérie). XXᵉ siècle. Française.
Peintre de fleurs.
Elle exposa au Salon des Artistes Indépendants à Paris entre 1928 et 1930.

CHIROZZI Pietro
Mort en 1687. XVIIᵉ siècle. Actif à Naples. Italien.
Peintre.

CHISAI. Voir BUN-ICHI

CHISAIRE
XVIIIᵉ siècle. Actif à Mons. Éc. flamande.
Peintre.

CHISAIRE Jehan
XVᵉ siècle. Éc. flamande.
Miniaturiste, calligraphe.
On le mentionne à Tournai, en 1492, 1494 et 1498.

CHISHIN Hata Chishin
XIᵉ siècle. Actif dans la seconde moitié du XIᵉ siècle. Japonais.
Peintre.
Il vivait à Settsu ; il décora de fresques les murs du pavillon Edono dans le temple Hôryû-ji, en 1069.

CHISHOLM Alexander
Né en 1792 ou 1793 à Elgin (Morayshire). Mort en 1847 à Rothesay (Île de Bute). XIXᵉ siècle. Britannique.
Peintre d'histoire, portraits.
Il fut, dès son jeune âge, placé comme apprenti chez un tisserand de Peterhead, mais il se sentait déjà trop fortement attiré par la vocation artistique pour accorder le moindre intérêt à son métier et il fut même accusé d'avoir, à l'occasion, dessiné des esquisses sur les étoffes de son maître. Vers quatorze ans, il reçut ses premières leçons d'art à Aberdeen ; à cette époque eut lieu une réunion du synode et il obtint la permission d'en dessiner les membres ; ses efforts furent couronnés de succès, mais lorsqu'on l'engagea à colorer son ouvrage, il dut avouer qu'il ne possédait pas les premières notions de la peinture. Il faut croire qu'il remédia promptement à cette ignorance, puisqu'à l'âge de vingt ans il put remplir les fonctions de professeur à la Royal Scottish Academy d'Édimbourg. Dans cette ville, il fut remarqué par les comtes d'Elgin et de Buchan qui devinrent ses protecteurs et facilitèrent son établissement à Londres. Il exposa plusieurs fois à la Water-Colours Society, de laquelle il avait obtenu le titre d'associé en 1829. Quoique son genre favori ait été la peinture d'histoire, il laissa aussi des portraits de grand mérite. Le Victoria and Albert Museum possède de lui une aquarelle : *Le Colporteur.*
VENTES PUBLIQUES : LONDRES, 4-5 mai 1922 : *Shakespeare devant Sir Thomas Lucy*, dess. : GBP 32.

CHISHOLM Alexander C.
XIXᵉ siècle. Actif à Londres. Britannique.
Peintre de genre.
Il exposa à Londres, à la Royal Academy et à la British Institution entre 1841 et 1856.

CHISHOLM Annie
XIXᵉ siècle. Active à Londres. Britannique.
Miniaturiste.
Elle exposa à Londres, à partir de 1890 à la Royal Academy et à la New Water-Colours Society.

CHISHOLM Peter
XXᵉ siècle. Britannique.
Peintre de portraits, paysages.

CHISHOLM R. F.
XIXᵉ siècle. Britannique.
Peintre de paysages.
Il travailla à Londres, où il exposa en 1858 à la Royal Academy et en 1859 à la British Institution.

CHISIO Cristoforo
XVIᵉ siècle. Siennois, actif au début du XVIᵉ siècle. Italien.
Sculpteur.

CHISOR G.
XVIIIᵉ siècle. Actif dans la seconde moitié du XVIIIᵉ siècle.
Peintre.
Il est auteur d'un portrait de James Cook exécuté à Venise et gravé par Teod. Viero.

CHITARIN Traiano
Né en 1864 à Venise. XIXᵉ siècle. Italien.
Peintre de paysages.
Élève de l'Académie de Venise. A exposé à partir de 1887 à Venise, Milan, Turin, Rome, Londres, Munich.

CHITEI. Voir CHISHIN

CHITIER Adolphe
XIXᵉ siècle. Français.
Peintre de portraits.
De 1842 à 1851, il exposa, au Salon de Paris, quelques portraits.

CH'I-TSUNG. Voir QIZONG

CHITTENDEN T.
XIXᵉ siècle. Actif à Londres. Britannique.
Peintre de genre, portraits.
Il exposa à Londres, à la Royal Academy, 1845-1847, et à la British Institution entre 1848 et 1864.

CHITTOK Direk-Y
Né le 21 février 1922 en Angleterre. XXᵉ siècle. Britannique.
Peintre de portraits.
Il fut élève du professeur Schwabe à la Slade School entre 1942 et 1947 et de Philip Connard aux Royal Academy Schools. Il exposa à la Royal Academy, au New English Art Club et à la Royal Society of British Artists. En 1924 il devint président de la Slade Society. Le War Artists Advisery Committee lui a commandé en 1945 deux portraits de membres de l'amirauté.

CHITTUSSI Anton ou Antonin
Né en 1847 à Ronov (Doubravkou). Mort en 1891 à Prague. XIXᵉ siècle. Tchécoslovaque.
Peintre de genre, paysages.
Il fit ses études à Prague, Munich et Vienne. De 1879 à 1885, il résida à Paris, où il exposa au Salon des Artistes Français.
Il subit l'influence des paysagistes de Barbizon, aussi bien pour ses vues de la forêt de Fontainebleau que ses paysages de Bohême. Il a introduit en Tchécoslovaquie le paysage de plein air, ayant une forte influence sur des peintres comme Slaviek.
BIBLIOGR. : In : *Diction. de la peinture allemande et d'Europe centrale*, coll. Essentiels, Larousse, Paris, 1990.
MUSÉES : PRAGUE (Gal. Narodni) : *La Seine à Suresnes* vers 1885 - *Paysage des hauteurs tchéco-moraves* 1882.
VENTES PUBLIQUES : VIENNE, 17 mars 1982 : *Paysage de Normandie*, h/t (31x54) : ATS 22 000.

CHITTY Cyril
Né à Douvres. XIXᵉ-XXᵉ siècles. Britannique.
Peintre.

CHITTY Lily Frances, Miss
Née le 20 mars 1893 à Lesvdown (Devonshire). XXᵉ siècle. Britannique.
Aquarelliste, dessinatrice.
Expose à la Royal Cambrian Academy.

CHI TUAN ou Ch'ih T'uan ou Tch'e T'ouan
Originaire de Jianyang, province du Fujian. XVIIIᵉ siècle. Actif vers 1700. Chinois.
Peintre d'animaux, natures mortes, fleurs.
Il privilégia la présence d'oiseaux, d'herbes et d'insectes dans ses œuvres.

CH'IU SHIH. Voir QIU SHI

CHIUSOLE, conte Adamo ou Clusolo
Né en 1729 à Chiusole (Trentin). Mort en 1787 à Rovereto. XVIIIᵉ siècle. Italien.
Peintre et écrivain d'art.

CHIU TENG-HIOK
Né le 27 avril 1903 à Amoy. Mort en 1972. XXᵉ siècle. Actif aussi aux États-Unis. Chinois.
Peintre de paysages.
En 1921, il entra à l'École du Musée des Beaux-Arts de Boston.
En 1923, il vint en Europe poursuivre ses études, à la Royal Aca-

demy School de Londres, et à l'École des Beaux-Arts de Paris. De 1925 à 1930, il séjourna en Espagne et en Italie pour y étudier. Il travailla ensuite une année pour le British Museum et repartit pour deux ans en Chine. En 1938, il retourna aux États-Unis. Il exposa à Paris des paysages et diverses peintures sur soie.

MUSÉES : NEW YORK (Metropolitan Mus. of Art) – NEW YORK (Mus. of Mod. Art) – PITTSBURGH (Carnegie Inst. Art Mus.).

VENTES PUBLIQUES : TAIPEI, 16 oct. 1994 : *Un pont près de Pékin* 1934, h/t (49x59,5) : **TWD 230 000** – TAIPEI, 15 oct. 1995 : *Panorama d'une vaste exploitation rurale*, h/t (50x75) : **TWD 241 500**.

CH'IU TI. Voir QIU DI

CH'IU WÊN-PO. Voir QIU WENBO

CHIU YA-TS'AI. Voir QIU YACAI

CH'IU YING. Voir QIU YING

CH'IU YÜ-CH'ING. Voir QIU YUQING

CHIVOT Charles Louis Alexandre
Né le 30 novembre 1866 à Paris. XIXᵉ siècle. Français.
Peintre de portraits, illustrateur.
Élève de Bouguereau et de Robert-Fleury, Bonnat et Albert Edouard. A exposé surtout des portraits. A collaboré au *Courrier Français*, au *Chat noir*, etc.

CHIVU Hascal
Né à Tirgu Ocna (Roumanie). XXᵉ siècle. Roumain.
Peintre de paysages.
A exposé au Salon des Indépendants de 1924 à 1928.

CHI ZHENMING
Né en 1960 à Shanghai. XXᵉ siècle. Chinois.
Peintre-aquarelliste.
Il est diplômé de l'Université d'Asie de l'Est de Shanghai depuis 1988. Il a reçu la médaille d'or de l'Exposition Nationale d'Aquarelle de Pékin.

VENTES PUBLIQUES : HONG KONG, 30 oct. 1995 : *Matin* 1995, aquar./pap. (101,6x75,9) : **HKD 17 250**.

CHLADEK Antal
XIXᵉ siècle. Actif vers 1836. Hongrois.
Peintre.

CHLADEK Ignaz
XVIIIᵉ siècle. Éc. de Bohème.
Peintre.

CHLADEK Johann
Mort en 1788 à Turnau. XVIIIᵉ siècle. Tchécoslovaque.
Sculpteur.

CHLANDA Marek
Né en 1954 à Cracovie. XXᵉ siècle. Polonais.
Sculpteur d'assemblages, installations.
En 1978, il fut diplômé de l'Académie des Beaux-Arts de Cracovie. En 1991, il a exposé dans une galerie privée de Cracovie, et participé à l'exposition *Positions Pologne* à la *Maison des Artistes Béthanie* de Berlin. Il a montré ses œuvres dans des expositions personelles, notamment : en 1985 *Sculptures, reliefs, dessins* au musée d'Art de Lodz, en 1993 au musée d'Art de Tel-Aviv. Il commença par pratiquer le dessin, à l'échelle humaine. Le dessin continue de tenir un rôle dans ses réalisations suivantes, intitulées *Sculptures sans nom* : des assemblages de matériaux pauvres, ferrailles et de poutres de bois, se développant au sol et contre les murs où ils incluent précisément ces dessins, qui semblent devoir préciser certaines connotations anthropomorphiques de l'ensemble.

BIBLIOGR. : In : *Lodz : un musée itinérant, comme un théâtre*, Art Press nᵒ 168, Paris, avr. 1992.

CHLEBOWSKA Marie
Née en 1864 à Rzeszow. XIXᵉ siècle. Polonaise.
Peintre.
Étudia à Cracovie, puis à Paris où elle fut l'élève de Gérôme. Elle épousa dans cette ville Stanislaus von Chlesbowski.

CHLEBUS Joseph
Né à Rudze (Pologne). XXᵉ siècle. Polonais.
Peintre.
A exposé au Salon des Artistes Français en 1930.

CHLESBOWSKI Stanislaus von ou Poraj von Chlebowski
Né en 1835 à Pohutynce (Podolie). Mort en 1884. XIXᵉ siècle. Polonais.

Peintre d'histoire, de genre. Orientaliste.
Après avoir fait des études à l'Académie de Saint-Pétersbourg, puis à Munich en 1859, il vint à Paris où il fut élève de Gérôme. Il fit de nombreux voyages en Europe, s'installa ensuite en Turquie, où il fut attaché à la cour du sultan Abdul Aziz à Constantinople, à partir de 1864. De nouveau à Paris en 1876, il exposa aux Salons de 1878 et de 1879, puis retourna dans son pays et se fixa à Cracovie en 1881. Il peint des épisodes de l'histoire turque, mais aussi des scènes de la vie quotidienne en Turquie.

BIBLIOGR. : Lynne Thornton, in : *Les Orientalistes, peintres voyageurs*, ACR Édition, Paris, 1993-1994.

MUSÉES : CHANTILLY (Mus. Condé) : *Portrait d'Abd-El-Kader* 1866 – CRACOVIE : *Le sultan Achmed III à la chasse* – *Mort du roi Ladislas à Varna* – *Sobieski devant Vienne* – *Entrée de Mohamet II à Stamboul* – MOSCOU.

VENTES PUBLIQUES : NEW YORK, 1-2 avr. 1902 : *La marmite Zeybeks à Andrinople* : **USD 450** – NEW YORK, 1909 : *Une rue au Caire* : **USD 200** – NEW YORK, 25 fév. 1944 : *La prière 1879* : **USD 200** – LONDRES, 26 nov. 1982 : *Arabes en prière dans une mosquée* 1880, h/t (67,3x51,4) : **GBP 8 000** – NEW YORK, 29 fév. 1984 : *Mendiants à la porte d'une mosquée* 1881, h/t (74x54,5) : **USD 27 000** – ENGHIEN-LES-BAINS, 27 oct. 1985 : *La lecture du Coran* 1880, h/t (72x55) : **FRF 300 000** – NEW YORK, 16 fév. 1993 : *La sentinelle* 1860, h/t (55,9x40,6) : **USD 9 900** – NEW YORK, 13 oct. 1993 : *Une rue du Caire* 1878, h/t (67,3x52,1) : **USD 35 650** – LONDRES, 17 nov. 1994 : *Musiciens dans une rue d'Istambul*, h/pan. (10x19) : **GBP 10 350** – LONDRES, 16 mars 1995 : *Dame turque priant à la mosquée verte de Bursa* 1878, h/t (56,4x42,5) : **GBP 84 000** – LONDRES, 15 nov. 1995 : *Dames turques sur la promenade des Eaux douces d'Asie près du Bosphore*, h/t (63x105) : **GBP 133 500** – NEW YORK, 9 jan. 1997 : *Le Caire*, aquar./pap. (46x73,3) : **USD 8 050**.

CHLUPAC Miloslav
Né en 1920 à Benesov. XXᵉ siècle. Tchécoslovaque.
Sculpteur. Abstrait.
Entre 1943 et 1948 il fut élève de l'École des Arts Décoratifs de Prague, et depuis 1957 il est membre du groupe Mai. Il a figuré dans de très nombreuses expositions collectives en Tchécoslovaquie mais aussi à l'étranger, à Carrare, Varsovie, Paris. Il a participé aux symposiums de Santa Margarethen en Autriche en 1963 et 1964, de Vysné Rusbachy en Tchécoslovaquie en 1965 et de Grenoble en 1967.
Tendant à une abstraction dépouillée, d'inspiration brancusienne, les sculptures de Chlupac se fondent sur la forme humaine, depuis la *Femme se peignant* de 1959, la *Mère et Enfant* de 1961, les *Visages* de 1964, jusqu'aux blocs ultérieurement taillés directement dans la pierre et dont les formes apparemment gratuites doivent encore au déhanchement d'un bassin, à la courbe d'un ventre, au renflement d'un sein. ■ J. B.

BIBLIOGR. : Raoul-Jean Moulin, in : *Nouveau dictionnaire de la sculpture moderne*, Hazan, Paris, 1970.

CHMAKOFF Mickaïl Alexandrovitch
Né en 1879. Mort en 1906. XIXᵉ-XXᵉ siècles. Russe.
Peintre.
Le Musée russe de Leningrad possède deux de ses tableaux.

CHMAKOFF Paul ou Chmarov Pavel Dimitrievitch
Né en 1874 à Voronej. Mort le 2 juillet 1950 à Paris. XXᵉ siècle. Actif en France. Russe.
Peintre de figures, animaux, paysages, panneaux décoratifs. Postimpressionniste.
Il fit ses études à l'Académie de Saint-Pétersbourg entre 1894 et 1899. Élève du célèbre peintre Elia Répine, il devint son collaborateur. Il avait obtenu le Grand Prix de l'Académie des Beaux-Arts de Saint-Pétersbourg et fut nommé peintre à la cour du dernier tsar Nicolas II. Au cours de séjours à Paris, il reçut les conseils de Jean-Paul Laurens. Il fut membre associé de la Société Nationale des Beaux-Arts de Paris en 1912. Il se fixa à Paris en 1920 et exposa au Salon des Artistes Français jusqu'en 1939.
Contemporain de la vague postimpressionniste, il a peint les nuances infinies de la lumière sur les choses et les êtres. On retrouve ses qualités d'observation dans ses sanguines et ses dessins. La collection Serge Lifar conservait plusieurs de ses œuvres.

chmaroff

MUSÉES : TOLEDE.

Ventes Publiques : Paris, mai 1974 : *Peinture* : FRF 5 200 – Paris, juil. 1974 : *Femme assise*, cr. : FRF 600 ; *Nu couché*, dess. : FRF 700 – Honfleur, 18 avr. 1976 : *La baignade*, h/t (49x72) : FRF 3 400 – Honfleur, 16 juil. 1978 : *Jeune fille à la rivière*, h/t (130x81) : FRF 2 300 – Versailles, 25 fév. 1979 : *Étude de nu et visage*, dess. (22x28) : FRF 400 – Paris, 22 oct. 1982 : *Devant l'église 1898*, h/pan. (50x73) : FRF 6 200 – Sceaux, 18 nov. 1984 : *Baigneuses*, h/t (59x92) : FRF 30 000 – Paris, 27 mars 1985 : *Baigneuses en bleu*, h/t (45x63) : FRF 29 000 – Londres, 6 mai 1986 : *Baigneuses*, h/t (50,8x74) : GBP 1 000 – Paris, 22 mars 1989 : *Le bain de soleil*, h/t (60x92) : FRF 38 000 – Paris, 27 mai 1994 : *Baigneuses*, h/t (50x73) : FRF 6 200.

CHMEL Villian

Né le 14 octobre 1917. Mort le 30 novembre 1961 à Bratislava. XXe siècle. Tchécoslovaque.

Peintre de paysages animés.

Il fit ses études entre 1939 et 1943 à Bratislava. Il a exposé dans plusieurs expositions collectives présentant la peinture tchécoslovaque contemporaine, en Tchécoslovaquie et à l'étranger, à Stockholm et Helsinki en 1953, à Moscou en 1958 et 1959 et à Poznan en 1966. Il figura également dans l'exposition de peintures tchécoslovaques organisée pour le cinquantième anniversaire de la République en 1968. Il a exposé personnellement à Bratislava en 1956 et 1964 et à Prague en 1964.

Il a décrit des paysages urbains et industriels ainsi que leur population, dans une peinture très stylistique qui doit sa violence directe à l'expressionnisme si acclimaté en Europe centrale, et une construction très cernée « en vitrail », à une certaine pénétration néocubiste. ■ J. B.

Bibliogr. : Catalogue de l'exposition *50 ans de peinture tchécoslovaque*, Musées tchécoslovaques, 1968.

CHMELEVSKY Michail Antonovitch

XIXe siècle. Actif dans la seconde moitié du XIXe siècle. Russe.

Peintre de portraits, mosaïste.

CHMELJUK Vassyl. Voir KHMELUK

CHMELKOFF Peter Mikhaïlovitch

Né en 1819. Mort en 1890. XIXe siècle. Russe.

Peintre de genre, aquarelliste, dessinateur.

Musées : Moscou (Gal. de Tretiakov) : *Près de la Maternité – Le bon gré passe la contrainte – Préparations pour une promenade*, aquar. – *Dans la maison d'un défunt*, aquar. – *Ivan le Terrible regardant une comète*, aquar. – *Près de la Maternité*, esquisse – *Le clocher Ivanovskaia dans le Kremlin – Napoléon à Moscou – Avant l'exécution – Un hôte importun*, dess.

Ventes Publiques : New York, 22 mai 1986 : *La lettre 1864*, h/t (114,5x90) : USD 5 250.

CHMIELECKI Peter

XVIIIe siècle. Actif à Cracovie. Polonais.

Peintre.

CHMIELINSKI Jean

Né à Lvow (Pologne). XXe siècle. Polonais.

Peintre de paysages, natures mortes.

Il exposa au Salon d'Automne entre 1926 et 1929.

CHMIELOWICZ Samuel

XVIIe siècle. Actif à Cracovie en 1648 et 1650. Polonais.

Peintre.

CHMIELOWSKI Adam

XIXe siècle. Travaillant à Varsovie, puis à Cracovie. Polonais.

Peintre.

CHO. Voir AIGAI

CHOAIN Gérard

XXe siècle. Français.

Sculpteur de figures et de bustes.

Il exposa à Paris au Salon des Artistes Français en 1937 et au Salon des Tuileries.

CHOATE Nathaniel

Né en 1899 à Southboro (Massachusetts). XXe siècle. Américain.

Sculpteur.

Ventes Publiques : New York, 15 juin 1984 : *Southsea fisher*, bronze doré (H. 41) : USD 1 500.

CHOBERT, abbé

XIXe siècle. Canadien.

Peintre de compositions religieuses, décorateur.

Il dirigea une école de décoration.

CHÔBUN-SAI EISHI. Voir EISHI

CHOCARNE Geoffroy Alphonse

Né le 7 février 1797 à Boulogne (Seine). XIXe siècle. Français.

Peintre.

Élève de Regnault. Il exposa au Salon de Paris pour la première fois en 1838. Il a fait des portraits et quelques toiles de genre. Le Musée de Versailles conserve de lui le *Portrait de Fr. Van der Meulen*.

CHOCARNE-MOREAU Paul Charles

Né en 1855 à Dijon (Côte-d'Or). Mort en 1931 à Paris. XIXe-XXe siècles. Actif à Paris. Français.

Peintre de genre, figures.

Élève de Bouguereau et de Tony Robert-Fleury. Il a obtenu une mention honorable en 1886, et une médaille de bronze à l'Exposition Universelle de 1889. Il a été fait chevalier de la Légion d'honneur. L'État lui a acheté plusieurs ouvrages.

Chocarne-Moreau est un humoriste et se plaît à mettre de la gaîté dans ses toiles en cherchant le côté plaisant des choses. Il a peint beaucoup de garçonnets, petits ramoneurs, patronets.

[signatures : CHOCARNE-MOREAU / Chocarne Moreau]

Musées : Cambrai : *Très pressés*.

Ventes Publiques : Paris, 1900 : *Marchand de bijoux au Caire* : FRF 236 – Paris, 12 déc. 1907 : *Farce de collégiens* : FRF 150 – Paris, 25-26 oct. 1920 : *Jeune pâtissier manifestant ses opinions politiques (Épisode du Boulangisme)* : FRF 320 – Paris, 15-16 juin 1923 : *Partie de billes à la sacristie* : FRF 800 – Paris, 16 mars 1925 : *Ramoneur et Pâtissier* : FRF 800 – Paris, 20 nov. 1925 : *Le Marchand de statuettes et le Petit Pâtissier* : FRF 1 280 ; *Le Petit Ramoneur et le Pâtissier* : FRF 1 120 ; *Petit Pâtissier et Jeune Garçon* : FRF 920 – Paris, 14-15 déc. 1925 : *Pâtissier et Ramoneur* : FRF 2 020 – Paris, 22 fév. 1928 : *Natures mortes*, h/t, une paire : FRF 210 – Paris, 24 fév. 1928 : *La Partie de billes* : FRF 2 000 ; *Partie de croquet* : FRF 1 250 – Paris, 4 mai 1928 : *Une catastrophe* : FRF 460 ; *Bassin à Fécamp* : FRF 200 – Paris, 15 nov. 1928 : *Jeux d'enfants de chœur* : FRF 2 600 – Londres, 4 déc. 1930 : *La Favorite* : GBP 11 – Paris, 4 déc. 1931 : *La Partie de billes* : FRF 315 – Paris, 29 oct. 1948 : *Enfant de chœur et mitron dans la sacristie* : FRF 21 000 – Versailles, 15 déc. 1968 : *Promenade en barque* : FRF 2 100 – Paris, 31 mai 1972 : *Pêcheurs* : FRF 450 – Versailles, 14 nov. 1976 : *La Partie de billes entre le pâtissier et le petit télégraphiste*, h/t (37x53,5) : FRF 10 500 – New York, 7 oct. 1977 : *Abus de confiance 1894*, h/t (104,5x187,5) : USD 7 500 – Enghien-les-Bains, 18 nov. 1979 : *La foire aux pains d'épices 1898*, h/t (155x124) : FRF 45 000 – Londres, 27 nov. 1981 : *L'atelier 1920*, h/t (79x99) : GBP 4 500 – New York, 27 mai 1983 : *Les petits farceurs*, h/t (45,7x54,5) : USD 3 200 – New York, 26 fév. 1986 : *Enfant lisant un livre*, h/t (59,7x73,7) : USD 9 500 – Grandville, 31 mai 1987 : *L'argent de la quête*, h/t (50x61) : FRF 19 000 – Londres, 26 fév. 1988 : *Le petit boulanger*, h/t (38x54,5) : GBP 4 620 – Calais, 28 fév. 1988 : *Le petit mitron à la pêche à la ligne 1890*, h/t : FRF 49 500 – Calais, 13 nov. 1988 : *Nature morte aux fleurs et à la mandoline*, h/t (43x55) : FRF 13 000 – Troyes, 18 déc. 1988 : *Le partage aux dindons*, h/pan. (40,5x32,5) : FRF 35 000 – Cologne, 18 mars 1989 : *Deux petits ramoneurs volant dans le panier d'un pâtissier tandis qu'il lit un journal affiché sur un kiosque*, h/t (61x50) : DEM 11 000 – Londres, 22 nov. 1989 : *Jeunes colporteurs sur le pont des Arts à Paris*, h/t (87x112) : GBP 13 200 – Paris, 29 nov. 1989 : *Les enfants de chœur*, h/t (100x81) : FRF 72 000 – Paris, 19 juin 1990 : *Enfants jouant aux petits chevaux, au fond l'Arc de Triomphe*, h/t (85x64) : FRF 50 000 – Le Touquet, 11 nov. 1990 : *Gamins de Paris, place des Ternes*, h/t (86x65) : FRF 100 000 – Paris, 20 juin 1991 : *La fête au pain d'épices sur les Grands Boulevards à Paris 1898*, h/t (159x123) : FRF 265 000 – New York, 16 mai 1992 : *Gamins et leurs bateaux au bassin des Tuileries*, h/t (117,2x90,8) : USD 46 200 – Milan, 16 juin 1992 : *Petits travaux dans la sacristie*, h/t (80x100) : ITL 13 500 000 – Londres, 10 déc. 1993 : *Le Chapardeur*, h/t (45x58) : GBP 5 520 – New York, 16 fév. 1994 : *La Fessée 1901*, h/t (201,9x274,3) : USD 85 000 – Londres, 18 mars 1994 : *Les Petits Marchands*, h/t (65,5x81,3) : GBP 15 525 – Calais, 11 déc. 1994 : *L'Apprenti boulanger et le gamin des rues*, h/t (27x35) : FRF 45 000 – Paris, 13 oct. 1995 : *Mitron et deux enfants de chœur*, h/t (55x46) : FRF 25 000 – Calais, 24 mars 1996 : *Le mitron buvant le vin de messe*, h/t (55x46) : FRF 51 000 – Londres, 12 juin 1996 : *Les Jeunes Fumeurs*, h/t (53x44) : GBP 4 140 – Paris, 26 juin 1996 : *Femme et Cygnes 1883*, h/t (38x55) : FRF 30 000 – Paris, 4 juil. 1996 : *Fais-le beau !*, h/pan.

(27x21) : **FRF 5 000** – Londres, 31 oct. 1996 : *On taquine le perroquet*, h/t (55,5x46) : **GBP 3 680** – Calais, 6 juil. 1997 : *Le Ramoneur et le petit pâtissier*, h/t (38x47) : **FRF 45 000** – New York, 22 oct. 1997 : *Le Vin de messe* 1924, h/t (54,9x46) : **USD 10 350**.

CHOCHKINE Ivan
XIXe siècle. Actif dans la première moitié du XIXe siècle. Russe.
Graveur de portraits.

CHOCHON André Eugène Louis
Né à Rennes (Ille-et-Vilaine). XXe siècle. Français.
Peintre de paysages.

Il fut élève de Lucien Simon et de Jean Ronsin. Il exposa au Salon des Artistes Français de 1933 et au Salon de la Société Nationale des Beaux-Arts.

Ventes Publiques : Grenoble, 18 mai 1981 : *Jeune femme se peignant*, h/t (50x65) : **FRF 2 200** – Versailles, 1er mars 1987 : *Le rendez-vous manqué*, h/t (50x61) : **FRF 3 000** – Versailles, 17 avr. 1988 : *Fillette aux bouquets*, h/t (46x61) : **FRF 3 300**.

CHOCHRIAKOFF Nicolaï Nicolaievitch
Né en 1857. XIXe siècle. Russe.
Peintre de paysages.

La Galerie Tretiakoff, à Moscou, conserve de lui : *Sombre jour*, et le Musée Russe, à Leningrad, six dessins.

CHÔ DENSU. Voir MINCHÔ

CHODKIEWICZ Sophie
XIXe siècle. Polonaise.
Peintre, dessinatrice.

CHODOWIECKA Nanette
XVIIIe siècle. Allemande.
Peintre de paysages, dessinatrice.

Fille de Gottfried Chodowiecki. Doit donc être la sœur de Jeannette Papin.

CHODOWIECKA Suzanne, plus tard Mme Fr. Henry
Née le 26 juillet 1764 ou 1763 à Berlin. Morte le 27 mars 1819 à Berlin. XVIIIe-XIXe siècles. Polonaise.
Peintre, illustratrice.

Fille de Daniel Chodowiecki. Elle fit surtout des portraits, notamment ceux de la famille royale de Prusse. On cite aussi : *Les scènes d'Oberon*.

CHODOWIECKI Daniel Nicolas
Né le 16 octobre 1726 à Dantzig. Mort le 7 février 1801 à Berlin. XVIIIe-XIXe siècles. Allemand.
Peintre d'histoire, sujets religieux, scènes de genre, portraits, paysages, graveur, miniaturiste, peintre sur émail.

D'origine polonaise, il vint à Berlin en 1743. Peintre sur émail, puis, ayant été élève de Rode, il se fit connaître par la publication de l'Almanach de l'Académie de Berlin, pour lequel il exécuta une série de planches retraçant les principales scènes de la *Vie du Christ*. Il devint membre de l'Académie de Berlin en 1764, puis professeur. Il s'adonna aussi à la peinture, mais avec moins de succès. Il fit surtout dans ce genre de grandes compositions d'histoire et des scènes de genre dans la manière de Greuze et Pater. Mais le meilleur de ses œuvres réside dans ses gravures. Il n'a pas signé moins de deux mille huit cent quatre-vingt-seize estampes, ayant trait à des sujets historiques, des portraits, des vues de ville. On cite notamment : *Les adieux de Calas, La première promenade de Berlin*. Il a illustré des œuvres de Goethe, de Sterne, de Shakespeare, de Lessing, de Lavater, pour *Physiognomonie* auquel il travailla pendant quinze ans, etc. Ses dessins sont assez recherchés. On connaît, d'autre part, une montre émaillée représentant *Énée recevant le bouclier de Vénus* et le Musée Correr, à Venise, conserve six plaques de tabatières à sujets mythologiques.

Musées : Berlin (Mus. roy.) : *Jeu de cache-cache* – *Le coup du coq* – *Portrait de Joseph Banks* – *Portrait du Dr Solandes* – *Portrait du Dr Marcel Levis* – *Les adieux de Calas* – Genève : *Les adieux de Calas à sa famille* – Leipzig : *Société dans le Jardin Zoologique de Berlin.*

Ventes Publiques : Paris, 1869 : *Intérieur, une fête avec personnages masqués ; Un autre tableau de même composition*, faisant pendant : **FRF 201** – Paris, 1883 : *Arrivée sur le territoire suisse de la princesse Marie-Thérèse-Charlotte, le 26 décembre 1795 ; Entrée dans le village suisse des députés et ministres français prisonniers en Autriche*, dess. au lavis de bistre, reh. de blanc, une paire : **FRF 250** – Paris, 25 mai 1923 : *Portrait d'une famille*, attr. : **FRF 700** – Paris, 12 déc. 1925 : *Les adieux de Calas à sa famille*, lav. et pl. : **FRF 550** – Paris, 11 et 12 juin 1928 : *Portrait de jeune femme à haute coiffure*, pierre noire reh. : **FRF 560** – Londres, 10 juin 1931 : *Personnages dans un intérieur*, sanguine : **GBP 16** – Londres, 27-28 mai 1935 : *Portrait de femme*, lav. : **GBP 30** – Paris, 4-5 nov. 1937 : *Portrait d'homme ; Cavaliers ; Figures ; Halte de bergers, mime de pb, neuf petits croquis pour l'illustration de Minna von Barnholm* : **FRF 310** – Londres, 5 mai 1939 : *Frédéric le Grand* : **GBP 5** – Munich, 27 mai 1978 : *Cabinet d'un peintre* 1771, grav./cuivre : **DEM 2 600** – Munich, 27 nov. 1980 : *Cabinet d'un peintre* 1771, eau-forte : **DEM 2 500** – Lucerne, 17 nov. 1982 : *Cabinet d'un peintre* 1771, eau-forte : **CHF 1 900** – Hambourg, 8 juin 1983 : *Les garnements* vers 1774, pl./pap. (8,1x10,9) : **DEM 3 200** – Berlin, 5 déc. 1986 : *Frédéric le Grand à cheval passant ses troupes en revue*, eau-forte (25,8x32,2) : **DEM 5 400** – Hambourg, 4 déc. 1987 : *Nu couché*, sanguine (34,3x53,5) : **DEM 4 600** – Munich, 26 mai 1992 : *Jeune garçon auprès d'un tourne-broche*, eau-forte : **DEM 1 667** – New York, 13 jan. 1993 : *Vue des jardins d'un palais avec une large allée et des fontaines avec des promeneurs et des jardiniers au travail* (recto) ; *Ruines animées* (verso), gche (40,9x59) : **USD 12 075**.

CHODOWIECKI Gottfried
Né le 11 juillet 1728 à Dantzig. Mort en 1781 à Berlin. XVIIIe siècle. Allemand.
Miniaturiste, dessinateur, peintre sur émail.

Frère de Daniel-Nicolas Chodowiecki. Il représentait de préférence des chasses, des batailles, des paysages.

CHODOWIECKI L. Wilhelm
Né en 1765 à Berlin. Mort en 1805 à Berlin. XVIIIe-XIXe siècles. Allemand.
Graveur.

Fils et élève de Daniel Nicolas Chodowiecki.

CHODZINSKI Casimir
Né en 1861. XIXe siècle. Actif à Cracovie. Polonais.
Sculpteur.

CHÔEIKEN. Voir HARUNOBU

CHOEL Fidéline
Née à Bièvre (Seine-et-Oise). XIXe siècle. Française.
Peintre de portraits.

Elle se forma sous la conduite de M. L. Cogniet et exposa au Salon de Paris entre 1848 et 1878.

CHOFFARD Pierre Philippe
Né le 19 mars 1730 à Paris. Mort le 7 mars 1809 à Paris. XVIIIe-XIXe siècles. Français.
Graveur, dessinateur.

Il eut pour maîtres Deullhand et Babel. En 1804, il exposa au Salon de Paris : *L'Oracle des amants*, gravure originale. Choffard a gravé les portraits d'Étienne Bezout, de La Condamine, de Bonaparte, du marquis de Rossel, son propre portrait ainsi que des vues de Bordeaux, de Cantorbéry, de la bourse de Dunkerque, du rocher de Leucade, de Motier-Travers et de ses environs, du cours de la Moselle, du pont d'Orléans, de la nouvelle place de Reims. Il a fourni des planches à l'*Histoire de la Maison de Bourbon*, au *Voyage pittoresque de la Grèce*, au *Voyage d'Italie* de Denon, au *Recueil de plusieurs parties d'architecture*. On lui doit de nombreuses vignettes, gravées sur les dessins des meilleurs maîtres. Il fut un des huit graveurs qui exécutèrent, sous la direction de C.-N. Cochin, *Les conquêtes de l'empereur de la Chine*. Ses œuvres sont très recherchées. Il a gravé notamment d'après Fragonard, Beaudouin, Gravelot.

Ventes Publiques : Paris, 1883 : *Armoiries du marquis de Marigny*, dess. au lav. de bistre reh. de blanc : **FRF 280** – Paris, 20 mars 1890 : *Cartouches ornés, pour adresses ou cartes de visite,* quatre dessins à la plume et à la sépia : FRF 215 – Paris, 1898 : *Louis XVI en buste*, dess. à la pl. et au lav. d'encre de Chine : FRF 115 – Paris, 1898 : *Cadre orné aux armes de la ville de Bâle*, dess. à l'encre de Chine et à l'aquar. : FRF 1 030 – Paris, 7-8 juin 1901 : *Carte d'invitation pour un bal*, dess. : FRF 285 – Paris, 14 déc. 1901 : *Encadrement de dessin* : FRF 50 – Paris, 24 avr. 1907 : *Cartouche*, dess. : FRF 100 – Paris, 29-30 nov. 1920 : *Monument entouré d'un cadre*, cr. noir : FRF 205 – Paris, 6-8 déc. 1921 : *En tête et cul-de-lampe pour illustration*, pl. et au lav., une paire : FRF 780 – Paris, 29 avr. 1926 : *Armoiries de Monsieur, Comte de Provence*, pl. et lav. : FRF 380 – Paris, 21-22 mars 1927 : *Portrait de Hte Vre Mme Hutin née en MDCCLXI*, cr. de coul. : FRF 15 000 – Paris, 7-8 juin 1928 : *Projet de cartel pour une illustration*, dess. : FRF 200 – Paris, 13-15 mars 1929 : *Cadre ornementé pour une invitation*, dess. : FRF 2 200 ; *Frontispice pour un cahier de musique*, dess. : FRF 3 000 ; *Cadre ornementé*, dess. : FRF 2 950 – Paris, 13 oct. 1933 : *Monument entouré d'un cadre*, dess. : FRF 80 – Paris, 3 juin 1935 : *L'Amour traçant un monogramme* ; *Fleuron pour une carte de l'île de Paros*, pl. et lav. de bistre, deux dessins : FRF 710 – Paris, 5 déc. 1936 : *Cartouche d'encadrement*, pl. et lav. : FRF 400.

CHOFFAT Stéphanie
Née à Porrentruy (Canton de Berne). XXe siècle. Suisse.
Peintre de figures, animaux.
Elle exposa au Salon des Artistes Français de 1938 et au Salon des Artistes Indépendants en 1939.

CHOI Ki-Won
XXe siècle. Coréen.
Sculpteur. Abstrait.
Il fut élève du College of Art de l'université Hong-Ik de Séoul. Il participe à des expositions collectives : de 1955 à 1959 Exposition d'art national ; de 1960 à 1981 Exposition d'art national au National Museum of Contemporary Art de Séoul ; 1963 Biennale de Paris ; 1965 Biennale de Tokyo ; 1969 Biennale de São Paulo ; 1988 National Museum of Contemporary Art de Séoul ; 1992 International Art Exposition de Chicago ; 1996 FIAC (Foire internationale d'Art contemporain) de Paris. Il a montré ses œuvres dans des expositions personnelles à Séoul, en 1972 et 1992. Il a reçu en 1956 le prix de l'Association des artistes coréens, en 1981 le prix de l'Académie nationale des Arts de la XXXe Exposition nationale de Séoul.
Il travaille le bronze dans des formes dynamiques, symboliques (*Birth* 1996), alternant les jeux de vide et de plein, jouant des contrastes de couleurs naturelles du bronze, du vert au doré, alternant les surfaces, brute ou polie.
Musées : Ho-Am (Art Mus.) – Osaka (Art Univer.) – Séoul (Nat. Mus. of Contemp. Art) – Séoul (Muni. Mus.).

CHOI Man-Lin
Né en 1935. XXe siècle. Coréen.
Sculpteur. Abstrait.
Depuis 1965, il participe à des expositions collectives, notamment : en 1965, 1967, à Paris, aux 4e et 5e Biennales des Jeunes Artistes ; 1969 São Paulo, 10e Biennale ; 1974 Séoul, exposition de sculpture contemporaine coréenne, Musée National d'Art Contemporain ; 1985 Séoul, *40 ans d'art moderne coréen*, Musée National d'Art Contemporain ; 1986 Séoul, *Art Asiatique Contemporain*, Musée National d'Art Contemporain ; 1988 Séoul, *88 Olympiades de l'Art* ; 1994 Courcelles de Touraine, *Peintures, Bronzes*, Le Château des Sept Tours ; 1995 Paris, *Art Contemporain Coréen*, Couvent des Cordeliers ; en 1996 à Paris, il était représenté dans la sélection de galeries coréennes invitées à la Foire Internationale d'Art Contemporain (FIAC) ; etc. Il montre des ensembles de ses travaux dans des expositions personnelles : 1973, 1979, 1987, 1993 Séoul ; 1991 Hamamatsu, Japon ; 1992 Tokyo, galerie Seiho ; etc.
Ses sculptures, de formes très pures, bien qu'abstraites se réfèrent symboliquement à l'aube de la création.

CHOINACKI Romuald
Né à Varsovie. Mort vers 1883 à Odessa. XIXe siècle. Polonais.
Peintre.

CHOINICKI Joseph
Né à Lemberg. Mort en 1812 à Lemberg. XIXe siècle. Polonais.
Peintre.
Parent et élève de Stan. Stroinski. Il a peint pour l'église métropolitaine de Lemberg : *Abraham visité par les anges, Saint Wejececk et Saint Stanislas, Saint Casimir*, dauphin, et *La reine sainte Hedwige, Sainte Cunégonde et sainte Salomée, Saint Jean-Baptiste, Saint Pierre et saint Paul, Saint Joachim et sainte Anne, Saint Valentin, Saint Michel, Saint Thomas, Saint Sébastien, Saint Joseph*.

CHOINSKI Eustache
Né le 23 décembre 1814 à Vienne, d'origine polonaise. Mort le 31 mars 1836 à Vienne. XIXe siècle. Polonais.
Peintre.
Fit ses études à Paris et à Vienne à l'Académie des Beaux-Arts. En 1836, il exposa à Vienne trois tableaux.

CHOISEAU P. L. ou Choizeau
XVIIIe siècle. Actif à Paris à la fin du XVIIIe siècle. Français.
Peintre miniaturiste, graveur à l'eau-forte.

CHOISELAT Ambroise
Né le 30 octobre 1815 à Paris. Mort vers 1879. XIXe siècle. Français.
Sculpteur.
Entré à l'École des Beaux-Arts, le 6 octobre 1832, il se forma sous la direction de Klagmann et d'Eugène Lami. Il débuta au Salon de Paris en 1843. Choiselat fournit, en 1864, deux figures en pierre pour la nouvelle façade de la fontaine du Luxembourg. Il exposa pour la dernière fois en 1878.

CHOISNARD Camille
XIXe siècle. Actif à Tours. Français.
Peintre.
Le Musée de Tours conserve de lui : *Le Martyre de saint Sébastien*.

CHOISNARD Jean Félix Clément
Né le 11 mars 1846 à Valence. XIXe siècle. Français.
Peintre, aquarelliste.
Il fut l'élève de son père et de E. Lansyer. Débuta au Salon en 1878 avec des aquarelles et des dessins, principalement des paysages et des marines. Ses principales œuvres sont : *Soirs à Antony* (1879), *Environs de Kergouan* (1883), *Falaises de Douarnenez* (1884), *Ferme de la vallée de Chevreuse* (1887), *Intérieur de la ferme de Gornevec* (1888), *Le cloître de Sainte-Anne-d'Auray* (1890).
Ventes Publiques : Paris, 12 juin 1925 : *Paysage breton* : FRF 110 – Troyes, 17 oct. 1971 : *Lumière sur la falaise* : FRF 600.

CHOISNEL Sylvie
XXe siècle. Française.
Sculpteur. Abstrait.
Elle fit ses études à l'École des Beaux-Arts de Paris, recevant son diplôme de sculpture en 1988. Elle a exposé en 1987 à Paris et en 1988 à Ivry-sur-Seine.

CHOISY Apprien Julien de
XVIIIe-XIXe siècles. Français.
Peintre de fleurs et d'ornements.
Il travailla à la Manufacture de Sèvres entre 1770 et 1812.

CHOISY-CROT Jeanne Louise, Mme
Née en 1843 à Genève. XIXe siècle. Suisse.
Peintre de portraits, fleurs, pastelliste.
Élève de l'École municipale des Beaux-Arts à Genève. Elle figura à l'Exposition de la Société suisse des Beaux-Arts à Berne, en 1890.

CHOIX Antoine
Né vers 1660. Mort le 15 janvier 1730. XVIIe-XVIIIe siècles. Actif à Grenoble. Français.
Peintre.
Fils du peintre Claude Choix.

CHOIX Claude
Né à Issoudun. XVIIe siècle. Français.
Peintre.
Fils du peintre Jean Choix. Le 22 août 1661, il fut chargé de peindre un tableau à l'huile, pour le seigneur de Neuvache, Abel de Ferrus. Signait *Choix*.

CHOIZEAU Camille
Née à Paris. XIXe siècle. Française.
Peintre sur porcelaine.
Élève de Mme D. de Cool et de M. Paul Soyer. Elle exposa au Salon entre 1872 et 1882 (surtout des portraits).

CHOKAI Seiji
Né en 1902 près de Kanagawa. XXe siècle. Japonais.
Peintre.
Il fit ses études à l'Université du Kansai et sa première exposition en 1924. Entre 1930 et 1933 il séjourna en Europe puis voyagea

en Chine, de nouveau en Europe, en Inde, en Égypte et aux États-Unis. Il obtint le Prix de l'Exposition d'Art Moderne du journal « Mainichi » en 1958. Il figure à la Biennale de São Paulo en 1955 et 1957.

MUSÉES : JAPON.

CHOKI Eishosai
XVIIIᵉ-XIXᵉ siècles. Actif de 1760 à 1800. Japonais.

Peintre de genre, portraits, graveur.

Peintre ukiyo-e (d'estampes), il sait rendre avec poésie une atmosphère enneigée ou la chaleur d'une nuit étoilée. On reconnaît, entre autres, les influences de Sharaku et Harunobu. Peintre de femmes, il est surtout célèbre pour ses portraits en buste, genre nouveau vers 1790. Mais Choki donne une allure originale à ce type de composition, le plus souvent il ne se contente pas de représenter un seul personnage, mais deux, les coupant hardiment, à la manière d'un gros plan photographique.

VENTES PUBLIQUES : NEW YORK, 21 mars 1989 : *Serviteur nettoyant le sol devant sa maîtresse en hiver*, estampe oban tate-e (37,4x24,6) : **USD 418 000** – NEW YORK, 16 oct. 1989 : *Jeune homme observant une jeune beauté cousant un kimono sous une pluie de pétales de cerisier*, estampe oban tate-e (38,4x24,2) : **USD 22 000**.

CHÔKI Miyagawa
XVIIIᵉ siècle. Actif dans la seconde moitié XVIIIᵉ siècle. Japonais.

Peintre, graveur.

Élève et peut-être fils de Choshun, malgré son nom, il n'a aucun rapport avec Eishosai Choki. Il accuse le côté félin de la femme. Ses compositions marquent un progrès par rapport à son maître.

BIBLIOGR. : R. Lane : *L'estampe Japonaise*, Paris, 1962.

CHÔKO. Voir BUSON Yosa

CHÔKO. Voir ITCHO

CHOKUAN SOGA CHOKUAN
Mort en 1610 dans le district de Sakai. XVIIᵉ siècle. Japonais.
Peintre.

On ne sait presque rien de lui, sinon qu'il était peintre d'oiseaux et de fleurs. Dans cette spécialité, il décorait des paravents. Son fils, Ni Chokuan, et ses successeurs formeront l'école Soga. Chokuan vivait à Saikai.

BIBLIOGR. : W. Wilson, in : *Dictionnaire de l'Art et des Artistes*, Hazan, Paris, 1967.

CHOKUNYU Tanomura Chi
Né en 1814. Mort en 1907. XIXᵉ-XXᵉ siècles. Japonais.

Peintre de paysages.

Élève de Tanomura Chikuden, il appartenait à l'école de Nanga. Il vivait à Kyoto et fut professeur à l'école d'art de Kyoto.

VENTES PUBLIQUES : NEW YORK, 16 avr. 1988 : *Bateaux de pêche sur un lac de montagne*, encre/pap., kakemono (136x53,5) : **USD 1 980**.

CHOLAT Yvonne
Née à Lyon (Rhône). XXᵉ siècle. Française.

Peintre.

A exposé un paysage et des fleurs au Salon des Artistes Français de 1939.

CHOLÉ-MOUTET Céleste, Mme. Voir MOUTET-CHOLÉ Célestine

CHOLET Andrès Christophe
Né le 15 juillet 1807. XIXᵉ siècle. Français.

Peintre de genre, portraits, paysages, intérieurs.

Il fut élève de Thomas. Entre 1833 et 1849, il exposa au Salon de Paris.

MUSÉES : CAMBRAI : *Petite cuisinière piquant un filet – Le petit cuisinier*.

VENTES PUBLIQUES : LUCERNE, 12 nov. 1982 : *Paysage au lac*, h/t (27,5x41) : **CHF 1 200** – LONDRES, 13 mars 1996 : *Jeune fille au chapeau de paille* 1844, h/t (59x49) : **GBP 1 610**.

CHOLET Antoine Jean
Né le 1ᵉʳ janvier 1833 à Rosières-aux-Salines (Meurthe). Mort en 1906 à Paris. XIXᵉ-XXᵉ siècles. Français.

Peintre de portraits, paysages, graveur.

Élève de Jean-Louis Leborne à Nancy, il poursuivit ses études à l'École des Beaux-Arts de Paris, où il entra en 1860, travaillant sous la direction de Picot et de François Dubois. Il participa au Salon de Paris de 1864 à 1887.

Peintre de paysages de sa région natale et des environs de Paris, il fit aussi des portraits d'illustres contemporains, dont Ferdinand de Lesseps, Pasteur, Gambetta.

BIBLIOGR. : Gérald Schurr, in : *Les Petits Maîtres de la peinture 1820-1920, valeur de demain*, Les Éditions de l'Amateur, t. VI, Paris, 1985.

VENTES PUBLIQUES : PARIS, 17-18 déc. 1941 : *Paysage* : FRF 90 – PARIS, 20 oct. 1980 : *Le petit pêcheur à la ligne*, h/t (25x41) : FRF 2 500.

CHOLET Aristide Théophile
Né en 1823 à Nantes. Mort en 1865 à Paris. XIXᵉ siècle. Français.

Graveur.

CHOLET Elisabeth Léonie. Voir LACOSTE

CHOLET Samuel Jean Joseph
Né le 8 décembre 1786 à Nantes. Mort en 1874 à Paris. XIXᵉ siècle. Français.

Graveur.

Élève de Chataignier. Il débuta au Salon de Paris, en 1839, par : *Le siège de Nimègue*.

CHOLIAVIN Nicolaï Fedorovitch
Né en 1869 à Karkow. XIXᵉ siècle. Russe.

Peintre de paysages.

Étudia à Moscou et plus tard à Paris où il fut l'élève de Cormon.

CHOLLET Antoine Joseph
Né le 9 mars 1793 à Paris. XIXᵉ siècle. Français.

Graveur.

Il débuta au Salon en 1824 avec : *L'Orphelin* et *J'ai perdu !* d'après M. Roëhn. On cite encore de lui : *Galilée en prison*, d'après Laurent, *Léontine Fay dans le rôle de Malvina*, d'après Dubufe, *Mme de Warens*, d'après Desenne et Deveria, *Bons Conseils* et *Mauvais Conseils*, d'après Compte-Calix, *La Demande en mariage*, d'après Germaert, *La Dernière cartouche*, d'après Vernet.

CHOLLET Charles Oscar
Sculpteur.

MUSÉES : LAUSANNE (Mus. canton. des Beaux-Arts) : *Mobile*.

CHOLLET Jean
Né en 1939 à Paris. XXᵉ siècle. Français.

Dessinateur. Lettres et signes.

Il s'initia au graphisme calligraphique et à la sculpture du marbre en 1960. Il a exposé de 1965 à 1970. Après une interruption, il expose de nouveau depuis 1986, notamment à Paris en 1991.

Ses pages de signes, tracés avec des encres ou des peintures de couleurs diverses, sont souvent apparentées à celles d'Henri Michaux. Ce sont en général des sortes de petits idéogrammes anthropomorphiques, dont les gesticulations semblent raconter des histoires.

CHOLLET José Stéphane
Né en 1934 à Bizerte (Tunisie). XXᵉ siècle. Français.

Sculpteur d'assemblages.

Il a figuré dans des expositions collectives au Musée d'Art Moderne de la ville de Paris en 1968-1969 et au Salon de Mai en 1969.

Il crée des œuvres réalisées avec les différents signes de la sémiologie quotidienne moderne, panneaux de signalisation, cibles de tir forain, etc., les intégrant dans des assemblages de couleurs vives et de formes élémentaires. L'objet n'est ici utilisé qu'en vertu de ses qualités formelles, sans intervention de sa charge symbolique.

CHOLLET Louis Edmond
Né au XIXᵉ siècle à Paris. XIXᵉ siècle. Français.

Peintre de paysages.

Élève de N.-J. Lequien. Il débuta au Salon de 1877.

CHOLLET Marcel de
Né le 26 octobre 1855 à Genève ou à Morges. Mort en 1924. XIXᵉ-XXᵉ siècles. Suisse.

Peintre de natures mortes, aquarelliste, décorateur.

De Chollet fit son éducation artistique avec De Borchgrave et Bidan et suivit aussi les conseils de P.-V. Galland, à l'École des Beaux-Arts de Paris. Il exposait encore au Salon des Artistes Français, à Paris, en 1923.

Parmi ses ouvrages les plus importants, il faut signaler ses décorations aux magasins du Louvre, ainsi que celles du café Terminus, à Paris. À Genève, il décora le théâtre et à Lausanne, la grande salle d'audience du palais fédéral de justice sur Montbenon. Citons encore, à Berne les peintures de l'ancien palais fédéral et à Territet, la décoration de la salle des fêtes du Grand Hôtel des Alpes.

M. cel Chollet

MUSÉES : FRIBOURG – GENÈVE (Mus. Rath) : *Fromages* – LAUSANNE. **VENTES PUBLIQUES :** PARIS, 15 déc. 1986 : *Les meules*, h/t (40x50) : FRF 7 000.

CHOLLET Paul
Né à Crissay (Indre-et-Loire). XXᵉ siècle. Français.
Peintre de paysages.
Il a exposé au Salon des Artistes Indépendants de 1931 à 1937.

CHOLLIER Antoine ou Challier
XVIᵉ siècle. Actif à Tours vers 1555. Français.
Peintre de décorations.

CHOLLIN Silvestre
XVIᵉ siècle. Français.
Sculpteur.
Il travaillait en 1540 au château de Fontainebleau.

CHOLLOT C.
Né à Troyes. XIXᵉ siècle. Français.
Peintre de portraits.
Il exposa au Salon de Paris en 1831, 1841 et 1849. Il fit des essais de peintures à la cire pour des copies qu'il exécuta au Musée du Louvre. Le Musée de Troyes en conserve plusieurs (d'après Velasquez, Murillo et Hubert Robert).

CHOLMELAY Isabel
XIXᵉ siècle. Travaillant à Rome. Britannique.
Sculpteur.
Exposa plusieurs fois à Paris et à Londres. On cite, parmi ses œuvres, les bustes de Liszt et de Gibson.

CHOLMONDELEY Hilda
Née en Australie. XXᵉ siècle. Autrichienne.
Peintre.
Élève de Miss Kemp Welch. A exposé au Salon des Artistes Français de 1925.

CHOLMONDELEY R.
XIXᵉ siècle. Britannique.
Peintre de portraits.
Exposa à Londres entre 1856 et 1867.

CHOLTKEVITCH A.
XIXᵉ-XXᵉ siècles. Russe.
Sculpteur.
A exposé au Salon des Artistes Français de 1914.

CHOMEAUX Roger
Né à Berlaimont (Nord). XXᵉ siècle. Français.
Sculpteur.
Élève de Coutan. A exposé au Salon des Artistes Français de 1927.

CHOMEL
XIXᵉ siècle.
Peintre de miniatures.
Il a réalisé un portrait de femme sur ivoire, daté de 1811, qui fut vendu à Cologne en 1899.

CHOMEL Francis
Né en 1835 à Genève. Mort en 1895 à Genève. XIXᵉ siècle. Suisse.
Graveur, dessinateur.
Chomel donna des planches à l'*Illustration suisse* et aux *Miliciades genevoises* de Petit-Senne. Il a exécuté aussi nombre de caricatures et grava le plat en argent offert à Madame Kern, femme de l'ambassadeur suisse à Paris, après 1870. Chomel exposa à Genève en 1861.

CHOMEL Jean
Né en 1839 à Genève. Mort en 1877 à Genève. XIXᵉ siècle. Suisse.
Graveur.
Fils de Jean François Gabriel Chomel et élève des écoles d'art et de l'Académie de Genève.

CHOMEL Jean François Gabriel
Né en 1810 à Genève. Mort en 1876 à Genève. XIXᵉ siècle. Suisse.

Peintre, graveur, photographe.
Élève des écoles d'art de Genève, il étudia aussi chez Détalla et Auguste Bovet. Il exposa souvent dans sa ville natale, et il laissa des tableaux de scènes militaires conservés au Musée Rath. Chomel occupa le poste de président du Conseil administratif de Genève et fut membre du Conseil des Beaux-Arts.

CHOMETON Jean Baptiste
Né à Lyon, en 1789 selon Béraldi. XIXᵉ siècle. Français.
Peintre, graveur, lithographe.
Élève de Revoil à l'École des Beaux-Arts de Lyon, où il est récompensé en 1811. Il était, en 1832, professeur de dessin dans la même ville. Il a peint et dessiné des paysages, des vues de Lyon, et des portraits (huile, aquarelle, lavis, miniatures). Il exposa à Paris, au Salon du Louvre, en 1819, une lithographie (*Fragment du tableau de Revoil, Henri IV et ses enfants*) et aux expositions lyonnaises de 1822 et 1827, des dessins et une aquarelle : *Jeune fille et fleurs*. On peut citer parmi ses lithographies : *Portraits de l'auteur, de sa mère et de sa sœur* (« Chometon à Saint-Étienne »), *du peintre Revoil* (1819), *du Père M. Desgranges* (1822), *Vue de l'Observance* (1822), *Monument aux victimes du siège de Lyon, Fontaine près Saint-Polycarpe* (Chometon pinx., Coquet del., juin 1827) ; parmi ses eaux-fortes : *Portraits de Revoil* (1811), *du peintre Fl. Richard* (1812), *du général Précy* (1814), *du peintre Thierriat* (1814) (pointe sèche) ainsi que : *Portrait de J.-J. Rast* (1812), *de J.-B. Borelli* (1812), *de Louis XVIII, Fragment du tableau de Revoil, Charles Quint* (cité par Le Blanc). On écrivait son nom « Chometton » ou « Chaumeton » ; il signait *Chometon, Chometon de Lyon* et *J. B. C.* en monogramme.

S, C

CHOMETTE Henri
Né vers 1910. XXᵉ siècle. Français.
Artiste. Cinétique.
On lui doit les premières expériences cinétiques qu'il réalisait par des moyens cinématographiques et dont les titres comme *Jeux de reflets et de la vitesse* évoquaient les peintures futuristes de Boccioni.

CHOMO Roger
Né le 28 janvier 1907. XXᵉ siècle. Français.
Sculpteur, peintre, technique mixte. Art-brut.
Il vit et travaille à Achères-la-Forêt (Seine-et-Marne). En 1960, à Paris, la galerie Jean Camion organisa une exposition de ses créations. André Breton, surpris, y convia ses fidèles. Jean-Hubert Martin, qui fut directeur du Musée National d'Art Moderne et y organisa l'exposition *Les Magiciens de la terre* en 1989, l'aurait inclus avec enthousiasme dans cette exposition précisément vouée aux cas marginaux, mais il intéressé ne l'était pas à une opportunité institutionnelle et réductrice, trop étrangère au terroir originel de son acte créateur. D'autres personnages très officiels du cénacle de la Culture ont exprimé sur Chomo les jugements les plus flatteurs et les moins proportionnés, d'autant que très administrativement suivis d'aucun effet. À son aune communale, en janvier et février 1991, le village de Milly-la-Forêt organisa dans ses différents lieux publics une exposition rétrospective des multiples réalisations de Chomo. Le personnage est haut en couleur et ne l'ignore pas. Pierre Souchaud écrit : « Certes, Chomo est gentiment cabotin, délicieusement fumeux, tendrement démago, etc. Il sait séduire son auditoire... » L'œuvre est inclassable, sauf dans la catégorie très ouverte de l'art brut. L'homme ne l'est pas moins, totalement polymorphe : sculpteur et peintre autodidacte et bricoleur, aussi poète et musicien spontané, et encore mystique polythéiste et panthéiste. Il vit, souvent pauvrement, et crée dans un petit terrain en bordure de la forêt de Fontainebleau. Il crée à partir du bois, dont il dispose à volonté, mais aussi à partir de tous les objets de rebut qu'il peut trouver à bon compte. Ses créations peuplent son domaine forestier, d'ailleurs fragiles et mal protégées des intempéries. Son art est multiple, illimité, depuis ce qu'il faut bien appeler des sculptures, qui ont parfois l'aspect de jouets de « science-fiction » ratés, d'autre fois l'aspect de totems beaux et émouvants aux croisées des chemins, jusqu'à des lieux retirés pour abriter les symboles de ses cultes concomitants, jusqu'à l'« église des pauvres », baraquement hirsute et insolite surgi comme un champignon au travers des troncs d'arbres. Il y a du folklore en Chomo, mais comme il y a du folklore chez le facteur Cheval, du folklore qui n'est pas incompatible avec une foi totale dans leur création. Pierre Souchaud a raison de rappeler, et sa phrase peut s'appliquer aux deux, que :

« C'est à partir de RIEN qu'il a construit une vie et une œuvre qu'il veut TOTALE ». ■ J. B.

Bibliogr. : Laurent Danchin : *Chomo, un pavé dans la vase intellectuelle*, autobiographie mise en forme par, Édit. Simoën, Paris – Jean-Louis Lanoux : *Chomo l'été, Chomo l'hiver*, Édit. Fondat. Chomo, Paris – Claude et Clovis Prévost, in : *Les bâtisseurs de l'imaginaire*, Édit. de l'Est, 1990 – Claude Arz, in : *Guide de la France insolite*, Hachette, Paris, 1990 – Pierre Souchaud : *Le jubilé de Chomo, le Rodin des bois*, Artension, Paris, décembre 1990.

CHOMONT-BOUDAN Louis
Né probablement en France. XVIIe-XVIIIe siècles. Français.
Graveur.
Vivant en Danemark entre 1683 et 1704, il serait un huguenot exilé sans doute à la suite de la révocation de l'Édit de Nantes. Il a gravé *Le Sacre de Frédéric II, La Vision de Christian IV à Rothenbourg*, ainsi qu'un *Portrait de Christian V*.

CHOMUTOFF Nicofor
XVIIe siècle. Actif à Moscou. Russe.
Peintre de sujets religieux.

CHONART Jean
XVIe siècle. Vivant à Montpellier. Français.
Sculpteur sur bois.
Il fit, en 1504, à Montpellier, la boiserie du buffet des orgues de l'église Notre-Dame des Tables.

CHONE Georges
Né le 25 février 1819 à Paris. XIXe siècle. Français.
Peintre de genre, natures mortes.
Entre 1844 et 1848, il figura au Salon de Paris.
Ventes Publiques : Vienne, 22 juin 1976 : *Nature morte*, h/t (18x24) : **ATS 25 000**.

CHONEZ Claudine
Née à Paris. XXe siècle. Française.
Sculpteur de bustes.
Elle fut l'élève de Félix Fevola et exposa au Salon des Artistes Français et à celui des Tuileries entre 1929 et 1939. Elle est par la suite devenue reporter.

CHOO Keng Kwang
Né en 1931. XXe siècle. Indonésien.
Peintre de genre.
Diplômé de l'Académie de Nanyang, il remporta en 1956 les premier et troisième Prix du Concours *Noir et Blanc* ; en 1966 le premier prix (section Asie-Afrique) du Concours *L'Art autour du Monde*. Il fut professeur une grande partie de sa vie et ce n'est que récemment, retiré qu'il a pu se consacrer entièrement à la peinture. Il expose dans le monde entier : États-Unis, France, Russie, Monaco, Japon, Canada, Australie, Malaisie et Philippines. Il a reçu de nombreuses distinctions et commandes officielles.
Ventes Publiques : Singapour, 5 oct. 1996 : *Pique-nique* 1976, h/t (70x96) : **SGD 17 250**.

CHOONG SOO-PIENG. Voir ZHONG SIBIN

CHOPARD Gaston Albert
Né en 1883 à Paris. Mort le 19 décembre 1942. XXe siècle. Français.
Peintre de figures, animalier, paysages, fleurs, graveur, décorateur.
Sociétaire du Salon d'Automne, il a exposé au Salon de la Société Nationale des Beaux-Arts entre 1900 et 1912, au Salon des Artistes Indépendants à partir de 1921 et aux Tuileries en 1934 et 1935.
Il a donné le meilleur de lui même dans l'art de la gravure sur bois, qu'il travaillait aux ciseaux à bois et aux grosses gouges de menuisier. L'emploi de ces outils assez grossiers, lui a permis de créer des gravures aux dominantes de noir et de blanc et aux formes sculpturales simplifiées. Il a excellé à rendre les animaux, lions, singes et ours – entre autres – définis selon des plans simples, allant à l'essentiel caractéristique de chacun d'eux.
Musées : Paris (Mus. d'Art Mod. de la ville) : *Cerf couché*.

CHOPARD J. F. ou Chopart
XVIIIe siècle. Français.
Graveur et ornemaniste.
Il était « menuisier du roi » et a exécuté deux suites sous le titre : *Modèles de voitures Louis XV*.

CHOPART Marie Antoinette
Née au Havre (Seine-Maritime). XXe siècle. Française.

Graveur en médailles.
A exposé au Salon des Artistes Français, 1925-1926.

CHOPI. Voir CHOPY

CHOPIN Henri
XXe siècle. Français.
Peintre.
Chopin a exposé des travaux dans lesquels poésie et expression plastique sont intimement liées, dans cette mouvance de la poésie qui, comme on le voit depuis Mallarmé et Luc-Albert Biro, laisse une place de plus en plus importante au langage propre de la typographie et des diverses techniques d'écritures, créant ce qu'on peut qualifier de « poésie visuelle ».

CHOPIN Juliette. Voir CONSTANTIN Juliette

CHOPIN Pierre
Né à Paris. XXe siècle. Français.
Peintre de paysages.
Il a exposé au Salon des Artistes Indépendants entre 1924 et 1930.

CHOPIN Suzanne Frédérique
Née à Paris. XXe siècle. Française.
Peintre.
Élève de Olmer, Roger et de Mmes Ormeaux, Levesque et Wagrès. On a vu d'elle un *Portrait de l'artiste* au Salon des Artistes Français de 1932.

CHOPLET Nadeige
XXe siècle. Française.
Auteur d'installations.
Elle fut élève de l'École des Beaux-Arts de Paris. Elle montre ses œuvres dans des expositions personnelles : 1997 École nationale des Beaux-Arts de Paris.
Elle réalise des installations, notamment *Les esprits frétillants* où elle mettait en scène un vol de spermatozoïdes en plâtre.

CHOPPARD-MAZEAU Caroline Léonie Jeanne, Mme
Née à Paris. XIXe-XXe siècles. Française.
Peintre de genre, portraits, dessinatrice.
Elle fut élève de Thoret, de Carolus Duran, Henner et Parrot. Elle exposa au Salon de Paris depuis 1877 et aux Salons de Blanc et Noir.
Musées : Semur-en-Auxois : *Portrait*.
Ventes Publiques : Londres, 13 fév. 1931 : *La main blessée* 1890 : **GBP 21** – Semur-en-Auxois, 30 janv. 1983 : *La petite écolière*, h/t (92x51) : **FRF 18 000** – San Francisco, 12 juin 1986 : *La main blessée* 1890, h/t (84x102) : **USD 5 000**.

CHOPPE Noël
XIXe siècle. Français.
Peintre de genre.
Il débuta au Salon de Paris en 1843. Il a peint des scènes normandes.

CHOPPIN Paul François
Né le 26 février 1856 à Auteuil (Seine). XIXe-XXe siècles. Actif à Paris. Français.
Sculpteur.
Élève de l'École nationale de dessin et de Jouffroy et Falguière. Mention honorable en 1886, médaille de troisième classe en 1888, médaille de bronze à l'Exposition Universelle de 1889. Il débuta au Salon de 1877. Sociétaire des Artistes Français depuis 1886. Il exposait encore en 1923.
Musées : Dieppe : *La mort de Britannicus* – Roanne : *Jeune archer*, plâtre.

CHOPPIN DE JANVRY
XXe siècle. Français.
Peintre de genre, sculpteur de bustes.
Il débuta par la sculpture, exposant au Salon des Tuileries en 1939. Il a peint des portraits, des paysages et des natures mortes. Son *Mannequin* fut davantage une critique du surréalisme qu'un gage donné à cette école.

CHOPY Antoine ou Chopi
Né en 1674 à Narbonne. Mort le 31 août 1760 à Genève. XVIIe-XVIIIe siècles. Suisse.
Dessinateur, miniaturiste.
Chopy abandonna les études ecclésiastiques commencées à Paris pour se fixer à Genève où il semble avoir joui d'une réputation considérable comme géographe, poète, graveur et peintre. On cite, entre autres œuvres, une *Vue de Genève* et des miniatures.

CHOQUET Isidore Joseph
XVIIIe siècle. Actif à Abbeville entre 1768 et 1794. Français.
Peintre.
Frère de Pierre Adrien Choquet.

CHOQUET Jules Charles
Né à Paris. XIXe-XXe siècles. Français.
Peintre de paysages, natures mortes, fruits.
Il fut élève de Harpignies et Bergeret. Il figura au Salon des Artistes Français, dont il devint sociétaire en 1884, obtenant une mention honorable en 1888, une médaille de bronze en 1889 (pour l'Exposition Universelle). Il a exposé jusqu'en 1932.
VENTES PUBLIQUES : BARBIZON, 6 nov. 1983 : *Nature morte aux fruits, verres et porcelaines*, h/t (61,5x82,5) : **FRF 24 000** – VIENNE, 11 sep. 1985 : *Paysage valloné*, h/pan. (21x33) : **ATS 14 000**.

CHOQUET Louis
Mort vers 1825. XIXe siècle. Français.
Peintre miniaturiste.
Élève d'Aubry. Entre 1808 et 1824, il exposa au Salon de Paris des miniatures, des dessins et des vignettes. Il a illustré des œuvres de Lesage, Marmontel, Florian et Fielding.
VENTES PUBLIQUES : PARIS, 6 déc. 1935 : *La jeune chanteuse* ; *Le concert au salon*, ensemble : **FRF 14 600** ; *La prière* ; *La veillée*, ensemble : **FRF 16 500**.

CHOQUET Pierre Adrien
Né en 1743 à Abbeville. Mort en 1813 à Abbeville. XVIIIe-XIXe siècles. Français.
Peintre.
Il a peint pour les églises d'Abbeville, d'Eaucourt-sur-Somme, de Fontaine-sur-Somme et a exécuté quelques décorations dans des demeures particulières de sa ville natale. Il a laissé aussi des portraits et des paysages. Le Musée d'Abbeville conserve un certain nombre de ses œuvres, et notamment : *Cours de la Somme*, *Moulin de Caours*, *Portrait de l'artiste par lui-même*, et une composition où figurent les plus illustres de ses compatriotes.

CHOQUET Pierre Jean Baptiste Isidore
Né en 1774 à Abbeville. Mort en 1824 à Paris. XVIIIe-XIXe siècles. Français.
Graveur, dessinateur.
Il se fixa à Paris en 1801. Il grava pour le *Diable à Paris* et *Un Ami de l'Auteur*, d'après Bertall (cité par Duplessis).

CHOQUET René Maxime
Né à Douai (Nord). XIXe-XXe siècles. Français.
Peintre de genre, sculpteur.
Il fut élève de Jules Lefebvre, Tony Robert-Fleury et Herman Léon. En 1896 il reçut une médaille au Salon des Artistes Français, dont il devint sociétaire en 1899, recevant une seconde médaille en 1914. Il exposait encore en 1939.
Il a peint de nombreuses scènes de la campagne, des chapelles et des églises de village, des compositions peintes et des sculptures comportant des chevaux.

Rene Choquet

MUSÉES : GRAY : *Marché aux chevaux*.
VENTES PUBLIQUES : PARIS, 19 déc. 1923 : *Le passage du gué* : **FRF 180** – PARIS, 18 avr. 1928 : *Piqueurs à cheval* : **FRF 105** – ORLÉANS, 17 juin 1972 : *Cheval*, bronze patiné : **FRF 1 900** – PARIS, 18 mai 1986 : *Le saut d'obstacle en compétition* 1897, gche (46x58) : **FRF 7 500** – LONDRES, 18 juin 1986 : *La promenade au bois*, h/t (45,5x54,5) : **GBP 2 800** – TROYES, 1er fév. 1987 : *L'altercation à Paris* 1896, h/t (49x39) : **FRF 8 100** – VERSAILLES, 21 fév. 1988 : *Le concours hippique* 1897, aquar. gchée (46x57,5) : **FRF 8 100** – NEW YORK, 25 oct. 1989 : *Scène de rue à Paris*, h/pan. (44,5x62,9) : **USD 6 600** – CALAIS, 8 juil. 1990 : *Le marché aux chevaux*, h/t (27x47) : **FRF 14 000** – PARIS, 2 avr. 1993 : *Les calèches à Paris*, h/t (46x55) : **FRF 5 200** – PARIS, 2 avr. 1997 : *Troupeau de chevaux sur un sentier montagneux*, h/cart. (18x35) : **FRF 4 800**.

CHOQUET DE LINDU Antoine
Né en 1713 à Brest. Mort en 1790. XVIIIe siècle. Français.
Graveur, dessinateur, architecte.
On cite parmi ses gravures : *Le Port de Brest* (huit planches), *Le Bagne de Brest* (douze planches).

CHORA N.
Né en 1920 à Damas. XXe siècle. Syrien.

Peintre. Postimpressionniste, puis abstrait.
Il fit ses études au Caire. Il enseigne à l'École des Beaux-Arts de Damas. Son activité picturale est liée à l'introduction par Michel Kurche des concepts occidentaux de la peinture en Syrie.

CHORAT Marie Josèphe
Née à Vichy (Allier). XXe siècle. Française.
Graveur sur bois.
Elle expose au Salon des Artistes Français.

CHOREL Jean-Louis
Né en 1875 à Lyon (Rhône). XXe siècle. Français.
Sculpteur de bustes.
Il fut élève de l'École des Beaux-Arts de Lyon, puis de Louis Barrias et de Jules Coutan à Paris. Sociétaire du Salon des Artistes Français, il reçut une mention honorable en 1903 et une troisième médaille en 1907.
MUSÉES : LYON (Palais des Arts) : *Buste de Gaspard André* – LYON : *Buste de Puvis de Chavannes*.

CHOREMBALSKI Stanislas
XXe siècle. Polonais.
Sculpteur.
Il travaille à Sosnowiec. Ouvrier, il participa aux mouvements artistiques et exposa notamment en Pologne et à Milan. Il a connu la célébrité en sculptant sur charbon des scènes de la vie des mineurs.

CHORIS Louis
Né en 1795 à Iekaterinoslav. Mort en 1828 à Vera Cruz, assassiné. XIXe siècle. Russe.
Dessinateur, lithographe.
Étudia probablement à Moscou. Il accompagna le naturaliste F. A. Marschall de Bieberstein dans le Caucase et entre 1815 et 1818, le capitaine Otto de Kotzebue dans les mers du Sud. À son retour, il fut quelque temps à Paris l'élève de Gérard et de Regnault. En 1827 il partit pour l'Amérique du Sud. Citons parmi ses œuvres : *Voyage pittoresque autour du monde* (1821-1823), *Vues et paysages des régions équinoxiales* (1826), *Recueil de têtes et de costumes des habitants de la Russie*.

CHORLEY Adrian William Herbert
Né le 25 avril 1906. XXe siècle. Britannique.
Peintre de paysages, graveur.
Il fut élève de Reginald Vicat Cole et exposa à la Royal Academy et au Royal Institute.

CHORLEY John
XIXe siècle. Actif à Boston entre 1818 et 1825. Britannique.
Graveur.

CHORT Didier
Né le 14 avril 1951 à Bordeaux (Gironde). XXe siècle. Français.
Peintre de paysages.
Il vit et travaille à Saint-Tropez. Il est autodidacte et se consacre à la peinture depuis 1977-1978. Il participe à des expositions collectives depuis 1979, figurant régulièrement au Salon d'Été au sein de l'Association des Peintres Tropéziens. Il présente personnellement ses œuvres en permanence à la galerie « Deï Barri » à Gassin dans le Var.

CHOSE Geoffroi
XIVe siècle. Actif à Paris à la fin du XIVe siècle. Français.
Enlumineur, copiste.

CHOSHUN Miyagawa
Né en 1682 à Owari. Mort en 1752 à Edo (aujourd'hui Tokyo). XVIIIe siècle. Japonais.
Peintre.
Tout au long de sa vie, il s'est consacré à la peinture d'ukiyo-e (d'estampes), bien qu'il ait tout d'abord appris les bases de son métier des maîtres traditionnels Kanô et Tosa. Son véritable modèle fut Moronobu. Il a peint presque exclusivement des jeunes filles et des femmes. La chaleur de son coloris, le côté plastique, presque sculptural de sa peinture, donnent une impression de sensualité et de grâce faite de douceur et de retenue. Il fonda une école à Edo. Le rouleau *Engeki-Zukan* (Scènes de théâtre), conservé dans la collection de la Maison Impériale est un de ses chefs-d'œuvre.
BIBLIOGR. : R. Lane : *L'estampe japonaise*, Paris, 1962.

CHOSSAT-CHAUMONNOT Louise
Née à Lyon (Rhône). XXe siècle. Française.
Peintre de portraits, paysages.
Elle fut élève de Jules Adler et de Louis Roger. Sociétaire du

Salon des Artistes Français depuis 1936, elle exposa au Salon d'Automne en 1942.

CHOSSON DU COLOMBIER Eugénie
XIXe siècle. Active au début du XIXe siècle. Française.
Peintre.
Le Musée de Grenoble conserve d'elle un *Portrait du peintre Benjamin Rolland.*

CHOSVEN Elie. Voir CHOUVEIX

CHOT-PLASSOT Maurice
Né le 22 avril 1929 à Neuilly-sur-Seine (Hauts-de-Seine). XXe siècle. Français.
Graveur.
Il étudia dans les ateliers de Jean Bersier, Robert Cami, Demetrius Galanis et Edouard Goerg. En 1956 il obtint le Second Prix de Rome de Gravure. Il a participé à plusieurs expositions collectives, notamment à Paris au Salon d'Automne et au Salon des Peintres Graveurs Français dont il est sociétaire depuis 1964. Il est professeur de gravure à l'École des Beaux-Arts de Valenciennes.
Il travaille principalement à l'eau-forte et en xylographie. Ses effets de lumière, rendus par un contraste noir et blanc assez marqué, rappellent les recherches du siècle dernier.
BIBLIOGR.: Catalogue de l'exposition *Les Peintres Graveurs Français, 80e anniversaire*, Paris, 1968.

CHOTAINE A.
Né en 1787, d'origine française. XIXe siècle. Travaillant à Saint-Pétersbourg. Russe.
Graveur.
Il gravait des reproductions.

CHOTART Michel ou Chotard
XVe siècle. Parisien, actif au XVe siècle. Français.
Miniaturiste.

CHOTEK Maria Isabella, comtesse, née de Rottenhan
Née en 1774. Morte en 1817. XVIIIe-XIXe siècles. Éc. de Bohême.
Graveur amateur.

CHOTEL Claire
Née à Neuilly-sur-Seine. XIXe-XXe siècles. Française.
Peintre.
Élève de C. David, F. Humbert et E. Renard. Sociétaire des Artistes Français ; on cite ses portraits.

CHOTIAU Max
Né en 1881 à Tongres (Limbourg). Mort en 1968. XXe siècle. Belge.
Peintre de portraits, nus, paysages, natures mortes.
Il exposa à Paris, au Salon des Artistes Français en 1924 et 1926, au Salon d'Automne entre 1921 et 1924, au Salon des Artistes Indépendants entre 1924 et 1935 et aux Tuileries en 1939.
BIBLIOGR.: In : *Diction. Biogr. Ill. des Artistes en Belgique depuis 1830*, Arto, Bruxelles, 1987.
VENTES PUBLIQUES : PARIS, 29-30 1943 : *Paysage de neige* : FRF 1 700 – PARIS, 5 juin 1944 : *Nu se coiffant* : FRF 2 500.

CHOTIN André Marcel
Né le 24 avril 1888 à Paris. Mort le 20 décembre 1969 à Boulogne Billancourt (Hauts-de-Seine). XXe siècle. Français.
Peintre de nus, paysages, marines, natures mortes.
Il a exposé à Paris, régulièrement au Salon des Artistes Indépendants et figuré à celui de la Société Nationale des Beaux-Arts en 1922. Il fut également membre du Salon d'Automne. Il a exposé personnellement à Paris, New York et Berlin. Il fut lauréat de l'Académie des Beaux-Arts et des Artistes Français et a reçu un Prix de la Fondation Taylor.
VENTES PUBLIQUES : PARIS, 28 juin 1929 : *Paysage* : FRF 260.

CHOTIN Haquinet
XVIe siècle. Actif à Tournai en 1501. Éc. flamande.
Peintre.

CHOTOMSKI Ferdinand
Né en 1797 en Podolie. Mort en 1880 à Piotkow. XIXe siècle. Polonais.
Peintre, graveur à l'eau-forte.
Étudia à Varsovie, à Vienne et à Paris où il obtint le diplôme de docteur en médecine. Il résida en France à partir de 1831 et revint, à la fin de sa vie, se fixer en Galicie où il s'adonna à l'archéologie.

CHO TS'UNG. Voir ZHUO CONG

CHOU I. Voir ZHOU YI

CHOU Guillaume ou Cohu
XVIe-XVIIe siècles. Français.
Peintre.
Il est mentionné en 1599 et 1609.

CHOUABA Dominique
Né le 11 novembre 1959 à Paris. XXe siècle. Français.
Peintre de paysages animés, paysages, peintre de décors de théâtre, illustrateur. Néoclassique.
Après l'obtention d'un premier prix au Conservatoire de Musique de Paris, une maîtrise d'anglais à la Sorbonne, il opta résolument, en 1989, pour la peinture. Il participe régulièrement au Salon d'Automne à Paris, expose dans diverses galeries de Paris, en province, à Vienne en Autriche où il réside souvent. Il est illustrateur pour des ouvrages des éditions Nathan, Hatier, etc. En 1997, il a réalisé les décors pour l'opéra de Mozart *Cosi fan tutte.*
Il peint des paysages, « dans le goût du XVIIIe siècle français » dit-il lui-même, rarement animés d'êtres vivants sauf dans quelques évocations bucoliques à l'Antique, mais le plus souvent humanisés de ce qu'on appelait des « fabriques », pavillons de chasse, quelque tour de guet ou le phare d'un port dans le lointain, ruines de l'époque romaine. Les souvenirs de Claude Lorrain, de Poussin ou de Lacroix de Marseille s'imposent.

CHOUANARD Josèphe Andrée
Née à Nogent-le-Rotrou (Eure-et-Loir). Morte en 1932. XXe siècle. Française.
Peintre de paysages, fleurs.
Elle fut élève Maurice Bompard, de Victor Charreton, d'Emmanuel Benner et de Paul Gervais. Elle exposa au Salon des Artistes Français.

CHOUBARD
XIXe siècle. Travaillant vers 1810-1830. Français.
Graveur.

CHOUBINE Fiodor Ivanovitch ou Choubnoi
Né en 1740 à Arkhangelsk. Mort le 11 novembre 1805 à Saint-Pétersbourg. XVIIIe-XIXe siècles. Russe.
Sculpteur et peintre.
Élève de Gillet de 1761 à 1767 à l'Académie de Saint-Pétersbourg, qui l'envoya ensuite comme boursier à Paris chez Pigalle, puis à Rome, à Turin, à Londres. Il fut le sculpteur russe le plus important de son époque et fit surtout des bustes. Beaucoup de ceux-ci se trouvaient jusqu'à la Révolution de 1917 dans les palais impériaux et les châteaux de la noblesse. On l'appelait le « Houdon russe ».
MUSÉES : MOSCOU (Gal. de Trétiakov) : *Catherine II*, buste – *Z. G. Tchérnychov – J. G. Tchérnychov – Comte J. J. Chouvalov*, et encore treize bustes – SAINT-PÉTERSBOURG (Acad. des Beaux-Arts) : *Catherine II*, statue – *Prince A. A. Besborodko*, buste – SAINT-PÉTERSBOURG (Mus. Russe) : *Prince G. A. Potëmkin – Comte A. G. Orlov – Tchésménskiï – E. M. Tchoulkov*, et encore vingt œuvres.

CHOUBINE Serge
Né à Saint-Pétersbourg. XXe siècle. Russe.
Peintre de portraits, paysages.
Il exposa à Paris, au Salon d'Automne entre 1924 et 1930.
VENTES PUBLIQUES : VERSAILLES, 8 juil. 1990 : *Femme sur le chemin de la maison*, h/t (38x46) : FRF 3 500 – PARIS, 30 nov. 1994 : *Scène de rue*, h/t (65x54) : FRF 6 200.

CHOUBRAC Alfred
Né le 30 décembre 1853 à Paris. Mort en 1902 à Paris. XIXe-XXe siècles. Français.
Peintre de genre, affichiste, illustrateur.
Frère de Léon Choubrac, il fut également élève de Doerr et de Pils, à l'École des Beaux-Arts de Paris. Il participa au Salon de Paris entre 1865 et 1895. Il est l'auteur de scènes de genre traitées avec brio et désinvolture, il a produit également bon nombre d'affiches de théâtre et fit des illustrations pour Zola. Citons les affiches pour *L'Assomoir* et *Michel Strogoff.*
BIBLIOGR.: Gérald Schurr, in : *Les Petits Maîtres de la peinture 1820-1920, valeur de demain*, Les Éditions de l'Amateur, t. III, Paris, 1976.
MUSÉES : MONTARGIS : *Franc-tireur.*
VENTES PUBLIQUES : PARIS, 3 mai 1934 : *Tête d'Espagnole peinte sur un tambourin et Femmes en travesti*, aquar. reh. de gche et d'or : FRF 30 – LINDAU, 7 oct. 1981 : *Nature morte dans un pay-*

sage, h/t (56x46) : **DEM 2 900** – Paris, 28 mai 1991 : *Scène de harem 1878*, h/t (129x90) : **FRF 125 000** – New York, 29 oct. 1992 : *Fantaisie orientale*, h/t (92,7x64,8) : **USD 11 000** – Paris, 6 déc. 1993 : *Scène orientale 1872*, aquar. et encre (34x23) : **FRF 3 700**.

CHOUBRAC Léon
Né le 17 novembre 1847 à Paris. Mort le 5 avril 1885 à Paris. XIXe siècle. Français.
Dessinateur.
Frère d'Alfred Choubrac. Il est connu pour ses affiches. Il se forma seul et produisit d'abord des dessins humoristiques dans le *Titi*, dans le *Chat Noir* et dans une plaquette intitulée *Folles de leur corps*, dont il fit également la couverture. Il a signé parfois ses affiches du pseudonyme *Hope*.
Ventes Publiques : Paris, 29-30 avr. 1910 : *Suite de douze dessins*, pl. aquar. : **FRF 7** – Paris, 18 déc. 1942 : *Portrait d'un comique* : **FRF 160**.

CHOUCAIR Saloua Raouda
Née en 1916 à Beyrouth. XXe siècle. Libanaise.
Peintre, sculpteur. Abstrait, tendance géométrique.
Elle fut élève de Mustafa Farroukh en 1935, de Omar Onsi en 1942 ; de 1945 à 1947 de l'Université Américaine de Beyrouth. En 1946, elle dirigea les activités artistiques du Centre Culturel Arabe de Beyrouth. En 1948, elle partit pour Paris, où elle fut élève de Saupique à l'École des Beaux-Arts, où elle étudia la fresque, la lithographie, la sculpture ; fréquenta l'Académie de la Grande Chaumière, l'Atelier d'Art Abstrait de Dewasne et Pillet, visita les ateliers de Léger, Hajdu et Étienne-Martin. Elle participe à de nombreuses expositions collectives au Liban, au Salon de peinture et de sculpture de Beyrouth à partir de 1953, aux Salons du Musée Sursock régulièrement depuis 1961 ; régulièrement à la Biennale d'Alexandrie ; à Paris, au Salon des Réalités Nouvelles et au Salon de Mai régulièrement depuis 1971, ainsi qu'en 1989 *Liban – Le Regard des peintres – 200 ans de peinture libanaise*, à l'Institut du Monde Arabe de Paris ; et encore au Brésil ; à Belgrade ; Rome ; Bruxelles ; Bagdad ; Tunis ; etc. Elle montre des ensembles de ses réalisations dans des expositions personnelles, dont : 1947 Beyrouth, Centre Culturel Arabe ; 1951 Paris, galerie Colette Allendy ; 1952, 1962, 1974 rétrospective parrainée par l'Association des Artistes, Peintres et Sculpteurs Libanais ; 1977, 1988 Beyrouth. À Beyrouth, elle reçut de nombreux prix de sculpture en 1965, 1966, 1967, 1968, 1972 par le Ministère Libanais de l'Éducation, en 1985 par l'Union Générale des Peintres Arabes, en 1988 lui fut décerné une médaille par le Gouvernement Libanais ; en 1968 elle reçut le Prix de la Biennale d'Alexandrie.
Son art est résulté en grande part des enseignements et influences reçus lors de son séjour parisien. Notamment, ses peintures rappellent l'abstraction très construite et équilibrée d'Edgard Pillet.
Bibliogr. : In : Catalogue de l'exposition *Liban – Le regard des peintres, 200 ans de peinture libanaise*, Institut du Monde Arabe, Paris, 1989.

CHOU CH'ÊN ou Chen

CHOU CHI-CH'ANG. Voir **ZHOU JICHANG**

CHOU CH'IEN-CH'IU. Voir **CHOU QIANQIU**

CHOU CHIH. Voir **ZHOU ZHI**

CHOU CHIH-K'UEI. Voir **ZHOU ZHIKUI**

CHOU CHIH-MIEN. Voir **ZHOU ZHIMIAN**

CHOU CHI-JU. Voir **ZHOU JIRU**

CHOU CH'ING-TING. Voir **ZHOU QINGDING**

CHOU CH'ÜAN. Voir **ZHOU QUAN**

CHOUDIAKOFF Vasili Gregorievitch
Né en 1825 en Russie. Mort en 1871. XIXe siècle. Russe.
Peintre de genre, portraits, paysages.
Musées : Moscou (Gal. Tretiakoff) : *Le portrait de l'architecte A.-S. Kaminsky – Les contrebandiers de Finlande – Étude dans Olevano (Italie) – Auprès du tombeau* – Moscou (Mus. Roumianzeff) : *Un garçon italien avec un chien – Paysage – Une juive de la ville de Grodno* – Saint-Pétersbourg (Mus. russe) : *Le figuier – Neuf études d'après nature en Italie – Étude d'âne*.

CHOUDMURY Rashid
Né en 1932 au Bengale. XXe siècle. Actif en France. Indien.

Peintre.
Il fit ses études à l'Institut des Beaux-Arts de Dacca puis travailla au Musée Ashutosh de Calcutta. Venu en France, il fréquenta l'École des Beaux-Arts de Paris. Il a figuré à la Biennale de Menton en 1972.

CHOUEN-TCHE TS'ING. Voir **SHIZU QING, SHUNZHI QING**, etc.

CHOUETTE Pauline
Née à Paris. XIXe-XXe siècles. Française.
Lithographe.
Sociétaire des Artistes Français ; mention honorable en 1896.

CHOUETTE Philippe
Mort après 1786. XVIIIe siècle. Français.
Sculpteur.
Il fut reçu à l'Académie Saint-Luc à Paris en 1766.

CHOU FAN. Voir **ZHOU FAN**

CHOU FANG. Voir **ZHOU FANG**

CHOU HAO. Voir **ZHOU HAO**

CHOU-HOUA Ling
XXe siècle. Chinois.
Peintre de paysages.
Il figurait dans l'Exposition Internationale d'Art Moderne organisée à Paris par l'Organisation des Nations Unies en 1946 avec un tableau intitulé *Le Fleuve Min, vu de Kiating*.

CHOU HSI. Voir **ZHOU XI**

CHOU HSIANG. Voir **ZHOU XIANG**

CHOU HSIEN. Voir **ZHOU XIAN**

CHOU-HSIEN WANG. Voir **ZHOUXIAN WANG**

CHOU HSIN. Voir **ZHOU XIN**

CHOU HSING-T'UNG. Voir **ZHOU XINGTONG**

CHOU HSÜN. Voir **ZHOU XUN**

CHOU I-FENG. Voir **ZHOU YIFENG**

CHOUINARD Nelbert Murphy
Né en 1879 à Montevideo. XXe siècle. Vénézuélien.
Peintre.

CHOU K'AI. Voir **ZHOU KAI**

CHOUKAÏEFF Vassili Ivanovitch ou Choukhaïeff
Né le 12 janvier 1887 à Moscou. XXe siècle. Actif aussi en France. Russe.
Peintre de nus, portraits, illustrateur, dessinateur.
Il fut élève de l'Académie de Saint-Pétersbourg entre 1906 et 1912. Entre 1912 et 1914 il séjourna en Italie, émigra en 1919 à Paris puis retourna en U.R.S.S. en 1945.
Il exposa à Paris, au Salon des Tuileries et au Salon des Artistes Indépendants en 1923 et 1924 et en 1932 au Salon d'Automne. Il a illustré *Les Deux Maîtresses* d'Alfred de Musset, *Boris Godounoff* et *La Dame de Pique* de Pouchkine, *La Légion étrangère* de Z. Pechkoff.
Ventes Publiques : New York, 26 fév. 1993 : *Nature morte à la théière 1921*, h/t (87,6x73,7) : **USD 8 050**.

CHOUKHAÏEFF Stepan Grigorievitch
Né en 1830. Mort en 1883. XIXe siècle. Russe.
Peintre de batailles.
La Galerie Tretiakoff, à Moscou, conserve de lui : *Combat à Montmartre, lors de la prise de Paris*.

CHOUKHVOSTOFF Stephan Michaïlovitch
Né en 1821 en Russie. Mort en 1911. XIXe-XXe siècles. Russe.
Peintre d'architectures.
Élève de l'École des Beaux-Arts de Moscou. Il devint académicien en 1855.
Musées : Moscou (Gal. de Tretiakoff) : *La châsse de saint Serge – Le vestibule de la cathédrale de l'Annonciation à Moscou – L'intérieur de la cathédrale de l'Annonciation à Moscou* (Mus. de Roumianzeff) : *L'intérieur de la cathédrale de Saint-Serge – L'intérieur du monastère de Tchoudovo – L'intérieur de la cathédrale de Troïtzky dans le monastère Serguieff – La châsse de saint Aleksei, métropolite, dans le monastère de Tchoudovo*.

CHOUKINE Fedor
Né en 1951. XXe siècle. Russe.
Peintre de paysages animés, intérieurs. Postimpressionniste.

Il fit ses études à la Faculté d'Art Graphique de l'Institut Pédagogique de Nijni-Taguil et obtint son diplôme en 1974. En 1978 il participe à sa première exposition.
N'était la sympathie ressentie pour tous ces artistes sortis de l'obscurité russe, on serait plus sélectif envers une production généralement attardée.

CHOU-K'I Tchang
xxᵉ siècle. Chinois.
Peintre d'animaux, fleurs.
Il a figuré dans l'Exposition Internationale d'Art Moderne ouverte à Paris au Musée d'Art Moderne en 1946 par l'Organisation des Nations Unies.

CHOUKLIN Ivan ou J.V.
Né à Koursk (Russie). xxᵉ siècle. Actif aussi en France. Russe.
Sculpteur de bustes et de figures.
Il exposa à Paris, au Salon des Artistes Français entre 1929 et 1931.
Il a sculpté des bustes et des personnages typiques : *Tête de vieille basque*, ou : *Tête de fillette basque.*
VENTES PUBLIQUES : PARIS, 25 mars 1988 : *Buste d'homme 1924*, bronze cire perdue à patine brune (H. 44) : **FRF 4 500.**

CHOUKOVSKY Stanislas Julien
Né en 1873 en Russie. xxᵉ siècle. Russe.
Peintre de genre, paysages, fleurs.
Il s'est montré sensible, dans la lignée des impressionnistes, aux variations climatiques et saisonnières dans ses peintures de paysages.
MUSÉES : MOSCOU (Gal. Tretiakoff) : *Au clair de lune – Un soir d'Automne – Un soir de Printemps – Jour de Printemps.*

CHOU KU. Voir ZHOU GU

CHOU KUAN. Voir ZHOU GUAN

CHOU KUEI. Voir ZHOU GUI

CHOULAIR, l'Aîné et le Jeune
xVIIIᵉ siècle. Français.
Sculpteurs.
Actifs à la Manufacture de Sèvres, respectivement en 1774-1778 et en 1776-1778.

CHOULANT Ludwig Theodor
Né en 1827 à Dresde. Mort en 1900. xIXᵉ-xXᵉ siècles. Allemand.
Peintre de paysages, architectures, aquarelliste.
Il fut élève de l'Académie des Beaux-Arts et de Gottfried Semper. Il fit des voyages d'études, travailla en Italie et à Dresde, comme peintre et architecte. Depuis 1868, il fut peintre de la cour saxonne.
MUSÉES : LEIPZIG : *Entrée du Palais des Doges à Venise.*
VENTES PUBLIQUES : PARIS, 21-23 nov. 1980 : *Un canal à Venise* : **FRF 1 450** – HEIDELBERG, 11 avr. 1981 : *Le Temple des sybilles à Tivoli*, aquar. (22x20) : **DEM 1 000.**

CHOU LI. Voir ZHOU LI

CHOU LIANG-KUNG. Voir ZHOU LIANGGONG

CHOULIER Pierre ou Choullier
Mort le 3 septembre 1739. xVIIᵉ-xVIIIᵉ siècles. Français.
Maître peintre.
Également doreur, il fut reçu à l'Académie de Saint-Luc à Paris en 1679.

CHOU-LIN
xxᵉ siècle. Chinois.
Peintre.
Il figura dans l'Exposition Internationale d'Art Moderne organisée en 1946 au Musée d'Art Moderne de la ville de Paris par l'Organisation des Nations Unies.

CHOULTSÉ Ivan Fedorovitch
Né en 1874 à Petrograd. Mort en 1920 ou 1921. xIXᵉ-xXᵉ siècles. Russe.
Peintre de paysages, marines.
Il fut élève de Constantin Krigitsky et exposa à Paris, au Salon des Artistes Français en 1923 et 1924. Il avait une prédilection pour les paysages hivernaux et les bords de mer ou de lacs.

I-W-F-Choultsé

VENTES PUBLIQUES : PARIS, 7 oct. 1988 : *Jour d'hiver près de Davos (Eugadine)*, h/t (65x65) : **FRF 21 500** – PARIS, 17 mai 1929 : *La*

rivière en hiver* : **FRF 12 000** ; *Clair de lune sur mer calme* : **FRF 15 000** – PARIS, 20 fév. 1942 : *Étangs dans le parc de Versailles* : **FRF 3 200** – NEW YORK, 23 avr. 1958 : *Paysage de neige au soleil couchant* : **USD 1 400** – NEW YORK, 23 fév. 1968 : *Symphonie d'hiver* : **USD 2 600** – LONDRES, 1ᵉʳ mars 1972 : *Paysage de neige* : **GBP 380** – PARIS, 22 juin 1976 : *Champ de blé en Savoie*, h/t (54x65) : **FRF 4 000** – NEW YORK, 7 oct. 1977 : *Crépuscule*, h/t (54x65,5) : **USD 1 900** – NEW YORK, 29 mai 1980 : *Paysage de neige à l'aube*, h/t (54,5x65,5) : **USD 5 750** – NEW YORK, 11 fév. 1981 : *Paysage à la tombée du jour 1921*, h/pan. (34x26,5) : **USD 3 000** – NEW YORK, 25 fév. 1982 : *Une ferme sous la neige*, h/t (65x66) : **USD 5 000** – LONDRES, 8 juin 1983 : *Engadine*, h/t (65x80) : **GBP 3 200** – LONDRES, 15 fév. 1984 : *Un champ d'avoine*, h/t (53,5x63) : **GBP 2 700** – NEW YORK, 15 fév. 1985 : *Paysage enneigé avec une ville à l'arrière-plan*, h/pan. (53,3x54) : **USD 7 000** – NEW YORK, 28 oct. 1986 : *Paysage de neige au coucher du soleil*, h/t (65,5x81,4) : **USD 9 500** – NEW YORK, 25 fév. 1987 : *Bord de mer au coucher du soleil 1924*, h/t (54,6x81,3) : **USD 5 500** – NEW YORK, 25 fév. 1988 : *Idylle d'hiver*, h/t (66x81,2) : **USD 9 350** – PARIS, 28 mars 1988 : *Printemps dans les montagnes*, h/t (54x65) : **FRF 23 000** – LONDRES, 6 oct. 1988 : *Paysage de neige 1881*, h/t (73,5x100) : **GBP 7 700** – VERSAILLES, 5 mars 1989 : *Étang sous la neige*, h/pap. (50x61) : **FRF 21 000** – PARIS, 15 mars 1989 : *Lac de Saint-Moritz (clair de lune)*, h/t (54x65) : **FRF 10 000** – LONDRES, 25 fév. 1982 : *Coucher de soleil sur un paysage d'hiver*, h/t (64,7x53,5) : **GBP 8 250** – CALAIS, 10 déc. 1989 : *Paysage de neige*, h/t (65x65) : **FRF 53 000** – LONDRES, 16 fév. 1990 : *Soir d'été en Haute-Savoie*, h/t (54x65) : **GBP 3 300** – NEW YORK, 21 mai 1991 : *Jardin fleuri au bord d'un lac*, h/t (50,8x61) : **USD 12 100** – LONDRES, 19 juin 1991 : *Clair de lune sur la Méditerranée*, h/t (54,5x65,5) : **GBP 5 500** – LONDRES, 28 oct. 1992 : *Paysage de Provence 1921*, h/t (54x65) : **GBP 1 430** – NEW YORK, 30 oct. 1992 : *Soir de novembre*, h/t (65,1x92,8) : **USD 6 600** – NEW YORK, 16 fév. 1993 : *Chemin de montagne enneigé et ensoleillé*, h/t (54x64,7) : **USD 10 450** – NEW YORK, 12 oct. 1994 : *Soir d'été au pays basque*, h/t (54,6x66) : **USD 17 250** – LONDRES, 16 nov. 1994 : *Soir de décembre près de Saint-Moritz dans l'Engadine*, h/cart. (23,5x32) : **GBP 3 680** – PARIS, 6 oct. 1995 : *Chamonix – effet de givre*, h/t (54x65) : **FRF 15 000** – LONDRES, 13 mars 1996 : *Effet de givre – village près de Chamonix*, h/t (53x63) : **GBP 8 970** – LONDRES, 11-12 juin 1997 : *Paysage de neige*, h/t (65x82) : **GBP 8 625.**

CHOU LUN. Voir ZHOU LUN

CHOU LUNG. Voir ZHOU LONG

CHOUMANOVITCH Sava
Né à Zagreb (Croatie). xxᵉ siècle. Actif aussi en France. Yougoslave.
Peintre de figures, nus, natures mortes.
Il exposa à Paris, entre 1921 et 1927 au Salon d'Automne, et de 1922 à 1929 au Salon des Artistes Indépendants.
VENTES PUBLIQUES : PARIS, 29 oct. 1926 : *Baigneuse* : **FRF 1 050** – PARIS, 5 mai 1928 : *La lecture* : **FRF 270** – PARIS, 3 mai 1930 : *Jardinets au printemps* : **FRF 95** – PARIS, 24 fév. 1982 : *Entrée de village*, h/t (71x91) : **FRF 8 500.**

CHOUMANSKY DE COURVILLE Olga
Née en Roumanie. xxᵉ siècle. Française.
Peintre.
A exposé des portraits au Salon d'Automne, de 1933 à 1938, et aux Tuileries en 1934.

CHOU NAI. Voir ZHOU NAI

CHOU PA. Voir ZHOU BA

CHOUPPE Jean Henri
Né en janvier 1817 à Orléans (Loiret). Mort en 1894 à Orléans (Loiret). xIXᵉ siècle. Français.
Peintre de paysages, aquarelliste, lithographe. École de Barbizon.
En 1857, il débuta au Salon de Paris. Ami de Théodore Rousseau, il fit partie de l'École de Barbizon.
Il a peint exclusivement des paysages et s'est surtout adonné à l'aquarelle. Il a peint en Bretagne, des vues de Saint-Malo et Dinan. Il fut aussi un ami de George Sand, avec laquelle il peignait les paysages de Sologne.
MUSÉES : MOULINS (Mus. mun.) : *Le Moulin de Cerisier, rive de la Creuse*, aquar. – ORLÉANS : *Une place publique à Auray, Bretagne – Paysage – Le château de Clisson, Loire-Atlantique.*
VENTES PUBLIQUES : PARIS, 22 déc. 1975 : *Cour de ferme 1886*,

aquar. (50x34) : FRF 6 800 – CANNES, 15 déc. 1981 : *Vaches au bord de la rivière*, aquar. (25x43) : FRF 2 000 – VERSAILLES, 5 mars 1989 : *Bord de mer – Entrée du port*, aquar., une paire (27x45) : FRF 7 800 – DOUAI, 24 mars 1991 : *Voilier à quai* 1885, aquar. (41x28) : FRF 5 800 – CALAIS, 4 juil. 1993 : *Les grands bains à Orléans* 1851, aquar. (18x36) : FRF 5 000.

CHOUQUET François
Né en 1757. Mort en 1808. XVIIIe-XIXe siècles. Français.
Sculpteur.

CHOURAVLEFF F.
Né en 1836 en Russie. Mort en 1901. XIXe-XXe siècles. Russe.
Peintre de genre.
MUSÉES : MOSCOU (Tretiakoff) : *Le porteur – Avant la bénédiction nuptiale* – SAINT-PÉTERSBOURG (Mus. russe) : *Avant la bénédiction nuptiale*.

CHOURLIN Odette Suzanne
Née à Paris. XXe siècle. Française.
Peintre.
Sociétaire des Artistes Français ; a exposé des natures mortes et des fleurs.

CHOURYGINE Arsenii Nicolaievitch
Né le 28 octobre 1841 à Twer. Mort le 16 février 1873 à Saint-Pétersbourg. XIXe siècle. Russe.
Peintre de genre.
La Galerie Tretiakoff, à Moscou, conserve deux de ses peintures.

CHOU SHANG-WÊN. Voir **ZHOU SHANGWEN**

CHOU SHAO-YÜAN. Voir **ZHOU SHAOYUAN**

CHOU-SHEN Kou
XXe siècle. Chinois.
Peintre de paysages.
Il a figuré en 1946 dans l'Exposition Internationale d'Art Moderne présentée par l'Organisation des Nations Unies au Musée d'Art Moderne de la ville de Paris. Il y exposait *La pluie nocturne à Siao-Sian*.

CHOU SHEN-T'AI. Voir **ZHOU SHENTAI**

CHOU SHIH-CH'ÊN. Voir **ZHOU SHICHEN**

CHOUSTOFF Afinoghen Loghinovitsch
Né le 20 juillet 1786. Mort le 26 septembre 1813. XIXe siècle. Russe.
Peintre, dessinateur.
Il fut élève de l'Académie de Saint-Pétersbourg de 1795 à 1806.
MUSÉES : MOSCOU (Gal. Tretiakoff) : six dessins sur une feuille – *Histoire ancienne*, pl. et cr.

CHOUSTOFF Nicolaï Semenovitch
Né en 1835. Mort en 1868. XIXe siècle. Russe.
Peintre de genre, portraits.
Élève de l'Académie de Saint-Pétersbourg de 1855 à 1863.
VENTES PUBLIQUES : PARIS, 10-11 mars 1941 : *Portrait d'une actrice* : FRF 240.

CHOUSY. Voir **CHOUZY**

CHOU TCHE. Voir **SHU ZHI**

CHOU T'IEN-CH'IU. Voir **ZHOU TIANQIU**

CHOUTOV Sergueï Alekseevitch
Né en 1955 à Postdam (République Démocratique d'Allemagne à l'époque). XXe siècle. Russe.
Artiste plasticien.
Il fait partie de ces artistes des avant-gardes qui n'ont pu se manifester que depuis 1987 environ, et dont on connaît encore peu les activités.

CHOU TSUNG-LIEN. Voir **ZHOU ZONGLIAN**

CHOU TS'UN-PO. Voir **ZHOU CUNBO**

CHOU TUNG-CH'ING. Voir **ZHOU DONGQING**

CHOUVEIX Élie ou **Chosven**
XVIIe siècle. Actif à Limoges à la fin du XVIIe siècle. Français.
Émailleur.

CHOUVET Louise Adeline, Mme, née **Rentier**
Née à Toulon. XIXe siècle. Française.
Peintre de portraits, peintre de miniatures.
Elle débuta en 1845 au Salon de Paris et fut médaillée de troisième classe en 1847.

CHOU WEI. Voir **ZHOU WEI**

CHOU WÊN-CHING. Voir **ZHOU WENJING**

CHOU WÊN-CHÜ. Voir **ZHOU WENJU**

CHOU YÜAN. Voir **ZHOU YUAN**

CHOU YUNG. Voir **ZHOU YONG**

CHOU YU RONG. Voir **HUXIAN Peintres paysans**

CHOU YU-RONG ou **Tch'eou Yu-Jong**
XXe siècle. Chinois.
Peintre amateur.
Il a appris à dessiner au club de l'usine de la ville portuaire de Liuta, avec les professionnels enrôlés dans l'usine après la Révolution culturelle, animant de ses dessins les murs de l'atelier de soudure où il travaillait (Voir HUXIAN, peintres paysans du).

CHOUZY
XVIIIe siècle. Actif à Limoges vers 1750. Français.
Émailleur.
De Laborde mentionne la signature d'un émailleur du nom de Chousy en 1755.

CHOVE Pascal
Né à Saint-Nazaire (Loire-Atlantique). XXe siècle. Français.
Peintre d'intérieurs.
Artiste décorateur, il se consacre à la peinture à partir de 1986. Il a exposé à Paris, au Salon d'Automne.
Il met en scène de manière réaliste des intérieurs, sans doute influencé par sa formation initiale.
VENTES PUBLIQUES : PARIS, 14 oct. 1989 : *Le passage*, acryl./t. (65x50) : FRF 11 000.

CHOVIN Jacques Antony ou **Chauvin**
Né en 1720 à Lausanne. Mort en 1776. XVIIIe siècle. Travaillant à Bâle. Suisse.
Graveur au burin.
Chovin grava des planches d'après des portraits et fournit des illustrations pour l'ouvrage de Bruckner intitulé : *Beschreibung der Landschaft Basel*, paru à Bâle en 1748.

CHOVOT J.
XIXe siècle. Français.
Peintre de paysages.
De 1835 à 1838, il exposa au Salon de Paris quelques vues de Picardie, de Normandie et de la région briarde.

CHOW KING-TONG. Voir **ZHOU QINGDING**

CHOWDHURY Jogen
Né en 1939 à Faridpur (Bengale). XXe siècle. Indien.
Peintre de sujets religieux, scènes typiques, portraits.
Il a étudié au Collège des Arts et Métiers de Calcutta avant d'entrer, grâce à une bourse, à l'École des Beaux Arts de Paris de 1965 à 1967. Membre fondateur d'une association Gallery 26/Artist's Forum, il est également co-éditeur de la revue *Art Today* et conservateur du département de peinture au Rashtrapati Bhavan de New Dehli, où il vit et travaille.
Il participe à des expositions collectives notamment à celles consacrées à l'art indien contemporain : 1972, 1975 et 1978 Triennale de New Delhi ; 1976 festival international de Cagnes-sur-Mer ; 1979 Biennale de São Paulo ; 1979, 1980 *Art moderne asiatique* au Musée de Fukuoka ; 1982 Bayreuth, Oxford, festival de l'Inde à Londres ; 1983 Washington ; 1984 Tokyo ; 1985 Centre national des arts plastiques à Paris ; 1986 en Allemagne, Pologne, États-Unis ; 1987 en URSS et Suisse ; 1988 au Japon ; 1992 au Bangladesh ; 1995 Paris. Il montre ses œuvres dans des expositions personnelles depuis 1963 régulièrement à Calcutta, Dehli et Madras ; en 1967, 1976 à Paris. Il a obtenu le prix Lefranc de la jeune peinture à Paris.
Ses toiles expriment son appartenance à l'Inde, à travers des portraits, des représentations de divinités et d'animaux fantastiques. Il cerne ses figures d'un contour noir bien précis et très ondulé, les détachant sur des fonds unis.
BIBLIOGR. : Catalogue de l'exposition : *Artistes indiens en France*, Centre National des Arts Plastiques, Paris, 1985.

CHOWNE Gérard
Né le 1er août 1875 en Inde. Mort le 2 mai 1915 en Macédoine. XXe siècle. Britannique.
Peintre de scènes de genre, portraits, fleurs.
Il fut élève de la Slade School of Art à Londres.
MUSÉES : LONDRES (Tate Gal.).
VENTES PUBLIQUES : LONDRES, 28-31 jan. 1927 : *Sur la plage de Dieppe* 1913, dess. : GBP 5 – LONDRES, 29 jan. 1937 : *Pêches sur un plat* 1907 : GBP 8.

CHOYAU Henriette
Née à Paris. xxᵉ siècle. Française.
Aquarelliste.
Elle fut membre de l'Union des Femmes peintres et sculpteurs.

CHOYE François
Né le 30 juillet 1658 à Besançon, d'origine savoyarde. Mort en février 1706. xvɪɪᵉ-xvɪɪɪᵉ siècles. Français.
Sculpteur sur bois.
Élève de son père, beau-frère du sculpteur Ph. Doby. Il fonda, en Franche-Comté, une école de sculpture sur bois dont les œuvres décorent les églises de la région. De 1694 à 1705, il fit des retables et des chaires pour la confrérie de la Croix, pour le grand séminaire et les Cordeliers de Besançon et aussi pour les églises d'Amagney, de Buthiers, de Belmont, d'Afrigney, des Carmes de Dôle, de Moncey, de Granges, de Beaumotte, de Sornay, de Vuillafans, de Pouilly et de Brésilley.

CHOYER René, abbé
Né en 1814 à Saint-Clément-des-Levées. Mort en 1889 à Angers. xɪxᵉ siècle. Français.
Sculpteur.
Il travailla aux trois autels de l'église Saint-Serge à Angers et à un des autels de Notre-Dame des Ardilliers à Saumur.

CHOYODO Anchi
xvɪɪɪᵉ siècle. Japonais.
Peintre et graveur.
Élève de Ando Kaigetsudo, il a utilisé les deux premières syllabes du prénom de son maître, pour le sien. Il était plutôt peintre que graveur, et ses estampes conservent une certaine sécheresse et raideur. Peintre de courtisanes, il ne manque pas de leur donner un caractère érotique.

CHOZAS Manuel de
xvɪɪɪᵉ siècle. Espagnol.
Graveur.

CHPAGUINE Mikhaïl
Né en 1940 à Saint-Pétersbourg. xxᵉ siècle. Russe.
Peintre de paysages urbains.
Vᴇɴᴛᴇs PᴜʙʟɪQᴜᴇs : Pᴀʀɪs, 29 nov. 1990 : *Les quais de la Fontanka*, h/rés. synth. (59x82) : FRF 3 200.

CHPAK-BENOUA Marie Victorovna
Née en 1870 en Russie. Morte en 1891. xɪxᵉ siècle. Russe.
Peintre de genre et de portraits.
Mᴜsᴇᴇs : Mᴏsᴄᴏᴜ (Gal. de Tretiakoff) : *Portrait de l'auteur.*

CHRACTSKY
xɪxᵉ siècle. Russe.
Peintre de fruits et de natures mortes.

CHRAMZEFF Vassili
xɪxᵉ siècle. Actif dans la première moitié du xɪxᵉ siècle. Russe.
Graveur.

CHRENOFF Alexandre Sergeevitch
Né en Russie. xɪxᵉ siècle. Russe.
Peintre et aquarelliste.
Membre de la Société Impériale des Aquarellistes russes. Il exposa : *On avait quêté ; Souvenirs du passé ; Dans la forêt ; Un soir d'hiver ; Au passage.*

CHRESTIEN Augustin
Actif à Paris. Français.
Sculpteur.
Il fut membre de l'Académie de Saint-Luc.

CHRESTIEN Claude ou **Chrittin**
xvɪɪᵉ siècle. Actif à Lyon entre 1649 et 1678. Français.
Sculpteur.

CHRESTIEN Dominique
xvɪɪᵉ siècle. Français.
Peintre.
Il fut reçu à l'Académie de Saint-Luc à Paris en 1677.

CHRESTIEN Jean
xvᵉ siècle. Actif à Troyes vers 1400. Français.
Peintre.
On dit qu'il fut élève d'Henri Bellechose.

CHRESTIEN Nicolas
xvɪɪᵉ siècle. Actif à Lyon entre 1681 et 1690. Français.
Sculpteur sur bois.

CHRÉTIEN
Mort en 1789 à Paris. xvɪɪɪᵉ siècle. Français.
Peintre et doreur.

CHRÉTIEN
xɪxᵉ siècle. Travaillant vers 1820. Français.
Lithographe.

CHRÉTIEN André
xvɪɪɪᵉ siècle. Français.
Peintre.
Il fut actif à Bayeux de 1775 à 1787.

CHRÉTIEN Auguste Clément
Né en 1835 à Choisy-le-Roi (Val-de-Marne). xɪxᵉ siècle. Français.
Peintre de genre, d'histoire et de portraits.
Élève de H. Flandrin et de M. L. Lamothe. Il débuta au Salon de 1857. Il obtint une mention honorable en 1859.

CHRÉTIEN Cécile Marie, Mme
Née à Chaumont (Haute-Marne). xxᵉ siècle. Française.
Peintre.
A exposé des aquarelles au Salon des Artistes Français.

CHRÉTIEN Désiré
xɪxᵉ siècle. Français.
Peintre de paysages.
Il débuta au Salon de 1839, y exposant : *Vue prise à Pierre-Buffiér, Intérieur de forêt, Animaux au pâturage.* A peint aussi des sites de la forêt de Fontainebleau.

CHRÉTIEN Edmond Ernest
Né à Paris. xɪxᵉ-xxᵉ siècles. Français.
Sculpteur.
Il fut élève de son père Eugène Chrétien, de Jean-Antoine Injalbert et d'Emmanuel Hannaux. Sociétaire du Salon des Artistes Français il reçut une mention honorable en 1922.

CHRÉTIEN Eugène Ernest
Né le 14 juin 1840 à Elbeuf (Seine-Maritime). Mort en 1909 à Paris. xɪxᵉ siècle. Français.
Sculpteur.
Il fut élève de l'École des Beaux-Arts de Marseille, puis, à Paris, de Dumont. Il débuta au Salon de 1874, où il obtint cette année-là une médaille de deuxième classe et dont il fut membre sociétaire à partir de 1904. Il reçut également une médaille de bronze à l'Exposition Universelle de 1889.
Mᴜsᴇᴇs : Aᴍɪᴇɴs : *Un suivant de Bacchus* – Cʜᴀᴛᴇᴀᴜᴅᴜɴ : *La Force prime le Droit* – Cᴏᴍᴘɪᴇɢɴᴇ : *Un Gaulois au siège d'Alésia* – Dᴏᴜᴀɪ : *Printemps* – Eʟʙᴇᴜꜰ : *Le Bonheur maternel* – Pᴀʀɪs (Louvre) : *Buste d'Edouard Lanon* – Pᴇʀɪɢᴜᴇᴜx : *Le maudit* – Lᴇ Pᴜʏ-ᴇɴ-Vᴇʟᴀʏ : *Bonheur maternel* – Rᴏᴜᴇɴ : *Une jeune bacchante.*

CHRETIEN Félix ou **Chrestien**. Voir **PSEUDO-CHRÉTIEN Félix**

CHRÉTIEN Gilles Louis
Né le 5 février 1754 à Versailles. Mort le 4 mars 1811 à Paris. xvɪɪɪᵉ-xɪxᵉ siècles. Français.
Graveur.
Cet artiste fut l'inventeur du physionotrace. En 1793, il débuta au Salon avec cent portraits d'après Fouquet, et continua à prendre part aux expositions jusqu'en 1808 avec des portraits gravés à l'aide de son appareil.
Vᴇɴᴛᴇs PᴜʙʟɪQᴜᴇs : Pᴀʀɪs, 9 mars 1929 : *Portrait d'un officier*, past. : FRF 350.

CHRÉTIEN Jean
xvɪᵉ siècle. Actif à Dijon en 1549. Français.
Sculpteur.
Un sculpteur du même nom travaillait au château de Fontainebleau en 1556.

CHRÉTIEN Joseph
Né à Graçay (Cher). xxᵉ siècle. Français.
Peintre de paysages.
A exposé au Salon des Indépendants.

CHRÉTIEN Nicolas
xɪxᵉ siècle. Français.
Peintre d'histoire et de genre.
Débuta au Salon de Paris en 1833, y exposant : *Intérieur d'atelier de peinture ; Intérieur d'un cabinet d'étude.* Il figura pour la dernière fois au Salon en 1845 (*Raphaël chez le Pérugin*).

CHRÉTIEN Paul Louis
Né à Paris. xɪxᵉ-xxᵉ siècles. Français.
Peintre de paysages.

Il exposa à Paris, au Salon des Artistes Indépendants à partir de 1913 et figurait à la rétrospective de 1926. Il a peint de nombreuses vues de Montmartre, *Cabaret du Lapin Agile – Montmartre sous la neige*, mais également des paysages bretons.

CHRÉTIEN René Louis

Né le 2 octobre 1867 à Choisy-le-Roi (Val-de-Marne). Mort en 1942. XXe siècle. Français.

Peintre de genre, natures mortes.

Il fut élève de Léon Bonnat, de Gustave Boulanger et d'Élie Delaunay. Débutant très jeune au Salon des Artistes Français (dès 1887), il y obtint une mention honorable en 1889, une troisième médaille en 1894, une deuxième médaille en 1895 et une médaille d'argent à l'Exposition Universelle de 1900. Il exposa à Bruxelles en 1910 et figurait encore au Salon des Artistes Français en 1940.

MUSÉES : AMIENS (Mus. de Picardie) : *Deux Vieilles Bouteilles* – LIÈGE : *De quoi collationner* – MULHOUSE : *Petite fille lisant* – NIORT : *Le Président Briault* – REIMS : *A l'office* – LA ROCHELLE : *Nature morte.*

VENTES PUBLIQUES : PARIS, 1897 : *Nature morte* : **FRF 290** – PARIS, 23 nov. 1903 : *La marchande de volaille* : **FRF 145** – PARIS, 23 déc. 1918 : *Canard sauvage et chaudron* : **FRF 140** – PARIS, 4 et 5 mars 1920 : *Assiette de fraises et théière* : **FRF 400** – PARIS, 5 fév. 1923 : *Asperges et cafetière en cuivre rouge* : **FRF 155** – PARIS, 30 juin 1925 : *Asperges et radis* : **FRF 400** – PARIS, 22 fév. 1928 : *Nature morte : asperges et radis* : **FRF 205** – LONDRES, 19 déc. 1932 : *Fleurs* : **GBP 5** – PARIS, 16 nov. 1938 : *Nature morte* : **FRF 420** – PARIS, 13 mars 1942 : *Nature morte au pichet* : **FRF 1 600** – PARIS, 1er déc. 1949 : *Rue de village* : **FRF 480** – LONDRES, 8 déc. 1972 : *Nature morte aux bouteilles de vin* : **GBP 200** – PARIS, 14 déc. 1976 : *Nature morte au plat d'huîtres*, h/t (75x100) : **FRF 2 900** – PARIS, 28 fév. 1979 : *Nature morte au pichet*, h/t (50x64) : **FRF 6 500** – VERSAILLES, 19 oct. 1980 : *Nature morte*, h/t (72,5x88) : **FRF 5 300** – NÎMES, 15 oct. 1981 : *Nature morte*, h/t (130x90) : **FRF 18 500** – BARBIZON, 2 mai 1982 : *La Lecture des enfants près de la fenêtre*, h/t (46x56) : **FRF 15 000** – PONT-AUDEMER, 27 nov. 1983 : *Nature morte*, h/t (90x130) : **FRF 24 000** – ROUEN, 9 juin 1985 : *Nature morte aux fruits*, h/t (81x65) : **FRF 7 200** – PARIS, 18 juin 1986 : *Nature morte aux oignons*, h/t (55,5x47) : **FRF 7 600** – MONTRÉAL, 31 mars 1987 : *Le repas devant l'âtre*, h/t (92x122) : **CAD 9 500** – CALAIS, 8 nov. 1987 : *Jeune femme au bain 1898*, h/t (46x33) : **FRF 6 000** – PARIS, 13 mars 1989 : *Nature morte au deux bouteilles*, h/t (36x55) : **FRF 9 600** – REIMS, 22 oct. 1989 : *Nature morte aux fruits*, h/pan. (27x41) : **FRF 8 000** – LA VARENNE-SAINT-HILAIRE, 16 juin 1990 : *Composition à la coupe de marrons*, h/t (46x55) : **FRF 8 000** – CALAIS, 9 déc. 1990 : *Nature morte et coupe de fruits*, h/t (55x67) : **FRF 20 000** – AMSTERDAM, 23 avr. 1991 : *Intérieur avec une mère et sa fillette*, h/t (65x53) : **NLG 11 500** – LE TOUQUET, 8 nov. 1992 : *Nature morte aux huîtres*, h/t (33x42) : **FRF 6 000** – CALAIS, 13 déc. 1992 : *L'Atelier de l'artisan*, h/t (55x48) : **FRF 11 000** – NEW YORK, 23 mai 1996 : *L'Indiscrète 1893*, h/t (170,2x139,7) : **USD 34 500**.

CHRIEGER Cristoforo

Né en Allemagne. Mort peu avant 1590. XVIe siècle. Travaillant à Venise. Allemand.

Graveur sur bois.

On cite de lui : *Bataille de Lépante*. Il est sans doute apparenté à Christoforo Guerra, graveur à Nuremberg.

CHRIEGER Giovanni ou Krüger

D'origine allemande. XVIe siècle. Travaillant à Venise dans la seconde moitié du XVIe siècle. Allemand.

Graveur sur bois et doreur.

CHRIQUI Jacky

Né le 12 février 1944 à Lyon (Rhône). XXe siècle. Français.

Peintre de figures. Expressionniste.

De 1962 à 1969, il eut une activité professionnelle dans la construction immobilière. En 1972, il obtint le diplôme de l'École des Beaux-Arts de Paris. Depuis 1973, il enseigne la figure et le portrait à l'École des Beaux-Arts de Paris. Depuis 1981, il a orienté son enseignement sur la relation entre les différents langages artistiques : rythmes, percussions, musique, danse, théâtre, vidéo, etc. Depuis 1987, il participe en tant que peintre à une expérience d'incitation à l'expression artistique auprès d'enfants autistes.

Il participe à des expositions collectives, parmi lesquelles les Salons d'Automne, de Vitry et des Réalités Nouvelles. Il montre ses peintures dans des expositions personnelles depuis 1977, surtout à Paris, encore en 1994 galerie Lefor Openo, et en 1990 à Nagoya (Japon).

De ses peintures de « personnages, sorciers oubliés, petites divinités locales », il dit :« ...j'ai parfois l'impression d'être un artiste de la Nouvelle-Guinée qui aurait beaucoup regardé la peinture occidentale. »

CHRISMAS Gérard ou Christmas

Probablement originaire de Colchester. Mort en 1634 à Londres. XVIIe siècle. Britannique.

Sculpteur et architecte.

Chrismas sculpta un bas-relief de Jacques Ier, qui fut détruit en 1761. Il est aussi l'auteur de la façade de Northumberland House et fut employé à exécuter des plans de processions et de fêtes publiques.

CHRISMAS John et Mathias ou Christmas

XVIe-XVIIe siècles. Britanniques.

Sculpteurs et architectes.

Fils de Gérard, ils continuèrent l'œuvre de leur père. Auteurs de monuments funéraires à Ampton, (Suffolk) (d'après Redgrave) et à Ruislip, (Middlesex). Ils sculptèrent aussi les décorations sur le navire *The Sovereign of the Seas*, construit à Woolwich par Peter Pett en 1637.

CHRISOSTOMO Joâo, padre

XVIIIe siècle. Portugais.

Sculpteur.

Il était vers 1789 à Lisbonne l'aide du sculpteur sur bois Joâo Paulo.

CHRISSOTTI Paolo Icaro

Né en 1935 à Turin. XXe siècle. Italien.

Sculpteur.

Il a travaillé sous la direction d'Umberto Mastroianni et est resté sous l'influence de ses études musicales. Après une période naturaliste, il s'intéresse à la métamorphose des formes en terre cuite et en plâtre coloré. Il réalise des formes géométriques et des objets colorés en utilisant des matériaux industriels.

CHRIST Adam

Né en 1856 à Bamberg. Mort en 1881 à Munich. XIXe siècle. Allemand.

Sculpteur.

CHRIST Christophe

XVIIe siècle. Actif à Pribram en 1667. Tchécoslovaque.

Peintre de fresques.

CHRIST Fritz

Né en 1866 à Bamberg. Mort en 1906 à Munich. XIXe siècle. Allemand.

Sculpteur.

Frère d'Adam Christ. Élève de Widnmann à l'Académie de Munich. A exposé à Paris, Copenhague, Chicago et Munich.

CHRIST Johann Friedrich

Né en 1700 à Cobourg. Mort en 1756 à Leipzig. XVIIIe siècle. Allemand.

Graveur amateur.

Collectionneur, il enseigna à l'Université de Leipzig.

CHRIST Johannes Franciscus

Né en 1790 à Nimègue. Mort en 1845 à Nimègue. XIXe siècle. Hollandais.

Peintre.

Élève de J. Van Eynden. Il a peint surtout des paysages et des vues de villes.

CHRIST Josef

Né en 1732 à Winterstetten (Souabe). Mort en 1788 à Augsbourg. XVIIIe siècle. Actif à Augsbourg. Allemand.

Peintre et graveur.

CHRIST Martin Alfred

Né en 1900 à Langenbruck. Mort en 1979 à Majorque. XXe siècle. Suisse.

Peintre de paysages et de portraits.

Il figurait, en tant que représentant de la jeune école suisse, à l'exposition organisée au Kunstmuseum de Berne en 1945.

Christ

m. a Christ 51

Christ

VENTES PUBLIQUES : BERNE, 18 nov. 1972 : *Champ de blé à Avenches* : CHF 2 700 – BERNE, 6 mai 1976 : *Nu*, h/t (71x52) : CHF 1 000 – ZURICH, 23 nov. 1977 : *Portrait de jeune fille*, h/t (80,5x55) : CHF 2 400 – BERNE, 24 oct. 1979 : *Le modèle dans l'atelier*, h/t (92x77) : CHF 6 500 – BERNE, 30 avr. 1980 : *Jardin en hiver*, h/t (78x86) : CHF 4 000 – ZURICH, 27 mai 1982 : *Jeune fille assise*, h/t (105x95) : CHF 7 000 – ZURICH, 28 oct. 1983 : *Paysage fluvial*, aquar. (50x66) : CHF 1 500 – BERNE, 3 mai 1985 : *Port de pêche dans le Midi*, aquar. (49x65) : CHF 1 200 – ZURICH, 13 juin 1986 : *Paysage*, h/t (73x100) : CHF 3 500 – BERNE, 26 oct. 1988 : *Portrait de jeune fille*, encre et craies de coul. (60x43,5) : CHF 600 – ZURICH, 13 oct. 1994 : *Autoportrait*, h/t (65x70) : CHF 2 600.

CHRIST Pieter Casper
Né le 7 février 1822 à Nimègue. Mort en 1888. XIXᵉ siècle. Hollandais.

Peintre de paysages, graveur.

Il fut élève de son père Johannes Franciscus.

VENTES PUBLIQUES : COLOGNE, 22 juin 1979 : *Voyageur dans un paysage*, h/t (26x34) : DEM 3 300 – COLOGNE, 21 mars 1980 : *Paysage au crépuscule*, h/pan. (14,5x19) : DEM 3 000 – BERNE, 2 mai 1986 : *Paysans sur une route de bord de mer*, h/pan. (14x19) : CHF 5 000 – AMSTERDAM, 5 juin 1990 : *Paysage boisé et vallonné avec une paysanne près d'une mare* 1868, h/t (35,5x31,5) : NLG 3 680.

CHRISTALLER Paul
Né en 1860 à Bâle. XIXᵉ siècle. Actif à Stuttgart. Allemand.

Sculpteur et ciseleur.

CHRISTALLIN Joseph
XVIIIᵉ siècle. Actif à Paris en 1795. Français.

Sculpteur.

CHRISTAUD Jean
Né à Paris. XXᵉ siècle. Français.

Graveur sur bois.

Élève de Jouenne. A exposé au Salon des Artistes Français en 1931.

CHRISTAUFLOUR Solange
Née à Issoudun (Indre). XXᵉ siècle. Française.

Peintre de paysages et de natures mortes.

Élève de F. Maillaud, E. Renard et Benner, elle a participé au Salon des Artistes Français dont elle est devenue sociétaire, obtenant une mention honorable en 1931 et une deuxième médaille en 1932.

CHRISTEN. Voir aussi CRISTEN

CHRISTEN André
Né en 1899 à Friedrichsdorf. XXᵉ siècle. Suisse.

Peintre de compositions animées, paysages, marines.

Il a exposé au Salon des Artistes Indépendants à Paris de 1930 à 1941.

CHRISTEN Andréas
XXᵉ siècle. Suisse.

Peintre et dessinateur.

Il cherche à matérialiser la troisième dimension à partir de surfaces en polyester blanc, dont les parties dessinées n'apparaissent que par un rayon lumineux qui les traverse.

CHRISTEN Daniel
XVIIIᵉ-XIXᵉ siècles. Vivant à Berne au commencement du XIXᵉ siècle. Suisse.

Sculpteur.

Fils aîné du sculpteur Joseph A.-M. Christen. Il exposa à Berne en 1818 et mourut très jeune.

CHRISTEN Ernest Albert
Né en 1914 à Bâle. XXᵉ siècle. Suisse.

Architecte et peintre de paysages, figures et natures mortes. Postimpressionniste.

Après avoir été élève du peintre Hélène Dahm, il entre en apprentissage d'architecture à Bâle, de 1932 à 1935. Il poursuit ses études d'architecture à Stuttgart en 1936-37. Il fait un séjour en Indonésie, à Bali en 1938-39, puis voyage en France, en Italie, aux Seychelles, au Kenya, au Maroc, en Extrême-Orient et en Amérique du Sud. Il expose pour la première fois au Cercle d'Art de Djakarta en 1938, puis à l'Exposition Nationale Suisse à Zurich en 1939. De 1940 à 1979, il a régulièrement exposé à Bâle et de 1978 à 1983 à Zurich. Il a participé à la 1ʳᵉ Biennale des Peintres suisses résidant à l'étranger, en 1982, à Lausanne. Également en 1982, il a fait de nombreuses expositions au Moyen-Orient. Il a obtenu le 1ᵉʳ prix de l'Union des Artistes de la Toscane en 1977 et le grand prix d'Arte Intercontinentale à Rome en 1982.

Ses nombreux voyages lui ont permis de traiter des paysages et des sujets exotiques.

CHRISTEN Hans Peter
XXᵉ siècle. Suisse.

Peintre, sculpteur. Abstrait.

Il a figuré au Salon des Réalités Nouvelles à Paris en 1953 et 1954.

VENTES PUBLIQUES : ZURICH, 8 avr. 1997 : *Arlequin* 1996, bronze/socle marbre (35x14x12) : CHF 2 100.

CHRISTEN Jeanne
Née en 1894 à Paris. XXᵉ siècle. Française.

Peintre de nus, de portraits, de paysages, fresquiste et mosaïste.

A l'École des Beaux-Arts de Paris, elle fut élève de D. Lucas, A. Laurens et Sabatté pour la peinture et de Beaudoin pour la fresque. Elle approfondit la technique de la fresque à Rome, sous la direction de Venturini et Papari. Depuis 1928, elle a participé au Salon des Artistes Français à Paris, dont elle est devenue sociétaire. Elle a également exposé aux Salons des Artistes Indépendants et des Femmes Peintres et Sculpteurs. Elle a pris part à l'Exposition Universelle de Paris en 1937. En dehors de ses toiles, elle a exécuté plusieurs fresques pour des églises et une mosaïque à Saint Joseph des Pins à Annecy (Haute-Savoie).

MUSÉES : BULLE (Suisse) : *Gruyérienne.*

CHRISTEN Johann
Originaire de Wolfenschiessen. XVIIᵉ siècle. Suisse.

Sculpteur.

Il est mentionné en 1658 à Wolfenschiessen et cité dans le Dictionnaire du Dr C. Brun.

CHRISTEN Joseph Anton Maria
Né le 2 février 1769 à Buochs. Mort le 30 mars 1838 à Königsfelden. XVIIIᵉ-XIXᵉ siècles. Suisse.

Sculpteur et peintre.

Christen aida d'abord son père, qui gagnait péniblement sa vie en sculptant sur bois des images de sainteté et des figures d'animaux. Il entra vers 1785 à l'École d'art, à Lucerne, où il fut l'élève de Joh.-Melchior Wyrsch. En 1788, il partit pour Rome, où, grâce à la protection de Wyrsch et d'Alexander Trippel qui lui obtinrent le soutien de quelques mécènes bienveillants, il put rester près de trois ans. A son retour en Suisse, il habita successivement Zurich, Stans, Lucerne et Berne, Bâle et Aarau. Il fit un second voyage en Italie en 1805, et à cette époque, sculpta le buste de Napoléon Iᵉʳ, œuvre qui eut un grand succès. Christen séjourna aussi quelque temps à Vienne et exécuta nombre de bustes d'hommes d'État dans cette ville, en 1815. Il visita l'Allemagne en 1811 et 1812. Une de ses premières œuvres sculptées fut une *Statue du frère Klaus* et des têtes de lions sur le pont d'Emmen, près de Lucerne.

CHRISTEN Raphaël
Né en 1811 à Berne. Mort le 14 janvier 1880 à Berne. XIXᵉ siècle. Suisse.

Sculpteur de bustes.

Fils de J.-A. M. Christen, il apprit les principes de son art dans les ateliers des professeurs Sonnenschein et Volmar, à Berne. Il se perfectionna à Genève et à Rome. Dans cette dernière ville, il reçut les précieux conseils de Thorwaldsen. Raphaël entra quelque temps aussi à l'École de sculpture de Briens. On cite de lui une statue en bronze sur la fontaine devant l'Hôtel de Ville de Berne.

MUSÉES : LAUSANNE (Mus. canton. des Beaux-Arts) : *Buste de Victor Ruffy.*

CHRISTEN Rosine ou Rosalie
Née en 1809 probablement à Aarau. Morte le 31 mai 1880 à Berne. XIXᵉ siècle. Suisse.

Peintre de fleurs.

Elle se maria avec M. Tschiffeli, de Berne. Elle exposa une aquarelle dans cette ville en 1836.

CHRISTEN Wilhelm
Né en 1818. xixᵉ siècle. Actif à Gratz. Autrichien.
Sculpteur et ciseleur.

CHRISTENS Wilhelm
Né en 1878 à Düsseldorf. xxᵉ siècle. Travaillant à Düsseldorf. Allemand.
Peintre.

CHRISTENSEN Anthonie Eleonore ou Anthonore, née Tscherning
Née le 5 juillet 1849 à Copenhague. Morte en 1926. xixᵉ-xxᵉ siècles. Danoise.
Peintre de natures mortes, fleurs.

Elle fut élève de sa mère, également artiste peintre, et de Emma Thomsen. Elle épousa en 1871 le Dr Christensen, frère du peintre Godf. Christensen. Veuve en 1876, elle avait déjà commencé à exposer en 1867 sous son nom de jeune fille. L'année suivante, le Musée royal de peinture fit l'acquisition d'une de ses toiles. Depuis ce temps, elle a exposé presque tous les ans des tableaux de fleurs. Elle remporta, en 1887, le prix Neuhausen pour sa toile *Roses coupées* ; en 1893, elle obtint la médaille annuelle pour *Un bouquet de pavots*, acheté par le Musée royal de peinture.

Musées : COPENHAGUE : *Anémones croissantes – Coquelicots*.

VENTES PUBLIQUES : LONDRES, 9 mai 1979 : *Panier de roses et de fraises* 1889, h/t (26x34) : **GBP 900** – LUCERNE, 20 mai 1980 : *Nature morte aux fleurs*, h/t (41x34) : **CHF 2 800** – LONDRES, 28 nov. 1984 : *Nature morte aux roses dans un panier* 1894, h/t (38x46) : **GBP 3 200** – STOCKHOLM, 16 avr. 1986 : *Bouquet de roses* 1874, h/t (40x50) : **SEK 37 000** – STOCKHOLM, 15 nov. 1988 : *Une prairie* 1887, h/t (29x25) : **SEK 23 000** – STOCKHOLM, 19 avr. 1989 : *Fleurs sauvages et cactus* 1873, h/t (57x38) : **SEK 12 000** – COPENHAGUE, 25 oct. 1989 : *Roses sauvages*, h/t (19x26) : **DKK 12 000** – LONDRES, 29 mars 1990 : *Le vieux mur du jardin*, h/t (42x47,5) : **GBP 1 980** – LONDRES, 22 juin 1990 : *Un panier de fleurs d'été* 1883, h/t (40x56) : **GBP 6 820** – STOCKHOLM, 29 mai 1991 : *Nature morte de fleurs sauvages*, h/pan. (35x31) : **SEK 13 500** – LONDRES, 22 mai 1992 : *Dahlias jaunes* 1893, h/t (51x47) : **GBP 1 100** – COPENHAGUE, 6 mai 1992 : *Nénuphars*, h/t (51x69) : **DKK 16 000** – NEW YORK, 26 mai 1993 : *Lis, campanules et coquelicots dans une prairie* 1870, h/t (76,2x63,2) : **USD 28 750** – COPENHAGUE, 8 fév. 1995 : *Panier avec des lis et des plantes vertes* 1883, h/t (62x56) : **DKK 7 000**.

CHRISTENSEN Arent
Né le 30 avril 1898 à Aarhus (Jutland). xxᵉ siècle. Actif en Angleterre. Danois.
Peintre, graveur.

Ayant étudié à Florence, Paris et Londres, il s'est installé en Angleterre et a exposé à la Society of Graphic Arts. Il a surtout travaillé la gravure à l'aquatinte.

CHRISTENSEN Carl Anton
Né le 20 février 1859 à Stouby-Ikov (près de Veile). xixᵉ siècle. Danois.
Peintre.

Il travaillait déjà comme peintre décorateur lorsqu'il fut admis, en 1885, à l'Académie des Beaux-Arts qu'il dut quitter, en 1887, pour raison de santé. Il entreprit alors un voyage en Algérie, où il peignit *Une rue d'Alger*, qui fut exposée en 1889.

CHRISTENSEN Carl William Theodor
Né le 6 mars 1823 à Copenhague. Mort le 7 décembre 1870 à Copenhague. xixᵉ siècle. Danois.
Peintre de portraits.

Il était élève de l'Académie dès 1835 – à 12 ans – et il travaillait en même temps sous la direction de J.-L. Lund. En 1841, il exposait quelques portraits qui éveillèrent aussitôt l'attention des connaisseurs. Ses œuvres, d'une exécution élégante et soignée, intéressaient vivement le public. Mais ce bel artiste ne devait pas tenir ce qu'il avait promis. Il se jeta dans la débauche ; aucune œuvre de lui ne figure plus aux expositions à partir de 1858. Sa situation pécuniaire s'aggrava de plus en plus, et il mourut dans la misère.

CHRISTENSEN Christian Ferdinand
Né le 28 juillet 1805 à Copenhague. Mort le 30 octobre 1883 à Copenhague. xixᵉ siècle. Danois.

Peintre de décors.

Élève de l'Académie des Beaux-Arts, il la quitta pour entrer dans l'atelier de peinture du théâtre royal (1820), où il étudiait la peinture de décor avec Wallich. Il exposa de 1824 à 1831 plusieurs vues de rues et de marchés de Copenhague. Ayant obtenu en 1837 deux bourses de voyage, il visita l'étranger en 1838 et 1839, notamment la France et l'Italie. De retour à Copenhague en 1839, il fut agréé et devint membre de l'Académie en 1841. Nommé associé en 1842, selon son désir, du peintre de théâtre Troels Lund, ce ne fut qu'après la mort de celui-ci en 1865 qu'il occupa seul cet emploi. Il fut nommé chevalier de Danebrog le 6 octobre 1856 et reçut, en 1862, le titre de professeur. Pour raison de santé, il se retira en 1869.

CHRISTENSEN Christian Frederik
Né le 15 août 1798 à Copenhague. Mort le 22 décembre 1882 à Copenhague. xixᵉ siècle. Danois.
Peintre de portraits.

Élève de l'Académie de Copenhague. Il exposa en 1815 quelques copies d'après les œuvres de maîtres étrangers, au Musée royal et d'après Eckersberg. Plus tard, il s'essaya dans la peinture d'histoire, sans beaucoup de succès. Il fut surtout peintre de portraits. Il mourut dans une grande indigence.

CHRISTENSEN Dan
Né en 1942 à Lexington (Nebraska). xxᵉ siècle. Américain.
Peintre. Abstrait, tendance minimaliste.

A partir de 1967, il a participé à de nombreuses expositions de groupe, notamment au Whitney Annual à New York, à la Foire d'Art à Cologne en 1968 et 1969, à la Biennale Corcoran à Washington en 1969 et, la même année à l'exposition *9 jeunes artistes*, au Musée Guggenheim de New York. Sa première exposition personnelle s'est déroulée à New York en 1969.

Ses moyens mis en œuvre restent très simples, un peu dans l'esprit des tenants du *minimal-art*. A ses débuts, il était l'un des représentants du *Hard Edge*, peignant des formes géométriques simples, aux arêtes dures et aux couleurs franches. Ensuite, influencé par Olitski, il revient à une abstraction qui laisse la place à un illusionnisme atmosphérique. Il peint volontiers des tracés courbes entrelacés, d'une grande suavité de tons.

VENTES PUBLIQUES : NEW YORK, 26 oct. 1972 : *Juonia* : **USD 4 250** – NEW YORK, 21 oct. 1976 : *Beryl* 1968, acryl. (122x122) : **USD 2 200** – NEW YORK, 30 mars 1978 : *Jour d'acier* 1970, émail/t. (193x152,7) : **USD 2 000** – NEW YORK, 16 mai 1980 : *Bleu* 1968, acryl./t. (177,8x177,8) : **USD 4 500** – NEW YORK, 13 mai 1981 : *Sommet rouge* 1972, acryl./t. (241x140) : **USD 3 100** – NEW YORK, 12 nov. 1982 : *Fraises glacées*, acryl./t. (134,5x137) : **USD 1 500** – NEW YORK, 10 nov. 1983 : *Sommet rouge* 1972, acryl./t. (241,3x139,7) : **USD 5 000** – NEW YORK, 10 nov. 1984 : *Revel time* 1969, émail/t. (195,6x124,5) : **USD 2 600** – NEW YORK, 7 nov. 1985 : *Pasadena* 1975, acryl./t. (233,5x142) : **USD 4 500** – NEW YORK, 16 déc. 1987 : *Monks walk* 1978, acryl. et plâtre/t. (127,8x202,3) : **USD 600** – NEW YORK, 8 nov. 1989 : *Le dauphin bleu* 1969, vernis/t. (203,2x255,3) : **USD 4 400** – NEW YORK, 7 nov. 1990 : *Soufre sans nuage* 1968, acryl./t. (183x335) : **USD 6 600** – NEW YORK, 26 fév. 1993 : *Amram*, h/t (180,3x203,2) : **USD 2 415** – NEW YORK, 29 sep. 1993 : *Pièce centrale* 1981, acryl./t. (168,9x66) : **USD 2 185**.

CHRISTENSEN Florence
Née à Salt Lake City (Utah). xxᵉ siècle. Américaine.
Peintre de portraits et de genre.

Elle a participé à des expositions parisiennes, notamment au Salon d'Automne de 1910 et à celui de la Société Nationale des Beaux-Arts en 1911. Elle a surtout peint des portraits d'enfants et des scènes de marché.

CHRISTENSEN Godfred, de son vrai nom : Polycarpus Godfred Benjamin Wildenradt
Né le 23 juillet 1845 à Copenhague. Mort en 1928. xixᵉ-xxᵉ siècles. Danois.
Peintre de paysages.

Après avoir fréquenté l'Institut technique, il fut élève de l'Académie de Copenhague de 1860 à 1867 et étudia le paysage avec Kjerskon. Lauréat du prix Neuhausen en 1865 pour *Un hêtre isolé*, il reçut, en 1869, le prix Södring ; il fut boursier de l'Académie en 1870. En 1871, il remporta de nouveau le prix Neuhausen pour son *Cours d'eau dans une prairie*. Son *Grand chemin avec saules* lui valut, en 1873, une bourse de voyage. Il visita l'Allemagne et l'Italie. L'artiste a exposé depuis 1862 et s'est acquis la renommée d'un des premiers paysagistes du Danemark. Une grande toile : *Paysage de la côte jutlandaise, environs de Mariager*, exposée en 1880, fut achetée par le Musée royal de peinture.

Godfred Christensen devint membre de l'Académie en 1881, fut élu membre du Conseil de l'Académie en 1887, reçut le titre de professeur en 1888 et fut nommé chevalier de Danebrog en 1892.

À l'exception de quelques tableaux peints pendant son séjour à l'étranger, Christensen s'arrêta de préférence aux sites luxuriants et très pittoresques du Jutland, soit aux environs de Himmelbjerget, soit à ceux de Veile.

Musées : Copenhague : *Fjord jutlandais – Après la pluie – Vue de Gilleleje, tête de la jetée – Jour d'été, calme – L'allée de Krogerup – Étude de Kaavaddam.*

Ventes Publiques : Copenhague, 12 fév. 1980 : *Paysage alpestre* 1887, h/t (60x89) : **DKK 3 800** – Copenhague, 22 août 1985 : *Une plage en été* 1906, h/t (37x51) : **DKK 29 000** – Copenhague, 18 nov. 1987 : *Vue du fjord de Roskilde* 1902, h/t (52x73) : **DKK 9 000** – Londres, 26 fév. 1988 : *Paysage de marais* 1893, h/t (61x84) : **GBP 440** – Stockholm, 15 nov. 1988 : *Plage sous un ciel nuageux,* h/t (19,5x27,5) : **SEK 8 500** – Copenhague, 25 oct. 1989 : *Vue d'un golfe* 1908, h/t (48x65) : **DKK 3 800** – Stockholm, 14 nov. 1990 : *Paysage côtier* 1888, h/pan. (19,5x27,5) : **SEK 4 000** – Copenhague, 28 août 1991 : *Le lac Achen au Tyrol,* h/t (45x66) : **DKK 4 400** – Copenhague, 14 fév. 1996 : *Route de campagne près de baekkeskov,* h/t (36x49) : **DKK 10 500.**

CHRISTENSEN Jeremias
Né le 26 mars 1859 à Tingleff (Schleswig). Mort en 1908 à Charlottenbourg près de Berlin. xixᵉ siècle. Danois.
Sculpteur.
Élève de l'Académie de Copenhague de 1883 à 1885, il reçut en 1887-1889 la bourse de voyage Stoltenberg pour trois années et visita principalement l'Italie. En 1890, il reçut la bourse Ancher et repartit pour l'étranger.
Ventes Publiques : Londres, 21 mars 1985 : *Knabe vom Berge* vers 1890, bronze patiné (H. 33) : **GBP 450.**

CHRISTENSEN John
Né en 1896. Mort en 1940. xxᵉ siècle. Danois.
Peintre de scènes animées, figures, intérieurs, paysages.
Ventes Publiques : Copenhague, 24 nov. 1976 : *Paysage d'hiver* 1937-1938, h/t (53x42) : **DKK 8 000** – Copenhague, 11 mai 1977 : *Intérieur* 1982, h/t (88x67) : **DKK 10 700** – Copenhague, 7 déc. 1982 : *Autoportrait* 1936, h/t (62x47) : **DKK 3 500** – Copenhague, 14 mai 1985 : *Autoportrait,* h/t (96x62) : **DKK 6 000** – Copenhague, 6 mai 1987 : *Scène de port en été* 1938, h/t (42x48) : **DKK 5 000** – Copenhague, 1ᵉʳ avr. 1992 : *Route près de Norrebrogade* 1935, h/t (21x27) : **DKK 3 500.**

CHRISTENSEN Kay Wilhelm Louis Christian
Né le 24 juillet 1899 à Hellerup. Mort le 11 novembre 1981. xxᵉ siècle. Danois.
Peintre de figures, intérieurs animés, paysages urbains, lithographe, illustrateur. Expressionniste, puis post-impressionniste.
Il a fait de nombreux voyages en Europe et des séjours de travail, notamment à Berlin, Paris. Lithographe, il a illustré divers ouvrages littéraires, parmi lesquels des *Contes* d'H.C. Andersen en 1942, *Toi et moi* de Paul Géraldy en 1943.
Après une première période expressionniste, il fut fortement influencé par la peinture française, dans sa continuité post-impressionniste. Surtout peintre de jeunes femmes ou fillettes, le plus souvent dans des intérieurs, il semble se référer à Degas ou Suzanne Valadon, avec des accents colorés audacieux et justes qui lui viennent encore de sa période expressionniste. Dans ces thèmes intimistes, il approche de la peinture « de genre » du début de siècle : *Petite fille jouant à la poupée, Les amoureux.*
Ventes Publiques : Copenhague, 24 nov. 1976 : *Fillette à son piano,* h/t (73x91) : **DKK 20 100** – Copenhague, 5 oct. 1977 : *Théâtre de marionnettes, Paris* 1958, h/t (72x91) : **DKK 19 500** – Copenhague, 14 mars 1978 : *Modèle et lampe* 1957, h/t (50x65) : **DKK 16 500** – Copenhague, 10 oct. 1979 : *L'éternel Féminin* vers 1942, h/t (144x179) : **DKK 24 000** – Copenhague, 5 mars 1980 : *La chasse aux papillons* 1951-1952, h/t (73x92) : **DKK 21 000** – Copenhague, 31 mars 1981 : *Au restaurant, Berlin* 1973, h/t (73x92) : **DKK 21 000** – Copenhague, 7 déc. 1982 : *Intérieur poétique,* h/t (93x73) : **DKK 16 000** – Copenhague, 10 mai 1983 : *Figure et table dans un intérieur* 1959, h/t (74x92) : **DKK 17 000** – Copenhague, 14 mai 1985 : *Subtilité* 1942, h/t (147x179) : **DKK 20 000** – Copenhague, 15 mai 1986 : *Jeune fille de profil* 1943, h/t (50x65) : **DKK 7 500** – Copenhague, 26 mai 1987 : *Intérieur rouge,* h/t (82x118) : **DKK 20 000** – Copenhague, 2 mars

1988 : *Intérieur avec une jeune fille et une lampe* (74x92) : **DKK 14 500** – Copenhague, 4 mai 1988 : *Jour d'hiver à Berlin* 1958 (74x92) : **DKK 11 000** – Copenhague, 30 nov. 1988 : *Petite fille jouant à la poupée,* h/t (46x55) : **DKK 5 000** – Copenhague, 20 sep. 1989 : *Lise* 1935, h/t (73x92) : **DKK 11 000** – Copenhague, 22 nov. 1989 : *La construction rouge,* h/t (50x65) : **DKK 7 000** – Londres, 29 mars 1990 : *Un intérieur* 1939, h/t (73,4x91) : **GBP 8 800** – Copenhague, 21-22 mars 1990 : *Jeune fille allongée* 1964, h/t (50x65) : **DKK 9 000** – Copenhague, 30 mai 1990 : *Lise* 1935, h/t (73x92) : **DKK 19 000** – Copenhague, 14-15 nov. 1990 : *Les amoureux* 1955, h/t (50x65) : **DKK 8 000** – Copenhague, 13-14 fév. 1991 : *Navire dans un fjord,* h/t (54x65) : **DKK 6 000** – Copenhague, 21 oct. 1992 : *Intérieur avec une fillette,* h/t (81x116) : **DKK 6 000** – Copenhague, 20 oct. 1993 : *Amour maternel,* h/t (81x116) : **DKK 11 000** – Amsterdam, 31 mai 1994 : *Amoureux dans un jardin* 1933, h/t (74,5x101) : **NLG 9 200** – Copenhague, 26 avr. 1995 : *Intérieur du restaurant Isabel,* h/t (55x66) : **DKK 15 500.**

CHRISTENSEN Peter Christian
Né en 1827 à Copenhague. xixᵉ siècle. Danois.
Peintre de paysages.
Il fut élève de l'Académie de Copenhague de 1844 à 1852. Il semble être l'artiste qui de 1849 à 1861 a peint sept paysages de la région de Sjœlland. Il partit ensuite en Amérique où l'on perd ses traces.
Ventes Publiques : Copenhague, 5 avr. 1989 : *Paysan sur un chemin de graviers près de Juul* 1862, h/t (51x72) : **DKK 6 500.**

CHRISTENSEN Steffen
Né le 31 octobre 1941 à Copenhague. xxᵉ siècle. Danois.
Sculpteur de statuettes. Tendance abstraite.
Il participe à des expositions dans de nombreux pays d'Europe, notamment en Belgique.
Ses figures de femmes, d'hommes, d'enfants, sont stylisées à la limite d'une abstraction décorative.
Ventes Publiques : Lokeren, 10 oct. 1992 : *Composition,* sculpt. de bois (H. 57,5 et L. 19) : **BEF 40 000.**

CHRISTENSEN Theodor Anton Emanuel, dit Thod Edelmann
Né le 23 décembre 1856 à Horsens. xixᵉ siècle. Danois.
Sculpteur.
Fils d'un maître maçon, il apprit d'abord le métier de son père. Il partit pour Copenhague en 1876. Élève de A.-V. Saabye, il fréquenta l'Académie de 1876 à 1882. Il exposa pour la première fois en 1884 : *Jeune paysanne jutlandaise disant la bonne aventure,* statue en plâtre achetée par le paysagiste Niss. Il exposa en 1885 : *Une gardeuse d'oies* et plus tard une série de bustes. Il a fait quelques petits voyages à l'étranger. Médaille de bronze à l'Exposition Universelle de Paris en 1900.

CHRISTENSEN Torben
xxᵉ siècle. Danois.
Artiste, multimédia.
Il montre ses œuvres dans des expositions personnelles : 1994 Maison du Danemark à Paris et Chapelle des Brigittines à Bruxelles.

CHRISTENSON Lili Mildur
Née à Stockholm. xxᵉ siècle. Suédoise.
Peintre.
Elle participa au Salon d'Automne de 1920.

CHRISTI dei. Voir aussi CRISTI

CHRISTI Ascanio dei
xviiᵉ siècle. Actif à Venise vers 1624. Italien.
Sculpteur sur ivoire.

CHRISTI Fernand Isidore de
Né au xixᵉ siècle à Corbeil (Seine-et-Oise). xixᵉ siècle. Français.
Peintre de fleurs.
Il débuta au Salon de 1880.

CHRISTI Petrus ou Pietro. Voir CHRISTUS

CHRISTI Valentino dei. Voir CRISTI

CHRISTIAENS. Voir CHRISTIAENSENS

CHRISTIAENSEN Franz. Voir CARSTIAENSEN

CHRISTIAENSENS Bernard, Daniel, Jacob ou Certiaens, Christiaens, Kertiaens, famille d'artistes
xviiᵉ siècle. Éc. flamande.

Peintres.
Ils travaillaient à Anvers.

CHRISTIAN
xvᵉ siècle. Français.
Peintre verrier.
Il travailla pour la cathédrale Saint-Jean de Besançon en 1472-1474.

CHRISTIAN Abraham David
Né en 1952. xxᵉ siècle. Actif en Amérique et au Japon. Allemand.
Sculpteur. Abstrait.
Il vit tantôt à New York, tantôt à Düsseldorf, tantôt au Japon. Il a participé à la Documenta de Cassel en 1969, 1972, 1982. Sa première exposition personnelle date de 1973 à la Kunsthalle de Düsseldorf, puis en 1976 à Bochum ; en 1978 à Krefeld ; en 1980, 1981 et 1982 à Berne ; en 1982 à Francfort, Stuttgart et Münster ; en 1983 à Düsseldorf ; en 1985 à Ulm, Hanovre et Paris ; en 1986 à Tokyo ; en 1987 à New York, Francfort et Paris.
Après une première manifestation à la Documenta de 1969, qui consistait à tirer une ligne de 1000 m de long, visible d'avion, Christian s'est orienté vers un art alimenté par une vision néo-primitiviste du monde. Ses sculptures veulent évoquer les émotions que ses errances à travers le monde lui ont procurées. Il joue des matières : papier, plâtre, graphite et bronze, mais aussi des oppositions entre lourd et léger, stable et instable, définitif et précaire.

CHRISTIAN Anton
Né en 1940. xxᵉ siècle. Allemand.
Peintre de figures, paysages, technique mixte. Réaliste.
Il peint en technique mixte à base d'acrylique sur papier.
Bibliogr. : In : Catalogue de l'exposition *The Philadelphia Art Alliance*, Philadelphie, 1986.
Ventes Publiques : Zurich, 3 avr. 1996 : *Petite amie* 1986, techn. mixte/pap. (106x78) : **CHF 2 200** – Zurich, 17-18 juin 1996 : *Vin rouge*, techn. mixte/pap. (106x78) : **CHF 4 000**.

CHRISTIAN B.
xviiiᵉ siècle. Britannique.
Peintre.
Il exposa à la Royal Academy, à Londres, en 1780, deux vues de Burghley Hall.

CHRISTIAN Benoît
Né à Bourg-en-Bresse. xvᵉ siècle. Français.
Sculpteur.
Il travailla, sous la direction de Pierre Soquet, au portail de l'église Saint-Sauveur d'Aix-en-Provence, en 1484.

CHRISTIAN Eleanor E., Mrs Edward
xixᵉ siècle. Britannique.
Peintre de portraits, peintre de miniatures.
Elle exposa en 1843-1854 à la Royal Academy, à Londres.

CHRISTIAN Franz Joseph Friedrich
Né en 1739. Mort en 1798. xviiiᵉ siècle. Actif à Riedlingen (Wurtemberg). Allemand.
Sculpteur.

CHRISTIAN Joseph
Né en 1706 à Riedlingen (Wurtemberg). Mort en 1777 à Riedlingen (Wurtemberg). xviiiᵉ siècle. Allemand.
Sculpteur.
Un des plus illustres sculpteurs de l'école rococo allemande. Il a exécuté, avec l'ébéniste Martin Hermann, les stalles des abbayes bénédictines de Zwiefalten (*Scènes de la Vie de la Vierge*) et d'Ottobeuren (*Scènes de l'Ancien Testament* et *Épisodes de la Vie de saint Benoît*).

CHRISTIAN Joseph Ignaz
Né en 1738. xviiiᵉ siècle. Actif à Riedlingen (Wurtemberg). Allemand.
Sculpteur.
Fils de Joseph Christian.

CHRISTIAN Karl Anton
Né en 1731. xviiiᵉ siècle. Actif à Riedlingen (Wurtemberg). Allemand.
Sculpteur.
Fils de Joseph Christian.

CHRISTIAN Kurt
xxᵉ siècle.
Peintre. Polymorphe.
Il a montré ses œuvres dans une exposition personnelle en 1994 au Mabee-Gerrer Museum of Art de Shawnee.
Ses œuvres oscillent entre symbolisme et surréalisme, entre figuration et abstraction. Toutes résultent d'un long travail physique qui se clôt par une série de ponçages pour une surface satinée.
Bibliogr. : James Scarborough : *Kurt Christian*, Art Press, n° 199, Paris, fév. 1995.

CHRISTIAN Max
Né en 1864 à Vienne. xixᵉ siècle. Autrichien.
Sculpteur.

CHRISTIAN Paul Marie Bernard
Né au xixᵉ siècle à Paris. xixᵉ siècle. Français.
Peintre.
Élève de Hesse et Bouguereau. Il débuta au Salon de 1876.

CHRISTIAN de Saxe, prince électeur
Né en 1583. Mort en 1611. xviiᵉ siècle. Allemand.
Peintre amateur.

CHRISTIAN de Saxe, prince électeur
Né en 1560. Mort en 1591. xviᵉ siècle. Allemand.
Sculpteur sur bois amateur.

CHRISTIAN-ADAM Raoul Raymond
Né au Havre (Seine-Maritime). xxᵉ siècle. Français.
Peintre de nus, de paysages et de natures mortes.
Il a régulièrement participé aux Salons d'Automne, des Tuileries et des Artistes Indépendants à Paris.
Ventes Publiques : Paris, 28 nov. 1988 : *Composition cubiste*, h/t (24x35) : **FRF 7 500**.

CHRISTIANI Georges Gaston Dimitri de
Né au xixᵉ siècle à Paris. xixᵉ siècle. Français.
Peintre.
Élève de Palizzi. Il débuta au Salon de 1879.

CHRISTIANSEN Hans
Né le 6 mars 1866 à Flensburg. Mort le 5 janvier 1954 à Wiesbaden. xixᵉ-xxᵉ siècles. Actif aussi en France. Allemand.
Peintre de portraits, paysages, paysages urbains, natures mortes, fleurs, graveur, décorateur.
Après des études à Munich et à l'Académie Julian à Paris, il fut l'un des artistes faisant partie du groupe réuni à Darmstadt, autour de Joseph Maria Olbrich et de Peter Behrens. Ensuite, il s'installa à Paris en 1902.
Son œuvre se divise en deux : d'un côté, des paysages et notamment des vues citadines, plus particulièrement de Venise, des portraits, et de l'autre, des travaux d'art décoratif : dessins de meubles, de tapis, de reliures, d'affiches, dans un style très Art Nouveau.
Bibliogr. : Marcus Osterwalder, in : *Diction. des Illustrateurs 1800-1914*, Hubschmid & Bouret, Paris, 1983.
Ventes Publiques : Munich, 25 nov. 1985 : *Nature morte aux fleurs*, h/pan. (49,9x65,7) : **DEM 4 100** – Cologne, 9 déc. 1986 : *Nature morte aux fleurs*, h/cart. (93x60) : **DEM 2 000** – Brême, 26 nov. 1987 : *Paysage boisé au lac*, h/cart. (32,5x41,5) : **DEM 3 900**.

CHRISTIANSEN Lars
xxᵉ siècle. Danois.
Peintre de paysages urbains.
Il a figuré au Salon de la Société Nationale des Beaux-Arts à Paris, de 1932 à 1940. Ses paysages présentent le plus souvent des vues de la Seine.

CHRISTIANSEN Olaf
Né en Norvège. xxᵉ siècle. Norvégien.
Peintre.
On cite ses paysages de Provence.

CHRISTIANSEN Paul Simon
Né le 28 octobre 1855 à Hudevad en Fionie. xixᵉ siècle. Danois.
Peintre de compositions animées, portraits, paysages.
Fils d'un constructeur de moulins, il apprit d'abord le métier de son père. En 1879, il vint à Copenhague où il fut élève de Zahrtmann. Il a exposé, depuis 1888, des paysages, des portraits et des compositions comme : *Dante et Virgile à la porte de l'Enfer* (1894), *Dante et Béatrix au Paradis* (1895).
Musées : Copenhague : *Portrait* – *Vue de la tour de la cathédrale de Viborg* – *Dante et Béatrice au paradis*.
Ventes Publiques : Copenhague, 2-3 mai 1962 : *The foolish and the wise Virgins* : **DKK 3 700** – Copenhague, 26 mars 1968 : *Bord*

de mer, l'été 1917 : DKK 6 900 – COPENHAGUE, 5 sep. 1972 : Bord de mer : DKK 3 000 – COPENHAGUE, 9 mai 1990 : Paysage de Lyngby So, h/t (99x117) : DKK 4 000.

CHRISTIANSEN Rasmus
Né le 13 février 1863 à Bjerstrup, près de Aarhus. XIXe siècle. Danois.
Peintre de sujets militaires, portraits, animaux, paysages animés, paysages, peintre à la gouache.
Il apprit d'abord la peinture industrielle à Aarhus, à l'école technique. Il vint, en 1881, à Copenhague où il fut élève de l'Académie, de 1881 à 1883. Il travailla ensuite sous la direction de Tuxen et Kröyer. En 1884, il exposa Le train arrive.
Il débuta par quelques vues de Norvège en 1883, puis il peignit de préférence des chevaux et d'autres animaux domestiques, dans des paysages.
VENTES PUBLIQUES : COPENHAGUE, 8 déc. 1976 : Le relais de poste, h/t (45x62) : DKK 13 000 – COPENHAGUE, 27 sep. 1977 : Le Départ de la diligence, h/t (49x70) : DKK 7 000 – COPENHAGUE, 7 fév. 1978 : Paysage 1933, h/t (52x68) : DKK 5 000 – LONDRES, 25 nov. 1982 : La foire aux chevaux 1921, gche (59,5x90) : GBP 600 – COPENHAGUE, 13 avr. 1983 : Scène de moisson 1915, h/t (123x160) : DKK 8 000 – COPENHAGUE, 11 avr. 1984 : Troupeau au pâturage au bord d'un fjord 1919, h/t (62x95) : DKK 6 000 – COPENHAGUE, 27 mars 1985 : Niels Kjeldsen à cheval combattant des dragons allemands 1931, h/t (44x63) : DKK 8 000 – COPENHAGUE, 15 jan. 1986 : L'école de cavalerie, Aarhus 1887, h/t (122x162) : DKK 23 000 – COPENHAGUE, 28 oct. 1987 : L'arrivée de la diligence, h/t (50x70) : DKK 7 000 – COPENHAGUE, 25 oct. 1989 : Le camp de Niels Kjeldsens avec les hussards prussiens, h/t (42x63) : DKK 3 800.

CHRISTIANSEN Sievert
Né en 1862 à Westerland. Mort en 1887 à Munich. XIXe siècle. Allemand.
Sculpteur.

CHRISTIANSEN Soren
Né le 22 septembre 1858 à Bröndbyvester. Mort en 1937. XIXe-XXe siècles. Danois.
Peintre de genre, portraits.
Élève de l'Académie des Beaux-Arts de Copenhague de 1884 à 1889, il reçut pendant cette période une bourse de voyage. Il a exposé depuis 1890.
VENTES PUBLIQUES : LONDRES, 14 jan. 1981 : Soirée musicale 1905, h/t (58,5x68,5) : GBP 450 – COPENHAGUE, 23 mai 1996 : Gamin jouant dans une cour, h/t (45x67) : DKK 4 000.

CHRISTIE Alexander
Né en 1807 à Edimbourg. Mort en 1860 à Edimbourg. XIXe siècle. Britannique.
Peintre.
Il fut, en 1845, directeur de la section d'ornementation à la Trustee's Academy, où il avait reçu ses premières notions d'art. Il fut aussi nommé associé de la Scottish Academy en 1848. On a de lui un certain nombre de portraits et de toiles décoratives. Exposa à Londres de 1848 à 1853, notamment une œuvre à la Royal Academy.

CHRISTIE Alexander
Né le 28 février 1901 à Aberdeen. XXe siècle. Britannique.
Peintre de portraits.

CHRISTIE Ernest
XIXe-XXe siècles. Britannique.
Peintre de paysages.
Il exposa à la Royal Academy, à Londres, de 1886 à 1904.

CHRISTIE F. H.
XIXe siècle. Actif à Redhill. Britannique.
Peintre de paysages.
Il exposa en 1874-1876 à la Royal Academy, à Londres.

CHRISTIE Henry C.
XIXe siècle. Britannique.
Sculpteur.
Il travailla à Londres, où il exposa à partir de 1881 à la Royal Academy et à Suffolk Street.

CHRISTIE James Elder
Né en 1847 à Guardbridge (Fifeshire). Mort en 1914. XIXe-XXe siècles. Actif à Glasgow. Britannique.
Peintre de genre, paysages.
À partir de 1876, son nom paraît fréquemment dans les catalogues des expositions de la Royal Academy, de Suffolk Street, de la Grafton et la New Gallery, à Londres. Il prit part aussi à

l'Exposition Universelle de 1900 à Paris et il obtint une mention honorable au Salon de Paris, en 1905.
MUSÉES : GLASGOW : Vanity Fair.
VENTES PUBLIQUES : GLASGOW, 18 juin 1931 : L'heure du bain : GBP 13 – LONDRES, 8 juin 1934 : Jeune garçon tenant une perche : GBP 7 – LONDRES, 6 juin 1972 : Enfants sur la plage : GBP 340 – ÉCOSSE, 24 août 1976 : Scène d'intérieur 1883, h/t (49,5x75) : GBP 280 – NEW YORK, 30 juin 1981 : The golden stairs, h/t (127x76) : USD 3 250 – GLASGOW, 19 avr. 1984 : A free fight, h/t (35,5x71,1) : GBP 750 – GLASGOW, 4 déc. 1986 : L'horloge de Dandelion, h/t (45,7x35,5) : GBP 5 500 – LONDRES, 13 déc. 1989 : Patriotisme, h/t (112x86,5) : GBP 3 520 – PERTH, 26 août 1991 : Baignade, h/t (41x61) : GBP 3 520 – PERTH, 1er sep. 1992 : Hallowen 1893, h/t (35,5x25) : GBP 2 200 – GLASGOW, 14 fév. 1995 : Tam o'shanter, h/t (30,5x41) : GBP 920 – GLASGOW, 16 avr. 1996 : Au sommet de la colline 1889, h/cart. (48x39,5) : GBP 690 – PERTH, 20 août 1996 : Les maraudeurs, h/t (33x43,5) : GBP 2 070.

CHRISTIE Leona
Née en 1968 à Londres. XXe siècle. Active aux États-Unis. Britannique.
Graveur. Tendance abstraite.
Elle a figuré, à Paris, en 1995, à l'exposition de la Jeune Gravure Contemporaine parmi les invités des États-Unis.
Elle a présenté à l'exposition de la Jeune Gravure Contemporaine des estampes d'une suite exprimant des fantasmes psychosexuels.

CHRISTIE Lily W., Mrs
XIXe siècle. Britannique.
Peintre de genre.
Elle fut la femme de Robert Christie. Elle travailla à Londres où elle exposa, à partir de 1899 à la Royal Academy.

CHRISTIE Robert
XIXe-XXe siècles. Britannique.
Peintre de paysages.
Élève de J. Lefebvre et de T. Robert-Fleury, il a exposé à la Royal Academy et à Suffolk Street à Londres, à partir de 1891. Il a également participé au Salon des Artistes Français à Paris, notamment en 1927.
VENTES PUBLIQUES : LONDRES, 19 déc. 1991 : Étude de tête 1892, h/pan. (30,5x25,4) : GBP 1 540.

CHRISTIGUEY Christiane, pseudonyme de Guerit
Née en 1945 à Altkirch. XXe siècle. Belge.
Peintre, aquarelliste, céramiste.
Élève à l'Académie des Beaux-Arts de Mons, elle reçoit le Prix du Crédit Communal de Belgique en 1975, celui de Huy en 1976 et le grand prix des Arts Plastiques de Wallonie pour les émaux et les aquarelles. Elle peint un monde où évoluent des personnages de rêve dans une végétation de rêve. Elle est également styliste en bijoux et tissus.
BIBLIOGR. : In : Diction. biog. illustré des Artistes en Belgique depuis 1830, Arto, Bruxelles, 1987.
MUSÉES : MAUBEUGE (Mus. de Henri Boez).

CHRISTIN Pierre
Né le 26 décembre 1935 à Évian-les-Bains (Haute-Savoie). XXe siècle. Français.
Peintre de paysages, d'intérieurs, de scènes de genre. Tendance expressionniste.
Élève de l'École de Beaux-Arts de Lausanne en 1957, il entre à celle de Rennes en 1958. Installé à Paris en 1959, il participe au Salon d'Automne en 1962 et au Salon des Artistes Indépendants en 1963. Il fait sa première exposition personnelle à Paris en 1965 et expose régulièrement à la Galerie Nichido (Tokyo, Osaka, Nagoya, Paris).
Son œuvre est intimiste, montrant d'abord des scènes de genre, dans un certain climat parisien de bistrots, dans un style qui va parfois jusqu'à l'expressionnisme. Amoureux du Japon et grand connaisseur de cette civilisation, il a peint de nombreuses compositions qui, toujours dans une veine intimiste et sobre, tentent de percer les mystères du Pays du Soleil Levant, en particulier son rapport si spécial à l'espace et au temps.
BIBLIOGR. : Catalogue de l'exposition Christin, Galerie Nichido, Paris, 1997.
VENTES PUBLIQUES : PARIS, 9 mars 1981 : La toilette, h/t (111x76) : FRF 3 500 – PARIS, 30 nov. 1995 : Variations de lumière à Venise 1991, h/t (60x20) : FRF 16 000.

CHRISTINE. Voir BOUMEESTER Christine, souvent seulement signature de Boumeester Christine

CHRISTINE DE LIPPE, princesse
Née en 1744. Morte en 1823. xviii*-xix* siècles. Allemande.
Peintre.

CHRISTINE DE PISAN, Maître de. Voir **MAÎTRES ANO-NYMES**

CHRISTINECK Charles Louis
xviii* siècle. Actif à Saint-Pétersbourg. Russe.
Peintre de portraits, graveur.
Il a peint des portraits parmi lesquels on cite celui de l'architecte russe *J. M. Felten* (1786) et celui du médecin anglais *Thomas Dimsdale* (gravure) daté de 1769.
Ventes Publiques : Londres, 14 juil. 1939 : *Catherine II de Russie* : GBP 9 – Londres, 13 fév. 1986 : *Portrait de l'impératrice Catherine II de Russie* 1763, h/t (138,5x108) : GBP 4 500.

CHRISTISON Mary Sympson
Née vers 1850. Morte en 1879 à Lammermoor. xix* siècle.
Britannique.
Peintre de genre et portraitiste.

CHRISTMAN John Christopher
xviii*-xix* siècles. Actif à Londres. Britannique.
Peintre animalier.
Il travailla à Londres, où il exposa entre 1776 et 1883 à la Society of Artists et à la Royal Academy.

CHRISTMAS Gerard, John et **Mathias.** Voir **CHRISMAS**

CHRISTMAS M. R.
Britannique.
Peintre.
Un portrait, par lui-même, a été gravé par W. Humphrey.

CHRISTMAS Thomas
xix* siècle. Actif à Londres. Britannique.
Peintre animalier.
Il travailla à Londres, où il exposa à la Royal Academy, à la British Institution, à Suffolk Street et à la Old Water-Colours Society de 1819 à 1825.

CHRISTO Javacheff
Né en 1932 ou 1935 à Gabrovo. xx* siècle. Depuis 1964 actif aux États-Unis. Bulgare.
Peintre à la gouache, peintre de techniques mixtes, collages, créateur d'emballages, sculpteur, lithographe, dessinateur. Nouveau Réaliste, Land-Art.
Ses études à l'école des Beaux-Arts de Sofia, entre 1952 et 1956, ne sont peut-être pas étrangères à son orientation future. En effet, cette école des Beaux-Arts enseignait non seulement les arts, mais aussi les sciences politiques, l'économie et l'architecture. D'autre part, il a été réquisitionné par l'état bulgare pour travailler à « l'embellissement » des fermes qui pouvaient être vues depuis l'Orient-Express lorsqu'il traversait le pays ; il a donc appris à dissimuler, à faire croire. Il a également fait ses premiers empilements de tuyaux « pour faire beau ». Enfin, toujours à Sofia, il a rencontré le cinéaste soviétique Vassiliev qui lui a fait connaître les théories de Meyerhold et de Maïakowski, le poussant à envisager l'art comme une action commune de divers groupes sociaux. En 1957, il s'enfuit de Bulgarie, passe par Prague, où il travaille au théâtre Burian, puis arrive à Vienne, où il suit les cours de l'école des Beaux-Arts, pendant un semestre, avant d'arriver à Paris en 1958. Il reste en France jusqu'en 1964, travaillant surtout dans l'entourage de Pierre Restany et du groupe des Nouveaux Réalistes.
Christo est arrivé en France dans les débuts des années soixante, c'est-à-dire à un moment où l'abstraction et en particulier le tachisme, auquel il a adhéré un temps, s'était répandu avant de laisser la place au nouveau réalisme, issu d'un néo-dadaïsme. Dès 1958, il réalise ses premiers empaquetages ou emballages, gestes qui s'inscrivent dans une optique radicale d'un renouveau de l'objet dans l'art plastique. En plus d'être le mythe d'une société d'abondance, d'expansion économique, de consommation, l'emballage permet à Christo, en cachant l'objet, de le révéler, de le détourner, de susciter des doutes sur son identité et sa fonction. Il part de petits objets, telles les boîtes de conserve, pour en arriver à la voiture emballée, mais très vite, il s'oriente vers le monumental. Dès 1961, il réalise son premier entassement de tonneaux dans le port de Cologne en 1962, il construit son *Rideau de fer* en entassant 240 barils d'essence qui, sur une hauteur de quatre mètres, barrent la rue Visconti à Paris. Par cette démarche, il part des recherches des Nouveaux Réalistes pour s'orienter vers une intervention au cœur même des éléments naturels, c'est-à-dire vers le Land'Art.

Dès 1961, il avait conçu son premier projet d'emballage d'édifice public, sans toutefois l'avoir réalisé. Ses œuvres tendent vers le monumental : il construit, en 1963, des *Showcases*, et des *Store Fronts*, reconstitutions de devantures de magasins, dont les vitrines sont tendues de tissus, rendant impossible une vision de l'intérieur. A partir de 1964, il s'installe à New York, d'où il rayonne désormais à travers le monde tandis que ses réalisations se font à une échelle de plus en plus grande. Il passe de l'emballage au Stedelijk Van Abbemuseum d'Eindhoven en 1966, à l'empaquetage d'une fontaine, d'une tour médiévale à Spolète en 1968 et d'un édifice public face à la Kunsthalle de Berne. En même temps, il réalise des *Air Packages* : paquets d'air grands comme des maisons (1966-1968). Il entreprend, en 1969, d'emballer le Museum of Contemporary Art de Chicago et surtout un morceau de côte australienne, à Little Bay, où il recouvre un million six cents mille de falaises de 100 000 mètres de bâches et 58 kilomètres de cordes : c'est le *Wrapped Coast*. Le *Valley Curtain* de 1972, au Colorado, est un rideau orange de 420 mètres de long sur 60 mètres de haut, barrant d'une texture de nylon le canyon de Gran Hogback. Dans le même esprit, la *Running Fence*, « la barrière qui court », établie en 1976, est un long ruban de nylon qui se déroule à travers le paysage californien sur près de 50 kilomètres de long et six mètres cinquante de haut, maintenu par 2 770 piquets d'acier, avant d'aller se perdre dans l'océan Pacifique, au nord de San Francisco. En 1979, il couvre les allées du Loose Park à Kansas City d'un nylon, couleur safran. En 1983, il entoure d'une jupe flottante rose fluorescent les petites îles vertes de Biscayne Bay, entre Miami et Miami Beach, donnant l'impression de nénuphars géants aux couleurs inversées. Il réalise en 1985 l'emballage du Pont-Neuf à Paris, avec un tissu grège tendre ; en 1995 l'emballage du Reichstag de Berlin avec 100 00 mètres carrés de toile de polypropylène argenté.
Christo, aidé de son équipe, ne cesse de faire des projets qui bien souvent ne peuvent aboutir en raison de diverses oppositions rencontrées. Cette difficulté est d'ailleurs l'un des problèmes essentiels soulevés par son art. Ses projets mettent en branle toute une série d'énergies qui n'ont en général rien à voir avec l'art : il faut obtenir des autorisations, faire des études techniques et expliquer ses intentions à la population concernée. Christo fait ainsi prendre conscience de ses projets à des gens tout aussi différents que des propriétaires de terrains, sur lesquels passent ses « œuvres d'art », des géographes, des ingénieurs, des ouvriers, des bureaucrates, des hommes politiques. Cette préparation importante, qui implique toute une collectivité, fait partie intégrante de l'œuvre, de même que la préparation purement technique. Christo prépare ses projets à travers de nombreux plans, photos, collages, dessins dont la tension du trait montre un art assuré, qu'il vend et qui permettent de financer toutes ses opérations. Chaque projet est étudié avec soin avec la collaboration de techniciens, et des autorités concernées. L'emballage du Pont-Neuf, par exemple, s'est fait après quatre années de préparation pour ne pas dire discussions. Le choix du Pont-Neuf avait une valeur symbolique, puisque c'est le pont le plus ancien de Paris ; c'est donc l'un des monuments précieux du patrimoine, qu'il n'était pas question d'endommager. Il n'était pas davantage question d'occasionner de nuisances pratiques, tant au niveau de la circulation fluviale que de la circulation routière.
Par son acte artistique, l'artiste fait réagir toute une partie de la société qui, d'habitude ne s'intéresse pas à l'art et qui, par l'envergure de « l'affaire », ne peut que prendre conscience de sa réalisation. Si, comme le précise Christo, « l'art est toujours dans l'homme, une façon différente pour lui d'agir sur la société dans laquelle il vit ou sur l'humanité, et de subir leur action », l'art porte aussi en lui « une part de la vie quotidienne de la culture ». C'est la raison pour laquelle, il y a aujourd'hui un transfert d'idéologie expliqué par Christo ainsi : « L'importance qu'eut la religion pour l'artiste du Quattrocento s'est aujourd'hui transférée sur les contingences économiques, sociales et politiques. » C'est bien avec et contre toutes ces contingences qu'il réalise des œuvres dont l'autre particularité est l'éphémère.
Ainsi réalise-t-il des ouvrages qui ne durent que quelques jours : « Je cherche l'involontaire beauté de l'éphémère », dit-il. Cette beauté éphémère s'accorde bien avec la nature changeante dans laquelle l'œuvre est souvent en communion. Ses interventions comme le *Valley Curtain*, la *Running Fence*, la *Wrapped Coast* ou les *Surrounded Islands*, sont en prise directe avec la nature, ce qui n'empêche pas les polémiques des populations avoisinantes

et leur donne un impact formidable. Son art, ni durable, ni « conservable » dans un musée ou une galerie, ni collectionnable, remet en cause la notion même d'art, l'existence et le rôle des musées. C'est une attitude qui concerne plus d'un artiste, dans les années 70, notamment chez les adeptes du « Land Art », mais seul, Christo, a su donner une telle envergure à son action.

■ Annie Pagès

BIBLIOGR. : Jonathan Fineberg, in : *Connaissances des Arts*, n° 358, déc. 1981 – Christo, Yanagi et Volz : *The umbrellas, joint project for Japan and U.S.A., drawings and collages*, Annely Juda Fine Art, Londres, 1988 – *Christo and Jeanne-Claude – L'emballage du Reichstag, Berlin, 1971, 1995*, Taschen, Cologne, 1996.
MUSÉES : MARSEILLE (Mus. Cantini) : *Empaquetage* 1959 – MONTRÉAL (Mus. d'Art Contemp.) : *Projets non réalisés* 1972, cinq litho. – PARIS (Mus. Nat. d'Art Mod.) : *Table empaquetée* 1961, table recouverte d'objets empaquetés et ficelés dans du velours rose et de la t. de sac, (134,5x43,5x44,5).
VENTES PUBLIQUES : PARIS, 4 nov. 1971 : *Empaquetage de Louis XIII*, collage : **FRF 9 500** – PARIS, 5 déc. 1971 : *Mannequin empaqueté* : **FRF 32 000** – PARIS, 17 nov. 1972 : *Projet pour le Colorado* : **FRF 9 500** – LONDRES, 29 juin 1976 : *Devanture* 1964, techn. mixte avec deux lampes (122x90x10) : **GBP 6 800** – LONDRES, 29 juin 1977 : *Projet de devanture orange* 1965, cart., fer-blanc, plastique, h. et cr./cart. (74x61) : **GBP 3 800** – LONDRES, 6 déc. 1978 : *Double store front* 1964-1965, techn. mixte (61x96,5) : **GBP 5 000** – NEW YORK, 17 mai 1979 : *Le Pont Alexandre III enveloppé* 1972, techn. mixte et collage (71,8x56,5) : **USD 5 500** – LONDRES, 5 avr. 1979 : *Running fence* 1973, fus., projet pour Sonoma County et Martin County dans l'état de Californie (91x244) : **GBP 8 000** – NEW YORK, 27 fév. 1981 : *Devanture verte* 1964, techn. mixte/pap. (62,2x47,7) : **USD 4 500** – NEW YORK, 13 mai 1981 : *Valley curtains* 1970, techn. mixte/pan., projet pour le Colorado (72x56) : **USD 8 000** – PARIS, 26 avr. 1982 : *Arbre empaqueté* 1967, techn. mixte (56x71) : **FRF 28 500** – LONDRES, 23 mars 1983 : *The Mastaba of Abu Dhabi* 1980, cr., techn. mixte, cr. de coul. et fus./pap. (146x244) : **GBP 16 000** – LONDRES, 28 juin 1983 : *Paquet sur un diable* 1974, techn. mixte/pap. (72x57) : **GBP 3 800** – HAMBOURG, 8 juin 1984 : *Le mur de réformateur* 1977, litho. coul. avec collage (72,2x56,7) : **DEM 2 200** – LONDRES, 4 déc. 1984 : *Le Mastaba d'Abu Dhabi* 1979, collage et techn. mixte (78x59) : **GBP 4 500** – LONDRES, 5 déc. 1985 : *Le Pont-Neuf emballé, Paris* 1981, past., fus., cr., tissu et ficelles (56x71) : **GBP 12 000** – NEW YORK, 13 nov. 1986 : *Les Portes* 1982, haut : diagramme et cr. de coul., bas : fus., cr. de coul. et collage pan., Projet pour Central Park à New York, diptyque (38,5x248 et 109,8x248) : **USD 55 000** – NEW YORK, 12 nov. 1986 : *Le Pont-Neuf enveloppé* 1981, diagramme et cr., partie supérieure et cr. coul. et mine de pb partie inférieure, diptyque (147x243,9) : **USD 80 000** – PARIS, 24 nov. 1987 : *The wall* 1973, dess., collage de drap et photo., projet de mur romain enveloppé (70x55) : **FRF 85 000** ; *Show window* 1966, montage de drap, détail (202x112) : **FRF 195 000** – NEW YORK, 20 fév. 1988 : *Houston Mastaba* 1977, tech.mixte/cart., projet de stockage de 1.250.000 bidons d'huile (38,1x28,1) : **USD 6 050** – LONDRES, 25 fév. 1988 : *Palissade* 1975, techn. mixte, projet pour Sonoma et Marina dans l'état de Californie (57,2x72,3) : **GBP 10 120** – PARIS, 20 mars 1988 : *Wrapped couch* 1973, fus., projet (55x76) : **FRF 70 000** – PARIS, 24 mars 1988 : *Le Pont-Neuf emballé* 1980, construction en bois, projet en deux parties (71x28 et 71x56) : **FRF 130 000** – LONDRES, 29 mars 1988 : *Rideau pour une vallée* 1970, collage de tissu, cr. noir et coul./cart. (70,5x55) : **GBP 15 400** – ROME, 7 avr. 1988 : *Roses empaquetées* 1967, plastique et ficelle (90x40x15) : **ITL 15 500 000** – PARIS, 20-21 juin 1988 : *Sel emballé*, techn. mixte, collage de cart. et pap., ficelle, feutres et past., projet pour 250.000 tonnes de sel pour Morton International Inc. Chicago (70x55) : **FRF 75 000** – NEW YORK, 8 oct. 1988 : *Iles recouvertes* 1983, techn. mixte, projet pour Biscayne Bay près de Miami en Floride (deux parties : 28x71,2 et 55,8x71,2) : **USD 57 200** – LONDRES, 20 oct. 1988 : *Arbres drapés* 1969, techn. mixte, projet pour les Champs Elysées à Paris (55,5x71) : **GBP 19 800** – PARIS, 20 nov. 1988 : *Le jet d'eau emballé* 1975, dess. au cr. de coul. et fus., projet pour la ville de Genève : **FRF 380 000** – LONDRES, 23 fév. 1989 : *Empaquetage de femmes* 1967, techn. mixte, projet d'action temporaire dans la villa de Gordon Lowsley à Minneapolis dans le Minnesota (56x71,5) : **GBP 18 700** – PARIS, 6 mars 1989 : *Wrapped monument to Vittorio Emanuele* 1970, emballage, ficelle, étoffe/pap. (70x55,5) : **FRF 18 000** – LONDRES, 6 avr. 1989 : *Devanture de magasin* 1964, techn. mixte/pap./cart. (66,7x50,8) : **GBP 28 600** – PARIS, 9 oct. 1989 : *Storepont* 1965, dess. et structure de bois, tissus et Plexiglas/pan., projet (52x106,5) : **FRF 900 000** – NEW YORK, 3 mai 1989 : *Le Pont-Neuf drapé* 1984, cr., fus., tissu past. et photo./cart., projet pour Paris (deux parties : 28x71 et 56x71) : **USD 99 000** – PARIS, 4 juin 1989 : *Le Pont Neuf emballé*, collage avec cr. coul., tissu, corde, agrafes et photo. /cart./pap., projet, deux panneaux (28,5x72 et 56,7x72) : **FRF 420 000** – LONDRES, 29 juin 1989 : *Iles entourées* 1982, collage et cr. coul., gche et photo./cart., projet pour Biscayne Bay près de Miami en Floride, deux panneaux (28x70 et 56x70) : **GBP 66 000** – NEW YORK, 4 oct. 1989 : *Projet de devanture de magasin* 1964, collage de pap. et cellophane, vernis et fus./pap./pan. (66,7x50,8) : **USD 93 500** – PARIS, 7 oct. 1989 : *Ocean front* 1974, dess. photo. et collage, projet pour la baie de King's Beach à New Port (72x56) : **FRF 155 000** – MILAN, 8 nov. 1989 : *5600 mètres cubes d'emballage* 1968, collage et cr. gras/cart. léger, projet pour la Documenta 4 à Kassel (56x72) : **ITL 60 000 000** – NEW YORK, 9 nov. 1989 : *Le Pont Neuf drapé* 1980, cr. pap., photo., collage de t. d'emballage/cart., projet pour Paris, en deux parties (56,8x71,8 et 28,8x71,8) : **USD 110 000** – AMSTERDAM, 13 déc. 1989 : *Côte emballée* 1969, collage/pap. de photo., tissu, ficelle et dess. etc., projet pour Mittle Bay en Nouvelle Galles du Sud, Australie (70x56) : **NLG 92 000** – LONDRES, 22 fév. 1990 : *Abu Dhabi Mastaba* 1977, collage de photo., photocopies de diagrammes avec h., cr. coul. et graphite/cart., projet de stockage de barils de pétrole dans les Emirats arabes (71,2x56) : **GBP 24 200** – NEW YORK, 23 fév. 1990 : *Emballage du Reichstag*, techn. mixte, collage de cart. et pap., ficelle, feutres et past., projet pour Berlin, diptyque, panneau supérieur (27,9x71,1 et 55,9x71,1) : **USD 74 800** – NEW YORK, 27 fév. 1990 : *Vitrine* 1964, plastique et pap. adhésif sur bois de construction peint. avec éclairage (70,2x61x10,2) : **USD 165 000** – LONDRES, 5 avr. 1990 : *Les Parasols* 1987, collage avec t. d'emballage et cr. coul., gche et un diagramme/cart., deux panneaux (78x67 et 78x31) : **GBP 99 000** – MILAN, 23 oct. 1990 : *Arbres emballés* 1969, techn. mixte et collage, projet pour l'avenue des Champs-Elysées (71,5x56) : **ITL 92 000 000** – NEW YORK, 14 fév. 1991 : *Les Parasols* 1984, cr. coul., t. d'emballage/cart. sur le pan. de gauche, carte géographique et cr. de coul./cart. sur le pan. de droite, projet pour le Japon et la côte ouest des USA (panneau de gauche 67,2x78,1 et panneau de droite 67,2x31,1) : **USD 159 500** – PARIS, 15 avr. 1991 : *Ile emballée, projet pour Biscayne Bay, Miami, Floride* 1983, collage photocray. coul. et past., dyptique (244x144) : **FRF 450 000** – STOCKHOLM, 30 mai 1991 : *Iles entourées*, collage, gche, cr. et craie blanche/fond de plexiglas, projet pour Biscayne Bay au large de Miami en Floride (56x71) : **SEK 200 000** – LONDRES, 27 juin 1991 : *La Boutique jaune* 1965, laque, fus., cr. gras et collage/pap., projet pour Merrin Paint Co (127x92) : **GBP 44 000** – NEW YORK, 13 nov. 1991 : *Rideau pour la vallée* 1972, graphite et cr. de coul. avec collage de t. d'emballage et de pap./cart., projet pour le Colorado (71,1x55,8) : **USD 41 800** – LONDRES, 5 déc. 1991 : *Le Pont Neuf drapé* 1985, cr. de coul., gche et diagramme/cart., deux panneaux, projet pour le Pont-Neuf à Paris (28x71 et 55,2x71) : **GBP 20 900** – NEW YORK, 6 mai 1992 : *Les Parasols*, en haut : acryl. et cr. coul., photo. et carte géographique/cart., en bas : cr. coul./cart., projet pour le Japon et les États-Unis, deux panneaux (147,3x245,1) : **USD 110 000** – AMSTERDAM, 21 mai 1992 : *Femme empaquetée* 1967, gche, past., cr. de coul., cr., plastique et ficelle/pap. (55x70) : **NLG 32 200** – MUNICH, 26 mai 1992 : *Le Temple d'Égine drapé*, sérig. et collage de photos, projet (89x68,5) : **DEM 4 600** – NEW YORK, 19 nov. 1992 : *Arbres drapés (approx. 267)* 1969, plastique, ficelle, cr. coul. et graphite/cart., projet pour l'avenue des Champs-Élysées à Paris (55,9x71,1) : **USD 38 500** – LONDRES, 3 déc. 1992 : *Le Pont-Neuf drapé* 1979, cr. coul., fus. et mine de pb/photocopie d'un dess./cart., projet pour Paris, en deux parties (39x244 et 107x244) : **GBP 38 500** – LONDRES, 24-25 mars 1993 : *Coussin empaqueté*, t. ficelle et coussin dans un sac (80x60x22) : **GBP 13 225** – NEW YORK, 4 mai 1993 : *Arbres drapés (approx.*

380) 1969, graphite et cr./pap., projet pour l'avenue des Champs Élysées et le Rond Point à Paris (127x92,1) : **USD 48 875** – Zurich, 13 oct. 1993 : *Monument à Victor Emmanuel drapé* 1975, litho. coul. et collage, projet pour la place du Duomo à Milan (71x55) : **CHF 3 600** – New York, 9 nov. 1993 : *Iles entourées*, collage de photo. noir et blanc, acryl., cr. coul./pap./cart., projet pour Biscayne Bay au large de Miami en Floride (148x245,1) : **USD 178 500** – Stockholm, 30 nov. 1993 : *Automobile drapée*, techn. mixte et collage, projet pour une Volvo - PV type P III 94 Motor ESS B 18 A (55,5x70,5) : **SEK 65 000** – New York, 3 mai 1994 : *Projet pour le Pont-Neuf drapé à Paris*, cr., fil, t. d'emballage, craies, plan de Paris, collage et photo./cart. (71x55,5) : **USD 40 250** – Paris, 23 oct. 1994 : *Arbres de l'avenue des Champs-Elysées drapés et l'Arc de Triomphe*, cr., collage de photo., ficelle et plastique (69x54) : **FRF 360 000** – Londres, 30 nov. 1994 : *Empaquetage 1961*, t. d'emballage, plastique et ficelle (120x45x18) : **GBP 27 600** – Rome, 13 juin 1995 : *Clôture, projet pour Sonoma Country* 1973, techn. mixte et collage/cart. (110x70) : **ITL 31 050 000** – Paris, 13 juin 1995 : *Deux chaises et une table empaquetées*, fus., craie coul. gche, film plastique et cordelette/pan. (61x73,5) : **FRF 120 000** – Lokeren, 7 oct. 1995 : *Projets irréalisés 1971*, portefeuille de 5 gravures (chaque 70x55) : **BEF 220 000** – New York, 22 fév. 1996 : *Magazines emballés 1966*, film polyéthylène et ficelle, numéros de Life Magazine (15,2x40,6x27,9) : **USD 21 850** – Londres, 21 mars 1996 : *Emballage sombre et emballage 1963*, deux paquets dans une boîte de Plexiglas (chaque 38x31x12) : **GBP 43 300** – Paris, 1er juil. 1996 : *Valley Curtain, Project for Colorado, Grand Horbach 1971-1972*, collage, dess. et photo./cart. (71,5x56) : **FRF 86 000** – Paris, 7 oct. 1996 : *Monument à Vittorio Emanuele emballé 1970-1974*, collage de tissu/bois/cart. (71x56,5) : **FRF 70 000** – Londres, 24 oct. 1996 : *Le Reichstag emballé 1980*, fus./carte et past., cr. coul., cr. et collage/cart., projet pour Berlin, une paire (28x72 et 56,5x72) : **GBP 23 000** – Paris, 24 nov. 1996 : *Cratère 1950*, h/pan. (64x50) : **FRF 31 000** – Londres, 5 déc. 1996 : *Le Pont-Neuf emballé 1981*, mine de pb, cr. coul. ficelle/pap., projet pour Paris (84,5x71) : **GBP 20 700** – Londres, 6 déc. 1996 : *Le Pont Neuf emballé 1985*, collage carte, fus., cr./cart. et collage ficelle, past., cr., fus., tissus/cart., projet pour Paris (28,5x71,5 et 56,5x71,5) : **GBP 19 550** – New York, 20 nov. 1996 : *Le Reichstag emballé 1992*, cr., laque, stylo bille, past., fus., ruban, carte et photo./pan., projet pour Berlin (36,2x28,6) : **USD 14 950** – New York, 19 fév. 1997 : *Le Pont Neuf emballé 1981*, mine de pb, past., collage tissus et photo./pan., projet pour Paris, en deux parties (27,9x71,1 et 56,5x71,1) : **USD 40 250** – Londres, 26 juin 1997 : *Surrounded Islands 1982*, acryl., craie et carte, et craie/pap., projet pour Biscayne Bay, Greater Miami, Floride (40x245 et 107x245) : **GBP 41 100** – Londres, 27 juin 1997 : *Monument à Vittorio Emanuele enveloppé 1970*, cr., fus., craie coul., collage ficelle et tissu/cart., projet pour la Piazza Duomo, Milan (71,5x56) : **GBP 11 500**.

CHRISTODULE Georges
Né à Égine. XXe siècle. Grec.
Graveur sur bois.
Élève à l'École des Beaux-Arts d'Athènes, il a exposé au Salon des Artistes Français à Paris, recevant une mention honorable en 1923, une troisième médaille en 1924 et une seconde médaille en 1928.

CHRISTOFANO DI PAPI Dell'Altissimo ou Cristoforo
Mort le 21 mai 1605 à Florence (Toscane). XVIe siècle. Italien.
Peintre de portraits.
Il était actif à Florence de 1552 à 1605. Il eut pour premier maître Pontormo et se rendit ensuite à l'école d'Agnolo Bronzino. Son nom est lié à la collection des portraits, fondée par le duc Cosimo Ier, et qui, très agrandie depuis, est à présent dans le couloir ouvert entre le musée dei Uffizi et le Palais Pitti, à Florence. En 1552, le duc Cosimo l'envoya à Côme, pour copier, dans la collection de portraits de Paul Jose, évêque de Nocera, les effigies des hommes les plus remarquables. Il y travailla jusqu'en 1565, et fit deux cent quatre-vingts copies de portraits. Cet énorme labeur ne l'enrichit pas. Par les lettres que l'artiste écrivait au duc et à son secrétaire, on peut suivre les phases de sa vie active ; il y dépeint sa misère et celle de toute sa famille. Il fut enterré à l'église Saint-Pierre.
Ses copies ont une grande importance iconographique, mais peu de valeur artistique. Lorsque donna Ippolita Gonzaga lui fit faire son portrait, et en même temps, par son peintre de la cour,

Bernardino de' Campi, Altissimo fut le vaincu de ce singulier concours.
Musées : Chambéry : *Portrait de Néri Capponi.*
Ventes Publiques : Paris, 1920 : *Léon X* : **FRF 790** – Rome, 10 mai 1988 : *Portrait d'homme*, h/pan. (62x51) : **ITL 24 000 000** – Milan, 12 déc. 1988 : *Portrait de Giovanni Boccaccio*, h/pan. (59x44) : **ITL 14 000 000** – Rome, 23 mai 1989 : *Portrait de Giovanni Boccaccio*, h/pan. (58x43) : **ITL 13 500 000** – Londres, 18 oct. 1995 : *Portrait du Cardinal Robert Pucci*, h/pan. (66x51) : **GBP 8 970** – Rome, 29 oct. 1996 : *Portrait de Baldo di Sassoferrato*, h/t (60x45) : **ITL 5 242 000.**

CHRISTOFFEL
XVIIe siècle. Suisse.
Sculpteur sur bois.
Il travailla au monastère de Beromünster (canton de Lucerne) en 1600 et 1602.

CHRISTOFFEL Anton
Né le 7 octobre 1871 à Scanfs (Graubünden). Mort en 1953 à Zürich. XIXe-XXe siècles. Suisse.
Peintre.
Il fut élève à l'École des Arts Industriels de Zurich, puis à l'Académie Calarossi et à l'École des Arts Décoratifs à Paris. Après avoir travaillé quelque temps à Munich, il se fixa à Zurich à partir de 1902.
Ventes Publiques : Lucerne, 3 déc. 1988 : *Les lacs de Silsersee, Silvaplanersee 1924*, aquar., deux pendants (24x33) : **CHF 2 000.**

CHRISTOFFEL Daniel
Originaire de Valenciennes. XVIIe siècle. Actif à Amsterdam à partir de 1620. Éc. flamande.
Peintre.

CHRISTOFFELS Melchior ou Cristobal
Né en 1615 à Anvers. Mort à Séville. XVIIe siècle. Éc. flamande.
Graveur.

CHRISTOFFERSEN Frede
Né en 1919 à Borup (Seeland). XXe siècle. Danois.
Peintre de paysages, d'intérieurs et illustrateur.
Il avait exposé au Salon d'Automne de Copenhague dès 1938, avant d'étudier à l'Académie des Beaux-Arts de Copenhague entre 1942 et 1943. Il fut membre du groupe « Den Frie » à Copenhague et participa à plusieurs expositions en Europe, notamment au Grand Palais à Paris en 1973 au sein de l'Art danois, et en Amérique. Il a exécuté plusieurs illustrations de recueils de poésies et des ouvrages décoratifs.
Son thème principal est le soleil, mais il a également peint des intérieurs, avec ou sans figures, des vues sur les toits, des tempêtes et des nuits. Son style concis est dominé par un coloris clair et profond, tiré de l'arc-en-ciel. La forme simplifiée de son art lui donne un caractère dramatique. Cette même forme simplifiée se retrouve à travers ses collages constitués de débris de bois et de métaux au rebut.
Musées : Aalborg (Nordjyllands Kunstmuseum) – Aarhus – Cincinnati – Copenhague (Statens Mus. for Kunst) : *Soir 1958* – *Nuit d'orage 1963* – Copenhague (Louisiana) – Gothenburg – Lund.
Ventes Publiques : Copenhague, 14 mars 1972 : *Composition* : **DKK 4 400** – Copenhague, 24 nov. 1976 : *Été 1968*, h/t (68x96) : **DKK 5 600** – Copenhague, 22 jan. 1980 : *Paysage 1952*, h/t (35x55) : **DKK 4 000** – Copenhague, 25 nov. 1987 : *La Nuit 1966*, h/t (39x42) : **DKK 8 700** – Copenhague, 10 mai 1989 : *Fer 1962*, h/t (47x42) : **DKK 5 100** – Copenhague, 21-22 mars 1990 : *Soir 1954*, h/t (68x80) : **DKK 16 000** – Copenhague, 30 mai 1991 : *Soir 1970*, h/t (50x50) : **DKK 16 000** – Copenhague, 4 déc. 1991 : *Automne 1950*, h/t (48x71) : **DKK 10 000** – Copenhague, 6 sep. 1993 : *Soir 1963*, h/t (60x40) : **DKK 6 500** – Copenhague, 1er déc. 1993 : *Soir de mars/avril 1968*, h/t (60x100) : **DKK 7 500** – Copenhague, 14 juin 1994 : *Soirée de printemps 1975*, h/t (60x60) : **DKK 8 000.**

CHRISTOFFERSEN Uffe
Né en 1919. Mort en 1987. XXe siècle. Danois.
Peintre animalier.
Ventes Publiques : Copenhague, 25 sep. 1985 : *Tigre*, h/t (96x120) : **DKK 6 000** – Copenhague, 26 mai 1987 : *Cani Lupus 1986*, h/t (75x100) : **DKK 15 500** – Copenhague, 20 sep. 1989 : *Tortues de mer I 1982*, h/t (120x170) : **DKK 8 000** – Copenhague, 21-22 mars 1990 : *Tigre chinois 1977*, h/t (60x75) : **DKK 5 000** – Copenhague, 30 mai 1990 : *Tigre 1974*, peint./rés. synth. (80x80) : **DKK 8 000** – Copenhague, 20 mai 1992 : *Combat de bêtes sauvages*, h/t (85x100) : **DKK 4 500** – Copenhague, 10 mars 1993 : *Le loup rouge 1986*, h/t (75x100) : **DKK 5 500** – Copenhague, 12 mars 1996 : *Composition 1990*, h/t (87x132) : **DKK 5 500.**

CHRISTOFLE Paul, Mme
Née au XIXe siècle à Paris. XIXe siècle. Française.
Peintre de paysages, dessinateur, fusiniste.
Élève de Lalanne. Elle débuta au Salon de 1878.

CHRISTOFLE DE TREFOULX
XVIe siècle. Actif à Bourges vers 1506. Français.
Peintre ornemaniste.

CHRISTOFOROU John
Né le 10 mars 1921 à Londres, de parents grecs. XXe siècle.
Actif en Angleterre et en France. Grec.
Peintre de portraits, peintre à la gouache. Expressionniste.

S'il a passé une partie de son enfance à Londres, à l'âge de huit
ans il retourne en Grèce pour l'avenir de son éducation. Il suit les
cours de l'École des Beaux-Arts d'Athènes entre 1935 et 1938.
De retour à Londres en 1938, il sert pendant cinq ans dans la
Royal Air Force, ce qui l'amène, pendant deux ans, en Inde.
Il peint à partir de 1946 et sa première exposition personnelle a
lieu à Londres en 1949. Il partage sa vie entre Londres et Paris,
où il s'installe en 1957 et où il participe à plusieurs expositions,
dont celle des Peintres grecs à la Maison Internationale de la Cité
Universitaire en 1958, celle des Peintres et Sculpteurs grecs de
Paris au Musée d'Art Moderne en 1962. La même année, il est
présent à l'exposition *Une Nouvelle Figuration* à Paris. Il figure
régulièrement au Salon de Mai à partir de 1965, au Salon des
Réalités Nouvelles et Comparaisons à partir de 1969 et au Salon
Grands et Jeunes d'Aujourd'hui à partir de 1971. À Londres, il
avait participé à l'exposition *The Religious Theme* à la Tate Gallery en 1958, à *Art Alive* à Northampton en 1960. Il a participé à
bien des expositions de groupe en Italie, notamment à Turin en
1959, dans les pays scandinaves et particulièrement à Copenhague en 1961, 1969, 1982, en Belgique, à Anvers en 1968, à
Ostende en 1971, à Bruxelles en 1980, et 1982. Il était également
présent à l'exposition *Peinture Expressionniste* au Musée d'Art
Moderne de Villeneuve d'Ascq en 1985, à celle des *Figurations
de 1960 à nos jours* au Musée d'Art Contemporain de Dunkerque, etc.
Ses expositions personnelles se sont déroulées très régulièrement à Londres, à Paris à partir de 1960, avec une importante
rétrospective en 1969, à Rome 1961, à Göteborg en 1962, à
Malmö en 1964, très fréquemment au Danemark et en Belgique
à partir de 1965, à Nantes en 1970, 1976, 1980, à Toulouse en
1973 et 1981, à Saint-Étienne en 1979, à Montbéliard et Dunkerque en 1986, à Rouen en 1987, à Amiens et Lille en 1988, au
Couvent des Cordeliers de Paris en 1994.
Christoforou ne peint pas la réalité simplement perçue, il
cherche à rendre au-delà de ce qui est visible, à révéler la vie
enfouie au fond de soi et les forces invisibles. Très tôt il peut se
définir comme peintre expressionniste à travers ses figures qui
prennent un caractère monumental par la véhémence des sentiments qu'il entend leur faire exprimer, par un graphisme simplifié et amplifié jusqu'à une déformation hallucinée. Ses figures
tragiques, masques ou totems, font référence à l'art byzantin
puis à l'art nègre par la violence des formes et des couleurs. Les
rouges, bleus, verts s'opposent vivement et sont exacerbés par
de lourds cernes noirs, le tout peint dans une matière extrêmement riche et tumultueuse. Toutefois, au début des années 60,
son travail est passé par une recherche plus structurée de la
forme et la matière a laissé la place à des compositions plus disci-
plinées : c'est l'époque de *L'Homme et le calme ; Danse nocturne ; Masque*, tous de 1960. Après ce retour au calme et même
à un art statique aux grands plans de couleurs, Christoforou
revient à un art plus mouvementé, franchement expressionniste.
Il retrouve un monde fait de paradoxes : un mélange de cruauté
et de pitié présenté sous un humour grinçant. Ses *Têtes* sont
moins des cris que l'expression de l'univers qui inspire la douleur. Ses représentations de *La Mère et l'enfant* expriment l'entité mère-enfant telle que nous la concevons dans notre sub-
conscient, mais non telle que nous aurions tendance à la
représenter selon le symbolisme des civilisations antérieures. En
1989, il a abordé le thème de la *Crucifixion*, à mettre en parallèle
avec celui des *Personnages devant le néant*, mais cette fois, c'est
plus un chant de victoire qu'un cri de désespoir. ■ A. P.

BIBLIOGR. : Catalogue de l'exposition *Christoforou*, Paris, 1969.

VENTES PUBLIQUES : PARIS, 25 mai 1976 : *L'Homme oiseau*, h/t
(81x65) : **FRF 1 800** – PARIS, 23 oct. 1981 : *Composition 1977*,
gche (65x50) : **FRF 2 000** – VERSAILLES, 15 juin 1986 : *Composition
1956*, acryl./isor. (125x95) : **FRF 11 000** – PARIS, 22 nov. 1987 :
Portrait rouge, blanc et noir 1986, h/t (100x81) : **FRF 25 500** –
PARIS, 15 fév. 1988 : *Le fou poète*, h/t (81x65) : **FRF 19 000** – PARIS,
20 mars 1988 : *Souvenir d'un voyage 1964*, h/t (81x65) :
FRF 7 000 – PARIS, 22 avr. 1988 : *Le voyage 1964*, h/t (65x55) :
FRF 7 000 – PARIS, 20-21 juin 1988 : *Femme à la plume 1965*, h/t
(73x60) : **FRF 18 000** – LONDRES, 6 avr. 1989 : *Personnage féminin*,
h/t (195x138) : **GBP 2 090** – PARIS, 4 juin 1989 : *Figure bleue*,
h/isor. (122x95) : **FRF 18 000** – COPENHAGUE, 22 nov. 1989 : *Le
Poète chanteur*, h/t (46x38) : **DKK 12 500** – CALAIS, 4 mars 1990 :
Personnage, gche (65x50) : **FRF 16 000** – PARIS, 25 mars 1990 :
Personnage noir, h/t (81x65) : **FRF 55 000** – NEUILLY, 10 mai 1990 :
L'Homme machine, acryl./t. (100x80) : **FRF 61 000** – AMSTERDAM,
22 mai 1990 : *La Ballerine*, gche/pap. (64x50) : **NLG 2 300** –
COPENHAGUE, 30 mai 1990 : *Le Philosophe 1977*, acryl./pap./t.
(46x38) : **DKK 9 000** – CALAIS, 8 juil. 1990 : *L'Homme arraché
1989*, h/t (65x54) : **FRF 23 500** – DOUAI, 11 nov. 1990 : *Composition*, acryl./pap. mar./t. (76x54) : **FRF 20 500** – COPENHAGUE, 13-14
fév. 1991 : *Songe aux ailes noires 1960*, h/t (66x46) : **DKK 37 000**
– AMSTERDAM, 11 déc. 1991 : *Fille assise*, h/t (148x116,5) :
NLG 13 800 – PARIS, 16 fév. 1992 : *Sans titre*, h/isor. (125x90) :
FRF 27 500 – COPENHAGUE, 20 mai 1992 : *Savant ensorcelé 1965*,
h/t (162x130) : **DKK 25 500** – PARIS, 8 juil. 1993 : *Le Chevalier
blessé 1987*, h/t (81x65) : **FRF 120 000** – COPENHAGUE, 6 sep.
1993 : *Femme rouge 1966*, h/t (146x114) : **DKK 17 500** – COPEN-
HAGUE, 2 mars 1994 : *Portrait bleu au chapeau sur fond blanc 1987*,
h/t (100x81) : **DKK 14 000** – PARIS, 25 mars 1994 : *Le Chanteur
1986*, acryl./t. (130x97) : **FRF 25 000** – PARIS, 7 mars 1995 : *Personnage solitaire en noir 1990*, h/t (100x81) : **FRF 22 000** – COPEN-
HAGUE, 12 mars 1996 : *Enfant rouge 1965*, h/t (55x46) : **DKK 4 500**
– PARIS, 24 mars 1996 : *Portrait aux bandes rouges 1984*, acryl./t.
(73x60) : **FRF 10 000** – PARIS, 5 juin 1996 : *Composition*, gche/
pap. (65x55) : **FRF 55 000** – PARIS, 19 juin 1996 : *Pindar 1957*, h/t
(100x81) : **FRF 8 000**.

CHRISTOL Frédéric
Né au XIXe siècle à Paris. XIXe siècle. Français.
Peintre.
Élève de Gérome et P. Flandrin. Il exposa au Salon entre 1874 et
1880 des paysages, des portraits et des vues d'Italie, de Suisse,
de Palestine.

CHRISTOMANNO C. A.
XIXe siècle. Travaillant à Vienne vers 1838. Autrichien.
Peintre de miniatures.

CHRISTOPH
XVIe siècle (?). Allemand.
Sculpteur.
Peut-être s'agit-il de Christoph von Urach. Il signa le tombeau
du comte Michael II von Wertheim, daté de 1543, et qui se trouve
dans l'église de Wertheim.

CHRISTOPH von Méran
XIVe ou XVe siècle. Actif à Méran. Autrichien.
Peintre de fresques.
D'autres documents le donnent en 1342.

CHRISTOPH von Urach
XVIe siècle. Actif à Urach. Allemand.
Sculpteur.

CHRISTOPH Van Utrecht
Né en 1498 à Utrecht. Mort en 1557 en Portugal. XVIe siècle.
Hollandais.
Peintre.
Il fit des petits portraits à la cour de Portugal et reçut l'ordre du
Christ. Christoph Van Utrecht se distingua particulièrement
dans les miniatures et le Musée de Naples conserve de lui, dans
ce genre, une série de portraits *(Le pape Paul III, Louis, don Juan,
Isabelle et Catherine de Portugal, Alexandre Farnèse et Margue-
rite de Parme)*.

CHRISTOPHE, pseudonyme de Boulay Christophe
Né en 1963. XXe siècle. Français.
Peintre, sculpteur de figures. Groupe Art-Cloche.
Dans les années quatre-vingt, il a fait partie et participé aux
manifestations du groupe *Art-Cloche*. Dans ses peintures et
sculptures en technique mixte, son travail est fondé sur l'exploitation des possibilités expressives de la matière et de la couleur,
souvent réunies dans des bois peints.

BIBLIOGR. : In : *Art Cloche. Élément pour une rétrospective. Squatt artistique*, catalogue de ventes, Mer Pierre Cornette de Saint-Cyr, lundi 30 janvier 1989, Paris.
VENTES PUBLIQUES : PARIS, 7 fév. 1991 : *Solitude*, acryl./t. (92x74) : FRF 6 600.

CHRISTOPHE, pseudonyme de Colomb Georges
Né le 25 mai 1856 à Lure. Mort le 3 janvier 1945 à Nyon. XIXe-XXe siècles. Français.
Dessinateur, illustrateur.
Alors qu'il était professeur de sciences naturelles au lycée Condorcet à Paris, il publia, sous le pseudonyme de Christophe, les épisodes de *La Famille Fenouillard* dans *Le Petit Français Illustré*, à partir de 1889. Il avait ainsi inventé le principe du feuilleton illustré, ancêtre de la bande dessinée. Il illustra ses propres ouvrages : *L'Enseignement par l'image*, 1895, aux éditions A. Colin, *La Famille Fenouillard*, aux mêmes éditions, en 1895, *Les Malices de Plick et Plock*, 1894-1904, *Le Sapeur Camember*, 1890-1896, *Le Savant Cosinus* et *L'idée fixe du savant Cosinus*, 1893-1899. Il a illustré *Le triomphe de Bibulus* de Ch. Normand en 1921 et a collaboré au *Journal de la jeunesse* et au *Petit Français illustré.*
BIBLIOGR. : Marcus Osterwalder, in : *Diction. des illustrateurs, 1800-1914*, Hubschmid & Bouret, Paris, 1983.
VENTES PUBLIQUES : PARIS, 17 nov. 1991 : *Ivresse publique et solitaire*, acryl./t. (81x100) : FRF 5 000.

CHRISTOPHE Claude
Né en 1667 à Verdun. Mort le 3 août 1746 à Nancy. XVIIe-XVIIIe siècles. Français.
Peintre de portraits.
Élève de Rigaud à Paris où il resta pendant sept ans. Il était peintre ordinaire du duc de Lorraine. On cite de lui : *Saint Nicolas et les trois enfants* ; *Portraits de Stanislas* et *Portrait de Charles III.*

CHRISTOPHE Ernest
Né en janvier 1827 à Loches (Indre-et-Loire). Mort le 16 janvier 1892 à Paris. XIXe siècle. Français.
Sculpteur.
Élève de Rude qui le fit travailler au monument de Cavaignac, lequel est signé : *Rude et Christophe, son jeune élève*. Il exposa dès 1850, jusqu'à sa mort, mais de façon très irrégulière. Le *Masque*, qui lui valut une troisième médaille en 1875, fut placé au jardin des Tuileries ; deux de ses groupes, *Fatalité* et *Baiser suprême* furent acquis pour le Musée du Luxembourg.

CHRISTOPHE Fernande Elise Jeanne
Née en 1922. XXe siècle. Belge.
Peintre de portraits, de figures, de paysages et de natures mortes. Néo-expressionniste.
Élève des Écoles des Beaux-Arts de Bruxelles, Etterbeck, Ixelles et St-Josse, elle a travaillé sous la direction de Léon Devos, Jacques Maes et Charles Swyncop. Elle peint autant à l'huile qu'au pastel. Elle obtient le Premier Prix du Brabant en 1976.

CHRISTOPHE Franz
Né en 1875 à Vienne. XXe siècle. Allemand.
Dessinateur.
De famille française, il résida à Munich puis à Berlin. Il a collaboré à plusieurs périodiques, dont *Jugend, Simplicissimus, Narrenschiff, Lustige Blätter* et a illustré plusieurs ouvrages.
MUSÉES : BERLIN (Nat. Gal.) : *Heiter ist die Kunst* 1908.

CHRISTOPHE Jean
XVIe siècle. Actif à Pont-à-Mousson. Français.
Peintre verrier.

CHRISTOPHE Joseph
Né en 1498. Mort en 1557. XVIe siècle. Hollandais.
Peintre.

CHRISTOPHE Joseph ou Christophle
Né en 1662 à Verdun. Mort le 9 mars 1748 à Paris. XVIIe-XVIIIe siècles. Français.
Peintre.
Élève de Bon Boullongne ; il obtint le prix de Rome en 1687, avec son tableau : *Le Déluge*. Le 24 mars 1702, il fut reçu académicien, avec : *Persée coupant la tête de Méduse*. Le 24 novembre 1708, il fut adjoint à professeur, professeur le 29 mars 1717, adjoint à recteur le 7 juillet 1736, recteur le 28 mars 1744. Christophe peignit, pour la corporation des orfèvres, en 1696, le soixante-sixième tableau votif, offert à Notre-Dame. Il représentait le *Miracle des cinq pains*. C'est en 1704 qu'il commença à figurer au Salon. Il exposa pour la dernière fois en 1739.

MUSÉES : PARIS (Louvre) : *La tasse de thé*, dess. – VERSAILLES : *Baptême de Louis de France, Dauphin, fils de Louis XIV.*

CHRISTOPHE Pierre Robert
Né le 16 juillet 1880 à Saint-Denis (Seine-Saint-Denis). Mort le 13 février 1971 à Bordeaux. XXe siècle. Français.
Sculpteur de bustes et d'animaux.
Élève du sculpteur animalier Georges Gardet, il a participé au Salon des Artistes Français, où il obtint une mention honorable en 1899, une médaille de troisième classe en 1900, date à laquelle il devint sociétaire de ce Salon. Il y reçut également une deuxième médaille en 1913 et une première médaille en 1922. Il figurait au Salon d'Automne de Paris en 1929. Sculpteur animalier, il faisait aussi des bustes, en particulier de personnalités, dont *Raymond Laurent, Président du Conseil Municipal de Paris.*
MUSÉES : NICE : *Jeunes biches au repos.*
VENTES PUBLIQUES : ENGHIEN-LES-BAINS, 1er nov. 1979 : *L'esclave*, bronze (H. 31,5) : FRF 6 200 – PARIS, 24 mars 1980 : *Le poulain*, bronze (H. 22) : FRF 2 800 – LONDRES, 29 mai 1985 : *L'attente du train en gare de Passy, Paris 1911*, h/t (48,5x60) : GBP 1 900.

CHRISTOPHE Suzanne Renée
Née à Yerres (Seine-et-Oise). XXe siècle. Française.
Peintre.
Sociétaire des Artistes Français.

CHRISTOPHE DE COITIS. Voir COITIS Christofle de

CHRISTOPHE DE COLOGNE. Voir MAÎTRE de l'autel Bartholomé

CHRISTOPHER Tom
Né en 1952 à Los Angeles. XXe siècle. Américain.
Peintre de paysages urbains, dessinateur.
Il fut diplômé de l'Art Center College de Pasadena puis s'installa à New York en 1981.
Il participe à des expositions collectives depuis 1980 : 1980, 1985, 1989, 1992, 1993 New York ; 1985 Tokyo ; 1988 San Francisco ; de 1989 à 1991, 1994 Los Angeles ; 1994 San Diego. Il montre ses œuvres dans des expositions personnelles : depuis 1984 régulièrement à New York ; 1986 San Francisco ; 1988, 1989, 1991 Los Angeles ; 1990 Museum of Art d'Ontorio ; 1991 San Antonio.
Il collabore à différentes revues avec des dessins. Il s'est spécialisé dans les vues de New York, représentant en noir et blanc ou en couleurs, par touches nerveuses, la vie de la cité dans toute sa multiplicité et son agitation. Son travail se trouve dans la lignée de la *Bad Painting*, peinture « qui se veut mauvaise (bad), se distingue par une facture grossière mais expressive et par un contenu narratif plus ou moins explicite » (Robert Atkins).
BIBLIOGR. : Robert Atkins : *Petit Lexique de l'art contemp.*, Abbeville Press, Paris, 1992.

CHRISTOPHERSEN Alejandro ou Alexandre
Né le 30 août 1866 à Cadix (Espagne). Mort le 4 février 1946 à Buenos Aires. XXe siècle et en Argentine. Norvégien.
Architecte et peintre de portraits, de nus et de scènes de genre. Postimpressionniste.
Élève à l'École des Beaux-Arts de Paris, il fréquenta les ateliers de Fleury et Lefèvre. Professeur à la Faculté des Sciences exactes et naturelles, il fut le fondateur de la Faculté d'Architecture de Buenos Aires. En dehors de son activité d'architecte, il se consacrait à la peinture et exposa aux Salons des Artistes Français et d'Automne à Paris en 1908-1909. Il peignait surtout des portraits mondains, d'une touche rapide et libre, un peu à la manière de Boldini ou de Jacques Émile Blanche.

CHRISTOPHERSON José
Né en Angleterre. XXe siècle. Britannique.
Peintre de paysages.
Il est l'un des vingt peintres du Lancashire qui ont composé le Manchester Groupe fondé en 1946 et dont l'exposition eut lieu à Londres en 1948.

CHRISTOPHLE Joseph. Voir CHRISTOPHE

CHRISTUS Petrus I et II, ou Pietro ou Christi, Christophori, Cristus
XVe siècle.
Peintre de compositions religieuses, portraits, dessinateur.
Nom porté par plusieurs artistes flamands. Les documents d'archives publiés par le comte de Laborde et J. Weale, ainsi que l'examen de cinq ouvrages datés et signés, ont amené les historiens d'art, depuis Waagen, à attribuer à un seul artiste, appelé par eux « Le Protée de la peinture », une vingtaine d'ouvrages

dont même ceux qui portent des dates très voisines sont très divers de facture. Mais ces ouvrages ont pu être divisés en deux groupes très homogènes ; ce qui a pu les faire attribuer à deux peintres différents, de même nom et de même prénom, très probablement le père et le fils.

Il paraît possible qu'un Petrus l'Ancien soit le père de Petrus le jeune. Collaborateur, très probablement, d'Hubert Van Eyck vers 1416-1417, il a dû naître vers 1390 ; il vivait encore en 1457, date du diptyque de Berlin. Les documents d'archives paraissent tous se rapporter à un Petrus le jeune, né à Baerle, où son père était sans doute établi. Ayant acheté le droit de bourgeoisie à Bruges en 1444, il avait donc au moins trente ans à ce moment-là, ce qui le fait naître en ou avant 1414, date bien concordante avec l'hypothèse sur celle de la naissance de Petrus Christus l'Ancien.

Voici tous les faits et les dates que l'on a pu réunir jusqu'ici sur le nom indifférencié de « Petrus Christus » : 1443 Petrus Christus achète une maison à Bruges ; 1444 « Pieter Christus, fils de Pieter, né à Baerle, a acheté son droit de bourgeoisie (à Bruges) le 6 juillet 1444 ; (présenté) par Joos Van der Donc pour être peintre » ; 1446 le portrait d'*Edward Grimeston* (collection de lord Verulam) porte, au revers du panneau, la signature : *PETRVS. XPI. ME. FECIT. Aº 1446* ; 1449 Le *Saint Éloi* de la collection Oppenheim, exposé à Bruges en 1902, porte l'inscription en gothique cursive : *petr. xpi me fecit aº 1449* ; 1450 Petrus Christus est mentionné comme membre de la gilde de Saint-Luc de Bruges ; 1452 le diptyque du Musée de Berlin représentant l'*Annonciation*, la *Nativité* et le *Jugement dernier* porte l'inscription en lettres gothiques : *petrus xpi. me. fecit. anno. domini. m. cccc. lij.* ; 1453 ou 1454 Petrus Christus fait, à Cambrai, pour le duc d'Etampes, trois copies d'une *Vierge miraculeuse* que la cathédrale avait reçue de Rome ; 1457 *La Vierge entre deux saints* du Musée Städel de Francfort-sur-le-Main est signée : † *PETRVS. XPI. Me. FECIT 1457* (on avait autrefois lu cette date, par erreur : 1417 et 1447) ; 1462 Petrus Christus et sa femme sont inscrits comme membres de la Confrérie de Notre-Dame de l'Arbre Sec, à Bruges ; 1463 la ville de Bruges charge « Pieter Christus et Maître Pieter Nachtegale » de faire un grand arbre de Jessé avec le petit Jésus pour la procession annuelle ; 1467 Petrus Christus est chargé de repeindre l'arbre de Jessé ; 1471 il est notable de la gilde de Saint-Luc à Bruges ; 1472 il est juré du métier de peintre à Bruges ; novembre 1473 il est inscrit comme défunt dans l'obituaire de la gilde.

Voici maintenant la liste complète des ouvrages attribués à ce « Petrus Christus » indifférencié, mais que nous avons divisés en deux groupes, en y ajoutant plusieurs chefs-d'œuvre méconnus, attribués par l'opinion à d'autres grands artistes :

Œuvres archaïsantes : 1416-1417 *La Vierge entre les saintes*, miniature des *Heures de Turin*. Très probablement (selon nous) par P. C. le vieux d'après un patron et sous la surveillance d'Hubert Van Eyck ; 1416-141 ? *Pietà*, miniature des *Heures*, idem ; en, ou après 1426 *Donateur avec saint Antoine*, copie d'après Hubert Van Eyck, Musée de Copenhague ; peu avant 1428 *La Vierge aux Chartreux*, imitation de celle de la collection du baron G. de Rothschild par Hubert Van Eyck ; 1449 *La Vierge allaitant l'Enfant*, collection du comte Matuschka-Greiffenklau, Allemagne, signé et daté sur le cadre, découverte relativement récente ; 1452 *Annonciation, Nativité, Jugement dernier*, diptyque du Musée de Berlin, signé et daté ; 1457 *La Vierge et l'Enfant entre deux saints*, Musée de Francfort, signé et daté ; date inconnue (légèrement postérieure à 1440 ?) *Portrait d'un jeune homme*, légué par M. Salting à la National Gallery de Londres ; date inconnue, plus probablement du temps d'Hubert Van Eyck : *La Fontaine de vie*, copie d'un tableau perdu d'Hubert, probablement par P. C. le vieux, Musée du Prado, Madrid ; date inconnue, plus probablement de la première période : *La Vierge avec l'Enfant devant un tabernacle*, copie avec variantes de la *Vierge à la Fontaine*, tableau perdu d'Hubert Van Eyck, Metropolitan Museum de New York ; date inconnue, plutôt de la première période : *Pietà*, de la collection de M. Schloss, Paris ; date inconnue, plutôt du milieu du siècle : *Saint Jean Baptiste et Sainte Catherine*, volets, Musée de Berlin ; date inconnue, postérieure à 1454 *Calvaire*, de la collection du duc d'Anhalt, à Wœrlitz ; date inconnue, probablement vers 1460 *La Vierge avec l'Enfant sous un portique*, avec fond de paysage, exécuté peut-être avec la collaboration d'un très bon élève, collection de M. J. Dollfus, Paris ; date inconnue, probablement vers 1460 répétition ou copie du précédent, collection du comte Strogonof, Saint-Pétersbourg ; date inconnue, vers 1460 ? *La Vierge et l'Enfant sur un trône*, avec fond de paysage, musée du Prado, Madrid.

Œuvres affirmées : vers 1440-1445 *Portrait de Philippe le Bon*, Musée de Lille ; vers 1440-1445 ? *La Vierge et l'Enfant dans un intérieur*, musée de Turin ; date inconnue, vers 1440-1445 ? L'original perdu d'une miniature d'un *Livre d'heures latin*, de la collection du prince d'Arenberg : *La Vierge cousant avec l'Enfant en robe assis à sa droite* ; 1446 *Portrait d'Edward Grimson* collection de lord Verulam, signé et daté au dos ; 1446 *Portrait de lady Grimston* (autrefois censé représenter lady Talbot), pendant du précédent, musée de Berlin ; 1449 *Saint Éloi*, collection du baron Oppenheim, Cologne ; 1460 ou très peu après *Le Christ pleuré*, musée de Bruxelles ; vers 1464 *Scènes de la vie de Marie*, musée du Prado ; vers 1467 *Mise au tombeau*, National Gallery de Londres ; 1472 et avant novembre 1473 *Crucifixion, Descente de Croix, Résurrection*, grand triptyque de la Chapelle royale de Grenade ; avant novembre 1473 petit triptyque du collège du Patriarche, à Valence, répétition du précédent ; vers 1473 ? *Portraits de deux époux*, diptyque, musée des Offices, Florence ; La *Mise au tombeau* de Londres et les triptyques de Grenade et de Valence, que nous avons rendus à Petrus Christus et qui étaient attribués à Thierry Bouts par de bons critiques, sont datés par la présence et l'âge d'un modèle qui avait déjà posé en 1449 pour le *Saint Éloi* et vers 1460 pour une des figures de la *Mise au tombeau* de Bruxelles.

Les caractères des ouvrages que l'on peut attribuer à Christus l'Ancien sont : une composition assez habile, quoique un peu éparpillée, avec des attitudes parfois gauches dans les figures : une exécution assez simple et solide, mais plus sommaire et moins souple que chez le fils ; les ombres des chairs un peu lourdes et brunes ; l'ovale des visages large aux pommettes, avec menton souvent pointu ; le nez droit, parfois proéminent, toujours un peu relevé ; le front haut et carré, à deux pointes le plus souvent ; les chevelures à petites ondes très brillantes, un peu trop régulières ; le paysage avec arbres lointains en pain de sucre, les plus proches déchiquetés sur le ciel, avec feuillé en touches un peu lourdes. Le fils aurait composé mieux, il est beaucoup plus élégant dans les attitudes ; plus noble dans les types et dans les draperies ; plus expressif, non sans un léger maniérisme chez les femmes ; excellent dessinateur et modeleur, une exécution légère et des ombres délicates ; et, tandis que le père aurait gardé le style eyckien, le fils se laisse influencer par Rogier de la Pasture (Van der Weyden) et surtout par Thierry Bouts, à qui l'on a pu attribuer ses meilleurs ouvrages.

■ E. Durand-Gréville, J. B.

ⲣⲣⲭⲭⲡⲓⲛⲉ.

✠ PETRVS·XPI · ME· FECIT·IꞰꞮⴕ·

BIBLIOGR. : J.M. Upton : *Petrus Christus. Sa place dans la peinture flamande du XVᵉ. siècle*, 1990 – M.W. Ainsworth : *L'Art de Petrus Christus*, catalogue de l'exposition *Petrus Christus, maître de la Renaissance à Bruges*, Metropolitan Museum, New York, 1994.
MUSÉES : BERLIN : *Diptyque : Annonciation, Nativité, Jugement dernier*, volets : *Saint Jean Baptiste et Sainte Catherine* – *Portrait de jeune femme*, lady Grymestone ou Isabelle de Bourbon ? – BRUXELLES : *Déposition de croix sur fond de paysage* – COPENHAGUE : *Donateur avec saint Antoine*, copie d'après Hubert Van Eyck ? – DETROIT (Mus. of Art) : *Saint Jérôme* – FLORENCE (Mus. des Offices) : *Portraits de deux époux*, diptyque – FRANCFORT-SUR-LE-MAIN : *La Vierge et l'Enfant entre deux saints* – GRENADE (Chapelle roy.) : *Crucifixion, Descente de Croix, Résurrection*, triptyque, attribué aussi à Dirck Bouts – LILLE : *Portrait de Philippe le Bon* – LONDRES (Nat. Gal.) : *Portrait de jeune homme* – *Mise au tombeau*, attribué aussi à Dirck Bouts – LOS ANGELES : *Portrait d'homme* – MADRID (Prado) : *La Fontaine de vie*, peut-être copié d'après un Van Eyck disparu – *La Vierge et l'Enfant sur un trône avec fond de paysage* – *Scènes de la vie de Marie* – NEW YORK (Metropolitan Mus.) : *La Vierge avec l'Enfant devant un tabernacle*, copie d'après un Van Eyck disparu – *Portrait d'un chartreux* – NEW YORK (coll. Lehmann) : *Saint Éloi orfèvre présentant une bague aux fiancés* – PARIS (Louvre) : *Pietà* – TURIN : *La Vierge et l'Enfant dans un intérieur* – VALENCE (Collège du Patriarche) : *Crucifixion, Descente de Croix, Résurrection*, triptyque attribué aussi à Dirck Bouts – WASHINGTON D. C. : *Nativité* – *Portraits de donateur et donatrice agenouillés*.
VENTES PUBLIQUES : PARIS, 1756 : *Deux allégories*, esquisses : **FRF 10** – COLOGNE, 1862 : *La Naissance du Sauveur* : **FRF 450** –

Paris, 1869 : *Sainte Famille* : **FRF 580** – Paris, 5 déc. 1951 : *La Déploration du Christ* : **FRF 5 000 000** – Londres, 6 déc. 1995 : *Vierge à l'Enfant* 1449, h/pan. de chêne (58,5x39,8) : **GBP 133 500**.

CHRISTUS Petrus ou Cristus III, appelé aussi Petrus II
xvie siècle.
Peintre.
Ce peintre est appelé Petrus II par J. Weale, qui n'admet qu'un Petrus Christus peintre au xve siècle. C'est sans doute un des trois fils de Sébastian Christus. C'est vraisemblablement cet artiste qui travaillait en 1507, 1516, 1528 et 1530 à Grenade sous le nom de Pedro de Christo.

CHRISTUS Sebastian ou Cristus
Mort entre 1495 et 1499. xve siècle. Actif à Bruges. Éc. flamande.
Peintre et miniaturiste.
Les archives de Bruges mentionnent ce peintre comme un fils naturel de « Petrus Christus » qui fut admis à la franchise du métier de peintre le 8 mars 1475. Il avait pour élève, en 1483, un certain Thomas de Clerc. Dans l'inventaire des objets d'art ayant appartenu à la duchesse Anne de Bretagne figure : *Une Vierge tenant son Enfant ; et le fist ung nommé Sebastianus, quondam filius Petri Christi.*

CHRISTY Eugène
Né au xixe siècle à Paris. xixe siècle. Français.
Peintre de natures mortes.
Élève de Petit et Aumont. Il débuta au Salon de 1869.
Ventes Publiques : Paris, 2 mars 1925 : *Giroflées dans un vase de grès* : **FRF 100**.

CHRISTY Howard Chandler
Né le 10 janvier 1873 à Morgan County (Ohio). Mort en 1952. xxe siècle. Américain.
Peintre et illustrateur.
Élève de la National Academy of Design, il suivit également les cours de William Chase à l'Art Student's League de New York. Ayant fait la guerre hispano-américaine, il envoya des dessins d'actualité aux revues les plus importantes des États-Unis : le *Scriber's*, le *Harper's Magazine* et le *Collier's Weekly*. Il participa à l'Exposition de Paris en 1900 et obtint une mention honorable à l'exposition Pan American de Buffalo en 1901. Il illustra certains ouvrages, notamment *Crisis* de Churchill (1901), *Old Sweetheart of Mine* (1902) et *Out of Old Aunt Mary's* de Riley (1904), *Lady of the Lake* de Scott (1910).
Bibliogr. : Marcus Osterwalder, in : *Diction. des illustrateurs, 1800-1914*, Hubschmid & Bouret, 1983.
Ventes Publiques : New York, 13 mai 1966 : *Nu couché* : **USD 1 200** – Londres, 2 juil. 1968 : *Le cavalier et le cow-boy*, aquar. : **GNS 140** – New York, 29 jan. 1970 : *Nu couché* : **USD 2 100** – New York, 24 mai 1972 : *Le verger* : **USD 2 000** – New York, 29 avr. 1976 : *Les anglais arrivent* 1927, h/t (114x102) : **USD 1 900** – New York, 27 oct. 1978 : « *Printemps* » 1928, h/t (167,6x378,4) : **USD 8 000** – New York, 2 fév. 1979 : *Rosalind Wainwright Clapp* 1923, h/t (198,2x122) : **USD 5 000** – New York, 22 mai 1980 : *Nu* 1933, h/t mar./cart. (40,5x51) : **USD 1 400** – New York, 26 juin 1981 : *Blow bugle, blow* 1911, aquar. (100,9x75,1) : **USD 3 000** – New York, 28 mai 1982 : *Représentation du soir* 1914, aquar. (94,5x134,5) : **USD 3 500** – New York, 21 oct. 1983 : *Un lac en été* 1920, h/t (81,3x61) : **USD 2 750** – New York, 27 jan. 1984 : *Nus dans la forêt* 1932, h/t (83,8x63,5) : **USD 5 100** – New York, 20 juin 1985 : *Portrait de Mrs Franck C. Henderson* 1922, h/t (142,2x101,6) : **USD 2 750** – New York, 30 sep. 1985 : *A princess in a garden* 1911, aquar. (99,8x76,2) : **USD 1 000** – New York, 29 mai 1986 : *Sur l'étang en été* 1946, h/t (114,3x101,6) : **USD 27 000** – New York, 28 mai 1987 : *Moonlight serenade* 1930, paravent à 4 pan., double face (208,3x304,8) : **USD 47 500** – New York, 24 juin 1988 : *Après la bourrasque* 1936, h/t (105x75) : **USD 13 200** – New York, 30 sep. 1988 : *Belle journée pour le patinage* 1923, h/t (93,9x71,1) : **USD 24 200** – New York, 24 mai 1989 : *Au bord de la rivière* 1946, h/t (88,9x76,2) : **USD 35 200** – New York, 28 sep. 1989 : *Nu allongé*, h/t (41,6x53,4) : **USD 22 000** – New York, 16 mars 1990 : *Nymphes de la forêt* 1926, h/t (137,9x117,2) : **USD 10 450** – New York, 27 sep. 1990 : *La Charte des droits* 1942, h/t (52,3x101) : **USD 33 000** – New York, 23 mai 1991 : *Nu sur une couverture de peau d'ours*, h/t (129,5x100,3) : **USD 46 750** – New York, 16 déc. 1992 : *Coucou !* 1924, h/t. cartonnée (50,5x40,5) : **USD 18 700** – New York, 11 mars 1993 : *Son petit livre rouge*, h/t. cartonnée (51x40,5) : **USD 6 325** – New York, 14 sep. 1995 : *Odalisque* 1933, h/t (101,6x127) : **USD 52 900**.

CHRITTIN François et Jean
xviie siècle. Actifs à Lyon. Français.
Sculpteurs.

CHRITZ Christian
Né à Copenhague. xxe siècle. Danois.
Peintre de paysages.
Il a exposé au Salon des Artistes Français à Paris en 1930-1932. Ses paysages présentent des vues du Danemark.

CHROL Léonide
Né en 1902 à Saint-Pétersbourg. Mort en 1984 à Montauban (Tarn-et-Garonne). xxe siècle. Depuis 1925 actif en France. Russe.
Peintre de collages, dessinateur.
Arrivé en France en 1925, Léonide Chrol fréquente l'Institut Orthodoxe Saint-Serge. Il est ordonné prêtre peu après et se fixe rapidement à Montauban où, responsable de toute la communauté orthodoxe du Midi de la France, il écrit une longue méditation théologique *L'alpha et l'oméga*. Il se met ensuite à composer d'étranges ouvrages en papier découpé. Dans un état second il se précipite ciseaux en mains sur de grandes feuilles de papier coloré, découpant dentelle et pièces de puzzle s'imbriquant parfaitement les unes dans les autres. Sa précision est étonnante, qui lui permet même de créer des compositions à double face. Ses assemblages bigarrés sont surchargés de détails qui ne les rendent pratiquement plus lisibles.
Musées : Neuilly-sur-Marne (Mus. d'Art Brut).

CHROMY Bronislaw
Né en 1925 à Lencze. xxe siècle. Polonais.
Sculpteur.
Il vit et travaille à Cracovie où il fut élève à l'Académie des Beaux-Arts jusqu'en 1956. Il a participé à la Biennale de Menton en 1972.

CHRONIQUE DE LIRAR, Maître de la. Voir MAÎTRE du Térence d'Ulm

CHROSTOWSKA Halina
Née le 25 juillet 1929 à Varsovie. xxe siècle. Polonaise.
Graveur.
Fille du graveur Stanislaw Ostoja-Chrostowski, elle fit ses études à l'Académie des Beaux-Arts de Varsovie, de 1945 à 1950. Soucieuse de la bonne diffusion de la gravure polonaise, qui a eu un important développement dans l'après-guerre en Pologne, elle a participé à plusieurs expositions et manifestations, notamment à *Bianco e Nero* à Lugano et à *Rote Reiter* en Allemagne en 1955, date à laquelle elle obtint le Prix d'État de la République Populaire de Pologne. En 1959, elle participa à l'Exposition Internationale de la Gravure de Ljubljana et à la 1re Biennale de Paris. Elle figurait à la seconde Biennale de Gravure de Tokyo en 1960, où elle reçut le Prix du Musée d'Osaka et, en 1961 elle était présente à la Biennale de São Paulo. Elle fit des expositions personnelles à Varsovie, Cracovie, Prague, Vienne et Berlin. Ses gravures expriment une double préoccupation : la réflexion philosophique de l'homme sur sa condition dans l'univers et le regard attentif de l'homme sur ses semblables.

CHROUCKI Jean
Né en 1830. Mort en 1870. xixe siècle. Actif à Vilna. Russe.
Peintre et lithographe.
Étudia à Saint-Pétersbourg et ne tarda pas à devenir membre de l'Académie de cette ville. Il a peint des paysages et des portraits.

CHROUSSLOFT Jegor Moïsseievitch
Né en 1861 à Temrjouk (Kouban). xixe siècle. Russe.
Peintre de paysages.
Élève de l'École d'art de Moscou.
Musées : Moscou (Gal. de Tretiakoff) : *Sur la Volga* – Moscou (Mus. de Roumianzeff) : *Paysage*.

CHROUTZKY Ivan Timofeievitch
Né en 1806 en Lithuanie. Mort en 1852. xixe siècle. Russe.
Peintre de genre, portraits, natures mortes, fleurs et fruits.
Il fut élève de l'Académie des Beaux-Arts de Saint-Pétersbourg.
Musées : Helsinki : *Deux tableaux de fruits* – Moscou (Gal. de Tretiakoff) : *Des fruits et des fleurs* – Moscou (Roumianzeff) : *Des fruits et des fleurs – Une vieille tricotant des bas.*
Ventes Publiques : New York, 29 oct. 1986 : *Natures mortes aux fleurs et aux fruits*, deux h/t (49,5x67,2) : **USD 40 000**.

CHRYSSA Varda
Née en 1933 à Athènes. xxe siècle. Depuis 1954 active aux États-Unis. Grecque.

Peintre sculpteur, multimédia.

Avant d'aller s'installer aux États-Unis en 1954, à l'âge de vingt et un ans, elle passe quelque temps à Paris. Elle venait de terminer ses études à la Scholi Kinonikis Pronias d'Athènes.

Parmi les expositions auxquelles elle a participé en Europe, celle de *La réalité dépasse la fiction*, à Paris en 1961, avait eu un impact historique : elle consacrait, sous l'égide de Pierre Restany, la naissance du groupe des « Nouveaux Réalistes », réunissant alors les artistes de l'École de Nice, Arman, Raysse, Klein, etc. et quelques américains, Rauschenberg, Jasper Johns, Chamberlain et Chryssa, qui, en réaction à l'abstraction, réhabilitait la réalité de l'objet le plus matériel et le plus quotidien, produit de la société industrielle, en l'intégrant directement à l'œuvre. On retrouve Chryssa à l'exposition *Kunst Licht Kunst*, organisée par le Stedelijk Van Abbemuseum d'Eindhoven, en 1966 ; à la Documenta de Kassel en 1968 ; à l'exposition *Electra* au Musée d'Art Moderne de Paris en 1983. Elle a fait de nombreuses expositions personnelles, notamment aux États-Unis (où sa première date de 1962), et à Paris en 1969, 1979 ; Londres en 1975 ; Buffalo en 1983...

C'est certainement en référence à ses origines qu'elle réalise l'une de ses premières œuvres : *Le Livre des Cyclades*, évocation de la statuaire cycladique par schématisation géométrique des formes horizontales et verticales. Entre 1958 et 1962, elle exécute une série de *Newspapers images*, où elle utilise le procédé de l'estampage par typons, donnant un rythme cadencé par la répétition du même motif, un peu à la manière d'une page d'écriture ou plutôt d'une partition musicale. Lorsqu'ensuite, elle s'est mise à utiliser le tube au néon, elle a retrouvé le thème de l'écriture avec, par exemple, ses *Rotating letter groups with white neon*. L'œuvre de Chryssa est une sorte d'hymne au néon et aux matières nouvelles, dont le plastique moulé. Le néon est sans doute la marque de notre temps, celle de la publicité, telle qu'elle a dû la recevoir en pleine face lorsqu'elle a découvert le Times Square de New York et ses gigantesques publicités au néon. Elle crée des tubes au néon aux coloris subtils qui s'associent parfois à des matières plastiques. Chryssa s'est déclarée « préoccupée par les problèmes de l'indépendance des sculptures lumineuses vis-à-vis de la technologie ». En effet, entre esthétique et capacité technique, elle doit calculer des dosages de gaz différents pour obtenir les lumières colorées qu'elle souhaite. En outre, elle prend en compte en tant qu'éléments visibles et constitutifs de ses sculptures le réseau d'électrodes et de fils. À propos de son envoi à la Documenta de Kassel de 1968, Catherine Millet en dit : « Elle avait dressé et déroulé des mètres cubes de néon, dont les méandres s'animaient selon un programme lumineux. Cela découpait la salle en tranches d'intensité inégale, prisons sombres et prisons de feu, et bavait la couleur jusque sur les visages des spectateurs. On n'avait même plus la force de rêver que l'on marchait sur les toits de Broadway ».

Bibliogr. : Sam Hunter : *Varda Chryssa*, 1974 – Catalogue de l'exposition *Chryssa*, Institute of Contemporary Art, Londres, 1975 – Pierre Restany : *Chryssa*, New York, 1977 – Catalogue de l'exposition *Chryssa*, Musée d'Art Moderne de la Ville, Paris, 1979.

Musées : Berlin (Nat. Gal.) : *Clytemnestra* 1968 – Montréal (Mus. d'Art Contemp.) : *Totating letter groups with white neon* 1969-72.

Ventes Publiques : New York, 27 fév. 1976 : *Fragment for the gates to Times Square* 1966, néon et Plexiglas (109x44,5) : **USD 1 250** – New York, 30 mars 1978 : tubes de néon et Plexiglas (44x33x35,5) : **USD 1 700** – New York, 16 mai 1980 : *Sans titre* 1962, acryl./t. (239x162,5) : **USD 42 000** – New York, 13 mai 1981 : *Guitar* 1963-1964, bois, plâtre et ficelles (119,3x61) : **USD 1 400** – Paris, 22 avr. 1983 : *Oiseau*, néon et Plexiglas (71x29x60) : **FRF 8 000** – Paris, 23 mai 1984 : *Portes de Time Square*, néon et Plexiglas (102x31,5x56) : **FRF 7 000** – Paris, 21 juin 1985 : *Néons en boîte*, sculpt. lumineuse (60x72x36) : **FRF 13 500** – Paris, 14 mai 1986 : *Bird*, néon et Plexiglas (60x71x43) : **FRF 8 000** – New York, 9 mai 1989 : *Sans titre* 1975, néon dans une boîte de Plexiglas et de bois peint. (46,3x46,3x24,1) : **USD 8 580** – New York, 27 fév. 1990 : *Delicatessen* 1965, acier inox. et Plexiglas (203,2x49,5x38) : **USD 33 000** – New York, 3 oct. 1991 : *Sans titre* 1990, alu. et néon bleu (188x124,5x61) : **USD 11 000** – New York, 9 mai 1996 : *Non fonctionnement des électrodes* 1968, Plexiglas bleu et néon rouge (73,7x76,2x33) : **USD 8 050.**

CHRYSTAL Margaret

Née en Écosse. xixe-xxe siècles. Britannique.

Sculpteur.

A exposé au Salon de la Nationale de 1910 à 1912, puis à celui des Artistes Français, en 1913, des bustes, des statuettes et un masque.

CHRZCZONOVICZ Jean

Né en 1792 en Lithuanie. Mort en 1883 à Wahnsinn. xixe siècle. Polonais.

Peintre et graveur.

Élève à Vilna de Rustem et de Saunders.

CHRZCZONOVICZ Joseph

Né en Lithuanie. xixe siècle. Actif au début du xixe siècle. Polonais.

Graveur.

Frère cadet de Jean Chrzczonovicz. Étudia à Vilna.

CHTCHADILOFF Mikhaïl, Nicolaïevitch ou Nikititch ou Chtchédiloff, Chtchétiloff

Né le 12 septembre 1815 à Saint-Pétersbourg. Mort en 1842 à Saint-Pétersbourg. xixe siècle. Russe.

Sculpteur.

Élève de Boris Orlowskij.

CHTCHÉDRINE Féodossiï ou Fédos Fédorovitch

Né en 1751. Mort le 19 janvier 1825 à Saint-Pétersbourg. xviiie-xixe siècles. Russe.

Sculpteur.

Il fut élève de l'Académie de Saint-Pétersbourg, puis voyagea à Florence, à Rome (1773-1774) et à Paris où il travailla chez Allegrain. Il fut académicien en 1794, professeur en 1795. A partir de 1818 il fut recteur de la section de sculpture à l'Académie. On connaît de lui : *Endymion, Mars* et *Vénus* à l'Académie de Leningrad, *Ève*, statue de marbre à la grande grotte de Peterhof, *Sirènes et Néna* à la cascade de Peterhof, et deux cariatides à l'entrée de l'Amirauté à Leningrad, ainsi que plusieurs autres sculptures.

CHTCHÉDRINE Semen Fedorovitch ou Chédrine

Né en 1745 à St-Pétersbourg. Mort le 1er septembre 1804. xviiie siècle. Russe.

Paysagiste.

Fit ses études à l'Académie de St-Pétersbourg et en Italie. Fut peintre de Catherine II. La Galerie Tretiakoff de Moscou et les anciens Musées impériaux conservent plusieurs œuvres de cet artiste.

CHTCHÉDRINE Silvestr Fédosséevitch ou Feodosievich ou Shchedrin

Né le 2 janvier 1791 à Saint-Pétersbourg. Mort le 28 octobre 1830 à Saint-Pétersbourg. xixe siècle. Actif aussi en Italie. Russe.

Peintre de paysages.

Fils du sculpteur Féodossii Chtchédrine, il fit ses études à l'Académie de Saint-Pétersbourg, de 1800 à 1811, sous la direction de F. I. Alexeiev et de M. M. Ivanov. Il alla ensuite se perfectionner en Allemagne et en Italie, où il fut envoyé comme pensionnaire en 1818. Il séjourna à Rome, Naples, jouissant d'une grande notoriété et travaillant pour une clientèle étrangère.

Il est l'un des premiers paysagistes russes à peindre d'après nature ses vues de Rome, du golfe de Naples, de la baie de Sorrente, ses marines. Il peint très souvent des variations sur un même thème, constituant des séries, comme celle de *Rome moderne* ou celle des *Terrasses*, pour laquelle il s'est attaché à rendre différents effets de lumière.

Bibliogr. : In : Catalogue de l'exposition : *La peinture russe à l'époque romantique*, Galeries nationales du Grand Palais, Paris 1976-1977.

Musées : Erivan : *Rome moderne* – Minsk : *Rome moderne* 1829 – Moscou (Gal. Tretiakov) : *Trente-trois tableaux, dont : Rome moderne, paysage romain avec le château Saint-Ange* 1825 – *Terrasse au bord de la mer* – *Vue du petit port de Sorrente, le soir* – Saint-Pétersbourg (Mus. Russe) : *Seize tableaux, dont : Le Circus Maximus à Rome* – *Terrasse* – *Le temple de Sérapis à Pouzzoles* – *Rome moderne* 1823.

Ventes Publiques : Londres, 11-12 juin 1997 : *Vue de Apuria* 1828, h/t (22x30) : **GBP 11 500.**

CHTCHÉDROVSKY Ignaty Stépanovitch

Mort le 25 décembre 1870 à Moscou. xixe siècle. Russe.

Peintre et lithographe.

C'est d'après ses dessins que Bieloussoff et Umnoff ont tiré une série de lithographies représentant les différents types populaires russes. Il a peint d'autre part les portraits de *Nicolas Iᵉʳ* et *d'Alexandre II*.

CHTCHÉPITSYN Alexandre
Né en 1896. Mort en 1944. xxᵉ siècle. Russe.
Peintre.
Il a figuré à l'exposition de l'Art Russe aux Galeries Nationales du Grand Palais à Paris en 1967-68.

CHTCHÉRBINOVSKY Dmitri Anfinovitch
Né en 1867 à Pétrovsk. Mort en 1926. xixᵉ-xxᵉ siècles. Russe.
Peintre.
Il fut élève à l'Académie des Beaux-Arts de Léningrad.
Musées : Helsinki (Atheneum) – Moscou (Gal. Tretiakoff) – Saint-Pétersbourg (Mus. de l'Acad.).

CHTCHOUKINE Stépan Sémenovitch
Né en 1758 ou 1762. Mort le 10 octobre 1828 à Saint-Pétersbourg. xviiiᵉ-xixᵉ siècles. Russe.
Peintre de portraits.
Il fut élève de D. G. Levitsky. Il reçut de 1782 à 1786 une bourse de l'Académie de Saint-Pétersbourg pour aller à l'étranger, et il devint en 1788 professeur auprès de cette Académie où il dirigeait l'enseignement du portrait. En 1797 il devint membre de l'Académie de Saint Petersbourg. Les musées russes conservent actuellement trois portraits du tsar Paul Petrovich du même artiste.
Musées : Moscou (Tretiakoff) : *Portrait de Paul I* – *Portrait de l'architecte A. D. Zakharoff* – *deux autres portraits* – Saint-Pétersbourg (Mus. Russe) : *Portraits de Paul Iᵉʳ et d'Alexandre Iᵉʳ* – Saint-Pétersbourg (Gal. de l'Acad.) : *Portraits de l'artiste, de Velten et de Sacharoff*.
Ventes Publiques : New York, 19 mai 1995 : *Portrait de l'Empereur Paul Petrovich* 1797, h/t (57,8x41,3) : USD 43 125.

CHTCHOUKINE Youri
Né en 1904. Mort en 1935. xxᵉ siècle. Russe.
Peintre.
Son tableau *Dirigeable au dessus de la ville* figurait à l'exposition de l'Art Russe aux Galeries Nationales du Grand Palais à Paris en 1967-68.

CHTERENBERG David ou Chternberg, Shterenberg
Né en 1881. Mort en 1948. xxᵉ siècle. Russe.
Peintre de sujets divers, paysages, natures mortes, graveur, illustrateur.
De 1906 à 1912, il fut élève de l'École des Beaux-Arts de Paris et fréquentait les Académies privées. En 1917, il revint en Russie. De 1918 à 1921, il fut directeur de Izo Narkompros. De 1920 à 1930, il fut un membre influent des ateliers populaires Vkhutemas.
En 1925, il dirigea la section russe de l'Exposition Internationale des Arts et Industries Modernes de Paris. Il était représenté à l'Exposition de l'Art Russe aux Galeries Nationales du Grand Palais à Paris en 1967-68.
Malgré les rôles en vue qui lui furent confiés, il resta attaché à la technique traditionnelle et à un réalisme académique. Il est surtout connu pour avoir illustré Kipling.
Musées : Moscou (Mus. Pouchkine) : *Sur la terrasse* 1920 – *Port* 1923, eau-forte – Moscou (Gal. Trétiakov) : *Les Cerises sur l'assiette* 1918 – *Le Lait caillé* 1919.
Ventes Publiques : New York, 3 nov. 1978 : *Composition* vers 1920/21, aquar. et encre de Chine (24x32,5) : USD 2 000 – Londres, 6 avr. 1989 : *Nature morte*, h/cart. (56x43) : GBP 20 900.

CHTILIANOVA Tzvetana
xxᵉ siècle. Bulgare.
Peintre.
En 1933 elle exposait un portrait au Salon de la Nationale.

CH'UAN-CH'I. Voir CHUANQI

CHUANG CHE
Né en 1934 à Pékin. xxᵉ siècle. Depuis 1973 actif aux États-Unis. Chinois.
Peintre de paysages. Tendance traditionnelle.
Il partit pour Taiwan avec son père en 1948. Diplômé du Département de l'Art de l'Université Normale de Taiwan, il devint professeur à l'Université Tunghai de Taichung. En 1973 il émigra aux États-Unis et s'établit dans le Michigan. Depuis lors il se consacre à la peinture. Depuis 1959 il a participé à de nombreuses expositions, en Asie, en Europe, en Amérique Latine et aux États-Unis. Sa peinture de paysages s'inscrit dans une écri-

ture et un lyrisme traditionnels, montagnes et masses colorées de champs embrumés.
Ventes Publiques : Taipeh, 22 mars 1992 : *Paysage* 1980, h/t (95,2x125,7) : TWD 330 000.

CHU ANG-CHIH. Voir ZHU ANGZHI

CHUANG CHIUNG-SHÊNG. Voir ZHUANG JIONG-SHENG

CHUANG LIN. Voir ZHUANG LIN

CHUANQI ou Ch'uan-Ch'i ou Tch'ouan-K'i, surnom Dunhan, noms de pinceau Kufuchao, Jingturen
xviiᵉ-xxᵉ siècles. Actif au début de la dynastie Qing (1644-1911). Chinois.
Peintre, prêtre.
Musées : Pékin : *Fruits, fleurs, légumes et pins* 1659 ou 1719, petit album de quinze feuilles avec inscription et poème de l'artiste.

CHUAN Shinkô
xvᵉ siècle. Actif au milieu du xvᵉ siècle. Japonais.
Il fit partie de l'école de peinture à l'encre de l'époque Muromachi. Prêtre Zen, il vivait dans le monastère du temple Kenchôji à Kamakura.

CHUBAC Albert
Né le 29 décembre 1925 à Genève. xxᵉ siècle. Actif en France. Suisse.
Sculpteur. Abstrait.
Élève à l'École des Beaux-Arts de Genève, il a participé à de nombreuses expositions de groupe en Suisse, mais aussi à Paris, notamment au Salon de Mai en 1969 ; puis dans la région de Nice, où il s'est installé depuis 1952. À Thonon-les-Bains, il est représenté par la galerie Galise Petersen. Il a également exposé à Londres, Milan, Athènes, Genève, New York et Saint-Paul-de-Vence, dans le contexte de l'École de Nice qui a tenté de regrouper les artistes d'avant-garde travaillant dans cette région du Midi.
Dans un premier temps, influencé par l'apport des nouveaux réalistes niçois, Chubac a fait des réalisations orientées vers des recherches optiques. Il a ensuite utilisé du bois laqué de couleurs vives, puis des matières plastiques, dans des compositions aux formes géométriques simples assemblées verticalement. L'utilisation des matières plastiques dans des sculptures élémentaires aux éléments interchangeables, leur donne incontestablement un caractère ludique. Abstraites, ces sculptures sont d'une franche gaîté, simples et colorées, peut-être à la manière de jouets d'enfants du premier âge lorsque, non sophistiqués, ils sont encore sensibles à l'éclat des couleurs pures et aux volumes nets d'une géométrie primaire.

CHUBB Frederick Y.
xxᵉ siècle. Américain.
Graveur sur bois.

CHUBB Ralph Nicholas
Né le 8 février 1892 à Harpenden. xxᵉ siècle. Britannique.
Peintre de figures et de paysages.
Il a exposé à la Royal Academy de Londres et fut professeur d'art au Bradfield College.

CHUBB T. Y.
xixᵉ siècle. Travaillait vers 1860. Américain.
Graveur.

CHUBBARD T.
xviiiᵉ siècle. Travaillant à Liverpool. Britannique.
Peintre et dessinateur.

CHUBBUCK Thomas
xixᵉ siècle. Actif à Springfield (Mass.) vers 1860. Américain.
Graveur.
On connaît de lui des portraits, des paysages et des ex-libris.

CHU CH'ANG. Voir ZHU CHANG

CHU CHÊ. Voir ZHU ZHE

CHÜ CH'ÊN. Voir ZHU CHEN

CHU CHIEH. Voir JU JIE

CHU CHIH-FAN. Voir ZHU ZHIFAN

CHÜ CHIH-P'U. Voir QU ZHIPU

CHU CHU. Voir ZHU ZHU

CHU CHÜN. Voir ZHU JUN

CHUDANT Jean Adolphe

Né le 5 janvier 1860 à Besançon (Doubs). Mort le 2 juillet 1929 à Besançon (Doubs). XIXᵉ-XXᵉ siècles. Français.
Peintre de paysages.
Élève à l'École des Beaux-Arts, de Guadet et de J. Blanc. Il visita l'Algérie, la Tunisie, l'Espagne, l'Italie, la Russie et l'Allemagne. Sociétaire de la Nationale des Beaux-Arts, il a régulièrement participé à ses expositions. Expose aussi aux Artistes Français, médaille de troisième classe en 1900 (Exposition Universelle de Paris). Chevalier de la Légion d'honneur. Il s'est consacré particulièrement à la peinture de sujets algériens et à des études de montagnes, de glaciers et de rivières. On cite de lui : *Jet d'eau* ; *Effet de nuit* ; *Port d'Alger* ; *La Source*.

Ad. Chadant

Musées : Alger : *Effet de nuit, dans le port* – Gray : *La vieille rivière, dernier rayon, paysage des bords de l'Ognon* – Munich : *Puits jaillissant* – Paris (Mus. d'Art Mod.) : *Marine* – Vire : *Franche-Comté*.
Ventes Publiques : Paris, 1899 : *Bords de l'Ognon* : **FRF 95** ; *Décors d'Iris*, aquar. : **FRF 32** – Paris, 1900 : *Le Pont des Arts* : **FRF 155**.

CHUDIAKOFF Vassili Grigorievitch

Né en 1826 à Simbirsk. Mort en 1871 à Saint-Pétersbourg. XIXᵉ siècle. Russe.
Peintre.
Étudia à Saint-Pétersbourg. Il a peint des portraits, des paysages, des sujets d'histoire et de genre. Des œuvres de lui figurent dans les Musées de Moscou (Gal. Tretiakoff et Gal. Roumiantzeff), de Saint-Pétersbourg (Musée Russe), de Saratoff (Musée Radichtcheff).

CHUDY Wenzel

Né vers 1744 à Dobrusko (Bohême). Mort après 1780 à Vienne. XVIIIᵉ siècle. Tchécoslovaque.
Miniaturiste.
Il peignit sur porcelaine et sur émail ; on put voir deux de ses œuvres en 1905 à l'Exposition de miniatures de Vienne.

CHUDZYNSKA-MARYLSKA Cécile

Née à Laznow (Pologne). XXᵉ siècle. Polonaise.
Peintre.
Elle a exposé au Salon des Indépendants en 1926-27.

CHU FEI. Voir ZHU FEI

CHU GE

Né en 1931. XXᵉ siècle. Chinois.
Peintre de scènes animées. Traditionnel.
Ventes Publiques : Hong Kong, 16 jan. 1989 : *Migration des oies sauvages vers le sud*, encres et pigments/pap. (49,5x99,1) : **HKD 24 200**.

CHUGOINOT

XVᵉ siècle. Français.
Miniaturiste.
Il passe pour avoir travaillé à Avignon. Son nom figure sur *Les Heures de la reine Yolande*, conservées à la Bibliothèque d'Aix-en-Provence.

CHU HAN-CHIH. Voir ZHU HANZHI

CHU HANG. Voir ZHU HANG

CHU HAO-NIEN. Voir ZHU HAONIAN

CHU HOANG TICH. Voir HOANG TICH CHU

CHU HSI. Voir ZHU XI

CHU HSIANG-HSIEN. Voir ZHU XIANGXIAN

CHU HSIEN. Voir ZHU XIAN

CHU HSÜAN. Voir ZHU XUAN

CHU HSÜN. Voir ZHU XUN

CHU HUAI-CHIN. Voir ZHU HUAIJIN

CHUIKOV Ivan

Né en 1935 à Moscou. XXᵉ siècle. Russe.
Peintre de collages.
Diplômé de l'Institut d'Art Surikov, il travaille à Moscou, où il s'est installé. Professeur au Collège des Beaux-Arts de Vladivostok entre 1960 et 1962, il est membre de l'Union des Artistes soviétiques depuis 1968.

Ses peintures sont composées de fragments découpés orthogonalement, de formats identiques et collés, ce qui confère à l'ensemble un aspect très régulier et géométrique. Il peut mêler des éléments abstraits et figuratifs, soit tous peints par lui, soit prélevés. Ainsi, *Vermeer* (1987) présente une évocation d'une peinture célèbre de Vermeer, peinte par Chuikov et en grande partie (achevée par des découpages de peintures abstraites également exécutées par lui-même).
Ventes Publiques : Moscou, 7 juil. 1988 : *Fragment de ciel* 1986, vernis acryl./cart. (215x150) : **GBP 11 000**.

CHU I-SHIH. Voir ZHU YISHI

CHÜ-JAN. Voir JURAN

CHU JUI. Voir ZHU RUI

CHUKHAEV Vassili Ivanovitch ou Shukaev

Né en 1887 à Moscou. Mort en 1973. XXᵉ siècle. Russe.
Peintre de portraits, paysages, peintre à la gouache, aquarelliste, peintre de décors et costumes de théâtre, dessinateur, illustrateur.
Il fut élève de l'École Stroganov de Moscou et de l'Académie des Beaux-Arts de Saint-Pétersbourg. Il était membre du Monde de l'Art.
Ventes Publiques : Paris, 12 mars 1985 : *Projets de décor pour la pièce Veliki Gossoudar : Le Grand Souverain*, gche et argent (37,8x54,7 ; 37x49 ; 33,7x54,1) : **FRF 4 800** – Londres, 14 nov. 1988 : *Fruits dans un paysage* 1931, gche (13x39,5) : **GBP 330** ; *Nu couché*, cr./pap. (61x86) : **GBP 572** – Milan, 10 nov. 1992 : *Chevaux et charrette* 1915, aquar./pap. (21,5x34,5) : **ITL 1 200 000**.

CHUKWUKELU Mike

Né en 1945 à Awkuzu (Nigéria). XXᵉ siècle. Nigérian.
Sculpteur de masques.
Il fabrique des masques dits « Ijele », véritables monuments spirituels, célébrant à la fois la cosmogonie igbo et la puissance de la communauté. Ses œuvres monumentales sont montées pour une cérémonie, puis soigneusement démontées dans l'attente d'une autre occasion solennelle.
Bibliogr. : Catalogue de l'Exposition : *Les Magiciens de la terre*, Centre Georges Pompidou et Grande Halle La Villette, Paris, 1989.

CHU LANG. Voir ZHU LANG

CHU LING. Voir ZHU LING

CHU LO-SAN. Voir ZHU LESAN

CHULOT Louis Gabriel

XVIIIᵉ-XIXᵉ siècles. Français.
Peintre de fleurs, peintre de décorations, peintre sur porcelaine.
Il peignait à la Manufacture de Sèvres entre 1755 et 1800.

CHU LU. Voir ZHU LU

CHU LUN-HAN. Voir ZHU LUNHAN

CHU MING. Voir ZHU MING

CHU MING-KANG. Voir ZHU MINGGANG

CHU NAN-YUNG. Voir ZHU NANYONG

CHUNG CH'I-HSIANG. Voir ZONG QIXIANG

CHUNG Doo Young

Né en 1957 en Corée. XXᵉ siècle. Actif en France. Coréen.
Peintre. Abstrait.
Il travaille à Paris, où il a exposé au Salon Grands et Jeunes d'Aujourd'hui, notamment en 1987.

CHUNG HSING. Voir ZHONG XING

CHUNG-JÊN. Voir ZHONGREN

CHUNG Keon-Mo

XXᵉ siècle. Coréen.
Peintre. Abstrait.
Il fut élève du College of Art de l'université Hong-Ik de Séoul. Il participe à des expositions collectives : 1973 Biennale de Sao Paulo ; 1979 Salon d'Art sacré à Paris ; 1985 exposition d'Art contemporain japonais à Tokyo ; 1995 International Art Festival de Séoul ; 1996 FIAC (Foire internationale d'Art contemporain) de Paris. Il montre ses œuvres dans des expositions personnelles : depuis 1959 régulièrement à Séoul.
Dans des œuvres abstraites colorées, décoratives, il retient la structure de grille et adopte une technique pointilliste, qui fait

scintiller les motifs, atténue la rigueur des formes géométriques. Sa peinture se rapproche d'un art optique teinté de mysticisme. **Musées :** Ho-Am (Art Mus.) – Séoul (Nat. Mus. of Contemp. Art).

CHUNG LI. Voir ZHONG LI

CHUNG SSU-PIN. Voir ZHONG SIBIN

CHUNIBERT
Né à Saint-Gall, originaire de Wittnau. xe siècle. Suisse.
Peintre et calligraphe.
Moine, il exerçait en 933 son ministère à Saint-Gall et fut ensuite abbé du monastère de Nieder Altaich en Bavière. Peu avant 945 il retourna à Saint-Gall. Il exécuta des peintures sur un plafond de bois de l'église de Saint-Gall.

CHÜN-MING. Voir JUNMING

CHUNRADUS ou Chunrath. Voir CONRAD

CHUNRATH. Voir CONRAD

CHU PANG. Voir ZHU BANG

CHUPIN Louis
xviie siècle. Actif à Paris. Français.
Dessinateur et graveur au burin.

CHU PO. Voir ZHU BO

CHUPPIN Adrien
Né en 1605. Mort en 1699 à Paris. xviie siècle. Français.
Enlumineur.
Oncle d'Étienne et de Paul Chuppin.

CHUPPIN Charles
Né à Nancy. Mort vers 1625. xviie siècle. Français.
Peintre d'histoire et de portraits.
Fils et élève de Médard Chuppin. Il travailla aux ornements de l'horloge de la porte Notre-Dame à Nancy en 1617, et fit le portrait du pasteur de Nancy, Gérard Mareschaudel.

CHUPPIN Étienne et Paul
xviie siècle. Actifs à Paris. Français.
Enlumineurs.
Neveux d'Adrien Chuppin.

CHUPPIN Médard ou Chupin
Né à Nancy. Mort en 1580. xvie siècle. Français.
Peintre.
Il peignit en 1539 dans le réfectoire du couvent des Franciscains à Nancy la *Cène* d'Hugues de la Fayes dont il fut peut-être l'élève et à qui il succéda dans la charge de peintre du duc de Lorraine. Il séjourna en Italie avec Claude Crocq de 1545 à 1550. À leur retour à Nancy les deux peintres achevèrent les fresques du château ducal de Nancy qu'Hugues de la Fayes avait commencé de brosser.
Bibliogr. : In : *Maitres français 1550-1800. Dessins de la donation Mathias Polakovits*, catalogue d'exposition, École des Beaux-Arts, Paris avril-juin 1989.
Musées : Nancy (Mus. d'Hist.) : *Portrait de la femme en costume.*
Ventes Publiques : Paris, 11 avr. 1995 : *Allégorie de la Vue*, h/t (54x73) : FRF 70 000.

CHUPPIN Nicolas
Né en 1595 à Nancy. Mort en 1635 à Nancy. xviie siècle. Français.
Peintre.
Fils de Charles Chuppin.

CHURBERG Fanny Maria
Née en 1845 à Wasa. Morte en 1892 à Helsingfors. xixe siècle. Finlandaise.
Peintre de paysages.
Elle termina successivement à Helsingfors, Düsseldorf et Paris. Elle a peint des paysages et des natures mortes.

CHURBUCK Leander M.
Né en 1861 à Warcham (Massachusetts). xixe siècle. Américain.
Peintre et illustrateur.
Élève puis membre de la Copley Society de Boston. Médaille d'or à l'Exposition de Dallas, Texas, en 1903.

CHURCH Angelica Schuyler
Née en 1878 à Scarborough (Hudson). xxe siècle. Américaine.
Sculpteur.

CHURCH Arthur Herbert
xixe siècle. Britannique.

Peintre de paysages et de marines.
Il travailla à Londres, où il exposa de 1854 à 1870, à la Royal Academy et à la British Institution.

CHURCH Frederick Edwin
Né le 4 mai 1826 à Hartford (Connecticut). Mort le 7 avril 1900 à New York. xixe siècle. Américain.
Peintre de paysages. Romantique.
Il fut pendant plusieurs années élève de Thomas Cole, à Catskill et s'inspira de Turner qu'il admirait beaucoup. Conservant New York comme point d'attache, il accomplit de nombreux voyages qui lui fournirent les sujets de ses tableaux. A son retour de l'Amérique du Sud, en 1859, il exposa : le *Cœur des Andes*, ouvrage qui produisit une sensation considérable. En 1863, parut : *Icebergs*, souvenir du Labrador. Après avoir visité les Indes occidentales, il fit son premier voyage en Europe ; il visita la Grèce, alla jusqu'en Palestine et rapporta une série de toiles. Church donne toute une signification symbolique aux paysages qu'il choisit grandioses dans le but de parvenir à Dieu, aussi bien que de prouver la faveur divine envers des nations qui possèdent de tels paysages. Cette philosophie entraîne Church à un chauvinisme très développé qui le conduit à créer une chromolithographie comme *Notre drapeau dans le ciel*, où le ciel semble naturellement recréer le drapeau américain. Les chutes du Niagara sont un thème lourd de ce symbolisme chrétien, par l'énorme puissance qu'elles évoquent. L'arc-en-ciel est utilisé par Church comme la promesse d'un départ nouveau de ce nouveau monde. Les arbres sont le symbole de l'homme nouveau, gardien de ces paysages impressionnants. Les paysages de Church ont d'ailleurs un caractère fantastique, presque surréel ; ainsi *Le Crépuscule dans la nature sauvage*, avec son ciel lourd de nuages flamboyants, ses montagnes mauves et ses arbres noirs. Son tableau le plus célèbre, *Les Chutes du Niagara* (1857), acheté par John Taylor Johnstone, fut payé 5000 livres lors de la vente de sa collection par la Corcoran Art Gallery de Washington. Cette œuvre avait obtenu la seconde médaille à l'Exposition de 1867, à Paris. Exposa en 1852 à la Royal Academy de Londres.
Bibliogr. : J. D. Prown : *La Peinture américaine, de la période coloniale à nos jours*, Genève, 1969.
Musées : Cleveland (Art Mus.) : *Twighlight in the Wilderness* 1860 – Hartford (Wadsworth Atheneum Mus.) : *Coast Scene, Mount Desert* 1863 – New York (Metrop. Mus. of Art) : *View from Mount Holyoke, Northampton, Massachusetts, after a Thunderstorm – The Oxbow* 1836.
Ventes Publiques : New York, 1876 : *Les Chutes du Niagara* : FRF 62 500 – Boston, 1880 : *Paysage de la Nouvelle-Angleterre* : FRF 2 375 – New York, 19 jan. 1906 : *Un Matin aux tropiques* : USD 1 500 – New York, 4-5 fév. 1931 : *Paysage d'Amérique du Sud* 1873 : USD 225 – New York, 15 nov. 1967 : *Paysage* : USD 850 – New York, 28 jan. 1970 : *Paysage d'automne* : USD 3 250 – New York, 28 oct. 1971 : *L'Isthme de Panama* : USD 10 500 – New York, 19 oct. 1972 : *Les Ruines de Baalbek* : USD 14 000 – New York, 29 avr. 1976 : *Paysage montagneux, Amérique du Sud* vers 1855-1859, h/t (30,5x46) : USD 6 000 – New York, 27 oct. 1978 : *Paysage de la Nouvelle-Angleterre* vers 1849-52, h/t (63,5x91,4) : USD 230 000 – New York, 25 oct. 1979 : *Magdalana River, Équateur*, h/t mar. sur isor. (25,4x20,3) : USD 27 000 – New York, 2 juin 1983 : *Vue de Newport Mountain, Mount Desert* 1851, h/t (54x79,4) : USD 200 000 – New York, 4 déc. 1986 : *Coucher de soleil* 1866, h/t (30,5x48,3) : USD 44 000 – New York, 1er déc. 1988 : *Paysage de montagnes*, h/pap./t. (26,7x42) : USD 44 000 – New York, 24 mai 1989 : *La Chaumière près du lac (dans les monts Catskill)* 1852, h/t (81,3x122,5) : USD 8 250 000 – New York, 30 nov. 1989 : *Paysage tropical* 1856, h/t (30,5x45,7) : USD 198 000 – New York, 14 fév. 1990 : *L'Église d'Old Lyme* 1910, h/t (66x81,2) : USD 14 300 – New York, 24 mai 1990 : *Paysage tropical*, h/t (27,9x41,3) : USD 242 000 – New York, 22 mai 1991 : *Coucher de soleil sur l'isthme de Panama* 1883, h/pap./t. (16,1x22) : USD 18 700 – New York, 3 déc. 1992 : *Le Mont Katahdin depuis Millinocket Camp* 1895, h/t (68,6x111,8) : USD 159 500 – New York, 29 nov. 1995 : *Paysage avec une chute d'eau* 1858, h/t (45,7x76,2) : USD 415 000 – New York, 24 déc. 1996 : *Paysage de la Nouvelle-Angleterre* 1849, h/pan. (14x17,8) : USD 28 750 – New York, 5 juin 1997 : *Vue de Eisbee* 1881, h/t/pan. (59x81,8) : USD 107 000.

CHURCH Frederick Stuart
Né en 1842 à Grand Rapids (Michigan). Mort en 1923 ou 1924 à New York. xixe-xxe siècles. Américain.
Peintre de compositions à personnages, portraits, paysages animés, graveur, illustrateur.

Il fut élève de Walter Shirlaw, de L. E. Wilmarth, de l'Art Students' League et de la National Academy de New York dont il devint membre en 1885. Il exposa à Saint-Louis en 1904, obtenant une médaille d'argent ; à Chicago en 1911, à la National Academy de New York, etc. Il a fourni de nombreuses illustrations pour les revues importantes des États-Unis.

[signature : Churchill]

VENTES PUBLIQUES : NEW YORK, 1900 : *Sainte Cecilia* : **USD 1 200** ; *La fin de l'hiver* : **USD 1 025** – NEW YORK, 5 mai 1932 : *Une idylle en été* 1889 : **USD 50** – NEW YORK, 4 mars 1937 : *La fleur de lotus* : **USD 90** – LOS ANGELES, 8 mars 1976 : *Conquered*, h/t (81x140) : **USD 1 500** – NEW YORK, 26 juin 1981 : *Auburn haired beauty* 1904, h/t (41,2x101,7) : **USD 3 200** – NEW YORK, 1ᵉʳ juil. 1982 : *Les flamants roses* 1909, h/t (66x109,2) : **USD 800** – NEW YORK, 31 jan. 1985 : *Faune dans un paysage* 1884, h/t mar./pan. (50,8x96,5) : **USD 1 300** – NEW YORK, 21 jan. 1987 : *Shooting stars* 1890, h/t (84x35,8) : **USD 4 500** – NEW YORK, 17 mars 1988 : *Danse de l'ours* 1914, h/t (40x55) : **USD 1 870** – NEW YORK, 24 jan. 1989 : *La sorcière* 1889, h/t (50x90) : **USD 6 600** – NEW YORK, 18 déc. 1991 : *Dolmens* 1889, h/t (81,9x137,2) : **USD 3 080** – NEW YORK, 23 sep. 1993 : *Le brouillard* 1889, h/t (56,5x127) : **USD 2 013** – NEW YORK, 21 mai 1996 : *Cherub, Polarbear et Bird – un trio* 1893, gche et aquar./cart. (19,5x28,5) : **USD 1 380**.

CHURCHILL Alfred Vances
Né le 14 août 1864 à Oberlin (Ohio). XIXᵉ siècle. Américain.
Peintre et écrivain.
Élève de l'Académie Julian. Directeur d'art au Iowa College en 1891-1893. Professeur des Beaux-Arts, au College des professeurs du Columbia College (New York) de 1893 à 1905.

CHURCHILL John Spencer
XXᵉ siècle. Britannique.
Peintre de portraits.
Fils de Sir Winston Churchill, il peignit quelques portraits de son père.
VENTES PUBLIQUES : LONDRES, 17 mars 1976 : *La plage de Dunkerque* 1940, h/t (100,5x164) : **GBP 800** – LONDRES, 17 juin 1977 : *Sir Winston Churchill à son chevalet, à Chartwell*, mar./pan. tempéra/c (37,5x53,5) : **GBP 1 000** – LONDRES, 16 sep. 1981 : *La rive degli Schiavoni, Venise* 1947, h/t (66x86) : **GBP 220** – LONDRES, 26 sep. 1984 : *Portrait de Sir Winston Churchill* 1958, h/cart. entoilé (76x54,5) : **GBP 550**.

CHURCHILL Lallah
Né à Trieste. XXᵉ siècle. Britannique.
Sculpteur.
En 1929 il exposait au Salon d'Automne un *Homme assis* et un *Masque.*

CHURCHILL Winston Leonard Spencer, Sir
Né en 1874 à Blenheim Palace (Oxfordshire). Mort en 1965 à Hyde Park Gate à Londres. XXᵉ siècle. Britannique.
Peintre de paysages.
Tout au long de sa vie, il s'est adonné à la peinture, peignant surtout des paysages au cours de ses voyages, qu'il a régulièrement exposés. Sa notoriété d'homme politique contribue à celle de ses peintures.

[signature : WSC. Winston Churchill]

BIBLIOGR. : Sir W. Churchill : *La peinture, mon passe-temps*, Édition de la Paix, Paris, 1949.
VENTES PUBLIQUES : LONDRES, 24 mai 1965 : *Menaggio, lac de Côme* : **GBP 14 000** – LONDRES, 20 avr. 1966 : *Ightham moat* : **GBP 8 000** – LONDRES, 8 nov. 1968 : *Le Béguinage, Bruges* : **GNS 7 000** – NEW YORK, 13 mai 1970 : *Le port de Cannes* : **USD 40 000** – NEW YORK, 26 avr. 1972 : *Coucher du soleil, Rochampton* : **USD 10 500** – NEW YORK, 28 mai 1976 : *Paysage du Midi, avec une église*, h/t (61x51) : **USD 12 000** – LONDRES, 4 mars 1977 : *Mimizan*, h/t (63,5x76) : **GBP 48 000** – LONDRES, 8 juin 1978 : *Le Palais des Doges, Venise* vers 1951, h/t (61x51) : **GBP 4 200** – LONDRES, 8 juin 1979 : *Allée fleurie, Château de l'Horizon*, h/t (51x76,2) : **GBP 3 800** – NEW YORK, 13 mai 1980 : *Cou-*

cher de soleil près de Roehampton vers 1919, h/t (61x51) : **USD 15 000** – NEW YORK, 21 mai 1981 : *Venise, le pont des Soupirs* vers 1920, h/t mar./cart. (50,5x35) : **USD 16 000** – NEW YORK, 21 mai 1982 : *Miami beach* 1946, h/t (63,5x50,8) : **USD 23 000** – LONDRES, 2 nov. 1983 : *Paysage de Cap Ferrat*, h/t (63,5x76) : **GBP 10 500** – NEW YORK, 7 juin 1984 : *Scène de plage sur la Riviera* vers 1930, h/t (50,5x61,2) : **USD 26 000** – NEW YORK, 15 mai 1985 : *Une fête de village, Saint-Georges-Motel* vers 1930, h/t (51x61) : **USD 24 000** – LONDRES, 12 juin 1986 : *Le Palais des Doges, Venise*, h/t (61x50,8) : **GBP 13 000** – LONDRES, 12 nov. 1987 : *Une villa de Cap Saint-Martin* vers 1934, h/t (61x50,8) : **GBP 20 000** – NEW YORK, 18 fév. 1988 : *Maison au toit rouge à Mimizan*, h/t (61x50,5) : **USD 44 000** – LONDRES, 2 mars 1989 : *Un lac dans le Norfolk*, h/t (58,7x48,7) : **GBP 30 800** – LONDRES, 8 mars 1990 : *Paysage côtier près d'Antibes*, h/t (48,1x59,7) : **GBP 31 900** – LONDRES, 8 nov. 1990 : *Le port d'Amsterdam depuis le yacht de Lord Beaverbrook*, h/t.cartonnée (33x48) : **GBP 29 700** – LONDRES, 7 mars 1991 : *Nature morte de poivrons rouges et aubergines sur un plateau*, h/t (61x75) : **GBP 10 450** – LONDRES, 7 nov. 1991 : *La Scola San-Marco à Venise*, h/t (51x61) : **GBP 36 300** – LONDRES, 6 nov. 1992 : *Deux dames dans une gondole sur la lagune à Venise* 1927, h/t/cart. (50x35) : **GBP 27 500**.

CHURCHMAN Ella Mendelhall
Née au XIXᵉ siècle à Brooklyn (New York). XIXᵉ siècle. Américaine.
Peintre.
Élève de Tarbell et Bensow à Boston et de l'Académie des Beaux-Arts à Philadelphie.

CHURCHMAN John
Mort en 1780 à Londres. XVIIIᵉ siècle. Britannique.
Miniaturiste.

CHURCHYARD Thomas
XIXᵉ siècle. Actif à Woodbridge (Suffolk). Britannique.
Peintre de paysages, aquarelliste.
Il exposa en 1830-1833 à la Royal Academy et à Suffolk Street, à Londres.
VENTES PUBLIQUES : LONDRES, 24 nov. 1965 : *Le pont en bois* : **GBP 320** – LONDRES, 12 juil. 1967 : *Paysages boisés*, deux toiles : **GBP 650** – LONDRES, 11 juin 1968 : *Paysage*, aquar. : **GNS 110** – LONDRES, 23 juin 1972 : *Paysage fluvial boisé* : **GNS 950** – LONDRES, 21 juil. 1981 : *View of Fen Meadow, Woodbridge*, aquar. et cr. (20x29,5) : **GBP 320** – LONDRES, 7 juin 1983 : *Le mur du jardin*, h/cart. (22,2x31,8) : **GBP 500** – LONDRES, 10 fév. 1987 : *Troupeau près d'un bord aux abords d'un village*, aquar. et cr. (11,5x16,5) : **GBP 320** – LONDRES, 11 oct. 1995 : *Le moulin*, h/cart. (26x33) : **GBP 632**.

CHURLAND Johann Baptist ou Corlando, Curlandi
XVIIᵉ siècle. Actif à Munich à la fin du XVIIᵉ siècle. Allemand.
Peintre.
Peintre de la cour de Bavière, il a peint des chasses à courre et des portraits. Le Musée National de Bavière conserve un certain nombre de ses œuvres.

CHURLEY Arthur Frank
Né en juin 1866 à B'ham. XIXᵉ siècle. Britannique.
Dessinateur.

CHURLU Mamut
XXᵉ siècle. Russe.
Peintre de paysages urbains.
Il a participé en 1994 à une exposition consacrée aux artistes russes du XXᵉ siècle à Oklaoma.
Il dénonce le régime communiste et l'aliénation qu'il a généré, dans des œuvres qui évoquent de Chirico.
BIBLIOGR. : James Scarborough : *Art post-soviétique*, Art Press, n° 194, Paris, sept. 1994.

CHURRIGUERA José Benito
Né en 1665 à Madrid. Mort en 1725 à Madrid. XVIIᵉ-XVIIIᵉ siècles. Espagnol.
Sculpteur, décorateur et architecte. Baroque.
José-Benito Churriguera était l'un des quatre fils de José Simon Churriguera. Il est l'auteur du retable du Sagrario de la cathédrale de Ségovie (avant 1690), puis il remporta le concours pour le catafalque de la reine Marie-Louise d'Orléans, en 1689. Il devint architecte des travaux du Palais, travailla à la nouvelle cathédrale de Salamanque et édifia le retable du maître-autel de San-Esteban, où l'abondance ornementale ne nuit pas à l'intégration architecturale. Comme architecte, il donna des plans

pour Guadalajara, pour un palais de Madrid (aujourd'hui siège de l'Académie de San-Fernando), pour la ville de Nuevo-Baztan. A la fin de sa vie, il donna surtout des dessins de retables et fut loué comme le « Michel-Ange espagnol ». Ses frères Joaquin et Alberto firent uniquement œuvre d'architectes, y déployant, surtout Alberto, une grande fantaisie décorative. Tous trois tinrent un rôle si important dans l'apogée du style baroque espagnol qu'on a pu dire cette période « churrigueresque ».

CHURRIGUERA José Simon
Mort en 1679 probablement à Madrid. XVIIe siècle. Espagnol.
Sculpteur, ornemaniste.
Le sculpteur José Simon Churriguera, lui-même fils de l'architecte catalan José de Churriguera, travailla avec le second mari de sa mère au retable de l'église de l'hôpital de Montserrat à Madrid. Il mourut en 1679, laissant quatre fils, dont trois tinrent un rôle si important dans l'apogée du style baroque espagnol qu'on put dire cette période « churrigueresque », oubliant par trop l'apport des Teodoro Ardemans, Francisco Hurtado, Pedro de Ribera, etc.

CHÛSEN. Voir ÔKYO

CHU SHÊNG. Voir ZHU SHENG

CHU SHU-CHUNG. Voir ZHU SHUZHONG

CHU TA. Voir ZHU DA

CHUTE Desmond Macready
Né en 1895. Mort en 1961. XXe siècle. Britannique.
Peintre de paysages animés.
Il rencontra Stanley Spencer, qui avait quitté exceptionnellement son village natal parce que mobilisé, alors que lui-même était infirmier à l'hopital militaire Beaufort de Bristol en 1915. Leur amitié se poursuivit jusqu'à la fin de la guerre, puis Chute entra au séminaire afin de devenir Dominicain.
VENTES PUBLIQUES : LONDRES, 25 sep. 1992 : *La récolte des fleurs* 1915, h/t (25,5x36) : **GBP 2 640.**

CHU TEH-CHUN ou Zhu De-Qun
Né le 24 octobre 1922 dans la province de Jiangsu. XXe siècle. Chinois.
Peintre de paysages, peintre à la gouache. Figuration-onirique, abstrait-paysagiste.
Il a fait ses études artistiques à l'École des Beaux-Arts de Hangzhou, puis est venu s'installer en France en 1955. À partir de cette date, il a régulièrement exposé, à Paris, au Salon des Artistes Français, au Salon Comparaisons depuis 1957, aux Salons des Réalités Nouvelles, de Mai à partir de 1958 et au Salon Grands et Jeunes d'Aujourd'hui, notamment en 1987-88. Une salle spéciale lui a été consacrée à la Biennale de São Paulo en 1970. Ses expositions personnelles ont lieu : en Chine ; fréquemment en France à Paris, et notamment Galerie Patrice Trigano en 1991 et 1998 ; à la Galerie Arlette Gimaray en 1992 ; Galerie municipale de Vitry-sur-Seine en 1994 ; en Allemagne, notamment à Saarlouis Galerie Treffpunkt Kunst en 1994 ; etc.
Intégré à l'École de Paris, c'est-à-dire à un courant abstrait international, il se rattache cependant à ses origines chinoises par la qualité calligraphique de sa touche. Ses œuvres abstraites n'en suggèrent pas moins un paysagisme onirique, évoquant le climat poético-ornemental de la peinture chinoise. Si son graphisme le rattache à la filière de l'abstraction lyrique ou graphique, à la suite de Hartung ou de Soulages, la richesse de la matière et de la couleur rappelle l'art de Zao Wou-Ki, duquel il fut l'élève en Chine :
Pour évoquer la peinture de Chu Teh-Chun, Raoul Jean Moulin écrit : « Tendu et fluctuant, ce tracé, conducteur de la parole et de l'image, allume la couleur et la travaille dans sa texture sonore, opérant la mise à jour d'une lecture intérieure aux inflexions majestueuses et vives, ponctuée de silence, d'abîmes, d'ouvertures sur l'infini ». Comme chez Zao Wou-Ki, l'extrême richesse de la matière chromatique risque de faire passer sa peinture du côté décoratif, tandis que certaines œuvres, ayant leur origine visuelle dans des paysages de montagnes enneigées, retrouvent dans un registre sobre de blanc et noir la force d'un graphisme rigoureux tout en restant élégant. ■ J. B.
VENTES PUBLIQUES : PARIS, 26 juin 1980 : *Composition,* h/t (90x132) : **FRF 2 400** – PARIS, 6 nov. 1983 : *Composition n° 529* 1974, h/t (97x162) : **FRF 8 000** – PARIS, 12 mars 1984 : *Composition* 1961, gche (53,5x36) : **FRF 4 200** – PARIS, 9 déc. 1985 : *Bleu, gris et blanc* 1960-61, gche (35x53) : **FRF 4 000** ; *Sans titre, bleu* 1962, h/t (60x80) : **FRF 6 000** – PARIS, 29 oct. 1987 : *Composition*

abstraite 1960, h/t (81,5x61) : **FRF 12 000** – NEUILLY, 20 juin 1988 : *Nocturne* 1960, h/t (64,5x85) : **FRF 16 000** – DOUAI, 23 avr. 1989 : *Reflets ardents* 1988, h/t (81x65) : **FRF 25 000** – PARIS, 29 sep. 1989 : *Composition* 1977, h/t (100x81) : **FRF 32 000** – LES ANDE-LYS, 19 nov. 1989 : *Pirs de l'étang,* h/t (116x89) : **FRF 36 000** – DOUAI, 3 déc. 1989 : *Composition* 1961, h/t (120x60) : **FRF 80 000** – NEUILLY, 7 fév. 1990 : *Rouge B* 1989, h/t (91,5x65) : **FRF 58 000** – PARIS, 26 avr. 1990 : *Composition,* h/pap. mar. (65x50) : **FRF 43 000** – PARIS, 10 mai 1990 : *Composition* 1963, h/t (65x92) : **FRF 180 000** – PARIS, 30 mai 1990 : *Composition,* h/pan. (37x55) : **FRF 50 000** – DOUAI, 11 nov. 1990 : *Composition* 1962, h/t (81x60) : **FRF 149 000** – PARIS, 29 nov. 1990 : *Composition* 1961, h/t : **FRF 90 000** – PARIS, 11 mars 1991 : *Clarté nocturne II* 1984, h/t (81,5x65) : **FRF 29 000** – PARIS, 16 juin 1991 : *Sans titre* 1963, h/t, diptyque (195x244) : **FRF 110 000** – GAYANT, 28 juin 1992 : *Éclats* 1987, h/t (162x130) : **FRF 100 000** – TAIPEH, 18 oct. 1992 : *La terre s'éveille* 1989, h/t (98x130) : **TWD 825 000** – PARIS, 6 avr. 1993 : *Sans titre* 1961, gche et encre/pap. (56,5x38) : **FRF 34 000** ; *Pa-Shin (lumière de la montagne)* 1959, h/t (100x64,5) : **FRF 150 000** ; *Composition n°24* 1959, h/t (162x130) : **FRF 260 000** – PARIS, 12 oct. 1994 : *Composition,* h. et gche/ pap./t. (63x48,5) : **FRF 38 000** – COPENHAGUE, 8-9 mars 1995 : *Composition,* h/pap. (61x47) : **DKK 9 500** – PARIS, 29-30 juin 1995 : *Rayonnements d'hiver* 1989, h/t (130x195,5) : **FRF 110 000** – PARIS, 24 mars 1996 : *Point d'orgue* 1992, h/t (73x60) : **FRF 19 000** – LONDRES, 23 mai 1996 : *Lueur océanique* 1989, h/t (81x100) : **GBP 1 150** – PARIS, 19 juin 1996 : *Composition n° 83* 1961, h/t (65x100) : **FRF 44 000** – PARIS, 5 oct. 1996 : *Composition* 1989, h/t (81x100) : **FRF 35 000** – PARIS, 22 nov. 1996 : *Composition blanche et bleue* 1987, gche et encre/pap. (44x57) : **FRF 5 500** – PARIS, 29 nov. 1996 : *Réminiscence* 1989, h/t (81x65) : **FRF 290 000** – PARIS, 25 mai 1997 : *Composition* 1982, encre de Chine/pap., une paire (32,5x34 et 16x12) : **FRF 7 500** – PARIS, 27 juin 1997 : *Tout bleu* 1987, h/t (146x115) : **FRF 46 000.**

CHU TÊ-JUN. Voir ZHU DERUN

CHUTKOWSKA-KAMINSKA Krystyna
Née en 1942 à Téhéran. XXe siècle. Polonaise.
Graveur.
Elle vit et travaille en Pologne, et a étudié à l'Académie des Beaux-Arts de Cracovie jusqu'en 1967. Elle a participé à la Biennale de Menton en 1972.

CHU TUAN. Voir ZHU DUAN

CHU WEI. Voir ZHU WEI

CHU WEI-PI. Voir ZHU WEIBI

CH'Ü YING-SHAO. Voir QU YINGSHAO

CHU YO-CHI. Voir ZHU YUEJI

CHU YÜ. Voir ZHU YU

CHVARZ Viacheslas-Grigorievitch ou Chvarts. Voir SCHWARZ

CHWALA Adolf
Né le 4 avril 1836 à Prague. Mort en 1900 à Vienne. XIXe siècle. Tchécoslovaque.
Peintre de paysages, paysages d'eau.
Il fut élève de l'Académie des Beaux-Arts de Prague. Il se fixa à Vienne en 1864. On cite notamment de lui : *Vue en Bavière* et *Soir d'été près Lundenbourg.*
VENTES PUBLIQUES : PARIS, 1897 : *Paysages avec marais,* deux pendants : **FRF 200** – VIENNE, 26 mars 1965 : *Paysage fluvial avec pêcheurs :* **ATS 6 000** – BERNE, 27 avr. 1967 : *Lacs alpestres,* deux pendants : **CHF 7 000** – VIENNE, 19 sep. 1972 : *Bord de la Moldau :* **ATS 28 000** – LONDRES, 20 avr. 1979 : *Paysages boisés animés de personnages,* deux h/pan. (35,5x56) : **GBP 2 800** – COPENHAGUE, 3 nov. 1981 : *Paysage fluvial,* h/t (62x89) : **DKK 16 000** – VIENNE, 12 sep. 1984 : *Paysage d'automne,* h/pan. (37x58) : **ATS 130 000** – LONDRES, 27 nov. 1985 : *Vues de lacs alpestres,* deux h/t (50,5x82,5) : **GBP 2 300** – VIENNE, 18 fév. 1987 : *Paysage fluvial,* h/t (55,5x82) : **ATS 35 000** – COLOGNE, 20 oct. 1989 : *Paysage champêtre en été,* h/t (32,5x48,5) : **DEM 5 800** – MUNICH, 31 mai 1990 : *Jeune paysage sur un sentier forestier,* h/t (38x31) : **DEM 8 800** – NEW YORK, 21 mai 1991 : *Vue du lac Konigisee à Baiun,* h/t (61,6x105,4) : **USD 5 500** – NEW YORK, 26 mai 1992 : *Lac au clair de lune,* h/t (55,8x87,6) : **USD 3 740** – AMSTERDAM, 19 oct. 1993 : *Paysage montagneux avec des personnages près d'un lac,* h/t (37x58) : **NLG 6 900** – NEW YORK, 17 fév. 1994 : *Chalet au bord d'un lac de montagne au clair de lune,* h/pan. (26x40) : **USD 2 300**

– Munich, 27 juin 1995 : *Paysage lacustre*, h/t (37x68,5) : **DEM 4 600**.

CHWAT Molli
Né le 2 juillet 1888 à Bialystok. Mort en 1979. xxe siècle. Actif en France. Polonais.
Peintre de paysages et de figures. Expressionniste.
Après avoir fait des études à l'Académie Impériale des Beaux-Arts de Saint-Pétersbourg (Leningrad), il émigra en France en 1925. A partir de 1951, il participa au Salon des Artistes Indépendants et à celui de la Société Nationale des Beaux-Arts à Paris, où il fit également des expositions personnelles. En 1952, il reçut le Prix Othon Friesz. L'État français possède de ses œuvres.
Ventes Publiques : Paris, 21 déc. 1981 : *Village sur le lac*, h/t (27x51) : **FRF 3 300**.

CHWISTEK Léon
Né en 1884 à Cracovie. Mort en 1944. xxe siècle. Polonais.
Peintre. Formiste.
Théoricien, il était aussi professeur de logique, mathématicien et philosophe. Désireux de se démarquer de l'esthétique polonaise de l'entre-deux-guerres, encore sous l'influence de l'impressionnisme et du symbolisme, il fut le fondateur, en 1917, du Formisme qui réalisait une sorte de synthèse instinctive entre le futurisme italien, l'expressionnisme allemand, le cubisme français, puis l'abstraction, formes d'art qu'il avait pu connaître lors de son séjour à Paris en 1912-1913. Le nom de ce mouvement, inventé par le critique E. Breiter, mettait l'accent sur les recherches formelles de ces peintres, dont l'un des plus connus était Stanislas Wietkiewicz. En tant que théoricien du groupe, Chwistek fut l'auteur d'un ouvrage sur *La pluralité de la réalité*, affirmant la primauté de l'imagination formelle sur le monde extérieur. Ce mouvement, qui eut une forte influence sur l'intelligenzia polonaise des années trente, prit fin en 1923.
Bibliogr. : In : *Dictionnaire Universel de la Peinture*, Le Robert, Paris, 1975.

CHYLEWSKI Michaël
Né en 1787 à Szczurowice (près de Brody, Galicie). Mort en 1848 à Kalich. xixe siècle. Polonais.
Peintre.
Il a peint d'abord des miniatures et plus tard des grands portraits à l'huile et des scènes de genre.

CHYTOUSSI
Né au xixe siècle en Bohême. xixe siècle. Tchécoslovaque.
Peintre.
Il est considéré comme l'un des maîtres de l'art moderne national et l'un des révélateurs de la peinture française indépendant.

CIACELLI Arturo
Né en 1883 à Arnara. Mort en 1966 à Venise. xxe siècle. Actif aussi en Suède. Italien.
Peintre, décorateur. Futuriste et abstrait.
Dès 1905, il a participé au Salon des Refusés à Rome. En 1906-1908, avec Gambelotti et le professeur Bazzani, il apprend l'art de la décoration théâtrale au théâtre national de l'Argentina à Rome. Il participe en 1910 et expose pour la première fois au Salon des Artistes Indépendants, où il figure à nouveau en 1914. A partir de 1910, il a beaucoup vécu dans les pays scandinaves, enseignant et faisant des conférences sur la première école d'art italien à Amsterdam et Rotterdam en 1933. Il a fait plusieurs holm, Copenhague, Oslo, Göteborg. A Stockholm, il a été le directeur de la première Galerie d'Art Moderne, de la revue d'art *Nykonst* (1915) et a exécuté plusieurs décorations pour des lieux publics, dont le Grand Hotel Royal (1915 et 1924) et le Cercle Artistique (1923 et 1926). Il participe à l'Exposition Futuriste à Paris en 1929, à la Biennale de Venise en 1930, au Salon des Tuileries à Paris en 1931, 1932, 1933, à des expositions d'art expositions personnelles à Rome en 1910, 1936, 1960 ; à Stockholm en 1910, 1913, 1916, 1927 ; à Malmö en 1912, 1914, 1918 ; à Copenhague en 1912, 1917, 1918 ; à Göteborg en 1913, 1917 ; à Oslo en 1913, 1917, 1918 ; à Paris en 1914, 1930, 1932 ; à Rome en 1919 ; à Capri en 1936 ; à Vienne en 1937, 1939, 1940, 1944, 1946, 1947, 1948, 1953, 1960 ; à Milan en 1952, 1957 et 1962-63.
D'une activité débordante, puisqu'il enseigne, fait des conférences, organise des expositions, crée des décors de théâtre, exécute des décorations intérieures, s'occupe de galeries, de revues, etc., Ciacelli réalise aussi des œuvres picturales. Son art, surtout dans les années 1913-14-15, est fortement imprégné de Futurisme, notamment *Foire à Montmartre*, *Start d'Autos* et le *Hangar à Issy les Moulineaux* de 1915. Et, plus tard, lorsqu'il se

dégage de cette influence, il continue à mettre l'accent sur le rythme, la dynamique, dans des compositions plus strictement abstraites.
Ventes Publiques : Milan, 7 nov. 1978 : *Composition* 1957, h/t (94x123) : **ITL 1 100 000** – Milan, 26 avr. 1979 : *Composition* 1928, h/t (68x90) : **ITL 1 200 000** – Milan, 9 mai 1985 : *Composition* 1931, temp. (40x55) : **ITL 1 600 000** – Rome, 25 nov. 1986 : *Danseuses*, temp. (42x60) : **ITL 1 400 000** – Milan, 26 mai 1987 : *Aeropittura* 1924, h/t (98x100) : **ITL 20 000 000** – Milan, 24 mars 1988 : *Jardin sur mer* 1907, h./contreplaqué (50x59) : **ITL 11 000 000** – Milan, 20 mars 1989 : *Composition* 1953, h/t (36x60) : **ITL 2 400 000** – Milan, 7 nov. 1989 : *La joueuse de tennis dynamique*, h/pan. (40x35) : **ITL 7 500 000** – Milan, 27 sep. 1990 : *Composition* 1950, temp./pap. (34x50) : **ITL 1 300 000** – Paris, 12 nov. 1990 : *Port à Cancale* 1928, h/t (65x81) : **FRF 20 000** – Rome, 9 avr. 1991 : *Nature morte à la guitare*, h/t (76x78) : **ITL 15 000 000** – Milan, 23 juin 1992 : *Composition* 1956, h/t (39x28) : **ITL 2 000 000** – Milan, 5 mai 1994 : *Composition* 1935, h/t (37x60) : **ITL 4 600 000**.

CIAFFERI Agostino, dit **Smargiassi**
xviie siècle. Italien.
Peintre.
Il était peut-être le père de Pietro Ciafferi. Il travaillait en 1610 au Palais de Florence à Rome.

CIAFFERI Pietro, dit **Smargiasso**
Né vers 1600 à Pise. Mort vers 1654. xviie siècle. Italien.
Peintre.
Il fut, suivant Lanzi, le meilleur peintre de marines qu'ait produit l'école florentine. Son séjour à Livourne favorisa son talent ; il y peignit des scènes maritimes d'une excellente composition, ornées de figures variées, fort bien dessinées. Il traita aussi quelques sujets religieux et se montra fort habile dans l'exécution de nombreuses vues d'architectures. Livourne et Pise possèdent la plupart de ses œuvres : on peut voir un *Ecce Homo*, de lui, au palais Pitti à Florence, et une *Marine avec personnages*, au Musée civique de Pise.

CIAFRETTI Ludovico
Né vers 1594 à Norcia. Mort le 7 novembre 1636 à Rome. xviie siècle. Italien.
Peintre.

CIAGLINSKI Ivan Franzewitch
Né en 1858 à Varsovie. Mort en 1913. xixe-xxe siècles. Polonais.
Peintre de portraits, paysages, aquarelliste.
Cet artiste, qui fit ses premières études à Varsovie, entra dès 1879 à l'Académie de Saint-Pétersbourg où il devait professer à partir de 1902. Son influence fut considérable en Russie. Défenseur et adepte de l'impressionnisme français il organisa de nombreuses expositions en Russie, en Pologne, en Allemagne et en France.
Musées : Moscou – Saint-Pétersbourg.
Ventes Publiques : Paris, 12 juin 1995 : *Scène quotidienne en Égypte* 1903, aquar. (24,5x34,5) : **FRF 4 000**.

CIALDIERI Bartolomeo
xviie siècle. Vivait à Urbino entre 1600 et 1639. Italien.
Peintre.
Il fut le père de Girolamo Cialdieri.

CIALDIERI Girolamo
Né en 1593 à Urbino. Mort en 1680 à Urbino. xviie siècle. Italien.
Peintre.
Il fit partie de l'école de Claudio Ridolfi ; il peignit plusieurs tableaux pour les églises de Rome, entre autres : *Le martyre de saint Jean*, pour l'église San Bartolommeo. Il fut aussi architecte et graveur.

CIALLI Francesco
xive siècle. Vivait à Florence en 1344. Italien.
Peintre.

CIAM Giorgio
Né en 1941 à Pont-Saint-Martin (Aoste). xxe siècle. Italien.
Sculpteur.
Il a participé à la Biennale de Menton en 1972. Il a réalisé des sculptures, menbres et des happenings.

CIAMBELLA di Francesco Giovanni ou **Scambella**, dit **Fantasia**
xve-xvie siècles. Vivait à Pérouse à la fin du xve et au début du xvie siècle. Italien.

Peintre.

Il fut l'élève puis le collaborateur du Pérugin. Il travailla également avec d'autres peintres de Pérouse comme Giovanni di Tommaso et Pinturicchio à des peintures religieuses.

CIAMBERLANI Albert

Né le 13 mai 1864 à Bruxelles. Mort en 1956 à Bruxelles. xxᵉ siècle. Belge.

Peintre de figures et décorateur. Symboliste.

Après avoir été élève chez les Jésuites au collège Saint-Michel, il fit des études de Droit, puis se consacra à la peinture et fut élève à l'Académie des Beaux-Arts de Bruxelles, dans l'atelier de Portaels. Il ne resta pas longtemps à l'Académie, préférant travailler seul ou sous la direction d'Antoine Lacroix. Il fut membre des groupes « Pour l'Art » et « L'Essor » à l'exposition duquel sa toile *Perversité* fut remarquée en 1887. Il participa au Salon de l'Art idéaliste. Professeur à l'Institut supérieur d'Anvers, il fut membre de l'Académie royale de Belgique.

Très intéressé par l'art de Puvis de Chavannes, il fut l'un des pionniers de la restauration de la grande peinture décorative en Belgique. Ses œuvres monumentales se retrouvent aux Palais de Justice de Louvain et de Bruxelles, aux Hôtels de Ville de Saint-Gilles à Bruxelles et de Laeken.

Bibliogr. : In : *Diction. biogr. illustré des Artistes en Belgique depuis 1830*, Arto, Bruxelles, 1987.

Musées : Bruxelles (Mus. roy. des Beaux-Arts) : *Ophélie*.

Ventes Publiques : Anvers, 24 oct. 1984 : *Adam et Ève*, h/pan. (85x74) : **BEF 34 000**.

CIAMBERLANO Giovanni Grisostomo

xviiᵉ siècle. Vivait à Terni au milieu du xviiᵉ siècle. Italien.
Peintre.

Il fut l'élève d'Andrea Camassei.

CIAMBERLANO Luca

Né vers 1580 à Urbino. xviiᵉ siècle. Travailla à Rome de 1599 à 1641. Italien.

Peintre et graveur au burin.

Il s'était d'abord livré à l'étude de la jurisprudence, qu'il abandonna pour se consacrer aux beaux-arts. Il publia d'une centaine de planches, compositions originales ou reproductions des maîtres italiens, en se conformant à la manière d'Agostino Carracci ; il les signait de son nom ou des initiales L. C.

CIAMEI Pietro

Né au début du xviiᵉ siècle à Rome. xviiᵉ siècle. Italien.
Peintre.

Il travailla à Rome et à Ravenne.

CIAMINGHI Francesco

Né au xviiᵉ siècle. Mort en 1736 à Florence. xviiᵉ-xviiiᵉ siècles. Italien.

Sculpteur et dessinateur.

Il travailla comme dessinateur et comme sculpteur à Florence et à Rome.

CIAMPANTI Ansano, dit aussi le Maître de San Filippo

xvᵉ-xviᵉ siècles. Italien.

Peintre de compositions religieuses.

Ventes Publiques : New York, 11 jan. 1991 : *Prédelle : Saint Julien tuant ses parents dans leur sommeil* ; *Le Martyr de Sainte Catherine*, temp./pan. (33,7x47) : **USD 38 500** – Londres, 8 déc. 1993 : *Vierge à l'Enfant avec Saint Jean Baptiste et Sainte Marie-Madeleine*, h/pan. (132x124,5) : **GBP 63 100**.

CIAMPANTI Michele, dit le Maître de Stratonice

xvᵉ-xviᵉ siècles. Italien.

Peintre de compositions religieuses, mythologiques, fresques.

Il était actif à Lucca de 1463 à 1511. Il fut primitivement connu sous l'appellation de Maître de Stratonice (d'après la décoration d'un caisson relatant la légende d'Antioche et Stratonice, collection de la bibliothèque et galerie d'art Huntingdon de San Marino, Californie). Ses origines restent mal connues et c'est à partir de 1931 que B. Berenson l'identifie comme un artiste sienois, suiveur de Francesco di Giorgio. Il date sa période d'activité de 1475 à 1490.

Ventes Publiques : Milan, 24 oct. 1989 : *Vierge à l'Enfant avec deux anges devant une fenêtre par laquelle on voit Tobie et l'archange Raphaël*, h/pan. (79x56) : **ITL 410 000 000** – Londres, 22 avr. 1994 : *Vierge à l'Enfant avec un ange tenant une corbeille de*

fruits, temp./pan. (sommet arrondi 71x41,6) : **GBP 76 300** – Venise, 25 mai 1997 : *Scène de saints martyrs*, temp./pan. (49x66) : **ITL 16 500 000**.

CIAMPELLI Agostino

Né en 1565 ou 1578 à Florence. Mort en 1630 ou 1640 à Rome. xviᵉ-xviiᵉ siècles. Italien.

Peintre de sujets religieux, genre, dessinateur.

On ne s'accorde pas sur la date de naissance de Ciampelli, car il fut employé aussi aux décorations qui se firent à Florence, en 1588, à l'occasion des noces de Christine de Lorraine ; or, cette date n'est éloignée que de dix années de celle à laquelle on place la naissance du peintre. Il fut, en même temps que Ludovic Buti, à qui il ressemblait si étrangement qu'on les prenait parfois pour deux jumeaux, élève de Santo Titi. Il travailla à Rome et exécuta pour le pape Clément VIII plusieurs peintures au Vatican et à Saint-Jean de Latran.

Musées : Florence (Mus. des Offices) – Lille – Paris (Mus. du Louvre).

Ventes Publiques : Paris, 1775 : *Étude d'un pape* ; *Un autre sujet*, dess. à la pl. et au bistre : **FRF 10** – Paris, 1786 : *Les noces de Cana*, dess. à la pl., lavé de bistre, reh. de blanc : **FRF 285** – Paris, 28 nov. 1934 : *Ecce Homo*, pl. et lav. de bistre : **FRF 340** – Londres, 3 juil. 1980 : *Jeune homme se faisant dire la bonne aventure tandis qu'un autre bohémien le vole*, pl. et lav. (25,4x41,2) : **GBP 3 200** – Londres, 17 juil. 1986 : *L'Ange apparaissant à Agar et Ismaël dans le désert*, h/t (165x156,2) : **GBP 7 000**.

CIAMPELLI Antonio

xviiᵉ siècle. Travaillait à Florence. Italien.
Peintre.

CIAMPI Alimondo

Né en 1876. xxᵉ siècle. Italien.
Sculpteur.

La Galerie d'Art moderne à Florence conserve de lui une *Tête*.

CIAMPOLI Arcangelo

Né le 5 décembre 1835 à Ortona a Mare. Mort le 28 février 1903 à Ortona a Mare. xixᵉ siècle. Italien.

Peintre et sculpteur.

Cet artiste peignit surtout à Naples, se servant tour à tour du pastel et de l'huile, des portraits et des paysages.

CIAN Fernand ou Ciancianaini

Né à Carrare (Massa e Carrara). xixᵉ-xxᵉ siècles. Italien.
Sculpteur.

Il fut élève de Laporte-Blairsy. Il exposa au Salon des Artistes Français de Paris entre 1911 et 1928 ; obtenant une mention honorable en 1921. On cite de lui deux statues de *Jeanne d'Arc*.

Ventes Publiques : New York, 14 nov. 1985 : *Nymphe*, terre cuite (H. 61) : **USD 1 100**.

CIAN J., Mlle

xixᵉ-xxᵉ siècles. Française.
Sculpteur.

Elle exposa au Salon des Artistes Français en 1913-1914.

CIANCHI Domenico

xviiᵉ-xviiiᵉ siècles. Italien.
Peintre.

Il vécut et travailla à Florence.

CIANCHI Nicola

Né le 9 mai 1546 à Florence. Mort le 1ᵉʳ janvier 1603 à Rome. xviᵉ siècle. Italien.
Peintre.

CIANCIA

xvᵉ siècle. Vivait à Aquilée. Italien.
Peintre.

Il fut l'élève de Masaccio.

CIANCIANAINI Fernand. Voir CIAN

CIANCIO di Pierfrancesco

Mort en 1527 à Pérouse. xviᵉ siècle. Italien.
Graveur sur bois.

CIANFANELLI Nicola

Né en 1793. Mort le 30 août 1848 à Florence. xixᵉ siècle. Italien.
Peintre.

Peintre d'histoire et de genre d'un style très classique, il bénéficia de nombreuses commandes officielles en Italie centrale.

Ventes Publiques : Londres, 11 oct. 1968 : *Scène de « I promessi sposi » de Manzoni* : **GNS 180**.

CIANFANINI Giovanni di Benedetto
Né en 1462. Mort en 1542. xve-xvie siècles. Italien.
Peintre d'histoire.
Il fut l'élève de Botticelli et le collaborateur de Lorenzo di Credi. Il vécut et travailla à Florence. C'est à la suite d'une confusion que Vasari prétend qu'il fut l'élève de Fra Bartolommeo.

CIANFANINI Giovanni di Bernardo
xvie siècle. Vivait à Florence en 1526. Italien.
Peintre.
Il semble qu'il s'agisse peut-être du précédent.

CIANFANINI Raffaello
xvie siècle. Italien.
Peintre.
Cet artiste florentin est mentionné en 1538.

CIANI Cesare
Né le 28 février 1854 à Florence (Toscane). Mort en 1925. xixe-xxe siècles. Italien.
Peintre de genre, portraits, paysages, dessinateur.
En 1878 seulement, il commença à étudier la peinture à l'Académie des Beaux-Arts de sa ville natale et il eut pour maîtres Ciaranfi et Fattori. Il devint bien vite un parfait dessinateur et un coloriste sobre, mais sûr. Son but est de rendre la vérité pure et simple, et son talent s'est ainsi manifesté dans une foule de paysages.
Musées : Florence (Gal. d'Art Mod.).
Ventes Publiques : Milan, 26 nov. 1968 : *Jeune femme à la fenêtre* : **ITL 1 600 000** – Milan, 16 nov. 1972 : *Le retour du soldat* : **ITL 500 000** – Florence, 7 juin 1976 : *Charette tirée par un mulet*, h/cart. (34x25,5) : **ITL 1 850 000** – Milan, 20 mars 1980 : *Le retour du soldat*, h/pan. (12x18,5) : **ITL 1 900 000** – Milan, 24 nov. 1983 : *Maternité 1918*, h/cart. (35x24) : **ITL 6 500 000** – Florence, 27 mai 1985 : *Al Tornio 1898*, h/t (50x95,5) : **ITL 14 000 000** – Rome, 25 mai 1988 : *Jeune paysanne de San Frediano*, h/cart. (14,5x12,5) : **ITL 2 200 000** – Milan, 14 juin 1989 : *Lavoir de campagne*, h/cart. (19,5x33,5) : **ITL 5 000 000** – Rome, 11 déc. 1990 : *Marché florentin*, h/cart. (13x20,5) : **ITL 11 500 000** – Rome, 14 nov. 1991 : *Femme en train de coudre*, h/cart. (25x17,5) : **ITL 7 820 000** – Milan, 9 nov. 1993 : *Paysage toscan*, h/cart. (10x20) : **ITL 7 475 000** – Rome, 31 mai 1994 : *Jeune femme à l'ombrelle*, h/t (29x19) : **ITL 7 660 000** – Milan, 25 oct. 1994 : *Bourricot*, h/cart. (15x23) : **ITL 5 405 000** – Milan, 29 mars 1995 : *Portrait de jeune fille en prière 1909*, h/t (53x37) : **ITL 12 075 000** – Milan, 14 juin 1995 : : *La robe bleue*, h/pan. (29x15,5) : **ITL 4 255 000**.

CIANI Giovanni
xixe siècle. Italien.
Graveur.

CIANI Guglielmo
Né le 20 mai 1817 à Castrocaro. Mort en 1890. xixe siècle. Italien.
Sculpteur.
Dut lutter contre la volonté paternelle pour s'adonner aux arts ; un matin d'hiver, avec quelques sous en poche, il s'enfuit de la maison paternelle et se dirigea vers Florence. Après quatorze mois d'études dans cette ville, il modela une figure : *Le Pasteur*, qui le fit connaître, lui attira la bienveillante protection du grand-duc et une pension pour dix ans. En 1853, il fut nommé professeur de sculpture à Pérouse.

CIANI Vittore A.
Né en 1858 à Florence (Italie). Mort en 1908 à Perth Amboy. xixe siècle. Américain.
Sculpteur.
Élève de G. Manteverde à Rome. Établi à New York, il fut membre d'une société artistique en 1896. Chevalier de la Couronne d'Italie.

CIAPINI Ugo
Né le 16 février 1866 à Florence. xixe siècle. Italien.
Sculpteur.
Étudia à l'Académie de sa ville natale sous la direction de Rivalta. Ses premiers essais furent *Le Buveur* et *Le Joueur à la morra*. A Florence, en 1885 et en 1886, il exposa : *Le loup perd son poil mais non ses vices* et *Le Baiser*. Sa *Mort de Jules César* lui valut un prix de 1 000 francs au concours de l'Académie des Beaux-Arts.

CIAPINO
xvie siècle. Italien.
Sculpteur sur bois.

CIAPPA
Né en 1766. Mort après 1826. xviiie-xixe siècles. Italien.
Peintre.
Napolitain, il gagna la notoriété par ses imitations de tableaux anciens et aussi par quelques œuvres originales.

CIAPPETINI Pietro Antonio
xviiie siècle. Siennois, actif sans doute au xviiie siècle. Italien.
Peintre.
Il existe un retable dû à cet artiste à l'église San Agostino à Sienne.

CIAPPORI-PUCHE Claudius Joseph
Né le 23 mars 1822 à Marseille. Mort vers 1887. xixe siècle. Français.
Peintre d'histoire.
Élève de A. Aubert, de Ary Scheffer, et de Ingres, il débuta au Salon de Paris en 1848, avec *Sainte Philomène*.
Ventes Publiques : Paris, 1898 : *Apothéose de Jeanne d'Arc*, dess. au lav. d'encre de Chine : **FRF 5.**

CIARAMPONI Pasquale
Né en 1734 à Treia. Mort en 1792. xviiie siècle. Italien.
Peintre.
Il fut l'élève de Pompeo Battoni et exécuta des peintures religieuses.

CIARANFI Joseph
Né en 1818 à Pistoie. Mort en 1902 à Florence. xixe siècle. Italien.
Peintre d'histoire et de genre.
Fut élève de Pollastrini et fit ses études à l'Académie des Beaux-Arts. On cite de lui : *Varchi lisant à Cosino Primo son Histoire de Florence*, qui se trouve dans la Galerie des toiles modernes à Florence.

CIARDI Beppe
Né le 18 mars 1875 à Venise. Mort en 1932 à Quinto di Treviso. xxe siècle. Italien.
Peintre de scènes de genre, paysages animés, paysages, marines.
Élève de son père Guglielmo Ciardi et d'Ettore Tito. Son art vériste commença à s'affirmer en 1897, avec le triptyque de *La Terre en fleur ; Vache à l'abreuvoir et Symphonie marine*.
Musées : Florence – Rome – Venise.
Ventes Publiques : Milan, 21 oct. 1969 : *Lagana de Torcello* : **ITL 2 000 000** – Milan, 16 mars 1972 : *Venise* : **ITL 2 000 000** – Milan, 29 oct. 1976 : *Paysage fluvial*, h/pan. (29,5x38,5) : **ITL 2 600 000** – New York, 7 oct. 1977 : *Troupeau au pâturage 1907*, h/t (39,5x110) : **ITL 3 800 000** – Londres, 4 nov. 1977 : *Pêcheurs dans la lagune, Venise*, h/t (50x75) : **GBP 2 200** – Milan, 14 mars 1978 : *Marine*, h/pan. (45x65) : **ITL 2 100 000** – Milan, 5 avr. 1979 : *Monte Rosa*, h/t (119x200) : **ITL 7 500 000** – Milan, 20 mars 1980 : *Enfant dans un paysage*, h/cart. (56x36) : **ITL 4 400 000** – Londres, 23 fév. 1983 : *Troupeau dans un champ*, h/t (139x216) : **GBP 6 800** – Londres, 12 oct. 1984 : *Femmes et enfants sur un quai au bord de la lagune à Venise*, h/t (73x88) : **GBP 5 500** – New York, 23 mai 1985 : *Personnages au bord de la lagune à Venise*, h/t (73,7x87,6) : **USD 8 000** – New York, 27 fév. 1986 : *Jeunes Baigneurs 1899*, h/pan. (36,2x55,8) : **USD 10 500** – Milan, 9 juin 1987 : *L'adieu*, h/t (135x200) : **ITL 46 000 000** – Milan, 23 mars 1988 : *La Pegnitz à Nuremberg*, h/pan. (25x40) : **ITL 7 000 000** – Rome, 25 mai 1988 : *Jeune paysanne et sa chèvre*, h/cart. (37x36) : **ITL 6 400 000** – Milan, 1er juin 1988 : *Homme dans une charrette*, h/t (46x72) : **ITL 21 000 000** – Milan, 14 mars 1989 : *Paysage de Sappada*, h/t (110,5x169,5) : **ITL 30 000 000** – Milan, 14 juin 1989 : *Le Travail des champs*, h/t (73,5x92) : **ITL 37 500 000** – Rome, 14 déc. 1989 : *Canal S. Marta*, h/pan. (29x38) : **ITL 14 950 000** – Milan, 8 mars 1990 : *Collation sur l'herbe*, h/t (89,5x154) : **ITL 60 000 000** – Monaco, 21 avr. 1990 : *Coucher de soleil sur la lagune vénitienne*, h/t (50x100) : **FRF 188 700** – Rome, 29 mai 1990 : *Barge sur un marais*, h/t (31x47) : **ITL 8 050 000** – Milan, 18 oct. 1990 : *Maisons au bord de la lagune*, h/t (68x45) : **ITL 42 000 000** – Milan, 16 avr. 1991 : *Marine à Burano 1928*, h/t (65,5x90,5) : **ITL 43 700 000** – Milan, 7 nov. 1991 : *Coucher de soleil à Venise*, h/t (90x160) : **ITL 75 000 000** – New York, 20 fév. 1992 : *À la fontaine*, h/t (69,9x90,2) : **USD 71 500** – Rome, 19 nov. 1992 : *Au bout de la lagune à Venise*, h/cart. (22x18) : **ITL 6 900 000** – Londres, 25 nov. 1992 : *Dans les champs au printemps*, h/pan. (60x50) : **GBP 12 100** – Milan, 3 déc. 1992 : *La Calèche du médecin*, h/t

(79x109) : **ITL 45 200 000** – Amsterdam, 21 avr. 1994 : *Venise 1924*, h/cart. (20,5x30,5) : **NLG 19 550** – Rome, 13 déc. 1994 : *Barques à Chioggia*, h/t (66x91) : **ITL 48 300 000** – New York, 16 fév. 1995 : *Personnages flânant au bord d'un canal vénitien 1919*, h/t (57,2x36,8) : **USD 12 650** – Milan, 25 oct. 1995 : *La Lagune vénitienne avec une barque au soleil couchant*, h/cart. (24x35) : **ITL 16 675 000** – Milan, 26 mars 1996 : *Paysage fluvial*, h/t (41,5x54,5) : **ITL 20 125 000** – Rome, 23 mai 1996 : *La Baie de San Marco 1898*, h/t (12x19,5) : **ITL 4 025 000** – Milan, 23 oct. 1996 : *Arbres nus*, h/t (25x50) : **ITL 16 892 000** ; *Marine*, h/cart. (8,5x15,5) : **ITL 3 262 000** ; *Paysage vallonné 1909*, h/cart. (8,5x15) : **ITL 2 563 000** ; *Lagune avec une barque au coucher du soleil*, h/t (60x49,5) : **ITL 23 300 000** – Milan, 18 déc. 1996 : *Vue du Grand Canal*, h/pan. (23,5x34,5) : **ITL 13 397 000** – Londres, 26 mars 1997 : *Bateaux sur la lagune vénitienne*, h/t (39,5x59) : **GBP 9 775** – Milan, 25 mars 1997 : *Barques sur la mer 1921*, h/cart. (34x48) : **ITL 23 300 000** – Londres, 21 nov. 1997 : *Sortie à la plage*, h/t (51x75,5) : **GBP 14 950** – Rome, 2 déc. 1997 : *Les Jeunes Bergères*, h/t (52x62) : **ITL 46 000 0000**.

CIARDI Egisto
xixᵉ siècle. Actif à Venise. Italien.
Peintre de paysages.
Ventes Publiques : Berlin, 1894 : *Matin à Venise* : **FRF 1 500** ; *Venise* : **FRF 1 287** – Berlin, 12 et 13 mars 1901 : *Vue du Grand canal* : **FRF 2 720**.

CIARDI Emma
Née en 1879 à Venise. Morte en 1933 à Venise. xixᵉ-xxᵉ siècles. Italienne.
Peintre de genre, paysages animés, paysages urbains.
Elle a participé à l'Exposition de Bruxelles en 1910.
Ses paysages présentent surtout des vues de Venise et ses scènes de genre se déroulent dans des lieux élégants.
Musées : Florence (Gal. d'Art Mod.) : *Crépuscule – Carnaval – Petite Place* – Munich : *Chaise à porteurs*.
Ventes Publiques : Paris, 3 fév. 1919 : *Un canal à Venise* : **FRF 1 800** – Londres, 23 juil. 1931 : *Venise* : **GBP 25** – Londres, 7 juil. 1939 : *Le Palais ducal à Venise* : **GBP 25** – Londres, 9 nov. 1960 : *Élégante Partie de campagne sous un arbre* : **GBP 360** – Londres, 30 avr. 1965 : *Les Jardins de la Villa d'Este* : **GNS 150** – Londres, 9 déc. 1966 : *Pierrot et Colombine* : **GNS 200** – Londres, 25 jan. 1967 : *Jour d'été à Venise* : **GBP 300** – Milan, 4 juin 1968 : *La Promenade* : **ITL 1 300 000** – Milan, 16 mars 1972 : *Devant le château* : **ITL 320 000** – Milan, 28 oct. 1976 : *Venise*, h/pan. (28x37) : **ITL 1 300 000** – Milan, 15 mars 1977 : *Reflets gris 1909*, h/pan. (28x37) : **ITL 1 200 000** – Londres, 14 fév. 1979 : *Le Pont du Rialto 1930*, h/pan. (37x50) : **GBP 2 000** – Londres, 18 juin 1980 : *Pierrot et Pierrette 1925*, h/t (55x73) : **GBP 3 500** – Paris, 9 déc. 1981 : *Théâtre de verdure 1913*, h/t (50x100) : **FRF 26 000** – New York, 26 mai 1983 : *Le Départ pour le carnaval*, h/t (112x103,5) : **USD 5 500** – Milan, 29 mai 1984 : *Personnages dans un parc 1913*, h/t (74x56) : **ITL 9 500 000** – Londres, 27 fév. 1985 : *Bal masqué 1929*, h/t (74x99) : **GBP 5 500** – Milan, 28 oct. 1986 : *La Promenade*, h/t (101x96) : **ITL 26 000 000** – Venise, 28 nov. 1987 : *Promeneurs et chaise à porteurs*, h/t (30x40) : **ITL 9 000 000** – Rome, 25 mai 1988 : *Personnages dans un parc*, h/t (44x57,5) : **ITL 4 800 000** – Milan, 6 déc. 1989 : *Dans le parc*, h/pan. (36,5x26,5) : **ITL 6 500 000** – Londres, 14 fév. 1990 : *Villa Gaia à Venise*, h/pan. (36,2x37,5) : **GBP 7 700** ; *Personnages près d'une balustrade 1923*, h/t (36x37,5) : **GBP 8 250** – Monaco, 21 avr. 1990 : *Fête galante dans un parc*, h/t (52x68) : **FRF 61 050** – Amsterdam, 2 mai 1990 : *Personnages élégants se promenant entre les statues d'un parc 1921*, h/t (61,5x51) : **NLG 17 250** – Milan, 30 mai 1990 : *Pont de bois sur un canal vénitien*, h/t (54x61) : **ITL 18 000 000** – Rome, 11 déc. 1990 : *Lecture dans un parc*, h/cart. (22x18) : **ITL 6 900 000** – Milan, 6 juin 1991 : *La Fête*, h/pan. (50x40) : **ITL 9 500 000** – Milan, 7 nov. 1991 : *Le Monument à Colleoni*, h/pan. (28x37) : **ITL 15 000 000** – New York, 20 fév. 1992 : *Le monument à Colleoni 1926*, h/pan. (27,9x40) : **USD 17 600** – Rome, 24 mars 1992 : *San Marco vu depuis l'île San Giorgio à l'aube*, h/bois (37x49,5) : **ITL 27 600 000** – Londres, 12 fév. 1993 : *La Dogana à Venise 1930*, h/t (37x50,1) : **GBP 15 950** – Rome, 29-30 nov. 1993 : *Le Grand Canal*, h/pan. (25,5x37) : **ITL 28 284 000** – New York, 12 oct. 1994 : *Au sommet du sentier 1923*, h/t (74,9x90,2) : **USD 31 050** – New York, 16 fév. 1995 : *Importante fête sur le Grand Canal 1922*, h/t (76,2x100,3) : **USD 60 250** – Rome, 5 déc. 1995 : *Gondoles à San Giorgio 1923*, h/pan. (27x38) : **ITL 18 856 000** – Milan, 26 mars 1996 : *Le Palazzo Levi sur le Grand Canal à Venise*, h/pan. (28x37) :

ITL 28 175 000 – New York, 23-24 mai 1996 : *Accords 1929*, h/t (100,3x106) : **ITL 16 100** – Milan, 23 oct. 1996 : *Deux Dames*, h/t (36x26,5) : **ITL 6 407 000** – Londres, 31 oct. 1996 : *Sete e Zampilli*, h/pan. (37x50) : **GBP 6 325** – Paris, 10 déc. 1996 : *Fontaine dans un parc*, h/pan. ovale (diam. 16,8) : **FRF 10 000** ; *Vénus au rocher*, h/pan. ovale (diam. 16,8) : **FRF 12 000** – Londres, 21 mars 1997 : *Un canal vénitien 1925*, h/pan. (37x47) : **GBP 10 925** – Milan, 25 mars 1997 : *Livrée vermiglie 1920*, h/t (43x43) : **ITL 27 960 000**.

CIARDI Guglielmo
Né le 13 septembre 1842 ou 1843 à Venise. Mort en 1917 à Venise. xixᵉ-xxᵉ siècles. Italien.
Peintre de scènes de genre, paysages, marines, paysages d'eau, dessinateur.
Il participa à nombre d'expositions et obtint une médaille d'or à Nice et à Berlin, en 1886, pour son tableau *Messidor*. En 1872, à Milan, il exposa : *L'Été* et *Vers le soir* ; à Naples, en 1877 : *Sur le champ* et *Le Travail* ; à Florence, en 1885 : *Canal de la Giudecca, Matinée à Venise* et *Venise* ; à Milan, en 1886 : *Retour des prés, Après l'ouragan* et *Barque de pêche* ; à Florence, en 1887 : *A la Chasse, Le Torrent* et *Nuages de Printemps*. Ses marines sont célèbres.

G.C Ciardi.

Musées : Berlin : *Vue du Grand Canal de Venise* – Glasgow : *Octobre dans la campagne vénitienne* – Paris (anc. Mus. du Luxembourg) : *Le Lac de Weissenfels* – Rome (Mus. d'Art Mod.) : *Messidor*.
Ventes Publiques : Milan, 3 mars 1966 : *Marine* : **ITL 2 400 000** – Milan, 21 oct. 1969 : *La Voile jaune sur la lagune* : **ITL 3 600 000** – Milan, 24 mars 1970 : *Marine* : **ITL 6 500 000** – Milan, 16 mars 1972 : *Le Bosquet* : **ITL 850 000** – Londres, 20 fév. 1976 : *Le Port de Malmocco près de Venise*, h/t (38,5x59) : **GBP 4 000** – Milan, 10 nov. 1977 : *Paysage*, h/t (37,5x57) : **ITL 2 600 000** – Milan, 5 avr. 1979 : *Barque sur la lagune 1905*, h/pan. (29,5x50) : **ITL 2 800 000** – Versailles, 4 oct. 1981 : *Village au bord d'un lac en Italie*, aquar. (31,5x52) : **FRF 12 500** – Londres, 25 nov. 1983 : *Voiliers et barques de pêche sur la lagune 1866*, h/t (92,5x203) : **GBP 24 000** – Milan, 28 oct. 1986 : *Nuages sur la lagune*, h/t (83x158) : **ITL 90 000 000** – Milan, 1ᵉʳ juin 1988 : *Bateau à voile sur la lagune*, h/pan. (51x73) : **ITL 88 000 000** – Londres, 21 fév. 1989 : *Monaco, vue sur la mer*, h/t (50x61) : **GBP 8 250** – Milan, 14 mars 1989 : *Barques à voiles sur la lagune à Venise 1892*, h/t (55x99,5) : **ITL 160 000 000** – Londres, 7 juin 1989 : *Vue de la Giudecca à Venise*, h/pan. (34,5x51,5) : **GBP 9 350** – Milan, 14 juin 1989 : *La Campagne vénitienne*, h/pan. (41x65) : **ITL 27 000 000** – Rome, 14 déc. 1989 : *Paysage fluvial avec des paysans faisant la fenaison*, h/t (13x24) : **ITL 25 300 000** – Milan, 30 mai 1990 : *La Lagune, ciel et eau*, h/pan. (33,5x54,5) : **ITL 17 000 000** – Milan, 12 déc. 1991 : *Lagune mystérieuse*, h/cart. (36,5x56) : **ITL 21 000 000** – Rome, 24 mars 1992 : *Lagune vénitienne*, h/t (45x76) : **ITL 230 000 000** – Bologne, 8-9 juin 1992 : *Paysage printanier*, h/pan. (14,5x25,5) : **ITL 6 325 000** – Milan, 16 juin 1992 : *Asiago 1890*, h/t (29x47) : **ITL 9 000 000** – Rome, 19 nov. 1992 : *Nuages au-dessus de la lagune*, h/pan. (91x157) : **ITL 143 750 000** – Londres, 17 mars 1993 : *La Lagune à Venise 1890*, h/t (55x99) : **GBP 91 700** – Milan, 8 juin 1993 : *Mazorbo 1890*, encre et craie/pap. (29x41) : **ITL 5 200 000** – Rome, 13 déc. 1994 : *Barque sur un canal*, h/t (33x48) : **ITL 23 000 000** – Milan, 14 juin 1995 : *Lagune vénitienne avec San Marco au lointain*, h/t (21x36) : **ITL 34 500 000** – Londres, 13 mars 1996 : *Vue de la lagune vénitienne*, h/cart. (62x102) : **GBP 126 900** – Milan, 23 oct. 1996 : *Marine vénitienne 1880*, h/t (70x91) : **ITL 209 700 000** – Milan, 18 déc. 1996 : *Venezia dalle barene*, h/t (35x52) : **ITL 23 300 000** – New York, 9 jan. 1997 : *Maison sur un versant de montagne 1886*, h/pan. (33x48,3) : **USD 5 462** – Londres, 11 juin 1997 : *Vue de la lagune vénitienne 1882*, h/t (77x127) : **GBP 128 000**.

CIARDI Lorenzo
xviiᵉ siècle. Italien.
Peintre.
Cet artiste florentin travailla au début du xviiᵉ siècle à San Gimignano.

CIARDI Marco
xviiᵉ siècle. Italien.
Peintre.

Il est sans doute le fils de Lorenzo Ciardi. Il est mentionné à San Gimignano en 1647.

CIARDI Paolo
XVIe siècle. Italien.
Peintre et sculpteur.
Il vécut et travailla à Florence.

CIARDI Sebastiano
Né en 1602 à Florence. Mort après 1674. XVIIe siècle. Italien.
Peintre.

CIARDIELLO Michel
Né en 1839 à Naples. XIXe siècle. Italien.
Peintre de paysages.
Cet artiste voyagea beaucoup. Il visita l'Orient, puis les grands pays d'Europe et Londres, où il séjourna douze ans. Ciardiello a fondé à Londres une galerie de l'Art italien. Il exposa de 1873 à 1889 à Suffolk Street, à Londres ainsi qu'à Naples, Venise, Rome et Turin.
VENTES PUBLIQUES : ROME, 25 mai 1988 : *Paysage de la côte Amalfienne*, h/t (78,5x102) : **ITL 4 400 000** – NEW YORK, 25 oct. 1989 : *La tarentelle*, h/t (115,5x175,9) : **USD 11 000** – ROME, 14 déc. 1989 : *Amalfi*, h/t (53x34) : **ITL 4 370 000**.

CIARDO Vincenzo
Né en 1894 à Lecce. Mort en 1970. XXe siècle. Italien.
Peintre de paysages.
MUSÉES : ROME (Gal. d'Art Mod.).
VENTES PUBLIQUES : ROME, 23 nov. 1982 : *Nature morte aux figues et raisins*, h/cart. (34,5x44) : **ITL 2 400 000** – MILAN, 19 juin 1986 : *Nocturne*, h/isor. (49x59) : **ITL 1 300 000** – ROME, 30 nov. 1993 : *Note printanière* 1963, h/cart. entoilé (50x60) : **ITL 2 875 000** – ROME, 8 nov. 1994 : *La lune et l'olivier*, h/cart. entoilé (52x42,5) : **ITL 2 300 000**.

CIARLA Raffaello
Né en 1505, selon le dictionnaire Larousse. Mort en 1571, selon le dictionnaire Larousse. XVIe siècle. Vivait à Urbin. Italien.
Peintre sur majolique.

CIARLINI Gabriele
XVIe siècle. Travaillait à Urbin entre 1583 et 1592. Italien.
Peintre.

CIARLONE Matteo
XVIIIe siècle. Travaillait à Naples. Italien.
Peintre sur porcelaine.

CIARMI Bastiano
XVIIe siècle. Travaillait à Rome en 1661. Italien.
Peintre.
Cet artiste semble être nommé également Cirli.

CIARPELLONI Silvestre
XVIe siècle. Italien.
Peintre.
Il exécuta de grandes décorations à Bologne et à Parme.

CIARPI Baccio
Né en 1578 à Barga. Mort sans doute en 1644. XVIIe siècle. Italien.
Peintre de sujets religieux.
On le compte parmi les meilleurs élèves de Santo Titi. Il peignit, dans l'église de la Conception à Rome, des ouvrages qui méritent d'être distingués. Il eut Pietro da Cortona comme élève.
VENTES PUBLIQUES : LONDRES, 20 mars 1988 : *Retour de l'enfant prodigue*, h/cuivre (22,5x31) : **GBP 6 050**.

CIARROCCHI Arnoldo
Né en 1916 à Civitanova (Marche). XXe siècle. Italien.
Peintre de paysages, portraits, graveur, dessinateur, aquarelliste.
Il a participé à de nombreuses expositions à Rome (1940, 1943 et 1945), à Bologne et Venise (1946). En 1951, il a participé à la Biennale de Sao Paulo, en 1952 à la Quadriennale de Rome, en 1955 à la Biennale de Venise, en 1967 à la Biennale de gravure de Ljubljana. Il a montré ses œuvres dans diverses expositions personnelles.
BIBLIOGR. : Catalogue de l'exposition : *Il sentimento delle cose*, Biblioteca civica di Verolanuova et GAM Editrice, Rudiano, 1993.
VENTES PUBLIQUES : ROME, 29 avr. 1987 : *Portrait de femme* 1974, aquar. (65x45) : **ITL 700 000** – ROME, 15 nov. 1988 : *Marine*, aquar./pap. (40x46) : **ITL 700 000** – ROME, 17 avr. 1989 : *Paysage*,

h/t (60x70) : **ITL 4 000 000** – ROME, 30 nov. 1993 : *Paysage*, h/t (35x45) : **ITL 2 300 000** – ROME, 14 nov. 1995 : *Paysage depuis une fenêtre de la maison* 1951, h/t (45x55) : **ITL 5 520 000**.

CIARTRES F. L. D. Voir LANGLOIS François

CIASZKOWSKI
XVIIe siècle. Travaillait à Cracovie à la fin du XVIIe siècle. Italien.
Dessinateur et graveur.
Sa signature difficilement lisible a fait parfois orthographier son nom à tort de façons très différentes.

CIATTI Angelo
Mort en 1648 à Pérouse. XVIIe siècle. Travaillait à Pérouse. Italien.
Peintre.

CIATTI Antonio
XVIe siècle. Italien.
Peintre.
Cet artiste florentin travailla aux fresques décoratives de l'Oratoire San Sebastiano de Pucci à Florence.

CIATTO
XVe siècle. Italien.
Sculpteur.
Il travailla en 1486 au cloître San Pietro à Pérouse.

CIAURRIZ Pedro José
Né à Séville. XIXe siècle. Espagnol.
Peintre.
Exposa à Séville à partir de 1867. Il a peint des paysages, des natures mortes et des scènes de genre.

CIAVARRA Pietro
Né en 1891 à Philadelphie (Pennsylvanie). XXe siècle. Américain.
Sculpteur.

CIBBER Kai Gabriel
Né en 1630 à Hensborg. Mort en 1700 à Londres. XVIIe siècle. Danois.
Sculpteur et architecte.
Il fut envoyé en Italie pour étudier l'art à Rome aux frais du roi du Danemark, Frédéric III ; il ne semble pas être retourné en Danemark. Il a vécu et travaillé pendant toute sa vie en Angleterre, et c'est à l'histoire de l'art de ce pays qu'appartiennent ses œuvres. Il a construit l'église danoise à Londres, où il est lui-même enterré. On cite des statues au Royal Exchange, à l'hôpital de Bethlehem (aujourd'hui conservées au Victoria and Albert Museum) et un bas-relief à la cathédrale Saint-Paul de Londres.

CIBDAD Francesco de
XVIe siècle. Espagnol.
Sculpteur.
Il travaillait en 1500 pour la cathédrale de Tolède.

CIBEI Giovanni Antonio. Voir CYBEI

CIBIALE Georges
Né à Paris. XXe siècle. Français.
Peintre.
Il exposa à Paris au Salon des Indépendants en 1932 et 1935.

CIBILLE Antoine
XVIIe siècle. Actif dans la seconde moitié du XVIIe siècle. Français.
Peintre.
Fils d'Henri Cibille, cet artiste exécuta plusieurs œuvres dans la région d'Ussel (Corrèze) dont certaines subsistent.

CIBILLE Henri
XVIIe siècle. Français.
Peintre et sculpteur.
Il vivait à Darnets, par Ussel (Corrèze). Il est difficile de distinguer l'œuvre de cet artiste de celle de ses deux fils Antoine et Michel.

CIBILLE Jean
XVIIIe siècle. Français.
Peintre.
Il est mentionné en 1701.

CIBILLE Michel
XVIIe siècle. Actif dans la seconde moitié du XVIIe siècle. Français.
Peintre.
Cet artiste, d'une renommée provinciale, travailla dans la région de la Corrèze avec son frère Antoine.

CIBO. Voir aussi **CYBO**

CIBO Gherardo
XVIe siècle. Vivait à Arcevia en 1532. Italien.
Peintre.

CIBOCCHI Biagio
XVIIe siècle. Italien.
Peintre.

CIBOIT Germaine
Née à Auxerre (Yonne). XXe siècle. Française.
Peintre de portraits, de genre et de fleurs.
Elle a exposé au Salon des Artistes Indépendants et au Salon d'Automne à Paris entre 1932 et 1937.

CIBOLDO
XIVe siècle. Vivait sans doute au début du XIVe siècle. Italien.
Sculpteur.
Son nom se trouve mentionné sur deux statues de marbre conservées à l'Académie de Carrare et datées de 1310.

CIBOT François Edouard Barthélémy Michel
Né le 11 février 1799 à Paris. Mort le 10 janvier 1877 à Paris.
XIXe siècle. Français.
Peintre d'histoire, genre, compositions religieuses, paysages.
Élève de P. Guérin et de Picot à l'École des Beaux-Arts de Paris, où il est entré en 1822, il participa au Salon de 1817 à 1867, obtenant une médaille de deuxième classe en 1836 et une de première classe en 1843. Chevalier de la Légion d'Honneur en 1863. Peintre de tableaux d'histoire, de scènes de genre, il est l'auteur de onze compositions sur le thème de la *Charité*, à l'église Saint-Leu à Paris. Son style assez académique et froid peut devenir plus naturaliste lorsqu'il peint des paysages, telle la *Vue prise à Bellevue* 1852, acquise par Napoléon III au Salon de 1853.
BIBLIOGR. : Gérald Schurr, in : *Les Petits Maîtres de la peinture 1820-1920, valeur de demain*, Les Éditions de l'Amateur, t. III, Paris, 1976.
MUSÉES : AMIENS : *La Charité* – COMPIÈGNE : *Le confessionnal* – MOULINS (Mus. mun.) : *Pérugin donnant une leçon à Raphaël* – PARIS (Mus. du Louvre) : *Vue prise à Bellevue* 1852 – ROCHEFORT : *Le gouffre* – ROUEN : *Un trait de la vie de Frédégonde* – VERSAILLES : *Louis XI, roi de France en buste* – *Le duc d'Orléans et sa famille d'après le peintre* – *Défense de la Celesyrie par Raymond Dupuis 1130*.
VENTES PUBLIQUES : PARIS, 25 juin 1943 : *Nuit d'hiver* : FRF 1 650 – VIENNE, 11 mars 1980 : *Le message secret*, h/t (59,5x73,5) : ATS 50 000 – PARIS, 19 juin 1992 : *Les anges déchus*, h/t (130x98) : FRF 15 000.

CIBOT Marie
Née au XIXe siècle à Paris. XIXe siècle. Française.
Peintre de paysages et de portraits.
Élève de Mme Colin-Libour. Elle débuta au Salon de 1875 avec un portrait d'après Holbein.

CIBRET Girard
XVIIe siècle. Vivait à Lyon en 1640. Français.
Sculpteur.

CIBURRI Druso
XVIIe siècle. Vivait à Pérouse, dans la première moitié du XVIIe siècle. Italien.
Peintre.
Il était le frère de Simeone et Ottaviano Ciburri.

CIBURRI Ottaviano
XVIe siècle. Pérugin, actif dans la seconde moitié du XVIe siècle. Italien.
Peintre.
Il eut une certaine renommée à Pérouse de son temps.

CIBURRI Polidoro
Mort sans doute en 1567. XVIe siècle. Italien.
Peintre et sculpteur.
Pérugin, il exécuta plusieurs commandes importantes vers le milieu du siècle. Il ne faut pas le confondre avec l'architecte du même nom.

CIBURRI Silla
XVIIe siècle. Pérugin, actif dans la première moitié du XVIIe siècle. Italien.
Peintre.
Il était frère de Simeone Ciburri.

CIBURRI Simeone
XVIIe siècle. Actif dans la première moitié du XVIIe siècle. Italien.
Peintre.
Il travailla surtout à Pérouse et Assise. Une peinture signée de son nom se trouve à l'église S. Maria degli Angeli, à Assise.

CIBURRI Vincenzo
XVIIe siècle. Pérugin, travaillait en 1601. Italien.
Peintre.
Il était le neveu de Simeone Ciburri.

CICALA Pier Sante
Né en 1664 à Ascoli Piceno. Mort en 1727 à Ascoli Piceno.
XVIIe-XVIIIe siècles. Italien.
Peintre.
Il fut également architecte. Il peignit des paysages et des miniatures.

CICALESE Francesco
XVIIIe siècle. Travaillait à Naples vers 1700. Italien.
Peintre.

CICARTE Pedro de
XVIIe siècle. Espagnol.
Sculpteur.
Il travaillait en 1611 à l'église S. Maria à Aranda de Duero.

CICCARELLI Francesco
XIXe siècle. Italien.
Sculpteur.
Un marbre de cet artiste fut exposé à Naples en 1845.

CICCARELLI Giuseppe
XVIIIe siècle. Italien.
Sculpteur.
Il travaillait en 1739 à Naples à l'église Croce di Licca.

CICCARONE Alessandro
XVIIIe siècle. Italien.
Sculpteur et architecte.
Il a travaillé à la fontaine *della Riviera* à Aquilée.

CICCHI Biagio
XVIIIe siècle. Italien.
Peintre de fleurs.
Il vécut à Rome et travailla à la bibliothèque vaticane en 1756.

CICCHI Loreto
XVIIIe siècle. Vivait dans les Abruzzes durant la seconde moitié du XVIIIe siècle. Italien.
Sculpteur et architecte.
Il travailla pour l'église de Scanno et pour l'église San Bernardino d'Aquilée.

CICCHIA Giovanni di Francesco del
XIVe siècle. Italien.
Sculpteur sur bois.
Il exécuta de 1389 à 1398 des travaux pour la cathédrale de Sienne.

CICCHINO Tobia
Né à Aquilée. XVIe siècle. Travailla pendant la seconde moitié du XVIe siècle. Italien.
Peintre et graveur.
Il semble qu'on doive identifier cet artiste avec *Tobias Aquilanus*, graveur, qui exécuta en 1570 un *Christ en croix* pour l'éditeur romain A. Lafreri.

CICCIO. Voir **GALLO Francesco**

CICCIO, abbate. Voir **SOLIMENA Francesco**

CICCIONE. Voir **ANDREA da Firenze**

CICCO di Pietro
XVe siècle. Italien.
Peintre.
Il travaillait à Sulmona en 1435.

CICCOLINI Paolo Antonio
XVIIIe siècle. Vivait à Macerata sans doute. Italien.
Peintre.
On connaît de lui un *Saint Joseph*.

CICCONI Ferdinando
Né à Colti de Tronto. Italien.
Peintre d'histoire et de genre.
Traita surtout des sujets historiques. Ainsi, à l'Exposition des Beaux-Arts de Parme, il envoya : *Une Scène de l'Inquisition*.

CICERI Bernardino
Né en 1650 à Pavie. Mort après 1718. XVIIe-XVIIIe siècles. Italien.

Peintre d'histoire.
Il étudia avec Carlo Sacchi et continua à s'instruire à Rome. De retour à Pavie, il s'adonna à la peinture de petits tableaux d'histoire et travailla dans plusieurs églises.

CICERI Eugène
Né le 27 janvier 1813 à Paris. Mort en 1890. XIXe siècle. Français.
Peintre de compositions murales, paysages, aquarelliste.
Fils de Pierre Luc Charles Ciceri, grand décorateur et ordonnateur des cérémonies officielles sous la Restauration, il fut aussi son élève. Il débuta au Salon de Paris en 1851, obtenant une médaille de troisième classe l'année suivante.
À son tour, peintre décorateur, il est l'auteur de nombreuses peintures pour la salle de spectacle du Mans, réalisant également des décors de théâtre. Travaillant beaucoup à Barbizon, sur les bords de la Seine, de la Marne, du Loing, mais aussi en Normandie, et même en Afrique du Nord, en Suisse et en Allemagne, il peint des paysages denses, dans la sensibilité de son oncle Eugène Isabey, sous de grands ciels changeants.

Ciceri

Bibliogr. : Gérald Schurr, in : *Les Petits Maîtres de la peinture 1820-1920, valeur de demain*, Les Éditions de l'Amateur, t. VI, Paris, 1985.
Musées : Chartres : *Paysage* – Le Havre : *Intérieur d'écurie* – Limoges : *Chemin forestier* – Montréal : *Paysage*, aquar. – Mulhouse : *Bords du Loing* – *Rue en Normandie*, aquar. – Perpignan : *Un lac tranquille*, aquar. – Troyes : *La Seine à Saint-Ouen*.
Ventes Publiques : Paris, 11 mai 1886 : *Environs de Grenoble*, aquar. : FRF 480 – New York, 17 jan. 1902 : *La retraite du pêcheur* : USD 200 – Paris, 27-28 nov. 1924 : *Bord de rivière animé de laveuses dans une barque* : FRF 1 400 – Paris, 26 juin 1929 : *Le quai des Célestins et l'île Saint-Louis* : FRF 6 500 – Paris, 19 juin 1942 : *Le moulin* : FRF 5 100 – Paris, 9 fév. 1955 : *Paysage au troupeau* : FRF 35 000 – Berne, 3 mai 1968 : *Le Bas-Meudon* : CHF 3 600 – Vienne, 19 sep. 1972 : *Paysage* : ATS 22 000 – Avon, 4 avr. 1976 : *Paysage avec personnages*, h/t (86x114) : FRF 15 000 – Versailles, 26 juin 1977 : *La Maison paysanne*, h/bois (34x45) : FRF 10 000 – Londres, 14 jan. 1981 : *Une route de campagne 1872*, aquar. (20,5x28) : GBP 210 – New York, 21 jan. 1983 : *Voyageurs dans un paysage 1860*, aquar. (12,1x15,9) : USD 900 – Barbizon, 24 juil. 1983 : *Bord de rivière animé d'un peintre et de promeneurs*, h/pan. (24,5x35) : FRF 55 000 – Paris, 12 déc. 1984 : *Paysage de neige 1859*, aquar. (16x22,5) : FRF 12 000 – Rome, 17 oct. 1985 : *Marché oriental 1869*, h/t (46x38) : ITL 5 000 000 – Paris, 16 juin 1987 : *Les lavandières*, aquar. gchée (26x43) : FRF 12 000 – Monaco, 20 fév. 1988 : *Vue de la baie de Nice 1838*, aquar. (20,5x28) : FRF 7 770 – Paris, 27 avr. 1988 : *Paysage bordé d'un étang avec barque et personnages*, h/pan. (16,2x24,5) : FRF 20 000 – Paris, 3 mai 1988 : *Paysage vallonné avec personnages*, aquar. (21x28) : FRF 3 800 – Paris, 4 mai 1988 : *Bords de rivière en Turquie 1877*, h/pan. (24x40) : FRF 48 000 – Versailles, 6 nov. 1988 : *Le torrent en montagne 1850*, h/t (46x32,5) : FRF 24 000 – Paris, 26 mai 1989 : *Paysage*, lav. d'encre brune et aquar. (20x25) : FRF 4 300 – Paris, 5 juin 1989 : *Campagne après l'orage 1847*, aquar. : FRF 6 500 – Paris, 30 juin 1989 : *Vue d'un village du Val d'Aoste*, pan. (24x32,5) : FRF 37 000 – Calais, 10 déc. 1989 : *Pont sur la rivière*, h/pan. (12x18) : FRF 15 800 – Londres, 16 fév. 1990 : *Personnages au bord de la rivière*, h/pan. (21,5x35) : GBP 4 180 – Paris, 15 juin 1990 : *Femme assise tenant une ombrelle*, aquar. (24,5x12,5) : FRF 8 200 – Paris, 30 oct. 1990 : *Le berger et l'orage 1866*, aq., une paire (25x35) : FRF 16 000 – Londres, 28 nov. 1990 : *Paysage fluvial animé 1858*, h/t (49x67) : GBP 8 800 – Milan, 5 déc. 1990 : *Sur les bords de la Seine 1849*, h/pan. (23x43) : ITL 17 000 000 – Amsterdam, 24 avr. 1991 : *Paysage alpin avec des grimpeurs sur les berges d'un torrent*, aquar. avec reh. de blanc/pap. (31x47) : NLG 1 610 – Paris, 29 jan. 1992 : *Paysage animé 1846*, aquar. (10,5x16,5) : FRF 7 600 – Paris, 26 juin 1992 : *Maisons au bord de l'eau*, h/pan. (16x22) : FRF 27 000 – New York, 29 oct. 1992 : *Bord de rivière 1876*, h/pan. (20,5x37,5) : USD 3 520 – Milan, 29 oct. 1992 : *Sur les bords de la Seine 1849*, h/pan. (23x43) : ITL 7 000 000 – New York, 18 fév. 1993 : *Paysage fluvial animé 1848*, h/pan. (24x46) : USD 5 500 – Paris, 30 avr. 1993 : *Paysage à la rivière 1837*, aquar. (14,5x21,5) : FRF 3 800 –

Paris, 10 déc. 1993 : *Bocage normand 1875*, h/pan. : FRF 30 000 – Paris, 28 juin 1994 : *Paysage de bord de mer*, mine de pb et gche/pap. (12x17) : FRF 5 000 – New York, 19 jan. 1995 : *Au bord de l'eau*, aquar./pap., une paire (19,7x27,9) : USD 4 025 – Londres, 11 avr. 1995 : *Vue de Paris avec le quai des Célestins et l'île Saint-Louis*, h/t (37x72,5) : GBP 6 900 – Paris, 23 juin 1995 : *Paysages des Antilles 1837*, aquar., une paire (20,5x41) : FRF 62 000 – Londres, 21 nov. 1996 : *Dunes, vue de la côte près d'Étretat*, craie noire, aquar. et gche (11,7x21,1) : GBP 1 955 .

CICERI Francesco
XVIIIe siècle. Actif à la fin du XVIIIe siècle. Italien.
Peintre.
Il a travaillé à l'église San Agata in Monte à Pavie.

CICERI Giambattista
XVIIe-XVIIIe siècles. Italien.
Peintre.
Frère de Bernardino Ciceri. Il travailla avec lui pour l'église San Agata de Pavie.

CICERI Giuseppe
XVIIIe siècle. Actif dans la première moitié du XVIIIe siècle. Italien.
Peintre.
Fils ou neveu de Bernardino Ciceri. Il travailla surtout à Pavie.

CICERI Pierre Luc Charles
Né le 17 août 1782 à Saint-Cloud. Mort le 22 août 1868 à Saint-Chéron. XIXe siècle. Français.
Peintre décorateur de théâtre, peintre de paysages, aquarelliste, caricaturiste.
Élève de l'architecte Bellangé, il participa au Salon de Paris à partir de 1827. Chevalier de la Légion d'Honneur en 1825.
Il fut le décorateur en chef de l'Opéra de Paris et, en 1810, le roi Jérôme de Westphalie le chargea de la restauration des peintures du grand théâtre de Cassel. En 1826, il fut chargé des grands travaux de décoration à l'occasion des fêtes du sacre de Charles X. À côté de ses fonctions officielles, il aimait faire des caricatures qui rappellent les portraits de caractère de Boilly. Il laisse aussi beaucoup de paysages à l'aquarelle, tandis qu'il a illustré de lithographies, l'ouvrage sur la France, du baron Taylor.
Bibliogr. : Gérald Schurr, in : *Les Petits Maîtres de la peinture 1820-1920, valeur de demain*, Les Éditions de l'Amateur, t. V, Paris, 1981.
Musées : Aix-en-Provence : *Falaises de l'Océan*, aquar. – Calais : *Paysage* – Rouen (Mus. des Beaux-Arts) : *Portrait-charge d'un homme à lunettes*, pl. et lav. de bistre – Versailles : *Attaque de Vienne*.
Ventes Publiques : Paris, 1824 : *Une fontaine de style antique*, dess. à la sépia : FRF 100 – Paris, 21-22 nov. 1922 : *Rue d'une ville d'Italie*, aquar. : FRF 1 200 – Paris, 16 juin 1943 : *Vieilles maisons – Rue de village – Coin de ville fortifiée – Abbaye*, quatre aquar. : FRF 2 050 – Paris, 27 mars 1980 : *Fête de la Rosière à Saint-Chéron, le 15 août 1860*, aquar. (24x30) : FRF 2 500 – Paris, 4 nov. 1987 : *Escalier dans une cour 1825*, aquar. (18x11) : FRF 5 000 – Paris, 16 mars 1990 : *Personnage dessinant un paysage*, pl. et lav. brun (24,5x27) : FRF 8 100 – Paris, 5 nov. 1993 : *Décors de théâtre*, aquar. et gche, trois dessins : FRF 5 100 – Paris, 10 avr. 1996 : *Calvaire dans la montagne*, aquar. (23,5x30,5) : FRF 4 000 – Londres, 31 oct. 1996 : *Étude préparatoire pour le théâtre de l'Odéon*, Paris 1824, cr. et aquar. (35x41) : GBP 1 725 .

CICERO Carmen
Né en 1926 à Newark (New-Jersey). XXe siècle. Américain.
Peintre. Tendance surréaliste.
Après avoir été diplômé du Collège de Newark et du Hunter College, il a travaillé avec Motherwell et Hans Hoffmann. Ayant obtenu une bourse de la Fondation Guggenheim en 1957, il fit un séjour en Europe en 1958. Il a participé à de nombreuses expositions de groupe, notamment à la Biennale de Paris en 1959. Il a fait des expositions personnelles à New York à partir de 1956. Ses œuvres, très graphiques, sont essentiellement composées de volutes, dont la prolifération leur donne un caractère surréaliste.
Musées : Newark – New York (Guggenheim Mus) – New York (Whitney Mus.).

CICERO Pedro
XVIIe siècle. Espagnol.
Sculpteur.
Il travaillait en 1604 à Carrion de los Condes.

CICHOCKA Wanda de
XIXe-XXe siècles. Polonaise.

Peintre.

Élève de B. Constant et J.-P. Laurens. Elle a exposé au Salon des Artistes Français en 1939.

CICHOCKI Félix
Né en 1861 à Varsovie. xixᵉ-xxᵉ siècles. Polonais.

Peintre de sujets religieux, genre, portraits, fresques.

Ses études furent partagées entre la Pologne où il fut élève de Gerson et de Kaminski, et Munich où il suivit les cours d'Otto Seitz. Il enseigna à Varsovie où il vécut le plus souvent. Ses fresques ont un caractère religieux.

CICHOWSKI F.
xviiiᵉ siècle. Polonais.

Graveur.

CICILIA, dit il Cicilia
xviᵉ siècle. Italien.

Sculpteur.

De nom inconnu, il portait ce surnom. Il travaillait à Florence au début du xviᵉ siècle. Sa seule œuvre connue est le tombeau du chevalier Luigi Tornabuoni qui se trouve à l'église San Jacopo, via Faenza, à Florence.

CICINO Francesco
xvᵉ siècle. Vivait à Naples à la fin du xvᵉ siècle. Italien.

Peintre.

Il travailla à l'église della Pietà et à San Paolo Maggiore.

CICOGNA
xivᵉ siècle. Travailla au début du xivᵉ siècle. Italien.

Peintre.

On connaît plusieurs fresques de lui à Vérone et dans les environs de cette ville.

GICOGNA Giammaria, dit Pelli
Né en 1813. Mort en 1849. xixᵉ siècle. Italien.

Peintre de scènes animées, paysages urbains, architectures.

Ventes Publiques : New York, 17 mai 1982 : *Scène de rue*, h/t (35x44,5) : USD 750 – Monte-Carlo, 26 juin 1983 : *La porte d'une ville italienne*, h/t (33,5x44) : FRF 20 000.

CICOGNARA Antonio
xvᵉ-xviᵉ siècles. Vivait à la fin du xvᵉ et au début du xviᵉ siècle. Italien.

Peintre et miniaturiste.

Ses œuvres font preuve d'un remarquable talent ; on lui attribue des livres du chœur de la cathédrale de Crémone.

Ventes Publiques : Milan, 12 et 13 mars 1963 : *Sainte Marguerite*, temp. sur bois : ITL 620 000.

CICOGNARA Francesco, conte
xixᵉ siècle. Italien.

Dessinateur.

Il était le fils du conte Léopoldo Cicognara.

CICOGNARA Léopoldo, conte
Né le 27 novembre 1767 à Ferrare. Mort le 5 mars 1834 à Venise. xviiiᵉ-xixᵉ siècles. Italien.

Peintre et collectionneur.

Il a travaillé à Venise et à Ferrare où il exécuta des paysages et peintures décoratives. Il fut président de l'Académie de Venise.

CICONE Antonio
Né dans les Abruzzes. Mort en 1608 à Naples. xviᵉ siècle. Italien.

Peintre.

Cet artiste exécuta un retable à Sulmona.

CICUREL Lily
Née au Caire (Égypte). xxᵉ siècle. Française.

Peintre de portraits.

Élève de F. Sabatté, elle a exposé au Salon des Artistes Français en 1931 et au Salon de la Société Nationale des Beaux-Arts de Paris en 1933 et 1935.

CID Elena
Née à San Nicolès (Argentine). xxᵉ siècle. Argentine.

Peintre de portraits, de natures mortes, de fleurs et de paysages.

A partir de 1926, elle a participé au Salon des Artistes Indépendants et au Salon d'Automne à Paris.

CID Francisco
xviᵉ siècle. Actif à Séville dans la seconde partie du xviᵉ siècle. Espagnol.

Peintre.

Cet artiste fut chargé de la réparation et de l'ornementation d'un retable pour l'église Saint-Laurent. Dans la partie haute devait être peint à l'huile un Christ ressuscité, deux prophètes et deux évangélistes. Sur le banc du retable, un *Tombeau avec ses gardes endormis*. Des deux côtés du tableau central, les *Docteurs de l'Église portant à la main leurs insignes*. Ce travail fut livré en août 1598.

CID DE SOUZA PINTO Bernardo
Né en 1925 à São Paulo. xxᵉ siècle. Brésilien.

Peintre. Surréaliste.

Il abandonna sa carrière d'ingénieur électronicien, pour se consacrer à la peinture. Dans son œuvre surréaliste, il mêle souvent des caractères typographiques.

CIEÇA Miguel de
Né vers 1535. Mort après 1583. xviᵉ siècle. Espagnol.

Sculpteur.

Il travailla à Caceres et à Valladolid.

CIECCHI Giovanni
xivᵉ siècle. Italien.

Sculpteur.

Une œuvre signée de cet artiste subsiste à San Giminiano. Elle est datée de 1379.

CIECCORINI Francesco di Andrea
xivᵉ siècle. Italien.

Peintre.

Cité à Lucques en 1387.

CIECHANOWSKA Hélène
Née au xixᵉ siècle à Varsovie. xixᵉ siècle. Polonaise.

Sculpteur.

Exposa au Salon d'Automne de 1907 à 1913.

CIECO Niccolo
xvᵉ siècle. Italien.

Peintre d'histoire et de portraits.

Élève de Dominico Ghirlandaio.

CIECO di Puccio
xivᵉ siècle. Travaillait à Sienne en 1310. Italien.

Peintre.

CIELAVA Jànis
Né en 1890 à Riga. xxᵉ siècle. Russe.

Peintre de portraits, de paysages et de natures mortes.

Il fit ses études à L'École municipale des Beaux-Arts de Riga. Depuis 1920, il expose dans sa ville natale et à l'étranger, notamment à Paris, dans le cadre de l'Exposition de l'Art de la Lettonie en 1939.

Musées : Riga.

CIEMNIEWSKI Adam
Né en 1866 à Varsovie. xixᵉ-xxᵉ siècles. Polonais.

Peintre de paysages.

Élève de Guerson, il a également travaillé à Munich et à Vienne où il a souvent fait des expositions.

CIEMNIEWSKI J.
xixᵉ siècle. Travailla à Varsovie vers le milieu du xixᵉ siècle. Polonais.

Dessinateur et lithographe.

CIENFUEGOS BROWN Gonzalo
Né en 1949 à Santiago. xxᵉ siècle. Chilien.

Peintre de compositions à personnages. Figuration-onirique.

Il fut élève en art de l'Université Catholique du Chili, de l'École des Beaux-Arts Esmzralda à Mexico, de l'Université d'Architecture et d'Art du Chili. Il a été nommé professeur à l'École des Beaux-Arts de l'Université Catholique de Santiago.

Il participe à des expositions collectives depuis 1968, au Chili, au Mexique, en Argentine, pour le concours Joan Miro à Barcelone en 1977, en Uruguay, à la xvᵉ Biennale de São Paulo au Brésil en 1979, au Musée d'Art Hispanique Contemporain (MOCHA) de New York en 1987, etc. Il a également bénéficié de nombreuses expositions personnelles depuis 1969 : à Santiago en 1969, 1975, 1979, 1984 ; à Mexico en 1971, 1972 ; à l'Institut Français de l'Amérique Latine en 1974 ; à São Paulo en 1974, 1976 (Musée des Beaux-Arts) ; à Buenos Aires en 1974, 1975, 1985, 1986 ; à Rio-de-Janeiro en 1977 ; à la FIAC (Foire Internationale d'Art Contemporain) de Paris en 1990.

On serait tenté de dire cette peinture naïve, s'il n'apparaissait pas avec évidence qu'il s'agit ici d'une naïveté savante, comme dans le cas de Botéro. C'est une peinture volontairement un peu maladroite, gauche mais très soignée, dont les harmonies colorées sont riches et cependant tempérées, volontiers comme dorées. Gerrit Henry qualifie de « psychodrames » les scènes représentées par Cienfuegos. Tout y est énigmatique, aussi bien les personnages, leurs attitudes respectives, le lieu de la scène et le décor extérieur. Presque tous les personnages et presque toujours nous regardent sans expressions. Les femmes sont souvent nues, sans raison apparente, leurs corps dodus et nacrés. A l'intérieur les visages sans expression, les attitudes d'attente muette, quelques objets insolites, à l'extérieur les édifices sommairement géométriques confirment la référence à Chirico. ■ Jacques Busse

BIBLIOGR. : Gerrit Henry : Préface du catalogue de l'exposition *Cienfuegos*, Gal. Aberbach de New York, FIAC de Paris, 1990.

MUSÉES : SANTIAGO.

VENTES PUBLIQUES : NEW YORK, 29 mai 1985 : *Femmes* 1974, h/t (78,7x101,6) : **USD 1 000** – NEW YORK, 15 nov. 1994 : *Sans titre* 1981, h/t (116,8x109,3) : **USD 13 800** – NEW YORK, 18 mai 1995 : *Beaucoup de monde dans une pièce étroite* 1988, h/t (83,5x100) : **USD 14 950** – NEW YORK, 25-26 nov. 1996 : *Le Modèle et l'Évêque* 1988, h/t (180,3x160,3) : **USD 21 850**.

CIENTAT Hippolyte
Né au XIXᵉ siècle à Paris. XIXᵉ siècle. Français.
Peintre de genre et dessinateur.
Il débuta au Salon de 1870 avec *Cour d'auberge à Couilly*.

CIERKENS Jean
Né en 1819 à Bruges. Mort en 1853 à Rome. XIXᵉ siècle. Belge.
Peintre de genre et d'histoire.
Élève de l'Académie de Bruges et de Wallays et Wappers à Anvers.

CIERNIEWSKI Marek
Né en 1951 à Poznan. XXᵉ siècle. Polonais.
Peintre de figures.
Diplômé de l'Université Adam Mickiewicz. Il est membre de l'Association des Peintres et Graphistes Polonais. Il participe à de nombreuses expositions dans son pays et à l'étranger, et surtout en Suède, Russie et aux États-Unis.

CIERPLIKOWSKI Antoine
Né à Sieradz. XXᵉ siècle. Polonais.
Peintre.
Il a participé au Salon des Artistes Indépendants entre 1923 et 1931.

CIESA Giacomo
Originaire de Vicence. XVIIIᵉ siècle. Italien.
Peintre.
Il a travaillé à Vicence, où il était encore actif en 1790, et à Padoue.

CIESI Fabrizio
XVIIᵉ siècle. Italien.
Peintre.
Il travaillait en 1656-1657 au Palais de Monte Cavallo à Rome.

CIESIELSKI Ladislaus
XIXᵉ siècle. Vivait à Paris à la fin du XIXᵉ siècle. Polonais.
Peintre de portraits.
Il exposa au Salon de Paris puis au Salon des Artistes Français, entre 1879 et 1900.

VENTES PUBLIQUES : PARIS, 23 nov. 1990 : *Peintre à Charenton* 1873, h/t (46x32,5) : **FRF 24 000**.

CIESLA Joseph, dit Jo
Né le 19 mars 1929 à Tarnow. XXᵉ siècle. Depuis 1933 actif en France. Polonais.
Sculpteur.
Émigré en France en 1933, il étudia à l'École des Beaux-Arts de Lyon et fut élève du sculpteur Belloni. Il a exposé au Salon d'Automne de Lyon, à Saint-Étienne, Nice, Philadelphie, et au Salon de la Jeune Sculpture à Paris, notamment en 1971. Il a réalisé de nombreuses commandes, dont une sculpture en acier pour le Conseil Général de Lyon, des murs chromatiques à Domartin, à Plains-sur-Lange, etc. Quelles que soient les dimensions de ses œuvres, elles prennent toujours une allure de bijoux baroques.

CIESLARCZYK Adolphe
Né le 13 février 1916 à Düsseldorf, de parents polonais. XXᵉ siècle. Naturalisé en France. Polonais.
Peintre, sculpteur, graveur. Abstrait-géométrique.

Arrivé en France depuis 1922, il est naturalisé Français en 1932. Élève à l'École des Beaux-Arts de Nancy de 1934 à 1938, il travaille sous la direction de Victor Prouvé, maître de l'Art Nouveau. Ses rencontres avec Gleizes (1948), Villon (1951) et Bissière (1957) ont été déterminantes pour son art, tout comme la lecture du *Traité du paysage* et du *Traité de la figure* d'André Lhote. De 1951 à 1956, puis à partir de 1982 il expose au Salon des Réalités Nouvelles. Avec le groupe *Mesures*, il participe à une série d'expositions tant en France qu'en Allemagne, de 1962 à 1965. Il figure également au Salon de la Jeune Sculpture au Musée Rodin à Paris en 1963, à la Mostra del Larzac de 1970 à 1980, au Salon de la Jeune Gravure Contemporaine, dont il est membre à partir de 1971, à l'exposition *Les non figuratifs du Midi*, au Musée Ingres à Montauban en 1986. Il a exposé pour la première fois à Paris en 1956, au Musée de Cahors en 1974, à Villeneuve-sur-Lot en 1985, un rétrospective de ses sculptures, peintures et gravures lui a été consacrée au Musée des Beaux-Arts de Libourne en 1988.

Tout son œuvre, sculpture, peinture, gravure, est géométrique et abstrait. Selon le matériau employé, il passe de la souplesse du bois, avec des formes arrondies comme celles de *Séduction* 1950, à des variations de surfaces aux arêtes plus ou moins vives qui affirment des espaces morcelés comme *Le Trône de Salomon* 1968, à des volumes décomposés par la lumière lorsqu'il utilise le Plexiglas dans *Structure-plexi* 1959. Encouragé par Herbin, dans les années 1950-60, il se passionne pour des recherches sur un matériau nouveau : le Plexiglas qui lui permet de projeter dans l'espace des surfaces colorées n'ayant d'autre support que sa parfaite transparence. Il reprend ensuite des matériaux plus classiques : le fer, le bois ou le marbre. C'est également dans les années soixante qu'il travaille à nouveau la gravure en taille-douce, tandis qu'il emploie un procédé de soudure à l'arc en sculpture et qu'il utilise le sable pour ses toiles. Ses peintures et gravures, traitées en aplats colorés, découpent la surface en formes géométriques pour donner un effet de spacialité et même de monumentalité, d'autant que ses sujets sont souvent architecturaux : portes monumentales d'une cité terrestre ou lacustre, habitats aériens. ■ A. P.

BIBLIOGR. : A. Rocevicius : catalogue de l'exposition *Cieslarczyk*, Galerie Colette Allendy, Paris, 1956 – M. Seuphor : *La Sculpture de ce siècle*, Neuchâtel, 1959 – Catalogue de la rétrospective *Cieslarczyk*, Libourne, 1988.

MUSÉES : LEVERKUSEN (Mus. Bayer) – PARIS (Mus. d'Art Mod. de la Ville) – VILLENEUVE-SUR-LOT.

CIESLEWICZ Roman
Né le 13 janvier 1930 à Lwow. Mort le 19 janvier 1996 à Paris. XXᵉ siècle. Depuis 1963 actif et depuis 1971 naturalisé en France. Polonais.
Peintre de collages, graphiste, affichiste, metteur en scène. Tendance fantastique-surréaliste, néo-dadaïste.
Élève à l'Académie des Beaux-Arts de Cracovie, dans les ateliers de Z. Pronaszko, Cz. Rzepinski, il entre ensuite dans les ateliers d'affiche de J. Karolak et de Makarewicz et reçoit le diplôme de l'atelier d'affiche en 1955. La même année, il s'installe à Varsovie où il commence une brillante carrière de graphiste dans une agence, collabore à plusieurs maisons d'édition et institutions sociales et culturelles. Il participe à toutes les manifestations de l'affiche en Pologne, à une époque où l'école polonaise de l'affiche cherchait, avec peu de moyens, à créer un nouveau langage, rejetant la description, la narration, pour s'orienter vers un art basé sur l'association d'idées, sur la métaphore. En 1956 lui fut attribué le Premier Prix de l'Affiche de Cinéma. Les affichistes polonais, et notamment Cieslewicz, ont voulu changer « l'image à voir en image à lire ». Il devient directeur de la revue *Ty i ya*, puis, lorsqu'il s'installe à Paris en 1963 avec sa femme, le sculpteur Alina Szapocznikow, il collabore à plusieurs revues d'art et hebdomadaires féminins, dont *Elle*, *Vogue*, *Opus International* en 1964, à la Documenta de Kassel l'année suivante. À partir de 1971, il est chargé de la conception graphique des ouvrages édités par le C.N.A.C., mettant, par exemple, en page les catalogues des expositions *Paris-New York*, *Paris-Berlin*, *Paris-Moscou*, *Paris-Paris* au Musée National d'Art Moderne à Paris. Il participe à quelques expositions collectives, dont : Salon de Mai à Paris, notamment en 1981. Il se manifeste aussi dans des expositions personnelles, d'entre lesquelles : 1972 Musée des Arts Décoratifs de Paris ; 1973 et 1978 rétrospectives de son œuvre d'affichiste au Stedelijk Museum d'Amsterdam ; 1974 Musée de l'Affiche à Wilanow ; 1976 Biennale de Venise ; 1981 Musée National de

Poznan ; 1984 Kunsthalle de Darmstadt ; 1987 Angers ; 1988 Cracovie ; 1991 Saint-Priest et *Rencontres – Cinquante ans de collages*, exposition organisée par Françoise Monin à la galerie Claudine Lustman à Paris ; 1993 Forum du Centre Pompidou à Paris.

Son œuvre consiste essentiellement en photo-montages, associant des œuvres célèbres de la peinture ancienne à des images publicitaires. Ces assemblages donnent un art insolite, proche du jeu, où se rencontrent des personnages, des époques, des lieux différents. Cieslewicz manipule l'image photographique, à la façon d'une matière première, l'amputant de son caractère de quotidienneté, sans pour cela trahir la « réalité », afin de la rendre toujours perceptible, crédible, lisible pour tous. De l'image « trafiquée » ainsi, par l'agrandissement, les procédés de sous-exposition et de sur-développement, l'amplitude des trames, il ne reste plus que l'élément signifiant, amplifié, multiplié (*Le voyeur*, 1966) ou bien au contraire réduit à l'extrême par déformation (cf. les personnages cyclopéens de *Zoom contre la pollution de l'œil*, 1971). Si son métier vient de celui de l'affichiste, dans sa façon de schématiser, de faire des raccourcis, d'associer des idées, sa technique, elle, est beaucoup plus complexe et fait appel à une technologie avancée. Son art renvoie à un univers fantastique dont les personnages font figures d'idéogrammes inquiétants, non étrangers à un processus personnel de dédoublement. ■ J. B.

BIBLIOGR. : Georges Boudaille, in : *Connaissance des Arts*, janvier 1980 – Catalogue de l'exposition *Rencontres – 50 ans de collages*, Gal. Claudine Lustman, Paris, 1991 – Margo Rouard-Snowman : *Roman Cieslewicz. Catalogue monographique*, Thames and Hudson, 1993.

MUSÉES : AMSTERDAM (Stedelijk Mus.) – ESSEN (Deutsche Plakatmuseum) – LODZ (Mus. d'Art) – NEW YORK (Mus. of Mod. Art) – PARIS (Mus. des Arts Décoratifs) – PARIS (FNAC) – POZNAN (Mus. Nat.) – PRAGUE (Mus. des Arts et Métiers) – VARSOVIE (Mus. Nat.).

VENTES PUBLIQUES : PARIS, 2 juin 1991 : *Projet original pour l'affiche et le catalogue Paris-Berlin 1978*, gche (61x50) : **FRF 28 000**.

CIESLEWSKI Thaddaüs

Né en 1870 à Varsovie. XIXᵉ siècle. Polonais.
Peintre.
Il fut l'élève de Gerson à Varsovie et d'Aman-Jean à Paris. Il travailla en Pologne, en France et en Italie.

CIESZKOWSKI Henryk

Né en 1835 à Plock. Mort en 1895 à Rome. XIXᵉ siècle. Polonais.
Peintre d'animaux, paysages animés, paysages.
Il fit ses études à Varsovie, mais partit pour Rome dès 1860. Il y passa le restant de ses jours, mais il organisa régulièrement des expositions dans son pays natal.
VENTES PUBLIQUES : MILAN, 16 juin 1980 : *Troupeau dans la campagne romaine*, h/t (28x70) : **ITL 750 000**.

CIESZYNSKI Wawrzyniec

Né au XVIIᵉ siècle à Cracovie. XVIIᵉ siècle. Polonais.
Peintre.

CIETENER D.

XVIIᵉ siècle. Éc. flamande (?).
Peintre.
Le Musée de Berlin conserve une œuvre signée de lui et datée de 1630 : *Bombardement d'une ville fortifiée*.

CIETTI François

XVIIIᵉ siècle. Français.
Peintre.
Il est le fils d'Ignace Cietti. Il fut reçu à l'Académie Saint-Luc à Paris en 1758.

CIETTI Ignace ou Cietty, Sietti

Mort le 24 mai 1778. XVIIIᵉ siècle. Français.
Peintre et architecte.
Il fut membre de l'Académie Saint-Luc dont il devint directeur.

CIEUTA Marcel

Né à Beaulieu (Côte d'Or). XXᵉ siècle. Français.
Peintre de paysages.
Il a participé au Salon des Artistes Indépendants à Paris de 1922 à 1930.

CIEZA Josef de

Né en 1656 à Grenade. Mort en 1692 à Madrid. XVIIᵉ siècle. Espagnol.
Peintre.
Peintre du roi en 1689.

CIEZA Miguel de

XVIᵉ siècle. Actif à Valladolid. Espagnol.
Sculpteur.
Fut mêlé à un procès auquel donna lieu l'expertise d'un retable pour l'Escurial.

CIEZA Miguel Geronimo de

Né à Grenade. Mort en 1677. XVIIᵉ siècle. Espagnol.
Peintre d'histoire.
Élève d'Alonzo Cano. On cite de lui : *La Conversion de la Samaritaine* et *Saint Jacques combattant les Maures* (1650).
VENTES PUBLIQUES : PARIS, 1843 : *La multiplication des pains* : **FRF 190**.

CIEZA Vicente

XVIIᵉ siècle. Actif au milieu du XVIIᵉ siècle. Espagnol.
Peintre d'histoire et de portraits.
A la mort de son frère Joseph Cieza, en 1692, il fut nommé peintre du roi.
VENTES PUBLIQUES : LONDRES, 1853 : *Saint Ambroise, évêque de Milan* : **FRF 250**.

CIFARIELLO Filippo

Né en 1864 ou 1865 à Malfata. Mort en 1936. XXᵉ siècle. Italien.
Sculpteur.
Après des études à l'Académie des Beaux-Arts de Naples, il fut rapidement célèbre pour ses statuettes puis ses sculptures monumentales. Il exposa à Naples, Rome, Venise et Paris où il reçut une mention honorable en 1895 ou 1896. Lorsqu'il devint portraitiste de personnalités officielles d'Italie, son art perdit en vigueur et en originalité. Sa carrière fut interrompue par un tragique événement familial.
MUSÉES : BARCELONE : *Ad majorem Dei Gloriam* – ROME (Mus. d'Art Mod.) : *Le Christ et la Madeleine* - Arnold Böcklin.
VENTES PUBLIQUES : MILAN, 11 déc. 1986 : *Socrate*, terre cuite polychrome (H. 35) : **ITL 2 200 000** – ROME, 31 mai 1994 : *Adolescent au panier*, bronze (H. 30) : **ITL 1 768 000**.

CIFFLÉ. Voir CYFFLÉ

CIFKA Venceslas

XIXᵉ siècle. Portugais.
Dessinateur et lithographe.

CIFRONDI Antonio

Né en 1657 à Clusone. Mort en 1730 à Brescia. XVIIᵉ-XVIIIᵉ siècles. Italien.
Peintre de compositions religieuses, scènes de genre, portraits.
Il fut l'élève à Bologne de Franceschini et consacra sa jeunesse à de longs voyages en Italie et à l'étranger. Il revint en 1689 s'établir à Bergame et il est peu d'églises dans cette ville ou dans ses environs où il n'exécuta point de peintures religieuses. C'est dans les toutes dernières années de sa vie qu'il alla à Brescia.
MUSÉES : CHAMBÉRY (Mus. des Beaux-Arts) : *Scène populaire*.
VENTES PUBLIQUES : VIENNE, 23 fév.1965 : *Moine mendiant* : ATS 6 000 – MILAN, 18 juin 1981 : *La Remise des clés* ; *Saint Thomas l'Incrédule*, h/t (106x78) : **ITL 7 000 000** – MONTE-CARLO, 5 mars 1984 : *Bergers dans la campagne*, h/t (167x115) : **FRF 110 000** – MILAN, 10 juin 1987 : *Portrait d'une dame de qualité tenant un éventail* ; *Portrait d'un gentilhomme*, h/t (92x73,5) : **ITL 15 000 000** – ROME, 31 mai 1994 : *Mendiant*, h/t (106x63) : **ITL 7 660 000** – ROME, 9 mai 1995 : *La Cuisinière*, h/t (136x184) : **ITL 29 900 000** – ROME, 23 mai 1996 : *Jeune Fille trayant une vache*, h/t (122x82) : **ITL 21 850 000**.

CIFUENTES Rodrigo

Né en 1493 à Cordoue. XVIᵉ siècle. Actif au Mexique. Espagnol.
Peintre.
Élève à Séville de Bartolomeo de Mesas. Il partit pour le Mexique vers 1523.
MUSÉES : MEXICO : *Triomphe de Cortès sur les Aztèques*, attrib.

CIGNA Ippolito Maria

Né à Colle Val d'Elsa. XVIIIᵉ siècle. Italien.
Peintre, dessinateur et graveur.
Il travaillait en 1730 à Volterra et peignit en 1741 une peinture religieuse à Monte Glivato près de San Gimignano.

CIGNANI Carlo

Né le 15 mai 1628 à Bologne. Mort le 6 septembre 1719 à Forli. XVIIᵉ-XVIIIᵉ siècles. Italien.

Peintre de compositions religieuses, fresques, dessinateur.

Il appartenait à une famille noble de Bologne et ses premiers essais consistèrent à reproduire par le dessin des tableaux de la collection de son père. Il eut pour premier maître Giambattista Cairo, puis il devint ensuite élève, puis son assistant jusqu'en 1660, de Francesco Albani, de qui ses œuvres rappellent parfois la manière.

Cignani a d'ailleurs subi plusieurs influences différentes ; il se rattache au Corrège pour le dessin, à Guido pour la suavité de la touche et aux Carrache pour l'habile disposition de ses figures et, disons, pour la tradition académique. Ses œuvres ne lui paraissaient jamais assez parfaites et il s'attardait si longtemps à les achever que ses élèves démontaient parfois ses échafaudages contre sa volonté, lorsqu'il retouchait aux peintures à fresque. Il passa environ vingt ans à exécuter l'œuvre capitale que renferme la coupole du dôme de Forli : *Une Assomption de la Vierge, figurant le Paradis*. Il laissa de nombreux tableaux dans les églises et les galeries italiennes, ainsi qu'une grande quantité de Madones, dont une au palais Albani. Bologne compte parmi ses plus précieux chefs-d'œuvre les quatre ovales, peints par Cignani à San Michele in Bosco, soutenus chacun par deux petits anges d'une remarquable beauté. Cette ville possède également, dans la salle du palais public, *L'entrée de Paul III à Bologne*, et *François Ier guérissant des écrouelles*. Il peignit pour Louis XIV une *Descente de croix*, et un tableau du *Christ au jardin des oliviers*.

Musées : Augsbourg : *Sainte Madeleine* – Bayeux : *Sainte Famille* – Berlin (Kaiser Friedrich Mus.) : *Vénus et Anchise* – Bernay : *La Charité* – Bologne : *Vierge et saints* – Brunschwicg : *Lucrèce et Tarquin* – Budapest : *Adam et Ève* – Caen : *Jahel et Sisera* – Chartres : *Les jeux de l'enfance* – Copenhague : *La Tentation de Joseph* – *Tarquin et Lucrèce* – *Sainte Famille* – Dresde : *Joseph et la femme de Putiphar* – Dublin : *Sainte Cécile* – Dulwich : *Madeleine repentie* – Florence : *Portrait par lui-même* – *Sainte Famille* – *Vierge à l'Enfant* – Forli : *Anges* – Glasgow : *La Madone de saint Jérôme* – *La mort de Cléopâtre* – Hampton court : *La Vierge, l'Enfant et saint Jean-Baptiste* – *Vierge à l'Enfant* – *Tête de Sibylle* – *Vierge à l'Enfant* – Hanovre : *Diane* – La Haye : *La Tentation d'Adam et d'Ève* – Kassel : *Bacchus et Eryone* – *Néron près du cadavre de sa mère* – *Achille parmi les filles de Lykomède* – *Madeleine repentante* – *Marie, Jésus et saint Jean-Baptiste* – Mannheim : *Hercule et Omphale* – Le Mans : *Diseuse de bonne aventure* – Modène (Gal. Estense) : *Flore* – Munich : *Sainte Madeleine* – *Jupiter enfant nourri par la chèvre Amalthée* – Nancy : *Moïse sauvé* – *La Vierge allaitant l'Enfant Jésus* – Narbonne : *Cignani* – *Les cinq sens* – Orléans : *La Sainte Vierge, l'Enfant et saint Jean-Baptiste* – Prague : *Pastorale* – Ravenne : *Bénédicité* – Rome (Gal. Corsini) : *L'Enfant Jésus et saint Jean-Baptiste* – *Christ aux outrages* – Rome (Gal. Doria-Pamphili) : *La Vierge, l'Enfant et un ange* – Rouen : *Un ange apparaît aux apôtres* – Saint-Pétersbourg : *La Charité* – Schliessheim : *La naissance d'Adonis* – Sète : *Diane et Vénus* – Chantilly : *La Vierge et l'Enfant Jésus* – Stockholm : *Madeleine* – *Une femme avec trois enfants* – Turin : *L'Enfant Jésus* – *Adonis* – Vérone : *La Vierge et les apôtres* – Vienne : *Vierge à l'Enfant* – *Pera et Simon* – *Vénus et l'Amour* – Weimar : *Sainte Famille avec des anges*.

Ventes Publiques : Paris, 1756 : *La Vierge allaitant l'Enfant Jésus* : **FRF 146** – Paris, 1768 : *Une Vierge en méditation* : **FRF 3 221** – Amsterdam, 1771 : *Jacob faisant abreuver ses brebis* : **FRF 2 877** – Paris, 1773 : *Adoration du veau d'or*, dess. à la pl. et lavé : **FRF 150** – Paris, 1777 : *Vénus caressant l'Amour*, sur marbre : **FRF 2 601** – Paris, 1779 : *Tête d'enfant*, dess. au bistre reh. de blanc au pinceau : **FRF 360** – Paris, 13 nov. 1823 : *Vénus lutinée par l'Amour* : **FRF 600** – Paris, 1843 : *Le sommeil de l'Amour* : **FRF 71,50** – Paris, 1869 : *Mort d'une sainte martyre* : **FRF 170** – Paris, 1898 : *Martyre chrétienne* : **FRF 400** – Londres, 29 fév. 1908 : *Charité* : **GBP 3** – Londres, 30 mars 1908 : *La Tentation d'Adam et d'Ève* : **GBP 6** – Londres, 19 déc. 1908 : *L'Amour et Psyché* : **GBP 2** – Londres, 28 avr. 1922 : *La Charité* : **GBP 9** – Londres, 15 déc. 1922 : *David et Bethsabée* : **GBP 15** – Paris, 26 avr. 1923 : *L'Enfance de Jupiter*, attr. : **FRF 805** – Paris, 14 juin 1923 : *Trois Amours lisant*, attr. : **FRF 70** – Paris, 1er mars 1924 : *La Charité Romaine*, attr. : **FRF 800** – Paris, 7 mars 1925 : *La*

Vierge adorant l'Enfant Jésus, École de C. C. : **FRF 400** – Paris, 24 juin 1929 : *Tête d'apôtre*, dess. : **FRF 250** – Londres, 14 fév. 1930 : *Flora* : **GBP 10** – Londres, 13 déc. 1933 : *Les cinq sens* : **FRF 6** – Paris, 26 fév. 1934 : *Joseph et la femme de Putiphar*, attr. : **FRF 1 100** – Londres, 8 avr. 1938 : *La Vierge et l'Enfant* : **GBP 65** – Paris, 9 jan. 1942 : *La Tentation*, attr. : **FRF 7 300** – Londres, 19 oct. 1960 : *Diane et Calliste* : **GBP 240** – New York, 28 nov. 1962 : *Caritas* : **USD 2 250** – Milan, 6 avr. 1965 : *Allégorie du printemps* : **ITL 750 000** – Vienne, 13 mars 1979 : *Cupidon et Bacchus*, h/t (90x120) : **ATS 30 000** – Florence, 27 mai 1985 : *Femme nue assise*, sanguine (39,5x26,2) : **ITL 2 700 000** – Rome, 22 mars 1988 : *Repas pendant la fuite en Égypte*, h/t (160x120) : **ITL 19 000 000** – Paris, 18 juin 1993 : *Homme assis de profil avec le bras posé sur un globe*, cr. noir, pl. et lav. (18,5x14,5) : **FRF 28 000**.

CIGNANI Felice

Né en 1660, à Bologne selon le Bryan's Dictionary ou à Forli selon Lanzi. Mort en 1724 d'après Bryan ou 1774 d'après Zanotti. XVIIe-XVIIIe siècles. Italien.
Peintre.

Il était le fils et l'élève de Carlo Cignani ; il l'aida pendant plusieurs années aux travaux de la coupole de Forli. Il était doué d'heureuses dispositions et fit preuve d'une réelle habileté. La richesse dont il jouissait l'empêcha seule d'approfondir suffisamment son art. Il a laissé, dans l'église des Capucins, à Bologne, un beau tableau de *Saint François recevant les stigmates*, ainsi qu'une *Vierge avec l'Enfant, entre saint Joseph et saint Antoine de Padoue*, dans l'église de la Charité.

CIGNANI Filippo

Né en 1663 à Bologne. Mort sans doute vers 1730 à Forli. XVIIe-XVIIIe siècles. Italien.
Peintre.

Il était le fils de Carlo Cignani avec qui il travailla d'abord. Il peignit par la suite de façon très irrégulière.

CIGNANI Georges Jules

XIXe siècle. Français.
Peintre.

Il existe de lui un tableau au Musée de Bayeux.

CIGNANI Paolo

Né en 1709, à Forli selon Lanzi, à Bologne selon d'autres biographes. Mort le 5 février 1764. XVIIIe siècle. Italien.
Peintre.

Il était le fils de Félice Cignani et l'on retrouve le goût du maître pour les figures joliment achevées dans le tableau d'autel que Paolo peignit à Savignano. Cette toile représente *Saint François apparaissant à saint Joseph de Cupertino* ; l'effet de lumière, dû à un flambeau qui éclaire la scène, y est rendu d'une manière remarquable.

CIGNAROLI Angelo Antonio

Mort le 24 mai 1841. XIXe siècle. Italien.
Peintre.

Il était le fils de Vittorio Amedeo Cignaroli. Paysagiste de talent, il fut le peintre officiel de la cour de Piémont. Il travailla surtout à Turin. Plusieurs de ses œuvres se trouvent au Château de Rivoli.

CIGNAROLI Battista

XVIIIe siècle. Italien.
Sculpteur.

Cet artiste n'est connu que par un buste qu'il fit à Padoue et une fontaine qu'il exécuta à Brescia.

CIGNAROLI Diomirio

Né en 1718. Mort en 1803. XVIIIe siècle. Italien.
Sculpteur.

Il était le beau-frère de Giambettino Cignaroli. Il travailla particulièrement à Vérone, Brescia, Ferrare et Ravenne. Il est parfois nommé Dionigi Cignaroli.

CIGNAROLI Felice ou Giuseppe, fra

Né en 1726. Mort en 1796. XVIIIe siècle. Italien.
Peintre de compositions religieuses, graveur.

Beau-frère et élève de Giambettino Cignaroli. Il se distingua d'abord comme graveur, mais entra très jeune dans les ordres et se consacra à des peintures religieuses. Il vécut surtout à Vérone. Il y peignit pour le couvent de San Bernardino, où il vivait, deux fresques : *Saint François recevant les stigmates* et *Le Christ à Emmaüs*. Il fut un artiste fécond.
Musées : Vérone : *Le Christ à Emmaüs*.
Ventes Publiques : Londres, 18 oct. 1995 : *Autoportrait 1796*, h/t (34,9x29,2) : **GBP 4 370**.

CIGNAROLI Gaetano
Né le 13 décembre 1747 à Vérone. Mort en 1826. XVIIIe-XIXe siècles. Italien.
Sculpteur.
Fils de Diomirio et élève de Gianbettino. Il hérita de l'atelier et profita de la renommée de son père. Il existe des œuvres de ce sculpteur à Vérone, à Brescia et à Ferrare.

CIGNAROLI Giacomo
Italien.
Peintre.
Il exécuta une Cène pour l'église Corpus Domini à Ferrare.

CIGNAROLI Gianbettino ou Giovanni Battista, de son vrai nom : Bettini
Né en 1706 à Salo (près de Vérone). Mort le 1er décembre 1770 ou 1772 à Salo. XVIIIe siècle. Italien.
Peintre.
Il eut pour maîtres Santo Prunati et Bâlestra ; il s'instruisit, en outre, durant un voyage qu'il fit en Lombardie et dans les États Vénitiens par l'étude des œuvres de Véronèse et du Corrège. Il fut extrêmement recherché des grands et reçut plusieurs invitations de s'attacher à des princes étrangers. Il refusa, préférant ne pas abandonner sa patrie. Il laissa plusieurs œuvres de grand mérite, entre autres une *Fuite en Égypte* (dans l'église Saint-Antoine Abbé, à Parme), dont on loue l'ingénieuse composition ainsi que la beauté des figures ; et *Saint François recevant les stigmates*, à Pontremoli. Sa peinture rappelle celle de Maratta.
MUSÉES : BUDAPEST : *Mort de Socrate* – *La mort de Caton* – INNSBRUCK : *Vierge à l'Enfant* – *Jeunes filles couronnées de roses* – *Portrait d'homme* – LILLE : *La mort de Rachel* – MADRID : *Assomption* – PARME : *Tête d'enfant* – VÉRONE : *Sainte Hélène adorant la croix* – *Vérone priant la Vierge* – *Saint Ignace écoutant la Vierge* – *Repos de la Sainte Famille* – VIENNE : *La Vierge, l'Enfant et sainte Odile*.
VENTES PUBLIQUES : PARIS, 1775 : *La Fuite en Égypte*, dess. à la pl. et à l'encre de Chine : FRF 97 – PARIS, 1823 : *Sujet de la vie d'un saint*, dess. à la pl., lavé au pinceau et à l'encre de Chine, reh. de blanc, sur pap. brunâtre : FRF 4,80 – LONDRES, 24 mars 1961 : *Moïse enfant* : GBP 1 680 – VIENNE, 13 mars 1962 : *Le jugement de Salomon* : ATS 7 000 – VIENNE, 17 sep. 1963 : *Sainte Elisabeth et Saint Jean enfant* : ATS 14 000 – VIENNE, 22 mars 1966 : *Joaquim et Anne* : ATS 18 000 – LONDRES, 1er avr. 1987 : *Étude de têtes, mains et pieds*, craie rouge (29,2x42,8) : GBP 1 100 – MILAN, 4 avr. 1989 : *La Sainte Famille avec Saint Jean*, h/t : ITL 3 300 000 – MILAN, 4 avr. 1989 : *La mort de l'accouchée*, h/t (131x171) : ITL 38 000 000 – ROME, 8 mars 1990 : *Cléopâtre*, h/t (62x72) : ITL 10 000 000 – NEW YORK, 10 oct. 1990 : *Saint Nicolas de Bari avec deux enfants*, h/t (72,5x101) : USD 33 000 – NEW YORK, 9 oct. 1991 : *La découverte de Moïse*, h/t (134,6x179,1) : USD 66 000 – LONDRES, 11 déc. 1992 : *La sacrifice d'Isaac*, h/t (126,7x101,2) : GBP 12 650 – MILAN, 19 oct. 1993 : *La Sainte Famille avec Saint Jean*, h/t (ovale 55,5x43) : ITL 21 850 000 – LONDRES, 7 déc. 1994 : *Les adieux d'Hector à Andromaque*, h/t (221x279) : GBP 221 500.

CIGNAROLI Giandomenico
Né en 1722. Mort en 1793. XVIIIe siècle. Italien.
Peintre.
Artiste véronais, beau-frère et élève de Giambettino Cignaroli dont il reprit, à sa mort, l'atelier. On peut voir ses peintures dans plusieurs églises de Vérone, de Bergame et de Mantoue.

CIGNAROLI Leonardo
Né vers 1758. Mort après 1830. XVIIIe-XIXe siècles. Italien.
Peintre et sculpteur.
Fils de Diomirio. Il fut l'élève de Gianbettino Cignaroli. Il renonça de bonne heure à son art.

CIGNAROLI Leonardo
Né en 1775. Mort en 1830. XIXe siècle. Italien.
Peintre.
Fils de Giandomenico Cignaroli. Il fut surtout miniaturiste et portraitiste.

CIGNAROLI Maria
XVIIIe siècle. Italienne.
Peintre.
Elle n'est connue que comme portraitiste. Elle était la fille de Martino Cignaroli.

CIGNAROLI Martino ou Cingarolli
Né en 1649 à Vérone. Mort en 1726 à Milan. XVIIe-XVIIIe siècles. Italien.

Peintre de genre, paysages.
Il étudia à l'école de Carpiani et montra un réel talent pour l'exécution des paysages et des tableaux de chevalet. Il travailla surtout à Milan, à Crémone et à Turin, où il reste de lui plusieurs œuvres importantes. Il est connu parfois sous le surnom de Il Veronese.
VENTES PUBLIQUES : LONDRES, 28 fév. 1990 : *Dame entourée de chasseurs pendant la pause*, h/t (59x73) : GBP 6 050.

CIGNAROLI Pietro
Né en 1665 à Vérone. Mort en 1720 à Milan. XVIIe-XVIIIe siècles. Italien.
Peintre.
Il était le frère de Martino et, comme lui, abandonna Vérone pour vivre à Milan.

CIGNAROLI Scipione
Né en 1715. Mort en 1766. XVIIIe siècle. Italien.
Peintre de paysages.
Cet artiste milanais était fils et élève de Martino Cignaroli. Il fit partie de l'École de Tempesta et appliqua, avec succès, les principes de son maître. Il peignit à Milan et à Turin ; on remarque dans ses ouvrages l'influence de Poussin et de Salvator Rosa.
VENTES PUBLIQUES : MONTE-CARLO, 5 mars 1984 : *Paysage de montagne avec un pont sur un torrent*, h/t (197x120) : FRF 35 000 – NEW YORK, 12 jan. 1988 : *Paysage de collines avec des personnages près d'une rivière*, encre (15,7x20,5) : USD 1 430 – MILAN, 3 déc. 1992 : *Paysage avec un peintre peignant une rivière*, h/t (102x131) : ITL 31 640 000.

CIGNAROLI Vittorio
Mort en 1798 à Milan. XVIIIe siècle. Italien.
Peintre de paysages.
Il était le fils de Scipione Cignaroli.

CIGNAROLI Vittorio Amedeo
Né en 1730 ou 1747. Mort en 1793 ou 1800. XVIIIe siècle. Italien.
Peintre de portraits, paysages, cartons de tapisseries, graveur.
Il fut également architecte.
MUSÉES : CHAMBÉRY (Mus. des Beaux-Arts) : *Vue de Moncalieri* – *Vue du Pô à Turin* – *Trois paysages de fantaisie* – TURIN : *Autoportrait*.
VENTES PUBLIQUES : RAPALLO, 26 sept.-2 oct. 1964 : *La bergère* : ITL 3 000 000 – ROME, 4 nov. 1979 : *Paysage à la cascade*, h/t (88x71) : ITL 2 600 000 – MONTE-CARLO, 21 juin 1986 : *Paysage à la rivière avec pont et animé de personnages*, h/t (106,7x120) : FRF 120 000 – ROME, 27 nov. 1989 : *Paysage avec un chasseur montrant un lièvre à deux jeunes femmes dans un vallon*, h/t (74,5x61) : ITL 16 100 000 – ROME, 11 mai 1993 : *Paysage vallonné avec un chasseur montrant un lièvre à deux dames*, h/t (74,5x61) : ITL 7 000 000 ; *Paysage piémontais avec un petit bois et un groupe de voyageurs au premier plan*, h/t (89x118) : ITL 52 000 000 – ROME, 28 nov. 1996 : *Paysage fluvial fantastique*, h/t (127x132) : ITL 20 000 000.

CIGNI Angelo
XVIIIe siècle. Romain, actif en 1708. Italien.
Peintre et sculpteur.

CIGNONI Bernardino
Mort en 1496. XVe siècle. Italien.
Miniaturiste.
Milanesi blâme sévèrement l'exécution de certaines miniatures et des ornements ajoutés par Cignoni aux livres de chœur de la cathédrale de Sienne.

CIGOGNINI Antonio
Né au XVe siècle à Crémone. XVe siècle. Italien.
Peintre.
On trouve en Italie quelques œuvres de ce peintre.

CIGOLA Giovanni Battista
Né en 1769 à Brescia. Mort en 1841 à Milan. XVIIIe-XIXe siècles. Italien.
Peintre de portraits, aquarelliste, miniaturiste.
Il fut l'un des portraitistes préférés de la haute société italienne pendant la première moitié du XIXe siècle.
VENTES PUBLIQUES : MILAN, 26 nov. 1985 : *La diseuse de bonne aventure*, aquar. (23,5x19,2) : ITL 1 400 000.

CIGOLI Lodovico ou Ludovico. Voir CARDI Lodovico

CIGOLI Pietro da
XVIe siècle. Vivant à Brescia en 1525. Italien.
Peintre.

CIKOVSKY Nicolai

Né en 1894 en Russie. Mort en 1934. xxe siècle. Actif aux États-Unis. Russe.
Peintre de genre, paysages, natures mortes.
Il fit ses études en Russie puis travailla aux États-Unis, où il figura dans plusieurs expositions, obtenant une médaille de bronze en 1932 à l'Art Institute de Chicago. Ses scènes de genre, telle la *Fille au miroir* se rattachent au courant intimiste.
VENTES PUBLIQUES : NEW YORK, 23 avr. 1964 : *Nature morte* : USD 275 – LONDRES, 13 jan. 1966 : *Hampton bay* : GBP 350 – NEW YORK, 24 oct. 1968 : *Hampton bay* : USD 800 – NEW YORK, 7 oct. 1970 : *Paysage* : USD 300 – NEW YORK, 30 sep. 1985 : *La première leçon*, h/t (66,5x56) : USD 2 000 – NEW YORK, 30 mai 1986 : *Jeune fille à la mandoline*, h/t (61,2x46,2) : USD 1 200 – NEW YORK, 24 juin 1988 : *Paysage de Long Island*, h/t (85x115) : USD 3 850 – NEW YORK, 24 jan. 1990 : *Dans la cour d'une ferme*, past./pap. (46x60,2) : USD 990 – NEW YORK, 30 mai 1990 : *Scène de plage*, h/cart. (30,5x40,7) : USD 2 970 – NEW YORK, 15 mai 1991 : *Nu debout*, h/t (50,2x41) : USD 1 210 – NEW YORK, 18 déc. 1991 : *Les alizés*, h/t (40,6x50,8) : USD 2 530 – NEW YORK, 9 sep. 1993 : *Paysage du Wisconsin*, h/t (62,2x91,4) : USD 2 415 – NEW YORK, 31 mars 1994 : *Jeune danseuse assise*, h/t (101,6x55,9) : USD 1 610.

CILLA Ramon

xixe siècle. Actif à la fin du xixe siècle. Espagnol.
Peintre.

CILLARS Jacques, Frère

xviie siècle. Travaillant en Flandre. Français.
Peintre.
Il est cité par de Marolles.

CILLONIZ José

Né à Lima. xxe siècle. Péruvien.
Peintre de fleurs.
Élève de J. Grün, il a exposé au Salon des Artistes Français à Paris en 1930-1931.

CIMA Camillo

D'origine lombarde. xixe siècle. Italien.
Peintre de genre, paysages.
Cet artiste travailla à Milan. À Venise, en 1883, il exposa : *Angoisses maternelles, Avril, L'Été.*
On mentionne de lui : *Nouvelle digue près Pavie, Vue du Lac Majeur, Les Glacières de Acquabella,* exposées à Milan en 1883.

CIMA Luigi

Né en 1860 à Belluno. Mort en 1938 à Belluno. xixe-xxe siècles. Italien.
Peintre de genre, portraits, paysages animés, intérieurs.
Il a participé à plusieurs expositions en Italie, notamment à Milan en 1876 et à Venise en 1881. Ses toiles présentent surtout des scènes de la vie urbaine ou campagnarde. On mentionne entre autres : *Intérieur de l'église de Saint-Marc, à Venise, Le Marché, Rivage à Venise, Maison rustique, Retour des pâturages.*

L. Cima

VENTES PUBLIQUES : LONDRES, 9 juin 1922 : *La fenaison* : GBP 6 – MILAN, 25 nov. 1971 : *La femme malade* : ITL 480 000 – LONDRES, 14 juin 1972 : *Marché vénitien* : GBP 800 – NEW YORK, 21 mai 1986 : *Travaux des champs*, h/t (78,8x128,9) : USD 9 500 – LONDRES, 26 fév. 1988 : *Fillette gardant des chèvres dans une grange*, h/t (28,5x48,3) : GBP 5 280 – MONACO, 21 avr. 1990 : *Une bergère et son troupeau*, h/t (44,5x72) : FRF 88 800 – ROME, 31 mai 1990 : *Étude de tête d'homme*, h/t (37x29) : ITL 2 000 000 – MILAN, 16 mars 1993 : *Cabanes de bergers et paysans*, h/cart. (23,5x36) : ITL 2 000 000 – NEW YORK, 15 fév. 1994 : *Dans la cour ensoleillée*, h/pan. (28x41,2) : USD 10 350 – MILAN, 22 mars 1994 : *Lavandière*, h/t (47x29) : ITL 6 440 000.

CIMA DA CONEGLIANO Carlo

xve siècle. Actif à la fin du xve siècle. Italien.
Peintre de compositions religieuses.
Il est le fils de Giovanni Battista, dont il imita les ouvrages avec une telle fidélité que selon Federici, on pouvait facilement les confondre.

CIMA DA CONEGLIANO Giovanni Battista

Né entre 1459 et 1460 à Conegliano. Mort sans doute vers 1517 ou 1518 à Venise. xve-xvie siècles. Italien.
Peintre de compositions religieuses, dessinateur.

Une très importante exposition qui lui fut consacrée à Trévise en 1969, a permis aux spécialistes d'une part de mieux le situer dans son époque, par rapport à ses contemporains, d'autre part de reposer clairement les questions de datations et d'attributions. En 1489, il peignit la *Madone à la pergola*, à San Bartolomeo de Vicence, peinture à la détrempe, technique qu'il utilisa jusqu'à son établissement à Venise. En 1492 ou 1493, il peignit une *Sacra Conversazione* pour la coupole de la cathédrale de Conegliano. C'est à ce moment qu'il se fixa à Venise. Depuis 1475, la présence à Venise d'Antonello de Messine avait exercé une profonde influence sur les artistes vénitiens, particulièrement sur Giovanni Bellini, Vivarini, Mantegna et même Carpaccio, les amenant à une simplification logique et efficace des volumes et à une ordonnance raisonnée de l'espace. Dans ce contexte, Cima da Conegliano, à son arrivée à Venise, adoptant la technique de la peinture à l'huile, ajouta les ressources poétiques d'une palette colorée raffinée. De ses origines provinciales, il conserva un sens familier de la nature et de la vie quotidienne, que Longhi qualifia justement de « classicisme virgilien ». À Venise même et en dehors de la République, il peignit surtout des retables pour les églises. Ces retables en général datés, ont permis de suivre avec précision son évolution : le *Baptême du Christ* de 1494 pour San Giovanni in Bragora ; entre 1496 et 1499, l'*Annonciation* de la chapelle Zeri dans l'église des Crocicchieri, et la *Pala* de l'église de la Charité à Venise ; *L'incrédulité de saint Thomas* de 1502 pour le Dôme de Portogruaro ; la *Sainte Catherine* pour San Rocco de Mestre ; la Pala de *Saint Pierre Martyr* de 1509 pour l'église du Corpus Domini (à Milan ?).
Si l'on décèle souvent dans ses œuvres l'influence dominante de Mantegna et de Giovanni Bellini, on relève aussi celle de Carpaccio quand il s'agit pour lui de peindre des scènes anecdotiques aux personnages multiples et hauts en couleur, comme dans le *Miracle de saint Marc* de Berlin. Lanzi donnait pour son meilleur ouvrage un tableau d'autel, peint pour la cathédrale de Parme. On peut considérer que ses peintures les plus personnelles sont celles où il situe les personnages dans la douceur de paysages calmes aux lointains doucement éclairés, comme la *Madone à l'oranger* de l'Académie de Venise, la *Nativité* de l'église des Carmes à Venise aussi, ou la *Madone avec saint Jean-Baptiste et Marie-Madeleine* du Louvre. Actuellement sont encore attribuées à Cima da Conegliano des œuvres qui devraient retourner à certains de ses collaborateurs ou de ses imitateurs, tels Antonio Maria da Carpi, Caselli, Busatti. Par contre, certaines de ses œuvres sont parfois attribuées à Giovanni Bellini, et même au Vinci dans le cas de la *Madone à l'enfant avec saint Michel et saint André*, du Musée de Parme. Il est intéressant de remarquer qu'au cours de ses dernières années de vie, Cima da Conegliano refusa l'évolution qu'apportait le lyrisme sensuel de Giorgione et du Titien. En réaction, il accentua au contraire non seulement le caractère de pureté simple qui marque tout son œuvre, mais encore on note dans ces dernières œuvres une volonté d'archaïsme.

Joannis baptista Coneglianst

BIBLIOGR. : *Catalogue de l'exposition Cima da Conegliano, Musée de Trévise,* 1969.
MUSÉES : AIX : *La Vierge et l'Enfant Jésus* – AMSTERDAM : *La Sainte Vierge allaitant l'Enfant Jésus* – BERLIN : *Marie sur un trône avec Enfant et Donateur* – *Les Saintes Lucie, Madeleine et Catherine* – *Guérison d'Amianus* – *Marie et l'Enfant* – *Paysage de côte avec deux hommes luttant* – *Miracle de saint Marc* – CAEN : *La Vierge, saint Georges et saint Pierre,* triptyque – DRESDE : *Le Christ bénissant* – *Buste du Christ* – *Première visite de Marie au Temple* – FLORENCE : *La Vierge et l'Enfant Jésus* – FRANCFORT-SUR-LE-MAIN : *Madone et l'Enfant* – *Marie et l'Enfant, avec sainte Catherine et saint Nicolas* – LIÈGE : *La Vierge avec l'Enfant Jésus* – LONDRES (Gal. Nat.) : *Madone et Enfant* – *Madone et Enfant tenant un chardonneret* – *Incrédulité de saint Thomas* 1504 – *Saint Jérôme dans le désert* – *Ecce Homo* – *David et Jonathan* – *Madone et Enfant* – *Madone et Enfant avec saint Paul et saint François* – *Madone et Enfant avec saint Jean et saint Nicolas* – *Auguste et la Sibylle* – LONDRES (coll. Wallace) : *sainte Catherine d'Alexandrie* – MILAN (Gal. Brera) : *La Madone, saint Jean Baptiste et saint Marc* – *Saint Jérôme, saint Nicolo de Bari et sainte Ursule* – *Saint Jérôme au désert* – *Saint Pierre entre saints Jean Baptiste et Paul* – *Madone avec l'Enfant et des saints* – *Saint Pierre martyr entre saints Nicolas de Bari et Augustin* – *Madone avec l'Enfant* – MUNICH : *Marie avec l'Enfant, Marie Madeleine* – PARIS

(Louvre) : *La Vierge et l'Enfant Jésus avec saint Jean Baptiste et Marie Madeleine* – PARME (Mus. Nat.) : *Madone à l'enfant avec saint Michel et saint André* – REIMS : *La Vierge* – SAINT-PÉTERSBOURG : *La Vierge avec l'Enfant Jésus et les saints – L'Annonciation* – STRASBOURG : *Saint Sébastien – Saint Roch* – TROYES : *La Vierge et l'Enfant Jésus* – VENISE (Mus. des Beaux-Arts) : *Tobie et l'ange – Madone avec l'Enfant – La Vierge avec saint Jean Baptiste et saint Paul – Mise au tombeau – Incrédulité de saint Thomas – Saint Christophe* – VENISE (Église San Giovanni in Bragora) : *Sainte Hélène et Constantin – Baptême du Christ* – VENISE (Église Madonna dell Orto) : *Saint Jean Baptiste et quatre saints* – VENISE (Église San Zaccaria) : *Nativité et quatre saints* – VENISE (Galeries Nationales) : *La Vierge sur le trône avec l'Enfant et des saints – L'Ange et Tobie – Madone avec Jésus – Madone et saints – Descente de Croix – Incrédulité de saint Thomas – Saint Christophe* – VIENNE : *La Madone avec l'Oranger.*

VENTES PUBLIQUES : PARIS, 1807 : *La Vierge, Jésus et saint Jean :* **FRF 114** – PARIS, 1857 : *La Vierge et l'Enfant Jésus :* **FRF 3 050** – PARIS, 1876 : *La Vierge et l'Enfant Jésus :* **FRF 9 445** – LONDRES, 1882 : *Madone et l'Enfant Jésus ; Paysage et vue, dans le fond, d'une ville fortifiée :* **FRF 16 275** – LONDRES, 1894 : *Deux volets : à droite, Saint Sébastien ; à gauche, Saint Marc :* **FRF 9 468** – PARIS, 1898 : *Saint Jean Baptiste :* **FRF 2 150** – PARIS, 3 juin 1920 : *Le Christ mort au bord du tombeau :* **FRF 5 600** – LONDRES, 4-7 mai 1923 : *La Sainte Famille :* **GBP 9 660** – PARIS, 30 mars 1925 : *Descente de croix, pl., lavé de bistre :* **FRF 300** – LONDRES, 19 nov. 1926 : *Saint Georges en armure :* **GBP 504** – LONDRES, 7 déc. 1927 : *La Vierge et l'Enfant :* **GBP 4 400** – LONDRES, 25 nov. 1966 : *Vierge à l'Enfant :* **GNS 3 800** – MILAN, 30 mai 1972 : *Thésée tuant le Minotaure :* **ITL 7 000 000** – LONDRES, 3 juil. 1985 : *Saint Christophe avec l'Enfant Jésus et saint Pierre,* h/pan. (72,5x56) : **GBP 230 000.**

CIMA DA CONEGLIANO Riccardo
Mort en 1537. XVIe siècle. Actif à Venise. Italien.

Peintre.

Il peut s'agir d'un fils, ou d'un élève de Giovanni Battista, à moins qu'il y ait simplement confusion avec Carlo.

CIMABUÉ, de son vrai nom : **Gualtieri Giovanni,** dit aussi **Cenni di Pepi**

Né entre 1240 et 1250 à Florence. Mort en 1302 à Pise. XIIIe siècle. Italien.

Peintre de compositions religieuses, fresquiste, architecte.

La date de 1240 pour la naissance de Cimabué ne se trouve que dans Vasari, mais paraît vraisemblable. Il est mentionné comme se trouvant à Rome en 1272. On possède des documents qui attestent sa présence à Pise en 1301. Il est chargé d'achever la mosaïque de l'abside, à la cathédrale, commencée avant sa venue par un maître nommé Francesco. On sait avec certitude que la figure de Saint Jean est de sa main. L'ensemble de la mosaïque fut remanié à plusieurs reprises. La grande renommée dont jouissait Cimabué de son vivant est attestée, en plus des travaux importants qu'il fut appelé à exécuter hors de sa ville natale, par les vers fameux de la *Divine Comédie* :

« Credette Cimabue nella pittura
Tener lo campo, ed ora ha Giotto il grido
Si che la fama di colui è oscura » (Purg. XI, 94).

Il apparaît de plus en plus que son rôle historique réel n'a nullement été inférieur à celui que lui semble attribuer Dante et qu'il détient dans l'ancienne tradition historiographique italienne. Les dénégations hypercritiques de Wickhoff et de Langton Douglas peuvent être considérées comme définitivement réfutées, et l'on s'accorde généralement aujourd'hui sur les principales attributions, lesquelles suffisent pour lui assurer une place capitale dans la peinture toscane du XIIIe siècle, malgré les destructions et les ravages du temps. L'œuvre la plus importante de Cimabué est sans aucun doute la série des fresques qu'il exécuta, probablement entre 1277 et 1281, pour l'église Saint-François, à Assise. Dans la basilique inférieure il a peint, à une autre date peut-être, la *Vierge entourée d'anges avec saint François* (très restaurée), mais ce sont surtout les fresques de l'église supérieure qui, malgré l'état de conservation déplorable où elles se trouvent, peut-être encore aggravé par le tremblement de terre de 1998, attestent son importance artistique et historique. Celles du chœur et du transept comprennent deux *Crucifixions* dont l'une (à gauche) révèle une puissance d'expression tragique, des scènes tirées de l'Apocalypse et des vies de la Vierge, de saint Pierre et saint Paul, ainsi que les monumentales figures des

quatre évangélistes dans la voûte. Elles sont de sa main, avec, çà et là, peut-être quelque participation de ses élèves. Celles de la nef ont sans doute été exécutées par ceux-ci, très probablement sous sa direction personnelle (les figures de saints sur le mur nord, voisinant le transept, semblent être de sa main).

Vingt ans après l'achèvement probable de son œuvre à Assise, Cimabué termine la mosaïque de la cathédrale de Pise en y ajoutant la figure de saint Jean qui est sans doute sa dernière œuvre. Le style de celle-ci diffère quelque peu de celui des fresques d'Assise : il est d'une plasticité plus calme, le dynamisme linéaire y est sacrifié à l'équilibre des volumes et à la dignité monumentale de la forme humaine. Cette différence peut servir à échelonner dans le temps les tableaux d'autel de Cimabué dont aucun n'est daté. La *Madone* des Offices et le *Crucifix* d'Arezzo (S. Domenico) appartiennent à la première manière, la *Vierge aux Anges* du Louvre, le *Crucifix* de S. Croce de Florence et le polyptyque de l'ancienne collection Hamilton de New York (trois volets conservés, auxquels il faut ajouter un quatrième découvert par Salmi au Musée de Chambéry), appartiennent à la seconde. Le *Crucifix* d'Arezzo semble devoir être placé tout au début de la série, à cause de ses affinités avec l'art de Coppo di Marcovaldo, le principal précurseur de Cimabué dans la peinture toscane, de qui il tient l'utilisation d'un réseau de lignes dorées, figurant la lumière et accentuant l'arabesque décorative, et le polyptyque Hamilton tout à sa fin, car son style se rapproche le plus de celui du Saint Jean de Pise.

En plus de ces œuvres dont l'interdépendance est évidente, plusieurs autres attributions ont été tentées dont la plus probable est celle de certaines mosaïques appartenant au cycle de la vie de saint Jean Baptiste au baptistère de Florence. La *Madone* de l'église des Servites à Bologne, semble, depuis son nettoyage, ne plus pouvoir figurer parmi les œuvres authentiques de Cimabué. Très proches de sa manière, sans être nécessairement de sa main, sont les fresques d'une chapelle dans le chœur de S. Maria Novella à Florence (*Le Christ entre deux anges ; Saint Grégoire et deux saints*), le *Crucifix* de la collection Lœser dans la même ville, un autre à S. Stefano de Paterno près de Florence et la figure de saint François peinte à la fresque au Musée de S. Maria degli Angeli à Assise.

Pendant des siècles la seule gloire de Cimabué avait été d'avoir ouvert la voie à Giotto ; mais cette appréciation de son rôle n'est ni très exacte, ni suffisante. Cimabué n'a pas rompu totalement avec la tradition byzantine, comme devait le faire Giotto, et il n'est pas apparent que son œuvre ait aidé celui-ci à rompre avec elle. On peut dire plutôt qu'il a utilisé la « maniera greca » à des fins en effet étrangères à ses tenants, mais qui ne seront pas exactement celles de Giotto. Tout en restant fidèle aux anciens procédés de dessin, de composition, de coloration, Cimabué commence à donner aux formes un volume inaccoutumé, une pesanteur nouvelle. Il admire la monumentalité, la solennité des Byzantins, mais il la ramène sur terre, la rend plus palpable, plus massive et de ce fait moins symboliquement spirituelle. Il lui confère aussi une expressivité dramatique d'une rare puissance (voir les deux bras levés de la Madeleine dans la grande crucifixion d'Assise et la composition entière de cette fresque, utilisant le contraste si pathétique des vides et des pleins). La qualité suprême de l'art de Cimabué est cette « terribilità » qui sera évoquée plus tard en essayant de décrire le génie de Michel-Ange, et c'est d'une façon très réelle que les fresques d'Assise annoncent *Le Jugement dernier* de la Sixtine. Toutefois elles ne le préparent point, dans le sens où celles de Giotto à Padoue préparent les *Stances* de Raphaël (c'est-à-dire inventent les moyens qui lui permettront plus tard de les réaliser). La voie ouverte par Giotto est celle qui définira la Renaissance italienne ; celle de Cimabué est plutôt une prémonition, peut-être non avérée en tant que source effective au point de vue de l'histoire, bien qu'à l'évidence Giotto en eût été parfaitement instruit, mais qui témoigne en tout cas du génie de celui qui a su le percevoir à son usage personnel. ■ Wladimir Weidlé, J. B.

MUSÉES : BERLIN : *Un ange* – LA FÈRE : *L'Adoration des mages* – FLORENCE (Gal. Nat.) : *Un dossier d'autel avec sainte Cécile* – GENÈVE : *La Vierge et l'Enfant Jésus* – LONDRES (Gal. Nat.) : *La Madone et l'Enfant sur un trône, anges adorant* – PARIS (Louvre) : *La Vierge aux anges* – PRATO : *La Vierge et Jésus-Christ.*

VENTES PUBLIQUES : PARIS, 1800 : *Le Martyre de saint Sébastien,* dess., étude : **FRF 388** – PARIS, 1810 : *Jeune fille, à mi-corps, vue de profil :* **FRF 1 000** – PARIS, 1825 : *Portrait de femme, vue de profil :* **FRF 161** – TURIN, 1860 : *Portrait de Pétrarque, deux dessins à la plume :* **FRF 21** – PARIS, 1884 : *La Vierge et saint Jean :*

FRF 68 – Cologne, 2 et 6 nov. 1961 : *La Vierge et l'Enfant* : **DEM 16 000** – Londres, 29 mars 1968 : *Christ mort soutenu par deux anges* : **GNS 1 800**.

CIMADORE Domenico
XVIe siècle. Actif à Ferrare à la fin du XVIe siècle. Italien.
Peintre.

CIMAGLIA Giuseppe
Né le 9 avril 1849 à Viesti (province de Foggia). Mort en 1905. XIXe siècle. Italien.
Peintre de genre.

Il fit ses études à l'Académie des Beaux-Arts de Florence. Il participa à un grand nombre d'expositions.

Ventes Publiques : San Francisco, 20 juin 1985 : *Pris sur le fait* 1877, h/t mar. (61x49,5) : **USD 1 500**.

CIMAROLI Gianbattista ou Giovanni Battista
Né vers la fin du XVIIe siècle à Salo (sur le lac de Garde). Mort après 1753. XVIIe-XVIIIe siècles. Italien.
Peintre de paysages animés, paysages d'eau.

Il étudia avec Antonio Calza et s'adonna exclusivement à la peinture de paysages. On confond quelquefois son nom avec celui des Cignaroli, ce qui donne lieu à plusieurs erreurs dans l'attribution des ouvrages. L'Angleterre possède un certain nombre de toiles de Cimaroli.

Ventes Publiques : Londres, 8 fév. 1908 : *Rivière bordée de collines* : **GBP 8** – Londres, 22 déc. 1927 : *Le Grand canal à Venise* : **GBP 136** – Milan, 6 avr. 1965 : *Paysage fluvial animé de cavaliers ; Paysage fluvial animé de bergers et leurs troupeaux* : **ITL 5 500 000** – Vienne, 9 juin 1970 : *Paysage d'Italie* : **ATS 35 000** – Milan, 11 mai 1978 : *Marine*, h/t (48x65) : **ITL 2 600 000** – Londres, 10 juin 1982 : *Bergers et troupeau dans un paysage d'Italie*, h/t (50,8x73) : **GBP 4 000** – Londres, 6 juil. 1984 : *Cour de ferme animée de paysans et animaux ; Rue de village animée de paysans et troupeau*, deux h/t (57,2x74) : **GBP 35 000** – Milan, 4 juin 1985 : *Paysage animé de personnages*, h/t (68x100) : **ITL 7 500 000** – Milan, 27 oct. 1987 : *La fuite en Égypte*, h/t (80x92,5) : **ITL 25 000 000** – New York, 14 jan. 1988 : *Paysages italiens avec une rivière et des cavaliers*, h/t, deux pendants (46,5x74 chaque) : **USD 44 000** – Amsterdam, 14 nov. 1988 : *Paysage montagneux animé de paysans et de bétail se désaltérant*, h/t (50,5x55,5) : **NLG 15 525** – Milan, 4 avr. 1989 : *Paysage classique avec des ruines et des bergers et leur troupeau*, h/t (73x95) : **ITL 27 000 000** – Milan, 30 mai 1991 : *Paysage fluvial avec un couvent et des moines au premier plan*, h/t (38x46) : **ITL 28 000 000** – New York, 22 mai 1992 : *Paysages de cités au bord d'un canal avec des paysans ou des personnages élégants*, h/t, ensemble de quatre peintures (chaque 54,6x71,8) : **USD 319 000** – Monaco, 18-19 juin 1992 : *Paysage*, h/t, une paire (chaque 56x72,8) : **FRF 444 000** – Londres, 10 déc. 1993 : *Ville de Vénitie*, h/t (44,5x64) : **GBP 56 500** – New York, 14 jan. 1994 : *Paysage fluvial avec des paysans montant dans une barque ; Paysage avec une rivière bordée de ruines et des personnages*, h/t, une paire (chaque 58,4x92,1) : **USD 112 500** – Paris, 12 juin 1995 : *Vue de Vérone et de l'Adige*, h/t (136x176) : **FRF 850 000**.

CIMATORI Antonio, dit il Visacci
Né vers 1550 à Urbino. Mort en 1623 à Rimini. XVIe-XVIIe siècles. Italien.
Peintre d'histoire.

Lors de la réception de Julie de Médicis, femme du prince Frédéric, à Urbino, Cimatori travailla en collaboration de Mazzi et de l'Urbani, à l'exécution des peintures qui ornaient les arcs de triomphe et de tableaux qu'on exposa publiquement. Il laissa peu de peintures dans sa patrie ; on cite sa toile de *Sainte Monique* (à Saint-Augustin) et des copies de Barocci. Il est surtout connu pour ses dessins à la plume et ses effets de clairsobscurs.

Ventes Publiques : Londres, 18 avr. 1996 : *Un saint agenouillé avec d'autres personnages en dessous et un paysage au fond*, encre et craie noire (25,4x18,1) : **GBP 1 150**.

CIMBAL
XVIIIe siècle. Autrichien.
Peintre.

Il existe cet artiste une peinture signée et datée de 1711 dans un couvent de Vienne.

CIMBAL Johann
XVIIIe-XIXe siècles. Autrichien.
Peintre.

Viennois, il exécuta plusieurs peintures religieuses importantes en Autriche et en Hongrie.

CIMBELLI Antonio
XXe siècle. Travailla à Pérouse et à Spolète au début du XXe siècle. Italien.
Sculpteur.

CIMENTI di Piero. Voir CHIMENTI di Piero

CIMERLINI Gioan Paolo
XVIe siècle. Travaillant à Vérone en 1568. Italien.
Peintre et graveur.

On cite de lui, parmi ses gravures : *Saint Christophe dans un paysage* et *La mort faisant tomber les mortels dans ses filets*.

CIMIÈRE Reine
Née à Lyon (Rhône). XXe siècle. Française.
Peintre de nus, de paysages, de natures mortes et graveur.

Elle a régulièrement participé aux Salons des Artistes Indépendants, d'Automne et des Tuileries à Paris, à partir de 1932. Elle a également publié des albums d'estampes.

Ventes Publiques : Paris, 15 nov. 1972 : *Périgny au printemps* : **FRF 1 900**.

CIMINI Giovanni Battista
Né à Palerme. XVIIe siècle. Travailla surtout à Rome. Italien.
Peintre.

On sait qu'il décora en 1685 une chapelle à l'église Santa Maria del Suffragio.

CIMIOTTI Emil
Né le 19 août 1927 à Göttingen. XXe siècle. Allemand.
Sculpteur, dessinateur. Tendance abstrait.

De 1949 à 1953, il fut élève d'Otto Baum et de Hils à Stuttgart, de Karl Hartung à Berlin et de Zadkine à Paris. Il obtint un prix au *Junger Westen* en 1957 et en 1959, et reçut une bourse de la Villa Massino à Rome en 1959. Il a participé à plusieurs expositions de groupe, parmi lesquelles : la Biennale de Venise en 1958, la Biennale des Jeunes Artistes à Paris en 1959 et, la même année, Documenta II à Kassel. Ses expositions particulières se sont surtout déroulées en Allemagne, entre autres, à Munich et Düsseldorf.

Ses premiers groupes de personnages, dans un style figuratif, ont progressivement laissé place à des personnages amalgamés en une masse d'une seule coulée, où le hasard semble trouver son rôle, tendant à l'abstraction.

Ventes Publiques : Hambourg, 12 juin 1981 : *Composition* 1958, pl. et lav. (57,5x80,2) : **DEM 900** – Cologne, 27 nov. 1987 : *Femme assise* 1968, bronze (H. avec socle : 22) : **DEM 750** – Munich, 26-27 nov. 1991 : *Paradis dangereux* 1959, cr. (46x72) : **DEM 1 380** – Amsterdam, 18 juin 1997 : *Sans titre*, bronze (H. 42) : **NLG 8 072**.

CIMIOTTI Gustave
Né le 10 novembre 1875 à New York. Mort en 1969. XXe siècle. Américain.
Peintre de paysages.

Il eut pour maîtres Mowbray, et Robert Blum à New York, et B. Constant à Paris. Il fut membre du Salmagundi Club en 1908.

Ventes Publiques : Philadelphie, 30-31 mars 1932 : *Paysage au printemps* : **USD 30** – New York, 11 mars 1982 : *Les abords du désert*, h/t (81,8x96,5) : **USD 3 250** – New York, 15 avr. 1992 : *San Gorgonia vu depuis Palm Springs* 1951, h/t. cartonnée (50,2x61) : **USD 1 320** – New York, 21 mai 1996 : *El Toro en Californie*, h/t. cartonnée (40,5x51) : **USD 633**.

CIMITERRA Jeanne, plus tard Cimittera-Fratoni
Née à Ajaccio (Corse). XXe siècle. Française.
Peintre.

Elle expose au Salon des Indépendants.

CIMOGLI
XVIIIe siècle. Travaillait vers 1750. Italien.
Peintre.

On connaît une gravure d'après une *Vue de Reggio* de cet artiste.

CIMON de Cléonée
VIe siècle avant J.-C. Actif à la fin du VIe siècle avant J.-C. Antiquité grecque.
Peintre.

Les seuls témoignages existant à son sujet viennent des écrits de Pline, mais nous ne pouvons juger son œuvre puisque, jusqu'à présent, rien n'est parvenu jusqu'à nous. On rapporte qu'à la fin de la période archaïque, il fait figure de précurseur des grands peintres du vᵉ siècle ; Pline précise qu'il aurait marqué avec plus de netteté les articulations des membres, et plus de réalisme les courbes sinueuses des plis. Il serait aussi l'inventeur des figures vues en raccourci. Cimon de Cléonée, qui fut sans doute une figure dominante de cette phase de l'évolution artistique, a très probablement développé les découvertes de l'artiste athénien nommé Eumaros.

BIBLIOGR. : Robertson : *La peinture grecque*, Skira, Genève, 1959.

CIMONTIUS Johannes
xvıᵉ siècle. Vivait à Rotterdam. Éc. hollandaise.
Peintre.

CINATTI Antonio
xvııᵉ siècle. Travailla à Florence et à Rome au début du xvııᵉ siècle. Italien.
Peintre.

CINCEER Arend
xvııᵉ siècle. Actif à Alkmaar. Hollandais.
Peintre.
Maître de Jan Theunisz Blankenhof en 1640, de Putman Rietwyck et Gerrit Heyndriksz en 1644.

CINCI. Voir GORDIGIANI Anatolio

CINCINNATO Diego Romulo ou Cincinnati
Né vers 1580 à Madrid. Mort en 1625 à Rome. xvııᵉ siècle. Espagnol.
Peintre de portraits.
Fils et élève de Romulo Cincinnato. Philippe IV l'envoya à Rome pour qu'il y peignît le portrait d'Urbain VIII. Il obtint la faveur de ce pontife qui le créa chevalier. Diego exécuta de nombreux portraits de grand mérite.

CINCINNATO Francesco Romulo ou Cincinnati
Né vers 1585. Mort en 1635 à Rome. xvııᵉ siècle. Espagnol.
Peintre de portraits.
Il était le second fils de Romulo Cincinnato et suivit la même carrière que son frère Diego. Il jouit comme lui de la protection de Philippe IV, et fut de même nommé chevalier par Urbain VIII.

CINCINNATO Romulo ou Cincinnati
Né vers 1540 à Florence (Toscane). Mort en 1597 ou 1600. xvıᵉ siècle. Italien.
Peintre de compositions religieuses, fresques.
Il fut élève de Francesco Salviati. Appelé en Espagne en 1567, par Philippe II, il fut attaché à son service et y demeura la plus grande partie de sa vie. Il peignit à l'Escurial la plupart des fresques du grand cloître et, dans l'église, deux sujets de la vie de saint Jérôme deux autres de la vie de sainte Laurence. Philippe II lui commanda *Le Martyre de saint Maurice et de la légion Thébaine* pour remplacer celui peint par Le Greco, et qui avait dérouté le roi par ses nouveautés. L'Académie de Saint-Ferdinand à Madrid possède l'un de ses meilleurs ouvrages : *La Circoncision*, ainsi que la *Transfiguration* (d'après Raphaël) ; deux tableaux de *Saint Pierre* et *Saint Paul* et une fresque de *Sainte Laurence*. On retrouve également plusieurs peintures de lui à Guadalajara, dans le palais du duc d'Infantado.
VENTES PUBLIQUES : LONDRES, 2 juil. 1996 : *La Vierge Immaculée couronnée par les anges apparaissant à saint Sébastien et à sainte Catherine avec le donateur agenouillé*, craie noire, encre et lav. avec reh. de blanc/pap. apprêté orange (36,8x22,4) : **GBP 20 700.**

CINCIUS PUBLICUS SALVIUS
ııᵉ siècle. Antiquité romaine.
Sculpteur.
Il exécuta la colossale pomme de pin qui surmontait le mausolée d'Adrien.

CINERICIUS Philippus
xvıᵉ siècle. Actif au début du xvıᵉ siècle. Italien.
Graveur.
On croit que cet artiste était un moine dominicain d'origine allemande. On a de lui deux petites planches datées de 1516, représentant *Saint Dominique* et *Saint Pierre martyr*, dont le style se rattache en tous points à celui de l'école italienne.

CINGANELLI Antonio
Mort en 1628. xvııᵉ siècle. Italien.
Peintre.
Il était le fils de Michelangelo Cinganelli.

CINGANELLI Michangelo
Né vers 1580. Mort en 1635. xvııᵉ siècle. Italien.
Peintre.
Il a travaillé pour la primatiale de Pise, où il peignit les consoles de la coupole et un *Josué.*

CINGAROLLI Martino. Voir CIGNAROLI

CINGELAER Melchior
Mort en 1755 à Rotterdam. xvıııᵉ siècle. Hollandais.
Peintre de paysages.
On connaît un paysage signé par cet artiste et daté de 1710. Peut-être identique à Cornelis SINGELAAR.

CINGOLANI Juan ou Giovanni
Né en 1859 à Montecassino. Mort en 1932 à Santa Fée (Argentine). xıxᵉ-xxᵉ siècles. Actif aussi en Argentine. Italien.
Peintre de sujets religieux, natures mortes, restaurateur.
Jusqu'en 1880, il fut disciple de Seitz, directeur des Palais Pontificaux à Rome. Sous le pontificat de Léon XIII, il participa à la restauration des Loges de Raphaël, des appartements Borgia et de la Chapelle Sixtine, notamment le *Jugement Dernier* de Michel Ange. Plus tard, il s'installa en Argentine où il travailla à la décoration d'églises, en particulier à celle de la Compania de Santa Fé, où il peignit la scène du *Sudor Milagroso*, miracle qui se serait produit en 1936.
MUSÉES : SANTA FÉE.
VENTES PUBLIQUES : ROME, 19 mai 1981 : *Natures mortes*, h/t, trois peint. (131x84,5 ; 80x107 et 114x67) : **ITL 2 400 000** – ROME, 6 juin 1984 : *Natures mortes* l'une datée 1891, deux pendants (131x84,5 et 114x67) : **ITL 3 000 000** – MILAN, 16 déc. 1987 : *Castel Saint Angelo*, h/t (74x100) : **ITL 9 500 000.**

CINGOLANI Marco
Né vers 1963. xxᵉ siècle. Italien.
Peintre, créateur d'installations. Figuratif.
Il traite de faits divers, qu'il invente lui-même, mais considère le sujet comme prétexte à peindre. On cite de lui : *L'Astronauta ferito* (L'Astronaute blessé) 1992-1993, *Il Papa dorme in ospedale* (Le Pape dormant à l'hôpital) de 1993, *L'Interview de Van Gogh*, thème qu'il reprend dans plusieurs versions.
BIBLIOGR. : Françoise Nyffenagger : *Marco Cingolani – Le Sujet paradoxal*, Opus International, n° 131, Paris, print.-été 1993.

CINGRIA Alexandre
Né le 22 mars 1879 à Genève. Mort le 8 novembre 1945 à Lausanne. xxᵉ siècle. Suisse.
Peintre de paysages, portraits, compositions animées, de cartons de vitraux, mosaïques, pastelliste, peintre à la gouache, illustrateur, restaurateur.
Issu d'une célèbre famille levantine, il étudia un peu partout en Europe : à l'Université et aux Écoles d'Art de Genève, à l'École Nationale des Beaux-Arts de Paris, aux Académies de Munich et à plusieurs reprises de Florence. Il a figuré au Salon des Artistes Indépendants à Paris et a exposé à Genève, Lausanne, Florence, Venise et Amsterdam. Outre ses pastels et peintures, il aborda la mosaïque, la fresque, le vitrail. On voit de ses réalisations aux églises de Finhaut (Valais), Sensaler (Fribourg), Echavlins, Orseneus, Lausanne, Genève, où, à partir de 1919, il collabora avec Maurice Denis à la décoration de l'église Saint-Pierre, et où, en 1936, il réalisa des vitraux pour le Palais des Nations, en Savoie française, au Fayet. Parmi ses autres travaux : le vitrail de la grande salle (l'Aula) de l'Université de Genève et sa restauration, la polychromie de la collégiale de Romont (Fribourg), véritable travail archéologique. Il fut aussi l'auteur de très nombreux décors de théâtre, entre autres, en 1926 : *Judith* de René Morax, musique d'Arthur Honegger. Après 1920, sans doute à cause de besoins financiers, il ne cessa de se déplacer en fonction des commandes de travaux de décoration, que ne craignait pas d'assumer sa formidable capacité de travail. Également écrivain, il fonda, en 1904, la revue *La voile latine*. Très intéressé par, la rénovation de l'art sacré, il est le fondateur de la Société Saint-Luc et écrivit, en 1917 : *La décadence de l'art sacré*, livre préfacé par Paul Claudel. On lui doit également l'illustration en couleurs de la *Tempête* de Shakespeare.
Il commença à peindre en 1898, se limitant d'abord à l'usage du pastel. Ce fut en 1910 qu'il aborda gouache et peinture à l'huile. Il fut sensible à des influences diverses : Byzance, l'Extrême-Orient, Gauguin et Rouault. Plus que dans sa peinture, ce fut en tant que décorateur prolifique qu'il donna libre cours à la sensualité chatoyante de sa veine baroque. ■ J. B.

BIBLIOGR. : In : *Diction. de la peint. allemande et d'Europe centrale*, Larousse, Paris, 1990.
VENTES PUBLIQUES : GENÈVE, 9 juin 1972 : *Genevoise* : **CHF 1 400** – ZURICH, 28 oct. 1981 : *Village au bord du lac* 1912, h/cart. (56x72,5) : **CHF 7 000** – ZURICH, 27 mai 1982 : *La villa au bord du lac* 1912, h/cart. (56x72,5) : **CHF 7 000** – ZURICH, 28 oct. 1983 : *Etudes de vitraux*, quatre gches (chaque : 29,5x9) : **CHF 1 700** – GENÈVE, 25 nov. 1985 : *Étang de Grône* 1902, past. (55x40) : **CHF 2 200** – ZURICH, 14 nov. 1986 : *La femme à l'éventail*, gche (210x150) : **CHF 9 000**.

CINI Biagio
Né à Montepulciano. XVIIᵉ siècle. Travailla à Rome au début du XVIIᵉ siècle. Italien.
Peintre.

CINI Giovanni
Né sans doute au XVIᵉ siècle à Sienne. XVIᵉ siècle. Actif surtout en Pologne. Italien.
Sculpteur.
Il fut l'élève à Sienne de Lorenzo di Mariano. Un Giovanni di Lorenzo Cini peignit alors à Sienne, d'importantes peintures dans les églises San Martino et San Giacomo. Il travaillait en 1533 à la cathédrale de Varsovie. Il fut aussi architecte.

CINI Luigi
Né à Prato. XIXᵉ siècle. Italien.
Peintre.
Il fit ses études à Florence et travailla surtout à Bologne.

CINI Raffaelo di Tommaso
XVIᵉ siècle. Vivait en 1506 à Florence. Italien.
Peintre.

CINI Simone
XIVᵉ siècle. Travaillait à Florence à la fin du XIVᵉ siècle. Italien.
Sculpteur.
Il sculpta une décoration en bois pour le maître-autel de l'Abbaye Monte Oliveto Maggiore à Sienne.

CINICO Giovanni Marco
XVᵉ siècle. Actif à la fin du XVᵉ siècle. Italien.
Miniaturiste.
Il était l'élève de Pietro Sforza et fut l'ami de Marco Rota. Il travailla surtout à la cour de Ferdinand Iᵉʳ d'Aragon, roi de Naples.

CINIER Antoine. Voir **PONTHUS-CINIER**

CINISELLI Giovanni
Né en 1832 à Novate (province de Milan, Lombardie). Mort en 1883 à Rome. XIXᵉ siècle. Italien.
Sculpteur.
Suivit les cours de l'Académie milanaise et fut élève des professeurs Logni, Sabatelli, Hayez, Antonio Labus et Antonio Gallo. Ses créations fantastiques rencontrèrent de chauds partisans à toutes les expositions où elles parurent ; *La Lecture*, *Les Ruses d'amour*, *Aurore et crépuscule*, *Suzanne*, *Ruth*, obtinrent un succès mérité. Cet artiste obtint une médaille à l'Exposition de Melbourne, en 1881.

CINISELLI Vincenzo
XVIIᵉ siècle. Milanais, actif vers le milieu du XVIIᵉ siècle. Italien.
Peintre.
Il peignit des fresques dans la chapelle San Diego à l'église San Maria della Pace, à Milan.

CINO
XIVᵉ siècle. Italien.
Sculpteur.
Il exécuta vers 1341 des sculptures en bois pour l'église San Miniato al Monte à Florence.

CINO di Bartolo
Mort le 28 mars 1474. XVᵉ siècle. Italien.
Sculpteur et orfèvre.
Siennois, il travailla à Bologne avec Jacopo della Quercia à partir de 1425. Plusieurs œuvres données à Jacopo della Quercia sont dues, sans nul doute, pour une part à Cino di Bartolo.

CINOT Franck Jean Baptiste Louis
Né à Crécy-en-Brie (Seine-et-Marne). Mort en 1890 à Crécy-en-Brie. XIXᵉ siècle. Français.
Peintre de genre, animaux, paysages, aquarelliste.
Il fut élève de son père, de Servin, Véron et de Willens. Il débuta au Salon de Paris en 1874 avec : *Péché d'envie*. Peintre amateur, il a fait surtout des chats.
VENTES PUBLIQUES : PARIS, 27 mai 1943 : *Bord de rivière*, aquar. :

FRF 320 – NEW YORK, 29 mai 1980 : *Gendarmes à cheval sur un pont*, h/pan. (43x75,5) : **USD 3 500**.

CINOTTI Guido
Né en 1870 à Sienne. Mort en 1932 à Milan. XXᵉ siècle. Italien.
Peintre de paysages.
Il est l'un des représentants de l'école vériste.
VENTES PUBLIQUES : MILAN, 4 juin 1970 : *Le Bétulle* : **ITL 400 000** – MILAN, 25 nov. 1971 : *Cortina d'Ampezzo* : **ITL 260 000** – MILAN, 21 avr. 1983 : *Paysage alpestre*, h/pan. (30x39,5) : **ITL 1 100 000** – MILAN, 6 déc. 1989 : *Marine avec des barques*, h/pan. (45x61) : **ITL 3 000 000** – MILAN, 12 déc. 1991 : *Fleurs jaunes* 1910 ; *Violettes* 1914, deux h/pan. (50x64 et 52x64) : **ITL 2 700 000** – MILAN, 16 juin 1992 : *Paysage enneigé sous la lune*, h/pan. (45x94) : **ITL 7 000 000** – MILAN, 21 déc. 1993 : *Soleil couchant*, h/pan. (50x75) : **ITL 8 050 000** – ROME, 6 déc. 1994 : *Paysage lombard animé*, h/t (74x100) : **ITL 4 125 000**.

CINQUE Battista del
XVIᵉ siècle. Italien.
Sculpteur.
Il exécuta plusieurs ouvrages en bois, à Florence, au XVIᵉ siècle.

CINQUI Giovanni del
Né en 1667. Mort en 1744. XVIIᵉ-XVIIIᵉ siècles. Actif à Florence. Italien.
Peintre d'histoire.
Élève de P. Dandini.

CINQUIN Constance, née **Lambert**
Née le 20 mai 1902 à Lyon (Rhône). Morte le 21 février 1988. XXᵉ siècle. Française.
Peintre de paysages, fleurs, aquarelliste.
Élève à l'École des Beaux-Arts de Lyon, elle a pratiqué l'art du dessin sur soie entre 1920 et 1940, puis celui du cuir repoussé de 1930 à 1965, mais elle a surtout peint à l'aquarelle. De 1946 à 1957, puis de 1973 à 1977, elle a participé aux expositions de la Société Lyonnaise des Beaux-Arts, obtenant une mention honorable en 1973 et le prix Amable Bouillier l'année suivante.

CINQUIN Jacques
Né le 1ᵉʳ octobre 1942 à Paris. XXᵉ siècle. Français.
Peintre, dessinateur de scènes animées et de cartons de tapisseries. Polymorphe.
Élève de R. Wogensky à l'École des Arts Appliqués de Paris, il a également suivi des cours à l'École des Arts Décoratifs d'Aubusson. Il a exposé au Salon d'Automne, au Salon des Réalités Nouvelles à Paris et, personnellement à Washington.
Ses dessins ont des sujets populaires : le cirque, le tour de France, les cafés de campagne, etc., ils prennent souvent un tour satirique et sont traités selon un large graphisme. Les compositions de ses peintures et tapisseries abstraites reposent sur la couleur.

CINTIO de Salvati
Mort en 1293. XIIIᵉ siècle. Italien.
Sculpteur.
Il travaillait à Rome. Il aurait sculpté le tombeau du pape Nicolas IV.

CINUS ALBERGIPTI
XIVᵉ siècle. Vivait à Bologne en 1342. Italien.
Miniaturiste.

CIOCCA Ambrogio
XVIᵉ siècle. Travaillait à Milan en 1590. Italien.
Peintre.
Il fut l'élève de Camillo Procaccini et peignit pour l'église San Maria della Pace un *Baptême du Christ*.

CIOCCA Cristoforo
Né au XVᵉ siècle à Milan. XVᵉ siècle. Italien.
Peintre d'histoire et portraitiste.
On connaît de lui des sujets tirés de la *Vie de Saint Christophore* à San Vittore al Corpo.

CIOCCA Girolamo
XVIIᵉ siècle. Travaillait à Milan vers 1600. Italien.
Peintre.
Il fut l'élève de Lomazzo qui vante ses talents de portraitiste.

CIOCCHI Antonio ou **Cioci**
Né vers 1732 à Florence (Toscane). Mort en 1792 à Florence. XVIIIᵉ siècle. Travaillant à Florence en 1762. Italien.
Peintre de compositions religieuses, paysages, natures mortes, graveur.

Il grava à l'eau-forte. On cite de lui : *L'Évanouissement d'Esther*, d'après A.-D. Gabbiani, et *Saint Jean Baptiste*, d'après le même.
Ventes Publiques : Vienne, 13 sep. 1966 : *Viaduc en Toscane* : **ATS 12 000** – Milan, 20 mai 1982 : *Nature morte au panier*, h/t (73x87) : **ITL 27 000 000** – Acqui Terme, 12 oct. 1985 : *Trompe-l'œil*, h/t (116x91) : **ITL 6 000 000** – Milan, 10 juin 1988 : *Trompe-l'œil avec un vase de marbre sculpté, cartes à jouer et dessins sur feuilles volantes ; Trompe-l'œil avec instruments de musique et partitions*, h/t, une paire (chaque 61x73) : **ITL 18 000 000** – Paris, 16 déc. 1992 : *Scènes de côte méditerranéenne avec le lever et le coucher du soleil*, h/t, une paire (58x88) : **FRF 80 000** – Milan, 31 mai 1994 : *Trompe-l'œil*, h/t (47,5x71,5) : **ITL 27 600 000** – New York, 19 mai 1995 : *Trompe-l'œil d'un atelier d'artiste avec les outils de l'artiste, des dessins, des gravures, des sculptures, médaillons de plâtre,...* 1787, h/t (73x87,6) : **USD 167 500** – Amsterdam, 11 nov. 1997 : *Trompe-l'œil de documents, roses et objets attachés à un panneau de bois*, h/t (48x72) : **NLG 20 060**.

CIOCCHI Clemente
XVIIe siècle. Travaillait à Florence vers 1650. Italien.
Sculpteur.
Il aurait sculpté à Florence le tombeau de Salvetti.

CIOCCHI Giammaria, ou Giovanni Maria
Né en 1660. Mort en 1725. XVIIe-XVIIIe siècles. Italien.
Peintre, dessinateur.
Fils de Clemente et frère de l'architecte Michele. Élève préféré de P. Dandini. Il vécut longtemps à Bologne et à Modène pour étudier les maîtres anciens. Il gagna la renommée comme portraitiste, mais aussi en peignant à la fresque. Son autoportrait se trouve au Musée des Offices. Il fut aussi écrivain et musicien.

CIOCCHI Ulisse
Né à Sansovino. XVIIe siècle. Travaillait à Florence vers 1600. Italien.
Peintre.
On cite de lui une peinture à Arezzo : *Sainte Hyacinthe guérissant un enfant.*

CIOCCHINI Cleto
Né le 22 avril 1899 à San-Vicente. Mort en 1974. XXe siècle. Argentin.
Peintre de compositions à personnages, portraits, paysages, marines, peintre de cartons de mosaïques, vitraux.
Dans une famille cultivée, sa vocation fut encouragée. Son père put lui enseigner les premiers rudiments de la peinture. Il fut élève de l'École des Beaux-Arts de La Plata et diplômé à l'âge de treize ans. Il poursuivit sa formation à Buenos Aires. En 1919, il participa, avec un groupe d'artistes argentins, un voyage en Europe patronné par le gouvernement. Il fréquenta l'Académie espagnole de Rome, séjourna à Florence, Paris et Madrid. Au cours de ce voyage, il eut l'occasion d'exposer à Paris et à Madrid. Revenu en Argentine, après cinq années, il s'intéressa aux habitants et aux coutumes des provinces du Nord. Il a participé à des expositions collectives : plusieurs fois au Salon National de Rio de Janeiro où il obtint la médaille de bronze en 1945, 1939 Salon des Arts de La Plata, 1948 Salon Municipal de Santa-Fe, 1951 Biennale hispano-américaine de Madrid, 1955 Biennale hispano-américaine de Barcelone.
À son retour en Argentine, il peignit les paysans des provinces du Nord, soit à leur travail, soit au cours de fêtes folkloriques, jouant du violon ou des instruments régionaux. À partir des années trente, il se consacra aux pêcheurs de Mar del Plata. Pendant cinquante ans, il les observa dans leurs diverses activités, les peignant dans des assemblées animées, composées avec aisance et robustesse, les peignant aussi isolément en tant que types bien caractéristiques, peignant des vues du village, la mer, la côte, tout ce qui constitue la partie la plus connue de son œuvre. Toutefois, simultanément, il continua à exécuter des portraits, des œuvres religieuses, des cartons pour des mosaïques et des vitraux. ■ Monique Marcaillou
Bibliogr. : Juan Antonio Solari : *Cleto Ciocchini*, La Prensa, spécial, Buenos Aires, 1976.
Musées : Buenos Aires (Mus. Nat. des Beaux-Arts) – Lujan (Mus. Histor.) – Santa Fé (Mus. des Beaux-arts).

CIOCCHINI-SOLA Federico César
Né le 25 mars 1940 à Buenos Aires. XXe siècle. Argentin.
Peintre, sculpteur.
Fils de Cleto Ciocchini. Il bénéficia très jeune de ses conseils. Il participe à des expositions collectives, surtout à Mar-del-Plata. Il

montre ses travaux dans des expositions personnelles, depuis 1961, surtout à Mar del Plata et Buenos Aires.
Musées : Cordoba (Mus. des Beaux-Arts) – Mar del Plata (Mus. Histor.) – Tandil (Mus. des Beaux-Arts).

CIOCI Antonio. Voir CIOCCHI

CIOCOIU Emil
Né le 13 septembre 1948 à Sasa (près de Tirgu-Jiu). XXe siècle. Depuis 1980 actif en Allemagne. Roumain.
Peintre de paysages, de natures mortes et de portraits. Figuratif, puis abstrait-lyrique.
Diplômé de l'Institut d'Arts Plastiques de Bucarest en 1971, il obtient une bourse d'études en 1975 et en 1984, la bourse Per Mattson en Suède. Il a participé à plusieurs expositions de groupe en Roumanie, France, Allemagne, Suède, Finlande, Luxembourg, Hongrie, États-Unis, Japon. Sa première exposition personnelle s'est déroulée en 1976 à Tirgu-Jiu, elle a été suivie de beaucoup d'autres en Roumanie, Allemagne, France et Italie. En 1980, il quitte la Roumanie pour s'installer à Aix-la-Chapelle, en Allemagne, où, en 1996, une exposition d'un ensemble de ses peintures a été exposé dans la salle du couronnement de l'Hôtel-de-Ville.
Dans un premier temps, il fait une peinture figurative qu'il abandonne bientôt pour une abstraction lyrique. Ses grands panneaux montrent des compositions, véritables symphonies de bleus, verts, rouges, jaunes ou blancs violacés, où la lumière décrit de vastes cercles entourés de halos, à l'intérieur desquels vibre la matière picturale posée en de multiples touches pointillistes.
Bibliogr. : Ionel Jianou : *Les artistes roumains en Occident*, American Romanian Academy of Arts and Sciences, Los Angeles, 1986 – divers : Catalogue de l'exposition *Emil Ciocoiu*, salle du couronnement de l'Hôtel-de-Ville, Aix-la-Chapelle, 1996.

CIOFFI Antonio
XVIIIe siècle. Italien.
Peintre.
Il travailla pour des manufactures de faïence à Castelli (Abruzzes), puis à Naples à la fin du XVIIIe siècle.

CIOFFI Pasquale
XVIIIe siècle. Napolitain, actif au XVIIIe siècle. Italien.
Peintre et architecte.
Il exécuta les peintures de la chapelle San Ranieri dans l'église de la Chartreuse de Pise.

CIOLI Alessandro
XVIe siècle. Italien.
Sculpteur.
Il travaillait en 1576 à Rome pour le cardinal Peretti à San Maria Maggiore.

CIOLI Benedetto
Né à Settignano (près de Florence). XVIe siècle. Italien.
Sculpteur.
Il exécuta des ouvrages en bois pour la cathédrale de Pise vers 1580 et 1595.

CIOLI Cosimo di Domenico
Né à Settignano (près de Florence). Mort en octobre 1615 à Pise. XVIIe siècle. Italien.
Sculpteur.
Il travailla à partir de 1595 à la cathédrale de Pise.

CIOLI Domenico
XVIIe siècle. Italien.
Sculpteur.
Il était le fils de Cosimo Cioli.

CIOLI Francesco di Domenico
Né à Settignano (près de Florence). XVIe-XVIIe siècles. Italien.
Sculpteur.
Il était le frère de Cosimo Cioli et travailla à la cathédrale de Pise et à l'église San Giovanni.

CIOLI Giovanni Battista
XVIe siècle. Italien.
Sculpteur.
Il exécuta entre 1551 et 1556 des travaux au Vatican.

CIOLI Giovanni Battista
XVIIe siècle. Italien.
Sculpteur et architecte.
Il travaillait à Rome en 1686 à l'église San Giacomo Scossacavalli.

CIOLI Giovanni Simone
Mort après 1653. xviie siècle. Italien.
Sculpteur.
Cet artiste florentin travailla en particulier pour le Palazzo Acciaicioli à Florence.

CIOLI Matteo di Jacopino
Originaire de Settignano. xve siècle. Italien.
Sculpteur.
Il travailla à Florence et aussi à Volterra. C'est sans doute le même qui est donné, en 1498, comme frère de Rafaello.

CIOLI Michele
Originaire de Settignano près de Florence. xvie siècle. Italien.
Sculpteur.
Il sculpta à Sienne en 1507 des banquettes ornementales en marbre.

CIOLI Piero
xve siècle. Vivait en 1460. Italien.
Sculpteur.
Il est le frère de Matteo Cioli, et donc de Rafaello.

CIOLI Rafaello di Giovanni
xvie siècle. Italien.
Sculpteur.
Il travaillait entre 1522 et 1525 à la cathédrale de Volterra.

CIOLI Salvestro
xve siècle. Vivait à la fin du xve siècle. Italien.
Sculpteur.
Il était le frère de Rafaello Cioli.

CIOLI Simone di Michele
Originaire de Settignano près de Florence. Mort en 1572. xvie siècle. Italien.
Sculpteur.
Il était le fils de Michele Cioli et fut l'élève d'Andrea Sansovino dont il termina les sculptures décoratives de la Santa Casa (vers 1530). Il travailla sans doute également à la façade de l'église San Petronio à Bologne.

CIOLI Valerio di Simone
Né en 1529. Mort le 25 décembre 1599. xvie siècle. Italien.
Sculpteur.
Cet artiste florentin était le fils de Simone Cioli et il fut également son élève. Il travailla tout jeune encore à la décoration des jardins de la Villa Castello. En 1548, il se rendit à Rome où il entra dans l'atelier de Rafaello da Montelupo. Il travailla comme restaurateur pour le cardinal de Ferrare et Giulio Cesarini. Il retourna en 1561 à Florence et s'y occupa aussi de restauration. Il exécutait en même temps de nombreuses œuvres originales comme la *Tomoe du Chevalier Serguidi* dans la cathédrale de Volterra ou les statues du portail du Palazzo Vecchio. L'art de Cioli marque une réaction contre l'art baroque qui triomphait alors en Italie.
Ventes Publiques : Amsterdam, 24 avr. 1968 : *Morgante, le fou de Cosimo Ier*, bronze patiné : **NLG 9 500.**

CIOLINA Giovan Battista
Né en 1870 à Toceno. Mort en 1955. xixe-xxe siècles. Italien.
Peintre de genre et de paysages.
Il a participé à l'Exposition de Bruxelles en 1910.
Ventes Publiques : Milan, 17 juin 1981 : *Paysage alpestre*, h/t (31x44) : **ITL 4 000 000** – Milan, 30 oct. 1984 : *Arbre dénudé*, h/pan. (44x33) : **ITL 2 300 000** – Milan, 12 déc. 1985 : *Bergère et troupeau dans un paysage*, h/t (62x77) : **ITL 9 000 000** – Milan, 19 oct. 1989 : *Maternité*, h/pan. (33,5x25,5) : **ITL 8 000 000** – Milan, 6 déc. 1989 : *Coucher de soleil en montagne*, h/t (44x59,5) : **ITL 9 500 000** – Milan, 9 nov. 1993 : *Toceno dans la vallée de Vigezzo*, h/t (71x84) : **ITL 34 500 000** – Milan, 25 oct. 1994 : *La récolte des pommes de terre*, h/t (76x62) : **ITL 21 275 000.**

CIOLINA Tonio
Né en 1898 à Berne. Mort en 1988. xxe siècle. Suisse.
Peintre.
Il a exposé au Salon d'Automne et au Salon des Artistes Indépendants à Paris de 1922 à 1926.
Ventes Publiques : Berne, 12 mai 1990 : *Hambourg* 1919, h/t (54x65) : **CHF 2 400.**

CIOLKOWSKI
Né à Paris. xxe siècle. Français.
Peintre de genre, dessinateur et illustrateur.
Il a régulièrement participé au Salon des Artistes Indépendants

à Paris à partir de 1907, au Salon d'Automne à partir de 1910 et au Salon des Tuileries jusqu'en 1930. Parmi ses illustrations, citons : *Daphnis et Chloé* de Longus, *Phèdre* de Racine, *Le Bon plaisir* d'H. de Régnier. Il est surtout connu pour ses dessins décoratifs, un peu dans la manière de Beardsley.

CIOLO di Neri
D'origine siennoise. xive siècle. Italien.
Sculpteur.
Il travaillait à Pise en 1310.

CIOLO di Paolo
xiiie siècle. Siennois, travaillait à Pise vers 1299. Italien.
Sculpteur.

CIONA Cristoforo da. Voir **CHIONA Cristoforo da**

CIONA Giampietro di Nicolino de Bôsi da, dit aussi **Maestro Pietro Milanese**
Originaire de Ciona. xvie siècle. Italien.
Sculpteur et architecte.
Construisit et décora la chapelle à la cathédrale de Spoleto dans laquelle était conservée la S. Icone della Madonna. Il y travailla en collaboration avec Cione di Taddeo, 1519. D'après son nom, il aurait aussi habité Milan.

CIONE Andrea di. Voir **ORCAGNA**

CIONE Giovanni Pietro di Taddeo
Originaire des environs de Lugano. xvie siècle. Italien.
Sculpteur.
Il travailla à la tour de l'église Santa Maria Maggiore à Spolete et collabora avec Ciona di Bosi à la construction d'une chapelle dans cette cathédrale, en 1519. De 1508 à 1512, il s'associa avec son oncle à la décoration de l'église Santa Maria della Consolazione à Todi. Il est cité encore en 1522.

CIONE Nardo di. Voir **NARDO di Cione**

CIONGLINSKY Jean
Né à Varsovie. xxe siècle. Polonais.
Peintre de genre.
Participa à l'Exposition Universelle de Paris, en 1900.

CIONI Giammaria
xviiie siècle. Vivait à Modène dans la première moitié du xviiie siècle. Italien.
Peintre.
Il existait une peinture de cet artiste dans l'ancienne église San Erasmo à Modène.

CIOR Pierre Charles
Né en 1769 à Paris. xviiie siècle. Français.
Peintre d'histoire et de portraits, miniaturiste.
Il fut l'élève de Bauzil et figura au Salon, de 1796 à 1838. Cet artiste était peintre en miniature du roi d'Espagne. Il exécuta, pour la Russie, les portraits du prince Kourakin, du prince Nerarkin et de son fils, du prince Jnoupow et de son fils, à cheval, de l'impératrice douairière de Russie. On lui doit aussi le portrait du pape Pie VII, ceux de la reine des Pays-Bas, du prince Esterhazy père, de la princesse Poniatowski, de Mme de Laval, du duc de Luxembourg, de Mlle de Montmorency. Il fit en outre le portrait en miniature de Louis XVIII.
Ventes Publiques : Paris, 22 avr. 1910 : *Portrait d'homme, habit noir*, miniat. : **FRF 210** – Paris, 16 et 17 mai 1927 : *Portrait de femme portant col et bonnet de dentelle* vers 1830 : **FRF 100** – Paris, 27-29 mai 1929 : *Portrait de femme en robe bleue drapée de rouge*, miniat. : **FRF 300** – Versailles, 14 mai 1972 : *Portrait d'une femme de lettres* : **FRF 1 600.**

CIOTTI Giambattista
xvie siècle. Italien.
Dessinateur.
Il publia en 1591 un recueil de modèles de broderies.

CIOTTI Giambattista
Originaire de Sondrio. xviiie siècle. Suisse.
Sculpteur.
On cite de cet artiste des statues dans une chapelle entre Sondrio et Sasella et, d'après le Dr Brun, d'autres ouvrages d'un mérite incontestable. Il vécut sans doute au xviiie siècle.

CIPELLI Gabriele de
xve siècle. Vivait à Bologne. Italien.
Miniaturiste.
Il termina entre 1480 et 1484 l'illustration du xiiie Graduel de San Petronio qui avait été entreprise par Martino da Modena.

CIPOLARO Giovanni
Originaire de Modène. XVIᵉ siècle. Italien.
Peintre.
Son maître Paolo Parmeggiano l'employa de 1566 à 1570 à la décoration de l'église de Latran.

CIPOLLA Baldassare
Né en 1769 à Borgo di Valsugana. Mort en 1847. XVIIIᵉ-XIXᵉ siècles. Italien.
Peintre.
Il fit ses études à Milan et se signala surtout par de grandes décorations dans des théâtres.

CIPOLLA Fabio ou Fabien
Né en 1854 à Rome. XIXᵉ siècle. Italien.
Peintre d'histoire, genre, portraits.
Il a exposé à Turin, en 1880 : *Coutume arabe* et *La veuve de Naïm*, qui fut aussi exposé à Rome, en 1883. Enfin, à Turin, en 1884, il envoya *Ave Maria* et *En campagne*.
VENTES PUBLIQUES : LONDRES, 17 avr. 1909 : *Une cour égyptienne* : GBP 3 – VIENNE, 14 mars 1967 : *Sérénade* : ATS 9 000 – NEW YORK, 4 juin 1971 : *La Séductrice* : USD 500 – SAN FRANCISCO, 18 mars 1981 : *Capri*, h/t (56x77) : USD 2 000 – LONDRES, 27 fév. 1985 : *La rose volée*, h/t (67x45) : GBP 3 200 – LONDRES, 9 oct. 1987 : *Les amateurs d'art 1873*, h/t (31x22,8) : GBP 1 300 – LONDRES, 25 nov. 1992 : *Fillette lisant*, h/t (24x50) : GBP 3 300 – NEW YORK, 15 fév. 1994 : *Costumée pour la mascarade*, h/t (60,9x50,8) : USD 16 100.

CIPOLLA Ferdinando
XVIIIᵉ siècle. Italien.
Peintre.
Il exécuta vers 1777 trois tableaux religieux pour l'église San Maria Mater Dei à Naples.

CIPOLLA Giovanni
XVIIᵉ siècle. Italien.
Peintre de fresques.
Il peignit à Rome les fresques, aujourd'hui détruites, de la première chapelle à main droite dans l'église San Lorenzo in Fonte.

CIPPER Giacomo Francesco, dit il Todeschini
Né vers 1670, d'origine germanique. Mort en 1738. XVIIᵉ-XVIIIᵉ siècles. Italien.
Peintre de genre.
On connaît avec certitude les dates de deux de ses tableaux exécutés, l'un en 1705, l'autre en 1736. Son art est proche de celui de Ceruti, aux côtés duquel il travaille. Cependant, Cipper montre un goût plus analytique de la scène de genre, une sensibilité plus artificielle, ne recherchant que le « caractéristique ».
MUSÉES : CHAMBÉRY (Mus. des Beaux-Arts) : *Le déjeuner de la vieille dame.*
VENTES PUBLIQUES : LONDRES, 16 mai 1928 : *Une École de garçons* : GBP 36 ; *Les Dentellières* : GBP 44 – LONDRES, 29 avr. 1935 : *L'instituteur du village* : GBP 27 – LONDRES, 12 juil. 1935 : *Paysanne faisant de la dentelle* : GBP 15 – LONDRES, 4 déc. 1936 : *Scène d'intérieur* : GBP 15 – LONDRES, 25 fév. 1936 : *Musicien ambulant* : GBP 22 – PARIS, 16 nov. 1953 : *Le marchand de poissons* : FRF 25 000 – MILAN, 16 mai 1962 : *Vecchia con lo scaldino* : ITL 2 450 000 – LONDRES, 1ᵉʳ mai 1964 : *Les joueurs de cartes* : GNS 850 – CREMONE, 19 et 20 mai 1967 : *Scène champêtre ; Scène de cabaret*, deux toiles : ITL 4 400 000 – VIENNE, 9 juin 1970 : *Fillette tenant une cage ouverte* : ATS 14 000 – LONDRES, 24 fév. 1971 : *Scène de marché* : GBP 2 100 – LONDRES, 7 juin 1972 : *Paysans dans un intérieur* : GNS 2 400 – ZURICH, 25 nov. 1977 : *L'Artiste avec ses élèves dans l'atelier (autoportrait) ; Le Concert dans la sacristie*, deux toiles formant pendants (114x146) : CHF 110 000 – EL QUEXIGAL (Prov. de Madrid), 25 mai 1979 : *Deux joueurs de morra*, h/t (112x114) : ESP 950 000 – PARIS, 3 déc. 1982 : *Les joueurs de cartes*, h/t (114x90,5) : FRF 75 000 – LONDRES, 13 avr. 1983 : *Famille de paysans*, h/t (89x112) : GBP 10 500 – ROME, 27 mai 1986 : *Le retour du chasseur*, h/t (146x120) : ITL 26 000 000 – NEW YORK, 14 jan. 1988 : *Autoportrait avec un élève dans l'atelier*, h/t (107x86,5) : USD 13 750 – MONACO, 17 juin 1988 : *Les joyeux paysans*, h/t (87x130) : FRF 111 000 – ROME, 13 avr. 1989 : *Famille paysanne*, h/t (81x99) : ITL 24 000 000 – NEW YORK, 13 oct. 1989 : *Saint Jean Baptiste enfant*, h/t (147,5x106,5) : USD 11 000 – LONDRES, 18 oct. 1989 : *Vieille joueuse de vielle et d'autres personnages dans un intérieur*, h/t (105x84) : GBP 7 150 – MILAN, 24 oct. 1989 : *Le marchand de pêches*, h/t (110x140) : ITL 58 000 000 – ROME, 21 nov. 1989 : *Jeune paysan portant deux bécasses*, h/t (74x58) :

ITL 18 000 000 – PARIS, 23 avr. 1990 : *La Sérénade ; La Collation*, paire de toiles (117x94) : FRF 250 000 – LONDRES, 26 oct. 1990 : *Jeune paysan tenant une tranche de pastèque dans un paysage*, h/t (130,2x97,8) : GBP 24 200 – NEW YORK, 15 jan. 1993 : *Gamin riant en montrant un billet avec des gousses d'ail*, h/t (72,4x59,7) : USD 11 500 – MILAN, 13 mai 1993 : *Tête d'homme*, sanguine (22x14,4) : ITL 1 900 000 – NEW YORK, 31 mars 1994 : *Fillette tenant une grappe de raisin*, h/t (57x42,5) : FRF 35 000 – LONDRES, 22 avr. 1994 : *Une paysanne, tête et épaules, vêtue d'une robe rouge et d'un bonnet rose*, h/t/cart. (42,9x33) : GBP 3 450 – MILAN, 31 mai 1994 : *La charité*, h/t (114x90) : ITL 80 500 000 – AMSTERDAM, 10 nov. 1997 : *Un vieux chasseur, en buste, la main droite posée sur une cage et la gauche montrant deux oiseaux chanteurs morts sur une table ; Une vieille paysanne, en buste, tenant un œuf dans la main droite, une poule dans un panier sur la table*, h/t (82,7x66,8 pour l'une) : NLG 14 991 – LONDRES, 4 juil. 1997 : *Trois garçons se chamaillant*, h/t (93,5x117) : GBP 13 800 – ROME, 9 déc. 1997 : *Saltarello au milieu des rustres près d'une petite maison isolée*, h/t (113x136) : ITL 17 250 000.

CIPPITELLI Michele
XVIIᵉ-XVIIIᵉ siècles. Travaillait à Rome à la fin du XVIIᵉ et au début du XVIIIᵉ siècle. Italien.
Peintre.
Il peignit en 1700 pour l'église San Prudenzia une *Naissance de la Vierge* et une *Nativité.*

CIPPS Augustin
XVIIIᵉ siècle. Autrichien.
Graveur.
Viennois, il exécuta le portrait de G. Van Swieten, médecin de l'Impératrice Marie-Thérèse. Il était lui-même médecin.

CIPRA Jean Camille
Né à Pilzen. XXᵉ siècle. Tchécoslovaque.
Peintre de paysages.
A Paris, il a participé aux Salons des Artistes Indépendants, de la Société Nationale des Beaux-Arts et d'Automne, notamment de 1926 à 1938.
VENTES PUBLIQUES : GRENOBLE, 26 avr. 1976 : *Jeune fille lisant*, h/t (50x61) : FRF 1 400 – BOURG-EN-BRESSE, 27 avr. 1980 : *Marine vue du port au crépuscule*, h/t (54x65) : FRF 4 000.

CIPRIANI
XVIIIᵉ siècle. Hollandais.
Peintre.
Il fut reçu bourgeois d'Amsterdam le 21 mars 1702.

CIPRIANI Barbato
D'origine siennoise. XVIIIᵉ-XIXᵉ siècles. Italien.
Sculpteur.
Il travailla à Rome avec Biringucci dont il exécuta le portrait.

CIPRIANI Galgano
Né en 1775 à Sienne. Mort après 1857. XIXᵉ siècle. Italien.
Graveur.
Il avait étudié sous la direction de Raphaël Morghen. Il grava plusieurs reproductions des maîtres italiens, entre autres : *Saint Jean dans le désert*, d'après le Titien, et *Saint Pierre et saint Paul*, d'après Guido Reni. Il fut professeur à l'Académie de Naples, puis à celle de Venise. Il était le frère de Giovanni Battista et Barbato Cipriani.

CIPRIANI Giovanni Battista
Né en 1727 à Florence (Toscane). Mort en 1785 ou 1790 à Londres. XVIIIᵉ siècle. Italien.
Peintre de scènes mythologiques, sujets religieux, portraits, restaurateur, graveur, dessinateur.
Il appartenait à une famille de Pistoie et fut élève de Bartolozzi. Il se perfectionna dans l'art du dessin en étudiant les œuvres de Gabbiani. Cipriani fut enterré au cimetière de Chelsea, où Bartolozzi lui fit ériger un monument.
En 1750, il peignit le rideau de l'orgue dans l'école du couvent de Santa Maria Maddalena de Pazzi. Aux environs de Pistoie, il a laissé, dans l'abbaye de Saint-Michel in Pelago, un *Saint Tesauro* et un *Saint Grégoire VII.* Quelques années plus tard, il partit pour l'Angleterre où il était déjà connu de réputation. Il y exécuta en collaboration de Bartolozzi, alors dans la pleine maturité de son talent, cette série d'ouvrages qui immortalisa le nom des deux artistes. Cipriani fut chargé de restaurer les peintures de Verrio, à Windsor, et le plafond de Rubens, dans la chapelle de Whitehall ; en 1778, il peignit également quelques grandes compositions, conservées à Houghton. Le nombre de ses dessins est

considérable ; dans l'année qui suivit sa mort, il en fut vendu plus de mille. On a de lui quelques planches qu'il avait gravées pour les *Mémoires de Thomas Hollis* ; en 1768, il avait été chargé par la Royal Academy, dont il était membre, de dessiner le diplôme d'admission donné aux académiciens et associés. Ce dessin fut superbement gravé par Bartolozzi et fut plus tard vendu au prix de trente et une guinées. Cet artiste paraît ne pas avoir été sans influence sur Prud'hon. On cite parmi ses gravures à l'eau-forte : *La Vierge et l'Enfant Jésus, L'Adoration des bergers*, d'après A.-D. Gabbiani, *La Mort de Cléopâtre*, d'après B. Cellini, *John Milton, La Descente de Croix*, d'après A. Van Dyck, *La Pentecôte*, d'après A.-D. Gabbiani.

G B͏ͣ cipr·

MUSÉES : ÉPINAL (Mus. départ. des Vosges) : *Premier Contact 1968* – FLORENCE (Gal. des Offices) : *Autoportrait* – LONDRES (Victoria and Albert Mus.) : *La jalousie de Darnley*, aquar. – *Le triomphe de Cupidon*, aquar. – *Comédie* 1783, aquar.
VENTES PUBLIQUES : PARIS, 1807 : *Une jeune femme en Cérès* : **FRF 36** – PARIS, 1823 : *Portrait d'une dame anglaise*, dess. sur parchemin : **FRF 7,20** – PARIS, 1823 : *La Vierge assise entourée de saints* : **FRF 705** – PARIS, 1864 : *Deux dessins*, à la plume : **FRF 4** – LONDRES, 8 mai 1908 : *Cupids sporting* : **GBP 11** – LONDRES, 8 avr. 1910 : *Un dessin pour un plafond ; Dessin pour un monument* : **GBP 3** – PARIS, 26 nov. 1919 : *Projet de plafond*, pl. reh. : **FRF 420** – PARIS, 1ᵉʳ mars 1920 : *L'Étude de la Géométrie* : **FRF 300** ; *Nymphes au bain*, sépia : **FRF 915** – LONDRES, 3 avr. 1922 : *Vénus et les Amours*, dess. : **GBP 10** – LONDRES, 16 mars 1923 : *Mrs Jordans en « Hypolita »*, past. : **GBP 13** – PARIS, 19 mars 1924 : *Femme couronnant un amour*, dess. aquarellé : **FRF 170** – PARIS, 4 mars 1925 : *Nymphes en pleurs*, sanguine : **FRF 55** ; *Diane et Actéon*, pl. : **FRF 110** – LONDRES, 6 mai 1927 : *Jeune fille avec un masque*, dess. : **GBP 8** – LONDRES, 11 fév. 1938 : *L'Astronomie* : **GBP 12** – LONDRES, 28 juil. 1938 : *Vénus et Adonis* : **GBP 6** – LONDRES, 9 déc. 1938 : *Vénus et Cupidon* : **GBP 9** – LONDRES, 22 mars 1972 : *Cupidon désarmé* : **GBP 200** – NEW YORK, 5 juin 1979 : *Apollon et les neuf Muses*, aquar. et pl. (20,5x44,5) : **USD 1 300** – NEW YORK, 4 jan. 1981 : *Étude de nus*, pl. et aquar. (13,4x17,4) : **USD 1 000** – ROME, 15 mars 1983 : *Les Vestales*, cr. et sanguine/pap. (21,5x28) : **ITL 900 000** – LONDRES, 19 fév. 1987 : *Jeune fille aux colombes*, craies noire et rouge (31x22,5) : **GBP 650** – PARIS, 10 nov. 1988 : *Euphrosyme*, pierre noire et reh. de past. (25x22) : **FRF 9 500** – PARIS, 16 mars 1990 : *Étude de femme nue*, pierre noire (double face 19,2x15,7) : **FRF 12 000** – LONDRES, 20 avr. 1990 : *Philoctete sur l'île de Lemnos* 1781, h/t (275,5x319,4) : **GBP 132 000** – MILAN, 31 mai 1994 : *Caricature*, cr., encre et lav. (25,5x20) : **ITL 2 300 000** – PARIS, 21 mars 1995 : *Vierge à l'Enfant avec Saint Joseph adorée par les anges*, pierre noire et sanguine (9x11,5) : **FRF 9 000.**

CIPRIANI Giovanni Battista
Né en 1766 à Sienne (Toscane). Mort en 1839 à Rome. XVIIIᵉ-XIXᵉ siècles. Italien.
Sculpteur, graveur.
Il est le frère de Barbato et Galgano Cipriani. Il fut architecte, et travailla sous la direction de Silini à Sienne et de Palazzi à Rome. Il est surtout connu pour ses gravures dans le recueil *Monumenti di fabbriche antiche* paru à Rome en 1799.

CIPRIANI Giovanni Pinotti
Né à Naples. XIXᵉ-XXᵉ siècles. Français.
Sculpteur de statues, peintre de portraits.
Élève de l'École des Beaux-Arts de Rome et d'Allouard. Il a exposé des portraits à Paris au Salon des Artistes Français à partir de 1903.
VENTES PUBLIQUES : NEW YORK, 3 avr. 1985 : *Nu couché*, métal patiné vert (L. 84) : **USD 650** – NEW YORK, 23 mai 1996 : *L'Aube*, marbre (H. 81,3) : **USD 9 200.**

CIPRIANI Henry, captain, Sir
Né à Londres. Mort en 1820 à Londres. XIXᵉ siècle. Britannique.
Peintre.
Il était le fils du peintre Giovanni Battista Cipriani. Sa mère était anglaise. Il exposa en 1781 à la Royal Academy le portrait d'un jeune gentilhomme.

CIPRIANI Nazzareno
Né en 1843 à Rome. Mort en 1925. XIXᵉ siècle. Italien.
Peintre de genre, aquarelliste.

A Naples, en 1877, il exposa : *Une quête en gondole*, à Venise, en 1880 : *En allant au marché, Méditations*, à Milan, en 1881 : *L'Adieu de l'épouse*, et deux aquarelles : *Idylles champêtre* et *Méditation*. En 1883, à Milan, il exposa : *Dans le cloître*, à Rome : *Prière, Un poète galant, L'Adieu de l'épouse* (déjà exposé), *Frère Paolo Scarpi*, à Turin, en 1884 : *Douleur de Mère*, à Venise, en 1887 : *Trois aquarelles* et *Rome*. A Londres, il exposa, à partir de 1877, à la Royal Academy et à la New Water-Colours Society.
Ses toiles plaisent généralement par la juste intonation et par le sujet toujours bien choisi et gracieux.
VENTES PUBLIQUES : MILAN, 7 avr. 1966 : *La Lagune*, aquar. : **ITL 160 000** – LONDRES, 27 nov. 1980 : *La marchande de volaille*, aquar. (48x68,5) : **GBP 520** – NEW YORK, 1ᵉʳ mars 1984 : *Lavandières vénitiennes*, aquar. et gche (46,4x32,3) : **USD 1 200** – LONDRES, 26 fév. 1988 : *Paysage romain*, h/t (53x100) : **GBP 2 090** – AMSTERDAM, 10 avr. 1990 : *Vieil homme en habit rouge et gilet brodé, assis dans un fauteuil dans un palais*, cr., aquar. et gche/pap. (26,7x20) : **NLG 2 185** – ROME, 14 nov. 1991 : *La sieste*, aquar. (49x37,5) : **ITL 2 300 000** – LONDRES, 7 avr. 1993 : *Barques sur la lagune avec Santa Maria della Salute au fond*, aquar. (32x24) : **GBP 632** – MILAN, 25 oct. 1994 : *Idyle à Venise*, h/t (76x54,5) : **ITL 6 900 000** – NEW YORK, 16 fév. 1995 : *Un angle du Palais des Doges*, h/t (83,2x62,2) : **USD 11 500** – ROME, 23 mai 1996 : *Scène vénitienne*, h/t (75x55) : **ITL 13 225 000.**

CIPRIO Tommaso
XVIᵉ siècle. Actif à Padoue. Italien.
Peintre.
Il exécuta en 1507 une fresque représentant La Vierge et une donatrice à l'église San Antonio.

CIRAMOLO
XVIIIᵉ siècle. Italien.
Sculpteur.
Une statue à l'église de Bagnoli Irpino est signée de ce nom. Il s'agit peut-être d'une mauvaise lecture du nom d'un autre artiste.

CIRASSE Louis Joseph Félix
Né le 4 avril 1853 à Chartres (Eure-et-Loir). Mort en 1926. XIXᵉ-XXᵉ siècles. Français.
Sculpteur.
Élève de l'École des Beaux-Arts et de M. Cavelier. Débuta au Salon de 1874 ; mention honorable en 1924.
MUSÉES : CHARTRES : *Homme couché* – *L'Achille* – *M. Thiers, libérateur du territoire*, projet – *Henri Garnier, inventeur de procédés de photogravure et d'aciérage.*

CIRCE
XVIIIᵉ siècle. Hollandais (?).
Sculpteur.
Il exécuta un buste de femme, vers le milieu du XVIIIᵉ siècle, signé Circe F.

CIRCIGNANO Antonio ou **Circignani**
Né en 1560 à Pomarance. Mort en 1620 à Rome. XVIᵉ-XVIIᵉ siècles. Italien.
Peintre de compositions religieuses, portraits, dessinateur.
Il était fils de Niccolo Circignano et reçut de lui son éducation artistique. Cependant, on retrouve dans ses ouvrages l'influence de Barocci et de Roncalli. Il peignit parfois en collaboration de son père et exécuta un grand nombre d'œuvres pour des particuliers. On cite parmi ses tableaux : la *Conception*, conservée aux Conventuels de Citta di Castello. À Rome, il orna de ses peintures une chapelle de l'église des Carmélites, Santa Maria Transpontina, une autre de *la Madonna della Consolazione*.
VENTES PUBLIQUES : PARIS, 1882 : *Les rois voyageurs chez Abraham*, dess. à la pl. et à la sépia : **FRF 7** – PARIS, 21 fév. 1996 : *Tête d'homme barbu*, pl. et encre (10x7) : **FRF 7 500.**

CIRCIGNANO Niccolo ou **Circignani**, appelé aussi **do Pomarance,** dit **il Pomarancio**
Né en 1517 ou 1519 à Pomarance (Toscane). Mort après 1591. XVIᵉ siècle. Italien.
Peintre de compositions religieuse, dessinateur.
Baglione place à tort la date de sa mort en 1590, puisque Circignano travaillait encore en 1591. Il travailla, sous le pontificat de Grégoire XIII, à la grande salle du Belvédère, sous les yeux de Titi, qui fut probablement son maître. Il vécut à Rome où il a laissé, dans les églises, un grand nombre de ses tableaux, entre autres ceux de la coupole de Santa-Prudenzia, et le *Martyre de saint Étienne* dans l'église du même nom, et le *Crucifiement*, dans

l'église S. Antonio. Il décora également deux chapelles du Tempio de Gesu en y représentant, dans l'une de la Nativité, dans l'autre des scènes de la vie de saint Pierre et de saint Paul.

A Poma.

Musées : CHAMBÉRY (Mus. des Beaux-Arts) : *David et Sainte Cécile*, devant de cassone – ROME (Gal. Borghèse) : *Sainte Famille*, peint. sur bois.
Ventes Publiques : PARIS, 1858 : *La Vierge assise, l'Enfant Jésus et saint François*, dess. au cr. rouge : **FRF 9** ; *Étude de figure drapée*, dess. à la sanguine : **FRF 5** – MONTE-CARLO, 20 juin 1987 : *Homme portant une croix*, sanguine, étude (43,9x28,7) : **FRF 80 000** – NEW YORK, 12 jan. 1990 : *L'enlèvement des Sabines*, encre et lav. sur craie noire (22,4x23) : **USD 16 500** – LONDRES, 5 juil. 1993 : *La Flagellation*, encre et craie (16,3x19,2) : **GBP 2 415**.

CIRÉE Marie-Louise
Née en février 1916. XXᵉ siècle. Française.
Peintre de paysages, aquarelliste. Postimpressionniste.
Après des études à l'École du Louvre, elle fut élève à l'Académie de la Grande Chaumière et travailla sous la direction de Louis Montagné. Elle a participé au Salon des Artistes Français et fut membre de la Société des Femmes Peintres et Sculpteurs. A partir de 1955, elle a régulièrement exposé à Paris.
Ses paysages de Bretagne, Paris, Provence ou d'autres pays visités, traités à l'huile, mais surtout à l'aquarelle, évoquent tout particulièrement la lumière de leurs cieux. C'est dans une touche large, parfois nerveuse, postimpressionniste, qu'elle traite ses paysages aux riches tonalités.
Ventes Publiques : PARIS, 29 nov. 1976 : *Paris : les quais près de Notre-Dame*, h/t (65x81) : **FRF 2 000**.

CIRELLI Vittore
Né en Ombrie. XVIᵉ siècle. Italien.
Peintre.
Il a pris part à la décoration du grand autel de l'église San Fedele di Montone à Pérouse.

CIRELLO Giulio
Né à Padoue. XVIIᵉ siècle. Vivait en 1697. Italien.
Peintre.
Ses œuvres se trouvent à Padoue ; il a surtout fait des décorations d'église.
Ventes Publiques : PARIS, 24 juin 1929 : *Groupe de moines en prière*, dess. : **FRF 140**.

CIRERA Jaime
Né à Solsona. XVᵉ siècle. Espagnol.
Peintre.
Cet artiste catalan travaillait à Barcelone et fut surtout peintre religieux.

CIRERA Juan
XVᵉ siècle. Espagnol.
Peintre.
Élève de Luis Borrassa. Ce peintre catalan travailla de 1396 à 1422.

CIREXIS Franciscus
Né à Milan. XVᵉ siècle. Italien.
Peintre.
Il fit les illustrations du Codex Regale di Cavaleria, qui se trouve au Musée de Syracuse.

CIRIACO de Pizzecoli
Né en 1391. Mort avant 1457. XVᵉ siècle. Italien.
Dessinateur.

CIRIBONO
Né à Casalmaggiore. XVᵉ siècle. Italien.
Peintre.
Il travaillait à Padoue en 1441.

CIRIER André
XVIIIᵉ siècle. Français.
Sculpteur.
Il travaillait à Nancy.

CIRILLO
Actif au Moyen Age. Grec.
Peintre.
Ce moine travailla sans doute en Italie du Sud.

CIRILLO Santolo
XVIIIᵉ siècle. Napolitain, actif au XVIIIᵉ siècle. Italien.

Peintre.
Il fit surtout des peintures religieuses. On cite : *Joseph livré par ses frères* dans l'église San Paolo Maggiore à Naples.

CIRINO Pietro
XVIIIᵉ siècle. Italien.
Peintre.
Il travaillait à Messine. Il fit beaucoup de décors de théâtre.

CIRMEUSE Gaston, pseudonyme de Crémieux Georges
Né en 1886 à Paris. Mort en 1963 à Nice (Alpes-Maritimes).
XXᵉ siècle. Français.
Peintre, illustrateur, affichiste.
Très jeune, il est remarqué par Jules Lefebvre, qui prend en charge son apprentissage. À quatorze ans, il réalise un grand panneau décoratif pour l'Exposition Universelle de 1900 à Paris. Quatre ans plus tard, il fait un tour de France avec ses deux frères et, parti de Lens, dans le Pas-de-Calais, il s'arrête à Nice, où il s'installe.
Rapidement, il fait une carrière d'illustrateur, publiant des dessins politiques ou humoristiques pour les journaux, les revues, comme *Le Sourire* ou *Eros* ou *Fantasio* et des publications internationales. Si ses toiles sont d'une grande virtuosité un peu trop facile, ses dessins montrent du caractère, le sens du détail qui frappe.
Bibliogr. : Gérald Schurr, in : *Les Petits Maîtres de la peinture 1820-1920, valeur de demain*, Les Éditions de l'Amateur, t. VII, Paris, 1989.

CIRO de Conegliano
XVIᵉ siècle. Italien.
Peintre d'histoire.
Il travaillait à Venise ; imitateur de Paul Véronèse.
Ventes Publiques : PARIS, 25 fév. 1924 : *Moine en prière*, lav. sépia : **FRF 650**.

CIRONI Samaritana
Née à Venise. XVIIIᵉ siècle. Active au milieu du XVIIIᵉ siècle. Italienne.
Graveur.
Le Blanc cite d'elle : *Autel d'une Déesse égyptienne, pour les statues de Venise*, publiées par Zanetti.

CIROU Paul
Né à Sainte-Mère-Église (Manche). XXᵉ siècle. Français.
Peintre de genre, de portraits et de paysages orientaux.
Il a participé au Salon des Artistes Indépendants à Paris de 1904 à 1943, au Salon d'Automne à partir de 1904, au Salon de la Société Nationale des Beaux-Arts dès 1910 et au Salon des Tuileries de 1939 à 1941. Il traite, le plus souvent, des scènes de sujets orientaux.
Ventes Publiques : PARIS, 19 déc. 1941 : *Environs d'Alger* : **FRF 1 280** ; *Le Bois sacré de Blidah* : **FRF 600** – PARIS, 18 fév. 1980 : *Marché berbère à Nedroma*, deux h/pan., formant pendants (35x60) : **FRF 2 200** – ENGHIEN-LES-BAINS, 4 mars 1984 : *Femmes arabes dans un jardin*, h/t (144x175) : **FRF 23 000** – PARIS, 19 juin 1989 : *Jeunes femmes sur une terrasse* 1916, h/t (87x116) : **FRF 12 000** – PARIS, 8 nov. 1993 : *Le marché à Nedroma*, h/t (34,5x60) : **FRF 52 000** – MILAN, 26 mars 1996 : *Prédicateur oriental*, h/t (98x148) : **ITL 24 150 000**.

CIROU-MARQUIS Jeanne
Née à Boulogne-sur-Mer (Pas-de-Calais). XXᵉ siècle. Française.
Peintre de paysages et de fleurs.
Elle expose au Salon des Indépendants.

CIRRI Agostino di Mariano
XVIᵉ siècle. Italien.
Peintre.
Il travaillait à Majolika vers 1581.

CIRUS Matheus
XVIᵉ siècle. Allemand.
Peintre.
Il vécut à Breslau, où il obtint droit de cité le 19 janvier 1566.

CIRY Jacques
Né en 1914 à Boulogne-sur-Mer. Mort en 1982. XXᵉ siècle. Français.
Peintre de paysages, de marines et de natures mortes.
Il a participé à plusieurs Salons parisiens, notamment à ceux de la Société Nationale des Beaux-Arts, de la Marine, où il obtint une médaille de bronze en 1953, des Artistes Français, où il reçut une médaille d'argent en 1982.

Ses paysages du Midi, d'Île de France ou de Hollande sont toujours inondés de lumière.

CIRY Michel

Né le 31 août 1919 à La Baule (Loire-Atlantique). XXe siècle.
Français.

Peintre de sujets religieux, portraits, paysages, peintre à la gouache, aquarelliste, pastelliste, graveur, illustrateur.

Élève à l'école des Arts Appliqués de Paris, il se fait remarquer, dès 1938, à l'Exposition des *Artistes de ce temps* au musée du Petit Palais à Paris. Il reçoit une bourse de voyage en 1941 et le Prix national des arts en 1945. Il est sociétaire du Salon des Peintres et Graveurs et du Salon d'Automne et participe aux Salons des Artistes Indépendants et des Tuileries. En 1945-1946, il prend part aux expositions collectives au Palais des Beaux-Arts de Bruxelles, au Musée du Livre, également à Bruxelles, à Bruges et Amsterdam. Il est présent aux expositions du Musée Boymans à Rotterdam, au Prenten Kabinet de Leyde, à Lausanne en 1947 et en 1948 au Musée Royal d'Anvers. Il expose personnellement à Lyon en 1955, reçoit le Prix Eugène Carrière en 1958, la Grande Médaille de Vermeil de la Ville de Paris en 1963 et le Prix Wildestein en 1968. Le Musée du château d'Aubenas, dans l'Ardèche, lui consacre une rétrospective en 1969 et le Musée de Dieppe, une importante exposition en 1970.

Également musicien, il passe d'une technique picturale à une autre, abandonnant l'huile pour l'aquarelle et le pastel en 1944 et s'intéressant tout particulièrement à la gravure de 1949 à 1951. Il réalise alors une série d'estampes sous sujets tirés de l'Ancien et du Nouveau Testament. Il illustre plusieurs ouvrages, dont *La Reine morte* de Montherlant, *Dominique* de Fromentin, *Sylvie* de G. de Nerval, *Le Voyage sur la terre* de Julien Green, *L'Annonce faite à Marie* de Claudel, *Genitrix* de Mauriac, *Debureau* de S. Guitry, des *Poèmes* de F. Jammes. S'il recommence à peindre en 1952, il décide de se consacrer définitivement à la peinture en 1954, après avoir détruit une bonne partie de son œuvre. Portraitiste au style incisif, il marque cependant une prédilection pour les sujets religieux : *Fuite en Egypte, Sainte Thérèse d'Avila, Saint François aux oiseaux*, etc., ce qui ne l'empêche pas d'être sensible aux lieux qu'il visite et qu'il peint, notamment la Normandie où il s'est fixé depuis 1964. Il a publié en 1971 un journal : *Le Temps du refus* d'une violence polémique excessive. Michel Ciry reste l'une des peintres d'inspiration religieuse les plus importants du XXe siècle.

$$\underset{C}{M}$$

MICHEL CIRY

MICHEL CIRY

BIBLIOGR. : Pierre Mazars : *Michel Ciry*, Genève, 1966 – Catalogue de l'exposition du Musée de Dieppe, 1970.
MUSÉES : MULHOUSE : *Crucifixion* – PARIS (Cab. des Estampes) – PARIS (Mus. du Petit Palais) – VIENNE (Gal. Albertina).
VENTES PUBLIQUES : PARIS, 2 avr. 1954 : *Paysage de grande étendue*, pl. et lav. d'encre de Chine : **FRF 23 000** – PARIS, 5 jan. 1960 : *Pieta* : **FRF 800** – GENÈVE, 29 avr. 1961 : *Les Alpilles* : **CHF 3 100** – GENÈVE, 10 nov. 1962 : *Ile-de-France* : **CHF 5 800** – PARIS, 18 déc. 1967 : *Rotterdam*, aquar. : **FRF 1 600** – PARIS, 30 oct. 1968 : *Central Park* : **FRF 7 000** – VERSAILLES, 16 mars 1972 : *Mer du Nord* : **FRF 4 800** – ZURICH, 17 nov. 1976 : *Déposition* 1964, h/t (80x80) : **CHF 7 000** – VERSAILLES, 16 oct. 1977 : *Jésus à Emmaüs* 1969, h/t (80x80) : **FRF 8 800** – ZURICH, 10 mai 1978 : *Monseigneur d'Arcy* 1956, h/t (80x40) : **CHF 3 800** – VERSAILLES, 25 nov. 1979 : *Arlequin* 1964, h/t (57x41) : **FRF 20 000** – VERSAILLES, 9 mars 1980 : *Le Port de Rotterdam dans la brume*, h/t (46x65) : **FRF 10 500** – VERSAILLES, 22 mars 1981 : *Les Alpilles* 1960, h/t (50x50) : **FRF 12 000** – PARIS, 23 nov. 1981 : *Arlequin*, aquar. (62x44) : **FRF 5 000** – PARIS, 30 juin 1982 : *Vergers* 1959, h/t (105x105) : **FRF 17 000** – LYON, 23 mars 1983 : *Emmaüs*, dess. (67x50) : **FRF 7 500** – VERSAILLES, 18 mai 1983 : *Hommage à Bernanos* 1969, h/t (106,5x106,5) : **FRF 35 000** – LA FLÈCHE, 18 nov. 1984 : *Le port d'Anvers*, h/t (40x80) : **FRF 21 000** – PARIS, 5 nov. 1985 : *Vergers sous la neige*, aquar. (52x63) : **FRF 29 000** ; *Les Trois Arbres* 1962, h/t (81x116) : **FRF 66 000** – GENÈVE, 29 nov. 1986 : *Vallée de la Drôme*, aquar. (65x103) : **CHF 5 400** – VERSAILLES, 17 juin 1987 : *Les Bergers de la Nativité* 1956, h/t (50x65) : **FRF 31 000** – SEMUR-EN-AUXOIS, 7 juin 1987 : *Météores* 1972, aquar. (105x72) : **FRF 20 000** – PARIS, 23 juin 1988 : *Village sous la neige* 1942, h/t (50x61) : **FRF 17 000** – CALAIS, 26 fev. 1989 : *La Solitude* 1971, h/t (155x73) : **FRF 53 000** – PARIS, 11 avr. 1989 : *Rotterdam, le grand bassin* 1957, h/t (30x61) : **FRF 39 000** – NEW YORK, 3 mai 1989 : *Le Retour de l'enfant prodigue* 1954, h/t (63,5x52) : **USD 19 980** – PARIS, 11 juil. 1989 : *Rue Norvins*, h/t (54,5x46) : **FRF 18 000** – PARIS, 13 déc. 1989 : *Le Centaure* 1960, h/t (60,5x60,5) : **FRF 30 000** – PARIS, 26 avr. 1990 : *Barques à Étretat* 1956, h/t (106x106) : **FRF 62 000** – PARIS, 18 juil. 1990 : *Deux portraits* 1976, pl., deux dessins (25x25 et 23x22,5) : **FRF 12 000** – FONTAINEBLEAU, 18 nov. 1990 : *Femme au fichu* 1960, h/t (53x51) : **FRF 40 000** – CALAIS, 9 déc. 1990 : *Vase de fleurs* 1961, h/t (65x33) : **FRF 19 000** – PARIS, 4 mars 1991 : *Paysage d'Ile-de-France* 1962, h/t (106x106) : **FRF 26 000** – PARIS, 8 avr. 1991 : *Le Roi Saül* 1985, h/t (92x60) : **FRF 40 000** – PARIS, 21 oct. 1992 : *Assise* 1960, h/t (34x100) : **FRF 13 500** – PARIS, 22 déc. 1992 : *Femmes à leur toilette* 1956, h/t (127x162) : **FRF 40 000** – PARIS, 7 juil. 1994 : *Le Christ aux outrages* 1961, aquar. (65,5x41) : **FRF 4 200** – LE TOUQUET, 21 mai 1995 : *Ferme près de Doudeville* 1964, h/t (92x60) : **FRF 22 000** – PARIS, 28 juin 1996 : *Paysage, l'arbre*, aquar. (71x71) : **FRF 8 000** – PARIS, 16 oct. 1996 : *Neige à Saint-Cyr* 1941, h/t (50x100) : **FRF 14 000** – CALAIS, 23 mars 1997 : *Le Bassin des Tuileries et le Carrousel du Louvre*, aquar. et gche (14x27) : **FRF 6 500** – PARIS, 25 mai 1997 : *Cavalier dans une prairie* 1956, h/t (27x35) : **FRF 5 000**.

CIRY Simone

Née à Saint-Mandé (Val-de-Marne). XXe siècle. Française.
Peintre, aquarelliste.

Élève de Février-Delahaye. A exposé des aquarelles de fleurs au Salon des Artistes Français, de 1928 à 1930.

CISARI Giulio

Né le 7 mai 1892 à Côme. XXe siècle. Italien.
Peintre, graveur, architecte et sculpteur.

Surtout connu pour ses gravures et illustrations, il remporta, à ce titre, plusieurs distinctions et reçut plusieurs commandes officiels, dont des ex-libris.

Il représente volontiers des sujets d'actualité concernant par exemple le barrage d'Assouan ou la construction de grands navires. Il traite aussi des thèmes plus quotidiens, telle la vie ouvrière dans les chantiers et les usines. C'est avec émotion, justesse du décor qu'il décrit des scènes dont l'ampleur peut faire songer aux espaces piranésiens.

CISAROVSKY Tomas

XXe siècle. Tchécoslovaque.
Peintre.

Ses toiles sont d'un grand format presque carré. Sur un fond uni, sans décor ni profondeur, se détachent comme en négatif, dans une matière mate et des couleurs sourdes, des corps, des visages et des fragments d'écrits. Ses personnages, fantômes emblématiques du pays libre, sont tiré à la fois des souvenirs personnels de Cisarovsky, et des souvenirs de l'histoire de la Tchécoslovaquie d'avant-guerre. Au pied de ses œuvres, il place des petits fûts cylindriques surmontés d'ampoules de verre coloré, dans lesquelles on devine une image qui renvoie au sujet du tableau. Ceci accentue le sentiment mystérieux de ses peintures presque vides et exécutées avant la révolution de 1989.

CISCO Théo

Né le 11 novembre 1948 au Bouscat (Gironde). XXe siècle. Français.
Peintre.

Il vit et travaille à Paris.

Il a participé en 1990 à la FIAC (Foire Internationale d'Art Contemporain) au Grand Palais, à Paris. Il montre ses œuvres dans des expositions personnelles, notamment en 1990 à la Galerie Thierry Salvadore à Paris.

Il s'intéresse aux effets de matière, travaillant souvent par applications.

VENTES PUBLIQUES : PARIS, 30 juin 1992 : *Paysage ecliptique* 1992, h/t et application (150x150) : **FRF 22 000** – PARIS, 27 juin 1994 : *Les deux sœurs* 1990, h/t (130x195) : **FRF 6 200**.

CISERI Antonio

Né le 21 octobre 1821 à Ronco Sopra Ascona (Suisse). Mort le 6 mars 1891 à Florence (Toscane). XIXe siècle. Italien.
Peintre de sujets religieux, portraits.

Ciseri étudia à l'Académie des Beaux-Arts de Florence, où il fut plus tard professeur. Il fit preuve très tôt de beaucoup de talent pour le portrait. Il subit d'abord l'influence de Pietro Benvenuti et de Giuseppe Bezzuoli, dont il s'affranchit plus tard. Ses portraits ne furent pas moins estimés que ses tableaux historiques. On mentionne : *Le portrait de Victor Emmanuel II*, ceux de Cavour, d'Umberto, de Buffalini, de J.-D. Maffei, etc. ; *Ecce Homo, Enterrement du Christ*, au Palazzo Rusca ; *Martyre des Macchabées* (1860-1863), pour l'église Santa Felicita à Florence, etc.

Musées : Florence (Mus. des Offices) : *Portrait de lui-même* – Florence (Gal. de l'Acad.) : *Saint Jean Baptiste devant Hérode* – Rome (Mus. d'Art Mod.) : *Ecce Homo*.

Ventes Publiques : Londres, 12 fév. 1986 : *La Mise au Tombeau*, h/t (103,5x150,5) : **GBP 1 900** – Rome, 22 mars 1988 : *Portrait de femme avec étole d'hermine*, h/t (120x89) : **ITL 7 000 000**.

CISERI François
Né à Florence. XIXᵉ siècle. Italien.
Peintre.
Fit ses études sous la direction de son père Antoine Ciseri. Principales toiles : *Le Rédempteur symbolisant le Sacré-Cœur* et *Le songe de saint Joseph*. Cet artiste exposa, en 1883, à Florence : *L'Annaspo*.

CISERI Giuseppe
Né peut-être à Ronco Sopra Ascona, originaire du canton tessinois. XVIIIᵉ-XIXᵉ siècles. Travaillait à Florence. Suisse.
Peintre décorateur.
Père d'Antonio Ciseri.

CISNEROS, les frères
XVIᵉ siècle. Actifs à Tolède vers 1580. Espagnols.
Peintres d'histoire.
Ils travaillèrent au monastère de Silos.

CISNEROS Antonio de
XVIᵉ siècle. Travaillait à Séville vers 1529. Espagnol.
Sculpteur.

CISNEROS Estaban de
XVIᵉ siècle. Actif à Séville vers 1575. Espagnol.
Sculpteur.

CISNEROS Eugenio Ximenès. Voir JIMENEZ de Cisneros Eugenio

CISNEROS Francisco
Né en 1823 à San Salvador. Mort le 12 juin 1878 à La Havane (Cuba). XIXᵉ siècle. Cubain.
Peintre.
Il fit ses études à Madrid.
Musées : Bagnères-de-Bigorre : *Le retour du fiancé* – Madrid (Mus. d'Art Mod.) : *Le serment de fidélité du général gouverneur de Saint-Domingue*.

CISNEROS Francisco de
XVIᵉ siècle. Espagnol.
Peintre.
Il exécutait des cartes à Séville vers 1555.

CISNEROS Pablo de
XVIᵉ siècle. Espagnol.
Peintre.

CISONI Andrea
XVᵉ siècle. Italien.
Sculpteur sur bois.
Il travaillait vers 1480 à Guardiagrele dans les Abruzzes.

CISOWSKI Casimir
Mort en 1726 à Janidlovka (propriété des pères dominicains de Cracovie). XVIIIᵉ siècle. Polonais.
Peintre d'histoire.
Moine de l'ordre de Saint-Dominique. Ses œuvres, surtout les copies de Dolabelli, se trouvent au couvent Sainte-Trinité à Cracovie.

CISSANT N.
XVIIᵉ siècle. Éc. flamande.
Peintre de portraits.
Kramm signale son portrait d'homme, peint en 1670.

CISSARZ Johann Vincenz
Né le 22 janvier 1873 à Dantzig. Mort le 23 décembre 1942 à Francfort-sur-le-Main. XIXᵉ-XXᵉ siècles. Allemand.
Peintre d'histoire, portraits, paysages, peintre de décorations, graveur, dessinateur.
Après des études à l'Académie de Dresde où il travailla avec Pohle et Freye, il alla à Darmstadt en 1903 où il devint rapidement professeur. En 1906, il enseigna la décoration du livre à Stuttgart, puis en 1916, devint directeur de l'atelier de peinture à l'École des Beaux-Arts de Francfort-sur-le-Main. Il a fait de nombreuses illustrations, travaillant surtout pour l'éditeur Diedrichs à Leipzig, mais il a également exécuté des mobiliers et des décorations d'intérieur.

Bibliogr. : Marcus Osterwalder : *Diction. des Illustrateurs, 1800-1914*, Hubschmid & Bouret, Paris, 1983.

Ventes Publiques : Munich, 1ᵉʳ déc. 1980 : *La sieste près de la mer*, h/t (132x102,5) : **DEM 4 500**.

CISTELLO Julie de La Bourdonnay, sans doute vicomtesse, née G. Roque
Née à Rio de Janeiro. XIXᵉ-XXᵉ siècles. Brésilienne.
Peintre.
Élève de J.-J. Rousseau. A exposé des paysages et des portraits au Salon de la Nationale, de 1910 à 1924.

CISTERNA Eugenio
XIXᵉ-XXᵉ siècles. Italien.
Peintre.
Il travailla surtout à Rome et exécuta principalement des peintures religieuses. Il décora beaucoup d'églises.

CITADELLA Bartolomeo. Voir CITTADELLA

CITARELLI Francesco Saverio
XIXᵉ siècle. Travaillait à Naples. Italien.
Sculpteur.
Le roi de Naples acheta son *Amour endormi* et l'exposa dans la Galerie de Capodimonte.

CITEREO Giuseppe
XVIIᵉ siècle. Italien.
Peintre.

CITERIO
Né à Côme. Mort en 1806. XVIIIᵉ-XIXᵉ siècles. Italien.
Sculpteur.
Il exécuta les statues des apôtres Jacques et Jean qui ornent la façade de la nouvelle cathédrale à Brescia.

CITO Claus
Né en 1882 à Bascharage. Mort en 1965 à Pétange. XXᵉ siècle. Luxembourgeois.
Sculpteur de monuments, statues religieuses, portraits.
Il fut élève de l'Académie des Beaux-Arts de Düsseldorf. Il a vécu à Bruxelles de 1909 à 1921. En 1927, à Luxembourg, il fut cofondateur du premier Salon de la Sécession. En 1989, il était représenté à l'exposition *150 Ans d'Art Luxembourgeois* au Musée National d'Histoire et d'Art à Luxembourg. Il a réalisé des monuments funéraires, ainsi que le *Monument du Souvenir*, dit *Gölle Fra*, inauguré en 1923.

Bibliogr. : In : Catalogue de l'exposition *150 Ans d'Art Luxembourgeois*, Mus. Nat. d'Histoire et d'Art, Luxembourg, 1989.

Musées : Luxembourg (Mus. Nat. d'Hist. et d'Art) : *Jeune fille 1911* – *Nu* – *Grande-Duchesse Charlotte* vers 1939.

CITRIN Jacob. Voir CITRONOVITCH

CITROEN Paul
Né le 15 décembre 1896 à Berlin. Mort le 13 mars 1983 à Wassenaar (banlieue de La Haye). XXᵉ siècle. Hollandais.
Peintre de portraits, collages. Dadaïste puis constructiviste.
Il fut élève dans une école de peinture et d'art plastique à Berlin. En 1914 il abandonne la peinture et devient libraire. En 1917 il est aux Pays-Bas où il s'occupe de commerce d'art. À Berlin en 1918, il participe au mouvement Dada auquel il collabore jusqu'en 1920, réalisant des photo-montages et des collages. Il est notamment lié avec Erwin Blumenfeld et George Grosz. En 1920, il collabore à l'*Almanach Dada* de Richard Huelsenbeck. Il réalise alors ses premiers photomontages, dont les plus connus sont intitulés la *Ville* et *Métropolis* ; il s'agit d'accumulations de vues de villes et de façades occultant complètement, créant une impression de chaos. En 1922 il revient à la peinture. De 1922 à 1925, il étudie au Bauhaus de Weimar, adoptant les règles plastiques de cette école ; en 1927, il crée à Amsterdam une Nouvelle École d'Art, où il pratiquait un enseignement dérivé des principes du Bauhaus. De 1935 à 1960, il enseigna peinture et dessin à l'Académie de la Haye. Il a également laissé quelques écrits sur l'art, pleins d'humour et d'agressivité.
Il est connu pour avoir fait des portraits qui cernaient parfaitement le caractère du personnage. Il continuera à peindre tout en ayant une activité de photographe.

Bibliogr. : In : *Diction. universel de la Peinture*, Le Robert, Paris, 1975 – in : *Dictionnaire de la peinture flamande et hollandaise*, Larousse, 1989.
Ventes Publiques : Londres, 4 déc. 1985 : *Femme devant le miroir* 1923, past., pl. et collage (54x36) : **GBP 5 200** – Londres, 4 déc. 1985 : *Hollandia* 1919, mine de pb et cr de coul. (34,5x21) : **GBP 1 700** – Amsterdam, 24 nov. 1986 : *Tulipes* 1925, h/t (35x32,5) : **NLG 9 000** – Londres, 21 oct. 1987 : *Composition* 1924, h/t (47x61) : **GBP 7 000** – Amsterdam, 24 mai 1989 : *Portrait du peintre H. van der Neut, debout en robe noire avec un camélia*, h/t (120x60) : **NLG 10 925** – Amsterdam, 29 nov. 1989 : *Vase de fleurs* 1922, h/t (56x44,5) : **GBP 18 700** – Amsterdam, 13 déc. 1989 : *Portrait d'une femme aux mains croisées* 1917, collage et techn. mixte/pap. (30x24) : **NLG 19 550** – Amsterdam, 10 avr. 1990 : *Sans titre*, h/cart. (64x53,5) : **NLG 2 760** – Amsterdam, 13 déc. 1990 : *Hollandia* 1919, cr./pap. (34x21) : **NLG 9 200** – Amsterdam, 5-6 fév. 1991 : *Vue de la Seine à Paris*, h/t (46,5x54) : **NLG 2 185** – Amsterdam, 22 mai 1991 : *Loge* 1924, h/cart. (47,5x36) : **NLG 5 750** – Amsterdam, 21 mai 1992 : *Clowns* 1935, encre/pap. (65x50) : **NLG 1 380** – Amsterdam, 8 déc. 1994 : *Femme à la fenêtre* 1922, h/t (55x45,5) : **NLG 46 000** – Amsterdam, 31 mai 1995 : *Sans titre* 1917, collage de pap., gche et encre/pap. (30x23,5) : **NLG 10 384** – Amsterdam, 4 juin 1996 : *Chevaux* 1962, craies coul. et encre/pap. (36x48) : **NLG 1 062** – Amsterdam, 19-20 fév. 1997 : *Autoportrait* 1967, h/cart. (40x30) : **NLG 3 690**.

CITRON Minna
Née en 1895 ou 1896 à Newark (New Jersey). Morte en 1991. XXᵉ siècle. Américaine.
Peintre, dessinatrice, graveur. Figuratif puis abstrait.
Elle fut élève à New York, de K. H. Miller et John Sloan au Brooklyn Institute of Art and Science, à l'école des Arts appliqués et de Nicolaides Miller à l'Art Students' League. Elle est devenue professeur de dessin au Brooklyn Museum de New York. Elle a exposé pour la première fois en 1933 à New York, puis à Paris en 1947, sous le patronage du *United States Information Service*. Elle figure régulièrement au Salon des Réalités Nouvelles depuis 1947 et a participé à la Biennale de São Paulo, notamment en 1950 et 1955. Parmi ses expositions personnelles, citons celle de Paris en 1951 et la circulante en Amérique Latine, l'année suivante.
Après avoir exécuté des peintures murales figuratives, elle a tenté l'expérience de l'abstraction, qu'elle aborde avec beaucoup de légèreté. Elle passe de formulations graphiques à des recherches basées sur des effets de matière proches de l'informel.
Bibliogr. : Catalogue de l'exposition : *L'Amérique de la dépression – Artistes engagés des années trente*, musée-galerie de la Seita, Paris, 1996.
Ventes Publiques : New York, 30 juin 1993 : *Le carnaval des insectes* 1950, h/cart. (45,7x61) : **USD 2 300** – New York, 25 mars 1997 : *Derniers ajustements* 1936, temp. et aquar./masonite (42,2x45,4) : **USD 4 485**.

CITRONOVITCH Jacob ou Citrin
XXᵉ siècle. Russe.
Sculpteur.
A exposé des statuettes au Salon d'Automne, 1926-1927, et à celui des Tuileries de 1929.

CITTADELLA Alfonso. Voir **LOMBARDI Alfonso**

CITTADELLA Bartolomeo
Né en 1636 à Vicenza. Mort le 28 décembre 1704. XVIIᵉ siècle. Italien.
Peintre.
Élève ou disciple de Carpioni dont il copia le style. Son *Moïse frappant les rochers* dans l'église San Giacomo à Vicenza est une de ses meilleures œuvres. Le Musée de Vicenza conserve de lui *Le Miracle de la Vierge*, et un plafond représentant *Apollon et les Muses*.

CITTADELLA Cesare, don
Né le 15 mars 1732 à Ferrare. Mort le 12 décembre 1809. XVIIIᵉ siècle. Italien.
Peintre, sculpteur.
Élève de Girol. Grégori, il était moine. Il a fait des décors de théâtre. Il était mieux connu comme écrivain.

CITTADELLA Girolamo
XVIIIᵉ siècle. Travaillait à Venise. Italien.
Peintre.

CITTADINI A.
XIXᵉ-XXᵉ siècles. Travaillait à Rotterdam, au milieu du XIXᵉ siècle. Hollandais.

Miniaturiste.
Il exposa à l'Exposition de Miniatures de Rotterdam en 1910.

CITTADINI Angiolo Michele
Né à Bologne. XVIIIᵉ siècle. Actif au début du XVIIIᵉ siècle. Italien.
Peintre de fleurs et fruits.
Il était frère de Giovanni et de Carlo Cittadini. Comme eux et suivant la manière de son père Pierfrancesco, il peignit les fleurs et les fruits. De telle sorte que l'Albane avait donné aux membres de la famille Cittadini le surnom de « fruitiers » et de « fleuristes ».

CITTADINI Carlo
Né en 1669 à Bologne. Mort en 1744. XVIIᵉ-XVIIIᵉ siècles. Italien.
Peintre.
Cet artiste était le second fils de Pierfrancesco ; il se fit une certaine renommée par l'exécution de ses petites peintures.

CITTADINI Gaetano
XVIIIᵉ siècle. Actif vers 1725. Italien.
Peintre de paysages animés.
Il est le fils de Carlo Cittadini. Cet artiste est l'auteur de paysages de grand mérite qu'il ornait souvent de figures dessinées avec goût.
Musées : Bologne – Rome.
Ventes Publiques : Milan, 26 nov. 1985 : *Paysage au pont animé de personnages*, h/pan. (54x78) : **ITL 7 000 000**.

CITTADINI Giovanni Battista
Né en 1657. Mort en 1692. XVIIᵉ siècle. Italien.
Peintre de fleurs et fruits.
Il était fils et élève de Pierfrancesco et travailla souvent en sa collaboration, à la peinture des fleurs et des fruits ; il peignit également les figures avec habileté.

CITTADINI Giovanni Girolamo
XVIIIᵉ siècle. Actif dans la première moitié du XVIIIᵉ siècle. Italien.
Peintre.
Il était frère de Gaetano et fils de Carlo. Ce fut un peintre de talent.

CITTADINI Pierfrancesco, dit **il Milanese**
Né en 1616 à Milan. Mort en 1681 à Bologne. XVIIᵉ siècle. Italien.
Peintre d'histoire, scènes mythologiques, sujets religieux, portraits, paysages, natures mortes, fleurs et fruits, graveur, dessinateur.
Il fut élève de Guido et se montra digne de son maître dans l'exécution de ses tableaux d'autels peints pour les églises de Bologne. Il faut noter que, suivant l'exemple de plusieurs peintres de son temps, il abandonna les grandes compositions et se borna à reproduire de petits sujets d'histoire, des paysages restreints, des tableaux de fleurs, de fruits, d'oiseaux morts. Bologne possède la plupart de ses ouvrages. On cite parmi ses gravures à l'eau-forte : *L'Annonciation*.
Musées : Chambéry (Mus. des Beaux-Arts) : *Deux portraits de femme* – *Portrait d'homme* – Dresde : *Deux paysages bibliques* – *Nature morte avec un lapin* – Dublin : *Sujet mythologique* – Florence (Gal. Nat.) : *Portrait de l'auteur* – Nottingham : *Dessin pour un médaillon* – Parme : *Deux portraits de jeunes filles* – Saint-Pétersbourg : *Adoration des bergers*.
Ventes Publiques : Paris, 1741 : *Soixante-quatorze sujets de paysages*, dess. : **FRF 122** – Paris, 1803 : *Paysage avec pêcheur près d'un pont* : **FRF 36** ; *La figure d'un roi* ; *Combat d'un lion contre un dragon* ; *Un portrait de femme*, dess. à la sanguine : **FRF 405** – Vienne, 22 sep. 1964 : *Portrait de femme* : **ATS 12 000** – Londres, 24 mars 1965 : *Nature morte* : **GBP 550** – Milan, 30 mai 1972 : *Nature morte aux fleurs* : **ITL 4 000 000** – Milan, 18 juin 1981 : *Scène de carnaval avec Polichinelle*, pl. et lav. (21,5x26,7) : **ITL 550 000** – Monte-Carlo, 29 nov. 1986 : *Intérieur avec vase de fleurs, instruments de musique et oiseaux*, h/t (165x237) : **FRF 900 000** – Milan, 16 mars 1988 : *Intérieur de cuisine avec du gibier*, h/t (158x130) : **ITL 40 000 000** – Paris, 28 juin 1988 : *Portrait d'une jeune femme*, h/t (55,5x46) : **FRF 60 000** – Milan, 25 oct. 1988 : *Chasseurs dans un paysage avec au fond des paysans au travail et un Château fortifié*, h/t (131x198,5) : **ITL 34 000 000** – Milan, 12 déc. 1988 : *Portrait d'un gentilhomme tenant une lettre*, h/t (ovale 70x86) : **ITL 3 000 000** – Londres, 21 avr. 1989 : *Portrait d'une dame assise, vêtue d'une robe bleue et blanche avec deux petites filles près d'elle tenant une pomme et*

une corbeille de fleurs, h/t (128,5x92,8) : **GBP 30 800** – New York, 31 mai 1989 : *Portrait d'une dame vêtue d'une robe corail garnie de dentelle et de nœuds de ruban et tenant une rose*, h/t (74,9x57,8) : **USD 17 600** – Rome, 21 nov. 1989 : *Nature morte de fruits et de gibier*, h/t (68x85) : **ITL 35 000 000** – Londres, 15 avr. 1992 : *Portrait d'une Lady, en buste, vêtue d'une robe de brocard rouge et des rangs de perles*, h/t (66x51,7) : **GBP 9 200** – Monaco, 2 juil. 1993 : *Ville fortifiée avec des éléments architecturaux romains, deux cavaliers au premier plan et les barques de passeurs à droite*, craie noire et encre (38,5x50,7) : **FRF 111 000** – Londres, 20 avr. 1994 : *Portrait d'une jeune femme*, h/t (103x81) : **GBP 10 925** ; *Portrait d'une dame avec ses quatre enfants*, h/t (215,9x168,9) : **USD 46 000** – Londres, 16-17 avr. 1997 : *La Fuite en Égypte*, pl. et encre brune et lav. (22x28,7) : **GBP 1 035**.

CITTERIO F.
XIXᵉ siècle. Actif au début du XIXᵉ siècle. Italien.
Graveur.
Il grava le grand panorama de Venise de Garibaldo (vers 1820).

CITTERMANS Jean
XVIIᵉ siècle. Éc. flamande (?).
Peintre.
Cité par de Marolles.

CITTONI Alessandro
XVIIIᵉ siècle. Italien.
Peintre.
Au château de Löwenberg, en Silésie, appartenant à la famille Hohenzollern-Heckingen, se trouvait une *Mort de Cléopâtre* de sa main.

CIUCCI Jacopo
XVIᵉ siècle. Actif dans la seconde moitié du XVIᵉ siècle. Italien.
Graveur.
On n'a conservé de lui que 12 gravures.

CIUCCIO di Nuccio
XVᵉ siècle. Actif à la fin du XVᵉ siècle. Italien.
Sculpteur.
Il exécuta en 1491 un ciboire qui se trouve aujourd'hui à la cathédrale de Cortone, où il travaillait.

CIUCURENCO Alexandru
Né en 1903 à Tulcea. XXᵉ siècle. Roumain.
Peintre d'histoire, paysages, natures mortes.
Il travailla sous la direction de Camil Ressu à l'Académie des Beaux-Arts de Bucarest, puis suivit l'enseignement d'André Lhote, au cours de son séjour à Paris de 1930 à 1932. A partir de 1934, il a figuré dans plusieurs expositions à Bucarest et fut l'un des premiers participants des pays de l'Est à la Biennale de Venise en 1954 et 1956. Il reçut le Prix Ion Andreesco en 1956. A partir de 1948, il fut professeur à l'École des Beaux-Arts de Bucarest. Peintre officiel, il eut l'occasion de réaliser des compositions historiques, comme : *Anna Ipatesco, révolutionnaire de 1848*. Ses œuvres figuratives reposent sur une forte stylisation des formes, soutenue par de larges aplats de couleurs pures, claires et lumineuses.

CIUFFAGNI Bernardo di Piero di Bartol
Né en 1381 à Florence. Mort en 1467. XVᵉ siècle. Italien.
Sculpteur.
Nous ne savons pas qui furent ses maîtres. Sans doute travailla-t-il avec Nicolo d'Arezzo. Il ne fut reçu maître sculpteur qu'en 1429. Il travaillait à cette époque pour la cathédrale de Florence : *Une tête de prophète, un ange, un saint Mathieu* formèrent le début de sa collaboration. En 1435 sa statue représentant *le roi David* est érigée sur la façade de la cathédrale. Quelques années plus tard Ciuffagni quittait Florence dans des circonstances mal connues. En 1441, il vivait encore dans sa ville natale ; en 1447 il était déjà installé à Rimini, où il travaillait pour le Tempio Malatestiano. C'est alors qu'il exécuta ses statues de *Saint Sigismond* et de *Saint Michel*. Sans doute travailla-t-il également à Mantoue et à Lucques. Sa technique rappelle parfois celle d'Agostino di Duccio ou de Francesco da Rimini. Il fut le contemporain de Donatello, mais ne sut jamais l'égaler.

CIUFFI Vincenzo, fra
XVIIIᵉ siècle. Italien.
Peintre.
Cet artiste florentin peignit une madone pour la chapelle de son couvent de San Maria degli Angioli à Florence.

CIUHA Joze
Né en 1924 à Trbovlje. XXᵉ siècle. Yougoslave.
Graveur.

Il fit ses études à l'École des Beaux-Arts de Ljubljana et exposa à la Biennale de Menton en 1972.

CIUMARE Niccolo
XVᵉ siècle. Romain, actif au XVᵉ siècle. Italien.
Sculpteur.
Il travailla au tabernacle de Sixte IV.

CIURLANIS
Né en Lituanie. Mort en 1911. XXᵉ siècle. Russe.
Peintre. Abstrait.
Selon Pierre Cabanne, il fut le premier à faire des expériences abstraites dès 1904, alors que traditionnellement, Kandinsky a le titre de pionnier de l'abstraction avec sa première aquarelle abstraite de 1910.
Bibliogr. : Pierre Cabanne et Pierre Restany : *L'Avant-garde au XXᵉ siècle*, André Balland, Paris, 1969.

CIURLO
XVIIIᵉ siècle. Italien.
Sculpteur sur bois.
Il travailla surtout vers les années 1700 et principalement pour la cour de Savoie. Il fut à l'origine du renouveau de la sculpture sur bois en Italie. On cite les œuvres qu'il exécuta pour l'Oratoire de San Martino à Gênes.

CIUSA Vincenzo
Né en 1884. Mort en 1949. XXᵉ siècle. Italien.
Peintre.

CIUTI G.
XIXᵉ siècle. Actif à Pise. Italien.
Graveur.
On cite, parmi ses gravures : *Pitture della Chiesa di S. Stefano segnate e incise da G. Ciuti, con illustrazioni del Cav. Capp.*

CIVAL Marius
Né en 1817 à Marseille (Bouches du Rhône). XIXᵉ siècle. Français.
Peintre de genre.
Il fut élève de l'Académie des Beaux-Arts de Marseille. Il exposa au Salon de Paris, de 1847 à 1865.
Ventes Publiques : Paris, 9 et 10 fév. 1938 : *La Fête-Dieu à Strasbourg* : **FRF 480** – Monte-Carlo, 26 oct. 1981 : *La promenade des écoliers*, h/t (35x44) : **FRF 7 500**.

CIVALLI Francesco
Né en 1660 à Pérouse. Mort en 1703. XVIIᵉ siècle. Italien.
Peintre d'histoire et de portraits.
Il fut élève d'Andrea Carlone et de Gaulli. Il peignit plusieurs tableaux d'histoire, mais ses portraits sont ses ouvrages les plus estimés.

CIVAN-GIUDICELLI Flore
Née en 1930. XXᵉ siècle. Française.
Peintre. Abstrait-géométrique.
Elle a commencé à dessiner en 1968, et à exposer en 1981. Elle n'a pas reçu d'enseignement artistique. En 1993, elle a montré un ensemble de peintures dans une exposition personnelle à Paris. Elle est membre de l'Union des Femmes Peintres. Elle a d'abord peint dans l'esprit de l'abstraction gestuelle, alternativement par épaisseurs ou au contraire par transparences. À partir de 1987, sont apparus des tracés nets sur des fonds plats. De 1989 datent les tracés purement géométriques sur des fonds travaillés par strates. Georges Coppel en écrit : « ... une géométrie étrange et rigoureuse. Étrange car on n'y retrouve aucune règle connue (symétries, proportions régulières, découpages selon des lois simples, règles de composition académiques, etc.) ».

CIVERCHIA Luigi
Né en 1928 à Rome. XXᵉ siècle. Italien.
Peintre de paysages urbains.
Il expose à Rome, dans de nombreuses villes italiennes et dans plusieurs villes du Canada.
Il peint surtout des vues de Rome, panoramiques ou de lieux typiques. Ses paysages urbains, souvent traités avec brio, sont systématiquement dénués de toute présence vivante, ce qui leur confère un caractère intemporel. Civerchia est attentif à transcrire la qualité des éclairages selon les heures de la journée.
Bibliogr. : Catalogue de la vente publique *Luigi Civerchia*, Salle Drouot, Paris, 3 avr. 1995.

CIVERCHIO Vincenzo, l'Ancien ou **Verchio**, dit **il Fornaro, Vincenzo da Crêma**
Né vers 1470 à Crêma. Mort en 1544. XVᵉ-XVIᵉ siècles. Italien.

Peintre de compositions religieuses, sculpteur.
On dit qu'il appartenait à l'École vénitienne. Il travailla à Crêma. Il séjourna aussi longtemps à Brescia.
Les travaux qu'il exécuta dans l'ancienne cathédrale de Brescia ont complètement disparu, mais on conserve de lui le *Polyptyque de saint Nicolas de Tolentino* 1495 ; et la *Déposition de Croix* 1504, à Saint-Alessandro. En 1509, il peignit dans le dôme *Saint Barnabé* à Brescia, *Saint Sébastien entre saint Christophe et saint Roch* 1519. Il réalisa une série de portraits des principaux citoyens de Crême. On cite encore de lui : *Madone adorant l'Enfant avec saint Joseph et sainte Catherine*, et *Adoration de l'Enfant*, le *Baptême du Christ* 1539. Selon certains historiens comme M. Berenson, Civerchio aurait été fortement influencé par Giovanni Bellini et Bramantino. Peut-être fut-il en même temps architecte et sculpteur sur bois. On lui attribue une *Statue de saint Pantaléon*, en bois peint et doré ; et une *Vierge dorée*, qui se trouvait autrefois dans la cathédrale de Crémone, dans le Piémont.

BIBLIOGR. : In : *Diction. de la peinture italienne*, coll. Essentiels, Larousse, Paris, 1989.
MUSÉES : BERGAME (École des Beaux-Arts) : *Saint* – BERLIN (Kaiser Friedrich) : *Sainte Madeleine, saint Paul et saint Jean avec Adam* – BRESCIA : *Saint Sébastien avec saint Christophe et saint Roch* – BRESCIA (Pina. Tosio-Martinengo) : *Polyptyque de saint Nicolas de Tolentino* – BUDAPEST : *Mise au tombeau* – LOVERE (Acad. Tandini) : *Baptême du Christ* – MILAN (Gal. Brera) : *Adoration de l'Enfant*.

VENTES PUBLIQUES : LONDRES, 10 mai 1922 : *La Vierge adorant l'Enfant Jésus* : **GBP 46** – LONDRES, 2 juil. 1958 : *La mort d'un saint ermite* : **GBP 500** – NEW YORK, 10 jan. 1996 : *Saint Pierre*, h/pan., fragment de prédelle (20,9x19,1) : **USD 27 600** – NEW YORK, 16 mai 1996 : *Saint Jean l'Évangéliste dans un décor de niche*, h/pan. (20,5x18,4) : **USD 10 350**.

CIVET André
Né le 19 octobre 1911 à Pierrefitte-sur-Loire (Allier). XXᵉ siècle. Français.
Peintre.
En 1927, il est à la fois élève de Lucien Simon à l'École Nationale des Beaux-Arts de Paris et aux académies de Montparnasse. A ses débuts, il fait quelques travaux de restauration pour les monuments historiques, puis s'interroge et fait retraite dans son atelier, avant d'affronter durement la guerre en 1939. Il a figuré au Salon des Tuileries dès 1939, puis à nouveau à partir de 1943, au Salon des Artistes Indépendants en 1944 et au Salon de Mai en 1945.
Avant la guerre, il avait rejoint le groupe *Forces nouvelles*, attaché au réalisme le plus stricte et s'opposant à toute innovation. Après la guerre, il osa prendre quelque audace formelle dans la recherche d'une lumière irisée. Plus tard, il semble s'être retiré dans un isolement profond.
VENTES PUBLIQUES : PARIS, 31 jan. 1949 : *La table* : **FRF 17 500** – LONDRES, 4 mai 1960 : *Le village* : **GBP 460** – VERSAILLES, 7 juin 1961 : *Les arbres* : **FRF 2 500** – LONDRES, 11 déc. 1963 : *Polka de Mozart* : **GBP 250** – LONDRES, 8 juil. 1965 : *Nature morte* : **GBP 160** – LONDRES, 1ᵉʳ déc. 1981 : *Bateaux amarrés sur la plage*, h/t (50x100,5) : **GBP 200** – PARIS, 11 mai 1990 : *Nature morte à la flûte et aux citrons*, h/t (46x55) : **FRF 8 500** – PARIS, 29 avr. 1991 : *Nature morte eau verre*, h/t (27x41) : **FRF 4 200** – PARIS, 19 nov. 1993 : *Village sous la neige*, h/t (65x81) : **FRF 4 500**.

CIVETON Christophe
Né en 1796 à Paris. Mort en 1831 à Paris. XIXᵉ siècle. Français.
Peintre, graveur et lithographe.
Élève de Bertin et de Ponce. Il exposa au Salon en 1822, des gravures et des aquarelles. Il illustra de nombreux ouvrages.
VENTES PUBLIQUES : PARIS, 10 mai 1938 : *La Barrière Saint-Martin et le Canal de la Villette* ; *Le Collège Mazarin et le Pont des Arts*, deux aquarelles : **FRF 900**.

CIVICOLINI Antonio
XVIIᵉ siècle. Italien.
Peintre.
On cite de lui une *Madeleine repentie* qui faisait partie de la Collection Hohenzollern-Hechingensehen, au château de Löwenberg en Silésie.

CIVIDALE Giacomodi
XVᵉ siècle. Vivait à Udine en 1462. Italien.
Peintre.

CIVIL
XVIIIᵉ siècle. Français.
Graveur.

CIVILETTI Benoît
Né le 1ᵉʳ octobre 1846 à Palerme. Mort le 23 septembre 1899. XIXᵉ siècle. Italien.
Sculpteur.
Les débuts de la carrière de cet artiste furent difficiles : ses parents étaient fort pauvres, mais sa ténacité de devenir l'un des sculpteurs des plus renommés de l'École italienne. Sa première œuvre fut un *Mercure*, dont les qualités attirèrent à l'auteur la sympathie du professeur d'Antoni, qui accepta de diriger les travaux de Civiletti et lui enseigna le dessin pendant douze ans. Des mains d'Antoni, l'artiste, encore enfant, passa à celles de Delisi, sculpteur romain, qui s'intéressa beaucoup à lui. En 1863, Civiletti exposa, à Palerme, un *Faune*. Cette œuvre valut à son auteur une pension, et le jeune sculpteur put se rendre à Florence pour se perfectionner avec Dupré. *Premier Souvenir*, qui est encore une œuvre de jeunesse, commença à le faire connaître. De retour à Palerme, en 1865, il fit *Le Petit Dante*, qui fut exposé à Milan, en 1872. Pendant de longues années, le jeune homme dut gagner sa vie en élevant des mausolées de cimetière, jusqu'au jour où il exposa, en 1875, à Palerme, les *Canari*. Cette œuvre de valeur fut achetée 20000 lires par le roi Humbert, alors prince héritier de la couronne, qui la donna à la Municipalité de Palerme. Exposé à Paris, ce travail valut à son auteur une médaille d'or et l'admiration de Renan, qui fit don à Civiletti d'un exemplaire de la *Vie de Jésus*. La lecture de cet ouvrage inspira au célèbre sculpteur un nouveau chef-d'œuvre : *Jésus au Jardin de Gethsemani*, qui fut exposé au Salon. Civiletti fut décoré de la Légion d'honneur et nommé membre correspondant de l'Institut. En 1880, le *Jules César*, exposé à Londres, obtint une médaille d'argent.
MUSÉES : ROME (Mus. d'Art Mod.) : *Jules César*.

CIVILETTI Pasquale
Né le 26 juillet 1859 à Palerme. XIXᵉ siècle. Italien.
Sculpteur.
Sicilien, il est le frère du célèbre sculpteur Benoît Civiletti. Ses principales œuvres sont : *Après le délit* (exposé à Milan), *Un pêcheur*, *Soirée en Sicile*, *Correction d'enfant*.

CIVILOTTI Pietro
XVIIIᵉ siècle. Romain, probablement actif au XVIIIᵉ siècle. Italien.
Peintre.
On trouve des œuvres de lui à la Casa Giuggiole, à Sienne.

CIVITACASTELLANA Joh. de
XVᵉ siècle. Travaillant pendant la seconde moitié du XVᵉ siècle. Italien.
Copiste.

CIVITALI Masseo di Bartolomeo
Né à Lucques. XVᵉ-XVIᵉ siècles. Italien.
Sculpteur sur bois.
Il était le neveu de Matteo Civitali et fut son élève ainsi que celui de Cristoforo da Sendinaria. On cite de lui la sculpture de trois portes monumentales à la cathédrale et l'autel de l'église San Frediano. C'est par erreur qu'on lui attribue parfois des travaux exécutés par Nasseo di Bertone Civitali qui fit de la marqueterie à son époque.

CIVITALI Matteo
Né le 5 juin 1436 à Lucques. Mort le 12 octobre 1501 à Lucques. XVᵉ siècle. Italien.
Sculpteur et architecte.
Il fut élève, puis collaborateur d'Antonio Rossellino, à Florence. Comme architecte, on lui attribue les plans du Palais Pretorio de Lucques. Humaniste, il introduisit l'imprimerie dans sa ville, et commença son œuvre de sculpteur par des effigies d'humanistes de son temps : *Pietro d'Avenza* et le tombeau de *Piero da Noceto*, entre 1467 et 1472 pour la cathédrale de Lucques. Domenico Bertini lui commanda de nombreuses œuvres, une *Vierge à l'enfant* pour l'église San Michele, en 1479 le monument funéraire pour lui-même et sa femme, en 1473-1476 l'autel du Saint-Sacrement, et en 1481-1484 la chapelle de la Sainte-Face, ces trois œuvres à la cathédrale, et pour l'église de la Sainte-Trinité la *Madone de la Toux* de 1480. Il sculpta encore pour la cathédrale l'autel de saint Régulus, en 1490 le tombeau de saint Romano pour l'église qui lui est dédiée. A Gênes, il sculpta pour la chapelle Saint Jean Baptiste à la cathédrale : *Adam, Ève, Elisabeth et Zacharie*, en 1498. Au XVᵉ siècle, il occupe, par le caractère souvent familier de son inspiration, une place très à part de l'école florentine.

Musées : Berlin (Kaiser Friedrich Mus.) : Fragment d'un autel – Bas-relief représentant une jeune femme – Bas-relief représentant un homme – Budapest : *Crucifix* – Florence : *La Foi*, bas-relief – Londres (Victoria and Albert Mus.) : Fragment d'un autel – Ciboire – *Madone en prière* – *Saint Jean-Baptiste* – Tabernacle – Lucques : *Annonciation* – Paris (Louvre) : *L'empereur Adrien*, bas-relief – Stockholm : *Pietro a Nocoto*, buste – Washington D. C. (Nat. Gal.) : *Saint Sébastien*.

CIVITALI Nicolao di Matteo
Né en 1482 à Lucques. Mort après 1560. xviᵉ siècle. Italien. Sculpteur.
Il était le fils et fut l'élève de Matteo di Civitali. Il travailla surtout à Lucques et à Florence.

CIVITALI Vincenzo di Bartolomeo
xviᵉ siècle. Travailla à Lucques. Italien.
Peintre et sculpteur.
Il est le neveu de Matteo Civitali.

CIVITALI Vincenzo di Masseo
Né en 1545. xviᵉ siècle. Italien.
Sculpteur sur bois.
Il était le fils de Masseo di Bartolomeo Civitali et travailla à Lucques et à Lyon.

CIVITALI Vincenzo di Niccolo
Né en 1523. Mort en 1597. xviᵉ siècle. Italien.
Sculpteur.
Il était le fils de Niccolao di Matteo Civitali. Il pratiqua en même temps l'orfèvrerie et l'architecture. On le voit travailler à Lucques, Carrare, Rome, Bologne, Ferrare.

CIVITICO Bruno
Né en 1942 à Dignano. xxᵉ siècle. Actif aux États-Unis. Italien.
Peintre de paysages.
Il vit à New York où il a fait des études au Pratt Institute. Il a surtout peint des paysages, et plus particulièrement des vues de Florence, notamment le célèbre panorama de la place Michel-Ange. Ses œuvres s'attachent à rendre les paysages avec une exactitude fouillée dans les détails, un peu dans l'esprit et les motivations des dépliants publicitaires.

CIVOLI Giuseppe
Né en 1705. Mort en 1778. xviiiᵉ siècle. Italien.
Peintre.
Élève de Ferdinand Galli di Bibiena et académicien de Bologne.

CIZALETTI Humbert
Né à Barcelone (Catalogne). xxᵉ siècle. Français.
Peintre de chevaux.
Il s'est spécialisé dans la représentation de chevaux et cavaliers. Il a participé au Salon des Artistes Français à Paris en 1910-1911 et 1919.
Ventes Publiques : Paris, 8 mars 1919 : *Cavaliers*, esq. : FRF 7.

CIZALETTI-GOSSELIN Emilie
Née à Paris. xxᵉ siècle. Française.
Sculpteur, décoratrice.
Elle figurait à la Rétrospective du Salon des Artistes Indépendants à Paris en 1926. Elle a fait de la ciselure, des sculptures sur bois, exécutant, par exemple, une *Tête de Christ* en bois, un paravent en cuivre repoussé ou des bijoux.

CIZANCOURT M. A. de, Mme
xixᵉ siècle. Française.
Sculpteur.
Elle exposa au Salon des bustes entre 1883 et 1889.

CIZEK Frantz
Né le 12 juin 1865 à Leitmeritz. xixᵉ-xxᵉ siècles. Actif en Autriche. Tchécoslovaque.
Peintre de portraits, dessinateur.
Il fit ses études à Vienne sous la direction de Rumpler et Trenkwald. Il voyagea ensuite en Allemagne et en Angleterre, puis revint à Vienne où il fut professeur de dessin. Il exécuta en 1894 un *Portrait de l'empereur François-Joseph*.

CIZERON Georges
Né en 1751. Mort en 1820. xviiiᵉ-xixᵉ siècles. Français.
Sculpteur.
Il travaillait à Saint-Étienne.

CIZERON Nicolas
Né le 30 janvier 1902 à Saint-Étienne (Loire). Mort le 19 janvier 1998 à Balbigny (Loire). xxᵉ siècle. Français.

Peintre de paysages, paysages animés, figures, fleurs, aquarelliste, pastelliste. Expressionniste.
Il fut élève des Écoles des Beaux-Arts de Saint-Étienne, puis de Nice. D'une manière générale, après avoir quitté Saint-Étienne, il vit et travaille dans la plaine du Forez. Durant la période 1930-1960, il fit de nombreux séjours à Paris, y retrouvant ses amis peintres : Yves Alix, André Planson. Il rencontra également Charles Walch et Pierre Ambroggiani, qui influencèrent sa propre peinture. Il participe à des expositions collectives, entre autres à Paris : Salon d'Automne 1958, Salon des Artistes Français 1990, 1991, qui lui décerna un Grand Prix en 1990, et dont il est devenu sociétaire en 1993 en même temps que de la Fondation Taylor. Il montre aussi sa peinture au cours d'expositions individuelles, à Lyon, Annecy, Saint-Étienne, Roanne, etc.
Il traite des thèmes divers. Surtout paysagiste, il peint aussi des compositions à personnages, et particulièrement le monde du cirque. Il pratique une technique directe de touches étalées en épaisseurs de couleurs pures. Les heurts et dissonances en sont délibérés. L'influence d'Ambroggiani est parfois manifeste, par exemple dans le *Repos des vendangeurs* de 1967. Toutefois la peinture de Cizeron s'en différencie souvent par le climat psychologique propre au Forez et à ses paysages, notamment de pluie ou de neige.
Ventes Publiques : Lyon, 13 déc. 1990 : *Enfants au jeu*, h/t (76x94) : FRF 9 000 ; *Bouquet de fleurs*, h/t (50x61) : FRF 6 500 ; *Paysage de neige*, gche (50x61) : FRF 3 000.

CIZOS-NATOU Pierre
Né le 15 octobre 1927 à Bordeaux (Gironde). xxᵉ siècle. Français.
Peintre de paysages, aquarelliste, dessinateur, graveur.
De 1951 à 1955, il fit ses études à l'École des Beaux-Arts de Bordeaux. Il participe à des expositions collectives depuis 1949, surtout dans le Sud-Ouest. Il participe, à Paris, au Salon d'Automne, régulièrement depuis 1963 et dont il est sociétaire, au Salon de la Société Nationale des Beaux-Arts à partir de 1968 et dont il est également sociétaire, au Salon Terres Latines en 1970 et 1972. Il a exposé individuellement à Bordeaux, régulièrement à partir de 1958, et notamment en 1991 et 1993, à Angoulême en 1980, Bayonne en 1982, plusieurs fois à Toulouse dans les années quatre-vingt-dix. Il a obtenu diverses distinctions régionales. Son œuvre a intéressé un mécène américain, qui contribua à sa diffusion en Belgique, Suisse, Allemagne, Algérie, Rhodésie et aux États-Unis.
Musées : Bordeaux (Mus. d'Aquitaine) – Nîmes (Mus. Taurochique) – Paris (BN) : Gravures – Toulouse (Mus. des Augustins) – Villeneuve-sur-Lot.

CLAAS Alaert. Voir CLAESSEN

CLAASSENS Anita
Née en 1936 à Anvers. xxᵉ siècle. Belge.
Peintre. Tendance surréaliste.
Ses peintures, où se déploie un paysage mêlé à des nus féminins, sont des évocations de rêves fantastiques à coloration symboliste.
Ventes Publiques : Versailles, 1ᵉʳ mars 1987 : *Rêverie*, h/t (45x35) : FRF 2 600.

CLAAUW Salomon Arendz
xviiiᵉ siècle. Vivait à Amsterdam en 1712. Hollandais.
Peintre.

CLABOTS Françoise
Née en 1933 à Genval. xxᵉ siècle. Belge.
Graveur, Dessinatrice, illustratrice.
Élève à La Cambre, elle épousa le sculpteur Émile Souply. Elle a surtout illustré des livres pour enfants, dont *Je connais mon pays* (École des Loisirs), *Jérôme et Agasson* (Duculot) qui a obtenu le prix Jeunesse 1976, du Ministère de la Culture française. En Autriche, le livre *Tap, la taupe* a été selectionné en 1971 parmi les plus beaux livres autrichiens. Elle a obtenu le Premier Prix Belgo-Québécois de Littérature de Jeunesse.
Bibliogr. : In : *Diction. Biogr. illustré des Artistes en Belgique depuis 1830*, Arto, 1987.

CLACK A. Baker. Voir BAKER-CLACK

CLACK Richard Augustus
Né en 1804. Mort en 1881 à Exeter. xixᵉ siècle. Britannique.
Peintre de portraits.
Il exposa, entre 1830 et 1857, à la Royal Academy. Il était fils d'un clergyman du Devonshire ; il vécut à Exeter et à Hampstead. Son

nom est aussi cité dans les catalogues de la British Institution et de Suffolk Street jusqu'en 1875.

CLACK Thomas

Né vers 1830. Mort en janvier 1907 à Hindhead. XIXe siècle. Britannique.

Peintre de genre, portraits, paysages, aquarelliste.

Il exposa de 1851 à 1891 à la Royal Academy et à d'autres associations d'art de Londres.

MUSÉES : LONDRES (Victoria and Albert Mus.) : *Chemin dans le Comté de Warwick*, aquar.

VENTES PUBLIQUES : LONDRES, 17 nov. 1976 : *Portrait d'une jeune violoniste*, h/t (63,5x53,5) : GBP 750.

CLACY Ellen

XIXe siècle. Britannique.

Peintre de genre, dessinatrice.

Elle exposa à partir de 1870 à la Royal Academy, à Suffolk Street, à la Grafton Gallery, etc., à Londres.

MUSÉES : LIVERPOOL : *Le vieux braconnier*.

VENTES PUBLIQUES : LONDRES, 9 juil. 1985 : *On their own 1890*, h/t (80x93) : GBP 1 300 – LONDRES, 17 nov. 1995 : *La chambre de l'Ambassadeur de Venise à Knole 1888*, cr. et aquar. (39,4x50,2) : GBP 8 280.

CLADEL Marius Léon

Né le 15 avril 1883 à Sèvres. Mort en janvier 1948. XXe siècle. Français.

Sculpteur de bustes, peintre.

Élève de Bourdelle, il participa aux Salons d'Automne et de la Société Nationale des Beaux-Arts, dont il fut sociétaire. Il fut aussi bien sculpteur de statuettes, de bas-reliefs que de portraits de personnalités, dont ceux de *René Viviani*, *Lyon-Caen*, *G. Duhamel*.

MUSÉES : LAUSANNE (Mus. canton. des Beaux-Arts) : *Buste de jeune fille 1912*.

CLAEIS ou Claeissens. Voir CLAEISSINS

CLAEISSINS Alaert ou Claissins, Claeis

Mort en novembre 1531 à Bruges. XVIe siècle. Éc. flamande.
Peintre.

Il était le fils de Jan Claeissins et fut l'élève d'Adrian Braem.

CLAEISSINS Anthuenis ou Claeissens, Claeiss, Claeis, Claes

Né en 1536, ou vers 1538 selon certains biographes. Mort le 18 janvier 1613. XVIe-XVIIe siècles. Éc. flamande.

Peintre d'histoire, sujets religieux, compositions mythologiques, portraits.

Il est le troisième fils de Pieter Claeissins l'Ancien et le frère de Pieter II. Il fut élève de Pierre Pourbus. Il fut professeur à Bruges en 1570, et nommé peintre de la ville, de 1570 à 1581.

BIBLIOGR. : In : *Diction. de la peinture flamande et hollandaise*, coll. Essentiels, Larousse, Paris, 1989.

MUSÉES : BRUGES (Mus. Groeninge) : *La Convention de Tournai* – *Mars maîtrise l'Ignorance et aide les Muses* – *Le repas de fête de M.M. de Schietere et Ph. Van Belle* – LONDRES : *Nativité* – OSLO : *Portrait du peintre peint par lui-même*.

VENTES PUBLIQUES : NEW YORK, 16 jan. 1992 : *Portrait d'un gentilhomme vêtu d'un gilet vert et d'une fraise blanche avec une chaine et un crucifix* ; *Portrait d'une dame vêtue d'un gilet noir et d'une fraise et d'une coiffe blanches avec des chaines d'or et tenant une paire de gants*, h/pan., une paire (chaque 40,6x25,4) : USD 71 500.

CLAEISSINS Gillis ou Claeis

Né à Bruges. Mort le 17 décembre 1605. XVIe siècle. Éc. flamande.
Peintre.

Maître en 1566 ; il fut peintre de la cour du prince Alex. Farnèse, de l'archiduc Ernest, d'Albert et Isabelle, du comte Pierre-Henrique de Fontaine. Il fit le portrait de l'infante Isabelle, en 1607. Il était le fils de Pieter Claeissins l'Ancien.

CLAEISSINS Jan

XVe siècle. Vivait à Bruges en 1490. Éc. flamande.
Peintre.

CLAEISSINS Jan ou Claeissz, Claeiss, Claissz, Claeissens

Mort en 1653. XVIIe siècle. Éc. flamande.
Peintre.

Il était le fils de Pieter II Claeissins. La Galerie Liechtenstein à Vienne et l'Hospice du Saint-Esprit à Bruges possèdent des œuvres de cet artiste.

CLAEISSINS Martin

XVe siècle. Vivait à Bruges en 1461. Éc. flamande.
Peintre.

CLAEISSINS Pieter I, l'Ancien ou Claeissens, Claeiss, Claeissz, Claeis, Claes

Né vers 1500 à Bruges. Mort en 1576. XVIe siècle. Éc. flamande.

Peintre de compositions religieuses, portraits, enlumineur.

Il fut élève d'Adrian Becaert et fut reçu maître en 1530 à Bruges. De son mariage avec Petronilla Roelants, il eut trois fils : Gillis, Pieter II et Anthuenis qui furent tous peintres.

Continuateur de Gérardt David, d'Ambrosius Benson et de Jan Provost, il peignit une *Résurrection*, à l'église Saint-Sauveur à Bruges, et un *Portrait de Robert Holman* au grand séminaire de la ville.

BIBLIOGR. : In : *Diction. de la peinture flamande et hollandaise*, coll. Essentiels, Larousse, Paris, 1989.

MUSÉES : BRUGES (Mus. Groeninge) : *Diptyque de Saint Antoine* – COPENHAGUE : *Portrait de vieillard* – DARMSTADT : *Vierge à l'Enfant* – LOUVAIN : *Madone* – PARIS (Mus. du Louvre) : *Madone*.

VENTES PUBLIQUES : AMSTERDAM : *Triptyque avec la Crucifixion sur le panneau central, le Christ au jardin des oliviers et la Flagellation sur le ventail de gauche, le Christ présenté au peuple et le chemin du Calvaire sur le ventail de droite*, h/pan. (centre : 74,6x57,5, ailes 74,6x24,4) : NLG 120 750 – AMSTERDAM, 6 mai 1993 : *Le Christ assis tandis que des hommes préparent la crucifixion avec Dieu le Père apparaissant dans un nuage (panneau central)* ; *Un moine et Saint Cornelius et l'Annonciation (panneaux de droite)* ; *Vierge à l'enfant avec Sainte Anne et un ange (panneaux de gauche)*, h/pan., ensemble de 5 panneaux (centre 77,5x64,5, chaque panneau 76x22) : NLG 46 000.

CLAEISSINS Pieter II, le Jeune ou Claeissens, Claeiss, Claeissz, Claeis, Claes

Né vers 1540. Mort en 1623. XVIe-XVIIe siècles. Éc. flamande.

Peintre d'histoire, compositions religieuses, paysages urbains.

Il est le fils de Pieter I Claeissins et le frère de Gillis et d'Anthuenis. Maître à Bruges en 1570, il fut nommé peintre de la ville, de 1581 à 1621.

Il peignit des vues de villes, un drapeau pour la Confrérie Saint-Eloi, en 1598. Il dirigea l'érection de la croix et de la girouette de l'église Saint-Sauveur et leur dorure. Plusieurs églises de Bruges possèdent des œuvres de cet artiste.

Petrus Claeis Fecit

BIBLIOGR. : In : *Diction. de la peinture flamande et hollandaise*, coll. Essentiels, Larousse, Paris, 1989.

MUSÉES : BRUGES (Mus. Groeninge) : *Pacis triumphantis delineatio* – CARLSRUHE : *Vierge à l'Enfant* – TOURNAI : *Convention de Tournai*.

CLAEISSINS Pieter III

Mort en 1608 à Bruges. XVIe siècle. Éc. flamande.
Peintre de portraits.

Il était le fils d'Anthuenis Claeissins.

CLAEISSZ. Voir CLAEISSINS

CLAERBOUT Adriaen Van

XVIe siècle. Éc. flamande.
Peintre de décorations.

Il fut reçu maître à Bruges en 1501.

CLAERHOUT Jan de Jonge

Mort avant 1665. XVIIe siècle. Travaillait à Haarlem en 1646. Hollandais.
Peintre.

Il peignit une *Diane* et une *Marine* qui sont citées dans l'inventaire après décès de son père Jan Claerhout.

CLAERHOUT Jef

Né en 1937 à Tielt. XXe siècle. Belge.

Sculpteur d'animaux et de figures. Néo-expressionniste.

Autodidacte, il a travaillé en Autriche et en Afrique du Sud. Ses sculptures d'oiseaux, de chevaux, d'insectes et d'hommes sont de petit format, ce qui lui permet de rendre les détails avec précision. Ses œuvres exécutées en cuivre, laiton, argent ou or sont pénétrés d'une force expressionniste, exprimant parfois la souffrance ou l'inquiétude.

Bibliogr. : In : *Diction. Biogr. illustré des Artiste en Belgique depuis 1830*, Arto, 1987.
Ventes Publiques : Anvers, 27 oct. 1981 : *Centaure*, cuivre (H. 43) : **BEF 18 000** – Anvers, 23 avr. 1985 : *Le jeu d'échecs (32 pièces)*, pièce unique : **BEF 50 000** – Lokeren, 28 mai 1988 : *L'oiseau*, bronze (H. 20,5) : **BEF 65 000**.

CLAERHOUT May
Née en 1939 à Pittem. xxᵉ siècle. Belge.
Peintre, dessinatrice et céramiste.
Élève d'Opsomer à l'Académie des Beaux-Arts de Coutrai. Elle exécute non seulement des peintures, mais aussi des bas-reliefs en terre cuite, dont l'un se trouve dans la station de métro Opéra à Anvers.
Ventes Publiques : Anvers, 9 mai 1979 : *La ville, le soir*, terre cuite (91x180) : **BEF 50 000** – Lokeren, 10 oct. 1992 : *Nu*, céramique à couverte verte (H. 77,5, L ; 41) : **BEF 33 000** – Lokeren, 28 mai 1994 : *Ramasseurs de pommes de terre*, bas-relief de terre cuite (47x80) : **BEF 48 000**.

CLAES ou Clais
xvᵉ siècle. Vivait à Cologne en 1453. Allemand.
Peintre.

CLAES. Voir aussi CLAEISSINS, CLAESSENS, CLAESZ et CLAMP

CLAES Constant Guillaume
Né en 1826 à Tongres. Mort en 1905 à Hasselt. xixᵉ siècle. Belge.
Peintre.
Il peignit surtout des scènes de genre.
Ventes Publiques : Lokeren, 7 déc. 1996 : *La Conversation* 1857, h/pan. (59,7x46) : **BEF 160 000**.

CLAES Édouard
xixᵉ-xxᵉ siècles. Français.
Peintre.
Participa à l'Exposition de Bruxelles en 1910 avec : *La Terrasse*.

ED. CLAES

CLAES Frans
Né en 1935 à Bruxelles. xxᵉ siècle. Belge.
Sculpteur. Abstrait.
Élève de l'Institut Saint-Luc de Schaerbeck et de l'Académie des Beaux-Arts de Bruxelles, il a reçu le Prix Bourse Berthe Art en 1966 et 1968.

CLAES J. Fr. Florentinus
Né le 19 mars 1818 à Anvers. Mort en 1870. xixᵉ siècle. Belge.
Peintre de genre.
Élève de N. de Keyser. Le Musée de Königsberg conserve de lui un tableau de genre : *Fumeur*.
Ventes Publiques : Amsterdam, 1892 : *Le dessinateur* : **FRF 18 900**.

CLAES Jules
Né en 1947 à Genk. xxᵉ siècle. Belge.
Sculpteur, peintre décorateur, aquarelliste.
Il a fait des études artistiques à Genk, Anvers et à la Michaelis School of Fine Art à Capetown, en Afrique du Sud. Il a fait des voyages d'étude aux Etats-Unis, en Italie et à Paris. Il est professeur à l'Académie des Beaux-Arts de Bilzen. Il a réalisé des reliefs en béton, des peintures monumentales et des cartons de vitraux.
Bibliogr. : In : *Diction. biogr. illustré des Artistes en Belgique depuis 1830*, Arto, 1987.

CLAES Paul
Né en 1866 à Anvers. Mort en 1940. xxᵉ siècle. Belge.
Peintre de portraits, de figures, d'intérieurs, de natures mortes et de paysages urbains.
Élève à l'Académie d'Anvers, il est devenu restaurateur au Musée d'Anvers.

CLAES-THOLOIS A.
Né en 1883. xxᵉ siècle. Belge.
Peintre de natures mortes.
Ventes Publiques : Londres, 19 oct. 1989 : *Nature morte* 1920, h/pan. (50,2x50,2) : **GBP 8 250**.

CLAESSEN Alaert ou Claas
xviᵉ siècle. Travaillant à Amsterdam entre 1520 et 1562. Hollandais.

Graveur au burin.
On croit qu'il fut l'élève d'Engelbrecht. Il fut un habile copiste d'Albrecht Dürer, de Lucas Van Leyden, de Hans Sebald Beham, d'Aldegrever. Si son dessin ne laissait pas à désirer, ses reproductions seraient parfaites. Néanmoins elles témoignent d'une grande habileté de métier.

CLAESSEN Hans ou Claesz
Mort le 6 juin 1620 à Delft. xviiᵉ siècle. Hollandais.
Peintre.
Il était en 1615 à Delft.

CLAESSENS Aernoudt ou Claes
xviᵉ-xviiᵉ siècles. Vivait à Anvers en 1558 et en 1600. Éc. flamande.
Peintre.

CLAESSENS Anthonie
xvᵉ siècle. Éc. flamande.
Peintre de compositions religieuses.
Actif à Anvers à la fin du xvᵉ siècle, il fut élève de Quentin Matsys. Certaines de ses œuvres, longtemps attribuées à Gerardt David, figurent à l'Académie des Beaux-Arts de Bruges. On cite de lui : *Le Jugement de Cambyse*.
Musées : Dublin (Nat. Gal.) : *Nativité* – Marseille : *Adoration des Mages*, attribution.
Ventes Publiques : New York, 25 mars 1982 : *La Vierge et l'Enfant*, h/pan. (68,5x53,5) : **USD 7 000**.

CLAESSENS Anton ou Clasen
Mort sans doute en 1651. xviiᵉ siècle. Actif à Anvers. Éc. flamande.
Peintre.
Reçu maître à Anvers vers 1643.
Ventes Publiques : Londres, 10 juil. 1968 : *Nature morte* : **GBP 400**.

CLAESSENS Artus
xviiᵉ siècle. Éc. flamande.
Peintre de natures mortes.
Il était actif de 1625 à 1644 à Anvers. Il ne paraît pas identifiable au Artus Clayssens de Gand.
Ventes Publiques : Londres, 21 avr. 1993 : *Grande nature morte avec une langouste et différentes victuailles et pièces de vaisselle sur une table*, h/t (94,5x141) : **GBP 17 250**.

CLAESSENS Dominicus ou Clasens
xviiᵉ siècle. Éc. flamande.
Peintre.
Il fut reçu maître à Anvers en 1660-61. Il est peut-être l'auteur de plusieurs gravures signées : *D. Clasens F.*

CLAESSENS Frans
Né en 1885 à Anvers. Mort en 1968. xxᵉ siècle. Belge.
Sculpteur, dessinateur de portraits et de paysages.
Élève de Thomas Vinçotte à l'Institut Supérieur d'Anvers et à l'Académie des Beaux-Arts de Bruxelles, il fut professeur à l'Académie des Beaux-Arts d'Anvers. Il a collaboré à la restauration de la maison de Rubens. Ses paysages présentent essentiellement des vues de l'Escaut.
Musées : Anvers.

CLAESSENS J. L.
xviiiᵉ siècle. Hollandais.
Graveur.
Il exécuta en 1792, d'après P. Dam, le portrait d'Abraham Magarus.

CLAESSENS Jacob ou Clasens
Mort sans doute en 1652. xviiᵉ siècle. Éc. flamande.
Sculpteur.
Il fut reçu maître à Anvers en 1637-38.

CLAESSENS Jacobus ou Jacob Van Utrecht, appelé aussi Trajectensis
Né à Utrecht ou à Maestricht. Mort à Lübeck. xviᵉ siècle. Hollandais.
Peintre de compositions religieuses, portraits.
Un peintre du même nom vécut de 1506 à 1512, à Anvers.

JACOB·CLAES?
TRAIECTSNSIS F

Musées : Berlin : *Portrait d'homme* – Stockholm : *Portrait d'homme aux mains croisées*.
Ventes Publiques : Paris, 14 déc. 1987 : *Portrait de l'évêque de*

Lubeck Heinrich Bockholt en 1523, h/pan. de chêne (55x37) : **FRF 450 000** – Londres, 5 juil. 1995 : *L'Annonciation*, h/pan. (146,5x100) : **GBP 117 000**.

CLAESSENS Jacques ou Claes
XVIe siècle. Éc. flamande.
Peintre.
Il fut reçu maître à Anvers en 1570.

CLAESSENS Jan
XVe siècle. Travaillait à Malines entre 1457 et 1460. Éc. flamande.
Peintre.

CLAESSENS Jan ou Claes
XVIIe siècle. Éc. flamande.
Peintre.
Il travaillait en 1643 à Anvers dans l'atelier de Jan Van Hœbracken ; cette date rend impossible son rapprochement avec le Jan Clayssens de Gand. Peut être est-ce le même artiste qui est mentionné en 1676 parmi les maîtres-peintres d'Anvers.

CLAESSENS Jan
Né en 1879 à Anvers. Mort en 1963. XXe siècle. Belge.
Peintre de paysages, marines, intérieurs, graveur.
Il fut élève de A. et J. de Vriendt à l'Académie des Beaux-Arts et à l'Institut supérieur d'Anvers. Il peint surtout des paysages de sa ville natale, de ses environs et de l'Escaut, à différentes heures de la journée.
Musées : Anvers.
Ventes Publiques : Lokeren, 25 fév. 1984 : *Intérieur rustique*, h/t (60x70) : **BEF 40 000** – Lokeren, 28 mai 1994 : *Intérieur de ferme*, h/t (60x70) : **BEF 33 000**.

CLAESSENS Jan Baptist
Mort après 1679. XVIIe siècle. Éc. flamande.
Sculpteur.
Il fut reçu maître à Anvers en 1668.

CLAESSENS Karel
Mort en 1623. XVIIe siècle. Éc. flamande.
Peintre.
Il fut reçu maître à Anvers en 1611.

CLAESSENS Lambertus Antonius
Né en 1764 à Anvers. Mort en octobre 1834 à Rueil (près de Paris). XVIIIe-XIXe siècles. Belge.
Dessinateur et graveur.
D'abord peintre paysagiste, puis élève de F. Bartolozzi à Londres, il travailla à Amsterdam et à Paris. Il épousa la veuve du miniaturiste Pelletier.

CLAESSENS Léon
Né en 1924 à Montegnée. XXe siècle. Belge.
Peintre de paysages, dessinateur, aquarelliste.
Il rend tout aussi bien les nuances grises des bords de la Meuse que la poésie de la vallée du Geer ou la lumière de la Bretagne.

CLAESSENS Pieter ou Clasens, Classens
XVIIe siècle. Éc. flamande.
Peintre.
Il fut reçu maître à Anvers en 1620. À rapprocher de Pieter Clayssens I.

CLAESSENS Pieter
XVIIe siècle. Éc. flamande.
Peintre d'histoire.
Maître en 1658 à Anvers ; doyen de la gilde en 1676 ; il voyagea en Italie, où il prit le nom de Vlyt.

CLAESSENS René
Né en 1941. Mort en 1990 à Overijse. XXe siècle. Belge.
Peintre et graveur.
Élève à l'École des Beaux-Arts de Bruxelles, il commença sa carrière en 1971. Il a pratiqué plusieurs techniques diversifiées, dont le macramé, l'aquarelle, le pastel, la peinture à l'huile, la gravure et le monotype, attiré par un accomplissement artisanale associé aux interprétations de la subjectivité.

CLAESSENS Reyer
XVIIe siècle. Hollandais.
Dessinateur.

CLAESZ ou Claes
XVe siècle. Travaillait à Gouda entre 1491 et 1495. Hollandais.
Sculpteur.

CLAESZ ou Claes
XVIe siècle. Hollandais.

Peintre.
Il habitait Haarlem en 1571.

CLAESZ ou Claes
XVIe siècle. Vivait à Haarlem en 1643. Hollandais.
Peintre.
Il fut élève de Jan Collembier.

CLAESZ Aert ou Aertgen, dit Aertgen Van Leyden
Né en 1498 à Leyde. Mort en 1564 à Leyde. XVIe siècle. Hollandais.
Peintre de sujets religieux, portraits.
Il fut élève de Cornelis Engelbrechtsz et peignit, semble-t-il, dans un style voisin de celui de Lucas de Leyde. On sait qu'il peignit une *Nativité* qui appartint à Rubens, un *Jugement de Salomon*, *Le Passage de la Mer Rouge*, *Le Sacrifice d'Isaac*, un *Portrait par lui-même* qui fut gravé par Suyderhoefs ; mais il a été impossible de lui attribuer jusqu'ici aucun tableau en toute certitude.
Ventes Publiques : Amsterdam, 29 oct 1979 : *Scène allégorique*, pl. et lav. (30,2x22) : **NLG 5 000** – Milan, 25 fév. 1986 : *L'Adoration des bergers*, h/pan. (66x83) : **ITL 58 000 000** – New York, 1er juin 1990 : *Nativité avec un berger jouant de la cornemuse et des enfants chantant*, h/pan. (46,5x60,5) : **USD 170 500** – Londres, 10 déc. 1993 : *Nativité avec un joueur de cornemuse et des enfants chantant*, h/pan. (46,5x60,5) : **GBP 73 000**.

CLAESZ Allaert
XVIe siècle. Vivait à Amsterdam pendant la première moitié du XVIe siècle. Hollandais.
Peintre.
Selon Max. J. Friedlaender aucun tableau n'a pu jusqu'ici être attribué à cet artiste avec des preuves concluantes.

CLAESZ Anthony I
Né en 1592 à Amsterdam. Mort sans doute en 1635. XVIIe siècle. Hollandais.
Peintre de natures mortes, fleurs, aquarelliste.
Ventes Publiques : New York, 5 juin 1985 : *Vase de fleurs dans une niche* 1632, h/pan. (81x58,5) : **USD 65 000** – New York, 12 jan. 1989 : *Nature morte d'une importante composition florale, dans un vase de verre*, h/pan. (70,5x47,5) : **USD 28 600** – Saint-Dié, 6 fév. 1994 : *Tulipes*, huit aquar. (chaque 26,2x10,6) : **FRF 235 000**.

CLAESZ Anthony II
Né en 1616 à Amsterdam. Mort avant mai 1652. XVIIe siècle. Hollandais.
Peintre de natures mortes, fleurs et fruits.
Il est le fils d'Anthony I. On ne le connaît que par les nombreux testaments qu'il rédigea avant d'entreprendre des voyages à l'étranger.
Ventes Publiques : Paris, 22 juin 1965 : *Le vase de fleurs* : **FRF 13 000** – Londres, 5 juil. 1967 : *Vase de fleurs* : **GBP 4 000** – Zurich, 21 juin 1985 : *Nature morte aux fruits* 1649, h/pan. (57x107) : **CHF 62 000**.

CLAESZ Anthony III
XVIIe siècle. Hollandais.
Peintre.
Il est le fils d'Anthony II. Il travaillait en 1662 à Amsterdam.

CLAESZ Barend
XVIe siècle. Vivait à Amsterdam en 1546. Hollandais.
Peintre.

CLAESZ Broer
Né vers 1641 à Amsterdam. XVIIe siècle. Hollandais.
Peintre.

CLAESZ C.
XVIIe siècle. Hollandais.
Graveur.
Il est l'auteur d'une estampe d'après S. Frisius.

CLAESZ Dirck
Né en 1580 à Amsterdam. Mort après 1621. XVIIe siècle. Hollandais.
Peintre.

CLAESZ Hans. Voir CLAESSEN

CLAESZ Heda Willem. Voir HEDA WILLEM Claesz

CLAESZ Hendrick
Né à Malines. XVIe siècle. Hollandais.
Peintre.
Il fut reçu bourgeois d'Amsterdam en 1598.

CLAESZ Jan
xve siècle. Hollandais.
Peintre.
Il travaillait à la fin du xve siècle, pour l'église Saint-Johann, à Bois-le-Duc.

CLAESZ Jan
xvie siècle. Hollandais.
Sculpteur.
Il vivait à Utrecht entre 1510 et 1535.

CLAESZ Jan
Né à Haarlem. Mort en 1636 à Delft. xviie siècle. Hollandais.
Peintre.
Il fut élève de Cornelis Cornelisz.

CLAESZ Jeurian
xviie siècle. Vivait à Amsterdam entre 1661 et 1671. Hollandais.
Peintre.

CLAESZ Jilles
xviie siècle. Hollandais.
Sculpteur.
Il exécuta une pierre tombale signée et datée de 1620 à Sexbierum (Frise).

CLAESZ Pieter
Né vers 1577 à Huisum. xviie siècle. Hollandais.
Peintre.
Il travaillait à Amsterdam où il vivait encore en 1606.

CLAESZ Pieter
xviie siècle. Hollandais.
Sculpteur de monuments.
Il exécuta une pierre tombale datée de 1612 à Huysum (Frise).

CLAESZ Pieter
Né vers 1597-1598 à Steinfurt en Westphalie. Enterré à Haarlem le 1er janvier 1661. xviie siècle. Hollandais.
Peintre de natures mortes, fruits.
Il avait été élève de F. Van Dyck. S'étant marié le 21 mai 1617 à Haarlem, il eut un fils en 1620, le paysagiste Claes Berchem. Il fut l'un des représentants de la peinture de natures mortes caractéristique de l'esprit hollandais du xviie siècle et qui se prolongea dans la peinture de genre. Cet état d'esprit était bien étranger aux soucis glorieux et emphatiques de l'école française du siècle de Louis XIV, d'abord par le commun de ses sujets et surtout par ses liens avec le caravagisme qui, préférant les valeurs simplement humaines à celles de la puissance, mettait en cause l'ordre établi. Il ne traita pas de tables servies, dont les objets varient peu : sur la nappe se trouvent pichet d'étain, verres à cabochons ou flûtes de Venise, fromages, fruits, jambon, harengs, pain, etc., et puis parfois une montre, une pipe, comme pour marquer l'absence des personnages, la table abandonnée. Ses premières œuvres se rapprochent de celles de Floris Van Schooten, les objets en désordre, les tons limités au terre et au métal. Après 1630, à l'exemple de Heda, il distribue les objets selon un ordre préétabli, calculé géométriquement selon la proportion d'or. À partir de 1640, c'est alors sa palette qui s'enrichit de tons chauds et transparents, qui s'épanouissent avec les natures mortes de fruits que relèvent des blancs purs et des carmins.

Musées : Amsterdam : Natures mortes – Berlin : *Nature morte, table avec déjeuner – Nature morte, autre déjeuner – Nature morte, table, vin du Rhin* – Bruxelles : *Nature morte au pichet* – Budapest : *Nature morte* – Cologne : *Nature morte* – Dublin : *Nature morte* – Haarlem : *Natures mortes* – Hambourg : *Nature morte et huîtres – Nature morte et morceau de poisson* – La Haye : *Nature morte* – Kassel : *Nature morte* – Liège : *Nature morte* – Londres : *Fruits* – Mayence : *Une nature morte, volailles et poissons* – Melbourne (Nat. Gal. of Victoria) : *Nature morte* – Nantes : *Nature morte* – Paris (Louvre) : *Instruments de musique* – Rotterdam (Mus. Boymans) : *Déjeuner dans un vieil intérieur hollandais* – Saint-Pétersbourg : *Un déjeuner.*

Ventes Publiques : Paris, 1888 : *Nature morte* : **FRF 450** – Paris, 1895 : *Le déjeuner, nature morte* : **FRF 430** – Paris, 1900 : *Nature morte* : **FRF 420** – Paris, 25-28 mai 1907 : *La cafetière d'étain* : **FRF 1 020** ; *La coupe ciselée* : **FRF 780** – New York, 1908 : *Nature morte* : **USD 110** – Londres, 29 fév. 1908 : *Fruit et nature morte sur une table* : **GBP 5** – Paris, 14 mai 1908 : *Nature morte* :

FRF 105 ; *La Desserte* : **FRF 210** – Londres, 19 déc. 1908 : *Nature morte* : **GBP 10** – Paris, 13 mars 1909 : *Nature morte* : **FRF 780** – Londres, 18 juil. 1910 : *Fruits, crabe et nature morte* : **GBP 52** – Paris, 27 jan. 1921 : *Nature morte*, attr. : **FRF 850** – Londres, 31 mars 1922 : *Nature morte* : **GBP 17** – Londres, 16 mars 1923 : *Nature morte* 1640 : **GBP 141** – Londres, 15 juin 1923 : *Nature morte* 1641 : **GBP 173** – Paris, 26 jan. 1924 : *Fruits et nature morte*, attr. : **FRF 720** – Paris, 2 juin 1924 : *Nature morte* : **FRF 900** – Paris, 11 déc. 1925 : *Fruits* : **FRF 360** – Paris, 27 et 28 mai 1926 : *Nature morte* : **FRF 11 500** – Londres, 6 déc. 1926 : *Nature morte* : **GBP 178** – Londres, 16 déc. 1927 : *Nature morte* 1642 : **GBP 157** – Paris, 17 fév. 1928 : *Orfèvreries et plat d'huîtres sur une table*, École de P. C. : **FRF 2 300** – Londres, 2 déc. 1929 : *Nature morte* : **GBP 68** – Londres, 14 mai 1930 : *Nature morte* : **GBP 85** – Londres, 26 fév. 1931 : *Nature morte* : **GBP 173** – Genève, 9 juin 1934 : *Nature morte* : **CHF 1 955** – Londres, 14 juin 1935 : *Nature morte sur une table* : **GBP 52** – Londres, 16 juil. 1937 : *Nature morte* 1640 : **GBP 24** ; *Nature morte* 1645 : **GBP 42** – Londres, 14 fév. 1938 : *Nature morte* : **GBP 131** – Londres, 27 mai 1938 : *Nature morte* : **GBP 37** – Londres, 13 mars 1939 : *Nature morte sur une table* : **GBP 12** – Paris, 3 déc. 1941 : *Nature morte* : **FRF 29 000** – Paris, 20 déc. 1943 : *Nature morte* : **FRF 70 100** – Paris, 30 mai 1949 : *Le gâteau de groseilles* : **FRF 138 000** – Paris, 23 mai 1950 : *Le vidrecome* : **FRF 750 000** – Paris, le 7 déc. 1950 : *Le dessert* : **FRF 1 700 000** – Paris, 24 juin 1960 : *Nature morte aux crabes* : **FRF 7 000** – Londres, 4 déc. 1960 : *Nature morte avec verrerie et vaisselle d'étain* : **GBP 1 000** – Londres, 4 avr. 1962 : *Nature morte avec poisson, olives et verre de vin* : **GBP 4 000** – Bruxelles, 13-14-15 mai 1964 : *Nature morte aux fruits* : **BEF 120 000** – Londres, 19 mars 1965 : *Nature morte* : **GNS 2 400** – Londres, 6 déc. 1967 : *Nature morte* : **GBP 7 400** – Londres, 29 mars 1968 : *Nature morte aux citrons, raisins, couteau et verre de vin* : **GNS 10 000** – Londres, 8 déc. 1972 : *Nature morte* : **GNS 6 500** – Londres, 8 oct. 1976 : *Nature morte* 1642, h/pan. (37,5x51) : **GBP 30 000** – Amsterdam, 9 juin 1977 : *Nature morte* 1629, h/pan. (35,5x63) : **NLG 360 000** – Londres, 29 juin 1979 : *Nature morte*, h/pan. (48,5x70,5) : **GBP 15 000** – Londres, 21 avr. 1982 : *Nature morte*, h/pan. (48x65,5) : **GBP 8 000** – Londres, 5 juil. 1984 : *Nature morte aux fruits, verre et aiguière sur une table* 1621, h/pan. (45,5x63,5) : **GBP 80 000** – Londres, 4 juil. 1986 : *Nature morte à la coupe de vin, pipe et brasier sur un entablement*, h/pan. (25,7x36,2) : **GBP 210 000** – New York, 14 jan. 1988 : *Nature morte avec un verre et une coupe dorée* 1640, h/pan. (56x41) : **USD 88 000** – New York, 10 jan. 1990 : *Nature morte de fruits et de poisson dans des plats d'étain, avec du pain et des noix près d'un verre de vin, etc.*, sur un entablement drapé, h/pan. (51,7x84) : **USD 50 500** – Londres, 11 avr. 1990 : *Nature morte avec un poisson, des citrons, du pain dans un plat d'étain, avec une salière, des couverts et un Roemer, etc.*, sur un entablement drapé, h/cuivre (52x73,5) : **GBP 319 000** – Londres, 6 déc. 1990 : *Fraises des bois et cerises dans des porcelaines Wanli, raisin et pommes dans un plat d'étain et autres fruits sur un entablement drapé*, h/pan. (26,5x34,6) : **GBP 506 000** – New York, 16 jan. 1992 : *Nature morte avec un poisson, du pain et des olives dans des assiettes d'étain, avec des verres, une carafe et une aiguière sur une table drapée*, h/pan. (58,4x83,8) : **USD 60 500** – Londres, 8 juil. 1992 : *Nature morte avec un jambon dans une corbeille, des huîtres dans un plat d'étain avec un roemer et un citron pelé sur une table drapée*, h/pan. (45x63) : **GBP 41 800** – New York, 14 jan. 1993 : *Nature morte avec un roemer, un pichet d'étain renversé, un citron pelé dans un plat d'étain des nois et des noisette et une miche de pain* 1635, h/pan. (41x61,5) : **USD 770 000** – Amsterdam, 6 mai 1993 : *Un pichet d'étain, une pinte de bière, un jambon et une assiette avec une saucisse près d'un pot à moutarde de grès bleu et blanc avec un couteau, des noisettes et du raisin sur une table nappée* 1650, h/pan. (49,3x66,8) : **NLG 172 500** – Londres, 22 avr. 1994 : *Vanité avec des instruments de musique, un calice renversé, un coffret à bijoux un globe astrologique, un crâne et des livres...* 1653, h/t (91,5x113) : **GBP 45 500** – Paris, 23 nov. 1994 : *Nature morte de raisins, poires, pêches, poissons et crustacés disposés sur un entablement*, h/t (101x135) : **FRF 300 000** – New York, 11 jan. 1995 : *Nature morte avec une grappe de raisin, un gateau en croute et des pêches dans des plats d'étain, avec du pain et des noisettes sur une nappe blanche avec un verre, un pichet et des couverts sur une table*, h/pan. (47x70,2) : **USD 79 500** – Londres, 6 déc. 1995 : *Nature morte avec un crabe dans un plat d'étain avec une boule de pain et des citrons pelés sur une assiette avec un roemer et une grappe de raisin et des pampres de vigne sur un entablement drapé* 1644, h/pan. de chêne (77x109) : **GBP 84 000** – LONDRES, 3 juil. 1996 : *Nature morte avec un roemer, une coupe d'argent renversée et un poulet roti, du pain, un citron pelé sur des plats d'étain, avec du raisin et des noix sur une table drapée 1647*, h/pan. de chêne (46,7x63,5) : **GBP 65 300** – LONDRES, 3 juil. 1997 : *Nature morte avec un ber-kermeier, des fraises des bois et des cerises dans des coupes Wanli, des pommes, du pain et des noisettes sur des plats en étain, des sucreries dans un tazza doré, un couteau, une cuillère, des noisettes et, des groseilles à maquereaux et des groseilles rouges en grappes disposés sur une table partiellement drapée de blanc 1622*, h/pan. (44,8x59,2) : **GBP 463 500** – LONDRES, 3 déc. 1997 : *Des crabes sur une assiette, des pêches et des fruits dans une coupe Wanli, un petit pain et un rouleau de tabac à priser sur une assiette, une aiguière en grès, un verre à vin, un roemer, une grappe de raisin, un couteau et des noix sur une table partielle-ment drapée 1650*, h/pan. (50,2x68,6) : **GBP 40 000.**

CLAESZ Reyer, dit Suycker
Né avant 1600 à Haarlem. Mort avant 1655 à Haarlem. XVIIe siècle. Hollandais.
Peintre de paysages.
Il était dans la gilde d'Haarlem en 1596. Ses paysages qui concurrent une certaine vogue de son temps figurent dans plu-sieurs inventaires de bourgeois hollandais. Les Musées d'Utrecht et de Brunschwig possèdent des paysages signés *R. C.* qui sont attribués avec beaucoup de vraisemblance à cet artiste.
MUSÉES : BRUNSCHWIG – UTRECHT.
VENTES PUBLIQUES : AMSTERDAM, 29 nov. 1988 : *Promenade ombragée le long d'un canal avec des personnages*, h/pan. (65x89) : **NLG 48 300** – NEW YORK, 5 avr. 1990 : *Escarmouche dans un vaste paysage*, h/pan. (39x60,5) : **USD 8 800.**

CLAESZ Thys
XVIIIe siècle. Hollandais.
Dessinateur.
Il exécuta une carte en 1717.

CLAESZ Volckert. Voir CLAESZOON

CLAESZ Wyert
XVIIe siècle. Actif à Gouda, de 1606 à 1613. Hollandais.
Peintre.
Mentionné à Haarlem, d'après le Dr von Wurzbach, en 1606.

CLAESZOON Volckert ou Claesz
XVIe siècle. Actif à Haarlem. Hollandais.
Peintre.
Il dessina pour des vitraux ; Van Mander signale de lui plusieurs tableaux dans la chambre des échevins de Haarlem.

CLAEUW Jacques de, de son vrai nom : Jacques Grief
Né à Dordrecht. Mort après 1676. XVIIe siècle. Hollandais.
Peintre de natures mortes.
Beau-fils de Jan Van Goyen et beau-frère de Jan Steen. A tra-vaillé à Dordrecht, à La Haye, à Leyde, entre 1642 et 1665. Il réa-lisa de nombreuses vanités.
MUSÉES : AMSTERDAM : *Vanitas* – HAARLEM : *Fruits et vaisselle* – LEYDE : *Vanité des vanités.*
VENTES PUBLIQUES : PARIS, 20 mai 1927 : *La Timbale d'argent* : FRF 10 000 – PARIS, 12 mai 1938 : *Grappes de raisin* : **FRF 8 000** – LONDRES, 9 juil. 1976 : *Nature morte*, h/t (58,5x77,5) : **GBP 8 000** – LONDRES, 8 juil. 1983 : *Nature morte*, h/t (47x40,6) : **GBP 5 500** – NEW YORK, 6 juin 1984 : *Nature morte*, h/t (90x143,5) : **USD 7 000** – AMSTERDAM, 29 nov. 1988 : *Nature morte de tulipes, roses et autres fleurs dans un vase sur un entablement*, h/pan. (36,5x29,8) : **NLG 41 400** – PARIS, 16 mai 1990 : *Vanité aux instruments de musique, livres, gravures*, h/t (100x120) : **FRF 90 000** – LONDRES, 15 avr. 1992 : *Rose, églantine et marguerites dans un vase sur un entablement de pierre*, h/pan. (32,4x23,8) : **GBP 15 500** – AMSTER-DAM, 7 mai 1997 : *Vanité, nature morte d'instruments de musique*, h/t (122x156) : **NLG 41 515.**

CLAEYS Albert
Né en 1889 à Eke. Mort en 1967 à Deurle. XXe siècle. Belge.
Peintre de paysages et de portraits.
Élève de l'Institut supérieur d'Architecture et des Arts décoratifs de Gand, il fut également élève de l'Académie des Beaux-Arts dans la même ville, travaillant sous la direction de J. Delvin. Il a fait des voyages en France, en Allemagne et aux Pays-Bas. Il fut professeur à l'École des Beaux-Arts d'Alost.

VENTES PUBLIQUES : ANVERS, 6 avr. 1976 : *Paysage de la Lys en hiver*, h/t mar./pan. (33x39) : **BEF 55 000** – BRUXELLES, 18 mai

1977 : *Paysage d'hiver avec fermettes*, h/pan. (32x40) : **BEF 50 000** – NEW YORK, 13 jan. 1978 : *Paysage avec moulin*, h/t (55x68) : **BEF 64 000** – BRUXELLES, 24 oct. 1979 : *Pont en Flandres 1921*, h/t (100x110) : **BEF 80 000** – LOKEREN, 16 fév. 1980 : *Pay-sage d'automne*, h/t mar./pan. (48x60) : **BEF 150 000** – ANVERS, 27 oct. 1981 : *Vue de la Lys en hiver*, h/t (90x100) : **BEF 140 000** – ANVERS, 26 oct. 1982 : *Vue de la Lys en hiver*, h/t mar./pan. (48x60) : **BEF 130 000** – ANVERS, 26 avr. 1983 : *Paysage de la Lys*, h/t (89x110) : **BEF 150 000** – BRUXELLES, 13 déc. 1984 : *Paysage fluvial*, h/t (69x73) : **BEF 54 000** – ANVERS, 22 oct. 1985 : *Moisson en pays flamand*, h/t (57x69) : **BEF 120 000** – LOKEREN, 18 oct. 1986 : *Paysage à la rivière en été*, h/t (80x100) : **BEF 330 000** – LOKEREN, 10 oct. 1987 : *L'allée bordée d'arbres*, h/t (68,5x76) : **BEF 140 000** – LOKEREN, 28 mai 1988 : *Soir d'hiver au bord de la Lys*, h/pan. (48x60) : **BEF 95 000** – LOKEREN, 10 oct. 1992 : *Tra-vaux des champs au bord de la Lys*, h/pan. (48x60) : **BEF 105 000** – LOKEREN, 8 oct. 1994 : *Voiliers sur la Lys*, h/t (80x80) : **BEF 75 000** – LOKEREN, 20 mai 1995 : *Chemin de campagne avec une ferme*, h/t (80x100) : **BEF 120 000.**

CLAEYS Brigitte
XXe siècle. Belge.
Peintre. Abstrait-informel.
Elle participe à des expositions collectives en Belgique, obtenant distinctions et Prix. En 1994, le Musée des Beaux-Arts d'Ostende lui a consacré une exposition personnelle.

CLAEYSEN Louise Alice Camille
Née à Fourcamont (Seine-Maritime). XXe siècle. Française.
Peintre de fleurs et de paysages.
A partir de 1935, elle a exposé au Salon d'Automne et à celui des Tuileries.

CLAGETT Jean ou Marilyn
XXe siècle. Active en France. Américaine.
Peintre, sculpteur de portraits, animalier.
Jean Clagett découvrit la peinture lors d'une longue convales-cence due à une fièvre rhumatismale. Après une enfance passée à Spokane (Washington), elle suivit ses parents à Paris et se pas-sionna pour la sculpture en visitant le Louvre. De retour aux États-Unis, et tout en poursuivant des études de littérature et de chimie à l'université de Portland (Oregon), elle travaillait chez un vétérinaire afin de pouvoir approcher les chevaux, qui devinrent ses sujets de prédilection. Après son mariage, elle vécut quinze ans dans une ferme, élevant, entraînant, peignant et sculptant ses propres chevaux. Elle remporta avec le bronze d'une jument le Washington State Horsebreeder's Show.
Jean Clagett vit aujourd'hui en France. Elle a exécuté le buste du jockey Yves Saint-Martin et les portraits des plus grands cham-pions de course, parmi lesquels Ourasi, Sagace et Sabotica. Nombre de ses sculptures et peintures se trouvent aux États-Unis dans les « Horseracing Museums ».
Elle s'attache particulièrement à la pureté des lignes, recon-naissant pour son œuvre l'influence de Barye et de Bugatti.
MUSÉES : FRANKFORT (Kentucky Derby Mus.) – MAISON-LAFITTE (Racing Mus.).
VENTES PUBLIQUES : PARIS, 26 jan. 1991 : *Joueurs de polo 1989*, bronze (H. 52,5x81) : **FRF 48 000** – PARIS, 2 déc. 1994 : *Trois Joueurs de polo*, bronze (L. 83) : **FRF 90 000** – LONDRES, 13 nov. 1996 : *Avant la ligne droite 1991*, bronze patine colorée, groupe de quatre chevaux (38x110) : **GBP 18 400.**

CLAGNY Lucien de
Né au XIXe siècle à Saint-Germain-en-Laye (Yvelines). XIXe siècle. Français.
Sculpteur et dessinateur.
Élève de Mme Bertaux et de Lalanne, il débuta au Salon de 1875 avec un fusain.

CLAGUE Richard
Né en 1816 en Louisiane. Mort en 1878 à La Nouvelle-Orléans. XIXe siècle. Américain.
Peintre.

CLAIR Charles
Né en 1860 à Mars (Nièvre). Mort en 1930. XIXe-XXe siècles. Français.
Peintre et graveur de paysages animés, figures typiques, animalier.
Il a régulièrement exposé au Salon des Artistes Français, dont il est devenu sociétaire en 1913.
Il s'est spécialisé dans les scènes pastorales, surtout celles concernant les bergeries et pâturages de moutons. Mais, il a

peint aussi des paysages ruraux, des bergères ou lavandières dans leurs occupations, des scènes de moisson.

VENTES PUBLIQUES : PARIS, 11 fév. 1919 : *Moutons à la bergerie :* FRF 275 – PARIS, 26 nov. 1927 : *La bergerie :* FRF 1 420 – LONDRES, 4 mai 1928 : *Moutons dans une grange :* GBP 25 – PARIS, 26 fév. 1934 : *Moutons s'abreuvant :* FRF 270 – LONDRES, 30 juin 1939 : *Bergerie 1908 :* GBP 8 – PARIS, 10juin 1942 : *Paysages avec cours d'eau :* FRF 1 100 – PARIS, 19 avr. 1951 : *Intérieur de grange : la rentrée du foin :* FRF 16 800 – PARIS, 7 juil. 1953 : *Moutons dans la bergerie :* FRF 1 200 – PARIS, 20 mars 1970 : *La bergère :* FRF 1 900 – PARIS, 26 oct. 1976 : *Moisson, h/t (65x81) :* FRF 5 000 – PARIS, 8 juin 1977 : *Bergerie, h/t (81x65) :* FRF 4 000 – AMSTERDAM, 28 nov. 1978 : *Scène de moisson, h/t (50x65) :* NLG 4 200 – VERSAILLES, 4 oct. 1981 : *La bergerie, h/t (81x100) :* FRF 27 000 – VERSAILLES, 21 fév. 1982 : *Maisons au bord de la rivière, h/t (91,5x72,5) :* FRF 14 500 – PARIS, 27 juin 1983 : *Bord de rivière, h/t (90x65) :* FRF 8 500 – SAINT-DIÉ, 26 fév. 1984 : *Paysage au pêcheur, h/t (54x65) :* FRF 10 000 – ZURICH, 21 juin 1985 : *Le départ du troupeau de moutons pour le pâturage, h/t (100x81) :* CHF 7 500 – PARIS, 5 juin 1987 : *Moutons à l'étable, h/t (60x73) :* FRF 11 000 – BERNE, 26 oct. 1988 : *Le vieux moulin à eau, h/t (31x23) :* CHF 2 400 – VERSAILLES, 5 mars 1989 : *Bergère près de la mare, h/t (65x54) :* FRF 19 000 – LA VARENNE-SAINT-HILAIRE, 21 mai 1989 : *Les lavandières près du fleuve 1881, h/t (28x56) :* FRF 13 500 – PARIS, 5 juin 1989 : *Bord de rivière, h/t (65x92) :* FRF 13 000 – NEW YORK, 17 jan. 1990 : *La bergère 1909, h/t (116,8x87,8) :* USD 5 500 – PARIS, 21 mars 1990 : *Paysanne au bord de l'eau, h/t (92x73) :* FRF 8 000 – PARIS, 30 nov. 1990 : *La fenaison, h/t (50x66) :* FRF 24 000 – AMSTERDAM, 17 sep. 1991 : *Paysanne et ses moutons dans une grange, h/t (49,5x65,5) :* NLG 4 025 – LE TOUQUET, 10 nov. 1991 : *Le retour du troupeau, h/t (100x80) :* FRF 25 000 – PARIS, 10 juin 1992 : *Le troupeau dans la bergerie, h/t (46x54) :* FRF 16 000 – LE TOUQUET, 14 nov. 1993 : *Bergère et ses moutons, h/t (49x65) :* FRF 14 000 – REIMS, 24 oct. 1994 : *Scène de bergerie 1912, h/t (66x82) :* FRF 28 100 – PARIS, 12 mai 1995 : *Charrette au retour des moissons, h/t (50,5x60,5) :* FRF 12 500 – PARIS, 6 mars 1996 : *Moutons rentrant dans la bergerie, h/t (81x65) :* FRF 17 000.

CLAIR Pierre
Né le 9 mars 1821 à la Guillotière (Rhône). Mort après 1855. XIXᵉ siècle. Français.
Sculpteur.
Il entra à l'École des Beaux-Arts le 1ᵉʳ octobre 1840 et devint l'élève de Cruchet. Il figura au Salon de Paris en 1844, 1846 et 1849.

CLAIRE Auguste Jean
Né le 18 novembre 1881 à Paris. XXᵉ siècle. Français.
Peintre de paysages.
A partir de 1930, il a exposé au Salon des Artistes Français à Paris, où il obtint une médaille d'or en 1935.
MUSÉES : LE HAVRE – ROUEN.
VENTES PUBLIQUES : BERNE, 22 oct. 1980 : *Paysage fluvial, h/pan. (17,5x36) :* CHF 2 200 – BERNE, 7 mai 1982 : *Paysage au clair de lune, h/isor. (17,5x36) :* CHF 1 700 – PARIS, 27 avr. 1987 : *Maison et jardin 1932, h/t (60x88) :* FRF 4 200.

CLAIREFOND Georges
Né le 8 avril 1920 à Nîmes (Gard). Mort le 11 août 1973 à Nîmes. XXᵉ siècle. Français.
Peintre. Entre abstrait et expressionniste.
Après avoir poursuivi des études de droit et de philosophie, il se consacre à la peinture et à la poésie. Il a participé, à Paris au Salon des Moins de Trente Ans en 1947, à celui des Réalités Nouvelles en 1952, 1954, à New York au Musée Gugggenheim en 1956, à Aix-en-Provence au Musée Granet en 1970, 1972, 1974. Ses expositions personnelles se sont déroulées à Montpellier en 1952, à Paris en 1967. Sa première grande rétrospective eut lieu à Nîmes en 1970, elle fut suivie d'une autre grande exposition dans la même ville, au Musée des Beaux-Arts en 1974, puis à Montpellier en 1979 et de nouveau à Nîmes en 1989.
Avec l'École de Paris, Bazaine, Manessier, Bissière, il partage le

goût de la matière colorée, travaillant moins à partir du dessin que de la lumière. Il devait moduler cette influence à la suite de ses voyages en Italie où il retrouvait les peintres fondateurs de la peinture européenne : Piero della Francesca, Pisanello, Titien et Tintoret. Ainsi passe-t-il d'une forme d'abstraction plutôt lyrique à un art expressionniste. La réalité des êtres et des choses imprègne le climat poétique de sa peinture, tout en ne franchissant pas le stade de l'allusion ; à ce propos, Marc Olivier évoque « le jaillissement fébrile du réel et du songe ».
BIBLIOGR. : Catalogue de la rétrospective : *G. Clairefond,* Musée des Beaux-Arts, Nîmes, 1974.
MUSÉES : NÎMES (Mus. des Beaux-Arts).

CLAIREMONT Michèle
Née à Niort (Deux-Sèvres). XXᵉ siècle. Française.
Peintre de compositions, paysages.
Lorsqu'elle expose au Salon d'Automne de 1938, elle présente un paysage, tandis qu'elle expose des compositions abstraites au Salon des Réalités Nouvelles à Paris en 1952 et 1954.

CLAIRET Marie Magdelain Félix
Né le 4 juillet 1875 à Mérinchal (Creuse). Mort le 12 janvier 1953 au Kremlin-Bicêtre (Val-de-Marne). XXᵉ siècle. Français.
Peintre et lithographe.
Élève de Voisin, Truphème, Marchais et Roll, plus tard sociétaire des Artistes Français ; il a aussi exposé au Salon d'Automne.

CLAIRET-MOUILLAC Claire
Née le 5 juin 1905 à Charols (Drôme). XXᵉ siècle. Française.
Peintre de nus, de fleurs et de paysages.
Entre 1928 et 1939, elle a participé aux Salons des Artistes Indépendants, d'Automne et des Tuileries à Paris.

CLAIRIN Georges Jules Victor
Né le 11 septembre 1843 à Paris. Mort le 5 juin 1919 à Belle-Ile-en-Mer (Morbihan). XIXᵉ-XXᵉ siècles. Français.
Peintre d'histoire, scènes de genre, portraits, paysages, compositions décoratives. Orientaliste.
Élève de Pils et de Picot à l'École des Beaux-Arts de Paris, il travailla surtout sous la direction de Regnault, qui fut un ami. Avec ce dernier, il fit plusieurs voyages, tout d'abord en Bretagne, puis en Espagne et au Maroc. Il revint à Paris, après avoir participé aux combats de la guerre de 1870, au cours desquels Regnault fut tué. Clairin séjourna alternativement au Maroc, à Paris, en Italie, Espagne, Algérie, Égypte et en Bretagne.
Il participa au Salon des Artistes Français, à celui des Peintres Orientalistes Français, à la Société coloniale des Artistes Français, au Salon des Artistes Algériens et Orientalistes d'Alger. Il obtint la médaille d'argent à l'Exposition Universelle de Paris en 1889. Une importante exposition lui fut consacrée à Paris, en 1901. Officier de la Légion d'Honneur en 1897.
Clairin est l'auteur de plusieurs décorations : au théâtre de Tours, où il a peint le plafond et des panneaux ; à l'Opéra de Paris, où Garnier lui a demandé de collaborer à la réalisation de trois plafonds, de six panneaux, et, en 1874, de terminer l'escalier que son maître Pils n'avait pu achever. Il a également réalisé des décorations à la Bourse de Commerce, à la Sorbonne, à l'Hôtel de Ville et à l'Eden-Théâtre. Ses sujets sont extrêmement variés, fêtes vénitiennes, ballets de l'Opéra, scènes de genre inspirées de ses voyages, femmes orientales bardées de bijoux, vêtues de tenues chatoyantes, paysages, etc. Intéressé par le théâtre et la littérature, admirateur de Sarah Bernhardt, il séjourna souvent chez elle, en Bretagne, ce qui lui permit de faire plusieurs portraits de l'actrice dans ses rôles. On lui a reproché une certaine mièvrerie, mais on peut lui reconnaître le goût du détail savoureux, de la nature morte enlevée avec brio.

Cachet de vente

BIBLIOGR. : Lynne Thornton, in : *Les Orientalistes, peintres voyageurs,* ACR Édition, Paris, 1993-1994.
MUSÉES : AGEN : *Après la victoire des Maures* – BALTIMORE (Walters Art Gal.) : *L'entrée au harem* – DIEPPE : *Paysage marin breton*

– Ascanio modelant sa figure : Hébé, aquar. *– Femme musicienne assise jouant du violon*, dess. *– Musicienne ethérée*, dess. – Louviers (Gal. Roussel) : *Maria Pacheco, veuve de Don Juan de Padilla, anniversaire de la bataille de Villalar* – Nevers : *Moïse* – Paris (Mus. d'Orsay) : Projet de plafond pour l'Éden-Théâtre, pastel – Rouen : *Massacre des Abencérages* – Saint-Brieuc : *Les brûleurs de varech à Penmarch.*

Ventes Publiques : Paris, 1878 : *Japonaise* : **FRF 315** – Paris, 1880 : *Vue de Tanger*, aquar. : **FRF 1 505** – New York, 6-7-8 mai 1908 : *Portrait* : **USD 165** – Paris, 2-3 fév. 1920 : *Portrait de Mlle Zucchi de l'Opéra* : **FRF 3 000** ; *Le patio de Séville : femmes mauresques donnant à manger à des paons blancs* : **FRF 2 900** – Paris, 23-24 mars 1920 : *Sarah Bernardt, dans le rôle de Cléopâtre* : **FRF 2 000** – Paris, 22 nov. 1926 : *Combat d'Arabes* : **FRF 1 450** – Paris, 27 nov. 1942 : *Fenêtre ouverte sur un paysage* : **FRF 3 100** – Paris, 28 mars 1949 : *Danseuses orientales* : **FRF 14 500** – Paris, 10 déc. 1954 : *Femmes de Séville au balcon* : **FRF 42 000** – Londres, 3 mai 1967 : *Femme à la cigarette* : **GBP 160** – Versailles, 29 oct. 1972 : *Départ du balcon du jardin des Tuileries* : **FRF 2 000** – Paris, 18 mars 1976 : *Le bouquet de l'adieu*, h/pan. (43x34) : **FRF 6 500** – New York, 28 avr. 1977 : *La Réception*, h/t (75,5x120,5) : **USD 4 000** – Paris, 1er juin 1977 : *Réception à Venise*, gche sur pap. bistre : **FRF 4 000** – Enghien-les-Bains, 28 oct. 1979 : *La Vierge aux pêcheurs* 1913, gche et past., haut cintré, cadre en cuivre repoussé incrusté de burgau en forme d'arche gothique (14,6x58) : **FRF 22 000** – Paris, 18 juin 1981 : *Comédienne en cape et en chapeau* 1889, aquar. et encre de Chine (50x34) : **FRF 2 500** – Chartres, 2 juin 1984 : *Femmes arabes au jardin*, aquar. gchée (44x64) : **FRF 50 000** – Londres, 19 juin 1984 : *Scène de harem vers 1875*, h/t (110x159) : **GBP 25 000** – Enghien-les-Bains, 28 avr. 1985 : *Scène de bataille* 1894, h/t (98x146) : **FRF 275 000** – Enghien-les-Bains, 27 oct. 1985 : *Femmes Ouled Nail*, gche (53x73) : **FRF 70 500** – Calais, 8 nov. 1987 : *Rempart d'une ville orientale*, dess. à la mine de pb (39x28) : **FRF 9 000** – New York, 25 fév. 1988 : *Le rêve*, h/t (61x94,5) : **USD 7 700** – Paris, 25 mars 1988 : *Gondole de deuil à Venise*, aquar. (37x71) : **FRF 43 000** – New York, 29 avr. 1988 : *Scène de harem*, h/t (100,3x61) : **USD 52 250** – New York, 24 mai 1988 : *L'arrivée des invités, Venise*, h/t (75,5x120,6) : **USD 24 200** – Londres, 21 juin 1989 : *Le bal masqué*, h/t (81x59) : **GBP 26 400** – Paris, 9 déc. 1989 : *Élégantes à Venise*, h/t (55x46) : **FRF 35 000** – Londres, 16 fév. 1990 : *Dans les bois*, h/t (61x48,2) : **GBP 4 620** – Londres, 28 mars 1990 : *Dames à Venise*, h/t (53,5x44,5) : **GBP 8 800** – Paris, 15 juin 1990 : *Portrait d'Alexandre Dumas*, cr. noir et blanc (21x29) : **FRF 20 000** – New York, 26 oct. 1990 : *Portrait de Maurice Jambon* 1902, cr./pap. (34,3x27,9) : **USD 1 870** – Paris, 28 mai 1991 : *Femmes Ouled-Nail*, aquar. et gche (55x45) : **FRF 45 000** – Paris, 19 nov. 1991 : *Femmes Ouled Nail*, gche, cr. et reh. de blanc (34x48) : **FRF 55 000** – New York, 20 fév. 1992 : *Les Fumeurs d'opium* 1872, h/t (109,2x100,3) : **USD 33 000** – New York, 29 oct. 1992 : *L'Entrée d'un temple*, h/t (80,6x60,3) : **USD 13 200** – Paris, 1er déc. 1992 : *La Villa Princesse* 1916, aquar. : **FRF 12 000** – New York, 18 fév. 1993 : *Les Courtisans*, h/t (80x130,8) : **USD 31 900** – Londres, 19 mars 1993 : *Guerriers arabes faisant boire leurs chevaux à la fontaine d'une ville*, gche et aquar. avec reh. de blanc/pap. (43,2x29,9) : **GBP 2 875** – Paris, 8 déc. 1993 : *Femme espagnole au balcon*, h/t (120x76) : **FRF 136 000** – New York, 24 mai 1995 : *À l'Opéra*, h/t (151,8x91,4) : **USD 40 250** – Paris, 11 déc. 1995 : *Femme arabe tenant des fleurs*, past. (48x39) : **FRF 14 000** – New York, 23-24 mai 1996 : *La Ville heureuse, la paix en Égypte* 1913, h/t (148,6x104,1) : **USD 50 600** – Paris, 7 juin 1996 : *Élégante à l'éventail*, aquar. (36,5x53,5) : **FRF 4 800** – New York, 23 oct. 1997 : *La Fête fleurie*, h/t (95,3x114,3) : **USD 43 700**.

CLAIRIN Pierre-Eugène

Né le 14 mars 1897 à Cambrai (Nord). Mort le 7 juillet 1980 à Thorigné-en-Charcy. xxe siècle. Français.

Peintre de paysages, de portraits et de natures mortes.

Il est élève de Cormon à l'École des Beaux-Arts de Paris en 1913. Démobilisé en 1919, il travaille à l'Académie Ranson avec Paul Sérusier qu'il suit à Pont-Aven où il rencontre Vuillard et Maurice Denis. Il est, en conséquence, fatalement influencé par les Nabis et l'école de Pont-Aven. A partir de 1920, il a exposé au Salon des Artistes Indépendants à Paris, au Salon d'Automne, dont il est sociétaire, et au Salon des Tuileries.

Musées : Baltimore – Cambrai : *Contre-jour à Savin* – *Verriers à Bayel* – Paris (Mus. d'Art Mod.) : *L'hiver* – *Femme dans un intérieur* – Philippeville : *Une vieille ferme en Dauphiné* – Quimper (Mus. des Beaux-Arts) : *L'Atelier de Gauguin à Pont-Aven* 1959 – Saint-Étienne : *La maison Para à Courton-le-Haut.*

Ventes Publiques : Paris, 4 juin 1925 : *Le repos de la vachère* : **FRF 100** – Paris, 29 oct. 1927 : *Le village* : **FRF 450** – Paris, 2 mars 1929 : *Pont-Aven, le hameau* : **FRF 400** – Paris, 23 avr. 1937 : *Port Manech (Finistère)* : **FRF 420** – Paris, 2 déc. 1938 : *Église d'Aveney (Marne)* : **FRF 450** – Paris, 7 avr. 1943 : *Fleurs* : **FRF 1 550** – Paris, 10 nov. 1943 : *Le village dans la vallée* : **FRF 900** – Paris, 20 juin 1944 : *La moisson*, aquar. : **FRF 4 500** – Paris, 15 nov. 1972 : *Le port* : **FRF 830** – Paris, 30 mars 1976 : *Paysage du Midi*, h/t (50x73) : **FRF 1 800** – Paris, 6 mars 1978 : *L'oriental*, h/t (116x82) : **FRF 5 800** – Paris, 28 fév. 1979 : *Vue de Pont-Aven*, h/t (92x73) : **FRF 5 200** – Amsterdam, 20 mai 1981 : *Le Pont Louis-Philippe, Paris* 1938, h/t (64x80) : **NLG 2 600** – Paris, 1er déc. 1982 : *Châteauneuf du Faou* 1920, aquar., encre de Chine et fus. (30,5x30,5) : **FRF 8 500** – Enghien-les-Bains, 13 juin 1982 : *Vue de Pont-Aven*, h/t (65x92) : **FRF 15 000** – Paris, 10 juil. 1983 : *Paysage de neige*, h/pan. (89x129) : **FRF 12 000** – Versailles, 16 déc. 1984 : *Paysage à Châteauneuf*, aquar. (32x47) : **FRF 17 000** – Rambouillet, 20 oct. 1985 : *Le village*, h/t (55x65) : **FRF 9 500** – Douarnenez, 2 août 1986 : *Paysage à Châteauneuf-du-Faou*, aquar. (23x36) : **FRF 10 500** – Paris, 6 nov. 1987 : *Promenade en dehors des remparts* 1931, h/t (65x54) : **FRF 8 000** – Cologne, 20 oct. 1989 : *La récolte* 1919, h/t (38,5x40) : **DEM 1 800** – Paris, 20 mars 1990 : *Paysage à Châteauneuf du Faou*, fus. et aquar. (31x49) : **FRF 4 500** ; *Line et la couverture écossaise* 1951, h/t (81x100) : **FRF 20 000** ; *Promenade en Bretagne*, h/t (46x65) : **FRF 12 500** – Reims, 17 juin 1990 : *Le moulin près de la rivière*, h/t (81x65) : **FRF 15 000** – Paris, 8 nov. 1991 : *Fenêtre ouverte sur la ville*, h/t (55x46) : **FRF 3 500**.

CLAIRVAL Marie Thérèse H. de, vicomtesse

Née au xixe siècle à Alger. xixe siècle. Française.

Peintre.

Élève de Signol, Jacquand et Aubert. Elle débuta au Salon de 1875.

CLAISSE Geneviève

Née le 17 juillet 1935 à Quiévy (Nord). xxe siècle. Française.

Peintre, graveur et sculpteur. Géométrique abstrait.

Elle n'est pas passée par un enseignement académique, mais elle est entrée en 1958 dans l'atelier d'Auguste Herbin, auquel elle est apparentée, dont elle est devenue la collaboratrice et qui la considère comme « mon successeur désigné par les destins et l'hérédité ». Depuis 1960, elle participe aux principaux Salons français et étrangers : Salon de Mai à Paris 1960 et de 1975 à 1985, Salon d'Automne du Musée de Lyon 1965, Grands et Jeunes d'Aujourd'hui à Paris de 1965 à 1980, Biennale de Paris 1965, 1967, Salon d'Automne de Paris 1970, Salon des femmes peintres et sculpteurs 1973, Salon des Réalités Nouvelles 1974, Biennale de Brest 1979, 1981. Dans le cadre des expositions collectives à l'étranger, on la retrouve à Lausanne 1963, 1964, Copenhague 1963, Londres 1964, 1968, Tel-Aviv 1965, Munster 1966, Vienne, New York 1967, Montréal 1967, 1969, Zurich 1967, 1970, Tchécoslovaquie 1968, Philadelphie 1968, 1970, Biennale d'Alexandrie, 1er prix de gravure, 1970, Bâle 1978, 1987, 1988, Helsinki, Malmö 1984, La Haye 1987, etc. Sa première exposition personnelle s'est déroulée à Paris en 1958, elle a été suivie de beaucoup d'autres, entre autres à Paris en 1961, 1968, 1970, 1978, 1981, 1985, 1989, à Cambrai en 1958, 1977, Caracas 1969, 1970, Amsterdam, Anvers, Torento, Oslo 1971, Bâle, New York 1974, au Musée Matisse du Cateau-Cambrésis 1982, 1989.

Ses œuvres sont d'une rigueur géométrique abstraite absolue. Selon la définition de Philippe Dagen, Geneviève Claisse est « héritière du constructivisme et du *Cercle et carré*, fidèle à la frontalité, aux surfaces déterminées par une géométrie rectiligne et précise, aux couleurs plates et dénuées de toute modulation ». De la peinture à l'art monumental, de la sculpture aux environnements pénétrables, son langage plastique reste clair et immédiatement lisible. C'est le cas de ses peintures murales de Puteaux (1965), du bassin central du Pavillon français à l'Exposition internationale de Montréal (1967) ou des muraux et intégrations architecturales de la société Saint-Gobain à Pont-à-Mousson (1972). Ses toiles composées de plans colorés, de formes géométriques pures et de lignes simples réussissent cependant à donner la notion d'espace.

Bibliogr. : Dominique Szymusiak et Serge Fauchereau : *Claisse*, monographie éditée par le Musée Matisse, Le Cateau-Cambrésis, 1989.

Musées : Le Cateau-Cambrésis (Mus. Matisse) – La Chaux-de-Fond (Mus. des Beaux-Arts) – Chicago (Mus. d'Art Contemp.) – Cholet (Mus. des Arts) – Dunkerque (Mus. d'Art Contemp.) – Grenoble – Lausanne (Mus. des Beaux-Arts) – New York (Mus. Guggenheim) – Paris (Mus. Nat. d'Art Mod.) – Tel-Aviv.
Ventes Publiques : Zurich, 22 nov. 1978 : *Geneviève* 1964, h/t (92x73) : **CHF 3 000** – New York, 27 fév. 1981 : *Cercles* 1968, acryl./t. (92,5x73,5) : **USD 500** – Paris, 30 mars 1987 : *Minuit* 1964, h/t (46x61) : **FRF 15 000** – Paris, 16 déc. 1988 : *Nuit* 1960, h/t (40x80) : **FRF 6 700** – Douai, 23 avr. 1989 : *Composition* 1959, gche (42x31,5) : **FRF 8 500** – Paris, 14 mars 1990 : *Composition* 1960, gche (31x49) : **FRF 7 000** – Paris, 23 avr. 1990 : *Composition géométrique mélodique* 1963, gche (65x49) : **FRF 16 000** – Paris, 29 juin 1990 : *Composition géométrique* 1961, gche/pap. (22,5x31,5) : **FRF 28 000** – Douai, 11 nov. 1990 : *Nuit* 1960, h/t (40x80) : **FRF 15 500** – Paris, 15 déc. 1990 : *Unité jaune* 1973, h/t (92x73) : **FRF 24 200** – Zurich, 21 avr. 1993 : *Composition* 1961, gche (48x63) : **CHF 2 600** – Lucerne, 4 juin 1994 : *Composition* 1965, h/t (120x60) : **CHF 6 500** – Zurich, 14 nov. 1995 : *Symphonie rouge/2-carré violet* 1960, h/t (100x100) : **CHF 24 000** – Paris, 5 oct. 1996 : *Chaud* 1960, h/t (99,5x99,5) : **FRF 11 000** – Lucerne, 23 nov. 1996 : *Espace neuf* 1962, h/t (73x100) : **CHF 5 000** – Lucerne, 7 juin 1997 : *Signes* 1966, h/t (80x130) : **CHF 5 400**.

CLAISSE Victor
Né à Paris. xxᵉ siècle. Français.
Peintre de paysages et de marines.
Il a exposé au Salon des Artistes Indépendants à Paris de 1928 à 1935.
Ventes Publiques : Paris, 15 nov. 1972 : *Honfleur* : **FRF 1 400**.

CLAISSINS Alaert. Voir CLAEISSINS

CLAISSZ Jan. Voir CLAEISSINS

CLAITTE Philibert
Né en 1859 à Belleville (Rhône). xixᵉ siècle. Français.
Sculpteur.
Il exposa des bustes au Salon de 1882 à 1889. Le Musée de Lyon possède de lui un buste de marbre représentant le général Sériziat.

CLAM-GALLAS Christian von, Graf
Né en 1771. xviiiᵉ-xixᵉ siècles. Allemand.
Dessinateur et graveur à l'eau-forte, amateur.
On cite parmi ses gravures : *La Charité ; Allégorie de l'année 1808 ; Un chat dormant.*

GC 1801,

CLAMA. Voir GLAMA

CLAMA Pierre
Né en juillet 1934. xxᵉ siècle. Français.
Peintre. Abstrait.
Il participe au Salon de Mai et au Salon d'Automne à Paris. Autour de motifs abstraits, linéaires, il manie les couleurs avec une délicatesse qui donne à ses toiles une luminosité tout à fait particulière et très subtile.

CLAMAGIRAND Roger
Né le 3 août 1920. xxᵉ siècle. Français.
Peintre. Expressionniste.
Il a participé à la plupart des Salons parisiens, notamment au Salon des Moins de Trente Ans de 1945 à 1948, au Salon de la Marine depuis 1951, au Salon d'Automne à partir de 1954, au Salon de la Jeune Peinture de 1955 à 1962, au Salon des Artistes Indépendants de 1957 à 1960 et au Salon Comparaisons en 1965-1966.

CLAMBER. Voir CLAMER

CLAMENS Henri Auguste
Né le 2 février 1905 à Nîmes (Gard). xxᵉ siècle. Français.
Peintre.
Élève d'E. Laurent. Sociétaire des Artistes Français.

CLAMENS Mireille
xxᵉ siècle. Française.
Peintre et graveur.
Elle a participé à des expositions de groupe à partir de 1970 à Paris, en province, à New York, Tokyo, etc. Ses expositions personnelles se sont déroulées à Paris et dans le Midi de la France depuis 1975.
Elle se réfère à la mémoire collective, à l'homme, à la terre. Les images, abstractions, écritures et signes s'interpénètrent dans l'espace, donnant un langage d'une sensibilité plastique particulière.

CLAMER Christophe ou Clamwer
Mort avant 1603. xviᵉ siècle. Autrichien.
Peintre.
Munichois, il fut maître en 1597.

CLAMER Hans ou Klamher, Clamber
xviiᵉ siècle. Munichois, actif au début du xviiᵉ siècle. Autrichien.
Peintre.

CLAMER Paul
xviiᵉ siècle. Vivait à Hall (Tyrol) vers 1690. Autrichien.
Peintre.

CLAMMAN André
xvᵉ siècle. Vivait à Strasbourg en 1402. Français.
Peintre et sculpteur.

CLAMMAN Lauwelin
xivᵉ siècle. Vivait à Strasbourg en 1383. Français.
Peintre.

CLAMP ou Claes
xviiᵉ siècle. Travaillait à Haarlem en 1628. Hollandais.
Sculpteur.

CLAMP R.
xviiiᵉ siècle. Actif à Londres. Britannique.
Graveur.
On cite de lui : *William Cartwright, Comedian,* d'après S. Harding.

CLAMWER. Voir CLAMER

CLANCY Michèle
Née en 1940 à Paris. xxᵉ siècle. Française.
Peintre. Abstrait.
Autodidacte, elle a pris part à des exposition de groupe aux États-Unis, en Suisse, à Paris, notamment au Salon des Réalités Nouvelles et en province depuis 1977. Elle fait des exposition personnelles à partir de 1984. Ses toiles aux tonalités sobres et aux lignes de constructions fermes sont traitées selon des techniques mixtes.
Ventes Publiques : Paris, 11 oct. 1989 : *Sans titre* 1987, past. sec sur fibre végétale (27,5x19,5) : **FRF 4 500**.

CLANDESSENS N.
xviᵉ siècle. Éc. flamande.
Sculpteur.
Il travaillait entre 1536 et 1548 à l'église abbatiale de Tongerloo.

CLANOT A.
Né en 1831. xixᵉ siècle. Allemand.
Peintre de portraits, aquarelliste, peintre de miniatures.

CLANTIUS Petrus
xviiᵉ siècle. Vivait à Haarlem en 1641 et à Delft en 1643. Hollandais.
Peintre.

CLAPÉRA Francisco
Né au milieu du xviiiᵉ siècle. Mort en 1810 à Mexico. xviiiᵉ-xixᵉ siècles. Actif au Mexique. Espagnol.
Peintre de compositions religieuses.
Membre de l'Académie de San Fernando à Madrid, Clapéra vécut cependant principalement à Mexico. Jusqu'en 1790, il fut dans cette ville *corrector de pintura* à la Real Academia de San Carlos.
Bibliogr. : C. Bargellini : *Dos series de pinturas de Francisco Clapéra,* Anales del Instituto de Investigaciones Estéticas, 1994.
Musées : Mexico (Cathédrale de Durango, coll. épiscopale) : une cinquantaine de tableaux tirés de *La Vie de la Vierge.*
Ventes Publiques : Ickworth, 12 juin 1996 : *Le Couronnement de saint Joseph,* h/métal (56,5x37) : **GBP 4 370**.

CLAPEROS Antonio, l'Ancien
xvᵉ siècle. Espagnol.
Sculpteur.
Il travaillait à Barcelone et principalement pour la cathédrale entre 1440 et 1460.

CLAPEROS Antonio, le Jeune
xvᵉ siècle. Espagnol.
Sculpteur.

Fils du précédent, il travailla comme son père pour la cathédrale de Barcelone.

CLAPEROS Juan
xve siècle. Espagnol.
Sculpteur.
Frère du précédent, il reçut une commande en 1460 pour la cathédrale de Gérone.

CLAPES Alejo
Né en 1850 à Vilasar de Dalt près de Barcelone. xixe siècle. Espagnol.
Peintre.
Il fut l'élève de Claudio Lorenzale. Son œuvre principale est la décoration intérieure du Palais Güell à Barcelone.

CLAPES Francisco
Né le 24 juillet 1862 à Badalona. xixe siècle. Actif aussi en France. Espagnol.
Graveur.
Il travailla dans l'atelier de Furno à Barcelone, puis se fixa à Paris. Beraldi cite de lui : *Julia de Trécœur, La Mionette* d'Eugène Muller, *Le drapeau.*

CLAPHAM
xviiie siècle. Travaillait à Londres de 1768 à 1771. Britannique.
Peintre.

CLAPHOUWER Herman
Mort vers 1646. xviie siècle. Travaillait à Anvers. Éc. flamande.
Peintre.

CLAPIÈS Jean de
Né en 1670 à Montpellier. Mort en 1740 à Montpellier. xviie-xviiie siècles. Français.
Dessinateur.
Il exécuta un dessin de la place de l'esplanade de la citadelle à Montpellier qui se trouve dans les archives municipales.

CLAPIZ Francesco
xve siècle.
Peintre.
Il était en 1484 à Udine.

CLAPP Elizabeth Anna
Née en 1885 à Reading (Berkshire). xxe siècle. Britannique.
Sculpteur et décorateur.
Expose à la Royal Academy.

CLAPP William Henry
Né en 1879 à Montréal. Mort en 1954. xxe siècle. Depuis 1915 actif aux États-Unis. Canadien.
Peintre de figures, paysages animés, graveur. Post-impressionniste. Société des Six.
Il fut élève de Brymmer à Montréal, de 1900 à 1904, date à laquelle il alla à Paris, y exposant au Salon d'Automne jusqu'en 1907. Il voyagea ensuite en Espagne et en Belgique avant de retourner à Montréal en 1908. Découragé par des réactions hostiles à sa peinture, il quitta définitivement le Canada en 1915. Il visita Cuba de 1915 à 1917, puis s'installa à Oakland (Californie). Il devint le conservateur de l'Art Gallery de cette ville et, en 1923, l'un des fondateurs de la *Société des Six*, groupe de peintres qui ont donné une ampleur et un brillant particuliers à la peinture postimpressionniste de la région de la Baie de San Francisco. Son voyage en Europe lui avait permis de peindre des paysages lumineux, tel *Matin en Espagne* de 1907, exécutés dans un style pointilliste assez décoratif. Toutefois, le retard d'époque par rapport au néo-impressionnisme historique, ne permet pas de l'y inscrire, tout en le situant dans la mouvance variée et diversifiée du postimpressionnisme. Il développa cette manière lorsqu'il travailla à Oakland. ■ Annie Pagès
Bibliogr. : Colin MacDonald – *Dictionnaire des Artistes canadiens.*
Ventes Publiques : San Francisco, 3 oct. 1981 : *Impression on a hillside* 1939, h/isor. (76x91,5) : **USD 5 000** – Montréal, 25 avr. 1988 : *Nu allongé* vers 1913, h/t (38x46) : **CAD 1 200** – Montréal, 1er mai 1989 : *Scène de rue illuminée* 1912, h/pan. (61x51) : **CAD 2 600** – Montréal, 1er déc. 1992 : *Élegante jeune femme* 1907, h/pan. (35x26) : **CAD 3 800** – Montréal, 23-24 nov. 1993 : *Ombres et lumière*, h/pan. (35x45,6) : **CAD 1 400** – Montréal, 18 juin 1996 : *Vue d'un cottage estival* 1913, h/pan. (35,5x26) : **CAD 2 600**.

CLAPPERTON Thomas John
Né le 14 octobre 1879 à Galashiels (Selkirkshire). xxe siècle. Britannique.
Sculpteur.

CLAR Johann Friedrich August
Né en 1768 à Belzig. Mort en 1844 à Berlin. xviiie-xixe siècles. Allemand.
Graveur.
Il reproduisit surtout des scènes de genre et des compositions historiques.

CLAR Sophie
Née au xixe siècle à Montpellier (Hérault). xixe siècle. Française.
Sculpteur.
Élève de Delorme. Elle débuta au Salon de 1879 avec : *Portrait de Mme F. A.*

CLARA August Philipp
Né en 1790 à Dorpat. Mort à Saint-Pétersbourg. xixe siècle. Russe.
Graveur, illustrateur.
Il fit des études de philosophie à l'Université de Dorpat avant de devenir graveur de la cour impériale de Russie. On cite de lui des illustrations pour des poèmes de Joukoffsky.

CLARA Juan
Né en 1875 à Olot (près de Gérone). Mort en 1957. xixe-xxe siècles. Espagnol.
Sculpteur.
Il a participé au Salon de la Société Nationale des Beaux-Arts à Paris et obtint une mention honorable en 1903. Il s'est spécialisé dans les sculptures d'enfants.
Ventes Publiques : Londres, 3 mars 1976 : *Trois enfants riants* vers 1925, bronze (H. 34) : **GBP 320** – Los Angeles, 3 juin 1980 : *Enfant montant sur une chaise*, bronze (H. 23) : **USD 1 600** – Londres, 7 nov. 1985 : *Dix enfants en buste* vers 1920, bronze (15x33,5) : **GBP 720** – Londres, 20 mars 1986 : *Fillette à la poupée*, bronze (H. 20,5) : **GBP 850** – Paris, 15 juin 1988 : *Descente périlleuse*, bronze à patine brune (H. 24) : **FRF 9 000** – Paris, 22 jan. 1990 : *Premier chausson*, sculpt. en bronze à patine brune (H. 34) : **FRF 11 500** – Lokeren, 12 mars 1994 : *Suzette*, bronze (H. 15, l. 8) : **BEF 33 000** – Paris, 27 jan. 1995 : *Tête de fillette*, bronze (H. 34) : **FRF 8 000**.

CLARA AXATS José
Né le 16 décembre 1878 à Olot (Catalogne). Mort en 1958. xxe siècle. Espagnol.
Sculpteur.
Il fit ses études, successivement à l'École des Beaux-Arts d'Olot, à celles de Toulouse et de Paris, travaillant sous la direction de Barrias et Coutan, mais retenant surtout les leçons de Rodin qui s'était intéressé à ses débuts. Il a participé au Salon de la Société Nationale des Beaux-Arts dont il devint sociétaire en 1909, et au Salon d'Automne dont il était également sociétaire et où il exposa régulièrement jusqu'en 1932. Il est invité au Salon des Tuileries en 1927 et 1929. Sa sculpture *Déesse* est érigée sur la place de Catalogne à Barcelone. Plusieurs de ses œuvres sont conservées dans des musées en Belgique, Hollande, aux États-Unis, au Chili, etc.
Il se passionne pour la forme en mouvement, multipliant, par exemple, les dessins d'après Isadora Duncan.

Musées : Barcelone – Gérone – Madrid – Paris (Mus. des Arts Déco.).
Ventes Publiques : Barcelone, 2 juin 1982 : *Nu*, bronze (H. 25) : **ESP 75 000** – Paris, 18 mai 1984 : *L'esclave*, bronze patiné (H. 81) : **FRF 50 000** – Paris, 17 juin 1985 : *L'esclave*, bronze (H. 81) : **FRF 44 000** – Londres, 1er déc. 1986 : *Trois enfants debout*, bronze (H. 43) : **GBP 4 500** – Paris, 9 fév. 1987 : *Grand nu debout*, bronze (H. 120) : **FRF 89 000** – Paris, 21 mars 1988 : *La grande baigneuse*, bronze patiné (H. 45) : **FRF 24 000** ; *Nu drapé*, bronze patiné (H. 33) : **FRF 32 000** – Paris, 16 oct. 1988 : *Prélude*, bronze patiné (H. 37) : **FRF 18 000** – Londres, 17 fév. 1989 : *Dans le parc* 1914, h/t (33x41) : **GBP 3 520** – Versailles, 20 juin 1989 : *Femme ôtant sa chemise*, bronze de patine brun foncé (H. 37) : **FRF 23 000** – Lyon, 13 nov. 1989 : *La grande baigneuse*, bronze patiné : **FRF 54 000** – Paris, 4 déc. 1989 : *L'esclave*, bronze (H. 82) : **FRF 145 000** – Londres, 14 fév. 1990 : *Nu assis*, craies noire et rouge avec reh. de blanc (96x68) : **GBP 3 300** – Paris, 27 nov.

1990 : *Baigneuse*, marbre (H. 60) : **FRF 83 000** – Paris, 16 avr. 1992 : *L'esclave*, bronze (H. 81) : **FRF 50 000** – Paris, 6 oct. 1993 : *Nu assis*, fus. et sanguine (64x48) : **FRF 3 500** – Paris, 4 nov. 1994 : *Nu à la draperie*, bronze cire perdue (H. 33) : **FRF 13 000** ; *Isadora Duncan*, pl. (45x31,5) : **FRF 6 500.**

CLARAC Charles Othon Frédéric Jean Baptiste de, comte
Né le 16 juin 1777 à Paris. Mort le 20 janvier 1829 à Paris. xixᵉ siècle. Français.

Peintre de paysages, aquarelliste.
Il exposa au Salon de Paris en 1819 : *Intérieur d'une forêt du Brésil*. Cet artiste était surtout un amateur d'art et un antiquaire. D'une famille d'émigrés, il servit à l'armée de Condé et en Russie. En 1808, il est précepteur des enfants de Murat, roi de Naples, tout en dirigeant les fouilles de Pompéi. À la chute de l'empire, il se rend au Brésil, dessinant d'après nature au cours de ses voyages. Il rentre en France en 1818. Il était membre de l'Institut et de l'Académie des Beaux-Arts, officier de la Légion d'honneur. Il remplaça Visconti dans la charge de conservateur des Antiques au Louvre. On lui doit plusieurs ouvrages intéressants.
Ventes Publiques : Berne, 27 avr. 1978 : *Forêt vierge du Brésil*, aquar. (62x86) : **CHF 3 000.**

CLARAC Eugénie
Née à Oued-Athmania (Constantine). xxᵉ siècle. Française.
Peintre de figures, paysages, sujets religieux.
Élève de Louis Ferdinand Antoni, elle travailla en Algérie où elle est née. Entre 1928 et 1936, elle a participé au Salon de la Société Nationale des Beaux-Arts à Paris. Elle a souvent peint des vues de Constantine mais aussi des tableaux religieux.

CLARAMUNT Y MARTINEZ Augustin
Né en 1846 à Barcelone. Mort en 1905 à Barcelone. xixᵉ siècle. Espagnol.
Sculpteur.
Il travailla presque exclusivement à des monuments catalans. Il exposa cependant en 1884 à Madrid *Ismaël au désert*.

CLARASO Y DAUDI Enrique
Né en 1857 à San Félix de Castellar (Catalogne). Mort en 1941. xixᵉ-xxᵉ siècles. Espagnol.
Sculpteur de figures.
Il figura à l'Exposition Universelle de 1900 à Paris, obtenant une médaille d'or.
Ventes Publiques : Barcelone, 28 fév. 1980 : *Femme assise*, bronze (H. 11) : **ESP 115 000** – Barcelone, 27 mai 1985 : *Nu assis*, bronze (H. 64) : **ESP 400 000** – Barcelone, 15 déc. 1987 : *Infante*, marbre (H. 34) : **ESP 160 000.**

CLARE George
xixᵉ siècle. Britannique.
Peintre de natures mortes, fleurs et fruits.
Il exposa de 1864 à 1873 à la Royal Academy, à la British Institution et à Suffolk Street, à Londres. Il travailla également à Birmimgham.
Ventes Publiques : Londres, 7 oct. 1966 : *Panier de fleurs* : **GNS 70** – Londres, 31 juil. 1968 : *Nature morte aux fruits* : **GBP 130** – Londres, 22 fév. 1972 : *Nature morte aux fleurs* : **GBP 240** – New York, 2 avr. 1976 : *Nature morte aux fleurs*, h/t (51x76) : **USD 1 400** – Londres, 8 mars 1977 : *Natures mortes aux fleurs et aux fruits*, deux toiles (29x24) : **GBP 1 000** – Londres, 6 fév. 1981 : *Nature morte aux raisins et aux fleurs*, h/t (59,6x49) : **GBP 800** – New York, 19 oct. 1984 : *Nature morte aux fruits*, h/t (45,6x61) : **USD 3 100** – Londres, 23 oct. 1987 : *Nature morte aux fruits*, h/t (45,8x61) : **GBP 4 200** – Londres, 27 sep. 1989 : *Nature morte de fruits d'automne* 1863, h/cart. (diam. 17,5) : **GBP 1 980** – Londres, 9 fév. 1990 : *Symboles du printemps*, h/t (23,2x18,1) : **GBP 3 520** – Londres, 13 fév. 1991 : *Panier de roses*, h/t (61x51) : **GBP 2 420** – Londres, 3 juin 1992 : *Fleurs de pommier près d'un nid avec des œufs*, h/t (18x23) : **GBP 1 760** – New York, 16 juil. 1992 : *Primevères et aubépine*, h/t (30,5x25,4) : **USD 3 025** – Londres, 12 nov. 1992 : *Nature morte aux prunes violette et aux fraises*, h/t (46x61) : **GBP 2 200** – Londres, 3 fév. 1993 : *Nature morte aux raisins, prunes, pommes et groseilles*, h/t (61x51) : **GBP 1 840** – New York, 19 jan. 1994 : *Nature morte de fruits* ; *Nature morte de fleurs avec un nid*, h/t, une paire (chaque 15,2x22,9) : **USD 8 625** – Londres, 5 sep. 1996 : *Primevères dans un panier avec un nid d'oiseau sur un banc moussu*, h/t (30,5x25,5) : **GBP 4 025** – Londres, 7 nov. 1996 : *Primevères, fleurs de pommiers et nid d'oiseau sur un banc moussu*, h/t

(30,5x25,5) : **GBP 4 025** – Londres, 13 mars 1997 : *Géraniums, azalées, primevères, jacinthes des prés, narcisses et primulas dans un panier en osier avec un nid d'oiseau sur un banc moussu* ; *Raisins, prunes, pêches, pommes et framboises dans un panier en osier sur un banc moussu*, h/t, une paire (60,9x50,7) : **GBP 28 000.**

CLARE Oliver
Né en 1853. Mort en 1927. xixᵉ-xxᵉ siècles. Britannique.
Peintre de natures mortes, fleurs et fruits.

OLiVER CLARE

Ventes Publiques : Londres, 7 sep. 1976 : *Nature morte aux fruits*, h/t (24x18,5) : **GBP 290** – Londres, 14 juin 1977 : *Natures mortes aux fruits*, deux cartons (15x22) : **GBP 1 200** – Londres, 26 oct. 1979 : *Natures mortes aux fruits*, deux cartons (21,6x28,4) : **GBP 800** – New York, 28 oct. 1981 : *Fruits sur un entablement* 1924, h/cart. (29,3x22,5) : **USD 2 000** – Londres, 5 oct. 1984 : *Fleurs et nids d'oiseaux*, deux h/t (40,6x61) : **GBP 5 500** – New York, 14 mai 1985 : *Nature morte aux fleurs et nid*, h/t (33x43) : **USD 4 000** – Londres, 30 sep. 1987 : *Nature morte aux fleurs*, h/t (40,5x61) : **GBP 2 000** – Londres, 3 juin 1988 : *Raisin pêches et groseilles sur un lit de feuilles*, h/cart. (24,8x19) : **GBP 770** – Londres, 15 juin 1988 : *Nature morte de prunes, groseilles, fraises et pêches*, h/t (46x35,5) : **GBP 2 090** – Los Angeles, 9 juin 1988 : *Nature morte avec violettes et nid d'oiseaux*, h/t (35,5x30,5) : **USD 3 575** – Londres, 27 sep. 1989 : *Nature morte aux fleurs et nid, avec du raisin et une pomme*, h/t, une paire (chaque 30x22) : **GBP 4 620** – Londres, 9 fév. 1990 : *Nature morte avec du raisin, des groseilles, des framboises et des prunes sur un tapis de mousse*, h/t (35,6x46) : **GBP 4 400** – Londres, 26 sep. 1990 : *Nature morte de prunes, pommes, raisin, fraises et groseilles blanches* 1919, h/t/cart. (41x35,5) : **GBP 1 980** – Londres, 13 fév. 1991 : *Nature morte de fruits divers*, h/cart., une paire (chaque 23x31) : **GBP 3 850** – New York, 21 mai 1991 : *Pêches, prunes et groseilles sur de la mousse*, h/t (25,4x20,4) : **USD 3 080** – Londres, 12 juin 1992 : *Compositions de fruits*, h/t et h/cart., une paire (17,8x23 et 15,2x23,5) : **GBP 1 650** – New York, 16 juil. 1992 : *Nature morte de fruits* 1890, h/t (46,4x35,6) : **USD 3 575** – New York, 29 oct. 1992 : *Raisin et prunes sur de la mousse* ; *Prunes et groseilles sur de la mousse* 1888, h/t, une paire (chaque 25,4x20,2) : **USD 2 640** – Londres, 13 nov. 1992 : *Prunes, groseilles, mûres sur un sol moussu* ; *Fleurs de pommier, primevères et nid sur un sol moussu*, h/t, une paire (20x26) : **GBP 2 640** – Londres, 14 nov. 1992 : *Nature morte de prunes de pommier et un nid*, h/t, une paire (chaque 20x25,5) : **GBP 4 400** – New York, 20 jan. 1993 : *Nature morte de raisins, groseilles et pêche*, h/t (17,8x24,8) : **USD 3 335** – New York, 17 fév. 1994 : *Prunes, fraises et raisin sur un sol moussu* ; *Fleurs et nid sur un sol moussu* 1898, h/t, une paire (chaque 47x36,8) : **USD 20 700** – Londres, 11 oct. 1995 : *Nature morte de raisin, de reines-claude, pêche et fraises*, h/t (28x23) : **GBP 1 840** – Montréal, 31 déc. 1995 : *Nature morte avec des fraises, des prunes et des pêches*, h/t (28x33) : **CAD 3 000** – Londres, 5-6 juin 1996 : *Raisins, pêches, prunes et framboises sur de la mousse*, h/t (35,5x30,5) : **GBP 2 760** ; *Nature morte aux lilas*, h/cart. (30,5x24) : **GBP 1 725** – Londres, 6 nov. 1996 : *Nid d'oiseau et fleurs*, h/t (21x25,5) : **GBP 1 955** – New York, 26 fév. 1997 : *Prunes et pêches sur un banc couvert de mousse* ; *Raisins, groseilles et fraises sur un banc couvert de mousse*, h/pan., une paire (14x21,6) : **USD 2 530** – Londres, 5 nov. 1997 : *Nature morte au nid d'oiseau et fleurs* 1889, h/t (30,5x25,5) : **GBP 3 220.**

CLARE Vincent
Né vers 1855. Mort en 1925 ou 1930. xixᵉ-xxᵉ siècles. Britannique.
Peintre de natures mortes, fleurs et fruits.
Ventes Publiques : Londres, 14 mai 1976 : *Nature morte aux fleurs*, h/t (30,5x25,5) : **GBP 420** – Londres, 6 sep. 1977 : *Natures mortes aux fruits et aux fleurs*, deux toiles, formant pendants (25,5x30) : **GBP 1 400** – Londres, 20 juil. 1979 : *Nature morte aux fruits*, h/t (46,3x75,6) : **GBP 2 000** – Londres, 23 juin 1981 : *Fruits*, h/t (51x61) : **GBP 1 200** – Londres, 7 oct. 1983 : *Nature morte aux fleurs*, h/t (50,8x61) : **GBP 2 000** – Londres, 24 avr. 1985 : *Natures mortes aux fruits et aux fruits*, deux h/t (30x25) : **GBP 1 900** – Londres, 30 sep. 1987 : *Nature morte aux fruits*, h/t (21,5x28) : **GBP 1 600** – Londres, 27 sep. 1989 : *Nature morte avec des primevères et des pensées*, h/t (23x33) : **GBP 2 310** – Londres, 13

déc. 1989 : *Primevères et fleurs de pommier*, h/t (18,5x23,5) : **GBP 1 430** – NEW YORK, 17 jan. 1990 : *Fleurs de printemps*, h/t (21,6x29,3) : **USD 3 300** – LONDRES, 9 fév. 1990 : *Fleurs de pommier, primevères et nid sur la mousse*, h/t (25,4x35,6) : **GBP 3 080** – NEW YORK, 19 juil. 1990 : *Nature morte avec des figues et du raisin*, h/t (22,9x30,5) : **USD 1 540** – LONDRES, 5 juin 1991 : *Nature morte avec un panier de fruits ; Nature morte avec un panier de fleurs*, h/t (chaque 38x61) : **GBP 4 070** – NEW YORK, 28 mai 1992 : *Paniers de fleurs et de fruits près de nids*, h/t, une paire (chaque 40,6x61) : **USD 6 600** – LONDRES, 3 fév. 1993 : *Nature morte de fleurs dans une corbeille*, h/t (30,5x41) : **GBP 3 795** – LONDRES, 30 mars 1994 : *Nature morte avec des fleurs de pommier et des violettes 1897*, h/t (15x20) : **GBP 1 380** – LONDRES, 10 mars 1995 : *Printemps ; Automne*, h/t, une paire (22,9x30,5) : **GBP 5 520** – GLASGOW, 21 août 1996 : *Pommes, raisins et pêches sur un banc ; Fleurs sur un banc moussu*, h/t, une paire (17,8x23) : **GBP 2 645** – LONDRES, 5 juin 1996 : *Nature morte avec nid d'oiseau et fleurs ; Nature morte aux raisins*, h/t, une paire (chaque 23x18) : **GBP 1 725** – LONDRES, 6 nov. 1996 : *Primevères et autres fleurs ; Prunes et raisins*, h/t, une paire (chaque 23x30,5) : **GBP 3 450** – LONDRES, 5 nov. 1997 : *Nature morte avec des fleurs de printemps et un nid d'oiseau*, h/t (30,5x45,5) : **GBP 3 220**.

CLAREBOUDT Jean

Né en 1944 à Lyon (Rhône). Mort le 8 avril 1997 en Turquie, dans un accident de la circulation. XXᵉ siècle. Français.

Sculpteur d'assemblages, installations, technique mixte, peintre de collages, dessinateur, graveur, illustrateur, auteur de performances, décorateur de théâtre, vidéaste, multimédia. Land art.

Jean Clareboudt a été élève de l'École d'Arts appliqués entre 1961 et 1967, puis de l'École des Beaux-Arts de Paris dans l'atelier d'Étienne-Martin en 1967. Il rencontre, à l'âge de dix-huit ans, Robert Jabobsen avec qui il travaillera, au début des années soixante-dix, notamment à un projet de site à Egtved au Danemark. Il a obtenu plusieurs bourses, parmi lesquels : 1981, lauréat de la bourse d'art monumental, Ivry-sur-Seine ; 1984, prix Villa Médicis hors les murs, Japon ; 1986, artiste en résidence à Bentley et Perth (Ouest australien) ; 1989, artiste en résidence, Gammel Dok puis Odense, Danemark ; 1991, artiste en résidence, atelier A. Calder, Saché. Jean Clareboudt a mené plusieurs expériences pédagogiques depuis 1974 dans plusieurs école d'art (Dijon, Nantes, Montpellier, Rennes, Bourges...), enseigne depuis 1991 à l'Ecole régionale d'art et de design de Reims, et a dirigé, en 1994, un séminaire en sculpture à l'École supérieure d'art visuel de Genève. Il vivait et travaillait à Paris et à Pierre Percée (Chapelle-Basse-Mer, Loire Atlantique).

Il a participé à de nombreuses expositions collectives depuis 1973, parmi lesquelles : 1973, 1990, Salon de Mai, Paris ; 1973, 8ᵉ Biennale de Paris ; 1974, 1975, Salon de la Jeune Peinture, Paris ; 1975, 1976, 1977, *Open encounter on video*, Paris, Anvers, Caracas ; 1976, 1980, Biennale internationale de Menton ; 1977, Collectif Génération, Centre Georges Pompidou, Paris ; 1978, *Sculpture/ Nature*, CAPC, Bordeaux ; 1978, *L'Estampe aujourd'hui 73/78*, Bibliothèque nationale, Paris ; 1979, Biennale de São Paulo (vidéo) ; 1980, *Espaces libres*, Arc, Musée d'Art Moderne de la Ville, Paris ; 1982, *Trente ans de cinéma expérimental en France*, Centre Georges Pompidou, Paris ; 1983 (prix spécial du Jury), 1989, Salon de Montrouge ; 1985, *Nouvelle Génération française*, Kulturhuset, Stockholm ; 1991, 7ᵉ Triennale, New Dehli (sélection française sculpture) ; 1990-1991, *Lato Sensu*, exposition itinérante, Charlottenborg, Copenhague, Hambourg, Friebourg ; 1992, *Manifeste, 30 ans de création cinématographique en perspective*, Centre Georges Pompidou, Paris ; 1994, *Sculptures contemporaines*, Musée des Beaux-Arts, Clermont-Ferrand.

Il se manifesta et montra ses œuvres dans des expositions personnelles, dont : 1973, *Travaux danois*, galerie Segment, Paris ; 1975, 1976, 1978, galerie atelier Milchstrasse, Friebourg ; 1977, 1983, galerie Convergence, Nantes ; 1980, 1981, 1983, 1985, galerie Farideh Cadot, Paris ; 1981, Musée de Toulon ; 1982, 1987, atelier Franck Bordas, Paris ; 1985, *Condition 4*, installation, Fondation Miro, Barcelone ; 1986, *Condition 5*, installation, Musée Rodin ; 1987, 1989, galerie Baudoin Lebon, Paris ; 1988, *Sculpture récentes et parcours photographiques 1972-1987*, Halle Sud, Genève ; 1988, *Robert Jacobsen/Jean Clareboudt : rencontre de deux générations*, Fondation Cartier pour l'art contemporain, Jouy-en-Josas ; 1992, galerie Convergence, Nantes ; 1994-1995, *L'Espace du livre*, exposition itinérante, Bibliothèque municipale de Cavaillon, Cité du Livre à Aix-en-Provence, Bibliothèque municipale, La Roche-sur-Yon.

Dans un premier temps, l'influence d'Étienne-Martin est restée nette, même lorsque Clareboudt avait rompu avec les formes traditionnelles de la sculpture. Dans son époque danoise, il réalisa des installations éphémères, appartenant au land art : traces dans le sable et l'écume, assemblages de plumes d'oiseaux de mer et de roseaux, dont les photos prises ont été éditées sous le titre de *Travaux danois*. Ces premières interventions ont conditionné la logique de ses futurs processus de création, d'autant que l'archéologie danoise et la primitive rudesse du pays de mer et de vent l'impressionnèrent durablement. Clareboudt dessine beaucoup de projets qu'il considère comme l'équivalent de ses sculptures et interventions dans l'espace, établit des maquettes précises, fabrique des structures qui deviendront installations. Plus que sculptures, ses réalisations sont des environnements qui renvoient à une mythologie personnelle fantasmée qui, à partir d'éléments naturels, bois, paille, fourrure, se ressent plus comme un happening ou un psychodrame que comme une œuvre contemplative, le spectateur évoluant au sein de l'œuvre et y étant intégré. Jean Clareboudt travaille depuis ses débuts, en effet, sur la connexité avec d'autres termes de création qui imprègne à l'ensemble de son œuvre une cohérence certaine : l'espace étant une constante dans son travail et sa réflexion. Il a tôt associé à son travail de plasticien des actions performées, dès la fin des années soixante, à l'American Center de Paris notamment, jusqu'au trois performances réalisées en 1984 avec Min Tanaka au Japon. Jean Clareboudt s'est également intéressé à la scénographie. Il a, dans ce domaine, collaboré en 1972 avec Bob Wilson à *Ouverture*, conçu, entre autres, la scénographie de *Dedans le jardin du levant* pour la « danse-théâtre » de Susan Bridge présenté à Noisy-le-Grand et au Festival de Berlin (1978), une autre pour la chorégraphe Marie-Christine Gheorghiu (Espace Marais, Paris, 1980), et a participé au 3ᵉ symposium d'art performance à Lyon en 1981. Mentionnons également son importante activité filmique et sa réalisation de livres d'artiste. Des interventions en extérieur, Jean Clareboudt rapporte des éléments ramassés au gré des hasards, qu'il rapporte à l'atelier. Souvenir des rivages danois, des ces matériaux collectés, il les dit « échoués » jusqu'à l'atelier qu'il définit plus comme une « plage » que comme une « factory ». Ces matériaux hétéroclites, poutrelles, fers, bois flottés, cordages ou encore les attributs des vignobles des bords de Loire, se retrouvent assemblés en collages ou bien dans les réalisations de la série des *Soulèvements*. Le sculpteur-promeneur des rivages danois ou des coteaux de Loire, ne ramasse pas au hasard. Chaque objet rejeté et prélevé l'est en fonction du choc psychologique ressenti : la poutrelle tordue et rouie, le tronc élimé et blanchi dans le courant, sont porteurs de leur histoire, et ne sont assemblés que pour provoquer la confrontation de leurs énergies incluses et déclinantes, confrontation métaphorique de l'érosion fatale du monde de l'homme. Clareboudt crée des sculptures éphémères ou des œuvres permanentes, comme *Oblique haute*, située à Ivry-sur-Seine, qui surgit dans le ciel, en rouge et gris, en haut de laquelle est suspendue dans le vide une pierre de vingt-cinq tonnes. Clareboudt, véritable architecte des volumes, fait évoluer ses sculptures entre les hauteurs et le vide, entre ciel et sol, compressant les espaces, maîtrisant les forces, hissant en équilibre le fer et la pierre, voire symbolisant les puissances antagonistes dans l'équilibre desquelles se terre l'homme, fragile.

■ Jacques Busse, C. D.

BIBLIOGR. : J. M. Poinsot : *5 rites*, texte de présentation de l'édition *Travaux danois*, 1973 – Jean-Marie Gibbal : *Clareboudt – l'haleine d'Écosse*, in : *Exit 6/7*, hiver 1975 – Jean Clareboudt : *Passer de la parole à l'axe/Passer à gué*, catalogue de l'exposition, galerie Farideh Cadot, Paris, 1978 – G. Lascaut : *Écrits timides sur ld visible*, coll. 10/18, Paris, 1979 – Min Tanaka : *Trans/...*, extraits d'un entretien avec Jean Clareboudt, in : *Opus international* n° 75, Paris, hiver 1980 – M. Enrici, in : *Artistes* n° 8, Paris, 1981 – H. Besacier : *Conditions : retour au parc*, catalogue de l'exposition, Musée Rodin, Paris, 1986 – Jean Clareboudt : *Journal de bord, s, Japon, Australie et autres lieux*, in : *Cargo*, Atelier Franck Bordas Éditeur, Paris, mars 1987 – Philippe Piguet : *Éloge du nomadisme*, in : *Jean Clareboudt*, catalogue de l'exposition, Fondation Cartier pour l'art contemporain, Jouy-en-Josas, mars 1988 – G. Raillard : *Dans ces parages, hétéroclites, sédimentaires*, catalogue de l'exposition, Credac, Ivry-sur-Seine, 1990 – Hubert Besacier : *Torskind, une sculpture à la mesure du paysage*, catalogue de l'exposition *R. Jacobsen/J. Clareboudt*, AFAA, Paris, 1991 – R. Belson, in : *Condition 7*, catalogue de l'exposition, chapelle des Visitandines, Amiens, 1991 –

Hubert Besacier, in : Dossier de Presse de l'exposition *Lato sensu*, École des Beaux-Arts de Mulhouse, nov. 1991-jan. 1992 – in : *L'art du XXᵉ s.*, Larousse, Paris, 1991 – William Mimouni : *Jean Clareboudt, le nuage du sculpteur*, film 16 mm, San Pedro/Cnap, 1992 – Gérard Durozoi, in : *Dictionnaire de l'art moderne et contemporain*, Hazan, Paris, 1992 – Hubert Besacier : *Points nommés, signes de vie*, in : *Figures et points nommés*, AFAA, Paris, 1994 – C. Garraud : *L'Idée de nature dans l'art contemporain*, Flammarion, Paris, 1994 – G. Raillard : *Clareboudt et le livre*, in : *L'Espace du livre*, catalogue de l'exposition, Bibliothèques Municipales de Cavaillon, Aix-en-Provence et la Roche-sur-Yon, 1994-1995.

Musées : Amiens (FRAC Picardie) – Bordeaux (Mus. d'Art Contemp.) – Châteaugiron (FRAC Bretagne) – Egtved Kommune – Ivry-sur-Seine (Mus. de la Ville) : *Oblique Haute* – Limoges (FRAC Limousin) – Marseille (Mus. Cantini) – Nantes (Mus. des Beaux-Arts) – Nantes (Arthothèque) – New Dehli (Nat. Gal. of Mod. Art) – Paris (Mus. d'Art Mod. de la Ville) – Paris (BN) – Paris (FNAC) – Paris (FRAC) – Saché (Fond. atelier Calder) – Séoul (Parc olympique) – Toulon.

Ventes Publiques : Paris, 30 jan. 1989 : *Installation Campement Site à Marseille-La Vieille Charité* 1987 (75x108) : **FRF 5 000.**

CLAREBOUT Pierre
XXᵉ siècle. Belge.
Peintre. Abstrait-lyrique.
Élève de Marcel Baugniet, peintre constructiviste, il agence ses compositions de manière moins sévèrement architecturale que celles de son maître. Il travaille aussi bien le pastel que la gouache, l'huile et les acryliques. Son œuvre, au chromatisme délicat, est nourrie de ses goûts pour la musique et l'archéologie.

CLARENBACH Maximilien
Né le 19 mai 1880 à Neuss. Mort en 1952 à Cologne. XXᵉ siècle. Allemand.
Peintre de figures, paysages, aquarelliste.
Élève de l'Académie de Düsseldorf, où il devint ensuite professeur, il a souvent peint la nature en hiver.

M. Clarenbach

Musées : Düsseldorf : *Jour calme* – Strasbourg : *Paysage d'hiver*.
Ventes Publiques : Cologne, 28 avr. 1965 : *Paysage d'hiver* : **DEM 920** – Cologne, 21 oct. 1966 : *Paysage d'hiver* : **DEM 2 800** – Cologne, 24 mars 1972 : *Paysage d'hiver* : **DEM 5 300** – Cologne, 25 juin 1976 : *Bords du Rhin sous la neige*, h/t (60x80) : **DEM 5 000** – Cologne, 11 mai 1977 : *Paysage d'hiver*, h/t (75x80) : **DEM 6 000** – Londres, 21 avr. 1978 : *Paysage fluvial enneigé*, h/t (119x165) : **GBP 3 000** – Cologne, 19 oct. 1979 : *Bord du Rhin*, h/pap. mar./pan. (36x46) : **DEM 4 600** – Munich, 25 nov. 1981 : *Paysage d'hiver (pêcheur dans sa barque)*, h/t (50x60) : **DEM 19 500** – Cologne, 24 mai 1982 : *Le Rhin à Kaiserswerth*, h/pan. (51x75) : **DEM 8 000** – Cologne, 18 mars 1983 : *Paysage d'hiver*, aquar. (28,5x38,5) : **DEM 3 300** – Cologne, 21 mai 1984 : *Scène de port*, h/t (32,5x44,5) : **DEM 12 500** – Cologne, 1ᵉʳ juin 1984 : *Paysage du Rhin*, eau-forte (32x48) : **DEM 1 700** – Cologne, 3 déc. 1985 : *Tennis match*, h/t (45x51) : **DEM 19 000** – Düsseldorf, 1ᵉʳ avr. 1987 : *Paysage d'hiver*, h/t (51x61) : **DEM 13 000** – Heidelberg, 14 oct. 1988 : *Autoportrait* 1913, craie noire (58,3x49,3) : **DEM 4 200** – Cologne, 15 oct. 1988 : *L'hiver à Niederrhein*, h/t (60x70) : **DEM 18 000** – Amsterdam, 16 nov. 1988 : *Paysan dans une barque dans un paysage de polder enneigé*, h/t (81,5x101) : **NLG 27 600** – Cologne, 20 oct. 1989 : *Le lac de Letzter*, h/t (55,5x65,5) : **DEM 9 500** – Cologne, 23 mars 1990 : *Hiver à Niederrhein*, h/t (61x80) : **DEM 15 000** – Amsterdam, 30 oct. 1990 : *Paysage enneigé avec un pêcheur d'anguilles dans une barque sur la rivière*, h/t (95,5x125,5) : **NLG 2 070** – Cologne, 28 juin 1991 : *Paysage d'hiver avec un rivière courant au milieu des champs et une église au fond*, h/t (60x70) : **DEM 16 000** – Amsterdam, 30 oct. 1991 : *Ville au bord d'un canal en hiver*, h/t (54,5x66) : **NLG 26 450** – New York, 15 fév. 1994 : *Vents d'hiver* 1909, h/t (62,3x80) : **USD 6 325** – Munich, 3 déc. 1996 : *Côte sous les nuages* 1900, h/bois (21x32) : **DEM 3 600** – Heidelberg, 11-12 avr. 1997 : *Paysage hivernal avec des arbres se reflétant dans l'eau*, h/t (62x72,5) : **DEM 7 500.**

CLARET Joan
Né en 1929 à Barcelone. XXᵉ siècle. Espagnol.
Peintre. Abstrait-géométrique.

Il peint des toiles sur lesquelles se superposent des plans et des faisceaux de lignes dans des tonalités de grisaille sur des fonds blancs. Il obtient ainsi des effets de transparence, des impressions de dynamisme optique et de profondeur qui le rapprochent de l'art cinétique.
Bibliogr. : In : *Dicion. universel de la Peinture*, Le Robert, t. II, Paris, 1975.

CLARET Joaquin
Né à Camprodon (Catalogne). XIXᵉ-XXᵉ siècles. Espagnol.
Sculpteur.
Il a exposé au Salon de la Société Nationale des Beaux-Arts à Paris à partir de 1911 et au Salon des Tuileries en 1927.

CLARET Johann ou Giovanni
XVIIᵉ siècle. Travailla en Flandre, en Italie, en France et en Espagne. Éc. flamande.
Peintre.
En 1600 il était à Bruxelles. Quelques années plus tard, il était à Turin l'élève et l'ami de Molinari. En 1622 il alla en France et en Espagne. Il vivait encore en 1641.

CLARET William
Mort en 1706 à Londres. XVIIᵉ siècle. Britannique.
Peintre de portraits.
L portrait qu'il exécuta de John Egerton, comte de Bridgewater, peut être cité parmi ses meilleurs ouvrages. On a de lui plusieurs copies de son maître, Sir Peter Lely.

CLARIAN Dominique
XVIᵉ siècle. Travaillait à Arles vers 1500. Français.
Peintre, sculpteur et architecte.
Moine dominicain, il travailla surtout pour l'ancienne église dominicaine d'Arles.

CLARICI Giovanni Battista
XVIᵉ siècle. Italien.
Peintre.
Il exécuta une *Annonciation* datée de 1544 dans l'église San Giovanni dei Riformati à Pesaro.

CLARICI Paolo Bartolommeo
Né en 1664 à Ancône. Mort en 1725 à Padoue. XVIIᵉ-XVIIIᵉ siècles. Italien.
Peintre de fleurs.
Il fit ses études à Rome et à Padoue et devint un protégé de la puissante famille Cornaro. Particulièrement compétent en géographie il dessina un grand nombre de cartes.

CLARIDGE George, major
Né le 17 janvier 1868 à Bow Brickhill. XIXᵉ siècle. Britannique.
Peintre.
A exposé des paysages et des natures mortes à la Royal Cambrian Academy.

CLARIEL Claudine ou Clariel Marrec
Née le 20 septembre 1948 à Paris. XXᵉ siècle. Française.
Peintre de paysages, natures mortes.
Elle se forme à l'atelier Botero, puis expose ses œuvres dans différents salons, notamment celui de Plessis-Trevise (*Trente artistes autour d'Arnaud d'Hauterives*), celui de Brie-Comte-Robert, celui de Maisse... Elle figure également aux Salons des Artistes Français et des Indépendants, dont elle est sociétaire. Elle peint des paysages dans une palette chaude et expressive, qui peut parfois rappeler celle des expressionnistes.

CLARIL Suzanne
Née à Paris. XXᵉ siècle. Française.
Peintre d'intérieurs, de natures mortes et de paysages.
De 1919 à 1927, elle a participé au Salon d'Automne dont elle est devenue sociétaire, au Salon des Artistes Indépendants entre 1920 et 1928, au Salon de la Société Nationale des Beaux-Arts en 1920 et 1921.

CLARIO Giovanni Battista di Niccolo
XVIᵉ siècle. Italien.
Peintre miniaturiste.
Il travailla pour Saint-Marc de Venise entre 1568 et 1576.

CLARIS Antoine Gabriel Gaston
Né le 6 septembre 1843 à Montpellier (Hérault). Mort le 30 décembre 1899 à Levallois-Perret (Hauts-de-Seine). XIXᵉ siècle. Français.
Peintre de sujets militaires, batailles, scènes de genre.
Sorti de l'École Polytechnique pour être officier d'artillerie, Claris donna sa démission de capitaine pour devenir peintre. Il fut

élève de Meissonier, Luminais, Édouard Détaille et Eugène Giraud. Il obtint une mention honorable en 1885.

Peintre militaire, avant tout, il traite des sujets de batailles, bivouacs, manœuvres. Les détails des uniformes sont peints avec une précision proche de la vérité documentaire.

Gaston Claris,
1891.

BIBLIOGR. : Gérald Schurr, in : *Les Petits Maîtres de la peinture 1820-1920, valeur de demain,* Les Éditions de l'Amateur, t. VI, Paris, 1985.

MUSÉES : MONTPELLIER : *Une charge héroïque, Sedan 1er septembre 1870.*

VENTES PUBLIQUES : NEW YORK, 13-14 fév. 1900 : *Pendant le repos des grandes manœuvres* : **USD 410** – VERSAILLES, 15 mars 1981 : *Femmes bédouines un couffin sur la tête,* h/t (54x64,5) : **FRF 5 000.**

CLARIS Bernard

Né à Chêne. XIXe siècle. Travaillait à Chambéry au milieu du XIXe siècle. Français.

Peintre de portraits et de genre.

CLARIS Guiliam

Mort avant 1615. XVIIe siècle. Vivait à Anvers en 1608. Éc. flamande.

Peintre.

CLARISSE Antoine

XVIe siècle. Français.

Sculpteur sur bois.

Il fit, pour la chapelle de l'hospice de Lille, une clôture en bois, en 1527, et sculpta, pour le même monument, des statues de saint Étienne et de saint Jean.

CLARK Abraham

Né à Cooperstown (New York). XIXe siècle. Travaillait vers 1825-1834. Américain.

Graveur.

CLARK Albert, ou Frederick Albert

XIXe-XXe siècles. Britannique.

Peintre d'animaux.

Il était actif de 1821 à 1909, en particulier de 1906 à 1909.

VENTES PUBLIQUES : LONDRES, 22 mai 1985 : *Chevaux à l'écurie 1902,* 2 h/t (50x61) : **GBP 1 350** – LONDRES, 1er oct. 1986 : *Chevaux au bord d'un ruisseau 1888,* h/t (51x76) : **GBP 950** – LONDRES, 15 mai 1987 : *« Ormonde » à l'écurie 1886,* h/t (40,6x50,8) : **GBP 480** – LONDRES, 28 juil. 1987 : *Old Confidence à l'écurie 1888,* h/t (50,8x76,2) : **GBP 700** – LONDRES, 14 fév. 1990 : *Un terrier Airedale 1931,* h/t (50,8x63,5) : **GBP 1 320** – LONDRES, 20 juil. 1990 : *Cheval de trait dans son écurie 1899,* h/t (51x61) : **GBP 935** – LONDRES, 15 nov. 1991 : *Hunter bai dans son écurie 1889,* h/t (50,8x61) : **GBP 1 980** – LONDRES, 8 avr. 1992 : *Le pur-sang « Cicero » avec son jockey Danny Maher sur un champ de course 1909,* h/t (48x60,5) : **GBP 1 430** – LONDRES, 12 nov. 1997 : *Ormonde monté par Fred Archer,* h/t (51x61) : **GBP 12 650.**

CLARK Allan

Né en 1896 à Missoula (Montana). Mort en 1950. XXe siècle. Américain.

Sculpteur.

Il fit ses études au Chicago Art Institute, sous la direction d'Albin Polasek, et voyagea en Orient qui l'inspira dans le choix de ses sujets.

MUSÉES : NEW YORK (Metropolitan Mus.).

VENTES PUBLIQUES : NEW YORK, 28 sep. 1977 : *Danseuse exotique,* patine noire et or n°2, bronze (H. 65,4) : **USD 2 000** – NEW YORK, 22 mai 1980 : *Cheval 1920,* bronze doré (H. 36,5) : **USD 2 200** – NEW YORK, 6 mai 1984 : *Femme marchant 1927,* bronze (H. 65) : **USD 11 000** – NEW YORK, 29 mai 1987 : *Yang Kwei Fei, une beauté chinoise,* bronze (H. 23,5) : **USD 4 000** – NEW YORK, 26 mai 1988 : *Yang Kwei Fei, beauté chinoise,* bronze doré (H. 23,5) : **USD 1 650** – NEW YORK, 30 nov. 1990 : *Parvati, danseuse balinaise 1929,* bronze à patine laquée noire et trace d'or sur la tête (H. 64,5) : **USD 33 000** – NEW YORK, 15 avr. 1992 : *Nu masculin dansant 1920,* bronze à patine noire (H. 48,3) : **USD 1 870** – NEW YORK, 23 sep. 1993 : *La tentatrice du roi 1927,* bois polychrome peint. en noir (52,1x38,1) : **USD 5 750.**

CLARK Alson Skinner

Né le 25 mars 1876 à Chicago. Mort en 1949. XXe siècle. Américain.

Peintre de paysages, illustrateur, décorateur.

Il fut élève de Mucha, Luc Olivier Merson, Whistler, Lucien Simon et Cottet à Paris, et de Chase à New York. Il obtint la médaille de bronze à Saint Louis en 1904 et le prix Cohn au Chicago Art Institute en 1906. Il participa au Salon de la Société Nationale des Beaux-Arts à Paris en 1914. Il était membre de la American Art Association à Paris et de la Society of Western Artists. Ses paysages pouvaient prendre un caractère historique, tel *Percement du canal de Panama.*

VENTES PUBLIQUES : LOS ANGELES, 17 mars 1980 : *Monday,* h/cart. (47x55,5) : **USD 1 100** – NEW YORK, 29 jan. 1981 : *Paysage 1924,* h/t (47x55,9) : **USD 1 800** – LOS ANGELES, 29 juin 1982 : *Paysage 1924,* h/t mar./cart. (47x56) : **USD 1 600** – SAN FRANCISCO, 8 nov. 1984 : *Vue de Giverny,* h/t (53,5x80) : **USD 7 000** – SAN FRANCISCO, 6 nov. 1985 : *St Lawrence, Québec 1909,* h/t (94x127) : **USD 13 000** – SAN FRANCISCO, 27 fév. 1986 : *Scène de rue,* h/t (41x51) : **USD 3 750** – NEW YORK, 20 mars 1987 : *Quelque maison 1915,* h/t (64,9x54) : **USD 2 400** – LOS ANGELES-SAN FRANCISCO, 10 oct. 1990 : *Le port de Spolato,* h/t (38x46) : **USD 8 800** – NEW YORK, 15 nov. 1993 : *Le soir sur la plage d'Edisto,* h/cart. (56x71) : **USD 978** – NEW YORK, 27 sep. 1996 : *Amandier en fleurs,* h/t (75x110) : **USD 34 500.**

CLARK Alvan

Né en 1804 à Ashfield (Massachusetts). Mort en 1887 à Cambridge. XIXe siècle. Américain.

Artiste.

CLARK C. W.

XIXe siècle. Britannique.

Peintre de portraits.

Il exposa à la Royal Academy à Londres de 1839 à 1843.

CLARK Charles Herbert

Né le 17 mars 1890 à Liverpool. XXe siècle. Britannique.

Graveur.

Expose à la Royal Academy.

CLARK Christophor

Né le 1er mars 1875 à Londres. XXe siècle. Britannique.

Peintre et illustrateur.

Spécialiste des sujets historiques et militaires.

VENTES PUBLIQUES : LONDRES, 21 jan. 1927 : *Balaclava 1908,* dess. : **GBP 8.**

CLARK Cosmo John ou John Cosmo

Né le 24 janvier 1897 à Chelsea. Mort en 1967. XXe siècle. Britannique.

Peintre de paysages.

Fils du peintre d'histoire James Clark, il fut élève de la Goldsmith's College School of Art de 1914 à 1918, puis de l'Académie Julian à Paris en 1918 et 1919, enfin des Royal Academy Schools jusqu'en 1921. Il exposa régulièrement à la Royal Academy de Londres et au New English Art Club, dont il était membre, et figura au Salon des Artistes Français à Paris en 1923.

VENTES PUBLIQUES : LONDRES, 14 nov. 1980 : *Views in Scotland,* suite de 35 aquatintes coloriées : **GBP 17 000** – LONDRES, 16 nov. 1986 : *Scullers and crews, Connecticut 1935,* h/t (81x130) : **GBP 4 400** – LONDRES, 14 oct. 1987 : *Un pub du sud de Londres en temps de guerre,* h/t (51x76) : **GBP 7 500** – LONDRES, 29 juil. 1988 : *Le port de Concarneau,* h/t (50x40) : **GBP 715.**

CLARK Dixon

Né en 1800 en Angleterre. XIXe siècle. Britannique.

Peintre d'animaux, paysages animés.

Il exposa à partir de 1890 à la Royal Academy, à Londres.

MUSÉES : SUNDERLAND : *Paysage avec bétail.*

VENTES PUBLIQUES : NEWCASTLE (Angleterre), 30 mai 1932 : *Troupeau dans la montagne* : **GBP 3** – LONDRES, 25 avr. 1980 : *The brase of Balquhidder,* h/t (120,6x100,2) : **GBP 450** – LONDRES, 24 avr. 1985 : *Troupeau au bord d'un ruisseau ; Moutons au pâturage,* h/t, une paire (26x37) : **GBP 950** – LONDRES, 13 déc. 1989 : *La lumière du jour décline lentement,* h/t (85x132) : **GBP 3 080** – STOCKHOLM, 30 nov. 1993 : *Bétail des Highlands,* h/t (124x100) : **SEK 28 000** – LONDRES, 15 avr. 1997 : *Les Balquhidder,* h/t (121,5x101,5) : **GBP 5 290.**

CLARK Edward

Né en 1926 à la Nouvelle-Orléans. XXe siècle. Américain.

Peintre. Abstrait.

Artiste noir, il étudie la peinture et l'histoire de l'art à l'Art Institute de Chicago. Il commence à peindre en 1946 et, à partir de 1952, vient à Paris où il séjourne ensuite très souvent. Entre 1973 et 1978, il enseigne dans plusieurs universités : Delaware, Oregon...

Il voyage régulièrement dans divers pays. Il participe à de nombreuses expositions de groupe, dont : Le Salon des Réalités Nouvelles en 1955 et 1984, Le Musée des Arts Décoratifs à Paris, où il obtient le prix Othon Friesz en 1955, au Whitney Museum de New York, pour la *Biennale* en 1973... Il fait des expositions personnelles, sa première à Paris date de 1955. Le Studio Museum of Harlem présente une rétrospective de son œuvre en 1980, d'autres expositions ont lieu, jusqu'à celle organisée à la Galerie Resche, à Paris, en 1991.

Clark s'est orienté vers l'abstraction dès 1953. Sa peinture, issue de l'expressionnisme abstrait, est un balayage gestuel énergique et ondulant (formes primaires) de la surface de la toile avec de couleurs aux tonalités parfois pâles mais très variées.

Bibliogr. : Edward Clerk : *Un musée pour Harlem*, Chronique de l'Art Vivant, Paris, nov. 1968.

CLARK Eliot Candee ou Cauder
Né en 1883 à New York. Mort en 1980. xxᵉ siècle. Américain.
Peintre de paysages, aquarelliste.

Ventes Publiques : Los Angeles, 8 mars 1976 : *New Rochelle, New York*, h/t (76x114) : **USD 2 200** – New York, 21 mars 1980 : *Paysage d'été*, h/t (76,2x101,6) : **USD 2 100** – Chicago, 4 juin 1981 : *Paysage d'été*, h/t (41x61) : **USD 1 100** – New York, 3 juin 1983 : *Crépuscule d'automne*, h/cart. (63,1x76) : **USD 4 200** – New York, 6 déc. 1985 : *Cold Spring harbor* 1912, h/t (50,7x60,9) : **USD 3 000** – New York, 5 déc. 1986 : *Une maison en hiver*, h/cart. (62,9x75,5) : **USD 3 000** – New York, 24 juin 1988 : *La course des nuages* 1926, h/cart. (45x50) : **USD 770** – New York, 24 jan. 1989 : *Automne à Kent dans le Connecticut* 1923, h/cart. (34,4x44) : **USD 550** – New York, 4 mai 1993 : *Bord d'étang dans un paysage printanier*, h/t (40,7x50,8) : **USD 1 150**.

CLARK Francis
xixᵉ siècle. Britannique.
Peintre de figures, aquarelliste.

Il exposa de 1853 à 1865 à la Royal Academy, à la British Institution, à Suffolk Street et à la New Water-Colours Society, à Londres.

CLARK Frederick Albert. Voir CLARK Albert

CLARK George Herritt
Mort en 1904 en Californie. xixᵉ siècle. Américain.
Peintre.

CLARK H. Vincent
Né en décembre 1886 à Londres. xxᵉ siècle. Britannique.
Peintre, lithographe et professeur d'art.

CLARK Harry
Né en 1890 à Dublin. Mort en 1931 en Suisse. xxᵉ siècle. Irlandais.
Illustrateur, peintre de cartons de vitraux et décorateur.

Il apprit l'art du vitrail chez son père, artisan en vitraux, puis étudia à la Dublin Metropolitan School of Art entre 1910 et 1913. Il obtint trois médailles en récompense de ses réalisations et une bourse lui permettant de faire un voyage en Ile-de-France pour approfondir sa connaissance du vitrail. De retour en Irlande, il travailla pour des églises d'Irlande et d'Angleterre, rénovant dans son pays l'art du vitrail. Parmi ses illustrations de livres, citons : *Fairy Tales* de H. C. Andersen, 1916, *Tales of Mystery and Imagination* d'E. Poe, 1919, *Faust* de Goethe, 1928. Le style de ses illustrations rappelle celui des œuvres de Beardsley.

Bibliogr. : Marcus Osterwalder : *Diction. des illustrateurs 1800-1914*, Hubschmid & Bouret, Paris, 1983.

Ventes Publiques : Perth, 7 avr. 1982 : *Puss in boots* 1922, aquar. reh. de gche (32x24) : **GBP 3 200** – Londres, 10 oct. 1985 : *De Profundis* 1913, aquar. reh. de gche/pap. mar./cart. (56,5x24,5) : **GBP 13 000**.

CLARK J. W.
xixᵉ siècle. Britannique.
Peintre sur émail.

Il exposa un portrait à la Royal Academy en 1824.

CLARK James
Né en 1858 à Hartlepool. Mort en 1943. xixᵉ-xxᵉ siècles. Britannique.
Peintre d'histoire, portraits, scènes typiques, animalier, paysages animés, aquarelliste.

Il fut élève, à Paris, de Léon Bonnat et J. L. Gérome. À partir de 1881, il exposa à Londres, à la Royal Academy, à Suffolk Street, à la New Water-Colour Society, et en d'autres groupements. Il exposa aussi à Paris de 1924 à 1931, au Salon des Artistes Français.

Musées : Florence (Mus. des Offices) : *Autoportrait* – Sunderland : *Marie-Stuart chez Élizabeth*.

Ventes Publiques : Londres, 11 jan. 1972 : *Chevaux au galop* : **GBP 160** – Londres, 25 mars 1980 : *Camarades de jeu*, aquar. (58x81) : **GBP 370** – New York, 8 juil 1984 : *Moutons dans un paysage*, h/t (50,8x61) : **USD 3 800** – Londres, 18 juin 1985 : *Chansons d'Arabie*, h/t (119x88) : **GBP 42 000** – Londres, 22 juil. 1986 : *Prize pigs, in a pen*, h/t (44,5x59,5) : **GBP 13 600** – Chester, 20 juil. 1989 : *La Reine de la maison – Femme et fille de l'artiste* 1885, h/t (31,7x50) : **GBP 2 860** – Londres, 21 mars 1990 : *La première lettre*, h/t (35,5x30,5) : **GBP 3 520** – New York, 10 juil. 1991 : *Pêcheurs devant leur maison dans une crique*, h/t (99,1x72,4) : **USD 17 050** – New York, 5 juin 1992 : *Le rassemblement*, h/t (46,4x68,6) : **USD 4 125** – Londres, 12 nov. 1992 : *Sœurs*, h/t (153,5x96) : **GBP 6 600** – New York, 4 juin 1993 : *Taureau dans un paysage*, h/t (50,8x61) : **USD 9 200** – Londres, 5 nov. 1993 : *La perruche*, h/t (41x30,5) : **GBP 4 600**.

CLARK James Lippitt
Né en 1883. Mort en 1969. xxᵉ siècle. Américain.
Sculpteur animalier.

Ventes Publiques : New York, 13 oct. 1976 : *Ovis Poli* 1930, bronze, patine verte (H. 46) : **USD 1 100** – New York, 26 juin 1981 : *Townsend's Seal* 1932, bronze (H. 30,2) : **USD 3 500** – New York, 3 juin 1983 : *Ours de l'Alaska*, bronze (H. 18,5) : **USD 4 000** – New York, 14 mars 1986 : *Ours de l'Alaska* 1904-1905, bronze (H. 18,7) : **USD 4 200** – New York, 1ᵉʳ déc. 1989 : *Rhinocéros noir*, bronze à patine brun-vert (19,4x40) : **USD 7 700** – New York, 28 mai 1992 : *Buffle africain* 1913, bronze (H. 32,4) : **USD 7 150** – New York, 22 sep. 1993 : *Humidificateur fait d'une patte de rhinocéros avec un couvercle de bronze dont la poignée est un petit rhinocéros* (H. 24,8) : **USD 5 175** – New York, 28 sep. 1995 : *Phoque* 1932, bronze (H. 30,5) : **USD 2 070**.

CLARK James O.
xxᵉ siècle. Américain.
Sculpteur d'assemblages. Néodadaïste.

Il fait partie de ces sculpteurs américains, attirés par l'objet, et qui sont réapparus dans les années quatre-vingt-dix sur la Côte Est des États-Unis, et notamment à New York. Les sculptures de Clark exposées dans une galerie à New York en 1991, ont pour thème l'assemblage d'objets industriels et de matériaux divers. Fils électriques, tubes, ampoules, pièces métalliques sont agencés selon un dispositif qui rappelle les objets satiriques de Duchamp et de Picabia et la poésie de Tinguely.

Bibliogr. : Robert Edelman, in : *Art Press*, nᵒ 163, Paris, nov. 1991.

CLARK John
xviiiᵉ siècle. Travaillait à Londres entre 1710 et 1720. Britannique.
Graveur.

Le British Museum possède plusieurs gravures signées de cet artiste dont un portrait du roi George Iᵉʳ d'après Kneller. On lui attribue aussi une peinture représentant un portrait d'homme signée : *J. Clark 1710*. A comparer avec les John CLARKE.

CLARK John Heaviside, dit Waterloo Clark
Né vers 1770. Mort en 1863 à Édimbourg. xviiiᵉ-xixᵉ siècles. Britannique.
Peintre de batailles, figures, paysages, aquarelliste, dessinateur, illustrateur.

Il exposa à la Royal Academy de Londres de 1801 à 1832. Il devait son surnom aux croquis qu'il exécuta sur le champ de bataille de Waterloo, aussitôt après le combat. Il dessina les illustrations de son *Essai pratique sur l'art de la peinture* (1807) ainsi que celles de l'ouvrage intitulé : *Illustration pratique de Gilpin's Day* (1824).

Ventes Publiques : Glasgow, 7 oct. 1982 : *Rothesay Bay* 1824, aquar. et pl. (33,6x54) : **GBP 350** – Londres, 12 mars 1986 : *Alloa, Clackmannanshire*, h/t (67x120) : **GBP 8 500** – Londres, 4 nov. 1987 : *Hunting the kangaroo*, aquar. (13,5x19) : **GBP 17 000**.

CLARK Joseph
Né en 1834 ou 1835 en Dorsetshire. Mort en 1926. xixᵉ-xxᵉ siècles. Britannique.

Peintre de genre, aquarelliste.
Il fut élève de J. M. Leigh, Londres. Il exposa à la Royal Academy, à la British Institution, à Suffolk Street, à la New Water-Colours Society (dont il était membre) à partir de 1857. Il fut médaillé à Philadelphie en 1876 pour : *L'Enfant malade* et *Le Nid*. On cite aussi *Premiers efforts* et *Visite matinale*.
VENTES PUBLIQUES : LONDRES, 17 avr. 1909 : *Playmates* : **GBP 28** – LONDRES, 14 déc. 1976 : *La Réunion familiale*, h/t (54,5x75) : **GBP 820** – LONDRES, 3 juil. 1979 : *Patience is a virtue*, h/t (29x21,5) : **GBP 1 000** – LONDRES, 25 juil. 1983 : *A cheap entertainment* 1876, h/t (64x55) : **GBP 6 000** – LONDRES, 27 sep. 1989 : *Mon Portrait ressemblant* 1887, h/t (89x68,5) : **GBP 9 020** – LONDRES, 13 juin 1990 : *L'Heure du coucher*, h/t (43x50) : **GBP 1 760** – LONDRES, 13 fév. 1991 : *Les Bulles de savon* 1889, h/t (46x56) : **GBP 6 380** – LONDRES, 5 juin 1991 : *Le Nouveau Favori* 1876, h/t (63x54) : **GBP 3 740** – LONDRES, 14 juin 1991 : *Le Portrait ressemblant* 1884, h/t (88,2x67,5) : **GBP 7 700** – LONDRES, 29 mars 1995 : *L'heure de la lecture* 1881, h/t (64,5x51) : **GBP 2 070** – LONDRES, 12 mars 1997 : *Le Nouveau Jouet* 1870, h/t/cart. (67x88) : **GBP 18 400**.

CLARK Joseph Benwell
Né en 1857 à Londres. XIXe siècle. Britannique.
Peintre de scènes de genre, animaux, intérieurs, dessinateur.
Il était le neveu de Joseph Clark et exposa à Suffolk Street, à la Royal Academy et à la Grosvenor Gallery, à Londres.
VENTES PUBLIQUES : LONDRES, 1er nov. 1985 : *Hommes ramassant des feuilles mortes dans une cour*, h/t mar./cart. (127,5x96,5) : **GBP 700**.

CLARK Lygia
Née le 23 octobre 1920 à Belo Horizonte. Morte en 1988. XXe siècle. Brésilienne.
Sculpteur, peintre. Abstrait-constructiviste, body art. Groupe Frente.
Elle fit ses études au Brésil, sous la direction de Burle-Marx en 1947, puis vint à Paris en 1948 et travailla avec Fernand Léger, Arpad Szenes et Dabrinsky. Après une première exposition à Paris en 1951, elle retourne au Brésil l'année suivante, puis revient à Paris en 1970.
Elle est invitée à la Biennale de Venise à partir de 1960, à celle de São Paulo en 1961, date à laquelle elle remporte le Prix de la meilleure sculpture nationale avec ses *Animaux*, tandis qu'une salle lui est consacrée à la même Biennale en 1963. Elle est présente à la Documenta V de Kassel en 1972. Elle a montré ses œuvres dans des expositions personnelles. Une rétrospective-hommage de son œuvre a été présentée en 1998 au Musée d'Art Contemporain de Marseille.
Elle adhère en 1954 au Brésil au groupe *Frente* puis en 1959, au mouvement du néoconcrétisme, ce qui montre son appartenance au constructivisme. Dès 1954, ses travaux cherchent à aller au delà des limites de la peinture abstraite à deux dimensions, dépassant le plan au profit de l'espace, avec ses *Plans à surface modulée* ou ses *Superficies modulées*, annonçant sa volonté d'entrer dans un art tridimensionnel qu'elle réalisera en 1960 avec les *Animaux*. Ces derniers, faits en plaques de métal articulées grâce à des charnières, mènent à la participation du spectateur, et en conséquence, à ce qu'on a appelé le « part'art », se dégageant ainsi de la rigueur géométrique du constructivisme. Les spectateurs devaient pénétrer dans ses structures souvent réalisées en tissu ou en plastique souple, *Les Masques sensoriels* par exemple, et à l'intérieur desquelles, ils se trouvaient empêtrés ou ressentaient collectivement les mouvements de chacun. Après avoir réalisé dans les années soixante-dix, des performances de groupe à la Sorbonne, elle retourne au Brésil et propose quelques années plus tard la *Thérapie*, méthode analytique intégrant des éléments artistiques, les siens en particuliers, dans son processus.
BIBLIOGR. : Damian Bayon et Roberto Pontual : *La Peinture de l'Amérique latine au XXe siècle*, Mengès, Paris, 1990 – Jean Clay : *Lygia Clark, fusion généralisée*, in *Artpress*, n° 174, nov. 1992.
MUSÉES : GRENOBLE – LA PAZ – RIO DE JANEIRO – SÃO PAULO (Mus. d'Art Contemp.) : *Plan à surface modulée n° 2* 1956.
VENTES PUBLIQUES : LONDRES, 25 juin 1986 : *Construction sans titre* 1968, feuilles de métal (60x60x60) : **GBP 800**.

CLARK Octavius T. ou Clarke
Né en 1850. Mort en 1921. XIXe-XXe siècles. Britannique.
Peintre de paysages, paysages d'eau.
VENTES PUBLIQUES : LONDRES, 6 sep. 1977 : *Paysages fluviaux*,

deux toiles (49,5x75) : **GBP 650** – LONDRES, 14 juin 1979 : *Paysages boisés*, deux toiles (91,5x71) : **GBP 800** – LONDRES, 7 oct. 1980 : *Chemins de campagne*, deux h/t (58,5x104) : **GBP 1 100** – LONDRES, 18 juil. 1984 : *Paysage fluvial*, h/t (50,2x76,2) : **GBP 620** – LONDRES, 11 juin 1986 : *Paysage à la chaumière ; Paysage au moulin* 1886, deux h/t (51x76) : **GBP 1 700**.

CLARK Philip Lindsay
Né le 10 janvier 1889 à Londres. XXe siècle. Britannique.
Sculpteur de figures.
VENTES PUBLIQUES : LONDRES, 13 juin 1984 : *Enfant avec un chat* 1925, bronze, patine brun-vert (H. 81) : **GBP 1 300**.

CLARK Rose
XIXe-XXe siècles. Américaine.
Peintre, aquarelliste.
Elle était active à Buffalo. Elle était membre du New York Water-Colour Club. En 1902, elle obtint une médaille d'or à l'Exposition de Turin.

CLARK Roy C.
Né en 1889 à Sheffield (Massachusetts). XXe siècle. Américain.
Peintre.

CLARK Samuel Joseph ou John
XIXe-XXe siècles. Britannique.
Peintre animalier, scènes et paysages animés,.
VENTES PUBLIQUES : LONDRES, 3 oct. 1984 : *Les animaux de la ferme*, h/t (76x127) : **GBP 1 100** – NEW YORK, 7 juin 1985 : *Les animaux de la ferme, chevaux à l'abreuvoir*, 2 h/t (48,2x73,6) : **USD 6 000** – LONDRES, 30 sep. 1987 : *Scène de cour de ferme*, h/t (51x77) : **GBP 2 800** – LONDRES, 27 sep. 1989 : *Chevaux de ferme*, h/t (76x63,5) : **GBP 1 760** – LONDRES, 2 nov. 1989 : *La chasse à courre traversant une terre labourée*, h/t (76,2x152,4) : **GBP 5 280** – LONDRES, 9 fév. 1990 : *Repérage de la chasse*, h/t (50,8x76,5) : **GBP 2 200** – LONDRES, 19 déc. 1991 : *Activités dans une cour de fermes* 1878, h/t (90,2x151,7) : **GBP 5 500** – LONDRES, 20 juil. 1994 : *Bétail près d'une rivière*, h/t (50,5x75,5) : **GBP 1 610** – LONDRES, 27 mars 1996 : *Le tombereau de bois ; Près du ruisseau*, h/t, une paire (chaque 50x76) : **GBP 2 300**.

CLARK Thomas
XVIIIe siècle. Irlandais.
Peintre de portraits.
Après avoir étudié à l'Académie de Dublin, il fut quelque temps élève de Sir Joshua Reynolds. Il exposa à la Royal Academy de Londres en 1769 et 1775. Son dessin est bien supérieur à son coloris.
VENTES PUBLIQUES : LONDRES, 14 mars 1984 : *Portrait of a boy* 1767, h/t (74x62) : **GBP 5 800**.

CLARK Thomas
Né le 14 novembre 1820 en Écosse. Mort en 1876. XIXe siècle. Écossais.
Peintre de portraits, paysages.
Il fut membre associé de la Royal Scottish Academy, où il exposa depuis sa vingtième année. Jusqu'en 1870, on vit des tableaux de lui à la Royal Academy, à la British Institution, à Suffolk Street, à Londres.
MUSÉES : MELBOURNE : *Portrait of Sir Henry Bartley*.

CLARK Thomas
XIXe siècle. Britannique.
Peintre de paysages.
Il exposa à Londres de 1827 à 1858. On lui doit des paysages d'Italie, de France et d'Angleterre.

CLARK Virginia Keep
Née en 1878 à La Nouvelle-Orléans. XXe siècle. Américaine.
Peintre, illustratrice.

CLARK Walter A.
Né le 9 mars 1848 à Brooklyn (New York). Mort en 1917 à Bronxville. XIXe-XXe siècles. Américain.
Peintre de paysages animés, paysages, aquarelliste, sculpteur.
Il eut pour maîtres George Inners et J. S. Hartley à New York. Il fut médaillé à Buffalo en 1901, à New York à la National Academy en 1902, à Saint Louis en 1904 ; associé de la National Academy en 1898 et membre de la Society of American Artists, du Salmagundi Club et du Water-Colours Club.
VENTES PUBLIQUES : NEW YORK, 25 jan. 1935 : *Paysage* : **USD 60** – NEW YORK, 3 juin 1983 : *Gray day*, h/t (50,2x60,9) : **USD 1 100** – NEW YORK, 17 mars 1988 : *Jeune fille dans un sentier boisé* 1884,

h/t (28x39,3) : **USD 1 650** – New York, 24 jan. 1989 : *Paysage côtier*, h/t (40x49,8) : **USD 2 750.**

CLARK Walter Appleton
Né en 1876 à Worcester (Massachusetts). Mort en 1906 à New York. XIXe-XXe siècles. Américain.
Peintre animalier, illustrateur.
Ventes Publiques : New York, 1er juil. 1982 : *Avondale et Hallington Neptune, deux taureaux*, deux h/t (chaque 47,5x57) : **USD 1 300.**

CLARK Waterloo. Voir CLARK John Heaviside

CLARK William
Mort en 1801 à Limerick. XVIIIe siècle. Britannique.
Graveur.
Il était caporal au régiment des Dragons légers. On a de lui des gravures à l'aquatinte, d'une jolie exécution.

CLARK William, dit Clark de Greenock
Né en 1803. Mort en 1883. XIXe siècle. Britannique.
Peintre de paysages d'eau, marines, aquarelliste.
Ventes Publiques : Édimbourg, 25 août 1972 : *Le voilier « John Lidgett »* 1869 : **GBP 3 600** – Londres, 28 nov. 1972 : *Voiliers au large d'un phare* : **GBP 2 400** – Londres, 15 oct. 1976 : *Les régates 1872*, deux h/t (33x48,5) : **GBP 380** – Perth, 19 avr. 1977 : *Le Bateau à vapeur Baron 1854*, h/t (67x110,5) : **GBP 700** – Torquay, 13 juin 1978 : *Le Trois-mâts « Cadross »* 1869, h/t (75x110,5) : **GBP 3 000** – Glasgow, 1er déc. 1981 : *A four-master on the William-canal 1852*, aquar. (58x86) : **GBP 1 600** – Londres, 21 juin 1983 : *The Clyde tea clipper « Mac Cullum More »* 1874, h/t (76x127) : **GBP 2 800** – Londres, 18 oct. 1985 : *The ship « Malabar » and the barque « Isabella » in the Clyde 1836*, h/t (58,4x87,6) : **GBP 12 000** – Londres, 30 sep. 1987 : *The Vulcan steaming out of the Clyde 1834*, h/t (76x114) : **GBP 3 200** – Londres, 31 mai 1989 : *Le trois-mâts « Wandsworth » passant devant le phare à l'embouchure de la Clyde*, h/t (77x112) : **GBP 5 500** – Londres, 5 oct. 1989 : *Le paquebot métallique Jydrabad toutes voiles dehors avec la péninsule de Roseneath à l'arrière-plan 1865*, h/t (79x140) : **GBP 29 700** – Londres, 18 oct. 1990 : *Le trois-mâts « Akbar » arrivant en vue de l'Île Maurice*, h/t (58,5x140) : **GBP 7 150** – Londres, 22 mai 1991 : *Le long courrier « John of Worcester »*, h/t (76x111) : **GBP 20 350** – Londres, 17 juil. 1992 : *Le trois-mâts « Archibald MacMillan » 1854*, h/t (73,7x109,3) : **GBP 4 950** – Londres, 20 jan. 1993 : *Le yacht « Avon » remportant la course du Yacht Club de la Clyde 1871*, h/t (68,5x112) : **GBP 17 250** – Londres, 11 mai 1994 : *Le clipper « John R. Worcester »* 1869, h/t (75x118) : **GBP 29 900.**

CLARK-DAVIS Cecil, Mme. Voir DAVIS Cecil Clark, Mrs

CLARKE Benjamin
Né en 1771 à Dublin. Mort en 1810. XVIIIe-XIXe siècles. Britannique.
Sculpteur.

CLARKE Bethia
Née dans la seconde moitié du XIXe siècle à Londres. XIXe-XXe siècles. Britannique.
Peintre.
Elle étudia à la Westminster School et à Paris. A exposé à la Royal Academy, à la Royal Society of British Artists et au Salon des Artistes Français où elle obtint une mention honorable en 1908. On cite de cette artiste : *Le thé* et l'*Étalage d'oranges*.

CLARKE C. A.
XIXe siècle. Britannique.
Peintre de paysages.
Il exposa de 1818 à 1840 à la Royal Academy, à la British Institution, et à Suffolk Street, à Londres.

CLARKE Charles, R. P.
Né en février 1845 à Sherington. XIXe-XXe siècles. Britannique.
Peintre.
Peintre de portraits, de marines et de paysages, pratiquant l'huile et l'aquarelle, il exposait encore en 1910.

CLARKE Dora
Née à Harrow (Middlesex). XXe siècle. Britannique.
Sculpteur.
Elle a régulièrement exposé à la Royal Academy de Londres et a participé au Salon des Artistes Français à Paris en 1925.

CLARKE E., Miss
XVIIIe siècle. Britannique.

Peintre de portraits, miniatures.
Londonienne, elle exposa des portraits à la Royal Academy en 1799.

CLARKE Frederick
XIXe siècle. Britannique.
Peintre d'histoire, natures mortes.
Il exposa à la Royal Academy de Londres de 1834 à 1870.
Ventes Publiques : Chester, 24 juin 1982 : *Nature morte au gibier* 1866, h/cart. (54,5x43,9) : **GBP 700.**

CLARKE G. R.
XIXe siècle. Britannique.
Peintre, illustrateur.
Il écrivit et illustra *The History and Description of Ipswich*, petite ville du Sussex, en 1830.

CLARKE Geoffrey
Né en 1924 à Darley Dale (Derbyshire). XXe siècle. Britannique.
Sculpteur et graveur.
Élève du Royal College of Art de Londres en 1949, il obtint une médaille d'or et une bourse de voyage. Il réalisa plusieurs ouvrages pour le Festival of Britain en 1951 et pour l'immeuble Time-Life de Londres en 1952. Ayant aussi une importante activité de graveur, il remporta un prix à la 1re Biennale de gravure de Tokyo en 1957. Il a également contribué à la renaissance du vitrail, inventant une technique intermédiaire entre sculpture et gravure.
Il peut donner à ses sculptures, faites de tiges forgées et soudées, un contenu spirituel nourri d'une symbolisation des préoccupations essentielles de l'homme.
Ventes Publiques : Londres, 1er nov. 1967 : *Sculpture* : **GBP 200** – Londres, 23 oct. 1996 : *Mère et Enfant* vers 1951, fer, pièce unique (H. 88) : **GBP 2 070.**

CLARKE George
Né vers 1796 en Angleterre. Mort le 12 mars 1842 à Birmingham. XIXe siècle. Britannique.
Sculpteur.
Travailla d'abord à Birmingham, puis se fixa vers 1825 à Londres. On cite parmi ses meilleures œuvres un buste colossal du duc de Wellington et la statue de Major Cartwright. Exposa à la Royal Academy de 1821 à 1839.

CLARKE George Row
XIXe siècle. Britannique.
Peintre de paysages.
Il exposa de 1858 à 1888 à la Royal Academy, à la British Institution, et à Suffolk Street, à Londres. Le Musée de Melbourne conserve de cet artiste : *Vue de Kings Cambridge*, Cambridge (1872).

CLARKE Harriet Ludlow
Né à Londres. Mort en 1866 à Cannes. XIXe siècle. Britannique.
Sculpteur sur bois et peintre verrier.

CLARKE Harry
XXe siècle. Britannique.
Illustrateur et peintre de décorations.
Expose à la Royal Hibernian Academy et à Saint-George's Gallery.

CLARKE Harry Harvey
Né le 20 juin 1869 à Northampton. XIXe siècle. Britannique.
Peintre de paysages, graveur et professeur d'art.

CLARKE John
XVIIe siècle. Actif à Londres dans la seconde moitié du XVIIe siècle. Britannique.
Graveur.
Il a laissé une reproduction d'un portrait de Rubens et une gravure : *Hercule et Déjanire.*

CLARKE John
Né vers 1650 en Écosse. Mort vers 1697. XVIIe siècle. Travaillait à Edimbourg. Britannique.
Graveur.
On cite de lui : *George Baron de Gœrtz, Sir Malithews Hale, Andres Marwell, Guillaume et Marie, prince et princesse d'Orange, Humphrey Pridaux, The Humors of Harlequin, Les amours de Colombine et d'Arlequin.*

CLARKE John
Mort vers 1815, fou. XVIIIe-XIXe siècles. Travaillait à Londres à la fin du XVIIIe siècle. Britannique.

Graveur.
On cite de lui : *Vénus désarmant l'Amour* d'après Cipriani, *Portrait par lui-même* de Cosway.

CLARKE John Clem. Voir **CLEM CLARKE John**

CLARKE John Moulding
Né le 28 janvier 1889 à Boston. xxᵉ siècle. Américain.
Graveur et aquarelliste.

CLARKE Joseph Clayton, dit **Kyd**
xixᵉ siècle. Britannique.
Dessinateur.
Il illustra en 1883 des œuvres de Charles Dickens.

CLARKE L. J. Graham
xixᵉ siècle. Actif à Rhayadr. Britannique.
Paysagiste.
Membre de la Royal Cambrian Academy, il exposa, de 1879 à 1887, à la Royal Academy et à Suffolk Street, à Londres.

CLARKE Margaret
Née en 1881. Morte en 1961. xxᵉ siècle. Irlandaise.
Peintre de genre, portraits, dessinatrice.
VENTES PUBLIQUES : DUBLIN, 26 mai 1993 : *Portrait de Sean Keating assis de trois-quarts*, cr. (33x24,1) : **GBP 2 200** – LONDRES, 9 mai 1996 : *Intérieur de pêcheur à Aran, Comté de Galway* 1913, h/t (49,5x37,5) : **GBP 2 300**.

CLARKE R. E.
xixᵉ siècle. Britannique.
Peintre de marines.
Il exposa de 1825 à 1848 à la Royal Academy, à la British Institution et à Suffolk Street, à Londres.

CLARKE Samuel Barling
xixᵉ siècle. Britannique.
Peintre de genre.
De 1852 à 1878, il exposa à la Royal Academy, à la British Institution et à Suffolk Street, à Londres.
VENTES PUBLIQUES : LONDRES, 5 fév. 1910 : *Le livre d'images* ; *Le jeune musicien* : **GBP 11** – LONDRES, 26 sep. 1985 : *La jeune apprentie*, h/t (45x35) : **GBP 1 450**.

CLARKE Theophilus
Né en 1776. Mort après 1832. xviiiᵉ-xixᵉ siècles. Britannique.
Peintre de genre, portraits.
Il fut élève d'Opie et étudia à la Royal Academy, où il fut reçu comme associé en 1803. Parmi ses tableaux de genre, il convient de citer : *Les amoureux* et la *Jeune fille pensive* ; il est surtout connu pour ses nombreux portraits.
VENTES PUBLIQUES : ICKWORTH, 12 juin 1996 : *Portrait de Mary Crichton, comtesse de Erne*, h/t (70x72) : **GBP 9 775**.

CLARKE Thomas
xixᵉ siècle. Travaillant vers 1800. Américain.
Graveur.

CLARKE Thomas Shields
Né en 1860 à Pittsburg. Mort en 1920. xixᵉ-xxᵉ siècles. Américain.
Sculpteur et peintre.
Il fit ses études à l'École des Beaux-Arts de Paris, puis à Rome et à Florence. Il était membre de la National Sculpture Society et de la National Academy en 1902.

CLARKE William
xviiᵉ siècle. Actif dans la seconde moitié du xviiᵉ siècle. Britannique.
Peintre et graveur.
On possède de cet artiste, mentionné par Virtue, les gravures suivantes : *Elisabeth Percy, duchesse de Sommerset, George, duc d'Albermale*, d'après un portrait de Barlow, *John Shower*, d'après une peinture de Clarke lui-même. Son dernier ouvrage porte la date de 1680.

CLARKE-HALL Edna Waugh
Née le 29 juin 1879 à Shipbourne (Kent). xxᵉ siècle. Britannique.
Peintre de paysages, aquarelliste, graveur, dessinatrice, illustrateur.
Avant de se marier en 1899, elle fit des études à la Slade School de 1895 à 1899. Elle a exposé au New English Art Club à partir de 1901. Poète elle-même, elle a, entre autres, illustré *Les Hauts de Hurle-Vent*. Ses toiles montrent volontiers des paysages d'Égypte et ses gravures se révèlent parfois exotiques.
MUSÉES : LONDRES (Tate Gal.).

CLARKSON George Henry
xxᵉ siècle.
Sculpteur.
A exposé au Salon des Artistes Français en 1922.

CLARKSON Nathaniel
Né en 1724. Mort en 1795. xviiiᵉ siècle. Britannique.
Peintre.
Ses débuts dans l'art consistèrent à peindre des panneaux de voitures et des enseignes. Plus tard, il se fit connaître comme peintre de portraits et exécuta un tableau de l'*Annonciation*, pour l'église Sainte-Mary, à Islington. Il fut membre de l'Incorporated Society of Artists.

CLARKSON Ralph Elmer
Né en 1861 à Amesbury (Massachusetts). xixᵉ siècle. Américain.
Peintre, aquarelliste.
Élève du Musée de Boston et de Boulanger et Lefebvre à Paris. Membre du Jury à l'Exposition de Saint-Louis en 1904, de la Municipal Art Commission, de la Municipal Art League à Chicago, du Water-Colours Club à New York, etc.

CLARMANN Anton
Né en 1800 à Regensburg. Mort en 1862 à Graz. xixᵉ siècle. Autrichien.
Peintre de paysages et de natures mortes.

CLARO Émile
Né à Oran (Algérie). xxᵉ siècle. Français.
Peintre et dessinateur.
Élève de Cormon, Beaudoin et Cauvy, il a pris part au Salon des Artistes Français en 1924, au Salon d'Automne et au Salon des Tuileries en 1929.

CLAROS Luis
xviiᵉ siècle. Actif à Valence vers 1668. Espagnol.
Peintre d'histoire.
Il entra dans l'ordre des Augustins en 1663.

CLAROT Alexander
Né en 1796 à Vienne. Mort en 1842. xixᵉ siècle. Autrichien.
Peintre.
Il était le fils de Josef Clarot. Se spécialisant dans la peinture de portraits, il voyagea fréquemment à travers l'empire austro-hongrois et vécut à Budapest et à Prague comme à Vienne. De nombreuses œuvres de cet artiste existent dans les collections publiques et privées viennoises.

CLAROT Johann Baptist
Né vers 1797 à Vienne. Mort vers 1854 peut-être à Budapest. xixᵉ siècle. Autrichien.
Peintre et lithographe.
Il était le fils de Josef Clarot et le frère d'Alexander ; il est surtout connu par les gravures qu'il exécuta d'après les portraits peints par son frère.

CLAROT Josef
Né vers 1770 à Bruxelles. Mort en 1820 à Vienne. xviiiᵉ-xixᵉ siècles. Autrichien.
Graveur.
Il fit ses études à l'Académie de Vienne à partir de 1791. On cite ses gravures d'après un *Autoportrait* de A. R. Mengs et une *Tête de jeune fille* de Léonard de Vinci.

CLAROT René
Né en 1882 à Anderlecht. Mort en 1972 à Ixelles. xxᵉ siècle. Belge.
Peintre de marines, de paysages et de natures mortes.
Il fut élève de Richer et de C. Montald à l'Académie des Beaux-Arts de Bruxelles.
VENTES PUBLIQUES : LOKEREN, 6 nov. 1976 : *Bateaux au port* 1945, h/t (60x80) : **BEF 17 500** – BRUXELLES, 24 mars 1982 : *Bateaux de pêche dans le bassin de Blankenberghe* 1924, h/t (70x90) : **BEF 14 000** – BRUXELLES, 17 mars 1987 : *Port de Saint-Tropez*, h/t (62x90) : **BEF 30 000** – BRUXELLES, 19 déc. 1989 : *Nature morte* 1920, h/t (65x105) : **BEF 65 000** – BRUXELLES, 12 juin 1990 : *Montmartre, la rue Girardon*, h/pan. (46x40) : **BEF 42 000** – BRUXELLES, 7 oct. 1991 : *Bateaux à quai* 1927, h/pan., de forme ovale (49x40) : **BEF 40 000** – AMSTERDAM, 12 déc. 1991 : *Paysage avec des bottes de foin* 1916, h/t (49,5x65) : **NLG 2 875** – LOKEREN, 10 oct. 1992 : *Quai à Gand* 1935, h/pan. (59x80) : **BEF 24 000**.

CLARY Jean Eugène
Né le 14 juin 1856 à Paris. Mort vers 1930. xixᵉ-xxᵉ siècles. Français.

Peintre de portraits, paysages, paysages d'eau.

Il fut élève de M. C. de Coock. Il débuta au Salon de Paris en 1878, puis il exposa aux Salons de la Société Nationale des Beaux-Arts, et aux Artistes Français. Il a obtenu une mention honorable en 1883, une mention honorable en 1890 et une médaille de bronze en 1900 (pour l'Exposition Universelle). Suivant les dissidents qui fondent le Salon de la Société Nationale, il est associé en 1895 et sociétaire en 1920.

Paysagiste délicat, il possède une jolie facture.

Musées : Chambéry (Mus. des Beaux-Arts) : *La Seine aux environs de Paris* – Lisieux : *Place Pigalle (Paris)* – *Le Port-Morin (Eure)* – *Le pont des Andelys (Eure)* – *Le quai au Petit-Andelys (Eure)* – *Château-Gaillard, les Andelys.*

Ventes Publiques : Paris, 1884 : *Le moulin à Veules* : **FRF 100** – Paris, 1897 : *Prairie* : **FRF 130** ; *Près de Champigny* : **FRF 285** ; *Bords de rivière* : **FRF 175** – Paris, 27 juin 1900 : *La Barque* : **FRF 110** ; *La campagne* : **FRF 100** ; *Bords d'un lac* : **FRF 140** – Paris, 1er juin 1906 : *Étude* : **FRF 50** ; *En rivière* : **FRF 370** – Paris, 30 avr. 1919 : *L'étang* : **FRF 27** – Paris, 16 mai 1919 : *La rentrée des moutons à la ferme* : **FRF 100** – Paris, 17 déc. 1919 : *Château-Gaillard* : **FRF 220** ; *Les Andelys* : **FRF 160** ; *Vue de la Seine* : **FRF 210** ; *Bords de rivière (neige)* : **FRF 650** ; *Port de mer* : **FRF 260** ; *Le bac* : **FRF 320** ; *La Loire à Beaugency* : **FRF 140** ; *Rouen* : **FRF 200** – Paris, 12 fév. 1921 : *Brouillard sur la Seine* : **FRF 310** – Paris, 19 déc. 1921 : *Paysage au printemps* : **FRF 30** ; *Un jardin en hiver* : **FRF 35** ; *La liseuse* : **FRF 265** ; *Le moulin à eau* : **FRF 200** ; *Le ruisseau sous bois à Saint-Valéry-en-Caux* : **FRF 200** – Paris, 18 déc. 1922 : *Paysage d'automne* : **FRF 100** – Paris, 28 juin 1923 : *Les Bords de la Seine : effet du matin* : **FRF 270** ; *Bords de rivière au printemps* : **FRF 110** – Paris, 18 jan. 1924 : *L'assiette de prunes* : **FRF 580** ; *Pêches et poires* : **FRF 220** ; *Dorades* : **FRF 250** ; *Fleurs et oranges sur une table* : **FRF 420** ; *Branche de pêcher, prunes et figues* : **FRF 320** – Paris, 11 mars 1925 : *Portrait de jeune femme* : **FRF 250** – Paris, 21 déc. 1931 : *Le Départ* : **FRF 230** – Paris, 18 mai 1934 : *Le champ de blé* : **FRF 23** ; *Jeune femme pêchant à la ligne* : **FRF 22** ; *Petit pont sur une rivière* : **FRF 22** – Paris, 26 avr. 1939 : *Les Chalands* : **FRF 57** – Paris, 30 juin et 1er juil. 1941 : *Bords de rivière par temps brumeux* : **FRF 200** – Paris, 19 juin 1942 : *La Seine à Bougival,* décoration en cinq panneaux : **FRF 500** – Paris, 22 jan. 1943 : *La Seine à Bougival,* décoration en cinq panneaux : **FRF 240** – Paris, 10 mars 1943 : *Soleil levant sur la Seine aux Andelys* : **FRF 450** – Paris, 21 mai 1943 : *Le pêcheur* : **FRF 1 200** – Paris, 23 juin 1943 : *Brumes du matin* : **FRF 750** – Londres, 11 mai 1966 : *Bord de rivière* : **GBP 500** – Londres, 25 avr. 1968 : *Bord de rivière* : **GBP 380** – Rouen, 15 mars 1972 : *Bord de rivière* : **FRF 1 300** – Zurich, 17 nov. 1976 : *Port fluvial,* h/t (45,5x81) : **CHF 2 600** – Londres, 7 déc. 1979 : *Vue de Rouen,* h/t (46x81) : **GBP 600** – Londres, 29 juin 1982 : *Château-Gaillard,* h/t (45x81) : **GBP 600** – Enghien-les-Bains, 4 avr. 1983 : *Coteaux de la Seine sous la neige,* h/t (45x80,5) : **FRF 16 500** – Rouen, 19 juin 1984 : *Les quais à Rouen,* h/t (45x80) : **FRF 20 500** – Paris, 22 oct. 1986 : *Plage normande,* h/pan. (24x40) : **FRF 11 000** – Paris, 9 mars 1987 : *Bord de rivière,* h/t (36,5x80) : **FRF 3 800** – Versailles, 19 nov. 1989 : *Mare aux fées 1881,* h/t (40,5x60) : **FRF 21 000** – Londres, 5 oct. 1990 : *Paysage fluvial boisé,* h/t (45,4x81) : **GBP 3 300.**

CLARY Justinien Nicolas de, vicomte
Né le 8 juin 1816 à Paris. Mort le 4 janvier 1869 à Paris. XIXe siècle. Français.

Peintre.

Il exposa au Salon, en 1841 et 1842, quelques paysages avec animaux.

CLARY-ALDRINGEN Karl Joseph de, prince
Né le 2 décembre 1777 à Vienne. Mort le 31 mai 1831 à Vienne. XIXe siècle. Autrichien.

Peintre de paysages et de miniatures.

Il fut avant tout, dans son art, un dilettante.

CLARY-BAROUX Adolphe ou Albert
Né en 1865 à Paris. Mort en 1933. XIXe-XXe siècles. Français.

Peintre de scènes de genre, paysages animés, paysages, marines, décorateur de théâtre. Postimpressionniste.

Tout d'abord décorateur de théâtre, il s'orienta ensuite vers la peinture de paysages, notamment des bords de Seine. Il a participé au Salon des Artistes Indépendants à partir de 1902, au Salon de la Société Nationale des Beaux-Arts jusqu'en 1932, régulièrement au Salon d'Automne dont il est sociétaire et au Salon des Tuileries en 1927, 1929, 1930.

Séduit par l'art de Sisley, il a commencé à peindre dans sa manière, avant de se rapprocher de la conception picturale de Pissarro. Clary-Baroux est un coloriste qui travaille dans la manière impressionniste, mais son œuvre n'est pas soutenue par un dessin assuré.

Clary-Baroux (signature)

Ventes Publiques : Paris, 22 oct. 1920 : *Vue de Rouen* : **FRF 250** – Paris, 7 juin 1923 : *Le Port des chalands* : **FRF 230** – Paris, 19 nov. 1924 : *Paris, Exposition de 1900* : **FRF 260** – Paris, 29 juin 1927 : *La Vieille Église Saint-Pierre à Royan* : **FRF 350** – Paris, 26 mars 1928 : *Pontoise* : **FRF 350** – Paris, 27 nov. 1942 : *Athènes* : **FRF 300** – Paris, 21 avr. 1943 : *Quai de la Marine, Paris* : **FRF 800** ; *La Seine à Vernon* : **FRF 1 000** – Paris, 14 mai 1943 : *Bords de Seine, les laveuses* : **FRF 1 500** – Lausanne, 17 et 20 oct. 1961 : *La Seine à Saint-Denis en hiver* : **CHF 2 500** – Paris, 31 mai 1972 : *Village au bord de la rivière 1901,* h/t (54x73) : **FRF 1 900** – Zurich, 12 nov. 1976 : *Bords de Seine 1904,* h/t (50x73) : **CHF 1 700** – Zurich, 25 juin 1979 : *Scène de moisson,* h/t (48,5x64,5) : **CHF 2 000** – Zurich, 7 nov. 1981 : *Paysage fluvial,* h/cart. (33x41) : **CHF 1 500** – Londres, 26 oct. 1983 : *Paris, le pont de l'Estacade,* h/t (60,5x73) : **GBP 1 300** – Paris, 21 fév. 1984 : *Notre-Dame vue des quais,* h/t (43x55) : **FRF 14 000** – Enghien-les-Bains, 16 juin 1985 : *Hameau au bord de la rivière 1902,* h/t (55x73) : **FRF 21 200** – Saint-Germain-en-Laye, 6 déc. 1987 : *Village sous la neige 1902,* h/t (64x73) : **FRF 25 000** – Versailles, 21-28 fév. 1988 : *Royan ; Les Quais de Paris vus du pont Henri IV,* h/t (45x65) : **FRF 19 000** – Versailles, 20 mars 1988 : *La Seine à Argenteuil 1900,* h/t (54,5x73) : **FRF 47 000** – Versailles, 25 sep. 1988 : *Petit Bras de Seine, pont Marie 1921,* h/t (54x65) : **FRF 41 000** – Versailles, 23 oct. 1988 : *Le Port d'Antibes,* (24x40) : **FRF 24 000** – Versailles, 6 nov. 1988 : *Paysage stéphanois 1919,* h/t (46x55) : **FRF 37 000** – Paris, 12 fév. 1989 : *La Seine à Rouen,* h/t (46x55) : **FRF 45 000** – Calais, 26 fév. 1989 : *Scène de village sous la neige,* h/t (54x71) : **FRF 52 000** – Paris, 18 juin 1989 : *Place de l'église,* h/cart. (37x42) : **FRF 25 000** – Le Touquet, 12 nov. 1989 : *Femme à l'entrée du village,* h/t (50x61) : **FRF 58 000** – Calais, 10 déc. 1989 : *Canal du Loing près de Moret 1896,* h/t (50x61) : **FRF 62 000** – Paris, 6 juin 1990 : *Village en bord de mer,* h/t (50x65) : **FRF 46 000** – Paris, 12 déc. 1990 : *Le Loing,* h/t (50x61) : **FRF 68 000** – New York, 5 nov. 1991 : *Le Grand Bassin du Parc Monceau,* h/t (35,5x46,4) : **USD 2 200** – Paris, 9 déc. 1991 : *Péniches et Voiliers sur la Seine,* h/t (43x61) : **FRF 19 000** – Calais, 14 mars 1993 : *Péniche sur le canal du Loing à Montargis,* h/t (46x61) : **FRF 17 000** – Paris, 27 mai 1994 : *La Tour du 4-Septembre à La Rochelle,* h/t (60x75) : **FRF 6 000** – Calais, 23 mars 1997 : *Côte rocheuse en Méditerranée 1921,* h/t (50x61) : **FRF 8 500.**

CLARYS Alexandre
Né en 1857 à Bruxelles. Mort en 1920 à Ixelles. XIXe-XXe siècles. Belge.

Peintre de genre, animaux, pastelliste, dessinateur.

Il fut élève d'E. Blanc-Garin à l'Académie des Beaux-Arts de Bruxelles. Il s'est spécialisé dans la représentation des chevaux et des chiens.

A. Clarys (signatures)
A Clarys

Ventes Publiques : Paris, 30 déc. 1949 : *L'équipage* : **FRF 25 000** – Bruxelles, 27 oct. 1976 : *Scène de moisson,* h/t (110x165) : **BEF 38 000** – Lokeren, 24 avr. 1982 : *Le yacht 1892,* h/t (113x180) : **BEF 45 000** – Bruxelles, 17 déc. 1987 : *Chevaux de traits sur la berge,* past. (72x103) : **BEF 19 000** – Lokeren, 7 déc. 1996 : *La Récolte des betteraves 1915,* h/t (111x161) : **BEF 120 000.**

CLARYSSE Clark
Né en 1937 à Courtrai. XXe siècle. Belge.

Peintre. Abstrait.

Autodidacte, il a obtenu le Prix de la ville de Knokke en 1967 et celui de la Jeune Peinture belge en 1968.

CLAS
XVe siècle. Travaillait à Francfort-sur-le-Main en 1412. Allemand.
Peintre.

CLAS
XVe siècle. Vivait à Francfort-sur-le-Main entre 1478 et 1498. Allemand.
Peintre.
Un peintre du même nom, qu'on peut sans doute identifier avec cet artiste, travaillait à Würtzburg au début du XVIe siècle.

CLASEN Anton. Voir **CLAESSENS**

CLASEN Karl
Né en 1812 à Düsseldorf. Mort en 1886 à Düsseldorf. XIXe siècle. Allemand.
Peintre d'histoire, compositions religieuses, portraits, graveur.
Il est le cousin de Lorenz Clasen. Il fit ses études à l'Académie de sa ville natale sous la direction de Schadow.
On cite de lui : *La Fuite en Égypte, Le comte de Habsbourg, Saint Pierre, La découverte des sources à Aix-la-Chapelle*. On signale aussi trois eaux-fortes, dont une d'après un dessin de Moritz von Schwind.
MUSÉES : HANOVRE : *L'Assassinat de l'archevêque Engelbert de Cologne*.
VENTES PUBLIQUES : NEW YORK, 18-19 juil. 1996 : *La Reine Victoria rendant visite au cardinal Wolsey* 1851, h/t (61x142,2) : **USD 2 070**.

CLASEN Lorenz
Né en 1812 à Düsseldorf. Mort en 1899 à Leipzig. XIXe siècle. Allemand.
Peintre d'histoire et graveur.
Cousin de Karl Clasen. Il fit ses études à Düsseldorf avec Hildebrand et il habita quelque temps à Berlin. En 1855, il s'établit à Leipzig. On cite de lui : *L'assemblée des premiers chrétiens, L'Annonciation, L'attente*. Il convient de mentionner aussi des eaux-fortes originales de cet artiste, dont *Henri le Lion* et *Souvenir des fêtes musicales de 1839, Symphonie héroïque de Beethoven*.

CLASENS. Voir **CLAESSENS**

CLASENS Robert. Voir **CLAYSSENS Robert**

CLASERI Marco
Né à Venise. XVIe siècle. Travaillant vers 1580. Italien.
Graveur sur bois.
Les deux ouvrages les plus importants qu'il ait laissés sont : *Les quatre saisons* et *Les quatre âges du monde*.

CLASGENS Frederick
Né à New Richmond (Ohio). XIXe-XXe siècles. Américain.
Sculpteur et peintre de paysages.
Après avoir fait des études à l'Art Academy de Cincinnati, il vint à Paris, à l'École Nationale des Beaux-Arts, travaillant sous la direction de Benet pour la sculpture et de J. P. Laurens pour la peinture. Il expose au Salon des Artistes Français à Paris dès 1910, puis au Salon de la Société Nationale des Beaux-Arts.
En tant que sculpteur, il a réalisé des bustes expressifs, des œuvres proches de la scène de genre comme le *Porteur d'eau espagnol* ou des œuvres monumentales comme la Fontaine de Madison (États-Unis). En tant que peintre, il a surtout représenté des paysages, tel celui du jardin où Rodin fut enterré.

CLASSEN August Theodor
Né en 1804 à Hambourg. XIXe siècle. Allemand.
Peintre de portraits.
Il fut l'élève dans sa ville natale du peintre Saarburg puis travailla à Dresde avant de revenir s'établir à Hambourg.

CLASSEN William
XIXe siècle. Américain (?).
Graveur.
Vers 1840-1850, il était actif aux États-Unis. Il gravait au trait.

CLASSEN-SMITH Margarita
Née à Leningrad. XXe siècle. Russe.
Peintre.
Elle a participé à des Salons parisiens, notamment à celui de la Société Nationale des Beaux-Arts en 1922 et au Salon d'Automne, dont elle est membre, en 1928.

CLASSENS Pieter. Voir **CLAESSENS**

CLASSICUS
Artiste ?

Nom qui a été lu en caractères grecs sur un objet d'art d'époque romaine. Il est peu vraisemblable qu'il s'agisse d'un nom d'artiste.

CLASSICUS Alessandro Victorius ou **Classicio**
Italien.
Sculpteur et architecte.
Mentionné par Florent Le Comte, il est probablement l'auteur d'un petit portrait du Tintoret signé *Alessandro Victorio Classico sculp.* exécuté à la manière de Cornélis Cort. On croit qu'il grava également quelques planches d'après le Tintoret.

CLASTRIER Stanislas
Né au XIXe siècle à Marseille (Bouches-du-Rhône). XIXe siècle. Français.
Sculpteur.
Élève de Jouffroy et Allar. Il débuta au Salon de 1878.

CLATER Thomas
Né en 1789. Mort en 1867. XIXe siècle. Britannique.
Peintre de genre, portraits.
Il exposa à la Royal Academy de Londres, de 1820 à 1859.
MUSÉES : LIVERPOOL : *Chef bohémien distribuant le butin*.
VENTES PUBLIQUES : LONDRES, 7 fév. 1910 : *Portrait de miss Macaulay dans le rôle de Belvidera dans « Venice Preserved »* ; *Portrait de miss Carew dans le rôle de Clara dans « The Duenna »* : **GBP 1** – LONDRES, 13 déc. 1929 : *L'artiste ambulant* : **GBP 11** – LONDRES, 21 jan. 1966 : *Groupe de villageois discutant* : **GNS 85** – LONDRES, 15 déc. 1972 : *Scandal !; Only think !* : **GNS 650** – LONDRES, 30 sep. 1986 : *Une main secourable* 1852, h/t (49,5x59,7) : **GBP 500**.

CLATERBOS Augustus
Né en 1750. Mort en 1828. XVIIIe-XIXe siècles. Hollandais.
Peintre de portraits, paysages, aquarelliste, dessinateur.
Il fit des copies de Berchem et de Dirk von Bergen. Il était, en 1777, dans la gilde de Haarlem.
VENTES PUBLIQUES : AMSTERDAM, 18 mai 1981 : *Paysage boisé*, aquar. (16,6x23) : **NLG 1 550**.

CLATWORTHY Robert
Né le 31 janvier 1928 à Bridgewater (Somerset). XXe siècle. Britannique.
Sculpteur animalier.
Élève du West England College of Art et de la Chelsea School de Londres de 1944 à 1950, il étudia ensuite à la Slade School de 1950 à 1953. Il exposa pour la première fois en 1955.
MUSÉES : LONDRES (Tate Gal.).
VENTES PUBLIQUES : LONDRES, 27 oct. 1972 : *Chat* : **GNS 150** – LONDRES, 5 mars 1980 : *Taureau*, bronze (L. 38,5) : **GBP 340** – PARIS, 20 juin 1984 : *Cakountala ou l'Abandon ou Vertumne et Pomone* 1888-1905, bronze (42,2x38,5x17,5) : **FRF 180 000** – LONDRES, 26 sep. 1984 : *Taureau*, bronze (H. 16,5) : **GBP 750** – LONDRES, 4 mars 1987 : *Figure*, bronze (H. 58,5) : **GBP 1 800** – LONDRES, 24 mai 1990 : *Homme assis*, bronze (H. 41) : **GBP 4 950** – LONDRES, 7 juin 1991 : *Personnage assis*, bronze à patine verte (H. 39,5) : **GBP 935** – LONDRES, 11 juin 1992 : *Étude pour un monument équestre* 1988, bronze (H. 19) : **GBP 1 320** – LONDRES, 25 nov. 1993 : *Buste de Dame Elisabeth Frink*, bronze (H. 35,6) : **GBP 1 552** – LONDRES, 25 mai 1994 : *Figure assise*, bronze (H. 54,6) : **GBP 2 700**.

CLAU Antonin
Né à Toulouse. Mort en avril 1898 à Paris. XIXe siècle. Français.
Sculpteur et graveur en médailles.
Élève de Falguière ; a exposé au Salon, de 1889 à 1898 ; mention honorable en 1893, dans la section de gravure en médailles, avec un bas-relief en bronze représentant des nymphes chasseresses.

CLAUCE Jacques
Né en 1728 à Berlin. Mort vers 1789 à Berlin. XVIIIe siècle. Allemand.
Miniaturiste et émailleur.
Cet artiste d'origine française fut l'élève du peintre Wolfgang. Il travailla beaucoup pour des manufactures de porcelaines. Son fils Franz Ludwig, peintre également, signait Close.

CLAUD Pierre
XVe-XVIe siècles. Allemand.
Peintre.
Ce peintre, qui était « d'Alemaigne », vivait à Lyon en 1493 et y mourut en 1512.

CLAUDE, dit **Claude l'Imagier**
XVIe siècle. Actif à Troyes. Français.

Sculpteur.

Il travailla à l'église Saint-Nicolas de Troyes, de 1526 à 1533.

CLAUDE

XVIe siècle. Actif à Paris vers 1530. Français.

Peintre.

Cet artiste, dit Siret, travailla à Fontainebleau sous la direction du Primatice. Peut-être le même que CLAUDE de Marseille, peintre verrier, cité par le Dr Mireur, comme né à Marseille en 1470. Voir aussi GUINET (Claude).

CLAUDE

XVIIe siècle. Français.

Sculpteur.

Il travailla en Lorraine et à Rome. Il est cité comme un des auteurs de la fontaine de la place Navone dans cette ville.

CLAUDE Eugène

Né le 10 juin ou 16 juillet 1841. Mort en 1922 ou 1923 à Paris. XIXe-XXe siècles. Français.

Peintre de genre, animalier, natures mortes, fleurs et fruits.

Il participa au Salon de Paris dès 1861, obtenant une mention honorable en 1885, une médaille de troisième classe en 1887. Il reçut également une médaille de troisième classe à l'Exposition Universelle de Paris en 1889.

Il fut essentiellement peintre d'intérieurs de cuisine, de natures mortes, fruits, fleurs, gibiers.

Musées : ALGER : Chez la fruitière – AMIENS : Les pensées – la poule au pot – Chez ma crémière – CALAIS : Pivoines – CAMBRAI : Les victuailles – COMPIÈGNE : Le fromage, past. – DRAGUIGNAN : Mes prunes – MULHOUSE : Prunes – PONTOISE : Raisins, pêches, prunes – REIMS : gerbe de fleurs – SAINTES : Prunes – TOULOUSE : Les provisions – TROYES : Le massacre : nature morte.

Ventes Publiques : PARIS, 1889 : Corbeille de fleurs : **FRF 1 700** – PARIS, 1891 : Un déjeuner : **FRF 2 450** – PARIS, 1er et 2 juin 1923 : Le panier de volailles : **FRF 580** – PARIS, 10 juin 1942 : Pêches et raisin : **FRF 1 650** – PARIS, 31 jan. 1949 : Nature morte aux fruits : **FRF 12 000** – ANVERS, 3-4-5 oct. 1967 : Le printemps : **BEF 190 000** – LUCERNE, 26 nov. 1971 : Nature morte aux fruits : **CHF 50 000** – BERNE, 6 mai 1976 : Nature morte, h/pan. (27x35) : **CHF 1 400** – BERNE, 28 fév. 1979 : Nature morte, h/t (50x60) : **BEF 75 000** – VIENNE, 15 sep. 1981 : Corbeille de fruits, h/t (46,5x41) : **ATS 50 000** – LONDRES, 20 juin 1984 : Nature morte aux fruits, h/t (72,5x92) : **GBP 1 900** – LONDRES, 26 fév. 1988 : Nature morte avec une bouteille de vin et un panier de fruits et légumes divers, h/t (81x100) : **GBP 4 400** – LONDRES, 25 mars 1988 : Chrysanthèmes dans un panier d'osier 1880 (75x106,5) : **GBP 5 500** – NEW YORK, 17 fév. 1994 : Corbeille de pêches renversée sur la mousse, h/t (51x61,5) : **USD 3 450.**

CLAUDE François

XVIIe siècle. Actif à Limoges. Français.

Sculpteur.

Il fut appelé à Angoulême en 1679 pour travailler à la décoration d'un autel à l'église des Trois Maries.

CLAUDE Georges

Né le 10 mars 1854 à Paris. Mort en 1921 ou 1922. XIXe-XXe siècles. Français.

Peintre de compositions religieuses, portraits, paysages, peintre de cartons de tapisseries, aquarelliste, pastelliste, graveur.

Élève de son père, le peintre animalier Jean-Maxime Claude et de son oncle, Pierre Victor Galland. Il régulièrement participé au Salon de Paris de 1879 à sa mort, obtenant une troisième médaille en 1884 et une médaille de bronze aux Expositions Universelles de 1889 et de 1900.

Ses peintures religieuses sont des compositions plus décoratives que mystiques. Il réalisa des cartons de tapisserie pour les Gobelins, notamment Zaïre pour le Théâtre Français en 1896, et, la même année, Le Mariage civil, pour la salle des mariages de la mairie de Bordeaux. Il est également l'auteur de deux panneaux décoratifs pour l'église Saint-Ferdinand-des-Ternes à Paris. Parmi ses œuvres, citons : Adoration de la croix – Le vendredi saint à Mont-Cassin 1884 – Adoration de la Croix le vendredi saint en Italie 1889 – Le viatique dans la montagne 1889 – Invocation à la Madone à Saint-Marc de Venise 1891 – L'absoute – Funérailles de Pierre – Le vénérable 1895.

Bibliogr. : Gérald Schurr, in : Les Petits Maîtres de la peinture 1820-1920, valeur de demain, Les Éditions de l'Amateur, t. V, Paris, 1981.

Ventes Publiques : PARIS, 1895 : La grosse tour ronde, dess. : **FRF 15** – PARIS, 27 jan. 1923 : Un Marocain : **FRF 100** – PARIS, 23 déc. 1935 : Barques de pêche au sec, Étretat, aquar. : **FRF 120** – PARIS, 12-13 déc. 1940 : Les rochers de la Vallière à Arcachon, aquar. : **FRF 120.**

CLAUDE Georges-Louis

Né le 15 juin 1879 à Paris. Mort le 26 avril 1963 à Montmorency (Val-d'Oise). XXe siècle. Français.

Peintre de sujets mythologiques, religieux, portraits, nus, paysages, paysages urbains, natures mortes, décorations murales, cartons de vitraux, céramiste.

Il fut élève de l'École de Dessin Bernard Palissy, à Paris. De 1923 à 1938, il fut professeur de peinture décorative à l'École des Arts Appliqués de Paris où il eut comme élèves entre autres le futur maître-verrier Paul Bony et l'affichiste Hervé Morvan.

En 1992, le Centre Culturel Français du Caire a organisé l'exposition Les trois Orients de Georges-Louis Claude. En 1995, la Mairie de Levallois (Hauts-de-Seine) a patronné une exposition rétrospective d'un ensemble de son œuvre.

Dans une première période, il a effectué divers travaux de décoration architecturale et murale en liaison avec la Maison Galland de Paris et a collaboré avec l'architecte orientaliste Alexandre Marcel qui avait été remarqué à l'Exposition universelle de 1900 par le roi Léopold II de Belgique et par le baron Empain : en Belgique dans le domaine royal de Laeken (Tour Japonaise et Pavillon Chinois) et en Égypte, où il décora l'Heliopolis Palace Hôtel, siège actuel de la présidence égyptienne. Au retour de la guerre, blessé et réformé, il décora la Chapelle aux Morts de l'église Saint-François-Xavier à Paris et dessina l'urne de Gambetta au Panthéon. Puis, il se consacra essentiellement au vitrail. Il présenta à des expositions nombre de maquettes qui traduisent un effort pour renouveler l'art du vitrail. À ce titre, il reçut le Grand Prix du Vitrail à l'Exposition Internationale des Arts Décoratifs de 1925. Il collaborait étroitement avec Jacques Grüber et travaillait également pour les maître-verriers Chigot, Dagrant, Balmet dont le champ d'action dépassait largement les frontières de la France. Les œuvres très diversifiées de Claude pour la Manufacture de Sèvres témoignent d'une volonté tout aussi rénovatrices, conciliant modernité et tradition. Il reçut des commandes d'État et obtint un Grand Prix de la Céramique à l'Exposition française du Caire de 1929.

Il ne cessa jamais de dessiner et de peindre, en Bretagne, en Provence, à Vannes, Avignon ou Aix, mais aussi à Paris. Il poursuivit la recherche menée dans son œuvre décorative sur les qualités expressives propres à telle ou telle technique. Il a peint quelques portraits de son entourage et autoportraits.

Bibliogr. : Les trois Orients de Georges-Louis Claude, catalogue de l'exposition, Centre culturel français, Le Caire, mars 1992 – Georges-Louis Claude, 1879-1963, catalogue de l'exposition rétrospective, Gal. d'Art, Ville de Levallois, 1995 – Georges-Louis Claude, décorateur et peintre 1879-1963, ouvrage à paraître.

CLAUDE Grégoire

XVIIe siècle. Actif à Avignon, 1603. Français.

Peintre.

CLAUDE Jean Maxime

Né le 24 juin 1823 ou 1824. Mort en 1904. XIXe siècle. Actif aussi en Angleterre. Français.

Peintre de genre, animalier, paysages, marines, natures mortes, aquarelliste, dessinateur.

Il participa au Salon de Paris à partir de 1861, obtenant une médaille en 1866, 1869 et 1872. Il résida un moment à Paris, puis s'installa en Angleterre. Il fut décoré de la Légion d'Honneur.

Il est surtout connu pour ses scènes de chasse dans la forêt de Chantilly, exécutées dans une facture très dynamique.

Bibliogr. : Gérald Schurr, in : Les Petits Maîtres de la peinture 1820-1920, valeur de demain, Les Éditions de l'Amateur, t. III, Paris, 1976.

Musées : CHANTILLY : La meute sortant des grandes écuries de Chantilly – STOCKHOLM : Le coucher du soleil dans la mer.

Ventes Publiques : LONDRES, 1874 : Port de mer italien : **FRF 8 400** – LONDRES, 1875 : Souvenir de Rotter-Row, Londres : **FRF 3 000** – PARIS, 1877 : Le départ pour la chasse : **FRF 1 300** – PARIS, 1880 : Willers, aquar. : **FRF 165** – PARIS, 1893 : Chiens de chasse : **FRF 160** – LONDRES, 25 juin 1898 : Vue sur une baie : **FRF 5 150** – PARIS, 24 jan. 1905 : Fleurs : **FRF 115** ; Fruits :

FRF 190 – Paris, 21 avr. 1910 : *Gerbe de fleurs des champs* : **FRF 155** – Paris, 26-28 déc. 1922 : *Groupe d'amazones en promenade*, aquar. : **FRF 1 020** ; *Cavaliers et piétons en promenade au bois de Boulogne*, aquar. : **FRF 250** ; *Les Nourrices au Bois*, aquar. : **FRF 300** ; *Aux Courses*, aquar. : **FRF 320** – Paris, 8-9-10 nov. 1926 : *Cavaliers et amazone au bois*, aquar. : **FRF 520** ; *La promenade des cavaliers au bois*, aquar. : **FRF 2 900** – Paris, 21 mars 1929 : *Vue du château de Maisons-Laffite avec voiture et cavaliers*, aquar. : **FRF 190** – Paris, 21-23 mai 1929 : *L'heure du bain à Trouville*, aquar. : **FRF 780** – Paris, 29 juin 1929 : *Les faucheurs*, aquar. : **FRF 300** – Paris, 12 fév. 1932 : *Paysage, fin de jour*, aquar. : **FRF 80** – Paris, 22 fév. 1932 : *Paysage montagneux* : **FRF 150** – Paris, 29 et 30 nov. 1937 : *Cheval blanc sur la falaise*, aquar. : **FRF 90** – Paris, 8 mai 1942 : *Cheval blanc sur la falaise*, aquar. : **FRF 520** – Paris, 28 déc. 1942 : *Le Départ pour la chasse* : **FRF 310** – Zurich, 5 mai 1972 : *La plage à Deauville* : **CHF 1 200** – Paris, 24 nov. 1977 : *Les Conseils avant la course*, h/t (61x50) : **FRF 29 000** – Londres, 18 mars 1983 : *La pesée à Longchamp 1867*, h/t (57x49) : **GBP 25 000** – New York, 6 juin 1985 : *Chiens de chasse dans un paysage 1883*, h/t (39,5x114,2) : **USD 7 000** – Reims, 17 déc. 1989 : *Nature morte aux citrons*, h/cart. (41x33) : **FRF 4 500** – New York, 5 juin 1993 : *Pointer 1901*, cr. et craie blanche (26x43,2) : **USD 805**.

CLAUDE Victor
Né en 1811 à Bonhomme (Haut-Rhin). Mort en 1853 à Paris. xixe siècle. Français.
Peintre.
De 1848 à 1851, il figura au Salon de Paris, avec quelques paysages.

CLAUDE DE LA FONTAINE
xvie siècle. Actif à Pont-Audemer vers 1511. Français.
Peintre verrier.

CLAUDE de Marseille
xve-xvie siècles. Français.
Peintre verrier.
Il aurait exécuté les vitraux de l'église des Accoules à Marseille. Plus tard, appelé à Rome, il travailla aidé de son compatriote Guillaume de Marseille pour le Vatican et l'église Santa Maria del Popolo.
Ventes Publiques : Paris, 1858 : *Composition pour un vitrail*, dess. lavé d'encre : **FRF 10**.

CLAUDE-LAURENT Passerieux
Né à Valence (Drôme). xxe siècle. Français.
Peintre.
A exposé des paysages au Salon des Indépendants, de 1935 à 1942.

CLAUDE-LÉVY
Née le 23 septembre 1895 à Nantes (Loire-Atlantique). xxe siècle. Française.
Peintre de portraits, de natures mortes et décorateur.
Elle a pris part au Salon des Artistes Indépendants à Paris de 1922 à 1929, et au Salon d'Automne en 1926. Elle était présente à l'Exposition Internationale des Arts Décoratifs en 1925 à Paris, où elle obtint le Grand Prix. Prix Blumenthal en 1928.

CLAUDE-PERRAUD Claude
Née le 8 août 1897 à Lyon. xxe siècle. Française.
Peintre de portraits, de fleurs, de paysages et de nus.
De 1925 à 1939, elle a exposé au Salon des Artistes Indépendants à Paris, puis de 1926 à 1938, au Salon d'Automne, et de 1929 à 1938 à celui des Tuileries.

CLAUDEL Antoinette Paule
Née à Asnières. xxe siècle. Française.
Peintre de figures.
Élève de Fougerat et de M. Laurent, elle a participé au Salon des Artistes Indépendants, notamment en 1936 et 1939.

CLAUDEL Camille
Née le 8 décembre 1864 à Fère-en-Tardenois (Aisne). Morte le 19 octobre 1943 à Montdevergues (Vaucluse). xixe-xxe siècles. Française.
Sculpteur de figures. Naturaliste à tendance expressionniste.
Une froide biographie ne peut illustrer la vie de Camille Claudel, personnification de l'artiste maudite, marquée par le scandale, le malheur, puis l'indifférence, l'oubli, et enfin la redécouverte, la réhabilitation souvent passionnée. Comment cela a-t-il été possible ? Son internement pendant trente ans dans un asile d'alié-

nés est le point de départ de la dénonciation d'un scandale que la publication de sa correspondance rassemblée par Jacques Cassar confirme. Qui est coupable ? Il était simplement difficile d'être femme et sculpteur à une époque où l'École des Beaux-Arts était fermée au genre féminin, mais encore plus d'être élève, puis maîtresse du célèbre Rodin, et enfin d'être la sœur de Paul Claudel dont la carrière devait le marquer vers la célébrité. La rupture avec Rodin devait marquer à jamais Camille qui, peu à peu, fut rongée par une névrose obsessionnelle, abandonnée des siens et plus particulièrement de ce frère, poète, « pêcheurs d'âmes », grand catholique, qui l'a laissé agoniser dans un misérable asile. Cette vie tragique fut reprise dans une pièce de théâtre en 1981 par Jeanne Fayard et Anne Delbée qui, de son côté, a publié en 1982 le roman : *Une femme, Camille Claudel*, tandis que d'autres livres suivaient, dont celui d'Anne Rivière qui a inspiré le film de 1988, et enfin le catalogue raisonné de Reine-Marie Paris, petite nièce de Camille et petite-fille de Paul Claudel. Toute cette littérature, qui a permis de la redécouvrir, ne doit pas faire oublier l'œuvre de cette artiste exceptionnelle.
Dès 1876, Camille modèle la terre glaise, sculptant par exemple un *David et Goliath*, qui incite son père à demander conseil auprès d'un voisin sculpteur : Alfred Boucher. Celui-ci l'encourage très vivement, montre l'œuvre à Paul Dubois, directeur de l'École nationale des Beaux-Arts, étonné d'apprendre que l'auteur de cette sculpture ne connaît pas l'œuvre de Rodin. Camille n'a que douze ans et n'a suivi aucun enseignement artistique. Elle incite sa famille à s'installer à Paris en 1882, ce qui lui permet d'entrer dans l'atelier Colarossi, uniquement fréquenté par des femmes, où Alfred Boucher vient régulièrement donner des conseils. Devenu Prix de Rome en 1883, celui-ci part pour la Villa Médicis tandis que Rodin le remplace. Ce dernier est immédiatement impressionné par la solidité des bustes de Camille, en particulier ceux de *La Vieille Hélène* et de *Paul Claudel à 13 ans*. A partir de 1883, Camille Claudel participe au Salon des Artistes Français à Paris, où elle expose à nouveau en 1885, 1886, 1887, 1888, 1889, 1903 et 1905. Elle entre dans l'atelier de Rodin en 1885, devient son élève, son inspiratrice, son modèle et finalement sa compagne, alors qu'il est de vingt-quatre ans son aîné. L'année suivante, elle exécute un premier portrait de Rodin, tandis que lui-même la représente en *Aurore* puis à travers *La Pensée*. Lorsque Rodin obtient la commande des *Bourgeois de Calais* en 1887, il confie à Camille le modelage des pieds et des mains des personnages, c'est dire à la fois la confiance du maître envers son élève, et la communauté de style qui pouvait exister entre eux. Elle travaille le marbre en taille directe, ce qui convient à Rodin qui lui, préfère le modelage et ne touche au marbre qu'une fois la sculpture presque achevée. Elle obtient une mention honorable au Salon des Artistes Français de 1888 avec son plâtre intitulé *Sakountala*, inspiré d'un drame hindou, évoquant les retrouvailles de Sakountala et de son époux après une séparation provoquée par un enchantement. Ce plâtre sera à l'origine du marbre *Vertumne et Pomone* et de *L'Abandon*. Entre 1889 et 1893, Camille est dans une période d'incertitudes quant à sa vie sentimentale, mais dans un moment d'approfondissement de son art. Elle découvre et fait découvrir à Debussy l'art et la danse d'Extrême-Orient à l'Exposition universelle de 1889, souffre des hésitations de Rodin à quitter Rose Beuret, sa vieille compagne, fait un voyage en Touraine et Anjou avec lui. Elle apprécie peu les doutes qui pèsent sur ses œuvres que l'on croit être du maître. En 1892 elle expose pour la première fois au Salon de la Société Nationale des Beaux-Arts, elle y figurera ensuite chaque année jusqu'en 1899, puis en 1902. Elle participe, également en 1892, à l'exposition Blanc et Noir, en 1894 au Salon de la Libre Esthétique à Bruxelles, au Salon de l'Art nouveau en 1896 et est invitée à une exposition consacrée à Rodin en 1896 à Genève. A cette époque, elle sculpte *La Valse, Clotho, l'Enfant de l'Islette* et est soutenue par les critiques Gustave Geffroy et Octave Mirbeau. A partir de 1895 et jusqu'à la rupture définitive avec Rodin en 1898, elle travaille en solitaire avec acharnement. Elle commence ses groupes : *La Confidence* en plâtre, qui devient *Les Causeuses* en bronze et *Les Bavardes* en onyx. Elle réalise sa première version de *L'Âge mûr* qui lui vaut sa première commande de l'État mais dont le paiement ne se fera pas sans péripéties désagréables. Elle s'épuise au travail, sa santé est fragile et son humeur de plus en plus difficile, elle sculpte *La Vague* en onyx, inspirée de celle d'Hokusaï. Au moment de la rupture (1898), elle réalise un second projet de *L'Âge mûr* où, cette fois, la jeunesse, à genoux, ne réussit plus à retenir

l'homme d'âge mûr qui est emporté par la vieillesse. Le rapport de cette sculpture avec sa vie est tellement évident que l'annulation de sa commande en bronze n'est certainement pas étrangère à une intervention de Rodin qui voyait d'un mauvais œil sa vie privée étalée en plein jour, au moment où il allait faire une exposition personnelle importante dans le cadre de l'Exposition universelle de 1900. Ce groupe sera réalisé en bronze en 1902, grâce à la générosité du capitaine Tissier. Camille, de son côté, ne réussit à exposer que trois œuvres à l'Exposition Universelle de 1900, la même année elle participe au Salon de la Plume et en 1903 expose pour la première fois au Salon d'Automne où elle figure à nouveau en 1904 et 1905. A cette date, Eugène Blot lui organise une exposition personnelle suivie de deux autres en 1907 et 1908. Mais elle ne remporte aucun succès, elle est découragée, elle commence à détruire régulièrement ses œuvres, sa santé s'altère, selon Henri Asselin, son dernier ami, « elle passait de la mélancolie la plus sombre à des excès de gaieté délirants ». Grâce à l'inspecteur général des Beaux-Arts, Armand Dayot, elle reçoit une deuxième et dernière commande de l'État pour une *Niobide blessée*, pour laquelle elle ne sera payée qu'en 1908, après bien des difficultés. Elle expose encore aux Femmes Peintres et Sculpteurs en 1910 et sera représentée au Salon des Femmes Artistes en 1934 et 1938. Le 2 mars 1913, son père meurt sans qu'elle en soit informée et huit jours plus tard, sans doute après des démarches de sa mère et de son frère, elle est enfermée comme folle à l'asile de Ville-Évrard, puis transférée à Montdevergues où elle devait mourir trente ans plus tard, ayant souffert du froid, de la faim, de la solitude et refusant de sculpter. Il faut attendre 1951 pour qu'une première rétrospective soit organisée par Cécile Goldscheider, avec l'appui de Paul Claudel, au Musée Rodin, ce qui n'a pas empêché Camille Claudel de retomber dans l'oubli jusqu'à la grande rétrospective de 1984, au même Musée puis au Musée Sainte-Croix de Poitiers, à l'époque où plusieurs ouvrages étaient publiés. En 1991, une autre rétrospective lui est consacrée, toujours au Musée Rodin. Le style de Camille Claudel n'est pas unique, même s'il reste toujours attaché au naturalisme, il peut prendre soit un caractère expressionniste, soit anecdotique, faisant référence à sa vie privée, soit théâtral, notamment pour ses portraits, soit enfin, et plus rarement, traditionnel. L'œuvre de Camille Claudel peut se diviser en trois genres : les bustes et portraits, les groupes de petits personnages, sorte de miniaturisation de scènes animées et les compositions dont les thèmes sont le plus souvent associés à sa vie. Dès ses premières œuvres, les bustes des gens de sa famille, en particulier de son frère, montrent les différentes directions de l'art de Camille. Elle part d'un naturalisme empreint d'une certaine théâtralité en représentant son frère, même à l'âge de 13 ans (1881), à la façon d'un buste romain. Déjà, elle oppose la tête de l'enfant, aux traits arrondis d'un bébé, à une draperie très romantique, mouvementée. Une opposition semblable se retrouve dans le buste du même frère à 16 et à 18 ans, dont l'aristocratie du visage aux traits nets et tendus en dit long sur le caractère du futur académicien. Tout aussi naturaliste, mais dans une veine expressionniste, le portrait de *La Vieille Hélène* (1882), domestique au service de la famille Claudel, est à rapprocher de *La Parque* ou *Clotho* (1893), œuvre expressionniste également, mais surtout allégorie de la vieillesse, ainsi décrite par Paul Claudel : « horrible quenouille, comme une graine dans le duvet, cachée dans la laine de ses cheveux fatidiques », qui annonce *L'Âge mûr* de 1899. A travers Le *Portrait de Rodin* (1888-1892), dont la netteté du profil s'oppose aussi à la barbe fougueuse du maître, il est possible de comprendre l'espèce de phénomène d'osmose qui a dû s'opérer entre le maître et l'élève et, plutôt que de dire, comme P. Leroi, qu'elle avait pastiché Rodin, il vaut mieux suivre Henri Asselin qui écrit : « Dans ce chef-d'œuvre, Camille rejoint l'extraordinaire puissance créatrice du Maître ». Elle en a fait, en quelque sorte, un autoportrait. D'une sensibilité psychologique étonnante, sans effet théâtral, est le portrait de *La Petite de l'Islette* (1893-1896), dont le regard interrogateur inquiète mais dont le rayonnement intérieur est intense. Elle atteint enfin, notamment avec le dernier portrait de son frère en 1905, une plénitude des formes, dont le naturalisme et la sensibilité annoncent, selon Bruno Gaudichon, les premières œuvres de Robert Wlérick et le courant figuratif de la statuaire française de la première moitié du XXᵉ siècle. Il faut, sans doute, mettre à part ses portraits de commande, peu nombreux, où elle se laisse aller à la théâtralité, très sensible avec le buste du *Comte de Maigret*, représenté en aristocrate du temps d'Henri II (1899), mais dont le souci de réalisme est toujours présent.

Pour se démarquer de l'œuvre de Rodin et mettre fin aux commentaires laissant supposer qu'il intervenait beaucoup dans ses œuvres, elle quitte en 1892 la Folie-Neubourg, lieu de leurs rencontres et de leurs travaux. A partir de ce moment, elle veut donner une orientation tout à fait originale à son art et réalise des groupes de petites dimensions : ce sont *les Bavardes* ou *Les Causeuses* ou *La Confidence*, dont le premier plâtre date de 1895, la réalisation en onyx de 1897 et celle en bronze de 1905. Lorsque ses moyens financiers le lui permettent, Camille travaille volontiers des matériaux durs comme l'onyx, qu'elle reprend dans *La Vague* ou *Les Baigneuses* de 1898, évocation de *La Vague* d'Hokusaï. Elle donne à cette vague disproportionnée par rapport aux petites figures, un caractère décoratif, mais surtout un effet tumultueux, encore en opposition aux figurines dont les corps sont traités en surfaces brillantes et lisses. A propos de ces petits groupes, dont font partie *Femme à sa toilette* (1895-97), *Intimité* ou *Femme au coin du feu* (1900-1905), Camille écrit à son frère : « Tu vois que ce n'est pas du tout Rodin ».

Pourtant c'est au moment où Rodin hante la vie de Camille Claudel que son art est le plus fort. L'un de ses premiers chefs-d'œuvre autobiographiques est la *Sakountala* ou *L'Abandon* (1888), qui deviendra ensuite *Vertumne et Pomone*, dont Paul Claudel rend compte avec tant de vérité et de sensibilité : « L'esprit est tout, l'homme à genoux, il n'est que désir, le visage levé, aspire, étreint avant qu'il n'ose le saisir, cet être merveilleux, cette chair sacrée qui d'un niveau supérieur, lui est échue. Elle cède, aveugle, muette, lourde, elle cède à ce poids qui est l'amour, l'un des bras pend, détaché comme une branche terminée par le fruit, l'autre couvre ses seins et protège ce cœur, suprême asile de la virginité. Il est impossible de voir rien là, à la fois de plus ardent et de plus chaste. » Naturellement, cet abandon est bien celui de Camille vis à vis de Rodin. *La Valse*, dont le premier bronze date de 1891, est un chant d'amour. C'est, écrit son frère : « La Valse ivre, toute roulée et perdue dans l'étoffe de la musique, dans la tempête et le tourbillon de la danse ». La composition complètement déséquilibrée projette les deux danseurs dans l'espace, tandis que les surfaces lisses et brillantes de leurs corps s'opposent à l'enveloppement tournoyant de la robe de la danseuse. cette même opposition lisse-rugueux et ce même déséquilibre se retrouve plus tard, vers 1900, dans *La Fortune*, « insolente, cambrée vivement en arrière, offrant et retenant, toute frémissante », comme la décrivait Louis Vauxcelles. Avant d'aborder ce qui peut être appelé le chef-d'œuvre de Camille, *L'Âge mûr*, elle avait sculpté une femme à genoux, les mains tendues vers le ciel ou vers quelque chose qui lui échappe, implorante : *La Supliante* (1894) que l'on retrouve dans le fameux groupe. *L'Âge mûr* est certainement l'œuvre la plus autobiographique de Camille Claudel, c'est l'image de son désespoir face à l'abandon de Rodin. Ici la figure de la jeunesse suppliante est représentée sous l'aspect d'un jeune corps, tendu, dont la surface polie contraste avec celle du vieil homme aux muscles exacerbés, rendus avec un expressionnisme cependant moins outré que celui de la vieille femme qui l'entraîne. La fougue de Paul Claudel décrivant ce groupe en explique bien la situation : « Cette jeune fille à genoux… cette jeune fille nue, c'est ma sœur ! Ma sœur Camille implorante, humiliée à genoux, cette superbe, cette orgueilleuse, c'est ainsi qu'elle s'est représentée ! Nue, humiliée, à genoux et nue ! Tout est fini ! C'est ça pour toujours qu'elle nous a laissé à regarder ! ». C'est là tout le drame de Camille dont l'art se rattache difficilement à un courant et qui présente un cas unique.

La comparaison avec Rodin a bien souvent été faite, l'influence du maître ne peut être niée, cependant il faut se souvenir des premières œuvres de Camille qui ne lui devaient rien et dont la communauté de style avec celui de Rodin était troublante. A la différence de Rodin, elle a le goût de l'achevé, du fini, elle travaille, par exemple, les chevelures et les drapés avec beaucoup de soin. Mais surtout, Camille Claudel a su intérioriser la leçon de Rodin et le portrait de son maître en est une preuve flagrante. Si l'on voulait replacer son art dans l'histoire de la sculpture, il serait possible de l'assimiler au grand courant expressionniste du XXᵉ siècle. ■ Annie Pagès

BIBLIOGR. : Anne Delbée : *Une Femme*, Presses de la Renaissance, Paris, 1982 – Anne Rivière : *L'Interdite, Camille Claudel*, Tierce, Paris, 1983 – catalogue de l'exposition *Camille Claudel*, Musée Rodin, Paris puis Musée Sainte-Croix, Poitiers, 1984 – Jacques Cassar : *Le dossier Camille Claudel*, Librairie Séguier, Paris, 1987 – Brigitte Fabre-Pellerin : *Le jour et la nuit de Camille Claudel*, Lachenal et Ritter, Paris, 1988 – Reine-Marie Paris et

Arnaud de La Chapelle : *L'œuvre de Camille Claudel*, Éditions Adam Biro et Éditions d'Art et d'Histoire, Paris, 1990.

Musées : ABBEVILLE (Mus. Boucher de Perthes) : *La Prière ou Psaume ou L'Inspirée* 1889, bronze – AURILLAC : *Buste d'Auguste Rodin*, bronze – AVIGNON (Mus. Calvet) : *Mon frère*, bronze – BAGNOLS-SUR-CÈZE : *L'Implorante*, bronze – CALAIS (Mus. des Beaux-Arts et de la Dentelle) : *Mon frère* 1887, bronze – CAMBRAI (Mus. mun.) : *L'Abandon*, bronze – CHÂTEAUROUX (Mus. Bertrand) : *Buste de Paul Claudel à 13 ans* 1881, bronze – *Sakountala ou L'Abandon ou Vertumne et Pomone* 1888, plâtre patiné – CHÂTEAU-THIERRY (Mus. Jean de La Fontaine) : *Buste de Paul Claudel à 37 ans*, bronze – CHERBOURG (Mus. des Beaux-Arts) : *Giganti ou Tête de brigand* 1885, bronze – CLERMONT-FERRAND (Mus. Bargoin) : *Buste de Louise de Massary* 1886, bronze – DRAGUIGNAN (Mus. mun.) : *Rêve au coin du feu ou Intimité* après 1900, marbre – GENÈVE (Mus. d'Art et d'Hist.) : *Les bavardes ou Les Causeuses* 1896, plâtre – GUÉRET : *Buste d'Auguste Rodin*, bronze – LILLE (Mus. des Beaux-Arts) : *Giganti ou Tête de brigand*, bronze – *Buste de Louise de Massary*, terre cuite – MARTIGUES (Mus. Ziem) : *Buste d'Auguste Rodin*, plâtre patiné – PARIS (Mus. Rodin) : *Buste d'Auguste Rodin* 1888, plâtre et bronze – *La Valse* après 1893, bronze – *Vertumne et Pomone* 1905, marbre – *Clotho ou La Parque* 1893, plâtre – *L'Implorante ou La Suppliante* 1905, bronze – *l'Âge mûr* 1894-95, plâtre – bronze vers 1907 – *La Petite de l'Islette* 1895, marbre – *Les Bavardes ou Les Causeuses* 1897, onyx et bronze – *Persée et la Gorgone* vers 1900, marbre – *Paul Claudel à 37 ans*, bronze – PARIS (Mus. d'Orsay) : *L'Âge mûr* 1899-1913, bronze – PARIS (Mus. du Petit Palais) : *Buste d'Auguste Rodin*, bronze – POITIERS (Mus. Sainte-Croix) : *Sakountala ou L'Abandon* 1905, bronze – *La Valse* 1905, bronze – *La Fortune* 1905, bronze – *Niobide blessée*, bronze.

Ventes Publiques : PARIS, 13 oct. 1977 : *Le Couple*, bronze patiné (H. 23,5) : **FRF 8 500** – MONTE-CARLO, 25 nov. 1979 : *Buste de Rodin* vers 1888, bronze (H. 40) : **FRF 40 000** – PARIS, 7 déc. 1981 : *L'Offrande*, bronze (H. 30) : **FRF 17 000** – LONDRES, 29 juin 1983 : *Les Causeuses* 1894, bronze (H. 24) : **GBP 6 000** – PARIS, 3 mai 1985 : *L'Implorante*, bronze (H. 28,5) : **FRF 153 000** – PARIS, 18 mars 1986 : *La Valse* vers 1905 (H. 46) : **FRF 311 000** – PARIS, 10 déc. 1987 : *Tête de jeune garçon*, bronze à patine noire (H. 15,5) : **FRF 52 000** – LA VARENNE-SAINT-HILAIRE, 6 mars 1988 : *L'homme penché*, bronze à patine brune (H. 42) : **FRF 200 000** – PARIS, 18 mars 1988 : *Torse d'une vieille femme*, plâtre patiné (H. 43,5) : **FRF 300 000** – PARIS, 20 nov. 1988 : *Mon frère ou le jeune Romain* 1886, bronze patiné, 4/6 (H 44) : **FRF 300 000** ; *La Petite Châtelaine*, bronze (H. 31) : **FRF 280 000** – MONTPELLIER, 25 fév. 1989 : *La Châtelaine*, bronze (H. 31) : **FRF 280 000** – MONTPELLIER, 25 fév. 1989 : *La Valse*, bronze (H. 23) : **FRF 350 000** – PARIS, 20 mars 1989 : *L'Homme penché*, bronze patine brun vert (H. 42) : **FRF 250 000** – PARIS, 31 mars 1989 : *L'Abandon ou Sakountala*, bronze (62x57x27) : **FRF 2 600 000** – NEW YORK, 11 mai 1989 : *La Valse*, bronze (H. 45,7) : **USD 110 000** – NICE, 21 mai 1989 : *La Danse*, bronze à patine dorée (H. 24) : **FRF 550 000** – PARIS, 21 juin 1989 : *La Joueuse de flûte*, bronze à patine brune (53x27x24) : **FRF 1 200 000** – LONDRES, 27 juin 1989 : *L'Implorante*, bronze (H. 28) : **GBP 22 000** – PARIS, 26 mars 1990 : *La Fortune* vers 1900-1904, bronze (H. 48) : **FRF 400 000** – STOCKHOLM, 5 déc. 1990 : *La Valse*, bronze de patine verte (H. 110) : **SEK 1 075 000** – LONDRES, 5 déc. 1990 : *Sakountala (l'Abandon)* 1888, bronze (H. 42) : **GBP 50 600** – STOCKHOLM, 5-6 déc. 1990 : *Couple enlacé*, bronze patiné (H. 110) : **SEK 1 075 000** – NEW YORK, 9 mai 1992 : *Chienne affamée*, bronze à patine brune (L. 26) : **USD 12 650** – PARIS, 3 juin 1992 : *L'homme penché*, bronze (H. 42) : **FRF 170 000** – PARIS, 3 juin 1993 : *La valse* 1892, bronze (H. 46) : **FRF 850 000** – PARIS, 21 oct. 1993 : *L'abandon* 1905, bronze (62x57x27) : **FRF 1 350 000** – NEW YORK, 4 nov. 1993 : *La fortune*, bronze (H. 48,3) : **USD 151 000** – PARIS, 2 déc. 1994 : *L'Implorante*, bronze (H. 71,5, l. 72) : **FRF 880 000** – PARIS, 20 juin 1995 : *La Valse* (H. 53) : **FRF 1 250 000** – L'ISLE-ADAM, 25 fév. 1996 : *Homme penché*, bronze (H. 85) : **FRF 312 000** – LOKEREN, 9 mars 1996 : *L'Implorante*, marbre (H. 32) : **BEF 1 100 000** – SCEAUX, 5 mai 1996 : *Tête de jeune garçon*, bronze à patine brune, cire perdue (H. 15) : **FRF 26 000** – PARIS, 10 juin 1996 : *La Petite Châtelaine*, bronze à patine brune (H. 33) : **FRF 300 000** – LONDRES, 25 juin 1996 : *Buste d'Auguste Rodin* 1889-1892, bronze (H. 40) : **GBP 78 500**.

CLAUDEL Louis Félix
Né à La Verrerie-de-Portieux (Vosges). XXᵉ siècle. Français.
Peintre et graveur.
A partir de 1931, il a participé aux principaux Salons parisiens,

dont ceux des Artistes Français, de la Société Nationale des Beaux-Arts, des Artistes Indépendants et d'Automne.

CLAUDER Karl
XIXᵉ siècle. Travaillait à Casse vers le milieu du XIXᵉ siècle. Allemand.
Graveur.

CLAUDET
XXᵉ siècle. Français.
Sculpteur.
Il exposait au Salon des Artistes Français à Paris en 1912.

CLAUDET Georges Max
Né le 18 août 1840 à Fécamp (Seine-Maritime). Mort le 28 mai 1893 à Salins (Jura). XIXᵉ siècle. Français.
Peintre de genre, paysages, natures mortes, sculpteur, céramiste.
Élève de Darbois à l'École des Beaux-Arts de Dijon en 1858-1859, il travailla ensuite dans les ateliers de Jouffroy et de Joseph Perraud à l'École des Beaux Arts de Paris. Il voyagea en Espagne, Italie, Algérie, et se fixa à Salins. Il a participé au Salon de Paris de 1864 à 1893.
Plusieurs de ses sculptures se trouvent à Salins, notamment un *Vigneron* sur l'une des places de cette ville, à Poligny, Monay. Il fut également peintre et céramiste, et fut connu pour son traité de modelage, ses études sur Gustave Courbet, sur la ville de Salins, etc.
Bibliogr. : Gérald Schurr, in : *Les Petits Maîtres de la peinture 1820-1920, valeur de demain*, Les Éditions de l'Amateur, t. III, Paris, 1976.
Musées : BESANÇON – CHALON-SUR-SAÔNE – GENÈVE – LONS-LE-SAUNIER.
Ventes Publiques : PARIS, 15 oct. 1990 : *Buste de femme en costume du moyen-âge* 1905, marbre, bronze, cabochons de verre (H. 70) : **FRF 11 000** – PARIS, 13 mars 1995 : *Promeneurs dans la casbah d'Alger* 1891, terre-cuite vernissée (chaque 54,5x30,5) : **FRF 25 000**.

CLAUDI Adam
XVIIᵉ siècle. Autrichien.
Sculpteur sur bois.
Il travailla à Linz.

CLAUDIE, Mlle
Née au XIXᵉ siècle à Paris. XIXᵉ siècle. Française.
Peintre d'histoire.
Élève de Chaplin. Elle débuta au Salon de 1878.

CLAUDIN Bernard Virgile
Né vers 1210 à Troyes. XIIIᵉ siècle. Français.
Portraitiste et peintre verrier.
Cet artiste paraît avoir possédé une certaine réputation, à son époque. On le trouve mentionné à Châlons-sur-Marne en 1248. Il travailla notamment dans cette ville aux vitraux de la cathédrale. Il y demeurait encore en 1261, ainsi que l'attestent divers paiements effectués à son nom en cette année.

CLAUDIO
Sans doute d'origine française. XVIᵉ siècle. Travaillait en Espagne. Français (?).
Sculpteur.
Il était signalé en 1553 à Séville et en 1578 à Valladolid.

CLAUDIO
Né à Séville. XXᵉ siècle. Espagnol.
Peintre de scènes de genre. Réaliste intimiste.
Dans les années 60, il est l'un des représentants de la veine populaire de la peinture sous l'influence du réalisme social, dont le chef de file est le sévillan Cortijo. Parti d'un réalisme quotidien, il s'attache de plus en plus à rendre le côté intimiste critique de ses sujets, et représente, comme il le dit : « l'homme de la classe moyenne, intégré dans le mauvais goût d'une société de consommation ».
Bibliogr. : Juan-Manuel Bonet : *Réalisme magique ? Réalisme quotidien ?*, Chroniques de l'Art Vivant, nᵒ 17, Paris, fév. 1971.

CLAUDIO da Bologna
XVᵉ siècle. Vivait à Bologne vers 1490. Italien.
Peintre miniaturiste.

CLAUDIUS Michaël
Originaire de Metz. XVIᵉ siècle. Vivait en 1578 à Würzburg. Français.
Peintre.

CLAUDIUS Sophus
Né en 1815 à Schirnau. Mort en 1878 à Kiel. XIXe siècle. Allemand.
Peintre.
Il fit tardivement ses études artistiques à Munich. Il voyagea ensuite en Italie, en Grèce et en Turquie. On cite surtout ses peintures décoratives et ses paysages.

CLAUDIUS Wilhelm Ludwig Heinrich
Né en 1854 à Altona. Mort en 1942. XIXe-XXe siècles. Allemand.
Peintre de genre, portraits, paysages, aquarelliste, dessinateur, illustrateur.
Il fit ses études à Dresde, puis à Berlin sous la direction de Gussow. Ses dessins pour des livres d'enfant lui donnèrent rapidement une enviable notoriété. Par la suite ce fut surtout comme portraitiste et comme paysagiste qu'il sut se distinguer. En 1909 il remporta une médaille d'or à l'Exposition de Munich.
Musées : Dresde : *une aquarelle.*
Ventes Publiques : Brême, 10 nov. 1984 : *Dimanche, retour de messe* 1909, h/t (67x86,5) : **DEM 8 500** – Londres, 11 mai 1990 : *Un petit coin d'ombre* 1922, h/t (76,2x55,9) : **GBP 3 740** – Munich, 22 juin 1993 : *La chasse aux papillons* 1873, h/t (29x39) : **DEM 7 475.**

CLAUDO Carl
XVIIIe siècle. Actif en 1757 à Ung-Hradisch. Hongrois.
Peintre.

CLAUDOT André
Né le 14 février 1892 à Dijon (Côte d'Or). Mort le 13 juin 1982 à Loeilley (près Gray, Haute-Saône). XXe siècle. Français.
Peintre de portraits, de paysages et de natures mortes.
Élève à l'École des Beaux-Arts de Dijon, il reçoit une bourse qui lui permet d'entrer à l'École des Arts Décoratifs de Paris. Sa carrière, commencée à Paris, est interrompue par la première guerre mondiale. À partir de 1921, il expose au Salon de la Société Nationale des Beaux-Arts, au Salon d'Automne, puis au Salon des Artistes Indépendants de 1921 à 1926. En 1925, il part pour la Chine où il reste cinq ans. De 1935 à 1941, il enseigne à l'École des Beaux-Arts de Dijon, d'où il est limogé par le gouvernement de Vichy, il entre alors dans la Résistance et ne retrouve plus son poste à son retour.
Peintre de la réalité quotidienne, il est aussi portraitiste et paysagiste. Son séjour en Chine a particulièrement marqué son art : il campe alors des scènes de la vie en Extrême-Orient dans un style sobre, rapide, selon un dessin au trait large. Ses peintures à la pâte épaisse et grasse sont construites sur un dessin ferme.

CLAUDOT Antoine
XVIIe siècle. Lorrain, travaillant à la fin du XVIIe siècle. Français.
Sculpteur.

CLAUDOT Charles François
Né en 1776 à Nancy. XIXe siècle. Français.
Peintre.
Fils et élève de Jean-Baptiste Claudot, il fut au XIXe siècle conservateur du Musée de Nancy.

CLAUDOT Dominique Charles
Né en 1769. XVIIIe-XIXe siècles. Vivait à Nancy. Français.
Peintre de paysages.
Il était le fils de J.-B. Claudot et fut son élève.

CLAUDOT François
XVIIe siècle. Français.
Sculpteur.
Il travaillait à Nancy en 1633 pour le duc de Lorraine.

CLAUDOT Jean Baptiste Charles, dit Claudot de Nancy
Né en 1733 à Badonviller (Vosges). Mort le 27 décembre 1805 à Nancy. XVIIIe siècle. Français.
Peintre de sujets religieux, paysages, natures mortes.
Cet artiste, dit-on, fut l'ami de Girardet et de Joseph Vernet, mais ceux-ci ne parvinrent jamais à l'attirer à Paris. Claudot éprouvait un attachement trop profond à l'égard du sol natal pour s'en arracher.
On cite de lui : *Saint Sébastien chez Irène, Route bordée d'arbres, L'Échelle de Jacob.*

Claudot fec

Musées : Nancy : *Colonnade en ruines – Le bocage – Palais en ruine – Vase de fleurs – Même sujet – Lièvre et oiseaux – Faisans et oiseaux – L'échelle de Jacob – Le filet suspendu – Rochers à pic près d'une rivière – Pont rustique sur un torrent – La cascade – La hutte – La pêche sous la cascade – L'ange annonçant le Messie.*
Ventes Publiques : Nancy, 1889 : *Paysage et figures :* **FRF 145** – Paris, 24 nov. 1924 : *Entrée d'un port avec personnages :* **FRF 1 230** – Paris, 20 et 21 avr. 1925 : *Paysage avec aqueduc sur une rivière, avec groupe de pêcheurs et barque au premier plan :* **FRF 1 350** – Paris, 7 et 8 nov. 1928 : *Paysage d'Italie, sans indication de prénom :* **FRF 820** – Paris, 22 fév. 1932 : *Pastorale, attr. :* **FRF 650** – Paris, 3 oct. 1940 : *Pêcheurs et pêcheuses au bord d'un torrent :* **FRF 1 780** – Paris, 14 mai 1954 : *Bergers et troupeaux dans des paysages montagneux, deux toiles :* **FRF 130 000** – Paris, 4 déc. 1963 : *Paysage aux pêcheurs et aux lavandières :* **FRF 3 500** – Paris, 12 déc. 1964 : *L'orage :* **FRF 8 800** – Versailles, 12 déc. 1971 : *Portique en ruines et groupe de personnages :* **FRF 18 000** – Versailles, 20 fév. 1972 : *Le repos des bergers :* **FRF 17 500** – Versailles, 23 mai 1976 : *Les bergers à la fontaine,* h/t (66x97,5) : **FRF 1 500** – Paris, 20 juin 1977 : *Paysage animé,* h/t (66x77) : **FRF 11 000** – Paris, 27 oct. 1980 : *Personnages au bord de l'eau,* h/t (98x74) : **FRF 24 000** – Versailles, 21 fév. 1982 : *Vue panoramique des environs de Nancy,* h/t, de forme ovale (58,5x81) : **FRF 25 000** – Londres, 24 oct. 1984 : *Lavandières près de la fontaine dans un paysage fluvial,* h/t (75x124,5) : **GBP 3 000** – Saint-Dié, 9 juin 1985 : *La porte Desilles à Nancy,* deux h/t, formant pendants (250x180) : **FRF 180 000** – Paris, 16 déc. 1987 : *Portrait d'une famille dans un port méditerranéen – Scène pastorale dans un paysage italianisant, deux toiles* (32,3x27^{e}t 33x26,8) : **FRF 305 000** – Paris, 14 avr. 1988 : *La lavandière* (65,5x98) : **FRF 58 000** – Paris, 12 déc. 1988 : *Les saisons,* h/t, ensemble de quatre peintures (62x81) : **FRF 380 000** – Paris, 19 avr. 1989 : *Paysage de rivière dans les ruines romaines, t.* (43,5x60,5) : **FRF 62 000** – Paris, 19 avr. 1990 : *Paysages animés,* h/t (59x81) : **FRF 380 000** – Monaco, 15 juin 1990 : *Scène portuaire avec un vaisseau à quai et des pêcheurs débalant leur prise,* h/t (74,5x108,5) : **FRF 166 500** – Monaco, 21 juin 1991 : *Paysage avec ruines et personnages,* h/t (98x134) : **FRF 255 300** – Paris, 31 oct. 1991 : *Trophée de chasse au chevreuil, faisans, fusil et trompe dans un paysage,* h/t (168x117) : **FRF 40 000** – Paris, 11 avr. 1992 : *Lavandières au bord de la rivière,* h/t (73,5x54) : **FRF 30 000** – Paris, 28 avr. 1993 : *Paysage de rivière,* h/t, en paire (21,5x30,5) : **FRF 22 000** – Monaco, 2 déc. 1994 : *La halte pendant la chasse,* h/t (x27x32) : **FRF 29 970** – Paris, 22 mars 1995 : *Paysage aux ruines antiques,* h/t (46x63) : **FRF 70 000** – New York, 24 avr. 1995 : *Personnages se reposant dans un paysage montagneux,* h/t (68,6x87,9) : **USD 8 625** – Paris, 23 juin 1997 : *Paysage à la tour et au berger, t.* (46x62) : **FRF 36 000.**

CLAUDOT Pierre
XVIIe siècle. Français.
Sculpteur.
Il travaillait à Épinal, à Nancy en 1675 et à Bosserville.

CLAUS
Originaire de Wissembourg. XIVe siècle. Suisse.
Peintre.
Il fut reçu bourgeois à Bâle en 1378.

CLAUS ou Klaus
Originaire du canton de Lucerne. XVe siècle. Travaillait entre 1416-1469. Suisse.
Peintre de fresques et peintre verrier.
Claus travailla à Lucerne en 1416. Il fournit un vitrail pour la ville de Unterwalden en 1469.

CLAUS Benedikt ou Klaus
Né le 26 juillet 1636 à Lucerne. XVIIe siècle. Suisse.
Orfèvre et peintre.
Le Dr Carl Brun croit cet orfèvre identique avec un peintre Benedikt Claus de Lucerne qui vivait à Vienne de 1684 à 1688, où il donna des leçons au peintre Kupetzky.

CLAUS Camille
Né le 30 septembre 1920 à Strasbourg. XXe siècle. Français.
Peintre. Abstrait-géométrique puis figuratif fantastique.
Après avoir étudié auprès d'Auguste Herbin en 1949-1950, il montre tout naturellement une influence de celui-ci sur ses œuvres, réalisant alors des compositions d'une abstraction classique géométrique. A cette époque, dans les années 50, il expose au Salon des Réalités Nouvelles à Paris. Il travaille ensuite, en 1955 et 1956, dans l'atelier de Friedlander. Plus tard, son art évolue vers une représentation narrative d'une mythologie à mi-chemin entre le rêve et le fantasme, tout en conservant une

construction très structurée, héritée d'un post-cubisme tardif. Cette évolution explique pourquoi il a participé, en 1965, à l'exposition de *La Figuration Narrative*.

VENTES PUBLIQUES : VERSAILLES, 26 avr. 1987 : *Jonas 1961*, h/isor. (42x75) : **FRF 12 000**.

CLAUS Christian
Né en 1946 à Haine-Saint-Paul. XXᵉ siècle. Belge.
Sculpteur.

Il a fait des études à l'Académie des Beaux-Arts de Mons et à l'École des métiers d'art de Jemappes. Il est devenu professeur de sculpture à l'Académie des Beaux-Arts de Tournai. Il montre des ensembles d'œuvres dans de nombreuses expositions personnelles en Belgique, notamment depuis 1978 à Bruxelles au *Miroir d'Encre*, et à l'étranger.

Il miniaturise, en utilisant divers matériaux, avec toutefois une constante pour la pierre à laquelle il oppose parfois un élément liquide, les pyramides ou les temples sud-américains des civilisations disparues. Qu'il reconstitue des espaces carrés ou circulaires, hors tout minimalisme, il s'en tient à des formes géométriques simples. Il a réalisé sur le site du centre nautique de Mons, en France, la commande d'une sculpture.

BIBLIOGR. : In : *Diction. Biogr. illustré des Artistes en Belgique depuis 1830*, Arto, 1987.

CLAUS Émile
Né en 1849 à Vive-Saint-Eloi. Mort en 1924 à Astène. XIXᵉ-XXᵉ siècles. Belge.
Peintre de genre, portraits, paysages, paysages d'eau, pastelliste, dessinateur. Impressionniste.

Il fut élève de Jacques Jacobs à l'Académie des Beaux-Arts d'Anvers. Il voyagea en Espagne et au Maroc. Après s'être fixé à Anvers de 1880 à 1883, il s'installa définitivement à Astene, en 1888, sur les bords de la Lys, louant toutefois encore un atelier à Paris de 1889 à 1891. Il dut s'exiler à Londres pendant la première guerre mondiale. Il fut élu membre de l'Académie Royale des Beaux-Arts de Belgique.

Bien qu'il n'applique pas une touche divisée systématique, l'influence de l'impressionnisme est évidente, dans l'aspect de peintures faites en extérieur sous la lumière réelle et dans l'usage et la juxtaposition de couleurs pures et rares. Il a souvent peint des paysages de landes et de marais dans la lumière des jours d'hiver. À la fin de sa vie, lors de son séjour forcé à Londres, il peignit (après Monet et Derain) des vues de la Tamise. ■ J. B.

[signature: Emile Claus]

BIBLIOGR. : In : *Diction. biogr. illustré des Artistes en Belgique depuis 1830*, Arto, Bruxelles, 1987.

MUSÉES : ANVERS : *Sarcleuse de lin* – BERLIN : *Matin de février* – BRUXELLES : *La grève ensoleillée* – *Les vaches traversant la Lys* – *La récolte du lin* – *Coucher de soleil sur la Tamise* – *Coucher de soleil* à *Londres* – COURTRAI : *Au pont d'Oydonck* – DOUAI : *La sieste* – DRESDE : *Le ponton d'Agsné* – GAND : *Ijsvogels* – GOTHENBURG : *Canards dans la rosée* – IXELLES : *La levée des masses* – LIÈGE : *Le vieux jardinier* – *Le gros Châtaigner* – *La moisson* – *Vue sur Murano* – MONS : *Déclin du jour* – ODESSA : *Sérénité* – PARIS (Luxembourg) : *Huiszonneschijn* – PORT ADÉLAIDE : *Ampelio* – ROME : *La rosée* – VENISE : *Automne* – VERVIERS : *Roses trémières*.

VENTES PUBLIQUES : LONDRES, 12 mai 1902 : *Enfant cueillant des marguerites* : **FRF 460** – LONDRES, 30 avr. 1910 : *Voleurs dans les blés* : **GBP 168** ; *Volaille dans les bois* : **GBP 52** – PARIS, 22-23 déc. 1920 : *Paysage traversé par un cours d'eau* : **FRF 1 800** – PARIS, 23 fév. 1925 : *Les Moyettes* : **FRF 750** – PARIS, 8 déc. 1928 : *Martha* : **FRF 1 050** – BRUXELLES, 7-8 mai 1934 : *Août en Zélande* : **BEF 5 000** – BRUXELLES, 12 mai 1934 : *Londres le matin* : **BEF 4 000** – BRUXELLES, 11 déc. 1937 : *L'automne* : **BEF 5 500** – BRUXELLES, 25-26 mars 1938 : *Combat de coqs* : **BEF 4 200** ; *Les blés en juin* : **BEF 4 400** – BRUXELLES, 27-28 fév. 1939 : *Paysage* : **BEF 1 050** – ANVERS, 6-7 mars 1939 : *Dans les Flandres* : **BEF 4 200** – PARIS, 8 mars 1943 : *Paysage d'automne* : **FRF 3 300** ; *Coin de jardin* : **FRF 7 000** – AMSTERDAM, 15 déc. 1964 : *Bords de fleuve en été* : **NLG 4 000** – BRUXELLES, 21 mai 1966 : *Troupeau de vaches* : **BEF 28 000** – BRUXELLES, 1ᵉʳ mars 1967 : *La Lys en été* : **BEF 38 000** – BRUXELLES, 26-28 mars 1968 : *Paysages d'été* : **BEF 75 000** – ANVERS, 14 oct. 1969 : *Verger au printemps* : **BEF 110 000** – BRUXELLES, 16 nov. 1971 : *Fin sep-*

tembre : **BEF 170 000** – ANVERS, 10 oct. 1972 : *Fermière avec veau* : **BEF 200 000** – ANVERS, 6 avr. 1976 : *Été*, h/t (29x43) : **BEF 70 000** – BREDA, 26 avr. 1977 : *Paysage*, past. (22x30) : **NLG 3 600** – BRUXELLES, 16 jan. 1977 : *Les Bords de la Lys*, h/t (27x36) : **BEF 60 000** – NEW YORK, 11 mars 1978 : *Troupeau au pâturage 1895*, h/t (73x60,5) : **USD 6 500** – BRUXELLES, 28 mars 1979 : *Canal à Venise 1906*, h/t (44x58) : **BEF 200 000** – BRUXELLES, 19 mars 1980 : *La Tamise 1915*, past. (22x32) : **BEF 75 000** – AMSTERDAM, 18 avr. 1984 : *Troupeau au bord de la rivière*, h/t (90x116) : **NLG 60 000** – LOKEREN, 26 mai 1984 : *Nuages*, gche (117x88) : **BEF 320 000** – BRUXELLES, 24 oct. 1984 : *Trois personnages dans une embarcation et vache à l'abreuvoir*, dess. (61x49) : **BEF 120 000** – ANVERS, 21 oct. 1986 : *Hiver le long de la Lys*, past./t. (48x65) : **BEF 200 000** – BRUXELLES, 29 oct. 1986 : *Paysage de la Lys*, h/t (89x115) : **BEF 2 200 000** – BRUXELLES, 1ᵉʳ avr. 1987 : *Jardin avec étang en été*, h/t (45,5x45,5) : **BEF 800 000** – LOKEREN, 5 mars 1988 : *Matinée de septembre*, h/t (73x50) : **BEF 3 000 000** ; *Le passeur*, h/t (48x64) : **BEF 950 000** – LOKEREN, 28 mai 1988 : *La Lys sous la neige 1910*, h/t (60x73) : **BEF 1 200 000** – LOKEREN, 8 oct. 1988 : *Pluie sur la Cité à Londres*, pointe sèche (41,5x42) : **BEF 36 000** – LONDRES, 19 oct. 1989 : *La Lys*, h/t (93x73,5) : **GBP 82 500** – LILLE, 26 nov. 1989 : *Jeunes femmes attendant une procession au bord de la route ensoleillée*, h/t (82x117) : **FRF 2 450 000** – PARIS, 13 déc. 1989 : *La barrière sur l'étang*, h/t (81x117) : **FRF 600 000** – LONDRES, 14 fév. 1990 : *La promenade*, h/pan. (23x12) : **GBP 7 150** – BRUXELLES, 12 juin 1990 : *La Lys 1924*, h/t (156x113) : **BEF 11 000 000** – LONDRES, 13 juin 1990 : *Jeune fille assise dans un chaume*, h/t (40x50) : **GBP 68 200** – BRUXELLES, 9 oct. 1990 : *Les moissons*, h/t (48x48) : **BEF 1 150 000** – LONDRES, 16 oct. 1990 : *Un coin de mon jardin 1901*, h/t (60x74) : **GBP 49 500** – AMSTERDAM, 6 nov. 1990 : *Matin d'octobre au bord de la Lys 1901*, h/t (74x92,5) : **NLG 230 000** – LONDRES, 18 mars 1992 : *Les marguerites*, h/t (49x72,5) : **GBP 63 800** – LONDRES, 23 mai 1992 : *Paysage au matin*, h/t. (26x37,5) : **BEF 400 000** – NEW YORK, 28 mai 1992 : *Un après-midi au bord de la rivière*, h/t (115,6x83,8) : **USD 159 500** – LOKEREN, 10 oct. 1992 : *Paysage estival 1911*, h/t/cart. (25,5x38) : **BEF 360 000** – LONDRES, 1ᵉʳ déc. 1992 : *Les bords de la Lys 1912*, h/t (60x77) : **GBP 46 200** – AMSTERDAM, 27-28 mai 1993 : *La faneuse*, h/t (43,5x55) : **NLG 120 750** – LOKEREN, 9 oct. 1993 : *Chemin forestier à Latem*, h/t (45x63,5) : **BEF 300 000** – LONDRES, 30 nov. 1993 : *Londres – Waterloo bridge et Hungerford bridge avec la Maisons du Parlement au fond 1916*, h/t (70x70) : **GBP 49 900** – NEW YORK, 19 jan. 1994 : *Ouvriers agricoles travaillant dans une grange*, aquar. et cr./pap. (21,6x33,7) : **USD 2 070** – LOKEREN, 12 mars 1994 : *La Lys en été*, h/t (60x92) : **BEF 2 200 000** – PARIS, 21 mars 1994 : *Campagne – temps gris*, h/cart. toilé (25,5x37,5) : **FRF 12 000** – LOKEREN, 8 oct. 1994 : *Les giboulées 1897*, h/t (61x93) : **BEF 2 800 000** – AMSTERDAM, 7 déc. 1994 : *Matin de juin*, h/t (60,5x92,5) : **NLG 161 000** – LOKEREN, 11 mars 1995 : *Le pont Waterloo de Londres ensoleillé 1916*, h/t (101,5x126,5) : **BEF 1 200 000** – NEW YORK, 23-24 mai 1996 : *La Faneuse 1896*, h/t (130,2x97,5) : **USD 321 500** – LONDRES, 26 juin 1996 : *Soleil couchant sur Waterloo Bridge 1916*, h/t (76,3x63,6) : **GBP 34 500** – LONDRES, 21 nov. 1997 : *Femme orientale allongée*, h/pan. (12,7x22) : **GBP 16 100** – LOKEREN, 6 déc. 1997 : *Arbres au soleil couchant 1915*, h/t (43x49) : **BEF 700 000** – NEW YORK, 23 oct. 1997 : *La Berge rangée (Juillet) 1922*, h/t (92,7x92,7) : **USD 46 000**.

CLAUS Eugène
Né au XIXᵉ siècle. XIXᵉ siècle. Français.
Sculpteur et graveur en médailles.
Mention honorable en 1896.

CLAUS Hans Wilhelm ou **Clauss** ou **Klauss**
Né le 9 septembre 1608 à Lucerne. Mort en avril 1660 probablement à Lucerne. XVIIᵉ siècle. Suisse.
Peintre.

Claus travailla sous la direction de Meglinger à la décoration de l'église de Lucerne et dans différents travaux. En 1635, il fut admis dans la confrérie de Saint-Luc.

CLAUS Hugo
Né en 1929 à Bruges. XXᵉ siècle. Belge.
Peintre, aquarelliste, dessinateur.

Autodidacte, écrivain et cinéaste, il a exposé avec le groupe « Apport » et a participé au mouvement « Cobra ». Il travaille à Ostende.

Obsédé par l'idée d'anéantissement, il peint avec des matières périssables, rouge à lèvres, pâte dentifrice, etc., pour que ses toiles se détruisent d'elles-mêmes.

VENTES PUBLIQUES : BRUXELLES, 17 juin 1987 : *Composition*, h/pap. mar. (149x149) : **BEF 46 000** – AMSTERDAM, 10 déc. 1996 : *Bête* vers 1950, pl., encre et aquar./pap. (18x25) : **NLG 3 459**.

CLAUS Huguette. Voir CLAUSS

CLAUS Jörg
XVIIe siècle. Actif à Brixen vers 1650.
Peintre.

CLAUS Josse
XVIe siècle. Actif à Anvers en 1528. Éc. flamande.
Maître peintre.

CLAUS Jurgen
Né en 1935 à Berlin. XXe siècle. Allemand.
Peintre et graveur.
En 1965, il reçoit la Médaille d'Or de gravure à Rimini. Fondateur du Prix Carl Einstein de la Jeune Critique allemande, il participe à l'exposition « Deutscher Kunstpreis der Jugend » au Musée de Bochum en 1967.

CLAUS Louis
Né en 1939. XXe siècle. Belge.
Graveur sérigraphe et sculpteur. Abstrait.
Élève de l'Institut Supérieur d'Architecture et des Arts Décoratifs de Bruxelles, il fonde son atelier de sérigraphie en 1964. Il est professeur de sérigraphie à l'École « le 75 » à Woluwe-Saint-Lambert. Il a collaboré au recueil *Images*.
BIBLIOGR. : In : *Diction. Biogr. illustré des Artistes en Belgique depuis 1830*, Arto, 1987.

CLAUS Max
Né en 1846 à Meissen (Saxe-Anhalt). Mort en 1911 à Munich. XIXe-XXe siècles. Allemand.
Peintre de paysages, natures mortes, fleurs, aquarelliste, dessinateur.
À Dresde il fut élève de Ludwig Richter, à Berlin de Paul Mohn. Ce fut un paysagiste très classique d'un talent solide.
VENTES PUBLIQUES : COLOGNE, 9 mai 1983 : *Nature morte aux fleurs*, h/t (70,5x51) : **DEM 5 200** – COLOGNE, 23 mars 1990 : *Nature morte aux fleurs*, h/t (70,5x51) : **DEM 7 500**.

CLAUS Wilhelm
Né en 1882 à Breslau. XXe siècle. Allemand.
Peintre de portraits, de paysages et lithographe.
Il fit ses études à Königsberg, Munich et Dresde. Ses œuvres ont eu beaucoup de succès au début du XXe siècle.

CLAUS William A. S.
Né en 1862 à Maintz (Allemagne). XIXe siècle. Allemand.
Peintre.

CLAUS de Hollande
XVe siècle. Hollandais.
Peintre.
Il fut l'un des peintres qui travaillaient en 1454 pour le duc de Bourgogne à Lille.

CLAUS-MEYER. Voir MEYER Auguste Eduard Nicolaus, dit Claus

CLAUSADE Jean Louis ou Clauzade
Né en 1865 à Toulouse. Mort le 19 décembre 1899 à Paris. XIXe siècle. Français.
Sculpteur.
Élève de Falguière il exposa au Salon, de 1884 à 1898. On lui doit la statue de *Beaumarchais*, rue Saint-Antoine, et l'*Art roman*, de la façade du Grand Palais, ainsi que le monument *Carnot*, à Lyon. Il mourut, frappé d'une congestion cérébrale, sur les chantiers de l'Exposition de 1900. Le Musée de Troyes conserve de lui la statue de *Condorcet*.

CLAUSADE Pierre de
Né en 1902. Mort en 1976. XXe siècle. Français.
Peintre de scènes animées, paysages, marines, paysages d'eau, peintre à la gouache.
Il a peint des paysages des quais à Paris, de marines en Bretagne et des pays de la Loire.
VENTES PUBLIQUES : LONDRES, 22 juil. 1977 : *Bord de mer*, h/t (54x99,5) : **GBP 450** – LONDRES, 2 oct. 1981 : *Vue de la Seine et du quai de l'Horloge*, h/t (60,3x73) : **GBP 650** – LONDRES, 28 juin 1983 : *Sur la Loire*, h/t (52x100) : **GBP 1 700** – LONDRES, 8 mai 1985 : *L'estuaire en Bretagne* 1973, h/t (46x38) : **GBP 1 350** – LONDRES, 11 juin 1987 : *L'estuaire*, h/t (73,7x100,3) : **GBP 2 000** – PARIS, 19 mars 1990 : *Paysage 1940*, h/t (30x55) : **FRF 11 500** – VERSAILLES, 8 juil. 1990 : *Les grands arbres près du fleuve*, h/t

(46x69,5) : **FRF 6 000** – CALAIS, 26 mai 1991 : *Champs de blé en Sologne*, h/t (54x65) : **FRF 10 500** – PARIS, 31 oct. 1991 : *Scène de marché*, gche (112x120) : **FRF 7 500** – PARIS, 18 nov. 1994 : *Bords de Loire*, h/t (65x93) : **FRF 5 800** – NEW YORK, 24 fév. 1995 : *La Seine au quai du Louvre* 1952, h/t (46,4x61) : **USD 575**.

CLAUSADE Suzanne de
Née à Toulouse (Haute-Garonne). XXe siècle. Française.
Peintre de natures mortes, paysages, fleurs et portraits.
Entre 1927 et 1943, elle a participoé au Salon des Artistes Indépendants à Paris.

CLAUSE. Voir aussi CLAUSSE

CLAUSE William Lionel
Né le 7 mai 1887 à Middleton (Lancastre). Mort en 1946. XXe siècle. Britannique.
Peintre de portraits.
Il signe W. L. C.
VENTES PUBLIQUES : LONDRES, 11 mars 1981 : *Jeune femme et son chien* 1930-1932, h/t (102x127) : **GBP 750**.

CLAUSELL Joaquin ou Clausel ou Claussell
Né en 1866 à Zempoala (Campêche). Mort en 1935 à Mexico. XIXe-XXe siècles. Mexicain.
Peintre de paysages.
Il gagna la ville de Mexico à l'âge de vingt ans et devint avocat. En 1890, il voyagea en Europe et découvrit la peinture impressionniste. Peintre autodidacte, encouragé par Gerardo Murillo, il a surtout montré des vues du Mexique riches en couleurs.
BIBLIOGR. : C.M. Dominguez : *Joaquin Clausell*, Editorial MOP, 1988.
VENTES PUBLIQUES : NEW YORK, 7 mai 1981 : *Vue du canal de Xochimilco*, h/t (82x122) : **USD 90 000** – NEW YORK, 9 juin 1982 : *Paysage montagneux* 1930, h/cart. (11x17,8) : **USD 1 800** – NEW YORK, 29 nov. 1983 : *Tlalpan*, h/t (100,4x150,5) : **USD 70 000** – NEW YORK, 28 mai 1985 : *La vague verte*, h/cart. (21x30) : **USD 5 000** – NEW YORK, 18 nov. 1987 : *Netzahualcoyoti*, h/t (143,4x94) : **USD 31 000** – NEW YORK, 1[er] mai 1990 : *La Forteresse*, h/t (80x78,7) : **USD 28 600** ; *Paysage*, h/cart. (26x35,5) : **USD 17 600** – NEW YORK, 20-21 nov. 1990 : *Paysage*, h/cart. (13x21,7) : **USD 17 600** – NEW YORK, 20 nov. 1991 : *Vue de Yxtacalco*, h/cart. (27x15,2) : **USD 19 800** – NEW YORK, 18-19 mai 1992 : *Hommage à Vincent van Gogh*, h/t/cart. (64,5x75,3) : **USD 77 000** – NEW YORK, 24 nov. 1992 : *Paysage marin*, h/cart. (35,3x55,6) : **USD 44 000** – NEW YORK, 18-19 mai 1993 : *Marine*, h/t/pan. (45,1x95,3) : **USD 24 150** – NEW YORK, 17 mai 1994 : *Marine*, h/t (70x120) : **USD 255 500** – NEW YORK, 25-26 nov. 1996 : *Marine* vers 1915, h/t (61,3x92,1) : **USD 71 250** – NEW YORK, 28 mai 1997 : *Sous-bois*, h/t/pan. (16,2x24) : **USD 17 250** – NEW YORK, 29-30 mai 1997 : *Paysage* vers 1920, h/t (60,6x91,4) : **USD 90 500**.

CLAUSEN Christian Valdemar
Né le 17 février 1862. Mort en septembre 1911. XIXe-XXe siècles. Danois.
Peintre de portraits et de genre.
Élève de l'Académie et de l'école d'étude des artistes sous la direction de Tuxen. Il exposa pour la première fois en 1883 : *Une femme qui carde*. Il a exposé par la suite des portraits, des études de portraits et des tableaux de genre. *Une chambre rouge* figura à l'Exposition Universelle de Paris ; il a exposé en 1891 : *Sur l'escalier de la cabine de bain*.

CLAUSEN Franciska
Née en 1899 à Aabenraa. XXe siècle. Danoise.
Peintre de compositions, portraits. Constructiviste.
Elle commença ses études à la Kunstschule de Weimar puis à l'Académie royale de Copenhague. De 1922 à 1924, elle retourne à nouveau en Allemagne pour étudier à Berlin avec Moholy-Nagy et Archipenko. Son art est alors influencé par les constructivistes russes et elle réalise des collages abstraits géométriques. Elle séjourne ensuite à Paris, de 1924 à 1933 et travaille pendant un an sous la direction de Fernand Léger. Elle participe à l'exposition internationale de la Société Anonyme, organisée par Miss Dreier à Brooklyn en 1926 et prend part au Salon des Artistes Indépendants à Paris en 1927 et 1928. Ayant fait la connaissance de Mondrian et Arp en 1929, elle adopte les principes du néo-plasticisme et participe aux activités du groupe Cercle et Carré. De retour au Danemark, elle continue à peindre dans ce style, mais devant l'incompréhension de ses compatriotes, elle abandonne l'abstraction pour faire des portraits.
BIBLIOGR. : In : *Diction. universel de la Peinture*, Le Robert, Paris, 1975.

VENTES PUBLIQUES : COPENHAGUE, 9 mai 1984 : *Nature morte au verre d'absinthe* 1925, gche (28x22) : **DKK 27 000** – COPENHAGUE, 24 avr. 1985 : *La pilule* 1931, gche (22x32) : **DKK 51 000** – COPENHAGUE, 26 nov. 1986 : *Composition* 1927, gche (15x13) : **DKK 31 000** – COPENHAGUE, 25 fév. 1987 : *Modèle, Paris* 1924, h/t (56x69) : **DKK 295 000** – COPENHAGUE, 6 mai 1987 : *Composition* 1926, gche (28x22) : **DKK 40 000** – NEW YORK, 6 oct. 1989 : *Composition* 1927, gche/pap./cart. (22x22) : **USD 15 400** – COPENHAGUE, 22 nov. 1989 : *Composition* 1955, h/t (64x56) : **DKK 80 000** – COPENHAGUE, 21-22 mars 1990 : *Composition avec maison* 1925, temp./pap. (29x16) : **DKK 54 000** – COPENHAGUE, 30 mai 1990 : *Composition*, gche (27x21) : **DKK 18 000** – COPENHAGUE, 14-15 nov. 1990 : *Composition avec des maisons* 1925, temp./pap. (29x16) : **DKK 40 000** – COPENHAGUE, 13-14 fév. 1991 : *Composition* 1925, gche (31x24) : **DKK 30 000** – AMSTERDAM, 23 mai 1991 : *Composition*, h/t (71x49) : **NLG 29 900** – COPENHAGUE, 4 mars 1992 : *Composition – l'atelier d'Archipenko* 1922, gche (24x17) : **DKK 19 000** – NEW YORK, 12 juin 1992 : *Composition abstraite*, gche et cr./pap. (26,7x20,3) : **USD 1 650** – COPENHAGUE, 3 juin 1993 : *Composition* 1922, aquar. (35x25) : **DKK 18 500** – COPENHAGUE, 13 avr. 1994 : *Modèle* 1924, h/t (56x69) : **DKK 300 000** – COPENHAGUE, 22-24 oct. 1997 : *Composition* 1930, aquar. (23x16) : **DKK 7 200**.

CLAUSEN George, Sir
Né en 1852 à Londres. Mort en 1944. XIXᵉ-XXᵉ siècles. Britannique.
Peintre, aquarelliste et graveur de paysages animés. Postimpressionniste.
On le dit né de parents danois, ayant fait ses études de peinture en Angleterre et ayant vécu à Widdington dans l'Essex de 1891 à 1905. Il a exposé, à partir de 1874, à la Royal Water-colour Society de Londres et il est membre de la Royal Academy. On retrouve dans plusieurs de ses toiles l'influence indéniable de Jean-François Millet. Sa touche proche de la technique impressionniste rend tout particulièrement les effets de lumière dans la campagne et sur les vêtements des personnages.

CLAUSEN. 1884

G CLAUSEN 1915

BIBLIOGR. : Kenneth Mc Conkey, ed. : *Sir George Clausen, 1852-1944*, catalogue de l'exposition à la City Art Gallery de Bradford, 1980.
MUSÉES : CARDIFF (Nat. Mus. of Wales) : *Fleurs de pommiers* – GLASGOW : *La pensée* – LONDRES (Tate Gal.) : *Brown eyes* – MELBOURNE : *Le déjeuner du laboureur* – NEWCASTLE, Angleterre.
VENTES PUBLIQUES : LONDRES, 18 jan. 1908 : *Dans le verger* : **GBP 42** – LONDRES, 10 juin 1909 : *Les saules au soleil couchant* : **GBP 126** – LONDRES, 2 fév. 1923 : *Les faucheurs* 1891 : **GBP 388** – LONDRES, 25 nov. 1929 : *La grange* : **GBP 147** – LONDRES, 8 juin 1934 : *Le jeune berger* : **GBP 94** – LONDRES, 12 nov. 1943 : *La toilette* : **GBP 42** – LONDRES, 19 oct. 1945 : *Our blacksmith* 1931, h/t (71,2x91,5) : **GNS 16** – LONDRES, 17 fév. 1971 : *Les moissonneurs* : **GBP 1 200** – LONDRES, 19 mars 1972 : *Sons of the soil* : **GNS 1 300** – LONDRES, 9 mars 1976 : *Rêves de jour* 1883, h/t (107x152,5) : **GBP 3 800** – LONDRES, 3 mars 1978 : *Troupeau de moutons* 1890, past. (37x59,5) : **GBP 3 400** – LONDRES, 17 nov. 1978 : *La Récolte de pomme de terre* 1899, h/t (107,5x139) : **GBP 3 000** – LONDRES, 2 mars 1979 : *En liant une gerbe* 1905, h/t (51x61) : **GBP 7 500** – LONDRES, 13 juin 1980 : *Travaux des champs* 1883, aquar. (36x49,5) : **GBP 2 800** – LONDRES, 13 mars 1981 : *La sortie de l'église, Vollendam* 1875, aquar. et gche (29x22,8) : **GBP 2 600** – LONDRES, 3 nov. 1982 : *Travail d'hiver* 1883-1884, h/t (76x89) : **GBP 31 000** – LONDRES, 25 mai 1983 : *Le retour vers la maison* 1902, h/t (91,5x122) : **GBP 6 000** – LONDRES, 23 mai 1984 : *Le jeune berger* 1883, h/t (98x66) : **GBP 52 000** – LONDRES, 21 mai 1986 : *Le retour des champs* 1882, aquar. (35,5x25,5) : **GBP 13 800** – LONDRES, 13 nov. 1986 : *Sons of the Soil* 1901, h/t (69,5x76,6) : **GBP 55 000** – LONDRES, 14 nov. 1987 : *La chaumière*, h/t (35,5x46) : **GBP 8 000** – LONDRES, 3-4 mars 1988 : *Soleil couchant sur de gros arbres* 1925, h/t (50x60) : **GBP 9 900** – LONDRES, 29 juil. 1988 : *Feuilles d'automne* 1889, past. (28,5x18,1) : **GBP 2 310** – LONDRES, 2 mars 1989 : *La route de la ferme*, h/t (50x60) : **GBP 8 800** – LONDRES, 21 sep. 1989 : *Jeune hollandaise avec un bouquet de fleurs* 1878, aquar. et gche sur cr. (22,9x14,6) :

GBP 1 045 – NEW YORK, 28 fév. 1990 : *Après-midi dans le Hayfield* 1897-98, h/t (116,8x84,4) : **USD 143 000** – NEW YORK, 28 fév. 1990 : *Midi dans une prairie* 1898, h/t (116,8x84,4) : **USD 143 000** – LONDRES, 7 juin 1990 : *Elizabeth à six ans*, past. et cr. (30,5x23,5) : **GBP 4 620** – LONDRES, 20 sep. 1990 : *Étude pour « La plantation d'un arbre »*, encre (18x19) : **GBP 1 155** – NEW YORK, 23 oct. 1990 : *La porte de la grange*, h/t (76,2x63,5) : **USD 154 000** – LONDRES, 5 juin 1992 : *La porte de la grange*, h/t (62x75) : **GBP 18 700** – LONDRES, 6 nov. 1992 : *Intérieur de grange* 1900, cr., encre et craies de coul. (33x25,5) : **GBP 2 750** – LONDRES, 27 sep. 1994 : *Le lever de la lune*, h/pan. (17x24) : **GBP 1 495** – NEW YORK, 1ᵉʳ nov. 1995 : *L'effaroucheur d'oiseaux* 1887, h/t (123,2x94) : **USD 398 500**.

CLAUSEN Günther
Né en 1885 à Berlin. XXᵉ siècle. Allemand.
Peintre de portraits et décorateur.
Élève du peintre d'histoire Louis Kolitz à l'Académie des Beaux-Arts de Cassel.

CLAUSEN Henrik
Né à Holstein. Mort en 1805 à Copenhague. XVIIIᵉ siècle. Danois.
Peintre de paysages.
Il vivait à Copenhague, dans cette ville très jeune. Il peignit de bons paysages.

CLAUSEN Jakob
Mort à Mulhouse. XVIᵉ siècle. Travaillant à Bâle de 1547 à 1578. Suisse.
Peintre et graveur sur bois.
Clausen peignit le portrait de Basilius Amerbach à Bâle, aujourd'hui au musée de cette ville, il décora la façade de l'Hôtel de Ville à Mulhouse et fournit des gravures sur bois pour la *Cosmographie* de Set. Münster.

CLAUSEN Katherine Frances. Voir **O'BRIEN Katherine Frances,** Mrs

CLAUSIUS Johann Christian
XVIIIᵉ siècle. Allemand.
Dessinateur et orfèvre.
Il travailla à Mayence et à Francfort-sur-le-Main entre 1739 et 1777.

CLAUSNER Jakob Joseph ou **Claussner, Klaussner**
Originaire de Zug. Mort après 1795 à Zug. XVIIIᵉ siècle. Suisse.
Graveur sur cuivre.
Clausner étudia à Paris en 1770. Il était ingénieur et arpenteur. Il travailla à Lucerne et à Zug, dessina et grava des vues, des cartes et des saints, etc. Le Dr Brun rapporte qu'en 1795, un incendie détruisit sa maison et tous les ouvrages qu'elle renfermait. On conserve de lui des gravures de documents des confréries suisses.

CLAUSON Bertha, Miss. Voir **JAQUES**

CLAUSQUIN
XVIᵉ siècle. Vivait à Bordeaux. Éc. flamande.
Peintre.

CLAUSS Berthold
Né en 1882 à Altona. XXᵉ siècle. Allemand.
Peintre, dessinateur et lithographe.
Il travailla tout d'abord comme lithographe dans plusieurs villes d'Allemagne et notamment à Hambourg. Après un voyage en Italie entre 1903 et 1905, il se mit à pratiquer la peinture à l'huile.

CLAUSS Hans Wilhelm. Voir **CLAUS**

CLAUSS Hermann August
XIXᵉ siècle. Allemand.
Peintre.
Il était le père de Berthold Clauss.

CLAUSS Huguette Charlotte
Née à Fondette (Indre-et-Loire). XXᵉ siècle. Française.
Peintre de paysages, de fleurs et d'intérieurs.
Elle a pris part au Salon de la Société Nationale des Beaux-Arts entre 1932 et 1940, et au Salon des Artistes Indépendants à Paris de 1933 à 1943. Ses paysages présentent surtout des vues de Touraine.

CLAUSS Ida
Née à Königsberg. Allemande.
Peintre.

Cette artiste qui travailla à Berlin et à Munich peignit surtout des figures et des paysages.

CLAUSS Louis Eugène
xxe siècle. Français.
Peintre.
Exposant du Salon d'Automne.

CLAUSSE ou Clause
xve siècle. Travaillait à Metz à la fin du xve siècle. Français.
Sculpteur et architecte.

CLAUSSE Fernand
Né le 15 avril 1899 à Termes. Mort le 29 juillet 1967 à Saint-Gilles. xxe siècle. Belge.
Peintre de sujets de genre, portraits, animaux, paysages, dessinateur.
Élève à l'Académie des Beaux-Arts de Bruxelles, il travailla sous la direction de Herman Richir. A côté de son œuvre picturale, il a réalisé des films didactiques et des dessins animés.

CLAUSSEN H. C.
xixe siècle. Vivait à Oldenburg au début du xixe siècle. Allemand.
Peintre.

CLAUSSEN Peter
Né en 1818 à Heineberg. Mort après 1873. xixe siècle. Allemand.
Peintre.
Il peignit surtout des tableaux d'église. Il émigra en Amérique en 1873.

CLAUSSIN Ignace Joseph de, chevalier
Né en 1795. Mort en 1844 à Paris. xixe siècle. Français.
Graveur.
On lui doit : *Bœufs et vaches*, *Les vieux amateurs*, d'après P.-A. Wille, *Étude d'animaux*, d'après Berghem, Paul Potter et Karel Dujardin, *Northcote James Esq.*, d'après Prince Hoare, et des études d'après Rembrandt, Bol, Berghem, Van Eeckout, Boissieu, etc.

CLAUSSNER Jakob Joseph. Voir CLAUSNER

CLAUSSNER Johann Christoph
Né en 1735 à Nuremberg. xviiie siècle. Allemand.
Graveur.
Il travailla seulement dans sa ville natale.

CLAUSTRE Martin
Né vers 1480 à Grenoble. Mort en mai 1524. xvie siècle. Français.
Sculpteur.
Ses premières œuvres remontent à 1511 ; ce sont deux chapelles qu'il sculpta dans l'église de N.-D. de Grenoble, pour le protonotaire apostolique Humbert Belle, et pour le chanoine Hugues Orand. En 1515, il s'engage à sculpter un tombeau où figurent huit statues. Il exécuta ensuite rendu à Blois, il exécuta le tombeau de Charlotte d'Albret, femme de César Borgia (1521). En 1523, il s'engagea à livrer deux ans plus tard à Guillaume de Montmorency cinq statues et un mausolée en marbre et en albâtre, pour l'église Saint-Martin de Montmorency, mais il mourut laissant son travail inachevé. Martin Claustre est considéré comme le maître Dauphinois le plus notable de la Renaissance.

CLAUSTRES René
Né à Fleury-en-Vexin (Oise). Tombé au champ d'honneur durant la Première Guerre mondiale (1914-1918). xxe siècle. Français.
Lithographe.

CLAUWART J.
xve-xvie siècles. Actif à Louvain. Éc. flamande.
Peintre.

CLAUWET. Voir CLOUWET

CLAUX de Maubeuge
xive siècle. Français.
Sculpteur.
Il travaillait en 1382 pour le duc Jean de Berry. A rapprocher peut-être du suivant.

CLAUX de Mayence
xive siècle. Allemand.
Sculpteur.
Il travaillait pour le duc de Berry en 1380. A rapprocher peut-être du précédent.

CLAUZADE Jean Louis. Voir CLAUSADE

CLAUZE Isaac Jacob
Né en 1723 à Berlin. xviiie siècle. Allemand.
Miniaturiste et peintre sur émail.
Il fut professeur à la Manufacture de porcelaine de Berlin.

CLAUZEL Jacques
xxe siècle. Français.
Peintre.
Il montre ses œuvres dans des expositions personnelles à Paris. Ses peintures rigoureusement organisées, toujours sur papier kraft, vont à l'essentiel. Sous le signe de la permanence (un signe anthropomorphe revient dans chaque toile) elles évoquent, dans leur rapport au monde, plus les grottes de Lascaux que l'art contemporain.

CLAVAREAU Auguste François
Né en 1751. Mort en 1805. xviiie siècle. Français.
Artiste.
Son nom ne nous est connu que par sa pierre tombale. Portalis le confond à tort avec P. Clavareau.

CLAVAREAU P.
xviiie siècle. Français.
Peintre de portraits, graveur, dessinateur.
Il travailla surtout pour les libraires à Paris au milieu du xviiie siècle.
Ventes Publiques : Paris, 24 mai 1996 : *Portrait de la comtesse de Rouvres*, h/t ovale (80x65) : **FRF 9 000.**

CLAVARINO Domenico
Originaire de Gênes. xviiie siècle. Italien.
Peintre.
Il peignit, pour l'église des Jésuites de Venise, une *Mort de saint Joseph*. On doit peut-être l'identifier avec le peintre Domenico Chiavarino.

CLAVÉ Antoni
Né le 5 avril 1913 à Barcelone (Catalogne). xxe siècle. Depuis 1939 actif en France. Espagnol.
Peintre de compositions animées, figures, animaux, paysages, natures mortes, peintre à la gouache, peintre de techniques mixtes, collages, peintre de décors de théâtre, cartons de tapisseries, sculpteur, graveur, lithographe, illustrateur. Expressionniste, puis tendance abstraite.
Il ne bénéficia pas d'une formation de favorisé : ouvrier peintre en bâtiment, il suivit les cours du soir de l'Ecole des Beaux-Arts de Barcelone. Dès 1926, il commença à faire des illustrations pour des magazines pour enfants, des affiches pour le cinéma et des décors. En 1934, dans ses travaux publicitaires, il utilisait déjà des tissus imprimés, du papier-journal, des collages de cordes. Vingt ans plus tard, il réutilisera ces procédés dans ses peintures. En 1936, la guerre civile interrompit ses activités, il devint combattant de l'armée républicaine. Il passa en France en 1939, fut interné à Prats de Molló, puis au Camp des Haras à Perpignan. Il fut libéré grâce à Martin Vivès. En 1939 encore, il exposa les dessins et gouaches qu'il avait effectués dans les camps et arriva à Paris le 5 avril. Dans ses premières années parisiennes, il fut d'abord influencé par Vuillard et Bonnard, puis impressionné par Soutine : *La rue Boissonnade* 1942 (où il habitait), *Le coq à la chaise* 1944. Un grand choc, ce fut lorsqu'en 1944 il connut Picasso. En 1944 aussi, la Société Nationale des Beaux-Arts lui attribua son Grand Prix. À partir de 1944, commença pour lui une brillante carrière d'illustrateur et décorateur de théâtre. Il créa les décors et costumes pour les ballets *Los Caprichos* au Théâtre des Champs-Élysées, pour *Le Prince travesti* de Marivaux à la Comédie Française. Il illustra *La Dame de pique* de Pouchkine en 1946, *Candide* de Voltaire en 1948, *Carmen* de Prosper Mérimée, *Gargantua* de Rabelais en 1953. Puis commença la série des *Ballets de Roland Petit* pour lesquels il imagina décors et costumes : 1949 *Carmen*, 1950 *Ballabile* au Covent Garden de New York, 1951 *Revanche* monté à Chicago, 1953 *Deuil en vingt-quatre heures*, 1955 *La Peur*. Durant toute cette période, il fut très sollicité : en 1952, il alla aux États-Unis pour créer les costumes et décors du film *Hans Christian Andersen*. Il a participé à de nombreuses expositions collectives et montre les œuvres de ses époques successives dans des expositions personnelles nombreuses à travers le monde, parmi lesquelles, depuis la première à Paris en 1945 : 1957 Galerie Beyeler à Bâle, 1961 *25 ans de peinture* au Musée Rath de Genève, 1965 Sala Gaspar à Barcelone, 1970 à Antibes, 1971 Palais de la Méditerranée à Nice, 1974 Galerie Weintraub de New York, 1975

Galerie Sapone de Nice, 1978 *En marge de la Peinture* au Musée National d'Art Moderne du Centre Beaubourg, en même temps qu'au Musée d'Art Moderne de la Ville de Paris, 1980 Bibliothèque Nationale de Madrid, 1981 Musée des Augustins de Toulouse, 1984 au Pavillon Espagnol de la Biennale de Venise, 1985 *Hommage à Picasso* Galerie Regards de Paris, 1986 exposition circulante dans les musées de Tokyo, Osaka, Yamanaski-ken, Hakone, 1989 Galerie Patrice Trigano à Paris, 1990 Galerie Marbeau à Paris pour ses peintures sur New York où il est retourné, 1992 la Galerie Marbeau présente ses sculptures au *Salon de Mars*, etc. Depuis 1965, il s'est fixé totalement à Saint-Tropez, où il dispose de vastes espaces.

Lors de sa première exposition à Paris en 1945, juste avant la période des décors de théâtre, il peignait des combats de coqs et des scènes de tauromachie. En 1955, Clavé se rendit compte que son activité était entièrement absorbée par les commandes de travaux de décors. Il abandonna alors tout ce qui concernait le spectacle : « On m'a étiqueté comme décorateur, alors que je ne veux être que peintre ». Il se mit alors à peindre les *Guerriers – Chevaliers – Reines – Rois* de jeux de cartes, à la fois hiératiques et bouffons, monumentaux et fragiles, mélange de peinture, d'empâtements, de bouts d'étoffes, de collages divers. En tant que constante de son style : sur des fonds de teintes sourdes, gris et bruns, montent les couleurs vives et éclatent les rouges. Sur des formes indéterminées, si proches de l'abstraction informelle, de rares graffitis sommaires indiquent les points de repère qui permettent encore d'identifier un personnage. À partir de 1957, il a peint sur des tapis, y créant des assemblages d'empreintes, ajoutant des déchets, des ferrailles, s'orientant progressivement vers la sculpture, particulièrement autour de 1960. En 1962, il composa une *Armoire aux objets*. Son activité avec les objets-sculptures ne se faisait qu'en marge de la peinture ; en 1964 il commença des compositions de grandes dimensions, des natures mortes dans lesquelles dominent les tons bleu-nuit.

À partir de son installation en 1965 à Saint-Tropez, dont le climat se rapproche de celui de sa terre natale, et peut-être pour cette raison, s'est épanouie son exubérance toute hispanique. Des fonds sombres et jusqu'aux noirs, qui ont toujours été une couleur pour les Espagnols, il fait surgir les couleurs, plus éclatantes de se confronter au noir, telles qu'elles ont fait dire à Pierre Seghers qu'« avec lui, nous pénétrons dans les chambres d'échos de la couleur ». Il réalisa des lithographies et des toiles en *Hommage à Domenikos Theotokopoulos*. Puis il s'inspira de Gaudi, de son imagination foisonnante, de sa magie délirante particulièrement au Parc Güell. Dans des peintures qui frôlent l'abstraction, les matières et les couleurs se juxtaposent, se superposent, s'amalgament, se répondent, s'affrontent dans des confusions maîtrisées. Autour de 1980, il a beaucoup utilisé l'aérographe dont les projections sur du papier froissé ou sur des pochoirs produisent des effets de trompe-l'œil, de reliefs, de dentelles. Il semble avoir consacré de plus en plus de temps à ses sculptures, pratiquement entièrement composées de matériaux de rebut ou de détritus ramassés, qui, grossièrement assemblés, deviennent masques, sculptures-objets, tableaux-jouets.

Clavé a dû faire effort pour combattre ses immenses facilités de décorateur-né. Il détermine sa peinture, sa sculpture, à l'inverse du plaisant, par des heurts aussi bien dans les formes que dans la couleur, des contrastes, des oppositions, où s'exprime d'ailleurs le fonds d'inquiétudes de son caractère intime, que sa pudeur dissimule aux autres sous une inépuisable vitalité et une irremplaçable chaleur amicale. ■ Jacques Busse

Clavé

BIBLIOGR. : J. Perrucho : Catalogue de l'exposition *Antoni Clavé*, Sala Gaspar, Barcelone, 1965 – André Verdet : *Antoni Clavé*, Galerie des Arts, Paris, 1967 – in : *Les Muses*, Grange Batelière, Paris, 1971 – Pierre Cabanne : Catalogue de l'exposition *Clavé, peintures, tapisseries, assemblages, sculptures, gravures*, Palais de la Méditerranée, Nice, 1971 – in : *Diction. Univers. de la Peint.*, Robert, Paris, 1975 – Caroline Benzaria : *Antoni Clavé – Voyage à New York*, Opus International, Paris, sept. 1990.

MUSÉES : ANTIBES (Mus. Picasso) – BARCELONE (Fonds d'Art de la Generalitat) – BARCELONE (Mus. d'Art Contemp.) – BOSTON – CASTRES – CINCINNATI (Fond. Fleischmann) – COLMAR (Mus. d'Unterlinden) – CRACOVIE – EVANSVILLE – FIGUERES (Mus. de l'Emporda) – GENÈVE (Mus. d'Art et d'Hist.) – HAKONE (Hakone Open Air Mus.) – KYOTO (Nat. Mus. of Art) – LUXEMBOURG (Mus. Nat. d'Art et d'Hist.) – MADRID (Mus. d'Art Contemp.) – NICE (FRAC) – OSAKA (Nat. Mus. of Art) – PARIS (Mus. Nat. d'Art Mod.) – *Roi – Reine* 1957 – PERPIGNAN (Mus. Rigaud) – PRAGUE (Gal. Nat.) – SÉOUL (Sami Sung Mus.) – STOCKHOLM – TEL-AVIV – TOKYO – TOULOUSE (Mus. des Augustins) – YAMANASHI-KEN (Mus. Kiyohary Shirakaba).

VENTES PUBLIQUES : NEW YORK, 19 mars 1958 : *Paysage de Provence* : USD 1 100 – PARIS, 18 mars 1959 : *L'Enfant au chat* : FRF 1 350 000 – NEW YORK, 26 mars 1960 : *Paysage au soleil rouge* : USD 3 000 – LONDRES, 6 juil. 1960 : *Artiste et Modèle* : GBP 2 500 – PARIS, 21 juin 1961 : *Deux rois* : FRF 12 000 – GENÈVE, 18 nov. 1961 : *Poisson*, gche : CHF 5 700 – NEW YORK, 18 nov. 1964 : *Roi à la grosse tête rouge et bleue* : USD 4 100 – GENÈVE, 18 nov. 1967 : *Coupe aux poissons* : CHF 9 500 – PARIS, 7 nov. 1970 : *Le Guerrier* : FRF 15 000 – PARIS, 27 nov. 1972 : *Nature morte au compotier* : FRF 30 000 – MADRID, 20 oct. 1976 : *Tauromachie*, gche (50x65) : ESP 38 500 – MADRID, 1er avr. 1976 : *Le jardin*, h/t (64x100) : ESP 525 000 – LONDRES, 1er avr. 1977 : *Carmen et Don José*, gche (160x120) : GBP 1 500 – VERSAILLES, 4 déc. 1977 : *Composition en bleu et blanc/fond rouge* (100x114) : FRF 38 500 – VERSAILLES, 7 juin 1978 : *Composition*, h. et collage (63x53) : FRF 32 000 – PARIS, 22 mars 1979 : *Nativité*, gche, encre et lav. (50x65) : FRF 15 000 – NEW YORK, 10 avr. 1980 : *Composition*, gche et encre de Chine (52,2x76) : USD 2 500 – PARIS, 21 oct. 1981 : *Jeune fille à la pastèque*, aquar. gchée (71x51) : FRF 31 000 – PARIS, 8 déc. 1982 : *Guerrier*, aquar., lav. et collage (56x76) : FRF 20 000 – LONDRES, 30 juin 1983 : *Visage de roi* 1960, gche/pap. (56x80) : GBP 5 400 – NEW YORK, 17 mai 1984 : *Forme n°5* 1960, bronze, patine noire, rouge et vert pâle (H. 34) : USD 3 000 – PARIS, 22 juin 1984 : *Le peintre et son modèle*, aquar. gchée (54x73) : FRF 51 000 – BARCELONE, 29 mai 1985 : *Composition*, techn. mixte/pap. (74x54) : ESP 650 000 – COLOGNE, 10 déc. 1986 : *Le roi* 1958, h/isor. (130x97) : DEM 100 000 – LONDRES, 2 juil. 1987 : *Joueur de mandoline* 1959, aquar., pl. et gche/pap. mar./cart. (79,5x60,5) : GBP 31 000 – NEW YORK, 7 oct. 1987 : *Rey* 1957, h. et collage/cart. (75x55,2) : USD 47 500 – LONDRES, 25 fév. 1988 : *Nature morte rouge*, h/t (53x72,5) : GBP 30 800 – LONDRES, 29 mars 1988 : *Paysage*, h/pap. mar./t. (56x77) : GBP 22 000 – NEW YORK, 3 mai 1988 : *Paysage*, h/t (48,3x58,4) : USD 35 750 – PARIS, 20-21 juin 1988 : *Composition* 1975, h., gche et collage/pap. (74x54) : FRF 145 000 – PARIS, 27 juin 1988 : *Femme assise avec son enfant*, techn. mixte (45x37) : FRF 60 000 – GRANDVILLE, 16-17 juil. 1988 : *M. Laurent Martin assis* 1939, h/pan. : FRF 30 000 – NEW YORK, 6 oct. 1988 : *Cruchon : Pipa le pêcheur* 1964, verre coloré (H. 32,4) : USD 5 720 – LONDRES, 20 oct. 1988 : *Nature morte rouge et bleu* 1956, h/t (80x99,2) : GBP 78 100 – PARIS, 21 oct. 1988 : *Guerrier au fond rouge* 1960, h/pap. (100x74) : FRF 655 000 – LONDRES, 23 fév. 1989 : *Poisson*, h. et collage/pap. (50x110) : GBP 50 600 – PARIS, 23 mars 1989 : *Le Centaure*, gche et collage (132x80) : FRF 300 000 – LONDRES, 6 avr. 1989 : *Nature morte au poisson blanc* 1957, h/t (163x177) : GBP 110 000 – MONACO, 3 mai 1989 : *Deux poissons*, h/cart. (50x65,5) : FRF 399 600 ; *Les deux rois*, h/pan. (99x130) : FRF 2 331 000 – NEW YORK, 10 mai 1989 : *Hommage à Domenikos Theotokopoulos* 1964, h/t (160x111,8) : USD 187 000 – LE TOUQUET, 14 mai 1989 : *Composition* 1979, techn. mixte (75x55) : FRF 162 000 – PARIS, 9 juin 1989 : *Nature morte* 1954, h/t (73x92) : FRF 650 000 – LONDRES, 29 juin 1989 : *Le roi à la fleur*, h/t (132x147,3) : GBP 132 000 – NEW YORK, 5 oct. 1989 : *Chaise au panier* 1946, h/t (81x100,3) : USD 99 000 – PARIS, 9 oct. 1989 : *Roi* 1957, h. et collage/pap. (76x57) : FRF 1 180 000 – PARIS, 20 nov. 1989 : *Hommage à Domenikos Theotokopoulos, Hommage au Greco*, h/t (160x11,8) : FRF 1 300 000 – VERSAILLES, 26 nov. 1989 : *Reine*, h/t (100x75) : FRF 1 560 000 – VERSAILLES, 10 déc. 1989 : *Composition*, grav. au carborundum : FRF 9 000 – LONDRES, 22 fév. 1990 : *Assemblage sur bleu* 1976, h. et collage/t. (162x130) : GBP 93 500 – PARIS, 28 mars 1990 : *Composition au personnage*, h/t (50x61) : FRF 570 000 – PARIS, 1er avr. 1990 : *Fillette en rouge* 1953, h/t (73x50) : FRF 1 700 000 – NEW YORK, 16 mai 1990 : *Arlequin*, gche blanche et encre/pap. noir (60,9x45,1) : USD 49 500 – NEW YORK, 2 oct. 1990 : *Paysage* 1956, h/t (73x92,1) : USD 99 000 – LONDRES, 18 oct. 1990 : *Deux rois* 1958, gche/pap. (73x103) : GBP 52 800 – PARIS, 28 nov. 1990 : *La jeune fille et la cage*, h/t (60x61) : FRF 600 000 – PARIS, 29 nov. 1990 : *La Bourbonnaise*, aquar., gche et trait de cr. (22x18) : FRF 9 000 – STOCKHOLM, 5-6 déc. 1990 : *Nature morte*, h/t (54x65) : SEK 214 000 – PARIS, 14 fév. 1991 : *Roi à la pipe* 1957, h. et matières sur isor. (72x72) : FRF 600 000 – NEW YORK, 15 fév. 1991 : *Homme assis avec une cage à oiseau*, gche et lav./pap.

(68,6x48,9) : **USD 68 750** – AMSTERDAM, 22 mai 1991 : *Nature morte avec un poisson* 1958, h/pap./t. (56x76,5) : **NLG 51 750** – PARIS, 30 mai 1991 : *La fenêtre*, h/cart. (18x26,5) : **FRF 120 000** – MONACO, 11 oct. 1991 : *Le tricorne (chapeau découpé) pour le ballet les Caprichos*, h. et gche/tissu de pap. (forme irrégulière 18x34) : **FRF 35 520** – NEW YORK, 6 nov. 1991 : *Pastèque noire, nature morte sur fond blanc* 1956, h/t (81,3x100,5) : **USD 121 000** – NEW YORK, 7 nov. 1991 : *L'homme à la pastèque*, h/t (115,6x80) : **USD 143 000** – MADRID, 28 nov. 1991 : *Le guerrier, la femme et l'enfant*, bronze (26,5x21x9) : **ESP 1 232 000** – PARIS, 21 fév. 1992 : *Étoiles et gants* 1974, grav. au carborundum en coul. (85x63) : **FRF 6 000** – MADRID, 28 avr. 1992 : *Deux mains noires (Hommage à Domenikos Theotokopoulos)* 1964, h. et encre/cart./rés. synth. (112x75,5) : **ESP 4 800 000** – NEW YORK, 13 mai 1992 : *Guerrier au fond rouge* 1960, h., collage et fus. sur tapisserie sur t. (145,7x114,5) : **USD 137 500** – LONDRES, 29 mai 1992 : *Hommage au Gréco* 1964, h/pap./t. (105x73) : **GBP 44 000** – PARIS, 13 juin 1992 : *Sans titre*, gche (50x66,5) : **FRF 90 000** – PARIS, 26 nov. 1992 : *Le roi de cartes* 1957, h/pap./pan. (104x75) : **FRF 455 000** – MADRID, 26 nov. 1992 : *La jeune femme et le mannequin*, h/t (115x145) : **ESP 10 340 000** – ROME, 14 déc. 1992 : *Roi rouge* 1959, h/t (100x65) : **ITL 74 750 000** – AMSTERDAM, 27-28 mai 1993 : *La Reine Toule*, argent (27x12) : **NLG 6 210** – PARIS, 14 juin 1993 : *Composition* 1983, peint. et collage (130x195) : **FRF 132 000** – PARIS, 21 oct. 1993 : *Guerrier aux feuilles* 1973, h/t (143x111,5) : **FRF 210 000** – LONDRES, 2 déc. 1993 : *Poisson à la table noire* 1959, h. et collage/t. (110x110) : **GBP 25 300** – PARIS, 8 mars 1994 : *Homme en papier froissé* 1977, h/rés./t. (76x56) : **FRF 80 000** – NEW YORK, 11 mai 1994 : *Roi* 1957, h/rés. synth. (99,7x80,6) : **USD 51 750** – LONDRES, 30 juin 1994 : *Les trois musiciens* 1955, encre, aquar., past. et collage de pap./pap./bois (73x99) : **GBP 35 600** – PARIS, 26 nov. 1994 : *La nourrice* 1962, bronze (86x60x48) : **FRF 90 000** – PARIS, 19 juin 1995 : *Petit Arlequin à la mandoline* 1949, h/pan. (126x100,5) : **FRF 302 000** – NEW YORK, 8 nov. 1995 : *Arlequin* 1948, h/t (81x64,8) : **USD 75 100** – LONDRES, 30 nov. 1995 : *La Reine* 1957, h/pap./t. (100x73) : **GBP 43 300** – PARIS, 30 sep. 1996 : *Retour du Japon* 1986, techn. mixte/pap. (77x56) : **FRF 7 000** – LONDRES, 24 oct. 1996 : *Les Saintes Maries* 1950, h/pap./pan. (49x64) : **GBP 20 700** – PARIS, 4 déc. 1996 : *En vert et rouge*, eau-forte, aquat. et grav./polybéton coul. (90x63,5) : **FRF 6 500** – PARIS, 20 jan. 1997 : *Projet de costume* 1949, gche, quatre peintures (30x22,5) : **FRF 15 000** – PARIS, 28 avr. 1997 : *Feuilles noires* 1966, gche et h/pap. (55x74) : **FRF 38 000** ; *Couple dans la rue* vers 1950, gche/pap. (44,5x57) : **FRF 21 000** ; *El Picador* 1948, gche et encre de Chine/pap. (75,5x56) : **FRF 52 000** – LONDRES, 20 mars 1997 : *Nature morte* 1943, h/pan. (54x65) : **GBP 12 075** – PARIS, 29 avr. 1997 : *Petit Arlequin à la cage* 1948-1949, h/t (61x38) : **FRF 160 000** – PARIS, 25 juin 1997 : *Sans titre* 1947, h/pan. (61x46) : **FRF 93 000** – LONDRES, 27 juin 1997 : *Paysanne au panier* 1954, h/t (71,5x45,7) : **GBP 19 550** – PARIS, 4 nov. 1997 : *Poisson à l'œil rouge* 1957, h. et collages/cart. (46x55) : **FRF 50 000** – PARIS, 4 oct. 1997 : *Le Gant* 1973, gche, past. et feuille alu./pap. (40x32) : **FRF 10 000**.

CLAVÉ Raymond
Né à Biarritz (Basses-Pyrénées). XXe siècle. Français.
Peintre.
Exposant des Indépendants.

CLAVÉ Y ROQUÉ Pelegrin
Né en 1810 ou 1811 à Barcelone (Catalogne). Mort le 13 septembre 1880 à Rome. XIXe siècle. Espagnol.
Peintre d'histoire, sujets allégoriques, portraits, pastelliste, dessinateur.
Il fit ses études à l'Académie Saint Lucas de Rome à l'époque du séjour d'Ingres. Appelé par le gouvernement mexicain il participa à l'organisation de l'Académie San Carlos en 1846, et en devint directeur pendant vingt ans. Il eut pour élèves José Salomé Pina, Santiago Rebull et Felipe S. Gutierres. En disgrâce auprès de l'Empereur Maximilien il revint en Europe en 1868. Il mourut au cours d'un voyage à Rome. Son style fut influencé par l'œuvre de son contemporain Ingres.
VENTES PUBLIQUES : NEW YORK, 22-23 nov. 1993 : *Esquisse préparatoire du décor de la coupole du Temple de la Miséricorde de Barcelone*, graphite/pp.vélin (28,3x60) : **USD 14 950** – NEW YORK, 17 nov. 1994 : *Portrait d'une dame ; Portrait d'un bourgeois* 1834, past./soie/pap., une paire (61x49 et 59,3x45,8) : **USD 27 600** – LONDRES, 17 avr. 1996 : *Le refus de la couronne* 1845, h/t (100x138) : **GBP 1 840**.

CLAVEAU Antoine
XIXe siècle. Actif aux États-Unis. Français.

Peintre.
Actif de 1854 à 1872. D'origine française, il peignait des paysages et des portraits et vivait à San Francisco au milieu du XIXe siècle.
VENTES PUBLIQUES : NEW YORK, 10 mars 1993 : *Cascade dans les Yosémites* 1858, h/t (90,8x122,6) : **USD 18 400** – NEW YORK, 12 sep. 1994 : *Paysage montagneux* 1858, aquar./pap. (35,9x51,4) : **USD 1 380**.

CLAVEAU Eugène Pierre
Né à Bordeaux (Gironde). XIXe siècle. Français.
Peintre de paysages animés, paysages, aquarelliste.
Il fut élève de M. Galard. Il débuta au Salon de Paris en 1870 avec : *Brouillard dans les Landes*.
MUSÉES : BORDEAUX : *Retour des laitières*.
VENTES PUBLIQUES : LONDRES, 25 mars 1987 : *Les jeunes pêcheurs – Canards au bord de l'eau*, deux h/pan. l'un daté de 1854 (46x38) : **GBP 3 600**.

CLAVEAUX Claude Auguste
XVIIIe siècle. Actif à Valence (Drôme) en 1789. Français.
Peintre de paysages et de miniatures.
Élève de Fontainieu et de Bertin.

CLAVEKIN
XVe siècle. Actif à Bruges vers 1471. Éc. flamande.
Enlumineur.

CLAVEL Bernard Charles Henri
Né le 25 mai 1923 à Lons-le-Saulnier (Jura). XXe siècle. Français.
Écrivain, peintre, aquarelliste.
L'écrivain connu, Prix Goncourt 1971, avait dans sa jeunesse pensé vivre de sa peinture, qu'il pratiquait en autodidacte depuis 1938 : « La petite boîte d'aquarelle que je traîne partout dans ma poche est un outil merveilleux. Certains instants qui provoquent chez moi une sorte de frisson m'échapperaient totalement si mon pinceau ne les saisissait pas ». Il exposait huit œuvres au Salon des Réalités Nouvelles de 1953, ce qui induit des peintures abstraites. En novembre 1986, il montra un ensemble de ses aquarelles, cette fois des paysages librement interprétés, à l'Orangerie du Parc de Villeroy-Mennecy (Essonne).

CLAVEL Émile
Né au XIXe siècle à Paris. XIXe siècle. Français.
Paysagiste.
Élève de Kuwasseg et de Oudry. Il débuta au Salon de 1878. Il exposa régulièrement depuis cette époque.

CLAVEL Gustave
Né à Saint-Rambert-d'Albon (Drôme). Mort le 27 juillet 1938. XXe siècle. Français.
Peintre de paysages.
Il fut élève d'Alfred Loudet et Fernand Sabatté. Il exposait à Paris, au Salon des Artistes Français, dont il devint sociétaire. Il y figura aussi au Salon des Artistes Indépendants.

CLAVEL Ismaël Adolphe
Né à Codognan (Gard). XIXe siècle. Français.
Peintre de portraits.
Élève d'Alexandre Cabanel. Il débuta au Salon de 1880.

CLAVEL Marie Joseph Léon. Voir **IWILL**

CLAVEL Marie Rose
Née à Suresnes (Seine). XXe siècle. Française.
Graveur.

CLAVEL Olivia Télé
Née en 1955. XXe siècle. Française.
Graphiste et peintre. Figuration libre.
Elle a fait ses études à l'École des Beaux-Arts de Paris en 1973 et participé à la fondation en 1974 du groupe « Bazooka ». En 1975-76 elle crée les revues du groupe « Loukoum Breton » et participe à Charlie Mensuel, Hara-Kiri, Métal Hurlant. Elle participe aux différentes publications Bazooka en 1977, 1978, a publié un album « Télé au royaume des ombres ». Elle a présenté ses peintures lors d'expositions collectives : 1985 « Les médias peintres » à la Maison de la culture de Rennes, 1986 « Rumeurs d'images » organisée à Berlin Est, « Paris-Lisbonne » à Lisbonne au Centre Culturel Français, « Libertés en peinture » à Paris et « Les allumés de la Télé » à la Grande Halle de la Villette à Paris. En 1981 elle a exposé personnellement son travail chez Élisabeth de Senneville.
Sa peinture s'inscrit totalement dans le mouvement de la figura-

tion libre. L'influence du dessin de bande dessinée est évidente. Une débilité manifeste de l'image, de l'action représentée, des textes des légendes et des « bulles » (et de l'orthographe !), ne peut être que voulue, et caractérise bien ce courant dans son ensemble. ∎ J. B.

VENTES PUBLIQUES : PARIS, 25 juin 1986 : *« Va me chercher du cheval »* 1986, acryl./t. (155x165) : FRF 7 000 – VERSAILLES, 28 juin 1987 : *Amène-toi petite télé* 1987, acryl./t. (135x135) : FRF 5 000 – PARIS, 13 avr. 1988 : *Télé en studio,* acryl./t. (140x140) : FRF 5 000 ; *Télé assommée,* acryl./t. (140x140) : FRF 5 000 – PARIS, 16 juin 1988 : *Télé assommée* 1988, acryl./t. (106x132) : FRF 4 200 – PARIS, 12 fév. 1989 : *Chaude fille au feu, acryl./t* 1988 (100x120) : FRF 5 000 – PARIS, 25 mars 1990 : *Rue de la femme sans tête* 1990, h/t (100x80,5) : FRF 12 000 – PARIS, 28 oct. 1990 : *Sans titre,* acryl./t. (130x97) : FRF 15 000 – PARIS, 20 mai 1992 : *Deux filles ricanent...* 1986, h/t (161x151) : FRF 3 800.

CLAVEL Théodore
Né le 6 mai 1817 à Avignon (Vaucluse). XIXᵉ siècle. Français.
Peintre de genre.
Élève de Yvon ; lauréat du prix Calvet en 1857. Le Musée d'Avignon a de lui : *La marchande de gibier.*

CLAVELIN Paul
Né à Rio de Janeiro (Brésil). XIXᵉ-XXᵉ siècles. Français.
Sculpteur.
Il exposait un *Groupe de singes* au Salon de la Nationale en 1914.

CLAVELLI Menico Antonio di Jacopo dei
XVIᵉ siècle. Italien.
Sculpteur.
Il travaillait en 1507 pour la basilique Saint-Pierre-de-Rome.

CLAVER Fernand
XXᵉ siècle. Français.
Peintre de paysages urbains.
Il peint les paysages parisiens.
VENTES PUBLIQUES : MONTRÉAL, 25 avr. 1988 : *L'église de La Madeleine à Paris,* h/t (48x61) : CAD 800.

CLAVER Luis
XVᵉ siècle. Travaillait à Barcelone vers 1412. Espagnol.
Peintre.

CLAVERE Frédéric
Né en 1960. XXᵉ siècle. Français.
Peintre de sujets divers.
Il vit et travaille à Marseille.
Il participe à des expositions collectives depuis 1987 : 1987 CREDAC à Ivry-sur-Seine. Il montre ses œuvres dans des expositions personnelles, à Marseille régulièrement depuis 1989.
Il aborde la nature morte, le portrait, le paysage, la scène de genre, de manière fort libre, refusant la narration, pour privilégier son plaisir de peindre.
BIBLIOGR. : Annie Chevrefils Desbiolles : *Frédéric Clavere,* Art Press, n° 192, juin 1994.

CLAVERIE Jules Justin
Né le 6 juin 1859 à Marseille (Bouches-du-Rhône). Mort en 1932. XIXᵉ-XXᵉ siècles. Français.
Peintre de paysages animés, paysages, marines, natures mortes.
Élève de l'école des Beaux-Arts de Marseille. Il exposa au Salon des Artistes Français depuis 1897. Médaille d'or, hors-concours en 1923.
MUSÉES : NICE : *Une route à Aubagne (Provence).*
VENTES PUBLIQUES : NEW YORK, 18 sep. 1980 : *Lavandières au bord d'une rivière en Provence,* h/t (119,5x162,5) : USD 4 000 – NEW YORK, 20 mars 1985 : *Paysage fluvial,* h/t (94x125) : USD 2 600 – LONDRES, 6 juin 1990 : *Nature morte de fleurs et de fruits* 1886, h/t (69x97) : GBP 4 620 – CALAIS, 15 déc. 1996 : *Rivage méditerranéen animé,* h/t (38x55) : FRF 8 000.

CLAVET Gabriel. Voir CLOUWET Gabriel

CLAVET Michel
Mort en 1497. XVᵉ siècle. Actif à Valenciennes. Éc. flamande.
Peintre d'histoire.

CLAVIN. Voir RUESCH Nicolaus

CLAVO Pépa
Née à Madrid. XXᵉ siècle. Espagnole.
Peintre de compositions animées, scènes d'intérieurs. Naïf.
Elle commença à peindre en 1977. Elle figure à de nombreuses expositions en Espagne. A Paris, elle participe au Salon International d'Art Naïf.
Elle affectionne les scènes d'intérieur, où, dans des décors de théâtre, les jolies brunes se mettent à l'aise.

CLAVO Vicente
Né en 1923 à Madrid. XXᵉ siècle. Espagnol.
Peintre de portraits, figures, dessinateur, sculpteur, céramiste. Tendance expressionniste.
Il reçoit une bourse d'étude qui lui permet d'aller étudier en Italie. Il voyage régulièrement, notamment aux États-Unis. Il participe à des expositions collectives, dont en 1948, au Salon d'Automne, à Madrid. Il réalise sa première exposition personnelle en 1947, à Madrid, et expose aussi aux États-Unis, en Italie, et en Allemagne. Sa peinture, de tendance expressionniste, décline une figuration faite de portraits, de figures, particulièrement colorés, ainsi que des scènes de la vie quotidienne.
MUSÉES : BUFFALO (Mus. Albright) – HARTFORD (Mus. Huntington) – NEW YORK (Gal. of Mod. Art) – PHILADELPHIE (Mus. of Mod. Art) – SAN FRANCISCO (Young Mus.).

CLAW Peter
XVIIᵉ siècle. Allemand.
Peintre.
Il fut reçu bourgeois de Leipzig en 1602.

CLAXTON Adélaïde, plus tard Mrs **G. G. Turner**
Née dans la première moitié du XIXᵉ siècle. XIXᵉ siècle. Britannique.
Peintre, aquarelliste, dessinateur.
Elle était la fille de Marshall Claxton. Elle exposa à la Royal Academy et à la Suffolk Street Gallery, à Londres.
VENTES PUBLIQUES : LONDRES, 26 jan. 1987 : *Wonderland,* aquar. reh. de gche (60x52) : GBP 3 600.

CLAXTON Florence Anne, plus tard Mrs **Farrington**
Née vers 1840. XIXᵉ siècle. Britannique.
Peintre de compositions à personnages, aquarelliste.
Elle était la fille de M. Claxton.
VENTES PUBLIQUES : LONDRES, 23 nov. 1982 : *Woman's work a medley* 1861, h/t haut arrondi (51x61) : GBP 3 000 – LONDRES, 20 juin 1989 : *Le choix de Pâris : une idylle,* aquar. avec reh. de gche et peint. or (32,5x42) : GBP 33 000.

CLAXTON Marshall
Né en 1811 ou 1812 à Bolton. Mort en 1881 à Londres. XIXᵉ siècle. Britannique.
Peintre d'histoire, compositions religieuses, portraits.
Il fut élève de John Jackson et travailla à l'École de la Royal Academy. Il débuta par un portrait de son père en 1832 et peignit ensuite *L'Étoile du soir.* En 1834, il obtint la première médaille de l'École de peinture, en 1835 la médaille d'or de la Société des arts, en 1843, un prix de 100 livres pour un tableau, *Albert le Grand dans le camp des Danois.* Ses œuvres furent exposées à la Society of British Artists, à la British Institution, et à la Royal Academy. Il partit pour l'Australie, en 1850, avec l'intention d'y fonder une école d'art, il organisa une exposition de près de 200 de ses ouvrages qu'il avait emportés, mais il comprit bientôt que son projet était irréalisable et quitta l'Australie pour les Indes où il vendit ses toiles les plus importantes.
Il rapporta de ses voyages un grand nombre de croquis. On voit de lui, dans l'École Saint-Étienne (Westminster), un grand tableau qui lui avait été commandé par la baronne Burdett-Cautts et qui représente *Le Christ bénissant les enfants.*
MUSÉES : LONDRES (Victoria and Albert Mus.) : *Le Christ mort –* SALFORD : *John Wesley à Oxford –* SYDNEY : *Mr John N... et Mme Dickinson –* Mlle Hélène M. Dickinson.
VENTES PUBLIQUES : LONDRES, 4 et 5 mai 1922 : *Le Christ bénissant les petits enfants :* GBP 11 ; *Spencer lisant « The fairy queen » à Raleigh :* GBP 8 – LONDRES, 11 juin 1970 : *Prières :* GNS 130 – LONDRES, 4 mars 1980 : *Le bel Égyptien* 1867, h/t (30,5x40,5) : GBP 1 050 – LONDRES, 15 déc. 1993 : *Portrait d'un jeune garçon en habit rouge et pantalon tenant une bate de cricket dans une main et un chapeau à plumet dans l'autre* 1834, h/t (111,8x88) : GBP 4 600 – LONDRES, 7 juin 1995 : *Les visiteurs de la Tour de Londres,* h/t (105x186) : GBP 11 500.

CLAY Alfred Barron
Né en 1831 à Walton-le-Dale (près de Preston). Mort en 1868 à Rainhill (près de Liverpool). XIXᵉ siècle. Britannique.
Peintre d'histoire, portraits.
Après avoir fait ses études de droit, il étudia la peinture à l'École de la Royal Academy. Il commença à exposer à Londres, à Suf-

folk Street Gallery et à la British Institution en 1852 ; à la Royal Academy en 1855.

Il peignit plusieurs portraits, mais il est surtout connu pour ses tableaux d'histoire, entre autres : *Le retour de Charles II à White-hall en 1660*, peint en 1867, *Charles IX et sa cour au massacre de la Saint-Barthélemy*, 1864, et *Le Huguenot*, 1865.

VENTES PUBLIQUES : LONDRES, 10 juin 1970 : *L'emprisonnement de Marie Stuart* : **GNS 130** – LONDRES, 8-9 juin 1993 : *Conversation 1863*, h/t (76x63) : **GBP 8 625.**

CLAY Arthur Temple Felix, Bart, Sir
Né en 1842. Mort en 1928. XIXe-XXe siècles. Britannique.
Peintre de genre, paysages.
Il exposa à partir de 1872 à la Royal Academy, à Suffolk Street, à la New Water-Colours Society, à la Grafton Gallery et à la New Gallery, à Londres.
VENTES PUBLIQUES : LONDRES, 4 mars 1980 : *Automne-hiver 1891*, deux h/t (28x42) : **GBP 600.**

CLAY Edward W.
Né en 1792 à Philadelphie. Mort en 1857 à New York. XIXe siècle. Américain.
Graveur aquafortiste et lithographe.

CLAY Elizabeth Campbell Fisher
Née en 1871 à Didham (Massachusetts). Morte en 1959. XXe siècle. Américaine.
Peintre de portraits, de paysages et de fleurs.
VENTES PUBLIQUES : LONDRES, 30 sep. 1986 : *Ring-o-Roses*, h/t (61x66) : **GBP 750** – NEW YORK, 17 mars 1994 : *Scène de rue*, h/t (40,6x49,5) : **USD 3 450.**

CLAY Henry
XIXe siècle. Américain.
Graveur.
Il exécuta une caricature à Philadelphie en 1829.

CLAY Jacques
XVe siècle. Français.
Sculpteur sur bois.
Il fit, en 1497, une partie des stalles de l'abbaye de Saint-Bertin, à Saint-Omer.

CLAY John
XIXe siècle. Actif à Ramsgate. Britannique.
Peintre de marines.
Il exposa de 1837 à 1856 à la Royal Academy, à la British Institution et à Suffolk Street, à Londres.
VENTES PUBLIQUES : LONDRES, 6 mars 1968 : *Barques de pêche et voiliers devant la côte*, deux pendants : **GBP 180** – LONDRES, 6 juin 1984 : *Le « Blenheim » en mer*, h/t (36x46) : **GBP 1 000.**

CLAY Mary F. R.
Née au XIXe siècle à Philadelphie. XIXe siècle. Américaine.
Peintre et sculpteur.
Élève de Collin et de Mac Monnies, à Paris, et de William Chase. Elle reçut le prix Mary Smith à la Pennsylvania Academy, en 1900. Associée de cette Institution et membre du Plastic Club.

CLAY William
Mort en 1911 à New York. XIXe-XXe siècles. Américain.
Peintre.

CLAYBROOKE Édouard de
Né à Paris. XXe siècle. Français.
Peintre de paysages, natures mortes.
Il exposait à Paris, de 1922 à 1929, aux Salons des Artistes Indépendants et d'Automne.

CLAYBURN Ella. Voir **STEWART-CLAYBURN Ella**

CLAYETTE Pierre
XXe siècle. Français.
Peintre de compositions animées. Tendance fantastique.
Il situe les scènes représentées dans des décors totalement imaginaires, issus de la très ancienne tradition fantastique.
VENTES PUBLIQUES : PARIS, 15 déc. 1976 : *Femme dans la bulle*, h/t (100x72) : **FRF 1 600** – LA VARENNE-SAINT-HILAIRE, 7 déc. 1986 : *Reflets et apparences*, h/t (80x80) : **FRF 6 500** – PARIS, 30 mai 1988 : *L'armoire aux sortilèges 1963*, h/t (145x115) : **FRF 11 000** – PARIS, 18 juin 1989 : *Tout l'or du Prince*, h/t (73x100) : **FRF 5 000** – VERSAILLES, 22 avr. 1990 : *Au matin du navire 1987-88*, h/t (47,5x55) : **FRF 6 500.**

CLAYPOOLE James
Né en 1720 à Philadelphie. Mort en 1798. XVIIIe siècle. Américain.
Peintre.

CLAYS Paul Jean
Né le 27 novembre 1819 à Bruges. Mort en 1900 à Bruxelles. XIXe siècle. Belge.
Peintre de genre, marines.
Échappé du collège de Boulogne-sur-Mer, où il était en pension, il s'engagea comme mousse sur un bateau faisant le cabotage entre la France et l'Angleterre. De retour à Bruges, il décida de s'adonner à la peinture et tout naturellement à la peinture de marines. Venu à Paris, il fut élève d'Horace Vernet et y travailla avec Suisse et Gudin. De retour à Bruges en 1839, il s'installa à Bruxelles en 1859. Grand connaisseur de la mer, il est devenu le peintre des bords de l'Escaut, élargissant de plus en plus sa facture, réussissant à se rapprocher de l'art des Mesdag, Artan et Marcette. Même si son dessin reste toujours un peu faible, il montre son sentiment de la mer, sachant rendre la masse lourde des eaux profondes en rapport avec les ciels correspondant exactement à la coloration des flots. Sa pâte est nourrie et solide, sa palette, où dominent le bleu, le rouge-brun et le blanc-jaune, est simple et expressive. En dehors de ses marines, il est l'auteur de scènes de genre qui, toutefois, sont toujours en rapport avec la mer, comme : *Lendemain de naufrage* ou *Retour de pêche*. Tenant du réalisme, un des premiers en Belgique, il évite en général l'anecdote au profit de l'observation de la nature sans fards. Il a su peindre les flots déchaînés et les ciels tourmentés, mais par-dessus tout il préférait la description attentive de l'estuaire de l'Escaut.

BIBLIOGR. : Gérald Schurr, in : *Les Petits Maîtres de la peinture 1820-1920, valeur de demain*, Les Éditions de l'Amateur, t. III, Paris, 1976.

MUSÉES : ANVERS : *Environs de Dordrecht, temps orageux* – *La rade de Dordrecht – Temps calme sur l'Escaut* – BRUGES : *Trois Marines* – BRUXELLES : *La côte d'Ostende – La rade d'Anvers – Accalmie sur l'Escaut – Naufrage sur la côte des îles Shetland* – GAND : *Lendemain de naufrage* – HAMBOURG : *deux Marines* – LEICESTER : *Le coup de canon – Calme sur le Kel, environs de Dordrecht* – LIÈGE : *Marine* – LONDRES (Nat. Gal.) : *Marine – La plage du bourg d'Ault – Le calme* – MONS : *Retour de pêche* – MUNICH : *Pleine mer* – NEW YORK : *La fête de l'affranchissement de l'Escaut en 1863* – SHEFFIELD : *Barques de pêche hollandaises – la tranquilité – La tempête.*

VENTES PUBLIQUES : PARIS, 1846 : *Plage* : **FRF 160** – PARIS, 1873 : *Calme plat* : **FRF 10 900** – NEW YORK, jan. 1906 : *Sur le Zuydersee*, aquar. : **USD 4 500** – LONDRES, 27 mars 1909 : *Bateaux de pêche hollandais* : **GBP 110** – PARIS, avr. 1910 : *Calme sur le Scheldt* : **FRF 25 000** – LONDRES, 11 mai 1923 : *Le port d'Ostende* : **GBP 152** – PARIS, 16 déc. 1927 : *Marine, temps calme en Hollande* : **FRF 12 400** – NEW YORK, 30 jan. 1930 : *Près de Rotterdam* : **USD 950** – BRUXELLES, 28-29 mars 1938 : *Marine* : **BEF 1 400** – PARIS, 16 fév. 1944 : *Marine* : **FRF 7 000** – NEW YORK, 2 mars 1944 : *Dans les eaux hollandaises* : **USD 800** – NEW YORK, 18 jan. 1964 : *Paysage avec canal et barques* : **USD 750** – NEW YORK, 13 déc. 1967 : *Scène d'estuaire* : **USD 2 500** – LONDRES, 12 nov. 1970 : *Le port de Gand* : **GBP 4 000** – BRUXELLES, 14 déc. 1971 : *Voiliers et barques en Zélande* : **BEF 140 000** – LOS ANGELES, 22 mai 1972 : *Bateaux de pêche en mer* : **USD 1 700** – LOS ANGELES, 8 mars 1976 : *Voiliers*, h/cart. (43x62) : **USD 2 300** – NEW YORK, 28 avr. 1977 : *Bateau de pêche au large de la côte*, h/pan. (56x43) : **USD 3 250** – NEW YORK, 4 mai 1979 : *Oude Maas, Dordrecht*, h/t (53x74) : **USD 5 000** – BRUXELLES, 25 oct. 1979 : *Bateau de pêche*, aquar. (29x44) : **BEF 65 000** – NEW YORK, 18 sep. 1981 : *Voiliers, Zuilder Zee*, h/t (90,2x64,1) : **USD 3 000** – ÉCOSSE, 28 août 1984 : *The port of Leith 1843*, h/t (107x165) : **GBP 10 000** – NEW YORK, 28 oct. 1986 : *Calme dans le Niewe-Maas 1878*, h/pan. parqueté (86,5x165) : **USD 9 500** – LONDRES, 23 mars 1988 : *Le port de Leith – Édimbourg*, h/pan. (88x64) : **GBP 3 300** – LONDRES, 22 sep. 1988 : *Calme effet d'un après-midi sur l'Escaut 1874*, h/t (88x64) : **GBP 2 420** – NEW YORK, 23 mai 1989 : *Embarcations à voiles dans un port 1871*, h/t (75,5x111,1) : **USD 17 600** – LONDRES, 6 oct. 1989 : *Embarcations sur la Schelde 1865*, h/pan. (59,6x99) :

CLAYSSENS/CLE

GBP 7 150 – Paris, 27 nov. 1989 : *Moulins en Hollande*, h/t (36x27,5) : **FRF 28 000** – New York, 1er mars 1990 : *Dordrecht 1873*, h/pan. (59,7x90,2) : **USD 9 350** – Versailles, 18 mars 1990 : *Moulins au bord d'un canal en Hollande*, h/pan. (36x28) : **FRF 31 000** – Amsterdam, 6 nov. 1990 : *Vaisseaux approchant de la côte*, h/pan. (32x51,5) : **NLG 9 430** – Le Touquet, 11 nov. 1990 : *Bateaux dans l'estuaire*, h/pan. (59x89) : **FRF 60 000** – Amsterdam, 23 avr. 1991 : *Vaisseaux près de la côte 1870*, h/t (45,5x53) : **NLG 9 200** – New York, 21 mai 1991 : *Navigation sur l'Escaut*, h/pan. (26,7x21,6) : **USD 2 200** – Amsterdam, 17 sep. 1991 : *Voiliers et gondoles sur le bassin de Venise*, h/pan. (66,5x55,5) : **NLG 8 050** – Amsterdam, 30 oct. 1991 : *Marins dans un canot approchant d'un deux-mâts avec Ostende à l'arrière plan 1842*, h/t (70x105) – New York, 20 fév. 1992 : *Marine 1897*, h/t (75,6x110,5) : **USD 7 150** – Amsterdam, 28 oct. 1992 : *Entrée du bassin des pêcheurs à Ostende*, h/t (76x110) : **NLG 36 800** – Lokeren, 20 mars 1993 : *Le retour des bateaux au large des côtes de Hollande 1861*, h/t (41x61) : **BEF 75 000** – Londres, 16 juil. 1993 : *Salve depuis une frégate 1845*, h/pan. (44x66,5) : **GBP 4 600** – New York, 12 oct. 1993 : *Voiliers en Zeelande (Hollande)*, h/pan. (42x55,9) : **USD 16 100** – Montréal, 23-24 nov. 1993 : *Calme sur l'Escaut*, h/pan. (44,3x59,5) : **CAD 5 000** – Paris, 1er juil. 1994 : *L'arrivée des pêcheurs*, h/pan. (23x26) : **FRF 4 200** – Amsterdam, 8 nov. 1994 : *Le retour de la flotille de pêche 1867*, h/t (110x150) : **NLG 12 650** – New York, *Voiliers restant au port*, h/t (69,9x55,9) : **USD 4 600** – New York, 18-19 juil. 1996 : *Activité dans un port près de Londres*, h/pan. (51,4x39,4) : **USD 5 462** – Lokeren, 6 déc. 1997 : *Voiliers sur la Schelde*, h/pan. (18x31) : **BEF 140 000**.

CLAYSSENS Adriaen
XVIIe siècle. Travaillait à Gand durant la seconde moitié du XVIIe siècle. Éc. flamande.
Peintre.
Il était le fils de Lowys Clayssens.

CLAYSSENS Andreas
Originaire de Haarlem. XVIIe siècle. Éc. flamande.
Sculpteur.
Il fut reçu bourgeois de Gand en 1614.

CLAYSSENS Artus ou Arnoldus
XVIIe siècle. Éc. flamande.
Peintre.
Il vivait à Gand, ne paraissant donc pas identifiable avec le Artus Claessens d'Anvers.

CLAYSSENS Félix
XVIIe siècle. Vivait à Gand. Éc. flamande.
Peintre.
Il est le fils d'Artus Clayssens.

CLAYSSENS Jan
Né en 1642 à Gand. XVIIe siècle. Éc. flamande.
Peintre.
Il était fils d'Artus Clayssens. Il fut reçu maître peintre en 1676.

CLAYSSENS Lowys
Né en 1636 à Gand. XVIIe siècle. Éc. flamande.
Peintre.
Il était le fils d'Artus Clayssens.

CLAYSSENS Paulus
Né en 1625 à Gand. XVIIe siècle. Éc. flamande.
Peintre.
Il était le fils d'Artus Clayssens.

CLAYSSENS Pieter I
XVIe-XVIIe siècles. Éc. flamande.
Peintre de sujets religieux.
Il s'agit probablement d'un Pieter Claessens.
Ventes Publiques : Londres, 7 juin 1972 : *Marie Madeleine 1602* : **GNS 12 000**.

CLAYSSENS Pieter II
Né en 1669 à Gand. XVIIe siècle. Éc. flamande.
Peintre.
Il était le second fils de Lowys Clayssens.

CLAYSSENS Robert ou Clasens
XVIIe siècle. Éc. flamande.
Sculpteur.
Il fut reçu maître à Gand en 1690.

CLAYTON Alfred Bowyer
Né en 1795 à Londres. Mort en 1855. XIXe siècle. Britannique.

Peintre d'histoire, architectures, graveur, dessinateur.
Il fut aussi architecte et exécuta un grand nombre de gravures.
Ventes Publiques : Londres, 10 juil. 1984 : *Figures in a temple*, aquar. cr. et pl. reh. de blanc (120x86,5) : **GBP 1 200**.

CLAYTON C.
XVIIIe siècle. Britannique.
Peintre de natures mortes.
Il exposa à Londres entre 1762 et 1778.

CLAYTON Harold
Né en 1896. Mort en 1979. XXe siècle. Britannique.
Peintre de natures mortes, fleurs.
Ventes Publiques : Londres, 6 nov. 1981 : *Vase de fleurs*, h/t (50,8x45,7) : **GBP 2 400** – Londres, 18 avr. 1984 : *Fleurs dans un vase*, h/t (63,5x76) : **GBP 650** – Édimbourg, 30 avr. 1986 : *Le vase bleu*, h/t (61x50,8) : **GBP 1 200** – Londres, 2 mars 1989 : *Roses sauvages*, h/t (30x24,3) : **GBP 9 350** – Londres, 8 juin 1989 : *Fleurs dans un vase*, h/t (76,2x63,5) : **GBP 25 300** – Londres, 10 mars 1992 : *Fleurs de printemps dans un vase sur un entablement de pierre*, h/t (46x51) : **GBP 4 200** – New York, 18-19 juil. 1996 : *Natures mortes de fleurs 1954*, h/t, une paire (chaque 50,8x40,6) : **USD 13 800**.

CLAYTON J. Essex
XIXe siècle. Britannique.
Peintre de genre.
Il exposa de 1871 à 1885 à la Royal Academy et à Suffolk Street, à Londres.
Ventes Publiques : Londres, 14 déc. 1907 : *Tête d'un cardinal ; Paysage boisé* : **GBP 5**.

CLAYTON J. R.
XIXe siècle. Britannique.
Dessinateur.
Il exécuta vers 1859 les illustrations de l'édition anglaise d'un livre de Krummacher.

CLAYTON John
Né en 1728. Mort en 1800 à Enfield. XVIIIe siècle. Britannique.
Peintre.
La plupart de ses ouvrages, consistant en peintures de natures mortes, à l'huile et à l'aquarelle, furent détruits par un incendie en 1769.

CLAYTON Joseph ou James Hughes
Né en 1891. Mort en 1929. XIXe-XXe siècles. Britannique.
Peintre, aquarelliste, paysages typiques.
Il s'est montré très attentif aux habitats traditionnels de la baie de Cemaes.

Ventes Publiques : Londres, 28 avr. 1987 : *A seaside Cottage, Cemaes Bay, Anglesey*, aquar. (22x39,5) : **GBP 320** – Londres, 25 jan. 1989 : *Les cottages traditionnels à Cemaes*, aquar. et gche (55x72) : **GBP 3 080** – Chester, 20 juil. 1989 : *Belle journée dans la baie de Cemaes près d'Anglesey*, aquar. avec reh. de blanc (28x49,5) : **GBP 1 320** – Londres, 22 nov. 1990 : *Maisons de pêcheurs à Penrhyn Cliff dans la baie de Cemaes*, aquar. avec reh. de blanc (27,3x50) : **GBP 660**.

CLAYTON-JONES Marion Alexandra
Née le 23 novembre 1872. XIXe-XXe siècles. Britannique (?).
Peintre de miniatures, aquarelliste.
Elle exposa à la Royal Academy de Londres. Comparer avec JONES Marion.

CLÉ, Maître à la. Voir CORONA Jacob Lucius

CLE Cornelis de
Né à Anvers. Mort en 1724. XVIIe-XVIIIe siècles. Éc. flamande.
Peintre d'histoire.
Il fut reçu dans la guilde de Saint-Lukas à Anvers, entre 1660-1661.

CLE Cornelis de
XVIIe-XVIIIe siècles. Éc. flamande.
Peintre.
Fils du précédent, il est signalé à Anvers comme fils de maître peintre en 1696.

CLE Franciscus de ou Clee
XVIIe siècle. Éc. flamande.

Peintre.

Il fut reçu maître à Anvers en 1665-66.

CLE Gaspar de

XVIIe siècle. Vivait à Anvers pendant la seconde moitié du XVIIe siècle. Éc. flamande.

Peintre.

CLE Jacques de

XVIIe siècle. Éc. flamande.

Peintre.

Il fut reçu maître à Anvers en 1640-41.

CLEANTHE de Corinthe

VIIe siècle avant J.-C. Antiquité grecque.

Peintre.

Ce peintre est connu d'après Strabon qui cite deux de ses œuvres placées près d'un temple à Olympie, représentant *le sac de Troie* et *la naissance d'Athéna*. On dit qu'il a perfectionné le rendu de la silhouette humaine.

BIBLIOGR. : Tony Spiteris : *La peinture grecque et étrusque*, Rencontre, Lausanne 1965.

CLEAVES W. P.

XIXe siècle. Actif à la fin du XIXe siècle. Américain.

Graveur sur bois.

Il vécut à Springfield.

CLECH Andrée, puis Clech-Legarçon

Née à Paris. XXe siècle. Française.

Peintre de paysages, paysages animés, graveur.

Elle exposait à Paris, aux Salons des Artistes Indépendants 1926, 1927, d'Automne 1930, des Tuileries 1932, 1934.

Elle a peint des paysages de Bretagne, des scènes de marché.

CLÉDAT DE LAVIGNERIE Samuel Marie

Né au XIXe siècle à Angers. XIXe siècle. Français.

Peintre de paysages, natures mortes, fleurs et fruits, aquarelliste.

Il fut élève de S. Chéret. Il débuta au Salon de Paris en 1869.

VENTES PUBLIQUES : LONDRES, 24 juin 1987 : *Nature morte aux fruits et aux fleurs* 1891, h/t (79x98) : **GBP 2 400.**

CLEE Franciscus de. Voir CLÉ

CLEEF Van. Voir CLÈVE

CLEEF Robert Van

Né le 9 mai 1914 à Paris. XXe siècle. Français.

Peintre de figures, fleurs.

Il expose à Paris, au Salon d'Hiver, dont il devint sociétaire en 1948. Il est surtout peintre de figures féminines.

VENTES PUBLIQUES : GRENOBLE, 15 mai 1990 : *Bouquet de fleurs*, h/t (55x46) : **FRF 15 000.**

CLEEMPUT Jean Van

Né en 1881 à Bruxelles. XXe siècle. Belge.

Peintre de paysages, marines, paysages urbains, intérieurs, graveur.

Il fut élève de Constant Montald à l'Académie des Beaux-Arts de Bruxelles.

BIBLIOGR. : In : *Diction. biogr. illustré des artistes en Belgique depuis 1830*, Arto, Bruxelles, 1987.

CLEEN-HANSKEN. Voir ELBRUCHT Jan

CLEENEWERCK Henry

Né à Waton, de parents français. XIXe siècle. Français.

Peintre de paysages.

Il débuta au Salon de Paris en 1869.

VENTES PUBLIQUES : PARIS, 3 et 4 mai 1923 : *Site dans l'île de Cuba* : FRF 100 – LONDRES, 3 avr. 1968 : *Vue de Cuba* : GBP 150 – SAN FRANCISCO, 19 mars 1981 : *Chasseurs dans un paysage de neige*, h/t (51,5x36) : **USD 1 500** – NEW YORK, 26 nov. 1985 : *La jungle* 1881, h/t (67,3x96,5) : **USD 19 000** – NEW YORK, 16 nov. 1994 : *Paysage cubain*, h/t (53,7x70,5) : **USD 34 500.**

CLEERBOUT Jacob

XVIe siècle. Actif à Anvers. Éc. flamande.

Peintre.

Il fut reçu maître en 1550.

CLEERCQ Jacques de

XVIIe siècle. Éc. flamande.

Sculpteur.

Il fut reçu maître à Gand en 1621 ; il vivait encore en 1646.

CLEEREMANS Ralph

Né en 1933 à Halen. XXe siècle. Belge.

Peintre d'architectures, paysages, animalier, dessinateur, aquarelliste.

Il fut élève de l'Académie des Beaux-Arts de Bruxelles, et de l'Académie Julian à Paris. Il est fixé à Gand. Il expose surtout en Belgique, notamment à Bruxelles en 1991 et 1993.

Il a été le promoteur en Belgique de la peinture sur aluminium (aluchromie). Figuratif, il peint par thèmes successifs : 1973-1975 archéologie, 1976 thèmes historiques et relevé cadastral, 1977 faune et flore, 1978 et suivantes ruines de Rome, écritures... Il ne figure d'ailleurs que par allusions, citations, empruntant à l'Égypte pharaonnique, à la Grèce platonicienne, à Paracelse, aux écritures ésotériques, à l'hébreu, mais ne méprisant pas le paysage quotidien abordé par ses détails. Entre 1991 et 1993, il a évolué à une construction abstraite de ses peintures, délaissant formes directement signifiantes et signes graphiques, pour des formes simples à tendance géométrique. Son balancement entre allusion figurative et abstraction suggestive peut rappeler la démarche poétique de Paul Klee.

BIBLIOGR. : In : *Diction. biogr. illustré des Artistes en Belgique depuis 1830*, Arto, Bruxelles, 1987.

MUSÉES : IXELLES – METZ – MUNICH.

VENTES PUBLIQUES : LOKEREN, 20 mai 1995 : *Quatre personnages*, h/cart. (84x112) : **BEF 28 000.**

CLEF Jean et Nicolas de la. Voir LA CLEF

CLEFF Maria

Née en 1869. XIXe-XXe siècles. Allemande.

Peintre de paysages.

Elle vécut et travailla à Düsseldorf.

CLEFF Walter ou Eugène Walter

Né en 1870. XIXe siècle. Vivait surtout à Düsseldorf. Allemand.

Graveur et peintre.

CLEFORT

XVIIIe siècle.

Peintre.

Il exécuta dans la première moitié du XVIIIe siècle un *Martyre de sainte Catherine* pour l'hospice de Venlo.

CLEGHORN John

XIXe siècle. Britannique.

Peintre de paysages et sculpteur sur bois.

Il exposa à Londres entre 1840 et 1880.

CLEIEVER Pierre de. Voir CLIEVERE

CLEIN Jan

Né vers 1478 à Nuremberg. Mort en 1550 à Nuremberg. XVIe siècle. Travailla à Leyde en 1511. Allemand.

Graveur.

On cite de lui : 67 planches pour : *Hortulus animæ impensi.*

CLELAND Thomas Maitland

Né en 1880 à New York. XXe siècle. Américain.

Peintre.

CLEM CLARKE John

Né en 1937 dans l'Orégon. XXe siècle. Américain.

Peintre de compositions à personnages, scènes mythologiques, paysages, natures mortes. Hyperréaliste.

Après ses études à l'Université de l'Orégon, il se fixa à New York. À partir de 1968, il a exposé à New York, San Francisco, Cologne.

Sa peinture représente des scènes mythologiques, un peu à la manière des « péplums » holywoodiens, tout en conférant aux personnages une morphologie typiquement du XXe siècle. Il pratique une technique comportant une sorte de scintillement presque pointilliste, alors que, paradoxalement, l'ensemble est peint avec un réalisme extrêmement minutieux, à la manière de certaines photographies pour revues de luxe.

VENTES PUBLIQUES : NEW YORK, 22 jan. 1972 : *Sans titre* : **USD 850** – NEW YORK, 28 mai 1976 : *Roses* 1970, h/t (107x135) : **USD 1 400** – NEW YORK, 18 mai 1978 : *Ingres-Vénus* 1967, acryl./t. (148x96,5) : **USD 1 600** – NEW YORK, 10 nov. 1982 : *Baigneur seul, Sandra au dessus* 1971, h/t (178x103) : **USD 5 000** – NEW YORK, 16 fév. 1984 : *Le jugement de Pâris III* 1969, acryl./t. (228,5x162,5) : **USD 2 600** – NEW YORK, 7 nov. 1985 : *Bain de Diane* 1970, h/t (150x132) : **USD 1 600** – NEW YORK, 13 mai 1988 : *Jugement de Pâris III* 1969, acryl./t. (228,5x162,5) : **USD 2 200** – NEW YORK, 7 mai 1990 : *Abstraction avec sujet 12 (Bronco)* 1972, h/t (176x228,5) : **USD 7 150** – NEW YORK, 6 nov. 1990 : *Scierie* 1975, h/t (177,8x223,5) : **USD 8 800** – NEW YORK, 27 fév. 1992 : *Chardin, nature morte aux*

prunes 1970, h/t (102,2x111,7) : **USD 1 540** – New York, 10 oct.
1996 : *Paysage de Belgique, vue panoramique d'un ciel nuageux*
1970, techn. mixte/t. (171,5x201,9) : **USD 2 300**.

CLEMANSIN DU MAINE Georges
Né en 1853 à Nantes (Loire-Atlantique). xixe siècle. Français.
Peintre.
Élève de Puvis de Chavannes et de Elie Delaunay. Principales
œuvres : *Chloé, Charmeuse, Surprise, Après le bain, La Vérité,
Fantaisie*, etc. Il débuta au Salon de 1879.

CLÉMENCEAU Jean-Louis
Né le 17 septembre 1921 à Paris. xxe siècle. Français.
Peintre. Expressionniste.
Il expose à Paris, aux Salons de la Société Nationale des Beaux-
Arts depuis 1957, des Artistes Indépendants depuis 1960, d'Au-
tomne depuis 1963.

CLEMENCET Louis Célestin
Né à Bruxelles. xixe siècle. Belge.
Peintre de fleurs.
Il débute au Salon de 1869.

CLÉMENCIN François André
Né le 7 octobre 1878 à Lyon (Rhône). xxe siècle. Français.
Sculpteur.
Il fut élève de Jules Coutan. Il exposait à Paris, au Salon des
Artistes Français, dont il devint sociétaire, mention honorable
1907, deuxième médaille 1921, médaille d'or 1930, chevalier de la
Légion d'Honneur.
Ventes Publiques : Monte-Carlo, 23 juin 1979 : *Chevalier soute-
nant sa proie sur un bouclier* vers 1900 (H. 38) : **FRF 7 800** – Paris,
19 oct. 1983 : *Danseuse au lierre*, bronze argenté (H. 47) :
FRF 6 000.

CLEMEND De Jonghe. Voir JONGHE Clément de

CLEMENS Benjamin
xxe siècle. Britannique.
Sculpteur.
Londonien, il exposa à la Royal Academy vers 1903 et à Rome en
1911.

CLEMENS Curt
Né en 1911. Mort en 1947. xxe siècle. Suédois.
Peintre de figures, intérieurs, paysages.
Il manifesta une sensibilité intimiste délicate, peignant notamment des figures féminines dans leurs occupations familières.
Ventes Publiques : Göteborg, 8 nov. 1978 : *Portrait de jeune fille*
1939, h/t (53x38) : **SEK 8 000** – Stockholm, 25 nov. 1982 : *Stockholm*, h/t (41x63) : **SEK 5 400** – Stockholm, 14 avr. 1984 : *Irène
assise dans un intérieur regardant une sculpture en relief*, h/t
(65x88) : **SEK 17 000** – Stockholm, 6 juin 1988 : *Enfant devant un
miroir avec un vase de fleurs* 1944, h. (44x67) : **SEK 32 000** –
Stockholm, 20 fév. 1989 : *Profil de jeune fille* 1946, fus. (42x46) :
SEK 4 000 – Stockholm, 6 déc. 1989 : *Paysage de montagne avec
un lac*, h/pan. (25x49) : **SEK 6 000** – Stockholm, 14 juin 1990 :
Essayage – deux femmes dans un intérieur 1945, h/pan. (55x37) :
SEK 26 000 – Stockholm, 30 mai 1991 : *Mauvais temps – jeune
fille au parapluie près des maisons*, aquar. (40,5x25,5) : **SEK 4 000**
– Stockholm, 30 nov. 1993 : *Figures dans une ville au crépuscule*,
h/pan. (38x46) : **SEK 16 500**.

CLÉMENS Gustaf Adolf
Né le 22 juillet 1870 à Copenhague. xixe-xxe siècles. Danois.
Peintre de portraits, intérieurs, paysages.
Il fut élève de l'Académie des Beaux-Arts de Copenhague à partir de 1889. Il a exposé depuis 1892.
Ventes Publiques : Copenhague, 30 avr. 1981 : *Barques et
pêcheurs sur la plage* 1916, h/t (105x160) : **DKK 3 700** – Copenhague, 29 oct. 1986 : *Portrait d'Emily, la femme de l'artiste* 1898,
h/t (110x77) : **DKK 7 300**.

CLÉMENS Heinz
Né en 1921. xxe siècle. Allemand.
Peintre. Abstrait.
Curieusement il confère à ses peintures abstraites un caractère
fantastique.

CLEMENS Johan Frederik
Né le 29 novembre 1749 à Golnau (près de Stettin). Mort le 5
novembre 1831 à Copenhague. xviiie-xixe siècles. Danois.
Graveur en taille-douce.
Né de parents allemands, il vint avec eux à Copenhague, dès son
enfance. Il fréquenta l'Académie des Beaux-Arts dès l'âge de 11

ans. Il fut élève de J.-M. Preisler, qui s'aperçut du grand talent de
son élève, et devint son plus ardent protecteur. Après avoir
gravé 28 planches d'après les dessins de Wiedenvelt, Clemens
reçut une bourse de voyage et partit pour Paris où il étudia avec
Wille et Delaunay. Il retourna à Copenhague où, en 1778, il fut
nommé chalcographe royal. Agréé en 1778, il fut élu membre de
l'Académie en 1786. Clemens, en 1788, vint à Berlin pour graver
le portrait de Frédéric II d'après le peintre anglais Cunningham.
L'exécution de cette grande planche qui lui valut une réputation
européenne, lui prit quatre ans. Il quitta Berlin en 1792, pour se
rendre à Londres, pour la gravure du tableau du peintre américain Trumbul, élève de West, *La mort de Montgommery*. Malgré
les offres qui lui furent faites en Angleterre, la tâche terminée, il
retourna en Danemark en 1795. Clemens fut logé en 1796 à
Charlottenborg. Nommé chevalier de Danemark en 1810, il fut
élu professeur de chalcographie à l'Académie en 1813.

CLEMENS Marie Jeanne, née Crévoisier
Née le 18 novembre 1755 à Paris. Morte en 1790 ou 1791 à
Berlin. xviiie siècle. Française.
Pastelliste et graveur.
Pastelliste, elle fit la connaissance à Paris de son futur époux,
J.-F. Clemens, qui lui enseignait son art. Elle l'épousa en 1781.
Elle accompagnait en 1788 son mari lors de sa visite à Berlin, et
elle mourut dans cette ville en 1790 ou 1791. D'après Fick, Mme
Clemens a gravé 14 planches. Elle fut agréée de l'Académie en
avril 1782 comme pastelliste.

CLÉMENS Roman
Né en 1910 à Dessau. xxe siècle. Actif en Suisse. Allemand.
Peintre de décors de théâtre.
Il fut élève du cours de théâtre d'Oscar Schlemmer au Bauhaus,
de 1927 à 1931. Il se fixa à Zurich et son activité s'exerça dans les
théâtres de la ville.
Ventes Publiques : Zurich, 21 avr. 1993 : *Cube dans l'espace*
1976, acryl./t. (70x70) : **CHF 8 000** – Zurich, 7 avr. 1995 : *Parallé-
logramme suspendu* 1981, acryl./t. (14x14) : **CHF 5 000**.

CLEMENS Wilhelm
Né en 1847 à Querath. xixe siècle. Actif à Munich. Allemand.
Peintre d'histoire et de genre.
Médaille d'or à Berlin en 1886. On cite de lui : *Judas et le Christ*.

CLEMENS VON BADENWEILER
xve siècle. Français.
Sculpteur.
Il exécuta en 1488 à l'église Saint-Georges d'Haguenau (Alsace)
un Christ monumental.

CLÉMENSAC Ferdinand
Né le 1er août 1885 à Issoire (Puy-de-Dôme). Mort le 8 mai
1970 à Clermont-Ferrand (Puy-de-Dôme). xxe siècle. Fran-
çais.
Peintre de portraits, paysages.
Il fut élève de Luc-Olivier Merson et de Raphaël Collin. Il expo-
sait à Paris, au Salon des Artistes Français de 1913 à 1929, au
Salon d'Automne en 1928.

CLEMENSON Francesco
D'origine anglaise. xviiie-xixe siècles. Italien.
Peintre.
Il exécuta un portrait de Francesco Maria d'Este, évêque de Reg-
gio.

CLÉMENT
xiiie siècle. Actif à Paris vers 1292. Français.
Miniaturiste.

CLEMENT. Voir JAYET

CLÉMENT
Né à Chartres. xiiie siècle. Français.
Peintre verrier.
Exécuta entre 1235 et 1240, un vitrail dans la chapelle de la
Vierge de la cathédrale N.D. de Rouen ; sur lequel il inscrivit :
« Clemens Vitrarius Carnotensis me fecit ».

CLÉMENT
xviiie siècle. Français.
Peintre sur porcelaine.
Il travaillait pour la Manufacture de Sèvres en 1766.

CLÉMENT A.
xixe siècle. Français.
Graveur.
Il exécuta une estampe d'après *Le Christ au Mont des Oliviers*
d'Ary Scheffer.

CLÉMENT Achille
Né au xixᵉ siècle à Marseille (Bouches-du-Rhône). xixᵉ siècle. Français.
Peintre de paysages.
Musées : Béziers : *Paysage de Camargue*.

CLÉMENT Alain
Né le 21 juillet 1941 à Paris. xxᵉ siècle. Français.
Peintre, graveur. Polymorphe.
Il participe à des expositions collectives, dont une Biennale de l'Estampe en 1970. Professeur à l'École des Beaux-Arts de Montpellier de 1973 à 1978, intéressé à créer une animation culturelle dans la ville, il fut l'un des organisateurs de l'exposition *100 Artistes dans la Ville*, qui présentait les œuvres d'artistes contemporains directement dans les rues, au milieu du public. Il devint professeur de 1979 à 1985, puis de 1985 à 1990, il fut directeur de l'École des Beaux-Arts de Nîmes.
Il montre son travail dans des expositions personnelles, notamment au Musée Fabre de Montpellier en 1977, à la Galerie Jean Fournier de Paris 1982, à Saint-Rémy de Provence en permanence, à Cologne en 1984, 1985, 1988, Hanovre 1984, 1988, à l'Abbaye de Senanque 1983, au Château de Jau de Perpignan 1984, Aix-la-Chapelle 1984, Brême 1986, Abbaye de Montmajour près d'Arles 1987, à la Galerie Montenay de Paris en 1990 et 1993, École des Beaux-Arts de Paris 1995, Musée des Jacobins de Morlaix 1995, Musée de Céret 1996, galerie Piltzer de Paris 1998.
Ses premières peintures visaient une portée politique, se référant aux évènements et aux objets politisés, en particulier les drapeaux. Ensuite, il s'est rapproché de l'art conceptuel, proposant dans ses peintures une analyse des rapports entre l'image et la réalité, juxtaposant photographies et dessins, décomposant une réalité en ses éléments constitutifs et confrontant ceux-ci à la réalité dont ils sont issus. Puis, il en est venu à une peinture abstraite, dans laquelle cependant se compromettaient encore quelques indices identifiables empruntés à la réalité, comme des fragments de bras ou jambes, ensuite abandonnés pour une abstraction radicale. Sa peinture est constituée d'entrelacs décoratifs de la forme, arabesques ou au contraire barres rigides, enchevêtrements, constituées de, ou enserrant des plages de couleurs, souvent violentes, voire criardes, parfois sourdes au contraire, et se situe dans la proximité de Bram Van Velde, mais sans la tension dramatique de celui-ci. ■ J. B.
Bibliogr. : Françoise Bataillon : *Alain Clément*, Beaux-Arts, Paris, avr. 1990 – Michel Faucher : *Les entrelacs d'Alain Clément*. Cimaise, Paris, été 1990.
Ventes Publiques : Paris, 19 nov. 1995 : *Peinture en neuf éléments* 1982, pigments et acryl./t. (205x160) : **FRF 19 000.**

CLÉMENT Alex.
xixᵉ siècle. Actif vers 1800. Français.
Graveur au pointillé.
Il grava de nombreux portraits.

CLÉMENT Anna, née Delautel
Née le 30 juin 1822 à Montbard (Côte-d'Or). Morte le 11 septembre 1865 à Paris. xixᵉ siècle. Française.
Peintre de compositions religieuses.
Elle fut l'élève de Darbois et de P. Rude. De 1847 à 1851, elle exposa au Salon. Elle fit, en outre, pour la chapelle du couvent de Saint-Joseph de Cluny une *Sainte Catherine de Sienne* ; pour l'hôpital de Tonnerre, une *Annonciation* et l'*Adoration des bergers* ; pour l'église de Villenauxe (Seine-et-Marne), une *Nativité* ; pour la chapelle du château de Longecour, près de Dijon : *Saint Étienne distribuant des aumônes*.

CLÉMENT Anne Clara, née Lemaître
Née le 17 juillet 1826 à Paris. Morte vers 1880. xixᵉ siècle. Française.
Peintre aquarelliste, dessinateur et graveur.
Élève de son père Augustin-François Lemaître. Débuta sous ce nom au Salon de 1846 avec : *Coupe de la Mosquée de Tabriz* (illustration de *Description de la Perse* par Ch. Texier). À partir de 1855, exposa sous son nom de femme. Elle a surtout gravé pour des ouvrages de librairie, notamment pour les ouvrages du baron Taylor. Vers la fin de sa carrière, elle figura aux Salons avec des aquarelles de fleurs.

CLEMENT Anthoni
xviiᵉ siècle. Danois.
Peintre.
Il travailla surtout comme portraitiste entre 1622 et 1628.

CLÉMENT Armand Lucien
Né au xixᵉ siècle à Paris. xixᵉ siècle. Français.
Peintre.
Sociétaire des Artistes Français depuis 1888. Il débuta au Salon de 1876 ; il figura également à l'exposition de Blanc et Noir de 1892.

CLÉMENT Auguste Roger
Né à Cadenet (Vaucluse). xxᵉ siècle. Français.
Sculpteur.
Élève de Th. Cartier. A exposé au Salon des Artistes Français en 1921.

CLÉMENT Brice
xviiiᵉ siècle. Français.
Peintre.
Il fut reçu à l'Académie de Saint-Luc à Paris en 1748.

CLÉMENT Charles
Né en 1889 à Genève. Mort en 1972. xxᵉ siècle. Suisse.
Peintre de portraits, nus, paysages animés.
Il exposait à Paris, en 1930 et 1932 aux Salons d'Automne et des Tuileries. On cite : *Bistrot dans le Vieux-Port de Marseille*.

Ventes Publiques : Paris, 15 fév. 1930 : *Portrait de l'artiste* : FRF 1 650 ; *Femme au manteau bleu*, gche : **FRF 1 700** – Berne, 27 avr. 1978 : *Nature morte aux fruits*, h/pan. (50x60) : **CHF 5 500** – Lausanne, 3 mai 1980 : *Le pain quotidien* 1918, h/t (70x60) : **CHF 9 000** – Berne, 25 juin 1981 : *Nature morte aux fraises* 1945, h/t (60x92) : **CHF 6 400** – Genève, 29 oct. 1982 : *Paysage de Begnins*, h/t (60x49) : **CHF 4 100** – Berne, 6 mai 1983 : *Paysanne au repos* 1940, h/t (92x73) : **CHF 3 700** – Genève, 1ᵉʳ nov. 1984 : *Courtisane se coiffant*, aquar. (32x50) : **CHF 1 200** – Genève, 9 déc. 1985 : *Paysage à Belmont* 1941, h/t (60x81) : **CHF 4 300** – Genève, 29 nov. 1986 : *Nature morte aux fruits* 1925, h/t (33x46) : **CHF 3 800.**

CLÉMENT Charles Julien
Né le 1ᵉʳ octobre 1868 à Neuf-Brisach (Haut-Rhin). xixᵉ-xxᵉ siècles. Français.
Graveur sur bois.
Il fut élève de Charles Barbant. Il exposait à Paris, au Salon des Artistes Français, dont il devint sociétaire, mention honorable 1908, deuxième médaille 1929, il y figura pour la dernière fois en 1932.

CLÉMENT Claude
xviiiᵉ siècle. Français.
Artiste.
Il fut reçu à l'Académie de Saint-Luc en 1773.

CLÉMENT Dorothée
xviiiᵉ siècle. Française.
Dessinatrice.
Elle exposa à Lyon, au Salon des Arts, en 1786, deux dessins : un *Portrait* et *Cheval abattu*.

CLÉMENT Edward Henry
Né le 19 avril 1843 à Chelsea (Massachusetts). xixᵉ siècle. Américain.
Peintre et écrivain.
Élève de Louis Kronberg et de la Art Student's Association de Boston.

CLEMENT Emile A.
xixᵉ-xxᵉ siècles. Travaillant aux États-Unis de 1879 à 1900. Américain.
Graveur sur bois.

CLEMENT Étienne
xviiᵉ siècle. Travaillait à Troyes. Français.
Peintre verrier.

CLEMENT F.
xviiᵉ siècle. Travaillait à Barcelone au milieu du xviiᵉ siècle. Espagnol.
Graveur.

CLÉMENT Félix Auguste
Né le 20 mai 1826 à Donzère (Drôme). Mort le 2 février 1888 à Alger. xixᵉ siècle. Français.
Peintre d'histoire, scènes de genre, portraits, paysages. Orientaliste.

Élève de Bonnefond à l'École des Beaux-Arts de Lyon de 1843 à 1848, il suivit ensuite les cours de Picot et Drolling à Paris. Il participa au Salon de Paris à partir de 1853. En 1856, il reçut le premier Grand Prix de Rome avec *Le retour du jeune Tobie*. Après un séjour de cinq ans en Italie, il revint à Paris en 1862 et, peu après s'en alla en Égypte, où le prince Halim lui fit décorer son palais de Choubrah, près du Caire, de *Scènes de chasse à la gazelle*. De retour en France en 1868, il fut chargé par l'État, en 1872, d'aller copier une fresque de Mantegna : *Saint Jacques marchant au supplice*, au couvent dei Eremitani à Padoue, mais la maladie l'empêcha d'achever cette copie, qu'il termina en 1877. Elle est aujourd'hui à l'École des Beaux-Arts de Paris. Nommé professeur à l'École des Beaux-Arts de Lyon en 1875, il en démissiona en 1877 et se fixa à Paris. Il passa l'hiver 1887-88 à Alger, où il mourut. Ses toiles montrent des paysages, des portraits aux couleurs vives, des personnages orientaux, dont les poses hiératiques leur donnent des allures très nobles.

FÉLIX CLEMENT
1885

Bibliogr. : Gérald Schurr, in : *Les Petits Maîtres de la peinture 1820-1920, valeur de demain*, Les Éditions de l'Amateur, t. V, Paris, 1981.
Musées : Lyon : *Veuve fellah au tombeau de son époux* – Nice (Mus. Chéret) : *Marchandes d'oranges égyptiennes* – Valence : *La mort de César – Assomption de la Vierge – Les enfants d'Édouard.*
Ventes Publiques : Paris, 1883 : *La becquée* : FRF 260 – Paris, 1892 : *La sieste* : FRF 2 900 – Paris, 1894 : *Deux bouquets de fleurs*, deux gches : FRF 20 – Paris, 1897 : *La sieste* : FRF 800 – Paris, 21 mars 1980 : *Le chef des Derviches bénissant les enfants*, h/t (136x207) : FRF 69 000 – Paris, 4 avr. 1984 : *Portrait de Léon Tripier 1877*, h/t (131x100) : FRF 7 100 – Londres, 14 juin 1995 : *La joueuse de tambourin*, h/t (35,5x26,5) : GBP 4 370 – Paris, 15 déc. 1995 : *Circassienne au harem*, h/t (42x66) : FRF 182 000.

CLEMENT Gad Frederik
Né le 9 juillet 1867 à Frederiksberg. Mort en 1933. xixe-xxe siècles. Danois.
Peintre.
Élève de l'Académie des Beaux-Arts de 1885 à 1888, il fréquenta plus tard l'école d'étude des artistes sous la direction de Kröyer. Il séjourna pour ses études à Paris en 1890 et en Italie septentrionale en 1894. Il exposa au Salon des Artistes Français de Paris, à partir depuis 1893, obtenant une mention honorable à l'Exposition Universelle de 1900.
Ventes Publiques : Londres, 19 juin 1981 : *Pastorale, Civita d'Antino 1902*, h/t (137,2x172,6) : GBP 1 150 – Londres, 20 juin 1986 : *Pastorale, Civita D'Antino 1902*, h/t (137,2x172,6) : GBP 6 000.

CLÉMENT Henri
Né à Vitry-le-François (Marne). xxe siècle. Français.
Peintre de genre, paysages.
Il a exposé au Salon d'Automne de 1933, à Paris.
Ventes Publiques : Londres, 30 jan. 1981 : *La lettre d'amour*, h/pan. (55,2x37,5) : GBP 300.

CLÉMENT Israël
xviie siècle. Vivait à Regensburg en 1674. Allemand.
Peintre.

CLÉMENT Jacques, l'Ancien
xviie siècle. Français.
Peintre verrier.
Il travaillait en 1685 pour l'église Saint-Jean à Troyes.

CLÉMENT Jacques, le Jeune
xviie siècle. Français.
Peintre verrier.
Il travaillait en 1685 pour l'église Saint-Jean à Troyes.

CLÉMENT Jean
Né à Belâbre (Indre). xxe siècle. Français.
Sculpteur.
Sociétaire des Artistes Français ; mention honorable en 1922.

CLÉMENT Jean Baptiste
xviiie siècle. Français.
Peintre.
Il fut reçu à l'Académie de Saint-Luc à Paris en 1770.

CLÉMENT Jean Baptiste
xviiie siècle. Français.
Peintre.
Il fut reçu à l'Académie de Saint-Luc à Paris en 1746.

CLÉMENT Jean Pierre
xviiie siècle. Français.
Peintre.
Il fut reçu à l'Académie de Saint-Luc à Paris en 1748.

CLÉMENT Jean-Jacques
Né le 15 janvier 1872 à Naples, de parents français. xixe-xxe siècles. Français.
Graveur, peintre.
Il exposait à Paris, au Salon des Artistes Français, dont il devint sociétaire, mention honorable en 1913. Il gravait à l'eau-forte en couleurs.

CLÉMENT Jehan
xvie siècle. Français.
Peintre miniaturiste.
Il travaillait en 1529 à Tours.

CLÉMENT Jules
Né le 8 juin 1800 à Grandcamp (Eure). Mort en 1871 à Paris. xixe siècle. Français.
Élève de Dantan jeune. Il figura pour la première fois au Salon de Paris en 1866 et exposa jusqu'en 1872. Il a surtout signé des bustes.

CLÉMENT Lucien
Né vers 1855 à Paris. xixe siècle. Français.
Peintre animalier, fleurs.
Il participa au Salon de Paris à partir de 1876.
Il réalisa, avec une grande précision, des représentations d'animaux pour le Jardin des Plantes. Il est également l'auteur de peintures sur plaque de porcelaine, représentant des fleurs dans des coloris clairs.

CLÉMENT Marcel Amédée Julien. Voir MARCEL-CLÉMENT Amédée Julien

CLÉMENT Marie Louise
Née à Albert (Nord). xxe siècle. Française.
Peintre de paysages, fleurs, aquarelliste.
Elle a exposé au Salon des Artistes Français de Paris en 1929.
Ventes Publiques : New York, 19 juil. 1990 : *Promenade du soir*, h/cart. (50,8x61) : USD 6 600.

CLÉMENT Marie-Thérèse
Née à Paris. xxe siècle. Française.
Sculpteur de bustes, nus.
Elle a exposé à Paris, aux Salons d'Automne et des Tuileries en 1935, des Artistes Indépendants de 1937 à 1943.

CLÉMENT Martha Caroline Tupsy, née Jebe
Née en 1871 à Trondheim. xixe-xxe siècles. Norvégienne.
Peintre de portraits, paysages, scènes de genre.
Elle fit ses études à Oslo, Munich et Paris.

CLÉMENT Maxime
Né à Chasseneuil (Charente). xixe-xxe siècles. Français.
Peintre de figures, aquarelliste.
Il exposait au Salon de la Société Nationale des Beaux-Arts, à Paris.
Ventes Publiques : Lorient, 15 juin 1985 : *Les enfants*, aquar. (58,5x71,5) : FRF 4 700.

CLÉMENT Nicolas
Né à Toul (Lorraine). Mort le 16 juin 1716. xviiie siècle. Français.
Graveur.
Il fut directeur des estampes du roi et bibliothécaire de la cour de Louis XIV.

CLÉMENT Pierre
xvie siècle. Français.
Sculpteur sur bois.
Il fit, en 1550, avec Jacques Milton, les sculptures du buffet des orgues de la cathédrale de Troyes, qu'on voit encore aujourd'hui.

CLÉMENT Pierre
Mort le 26 septembre 1687. xviie siècle. Actif à Paris. Français.
Peintre, sculpteur.

Il fut le mari d'Anne Carret. Reçu à l'Académie de Saint-Luc en 1647, il fut peintre ordinaire du roi.

CLÉMENT René, Frère
XVIIe siècle.
Sculpteur.
Membre de l'ordre des Jésuites, il exécuta pour l'église des Jésuites de la ville de Chaumont, en 1632, une statue de Claude Collignon.

CLÉMENT Serge
Né en 1933 dans les Deux-Sèvres. XXe siècle. Français.
Peintre de paysages.
Il vit et travaille à Paris. Il expose en France.
La lumière est un élément essentiel de ses compositions.
VENTES PUBLIQUES : PARIS, 21 juin 1985 : *Le jardin*, h/pan. (55x85) : FRF 5 000 – NEW YORK, 26 fév. 1993 : *Jeune fille rêveuse* 1960, h/t (64,8x53,3) : USD 920.

CLÉMENT Sophie
XIXe siècle. Française.
Peintre.
De 1833 à 1848, elle exposa au Salon de Paris quelques-uns de ses ouvrages.

CLÉMENT Thérèse
Née le 11 décembre 1889 à Paris. Morte en 1984. XXe siècle. Française.
Peintre de paysages, marines.
Elle fut élève de François de Montholon. Elle exposait à Paris, au Salon des Artistes Français, en devint sociétaire, deuxième médaille 1928 et 1937 pour l'Exposition Universelle, Prix Corot 1931.
VENTES PUBLIQUES : COPENHAGUE, 18 nov. 1987 : *Vue d'un fjord* 1930, h/t (37x47) : DKK 8 000 – STOCKHOLM, 22 mai 1989 : *Moulin près de Monnikendam*, h/pan. (46x60) : SEK 4 200 – STOCKHOLM, 14 juin 1990 : *Littoral avec des barques près de Kolding en été* 1930, h/pan. (37x45) : SEK 7 200.

CLÉMENT DE CHARTRES. Voir CHARTRES

CLÉMENT-BONNIEU Armande
Née à Montbazin (Hérault). XXe siècle. Française.
Peintre.
A exposé des natures mortes et des paysages au Salon d'Automne, 1932-33.

CLÉMENT-BRUN Gérard
Né le 13 septembre 1867 à Avignon (Vaucluse). Mort en 1920. XIXe-XXe siècles. Français.
Peintre de genre, portraits, paysages.
Élève de Pierre Grivolas, il poursuivit ensuite ses études sous la direction de Bouguereau et Tony Robert-Fleury à l'École des Beaux-Arts de Paris. Regroupant autour de lui des artistes comme Hurard, Lesbros et Montagné, il créa le groupe des Treize en 1912.
Il participa au Salon des Artistes Français à partir de 1886, obtenant une médaille d'or en 1913 ; hors concours.
Citons de lui : *Le raccommodeur de faïence*.
BIBLIOGR. : Gérald Schurr, in : *Les Petits Maîtres de la peinture 1820-1920, valeur de demain*, Les Éditions de l'Amateur, t. VII, Paris, 1989.
MUSÉES : AVIGNON (Mus. Calvet) : *Portrait de femme*.

CLÉMENT-CARPEAUX L., Mme
XXe siècle. Française.
Sculpteur.
Elle exposa à Paris dans les premières années du XXe siècle.

CLÉMENT-CHASSAGNE Louis Henri Lucien
Né à Paris. XXe siècle. Français.
Peintre de paysages, natures mortes.
Il a exposé à Paris, au Salon de la Société Nationale des Beaux-Arts de 1912 à 1939. Il a peint des paysages de Normandie, Bourgogne, Provence.

CLÉMENT-DREYFUS. Voir DREYFUS Clément

CLÉMENT-RENÉ Paul Henri
Né à Paris. XXe siècle. Français.
Peintre de genre, animalier.
Il exposait à Paris, aux Salons de la Société Nationale des Beaux-Arts de 1921 à 1923, des Artistes Indépendants de 1921 à 1930. Ses modèles étaient principalement des oiseaux de toutes sortes, de toutes tailles dont il excellait à reproduire les couleurs chatoyantes.

VENTES PUBLIQUES : PARIS, 6 juil. 1928 : *Coq et poules* : FRF 110 – PARIS, 28 oct. 1990 : *Singe tenant un serpent*, fus. et craie (61x85) : FRF 7 000.

CLÉMENT-SERVEAU, pseudonyme de **Serveau Clément**
Né le 29 juin 1886 à Paris. Mort en 1972 à Paris. XXe siècle. Français.
Peintre de compositions murales animées, groupes, nus, portraits, natures mortes, fleurs et fruits, peintre à la gouache, pastelliste, peintre de techniques mixtes, graveur, illustrateur. Postcubiste.
Il fut élève à Paris de l'École des Arts Décoratifs, et de Luc-Olivier Merson à l'École des beaux-arts, où il obtint le prix Chenavard. Il débuta en 1905 au Salon des Artistes Indépendants ; il figura au Salon des Artistes Français, où il obtint une première médaille en 1929. Il exposa ensuite aux Salons d'Automne et des Tuileries. Il a participé à la croisière-exposition du paquebot Maréchal-Joffre, fut invité au train-exposition, à l'exposition des œuvres rapportées de Grèce 1934-1935, ainsi qu'à des expositions collectives d'art français à Londres, aux États-Unis, Canada, Suède, etc. En 1935, il fut chargé d'organiser au Petit Palais à Paris l'exposition d'un groupe des *Artistes de ce temps*. Il a réalisé de grandes décorations murales, notamment : *La France touristique* pour le Pavillon du Tourisme à l'Exposition Universelle de 1937, un *Plan des anciennes enceintes de Paris* au musée Carnavalet, les fresques, vitraux et chemin-de-croix d'une chapelle de Franciscaines. En 1913, il dirigea l'Atelier de Fresque à l'École des beaux-arts de Paris. Il fut fait chevalier de la Légion d'Honneur.
Pour la Banque de France, il a gravé l'ancien billet de 5.000 francs dit de l'Empire, les anciens billets de 50 et 20 francs, et les billets de 1.000, 500, 5 francs ayant cours en 1946. Il a gravé d'autres devises pour les anciennes colonies, pour la Roumanie, la Pologne, la Serbie, l'Uruguay. Il a illustré de nombreux livres, parmi lesquels : *Le petit Pierre* d'Anatole France, *Élévation et mort d'Armand Branche* de Georges Duhamel, *Passy-Auteuil* de Francis de Miomandre, *Paris-Gascogne* de Raymond Escholier, *Le blé en herbe* de Colette, ainsi que l'une des premières collections populaires qui aient existé en France, précurseur des « livres de poche » : des romans de Colette, Loïs Delteil, Duhamel, Maurice Genevois, Giono, Giraudoux, Philippe Hériat, Mauriac, Maurois, Monfreid, etc.
Après une première période naturellement réaliste, Clément-Serveau ne resta pas indifférent aux évolutions artistiques du début de siècle. Ami de Marcoussis, il fut sensible à certains aspects du cubisme : mise en page serrée, construction de l'espace par « écrans » superposés, géométrisation de la forme, qui marquèrent sa propre écriture plastique de 1930 à 1950. Ensuite, il adhéra à l'abstraction. Dans ses périodes successives, il préserva un sens personnel de la mesure, de l'harmonie. ■ J. B.

Clément Serveau [signature]

MUSÉES : LE HAVRE – LANGRES – LILLE – NANTES – PARIS (Mus. Nat. d'Art Mod.) – ROUEN.
VENTES PUBLIQUES : VERSAILLES, 2 juin 1976 : *Nature morte à la coupe de fruits et au pichet*, h/t (61x46) : FRF 20 500 – VERSAILLES, 15 juin 1976 : *Les Jeux du cirque*, gche (43x37) : FRF 4 000 – VERSAILLES, 4 déc. 1977 : *Femme et fleurs*, h/t (65,5x91) : FRF 6 000 – VERSAILLES, 13 juin 1979 : *Le quatuor Parentin*, h/t (92x72,5) : FRF 26 000 – GRENOBLE, 12 mai 1980 : *Paysage de Tunisie*, gche (26x34) : FRF 3 800 – VERSAILLES, 29 nov. 1981 : *Nature morte au violon*, h/t (73x53,5) : FRF 9 000 – PARIS, 30 mars 1984 : *Le jardin des Hespérides* 1928, h/pap. mar./pan. (196x223) : FRF 50 000 – VERSAILLES, 15 mai 1988 : *Nature morte à la coupe de fruits*, h/t (33x24) : FRF 14 800 – PARIS, 16 oct. 1988 : *Vase de fleurs* 1937, h/t (65x54) : FRF 11 000 – VERSAILLES, 18 déc. 1988 : *Le Quatuor Parentin* 1969, h/t (92x72) : FRF 91 000 – PARIS, 28 oct. 1988 : *Guéridon primitif*, h/t (89x64) : FRF 32 000 – PARIS, 14 déc. 1988 : *Le Bougeoir rose* 1950, h/cart. (24x34,5) : FRF 10 000 – VERSAILLES, 26 nov. 1989 : *Nature morte au violon*, h/t (73x54) : FRF 48 000 – LA VARENNE-SAINT-HILAIRE, 21 mai 1989 : *Composition aux instruments de musique*, h/t (61x50) : FRF 53 000 – REIMS, 22 oct. 1989 : *Composition allégorique*, gche et aquar. (22,5x31) : FRF 5 500 – PARIS, 13 déc. 1989 : *Composition cubiste à la cruche*, h/t (54x65) : FRF 6 000 – PARIS, 27 juin 1990 : *Fleurs dans un pichet* 1948, h/t (46x38) : FRF 29 000 – VERSAILLES, 8 juil. 1990 : *Portrait de fillette*, h/isor. (27,2x22,5) : FRF 6 500 –

BRUXELLES, 9 oct. 1990 : *Nu couché* 1940, h/t (46x61) : **BEF 30 000** – PARIS, 14 nov. 1990 : *Nu allongé* 1944, h/pan. (50x61) : **FRF 45 000** – LE TOUQUET, 10 nov. 1991 : *Nature morte au verre et aux fruits*, gche (26x20) : **FRF 7 000** – PARIS, 6 déc. 1991 : *La Chaise*, h/t (65,5x50) : **FRF 20 000** – PARIS, 14 fév. 1992 : *Scène pastorale*, h/t (185x248) : **FRF 28 000** – PARIS, 2 fév. 1992 : *Composition cubiste au violon* 1922, past. et cr./pap. (43x36) : **FRF 67 000** – LONDRES, 17 juin 1992 : *Nature morte de fleurs et de fruits* 1926, h/t (91,5x71) : **GBP 3 300** – PARIS, 5 déc. 1992 : *Nature morte*, h/pan. (32x25) : **FRF 6 800** – PARIS, 8 avr. 1993 : *Composition au pichet*, gche/pap. (21x26,5) : **FRF 4 000** – PARIS, 11 juin 1993 : *Nature morte au livre* 1947, h/pan. (50x65) : **FRF 10 500** – PARIS, 6 avr. 1993 : *Femme dans un intérieur* 1950, h/t (27,5x22) : **FRF 22 000** – PARIS, 13 avr. 1994 : *Femme enfilant son bas* 1941, h/cart. (45x33) : **FRF 14 500** – PARIS, 8 déc. 1994 : *Jour de pélérinage à la Ghraïba de Djerba* 1953, h/t (145x97) : **FRF 122 000** – PARIS, 13 oct. 1995 : *Les Liseuses*, peint. à l'œuf/cart. (46x61) : **FRF 12 500** – CALAIS, 24 mars 1996 : *Nature morte à la bouteille*, h/pan. (47x51) : **FRF 8 000** – PARIS, 28 oct. 1996 : *Les Toits*, h/pan. (27x33) : **FRF 5 200** – PARIS, 24 nov. 1996 : *Nature morte à la guitare*, techn. mixte (32x47) : **FRF 4 000** – PARIS, 23 avr. 1996 : *Femme marocaine*, gche (25x33) : **FRF 5 800** – PARIS, 20 mars 1997 : *Nature morte aux raisins*, gche (36x25) : **FRF 3 300** – PARIS, 12 mars 1997 : *Nature morte au compotier*, h/pan. (117x89) : **FFR 80 000** – PARIS, 23 juin 1997 : *Les Iris* 1949, h/t (50x65) : **FRF 13 000**.

CLEMENTE, il. Voir **SPANI**

CLEMENTE Francesco

Né en 1952 à Naples. XXᵉ siècle. Italien.
Peintre de figures, compositions, portraits, fleurs, pastelliste, aquarelliste, graveur. Trans-avant-garde.
Il partage sa vie entre New York, Rome et Madras. Il figure dans de nombreuses expositions collectives, parmi lesquelles : en 1973 *Italy Two* au Civic Center Museum de Philadelphie, en 1975 la XIIᵉ Biennale de São Paulo, en 1977 la Xᵉ Biennale de Paris au Musée d'Art Moderne de la Ville, en 1979 la Foire de Bâle et *Europa 79* à Cologne, en 1980 *Aperto'80* à la Biennale de Venise et une exposition itinérante à la Kunsthalle de Bâle, au Museum Volkwang d'Essen et au Stedelijk Museum d'Amsterdam, en 1981 aux États-Unis, en 1982 *Issues : New Allegory I* à l'Institute of Contemporary Art de Boston, la Dokumenta 7 à Kassel, une exposition au Museum of Modern Art de New York, et *Les Magiciens de la Terre* organisée au Musée National d'Art Moderne de Paris, en 1985 à la *Nouvelle Biennale de Paris*. Il a été sélectionné pour représenter l'Italie à la Biennale de Venise de 1995. Il expose personnellement en Italie dans les galeries de Gian Enzo Sperone à Rome et à Turin, à la galerie Anthony d'Offay de Londres, chez Lucio Amelio à Naples, à Paris chez Yvon Lambert et, en 1991, 1993, 1996, galerie Daniel Templon, en Suisse dans les galeries de Thomas Ammann et de Bruno Bischofberger, en Allemagne et aux États-Unis, en 1983 lors d'une exposition itinérante à la Whitechapel Art Gallery de Londres, au Groninger Museum, à la Galerie d'Art Contemporain des Musées de Nice, et au Moderna Museet de Stockholm, en 1994 au musée national d'Art moderne de Paris avec une centaine d'œuvres sur papier (1971-1994), en 1995 au château de Chenonceau, en 1997 à la Galerie Jérôme de Noirmont à Paris.
Francesco Clemente est l'un des artistes les plus représentatifs du mouvement apparu en Italie à la fin des années soixate-dix, baptisé par le critique Achille Bonito-Oliva « la Trans-avant-garde » ; ce mouvement est caractérisé par la volonté de nier le déroulement linéaire des avant-gardes artistiques, le retour en force de la figuration et la vision des artistes comme « nomades », pouvant aller puiser des « citations » dans le réservoir formel de l'histoire de l'art, les mêler à leur propres créations et les interpréter selon leur subjectivité. Comme Sandro Chia, son travail à ses débuts s'apparentait à l'art conceptuel. S'intéressant à l'hindouisme, à l'alchimie et à la mythologie, il peint des œuvres figuratives ou parfois très proches de l'abstraction, dans lesquelles images et références s'entremêlent. Le nomadisme est ici vécu et pleinement développé dans chaque peinture. Clemente crée des œuvres très diverses, des peintures, des pastels, mais aussi des gravures sur bois, des fresques, des aquarelles, des photographies, des dessins, réalisées en fonction de l'endroit du monde où il se trouve. Il associe des motifs empruntés à l'histoire de l'art occidental et des particularités propres à des iconographies étrangères, comme par exemple le remplissage quasi total des surfaces présentes dans les œuvres

indiennes. Les peintures, où apparaissent de multiples éléments, ne délivrent pas une trame narrative claire, mais fonctionnent plutôt comme des évocations oniriques, que le spectateur peut interpréter à sa guise. Ainsi la série intitulée *Les Quatorze Stations*, peinte à New York, n'est-elle pas une illustration des événements de la Passion du Christ, mais sa vision propre de cette souffrance, à laquelle il intègre des éléments issus de son histoire personnelle. D'ailleurs, dans cette composante volontiers autobiographique de sa production en général, la fréquence de son autoportrait est à remarquer. Les objets, s'ils sont représentés, ne le sont que pour se prêter à de multiples métamorphoses. Les peintures sont traitées dans une gamme chromatique très brute, où les dissonances de tons ont des accents expressionnistes. La faculté d'imagination de Francesco Clemente est considérable, il semble l'exploiter à la façon de l'écriture automatique surréaliste, ce qui explique peut-être l'évidente inégalité qualitative de ses créations. Ses œuvres les plus convaincantes seraient possiblement les plus franchement autobiographiques et surtout autoérotiques, telle une aquarelle de 1989 constituée de son autoportrait raccordé sur un corps de femme en partie atrophié, sauf en ce qui concerne les attributs érogènes et sexuels, au contraire hypertrophiés et exaltés dans les détails dessinés et coloriés avec une minutie de voyeur. ■ F. M., J. B.

BIBLIOGR. : In : Catal. de la *Nouvelle Biennale de Paris*, 1985, Electa-Le Moniteur, pp 262-263 – in : *Parkett*, nº 9, 1986 – Tony Godfrey : *The New Image, Painting in the 1980s*, Oxford, 1986 – Demosthène Davvetas : *Le Paradoxe de Clemente*, in Artstudio, nº 7, hiver 1987-1988, p 56 – Jean-Christophe Ammann : *Francesco Clemente et l'Inde*, p 64 – Catalogue de l'Exposition : *Les Magiciens de la Terre*, Centre Georges Pompidou et la Grande Halle La Villette, Paris, 1989 – Manuel Jover : *Clemente, pervers polymorphe*, in : Beaux-Arts, Paris, déc. 1991 – Catalogue : *Francesco Clemente ; Early morning exercises*, coll. Carnets de dessins, Centre Georges Pompidou, Paris, 1994 – Catalogue de l'exposition *Clemente*, Galerie Jérôme de Noirmont, Paris, 1997.
MUSÉES : AMSTERDAM (Stedelijk Mus.) – PARIS (FNAC) : *Animal of sea* 1992.

VENTES PUBLIQUES : LONDRES, 29 juin 1982 : *Nord, Sud, Est, Ouest*, suite de quatre dess. aux craies de coul. (60,5x45,5) : **GBP 3 600** – NEW YORK, 1ᵉʳ nov. 1984 : *Sans titre (taureau)* 1979, gche/pap. mar./t. (102,8x152,4) : **USD 8 000** – LONDRES, 4 déc. 1984 : *Circolo* 1977, cr. de coul. (150x80) : **GBP 6 500** – NEW YORK, 6 nov. 1985 : *Non androgene* 1979, cr. et gche (70x180,5) : **USD 5 000** – NEW YORK, 11 nov. 1986 : *Not William Blake* 1980, past., cr. noir et coul. et peint. or/pap. (29,4x20) : **USD 6 000** ; *Upside down*, h/t (102,5x76,5) : **USD 17 000** – NEW YORK, 5 mai 1987 : *Sans titre* 1985, past./pap. (66,1x48,3) : **USD 13 000** – NEW YORK, 3 mai 1988 : *Sans titre*, past./pap., dédicacé Pour Andy Warhol au dos (61x45,7) : **USD 44 000** – NEW YORK, 4 mai 1988 : *Sans titre*, craies coul./pap. (31x31) : **USD 22 000** – LONDRES, 20 oct. 1988 : *La Danse de l'aube* 1981, temp./t. (100x150) : **GBP 23 100** – NEW YORK, 10 nov. 1988 : *Sans titre* 1981, aquar./pap. (29,8x44,4) : **USD 24 200** – NEW YORK, 2 mai 1989 : *Sans titre* 1983, h/t (198x236) : **USD 220 000** – NEW YORK, 5 oct. 1989 : *Femmes et Hommes nº 12*, aquar./pap. en trois feuilles (ensemble 109,3x50,8) : **USD 63 250** – NEW YORK, 31 oct. 1989 : *Sans titre (portrait de Robert Mapplethorpe)* 1976, aquar./pap. (35,9x50,8) : **USD 46 200** – NEW YORK, 7 nov. 1989 : *Soleil de minuit VII*, h/t (200x250) : **USD 286 000** – NEW YORK, 23 fév. 1990 : *La Danse de l'aube* 1981, temp./t. (100x150) : **USD 35 200** – PARIS, 8 avr. 1990 : *Hommes et Femmes nº 11* 1985-1986, aquar./pap. (107x50) : **FRF 200 000** – PARIS, 2 juil. 1990 : *Una solo*, gche/pap. (100x152) : **FRF 230 000** – NEW YORK, 2 mai 1991 : *Sans titre* 1988, craies coul./pap. (66,6x48,2) : **USD 20 900** – NEW YORK, 3 oct. 1991 : *Autoportrait sans miroir* 1978, encre et pigment/pap./tissu (208x260) : **USD 28 600** – NEW YORK, 12 nov. 1991 : *Sans titre (autoportrait)* 1983, h/t (168,3x106,7) : **USD 132 000** – NEW YORK, 27 fév. 1992 : *Un arbre bien connu* 1985, graphite et h/pap. (90,2x130,2) : **USD 46 200** – NEW YORK, 5 mai 1992 : *Soleil de minuit IX* 1982, h/t (199,5x250,2) : **USD 264 000** – ROME, 25 mai 1992 : *Sans titre*, past./pap. (47x47) : **ITL 23 000 000** – NEW YORK, 6 oct. 1992 : *Ma troisième guerre mondiale* 1983, gche/tissu (362x452) : **USD 137 500** – NEW YORK, 17 nov. 1992 : *Sans titre (orange et vert)* 1983, h/t (97,2x82,6) : **USD 44 000** – NEW YORK, 18 nov. 1992 : *Porcelaine étrusque* 1987, h. et graphite/t. (197,8x197,2) : **USD 44 000** – NEW YORK, 4 mai 1993 : *Les Quatre Saisons en une seule journée, parties I et II* 1981, techn. mixte/pap. artisanal (243,8x76,2) : **USD 51 750** – LONDRES, 24 juin 1993 : *Portrait de David Salle* 1981, détrempe/pan. de fibre de verre

(210x129,5) : **GBP 38 900** – New York, 11 nov. 1993 : *Cavernes 1991*, pigment/t. (101,5x122) : **USD 51 750** – Paris, 17 oct. 1994 : *Douze Heures*, past. (64x48) : **FRF 54 000** – New York, 2 nov. 1994 : *Le Bestiaire celte 1984*, craie coul./pap., huit dessins (chaque 66x48) : **USD 343 500** – New York, 3 mai 1995 : *Abat l'école ! 1977*, h. et past./pap. (243,8x162,6) : **USD 29 900** – Londres, 27 mars 1996 : *À l'intérieur du nuage 1989*, past. et fus./ pap. (67x101,5) : **GBP 10 350** – New York, 8 mai 1996 : *Sans titre 1990*, aquar./pap. (59,6x45,7) : **USD 65 200** – Paris, 19 juin 1996 : *Sans titre 1983*, h/t (198x236) : **FRF 500 000** – Londres, 24 oct. 1996 : *Soleil de minuit VI 1982*, h/t (198x237) : **GBP 100 500** – New York, 21 nov. 1996 : *Massimo 1988*, craies coul./pap. (66,4x48,3) : **USD 43 700** – New York, 7 mai 1997 : *Cœurs brisés*, aquar./pap. (301x114,3) : **USD 79 500** – New York, 8 mai 1997 : *Sans titre 1987*, craies coul./pap. (66,7x48,3) : **USD 29 900** – Londres, 23 oct. 1997 : *Devise 1991*, h/t (112x112) : **GBP 43 300**.

CLEMENTE Francisco Luis
Mort en 1710. XVIIIe siècle. Espagnol.
Peintre.

CLEMENTE M., dit Inglese
XVIIe siècle. Travailla à Venise et à Trévise au milieu du XVIIe siècle. Italien.
Peintre.

CLEMENTE Stefano Maria
Né en 1719 à Turin. Mort en 1794 à Turin. XVIIIe siècle. Italien.
Sculpteur.
Il exécuta nombre de sculptures religieuses surtout en bois pour les églises de Turin et des environs.

CLEMENTE dall' Arpa. Voir DALL' ARPA

CLEMENTE di Cristofano
XVe siècle. Vivait en 1478 à Florence. Italien.
Peintre.

CLEMENTE di Giacomo
XVe siècle. Actif à la fin du XVe siècle. Italien.
Miniaturiste.
On connaît plusieurs miniatures de cet artiste qui travaillait dans le style de Fra Angelico. L'une de ces œuvres est datée de 1476.

CLEMENTE di Gorizia
XIVe-XVe siècles. Italien.
Peintre.
Il travaillait entre 1397 et 1405 et peut-être encore en 1442 pour la cathédrale de Crémone.

CLEMENTE da Padana
XVe siècle. Actif à Lucques en 1446. Italien.
Miniaturiste.

CLEMENTE di Stefano
XVIe siècle. Italien.
Sculpteur.
Il travailla à Citta di Castello et à Prato.
Musées : Florence : *Le tombeau de V. Trinci*.

CLEMENTE da Urbino
XVe siècle. Italien.
Sculpteur et médailleur.

CLEMENTI. Voir SPANI

CLEMENTI Domenico
XVIIIe siècle. Actif à Padoue au milieu du XVIIIe siècle. Italien.
Peintre et restaurateur.

CLÉMENTI G.
XIXe siècle.
Peintre de genre.
Cité par Miss Florence Levy.
Ventes Publiques : New York, 26 jan. 1906 : *Scène de marché en Espagne* : **USD 330**.

CLEMENTI Maria Giovanni Battista ou Clementini, dite la Clementina
Née en 1690 à Turin. Morte en 1761 à Turin. XVIIIe siècle. Italienne.
Peintre de portraits.
Musées : Besançon : *Portrait d'Étienne Jurin* – Chambéry (Mus. des Beaux-Arts) : *Les enfants de Charles Emmanuel III* – Turin : *Portrait de Charles-Emmanuel III*.
Ventes Publiques : Londres, 1er fév. 1985 : *Portrait de Michele Antonio Saluzzo, Monsu della Marta 1734*, h/t (130,1x87,6) : **GBP 6 500** – Londres, 14 déc. 1990 : *Portrait de Charles-*

Emmanuel III de Savoie, Roi de Sardaigne en habit brodé et tenant le bâton de maréchal*, h/t (137,5x102,5) : **GBP 6 050**.

CLEMENTI Rutilio
XVIIIe siècle. Actif à Pérouse. Italien.
Peintre.
C'était un père jésuite qui exécuta des peintures religieuses pour l'église du Gesu.

CLEMENTINE-BALLOT. Voir BALLOT Clémentine

CLEMENTONE II. Voir BOCCIARDO Clemente

CLEMENTS Annie Astell
Née à Halstead (Essex). XXe siècle. Britannique.
Miniaturiste.

CLEMENTS Astell Maud Mary
Née le 10 novembre 1878 à Canterbury. XXe siècle. Britannique.
Peintre-miniaturiste, aquarelliste, dessinateur.
Elle exposait à la Royal Academy de Londres. Elle a figuré aussi à Paris, au Salon des Artistes Français de 1928 à 1933.

CLEMENTS Gabrielle de Veaux
Née en 1858 à Philadelphie. XIXe siècle. Américaine.
Peintre de fresques et graveur.
Élève de Robert-Fleury et de Bouguereau, à Paris.

CLEMENTS John
XIXe siècle. Actif à Worcester. Britannique.
Portraitiste.
Il exposa de 1818 à 1831 à la Royal Academy et à Suffolk Street, à Londres.

CLEMENTS Ruth Sypherd
Née à Arlington (Virginie). XIXe-XXe siècles. Américaine.
Graveur, peintre et illustrateur.
Exposa au Salon d'Automne de 1907. Élève du Corcoran Institute à Washington et du Drexel Institute à Philadelphie.

CLEMENTS William Charles
Né le 9 novembre 1903 à Londres. XXe siècle. Britannique.
Peintre.
Élève d'André Gordon. Expose à la Royal Society of British Artists et à la East End Academy de Whitechapel.

CLEMENTSCHITSCH Arnold
Né en 1887. Mort en 1970. XXe siècle. Autrichien.
Peintre de paysages de montagne.
Il a peint les paysages des Alpes d'Autriche sous leurs différents aspects saisonniers.
Ventes Publiques : Vienne, 18 mai 1970 : *Paysage de neige* : **ATS 9 000** – Vienne, 24 sep. 1971 : *Paysage alpestre* : **ATS 15 000** – Vienne, 21 sep. 1979 : *Deux nus debout 1939*, h/t (97x74) : **ATS 75 000** – Vienne, 14 sep. 1982 : *Paysage au clair de lune 1980*, h/t (50x60) : **ATS 28 000** – Vienne, 22 mars 1983 : *Ruine au clair de lune 1979*, h/t (48x60) : **ATS 30 000** – Vienne, 4 déc. 1984 : *Scène de rue 1920*, h/t mar./cart. (43,7x59,5) : **ATS 110 000** – Vienne, 10 déc. 1985 : *Scène de rue 1921*, h/t (85x70) : **ATS 180 000** – Vienne, 3 déc. 1986 : *Paysage montagneux*, h/t (74x63) : **ATS 90 000** – Vienne, 22 sep. 1987 : *Autoportrait 1947*, h/t mar./cart. (34x30) : **ATS 35 000**.

CLEMENTSZ Jacob
Mort en 1465. XVe siècle. Actif à Leyde. Éc. flamande.
Peintre.
Travailla pour l'Hôtel de Ville, de 1461 à 1462. Le Musée de Leyde possède une toile de cet artiste : *L'Enfer*.

CLEMENTZ Hermann
Né en 1852 à Berlin. XIXe siècle. Allemand.
Peintre de sujets religieux, scènes de genre.
Il obtint en 1883 le deuxième prix Michael Beer lui permettant un voyage d'études d'un an. Il se fixa à Berlin où il exposa ainsi qu'à Munich, Magdebourg, Dresde, etc.
On cite de lui : *Caïn et Abel, Dame dans un salon, Baisements des pieds de saint Pierre à Rome*.
Ventes Publiques : Lindau, 9 mai 1979 : *Porteuse d'eau sur une terrasse*, h/pan. (35x26) : **DEM 2 500** – New York, 11 fév. 1981 : *Golgotha 1908*, h/t (201x318) : **USD 3 250** – Londres, 15 mars 1996 : *Lune de miel 1877*, h/t (55x74) : **GBP 12 650**.

CLEMINSON Robert
Né en 1844. Mort en 1888. XIXe siècle. Britannique.
Peintre de genre, sujets de sport.
Il exposa à Londres de 1865 à 1868.

VENTES PUBLIQUES : LONDRES, 18 sep. 1942 : *La Patte du chat* : GBP 136 – LONDRES, 5 oct. 1945 : *Le Passage du daim* : GBP 346 – ÉCOSSE, 1ᵉʳ sep. 1981 : *A lofty vantage* 1881, h/t (76x127) : GBP 300 – LONDRES, 1ᵉʳ nov. 1985 : *Setters dans un paysage*, deux h/t (69,9x90,3) : GBP 2 600 – LONDRES, 24 nov. 1987 : *A Highland Family*, h/t (60,9x91,4) : GBP 600 – NEW YORK, 9 juin 1988 : *Sauvé de justesse !*, h/t (60, 4x90) : USD 2 640 – PERTH, 28 août 1989 : *Setters attendant leur maître dans un paysage des Highlands*, h/t, une paire (chaque 30,5x40,5) : GBP 2 970 – GLASGOW, 16 avr. 1996 : *La Garde du carnier ; Sur la lande*, h/t (chaque 91,5x71) : GBP 5 750 – LONDRES, 5 sep. 1996 : *Le Roi des daims*, h/t (76,2x64,1) : GBP 1 150 – LONDRES, 14 mars 1997 : *Le Roi des cerfs*, h/t (76,5x64) : GBP 4 140 – LONDRES, 15 avr. 1997 : *L'Attente des fusils ; Setters à l'œuvre*, h/t, une paire (chaque 91,5x71) : GBP 5 175.

CLÉNIN Walter
Né en 1897 à Tschugg. Mort en 1988 à Tschugg. xxᵉ siècle. Suisse.
Peintre de paysages.
Il a vécu à Berne. De 1956 à 1966, il fut professeur à l'Académie Royale des Beaux-Arts d'Amsterdam. Il a surtout peint des paysages de la Suisse, qui sont conservés dans divers musées de ce pays.
VENTES PUBLIQUES : LUCERNE, 27 nov. 1970 : *Paysage du Jura* : CHF 136 – LUCERNE, 2 déc. 1982 : *Nature morte aux fleurs et aux trois poires*, h/t (65x79) : CHF 3 200 – BERNE, 26 oct. 1988 : *Paysage près de Berne* 1926, h/t (66x79) : CHF 1 700.

CLENNELL Luke
Né en 1781 à Ulgham (près de Morpeth, Northumberland). Mort en 1840 à Newcastle-on-Tyne. xIxᵉ siècle. Britannique.
Peintre d'histoire, genre, paysages, aquarelliste, graveur, dessinateur, illustrateur.
Clennell commença ses études, sous la direction du célèbre graveur Bewick, en 1797, et montra une grande facilité pour le dessin. Son talent de peintre se développant en même temps, il exposa des toiles qui firent preuve de sa maîtrise et lui valurent l'appréciation du public pour sa précocité. De cette époque datent ses tableaux : *Le Retour des pêcheurs de maquereau* et le *Lendemain de la foire*. À la suite du succès obtenu par son intéressante composition de *La charge de Waterloo*, Clennell fut chargé de peindre les fêtes données par la ville de Londres aux survivants de cette mémorable bataille. Cet honneur fut néfaste. Clennell rencontra tant de contrariétés, d'ennuis et d'arrogance dans son entourage, pendant l'accomplissement de cet ouvrage, qu'il en devint fou. De 1817 jusqu'à sa mort, il n'eut que quelques rares intervalles de lucidité. Il exposa à la Royal Academy, à l'Exposition des Aquarelles et à la British Institution, à Londres, de 1810 à 1818. Parmi ses gravures sur bois, on cite quelques-unes qu'il fit pour l'illustration du *Naufrage*, de Falconer ; des *Poèmes*, de Rogers (ces dernières d'après Stothard). Il dessina aussi pour les *Antiquités de la Frontière*, de Scott.
MUSÉES : LONDRES (Victoria and Albert Mus.) : *Scène sur une rivière – Joueur de cornemuse aveugle – Barrière à péage à la campagne – Une auberge sur la route – Paysage avec ruines – Racoleurs maritimes – Fosse de scieur de long* – MANCHESTER : *Scène de rivière, déchargement de bateau – Pont sur un torrent, Écosse* – NOTTINGHAM : *Robinson Crusoé conduisant son radeau – Crusoé découvre la vieille chèvre de la caverne – Crusoé délivre Vendredi – L'Anglais blessant le sauvage avec sa hache – Vendredi réchauffant les chevilles de l'Espagnol – Vendredi et l'ours.*
VENTES PUBLIQUES : LONDRES, 1ᵉʳ mai 1908 : *Dumbaron*, dess. : GBP 1 – LONDRES, 17 mars 1922 : *Chariot de la tempête* 1816 : GBP 7 – LONDRES, 22 mars 1922 : *Moulins à vent près d'un estuaire*, aquar. : GBP 8 – LONDRES, 27 mai 1927 : *La charge de la garde à Waterloo* : GBP 5 – LONDRES, 28 et 29 juil. 1927 : *Eastby Abbey*, dess. : GBP 10 – LONDRES, 15 mai 1931 : *Une foire en Écosse*, dess. : GBP 8 – LONDRES, 18 mars 1980 : *Melrose*, aquar. (20x27,5) : GBP 650 – LONDRES, 13 mars 1986 : *Paysans tirant une barque* 1812, aquar. (44,5x73) : GBP 880 – LONDRES, 25 jan. 1988 : *Le vieux pont sur la Tyne et Newcastle au crépuscule*, aquar. (16,5x47) : GBP 1 210 – LONDRES, 9 mai 1996 : *Convoi de marchandises sous l'orage*, h/t (84x126,5) : GBP 1 380.

CLÉO Hans. Voir CLIO

CLEOPHON peintre de
vᵉ siècle avant J.-C. Actif entre 430 et 410 avant J.-C. Antiquité grecque.
Peintre.
Il est désigné comme étant le peintre décorateur des poteries

façonnées par Cleophon. Il décore de figures rouges les formes les plus variées de vases : stamnoi, cratères, amphores, hydries. Étant l'un des disciples de Polygnotos, le céramiste, il sait rendre les draperies avec fluidité, et traduire les sentiments dramatiques, en accentuant l'aspect rêveur des visages. L'art du peintre de Cleophon présente une telle aisance, qu'il semble ne plus poser aucun problème à l'artiste. Visages, corps et vêtements sont peints d'un trait noir net et délicat, qui va à l'essentiel, n'encombre pas les compositions, n'est jamais négligé. Les figures sont aussi bien présentées en face que de profil ou de trois-quarts ; les drapés épousent la forme des corps avec une extrême souplesse. Mais l'ensemble n'a rien de fade, bien au contraire, on atteint là l'un des sommets de l'art classique attique. En effet, ce peintre peut être considéré comme un spécialiste de l'analyse psychologique : en peu de traits, il rend la mélancolie, la tristesse profonde d'un visage, tout en respectant une certaine retenue, un équilibre qu'il ne brise jamais. Son art est en rapport avec celui de Phidias, et sur l'un de ses cratères à volutes de Spina, se retrouvent des éléments empruntés aux Panathénées. L'un des plus beaux vases peints par ce peintre, véritable résumé de son art, est le stamnos de Munich, représentant le départ d'un guerrier. L'homme et la femme sont face à face, présentés de profil et de trois-quarts, avec beaucoup d'aisance dans tous les détails de leur vêtement et leur corps. C'est avec une grande délicatesse du trait que le peintre de Cleophon a fait naître entre ces deux êtres déchirés par la tristesse, une émotion muette, comme retenue, d'une haute dignité toute classique.
BIBLIOGR. : Arias et Hirmer : *Le vase grec*, Flammarion. Paris, 1962.

CLEPHANE Lewis
Né en 1869 à Washington. xIxᵉ siècle. Américain.
Aquarelliste.

CLÉRAMBAULT Charles
Né en 1885 à Paris. xxᵉ siècle. Français.
Peintre d'intérieurs, natures mortes.
Il fut élève d'Albert Dawant, Antoine Bail, Marcel Baschet, Henri Royer. Il exposait à Paris, au Salon des Artistes Français, dont il devint sociétaire, mention honorable 1912, troisième médaille 1921.

CLERBOUT Gaston Henri Armand
Né à Paris. xxᵉ siècle. Français.
Graveur sur bois.

CLERC Alexis Sauveur
xIxᵉ siècle. Actif à Avignon. Français.
Graveur et orfèvre.
Le Musée d'Avignon possède une œuvre de cet artiste.

CLERC Barthélémy. Voir BARTHÉLÉMY de Clerc

CLERC David Le. Voir LECLERC

CLERC François
xvIIᵉ siècle. Actif à Besançon. Français.
Graveur.

CLERC François
xvIIIᵉ siècle. Actif à Grenoble. Français.
Peintre.

CLERC Georges Albert Jehan
Né à Paris. xxᵉ siècle. Français.
Sculpteur.
Élève de Fromental. En 1928 et 1929 il a exposé au Salon des Artistes Français des têtes d'enfants.

CLERC Guillaume
xvIᵉ siècle. Français.
Sculpteur sur bois.
Fils de Robert C. Il travaillait à Rouen en 1565 à l'église Saint-Jean.

CLERC Hans
xvIIᵉ siècle. Actif à Malines et en 1601 à Louvain. Éc. flamande.
Peintre.

CLERC Jan de
xvᵉ siècle. Vivait à Bruges à la fin du xvᵉ siècle. Éc. flamande.
Peintre.

CLERC Jean Baptiste
xIxᵉ siècle. Français.

Peintre sur porcelaine.
Il exposa des fleurs au Salon et travailla pour la manufacture de Sèvres vers le milieu du XIXe siècle.

CLERC Martha
Née à Lyon. XIXe siècle. Française.
Peintre.
Élève de Muller. Elle exposa à Paris, en 1878 et 1880, deux *Portraits* et *Une paysanne.*

CLERC Michiel de
XVe siècle. Français.
Peintre.
Il fut reçu maître à Bruges en 1472.

CLERC Pierre
Né en 1923. Mort en 1984. XXe siècle. Français.
Peintre, graveur. Abstrait, lettres et signes.
Après avoir étudié dans le Midi, où il est né, il fut élève à Paris des Ecoles des Arts Décoratifs et des Beaux-Arts. Ensuite, il exposa dans différents Salons parisiens : des Moins de Trente Ans, des Réalités Nouvelles, Comparaisons. En 1957, il participa à l'exposition *Expression et Non-figuration* organisée par Michel Ragon. La même année, il fut invité à la Biennale de Menton.
Sa peinture aux coloris délicats, très graphique, évoque les idéogrammes. Il grave également des estampes aux reliefs très accusés. Au sujet des signes graphiques dans les œuvres de Pierre Clerc, Gérald Gassiot-Talabot écrit qu'ils « requièrent une évidence péremptoire, une archéologie immédiate et porteuse de paroles perdues. On se prend à rêver à des systèmes dont Pierre Clerc aurait été le découvreur et le grand-prêtre... »
VENTES PUBLIQUES : PARIS, 19 mars 1989 : *Composition,* gche/pap. (56,5x42) : **FRF 12 000** – NEUILLY, 7 fév. 1990 : *Composition* 1977, techn. mixte/pap. (78,5x60) : **FRF 18 000** – PARIS, 21 mai 1990 : *Rune bleue* 1964 (99x65) : **FRF 42 000** – PARIS, 18 juin 1990 : *Femme au chapeau* 1968, h/t (96x96,5) : **FRF 48 000** – PARIS, 26 oct. 1990 : *Le taureau* 1977, h/t (100x100) : **FRF 55 000** – NEUILLY, 16 avr. 1991 : *Composition,* gche et aquar./pap. (30x21) : **FRF 10 000** – PARIS, 19 mars 1993 : *Composition* 1951, h/t (100x100) : **FRF 7 000**

CLERC Robert
XVIe siècle. Actif à Rouen. Français.
Sculpteur sur bois.
Il refit avec son fils Guillaume, en 1565, le jubé et les stalles du chœur de l'église Saint-Jean à Rouen, que les protestants avaient détruits en 1562.

CLERC Sylvestre
Né le 31 décembre 1892 à Toulouse (Hte-Garonne). XXe siècle. Français.
Sculpteur.
Il fut élève de Jules Coutan. Il exposait à Paris, au Salon des Artistes Français, dont il devint sociétaire, troisième médaille 1923, deuxième médaille 1928.

CLERC Yves
Né vers 1947. XXe siècle. Français.
Peintre de figures.
Il est venu tard à la peinture. Il a montré des ensembles de ses peintures dans des expositions personnelles, à Paris en 1992, et en 1994 à la galerie Charles et André Bailly.
Dans une technique qui produit une matière grenue comme un fin crépi, il peint sur des grands formats des hommes et des femmes en tenues d'apparat, des volatiles, des meubles, dont il « gigantise » les proportions, et qu'il démultiplie souvent par des effets de miroir.
BIBLIOGR. : Bruno Foucart : *Yves Clerc,* Édit. de l'Amateur, Paris, 1992.

CLERCK Adam de
Né vers 1645. Mort en 1705 à Berlin. XVIIe siècle. Allemand.
Peintre de portraits.
Il vécut semble-t-il tout d'abord en Hollande et ne fut appelé à Berlin qu'en 1678. Il peignit dès lors les portraits de la plupart des notabilités de son temps.

CLERCK Adriaen de
XVIIe siècle. Éc. flamande.
Peintre.
Il fut reçu maître à Gand en 1680.

CLERCK Antoon de
Né en 1923 à Deinze. XXe siècle. Belge.
Peintre. Tendance hyperréaliste.

Il fut élève des académies des beaux-arts de Gand et Deinze, dont il fut directeur de 1947 à 1951, et de la Cambre.
BIBLIOGR. : In : *Dict. biogr. des artistes en Belgique depuis 1830,* Arto, Bruxelles, 1987.

CLERCK Bert de
Né en 1912 à Gentbrugge. XXe siècle. Belge.
Sculpteur.
Il fut élève de l'Académie de Gand. Dans ses sculptures de figures, sa façon de ménager des vides entre les volumes forts, rappelle la manière de Gargallo.
BIBLIOGR. : In : *Diction. biogr. illustré des artistes en Belgique depuis 1830,* Arto, Bruxelles, 1987.
MUSÉES : OSTENDE.

CLERCK G. de
XVIIIe siècle. Travaillait à Brandebourg au début du XVIIIe siècle. Allemand.
Peintre portraitiste.

CLERCK Gheert
XVIe siècle. Vivait à Anvers au milieu du XVIe siècle. Éc. flamande.
Peintre.

CLERCK Hendrick de ou Klerck
Né vers 1570 à Bruxelles. Mort vers 1629. XVIe-XVIIe siècles. Éc. flamande.
Peintre de sujets religieux, figures, portraits, dessinateur.
Probablement élève de Martin de Vos ; il fut, en 1606, peintre de la cour de l'infante Isabelle. Il peignit des tableaux d'églises, des figures dans les tableaux de Daniel Van Alsloot, H. Van Bâlen, Jac. Artois, J. de Momper, etc.

H. de Clerck

MUSÉES : AMSTERDAM : *Lutte entre Apollon et Marsyas* – *Suzanne et les vieillards* – BERNE : *Le bon Samaritain* – BRUXELLES : *Sainte Famille et généalogie de sainte Anne,* triptyque – *Laissez venir à moi les petits enfants* – *Descente de Croix* – CAMBRAI : *Christ au tombeau* – GRAZ : *Jugement de Pâris* – MADRID : *Diane et Actéon,* le paysage est de J. Artois – MOSIGKAN : *Jugement de Pâris* – SCHLEISSHEIM : *Paradis,* le paysage est de D. V. Alsloot – STOCKHOLM : *Josué vainqueur du roi Amalek* – *Christ prêchant* – VIENNE : *Céphale et Procris,* le paysage est de D. V. Alsloot – *La multiplication des pains par le Christ.*
VENTES PUBLIQUES : PARIS, 1777 : *Le festin des dieux* : **FRF 530** – PARIS, 1779 : *Le même tableau* : **FRF 220** – PARIS, 5 déc. 1951 : *Ulysse chez la nymphe Calypso* : **FRF 1 100 000** – LONDRES, 4 juin 1964 : *Moïse sauvé des eaux* : **GBP 850** – NEW YORK, 12 mars 1969 : *Moïse frappant le rocher* : **USD 9 500** – NEW YORK, 12 jan. 1979 : *La Conversion de Saint Paul* 1612, h/pan. (96,5x145) : **USD 39 000** – LONDRES, 10 avr. 1981 : *Moïse frappant le rocher avec le bâton,* h/pan. (67,2x78,6) : **GBP 8 000** – ÉCOSSE, 28 août 1984 : *Le chemin du calvaire : Jésus et sainte Véronique,* h/t (133x107) : **GBP 800** – LONDRES, 12 déc. 1986 : *Ève tentant Adam,* h/pan. (131,8x175) : **GBP 68 000** – LONDRES, 8 avr. 1986 : *Cérès et Proserpine avec putti tenant des guirlandes de fleurs et paysans portant des paniers de fruits,* craies noire et rouge, pl. et lav. (38,2x24,3) : **GBP 13 000** – LONDRES, 18 déc. 1987 : *Le repos pendant la fuite en Égypte,* h/cart. (29,9x34,9) : **GBP 16 000** – PARIS, 13 juin 1988 : *L'Adoration des bergers,* h/t (216x167) : **FRF 65 000** – STOCKHOLM, 29 mai 1991 : *Nu féminin allongé dans un paysage,* h/pan. (36x53) : **SEK 26 000** – LONDRES, 3 juil. 1991 : *L'Adoration des bergers,* h/t (105,5x113) : **GBP 20 900** – LOKEREN, 5 déc. 1992 : *Apollon et les muses,* h/pan. (50x75) : **BEF 330 000** – LONDRES, 22 avr. 1994 : *L'Adoration des bergers,* h/t (209,5x146,5) : **GBP 43 300** – LONDRES, 7 déc. 1994 : *La Sainte Famille avec St. Jean-Baptiste enfant et des anges serviteurs dans un paysage boisé avec une scène de la fuite en Égypte au fond* 1611, h/pan. (104,7x94) : **GBP 133 500** – LONDRES, 3 juil. 1996 : *Saint Jean l'évangeliste,* encre et craie noire (27,4x18,7) : **GBP 4 600** – LONDRES, 30 oct. 1997 : *Ecce Homo,* h/pan., de forme ovale (32,7x24,6) : **GBP 3 220.**

CLERCK Hendrik de
XVIe siècle. Travaillait à Malines, puis à Francfort-sur-le-Main, à la fin du XVIe siècle. Éc. flamande.
Peintre.

CLERCK Henry de
Né à la fin du XIXe siècle à Bruxelles. XIXe-XXe siècles. Belge.

Peintre.
Élève de J. Stobbaerts et de J. Degreef. A exposé *Vaches en plein soleil* au Salon des Artistes Français de 1921.
Ventes Publiques : Bruxelles, 15 avr. 1939 : *L'Annonciation* : BEF 2 500.

CLERCK Jacob de
xviie siècle. Actif à Anvers au milieu du xviie siècle. Éc. flamande.
Peintre.

CLERCK Jakob Friedrich
Né en 1769 à Vienne. Mort après 1804. xviiie siècle. Autrichien.
Graveur.
Il fut, très jeune, graveur de la cour du prince Esterhazy et eut de ce fait accès à la cour impériale pour laquelle il reproduisit les portraits de nombre de notabilités contemporaines. Il grava aussi beaucoup de tableaux à la mode.

CLERCK Jan de
xviie siècle. Travaillait à Anvers entre 1671 et 1696. Éc. flamande.
Peintre.

CLERCK Jan P. de
Né en 1881 ou 1891 à Ostende. Mort en 1962 ou 1964 à Ostende. xxe siècle. Belge.
Peintre de figures, scènes typiques, paysages, marines, aquarelliste, pastelliste. Symboliste, puis expressionniste-populiste.
Autour de sa trentième année, il fut très sensible au courant symboliste qui avait marqué fortement l'époque de la charnière des deux siècles. Dans une peinture de 1912, *Le Soir Antique*, il pratiquait, comme la plupart des symbolistes, une touche encore apparentée à l'impressionnisme, il réalisa cette peinture sous la forme d'un triptyque, partition également appropriée à la narration d'un thème spirituel, qui, ici, concerne le passage de l'Antiquité païenne au Christianisme. Dans la suite, outre quelques peintures faites en Angleterre, il est resté totalement attaché aux paysages et aux personnages typiques de la région d'Ostende, où le Casino lui organisa une exposition d'ensemble en 1972.
Bibliogr. : R. Kerremans : *Jan de Clerck*, Ostende, 1989.
Ventes Publiques : Anvers, 19 mai 1987 : *Vue de la rade d'Anvers*, h/t (152x305) : **BEF 45 000** – Londres, 20 oct. 1988 : *Portrait d'Oskar, frère de l'artiste* 1915, h/t (59x52) : **GBP 20 000** – Londres, 16 oct. 1990 : *Le soir antique* 1912, past./feutre (en trois parties 37x100) : **GBP 38 500** – Amsterdam, 12 déc. 1990 : *Le port de Zeebrugge en hiver*, h/t (66x93) : **NLG 34 500** – Amsterdam, 26 mai 1993 : *Barques de pêche ancrées dans un port en hiver*, aquar., gche et cr./pap./cart. (49x68) : **NLG 6 325** – Lokeren, 11 mars 1995 : *Marine*, gche (21,5x27) : **BEF 24 000** – Paris, 27 oct. 1995 : *Navire et remorqueur à quai*, h/t (71x60) : **FRF 22 000**.

CLERCK Nicolas de ou Clerk
xviie siècle. Actif à Delft, de 1614 à 1625. Hollandais.
Graveur et éditeur.
Ventes Publiques : Bruxelles, 1797 : *Quatre pièces, dont : Abigaïl portant des vivres*, dess. à la sanguine ; *Le Couronnement d'épines*, ensemble : **FRF 8**.

CLERCK Oscar de
Né le 11 décembre 1892 à Ostende. Mort en 1968 à Saint-Stevens-Woluwe. xxe siècle. Belge.
Sculpteur, dessinateur, illustrateur. Polymorphe.
Il fut élève de l'Académie de Gand. Il fut membre de la Société Royale des Beaux-Arts de Belgique.
Il fut tour à tour postimpressionniste, post-cubiste dans le sens d'une stylisation décorative, expressionniste, surréaliste. Il a illustré *La diabolique aventure de Julien de La Does*.
Bibliogr. : In : *Diction. biogr. illustré des artistes en Belgique depuis 1830*, Arto, Bruxelles, 1987.
Musées : Ostende : plusieurs sculptures.
Ventes Publiques : Lokeren, 21 mars 1992 : *Nu*, plâtre argenté (H. 83, l. 32) : **BEF 60 000** – Lokeren, 15 mai 1993 : *Saint François*, sculpt. de chêne (H. 36, l. 22) : **BEF 26 000** – Lokeren, 9 oct. 1993 : *Marque* 1927, plâtre à patine noire (H. 41, l.24) : **BEF 140 000** – Lokeren, 12 mars 1994 : *Nu masculin* 1929, craie noire/pan. (136x91) : **BEF 65 000**.

CLERCK Peeter de
xviie siècle. Éc. flamande.
Peintre.
Il fut reçu maître à Anvers en 1677-78.

CLERCK Roelant de
xviie siècle. Éc. flamande.
Peintre.
Il travaillait à Anvers en 1613 et sans doute à Malines en 1619.

CLERCQ Alfons de
Né en 1868 à Weelde. Mort en 1945. xixe-xxe siècles. Belge.
Peintre de paysages.
Ventes Publiques : Lokeren, 10 oct. 1992 : *La belle Flandre – Lisseweghe*, h/t (80,5x100,5) : **BEF 80 000**.

CLERCQ Fernandus de
xviie siècle. Vivait en 1657, à l'âge de 23 ans, à Amsterdam. Hollandais.
Peintre.

CLERCQ Hans
Originaire de Malines. xvie-xviie siècles. Éc. flamande.
Peintre.
Il se maria en 1598.

CLERCQ Hugo de
Né en 1930 à Gand. xxe siècle. Belge.
Sculpteur, peintre.
Il fut élève de l'Académie des Beaux-Arts de Gand. En 1965 lui fut attribué le Prix de la Jeune Peinture Belge. Il travaille l'acier et le métal chromé.
Bibliogr. : In : *Diction. biogr. illustré des artistes en Belgique depuis 1830*, Arto, Bruxelles, 1987.
Musées : Gand.

CLERCQ Maurice de
Né en 1918 à Ledeberg ou Gand. Mort en 1980 à Oordegem. xxe siècle. Belge.
Sculpteur, peintre, graveur. Tendance abstraite.
Il fut élève de l'Académie Royale des Beaux-Arts de Gand et de l'École des Arts et Métiers de Bruxelles.
Il réalise ses sculptures avec des pièces de carrosseries automobiles, soudées ou présentées telles, mais brillantes, chromées, produisant des apparences d'étranges armures non dépourvues d'agressivité, personnages casqués, chevaliers hiératiques qui ne manquent ni d'imagination, ni d'humour.
Bibliogr. : In : *Diction. Biogr. illustré des Artistes en Belgique depuis 1830*, Arto, Bruxelles, 1987.

CLERCQ Pieter Jan de
Né en 1891 à Ekeren. Mort en 1964 à Combrit (Finistère). xxe siècle. Belge.
Peintre de paysages animés, marines, portraits, natures mortes.
Il fut élève des Académies des Beaux-Arts d'Anvers et de Malines. Il a surtout peint les paysages de l'Escaut jusqu'à la mer, en Bretagne les vues de villes animées, les scènes et figures typiques. Dans les portraits, son trait devient aigu.
Bibliogr. : In : *Diction. biogr. illustré des artistes en Belgique depuis 1830*, Arto, Bruxelles, 1987.
Musées : Belgrade – Mexico – Rome (Vatican) – Saint-Nicolas – Termonde.
Ventes Publiques : Anvers, 20 oct. 1976 : *Port de plaisance*, h/pan. (73x100) : **BEF 10 000** – Lokeren, 28 mai 1988 : *Voiliers à l'aube*, h/pan. (50x60) : **BEF 50 000** – Amsterdam, 6 nov. 1990 : *Paysage côtier*, h/cart. (60x81) : **NLG 2 875** – Lokeren, 21 mars 1992 : *Le pont transbordeur de Hemiksem* 1951, h/t (60x86) : **BEF 44 000** – Lokeren, 7 oct. 1995 : *Vue de Bretagne* 1957, h/t (80x100) : **BEF 33 000**.

CLÈRE Camille Jacques François
Né le 17 juillet 1825 à Valenciennes (Nord). xixe siècle. Français.
Peintre d'histoire, scènes de genre.
Élève de Cogniet à l'École des Beaux Arts de Paris, où il entra en 1847, il débuta au Salon de Paris en 1848. Il obtint le deuxième prix au concours de Rome en 1855 avec *César dans la barque*. Ses compositions montrent un graphisme proche de celui d'Ingres et une palette qui fait ressentir son admiration pour Delacroix.

C Clère

Bibliogr. : Gérald Schurr, in : *Les Petits Maîtres de la peinture 1820-1920, valeur de demain*, Les Éditions de l'Amateur, t. VI, Paris, 1985.

Musées : Cambrai : *Jeune italienne endormie* – Douai.
Ventes Publiques : L'Isle-Adam, 7 oct. 1984 : *Félicité familiale 1862*, h/t (88x70) : **FRF 28 000** – Paris, 7 avr. 1986 : *Femmes à la fontaine 1861*, h/t (100x147) : **FRF 22 000** – Paris, 30 juin 1993 : *Famille de paysans des environs d'Albano*, h/t (86x70,5) : **FRF 62 000**.

CLERE Georges Prosper

Né le 9 novembre 1819 à Nancy. Mort en 1901. XIXe siècle. Français.
Sculpteur.
Élève de François Rude. Il figura pour la première fois au Salon de Paris en 1853, avec : *Maloine au tombeau d'Oscar*. On doit à cet artiste, au palais du Louvre, un fronton en pierre : *La vendange*, génies avec les attributs de la marine, autres génies avec les attributs de la force, groupe de couronnement sur la place Napoléon, une statue en pierre : *Phœbé*. Il travailla au palais des Tuileries, au nouvel hôtel de la préfecture de Versailles (*La Seine et l'Oise*, *Le triomphe de Flore*, frontons en pierre, *Mercure*, *Cérès*, *Bacchus et Pomone*, bustes en pierre). Le Musée de Nancy conserve de lui : *Histrion* et *Hercule étouffant le lion de Némée*. Une *Jeanne d'Arc* de lui se trouve dans la cour du Musée de Châteaudun.

CLÉREBAULT Jehan

XVe siècle. Actif à Valenciennes. Éc. flamande.
Peintre.
Il travaillait aussi à Bruges en 1467.

CLÉREN Jean-Paul

Né le 10 mai 1940 à Nantes (Loire-Atlantique). XXe siècle. Français.
Peintre, lithographe, illustrateur. Surréaliste.
Dès son jeune âge, il dessinait et peignait, avant même d'être formé dans l'Atelier de Marguerite Allard à Marseille. Depuis 1960, il vit et travaille à Saint-Tropez et y expose chaque année. En 1966 et 1967, il a participé au Salon de Mai de Paris, sur invitation de Félix Labisse. Il expose aussi à Genève depuis 1969.

CLERENGUE Jean

XVIe siècle. Actif à Verdun, vers 1507. Français.
Peintre verrier.
Décora des églises d'après les ordres de René II d'Anjou.

CLERENS Barthelemi

XVIIe siècle. Vivait à Malines en 1639. Éc. flamande.
Peintre.

CLERET César. Voir CLEREY

CLERET Jehan

XVIe siècle. Vivait à Paris en 1526. Français.
Peintre.

CLEREY César ou Cleret, Clairet

XVIIe siècle. Actif à Nancy en 1664. Français.
Peintre.

CLERFEUILLE Pierre Henri

Né en 1760. XVIIIe siècle. Français.
Peintre.
Fils du suivant, il fut membre de l'Académie de Saint-Luc.

CLERFEUILLE Pierre Marc ou René Marc

Mort le 25 avril 1782. XVIIIe siècle. Français.
Dessinateur.
Il fut membre de l'Académie de Saint-Luc à Paris.

CLERGÉ Auguste Joseph

Né le 20 janvier 1891 à Troyes (Aube). Mort en 1963. XXe siècle. Français.
Peintre de paysages, paysages animés, intérieurs, figures, portraits, aquarelliste, pastelliste, peintre de décors et costumes de théâtre.
Il fut élève de l'Ecole des Beaux-Arts de Troyes, puis de Fernand Cormon à Paris. Il exposait à Paris depuis 1910 au Salon des Indépendants où il figura à la rétrospective de 1943 avec quatorze tableaux, ainsi qu'aux Salons d'Automne et des Tuileries. Il fut l'un des fondateurs du Salon Populiste et fut le fondateur de la Compagnie des Peintres et Sculpteurs Professionnels. En 1991, une exposition rétrospective de son œuvre fut organisée à Trévarez, pour le centenaire de sa naissance.
Il était l'auteur des décors et costumes de la compagnie Pitoëff et accompagna les comédiens dans leurs voyages, peignant au passage de nombreux paysages des pays d'Europe traversés. Il affectionnait surtout le thème des vues de l'ancienne ceinture parisienne : « la Zone », qu'il a traduites avec une verve populiste, par exemple : *La Zone sous la neige*. Toutefois, outre les paysages, il a traité des sujets très divers, tels quelques-uns de son envoi à la rétrospective du Salon des Indépendants de 1943 : *Chasse à courre – Les orphelines – Les ouvriers sur le toit – Atelier d'un peintre et sculpteur*.

Musées : Dreux : *Les blés* – Marseille (Préfecture) : *Le port de Marseille* – Millau (Hôtel-de-Ville) : *Le Printemps à Cocherel* – Paris (Mus. du Petit-Palais) – Troyes : *Retour du petit poste 1914*.
Ventes Publiques : Paris, 11 juin 1927 : *Sous-bois*, aquar. : **FRF 100** – Paris, 16 mars 1929 : *Le port du vallon des Auffes, Marseille* : **FRF 600** – Paris, 24 déc. 1942 : *Le Vieux-Pont et les Moulins, Zurich* : **FRF 500** – Paris, 10 fév. 1943 : *Zurich : Vieilles maisons sur la Limath par la neige* – Zurich : *Neige sur la Limath*, ensemble : **FRF 1 000** – Paris, 10 déc. 1982 : *Le vieux port de Marseille 1931*, h/t (60x73) : **FRF 2 200** – Paris, 1er fév. 1989 : *Pêcheurs 1927*, dess. (21,5x33,5) : **FRF 4 500** – Neuilly, 7 avr. 1991 : *Entrée de village*, h/t (54x73) : **FRF 10 200** – Paris, 22 mars 1993 : *Provence, la pinède de Mr Bremond 1925*, h/t (65x100) : **FRF 5 800** – Paris, 6 oct. 1993 : *Repas des pêcheurs (Marseille) 1927*, h/t (81x100) : **FRF 8 500** – Paris, 25 mai 1994 : *Plage à Cap Breton 1952*, h/t (46x61) : **FRF 4 000**.

CLERGÉ Jacques ou Clerger

XVIIe siècle. Actif à Nantes. Français.
Peintre.
Il exécuta vers 1630 un portrait du maire Blanchard de la Chapelle.

CLERGEAU Auguste

Né à Nantes (Loire-Atlantique). XXe siècle. Français.
Peintre.
A exposé des portraits, nus, paysages et natures mortes au Salon des Indépendants et aux Tuileries, de 1930 à 1932.

CLERGER Jacques. Voir CLERGÉ

CLERGET Adèle, née Melling

XIXe siècle. Française.
Peintre.
Elle a débuté au Salon de Paris en 1814 et sous le nom de Clerget en 1824. Elle a figuré pour la dernière fois en 1841. En 1831, elle reçut la médaille de deuxième classe, le Musée de Rouen conserve d'elle deux paysages : *Port du Havre* et *Port d'Étretat*.

CLERGET Alexandre

Né le 20 septembre 1856 à Saint-Palais (Pyrénées-Atlantiques). XIXe siècle. Français.
Sculpteur.
Il figura au Salon des Artistes Français de Paris jusqu'en 1924 ; obtenant une mention honorable en 1891, une troisième médaille en 1897, une mention honorable à l'Exposition Universelle de 1900, une deuxième médaille en 1910.
Ventes Publiques : Lokeren, 28 mai 1988 : *Nu assis*, bronze (H. 28) : **BEF 70 000**.

CLERGET Antoine

XVIIe siècle. Français.
Peintre.
Il était à Grenoble en 1664.

CLERGET Blanche

Née à Paris. XXe siècle. Française.
Sculpteur.
Elle fut l'élève, puis l'épouse du sculpteur Alexandre Clerget. Elle exposait à Paris, au Salon des Artistes Français de 1914 à 1922.

CLERGET Charles Ernest

Né le 4 juillet 1812 à Paris. XIXe siècle. Français.
Dessinateur et graveur d'ornements.
Augustin Legrand et Aimé Chenavard furent ses maîtres. Il fut nommé sous-bibliothécaire de l'Union centrale des Beaux-Arts appliqués à l'industrie. On doit à cet artiste un recueil destiné à la décoration dans tous les genres et un essai sur l'art ornemental appliqué à la décoration des livres. Clerget a fourni des dessins à

l'ouvrage de A. Burat, intitulé : *Minéralogie appliquée*. Il a composé de nombreuses planches pour les maisons Aubert, Chavant, Goupil. Il a exécuté des dessins pour les manufactures de Sèvres et des Gobelins. Pour le Muséum d'histoire naturelle, il exécuta 150 planches.

CLERGET Émile
XIXe siècle. Français.
Peintre de genre.
Il exposa au Salon de Paris de 1876 à 1880.

CLERGET Hubert
Né le 29 juillet 1818 à Dijon (Côte-d'Or). Mort en 1899 à Saint-Denis (Seine-Saint-Denis). XIXe siècle. Français.
Peintre de paysages, aquarelliste, lithographe.
Élève de Devosges et de Saint-Père, il exposa au Salon de Paris entre 1843 et 1865. Il fut professeur de dessin à l'École impériale d'état-major. Le Ministère d'État et celui des Beaux-Arts lui commandèrent plusieurs travaux.
Ses paysages d'Italie et d'Orient sont traités avec un soin méticuleux, sans doute dû à son double métier de professeur de dessin et de lithographe.
BIBLIOGR. : Gérald Schurr, in : *Les Petits Maîtres de la peinture 1820-1920, valeur de demain*, Les Éditions de l'Amateur, t. II, Paris, 1982.
MUSÉES : BOURGES : *Paysage*, aquar. – COMPIÈGNE : *Temple de Vesta à Rome*, aquar. – *Restes du temple Jupiter Stator*, aquar.
VENTES PUBLIQUES : PARIS, 1898 : *Un port de mer*, aquar. : FRF 12 ; *Le Quai de Honfleur*, dess. au cr. noir reh. de gche et d'aquar. : FRF 7 – PARIS, 18 et 19 mai 1925 : *Le Petit Pont, Paris*, mine de pb reh. : FRF 140 – PARIS, 9 juin 1925 : *Square de la place du Trône*, aquar. et gche : FRF 55 – PARIS, 14 juin 1944 : *Vues de villes*, quatre sanguines : FRF 1 000 – PARIS, 16 mars 1972 : *Venise*, gche (23x15) : FRF 90 – PARIS, 29 mai 1979 : *La visite de Napoléon III*, dess. aquarellé (95x63) : FRF 12 000.

CLERGET Marie Henriette
Née à Paris. XXe siècle. Française.
Sculpteur.
Élève de Sicard et Rivoire. Exposant du Salon des Artistes Français.

CLERGET Philippe
XVIIe siècle. Vivait à Grenoble en 1651. Français.
Peintre.
Il était le frère d'Antoine Clerget.

CLERGUE Jean Marie Léon
XXe siècle. Français.
Peintre.
A exposé des paysages au Salon de la Société Nationale, de 1935 à 1938.

CLERGUES Jacques Henri
Né à Antibes (Alpes-Maritimes). XXe siècle. Français.
Peintre.
A exposé des paysages des environs d'Antibes au Salon des Indépendants, de 1929 à 1931.

CLERIAN Joséphine
XIXe siècle. Française.
Sculpteur.
C'était la fille de L.-M. Clérian et elle épousa le sculpteur marseillais Bondoux.

CLERIAN Louis Mathurin
Né le 9 novembre 1768 à Pont-Audemer. Mort le 14 décembre 1851 à Aix-en-Provence. XVIIIe-XIXe siècles. Français.
Peintre.
Élève de Constantin. Il figura au Salon de Paris en 1819 avec un tableau assez caractéristique : *Saint Luc peignant la Vierge*. Appelé à la direction de l'École de dessin à Aix, il fut aussi conservateur du Musée de cette ville fondé en 1833, et qui conserve de lui son portrait.

CLÉRIAN Noël Thomas Joseph
Né le 21 septembre 1796 à Aix-en-Provence (Bouches-du-Rhône). Mort le 16 septembre 1843 à Avignon (Vaucluse). XIXe siècle. Français.
Peintre.
Il fut l'élève de Granet. Il voyagea en Italie, d'où il rapporta des dessins à l'encre de Chine et au lavis. En 1822, il exposa au Salon de Paris : *Un chevalier chantant ses aventures*. Il exposa pour la dernière fois en 1836. Il était fils de Louis-Mathurin et reçut de lui

les premiers principes de dessin. Le Musée d'Aix conserve de lui : *Galilée devant le tribunal de l'Inquisition* ; *la Forteresse en Italie*.
VENTES PUBLIQUES : PARIS, 10 nov. 1922 (sans indication de prénom) : *Rue François-de-Paule*, sépia : FRF 35 – PARIS, 21 mars 1924 (sans indication de prénom) : *Porte Saint-Laurent à Rome* ; *Petit arc Septime* ; *Église San Giorgo*, 3 plumes ou lavis : FRF 420 – PARIS, 6 nov. 1926 (sans indication de prénom) : *Vue de Tivoli, près Rome*, dess. : FRF 100 – PARIS, 24 juin 1942 : *La Porte Saint-Laurent, à Rome* ; *L'Église San Giorgo*, lav. de sépia : FRF 2 200.

CLÉRIC François
XVIIe siècle. Français.
Dessinateur.
Il exécuta une vue de la ville de Lyon, gravée par de Poilly vers 1700.

CLERICE Carlos
Né en 1865 à Buenos Aires. XIXe-XXe siècles. Argentin.
Graveur, lithographe, illustrateur.
Il figura à l'exposition *La Gravure en Argentine* à Rosario en 1942. Dès 1879, à Buenos Aires, il illustra la première édition du *Voyage de Martin Fierro*. Il participa à l'illustration de revues diverses. Il réalisa de nombreuses lithographies.
MUSÉES : BUENOS AIRES (Mus. d'Hist. Natur.).

CLERICI Fabrizio
Né en 1913 à Milan. Mort en 1993. XXe siècle. Italien.
Peintre de décors de théâtre, peintre à la gouache, aquarelliste, graveur, sculpteur, illustrateur. Tendance fantastique.
Dans sa jeunesse, il fut formé par sa fréquentation assidue de la revue surréaliste *Le Minotaure*, influence dont toute sa production ultérieure sera marquée. Il a participé à de nombreuses expositions collectives, parmi lesquelles : Biennale de Venise 1948, 1954, 1956, Quadriennale de Rome 1951, 1955, 1959, Biennale de São Paulo 1953, 1955, etc.
Il a depuis ses débuts une importante activité de créateur de décors d'opéra, de ballet et de théâtre, à la Fenice de Venise, l'Opéra de Rome, et autres, pour des œuvres de Monteverdi, Purcell, Lulli, Goldoni, Stravinsky. Il a aussi illustré divers ouvrages. Dans sa pratique plus personnelle, il fut d'abord surtout reconnu comme sculpteur, ayant obtenu le Prix Pizzi en 1942 à Milan, le Prix Bennal à la Biennale de Venise de 1954.
Depuis 1936, dans sa peinture, il recourt à une imagerie d'apparence surréaliste, qu'il exploite avec toute son expérience scénique d'un certain baroquisme fantastique, et à ce titre, il est parfois rapproché d'Arcimboldo. Il pratique une technique précise et détaillée fréquente chez les peintres de l'irréalité et nécessaire à sa lisibilité sinon à sa crédibilité, technique qu'il a étudiée dans les peintures de « trompe-l'œil », sur lesquelles il a écrit un article en 1954, et dont il a réalisé lui-même quelques exemples d'une virtuosité convaincante. Manifestement influencé par l'univers et la technique de Dali, dans des paysages vides, nus, glacés, il situe dans des positions instables des éléments inertes et insolites : villes ensevelies où l'on s'égare, fragments anatomiques décomposés qu'il détaille avec soin, décors de tentures désormais vaines, enfin tous les vestiges de civilisations éteintes ou périssantes, telles qu'il en apparaît souvent dans l'inquiétude des rêves à fondement ontologique. ■ J. B.
BIBLIOGR. : Marcel Brion : *Fabrizio Clerici*, Milan 1955 – in : *Les Muses*, Grange Batelière, Paris, 1971 – in : *Diction. Univers. de la Peint.*, Robert, Paris, 1975.
MUSÉES : NEW YORK – SÃO PAULO.
VENTES PUBLIQUES : NEW YORK, 27 avr. 1966 : *New York* : USD 750 – ROME, 23 nov. 1981 : *Animal fantastique*, h/pap. (21x19) : ITL 600 000 – MILAN, 8 juin 1982 : *Nature morte*, temp./pan. (90x160) : ITL 4 000 000 – MILAN, 5 avr. 1984 : *Théorie des regards* 1973, h/pan. (129x138) : ITL 14 000 000 – ROME, 18 mars 1986 : *Étude pour un personnage d'Orlando Furioso* 1964-1965, aquar. (34,5x27,5) : ITL 1 000 000 – ROME, 25 nov. 1986 : *Paysage* 1978, h/t (45x65) : ITL 5 000 000 – ROME, 25 nov. 1987 : *Lagune froide* 1973, h/pan. (44x68) : ITL 3 600 000 – ROME, 7 avr. 1988 : *Coquillages*, grisaille et détrempe/pan. (90x160) : ITL 10 000 000 – ROME, 8 juin 1989 : *Composition* 1967, techn. mixte/pap. (29x44) : ITL 8 000 000 – ROME, 30 oct. 1990 : *Saint Sébastien* 1949, h/pan. (11,3x16,3) : ITL 6 000 000 – MONACO, 11 oct. 1991 : *Visages* 1946, cr./pap./cart. (36,5x32) : FRF 48 840 – ROME, 30 nov. 1993 : *Non loin de Memphis*, temp. (60x80) : ITL 8 050 000 – ROME, 28 mars 1995 : *Instance du futur*, h. maigre/pan. (99,5x149,5) : ITL 32 200 000 – LONDRES, 25 oct. 1995 : *Trompe-*

l'œil aux corsets, aquar. et gche/pap./cart. (17x44) : **GBP 1 955** – MILAN, 2 avr. 1996 : *Coup deuil*, h/t (111x140) : **ITL 32 200 000** – MILAN, 20 mai 1996 : *La sfinge in bilico* 1970, h/pan. (70x100) : **ITL 9 775 000** – MILAN, 25 nov. 1996 : *Sous le regard d'Horus* 1969, h/t (39,5x69) : **ITL 4 830 000**.

CLERICI Francesco
XIXe siècle. Italien.
Graveur.

CLERICI Giovanni Antonio
D'origine niçoise. XVIIe siècle. Italien.
Peintre.
Il résidait à Rome dans la première moitié du XVIIe siècle.

CLERICI Giovanni Leonardo
Mort en 1708. XVIIe siècle. Italien.
Peintre de théâtre.
Il travailla surtout à Modène et à Parme.

CLERICI Roberto
Mort avant 1698. XVIIe siècle. Travaillait à Parme à la fin du XVIIe siècle. Italien.
Peintre de théâtre.

CLÉRICI Roberto
XVIIIe siècle. Italien.
Peintre de théâtre.
Petit-fils du précédent. Il se rendit à Vienne en 1711.

CLERICI Tommaso
Né en 1637 à Gênes. Mort en 1657. XVIIe siècle. Italien.
Peintre.
Il peignit quelques œuvres religieuses avant de mourir de la peste.

CLERICUS
XVIIIe siècle. Polonais.
Graveur.
Il était sans doute un moine franciscain. Il exécuta en 1779 un portrait de l'évêque de Wilna Massalisk.

CLERIGINO
Mort en 1340 à Capo-d'Istria (Istrie). XIVe siècle. Italien.
Peintre.

CLERIGINO da Capodistria
XVe siècle. Italien.
Peintre.
Il exécuta en 1471, une fresque dans l'église S. Maria Nuova Puri Portole en Istrie.

CLERIGINO di Pietro
XIVe siècle. Italien.
Peintre de sujets religieux.
Il était parent des précédents. Il exécuta des peintures religieuses en Istrie.

CLÉRIN Céline Henriette
Née à Paris. XXe siècle. Française.
Sculpteur.
Élève de J. Boucher. A exposé des bustes au Salon des Artistes Français, 1924-1925.

CLÉRION Jean Jacques, ou Charles Jacques, dit Jacques (selon Bellier de la Chavregnerie)
Né en 1640 à Treis (Bouches-du-Rhône). Mort le 28 avril 1714. XVIIe-XVIIIe siècles. Français.
Sculpteur de statues, religieuses, mythologiques.
Il reçut en 1683 à Paris un brevet de peintre de la cour, et travailla principalement pour Versailles. Il entra à l'Académie des Beaux-Arts en 1689, avec un *Saint Jacques mineur*, médaillon en marbre. Il avait épousé Geneviève Boulogne, peintre.
Au jardin de Versailles, on lui doit diverses sculptures en marbre : *Vénus Callipyge* (d'après l'antique), *Jupiter* et *Junon*.

CLÉRISSEAU Charles Louis
Né en 1721 ou 1722 à Paris. Mort en janvier 1820 à Auteuil.
XVIIIe-XIXe siècles. Français.
Peintre de paysages, architectures, peintre à la gouache, dessinateur.
Cet artiste, qui a sa place marquée parmi les meilleurs dessinateurs du XVIIIe siècle, fit ses études à Paris et obtint le prix de Rome en 1746. Des démêlés avec Natoire, alors directeur de l'Académie, l'en firent exclure, momentanément. Il eut une importante activité d'archéologue et ses dessins d'architecture, ses ruines de Rome et des principales villes d'Italie, où il séjourna plus de vingt ans, furent fort appréciés, notamment par les Anglais. Les architectes Robert et James Adam, qu'il avait initiés à la beauté des ruines, le chargèrent des dessins d'un ouvrage, gravé par Bartholozzi et Santini, contenant des vues de Dalmatie, notamment les ruines du palais de Dioclétien, à Spalaso. À son retour en France, il dessina les monuments de Nîmes. Appelé en Angleterre par Adam en 1771, il exposa l'année suivante à la Royal Academy et y obtint un grand succès. Clérisseau fut aussi architecte de l'Impératrice de Russie, qui lui acheta la collection de ses dessins, aujourd'hui à l'Ermitage, et fut fait membre de l'Académie de Saint-Pétersbourg. Il vint finir sa vie à Paris et fut chevalier de la Légion d'honneur. Il publia, en collaboration avec son gendre, Jacques-Guillaume Legrand, les *Antiquités de la France*. Cet ami de Piranèse et de Winckelmann eut une activité d'architecte importante, il construisit le Palais du Gouvernement de Metz et le château Borély à Marseille.
MUSÉES : LONDRES (Victoria and Albert Mus.) : *Tivoli* – ROUEN : *Un paysage avec moulin à vent* – SAINT-PÉTERSBOURG (Mus. de l'Ermitage) : divers dessins.

VENTES PUBLIQUES : PARIS, 1775 : *Ruines avec figures*, gche : **FRF 300** – PARIS, 1786 : *Paysage d'Italie*, gche : **FRF 240** – PARIS, 1863 : *Arc de Triomphe de Constantin*, dess. : **FRF 61** – PARIS, 20-21 et 22 avr. 1903 : *Architecture*, dess. : **FRF 430** – PARIS, 13 et 14 mars 1908 : *Le Vieux puits*, dess. : **FRF 110** – PARIS, 8 et 9 avr. 1910 : *Ruines*, deux dessins : **FRF 115** – LONDRES, 10 juin 1910 : *Paysages et personnages*, deux dessins : **GBP 1** – PARIS, 26 nov. 1919 : *Le portique en ruines*, encre de Chine. attr. : **FRF 82** – PARIS, 1er mars 1920 : *L'Arc de Septime-Sévère* ; *L'Urne de Cecilia Metella*, deux aquarelles : **FRF 180** – PARIS, 8 mars 1920 : *Ruines d'un temple grec*, pl. et lav. : **FRF 1 200** – PARIS, 15 déc. 1922 : *Ruines et figures*, aquar. : **FRF 200** – PARIS, 7 et 8 mai 1923 : *Ruines romaines*, lav. : **FRF 550** – PARIS, 6 déc. 1923 : *La prison de la Conciergerie*, lav. sépia : **FRF 2 100** – LONDRES, 26 nov. 1926 : *Intérieur d'un temple*, gche : **GBP 37** – PARIS, 10 déc. 1926 : *Ruines animées de personnages*, lav. reh. : **FRF 195** – PARIS, 12 mars 1927 : *La Vasque*, gche : **FRF 1 550** ; *Le Gué*, gche : **FRF 900** ; *Funérailles romaines*, gche : **FRF 680** – PARIS, 28 nov. 1927 : *Les cascades de Frascati*, aquar. : **FRF 1 250** – PARIS, 7 déc. 1927 : *L'Arc de Septime Sévère* ; *Le Tombeau de Cecilia Metella*, deux aquarelles : **FRF 375** – PARIS, 21 et 22 mai 1928 : *Ruines*, aquar. : **FRF 290** – LONDRES, 23 mai 1928 : *Les Funérailles d'Hector*, lav. : **GBP 9** – PARIS, 28 juin 1928 : *Ruines animées de personnages*, aquar. : **FRF 3 300** ; *Pyramide et ruines animées de personnages*, aquar. : **FRF 1 900** ; *Ruines d'un palais antique*, aquar. : **FRF 1 520** ; *Groupe de trois personnages conversant dans des ruines*, aquar. : **FRF 1 800** ; *La fontaine dans les ruines*, pl., lav. de sépia et aquar. : **FRF 1 950** ; *Ruines, cavalier et deux personnages*, pl. et lav. : **FRF 1 290** ; *Ruines*, pl. et lav. : **FRF 360** – PARIS, 25 fév. 1929 : *Ruines*, aquar. : **FRF 275** – PARIS, 10 et 11 avr. 1929 : *Ruines romaines*, dess. : **FRF 2 220** ; *Ruines romaines avec statue et deux personnages*, dess. : **FRF 2 020** ; *Feuille de quatre trophées*, dess. : **FRF 140** ; *Trophée musical et deux trophées guerriers*, dess. : **FRF 110** ; *Feuille de quatre trophées guerriers*, dess. : **FRF 130** – PARIS, 23 mai 1929 : *Tombeaux antiques en ruines*, aquar. : **FRF 270** – PARIS, 1er juil. 1929 : *Ruines romaines et personnages*, dess. : **FRF 250** – LONDRES, 29 avr. 1931 : *Paysage classique*, aquar. : **GBP 5** – PARIS, 1er juin 1931 : *Personnage dans les ruines* ; *Paysage de la campagne romaine avec personnages*, aquar., deux pendants : **FRF 2 000** – LONDRES, 13 juil. 1931 : *Intérieur d'une caverne*, gche : **GBP 14** – PARIS, 9 juin 1932 : *Le Temple de Janus*, dess. pl. et lavis. attr. : **FRF 250** – PARIS, 23 déc. 1936 : *Ruines et personnages*, gche, deux pendants : **FRF 3 100** – PARIS, 26 jan. 1937 : *Paysans près d'un monument en ruines*, gche : **FRF 490** – PARIS, 28 fév. 1938 : *Ruines animées de personnages*, aquar. gchée : **FRF 1 250** – PARIS, 11 jan. 1943 : *Le Temple en ruines*, gche, attr. : **FRF 2 020** – PARIS, 15 déc. 1961 : *Ruines romaines animées de personnages*, gche : **FRF 1 600** – LONDRES, 8 juil. 1964 : *Paysages classiques*, deux gouaches faisant pendants : **GBP 450** – PARIS, 18 juin 1965 : *Intérieur d'un temple* ; *Fontaine dans les ruines d'un temple*, deux gouaches : **FRF 5 200** – MILAN, 10 mai 1966 : *L'arc de Constantin* : **ITL 1 200 000** – LONDRES, 26 nov. 1968 : *Ruines romaines*, deux gches : **GNS 480** – PARIS, 30 nov. 1978 : *Ruines antiques animées de personnages*, deux gche, formant pendants (59,5x45) : **FRF 24 000** – NEW YORK, 12 jan. 1979 : *Paysages avec ruines*, deux toiles (66x53) : **USD 7 000** – MONTE-CARLO, 11 fév. 1979 : *Décor et ruines*, aquar. (30,5x44) : **FRF 6 000** – PARIS, 3 mars 1980 : *Ruines animées*, gche (58,5x49) : **FRF 6 800** – LONDRES, 9 déc. 1982 : *Voyageurs à l'intérieur des termes de Baia*, gche

(26,7x47) : **GBP 2 200** – LONDRES, 30 nov. 1983 : *Le temple d'Esculape, Palais de Dioclétien, Spalato*, pierre noire, pl., lav. et aquar. reh. de blanc (27,8x39,7) : **GBP 1 000** – LONDRES, 4 juil. 1984 : *L'Arc de Vespasien à Pola* 1753, gche (45,7x59,8) : **GBP 5 000** – LONDRES, 4 juil. 1985 : *Personnages dans des ruines romaines en Provence*, gche (42x58,8) : **GBP 3 600** – MILAN, 25 fév. 1986 : *Vue du Forum Romanum*, h/t (65x48) : **ITL 20 000 000** – MILAN, 10 juin 1988 : *Capriccio avec ruines antiques, soldats et paysans au repos*, h/t (34x53) : **ITL 26 000 000** – PARIS, 30 jan. 1989 : *Le repos à l'entrée de la grotte* – *La collation dans des ruines antiques*, deux h/t, formant pendants (45x72) : **FRF 150 000** – NEW YORK, 11 jan. 1990 : *Caprice architectural animé*, h/pan. : **USD 24 200** – PARIS, 10 avr. 1991 : *Projet de tombeau*, pl. et lav. (29,5x22) : **FRF 7 500** – PARIS, 22 nov. 1991 : *Ruines d'architecture animées de personnages au bord d'un fleuve*, encre noire et lav. brun (51x39) : **FRF 21 000** – NEW YORK, 14 jan. 1992 : *Danses paysannes parmi des ruines classiques et des statues*, gche (58,7x45,1) : **USD 47 300** – NEW YORK, 13 jan. 1993 : *Une paire de capricci : Ruines romaines animées* 1789, gche (chaque ovale 44,2x37) : **USD 20 700** – LONDRES, 27 oct. 1993 : *Temple à colonnade*, gche (41x53) : **GBP 2 530** – PARIS, 15 déc. 1993 : *Grand prêtre et soldat dans un péristyle ionique*, h/t (49,5x61) : **FRF 75 000** – PARIS, 7 avr. 1995 : *Personnages dans des ruines* 1795, gche (58x49) : **FRF 58 000** – LONDRES, 3 juil. 1996 : *Vue du temple de Vesta avec des personnages au premier plan*, gche (40,5x53,7) : **GBP 4 370** – LONDRES, 2 juil. 1997 : *Ruines animées*, gche (59,5x48,2) : **GBP 6 900**.

CLERK Janet
Née à Barton (Yorkshire). XXᵉ siècle. Britannique.
Peintre, sculpteur, dessinateur de portraits, figures.
Elle exposa aussi à Paris, en 1929 au Salon des Artistes Français avec deux portraits à la sanguine, de 1933 à 1939 aux Salons des Artistes Indépendants et des Tuileries.

CLERK Nicolas de. Voir CLERCK

CLERK Oscar de. Voir CLERCK

CLERK OF ELDIN John
Né en 1728 à Penicuik (Écosse). Mort en 1812 à Eldin. XVIIIᵉ-XIXᵉ siècles. Britannique.
Dessinateur, graveur amateur.
John Clerk fut le fils de Sir John Clerk, et, quoique suivant une carrière commerciale, il s'adonna au développement des goûts artistiques. En 1885, une série de ses gravures fut publiée par le Bannatyne Club. Il fournit également quelques dessins pour le *Edinburgh Magazine*. Clerk dessina d'après nature.
VENTES PUBLIQUES : LONDRES, 19 mars 1981 : *Melville Castle, Lasswade Midlothian* 1776, pl. et lav. (14,5x18) : **GBP 200**.

CLERMONT, Mlle
XVIIIᵉ siècle. Française.
Graveur.
Fille de J. F. Clermont, elle grava au XVIIIᵉ siècle certaines de ses œuvres.

CLERMONT Auguste Henri Louis de
Né au XIXᵉ siècle à Paris. XIXᵉ siècle. Français.
Peintre et aquarelliste.
Élève de Hahn.
VENTES PUBLIQUES : PARIS, 1899 : *Chemin creux dans la vallée de la Seine entre Thomery et Fontainebleau*, aquar. : **FRF 150** – PARIS, 1900 : *Temps de neige*, aquar. : **FRF 48**.

CLERMONT Jean
Né le 21 février 1630 à Chartres. XVIIᵉ siècle. Français.
Peintre.
Félibien cite cet artiste, mais on n'a que peu de renseignements jusqu'ici sur ses œuvres. Il fut l'élève de Lesueur. Le 28 février 1660, il fut agréé à l'Académie royale.

CLERMONT Jean de
XVIIᵉ siècle. Français.
Peintre.
Il fut reçu à l'Académie de Saint-Luc en 1683 ou 1685.

CLERMONT Jean François, appelé aussi Ganif
Né en 1717 à Paris. Mort en 1807 à Reims. XVIIIᵉ siècle. Français.
Peintre d'histoire, sujets religieux, portraits, peintre de décorations, dessinateur.
Cet artiste exposa à Paris en 1753, 1756 et 1762. Il fit des peintures décoratives pour Horace Walpole, lord Stafford et le prince de Galles. De retour en France, il fut nommé par l'Acadé-

mie professeur de dessin à Reims (1762-1789), puis à Châlons, lors de l'ouverture de l'École Centrale.
MUSÉES : REIMS : *Portrait d'une inconnue* – *La Sainte Famille* – *Même sujet* – *Portrait de l'abbé Jean Godinot, chanoine de l'église de Reims* 1661 – *La jeune fille, la cage et l'oiseau*.
VENTES PUBLIQUES : AVIGNON, 1779 : *Six différents sujets*, dess. à la pierre noire : **FRF 10** – PARIS, 1886 : *La petite laitière*, dess. aux trois cr. : **FRF 160** – PARIS, 1898 : *Pastorale* : **FRF 170** – PARIS, 10 au 15 mai 1909 : *Pastorale* : **FRF 785** – PARIS, 15 déc. 1921 : *Bergers ramenant leur troupeau*, cr. et encre : **FRF 140** – PARIS, 15-16 juin 1922 : *Scène d'intérieur*, sanguine : **FRF 1 255** – PARIS, 7 et 8 mai 1923 : *Pastorale*, cr. : **FRF 800** ; *Bergers grecs*, lav. sanguine : **FRF 1 800** – PARIS, 3 mai 1924 : *Paysages avec moulin*, sanguine, deux pendants : **FRF 1 500** – PARIS, 16 mai 1924 : *Nymphes et amours*, lav. sanguine : **FRF 600** – PARIS, 20 juin 1924 : *Groupes d'anges*, deux plume et lavis. Attr. : **FRF 355** – PARIS, 1ᵉʳ et 2 déc. 1924 : *Faites le beau*, cr. : **FRF 220** – PARIS, 12 mai 1925 : *Le Petit Fermier* : **FRF 500** – PARIS, 26 juin 1925 : *Le Petit Château*, pl. et lav. : **FRF 300** – PARIS, 29 jan. 1927 : *Jeune paysanne et ses deux enfants*, sanguine : **FRF 500** – PARIS, 15 déc. 1927 : *La jeune écolière*, aquarelle. attr. : **FRF 400** – PARIS, 2 mars 1928 : *Paysage arcadique avec personnages*, gche : **FRF 600** – PARIS, 19 avr. 1928 : *L'oiseau envolé*, cr. : **FRF 1 150** – PARIS, 20 et 21 fév. 1929 : *Paysanne avec deux enfants dont un est porté dans une corbeille sur son dos*, dess. : **FRF 420** – PARIS, 25 mars 1935 : *Fillette tendant son tablier*, pierre noire, reh. de blanc : **FRF 100** – PARIS, 3 juin 1935 : *Le Berger galant*, pierre noire, reh. de blanc : **FRF 350** – PARIS, 18 mars 1938 : *La lanterne magique*, cr. noir, reh. de blanc : **FRF 1 060** – PARIS, 24 mars 1939 : *Pastorale* : **FRF 400** – PARIS, 19 déc. 1941 : *Groupes d'amours*, pierre noire et sanguine, légers reh. et lav., deux pendants : **FRF 6 500** – PARIS, 9 fév. 1942 : *La cuisine*, sanguine, attr. : **FRF 1 250** – PARIS, 18 mai 1942 : *Triomphe de Cérès*, pl. et lav. de bistre : **FRF 600** – PARIS, 29 juin 1942 : *Berger et moutons*, cr. : **FRF 500** – PARIS, 15 déc. 1949 : *Un groupe d'amours*, pierre noire, sanguine et reh. de blanc : **FRF 23 000** – PARIS, 9 juin 1964 : *Jeunes femmes et gentilshommes se promenant au bord d'une rivière*, gche : **FRF 2 000** – MONACO, 20 juin 1992 : *Soldats jouant aux dés* 1756, craie noire (27x20) : **FRF 8 880** – LONDRES, 23 oct. 1992 : *Marivaudage au bord d'un ruisseau boisé*, h/t, une paire (106x89,6 et 107x86,7) : **GBP 28 600** – PARIS, 5 avr. 1995 : *Vierge à l'Enfant*, pierre noire, sanguine et craie blanche (diam. 27) : **FRF 5 500**.

CLERMONT Jean Marie
Mort avant 1748. XVIIIᵉ siècle. Actif à Paris. Français.
Sculpteur.
Ancien recteur de l'Académie de peinture et de sculpture, il fut membre de l'Académie de Saint-Luc.

CLERMONT Louis
XXᵉ siècle. Français.
Peintre.
De 1925 à 1939 il a exposé au Salon de la Société Nationale des scènes de moisson et de vendanges, des paysages et des fleurs.

CLERMONT Pierre Gilbert de
XVIIᵉ siècle. Français.
Peintre.
Il fut reçu à l'Académie de Saint-Luc en 1671.

CLERMONT-GALLERANDE Adhémar Louis de, vicomte
Né vers 1845 en Haute-Marne. Mort en 1895. XIXᵉ siècle. Français.
Peintre animalier, scènes de genre.
Élève de Barrias, il participa au Salon de Paris entre 1868 et 1884. Il fut essentiellement peintre de chasses à courre, traitées avec élégance, dans des compositions équilibrées.

Clermont Galleral·s

BIBLIOGR. : Gérald Schurr, in : *Les Petits Maîtres de la peinture 1820-1920, valeur de demain*, Les Éditions de l'Amateur, t. IV, Paris, 1979.
VENTES PUBLIQUES : PARIS, 28 mars 1923 : *Le départ pour la chasse à courre* : **FRF 100** – PARIS, 3 et 4 mai 1923 : *La chasse au loup* : **FRF 280** ; *Cavaliers et amazone suivant une chasse à courre* : **FRF 350** – LONDRES, 4 fév. 1979 : *Le Rendez-vous de chasse*, h/t (72,5x111) : **GBP 1 400** – VIENNE, 10 nov. 1980 : *Le rendez-vous de chasse*, h/t (75x112) : **ATS 120 000** – NEW YORK, 4 juin 1987 : *Le rendez-vous de chasse* 1878, h/t (79x110) : **USD 50 000** – CALAIS, 13 nov. 1988 : *La chasse à courre stoppée*

par l'arrivée du train à vapeur, h/t (81x117) : **FRF 45 000** – PARIS, 17 oct. 1990 : *Scène de chasse à courre*, h/pan. d'acajou (24x33) : **FRF 24 100** – PARIS, 17 nov. 1992 : *Course de gentlemen*, h/t (66x81) : **FRF 20 000** – NEW YORK, 3 juin 1994 : *Sur une piste*, h/t (73x100,3) : **USD 9 775** – LONDRES, 15 mars 1996 : *Sur une piste*, h/t (73,5x100) : **GBP 6 325** – PARIS, 24 oct. 1997 : *Équipage de chasse à courre devant un passage à niveau*, h/t (81x117) : **FRF 37 000**.

CLÉRO Claude
Né le 11 septembre 1927 à Paris. XXᵉ siècle. Français.
Peintre de paysages, aquarelliste.
Il fut élève de l'Atelier Narbonne à l'Ecole des Beaux-Arts de Paris. Depuis 1957, il figure dans de nombreuses expositions collectives organisées dans des villes de France, dans les banlieues parisiennes, en Allemagne, Tchécoslovaquie, Algérie, aux États-Unis, en Italie, etc., par l'Union des Arts Plastiques dont il a été secrétaire général depuis 1962. Il expose aussi, à Paris, aux Salons des Artistes Indépendants, de la Société Nationale des Beaux-Arts dont il est sociétaire, d'Automne, etc. Il a obtenu des Prix pour le dessin et l'aquarelle. Il a une intense activité pédagogique, s'occupant spécialement de la diffusion de la culture artistique et de la sensibilisation à l'art en milieu populaire. Il est membre du comité directeur du Centre National d'Éducation Artistique. Il a été producteur à la télévision scolaire de 1956 à 1960. Il a écrit de nombreux articles sur l'éducation artistique et est co-auteur, avec M. Gloton, de *Les activités d'éveil et la créativité chez l'enfant* (Casterman, 1971).
Essentiellement peintre de paysages, il définit lui-même son activité dans ce domaine : « Je m'efforce d'apprendre la nature en l'interprétant. »

CLERTÉ Jean
Né le 30 août 1930 à Saint-Savin-sur-Gartempe (Vienne). XXᵉ siècle. Français.
Peintre de compositions animées, dessinateur, aquarelliste, sculpteur, graveur.
Après avoir commencé à dessiner et peindre très jeune, inscrit dès 1945 à l'Ecole des Beaux-Arts de Poitiers, il vint à Paris en 1949, mais n'y trouva tout d'abord pas les moyens matériels pour donner suite à sa vocation. Après avoir eu l'occasion de travailler dans l'atelier de Zadkine, à partir de 1952 il put travailler la gravure dans l'*Atelier 17* de Stanley William Hayter, auprès de qui il devint professeur-associé en 1976. Puis, il reprit la peinture sur les conseils de Busse. A la fin des années soixante, il devint le collaborateur d'Alechinsky pour la mise au point de ses gravures, et sut aussi profiter de ses avis. En tant que graveur, il a participé à un grand nombre de manifestations internationales et obtint, en 1956, le Prix de Gravure du Musée d'Art Moderne de Philadelphie. En tant que peintre, il a participé régulièrement au Salon de Mai de Paris, depuis 1954, et obtint, en 1963, la bourse décernée pour la première fois par le comité. Il a aussi figuré plusieurs années au Salon des Réalités Nouvelles. Il a participé encore à un grand nombre de manifestations nationales et internationales. Il fit sa première exposition personnelle de peintures à Paris en 1958 à la Galerie Jacques Massol où il resta jusqu'en 1965, puis suivent de nombreuses autres : 1971 Trondheim, 1972 Oslo, 1973 Copenhague et Paris, 1976 Paris avec des objets en tôle soudée et peinte, 1978 Paris avec des *Moulins à dessins*,1979 Alesund (Norvège), surtout depuis 1982 pour les peintures et les sculptures à la Galerie Erval de Paris, dont l'exposition à la FIAC (Foire Internationale d'Art Contemporain) en 1986, et encore : 1984 Séoul, 1985 Bari, 1992 de nouveau à la FIAC avec la série *Champ clos*, 1994 *Dessins, peintures, objets depuis 1946* au Centre d'Art Contemporain de Noyers-sur-Serein, en 1995, en compagnie de Gilles Ghez et Michel Loeb, il a exposé à l'Hôtel Donadeï de Campredon de L'Îsle sur la Sorgue, etc. En 1971, il enseigna à l'Académie d'été de Salzbourg. En 1972, il fut chargé de cours à l'Université de Paris IV-Sorbonne. En 1981, il fut nommé professeur à l'Ecole des Arts Décoratifs. De 1983 à 1988, il fut le professeur-assistant d'Alechinsky à l'Ecole des Beaux-Arts.
Pendant une première période, qui dura environ jusqu'en 1968, sous les apparences de l'abstraction lyrique il peignait en fait des phénomènes ou des spectacles naturels qui l'avaient touché, incendies de forêt dans le Midi, surtout le jeu de l'eau ruisselant dans les vertes prairies grasses du marais vendéen. Quelques toiles furent vouées à l'invention de temples inspirés de la lecture d'une encyclopédie sur l'Inde. Mal à l'aise finalement dans une feinte abstraction qui lui avait été suggérée par le contexte

d'époque, il décida, autour de 1968, d'assumer sa vocation narrative, encouragé alors dans ce sens par Alechinsky. S'ensuivirent des périodes assez nettement scindées. D'abord, dans la série des *Forêts vierges*, avec une fraîcheur d'âme très personnelle, avec un visible plaisir et un semblant de naïveté humoristique, il a raconté en images des jungles imaginées où jouent à cache-cache les grands fauves rayés qui ne risquent qu'un œil ou ne montrent que le bout de la queue. Puis, à partir de 1970, il adopta une gamme colorée plus tendre, allant jusqu'à un extrême raffinement de roses bonbon, de jaunes passés, de bleus célestes, pour constituer, dans la série des *Arches de Noé*, les sortes de blasons d'un étrange armorial, dont les cases juxtaposées sont occupées par des animaux fabulés qui tètent ou qui crient, des visages humains burlesques et, sans équivoque, des attributs sexuels, si parés et chamarés qu'ils paraissent ornements. Quand il commença à grouper ces fantasmes ornementaux à la suite les uns des autres, en forme de récit en images d'on ne sait quelles prouesses, il suivait l'exemple, avant que le « Pop art » ne vienne le confirmer, des bandes dessinées, peintes aux tons de pastels, qu'il déchiffrait, enfant, aux voutes de l'église de son village natal. Dans cette ordonnance des narrations séquentielles, suivirent les *Images en histoires*, les *Histoires des Doges de la Venise verte*, où sont transplantés dans le marais poitevin des doges bêtement solennels et pas mal paillards. Depuis 1976, il a fabriqué des jouets en tôle ou en bois et polychromés, personnages, créatures, attributs, tous extraits en trois dimensions des *Images en histoires*. En 1977-78, les *Mémoires fragiles* ont figuré sur de grands dessins à l'encre de Chine de nouveau des têtes burlesques, de la boîte cranienne démesurément développée, sans pouvoir pourtant retenir les sommes d'informations destinées à la mémoire. Depuis 1979, avec des dessins aux crayons de couleurs et les aquarelles de grands formats de la série des *Veilleurs et sourciers*, il a renoué avec une image unique et centrale, ainsi qu'avec un raisonnement plastique de nouveau proche de l'abstraction. Un voyage en Corée, en 1984, provoqua une série inspirée de souvenirs touristiques complètement imaginaires et peints sous forme de kakemonos. Tout en poursuivant son œuvre peint, Clerté donne de plus en plus de temps à ce qu'il convient d'appeler sa sculpture, bien qu'il s'en défende. La série des *Reliquaires* est un bestiaire improbable de créatures émouvantes à force de paraître grotesques, dont chaque bête, fabriquée de zinc découpé, soudé, nickelé, est composée de plusieurs autres qui n'existent souvent même pas. Avec l'*Histoire de Benjamin, le cheval psychopompe*, il a réalisé simultanément peintures et sculptures sur le même thème de ce cheval, tantôt familier, tantôt inquiétant, en charge de guider les âmes dans l'au-delà. La série *Champ clos* consiste en peintures en léger relief qui montrent des sortes de momies, parfois opposées par deux, comme figures de jeu de cartes, dans des sortes de sarcophages. Ces deux dernières séries, Benjamin et les momies, ont donné une nouvelle dimension à l'œuvre de Clerté, dans le grave et le funèbre. Réussite rare, en accord avec le personnage, de l'alliage du dense et du léger, l'œuvre de Jean Clerté, encore ouvert à toutes les surprises, rassure, hors du concert discordant des modes aussi péremptoires qu'éphémères. ■ Jacques Busse

BIBLIOGR. : B. Dorival, sous la direction de... : *Peintres contemporains*, Mazenod, Paris, 1964 – J. Busse : *Le parcours cohérent de Jean Clerté, ou : des fresques de Saint-Savin à une figuration en liberté*, avec des textes de P. Alechinsky, Joyce Mansour, Gal. Erval, Paris, 1984 – Daniel Pommereulle : Catalogue de l'exposition *Voyage en Corée*, Gal. Erval, FIAC, Paris, 1986 – Jean-Jacques Lerrant : *Sur les reliquaires de Clerté*, Gal. Erval, Paris, 1989 – divers : Catalogue de l'exposition *Jean Clerté*, Gal. Frank Pages, Baden-Baden, 1991 – divers : *Clerté décrit*, Gal. Erval, Paris, 1992.

MUSÉES : MONTAUBAN (Mus. Ingres) – PARIS (Mus. Nat. d'Art Mod.) – PARIS (FNAC) – PARIS (Centre Nat. des Arts Plast.) – PARIS (BN) – PARIS (Mus. d'Art Mod. de la Ville) – PHILADELPHIE.

VENTES PUBLIQUES : PARIS, 8 nov. 1982 : *Métamorphose d'un soit-disant nommé Ovide 1972*, h/t (120x104) : **FRF 2 300** – PARIS, 12 mars 1984 : *Crépuscule n°4 1962*, h/t (146x97) : **FRF 3 200** – PARIS, 29 jan. 1988 : *Chasse à courre N°3 1960*, h/t (100x81) : **FRF 3 200** – PARIS, 26 sep. 1989 : *Météorologies 1988*, acryl./pap. (40x25) : **FRF 6 000** – NEUILLY, 7 fév. 1990 : *Sous bois 1965*, h/t (81x100) : **FRF 5 300** – PARIS, 14 mars 1990 : *Sans titre 1962*, aquar. (28,5x23) : **FRF 1 300** ; *Composition 1959*, aquar. et cpl. (15,5x25,5) : **FRF 1 700** – PARIS, 21 mai 1990 : *Composition 1967*, gche (64x50) : **FRF 4 500** – DOUAI, 1ᵉʳ juil. 1990 : *Chasse à courre* *n° 3* 1960, h/t (100x81) : **FRF 13 000** – Paris, 23 avr. 1993 : *Cimenterie* 1958, h/t (49x76) : **FRF 3 600** – Paris, 22 nov. 1995 : *Sans titre* 1960, aquar. et cr./pap. (100,5x61) : **FRF 4 000** – Paris, 27 mars 1996 : *Chantier naval* 1958, h/t (73x100) : **FRF 4 000**.

CLERY Meg. Voir CHARCOT Meg Jean, Mme

CLÉRY Pierre Édouard
Né à Paris. xixe siècle. Français.
Peintre.
Il étudia sous la direction de De Rudder. Au Salon il figura plusieurs fois entre 1848 et 1866. Citons : *Une loge d'actrice en Italie*, *Le petit pêcheur*. Le Musée de Clamecy conserve de lui : *Idylle*, *Paysage*.

CLÉSINGER Georges Philippe
Né en 1788 à Besançon. xixe siècle. Français.
Sculpteur.
Il eut pour maître Bosio. En 1832, il exposa, au Salon de Paris, le buste du cardinal de Granville, que l'on voit aujourd'hui à la bibliothèque de Besançon. Clésinger est le fondateur de l'École de dessin et de sculpture de Besançon, dans laquelle il exerça les fonctions de professeur. Pour l'église Sainte-Madeleine de cette ville, il exécuta six groupes de figures plus grandes que nature. Les sujets sont empruntés à la Passion de Jésus-Christ. Il fit une *Résurrection* pour l'église de Thise ; une statue de la *Vierge* pour l'église Saint-François et des bustes pour la bibliothèque de la ville.

CLÉSINGER Jean Baptiste, dit Auguste
Né le 20 octobre 1814 à Besançon (Doubs). Mort le 6 janvier 1883 à Paris. xixe siècle. Français.
Sculpteur, peintre de paysages.
Il fut élève de son père, le sculpteur Georges Philippe Clésinger, et fréquenta l'atelier de Thorwaldsen à Rome.
Il participa au Salon de Paris de 1843 à 1864, obtenant une médaille de troisième classe en 1846 et 1847, date à laquelle il eut son premier grand succès avec la *Femme piquée par un serpent*, pour laquelle avait posé Madame Sabatier, l'inspiratrice de Baudelaire. Médaille de première classe en 1848, décoré de la croix de chevalier de la Légion d'honneur en 1849, il devint officier en 1864.
Parmi ses œuvres, citons les bustes d'Eugène Scribe, du duc de Nemours, de M. de Beaufort, de Mlle Rachel dans le rôle de Phèdre et dans celui du Moineau de Lesbie, de Arsène Houssaye et de Théophile Gautier. On lui doit aussi : la statue de Louise de Savoie, au Jardin du Luxembourg ; un buste colossal de la Liberté ; une *Fraternité*, placée au milieu du Champ-de-Mars, le 14 mai 1848, jour de la fête de la Concorde ; une statue équestre de François Ier. Il donna les traits de George Sand, dont il avait épousé la fille, à la statue de la *Littérature*, pour le Théâtre Français.

MUSÉES : AMIENS : *Léda*, groupe en marbre – ANVERS : *Madame de Rute, née Maria Laetitia Bonaparte-Wyse* – BESANÇON : *Buste du duc de Nemours* – DIEPPE : *Portrait d'Alexandre Dumas* – MONTRÉAL : *Cléopâtre et Sphynx* – *Enée et Anchise* – *Oreste et Iphigénie*, bronzes – NIORT : *Maquette de la statue de Coligny* – PÉRIGUEUX : *Andromède*, statue marbre blanc – LE PUY-EN-VELAY : *Charlotte Corday*, moulée par Abougit.
VENTES PUBLIQUES : Paris, 1873 : *Vue dans la campagne de Rome, Le Teverone* : **FRF 1 190** – Paris, 1895 : *Nymphe endormie* : **FRF 350** – Paris, 16 fév. 1927 : *Buffles dans les marais pontins* : **FRF 410** – Londres, 1er juil. 1927 : *Bœufs dans la campagne romaine* 1863 : **GBP 9** – Paris, 21-22 oct. 1936 : *Campagne de Rome, chevaux sauvages s'ébattant au bord d'une mare* : **FRF 520** – Paris, 29 avr. 1968 : *Combat de taureaux*, bronze patiné : **FRF 1 400** – Paris, 28 juin 1972 : *Taureau vainqueur* : **FRF 1 000** – Paris, 6 nov. 1976 : *Un nocturne posé sur une tortue* 1867, bronze (H. 43) : **FRF 6 500** – Paris, 20 oct. 1978 : *Madame Moitessier* 1857 ?, marbre blanc (H. 79) : **FRF 15 200** – Paris, 28 fév. 1979 : *Combat de taureaux*, patine médaille, bronze (47x90x22) : **FRF 15 000** – New York, 24 sep. 1981 : *Cornélie et ses deux enfants* 1860, marbre blanc (H. 188) : **USD 28 000** – Detroit, 31 jan. 1983 : *Femme à la lyre*, bronze (H. 86,5) : **USD 4 250** – Paris, 28 fév. 1984 : *Cléopâtre* 1861, bronze, patine brune (H. 45) : **FRF 27 500** – Paris, 31 mai 1985 : *Buste de femme*

1863, marbre blanc (H. 73) : **FRF 160 000** – Paris, 6 avr. 1987 : *Bacchante* 1862, bronze (H. 40,5) : **FRF 40 000** – New York, 9 juin 1988 : *Taureau romain*, bronze (H. 67,6) : **USD 1 540** – Berne, 26 oct. 1988 : *Les alentours de Fontainebleau*, h/t (18x46) : **CHF 1 800** – New York, 24 mai 1989 : *Buste d'une dame*, marbre blanc (H. 80) : **USD 6 050** – Paris, 6 avr. 1990 : *La femme au tambourin* 1858, bronze (H. 86) : **FRF 16 000** – New York, 22 mai 1990 : *Taureau romain*, bronze (H. 55,2, L. 57,1) : **USD 10 450** – Paris, 13 nov. 1991 : *Deux taureaux s'affrontant au dessus de ruines*, bronze (69x34x16) : **FRF 28 000** – New York, 30 oct. 1992 : *Femme piquée par un serpent*, bronze (L. 52) : **USD 7 700** – New York, 27 mai 1993 : *Mademoiselle Rachel dans le rôle de Phèdre*, marbre blanc (H. 90,2) : **USD 13 800** – New York, 26 mai 1994 : *Persée et Andromède* 1875, marbre blanc (H. 156,2 ; L. 143,5 ; prof. 58,4) : **USD 343 500** – Paris, 6 mars 1996 : *Faune*, bronze (H. 35) : **FRF 6 400** – New York, 23 oct. 1997 : *Cléopâtre*, bronze patine brune (L. 87,6) : **USD 25 300**.

CLESS Camille Pauline ou Cless-Brothier
Née à Paris. xxe siècle. Suisse.
Décorateur.
A exposé des tapis, au Salon des Artistes Français de 1922, aux Indépendants de 1928 ; a figuré au Salon de la Société Nationale des Beaux-Arts.

CLESS Jean Henri
Né à Strasbourg. xixe siècle. Français.
Peintre, dessinateur et miniaturiste.
Élève de David. Il figura au Salon de Paris de 1804 à 1808, surtout avec des miniatures.
VENTES PUBLIQUES : Paris, 25 jan. 1929 : *Portrait de jeune homme en buste, de trois quarts à gauche* : **FRF 700**.

CLESSE Daniel
Né en 1932. xxe siècle. Français.
Peintre. Abstrait.
Il fut élève à Paris de l'Académie Ranson. Il est devenu professeur de peinture. Il participe à des expositions collectives, notamment à Paris : au Salon des Réalités Nouvelles depuis 1989, au Groupe 109, ainsi qu'en province, à des groupes à New York, Tokyo, etc.
Son abstraction se fonde sur quelques signes ou figures simples, peints largement dans une matière sensuelle.

CLESSE Fanny
Née à Bruxelles. xxe siècle. Belge.
Peintre.
Établie en France, elle a exposé des paysages et des fleurs au Salon de la Nationale, 1933-1934.

CLESSE Louis Liévin Théophile
Né le 15 juin 1889 à Ixelles (Bruxelles). Mort en 1961. xxe siècle. Belge.
Peintre de paysages, marines, natures mortes. Post-impressionniste.
Il fut élève de l'Académie des Beaux-Arts d'Ixelles. Il exposait en Belgique, à la Société Nationale et dans les Salons triennaux. Une stèle le commémore dans les jardins de la Cambre-Bruxelles.
Il a surtout peint les paysages de Belgique, montrant une prédilection pour les paysages d'eau : rivage, ports, étangs, canaux, et les paysages d'hiver.

MUSÉES : ANVERS.
VENTES PUBLIQUES : Bruxelles, 27 oct. 1966 : *Etangs d'Auderghem* : **BEF 12 000** – Anvers, 13 oct. 1970 : *Dégel* : **BEF 110 000** – Anvers, 12 oct. 1971 : *La Senne en hiver* : **BEF 90 000** – Anvers, 10 oct. 1972 : *Canal en Flandre* 1939 : **BEF 44 000** – Bruxelles, 15 juin 1976 : *Canal en Flandres*, h/pan. (44x64) : **BEF 22 000** – Lokeren, 14 mai 1977 : *Paysage à l'étang*, h/t (90x108) : **BEF 140 000** – Bruxelles, 25 oct. 1978 : *Paysage d'été* 1920, h/t (90x110) : **BEF 160 000** – Londres, 24 jan. 1979 : *Saules étêtés*, h/t (100x130) : **BEF 200 000** – Lokeren, 16 fév. 1980 : *Paysage d'hiver* 1916, h/t (90x110) : **BEF 260 000** – Bruxelles, 28 oct. 1981 : *Etang du Rouge Cloître en automne*, h/t (75x100) : **BEF 80 000** – Bruxelles, 27 oct. 1982 : *Paysage marécageux en Flandres*, h/t (80x100) : **BEF 190 000** – Lokeren, 26 fév. 1983 : *le dégel*, (100x130) : **BEF 120 000** – Bruxelles, 28 mars 1984 : *Fermettes*

dans un paysage ensoleillé, h/t (100x130) : **BEF 200 000** – Bruxelles, 20 mai 1985 : *Le Rouge-Cloître*, h/t (54x44) : **BEF 62 000** – Bruxelles, 19 mars 1986 : *Paysage en Flandre, le soir*, h/t (90x110) : **BEF 280 000** – Anvers, 19 mai 1987 : *La femme du pêcheur 1932*, h/t (125x175) : **BEF 240 000** – Lokeren, 5 mars 1988 : *Après l'orage*, h/t (100x130) : **BEF 220 000** – Lokeren, 28 mai 1988 : *La couturière 1917*, h/pan. (29x39) : **BEF 130 000** – Bruxelles, 7 oct. 1991 : *Marine 1932*, h/pan. (40x50) : **BEF 46 000** – Lokeren, 10 oct. 1992 : *L'été en Flandre 1921*, h/t (75x100,5) : **BEF 260 000** – New York, 9 mai 1994 : *Berges ensoleillées 1952*, h/t (68,5x89) : **USD 1 840** – Lokeren, 28 mai 1994 : *Le canal de Plassendaele à la tombée du soir 1935*, h/t (100x130) : **BEF 300 000** – New York, 8 nov. 1994 : *Bruges sous la neige 1924*, h/t (79x89) : **USD 1 725** – Amsterdam, 7 nov. 1995 : *Chemin à Anderghem 1917*, h/t (75,5x101) : **NLG 3 540** – Lokeren, 9 déc. 1995 : *Canal Bruges-Damme 1939*, h/t (90x100) : **BEF 140 000** – Lokeren, 7 déc. 1996 : *Jour d'été au bord d'un cours d'eau 1923*, h/t (101x121) : **BEF 260 000** – Lokeren, 6 déc. 1997 : *Sous-bois le soir*, h/pan. (55x65) : **BEF 60 000**.

CLETCHER Daniel
xvii siècle. Actif vers 1633. Hollandais.
Graveur.
On cite de lui : *Siège de Maestricht*.

CLETCHER Robert Victor
xvii siècle. Actif à La Haye en 1617. Hollandais.
Dessinateur.
Il exécuta des dessins d'ornement.

CLETELLET Gaspard
xvii siècle. Français.
Sculpteur.
Il fut reçu à l'Académie de Saint-Luc en 1686.

CLETER Gregorio
Né en 1813 à Rome. xix siècle. Italien.
Graveur.
Il grava des tableaux de maîtres anciens et des vues de Rome.

CLETON Antonio
D'origine romaine. xviii siècle. Italien.
Dessinateur et graveur.
Il signa une estampe en 1727.

CLÉTY Constant Désiré
Né à Roubaix (Nord). xx siècle. Français.
Peintre de portraits, d'intérieurs, graveur.
Il exposait à Paris, régulièrement au Salon des Artistes Français, dont il est devenu sociétaire, mention honorable 1925, deuxième médaille 1926, première médaille 1930, hors-concours. Parmi les scènes d'intérieurs : *Dans l'atelier du sculpteur Soubricas*.

CLEVE Albrecht Van ou Cleef
xvi siècle. Vivait à Anvers en 1581 et 1586. Éc. flamande.
Peintre.

CLEVE Corneille Van
Né en 1644 ou 1645 à Paris. Mort le 31 décembre 1735. xvii-xviii siècles. Français.
Sculpteur.
Élève de François Auguier. Il obtint le Grand Prix en 1671, passa six années à Rome, puis, revenu à Paris, il entra à l'Académie le 26 avril 1681. Il travailla aux Palais de Versailles et de Trianon. On voit encore de lui : *La Loire et le Loiret* dans le jardin des Tuileries. Le château de Versailles possède un grand nombre de sculptures de cet artiste : *Fontaine* (à Trianon), *Mercure, Groupe d'enfants, Ariane couchée, Lion terrassant un sanglier, Lion et loup* et le Musée du Louvre : *Polyphème*.
Ventes Publiques : Paris, 1898 : *Décoration de chapelle ou de sacristie*, à la plume : **FRF 32**.

CLEVE Cornelis Van, Cornelis Van der Beke, ou Cleve le Fou, ou Sotte Cleef
Né vers 1520 à Anvers. Mort après 1567 ou 1569 peut-être à Anvers. xvi siècle. Hollandais.
Peintre de sujets religieux, portraits.
Il est le fils de Joos Van Cleve. Cet artiste, encore récemment inconnu, sort de l'oubli grâce aux travaux de Max Friedlaender. Il obtint vraisemblablement la maîtrise en 1541, année dont il ne s'est pas conservé de documents de la gilde. On ne le trouve pas porté dans les listes des années antérieures, car son père n'avait pas à déclarer son fils comme ses autres apprentis. L'histoire anecdotique a conservé le romantique épisode du peintre Cleve devenu fou à Londres en 1554 à la suite de sa rivalité artistique

avec Antonio Moro lors du mariage de Marie Tudor et de Philippe d'Espagne, mais Mander la rapporte à Joos Van Cleve, alors que celui-ci était déjà mort en 1541. Les anciens inventaires mentionnent beaucoup de tableaux de « Sotte Cleef » ou Cleve le Fou, sans qu'on puisse discerner s'ils étaient du père ou du fils. On ne possède de Cornelis Van Cleve aucune œuvre documentée ou signée. La liste de ses tableaux proposée par M. Friedlaender se base sur une parenté étroite avec l'atelier de Joos Van Cleve dont il était issu et la présence dans ces peintures d'éléments d'un style personnel et plus évolué. Les influences italiennes y sont aussi sensibles dans les œuvres de maturité de son père, mais à côté des inspirations léonardesques et milanaises on y voit une forte influence de Raphaël, et parfois d'Andrea del Sarto. L'œuvre centrale de ce groupe de tableaux est l'*Adoration des mages* du Musée d'Anvers.
Musées : Anvers : *Adoration des Mages* – Anvers (Église Saint-Jacques) : *Vierge à l'Enfant : Madone*, influence léonardesque – Bruges : *Vierge à l'Enfant* – Cambridge (Fitzwilliam Mus.) : *Vierge* – Cologne (Wallraf-Richards Mus.) : *Portrait de femme* – Dresde : *Adoration de l'Enfant*, influence raphaëlesque – Munich : *Vierge*, d'après Leonardo – Philadelphie (Mus. Johnson) : *Vierge* – Saint-Pétersbourg (Ermitage) : *Adoration des Mages*, grand triptyque – *Massacre des Innocents – Circoncision* – Sarasota (Ringling Mus.) : *Adoration de l'Enfant*.
Ventes Publiques : Versailles, 24 mai 1964 : *La Vierge et l'Enfant Jésus entourés d'anges* : **FRF 9 800** – Londres, 28 mai 1965 : *Portrait d'un prélat* : **GNS 7 500** – Londres, 8 juil. 1981 : *L'Adoration des Rois Mages*, h/t (113x82) : **GBP 9 500** – New York, 31 mai 1989 : *Vierge à l'Enfant dans un paysage*, h/pan. (65,4x52,4) : **USD 35 200** – Londres, 5 juil. 1989 : *Vierge à l'Enfant*, h/pan. (24,5x32) : **GBP 14 300** – Paris, 2 juin 1993 : *Vierge à l'Enfant*, h/pan. de chêne (61x47) : **FRF 40 000** – Paris, 4 nov. 1997 : *Les Quatre Saisons*, quatre h/pan. (chaque 31x46) : **FRF 700 000**.

CLEVE Franz
Né en 1889 dans la région du Bas-Rhin. xx siècle. Allemand.
Sculpteur.
Il fut l'élève de Syrlin Eberle et vécut surtout à Munich.

CLEVE Gheert Van
xvi siècle. Actif à Anvers au milieu du xvi siècle. Éc. flamande.
Peintre.

CLEVE Gillis Van
Né vers 1557. Mort en 1597 à Paris. xvi siècle. Éc. flamande.
Peintre.
Fils de Marten Van Cleve ; il était à Paris en 1588.

CLEVE Gillis Van
Né à Anvers. xvi-xvii siècles. Éc. flamande.
Peintre.
Il était le fils d'Hendrick III Van Cleve.

CLEVE Hans Van ou Cleef
xvii siècle. Actif à Leyde vers 1606. Éc. flamande.
Peintre.
Il faut sans doute identifier cet artiste en effet avec le fils d'Hendrick III Van Cleve qui naquit à Anvers, Gillis.

CLEVE Hendrick I Van
xv siècle. Éc. flamande.
Peintre.
Maître de Jan Van Hemessen en 1519. Il appartenait en 1489 à la gilde d'Anvers.

CLEVE Hendrick II Van
xvi siècle. Éc. flamande.
Peintre.
Il était en 1534 dans la gilde d'Anvers.

CLEVE Hendrick III Van ou Henricus Clivensis
Né en 1525 à Anvers. Mort en 1589. xvi siècle. Éc. flamande.
Peintre de sujets religieux, paysages, paysages urbains, architectures, marines, aquarelliste, graveur, dessinateur.
Il fut élève de son père Willem et de Fr. Floris. Il alla travailler d'après nature en Italie ; revint à Anvers en 1551 et entra dans la gilde ; se maria à Anvers, le 2 juillet 1555, et eut deux fils peintres, Gillis et Hans. Il peignit les paysages des tableaux de Fr. Floris et de son frère Marten.

Musées : Vienne : *Histoire du fils prodigue*.

Ventes Publiques : Paris, 1864 : *Paysages, marines, vues diverses*, dess. à la pl., lavés d'aquar. : **FRF 16** – Paris, 1877 : *Paysage et animaux* : **FRF 480** – Cologne, 21 avr. 1967 : *La tour de Babel* : **DEM 25 000** – Bruxelles, 26 oct. 1971 : *La tour de Babel* : **BEF 510 000** – Londres, 9 avr. 1986 : *Paysage fluvial au pont animé de personnages*, h/pan. (30,3x50,4) : **GBP 24 000** – Monaco, 17 juin 1988 : *Construction de la tour de Babel*, h/pan. (36x52,5) : **FRF 111 000** – Paris, 18 avr. 1991 : *La construction de la tour de Babel*, h/pan. (41,5x54) : **FRF 50 000** – New York, 9 jan. 1996 : *Vue de Naples*, encre et lav. (19,4x30,8) : **USD 10 925.**

CLEVE Hendrick IV Van
Mort le 22 octobre 1646 à Gand. xvie-xviie siècles. Éc. flamande.

Peintre de sujets religieux.

Il était sans doute le fils de Hendrick III Van Cleve et appartenait en 1598 à la gilde de Gand.

CLEVE Herman Van
xvie siècle. Actif à Anvers entre 1533 et 1542. Éc. flamande.
Peintre.

CLEVE Jacob Van ou Cleef
xviie siècle. Actif à Delft en 1671. Hollandais.
Peintre.

CLEVE Jan I Van
xve siècle. Actif à Anvers en 1453. Éc. flamande.
Peintre.

CLEVE Jan II ou Hans Van
xvie siècle. Actif à Anvers entre 1538 et 1571. Éc. flamande.
Peintre.

A comparer avec Hans Van Clève.

CLEVE Jan III Van ou Cleef
Né en 1646 à Veulo. Mort en 1716 à Gand. xviie-xviiie siècles. Éc. flamande.

Peintre de compositions religieuses.

Il fut l'élève de Primo Gentile, puis l'élève préféré de Jasper de Crayer dont il reprit l'atelier. Il exécuta de nombreuses peintures religieuses dont certaines subsistent dans les églises de Gand.
Musées : Courtrai : *La continence de Scipion* – Gand : *Sainte Famille – Christ en croix – La distribution de mannes.*
Ventes Publiques : Paris, 1815 : *La continence de Scipion* : **FRF 300** – Gand, 1833 : *Sainte Catherine agenouillée devant la Vierge* : **FRF 30** – Gand, 1856 : *Portrait de jeune fille* : **FRF 110** – Paris, 1865 : *La couronne du martyre* : **FRF 32** – Londres, 22 juil. 1910 : *Portrait d'un gentilhomme* : **GBP 68** – Londres, 8 juil. 1964 : *La Sainte Famille* : **GBP 5 200.**

CLEVE Joos Van, appelé aussi Joos Van der Beke
Né vers 1485 peut-être à Clèves ? Mort entre 1540 et 1541 à Anvers. xvie siècle. Hollandais.

Peintre de compositions religieuses, portraits.

Il est identique au Maître de la Mort de Marie et confondu par erreur avec Cleve le Fou (Sotte Cleef). Longtemps il régna la plus grande confusion quant à la personne et à l'œuvre de cet artiste. Du fait que son nom se trouvait dans deux transcriptions différentes (Cleve et Beke), et aussi d'une erreur de Van Mander qui dit que Joos Van Cleve est mort fou vers 1554 à Londres, tandis qu'un document établit sa mort à Anvers avant 1541, on fut amené à en faire trois artistes distincts : Joos Van der Beke, Joos Van Cleve I et Joos Van Cleve II, ce dernier pour expliquer l'incompatibilité des dates, et aussi un trop grand écart de style dans les dernières œuvres attribuées à Joos Van Clève I. Trop richement doté d'identités différentes, l'artiste se trouva par contre amputé d'une partie substantielle de son œuvre. Certains de ses tableaux, groupés stylistiquement autour de ses triptyques représentant *La Mort de la Vierge* furent donnés à un hypothétique « Maître de la Mort de Marie », qu'on chercha à identifier avec Jan Scorel. Grâce aux remarquables recherches de Friedlaender, L. Burchard et L. Baldass, la question semble définitivement résolue. Il n'y avait qu'un seul peintre du nom de Joos Van Cleve, dit Joos Van der Beke. Les tableaux du « Maître de la Mort de Marie » sont de sa main. Cleve le Fou, Cornelis Van Cleve, le propre fils de Joos, est son continuateur. (Voir l'article Cleve Cornelis Van).

Le lieu d'origine et la date de naissance de Joos Van Cleve sont inconnus. Le maître de Cleve est inconnu. Ses œuvres de jeunesse présentent une certaine parenté de style avec Jost Van Calcar, mais aussi des croisements d'influences très diverses. La suite de son développement confirmera son penchant à l'éclec-tisme. Il s'inspirera successivement des maîtres du xve siècle, de Dürer et de Leonardo. Il devient maître de la gilde d'Anvers en 1511. En 1516 il déclare des apprentis. Le peintre habite à Anvers et est marié à Anna Vijd. En 1520, il lui naît un fils, Cornelis, en 1522 une fille Jozijna. En 1528, il achète une maison et sa fortune semble prospère. En 1536 et 1538, déclarations d'apprentis. On sait de plus qu'il a présidé la gilde d'Anvers en 1519, 1520, 1525. Le 10 novembre 1540, le peintre fait son testament, et en 1541, sa deuxième femme Katlijne Mispeteeren est veuve. Il n'y avait pas d'enfant de ce deuxième mariage. Comme beaucoup d'artistes anversois, Cleve a dû beaucoup travailler pour l'exportation. Il avait des clients à Londres, Dantzig et Gênes. Guicciardini raconte que, renommé comme portraitiste, il avait été appelé en France, et avait peint François Ier, la reine et les personnages de la cour. On place ce voyage entre 1528-1535, où son nom ne se retrouve pas dans les documents anversois. On suppose, à la même époque, un voyage en Italie, que la recrudescence soudaine d'éléments italiens dans ses tableaux rend très plausible.

Joos Van Cleve a peint surtout des triptyques, des Vierges et des portraits. Ce qui frappe dans son œuvre, c'est le nombre de répétitions, souvent de qualité égale. Ses triptyques, d'un style fleuri et riche, exécutés avec un soin du détail extrême, ne sont généralement pas grands. Les compositions dérivant du Maître de Flémalle, Rogier Memling et Gérard David, sont stylisées dans la manière agitée et décorative des maniéristes anversois, mais avec moins d'exagération. Les fonds de paysages sont si proches de Patenier, qu'on suppose qu'il a collaboré avec ce peintre. Les conceptions de Cleve sont délicates, aimables et totalement dépourvues de tragique, même dans les scènes de la Passion. Ses couleurs sont claires, douces et fondantes. C'est un des peintres les plus idylliques du xvie siècle (Trip. *Crucifixion*, Naples ; *Adoration des Mages*, Berlin ; *La mort de la Vierge* à Cologne et à Munich). Les compositions hésitantes au début (*Adam et Ève*, Louvre, de 1507) deviennent plus assurées et moins molles après 1520, (Triptyques ; *Christ pleuré*, Francfort, de 1524 ; les *Adorations des Mages* de Naples et de Dresde ; le retable du Louvre avec la *Pietà* et la *Cène* d'après Leonardo). Les tableaux peints entre 1530-1540 sont plus manifestement italianisants. Les nombreuses Vierges de Cleve ont un charme très personnel. Au début, quand leur composition se rattache au xve siècle, elles sont sérieuses, frêles, avec des têtes un peu grosses et des visages joufflus, avec des mains minuscules. Les plis des voiles ont encore des cassures gothiques (les deux *Madones* du Louvre, *Vierge*, anc. coll. Kappel). Après 1520, elles deviennent souriantes, avec des traits plus fins, avec un modelé léonardesque (*Vierge Holford* ; *Vierge à l'Enfant dormant*, Cambridge Fitzwilliam Mus.). Cleve est l'un des meilleurs portraitistes des Pays-Bas de la première moitié du xvie siècle. Comme dans ses Madones, ses personnages ont au début des têtes un peu grosses, étroitement encadrées. Mais les mains sont déjà mouvementées et se présentent souvent en raccourci (*Empereur Maximilien*, Vienne et Musée Jacquemart-André à Paris ; Portraits de la Coll. Liechtenstein ; Portraits des Offices, à Florence). Après 1520, le format du portrait s'allonge, le fonds suggère plus d'espace. Le modelé des visages, d'un dessin plus large et plus ferme, est animé d'un jeu compliqué de reflets. Les mains au premier plan prennent un volume puissant (Portraits des Offices de 1525 et 1526). Entre 1530-1540, la composition, inspirée des Italiens, se fait monumentale, le clair-obscur se renforce mais ne s'attache plus aux détails de la forme (Hampton Court, *Portraits de Henri VIII et d'Éléonore de France*). Un groupe de portraits tardifs, singulièrement évolués, d'une plastique puissante et d'une psychologie intense sont attribués par une partie de la critique à Cornelis Van Cleve, le fils de Joos (*Homme au gant*, Pitti ; 2 *Portraits* de Windsor ; 2 *Portraits* de Cassel). Les sources d'inspiration italiennes sont non plus Léonard, mais Raphaël et peut-être Titien. ■ E. Zarnowska, J. B.

Musées : Amsterdam : *Portrait d'homme* – Anvers : *Portrait de Meyer v. d. Bergh* 1513 – Berlin : *Triptyque, Adoration des Mages – Portrait d'homme* – Boston : *Crucifixion* – Bruxelles : *Saint Jérôme dans un paysage – Sainte Famille avec sainte Anne – Fuite en Égypte* – Budapest (Mus. Claffy) : *Vierge donnant un verre de vin à l'Enfant* – Cambridge : *Vierge à l'Enfant endormi* – Chambéry (Mus. des Beaux-Arts) : *Portrait d'homme* – Chantilly : *Portrait d'Éléonore de France*, Copie – Cologne : *Petit triptyque de la Mort de Marie* 1515 – Detroit (Art Inst.) : *Adoration des Mages* – Dresde : *Adoration des Mages*, deux œuvres – *Descente de Croix*, d'après le Maître de Flemalle – *Portrait d'homme* –

ÉDIMBOURG : *Descente de Croix*, triptyque – ÉPINAL : *Sainte Famille*, réplique du Louvre – FLORENCE (Mus. Offices) : *Portrait d'homme et portrait de femme* 1520 – FLORENCE (Palais Pitti) : *Portrait d'homme* – FRANCFORT-SUR-LE-MAIN : *Le Christ pleuré*, triptyque – GDANSK, ancien. Dantzig (Église Notre-Dame) : *Volets d'un retable de la Passion* – GÊNES (Église San Donato) : *Adoration des Mages*, triptyque – HAMPTON COURT : *Portraits de Henry VIII et d'Éléonore de France* – HANOVRE : *Saint Jérôme dans sa cellule* – KASSEL : *L'homme au rosaire* – *Portrait d'homme* 1526 – *Portrait de femme* 1526 – LONDRES (Nat. Gal.) : *Sainte Famille avec l'Enfant debout* – LYON : *Portrait d'homme* – MADRID : *Portrait d'homme* – MODÈNE : *Sainte Anne et la Vierge* – MUNICH : *Mort de Marie*, triptyque – *Portrait de femme* – NANTES : *Portrait d'homme* – NAPLES : *Adoration des Mages*, triptyque – *Crucifixion*, triptyque – *Enfant Jésus et petit saint Jean s'embrassant* – NEW YORK : *Sainte Famille* – PARIS (Mus. Jacquemart-André) : *Portrait de l'empereur Maximilien* – PARIS (Louvre) : *Le Christ pleuré* – *La Cène* – *Stigmatisation de saint François*, triptyque – *Adam et Ève* 1507, deux volets – *Christ bénissant* – *Madone avec saint Bernard* – *Madone et saint Dominique dans paysage* – *Portrait d'homme* – PHILADELPHIE (Mus. Johnson) : *Descente de Croix* – *Portrait de François Ier* – *Portrait de jeune homme* – PRAGUE (Rudolphinum) : *Adoration des Mages*, triptyque – *Vierge à l'Enfant endormi* – SALZBURG : *Saint Jérôme pénitent* – VIENNE : *Portrait de la reine Éléonore*.

VENTES PUBLIQUES : LONDRES, 8 et 9 mars 1922 : *Jeune homme au chapeau noir* : **GBP 74** – LONDRES, 8 juin 1923 : *La Sainte Famille* : **GBP 73** – LONDRES, 6 juil. 1923 : *La Vierge et l'Enfant* : **GBP 126** – LONDRES, 25 mars 1927 : *La Vierge et l'Enfant* : **GBP 336** – LONDRES, 8 juil. 1927 : *L'Adoration des Mages*, panneau central d'un triptyque : **GBP 504** – PARIS, 23 nov. 1927 : *Portrait d'homme*, attr. : **FRF 25 500** – LONDRES, 17 et 18 mai 1928 : *La Sainte Famille* : **GBP 5 565** – LONDRES, 2 août 1928 : *Triptyque : L'Adoration des Mages ; au centre, La Nativité et La Présentation au Temple sur les côtés* 1536 : **GBP 441** – LONDRES, 20 juin 1930 : *La Vierge et l'Enfant* : **GBP 2 415** – LONDRES, 16 fév. 1934 : *Portrait d'une abbesse* : **GBP 168** – NEW YORK, 18 et 19 avr. 1934 : *Deux Mages adorant le Christ* : **USD 504** – LONDRES, 20 avr. 1934 : *Portrait d'un jeune homme* : **GBP 152** – PARIS, 22 juin 1934 : *Pietà*, Triptyque, attr. : **FRF 16 000** – GENÈVE, 27 oct. 1934 : *Portrait d'homme* : **CHF 8 300** – LONDRES, 29 mars 1935 : *Portrait d'un gentilhomme et de sa femme* : **GBP 630** – LONDRES, 28 juin 1935 : *Sir John More* : **GBP 189** – LONDRES, 5 juil. 1937 : *La Vierge et l'Enfant* : **GBP 262** – LONDRES, 25 fév. 1938 : *Portrait d'une dame* : **GBP 110** – PARIS, 1er juil. 1942 : *Tableau*, attr. : **FRF 20 000** – LONDRES, 10 nov. 1943 : *La Sainte Famille* : **GBP 145** – NEW YORK, 26 nov. 1943 : *L'Adoration des Mages* : **USD 550** – LONDRES, 17 mars 1944 : *Sainte Véronique* : **GBP 105** – NEW YORK, 25 jan. 1945 : *Portrait d'une jeune femme* : **USD 6 900** – LONDRES, 1er mai 1959 : *La Madone aux fleurs* : **GBP 5 460** – LONDRES, 14 juin 1961 : *Portrait de jeune homme* : **GBP 5 200** – LONDRES, 27 juin 1962 : *La Vierge et l'Enfant* : **GBP 2 800** – LONDRES, 4 déc. 1964 : *Saint Jean Baptiste ; Saint Antoine*, deux pendants : **GBP 6 500** – LONDRES, le 28 mai 1965 : *Portrait d'un jeune prince* : **GNS 12 000** – LONDRES, 25 nov. 1966 : *Vierge à l'Enfant aux cerises* : **GNS 14 000** – LONDRES, 26 juin 1970 : *Vierge à l'Enfant* : **GNS 5 500** – LONDRES, 8 déc. 1972 : *L'Adoration des Rois Mages*, triptyque : **GNS 6 500** – LONDRES, 7 juil. 1976 : *Portrait d'un gentilhomme*, h/pan. (37,5x30) : **GBP 18 000** – AMSTERDAM, 9 juin 1977 : *Portrait d'un jeune homme*, pan. haut arrondi (21,5x39) : **NLG 230 000** – COLOGNE, 20 nov. 1980 : *Saint Jérome dans un paysage*, h/pan. (41x31) : **DEM 80 000** – NEW YORK, 7 juin 1984 : *Portrait d'homme* 1509, h/pan. (20,5x12,5) : **USD 40 000** – LONDRES, 5 juil. 1989 : *La Sainte Famille*, h/pan. (69x49,5) : **GBP 154 000** – AMSTERDAM, 12 juin 1990 : *Saint Jean Baptiste*, h/pan., ventail d'un retable (90,3x26,9) : **NLG 55 200** – LONDRES, 5 juil. 1991 : *La Sainte Famille*, h/pan. (69x49,5) : **GBP 176 000** – NEW YORK, 15 jan. 1993 : *Crucifixion avec Marie, Marie-Madelaine et Saint Jean l'Évangeliste*, h/pan., partie centrale d'un retable (87,6x60,3) : **USD 387 500** – LONDRES, 3 déc. 1997 : *Saint Jérôme dans son cabinet de travail*, h/pan. (60,7x46,7) : **GBP 210 500**.

CLEVE Joris Van

XVIe siècle. Actif à la fin du XVIe siècle. Hollandais.
Peintre.

Il est le fils de Marten Van Cleve. Un autre peintre, du même nom, fut reçu le 26 mars 1665, dans la gilde de Delft et fut enterré à Delft le 5 mars 1681.

CLEVE Joris Van ou Cleef

Mort en 1681 à Delft. XVIIe siècle. Hollandais.

Peintre.
Il fut reçu maître à Delft en 1665.

CLEVE Joseph Van

Né en 1703. Mort en 1711. XVIIIe siècle. Français.
Sculpteur.

Il était le fils de Corneille Van Cleve et remporta en 1700 plusieurs prix académiques.

CLEVE Léonard Van

XVe siècle. Actif à Bruges. Éc. flamande.
Enlumineur.

Le 17 août 1447, il fut poursuivi par les doyens de la gilde de Bruges pour avoir fait des images imprimées avec de l'or, de l'argent et des couleurs à l'huile. Il fut condamné, avec d'autres, par les échevins qui n'autorisèrent que « les travaux imprimés mais en couleurs à l'eau seulement ».

CLEVE Marten I Van, ou Martin ou Cleef ou Cleeffe

Né à Anvers, en 1507 ou 1527 selon d'autres sources. Mort en 1557, ou 1581 selon d'autres sources. XVIe siècle. Éc. flamande.

Peintre d'histoire, sujets religieux, scènes de genre, peintre d'ornements.

Il est le frère de Hendrick III. Élève de son père Willem et de Frs. Floris, il fut maître à Anvers en 1551. Il n'alla pas en Italie et peignit des ornements dans les tableaux de Floris, de son frère Hendrick, de Grimmer et de G. Van Conincxloo. Il se maria en 1556 et eut quatre fils, qui furent ses élèves, Gilles, Marten II, Joris et Nicolas.

MUSÉES : MOSCOU (coll. Martin) : *Festin rustique* – ORLÉANS : *Cincinnatus recevant les députés de Rome* – PRAGUE (Château Impérial) : *Scène de pillage* – SCHLEISSHEIM : *Jeune paysanne menée au lit nuptial* – VIENNE : *Ménage flamand*.

VENTES PUBLIQUES : NEW YORK, 4 et 5 fév. 1931 : *Le marché au poisson* : **USD 310** – BRUXELLES, 6 déc. 1937 : *La Fête des Rois* : **BEF 21 000** – PARIS, 7 déc. 1950 : *Le massacre des Innocents* : **FRF 340 000** – PARIS, 22 juin 1965 : *Le repas* : **FRF 3 600** – LONDRES, 8 déc. 1967 : *Scène villageoise* : **GNS 19 000** – LONDRES, 27 nov. 1970 : *Proverbes*, 2 panneaux ronds : **GNS 6 500** – PARIS, 4 juin 1984 : *Proverbe flamand*, h/pan. (24x32) : **FRF 27 000** – PARIS, 10 juil. 1986 : *Kermesse villageoise*, h/pan. (44x65,5) : **FRF 195 000** – PARIS, 14 déc. 1987 : *Pique-nique pendant la moisson*, h/pan. chêne (26x36) : **FRF 80 000** – MONACO, 16 juin 1989 : *Le massacre des Innocents*, h/pan. (71x106) : **FRF 444 000** – LONDRES, 8 déc. 1989 : *Kermesse au village*, h/pan. (59,7x87) : **GBP 74 800** – LONDRES, 11 déc. 1991 : *Le cortège de la jeune épousée*, h/pan. (42,2x76,4) : **GBP 35 200** – PARIS, 15 avr. 1992 : *La noce villageoise*, h/pan. (26x37,8) : **FRF 158 000** – AMSTERDAM, 6 mai 1993 : *Mariage paysan*, h/pan. (73,5x107,3) : **NLG 172 500** – PARIS, 18 nov. 1993 : *Carnaval contre Carême ou Les combat des poissonniers contre les charcutiers*, h/pan., en collaboration avec son atelier (72x107) : **FRF 550 000** – LONDRES, 8 déc. 1993 : *Danse de mariage*, h/pan. (24,6x34) : **GBP 18 400** – NEW YORK, 18 mai 1994 : *Proverbe : L'ivrognerie mène à la porcherie*, h/pan. (35,9x48,9) : **USD 23 000** – PARIS, 12 juin 1995 : *Villageois capturant un essaim d'abeilles pour le mettre en ruche*, h/t (37x49,5) : **FRF 140 000** – PARIS, 15 déc. 1995 : *Le Massacre des Innocents*, h/pan. (76,5x107) : **FRF 400 000** – PARIS, 16 mai 1997 : *Les Quatre Saisons*, h/pan., quatre panneaux de chêne (31x46,5) : **FRF 455 000** – PARIS, 4 nov. 1997 : *Les Quatre Saisons*, pan., quatre panneaux (31x46) : **FRF 700 000**.

CLEVE Marten II Van

Né après 1556. Mort vers 1604. XVIe-XVIIe siècles. Éc. flamande.
Peintre de genre.

Il est le fils de Marten I. Il voyagea en Italie et en Espagne.

VENTES PUBLIQUES : LONDRES, 11 déc. 1984 : *Kermesse villageoise*, h/pan. (109,1x162,5) : **GBP 24 000** – LONDRES, 19 déc. 1985 : *La fête de la Saint-Martin*, h/pan. (94x125) : **GBP 21 000**.

CLEVE Nicolas Van

Né vers 1560 à Anvers. Mort le 20 août 1619 à Anvers. XVIe-XVIIe siècles. Éc. flamande.
Peintre.

Il était le plus jeune fils de Marten I Van Cleve. Travaillait à Anvers en 1604.

CLEVE T.

XVIIIe siècle. Actif à Copenhague dans la seconde moitié du XVIIIe siècle. Hollandais.
Graveur.

On cite de lui : *Bolle Willum Luxdorff.*

CLEVE Willem I Van

XVIe siècle. Éc. flamande.

Peintre.

Il faisait partie en 1518 de la gilde d'Anvers. Père de Hendrick III, Joos, Marten I, Willem II, maître de Willeken Van den Bossche et Willeken Van Ghierle en 1522, de Passchier, 1525, de Steven Vermuelen en 1543.

CLEVE Willem II Van

Né vers 1530 à Anvers. Mort en 1564. XVIe siècle. Éc. flamande.

Frère de Hendrick. Il entra comme fils de maître dans la gilde d'Anvers en 1550. Il eut pour élèves Gaspard Rem en 1554, et Lodwyck Janssens en 1559. Il mourut jeune, en laissant quatre jeunes enfants.

CLEVE Willem III Van

XVIIIe siècle. Éc. flamande.

Peintre d'armoiries et de vitraux.

Il était actif à Rotterdam.

CLEVELEY James

Né vers 1750 à Londres. XVIIIe siècle. Britannique.

Dessinateur, illustrateur.

Marin et voyageur il exécuta les illustrations du livre du capitaine Cook, *Voyage towards the south Pole and round the world*. Il était le fils de John I Cleveley.

CLEVELEY John I

Né en 1712. Mort vers 1792 à Londres. XVIIIe siècle. Britannique.

Peintre de paysages d'eau, marines, dessinateur.

Il était le père de Robert, John II et James Cleveley. Il peignit surtout des marines et des scènes de la vie maritime.

VENTES PUBLIQUES : LONDRES, 15 nov. 1968 : *Le chantier naval* : GNS 6 200 – LONDRES, 18 mars 1981 : *Voilier en trois positions au large de Falmouth* 1764, h/t (86,5x132) : GBP 800 – LONDRES, 2 mars 1983 : *Une frégate anglaise en trois positions* 1757, h/t (107x157,5) : GBP 15 000 – LONDRES, 16 mars 1984 : *An East Indiaman in three positions* (123,9x152,4) : GBP 13 000 – LONDRES, 19 nov. 1986 : *The Indiaman « Fox » in three positions off Dover* 1775, h/t (88x136,5) : GBP 40 000 – LONDRES, 14 juil. 1987 : *Bateaux de guerre et autres bâtiments au large de la côte*, deux aquar., cr. et pl. (14,5x19,7) : GBP 1 300 – LONDRES, 17 juil. 1992 : *Bâtiment de guerre anglais envoyant un coup de semonce à un bateau hollandais* 1748, h/t (62x77) : GBP 6 600 – LONDRES, 7 avr. 1993 : *Deux navires marchands par mer calme* 1764, h/t (78,8x101,8) : GBP 17 250 – NEW YORK, 14 jan. 1994 : *Yachts royaux sur la Tamise devant Greenwich Hospital* 1752, h/t (88,9x127) : USD 552 500 – LONDRES, 12 juil. 1995 : *Le chantier de construction navale de Deptford* 1754, h/t (108,5x180) : GBP 199 500 – CANNES, 7 août 1997 : *Le roi Georges II arrivant sur son navire pour aborder le vaisseau royal Caroline afin de regagner Hanovre, le 20 mai 1748* 1758, t. (106x167) : FRF 572 000.

CLEVELEY John II

Né en 1747 à Londres. Mort en 1786 à Londres. XVIIIe siècle. Britannique.

Peintre de paysages d'eau, marines, aquarelliste, dessinateur.

Cleveley fut élevé dans un milieu qui, sans doute, forma son goût pour la peinture de marine, car il passa sa jeunesse à Deptford, dans les chantiers de navires. Plus tard, il apprit l'aquarelle chez Paul Sandby, et, en 1774, accompagna le capitaine Phipps (Lord Mulgrave) dans son voyage aux régions arctiques. Il en fit de même avec Sir Joseph Banks, lorsque celui-ci entreprit son voyage en Islande. Cleveley exposa à la Royal Academy et à la Free Society, entre 1764 et 1786, et peignit à l'aquarelle et à l'huile.

MUSÉES : LONDRES (Victoria and Albert Mus.) : Trois aquarelles – *Lancement de vaisseau à Deptford*, vers 1760.

VENTES PUBLIQUES : LONDRES, 4 mars 1927 : *Deux bateaux à l'embouchure d'un fleuve* : GBP 86 – LONDRES, 25 juil. 1928 : *Bateaux dans un port hollandais*, aquar. : GBP 7 – LONDRES, 27 juin 1930 : *Bateaux de pêche à l'embouchure d'un fleuve* : GBP 73 – NEW YORK, 2 avr. 1931 : *Marine* 1776 : USD 175 – LONDRES, 3 déc. 1936 : *Marine* 1772 : GBP 57 – LONDRES, 19 avr. 1961 : *Vue sur la Tamise, Saint-Paul dans le lointain*, dess. : GBP 180 – LONDRES, 14 mars 1962 : *George III reviewing the fleet at Spithead* : GBP 2 050 –

LONDRES, 15 mars 1967 : *Bateaux de guerre saluant* : GBP 880 – LONDRES, 31 mars 1976 : *Bateau de guerre et voiliers au large de la côte* 1773, h/t (57x74,5) : GBP 3 000 – LONDRES, 25 nov. 1977 : *Bateaux en mer* 1773, h/t (33x42) : GBP 2 800 – LONDRES, 16 mars 1978 : *Trois-mâts dans un estuaire ; Bateaux au large de la côte d'Écosse*, deux aquar. et pl. (26,5x37) : GBP 800 – LONDRES, 22 mars 1979 : *Bateaux au large de la côte*, 2 aquar. et pl. (14x20,8) : GBP 680 – LONDRES, 18 nov. 1980 : *Le roi Georges III passant la flotte en revue à Spithead* 1773 et 1774, trois aquar., cr. et pl. (40,5x61,3) : GBP 6 000 – LONDRES, 30 mars 1983 : *A reviewing cutter off Calshott Castle, near Southampton*, aquar. (21x29) : GBP 580 ; *Shipping in the Hamoaze off Devil's Point, Plymouth*, pl. et aquar. (32x39,5) : GBP 3 000 – LONDRES, 12 mars 1986 : *Vue des quais de Deptford* 1774, h/t (90x150) : GBP 106 000 – LONDRES, 18 mars 1986 : *Bateaux au large de la tour de Belem*, aquar. cr. et pl. (28,8x49,2) : GBP 950 – LONDRES, 26 oct. 1990 : *Vaisseau de guerre anglais au large des côtes hollandaises*, h/t (63,5x112) : GBP 4 400 – LONDRES, 30 jan. 1991 : *Une frégate ancrée près d'autres embarcations*, aquar. (22x38) : GBP 880.

CLEVELEY Robert

Né en 1747 à Londres. Mort en 1809 à Douvres. XVIIIe siècle. Britannique.

Peintre d'histoire, paysages d'eau, marines, aquarelliste, dessinateur.

Il était le frère de John II Cleveley et le fils de John I. Il commença sa carrière comme matelot, et puisa dans la nature même les inspirations pour ses sujets de marine. Il fut nommé peintre du prince de Galles, et exposa des marines à la Free Society et à la Royal Academy, de 1767 à 1806. Sa mort fut causée par une chute des falaises de Douvres.

Cleveley choisissait souvent, pour ses tableaux, des scènes de l'histoire navale, telles que *Nelson sur le Saint-Joseph* et *La Victoire d'Earl Howe*.

MUSÉES : LONDRES (Victoria and Albert Mus.) : Deux aquarelles – MANCHESTER : *Bateaux sur la côte de Kent*, aquar.

VENTES PUBLIQUES : LONDRES, 10 juin 1910 : *Vue des prairies de Petersham*, dess. : GBP 1 – LONDRES, 16 fév. 1922 : *Le Port de Portsmouth* 1791, aquar. : GBP 6 – LONDRES, 2 et 3 mai 1928 : *Régates sur la Tamise* 1792 : GBP 11 – LONDRES, 5 déc. 1930 : *Bateaux à voile*, dess. : GBP 11 – LONDRES, 1er août 1935 : *L'Angleterre vue de la côte française*, dess. : GBP 4 – LONDRES, 25 mai 1938 : *Fête sur l'eau à Richmond* 1793, aquar. : GBP 30 – LONDRES, 22 mars 1979 : *La bataille navale au large de Belle-Île, le 14 oct. 1747*, aquar. et pl. (16x24,5) : GBP 700 – LONDRES, 24 mars 1981 : *Lord Howe's victory of the first june ; The sinking of le Vengeur* 1794, deux aquar. (52x81,5) : GBP 2 000 – NEW YORK, 18 jan. 1983 : *Le « Sarah » dans l'Arctique*, h/t (54x105) : USD 6 000 – LONDRES, 14 mars 1985 : *Bateaux au large de la côte*, aquar. (12x19) : GBP 480 – LONDRES, 7 oct. 1992 : *Navigation au large des côtes de Hollande*, h/t (29x39,5) : GBP 1 045.

CLEVENBERCH Frans ou Clevenbergh

XVIIe siècle. Éc. flamande.

Peintre.

Il avait été l'élève de Cornelis de Vos. Il fut reçu maître à Anvers en 1624-1625.

CLEVENBERGH Antoine

Né en 1755 à Louvain. Mort en 1810. XVIIIe-XIXe siècles. Belge.

Peintre de natures mortes.

Le Musée de Hambourg conserve de lui : *Renard et oiseaux domestiques*.

A C.f.

VENTES PUBLIQUES : ANVERS, 1853 : *Nature morte ; différentes pièces de gibier* : FRF 60 – PARIS, 3 juin 1931 : *Le Lièvre* : FRF 3 300 – NEW YORK, 26 fév. 1997 : *Châssis de fenêtre avec une femme portant un lièvre mort et un panier de persil, avec sur le rebord une bassine en cuivre, un bol d'oignons et un pot d'argile* 1797, h/pan. (31,7x24,8) : USD 3 680.

CLEVENBERGH Charles Antoine

Né en 1791 à Louvain. XIXe siècle. Belge.

Peintre.

Il était le fils d'Antoine Clevenbergh. Il peignit surtout des natures mortes.

CLEVENBERGH Frans. Voir CLEVENBERCH

CLEVENBERGH Joseph

Né en 1796 à Louvain. XIXe siècle. Belge.

Peintre de natures mortes.

Fils d'Antoine Clevenbergh ; il fut professeur à l'Académie des Beaux-Arts de Louvain.

Ventes Publiques : Londres, 26 nov. 1986 : *Nature morte aux fruits* 1837, h/t (25x32) : **GBP 4 000**.

CLEVENGER Shobald-Vail

Né en 1813 à Middletown (Ohio). Mort en 1843, en mer en vue de Gibraltar. xixe siècle. Américain.

Sculpteur.

Il étudia les techniques de gravure à Cincinatti, son principal maître fut Nicolas Longworth. Il eut une courte carrière et modela les bustes de personnalités américaines, certains furent taillés dans le marbre en Italie. Peu après son arrivée à Florence, il tomba malade et mourut sur le bateau lors de son retour aux États-Unis Le Metropolitan Museum de New York possède de ses œuvres.

CLEWS Henry, Jr.

Né en 1876 à New York. Mort en 1937 en France. xxe siècle. Actif en France. Américain.

Sculpteur, peintre.

Il était fils du banquier Henry Clews. Il étudia à l'Université de Columbia, puis à Lausanne. Il se tourna ensuite vers la peinture et la sculpture, travaillant seul, à New York et à Boston. De 1903 à 1914, il exposa de nombreuses fois à New York. A partir de 1914, il habita la France, à Cannes. En 1939, le Métropolitan Museum de New York organisa une exposition rétrospective de ses sculptures.

Les nombreuses sculptures qui peuplent le château qu'il possédait à La Napoule, accusent un caractère baroque.

Musées : New York (Metropolitan Mus.).

CLEYEN Aert Van der, dit Linthout

xve siècle. Actif à Anvers. Éc. flamande.

Sculpteur.

CLEYEN Hendrik Van der

xve siècle. Actif à Anvers dans la seconde moitié du xve siècle. Éc. flamande.

Sculpteur.

Il était fils d'Aert Van der Cleyen.

CLEYMANS Léo

Né en 1937 à Londerzeel. xxe siècle. Belge.

Peintre de paysages animés, marines, dessinateur.

Il peint les vues pittoresques et animés d'Anvers et de son port, de Malines, Lierre, etc. Il use d'une gamme chromatique sobre, apte à traduire quelque mélancolie.

Bibliogr. : In : *Diction. biogr. illustré des Artistes en Belgique depuis 1830*, Arto, Bruxelles, 1987.

CLEYN Franz

Né en 1582 à Rostock. Mort en 1658 à Londres. xviie siècle. Allemand.

Peintre d'histoire, portraits, graveur, dessinateur.

Il visita l'étranger et séjourna pendant quatre ans à Rome. Il se rendit ensuite en Danemark. Il exécuta un portrait de Christian IV, en 1611 ; en 1624 il fut professeur de peinture de Christian Ulrik (Gyldenlove). Il partit ensuite pour l'Angleterre. Ses travaux principaux en Danemark ont été six tableaux décoratifs pour le plafond de la salle des chevaliers du Palais de Roenborg. La plupart de ses œuvres furent détruites lors de l'incendie du palais de Christiansborg en 1884. Ses trois fils Francis, Charles et John, ses trois filles Sarah, Magdalen et Penelope pratiquèrent la miniature.

Ventes Publiques : Amsterdam, 17 nov. 1993 : *Ulysse tenté par les sirènes*, lav. (12,8x8,3) : **NLG 4 025**.

CLEYNHENS Théodore Joseph

Né en 1841 à Anvers. xixe siècle. Éc. flamande.

Peintre et graveur.

Élève de Victor de Lagye et de J.-B. Michiel. Il participa à l'Exposition de Bruxelles de 1910. On cite parmi ses eaux-fortes : *Hôpital de Sainte-Anne à Anvers, Place du marché au xvie siècle, La Chroniqueuse*.

Cleynhens

CLEYSSENS Paul

Né à Tourcoing (Nord). xxe siècle. Français.

Décorateur.

Sociétaire des Artistes Français ; mention honorable en 1928.

CLIENBERG. Voir LELIENBERGH Cornelis

CLIEVERE Andreas de ou Glifer

Mort vers 1584. xvie siècle. Actif à Bruxelles. Éc. flamande.

Sculpteur sur bois.

Maître à Bruxelles en 1554 ; élève de Claude Van Asche. Il travailla avec Alex. Colin, en 1581, pour l'archiduc Ferdinand, à Innsbruck.

CLIEVERE Pierre de ou Clyever, Cleiever, Clivere

xvie siècle. Actif à Bruges. Éc. flamande.

Peintre.

Élève de Hugo de Lamotte en 1511 ; maître en 1525.

CLIFF Thomas James

Né le 19 août 1873 à Londres. xixe-xxe siècles. Britannique.

Sculpteur.

Exposa à la Royal Academy.

CLIFFORD

xviiie siècle. Actif dans la seconde moitié du xviiie siècle. Britannique.

Peintre.

CLIFFORD Edward

Né en 1844 à Bristol. Mort en 1907. xixe siècle. Britannique.

Peintre d'histoire, sujets religieux, portraits, paysages, peintre à la gouache, aquarelliste, dessinateur.

Il est le fils du Révérend Clifford. Élève de l'école d'art de sa ville natale, il poursuivit ses études à Londres, à la Royal Academy. Il fit partie d'un groupe comprenant également entre autres Walter Crane et Robert Bateman qui fut influencé par Burne-Jones à la fin des années 1860. Il voyagea en Italie, dans l'Inde, en Orient. Il commença à exposer à la Royal Academy à partir de 1866 ainsi qu'à Suffolk Street, à la New Water-Colours Society, à la Grafton Gallery, à la New-Gallery, à Londres.

Il peignit des portraits des personnages de la noblesse anglaise : comtesse de Pembroke, Lady Ashburton, Lord et Lady Lytton, etc. On cite de lui aussi : *Israélites recueillant la manne, Les Espions*.

Musées : Bristol : *Portrait de la princesse Christiane*, aquar.

Ventes Publiques : Londres, 16 oct. 1981 : *Portrait of Elisabeth, Marchioness of Ormonde* 1884, aquar. (63,5x50,7) : **GBP 320** – Londres, 27 nov. 1984 : *Some have entertained Angels unawares* 1871, aquar./pap. mar./t. (63,5x96,5) : **GBP 1 200** – Londres, 16 oct. 1986 : *In the park*, aquar. (12,5x23) : **GBP 1 200** – Londres, 12 juin 1992 : *Vues de Turin*, aquar. et gche (30,5x35,8) : **GBP 2 860** – Londres, 5 mars 1993 : *Portrait of John Charles, Comte de Seafield* 1882, cr., aquar. et gche (59,7x53,1) : **GBP 920** – Londres, 11 nov. 1993 : *Katrine, Comtesse Cowper* 1875, aquar. et gche (63,5x50,5) : **GBP 12 075** – Londres, 2 nov. 1994 : *Fatima, la femme de Barbe-bleue*, aquar. et gche, d'après Burne-Jones (93,5x37,5) : **GBP 9 200** – Londres, 6 nov. 1995 : *Merlin et Nimue*, aquar. et gche, d'après E. Coley Burne-Jones (63x51) : **GBP 2 300**.

CLIFFORD Edward Charles

Né en 1858. Mort en 1910 à Londres. xixe-xxe siècles. Britannique.

Peintre de genre, figures, aquarelliste, dessinateur.

Il exposa à partir de 1891 à la Royal Academy, à Suffolk Street, à la New Water-Colours Society, à Londres.

Ventes Publiques : Londres, 13 févr. 1909 : *Une fête champêtre*, dess. : **GBP 26** – Londres, 20 juil. 1931 : *La fatigue*, dess. : **GBP 1** – Londres, 27 juin 1978 : *The Wizard's daughter of the Quac*, aquar. (96x63) : **GBP 900** – Londres, 5 nov. 1997 : *Le Portrait*, aquar. reh. de gomme arabique (49,5x17) : **GBP 4 830**.

CLIFFORD Harry P.

xixe-xxe siècles. Britannique.

Peintre et dessinateur.

Il exposa en 1898 à la Royal Academy de Londres une peinture intitulée *Daydreams*.

CLIFFORD Henry Charles

Né le 10 septembre 1861 à Greenwich. xixe siècle. Britannique.

Peintre de paysages, aquarelliste.

C'est sans doute le Henry Clifford qui exposa à la New Water-Colours Society, de 1866 à 1884.

CLIFFORD May

xxe siècle. Britannique.

Peintre de fleurs.

CLIFFORD-BARNEY Alice. Voir **BARNEY Alice Pike**

CLIFT Stephan
XIXᵉ siècle. Vivant à Genève vers 1872-1896. Britannique.
Peintre, aquarelliste, pastelliste.
D'après le Dr C. Brun, Clift exposa des aquarelles et des pastels à Genève, à Zurich et à Bâle. Il fut membre de l'ancien cercle des Beaux-Arts. De 1868 à 1886, d'après le *Graves Dictionary*, son nom paraît dans les catalogues de la Royal Academy et de Suffolk Street, Londres. Le Musée Rath, à Genève, conserve de lui une aquarelle : *Jeu de boule*.

CLIFT William
Né en 1775. Mort en 1849 à Londres. XIXᵉ siècle. Britannique.
Dessinateur.
Il exécuta pour des naturalistes des dessins dont certains sont conservés au British Museum.

CLIFT William Home
Né en 1803. Mort en 1833 à Londres. XIXᵉ siècle. Britannique.
Dessinateur.
Il était le fils de William Clift et travailla souvent avec son père.

CLIFTON John S.
XIXᵉ siècle. Britannique.
Peintre.
Il travailla à Oxford. Il exposa de 1852 à 1869 à la Royal Academy et à la British Institution, à Londres.
VENTES PUBLIQUES : LONDRES, 18 juin 1985 : *Love*, h/t (105x84) : GBP 12 000.

CLIFTON William
XIXᵉ siècle. Britannique.
Peintre de paysages, aquarelliste.
Il exposa de 1869 à 1885 à la Royal Academy, à Suffolk Street et à la New Water-Colours Society, à Londres.

CLILVERD Graham Barry
Né le 6 avril 1883 à Londres. XXᵉ siècle. Britannique.
Peintre, pastelliste, graveur.
Il exposait à la Royal Academy et figura également au Salon de Paris.

CLIMENCON, CLIMENT
Originaire de Troyes. XIIIᵉ siècle. Français.
Peintre, miniaturiste.
Sous ces deux noms, c'est sans doute le même personnage qui vivait en 1292 à Paris.

CLIMMERE Michiel de
XVᵉ siècle. Actif à Anvers au milieu du XVᵉ siècle. Éc. flamande.
Peintre.

CLIMPALIN Martin
XVIIᵉ siècle. Actif à Tournai en 1674. Éc. flamande.
Peintre.

CLINCHAMP François Étienne Victor de, marquis
Né en 1787 à Toulon. Mort en 1880 à Paris. XIXᵉ siècle. Français.
Peintre et écrivain.
Il eut pour maîtres Lebarbier aîné et Girodet. En 1841, il exposa au Salon de Paris : *Le Christ en croix*. Parmi ses autres œuvres, on cite : *La guérison du paralytique, Les fils de Zébédée, La mort de Phocion, Le baptême de saint Mandrier*. A publié plusieurs ouvrages de technique.

CLINCHETET. Voir **KLINGSTEDT Karl Gustave**

CLINCK Gerrit
XVIIᵉ siècle. Actif à Delft entre 1663 et 1671. Éc. flamande.
Peintre.

CLINCKE Jan
Mort en 1481 à Gand. XVᵉ siècle. Éc. flamande.
Sculpteur.

CLINCKE Philipp
XVᵉ-XVIᵉ siècles. Éc. flamande.
Sculpteur.
Il était le fils de Jan Clincke. Il exécuta un autel pour l'église Sainte-Marie à Gand en 1485. Un buste du Musée de Bruges représentant Charles-Quint peut lui être attribué avec vraisemblance.

CLINCKE Pieter
XVᵉ siècle. Actif à Gand vers 1480. Éc. flamande.

Sculpteur sur bois.
Il était le frère de Jan Clincke.

CLINEDINST Benjamin West
Né le 14 octobre 1860 à Woodstock (Virginie). Mort le 12 septembre 1931 à Pawling (New York). XIXᵉ-XXᵉ siècles. Américain.
Peintre de portraits, dessinateur, illustrateur.
Il fut élève d'Alexandre Cabanel et Léon Bonnat à l'École des Beaux-Arts de Paris. En 1898, il devint membre de la National Academy, puis de la Society of American Artists. En 1901, il cofondateur de la Society of Illustrators. En 1903 à 1905, il fut directeur artistique d'un hebdomadaire, puis enseigna le dessin à la Cooper Union de New York. Il obtint des médailles en 1901 à Buffalo, en 1902 à Charleston.
Peintre, on cite de lui les portraits du *Président Théodore Roosevelt* et de l'*Amiral Peary*. Il a participé à l'illustration de quelques ouvrages, et a collaboré avec des périodiques.
BIBLIOGR. : In : Marcus Osterwalder : *Diction. des Illustrateurs 1800-1914*, Hubschmid & Bouret, Paris, 1983.
VENTES PUBLIQUES : NEW YORK, 23 juin 1983 : *Une artiste dans son studio* 1888, h/t (61x45,7) : **USD 3 900** – NEW YORK, 24 sep. 1992 : *La potion*, h/t (114,3x109,2) : **USD 6 050**.

CLINGER Max
XVIIᵉ siècle. Hollandais.
Peintre.

CLINKART Jacques
XIVᵉ siècle. Actif à Neuss. Éc. flamande.
Enlumineur.
En 1351, prieur de l'abbaye de Park à Louvain. Il a enluminé un manuscrit de Nicolai de Lyra.

CLINT Alfred
Né en 1807 à Londres. Mort en 1883 à Londres. XIXᵉ siècle. Britannique.
Peintre de paysages, paysages d'eau, marines.
Fils du peintre George Clint, il fut son élève. Il commença à exposer à la Royal Academy de Londres en 1826. Entre cette année et 1881, on vit de ses œuvres à la British Institution et à Suffolk Street également. Il devint secrétaire de la Société à Suffolk Street en 1858, et, en 1870, en fut nommé président. Clint acquit une réputation pour ses peintures de paysages et ses études des côtes maritimes. Il publia, en 1849, un traité sur l'art de la peinture à l'huile.
MUSÉES : CARDIFF : *Château de Black Rock sur la pointe de Wicklow* – LONDRES (Victoria and Albert Mus.) : *Paysage – Hêtres*.
VENTES PUBLIQUES : LONDRES, 4 mai 1908 : *Marine : soleil couchant* : **GBP 1** – LONDRES, 27 fév. 1909 : *Scarborough* : **GBP 16** – LONDRES, 17 fév. 1922 : *Scène de la côte* : **GBP 19** – LONDRES, 10 juin 1966 : *Les réfugiés irlandais* : **GNS 120** – LONDRES, 18 juil. 1968 : *Le port de Hastings* : **GBP 480** – LONDRES, 6 mars 1970 : *Vue de la côte anglaise* : **GNS 2 000** – LONDRES, 15 déc. 1972 : *Marine* : **GNS 480** – LONDRES, 16 juil. 1976 : *Torrent de montagne* 1857, h/t (61x91,5) : **GBP 200** – LONDRES, 12 juil. 1977 : *On the South coast* 1845, h/t (75x125) : **GBP 1 500** – SAN FRANCISCO, 3 oct. 1981 : *Pêcheurs sur le lac*, h/t (41x63,5) : **USD 1 200** – LONDRES, 13 juin 1984 : *Crépuscule*, h/t (101,5x152) : **GBP 800** – LONDRES, 12 juin 1985 : *Scène de bord de mer*, h/t (70,5x121) : **GBP 3 000** – LONDRES, 11 juil. 1985 : *Hampstead Heath ; Near Chepstow, Monmoutshire* 1829, deux aquar. web. h/t (100x127) : **GBP 750** – LONDRES, 1ᵉʳ nov. 1990 : *Crépuscule*, h/t (102,2x154,9) : **GBP 2 200** – NEW YORK, 16 fév. 1993 : *Vaste paysage côtier* 1843, h/t (61x106,8) : **USD 2 750** – COPENHAGUE, 8 fév. 1995 : *Vaches sur un chemin près d'une maison campagnarde*, h/t (100x127) : **DKK 8 500** – LONDRES, 12 juil. 1995 : *Barques de pêche au large près de la côte d'Exmouth*, h/pan. (27x41,5) : **GBP 2 300**.

CLINT George
Né le 12 avril 1770 à Londres. Mort en 1854 à Kensington. XVIIIᵉ-XIXᵉ siècles. Britannique.
Peintre de compositions animées, portraits, miniatures, graveur.
Clint était fils d'un coiffeur et montra dès sa jeunesse, une tendance marquée pour la peinture en miniatures, genre pour lequel il manifesta de grandes aptitudes. Il apprit la gravure sous la direction d'Edward Bell et obtint une réputation considérable dans ce métier comme dans celui de peintre de portraits et de sujets de théâtre. Entre 1802 et 1847, il exposa à la British Institution et à la Royal Academy, dont il devint associé en 1821.
Clint grava au commencement de sa carrière d'après Stubbs,

Dietrich et Drummond, et après avoir fait la connaissance de Sir Thomas Lawrence, il reproduisit aussi quelques tableaux de ce maître. Parmi ses portraits, citons la toile représentant la célèbre famille d'acteurs, les Kemble, qui fit sensation à la Royal Academy. Cette peinture fut gravée trois fois. Ce fut le début d'une série remarquable de tableaux traitant de la vie théâtrale, des sujets tirés des scènes de pièces en faveur, où figurent les plus grandes personnalités dramatiques de l'Angleterre.

Musées : LONDRES (Victoria and Albert) : *Charles Young dans le rôle de Hamlet et Mrs Glover dans le rôle d'Ophélie – Scène de Paul Bry, portraits d'artistes – Jeune dame dans le costume de Palerme – Scène de la « Lune de miel », portraits d'artistes – Portrait de John Bell* – MONTRÉAL : *Le comte d'Egremont* – NORWICH : *Joseph Stannard* – SHEFFIELD : *Falstaff et Mrs. Ford.*

Ventes Publiques : LONDRES, 7 fév. 1910 : *Portrait de J. Fawcett en « Frippon »* : **GBP 110** – LONDRES, 26 mai 1922 : *Portrait* : **GBP 12** – LONDRES, 20 déc. 1922 : *Scène du « Vicar of Wakefield »* : **GBP 6** – LONDRES, 6 juil. 1927 : *Dame caressant son chien* : **GBP 80** – LONDRES, 1er juil. 1931 : *Buste d'homme* : **GBP 7** – LONDRES, 5 août 1932 : *Miss P. Glower en « Béatrice » dans « Much Ado About Nothing »* : **GBP 6** – LONDRES, 22 déc. 1937 : *Miss Stephens* : **GBP 10** – LONDRES, 17 mars 1944 : *Une jeune fille en « Maria Darlington »* : **GBP 52** – LONDRES, 18 juin 1976 : *Miss Foot as Maria Darlington 1819*, h/t (124,5x99) : **GBP 4 000** – LONDRES, 22 juil. 1981 : *Portrait of Rear Admiral Windham*, h/t (123x98) : **GBP 1 100** – LONDRES, 11 juil. 1984 : *The three daughters of Sir Robert and Lady Harvey*, h/t (140x100) : **GBP 1 600** – LONDRES, 25 jan. 1988 : *Portraits de deux jeunes femmes l'une jouant de la harpe 1795*, aquar., deux pendants (30x23 chaque) : **GBP 2 640** – LONDRES, 15 déc. 1993 : *Portrait de Lady Charlotte Clinton, de trois-quarts, en robe orné de dentelle blanche avec un gant à la main droite et la main gauche posée près d'une rose sur la margelle d'un balcon*, h/t (101,5x80) : **GBP 9 200.**

CLINT Leonidas. Voir **MILES Leonidas Clint**

CLINT Luke
XIXe siècle. Britannique.
Peintre de genre.
Il est le fils de George Clint. Il travaillait en Angleterre au commencement du XIXe siècle.
Ventes Publiques : LONDRES, 20 nov. 1985 : *The manufacture and presentation to Sir John Throckmorton...*, h/t (118x183) : **GBP 17 500.**

CLIO Hans ou Cléo
Né en 1723 à Copenhague. Mort le 3 décembre 1785 à Copenhague. XVIIIe siècle. Danois.
Peintre, dessinateur.
Déjà professeur de dessin à l'ancienne Académie depuis 1750, il continua à professer à l'Académie de Charlottenborg, aussitôt après sa fondation. Il fut chargé également, à partir de 1758, du professorat de dessin à la fabrique de porcelaine de Copenhague. Clio a été le premier professeur de dessin de Thorwaldsen.

CLIONVILLE de
XVIIIe siècle. Actif à Lille vers 1787. Français.
Peintre miniaturiste.
Il travailla semble-t-il, en Hollande.

CLIQUET Henri
XVIIIe siècle. Français.
Sculpteur.
Il fut membre de l'Académie de Saint-Luc, directeur en 1736, expert à Paris.

CLIQUET Jean Baptiste
XVIIIe siècle. Français.
Peintre.
Il fut reçu à l'Académie de Saint-Luc à Paris en 1752.

CLIQUET René
Né en 1899. Mort le 28 septembre 1977. XXe siècle. Belge.
Sculpteur de portraits, sculpteur de médaillons.
Il était spécialisé dans les portraits d'hommes d'état : médaillons de la famille du Chah d'Iran, portraits du roi Baudouin, de la reine Fabiola, du roi Léopold Ier, du pape Pie X, de l'empereur Hiro-Hito, du président Mobutu.

CLIQUOT Antoinette
Née au XIXe siècle à Pontoise (Val-d'Oise). XIXe siècle. Française.
Peintre de portraits, aquarelliste, pastelliste.

Élève de Bonnat, Bargue, P. Flandrin et Chaplin. Elle débuta au Salon de 1877. Sociétaire des Artistes Français depuis 1883. On lui doit des pastels, des aquarelles et des fusains.
Musées : PONTOISE : *L'arbre couché d'Osny*, fus. – *Moulin du pont de Poissy – Jeune fille à la fontaine*, Paramé (Bretagne).

CLITE Liévin Van den
XVe siècle. Actif à Gand. Éc. flamande.
Peintre d'histoire.
Auteur d'un *Jugement dernier*, en 1412.

CLITIAS
VIe siècle avant J.-C. Athénien. Antiquité grecque.
Peintre.
On connaît cinq vases signés de lui et faits en collaboration avec le potier Ergotimos. La plus célèbre de ses œuvres demeure le « Vase François », du nom de son inventeur Alexandre François, qui l'a découvert à Chiusi. Le vase François est un cratère exceptionnel déjà par ses dimensions, puisque sa circonférence maximum atteint 1,81 m. Les nouveautés stylistiques de ce vase décoré en figures noires, selon une nouvelle technique en ce début de VIe siècle avant J.-C., n'excluent pas quelques traits archaïques. La composition en frises superposées avec des motifs décoratifs et des défilés d'animaux est une survivance de la céramique orientalisante précédente. Il en est de même pour la forme des yeux, importants, vus de face sur un visage présenté de profil. Si les membres sont aussi de profil, les troncs sont présentés de face. Il est d'autre part certain que Clitias a réalisé là une composition d'une ampleur remarquable, malgré une tendance à un certain miniaturisme qui restera sans suite dans l'évolution de la peinture athénienne de vase.
Clitias a réalisé un véritable tour de force en représentant des centaines de personnages et d'animaux dans de nombreuses scènes tirées de l'Illiade, des légendes d'Attique et d'ailleurs, dont *Le retour de Thésée vainqueur du Minotaure, La chasse du sanglier de Calydon, La course de chars aux funérailles de Patrocle, Achille à la poursuite de Troïlos et Polyxène, Ajax portant le corps d'Achille*, etc. Il traite toutes ces scènes avec beaucoup d'animation donnant des détails vivants, une liberté dans les mouvements et les attitudes. Il est l'un des premiers à concevoir les figures comme les être vivants. L'ensemble est soutenu par un dessin franc, net, accentué par des incisions qui ne manquent pas de souplesse. Ce cratère se rattachant à la fois à la tradition corinthienne et à l'art attique des premières décennies du VIe siècle, il peut être daté aux environs de 570 avant J.-C. Par l'assurance de sa technique et sa composition, Clitias apparaît comme un subtil créateur de la frise figurée, et le grand maître de la céramique attique à figures noires.
Bibliogr. : Robertson : *La peinture grecque*, Skira, Genève, 1959 – Arias et Hirmer : *Le vase grec*, Flammarion, Paris, 1962.

CLIVE Charles
XVIIIe siècle. Actif vers 1750. Britannique.
Graveur.
Deux autoportraits de cet artiste sont conservés au British Museum.

CLIVERE. Voir **CLIEVERE Pierre de**

CLIVILLES Y SERRANO Francisco
Né en 1873 à Madrid. XIXe-XXe siècles. Espagnol.
Sculpteur.
Il fut élève du sculpteur Juan Samso. Il exposa à Madrid à partir de 1895.

CLOCHARD William Marcel
Né le 1er mai 1894 à Bordeaux (Gironde). XXe siècle. Français.
Peintre de paysages.
Il exposait à Paris, aux Salons des Artistes Indépendants de 1926 à 1943, des Tuileries de 1929 à 1938. On l'a qualifié d'« artiste d'émotion ».
Ventes Publiques : PARIS, 19 mars 1990 : *Fleurs dans un vase*, h/t (64x54) : **FRF 5 000.**

CLOCHE de La. Voir **LA CLOCHE Claude de**

CLOCK Claes Jansz ou Klock
Né vers 1570 peut-être à Leyde ? XVIe siècle. Hollandais.
Peintre et graveur.
Élève de Frans Floris. Il était à Haarlem en 1596.

CLOCK Cornelis Claesz
XVIe siècle. Actif à Leyde. Éc. flamande.
Peintre verrier.
Il fut l'un des maîtres de Jan Van Goyen.

CLOCK Isaac Claesz

XVIe-XVIIe siècles. Actif à Leyde. Éc. flamande.
Peintre.
Élève de Frans Floris.

CLOCKEN Jan Van der

Mort en 1462 à Anvers. XVe siècle. Éc. flamande.
Sculpteur.

CLOCKEN Jan Van der

Mort à Anvers. XVe siècle. Éc. flamande.
Sculpteur.
Fils de l'artiste précédent, il vivait encore en 1464.

CLODION, de son vrai nom : Claude Michel

Né en 1738 à Nancy. Mort en 1814 à Paris. XVIIIe-XIXe siècles.
Français.
Sculpteur de groupes, figures, bustes, bas-reliefs, dessinateur.

Cet artiste est apparenté à la famille des sculpteurs lorrains Adam. Son grand-père, Jacob-Sigisbert Adam, sculpteur de Sigismond, duc de Lorraine, avait épousé en 1699 Sébastienne Leal dont il eut trois fils et deux filles. L'une de celles-ci, Anne, épousa Thomas Michel et eut dix enfants dont le dernier, Claude, est l'artiste connu sous le nom de Clodion. Claude Michel eut un talent très supérieur à celui des Adam. Il fut élève de son oncle Lambert-Sigisbert Adam et de Pigalle. Il obtint le Prix de Rome en 1759 et resta dix ans en Italie, où il connut un grand succès, tel que Catherine II tenta de l'attirer à la cour de Russie. Il exposa rarement au Salon de Paris et n'eut pas besoin de solliciter des commandes.

Aidé de ses frères, il modela une énorme quantité de petits sujets en terre cuite, d'après les très nombreux dessins qu'il avait rapportés d'Italie, reproduisant des sujets de vases antiques, des bacchanales, des bas-reliefs. Il se livra à cette activité pendant une cinquantaine d'années, mêlant à ces souvenirs de la Rome Antique, un peu de la sensualité rubénienne et beaucoup de la polissonnerie française du XVIIIe siècle. La Révolution ruina cette entreprise. Au milieu du XIXe siècle les Goncourt retrouvèrent quelque grâce à ces faunes et ces nymphes. Parmi ses meilleures œuvres, on cite : *Jeune fille jouant avec des oiseaux, Baigneuse, Jeune Nymphe rattachant son cothurne.* Il a également fait des statues telles que celle de *Montesquieu* et *Le Déluge,* mais il a moins bien réussi dans ce genre que dans ses œuvres de petites dimensions. Ce fut aussi un dessinateur plein de verve, dont les croquis sont fort remarquables et témoignent d'un sentiment très délicat de la ligne élégante et harmonieuse.

BIBLIOGR. : H. Thirion : *Les Adam et Clodion,* Paris, 1885.
MUSÉES : AIX : *Vase décoratif* – BERLIN : *Études pour bas-reliefs, dessins* – *Amours* – *Faune avec amours,* bronze – CHÂLONS-SUR-MARNE : *Bacchante portant un faune* – CHERBOURG : *L'Astronomie et la Géométrie* – *L'Architecture et la Géographie* – *La Musique* – *La Peinture et la Sculpture,* terres cuites – DIEPPE : *Les Arts* – *Enfants et bélier* – *Enfants et chèvres* – LONDRES (coll. Wallace) : *Amours jouant, vase de marbre blanc,* bas-reliefs – MONTPELLIER : *Satyre enfant* – MOSCOU (Gal. Roumianzeff) : *Haut-relief de bronze* – NANTES : *Enfants dansant autour d'un Pan qu'ils entourent de guirlandes* – ORLÉANS : *Bacchante portant sur son épaule un jeune faune qui mange du raisin* – *Silène portant Bacchus enfant* – *Silène entouré de trois amours qui le tiennent par le bras et la jambe* – *Flore debout, tenant des fleurs* – *Deux vases* – PARIS (coll. Bockawy) : *Bacchante* – LA ROCHELLE : *Sujet mythologique* – RODEZ : SEMUR-EN-AUXOIS : *Le Scamandre suppliant Jupiter de lui rendre ses eaux* – VERSAILLES (Jardin du château) : *La Foi* – *Montesquieu Charles,* buste en marbre – André B. Fréval, comte de Lacoste, général de brigade.
VENTES PUBLIQUES : PARIS, 1880 : *Petits Satyres,* dess. : FRF 1 750 ; *Autres Satyres,* dess. : FRF 3 600 – PARIS, 1898 : *Projets de sculpture sur une même feuille,* dess. : FRF 16 – PARIS, 1900 : *Étude de Faune et de bras,* dess. à la pierre noire : FRF 410 – PARIS, 1900 : *Petits Satyres,* dess. : FRF 3 900 ; *Autres petits Satyres,* dess. : FRF 6 000 – PARIS, 18 mai 1901 : *Bacchante couchée* : FRF 400 – PARIS, 13 au 15 mars 1905 : *Petits Satyres* : FRF 6 900 – PARIS, 13 et 14 mars 1908 : *Jeunes bacchantes* : FRF 2 300 – PARIS, 25 mai 1911 : *Léda et le cygne* : FRF 30 600 ; *L'Innocence,* terre cuite : FRF 15 000 ; *Une Bacchante,* dess. : FRF 800 – PARIS, 12 et 13 mai 1919 : *Deux enfants,* dess. rond à la pierre d'Italie reh. de blanc : FRF 4 500 – PARIS, 12 avr. 1920 : *Études de Naïades,* cr. : FRF 520 – PARIS, 6-8 déc. 1920 : *Décor d'imposte,* sanguine : FRF 4 700 ; *Groupe mythologique sur un char,* lav. : FRF 10 100 ; *Groupes d'enfants,* deux dessins :

FRF 3 700 ; *Groupe de deux petits faunes,* plume. attr. : FRF 720 – PARIS, 21 et 22 nov. 1922 : *Groupe d'enfants,* pierre noire et sanguine, projets de bas-reliefs : FRF 5 100 – PARIS, 23 mai 1923 : *Bacchanale,* sanguine : FRF 400 – PARIS, 6 déc. 1923 : *Satyre, faune et Amour,* lav. bistre sépia et gche, école de C. : FRF 620 – PARIS, 21 jan. 1924 : *Bacchante, faune et amours,* pl. et lav. sépia : FRF 580 – PARIS, 17 déc. 1924 : *Masques de Satyres, face et profil,* deux pierre noire : FRF 2 300 ; *Masques de Satyres, face et profil,* deux pierre noire : FRF 520 – PARIS, 7 et 8 juin 1928 : *Groupe de deux petits faunes sur une partie de sphère,* pl. et lav. : FRF 1 300 – PARIS, 13-15 mars 1929 : *Groupe d'enfants symbolisant l'automne,* dess. : FRF 35 000 – PARIS, 16 et 17 mai 1929 : *Étude d'un vase pour une fontaine abritée d'un cèdre,* dess. : FRF 980 – PARIS, 4 juil. 1929 : *Bacchante et deux Satyres,* dess. : FRF 400 – PARIS, 1er déc. 1930 : *Faune et Bacchante,* groupe en terre cuite : FRF 10 500 – PARIS, 13 mars 1931 : *Allégorie,* plâtre : FRF 450 – PARIS, 27 mars 1933 : *Groupe terre cuite,* dess. : FRF 10 000 – PARIS, 1er mars 1935 : *Deux satyres lutinant une faunesse,* groupe en terre cuite : FRF 50 000 – PARIS, 30 nov.-1er déc. 1936 : *Amours gonflant un aérostat, projet d'un monument commémoratif de l'ascension de Charles et Robert,* groupe en terre cuite : FRF 32 000 – PARIS, 15 juin 1962 : *Jeune fille aux colombes,* terre cuite : FRF 7 000 – LONDRES, 2 déc. 1965 : *Flore,* terre cuite : GNS 1 500 – PARIS, 1er juin 1967 : *La gimblete,* terre cuite : FRF 36 000 – NEW YORK, 14 nov. 1968 : *Vestales,* deux terres cuites : USD 14 000 – PARIS, 7 déc. 1970 : *Buste d'enfant ; Marie Thérèse Charlotte, Madame Royale :* FRF 21 000 – LONDRES, 1er juil. 1976 : *Le Baiser du satyre,* terre cuite (H.56) : GBP 1 700 – LONDRES, 24 sep. 1979 : *Bustes de jeunes filles,* terre cuite, une paire (H.17,2) : GBP 12 000 – MONTE-CARLO, 14 juin 1981 : *Scène du déluge 1800,* terre cuite (H. 53,5) : FRF 150 000 – MONTE-CARLO, 11 nov. 1984 : *Buste de satyre,* terre cuite (H. 38,5) : FRF 27 000 – MONTE-CARLO, 22 juin 1985 : *Putti jouant avec un chien,* terre cuite, une paire (22,5x39) : FRF 140 000 – MONTE-CARLO, 7 déc. 1985 : *Un sacrifice à l'amour,* bas-relief en marbre blanc (24,5x29) : FRF 170 000 – NEW YORK, 13 juin 1987 : *Trois bacchantes portant une nymphe 1800,* terre cuite (H. 63,5) : USD 320 000 – PARIS, 28 juin 1988 : *La toilette de Vénus,* terre cuite, bas relief rectangulaire (36x46) : FRF 85 000 – PARIS, 7 juin 1995 : *Le Faune et la Bergère,* bronze (53x28) : FRF 33 500 – LOKEREN, 5 oct. 1996 : *Bacchanale 1762,* bronze (58x30) : BEF 85 000 – PARIS, 16 oct. 1996 : *Allégorie aux vendanges 1787,* bronze (54x26) : FRF 11 500.

CLODT VON JÜRGENSBURG Michael Konstantinowitsch

Né en 1832 à Saint-Pétersbourg. Mort en 1902. XIXe siècle. Russe.
Paysagiste.
Élève de l'Académie à Saint-Pétersbourg où il obtint en 1858 le premier prix de paysages. Depuis 1864, professeur de l'Académie. *Voir aussi* KLODT Michail Konstantinovich.

CLODT VON JÜRGENSBURG Michaël Petrowitsch

Né en 1835 à Saint-Pétersbourg. XIXe siècle. Russe.
Peintre de genre et graveur.
Il était le fils de Peter Clodt. Il voyagea longtemps en France et en Allemagne avant de se fixer à nouveau dans sa ville natale.

CLODT VON JÜRGENSBURG Peter Jakob

Né en 1805 à Saint-Pétersbourg. Mort en 1867 en Finlande. XIXe siècle. Russe.
Sculpteur.
Fils d'un général du tzar Nicolas Ier, il fut encore jeune remarqué par le souverain qui l'aida à parcourir une brillante carrière. Membre de l'Académie de Saint-Pétersbourg en 1838, puis de celles de Berlin, Paris et Rome il exécuta un grand nombre de monuments dans les principales villes de Russie. *Voir aussi* KLODT.

CLOES Nicolas

Né en 1889 à Othée. Mort en 1976 à Liège. XXe siècle. Belge.
Peintre. Naïf.
Il avait été chantre-organiste et mécanicien-ajusteur. Il ne commença à peindre qu'en 1940.
BIBLIOGR. : In : *Diction. biogr. illustré des Artistes en Belgique depuis 1830,* Arto, Bruxelles, 1987.

CLOET Bernard

Né à Bruges. XIXe siècle. Belge.
Peintre d'histoire et de genre.
Fit ses études à l'Académie de Bruges. Le Musée de cette ville conserve de lui : *Rubens visitant Brauwer en prison.*

CLOET Jean ou **Cloets, Cloods, Cloot, Cloodt**
Mort après 1487. XVᵉ siècle. Éc. flamande.
Peintre décorateur.
Maître à Bruges en 1459. Peut-être identique à Jehan CLOUET, dit Jehannet.

CLOFIGEL Caspar ou **Clofigl, Clofligl**
XVIᵉ siècle. Actif en Bavière. Allemand.
Portraitiste.
Travailla à Munich, où depuis 1523 il est cité dans les documents comme peintre de la cour. Le Musée de Munich conserve de lui : *Portrait du margrave Philibert de Badel.*

CLOISTRE
XVIᵉ siècle. Français.
Sculpteur.
Ce Dauphinois fut chargé, en 1525, par le baron de Montmorency, d'exécuter le tombeau du connétable, son fils, en remplacement du sculpteur Bombereault, d'Orléans, décédé l'année précédente.

CLOMBECK J. B.
XIXᵉ siècle. Actif vers 1869. Hollandais.
Peintre paysagiste.
Élève de B.-C. Koekkoek. Le musée communal de la Haye conserve de lui : *Un bois. Voir aussi KLOMBECK.*

CLOMESNIL E. de
XIXᵉ siècle. Française.
Graveur au pointillé, dessinateur.
Cette artiste est citée par Le Blanc à Paris en 1830. Elle grava d'après Raphaël et Philippe de Champaigne.

CLOMP Albert Jansz. Voir **KLOMP**

CLOMP C.
XIXᵉ siècle. Allemand.
Peintre d'animaux.
Le Musée Czernin possède de lui : *Une vache et un mouton dans un pré.*
VENTES PUBLIQUES : PARIS, 1787 : *Vue d'une prairie* : **FRF 36** – PARIS, 18 avr. 1803 : *Étude d'animaux,* dess. : **FRF 10** – COLOGNE, 1862 : *Trois animaux dans une prairie* : **FRF 22.**

CLONNEY James Goodwyn
Né en 1812 à Liverpool. Mort en 1867 à Birmingham. XIXᵉ siècle. Actif aussi aux États-Unis. Britannique.
Peintre de genre, aquarelliste.
VENTES PUBLIQUES : NEW YORK, 23 avr. 1981 : *What a catch !* 1855, h/t (61,6x86,4) : **USD 180 000** – NEW YORK, 21 oct. 1982 : *Poor man* 1839, cr. (21,6x19) : **USD 9 000** – NEW YORK, 27 mai 1993 : *Partie de pêche,* aquar./pap. (27,9x35,6) : **USD 14 950.**

CLOODS Jean ou **Cloodt.** Voir **CLOET Jean**

CLOODT. Voir **CLOET Jean**

CLOOS Gustave
XXᵉ siècle. Français.
Peintre.
A exposé des paysages au Salon des Tuileries en 1935.

CLOOSTERMAN. Voir **CLOSTERMAN**

CLOOSTERMANN ou **Cloostermans.** Voir **CLOSTERMANS**

CLOOT Jean. Voir **CLOET Jean**

CLOOTS Ben
Né en 1948. XXᵉ siècle. Belge.
Peintre de nus, paysages.
Il fut élève de l'Académie des Beaux-Arts d'Anvers. Il est devenu lui-même professeur aux Académies de Aarschot et de Westerlo.
Dans ses paysages et scènes animées, il use de gammes presque monochromes qui mettent l'accent sur les aspects inhospitaliers de la nature et des hommes. Ses nus au contraire, dans des bruns et des ocres chaleureux, invitent au plaisir.
BIBLIOGR. : In : *Diction. biogr. illustré des Artistes en Belgique depuis 1830,* Arto, Bruxelles, 1987.

CLOPATH Henriette
Née le 8 avril 1862 à Aigle. XIXᵉ siècle. Suisse.
Peintre, aquarelliste, dessinatrice.
Après avoir enseigné le dessin dans un pensionnat américain, à Constantinople (1888), elle visita l'Allemagne, et se fixa à l'Université de Minneapolis (États-Unis) pour y occuper le poste de « professeur de beaux-arts ». L'artiste peignit au pastel, à l'huile et à l'aquarelle et exposa souvent en Amérique.

CLOQUET Jean Baptiste Antoine
Né à Fontainebleau. Mort en 1828 à Paris. XIXᵉ siècle. Français.
Dessinateur.
Ses maîtres furent Rousseau et Lespinasse. Il fut nommé professeur de dessin à l'École des mines et au Dépôt des fortifications. De 1795 à 1812, il figura au Salon de Paris. Cet artiste a écrit un *Traité élémentaire de perspective.*

CLORI Prospero
XVIIIᵉ siècle. Italien.
Peintre.
Romain, il travailla en 1720 pour la basilique Saint-Pierre. Il se spécialisa dans la peinture de mosaïque.

CLOS Stoffel
XVIᵉ siècle. Actif à Lucerne. Suisse.
Peintre.

CLOSA Pedro
XVᵉ siècle. Actif à Barcelone vers 1450. Espagnol.
Peintre.

CLOSE Chuck ou **Charles**
Né en 1940 à New York. XXᵉ siècle. Américain.
Peintre de portraits, aquarelliste, graveur à la manière noire. Hyperréaliste.
Il fit ses études à la Yale University de New Haven et à l'University of Washington de Seattle. Il vint en Europe et s'inscrivit à l'Académie des Beaux-Arts de Vienne (1954-1965). Il ne fit sa première exposition personnelle qu'en 1967 (Galerie d'Amherst dans le Massachusets), mais s'imposa immédiatement auprès de la critique internationale et du public. Son succès en tant que chef de file fut confirmé à l'occasion de l'exposition *22 Realists* au Whitney Museum de New York en 1970, de la section *Hyperréalisme* à la 7ᵉ Biennale de Paris en 1971, de la *Documenta V* de Kassel en 1972, qui consacrait une aile au mouvement récemment apparu, et de l'exposition qui a circulé dans les principaux musées de l'Europe de l'Ouest en 1973-1974, notamment au Centre National d'Art Contemporain (CNAC) de Paris en mars 1974, et qui confrontait cet « hyperréalisme » américain avec le réalisme européen contemporain. En 1981, une rétrospective de son œuvre fut organisée à Minneapolis.
Dès sa première exposition personnelle, il s'inscrivait donc en tant que participant à l'apparition de l'hyperréalisme américain, qui, outre l'opération commerciale, s'affirmait en contradiction avec la domination du marché par les diverses formes prises par l'art conceptuel. Devant la disparition presque générale du tableau, remplacé soit par des textes, soit par des photographies-témoignages, ce retour à l'œuvre peinte fut accueilli avec soulagement, d'autant plus que cette figuration minutieuse, aiguë, d'une exactitude photographique, voire maniaque, mettait en valeur aux yeux du public une maîtrise de la technique, pour autant que ces « rendus » imitatifs exigent vraiment une maîtrise technique autre que la patience du copiste, du calqueur ou de l'utilisateur de l'épiscope. Ce nouveau « trompe l'œil » s'imposa dans le contexte d'un retour général au réalisme.
Pour sa part, Close peignait des portraits d'après des photographies d'identité, agrandies sur des formats de deux ou trois mètres de haut. La présence de ces portraits confine au malaise. La réalité qu'il donne à voir est brutale, sans concessions, aussi intransigeante qu'un gros plan sur un visage non maquillé. Les moindres rides, ridules, poils de barbe naissante, plis des lèvres, défauts du regard, apparaissent comme les éléments d'un visage figé dans un instant de vérité abrupte. Alors que le pop art avait habitué à la description d'un monde frelaté où l'homme était assimilé à l'objet de pacotille, les portraits de Close réhabilitaient l'homme dans sa médiocrité vraie et quotidienne. Les visages vus à la loupe sont des visages moches, avec ce que le qualificatif connote d'ordinaire, alors que pourtant nul jugement, nulle interprétation ne se substitue à l'objectivité du regard. Les *Keith, Nancy, Richard,* les trois plus célèbres portraits de Close, sont de partout, ils peuplent les rues, les métros, les trains du monde entier. Comme tout un chacun ils sont pourtant uniques et parfaitement identifiables dans leur universalité. En quoi consiste en fait cet hyperréalisme et en quoi est-il américain ? Américain, il l'est en tant qu'issu d'une longue tradition réaliste dont Edward Hopper était le maillon précédent, et au même titre

qu'un certain cinéma qui dressait des constats arides en quelques images, nettes de toute trace d'humeur de leur auteur. Hyperréaliste, au-delà de l'inflation verbale médiatique, en quoi se distinguerait-il de l'académisme trompe-l'œil ? La question ne fut jamais bien refermée, sauf par des réponses divergentes. Le distingue, souvent et en tout cas chez Close, du trompe-l'œil historique, l'imitation, non d'une réalité idéalisée par un regard mobile, mais l'imitation du gros plan photographique, que caractérise l'opposition, due à la mise au point « rapprochée », des zones nettes et des zones floues.

Dans une période plus tardive, en 1990, Close a peint les portraits de plusieurs artistes américains. Changeant assez radicalement de technique, il a divisé la surface de la toile, toujours de grandes dimensions, comme par une trame régulière formant des tout petits carrés égaux. Dans chacun de ces carrés, il dessine un signe, un rond, une croix ou tout autre, plus ou moins discret ou au contraire épais selon que ce petit carré correspond à un point plus clair ou plus sombre du visage. Ce procédé est directement dérivé de la reproduction industrielle de documents par trames plus ou moins serrées ou lâches, telles qu'on les observe le plus facilement sur les affiches publicitaires à trames très larges. Close n'est pas le premier à avoir exploité ce procédé. En France, Alain Jacquet en fut sans doute le précurseur. Ce procédé de décomposition « pointilliste » de l'image par une trame plus ou moins grossière, bien qu'apparemment contradictoire avec l'illusion photographique, a été souvent récupéré par les hyper-réalistes, quand ils supposent reproduire non plus la réalité, mais sa reproduction tramée, telle que, par exemple, dans la presse. Ce choix de la reproduction hyperréaliste de la réalité tramée a d'ailleurs souvent fondé la différentiation de l'hyperréalisme par rapport au traditionnel trompe-l'œil. L'hyperréalisme aura été un des innombrables et brefs épisodes des secousses que ne cessent plus d'enregistrer le monde et le marché de l'art. Dans ce cas, nul manifeste ne vint le définir et son ambiguïté congénitale s'est reflétée dans la multiplicité des appellations qui tentèrent d'en distinguer les contours et les détours : *Photorealism, Superrealism, New realism, Radical realism, Sharp focus realism.* ■ Pierre Faveton, Jacques Busse

Bibliogr. : In : *Diction. Univers. de la Peint.*, Robert, Paris, 1975 – Christopher Finch – *Color Close-Ups*, Art in America, mars 1989 – Lois E. Nesbitt – *Chuck Close*, Artforum, janv. 1989.

Musées : Aix-la-Chapelle (Neue Gal.) : *Portrait de Richard Serra* 1969 – New York (Whitney Mus.) : *Phil* 1969 – New York (Mus. of Mod. Art) : *Robert 104 072* 1972-74 – Toronto (Art Gal. of Ontario) – *Kent* 1971.

Ventes Publiques : New York, 6 oct. 1981 : *Keith IV, State II* 1975, litho. (49,7x41,2) : **USD 800** – New York, 16 fév. 1984 : *Twelve heads x 154 dots* 1977, encre noire et mine de pb/pap. (76x201,5) : **USD 16 000** – New York, 15 mai 1987 : *Autoportrait* 1977, eau-forte et aquat. (112,5x90,3) : **USD 6 250** – New York, 5 oct. 1989 : *Sandy* 1974, encre et graphite/pap. (75,5x56,5) : **USD 16 500** – New York, 1er mai 1991 : *Susan/pastel* 1977, past. et cr./pap. (76,3x55,9) : **USD 41 250** – New York, 6 oct. 1992 : *Linda* 1977, aquar./pap., série de L'Œil I-V (76,2x57,2) : **USD 55 000** – New York, 17 nov. 1992 : *Cindy II* 1988, h/t (182,9x152,4) : **USD 231 000** – New York, 19 nov. 1992 : *Phyllis* 1981, encre lithographique/pap. (146x102,8) : **USD 93 500** – New York, 5 mai 1993 : *Mark/progression* 1983, encres d'imprimerie/pap. (76,2x202,5) : **USD 43 700** – New York, 3 mai 1994 : *Richard A.* 1975, photo. polaroïd avec ruban adhésif, quadrillage à l'encre et cr./cart. (21,3x17,8) : **USD 6 900** – New York, 5 mai 1994 : *Leslie N.* 1975, encre et graphite/pap./cart. (image 21x15,9) : **USD 23 000** – New York, 15 nov. 1995 : *Robert* 1977, photo. en noir et blanc, ruban adhésif et inscriptions à l'encre sur entourage (30,4x26,6) : **USD 12 650** – New York, 5 mai 1996 : *Phil III* 1982, pap. gris fait à la main pressé à froid sur une grille d'un demi-pouce (173,5x135) : **USD 17 250** – New York, 9 nov. 1996 : *Autoportrait* 1995, litho. (164x137,2) : **USD 17 250** – New York, 20 nov. 1996 : *Georgia/peinture au doigt* 1986, h. et acryl./t. (122,5x96,8) : **USD 277 500.**

CLOSE Franz Ludwig, de son vrai nom Clauce
Né en 1753 à Berlin. Mort vers 1822. XVIIIe-XIXe siècles. Allemand.

Peintre miniaturiste.

Il fut l'élève de son père, Jacques CLAUCE, avant d'aller en 1777 terminer ses études à Dresde. Il travailla pour des manufactures de porcelaine.

CLOSE Mireille
Née en 1941 à Ixelles. XXe siècle. Belge.

Peintre de nus, paysages, marines, natures mortes, aquarelliste, pastelliste, dessinateur.

Elle fut élève de l'Académie des Beaux-Arts d'Ixelles. Elle pratique une peinture directe et sensuelle, dans laquelle quelques notes de couleurs mettent en valeur les gris et les ocres.

Bibliogr. : In : *Diction. biogr. illustré des Artistes en Belgique depuis 1830*, Arto, Bruxelles, 1987.

Ventes Publiques : Bruxelles, 27 mars 1990 : *Femme dans un intérieur*, h/pan. (50x40) : **BEF 32 000.**

CLOSE Samuel
Né en Irlande. Mort en 1817 probablement à Dublin. XIXe siècle. Irlandais.

Graveur.

CLOSETS D'ERREY Louis Xavier Amédée Pierre de
Né le 8 novembre 1884 à Saifabad (Nizam, Indes anglaises à l'époque). XXe siècle. Britannique.

Peintre de portraits.

Il fut élève de l'Ecole des Beaux-Arts de Bombay et de celle de Madras. A Paris, il suivit les cours de l'Académie Julian et des Académies libres de Montparnasse. A Paris encore, il exposait depuis 1928 au Salon des Artistes Indépendants.

CLOSKY Claude
Né le 22 mai 1963 à Paris. XXe siècle. Français.

Peintre, sculpteur, créateur d'assemblages, multimédia, vidéaste, technique mixte, dessinateur. Conceptuel. Groupe des Frères Ripoulin.

Il a étudié à l'École des Arts Décoratifs de Paris. Il a exposé avec le groupe des Frères Ripoulin, dont il a été l'un des fondateurs. Il participe à des expositions collectives : 1992, *Ateliers 92*, musée d'Art moderne de la Ville de Paris ; 1995, Biennale de Lyon ; 1996, *Les Contes de fées se terminent bien*, FRAC Haute-Normandie au château de Val-Freneuse à Sotteville-sous-le-Val ; 1997, *Transit – 60 artistes nés après 60 – Œuvres du Fonds national d'Art contemporain*, École des Beaux-Arts, Paris.

Il montre ses peintures et sculptures dans des expositions personnelles : 1989, Neuilly-sur-Seine ; 1994, galerie Jennifer Flay, Paris ; 1996 galeries du Cloître, École régionale des Beaux-Arts, Rennes.

Nés de la profusion de signes de la vie quotidienne, ou, dit-il, de son propre ennui, Claude Closky classe, organise, sélectionne des objets et des mots, ou les petits événements de la vie de tous les jours : le croisement de jambes, les signes heureux, les bons augures..., selon une approche mi-conceptuelle, mi-poétique de la réalité. Chacune des peintures, sculptures, photographies aboutit néanmoins à une recherche formelle souvent géométrique et circulaire. L'austérité de sa pratique qui semble partir de rien, propose une esthétique du dérisoire allant à l'encontre de certaines gesticulations contemporaines.

Bibliogr. : Clarisse Hahn : *Claude Closky*, Art Press, n° 199, fév. 1995, Paris – Catalogue de l'exposition : *Les Contes de fées se terminent bien*, Les Impénitents, FRAC Normandie, Rouen, 1996.

Musées : Limoges (FRAC Limousin) : *Les 1000 premiers nombres classés par ordre alphabétique* 1989 – Nantes (FRAC Pays de la Loire) : *AA, BB* 1993, 676 phot. – Rouen (FRAC Haute-Normandie).

Ventes Publiques : New York, 4 mai 1989 : *Sans titre*, acryl. et vernis/t. (16,4x165,1) : **USD 1 210.**

CLOSON Henri Jean
Né le 29 février 1888 à Liège. Mort le 9 juillet 1975 à Paris. XXe siècle. Depuis 1919 actif en France. Belge.

Peintre, sculpteur. Abstrait, tendance géométrique. Groupe Abstraction-Création, puis Réalités Nouvelles.

En 1898-1899, il apprit à dessiner auprès d'un professeur à Uhrmond dans le Limbourg hollandais. En 1902, il fut élève de l'École d'Art Saint-Luc à Liège. En 1903-1904, au cours d'un séjour en Allemagne, Aix-la-Chapelle, puis Düsseldorf, il se lia avec August Macke, d'où s'ensuivirent de longues discussions sur l'art, Closon suivant la *Loi du contraste simultané* de Chevreul, Macke sur la *Théorie des couleurs* de Goethe. De retour à Liège, il s'inscrivit à l'Académie des Beaux-Arts de Liège, qu'il quitta rapidement. A l'occasion de l'Exposition Internationale de Liège en 1905, Closon revit Macke, rencontra Le Fauconnier, passionné d'aviation et qui ajouta aux discussions des deux amis l'éventualité d'introduire le mouvement dans la peinture. Peut-être a-t-il aussi rencontré Mondrian à cette époque, en tout cas il le connut ultérieurement. Après la guerre de 1914-1918, où il fut fait un temps prisonnier, il revint à Paris. De 1921 à 1925, il figura aux expositions de la Société des Beaux-Arts d'Antibes, qui avaient lieu au Château Grimaldi, alors en ruines. 1927-1928 séjour au Pays Basque. En 1932, il fait partie du groupe *Abstraction-Création* à Paris. En 1933, il séjourna à Voiron, dans l'Isère. En 1934, il participa à l'une des expositions qu'organisa de 1933 à 1935 *Abstraction-Création* à son siège éphémère de l'avenue de Wagram. De 1935 à 1944, il s'installa complètement à Voiron, où il vécut dans des conditions ascétiques. 1938, il participa à l'exposition d'art belge au Stedelijk Museum d'Amsterdam. En 1947, il devint membre actif à Paris du groupe des *Réalités Nouvelles*, qui avait fait suite à *Cercle et Carré* et à *Abstraction-Création* dans la promulgation de l'art abstrait, prenant désormais part annuellement au Salon du même nom. En 1954, il revint à Paris, s'installant avec sa famille dans un des pavillons du 19 de l'avenue du Général Leclerc, où en 1959 il montra une exposition rétrospective de son œuvre. En 1961 eut lieu une exposition personnelle au Musée de Grenoble. De 1962 à 1968, il consacra une part de son activité créatrice à la sculpture. En 1969, le Musée des Beaux-Arts de Liège lui organisa une exposition d'ensemble. Après sa mort, des hommages lui furent rendus, notamment au Salon des Réalités Nouvelles en 1976, ainsi qu'à *Kunst in Europa 1920-1960* au Musée de Malines 1976, à *Abstraction-Création 1931-1936* à Münster et Paris, *L'Art dans les années trente en France* au Musée de Saint-Étienne 1979, à *Paris 37-57* au Centre Beaubourg, etc., puis la Galerie Franka Berndt organisa à Paris une exposition rétrospective personnelle en 1985, et une autre consacrée à la période *Abstraction-Création 1931-1935* en 1987.

Closon a évolué définitivement à l'abstraction entre 1925 et 1930, donc autour de la quarantaine. Si l'ensemble de ses œuvres abstraites s'est situé désormais avec son originalité dans le contexte d'époque, les ouvrages consultés restent quasiment muets sur les travaux antérieurs. Tout au plus sait-on qu'il admirait Rembrandt et Delacroix, qu'il aurait visité Monet à Giverny. Le dictionnaire de la peinture abstraite des Éditions Hazan en ce qui concerne évoque une jeunesse mouvementée, sans autres précisions. Les témoignages concordent sur ce qu'il poursuivit une réflexion, née de la lecture précoce de Chevreul, sur les rapports entre les couleurs et les valeurs, c'est-à-dire entre les couleurs et l'échelle des gris du blanc au noir. D'une façon simple, on sait en effet que la clarté va décroissant du jaune, à l'orangé et au rouge, et que l'assombrissement gagne du vert au bleu et au violet. Mais si l'on interroge plus attentivement sa propre réflexion sur la couleur, aussi bien ses propres termes au sujet de ce qu'il appelle le phénomène de « transcoloration », que ceux de ses commentateurs, ils relèvent plutôt de l'obscurité, à moins qu'on doive ici prendre en compte la dimension mystique du personnage qui évoquait sa « recherche de la plénitude par le rythme et la couleur, créateurs de lumière par irradiation » ou qui énonçait que « la couleur est le révélateur dans lequel baigne l'Univers comme les couleurs baignent dans le violet quand elles sont superposées et baignent dans le jaune quand elles sont juxtaposées ». Il ne semble pas juste de vouloir limiter sa réflexion théorique au seul domaine de la couleur, de la lumière et de l'ombre, des irisations occasionnelles. Le terme de rythme revient sans cesse dans ses propos : « Le rythme est dans une œuvre ce qui la fait vivre », et encore : « Couleurs, rythmes, cadences, c'est ce qui nous est donné, à nous, peintres, pour cette montée vers la lumière », et là le rôle du rythme dans la conception des peintures de ce connaisseur de musique, amateur de Bach et Mozart, apparaît avec évidence, ce qu'a aussi souligné Max-Paul Fouchet : « Le rythme, justement, voilà ce que Closon va nous apporter, le rythme qui ordonne les cadences, les couleurs, les valeurs, la peinture entière. »
Quant à la globalité des œuvres de la maturité, qui constitue ce qui le situe historiquement, sa cohérence s'impose. En général, mais selon d'infinies variations du thème, la surface de la toile est occupée par le développement, souvent selon le schéma de labyrinthes concentriques, de bandes de tons alternés, multicolores mais sombres, qui préparent localement par contrastes l'éclatement de sections de couleurs vives. Cette structure thématique des bandes parallèles et des bandes concentriques, peut-être en relation avec des époques différentes, se développe parfois selon un système linéaire, orthogonal et angulaire qui se souvient de Mondrian, parfois selon un système curviligne qu'il lui oppose, et souvent déborde du champ de la peinture et annexe le cadre. L'œuvre de Closon n'a pas manifesté d'ambitions démesurées, sinon de tendre à une « plénitude » et d'en offrir la jouissance au spectateur réceptif. Une certaine analogie avec l'art du vitrail a été parfois remarquée dans cette technique de morcellement, de juxtaposition, d'opposition de segments de tons et de couleurs, détachés de quelque sens littéral que ce soit mais non d'une éventuelle portée spirituelle. ■ *Jacques Busse*

Bibliogr. : Apollinaire Rocevicius : *La Sanctification de la peinture dans l'art de H. J. Closon*, in *Du*, Zurich, juin 1957 – Mme G. Kuény : Catalogue de l'exposition rétrospective *Henri Jean Closon*, Mus. des Beaux-Arts, Grenoble, 1961 – Pierre Dumayet : *De la difficulté d'être fidèle*, Édit. de Navarre, Paris, 1961 – Michel Seuphor : *La peinture abstraite en Flandre*, Édit. Arcade, Bruxelles, 1963 – J. Billot : *Sur l'art, l'homme et la vie, entretiens avec H. J. Closon*, Paris, 1964-1965 – Max-Paul Fouchet : *Hommage à Henri Jean Closon*, in : Catalogue du Salon des Réalités Nouvelles, Paris, 1976 – divers : Catalogue de l'exposition rétrospective *H. J. Closon 1888-1975*, Gal. Franka Berndt, Paris, 1985.
Musées : Bruxelles (Mus. d'Art Mod.) – Grenoble – Ixelles – Liège (Mus. de l'Art Wallon).

CLOSS Adolf
Né en 1840. Mort en 1894 à Stuttgart. XIXe siècle. Allemand.
Graveur sur bois.
Il travailla aux illustrations de nombreux volumes.

CLOSS Gustav Adolf Karl
Né en 1864. Mort en 1938. XIXe siècle. Allemand.
Peintre de compositions religieuses, portraits, illustrateur.
Il est le fils de Gustav Paul Closs. Il vécut à Karlsruhe, à Munich, à Stuttgart puis à Berlin. Il fit des études de dessin et des illustrations de livres avant de se lancer dans la grande peinture.
Il pratiqua les genres les plus divers mais surtout le portrait et la peinture religieuse.
Ventes Publiques : Brême, 29 juin 1985 : *Jeune fille à la fontaine*, h/cart. (24,5x19) : DEM 2 500.

CLOSS Gustav Paul
Né le 14 novembre 1840 à Stuttgart. Mort le 13 août 1870 à Prien sur le Chiemsee. XIXe siècle. Allemand.
Peintre de paysages.
Il fut élève de Funk et de l'École des Arts et Métiers à Stuttgart. Entre 1860 et 1868, il voyagea en Allemagne, France, Belgique, Hollande et Italie ; puis il se fixa à Munich.
Musées : Brême : Un paysage – Stuttgart : *Vue prise de la Villa Hadrian près Tivoli*.
Ventes Publiques : New York, 25 et 26 fév. 1944 : *Lac de montagne* : USD 275 – Munich, 29 mai 1976 : *Lac de haute montagne vers 1865*, h/t (87x114) : DEM 1 900 – Zurich, 14 mai 1982 : *Vue du lac des Quatre-Cantons*, h/t (59x42,6) : CHF 3 300 – Londres, 5 mai 1989 : *Rome et la villa Medicis 1870*, h/t (85x121) : GBP 6 820.

CLOSSE
Né en Pologne. XVIIIe siècle. Polonais.
Peintre.
Il travailla pour l'archevêque de Gniezno, le comte Ignacy Krasicki. La Galerie du comte Krasicki conserve 30 tableaux de cet artiste.

CLOSSON Gilles François Joseph
Né en 1796 à Liège. Mort en 1852 à Liège. XIXe siècle. Belge.
Peintre de paysages, aquarelliste. Romantique.
Boursier de Rome en 1824, il rapporta d'Italie des vues de ruines romaines, de la campagne italienne, des jardins, du golfe de Naples. Nommé professeur à l'Académie de Liège en 1837, il peignit des sites de sa région natale.
Ses paysages se situent à mi-chemin entre l'idéalisme et le réalisme et sont peints dans des tonalités sobres. Une exposition organisée en 1955 à Liège fit redécouvrir ce paysagiste romantique qui semblait avoir été complètement oublié.
Bibliogr. : Gérald Schurr, in : *Les Petits Maîtres de la peinture 1820-1920, valeur de demain*, Les Éditions de l'Amateur, t. VII, Paris, 1989.
Musées : Liège : *Paysage* – Liège (Cab. des Estampes) : *Paysage du Latium avec cascades* 1832, h/pap.

CLOSSON William Baxter Palmer
Né en 1848 à Thelford. Mort en 1926 à Hartford (Connecticut). XIXe-XXe siècles. Américain.
Peintre de figures, pastelliste, graveur.
Il étudia en Europe. Il figura au Salon des Artistes Français de Paris, obtenant une médaille de troisième classe en 1882, une médaille d'argent à l'Exposition Universelle de 1889. Primé aussi à Chicago en 1893 et à Buffalo, en 1901, il fut diplômé à l'Exposition de la gravure à Vienne ; membre du Boston Art Club et de la Copley Society en 1900.

Il grava sur bois.
VENTES PUBLIQUES : NEW YORK, 26 mai 1988 : *Une silhouette frappante*, past./pap. brun (48x33,8) : **USD 4 400**.

CLOSTER G. P. von
XVIIIᵉ-XIXᵉ siècles. Allemand.
Miniaturiste et graveur.
Berlinois, il exposa en 1810 à l'Académie de Berlin.

CLOSTERER Anton J.
XVIIIᵉ siècle. Travaillait en 1776. Allemand.
Peintre.

CLOSTERMAN Johann Baptist ou Cloosterman, Klosterman
Né en 1660 à Osnabrück. Mort en 1711 ou 1713 à Londres.
XVIIᵉ-XVIIIᵉ siècles. Allemand.
Peintre de portraits, graveur.
Il vint à Paris en 1679, puis s'établit en Angleterre et collabora avec le peintre Riley. Il visita l'Espagne sur l'invitation de la cour, et connut aussi l'Italie.
Closterman peignit les portraits de la reine et du roi d'Espagne. On lui doit encore : *Portrait de Henry Purcell, Portrait de John Churchill, 1ᵉʳ duc de Marlborough, Portrait de la reine Anne*. Smith, Sherwin et Faithorne ont gravé d'après lui.
MUSÉES : LONDRES.
VENTES PUBLIQUES : LONDRES, 20 nov. 1931 : *Sir George Oxenden* : **GBP 3** – LONDRES, 4 juin 1934 : *Sir John d'Oyly* : **GBP 7** – LONDRES, 19 juin 1970 : *Portrait d'un gentilhomme ; Portrait d'une dame de qualité* 1682, h/t, une paire de forme ovale : **GBP 1 000** – LONDRES, 9 juil. 1980 : *The children of John Taylor of Bifrons*, h/t (189,5x271) : **GBP 15 000** – LONDRES, 24 oct. 1984 : *Portrait of Margaret, countess of Ranelagh*, h/t (122x121,5) : **GBP 1 000** – LONDRES, 29 jan. 1988 : *Portrait d'un seigneur vêtu d'un manteau brun assis devant un paysage*, h/t (125,1x101,6) : **GBP 3 740** – LONDRES, 26 mai 1989 : *Portrait d'un gentilhomme portant un habit brun à jabot de dentelle blanche*, h/t (ovale 75,7x63,5) : **GBP 1 320** – LONDRES, 28 fév. 1990 : *Portrait de Mary Venables*, h/t (126,5x101,5) : **GBP 4 620** – LONDRES, 12 juil. 1990 : *Portrait de Sir George Rivers of Chafford dans le Kent portant une cape rouge sur une armure et un jabot de dentelle*, h/t (128x102) : **GBP 3 960** – LONDRES, 6 avr. 1993 : *Portrait de Thomas Eyre de Hassop (Derbyshire) de trois-quarts portant un habit bleu*, h/t (123x99) : **GBP 2 875** – LONDRES, 7 avr. 1993 : *Portrait d'un gentilhomme debout de trois-quarts en jaquette bleue et chemise blanche*, h/t (127x104,3) : **GBP 6 325** – LONDRES, 12 avr. 1995 : *Portrait d'une Lady vêtue d'une robe rouge*, h/t (122x99) : **GBP 6 325** – LONDRES, 10 juil. 1996 : *Portrait de Lord Henry Scott, futur Comte de Deloraine, en habit brun avec un page et un cheval à l'arrière-plan*, h/t (122x96,5) : **GBP 10 350**.

CLOSTERMANS ou Cloostermans, Cloostermann,
famille d'artistes
XVIIIᵉ siècle. Français.
Peintres.
Ces artistes peignaient pour la manufacture de Sèvres. On cite Pierre qui mourut en Espagne en 1798 et son fils, de prénom inconnu, qui travaillait à Paris en 1789.

CLOSTERMANS José
Né en 1783 à Alcora (près de Valence). Mort en 1836 à Valence. XIXᵉ siècle. Espagnol.
Sculpteur.
Il existe des œuvres de cet artiste dans les églises de Jaltiva et d'Aldaya, ainsi que dans des monastères à Valence.

CLOSTRE Fernand
Né à Paris. Mort en 1927. XXᵉ siècle. Français.
Sculpteur animalier.
Il exposait à Paris, au Salon de la Société Nationale des Beaux-Arts, dont il devint associé en 1909, au Salon d'Automne, dont il devint également sociétaire.
VENTES PUBLIQUES : PARIS, 6 avr. 1987 : *Officier de cavalerie*, bronze (H. 30) : **FRF 4 000** – LOKEREN, 15 mai 1993 : *Militaire français*, sculpt. de bronze (H. 34, l. 12,5) : **BEF 33 000**.

CLOT René-Jean
Né le 19 janvier 1913 en Algérie. Mort le 4 novembre 1997 à Clermont-Ferrand (Puy-de-Dôme). XXᵉ siècle. Français.
Peintre, lithographe. Symboliste et onirique.
L'écrivain connu a su préserver la carrière du peintre qu'il fut d'abord. Après trois années de droit à la Faculté d'Alger, il fut, à Paris, élève de Gromaire, d'Othon Friesz et de Despiau à l'Aca-

démie Scandinave. Il exposa pour la première fois en 1935 au Salon d'Automne, dont il devint sociétaire en 1936. À cette époque, il reçut le Prix de Poésie de la revue *Mesures*, attribué par un jury composé de Paulhan, Henri Michaux, Supervielle, Ungaretti, pour *Naissance d'un poète*. En 1938, il reçut le Prix Paul Guillaume pour la peinture. En 1941, à Alger, il fut directeur d'émissions et contrôleur du Poste de *Radio-France*, sous les ordres de Jacques Soustelle. Il fit alors partie du Réseau d'Astier. En 1942, il fut lauréat du Concours de la Mission Tchad-Tibesti-Fezzan, présidé par Albert Marquet. Le but de la Mission, organisée par le Gouvernement Provisoire, était de retrouver l'itinéraire de la colonne Leclerc. Clot a parcouru la route Colomb-Béchar, Tannezrouf, Gao, Nigéria, Tchad, Borkou, Tibesti, Tripolitaine. La présentation des œuvres qu'il en rapporta eut lieu à Paris en 1946. Le souci de Clot avait été, l'anecdotique militaire étant exclu d'emblée, d'exprimer en des peintures d'où toute forme humaine était absente, un certain « vide sonore » propre aux espaces du Sahara oriental.
Après la guerre, il poursuivit ses deux activités. L'écrivain publia, chez Cailler à Lausanne, deux ouvrages d'esthétique, sa pièce en trois actes *La Révélation* fut créée par Jean-Louis Barrault au Théâtre de l'Odéon, sa pièce *Les collectionneurs* est créée au Théâtre de Clermont-Ferrand en 1991, il publia treize livres aux Éditions Gallimard, d'autres chez d'autres éditeurs, jusqu'à l'ouvrage d'esthétique polémique *La peinture aux abois* en 1988. Entre-temps, il obtint divers prix littéraires, dont le Prix Renaudot en 1987 pour *L'Enfant hallucine*. Le peintre avait fait éditer des séries de lithographies, préfacées par ou sur des textes d'auteurs. Il participe à des expositions collectives, notamment au Salon de Mai à Paris, ou montre des expositions personnelles dans diverses galeries, entre autres : Jeanne Castel, Jacques Massol, Jean-Claude Riedel régulièrement, une exposition rétrospective à Chamalières en 1991.
Esprit riche, partagé, évidemment complexe, nourri de poésie secrète, Rilke, le poète-peintre William Blake, si le contenu de ses œuvres peintes continue d'investiguer la face cachée du monde des hommes, la mise en forme plastique en a évolué, se rapprochant progressivement d'un surréalisme référencé aux précurseurs de la peinture fantastique : Altdorfer, Bosch, Blake. De ces visages d'absence qu'il insère de force dans des oves, ainsi que des médaillons en camées ou ballons prêts à l'envol, Philippe Dejean a écrit : « René-Jean Clot zèbre, griffe, violente sa toile, il voudrait sans doute que subsistât au moins cette trace d'une mêlée, d'un combat. Aussi nomme-t-il *fossiles* des visages à la limite de l'effacement qui semblent sourdre du néant et qui n'y retournent pas. » ■ Jacques Busse
BIBLIOGR. : Catalogue de l'exposition *Réalité Seconde*, Gal. d'Art Contemp., Chamalières, 1986 – Michel Random : *René-Jean Clot – La puissance visionnaire de la matière*, Catalogue de l'exposition *René-Jean Clot*, gal. Jean-Claude Riedel, Paris, 1993.
MUSÉES : ALGER – CAMBRAI – MONTPELLIER – NANTES – ORAN – ORLÉANS – PARIS (Mus. Nat. d'Art Mod.).
VENTES PUBLIQUES : PARIS, 28 avr. 1945 : *Nature morte* : **FRF 13 000**.

CLOTHIER Robert
XIXᵉ siècle. Britannique.
Peintre de genre, natures mortes.
Il exposa de 1832 à 1873 à la Royal Academy, à la British Institution et à Suffolk Street, à Londres.
VENTES PUBLIQUES : LIVERPOOL, 27 juil. 1979 : *Le Retour des pêcheurs*, h/t (84x110,5) : **GBP 950** – LONDRES, 23 sep. 1980 : *Nature morte aux fruits et à la fenêtre* 1851, h/t, de forme ronde (diam. 62) : **GBP 350**.

CLOTS Valentyn ou Klotz
XVIIᵉ siècle. Actif probablement à Maestricht de 1667 à 1691. Éc. flamande.
Dessinateur.
Il fut ingénieur. Il réalisa surtout des dessins : vues de villages et de châteaux, ruines, etc.
MUSÉES : HAARLEM – VIENNE (Gal. Albertina).
VENTES PUBLIQUES : PARIS, 1858 : *Paysage*, dess. à la mine de pb : **FRF 5** ; *Deux paysages*, dess. à l'encre : **FRF 4** – AMSTERDAM, 18 nov. 1985 : *Soldats traversant un pont* 1674, pl. et lav. (15,4x20,2) : **NLG 5 000** – PARIS, 28 oct. 1994 : *Vue de la ville de Bois-le-Duc et ruines du château de Scherpemjeuvel dans le Brabant* 1679, encre et lav. (16x41) : **FRF 45 000**.

CLOTURE du chœur Saint-Georges de Bamberg, Maître de la. Voir MAÎTRES ANONYMES

CLOUARD Albert

Né en 1866. Mort en 1952. XIXᵉ-XXᵉ siècles. Français.
Peintre de paysages animés. Postimpressionniste.
Il était ami de Sérusier, au côté duquel il travailla à plusieurs reprises. Il exposait au début du siècle à *La libre esthétique*. Il tomba dans un total oubli après 1914. Le prix-record atteint par *Les enfants à la dune* à la vente de décembre 1990 à Rennes, a confirmé sa redécouverte.
VENTES PUBLIQUES : RENNES, 9 déc. 1990 : *Les enfants à la dune*, h/t (62x81) : **FRF 350 000** – RENNES, 11 déc. 1994 : *L'attente*, h/t (62x77) : **FRF 100 000** – PARIS, 28 mars 1997 : *La Montée vers la lumière pour la Vieille femme au sentier vers l'église*, h/cart. (21x24,5) : **FRF 25 500**.

CLOUET Albert ou **Aubert** ou **Clouwet**, **Zantzack**

Né en 1636 à Anvers. Mort en 1679. XVIIᵉ siècle. Éc. flamande.
Graveur.
Neveu de Peeter Clouwet. Élève de Cornelis Bloemaert à Rome, il travailla avec lui au Palais Pitti et prit le nom de Zantzack.

CLOUET Félix

Né au Puiset (Eure-et-Loir). Mort en 1882. XIXᵉ siècle. Français.
Peintre de natures mortes.
Il fut élève d'Émile Lecomte-Vernet. Il débuta au Salon de Paris, en 1859.
MUSÉES : BOURGES : *Nature morte, vase et crucifix* – CHARTRES : *Gibier, nature morte*.
VENTES PUBLIQUES : PARIS, 1886 : *Nature morte au gibier* : **FRF 155** – PARIS, 3 et 4 mai 1923 : *Retour de chasse* : **FRF 420** – PARIS, 28 juin 1923 : *Nature morte* : **FRF 300** – PARIS, 23 déc. 1943 : *Nature morte au lièvre* : **FRF 1 600** – PARIS, 24 nov. 1980 : *Nature morte au lièvre et à la perdrix 1878*, h/t (73x55) : **FRF 5 100**.

CLOUET François

Né avant 1522 à Tours. Mort le 22 septembre 1572 à Paris. XVIᵉ siècle. Français.
Peintre de portraits, dessinateur.
Fils de Jehannet Clouet (voir l'article), il lui succéda à sa mort comme peintre de la cour et valet de chambre de François Iᵉʳ, poste auquel il demeura sous Henri II, François II et Charles IX, en conservant, de même, son annuité de 240 livres. Il habitait rue Saint-Avoye, au carrefour Temple-Rambuteau. Il avait pour amis beaucoup de savants et de lettrés. Pasquier le fêta en prose, Ronsard, Dubillon et M.-C. de Buttet en vers. Ses deux filles naturelles, Diane et Lucrèce, entrèrent toutes deux en religion. Deux tableaux à l'huile signés de François Clouet sont conservés : le portrait du pharmacien Pierre Cutte (signé *Fr. Janetii opus – Pe. Quttio amico singulari. Aetatis suae XLIII – 1562*) au Louvre et le curieux tableau de la collection Cook à Richmond où l'on voit une dame au bain, ses deux enfants avec leur nourrice et dans le fond une servante (signé *Fr. Janetii opus* et peint probablement aux alentours de la même année), dans lequel on a voulu voir l'influence du Vinci, et que l'on a supposé représenter Diane de Poitiers. Une série d'à peu près cinquante dessins colorés dont vingt sont conservés au Cabinet des Estampes de la Bibliothèque Nationale et d'autres au Musée Condé de Chantilly, au British Museum et ailleurs, peut être attribuée à François Clouet pour les mêmes raisons qu'une série analogue à son père : ces dessins représentent les rois Henri II, François II, Charles IX, leurs épouses, leurs enfants, les membres de leur cour, et la série entière se situe entre les dates de 1538 et 1572. Il fut en effet le peintre attitré de quatre rois. Beaucoup de ces dessins proviennent de la collection personnelle de la reine Catherine qui en avait réuni environ deux cents. Ces dessins et les deux tableaux signés donnent un fondement solide pour l'attribution à Clouet de portraits peints suivants : *Portrait en pied de Henri II* aux Offices de Florence (dessins préparatoires au British Museum et à l'Ermitage, analogie frappante de la draperie avec celle du tableau de la collection Cook) ; *Portrait en pied de Charles IX* (1566) à la Galerie de Vienne, portant l'inscription ancienne *Peinct au vif par – Jannet* et la fausse date de 1563, ainsi que la fausse indication *En l'âge de XX ans* (dessin prép. à l'Ermitage, répétition en petit format au Louvre) ; portrait en buste de Charles IX de 1561, à Vienne également (dessin à la Bibliothèque Nationale) ; deux portraits en miniature, dans le même Musée, de Charles IX et de Catherine de Médicis (veuve, dessin à la Bibliothèque Nationale) ; deux portraits en buste de Henri II, à Versailles et au Palais Pitti de Florence ; portraits de Mme de Roannais (Claude de Beaune, dessin à Chantilly) et d'Élisabeth d'Autriche (dessin prép. à la Bibliothèque Nationale, daté 1571)

au Louvre ; de Jeanne d'Albret, reine de Navarre, peint en 1570 (copie ancienne du dessin prép. au Musée Kestner à Hanovre) et de Marguerite de France, âgée de 8 ans, à Chantilly (dessin retouché à l'aquarelle pour le second de ces portraits au même Musée) ; portrait de Mme de Savoie au Musée de Turin (dessin au British Museum) ; portrait de Mme de Bouillon (ancienne collection baron Schickler, dessin à Chantilly), que l'on date de 1550 et qui serait donc la plus ancienne de ses œuvres connues. François Clouet était très bien en cour et recevait des marques de faveur nombreuses. C'est à lui que l'on commanda les masques mortuaires de François Iᵉʳ et de Henri II pour les obsèques de ces rois.
L'art de François Clouet présente beaucoup d'analogie avec celui de son père. Il est caractérisé par la même sobriété, la même concentration sur la recherche de ressemblance, le même soin d'éviter tout détail superflu. Les dessins de François ne possèdent pas la légèreté aérienne de ceux de Jehannet, mais en tant que portraits ils ne sont pas moins saisissants, et c'est lui le premier qui s'est avisé de leur donner un fini qui atteste qu'il ne les considérait plus comme des esquisses préparatoires, mais comme des œuvres d'art achevées en elles-mêmes. Quant à ses portraits peints, leur technique est plus brillante et plus libre que celle des portraits de Jehannet. On y sent aussi quelques influences nouvelles, celle de Holbein dans le portrait de Henri II des Offices, celle des Vénitiens et des peintres de portraits de Bergame dans celui de Pierre Cutte, celle du Primatice dans le tableau de la collection Cook.

IANNET ⋅ 1S63 ⋅

BIBLIOGR. : E. Moreau-Nélaton : *Les Clouet et leurs émules*, Paris, 1924.
MUSÉES : AIX-EN-PROVENCE (Mus. Granet) : *Un gentilhomme* – ANGERS (Mus. Pince) : *Charles X – Catherine de Médicis* – BERGAME (Acad. Carrara) : *Portrait de Saint-Marsault* – BOURGES : *Portrait d'un membre de la famille royale*, peint. sur bois – CALAIS : *Portrait du duc Henri de Guise dans sa jeunesse* – CHANTILLY (Mus. Condé) : *Portrait de Marguerite de France encore enfant*, peint. sur bois – *Portrait du duc d'Alençon*, peint. sur bois – *Portrait de Jacques de Savoie, duc de Nemours – Portrait d'Élisabeth d'Autriche, femme de Charles IX*, peint. sur bois – *Portrait de H. d'Orléans (Henri II), fils de François Iᵉʳ, à 2 ou 3 ans*, peint. sur bois – *Portrait de Jeanne d'Albret, reine de Navarre – Divers dessins* – FLORENCE (Gal. Nat.) : *Portrait de François Iᵉʳ, roi de France – Portrait d'un jeune homme* – FLORENCE (Palais Pitti) : *Henri II, roi de France* – FRANCFORT-SUR-MAIN : *Portrait d'une veuve* – GÊNES : *Portrait* – GENÈVE : *Portrait de Charles, duc de Bourbon* – GLASGOW : *Marie, reine d'Écosse* – LILLE : *Portrait d'Écosse* – LONDRES (British Mus.) : *Dessins* – LE MANS (Mus. Petessé) : *Catherine de Médicis – Jeanne de la Tremoïlle* – METZ : *Un petit portrait du temps de Charles IX ou Henri III* – MUNICH : *Portrait de Claude de France, fille de Henri II* – PARIS (Louvre) : *Portrait de Pierre Cutte – Henri II – Portrait de Charles IX, roi de France – Portrait d'Élisabeth d'Autriche, reine de France, femme de Charles IX* – PARIS (BN, Cab. des Estampes) : *Dessins* – LE PUY-EN-VELAY : *Portrait de Marguerite de Valois* – ROUEN : *Le bain de Diane* – SAINT-PÉTERSBOURG (Ermitage) : *Duc d'Alençon – Dessins* – TOURS : *Le bain de Diane* – TURIN : *Portrait de Mme de Savoie* – VIENNE : *Charles IX* – WASHINGTON D. C. (Nat. Gal.) : *Femme au bain*.
VENTES PUBLIQUES : PARIS, 1826 : *Portrait de Ch. Delanoy* : **FRF 82** ; *Charles IX, roi de France* : **FRF 301** – PARIS, 1847 : *Dame de la cour de Henri II* : **FRF 235** ; *Portrait présumé de Marie Stuart* : **FRF 461** ; *Marie Stuart représentée en pied* : **FRF 12 000** – PARIS, 1850 : *Portraits en pied de Henri II, Catherine de Médicis, Charles IX, le duc d'Alençon et la reine Marguerite, femme de Henri IV, six miniatures sur vélin* : **FRF 2 000** – LONDRES, 1855 : *Portrait d'Éléonore de Portugal* : **FRF 5 560** ; *Portrait d'Élisabeth d'Autriche* : **FRF 3 900** – PARIS, 1865 : *Portrait de femme* : **FRF 4 030** ; *Portrait d'homme barbu* : **FRF 6 900** – PARIS, 1865 : *Louise de Lorraine, femme de Henri III* : **FRF 9 200** – PARIS, 1865 : *Portrait de François II, roi de France*, dess. aux deux cr. : **FRF 1 350** – LONDRES, 1868 : *Éléonore d'Autriche, femme de François Iᵉʳ* : **FRF 5 000** – LONDRES, 1874 : *Diane de Poitiers ; autres personnages dans le fond* : **FRF 3 275** – LONDRES, 1882 : *Portraits de Henri II, Henri III, Charles IX, Catherine de Médicis, le Grand Dauphin, Claude de France, six miniatures, ensemble* : **FRF 45 710** – PARIS, 1882 : *Portrait présumé d'un réformateur* : **FRF 10 900** ; *Portrait de l'archidiacre de Josas*, dess. ou cr. noir : **FRF 1 000** ; *Portrait de jeune femme vêtue d'un costume reli-*

gieux, dess. à la pierre d'Italie, colorié à la sanguine : **FRF 140** – Paris, 1885 : *Portrait d'homme* : **FRF 3 000** ; *Portrait d'homme en costume du xvie siècle* : **FRF 5 550** ; *Portrait présumé de Anne d'Este, femme de François de Guise* : **FRF 805** ; *Portrait de Henri III*, dess. aux trois cr. : **FRF 600** ; *Portrait de Catherine de Médicis*, dess. aux trois cr. : **FRF 600** – Paris, 1886 : *Portrait de jeune femme* : **FRF 7 900** – Paris, 1892 : *Portrait d'un prince de la maison de France* : **FRF 6 100** ; *Portrait d'homme* : **FRF 5 000** – Londres, 1892 : *Catherine de Médicis et ses quatre enfants : Charles IX, le duc d'Anjou, le duc d'Alençon et la princesse Marguerite*, ensemble : **FRF 7 075** ; *Portrait d'un gentilhomme* : **FRF 11 290** ; *François, duc d'Alençon* : **FRF 4 200** ; *Portrait équestre de Charles IX*, sur velin : **FRF 7 350** ; *Éléonore d'Autriche* : **FRF 4 590** – Londres, 1896 : *Groupe familial* : **FRF 11 830** – Paris, 1897 : *Portrait de Madame Éléonore de Clèves*, dess. aux trois coul. : **FRF 4 600** ; *La reine Elisabeth*, dess. aux cr. rouge et noir : **FRF 480** – Paris, 1898 : *Portrait de seigneur* : **FRF 5 600** ; *Portrait d'homme* : **FRF 2 800** – Paris, 27-29 avr. 1904 : *Portrait de femme* : **FRF 30 100** – New York, 1905 : *Édouard VI* : **USD 275** ; *Henri II* : **USD 275** – New York, nov. 1907 : *Portrait de René Du Puy du Fou* : **USD 725** – New York, 1908 : *Un jeune noble* : **USD 175** – Londres, 28 mars 1908 : *Portrait of Queen Mary Tudor* : **GBP 47** – Londres, 8 mai 1908 : *Portrait d'un gentilhomme* : **GBP 141** – Londres, 3 juin 1909 : *Portrait d'un gentilhomme* : **GBP 94** – Londres, 9 juil. 1909 : *Portrait d'une dame*, dess. : **GBP 84** – Londres, 23 mars 1910 : *Portrait de François II* : **GBP 23** – Paris, avr. 1910 : *Portrait d'homme* : **FRF 23 250** – Paris, 26 et 27 mai 1919 : *Portrait d'homme* : **FRF 13 000** – Londres, 7 juil. 1922 : *La princesse de Condé (?)* : **GBP 220** – Londres, 18 nov. 1927 : *Henri III* : **GBP 141** – Londres, 11 mai 1928 : *Diane de Poitiers à sa toilette* : **GBP 525** – Paris, 28 nov. 1928 : *Portrait du Conestable de Saint-Paul vu à mi-corps de trois quarts à gauche*, dess. : **FRF 63 000** ; *Portrait de gentilhomme représenté en buste de trois quarts à gauche*, dess. : **FRF 36 000** ; *Portrait de gentilhomme représenté en buste de trois quarts à gauche*, dess. : **FRF 36 000** ; *Portrait de jeune gentilhomme inconnu, peut-être François II, roi de France*, dess. : **FRF 6 000** ; *Portrait de jeune dame, représentée en buste de trois-quarts à gauche*, dess. : **FRF 5 200** – New York, 18 et 19 avr. 1934 : *Charles IX* : **USD 1 550** – Genève, 27 oct. 1934 : *Portrait de Maria Pasera* : **CHF 5 100** – Londres, 15 mars 1935 : *Lady Elisabeth Knollys* : **GBP 152** – New York, 20 avr. 1939 : *Antoine de Bourbon, roi de Navarre* : **USD 2 500** – New York, 25 jan. 1945 : *Henri II* : **USD 900** – New York, 21 fév. 1945 : *François de Coligny* : **USD 1 500** – New York, 23 avr. 1945 : *Portrait de Mlle de Chabot* : **USD 1 000** – Londres, 27 nov. 1959 : *Portrait de Charles IX, roi de France* : **GBP 1 050** – Londres, 23 mars 1960 : *Portrait d'un homme barbu* : **GBP 800** – New York, 18 avr. 1962 : *Jacques d'Albon de Saint-André, maréchal de France* : **USD 6 000** – New York, 1er mai 1963 : *Portrait en buste du duc d'Alençon* : **USD 13 000** – Londres, 24 juin 1970 : *Marguerite de Valois, à l'âge de dix-sept ans 1570* : **GBP 4 500** – Cologne, 25 nov. 1976 : *Portrait d'Elisabeth de Valois*, h/pan. (35,5x25,5) : **DEM 90 000** – Londres, 8 déc. 1989 : *Portrait de Françoise de Brézé, Duchesse de Bouillon, vêtue d'une robe jaune et pourpre et portant une parure de perle à son monogramme*, h/pan. (31,5x23,5) : **GBP 176 000** – New York, 13 jan. 1994 : *Portrait du Roi Charles IX de France*, h/pan. (36,2x25,4) : **USD 475 500**.

CLOUET Gabriel ou **Clavet**. Voir **CLOUWET Gabriel**

CLOUET Jean, dit **Jehannet** ou **Cloet**
Né vers 1486 à Bruxelles, probablement originaire des Pays-Bas occidentaux. Mort en 1540 à Paris. xvie siècle. Français.
Peintre de portraits, dessinateur.
La date exacte de sa naissance reste inconnue. A partir de 1516, à Tours, peintre de cour de François Ier. Charles Sterling pense pourtant, d'après le document concernant la donation royale faite à son fils, qu'il se trouvait déjà sous le règne précédent en France. Épouse dans cette ville Jeanne Boucaut, fille d'un orfèvre, dont il a un fils, François (voir l'article). A partir de 1529 et jusqu'à sa mort, il habite à Paris la même maison de la rue Sainte-Avoye qui sera ensuite celle de son fils. En sa qualité de peintre du roi, il obtient le titre de valet de chambre et touche d'abord 180, puis (à partir de 1523) 240 livres par an. En 1528 il reçoit deux fois des payements *pour plusieurs portraits et effigies au vif*. Nous savons aussi qu'il a portraituré en 1530 le mathématicien Oronce Finé et en 1536 le grand helléniste Guillaume Budé (copie au Musée de Versailles, dessin préparatoire daté 1536 à Chantilly). Toutefois on lui commandait aussi des tableaux reli-

gieux : en 1522 un *Saint Jérôme* pour l'église Saint-Pierre-du-Boile à Tours, et l'année suivante des cartons pour des broderies représentant les quatre évangélistes. Aucune de ces œuvres ainsi mentionnées n'est parvenue jusqu'à nous ; aucune œuvre signée non plus. Il existe une médaille avec portrait de Clouet et l'inscription suivante : *Jehannet Clouet, peintre du Roi François*. Au Musée Condé à Chantilly se trouvent quelque cent trente portraits dessinés à la sanguine et au fusain, d'un format uniforme (20 sur 30 cm environ), d'une écriture identique et destinés évidemment à servir de préparations pour des portraits peints, comme le prouvent de fréquentes inscriptions indiquant les couleurs, le costume, etc. Comme ces portraits représentent François Ier, les membres de la famille royale et tous les grands personnages de la cour et comme ils se rapportent tous à des dates qui s'échelonnent entre 1514 et 1540, ils ne peuvent guère être attribués à un autre artiste que le peintre du roi en personne. On a émis l'hypothèse, dans les années 1930, que la facture de ces dessins en longues hachures parallèles, avec des modelés à l'estompe, indiquait l'influence du Vinci, alors à Amboise. En partant de là on lui attribue aussi un certain nombre de portraits peints à l'huile, à savoir : les portraits de François Ier au Louvre (petit portrait en buste vers 1525, dessin au crayon, prép. à Chantilly) et aux Offices (petit portrait équestre), celui de son fils le dauphin François au Musée d'Anvers (vers 1519, dessin à Chantilly), de sa fille Charlotte de France (ancienne collection Thomson), de Claude, duc de Guise, au Palais Pitti à Florence, de Louis, Monsieur de Nevers, au Musée de Bergame (dessin à Chantilly) et le portrait d'un inconnu tenant un volume de Pétrarque dans la main, au château de Hampton Court (dessin à Chantilly). Louis Dimier lui attribue encore un portrait en miniature de Charles, duc de Brissac, de l'ancienne collection Pierpont Morgan, et les portraits-médaillons de François Ier et des sept « preux de Marignan » qui ornent le manuscrit des *Commentaires de la Guerre Gallique* conservé en partie à la Bibliothèque Nationale et en partie au British Museum.
Clouet est un portraitiste né, dont la technique provient en ligne directe de ses modèles néerlandais tels que Gossaert, Van Orley et Joos Van Cleeve, mais dont le goût a été éduqué sous l'influence de son entourage français. Ses moyens sont moins riches mais souvent plus délicats que ceux de ses contemporains flamands. A force de se concentrer sur sa tâche immédiate, de rejeter toute fioriture inutile, il arrive avec ses dons somme toute limités, à créer cette tradition de portrait pur qui restera une des principales caractéristiques de l'École française jusqu'à Ingres. Au reste, il est avant tout dessinateur. Ses portraits peints n'ajoutent pas grand-chose à ce que ses dessins donnaient déjà. Même au point de vue coloristique, il tire ses meilleurs effets de la simple combinaison du fusain et de la sanguine. Il possède à fond l'essentiel de son métier qui est de saisir au vol et de fixer d'un trait la qualité particulière d'un regard, l'inflexion unique d'un sourire.

Bibliogr. : Moreau-Nélaton : *Les Clouet et leurs émules*, Paris, 1924.
Musées : Anvers : *Portrait du dauphin François* – Bergame : *Louis de Nevers* – Florence (Mus. des Offices) : *François Ier à cheval* – Florence (Palais Pitti) : *Claude, duc de Guise* – Hampton Court (Château) : *Personnage inconnu tenant un volume de Pétrarque* – Paris (Louvre) : *François Ier* – *Guillaume de Montmorency*.
Ventes Publiques : Londres, 1892 : *Portrait équestre de François Ier* : **FRF 22 825** ; *Portrait équestre de Henri II* : **FRF 22 050** ; *Claude de Clermont* : **FRF 2 750** – Londres, 1892 : *Portrait de François Ier* : **FRF 4 940** – Paris, 23-24 avr. 1923 : *Portrait présumé de Jeanne d'Albret*, d'après J. Cl. : **FRF 800** – Paris, 15 mars 1924 : *Portrait présumé de Jeanne d'Albret*, attr. : **FRF 65 000** – Paris, 9 mai 1927 : *Portrait de jeune femme*, école de J. Cl. : **FRF 4 000** – Londres, 24 mai 1935 : *François Ier* : **GBP 546** – Paris, 26 jan. 1942 : *Portrait d'une jeune princesse*, école de J. Cl. : **FRF 14 000**.

CLOUET Jehan ou **Cloet**
xve siècle. Éc. flamande.
Peintre.
Peut-être s'agit-il de Jean CLOET. Père de la famille Clouet de la cour de France. Il travailla pour le duc de Bourgogne en 1475 à Bruxelles.

CLOUET Peeter. Voir **CLOUWET**
CLOUET Robert Louis
Né à Cherchell (Alger). xxe siècle. Français.
Peintre de paysages.
Exposant des Indépendants.

CLOUET de Navarre

XVIe siècle. Français.
Peintre de portraits.
On présume qu'il est le frère de Jean Clouet. Le Musée du Louvre conserve de cet artiste le *Portrait du baron de la Mothe-Saint-Heraye*. Il fut le peintre de Marguerite d'Angoulême, reine de Navarre.

CLOUET D'ORVAL Francis

Né en 1840 à Alençon (Orne). XIXe siècle. Français.
Peintre de paysages.
Il fut élève de Mozin et de T. Couture. Il débuta au Salon de Paris en 1864. On mentionne de lui : *Les landes, Avant la pluie*.
VENTES PUBLIQUES : LONDRES, 20 juil. 1977 : *Dimanche matin en Bavière*, h/t (81x129) : **GBP 1 200**.

CLOUGH Charles

Né en 1951 à Buffalo (État de New York). XXe siècle. Américain.
Peintre.
Depuis 1987 il expose régulièrement à New York et dans différentes villes des États-Unis et également aux Pays-Bas.
VENTES PUBLIQUES : PARIS, 16 déc. 1990 : *Pinky 1990*, acryl./t. (135x130) : **FRF 12 000**.

CLOUGH George L.

Né en 1824 à Auburn (New York). Mort en 1901 à Auburn. XIXe siècle. Américain.
Peintre de paysages, paysages d'eau.
VENTES PUBLIQUES : NEW YORK, 3 oct. 1981 : *Scène de rivière, Adirondack*, h/t (33x48,3) : **USD 1 400** – NEW YORK, 23 juin 1983 : *Cerfs et canards*, h/t (91,5x61) : **USD 2 000** – NEW YORK, 20 mars 1987 : *Owasco Lake*, h/t (36,1x56,5) : **USD 3 200** – NEW YORK, 24 jan. 1989 : *Le pêcheur à la ligne*, h/t (60x90) : **USD 7 700** – NEW YORK, 14 fév. 1990 : *L'Hudson*, h/t (25,5x61) : **USD 1 650** – NEW YORK, 12 mars 1992 : *L'approche de l'orage sur l'Hudson*, h/t (20,3x31,2) : **USD 5 280** – NEW YORK, 23 sep. 1992 : *Le passage d'une averse au-dessus de l'Hudson*, h/t (61x91,4) : **USD 7 150** – NEW YORK, 9 sep. 1993 : *Cerf dans les bois 1870*, h/t (62,9x49,5) : **USD 1 955** – NEW YORK, 28 sep. 1995 : *Paysage avec un pont*, h/t (62,2x92,7) : **USD 4 370** – NEW YORK, 9 mars 1996 : *La cabane du guide*, h/t (61x91,5) : **USD 6 900**.

CLOUGH Prunella

Née le 14 novembre 1919 à Londres. XXe siècle. Britannique.
Peintre de compositions à personnages, paysages urbains et industriels. Tendance abstraite.
Elle fut élève de l'Ecole d'Art de Chelsea. Elle participe à des expositions collectives, notamment au premier Salon des Réalités Nouvelles à Paris en 1946. Elle fit sa première exposition pesonnelle en 1947, d'autres suivirent : 1949, 1953, une exposition rétrospective à Whitechapel en 1960.
De 1946 à 1950, elle représenta des pêcheurs, de 1951 à 1953 des camionneurs. Elle continua par traiter des sujets urbains et industriels, de 1954 à 1961 des paysages urbains, de 1956 à 1959 des intérieurs industriels, en 1959 des installations électriques, mais dans un registre plastique très inspiré de l'abstraction, ce qui explique sa présence au premier Salon des Réalités Nouvelles, avec des emprunts aux formes caractéristiques de Miro et Calder.
BIBLIOGR. : In : Bernard Dorival : *Peintres contemporains*, Mazenod, Paris, 1964.
MUSÉES : LONDRES (Tate Gal.) – TOLEDO (Ohio).
VENTES PUBLIQUES : LONDRES, 24 juil. 1985 : *Edge of town I*, aquar. reh. de blanc (35,5x40,5) : **GBP 700** – LONDRES, 26 sep. 1985 : *Paysage ensoleillé*, h/t (30,5x40,5) : **GBP 450** – LONDRES, 13 juin 1986 : *Presses d'imprimerie* vers 1956, h/t (61x107) : **GBP 3 600** – LONDRES, 13 mai 1987 : *Pêcheur dans un bateau 1949*, h/t (140x76) : **GBP 26 000** – LONDRES, 9 juin 1989 : *Nature morte avec des courges jaunes 1947*, h/t (39,5x52,1) : **GBP 7 480** – LONDRES, 9 mars 1990 : *Barrière interrompue 1979*, h/t (96,6x122) : **GBP 1 980** – LONDRES, 8 juin 1990 : *La pesée du poisson à Lowestoft Harbour 1951*, h/t (71,5x49) : **GBP 10 450** – LONDRES, 11 juin 1992 : *Peinture 1966*, h/t (112x102) : **GBP 3 080** – LONDRES, 25 oct. 1995 : *Nature morte*, h/t (79x65,5) : **GBP 1 552** – LONDRES, 22 mai 1996 : *Filets et ancre*, h/t. cartonnée (70,5x50) : **GBP 8 625**.

CLOUGH Stanley

XXe siècle. Américain.
Peintre. Abstrait.
Il a exposé à Paris, au Salon des Réalités Nouvelles.

CLOUK

XVIIIe siècle. Français.
Graveur.
C'est le surnom d'un graveur lu sur une estampe du XVIIIe siècle. Portalès et Beraldi n'ont pu identifier cet artiste.

CLOUSIER. Voir CLOUZIER Antoine

CLOUSTON Robert S.

Mort en 1911. XIXe-XXe siècles. Britannique.
Graveur.
Il exposa à la Royal Academy de Londres à partir de 1887.

CLOUTIER Albert Edward

Né en 1902. Mort en 1965. XXe siècle. Canadien.
Peintre de paysages.
VENTES PUBLIQUES : TORONTO, 18 mai 1976 : *The painted desert*, h/t (75x100) : **CAD 250** – TORONTO, 1er juin 1982 : *Les Sucres, Québec* 1938, h/cart. (40x50) : **CAD 1 200** – TORONTO, 18 nov. 1986 : *Scene of Morin Heights, Québec*, h/pan. (20,6x25) : **CAD 1 300** – MONTRÉAL, 5 nov. 1990 : *Ungava 1940*, h/t (76x104) : **CAD 2 970** – MONTRÉAL, 5 déc. 1995 : *Cabanes de pêche 1946*, h/pan. (266,5x34,2) : **CAD 800**.

CLOUTIER François

Né en 1922. XXe siècle. Français.
Sculpteur de sujets de genre, statuettes.
VENTES PUBLIQUES : PARIS, 30 jan. 1989 : *Le Plaisir 1985*, bronze à patine (29x21x16) : **FRF 9 000** – PARIS, 22 mai 1989 : *La confidence 1986*, bronze à patine verte (21x14x10) : **FRF 16 000** – PARIS, 5 fév. 1990 : *Femme hiératique 1989*, bronze (24x9x13) : **FRF 16 100** – PARIS, 21 mai 1990 : *Je t'aime 1989*, bronze à patine verte (24x28x21) : **FRF 19 000** – PARIS, 15 avr. 1991 : *Quatre personnages en quête d'auteur*, bronze (29x33) : **FRF 21 000** – PARIS, 3 juin 1991 : *L'espiègle 1989*, bronze (22x12x14) : **FRF 15 000** – PARIS, 7 oct. 1991 : *Seishin 1991*, bronze (21x16x16) : **FRF 24 000** – PARIS, 3 fév. 1992 : *La femme en courbes 1991*, bronze (31x16x14) : **FRF 20 000**.

CLOUWET Albert. Voir CLOUET

CLOUWET David

XVIIe siècle. Actif dans la seconde moitié du XVIIe siècle. Éc. flamande.
Graveur.
On cite de lui : *J.-B. Brouchouen, Franc, de Horenbecque, Jean Mey, professeur*.

CLOUWET Gabriel ou Clauwet, Clouet, Clavet

XVe-XVIe siècles. Actif à Cambrai de 1493 à 1507. Éc. flamande.
Peintre.
Cet artiste d'origine flamande passa, semble-t-il, quelques années à Paris. Probablement de la famille Clouet de Bruxelles, il esquissa le modèle du tombeau de H. de Bercher, évêque de Cambrai (mort en 1502).

CLOUWET Michel ou Clauwet, Clouet

XVe siècle. Vivait à Lille et à Valenciennes pendant la seconde moitié du XVe siècle. Éc. flamande.
Peintre.
Il était sans doute apparenté à la famille de François Clouet.

CLOUWET Peeter ou Clowet, Clouet

Né en 1629 à Anvers. Mort le 29 avril 1670 à Anvers. XVIIe siècle. Éc. flamande.
Graveur.
Élève de Théodore Van Merle en 1643, et peut-être de Bloemaert, en Italie ; maître de Peter Verplanken en 1652, de Jan Francisco de Ruelles en 1666, de Martinus Vermuelen et Peter de Weert en 1668. Il voyagea probablement en France.

CLOUZEAU Marcelle

Née à Angoulême (Charente). XXe siècle. Française.
Peintre, pastelliste.
Elle expose au Salon des Artistes Français.

CLOUZIER Antoine ou Clousier

XVIIe siècle. Vivait à Paris en 1688. Français.
Graveur.

CLOUZOT Marianne

Née en 1908 au Vésinet (Yvelines). XXe siècle. Française.
Peintre, graveur, céramiste, décoratrice, illustratrice.
Elle exposait à Paris, aux Salons d'Automne, des Artistes Indépendants, des Décorateurs, de l'Imagerie. Dans une première période, elle fut peintre, puis, depuis 1942 elle a pratiqué la céramique dans des sujets d'art religieux. Elle a publié plusieurs

livres pour les enfants, un album de douze eaux-fortes : *Jeunesse*. Elle a illustré plusieurs ouvrages littéraires, parmi lesquels : *Jean de Noarrieu* de Francis James, *Sylvie* de Gérard de Nerval, *Le blé en herbe* de Colette.

Ventes Publiques : Paris, 27 mai 1987 : *Les trois grâces ou le concert* 1942, h/isor. (73x60) : **FRF 5 500.**

CLOVER Joseph
Né le 22 août 1779 à Aylsham (Norfolk). Mort en 1853. xixe siècle. Britannique.
Peintre d'histoire et de portraits.
Il était fils de Thomas Clover de Aylsbom et petit-fils de Joseph Clover de Norwich. La connaissance du peintre Opie, venu pour faire le portrait d'un parent, le décida à embrasser la carrière artistique. De 1804 à 1836, il exposa à la Royal Academy et à la British Institution, à Londres. Le Musée de Norwich possède deux portraits peints par lui.
Ventes Publiques : Londres, 23 et 24 mai 1928 : *Le Révérend Henri Townley* : **GBP 23.**

CLOVER Lewis P.
Né en 1819 à New York. Mort en 1896. xixe siècle. Américain.
Peintre et graveur.

CLOVER Philip
Né en 1842 aux États-Unis. Mort en 1905. xixe siècle. Américain.
Peintre.

CLOVET Michel. Voir CLOUWET

CLOVIO Giorgio Giulio, dit Macedo
Né en 1498 à Grizane, en Croatie. Mort en 1578 à Rome. xvie siècle. Italien.
Peintre de compositions religieuses, sujets allégoriques, peintre à la gouache, aquarelliste, miniaturiste, dessinateur.
Selon Vasari, cet artiste serait né à Grisone, diocèse de Madruci. Ivan Kukuljevic Sakcinski, qui a publié, en illyrien, une vie de son compatriote (traduite en allemand en 1852) fait naître Clovio, lequel en réalité se nommerait Clovicié ou Juraj Glovicic, à Grizane, district de Vinodol, entre Bakarac et Bribir. Ses ancêtres étant Madéconiens, Clovio signe fréquemment ses ouvrages de ces mots : *Julius Macedo*. En signant ainsi, l'auteur cité plus haut estime que Clovio n'obéissait peut-être qu'à quelque tradition qui prétend que les plus importantes familles croates seraient originaires de Grèce. À 18 ans, Clovio vint en Italie, où le cardinal Marino Grimani le garda à son service durant trois ans, en le faisant dessiner. Dans la maison Grimani se trouvait le fameux bréviaire que Domenico Grimani avait payé 500 sequins, et qui se voit encore aujourd'hui à Venise. La vue de cet inappréciable modèle de la miniature, les conseils de Jules Romain, autant que ses goûts personnels, incitèrent le jeune Clovio à se consacrer uniquement aux travaux de petites dimensions. Prenant pour modèle une estampe en bois d'Albert Dürer, représentant un sujet de la vie de la Vierge, il en fit un de ses premiers ouvrages qu'il peignit avec grand soin. Cette miniature le fit connaître à la cour de Hongrie, où le roi Louis II l'appela près de lui. À la suite de la mort du roi et de la chute du royaume de Hongrie, il rentra en Italie où il trouva à Rome un refuge auprès du cardinal Campeggio, mais en 1527, Rome fut prise et pillée par les troupes du connétable de Bourbon et Clovio, prisonnier des Espagnols, fit vœu d'entrer en religion, s'il parvenait à fuir. Étant arrivé à ses fins, il fut reçu à Mantoue au monastère Saint-Ruffin, où il prononça ses vœux. Changeant parfois de retraite, suivant sa fantaisie, durant trois ans il enlumina quelques missels et livres de chœur. À la suite d'un accident à la jambe, survenu dans un voyage, il fut transporté au couvent de Candiana, près de Padoue. Dans cet asile de prières, il se rencontra avec le miniaturiste Girolamo de Libri, qui lui donna des leçons, bien que Clovio, âgé de 30 ans, travaillât avec succès depuis longtemps. Le cardinal Marino Grimani ayant obtenu du pape la permission de lui faire quitter le cloître, Clovio laissa l'habit monacal et se rendit à Pérouse, auprès de son ancien protecteur, qui y remplissait l'office de légat. Mais le cardinal Alexandre Farnèse voulut se l'attacher, et c'est auprès du neveu du pape Paul III que Clovio termina sa vie. C'est pour ce dernier maître qu'en 1542, il orna de miniatures le psautier qui se trouve à la Bibliothèque Nationale de Paris, qu'en 1546 il illustra le Missel que Richardson admira à Parme, et qui se trouve aujourd'hui à Naples, et enfin, qu'il enlumina ce merveilleux bréviaire Farnèse, fruit de neuf années de travail, qui fait partie de la Bibliothèque de

Naples, et auquel Vasari consacre une longue description. Sauf un séjour de quelques mois fait à Florence, en 1553, Clovio serait resté à Rome, où jusqu'à sa mort, il travaillait encore, étant toujours très estimé. L'enthousiasme avec lequel Vasari place Clovio au-dessus de tous les miniaturistes anciens et modernes, se justifie par la grande amitié qui unissait ces deux artistes. Il avait aussi recommandé Le Greco auprès du Cardinal Farnèse et s'était lié d'amitié avec P. Brueghel.
Clovio était un ardent admirateur de Michel-Ange, qu'il cherchait à imiter en petit. Les ouvrages cités plus haut et de nombreux livres et missels du Vatican, ou ceux que l'on voit en Angleterre, permettent une véritable appréciation de ses travaux. Dans le psautier de la Bibliothèque Nationale, daté de 1542, se trouve (au premier dimanche de l'Avent) une double page ornée de sa main. Une figure du Père Éternel créant le monde, n'est qu'une imitation de l'une des fresques de la voûte de la chapelle Sixtine. Différents graveurs, tels qu'Enea Vico, Diana Ghisi, Augustin Carrache, Corneille Cort, Thomassin ont reproduit les compositions de Clovio.
Musées : Naples (Bibl.) : *Missel* 1546 – Paris (BN) : *Psautier* 1542.
Ventes Publiques : Paris, 1858 : *Composition allégorique*, dess. à la sanguine : **FRF 14** – Paris, 1865 : *Laissez venir à moi les petits enfants*, dess. au cr. noir, lavé et reh. de blanc : **FRF 12** – Paris, 13 jan. 1874 : *Pietà* : **FRF 500** – Paris, 1890 : *Pietà*, miniat. sur vélin : **FRF 1 550** – Londres, 8 juin 1928 : *La Crucifixion*, page d'un livre enluminé, vélin : **GBP 294** – Amsterdam, 23 avr. 1968 : *L'enlèvement de Dejanire*, aquar. : **NLG 6 600** – Londres, 11 déc. 1979 : *Déploration*, aquar. et gche reh. de blanc et or/parchemin (21,8x14,7) : **GBP 5 500** – Londres, 12 déc. 1985 : *La chute de Phaéton*, craie noire (40,6x27,3) : **GBP 12 000** – Londres, 8 déc. 1987 : *Lamentation*, aquar. et gche reh. de blanc et or (21,8x14,7) : **GBP 24 000** – New York, 10 jan. 1996 : *Les lamentations*, aquar. et gche avec reh. d'or sur vélin (21,8x14,7) : **USD 74 000.**

CLOWES Butler
Né dans la dernière moitié du xviiie siècle en Angleterre. Mort en 1782 en Angleterre. xviiie siècle. Britannique.
Graveur de sujets de genre.
Ce graveur à la manière noire exposa à la Royal Academy, de 1768 à 1773, et travailla d'après ses dessins et d'après ceux de Heemskerk, Stubbs et d'autres. On cite de lui : *Dibdin dans le rôle de Memgo dans l'opéra « of the Padlock »*, *Le Mari gouverné*, *L'Usurier mourant*, *Le Maître à danser et ses élèves*.

CLOWES Daniel
Né en 1790. Mort en 1849. xixe siècle. Britannique.
Peintre de scènes de chasse, sujets de sport, animalier.
Ventes Publiques : Londres, 23 juil. 1948 : *Gentilhomme, cheval sellé et chien au bord d'un lac* 1817, h/t (60,9x83,8) : **GNS 18** – Londres, 24 juin 1977 : *Pur-sang gris dans un paysage boisé* 1825, h/t (85x120) : **GBP 1 300** – Londres, 11 avr. 1980 : *Deux épagneuls dans un paysage*, h/t (49,5x62,8) : **GBP 850** – Londres, 18 nov. 1983 : *Chasseur à cheval et meute de chiens*, h/t (61x82) : **GBP 12 000** – Londres, 19 nov. 1986 : *Gentilhomme tenant un cheval de course*, h/t (55,5x75) : **GBP 14 000** – Londres, 16 déc. 1988 : *Bœuf et génisse avec le propriétaire, dans une prairie boisée* 1804, h/t (67,3x84,4) : **GBP 14 300** – Londres, 17 nov. 1989 : *Hunter bai brun sellé et attaché à un arbre avec un fox-terrier*, h/t (74,2x108) : **GBP 5 280** – Londres, 3 fév. 1993 : *Le pur-sang bai Spartan monté par son jockey* 1818, h/t (46x61) : **GBP 2 070** – New York, 4 juin 1993 : *Pur-sans monté par un jockey portant les couleurs de l'écurie de Sir Stanley Bart* 1821, h/t (61x89,5) : **USD 4 600** – Londres, 18 juin 1993 : *Cheval de chasse* 1821, h/t (61x84) : **FRF 41 000** – Londres, 13 avr. 1994 : *Juments et poulain dans un paysage* 1818, h/t (69x98) : **GBP 3 450** – Londres, 16 oct. 1995 : *Cheval bai dans un paysage* 1817, h/t (45,5x60,5) : **GBP 2 415** – Londres, 13 nov. 1996 : *Quatre étalons dans un paysage* 1827, h/t (76,5x113) : **GBP 5 175** – Londres, 12 nov. 1997 : *Cheval bai tenu par un groom*, h/t (58,5x85) : **GBP 9 775.**

CLOWET Peeter. Voir CLOUWET

CLOZ Pierre
xvie siècle. Actif à Grenoble entre 1532 et 1536. Français.
Peintre.

CLOZIER René
Né le 9 octobre 1886 à L'Isle-Adam (Val-d'Oise). Mort le 12 septembre 1965 à Paris. xxe siècle. Français.
Peintre de paysages, natures mortes.
Il exposait à Paris, au Salon d'Automne.

Ses natures mortes et paysages solidement construits rappellent sa formation d'architecte.

BIBLIOGR. : Gérald Schurr, in : *Les Petits Maîtres de la peinture 1820-1920, valeur de demain*, Les Éditions de l'Amateur, t. IV, Paris, 1979.

CLUENTIUS Léon

Né en 1919 à Namur. XXᵉ siècle. Belge.

Peintre de figures, paysages.

Il fut élève de l'Acdémie des Beaux-Arts de Namur.

Dans une première période, il peignait les paysages de la vallée de la Meuse. A partir de 1952, il a peint les hauts plateaux du Katanga. Après 1970, il alla travailler sur les paysages espagnols.

BIBLIOGR. : In : *Diction. biogr. illustré des Artistes en Belgique après 1830*, Arto, Bruxelles, 1987.

CLUFFE Peter de la, ou Van der ou Cluffle

XVIᵉ siècle. Hollandais.

Graveur.

Élève de Rosso, à Paris, en 1560.

CLUGNET Jean

Né le 23 novembre 1819 à Lyon (Rhône). XIXᵉ siècle. Français.

Peintre, dessinateur.

Élève de l'École des Beaux-Arts (1833-38), il suivit la classe de Thierrat. Il exposa à Lyon (1846-47 à 1849-50) des peintures et surtout des dessins représentant des vues de Lyon et des environs.

CLUGNI de

XIXᵉ siècle. Vivait à Paris au début du XIXᵉ siècle. Français.

Graveur amateur.

CLUIZELOS José

Né à La Linéa (Cadix). XXᵉ siècle. Espagnol.

Peintre de figures, paysages.

Il a exposé à Paris, en 1933 et 1934, au Salon des Artistes Français.

CLUSEAU-LANAUVE Jean

Né le 7 novembre 1914 à Périgueux (Dordogne). Mort le 7 février 1997 à Paris. XXᵉ siècle. Français.

Peintre de compositions à personnages, figures, paysages, marines, aquarelliste, pastelliste, illustrateur. Postcubiste.

Il fut élève d'André Devambez à l'Ecole des Beaux-Arts de Paris, de 1933 à 1937. Il fréquenta aussi les Académies de Montparnasse et se référait volontiers à André Lhote qu'il admirait. Il a exposé au Salon des Artistes Français de 1933 à 1939, deuxième médaille 1935, troisième médaille à l'occasion de l'Exposition Universelle de Paris en 1937. En 1938, il présentait une vaste composition : *Septembre 1938*. À la guerre de 1939-1940, il fut fait prisonnier et publia ultérieurement : *Visages du Stalag*. Après la guerre, il bénéficia d'une bourse de voyage d'État en 1947 qui lui permit un voyage en Tunisie, et obtint le Prix de Venise en 1948, qui lui fit découvrir la vie de l'Academia. Il a aussi voyagé en Norvège, en Méditerranée sur les bâtiments de la marine en 1953 et 1954, en Yougoslavie en 1959 et 1965, à La Réunion en 1972 et 1973, en Turquie en 1982 et 1984. Il a exposé au Salon des Tuileries et expose régulièrement au Salon d'Automne, dont il est ssociétaire depuis 1946, il est également sociétaire du Salon de la Société Nationale des Beaux-Arts, et expose depuis leur fondation au Salon Comparaisons, et à celui du Dessin et de la Peinture à l'eau qu'il préside depuis 1976. Il participe à des expositions collectives nationales et internationales, notamment aux Expositions Universelles, de Paris en 1937 y ayant obtenu une médaille de bronze, de New York en 1939, d'Osaka en 1970. Il montre régulièrement ses peintures, aquarelles et pastels dans de très nombreuses expositions personnelles. En 1990, des Hommages lui ont été consacrés au Salon du Dessin et de la Peinture à l'eau et au Salon d'Automne, et le château de Puyguilhem-en-Périgord a organisé une rétrospective de son œuvre. En 1993 lui a été attribué le Prix Puvis-de-Chavannes pour l'ensemble de son œuvre. Il est peintre agréé de la Marine, depuis 1989. Il a été professeur d'art graphique à l'École Estienne, de 1951 à 1976. Il a réalisé des décors de théâtre, pour *Les Noces de Figaro* et *Falstaff* en 1965 à l'Opéra de Nice, et illustré des ouvrages de bibliophilie.

Il recherche de neuves harmonies dans la réalité. Il a souvent peint les paysages de son Périgord d'origine, et aime aussi travailler en Hollande, Bretagne, Provence, sur le bassin d'Arcachon. Dans des compositions animées, il sait faire vivre les scènes typiques de l'animation urbaine, les fêtes et les carnavals.

Ses peintures sont construites selon une souple rigueur qu'il tient d'une tradition postcubiste ayant son origine autour de Jacques Villon. ■ J. B.

Cluseau-Lenauve

BIBLIOGR. : Louis Chéronnet : *Cluseau-Lanauve*, Édit. La Ruche, Paris, 1946 – André Weber : *Cluseau-Lanauve*, Édit. Estienne, Paris, 1962 – Roger Bouillot : *Cluseau-Lanauve*, Collect. Terre des Peintres, Édit. B.P.C., 1988 – Jean-Louis Galet : *Cluseau-Lanauve. Hommage au Périgord*, Régie du Tourisme de la Dordogne, 1990 – Christian Germak : *Cluseau-Lanauve, peintre et mécène*, Édit. Kyoto-Shoin, 1993.

MUSÉES : BELGRADE (Mus. J.N.A.) – BERGERAC (Mus. du Tabac) – COPENHAGUE (Fond. Carlsberg) – GIEN (Mus. de la Chasse) – HONFLEUR (Mus. Eugène-Boudin) – PARIS (Mus. Nat. d'Art Mod.) – PARIS (Mus. d'Art Mod. de la Ville) – PARIS (Mus. de la Poste) – PARIS (Mus. des deux Guerres mondiales) – PARIS (BN, Cab. des Estampes) – PARIS (Bibl. de l'Arsenal, Fonds du Théâtre) – SAINT-DENIS-DE-LA-RÉUNION (Mus. Léon-Dierx) – SAINT-TROPEZ (Mus. de la Citadelle) – SÃO PAULO – SCEAUX (Mus. de l'Île-de-France) – VILLENEUVE-SUR-LOT (Mus. Rapin).

VENTES PUBLIQUES : PARIS, 28 mai 1951 : *Place des Patriarches* : **FRF 13 600** – PARIS, 11 fév. 1987 : *Conversation sur la terrasse*, h/t (46x55) : **FRF 7 500** – VERSAILLES, 20 mars 1988 : *La lecture interrompue* 1985, h/t (27x35) : **FRF 5 600** ; *Le bain aux voiliers* 1976, h/t (60x73) : **FRF 9 500** – VERSAILLES, 15 mai 1988 : *Lecture au fauteuil* 1969, h/t (27x35) : **FRF 4 500** – PARIS, 23 juin 1988 : *La plage, Arcachon* 1960, h/t (65x81) : **FRF 11 000** – VERSAILLES, 25 sep. 1988 : *Le jardin fleuri*, h/t (46x55) : **FRF 8 000** – VERSAILLES, 6 nov. 1988 : *Le parasol rouge* 1971, aquar. (48,5x63,5) : **FRF 5 800** – VERSAILLES, 18 déc. 1988 : *Le village au soleil, Opio* 1985, h/t (60x73) : **FRF 15 500** – VERSAILLES, 29 oct. 1989 : *Paris, le pont du Carrousel* 1950, aquar. (65,5x52) : **FRF 7 000** – VERSAILLES, 26 nov. 1989 : *Le Village entre les arbres* 1984, h/t (60x73) : **FRF 20 000** – VERSAILLES, 25 mars 1990 : *Paris, la pointe de l'Ile Saint-Louis* (36,5x54,5) : **FRF 7 500** – VERSAILLES, 7 juin 1990 : *Nature morte au faisan*, h/t (100x81) : **FRF 20 000** – VERSAILLES, 20 juin 1990 : *Piazza della Cisterna* 1948, h/t (54x65) : **FRF 12 000** – PARIS, 21 juin 1993 : *Cérémonie de baptême à Houmt-Souk (Tunisie)* 1947, mine de pb et aquar. (26,5x36,5) : **FRF 3 800** – PARIS, 26 mars 1995 : *La femme au turban* 1961, h/t (27x22) : **FRF 8 500**.

CLUSERET Gustave Paul

Né en 1823 à Suresnes (Seine). Mort en 1900 près de Hyères. XIXᵉ siècle. Français.

Peintre de portraits, pastelliste.

Officier de carrière, Cluseret devint paysagiste vers la fin de sa vie à l'instigation de Courbet. Il exposa à Paris en 1884 et 1890.

VENTES PUBLIQUES : LONDRES, 11 oct. 1996 : *À la porte de la Chambre du Sultan, Palais Topkapi, Istambul*, past. (55x71) : **GBP 6 900**.

CLUSIUS Carolus

Né en 1522 à Arras. Mort en 1609 à Leyde. XVIᵉ siècle. Français.

Dessinateur.

Il illustra des livres de botanique et de médecine dont il était lui-même l'auteur.

CLUSMANN William ou Clussmann

Né en 1859 à North Laporte (Indiana). Mort en 1927 à Chicago. XIXᵉ-XXᵉ siècles. Américain.

Peintre de paysages.

Il fut élève de Benezur à l'Académie de Munich ; membre de la Chicago Society of Artists. Il obtint une mention honorable à Stuttgart en 1884.

VENTES PUBLIQUES : NEW YORK, 3 déc. 1987 : *Jackson Park, Chicago*, h/t 1917 (46,3x61) : **USD 10 000**.

CLUTE Beulah Mitchell, Mrs Walter M. Clute

Née en 1873 à Rushville. XIXᵉ-XXᵉ siècles. Américaine.

Peintre, illustratrice.

CLUTE Walter Marshall

Né en 1870 à Shenectady (New York). Mort en 1915 à Cucamonga (Californie). XIXᵉ-XXᵉ siècles. Américain.

Peintre, illustrateur.

Il vint à Paris, où il fut élève de Benjamin-Constant, Jean-Paul Laurens, René Xavier Prinet. A New York, il fut élève, puis membre de l'Art Student's League. Il fut membre de plusieurs associations d'artistes, à Buffalo, Chicago, New York et Paris. Il fut professeur au Chicago Art Institute.

CLUTTERBUCK Bob
Né en 1951. XXᵉ siècle. Australien.
Peintre. Tendance pop art.
Ses œuvres se composent de slogans découpés, d'articles de jounaux, d'impressions sur papier, mêlés à des dessins rappelant l'art aborigène traditionnel.
Musées : ADÉLAÏDE (Art Gal. of South Australia) : *Stop the merchants of nuclear death* 1983.

CLUTTERBUCK C.
XIXᵉ siècle. Britannique.
Peintre d'histoire et miniaturiste.
Il exposa de 1825 à 1842 à la Royal Academy et à Suffolk Street, à Londres.

CLUYSENAAR Alfred ou Jean André Alfred
Né le 24 septembre 1837 à Bruxelles. Mort en 1902. XIXᵉ siècle. Belge.
Peintre d'histoire, genre, portraits, fresquiste.
Élève du sculpteur Jacquet et du peintre Navez à Bruxelles, il vint à Paris où il fut élève de Cogniet en 1857 et participa au Salon de Paris à partir de 1861. Il fit de nombreux voyages en Allemagne, Hollande, Italie, ne revenant à Bruxelles qu'en 1865, date à laquelle il se consacra à son tableau : *Les cavaliers de l'Apocalypse*. Il est l'auteur de fresques pour l'Université de Gand et pour le jardin zoologique d'Anvers. Directeur de l'Académie de Saint-Gilles à Bruxelles, il fut officier de l'Ordre de Léopold et chevalier de la Légion d'Honneur.

Alf Cluysenaar

BIBLIOGR. : Gérald Schurr, in : *Les Petits Maîtres de la peinture 1820-1920, valeur de demain,* Les Éditions de l'Amateur, t. IV, Paris, 1979.
Musées : ANVERS : *L'Excommunication des Albigeois – Mazeppa* – BRUXELLES : *Portrait de Mme Flora Reyntiers.*
VENTES PUBLIQUES : PARIS, 23 mai 1984 : *Dame à la porte* 1871, h/pan. (92x57) : **FRF 15 000** – BRUXELLES, 28 mars 1985 : *Tête d'enfant,* h/t (34x32) : **BEF 75 000** – LOKEREN, 28 mai 1988 : *Nu allongé* 1898, aquar. (29,5x43) : **BEF 31 000** – AMSTERDAM, 9 nov. 1993 : *L'homme au lézard* 1886, h/t (162x250) : **NLG 6 900.**

CLUYSENAAR André Edmond Alfred
Né en 1872 à Bruxelles. Mort en 1939. XIXᵉ-XXᵉ siècles. Belge.
Peintre de portraits, paysages, natures mortes.
Il était le fils et fut l'élève d'Alfred Cluysenaar. Il fut aussi l'élève de François Navez. Il exposa à Paris, au Salon des Artistes Français, mention honorable 1907.
Musées : BRUXELLES – GAND – LONDRES (Nat. Gal.) – PARIS (Mus. d'Orsay).
VENTES PUBLIQUES : LONDRES, 6 fév. 1987 : *La rose fanée* 1906, h/t (78,8x48,3) : **GBP 2 800** – AMSTERDAM, 30 oct. 1991 : *Femme à sa toilette,* h/t (55x41) : **NLG 2 530.**

CLUYSENAAR John Edmond
Né le 27 septembre 1899 à Uccle-lez-Bruxelles. XXᵉ siècle. Belge.
Sculpteur de bustes, statues, peintre. Figuratif puis abstrait.
Il fut élève de l'Académie de Bruxelles. En 1924, il obtint le Prix de Rome et le Prix Godecharle. Il était membre de la Société Royale des Beaux-Arts de Belgique.
Dans une première période, il sculpta de nombreux bustes. Il exécuta la statue du Prince de Ligne, qui est érigée au Jardin d'Egmont à Bruxelles. En 1939, il abandonna la sculpture pour la peinture. Il a peint des sortes de masques imaginaires et surtout de nombreuses œuvres abstraites.
BIBLIOGR. : Thérèse Ledoux : *John Cluysenaar,* Bruxelles, 1974 – in : *Diction. biogr. illustré des Artistes en Belgique depuis 1830,* Arto, Bruxelles, 1987.
Musées : ANVERS (Mus. des Beaux-Arts) – BRUXELLES – IXELLES – LIÈGE – MONS – OSTENDE – TOURNAI.
VENTES PUBLIQUES : ANVERS, 18 avr. 1972 : *Jeune fille,* bronze : **BEF 8 000** – LOKEREN, 28 mai 1988 : *Composition bleue* 1940, h/t (45,5x55) : **BEF 22 000.**

CLUYT Adriaen Pietersz ou Kluyt
Mort en 1604. XVIᵉ siècle. Actif à Alkmaar. Hollandais.
Peintre de portraits.
Élève de Blockloud et fils de Pieter Adriaensz Cluyt. Il fut peintre d'armoiries et de vitraux. Un peintre verrier, Adriaen Cluyt, était dans la gilde de Dordrecht le 25 janvier 1647.

CLUYT Pieter Adriaensz
Mort en 1586 à Alkmaar. XVIᵉ siècle. Hollandais.
Peintre verrier.
Il fut le père d'Adriaen Pietersz Cluyt.

CLUYT Pieter Dieriksen
Né vers 1581. XVIIᵉ siècle. Actif à Delft. Hollandais.
Peintre de portraits.
Fils du directeur du jardin botanique, Th. Aug. Clutius, et élève de Miereveld.

CLUZEAU Alfred
Né à Périgueux (Dordogne). XXᵉ siècle. Français.
Peintre.
Élève de Lavallée. On cite un paysage exposé au Salon des Artistes Français de 1939.

CLUZEAU Jean Arthur
Né à Goulaures (Dordogne). XXᵉ siècle. Français.
Peintre de paysages.
De 1920 à 1926, il a exposé à Paris, au Salon des Artistes Indépendants.

CLUZEAU Pierre Antoine Marie
Né le 1ᵉʳ septembre 1884 à Saint-Mandé (Val-de-Marne). Mort le 17 janvier 1963 à Saint-Maur (Val-de-Marne). XXᵉ siècle. Français.
Peintre de paysages urbains, fleurs, graveur, dessinateur, illustrateur.
Il fut élève de Luc-Olivier Merson et Gustave Surand à l'Ecole des Beaux-Arts de Paris. Depuis 1920, il expose ses peintures à Paris, au Salon des Artistes Indépendants. Il expose ses gravures, eaux-fortes et pointes-sèches, au Salon des Artistes Français, mention honorable en 1920, troisième médaille 1924.
En peinture, dessin, gravure, il traite principalement les paysages du vieux Paris. Il fit un projet d'illustration pour *Notre-Dame de Paris* de Victor Hugo.
VENTES PUBLIQUES : PARIS, 9 déc. 1931 : *Vues du vieux Paris et des bords de la Seine,* 6 dess. : **FRF 215** ; *Démolitions du vieux Paris,* 6 dess. : **FRF 205.**

CLUZEL Jean Jules Désiré
Né le 31 mars 1852 à Chartres (Eure-et-Loir). Mort le 3 août 1895 à Chartres. XIXᵉ siècle. Français.
Sculpteur.
Élève de l'École des Beaux-Arts et de Chenillion. Le Musée de Chartres conserve de lui : *Mathurin Régnier* (buste en plâtre).

CLYEVER. Voir CLIEVERE Pierre de

CLYMER Edwin Smift
Né en 1871 à Cincinnati (Ohio). XIXᵉ-XXᵉ siècles. Américain.
Peintre.
Il fut élève puis membre associé de la Pennsylvania Academy of Fine Arts.

CLYMER John Ford
Né en 1907. Mort en 1989. XXᵉ siècle. Américain.
Peintre de scènes typiques, animalier, peintre à la gouache.
Il peint des aspects très divers de la vie et des activités des populations américaines rurales ou côtières.
Musées : OKLAHOMA CITY (Nat. Cowboy Hall of Fame and Western Heritage Center) : *Terre d'abondance* 1970.
VENTES PUBLIQUES : NEW YORK, 17 oct. 1980 : *La capture du veau au lasso,* gche (76,2x59,7) : **USD 8 000** – NEW YORK, 23 juin 1983 : *La noce,* h/cart. (86,3x68) : **USD 8 400** – NEW YORK, 23 mars 1984 : *Cheval blanc et veau,* h/t (76,2x63,7) : **USD 10 000** – NEW YORK, 20 juin 1985 : *La forêt en hiver,* h/t (61x50,8) : **USD 1 200** – NEW YORK, 4 déc. 1986 : *Cavalier et chevaux traversant une rivière,* h/t (86,4x68,6) : **USD 6 500** – NEW YORK, 17 déc. 1990 : *Vue d'un port,* h/t (61x91,6) : **USD 4 400** – NEW YORK, 15 avr. 1992 : *Famille inuit,* h/t (61x87) : **USD 5 500** – NEW YORK, 31 mars 1993 : *Courtisans de Londres et de Paris se rencontrant à Douvres* 1961, h/cart. (73,7x101,6) : **USD 1 610** – NEW YORK, 31 mars 1994 : *Chevaliers à table,* h/t (50,8x91,4) : **USD 3 450** – NEW YORK, 14 mars 1996 : *Le Zoo du Bronx,* h/cart. (86,4x68,6) : **USD 26 450** – NEW YORK, 6 juin 1997 : *Grondement de sabots,* h/pan. (76,2x101,6) : **USD 90 500.**

CLYNCKE. Voir Clincke

CNODDER Ch. de
XVIIIᵉ siècle. Actif vers 1700. Hollandais.
Peintre de fleurs.

On cite de lui deux tableaux de fleurs avec bas-reliefs en grisaille, à l'hôpital de Termonde.

CNOPP Cornelia ou Cnoop
Éc. flamande.
Peintre miniaturiste.
Fille du doyen de la guilde des orfèvres, elle devint la femme de Gérard David en 1497.
VENTES PUBLIQUES : LONDRES, 11 mai 1934 : *La Vierge et l'Enfant*, panneau central d'un triptyque : **GBP 420.**

CNUDDE Augustin
Mort en 1756 à Gand. XVIIIe siècle. Éc. flamande.
Peintre.
Il fut l'élève de son père Louis Cnudde.

CNUDDE Louis
Né en 1671 à Gand. Mort en 1741. XVIIe-XVIIIe siècles. Éc. flamande.
Peintre d'histoire.
Élève de Jan Van Cleve et maître de son fils Augustin.

CNUDDE Roger
Né en 1929 à Renaix. XXe siècle. Belge.
Peintre de paysages, figures, peintre de décors de théâtre. Postimpressionniste.
Il fut élève des Académies des Beaux-Arts de Gand et d'Oudenaarde. Dans une première période, il peignit des paysages postimpressionnistes, puis des personnages plutôt expressionnistes. Enfin, il a traité des scènes contemporaines.
BIBLIOGR. : In : *Diction. biogr. illustré des Artistes en Belgique depuis 1830*, Arto, Bruxelles, 1987.

COACHE Léonard
Né à Desvres (Pas-de-Calais). XXe siècle. Français.
Peintre.
A exposé des paysages au Salon des Indépendants, de 1937 à 1939.

COADE Eleanor
XVIIIe siècle. Britannique.
Sculpteur.
Elle exposa de 1773 à 1791 à la Society of Arts et à la Free Society de Londres.

COALE Donald
XXe siècle. Américain.
Peintre. Abstrait.
Il a exposé à Paris, au Salon des Réalités Nouvelles.

COALE Griffith Bailay
Né en 1890 à Baltimore (Maryland). Mort en 1950. XXe siècle. Américain.
Peintre de portraits, nus, paysages.
Il a exposé à Paris, en 1913 et 1914, au Salon des Artistes Français.
VENTES PUBLIQUES : NEW YORK, 24 juin 1988 : *Bateaux de pêche à Venise*, h/t (65x55) : **USD 2 090.**

COAN Helen E.
Née au XIXe siècle à Byron (New York). XIXe siècle. Travaillant à Los Angeles (Californie). Américaine.
Peintre, décoratrice, illustratrice.
Cette artiste fut élève de la Art Students' League de New York. Elle fut également professeur.

COAPEL
Né au XIXe siècle à Plougastel-Daoulas (Finistère). XIXe siècle. Français.
Peintre.
Il a habité Brest. Le Musée de cette ville conserve de lui : *Nymphes se baignant.*

COAQUETTE Ivan
Né en 1943. XXe siècle. Français.
Peintre, peintre de collages. Abstrait-informel-matiériste.
Il vit et travaille à Paris. Il est également musicien.
Il produit des collages en solitaire, depuis environ 1980. Depuis 1985, il participe à quelques expositions collectives sur le collage et l'assemblage, notamment, en 1991, *Rencontres – Cinquante ans de collage*, exposition organisée par Françoise Monin, galerie Claudine Lustman, Paris. D'entre ses expositions personnelles : 1966 Galerie Brera à Milan, 1967 à Rome, 1987 et 1990 Paris.
Il utilise des matériaux pauvres, carton ondulé, qu'il déchire,

arrache, puis en recompose les morceaux par des superpositions entrecoupées de failles. Il travaille par séries : *Papierspeints, Cadences, Archéologies.*
BIBLIOGR. : Catalogue de l'exposition *Rencontres – 50 ans de collages*, Gal. Claudine Lustman, Paris, 1991.

COARETIS Bassanolus de
Italien.
Peintre de compositions murales, fresquiste.
Signature qui a été lue sur des fresques du XIVe siècle dans l'église S. Cristoforo à Naviglio Grande, près de Milan.

COAST Oscar R.
Né en 1851 à Salem (Ohio). XIXe-XXe siècles. Travaillant à Santa Barbara (Californie) vers 1909-1910. Américain.
Peintre.
Étudia à Paris et à Rome. Membre du Salmagundi Club vers 1897.

COAT Annie
Née à Toulon (Var). XXe siècle. Française.
Peintre.
En 1941, elle exposait des paysages au Salon d'Automne.

COATE Harry W.
Né au XIXe siècle à Ogden (Ohio). XIXe siècle. Américain.
Peintre.
Élève de la Art Students' League de New York, il compléta ses études à l'Académie Délécluse à Paris.

COATER
XVIIIe siècle. Actif vers 1700. Britannique.
Peintre miniaturiste.
On connaît de lui un *Portrait de John Laws.*

COATES Dora
Née à Melbourne (Australie). XXe siècle. Britannique.
Peintre de portraits, paysages, fleurs, aquarelliste.
Elle exposait à la Royal Academy de Londres.

COATES Dorothy Mary Anderson
Née à West Didsbury (Lancastre). XXe siècle. Britannique.
Peintre de miniatures.
Élève de E. Palmer. À Paris, elle a participé au Salon des Artistes Français de 1928.

COATES Edmund C., ou Edward C.
Né en 1816. Mort en 1871. XIXe siècle. Américain.
Peintre de paysages, marines, paysages d'eau.
VENTES PUBLIQUES : NEW YORK, 18 nov. 1977 : *Paysage d'hiver 1860*, h/t (101,5x75,5) : **USD 1 900** – NEW YORK, 1er juil. 1982 : *The voyage of Life : Manhood 1864*, h/t, d'après Thomas Cole (61x91,5) : **USD 1 500** – NEW YORK, 16 juin 1984 : *Voilier en mer 1846*, h/cart. (33x41) : **USD 1 200** – NEW YORK, 24 juin 1988 : *Bateaux de pêche au large 1852*, h/t (59,7x69,8) : **USD 5 225** – NEW YORK, 30 sep. 1988 : *East Hampton 1853*, h/t (56x68,5) : **USD 5 280** – NEW YORK, 22 mai 1991 : *Le méandre de la rivière*, h/t (ovale 63x75) : **USD 6 050** – NEW YORK, 10 mars 1993 : *Navigation au large du port de New York*, h/t (72,4x106,7) : **USD 19 550** – NEW YORK, 3 déc. 1996 : *Le Mont Tom sur le Connecticut 1867*, h/t (48,7x59) : **USD 5 175.**

COATES Georges James
Né le 8 août 1869 à Melbourne (Australie). Mort le 27 juillet 1930 à Londres. XIXe-XXe siècles. Britannique.
Peintre de genre, portraits.
Après des études à Londres, il fut élève de l'Académie Julian à Paris. Il a exposé à Paris, au Salon des Artistes Français, où il obtint une mention honorable en 1910, au Salon de la Société Nationale des Beaux-Arts, dont il devint sociétaire. Il exposait à la Royal Academy de Londres. On cite de lui : *Arrivée des blessés pendant la guerre à l'hôpital général de Londres.*
MUSÉES : LONDRES (Tate Gal.) – MELBOURNE : *Maternité – Portrait de Jean Grasset et de son fils*, copie d'après Van Dyck.
VENTES PUBLIQUES : LONDRES, 31 jan. 1979 : *Une loge au Chelsea Art Ball*, h/t (131x87,5) : **GBP 580.**

COATON Helen Mary
XXe siècle. Britannique.
Sculpteur.
En 1942, elle fut lauréate du Hinton Prize de la Leicester Society of Artists, où elle exposait habituellement.

COATS Alice Margaret
Née le 15 janvier 1905 à B'ham. XXe siècle. Britannique.
Aquarelliste et graveur.

COATS Mary
Née à Paisley (Renfredshire). XXᵉ siècle. Britannique.
Peintre de paysages, marines, natures mortes.
Elle fut élève de la Paisley School of Arts. Elle exposait dans sa ville natale.

COATS Randolph Lasalle
Né aux États-Unis. XXᵉ siècle. Américain.
Peintre.
En 1923, il exposait au Salon de la Société Nationale des paysages de Bretagne.

COBARRUBIAS Andres de
XVIᵉ siècle. Actif à Séville en 1520. Espagnol.
Peintre.

COBARS Karl
Mort en 1750 à Prague. XVIIIᵉ siècle. Allemand.
Peintre à la fresque.
Il fut l'élève d'Adam Schöpf.

COBB Alfred F.
XIXᵉ siècle. Britannique.
Paysagiste.
Il exposa de 1878 à 1889 à Suffolk Street, à Londres.

COBB Cyrus
Né en 1834 à Malden (Massachusetts). Mort en 1903 à Allston. XIXᵉ siècle. Américain.
Peintre de portraits et sculpteur.
Frère jumeau de Darius Cobb, il peint les portraits du Dr A. P. Peabody, du Dr Appleton.

COBB Darius
Né en 1834 à Malden (Massachusetts). Mort en 1919 à Newton Upper Falls (Massachusetts). XIXᵉ-XXᵉ siècles. Américain.
Peintre d'histoire, de figures, de portraits, de paysages, sculpteur.
Frère jumeau de Cyrus Cobb. Parmi ses œuvres, il convient de citer des portraits : *Professeur Agassiz* et *Gouverneur Andrew*, au Collège de Harvard. On mentionne aussi un *Roi Lear*, un *Christ devant Pilate*.

COBB G.
XIXᵉ siècle. Travaillant vers 1800. Américain.
Graveur.

COBB N.
XXᵉ siècle. Travaillant à Rome en 1914. Américain.
Peintre.

COBBAERT Éric
Né en 1946 à Louvain. XXᵉ siècle. Belge.
Sculpteur, designer. Abstrait.
Fils de Jan Cobbaert. Il fut élève de l'Ecole Saint-Luc de Bruxelles, de l'Institut Supérieur d'Anvers et de l'Académie des Beaux-Arts de Louvain.
BIBLIOGR. : In : *Diction. biogr. illustré des Artistes en Belgique depuis 1830*, Arto, Bruxelles, 1987.
MUSÉES : BRUXELLES – LIÈGE – OSTENDE – VERVIERS.

COBBAERT Jan
Né en 1909 à Heverlee. Mort en 1995. XXᵉ siècle. Belge.
Peintre, peintre de cartons de vitraux, sérigraphe, sculpteur, céramiste. Polymorphe.
Il fut élève des Académies des Beaux-Arts de Louvain et Bruxelles. Il obtint le Prix de Rome en 1937. Il fut professeur à l'Académie de Louvain.
Il a exécuté en diverses techniques des œuvres monumentales. Ses pratiques nombreuses l'ont peut-être empêché de trouver sa vraie personnalité.

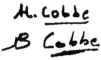

BIBLIOGR. : M. Bilcke : *Jan Cobbaert*, Bruxelles, 1959.
VENTES PUBLIQUES : LOKEREN, 6 nov. 1976 : *Composition* 1971, h/t (92x73) : **BEF 22 000** – BRUXELLES, 21 mai 1980 : *Vers l'avenir* 1973, h/t (140x150) : **BEF 46 000** – LOKEREN, 26 fév. 1983 : *La cycliste*, h/t (60x70) : **BEF 85 000** – ANVERS, 22 oct. 1985 : *Champignons sur les collines*, h/t (110x100) : **BEF 45 000** – BRUXELLES, 19 mars 1986 : *Personnage*, gche (71x109) : **BEF 65 000** – ANVERS, 22 avr. 1986 : *Le bouffon* 1977, h/t (100x90) : **BEF 45 000** – ANVERS, 27 oct. 1987 : *Fertilité*, h/t (100x82) : **BEF 65 000** – AMSTERDAM, 10 avr. 1989 : *Jeux d'enfants*, gche (51,5x74,5) :

NLG 4 370 – AMSTERDAM, 11 sep. 1990 : *Composition*, aquar./pap. (71x53) : **NLG 1 092** – LOKEREN, 21 mars 1992 : *Foule*, h/t (100x80) : **BEF 90 000** – AMSTERDAM, 26 mai 1993 : *Accidents de terrain* 1974, h/t (81x60) : **NLG 3 220** – LOKEREN, 4 déc. 1993 : *Sport de combat*, h/t (100x90) : **BEF 100 000** – AMSTERDAM, 31 mai 1994 : *Paysage*, h/t (100x73) : **NLG 3 680** – LOKEREN, 20 mai 1995 : *Personnage*, gche/pap./t. (36x36) : **BEF 30 000** – LOKEREN, 9 déc. 1995 : *Cavalcade de carnaval* 1987, h/t (200x150) : **BEF 200 000** – AMSTERDAM, 4 juin 1996 : *Nuit*, h/t (100x125) : **NLG 10 030** – AMSTERDAM, 17-18 déc. 1996 : *Masque vert*, h/t (80x101) : **NLG 10 030**.

COBBE Bernhard
XIXᵉ siècle. Britannique.
Peintre de genre.
Il exposa de 1868 à 1883 à la Royal Academy et à Suffolk Street, à Londres.

VENTES PUBLIQUES : PERTH, 28 août 1989 : *Une marmite bien surveillée jamais ne déborde*, h/t (48x61) : **GBP 1 870** – LONDRES, 10 mars 1995 : *Un dangereux intrus*, h/t (38x50,7) : **GBP 1 955**.

COBBETT Edward John
Né en 1815 à Londres. Mort en 1899. XIXᵉ siècle. Britannique.
Peintre de genre, paysages.
Il fut membre de la Society of British Artists à Londres à partir de 1856. De 1833 à 1880, il exposa un très grand nombre d'œuvres, notamment à Suffolk Street ainsi qu'à la Royal Academy et à la British Institution, à Londres.
MUSÉES : York, Angleterre.
VENTES PUBLIQUES : LONDRES, 23 juil. 1923 : *Le château de Windsor* 1847 : **GBP 9** – LONDRES, 22 juin 1928 : *A la source* : **GBP 11** – LONDRES, 1ᵉʳ avr. 1935 : *La halte* : **GBP 7** – LONDRES, 28 jan. 1972 : *The Stepping Stones* : **GNS 220** – LONDRES, 9 mars 1976 : *Le repos sous les arbres* 1846, h/t (76x107) : **GBP 650** – LONDRES, 13 mai 1977 : *Paysages boisé au lac animé de personnages*, h/t (69x100,3) : **GBP 900** – LONDRES, 2 oct. 1979 : *La Conversation dans les champs* 1865, h/t (71,2x54) : **GBP 2 200** – LONDRES, 15 déc. 1981 : *The fern gatherers* 1861, h/t (117x91) : **GBP 4 800** – LONDRES, 14 juil. 1983 : *La forêt de Windsor* 1846, h/t (86x112) : **GBP 5 000** – LONDRES, 22 fév. 1985 : *Jeune fille tricotant dans un paysage*, h/t (77x63,5) : **GBP 2 200** – CHESTER, 20 juil. 1989 : *Devine qui ?* 1864, h/t (90x74,3) : **GBP 3 410** – LONDRES, 5 juin 1991 : *La marchande de pommes* 1868, h/t/cart. (42x34) : **GBP 1 705** – LONDRES, 11 juin 1993 : *La nouvelle poupée* 1834, h/t (76,2x63,5) : **GBP 5 980** – LONDRES, 25 mars 1994 : *Une dame avec un perroquet*, h/t (61x50,8) : **GBP 9 775** – LONDRES, 2 nov. 1994 : *La nouvelle poupée* 1862, h/t (30x24) : **GBP 2 300** – LONDRES, 29 mars 1995 : *Les cueilleuses de mûres*, h/t (89x70) : **GBP 3 450** – LONDRES, 6 nov. 1996 : *Cueillette de fleurs des champs*, h/t (76x63,5) : **GBP 2 300** – LONDRES, 7 nov. 1997 : *Une halte dans la bruyère*, h/t (107x153) : **GBP 12 075**.

COBBETT Hilary Dulcie
Née le 19 février 1885 à Richmond (Surrey). XXᵉ siècle. Britannique.
Aquarelliste.

COBELLI Ippolito
XVᵉ-XVIᵉ siècles. Italien.
Peintre.
Il était peut-être le fils de Leone Cobelli.

COBELLI Leone
Né vers 1440 à Forli. Mort en 1500. XVᵉ siècle. Italien.
Peintre.
Il passa quelques années en France, puis à Rome avant de retourner dans sa ville natale, où il se consacra à la peinture et à des études historiques.

COBIANCHI Ignio
XIXᵉ-XXᵉ siècles. Français.
Peintre de genre, paysages, marines.
Il exposa au Salon des Artistes Français de Paris, puis aux Indépendants entre 1880 et 1901.
VENTES PUBLIQUES : MILAN, 10 juin 1981 : *La toilette de l'enfant*, h/t (78x93) : **ITL 4 000 000**.

COBIATO Jacobino da
XVIᵉ siècle. Actif à Brescia en 1525. Italien.
Peintre.

COBIN Jean
XIIIᵉ siècle. Actif à Paris. Français.
Sculpteur.

COBLEGERS Anna
XVIIᵉ siècle. Active à Anvers vers 1643. Éc. flamande.
Peintre.

COBLENCE Valentine
Née à Paris. XXᵉ siècle. Française.
Peintre de paysages, fleurs.
Elle exposait à Paris de 1926 à 1939, au Salon des Artistes Indépendants.

COBLENT Hermann ou **Coblentz**
XVIᵉ siècle. Travaillant entre 1570 et 1590. Éc. flamande.
Graveur.
Élève de Hans Collaert.

COBLENTZ Christine
XXᵉ siècle. Française.
Peintre, multimédia. Abstrait.
Elle a exposé à Lyon en 1989. Ses peintures, sur des supports en général fragiles, se présentent comme des griffures tracées sur des fonds d'ocre et de terre écrasés. L'écoulement et l'action du temps sur les choses font l'objet de recherches différentes.

COBLENTZ Jules
Né à Paris. XIXᵉ siècle. Français.
Portraitiste.
Élève de son père Coblentz Lévy. Débuta au Salon en 1879 avec *Portrait de M. B...* Il figura encore au Salon de 1882 avec *Portrait de M. A. Voisin.*

COBLENTZ Lévy
Né à Lunéville (Meurthe-et-Moselle). XIXᵉ siècle. Français.
Peintre de genre, portraits, peintre sur émail.
Élève de Lequien. Débuta au Salon de 1874 avec : *L'Amour vainqueur*. Il exposa encore en 1882 : *Les Saintes Femmes au tombeau.*

COBLITZ Louis
XIXᵉ siècle. Français.
Peintre de portraits.
Il débuta au Salon de Paris en 1842.
MUSÉES : VERSAILLES : *Edouard VI, roi d'Angleterre,* d'après Holbein – *Elisabeth, reine d'Angleterre* – *W. Shakespeare* – *Thomas de Savoie, prince de Carignan.*
VENTES PUBLIQUES : PARIS, 1869 : *Il bambino* : **FRF 1 600** – BRUXELLES, 24 mars 1976 : *Jeune femme à la robe de soie* 1859, h/t (73x55) : **BEF 50 000.**

COBO Chema
Née en 1952. XXᵉ siècle. Américaine.
Peintre de compositions animées, technique mixte.
Cubo-expressionniste.
Techniquement, elle privilégie un registre coloré de tonalités délicates, façon pastel. Ses peintures ont un contenu symbolique. Personnages, animaux, éléments du décor sont très librement dessinés, mieux vaudrait dire recomposés, réinventés, l'expressionnisme cubiste est passé par là. Il n'est pas aisé de démêler le sens des actions qui s'y déroulent. Ces compositions extrêmement complexes, presque surchargées de détails, apparemment signifiants ou seulement ornementaux, ajoutent l'élégance à la maîtrise.
VENTES PUBLIQUES : NEW YORK, 7 mai 1990 : *Vierge* 1983, craies de coul./pap. (142,2x113,7) : **USD 11 000** – MADRID, 13 déc. 1990 : *Sans titre* 1975, acryl./t. (92x60) : **ESP 1 064 000** – NEW YORK, 13 fév. 1991 : *Entre avant et après, entre ici et là* 1988, h/t (143,5x124,5) : **USD 6 600** – MADRID, 28 nov. 1991 : *Le collectionneur n°2,* acryl./t. (180x180) : **ESP 2 128 000** – NEW YORK, 27 fév. 1992 : *Le sceau de l'Art authentique* 1990, h/t (210,8x198,4) : **USD 4 620.**

COBO Francisco
XVIᵉ siècle. Travaillait à Plaisance en 1550. Espagnol.
Graveur sur bois.

COBO Y DOMINGUEZ Fernando
Né en 1886 à Madrid. XXᵉ siècle. Espagnol.
Peintre de genre, portraits.
Il fut élève de Cecilio Pla y Gallardo.

COBO Y GUZMAN José
Né en 1666 à Jaén (Andalousie). Mort en 1746 à Cordoue.
XVIIᵉ-XVIIIᵉ siècles. Espagnol.
Peintre de compositions religieuses.
Élève de Sebastian Martinez et de Valois à Jaén. Il est connu pour avoir peint un ensemble sur la *Vie de saint Pierre Nolasque,* dont une partie est aujourd'hui à l'hôpital de la Merced à Cordoue et l'autre, au musée de la ville. Cette composition équilibrée montre un sens narratif très développé.
BIBLIOGR. : In : *Dictionnaire de la peinture espagnole et portugaise du Moyen-Âge à nos jours,* coll. Essentiels, Larousse, Paris, 1989.
MUSÉES : CORDOUE : *Vie de saint Pierre Nolasque.*

COBOURG Ferdinand de, prince
XIXᵉ siècle. Allemand.
Dessinateur et graveur à l'eau-forte.
On cite de lui : 54 pièces à l'eau-forte. Probablement identique à FERNANDO II de Saxe-Cobourg.

COBRA. Voir par exemple : **Alechinsky Pierre, Appel Karel, Corneille, Dotremont Christian, Jacobsen Ejil, Jorn Asger, Pedersen Carl Henning**

COBREJOS Juan de
XVIᵉ siècle. Actif à Burgos en 1505. Espagnol.
Sculpteur.
Il travailla pour la cathédrale de Palencia.

COBREJOS Pedro de
XVIᵉ siècle. Actif à Valladolid en 1520. Espagnol.
Peintre ou sculpteur.

COBRISSE Jean Baptiste
Mort peu avant 1688 à Bruges. XVIIᵉ siècle. Éc. flamande.
Peintre.

COBURN Frederick Simpson
Né en 1871. Mort en 1960. XIXᵉ-XXᵉ siècles. Canadien.
Peintre de paysages animés, scènes typiques.
Il a peint les scènes de la vie traditionnelle dans la forêt canadienne. Le travail des bûcherons, les paysages de neige étaient ses thèmes de prédilection.
VENTES PUBLIQUES : TORONTO, 17 mai 1976 : *Les politiciens du village* 1946, h/t (63x81) : **CAD 8 000** – TORONTO, 19 oct. 1976 : *The last load* 1912, eau-forte et aquat. (35x54) : **CAD 625** – TORONTO, 15 mai 1978 : *Le retour du bûcheron sur une route enneigée* 1918, h/t (51,5x81) : **CAD 8 500** – TORONTO, 9 mai 1979 : *Traineau dans un paysage de neige* 1921, h/t (35,6x54,4) : **CAD 10 500** – TORONTO, 27 mai 1980 : *Hiver,* h/t (27,5x37,5) : **CAD 10 500** – TORONTO, 10 nov. 1981 : *Bûcherons en hiver* 1948, h/t (58,1x81,3) : **CAD 34 000** – TORONTO, 2 nov. 1982 : *La traction des rondins* 1936, h/t (41,3x61,3) : **CAD 15 000** – TORONTO, 3 mai 1983 : *Attelage de chevaux rentrant avec un chargement de rondins* 1928, h/t (35x52,5) : **CAD 10 000** – TORONTO, 14 mai 1984 : *La charrette du bûcheron quittant la ferme* 1929, h/t (37,5x45) : **CAD 18 000** – TORONTO, 28 mai 1985 : *L'orée du bois* 1931, h/t (36,3x52,5) : **CAD 10 000** – ANVERS, 22 avr. 1986 : *Traîneau dans un paysage de neige,* h/t (63,1x77,5) : **BEF 26 000** – MONTRÉAL, 1ᵉʳ sep. 1987 : *Chantier en hiver,* h/pan. (51x76) : **CAD 2 000** – MONTRÉAL, 17 oct. 1988 : *Traineau attelé dans une forêt de bouleaux l'hiver* 1925, h/t (23x33) : **CAD 7 800** ; *Paysage des cantons de l'est en hiver avec cheval et traineau* 1927, h/t (53x48) : **CAD 15 000** – NEW YORK, 27 sep. 1990 : *Chargement de bois sur un traineau au Québec* 1927, h/t (51,3x71,2) : **USD 15 400** – MONTRÉAL, 1ᵉʳ déc. 1992 : *Printemps dans les bois au Québec* 1924, h/t (41x35,5) : **CAD 8 500** – MONTRÉAL, 6 déc. 1994 : *Barques de pêche au port,* h/t (29,2x37,5) : **CAD 850** – MONTRÉAL, 3 déc. 1996 : *Tirant des rondins* 1943, h/t (47x62,3) : **CAD 10 500.**

COBURN John
Né en 1925. XXᵉ siècle. Australien.
Peintre de compositions animées, peintre de cartons de tapisseries.
Il fit un séjour à Paris en 1969. Il peint à l'acrylique. Il a peint les cartons de tapisseries destinées au nouvel Opéra de Sydney achevé en 1972.
Dans la forme, il est influencé par le pop art, avec quelques emprunts à Matisse. Quant au contenu, il s'inspire de figures symboliques de l'Orient. Luce Cayla, dans *Galerie des Arts,* Paris, février 1970, a écrit : « L'œuvre de J. Coburn se définit autour de ce thème constant : la vision d'un univers où, dans leur

plus grande simplicité, resurgissent les archétypes d'un Eden lointain et exotique. »

VENTES PUBLIQUES : SYDNEY, 20 mars 1989 : *Sun variation IV*, h/t (40x50) : **AUD 1 300** – SYDNEY, 2 juil. 1990 : *Hiver*, h/t (50x70) : **AUD 1 500** – LONDRES, 28 nov. 1991 : *Croissance*, h/cart. (41x57,1) : **GBP 1 540.**

COCCAPANI Sigismondo

Né en 1583 à Florence (Toscane). Mort en 1642. XVIIᵉ siècle. Italien.

Peintre de sujets religieux, architectures, dessinateur.

Coccapani étudia d'abord les mathématiques et la littérature, mais bientôt abandonna la science pour la peinture, et devint disciple de Cigoli dont il conserva le traitement anguleux des draperies, le rythme brisé des lignes. Coccapani voyagea en Italie en 1610, et, à son retour, s'établit comme architecte et peintre. Il se fit une réputation considérable, surtout à Florence, où il peignit une lunette dans le premier cloître de San Marco. Son style vif, narratif, correspond à la tendance générale de la peinture florentine, à la fin du XVIIᵉ siècle.

MUSÉES : CHAMBÉRY (Mus. des Beaux-Arts) : *Sainte Thérèse en extase.*

VENTES PUBLIQUES : PARIS, 1775 : *Saint Antoine, archevêque de Florence, réprimandant et punissant deux mendiants*, dess. : **FRF 20** – MILAN, 27 avr. 1978 : *Sainte Cécile*, h/t (107x80) : **ITL 7 500 000** – LONDRES, 17 nov. 1982 : *Le sacrifice d'Abraham*, h/t (109x86) : **GBP 3 200** – LONDRES, 19 déc. 1985 : *Agar et Ismaël dans le désert*, h/t (73,5x86) : **GBP 4 200** – LONDRES, 22 avr. 1988 : *Sainte Marguerite d'Antioche* (73x57) : **GBP 20 900** – NEW YORK, 12 oct. 1989 : *Hagar et l'ange*, h/t (101,5x76,2) : **USD 27 500** – MILAN, 24 oct. 1989 : *Le Christ mort soutenu par les anges*, h/t (diam. 84) : **ITL 20 000 000** – LONDRES, 27 oct. 1989 : *Sainte Luce*, h/t (65,8x50) : **GBP 9 350** – NEW YORK, 10 oct. 1990 : *Victoire ailée*, h/t (73x58,5) : **USD 19 800** – LONDRES, 2 juil. 1996 : *Diane et Actéon*, craies noire et rouge et lav. d'encres de coul. (27,8x32,3) : **GBP 5 060.**

COCCETTI Napoleon

Né à Florence. XXᵉ siècle. Italien.

Peintre de genre.

Il fut élève de l'Académie des Beaux-Arts de Florence. Il s'est totalement consacré aux scènes de genre, où il a acquis une réputation.

COCCETTI Pietro Paolo

Né en Italie. XVIIIᵉ siècle. Actif vers 1725. Italien.

Graveur à l'eau-forte.

Il grava dix planches de sujets d'architecture.

COCCHERI Niccolo

XVIᵉ siècle. Actif à Florence vers 1565. Italien.

Peintre.

Il fut l'élève de Michele Ghirlandaio.

COCCHI Alexandro

XVIIIᵉ siècle. Italien.

Peintre de mosaïques.

COCCHI Filippo

XVIIIᵉ siècle. Italien.

Peintre de mosaïques.

Il résidait à Rome au début du XVIIIᵉ siècle. Il travailla pour la basilique Saint-Pierre.

COCCHI Francesco

XVIIᵉ siècle. Actif à Rome au milieu du XVIIᵉ siècle. Italien.

Peintre.

COCCHI Francesco

Né en 1788. Mort en 1865 à Bologne. XIXᵉ siècle. Italien.

Peintre et architecte.

Il peignit des décors de théâtre à Rome.

COCCHI Luigi

XIXᵉ siècle. Milanais. Italien.

Sculpteur.

Rend d'une façon surprenante la délicatesse et la grâce des formes féminines. Exposa à Milan et à Paris.

COCCHI Niccolo

XVIᵉ-XVIIᵉ siècles. Actif à Florence. Italien.

Il exécuta surtout des œuvres d'inspiration religieuse.

COCCHI Ottavio

XVIIᵉ siècle. Travaillait à Venise vers 1680. Italien.

Peintre.

Il existe des œuvres de cet artiste dans des églises à Trévise. Peut-être vécut-il également à Crémone.

COCCHI Pier Gentile

XVIᵉ siècle. Vivait à Pérouse en 1523. Italien.

Peintre.

Il s'agit peut-être du père de Pompeo Cocchi.

COCCHI Pietro

Né en 1826. Mort en 1846 à Florence. XIXᵉ siècle. Italien.

Peintre.

Il fut l'élève de Giuseppe Bezzuoli. Les dates de sa vie paraissent sujettes à caution.

COCCHI Pompeo

Mort en 1552 à Pérouse. XVIᵉ siècle. Italien.

Peintre.

On n'a que très peu de renseignements sur ce peintre. La cathédrale de Pérouse contient une *Vierge avec l'Enfant Jésus*, de sa main. Il fut l'élève du Pérugin, et travailla à plusieurs reprises avec Domenico Algani.

COCCHI Vincenzo

XVIIᵉ siècle. Actif à Pérouse vers 1623. Italien.

Peintre.

COCCHIA Carlo ou Giancarlo

Né en 1903 à Livourne. XXᵉ siècle. Italien.

Peintre.

Il fut élève de l'académie Brera à Milan. Il participa à de nombreuses expositions en son pays et à l'étranger. Il a réalisé quelques compositions religieuses.

VENTES PUBLIQUES : LYON, 23 oct. 1984 : *Aéropeinture 1932*, h/isor. (70x90) : **FRF 11 500** – ROME, 25 nov. 1986 : *Aeropittura 1932*, h/pan. (70x90) : **ITL 7 000 000.**

COCCI

XVIIIᵉ siècle. Italien.

Sculpteur.

Il travailla sous les ordres d'Adam à Berlin jusque vers 1754. Il existe des statues de cet artiste au château de Sans-Souci.

COCCIA Gasparo

XVIIIᵉ-XIXᵉ siècles. Italien.

Peintre.

Il exécuta des peintures monumentales à Rome et à Pérouse.

COCCIA Pompeo

Né à Rome. XXᵉ siècle. Italien.

Peintre de natures mortes.

A Paris, il fut élève de Jules Adler et Joseph Bergès et il y a exposé au Salon des Artistes Français en 1930 et 1932.

COCCIOLINI Giuseppe ou Cucciolini

Né en 1690 à Florence. Mort en 1748 à Rome. XVIIIᵉ siècle. Italien.

Peintre.

Il travailla au Palais Quirinal pour le pape Benoît XIV.

COCCO Francesco di

Né en 1900 à Rome. Mort en 1989. XXᵉ siècle. Italien.

Peintre de compositions animées.

Son style fut qualifié de maniériste.

VENTES PUBLIQUES : NEUILLY, 5 déc. 1989 : *Agonie d'un monde*, h/t (65x50) : **FRF 6 200** – ROME, 10 avr. 1990 : *La montgolfière 1930*, sanguine (20,5x26,4) : **ITL 2 100 000** – ROME, 14 nov. 1995 : *Les pêcheurs*, h/pan. (43x72) : **ITL 14 950 000.**

COCCO Marcantonio di Federico

XVIᵉ siècle. Actif à Vicence en 1589. Italien.

Peintre.

COCCO Piero di Simone

XVIᵉ siècle. Actif à Venise en 1589. Italien.

Peintre.

COCCORANTE Leonardo

Né en 1680 à Naples. Mort en 1750. XVIIIᵉ siècle. Actif à Naples. Italien.

Peintre de sujets religieux, paysages animés.

Il fut élève de l'Orizzonte. On l'employa comme décorateur à la cour du roi Charles de Bourbon.

MUSÉES : NAPLES : deux paysages.

VENTES PUBLIQUES : PARIS, 19 mars 1966 : *Quatre soldats conversant dans des ruines ; Dessinateur et deux personnages dans des ruines*, deux pendants : **FRF 24 000** – LONDRES, 12 juin 1972 :

Ruines et personnages au clair de lune : **GBP 3 000** – LONDRES, 6 avr. 1977 : *Paysage à la ruine romaine* ; *Bateau par mer démontée, deux toiles* (61x47,5) : **GBP 3 500** – LONDRES, 18 mars 1979 : *Scène de port*, h/t (45x71,7) : **GBP 3 000** – MILAN, 21 mai 1981 : *Personnages dansant parmi des ruines*, h/t (74x61) : **ITL 4 000 000** – NEW YORK, 10 juin 1983 : *Personnages sous un portique*, h/t (63,5x76) : **USD 4 200** – NEW YORK, 16 avr. 1986 : *Scène de port*, h/t (153x203,2) : **USD 14 000** – PARIS, 30 mars 1987 : *Personnages dans les ruines*, h/t (125x179) : **FRF 130 000** – ROME, 21 nov. 1989 : *Capricci avec des ruines*, h/t, une paire (chaque 62x51) : **ITL 21 000 000** – PARIS, 5 avr. 1990 : *Paysage en ruines*, h/t (130x76) : **FRF 80 000** – NEW YORK, 11 oct. 1990 : *Ruines classiques animées*, h/t (77,5x65,5) : **USD 19 800** – LONDRES, 11 déc. 1991 : *Capricci avec des ruines classiques au bord de la mer agitée*, h/t, une paire (63,5x99,6) : **GBP 26 400** – LONDRES, 15 avr. 1992 : *Capriccio avec des philosophes près de ruines dans un port avec un vaisseau de guerre au large* ; *Capriccio avec des voyageurs et des paysans et leurs bêtes dans une ville côtière avec une goélette au large*, h/t, une paire (99,7x194,3) : **GBP 40 000** – ROME, 28 avr. 1992 : *Perspective architecturale*, h/t (203x154) : **ITL 71 000 000** – MONACO, 18-19 juin 1992 : *Vue d'un palais en ruines*, h/t (123x100) : **FRF 199 800** – NEW YORK, 14 jan. 1993 : *Côte méditerranéenne avec des navires pris dans la tempête et des personnages portant secours aux rescapés près de ruines antiques*, h/t (200,7x256,8) : **USD 82 500** – ROME, 11 mai 1993 : *Capriccio d'un momument classique à arcades*, h/t (52x143) : **ITL 22 000 000** – MONACO, 3 juil. 1993 : *Jethro et les filles de Moïse dans un paysage avec des ruines antiques au bord de la mer*, h/t (124x178) : **FRF 166 500** – LONDRES, 10 déc. 1993 : *Capriccio de ruines avec des paysans sous un porche*, h/t (127,4x101) : **GBP 36 700** – NEW YORK, 11 jan. 1995 : *Soldats attaquant une femme dans des ruines classiques*, h/t (191,2x146,7) : **USD 40 825** – ROME, 9 mai 1995 : *Portique en ruines avec des personnages*, h/t (75x49) : **ITL 23 000 000** – NEW YORK, 3 oct. 1996 : *Paysage avec des ruines classiques*, h/t (153x100,3) : **USD 19 550**.

COCCORESE Carlo
XVIIIe siècle. Italien.
Peintre sur porcelaine.
Il travailla pour la manufacture de porcelaine de Capodimonte.

COCHARD Pierre
XVIIIe siècle. Français.
Peintre.
Il fut reçu à l'Académie de Saint-Luc en 1763.

COCHEFERT Eugène
Né à Paris. XXe siècle. Français.
Peintre de paysages, paysages urbains.
Il a exposé à Paris, au Salon des Artistes Indépendants de 1937 à 1941. Il a peint de curieuses études sur les vieux hôpitaux.

COCHEREAU Léon Mathieu
Né le 10 février 1793 à Montigny-le-Gaimelon (Eure-et-Loir). Mort le 10 août 1817. XIXe siècle. Français.
Peintre de genre, paysages animés, intérieurs, dessinateur.
Il fut élève de David. Il exposa au Salon de Paris en 1814 le fameux tableau : *Intérieur de l'atelier de David*, où l'on remarque, parmi les élèves représentés, Schnetz, Dubois et Pagnest. Il mourut prématurément en face de Bizerte, au retour d'un voyage en Grèce.
MUSÉES : CHARTRES : *Prévost démontrant les panoramas*, esquisse – *Le boulevard des Capucines, à Paris* – PARIS (Louvre) : *Intérieur de l'atelier de David*.
VENTES PUBLIQUES : PARIS, 1876 : *Cours fait par Prévost pour apprendre à peindre des panoramas*, dess. : **FRF 130** ; *Académie de jeunes hommes au milieu d'un paysage*, dess. : **FRF 69** ; *L'Amour*, dess. à l'encre de Chine : **FRF 13** – PARIS, 8 mai 1919 : *Pierre Prévost exposant la théorie des panoramas dont il est l'inventeur* : **FRF 805** – LONDRES, 4 juil. 1927 : *Intérieur d'atelier* : **GBP 2 900** – MONACO, 21 juin 1991 : *Atelier de David*, h/t (91x103) : **FRF 288 600**.

COCHERY Henri Louis
Né à Paris. XXe siècle. Français.
Peintre de paysages.
Il fut élève de Luc-Olivier Merson et de Diogène Maillart. Il a exposé à Paris, au Salon des Artistes Français de 1913 à 1922.

COCHERY Louis
XVIIe siècle. Français.

Peintre ou sculpteur.
Il fut reçu à l'Académie Saint-Luc de Paris en 1677.

COCHET Antoine Marie
XVIIIe siècle. Français.
Sculpteur.
Il fut reçu à l'Académie de Saint-Luc à Paris en 1779.

COCHET Augustine, appelée aussi Madame de Saint-Omer
Née en 1788 à Saint-Omer. Morte le 13 février 1832 à Paris. XIXe siècle. Française.
Peintre.
De 1812 à 1831, elle exposa au Salon sous le nom de Mme de Saint-Omer.

COCHET Bertrand
XIVe siècle. Actif à Laon en 1363. Français.
Peintre.

COCHET Christophe
XVIIe siècle. Français.
Sculpteur.
Il fut envoyé à Rome, comme pensionnaire du roi, en 1618 ; revenu en France, il fit des travaux pour la grande galerie du palais du Luxembourg ; on lui doit aussi le tombeau de Charles de Bourbon, dans l'église de la Chartreuse de Gaillon.

COCHET Claude
XVIIe siècle. Actif à Paris. Français.
Sculpteur.
Il travailla en 1630 pour la Galerie des Rubens au Palais du Luxembourg.

COCHET Gérard Paul
Né le 13 octobre 1888 à Avranches (Manche). Mort le 9 janvier 1969 à Paris. XXe siècle. Français.
Peintre de figures, nus, portraits, animalier, paysages, aquarelliste, graveur, illustrateur, peintre de décors de théâtre. Postimpressionniste.
Il étudia la peinture d'abord à Nantes de 1905 à 1909, puis à l'Académie Julian à Paris de 1909 à 1914. Engagé volontaire en 1914, il fut blessé et perdit un œil en 1915. Il exposait à Paris, en 1921 au Salon de la Société Nationale des Beaux-Arts, de 1922 à 1942 au Salon d'Automne dont il devint sociétaire puis membre du comité, de 1927 à 1944 au Salon des Artistes Indépendants. Il exposait régulièrement au Salon de la Jeune Gravure Contemporaine, dont il fut membre-fondateur et vice-président en 1928. Il exposait également dans des galeries privées depuis 1919, surtout à Paris, et aussi à New York 1929, Londres 1933, Oran et Alger 1935, Poitiers 1958, Bruxelles et Belfort 1963, Mulhouse 1967. Il a effectué des peintures murales dans des édifices publics et privés, notamment au Théâtre de Belfort 1932, au Palais de la Découverte à Paris 1937, au Bureau de Postes de la rue Tronchet à Paris 1939. Il créa des décors de théâtre, entre autres : *Les noces de Figaro* de Mozart en 1939, *Les dames de la Halle* d'Offenbach en 1943 et *Amphytrion 38* en 1940 à l'Opéra-Comique. En 1924, il obtint la bourse Blumenthal pour la gravure. En 1925, il fut nommé peintre de la marine. De 1932 à 1935, il fut professeur à l'Académie Ranson. Il fut fait chevalier de la Légion d'Honneur à titre militaire, officier au titre des Beaux-Arts. En 1993, le Musée de Préhistoire régionale de la ville de Menton a organisé une exposition de son œuvre gravé.
Ses thèmes furent divers : scènes de vendanges, de moissons, repos des paysans, et aussi le monde du théâtre, du cirque, des champs de course. Il pratiquait un métier très sain, direct comme dans la période de la maturité de Derain, par touches larges et couleurs franches. Il se situait avec personnalité dans la tradition figurative française, au côté de son ami de toujours Amédée de La Patellière. Graveur, il a pratiqué toutes les techniques : lithographie, pointe-sèche, eau-forte, sur bois. Il a illustré de gravures sur bois de nombreux ouvrages littéraires pour les collections populaires *Le Livre Moderne Illustré* et *Le Livre de Demain*, puis de lithographies, pointes-sèches, eaux-fortes, et aussi de dessins et d'aquarelles des ouvrages à tirage limité. D'entre les très nombreux titres illustrés par lui : 1921 *L'homme qui assassina* de Claude Farrère, *Candide* de Voltaire, 1922 *Maria Chapdelaine* de Louis Hémon, 1925 *Raboliot* de Maurice Genevoix, 1935 *Fort comme la mort* de Maupassant, en tout environ 70 volumes, et très spécialement les 237 pointes-sèches pour les *Fables* de La Fontaine pour lesquelles il travailla pendant cinq ans de 1944 à 1949. ■ J. B.

BIBLIOGR. : Pierre du Colombier, documentation réunie par Ivan

Bettex : *Gérard Cochet*, Documents n° 101, Pierre Cailler, Genève, 1959 – divers : Catalogue de l'exposition *Hommage à Gérard Cochet à l'occasion du centenaire de sa naissance*, Musée d'Avranches, 1990.
Musées : Alger – Belfort – Le Havre – La Haye – Londres – Mulhouse – New York – Orléans – Paris (Mus. Nat. d'Art Mod.) : *L'essayage – Paysage d'hiver* – Paris (Mus. du Petit Palais) – Paris (BN) – Poitiers.
Ventes Publiques : Versailles, 27 mai 1979 : *Jeune fille assise*, h/t (73x60) : **FRF 650** – Paris, 11 mars 1990 : *La lettre*, h/t (60,5x40,5) : **FRF 9 000**.

COCHET Gustave
Né en 1894 à Rosario (Argentine). XXᵉ siècle. Français.
Peintre de figures, portraits, paysages.
Dans les années vingt, il a exposé à Paris, aux Salons des Artistes Indépendants et d'Automne.
Ventes Publiques : Paris, 29 déc. 1927 : *Paysage* : **FF 200**.

COCHET Joseph Antoine. Voir COUCHET Antoine Joseph

COCHET Marie Anne Flore
Née à Saumur (Maine-et-Loire). XXᵉ siècle. Française.
Peintre.
A exposé des paysages et des natures mortes aux Indépendants et au Salon de la Nationale, de 1930 à 1931.

COCHET Robert
Né le 6 mai 1903 à Paris. XXᵉ siècle. Français.
Sculpteur en médailles.
Il fut élève de Lucien Bazor et d'Auguste Henri Carli. Il exposait à Paris, au Salon des Artistes Français, dont il obtint une troisième médaille en 1929.

COCHET Sébastien
XVIIᵉ siècle. Français.
Sculpteur.
Il fut reçu à l'Académie de Saint-Luc en 1686.

COCHETTI Luigi
Né en 1802 à Rome. Mort en 1884 à Rome. XIXᵉ siècle. Italien.
Peintre.
L'Académie de Saint-Luc conserve sa toile intitulée : *La continence de Scipion*.

COCHEVELOU Georges Lucien Pierre
Né à Paris. XXᵉ siècle. Français.
Peintre de paysages.
Il exposa à Paris, de 1924 à 1929 au Salon des Artistes Indépendants.

COCHEY Claude
Né à Nuits (Côte-d'Or). Mort en 1881 à Constantine. XIXᵉ siècle. Français.
Sculpteur.
Élève de M. Dameron de l'École des Beaux-Arts de Dijon et de Cabeb. Il débuta au Salon de 1874 avec *Portrait de Mme C...* Mention honorable en 1879.

COCHI Vincenzo
Né en 1855 à Florence. XIXᵉ-XXᵉ siècles. Italien.
Sculpteur.
A obtenu des mentions honorables aux Expositions Universelles de 1889 et de 1900. Il exposait au Salon de 1914.

COCHIN Charles
XVIIᵉ siècle. Actif à Paris à la fin du XVIIᵉ siècle. Français.
Peintre.
Il était le père de Charles-Nicolas Cochin l'Ancien.

COCHIN Charles Nicolas, l'Ancien
Né le 29 avril 1688 à Paris. Mort le 5 juillet 1754 à Paris. XVIIIᵉ siècle. Français.
Peintre de portraits, graveur, dessinateur.
Il descendait d'une ancienne famille de graveurs originaire de Troyes en Champagne. Il s'occupa de la peinture jusqu'à l'âge de vingt-deux ans, et dès lors se livra entièrement à la gravure. Il fut reçu membre de l'Académie le 31 août 1731. Les estampes de cet artiste sont d'un faire large et facile. Il a gravé quelques portraits, entre autres ceux de J. Sarrasin et de Le Sueur. On relève parmi ses œuvres : *Les quatre fêtes du mariage de M. le dauphin, Le bal paré, Le bal masqué, Les pompes funèbres, Illumination et feu d'artifice, Le jeu du roi*. Le recueil de toutes les peintures et sculptures de l'église des Invalides, d'après ses propres dessins et un grand nombre d'autres sujets d'après les tableaux de N.

Coypel, de Lafosse, Jouvenet, L. Boulongne, Parrocel, Cazes, Detroy, Loir, Watteau, Lancret et Chardin. On lui doit aussi : *Rebecca, Rencontre de Jacob et d'Esaü, Jacob et Laban, Le roi prosterné devant l'autel*, représenté en 74 planches.
Pour les prix, se reporter aussi à COCHIN Charles Nicolas le Jeune.
Bibliogr. : S. Rocheblave : *Les Cochin*, Paris, 1893.
Ventes Publiques : Paris, 16-19 juin 1919 : *Portrait de Mme Fréron*, dess. à la mine de pb et lav. d'encre de Chine : **FRF 3 750** ; *Portrait de Mlle Sophie Lecoutteux du Molay*, dess. à la mine de pb : **FRF 6 200** ; *L'origine des Grâces ; Vénus et Charité ; Les Bergers ; Les adieux de Vénus*, quatre sanguines : **FRF 17 000** – Paris, 8 mai 1919 : *Vignette pour illustrer un livre*, sanguine : **FRF 450** – Paris, 26 et 27 mai 1919 : *Portrait de G.-M. Guérin chirurgien-major des mousquetaires noirs*, dess. à la mine de pb : **FRF 340** ; *Portrait présumé de Marmontel*, dess. : **FRF 300** ; *Portrait présumé de Marmontel fils*, dess. : **FRF 500** – Paris, 4 et 6 déc. 1919 : *Portrait de femme*, cr. : **FRF 1 005** – Paris, 1ᵉʳ mars 1920 : *Portrait d'homme*, sanguine : **FRF 520** – Paris, 31 mai 1920 : *Portrait des Chinois*, sanguine : **FRF 110** – Paris, 1ᵉʳ juil. 1920 : *La Fontaine enchantée de la vérité d'amour*, sanguine : **FRF 1 800** – Paris, 6 et 7 mars 1935 : *Portrait de jeune homme*, sanguine : **FRF 260** – Paris, 3 juin 1935 : *Portrait d'homme en buste, de profil, à gauche*, sanguine : **FRF 1 050** – Paris, 17 juil. 1941 : *Portrait d'homme, en buste, de profil vers la gauche, coiffé d'un catogan*, sanguine : **FRF 1 500** – Paris, 20 oct. 1994 : *Portrait de François Boucher*, pierre noire (diam. 10,5) : **FRF 110 000**.

COCHIN Charles Nicolas, le Jeune
Né en 1715 à Paris. Mort en 1790 à Paris. XVIIIᵉ siècle. Français.
Peintre de sujets allégoriques, de genre, portraits, graveur, dessinateur.
Il était fils du graveur Charles-Nicolas Cochin, l'Ancien, et de Louise Madeleine Hortemels et fut élève de son père, sa mère gravait également. Un de ses grands-pères et des grands-oncles étaient aussi artistes. Avant l'âge de 15 ans, il avait déjà dessiné et gravé plusieurs pièces de sa composition. Son père le fit entrer dans l'atelier de Restout, le neveu de Jouvenet. Il devint tôt le grand faiseur de frontispices, de vignettes, de fleurons, de lettres grises pour la société de son temps. Le burin lui ayant paru trop lent, au gré de sa vivacité naturelle, il se livra presque entièrement à la composition de la gravure à l'eau-forte. L'Académie le reçut comme agréé en 1741. Mme de Pompadour qui destinait à son frère M. de Vandière, la place de directeur général des bâtiments du roi, choisit Cochin pour l'accompagner, avec Soufflot et l'abbé Leblanc, dans son voyage en Italie. Ils partirent en 1749, et ne revinrent qu'en septembre 1751. Il tira de ce voyage un grand profit, tant pour l'exercice de l'art que pour l'accroissement des connaissances théoriques qui y ont rapport. Dans divers écrits, dont la liste ci-après, il reprocha alors à la peinture française, de ne pas être assez proche de la simplicité de l'antique. Excluant une vision trop archéologique de l'antique, il préconisa, à la manière des artistes de cette antiquité, l'observation de la nature. Il fut reçu académicien le 27 novembre 1751. La mort de Coypel, survenue en 1752, laissa vacante la place de garde des dessins du cabinet du roi. Cochin fut nommé pour y succéder, et obtint un logement aux galeries du Louvre. Les différents mémoires sur les arts, dont il entretint souvent l'Académie, lui obtinrent, le 25 janvier 1755, le titre de secrétaire historiographe de cette compagnie. Enfin, pour le récompenser de son zèle, Louis XV lui accorda des lettres de noblesse en mars 1757, l'admit dans l'ordre de Saint-Michel, le nomma dessinateur et graveur des menus-plaisirs et censeur royal, et joignit une pension à tous ces bienfaits. Cochin, artiste et homme du monde brillant, avait dans les questions d'art une influence incontestée. Monsieur de Marigny ne prenait pas de mesures administratives sans le consulter. Diderot, son ami, n'écrivait sur les salons qu'après avoir pris son avis. Il était, enfin, l'oracle du salon de Mme Geoffrin. Cet artiste comblé des faveurs de la cour, n'employa son crédit que pour le progrès des arts et pour rendre service aux artistes. Il mourut âgé, en 1790, à la veille de la tempête qui allait engloutir la cour et la société tout entière, cette société du XVIIIᵉ siècle qui l'avait si bien accueilli et pour laquelle il avait vécu. Le portrait de Cochin a souvent été peint, notamment par Rouquet (1753), par Perronneau (1759), par L. M. van Loo (1767), par Pasquier (1771), par Mme Guyard (1785).
Jeune, il composait des scènes familières, dans le goût de Chardin et de Boucher. Dès 1739, alors âgé de vingt-quatre ans, lors

des noces de Louise-Elisabeth de France avec l'infant d'Espagne, il avait dessiné et gravé deux pièces représentant les feux d'artifice de Paris et de Versailles, compositions ornées d'un grand nombre de figures spirituellement groupées. Pour le mariage du dauphin, en 1745, il composa quatre grands sujets : *Bal paré, Bal masqué, Cérémonie religieuse, Spectacle de gala*, petits chefs-d'œuvre du genre. Ils ont été gravés par lui-même et par son père. On ne pourrait rien voir qui donne une meilleure idée du luxe et de la bonne grâce des femmes de la cour. Le Louvre possède trois des dessins originaux faits à cette occasion. On cite aussi : *Le jeu du roi*, exécuté en collaboration avec son père. Il travailla notamment à dessiner et à graver les projets des fêtes galantes de Louis XV. Des *Contes* de La Fontaine, il passait à l'*Enéide*, à des sujets de bréviaire, de la Bible à l'*Encyclopédie*, et toujours, ses petites figures, vives ou galantes, plaisaient aux libraires et aux lecteurs. Dans ses frontispices, que l'on retrouve à la tête de tous les beaux livres de l'époque, et même dans les catalogues de Quentin de Lorangère ou Mariette, il emploie volontiers l'allégorie.

Obéissant à ses souvenirs d'Italie, ou voulant se conformer au style académique, il chercha à élargir sa manière, mais ses efforts ne furent pas des plus heureux. Mariette, et même Diderot, modérèrent le lyrisme de leur admiration première.

Écrivain fécond, indépendamment de plusieurs autres opuscules, il a produit : *Observations sur les antiquités d'Herculanum* (1751), *Réflexions sur la critique des ouvrages exposés au Louvre* (1757), *Recueil de quelques pièces concernant les arts, avec une dissertation sur l'effet de la lumière et des ombres, relativement à la peinture* (1757), *Voyage pittoresque d'Italie* (1756) en trois volumes in-8o, *Les Misotechnites aux enfers* (1763), *Lettres sur les vies de Slodtz et de Deshayes* (1765), *Projet d'une salle de spectacle* (1765). Tous ces ouvrages dénotent un artiste qui a profondément médité sur son art, et lui firent une certaine réputation en littérature. Son style est toujours clair et précis. Souvent ses confrères avaient recours à lui pour leurs compositions. Jombert a fait un catalogue de ses ouvrages (Paris, 1771). *Le Magasin Encyclopédique*, 1ʳᵉ année, tome IV, page 255, donne l'analyse d'un manuscrit de Cochin, qui est à la Bibliothèque Nationale, il est de format in-4o et d'environ cinq cents pages, écrit en entier de la main du graveur, et contenant des anecdotes curieuses sur Caylus, Bouchardon et les Slodtz.

L'œuvre de Charles Nicolas Cochin, le jeune, est considérable et ne compte pas moins de mille six cents pièces gravées par lui ou d'après ses dessins. D'entre ses gravures, sont le plus citées : *Les Pompes funèbres, Les Cérémonies de la cour, Les Ports de France,* d'après Claude Vernet ; des vignettes et des portraits de contemporains illustres, *Les Figures du Boileau, Les seize grandes batailles de Chine*, etc. Ce fut l'artiste le plus remarquable de la famille Cochin.   ■ J. B.

BIBLIOGR. : S. Rocheblave : *Les Cochin*, Paris, 1893.
VENTES PUBLIQUES : PARIS, 26 fév. 1920 : *Faune et Enfants dansant ; Faune conduisant une farandole d'enfants*, deux contre-épreuves de sanguines : **FRF 700** – PARIS, 29 et 30 nov. 1920 : *Partie du plan de l'Hôtel de Ville de Paris*, pl. : **FRF 350** – PARIS, 12 et 13 jan. 1921 : *Scène mythologique*, sanguine : **FRF 150** – PARIS, 8 juin 1921 : *Portrait du Pape Clément XIV*, dess. : **FRF 1 180** ; *Portrait du comte d'Affry*, dess. : **FRF 600** ; *Portrait de Milord Mansfield*, dess. : **FRF 720** ; *Portrait présumé du baron d'Holbach*, dess. : **FRF 2 100** ; *Portrait de Montesquieu*, dess. : **FRF 2 700** ; *Portrait de P. Pairaux*, dess. : **FRF 600** ; *Portrait de Grimm*, dess. : **FRF 2 400** ; *Portrait de M. le Chevalier*, dess. : **FRF 720** ; *Portrait de M. de Billi*, dess. : **FRF 1 450** ; *Portrait présumé de J.-B. Le Roy*, dess. : **FRF 950** ; *Portrait de M. Saurin*, dess. : **FRF 800** ; *Portrait du comte d'Albarret*, dess. : **FRF 600** ; *Portrait de Pierre de Clibereil*, dess. : **FRF 630** ; *Portrait de M. Roland de Lorenci*, dess. : **FRF 2 200** ; *Portrait du comte de Creutz*, dess. : **FRF 2 110** ; *Portrait du comte de Baudouin*, dess. : **FRF 800** ; *Portrait présumé du comte d'Einsiedeln*, dess. : **FRF 1 200** ; *Portrait du comte Maurice de Martinskirke de Brühl*, dess. : **FRF 900** ; *Portrait de Vien*, dess. : **FRF 3 860** ; *Portrait de Chardin*, dess. : **FRF 2 900** ; *Portrait de Pierre*, dess. : **FRF 4 050** ; *Portrait de François Boucher*, dess. : **FRF 3 525** ; *Portrait de Jacques Guay*, dess. : **FRF 1 300** ; *Portrait présumé de Paul Thiry, baron d'Holbach*, dess. : **FRF 1 510** ; *Portrait de M. Dodart, intendant de Bourges*, dess. : **FRF 1 000** ; *Portrait de l'Impératrice Catherine II*, dess. : **FRF 4 100** ; *Portrait de M. de Lassone*, dess. : **FRF 1 050** ; *Portrait de Marc-René de Voyer, marquis de Paulmy d'Argenson*, dess. : **FRF 2 900** ; *Portrait de M. G. de Sartine*, dess. : **FRF 1 600** ; *Portrait du marquis de Marigny*, dess. : **FRF 2 800** ; *Portrait de Milord Clerk*, dess. : **FRF 1 250** ; *Portrait de Jean-Charles-Philibert Trudaine*, dess. : **FRF 1 600** ; *Portrait du comte de Caylus*, dess. : **FRF 3 450** ; *Portrait de C.-H. Watelet*, dess. : **FRF 1 850** ; *Portrait de M. de La Live de Jully*, dess. : **FRF 2 550** ; *Portrait de Mariette*, dess. : **FRF 4 000** ; *Portrait du marquis de Croismare de Lasson*, dess. : **FRF 950** ; *Portrait de David Hume*, dess. : **FRF 1 900** ; *Portrait du vicomte David Murray*, dess. : **FRF 1 500** ; *Portrait de Milady Hervey*, dess. : **FRF 2 200** ; *Portrait de Hans de Stanley*, dess. : **FRF 3 000** ; *Portrait de Antoine Thomas*, dess. : **FRF 1 100** – PARIS, 6-8 déc. 1921 : *Portrait du marquis de Marigny*, cr. : **FRF 2 050** ; *Portrait d'une jeune femme*, cr. reh. : **FRF 2 900** ; *Don Quichotte lavé par les dames de la Duchesse*, mine de pb : **FRF 2 800** ; *Portrait d'homme*, cr. : **FRF 1 450** ; *Trois armoiries avec figures*, trois mines de plomb : **FRF 600** – PARIS, 20 jan. 1922 : *Portrait de femme âgée, de profil*, dessin. attr. : **FRF 250** – PARIS, 27 et 28 mars 1922 : *La tentation*, sanguine : **FRF 170** – PARIS, 3 mai 1922 : *Charles IX*, cr. : **FRF 540** ; *Portrait d'homme*, sanguine. attr. : **FRF 155** ; *Projet de coffret*, deux crayons : **FRF 100** – PARIS, 15-16 juin 1922 : *Lisette*, sanguine : **FRF 800** ; *Salle de spectacle de Versailles*, pl. et lav. : **FRF 4 100** ; *Illustration pour une fable de La Fontaine*, cr. d'après Oudry : **FRF 1 120** – PARIS, 20 juin 1922 : *Portrait de Mme Geoffrin, jouant aux cartes*, cr. : **FRF 2 200** – PARIS, 13-15 nov. 1922 : *La France pleurant sur le tombeau de la reine Marie Leczinska*, sanguine : **FRF 240** – PARIS, 7 et 8 mai 1923 : *Portrait de M. Lefebvre de Caumartin*, cr. : **FRF 1 500** ; *Portrait de René Michel-Ange Slodtz, sculpteur du roy*, cr. : **FRF 935** ; *Portrait de J. J. Parrocel*, mine de pb : **FRF 730** ; *Portrait de Paul-Ambroise Slodtz, sculpteur du roy*, cr. : **FRF 720** ; *Portrait de Laurent Cars*, mine de pb : **FRF 1 550** ; *Le Joueur de cartes*, cr. : **FRF 1 100** ; *Portrait de Sébastien-Antoine Slodtz, l'aîné, dessinateur du cabinet du roy*, cr. : **FRF 950** – PARIS, 16 mai 1923 : *Renaud et Armide*, cr., reh. : **FRF 170** – PARIS, 6 déc. 1923 : *Portrait de François de Chevert*, mine de pb : **FRF 300** – PARIS, 20 mars 1924 : *Portrait d'un ecclésiastique*, cr. : **FRF 170** ; *Sujet allégorique pour l'Histoire de Louis XV par médailles*, pierre noire et estompe : **FRF 1 800** – PARIS, 30 avr. 1924 : *La Foi, l'Espérance et la Charité*, cr. : **FRF 170** – PARIS, 13 nov. 1924 : *Allégorie des Arts, frontispice*, pl. et lav. : **FRF 100** – PARIS, 28 nov. 1924 : *Portrait d'un officier*, cr. : **FRF 950** – PARIS, 17 déc. 1924 : *Portrait d'un abbé*, cr. : **FRF 300** – PARIS, 2 mars 1925 : *Portrait d'homme en buste*, mine de pb : **FRF 120** ; *Portrait d'homme en buste*, crayons. attr. : **FRF 175** – PARIS, 16 mars 1925 : *Jupiter foudroyant les Titans*, cr. : **FRF 60** – PARIS, 25 mars 1925 : *En-tête pour l'illustration d'un livre*, sanguine : **FRF 1 300** ; *Vignette d'illustration*, cr. : **FRF 500** – PARIS, 30 mars 1925 : *Pastorales*, trois contre-épreuves sanguine : **FRF 340** – PARIS, 8 avr. 1925 : *Têtes de chapitres, culs-de-lampe*, cinq dessins, crayons : **FRF 950** – PARIS, 21 et 22 mars 1927 : *Le Camouflet*, cr. noir reh. : **FRF 28 000** ; *Portrait de M. Coqueley de Chaussepierre*, mine de pb : **FRF 8 000** ; *Portrait d'homme*, dess. : **FRF 4 000** ; *Portrait d'un abbé*, dess. : **FRF 2 000** – PARIS, 28 nov. 1928 : *Ornementation pour une boîte*, pl., sept motifs sur deux feuilles accolées : **FRF 10 500** – PARIS, 10 et 11 avr. 1929 : *Encadrement pour un portrait*, dess. : **FRF 145** ; *La naissance de la Vierge* ; *Le triomphe de la Vierge*, deux dessins : **FRF 520** – PARIS, 25 avr. 1929 : *Portraits de Mme et M. Deloigne de la Coudraye, gouverneur de Fontenay*, dess. : **FRF 9 000** – PARIS, 13-15 mai 1929 : *Projet de mausolée, pour le Dauphin, fils de Louis XV, et la Dauphine, Marie-Josèphe de Saxe*, dess. : **FRF 2 400** ; *Portrait de femme à haute coiffure*, dess. : **FRF 6 200** ; *Portrait de femme*, dess. : **FRF 3 600** ; *Portrait de Messire Jean Pâris de Montmartre*, dess. : **FRF 37 000** ; *Portrait de Mme Chardin*, dess. : **FRF 25 000** ; *Portrait du peintre Jean-Baptiste-Siméon Chardin* ; *Portrait de Mme Chardin*, deux dessins : **FRF 40 000** ; *Le chanteur de cantiques dans les rues de Paris*, dess. : **FRF 10 200** ; *Portrait d'enfant de Gandelu*, dess. : **FRF 15 500** ; *Cartel ornementé*, dess. : **FRF 14 000** – PARIS, 16 et 17 mai 1929 : *Le rapt d'Hélène*, dess. : **FRF 480** – PARIS, 4 juil. 1929 : *Portrait de Voltaire assis tourné à gauche, lisant*, dess. : **FRF 2 900** – PARIS, 1ᵉʳ déc. 1930 : *Le Bûcheron et Mercure*, dess. à la mine de pb : **FRF 920** – PARIS, 25 juin 1931 : *Personnage vu de profil*, sanguine : **FRF 200** – PARIS, 25 mai 1934 : *Louis-César de La Baume Le Blanc, duc de Lavallière, bibliophile*, aux deux crayons : **FRF 880** – PARIS, 7 déc. 1934 : *Les deux amis* ; *Nicaise* ; *On ne s'avise jamais de tout* ; *Belphégor*, quatre dessins à la mine de plomb : **FRF 800** ; *Le Parfait*

ingénieur français, dess. à la mine de pb : **FRF 520** ; *Portrait de J. F. Beauvarlet*, dess. à la mine de pb : **FRF 1 000** ; *Vignette pour le Dictionnaire des Graveurs*, dess. à la mine de pb : **FRF 380** – PARIS, 23 mai 1935 : *Buste de jeune homme, de profil à droite*, sanguine. attr. : **FRF 300** ; *Portrait d'homme*, mine de pb : **FRF 1 200** – PARIS, 14 déc. 1935 : *Saint Luc peignant la Vierge*, dess. à la mine de pb : **FRF 1 200** ; *Portrait d'homme*, dess. à la mine de pb : **FRF 3 200** – PARIS, 17 déc. 1935 : *Projet de mausolée pour le Dauphin, fils de Louis XV, et la Dauphine, Marie-Josèphe de Saxe, à la cathédrale de Sens*, sanguine : **FRF 5 000** ; *Le chanteur de cantiques dans les rues de Paris*, sanguine : **FRF 2 800** – PARIS, 14 déc. 1936 : *Le Roi allant au devant d'un guerrier victorieux*, pl. et lav. de bistre : **FRF 600** ; *L'avare tenant sa cassette*, sanguine : **FRF 380** – PARIS, 7 mars 1938 : *Le chanteur de cantiques dans les rues de Paris*, dess. : **FRF 1 600** – PARIS, 1ᵉʳ et 2 juin 1938 : *Portrait d'homme*, sanguine : **FRF 720** – PARIS, 9 et 10 mars 1939 : *Portrait de femme en buste*, dess. mine de pb et sanguine : **FRF 800** ; *Portrait de M. de la Noue*, mine de pb et sanguine. attr. : **FRF 215** – PARIS, 1ᵉʳ juin 1939 : *Sur ce jeune Olivier, pourquoi s'affliges-tu ? – Il rappelle à mon cœur les talents, la vertu*, dess. à la mine de pb : **FRF 305** – PARIS, 16 et 17 juin 1941 : *Portrait de Paul Pairaux*, mine de pb : **FRF 1 000** ; *Portrait présumé de M. Le Chevalier, de l'Académie des Sciences*, mine de pb : **FRF 1 300** – PARIS, 6 juil. 1942 : *Réception royale à Versailles*, dess. à la pl., au lav. d'encre de Chine et d'aquar. : **FRF 40 500** – PARIS, 29 oct. 1942 : *Portrait de M. Lefebvre de Caumartin*, cr. noir et mine de pb : **FRF 5 600** – PARIS, 26 fév. 1943 : *Portraits en buste de J.-L. Laruette et de P. -V. Gervais*, deux dess. à la pierre noire : **FRF 4 700** – PARIS, 31 mars 1943 : *Réception à la cour*, pl. et lav. de sépia : **FRF 1 900** – PARIS, 17 avr. 1944 : *Portrait d'homme*, sanguine : **FRF 4 000** – PARIS, 21 avr. 1944 : *Frontispice pour l'illustration des confessions de J.-J. Rousseau*, pierre noire : **FRF 1 300** – PARIS, 24 avr. 1944 : *Portrait de Nicolas Roze*, mine de pb : **FRF 2 500** ; *Portrait de Coqueley de Chausse-Pierre*, mine de pb : **FRF 2 150** ; *La Communion de Jésus*, sanguine : **FRF 900** – PARIS, 1ᵉʳ avr. 1949 : *Fête donnée à Versailles en 1775, pour la naissance du duc de Bourgogne*, pl. et lav. d'encre : **FRF 40 000** – LONDRES, 10 juin 1959 : *Vue générale de la grande illumination des Écuries de Versailles à l'occasion du mariage de S. M. Louis XV*, pl. et lav. : **GBP 2 800** – LONDRES, 17 avr. 1980 : *Portrait d'un gentilhomme 1773*, pierre noire et sanguine (diam. 10,6) : **GBP 680** – PARIS, 22 oct. 1982 : *Le triomphe de la religion ; La Sainte Trinité 1772*, deux dess. à la sanguine (25,7x14,5) : **FRF 10 000** – PARIS, 4 juil 1979 : *Personnages*, cr. (22x14,5) : **FRF 12 800** – PARIS, 29 nov. 1985 : *Amour couronné 1773*, sanguine (17,2x17,2) : **FRF 21 000** – LONDRES, 8 déc. 1987 : *Jeune homme écrivant 1759*, craie (18,7x16) : **GBP 4 500** – PARIS, 12 déc. 1988 : *Portrait d'homme 1779*, cr. noir (diam. 12) : **FRF 45 000** – PARIS, 15 juin 1990 : *Portrait de Madame Fréron*, mine de pb (17x12,2) : **FRF 25 000** – NEW YORK, 8 jan. 1991 : *Portrait d'un gentilhomme 1783*, craie noire (14,9x10,5) : **USD 5 225** – NEW YORK, 9 jan. 1991 : *Portrait de Louis-César de La Baume, duc de Vaujours portant l'ordre du Saint-Esprit 1785*, craie noire (13,3x9,5) : **USD 7 150** – PARIS, 29 nov. 1991 : *Jeune garçon entouré de jeunes vierges 1787*, sanguine (12x15,5) : **FRF 6 000** – PARIS, 2 avr. 1993 : *Portrait de Joseph Vernet 1779*, cr. noir (13x10) : **FRF 51 000** – PARIS, 22 déc. 1993 : *Dessin allégorique à la gloire de Charles III d'Espagne 1777*, sanguine (24,7x16,7) : **FRF 41 000** – PARIS, 20 juin 1995 : *Projet de décor pour « Les amours de Vénus »*, pl. et lav. de sanguine (10,5x19) : **FRF 8 000** – LONDRES, 3 juil. 1995 : *Monument à Louis XV sur la place royale à Reims 1761*, encre et lav. (12,9x7,4) : **GBP 1 840**.

COCHIN Daniel
Né à Genève. XVIIIᵉ siècle. Suisse.
Graveur.

COCHIN Jacques I, l'Ancien
Mort vers 1550. XVIᵉ siècle. Actif à Troyes. Français.
Peintre.
En 1534, il travailla aux préparatifs de l'entrée de la reine Eléonore à Troyes et à l'église Saint-Nicolas. Entre 1537 et 1540, il travailla aux peintures du château de Fontainebleau, pour la réception de Charles Quint. Enfin, en 1549, il exécuta des travaux pour l'entrée d'Henri II à Troyes.

COCHIN Jacques II, le Jeune
Né en 1539 à Troyes. Mort en 1612 à Troyes. XVIᵉ-XVIIᵉ siècles. Français.
Peintre.
Il travailla, en 1564, aux préparatifs de l'entrée de Charles IX à Troyes. Probablement fils de Jacques l'Ancien.

COCHIN Louise Madeleine, née Horthemels
Née en 1686 à Paris. Morte le 2 octobre 1767 à Paris. XVIIIᵉ siècle. Française.
Graveur.
Ayant épousé le 10 août 1713 Charles Nicolas Cochin, elle travailla également en collaboration avec son mari et avec son fils. La plupart des gravures de cette artiste sont signées (*Marie-Madeleine*). Elle a terminé, en outre, plusieurs des grandes pièces commencées par son mari, d'après les peintures des Invalides, ainsi que la grande gravure, exécutée à l'eau-forte par son fils, d'après Pannini : *Feu d'artifice tiré en 1729 à Rome sur la place Navone*. Parmi ses œuvres nous citons notamment : les plafonds du salon de la Guerre, du salon de la Paix, d'après Ch. Lebrun ; le plafond de la salle de la reine Joseph et la femme de Putiphar, d'après F. Albano, *Les quatre heures du jour*, d'après N. Lancret, *Le grand Lama et le roi de Tangut*, pour l'Histoire Générale des Voyages, *Elisabeth Charlotte, duchesse d'Orléans, le cardinal de Rohan, le cardinal Henri de Thiard de Bissi*, d'après H. Rigaud, *Le triomphe de Flore*, d'après Poussin, *Une Résurrection* et deux *Baptêmes de N. S. J.-C.*, *Neptune et la mer*, d'après Mignard, etc.

COCHIN Mathieu
XVIᵉ siècle. Actif à Toulouse en 1518. Français.
Peintre.

COCHIN Nicolas
Né en 1610 à Troyes. Mort en 1686 à Paris. XVIIᵉ siècle. Français.
Dessinateur et graveur.
Ce graveur troyen paraît s'être spécialisé dans les sujets religieux, les thèmes bibliques et allégoriques : scènes de la vie des saints, des martyrs, de la vie de Jésus et de Marie. On connaît également de lui : un sujet mythologique, *Apollon assis sur le Parnasse au milieu des Muses*, un *Plan de Jérusalem*, d'après Adrocomius, des *Vues de châteaux de Suède*, des scènes de batailles, *Les occupations champêtres des douze mois de l'année*, d'après Tempesta, *Les quatre parties du Monde*, des *Suites de paysages, Recueil d'oiseaux, Recueil de fleurs* en 13 pièces, des *Portraits du Saint Père, de saint Charles Borromée et d'Hippolyte d'Este*. L'œuvre capitale de cet artiste est la suite de planches qu'il a fournies au recueil connu sous le nom du Grand Beaulieu, composé de 200 planches environ, formant deux ou trois volumes in-folio et destiné à perpétuer le souvenir des campagnes de Louis XIV. Le Louvre possède une grande partie de ces planches, que le catalogue attribue à tort à Noël Cochin.

COCHIN Noël Robert
XVIIᵉ siècle. Travaillait à Padoue vers 1691. Italien.
Graveur.
Il s'agit sans doute d'un fils de Noël Cochin le Jeune.

COCHIN Noël, l'Ancien
XVIᵉ-XVIIᵉ siècles. Actif à Troyes. Français.
Peintre verrier.
Il fut le père de Noël et Nicolas Cochin.

COCHIN Noël, le Jeune
Né en 1622 à Troyes. Mort en 1695 à Venise. XVIIᵉ siècle. Français.
Peintre et graveur.
Frère de Nicolas (mais du second mariage de Noël Cochin, premier du nom, avec Perrette Verret). L'initiale (N) dont il a fait souvent précédé son nom au bas des pièces qu'il a gravées « a produit, dit M. Corrard de Breban, entre les œuvres et les personnes des deux frères, une confusion à laquelle peu ont échappé, et pourtant il suffit pour l'éviter de considérer la différence énorme qui existe entre les talents de ces deux graveurs ». C'est vers 1670 qu'il s'est fixé à Venise, qu'il ne quitta plus jusqu'à l'époque de sa mort. Il excella à dessiner et à peindre le paysage. Malheureusement, lors de l'incendie qui, en 1720, consuma les collections du sculpteur Boulle, on signala parmi les pertes les plus regrettables, celle d'un portefeuille rempli de dessins de Noël Cochin. Comme graveur nous lui devons, entre autres, la majeure partie des planches de l'ouvrage intitulé : *Tabulae Selectae et explicatae*, Padoue, 1691. Trois feuilles représentant des scènes de théâtre, d'après Torelly, faussement attribuées à Nicolas, ainsi qu'un plan du Louvre (côté Tuileries). Quelques sujets religieux ou bibliques, tels que *La Sainte Vierge à mi-corps, les mains jointes, Jésus tenant la boule du monde, Les noces de Cana, Les batailles de Vouglé et de Narbonne* qui pourraient bien revenir au compte de Nicolas. Nous renvoyons, au

sujet de Nicolas et Noël Cochin, au précieux ouvrage de M. Corrard de Breban : *Les graveurs Troyens. Recherches sur leur vie et leurs ouvrages avec fac-similé.* Paris, Rapilly, 1868, in-8°. Ce fut le premier à faire cesser la confusion qui jusqu'à la publication de son ouvrage, avait existé entre les personnes et les œuvres des deux frères. « A cette ancienne famille des Cochin, se rattachent par une filiation non contestée, mais non définie jusqu'à ce jour, trois artistes du même nom », les Cochin, qui naquirent à Paris en 1688, 1715 et 1686.

COCHON Étienne
Né à Paris. XVe siècle. Travaillait à Tournai en 1490. Français.
Peintre.

COCHON Louis
XVIIIe siècle. Français.
Peintre.
Reçu à l'Académie de Saint-Luc à Paris en 1762, il devint directeur en 1770.

COCHON Philippe
XIVe siècle. Français.
Sculpteur.
Il travaillait au Louvre en 1390.

COCHON Stevin. Voir COETSON

COCHRAN Allen Dean
Né en 1888 à Cincinnati (Ohio). Mort en 1935. XXe siècle. Américain.
Peintre de paysages.
VENTES PUBLIQUES : NEW YORK, 14 fév. 1990 : *Le village sous la neige*, h/t (61x77) : USD 1 760 – NEW YORK, 17 déc. 1990 : *Paysage estival*, h/t (40,7x50,8) : USD 1 760.

COCHRAN John
XIXe siècle. Actif à Londres au début du XIXe siècle. Britannique.
Miniaturiste et graveur.
Il n'exécuta que des portraits qu'il exposa à la Royal Academy, entre 1821 et 1823 et à la Suffolk Street Gallery de 1823 à 1827. Il représenta de nombreuses notabilités : la reine Victoria, le roi Guillaume IV, le duc d'York qui mourut en 1827, etc.

COCHRAN William
Né en 1738 à Strathearn, en Clydesdale (Écosse). Mort en 1785 à Glasgow. XVIIIe siècle. Britannique.
Peintre.
Ce peintre reçut son instruction à l'Académie de Peinture fondée par les frères Robert et Andrew Foulis. Vers 1761, il partit pour l'Italie et se plaça sous la direction de Gavin Hamilton. A son retour à Glasgow, Cochran s'adonna à la peinture de portrait en miniature et à l'huile.

COCHRANE Helen Lavinia
Née à Bath (Somerset). XXe siècle. Britannique.
Peintre à la gouache, aquarelliste.

COCHRANE J. C.
XXe siècle. Travaillant à Baltimore. Américain.
Peintre.
A exposé au Salon des Artistes Français de 1912.

COCHUT Paul
Mort avant 1568. XVIe siècle. Éc. flamande.
Peintre.
Il fut l'élève de son frère Thierri Cochut. Il fut reçu maître à Bruges en 1521.

COCHUT Thierri ou Cockut, Koukut
XVIe siècle. Éc. flamande.
Peintre.
Il fut reçu maître à Bruges en 1510.

COCK César de
Né en 1823 à Gand. Mort en juillet 1904 à Gand. XIXe siècle. Actif aussi en France. Belge.
Peintre de scènes de genre, animaux, paysages animés, paysages, paysages d'eau, natures mortes, fleurs, aquarelliste, graveur.
Il est le frère de Xavier de Cock. Il étudia à l'École des Beaux-Arts de Gand. Ses principales activités furent d'abord la musique et le chant, puis, atteint de surdité, il se consacra exclusivement à la peinture. Il a longtemps travaillé en France, où il fut élève de Charles Daubigny et de François-Louis Français, et se lia d'amitié avec Jean-Baptiste Corot, Rousseau, Diaz et Troyon. Il résida à Deurle durant la guerre de 1870, puis, dès la fin de la

commune de Paris, à Gasny, dans l'Eure. Il s'établit définitivement à Gand en 1880. Il participa régulièrement au Salon de Paris, obtenant des médailles en 1867 et 1869.
Il a peint à Barbizon, à Veule, dans les bois de Meudon, puis au pays de la Lys. Ses paysages montrent une influence de son maître Daubigny, mais aussi le goût des forêts aux verts nuancés d'Hobbema, tout en se rapprochant peu à peu de l'impressionnisme.

Cesar De Cock

Cesar De Cock

BIBLIOGR. : Gérald Schurr, in : *Les Petits Maîtres de la peinture 1820-1920, valeur de demain*, Les Éditions de l'Amateur, t. II, Paris, 1989 – in : *Diction. de la peinture flamande et hollandaise*, coll. Essentiels, Larousse, Paris, 1989.
MUSÉES : ANVERS : *Vue sur la forêt, Saint-Germain-en-Laye – Les bords de l'Epte, rivière, Gasny (Eure)* – BÉZIERS : *Le ruisseau – Bords d'une rivière flamande* – GAND : *La route de Patijntje* – GRENOBLE : *La cressonnière de Veule* – LE HAVRE : *Bords d'une rivière flamande* – HELSINKI : *Matinée ensoleillée dans la forêt* – LIÈGE : *Paysage, intérieur de forêt* – LILLE : *Paysage* – LIMOGES : *Intérieur de forêt, paysage d'automne* – LONDRES (Victoria and Albert Mus.) : *Rivière à Gasny* – PARIS (Mus. du Louvre) : *Le chemin de la Garenne* – PAU – REIMS (Mus. des Beaux-Arts) : *Sentier sous bois – Pêcheurs à la ligne.*
VENTES PUBLIQUES : PARIS, 1873 : *Le printemps dans les bois* : FRF 3 800 – PARIS, 1906 : *l'Abreuvoir* : FRF 601 – LONDRES, 13 mai 1909 : *Scène de rivière* : GBP 29 – PARIS, 30-31 mai 1919 : *Maisonnettes au bord d'un ruisseau* : FRF 2 700 – PARIS, 12 mars 1937 : *Femme lavant dans l'eau d'une mare près d'une ferme* : FRF 1 800 – PARIS, 18 jan. 1950 : *Les lavandières* : FRF 11 500 – VERSAILLES, 6 juin 1963 : *Laveuses au bord d'une rivière* : FRF 2 300 – LONDRES, 12 nov. 1970 : *Deux vachères dans une clairière* : GBP 850 – ANVERS, 18 avr. 1972 : *Vachère au bois 1892* : BEF 40 000 – PARIS, 19 nov. 1976 : *La mare*, h/t (34x50) : FRF 13 000 – BERNE, 20 oct. 1977 : *Paysage fluvial 1872*, h/t (43,5x63) : CHF 9 000 – VERSAILLES, 27 mai 1979 : *Chemin en forêt*, h/t (94x66) : FRF 12 000 – ANVERS, 26 oct. 1982 : *Le marais 1865*, h/t (46x63) : BEF 220 000 – BAYONNE, 14 oct. 1984 : *Bords de rivière dans un sous-bois 1883*, h/t (44x59) : FRF 37 000 – LOKEREN, 20 oct. 1984 : *Paysage 1856*, aquar. (20x32) : BEF 44 000 – LONDRES, 11 oct. 1985 : *Pêcheurs à la ligne dans un paysage fluvial boisé 1878*, h/t (48,2x64,7) : GBP 2 400 – ANVERS, 7 avr. 1987 : *Vachère dans un sous-bois*, h/t (50x70) : BEF 360 000 – LONDRES, 23 mars 1988 : *Bouquet de roses sur une table de pierre 1879*, h/t (80x110,5) : GBP 3 080 – CALAIS, 26 fév. 1989 : *Paysanne dans un sous-bois*, h/t (46x65) : FRF 56 000 – LONDRES, 14 fév. 1990 : *Prairie ombragée au bord de la rivière 1881*, h/t (47x67) : GBP 8 580 – BRUXELLES, 27 mars 1990 : *Paysage*, h/t (30x50) : BEF 24 000 – TROYES, 20 mai 1990 : *Promeneuse dans la forêt 1879*, h/t (46,5x39) : FRF 55 000 – LONDRES, 6 juin 1990 : *La pêche près d'un moulin*, h/pan. (24x38) : GBP 5 280 – PARIS, 13 juin 1990 : *La Clairière*, h/t (49x68) : FRF 85 000 – AMSTERDAM, 6 nov. 1990 : *Ferme dans un verger 1865*, h/t (51x36) : NLG 32 200 – CALAIS, 7 juil. 1991 : *Enfants et troupeau près de l'étang 1874*, h/t (34x49) : FRF 55 000 – NEW YORK, 17 oct. 1991 : *La pêche à la ligne 1873*, h/t (81x120) : USD 15 400 – PARIS, 17 nov. 1991 : *Le sous-bois*, h/t (49x65,5) : FRF 43 000 – AMSTERDAM, 22 avr. 1992 : *Prairie boisée avec des vaches près d'une haie 1865*, h/t (50x65,5) : NLG 9 200 – NEW YORK, 28 mai 1992 : *Cerf dans la forêt 1881*, h/t (47,6x68,6) : USD 12 100 – CALAIS, 5 juil. 1992 : *L'allée cavalière 1894*, h/pan. (33x24) : FRF 16 000 – LOKEREN, 5 déc. 1992 : *Paysage avec un ruisseau (recto)* : *Étude de vache (verso)*, h/pan. (24,3x34) : BEF 80 000 – AMSTERDAM, 19 oct. 1993 : *Arbres*, h/t (66x47) : NLG 16 100 – LONDRES, 16 nov. 1994 : *Enfants près d'un moulin 1873*, h/t (43x63) : GBP 8 280 – NEW YORK, 16 fév. 1995 : *Jeune femme se promenant dans un sous-bois*, h/t (46x56) : USD 9 200 – LOKEREN, 11 mars 1995 : *La forêt 1871*, h/t (68x48) : BEF 170 000 – LOKEREN, 6 déc. 1997 : *Paysage de rivière avec des bateaux à voiles 1870*, aquar. (21,5x32) : BEF 55 000.

COCK Claes Gysbertsz
XVIIe siècle. Actif à Utrecht vers 1620-1621. Hollandais.
Peintre verrier.

COCK Cornelis Hendricxz de
Né près d'Utrecht. XVIIe siècle. Éc. flamande.

Peintre verrier.
Il fut reçu maître à Gand en 1619.

COCK Cornelis ou Coeck
XVIIᵉ siècle. Éc. flamande.
Graveur.
Il était actif à Anvers. Il fut élève de Peeter de Jode.

COCK Elisabeth de
XIXᵉ-XXᵉ siècles. Belge.
Peintre.
Elle était la fille de César de Cock.

COCK Franciscus de
Né en 1643 à Anvers, où il fut baptisé le 15 mars. Mort le 18 juillet 1709 à Anvers. XVIIᵉ siècle. Éc. flamande.
Dessinateur, architecte.
Après avoir été en Italie, il fut chanoine et chantre d'Anvers. Il eut pour élève Michel Cabaey l'Ancien. Ce fut aussi un grand collectionneur.
Musées : ANVERS : *Portrait de Gottfried Kneller*.

COCK Frans de
Né en 1864 à Deurle. Mort en 1942 à Laethem-Saint-Martin. XIXᵉ-XXᵉ siècles. Belge.
Peintre de paysages, animalier.
Il fut le fils et l'élève du peintre Xavier de Cock et neveu de César de Cock.
Bibliogr. : In : *Dict. biogr. des artistes en Belgique depuis 1830*, Arto, Bruxelles, 1987.

COCK Gilbert de
Né en 1928 à Knokke. XXᵉ siècle. Belge.
Peintre, sculpteur, sérigraphe. Abstrait-géométrique.
Il fut élève de l'Académie des Beaux-Arts de Bruges. Il obtint le Prix Europe de Peinture en 1966, et le Prix de la Ville de Knokke en 1967.
Bibliogr. : In : *Diction. biogr. illustré des artistes en Belgique depuis 1830*, Arto, Bruxelles, 1987.
Musées : ANVERS (Middelheim) – BRUXELLES – BRUXELLES (Cab. des Estampes) – COURTRAI – GAND – OSTENDE.

COCK Hieronymus ou Jeronimus ou Koch
Né en 1507. Mort le 3 octobre 1570 à Anvers. XVIᵉ siècle. Flamand.
Peintre de sujets religieux, portraits, paysages, paysages d'eau, graveur, dessinateur.
Fils de Jan Wellens alias Cock, il est le frère de Matthijs Cock. Il fut éditeur d'estampes et sa boutique à Anvers *Aux Quatre Vents* était réputée dans toute l'Europe occidentale comme lieu de rencontre de l'humanisme d'après Erasme et, par voie de conséquence, des débuts du maniérisme en peinture. Cette boutique est représentée dans la scénographie de Vredeman de Vries. Il alla en Italie, où il s'inspira de Raphaël ; fut, en 1546, dans la gilde d'Anvers et retourna en Italie, à Rome, jusqu'en 1548. À son retour de Rome, il propagea le goût de l'Antiquité gréco-romaine et publia des estampes d'après Raphaël, Michel-Ange, le Titien, le Parmesan. Il eut alors comme collaborateurs Lambert Lombard et Frans Floris et fut l'employeur de Pieter Brueghel l'Ancien, et de Cornélis Cort et de Giorgio Ghisi.
Comme graveur, il ne pratiqua semble-t-il que l'eau-forte. Il a gravé plusieurs paysages, animés de sujets religieux, d'après son frère Matthijs. On se trouve avec son action marchande devant un éclectisme d'où il est difficile de dégager une ligne définie, d'autant qu'il faisait aussi commerce de gravures d'après Hieronymus Bosch, les Allemands, et surtout, nous l'avons vu, il faisait travailler Brueghel. Son parti-pris humaniste explique cet éclectisme et le retour aux sources antiques par l'intermédiaire des grands Renaissants italiens, mais peut-être aussi l'acceptation des langages nouveaux.
Bibliogr. : In : *Diction. de la peinture flamande et hollandaise*, coll. Essentiels, Larousse, Paris, 1989.
Musées : VIENNE : *Vue du Campo Vaccino et de Rome*.
Ventes Publiques : PARIS, 1773 : *Vue de mer : rivage à l'horizon*, dess. colorié : FRF 220 – PARIS, 1858 : *Dame en costume de velours*, aquar. : FRF 9 – LONDRES, 27 jan. 1908 : *Une jeune paysanne de la Zélande* : GBP 3 – LONDRES, 18 juin 1909 : *Rivière bordée de bois* : GBP 10 – LONDRES, 13 mai 1981 : *Tobias d'après Matthys Cock*, eau-forte (23,1x31,2) : GBP 420 – LONDRES, 26 juin 1985 : *Paysage avec la tentation du Christ*, eau-forte/pap. filigrané (31,8x43,3) : GBP 3 600.

COCK Jacob ou Coeck, Koecks
XVIᵉ siècle. Éc. flamande.

Peintre.
Actif à Anvers, il fut, en 1521, l'élève d'Heynderic Thonis et était maître en 1528.

COCK Jacques de ou Cocx, Kockx
Mort en 1665 à Gand. XVIIᵉ siècle. Éc. flamande.
Sculpteur et architecte.
Il fut reçu maître à Gand en 1631. Il travailla surtout à Bruges et à Gand.

COCK Jan de, dit aussi Cock Wellens de
Né vers 1480 à Leyde. Mort vers 1526 à Anvers. XVIᵉ siècle. Flamand.
Peintre de compositions religieuses, paysages animés.
Il est le père de Hieronymus et de Matthijs Cock. On le dit disciple de Bosch (est-ce pour cette raison qu'il prénomma son premier fils Hieronymus ?) ; il fut maître à Anvers en 1503, puis doyen de la gilde de Saint-Luc en 1520.
On lui attribue un petit panneau : *Saint Christophe*, peint minutieusement aux légers tons clairs. Il a peint également plusieurs paysages fantastiques menaçants, animés de personnages, à la manière de Jérôme Bosch.
Bibliogr. : In : *Diction. de la peinture flamande et hollandaise*, coll. Essentiels, Larousse, Paris, 1989.
Musées : DÉTROIT (Inst. of Arts) : *Loth et ses filles* – MUNICH : *Saint Christophe*, attr.
Ventes Publiques : NEW YORK, 17 déc. 1942 : *Vision de l'enfer* : USD 800 – AMSTERDAM, 9 juin 1977 : *Saint Christophe*, h/pan. (41x55) : NLG 175 000 – NEW YORK, 11 jan. 1990 : *L'enfer*, h/pan. (24x32) : USD 71 500 – PARIS, 15 déc. 1991 : *Saint Christophe passant le fleuve*, h/pan. de chêne (32,5x42,5) : FRF 480 000 – NEW YORK, 11 jan. 1996 : *L'enfer*, h/pan. (24,1x31,8) : USD 43 700.

COCK Jan de
Mort vers 1625 à Anvers. XVIᵉ-XVIIᵉ siècles. Éc. flamande.
Peintre.
Il était en 1591 élève de Joos de Momjen. On trouve un Jan de COCK, peintre à Gand en 1601.
Ventes Publiques : LONDRES, 26 juin 1970 : *La fuite en Égypte* : GNS 5 500.

COCK Jan Claudius de ou Cocq, Kock
Né en 1667, ou 1668 à Anvers. Mort en 1735. XVIIᵉ-XVIIIᵉ siècles. Éc. flamande.
Peintre de sujets religieux, mythologiques, sculpteur sur ivoire, graveur.
Élève de Peter Verbruggen en 1682. Il décora le château de Guillaume III, à Bréda, sous la direction de Jacob Romans ; fut maître en 1688. Il était aussi poète. Il eut plusieurs élèves.
Ventes Publiques : PARIS, 29 et 30 mars 1943 : *Bacchante*, pl. et lav. : FRF 1 000 – LONDRES, 23 nov. 1962 : *Saint Jean assis sur un monticule écrit ses révélations, dans le ciel apparaissent la Vierge et l'Enfant* : GNS 6 000 – LONDRES, 29 juin 1966 : *La tentation de saint Antoine* : GBP 3 200 – LONDRES, 24 nov. 1967 : *Saint Christophe portant l'Enfant Jésus sur les épaules dans un paysage fluvial* : GNS 6 500 – LONDRES, 8 déc. 1983 : *Tête d'un page noir*, marbre blanc (H. 26,8) : GBP 4 200.

COCK Jeremias ou Kock
XVIIᵉ siècle. Actif à Anvers en 1657. Éc. flamande.
Peintre.

COCK John
XIXᵉ siècle. Britannique.
Graveur.
Il a travaillé d'après J. Milton.

COCK Julia Elisabeth de, née Stigzelius
Née en 1840 à Korpo (Finlande). XIXᵉ siècle. Belge.
Peintre paysagiste.
Elle épousa en 1879, le peintre César de Cock. Elle travailla avant son mariage à Paris et à Stockholm.

COCK Luykas de ou Kock
XVIIᵉ siècle. Actif à Gand en 1631. Éc. flamande.
Peintre.

COCK Marten de
XVIIᵉ siècle. Hollandais.
Peintre.
Il vivait en 1630 à Amsterdam. Plusieurs œuvres de cet artiste sont mentionnées dans des inventaires de son époque. Pour certains historiens on peut l'identifier avec Martin Cock.
Ventes Publiques : AMSTERDAM, 3 mai 1976 : *Scènes de chasse*, deux gche/parchemin (9x11,5) : NLG 6 800 – LONDRES, 12 avr.

1983 : *Hameaux au bord d'une rivière*, craie noire et pl./ parchemin (11,7x18,4) : **GBP 2 500**.

COCK Martin
XVIIe siècle. Hollandais.
Peintre de paysages animés, dessinateur, graveur.
Il fut actif de 1608 à 1647.
Musées : STOCKHOLM : *Paysage, fleuve et fort*.
Ventes Publiques : PARIS, 11 avr. 1924 : *Le Passage du petit pont*, pl. et lav. : **FRF 2 500** – PARIS, 8 déc. 1938 : *Le village au bord de la rivière*, pl. : **FRF 750**.

COCK Matthijs ou Mathys ou Matthys, dit Cock Wellens de
Né vers 1509. Mort en 1548 à Anvers. XVIe siècle. Flamand.
Peintre de paysages, graveur, dessinateur.
Fils aîné de Jan Wellens alias Cock, il est le frère de Hieronymus. Il alla en Italie et, à son retour à Anvers, en 1540, il fut maître de la gilde de Saint-Luc, ayant pour élèves Jacob Grimmer, son neveu Willeken Van Santvoort et, vers 1530, Jan Keynooghe.
On connaît de lui, de même que de son frère, des dessins qui, en matière de paysage, font le lien entre Joachim Patenier et Herri Met de Bles. M.-K.-G. Boon lui a attribué les dessins à la plume qui composent l'*Album Errera*.
Bibliogr. : In : *Diction. de la peinture flamande et hollandaise*, coll. Essentiels, Larousse, Paris, 1989.
Musées : BRUXELLES (Musées roy. des Beaux-Arts) : *Paysage avec le marchand et les singes*, attr. – *Album Errera*, dess. à la pl., attr. – DRESDE (Gemäldegalerie) : *Paysage avec la prédication de saint Jean Baptiste*, attr.
Ventes Publiques : PARIS, 1859 : *Paysage, effet d'hiver* : **FRF 72** – PARIS, 14 déc. 1987 : *Paysage imaginaire de la vallée du Rhin*, h/pan. (30,5x39,5) : **FRF 125 000** – NEW YORK, 8 jan. 1991 : *Paysage imaginaire avec une ville surplombant une rivière* 1540, encre brune avec reh. de blanc, jaune, vert et rose/pap. teinté (17,6x25,1) : **USD 41 250** – AMSTERDAM, 15 nov. 1994 : *Paysage fantastique avec Hagar et l'ange (recto)* ; *croquis de paysage (verso)*, encre (15,6x24,9) : **NLG 18 975**.

COCK Michel. Voir COECK Michiel

COCK Paul Joseph de
Né le 21 juin 1724 à Bruges. Mort le 29 décembre 1801. XVIIIe siècle. Éc. flamande.
Peintre et architecte.
Élève de Mathias de Vischo. Il fut, en 1775, directeur de l'Académie de Bruges. Ses œuvres sont à Bruges.

COCK Willem
XVIIIe siècle. Hollandais.
Peintre.
Il fut reçu bourgeois d'Amsterdam en 1720.

COCK Xavier de
Né en 1818 à Gand. Mort en 1896 à Deurle. XIXe siècle. Belge.
Peintre de scènes de genre, animalier, paysages animés, paysages, aquarelliste.
Frère de César de Cock, il fut élève de Ferdinand de Braekeleer à l'École des Beaux-Arts d'Anvers. Il séjourna à Paris, à partir de 1852.
À ses débuts, il s'est inspiré des anciens paysages hollandais. Étant régulièrement en contact avec les peintres de Barbizon, il abandonna assez rapidement la manière méticuleuse de son maître pour s'orienter vers une peinture dont la sensibilité se rapproche de la leur. À son retour de France, il se fixa à Deurle et à Saint-Denis-Westrem. Il fut considéré comme l'un des précurseurs de l'École de Laethem Saint-Martin.

Xavier De Cock

Bibliogr. : Gérald Schurr, in : *Les Petits Maîtres de la peinture 1820-1920, valeur de demain*, Les Éditions de l'Amateur, t. II, Paris, 1982 – in : *Diction. de la peinture flamande et hollandaise*, coll. Essentiels, Larousse, Paris, 1989.
Musées : BRUXELLES (Mus. des Beaux-Arts) : *Vaches revenant du pâturage* – COURTRAI – DEINZE : *Vaches traversant la Lys* – GAND – LIÈGE : *Paysages avec moutons et figures* – LILLE : *Un fourré* – MONTPELLIER (Mus. Fabre) : *Vaches à l'abreuvoir*.
Ventes Publiques : PARIS, 1872 : *Chevrières* : **FRF 560** – PARIS, 23 mars 1877 : *Retour de la moisson* : **FRF 1 770** – PARIS, 1900 : *Vaches au pâturage* : **FRF 1 720** – LONDRES, 3 avr. 1909 : *Un berger et un troupeau de moutons* : **GBP 89** – PHILADELPHIE, 30-31

mars 1932 : *Berger et son troupeau* 1880 : **USD 24** – ANVERS, 13 oct. 1970 : *Les peupliers* : **BEF 50 000** – ANVERS, 18 avr. 1972 : *Jardin fleuri* : **BEF 28 000** – BRUXELLES, 4 mars 1977 : *Sous-bois*, h/t (41x55) : **NLG 100 000** – BRUXELLES, 21 mai 1981 : *Bétail dans un paysage* 1879, h/pan. (30x22) : **BEF 110 000** – LUCERNE, 20 mai 1983 : *Jeune femme et enfants*, h/t (75x107,5) : **CHF 3 400** – LOKEREN, 19 avr. 1986 : *La charrette de foin* 1878, aquar. (38x56) : **BEF 170 000** – LONDRES, 8 oct. 1986 : *Transhumance* 1878, h/t (89,5x140) : **GBP 15 000** – MONACO, 3 déc. 1989 : *L'attelage de bœufs* 1879, h/t (90x128,5) : **FRF 255 300** – AMSTERDAM, 25 avr. 1990 : *Enfants ramenant le bétail par un sentier boisé* 1857, h/t (50x70) : **NLG 26 450** – PARIS, 18 avr. 1991 : *La jeune bergère* 1861, h/pan. (24,5x36,5) : **FRF 25 500** – LOKEREN, 8 oct. 1994 : *Une forêt*, h/pan. (35x44) : **BEF 95 000** – LOKEREN, 11 mars 1995 : *Ruisseau dans un paysage*, aquar. (61x45,5) : **BEF 140 000**.

COCK VAN AELST Pauwels ou Coecke Van Aelst, Kock Van Aelst
Né vers 1529. Mort à Anvers. XVIe siècle. Éc. flamande.
Peintre de fleurs.
Fils naturel de Pieter Cock Van Aelst et élève de son père. Il copia des tableaux de Jan Mabuse et peignit des vases de fleurs.

COCK VAN AELST Pieter I ou Coecke Van Aelst, ou Kœck Van Aalst, Alsloot, Aloost
Né à Aelst, le 14 août 1502 ou le 4 juillet 1507 selon les Liggeren. Mort à Bruxelles en 1550. XVIe siècle. Éc. flamande.
Peintre, sculpteur, architecte, dessinateur de tapisseries.
Élève de Barent Van Orley à Bruxelles, de 1517 à 1521 ; il alla en Italie, vers 1521, et fut admis dans la gilde d'Anvers, en 1527, il eut deux fils, Pieter et Michel ; une fois veuf, eut deux fils naturels, Pauwel et Antoon ; plus tard, il épousa la miniaturiste Maria Verhulst, dont il eut trois enfants, Pauwel, Katelyne et Maria qui épousa son élève Pieter Brueghel I. Il voyagea à Constantinople, en 1533, pour faire des cartons de tapisseries pour le sultan, mais la représentation des hommes et des animaux étant interdite par la religion mahométane, son voyage fut inutile ; d'autres disent qu'il y alla pour surprendre les secrets de la fabrication des tapis orientaux ; en tous cas, il en rapporta des études de types et de costumes et un livre : *Mœurs et façons de faire des Turcs*. Il eut pour élève Willem Van Breda en 1528, plus tard, son gendre P. Brueghel l'Ancien, Colyn Van Nieucastel appelé Lucidel ou Neuchatel, en 1539.
Il était revenu en 1534 et il était peintre de la cour de Charles Quint ; en 1535, il partit avec la flotte de l'empereur et assista, le 21 juin, à la prise de Tunis en 1537 ; il fut doyen de la gilde d'Anvers et fit l'esquisse des vitraux de la chapelle Saint-Nicolas de Notre-Dame ; en 1539, il traduisit en flamand le livre de Serlio : *Tout ce qui concerne l'architecture et la perspective* (il fut d'ailleurs lui-même écrivain) ; en 1541, il fit probablement les cartons des tapisseries du Musée de Bruxelles, représentant la fondation de Rome ; en 1548, il décora le palais de Moelnere à Anvers (les vestiges en sont au Musée archéologique d'Anvers) ; en 1549, il aida aux décorations de l'entrée de Charles Quint et son fils Philippe. Propagateur du style de Raphaël, il oriente le style néerlandais vers une formule externe qui prélude à l'art de Rubens. On l'a identifié au Maître des Saintes Cènes, dont les œuvres sont datées de 1527 à 1550 (Voir cet article).

Musées : BRUXELLES : *La Cène* – GAND : *Le Christ et la femme adultère* – LIÈGE : *La Cène* – LILLE : *La prédication de saint Jean-Baptiste* – LONDRES (Hampton Court) : *Portrait d'homme une montre à la main* – MUNICH (Alta Pina.) : *La Vision d'Ezechiel* – NAPLES : *Paysage au buisson ardent* – UTRECHT : *La Récolte de la manne, voir d'autel*.
Ventes Publiques : LONDRES, 18 mars 1959 : *Le Christ et ses disciples sur la route d'Emmaüs* : **GBP 540** – LONDRES, 1er juil. 1966 : panneau central : *Vierge à l'Enfant*, panneaux latéraux : *Annonciation et Repos pendant la fuite en Égypte*, triptyque : **GNS 6 000** – BERNE, 25 oct. 1968 : *La Vierge et l'Enfant* : **CHF 12 000** – COLOGNE, 23 nov ; 1977 : Panneau central : *La Sainte Famille* ; panneau droit : *Sainte Barbara* ; panneau gauche : *Sainte Catherine*, triptyque (112x142) : **DEM 75 000** – LONDRES, 30 mars 1979 : *Le Tribut*, h/pan. (80x111,8) : **GBP 100 000** – PARIS, 19 nov. 1981 : *L'Ascension*, h/pan. (47x36,5) : **FRF 87 000** – BRUXELLES, 23 mars 1983 : *Calvaire*, h/bois (141x118) : **BEF 115 000** – NEW YORK, 15 jan. 1985 : *La Vierge et l'enfant dans un intérieur*, h/pan.

(97,8x82,5) : **USD 80 000** – New York, 14 jan. 1988 : *La Cène* 1528, h/pan. (61,5x80,5) : **USD 27 500** – Rome, 10 mai 1988 : *La Cène*, h/pan. (76x100) : **ITL 20 000 000** – New York, 11 jan. 1989 : *Saint Jérôme dans sa cellule*, détrempe et h/pan. (81,3x64) : **USD 60 500** – New York, 31 mai 1989 : *Vierge à l'Enfant assise dans un intérieur devant un tableau de l'Annonciation*, h/pan. (97,7x78,8) : **USD 104 500** – Amsterdam, 20 juin. 1989 : *Vierge à l'Enfant sur un trône avec un paysage au travers d'une fenêtre au fond*, h/pan. (75x50) : **NLG 17 250** – Cologne, 20 oct. 1989 : *Christ en croix avec Marie Madeleine agenouillée à ses pieds et la Vierge et Jean Baptiste de part et d'autre*, h/pan. (101x69,5) : **DEM 24 000** – Milan, 13 déc. 1989 : *Madeleine*, h/pan. (92x67) : **ITL 48 000 000** – Londres, 23 avr. 1993 : *La Sainte Famille et un ange offrant un fruit sur le panneau central* ; *L'Annonciation et La fuite en Égypte sur les ventaux latéraux*, h/pan., triptyque (en tout 118,8x162,2) : **GBP 177 500** – Londres, 6 juil. 1994 : *L'Adoration des Mages*, h/pan. (104,5x69,5) : **GBP 41 100**.

COCK VAN AELST Pieter II ou Coecke Van Aelst
Né avant 1527. Mort avant 1559. XVIᵉ siècle. Éc. flamande.
Peintre.
Fils de Pieter I. Il se maria à Anvers, le 28 janvier 1552. Il avait eu pour maître Dieken de la Heele. Lui-même fut le maître de Gillis Van Coninxloo et probablement de Gilles de la Hee ou Heele.

COCKBURN Edwin
XIXᵉ siècle. Britannique.
Peintre de genre.
Il exposa de 1837 à 1868 à la Royal Academy, à la British Institution et à Suffolk Street, à Londres.
Ventes Publiques : Londres, 26 oct. 1979 : *La Vente aux enchères au village 1853*, h/t (59,6x80) : **GBP 8 000** – Londres, 26 nov. 1982 : *Une vente aux enchères à la campagne 1853*, h/t (61x83) : **GBP 8 000** – Londres, 18 juil. 1984 : *Le nouveau jouet 1865*, h/t (45,5x61) : **GBP 500** – Londres, 11 oct. 1991 : *Guerre et paix 1856*, h/t (56,5x75) : **GBP 3 850.**

COCKBURN Florence Mary, Mrs, née Bonneau
XIXᵉ siècle. Britannique.
Peintre de figures, paysages, aquarelliste.
Elle exposa à Londres, à Suffolk Street de 1871 à 1884. Elle réalisa des portraits à l'huile et des paysages à l'aquarelle.

COCKBURN James Pattison
Né en 1778 ou 1779 à Woolwich. Mort en 1847 à Woolwich. XIXᵉ siècle. Canadien.
Peintre de paysages, aquarelliste, graveur, illustrateur.
Cadet de l'École Royale d'artillerie, il étudia l'aquarelle avec Paul Sabey. On ne connaît rien de sa vie, sinon qu'il voyagea beaucoup à travers le Canada où il laissa de nombreuses aquarelles exécutées rapidement à Québec. Ce major général et officier d'artillerie publia plusieurs livres de voyage qu'il illustra lui-même. Parmi ceux-ci, on cite : *Un voyage à Cadix et à Gibraltar*, avec 30 planches coloriées (1815), *Paysages suisses*, avec 62 planches (1820), *La Route du Simplon* (en 1822), *La Vallée d'Aoste* (1823) et *Pompéi illustré* (1827).
Musées : Québec.
Ventes Publiques : Londres, 17 juil. 1939 : *Vue de Québec 1829*, dess. : **GBP 10** – Toronto, 14 mai 1984 : *The Whirlpool below Niagara*, 1833, 1x51,3) : **CAD 4 200** – Londres, 6 nov. 1985 : *The falls at Montmorency 1828*, aquar. (39,5x52,5) : **GBP 2 800** – Londres, 29 oct. 1987 : *The cone of Montmorency of 1827*, aquar. (37,4x55,2) : **GBP 3 800** – Montréal, 19 nov. 1991 : *La rue Ste Ursuline à Québec 1830*, aquar. (30x36,8) : **CAD 8 000** – Montréal, 5 déc. 1995 : *Vue d'un lac avec des voiliers et un personnage sur le rivage*, aquar. (16,5x23,4) : **CAD 800**.

COCKBURN Laelia Armine
XXᵉ siècle. Britannique.
Peintre animalier.
Elle exposa à la Royal Academy à Londres.

COCKBURN Ralph
XIXᵉ siècle. Britannique.
Peintre de portraits.
Il exposa de 1802 à 1812, notamment à la Royal Academy, à Londres.

COCKBURN W. A.
XIXᵉ siècle. Britannique.
Peintre de paysages.
Il exposa à Londres entre 1850 et 1852 à la Royal Academy. Il peignit des vues de Boulogne, des rives de la Loire et de Lugano.

COCKBURN-MERCER Mary
Née en Écosse. XXᵉ siècle. Américaine.
Peintre.
A exposé au Salon des Indépendants, de 1923 à 1928.

COCKCROFT Edyth Varian
Née à Brooklyn (New York). XIXᵉ-XXᵉ siècles. Américaine.
Peintre.
Cette artiste, fixée à Allendale (New Jersey) a exposé des scènes de marché, au Salon de la Nationale, en 1911 ; en 1910 et 1911 elle figure au Salon d'Automne, dont elle est sociétaire, avec des portraits et des paysages.

COCKE Henry
XVIIᵉ siècle. Travaillant en Angleterre vers le milieu du XVIIᵉ siècle. Britannique.
Peintre décorateur.
Cet artiste passa quelque temps en Italie, et y étudia sous Salvator Rosa. Il fut engagé par Guillaume III à restaurer quelques peintures dans les palais royaux, et décora le chœur à la New College Chapel, à Oxford, et l'escalier à Ranelagh House.

COCKELS Joseph
Né en 1786 à Bruxelles. Mort en 1851 à Batavia. XIXᵉ siècle. Belge.
Peintre de sujets de chasse.

COCKER Edward
Né en 1631 à Londres. Mort en 1671 à Londres. XVIIᵉ siècle. Britannique.
Graveur, illustrateur.
Ce mathématicien illustra lui-même ses ouvrages comme *Magnum in parvo or the Pens Perfection*.

COCKER Henri de
Né en 1908 à Vurste. Mort en 1978 à Gand. XXᵉ siècle. Belge.
Peintre.
Il fut élève de l'académie de Gand et de l'institut supérieur d'Anvers.
Ventes Publiques : Lokeren, 16 fév. 1980 : *Paysage de neige*, h/pan. (40x50) : **BEF 22 000.**

COCKER Paul de
Né en 1931 à Vurste. XXᵉ siècle. Belge.
Peintre de compositions animées, figures.
Il fut élève de l'école des arts et métiers de Nivelles et de l'académie de Saint-Trond.
Expressionniste, il évolue dans des œuvres marquées par le surnaturel.
Bibliogr. : In : *Dict. biogr. des artistes en Belgique depuis 1830*, Arto, Bruxelles, 1987.

COCKERELL Christabel A., lady Frampton
Née en 1863. Morte en 1951. XIXᵉ-XXᵉ siècles. Britannique.
Peintre de genre.
Elle exposa à partir de 1884 à la Royal Academy, à Londres.
Ventes Publiques : Londres, 3 nov. 1982 : *Little girl in blue smock*, h/t (71x46) : **GBP 1 600** – Londres, 13 nov. 1985 : *Bluebells 1903*, h/t (60x120) : **GBP 6 500** – Londres, 13 juin 1990 : *Un petit enfant trop sage*, h/t (20x39,5) : **GBP 1 980** – Londres, 12 nov. 1992 : *...et les anges furent ses compagnons de jeu. (L'enfance d'Élisabeth de Hongrie) 1896*, h/t (76x82,5) : **GBP 7 700.**

COCKERELL Samuel Pepys
Né en 1844 à Hendon (près de Londres). XIXᵉ siècle. Britannique.
Peintre de genre, portraits, sculpteur.
Il exposa à Londres, à la Royal Academy à partir de 1874.
Ventes Publiques : Londres, 20 oct. 1981 : *Siren of the deep*, h/t (51x94) : **GBP 350** – Londres, 27 mars 1996 : *Portrait d'un officier des Lanciers du Bengale debout* ; *Portrait d'une femme d'officier en robe de soirée, debout 1898*, h/t, une paire (89x49 et 87x48,5) : **GBP 8 050.**

COCKETT Marguerite
Née à Cooperatown (États-Unis). XXᵉ siècle. Américaine.
Graveur.
A exposé des eaux-fortes au Salon des Artistes Français en 1921.

COCKING Edward
XIXᵉ siècle. Britannique.
Peintre de natures mortes.
Il exposa de 1830 à 1848 à la Royal Academy, à la British Institution et à Suffolk Street, à Londres.

COCKQ Paul Joseph de
Né en 1724 à Bruges. Mort en 1821 à Bruges. XVIIIᵉ-XIXᵉ siècles. Éc. flamande.

Peintre d'histoire.
Élève de Matthias de Nissh. Il fut directeur de l'Académie de Bruges.

COCKRAM George
Né le 9 mars 1861 à Liverpool. Mort le 27 septembre 1950. XIXᵉ-XXᵉ siècles. Britannique.
Peintre de paysages, aquarelliste.
Membre de la Royal Cambrian Academy. Il exposa depuis 1883 à la Royal Academy, à Suffolk Street, et à la New Water-Colours Society, à Londres. Il est représenté à la Tate Gallery.

COCKRILL Maurice
Né en 1936 ou 1957. XXᵉ siècle. Britannique.
Peintre de compositions animées, nus, figures, paysages. Figuratif puis abstrait.
Il expose régulièrement à Londres, à la galerie Jacobson. En 1995, une exposition rétrospective de son œuvre a été présentée à Liverpool, Nottingham et Cleveland. La galerie Clivages a présenté la première exposition personnelle de son œuvre à Paris, en 1995.
Ses œuvres au cours des ans se sont complexifiées, les figures disparaissant progressivement pour des paysages aux espaces étranges, mêlant terre et ciel. Puis des formes étranges, conglomérats abstraits et signes mystérieux, ont envahi les fonds généralement monochromes.
Bibliogr. : Manuel Jover : *Cockrill, l'ogre de peinture*, Beaux-Arts, nᵒ 135, juin 1995.
Ventes Publiques : Londres, 25 oct. 1995 : *Nous trois !* 1986, h/t (122x152,4) : GBP 2 185.

COCKSON Thomas
XVIᵉ-XVIIᵉ siècles. Actif en Angleterre entre 1591 et 1636. Britannique.
Graveur.
On n'a pas de renseignements très précis sur la vie de cet artiste. Il a laissé plusieurs planches, des portraits de personnages à la cour d'Angleterre et d'autres notabilités.

COCKUT. Voir COCHUT Thierri

COCKX Adriaen ou Cocx
XVIIᵉ siècle. Actif à Anvers. Éc. flamande.
Sculpteur et peintre.
Il était l'élève en 1648 de Philip Fruytiers.

COCKX Jan
Né en 1891 à Anvers. Mort en 1976 à Boechout, assassiné. XXᵉ siècle. Belge.
Peintre de marines, natures mortes, graveur, décorateur, céramiste. Expressionniste.
Il fut élève de l'Académie des Beaux-Arts d'Anvers. Ses études y furent interrompues par la guerre de 1914. En 1922, il participa au deuxième congrès de *Moderne Kunst* à Anvers et travaille dans le cercle *Ça ira*, avec lequel il expose en 1922 et 1923, année où il exposa aussi à la grande exposition d'art moderne de Genève.
Admirateur des Fauves et de Rik Wouters, ses premières œuvres, vers 1916, sont caractérisées par de grands plans de couleurs variées. Vers 1919, il porta son attention sur le cubisme, le futurisme et certaines formes d'expressionnisme. Il exposa alors quelques œuvres abstraites avec Edmond Van Dooren et Jozef Peeters. Depuis 1924, il s'est exprimé avec la céramique, redevenant figuratif.
Musées : Anvers.
Ventes Publiques : Anvers, 23 avr. 1980 : *Barque de pêche* 1968, h/t (140x121) : BEF 20 000.

COCKX Marcel L. A.
Né en 1930 à Herent. XXᵉ siècle. Belge.
Peintre de compositions à personnages, figures, dessinateur. Expressionniste.
Il fut élève de l'Académie des Beaux-Arts de Louvain, où il devint professeur plus tard.
Il fut influencé par les muralistes d'Amérique latine. Il peint les scènes de la vie quotidienne et des figures féminines.

Bibliogr. : In : *Diction. biogr. illustré des Artistes en Belgique depuis 1830*, Arto, Bruxelles, 1987.

Musées : Malines.
Ventes Publiques : Anvers, 20 oct. 1976 : *Été*, h/t (50x65) : BEF 12 000 – Lokeren, 21 mars 1992 : *Rêverie* 1970, h/t (120x100) : BEF 40 000 – Lokeren, 5 déc. 1992 : *Rêverie* 1970, h/t (120x100) : BEF 44 000 – Lokeren, 12 mars 1994 : *Jeune femme en blanc*, h/t (105x95) : BEF 28 000 – Lokeren, 8 oct. 1994 : *Le repas*, h/t (123x90,5) : BEF 55 000 – Lokeren, 10 déc. 1994 : *Près du poêle* 1961, h/t (150x120) : BEF 120 000 – Lokeren, 11 mars 1995 : *Le facteur*, h/t (150x99) : BEF 50 000.

COCKX Marten ou Cocx
XVIIᵉ siècle. Actif à Anvers en 1637. Éc. flamande.
Peintre.

COCKX Peeter ou Kockx
XVIIᵉ-XVIIIᵉ siècles. Actif à Anvers. Éc. flamande.
Graveur.
Il était en 1701 l'élève de Johannes Goosens.

COCKX Philibert ou Philippe
Né en 1879 à Ixelles (Bruxelles). Mort en 1949 à Uccle-lez-Bruxelles. XXᵉ siècle. Belge.
Peintre de figures, nus, paysages, natures mortes. Expressionniste.
Il fut élève d'Isidore Verheyden à l'Académie des Beaux-Arts de Bruxelles. En 1922, il a exposé à Paris, au Salon des Artistes Indépendants, avec deux peintures : *Nu – La dame en bleu*. Il fut en 1946 le premier titulaire du Prix René Steens. On l'a qualifié de « Fauve brabançon », ce que confirment un dessin de caractère expressionniste et une couleur forte.

Bibliogr. : L. Piérard : *La vie et l'œuvre de Philibert Cockx*, Bruxelles, 1949 – A. Liénaux : *Philibert Cockx*, Édit. Meddens, Bruxelles, 1965.
Musées : Bruxelles (Mus. d'Art Mod.) : trois peintures.
Ventes Publiques : Bruxelles, 12 déc. 1963 : *L'homme à la fenêtre* : BEF 15 500 – Anvers, 1ᵉʳ fév. 1968 : *Paysage* : BEF 26 000 – Anvers, 21 avr. 1970 : *Paysage* 1948 : BEF 30 000 – Anvers, 19 avr. 1972 : *Printemps* : BEF 7 000 – Bruxelles, 27 oct. 1976 : *Paysage fauve* 1948, h/t (70x80) : BEF 75 000 – Bruxelles, 13 juin 1978 : *L'Abri*, h/t (54x73) : BEF 55 000 – Bruxelles, 28 mars 1979 : *Au bistrot* 1941, h/t (65x85) : BEF 70 000 – Bruxelles, 19 mars 1989 : *Femmes au canapé* 1918, h/t (115x77) : BEF 120 000 ; *Portrait d'homme* 1942, h/t (75x60) : BEF 38 000 – Bruxelles, 1ᵉʳ oct. 1980 : *Le peintre devant son chevalet*, cr. et gche (43x28) : BEF 18 000 – Anvers, 26 avr. 1983 : *Nature morte aux poissons*, h/pan. (66x96) : BEF 45 000 – Bruxelles, 24 oct. 1984 : *Marine*, h/t (69x78) : BEF 40 000 – Bruxelles, 1ᵉʳ avr. 1987 : *L'été* 1946, h/pan. (115x142) : BEF 200 000 – Lokeren, 23 mai 1992 : *Travaux des champs* 1936, h/t (57x76) : BEF 40 000 – Lokeren, 10 oct. 1992 : *Paysage* 1939, h/pan. (32,5x41) : BEF 26 000 – Amsterdam, 27-28 mai 1993 : *Scène de café* 1929, h/t (80,5x80,5) : NLG 7 130 – Amsterdam, 5 juin 1996 : *Autoportrait dans l'atelier* 1907, h/pap./t. (73,5x59) : NLG 5 175.

COCKX Sebastiaen ou Kockx
XVIIIᵉ siècle. Actif à Anvers en 1711. Éc. flamande.
Peintre.

COCLERS Bernard
Né en 1770. XVIIIᵉ siècle. Travaillant à Leyde en 1787. Hollandais.
Peintre.
Il était le fils de Jean Baptiste Bernard Coclers.

COCLERS Christian
Né à Liège. Mort en 1737 à Liège. XVIIIᵉ siècle. Belge.
Peintre.
Ventes Publiques : Paris, 13 nov. 1950 : *Vasque de fleurs dans un jardin* : FRF 65 500.

COCLERS Christian Jean George
Né en 1715 à Liège. Mort le 4 janvier 1751. XVIIIᵉ siècle. Éc. flamande.
Peintre de fleurs.
Fils de Christian Coclers, il fut aussi inspecteur de la douane. Il peignit des décorations et des modèles de tapisseries.
Ventes Publiques : Vienne, 14 juin 1966 : *Grand bouquet de fleurs* : ATS 55 000 – Londres, 18 fév. 1981 : *Nature morte aux fleurs*, h/t (127x73,5) : GBP 4 100 – Londres, 6 juil. 1994 : *Nature*

morte de fleurs dans des urnes sculptées, h/t, une paire (81x64) : **GBP 29 900** – Londres, 8 juil. 1994 : *Fleurs dans une corbeille sur un piedestal avec des fruits au pied 1743*, h/t, une paire (96,2x72,8) : **GBP 34 500** – Versailles, 25 fév. 1996 : *Bouquet de fleurs dans une vasque*, h/t (100x85) : **FRF 130 000** – Londres, 3 juil. 1996 : *Importante nature morte de fleurs dans une urne décorée sur un entablement de pierre 1735*, h/t (92,5x45,5) : **GBP 5 750**.

COCLERS Georges
D'origine wallonne. xviie-xviiie siècles. Éc. flamande.
Peintre.
Il fut le père de Christian et Philippe Coclers.

COCLERS Guillaume Joseph
Né en 1760 à Liège. xviiie siècle. Vivait surtout à Leyde. Éc. flamande.
Peintre.
Il était fils de Jean Baptiste Pierre Coclers.

COCLERS Henri Joseph Léonard Eugène
Né en 1751. Mort en 1827. xviiie-xixe siècles. Éc. flamande.
Peintre.
Il vécut à Liège et fut surtout un peintre de natures mortes.

COCLERS Jan Baptiste Bernard, dit Louis Bernard
Né en 1741 à Liège. Mort en 1817 à Liège. xviiie-xixe siècles. Éc. flamande.
Peintre de sujets religieux, scènes de genre, portraits, aquarelliste, graveur.
Il est le fils de Jan Baptiste Pierre Coclers. Il voyagea en Italie, puis vécut quelque temps à Maëstricht et à Leyde. On le voit ensuite à Londres, à Paris. Il se fixe à Amsterdam et ne retourne à Liège qu'en 1815.

L. B. C.

Musées : Amsterdam : *Jan Bernd Bicker – Catharina Six, épouse de Jan Bernd Bicker – Une mère et son enfant –* Leyde : *Les directeurs de l'hospice en 1774.*
Ventes Publiques : Paris, 1779 : *Le Bénédicité :* FRF 1 960 – Paris, 1857 : *Intérieur de boutique d'épicerie*, aquar. : FRF 8 – Paris, 7 et 8 mai 1923 : *La Lettre*, encre de Chine : FRF 6 100 – Londres, 20 oct. 1978 : *Paysans dans des intérieurs rustiques*, 2 pan. (17,8x21,6) : GBP 2 800 – New York, 20 fév. 1986 : *Jeune Femme à l'éventail à une porte 1791*, h/pan. (36,2x29,9) : GBP 8 500.

COCLERS Jan Baptiste Pierre
Né en 1696 à Maëstricht probablement. Mort le 23 mai 1772 à Liège. xviiie siècle. Hollandais.
Peintre d'histoire, sujets allégoriques, portraits, dessinateur.
Il est le fils du peintre Philippe Coclers. Il voyagea en Italie ; en 1732, il peignit le plafond de l'Hôtel du Conseil de Maëstricht. Il fut peintre de la cour de l'évêque de Liège, G.-L. von Berge.
Ventes Publiques : Londres, 22 oct. 1982 : *Portrait d'un commandant de marine 1748*, h/t (82x65,5) : GBP 700 – Paris, 17 juin 1994 : *Le Temps découvrant la Vérité*, pl. et lav. brun (19,5x16) : FRF 4 000.

COCLERS Marie Lambertine
xixe siècle. Hollandaise.
Pastelliste et graveur.
Fille de Jean Baptiste Bernard Coclers. Elle a gravé une vingtaine de sujets dans le genre d'Adriaen Van Ostade.

COCLERS Matthias
Né à Liège. Mort en 1762 à Liège. xviiie siècle. Éc. flamande.
Peintre.
Il fut peintre de la ville de Liège. On ne connaît pas actuellement d'œuvre de cet artiste.

COCLERS Philippe
Né vers 1660 à Liège. Mort vers 1736 à Liège. xviie-xviiie siècles. Éc. flamande.
Peintre.
Il était le fils de Georges Coclers. Il travailla en Italie comme peintre d'histoire, fut peintre de la cour de l'évêque de Liège, Joseph Clemens de Bavière.
Musées : Schwerin : *Petite boutique de mercerie.*

COCLERS Philippe Henri, dit Coclers Van Wyck
Né le 29 juin 1738 à Liège. Mort vers 1804 à Marseille. xviiie siècle. Éc. flamande.

Peintre de miniatures.
Fils et élève de Jan Baptiste Pierre Coclers. Il travailla à Rome, puis s'établit à Marseille où il devint recteur et directeur de l'Académie de Peinture.

P. Coclers fec: 1784

COCLET Dieudonné
Né en 1669 à Rambervillers. Mort en 1743 à Nancy. xviie-xviiie siècles. Français.
Peintre de décorations.
Il s'établit à Nancy vers 1705.

COCLET Jean François
Né en 1716 à Nancy. Mort le 7 avril 1760 à Nancy. xviiie siècle. Français.
Peintre de genre et décorateur.
Il était le fils de Dieudonné Coclet.

COCLEZ Arthur
Né à Bellicourt (Aisne). Mort fin 1882 à Paris. xixe siècle. Français.
Sculpteur.
Élève de Salmson et Jouffroy. Il débuta au Salon de 1880 ; mention honorable en 1881 pour un groupe en plâtre : *Naufrage.*

COCORENO Juan
xvie siècle. Travaillant à Valladolid. Espagnol.
Sculpteur.

COCOZZA Carmine
xviiie siècle. Actif à Naples vers 1728. Italien.
Peintre.

COCQ. Voir aussi COQ et LE COCQ

COCQ Cornelis de
Né le 18 juin 1815 à Monster. Mort en 1889. xixe siècle. Hollandais.
Peintre de portraits, intérieurs, natures mortes.
Il fut élève de B.-J. Van Hove. Il travailla à La Haye, peignant surtout des natures mortes au gibier.
Ventes Publiques : Dordrecht, 1er déc. 1970 : *Nature morte 1848* : NLG 2 600 – Londres, 9 mai 1979 : *Nature morte aux fruits 1844*, h/t (61,5x54) : GBP 1 600 – Londres, 30 jan. 1981 : *Nature morte sur un entablement de marbre 1844*, h/t (63,5x56,5) : GBP 1 900 – Amsterdam, 27 oct. 1997 : *Nature morte aux volailles et fruits 1864*, h/pan. (42,5x34,5) : NLG 8 260.

COCQ Suzanne Marie Marguerite
Née en 1894 à Bruxelles. xxe siècle. Belge.
Peintre de paysages, peintre à la gouache, aquarelliste, graveur, dessinatrice.
Elle fut élève de Constant Montald. Elle épousa le peintre Maurice Brocas. En 1928, elle obtint le Prix Picard. Elle gravait à l'eau-forte et eut dans cette technique une production notable, certaines de ses gravures figurent dans plusieurs Cabinets des Estampes. Elle a voyagé en France, et notamment dans le Roussillon, dont elle a peint les paysages. En 1926, elle a exposé à Paris, au Salon d'Automne, avec deux peintures : *Paysage – Effet de neige.*
Bibliogr. : In : *Diction. biogr. illustré des Artistes en Belgique depuis 1830*, Arto, Bruxelles, 1987.
Ventes Publiques : Bruxelles, 25 fév. 1970 : *Entrée de ferme à Ohain* : BEF 13 000 – Bruxelles, 25 oct. 1978 : *Limal avril 1933*, aquar. (75x56) : BEF 95 000 – Bruxelles, 22 nov. 1979 : *Paysage brabançon*, gche (39x58) : BEF 42 000 – Bruxelles, 25 mars 1981 : *Cruche de fleurs sur un guéridon 1935*, aquar. (58x58) : BEF 42 000 – Bruxelles, 20 sep. 1982 : *Crépuscule au parc (Place Royale)* 1951, h/t (53x80) : BEF 57 000.

COCQUEL Jean Baptiste
xviie siècle. Actif à Anvers vers 1670. Éc. flamande.
Peintre.

COCQUELAIRE
xviie siècle. Éc. flamande.
Peintre.
Pieter Van Gunst grava d'après cet artiste un portrait de l'évêque de Liège Jean-Louis d'Elderen.

COCQUEREAU J.
xixe siècle.
Graveur.
On connaît seulement de cet artiste deux planches datées de 1806.

COCQUEREAU N.
XVIIIe siècle. Actif à Nantes entre 1778 et 1781. Français.
Peintre.

COCQUEREL Jean Joseph Jules
XIXe siècle. Vivait à Paris. Français.
Peintre de paysages et de natures mortes.
Il exposa au Salon entre 1857 et 1873.

COCQUEREL Jules Jacques Olivier de
Né le 2 octobre 1838 à Saint-Didier-au-Mont-d'Or (Rhône). Mort le 12 février 1903 à Lyon (Rhône). XIXe siècle. Français.
Peintre de portraits, paysages, natures mortes, fleurs et fruits.
Il fut élève de Bonnefond à l'École des Beaux-Arts de Lyon dont il suivit les cours de 1851 à 1855, puis, dans la même ville, de Chenu. Il exposa, à Lyon, depuis 1861, des portraits et quelques paysages, et, depuis 1872, des natures mortes (fruits, gibier et, le plus souvent, des poissons et des cuivres) ; il débuta au Salon de Paris en 1876. Il obtint à Lyon une première médaille en 1894. La Préfecture du Rhône a des toiles de ce peintre qui signait *O. de Cocquerel*.
Musées : Lyon (Mus. des Beaux-Arts).
Ventes Publiques : Paris, 27 sep. 1979 : *Nature morte*, h/t (35x46) : **FRF 2 400** – Saint-Brieuc, 7 avr. 1980 : *Vasque fleurie*, h/t (54x78) : **FRF 3 400.**

COCQUET Jacques
XVIe siècle. Actif à Nantes. Français.
Peintre verrier.
Il exécuta en 1585 et 1586 les portraits des bourgmestres de Nantes.

COCQUILLE Edmond
XVIe siècle. Actif à Troyes entre 1548 et 1564. Français.
Peintre.

COCTEAU Jean
Né le 5 juillet 1889 à Maisons-Laffitte (Yvelines). Mort le 11 octobre 1963 à Milly-la-Forêt (Seine-et-Marne). XXe siècle. Français.
Peintre de sujets mythologiques, scènes de genre, portraits, paysages, pastelliste, peintre de compositions murales, cartons de tapisseries, décorateur de théâtre, céramiste, lithographe, dessinateur, illustrateur, affichiste.
Le poète de *La Danse de Sophocle* et du *Cap de Bonne Espérance*, le romancier des *Enfants terribles*, le dramaturge des *Parents terribles*, le cinéaste du *Sang d'un Poète*, d'*Orphée*, de *La Belle et la Bête*, a beaucoup dessiné tout au long de sa vie, et peint dans ses dernières années. Il dessina la première affiche des *Ballets Russes* de Serge de Diaghilew. Il a réuni un assez grand nombre d'œuvres au trait en albums, dont : *Dessins* de 1923, *Le Mystère de Jean l'Oiseleur* de 1925, *Maison de santé* de 1926, *Vingt-cinq dessins d'un Dormeur* de 1929, considérés par lui comme les éléments de sa « poésie graphique », puisqu'il divisait son œuvre protéiforme en poésie de roman, poésie de théâtre, poésie critique, poésie cinématographique. Dans sa dédicace de *Dessins* à Picasso, il écrit : « Les poètes ne dessinent pas. Ils dénouent l'écriture et la renouent autrement. » Il a illustré plusieurs de ses propres textes, notamment *Thomas l'Imposteur* avec 40 dessins, et *Le Potomak*. Il a montré son œuvre graphique dans plusieurs expositions personnelles : 1964 à Nantes, 1966 Hambourg, 1968 Lunéville, 1983 Marseille et Paris, 1984 New York et Miami.
Dans ses jeunes années, ses dessins se divisaient en deux groupes : dessins humoristiques, charges, foisonnants et aigus, et les dessins inquiétants et profonds, plus ou moins inspirés de l'usage d'hallucinogènes : *Opium* de 1930, dans lesquels les formes et personnages sont traités uniquement en cylindres vus en perspective. Dans les deux groupes, leur authenticité était garante de leur qualité. A l'inverse, dans la suite, il se fabriqua un graphisme stéréotypé, immuable, maniéré, accrochant, les volutes d'un seul trait ininterrompu, tous les éléments de la représentation, souvent un profil d'éphèbe aux grâces de mannequin de mode, et se concluant inéluctablement dans la coquetterie de la petite étoile flanquant le seul prénom Jean de la signature. A la fin de ses jours, dans la période des honneurs officiels, membre de l'Académie Royale de Belgique et, en 1955, de l'Académie française, incité par les exemples de la chapelle de Matisse à Vence ou d'autres réalisations similaires, il fut tenté de laisser des témoignages de son savoir-faire graphique. Il a ainsi

dessiné quelques cartons de tapisseries et décoré de dessins légèrement coloriés, dans un style de bande dessinée sommaire, la Chapelle des Pêcheurs à Villefranche-sur-Mer 1957, la Salle des Mariages de l'Hôtel-de-Ville de Menton 1958, et, en dernier, en 1959, la Chapelle Saint-Blaise-des-Simples à Milly-la-Forêt et celle de Notre-Dame des Français à Londres. ■ J. B.

Bibliogr. : J.-J. Kihm, Spriggs, H.-C. Behar : *Cocteau, l'homme et les miroirs*, Édit. de la Table Ronde, Paris, 1968 – P. Chanel : *Album Cocteau*, Veyrier-Tchou, Paris, 1973 – A. Fraigneau : *Jean Cocteau*, Seuil, Paris, 1978.
Musées : Menton (Mus. Jean Cocteau) – Moscou (Mus. Pouchkine) : *Picasso dans son atelier* vers 1923.
Ventes Publiques : Paris, 7 nov. 1934 : *Bustes de femmes*, 2 dess. à la pl. : **FRF 70** – Paris, 28 juin 1937 : *Le poète est un mensonge qui dit toujours la vérité*, cr. de coul. : **FRF 70** – Paris, 13 mai 1942 : *A la Rotonde*, dess. à la pl. : **FRF 600** – Paris, 10 juin 1955 : *Portrait* : **FRF 33 000** – New York, 16 fév. 1961 : *Jean Marais* : **USD 550** – Genève, 18 juin 1966 : *Arlequin bleu*, past. : **CHF 4 000** – Londres, 3 juil. 1970 : *Fiancés consultant l'Oracle de Delphes* : **GNS 170** – Versailles, 27 nov. 1977 : *Têtes et poissons* 1961, aquar. (57x68) : **FRF 6 800** – New York, 24 nov. 1978 : *Nijinski dans le Spectre de la Rose* 1911, affiche litho. (195x127) : **USD 5 000** – Munich, 28 mai 1979 : *Tête de profil à droite* 1962, craies de coul. (28x18,5) : **DEM 2 200** – New York, 25 fév. 1981 : *Deux têtes de profil* 1962, past./pap. brun (64,8x50) : **USD 2 200** – Paris, 28 avr. 1981 : *Jean l'Oiseleur*, plum. et cr. coul. (31x24) : **FRF 5 000** – Berne, 23 juin 1982 : *Tête de faune* 1959, craies de coul. et stylo feutre (55x45,8) : **CHF 4 900** – Paris, 27 oct. 1982 : *Naissance de Pégase* 1953, techn. mixte, projet de tapisserie : **FRF 16 000** – Paris, 26 jan. 1983 : *Autoportrait, Jean l'Oiseleur aime les oiseaux* 1955, past. (63x47) : **FRF 9 600** – Londres, 9 juin 1983 : *Diaghilev et Nijinsky* 1912, pl. (28x22,5) : **GBP 2 100** – New York, 29 nov. 1984 : *Deux profils*, past. et craie noire/pap. rouge (65x50) : **USD 7 500** ; *Le Bel Indifférent*, litho. (20x23,5) : **USD 800** – Paris, 28 oct. 1985 : *Jean l'Oiseleur aime les oiseaux, autoportrait* 1955, past. et craie (65x50) : **FRF 41 000** – Paris, 8 avr. 1986 : *Orphée au cheval* 1926, peinture-objet (46x38) : **FRF 110 000** – Londres, 22 oct. 1986 : *Tête de garçon* vers 1950, past./pap. noir (44,5x31,3) : **GBP 1 800** – Paris, 14 avr. 1986 : *Portrait du clown Rico* 1915 et 1933, encre de Chine (26x20) : **FRF 62 000** – Paris, 13 nov. 1987 : *Le Berger d'Arcadie*, dess. mine de pb (65x23) : **FRF 25 000** ; *Autoportrait* 1935, dess. au marker (31x28) : **FRF 35 000** – Versailles, 21 fév. 1988 : *Visage*, dess. encre (25,5x19,5) : **FRF 5 000** – New York, 18 fév. 1988 : *Étude pour la chapelle de Villefranche* 1956, craie grasse et cr. de coul./pap. (47,9x60) : **USD 8 250** – Versailles, 21 fév. 1988 : *Visage*, dess. à l'encre (25,5x19,5) : **FRF 5 000** – Londres, 24 fév. 1988 : *St Sébastien des cliniques* 1930, encre de Chine et cr. sur lav. (24,5x21) : **GBP 4 400** – Paris, 24 mars 1988 : *Dessin érotique*, cr. noir (34x26) : **FRF 20 000** – Londres, 18 mai 1988 : *Autoportrait habillé par Paul Poiret*, encre de Chine (26x19,5) : **GBP 1 540** – Paris, 30 mai 1988 : *George Sand et Musset en gondole à Venise* 1956, dess. au fus., à l'estompe, aux cr. de coul. et à la gche (48x63) : **FRF 11 500** – Paris, 3 juin 1988 : *Autoportrait au cheval* vers 1920, dess. à la pl. : **FRF 31 000** – Los Angeles, 9 juin 1988 : *Double portrait d'artistes*, aquar./pap. (34x33) : **USD 7 700** – Paris, 20 juin 1988 : *Profil de femme*, past. (63x48) : **FRF 72 000** – Paris, 24 juin 1988 : *Visage vert de profil au voile mauve*, past. (75x55,5) : **FRF 90 000** – Londres, 8 sep. 1988 : *Bouc aux cornes blanches* 1960, terre cuite vernissée et peinte (diam. 32) : **GBP 1 320** – Paris, 12 oct. 1988 : *Le Pêcheur*, fus. (54x41) : **FRF 23 500** – Paris, 27 oct. 1988 : *Visage* 1957, dess. au past./pap. (62,5x48) : **FRF 22 500** – Douai, 2 juil. 1989 : *Lions Club* 1988, dess. au cr. de coul. (39x26) : **FRF 10 000** – Paris, 13 oct. 1989 : *Jeune femme à la barbiche*, dess. à la mine de pb (27x21) : **FRF 30 000** – Paris, 31 jan. 1990 : *Projet pour le décor du Cap d'Ail*, dess. au feutre (49x41) : **FRF 9 000** – New York, 21 fév.

1990 : *Marin assis*, cr./pap. (26,9x20,9) : **USD 1 650** – Paris, 21 mars 1990 : *Tête de Faune* 1939, pl. et encre brune (27,2x24,2) : **FRF 70 000** – Paris, 10 avr. 1990 : *Autoportrait*, dess. au cr. noir (46x20) : **FRF 27 000** – Paris, 19 juin 1990 : *La Côte d'Azur* 1958, plat (diam. 30) : **FRF 20 000** – Londres, 26 juin 1990 : *Visage flamboyant* 1945, fus. sur plâtre (176,3x122,5) : **GBP 82 500** – Paris, 6 oct. 1990 : *Portrait de Moretti* 1963, dess. au feutre (66x46) : **FRF 17 000** – Paris, 27 nov. 1990 : *Arlequin à la collerette bleue* 1953, past./pap. bleu (65x50) : **FRF 72 000** ; *Orphée, la mort d'Eurydice et la bataille des Centaures*, cr./calque (50x105) : **FRF 160 000** – Paris, 28 mars 1991 : *Jeune Fille au poisson* ; *Arlequin au crabe* 1957-1958, past. verni/t., une paire (160x73 et 160x80) : **FRF 180 000** – New York, 7 mai 1991 : *Deux Roses* 1958, cr. de coul./pap. (26,6x21) : **USD 1 430** – Monaco, 11 oct. 1991 : *Le Jeune Homme et la Mort*, encre, mine de pb et cr. de coul. (33x50) : **FRF 61 050** – Rome, 9 déc. 1991 : *Les Amoureux* 1957, past. rouge/pap. (50x65,5) : **ITL 11 500 000** – Lugano, 28 mars 1992 : *Pour le tableau IV*, encres de coul. (64x49,5) : **CHF 11 000** – Paris, 24 avr. 1992 : *Autoportrait : J'ai toujours su que Radiguet...*, pl. (21x27) : **FRF 38 000** – New York, 12 juin 1992 : *Les Amants*, stylo bille/pap./cart. (41,9x28,6) : **USD 2 970** – Londres, 15 oct. 1992 : *Les Baigneurs*, encre de Chine (27x21) : **GBP 1 155** – Paris, 23 avr. 1993 : *Élégant au cigare*, encre de Chine et cr. de coul. (22x18,6) : **FRF 9 000** – Paris, 4 mai 1993 : *Bélier aux cornes jaunes sur fond blanc*, vase de céramique (H. 24) : **FRF 6 200** – Zurich, 24 juin 1993 : *Double tête*, litho. coul. (27x21) : **CHF 1 000** – Calais, 4 juil. 1993 : *Portrait*, past., cr. gras et lav. (34x24) : **FRF 12 000** – Paris, 19 nov. 1993 : *Portrait charge de Léonide Massine dans Parade* 1917, encre brune (28,5x20) : **FRF 16 800** – Montréal, 21 juin 1994 : *Portrait présumé de Raymond Radiguet*, encre (40,5x29) : **CAD 1 000** – Paris, 21 juin 1994 : *Profil d'homme : Harold* 1949, past. et craies de coul./pap. noir (118x101) : **FRF 70 000** – Deauville, 19 août 1994 : *Mère et Fille dans un jardin* 1953, h/t (100x100) : **FRF 810 000** – Paris, 28 nov. 1995 : *Picasso assis au café de la Rotonde* 1916, encre (21x27,5) : **FRF 32 000** – Amsterdam, 6 déc. 1995 : *Dieu grec*, encres noire et brune/pap. (25x19) : **NLG 2 875** – Lucerne, 8 juin 1996 : *Carnaval de Nice* 1954, litho. en coul. (58x43) : **CHF 2 600** – Fossona, 8 sep. 1996 : *Volti*, cr./pap., trois dessins (chaque 18x13) : **ITL 1 600 000** – Paris, 16 déc. 1996 : *Le Bonnet* 1940, encre de Chine (62x47) : **FRF 18 000** – Londres, 19 mars 1997 : *Tu serais pêcheur d'hommes* 1958, terracotta peinte, assiette de forme ovale (39,5x28) : **GBP 1 840** – Paris, 19 oct. 1997 : *Portrait de Picasso à la pipe* 1917, encre/pap./cart. (25,5x20) : **FRF 40 000** – Paris, 21 nov. 1997 : *Les Poètes de Nice*, techn. mixte, coffret-boîte de la série *Poésie-Plastique* (46,5x39) : **FRF 85 000**.

COCX Adriaen. Voir **COCKX Adriaen**

COCX Gonzales. Voir **COQUES**

COCX Jacques de. Voir **COCK**

COCX Marten. Voir **COCKX**

CODA Bartolomeo
xviie siècle. Actif en 1606 à Udine. Italien.
Peintre.

CODA Bartolommeo, dit **da Rimini**
xvie siècle. Actif en Italie vers 1543. Italien.
Peintre de compositions religieuses.
Bartolommeo vécut à Rimini, et reçut son éducation artistique de son père Benedetto. On cite de lui un tableau, à San Rocco de Pesaro, peint en 1528, où l'artiste a figuré *Saint Roch avec saint Sébastien auprès du trône de la Vierge*. Il était moine dominicain. Pour certains historiens, son identification avec l'artiste qui signait *Bartolommeo da Rimini* est téméraire.

CODA Benedetto
Né sans doute vers 1460 à Ferrare. Mort vers 1520 en Italie. xve-xvie siècles. Italien.
Peintre de compositions religieuses.
Selon Lanzi, Coda fut élève de Giovanni Bellini. On cite parmi ses tableaux, celui de *la Vierge*, qui fut placé dans la cathédrale de Rimini, et un *Rosaire*, pour les Dominicains. Coda vécut à Rimini.

CODA Domenico
Mort en 1702 à Naples. xviie siècle. Italien.
Peintre.
Il exerça sans doute à partir de 1689.

CODA Francesco, dit **da Rimini**
xvie siècle. Travaillant vers 1533. Italien.

Peintre.
Frère de Bartolommeo et fils de Benedetto.

CODA Francesco da Maestro Sebastiano
xvie siècle. Actif à Rimini. Italien.
Peintre et architecte.
Il était le neveu de Bartolommeo Coda et travailla sous sa direction.

CODA Marcantonio
Mort en 1712 à Naples. xviie-xviiie siècles. Italien.
Peintre.
Il entra dans l'Association des peintres napolitains en 1665.

CODAGNONE Guido
Né le 7 mars 1901 à Castrovillari (Calabre). xxe siècle. Italien.
Peintre de figures, compositions à personnages et illustrateur.
Il débuta sa carrière à Naples où, dessinateur industriel, il donnait sous le pseudonyme de Gu-Ko, des dessins humoristiques dans différents journaux. En 1923 il vint à Paris et travailla dans les Académies libres de Montmartre et de Montparnasse. Il exposa régulièrement dans plusieurs Salons annuels parisiens. Sa première exposition personnelle date de 1929. De nombreuses autres se sont succédées depuis, dans les principales capitales européennes et à New York. Il a illustré Balzac.
Depuis les années 1920 jusqu'à nos jours, ses thèmes et sa technique sont restés identiques ; mis à part quelques paysages et vues de Paris, il a surtout peint des portraits de femmes et décrit le monde des acteurs, de la Commedia del Arte, du Carnaval, des coulisses, du cirque et des cafés-concerts, autant de scènes recréées en pleine pâte, d'un métier généreux, propre à accrocher les feux artificiels de la rampe.
Bibliogr. : Gustavo M. Stefanelli, *Guido Codagnone*, Edit. Gastaldi, Milan, 1959.
Ventes Publiques : Paris, 16 oct. 1981 : *Colombine*, h/pan. (84x50) : **FRF 2 100**.

CODAGORA. Voir **CODAZZI Viviano**

CODAPULO Giovanni Pietro
xvie siècle. Vivait à Rome vers 1527. Italien.
Peintre.

CODAZZI Niccolo Viviano
Né vers 1648 à Naples (Campanie). Mort le 3 janvier 1693 à Gênes (Ligurie). xviie siècle. Italien.
Peintre d'architectures, paysages animés.
Il est le fils de Viviano Codazzi.
Il peignit des vues de monuments sur lesquelles il faisait représenter des personnages.
Ventes Publiques : New York, 30 mai 1979 : *Voyageurs se reposant dans des ruines*, h/t (71x57) : **USD 5 500** – New York, 31 mai 1991 : *Vue de l'Arc de Constantin à Rome avec des personnages*, h/t (74,3x97,7) : **USD 28 600** – Stockholm, 19 mai 1992 : *Paysage de ruines antiques avec des personnages*, h/t, une paire (chaque 78x39) : **SEK 36 000**.

CODAZZI Viviano
Né vers 1603 à Bergame (Lombardie). Mort en 1672 à Rome, en 1670 selon certains biographes ou 1672 à Rome. xviie siècle. Italien.
Peintre de sujets religieux, scènes de genre, architectures, paysages animés, compositions murales.
Il vécut à Rome à partir de 1620, avec une interruption entre 1634 et 1647, période pendant laquelle il séjourna à Naples. Il fut à l'origine du courant de paysage réaliste qui est apparu à Venise au xviiie siècle.
Il peignit des vues de monuments qu'il faisait garnir de personnages. On a pu déceler sa collaboration dans le *Bain romain* et *Révolte de Masaniello* de Cerquozzi, dont il dessina les perspectives. Il eut une activité de fresquiste, réalisant des cadres d'architectures pour les compositions murales des églises San Apostoli, San Paolo Maggiore et San Martino. Adepte de la lumière incidente et de la valeur expressive du clair-obscur, Viviano Codazzi fut surnommé, par R. Longhi, le « petit Caravage ».
Bibliogr. : In : *Diction. de la peinture italienne*, coll. Essentiels, Larousse, Paris, 1989.
Musées : Besançon : *Fête dans la villa de Poggioreale* 1641 – Chambéry (Mus. des Beaux-Arts) : *Intérieur de Thermes* – Dresde – Florence (Gal. Orsini) – Florence (Palais Pitti) : *Architectures*, deux peint.
Ventes Publiques : Londres, 3 juil. 1963 : *Les ruines des thermes*

romains ; *Ruines romaines*, deux pendants : **GBP 1 300** – LONDRES, 2 avr. 1976 : *Capriccio*, h/t (75x90) : **GBP 2 400** – NEW YORK, 31 mai 1979 : *Portique d'un temple en ruines*, h/t (102x152) : **USD 6 500** – ROME, 20 nov. 1984 : *Vue de l'Arc de Constantin et du Colisée*, h/t (94x121) : **ITL 16 500 000** – ROME, 21 nov. 1985 : *Construction d'un édifice avec vue d'un port à l'arrière-plan*, h/t (123x173) : **ITL 98 000 000** – VERSAILLES, 29 nov. 1987 : *Personnages dans les ruines d'un palais*, h/t (89x126) : **FRF 21 000** – MILAN, 21 avr. 1988 : *Paysage d'architecture avec personnages*, h/t (102x80) : **ITL 8 500 000** – NEW YORK, 21 oct. 1988 : *Capriccio de ruines antiques avec l'Adoration des rois mages*, h/t (100,5x126,5) : **USD 31 900** – NEW YORK, 13 oct. 1988 : *Distractions paysannes parmi des ruines classiques*, h/t (69,5x96) : **USD 30 800** – LONDRES, 27 oct. 1989 : *Philosophes classiques sur les marches du temple pointant le doigt vers la fontaine*, h/t (49,5x64,8) : **GBP 3 960** – ROME, 8 mars 1990 : *Perspective d'un palais au bord de la mer avec des gentilshommes et des serviteurs*, h/t (61x98,5) : **ITL 30 000 000** – NEW YORK, 5 avr. 1990 : *Capriccio architectural animé*, h/t (73x96,5) : **USD 14 300** – ROME, 23 avr. 1991 : *Construction antique animée et ruines*, h/t (123x171) : **ITL 68 000 000** – PARIS, 15 déc. 1991 : *Architecture palatiale près d'un port méditerranéen*, h/t (85x125) : **FRF 190 000** – NEW YORK, 22 mai 1992 : *Capriccio d'un port méditerranéen*, h/t (70,5x132,1) : **USD 13 750** – LONDRES, 10 juil. 1992 : *Capriccio avec des voyageurs passant sous l'Arc de Constantin et des maisons au fond*, h/t (49,8x65,7) : **GBP 11 000** – NEW YORK, 12 janv. 1994 : *Berger et lavandière dans des ruines classiques avec un paysan et son âne au fond*, h/t (66,3x46,7) : **USD 17 250** – PARIS, 21 déc. 1994 : *Vue imaginaire d'un palais romain avec le Christ et la piscine probatique*, h/t (119x172) : **FRF 235 000** – ROME, 21 nov. 1995 : *Le Christ chassant les marchands du temple*, h/t (125x175) : **ITL 37 712 000** – PARIS, 11 mars 1997 : *Palais dans des paysages avec personnages*, t., deux pendants (91,5x126) : **FRF 135 000**.

CODDE Jan ou Coddeman
XVe siècle. Éc. flamande.

Sculpteur.
Reçu maître à Anvers en 1457, il travaillait encore en 1479 dans cette ville.

CODDE Karel. Voir KODDE

CODDE Lucas ou Xodde, Codden, Coddeman
Mort en 1469. XVe siècle. Éc. flamande.

Peintre de portraits, peintre verrier.
En 1453, dans la gilde d'Anvers ; il fit les cartons des vitraux d'une église de Breda. On cite également de lui un *Portrait de Philippe le Bon, duc de Bourgogne*, qu'il aurait exécuté vers 1438. Il est d'ailleurs mentionné comme un des fondateurs de la gilde des peintres.

CODDE Pieter Jacobs ou Kodde, Codden
Né le 11 décembre 1599 à Amsterdam. Mort le 12 octobre 1678 à Amsterdam. XVIIe siècle. Hollandais.

Peintre de genre, intérieurs, figures, portraits.
Élève présumé de Frans Hals, fortement influencé par Anthonie Palamedes et A. Van Duck, Codde travailla à Haarlem et à Leyde, mais surtout à Amsterdam. Il y épousa en 1623 Marritge Aerents Schilt dont il se sépara vers 1636 à cause de son inconduite. En 1637, il acheva le portrait en groupe des arquebusiers d'Amsterdam, *La compagnie du capitaine Reael*, laissé inachevé par F. Hals, d'où on voulut tirer une preuve qu'il avait été son élève. En 1672, on trouve son nom parmi les artistes appelés pour évaluer les tableaux douteux vendus aux princes d'Orange par Gerrit Uylenburg, beau-frère de Rembrandt. Il habitait alors à Amsterdam dans une maison qui lui appartenait et avait une fortune assez considérable. Willem Duyster et Albert Jansz ont été ses élèves. Ses tableaux sont datés de 1625 à 1646.
Les œuvres de Codde ont longtemps été confondues avec celles de Palamedes et de A. Van Duck, à cause de la conformité des sujets et du style. Codde a peint des scènes de soldats, des bals, des entretiens galants et des portraits de petit format. Ses figures sont proches de celles de Palamedes, très allongées, raides, les épaules larges et les têtes trop petites, mais le ton des chairs est plus brun que celui de Palamedes, et la caractéristique des visages assez uniforme. Il rappelle Duck par ses draperies miroitantes à plis cassés, qui sont peintes avec beaucoup de délicatesse. Les tableaux du début, d'une facture minutieuse, ont un ton général gris argenté qui fait valoir les accents atténués des couleurs, vert olive, rouge mat et bleu très pâle. Après 1640, la facture devient plus large et le ton général passe à un brun doré rembranesque. ■ E. Z.

Codde

MUSÉES : AMSTERDAM : *Adoration des bergers* 1646, signé C. P. – *La Compagnie du capitaine Real*, commencé par Hals, achevé par Codde en 1637 – *Portrait d'homme* 1627 – *Portrait de femme* 1629 – Dessins – BERLIN : *Préparatifs de Carnaval*, signé Codde f – Dessins – BESANÇON : *Un couple* – BRUXELLES (Mus. comm.) : *Portrait de jeune fille* – *Portrait de jeune homme* – COPENHAGUE : *Scène militaire* 1646 – DRESDE : *Le corps de garde* 1628, signé P. Codde f. – *Paysan torturé par des soldats*, signé LD, douteux – DUBLIN : *Intérieur avec figures* – EMDEN : *Société à table* – LA FÈRE : *Intérieur de corps de garde* – FLORENCE (Mus. des Offices) : *Le Concert* – L'Entretien – GENÈVE : *Scènes de la guerre de Trente Ans* – HAARLEM : *La Joueuse de flûte* – LA HAYE : *Le Bal* 1636 – *Les Joueurs de tric-trac* – LILLE : *Les Fumeurs*, signé P. C. – LONDRES (Nat. Gal.) : *Famille dans un intérieur* – *La Dame au miroir* – LONDRES (British Mus.) : Dessins – MAYENCE : *Hommes et femmes près d'une table* – MUNICH : *Société galante* – NOTTINGHAM : *Réunion musicale* – OXFORD : *Petit portrait* 1625 – PARIS (Louvre) : *Dame à la toilette*, manque au catalogue – ROME (Gal. Borghèse) : *Le Corps de garde* 1636 – ROTTERDAM : *Portrait du peintre* – RYSSEL : *Le Jeune Fumeur* – SAINT-PÉTERSBOURG : *Vénus pleurant Adonis*, caricature – *Conversation galante* – SCHWERIN : *Société faisant de la musique* – STOCKHOLM : *Société faisant de la musique* – STRASBOURG : *Deux petits portraits* – TOURCOING : *Société espagnole* – VIENNE : *Le Cadeau du chasseur* – VIENNE (Acad.) : *Société galante* – *Les Danseurs* 1633 – VIENNE (Liechtenstein) : *L'Attaque des brigands*.

VENTES PUBLIQUES : PARIS, 1791 : *Une société espagnole* : **FRF 294** – VIENNE, 1876 : *Un tableau*, sans désignation de sujet : **FRF 20 000** – PARIS, 1881 : *Le Bal* : **FRF 34 900** – PARIS, 1889 : *Famille hollandaise* : **FRF 11 000** – PARIS, 1890 : *La Conversation* : **FRF 2 350** – LONDRES, 1893 : *Intérieur d'appartement* : **FRF 13 120** – LONDRES, 1895 : *Intérieur d'appartement* : **FRF 10 765** – PARIS, 1895 : *Le Concert* : **FRF 550** – LE HAVRE, 1898 : *Les Deux Musiciens* : **FRF 1 150** – PARIS, 1898 : *Société espagnole* : **FRF 1 550** – PARIS, 24 janv. 1899 : *Scène d'auberge* : **FRF 285** – PARIS, 28 mai 1909 : *Conversation galante* : **FRF 1 050** – LONDRES, 18 avr. 1910 : *Un artiste fumant* : **GBP 50** – LONDRES, 6 juil. 1910 : *Réunion musicale* : **GBP 60** – PARIS, 19 déc. 1919 : *Le Concert* : **FRF 500** – PARIS, 3 juin 1920 : *La Leçon de chant* : **FRF 1 150** – PARIS, 20 oct. 1920 : *Scène galante*, attr. : **FRF 260** – PARIS, 18 déc. 1920 : *Scène d'intérieur* : **FRF 1 520** – PARIS, 16 déc. 1921 : *Portrait d'homme tenant une partition de musique* : **FRF 1 200** – PARIS, 18-19 mai 1922 : *Réunion de famille* : **FRF 4 000** – LONDRES, 26 mai 1922 : *Un bal* : **GBP 57** – PARIS, 26 fév. 1923 : *Joueur de cartes* : **FRF 900** – LONDRES, 2 mars 1923 : *Une famille* : **GBP 168** – PARIS, 2 juin 1924 : *Dame au clavecin* : **FRF 30 500** – LONDRES, 6 déc. 1926 : *Cavalier jouant aux cartes avec une dame* : **GBP 50** ; *Cavaliers autour d'une table* : **GBP 78** – LONDRES, 20 mai 1927 : *Conversation musicale* : **GBP 31** – NEW YORK, 27-28 mars 1930 : *Scène d'intérieur* : **USD 375** – NEW YORK, 10 avr. 1930 : *Une famille hollandaise* 1672 : **USD 2 200** – LONDRES, 27 juin 1930 : *Une dame dans un intérieur* : **GBP 46** – GENÈVE, 9 juin 1934 : *La Séance de musique* : **CHF 1 475** – BERLIN, 25 et 26 juin 1934 : *Réunion de société* : **DEM 860** – LONDRES, 29 juin 1934 : *Cavaliers et dames dans un intérieur* : **GBP 39** – STOCKHOLM, 11-12 avr. 1935 : *Beuverie* : **SEK 700** – PARIS, 20 mai 1935 : *Une joyeuse compagnie*, attr. : **FRF 1 650** – LONDRES, 30 nov.-1 déc. 1936 : *Jeune Femme en noir* : **GBP 48** – PARIS, 8 juin 1937 : *Musiciens hollandais* : **FRF 400** – LONDRES, 6 déc. 1937 : *Jeune femme en noir* : **GBP 16** – LONDRES, 28 juil. 1938 : *L'artiste, vêtu de noir* : **GBP 10** – LONDRES, 24 fév. 1939 : *Jeune Homme vêtu de gris* 1645 : **GBP 39** – LONDRES, 16 juin 1939 : *Personnages* : **GBP 50** – PARIS, 23 juin 1941 : *La Partie de musique* : **FRF 25 000** – NEW YORK, 26 nov. 1943 : *Attaque de militaires* : **USD 150** – NEW YORK, 3 mai 1944 : *Homme à la cruche* : **USD 600** – PARIS, 25 avr. 1951 : *Réunion de famille* : **FRF 121 000** – PARIS, 5 déc. 1951 : *Réunion de famille* : **FRF 210 000** – LUCERNE, 28 nov. 1964 : *Paysage avec deux garçonnets et leurs chiens* : **CHF 10 000** – COLOGNE, 18 nov. 1965 : *La Lettre* : **DEM 4 500** – LONDRES, 21 juin 1968 : *L'Heure de musique* : **GNS 2 800** – LONDRES, 24 juin 1970 : *L'Heure de musique* : **GBP 1 600** – AMSTERDAM, 1er oct. 1981 : *Élégants personnages faisant de la musique*, h/pan. (31x41,5) : **NLG 20 000** – LONDRES, 11 déc. 1984 : *Élégants personnages faisant de la musique dans un intérieur*, h/pan. (28,3x38,8) : **GBP 15 000** – GÖTEBORG, 18 mai 1989 : *Intérieur avec des soldats jouant aux cartes*, h/t (52x65) : **SEK 10 500** – NEW YORK, 2 juin 1989 : *Élé-*

gante réunion musicale dans un intérieur, h/pan. (40x53,5) :
USD 110 000 – L<small>ONDRES</small>, 26 oct. 1990 : *Deux femmes jouant aux
cartes*, h/pan. (36,8x49,7) : **GBP 8 800** – N<small>EW</small> Y<small>ORK</small>, 11 avr. 1991 :
Famille hollandaise dans un intérieur 1634, h/pan. (38x50,5) :
USD 88 000 – N<small>EW</small> Y<small>ORK</small>, 31 mai 1991 : *Jeune femme assise
devant une épinette vue de dos*, h/pan. (40,3x31,7) : **USD 132 000**
– L<small>ONDRES</small>, 23 avr. 1993 : *Dame debout vue de dos, vêtue d'une
robe moire à collerette de broderie blanche et tenant une lettre*,
h/pan. (38,5x27,9) : **GBP 16 675** – N<small>EW</small> Y<small>ORK</small>, 20 mai 1993 : *Réunion musicale dans un intérieur élégant*, h/pan. (29,2x38,7) :
USD 10 925 – A<small>MSTERDAM</small>, 9 mai 1995 : *Paysanne buvant avec
trois militaires dans une grange*, h/pan. (31,5x37,5) : **NLG 23 600**
– L<small>ONDRES</small>, 6 déc. 1995 : *Musiciens groupés autour d'une table
dans un intérieur 1639*, h/pan. de chêne (37,5x53) : **GBP 54 300** –
L<small>ONDRES</small>, 13 déc. 1996 : *Élégante société faisant de la musique
dans un intérieur*. (47,3x63,2) : **GBP 13 800** – N<small>EW</small> Y<small>ORK</small>, 22
mai 1997 : *Intérieur d'une salle de garde*, h/pan. (29,2x38,7) :
USD 21 850.

CODDE Willem ou Coddeman
xve siècle. Actif à Anvers. Éc. flamande.
Sculpteur.
Il était le frère de Jan Codde. Reçu maître à Anvers en 1454.

CODDEMAN ou Codden. Voir CODDE

CODDESTEYN Jacob Jansz
xve siècle. Actif à Gouda, de 1481 à 1499. Hollandais.
Peintre verrier.

CODDRON Oscar
Né en 1881 à Gand. Mort en 1960 à Gand. xxe siècle. Belge.
**Peintre de scènes de genre, de natures mortes et de pay-
sages.**
Il fut élève de l'Académie de Gand. En 1917, il s'établit à Saint-
Martin-Laethem sur les rives de la Lys, en décrivant les paysages
lumineux.
B<small>IBLIOGR</small>. : In : *Diction. Biogr. Ill. des Artistes en Belgique depuis
1830*, Arto, 1987.
M<small>USÉES</small> : T<small>OURNAI</small>.
V<small>ENTES</small> P<small>UBLIQUES</small> : L<small>OKEREN</small>, 18 oct. 1980 : *Le visiteur*, h/t
(100x125) : **BEF 55 000** – L<small>ONDRES</small>, 19 oct. 1989 : *Femme aux deux
lévriers 1917*, h/t (150,5x150,5) : **GBP 30 800** ; *Les coquelicots*, h/t
(90,2x75) : **GBP 11 000** – L<small>OKEREN</small>, 21 mars 1992 : *Colporteur
dans la neige*, h/t (88x104) : **BEF 160 000** – L<small>OKEREN</small>, 10 oct. 1992 :
Vaches se désaltérant dans la Lys, h/pan. (60x70) : **BEF 50 000** ;
Colporteur dans la neige, h/t (88x104) : **BEF 170 000** – L<small>OKEREN</small>,
15 mai 1993 : *Vaches buvant dans la Lys*, h/t/pan. (60x70) :
BEF 55 000 – L<small>OKEREN</small>, 12 mars 1994 : *L'hiver dans les Flandres*,
h/t (135x155) : **BEF 130 000** – A<small>MSTERDAM</small>, 31 mai 1995 : *Vaches
dans un paysage*, h/t (61x65) : **NLG 14 160** – L<small>OKEREN</small>, 5 oct. 1996 :
Paysage d'hiver, h/t (60x70) : **BEF 65 000** – L<small>OKEREN</small>, 18 mai
1996 : *Maisons sous la neige à Gand*, h/t (80x62,5) : **BEF 44 000**.

CODECASA Louise
Née en 1856 à Budapest. xixe siècle. Autrichienne.
Peintre portraitiste.
Elle travailla surtout à Vienne.

CODEGORO Francesco de. Voir CODIGORO
CODEMAN Jakob
Né vers 1688. Mort en 1747. xviiie siècle. Actif à Vienne.
Autrichien.
Peintre.

CODERC Hugues
Né à Rodez. xive siècle. Actif à Rodez vers 1385. Français.
Peintre de décorations.

CODESIDO Julia
Née au Pérou. xxe siècle. Péruvienne.
Peintre de figures.
Elle s'est attachée à l'interprétation de la vie des indiens.

CODEX DE SAINT-GEORGES, Maître du. Voir
MAÎTRES ANONYMES
CODEZO Thomas
Né en 1839 à La Havane. xixe siècle. Américain.
Peintre d'histoire, de paysages et de figures.
Étudia dans sa ville natale, puis à Paris avec Henri Regnault, et
avec Fortuny à Rome. Parmi ses tableaux on mentionne : *Vénus
endormie, Le Père Las Casas recevant les prisonniers espagnols*.

CODIBO Ottavio
xviiie siècle. Actif à Florence en 1763. Italien.
Peintre.

CODIBO Paolo
xviiie siècle. Actif en 1714. Italien.
Peintre.

CODIBUE Giambattista ou Capodibue
xviie siècle. Actif à Modène vers 1600. Italien.
Peintre, sculpteur et architecte.
Il travailla également à Parme pour le duc Ranuccio Farnèse.

CODICILLUS VON TULECHOW Jacob
Mort en 1576 à Prague. xvie siècle. Tchécoslovaque.
Enlumineur.

CODIGORO Francesco de ou Codegoro
Mort le 28 mars 1430. xve siècle. Italien.
Miniaturiste, calligraphe et copiste.
Il prit part à l'exécution des livres du chœur de la cathédrale de
Ferrare.

CODINA SERT Ginés
Né en 1860 à Barcelone. xixe-xxe siècles. Espagnol.
Peintre de paysages, dessinateur.
Il fit ses études à l'École des Beaux-Arts de la ville de Condal. Il se
spécialisa dans la restauration et la copie de tapis anciens. Il
exposa lors de manifestations collectives et personnelles en
Espagne.
B<small>IBLIOGR</small>. : In : *Cent ans de peinture en Espagne et au Portugal,
1830-1930*, t. II, Antiquaria, Madrid, 1988.

CODINA-CORONA J.
Né en 1934 à Igualada (Catalogne). xxe siècle. Espagnol.
Sculpteur. Abstrait.
En 1934, il a participé à la IIe Biennale Européenne de Sculpture
en Normandie, à Jouy-sur-Eure. Dans les années soixante-dix, il
s'exprimait dans des formes courbes, arrondies, volumes pleins
ou concaves, s'apparentant à l'anthropomorphisme d'Henry
Moore. Dans les années quatre-vingt, au contraire, il crée des
œuvres totalement abstraites, constituées d'assemblages d'éléments anguleux, hérissés et tranchants.

CODINA Y LANGLIN Victoriano
Né en 1844 à Barcelone (Catalogne). Mort en 1911 à
Londres. xixe-xxe siècles. Espagnol.
Peintre de genre, portraits, aquarelliste, sculpteur.
Il exposa à Barcelone (1866), à Madrid (1871), à Paris (1870) et à
Londres.
V<small>ENTES</small> P<small>UBLIQUES</small> : P<small>ARIS</small>, 25 oct. 1895 : *La Chaise à porteurs* :
FRF 142 ; *L'Alchimiste*, aquar. : **FRF 16** – N<small>EW</small> Y<small>ORK</small>, 2 avr. 1976 :
Mère et enfants 1883, h/t (91,5x60) : **USD 2 500** – N<small>EW</small> Y<small>ORK</small>, 4 mai
1979 : *Le Départ pour l'école 1896*, h/t (58,5x76) : **USD 2 750** –
R<small>OME</small>, 1er juin 1982 : *Danseuse espagnole 1870 ?*, h/pan.
(32,5x24) : **ITL 1 400 000** – L<small>ONDRES</small>, 6 juin 1990 : *Nu féminin près
d'un bassin 1880*, h/t (19x14,5) : **GBP 4 400** – L<small>ONDRES</small>, 13 févr.
1991 : *Circulation à Hyde Park à Londres 1880*, h/t (95x127) :
GBP 16 500 – L<small>ONDRES</small>, 4 oct. 1991 : *Guitariste de rue entouré de
badauds*, h/t (26x20,9) : **GBP 6 600** – N<small>EW</small> Y<small>ORK</small>, 30 oct. 1992 : *Sot-
tises de singe*, h/t (45,7x25,8) : **USD 8 250**.

CODINI Lorenzo
Né le 24 novembre 1904 à Lyon. xxe siècle. Français.
Peintre de portraits.
Sociétaire des Artistes Français ; deuxième médaille en 1927.

CODNER Maurice
Né à Londres. xxe siècle. Britannique.
Peintre de portraits.
Il exposa au Salon des Artistes Français recevant une mention
honorable en 1938.

CODOGNO Francesco da
Né en 1800. Mort en 1843. xixe siècle. Italien.
Peintre.
Il fut élève de Minghetti et travailla à Reggio et à Modène. Il exé-
cuta surtout des peintures religieuses.

CODOLI Giovanni Antonio
Mort avant 1547. xvie siècle. Italien.
Peintre.
Il travailla pour plusieurs églises de Lugano à partir de 1515.

CODONER Francisco
Mort en 1661. xviie siècle. Espagnol.
Peintre.
Il existe quelques œuvres de cet artiste à l'église Saint-Jaime, à
Palma.

CODORÉ Olivier ou **Coldoré**
XVIᵉ-XVIIᵉ siècles. Actif en France. Français.
Graveur.

CODOUR Henri
XXᵉ siècle. Français.
Peintre.
Exposant du Salon des Tuileries en 1941.

CODRÉANO Irène, plus tard **Codréano-King**
Née en 1897 à Bucarest (Roumanie). Morte le 12 janvier 1985 à Nogent-sur-Marne (Val-de-Marne). XXᵉ siècle. Depuis 1919 active en France. Roumaine.
Sculpteur, illustratrice.
Elle se fixa à Paris en 1919. Elle fut élève d'Antoine Bourdelle et de Constantin Brancusi. Sociétaire du Salon d'Automne, elle exposa au Salon des Tuileries dès sa fondation.
En 1929, elle illustra de six portraits *Équation à six inconnus* d'Édouard Dolleans.
MUSÉES : BUCAREST (Pina.) – BUCAREST (Mus. Toma Stelian) – LIÈGE – PARIS (Mus. d'Orsay).
VENTES PUBLIQUES : LONDRES, 30 avr. 1985 : *Tête de jeune orientale* 1927, bronze (H. 32,7) : **GBP 950**.

CODRINGTON Isabel
Née à Bydown. XXᵉ siècle. Britannique.
Peintre.
Elle fut élève de l'Académie Royale de Londres et exposa au Salon des Artistes Français recevant une mention honorable en 1923.

CODRINI Alessandro
XVIIᵉ siècle. Actif à Rimini. Italien.
Peintre.
Il peignit à la fresque dans plusieurs églises de Rimini.

CODUCCI Mauro
Né vers 1440 à Bergame. Mort en 1504 à Venise. XVᵉ siècle. Italien.
Architecte et sculpteur.
En tant qu'architecte, le constructeur de la façade de la Scuola San Marco, de celle de San Zaccaria, et des palais Corner-Spinelli et Vendramin-Calergi, ne nous concernerait pas dans cet ouvrage, si, à cause de l'ornementation de ses façades, il n'était parfois dit sculpteur. Ajoutons aussi qu'il eut une importante influence sur la peinture de Carpaccio, qui, contrairement à Gentile Bellini resté fidèle aux modèles gothiques, donna aux édifices dont il composait ses peintures, le style déjà pré-renaissant des constructions de Coducci.

CODURI Giuseppe
Originaire de Côme. XVIIIᵉ siècle. Italien.
Peintre de décorations.

COE E. O.
XIXᵉ siècle. Britannique.
Peintre.
Il exposa des vues d'églises à la Royal Academy et à Suffolk Street, à Londres, de 1833 à 1851.

COE Ethel Louise
Née à Chicago. XIXᵉ-XXᵉ siècles. Américaine.
Peintre, illustratrice.
Elle fut membre de la Chicago Society of Artists, étudia à l'Art Institute de cette ville et reçut un prix de voyage en 1902.

COEBERGHER Antoon ou **Coolberger, Coebergs**
XVIIᵉ siècle. Actif à Anvers. Éc. flamande.
Graveur et marchand d'estampes.

COEBERGHER Cornelis ou **Coeberghs**
XVIIᵉ siècle. Actif à Grave en Brabant. Éc. flamande.
Peintre.
Maître à Anvers en 1620, citoyen en 1629. Il était également éditeur.

COEBERGHER Wenzel ou **Koeberger**
Né vers 1561 à Anvers. Mort en 1634 à Bruxelles. XVIᵉ-XVIIᵉ siècles. Flamand.
Peintre de compositions religieuses. Maniériste.
Il fut élève de Martin de Vos en 1573. Il travailla à Paris en 1576, à Rome ; à Naples avec Giovanni Franco, dont il épousa la fille. Il séjourna à Anvers entre 1601 et 1603, année où il retourna à Rome ; il en revint en 1604 et fut reçu maître de la gilde. On le nomma également peintre, architecte et ingénieur de la cour de Bruxelles. Il eut aussi une activité de poète et d'écrivain.

Il collabora à la décoration de l'église Santa Maria in Vallicella à Rome. On cite de lui une *Naissance du Christ*, à Naples, ainsi qu'un *Martyre de saint Sébastien*, peint à Anvers.
BIBLIOGR. : In : *Diction. de la peinture flamande et hollandaise*, coll. Essentiels, Larousse, Paris, 1989.
MUSÉES : BRUXELLES (Mus. des Beaux-Arts) : *L'Inhumation du Christ* – NANCY : *Martyre de saint Sébastien* – TOULOUSE : *Christ montré au peuple*.

COECK Albert ou **Coeckx, Kock**
XVIIᵉ siècle. Éc. flamande.
Enlumineur.
Actif à Anvers vers 1675.

COECK Cornelis. Voir **COCK Cornelis**

COECK Franciscus
XVIIIᵉ siècle. Éc. flamande.
Peintre.
Il était actif à Anvers en 1751.

COECK Geraerd
Né vers 1608. Mort avant le 25 septembre 1649. XVIIᵉ siècle. Éc. flamande.
Graveur.
Actif à Anvers, il se maria le 23 décembre 1638.

COECK Jacob. Voir **COCK Jacob**

COECK Michiel
XVIᵉ siècle. Éc. flamande.
Peintre.
Actif à Anvers en 1544, il eut un fils, peintre du même nom, qui épousa, avant 1555, Marg. VerHulst, belle-sœur de H. Goltzius.

COECKE VAN AELST. Voir **COCK Van AELST**

COECKX Albert. Voir **COECK**

COEDES Louis Eugène
Né en 1810 à Paris. Mort en 1906. XIXᵉ siècle. Français.
Peintre de genre, portraits, paysages.
Il fut élève de L. Cogniet. Il débuta au Salon de Paris, en 1831, par : *Les adieux du conscrit* ; obtenant une mention honorable en 1861. Il a peint de nombreux portraits.
MUSÉES : CHARTRES : *Portrait de Gustave Leprince*.
VENTES PUBLIQUES : LONDRES, 19 mars 1980 : *Jeune fille assise dans une clairière* 1856, h/t (59,5x53,5) : **GBP 500** – NEW YORK, 20 fév. 1992 : *Une journée à la campagne* 1832, h/t (62,9x54) : **USD 18 700**.

COEDYK Corneille
XVIᵉ siècle. Actif à Bruges en 1552. Éc. flamande.
Peintre verrier.

COEDYK Jasper
Mort avant 1641. XVIIᵉ siècle. Actif à Bruges. Éc. flamande.
Peintre verrier.
En 1615, il fit les quatre fenêtres du transept sud de Saint-Sauveur à Bruges.

COEFFARD Louis André de
Né en 1818. Mort en 1887. XIXᵉ siècle. Français.
Sculpteur.
Le Musée de Périgueux conserve de lui : *Buste de Félix de Verneilh*. Il travailla surtout à Bordeaux, où il vécut sa vie durant.

COEFFIER Marie Pauline Adrienne, née **Lescuyer**
Née le 31 décembre 1814 à Paris. Morte en 1900. XIXᵉ siècle. Française.
Peintre de portraits, pastelliste.
L. Cogniet fut son maître. En 1849, elle commença à exposer au Salon, particulièrement des portraits au pastel. Son dernier envoi au Salon est de 1868.

COEFFIN
XXᵉ siècle. Français.
Peintre. Abstrait.
Il exposa au Salon des Réalités Nouvelles en 1947 et 1950.

COEFFIN Josette
Née à Rouen (Seine-Maritime). XXᵉ siècle. Française.
Sculpteur.
En 1936 elle exposait des *Oiseaux* au Salon d'Automne.

COEFTEAU Joseph
Né en 1676 au Mans. Mort en 1759. XVIIIᵉ siècle. Français.
Peintre de compositions religieuses, sculpteur.
On cite de lui : une *Résurrection* dans l'église de Vezot, une *Annonciation*, à l'église de Gorron.

COEGGER Florence
xxᵉ siècle. Britannique.
Aquarelliste.
Exposant du Royal Institute.

COEK Melis Jansz
Mort avant 1721. xviiiᵉ siècle. Actif à Amsterdam. Hollandais.
Graveur.

COEKX Philibert
Né en Belgique. xxᵉ siècle. Belge.
Peintre de paysages.
Prix René Steens en 1946.

COELEMANS Jacobus ou Coelmans
Né vers 1654 à Anvers. Mort en 1735 à Aix-en-Provence.
xviiᵉ-xviiiᵉ siècles. Éc. flamande.
Graveur.
Élève de Cornelis Vermeulen ; il travailla à Anvers et à Aix-en-Provence, où l'avait appelé Boyer d'Aguilles.

COELENBIER Jan
Né en 1600 ou 1610 à Courtrai. Mort en 1677. xviiᵉ siècle. Hollandais.
Peintre de paysages, paysages d'eau.
Il fut élève de Van Goyen, dont il imita la manière au point que ses ouvrages furent souvent attribués au maître. Il fit partie de la gilde de Haarlem. On le cite de 1632 à 1671.
Ventes Publiques : Paris, 1891 : *Une ville de Hollande* : **FRF 750** – Londres, 13 mai 1931 : *Un village hollandais* 1645 : **GBP 31** – Cologne, 11 nov. 1964 : *Paysage fluvial* : **DEM 5 000** – Londres, 16 nov. 1966 : *Paysage fluvial* : **GBP 780** – Bruxelles, 24 mars 1976 : *Paysage fluvial avec château et passeur*, h/bois (42x50) : **BEF 380 000** – Cologne, 11 juin 1979 : *Paysage fluvial avec château*, h/t (44,5x72) : **DEM 18 000** – Londres, 21 avr. 1982 : *Paysage fluvial*, h/pan. (30x50) : **GBP 6 500** – Versailles, 15 juin 1983 : *Pêcheurs dans un estuaire*, h/t (47x74) : **FRF 83 000** – Londres, 5 juil. 1989 : *Paysage fluvial avec des pêcheurs tendant leurs filets et des constructions au bord de l'eau*, h/pan. (ovale 38,5x53) : **GBP 11 000** – Londres, 20 juil. 1990 : *Paysage fluvial avec le passeur et le clocher d'une église au fond*, h/t (39x60) : **GBP 6 820** – Londres, 9 juil. 1993 : *Paysage boisé avec des paysans près d'une auberge*, h/pan., de forme ovale (47,2x62,7) : **GBP 16 100** – Paris, 11 mars 1997 : *Vue de village*, t. (82x95) : **FRF 35 000** – Londres, 4 juil. 1997 : *Rivière gelée avec des citadins patinant et jouant à la crosse*, h/pan. (28,2x45,7) : **GBP 37 800**.

COELHO Antonio João
xviiiᵉ-xixᵉ siècles. Portugais.
Sculpteur sur bois.
On cite une œuvre de lui à la cathédrale d'Evora.

COELHO José Julho Gonçalves
Né en 1866 à Porto. xixᵉ siècle. Portugais.
Peintre d'histoire, paysages.
Amateur et critique d'art il peignit surtout de grandes compositions historiques comme son *Philippe II à l'Escurial*.
Ventes Publiques : Londres, 28 nov. 1990 : *La place Saint-Marc à Venise* 1901, aquar. (42x31) : **GBP 1 980**.

COELHO Nuno
xvᵉ siècle. Portugais.
Peintre.

COELHO Suzanne
Née au Vésinet (Yvelines). xxᵉ siècle. Française.
Peintre, miniaturiste.
Sociétaire du Salon des Artistes Français elle reçut une mention honorable en 1926.

COELHO da Silveira Bento ou Coelho da Silvena
Né vers 1617. Mort en 1708. xviiᵉ siècle. Portugais.
Peintre de compositions religieuses.
Il vécut surtout à Lisbonne, même s'il séjourna un temps en Espagne, et devint peintre à la cour du Portugal, succédant à Domingos Vieira en 1678.
Sa production fut particulièrement abondante. Il peignit dans une gamme colorée, vive et lumineuse, mais dans un style rapide et très maniéré. On cite : *Judith et Holopherne*, d'une facture quelque peu imitée de celle de Van Dyck.
Bibliogr. : In : *Dictionnaire de la peinture espagnole et portugaise du Moyen-Âge à nos jours*, coll. Essentiels, Larousse, Paris, 1989.

COELLA Giacomo
xviiiᵉ siècle. Actif à Vérone en 1741. Italien.

Sculpteur.
Il termina, pour la façade de l'église San Giorgio, les statues de San Giorgio et San Lorenzo.

COELLO Alonso Sanchez. Voir **SANCHEZ COELLO Alonso**

COELLO Claudio
Né à Madrid, vers 1630 ou plus probablement en 1642. Mort le 20 avril 1693 à Madrid. xviiᵉ siècle. Espagnol.
Peintre de compositions religieuses, portraits, dessinateur.
Fils du peintre Faustin Coello, il eut pour maître Francisco Rizi. On suppose qu'il a fait un voyage en Italie entre 1656 et 1664, d'ailleurs son œuvre montre une connaissance profonde de l'art italien, dès 1660 avec : *Jésus enfant à la porte du Temple*. De retour à Madrid, il fit la connaissance de Valdès Leal et termine le *Triomphe de saint Augustin* pour le couvent des Agustinos Recoletos d'Alcala de Henares. À partir de cette époque, il peint une série de tableaux, retables pour des églises, des couvents de Madrid et des environs. On le retrouve également à Tolède, en 1671, travaillant à la décoration du « vestuario » de la cathédrale. En 1680, à Madrid, il exécuta une grande part des décorations faites à l'occasion de l'entrée de la reine Marie-Louise d'Orléans. Ce travail lui valut d'être nommé peintre du roi en 1684 en remplacement de Denis Mantuano. Deux ans plus tard, il fut nommé peintre du cabinet du roi et enfin, à la mort de son ami Carreno, il hérita de la place de celui-ci au palais et fut chargé de terminer les travaux que Carreno avait laissé inachevés. Cette décoration de l'Escurial est un véritable chef-d'œuvre. Elle valut à son auteur gloire et profits et Coello jouit pendant quelques années d'une énorme considération. La Sagrada Forma, peint entre 1685 et 1690, est le tableau qui met en évidence cette réussite ; il parvient, à la fois, à mettre en valeur une architecture grandiose, baroque et une véritable galerie de portraits autour de Charles II. Tout en continuant à peindre des tableaux pour des couvents et monastères à Madrid, comme à Salamanque ou Estaban, il fit de nombreux portraits, surtout des membres de la cour. Mais le roi ayant appelé Luca Giordano à Madrid pour peindre les voûtes du Grand Escalier de l'Escurial, Coello en fut déprimé et jaloux, mais il serait exagéré de dire que cela précipita sa mort. Le grand mérite de Coello est d'avoir senti la décadence de l'art espagnol et d'avoir essayé de réagir. On a dit de lui, non sans raison, qu'il fut un des premiers naturalistes espagnols. Il avait la pureté de dessin de Cano et la richesse de sa palette évoque parfois le souvenir de Murillo.

C Coello

CLAVDIO.
COELLO.
F

Bibliogr. : Yves Bottineau in : *Dictionnaire de l'art et des artistes*, Hazan, Paris, 1967.
Musées : Berlin (Kaiser Friedrich Mus.) : *Portrait de Philippe II d'Espagne* – Bilbao (coll. Valdès) : *Don Juan de Alarcon* – Budapest : *Sainte Famille* – Cherbourg : *Madeleine pénitente* – Francfort-sur-le-Main : *Portrait de Charles II* – Londres (Apsley House) : *Sainte Catherine* – Londres (Grosvenor House) : *Sainte Véronique* – Madrid : *Madone et saints* – *Sainte Famille* – *Apothéose de saint Augustin* – *Saint Louis, roi de France, adorant l'enfant Jésus* – *Jésus enfant, à la porte du Temple* – *Le Père Cabanillas* – *La reine Marie-Anne d'Autriche* – Montauban : *Couronnement de Charles Quint* – Munich : *Saint Pierre d'Alcantara* – Valladolid : *L'entrée du Christ à Jérusalem* – Vienne (Kunsthistorisches Mus.) : *Portrait d'une dame en robe noire.*
Ventes Publiques : Paris, 1809 : *Saint Pierre d'Alcantara* : **FRF 7 300** – Londres, 1844 : *La Vierge allaitant l'Enfant Jésus* : **FRF 5 125** – Paris, 1867 : *Communion de sainte Thérèse* : **FRF 8 400** ; *Portrait de Fernand Cortès* : **FRF 1 750** – Paris, 1887 : *Nativité* : **FRF 700** – Paris, 1892 : *Portrait de Diego Urtado, duc de Mendoza* : **FRF 1 305** – New York, 9 et 10 mars 1900 : *Un noble espagnol* : **USD 700** – New York, 1904 : *Marie-Louise d'Orléans* : **USD 1 900** – New York, 11 et 12 avr. 1907 : *Portrait d'une dame* : **USD 500** – Londres, 1ᵉʳ fév. 1908 : *Portrait de Don Juan d'Autriche* : **GBP 31** – Londres, 7 mai 1909 : *Portrait d'une*

jeune fille : **GBP 52** – Paris, 15 déc. 1922 : *Le repos de la Sainte Famille* : **FRF 180** – Londres, 22 déc. 1926 : *Buste de femme* : **GBP 39** – Londres, 5 mai 1939 : *L'Infante Clara Isabella Eugenia d'Espagne* : **GBP 33** – Vienne, 17 mars 1964 : *Suzanne et les Vieillards* : **ATS 90 000** – Londres, 15 avr. 1980 : *Projet de décor de coupole, pierre noire, pl. et lav.* (39,3x26,5) : **GBP 680** – Londres, 9 juil. 1993 : *La vision de sainte Thérèse,* h/cuivre (21,2x16,5) : **GBP 2 300** – Londres, 3-4 déc. 1997 : *La Vision de Saint Antoine de Padoue,* h/t (182,3x182) : **GBP 17 250.**

COELLO SANCHEZ. Voir SANCHEZ COELLO Alonso

COELMANS Jacobus. Voir COLEMANS

COEMAN Jacob
Né à Amsterdam. Mort peut-être vers 1656. xviie siècle. Hollandais.
Peintre.
Il peignit, semble-t-il, surtout des portraits. On cite celui du Gouverneur des Indes, Johann Maetsuyker.

COEN Giuseppe
Né en 1812 à Trévise. Mort en 1856 à Venise. xixe siècle. Italien.
Peintre.
On connaît de lui une *Vue du Castello di Corte à Ferrare.*

COEN Jean de. Voir DECOEN Jean

COEN Karel
xviie siècle. Actif à Gand en 1615. Éc. flamande.
Peintre.

COEN Sigismondo
Né à Padoue. xixe siècle. Italien.
Peintre de genre et de marines.
S'est fait une spécialité de toutes les scènes de la vie familière ; le naturel de ses personnages, le coloris d'une force rare sont ses caractéristiques. Les principales toiles de cet artiste sont : *Couturière, Un mot à l'oreille, Porteur dans le Palais du Doge Francesco, Morosini à Venise, La Lectrice.* Il travailla surtout à Venise.

COENE Constantinus Fidelio
Né en 1780 à Velvoorden. Mort le 20 août 1841 à Bruxelles. xixe siècle. Éc. flamande.
Peintre d'histoire, scènes de genre.
Il fut élève de P. Barbien à Amsterdam en 1800. Ses œuvres sont à Amsterdam. Il eut deux fils peintres.
Musées : Amsterdam : *La Porte de Hal à Bruxelles.*
Ventes Publiques : Paris, 1841 : *Les Français dans la citadelle d'Anvers* : **FRF 280** – Paris, 1842 : *Les Trois Ages* : **FRF 85** – Londres, 6 fév. 1909 : *Paysans hollandais se divertissant* : **GBP 21** – Londres, 11-14 nov. 1921 : *La bataille de Waterloo 1815* : **GBP 5** – Londres, 31 mai 1922 : *Un militaire 1819* : **GBP 2** – Paris, 7-8 déc. 1923 : *Le jeu du baquet* : **FRF 500** – New York, 5 mai 1932 : *Intérieur de taverne* : **USD 40** – Paris, 23 juin 1941 : *Danse villageoise* : **FRF 4 000** – Paris, 18 déc. 1942 : *Scène d'intérieur* : **FRF 12 500** – Londres, 1er mars 1963 : *Moissonneurs s'amusant près d'une grange* : **GNS 155** – Paris, 26 mars 1968 : *La Kermesse* : **FRF 6 600** – Zurich, 12 nov. 1976 : *Le Belge,* h/pan. (41,8x51) : **CHF 14 000** – Bruxelles, 23 nov. 1977 : *Scène villageoise 1838,* h/bois (63x100) : **BEF 450 000** – Chester, 19 mars 1981 : *Fête villageoise,* h/pan. (57x76) : **GBP 9 000** – Bruxelles, 12 juin 1990 : *La fête à l'auberge,* h/pan. (24x28,5) : **BEF 38 000** – Londres, 5 oct. 1990 : *Le conteur 1827,* h/pan. (102,9x130,5) : **GBP 7 150** – Amsterdam, 24 avr. 1991 : *Les crêpes 1839,* h/pan. (36,5x45,5) : **NLG 6 325** – Amsterdam, 2-3 nov. 1992 : *Les enfants turbulents,* h/pan. (26x32) : **NLG 5 750** – Paris, 23 mars 1993 : *Danse villageoise,* h/pan. (39x49,8) : **FRF 42 000** – Amsterdam, 21 avr. 1993 : *Fête paysanne devant une auberge 1827,* h/pan. (43,5x60) : **NLG 35 650** – Paris, 5 juil. 1994 : *Les premiers pas d'un jeune paysan 1840,* h/pan. (57x77) : **FRF 21 000** – Lokeren, 7 oct. 1995 : *Deux figures dans un intérieur 1821,* h/pan. (23x19) : **BEF 65 000** – Amsterdam, 5 nov. 1996 : *Personnages dans une auberge 1820,* h/pan. (44x58,5) : **NLG 7 080** – Lokeren, 8 mars 1997 : *La Pause,* h/pan. (22x32) : **BEF 90 000.**

COENE Gérard
xve siècle. Actif à Bruges en 1489. Éc. flamande.
Peintre.

COENE Isaac
Né en 1640 ou 1638 à Haarlem. Mort en 1713. xviie-xviiie siècles. Éc. flamande.
Peintre de paysages, dessinateur.

Ventes Publiques : Paris, 1865 : *Vue de la citadelle de Liège,* dess. au lav. d'encre de Chine : **FRF 2,75** – Paris, 1882 : *Paysage,* dess. au cr., lavé d'encre de Chine : **FRF 45** – Cologne, 1er juin 1978 : *Chasseurs dans un paysage,* h/t (19x25) : **DEM 7 000** – Vienne, 15 mai 1985 : *Paysage boisé,* h/pan. (47,8x67,6) : **ATS 45 000** – Londres, 26 oct. 1994 : *Paysage boisé avec des paysans sur le sentier et un chasseur et son chien au fond,* h/t (46,5x39,5) : **GBP 5 175.**

COENE Jacques ou Cona, Cone
xive-xve siècles. Actif à Bruges. Éc. flamande.
Peintre de miniatures.
Il travailla, semble-t-il, en France également. Les historiens discutent des œuvres qu'on peut lui attribuer. Il travailla également au Dôme de Milan, de 1402 à 1404. Certains historiens l'identifient au Maître du Livre d'heures du maréchal de Boucicaut. À rapprocher également de l'enlumineur Jacques Cone (voir ces articles).

COENE Jean I
Mort fin 1408. xive siècle. Éc. flamande.
Peintre et enlumineur.
En 1388, il fit un *Jugement dernier* pour la salle des échevins de Bruges ; fut doyen en 1394. Un Jehan Coene, maistre peintre en la ville de Bruges, travailla au château de Male, de 1390 à 1396. Ce nom revient sans cesse dans les vieux documents. Il était fils du sculpteur Quentin Coene.

COENE Jean II
xve siècle. Actif à Bruges au début du xve siècle. Éc. flamande.
Peintre miniaturiste.
Il était sans doute le fils de Jean Coene Ier.

COENE Jean III
Mort en 1492 à Bruges. xve siècle. Éc. flamande.
Peintre.
Il était peut-être le fils de Jean Coene II. Il fut reçu maître en 1472.

COENE Jean Baptiste
Né en 1805 à Vilvorde. Mort en 1850. xixe siècle. Belge.
Peintre de paysages.
Musées : Liège : *Paysage.*
Ventes Publiques : Bruxelles, 25 nov. 1981 : *Paysage marécageux avec chaumière et animé de personnages,* h/t (58x80) : **BEF 90 000** – Lokeren, 8 oct. 1988 : *Paysage boisé avec un chemin sinueux 1829,* h/pan. (62,5x69) : **BEF 190 000** – Paris, 1er fév. 1989 : *Paysages animés,* h/t, une paire (chaque 64,5x101) : **FRF 35 000** – Amsterdam, 5-6 nov. 1991 : *Paysage d'hiver animé 1841,* h/pan. (29x36) : **NLG 5 520.**

COENE Jean Henri de
Né en 1798 à Nederbrackel. Mort en 1866 à Bruxelles. xixe siècle. Belge.
Peintre de genre, portraits.
Élève de David, puis de Joseph Paelinck à Bruxelles, il participa au Salon de Paris entre 1837 et 1855. Professeur à l'École des Beaux-Arts de Bruxelles.
Ses scènes de genre, peintes avec minutie, montrent parfois un goût de la farce flamande.

Henri Decoene.

Bibliogr. : Gérald Schurr, in : *Les Petits Maîtres de la peinture 1820-1920, valeur de demain,* Les Éditions de l'Amateur, t. V, Paris, 1981.
Musées : Amsterdam : *Nouvelles du marché* – Bruxelles : *La dentellière – Portrait d'homme* – Lille : *Les vieux priseurs.*
Ventes Publiques : Paris, 1858 : *Intérieur* : **FRF 500** – Bruxelles, 27 oct. 1966 : *Intérieur avec joueurs de cartes* : **BEF 26 000** – Londres, 26 avr. 1970 : *Paysage de neige* : **GNS 180** – Bruxelles, 26 oct. 1971 : *Riches et pauvres dans un intérieur* : **BEF 55 000** – Bruxelles, 23 mars 1977 : *Paysage au chemin creux,* h/pan. (67x80) : **BEF 90 000** – Londres, 1er nov. 1979 : *Paysage fluvial 1842,* h/t (43x51) : **GBP 3 600** – New York, 28 mai 1981 : *Enfants patinant sur une rivière gelée 1840,* h/pan. (43x57) : **USD 10 000** – Paris, 24 oct. 1983 : *Militaire lutinant une jeune fille à travers une ouverture éclairant un atelier rustique 1831,* h/t (46x54) : **FRF 5 500** – New York, 1er mars 1990 : *Le manuscrit égaré 1889,* h/t (130,8x74,9) : **USD 8 800** – Calais, 4 mars 1990 : *Scène d'intérieur,* h/pan. (65x79) : **FRF 32 000** – Amsterdam, 2 mai 1990 : *La remontrance,* h/t (67x55,5) : **NLG 11 500** – Londres, 19 juin 1991 : *Un morceau tentant,* h/t (53x42) : **GBP 2 200** – Paris, 31 oct. 1991 : *Portrait d'un homme tenant des gants,* h/t (71x57,5) : **FRF 15 000** – Paris, 13 avr. 1992 : *Portrait d'un homme tenant des gants à la*

main, h/t (71x57,5) : **FRF 20 000** – Calais, 14 mars 1993 : *Scène d'intérieur*, h/pan. (65x80) : **FRF 31 500** – Amsterdam, 21 avr. 1993 : *Les petits voleurs*, h/pan. (70,5x59,5) : **NLG 19 550** – Montréal, 21 juin 1994 : *L'heure du repas* 1836, h/t (83,8x98,5) : **CAD 7 500** – Amsterdam, 16 avr. 1996 : *Deux femmes et un homme dans un intérieur*, h/pan. (64x55) : **NLG 17 700** – Amsterdam, 30 oct. 1996 : *La Nouvelle Recrue*, h/t (97x127) : **NLG 27 676** – New York, 23 oct. 1997 : *Portrait de Victoire Du Bois* 1827, h/t (83,8x73,7) : **USD 23 000**.

COENE Joseph François de
Né en 1875 à Courtrai. Mort en 1950. xixe-xxe siècles. Belge.
Peintre de paysages, marines, natures mortes.
Il fut élève des Académies des Beaux-Arts de Courtrai et Bruxelles. Il a subi l'influence de son ami Albert Saverys.
Bibliogr. : In : *Diction. biogr. illustré des artistes en Belgique depuis 1830*, Arto, Bruxelles, 1987.
Musées : Gand – Liège.
Ventes Publiques : Bruxelles, 24 mars 1976 : *La Lys en hiver*, h/t (70x80) : **BEF 36 000** – Bruxelles, 19 déc. 1989 : *La barque*, h/t (74x82) : **BEF 180 000** – Bruxelles, 12 juin 1990 : *Paysage animé*, h/cart. (40x50) : **BEF 55 000** – Lokeren, 8 oct. 1994 : *Paysage estival*, h/t (80x100) : **BEF 36 000** – Lokeren, 11 mars 1995 : *Paysage estival avec un ruisseau*, h/pan. (60x71) : **BEF 33 000**.

COENE Quentin
Mort en 1399 à Bruges. xive siècle. Éc. flamande.
Sculpteur.

COENEGRACHT Jean-Claude
Né en 1948 à Liège. xxe siècle. Belge.
Peintre de compositions, dessinateur, graveur.
Il réalise des peintures sur bois qui associent tradition et fantastique et des compositions laquées qui enchâssées dans des boîtes en Plexiglas font jouer la lumière.
Bibliogr. : In : *Diction. Biogr. Ill. des Artistes en Belgique depuis 1830*, Arto, 1987.

COENEN Jean
Né en 1945. xxe siècle. Belge.
Sculpteur de figures.
Il fut élève de l'école d'art de Maredsous et de la Cambre à Bruxelles. Il fut lauréat de la Fondation belge de la Vocation, reçut le prix Constantin Meunier à Charleroi et le Grand Prix du Hainaut. Il fut professeur à l'Académie de Charleroi.
Bibliogr. : In : *Diction. Biogr. Ill. des Artistes en Belgique depuis 1830*, Arto, 1987.

COENEN Jean-Claude
Né en 1944 à Embourg. xxe siècle. Belge.
Peintre. Figuratif.
Il fut élève de l'Académie de Liège et à Rome entre 1969 et 1972. Il est professeur à l'Académie de Liège.
Bibliogr. : In : *Diction. Biogr. Ill. des Artistes en Belgique depuis 1830*, Arto, 1987.
Musées : Damme – Montréal – Rome (Acad. Belgica).

COENEN Otto
Né en 1907 à Düren. Mort en 1971 à Mönchengladbach. xxe siècle. Allemand.
Peintre de compositions animées, paysages, natures mortes, graveur. Tendance postcubiste.
De 1925 à 1929, il fut élève de l'Académie des Beaux-Arts de Düsseldorf. Il se fixa alors à Berlin, jusqu'en 1931. Il entra en contact avec le groupe des artistes progressistes de Cologne, correspondant surtout et se liant d'amitié avec Franz Wilhelm Seiwert. Que signifiait alors l'appellation d'artiste progressiste ? Certainement des choses diverses, non codifiées, mais en premier lieu : une prospective des dérivations issues du cubisme, notamment envers le purisme d'Ozenfant, et les tentations et tentatives abstraites, mais aussi une curiosité encore active pour les séquelles de Dada, et une conscience sociale « de gauche », toutes coordonnées réunies dans le personnage de Seiwert. En 1931, Coenen s'installa en Rhénanie, en contact direct avec le groupe de Cologne, se liant avec Raoul Ubac, rencontrant Otto Freundlich. En 1937, de façon inattendue de lui, dont l'œuvre exprimait une sensibilité opposée, il adhéra au parti nazi. Mobilisé à la guerre, il fut fait prisonnier. De retour en Allemagne, il s'établit en 1949 à Mönchengladbach, reprenant son activité picturale où il l'avait laissée. En 1983, le Musée de Mönchengladbach organisa une exposition rétrospective de son œuvre.
Dans ses débuts, il peignait dans un esprit expressionniste, montrant une influence du cubo-expressionnisme populiste de Hein-

rich Campendonk. Au contact des progressistes de Cologne, avant 1930, il réalisa des linogravures à contenu social et politique, formellement et intentionnellement proches de celles de Gerd Arntz. Ensuite, dans sa période rhénane, au contact direct avec le groupe progressiste, sa peinture évolua à une stylisation de la réalité, natures mortes et paysages, jusqu'à la limite de l'abstraction, de plus en plus en aplats de couleurs à deux dimensions, construits sur les verticales et horizontales, en relation avec l'esthétique puriste. ■ J. B.
Bibliogr. : In : *Diction. de la peint. allemande et d'Europe centrale*, Larousse, Paris, 1990.
Musées : Mönchengladbach (Städt. Mus. Abteiberg) : *Nature morte au réveil et lampe* 1931.
Ventes Publiques : Cologne, 9 déc. 1986 : *Maison rouge dans les arbres* 1947, h/cart. (42,5x32,5) : **DEM 4 800** – Cologne, 29 mai 1987 : *Paysage de Norvège* vers 1945, gche (30x26) : **DEM 900**.

COENENSZ Quiryn ou Cryn ou Coenraetsz
xvie siècle. Actif à La Haye à la fin du xvie siècle. Hollandais.
Peintre verrier.

COENRAAD David
xviiie siècle. Actif à Amsterdam en 1743. Hollandais.
Peintre.
Il fit peut-être ses études à l'Académie de La Haye.

COENRAAD Ludwig. Voir CONENRADT Ludwig

COENRAATSEN Johan
Né à La Haye. xviiie siècle. Hollandais.
Peintre.
Il travaillait à Amsterdam en 1738.

COENRAETS Paul
Né en 1896. Mort en 1964. xxe siècle. Belge.
Peintre de paysages.
Il s'est principalement attaché à traduire les saisons et la poésie du Brabant wallon.
Bibliogr. : In : *Diction. Biogr. Ill. des Artistes en Belgique depuis 1830*, Arto, 1987.

COENTGEN Bartol Anton
xviiie siècle. Vivait à Mayence en 1725 et 1729. Allemand.
Sculpteur.
Il travailla avec H.-J. Ostertag.

COENTGEN Elisabetha, née Mund
Née en 1752 à Francfort-sur-le-Main (Hesse). Morte en 1783 à Francfort. xviiie siècle. Allemande.
Peintre.
Elle peignit surtout des natures mortes.

COENTGEN Georg Joseph
Né en 1752 à Mayence. Mort en 1799 à Mayence. xviiie siècle. Allemand.
Peintre et graveur au burin.
Il fut élève de son père, le graveur Heinrich Hugo Coentgen. Il épousa le peintre de fleurs Elisabetha, à Mund.

COENTGEN Heinrich Hugo
xviiie siècle. Actif à Francfort. Allemand.
Graveur.

COEPEL Jean-Jacques
xxe siècle. Français.
Peintre. Figuration onirique.
Il exposa à Paris au Salon des Artistes Indépendants. Il a reçu le 2e prix au Grand Prix de New York. Il expose personnellement dans des galeries en province.

COERT Gerrit. Voir CORT Gerrit Van den

COERTENSZ Huybert
xvie siècle. Actif à Amsterdam en 1570. Hollandais.
Peintre verrier.

COES Henri de
xixe siècle. Belge.
Peintre de genre.
Ventes Publiques : Paris, 1861 : *L'Adoration des Mages* : FRF 305.

COESERMANS Johannes
xviie siècle. Actif en 1661 à Delft. Hollandais.
Peintre.
Il aurait peint des intérieurs.

COESSIN DE LA FOSSE Charles Alexandre
Né le 7 septembre 1829 à Lisieux (Calvados). Mort en 1900. xixe siècle. Français.

Peintre d'histoire, scènes de genre.

Élève de Picot et de Couture, il débuta au Salon de Paris en 1857, obtenant une médaille de troisième classe en 1873 et deux médailles de bronze aux Expositions Universelles de Paris en 1889 et 1900.

Peintre de genre, il représenta aussi des scènes de la guerre de Vendée, des portraits et des paysages de Bretagne et d'Orient. Ses toiles, qui parfois mettent en valeur les lignes ondoyantes de nus féminins, ne manquent pas d'une certaine science de la composition et témoignent de qualités de coloriste.

Bibliogr. : Gérald Schurr, in : *Les Petits Maîtres de la peinture 1820-1920, valeur de demain*, Les Éditions de l'Amateur, t. IV, Paris, 1979.

Musées : Bayeux : *Le vieillard et les trois jeunes hommes* – Gray : *Départ des émigrés par les grèves du Mont Saint-Michel* – Liège : *La part du pauvre* – Lisieux : *Thésée* – Reims : *L'embuscade*.

Ventes Publiques : Paris, 1875 : *Les saltimbanques* : FRF 1 710 – Paris, 1881 : *Les Politiques au Palais Royal* : FRF 905 – New York, 1900-1903 : *Après le déjeuner* : USD 200 – Paris, 19 nov. 1924 : *La jeune bergère* : FRF 215 – Paris, 11 mars 1940 : *Scène de la Révolution* : FRF 2 000 – Paris, 20 fév. 1942 : *Le fauconnier* : FRF 4 100 – Londres, 5 juil. 1978 : *Nu couché*, h/t (26x33,5) : GBP 850 – Londres, 14 jan. 1981 : *Un chevalier saluant une jeune femme*, h/t (36x44) : GBP 800 – Londres, 22 juin 1983 : *Une promenade en été*, h/t (30,5x45) : GBP 1 050 – Londres, 22 mai 1992 : *Après le banquet 1876*, h/t (136,5x184,1) : GBP 8 580 – Paris, 2 avr. 1997 : *L'Écuyère*, h/t (46x33) : FRF 10 500.

COESTER Anna Helena, née Neubauer
XIXᵉ siècle. Active à Francfort. Allemande.
Peintre de fleurs.

COESTER Otto
Né le 3 avril 1902 à Rödinghausen-sur-Herford. XXᵉ siècle. Allemand.
Peintre.

Il fut étudiant au Bauhaus de Weimar. À partir de 1934, il fut professeur à l'Académie d'Art de Dusseldorf. En 1951 il reçut le prix de la ville de Wuppertal et en 1950 le prix Konrad-von-Soest. Il figura dans l'exposition *1960-1970* au Musée de Bochum en 1970.

Ventes Publiques : Hambourg, 6 juin 1985 : *Fleurs devant la maison 1955*, h/pan. (91x69,5) : DEM 4 200.

COETLOGON Yves de
Né le 16 juillet 1913 à Recques (Pas-de-Calais). XXᵉ siècle. Français.
Sculpteur d'animaux.

Sociétaire du Salon d'Automne il y expose depuis 1935. Essentiellement figurative, sa sculpture décrit le monde animalier mais il a exceptionnellement réalisé des sculptures abstraites.

COETS Hermann. Voir KOETS Hermanus

COETSEM Jan Van
Mort en 1733 à Bruges. XVIIIᵉ siècle. Éc. flamande.
Peintre.

COETSON Stevin ou Cochon ou Contson
XVᵉ siècle. Actif à Bruges à la fin du XVᵉ siècle. Éc. flamande.
Enlumineur.

Un peintre du même nom vécut à Bruges à la même époque. On ne doit sans doute pas l'identifier avec cet artiste. Voir aussi Cochon (Étienne).

COETZEE Christo
Né le 24 mars 1929 à Johannesburg. XXᵉ siècle. Britannique.
Peintre.

Il commença à exposer à l'Académie Sud-Africaine en 1948-1949. Il termina ses études en 1950. En 1955, l'Université lui accorda une bourse d'études pour l'Europe, en 1956 il reçut une bourse du gouvernement italien et en 1959 une bourse du gouvernement japonais. En 1959 il exposa personnellement à Paris, ce qui le fit figurer dans l'exposition des *Galeries Pilotes du Monde* au Musée Cantonnal de Lausanne en 1963.

Il réalise des objets audacieux et déroutants à partir d'une technique mixte, peinture-sculpture. Deux périodes apparaissent dans son œuvre : les *Assemblages* créés de 1956 à 1962 et une période néobaroque de 1963 à 1968 où il utilise simultanément un matérisme informel en épaisseur, et le dripping. ■ J. B.

CŒUR D'ACIER Antoine, dit l'Assurance
XVIIIᵉ siècle. Actif en Russie en 1716. Français.
Sculpteur.

Il fut appelé par Pierre le Grand en Russie.

CŒUR D'AMOUR ÉPRIS, Maître du. Voir MAÎTRES ANONYMES

CŒURDEROY Marie
Née à Chablis (Yonne). XIXᵉ siècle. Française.
Peintre de portraits et de paysages.

Elle fut l'élève de Cogniet et exposa au Salon entre 1868 et 1874. Le Musée d'Auxerre possède une toile de cette artiste.

CŒURÉ Sébastien
Né en 1778. XIXᵉ siècle. Français.
Peintre, graveur, dessinateur.

De 1810 à 1831, il se fit représenter au Salon de Paris. Citons parmi ses tableaux : *Niobé recevant le dernier soupir de ses enfants*, *Le grand Condé, prisonnier à Vincennes, cultivant des œillets*, *Le roi et le berger*, *Les voleurs et l'âne*. On cite parmi ses gravures : *Le serment de village*.

Ventes Publiques : Paris, 27 mars 1919 : *Le déjeuner sur l'herbe*, aquar. : FRF 40.

COEURET Alfred Léon
Né le 18 mars 1868 à Paris. XIXᵉ-XXᵉ siècles. Français.
Lithographe et peintre.

Il exposa au Salon des Artistes Français à partir de 1890 recevant une mention en 1902, puis au Salon des Artistes Indépendants jusqu'en 1943.

COEVERSHOFF Christiaen
Né en 1600 peut-être à Amsterdam. Mort sans doute en 1659 à La Haye. XVIIᵉ siècle. Hollandais.
Peintre.

Il peignit surtout des portraits.

COEVOORDE Jan Van ou Coevoort
XVIᵉ siècle. Actif à Gand à partir de 1528. Éc. flamande.
Peintre verrier.

Il travailla pour l'Hôtel de Ville de Gand, entre 1546 et 1547.

COEVOORDE Lievien Van
XVIᵉ siècle. Actif à Gand. Éc. flamande.
Peintre verrier.

Il était le fils de Jan Van Coevoorde.

COEX Philipp
Né en 1649 à Cologne. Mort en 1711 à Lübeck. XVIIᵉ-XVIIIᵉ siècles. Allemand.
Peintre.

Il fit des études de droit à Louvain où il apprit en même temps la peinture, mais il ne fut jamais en art qu'un amateur.

COËYLAS Henry
Né vers 1845 à Joinville-le-Pont (Val-de-Marne). XIXᵉ-XXᵉ siècles. Français.
Peintre de genre. Réaliste postimpressionniste.

Élève de Pils, Boulanger, Jules Lefebvre et Gabriel Ferrier, il participa au Salon de Paris à partir de 1879. Sociétaire des Artistes Français, il obtient une mention honorable à l'Exposition Universelle de 1889.

Ses scènes de marchés, foires, sujets campagnards ont un caractère réaliste, mais sont baignés de lumière et traités dans un style impressionniste, où les ombres sont bleutées.

Bibliogr. : Gérald Schurr, in : *Les Petits Maîtres de la peinture 1820-1920, valeur de demain*, Les Éditions de l'Amateur, t. IV, Paris, 1979.

Ventes Publiques : New York, 25 fév. 1983 : *Le déjeuner sur la terrasse*, h/t (120,8x165,7) : USD 3 500 – Troyes, 26 juin 1988 : *La bouillie*, h/t (73x93) : FRF 14 000.

COFA Melchiore. Voir CAFFA

COFANARIO Bartolomeo
XVᵉ siècle. Actif à Padoue en 1452. Italien.
Peintre.

COFANARIO Giovanni
XIVᵉ siècle. Actif à Padoue en 1379. Italien.
Peintre.

COFFA Andrea
XIXᵉ siècle. Italien.
Peintre de genre, paysages, marines.

Il travaillait à Naples.

Ventes Publiques : Milan, 14 juin 1989 : *La route du village 1876*, h/t (53,5x36,5) : ITL 16 000 000 – Copenhague, 29 août 1990 : *Couple de paysans italiens avec un bébé endormi sur les* *genoux de sa mère devant la maison,* h/t (53x31) : **DKK 30 000** – New York, 26 mai 1994 : *La prière,* h/t (45,7x31,8) : **USD 4 600**.

COFFEE H.
xixᵉ siècle. Britannique.
Sculpteur.
Il exposa de 1819 à 1845 à la Royal Academy, à la British Institution et à Suffolk Street, à Londres.

COFFEE W. J.
xixᵉ siècle. Britannique.
Sculpteur.
Il exposa de 1801 à 1816 à la Royal Academy, à Londres.

COFFERMANS Isabelle ou Koffermans
Née probablement à Anvers. xviᵉ siècle. Éc. flamande.
Peintre de compositions religieuses.
Fille de Marcellus Coffermans, il est probable qu'elle fut son élève. Elle entra dans la gilde de Saint-Luc en 1575. Il est probable que, comme son père, elle dut faire des pastiches d'après des gravures de maîtres du xviᵉ siècle.

COFFERMANS Marcellus ou Coffermaker ou Koffermans
Mort après 1575. xviᵉ siècle. Éc. flamande.
Peintre de sujets religieux, portraits, copiste.
En 1549, il était maître à Anvers. Sa fille Isabelle Coffermans fut aussi peintre. Il imita des anciens maîtres.
Musées : Anvers : *Baptême du Christ* – Berlin : *Déposition de Croix* – *Mort de Marie* – Bruxelles : *Le Christ montré au peuple* – *Femme nue avec un œillet* – Florence (Mus. Nat.) : *Le Christ dans les limbes* – Madrid : *Triptyque* – Moscou (Roumiantzeff) : *Crucifixion* – Prague : *La Mort de Marie* – Plusieurs portraits.
Ventes Publiques : Londres, 11 juil. 1930 : *La Descente de Croix* : **GBP 52** ; *La Nativité* : **GBP 60** – Berlin, 20 sep. 1930 : *Le Lapidaire* : **DEM 1 100** – Paris, 23 nov. 1934 : *La Descente de Croix* : **FRF 4 100** – Bruxelles, 6 et 7 déc. 1938 : *Nativité aux anges* : **BEF 30 000** – Paris, 25 mai 1949 : *Le Repos de la Sainte Famille* : **FRF 650 000** – Paris, 7 et 8 déc. 1954 : *Le Repos de la Sainte Famille* : **FRF 730 000** – Londres, 14 juin 1961 : *Scènes de la Passion,* triptyque : **GBP 1 250** – Londres, 27 nov. 1970 : *La Crucifixion* : **GNS 450** – Londres, 16 avr. 1980 : *Descente de Croix,* h/pan. (30,5x22) : **GBP 2 000** – Londres, 8 juil. 1983 : *Vierge à l'Enfant,* h/pan. (95,9x73,1) : **GBP 6 500** – New York, 15 jan. 1987 : *La Sainte Famille avec un ange,* h/pan. (82,5x74,5) : **USD 13 000** – New York, 11 jan. 1989 : *La Madonne et l'Enfant,* h/pan. (15,2x10,8) : **USD 19 800** – New York, 21 avr. 1989 : *L'Adoration des bergers* ; *L'Annonciation,* h/pan., une paire (10,5x6,4) : **GBP 33 000** – Londres, 7 jul. 1989 : *Saint Jean dans l'île de Patmos,* h/pan. (32x20,5) : **GBP 16 500** – Paris, 12 déc. 1989 : *Vie de la Vierge,* triptyque (122x123) : **FRF 430 000** – Londres, 28 fév. 1990 : *La Déposition,* h/pan. (30x22) : **GBP 2 200** – Paris, 7 nov. 1990 : *Épisode de la vie de Samuel, La Nativité, Le roi Salomon recevant la Reine de Saba,* série de trois pan. de chêne (chaque 12,5x8) : **FRF 70 000** – New York, 17 jan. 1992 : *Vierge à l'Enfant avec un ange,* h/pan. (21,6x14,6) : **USD 36 300** – Londres, 8 juil. 1992 : *L'Adoration des Mages,* h/pan., haut arqué (123x73) : **GBP 19 800** – New York, 24 avr. 1995 : *La Résurrection,* h/pan. (25,4x16,5) : **USD 6 900** – Londres, 17 avr. 1996 : *La Vierge* ; *L'Ange de l'Annonciation,* h/pan., une paire (27,8x9,8) : **GBP 13 800** – Amsterdam, 10 nov. 1997 : *L'Adoration des Rois Mages,* h/pan. (45,1x33,8) : **NLG 66 885** – Paris, 13 juin 1997 : *Saint Augustin* ; *L'Adoration des bergers* ; *Saint Jacques le Majeur,* pan., triptyque (55x18 et 54x40 et 55x18) : **FRF 130 000** – Amsterdam, 11 nov. 1997 : *Le Christ sur le chemin de Croix,* h/pan. (22,9x19) : **NLG 17 298**.

COFFÉTIER Nicolas
Né en 1821 à Gorge (Moselle). Mort en 1884 à Paris. xixᵉ siècle. Français.
Peintre de genre et de paysages.
Il eut pour maître Maréchal, de Metz. En 1864, il exposa au Salon de Paris : *Paysage en Lorraine,* et en 1868 : *Le berger et la mer, La cueillette des pissenlits.*

COFFEY Alfred
xixᵉ siècle. Britannique.
Peintre de paysages.
Il a exposé à Londres à la Royal Academy à partir de 1879.
Musées : Sydney : *Sous les arbres (Rose Bay, Sydney).*
Ventes Publiques : Sydney, 3 juil. 1989 : *Brisants à Austinmere,* h/cart. (22x30) : **AUD 1 900**.

COFFIER
xviiᵉ siècle. Actif à Paris. Français.

Sculpteur sur bois.
Il travailla pour l'église Saint-Eustache.

COFFIN E.
xviiiᵉ-xixᵉ siècles. Britannique.
Peintre.
Il peignit un portrait du duc Frédéric-Auguste d'York.

COFFIN E.
xviiiᵉ-xixᵉ siècles. Britannique.
Il exposa de 1787 à 1803 à la Royal Academy, à Londres. Probablement identique au peintre précédant.

COFFIN Fernand
Né à Paris. Mort en juin 1946 à Paris. xxᵉ siècle. Français.
Sculpteur de figures.
Il exposa au Salon des Artistes Français.

COFFIN George Albert
Né en 1856 à New York. Mort en 1922 à New York. xixᵉ-xxᵉ siècles. Américain.
Peintre.

COFFIN Isabel C.
Née à Portland. Morte en 1912 à Summit (New Jersey). xxᵉ siècle. Américaine.
Peintre.

COFFIN J. Edward
Né à Minneapolis (Minnesota). Mort en 1905 à Manchester (New Hampshire). xixᵉ siècle. Américain.
Auteur de cartons de tapisseries.

COFFIN Sarah Taber, Mrs William H. Coffin
Née le 1ᵉʳ juin 1844 à Vassalboro (Maine). xixᵉ siècle. Américaine.
Peintre.
Élève de Dr. Rimmer, Frank Duveneck, Charles Woodbury, R. Swain Gifford. Membre de la Copley Society en 1899.

COFFIN William Anderson
Né le 31 janvier 1855 à Allegheny (Pennsylvanie). Mort en 1925 ou 1926 à New York. xixᵉ-xxᵉ siècles. Américain.
Peintre de paysages.
Il eut pour maître Léon Bonnat à Paris. Associé de la National Academy, en 1899 ; il fut nommé directeur des Beaux-Arts et membre du Jury supérieur à l'Exposition de Buffalo en 1901. Il obtint une médaille de bronze à l'Exposition de Paris en 1889 ; et fut médaillé à Charleston (Exposition 1902) et Saint Louis (1904). Il était aussi écrivain.
Ventes Publiques : New York, 1900 : *Le soir, une vallée du Somerset* : **USD 340** – New York, 9 déc. 1904 : *Une idylle* : **USD 130** – New York, 29 oct. 1931 : *Le lever de la lune* : **USD 25** – New York, 15 avr. 1970 : *Paysage du Connecticut 1884* : **USD 400** – New York, 20 avr. 1979 : *Paysage à la rivière 1882,* h/pan. (41x32,4) : **USD 13 500** – New York, 19 juin 1981 : *Arbres en fleurs,* h/t (63,5x76,2) : **USD 2 500** – Boston, 26 nov. 1985 : *Paysage au crépuscule,* h/t (76,8x101,6) : **USD 5 250** – New York, 23 avr. 1997 : *Octobre 1899,* h/t (76,2x101,6) : **USD 3 680**.

COFFIN William Haskell
Né à Charleston (Caroline du Sud). xixᵉ-xxᵉ siècles. Américain.
Peintre.
Élève de Robert Hinckley. Mention honorable au Cosmos Club de Washington en 1896. Étudia à Paris avec Jean-Paul Laurens.

COFFINET Julien
Né à Alfortville (Val-de-Marne). xxᵉ siècle. Français.
Peintre.
A exposé un paysage au Salon d'Automne de 1926.

COFFINIÈRES DE NORDEK Léon Gabriel
Né à Montpellier. Mort en 1898 à Paris. xixᵉ siècle. Français.
Peintre d'histoire, paysages, aquarelliste.
Élève de Meissonier, il débuta au Salon de 1875 avec une aquarelle.
Ventes Publiques : Paris, 1894 : *Les Apparitions à Domrémy* : **FRF 410** ; *Arrivée à Orléans* : **FRF 520** ; *Entrée à Reims* : **FRF 450** ; *Jeanne faite prisonnière* : **FRF 500** ; *Victoire de Patay, en Beauce* : **FRF 500** ; *Voyage à Chinon* : **FRF 390** – Paris, 22 fév. 1937 : *La Revue du 14 juillet, en 1883, à Longchamps,* aquar. : **FRF 500**.

COFFRE Benoît ou Bénédict
Né en 1670 en France. Mort en 1722 à Copenhague, d'une attaque d'apoplexie. xviiiᵉ siècle. Français.

Peintre de sujets religieux, portraits, compositions murales.

Ce peintre remporta, en 1692, le premier prix de peinture à l'Académie des Beaux-Arts de Paris. Appelé en Danemark probablement en 1695 ou 1696, il travailla à la solde du roi Ferdinand IV, de 1704 à 1721. Malgré l'importance de ses travaux, Coffre ne connut pas la fortune.

Il peignit des portraits du roi, du prince héritier et d'autres personnages, et exécuta en même temps de grands tableaux décoratifs, principalement des plafonds pour les palais royaux. Ses œuvres, d'une technique très vive, ont contribué, de même que les œuvres d'Agar, à remplacer au Danemark la peinture de l'École hollandaise par le style français. Son œuvre la plus célèbre était un grand plafond au Palais de Frederiksborg, représentant une mascarade. Ce tableau porte l'année 1704 ; une esquisse de l'œuvre appartient au Musée royal de peintures. La plupart des autres plafonds de Frederiksborg sont dus également à cet artiste. Les dernières œuvres connues de lui sont un tableau d'autel à Vallo, daté de 1719, et un plafond à Rosenborg, de 1721.

Ventes Publiques : COPENHAGUE, 27 sep. 1977 : La Tentation, h/t (30x28) : DKK 8 000.

COFONE César
Né le 27 novembre 1937 à Buenos Aires. XXᵉ siècle. Actif en France. Argentin.
Sculpteur d'installations, peintre, technique mixte, dessinateur. Abstrait-constructiviste.

Il fut élève de l'École des Beaux-Arts de Buenos Aires et de la Slade School de Londres. Il participe à des expositions collectives. À Paris, il a figuré de nombreuses fois au Salon des Grands et Jeunes d'Aujourd'hui, notamment en 1968 et 1969. Il montre surtout ses réalisations dans des expositions personnelles, d'entre lesquelles : 1972 Paris, 1973 Amsterdam, 1975 Lausanne, 1979 Galerie Denise René Paris, 1981 Centre Pompidou Paris pour une performance, 1982 Fondation Gulbenkian Lisbonne, 1987, 1992 Galerie Franka Berndt Paris.

Sculpteur ayant abandonné très tôt les outils du sculpteur, il cherche avec le dessin à en retrouver l'équivalence, faisant la preuve dans cette pratique d'une dextérité étonnante. Ses peintures sont constituées en technique mixte, utilisant des matériaux divers, par exemple des feuilles de plomb. Il prend aussi en compte le lieu où il expose, renouant avec son activité de sculpteur d'installations, réalisant au besoin certaines œuvres directement sur les murs de la galerie. Passant outre une certaine préciosité des matériaux et surtout de détails ornementaux, il y a une parenté entre la démarche de Cofone et le minimalisme, dans leur refus commun de transmettre du sens, autre que celui qui définit le plus matériellemet possible l'objet réalisé et son rapport corporel à l'artiste qui l'a créé, non à son image, mais à son échelle. ■ J. B.

Musées : PARIS (FNAC) : Plusieurs acquisitions – PARIS (Mus. d'Art Mod. de la Ville).
Ventes Publiques : PARIS, 10 juin 1993 : Relief 1992, feuille de pb et pap. gaufré/bois (98,5x74,5) : FRF 5 500.

COGDELL John Stephans
Né en 1778 à Charleston. Mort en 1847 à Charleston. XIXᵉ siècle. Américain.
Peintre et sculpteur.

COGEL Joseph. Voir COCKELS

COGELL Pierre ou Eberhard Cogell Pehr
Né en 1734 à Stockholm. Mort le 21 janvier 1812 à Lyon. XVIIIᵉ-XIXᵉ siècles. Suédois.
Peintre de portraits.

Élève de l'Académie de Stockholm, il obtint, en 1763, une bourse de voyage et alla travailler à l'Académie des Beaux-Arts de Copenhague d'où il vint, en 1764, se fixer à Lyon. Il serait passé par Munich et aurait peint, dans cette ville, des panneaux d'architectures. Il fit un séjour à Paris en 1778-1779, et, à la suite, sans doute, des protections qu'il s'y procura, fut nommé, le 5 janvier 1779, par ordre de Marie-Antoinette, peintre ordinaire de la Ville de Lyon en concurrence et survivance de Nonotte. Depuis 1783, il était professeur adjoint, sous Villionne, à l'École de dessin de Lyon ; il y enseigna jusqu'en 1807, puis passa à l'École centrale.

Cogell fut surtout peintre de portraits.

Ventes Publiques : PARIS, 25 nov. 1936 : Portrait de jeune femme : FRF 3 520 – STOCKHOLM, 9 avr. 1985 : Portrait 1795, h/t (102-77) : SEK 9 000.

COGELS Joseph Charles
Né en 1786 à Bruxelles. Mort en 1831 au château Leithain (près de Donaüworth, Bavière). XIXᵉ siècle. Éc. flamande.
Peintre d'animaux, paysages animés, paysages, marines, graveur, dessinateur.

En 1805, il visita l'Académie de Düsseldorf, et après 1819, vécut à Munich ; il travailla pour le duc de Leuchtenberg et fut le maître de la princesse Elisabeth de Bavière ; il publia un livre sur l'architecture au Moyen Âge.

Ventes Publiques : PARIS, 1823 : Un chemin au milieu d'un bois, dess. légèrement lavé de bistre, esquisse : FRF 7 ; Grand paysage, avec un phare et la mer, dess. à l'encre de Chine, mêlé de bistre et de blanc : FRF 12 – COLOGNE, 25 mars 1972 : Paysage fluvial : DEM 2 500 – MUNICH, 10 déc. 1992 : Paysan avec une vache dans un paysage italien 1802, encre brune/pap. (23,5x29,1) : DEM 1 130 – MUNICH, 6 déc. 1994 : Ville au bord d'une rivière 1822, h/pan. (44x62,5) : DEM 9 430 – VIENNE, 29-30 oct. 1996 : Paysage d'eau et vaches se reposant au bord d'un chemin 1814 (78,5x106) : ATS 172 500.

COGEN Félix
Né en 1838 à Saint-Nicolas. Mort en 1907. XIXᵉ siècle. Belge.
Peintre de genre, figures, graveur.

Cogen a obtenu une médaille de troisième classe au Salon de Paris en 1875 ; il fut fait chevalier de la Légion d'honneur en 1883.

Musées : MELBOURNE : Pêcheuse.
Ventes Publiques : LONDRES, 13 déc. 1937 : Pêcheurs : GBP 12 – LOKEREN, 21 mars 1992 : Le vacher, h/t (35x61,5) : BEF 70 000.

COGENS Joannes Renelus
XVIIIᵉ siècle. Actif à Anvers vers 1728. Éc. flamande.
Peintre.

COGET Anton et Antoine Joseph. Voir COUCHET

COGEZ Alexandre Frédéric
Né à Paris. Mort en 1896. XIXᵉ siècle. Français.
Sculpteur sur bois.
Mention honorable en 1882.

COGGESHALL Calvert
Né en 1907 près d'Utico. XXᵉ siècle. Américain.
Peintre.

Il fit des études d'art et d'architecture à l'Université de Pennsylvanie et à l'Art Student's League. Il voyagea en Europe en 1937-1938. Avant la guerre il vivait à Pittsfield dans le Massachussets et exposait au Worcester Art Museum. Il vécut ensuite à North Stonington (Connecticut). Sa peinture ayant évolué à l'abstraction, il figura en 1951 dans l'importante exposition du Musée d'Art Moderne de New York Peintures et Sculptures abstraites en Amérique et exposa personnellement à New York cette même année.

COGGESWELL William
Né au XIXᵉ siècle. Mort en 1906 à Anietyville (New York). XIXᵉ siècle. Américain.
Peintre.

COGGHE Rémy
Né le 31 octobre 1854 à Mouscron (Belgique). Mort le 2 avril 1935 à Roubaix (Nord). XIXᵉ-XXᵉ siècles. Français.
Peintre de compositions à personnages, genre, portraits, paysages, dessinateur.

Il commença ses études à l'École Académique de Roubaix où il eut Mils pour professeur, et en 1876 fut admis à la section de peinture de l'École Nationale et Spéciale des Beaux-Arts de Paris dans l'atelier de Cabanel. En 1878 il est lauréat au concours préparatif de peinture de l'Académie Royale d'Anvers, et en 1880 il est Grand Prix de Rome pour la peinture décernée par l'Académie Royale d'Anvers. En 1881 il séjourne à Paris comme boursier, en 1882, 1883 et 1884 à Rome, en 1882 à Tolède et en 1885 à Florence. À la fin de l'année 1885 il rentre à Roubaix. Entre 1885 et 1935, mis à part ses envois annuels au Salon des Artistes Français, on ne détient aucune trace permettant de déterminer ce que furent ses activités et ses déplacements. Il était fils d'ouvriers d'origine belge, venus travailler dans le nord de la France. Il se forma chez Mils, y acquis les bases de la technique et un « petit talent », suffisant pour que son premier maître le recommande à Cabanel.

Les paysages l'intéressent, des vues urbaines de villes d'art comme Venise ou Bruges ou des scènes rurales, dans lesquels il s'attache à la juxtaposition des éléments constitutifs du paysage structuré par l'eau. Cogghe a laissé de nombreux dessins, jamais datés, jetés sur des supports de fortune, bouts de mauvais papier, des calques jaunis, des faire-part pour des paysages à la mine de plomb ou à l'encre. Son sujet de prédilection demeure la description de la vie sociale de son temps. Prenant pour prétexte l'anecdote, il peint la vie sociale, celles des ouvriers dans les estaminets *Le coup de la fin* 1900, des distractions du peuple *Le combat de coq*, 1911 *Le jeu de bourles en Flandres* 1911, mais aussi des scènes de la vie bourgeoise et de nombreux portraits, *Scène de famille – Le compliment du nouvel-an des petits-enfants de Madame Taffin-Binault*, s'agissant pour la plupart des commandes.

$R \cdot COGGHE$

Bibliogr. : Catal. de l'exposition *Rémy Cogghe*, musée de Roubaix, nov.-déc. 1985 – P. et V. Berko : *Dictionnaire des peintres belges nés entre 1750 et 1875*, Bruxelles, 1981.
Musées : Bruxelles (Mus. roy. des Beaux-Arts) : *Deux personnages, homme et femme – Les quatre philosophes : portrait de P. P. Rubens et de son frère Philippe, De Juste Lipse et de Woverius*, h/t – Mouscron (Mus. du folklore) : La presque totalité de l'œuvre dessiné et quelques peintures – Roubaix : La presque totalité de l'œuvre peint et quelques dessins – Tourcoing : *Le jeu de bourles en Flandres* 1911, h/t – Tournai (Mus. des Beaux-Arts) : *Le coup de la fin* 1900, h/t.
Ventes Publiques : Saint-Brieuc, 2 déc. 1979 : *Qui s'y frotte*, h/t (118x94) : **FRF 5 200** – Londres, 24 fév. 1982 : *Combat de coqs*, h/t (100x65,5) : **GBP 1 500** – Londres, 25 mars 1987 : *Les joueurs de boules* 1899, h/t (106,5x154) : **GBP 8 000** – Calais, 4 juil. 1993 : *La partie de boules*, h/t/pan. (23x33) : **FRF 7 000** – Lokeren, 8 mars 1997 : *Caramba !* 1898, h/t (100x75) : **BEF 750 000**.

COGHETTI Francesco
Né en 1804 à Bergame. Mort en 1875 à Rome. xixe siècle. Italien.
Peintre de compositions religieuses, sujets allégoriques, dessinateur.
Il fut élève de Diotti di Casalmaggiore, et plus tard, allant à Rome, il se plaça sous la direction de Camuccini, se développant aussi par l'étude des œuvres de Raphaël. Coghetti remplit pendant plusieurs années les fonctions de président de l'Académie de Saint-Luc, à Rome. C'est sans doute lui qui fut connu comme restaurateur de tableaux et professeur de dessin à l'École Normale Victoria Colonna, à Rome.
Ventes Publiques : Rome, 13 mai 1986 : *Dante et Virgile*, h/pan. (20x26) : **ITL 1 600 000** – Rome, 31 mai 1994 : *Étude de bacchanale*, h/cart. (17x18,5) : **ITL 2 357 000** – Rome, 6 déc. 1994 : *L'Annonciation*, h/t (26x38) : **ITL 3 064 000**.

COGHETTI Medoro
Né vers 1710. Mort en 1793. xviiie siècle. Actif à Trévise. Italien.
Peintre.
Il peignit à la fresque des scènes d'histoire et des scènes religieuses.

COGHUF-STOCKER Ernst
Né en 1905 à Bâle. Mort en 1976 à Muriaux. xxe siècle. Suisse.
Peintre de paysages.
Ses paysages sont largement brossés, à partir d'un dessin ample et elliptique.
Ventes Publiques : Zurich, 29 nov. 1977 : *Maisons* 1950, h/t (60x140) : **CHF 4 200** – Lucerne, 30 mai 1979 : *Autoportrait* 1929, h/pan. (60x49) : **CHF 3 800** – Berne, 26 juin 1982 : *Homesick for America* 1929, h/t (110x125) : **CHF 7 400** – Zurich, 30 nov. 1984 : *Cheval dans un paysage du Jura* 1934, h/t (76x100) : **CHF 7 000** – Berne, 25 oct. 1984 : *Les terrassiers* 1931, h/t (80x110) : **CHF 9 000** – Lucerne, 25 mai 1991 : *Le jardin clos* 1930, h. et techn. mixte/cart. (68x47) : **CHF 5 000** – Zurich, 24 nov. 1993 : *Paysage du Jura* 1944, h/t (29x71) : **CHF 2 875**.

COGIOLA Jean Ange
Né en 1768 à Turin. Mort en 1831 à Paris. xviiie-xixe siècles. Italien.
Sculpteur.
Il exposa des bustes au Salon à Paris entre 1808 et 1817.

COGLE Henry George
xxe siècle. Britannique.
Peintre et graveur sur bois et à l'eau-forte.
Expose à la Royal Academy et au Royal Institute.

COGLIATI Ettore
xixe siècle. Actif à Milan. Italien.
Sculpteur.
Artiste heureux dans le choix de ses sujets, laisse à ses œuvres une empreinte toujours originale. *Boccace, l'Espagnole, Le Ménestrel, La Sérénade.*

COGLIONE Giovanni da
xvie siècle. Actif à Brescia vers 1513. Italien.
Peintre.

COGNACQ Jean
Né le 21 septembre 1929 à Hanoi (région du Tonkin). xxe siècle. Français.
Peintre de nus, de paysages et de compositions.
Il fréquenta l'Académie Julian entre 1929 et 1934 dans l'atelier de P. A. Laurens. Il exposa au Salon des Artistes Français dont il était sociétaire, au Salon d'Automne en 1937, au Salon des Tuileries entre 1941 et 1943 et enfin au Salon des Artistes Indépendants où il exposa régulièrement. Des expositions personnelles de ses œuvres se sont tenues à Paris en 1945, 1951, 1954, 1961 et 1962.
Ses paysages de Paris, des bords de la côte normande, son goût pour les nus confirment l'expression intimiste de ce peintre.
Musées : Albi.
Ventes Publiques : Genève, 23 nov. 1972 : *Le Sacré-Cœur* : **CHF 800**.

COGNARD Jacques
xviie siècle. Actif à Paris en 1623. Français.
Sculpteur.

COGNASSE Paul
Né en 1914 à Angoulème (Charente). Mort en mars 1993. xxe siècle. Français.
Peintre et sculpteur. Abstrait.
Il exposa au Salon d'Automne et des Tuileries et en 1953 au Salon des Réalités Nouvelles.
Ventes Publiques : Paris, 15 fév. 1988 : *Composition* 1957, h/pan. (81x60) : **FRF 4 000**.

COGNÉ François Victor
Né vers 1870 à Aubin (Aveyron). Mort vers 1945. xixe-xxe siècles. Français.
Sculpteur.
Élève de Barrias et de Denys Puech. Il a débuté au Salon des Artistes Français ; mention honorable en 1909, troisième médaille en 1921 ; il expose ensuite au Salon de la Nationale. Il est connu surtout pour ses nombreux bustes officiels : *Clémenceau, Mussolini, Maréchal Foch, Maréchal Lyautey, Prince de Monaco, Cardinal Verdier, Général Dubail, Louis Barthou, Albert Sarraut*, etc. Officier de la Légion d'honneur.

COGNÉE Philippe
Né en 1957 à Nantes (Loire-Atlantique). xxe siècle. Français.
Peintre de figures, animaux, natures mortes, peintre de techniques mixtes, sculpteur de figures, dessinateur. Primitiviste.
Il a passé son enfance au Bénin. En 1990, il fut lauréat de la Villa Médicis à Rome. Il vit et travaille à Nantes. Il a figuré en 1982 dans la manifestation intitulée *Figures du temps*, en 1984 aux Ateliers de l'ARC (Art Recherche Confrontation) au Musée d'Art Moderne de la Ville de Paris, à la Fondation Cartier dans les expositions *Sur les murs* en 1986 et *Nos années 80* en 1989. En 1987, il a exposé à Strasbourg *Les peintres d'Europe*. Il a exposé personnellement à Düsseldorf et New York ainsi qu'en 1988 au Musée des Beaux-Arts de Nantes, en 1991 dans une galerie de Lausanne, en 1991 et 1995 à la galerie Laage-Salomon à Paris, en 1994 à Nantes, en 1995 au musée de Picardie à Amiens, en 1996 au musée des Beaux-Arts de Nantes *La Salle blanche*.
Dans l'ensemble de son travail affleure le souvenir du climat culturel relativement primitif du pays de son enfance. Philippe Cognée, dans une première époque, entourait ses peintures de cadres considérables, qu'il sculptait de frises peintes en accord avec le sujet de la peinture centrale : bestiaires ou assemblées de personnages composés d'un seul exemplaire répété. Dans la suite, il peint sur des toiles libres, suspendues sur des tréteaux de bois. Il utilise des couleurs terreuses et dessine au fusain des

figurations sommaires, par lesquelles il désire retrouver une sorte de « mémoire primitive » par sa peinture, à l'inverse de certains artistes actuels utilisant la technologie. « Si je fais une proposition archaïque, c'est pour donner à l'œuvre une chance de durer dans le temps du regard – mon vocabulaire de figures (têtes d'hommes, d'animaux, croix, formes géométriques, maisons...) est un langage universel qui peut être reconnu par chacun. »

Dans ses œuvres des années quatre-vingt-dix, il montre des objets du quotidien : baignoire, réfrigérateur, lave-vaisselle, fauteuil, tres cadrant au plus près de « monumentaliser ». Blancs, travaillés à l'encaustique et sur feuilles de plastique « repassées » au fer, ces apparitions fantomatiques disent l'absence de l'homme. ■ F. M., J. B.

BIBLIOGR. : Philippe Cognée : *Peindre en 1987*, École des Beaux-Arts, Nantes, 1988 – Catalogue de l'exposition *Philippe Cognée*, musée des Beaux-Arts, Nantes, 1988 – Catal. de l'exposition *Nos années 80*, Fondation Cartier, Jouy-en-Josas, nov. 1989 – Philippe Piguet : Catalogue de l'exposition *Philippe Cognée, peintures et sculptures récentes*, galerie Alice Pauli, Lausanne, 1991 – Françoise Bataillon : *Philippe Cognée hors cadre*, Beaux-Arts, Paris, déc. 1991 – Elisabeth Vedrenne : *Cognée et l'homme invisible*, Beaux-Arts, n° 137, Paris, sept. 1995 – Catalogue de l'exposition *Philippe Cognée*, musée de Picardie, Amiens, 1995.

MUSÉES : CAEN (FRAC Basse Normandie) : *Sans titre n°6* 1994 – DOLE (FRAC Franche-Comté) : *La chaise* 1995 – NANTES (Mus. des Beaux-Arts) – NANTES (FRAC Pays de la Loire) : *Sans titre* 1994 – PARIS (FRAC) : *Congélateur* 1995.

VENTES PUBLIQUES : VERSAILLES, 28 juin 1987 : *Tête d'animal* 1984, acryl./pap. Japon mar./t. (116x90) : FRF 15 000 – PARIS, 13 avr. 1988 : *Composition*, techn. mixte/pap. (65x40) : FRF 7 000 – PARIS, 20-21 juin 1988 : *Tête d'animal*, acryl./pap. Japon/t. (116x90) : FRF 17 000 – NEW YORK, 10 nov. 1988 : *Sans titre* 1984, acryl./pap./t. (109,5x89,1) : USD 3 080 – PARIS, 12 juin 1989 : *Visage* 1984, techn. mixte/pap. (59x48) : FRF 16 500 – PARIS, 5 déc. 1991 : *Homme debout* 1984, acryl./pap. mar. (230x160) : FRF 30 000 – PARIS, 5 déc. 1994 : *Paysage* 1994, peint. à l'encaustique (50x70) : FRF 12 500 – PARIS, 24 mars 1996 : *Sans titre* 1986, h/t, dans un cadre de l'artiste (166x133) : FRF 36 000 – PARIS, 29 nov. 1996 : *Sans titre* 1988, peint. à l'encaustique/t., cadre sculpté (115x115x26) : FRF 9 500.

COGNERAS-LELÉGARD Marguerite

Née à Felletin (Creuse). XXᵉ siècle. Française.

Peintre de natures mortes et de cartons de tapisseries.

Elle fut élève d'Emile Bernard et d'Eugène Pougheon. Sociétaire du Salon des Artistes Français elle reçut une mention honorable en 1926.

COGNET Roland

Né en 1957 à Désertines (Allier). XXᵉ siècle. Français.

Sculpteur, dessinateur, graveur.

Il fut élève de l'École des Beaux-Arts de Clermont-Ferrand. Il vit et travaille en Auvergne et à Paris.

Il participe depuis 1987 à de nombreuses expositions collectives : 1987, 1990 et 1991 Salon de Montrouge, 1989 musée de Volvic, 1990 Salon de la Jeune Sculpture à Paris, 1992 Salon Découvertes à Paris, 1992 *10 ans – 10 artistes* à l'École des Beaux-Arts de Clermont-Ferrand. Il montre ses œuvres dans des expositions personnelles : 1886 DRAC (Direction Régionale d'Art Contemporain) Clermont-Ferrand, 1987 Musée d'Aberdeen, 1990 Espace d'art contemporain Paris, depuis 1991 galerie Jorge Alyskewycz à Paris, 1992 FRAC Auvergne (Fonds Régional d'Art Contemporain) à Clermont-Ferrand, 1995, galerie Jorge Alyskewycz, Paris. Il a reçu plusieurs bourses et commandes publiques, notamment la réalisation d'une sculpture monumentale à Cébazat (Puy-de-Dôme).

Depuis ses débuts, l'œuvre de Cognet a évolué. Aux structures monumentales en bois, associations d'éléments verticaux et horizontaux, ont succédé des compositions aux formes ouvertes en acier, zinc ou béton cellulaire. Il va ensuite mêler bois et métal dans des volumes simples, intégrant parfois à son travail des éléments de récupération comme des pneus ou des bidons. Depuis 1990, il puise la forme de ses sculptures directement dans la nature, choisissant des troncs et billes de bois, qu'il recouvre tels quels de plaques d'acier martelées et vissées. Pour ce faire, il élabore un patron, en vue du meilleur agencement, pour atteindre la fluidité. De l'arbre, il ne reste que la forme et l'évocation de l'espèce donnée par le titre : orme, frêne, chataîgnier... Cet acte de recouvrement, qui évoque le travail de Toni Grand, est un

moyen pour l'artiste « de neutraliser le matériau, enfin l'apparence du matériau, car fondamentalement il existe toujours, au-dessous très présent » (Cognet).

BIBLIOGR. : Catalogue de l'exposition : *Roland Cognet, sculptures*, Fonds Régional d'Art Contemporain Auvergne et galerie Jorge Alyskewycz, Clermond-Ferrand, 1992.

MUSÉES : AURILLAC – CLERMONT-FERRAND (FDAC, Fonds dép. d'Art Contemp.) – PARIS (FNAC) – PARIS (BN).

COGNI Giovanni Antonio

XVIIᵉ siècle. Actif à Piacenza en 1618. Italien.

Peintre.

COGNI Giovanni Francesco

XVIIᵉ siècle. Actif à Piacenza en 1618. Italien.

Peintre.

COGNIET Catherine Caroline, née Thévenin

Née en 1813 à Lyon (Rhône). Morte en 1892 à Paris. XIXᵉ siècle. Française.

Peintre de scènes de genre, portraits.

Elle fut élève, puis l'épouse, de Léon Cogniet. Elle exposa au Salon de Paris, de 1835 à 1855.

COGNIET Léon

Né en 1794 à Paris. Mort en 1880 à Paris. XIXᵉ siècle. Français.

Peintre d'histoire, portraits, aquarelliste.

Élève de Guérin, il obtint le Prix de Rome en 1817. Professeur au Lycée Louis-Le-Grand, à l'École des Beaux-Arts et à l'École Polytechnique de Paris, il eut une influence considérable sur les nombreux élèves qu'il a formés, dont Léon Bonnat. Il entra à l'Institut en 1849.

Peintre classique et traditionaliste, travailleur acharné, il eut une très grande réputation aussi bien avec des toiles comme : *Marius sur les ruines de Carthage* qui montre des qualités dans sa composition et des faiblesses dans son coloris, qu'avec des œuvres, comme *Le Tintoret peignant sa fille morte*, qui remporta un vif succès. Il est l'auteur de décorations à Versailles et au Louvre.

Léon Cogniet

BIBLIOGR. : Gérald Schurr, in : *Les Petits Maîtres de la peinture 1820-1920, valeur de demain*, Les Éditions de l'Amateur, t. II, Paris, 1982.

MUSÉES : AIX-EN-PROVENCE : *Portrait de Granet à l'âge de soixante-dix ans* – ANGERS : *Polonais blessé* – BAYONNE (Mus. Bonnat) : *Portrait en buste du père Enfantin* – *Le Coup de fusil*, aquar. – BORDEAUX : *Tintoret peignant sa fille morte* – CHARTRES : *Métabus, roi des Volsques* – CHOLET (Mus. d'Hist. et des guerres de Vendée) : *Portrait de La Trémoille* – LILLE : *Première pensée du tableau de Bailly* – Étude pour le même tableau – Même sujet – LONDRES (coll. Wallace) : *Rebecca et sir Brian de Bois Guilbert* – *La Défense de Paris en 1814*, aquar. – *La Retraite de Moscou*, aquar. – MONTPELLIER : *Tête de femme et tête d'enfant* – NANTES : *Paysannes suisses au bord d'un lac* (Mus. des Beaux-Arts) – PARIS (Mus. du Louvre) : *Portrait de Champollion le Jeune* – Plafond de la salle des fresques antiques – Grande salle céramique antique – *Expédition d'Égypte sous les ordres de Bonaparte*, plafond de la salle des fresques antiques et verres antiques – REIMS : *Effet de neige en Russie* – TOULOUSE : *Marius sur les ruines de Carthage* – VERSAILLES : *Maison, Nicolas Joseph en pied* – *La garde nationale de Paris part pour l'armée* – *Combat de Dierdorf* – *Bataille d'Héliopolis, Basse-Égypte* – *Bataille du Mont Thabor*.

VENTES PUBLIQUES : PARIS, 1834 : *Rebecca enlevée par les Templiers* : FRF 7 300 – PARIS, 1872 : *Une jeune chasseresse* : FRF 5 000 ; *Le Tintoret au lit de mort de sa fille* : FRF 7 700 – PARIS, 6-9 fév. 1922 : *Pendant la campagne de Russie – Pendant la campagne d'Égypte*, deux aquar. : FRF 310 – PARIS, 23 juin 1941 : *Scène d'émeute, épisode de 1830* : FRF 4 300 – PARIS, 8 mars 1943 : *Scène de la bataille d'Héliopolis*, étude au past. Pour le tableau du Musée de Versailles : FRF 200 – LONDRES, 9 mai 1978 : *Rebecca et Sir Brian de Bois Guilbert*, h/t (32x39,5) : GBP 1 800 – PARIS, 16 juin 1982 : *Expédition d'Égypte sur les ordres de Bonaparte 1837-1839*, h/t (69x57) : FRF 3 800 – MONTE-CARLO, 29 nov. 1986 : *La bataille d'Héliopolis le 20 mai 1800*, h/t (52x64) : FRF 85 000 – MONACO, 20 fév. 1988 : *Portrait présumé d'Anatole France*, fus. (23x29) : FRF 8 880 – PARIS, 7 mars 1988 : *Le temple de Jupiter à Baalbeck*, h/t (49x65) : FRF 5 000 – PARIS,

17 juin 1991 : *Les saintes femmes au tombeau*, h/t (22x50) : **FRF 38 000** – Paris, 19 jan. 1994 : *Jeune homme au chapeau*, mine de pb (19x14,5) : **FRF 6 000** – Paris, 10 oct. 1994 : *La leçon de dessin*, h/pan. (73x59) : **FRF 29 000** – Paris, 28 avr. 1995 : *Le Tintoret peignant sa fille morte* 1842, h/t (72x81,5) : **FRF 33 000**.

COGNIET Marcel Hippolyte Adrien
Né le 11 mars 1857 à Paris. Mort en 1914. xixe-xxe siècles. Français.

Peintre de paysages. Postimpressionniste.

Il a exposé parfois aux Salons du Cercle de la rue Boissy-d'Anglas et à la Galerie Georges Petit en 1905.
Il réussit à renouveler les vues de Venise en évitant les places les plus connues, pour montrer des maisons aux terrasses fleuries, des voiliers sur la lagune, des petites îles sous la brume, peints vivement, sous une lumière limpide.

Bibliogr. : Gérald Schurr, in : *Les Petits Maîtres de la peinture 1820-1920, valeur de demain*, Les Éditions de l'Amateur, t. VI, Paris, 1985.

Ventes Publiques : Bruxelles, 10 déc. 1976 : *Canal à Venise*, 2 h/t, formant pendants (38x55) : **BEF 36 000**.

COGNIET Marie Amélie
Née le 5 avril 1798 à Paris. Morte le 29 avril 1869 à Paris. xixe siècle. Française.

Peintre de genre.

Élève de son frère Léon Cogniet. Elle débuta au Salon en 1831. Elle a obtenu une médaille de deuxième classe en 1833.

Amelie Cogniet

Musées : Chantilly : *Portrait de Mme Adélaïde d'Orléans* – Lille : *Intérieur d'atelier*.

Ventes Publiques : Paris, 1858 : *Paysage avec figures* : **FRF 240** – Paris, 20 et 21 avr. 1904 : *Femme de brigand* : **FRF 80** ; *Cascade en Suisse* : **FRF 20** ; *Vue de Suisse* : **FRF 45**.

COGNOULLE Jean Simon
Né en 1687 à Liège. Mort en 1744 à Liège. xviiie siècle. Belge.

Sculpteur.

Il fut élève de Renier Panhays de Rendeux. Il existe des œuvres de cet artiste dans plusieurs églises liégeoises.

Ventes Publiques : Londres, 29 avr. 1980 : *La Bataille d'Anghiari* 1740, bois fruitier, haut-relief (88,5x172) : **GBP 9 000**.

COGO Carlo
Né à Piemonte (Piémont). xxe siècle. Italien.

Peintre.

Il exposa au Salon d'Automne et à celui des Artistes Indépendants entre 1928 et 1930.

COGOLLO Heriberto
Né le 29 septembre 1945 à Carthagène (Colombie). xxe siècle. Colombien.

Peintre.

Entre 1957 et 1960, Cogollo fit ses études à l'École des Beaux-Arts de Carthagène puis, en 1964, titulaire d'une bourse du département de Bolivar, il part à Madrid où il réside jusqu'en 1967 avant de gagner Paris. Il a exposé à partir de 1963 à Carthagène, à Madrid à partir de 1965 et en 1973 à Paris.
De race noire, Cogollo s'est principalement intéressé aux thèmes de la culture africaine, en particulier aux rites et aux pratiques permettant la connaissance du corps qu'il retranscrit sur des toiles dans des visions d'inspiration fantastique.

Ventes Publiques : Paris, 8 juin 1972 : *Le silence d'un passé* : FRF 2 500 – New York, 17 mai 1994 : *La terrasse rose* 1991, acryl. et sable fin/t. (114x146,1) : **USD 37 375**.

COGORANI Pietro
Né à la fin du xviie siècle à Tomo (Frioul). xviie-xviiie siècles. Italien.

Peintre.

Élève de Francesco Brandolise. Il travailla surtout à Venise où il peignit des animaux et des poissons.

COGORDE
xviie-xviiie siècles. Français.

Sculpteur.

Il travailla sous la direction de Puget à Toulon et exécuta en 1659 un buste du roi.

COGROSSO
xviiie siècle. Italien.

Peintre.

Il exécuta une fresque représentant la *Mort de Marie* dans l'abside de l'église San Stefano Nuovo à Biella.

COGSWELL Charlotte
Née aux États-Unis. xixe siècle. Travaillant vers 1871-1880. Américaine.

Graveur sur bois.

COHEN Bernard
Né le 28 juillet 1933 à Londres. xxe siècle. Britannique.

Peintre. Figuratif puis abstrait.

Il est le frère de Harold Cohen, peintre abstrait réputé. Il fit ses études à l'École Saint-Martin entre 1950 et 1951 et à la Slade School of Art entre 1951 et 1954. Depuis 1957 il se consacre à l'enseignement. Il obtint une bourse du gouvernement français, ce qui lui permit de travailler en France, en Espagne et en Italie de 1954 à 1956. Il fut professeur à la Saint Martin's School of Art entre 1963 et 1964, entr e1966 et 1969 aux Chelsea et Slade School of Art de Londres. En 1971 il effectua une série de conférences aux États-Unis et au Canada. En 1961 il a figuré dans la seconde Biennale des jeunes à Paris, en 1966 dans le pavillon britannique de la Biennale de Venise. Il exposa personnellement à Londres à partir de 1958 ; une rétrospective de son œuvre s'est tenue en 1972 à la Hayward Gallery de Londres.
Entre 1954 et 1957 il peignit des paysages figuratifs, puis travailla dans la voie du hard edge. Mais dès le début des années soixante, il adopte un style très libre, élaboré à partir d'une écriture semi-automatique où des enchevêtrements de lignes colorées créent des effets d'irisation où dans une perspective imaginaire des effets de profondeur. Il a ensuite tendu vers un effort de simplification, avec de grandes surfaces blanches simplement ponctuées de rectangles de couleurs primaires.

Bibliogr. : Catal. de l'exposition *La Peinture Anglaise Aujourd'hui*, Musée d'Art Moderne de la Ville de Paris, fév-mars 1973 – in : *Diction. Univ. de la Peinture*, Le Robert, t. II, Paris, 1975.

Musées : Londres (Tate Gal.) – New York (Mus. of Mod. Art).

Ventes Publiques : Londres, 28 juin 1978 : *A matter of Identity* 1963, h. et temp./t. (244x244) : **GBP 800** – Rome, 20 mai 1986 : *Panel painting N° 3* 1970, acryl./t. (157x397) : **ITL 4 000 000** – Londres, 8 mars 1991 : *Hermes* 1962, h/t (244x305) : **GBP 1 320**.

COHEN Eduard
Né en 1838 à Hanovre. Mort en 1910 à Francfort-sur-le-Main. xixe-xxe siècles. Allemand.

Peintre de sujets allégoriques, paysages.

Il fit ses études aux Académies des Beaux-Arts de Dresde et de Vienne. On cite de lui : *La villa d'Este, Paysage hollandais*.

Ventes Publiques : Londres, 1er mars 1972 : *Satyres et baigneuses* : **GBP 450** – New York, 29 mai 1981 : *Le jardin de la villa d'Este*, h/t (73x131) : **USD 4 000** – New York, 26 oct. 1983 : *Parc animé d'élégants personnages* 1877, h/t mar. (76x130) : **USD 5 500**.

COHEN Ellen Gertrude
Née à Londres. xixe-xxe siècles. Britannique.

Peintre, Sculpteur, aquarelliste.

Elle fut élève de Benjamin-Constant et de Jean-Paul Laurens. Elle exposa à partir de 1881 à la Royal Academy et à la New Water-Colours Society de Londres. A Paris, elle obtint une médaille de troisième classe pour la peinture en 1897 et exposait encore au Salon des Artistes Français en 1939.

COHEN George
Né en 1919 à Chicago. xxe siècle. Américain.

Peintre. Imagiste.

Il fut élève de l'Art Institute de Chicago puis professeur d'art à la Northwestern University. Il a figuré dans plusieurs expositions collectives dans les musées américains. Il a exposé personnellement à Chicago en 1955, 1958, 1959, 1960 et 1962.
Il fit partie des « imagistes » avec Cosmo Campoli, Léon Golub, June Leaf (...), aussi baptisés *Monster Roster* (tableau des monstres), dont les œuvres furent influencées par le surréalisme, l'art primitif, la tradition expressionniste européenne et l'art brut de Dubuffet. Il pratique une peinture généralement figurative, directe et décapante.

Musées : Chicago (Mus. of Contemp. Art) : *Emblem for an unknown Nation n° 1* 1954.

Ventes Publiques : New York, 16 oct. 1981 : *Promenade* 1960, h/t (80x59) : **USD 1 000**.

COHEN Harold
Né le 1er mai 1928 à Londres. xxe siècle. Britannique.

Peintre, sérigraphe. Abstrait. Groupe Situation.

Il est le frère de Bernard Cohen. Il fit ses études à la Slade School entre 1948 et 1952 puis en Italie. Entre 1956 et 1959 il fut « fellow in fine arts » à l'Université de Nottingham puis obtint une bourse qui lui permit de travailler à New York entre 1959 à 1961. Vivant à Londres il enseigne à la Slade School depuis 1962. Il a exposé personnellement à Londres et à New York.

Il commença à peindre sous l'influence de l'art expressionniste américain. Ses peintures se limitèrent ensuite à des bandes de couleurs régulières et horizontales. Il appartient au groupe *Situation*. Il trouve son expression véritable dans l'emploi d'un jeu statique de formes en spirales qui s'entrecroisant, s'emmêlant et s'interrompant, aboutissent à des rythmes visuels qui empruntent leur rythme au monde de la biologie. Ses sérigraphies sont distribuées en Allemagne.

BIBLIOGR. : In : *Diction. Univ. de la Peinture*, Le Robert, Paris, 1975.

MUSÉES : LONDRES (Tate Gal.).

COHEN Isaac Michael
Né en 1884 à Ballarat (Australie). Mort en 1951. XXᵉ siècle. Autrichien.

Peintre de portraits.

Il exposa au Salon des Artistes Français, recevant la deuxième médaille en 1924 et la première en 1932. Il fut ensuite hors-concours.

VENTES PUBLIQUES : LONDRES, 1ᵉʳ août 1935 : *Solitude* : **GBP 14 14s** – LONDRES, 10 fév. 1982 : *Fillette en robe rose*, h/t (58,5x44,5) : **GBP 200** – LONDRES, 18 jan. 1984 : *Portrait de jeune homme* 1928, h/t (156x75) : **GBP 450** – LONDRES, 22 juil. 1986 : *Portrait d'un jeune garçon* 1928, h/t (156x75) : **GBP 1 450** – LONDRES, 14 fév. 1990 : *Un bon rapporteur noir*, h/t (91,4x71,1) : **GBP 2 750**.

COHEN Juda
Né à Salonique. XXᵉ siècle. Grec.

Peintre.

A exposé des portraits et des paysages au Salon des Indépendants, de 1929 à 1932.

COHEN Katherine
Née en 1859 à Philadelphie (Pennsylvanie). Morte en 1914 à Philadelphie. XIXᵉ-XXᵉ siècles. Américaine.

Peintre, sculpteur de bustes.

VENTES PUBLIQUES : NEW YORK, 31 mars 1994 : *Buste d'Abraham Lincoln* 1898, bronze (H. 46,4) : **USD 4 313**.

COHEN Lewis
Né en 1857 ou 1858 à Londres. Mort en 1915 à New York. XIXᵉ-XXᵉ siècles. Américain.

Peintre de paysages.

Il fut élève de Legros, Blanc et Nicol à Paris. Il s'établit à New York, et devint membre du Salmagundi Club dans cette ville en 1904.

VENTES PUBLIQUES : NEW YORK, 4 mars 1937 : *L'automne* 1904 : **USD 70** – SAN FRANCISCO, 24 juin 1981 : *In the forest*, h/cart. (30x40,5) : **USD 450**.

COHEN Minnie Agnès
Née en mai 1864 à Eccles (Lancastre). XIXᵉ siècle. Britannique.

Peintre.

Élève de la Royal Academy et, à Paris, de Puvis de Chavannes, B. Constant et E. Bordes. A exposé à la Royal Academy, au Salon de Paris, à Rotterdam, Anvers, La Haye, Florence, Berlin et Hanovre.

COHEN Nessa
Née en 1855 à New York. Morte en 1915. XIXᵉ-XXᵉ siècles. Américaine.

Sculpteur.

VENTES PUBLIQUES : NEW YORK, 12 sep. 1994 : *Hopi coureur de relai* 1912, bronze (H. 23,5) : **USD 3 450**.

COHEN Sarah
Née en 1910 à Londres. Morte en 1984 à Bruxelles. XXᵉ siècle. Belge.

Peintre de figures, nus, paysages, natures mortes.

Elle fut élève d'Armand Jamar.

BIBLIOGR. : In : *Diction. Biogr. Ill. des Artistes en Belgique depuis 1830*, Arto, 1987.

COHEN T. M.
Né en 1884 en Australie. XXᵉ siècle. Britannique.

Peintre de portraits, pastelliste.

Il étudia à Melbourne et à Paris. Pratiquant l'huile et le pastel, il a

exposé au Salon des Artistes Français où il obtint une médaille d'argent et une médaille d'or.

COHEN-CORTIS Elsa
Née à Strasbourg (Bas-Rhin). XXᵉ siècle. Française.

Peintre.

Exposant du Salon d'Automne en 1936.

COHEN-GOSSCHALK Johann
Né en 1873. Mort en 1912 à Amsterdam. XIXᵉ-XXᵉ siècles. Hollandais.

Peintre, graveur.

Il peignit surtout des portraits et des paysages. Il fut en même temps publiciste.

COHEN-PARAIRA
XIXᵉ siècle. Hollandais.

Peintre.

Il exposa un tableau à Haarlem en 1825.

COHL Émile, pseudonyme d'Émile Courtet
Né en 1857 à Paris. Mort en 1938 à Paris. XIXᵉ-XXᵉ siècles. Français.

Dessinateur, illustrateur, caricaturiste.

Élève d'André Gill, dont il imite la manière dans un grand nombre de caricatures d'hommes célèbres présentés en « grosses têtes », sur corps fluets. Il collabore au *Charivari*, à *L'Hydropathe*, à *La Caricature* et assure les couvertures d'*Hommes d'Aujourd'hui*. En 1881, il est l'auteur d'un vaudeville : *Plus de têtes chauves !* et en 1883, d'une opérette : *Auteur par amour*. Il illustre de nombreux portraits *Têtes et Pipes* de L. G. Mostrailles, en 1885 les *Chansons fin de siècle* réunies par J. Oudot en 1891. En 1907, il se rend aux Établissements Gaumont qui se sont inspirés d'un de ses dessins pour un film comique, afin de protester contre ce plagiat. Pour couper court à sa réclamation, on l'engage comme scénariste. Il devient bientôt metteur en scène et tourne des films de truquages à la manière de Méliès. À la suite de la présentation à Paris d'un film américain de Stuart Blackton, *L'Hôtel hanté*, le procédé cinématographique du tour de manivelle est découvert. E. Cohl voit aussitôt le parti qu'il peut en tirer pour animer des dessins. Il exécute lui-même les deux mille dessins de *Fantasmagorie*, présenté au théâtre du Gymnase le 18 août 1908 et qui est authentiquement le premier dessin animé dans le monde. Plusieurs autres suivront : *Le cauchemar du Fantoche* (80 mètres) – *Les allumettes animées* – *Un drame chez les Fantoches* – *Les frères Boutdebois* – *Transfiguration*, etc. En avril 1909, il donne le premier dessin animé auquel se trouvent mêlés des personnages réels. Par le même procédé, il donne en septembre 1910, *Le Retapeur de cervelles*. En 1912, il se rend aux États-Unis et collabore aux dessins animés de George MacManus. Revenu en France, il continue à réaliser des films dessinés et photographiques, voire des poupées animées. En 1918, il collabore avec Benjamin Rabier à un film de 116 mètres : *Les Pieds Nickelés*. Ses premiers dessins animés sont formés d'un seul trait blanc sur fond noir. Ensuite son métier se perfectionne. Comme Méliès, Cohl a fini ses jours, misérable, oublié dans une maison de retraite ; il serait mort carbonisé, sa longue barbe ayant pris feu à une bougie. Cependant, en 1936, il a reçu la médaille de la Société d'Encouragement à l'Industrie Nationale.

BIBLIOGR. : Gérald Schurr, in : *Les Petits Maîtres de la peinture 1820-1920, valeur de demain*, Les Éditions de l'Amateur, t. VI, Paris, 1985.

COHN Benny
Né à Copenhague. XXᵉ siècle. Danois.

Peintre.

Il fut sociétaire du Salon d'Automne, à Paris, en 1921.

COHN Ola
Née à Bendigo (Australie). XXᵉ siècle. Active en Angleterre. Australienne.

Sculpteur.

Elle a exposé à Paris au Salon de la Société Nationale des Beaux-Arts en 1929 et 1930.

COHN Paul
XIXᵉ siècle. Vivait à Munich, puis à Karlsruhe. Allemand.

Peintre de paysages.

Il exposa en 1886 à Berlin.

COHORNOU Guillaume
XVIIᵉ siècle. Actif à Nantes en 1691. Français.

Sculpteur.

COHRS Fritz
Né le 8 mars 1884 à Scharnebeck. xxᵉ siècle. Allemand.
Peintre de portraits et de paysages.
Il travailla à Berlin, puis à Königsberg.

COIA Baldassare
Originaire d'Abbiategrasso. xvıᵉ siècle. Vivait à Verceille en 1529. Italien.
Peintre.

COIC Michel
Né à Toulon (Var). xıxᵉ siècle. Français.
Peintre de paysages, de genre et de natures mortes.
Élève de Rioult. Il débuta au Salon de Paris en 1841 et exposa jusqu'en 1852, notamment des sites de Bretagne.

COIFARD Pierre
xvııᵉ siècle. Français.
Peintre.
Il fut reçu à l'Académie de Saint-Luc en 1687.

COIFFIÉ Hubert
Français.
Sculpteur.
Il était membre à Paris de l'Académie de Saint-Luc.

COIFFIÉ Pierre
xvıııᵉ siècle. Français.
Sculpteur.
Il fut reçu à l'Académie de Saint-Luc en 1763.

COIFFIER Charles Albert
Né à Neuilly (Hauts-de-Seine). xxᵉ siècle. Français.
Peintre de paysages.
Élève de D.-H. Ponchon. Sociétaire des Artistes Français depuis 1939.

COIGNANDE DE FONTANES. Voir FONTANES J.-J. Raymond

COIGNARD James
Né le 15 septembre 1925 à Tours (Indre-et-Loire). xxᵉ siècle. Français.
Peintre de natures mortes, peintre de techniques mixtes, collages, peintre de cartons de tapisseries, sculpteur, graveur. Expressionniste, puis abstrait.
Il fit ses études à l'école des Arts Décoratifs de Nice, à partir de 1948. Il aura été très itinérant au cours de sa vie, s'installant à Beaulieu-sur-Mer en 1956, à Vallauris en 1964, à la Nouvelle-Orléans de 1985 à 1988, à Rambouillet en 1988, enfin de nouveau sur la Côte-d'Azur. Il a figuré dans de nombreuses expositions collectives à Paris, au Salon d'Automne en 1953, à New York, Stockholm, etc. Il a exposé personnellement à Malmö et au Metropol Museet en Suède en 1956, puis à New York, Genève, Paris, Venise, etc. Rétrospective (1950-1991) en 1992 au Centre Culturel d'Oslo (Norvège), puis en 1993 au Musée des Beaux-Arts de Libourne. En 1964 lui fut attribué le Prix Dorothy Gould à Nice.
Jusque dans les dernières années soixante, il peignait des figures, paysages, natures mortes, dans un esprit expressionniste, aux couleurs atténuées et une matière très travaillée. Ensuite, son travail abstrait se compose de figures régulières, de taches aléatoires, de caractères typographiques, de graffitis, disposés sur des fonds travaillés en matière, le tout harmonisé dans des gammes de bruns et de gris colorés. Il a également réalisé des sculptures de verre en 1961 à Venise, des gravures au carborandum depuis 1968, quatorze tapisseries à Brno en 1975, une série de bronzes en 1977.

Musées : Atlanta – Dublin – Miami – Saint-Denis – San Diego – San Francisco.
Ventes Publiques : Versailles, 19 mai 1976 : *Nature morte aux fruits*, h/t (50x61) : **FRF 1 500** – New York, 13 mai 1981 : *Perspective lointaine 1966*, h/t (40x80) : **USD 1 000** – New York, 10 nov. 1982 : *Ouverture en rond et mannequin 1974*, h/t (100x81) : **USD 1 000** – Zurich, 30 nov. 1984 : *Nature morte sur fond bleu*, h/t (54x65) : **CHF 4 000** – Londres, 22 oct. 1986 : *Mannequin et rouge*, h/t (73x60) : **GBP 1 900** – Neuilly, 17 nov. 1987 : *Composition*, h/pap. (43x24) : **FRF 4 900** – Paris, 15 fév. 1988 : *Mouvement et A Rouge*, h/t (65x54) : **FRF 18 500** – Paris, 20 mars 1988 :

Étude rouge bloquée 1981, techn. mixte/t. (114x148) : **FRF 29 000** – Paris, 29 avr. 1988 : *Composition 1960*, h/t (54x64) : **FRF 10 000** – Stockholm, 6 juin 1988 : *Description-Directionnelle*, h. (65x81) : **SEK 20 000** – Paris, 20-21 juin 1988 : *Profil bloqué 1979*, techn. mixte et collage/pap. (54x46) : **FRF 12 500** – Paris, 26 oct. 1988 : *Structurations en S 1978*, techn. mixte et collage/pap. (50x60) : **FRF 12 800** – Versailles, 6 nov. 1988 : *Composition*, peint. et collage (55,5x75) : **FRF 21 000** – Stockholm, 15 nov. 1988 : *Visage 1975*, silex, bleu (120x93) : **SEK 6 000** – Neuilly, 22 nov. 1988 : *Profil et écriture*, techn. mixte/t. (100x81) : **FRF 18 000** – Stockholm, 22 mai 1989 : *Composition*, techn. mixte (21x14) : **SEK 5 700** – Reims, 22 oct. 1989 : *Nature morte*, h/t (55x82) : **FRF 8 200** – Montréal, 30 oct. 1989 : *Otage*, h/t (65x53) : **CAD 5 940** – Paris, 26 nov. 1989 : *Nulle part*, techn. mixte/pap. (33x18) : **FRF 6 000** – Paris, 9 mai 1990 : *Nature morte à la langouste 1955*, h/t (38x55) : **FRF 40 000** – Paris, 11 juin 1990 : *Composition*, h/t (60x73,5) : **FRF 65 000** – Paris, 20 juin 1990 : *Composition*, techn. mixte/pap. (60x48) : **FRF 14 500** – Paris, 11 oct. 1990 : *Composition 1965*, h/t (30x60) : **FRF 38 000** – Paris, 5 déc. 1990 : *Carrés rouges 1970*, h/t (62x87) : **FRF 50 000** – New York, 7 mai 1991 : *L'Homme de parade*, h/t (50,2x61) : **USD 4 400** – Lucerne, 25 mai 1991 : *Traces*, h. et techn. mixte/t. (60x72,5) : **CHF 10 000** – Stockholm, 30 mai 1991 : *Deux bleu*, techn. mixte (65x51) : **SEK 24 000** – Zurich, 16 oct. 1991 : *Proposition 1-2-3*, techn. mixte et collage/t. (82x100) : **CHF 8 000** – Paris, 13 déc. 1991 : *Recherche d'aménagement 1982*, h. et collage/t. (146x114) : **FRF 35 000** – Paris, 2 fév. 1992 : *Solitude*, techn. mixte/t. (73x60) : **FRF 28 000** – New York, 27 fév. 1992 : *Bleu/Rouge 1987*, h. et cr. coul./t. (137,5x121,9) : **USD 17 600** – Copenhague, 4 mars 1992 : *Composition*, h/pap./t. (21x27) : **DKK 6 000** – Paris, 25 juin 1993 : *Composition*, techn. mixte/cart./t. (101x66) : **FRF 12 500** – Zurich, 13 oct. 1993 : *Personne en jaune*, techn. mixte/cart. (53,5x43) : **CHF 3 600** – Paris, 31 mars 1994 : *Le moulin*, h/t (59x73) : **FRF 10 000** – Copenhague, 21 sep. 1994 : *Composition*, h/pap. (58x46) : **DKK 6 000** – Paris, 30 sep. 1994 : *Composition*, techn. mixte/pap. (40x31) : **FRF 14 000** – New York, 24 fév. 1995 : *Les Fruits du matin*, h/t (73x92,1) : **USD 1 725** – Lokeren, 20 mai 1995 : *Tête et agression blanche*, techn. mixte/t. (80x65) : **BEF 48 000** – Paris, 29-30 juin 1995 : *Espace inversé 1987*, acryl., h. et past./t. (145x114) : **FRF 15 000** – Paris, 5 juin 1996 : *Marionnette*, h/t (65x55) : **FRF 17 000** – Zurich, 17-18 juin 1996 : *Vert syncopé*, acryl./t. (81x100) : **CHF 5 500** – Paris, 7 oct. 1996 : *Sans titre*, acryl./t. (145x113) : **FRF 32 000** – Paris, 7 mars 1997 : *Nature morte à la coupe de fruits*, h/t (55x33) : **FRF 4 100** – Paris, 23 fév. 1997 : *Coupe aux fruits vers 1960*, h/t (38x46) : **FRF 4 300** – Paris, 21 oct. 1997 : *Agression du rouge sur A.B.*, techn. mixte et collage (38x57) : **FRF 4 300** – Copenhague, 22-24 oct. 1997 : *Le Laboureur aux 2 bœufs*, h/t (50x100) : **DKK 10 500**.

COIGNARD Jean de Dieu
xvıııᵉ siècle. Français.
Sculpteur.
Il fut reçu à l'Académie Saint-Luc à Paris en 1750.

COIGNARD Louis
Né en 1810 ou 1812 à Mayenne (Mayenne). Mort en 1883 à Paris. xıxᵉ siècle. Français.
Peintre de compositions religieuses, paysages animés.
Élève de Picot à l'École des Beaux-Arts de Paris, il participa au Salon de Paris de 1838 à 1863, obtenant une médaille de troisième classe en 1846 et une de première classe en 1848. Au moment où il cessa d'exposer au Salon, il sembla délaisser la peinture pour se livrer aux recherches sur la mécanique et les pompes hydrauliques.
À ses débuts, il envoyait au Salon des grandes compositions religieuses, puis des œuvres comme : *Petit pêcheur assis sur le bord de la mer*, et, très vite, il se consacra à la peinture de paysages souvent animés d'animaux au pâturage.

Bibliogr. : Gérald Schurr, in : *Les Petits Maîtres de la peinture 1820-1920, valeur de demain*, Les Éditions de l'Amateur, t. III, Paris, 1976.
Musées : Alger : *Clairière* – Anvers : *Une ferme dans la vallée d'Auge* – Chartres : *Paysage avec animaux, effet d'orage* – Le Havre : *Bœufs et vaches* – Leipzig : *Vaches dans la forêt de Fon-*

tainebleau – LILLE : *Un pâturage en Hollande* – LIMOGES : *Bœufs au pâturage* – MONTPELLIER : *Pâturage* – NANTES : *Paysage au soleil couchant : un troupeau de vaches se rend à l'abreuvoir* – PONTOISE : *Toucheurs de bœufs et troupeau* – ROCHEFORT : *Vaches dans un pâturage* – VALENCIENNES : *Le chêne historique de Henri IV*.
VENTES PUBLIQUES : PARIS, 1855 : *Pâturage de Hollande* : FRF 4 000 – PARIS, 27 mars 1903 : *Vaches au pâturage* : FRF 615 – NEW YORK, 1905 : *Une vache rousse* : USD 150 – PARIS, 8 nov. 1918 : *Enfant dans la forêt, Fontainebleau* : FRF 400 – PARIS, 8 mai 1942 : *Le troupeau de vaches* : FRF 2 500 – PARIS, 21 mai 1951 : *Rivière au pâturage* : FRF 21 500 – BERNE, 23 oct. 1970 : *Paysage boisé* : CHF 2 200 – VIENNE, 21 mars 1972 : *Vache au pâturage* : ATS 7 500 – VERSAILLES, 2 nov. 1975 : *Troupeau à la mare, h/pan.* (18x29) : FRF 1 600 – LONDRES, 19 mai 1976 : *Troupeau à l'abreuvoir, h/pan.* (24x36) : GBP 350 – LOS ANGELES, 23 juin 1980 : *Troupeau au pâturage* 1857, h/t (29,3x39,4) : USD 1 100 – MONTE-CARLO, 26 juin 1983 : *Petit pêcheur assis au bord de la mer, h/t* (81x100) : FRF 34 000 – BOURG-EN-BRESSE, 9 fév. 1986 : *Vaches au pré, h/t* (66x82) : FRF 9 000 – PARIS, 19 jan. 1992 : *Vaches s'abreuvant, h/cart.* (29x42) : FRF 10 000.

COIGNARD Louis Jules Albert
Né à Pacy (Eure). XIXe-XXe siècles. Français.
Peintre de paysages.
Il fut élève de Jean Guillemet et d'André Delaistre et exposa au Salon des Artistes Français entre 1912 et 1928.

COIGNARD S.
XVIIIe siècle. Vivait à Londres au début du XVIIIe siècle. Français.
Graveur.
On connaît de lui des portraits de Sir Christopher Wren et du poète Dryden.

COIGNET Francis
Né en 1798. Mort en 1860. XIXe siècle. Français.
Peintre de paysages.
Élève de Bertin, il peignit des paysages panoramiques à l'italienne. Théoricien du paysage, il eut une forte influence sur des artistes opposés au naturalisme.
BIBLIOGR. : Gérald Schurr, in : *Les Petits Maîtres de la peinture 1820-1920, valeur de demain*, Les Éditions de l'Amateur, t. II, Paris, 1982.

COIGNET Francis
Né à Lyon (Rhône). XXe siècle. Français.
Peintre de paysages, natures mortes.
Il exposa à Paris, au Salon des Artistes Indépendants entre 1922 et 1943.

COIGNET Gillis et Michiel. Voir CONGNET

COIGNET Jacques
Né vers 1615. Mort en 1676. XVIIe siècle. Français.
Peintre, sculpteur.
Il fut reçu à l'Académie Saint-Luc à Paris en 1642.

COIGNET Jean-Gabriel
Né en 1951 à Aurec-sur-Loire (Haute-Loire). XXe siècle. Français.
Sculpteur d'assemblages. Abstrait, puis tendance minimal art.
Il est professeur à l'École des Beaux-Arts de Lyon. Il vit et travaille à Paris. Il a exposé dans de nombreuses manifestations collectives parmi lesquelles : en 1979 au Musée d'Art et d'Industrie de Saint-Étienne, en 1980 *Après le classicisme* dans ce même musée, en 1981 à la Halle de l'Ile à Genève, en 1982 *Exposition de Noël* au Nouveau Musée de Villeurbanne, en 1983 *Symposium de Sculpture* au Musée Sainte-Croix de Poitiers, en 1984 *Dedans.../Dehors.../Proposition III* au Centre Culturel de Brétigny-sur-Orge, en 1985 *Juxtaposition 3* à la Maison de la Culture de Grenoble, en 1986 *Collection/Souvenir* au Nouveau Musée de Villeurbanne, en 1988 *Collection/Accrochage 4* dans ce même musée, en 1989 *Collection FNAC* (Fonds National d'Art Contemporain), *acquisitions 1988* à la Fondation Nationale des Arts Graphiques et Plastiques à Paris ainsi que la *Jeune sculpture* au Port d'Austerlitz à Paris. Il a présenté ses œuvres lors d'expositions personnelles : 1980 galerie Napalm de Saint-Etienne et Musée National d'Art Moderne de Paris *Ateliers d'Aujourd'hui/21* ; 1984 *Atelier sur l'Herbe* à l'École des Beaux-Arts à Nantes ; 1985 au Japon ; 1986 au musée de Romans et à la Maison de la Culture et de la Communication de Saint-Étienne ; 1987 galerie de l'Hôtel de Ville à Villeurbanne et à l'École des Beaux-Arts de Mâcon ;

1988 galerie Michel Vidal à Paris ; 1989 au Domaine de Kerguehennec, Centre d'Art Contemporain de Brignan et au CREDAC (Centre d'Art Contemporain) d'Evry-sur-Seine ; 1994 Musée Sainte-Croix de Poitiers ; 1996 La Chaufferie-galerie du Fonds régional d'art contemporain Alsace à Sélestat puis Le Criée, centre d'art contemporain de Rennes.
Jean-Gabriel Coignet est venu fortuitement à l'art. C'est en photographiant des toiles contemporaines pour un contrat d'assurance qu'il décide de se consacrer à la peinture, d'abord en autodidacte puis en s'inscrivant à l'École des Beaux-Arts de Saint-Étienne, pour finalement choisir définitivement la sculpture. Les premières pièces qu'il crée, vers 1979-1980, se développent au sol, le problème du socle étant évacué : « Je comprends la sculpture comme un rapport au même niveau avec le corps humain et ne peux la considérer comme devant être mise en exergue. » Il utilise le métal en plaques, et de nombreux matériaux de récupération, pour des pièces qui ne sont pas sans évoquer une filiation avec des œuvres de Carl André et Toni Grand. Dans ces premières réalisations, la coupe intervient peu et la soudure pratiquement pas ; la forme est engendrée par la combinaison des divers matériaux. Les *Cylindres* et *Stylites* abordent la verticalité, l'équilibre, et implicitement le problème de la gravité. Il s'agit « d'assemblages de ferraille », qui donnent lieu à des structures très frêles, réalisées en rouleaux de treillis soudés. Ces cylindres englobent des éléments ouverts, disloqués. Après les *Stylites*, il crée des pièces réversibles, fonctionnant par paires, où haut et bas sont identiques. Vers 1985-1986, après un voyage au Japon, où Coignet a vu l'utilisation de tubes légers en acier galvanisé pour la construction de serres en tôle plane ou ondulée en plastique translucide, apparaissent des pièces évoquant des avions, exécutées dans ces mêmes matériaux, avec un outillage minimum, des rivets, une perceuse, une scie à métaux. Structure légère enserrée dans des tubes, sorte de béquilles qui semblent la maintenir jusqu'à son envol, le volume central n'est pas ancré au sol dans toute l'expression d'une « matière », mais plutôt comme tenté de défier les lois de la pesanteur, tout en étant incapable de voler. C'est ici l'équilibre qui est abordé, l'instabilité, un simple coup de pied pouvant disloquer ces fragiles constructions. Vers 1987-1988, les pièces sont directement posées au sol et ont gagné en solidité autant qu'en importance. La matrice de l'assemblage est dans la forme de la benne industrielle, de la caisse, du container, et repose au sol sur des angles cassés et arrondis. Les rares points d'appui sont ici clairement lisibles, mais induisent cependant le mouvement, avec l'idée que leur immobilité précède de peu un basculement incontrôlable. La sculpture procède toujours de l'assemblage, le profilé acier, la tôle électro-zinguée ou prélaquée, déterminant des jeux de lumière différents selon la qualité matte ou brillante de la surface. Un contraste entre les pleins et les vides est ménagé, les titres sont parfois empruntés aux expressions familières ou savantes : *Pas vu, pas pris – Rien ne se perd, rien ne se crée.* Les sculptures de 1990 sont dégagées de tout aspect anecdotique et l'intervention de l'artiste réduite ; ces œuvres sont en cela très proches de l'art minimal. Les pièces sont fréquemment recouvertes d'une couche de peinture, qui dissimule la nature du matériau employé et introduit la couleur, jusqu'ici inexplorée. Gagnant en simplification plastique, l'œuvre propose toujours une forme à appréhender dans un espace donné, interrogeant les multiples possibilités d'existence de la sculpture.

■ Florence Maillet, J. B.

BIBLIOGR. : Didier Semin : catalogue de l'exposition *Ateliers Aujourd'hui/21*, Musée National d'Art Moderne, Paris, 1980 – Didier Semin : catalogue de l'exposition *Jean-Gabriel Coignet/Sculptures*, École des Beaux-Arts, Nantes, 1984 – Catalogue de l'exposition *Jean-Gabriel Coignet*, Saint-Etienne, Villeurbanne, 1986-1987 – Claude Minière, *Sculpture graphique et point de départ*, in *Opus International*, nº 102, p 12 – Catalogue de l'exposition *Jean-Gabriel Coignet*, Domaine de Kerguehennec, Bignan, 1989 – Philippe Piguet, *Jean-Gabriel Coignet*, in *Artpress*, nº 150, sep. 1990.
MUSÉES : SÉLESTAT (FRAC Alsace) : *Sculpture opaque nº 10* 1991 – *Relief A 3.3* 1991 – *Synclinal nº 1*.

COIGNET Jules Louis Philippe
Né en 1798 à Paris. Mort en 1860 à Paris. XIXe siècle. Français.
Peintre de paysages, aquarelliste, lithographe.
Élève de Victor Bertin, il voyagea beaucoup en Suisse, Allemagne et Italie.
Il donne un ton romantique à ses paysages d'Europe, mais aussi d'Égypte et de Syrie, qui restent très ordonnés dans leur compo-

sition. Il publia un *Cours complet du paysage* et plusieurs lithographies pour son recueil : *Vues d'Italie dessinées d'après nature.*

BIBLIOGR. : Gérald Schurr, in : *Les Petits Maîtres de la peinture 1820-1920, valeur de demain,* Les Éditions de l'Amateur, t. IV, Paris, 1979.

MUSÉES : CHAMBÉRY (Mus. des Beaux-Arts) : *Sous-Bois – Marine – Compiègne – Dunkerque : paysage, une route du Tyrol – MUNICH* (Pinacot.) : *Ruines du temple de Neptune à Paestum – NICE : Ruines d'un ancien château fort – ROUEN : Vieilles maisons et laveuses – SAINT-OMER : Vue de Suisse,* aquar. – TOULOUSE : *Ruines de Baalbeck – VERSAILLES* (Trianon) : *Site de Normandie.*

VENTES PUBLIQUES : PARIS, 4 mars 1844 : *Vue de Saint-Pierre de Rome, un soir d'illumination :* FRF 475 – PARIS, 5 nov. 1926 : *Village italien :* FRF 600 – PARIS, 27 mars 1931 : *Paysage aux saules :* FRF 1 200 – PARIS, 25 oct. 1943 : *Chemin au bord d'un torrent :* FRF 2 250 – PARIS, 9 fév. 1950 : *Orée d'un bois :* FRF 16 500 – LONDRES, 24 oct. 1976 : *Paysage d'Italie avec monastère,* h/pap. mar./t. (28x37) : GBP 480 – PARIS, 24 oct. 1977 : *Le relais de montagne* 1840, h/t (42x68) : FRF 8 200 – LONDRES, 26 mars 1981 : *Paysage boisé,* past. (30,5x40) : GBP 680 – COPENHAGUE, 18 avr. 1985 : *Capri, personnages sur la plage* 1835, h/t (40x56) : DKK 6 000 – MUNICH, 13 juin 1985 : *Paysage montagneux avec ruine* 1832, aq.rehaussée de blanc (23x30,5) : DEM 2 500 – PARIS, 13 avr. 1988 : *Brieuz* 1832, h/pap. mar./t. (31x46) : FRF 11 000 – STOCKHOLM, 29 avr. 1988 : *Paysage alpestre avec une cascade,* h/t (33x40) : SEK 9 500 – PARIS, 30 mai 1988 : *Ruines en bord de rivière,* h/t (60x56) : FRF 8 800 – PARIS, 16 déc. 1988 : *Troupeau à la mare,* h/t (32,5x46,5) : FRF 21 000 – LONDRES, 5 mai 1989 : *Paysage alpin animé avec une rivière et des chalets,* h/t (32,5x41) : GBP 1 100 – MONACO, 16 juin 1990 : *Pins à la villa Borghèse* 1843, h/pap./t. (36x27,5) : FRF 53 280 – POITIERS, 18 juin 1991 : *Paysage* 1857, h/t (31x39) : FRF 40 500 – LONDRES, 29 nov. 1991 : *Sur le Nil,* h/t (40x58,4) : GBP 3 300 – PARIS, 15 mai 1992 : *La charrette au bord du fleuve* 1833, aquar. gchée (17,5x26,5) : FRF 5 000 – PARIS, 26 juin 1992 : *Le berger et son troupeau,* h/t (66x100) : FRF 35 000 – PARIS, 4 juin 1993 : *Berger près de son troupeau,* h/t (66,5x100) : FRF 20 000 – PARIS, 13 juin 1994 : *L'Aumône,* h/t (56x47) : FRF 13 000 – LONDRES, 11 oct. 1995 : *Vue d'Istanbul,* h/t (31x32) : GBP 1 380 – PARIS, 9 déc. 1996 : *Grande Mosquée à Alexandrie,* h/t (32x54) : FRF 30 000 – LONDRES, 12 déc. 1996 : *Vingt-quatre vues des alentours de Constantinople, Turquie ; Cinq vues italiennes* 1844, mine de pb et parfois craie blanche (31,1x47,5 et moins) : GBP 2 900.

COIGNET Marie
Née à Honfleur (Calvados). XIXᵉ siècle. Française.
Peintre de natures mortes.
Elle fut élève de G. Fouace. Sociétaire des Artistes Français depuis 1897, elle a régulièrement participé aux Salons de cette société.

MUSÉES : CALAIS : *Un coin d'office.*
VENTES PUBLIQUES : PARIS, 12 mai 1995 : *Nature morte au citron, plat d'huîtres et bouteille,* h/t (50x65) : FRF 21 000.

COIGNET Marie Gabrielle
Née en 1793 à Paris. XIXᵉ siècle. Française.
Graveur, illustratrice.
Elle fut élève de Naigeon et de Massard père. On cite d'elle des planches pour une édition de Buffon et *Philibert évêque,* d'après Deveria.

COIGNET Michel ou Michiel ou Congnet, Kouniet
Né avant 1620. Mort après 1658. XVIIᵉ siècle. Éc. flamande.
Peintre de compositions animées.
Il est répertorié maître à Anvers en 1640-1641. Sa parenté avec Gillis Congnet I et II n'est pas démontrée. On connaît de lui *Traversée de la mer Rouge* et une suite de tableaux sur *Le Fils prodigue* conservée dans une collection privée anglaise (Lamport Hall).
BIBLIOGR. : J. de Maere et M. Wabbes, in : *Dictionnaire illustré des Peintres flamands du XVIIᵉ siècle,* Bruxelles, 1994.
VENTES PUBLIQUES : PARIS, 5 avr. 1995 : *Didon et Enée* 1658, h/pan. (53x75) : FRF 18 000.

COIGNOUL N. ou Coignouil
XVIIIᵉ siècle. Actif à Liège. Éc. flamande.
Sculpteur de bas-reliefs.

COIGNY Gabriel Augustin de, marquis
XVIIIᵉ siècle. Actif dans la première moitié du XVIIIᵉ siècle. Français.
Graveur et dessinateur.
On connaît de lui des planches représentant les tombeaux des rois de France à Saint-Denis.

COILLOT Gédéon
XVIᵉ siècle. Français.
Sculpteur.
Sous la direction de Hugues Sambin, il prit part à la décoration du Palais de Justice de Besançon et y fit deux statues de pierre : la Paix et la Justice, qui ornent aujourd'hui encore sa façade.

COIN Robert Fleury
Né le 17 décembre 1901 à Saint-Quentin (Aisne). XXᵉ siècle. Français.
Sculpteur.
Il fut élève de Jean Injalbert et reçut le Grand Prix de Rome en 1929. Sociétaire du Salon des Artistes Français, il obtint la troisième médaille en 1926 et la deuxième médaille en 1932.

COINCHON Albert
Né à Paris. Mort en 1871 à Buzenval. XIXᵉ siècle. Français.
Peintre et dessinateur.
Fils et élève de Jacques Antoine Coinchon, il exposa au Salon de 1868 à 1872.

COINCHON Jacques Antoine Théodore
Né le 10 septembre 1814 à Moulins (Allier). Mort en 1881 à Paris. XIXᵉ siècle. Français.
Sculpteur.
Entré à l'École des Beaux-Arts de Paris le 2 octobre 1838, il se perfectionna sous la conduite de David d'Angers. Il débuta au Salon de Paris, en 1844, et exposa pour la dernière fois en 1881.
MUSÉES : MOULINS : *Tête colossale du Christ,* moulage en plâtre – *Christ à la colonne,* statuette en plâtre – *Andromède,* statuette en plâtre, main brisée – *Enfant dormant,* moulage en plâtre – *Hébé,* statuette en plâtre.
VENTES PUBLIQUES : LONDRES, 17 mars 1983 : *Pan,* bronze patiné (H. 88) : GBP 920 – PARIS, 11 juil. 1985 : *Le joueur de flûte double* 1858, bronze, patine médaille (H. 85) : FRF 22 000.

COÏNCY Henriette Sophie de la Fontaine de, dame
Née en 1763 à Paris. Morte en 1848. XVIIIᵉ-XIXᵉ siècles. Française.
Peintre miniaturiste.
Elle fut l'élève de J. B. J. Augustin et ne travailla jamais qu'en amateur.

COINDET Jean Jacques François, dit John
Né en 1800 à Genève. Mort le 10 novembre 1857 à Clarens (Vaud). XIXᵉ siècle. Suisse.
Peintre de paysages, graveur.
Il vécut au Brésil et à Londres, où il dirigea un atelier de lithographie. Il participa aux expositions de la Société des Beaux-Arts de Genève, dont il fut membre, secrétaire, puis président. Il figura à l'exposition de Zurich en 1838. Il était aussi écrivain.
Il a laissé des planches gravées au trait pour les éditions de son ouvrage : *L'Histoire de la peinture en Italie,* et pour son album sur la *Suisse romande.*
Il restitue la lumière particulière des paysages de lacs et de montagnes de son pays natal.
BIBLIOGR. : Gérald Schurr, in : *Les Petits Maîtres de la peinture 1820-1920, valeur de demain,* Les Éditions de l'Amateur, t. IV, Paris, 1979.

COINDRE Jean Gaston
Né au XIXᵉ siècle à Besançon (Doubs). XIXᵉ siècle. Français.
Peintre de paysages, architectures, graveur, dessinateur.
Élève de Mlle Maire. Il débuta au Salon de 1868, et participa régulièrement aux Salons de Paris ainsi qu'à ceux de la Société de Blanc et Noir.
MUSÉES : LONDRES (Victoria and Albert Museum) : *Quinze estampes.*
VENTES PUBLIQUES : PARIS, 3 mars 1898 : *Un dessin à la plume :* FRF 95 – PARIS, 7 déc. 1970 : *Élégantes sur la plage :* FRF 1 050.

COING Jean Baptiste Joseph
Né en 1739 à Valenciennes. Mort en 1785 à Nancy. XVIIIᵉ siècle. Français.
Sculpteur.

COINTEAU Madeleine
Née à Orléans (Loiret). XXᵉ siècle. Française.
Peintre de portraits et de natures mortes.
Elle fut élève de Emmanuel Benner et de Henri Zo. Sociétaire du Salon des Artistes Français elle y exposa de 1933 à 1936.

COINTIN René Eugène
Né en 1797 à Reims. Mort en 1860. XIXᵉ siècle. Français.
Peintre.
Élève de L. Alexandre. Le Musée de Reims conserve de lui le portrait de l'abbé *P. N. Anot.*

COINTREAU Anne Florence
Née à Edimbourg (Écosse). XXᵉ siècle. Française.
Peintre de portraits, de paysages et d'intérieurs.
Elle fut élève de E. MacAvoy. Sociétaire du Salon des Artistes Français depuis 1936, elle fut invitée au Salon des Tuileries en 1938 et 1939.
VENTES PUBLIQUES : PARIS, 25 mai 1955 : *Bol de rose* : FRF 20 000.

COINTRES Jehan
XVIᵉ siècle. Travaillait vers 1531. Français.
Peintre.

COINY Jacques Joseph
Né le 19 mars 1761 à Versailles. Mort le 28 mai 1809 à Paris. XVIIIᵉ siècle. Français.
Graveur.
Il fut l'élève de Suvée et de J.-Ph. Lebas. Au Salon de Paris, il se fit représenter à partir de 1802 jusqu'en 1806. On cite de lui 34 planches de sujets de sainteté, de mythologie et d'histoire, ainsi que des vignettes pour les œuvres de Racine, de Léonard et de La Fontaine.

COINY Joseph
Né le 3 septembre 1795 à Paris. Mort le 1ᵉʳ août 1829 à Paris. XIXᵉ siècle. Français.
Graveur.
Il était fils de Jacques Joseph Coiny. Il étudia d'abord avec son père, ensuite avec Gounod et Bervic. En 1816, il obtient le prix de Rome. On cite de lui : *La Création d'Ève,* d'après Buonarroti, et de nombreux portraits.

COINY Marie Amélie, née le Gouaz
XIXᵉ siècle. Travaillait à Paris au début du XIXᵉ siècle. Française.
Graveur.
Elle était la femme de Jacques Joseph Coiny, et peut-être la fille d'Yves Marie Le Gouaz. Elle grava de nombreuses reproductions de tableaux pour les *Vies et œuvres des peintres les plus célèbres de toutes les écoles,* Paris, 1803.

COIRAUD DE MONTAIGU
XVIᵉ siècle. Français.
Sculpteur.
Il travailla aux voûtes absidales de Notre-Dame de Fontenay-le-Comte, en Poitou, de 1530 à1539, et se chargea de l'ornementation des chapelles situées derrière le maître-autel, dans la même église.

COITA Manuel de ou Coyto
Né à San Miguel de Barreros (Portugal). XVIIᵉ siècle. Portugais.
Sculpteur.
Il est considéré comme le premier sculpteur d'Argentine ; en 1679 il exécuta un Saint-Michel pour le Fort de Buenos Aires, et réalisa l'autel qui se trouve dans le bras gauche du transept de la cathédrale Métropolitaine de la même ville.

COITER Volcker ou Coyter
XVIᵉ-XVIIᵉ siècles. Actif à Nuremberg. Allemand.
Dessinateur et graveur.
Il était médecin et dessina et peut-être même grava les planches de ses traités d'anatomie.

COITIS Christofle de
XVIᵉ siècle. Actif à Beauvais vers 1502. Français.
Peintre de compositions religieuses.
Il exécuta en 1502 plusieurs peintures pour la cathédrale de Beauvais dont une représentait la naissance du Christ.

COITRÉ Jean ou Contré
Français.
Graveur.
Cet artiste amateur est cité par le Dr Mireur.

COIZET Louis
Né le 16 avril 1816 à Lyon. Mort en 1876. XIXᵉ siècle. Français.
Peintre, graveur et lithographe.
Élève de l'École des Beaux-Arts de Lyon (1832-1834), puis dessinateur dans des maisons de soieries de cette ville, il exposa à Lyon, de 1838 à 1875, des dessins, des aquarelles, des peintures, et surtout des pastels (portraits, natures mortes, tableaux de genre traités dans une note comique et populaire). Il a lithographié d'après ses dessins, notamment *L'artiste malheureux* (Salon de Lyon, 1857), et gravé à l'eau-forte.

COJAN Aurel
Né vers 1914. XXᵉ siècle. Depuis 1969 actif en France. Roumain.
Peintre. Abstrait-lyrique.
En 1995, la galerie Jacques Barbier de Paris a montré une exposition d'ensemble de ses œuvres.
Il pratique une peinture frénétique, de traits, de traces, de signes, de taches, de griffures, d'essuyages, de brouillages, de toutes les couleurs, furieusement jetés à travers la blancheur de l'espace de la toile.

COK Jan Mathias ou Kok
Né en 1720 à Amsterdam. Mort en 1770. XVIIIᵉ siècle. Hollandais.
Dessinateur, graveur.
Élève de Nic. Verkolie ; peignit des paysages et des figures (*Un intérieur avec une jeune fille cousant* ; figurait en 1781, à la vente Calkoen à Amsterdam), grava les vignettes des catalogues de ses ventes et dessina d'après les œuvres de Lingelbach et Houdecœters. Il fut également marchand.

COKASQUY
Français.
Dessinateur.
Maître à dessiner de Mademoiselle, à Paris ; membre de l'Académie de Saint-Luc.

COKE Alfred Sacheverell
XIXᵉ siècle. Britannique.
Peintre d'histoire.
Il appartenait à un groupe de jeunes artistes, représentants du mouvement esthétique, qui se voulaient les suiveurs de Burne-Jones et exposaient à la Dudley Gallery qui s'installa en 1865 dans le hall égyptien à Piccadilly. Il exposa à la Royal Academy de 1869 à 1892.
Ses œuvres sont très rares, plusieurs d'entres elles représentent des paons ou des plumes de paons, sorte d'emblème du mouvement esthétique avec les tournesols. Il restera cependant un artiste de second plan.
MUSÉES : LONDRES (Victoria and Albert Mus.) : *Eros et Ganymède.*
VENTES PUBLIQUES : LONDRES, 26 mars 1981 : *Les Paons* 1874, h/t (67,3x199,4) : **GBP 1 700** – LONDRES, 1ᵉʳ nov. 1990 : *Distribution de graines aux paons* 1874, h/t (67,3x199,4) : **GBP 35 200.**

COKELBERGHS Virgi
Né en 1893 à Bruxelles. Mort en 1967 à Bruxelles. XXᵉ siècle. Belge.
Peintre de compositions, portraits, paysages, fleurs.
Il fut élève de Constant Montald et d'Herman Richir à l'Académie de Bruxelles. Il fut professeur à l'Académie de Bruxelles et à l'École Normale à Laeken.
MUSÉES : SCHAERBEEK.

COL Jan David
Né le 6 avril 1822 à Anvers. Mort en 1900 à Anvers. XIXᵉ siècle. Belge.
Peintre de genre.
Élève de Nicaise de Keyser à Anvers, il exposa à Dunkerque, Ypres, Vienne, Philadelphie et y obtint des médailles. Chevalier de l'ordre de Léopold en 1875, il fut promu officier en 1885.
Ses scènes de cabarets, marchés, et auberges, sont enlevées avec beaucoup de vivacité et d'humour.

David Col 1873

BIBLIOGR. : Gérald Schurr, in : *Les Petits Maîtres de la peinture 1820-1920, valeur de demain,* Les Éditions de l'Amateur, t. V, Paris, 1981.
MUSÉES : ANVERS : *Le jour de barbe* – BRUGES : *Les politiqueurs* – CHICAGO – CINCINNATI – MONTRÉAL.

Ventes Publiques : New York, 28 mars 1901 : *Scène de marché* : **USD 425** – Londres, 21-22 juin 1931 : *Le nouvel habit* 1859 : **GBP 29** – Anvers, 3-6 oct. 1938 : *La dégustation* : **BEF 5 000** – Paris, 2 avr. 1951 : *Le marché à Anvers* : **FRF 68 000** – Londres, 23 jan. 1963 : *A game of draughts* : **GBP 160** – Paris, 24 mai 1967 : *Le commentaire du journal* : **FRF 2 100** – Londres, 17 fév. 1971 : *Les nouvelles de la guerre* : **GBP 900** – Bruxelles, 15 juin 1976 : *La guilde des bouchers* 1854, h/t (90x115) : **BEF 150 000** – New York, 24 oct. 1977 : *Les Pratiques* 1870, h/pan. (43x66) : **USD 9 500** – New York, 28 mai 1981 : *Les dernières nouvelles* 1871, h/pan. (52x60,5) : **USD 23 000** – New York, 27 oct. 1983 : *L'arête de poisson* 1859, h/pan. (64,6x45) : **USD 7 000** – Londres, 26 nov. 1986 : *Un habitué* 1872, h/pan. (30x24) : **GBP 4 500** – New York, 24 mai 1989 : *Retour de la chasse* 1885, h/t (71,6x83,8) : **USD 28 600** – Amsterdam, 20 avr. 1993 : *Dans un pub*, h/pan. (15,5x13,5) : **NLG 2 070** – Amsterdam, 19 oct. 1993 : *Les dégustateurs* 1877, h/pan. (30,5x25) : **NLG 17 250** – Londres, 27 oct. 1993 : *Artistes et modèles* 1857, h/pan. (65x75) : **GBP 6 785** – Lokeren, 28 mai 1994 : *Les boules de neige* 1861, h/pan. (38,5x50) : **BEF 700 000** – Londres, 17 juin 1994 : *Le marché au poisson* 1861, h/pan. (59,7x44,2) : **GBP 5 750** – Lokeren, 11 mars 1995 : *L'habitué* 1872, h/pan. (30x24) : **BEF 280 000** – Londres, 21 nov. 1997 : *Les Politiques* 1869, h/pan. (47x37) : **GBP 20 700**.

COL Joseph
xix⁰ siècle. Français.
Peintre de portraits, paysages.
Il travaillait à Toulouse.

J. Col

Musées : Toulouse.
Ventes Publiques : Londres, 20 nov. 1978 : *Vue du Château de Windsor*, h/t (50,3x75,5) : **GBP 6 000** – Londres, 20 avr. 1979 : *Jeune paysanne*, h/t (109,5x84) : **GBP 700**.

COLA. Voir aussi NICOLA

COLA Antonio
Originaire de Modène. xvi⁰ siècle. Italien.
Peintre.
Il travaillait au Vatican en 1563.

COLA Antonio, dit Fiore. Voir COLANTONIO Marzio de

COLA Antonio Maria di Francesco da
xvi⁰ siècle. Actif à Padoue et à Venise. Italien.
Sculpteur.
Il fut le fils de Francesco da Cola. Il travailla à Venise à la reconstruction de la Scuola di San Rocco (1533-1540) avec son père Francesco et son frère Niccolo. On le voit aussi restaurer des monuments antiques à Brescia en 1554.

COLA Fabrizio
Né à Parme. Mort en 1601 à Rome. xvi⁰ siècle. Italien.
Peintre.
Peut-être fut-il également graveur.

COLA Francesco di
xvi⁰ siècle. Italien.
Sculpteur, architecte.
Père de Antonio Maria et de Niccolo. A Padoue il travailla sous la direction de Giovanni Minello au début du xvi⁰ siècle, à Venise sous celle de Bartolomeo Bon.

COLA Gennaro di. Voir GENNARO di Cola

COLA Niccolo di
xvi⁰ siècle. Actif à Padoue puis à Venise. Italien.
Sculpteur.
Il était le fils de Francesco di Cola. Il travailla avec son père et son frère à la Scuola di San Rocco.

COLA Perfetti. Voir PERFETTI Cola

COLA Petruccioli. Voir PETRUCCIOLI Cola ou Nicolas

COLA Pietro
xix⁰ siècle. Actif vers 1840. Italien.
Peintre de miniatures.

COLA Policleto. Voir POLICLETO Cola

COLA Simon
xvi⁰ siècle. Actif à Tournai vers 1546. Français.
Peintre.
Il était le fils de Thierry Cola.

COLA Thierry
xvi⁰ siècle. Actif à Tournai vers 1534. Français.
Peintre.

COLA di Antonio
xv⁰ siècle. Actif à Florence en 1417 et à Pise en 1427. Italien.
Peintre.
Il fut, semble-t-il, l'ami de Donatello.

COLA di Bartolommeo
xv⁰ siècle. Actif à Rome en 1451. Italien.
Peintre.
Il travailla pour le compte du souverain pontife.

COLA di Fuccio
xiv⁰ siècle. Actif à Sienne au début du xiv⁰ siècle. Italien.
Miniaturiste.
Il illustra, en 1316, l'ouvrage intitulé *Statuto del Capitano*.

COLA di Liello di Pietro
xv⁰ siècle. Actif à Rome en 1407. Italien.
Sculpteur.

COLA di maestro Giovanni
xiv⁰ siècle. Actif à Sienne à la fin du xiv⁰ siècle. Italien.
Miniaturiste.
On cite aussi un COLA di Giovanni, miniaturiste au xiii⁰ siècle.

COLA di maestro Pietro da Camerino
xiv⁰-xv⁰ siècles. Actif à Spolète et Assise. Italien.
Peintre.
Peut-être père d'Arcangelo di Cola da Camerino. Il subsiste dans plusieurs églises des œuvres signées de cet artiste.

COLA da Piperno
xiv⁰ siècle. Actif à Montecassino. Italien.
Sculpteur.
Il travailla à la reconstruction de l'abbaye du Mont Cassin à la fin du xiv⁰ siècle.

COLA dall' Amatrice. Voir NICOLA di Filotesio

COLACICCHI Giovanni
Né en 1900 à Anagni. xx⁰ siècle. Italien.
Peintre de paysages.
Il fut président de l'Académie des Beaux-Arts de Florence et voyagea en Afrique du Sud.
Musées : Florence (Gal. d'Art Mod.).
Ventes Publiques : Rome, 25 nov. 1987 : *Citrons et mandarines vers 1945*, h/t (55x70) : **ITL 4 400 000** – Rome, 7 avr. 1988 : *La route d'Amalfi*, h/t (60x75) : **ITL 3 000 000** ; *La rotonde*, h/t (46x61) : **ITL 2 400 000** – Rome, 28 nov. 1989 : *Sur la terrasse*, h/t (50x75) : **ITL 6 000 000**.

COLAERT Johannes ou Collaert
Né vers 1621 à Amsterdam. Mort après 1678. xvii⁰ siècle. Hollandais.
Peintre.
Il voyagea en Italie et se maria après son retour dans sa ville natale, le 15 février 1647, avec Nelletjen Van der Clay. On connaît deux œuvres signées de cet artiste dans une église jésuite d'Amsterdam. On lui attribue parfois des paysages, dont le *Paysage montagneux* du Musée de Munich, et des portraits, ce qui semble l'identifier au suivant.

COLAERT Johannes ou Collaert
Né vers 1624 à Heusden. Mort sans doute à Utrecht. xvii⁰ siècle. Hollandais.
Peintre de paysages.
Peut-être identique au précédent. Il vécut à Amsterdam où il se maria en 1649, puis à partir de 1658, à Utrecht. On connaît certains de ses paysages. Il fit, semble-t-il, également quelques portraits.

COLAHAN Colin
Né à Victoria (Australie). xx⁰ siècle. Actif en Angleterre. Australien.
Peintre de portraits, paysages.
Il exposa au Salon des Artistes Français de 1924 à 1926, au Salon d'Automne en 1923-1924 et au Salon des Tuileries en 1938-1939.

COLAJANNI
D'origine byzantine. xii⁰ siècle. Travaillait à Padoue en 1143. Éc. byzantine.
Peintre.

COLAMBERGH Antonio
xviii⁰ siècle. Travaillait à Ferrare vers 1750. Suisse.
Peintre de décorations.

COLANDON Denis ou **Collandon**
Né à Cannes. xviie siècle. Français.
Peintre et graveur.
Il fut reçu à l'Académie de Saint-Luc en 1674. Il peignit surtout des paysages.

COLANGE Gustave
Né à Paris. xxe siècle. Français.
Peintre de paysages.
Il exposa au Salon des Artistes Indépendants entre 1920 et 1923.

COLANTONIO
xve siècle. Italien.
Peintre de compositions religieuses, portraits, natures mortes.
On dit que le roi René d'Anjou et de Naples lui aurait enseigné la technique flamande de la peinture à l'huile, ce qui aurait eu une grande répercussion sur la peinture italienne, d'autant que Colantonio l'aurait, à son tour, enseignée à Antonello de Messine, dont l'importance est incontestable. Il fut actif à Naples, entre 1440 et 1447.
Auteur du Polyptyque de San Severino (aujourd'hui perdu), on l'a longtemps confondu avec le Maître de l'Annonciation d'Aix, en raison de la ressemblance entre la nature morte de l'*Annonciation* avec celle de *Saint Jérome* (vers 1436), et celle du *Retable de Saint Vincent Ferrer* (vers 1456) à l'église Saint-Pierre Martyr à Naples. Ces natures mortes, où l'on retrouve une même rangée dans un désordre savant, sont en fait la marque de l'influence de la peinture flamande. Dans l'un des volets du *Retable de Saint Vincent Ferrer*, la *Prédication de saint Vincent*, on peut rapprocher l'un des auditeurs du *Prophète Jérémie* du Maître d'Aix, mais on remarque également un paysage dans le lointain, dont on retrouve le souvenir chez Antonello de Messine. Ce dernier détail est une preuve de plus de la connaissance de la peinture flamande que Colantonio précise dans la réussite de ses effets lumineux. On cite encore de lui : la *Pala des Rocco*, vers 1445, à l'Église San Lorenzo à Naples ; une petite *Crucifixion* ; une *Déposition de Croix*, à l'église San Domenico Maggiore à Naples.
Colantonio, au milieu du xve siècle a vécu à un moment capital pour l'art italien et l'art flamand, étant donné les rapports entre les deux. Bien que nous connaissions très peu la vie de Colantonio, il semble avoir joué un rôle très important dans la propagation du style flamand en Italie. ■ J. B.
Bibliogr. : In : catalogue de l'exposition *Les primitifs méditerranéens*, Bordeaux, 1952 – in : *Diction. de la peinture italienne*, coll. Essentiels, Larousse, Paris, 1989.
Musées : Cleveland : *Portrait d'homme* – Naples (Gal. de Capodimonte) : *Saint Jérôme tirant l'épine de la patte du lion – Saint François remettant la règle à ses disciples.*

COLANTONIO Gioacchino
xviie siècle. Actif à Leonessa (Abruzzes). Italien.
Peintre.

COLANTONIO Marzio de, pseudonyme de **Cola Antonio,** dit **Fiore,** dit aussi **Marzio Fiore**
Né en 1560 à Naples. Mort vers 1620 à Turin, ou à Rome. xvie-xviie siècles. Italien.
Peintre de sujets religieux, paysages, décorateur.
Il travailla pour le prince de Savoie ; il était habile dans les grotesques (église Sainte-Marie à Araceli), et les paysages et exécutait aussi des petits sujets à fresques.
Musées : Naples : *Saint Jérôme avec le lion.*

COLANTONIO de Perrino
xve siècle. Italien.
Peintre.
Il travailla pour Alphonse de Calabre à Naples en 1487.

COLAO Domenico
Né en 1881 à Nibo Calentia. Mort en 1943 à Rome. xxe siècle. Italien.
Peintre de compositions et de natures mortes.
Il a figuré à la Biennale de Venise et à la Quadriennale de Rome.
Ventes Publiques : Rome, 3 déc. 1985 : *Paysage champêtre,* h/pan. (41x45) : **ITL 2 100 000** – Rome, 25 nov. 1987 : *La pergola* 1939, h/pan. (54x41) : **ITL 3 200 000** – Rome, 15 nov. 1988 : *Nature morte avec des anémones et des renoncules,* h/pan. (50x63) : **ITL 1 500 000.**

COLARD Joseph
Né en 1341. Mort en 1410. xive-xve siècles. Français.

Fondeur-ciseleur.
Il exécuta, pour Philippe le Hardi, à l'abbaye de Champmol, la croix de la tour, les colonnes de bronze de l'autel, ainsi qu'une cloche, un pupitre, et le coq du clocher.

COLARD Nicolas
xive siècle. Actif au Brabant vers 1363. Éc. flamande.
Sculpteur de monuments.
Il sculpta le tombeau du duc de Brabant Jean III.

COLARD Pascal
Né en 1938. xxe siècle. Français.
Peintre. Abstrait.
Il a participé à plusieurs expositions collectives, parmi lesquelles on peut citer le Salon de la Jeune Peinture à Paris en 1978 et celui des Grands et Jeunes d'Aujourd'hui à Paris en 1985, 1988. Il a exposé personnellement à partir de 1967 à Paris à la galerie du Ranelagh et en 1986 à la Maison des Jeunes et de la Culture « Les Hauts de Belleville ».
Il peint des toiles abstraites où des figures géométriques jouent sur un fond neutre.

COLARD de Gand
xive siècle. Actif à Tournai vers 1395. Éc. flamande.
Peintre verrier.

COLAROSSI Filippo
xixe siècle. Italien.
Sculpteur.
Il exposa à Paris au Salon des Artistes Français entre 1885 et 1889.

COLART Jean, dit **Jean de Cologne**
xive-xve siècles. Français.
Sculpteur.
Il travailla à Troyes puis à Amiens. Il exécuta en 1396 deux statues pour la Porte du Gaïant et une statue pour la Porte de Montre-Ecu.

COLART de Hordaing
xve siècle. Français.
Sculpteur.
Il fut reçu bourgeois d'Arras, en 1433, à condition de faire une statue de la Vierge, destinée à la chapelle de la halle.

COLART de Jumigny
Originaire du Laonnais. Mort vers 1423. xve siècle. Français.
Peintre.
Le Musée de Laon possède un tableau attribué à cet artiste.

COLART de Laon
Mort avant mai 1417. xive-xve siècles. Français.
Enlumineur.
A partir de 1376, on le trouve à Paris, travaillant pour le duc de Bourgogne et la famille royale. Ce peintre décora, en 1394, une voiture pour Valentina, duchesse d'Orléans et sœur de Gian Maria Visconti de Milan. Une autre notice fort intéressante dit ce qui suit : « A Colart de Laon le 23e jour de décembre au-dessus dit pour le parpaiement de la peinture d'uns grans tableaux qui ont été portez à Chartres pour mettre en la grant église en la chapelle ou monseigneur la ordonne de chanter lequels tableaux coustent 32 franc. » (*Livre des comptes 1395-1406 de Guy de la Trémoille et Marie de Sully.* Publié d'après l'original par Louis (duc) de la Trémoille, Nantes, 1887).

COLAS Alphonse
Né le 24 septembre 1818 à Lille (Nord). Mort le 11 juillet 1887. xixe siècle. Français.
Peintre de sujets religieux, portraits, compositions murales.
Élève de Souchon, il fut, en 1846, pensionnaire à Rome de la ville de Lille. Il obtint une médaille de troisième classe en 1849, et un rappel en 1863. Après la mort de Souchon, il lui succéda dans la charge de directeur de l'École de peinture de la ville de Lille.
L'église Saint-André de cette ville lui doit quatre tableaux illustrant la vie de la Vierge. L'artiste représenta, dans la grande coupole du chœur de l'église N.-D. de Roubaix : le *Couronnement de la Vierge.*

Alph Colas

Ventes Publiques : Monaco, 16 juin 1990 : *Portrait du musicien Lavaud et sa famille* 1862, h/t (144x112) : **FRF 33 300.**

COLAS Antoine
xve siècle. Français.

Sculpteur et architecte.

De 1462 à 1484, il dirigea les travaux de construction de la cathédrale de Troyes ; il y fit, en 1470, la pierre tombale d'Henrion Dorey, et en 1482, le tombeau de Guillaume Lesguisé, chanoine de l'église Saint-Pierre ; il fit aussi des travaux à l'église Saint-Urbain.

COLAS Auguste
Né en 1816 à Clamecy. Mort en 1856. XIXe siècle. Français.
Peintre d'histoire, portraits, paysages, natures mortes, dessinateur.
Élève d'Aubert. Il débuta au Salon en 1838. Le Musée de Coutances possède de lui une *Nature morte* et le Musée de Clamecy un *Paysage* (dessin).

COLAS Charles Tranquille
Né le 1er février 1839 à Cambremer (Calvados). Mort après 1890. XIXe siècle. Français.
Sculpteur.
Élève de Gérome et Jouffroy. Il débuta au Salon en 1869 et cessa d'exposer après 1890. Il a exécuté surtout des bustes.

COLAS Dominique
Née en 1960 à Caen (Calvados). XXe siècle. Française.
Peintre de figures, technique mixte. Réalité poétique.
Elle fit ses études à l'École des Beaux-arts de Caen et remporta plusieurs prix de peinture. Elle a participé en 1991 au Salon de la Jeune Peinture, et expose dans des galeries de Paris et de Palm Beach aux États-Unis.
Bien qu'elle peigne ses personnages dans une technique très figurative, modelant notamment les volumes, elle leur confère, par l'accessoire et surtout par l'instauration d'un climat psychologique de rêve, une irréalité onirique.
VENTES PUBLIQUES : PARIS, 14 avr. 1991 : *Prole*, techn. mixte (66x49) : **FRF 4 000.**

COLAS Henri
XVe siècle. Français.
Sculpteur.
Il fut actif à Tours en 1471.

COLAS Henri
XXe siècle. Français.
Peintre de paysages.
Cet artiste qui se dit de Montparnasse a été remarqué par la fluidité de ses atmosphères.

COLAS Henry
Mort en 1900. XIXe siècle. Français.
Peintre de genre.
Élève de Maillot et Weerts. Le Musée de Périgueux conserve de lui : *Misère* et *Une Religieuse.*

COLAS Jean
XVIe siècle. Actif à Tours vers 1500. Français.
Sculpteur.

COLAS Jean Louis Auguste
Né le 7 mai 1816 à Gouville (Manche). Mort en 1856 à Gouville. XIXe siècle. Français.
Peintre de portraits.
Élève d'Aubert à l'École des Beaux-Arts, où il entra le 4 octobre 1834. Il débuta au Salon de Paris en 1838, avec un portrait. Il s'est consacré presque exclusivement à ce genre. Le Musée de Coutances conserve de lui : *Chasse au faisan.*
VENTES PUBLIQUES : PARIS, 1896 : *Tête d'Italienne*, étude : **FRF 30.**

COLAS Jeanne, née le Poil
Née à Paris. XIXe-XXe siècles. Française.
Lithographe.
Exposant des Artistes Français ; mention honorable en 1907.

COLAS Louis Auguste
Né à La Gouaslinière-Gouville (Manche). XIXe-XXe siècles. Français.
Lithographe.
Sociétaire des Artistes Français ; mention honorable en 1887 ; troisième médaille en 1889 ; mention honorable à l'Exposition Universelle de 1900 ; deuxième médaille en 1914.

COLAS Oudart
XVe siècle. Français.
Sculpteur.
Fils d'Antoine Colas. Il sculpta, en 1490, un saint Michel monumental, en pierre de Tonnerre, qui fut placé au haut du pignon de la cathédrale de Troyes ; de plus, il collabora à la décoration du jubé de l'église Sainte-Madeleine.

COLAS Paul
Né le 20 septembre 1902 à Frasnay (près de Châtillon-en-Bazois, Nièvre). XXe siècle. Français.
Peintre de portraits, d'intérieurs et de paysages.
Il exposa au Salon des Artistes Indépendants et au Salon d'Automne entre 1926 et 1941. Après une longue interruption de ses expositions après la guerre, il a présenté à nouveau ses toiles au Salon des Artistes Indépendants avec d'autres artistes de Nevers.
MUSÉES : NEVERS.

COLAS Renée
Née à Brest (Finistère). XXe siècle. Française.
Peintre de paysages.
Elle exposa au Salon des Artistes Indépendants en 1927 et présenta un ostensoir au Salon des Artistes Français de 1933.

COLASIUS C.
XVIIe siècle. Actif à Saint-Gotthard (Brandebourg). Allemand.
Peintre.

COLASIUS Johan Georg ou Collasius
XVIIIe siècle. Actif à Utrecht vers 1735. Hollandais.
Peintre de portraits.

MUSÉES : AMSTERDAM : *Hier. Jos. Boudaen* – UTRECHT (Université) : *Rudolphus Leusden.*
VENTES PUBLIQUES : AMSTERDAM, 11 nov. 1997 : *Portrait d'un homme assis de trois-quarts*, h/t (54,6x44) : **NLG 5 310.**

COLASSON Pierre
Actif à Paris puis à Chalon-sur-Saône. Français.
Sculpteur d'ornements et de figures.

COLAT Prosper Mary
Né à Tarbes (Hautes-Pyrénées). XXe siècle. Français.
Peintre de paysages et de marines.
Il exposa à la Société Nationale des Beaux-Arts à partir de 1922.

COLATO Arduino
Né à Vérone. XXe siècle. Italien.
Peintre de nus.
Il exposa au Salon des Artistes Indépendants entre 1924 et 1938.

COLATZ de La. Voir LA COLATZ Wilhelmus

COLAVON Antoine
Mort le 1er juillet 1652. XVIIe siècle. Actif à Grenoble. Français.
Peintre.

COLBENSIUS Etienne ou Colbenschlag
Né en 1591 à Salzbourg. Mort en 1638 à Rome. XVIIe siècle. Autrichien.
Graveur au burin.
On cite de lui : *Le Christ mort sur les genoux de la Vierge*, d'après A. Carracci.

COLBERG Anton von
XIXe siècle. Actif à Varsovie. Polonais.
Peintre.
Il travaillait à Berlin en 1834 dans l'atelier de Wach.

COLBERGH Paolo
XVIIe siècle. Actif à Bormio en 1666. Italien.
Peintre.

COLBERT François Overton Redfeather
Né à Riverside (Oklahoma). XXe siècle. Actif en France. Américain.
Peintre.
En cet artiste américain qui figura une fois au Salon d'Automne en 1923 et au Salon des Artistes Indépendants en 1926, on retrouve l'une des plus curieuses figures de la rive gauche parisienne : celui que l'on nommait « le Peau-Rouge de Montparnasse » (*redfeather* : plumes rouges). En costume national, il figurait aux terrasses, tirant de son carton des pastels exécutés sur le lourd papier jaune dont se servaient alors les bouchers.

COLBOURN Lilian Victoria
Née le 10 novembre 1898. XXe siècle. Britannique.
Peintre.

COLBRANDT Oscar

Né en 1879. Mort en 1959. XXᵉ siècle. Belge.
Peintre de sujets religieux, figures, dessinateur.
VENTES PUBLIQUES : LOKEREN, 20 oct. 1984 : *Vierge*, h/pan. (111x86) : BEF 95 000 – LOKEREN, 5 mars 1988 : *Fillette avec un bol de panade*, fus. (78,5x58) : BEF 28 000 – LOKEREN, 8 oct. 1988 : *Christ en Croix* 1962, fus. (90x79) : BEF 70 000 – LOKEREN, 21 mars 1992 : *Saint Jean Baptiste*, h/t (80x64) : BEF 170 000 – LOKEREN, 12 mars 1994 : *Saint François*, fus. (56,5x36) : BEF 50 000 – LOKEREN, 10 déc. 1994 : *Christ en Croix*, fus. (58,5x44,5) : BEF 33 000.

COLBURN Eleanor Rush

Née en 1866 à Dayton (Ohio). XIXᵉ siècle. Américaine.
Peintre.

COLBY George Ernest

Né en 1859 au Minnesota. XIXᵉ siècle. Américain.
Peintre de paysages.
Il a travaillé en France et en Allemagne.
VENTES PUBLIQUES : NEW YORK, 10 juin 1976 : *Lac de montagne* 1886, h/t (117x193) : USD 1 000.

COLBY Joseph

XIXᵉ siècle. Britannique.
Peintre de genre.
Il exposa à la Royal Academy de 1852 à 1864, à Londres.
VENTES PUBLIQUES : LONDRES, 21 juin 1984 : *Les rivaux*, h/cart. (19,7x19,7) : GBP 600 – LONDRES, 5 juin 1997 : *Attention maternelle*, h/t, de forme ronde (diam. 30) : GBP 3 680.

COLBY Josephine Wood

Née en 1862 à New York. XIXᵉ siècle. Américaine.
Peintre.

COLCLOUGH Matthew

XIXᵉ siècle. Actif au début du XIXᵉ siècle. Britannique.
Peintre sur porcelaine.
Il travailla pour les manufactures de porcelaine de Staffordshire, Derby et Swansea.

COLCLOUGH W.

XIXᵉ siècle. Britannique.
Peintre sur émail.
Il exposa en 1847 à la British Institution, à Londres.

COLCOMB Léon

Né au XIXᵉ siècle à Paris. XIXᵉ siècle. Français.
Peintre d'histoire, scènes de genre, portraits.
Il débuta au Salon de 1868.
VENTES PUBLIQUES : PARIS, 15 nov. 1976 : *Jeune bergère à la mare* 1870, h/t (55x80) : FRF 4 000.

COLDA

XIVᵉ siècle. Travaillait en Bohême. Tchécoslovaque.
Miniaturiste.
On lui attribue les miniatures du *Livre de la Passion* donné à l'abbesse Cunigunda, du monastère Saint-Georges, à Prague.

COLDARCHI Bernardino

XVIᵉ siècle. Travaillait dans l'Ombrie. Italien.
Peintre.
Il existe des œuvres de cet artiste à Terni et à Cesi.

COLDIRADIIS Baldassare de

XVᵉ siècle. Actif à Crémone à la fin du XVᵉ siècle. Italien.
Miniaturiste.
Il illustra des volumes liturgiques pour la cathédrale de Crémone entre 1482 et 1484.

COLDIROLO Battista

XVIᵉ siècle. Actif à Lodi en 1540. Italien.
Sculpteur.

COLDORÉ. Voir CODORÉ Olivier

COLDSTREAM William, Sir

Né le 28 février 1908 à Belford (Northumberland). Mort en 1987 à Londres. XXᵉ siècle. Britannique.
Peintre de portraits, figures, paysages.
Il fut élève de la Slade School de Londres entre 1926 et 1929. Entre 1929 et 1934 il exposa au New English Art Club et au London Group puis cessa toute activité picturale pour se consacrer durant trois ans à la réalisation de films documentaires, en collaboration avec John Grierson et W.-H. Auden. En 1938, avec Victor Pasmore et Claude Rogers, il fonde une école de dessin et de peinture dans le quartier londonien d'Euston Road dont l'en-

seignement était basé sur la nécessité d'observer la réalité extérieure. Depuis 1940, il est *Slade professor* à l'University College de Londres. Il est membre du conseil de la National Gallery et de la Tate Gallery et fut longtemps président de l'Arts Council's Art Panel ; il a été fait chevalier en 1956.
Il a exposé à Londres en 1962. Son œuvre répond évidemment aux préceptes de son enseignement. Parfaitement traditionnel et opposé à toutes les tendances contemporaines, se référant au classicisme et au réalisme, il a principalement peint des portraits sévères, des études de personnages et des paysages dans un style néoclassique qui évoque David. ■ J. B.
BIBLIOGR. : In : *Diction. de l'Art et des Artistes*, Hazan, Paris, 1967 – in : *Diction. Univers. de la Peint.*, Le Robert, Paris, 1975.
MUSÉES : LONDRES (Tate Gal.) : *En vedette* 1937 – LONDRES (Imper. War Mus.). – OTTAWA (Nat. Gal. of Canada) : *Paysage de Bolton*.
VENTES PUBLIQUES : LONDRES, 17 mars 1965 : *Portrait de W. H. Auden* : GBP 650 – LONDRES, 9 déc. 1970 : *Tête de jeune fille* : GBP 120 – LONDRES, 13 juin 1980 : *Les quais, Dieppe*, h/t (51x61) : GBP 400 – LONDRES, 4 mars 1987 : *Artiste et modèle*, h/t (122x91,5) : GBP 1 100 – LONDRES, 3-4 mars 1988 : *Le peintre et son modèle devant son chevalet*, h/t (118,7x90) : GBP 4 620 – LONDRES, 8 mars 1991 : *Falmouth* 1978, h/t (30,5x40,5) : GBP 2 750.

COLE

XVIIIᵉ siècle. Britannique.
Graveur.
Il signa une planche, représentant G. Whitefield prêchant, parue à Londres en 1774.

COLE A. M., Miss

XIXᵉ siècle. Britannique.
Peintre.
Elle exposa à la Royal Academy, à Londres, entre 1855 et 1872. Elle peignit surtout des portraits et souvent en miniatures.

COLE Abram

Né en 1830 à Plymouth. XIXᵉ siècle. Britannique.
Peintre.
Il peignit surtout des paysages et des marines à l'aquarelle.

COLE Alfred Benjamin

XIXᵉ siècle. Britannique.
Paysagiste et graveur.
Il exposa entre 1867 et 1883 à la Royal Academy et à Suffolk Street.

COLE Alphaeus P.

Né en juillet 1876 en Angleterre. XXᵉ siècle. Américain.
Peintre de portraits, aquarelliste.
Il fut élève à Paris à l'Académie Julian de Jean-Paul Laurens et de Benjamin-Constant. Il fut admis à l'École Nationale des Beaux-Arts. Il exposa au Salon des Artistes Français et à la Royal Academy de Londres. Il figura dans les principales expositions de New York. Il reçut une mention honorable à l'exposition Pan-Américaine de 1900. Il fut membre de la National Academy of Design des États-Unis et Président de la New York Water-Colour Society.
MUSÉES : NEW YORK (Brooklyn Mus.) : *Portrait de Timothy Cole*.
VENTES PUBLIQUES : NEW YORK, 26 sep. 1986 : *Jeune femme à son miroir* 1924, h/t (76,6x61) : USD 5 000.

COLE Augusta, plus tard Mrs Samwell

XIXᵉ siècle. Active à Londres. Britannique.
Peintre de miniatures.
Elle exposa à partir de 1831 à Suffolk Street Gallery.

COLE B.

XVIIIᵉ siècle. Travaillant en Angleterre vers le commencement du XVIIIᵉ siècle. Britannique.
Graveur de portraits.
On cite de lui des portraits de personnages anglais.

COLE Charles Octavius

Né en 1814 à Newburyport (Massachusetts). XIXᵉ siècle. Américain.
Peintre de genre, portraits.
Il fut actif à La Nouvelle Orléans de 1838 à 1841. Il peignit plusieurs portraits de personnes vivant à Portland.
VENTES PUBLIQUES : PORTLAND, 28 sep. 1985 : *Fancy sketch* 1851, h/t (68,7x91,2) : USD 11 000 – NEW YORK, 12 mars 1992 : *La petite ramasseuse de coquillages* 1856, h/t (122x99) : USD 13 750.

COLE Edward Sherratt

Né en 1817 à Londres. Mort en 1905. XIXᵉ siècle. Britannique.

Peintre de paysages, paysages urbains, aquarelliste.
Il exposa à la Royal Academy de Londres entre 1837 et 1868. Il parcourut l'Europe, allant de la Bretagne au Tyrol, passant par Anvers, les bords de la Moselle, de la Meuse et du Rhin et jusqu'aux lacs du nord de l'Italie.
C'est avec une minutie extrême, mais sans aucune sècheresse, qu'il reproduit les monuments, maisons, rues des villes qu'il visite.
BIBLIOGR. : Gérald Schurr, in : *Les Petits Maîtres de la peinture 1820-1920, valeur de demain,* Les Éditions de l'Amateur, t. V, Paris, 1981.
VENTES PUBLIQUES : LONDRES, 24 fév. 1908 : *Gand ; Caen,* deux dess. : **GBP 4** – LONDRES, 25 juin 1981 : *The official opening of the 1962 London international Exhibition,* aquar. (25x35) : **GBP 1 400** – LONDRES, 26 mai 1983 : *The Lady Chapel, Ely cathedral* 1850, aquar. reh. de gche (64x52) : **GBP 340.**

COLE Ellen
XIXᵉ siècle. Active à Londres. Britannique.
Peintre de compositions religieuses, scènes de genre.
Elle exposa entre 1841 et 1849 à Suffolk Street Gallery et à la Royal Academy.

COLE Elsie Vera
Née le 27 juillet 1885 à Braintree (Essex). XXᵉ siècle. Britannique.
Peintre et aquafortiste.

COLE Ernest
XXᵉ siècle. Britannique.
Sculpteur.
Il fut professeur de sculpture au Royal College of Art de Londres. Il est le mari de Laurie Cole.

COLE Ethel Kathleen
Née le 11 mai 1892 à Beccles (Suffolk). XXᵉ siècle. Britannique.
Peintre de paysages, lithographe, illustratrice, décoratrice.
Elle fut aussi professeur d'art.

COLE George
Né en 1810 sans doute à Portsmouth. Mort le 7 septembre 1883. XIXᵉ siècle. Britannique.
Peintre de portraits, animaux, paysages.
Ce peintre n'eut d'autre professeur que lui-même, et, après avoir travaillé dans sa jeunesse à Portsmouth, où il peignit des études d'animaux et des portraits, il s'établit à Londres et s'adonna au paysage. De 1838 à 1883, Cole exposa assez régulièrement dans différentes académies et sociétés artistiques de Londres, notamment à la Royal Academy, à la British Institution et à Suffolk Street.
MUSÉES : SHEFFIELD : *Paysage* – SYDNEY : *La Forêt de Kent.*
VENTES PUBLIQUES : LONDRES, 4 mai 1908 : *La Tamise vue de la côte de Richmond :* **GBP 50** – LONDRES, 30 nov. 1908 : *Un champ de blé en Surrey :* **GBP 136** – LONDRES, 6 mars 1909 : *Le Soir dans les prairies :* **GBP 54** – LONDRES, 12 fév. 1910 : *Petersfield le soir :* **GBP 47** – LONDRES, 3 avr. 1922 : *Des moutons et une mule :* **GBP 18** – LONDRES, 9 fév. 1923 : *Le Gué* 1863 : **GBP 152** – LONDRES, 27 avr. 1923 : *Moutons dans un paysage* 1869 : **GBP 99** – LONDRES, 11 mars 1927 : *Coucher de soleil* 1866 : **GBP 21** – LONDRES, 16 mai 1927 : *Vaches dans le Sussex* 1874 : **GBP 73** – LONDRES, 12 mars 1928 : *La Moisson* 1874 : **GBP 24** – LONDRES, 16 mai 1930 : *Le Château de Windsor* 1876 : **GBP 29** – LONDRES, 27 mars 1931 : *Vers le marché* 1852 : **GBP 17** – PARIS, 13 juin 1937 : *Cavalier dans un paysage :* **FRF 860** – LONDRES, 17 nov. 1933 : *La Dernière Charge* 1863 : **GBP 36** – LONDRES, 25 mai 1934 : *Sir John Barker-Mul* 1839 : **GBP 136** – ROME, 25-26 mai 1972 : *Paysage boisé :* **ITL 1 000 000** – NEW YORK, 15 oct. 1976 : *Scène de moisson* 1879, h/t (60x89) : **USD 3 750** – LONDRES, 25 oct. 1977 : *Rivière sous-bois,* h/t (74x100) : **GBP 750** – LONDRES, 19 mai 1978 : *Vue du château de Windsor,* h/t (50,3x75,5) : **GBP 6 000** – LONDRES, 2 oct. 1979 : *Troupeau à l'abreuvoir* 1863, h/t (84x120) : **GBP 3 400** – LONDRES, 6 fév. 1981 : *Le repos des moissonneurs* 1868, h/t (50,8x76,2) : **GBP 2 600** – VIENNE, 16 nov. 1983 : *Paysage fluvial,* h/t (90x150) : **ATS 180 000** – CHESTER, 4 oct. 1985 : *La Fin du jour* 1864, h/t (104x150) : **GBP 14 000** – NEW YORK, 23 fév. 1989 : *Moissonneurs dans un vaste paysage à Harting Coombe dans le Sussex* 1873, h/t (51,4x76,8) : **USD 19 800** – LONDRES, 21 mars 1990 : *La moisson dans un champ de blé* 1866, h/t (107x127) : **GBP 82 500** – LONDRES, 15 juin 1990 : *Scène de moisson* 1876, h/t (61x91,5) : **GBP 26 400** – SOUTH QUEENSFERRY (Écosse), 23 avr. 1991 : *Un setter,* h/t (35,5x53,5) : **GBP 1 760** – LONDRES, 11 oct.

1991 : *Moissonneurs faisant la pause dans un champ de blé,* h/t (106,7x152,4) : **GBP 8 800** – NEW YORK, 16 oct. 1991 : *Bûcherons dans un paysage boisé ; Personnages traversant un gué à cheval dans un paysage boisé* 1877, h/t, une paire (69,2x106) : **USD 5 500** – LONDRES, 12 juin 1992 : *Loch Ranza dans l'île de Arran,* h/t (50,8x76,2) : **GBP 7 920** – NEW YORK, 30 oct. 1992 : *Les environs de Newton dans le Lincolnshire* 1856, h/t (46,2x122,2) : **USD 7 700** – NEW YORK, 15 fév. 1994 : *Paysans se déplaçant avec leur bétail sur un chemin dans un vaste paysage* 1870, h/t (106,8x151,7) : **USD 36 800** – LUDLOW (Shropshire), 29 sep. 1994 : *Repos pendant la moisson,* h/t (51x76) : **GBP 25 300** – LONDRES, 6 juin 1996 : *Moulin à vent sur la colline* 1857, h/t (50,8x76,2) : **GBP 1 955** – LONDRES, 5 sep. 1996 : *Ferme dans les collines galloises* 1878, h/t/cart. (50,8x74,2) : **GBP 2 760** – LONDRES, 6 nov. 1996 : *La Nouvelle Arrivée* 1844, h/pan. (30,5x40,5) : **GBP 3 220** – LONDRES, 14 mars 1997 : *Hartings Coombe, Sussex* 1873, h/t (50,8x76,2) : **GBP 9 430** – LONDRES, 6 juin 1997 : *Arundel Castle* 1869, h/t (35,6x51,2) : **GBP 4 140** – LONDRES, 5 juin 1997 : *Coucher de soleil dans un paysage de rivière paisible* 1863, h/t (40,7x60,9) : **GBP 6 900** – LONDRES, 5 nov. 1997 : *La Fin de la journée,* h/t (51x76) : **GBP 10 580.**

COLE George Vicat
Né en 1833 à Portsmouth. Mort le 16 avril 1893 à Londres. XIXᵉ siècle. Britannique.
Peintre de paysages, aquarelliste, dessinateur.
Cole dut son éducation artistique aux conseils de son père George Cole, un artiste de réputation qui fit travailler le jeune Vicat d'après les modèles de Turner, Constable et Cox. Il n'oublia pas aussi de conduire son fils à la plus grande source de l'inspiration, la nature, en le faisant voyager et dessiner pendant son séjour à l'étranger. Vicat fut admis, à l'âge de 18 ans, à l'ancienne British Institution et à la Société of British Artists, à Suffolk Street, et un an après, en 1852, il exposa pour la première fois à la Royal Academy, deux paysages : le *Cloître de Marienburg* et *Vue ensoleillée.* Vicat continua à exposer jusqu'en 1892. En 1859, la Royal Society of British Artists l'admit comme membre. En 1880, il obtint une médaille de la Société pour l'Encouragement des Beaux-Arts, pour son tableau *La Moisson.* En 1870, la Royal Academy le nomma associé et il devint membre en 1880.
Cet artiste avait une prédilection pour la représentation de la Tamise dans ses divers aspects. Il peignit des vues des bords du fleuve avec une grande délicatesse de coloris, un grand sentiment traduit par une touche ferme et sûre.

MUSÉES : BRISTOL : *Le Temps de la moisson – Premier ordre de se rendre de l'Armada espagnole* – CARDIFF : *Midi sur les collines du Surrey – Paysage,* croquis – *Symond's Yat,* croquis – HAMBOURG : *Près de la Tamise* – LONDRES (Victoria and Albert Mus.) : *Sur l'Arun, Stoke, Sussex* – NOTTINGHAM : *Sommations à la reddition.*
VENTES PUBLIQUES : NEW YORK, 1900-1903 : *Paysage :* **USD 105** – LONDRES, 7 mars 1908 : *Les moutons dans un sentier :* **GBP 37** – LONDRES, 4 avr. 1908 : *Pluie d'été :* **GBP 294** – LONDRES, 4 avr. 1908 : *Cookham-on-Thames :* **GBP 220** – LONDRES, 25 juin 1908 : *Les feuilles d'automne dans les bois :* **GBP 462** *; Soleil couchant :* **GBP 157** – LONDRES, 21 nov. 1908 : *La Moisson :* **GBP 204** – LONDRES, 11 juin 1909 : *Le Temps de la moisson, Abinger Surrey :* **GBP 157** – LONDRES, 12 fév. 1910 : *Une vue de la Tamise :* **GBP 94** – LONDRES, 18 nov. 1921 : *Paysage près d'Epsom :* **GBP 44** – LONDRES, 17 fév. 1922 : *Moutons dans les Devons :* **GBP 15** – LONDRES, 16 juin 1922 : *Chaumière à Holmbury* 1868, dess. : **GBP 152** – LONDRES, 2 fév. 1923 : *Sur la Tamise* 1873 : **GBP 63** – LONDRES, 17 mai 1923 : *L'automne* 1887 : **GBP 178** – LONDRES, 1ᵉʳ-2 juin 1927 : *Près de Godalming* 1867, dess. : **GBP 92** – LONDRES, 25 nov. 1927 : *Le champ de blé* 1883 : **GBP 94** – LONDRES, 12 mars 1928 : *La moisson près de Leith Hill :* **GBP 39** – LONDRES, 25 nov. 1929 : *La moisson à Abinger* 1863 : **GBP 115** – LONDRES, 6 déc. 1929 : *La moisson dans le Berkshire* 1892 : **GBP 131** – PARIS, 15 mai 1931 : *Paysage aux Cours d'eau,* attr. : **FRF 100** – LONDRES, 26 juin 1931 : *Près d'Abinger* 1868 : **GBP 99** – LONDRES, 13 juin 1934 :

Moissonneurs 1881 : **GBP 55** – Londres, 6 nov. 1936 : *La forêt du Surrey* 1892 : **GBP 35** – Newcastle (Angleterre), 2 juin 1937 : *La moisson* 1887, dess. : **GBP 11** – Londres, 25 juin 1937 : *Feuilles d'automne* 1869 : **GBP 39** – Londres, 18 fév. 1938 : *Champs de blé dans le Surrey* : **GBP 40** – Londres, 17 déc. 1941 : *L'Écluse* : **GBP 39** – Londres, 31 mars 1944 : *Palais de Westminster* : **GBP 36** – Londres, 17 juin 1966 : *Paysage aux meules* : **GNS 320** – Londres, 11 oct. 1967 : *Bords de Tamise* : **GBP 240** – New York, 23 fév. 1968 : *Bords de Tamise* : **USD 900** – Londres, 14 déc. 1971 : *Paysage fluvial* : **GBP 5 200** – Londres, 22 fév. 1972 : *Bord de rivière* : **GBP 950** – Londres, 16 nov. 1976 : *Le repos des moissonneurs* 1886, h/t (109x180,5) : **GBP 2 800** – Londres, 14 juin 1977 : *Paysage du Surrey* 1874, h/t (74,5x120) : **GBP 1 200** – Los Angeles, 18 juin 1979 : *Scène de moisson* 1877, h/t (50,8x76,2) : **USD 4 500** – Londres, 10 nov. 1981 : *The weald of Surrey* 1892, h/t (107x178) : **GBP 7 500** – Londres, 19 juil. 1983 : *A woodded backwater on the Thames* 1860, aquar. et gche (34,5x49) : **GBP 3 200** – Londres, 22 nov. 1983 : *A cornfield, Surrey*, h/t (76x122) : **GBP 75 000** – Londres, 26 nov. 1985 : *Le champ de blé* 1860, h/t (121,5x180,5) : **GBP 32 000** – Londres, 15 mai 1987 : *The river Arun below the Black Rabbit* 1878, h/t (49,5x75,5) : **GBP 8 500** – Londres, 27 sep. 1989 : *Bisham* 1884, h/t (91,5x145) : **GBP 28 600** – Londres, 3 nov. 1989 : *Etude de Arun*, h/cart. (11,5x23) : **GBP 3 740** – Londres, 9 fév. 1990 : *Langdale Pikes à Westmorland*, h/cart. (31,7x45,7) : **GBP 5 280** – Londres, 21 mars 1990 : *Albury dans la région de Guilford* 1859, h/t (52x65) : **GBP 6 820** – Londres, 30 jan. 1991 : *Paysage de fin d'été*, aquar. et cr. (27x41) : **GBP 605** – Londres, 14 juin 1991 : *Wargrave vers l'amont de la rivière* 1880, h/t (40,6x61) : **GBP 4 400** – Londres, 25 oct. 1991 : *Wargrave* 1881, h/t (91,4x144,7) : **GBP 31 900** – New York, 19 fév. 1992 : *Richmond Hill* 1876, h/t (96,5x152,9) : **USD 49 500** – Londres, 13 nov. 1992 : *Petit matin au bord de la Wye*, h/t (50,7x76,3) : **GBP 2 640** – Londres, 12 nov. 1992 : *Champs moissonnés à Streatley-on-Thames* 1874, h/t (35,5x53) : **GBP 7 480** – Londres, 5 mars 1993 : *La traversée de la rivière* 1868, h/t (76,2x122) : **GBP 6 900** – Londres, 30 mars 1994 : *Famille de cerfs dans le vallon d'une forêt* 1862, h/t (91x121,5) : **GBP 25 300** – New York, 20 juil. 1995 : *Berger dans un paysage du Surrey* 1874, h/t (40,6x61) : **USD 1 840** – Londres, 6 nov. 1995 : *Basildon Ferry près de Pangbourne* 1885, h/cart. (40,5x61) : **GBP 7 130** – Londres, 29 mars 1996 : *Champ de blé* 1890, h/t (48,2x81,3) : **GBP 17 825** – Londres, 6 nov. 1996 : *Les Moissons*, h/t (45,5x60,5) : **GBP 15 525** – New York, 12 déc. 1996 : *La Rivière Arun* 1878, h/t (50,8x76,2) : **USD 13 800.**

COLE Henry, Sir
Né en 1808 à Bath. Mort en 1882 à Londres. xixe siècle. Britannique.
Graveur.
Il travailla durant sa jeunesse auprès de David Cox. Il exposa à la Royal Academy de 1827 à 1831.

COLE Henry Alexander
xxe siècle. Britannique.
Aquarelliste.

COLE Herbert
xixe-xxe siècles. Britannique.
Dessinateur et graveur.
Il exposa à la Royal Academy de Londres en 1898 et 1900.

COLE Humphray
Né vers 1530 dans le nord de l'Angleterre. xvie siècle. Britannique.
Graveur et orfèvre.
Ce graveur fournit, pour la seconde édition de la *Bible des Évêques*, la *Carte de Canaan*, publiée en 1572. D'après le *Bryan's Dictionary*, il n'aurait pas fait de frontispice de la première édition de cette Bible, avec des portraits de la Reine Elizabeth et deux nobles, quoique Horace Walpole le nomme comme l'auteur de cet ouvrage.

COLE Jacques Moyse
Né en 1763 à Bordeaux. xviiie siècle. Britannique.
Peintre.

COLE James
xviiie siècle. Travaillait à Londres entre 1720 et 1743. Britannique.
Graveur, illustrateur.
Son œuvre principale est l'illustration de l'ouvrage de J. Dart : *History and Antiquities of the cathedral church of Canterbury*, Londres, 1726.

COLE James
xixe siècle. Actif à Londres. Britannique.
Peintre de genre, paysages, natures mortes, aquarelliste.
Il exposa à la British Institution de 1856 à 1865, à la Royal Academy jusqu'en 1876 et à Suffolk Street Gallery jusqu'en 1885.
Ventes Publiques : Londres, 8 déc. 1931 : *Scène de genre*, aquar. : **GBP 31** – New York, 14 mai 1976 : *Paysage ensoleillé avec le château de Windsor à l'arrière-plan* 1910 : **USD 1 100** – Londres, 27 juil. 1984 : *Scène de moisson* 1879, h/cart. (24,7x40) : **GBP 800** – Londres, 25 mars 1994 : *Retour du marché*, h/t (35,5x45,7) : **GBP 2 645.**

COLE James William
xixe siècle. Actif à Londres. Britannique.
Peintre de genre, paysages.
Il exposa dans la deuxième moitié du siècle, à la British Institution, Suffolk Street Gallery et à la Royal Academy.
Ventes Publiques : Londres, 18 juin 1976 : *Le rendez-vous de chasse* 1853, h/t (98x150) : **GBP 3 000** – Londres, 12 mai 1993 : *En s'occupant du bébé* 1870, h/t (41x51,5) : **GBP 1 495.**

COLE Johannes
Mort en septembre 1703 à Amsterdam. xviie siècle. Hollandais.
Peintre.
Il s'était établi dans cette ville vers 1680. Il était le neveu de Christian Dusart, l'ami de Rembrandt. On sait qu'il travailla dans les genres les plus différents.

COLE John
xviiie siècle. Actif en Angleterre vers 1720. Britannique.
Graveur.
Cole travailla beaucoup avec les éditeurs et les libraires, pour lesquels il fit des portraits et des ex-libris. Il grava quelques planches de monuments et une copie d'une estampe de Martin Rota, d'après le *Jugement Dernier* de Michel-Angel. À rapprocher de B. COLE.

COLE John Vicat
Né le 2 novembre 1903 à Londres. xxe siècle. Britannique.
Peintre de paysages.
Il exposa à la Royal Academy et entre 1924 et 1928 au Salon des Artistes Français.
Ventes Publiques : Londres, 18 fév. 1970 : *Regent's Park* : **GBP 180** – Londres, 25 sep. 1992 : *The Old Cheshire Cheese dans Fleet Street*, h/pan. (41x30,5) : **GBP 1 045.**

COLE Joseph
xviiie siècle. Britannique.
Peintre de fleurs et portraitiste.
Il exposa à la Royal Academy entre 1770 et 1782.

COLE Joseph Foxcroft
Né en 1837 à Jay. Mort en 1892 à Boston. xixe siècle. Britannique.
Peintre de genre, paysages, aquarelliste.
Il fit ses études artistiques en France avec Lambinet entre 1860 et 1863, puis avec Charles Jacque vers 1867. Il demeura assez longtemps à Paris, puis vint s'établir à Boston.
Parmi ses meilleures toiles, on cite : *Une scène pastorale en Normandie, Une ferme normande*. Sa technique est assez pratique et trahit chez lui un sentiment assez délicat de la nature.
Ventes Publiques : Boston, 16 jan. 1880 : *Une pastorale dans la Nouvelle-Angleterre* : **FRF 4 060** ; *Un troupeau de vaches* : **FRF 1 950** ; *L'étang de Ville-d'Avray* : **FRF 985** – Londres, 1883 : *Sur l'Arun* : **FRF 11 286** ; *La Récolte* : **FRF 15 231** – Londres, mars 1896 : *Transport de fougère* : **FRF 6 040** – Londres, 26 fév. 1898 : *L'Automne sur la Tamise* : **FRF 11 760** – Londres, 27 mai 1899 : *Les foins*, aquar. : **FRF 2 750** – New York, 1909 : *Conduisant les vaches à l'étable* : **USD 60** – East Dennis (Massachusetts), 8 août 1980 : *Paysage à l'aube*, h/t (56x76,2) : **USD 1 700** – Bolton, 12 mai 1983 : *Paysage, Dorchester, Massachusets*, h/t (47x66) : **USD 1 150** – New York, 2 oct. 1985 : *Paysage à la tombée du jour* 1879, h/t (45,7x66,6) : **USD 3 400** – New York, 30 sep. 1988 : *Paysage normand* 1890, h/t (35,7x46) : **USD 3 300** – New York, 17 déc. 1990 : *Rivière au crépuscule*, h/t (30,5x50,8) : **USD 1 320** – New York, 28 sep. 1995 : *Paysage : souvenir d'Italie* 1861, h/t (23,2x31,8) : **USD 5 462.**

COLE Joseph Greenleaf
Né en 1803 à Newburryport (Massachusetts). Mort en 1858 à Boston (Massachusetts). xixe siècle. Américain.
Peintre.

COLE Laurie
Née le 6 novembre 1890 aux États-Unis. XXᵉ siècle. Britannique.
Peintre, graveur, sculpteur.
Femme d'Ernest Cole, elle fut professeur de sculpture au Royal College of Art. Diplômée de l'Université de Columbia, elle poursuivit ses études artistiques à Paris et à Dusseldorf. En 1923 elle exposa au Salon des Artistes Français puis figura à la Royal Academy, au Royal Glasgow Institute et à l'Université de Columbia.

COLE Leslie
Né le 11 août 1910 en Angleterre. XXᵉ siècle. Britannique.
Peintre de sujets militaires, sujets de genre, aquarelliste.
On lui doit des scènes de la guerre de 1939-1945, notamment : *À La Valette, île de Malte ; après l'arrivée d'un convoi, des Basoutos trient le courrier.*
VENTES PUBLIQUES : LONDRES, 15 mars 1985 : *Mechanics working on a Mosquito,* aquar. (35,5x54) : **GBP 550.**

COLE Lyman Emerson
Né en 1812 à Newburyport (Massachusetts). XIXᵉ siècle. Américain.
Peintre.

COLE M.
XVIIIᵉ siècle. Britannique.
Graveur.
Il exécuta des ex-libris entre 1710 et 1740.

COLE Mary Ann
XIXᵉ siècle. Active à Londres. Britannique.
Peintre.
Elle exposa à la Royal Academy de 1841 à 1858.

COLE Peter
Né à Anvers. XVIᵉ siècle. Travaillait à Londres vers 1593. Britannique.
Peintre de portraits.

COLE Peter
XVIIᵉ siècle. Britannique.
Graveur.
On connaît un *Portrait de Hugh Peter* signé du nom de cet artiste. Peut-être identique au peintre précédent.

COLE Philip Tennyson
XIXᵉ-XXᵉ siècles. Britannique.
Peintre de genre, portraits, intérieurs.
Il exposa souvent à la Royal Academy. On cite de lui les *Portraits du duc de Norfolk* et du *Lord Mayor Sir Frank Greene.* Le Musée de Melbourne possède de lui le *Portrait de Duncan Gillies.*

COLE Philip William
Né le 3 janvier 1884 à Saint-Leonards-on-Sea (Sussex). XXᵉ siècle. Britannique.
Peintre, aquarelliste.
Il fut élève du Royal College of Art et exposa à la Royal Academy. En 1933 il présenta des aquarelles au Salon des Artistes Français.

COLE Ralph, Sir
Né vers 1625. Mort en 1704. XVIIᵉ siècle. Britannique.
Peintre.
Cet artiste amateur travailla avec Van Dyck, et probablement s'adonna à la peinture de portrait. Il existe de lui, à Petworth, un *Portrait de Thomas Wyndham,* qui fut gravé par R. Thompson. Il est probable que nombre de ses œuvres sont attribuées à son illustre maître.

COLE Reginald Vicat ou Rex Vicat
Né le 22 février 1870 à Londres. Mort en 1940. XIXᵉ-XXᵉ siècles. Britannique.
Peintre de paysages animés, paysages.
Fils de George Vicat Cole, il étudia avec son père après avoir travaillé avec Samuel Evans et à l'école d'art de St John's Wood, dirigée par Calderon. Il exposa à la Royal Academy et au Royal Institute à partir de 1892.
MUSÉES : LEEDS : *Un tournant du quai.*
VENTES PUBLIQUES : NEW YORK, 14 mai 1976 : *Pêcheur au bord de la Tamise* 1905, h/t (65,5x81) : **USD 800** – LONDRES, 24 oct. 1978 : *Whitehall depuis St-James,* h/t (90x134,5) : **GBP 1 700** – LONDRES, 31 mars 1981 : *Le Royal Naval Hospital à Greenwich,* h/t (71x96) : **GBP 800** – LONDRES, 3 nov. 1982 : *Petticoat Lane, Londres,* h/cart. (30,5x40,5) : **GBP 850** – LONDRES, 30 mars 1983 : *La vieille chau-*

mière 1932, h/t (86x113) : **GBP 550** – LONDRES, 22 fév. 1985 : *Paysage boisé* 1911, h/t (95,3x135,9) : **GBP 2 200** – LONDRES, 16 avr. 1986 : *Gai paysage boisé avec femme brodant,* h/t (96,5x137) : **GBP 5 000** – LONDRES, 5 mars 1987 : *Amarrer pour une réparation,* h/t (76,2x107) : **GBP 1 400** – LONDRES, 29 juil. 1988 : *Le quartier New Court à Londres,* h/cart. (40x29,7) : **GBP 495** – LONDRES, 12 mai 1989 : *Rue animée* 1933, h/pan. (32,5x24,3) : **GBP 935** – LONDRES, 7 juin 1996 : *Champs de coquelicots à Amersham* 1894, h/pan. (25,2x35,5) : **GBP 4 600.**

COLE Solomon
Né à Worcester. XIXᵉ siècle. Britannique.
Peintre.
Il exposa à la Royal Academy, à Londres, à partir de 1845.

COLE Thomas
Né en 1801 à Bolton-le-Moors (Lancashire). Mort en 1848 près de Catskill (New York). XIXᵉ siècle. Américain.
Peintre de paysages animés, dessinateur. Romantique.
Ses parents quittèrent l'Angleterre pour l'Amérique alors que Thomas n'avait que 18 ans, et allèrent s'établir dans l'Ohio, où le père devint tapissier. On dit que le jeune Thomas convainquit son père, qui venait de faire faillite, de fuir la civilisation industrielle de l'Angleterre pour se retrouver dans une nature sauvage. Thomas apprit les éléments du dessin tant bien que mal, n'ayant pas eu l'occasion de profiter des leçons d'un maître. Son goût pour l'art l'emporta sur toutes les difficultés et le futur artiste quitta la maison de son père pour chercher fortune à Philadelphie. Il essaya d'abord de gagner sa vie comme portraitiste ambulant, personnage caractéristique des débuts de l'histoire de l'art américain. Il put bientôt aller jusqu'à New York. Dans cette dernière ville, il subit toutes les vicissitudes de la pauvreté, mais il avait foi en son talent. Quelques-unes de ses études le firent connaître de quelques artistes et surtout de Trumbull. Ce fut grâce à la bienveillance de ces confrères que Thomas Cole obtint enfin la protection de quelques mécènes qui l'encouragèrent et lui fournirent les moyens de continuer ses études. Il put ainsi voyager en Italie, en France et en Angleterre, où il exposa, en 1830-1831, à la Royal Academy, à la British Institution et à Suffolk Street. Puis Cole retourna aux États-Unis, à New York. Il a peint des paysages sur nature, dans un souci d'observation naturaliste, mais dont il accentue l'âme, par une mise en valeur quand ce n'est une mise en scène d'éclairages dramatisés et d'effets de nuages. D'autre part, il a peint des compositions aux multiples personnages à l'italienne, articulés autour d'une représentation symbolique ou apologétique, ainsi dans la suite de *La Marche de l'Empire,* série de cinq paysages, considérée comme son chef-d'œuvre, conservée aujourd'hui à la New York Historical Society. Parmi ses autres œuvres, on cite son *Voyage de la Vie* et un *Paradis perdu.*
On le rattache aux paysagistes de l'Hudson River School, dont il se distingue cependant par le caractère graphique de sa peinture, dû à sa première formation de graveur. La richesse des détails exige une lecture attentive de ses compositions à personnages, préfigurant ainsi la future tendance narrative du pop art américain des années 1960.
BIBLIOGR. : *Dictionnaire de l'Art et des Artistes,* Hazan, Paris, 1967.
MUSÉES : HARTFORD (Wadsworth Atheneum Mus.) : *Scène du Dernier des Mohicans* 1827 – Plusieurs paysages – NEW YORK (Metropolitan Mus.) : *The Ox-Bow* – *Dans les Catskills.*
VENTES PUBLIQUES : PARIS, 1899 : *La Princesse Palatine* : **FRF 32 500** – NEW YORK, 23 jan. 1903 : *Un aqueduc romain* : **USD 875** – NEW YORK, 14 mars 1968 : *La Campagne romaine* : **USD 15 500** – NEW YORK, 10 déc. 1970 : *Paysage d'Italie* : **USD 21 000** – NEW YORK, 20 avr. 1972 : *Cavalier dans un sousbois* : **USD 3 750** – NEW YORK, 21 avr. 1977 : *Paysage d'été,* h/pan. (31x41) : **USD 1 600** – NEW YORK, 25 oct. 1979 : *Berger nu agenouillé,* h/t (25x49,5) : **USD 10 000** – NEW YORK, 25 avr. 1980 : *Schroon Lake* vers 1838-1840, h/t (86,3x116,8) : **USD 55 000** – NEW YORK, 28 sep. 1983 : *Falls of Kaaterskill, Catskill Mountains,* cr./pap. (39,3x26) : **USD 20 000** – NEW YORK, 1ᵉʳ juin 1984 : *Vue de Boston* vers 1889, h/t (86,4x119,6) : **USD 900 000** – NEW YORK, 5 déc. 1985 : *Catskill Mountain House* 1843-1844, h/t (72,4x92,8) : **USD 330 000** – NEW YORK, 26 mai 1988 : *Le Dernier des Mohicans* 1826, h/pan. (66x109,2) : **USD 1 045 000** – NEW YORK, 23 mai 1990 : *Lever de soleil en montagne* 1825, h/pan. (46x62) : **USD 330 000** – NEW YORK, 3 déc. 1992 : *Tête d'une femme romaine de dos* 1832, h/t (62,2x50,8) : **USD 19 800** – NEW YORK, 27 mai 1993 : *Le Bon Pasteur* 1848, h/t/pan. (81,3x121,9) :

USD 255 500 – New York, 25 mai 1994 : *Indien au coucher du soleil*, h/t (35,6x43,8) : **USD 431 500** – New York, 25 mai 1995 : *Le Mont Choocorua dans le New Hampshire 1827*, h/pan. (58,4x82,6) : **USD 277 500** – New York, 5 juin 1997 : *Vue de Boston*, h/t (86,3x119,7) : **USD 1 102 500**.

COLE Thomas Casilear
Né en 1888 à Staastsburg (New York). xxᵉ siècle. Américain.
Peintre.
Élève de J.-P. Laurens. Il exposa un portrait au Salon des Artistes Français de 1924.

COLE Thomas William
Né le 31 octobre 1857 à Shrewsbury (Shropshire). xixᵉ-xxᵉ siècles. Britannique.
Peintre et aquafortiste.

COLE Timothy
Né en 1852 à Londres. xixᵉ-xxᵉ siècles. Britannique.
Graveur sur bois.
Mention honorable au Salon des Artistes Français de 1910.

COLEBRING Johny
Né en 1920 à Asby. xxᵉ siècle. Suédois.
Peintre.
Il fit ses études à l'École des Beaux-Arts de Valand (Göteborg). Il figura dans un groupe de jeunes peintres suédois à Paris en 1962. Il exposa personnellement à Göteborg en 1949, 1952 et 1961, et à Stockholm en 1961. Il a exécuté une grande fresque pour le stade des Chemins de fer suédois à Göteborg.

COLEBROOKE Robert H.
xviiiᵉ siècle. Britannique.
Aquarelliste.
Il exposa à Londres en 1794 des vues de l'Inde.

COLEBURNE Christian
xvᵉ siècle. Actif à Londres. Britannique.
Peintre.
Il décora la chapelle funéraire de Richard Beauchamp, comte de Warwick.

COLECHO Antonio
Né à Valence. xviiiᵉ-xixᵉ siècles. Espagnol.
Peintre.
Le Musée de Valence possède un tableau de cet artiste représentant des fleurs.

COLEING Tony
Né en 1942 à Warrnambool-Victoria. xxᵉ siècle. Australien.
Peintre, sculpteur.
Il fit ses études à l'École Nationale d'Art de Sydney et les poursuivit en Angleterre. En 1964 il voyagea en Europe et exposa à Londres. En 1968 de retour à Sydney il y exposa régulièrement ses sculptures très colorées.

COLELL Benito
xivᵉ siècle. Actif à Barcelone vers 1374. Britannique.
Peintre.

COLELLA Giacomodi
xvᵉ siècle. Actif à Sulmona. Italien.
Peintre.

COLELLA Onofrio di Cicco di Sardo di
xvᵉ siècle. Actif à Sulmona vers 1435. Italien.
Peintre.

COLEMAN. Voir aussi COLMAN

COLEMAN Charles C.
xixᵉ siècle. Américain.
Graveur.
Il était en activité vers 1846. On connaît de lui des planches représentant des trophées de chasse.

COLEMAN Charles Caryl
Né en 1840 à Buffalo (New York). Mort en 1928. xixᵉ-xxᵉ siècles. Depuis 1866 actif en Italie. Américain.
Peintre de paysages, architectures typiques, pastelliste.
Il vint très jeune en Europe, étudia à Paris, puis revenu en Amérique, il prit part à la guerre de Sécession. Il retourna en Europe en 1866 et se fixa en Italie définitivement. Il vécut soit à Rome, soit à Capri. Il fut membre de l'Art Club de Londres et de la National Academy de New York.
On cite de lui : *Les Chevaux de bronze de Saint-Marc à Venise, Le Troubadour*. Il a surtout peint des aspects de Venise et de Capri.
Musées : Neuchâtel : *Environs de Rome* – Sydney : *Saint-Pierre, coucher de soleil*.

Ventes Publiques : New York, avr. 1907 : *Le canal de Venise* : **USD 55** – New York, 11 déc. 1981 : *Les Chevaux de Saint-Marc, Venise*, h/t (101,6x82,6) : **USD 19 000** – New York, 24 oct. 1984 : *Quince blossoms 1878*, h/t (81x111) : **USD 155 000** – New York, 27 mars 1985 : *Vue de la fenêtre, Capri 1914*, past. (31x59,5) : **USD 1 600** – New York, 4 déc. 1986 : *Primavera 1899*, h/t (57,8x91,5) : **USD 12 000** – New York, 3 déc. 1987 : *Les chevaux de Saint-Marc, Venise 1883-85*, h/t (101,6x82,6) : **USD 80 000** – New York, 23 sep. 1992 : *Dans le jardin de la villa Castello dans l'île de Capri 1904*, h/pan. (39,8x25,4) : **USD 2 860** – New York, 22 sep. 1993 : *Capri*, h/t (44,5x58,3) : **USD 2 990** – New York, 9 mars 1996 : *Le temps des vendanges dans un jardin de Capri 1889*, h/pan. (24,7x40,6) : **USD 16 100** – New York, 3 déc. 1996 : *Château au soleil couchant 1871*, h/pap./t. (17,8x42) : **USD 4 600**.

COLEMAN Charles ou Carlo
Mort en 1874 à Rome. xixᵉ siècle. Actif en Italie. Britannique.
Peintre d'animaux, paysages, graveur.
Il participa aux expositions de l'académie royale de Londres, de 1839 à 1869. Il vécut à partir de 1835 surtout en Italie.
Ventes Publiques : Londres, 24 oct. 1980 : *Bœufs dans un paysage 1866*, h/t (54,6x104,2) : **GBP 450** – Rome, 14 déc. 1989 : *Subiaco 1810*, h/pap./t. (36x54) : **ITL 6 900 000**.

COLEMAN Edward
Né vers la fin du xviiiᵉ siècle sans doute à Birmingham. xviiiᵉ-xixᵉ siècles. Britannique.
Peintre de natures mortes.
Ce peintre exposa, entre 1813 et 1848, à la Royal Academy de Londres.
Il était spécialiste de natures mortes de chasse et de pêche.
Ventes Publiques : Londres, 20 juil. 1931 : *Les oiseaux morts* : **GBP 2** – Glasgow, 5 fév. 1991 : *La pêche de la journée 1834*, h/t (63,5x76) : **GBP 1 650** – Londres, 18 nov. 1992 : *Nature morte de poissons*, h/t (48x60) : **GBP 1 100**.

COLEMAN Edward Thomas
xixᵉ siècle. Britannique.
Peintre de paysages.
Il exposa à la Royal Academy de Londres à partir de 1849. On cite de lui des *Vues des Alpes*. Il ne semble pas pouvoir y avoir confusion avec Edward Coleman.

COLEMAN Enrico parfois Henry
Né en 1846 ou 1847 à Rome. Mort en 1911 à Rome. xixᵉ-xxᵉ siècles. Italien.
Peintre de genre, animaux, paysages animés, paysages, peintre à la gouache, aquarelliste, dessinateur.
Il a exposé à Paris, au Salon des Artistes Français, mentions en 1894 et en 1900 pour l'Exposition Universelle.
Il travaillait souvent à l'aquarelle. Dans un registre très étendu, il s'est surtout spécialisé dans les scènes avec chevaux. Il a également ment peint des vues de Rome et des environs.

H. Coleman (signature)
H. Coleman (signature)

Musées : Liverpool : *Bœufs traînant un bloc de marbre* – Rome (Gal. d'Arte Mod.).
Ventes Publiques : Paris, 16 fév. 1927 : *Rome sous l'averse*, aquar. : **FRF 720** – Rome, 28 avr. 1976 : *Bergers dans la campagne romaine*, h/t (27x46) : **ITL 436 000** – Milan, 26 mai 1977 : *Un tableau pour le couvent*, aquar. (63x94) : **ITL 1 100 000** – Milan, 14 déc. 1978 : *Les Centaures*, h/t (43x81,5) : **ITL 2 000 000** – New York, 24 nov. 1982 : *Chevaux à l'abreuvoir*, aquar. (34,8x52,1) : **USD 5 000** – Rome, 6 juin 1984 : *La tombe de Cecilia Metella sur la voie Appienne*, h/t (62x75) : **ITL 7 500 000** – Londres, 29 nov. 1984 : *Chevaux à l'abreuvoir*, aquar. et t. (35x53,2) : **GBP 2 800** – Rome, 13 mai 1986 : *Lunotevere a ponte Milvio 1910*, h/t (42x64) : **ITL 4 200 000** – New York, 29 oct. 1986 : *Chevaux dans la campagne romaine, sous la pluie*, aquar. (26,5x54,2) : **USD 7 500** – Rome, 22 mars 1988 : *Lac de Nemi 1874*, h/t (24x35) : **ITL 2 200 000** – Rome, 25 mai 1988 : *Retour à la bergerie*, aquar./pap. (31x49,5) : **ITL 9 500 000** – Rome, 14 déc. 1988 : *Berger*, fus. et détrempe/pap. (50,5x33,5) : **ITL 2 400 000** – Milan, 6 déc. 1989 : *Paysage avec des paysans*, aquar./pap. (30x22) : **ITL 1 900 000** – Rome, 11 déc. 1990 : *Porta Furba*, aquar.

(25x35) : **ITL 3 450 000** – New York, 21 mai 1991 : *Moine lisant dans un jardin*, aquar./cart. (29,2x43,2) : **USD 5 060** – Rome, 28 mai 1991 : *Cabane dans la campagne*, aquar./pap. (12x15,5) : **ITL 1 200 000** – Milan, 7 nov. 1991 : *Régiment d'artillerie*, aquar./ cart. (66x94) : **ITL 14 000 000** – Milan, 12 déc. 1991 : *Voleurs de chevaux dans les marais de la campagne romaine*, h/t (100x162) : **ITL 80 000 000** – Londres, 22 mai 1992 : *Les labours* 1887, aquar./pap. (34,2x50,9) : **GBP 6 050** – New York, 28 mai 1992 : *En tête du troupeau de chevaux*, aquar./pap. (35,6x53,3) : **USD 16 500** – Londres, 14 juin 1992 : *Buffles dans la campagne romaine*, aquar. (46x73) : **GBP 6 490** – New York, 17 fév. 1993 : *Le Toilettage des chevaux*, aquar./pap. (38,1x58,4) : **USD 7 475** – Londres, 18 juin 1993 : *Le Troupeau de chevaux*, aquar./pap. (51,5x73,5) : **GBP 11 270** – Rome, 29-30 nov. 1993 : *Gardiens de troupeaux* 1889, aquar./cart. (36x27) : **ITL 5 303 000** – Rome, 16 déc. 1993 : *Labourage*, cr./pap. (30x42,5) : **ITL 1 725 000** – Rome, 8 mars 1994 : *Le Bois sacré de la nymphe Égérie*, aquar./pap. (48,2x71,5) : **ITL 17 825 000** – Rome, 31 mai 1994 : *Personnages dans un paysage*, aquar./pap. (23x33) : **ITL 2 357 000** – New York, 12 oct. 1994 : *La Pause pour se désaltérer*, aquar. et cr./pap. (35,6x53,3) : **USD 6 900** – Londres, 15 nov. 1995 : *Paysage de Marino* 1894, aquar. (24x40) : **GBP 1 725** – Rome, 5 déc. 1995 : *Lavandière et moutons au bord du Tibre*, h/t (35,5x61,5) : **ITL 5 893 000** – Londres, 12 juin 1996 : *Hommes à cheval*, aquar. (36x53) : **GBP 4 830** – New York, 18-19 juil. 1996 : *Chevaux et Cavaliers*, aquar./cart. (39,4x58,4) : **USD 6 325**.

COLEMAN Francesco

Né en 1851 à Rome. Mort en 1913. XIXe-XXe siècles. Italien.
Peintre de compositions animées, scènes de genre, paysages, aquarelliste. Orientaliste.

Troisième fils du peintre anglais Charles Coleman, il avait pour frère le célèbre aquarelliste Enrico Coleman. Il fit ses études à la Scuola di Geometrica de l'Academia di San Luca, où il entra en 1863 et obtint deux prix de dessin au concours des élèves, trois ans plus tard. En 1883, il fit partie de la Société des aquarellistes. Il participa à des expositions en Angleterre, notamment à la Royal Society of British Artists, à la Royal Scottish Academy et à la Royal Academy de Londres. En 1888, Il reçut un diplôme d'honneur à l'exposition internationale d'aquarelles à Dresde. Personnellement, il exposa souvent à Rome, Milan, Florence. À côté de ses scènes historiques et sujets de genre, il peignit des paysages représentant des monuments anciens d'Afrique du Nord et d'Espagne.

Bibliogr. : Caroline Juler : *Les Orientalistes de l'École italienne*, ACR Édition, Paris, 1994.

Ventes Publiques : Londres, 12 mars 1928 : *La délégation* 1881, dess. : **GBP 9** – Paris, 5 déc. 1928 : *Un Espagnol – Personnage Henri II*, deux aquar. : **FRF 135** – Londres, 23 jan. 1979 : *Un lancier italien*, aquar. (44x74) : **GBP 1 000** – Londres, 5 oct. 1979 : *L'Enlèvement*, h/t (63,5x93,4) : **GBP 1 500** – Chester, 29 oct. 1981 : *Les gladiateurs devant la fosse aux lions*, aquar. (36x54) : **GBP 380** – New York, 22 mai 1985 : *Une fantasia*, aquar. (50,8x73,7) : **USD 21 000** – New York, 28 oct. 1987 : *Couple* 1881, aquar. (48,3x29,2) : **USD 1 800** – New York, 15 oct. 1991 : *Artiste et modèle*, aquar./cart. (53,4x37) : **USD 1 320** – Londres, 15 nov. 1995 : *Cavaliers arabes*, h/t (67x47) : **GBP 5 175**.

COLEMAN George Bertran

Né à Manchester. XXe siècle. Britannique.
Peintre, aquarelliste.

A exposé des aquarelles au Salon des Artistes Français de 1930.

COLEMAN Glenn O.

Né en 1887 à Springfield (Ohio). Mort en 1932. XXe siècle. Américain.
Peintre de compositions religieuses, lithographe, illustrateur.

Il commença à travailler comme illustrateur de journaux à Indianapolis puis s'établit à New York en 1905 où il suit pour professeur Everett Shinn et Robert Henri. Il peint alors des scènes de la misère citadine qui le font se rattacher à l'Ashcan School. Durant cette période, il collabore avec Sloan et Bellows, à l'illustration du journal *Masses*. Dans les années vingt, il aborde la lithographie, un procédé nouveau pour lui dans lequel il transpose de nombreux dessins de jeunesse. A la fin de sa vie, il est de plus en plus influencé par le cubisme. Abandonnant les scènes figuratives, il traite dans un style semi-abstrait les formes monumentales que propose l'architecture moderne.

Ventes Publiques : New York, 4 déc. 1980 : *Scène de rue, New York*, h/t (73,7x63,5) : **USD 15 000** – New York, 8 déc. 1983 : *La*

---

rue haute, h/t (86,3x63,5) : **USD 17 000** – New York, 13 sep. 1984 : *L'incendie* 1928, litho. (31,1x43,2) : **USD 1 200** – New York, 31 mars 1993 : *Vue de New York au lointain*, h/cart. (45,1x59,7) : **USD 4 140**.

COLEMAN Henry. Voir COLEMAN Enrico

COLEMAN James

Né en 1941 à Ballaghaderreen (Roscommon). XXe siècle.
Depuis 1970 actif en Italie. Irlandais.
Artiste multimédia.

Il fit ses études au National College of Art de Dublin, à l'école des Beaux-Arts de Paris, à la Central School of Art de Londres et à l'académie Brera de Milan. L'University College de Dublin et le gouvernement italien lui ont décerné des bourses de voyage.
À partir de 1972 il a figuré dans plusieurs expositions collectives parmi lesquelles *Living Art* à la Project Gallery de Dublin, en 1973 à la 8e Biennale de Paris et *Artistes Irlandais Actuels* au Musée d'Art Moderne de la Ville, en 1974 *Contemporanea* à Rome, en 1976 *Living Art* à la National Gallery of Ireland à Dublin, en 1978 *Arte e Cinema* à la Biennale de Venise, en 1980 *Camera Incantante* au Palazzo Reale de Milan, *Videoart, Arte Video in Europea* en 1981 à la Foire d'Art et Video de Locarno, *Reading Video* en 1982 au Museum of Modern Art de New York et la même année à la Biennale de Sydney en Australie, en 1986 *In De Maalstroom* au Palais des Beaux-Arts de Bruxelles, *Dark/ Light* Mercer Union à Toronto, *The Mirror and the Lamp* à l'Institut d'Art Contemporain de Londres, en 1987 *From the Europe of Old* au Stedelijk Museum d'Amsterdam, en 1987-1988 l'exposition itinérante aux États-Unis et au Canada *The Analytical Theatre, New Art from Britain*, en 1988 *Michael Asher/James Coleman* Artist Space de New York, en 1989 *Théâtre Garden Bestiarium* à l'Institut d'Art Contemporain de New York, en 1997 à la Biennale d'Art contemporain de Lyon. Il a montré son travail lors d'expositions personnelles : en 1981 au Project Arts Center de Dublin, en 1982 une exposition rétrospective de ses travaux s'est tenue à Dublin et à Belfast, une pièce de théâtre *Ignotum per Ignotius* s'est jouée à Rotterdam, Amsterdam, Enschede, Haarlem et Ijmuiden, en 1983 à la Whitechapel Art Gallery de Londres, en 1984 à Toronto, Dublin et Florence, en 1985 *Renaissance Society* à l'Université de Chicago et une exposition rétrospective s'est tenue au château de Dunguaire à Galway en Irlande, en 1986 à l'Institut d'Art Contemporain de Londres, en 1987 à Munich et Cologne, en 1988 à la Galerie des Beaux-Arts de Bruxelles, en 1989 au Musée d'Art Moderne de la Ville de Paris, en 1996 au Centre Georges Pompidou.
Coleman crée des mises en scène qu'il photographie et présente. L'image est dotée d'une très forte théâtralisation dramatique, l'ensemble fonctionnant sur de multiples ressorts narratifs comme le suspense, l'agression visuelle, le son... L'effet dramatique envahit l'espace de l'œuvre et du « regardeur ». Coleman réalise également à partir d'enregistrements audiovisuels une analyse de la perception de l'image et des différentes données, mémoire, persistance, acquisition, qui influent sur sa lecture.

Bibliogr. : Achille Bonito Oliva, *James Coleman*, Ulster Museum, Belfast, 1973 – Catal. de l'exposition *Art Irlandais Actuel*, Musée d'Art Moderne de la Ville, Paris, juin-jul. 1973 – Jean Fisher, *James Coleman and Operating Theatre*, Art Monthly, n° 61, nov. 1982, pp. 11 à 13, Londres – Jean Fisher, *The Enigma of the Hero in the Work of James Coleman*, Orchard Gallery, Londonderry, Northern Ireland, 1983 – Catal. de l'exposition *James Coleman*, Musée d'Art Moderne de la Ville, Paris, 1989.

Musées : Dublin (Mun. Gal. of Mod. Art) – Lille (FRAC Nord-Pas-de-Calais) – Paris (Mus. d'Art Mod. de la Ville) – Paris (FNAC) : *I.N.I.T.I.A.L.S.* 1994.

COLEMAN Michael

Né en 1946. XXe siècle. Américain.
Peintre de scènes animées typiques, animalier, paysages animés, peintre à la gouache.

Ventes Publiques : New York, 2 juin 1983 : *Flagged antelope* 1978, gche (18,6x43,8) : **USD 7 500** – New York, 31 mai 1984 : *Cerfs dans un paysage boisé*, h/isor. (35,6x40,7) : **USD 5 500** – New York, 30 mai 1985 : *Blackfoot camp in the shadows* 1979, gche (50,1x70,5) – New York, 4 déc. 1986 : *Evening, Dogs Camp* 1977, gche (30,5x52,1) : **USD 10 000** – New York, 1er déc. 1988 : *Le campement indien*, h/t (61x76,2) : **USD 13 200** – New York, 30 nov. 1989 : *Paysage avec des tentes indiennes* 1984, h/cart. (55,9x76,2) : **USD 16 500** – New York, 18 déc. 1991 : *Paysage au soleil couchant* 1968, h/pan. (40,6x66) : **USD 1 650** – New

YORK, 11 mars 1993 : *Campement indien* 1976, gche/pap. (18,3x26,6) : **USD 5 520.**

COLEMAN Rebecca
XIXe siècle. Active à Londres. Britannique.
Peintre.
Elle était la sœur de William Stephen Coleman et de Helen C. Angell.

COLEMAN William
Mort en 1807 en Angleterre. XVIIIe siècle. Britannique.
Graveur sur bois.

COLEMAN William Stephen
Né en 1829 ou 1830. Mort le 22 mars 1904. XIXe siècle. Britannique.
Peintre de genre, figures, aquarelliste, dessinateur, illustrateur.
Il exposa à Londres de 1865 à 1870. En collaboration avec Harrison Weir, Wolf et d'autres artistes, il fournit des illustrations pour les ouvrages d'histoire naturelle du Révérend J. G. Wood.

WJ.COLEMAN

MUSÉES : GLASGOW : *Naïade* – LONDRES (Victoria and Albert Mus.) : *Jeune fille tenant un panier de corail.*
VENTES PUBLIQUES : LONDRES, 11 avr. 1908 : *Deux enfants sur un siège de marbre :* **GBP 25** – LONDRES, 25 avr. 1908 : *Le Livre d'histoire :* **GBP 31** – LONDRES, 4 juin 1908 : *Au bord de la mer ; Une route à la campagne,* dess. : **GBP 7** – LONDRES, 20 mars 1909 : *Les Petits Bateaux :* **GBP 16** – LONDRES, 18 juin 1909 : *La Porte du cottage :* **GBP 6** – LONDRES, 11-14 nov. 1921 : *Une voix venant de la mer :* **GBP 5** – LONDRES, 3 mars 1922 : *Un baigneur :* **GBP 8** ; *Un jardin* 1903, dess. : **GBP 17** – LONDRES, 9 mars 1923 : *Une peinture* 1900 : **GBP 33** – LONDRES, 18 juil. 1927 : *Le Foyer du pêcheur* 1878, dess. : **GBP 19** – LONDRES, 9 juil. 1928 : *Un jardin italien* 1902 : **GBP 18** – LONDRES, 30 mai 1932 : *Une peinture* 1890 : **GBP 7** – LONDRES, 28 nov. 1933 : *Moments d'oisiveté :* **GBP 18** – LONDRES, 22 juin 1934 : *Le Repas des ibis :* **GBP 10** – GLASGOW, 25 oct. 1934 : *Partenaires :* **GBP 20** – LONDRES, 26 avr. 1937 : *Le Bain :* **GBP 17** – LONDRES, 13 nov. 1970 : *Jeunes Filles au bord d'un étang :* **GNS 170** – LONDRES, 21 mars 1972 : *Les Nénuphars :* **GBP 160** – LONDRES, 6 déc. 1977 : *Love Birds,* h/t (49,5x30) : **GBP 1 000** – LONDRES, 20 mars 1979 : *La Cueillette des fleurs ; La Balançoire,* aquar. et reh. de gche, une paire (19x10) : **GBP 1 300** – LONDRES, 2 oct. 1979 : *Sur la terrasse, Corse* 1902, h/t (59x89) : **GBP 2 600** – LONDRES, 27 avr. 1982 : *Pangbourne, Berkshire,* aquar. et cr. (17,5x33,6) : **GBP 3 000** – LONDRES, 27 oct. 1983 : *Le Champ de blé,* aquar. et gche (32,5x54) : **GBP 3 000** – LONDRES, 10 juil. 1984 : *Feeding the ibis at Corsica* 1902, h/t (59x89) : **GBP 4 800** – CHESTER, 17 jan. 1986 : *Spring fairy,* aquar. reh. de gche (24x19) : **GBP 1 500** – LONDRES, 1er oct. 1986 : *Toy boats on a terrace* 1900, h/t (61x91) : **GBP 8 500** – LONDRES, 15 mai 1987 : *La Balançoire,* h/t (69,3x32,4) : **GBP 4 500** – LONDRES, 3 juin 1988 : *La Petite Fleuriste,* h/t (91,5x73,6) : **GBP 2 420** – LONDRES, 25 jan. 1988 : *Digitales et Marguerites,* aquar. (19x30,5) : **GBP 6 380** – LONDRES, 25 jan. 1989 : *Deux enfants rentrant à la maison à la tombée de la nuit,* aquar. et gche (13x17,5) : **GBP 715** – NEW YORK, 24 oct. 1989 : *Friandise pour le poisson rouge,* h/t (57,1x72,4) : **USD 8 800** – LONDRES, 5 juin 1991 : *Les Marches du cottage,* aquar. (12,5x17) : **GBP 715** – NEW YORK, 19 fév. 1992 : *Amour fraternel,* h/t (64,8x41,9) : **USD 6 050** – MILAN, 16 mars 1993 : *Jeux d'enfants* 1901, h/t (61x92) : **ITL 9 000 000** – LONDRES, 5 nov. 1993 : *Jeune fille distribuant de la nourriture aux cygnes,* cr. et aquar. avec reh. de blanc (17,5x24,5) : **GBP 1 610** – LONDRES, 3 juin 1994 : *Le Collier* 1889, h/t (65x42) : **GBP 9 430** – LONDRES, 17 mars 1995 : *Le Bocal de poissons rouges,* h/t (81x42) : **GBP 8 050** – LONDRES, 9 mai 1996 : *Distribution de graines aux poulets et aux canards devant une grange* 1884, aquar. et gche (24x44) : **GBP 2 070** – LONDRES, 5 sep. 1996 : *Belle Prise,* h/pan. (32,4x24,7) : **GBP 3 220** – LONDRES, 8 nov. 1996 : *Hors atteinte,* cr. et aquar. reh. de blanc (45,1x20,3) : **GBP 3 200** – LONDRES, 6 juin 1997 : *L'Éventail,* cr. et aquar. reh. de gche (54x27,6) : **GBP 2 760.**

COLEME Jean
XVe siècle. Actif à Tournai vers 1477. Éc. flamande.
Enlumineur.

COLEN Adriaenus Van. Voir OOLEN Adriaenus Van

COLENBERG Christiaen Van
XVIIe siècle. Hollandais.

Peintre de portraits.
Il fut inspecteur de la gilde d'Utrechten 1668.

CÖLER Georg
XVIIe siècle. Actif à Nuremberg et à Amsterdam entre 1620 et 1650. Allemand.
Graveur et éditeur.

COLERAINE Henry Hare, Lord
XVIIe-XVIIIe siècles. Actif vers 1636-1708. Britannique.
Peintre de portraits.
On connaît seulement un portrait de cet artiste par lui-même.

COLERIDGE Hon. Stephen
Né le 31 mai 1854. XIXe siècle. Britannique.
Peintre.
Le Musée de Cardiff conserve de lui : *Le moulin désert.*

COLERIDGE Maud
XIXe siècle. Britannique.
Peintre.
Elle était la cousine de Stephen Coleridge. Elle exposa à partir de 1898 à la Royal Academy de Londres.

COLERNE Colinet
XVe siècle. Français.
Sculpteur et peintre.
Il travailla à Troyes pour l'église de la Madeleine en 1402.

COLES John
Né en 1780. XIXe siècle. Américain.
Peintre.

COLES Mary D.
Née à Newark (New Jersey). XXe siècle. Britannique.
Peintre de compositions, nus, portraits, paysages.
Elle fut élève de Charles-W. Hawthorne et d'André Lhote à Paris. Elle exposa au Salon des Artistes Français en 1926 et au Salon d'Automne entre 1928 et 1932.

COLESCOTT Robert
Né en 1925 à Oakland (Californie). XXe siècle. Américain.
Peintre de compositions à personnages.
Il a figuré dans la *Nouvelle Biennale de Paris* en 1985. Il a exposé personnellement à partir de 1980 dans des galeries américaines et en 1984 au Greenville County Museum of Art.
Les compositions de Robert Colescott mettent en scène divers personnages, exprimant souvent une satire des comportements sociaux de ses contemporains. Il désire peindre des œuvres immédiatement lisibles et interprétables par tous.
BIBLIOGR. : In : Catal. de la *Nouvelle Biennale de Paris,* 1985, Electa-Le Moniteur, pp. 112-113.
VENTES PUBLIQUES : NEW YORK, 8 mai 1996 : *L'agresseur aux gants verts* 1971, acryl./t. (198,1x149,8) : **USD 18 400** – NEW YORK, 9 mai 1996 : *Prière à Saint Maurice* 1986, h/t (213,4x182,9) : **USD 9 200.**

COLET Colette Germaine, pseudonyme de Caen
Née à Boulogne-sur-Mer (Pas-de-Calais). XIXe-XXe siècles. Française.
Sculpteur et peintre de natures mortes.
Elle fut élève de Max Blondat, Paul Hannaux et Paul Moreau-Vauthier. Elle exposa au Salon des Artistes Français et à celui de l'Automne en 1931.

COLET Pierre
XVe siècle. Actif à Bruges en 1426. Éc. flamande.
Peintre.

COLETTE Charles Tranquille
Né en 1824 à Dieppe (Seine-Maritime). Mort en 1895. XIXe siècle. Français.
Sculpteur-ivoirier.
Élève de Bignard, puis d'Ouvrier. Travailla à Paris, à Hambourg (chez Hampendal). On cite particulièrement parmi ses ouvrages : l'*Enlèvement des Sabines.* On a de lui au Musée de Dieppe : *Ève cueillant la pomme ; La Danse.*

COLETTE François
Né le 16 juin 1936 à Saint-Denis de la Réunion. XXe siècle. Français.
Sculpteur.
Autodidacte, il participe au Salon de la Jeune Sculpture à Paris et à Nice ; en outre il expose à Paris et New York. Il réalise des petits personnages squelettiques, et des « tableaux-reliefs » où la surface se compartimente et dont la profondeur est occupée par les mêmes personnages.

COLETTE-BOETTE Céline
Née le 4 novembre 1904 à Paris. xxᵉ siècle. Française.
Elle fut élève de Georges Desvallières et d'Antoine Bourdelle.
Elle exposa au Salon des Tuileries.

COLETTI Joseph
Né en 1898 en Italie. Mort en 1973. xxᵉ siècle. Italien.
Sculpteur.
VENTES PUBLIQUES : NEW YORK, 30 nov. 1990 : *Putto tenant une fontaine en forme de dauphin*, bronze (H. 87,6) : **USD 6 600**.

COLEY Alice Maria
Née le 10 septembre 1882 à B'ham. xxᵉ siècle. Britannique.
Peintre, miniaturiste et aquarelliste.
Elle exposa à la Royal Academy, à la Royal Society of Miniature Painters ainsi qu'au Salon des Artistes Français.

COLFS Peter
Né en 1906 à Anvers. Mort en 1983 à Anvers. xxᵉ siècle.
Belge.
Peintre.
Il fut élève de l'Académie et de l'Institut Supérieur d'Anvers où il fut professeur. Il a reçu le Premier prix Godecharle en 1931 et le premier prix de Rome en 1933.
BIBLIOGR. : In : *Diction. Biogr. Ill. des Artistes en Belgique depuis 1830*, Arto, 1987.

COLI Giovanni
Né en 1643 à Lucques. Mort en 1681. xvɪɪᵉ siècle. Italien.
Peintre.
Élève de Pietro da Cortone. Il travailla presque toujours avec Filippo Gherardi et en particulier pour la Bibliothèque de San Giorgio à Venise. La plus considérable de leurs œuvres est la tribune de San Martino, peinte à fresques, et celle de San Matteo qu'ils ornèrent de tableaux à l'huile. Peut-être le même artiste que le peintre Coli Jean cité vers la même époque pour avoir travaillé en Portugal, où plusieurs œuvres de lui sont conservées.

COLI Juan
xɪxᵉ siècle. Actif à Séville entre 1848 et 1868. Espagnol.
Peintre de décorations.

COLI Ottaviano
xvɪɪɪᵉ siècle. Actif à Pesaro. Italien.
Peintre.
Il fut l'élève de Giovanni Andrea Lazzarini.

COLI Pietro
xvɪɪɪᵉ siècle. Actif à Pérouse. Italien.
Peintre.
Il était originaire de Turin où il fut l'élève de Pazzi.

COLIATI Antoine
xvɪɪɪᵉ siècle. Français.
Peintre.
Il fut reçu à l'Académie de Saint-Luc à Paris en 1763.

COLIBERT Nicolas
Né en 1750 à Paris. Mort en 1806 à Londres. xvɪɪɪᵉ siècle.
Français.
Graveur.

COLIBON
xvɪɪɪᵉ siècle. Actif à Paris vers 1750. Français.
Graveur.
On connaît de cet artiste une *Vue des jardins de Monceau*.

COLIEZ Adrien Albert Joseph
Né le 6 juin 1754 à Valenciennes. Mort en 1824 à Valenciennes. xvɪɪɪᵉ-xɪxᵉ siècles. Français.
Peintre.
Le 4 octobre 1814, il fut reçu membre de l'Académie de Valenciennes. On lui doit les décorations de la salle de spectacle de cette ville.

COLIEZ François
Mort en 1825 à Valenciennes. xɪxᵉ siècle. Français.
Peintre.
Il était le fils d'Adrien Coliez et travailla sous sa direction.

COLIGNON, de son vrai nom : **Nicolas Desmutot**
xvɪɪᵉ siècle. Actif à Nancy. Français.
Sculpteur.

Il travailla, en 1698, aux arcs de triomphe élevés en l'honneur de l'entrée solennelle du duc et de la duchesse de Lorraine. Il eut deux fils sculpteurs : Joseph François, né le 12 janvier 1687 et Nicolas II, né le 12 juin 1689.

COLIGNON Gaspard
xvɪɪᵉ siècle. Français.
Sculpteur.
Il sculpta, à Versailles, en 1682, une figure en pierre et deux trophées pour la grande aile du château, et des vases pour le pourtour de la pièce d'eau du Dragon. En collaboration avec Tuby, il fit, à l'église Saint-Nicolas du Chardonnet, le tombeau de Julienne Le Bé, mère du peintre Le Brun.

COLIGNY Édith de
Née à Velars-sur-Ouche (Côte-d'Or). xxᵉ siècle. Française.
Miniaturiste.
Sociétaire des Artistes Français.

COLIGNY Jeanne de
Née au xɪxᵉ siècle à Paris. xɪxᵉ siècle. Française.
Peintre, émailleur.
Elle débuta au Salon de 1881.

COLIN
xvᵉ siècle. Actif dans la première moitié du xvᵉ siècle. Français.
Peintre d'histoire et de genre.
Il fut peintre du duc de Bourgogne et travailla au château de Hesdin.

COLIN. Voir **NOUAIHER**

COLIN Abraham. Voir **COLYNS Abraham**

COLIN Adèle Anaïs
Née en 1822 à Paris. Morte en 1899 à Paris. xɪxᵉ siècle. Française.
Peintre de compositions religieuses, sujets orientaux, miniaturiste, aquarelliste.
Fille d'Alexandre-Marie Colin, elle épousa, en 1845, le peintre et architecte Gabriel-Auguste Toudouze.
VENTES PUBLIQUES : LINDAU, 5 mai 1982 : *Vierge à l'enfant dans un paysage*, aquar. haut arrondi (25x18) : **DEM 1 300** – LONDRES, 20 juin 1985 : *Dessins de mode pour filles et garçons* 1854, aquar. et pl. reh. de gche blanche, une paire (16x21) : **GBP 950** – PARIS, 22 mai 1992 : *Femme orientale*, aquar., de forme ovale (26x19,5) : **FRF 7 000**.

COLIN Alexandre ou **Colins, Colyns**. Voir **COLYN Alexander**

COLIN Alexandre-Marie
Né le 5 décembre 1798 à Paris. Mort en 1873 à Paris. xɪxᵉ siècle. Français.
Peintre d'histoire, compositions à personnages, scènes de genre, portraits, paysages, lithographe, dessinateur.
Romantique.
Élève de Girodet, grand ami de Delacroix et de Bonington, il participa aux Salons Parisiens de 1819 à la fin de sa vie, obtenant une médaille de deuxième classe en 1824 et 1831, et une de première classe en 1840. En 1851, il peint la décoration d'une chapelle à l'Église Saint-Roch de Paris. Il fut nommé professeur de dessin à l'École des Beaux-Arts de Nîmes.
Sa facture nerveuse et puissante l'apparente à l'art de Delacroix, à tel point que certains ont pensé qu'il pouvait y avoir confusion entre certaines œuvres des deux artistes. Il fut surtout un grand portraitiste, représentant des personnages connus et des acteurs, le plus souvent dans les costumes de leurs rôles. Il est également l'auteur de sujets romantiques, de vues d'Italie et de scènes de la lutte pour l'indépendance de la Grèce inspirées par des œuvres de Lord Byron.
Parmi ses lithographies, citons : *Cahier d'études de chevaux*, d'après Géricault ; *Les cinq sens* 1828, album ; *Album comique de pathologie pittoresque*, album, titre et 12 planches : *Les Deux Petites Sœurs* ; *Jeune Femme d'Ischia piquée par un serpent* ; *Une famille du royaume de Naples* ; *Jeune femme d'Ischia* ; *Berger surpris par l'orage* ; *Faust et Marguerite* ; *Pêcheurs de Dunkerque* ; *Françoise de Rimini* ; *Mort de Valentin* ; *Stephano et Caliban* ; *L'Âge heureux* ; *Tarentelle de Procida* ; *Petit Jehan de Saintré* ; *Le Forfait* ; *Diane de Poitiers*, etc.
Parmi ses portraits, citons ceux de *Géricault* 1824 ; *Le peintre Duchesne* ; *Alexis Dupont* ; *Mme Julienne*, du Gymnase ; *Raffile* – Série de portraits d'acteurs en pieds, dans les costumes de leurs rôles : *Armand* ; *Baptiste aîné* ; *Cartigny* ; *Dabadie* ; *Damas* ; *Des-*

mousseaux ; Firmin ; Fontenay ; Frénoy ; Grandville ; Lafon ; Lemonnier ; Ménier ; Michelot ; Monrose ; Nourit ; Pitrot ; Potier ; Talma ; Thérigny ; Vernet ; Mme Bourgoin – Mme Branchu – Mme Bras – Mme Brocard – Mme Carmouche – Mme Clara – Mme Demerson – Mme Desbrosses – Mme Duchesmois – Mme Dupuis – Mme Dussert – Mme Éléonore – Mme Grassari – Mme Lemonnier – Mme Leverd – Mme Levesque – Mme Mante – Mme Paradol – Mme Pauline – Mme Louise Person – Mme Prad'her – Mme Tousez.

BIBLIOGR. : Gérald Schurr, in : Les Petits Maîtres de la peinture 1820-1920, valeur de demain, Les Éditions de l'Amateur, t. III, Paris, 1976.

MUSÉES : AVIGNON : Portrait – BERLIN : Marché aux poissons en France – BÉZIERS : Christophe Colomb devant le conseil de Salamanque – NANCY : Raphaël dessinant dans la campagne de Rome – PARIS (Mus. Carnavalet) : Portrait d'Eugène Delacroix 1824 – ROCHEFORT : Christophe Colomb – STRASBOURG : La famille du pêcheur – VERSAILLES : Anne de Lorraine, comtesse de Lillebonne – M. L. d'Aspremont, duchesse de Lorraine – Charles V, duc de Lorraine – Ferdinand IV, roi des Deux-Siciles – Claude Moy, comtesse de Chaligny – Renée de Lorraine, duchesse d'Ognano – Charles de Bourbon, prince de la Roche-sur-Yon – Marguerite de Bourbon, duchesse de Nevers – Maximilien de Béthune, duc de Sully – VERSAILLES (Trianon) : Valentine de Milan demande justice de l'assassinat du duc d'Orléans.

VENTES PUBLIQUES : PARIS, 1860 : La Madone de Saint-Sixte, esquisses et copies d'après Raphaël : FRF 155 ; Vision d'Ézéchiel : FRF 355 ; La Joconde, d'après Léonard de Vinci : FRF 440 ; Une bataille, d'après Salvator Rosa : FRF 600 ; Le vin et les femmes, d'après Rubens : FRF 310 – PARIS, 20 juin 1939 : Jeune femme en buste, mine de pb : FRF 100 – PARIS, 13 déc. 1950 : Portrait de Napoléon III : FRF 18 000 – VERSAILLES, 23 juil. 1975 : Scène galante 1839, h/t (39x30) : FRF 2 300 – PARIS, 28 avr. 1980 : Les Incas, 4 dess. au lav. de sépia reh. de gche (24x28,4 ; 20,3x28,1 ; 19,5x28 ; 19,5x27,8) : FRF 30 000 – LONDRES, 29 avr. 1982 : Un jeune Grec 1826, aquar. (25,5x18,5) : GBP 300 – PARIS, 1er déc. 1983 : Les Massacres de Scio 1826, h/t (88x138) : FRF 500 000 – MONTE-CARLO, 22 juin 1986 : Grecs secouant un jeune homme étendu sur la plage 1833, h/cart. (25x33) : FRF 25 000 – BERNE, 12 mai 1990 : Le petit savoyard endormi, h/t (46x55) : CHF 1 600 – PARIS, 22 juin 1990 : Idylle en Grèce 1844, h/t (35x28,5) : FRF 46 500 – PARIS, 14 déc. 1990 : Hameau de pêcheurs sur la côte normande 1849, h/t (38,5x70,5) : FRF 42 000 – MONACO, 18-19 juin 1992 : Othello et Desdémone 1825, h/t (50,5x61,5) : FRF 31 080 – PARIS, 3 juin 1994 : Le repas des bohémiens dans un paysage de montagne 1865, h/t (66x82) : FRF 14 600 – PARIS, 18 nov. 1994 : La Bayadère, h/t (61x51) : FRF 15 000 – NEW YORK, 24 oct. 1996 : Portrait de Sa Majesté l'Empereur Napoléon III, h/t (112,4x83,8) : USD 46 000.

COLIN Alice
Née en 1878. Morte en 1962 à Bruxelles. XXe siècle. Belge.
Peintre.
On lui donna le surnom de « Peintre des sanctuaires ».

COLIN André
Né à Yport. XIXe-XXe siècles. Français.
Peintre de genre, animalier, graveur.
Élève de J.-P. Laurens. Il obtint en 1898 une mention honorable dans la section de gravure.

André Colin

MUSÉES : DIEPPE : À l'ombre, chevaux de gros trait.
VENTES PUBLIQUES : PARIS, 18 juin 1993 : Le cortège de la mariée, h/t (19x68) : FRF 10 000.

COLIN Benny
Né à Copenhague. XXe siècle. Danois.
Peintre.
Il fut sociétaire du Salon des Artistes Français depuis 1923.

COLIN Ch. J.
Né à Ciboure (Pyrénées-Atlantiques). XIXe-XXe siècles. Français.
Peintre paysagiste.
Il exposa au Salon de la Société Nationale de Paris, entre 1891 et 1908.

COLIN Charles
Né vers 1525. XVIe siècle. Français.

Sculpteur sur bois et peintre.
Il travailla au château de Fontainebleau de 1540 à 1550 ; revenu à Troyes, il fut chargé d'exécuter en bois le modèle d'un présent dont les habitants voulaient faire hommage à Charles IX, lors de son entrée à Troyes.

COLIN Charles Alphonse
Né au XIXe siècle à Paris. XIXe siècle. Français.
Peintre et dessinateur.
Il débuta au Salon de 1870.
VENTES PUBLIQUES : PARIS, 1880 : Encadrement de vignettes pour les fables de La Fontaine, deux dessins à la sépia : FRF 48.

COLIN Charles Amédée
Né le 22 septembre 1808 à Bourg-en-Bresse (Ain). Mort en 1873 à Paris. XIXe siècle. Français.
Graveur.
Il fut l'élève de Pauquet à l'École des Beaux-Arts, où il entra le 4 mai 1825.

COLIN Charles François
Né le 12 février 1795 à Paris. Mort vers 1858. XIXe siècle. Français.
Peintre de compositions à personnages, scènes de genre, natures mortes.
Il eut pour maître Garnier. De 1840 à 1851, il exposa au Salon des tableaux de genre et des natures mortes.
VENTES PUBLIQUES : PARIS, 4 mars 1981 : Diane et Calisto 1830, h/t (71x99) : FRF 20 000.

COLIN Émilienne Rose
Née à Paris. XXe siècle. Française.
Peintre.
Elle exposa à Paris au Salon des Artistes Français en 1930.

COLIN Fernand Joseph
Né à Rouvray (Côte-d'Or). XIXe-XXe siècles. Français.
Peintre de portraits, paysages, natures mortes.
Il fut élève de Carolus-Duran et de Jeanniot. Il exposa au Salon des Artistes Français dont il était sociétaire, au Salon de la Société Nationale des Beaux-Arts et à celui des Artistes Indépendants.

COLIN François
Né le 16 juin 1798 à Bordeaux. Mort le 15 février 1864 à Bordeaux. XIXe siècle. Français.
Peintre.
Élève de Lacour. Le Musée de Bordeaux conserve de lui : Fontaine des amours et Crispin messager.

COLIN Georges
Né le 26 avril 1876 à Vincennes. XXe siècle. Français.
Sculpteur.
Il fut élève de Charles Valton et de Thomas puis exposa au Salon des Artistes Français pour la première fois en 1899.
VENTES PUBLIQUES : PARIS, 14 nov. 1982 : Icare, bronze, patine médaille (H. 74) : FRF 12 000 – LOKEREN, 16 mai 1987 : Pour la Patrie, bronze (H. 92) : BEF 330 000.

COLIN Gustave Henri
Né en 1828 à Arras. Mort en 1910, 1911 ou 1919. XIXe-XXe siècles. Français.
Peintre de genre, paysages.
Élève de Dutilleux et de Couture. Il débuta en 1857 au Salon avec le Portrait de l'aïeule. Il participa au Salon des Refusés en 1863 avec Joueurs de pelote. Puis il exposa régulièrement au Salon de Paris jusqu'à la fondation de la Société Nationale des Beaux-Arts. Il fut dès le début adhérent au nouveau groupement artistique où il exposa des paysages et des tableaux du pays basque et d'Espagne. Une exposition générale de son œuvre eut lieu au Salon de la Nationale en 1906.
Ce fut un artiste au tempérament réaliste très marqué dont les toiles sont remarquables tant au point de vue de la composition qu'au point de vue du coloris.

Gustave Colin

MUSÉES : ARRAS : Le lavoir de San Pedro – BAYONNE : Des chênes de Belchéenia – NEUCHÂTEL : Paturages près d'Arras – PAU : La Course de Novillos – LE PUY-EN-VELAY : Lamaneurs basques – REIMS : Paysage – Village.
VENTES PUBLIQUES : PARIS, 1875 : Le Vallon des Pyrénées : FRF 900 – PARIS, 1879 : Basques espagnols jouant à la paume :

FRF 1 605 ; *Bateau de pêcheurs rentrant au port* : **FRF 1 400** – Paris, 1882 : *L'auberge de Chapelle, Hautes-Pyrénées* : **FRF 1 050** ; *Vue générale du quartier de Saint-Jean à Pasages* : **FRF 1 700** ; *Le départ pour la pêche* : **FRF 910** – Paris, 1886 : *La sortie de la grand-messe à Ciboure, Basses-Pyrénées* : **FRF 1 320** ; *Le soir de la tempête* : **FRF 1 220** ; *Jeunes filles à leur toilette* : **FRF 2 100** – Paris, 1899 : *Le vieux saule* : **FRF 2 000** ; *La vallée d'Urugne* : **FRF 980** ; *Baigneuse* : **FRF 2 000** – Paris, 1899 : *Course de novillos* : **FRF 5 000** ; *Cabaret en Navarre* : **FRF 4 100** ; *Une course de taureaux* : **FRF 1 450** – Paris, 1901 : *Jeune femme en blanc* : **FRF 510** – Paris, 18 et 19 nov. 1901 : *La Dame espagnole* : **FRF 215** ; *La Corrida* : **FRF 240** – Paris, 1901 : *Course de taureaux* : **FRF 720** – Paris, 16 et 17 mars 1901 : *Une place de village* : **FRF 200** – Paris, 19 avr. 1904 : *Course de taureaux* : **FRF 335** – Paris, 8 nov. 1918 : *Les vendanges à Saint-Jean-de-Luz* : **FRF 30** – Paris, 20 nov. 1918 : *Récolte de maïs à Saint-Jean-de-Luz* : **FRF 35** ; *Les deux sœurs* : **FRF 195** – Paris, 4 et 5 déc. 1918 : *En mer* : **FRF 90** ; *En Pays basque* : **FRF 55** – Paris, 23 déc. 1918 : *Voiliers et tartanes à l'ancre* : **FRF 135** – Paris, 17 nov. 1919 : *Le port de Bordeaux* : **FRF 350** – Paris, 28 nov. 1919 : *Bouquet de fleurs dans une jardinière de porcelaine* : **FRF 220** ; *Barques de pêche au large* : **FRF 80** – Paris, 1-3 déc. 1919 : *Une Corrida* : **FRF 2 200** ; *Gitana* : **FRF 2 300** ; *Grande cascade et pont dans les Pyrénées* : **FRF 1 000** ; *Joueur de pelote basque* : **FRF 900** ; *Route de Gavarnie au pas de l'Échelle, près de Saint-Sauveur* : **FRF 1 100** ; *Course de novillos à Fontarabie le jour de Notre-Dame de Guadalupe* : **FRF 1 000** – Paris, 10-11 déc. 1919 : *Grande marée* : **FRF 180** ; *Paysanne endormie* : **FRF 140** ; *Villa aux environs de Biarritz (automne)* : **FRF 300** – Paris, 27 nov. 1922 : *Port aux environs de Saint-Jean-de-Luz* : **FRF 175** – Paris, 28 juin 1923 : *Tête de jeune fille basque* : **FRF 105** – Paris, 15 avr. 1924 : *Troupeau d'oies sous des arbres, environs de Dax* : **FRF 210** – Paris, 22 déc. 1924 : *Paysage aux environs de Bayonne* : **FRF 115** – Paris, 3 fév. 1928 : *Courses de taureaux en Espagne* : **FRF 660** – Paris, 20 et 21 avr. 1928 : *Intérieur d'église* : **FRF 145** – Paris, 24-26 avr. 1929 : *La route d'Espagne à Ciboure* : **FRF 110** ; *Les laveuses* : **FRF 205** – Paris, 3 nov. 1937 : *Voilier à Pasages (Espagne)* : **FRF 170** ; *La plage de Pasages (Espagne)* : **FRF 190** ; *La course de taureaux* : **FRF 410** – Paris, 21 mars 1938 : *Les arènes, course de taureaux* : **FRF 430** ; *Jeunes Espagnoles dans une rue du village* ; *La barque par gros temps*, ensemble : **FRF 300** ; *Paysanne espagnole* ; *Paysan*, ensemble : **FRF 190** ; *Un après-midi de fête à Pasages (Espagne)* : **FRF 390** ; *Les arènes un jour de course de taureaux* : **FRF 320** ; *Le quai à Pasages, marée haute* : **FRF 220** – Paris, 14 oct. 1942 : *La Corrida* : **FRF 2 000** – Paris, 28 déc. 1942 : *Paysage* : **FRF 700** – Paris, 1er fév. 1943 : *Course de taureaux* : **FRF 3 800** – Paris, 22 fév. 1943 : *A l'auberge* : **FRF 1 800** – Paris, 24 fév. 1943 : *Vase de fleurs* : **FRF 1 700** ; *Bords de lac* : **FRF 1 300** ; *Paysanne portant une cruche* : **FRF 2 800** – Paris, 4 mars 1943 : *Scène de tauromachie* : **FRF 3 300** ; *Femme assise dans un intérieur* : **FRF 2 000** – Paris, 8 mars 1943 : *Barques sur la mer* : **FRF 600** – Paris, 12 avr. 1943 : *Rochers au bord de la mer à Ciboure* : **FRF 500** ; *Torrent aux environs de Bagnères-de-Bigorre* : **FRF 550** – Paris, 2 juin 1943 : *Rue à Ciboure (Basses-Pyrénées)* : **FRF 1 200** – Paris, 4 juin 1943 : *Barque sur les côtes d'Espagne* : **FRF 1 100** ; *Pêcheur à la ligne à Saint-Jean-de-Luz* : **FRF 3 000** – Paris, 23 juin 1943 : *Vase de fleurs* : **FRF 500** – Paris, 10 déc. 1943 : *Novellada Alezo* : **FRF 8 200** – Paris, 16 fév. 1944 : *Jeune paysanne* : **FRF 80** – Paris, 17 et 18 fév. 1944 : *Novellada Alezo* : **FRF 5 200** – Paris, 27 nov. 1970 : *Barque dans la tempête* : **FRF 1 350** – Versailles, 14 nov. 1971 : *La Corrida* : **FRF 1 600** – Versailles, 19 nov. 1972 : *La corrida* : **FRF 5 000** – Paris, 23 fév. 1976 : *Pèlerinage de Sezo (Guipscoa), Espagne*, h/t (82x65) : **FRF 1 900** – Zurich, 18 mai 1984 : *Barques sur le lac*, h/t (73x92) : **CHF 4 200** – Londres, 17 mai 1985 : *Vue de Saint-Jean-de-Luz*, h/pan. (38x56) : **GBP 420** – Londres, 20 oct. 1989 : *Longchamp*, h/pan. (25,5x33) : **GBP 880** – Paris, 13 nov. 1989 : *Fête traditionnelle de Saint-Fermin, Navarra, Pampelone*, h/t (98x135,5) : **FRF 58 000** – Paris, 19 jan. 1990 : *Cimes enneigées*, h/t (65x80) : **FRF 14 000** – Paris, 12 oct. 1990 : *Promenade dans les dunes*, h/t (73x92) : **FRF 10 000** – Neuilly, 11 juin 1991 : *Le pêcheur*, h/pan. (35x26) : **FRF 8 000** – Paris, 7 mars 1994 : *Jeune fille passant un ruisseau dans les Pyrénées*, h/t (230x166) : **FRF 24 000** – Paris, 15 fév. 1995 : *La sortie du port*, h/t (66,5x81) : **FRF 8 000**.

COLIN Héloïse Suzanne, épouse Leloir
Née en 1820 à Paris. Morte en 1873 à Paris. XIXe siècle. Française.
Peintre de figures, miniatures, peintre à la gouache, aquarelliste.

Fille d'Alexandre-Marie Colin, elle épousa en 1842 le peintre Jean-Baptiste Auguste Leloir. Elle était la mère de Maurice Leloir.

Ventes Publiques : Calais, 13 nov. 1988 : *Projet pour des gravures de mode*, gches en pendants (22x16) : **FRF 6 000** – Paris, 5 avr. 1990 : *Les enfants modèles*, quatre dess. aquar. et gche (dont 3 : 23x18, et 1 : 20x15) : **FRF 30 000**.

COLIN Henriette
Née à Nancy (Meurthe-et-Moselle). XXe siècle. Française.
Peintre de fleurs et de natures mortes.

Elle exposa au Salon des Artistes Indépendants entre 1931 et 1943.

COLIN J. T.
XVIIIe siècle.
Peintre.

Il signa et data de 1760 un tableau catalogué dans une exposition d'art ancien à Liège en 1881.

COLIN Jean
Originaire de Tulle. XVe siècle. Français.
Peintre.

Il était en Avignon en 1456.

COLIN Jean
XVIe siècle. Actif à Dijon. Français.
Sculpteur.

Il fit, avec Jacques Bertrand, en 1517, deux écussons armoriés sur les portes de l'Hôtel-de-Ville de Dijon.

COLIN Jean ou Colin
Né au XVIIe siècle à Reims. XVIIe siècle. Français.
Graveur de portraits, paysages.

Plusieurs de ses planches sont signées *Colin*. On cite de lui des portraits d'après Ph. Lallemand et J. Hélart, une *Vue de la cathédrale de Reims* et les *Ruines romaines*.

COLIN Jean
Né en 1881 à Bruxelles. Mort en 1961. XXe siècle. Belge.
Peintre de figures, paysages, paysages urbains, marines, fleurs.

En 1923, il a exposé à Paris, au Salon de la Société Nationale des Beaux-Arts.

Ventes Publiques : Bruxelles, 18 juin 1980 : *La Seine et Notre-Dame à Paris par temps gris*, h/pan. (32x41) : **BEF 8 000** – Bruxelles, 17 mai 1984 : *Marine*, h/pan. (40x60) : **BEF 8 000** – Bruxelles, 27 fév. 1985 : *La Seine à Paris et Notre-Dame*, h/pan. (31x40) : **BEF 8 500** – Bruxelles, 18 mai 1985 : *Bohémienne*, h/t (100x79) : **BEF 19 000** – Anvers, 11 mars 1986 : *Jeune fille* (46x38) : **BEF 15 000** – Londres, 28 mai 1986 : *Femme allongée, vue de dos*, h/t, de forme ronde (diam. : 204,5) : **GBP 9 800** – Bruxelles, 7 déc. 1987 : *Bouquet de fleurs 1918*, h/t (72x56) : **BEF 85 000** – Lokeren, 10 oct. 1992 : *Dans les dunes*, h/t (45x60) : **BEF 280 000** – Lokeren, 15 mai 1993 : *Toilette*, h/pan. (55,5x38,5) : **BEF 55 000**.

COLIN Jean
Né en 1912 à Paris. XXe siècle. Français.
Affichiste, graphiste.

Il fut élève de l'École des Arts Décoratifs de Paris, où il est devenu professeur en 1951. Il participa à de nombreuses expositions d'arts graphiques. Il fut le fondateur de l'Alliance Graphique Internationale.

Il a créé de très nombreuses affiches publicitaires, dont : *Air France, Compagnie des Wagons-lits, Électricité de France, Shell, Cinzano, Perrier, Contrexéville, Philips*.

COLIN Jules
Né en 1866 à Neuchâtel. XIXe siècle. Suisse.
Dessinateur.

Il collabora à la publication intitulée *Armoiries neuchâteloises*.

COLIN Laure
Née en 1827 à Paris. Morte en 1878 à Paris. XIXe siècle. Française.
Aquarelliste.

Elle était fille d'Alexandre-Marie Collin ; elle épousa, en 1849, le peintre Gustave Noël.

COLIN Louis Alphonse Georges
XIXe siècle. Français.

Sculpteur.

Il exposa au Salon des Artistes Français de Paris en 1897.

COLIN Marcel

Né à Paris. XXᵉ siècle. Français.

Lithographe.

Élève de Ertemberger et Philibert. Exposant des Artistes Français.

COLIN Marie Thérèse

Née à Blâmont (Meurthe-et-Moselle). XXᵉ siècle. Française.

Miniaturiste.

Sociétaire du Salon des Artistes Français.

COLIN Paul

Né le 27 juin 1892 à Nancy (Meurthe-et-Moselle). Mort le 18 juin 1985 à la Maison des Artistes de Nogent-sur-Marne (Val-de-Marne). XXᵉ siècle. Français.

Peintre de figures, portraits, groupes, peintre à la gouache, affichiste, sculpteur, décorateur.

Il fut élève de l'École des Beaux-Arts de Nancy. Il exposa au Salon d'Automne à Paris après avoir figuré dans de nombreuses expositions à Londres, New York, Liège, Vienne, Madrid et Barcelone où il obtint le Premier Grand Prix. Il reçut le Grand Prix à l'Exposition Coloniale et fut fait Chevalier de la Légion d'Honneur. En 1949 une rétrospective de ses œuvres s'est tenue à Paris, au Musée des Arts Décoratifs du Pavillon de Marsan du Louvre. Il a fondé et dirigé une Académie Libre.

Il a réalisé des décors pour l'Opéra, la Comédie Française, le Théâtre des Champs-Elysées, etc. Il doit sa célébrité aux affiches de la « La Revue Nègre » de Joséphine Baker, datées de 1925. De 1925 à 1955, il a signé plus de 1.500 affiches, dont : le *Bal des Petits Lits Blancs*, le *Musée de l'Homme*, l'*Exposition Internationale de 1937*, les *Festivals de Cannes*, les *Ballets de Katherine Dunham*, etc. Il connut un regain de succès grâce à son affiche représentant l'allégorique figure de Marianne dressée sur un fond d'azur dans un vêtement de ruines, effigie patriotique placardée sur tous les murs de France après la Libération. Vers la fin de sa vie, il renoua avec la peinture et la sculpture qu'il avait étudiées à l'École des Beaux-Arts, illustrant les tragédies résultant des conflits mondiaux : Oradour, Dien-Bien-Phu, Hiroshima... ou plus familièrement peignant des modèles féminins, et modelant des sculptures polychromées d'inspiration cubiste.

Bibliogr. : Paul Colin : *La croûte : souvenirs*, La Table Ronde, Paris, 1957 – J. Rennert, *Cent affiches de Paul Colin*, Ed. du Chêne, Paris, 1977.

Musées : Épinal (Mus. départ. des Vosges) : *Torse* – Nancy.

Ventes Publiques : Monte-Carlo, 26 juin 1976 : *Décor* 1925, gche/pap. mar./pan. (54x67) : **FRF 4 500** – Monte-Carlo, 9 oct. 1977 : *Joséphine Baker*, h/pan. (161x120) : **FRF 10 400** – New York, 4 déc. 1980 : *La Revue Nègre* 1925, gche (103,5x74) : **USD 3 000** – Londres, 12 juil. 1981 : *Transatlantique, French Line* vers 1902, litho. (99,5x61,5) : **GBP 200** – Paris, 24 mars 1983 : *Projet de rideau de scène pour le Casino de Paris* 1933, gche et collage (32x50) : **FRF 5 000** – Munich, 31 mai 1983 : *Cie Gle Transatlantique-French Line* vers 1925, affiche litho. en coul. (99x61) : **DEM 2 100** – Paris, 10 juil. 1983 : *Ile de France*, gche (82x60) : **FRF 47 000** – Paris, 22 oct. 1984 : *Composition mécaniste*, gche mar./t. (169x148) : **FRF 4 800** – Paris, 23 oct. 1985 : *Maquette pour l'affiche « Libération de la France »* 1944, gche (21x24) : **FRF 8 000** – Paris, 5 déc. 1985 : *Joséphine Baker*, encre de Chine (28,5x22) : **FRF 7 000** – Versailles, 16 fév. 1986 : *Femme en noir et ville bleue* 1925, gche et peint. à l'essence/pap. mar./t. (130x96,5) : **FRF 4 700** – Paris, 5 mai 1986 : *Joséphine aux bananes* 1925, h/cart. mar./t. (160x120) : **FRF 55 000** – Paris, 23 oct. 1987 : *Personnages* 1925, past. (34x26) : **FRF 4 000** – Paris, 28 avr. 1987 : *La Revue Nègre*, encre de Chine, gche et fus./pap.

mar./t. (106x75) : **FRF 115 000** – Paris, 16 déc. 1988 : *La revue nègre*, 8 pochoirs en coul./traits imprimés (48x32) : **FRF 8 200** – Paris, 10 fév. 1988 : *La naissance de Castor et Pollux*, h/pan. (54x65) : **FRF 4 200** – Paris, 22 avr. 1988 : *Affiche pour la Libération de Paris* 1944 (157x118) : **FRF 4 500** – Paris, 27 juin 1988 : *Composition*, h/pap. froissé (83x63) : **FRF 7 500** – Neuilly, 20 juin 1988 : *Personnages*, h/t (92x73) : **FRF 15 000** – Paris, 21 juin 1988 : *Deux projets pour les costumes d'un ballet Poème chorégraphique* 1925, lav. d'encre de Chine et d'aquar. (40x25) : **FRF 18 000** – Paris, 27 oct. 1988 : *Paysage*, h/t (27x41) : **FRF 4 500** – Paris, 22 nov. 1988 : *Le Salon de l'œuvre unique* 1928, h/pan. (80x60) : **FRF 32 000** – Paris, 8 nov. 1989 : *Les Roses*, h/t (73x54) : **FRF 6 000** – Paris, 21 nov. 1989 : *Portrait de femme*, h/t (61x46) : **FRF 10 000** – Versailles, 26 nov. 1989 : *Le Bal ensorcelé* 1927, h/pan. (90x75,5) : **FRF 155 000** – Paris, 11 déc. 1989 : *Couple de danseurs de charleston* 1925, h/pan. (113x71) : **FRF 220 000** – Paris, 18 sep. 1990 : *Bal nègre*, cr. et gche (22x22,5) : **FRF 21 000** – Paris, 6 oct. 1990 : *Joséphine Baker* 1925, détrempe/pan. (100x80) : **FRF 55 000** – Paris, 6 nov. 1992 : *Nu féminin assis*, cr. et estompe (29,5x22) : **FRF 4 800** – Paris, 25 mars 1993 : *Soirée au Vel' d'Hiv.*, gche (33x40) : **FRF 5 200** – Paris, 24 juin 1994 : *Maquette d'affiche pour Pluie de Somerset Maughan* 1928, gche (98x78) : **FRF 13 500** – Paris, 30 jan. 1995 : *Sculpture nègre, décor* 1925, aquar. (38x51) : **FRF 60 000** – Paris, 20 juin 1996 : *L'Enfant et les Sortilèges de Colette*, gche/pap. (28x41) : **FRF 6 000** – Paris, 28 juin 1996 : *Bal Tabarin* 1930, aquar. et gche/pap./pan. (98x72) : **FRF 11 000**.

COLIN Paul Alfred

Né en octobre 1838 à Nîmes (Gard). Mort le 17 juin 1916 à Paris. XIXᵉ-XXᵉ siècles. Français.

Peintre de marines et de paysages et graveur.

Il était fils d'Alexandre-Marie Colin, et il épousa Sara Devéria, fille du dessinateur ; il fut élève de J.-P. Laurens et débuta au Salon de 1863 et exposa régulièrement au Salon des Artistes Français. On cite de lui : *Marée basse à Yport, Les pommiers de la ferme Loisel, Habitations de pêcheurs*. Il obtint une médaille de troisième classe en 1875, deux médailles de bronze en 1889 et 1900. Il fut nommé inspecteur général de l'enseignement du dessin et des musées et professeur à l'École Polytechnique. Officier de la Légion d'honneur en 1901.

Musées : Carcassonne : *La rentrée d'Yport au clair de lune* – Coutances : *Soleil couchant à Yport* – Dieppe : *Le fossé de la ferme Loisel* – Lisieux : *Ferme de Criquebœuf* – Montpellier : *Le massacre des Innocents*, copie du tableau de Léon Cogniet – Nancy : *Yport vu d'une fenêtre* – Nîmes : *Une cour de ferme* – Versailles : *Portrait d'un doge de Florence* – Vire : *Vue des marais des environs de Saint-Omer*, esquisse.

Ventes Publiques : Paris, 1882 : *L'île de l'étang de Valmont près Fécamp* : **FRF 250** ; *Roses trémières* : **FRF 420** ; *La plage Vancott* : **FRF 60** ; *Moscou, vue prise du Kremlin* : **FRF 310** ; *Fiacre russe* : **FRF 400** ; *Traîneau de marchand à Moscou* : **FRF 180** – Paris, 24 mars 1924 : *Mare de la ferme Loisel en Normandie* : **FRF 57** – Paris, 16 mars 1925 : *Paysage* : **FRF 42** – Paris, 6-8 déc. 1926 : *Fillette assise près d'un arbre* : **FRF 140**.

COLIN Paul Hubert

Né le 3 août 1801 à Paris. XIXᵉ siècle. Français.

Sculpteur.

Entré à l'École des Beaux-Arts le 26 septembre 1820, il se forma sous la direction de Bosio et de Romagnesi. Il devint plus tard le gendre de ce dernier. Au Salon, il fut représenté de 1833 à 1840. Il fut nommé professeur de sculpture et de dessin d'ornement, en 1836, à l'École de Nîmes. Dans cette ville, il exécuta les sculptures de l'église Saint-Paul, celles du Palais de Justice, une fontaine au pont Saint-Eustache, les sculptures du nouvel hôtel de la Préfecture. Il fit aussi une partie des sculptures du Palais de Justice de Montpellier, celles de l'Hôtel de Ville d'Avignon. On lui doit le monument funéraire de Mgr Cart. Il était frère d'Alexandre-Marie Colin. Le Musée de Douai possède de lui deux bustes.

COLIN Paul-Émile

Né le 16 août 1867 à Lunéville (Meurthe-et-Moselle). Mort le 28 octobre 1949 à Bourg-la-Reine (Hauts-de-Seine). XIXᵉ-XXᵉ siècles. Français.

Peintre, graveur, illustrateur. Symboliste. École de Pont-Aven, apparenté.

Il se destina d'abord à la médecine, qu'il exerça quelque temps, et se forma seul aux disciplines artistiques. En 1887, à l'Académie Colarossi, il fit la connaissance de Charles Filiger, qui lui fit découvrir les gravures sur zinc de Gauguin. En 1890, il partit avec Filiger pour le Pouldu, où il se lia avec Gauguin, Sérusier et les autres peintres de PontAven. Sa pratique de la gravure est marquée par un retour au travail traditionnel sur bois. Ses premières xylographies datent de 1893. C'est en 1901 qu'il abandonne définitivement la médecine pour se consacrer à l'illustration de livres. Le canif et le burin sur bois debout sont ses techniques de prédilection. Il pratique également la taille-douce, la lithographie, le pastel, l'aquarelle et la peinture à l'huile. Il fut sociétaire de la Société Nationale des Beaux-Arts et du Salon d'Automne et Vice-Président de la Société de la Gravure sur bois originale. Il fut fait Chevalier de la Légion d'Honneur. Après la guerre de 1914-1918, le public se détacha de son œuvre, tandis que ses forces déclinaient. Après une période d'oubli, le Musée de Lunéville lui consacra une exposition de son œuvre gravé en 1980, puis des galeries privées, de Paris en 1984 et 1985, des États-Unis en 1987.

Il entretint des relations avec Gauguin et les peintres de l'École de Pont-Aven. Son œuvre, en peinture comme en gravure, s'inscrit à côté de celle de Sérusier, par la technique des aplats cernés du « cloisonnisme », et par un commun symbolisme mystique. Il a écrit et illustré *Les Routes de la Grande Guerre* et *La bataille de l'Ourcq* en 1917. Il a illustré de nombreuses œuvres littéraires parmi lesquelles : *Marie-Claire* de M. Audoux, *Colette Baudoche* – *La colline inspirée* de M. Barrès en 1927, *Les séductions italiennes* de Clément-Janin en 1929, *L'Ivresse du Sage* de F. de Curel, de G. Duhamel *La Pierre d'Horeb* en 1927, *Les poèmes du souvenir* – *La Terre et l'homme* – *Sur la pierre blanche* d'A. France, de C. Guérin *Le Cœur solitaire*, *Les travaux et les jours* d'Hésiode en 1912, *L'odyssée* d'Homère, *Les nouveaux contes choisis* de R. Kipling, *Daphnis et Chloé* de Longus en 1945, *Sylvie* de G. de Nerval, *Poèmes de France et d'Italie* de P. de Nohlac en 1923, *Les Philippe* – *Patrie* de J. Renard, *Aux flancs du vase* de A. Samain, *Notes sur l'Angleterre* de H. Taine, *Les Bucoliques* de Théocrite en 1943, *Les Démarqués* de J. Yole en 1926 et *Germinal* de E. Zola en 1912. Il a apporté sa contribution à l'*Almanach du bibliophile pour l'année 1902* et *En Lorraine par sentiers et venelles*. Il a réalisé avec P. Mille *L'Inde en France*.

BIBLIOGR. : In : Marcus Osterwalder, *Diction. des Illustrateurs, 1800-1914*, Hubschmid & Bouret, Paris, 1983.

MUSÉES : LUNÉVILLE (Mus. région.) – PARIS (Bibl. d'Art et d'Archéologie Jacques Doucet).

VENTES PUBLIQUES : VERSAILLES, 16 nov. 1986 : *Paysage au pont, Châteauneuf-du-Faou*, h/t (55x54) : FRF 10 800 – PARIS, 14 fev. 1989 : *Paysanne dans un champ*, h/cart. (35x40) : FRF 35 000 – VERSAILLES, 21 jan. 1990 : *Venise*, h/t (50x61) : FRF 20 000 – VERSAILLES, 28 jan. 1990 : *Le Port de Lisbonne*, h/pan. (46x54,5) : FRF 10 000 – VERSAILLES, 23 sep. 1990 : *La route du temple*, h/t (53x64,5) : FRF 7 500 – PARIS, 29 mai 1991 : *La moisson*, h/t (46x55) : FRF 20 000 – PARIS, 5 avr. 1992 : *Le repos*, h/t (32x46) : FRF 3 200 – PARIS, 24 mars 1995 : *Paysage au pêcheur*, h/t (38x68) : FRF 8 500 – PARIS, 30 oct. 1995 : *Paysage breton*, h/pap./cart. (16,1x21,8) : FRF 30 000 – PARIS, 23 juin 1997 : *L'Alhambra, la Tour de la captive*, h/pan. (55x46) : FRF 5 500.

COLIN Pierre
Français.
Miniaturiste.
Il est cité par de Laborde, sans autre indication.

COLIN Roberto Auguste
Né à San Luis de Maranhao (Brésil). XXᵉ siècle. Brésilien.
Peintre de portraits et de paysages.
Il exposa à Paris au Salon des Artistes Indépendants entre 1921 et 1928 et en 1935.

COLIN d'Amiens
XVᵉ siècle. Français.
Peintre.
Il exécuta en 1482 le portrait du roi Louis XI.

COLIN de La Fontaine
XIVᵉ siècle. Français.
Peintre.
Il travailla à Paris en 1398 pour le compte du duc d'Orléans.

COLIN de Toysie. Voir TOYSIE

COLIN-LEFRANCQ Hélène
Née au XXᵉ siècle. XXᵉ siècle. Française.
Peintre de nus, de figures et de paysages.
Elle fut élève de Louis Biloul et Fernand Humbert. Elle exposa au Salon des Artistes Français entre 1911 et 1940, recevant la mention honorable en 1912 et la deuxième médaille en 1923.

COLIN LIBOUR Uranie Alphonsine
Née le 19 septembre 1833 à Paris. XIXᵉ siècle. Française.
Peintre de genre.
Élève de Bonvin, L. Muller et du sculpteur François Rude, elle figura pour la première fois au Salon de Paris en 1861, obtenant une mention honorable en 1880. Elle reçut une mention honorable à l'Exposition Universelle de 1889 à Paris, et une médaille de bronze à celle de 1900. Elle participa à plusieurs manifestations officielles à Madrid, Barcelone et à la Royal Academy de Londres.
Ses sujets, comme *L'abandonnée* ou *En détresse* pourraient tendre vers un art larmoyant et mièvre, mais elle a su leur donner un caractère franc et volontaire par leur graphisme assuré et leur coloris contrasté. Citons encore : *La toilette* – *Les Bohémiens* – *Un premier bain froid*.
BIBLIOGR. : Gérald Schurr, in : *Les Petits Maîtres de la peinture 1820-1920, valeur de demain*, Les Éditions de l'Amateur, t. VI, Paris, 1985.
MUSÉES : AMIENS : *L'abandonnée* – ANGOULÊME : *La crêche* – SÈTE : *L'aïeul* – TOURCOING : *En détresse, baie de la Somme*.
VENTES PUBLIQUES : BARBIZON, 27 fév. 1983 : *La toilette de l'enfant*, h/t (41x32,5) : FRF 9 000.

COLINA Juan Manuel de La. Voir LA COLINA

COLINDRES Pierre de
XVIᵉ siècle. Français.
Sculpteur.
Il travailla au milieu du XVIᵉ siècle à la cathédrale de Burgos.

COLINET
XVᵉ siècle. Actif à Valenciennes. Éc. flamande.
Peintre.
Siret croit que cet artiste était fils de l'enlumineur Simon Marmion.

COLINET A.
XVIIIᵉ siècle. Actif à Paris dans la seconde moitié du XVIIIᵉ siècle. Français.
Graveur au burin.

COLINET Claire Jeanne Roberte
Née à Bruxelles. XIXᵉ-XXᵉ siècles. Française.
Sculpteur de figures typiques, animalier.
Elle fut élève de Jef Lambeaux. Sociétaire du Salon des Artistes Français elle y exposa à partir de 1913, recevant une mention honorable en 1914. Elle figura également au Salon des Artistes Indépendants entre 1937 et 1940.
Elle a réalisé de nombreuses sculptures chryséléphantines.
Elle a essentiellement sculpté des figures féminines gracieuses, danseuses de tous les exotismes.
BIBLIOGR. : Bryan Catley : *Art déco*.
VENTES PUBLIQUES : PARIS, 2 déc. 1976 : *Loth et ses filles*, bronze doré, bronze patiné et ivoire (H. 50) : FRF 12 500 – MONTE-CARLO, 9 oct. 1977 : *Danseuse orientale*, ivoire et métal doré, buis (H. 44) : FRF 15 000 – LONDRES, 21 avr. 1978 : *Danseuse* vers 1920, bronze et ivoire (H. 43,5) : GBP 2 800 – LONDRES, 17 juil. 1979 : *Danseuse exotique*, bronze et ivoire (H. 44) : GBP 1 500 – LONDRES, 3 juil. 1981 : *Danseuse*, bronze doré et ivoire (H. 44,5) : GBP 5 400 – NEW YORK, 9 oct. 1982 : *Danseuse au serpent*, bronze doré et ivoire (H. 63,8) : USD 20 000 – NEW YORK, 17 oct. 1983 : *Danseuse d'Ankara*, bronze émaillé et ivoire (H. 61) : USD 22 000 – MONTE-CARLO, 11 mars 1984 : *Danseuse d'Angkor*, bronze patiné doré et ivoire (H. 265) : FRF 165 000 – NEW YORK, 28 sep. 1985 : *Une danseuse mexicaine*, bronze doré et ivoire (H. 48,9) : USD 4 000 – LONDRES, 26 sep. 1986 : *Danseuse égyptienne*, bronze doré et ivoire (H. 42,5) : GBP 18 000 – PARIS, 4 nov. 1987 : *Amazone*, sculpt. chryséléphantine (H. 0,045) : FRF 80 000 – PARIS, 13 nov. 1987 : *Danseuse indienne*, doré et argenté et ivoire, bronze polychrome émaillé (H. 36,5) : FRF 28 500 – PARIS, 11 mars 1988 : *Danseuse espagnole* 1925, bronze patine verte (H 45) : FRF 7 200 – REIMS, 24 avr. 1988 : *Jeune danseuse égyptienne*, bronze (H. 40) : FRF 16 000 – LOKEREN, 28 mai 1988 : *Oiseaux de paradis* 1925, bronze (H. 20) : BEF 36 000 – PARIS, 29 mars 1990 : *Jeune femme nue aux castagnettes*, bronze (H. 52) : FRF 13 500 – PARIS, 17 avr. 1991 : *Femme à la draperie*, sculpt. chryséléphantine (H. 35,6) : FRF 39 500 – LOKEREN, 4 déc. 1993 : *Vers l'inconnu* – *Valkyrie*, sculpt. chryséléphantine (H. 47, l. 42,5) : BEF 260 000 – PARIS, 21 mars 1996 : *Danseuse de Thèbes*, sculpt. chryséléphantine bronze et ivoire (H. 26,5) : FRF 31 000.

COLINET Edme Dominique
Né à Paris. XIXᵉ siècle. Français.

Peintre.
Élève de M. Trimolet. A débuté au Salon de 1879 avec une nature morte.

COLINET de Beloir. Voir BELOIR

COLINET de Merties. Voir MERTIES Colinet de

COLINS
Né à Bruxelles. Mort à Bruxelles. XVIIIe siècle. Actif dans la première moitié du XVIIIe siècle. Français.
Peintre.
On cite ses *Vues de ruines romaines.*

COLINS
Mort en janvier 1760. XVIIIe siècle. Français.
Peintre.
Membre de l'Académie de Saint-Luc, il fut chargé de l'entretien des tableaux de Sa Majesté et pensionnaire du Roi.

COLINS Alexandre. Voir COLYN Alexander

COLINS Jan, dit Hardevuust
XVe siècle. Éc. flamande.
Peintre.
Il était actif à Gand vers 1466.

COLINS Jean Baptiste
XVIIIe siècle. Français.
Peintre.
Il fut reçu à l'Académie de Saint-Luc à Paris en 1760.

COLINUS
XIVe siècle. Suisse.
Peintre.
On lui doit une fresque dans un cloître près de Zurich, datant du début du XIVe siècle.

COLINUS Emile
Né le 17 novembre 1884 à Paris. Mort le 18 août 1966 à Paris. XXe siècle. Français.
Peintre, graveur, de paysages, natures mortes, fleurs.
Il fit ses études à l'École des Beaux-Arts, à l'Académie Montmartre et à l'Académie d'André Lhote. Dès 1926, il figura régulièrement au Salon d'Automne, au Salon de la Société Nationale des Beaux-Arts, au Salon des Artistes Indépendants et au Salon des Artistes Français dont il était membre du comité. Il exposa également à Madrid et à Copenhague.
Il a peint des vues de Paris et d'Aix-en-Provence.

COLINUS de Marveyla
XIVe siècle. Actif à Barcelone vers 1381. Espagnol.
Sculpteur.

COLIVELLA Guillem
XIVe siècle. Espagnol.
Sculpteur.
On a de lui des statues d'apôtres du grand portail de la Seo à Lérida (Espagne), commandées en 1391, conservées aujourd'hui au Musée épiscopal.

COLIZZI J. K.
XVIIIe siècle. Italien.
Graveur.

COLKETT Samuel David
Né en 1806 à Norwich. Mort en 1863 à Cambridge. XIXe siècle. Britannique.
Peintre de genre, paysages animés, paysages, graveur.
Participa à la Royal Academy, à la British Institution du début du XIXe siècle.
MUSÉES : NOTTINGHAM : *Vieux moulin à Norwich.*
VENTES PUBLIQUES : LONDRES, 23 juil. 1909 : *Sur la Bure à Burgh Norfolk ; Près d'Hingham Norfolk :* GBP 1 – LONDRES, 21 juil. 1922 : *Pêcheurs près d'un ruisseau :* GBP 13 – LONDRES, 16 mai 1930 : *Une route dans une forêt* 1850 : GBP 18 – LONDRES, 26 juin 1931 : *Paysage boisé :* GBP 27 – LONDRES, 21 déc. 1933 : *Vue sur l'Orwell* 1838 : GBP 15 – LONDRES, 15 juin 1934 : *Route boisée :* GBP 11 – LONDRES, 10 mai 1935 : *Une route* 1856 : GBP 8 – LONDRES, 14 déc. 1936 : *Paysage du Norfolk :* GBP 13 – LONDRES, 25 mars 1938 : *St-. John's College à Cambridge :* GBP 5 – LONDRES, 17 juil. 1939 : *L'abreuvoir :* GBP 8 – LONDRES, 4 oct. 1967 : *Route de campagne :* GBP 130 – LONDRES, 20 nov. 1968 : *L'orée du bois :* GBP 280 – LONDRES, 20 nov. 1970 : *Paysage boisé* 1855 : GNS 450 – LONDRES, 17 nov. 1971 : *Paysage à la rivière :* GBP 520 – LONDRES, 15 déc. 1972 : *Paysage à la chaumière :* GNS 320 – LONDRES, 13 fév. 1976 : *Bishop's Bridge, Norfolk* 1822, h/t (61x74) :

GBP 800 – LONDRES, 19 mai 1978 : *Troupeau dans un paysage boisé* 1856, h/pan. (34,3x44,4) : GBP 1 300 – LONDRES, 2 fév. 1979 : *Paysage boisé animé de personnages,* h/t (75x101) : GBP 1 000 – NEW YORK, 13 fév. 1981 : *Voyageurs devant une auberge* 1852, h/pan. (22,2x30,5) : USD 1 600 – LONDRES, 28 jan. 1983 : *Ouvriers et troupeau dans un paysage fluvial boisé* 1831, h/t. (33x43,2) : GBP 1 500 – LONDRES, 12 mars 1986 : *Gitans au bord d'une rivière,* h/t (49,5x60) : GBP 3 400 – LONDRES, 17 juin 1987 : *Une chemin de campagne* 1856, h/t (44,5x61) : GBP 3 400 – LONDRES, 13 juin 1990 : *Chaumière au bord de la rivière ; La mare derrière la maison,* h/t, une paire (chaque 25x33,5) : GBP 10 450 – LONDRES, 31 oct. 1990 : *Une ferme près de Norwich* 1858, h/pan. (35,5x47,5) : GBP 1 210 – NEW YORK, 19 jan. 1995 : *Alentours de village en été* 1856, h/t, une paire (chaque 38,1x38,1) : USD 3 737 – LONDRES, 12 juil. 1995 : *Les Bûcherons,* h/t (44x59) : GBP 3 220 – NEW YORK, 11 avr. 1997 : *Abingdon, Berkshire,* h/t (50,8x61) : USD 5 750.

COLKETT Victoria Susanna
Née en 1840 à Norwich. XIXe siècle. Active de 1859 à 1893. Britannique.
Peintre d'architectures, paysages, graveur.
Elle était la fille de Samuel David Colkett. Elle exposa à partir de 1870 à la Royal Academy.
VENTES PUBLIQUES : LONDRES, 8 mai 1981 : *View of Trinity Great Court, Cambridge* 1864, h/t (45,7x61) : GBP 420 – LONDRES, 6 mai 1983 : *Great Court, Trinity college, Cambridge* 1862, h/t (38x50,2) : GBP 300 – LONDRES, 25 mars 1994 : *La grande cour de Trinity College à Cambridge* 1862, h/t (38,1x50,5) : GBP 920.

COLL Albert
Né le 21 décembre 1918 à Teia (Espagne). XXe siècle. Actif en France. Espagnol.
Peintre de compositions à personnages.
Il émigra à Paris en 1947. Il exerça plusieurs métiers avant de se consacrer à la peinture ; il est autodidacte. Il a exposé au Salon des Artistes Français en 1984, recevant la médaille d'argent. Il a exposé personnellement dans des galeries à Paris et en province.
Peintre figuratif, il aime à décrire les scènes quotidiennes dans un style qui évoque l'expressionnisme, retenu par une certaine géométrisation des formes.
BIBLIOGR. : In : *Artistes Catalans Contemporains,* R. Carvalho, Paris, 1963.
VENTES PUBLIQUES : LA VARENNE-SAINT-HILAIRE, 28 fév. 1988 : *Au bord du canal Saint-Martin,* h/t (61x50) : FRF 3 000.

COLL Gabriel
XVIIIe siècle. Actif à Palma. Espagnol.
Sculpteur.

COLL Georg
XVIIe siècle. Autrichien.
Peintre.
Peintre de l'empereur Léopold Guillaume.

COLL Joseph Clément
Né en 1881 à Philadelphie. Mort en 1921 à Philadelphie. XXe siècle. Américain.
Dessinateur, illustrateur.
Il fut influencé par l'art de Daniel Vierge et, aux États-Unis, est considéré comme un des plus grands virtuoses de la plume. Il a illustré les œuvres de Conan Doyle et de Sax Rohmer et a travaillé pour plusieurs magazines américains dont *Associated Sunday Magazines – Collier's – Everybody's.* Il illustra encore les œuvres de N. S. Murphy *Isn't it so ?* en 1902, R. Norton *The garden of fate* en 1910 et apporta sa contribution à l'ouvrage *Little verses and big names* aux éditions Doran en 1915.
BIBLIOGR. : In : Marcus Osterwalder, *Diction. des Illustrateurs 1800-1914,* Hubschmid & Bouret, Paris, 1983.

COLL Y PI Antonio
Né le 4 février 1857 à Barcelone. XIXe siècle. Espagnol.
Peintre et sculpteur.
Il fut l'élève d'Antonio Caba y Casamitjana. Il vécut quelque temps à Paris et à Bruxelles avant de se fixer à Santiago du Chili où il prit une chaire de professeur de peinture.

COLLA Ettore
Né en 1896 à Parme. Mort en 1968 à Rome. XXe siècle. Italien.
Sculpteur. Abstrait-géométrique puis néo-dadaiste.
Il fut élève de l'Académie des Beaux-Arts de Parme entre 1913 et 1920 puis à Paris en 1923 fréquente les ateliers de Charles Des-

piau, Henri Laurens et Constantin Brancusi. En 1924 il travaille dans l'atelier de Lehmbruck. Avant de regagner l'Italie, il pratique les métiers les plus divers, mineur, photographe, assistant dans un cirque allemand. En 1926 il se fixe à Rome et se consacre exclusivement à la sculpture. Il a exposé personnellement à l'ICA de londres et au Stedelijk Museum d'Amsterdam en 1950 et 1951.

C'est à partir de 1946 que l'évolution de son œuvre franchit un pas important. Abandonnant l'expression figurative, son intérêt ne se porte plus que vers la pure forme. Systématisant ses recherches, il crée avec les peintres Burri, Capogrossi et Ballocco le groupe « Origine » dont la revue « Arti Visive » fondée en 1952 diffusera jusqu'en 1956 les principes théoriques. De l'abstraction géométrique Colla évolue ensuite en 1952-1953 vers des œuvres dominées par l'esprit surréaliste et néo-dada, pratiquant l'assemblage d'objets hétéroclites et récupérés. Dans la dernière phase de son œuvre, il emploie du matériel industriel standard de grandes dimensions.

BIBLIOGR. : In : *Les Muses*, Tome 5, Grange Batelière, Paris, 1971 – in : *Dictionnaire de l'art moderne et contemporain,* Hazan, Paris, 1992.

VENTES PUBLIQUES : ROME, 11 juin 1981 : « *Rilievo di isolatori* » 1959, fer (34,5x44) : **ITL 3 300 000** – MILAN, 16 déc. 1987 : *Sans titre*, fer soudé (56x35) : **ITL 5 500 000** – NEW YORK, 4 oct. 1990 : *Ellipse* 1966, fer (H. 39,5) : **USD 16 500** – ROME, 3 déc. 1991 : *Relief avec un anneau*, fer (30x44x5) : **ITL 28 000 000** – ROME, 3 juin 1993 : *Alarme* 1953, fer (102x72x51) : **ITL 38 000 000**.

COLLA Francesco da
Originaire de Maglia Colla (Tesserete). XVIᵉ siècle. Travaillait au commencement du XVIᵉ siècle. Suisse.
Sculpteur.
Colla fournit des sculptures intéressantes à la basilique de San Antonio à Padoue, de 1500 à 1518.

COLLA Joseph
Né le 21 février 1841 à Marseille (Bouches-du-Rhône). XIXᵉ siècle. Français.
Peintre de figures, paysages.
Élève de E. Loubon. Il figura au Salon de Paris, de 1863 à 1867. On cite : *Paysanne des environs d'Aix, Bords de l'Arc.*
VENTES PUBLIQUES : PARIS, 1894 : *Paysage* : **FRF 130** – PARIS, 1900 : *Le vieux chêne au lever du soleil* : **FRF 219** – MARSEILLE, 11 déc. 1971 : *Paysage au bord de la rivière* : **FRF 1 000** – VERSAILLES, 24 oct. 1982 : *Le grand arbre*, h/t (24x35) : **FRF 3 000**.

COLLACERONI Agostino
XVIIIᵉ siècle. Actif à Bologne vers 1720. Italien.
Peintre.
Il fut l'élève d'A. Pozzo. Il existe une fresque de cet artiste à l'église San Angelo Magno à Bologne.

COLLADO Juan
XVIIIᵉ siècle. Actif à Valence. Espagnol.
Peintre.
On cite ses peintures religieuses dont certaines subsistent dans des églises de Valence.

COLLADO Y FERNANDEZ Pedro
Né le 16 avril 1874 à San Miguel de Bernuy près de Ségovie. XIXᵉ-XXᵉ siècles. Espagnol.
Peintre de portraits et de genre.
Il fit ses études à Valadolid puis à Madrid.

COLLADO Y TEJEDA Pedro
Né en 1829 à Madrid. XIXᵉ siècle. Espagnol.
Sculpteur.
Élève de José de Tomas et de Mariano-Bellver. Voyagea en Italie vers 1855 et visita Rome, Naples, Florence, Milan, Venise, puis vint à Paris. Revenu en Espagne, il exposa assez régulièrement à Madrid à partir de 1858.

COLLADON Germain
Né le 15 avril 1698 à Genève. Mort le 30 juin 1747. XVIIIᵉ siècle. Suisse.
Miniaturiste.
On connaît de lui un portrait d'homme, 1720 (collection Louis Pictet).

COLLAERT. Voir aussi COLAERT

COLLAERT Adriaen
Né vers 1560. Mort le 29 juin 1618 à Anvers. XVIᵉ-XVIIᵉ siècles. Éc. flamande.
Graveur.

Maître, en 1580, dans la gilde d'Anvers, il épousa Justa Galle, fille d'un graveur, et eut pour élèves Elias Van den Bos, Jaeck de Bie, Kerstyaen Cnyff en 1594, Abraham Van Merle en 1597, Adriaen Boon en 1602, Jan Lemmens en 1605.
VENTES PUBLIQUES : BERNE, 25 juin 1982 : *Les douze mois*, douze eaux-fortes : **CHF 2 400**.

COLLAERT Carolus ou Carel
XVIIᵉ siècle. Actif à Anvers. Éc. flamande.
Graveur et éditeur.

COLLAERT Guilliam
Mort avant 1666. XVIIᵉ siècle. Éc. flamande.
Graveur.
En 1627, dans la gilde d'Anvers comme fils de maître ; il était peut-être fils de Jan l'Ancien. Il eut pour élève Guiliam Van Mol en 1631.

COLLAERT Hans ou Jan
Mort sans doute en 1581. XVIᵉ siècle. Actif à Anvers. Éc. flamande.
Graveur.
Il est fort malaisé de distinguer l'œuvre de cet artiste de celle de ses fils ou parents graveurs à Anvers comme lui.

COLLAERT Jan Baptist I ou Hans Baptist
Mort le 28 avril 1620. XVIIᵉ siècle. Éc. flamande.
Graveur.
Fils de maître, en 1585, dans la gilde d'Anvers ; doyen en 1612 ; il eut pour élève Carel de Boeckele en 1597, Jasper Baselier en 1600, Artur Loemans en 1620.

COLLAERT Jan Baptiste II
Né en 1590. Mort en 1627. XVIIᵉ siècle. Éc. flamande.
Graveur.
Fils de maître, en 1610, dans la gilde d'Anvers. Il eut pour élève Antony Van der Does. Peut-être peut-on l'identifier avec Joannes Adriani Collaert.

COLLAERT Johannes. Voir COLAERT Johannes

COLLAERT Michaël
XVIᵉ siècle. Actif à Anvers. Éc. flamande.
Peintre.
Il était né à Tournai.

COLLAERT Roeland
XVIIᵉ siècle. Actif à Anvers vers 1618. Éc. flamande.
Graveur.

COLLAGIARIO Mario
Né en Sicile. XVIIᵉ siècle. Travaillait à Rome en 1614. Italien.
Peintre.

COLLAMARINI René
Né le 5 janvier 1904 à Paris. Mort le 18 juin 1983 à Saint-Mandé (Val-de-Marne). XXᵉ siècle. Français.
Sculpteur de statues et de bustes.
Il travaillait en usine et suivit les cours de dessin et de sculpture du soir. En 1923 il était élève libre de l'École Nationale des Beaux-Arts dans l'atelier de Jean Boucher. C'est hors de l'école qu'il s'initia à la taille directe. En 1930 il reçut le prix Blumenthal qui lui permit de réaliser sa première œuvre importante : *François Villon* situé actuellement Square Monge. Il exposa au Salon des Artistes Indépendants, fut invité à celui des Tuileries et devint sociétaire du Salon d'Automne. Après la guerre il exposa au Salon des Peintres Témoins de leur Temps.
Il a sculpté de nombreux monuments parmi lesquels on peut citer une *Statue de Saint-Vincent-de-Paul* pour la ville de Dax, un *Athlète* pour le stade du Bourget, une statue de *Barbey d'Aurevilly* pour la ville de Valognes et un buste monumental du *Général de Lattre de Tassigny* acquis par l'État.
MUSÉES : PARIS (Mus. d'Art Mod. de la Ville) : *L'Automne*.
VENTES PUBLIQUES : PARIS, 25 juin 1987 : *Nu allongé*, terre cuite (H. 37) : **FRF 4 200** – DOUAI, 24 mars 1991 : *Oiseau*, marbre de Carrare (H. 60) : **FRF 10 000**.

COLLANTES Francisco
Né en 1599 à Madrid. Mort en 1656. XVIIᵉ siècle. Espagnol.
Peintre d'histoire, compositions religieuses, paysages, natures mortes, fleurs.
Il fut élève du peintre Florentin établi à Madrid Vicente Carducci (ou Carducho), qui lui transmit les normes de l'esthétique acadé-

mique fixées à la suite de l'enseignement des Carrache. Peut-être fit-il aussi un voyage à Naples.

On ne lui attribue avec certitude qu'une quinzaine d'œuvres, dont la plupart présentent la particularité, pour l'Espagne de ce temps-là, d'être des paysages, à sujets bibliques il est vrai, et les chroniques du temps précisent qu'il était à l'époque surtout apprécié en tant que paysagiste. Palomino rapporte que *La vision d'Ezéchiel sur la résurrection de la chair*, et *Le buisson ardent*, faisaient partie des décorations qu'il exécuta pour le Palais de Buen Retiro, avec encore un *Saint-Jérôme*. On dit ailleurs qu'il peignit des natures mortes et que son influence fut considérable.

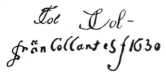

Musées : Madrid (Prado) : *La vision d'Ezéchiel* 1630 – Paris (Louvre) : *Le buisson ardent*.

Ventes Publiques : Paris, 1859 : *L'Assomption de la Vierge*, sanguine et bistre : FRF 11 – Paris, 1869 : *Agar et Ismaël dans le désert* : FRF 1 100 – Paris, 1873 : *Agar* : FRF 3 000 – Londres, 16 mars 1966 : *Paysage montagneux* : GBP 2 800 – El Quexigal (Prov. de Madrid), 25 mai 1979 : *Paysage montagneux* ; *La fuite en Égypte*, deux toiles (164x123) : ESP 420 000 – Londres, 10 déc. 1980 : *Joseph et ses frères au puits*, h/t (108x142) : GBP 4 600.

COLLAR Antonio
Né en 1905. xxe siècle. Espagnol.
Peintre de paysages.
Il présenta deux œuvres au Salon d'Automne en 1927, *A la tombée de la nuit* et *Parterre de la corona*.
Bibliogr. : In : *Cent ans de peinture en Espagne et au Portugal, 1830-1930*, Antiquaria, Madrid, 1988.

COLLARD Alfred
Né à Saint-Étienne (Loire). xxe siècle. Français.
Peintre de paysages.
Il exposa à Paris au Salon des Artistes Français.

COLLARD Armand, Dr
Né en 1838 à Saint-Georges-sur-Meuse. Mort en 1910 à Anvers. xixe-xxe siècles. Belge.
Graveur.
On cite un album dû au burin de cet artiste : *Antverpsche Etsers*.

COLLARD Claude
xviiie siècle. Français.
Peintre.
Il fut reçu à l'Académie de Saint-Luc à Paris en 1738.

COLLARD Georges
Né en 1881 à Anvers. xxe siècle. Belge.
Sculpteur de figures, de bustes et d'animaux.
Il fut élève de l'Académie et de l'Institut Supérieur d'Anvers. Il fut professeur à l'Académie d'Anvers.
Bibliogr. : In : *Diction. Biogr. Ill. des Artistes en Belgique depuis 1830*, Arto, 1987.
Musées : Anvers.
Ventes Publiques : Anvers, 4 mars 1987 : *Antilopes* 1926, bronze (H. 33) : BEF 140 000.

COLLARD Marie Anne Herminie, née Bigé
Née à La Chapelle-Saint-André (Nièvre). Morte en 1871 à Paris. xixe siècle. Française.
Peintre.
Elle eut pour maître Signol. De 1855 à 1859, elle exposa sous son nom de jeune fille et figura sous celui de Collard, à partir de 1861. Elle s'est consacrée à la peinture religieuse.
Musées : Clamecy : *Italienne et jeune enfant* – *Médée, magicienne* – *Portrait de l'auteur*.

COLLARD Mathieu
Français.
Graveur.
Ce graveur ordinaire de feu la Dauphine fut reçu à l'Académie de Saint-Luc à une date inconnue.

COLLARD W.
Né aux États-Unis. xixe siècle. Travaillant vers 1840-1845.
Américain.

Graveur.
Il grava au trait.

COLLART Antoine
xviie siècle. Actif à Angers. Français.
Peintre et peintre verrier.
Il restaura des vitraux à l'Hôtel-Dieu d'Angers en 1614 et 1632. Il peignit également un tableau pour la chapelle funéraire de sa femme à Saint-Maurille.

COLLART Géry
xvie siècle. Actif à Tournai vers 1556-58. Éc. flamande.
Peintre.

COLLART Jacques
Né en 1618 à Angers. Mort en 1670 à Angers. xviie siècle. Français.
Peintre verrier.
Il était le fils d'Antoine Collart.

COLLART Jean
xvie siècle. Actif à Nantes entre 1505 et 1525. Français.
Peintre.

COLLART Louis
xviie siècle. Actif à Paris vers 1673. Français.
Peintre miniaturiste.

COLLART Marie
Née le 6 décembre 1842 à Bruxelles. Morte en 1911 à Bruxelles. xixe-xxe siècles. Belge.
Peintre animalier, paysages.
Élève de son beau-frère, le peintre Chabry, puis de Stévens, elle exposa pour la première fois à Bruxelles en 1864 et l'année suivante à Paris. Elle fut nommée, en 1880, chevalier de l'Ordre de Léopold.
Ses premières toiles témoignent surtout de ses qualités de peintre animalier. Peu après, elle change sa manière, se consacrant plus particulièrement au paysage, interprétant la poésie des vergers et des pâturages du Brabant. Son art à tendances réalistes, où l'on retrouve une parenté avec la technique de Millet et de Courbet, tel : *La fille de ferme*, et son coloris très juste aboutissant à des peintures très minutieuses dans le genre de celles de Lamorinière. Certains disent qu'elles donnent l'impression de photographies en couleur. Citons : *La source*, exposée en 1867 à Paris – *Verger en Flandre* – *La campagne en mars* – *Entrée d'un château-ferme en Brabant*.

Bibliogr. : Gérald Schurr, in : *Les Petits Maîtres de la peinture 1820-1920, valeur de demain*, Les Éditions de l'Amateur, t. VI, Paris, 1985.
Musées : Anvers : *Entrée d'un château-ferme en Brabant* – Bruxelles : *Vergers en Flandre* – Spa : *Cerisiers en fleurs*.
Ventes Publiques : Paris, 1873 : *Le dimanche matin* : FRF 2 500 – Paris, 1875 : *La cueillette des fleurs sauvages* : FRF 3 150 – Paris, 1881 : *Le verger, effet d'hiver* : FRF 2 700 – Paris, 28 juin 1902 : *Les vaches du moulin* : FRF 480 – Londres, 14 juin 1972 : *Bouquet de fleurs* : GBP 120 – Amsterdam, 28 oct. 1980 : *Paysanne dans un paysage d'hiver*, h/t (108,5x97) : NLG 11 500 – Londres, 7 mai 1986 : *Paysanne et vache dans un verger*, h/t (127,5x97) : GBP 600 – Amsterdam, 3 mai 1988 : *Paysanne tirant de l'eau par un trou fait dans la glace, dans un paysage d'hiver*, h/t (110x97) : NLG 10 925 – Paris, 5 juil. 1988 : *Paysage à la ferme*, h/cart. (71x58) : FRF 4 500 – Londres, 15 juin 1994 : *Vaches près d'une ferme*, h/t (141x121) : GBP 4 600.

COLLART Michel
xvie siècle. Actif à Tournai vers 1593. Éc. flamande.
Peintre.
Il était le fils de Géry Collart.

COLLART Simon
xvie siècle. Actif à Rennes en 1565. Français.
Peintre verrier.

COLLART d'Utrecht
xve siècle. Actif à Tournai vers 1423. Éc. flamande.
Peintre.

COLLAS Achille
Né le 24 février 1794 à Paris. Mort en 1859. xixe siècle. Français.

Graveur.

Il est l'inventeur du procédé de gravure, connu sous le nom de procédé Collas. En 1833, il exposa au Salon un cadre contenant des essais de gravure sur acier, imitant les bas-reliefs et les camées. Son plus important ouvrage est le *Trésor de Numismatique et de Glyptique*.

COLLAS Amédée Paul
Né à Sèvres (Seine-et-Oise). XIXe siècle. Français.
Peintre.
Élève de Lambinet et Bonnat, a exposé au Salon de 1878 à 1882.

COLLAS Élise
XIXe siècle. Française.
Peintre émailleur.
Élève de Mme Apoil. A débuté au Salon en 1879.

COLLAS François
XVIIe siècle. Actif à Orléans. Français.
Sculpteur.
Il travailla pour le maréchal de Brézé.

COLLAS Louis Antoine
Né vers 1775 à Bordeaux. XVIIIe-XIXe siècles. Français.
Peintre portraitiste.
Élève de Vincent ; il débuta au Salon de Paris, en 1798, par son propre portrait. Il a fait surtout des portraits. Il travailla quelque temps en Russie, à Saint-Pétersbourg et à Moscou.

COLLAS Louis Augustin
Né en 1806 à Bordeaux. XIXe siècle. Français.
Peintre.
Il était sans doute le fils de Louis-Antoine Collas. Il exposa au Salon à Paris de 1831. En 1833, il y envoyait un *Portrait de la danseuse Mlle Julia* dans le rôle de Ninka du Ballet Manon Lescaut.

COLLAS Paule
Née à Paris. XXe siècle. Française.
Lithographe.
Sociétaire du Salon des Artistes Français, elle reçut une mention honorable en 1905 et une troisième médaille en 1921. A rapprocher peut-être de Paule Collas-Primer.

COLLAS Pierre I
Né vers 1624. Mort en 1659. XVIIe siècle. Actif à Orléans. Français.
Sculpteur.

COLLAS Pierre II
Né le 24 juillet 1640 à Orléans. XVIIe siècle. Français.
Sculpteur.
Il était le fils de François Collas.

COLLAS Robert
XVIe siècle. Actif à Rouen en 1527. Français.
Peintre d'histoire et d'ornements.

COLLAS-PRIMER Paule
Née à Weilburg (Prusse rhénane). XXe siècle.
Peintre.
Élève de M. Bompard. Exposant des Artistes Français, elle envoya des *Fleurs* au Salon, de 1928 à 1929. Peut-être à rapprocher de Paule Collas.

COLLASSE Janin
XVe siècle. Actif à Tournai vers 1488. Éc. flamande.
Peintre portraitiste.
Il fut l'élève de Philippe Voisin.

COLLAUDON
Originaire de Cannes. XVIIIe siècle. Français.
Paysagiste.

COLLAULT Étienne
XVIe siècle. Français.
Enlumineur et copiste.

COLLAZO Manuel
XVIe siècle. Actif à Valladolid. Espagnol.
Sculpteur.

COLLCUTT Grace Marion
XXe siècle. Britannique.
Peintre de paysages.
Elle exposa à la Royal Academy de Londres au XXe siècle.

COLLE, da. Voir au prénom

COLLE
XVIIe siècle. Français.

Graveur ornemaniste.

Il était actif à Paris au milieu du XVIIe siècle en tant que graveur au burin. On connaît surtout de lui des ornements.

COLLE Charles Alphonse
Né en 1857 à Charleville (Ardennes). XIXe siècle. Français.
Sculpteur.
Élève de Croisy. A débuté en 1880 au Salon des Artistes Français, dont il est sociétaire ; troisième médaille en 1886 ; il exposait encore en 1932.

COLLÉ Cyprian
Né en 1843 à Sapada (Province de Venise). Mort le 14 octobre 1888 à Soleure. XIXe siècle. Italien.
Sculpteur sur bois.
Collé laissa des sculptures religieuses à Venise, Vienne, Innsbruck et Soleure. Il s'adonna surtout à la restauration d'anciennes sculptures sur bois.

COLLE Iv. de
XVIe siècle. Italien.
Copiste miniaturiste.
Il écrivit, pour Piero di Cosmo de Medicis : *Ciceronis Clariss Oratoris Philippicar, libri XIV*, ouvrage orné de belles initiales, d'armes et de miniatures.

COLLE Jean
Né à Marseille (Bouches-du-Rhône). XXe siècle. Français.
Peintre.
Il exposa à Paris au Salon des Indépendants en 1924.

COLLÉ Léopold
Né en 1869 à Bozen (Tyrol). XIXe-XXe siècles. Actif en Suisse. Autrichien.
Sculpteur sur bois.
Fils de Cyprian Collé, il visita Vienne, Paris, et Londres puis choisit de se fixer à Soleure en 1880. Il y exerça la restauration de sculpture sur bois tout en réalisant ses propres œuvres.

COLLÉ Michel Auguste
Né le 7 janvier 1872 à Baccarat (Meurthe-et-Moselle). Mort le 16 septembre 1949 à Batz-sur-Mer (Loire-Atlantique). XXe siècle. Français.
Peintre de paysages. Néo-impressionniste.
Il était dessinateur à la cristallerie de Baccarat et apprit la peinture seul. Il exposa au Salon de la Société Nationale des Beaux-Arts entre 1903 et 1911 et au Salon des Artistes Français à partir de 1911, recevant en 1920 une mention honorable et en 1921 une deuxième médaille. Il figura également au Salon des Tuileries et des Artistes Indépendants. En 1919 et 1920 il peignit des cartons de vitraux pour la cathédrale de Strasbourg. Une rétrospective de son œuvre se tint au musée Galliera à Paris en 1953.
Il traite ses paysages dans la manière pointilliste.
BIBLIOGR. : Catal. de l'exposition *Michel Colle 1872-1949*, Musée des Beaux-Arts, Rennes, 1961 – Gérald Schurr, in : *Les Petits Maîtres de la peinture 1820-1920, valeur de demain*, Les Éditions de l'Amateur, t. II, Paris, 1982.
MUSÉES : NANCY (Mus. des Beaux-Arts) : *Paysage* 1905 – NANCY (Mus. de l'École de Nancy) : *Jardin à Baccarat* 1904 – NANTES – PARIS (Sénat) – PARIS (Mus. de la Guerre) – SAINT-DIÉ – STRASBOURG.
VENTES PUBLIQUES : PARIS, 26 oct. 1970 : *Massif de l'écluse et cristallerie* : FRF 1 500 ; *Paysage aux bouleaux* 1904, h/t (105x160) : FRF 2 500 – LONDRES, 8 juil. 1971 : *Automne à Baccarat* : GBP 450 – ENGHIEN-LES-BAINS, 22 nov. 1981 : *Les naïades* vers 1920, h/t (46x55) : FRF 4 900 – LONDRES, 5 oct. 1983 : *Paysage aux environs de Nancy* 1908, h/t (51x76) : GBP 700 – PARIS, 23 mai 1986 : *Route dans les bouleaux à l'automne*, h/t (104x77) : FRF 14 500 – VERSAILLES, 15 nov. 1987 : *La cathédrale de Toul* 1909, h/t (160x106,5) : FRF 25 000 – NANCY, 20 mai 1990 : *Boucle de la Moselle à Liverdun*, h/t (137x88) : FRF 46 000 – PARIS, 10 déc. 1992 : *Rue animée de Baccarat* 1910, h/t (52x77) : FRF 6 500 – SAINT-JEAN-CAP-FERRAT, 16 mars 1993 : *Le pont*, h/t (59x72) : FRF 6 000 – PARIS, 23 avr. 1993 : *Paysage*, h/pan. (77x102) : FRF 21 500.

COLLE Pelligrino da
Né en 1737 à Belluno. Mort en 1812 à Venise. XVIIIe-XIXe siècles. Italien.
Graveur au burin.
Élève de Nicolo Cavalli. On cite de lui : *La Bonne mère*, d'après G. Giacoboni.

COLLE Piero da. Voir PIERO da Colle

COLLE Pierre
Né à Paris. XXe siècle. Français.

Peintre.
En 1939, il exposait au Salon des Artistes Français une vue du *Pont-Neuf*.

COLLE Raffaello dal, ou **Raffaeens** ou **Raffaellino**, appelé aussi **Raffaellino dal Borgo San Sepolcro**
Né vers 1490 à San Sepolcro. Mort en 1566 à San Sepolcro. XVIe siècle. Italien.
Peintre de compositions religieuses.
Raffaello dal Colle fut un des artistes employés par Raphaël à la décoration de la loggia du Vatican ; il décora une des petites coupoles du toit avec une partie de *L'Histoire de Moïse*. Il fut ainsi le premier disciple de Raphaël, mais, après sa mort, il s'attacha à Giulo Romano, qu'il avait sans doute connu dans l'atelier de Raphaël et avec lequel il travailla à Rome et à Mantoue dans le Palazzo del Te. Il dirigea une académie à Borgo San Sepolcro. Ses chefs-d'œuvre sont le tableau du *Déluge* et ses fresques du Vatican. De ses propres compositions, on a surtout deux peintures qui sont à Borgo San Sepolcro. L'une représente *La Résurrection* (dans le chœur de la cathédrale). L'autre, dans l'église de Conventuali, représente *L'Assomption de la Vierge*. Ce fut un imitateur heureux de Raphaël.
VENTES PUBLIQUES : NEW YORK, 15 nov. 1929 : *La Vierge et l'Enfant* : USD 2 100 – LONDRES, 2 juil. 1984 : *Tête de jeune fille (recto)* ; *Etudes de mains (verso)*, sanguine et craie noire /pap. gris (29,6x22,5) : GBP 8 500 – LONDRES, 4 juil. 1997 : *La Madone et l'Enfant avec Saint Jean-Baptiste enfant* 1520, h/pan. (87,8x71) : GBP 14 950.

COLLE Simone da
XVe siècle. Italien.
Sculpteur.
Il était actif à Florence vers 1400, où il travailla avec Ghiberti.

COLLEAU Étienne
Mort avant 1512. XVIe siècle. Actif au Mans. Français.
Sculpteur.

COLLEBAUT ou **Colbaut**
XIVe-XVe siècles. Actif à Lille vers 1397-1423. Français.
Peintre.
Il travailla pour l'Hôtel-de-Ville de Lille.

COLLEMAN Gilles et **Guillaume** ou **Collmann, Colman**
XVe siècle. Éc. flamande.
Peintres.
Il étaient actifs à Bruges et à Cambrai. De ce Gilles, on ne sait rien d'autre ; de Guillaume, qu'il était sans doute identique au Guillaume Colleman qui reçut en 1475 un paiement de l'Abbaye du Saint-Sépulcre pour deux bannières qu'il avait peintes avec « quatre ystoires du sépulchre », et sans doute identique au Guillaume Colman actif à Cambrai en 1476. Enfin, Guillaume Colleman est aussi à rapprocher de Guillaume de Marly (voir cette notice).

COLLEN Henry
XIXe siècle. Actif à Londres. Britannique.
Miniaturiste et portraitiste.
Il exposa à Londres à la Royal Academy et à Suffolk Street entre 1820 et 1872. La collection Wallace possède de lui un *Portrait de femme* daté de 1825.

COLLEN Johan Van
XVIe siècle. Actif à Lübeck vers 1522. Allemand.
Peintre.

COLLENIUS Harmanus ou **Hermann** ou **Herman**
Né en 1649. Mort vers 1720 à Groningue. XVIIe-XVIIIe siècles. Allemand.
Peintre de portraits.
Il fut actif à Cologne. Il épousa, le 1er août 1671, Judith Pyl à Amsterdam. On cite surtout des portraits de lui.
VENTES PUBLIQUES : VIENNE, 17 mars 1981 : *Portrait d'une femme peintre*, h/t (45,5x38) : ATS 60 000.

COLLENOT Jacqueline
Née à Colombes (Hauts-de-Seine). XXe siècle. Française.
Peintre de paysages et de natures mortes.
Elle fut élève de Désiré-Lucas. Entre 1934 et 1939 elle exposa au Salon des Artistes Français.

COLLENS Karel
Né en 1869 à Anvers. Mort en 1901. XIXe siècle. Belge.
Peintre et dessinateur.

Le Musée d'Anvers possède une œuvre de cet artiste qui vint tard à la peinture et pratiqua les genres les plus différents du tableau, du paysage à la caricature de journal.

COLLEONE Girolamo
Né vers la fin du XVe siècle, à Bergame selon Tassi. Mort en Espagne. XVIe siècle. Actif entre 1532 et 1555. Italien.
Peintre d'histoire.
Ce peintre travailla à l'huile et à fresques, et rappela dans certains ouvrages la manière du Titien. Son tableau représentant les *Noces de sainte Catherine*, dans la Galerie Carrara, fut pris par des connaisseurs pour une œuvre du grand Vénitien. Parmi d'autres compositions de ce maître, l'on cite un tableau de la *Vierge et l'Enfant Jésus, entourés de Marie-Magdeleine, saint Jean et saint Erasmus*, à San Borgo Canale, près de Bergame, dans l'église de San-Erasmo, et portant la date de 1538. Cette œuvre est considérée par Tassi comme une des plus admirables productions de l'art de l'école de Bergame. Colleone quitta son pays pour se rendre en Espagne, n'ayant pu trouver dans sa ville le succès dont il se sentait digne. Il trouva un accueil bienveillant à Madrid et travailla à l'Escurial.

COLLEONE Jacopo de
XVIe siècle. Actif à Bergame en 1530. Italien.
Peintre.

COLLEONI Vincenzo
Né à Padoue. XIXe siècle. Italien.
Peintre de genre.
Exposa à Parme, à Naples et surtout à Venise.

COLLERI J. H.
XVIIe siècle. Français.
Peintre ou dessinateur.
Il exécuta un portrait du Secrétaire du duc du Maine.

COLLERT
XVIIe siècle. Actif à Paris au milieu du XVIIe siècle. Britannique.
Dessinateur et graveur au burin.
On cite de lui : *A View of Richmond*.

COLLES Alexander
Né à Kilkenny (Leinster). XXe siècle. Irlandais.
Peintre.

COLLES Elizabeth Anne
XXe siècle. Britannique.
Peintre de portraits.

COLLESON Jean Gilles
XVIIIe siècle. Français.
Peintre.
Il fut reçu à l'Académie de Saint-Luc en 1740.

COLLESSON Augustine
Née à Wormhoudt (Nord). XXe siècle. Française.
Peintre.
Élève de Molière et Cléty. A exposé une gouache au Salon des Artistes Français en 1939.

COLLESSON François
XVIIIe siècle. Français.
Peintre.
Il fut reçu à l'Académie de Saint-Luc à Paris en 1763.

COLLET
XVIIe siècle. Actif à Paris en 1663. Français.
Graveur.
Il contribua à l'illustration du volume de Légaré « Livre des ouvrages d'orfèvrerie ».

COLLET André
Mort le 14 mai 1777. XVIIIe siècle. Français.
Sculpteur.
Il fut reçu à l'Académie de Saint-Luc à Paris en 1735.

COLLET Charles
Né à Esternay (Marne). XIXe-XXe siècles. Français.
Sculpteur.
A obtenu des mentions honorables, en 1887 et à l'Exposition Universelle de 1889.

COLLET Charles Étienne
XVIIIe siècle. Français.
Sculpteur.
Il fut reçu en 1735 à l'Académie de Saint-Luc à Paris.

COLLET Claude Marie Marthe
Née le 27 février 1891 à Épernay (Marne). XXe siècle. Française.

Peintre de fleurs, aquarelliste, décoratrice.
Elle pratiqua également l'horticulture.

COLLET Edouard Louis
Né le 4 août 1876 à Genève. xxᵉ siècle. Suisse.
Sculpteur de monuments, designer.
Il fut élève de l'École des Arts Industriels de Genève et à Paris de Jean Auguste Dampt. Il fut professeur d'art mobilier et de sculpture sur bois à Genève, réalisant nombre d'ensembles mobiliers. Il fut membre de la Société des Artistes Décorateurs de Paris. Il exposa au Salon de la Société Nationale des Beaux-Arts et figura dans l'exposition nationale de Bâle. Il a réalisé le Monument aux Morts (1914-1918) de Saint-Germain Beaupré dans la Creuse. Il a reçu le Grand Prix au Salon des Artistes Décorateurs de 1925.

COLLET Étienne
xvIIIᵉ siècle. Français.
Sculpteur.
Il fut reçu à l'Académie de Saint-Luc à Paris en 1735.

COLLET Eugène Alexis
Né à Paris. xxᵉ siècle. Français.
Peintre.
Élève de Vion et Castex Desgranges. A exposé des fleurs au Salon des Artistes Français, 1930-1933.

COLLET Gratien
xvIIᵉ siècle. Français.
Sculpteur.
Il travaillait en 1667, à Paris, au château des Tuileries.

COLLET Jacques
xvIIᵉ siècle. Français.
Graveur.
Mariette cite de lui une planche.

COLLET Jacques, dit Jacques de Chartres, ou Jacques le Maçon
xIVᵉ siècle. Français.
Sculpteur.
Né à Chartres, il vint à Paris et travailla au vieux Louvre, sous les ordres de l'architecte de Charles V, Raymond du Temple, en 1365. Il y fit la statue du duc de Berry, pour le grand escalier. Nommé imagier du duc Jean, il alla se fixer à Bourges.

COLLET Jacques Auguste
xvIIIᵉ-xIXᵉ siècles. Français.
Sculpteur de bustes.
Au concours pour Rome, en 1774, il eut le deuxième prix.
En 1793, il exposa au Salon de Paris plusieurs ouvrages. Il travailla à la Manufacture de Sèvres.
VENTES PUBLIQUES : LONDRES, 15 déc. 1982 : *Buste de Stanislas Leczinski, Buste de Catharina Opalinska* 1777, deux terres cuites (H. 26, L. 25) : **GBP 2 000.**

COLLET Jacques Claude
Né en 1792 à Paris. xIXᵉ siècle. Français.
Peintre de portraits et de paysages.
Il était fils de Jean-Baptiste Collet. De 1822 à 1840, il figura au Salon de Paris. Ses œuvres se composent de vues et de portraits.
VENTES PUBLIQUES : PARIS, 1814 : *Zéphir et Flore* ; *Psyché abandonnée par Cupidon* : **FRF 10** ; *Une forêt où Polyphème poursuit Acis et Galathée, à la pierre noire* : **FRF 19** – PARIS, 1873 : *La Bouquetière* : **FRF 5 200** – LONDRES, 21 nov. 1908 : *Personnages*, 2 tableaux : **GBP 4.**

COLLET Jacques Étienne
Né le 21 avril 1721 à Brest. Mort le 17 février 1808 à Brest. xvIIIᵉ siècle. Français.
Sculpteur.

COLLET Jacques Marie Michel
Né en 1793 à Brest. Mort en 1878 à Brest. xIXᵉ siècle. Français.
Sculpteur.
Il travailla longtemps à la décoration des bateaux. Il fit en particulier des dessins en 1818 pour la frégate *l'Astrée*. Il était fils d'Yves Étienne Collet.

COLLET Jean Baptiste
xvIIIᵉ-xIXᵉ siècles. Français.
Peintre.
Il exposa au Salon de Paris, de 1793 à 1822, surtout des paysages.

COLLET Jenet ou Guyot
Mort entre 1564 et 1569 à Troyes. xvIᵉ siècle. Français.

Sculpteur.
Il décora de ses statues le maître-autel de l'église Saint-Nicolas de Troyes, en 1534, et donna, en 1536, un *Ecce Homo*, placé dans cette église, à la porte du Calvaire. Il travailla, en 1554, aux portails de l'église Sainte-Madeleine.

COLLET Louis
Né en 1930 à Jette-Saint-Louis. xxᵉ siècle. Belge.
Peintre et graveur. Néo-expressionniste.
Il fut élève de l'Académie à Molenbeek-Saint-Jean – où il enseigne depuis 1961 le dessin et la gravure – et de La Cambre. Il décrit les paysages marins et marécageux, se montrant particulièrement sensible à la description des vastes horizons.

BIBLIOGR. : In : *Diction. Biogr. Ill. des Artistes en Belgique depuis 1830,* Arto, 1987.
MUSÉES : BRUXELLES (Cab. des Estampes).

COLLET Nicolas
xvIIᵉ siècle. Actif à Montluçon (Allier) en 1660. Français.
Sculpteur.

COLLET Yves
Né le 15 septembre 1929 au Mans (Sarthe). xxᵉ siècle. Français.
Peintre de paysages, de portraits et de natures mortes.
Il était sociétaire du Salon des Artistes Français et y exposa à partir de 1957 ; il figura également au Salon des Artistes Indépendants. Il présenta personnellement ses œuvres à Paris. Actif à Saint-Raphaël, il a peint les vues de cette région mais aussi celles de la Haute-Loire et de l'Aveyron.

COLLET Yves Étienne
Né en 1761. Mort en 1843. xvIIIᵉ-xIXᵉ siècles. Actif à Brest. Français.
Sculpteur.
Il était fils de Jacques-Étienne Collet. Il étudia d'abord à l'École des Beaux-Arts de Paris, avant de travailler dans sa ville natale à la décoration des navires.

COLLETAJO Camillo di Ottaviano
xvIᵉ siècle. Italien.
Peintre et sculpteur.
Cet artiste florentin fut l'élève de Zanobi Lastricati.

COLLETT Frederik Jonas Lucian Botfield
Né le 25 mars 1839 à Oslo. Mort en 1914. xIXᵉ-xxᵉ siècles. Norvégien.
Peintre de paysages, natures mortes, fleurs et fruits.
Il fut voyageur et marin avant d'être artiste. C'est à Düsseldorf qu'il apprit la peinture sous la direction de H. Gude. A Paris, il étudia en 1874 Corot et l'Impressionnisme.
Ses paysages eurent très vite dans son pays, puis dans toute la Scandinavie, un succès considérable.
VENTES PUBLIQUES : COPENHAGUE, 8 nov. 1983 : *Bouquet de fleurs sur un entablement,* h/t (76x62) : **DKK 26 000.**

COLLETT John
Né vers 1725 à Londres. Mort en 1780. xvIIIᵉ siècle. Britannique.
Paysagiste, caricaturiste.
Élève de Lambert.
MUSÉES : LONDRES (Water-Colours Mus.) : *Asile pour les pauvres – Promeneurs dans Saint-James Park – Groupe à la porte d'une église – Musiciens, la nuit –* LONDRES (Victoria and Albert Museum) : deux aquarelles.
VENTES PUBLIQUES : LONDRES, 29 mai 1963 : *L'Anglais à Paris* : **GBP 120** – LONDRES, 13 mars 1970 : *Personnages dans un intérieur* : **GNS 300** – LONDRES, 2 nov. 1977 : *The Rake's progress,* d'après Hogarth, deux h/toiles (30,5x39,3) : **GBP 600** – LONDRES, 20 juil. 1979 : *Etudes d'oiseaux,* six aquar. et pl. (7,5x12) : **GBP 400** – LONDRES, 2 mars 1983 : *The rescue or the tars triumphant* 1767, h/t (69,5x89,5) : **GBP 4 000** – LONDRES, 15 juil. 1987 : *A gourmet supper,* h/t (53,5x66,5) : **GBP 4 800** – LONDRES, 28 fév. 1990 : *Un souper de gourmets,* h/t (53,5x66,5) : **GBP 4 180** – LONDRES, 14 juil. 1993 : *Dr Hohnson et son barbier,* h/t/cart. (30,5x23) : **GBP 2 760.**

COLLETTE, Mme
XVIIIe-XIXe siècles. Française.
Peintre miniaturiste.

COLLETTE Alexandre Désiré
Né en 1814 à Arras (Pas-de-Calais). Mort en 1876 à Paris. XIXe siècle. Français.
Peintre, graveur et lithographe.
En 1844, il exposa au Salon de Paris : *La Sainte Famille*, de Raphaël, lithographiée et exécutée en collaboration avec Charles Sanson, d'après une gravure d'Edelinck. De lui, on peut encore citer : *Vue de chaumière, à Raret, Le vieux vitrier, L'Éducation de la Vierge*, d'après Rubens, et de nombreux portraits.

COLLETTY Martin ou **Collety**
XVIIe siècle. Actif à Nancy en 1629. Français.
Peintre.
Il travailla à l'hôtel de Salm et pour le duc Charles IV de Lorraine.

COLLEU Aimé Marie Joseph
Né à Saint-Jacu-du-Mené (Côtes-d'Armor). XXe siècle. Français.
Peintre de paysages et de fleurs.
Il exposa au Salon des Artistes Indépendants entre 1923 et 1937.

COLLEVILLE Anna
XIXe siècle. Française.
Peintre miniaturiste.
Elle était la fille d'Antoine Colleville.

COLLEVILLE Antoine ou **Colville**
Né en 1793 à Ruffey-sur-Seille (Jura). Mort vers 1866 à Choisy-le-Roi (Val-de-Marne). XIXe siècle. Français.
Peintre sur porcelaine et miniaturiste.
Il peignit surtout des scènes de chasse.

COLLEY PANTON Lawrence Arthur
Né en 1894 à Egremont (Angleterre). XXe siècle. Actif au Canada en 1911. Canadien.
Peintre, aquarelliste.
Voir aussi PANTON Lawrence Arthur Colley.

COLLEYE H. I.
XIXe siècle. Actif dans la première moitié du XIXe siècle. Belge.
Graveur.
On cite sa *Communion de saint François* d'après Rubens.

COLLEYE Marthe
Née à Fontoy (Moselle). XXe siècle. Française.
Peintre de natures mortes et de portraits.
Elle fut élève de François Cormon, Paul Laurens et Louis Roger. Elle exposa au Salon des Artistes Français entre 1926 et 1930.

COLLI Alois
Originaire de Buchenstein (Tyrol). XIXe-XXe siècles. Autrichien.
Sculpteur.
Le Musée de Meran possède une *Apothéose de l'impératrice Élisabeth d'Autriche* due au ciseau de cet artiste.

COLLI Antonio
XIXe siècle. Actif à Rome. Italien.
Peintre de compositions religieuses, architectures.
Élève de P. Pozzo. Il peignit le maître-autel de *Saint Pantaléon* et l'orna de perspectives que plusieurs attribuèrent à son maître.

COLLI Antonio
Né le 7 juillet 1870 à Cortina d'Ampezzo (Tyrol du Sud). XXe siècle. Autrichien.
Peintre.
Il fut élève d'Edmund Hellmer et travailla à Innsbrück, Vienne et Munich.

COLLI Paolo
Originaire de Borgo San Sepolcro. XVIIIe-XIXe siècles. Italien.
Peintre.
Il travailla également à Borgo San Lorenzo et, vers la fin de sa vie, à Florence.

COLLI Serafino
XVIe-XVIIe siècles. Actif à Ferrare. Italien.
Sculpteur.
On lui doit l'effigie monumentale en marbre du pape Paul V que celui-ci fit construire à Ferrare en 1618.

COLLIARI
XVIIIe siècle. Français.
Peintre.
Il fut reçu à l'Académie de Saint-Luc à Paris en 1763.

COLLIBAUD François
XVIIe siècle. Actif à Paris vers 1688. Français.
Sculpteur.
Il travailla sous la direction de Pierre Turreau à la décoration du navire « Le Royal Louis ».

COLLIE Alberto
Né en 1938 à Caracas. XXe siècle. Vénézuélien.
Sculpteur.
Il fut étudiant à Boston et Harvard. Il figura en 1954 à l'Exposition Internationale de Pittsburgh et à la Biennale de Sao Paulo en 1967. Il a exposé personnellement au Musée des Beaux-Arts de Caracas.

COLLIÉ Andrée
Née le 25 décembre 1901 à Charenton (Val-de-Marne). XXe siècle. Française.
Peintre de paysages, de figures et de portraits.
Elle fut élève de Jacques-Emile Blanche et exposa pour la première fois au Salon des Artistes Indépendants de 1927. Elle figura également au Salon des Surindépendants. Elle a écrit d'intéressants souvenirs sur le peintre Soutine.

COLLIER A. L.
XXe siècle. Français.
Peintre.
Exposa au Salon des Artistes Français de 1911 à 1913.

COLLIER Alan Caswell
Né en 1911. Mort en 1990. XXe siècle. Canadien.
Peintre de paysages, marines.
VENTES PUBLIQUES : TORONTO, 15 mai 1978 : *Bord de mer, Cap Breton*, h/t (76,2x101,5) : **CAD 2 100** – TORONTO, 27 mai 1981 : *Fermeuse, Newfoundland*, h/cart. (30x40) : **CAD 1 000** – TORONTO, 14 mai 1984 : *The sea was silvery and still*, h/t (60x90) : **CAD 2 200** – TORONTO, 28 mai 1985 : *Paysage d'hiver*, h/t (60x80) : **CAD 2 400**.

COLLIER Ange Arthur Sylvain
Né le 7 décembre 1818 à Paris. XIXe siècle. Français.
Graveur.
Entré à l'École des Beaux-Arts le 7 octobre 1835, il eut pour professeur Forster. En 1842, il eut le deuxième prix au concours pour Rome.

COLLIER Arthur Bevan
XIXe siècle. Actif à Londres de 1855 à 1902. Britannique.
Peintre.
Il exposa à la Royal Academy jusqu'en 1899.
VENTES PUBLIQUES : LONDRES, 12 mars 1997 : *Stratford-on-Avon 1902*, h/t (81x122) : **GBP 5 060**.

COLLIER Carolus
XVIIIe siècle. Actif à Gand en 1773. Éc. flamande.
Sculpteur.

COLLIER Charles Hyles
Né en 1836 à Hampton (Virginie). Mort en 1908 à Gloucester (Massachusetts). XIXe siècle. Américain.
Peintre.

COLLIER Eugène Jules
Né en 1846 à Paris. XIXe siècle. Français.
Graveur.
Il travailla avec Gustave Doré.

COLLIER Evert ou **Edwaert** ou **Colyer**
Né vers 1640 à Breda. Mort à Leyde ou à Haarlem, vers 1702 ou après 1706. XVIIe siècle. Hollandais.
Peintre de portraits, natures mortes.
Il vécut à Leyde jusqu'en 1680 et il y fit partie de la gilde en 1673 ; de 1670 à 1681, il s'y maria quatre fois.

MUSÉES : LA HAYE : *Nature morte* – VIENNE (Liechtenstein) : *Intérieur d'une chambre* – Réunion – *Intérieur avec homme et dame*.
VENTES PUBLIQUES : AMSTERDAM, 1797 : *Deux amants dans une chambre* : **FRF 220** – LONDRES, 7 avr. 1922 : *Pêches dans un plat* : **GBP 4** – LONDRES, 13 avr. 1927 : *Nature morte* : **GBP 22** – LONDRES, 6 nov. 1936 : *Nature morte au perroquet* : **GBP 23** – LONDRES, 5 mars 1937 : *Fleurs et fruits sur une table* : **GBP 9** – LONDRES, 22 déc. 1937 : *Plat d'huîtres 1663* : **GBP 16** – LONDRES, 12 mai 1939 : *Nature morte* : **GBP 10** – LONDRES, 17 fév. 1960 : *Nature morte* :

GBP **480** – Londres, 27 oct. 1961 : *Nature morte de livres* :
GBP **252** – Londres, 26 juin 1964 : *Nature morte aux livres* :
GNS **650** – Londres, 21 juin 1968 : *Nature morte* : GNS **950** –
Amsterdam, 26 mai 1970 : *Officier dans un intérieur* : NLG **4 000** –
Zurich, 20 mai 1977 : *Nature morte 1663*, h/t (43,5x41) :
CHF **37 000** – New York, 12 jan. 1978 : *Nature morte 1696*, h/t
(99x124,5) : USD **13 000** – Londres, 30 oct. 1981 : *Nature morte
1696*, h/t (98,4x123,2) : GBP **3 800** – New York, 8 nov. 1984 :
nature morte aux livres sur une table 1693, h/t (68x59,7) :
USD **15 000** – New York, 15 jan. 1985 : *Nature morte aux instruments musicaux, livre, perles et pièces d'or 1661*, h/t (91,5x76) :
USD **26 000** – New York, 3 juin 1988 : *Nature morte avec plas-
tron, casque, armes et bijoux sur un entablement 1669*, h/t
(83x117) : USD **35 200** – Paris, 14 juin 1988 : *Vanité à la flûte et au
roemer 1663*, h/pan. (56,5x70) : FRF **560 000** – Amsterdam, 14
nov. 1988 : *Nature morte avec des coquillages, un violon, une
montre et un livre sur un entablement 1670*, h/t (66x85) :
NLG **57 500** – Londres, 18 nov. 1988 : *Nature morte en trompe
l'œil d'une plume, de ciseaux, d'un peigne et de divers papiers
tenus dans un porte-lettres*, h/t (43,6x59,8) : GBP **28 600** – Rome,
23 mai 1989 : *Vanité*, h/pan. (76,5x63) : ITL **21 000 000** – Londres,
7 juil. 1989 : *Vanité avec un violon, un encensoir, un globe terrestre, une épée, un coffret à bijoux, l'édition de 1670 des « Travaux de Joseph »*, etc. 1696, h/t (101,5x124,3) : GBP **82 500** – New
York, 5 avr. 1990 : *Trompe l'œil avec une affiche du poête Samuel
Butler épinglée sur deux planches*, h/t (86,5x51,5) : USD **4 400** –
Londres, 11 juil. 1990 : *Nature morte en trompe l'œil d'un vide
poche*, h/t (61x74) : GBP **27 500** – New York, 11 avr. 1991 :
*Trompe l'œil d'un pamphlet historique, d'une loupe, d'un médail-
lon, de deux peignes, d'un collier de perles, d'une plume d'oie et
autres 1663*, h/t (50x69) : USD **46 750** – Londres, 13 déc. 1991 :
*Vanité avec des instruments de musique, un coffret à bijoux, un
roemer, un crâne, un globe astrologique, des livres, etc...sur une
table drapée 1663*, h/t (110,3x91,5) : GBP **35 200** – Amsterdam, 12
mai 1992 : *Portrait d'une dame 1673*, h/pan. (12,5x11) :
NLG **12 650** – La Rochelle, 20 nov. 1993 : *Nature morte au livre et
à la mappemonde*, h/pan. (26,5x24,5) : FRF **210 000** – Londres, 10
déc. 1993 : *Trompe l'œil avec un râtelier contenant une gravure de
femme, un discours de 1704, un journal de Leyde, des lettres, un
couteau et des ciseaux, etc.*, h/t (54x67,3) : GBP **24 150** – Londres,
9 déc. 1994 : *Vanité avec un crâne, un sablier, une montre, des
livres, des bulles de savon dans un coquillage et une gravure sur
une table 1687*, h/t (33,5x26,4) : GBP **34 500** – New York, 5 oct.
1995 : *Vanité avec les richesses sur terre : une couronne, un
globe, un coffret à bijoux, un livre, et une chandelle allumée près
du portrait du Roi William III 1702*, h/t (79x62,2) : USD **23 000** –
Londres, 3 avr. 1996 : *Trompe l'œil avec des gazettes, lettre cachetée, batons de cire et sceau et une miniature de Charles Ier*, h/t
(47x59) : GBP **29 900** – Londres, 9 avr. 1997 : *Portrait de Charles I
en trompe l'œil*, h/t (34x28) : GBP **17 825** – Londres, 18 avr. 1997 :
*Livres, manuscrits, un globe terrestre, un encrier avec une bou-
gie, une boite de sceaux, et une montre gousset avec un ruban
bleu sur un table drapée*, h/t (80x64,5) : GBP **40 000** – New York,
22 mai 1997 : *Nature morte avec un violon, une flûte à bec, un
luth, des livres et des partitions de musique*, h/t (73x61) :
USD **43 700** – Londres, 31 oct. 1997 : *Vanité avec un livre ouvert,
une bourse, un luth, un sablier et un globe terrestre sur un entablement drapé*, h/t (81x84,8) : GBP **93 900**.

COLLIER J. Howard
Né aux États-Unis. XIXe siècle. Actif vers 1850-1857. Améri-
cain.
Dessinateur et pastelliste.

COLLIER John
Né le 27 janvier 1850 à Londres. Mort le 11 avril 1934. XIXe-XXe
siècles. Britannique.
Peintre de genre, portraits, paysages.
Il commença son éducation artistique avec E.-J. Poynters, puis
vint à Paris où il fut élève de J.-P. Laurens. Il travailla également
avec Alma Tadema. Il a exposé à Londres, à la Royal Academy, à
Suffolk Street et à Grosvenor Gallery entre 1874 et 1893. Il a éga-
lement participé aux Salons de Sydney. Il fut membre de l'Insti-
tute of Painters in Oil-Colours. En 1932, il exposait au Salon des
Artistes Français un *Portrait de l'artiste*.
Musées : Blackburn : *Hetty Sorrel – Portrait de A.-N. Hornoy –*
Londres : *William Kingdon Clifford – Ch.-R. Darwin – Thomas
Henry Huxley* – Londres (Victoria and Albert) : *Portrait du Bt.
Hon. Lord Masham* – Sydney : *Le joueur de luth – Portrait de J.-L.
Toale.*
Ventes Publiques : Londres, 4 avr. 1908 : *Le Laboratoire* :

GBP **147** ; *Le Menuet* : GBP **42** – Londres, 24 juin 1909 : *Une Fille
d'Ève* : GBP **15** – Londres, 8 déc. 1922 : *Une demande en mariage
1900* : GBP **25** – Londres, 20 juil. 1923 : *Clytemnestre* : GBP **42** –
Londres, 12 mai 1932 : *Beauté endormie 1921* : GBP **67** – New-
castle (Angleterre), 10 juil. 1939 : *Les offrandes aux morts* :
GBP **10** – Londres, 17 mars 1971 : *Portrait de jeune homme (Le
diable blanc)* : GBP **1 050** – Londres, 10 mars 1972 : *Portrait de
Bernard Shaw* : GNS **200** – Londres, 15 oct. 1976 : *Paysage au
temple 1889*, h/t (57,5x35,5) : GBP **750** – Londres, 14 juin 1977 : *Le
Vieux savant et la belle 1895*, h/t (155x119,5) : GBP **4 500** –
Londres, 20 mars 1979 : *Le Paravent japonais*, h/t (69x90) :
GBP **2 000** – Londres, 29 avr. 1982 : *Les marches du Temple à
Jérusalem ; La cour de la mosquée à Jérusalem 1924*, 2 h/pap.
marouflées/cart. (35,5x55 et 35,5x50) : GBP **2 000** – Londres, 13
déc. 1984 : *Lady with a bowl of pink carnations*, h/t (213,5x114,4) :
GBP **8 000** – Alnwick (Angleterre), 23 sep. 1986 : *The Plague
1902*, h/t (155,5x184) : GBP **2 600** – New York, 24 fév. 1987 : *The
Land baby 1909*, h/t (142,2x112,4) : USD **23 000** – Londres, 9 fév.
1990 : *Portrait de la femme de l'artiste, Marian Huxley, dans sa
robe de mariée 1880*, h/t (112x91,5) : GBP **16 500** – New York, 23
mai 1990 : *L'enfant terrien 1909*, h/t (142,2x112,4) : USD **29 700** –
Londres, 22 juin 1990 : *Circé 1885*, h/t (132,7x220) : GBP **41 800** –
Glasgow, 22 nov. 1990 : *L'enfant mariée 1883*, h/t (137,1x86,8) :
GBP **10 450** – Londres, 25 oct. 1991 : *May, Agatha, Veronica et
Audrey : les filles du Colonel Makins 1884*, h/t (183x213,4) :
GBP **45 100** – Londres, 11 juin 1993 : *Étude pour « Horace et
Lydia »*, h/t (60,9x76,2) : GBP **2 070** – Londres, 9 juin 1994 : *Por-
trait de miss Olive Pilkington 1903*, h/t (142x103) : GBP **5 175** –
Londres, 7 nov. 1997 : *La Prêtresse de Bacchus*, h/t (147,5x112,5) :
GBP **44 400**.

COLLIER John, dit Tim Bobbin
Né le 16 décembre 1708 à Warrington (Angleterre). Mort en
1786. XVIIIe siècle. Britannique.
**Peintre de genre, portraits, caricaturiste, illustrateur,
graveur.**
Cet artiste fut d'un caractère excentrique et eut une vie mouvementée et remplie d'aventures. Il changea souvent de demeure
et gagna sa vie d'abord comme peintre d'enseignes. Ensuite il
devint peintre de portrait et caricaturiste : mais ses habitudes
déréglées l'empêchèrent d'atteindre à l'aisance pécuniaire. Collier publia, en outre, une œuvre originale intitulée : *Les Passions
humoristiquement illustrées*, pour laquelle il fournit 26 planches
coloriées.
Ventes Publiques : New York, 19 jan. 1995 : *Scènes de la vie de
tous les jours*, 12 h/t (64,8x88,9) : USD **15 525**.

COLLIER Marian, née Huxley
Née vers le milieu du XIXe siècle en Angleterre. Morte le 18
novembre 1887. XIXe siècle. Britannique.
Peintre amateur.
Marian Collier exposa, entre 1880 et 1884, à la Royal Academy, à
Suffolk Street et à la Grosvenor Gallery, à Londres, et eut une
certaine réputation comme peintre de figures.

COLLIER Robert Porrett, Lord Monkswell, Sir
Né en 1817 à Plymouth. Mort le 27 octobre 1886 à Grasse
(Alpes-Maritimes). XIXe siècle. Britannique.
Peintre de paysages.
Il peignit surtout des paysages qu'il exposa à la Royal Academy
et à Suffolk Street Gallery jusqu'à sa mort. Le Musée de Cam-
bridge et celui de Plymouth possèdent des toiles de cet artiste
qui fut en même temps un amateur d'art.
Musées : Cambridge – Plymouth.
Ventes Publiques : Londres, 25 mai 1923 : *Un Châlet en Suisse* :
GBP **4** – Belfast, 28 oct. 1988 : *Dans les Alpes suisses 1899*, h/t
(50,8x76,2) : GBP **1 210**.

COLLIER Thomas Frederick
Né en 1840. Mort en 1891. XIXe siècle. Actif à Londres. Britan-
nique.
Peintre de paysages, natures mortes, aquarelliste.
Il travailla à Londres, où il exposa entre 1856 et 1874 à la Royal
Academy et à Suffolk Street.

T. F. Collier

Ventes Publiques : Londres, 27 avr. 1908 : *Ananas et prunes de
Damas*, dess. : GBP **2** – Londres, 21 juil. 1981 : *Nature morte aux
fruits dans un paysage 1864*, aquar. (26x37,3) : GBP **300** – New
York, 21 jan. 1983 : *Nature morte aux nids d'oiseaux et fleur 1872,*

aquar. (28,5x39) : **USD 1 100** – L.ONDRES, 24 sep. 1986 : *Nature morte aux fruits* 1876, aquar. reh. de blanc (37,5x50,7) : **GBP 350** – L.ONDRES, 13 fév. 1991 : *Nature morte avec des fleurs de pommier et un nid*, h/cart. (28x23) : **GBP 1 650**.

COLLIER Thomas, dit Tom

Né en 1840 à Glossop (Angleterre). Mort en 1891 à Hampstead (près Londres). XIXe siècle. Britannique.

Peintre de paysages, aquarelliste, dessinateur.

Thomas Collier reçut quelque instruction à la Manchester School of Art, mais procéda à son développement artistique par des études personnelles, travaillant constamment à l'amélioration de son style et de sa technique par l'étude de la nature. En 1861, il fut élu membre de l'Institut Royal de peinture à l'aquarelle et y exposa fréquemment. La Royal Academy reçut aussi de ses tableaux, ainsi que la Société de Suffolk Street, de 1863 à 1892. Le talent de Collier fut également reconnu à l'étranger, car à la suite de l'envoi d'un de ses tableaux à l'Exposition de Paris, en 1878, il fut nommé chevalier de la Légion d'honneur. Il exposa aussi à Paris en 1889.

Cet artiste s'inspira presque toujours des paysages de son pays natal, peignant à l'aquarelle des scènes de la campagne anglaise.

MUSÉES : BIRMINGHAM : *Forêts et bruyères – Environs de Llyn Helsi – North Wales, après-midi –* CARDIFF : *Paysage, moulin à vent – Collier Hind-Head – Vallon, pays de Galles – Champ de blé*, aquar. – DUBLIN : *Bétail de Beeston Cheshire, château de Peckforton dans le lointain*, aquar. – *Neige précoce aux collines Welch*, aquar. – LONDRES (Nat. Gal.) : *Le champ de blé*, dess. aquarellé – LONDRES (Victoria and Albert Museum) : *Paysage et bâtiments de ferme – Paysage, arbres et figures – Paysage, châtaigniers – Vieux bâtiments, South-Kensington – Carrière à Hampstead – Mare à Hampstead – Paysage, avec hangars – Sur le coteau Dolwyd-delau, Pays de Galles – Paysage – Environs d'Aldborough, Suffolk – Arundel, parc Sussex – Coteau près Loch avec crépuscule – Marine – Église de Lyminster près Armidel – On the Siabord flats, Nord Wales.*

VENTES PUBLIQUES : LONDRES, 15 fév. 1908 : *Ben More, Cumberland*, dess. : **GBP 50** – LONDRES, 13 avr. 1908 : *Sur la côte au nord du pays de Galles*, dess. : **GBP 15** – LONDRES, 16 juil. 1909 : *Après l'orage* ; *Pattenham Common*, dess. : **GBP 107** – LONDRES, 12 fév. 1910 : *Traversant les sables*, dess. : **GBP 38** – LONDRES, 16 juin 1921 : *Oies dans un pré* 1884 : **GBP 68** – LONDRES, 9 déc. 1921 : *Un champ de bruyère*, dess. : **GBP 35** ; *Fittleworth Common*, dess. : **GBP 73** – LONDRES, 16 juin 1922 : *Port Madve* 1887, dess. : **GBP 168** ; *Dartmoor*, dess. : **GBP 84** – LONDRES, 2 fév. 1923 : *Pâturages dans le Sussex* 1879, dess. : **GBP 367** ; *La vallée de l'Arun* 1874, dess. : **GBP 157** – LONDRES, 11 juin 1923 : *La lisière de New Forest* 1883 : **GBP 67** ; *Les coupeurs d'ajoncs* 1884, dess. : **GBP 267** – LONDRES, 8 avr. 1927 : *Jour d'orage*, dess. : **GBP 27** – LONDRES, 1er et 2 juin 1927 : *Un sentier*, dess. : **GBP 37** ; *Une étude d'arbres* 1881, dess. : **GBP 35** – LONDRES, 4 mai 1928 : *Fittleworth Common*, dess. : **GBP 64** ; *Moutons dans le moor*, dess. : **GBP 46** – LONDRES, 9 juil. 1928 : *Milford Common* 1889 : **GBP 31** – LONDRES, 25 juil. 1930 : *Un champ de blé*, dess. : **GBP 23** – LONDRES, 10 nov. 1933 : *Une côte au pays de Galles* 1875, dess. : **GBP 17** – LONDRES, 8 mars 1935 : *Snowdon*, dess. : **GBP 15** – LONDRES, 18 juil. 1938 : *La baie de Cardigan*, dess. : **GBP 12** – LONDRES, 25 mai 1939 : *Elstead dans le Surrey* 1875, dess. : **GBP 16** – LONDRES, 21 fév. 1980 : *Berger et troupeau dans un paysage* 1877, aquar. (56,6x89) : **GBP 400** – NEW YORK, 24 mai 1985 : *Fleurs dans une niche*, h/pan. (49,8x40) : **USD 2 500** – LONDRES, 29 avr. 1986 : *A breezy day, Sussex*, aquar. et cr. (22,2x33) : **GBP 1 700** – LONDRES, 31 jan. 1990 : *Gardiens de troupeaux avec leurs bêtes près de montagnes enneigées*, aquar. (23,5x33) : **GBP 2 200** – LONDRES, 5 mars 1993 : *Le val d'Arun*, cr. et aquar. (27x46) : **GBP 1 092**.

COLLIÈRE Lucienne, née Forestier

Née le 8 janvier 1785 à Saint-Quentin. XIXe siècle. Française.

Peintre.

Élève d'Aubry et du baron Denon. Elle exposa au Salon de Paris, de 1833 à 1847, des miniatures et des portraits. A peint, en 1842, un *Portrait de Robert Schumann*, signé et daté (Coll. A. Cortot).

COLLIGNON, dit le Marjollet ou le Moucheté

XVIIIe siècle. Actif dans le Barrois, en Lorraine. Français.

Peintre de sujets allégoriques, sculpteur.

Travailla à la chapelle de Kœurs en 1749. Il est cité dans l'ouvrage de Max-Werly : *De l'art et des artistes dans le Barrois*.

VENTES PUBLIQUES : NEW YORK, 31 mai 1991 : *Allégorie de l'Astrologie* ; *Allégorie des Arts* 1762, h/pan., une paire (chaque 88,7x146) : **USD 7 700**.

COLLIGNON Charles

XIXe siècle. Français.

Peintre de marines.

Il figura au Salon de Paris, de 1831 à 1847.

VENTES PUBLIQUES : PARIS, 15 mai 1933 : *Marines*, 2 aquarelles : FRF 90.

COLLIGNON Claude

Né le 2 octobre 1612 à Nancy. XVIIe siècle. Français.

Sculpteur.

Il fit, pour l'église de l'ancien collège des Jésuites de Chaumont-en-Bassigny, un maître-autel, en 1631 et 1632. En 1653, il exécuta une croix qui fut élevée à Nancy, entre la Madeleine et Notre-Dame de Bon-Secours ; il travailla, en outre, au palais ducal en 1654.

COLLIGNON Edmond

Né en 1822 à Paris. Mort en 1890 à Paris. XIXe siècle. Français.

Peintre de portraits et de genre.

Il fut l'élève de Granet. De 1840 à 1865, il se fit représenter au Salon. On doit à cet artiste la décoration du plafond de la salle du conseil du Tribunal de commerce de Paris. De lui, on cite : *Intérieur d'atelier, Le jardin du curé, Un ménage d'artistes, Portrait de F.-S. Andrieux*, au Musée de Reims.

COLLIGNON Etienne

Né à Paris. XXe siècle. Français.

Peintre. Figuratif puis abstrait.

Il exposa des portraits au Salon d'Automne de 1926 et figura ensuite au Salon des Réalités Nouvelles en 1947, 1950 et 1953.

COLLIGNON Eugène

Mort en 1961. XXe siècle. Belge.

Peintre de paysages.

VENTES PUBLIQUES : BRUXELLES, 19 déc. 1989 : *L'Oasis de Bou-Saada* 1925, h/t (50x65) : **BEF 55 000**.

COLLIGNON Félix

Né à Lécluse (Nord). XXe siècle. Français.

Peintre de paysages.

Exposant des Artistes Français en 1937 et 1938.

COLLIGNON François. Voir COLLIGNON Jean Baptiste

COLLIGNON François Jules

Mort en 1850. XIXe siècle. Français.

Peintre et graveur.

En 1835, il commença à exposer ses aquarelles au Salon de Paris. Ce n'est qu'en 1839 qu'il fit aussi paraître des gravures. Il a peint et gravé des paysages et des vues.

COLLIGNON Gaspard. Voir COLLIGNON

COLLIGNON Georges

Né le 26 août 1923 à Flémalle-Haute (Liège). XXe siècle. Depuis 1949 à 1969 actif aussi en France. Belge.

Peintre. Abstrait, puis figuratif tendance surréaliste. Groupe COBRA.

À partir de l'âge de quatorze ans, il fut un enfant-ouvrier. En 1942, il put devenir élève de l'Académie des Beaux-Arts de Liège. Après avoir peint des nus académiques, il subit l'influence de Picasso, découvert à Paris en 1944, qui se manifesta dans de vigoureuses natures-mortes et une brève période cubiste. En 1947, se singularisant dans le milieu des peintres belges alors plutôt acquis au néo-cubo-fauvisme français, il se détermina dans l'abstraction pour une période qui allait durer vingt ans. En 1948 à Liège, il figurait au Salon d'Art Moderne et Contemporain. En 1949, il arriva à Paris avec une bourse du Gouvernement français, et y resta jusqu'en 1969. En 1950, il obtenait avec Alechinsky le Prix de la Jeune Peinture Belge décerné pour la première fois. En 1950 aussi, il faisait partie du groupe des *Mains éblouies* à la Galerie Maeght de Paris, dans lequel se trouvaient Alechinsky, Corneille, Doucet, qui eux, faisaient déjà partie du groupe COBRA fondé depuis le 8 novembre 1948. L'année suivante, il était présent dans un groupe formé et exposé par Michel Ragon à la Librairie 73, boulevard Saint-Michel à Paris. En 1951 eut lieu, à Liège dans sa ville, une exposition COBRA, dans laquelle il était représenté par cinq peintures. En fait, lui-même se considérait comme appartenant à un cercle de Liège : *Réalité*, indépendant de COBRA mais, par solidarité ou prévoyance, avec Pol Bury ils créèrent le groupe *Réalité-Cobra*, avec pour objectif la promotion de l'art abstrait. En 1952 il obtenait le Prix Hélène Jacquet. Dans ces années, il a été sélectionné à l'exposition internationale de l'Institut Carnegie de Pittsburgh en 1952 puis 1958, pour le Prix Lissone en 1955, pour le Prix Marzotto et la Fondation Guggenheim en 1960, à la Biennale de São

Paulo en 1961, à celle de Venise seulement en 1970. A Paris, il exposait aux Salons de Mai et des Réalités Nouvelles. Après 1967, dans sa deuxième période, il continue de figurer dans de nombreuses expositions collectives, en Belgique, dans nombre de pays étrangers, et à Paris aux Salons d'Automne, Comparaisons, etc. Ses expositions personnelles se sont succédées depuis la première à la Galerie Apollo de Bruxelles en 1946, à Liège 1947, 1971, Frankfort 1952, Paris 1954, 1966, 1980, 1987, New York 1959, Oslo 1961, Bruxelles de nouveau au Palais des Beaux-Arts 1963, puis 1983, Copenhague 1965, Helsinki 1972, Cologne 1975, etc. En 1975, il a été élu membre de l'Académie Royale des Sciences, des Lettres et des Beaux-Arts de Belgique.

Les peintures de sa période abstraite de vingt années ont été parfois rattachées à l'abstraction géométrique, ce qui n'est pas soutenable. Certes elles ne pouvaient non plus être dites informelles, ni même lyriques. Un dessin sous-jacent très étudié et précis contient, délimite la couleur, une polychromie toujours riche, mais ce dessin n'appartient pas à la géométrie. C'est un dessin impulsif et volontiers facétieux, dont les débords de la couleur grignotent l'éventuelle rigidité. Michel Seuphor le loue d'avoir « conquis un style personnel, un peu chargé parfois... » Chargé ? en effet ces peintures sont souvent touffues, elles préfèrent en dire trop plutôt que pas assez, à la manière généreuse de Lanskoy. Les notations précédentes sont bien condensées par Francine C. Legrand : « On ne peut le ranger ni parmi les tachistes, ni parmi les abstraits géométriques, il professe un certain dédain à l'égard des informels et les menées du surréalisme lui sont étrangères. Sans aucun doute, il a contracté une dette à l'égard de la peinture française, envers Bazaine et envers Bonnard... » Vers le milieu de cette longue période abstraite, en 1954 : L'oiseau-lyre, 1955 : Peinture jaune, il fit une série de peintures dont le dessin régulateur, plus sec, plus contraignant envers les plages de couleurs inscrites, les rapprochaient légèrement de l'abstraction géométrique.

A partir de 1964, quelques suggestions de figurations s'introduisirent progressivement dans les entrelacs de ses abstractions. En 1966-67, il formula ce qu'il ressentait : « Comme tant d'autres, l'abstraction m'a conduit à un moment à une impasse. J'étais bloqué. J'ai eu l'idée de vouloir réconcilier le non-figuratif et le sujet... » A son propre usage, il élabora le concept du « surabstréel » de sur(réalisme), abst(rait), réel, sur lequel fonder sa nouvelle peinture, dans laquelle on retrouve en effet une continuité par la construction plastique de la peinture avec sa période abstraite, mais dont les éléments de la composition sont prélevés de la réalité, et leurs mises en relation, associations, articulations, apparentées à la création automatique surréaliste. Dans cette décision de laisser désormais libre cours à l'inconscient, l'érotisme fit une apparition saine et joyeuse, souvent sous le couvert de l'humour. Collignon s'en explique avec fraîcheur : « L'érotisme est évidemment un moteur, une force de vie... Longtemps je me suis demandé comment exprimer les zones d'ombre mises en lumière par Freud. Il y avait bien l'exemple de Bellmer mais je manquais d'audace. Avec les années et l'évolution, je me suis enhardi... » Sa période abstraite n'avait pas été austère, mais disons que l'abstraction en soi est une ascèse. A partir de sa décision d'adhérer totalement au retour du refoulé, sa peinture fut apte à tous les baroquismes, inventoriant toutes les techniques, du pinceau à l'aérographe et, en 1969-70, à la suite d'un meilleur regard sur les byzantins et les primitifs, il y introduisit feuilles d'or, d'argent et collages de dentelles anciennes, de brocard, de cuir rude et de fines lingeries.

De toute façon l'œuvre de Collignon est foisonnante, elle l'est dans son évolution, dans la rigueur de l'abstraction au délire érotique de la figuration, elle l'est surtout dans sa période baroque, de par les techniques et les matériaux, et de par les thèmes, puisque, à partir du moment où il a décidé de raconter des histoires, il ne pouvait raconter toujours la même. Aussi n'est-il pas place dans la présente notice pour dresser le catalogue des mille-et-trois aventures qu'il prête à ses héros, historiques de Jeanne d'Arc à Bonaparte, anonymes ou mythiques, robots articulés et bariolés, des filles de plaisir harnachées de porte-jarretelles provocateurs aux mâles en rut caparaçonnés d'armures médiévales castratrices. On ne raconte pas la peinture, surtout pas celle-ci, le Collignon se lit dans le texte.

■ Jacques Busse

Colligno... (signature)

BIBLIOGR. : Michel Seuphor : *Diction. de la Peint. abstraite*, Hazan, Paris, 1957 – Simone Frigerio : *G. Collignon*, Art Témoin,

Paris, 1961 – Robert Rousseau, in : *Les peintres célèbres*, Mazenod, Paris, 1964 – in : *Diction. Biogr. Ill. des Artistes en Belgique depuis 1830*, Arto, 1987 – divers : Catalogue de l'exposition *Collignon*, Centre Wallon d'Art Contemporain de la Communauté Française de Belgique, Flémalle, 1988 – Alain Bosquet : *Une autre étape pour Georges Collignon*, in : Catalogue de l'exposition *Collignon*, Gall. BP, Bruxelles, 1988.

MUSÉES : BRUXELLES (Mus. d'Art Mod.) – OSTENDE (Mus. d'Art Mod.) – PARIS (Mus. Nat. d'Art Mod.) – PITTSBURGH (Carnegie Inst.) – SÃO PAULO (Mus. d'Art Mod.).

VENTES PUBLIQUES : ANVERS, 23 oct. 1985 : *Composition*, h/t (120x160) : BEF 34 000 – NEUILLY-SUR-SEINE, 16 mars 1989 : *Saint-Rémy de Provence* 1951, gche (55x40) : FRF 11 000 – DOUAI, 23 avr. 1989 : *Composition*, h/t (101x72) : FRF 17 000 – AMSTERDAM, 24 mai 1989 : *Composition II* 1950, h/t (80x100) : NLG 23 000 – NEUILLY, 6 juin 1989 : *Composition* 1949-51, gche (45x28) : FRF 11 000 – AMSTERDAM, 13 déc. 1989 : *Jardin*, h/t (130x80) : NLG 39 100 – AMSTERDAM, 22 mai 1990 : *Abstraction*, h/t (175x55) : NLG 16 100 – LIÈGE, 11 déc. 1991 : *Composition abstraite* 1948, techn. mixte (56,5x41,5) : BEF 38 000 ; *Composition abstraite*, h/pap./t. (76x53) : BEF 180 000 – PARIS, 14 mai 1992 : *Une gauloise* 1952, techn. mixte (82x67) : FRF 6 500 – AMSTERDAM, 19 mai 1992 : *À la croisée des chemins* 1963, h/t (90x128) : NLG 8 050 – LOKEREN, 10 oct. 1992 : *Vacances portugaises* 1955, h/t (65,5x54) : BEF 200 000 ; *Exercice* 1951, h/t (76x125) : BEF 400 000 – LOKEREN, 10 oct. 1992 : *Villa Saïte*, collage, aquar. et h/pap. (62x47) : BEF 60 000 ; *Exercice* 1951, h/t (76x125) : BEF 360 000 – LOKEREN, 4 déc. 1993 : *Composition* 1949, aquar. et techn. mixte (32x46) : BEF 48 000 – LOKEREN, 12 mars 1994 : *Jardin* 1957, h/t (130x80) : BEF 360 000 – LOKEREN, 9 déc. 1995 : *Composition*, h/pan. (71x50,5) : BEF 150 000 – LOKEREN, 8 mars 1997 : *Composition*, aquar./pap./t. (45,5x31) : BEF 20 000 – LOKEREN, 6 déc. 1997 : *Composition*, collage, h. et encre de Chine (64,5x40) : BEF 60 000.

COLLIGNON J.

XIXᵉ siècle. Actif au début du XIXᵉ siècle. Français.
Peintre paysagiste et aquarelliste.
Il débuta au Salon de 1840.
VENTES PUBLIQUES : PARIS, 1862 : *Marine, temps calme* ; *Marine, temps couvert*, deux pendants : FRF 300 – PARIS, 24 mai 1894 : *Paysage avec femme et enfant*, aquar. : FRF 70.

COLLIGNON Jean Baptiste, dit François

Né vers 1609 ou 1610 à Nancy. Mort en 1657. XVIIᵉ siècle. Français.
Graveur.
Il se perfectionna dans l'atelier de J. Callot. C'est à tort que Bellier de La Chavignerie le fait naître en 1621. Dussieux remarque fort judicieusement que Callot étant mort en 1635, n'aurait pu former un élève né en 1621. Cet artiste travaillait à Rome en 1840 et y faisait en même temps le commerce des estampes. Il imita Stefano della Bella et Silvestre, et surtout son maître Callot, de l'atelier duquel il laissa une vue naïve mais précise.

COLLIGNON Joseph

Né en 1776. Mort en 1863 à Florence. XIXᵉ siècle. Français.
Peintre de sujets religieux, portraits, compositions décoratives, graveur.
Cet artiste a beaucoup travaillé à Rome et à Florence. En 1816, il devint directeur de l'Académie de Sienne. Il représenta *Prométhée* au plafond du salon du palais des Pitti.
MUSÉES : FLORENCE (Gal. Nat.) : *Portrait de l'artiste* 1840 – PISE (Civico) : *Le Bienheureux Balduino, archevêque de Pise* – PRATO : *La décollation de saint Jean-Baptiste*.
VENTES PUBLIQUES : PARIS, 23 avr. 1990 : *Portrait d'une dame dans un habit Premier Empire avec une lyre*, h/t (74x62,5) : FRF 28 000.

COLLIGNON Joseph Francisco

Né le 12 janvier 1687 à Nancy. Mort le 6 février 1765 à Nancy. XVIIIᵉ siècle. Français.
Sculpteur.
Cité dans les Archives de Nancy.

COLLIGNON Maurice

XXᵉ siècle. Français.
Peintre, graveur.
Il exposa au Salon des Artistes Indépendants entre 1931 et 1943.

COLLIGNON Nicolas I
xviie siècle. Actif à Nancy en 1698. Français.
Sculpteur.
Il fut le père de Joseph François et de Nicolas II Collignon.

COLLIGNON Nicolas II
Né en 1689 à Nancy. xviiie siècle. Français.
Sculpteur.

COLLIGNON Nouchette
Née en 1941 à Bruxelles. xxe siècle. Belge.
Peintre, sérigraphe, photographe.
Elle fut élève de La Cambre et de l'Académie de Watermael-Boitsfort.
Bibliogr. : In : *Diction. Biog. Ill. des Artistes en Belgique depuis 1830*, Arto, 1987.

COLLIGNON Odette Henriette
Née à Ivry-sur-Seine (Val-de-Marne). xxe siècle. Française.
Peintre de genre, paysages.
Elle exposa au Salon des Artistes Indépendants entre 1929 et 1935.

COLLIMORE J.
xviie siècle. Actif à Londres en 1613. Britannique.
Graveur.

COLLIN
Né à Bordeaux (Gironde). xixe siècle. Français.
Peintre de genre.
Musées : Narbonne : *Le Page blessé.*

COLLIN
Né à Grenoble. xixe siècle. Français.
Graveur.
Auteur d'un portrait de Napoléon Ier.

COLLIN Alberic
Né le 6 avril 1886 à Anvers. Mort le 27 janvier 1962 à Anvers. xxe siècle. Belge.
Sculpteur animalier.
Il fit ses études artistiques à l'Académie Royale d'Anvers. Il expose régulièrement à partir de 1920 en Belgique, en Espagne et à Paris. Il figura au Salon des Artistes Français entre 1922 et 1927, recevant une troisième médaille en 1922. En 1930 il figure à l'Exposition Universelle d'Anvers et en 1935 à celle de Bruxelles. Il était ami de Rembrandt Bugatti.
Bibliogr. : In : *Diction. Biogr. Ill. des Artistes en Belgique depuis 1830*, Arto, 1987.
Musées : Anvers – Anvers (Jardin zoologique) – Bruxelles – Gand.
Ventes Publiques : Bruxelles, 25 mai 1978 : *Couples de singes*, cire perdue, bronze (H. 65) : **BEF 50 000** – Bruxelles, 12 déc. 1979 : *Elan*, cire perdue, bronze : **BEF 50 000** – Enghien-les-Bains, 2 mars 1980 : *Panthère en marche*, bronze (H. 37) : **FRF 10 000** – Bruxelles, 19 sep. 1983 : *Biche*, bronze (H. 120) : **BEF 230 000** – Lokeren, 28 mai 1988 : *Coq de bruyère* 1923, bronze (H. 41,5) : **BEF 200 000** – Paris, 20 juin 1988 : *Lionceau jouant* 1928, bronze à patine brun nuancé (27,1x35x25,5) : **FRF 100 000** ; *Groupe de girafes*, bronze à patine brun foncé et nuancé (51,5x67,2x26,5) : **FRF 125 000** ; *Eléphant d'Afrique couché se frottant la trompe*, bronze à patine brun nuancé (44x81x28) : **FRF 187 000** ; *Harde*, bronze à patine noir nuancé (29,5x117x10) : **FRF 117 000** – Paris, 30 mars 1992 : *Panthère penchant*, plâtre (H. 44,5) : **FRF 12 000**.

COLLIN André
Né en 1862 à Spa. Mort en 1930 à Bruxelles. xixe-xxe siècles. Belge.
Peintre de genre, figures, paysages, fleurs, peintre à la gouache.
Il fut élève à l'Académie de Bruxelles, où il eut pour professeur Jean-François Portaëls. À Paris, il travailla sous la direction de Jules Lefebvre et de Gustave Boulanger. Il participa régulièrement au Salon de Paris jusqu'en 1905 ; ce fut probablement lui qui reçut une mention honorable au Salon des Artistes Français en 1890.
Sa peinture figurative a évolué vers un réalisme très schématisé et une géométrisation des formes.
Bibliogr. : In : *Diction. Biog. Ill. des Artistes en Belgique depuis 1830*, Arto, 1987 – Gérald Schurr, in : *Les Petits Maîtres de la peinture 1820-1920, valeur de demain*, Les Éditions de l'Amateur, t. II, Paris, 1982.

Musées : Tournai : *Paysage : Tanger* 1901.
Ventes Publiques : Paris, 15 déc. 1926 : *Vase de fleurs – Corbeille de fleurs*, deux gches : **FRF 3 050** – Anvers, 27 mai 1986 : *L'atelier de couture* 1890, h/t (120x146) : **BEF 240 000**.

COLLIN André
Né au xixe siècle à Liège. xixe siècle. Belge.
Sculpteur.
Il n'est pas certain que ce fut ce sculpteur de Liège qui reçut une mention honorable au Salon des Artistes Français de 1890.

COLLIN Armand
xviiie siècle. Français.
Sculpteur.
Il fut reçu à l'Académie de Saint-Luc en 1725.

COLLIN Charles Frédéric
Né à Sunderland (Durhamshire). xxe siècle. Britannique.
Peintre.
A exposé un paysage au Salon d'Automne de 1926.

COLLIN Dominique
Né le 30 mai 1725 à Mirecourt. Mort le 20 décembre 1781 à Nancy. xviiie siècle. Français.
Graveur.
De 1758 à 1761, il grava des vues de Nancy. En 1766, il grava le mausolée du roi Stanislas et en 1774 celui du roi Louis XV, pour le service célébré à Nancy.

COLLIN Edouard
Né le 11 décembre 1906 à Meudon (Hauts-de-Seine). xxe siècle. Français.
Peintre de portraits, de paysages et de décorations monumentales.
Il fut élève de l'École des Beaux-Arts de Paris où il eut pour professeurs Pierre et Albert Laurens et Maurice Denis. Il reçut le Premier Second Grand Prix de Rome en 1932, la médaille d'or au Salon des Artistes Français en 1966. Il a exposé personnellement dans le sud de la France.
Il fut conseiller artistique de la Compagnie Générale Transatlantique entre 1950 et 1955, pour laquelle il créa des affiches et des menus. Il réalisa également des travaux publicitaires pour les Usines Renault, la Croix-Rouge Française etc. Il exécuta plusieurs décorations monumentales parmi lesquelles on peut citer celles du Pavillon de l'Île de France à l'Exposition de 1937, du Pavillon de l'Oise à l'Exposition du Progrès Social en 1939, de la salle à manger du paquebot « Ville de Tunis », la fresque du sanctuaire de Notre-Dame de Bon Port au Cap d'Antibes en 1948 et une décoration pour le paquebot « France ». Il réalisa également des décors de théâtre, des portraits et des paysages.
Musées : Besançon – Meudon – Paris (Mus. de l'Air).
Ventes Publiques : Paris, 10 juil. 1983 : *Le petit port* 1961, h/isor. : **FRF 5 500**.

COLLIN Germaine Pauline
Née à Paris. xxe siècle. Française.
Aquarelliste.
Membre de l'Union des Femmes Peintres et Sculpteurs ; a exposé des fleurs et une nature morte au Salon de cette société, en 1929.

COLLIN Johannes
Né à Anvers. xviie siècle. Éc. flamande.
Graveur.
Il vécut en Hollande, à Rome, à Paris, et en 1680, en Angleterre.

COLLIN L., Mlle
xixe siècle. Française.
Peintre.
Elle exposa au Salon de Paris en 1833 : *La vengeance d'Eléonore de Guienne* ; en 1834 : *Séparation de Thomas Morus et de sa fille* ; en 1837 : *Charles VIII à Milan.*

COLLIN Léopold Edouard
xxe siècle. Français.
Peintre de paysages et graveur.
Il fut élève de Jules Lefebvre et de Robert Fleury. Sociétaire du Salon des Artistes Français, il reçut une mention honorable en 1929. Il exposa également au Salon des Artistes Indépendants.

COLLIN Louis Eugène
Né en 1859 à Moûtiers-Salins (Savoie). xixe-xxe siècles. Français.
Peintre de paysages.
Il vécut à Écouen et exposa dans des Salons parisiens entre 1894 et 1910.

COLLIN Louis Joseph Raphaël
Né le 17 juin 1850 à Paris. Mort en 1916 à Brionne (Eure). XIXe-XXe siècles. Français.

Peintre de genre, nus, portraits, compositions décoratives, illustrateur.

Après avoir commencé des études au lycée Saint-Louis, il alla à Verdun, où il fut le condisciple de Bastien Lepage. De retour à Paris, il fut élève de Bouguereau, puis travailla dans l'atelier de Cabanel, où il retrouva Lepage, mais aussi Cormon, Morot et Benjamin Constant. Il participa au Salon de Paris à partir de 1873 ou 1875. Grand prix à l'Exposition Universelle de 1889 à Paris et à celle d'Anvers en 1894, il fut officier de la Légion d'honneur en 1899 et nommé membre de l'Institut en 1909. Grand collectionneur de terres cuites antiques, de grès et poteries du Japon, il collabora avec Théodore Deck, de 1872 à 1889, à la réalisation de faïences décoratives, notamment : *Coin de jardin*. Sur le plan décoratif, il reçut plusieurs commandes de peintures, notamment pour la Sorbonne : *Fin d'été* ; 1891, le grand plafond du théâtre de l'Odéon, aujourd'hui remplacé par celui d'André Masson ; 1892, à l'Hôtel de Ville de Paris : *Au bord de la mer*. Portraitiste, il fut aussi peintre spécialiste des nus en plein air, peints dans des tonalités claires et nacrées. Citons les portraits de son père – *M. Grandhomme* 1878 – *Simon Hayem* 1879 – *Mlle C.* 1880 – *La Musique* 1880, panneau décoratif – *Petits portraits en plein air* 1881 – *Idylle* 1882 – *Été* 1884, grand tableau décoratif. Il fut l'auteur d'illustrations de livres, comme *Daphnis et Chloé* en 1890 et les *Chansons de Bilitis* de Pierre Louÿs, en 1906.

R-COLLIN

BIBLIOGR. : Gérald Schurr, in : *Les Petits Maîtres de la peinture 1820-1920, valeur de demain*, Les Éditions de l'Amateur, t. III, Paris, 1976.

MUSÉES : ALENÇON : *Daphnis et Chloé* 1877 – ARRAS : *Idylle* 1875 – LIÈGE : *Fleurs dans un vase* – MONTPELLIER : *Fleurs d'iris dans un vase* – PARIS (Mus. d'Art Mod.) : *Floréal* 1886 – PONTOISE : *Buste de jeune fille*, pastel – ROUEN : *Sommeil* – TOURCOING : *Daphnis et Chloé, offrandes au dieu Pan* – *Daphnis et Chloé, jalousie de Dorcon* – *Daphnis et Chloé, lamentations de Daphnis*.

VENTES PUBLIQUES : PARIS, 1890 : *Chloé étendue sur l'herbe* : **FRF 2 100** – NEW YORK, nov. 1904 : *Le printemps* : **USD 100** – PARIS, 23 fév. 1925 : *Portrait de Juana Romani* : **FRF 750** – PARIS, 20-24 oct. 1927 : *Les deux âges*, peint. en camaïeu : **FRF 2 000** – PARIS, 8 mars 1943 : *La déclaration* : **FRF 600** – PARIS, 28 mars 1974 : *Femme au singe* 1892, h/t (218x132) : **FRF 4 100** – NEW YORK, 25 oct. 1984 : *Adam et Ève* 1882, h/t (238,3x167) : **USD 18 000** – PARIS, 23 mars 1990 : *L'espiègle*, cr. noir/pap. chamois (31x24,5) : **FRF 14 000** – STOCKHOLM, 29 mai 1991 : *Nu allongé* 1912, h/t (30x46) : **SEK 9 500** – PARIS, 18 nov. 1992 : *Harde*, bronze (H. 29,5, base 117x10) : **FRF 42 000** – NEW YORK, 22-23 juil. 1993 : *Croquis de nymphes*, h/t (49,5x48,3) : **USD 3 450**.

COLLIN Marcus
Né en 1882 ou 1892 en Finlande. Mort en 1966. XXe siècle. Finlandais.

Peintre de genre, paysages.

On cite de cet artiste : *Dimanche dans un petit port de pêcheurs.*

VENTES PUBLIQUES : STOCKHOLM, 31 oct. 1979 : *Hiver* 1930, h/t (61x50) : **SEK 16 000** – STOCKHOLM, 18 nov. 1984 : *Deux hommes attablés* 1939, past. (23x31) : **SEK 5 400** – STOCKHOLM, 5-6 déc. 1990 : *Paysage industriel*, h/t (32x40) : **SEK 13 500**.

COLLIN Nicolas Pierre
Né le 22 octobre 1820 à Moircy (Meuse). XIXe siècle. Français.

Peintre de genre.

Il exposa au Salon entre 1865 et 1870.

VENTES PUBLIQUES : PARIS, 28 novembre-2 déc. 1921 : *Le jeune pifferaro* : **FRF 360** – PARIS, 28 fév. 1923 : *Basse-cour* : **FRF 90**.

COLLIN Paul Heinrich
Né le 5 mars 1748 à Königsberg. Mort le 17 septembre 1789 à Königsberg. XVIIIe siècle. Allemand.

Sculpteur.

Il était marchand d'articles de faïence et de porcelaine et commença sa carrière artistique comme céramiste. Il existe des œuvres de cet artiste au Musée de Königsberg.

COLLIN Paul Louis
Né en 1834 à Torigny-sur-Vire (Manche). XIXe siècle. Français.

Peintre de paysages, natures mortes.

Élève de Bazile Quesnel et de Courbet, il débuta au Salon de 1877. Il fut également docteur.

MUSÉES : CLAMECY : *Nature morte, terrine, chandelier* – *Nature morte, pommes et prunes* – *Nature morte, oranges, pommes et dattes* – COUTANCES : *La roche pointue à Octeville (Manche)* – VIRE : *Les falaises d'Étretat.*

VENTES PUBLIQUES : NEW YORK, 1875 : *Étude de paysage*, past. : **FRF 125** – NEW YORK, 9 mai 1901 : *L'Abreuvoir*, past. : **FRF 105** – NEW YORK, 14 mars 1931 : *Péniches sur la Seine*, past. : **FRF 22**.

COLLIN Pauline Françoise Léontine
Née à Beaune (Côte-d'Or). XXe siècle. Française.

Peintre.

A exposé un paysage au Salon des Artistes Français en 1921.

COLLIN Philipp
Actif à Hambourg. Allemand.

Peintre.

Il peignit pour l'église Saint-Johann d'Hambourg une peinture intitulée *Le bon Samaritain.*

COLLIN Pierre
Né le 27 septembre 1956 à Paris. XXe siècle. Français.

Peintre, graveur d'intérieurs, figures, paysages.

De 1975 à 1980, il est élève de l'École Nationale des Beaux-Arts de Paris, puis pensionnaire de la Casa Velasquez à Madrid de 1980 à 1982, reçoit une bourse de la Région Île-de-France en 1985. Il participe à des expositions collectives : 1980, Salon des Réalités Nouvelles, Paris ; 1981, 1983, Salon de Mai, Paris ; 1982, Musée National d'Art Contemporain, Madrid ; 1982, Biennale de Tolède dont il obtient un prix ; 1982, Salon du Trait ; 1983, Mac 2000, Grand Palais, Paris ; 1984, Institut français de Barcelone ; 1985, Halle aux Blés, Clermont-Ferrand ; 1985, Calcografia Nacional, Madrid ; 1985, Biennale de la Jeune Gravure Contemporaine. Il montre ses œuvres dans des expositions personnelles, parmi lesquelles : 1981, galerie Torculo, Madrid ; 1983, galerie Harmonie, Orléans ; 1983, 1985, 1990, 1992, 1996, galerie Biren, Paris ; 1984, 1988, Galerie Brody, Washington ; 1984, Institut français, Barcelone ; 1985, École des Beaux-Arts, Clermont-Ferrand ; 1986, 1989, galerie Lacourière Frélaut ; 1992, galerie Ariel Rive Gauche, Paris ; 1996, IC'art, la Manutention, Cambrai.

Peintures et gravures de Pierre Collin mettent en scène des intérieurs parfois habités d'individus, saisis dans leurs ombres qui se détachent par effets de contraste, du fond d'une pièce, de l'atelier de l'artiste ou d'un couloir. Collin multiplie les divers plans de la perspective, qu'il finit, comme par étirement, à faire éclater, en l'infléchissant suivant les lignes de ses désirs. « Destruction-création : tel est le procès en cours de développement dans le travail actuel de Pierre Collin », précise Christian Delacampagne, lors d'une exposition en 1985. Les gravures, eaux-fortes ou bois, parfois des très grands formats, sont travaillées en noir et blanc. ■ C. D.

BIBLIOGR. : Gérard de Vaal : *Pierre Collin, le rendez-vous*, catalogue de l'œuvre gravé, F. R. Traces, Paris, 1983 – Christian Delacampagne : *L'Emprise des lieux*, texte de présentation de l'exposition : *Pierre Collin, peintures-gravures*, galerie Biren, Paris, 1985 – Emmanuel Pernoud et Marie-Hélène Gatto : *Pierre Collin*, in : *Nouvelles de l'estampe* n° 145, Paris, mars 1996.

MUSÉES : BELFORT – CHÂTEAUROUX – MADRID (Mus. d'Art Contemp.) – MADRID (BN) – MULHOUSE (Cab. des Estampes) – PARIS (FNAC) – PARIS (BN) – PARIS (Mus. d'Art Mod.) – SÈTE (Mus. Paul Valéry) – TOLÈDE (Mus. d'Art Contemp.).

COLLIN René
XXe siècle. Français.

Peintre.

Il a exposé une nature morte au Salon de la Société Nationale des Beaux-Arts de 1938.

COLLIN Richard
Né en 1626 à Luxembourg. Mort après 1687. XVIIe siècle. Éc. flamande.

Graveur.

Élève de Sandrart à Rome ; il fit partie de la gilde d'Anvers en 1650. Le Dr Wurzbach le cite comme graveur du roi d'Espagne Charles II, en 1678, à Bruxelles.

COLLIN Silvestre
XVIe siècle. Français.

Sculpteur.

Il travailla au château de Fontainebleau, de 1537 à 1540.

COLLIN Sylvaine
Née à Florac (Lozère). XXe siècle. Française.

Peintre de paysages.

Elle exposa au Salon des Artistes Français dont elle était sociétaire, recevant une mention honorable en 1924, une deuxième médaille en 1933 et une médaille d'argent à l'Exposition Universelle de 1937.

COLLIN Yves Dominique

Né le 8 février 1753 à Nancy. Mort en 1815 à Nancy. XVIIIe-XIXe siècles. Français.

Graveur et miniaturiste.

Fils et élève du graveur Dominique Collin.

COLLIN d'Épinal

XVIe siècle. Travaillait à Épinal en 1509. Français.

Peintre verrier.

COLLIN DE VERMONT Hyacinthe ou Vermont-Collin de

Né en 1693 à Versailles, ou en 1695 selon le dictionnaire Larousse. Mort en 1761 à Paris. XVIIIe siècle. Français.

Peintre d'histoire.

Élève de Rigaud et de Jouvenet. Il étudia à Rome et entra à l'Académie en 1725. Il collabora en 1727 à la décoration de la Galerie d'Apollon. On cite de lui : *La Maladie d'Antiochus, La Présentation au Temple*.

MUSÉES : BESANÇON : *Pyrrhus enfant* – GRENOBLE : *Roger chez Alcine* – ROUEN : *L'été – L'automne* – TOURS : *Bacchus confié par Mercure aux nymphes de l'île de Naxos*.

VENTES PUBLIQUES : PARIS, 1757 : *La Continence de Scipion* : **FRF 600** – PARIS, 1775 : *Deux Académies*, sanguine : **FRF 20** – PARIS, 1777 : *Le Festin des dieux* : **FRF 199** – PARIS, 1777 : *Un sujet tiré de l'Histoire d'Alexandre* : **FRF 31** – PARIS, 1858 : *Composition au pinceau* : **FRF 10** – PARIS, 15 déc. 1921 : *Narcisse étendu mort au bord de la fontaine*, sanguine. à la sanguine : **FRF 175** – PARIS, 12 fév. 1925 : *Isaïe prophétise la naissance de Cyrus ; Cyrus prend connaissance du message où Harpage lui dévoile la cruauté de son grand-père Astyage*, deux toiles : **FRF 220** ; *La Vigne ou le songe d'Astyage, roi des Mèdes* ; *Astyage confie Cyrus nouveau-né à Harpage et lui donne l'ordre de le tuer*, deux toiles : **FRF 260** ; *Cyrus adolescent fait fouetter le fils d'Artambaras* : **FRF 480** ; *Penthée fait ses adieux à Abradate avant la bataille* ; *Abradate est renversé de son cheval et meurt dans un combat contre les Babyloniens*, deux toiles : **FRF 270** ; *Le festin de Balthazar* : **FRF 480** ; *Cyrus, après la prise de Babylone, revient embrasser son père Cambyse* ; *Le mariage de Cyrus et de Mandane*, deux toiles : **FRF 360** ; *La belle Mandane, fille de Darius, couronne Cyrus* ; *Cyrus rend aux Juifs la liberté*, deux toiles : **FRF 260** ; *Gobrias présente sa fille à Cyrus* ; *Cyrus est tué dans un combat contre Thomyris, reine des Massagètes*, deux toiles : **FRF 240** – PARIS, 6 déc. 1954 : *Penthée fait ses adieux à Abradate* ; *Crésus et Cyrus* ; *Harpage insulte Astiages après sa défaite* : **FRF 33 100** – PARIS, 1er déc. 1967 : *Darius donne sa fille Mandane en mariage à Cyrus* ; *Le roi Astyage, père de Cyrus, fait apporter à Hastiage un plat contenant la tête, les pieds et les mains de son fils* : **FRF 2 800** – PARIS, 15 avr. 1988 : *Enfants jouant avec un chien 1740*, h/t (78,5x121) : **FRF 15 000** – PARIS, 26 avr. 1993 : *Le repas d'Antoine et Cléopâtre*, h/t (71x97) : **FRF 85 000**.

COLLIN-THIÉBAUT Gérard

Né en 1946 à Lièpvre (Haut-Rhin). XXe siècle. Français.

Sculpteur d'installations.

Il vit et travaille à Hunsbach (Bas-Rhin). Il a figuré dans plusieurs expositions collectives parmi lesquelles : en 1987 *Machines affectées* au musée de l'Abbaye de Sainte-Croix aux Sables d'Olonnes et *Maintenant* au Palais-Musée de Rohan à Strasbourg, en 1988 *Construction-Image* à l'ARC au Musée d'Art Moderne de la Ville de Paris et *Saturne en Europe* à Strasbourg, en 1989 *Nos années 80* à la Fondation Cartier à Jouy-en-Josas. Il a exposé personnellement en 1987 au Musée des Beaux-Arts de Dunkerque ; en 1988 à la galerie Chantal Boulanger à Montréal ; en 1990 à l'École des Beaux-Arts et au Centre culturel de Mâcon ; en 1991 au Centre d'art d'Hérouville-Saint-Clair ; en 1992 au Musée des Beaux-Arts de Besançon et au Musée de La Roche-sur-Yon ; en 1994 à la Villa Arson de Nice ; en 1995 à Rennes au FRAC Bretagne ; en 1996, galerie Durand-Dessert, Paris. Dans le cadre d'une commande publique, pour le tramway de Strasbourg, en 1994, il a imprimé 135 tickets d'images différentes et complémentaires de la ville, à juxtaposer, reconstituer. Le travail de Gérard Collin-Thiébaut s'inscrit dans la lignée des ready-made duchampiens ; utilisant des modèles de caractères d'imprimerie, il réalise au fil de ses interventions une œuvre en forme de triptyque : *Les mœurs de ce siècle*, comprenant *Les présentations de* collections de caractères, *Les présentations des tableaux de caractère* et *Les présentations de portraits de caractère*. Faisant référence dans divers lieux, l'œuvre s'attache à saper ou à détourner le dispositif muséal, l'exposition dans laquelle elle s'intègre et la hiérarchie des catégories artistiques. Sorti de tout contexte signifiant, les mots qui n'étaient que modèles d'imprimerie, sont à nouveau déplacés pour devenir signes plastiques et expression de la copie. ■ F. M.

BIBLIOGR. : *Gérard Collin-Thiébaut, le peintre parcourt sa propre exposition*, Le Nouveau Musée, Villeurbanne, 1983 – Catal. de l'exposition *Maintenant*, Les Grands Appartements du Palais Rohan de Strasbourg, mars-mai 1987, pp 8 à 15 – Françoise Ducros, in : Catal. de l'exposition *Saturne en Europe*, Les Musées de la ville de Strasbourg, sep.-déc. 1988, pp 95 à 100 – Catal. de l'exposition *Nos années 80*, Fondation Cartier, 1989, p 51 – Hervé Legros : *Gérard Collin-Thiébaut – Ceci n'est pas de l'art*, Art Press, n° 194, Paris, sept. 1994.

MUSÉES : CHÂTEAUGIRON (FRAC Bretagne) – DOLE (FRAC Franche-Comté) : *Série des rébus 1995* – PARIS (FNAC) : *Collections de Caractères 1987*, tôle sérigraphiée (15x56) chacun, présentation partielle, ensemble de 6 tableaux – *L'Education sentimentale 1995*.

COLLINA Giovanni, dit Ballanti Graziani

Né en 1820 à Faenza. Mort en 1893 à Faenza. XIXe siècle. Italien.

Sculpteur.

Probablement fils de BALLANTI (Giovan Battista). Il travailla pour des fabriques de faïence et exécuta des sculptures décoratives au théâtre de Faenza.

COLLINA Giovanni Battista

Né en 1792 à Parme. Mort en 1873 à Parme. XIXe siècle. Italien.

Peintre et sculpteur.

Il fut l'élève du sculpteur Sbravati. On cite de lui ses bustes représentant P. Rubini et Angelo Mazza. Il exécuta également des peintures pour la cathédrale de Parme.

COLLINA Giuseppe

Né en 1847 à Faenza. XIXe siècle. Italien.

Sculpteur.

Il était le fils de Giovanni Collina. Il travailla surtout pour des fabriques de faïence.

COLLINA Mariano

Né vers 1720 à Bologne. Mort en 1780 à Bologne. XVIIIe siècle. Italien.

Peintre.

Il fut l'élève de Torelli. On lui doit de nombreuses peintures religieuses. Le Musée de Bologne possède un *Saint Louis* de cet artiste.

COLLINA Raffaele

Né en 1853 à Faenza. XIXe siècle. Italien.

Sculpteur.

Il était le fils de Giovanni Collina et travailla comme son frère Giuseppe pour une fabrique de faïence. Il exposa à Paris en 1878. Le Musée Ferniani à Faenza possède des œuvres de cet artiste.

COLLINET Charles

Mort en 1855 à Liège. XIXe siècle. Belge.

Graveur.

COLLINET Émile

Né à Orléans. XIXe siècle. Français.

Peintre de paysages et de fruits.

Élève de Girard. A exposé au Salon à partir de 1869.

COLLINET Henri Alexandre

Né vers 1860 à Paris. Mort en 1906. XIXe siècle. Français.

Peintre de paysages, marines.

Élève de Ballue et d'Émile Dameron, il participa, de 1882 à 1901, au Salon des Artistes Français, dont il fut sociétaire. Il exposa ses dessins au Salon du Blanc et Noir.

Peintre de l'eau, il organise ses compositions de manière simple et poétique.

BIBLIOGR. : Gérald Schurr, in : *Les Petits Maîtres de la peinture 1820-1920, valeur de demain*, Les Éditions de l'Amateur, t. III, Paris, 1976.

MUSÉES : SENS : *Vue du moulin*.

VENTES PUBLIQUES : PARIS, 5-7 juil. 1902 : *Le quai* : **FRF 110** –

PARIS, 1er mars 1919 : *La plage à Cabourg* : **FRF 22** – PARIS, 5 avr. 1943 : *Marée basse* : **FRF 110** – PARIS, 11 fév. 1944 : *Marine* : **FRF 280** – VERSAILLES, 4 oct. 1981 : *Rue animée près de la cathédrale 1893, h/t (65,5x50)* : **FRF 6 000**.

COLLINET Hubert
XVIIe siècle. Français.
Sculpteur.
Il fut second prix de Rome en 1689 avec : *Ivresse de Noé après avoir planté la vigne*, et obtint le premier prix de 1690 avec : *La construction de la tour de Babel.*

COLLINET Joseph Jules
Né en 1822 à Reims. Mort en 1903 à Reims. XIXe siècle. Français.
Portraitiste.
Élève de Herbé et de Picot.
MUSÉES : REIMS : *Portrait de Ch. Wéry-Mennesson, graveur rémois – Portrait de M. Ch. de Beffroi – Portrait de Ch. Auguste Herbé – Portrait de Robert Étienne, musicien rémois – Femme au chauffoir – Portrait de Lamartine, littérateur et homme politique.*

COLLINGRIDGE Arthur
Né en Angleterre. Mort en avril 1907 à Sydney (Australie). XIXe siècle. Britannique.
Peintre de genre, paysages.
Il fit ses études à Paris. En 1878, il vint en New South Wales. Avec George Collingridge, son frère, il fut en 1880 un des fondateurs de la Société d'Art de New South Wales.
MUSÉES : SYDNEY : *Témoignage – L'Amitié.*
VENTES PUBLIQUES : MELBOURNE, 21 avr. 1986 : *Winter day, Sydney harbour, h/t (50x76)* : **AUD 9 500**.

COLLINGRIDGE Elizabeth Campbell
Née à Edimbourg (Écosse). XIXe-XXe siècles. Britannique.
Peintre.
Elle exposa à partir de 1869 à la Royal Academy.

COLLINGRIDGE George
Né en Angleterre. XIXe-XXe siècles. Vivait à Sydney (Australie). Britannique.
Peintre.
Il était le frère d'Arthur Collingridge.

COLLINGS Albert Harry ou Henry
Né à Londres. Mort en 1947. XIXe-XXe siècles. Britannique.
Peintre de portraits.
Il exposa au Salon des Artistes Français entre 1911 et 1936. Il y reçut la troisième médaille en 1917.
VENTES PUBLIQUES : LONDRES, 23-24 mai 1928 : *Méditation 1919* : **GBP 22** – LONDRES, 6 déc. 1977 : *L'ambition de l'Homme 1900, h/t (189x142)* : **GBP 2 400** – LONDRES, 13 déc. 1989 : *La peau de tigre 1921, h/t (102x158)* : **GBP 20 350** – LONDRES, 10 mars 1995 : *Les ambitions de la vie, h/t (200x143,8)* : **GBP 56 500**.

COLLINGS Charles J.
XIXe-XXe siècles. Britannique.
Peintre.
Il vivait en Angleterre et au Canada. Il exposa à Londres en 1893 et en 1912.

COLLINGS Samuel
XVIIIe siècle. Actif dans la dernière moitié du XVIIIe siècle. Britannique.
Peintre de figures, portraits, paysages, caricaturiste.
Collings exposa à Londres, à la Royal Academy, entre 1784 et 1789. Il fut surtout renommé pour ses caricatures et ses sujets d'ordre intimiste.
VENTES PUBLIQUES : LONDRES, 11 mars 1960 : *La Tamise gelée sous le Pont de Londres* : **GBP 2 310** – LONDRES, 24 juil. 1986 : *Autoportrait, h/t (76,8x63,5)* : **GBP 1 200**.

COLLINGS W.
XVIIIe siècle. Britannique.
Peintre.
Il exposa en 1791 à la Royal Academy, à Londres.

COLLINGWOOD William
Né le 23 avril 1819 à Greenwich. Mort le 25 juin 1903 à Redland Bristol. XIXe siècle. Britannique.
Peintre de paysages, aquarelliste.
Fils d'un architecte, il fit son éducation à Oxford, vécut à Hastings où il connut le peintre Prout et William Hunt le vieux et s'établit d'abord à Liverpool puis, à partir de 1890, à Bristol. Membre de la Royal et de la Water-Colours Societies. Exposa à la Royal Academy de 1839 à 1860.

Nous n'avons pas l'impression qu'il s'agisse de Smith (William Collingwood), mais les coïncidences sont troublantes et, en tout cas, ils sont souvent confondus.
MUSÉES : BRISTOL : *Lever du soleil sur le Matterhorn*, aquar. – LIVERPOOL : *Le Port de Liverpool de la côte du Cheshire – Un intérieur* – LONDRES (British Art) : *Un matin sur la Jungfrau*, aquar. – MANCHESTER : *La Jungfrau au lever du soleil, vue de la Wengern Alp*, aquar.
VENTES PUBLIQUES : LONDRES, 25 jan. 1908 : *Vue sur la côte*, dess. : **GBP 1** – LONDRES, 29 juin 1908 : *Le Mont-Blanc vu au col de Balme*, dess. : **GBP 17** – LONDRES, 20 déc. 1909 : *Un Intérieur, Knole*, dess. : **GBP 2** – LONDRES, 26 juin 1980 : *Le Déjeuner des fermiers 1850*, aquar. et reh. de blanc (34x51) : **GBP 400** – LONDRES, 30 mai 1985 : *Paysage à la cascade 1854*, aquar. reh. de gche (34x49,5) : **GBP 750** – LONDRES, 12 mars 1997 : *Les Alpes au lever du soleil, vue de Faulhorn*, aquar. reh. de blanc (66,5x97) : **GBP 3 565**.

COLLINGWOOD William Gersham
Né en 1854 à Liverpool. Mort en 1932. XIXe-XXe siècles. Britannique.
Peintre de genre, peintre à la gouache, aquarelliste.
Il était le fils et fut l'élève de William Collingwood. Il exposa à Londres à partir de 1880.
VENTES PUBLIQUES : LONDRES, 24 mai 1984 : *Christabel trouve Geraldine*, aquar. reh. de gche (49,5x45,5) : **GBP 1 300** – LONDRES, 31 jan. 1990 : *Vue de Brantwood à Coniston près du lac*, aquar. et encre (25x35) : **GBP 1 900** – LONDRES, 25-26 avr. 1990 : *Deux petites sœurs cueillant des jonquilles 1890*, aquar. et gche (25,5x35,5) : **GBP 2 640** – LONDRES, 6 nov. 1996 : *Deux petites sœurs cueillant des jonquilles 1890*, aquar. et gche (25,5x35,5) : **GBP 1 955**.

COLLINI Filippo
XVIIIe siècle. Actif à Turin. Italien.
Sculpteur.
Il fut toute sa vie le collaborateur de son frère Ignazio. On cite de cet artiste une *Pallas* au Palazzo Reale de Turin et une *Vestale* dans le Palais d'Hiver de Leningrad.

COLLINI Ignazio Secondo ou Colino
Né en 1724 à Turin. Mort le 26 décembre 1793 à Turin. XVIIIe siècle. Italien.
Sculpteur.
Il fut l'élève du sculpteur Ladatte et du peintre Beaumont. Il entra en 1760 à l'Académie de Saint-Luc et fut sculpteur du Roi à partir de 1763. Son œuvre la plus représentative est le *Tombeau de Charles Emmanuel Ier.*

COLLINIS Francesco de
XVIe siècle. Actif à Viterbe. Italien.
Peintre.
On connaît une *Vierge à l'Enfant avec sainte Catherine, saint Joseph, saint François et saint Antoine de Padoue* signée : *Franciscus de Collinis de Viterbio pinxit anno domini MCCCCIII XXVII Juni.*

COLLINO André
XVIIe siècle. Actif à Nantes en 1671. Français.
Peintre.

COLLINS Alfred
XIXe siècle. Actif à Londres. Britannique.
Peintre.
Il exposa à la Royal Academy de 1851 à 1879.

COLLINS Alfred Quinton
Né en 1855 à Portland (Maine). Mort en 1903 à Cambridge (Massachusetts). XIXe siècle. Américain.
Peintre.
Il fut à Paris, l'élève de Bonnat.

COLLINS Archibald
XIXe siècle. Britannique.
Peintre de portraits.
Il exposa à la Suffolk Street Gallery, à Londres, de 1877 à 1893.

COLLINS Cecil
Né le 23 mars 1908 à Plymouth. Mort en 1989. XXe siècle. Britannique.
Peintre de compositions à personnages.
Il figura dans l'exposition surréaliste internationale qui se tint à Londres en 1936. Il était alors influencé par Picasso, le surréalisme, Klee et Max Ernst. En 1938 il rencontre Marc Tobey qui lui communique sa passion pour l'Extrême-Orient. Il travaille

ensuite en France, en Allemagne et en Italie et depuis 1947 s'est fixé à Cambridge. Subissant ces diverses influences, sa peinture est devenue visionnaire et mystique.

cecil collins

Musées : Londres (Tate gallery) : *Le niais endormi – La roue dorée – Hymne à la mort.*
Ventes Publiques : Londres, 11 mars 1981 : *Head of a queen* 1946 (30,5x25) : **GBP 400** – Londres, 11 juin 1982 : *L'aube* 1958, h/cart. (91,5x122) : **GBP 800** – Londres, 25 mai 1983 : *Trois idiots dans un orage* 1943, h/t (30,5x40,5) : **GBP 900** – Londres, 14 nov. 1984 : *Anges* 1948, aquar. et pl. reh. de gche (61x46) : **GBP 1 500** – Londres, 13 nov. 1985 : *Pastorale* 1950, h/cart. (46x61) : **GBP 1 000** – Londres, 14 nov. 1986 : *Matin* 1943, h/t (35,5x30,5) : **GBP 5 500** – Londres, 22 juil. 1987 : *Fleurs* 1932, h/cart. (35,5x28) : **GBP 2 000** – Londres, 13 nov. 1987 : *Poisson, montagnes et soleil* 1945, aquar., cr. et pl. (27x35,5) : **GBP 1 600** – Londres, 9 juin 1988 : *Femme lisant,* (60x45) : **GBP 3 080** – Londres, 10 nov. 1989 : *Fillette à l'oiseau* 1942, gche et cr. (35,6x24,8) : **GBP 4 950** – Londres, 8 mars 1991 : *Femme et paysage* 1962, h/cart. (28,5x32) : **GBP 1 815** – Londres, 11 juin 1992 : *Tête* 1938, encre, aquar. et gche (24x18) : **GBP 1 650** – Londres, 22 mai 1996 : *Le clown errant* 1979, gche (17,2x24,2) : **GBP 1 092.**

COLLINS Charles
Mort en 1744. xviiie siècle. Britannique.
Peintre d'animaux, natures mortes.
Il peignit surtout des natures mortes au gibier.
Ventes Publiques : Londres, 19 nov. 1970 : *Trophées de chasse* 1738, 2 toiles : **GNS 750** – Londres, 10 déc. 1971 : *Nature morte :* **GNS 200** – Londres, 25 nov. 1977 : *Volatiles dans un paysage* 1740, h/t (120,7x125,8) : **GBP 4 000** – Londres, 19 juin 1979 : *Coq de bruyère* 1737, aquar. et reh. de blanc (46,7x34,3) : **GBP 14 000** – Londres, 19 nov. 1981 : *A cock grouse* 1737, aquar. reh. de blanc (46,5x35) : **GBP 600** – Écosse, 28 août 1984 : *Étude d'un coq de bruyère* 1740, aquar. et gche (53,5x37) : **GBP 500** – Londres, 16 oct. 1986 : *Troupeau traversant une rivière,* aquar. (35,5x54,5) : **GBP 1 000** – Londres, 14 juil. 1989 : *Un faisan, une pintade, un singe, un perroquet et une tortue dans un paysage,* h/t (97,2x120,7) : **GBP 20 900** – Londres, 17 juil. 1992 : *Nature morte de gibier tué : un lièvre, un faisan, un tétra et des oiseaux dans un paysage* 1738, h/t (91,5x32,9) : **GBP 6 600** – Londres, 12 juil. 1995 : *Oiseaux d'ornement dans des paysages,* h/t, trois tableaux (chaque 46x35,5) : **GBP 54 300** – Londres, 12 nov. 1997 : *Poule argentée de Houdon avec ses poussins et un jeune coq dans un paysage,* h/t (76x110) : **GBP 10 350.**

COLLINS Charles
Mort en 1921. xixe-xxe siècles. Britannique.
Peintre d'animaux, natures mortes.
Il exposa de 1867 à 1903 à la Royal Academy, à Londres.
Musées : York, Angleterre : *Showery Weather.*
Ventes Publiques : Londres, 4 avr. 1927 : *Troupeau près d'un ruisseau* 1897 : **GBP 4** – Londres, 11 nov. 1965 : *Perroquet d'Amazonie,* aquar. : **GBP 320** – Londres, 22 mars 1968 : *Nature morte aux volatiles :* **GNS 500** – Londres, 3 mars 1993 : *Ferme dans le Surrey* 1889, h/t (91,5x71) : **GBP 4 140** – Londres, 4 juin 1997 : *Bétail dans un cours d'eau* 1894, h/t (77x127,5) : **GBP 6 900.**

COLLINS Charles Allston
Né en 1828 à Hampstead (près de Londres). Mort en 1873 à Londres. xixe siècle. Britannique.
Peintre de genre, figures, portraits, animaux, paysages, illustrateur.
Il fut le frère du célèbre romancier Wilkie Collins et le gendre de Charles Dickens, pour lequel il fournit le frontispice d'une de ses œuvres : *Edwin Drood.*
Il exposa à la Royal Academy et à la British Institution, entre 1847 et 1872. Parmi les tableaux envoyés à la première de ces institutions, on cite : *Pensées d'une nonne* (1851) ; *L'Enfance de sainte Elizabeth de Hongrie* (1862) ; et la *Bonne récolte de 1854* (1855).
Musées : Derby : *Le doux rayon de soleil traversant les branches qui frissonnent* – Londres (Victoria and Albert) : *La belle moisson de 1854* – Nottingham : *Portrait de William Collins.*
Ventes Publiques : Londres, 30 nov. 1907 : *Troupeau et volaille dans une cour de ferme :* **GBP 10** ; *Troupeau dans les Highlands :* **GBP 5** – Londres, 19 juil. 1909 : *A cornish Cottage, near Saint-*

Just : **GBP 6** – Londres, 24 mai 1910 : *Le Printemps :* **GBP 11** – Londres, 13 nov. 1963 : *Paysage boisé avec oiseaux :* **GBP 200** – Londres, 1er oct. 1979 : *Regents Park au mois de mai* 1851, h/pan. (44x70) : **GBP 16 000.**

COLLINS Charles Allston, Mrs. Voir **PERUGINI Kate**

COLLINS Charles Henry
Né avant 1860. Mort en 1921. xixe-xxe siècles. Britannique.
Peintre de paysages animés, paysages, natures mortes, peintre à la gouache, aquarelliste.
Ventes Publiques : New York, 26 fév. 1982 : *Paysage de Printemps* 1894, h/t (61x92) : **USD 1 900** – Londres, 29 mars 1984 : *Vue de Box Hill depuis Norbury Park* 1873, h/t (61x106,5) : **GBP 1 100** – Londres, 13 mars 1985 : *Nature morte au homard,* h/t (62x74,5) : **GBP 4 000** – Chester, 12 juil. 1985 : *Lièvres autour d'un panier de fleurs,* aquar. reh. de gche (18x23) : **GBP 1 000** – Londres, 25 jan. 1989 : *Touristes admirant la « Wye »,* dans la direction du détroit de Bristol, aquar. (61x86) : **GBP 990.**

COLLINS D.
xixe siècle. Britannique.
Peintre.
Il exposa à Londres des paysages entre 1871 et 1882.

COLLINS E.
xixe siècle. Vivait à Lewisham. Britannique.
Peintre.
Il exposa à Suffolk Street Gallery à Londres des paysages entre 1867 et 1880.

COLLINS Elizabeth Johanna
xviiie siècle. Active en Angleterre vers le milieu du xviiie siècle. Britannique.
Dessinateur.
Elle fit des dessins pour des illustrations de livres.

COLLINS George Edward
Né le 29 octobre 1880 à Dorking. xxe siècle. Britannique.
Peintre, aquarelliste, aquafortiste.
Fils de Charles Collins, il exposa à la Royal Academy, à la Society of British Artists, au Royal Institute of Painters in Water-Colours, au Royal College of Art dont il était membre, à Liverpool, Birmingham, Derby et Melbourne. Entre 1911 et 1947 il fut professeur à la King Edward VI School de Guilford.
Ventes Publiques : Londres, 30 mars 1982 : *Admiring the bust,* h/pan. (36x28) : **GBP 450.**

COLLINS Hugh
Né au xixe siècle à Édimbourg. xixe siècle. Britannique.
Peintre de genre, portraits.
Il exposa à partir de 1868 à la Royal Academy et à Suffolk Street.
Musées : Victoria (Art Gal.) : *Deux portraits.*
Ventes Publiques : Londres, déc. 1907 : *Lisant la Bible :* **GBP 4** – New York, 26 fév. 1982 : *La demande en mariage* 1878, h/t (90,8x119) : **USD 2 000** – Glasgow, 5 fév. 1986 : *Le retour du marin* 1863, h/t (71x99) : **GBP 4 500** – New York, 17 oct. 1991 : *Famille de musiciens* 1878, h/t (86,4x111,8) : **USD 8 250** – Perth, 31 août 1993 : *La première leçon de violon,* h/t (36x31) : **GBP 1 380** – Perth, 30 août 1994 : *La danse des épées,* h/t (51x76) : **GBP 2 875.**

COLLINS J.
xviie siècle. Actif à Londres à la fin du xviie siècle. Britannique.
Graveur.
On connaît plusieurs portraits dus au burin de cet artiste.

COLLINS J.
xviiie siècle. Britannique.
Dessinateur d'ornements.
Le Victoria and Albert Museum de Londres possède une œuvre intitulée *A new Book of Shields* dont des illustrations sont signées : « J. Collins inv. et del. » ; on serait tenté de penser qu'il s'agit de Jacob ou de James Collins.

COLLINS Jacob ou **Collin**
xviiie siècle. Travaillait en Angleterre. Britannique.
Graveur de portraits, illustrateur.
On cite notamment de lui : Planche pour le *Théâtre de la Grande-Bretagne,* Vue de la cathédrale de Lincoln. Il a réalisé les frontispices de divers livres.

COLLINS James
xviiie siècle. Actif en Angleterre vers 1715. Britannique.
Graveur d'architectures, paysages.
Il a été conservé quelques estampes de ce graveur dont on cite

particulièrement une grande planche de la *cathédrale de Canterbury*.

COLLINS James Edgell
Né en 1820 près de Bath. XIXe siècle. Britannique.
Peintre.
Il fut l'élève de W. F. Wintherington et exposa à Londres puis à Paris à partir de 1841. Il peignit surtout des portraits.

COLLINS John
XVIIe siècle. Actif en Angleterre vers 1682. Britannique.
Graveur.
John Collins grava quelques copies des « Scaramouche » publiées par les Bonnarts et de sa troupe de comédiens. On a conservé aussi quelques portraits de lui, ainsi que le *cortège funèbre de George, duc d'Allebermarle*. Peut-être le même que le graveur John Collins à qui Le Blanc donne les gravures suivantes : *Lady Lucy Contantia Coleraine*, d'après Henri Coleraine, et *Robert Dixon*, d'après W. Reader.

COLLINS John
Né vers 1725. Mort vers 1758 à Londres. XVIIIe siècle. Britannique.
Peintre.
On cite de lui une *Bergère* et un *Berger* (à Hampton Court).

COLLINS Paul
XXe siècle.
Peintre. Conceptuel.
Il montre ses œuvres dans des expositions personnelles, notamment : 1995 Paris.
Il associe peinture conceptuelle et reproduction mécanique.

COLLINS Richard
Mort en 1732. XVIIIe siècle. Britannique.
Dessinateur.
Il fut l'élève de Michael Dahl. On cite de lui des séries de dessins : *Lincolnshire Views, Views at Croyland*.

COLLINS Richard
Né en 1755 à Gosport (Hampshire). Mort en 1831 à Londres. XVIIIe-XIXe siècles. Britannique.
Peintre de miniatures.
Cet artiste reçut son instruction artistique de Jeremias Meyer, et exposa des miniatures à la Royal Academy, entre 1777 et 1818. Il fut nommé peintre en miniature et émail de la cour de George III. Il exposa des portraits à la Royal Academy en 1777. On cite de lui un portrait de Francis, premier comte de Huntingdon.

COLLINS Robert C.
Né en 1851 à Edenderry (Irlande). XIXe siècle. Irlandais.
Graveur sur bois.

COLLINS Samuel
Né vers la première moitié du XVIIIe siècle à Bristol. Mort probablement en Irlande. XVIIIe siècle. Britannique.
Peintre en miniatures.
Ce peintre exerça son art à Bath, où il fut très apprécié. Vers 1762, Collins se rendit à Dublin et s'y établit. Il obtint dans cette cité une réputation des plus enviables. Il n'eut pas moins de succès comme professeur, comptant parmi ses élèves le célèbre miniaturiste et membre de l'Académie royale de Londres, Ozias Humphrey.

COLLINS Sewell
Né en 1876 à Denver (Colorado). XXe siècle. Américain.
Peintre, illustrateur.
Ses principales réalisations consistèrent en des illustrations et caricatures pour la presse.

COLLINS W. H.
XIXe siècle. Britannique.
Peintre miniaturiste.
Il exposa des portraits de 1822 à 1859 à la Royal Academy.

COLLINS William
Mort le 31 mai 1793 à Londres. XVIIIe siècle. Britannique.
Sculpteur.
Il fut un ami très proche de Gainsborough et l'un des membres les plus influents de la Saint Martin's Lane Academy.

COLLINS William
Né en 1788 à Londres. Mort en 1847 à Londres. XIXe siècle. Britannique.
Peintre de sujets allégoriques, scènes de genre, paysages animés, paysages, aquarelliste, graveur.
William Collins dut sa première instruction à Morland et à son père ; il entra à l'École de la Royal Academy. À partir de 1807, William exposa régulièrement à la Royal Academy. Après la mort de son père, n'ayant que 22 ans, William se vit seul soutien de sa famille. Ses peintures commencèrent à obtenir l'approbation de quelques connaisseurs, tels que Sir Thomas Heathcote, Sir Robert Peel, Sir John Leicester, etc. De cette année (1812) datent deux de ses tableaux : *La vente de l'agneau chéri* et *L'enterrement de l'oiseau favori*, compositions remplies de tendresse et de sentiment. En 1814, Collins devint associé de la Royal Academy et, six ans plus tard, à l'âge de 30 ans, il fut nommé membre de cette institution. Collins voyagea dans son pays, étudiant des scènes de la côte et de la vie des pêcheurs, qu'il reproduisit avec tant de succès. Il visita la France, l'Allemagne et les Pays-Bas et passa deux ans en Italie. Un rhumatisme, contracté à Sorrente, atteignit le cœur, et l'artiste succomba à Londres, en 1847. Il grava aussi quelques planches d'après ses tableaux et obtint non seulement un succès artistique, mais trouva aussi l'aisance pécuniaire. Le romancier Wilkie Collins, son fils, publia, en 1848, une vie de son père.

MUSÉES : BIRMINGHAM : *Départ à contre-cœur* – BRIGHTON : *Moulin de Stoke* – CAMBRIDGE : *Petits pêcheurs* – Meadford Bay – DUBLIN : *Château de Scolloway et baie*, aquar. – *Baie de Stutland, Dorsetshire* – ÉDIMBOURG : *Falaises* – HAMBOURG : *Sur la rive* – LEEDS : *Le monde ou le cloître* – LIVERPOOL : *Le banquet du Reform Club à Edimbourg* – *L'enfance de Wilkie Collins* – LONDRES (Victoria and Albert) : *La villa d'Este, Tivoli* – *Les grottes d'Ulysse à Sorrente* – Sorrente – *Politesse rustique* – *La grève de Hall, Devonshire* – *Le chaton égaré* – *L'abbaye de Bayham*, esquisse – *Seaford, côtes du Sussex* – *Intérieur d'un cottage* – *Paysage : campement de bohémiens* – *Le passage du pont* – *Pêcheuse près de Boulogne* – *Bords de la mer* – *Bords de rivière* – *Une rue de Naples* – *Jeune fille du comté de Kent* – *En Normandie* – *Salcombe, Devonshire* – *Esquisse pour « Heureux comme un roi »* – *Étude, bords de la mer* – *Littlehampton, étude au bord de la mer* – *Vue près de Sorrente* – MANCHESTER : *La cathédrale*, aquar. – NOTTINGHAM : *Vue de la mer avec personnages et chien au coucher du soleil* – *L'arbre desséché* – *Otant l'épine* – PRESTON : *Paysans gallois revenant du marché* – *La veuve du marinier* – VICTORIA (Australie) : *Heureux comme un roi.*

VENTES PUBLIQUES : LONDRES, 1827 : *Lever de soleil au bord de la mer* : **FRF 5 250** ; *Paysage, femmes lavant du linge* : **FRF 4 725** – LONDRES, 1837 : *Les Pêcheuses d'écrevisses* : **FRF 3 200** – LONDRES, 1844 : *Le Dimanche matin* : **FRF 7 500** ; *Le Pacificateur* : **FRF 6 600** – LONDRES, 1848 : *Pêcheur et filles à Boulogne* : **FRF 6 040** – LONDRES, 1870 : *Le Départ* : **FRF 37 750** – LONDRES, 1872 : *Sables de Barmouth* : **FRF 46 720** ; *Sables de Cromer* : **FRF 94 420** – LONDRES, 1877 : *Le Bon curé* : **FRF 12 355** ; *Le Rabbin aventureux* : **FRF 21 000** – LONDRES, juin 1877 : *Paysage : cathédrale de Chielvter* : **FRF 14 800** – LONDRES, 1881 : *Barow dale Cumberland* : **FRF 65 625** – LONDRES, 1884 : *Vente du poisson* : **FRF 23 263** – LONDRES, 1888 : *Sables de Barmouth* : **FRF 26 250** – LONDRES, 1891 : *Attrapeurs d'oiseaux* : **FRF 39 370** – LONDRES, 1893 : *La Récolte* : **FRF 13 385** – LONDRES, 1893 : *Marché aux poissons* : **FRF 19 700** – LONDRES, 1894 : *Matinée* : **FRF 55 120** – LONDRES, 1895 : *L'Agneau favori* : **FRF 10 500** – LONDRES, 1897 : *Le Matin sur les côtes de Sussex* : **FRF 28 875** – LONDRES, 1899 : *Le Dimanche matin* : **FRF 36 225** – NEW YORK, 26-27 fév. 1903 : *Giboulées au temps de la moisson* : **USD 4 100** – NEW YORK, 26 jan. 1906 : *Au gué* : **GBP 275** – NEW YORK, 1908 : *Le Retour de la flotte* : **USD 300** – LONDRES, 18 jan. 1908 : *Paysage* : **GBP 13** – LONDRES, 21 mai 1908 : *Hastings* : **GBP 147** – LONDRES, 19 juin 1908 : *Vue sur la côte près d'Aban*, dess. : **GBP 31** – LONDRES, 6 fév. 1909 : *Le Marchand de fleurs* : **GBP 6** – LONDRES, 27 mars 1909 : *Les Chercheurs de mûres* : **GBP 126** – LONDRES, 30 avr. 1909 : *Les sables de Croner*, dess. : **GBP 110** – LONDRES, 20 déc. 1909 : *Une visite au printemps* : **GBP 2** – LONDRES, 21 avr. 1922 : *Une barque sur une rivière* : **GBP 29** – LONDRES, 16 juin 1922 : *Un pêcheur tirant sur son filet 1820*, dess. : **GBP 28** – LONDRES, 19 jan. 1923 : *Le retour de la pêche 1833* : **GBP 23** – LONDRES, 29 juin 1923 : *Le monde ou le cloître 1843* : **GBP 25** – LONDRES, 22 juil. 1927 : *La houblonnière 1835* : **GBP 40** – NEW YORK, 28 février-3 mars 1930 : *La vente de l'agneau favori 1813* : **USD 162** – LONDRES, 26 juin 1931 : *Enfants jouant avec de jeunes chiens 1812* : **GBP 94** – LONDRES, 13 avr. 1934 : *Le rouge-gorge mort 1812* : **GBP 78** – LONDRES, 19 mars 1937 : *Jeunes gamins* : **GBP 21** – LONDRES, 18 déc. 1964 : *Marine* : **GNS 340** – LONDRES, 23 nov. 1966 : *La Tamise gelée et patineurs* : **GBP 1 500** – LONDRES, 20 nov. 1970 : *Paysage boisé animé de personnages* : **GNS 300** – LONDRES, 15 déc. 1972 : *Enfants donnant du lait à un petit chat* :

GNS 4 500 – Londres, 15 oct. 1976 : *Hampstead Heath*, h/t (41x51) : **GBP 480** – Londres, 27 juin 1978 : *Les Émigrants*, h/t (71x89) : **GBP 3 200** – Londres, 1er oct. 1979 : *May Day 1812*, h/t (91x110) : **GBP 7 500** – Londres, 23 janv 1979 : *Étude : tête de Wilkie Collins, enfant*, craies rouge et noire reh. de blanc (16x20) : **GBP 700** – Londres, 19 mars 1981 : *Deux garçons assis au pied d'un arbre*, aquar. (28x20,5) : **GBP 450** – Londres, 14 déc. 1982 : *Allégorie de la Peinture*, cr. et pl./pap. (27,3x40,9) : **GBP 550** – Londres, 15 juin 1988 : *Pêche aux crevettes 1846*, h/pan. (38x30) : **GBP 1 650** – Londres, 12 juin 1992 : *Les jeunes pêcheurs de crevettes ; Les jeunes glaneurs*, h/t, une paire (chaque 30,5x35,5) : **GBP 5 940** – Londres, 17 juil. 1992 : *Le retour du milicien 1811*, h/t (53,3x66) : **GBP 6 600** – Londres, 5 mars 1993 : *Les jeunes glaneurs*, h/t (30,5x40,6) : **GBP 2 185** – Londres, 9 mai 1996 : *Soleil levant*, h/t (29x40) : **GBP 2 185** – New York, 18-19 juil. 1996 : *l'attente du dernier bateau 1846*, h/t (54,6x72,4) : **USD 4 025**.

COLLINS William Wiehe
Né le 4 août 1862 à Kensington. xixe siècle. Britannique.
Peintre de paysages, marines, fleurs, aquarelliste, illustrateur.
Élève de la Lambeth School of Art de 1884 à 1885, et de l'Académie Julian, à Paris, de 1886 à 1887. Expose à la Royal Academy et au Royal Institute of Painters in Water-Colours, dont il est membre.
Il a publié des ouvrages consacrés aux cathédrales d'Angleterre, d'Italie et d'Espagne.
Ventes Publiques : Londres, 28 avr. 1987 : *Burlington House*, aquar. et cr. reh. de blanc (25,6x38) : **GBP 1 600** – Londres, 25 jan. 1989 : *La cathédrale Saint Paul et Ludgate hill 1917*, aquar. (91x63,5) : **GBP 17 600** – Londres, 3 nov. 1993 : *Versant de colline ensoleillé à Capri*, aquar. (18x17) : **GBP 690**.

COLLINSON
xixe siècle. Actif au début du xixe siècle. Britannique.
Peintre sur faïence.
Il travailla pour la manufacture de Swinton.

COLLINSON Eliza, Mrs
xixe siècle. Britannique.
Peintre de fleurs.
Elle exposa entre 1856 et 1868 à la Royal Academy, à Londres.

COLLINSON Harold Frank
xxe siècle. Britannique.
Aquafortiste.
Le Musée du Château de Nottingham conserve des œuvres de cet artiste.

COLLINSON James
Né vers 1825 à Mansfield. Mort en 1881. xixe siècle. Britannique.
Peintre d'histoire, sujets de genre, dessinateur. Préraphaélite.
Il fut élève de la Royal Academy, Collinson y exposa pour la première fois en 1846, et continua à envoyer de ses œuvres aux expositions de cette institution jusqu'en 1880. Collinson exposa aussi à la British Institution et à la Society of British Artists, dont il fut membre.
Vers 1849, il devint un des « frères Pré-Raphaélites », association formée par sept artistes, dont cinq furent peintres. En 1851, Collinson peignit son chef-d'œuvre, un incident de la vie de *sainte Elizabeth de Hongrie*. Quittant la Société des Préraphaélites, il devint catholique et vécut de 1852 à 1854 dans un couvent.
Parmi ses œuvres, on cite : *Les Rivaux* (1848), *Italiens vendeurs d'images* (1849), *La Réponse de l'Émigré* (1850).
Ventes Publiques : Londres, 15 juil. 1964 : *Mère et enfant* : **GBP 580** – Londres, 15 mars 1967 : *La lettre de l'émigrant* : **GBP 1 550** – Londres, 19 jan. 1968 : *« Et le reste... ? »* : **GNS 380** – Londres, 10 juil. 1970 : *Le retour du pêcheur 1858* : **GNS 320** – Londres, 26 oct. 1979 : *The Charity boy's debut 1847*, h/pan. (56x73,5) : **GBP 24 000** – Londres, 24 juin 1983 : *La leçon d'écriture 1855*, h/pan. (54x43,2) : **GBP 18 000** – Londres, 18 juin 1985 : *For sale vers 1857*, h/t (29,5x107,2) : **GBP 10 000** – New York, 28 fév. 1990 : *Tentation 1855*, h/pan. (53,3x42,5) : **USD 60 500** – Londres, 29 oct. 1991 : *Étude d'une femme agée en buste*, cr. et craies/pap. brun (31x27) : **GBP 770** – Londres, 12 nov. 1992 : *Le nouveau jeu 1858*, h/t (35,5x30,5) : **GBP 4 950** – Londres, 9 juin 1994 : *Le siège de Sébastopol par un témoin oculaire 1856*, h/pan. (26x21) : **GBP 11 500** – Londres, 2 nov. 1994 : *Les lois de l'émigration*, h/pan. (56x76) : **GBP 168 700**.

COLLINSONS Robert
Né en 1832 dans le Cheshire. xixe siècle. Actif de 1854 à 1890. Britannique.

Peintre de genre, animaux, fleurs.
Il fit ses études à l'École de dessin de Manchester et devint professeur de peinture dans les écoles de South-Kensington.
Ventes Publiques : Londres, 2 mai 1972 : *Mère et enfant dans un intérieur 1861* : **GBP 250** – Londres, 13 oct. 1978 : *The empty purse*, h/t, de forme ovale (30x24,2) : **GBP 2 500** – Londres, 29 fév. 1980 : *Dimanche après midi*, h/t (49,5x76,8) : **GBP 8 500** – Londres, 10 mai 1985 : *Going church*, h/t (66,5x107,2) : **GBP 3 800** – Londres, 13 fév. 1991 : *Fleurs sauvages et champ de blé*, h/pan. (23x30,5) : **GBP 3 630** – Londres, 2 nov. 1994 : *Lapins dans un jardin*, h/t (82x128,5) : **GBP 4 025**.

COLLISCHONN Hermann
Né en 1826 à Francfort-sur-le-Main. xixe siècle. Allemand.
Peintre.
Il travailla à Francfort et à Munich. On cite de lui : *Tilly devant Magdebourg*, *La Cour de Manfred à Palerme*.

COLLISHAW Mat
Né en 1966 à Nottingham. xxe siècle. Britannique.
Artiste, créateur d'installations, multimédia.
Il vit et travaille à Londres.
Il participe à des expositions collectives : 1993 *L'Hiver de l'amour* au musée d'Art moderne de la ville de Paris, 1994 *Incertaine Identité* à la galerie Polla à Genève ; 1996, *Life/Live. La scène artistique au Royaume-Uni en 1996* au Musée d'Art Moderne de la Ville de Paris. Il montre ses œuvres dans des expositions personnelles depuis 1990, à Londres, New York, Genève (galerie Analix) et Amsterdam (galerie Bloom) ; 1997, galerie Lisson, Londres.
Il sollicite les émotions des spectateurs, par des œuvres provocatrices, installations, vidéos ou photographies. Lors de l'exposition *Life/Live* au Musée d'Art Moderne de la Ville de Paris, il présentait une installation vidéo mettant en scène, dans une sorte de coupole où flottaient des paillettes, une mère et son enfant assis, mendiant sur les marches du métro pendant que les ombres des voyageurs passaient.
Bibliogr. : Dorothée Janin : *Mat Collishaw, le provocateur*, Beaux-Arts, no 129, Paris, déc. 1994.

COLLISON Alexandre
xviie siècle. Actif vers 1630. Français.
Peintre miniaturiste.
On connaît plusieurs miniatures signées de ce nom.

COLLISON Harry
Né à Wimbledon. xxe siècle. Britannique.
Peintre de portraits.
Il fut élève de Fernand Sabatté. Il exposa au Salon des Artistes Français entre 1923 et 1930, recevant une mention honorable en 1925.

COLLIVADINO Pio
Né à Mortara (Pavie). xixe-xxe siècles. Actif en Argentine. Italien.
Peintre.
Il exposa à Venise en 1901 et 1905 et fut à partir de 1908 directeur de l'Académie des Beaux-Arts de Buenos Aires.

COLLMANN Guillaume. Voir la notice Colleman Gilles et Guillaume

COLLMANN Johann Friedrich Wilhelm Ferdinand
Né en 1763 à Berlin. Mort en 1837 à Berlin. xviiie-xixe siècles. Allemand.
Peintre d'histoire.
Il fit ses études à l'Académie de Berlin dont il devint membre et professeur (1811).
Ventes Publiques : Paris, 9 fév. 1928 : *Paysage*, aquar. : **FRF 300**.

COLLOM J. J. Van
xviie siècle. Hollandais.
Peintre de portraits.
Il n'est connu que par un portrait d'Alb. Volckersz, prédicateur, gravé par C. Van Dalen.

COLLOMB Henri
Né en 1905. xxe siècle. Français.
Sculpteur de bustes et de monuments.
Il fut sociétaire du Salon des Artistes Indépendants et du Salon des Artistes Français. Il exposa également au Salon d'Automne et au Salon Comparaisons.
Il a reçu de nombreuses commandes de l'État, dont plusieurs pour des monuments commémoratifs dans le département de

l'Ain. Il a également reçu des commandes du gouvernement gabonais dont les bustes du couple présidentiel. Il a sculpté le buste du docteur Schweitzer actuellement à Lambaréné. Il travaille le bois et le bronze mais utilise aussi la feuille de cuivre martelée et le Plexiglas.

COLLOMB Jules Louis César
Né le 24 décembre 1794 à Vevey. XIXe siècle. Suisse.
Dessinateur.
On cite de cet artiste un dessin *de la campagne des Crêtes sur Clarens, Un Calendrier perpétuel illustré* et un *Croquis de l'ancien pont de la Veveyse* avant 1853.

COLLOMB Paul
Né le 8 octobre 1921 à Oyonnax (Ain). XXe siècle. Français.
Peintre de compositions à personnages, scènes de genre, animaux, paysages, marines, natures mortes, fleurs et fruits, peintre de cartons de tapisseries. Post-impressionniste.
Il fit ses études à l'École des Arts Appliqués et à l'École des Beaux-Arts de Paris. Depuis 1947 il figure dans les expositions annuelles des Salons parisiens : au Salon des Artistes Indépendants, de l'Automne, au Salon des Peintres Témoins de leur Temps. Il expose personnellement en France et à l'étranger, Japon, Australie, États-Unis, Allemagne, etc. Il obtint le Prix Fénéon et le Premier Second Prix de Rome en 1950, le Prix du Salon Comparaisons en 1958.
Il réalisa de nombreuses tapisseries pour le compte de l'État. Il peint souvent des scènes d'intimité.
Musées : Annecy – Bagnols-sur-Ceze – Besançon – Djakarta – New York (Mus. of Mod. Art) – Paris (Mus. d'Art Mod. de la Ville) – Poitiers – Tel-Aviv – Toulon – Utrecht.
Ventes Publiques : Paris, 6 mars 1987 : *Mains et Gants* 1941, h/t (35,6x36) : FRF 7 500 – Paris, 8 nov. 1989 : *Les Deux Compotiers*, h/t (80x80) : FRF 27 000 – Calais, 4 mars 1990 : *Les Roses de Noël*, h/t (55x46) : FRF 16 000 – Paris, 26 avr. 1990 : *Prunes et Poires au compotier*, h/t (61x50) : FRF 15 000 – New York, 7 mai 1991 : *Les Oiseaux*, h/t (81,2x100) : USD 3 520 – Paris, 31 jan. 1997 : *Bateaux au port* vers 1960, h/t (46x81) : FRF 6 000 – Paris, 31 oct. 1997 : *Neige à Échallon*, h/t (46,2x61,2) : FRF 5 000.

COLLOMB-AGASSIS Louise, Mme, née Agassis
Née en 1857 à Lyon. XIXe siècle. Française.
Peintre.
Fille du dessinateur lyonnais J.-M. Agassis et élève de A. Chaine, Compte-Calix et Luminais. Elle expose à Lyon depuis 1878, et à Paris depuis 1879, des portraits en plein air et dans des intérieurs, parfois des fleurs ou des natures mortes. Elle a obtenu, à Lyon, une deuxième médaille en 1890. On peut citer des *Portraits d'A. Chaine* (Lyon, 1881), *Gaspard André* (Paris, 1882), *Dr Paillasson* (Lyon, 1885), *du peintre Compte-Calix, et sa femme*. Elle signa à partir de 1878 « Collomb Agassis ».

COLLOMBE de La. Voir LA COLLOMBE de

COLLOMBET Étienne
XVIIIe siècle. Français.
Sculpteur.
Il fut reçu à l'Académie de Saint-Luc à Paris vers 1780.

COLLOMBET Madeleine
XXe siècle. Française.
Peintre de nus et de paysages.
Elle exposa au Salon des Artistes Indépendants entre 1937 et 1943.

COLLON Jean Roch
Né en 1894 à Wavre. Mort en 1951. XXe siècle. Belge.
Peintre de figures et de sujets religieux.
Il fut élève d'Omer Dierckx à l'Académie de Louvain. Il a réalisé des calvaires pour de nombreuses églises.
Bibliogr. : In : *Diction. Biog. Ill. des Artistes en Belgique depuis 1830*, Arto, 1987.
Ventes Publiques : Lokeren, 28 mai 1988 : *L'accordéoniste*, h/t (99x70) : BEF 60 000.

COLLOPY T.
XVIIIe siècle. Britannique.
Peintre.
Il travailla à Londres où il exposa, entre 1786 et 1788, des portraits et une Crucifixion à la Royal Academy.

COLLORIDI
Né à Milan. XXe siècle. Italien.
Sculpteur.
Exposant des Artistes Français en 1930.

COLLOT André
Né à Montigny-le-Roi (Haute-Marne). Mort en novembre 1976. XXe siècle. Français.
Peintre, illustrateur.
Il exposa à Paris, au Salon d'Automne et au Salon des Artistes Indépendants entre 1942 et 1943, et illustra de nombreuses éditions de luxe.

COLLOT Charles Georges
Né à Nancy (Meurthe-et-Moselle). XXe siècle. Français.
Peintre.
Il exposa au Salon des Artistes Indépendants entre 1920 et 1924.

COLLOT Ernest René
Né vers 1904 à Paris. Mort le 23 avril 1955 à Paris. XXe siècle. Français.
Peintre de portraits et de paysages.
Il fut élève d'Othon Friesz et exposa au Salon des Artistes Indépendants de 1935 à 1943 et au Salon des Tuileries en 1943 et 1944.

COLLOT Gédéon ou Coulaud
XVIe siècle. Actif à Lyon à la fin du XVIe siècle. Français.
Sculpteur sur bois.
Il travailla pour plusieurs églises lyonnaises.

COLLOT Gérald
Né le 22 janvier 1927 à Paris. XXe siècle. Français.
Peintre. Abstrait.
Fils d'Ernest René Collot, il fit ses études à l'Université de Nancy et commença à peindre en 1946. Il figura dans plusieurs Salons provinciaux, et en 1959 et 1961 à la Biennale de Paris, ainsi qu'au Salon Comparaisons, au Salon de Mai et à celui de la Jeune Peinture. En 1986 et 1988 il a exposé au Salon des Réalités Nouvelles. Sa première exposition particulière se tint à Nancy en 1954. En 1956 il fut nommé conservateur au Musée de Metz.
Sa peinture se rattacha d'abord au grand courant du paysagisme abstrait. Entre 1967 et 1969, travaillant sur le thème de Bruges, il tend vers une certaine monumentalité et, jouant sur les reflets de la ville dans l'eau, cherche à traduire une nouvelle conception de l'espace. En 1972, il montra des toiles très sobres où de grands pans d'ocres et de rouges apparaissaient sur un fond généralement noir, en rappel des cimetières orthodoxes qu'il avait vus lors d'un voyage en Russie.
Musées : Paris (Mus. d'Art Mod. de la Ville) – Paris (Mus. Nat. d'Art Mod.).

COLLOT Gilbert
Né le 23 décembre 1924 à Paris. XXe siècle. Français.
Peintre de paysages, de fleurs, de compositions, pastelliste.
Il étudia à l'Académie Julian et à la Grande Chaumière. Il figure dans de nombreuses expositions collectives. Il est sociétaire de l'Académie Européenne des Arts et des Anciens et Amis de l'École Nationale des Beaux-Arts. Depuis 1981 il a reçu plusieurs récompenses dans différents Salons.

COLLOT J. L.
XVIIIe-XIXe siècles. Actif à Paris. Français.
Peintre.
Il fut élève de David et de Vincent. Il exposa au Salon de 1799 un *Autoportrait*.

COLLOT Jacques Eustache
XVIIIe siècle. Français.
Sculpteur.
Il fut reçu à l'Académie de Saint-Luc à Paris en 1749.

COLLOT Jean
XVIIe siècle. Français.
Dessinateur.
Il exécuta en 1622 à Nancy trois dessins pour le duc de Lorraine, Henri II.

COLLOT Man. Voir MAN-COLLOT

COLLOT Marie Anne, plus tard Mme Falconnet
Née en 1748. Morte en 1821. XVIIIe-XIXe siècles. Française.
Sculpteur de bustes, portraits.
Élève de Falconnet, dont elle devint la belle-fille en épousant le peintre Pierre-Étienne Falconnet.
Musées : La Haye : *Buste du Stathouder Guillaume V et de sa femme* – Nancy : Œuvres diverses léguées par Mme de Sankowitz, fille de l'artiste – Paris (Louvre) : *Buste d'homme*, terre

cuite – *Buste inachevé de l'artiste* – SAINT-PÉTERSBOURG (Ermitage) : *Buste de Falconnet*.
VENTES PUBLIQUES : PARIS, 14 juin 1983 : *Buste de femme* 1767, marbre blanc (H. 52) : **FRF 20 000**.

COLLOT Noël
Mort le 1er mars 1641 à Nancy. XVIIe siècle. Français.
Peintre de portraits et de genre.
Il exécuta une importante Crucifixion pour l'église Saint-Sébastien à Nancy.

COLLOT Simon
XVIe siècle. Actif à Troyes. Français.
Sculpteur sur bois.
Il fit de nombreux travaux pour les églises Sainte-Madeleine, Saint-Jean, Saint-Étienne et pour la cathédrale de Troyes.

COLLOT-BERANGER Henri
XIXe-XXe siècles. Français.
Peintre.
Le Musée de Brest possède trois paysages de cet artiste : *Vue de Plougastel, Sous bois près de Brest, Étang de Carpon*.

COLLS Ebenezer
XIXe siècle. Actif à Londres. Britannique.
Peintre de marines.
Il exposa entre 1852 et 1854 à la British Institution.
VENTES PUBLIQUES : LONDRES, 12 juil. 1968 : *Le port de Portsmouth* : **GNS 240** – LONDRES, 30 jan. 1970 : *Deux bateaux de guerre au large de Douvres* : **GNS 160** – TORQUAY, 13 juin 1978 : *Bateaux au large de Portsmouth*, h/t (45,4x74,5) : **GBP 1 100** – LONDRES, 15 mai 1979 : *Voiliers au large de la côte*, h/t (36x59) : **GBP 950** – LONDRES, 3 mai 1995 : *Bâtiment de guerre à l'entrée du port de Portsmouth*, h/t (51x76) : **GBP 2 070** – LONDRES, 29 mai 1997 : *Mount Orgueil, Jersey*, h/t (50,5x76) : **GBP 2 530**.

COLLS Harry
XIXe siècle. Actif à Barnes. Britannique.
Peintre de marines.
Il exposa entre 1878 et 1890 à la Royal Academy, à Grosvenor Gallery.
VENTES PUBLIQUES : LONDRES, 23 mars 1908 : *Bateaux de pêche à Penzance* : **GBP 1** – LONDRES, 6 juin 1984 : *A busy Channel* 1892, h/t (95,2x142,8) : **GBP 3 000**.

COLLS Richard
XIXe siècle. Britannique.
Peintre de fleurs et de fruits.

COLLU Andrea ou Collo
XVIIIe siècle. Actif à Pérouse en 1700. Italien.
Graveur sur bois.

COLLUCCI Jean François
Originaire de Turin. XVIIIe siècle. Vivait à Nantes en 1780. Italien.
Peintre.

COLLVER Ethel Blanchard. Voir BLANCHARD Ethel

COLLYER Herbert Hood
Né le 10 novembre 1863 à Leicester. XIXe siècle. Britannique.
Aquarelliste.

COLLYER Joseph
Né en 1748 à Londres. Mort en 1827 probablement en Angleterre. XVIIIe-XIXe siècles. Britannique.
Graveur.
Collyer fut élève d'Anthony Walker, et s'appliqua à la gravure de portraits et à l'illustration de livres. Il fut employé par Boydell, qui lui commanda une gravure d'après Teniers et une reproduction des *Volontaires irlandais*, d'après Wheatley. Parmi ses œuvres, on cite un *portrait de miss Palmer*, nièce de sir Joshua Reynolds, et de sir Joshua lui-même. Il reproduisit aussi une *Vénus Una* de cet artiste. Collyer fut nommé graveur de portrait de la reine Charlotte et devint associé graveur de la Royal Academy, en 1786.

COLLYER Robin
Né en 1949 à Londres. XXe siècle. Canadien.
Sculpteur d'assemblages, d'installations. Tendance conceptuelle.
Il participe à de nombreuses expositions collectives depuis 1970, parmi lesquelles : 1974 *Art Contemporain d'Ontario* à la Art Gallery d'Ontario, 1977 *Onze sculpteurs canadiens* au Musée d'Art Contemporain de Montréal et *Artistes Canadiens* à la Kunsthalle de Bâle, 1980 *Sept artistes de Toronto* à New York, 1986 *FOCUS -*

Art Canadien de 1960 à 1985 à Cologne, 1987 Documenta 8 à Kassel, 1989 Biennale Canadienne d'Art Contemporain à la National Gallery d'Ottawa, 1990 Galerie Arlogos de Nantes, 1993 Biennale de Venise, etc. Il montre aussi ses travaux dans des expositions personnelles nombreuses, dont : depuis 1971 régulièrement à la galerie Carmen Lamanna de Toronto, 1982 à Kingston, 1983 New York, 1984 au Musée d'Art Contemporain de Montréal, 1989 Toronto et au Centre Culturel Canadien de Londres, 1990 au Centre d'Art d'Ivry, 1991 au Musée des Beaux-Arts de Mulhouse, 1992 Galerie Gilles Peyroulet à Paris, 1993 rétrospective au Musée d'Art Contemporain de Toronto, et de nouveau galerie Gilles Peyroulet en 1993 et 1995...
Ses réalisations ne répondent pas à des critères simples. Elles sont extrêmement diverses. Il s'approprie des matériaux d'origine industrielle, aux formes simples presque basiques, en aluminium, plexiglas ou autres, les assemble hors de toute fonction initiale. Toutefois, assemblages ou installations ou encore les deux à la fois, elles prennent souvent l'apparence de sortes de meubles, complexes et inutilisables, des sortes de bureaux ou vestiaires ou étagères ou fauteuils, de toute façon désarticulés, très souvent recouverts de photographies et de pages de magazines d'actualités. Les commentaires de Louise Dompierre éclairent utilement le propos de Robin Collyer :« ... il ne s'agit pas de dénier le caractère intriguant, voire réticent, du travail de Collyer. Sans être hermétique, il s'ouvre lentement et exige une considération initiale des textes formels, visuels et écrits qu'il incorpore. La dialectique de la sculpture provient des relations entre les parties et de la manière dont ses divers éléments se donnent forme et se conditionnent mutuellement... » ■ J. B.
BIBLIOGR. : Louise Dompierre et divers : Catalogue de l'exposition *Robin Collyer*, Musée des Beaux-Arts, Mulhouse, 1990-91.
MUSÉES : CAEN (FRAC Basse Normandie) : *Temperence street* 1993 – CHÂTEAUGIRON (FRAC Bretagne) : *Home box office* 1983, alu. anodisé, ciment, zinc, acier galvanisé et peint.

COLLYN Henri
XVIe siècle. Actif à Anvers à la fin du XVIe siècle. Éc. flamande.
Peintre.

COLLYNS Jean
XVIe siècle. Actif à Anvers en 1556. Éc. flamande.
Peintre.

COLLYNS P.
XVe siècle. Actif à Anvers en 1480. Éc. flamande.
Peintre.
Élève de Jean Snellaert.

COLMAGHI Andres
Né le 30 octobre 1886 à Buenos Aires. XXe siècle. Argentin.
Peintre.
Il fut étudiant à l'Académie des Beaux-Arts de Buenos Aires. Il réalisa les peintures de l'église San Antonio, de la Chapelle du Couvent de Sainte-Thérèse et de l'église de la ville de Santa Rosa dans la province de Cordoba.

COLMAIRE Horace Raoul
Né le 6 juin 1875 à Villers-Bretonneux (Somme). Mort le 20 février 1965 à Beauval (Somme). XXe siècle. Français.
Peintre de scènes typiques.
Il fut élève de Léon Bonnat, de Jules Adler et Raymond Allègre. Il exposa au Salon des Artistes Français entre 1911 et 1940. Il reçut une mention honorable en 1908 et la médaille d'or en 1921, devenant hors-concours.

COLMAN Gilles et Guillaume. Voir COLLEMAN

COLMAN Pieter
XVIIIe siècle. Actif à Gand vers 1751. Éc. flamande.
Sculpteur et peintre.

COLMAN R. Clarkson
Né en 1884 à Elgin (Écosse). XXe siècle. Britannique.
Peintre.

COLMAN Samuel
XIXe siècle. Actif dans la première moitié du XIXe siècle. Britannique.
Peintre d'histoire, paysages.
VENTES PUBLIQUES : LONDRES, 2 mars 1983 : *Abigail confronting the army of David*, h/pan. (74x105,5) : **GBP 6 000** – LONDRES, 10 juil. 1996 : *Vue de Hyde Park au soleil couchant pendant une averse* 1841, h/t (69x99,5) : **GBP 16 100**.

COLMAN Samuel
Né en 1832 à Portland (Maine). Mort en 1920 à New York. XIXe-XXe siècles. Américain.

Peintre d'architectures, paysages, marines, aquarelliste.
Il naquit dans le Maine mais fut élevé à New York où son père était éditeur. Il étudia avec Asher B. Durand et est considéré comme un disciple de l'École de l'Hudson River. Il partit pour l'Europe en 1860 et à son retour partagea un atelier avec S. Gifford, D. Huntington et W.S. Mount. Il fut membre de l'Académie de New York, membre fondateur et premier président de la Société des Peintres aquarellistes américains en 1867. En 1868, grâce au chemin de fer transcontinental il partit pour l'ouest pour peindre la Vallée des Yosémites. Après d'autres voyages en Espagne, en Afrique du Nord, à Paris, Rome, Dresde, il s'installa définitivement en Californie dans les années 1880.
Il a exposé à New York de nombreuses vues des contrées qu'il a traversées.
Ventes Publiques : Londres, 1895 : *Marine* : **FRF 57 740** – New York, 1900 : *Coucher de soleil à Amsterdam, Hollande* : **USD 80** – New York, 25 mars 1908 : *Les montagnes et les falaises d'Arizona* : **USD 350** ; *Une Côte Hollandaise au soleil couchant* : **USD 475** – New York, 10 avr. 1930 : *Le marché neuf à Amsterdam* : **USD 55** ; *Canal hollandais* : **USD 80** ; *Le désert Mosave, Californie 1888*, aquar. : **USD 60** ; *Le Palais des Doges 1880*, aquar. : **USD 70** – Paris, 18 juin 1930 : *Une ville fortifiée*, pap. mar. sur t. : **FRF 180** – New York, 27 jan. 1938 : *Un convoi d'émigrants 1870* : **USD 220** – New York, 28 jan. 1970 : *Scène de port* : **USD 1 200** – New York, 13 sep. 1972 : *Ausable river, Adirondacks* : **USD 4 600** – New York, 29 avr. 1976 : *Paysage avec une vue de Bristol à l'arrière plan*, h/t (83,7x115,5) : **USD 4 000** – New York, 27 oct. 1978 : *Yosemite Valley vers 1879*, gche/pap. (24,2x34,3) : **USD 1 600** – New York, 23 mai 1979 : *Crépuscule*, h/t (76x101,5) : **USD 14 000** – Portland, 4 avr. 1981 : *California coast*, h/t (47x53,5) : **USD 2 500** – New York, 18 mars 1983 : *Paysage fluvial boisé*, h/t (20,3x38,1) : **USD 6 500** – New York, 8 déc. 1983 : *Western rockies*, aquar. (30,5x40,7) : **USD 3 000** – New York, 30 mai 1985 : *Vue d'Alexandrie*, h/t (30,5x53,4) : **USD 7 500** – New York, 30 sep. 1985 : *Vue de Venise 1883*, aquar. (42x92,5) : **USD 1 800** – New York, 30 sep. 1988 : *Surveillance de la ville et du port 1876*, aquar. et encre/pap. (29x54,5) : **USD 1 980** – New York, 24 jan. 1990 : *L'Ausable river dans les Adirondacks 1879*, aquar. et gche/pap. gris (24,7x32,4) : **USD 1 320** – New York, 26 sep. 1990 : *Place de marché en Espagne 1864*, h/t (50,8x40,6) : **USD 13 200** – New York, 9 jan. 1991 : *La vallée des Eucalyptus à Santa Barbara* ; *Geniseo, deux dessins*, encre et aquar. (17,5x24,1 et 16,2x32) : **USD 7 150** – New York, 21 mai 1991 : *Vue de Naples*, past./cart. (27,1x34,2) : **USD 1 210** – New York, 10 juin 1992 : *Déchargement d'un bateau*, past. et gche/pap. (22,3x26,6) : **USD 1 210** – New York, 3 déc. 1992 : *Village mexicain*, aquar. et gche/pap. brun (19,1x38,7) : **USD 4 125** – New York, 17 mars 1994 : *Vallée dans les Yosemites en Californie*, aquar. et cr./pap. (24,1x38,1) : **USD 7 475** – New York, 13 sep. 1995 : *La Tour du Vin à l'Alhambra*, h/t (39,8x31,9) : **USD 7 475** – New York, 27 sep. 1996 : *Vue de Florence 1874*, aquar./pap. (25,4x53,7) : **USD 4 370** – New York, 25 mars 1997 : *Mont Washington vers 1880*, h/pan. (24,8x20) : **USD 6 900**.

COLMANN Albert
Né à Paris. XXᵉ siècle. Français.
Peintre de portraits, de paysages et de natures mortes.
Il exposa au Salon des Artistes Indépendants entre 1928 et 1932.

COLMANT Pierre Armand
Né à Paris. XXᵉ siècle. Français.
Décorateur.
A exposé des objets en métal repoussé et des émaux au Salon des Artistes Français ; mention honorable en 1911 ; médaille de bronze à l'Exposition des Arts Décoratifs de 1925.

COLMAR, de. Voir aussi au prénom

COLMAR E.
Né à Hanovre. XXᵉ siècle. Allemand.
Sculpteur.
A exposé au Salon d'Automne de 1933.

COLMBERGER Peter ou Colmberg
XVIIIᵉ siècle. Actif à Meissen de 1745 à 1779. Allemand.
Peintre sur porcelaine.

COLMEIRO Manuel
Né le 7 août 1901 à Chapa (Galice). XXᵉ siècle. Actif en France. Espagnol.
Peintre de scènes typiques.
Ses premières expositions eurent lieu à Vigo et à Pontevadra en 1927. Il exposa ensuite à Barcelone en 1931 et à Madrid en 1932.

Après la guerre civile qui lui inspire une série de dessins, il part en exil en Argentine où il expose. Depuis 1948 il réside en France.
Il fut tenté par l'abstraction puis revint à une peinture figurative qu'il nomme « Pintura de casa », montrant des scènes familières et rurales.
Ventes Publiques : Madrid, 19 déc. 1979 : *Scène de marché 1970-72*, h/t (97x130) : **ESP 400 000** – Madrid, 13 déc. 1983 : *Scène de marché 1965-1967*, h/t (27x55) : **ESP 475 000** – Madrid, 22 nov. 1984 : *Les trois Grâces*, h/pan. (50x65) : **ESP 400 000**.

COLMENAR Alvares de
XVᵉ-XVIᵉ siècles. Portugais.
Peintre.
Auteur de vues du Palais des rois de Portugal, disparues aujourd'hui.

COLMENAR Bernardo
XVIIIᵉ siècle. Travaillait en 1757. Espagnol.
Peintre.

COLMENARES Antonio
D'origine portugaise. XVIᵉ siècle. Vivait à Rome en 1554. Portugais.
Sculpteur.

COLMENARES Augustin de
XVIᵉ siècle. Actif à Séville en 1571. Espagnol.
Peintre.

COLMENARES Cristobal de
XVIIᵉ siècle. Actif à Séville vers 1613. Espagnol.
Peintre.

COLMO Giovanni
Né en 1867 à Turin. Mort en 1947. XIXᵉ-XXᵉ siècles. Italien.
Peintre de paysages et marines animés, natures mortes.
Ventes Publiques : Milan, 19 mars 1981 : *Paysage*, h/t (27,5x38) : **ITL 650 000** – Milan, 13 déc. 1984 : *Paysage aux collines 1911*, h/pan. (45x31) : **ITL 1 300 000** – Milan, 6 déc. 1989 : *Marine avec des pêcheurs au soleil couchant 1930*, h/pan. (24x34) : **ITL 1 600 000** – Rome, 31 mai 1990 : *Basse-cour*, h/cart. (19x13) : **ITL 1 000 000** – Rome, 4 déc. 1990 : *Chalet en montagne*, h/pan. (44x30) : **ITL 1 500 000** – Rome, 16 avr. 1991 : *Paysage alpin*, h/cart. (27x38) : **ITL 1 495 000** – Milan, 8 juin 1993 : *Courmayeur 1934*, h/cart. (35x45) : **ITL 2 000 000** – Milan, 21 déc. 1993 : *Cantalupa 1931*, h/cart. (27x38) : **ITL 1 610 000**.

COLMS Jan Sywertsz
XVIIᵉ siècle. Actif à Amsterdam vers 1616. Hollandais.
Peintre.

COLNET Sabine de, Mme
Née à Eperlecques (Pas-de-Calais). XXᵉ siècle. Française.
Graveur.
A exposé en 1925 au Salon des Artistes Français.

COLNORT J.
XXᵉ siècle. Français.
Peintre de paysages.
Il exposa à Paris au Salon des Artistes Français de 1911 à 1914.
Ventes Publiques : Paris, 16 mars 1925 : *Marée basse* : **FRF 60** ; *Paysage* : **FRF 35**.

COLNOT Arnout
Né en 1887. Mort en 1983. XXᵉ siècle. Hollandais.
Peintre de paysages, natures mortes de fleurs et fruits.

Ventes Publiques : Amsterdam, 20 mars 1978 : *Nature morte*, h/t (100x89,5) : **NLG 3 200** – Amsterdam, 24 mars 1980 : *Nature morte aux pommes et aux fleurs*, h/t (49x62) : **NLG 2 800** – Amsterdam, 18 mars 1985 : *Nature morte aux fleurs et aux fruits*, h/t (100x89,5) : **NLG 2 100** – Amsterdam, 28 fév. 1989 : *Chemin forestier en hiver*, h/t (92x101) : **NLG 2 185** – Amsterdam, 5 juin 1990 : *Paysage boisé avec un village près d'une rivière*, h/t (39x49) : **NLG 3 220** – Amsterdam, 5 juin 1990 : *Polder dans le nord de la Hollande*, h/t (51x60) : **NLG 2 300** – Amsterdam, 24 mai 1991 : *Nature morte avec un vase de tulipes rouges, des assiettes de fruits et un pichet blanc sur une table drapée 1938*, h/t (80,5x100,5) : **NLG 9 775** – Amsterdam, 17 sep. 1991 : *Nature morte de fleurs dans un pot et de fruits sur la table*, aquar./pap. (95x68,5) : **NLG 1 955** – Amsterdam, 12 déc. 1991 : *Vieille maison* à *Bergen*, h/t : **NLG 8 625** – AMSTERDAM, 18 fév. 1992 : *Bâtiments de ferme le long d'un canal en hiver*, h/t (51,5x72) : **NLG 6 325** – AMSTERDAM, 24 sep. 1992 : *Arums dans un vase avec une assiette devant un rideau*, h/t (104,5x79) : **NLG 2 990** – AMSTERDAM, 10 déc. 1992 : *Nature morte avec des tulipes dans un vase sur une table drapée*, h/t (98x69) : **NLG 8 625** – AMSTERDAM, 26 mai 1993 : *Portrait d'une danseuse de revue en costume oriental*, h/t (91x50,5) : **NLG 7 475** – AMSTERDAM, 31 mai 1995 : *Nature morte de fleurs dans un vase*, h/t (65x55) : **NLG 3 540** – AMSTERDAM, 2 déc. 1997 : *Nature morte à la bouteille et aux fruits sur une table*, h/t (76,5x63,5) : **NLG 10 955**.

COLO-LEPAGE Ciad, Mme
Née à la fin du XIXe siècle à Varsovie. XIXe-XXe siècles. Française.
Sculpteur.
L'artiste qui avait son atelier à Tunis a, de 1911 à 1914, exposé au Salon de la Nationale, notamment une figure de *Bédouine*.

COLOGNE, de. Voir au prénom

COLOM Arnold
XVIIe siècle. Actif à Amsterdam. Hollandais.
Graveur.

COLOM Bernardo
XIVe siècle. Actif à Valence à la fin du XIVe siècle. Espagnol.
Peintre.

COLOM Cornelius
Né vers 1655. XVIIe siècle. Vivait encore en 1689. Hollandais.
Peintre.

COLOM Gabriel
XVIIIe siècle. Actif à Palma de Majorque. Espagnol.
Sculpteur.
Il était moine augustin au couvent N.S. del Socorro. Il travailla pour l'église de son couvent.

COLOM Jacob
XVIIIe siècle. Actif à Amsterdam vers 1710. Hollandais.
Peintre.

COLOM Y AUGUSTI Juan
Né le 21 janvier 1879 près de Barcelone. Mort le 14 janvier 1969 ou 1970. XXe siècle. Espagnol.
Peintre de paysages, natures mortes, dessinateur, caricaturiste, illustrateur, graveur. Postimpressionniste.
Il est autodidacte et se forma au contact des maîtres du Prado. Il réalisa la décoration du salon de thé du Palais National de Montjuich pour l'Exposition Internationale de Barcelone en 1929. Il exposa à la galerie Durand Ruel à Paris en 1925 et à Londres en 1937, ainsi qu'en Espagne, lors de manifestations collectives et personnelles. Il fit également de nombreuses illustrations pour différents livres et des carricatures parues dans des revues catalanes satiriques, tel *Papitu*.
Il est considéré comme celui qui a transmis le message de Monet en Espagne, peignant des paysages sous divers effets de lumière ou dans la fumée des vapeurs des locomotives ou dans la brume, dans des tonalités allant du mauve aux ocres, pour en arriver aux tons diaphanes.
BIBLIOGR. : Gérald Schurr, in : *Les Petits Maîtres de la peinture 1820-1920, valeur de demain*, Les Éditions de l'Amateur, t. VI, Paris, 1985.
MUSÉES : BARCELONE (Mus. des Beaux-Arts) : *La gare de France à Barcelone*.
VENTES PUBLIQUES : BARCELONE, 25 oct. 1984 : *Paysage 1919*, h/t (60x71) : **ESP 150 000** – BARCELONE, 20 mars 1986 : *Rue de village 1910*, h/t (80x70) : **ESP 190 000** – BARCELONE, 18 déc. 1986 : *Le déjeuner sur l'herbe*, aquar. (21x26,5) : **ESP 75 000** – BARCELONE, 17 juin 1987 : *Paysage*, h/t (77x100) : **ESP 500 000**.

COLOM-DELSUC Antoine
Né à Moussages (Cantal). XXe siècle. Français.
Sculpteur.
Élève de Champeil et Pourquet. A exposé au Salon des Artistes Français de 1928 à 1930.

COLOMAR Joseph
Né à Kouba (Algérie). XXe siècle. Français.
Dessinateur.
A exposé au Salon des Artistes Français, 1928-1936, notamment : *Vieux clochard*.

COLOMB B. Voir MOLOCH

COLOMB Jean
Originaire d'Annecy. XVe-XVIe siècles. Vivait à Genève. Suisse.

Peintre.
D'après le Dr Brun, il fut reçu bourgeois de Genève le 15 décembre 1500. On pourrait peut-être voir en lui Jean de la Colombe ou Jean Colombe (Joh. Columbe), enlumineur chez le duc de Savoie vers 1482-1486, et probablement originaire de Bruges, où on le signale avant son retour en Savoie.

COLOMB DE VANEL Antoine
XVIIIe siècle. Français.
Peintre.
Il entra vers 1765 au service du duc François III de Modène et vécut surtout à Capri où il exécuta plusieurs peintures religieuses.

COLOMBA
Italien (?).
Peintre.
D. Preissler grava, d'après lui, en 1750, un portrait du musicien Fiorillo.

COLOMBAN André
Né vers 1474 à Dijon. Mort en 1549 à Brou. XVe-XVIe siècles. Français.
Sculpteur, architecte et peintre.
Il fut chargé, de 1512 à 1536, par Marguerite d'Autriche, de travaux de sculpture et d'architecture à l'église de Brou.

COLOMBAN Claude François
XVIIIe siècle. Actif à Grenoble. Français.
Sculpteur.

COLOMBAN Jean
XVIIIe siècle. Actif à Grenoble. Français.
Sculpteur.
Fils de Claude-François Colomban.

COLOMBANO Antonio Maria
Né dans la dernière moitié du XVIe siècle à Correggio. XVIe-XVIIe siècles. Actif entre 1596 et 1616. Italien.
Peintre d'histoire.
Parmi les œuvres de ce peintre, on cite 15 tableaux, relatant la vie de la Vierge et l'enfance du Christ. Ils sont mentionnés par Pungilione dans sa vie d'Antonio Allegri.

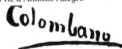

COLOMBARI F.
Né vers 1800 au Piémont. XIXe siècle. Italien.
Peintre de sujets militaires, aquarelliste, dessinateur. Orientaliste.
Ce colonel, diplomate, qui joua un rôle mal défini dans l'élaboration de traités franco-iraniens au milieu du XIXe s., rapporta surtout des dessins et aquarelles de ses déplacements en Perse. Il fut longtemps oublié, puis retrouvé à Paris vers 1980, date à laquelle devait avoir lieu, à Téhéran, une exposition de ses œuvres, qui fut annulée en raison de la révolution iranienne, tandis que ses aquarelles et lavis étaient dispersés dans des ventes publiques.
BIBLIOGR. : Gérald Schurr, in : *Les Petits Maîtres de la peinture 1820-1920, valeur de demain*, Les Éditions de l'Amateur, t. V, Paris, 1981.
VENTES PUBLIQUES : PARIS, 19 juin 1981 : *Portrait de Mohammad Chah Qadjar* (23x18) : **FRF 4 000** ; *Revue de l'armée persanne* (27x44) : **FRF 5 800** ; *Musique des Zamboureks*, lav. aquarellé (29x44) : **FRF 9 500**.

COLOMBAT DE L'ISÈRE Laure, Mme, née Bouchart
Née le 17 mai 1798 à Paris. XIXe siècle. Française.
Peintre de sujets religieux, paysages.
Elle fut l'élève de H. Vernet et de Watelet. En 1835, elle commença à figurer au Salon. C'est surtout des vues qu'elle a peintes. Colombat fit, pour l'église d'Andilly, un *Christ en croix*, et pour l'église de Mirambeau, dans la Charente-Maritime, une *Assomption*.

COLOMBATI Pier Francesco
XVIIIe siècle. Travaillait à Pérouse en 1746. Italien.
Peintre.

COLOMBE François
Mort en 1512. XVe-XVIe siècles. Français.
Peintre d'histoire, ornements, miniaturiste.
Il est le fils du peintre Jean Colombe et certainement le neveu du sculpteur Michel Colombe. Il travailla dans l'atelier familial.

Continuateur de l'œuvre de son père après sa mort, il achève sa *Destruction de Troie*, vers 1500, dans un style gothique flamboyant.

BIBLIOGR. : In : *Diction. de la peinture française*, coll. Essentiels, Larousse, Paris, 1989.

MUSÉES : PARIS (BN) : *Destruction de Troie*.

COLOMBE Jean
Né vers 1440 à Bourges (Cher). Mort vers 1493 à Bourges. XVe siècle. Français.
Peintre, miniaturiste.

Il était probablement le frère de Michel Colombe. Il travailla exclusivement à Bourges, pour la reine Charlotte de Savoie à partir de 1467, puis pour Charles Ier de Savoie.
Continuateur de Jean Fouquet, il lui emprunte des motifs de composition, des décors à l'italienne, des types de personnages et des silhouettes de villes, et les retranscrit dans ses premières œuvres, comme : *Vita Christi*, et les *Heures de Louis de Laval*, vers 1480-1485. Il contribua à la renaissance des ateliers de Bourges à la fin du XVe siècle. L'épouse de Charles Ier de Savoie, Blanche de Montferrat, le chargea, entre 1485 et 1489, de continuer les *Très riches Heures du Duc de Berry*, commencées, comme on le sait, par les frères Limbourg, ce qui met bien en évidence, une fois encore, la filiation de la peinture française à partir des Flamands, tandis que l'École d'Avignon trouvera ses sources du côté des Siennois. Charles Sterling remarque que « ses scènes restent encombrées et agitées, ses figures fragiles. Dans l'ensemble, il demeure gothique ». On lui attribue donc les illustrations, caractéristiques du passage du gothique à la Renaissance, de l'*Histoire de la guerre de Troie*. ■ J. B.

BIBLIOGR. : In : catalogue de l'exposition *L'art du Val-de-Loire, de Jean Fouquet à Jean Clouet*, Musée de Tours, 1952 – in : *Diction. de la peinture française*, coll. Essentiels, Larousse, Paris, 1989.

MUSÉES : CHANTILLY (Mus. Condé) : *Très riches Heures du Duc de Berry* – PARIS (BN) : *Histoire de la guerre de Troie* – *Heures de Louis de Laval* – *Roméléon*.

COLOMBE Michel ou Colomb ou Columb
Né en 1430 à Bourges ou à Nantes. Mort en 1512 à Tours. XVe-XVIe siècles. Français.
Sculpteur.

Les documents d'époque démontrent qu'il était le sculpteur le plus réputé en cette fin du XVe siècle. Pourtant, l'on ne sait rien de son activité avant 1500, alors qu'il était âgé de près de soixante-dix ans. C'est vers 1490 qu'il s'est fixé en Touraine et il est devenu le sculpteur d'Anne de Bretagne en 1501. Il a exécuté à l'église des Carmes, le tombeau de ses parents : le duc François II et Marguerite de Foix, aujourd'hui dans la cathédrale de Nantes. On sait qu'il travailla sur un dessin de Jean Perréal. L'exécution en fut réalisée avec l'aide de son neveu Guillaume Regnault et de Jean de Chartres, qui était son élève, Jérôme Pacherot étant chargé de la partie décorative. Les gisants, drapés dans leurs vêtements royaux, la tête sur des coussins soutenus par des angelots, ressortissent encore au gothique. Les détails sont traités avec minutie mais sont intégrés au style noble et grave de l'ensemble. Un certain italianisme se fait jour dans le socle du sarcophage, constitué d'apôtres polychromés sous des arcades. Aux quatre angles, des Vertus, grandeur nature, donnent une note de réalisme. En 1509, Colombe acheva le bas-relief de *Saint Georges terrassant le dragon*, commandé par le cardinal d'Amboise pour la chapelle de son château de Gaillon. L'encadrement sculpté est de Jérôme Pacherot. On y décèle de nouveau les prémices de ce que sera la Renaissance française du Val-de-Loire, par delà l'héritage gothique. Ce *Saint Georges* est actuellement au Louvre. On lui attribuait encore naguère un *Calvaire* et une *Mise au tombeau* à l'Abbaye de Solesmes.

COLOMBE Philippe
XVIe siècle. Vivait à Ainay-le-Château (Bourbonnais), vers le milieu du XVIe siècle. Français.
Miniaturiste.

Il était le frère de Jean Colombe.

COLOMBEAU
XVIIIe siècle. Français.
Sculpteur.

Il décora en 1776 la chapelle du château de la Ragotière en Marigné.

COLOMBEL Berthe, Mme, née Pilet
Née à Paris. XIXe siècle. Française.

Aquarelliste.
Élève de Beaulieu et Millet. A débuté au Salon en 1879.

COLOMBEL Nicolas
Né en 1644 à Sotteville-lès-Rouen. Mort le 27 mai 1717 à Paris. XVIIe-XVIIIe siècles. Français.
Peintre de sujets mythologiques, compositions religieuses.

Le 6 mars 1694, il fut reçu académicien, avec *Les amours de Mars et de Rhéa* ; il fut adjoint à professeur le 27 août 1701 ; professeur le 30 juin 1705. En 1686, il fut nommé membre de l'Académie de Saint-Luc à Rome.

N. Colombel.

MUSÉES : BUDAPEST : *Agar au désert* – PARIS (Louvre) : *Sainte Hyacinthe sauvant la statue de la Vierge* – ROUEN : *Sainte Cécile* – *Zéphir et Flore* – SAINT-PÉTERSBOURG : *La fuite en Égypte* – VERSAILLES : *Orphée* – VIENNE (Czernin) : *Le Christ et la Samaritaine*.

VENTES PUBLIQUES : PARIS, 1784 : *Sainte Geneviève gardant son troupeau* : **FRF 100** – PARIS, 1785 : *La Samaritaine et Jésus en jardinier* ; *La Madeleine*, les deux : **FRF 813** – PARIS, 1838 : *Moïse exposé sur les eaux* : **FRF 81** – LONDRES, 13 déc. 1968 : *L'Adoration des Rois Mages* : **GNS 2 600** – MILAN, 16 déc. 1981 : *Le repos pendant la fuite en Égypte*, h/t (76x100) : **ITL 3 000 000** – NEW YORK, 18 jan. 1983 : *Jésus et la femme adultère*, h/t (121x171,5) : **USD 19 000** – NEW YORK, 14 mars 1985 : *La continence de Scipion* 1704, h/t (80x114,2) : **USD 7 800**.

COLOMBET Cécile
XIXe siècle. Actif à Paris. Français.
Peintre de miniatures.

COLOMBET Vicky
Née le 16 février 1953 à Paris. XXe siècle. Française.
Peintre. Abstrait.

Elle exposa en 1981 au Salon d'Automne à Paris, en 1986 au Musée du Gertiner Schwabisch à Gmund en Allemagne, à la galerie Corinne Timsit à Paris et en 1987 à la galerie Mossa du Musée de Nice.
Elle peint des compositions abstraites organiques aux couleurs diluées.

COLOMBETO Gherardo de
XIVe-XVe siècles. Actif à Pinerolo de 1379 à 1412. Italien.
Peintre.

COLOMBETO Giovanni de Gherardo de
Mort avant 1450. XVe siècle. Actif à Pinerolo. Italien.
Peintre.

Il était de la famille de Gherardo de Colombeto.

COLOMBI Antonio et Bernardo. Voir CAVALLINI

COLOMBI Augusto
XVe siècle. Actif à Milan en 1481. Italien.
Peintre.

COLOMBI Francesco
Né à Bergame. Mort le 21 février 1902 à Crémone. XIXe siècle. Italien.
Peintre et graveur.

Il peignit des intérieurs, des portraits et des paysages. Il a exposé à Milan et à Turin entre 1881 et 1886.

COLOMBI Giammaria
XVIIe siècle. Actif à Viterbe. Italien.
Peintre et mosaïste.

Il fut membre de l'Académie de Saint-Luc à Rome. Entre 1647 et 1649 il travailla à la façade de la cathédrale d'Orvieto.

COLOMBI Lodovico
XVIIe siècle. Italien.
Peintre.

Il existe des œuvres de cet artiste dans les églises San Barnaba et San Giuseppe à Modène.

COLOMBI Plinio
Né en 1873 à Ravecchia. Mort en 1951 à Spiez. XIXe-XXe siècles. Suisse.
Peintre de figures, paysages, graveur, lithographe.

Il fit ses études à Winterthur, Zurich, Paris et vint se fixer plus tard à Berne. Plutôt peintre décorateur, il vint à la peinture de paysages sous l'influence de Böcklin, décrivant les montagnes et l'hiver suisses.

MUSÉES : BÂLE : *Reflets du soleil sur les Alpes bernoises* 1899 – *Paysage hivernal* – BERNE – CHUR.

Ventes Publiques : Berne, 7 oct. 1967 : *Paysage printannier* : CHF 1 000 – Berne, 21 oct. 1976 : *Paysage d'hiver ensoleillé* 1913, h/t (100x75) : CHF 1 300 – Zurich, 20 mai 1977 : *Paysage d'hiver* 1902, h/t (52,5x32) : CHF 2 000 – Berne, 2 mai 1979 : *Allée boisée* 1923, h/t (100x125) : CHF 5 000 – Berne, 30 avr. 1980 : *Vue de Grindelwald en hiver* 1922, h/t (80x90) : CHF 2 000 – Zurich, 3 juin 1983 : *Paysage de juin* 1915, h/t (75x61) : CHF 1 600 – Berne, 26 oct. 1984 : *Vue du lac de Thoune en automne* 1932, h/t (76x92) : CHF 1 600 – Berne, 2 mai 1986 : *Paysage d'hiver* 1927, h/t (90x110) : CHF 1 800 – Berne, 8 mai 1987 : *Crépuscule* 1916, h/t (100x118) : CHF 4 000 – Berne, 30 avr. 1988 : *Paysage de Simmentaler* 1921, h/t (84x94) : CHF 3 400 – Berne, 12 mai 1990 : *Le lac de Thoune* 1945, h/rés. synth. (65x91) : CHF 1 300.

COLOMBIEN Valentin
Mort en 1634 à Rome. xviie siècle. Français.
Peintre.
Cet artiste d'origine française était venu travailler à Rome sous la direction de Simon Vouet et de Caravage.

COLOMBIER
xviiie siècle. Français.
Graveur d'ornements.
On connaît de cet artiste une suite de *Petits cartouches* dans le style Louis XV datée 1751.

COLOMBIER Amélie
xixe-xxe siècles. Française.
Sculpteur.
Elle exposa au Salon des Artistes Français entre 1911 et 1920.
Ventes Publiques : New York, 29 sep. 1983 : *Carmencita*, bronze doré et ivoire (H. 22,5) : USD 700.

COLOMBIER Léon Antoine
Né à Paris. xxe siècle. Français.
Peintre de paysages.
De 1922 à 1931 a exposé au Salon de la Société Nationale.

COLOMBIER Pierre
xve siècle. Actif à Montpellier. Français.
Sculpteur sur bois.
Il fit, en 1434, les stalles du chœur de l'église Notre-Dame des Tables, à Montpellier.

COLOMBIER Pierre ou Pière
Né vers 1888. xxe siècle. Français.
Dessinateur caricaturiste, illustrateur.
Il publia des illustrations pour *Sourire de France*, pour les textes de Badigeon : *Boudebois ou le Roman comique d'un aviateur*. Ses dessins humoristiques, grâcieux, élégants racontent, le plus souvent, les histoires de permissions des aviateurs, durant la guerre 1914-1918.
Bibliogr. : Gérald Schurr, in : *Les Petits Maîtres de la peinture 1820-1920, valeur de demain*, Les Éditions de l'Amateur, t. VII, Paris, 1989.

COLOMBIER Simone
Née le 1er mai 1903 à Bordeaux. xxe siècle. Française.
Peintre. Figuratif puis abstrait.
Elle commença par créer des décors de théâtre et fut professeur de dessin à l'enseignement technique. Elle exposa au Salon des Artistes Indépendants de Bordeaux en 1942 et au Salon d'Automne de 1945. Depuis 1945 environ, sa peinture ayant évolué vers l'abstraction, elle a figuré régulièrement au Salon des Réalités Nouvelles depuis le premier en 1947 jusqu'en 1954. Ses œuvres, franches dans la forme et la couleur rappellent parfois Herbin.

COLOMBIN Jean
xive siècle. Actif à Dijon en 1378. Français.
Peintre.

COLOMBINI Cosomo
Né à Orvieto. Mort en 1812 à Florence. xixe siècle. Italien.
Graveur.
Colombini fournit quelques planches pour le Museo Fiorentino, notamment les portraits qui font partie de cet ouvrage.

COLOMBINI Giovanni
Mort en 1774. xviiie siècle. Actif à Trévise. Italien.
Peintre.
Élève de Sébastien Ricci. Il fit des portraits pour le couvent des Dominicains.

COLOMBINO Carlos
Né en 1937 à Conception. xxe siècle. Paraguayen.
Peintre, sculpteur, graveur. Abstrait-géométrique, puis figuratif.
Il reçut un prix à l'exposition *Art actuel d'Amérique et d'Espagne*, en 1965 il fut premier prix national de peinture au Salon des Jeunes Artistes d'Amérique Latine, en 1968 il obtint le Grand Prix de la Biennale de Quito. Il a fréquemment figuré à la Biennale de Sao Paulo depuis 1959, et exposé dans plusieurs manifestations collectives aux États-Unis et en Amérique Latine, ainsi qu'à la Biennale de Paris. Il a exposé personnellement au Paraguay, au Panama, à Madrid, à Buenos Aires, à Washington, à La Paz.
Après une période d'abstraction géométrique, son œuvre a évolué vers une figuration dont le vocabulaire formel est proche de celui du « Pop'art ». Ces œuvres expriment parfois une critique politique. ■ J. B.
Musées : Bogota (Mus. d'Art Contemp.) – Buenos Aires (Mus. d'Art Mod.) – Quito (Mus. d'Art Contemp.).

COLOMBO Ambrogio
Né en 1821 à Milan. xixe siècle. Italien.
Sculpteur.
Il s'est essayé dans tous les genres de sculpture. Il a exposé entre 1870 et 1887 à Milan, à Turin et à Venise.

COLOMBO Andrea
xviie siècle. Éc. flamande.
Peintre.
Il était à Rome en 1615.

COLOMBO Aurelio
Né vers 1785 à Varese. xixe siècle. Italien.
Graveur au burin.
Cet artiste fut élève de Longhi. Il habita Milan, où il travailla, y produisit probablement ses meilleurs ouvrages, des gravures d'après le *Massacre des Innocents* de Raphaël, et une *Vierge avec l'Enfant Jésus*, d'après Luini.

COLOMBO Bartolomeo
xviie siècle. Actif à Rome entre 1657 et 1672. Italien.
Peintre et graveur.
Il fut reçu en 1659 à l'Académie de Saint-Luc. Il travaillait en 1657 pour la Galerie du Palais Quirinal.

COLOMBO Giacomo
xviie-xviiie siècles. Travaillait à Naples vers 1700. Italien.
Sculpteur.
Il sculpta en 1689 les grandes orgues de l'église Croce du Lucca à Naples.

COLOMBO Gianni
Né en 1937 à Milan. xxe siècle. Italien.
Sculpteur. Lumino-cinétique. Groupe Gruppo T.
En 1959 il fut un des membres fondateurs du *Groupe T*, groupe parallèle à d'autres groupes créés dans plusieurs villes d'Italie, réunissant des artistes dont les recherches étaient orientées vers les effets optiques, le cinétisme et le lumino-cinétisme. En 1963, il fut l'un des organisateurs du groupement international de cette tendance sous l'appellation *Nouvelle Tendance*, exposant à Zagreb et à Milan dans *Arte Programmata*. Acteur important du mouvement, il figure dans de très nombreuses expositions internationales consacrées à ce type de recherches, parmi lesquelles on peut citer : *Art-Lumière-Art* au Stedelijk Van Abbe Museum d'Eindhoven en 1966, à la Biennale de Venise en 1968 dont il remporta le premier prix de sculpture pour l'Italie et à la Documenta de Kassel.
Dès 1960, Colombo expérimenta avec son *Mur pulsant*, des surfaces animées de mouvements rythmiques. En 1962-1964 il étudia les différentes possibilités de la lumière artificielle, en la projetant sur des miroirs en vibration et en étudiant les mouvements circulaires décentrés et les éclairs stroboscopiques créateurs de mouvements illusoires (comme la rotation inversée des roues de véhicules au cinéma). Il met de plus en plus ces divers phénomènes en œuvre dans des environnements où, en utilisant des projecteurs et des lasers, il fait bouger les murs, le plafond et le sol ; le spectateur, physiquement perturbé, peut déambuler dans ces « espaces élastiques » et illusoires. ■ J. B.
Bibliogr. : Franck Popper, in : *Nouveau Diction. de la Sculpt. Mod.*, Hazan, Paris, 1970 – in : *Dictionnnaire de la peinture italienne*, Larousse, 1989.

COLOMBO Giovanni

Né vers 1784 près de Brescia. Mort le 19 février 1853 à Rome. XIXe siècle. Italien.

Peintre.

Il fit ses études à Vienne, puis à Rome, puis partagea son existence entre ces deux villes. Il fut l'ami d'Overbeck et de Canova.

COLOMBO Giovanni Battista

Né en 1638 à Arogno. Mort à Varsovie. XVIIe siècle. Suisse.

Peintre et architecte.

Il étudia dans son pays, en Allemagne et en Autriche et acquit une certaine réputation comme peintre de fresque et à l'huile. Colombo exécuta des travaux pour le roi de Pologne vers 1690, notamment la restauration et la décoration de la cathédrale de Saint-Jean, à Varsovie, ainsi que les rectifications dans la construction de la chapelle des Capucins. Il travailla aussi à la reconstruction de l'église du cloître Saint-Florian à Enns (Haute-Autriche).

COLOMBO Giovanni Battista Innocenzo

Né en 1717 à Arogno. Mort en 1793 à Arogno. XVIIIe siècle. Suisse.

Peintre décorateur.

Élève de son oncle Luca Antonio Colombo, Gian-Battista suppléa à son instruction interrompue par la mort de ce parent, par des voyages en Allemagne, en Autriche, en Pologne, en Italie et d'autres pays de l'Europe centrale. Il exécuta des décors pour divers théâtres royaux. On cite notamment de lui le plafond de l'Opéra de Ludwigsburg. Il brossa aussi des paysages et des tableaux de chevalet.

VENTES PUBLIQUES : LONDRES, 25 et 26 juil. 1922 : *Intérieur de taverne :* **GBP 4** – PARIS, 16 juin 1923 : *La Rive :* **FRF 360** – LUCERNE, 21-27 nov. 1961 : *Intérieur avec paysans jouant et dansant :* **CHF 1 000** – LUCERNE, 27 nov. 1970 : *Les joueurs de cartes :* **CHF 7 700** – LONDRES, 19 mars 1982 : *Paysage au moulin – Paysage au château animé de personnages,* deux h/t (61,5x76,8) : **GBP 3 800** – LONDRES, 24 fév. 1995 : *Un chasseur tirant un cerf dans une forêt au clair de lune,* h/t (81,5x63,7) : **GBP 13 800**.

COLOMBO Ignazio

XIXe siècle. Travaillait à Venise vers 1816. Italien.

Graveur.

COLOMBO Luca Antonio

Né en 1661 à Arogno (près de Lugano). Mort en 1737 dans le même lieu. XVIIe-XVIIIe siècles. Suisse.

Peintre.

Élève de son père Gian-Battista Colombo, Luca-Antonio voyagea en Autriche, et commença sa carrière artistique au service du prince Eugène, à Vienne. Il passa ensuite vingt-quatre ans chez le duc Eberhard de Wurtemberg, tout en exécutant des travaux importants pour des nobles allemands.

COLOMBO Pierre

Né le 29 juin 1905 à Tunis. Mort le 18 novembre 1978 à Castelsagrat (Tarn-et-Garonne). XXe siècle. Italien.

Sculpteur de sujets religieux, figures.

Il fut élève de l'École des Beaux-Arts de Tunis et étudia ensuite à Anvers. Il commença à produire dès 1918. Il exposa en 1938 et 1947 au Salon des Artistes Français à Paris. Il a réalisé de grandes figures de bois (*Démosthène – Dante – Jésus et les marchands – L'Adieu*) qui constituaient une scène orientale.

BIBLIOGR. : In : *Diction. Biog. Ill. des Artistes en Belgique depuis 1830,* Arto, 1987.

COLOMBO Virgilio

XIXe siècle. Actif à Milan. Italien.

Peintre de genre.

A participé à l'Exposition Nationale de Milan, 1886, avec : *Place des marchands.* Il fut aussi critique d'art.

VENTES PUBLIQUES : NEW YORK, 21 mai 1991 : *Fiancés romains dans une crypte,* aquar. et gche (52,3x43) : **USD 1 320**.

COLOMBONI Angelo Maria

Né en 1608. Mort en 1672. XVIIe siècle. Actif à Gubbio. Italien.

Miniaturiste.

Le Musée de Naples possède une miniature attribuée à cet artiste.

COLOMER Mariano

Né à Vich près de Barcelone. XIXe siècle. Espagnol.

Peintre.

Il travailla, en collaboration avec Luciani Romeu, pour la cathédrale de Vich. Il exécuta également des peintures religieuses à l'église San Juan de las Abadesas près de Gérone.

COLOMER Poncio

XVe siècle. Actif à Barcelone entre 1420 et 1429. Espagnol.

Peintre.

COLOMÈS

XIXe siècle. Actif à Paris. Français.

Lithographe.

On cite surtout ses portraits.

COLOMÈS Jérôme

XVIIe siècle. Actif au début du XVIIe siècle. Français.

Peintre.

Thiboust grava d'après cet artiste un *Portrait de G. B. Cavagna*.

COLOMO Edmond

XXe siècle.

Sculpteur.

Il exposa à Paris au Salon de la Nationale des Beaux-Arts en 1920.

COLON

Né à Vézelay (Yonne). XIXe siècle. Français.

Peintre paysagiste.

Élève de Pérignon. Il exposa au Salon de Paris, de 1799 à 1814.

COLONDRE François

Né le 21 décembre 1729 à Genève. Mort le 10 décembre 1784 à Dardagny. XVIIIe siècle. Suisse.

Miniaturiste.

Il fabriqua des émaux pour la bijouterie.

COLONELLI-SCIARRA Salvatore

XVIIIe siècle. Italien.

Peintre de paysages, dessinateur, graveur.

Actif à Rome de 1729 à 1736.

VENTES PUBLIQUES : NEW YORK, 22 jan. 1976 : *Vues de Rome* 1736, deux h/t (47x63,5) : **USD 11 000** – NEW YORK, 11 jan. 1990 : *Grande procession sur la place du Quirinal à Rome ; Place d'Espagne à Rome,* h/t, une paire (chaque 48x63,5) : **USD 115 500**.

COLONIA Adam

Né le 2 août 1634 à Rotterdam. Mort le 14 janvier 1685 à Londres. XVIIe siècle. Hollandais.

Peintre de sujets religieux, scènes de genre, paysages.

Fils d'Isaac, il vécut à Londres depuis 1675. Il peignit des paysages avec ruines, des incendies, souvent en collaboration avec J. Snellinks.

A. Colonia

MUSÉES : AIX : *Un enfant conduit un taureau en soufflant dans une trompe,* Certains critiques attribuent ce tableau à Adriaan Colonia, fils de l'artiste – AMSTERDAM : *Incendie dans un village, la nuit* – COPENHAGUE : *Port de mer – Noé et les bêtes quittent l'arche* – LILLE : *Le réveil des bergers* – ROTTERDAM : *Annonciation aux bergers – Village en feu.*

VENTES PUBLIQUES : PARIS, 1816 : *Chaumière près de laquelle une femme est occupée à récurer :* **FRF 24** – BRUXELLES, 1833 : *Paysage :* **FRF 38** – GAND, 1837 : *Paysage :* **FRF 120** – LILLE, 1881 : *L'Annonce aux bergers :* **FRF 185** – PARIS, 1891 : *Animaux au repos :* **FRF 630** – AMSTERDAM, 26 avr. 1977 : *L'Adoration des bergers,* h/pan. (45x31) : **NLG 8 400** – MADRID, 27 fév. 1985 : *Scène de bord de mer au clair de lune* 1665, h/pan. (49x44,5) : **ESP 460 000** – LONDRES, 30 oct. 1991 : *L'Annonciation aux bergers,* h/pan. (54,5x58,9) : **GBP 5 720** – AMSTERDAM, 17 nov. 1994 : *Incendie dans un village la nuit,* h/pan. (31,7x39,2) : **NLG 14 950**.

COLONIA Adam Louisz

Né en 1574 à Anvers. Mort vers le 19 août 1651 à Rotterdam. XVIe-XVIIe siècles. Éc. flamande.

Peintre de sujets religieux, scènes de genre, figures.

Il se maria à Rotterdam le 10 octobre 1593.

L. Colonia

VENTES PUBLIQUES : LONDRES, 22 déc. 1937 : *Deux paysans :* **GBP 7** – LONDRES, 29 juin 1979 : *L'Annonciation aux bergers,* h/pan. (72,3x57,8) : **GBP 2 200**.

COLONIA Adriaan

Né en 1668 à Rotterdam. Mort en 1701 à Londres. XVIIe siècle. Hollandais.

Peintre.

Élève de son père Adam Colonia, et de son beau-frère van Diest ; il peignit des figures dans les tableaux de celui-ci et imita Salvator Rosa. Il est parfois prénommé à tort Hendrik et Adriaan Hendrik.

COLONIA Isaac
Né vers 1611 à Rotterdam. Mort en 1663 à Rotterdam. XVIIe siècle. Hollandais.
Peintre.
Il était le fils d'Adam Louisz Colonia. Il se maria à Rotterdam en 1633.

COLONIA Nicolas de
XVIe siècle. Espagnol.
Sculpteur sur bois.
Il travaillait entre 1515 et 1550 pour la cathédrale d'Astorga.

COLONNA Adèle Castiglione. Voir MARCELLO

COLONNA Agostino
XVIIIe siècle. Travaillait à Venise dans la seconde moitié du XVIIIe siècle. Italien.
Peintre de décorations.
Il peignit une fresque à l'église San Geremia, à Venise.

COLONNA Angelo Michele
Né en 1600 près Côme. Mort en 1687 à Bologne. XVIIe siècle. Italien.
Peintre de fresques.
Colonna eut pour premier maître le Bolonais Gabrielle Ferrantini, qu'il quitta pour devenir disciple de Girolamo Curti (dit Dentône). Ce maître, reconnaissant bientôt le talent de Colonna et sa facilité pour l'exécution des perspectives, se fit souvent aider par lui, et le garda auprès de lui jusqu'à sa mort. Ils peignirent ainsi plusieurs fresques, notamment dans les églises et les palais de Bologne, Ferrare, Modène, Parme et Ravenne. Parfois, ils eurent la collaboration d'Agostino Mitelli qui, plus tard, devint l'ami intime de Colonna et une sorte d'associé dans presque tous ses travaux. Après la mort de Curti, les deux amis ne se quittèrent plus, et continuèrent leur association artistique pendant vingt-quatre ans. Ils travaillèrent ensemble à Florence, à Parme, à Modène et à Gênes, appelés par les souverains et des nobles de ces États. Ils furent, en quelque sorte, des spécialistes des décors d'architectures fictives, comme au Palais Pitti où ils ont créé des colonnades, des fenêtres fictives et de faux escaliers. Le cardinal Spada leur fit aussi décorer une salle dans son palais, à Rome. A Madrid, où ils se rendirent à la suite d'une invitation du roi Philippe IV, ils ornèrent de fresques trois chambres et une immense salle au palais royal, où Colonna fit la célèbre peinture de la *Fable de Pandore*. Ils restèrent deux ans à Madrid, où Mitelli mourut, « regretté de toute la cour et de tous les artistes, à la tête desquels était alors Diego Velasquez » (Lanzi). De retour en Italie, Colonna continua à travailler en se faisant aider de Giacomo Alboresi, un élève de Mitelli, et Giovacchino Pizzoli, son propre disciple, pour les perspectives, et de Giovanni Gherardini et Antonio Roli, pour les paysages.
VENTES PUBLIQUES : PARIS, 1859 : *La Vierge présentant l'Enfant Jésus à saint Joseph*, sanguine : FRF 2 – LONDRES, 11 mai 1908 : *L'incrédulité de saint Thomas* ; *Un Évangéliste* : GBP 5.

COLONNA Edmond
Né à Hautmont (Nord). XXe siècle. Français.
Peintre de paysages.
Exposant du Salon des Indépendants de 1930 et 1931.

COLONNA Giacomo
Né à la fin du XVe siècle à Venise. Mort vers 1540 à Bologne. XVe-XVIe siècles. Italien.
Sculpteur.
On conserve de lui : *Le Rédempteur*, marbre, à la Galerie royale de Venise, et *Saint Laurent*, à l'église San Salvador.

COLONNA Giorgio
Né vers 1530. XVIe siècle. Italien.
Peintre de miniatures.
Il travailla à Venise. On sait qu'il exécuta des miniatures pour le cardinal Louis d'Este. Quelques *Commissioni ducali* conservées au Museo Civico, à Venise, sont attribuées à cet artiste.

COLONNA Giovanni Antonio
XVIe siècle. Actif à Venise vers 1553. Italien.
Peintre.
Il fut le père de Giorgio Colonna.

COLONNA Giuseppe
XVIIe siècle. Actif à Brescia. Italien.
Peintre.

Il décora une chapelle de l'église San Domenico. Les figures de ces peintures furent exécutées par Bernardino Gandino.

COLONNA Melchiore
XVIe-XVIIe siècles. Italien.
Peintre d'histoire.
Il existe une œuvre de cet artiste à l'église San Felice à Venise. Il fut imitateur du Tintoret.

COLONNA Théophile
Né à Grange-Canal (Genève). XXe siècle. Suisse.
Peintre.
A exposé des fleurs au Salon d'Automne de 1933.

COLONNA CESARI Joseph, don
Né en 1825 à Porto Vecchio (Corse). Mort en 1887. XIXe siècle. Français.
Sculpteur.
Il exposa au Salon en 1880, 1881 et 1883. Il exécuta en 1862 le buste en terre cuite de Paul Verdier. C'est à Paris qu'il vécut.

COLONNA DE CESARI ROCCA Camille, comtesse, née Langlois
XIXe-XXe siècles. Française.
Peintre.
Sociétaire des Artistes Français ; mention honorable en 1891, troisième médaille à l'Exposition Universelle de 1900 ; en 1913 elle exposait un portrait au Salon.

COLONNA D'ISTRIA Pierre François Jean Jacques
Né en 1824 à Nîmes (Gard). XIXe siècle. Français.
Peintre.
Il étudia sous la direction de Ary Scheffer. Il exposa au Salon de Paris à partir de 1855. On doit à cet artiste dans la chapelle du Sacré-Cœur de l'église Saint-Nicolas-des-Champs, *Jésus guérissant les aveugles et les boiteux*. Il mourut après 1872.

COLORETTI Fernandino
Né le 14 mars 1947 à Villa-Minozza. XXe siècle. Actif en France. Italien.
Peintre. Tendance figuration narrative.
Il entre à l'age de quatorze ans dans une école d'art à Reggio Emiliae, près de Bologne, et y devient professeur par la suite. Il abandonne ensuite l'enseignement et se fixe à Paris où il expose en 1971. Sa peinture est proche du pop'art et de la figuration narrative, intégrant les techniques de la bande-dessinée et du dessin publicitaire. En 1974 il exposa à Paris une série de toiles d'esprit satirique sur la société contemporaine.

COLORETTI Matteo
Né en 1611 à Reggio. XVIIe siècle. Italien.
Peintre.
Il exécuta un tableau pour l'église Santa Maria della Pomposa à Modène. Il fit également de nombreux portraits.

COLOSIMO G. B.
XVIIe siècle. Actif à Vérone. Italien.
Peintre.
Il termina en 1620 une *Histoire de saint Antoine de Padoue* commencée en 1611 par B. Saluzzo à San Martino Buon Alberge près de Vérone.

COLOTTE Aristide Michel
Né en 1885 à Baccarat (Meurthe-et-Moselle). Mort en 1959. XXe siècle. Français.
Peintre, artiste verrier.
A exposé des objets de cristal au Salon des Artistes Français, dont il a été sociétaire ; troisième médaille en 1929. Chevalier de la Légion d'honneur.
BIBLIOGR. : Mireille Mazet : *Catalogue des œuvres d'Aristide Colotte, 1885-1959*, Éditions de l'Amateur.
VENTES PUBLIQUES : NANCY, 10 avr. 1994 : *Vase médaillé au Salon de Paris* 1929, cristal taillé à la roue et au burin : FRF 45 000.

COLP Peter
Né en 1906 à Anvers. XXe siècle. Belge.
Peintre, réalisateur de tapisseries. Néo-expressionniste.
Il fut élève de l'Académie et de l'Institut Supérieur d'Anvers où il devint professeur. Il reçut le Premier Prix Godecharle en 1931 et le Premier Prix de Rome en 1933.
BIBLIOGR. : In : *Diction. Biog. Ill. des Artistes en Belgique depuis 1830*, Arto, 1987.

COLPIN Jacques Jean
Né à Lille (Nord). XXe siècle. Français.
Peintre de portraits, genre.

Il exposa au Salon des Artistes Français dont il était sociétaire, recevant une deuxième médaille en 1934.

COLQHOUN Archibald Douglas ou Colquhoun
Né en 1894 à Victoria. xxᵉ siècle. Australien.
Peintre de portraits et de natures mortes.
Il fit ses études à la National Gallery of Victoria Art School. Il exposa à Paris au Salon des Artistes Français entre 1925 et 1926 et au Salon d'Automne en 1926.
VENTES PUBLIQUES : ARMADALE (Australie), 11 avr. 1984 : *Jeune fille à sa coiffure*, h/t (92x59) : **AUD 3 000.**

COLQUHOUN Ithell
Née en 1906 en Angleterre. Morte en 1988. xxᵉ siècle. Britannique.
Peintre de compositions à personnages, portraits, paysages, fleurs.
Exposait un *Paysage de Menton* et des fleurs au Salon de la Société Nationale des Beaux-Arts de 1933.
VENTES PUBLIQUES : LONDRES, 10 juin 1981 : *Géantes se préparant au bain*, h/t (141x130) : **GBP 800** – LONDRES, 3 nov. 1982 : *Portrait de Feroze Mehta* 1932, h/t (52x39,5) : **GBP 550** – LONDRES, 24 avr. 1985 : *Rails* 1936, h/cart. (46x38) : **GBP 1 100** – LONDRES, 9 juin 1989 : *Becs-de-grues* 1935, h/t (44,5x35,6) : **GBP 3 520** – LONDRES, 9 nov. 1990 : *La cathédrale engloutie*, h/t (131x196) : **GBP 5 280** – LONDRES, 22 mai 1996 : *La ronde des neuf opales* 1942, h/t (57,3x71,2) : **GBP 3 450.**

COLQUHOUN Robert
Né en 1914 à Kilmarnock (Écosse). Mort le 20 septembre 1962. xxᵉ siècle. Britannique.
Peintre de figures. Tendance expressionniste.
Il fit ses études à la School of Art de Glasgow et reçut une bourse qui lui donna l'opportunité d'entreprendre un voyage à Paris, Rome et Florence. En 1941, il s'installa à Londres, où il loua un atelier à Bedford Gardens, avec Robert Mac Bryde, John Minton et Jankel Adler. La Galerie Lefèvre organisa sa première exposition personnelle en 1943. Il figura dans l'exposition des Peintres et Sculpteurs Anglais Contemporains organisée à Paris en 1945 par le British Council. En 1958, une importante exposition rétrospective fut organisée à la Whitechapel Gallery.
Il appartient, avec John Minton et John Craxton, à cette génération de peintres qui connaîtront une popularité éphémère après la seconde guerre mondiale. Formellement passioné par la représentation de l'être humain, Colquhoun a intégré à son œuvre des éléments issus de l'imagerie celtique et de l'œuvre de Picasso. Il a également réalisé des décors de théâtre, notamment avec Mac Bryde lorsqu'ils s'étaient installés à Lewes dans le Sussex puis à Dunmow dans l'Essex, pour le Covent Garden et pour Stratford-on-Avon.
BIBLIOGR. : In : *Diction. Univ. de la Peinture*, Le Robert, Paris, 1975.
MUSÉES : LONDRES (Tate Gal.).
VENTES PUBLIQUES : LONDRES, 3 avr. 1963 : *Personnages au marché du village* : **GBP 180** – LONDRES, 30 oct. 1970 : *Femme assise* : **GNS 85** – LONDRES, 18 juil. 1972 : *The Performer* : **GNS 200** – LONDRES, 11 nov. 1981 : *Femme assise et chat*, h/t (105,5x49,5) : **GBP 550** – LONDRES, 11 juin 1982 : *Deux irlandais*, h/t (56x40,5) : **GBP 1 700** – LONDRES, 4 mars 1983 : *Acteurs*, h/t (101,5x71,2) : **GBP 2 600** – LONDRES, 15 mars 1985 : *Les bergers* 1934, aquar. et pl. (49,5x35,5) : **GBP 2 000** – LONDRES, 15 mars 1985 : *Femme aux long cheveux* 1958, craie noire (63,5x35,5) : **GBP 1 100** – ÉDIMBOURG, 30 avr. 1986 : *Homme et femme (recto)* ; *Portrait de jeune fille (verso)*, h/t (55,8x45,7) : **GBP 2 800** – LONDRES, 6 mars 1987 : *Le prestidigitateur* 1947, h/t (43x29,2) : **GBP 3 800** – LONDRES, 14 oct. 1987 : *Frère et sœur* 1948, aquar., craie noire et cr. (68,5x44,5) : **GBP 5 500** – LONDRES, 6 mars 1987 : *Marchand de jouets et femme* 1945, dess. en noir et rouge (51,5x43) : **GBP 2 500** – LONDRES, 9 juin 1988 : *Tête de Romain*, encre (37,5x48,5) : **GBP 495** – LONDRES, 9 mars 1990 : *Autoportrait*, cr. (33,7x24,1) : **GBP 6 050** – ÉDIMBOURG, 26 avr. 1990 : *Autoportrait*, h/t/cart. (41,2x33) : **GBP 13 200** – PARIS, 22 déc. 1993 : *Femme écrivant* 1944, h/t (23x15) : **FRF 16 000** – LONDRES, 25 mai 1994 : *En attendant Godot* 1959, cr. bille/pap. (49,5x35) : **GBP 598** – LONDRES, 26 oct. 1994 : *Autoportrait*, h/t/cart. (24,2x19) : **GBP 1 782.**

COLRUYT Camille
Né en 1908 à Lembeek. Mort en 1973 à Halle. xxᵉ siècle. Belge.
Sculpteur, orfèvre.
Il fut élève de l'Académie Saint-Luc de Bruxelles. Il fut le premier en Belgique à réaliser des statues monumentales en cuivre battu. Il a réalisé un tabernacle en or et argent pour la basilique de Nazareth en Israël et a reconstitué les quatre statuettes principales de la châsse de Sainte-Gertrude à Nivelles.
BIBLIOGR. : In : *Diction. Biog. Ill. des Artistes en Belgique depuis 1830*, Arto, 1987.

COLRUYT Staf
Né en 1948 à Halle. xxᵉ siècle. Belge.
Sculpteur.
Fils de Camille Colruyt, il fit ses études à l'Académie et à l'Institut Supérieur d'Anvers. Il reçut les Prix Van Lerius et de la ville d'Eeklo. Il travaille la terre-cuite, le bronze et le cuivre.
BIBLIOGR. : In : *Diction. Biog. Ill. des Artistes en Belgique depuis 1830*, Arto, 1987.

COLSNIG
xixᵉ siècle. Belge.
Paysagiste.
Cité par Mireur.
VENTES PUBLIQUES : GAND, 1837 : *Paysage* : **FRF 110.**

COLSON
Né à Bordeaux. xixᵉ siècle. Français.
Peintre.
Le Musée de Narbonne conserve de lui le portrait de M. Cousiures, bienfaiteur du musée.

COLSON Charles Jean Baptiste
Né le 15 août 1810 à Strasbourg. xixᵉ siècle. Français.
Peintre.
Entré à l'École des Beaux-Arts le 17 mai 1827, il travailla sous la direction de Gros. De 1838 à 1851, il exposa au Salon de Paris plusieurs portraits.

COLSON Eugène
Né à Marquette-lez-Lille (Nord). xxᵉ siècle. Français.
Peintre.
En 1934, il exposait *A toutes voiles*, au Salon des Artistes Français.

COLSON Greg
Né en 1956. xxᵉ siècle. Américain.
Artiste multimédia.
Il vit et travaille à Los Angeles. Il a exposé en 1990 à la Sperone Westwater Gallery de New York.
Depuis 1986, Greg Colson crée des reliefs sculpturaux construits à partir de divers matériaux de récupération : boîtes à lettres hors d'usage, gamelles et enjoliveurs cabossés, chambres à air... Les objets sont ensuite recouverts de dessins, de peintures ou d'impressions au pochoir qui composent autant de diagrammes, de cartes géographiques ou de plans d'architecture. Les formes sensées ordonner le monde apposées sur des objets avec lesquels elles n'entretiennent aucun rapport induisent l'incohérence et troublent le spectateur.
VENTES PUBLIQUES : NEW YORK, 23 fév. 1994 : *Pulvérisation* 1990, acier, alu., fer galvanisé, bois et pap. (37,5x45,7x32,4) : **USD 2 760** – NEW YORK, 7 mai 1996 : *Land usage* 1989, métal, bois, pap. et graphite (58,4x62,3x45,7) : **USD 748.**

COLSON Guillaume François
Né le 1ᵉʳ mai 1785 à Paris. Mort le 3 février 1850 à Paris. xixᵉ siècle. Français.
Peintre d'histoire, sujets allégoriques, scènes de genre, portraits, dessinateur.
Élève de David. Il débuta au Salon en 1812 avec le tableau : *Entrée du général Bonaparte à Alexandrie*. En 1827, il exécuta, pour la quatrième salle du Conseil d'État, un tableau représentant : *La Sagesse montrant l'Avenir au législateur*, puis, comme dessus de porte : *Le Génie des lois*.

Colson.

MUSÉES : DIJON : *Le joli dormir* – ROCHEFORT : *Le Génie des lois* – VERSAILLES : *Entrée du général Bonaparte à Alexandrie*.
VENTES PUBLIQUES : PARIS, 14 et 15 mars 1921 : *Le joli dormir*, étude à la sanguine : **FRF 200** – PARIS, 23-24 mai 1921 : *Entrée du général Bonaparte à Alexandrie, 3 juillet 1798*, étude au crayon : **FRF 45** – PARIS, 17 nov. 1991 : *Scène de campagne*, h/t (35x65) : **FRF 35 000** – MONACO, 19 juin 1994 : *Portrait de famille dans un intérieur* 1814, h/t (210x150) : **FRF 133 200.**

COLSON Jaime Antonio
Né à Puerta-Plata. xxᵉ siècle. Dominicain.

Peintre.

Il exposa à Paris au Salon des Indépendants de 1926 à 1928.

VENTES PUBLIQUES : PARIS, 19 nov. 1932 : *Ciguapal* : **FRF 60**.

COLSON Jean

XVIIIe siècle. Français.

Peintre.

Il travailla pour le roi à Grenoble.

COLSON Jean Baptiste Gille

Né en 1686 à Verdun. Mort en 1762 à Paris. XVIIIe siècle. Français.

Peintre de miniatures.

Il étudia avec Claude Christophe et devint membre de l'Académie de Saint-Luc. Le 20 juin 1720, il épousa Marthe Duchange, fille du graveur Gaspard Duchange.

VENTES PUBLIQUES : PARIS, 8 avr. 1905 : *La Dormeuse imprudente* : **FRF 3 600** – PARIS, 10 au 15 mai 1909 : *La Liseuse* : **FRF 620**.

COLSON Jean François Gille

Né le 2 mars 1733 à Dijon (Côte d'Or). Mort le 1er mars 1803 à Paris. XVIIIe siècle. Français.

Peintre de figures, architectures, portraits, sculpteur.

C'est sous la conduite de son père, Jean-Baptiste-Gille Colson, qu'il se forma. Pendant quarante ans, Colson fut attaché au service du duc de Bouillon. Architecte, il construisit un temple dans l'île d'Amour, modela lui-même les figures destinées à le décorer, et fit des augmentations considérables dans les jardins d'Hébé. Très lettré, il était membre de l'Académie de Dijon, de l'Athénée des Arts et de la Société des sciences, lettres et arts de Paris. Il fit des cours de perspective, publics et gratuits, en 1765 et 1766, et un autre, en 1797, au lycée des Arts. Colson a laissé des manuscrits intéressants. On cite aussi un Jean-François-Gilles Colson, peintre de portraits, élève de Nonotte et d'Imbert dans l'école Lorraine. Probablement le même artiste.

MUSÉES : BESANÇON : *L'abbé Cover* – CHAMBÉRY (Mus. des Beaux-Arts) : *Portrait d'ecclésiastique* – DIJON : *Jeune fille surprise par le sommeil* – *Portrait du miniaturiste J.-B. Colson* – RENNES : *Portrait de Rosnyvinen de Piré (Pierre-Marie), auteur de canalisation de la Bretagne* – *Répétition du portrait ci-dessus avec variante* – *Portrait de Mme de Rosnyvinen de Piré* – *Même sujet* – *Portrait de Mme de Bouteville, née de Piré*.

VENTES PUBLIQUES : PARIS, 21 nov. 1919 : *Jeune fille au collier* : **FRF 2250** – LONDRES, 27 juil. 1923 : *Une femme dans un intérieur* : **GBP 50** – LONDRES, 2 déc. 1927 : *Portrait d'un gentilhomme en habit vert à galons d'or* : **FRF 2 100** – LONDRES, 19 nov. 1928 : *Portrait de jeune fille* : **FRF 9 600** – LONDRES, 23 mars 1929 : *Jeune fille endormie* : **FRF 730** – LONDRES, 27 mars 1931 : *Jeune femme assise et tenant une rose*, attr. : **FRF 2 200** – LONDRES, 12 juin 1931 : *Portrait de Robespierre*, aquar. : **FRF 1 820** – LONDRES, 30 jan. 1933 : *Portrait de l'architecte G.-P.-M. Dumont* : **FRF 12 000** – VERSAILLES, 8 déc. 1963 : *Fillette blonde en buste* : **FRF 9 000** – LONDRES, 23 juin 1972 : *Portrait de Samuel Foote 1769* : **GNS 480** – NEW YORK, 12 juin 1982 : *Intérieur d'église 1784*, aquar. sur trait de pl. (42,9x31,6) : **USD 1 000** – PARIS, 6 déc. 1983 : *Portrait de jeune fille au chien*, h/t (65x54) : **FRF 56 000** – MONTE-CARLO, 6 déc. 1987 : *Le jeune artiste*, h/t, de forme ovale (54x44) : **FRF 45 000** – PARIS, 7 mars 1995 : *Portrait de l'architecte Dumont 1780*, h/t (73x91,5) : **FRF 145 000**.

COLSON Julia

Née à Londres. XXe siècle. Britannique.

Peintre, aquafortiste.

Elle exposa à la Royal Academy, à la Royal Cambrian Academy, au Royal Institute of Oil Painters et au Salon des Artistes Français en 1933.

COLSON Pierre Théodore

Né en 1805 au Havre. Mort en 1877 au Havre. XIXe siècle. Français.

Peintre de paysages, fleurs, aquarelliste.

MUSÉES : LE HAVRE : Deux aquarelles.

VENTES PUBLIQUES : PARIS, 14 juin 1988 : *Plage de Normandie animée de personnages*, h/t (35,5x66) : **FRF 38 000** – BRUXELLES, 12 juin 1990 : *Vase de fleurs*, h/t (51x40) : **BEF 26 000**.

COLSTER Willem

XVIIe siècle. Actif à la Haye au milieu du XVIIe siècle. Hollandais.

Peintre de décorations.

Il eut un fils qui fut également peintre et élève d'A. Hanneman.

COLSTON Marianne

XIXe siècle. Britannique.

Dessinateur.

Cette artiste publia en 1822, à Paris, un ouvrage illustré de 52 lithographies d'après ses propres dessins : *Journal of a Tour in France, Switzerland and Italy*.

COLT Maximilian ou Colte. Voir POUTRAIN

COLTELLINI, Mlle

XVIIIe siècle. Active dans la seconde moitié du XVIIIe siècle. Italienne.

Dessinateur.

Pietro Fontana grava son portrait du diplomate François Cacault.

COLTELLINI Carlo

XVIIIe siècle. Actif à Florence vers 1717. Italien.

Peintre.

COLTELLINI Constantina

XIXe siècle. Vivait à Naples en 1819. Italienne.

Peintre miniaturiste.

On attribue à cette artiste une miniature représentant la princesse Katharina Nicolajewna Orloff, dame de la cour de l'Impératrice de Russie, Catherine II, et datée sans doute de 1781. On connaît un portrait du napolitain Ignazio Ciaja signé par cette artiste.

COLTELLINI Girolamodei ou Cortellini

XVIe siècle. Actif à Bologne. Italien.

Sculpteur.

On ne connaît pas exactement les dates de cet artiste dont le talent fut fort apprécié de son temps. Son chef-d'œuvre est la magnifique statue de marbre représentant *Saint Jean-Baptiste* qui se trouve dans l'église San Domenico à Bologne.

COLTELLINI Michele ou Cortellini

Né vers 1480 à Ferrare. Mort vers 1559. XVIe siècle. Italien.

Peintre d'histoire, compositions religieuses.

D'après le dictionnaire de Bryan, Coltellini aurait été un disciple de Panetti et de Garofallo, et Lanzi compare son style avec celui de Costa. Actif entre 1502 et 1542.

Il exécuta quelques travaux dans l'église et le couvent des Pères Augustins de Lombardie, où conservé un tableau d'autel de sa main. Il peignit aussi une *sainte Monique entourée de quatre bienheureuses de son ordre*, dans le réfectoire de ce couvent. Une *mort de la Vierge*, datée 1502, est aujourd'hui en la possession du comte Mazza, de Ferrare.

MUSÉES : BERGAME (Acad. Carrara) : *Présentation au Temple* – BERLIN : *Circoncision* – DRESDE : *Pieta*.

VENTES PUBLIQUES : MILAN, 21 avr. 1986 : *Sainte Anne avec la Vierge et l'Enfant*, temp./pan., fond or (31x23,5) : **ITL 16 000 000** – MILAN, 25 oct. 1988 : *Le Christ ressuscité avec un ange, Ste Marie-Madeleine, deux sœurs franciscaines et d'autres Saints*, h/pan. (130x90) : **ITL 150 000 000**.

COLTHURST Annie

Née en Irlande. XXe siècle. Britannique.

Peintre, pastelliste.

Elle fut élève d'Eugène Carrière et de Julius Rolshoven. Elle exposa à la Royal Academy de Londres et en 1929 au Salon des Artistes Français à Paris.

COLTHURST Francis Edward

Né le 28 juillet 1874 à Taunton (Somerset). XIXe-XXe siècles. Britannique.

Peintre de genre, portraits.

VENTES PUBLIQUES : LONDRES, 1er nov. 1985 : *Les marchandes de pain*, h/t (38,5x54,5) : **GBP 850** – LONDRES, 3 nov. 1993 : *Dorothée 1901*, h/t (61x51) : **GBP 4 140**.

COLTON William Robert

Né le 25 décembre 1867 à Paris. Mort le 13 novembre 1921 à Londres. XIXe-XXe siècles. Britannique.

Sculpteur.

Il obtint une médaille d'argent à l'Exposition Universelle de Paris en 1900 et une mention honorable en 1901. Il connut un certain succès à Londres au début du siècle.

MUSÉES : LONDRES (Tate Gal.) : *La vaguelette*.

VENTES PUBLIQUES : LONDRES, 23 nov. 1982 : *Wavelet*, bronze (H. 68) : **GBP 1 200**.

COLTRICE Julius de

Originaire de Coldrerio. XVIe siècle. Travaillant à Rome en 1591.

Sculpteur.

COLTURO Gervaso
XVIIe siècle. Italien.
Sculpteur.
Il travaillait à Bormio (Lombardie).

COLUCCI Gio ou **Guido**
Né en 1892 à Florence. Mort en 1974 à Paris. XXe siècle. Actif en France. Italien.
Peintre de figures et de paysages, sculpteur, céramiste, illustrateur.
Il fit des études d'architecture à l'École des Beaux-Arts de Paris et partit ensuite au Caire où il exerça. En 1917 il effectue un voyage en Afrique et commence à peindre. Rentré à Paris en 1919 il expose pour la première fois. Il expose au Salon de la Société Nationale des Beaux-Arts des eaux-fortes à partir de 1921, et figura au Salon d'Automne et aux Surindépendants aux côtés de Gleizes, Herbin, Delaunay, Duchamp-Villon, Férat, Survage. Il commença à pratiquer la poterie à Aubagne en 1929. En 1939, il fit partie du *Groupe Électrique* de la galerie Berthe Weil, avec Metzinger, Survage et Freundlich. Il passera la guerre, réfugié en Provence, à faire de la poterie puis retourne à Paris. En 1956 il fonde avec Gino Severini l'*École d'Art Italien*. Une rétrospective de ses œuvres se tient à New York en 1959, année où il participe à la Quadriennale de Rome. Il a illustré de nombreux ouvrages, dont : l'*Enfer* – *Vita Nova* de Dante, *Le plus bel amour de Don Juan* de Barbey d'Aurevilly, *La mort de Philae* de Pierre Loti, *Le jardin des supplices* d'Octave Mirbeau. Il décora en Égypte la cathédrale arménienne du Caire.

Gio Colucci

BIBLIOGR. : Luc Monod, in : *Manuel de l'amateur de Livres Illustrés Modernes 1875-1975*, Ides et Calendes, Neuchâtel, 1992.
MUSÉES : LE CAIRE (Mus. d'Art Mod.) – DJAKARTA (Mus. d'Art Mod.) – MELBOURNE – PARIS (Mus. des Arts Décoratifs) – WASHINGTON D. C. (Université) : sculptures.
VENTES PUBLIQUES : PARIS, 19 nov. 1932 : *Le pâturage* : FRF 28 – PARIS, 21 juin 1972 : *Les buveurs* : FRF 750 – VERSAILLES, 16 mai 1976 : *Le cheval et son gardien*, h/t (50x73) : FRF 1 800 – PARIS, 21 juin 1983 : *Arbre au-dessus d'un village de montagne* 1922, h/t (90x90) : FRF 28 000 – ENGHIEN-LES-BAINS, 28 avr. 1985 : *Marchandes de pastèques* 1917, h/t (177x146) : FRF 70 000 – MUNICH, 1er juin 1987 : *Figure* 1938, bronze (21,6x12,8x8,8) : DEM 1 500 – PARIS, 11 avr. 1988 : *Nu dans la barque*, h/t (65x54) : FRF 10 000 – PARIS, 12 juil. 1988 : *Maternité*, h/isor. (45x116) : FRF 3 200 – PARIS, 14 déc. 1988 : *L'accordéoniste*, h. et encre/pap. (63x47) : FRF 8 100 – PARIS, 26 mai 1989 : *Femme nue allongée*, h/pap. mar./isor. (41x117) : FRF 4 800 – PARIS, 31 jan. 1990 : *Femme à la toilette*, h/t (61x50) : FRF 12 500 – DOUAI, 1er avr. 1990 : *Composition*, gche (26,5x24,5) : FRF 10 500 – DOUAI, 1er juil. 1990 : *Tête*, gche (57,5x41) : FRF 7 000 – PARIS, 6 juil. 1990 : *Cavalcade*, h/cart. (51x40) : FRF 13 000 – PARIS, 12 avr. 1994 : *Femme nue assise*, encre et gche (49x34) : FRF 7 200 ; *Composition abstraite*, techn. mixte/isor. (139x137) : FRF 23 000 ; *Maternité*, métal découpé et martelé (H. 186, l. 90) : FRF 40 000 – PARIS, 24 mars 1995 : *Jeune fille*, sculpt. en métal martelé (H. 177, l. 80) : FRF 11 500.

COLUCCIO di Guido
XIIIe siècle. Actif en 1295 à Florence. Italien.
Peintre.

COLUCCIO da Lucca
XIVe siècle. Actif à Pise en 1338. Italien.
Peintre.

COLUCCIO di Narduccio
XIVe siècle. Actif à Orvieto entre 1337 et 1339. Italien.
Peintre.
Il travailla pour la cathédrale d'Orvieto.

COLUMBA ou **Saint Columkille**
Né vers 520. Mort en 597. VIe siècle. Italien.
Enlumineur et calligraphe.
On lui attribue l'exécution du superbe volume connu sous le nom d'*Évangile de Saint Columkille* ou *Livre de Durrow* et conservé dans la Bibliothèque du Trinity College, à Dublin.

COLUMBANO
Né en 1857 à Lisbonne. XIXe siècle. Portugais.
Peintre.
A exposé des portraits au Salon de la Nationale, de 1911 à 1920.

COLUNGA Alejandro
Né en 1948 à Guadalajara. XXe siècle. Mexicain.

Peintre de compositions d'imagination, figures, sculpteur. Tendance fantastique.
En 1971, il abandonna ses études d'architecture, pour rejoindre un cirque.
Aux limites du caricatural, de l'expressionnisme, du surréalisme, de l'imagination fantastique, il représente des personnages, magiciens ou créatures irréelles, des scènes peu crédibles, qu'il peint dans une technique très élaborée et avec un sens particulièrement riche des couleurs, des harmonies et des contrastes. Il rend somptueux laideur, horreur, monstruosité.
VENTES PUBLIQUES : NEW YORK, 27 nov. 1985 : « *El rostro* » 1985, h/t (175,3x125,1) : USD 5 000 – NEW YORK, 18 nov. 1987 : « *Non-acrobatic moon child* » 1987, h/t (200,3x160,2) : USD 15 000 – NEW YORK, 17 mai 1988 : *Sans titre* 1987, h/t (203x160) : USD 23 100 – NEW YORK, 21 nov. 1988 : *Au cinéma* 1973, h/t (101,6x81) : USD 7 150 – NEW YORK, 17 mai 1989 : *La lune éclairant des étoiles* 1988, h/t (100x96) : USD 20 900 – NEW YORK, 20 nov. 1989 : *Le roi-mage Balthasar* 1986, techn. mixte (128,2x79,5) : USD 22 550 ; *Éléphante de cirque* 1989, h/t (80x130) : USD 17 050 – NEW YORK, 15-16 mai 1991 : « *Folle avec le méchant oiseau sous la pluie mais heureuse !* » 1990, h/tissu (179x141) : USD 24 200 – NEW YORK, 25 nov. 1992 : *Bonnet d'âne* 1984, h. et past. sur pap. fort (64x48) : USD 4 400 – NEW YORK, 18 mai 1993 : *La pleurnicheuse au bébé, fantasmes et diables*, h/t (96,5x127) : USD 27 600 – NEW YORK, 18-19 mai 1994 : *Mon cœur est un jet d'eau de trois pouces*, h/tissu (166,4x125) : USD 32 200 – NEW YORK, 21 nov. 1995 : *Cornet de glace dévoré par des enfants obèses des oiseaux et des chiens* 1991, h/t (165x124,5) : USD 13 800.

COLVE Ludwig
XVIIIe siècle. Vivait en 1779 à Dantzig. Allemand.
Peintre de miniatures.

COLVILLE Alexandre ou **Alex**
Né le 24 août 1920 à Toronto. XXe siècle. Canadien.
Peintre de compositions animées, aquarelliste. Tendance surréaliste et hyperréaliste.
Il fit ses études à la Mount-Allison University de Sackville entre 1938 et 1942, où il travailla sous la direction du peintre post-impressionniste Stanley Royle. Il intégra l'armée en 1942 et entre 1944 et 1946 il fut envoyé aux armées comme peintre de reportage sur les fronts de Méditerranée et du nord de l'Europe. Rentré au Canada il devint professeur, de 1946 à 1963, à l'Université où il avait été étudiant.
Il commença à participer à des expositions collectives à Toronto en 1946, 1947, 1950 ; puis à New York en 1952, 1954, 1963 ; à la première Biennale de l'art canadien à Ottawa en 1955, puis en 1957, 1959, à Mexico en 1960. En 1961 il exposa à la Biennale de Sao Paulo ; en 1964 il figura dans l'exposition *Canadian Painting* organisée à la Tate Gallery de Londres ; en 1966 à la Biennale de Venise ; à l'exposition *Hyperréalistes américains, Réalistes européens* au Centre National d'Art Moderne de Paris en 1974 ; à Tokyo en 1981. Il a montré aussi ses travaux dans des expositions personnelles : 1951 Saint-John (New-Brunswick) ; New York 1953, 1955, 1963 ; Toronto 1958, 1966, 1978 ; Ottawa 1966, 1981 ; Hanovre 1969 ; Londres 1970, 1977, 1984-85 ; Edmonton 1970, 1975 ; Regina et Charlottetown 1976 ; Düsseldorf et Vancouver 1977 ; Montréal 1978. Une rétrospective de son œuvre a été présentée au Musée des Beaux Arts de l'Ontario en 1983 avant de circuler au Canada, notamment à Montréal, puis en Allemagne. En 1984-1985, il exposa également à Pékin, Hong-Kong, Tokyo, tandis que le Musée des Beaux-Arts de Montréal a présenté, en 1994, ses œuvres réalisées depuis 1983.
Le travail de Colville est lent et précis, c'est ce que tend à montrer l'exposition : *Alex Colville : peintures, estampes et processus créatifs* de Montréal (1994), présentant « tout ce travail préalable comprenant les croquis, les préparations géométriques utilisant le nombre d'or, les incessantes esquisses et les dessins préparatoires qui sont, dans le cas de Colville, presque aussi importants que le résultat et l'exécution du tableau », comme l'explique Pierre Théberge, directeur de l'exposition. Il produit peu, trois ou quatre tableaux par an, laissant passer de cinq à dix ans entre ses premières notes ou ses esquisses et le tableau définitif. Dans les années cinquante, il travaillait un peu à la manière des néo-impressionnistes, multipliant et superposant les points de couleur pour aboutir à une image d'une précision extrême. À partir de 1964, l'emploi de l'acrylique lui a permis d'unifier l'aspect de la peinture, d'atteindre à une illusion presque photographique. Ses compositions sont soigneusement travaillées : il définit l'es-

pace en plans géométriques rigoureux, recherche un équilibre parfait entre figures et objets, se souvenant de la monumentalité de l'œuvre de Piero della Francesca, qui l'avait particulièrement impressionné lors de son séjour en Europe. Ses tableaux décrivent la vie quotidienne canadienne, où les éléments familiers sont figés dans une sorte d'immobilité fascinante, jusqu'à communiquer un caractère surréaliste. « Quand l'auteur semble s'en tenir au domaine de la réalité courante, il assume toutes les conditions qui importent pour faire naître le sentiment de l'inquiétante étrangeté », écrivait Sigmund Freud (*Essais de psychanalyse appliquée* 1919) ; c'est ce sentiment que Colville nous suggère à travers ses toiles nées d'un équilibre entre le quotidien et le surréel, entre la tranquillité et l'angoisse. S'il décrit le plus souvent des scènes de la vie quotidienne canadienne, à la manière de Thomas Eakins et surtout d'Edward Hopper aux États-Unis, il peint aussi des sujets plus fantastiques dans lesquels interviennent souvent des animaux, tel : *Cheval et train*, où un cheval galope sur les rails à la rencontre d'un train. Cette peinture s'est inscrite de façon très personnelle dans le courant de l'hyperréalisme apparu à la fin des années soixante.

■ Annie Pagès, J. B.

BIBLIOGR. : David Bernett : Catalogue de l'exposition itinérante *Colville*, Art Gal. of Ontario, Toronto, 1983 – Philip Fry : Catalogue de l'exposition *Alex Colville : peintures, estampes et processus créatifs, 1983-1994*, Montréal, 1994.
MUSÉES : BERLIN (Staatliches Mus.) : *Laser* 1976 – COLOGNE (Mus. Ludwig) : *Truck stop* 1966 – FREDERICTON (Baeverbrook Art Gal.) : *Railroad over Marsh* 1947 – *Nudes on shore* 1950 – HAMILTON (Art Gal.) : *Cheval et train* 1954 – HANOVRE (Kestner Gesellschaft) : *Departure* 1962 – LONDON, Ontario (région. Art Gal.) : *Dog, boy and St-John river* 1958 – MONTRÉAL (Mus. d'Art Contemp.) : *Western Star* 1985 – MONTRÉAL (Mus. des Beaux-Arts) : *Église et cheval* 1964 – *Cycliste et corneille* 1981 – NEW YORK (Mus. d'Art Mod.) : *Patineuse* 1964 – *Family and Rainstorm* 1955 – OTTAWA (Can. War Mus.) : *Infantry near Nijmegen, Holland* 1946 – OTTAWA (Nat. Gal. of Canada) : *Four Figures on a Wharf* 1952 – *Femme, homme et bateau* 1952 – *Enfant et chien* 1952 – *Family and rainstorm* 1955 – *Woman at clothesline* 1956-57 – *Couple à la plage* 1957 – *Swimming race* 1958 – *Hound in field* 1958 – *To Prince Edward Island* 1965 – PARIS (Mus. Nat. d'Art Mod.) : *Sign and Harrier* 1970 – ROTTERDAM (Mus. Boymans Van Beuningen) : *Stop for cows* 1967 – SAINT-JOHN (New-Brunswick Mus.) : *Nude and Dummy* 1950 – SASKATOON (Mendel Art Gal.) : *Visitors are invited to register* 1954 – TORONTO (Art Gal. of Ontario) : *Trois chevaux* 1946 – *Elm at Horton Landing* 1956 – *Femme dans un tub* 1973 – VIENNE (Mus. der Mod. Kunst) : *La rivière Spree* 1971.
VENTES PUBLIQUES : TORONTO, 15 mai 1978 : *Buffalos* 1945, aquar. et encre (24x35) : **CAD 3 600** – TORONTO, 5 nov. 1979 : *Taureau* 1954, temp. (30x37,5) : **CAD 14 000** – TORONTO, 6 nov. 1979 : *After swimming* 1955, sérig. en coul. (62,5x37,5) : **CAD 4 000** – TORONTO, 2 mars 1982 : *La cascade* 1968, aquar. (23,8x31,3) : **CAD 1 800**.

COLVILLE Antoine. Voir **COLLEVILLE**

COLVIN Marta
Née en 1917 à Chillan. XXᵉ siècle. Active en France. Chilienne.
Sculpteur.
Elle fut élève de l'École des Beaux-Arts de Santiago, où elle exposa à plusieurs reprises, figurant à la Biennale de Sao Paulo en 1957 et au Salon de Mai. Résidant ensuite en France et en Angleterre à partir de 1948 elle reçut les conseils de Zadkine, Moore et Henri Laurens. Qu'elle procède par formes anguleuses ou par formes douces, elle s'est créé un registre formel, pratiquement abstrait, inspiré de la végétation et du paysage minéral du continent sud-américain. Elle mêle souvent dans des compositions audacieuses formes végétales et éléments du corps humain. A Paris où elle séjourna longtemps elle exposa en 1954 et figura au Salon de la Jeune Sculpture. De retour au Chili, elle est nommée professeur à l'Académie de Santiago, mais depuis 1958 vit en France. ■ J. B.
VENTES PUBLIQUES : NEW YORK, 20 mai 1987 : *Sans titre* 1974, bois peint. (H. 64,8) : **USD 2 000**.

COLYER Evert ou **Edwaert.** Voir **COLLIER**

COLYER Vincent
Né en 1825 à Bloomingdale (New York). Mort en 1888 à Contentment-Island (Connecticut). XIXᵉ siècle. Américain.
Peintre, graveur et pastelliste.

COLYN Alexander ou **Colyns, Colin**
Né en 1527 ou 1529 à Malines. Mort le 17 août 1612 à Innsbruck. XVIᵉ-XVIIᵉ siècles. Éc. flamande.

Sculpteur, ciseleur et architecte.
Élève de Conrad Meyt. Il fut, avant 1562, à Heidelberg, chef des travaux d'architecture du prince Otto-Frédéric. Il travailla aux bas-reliefs du tombeau de l'empereur Maximilien, à Innsbruck, jusqu'en 1566, puis alla à Malines ; de retour à Innsbruck, il fit, en 1569, les modèles des angles du cénotaphe, coulés en bronze, en 1570, les statues des 4 vertus cardinales. Il avait exécuté ces vingt reliefs en marbre évoquant des épisodes de la vie du prince Maximilien, d'après des dessins du peintre Florian Abel, qui l'avait fait venir. Ce travail confirma sa réputation. Il fut appelé le « Ghiberti flamand ». Après les reliefs, il sculpta la statue de Maximilien en grand apparat sur son trône, puis les quatre Vertus. Dans la chapelle dite d'Argent, il sculpta le tombeau de l'Archiduc Ferdinand, en marbre noir et blanc, complété par quatre scènes de batailles. Au même endroit, il sculpta le tombeau de la femme de l'Archiduc, Philippine Welser que l'on nommait « la belle Welser », dont la base est ornée de deux reliefs de marbre illustrant *La foi* et *La charité*. Les grandes statues appartiennent au style de la Renaissance internationale. Le caractère flamand de Colyn apparaît encore dans le détail de la ciselure des scènes réalistes. Il eut pour élèves Dominique de Parent et François Pervou et pour fils Abraham COLYNS.

COLYN Crispiaen ou **Christian**
Né à Malines. XVIᵉ-XVIIᵉ siècles. Éc. flamande.
Peintre.
Bourgeois d'Amsterdam en 1586.

COLYN David
Né vers 1582 à Rotterdam. XVIIᵉ siècle. Hollandais.
Peintre.
Il était le fils de Crispiaen Colyn et vécut surtout à Amsterdam.
MUSÉES : AMSTERDAM : *La mort du prophète Elie* – MADRID : *Festin céleste*.
VENTES PUBLIQUES : LONDRES, 27 fév. 1931 : *Le dernier jugement* : **GBP 15** – PARIS, 3 mars 1967 : *Le marché* : **FRF 15 000**.

COLYN Dierick
Né vers 1570 à Malines. XVIᵉ siècle. Éc. flamande.
Peintre.

COLYN Jacob
Né en 1614 à Amsterdam. Mort en 1686 à Amsterdam. XVIIᵉ siècle. Hollandais.
Peintre.
Il était le fils de David Colyn.

COLYN Johannes
XVIIIᵉ siècle. Actif à Gand en 1727. Éc. flamande.
Sculpteur.

COLYN Michiel
Né peut-être à Anvers. XVIIᵉ siècle. Éc. flamande.
Graveur d'architectures.
Il travailla à Amsterdam et y grava une vue de la Bourse en 1609. On cite également des planches de costumes divers. Il ne fut, selon certains auteurs, que l'éditeur des planches qu'on lui attribue.

COLYNS Abraham
Né en 1563. Mort en 1599 à Innsbruck, ou 1641 selon d'autres sources. XVIᵉ siècle. Hollandais.
Sculpteur.
Fils de Alex. Colyn. Le Musée d'Innsbruck possède deux œuvres de cet artiste : *Petit autel* et *La Vierge et l'Enfant entourés d'anges*, œuvre datée de 1597.

COLYNS Arnold
XVIᵉ siècle. Actif à Cologne en 1579. Allemand.
Peintre.

COLYNS Ferdinand ou **Coleyns**
XVIIᵉ siècle. Actif à Bruxelles à la fin du XVIIᵉ siècle. Éc. flamande.
Peintre.

COLYNS Henri
XVIᵉ siècle. Actif à Malines vers 1573. Éc. flamande.
Peintre.

COLYNS Jacques
Originaire de Malines. Mort en 1600 à Dantzig. XVIᵉ siècle. Éc. flamande.
Sculpteur.

COLYNS Jan
XVIᵉ siècle. Éc. flamande.

Peintre.
Actif à Malines vers 1556 ; on ne doit pas le confondre avec le Jan Colyns suivant qui fut son exact contemporain.

COLYNS Jan
xvie siècle. Éc. flamande.
Peintre.
Actif à Malines vers 1562, il était le fils de Thierry Colyns.

COLYNS Thierry
Mort peu avant 1560. xvie siècle. Actif à Malines. Éc. flamande.
Peintre.
Il était le frère du sculpteur Jacques Colyns et fut le père du peintre Jan Colyns.

COLYNS de Nole. Voir NOLE

COLZI Joseph
xixe siècle. Italien.
Peintre d'histoire.

COLZY Maurice
Né à Saint-Quentin (Aisne). xxe siècle. Français.
Décorateur.
Il exposa à Paris au Salon des Indépendants, de 1927 à 1929.

COMACHE Pierre
xve siècle. Français.
Sculpteur sur bois.
Il travaillait en 1462 pour la cathédrale de Rouen.

COMADI Andrea
Né en 1560 à Florence. Mort en 1638 à Florence. xvie-xviie siècles. Italien.
Peintre de compositions religieuses, pastelliste, dessinateur.
Comadi eut pour maître le Florentin Lodovico Cordi, dit le Cigoli, quoiqu'ils fussent plutôt amis et émules que professeur et disciple. Mariette le croit condisciple du Cigoli chez Alexandre Allori (dit le Bronzino) et dit que Comadi apprit seulement la perspective chez le Cigoli. Son talent de copiste fut remarquable, et Lanzi dit que dans ce métier il ne fut « surpassé par personne ». A Rome, où il passa la plus grande part de sa vie, il copia les œuvres de Raphaël avec une fidélité extraordinaire. Comadi alla aussi à Cortona et il y fut maître de Piétro Berettini (dit de Cortona), qui plus tard l'aida dans plusieurs de ses travaux. Comadi dessina au pastel et aux crayons rouge et noir, en imitant le Baroche et la manière de Corrège. La Galerie royale, à Florence, conserve son portrait peint par lui-même.
Ventes Publiques : Paris, 1870 : *La Vierge, Jésus et sainte Catherine* : FRF 1 320.

COMAIRAS Philippe
Né le 24 octobre 1803 à Saint-Germain-en-Laye (Yveline). Mort le 14 février 1875 à Fontainebleau (Seine-et-Marne). xixe siècle. Français.
Peintre de genre, portraits.
Élève d'Ingres, à l'École des Beaux-Arts, où il entra le 3 avril 1833 ; la même année, il remporta le second prix au concours pour Rome. Il avait déjà paru au Salon en 1824. En 1836, il eut la médaille de troisième classe et celle de deuxième classe en 1838. Il collabora avec Chenavard. Parmi ses tableaux, on cite : *Femme jouant avec son enfant*, *Le serpent d'airain*.
Musées : Versailles : *Anne-Louise-Bénédicte, duchesse du Maine* – *Ch. de Lorraine, cardinal* – *Agnès Sorel* – *Anne de France, dame de Beaujeu* – *Jean de Lorraine, cardinal*.

COMAN Charlotte Buell
Née en 1834 à Waterville (New York). Morte en 1915 à Youkers (New York). xixe-xxe siècles. Américaine.
Peintre de genre, paysages.
Musées : New York (Metropolitan Mus.) : *Clearing off*.
Ventes Publiques : New York, 26 sep. 1986 : *Chemin de campagne*, h/t (36,2x61,6) : USD 2 200.

COMANDE Francesco
Né au xvie siècle à Messine. xvie siècle. Italien.
Peintre d'histoire.
Élève de Giunaccia. Il travailla presque toujours avec son frère Giovanni Simone Comande.

COMANDE Giovanni Simone
Né en 1580. Mort en 1634. xviie siècle. Actif à Messine. Italien.
Peintre d'histoire.
Disciple de l'École vénitienne.

COMANDE Stefano
xvie siècle. Actif à Messine. Italien.
Peintre.
Il fut l'élève de Polidoro da Caravaggio.

COMANDINI Mario
Né à Cesena (Italie). xxe siècle. Français.
Sculpteur.
Il exposa à Paris au Salon d'Automne.

COMANDRÉ Marcel Lucien
Né à Paris. xxe siècle. Français.
Graveur.
Exposant des Artistes Français, dont il est sociétaire ; mention honorable en 1924.

COMANE Juan Bautista
xvie siècle. Espagnol.
Sculpteur.
Il travaillait à l'Escurial pour le roi Philippe II vers 1580.

COMANEDDI Rocco
Originaire de Cima. Italien.
Peintre et graveur.
Il travailla à Milan, à Parme et à Turin.

COMANS Michiel
Mort le 9 décembre 1687 à Rotterdam. xviie siècle. Hollandais.
Graveur.
Il a gravé : Titre pour *Van de borgelghe wellevenheid* de Erasmus ; Titre pour *Duyste Lier* de Jean Luykeus ; *Oberwinning près de Chattam, Rochester* ; *La Nouvelle Caserne des pompiers*.

COMARE Ottavio della
Mort en 1630 à Vérone. xviie siècle. Italien.
Peintre.

COMARINI Giovanni Antonio
Italien.
Peintre.
Baruffaldi, dans ses *Vite dei Pittori* prétend qu'il travailla pour l'église San Rosario à Cento.

COMARTIN Henry
Français.
Peintre.
Il fut membre de l'Académie de Saint-Luc.

COMAS Y BLANCO Augusto
Né en 1862 à Valence. Mort en 1953 à Madrid. xixe-xxe siècles. Espagnol.
Peintre de paysages, illustrateur.
Fils du juriste et professeur d'université Augusto Comas y Arqués il fit de brillantes études de droit à l'Université de Madrid. Il fit ensuite une carrière politique. Parallèlement à ces activités, il pratiqua la peinture en amateur et se spécialisa dans la description des paysages du Nord de l'Espagne. A l'Exposition Nationale de 1887 il reçut une médaille de troisième classe et en 1916 reçut une médaille de seconde classe à l'Exposition Internationale de Panama. Il montra ses œuvres lors d'expositions personnelles à San Sebastien, Madrid et Barcelone. Il réalisa également de nombreuses illustrations pour la presse et eut une activité de critique d'art ; il a laissé deux ouvrages sur les Expositions Nationales des Beaux-Arts de 1890 et 1892. En 1888 il fut le commissaire désigné pour l'Espagne pour les Expositions Internationales de Munich et de Vienne.
Bibliogr. : In : *Cent ans de peinture en Espagne et au Portugal, 1830-1930*, Antiquaria, Madrid, 1988.

COMASCHI Livio
xvie-xviie siècles. Actif à Piacenza. Italien.
Sculpteur sur bois.
Il aurait travaillé pour l'église San Giorgio Maggiore à Venise.

COMBA Claude de La. Voir LA COMBA

COMBA Pierre Paul
Né en 1834 à La Chable (Haute-Saône). Mort en 1872 à Nice (Alpes-Maritimes). xixe siècle. Français.
Peintre de sujets militaires, aquarelliste, dessinateur, illustrateur.
Il s'est consacré à la représentaion du soldat dans l'exercice de ses fonctions. On cite notamment son illustration de *l'Armée française* de Roger de Beaudon.
Musées : Sydney : *Manœuvres dans les Alpes*, dess.
Ventes Publiques : Paris, 1895 : *Manœuvres dans les Alpes*,

dess. : **FRF 32** – PARIS, 10 avr. 1924 : *Le vilain curieux*, aquar. : **FRF 70** – PARIS, 19 jan. 1925 : *Chasseurs à pied et mulets dans un défilé*, aquar. : **FRF 160** – PARIS, 22 juin 1931 : *La grand-halte – Chasseurs alpins*, deux aquar. : **FRF 50** – PARIS, 26 oct. 1990 : *Chasseurs alpins dans les Alpes*, une paire aq. (chaque 34,5x16) : **FRF 5 300**.

COMBA Y GARCIA Juan
XIXe siècle. Espagnol.
Peintre de genre et dessinateur.
Il exécuta un portrait de la reine Marie-Christine d'Autriche. Il collabora comme dessinateur à plusieurs journaux espagnols.

COMBALLINO Nardo
XVe siècle. Actif à Rome vers 1470. Italien.
Sculpteur sur bois.

COMBALUZIER Juliette Magdeleine
Née à Beaulieu-Berrias (Ardèche). XXe siècle. Française.
Peintre de paysages.
Elle exposa au Salon des Artistes Indépendants entre 1924 et 1938.

COMBARIEU Frédéric Charles
Né le 9 octobre 1834 à Paris. Mort en juillet 1884, par suicide. XIXe siècle. Français.
Sculpteur.
Élève de Dumont et de Bonnassieux. A exposé au Salon en 1868 et 1878.

COMBAS Robert
Né en 1957 à Lyon (Rhône). XXe siècle. Français.
Peintre de compositions à personnages, portraits, animaux, peintre de techniques mixtes, collages. Figuration libre.
Bien que né à Lyon, Robert Combas a grandi à Sète. Il raconte que dès l'âge d'un ou deux ans, il gribouille des batailles au stylo-bille sur tout ce qui lui tombe sous la main. Il fut élève des Beaux-Arts de Sète puis de Montpellier. Il est notable que l'année de son diplôme, ses peintures sont remarquées par Bernard Ceysson, qui lui demande de participer à l'exposition *Après le classicisme* au Musée de Saint-Étienne, et qu'après cette exposition deux grands marchands lui achèteront des toiles.
À partir de 1980, Robert Combas participe à de nombreuses expositions collectives, qui se sont multipliées après 1982, parmi lesquelles : en 1980 *Après le classicisme* au Musée d'Art et d'Industrie de Saint-Étienne ; en 1981 *Finir en beauté* de B. Lamarche-Vadel ; en 1982 *L'air du temps, Figuration Libre en France* dans la Galerie d'Art Contemporain des Musées de Nice, à Düsseldorf, Amsterdam et New York ; en 1983 *Blanchard, Boisrond, Combas, Di Rosa* au Groninger Museum, *New Art* à la Tate Gallery de Londres ; en 1984 *France, une nouvelle génération* à l'Hôtel de Ville de Paris, *Légendes* au CAPC Musée d'art contemporain de Bordeaux, *Frensh Spirit Today* au Musée d'Art Contemporain de La Jolla (États-Unis), *Rite, Rock, Rêve, jeune peinture française* au Musée Cantonal des Beaux-Arts de Lausanne, *5/5 : Figuration Libre France-USA* à l'ARC au Musée d'Art Moderne de la Ville de Paris ; en 1985 *Autour de la BD* au Palais des Beaux-Arts de Charleroi, et Nouvelle Biennale de Paris à La Villette ; en 1986 *Luxe, Calme, Volupté* à la Vancouver Art Gallery ; en 1989 *Nos années 80* à la Fondation Cartier de Jouy-en-Josas.
Il présente ses œuvres lors de nombreuses expositions personnelles, parmi lesquelles : en 1981 dans les galeries Errata de Montpellier, Eva Keppel de Düsseldorf et Swart d'Amsterdam ; en 1982 à la galerie Yvon Lambert à Paris et dans les galeries Swart à Amsterdam, Baronian-Lambert à Gand, Bernier à Athènes, Il Capricorno à Venise ; en 1983 chez Leo Castelli à New York, à la galerie Le Chanjour à Nice *Le combat de Combas* ; en 1984 à l'Action Régionale pour la Création Artistique à Marseille ; en 1985 au Musée de l'Abbaye de Sainte-Croix aux Sables d'Olonne ; en 1986 au Musée d'Art et d'Industrie de Saint-Etienne ; en 1987 au CAPC Musée d'Art Contemporain de Bordeaux et au Stedelijk Museum d'Amsterdam ; en 1990 au Musée Toulouse-Lautrec d'Albi ; en 1993 *Du simple et du double d'après les poèmes de Sylvie Hadjean* au Musée d'Art Moderne de la Ville de Paris ; en 1995 au Palais des Congrès de Paris.
Robert Combas appartient au groupe de la figuration libre, réuni et exposé par Bernard Lamarche-Vadel dans son appartement parisien en juin 1981 sous le titre *Finir en beauté* ; l'exposition réunissait des artistes très divers, comme J.-M. Alberola, J.-C. Blais, R. Blanchard, F. Boisrond, H. Di Rosa, J.-Fr. Maurige,

C. Viollet et bien sûr Combas. Blanchard, Boisrond, Combas et Di Rosa constituent le noyau dur de la figuration libre, qui doit son nom à l'artiste Ben. La figuration libre, apparue au début des années quatre-vingt, constituait une réponse française aux mouvements allemand du néo-expressionnisme et italien de la trans-avant-garde, tout en s'en distinguant par le regroupement très superficiel des artistes et par l'absence de caractère nationaliste dans la redécouverte du patrimoine artistique. En France, la figuration libre surgit au moment où la politique artistique est particulièrement dynamique, désireuse de toucher un public élargi ; la figuration libre et ses artistes revendiquant leur anti-intellectualisme, l'anti-historicisme, frottant la peinture à des genres dits mineurs comme la bande dessinée et le rock, tombe à point nommé et rencontre alors un large succès. Elle ne revendique pas une idéologie de table rase violente, mais plutôt une idéologie populiste, certains artistes comme Di Rosa et Combas mettant en avant leurs origines prolétariennes.
Les premières peintures de Combas datent de 1978. Ce sont alors des caricatures de personnages comme Mickey ou complètement inventés. Ces premières œuvres sont réalisées sur tous les supports possibles, cartons aplatis, morceaux d'étoffes informes... qu'il abandonnera ensuite, se rendant facilement aux raisons du marché. L'année de son diplôme, il choisit d'agrandir ses dessins d'enfants et d'y introduire la couleur, avec « l'idée de faire quelque chose de nouveau et de populaire, qui, au niveau du rythme, fonctionnerait comme la musique qui nous plaisait ». Les grands formats sur toile libèrent ensuite totalement Combas, qui ne se reconnaît aucune influence d'autres artistes, aucune parenté artistique, mais une culture qui doit tout aux médias. L'œuvre de Combas évoque la bande dessinée, mais lui-même se décrit comme un « enfant de la télévision qui n'aime pas les livres... » Le désir de faire une peinture antibourgeoise est très présent, avec la volonté de choquer. La plupart des peintures de Combas sont dominées par un même sujet : les batailles, sujet d'actualité permanent dans les villes et le monde contemporains. Les rapports humains quels qu'ils soient sont d'ailleurs presque toujours compris par Combas comme extrêmement violents, les rapports amoureux étant vus comme des affrontements. Le chaos général est renforcé par l'effet de saturation de l'espace, la toile étant peinte dans ses moindres recoins. Les personnages centraux sont cernés d'un épais trait noir, et les moindres interstices vacants sont habités par un graphisme répétitif, empruntant à l'art décoratif et populaire. Le sexe et la mort sont les autres thèmes omniprésents des peintures, souvent obscènes, les petits motifs du fond étant alors fréquemment sexués. De luttes en fornications, les personnages de Combas s'agitent, toujours guidés par l'humour provocant ; les titres des toiles fonctionnant comme des notices explicatives, relatives à l'identité des personnages et à l'explication de leurs actions ; la lisibilité de la toile devenant de plus en plus brouillée par ce fond gagnant en complexité. Ces peintures sont exécutées sans règles, rarement à partir d'un dessin ; Combas dit être dans un labyrinthe quand il peint, au plus près de la toile, et ne pouvoir en sortir que lorsque la peinture est achevée, c'est-à-dire « remplie ». Les mots sont partout, tracés en grosses lettres, à commencer par la signature, véritable monogramme, tableau dans le tableau.
Combas travaille parfois en séries, comme celle du *Bestiaire* en 1986 ou celle des peintures inspirées des thèmes de l'iconographie classique ou encore en dialogue avec d'autres œuvres, celle de Toulouse-Lautrec au Musée d'Albi en 1990 par exemple. Se déclarant « inculte mais allant vers la culture », il s'est attaché aux thèmes et aux personnages de l'Histoire sainte. Depuis 1989, à la suite de voyages à Chartres et Venise, il s'intéresse au Moyen Âge et a développé cette réflexion en illustrant les poèmes « métaphysiques » de Sylvie Hadjean. Autour de ces récits, il a créé des peintures « synthèses de toutes mes manières de peindre » (Combas), des dessins, des objets totems : assemblages de bois, de mots, de peinture et d'autres matériaux, mais aussi chaises, prie-dieu, crucifix, ainsi qu'un vitrail *Le Dormeur Duval* en hommage douteux à Rimbaud. Il a également réalisé des performances et des vidéos.
La peinture de Combas, cultivant l'irrespect, la caricature et l'ironie, brasse images et couleurs et détourne les stéréotypes pour un jeu formel. Combas et la figuration libre n'ont pas inventé une nouvelle iconographie ni une nouvelle façon de peindre, mais une attitude nouvelle face à l'art, la démonstration que l'on peut faire de l'art en s'amusant, que la peinture peut être facile à voir et à oublier, immédiatement lisible comme le jour-

nal, une bande dessinée ou la publicité, en bref un produit de consommation courante, avec sa date limite de fraîcheur.

■ Florence Maillet, J. B.

Bibliogr. : In : Catal. de la *Nouvelle Biennale de Paris*, 1985, Electa-Le Moniteur – in : Catherine Millet : *L'Art contemporain en France*, Flammarion, Paris, 1987 – Catal. de l'exposition *Robert Combas : peintures 1985-1987*, CAPC, Musée d'Art Contemporain de Bordeaux, mars-avr. 1987, appareil biographique et bibliographique complet – Bernard Marcadé, *Robert Combas*, Éditions de La Différence, 1991 – in : Banque de données *JOCONDE* de la Direction des Musées de France.

Musées : Bordeaux (CAPC, Mus. d'Art Contemp.) : Neuf dessins – Neuf peintures : *Seigneur de Montaigne*, gche – *Guignol*, peint. acryl. – *Défilé de mode, au départ c'était un défilé de mode, maintenant c'est un gros bordel violent et plein d'yeux sadiques*, peint. acryl. – *Bonjour, Mr Orwell, 1.1.1984*, peint. acryl. – *En vérité c'est un croisé*, peint. acryl. – *Seigneur de Montaigne Monsieur très intelligent physiquement balèse, moitié moine-pape, moitié macaroni béni*, peint. acryl. – *Froid aux oreilles*, peint. acryl. – *Sans titre*, peint. acryl. – *Malgré les apparences il n'y a aucun message mystique ou religieux*, peint. acryl. – Marseille (Musée. Cantini) : *Scène de flirt animalière* 1986, h/t, (211x175) – Paris (Mus. Nat. d'Art Mod.) : *La bébête à Roujeole veut se taper la femme au corps de Belle. Un triangle se monte une pignolle, et le « tueur de Folon » fait des poèmes sur « tea-shirt »* comme les habits de Castelbacouine 1984, h/t et caoutchouc collé – Paris (Mus. d'Art Mod. de la Ville) – Paris (FNAC) : *Enée conquiert Rome* 1984, acryl./t., (270x241) – Rochechouart (Mus. départ. d'Art Contemp.) : *Arbre généalogique* 1984.

Ventes Publiques : Paris, 6 déc. 1985 : *Composition aux fleurs* 1985, h/pap., forme triangulaire (H. 215, base 148) : **FRF 12 500** – Londres, 26 juin 1986 : *Portrait d'un marin aventurier* 1982, temp. et collage/cart. (73,5x55) : **GBP 950** – La Varenne-Saint-Hilaire, 29 nov. 1987 : *Carnaval*, h/t (202x166) : **FRF 49 000** – Paris, 27 juin 1988 : *Femme triangulaire et crustacé*, h/t (70x72) : **FRF 16 000** – Paris, 29 jan. 1988 : *Portrait* 1981, acryl./t. (106x87) : **FRF 170 000** – Paris, 23 mars 1988 : *Le Cheval de Troie*, acryl./t. (180x158) : **FRF 72 000** ; *Les Deux Dragons*, acryl./t. (241x147) : **FRF 40 000** – Paris, 13 avr. 1988 : *Adam et Ève, ma pomme* 1983, h/t (195x138) : **FRF 50 000** ; *Le Général Patton dirige les opérations du haut de son étalon* 1985, h/t (232x168) : **FRF 60 000** – Paris, 22 avr. 1988 : *Petite Baigneuse* 1986, acryl./t. (230x166) : **FRF 65 000** – Paris, 6 juin 1988 : *Tête*, past. (32x24) : **FRF 5 000** – Paris, 16 juin 1988 : *Sans titre* 1986, acryl./tissu (70,5x72) : **FRF 18 000** – Paris, 16 oct. 1988 : *Rock n'roll* 1982, acryl./t. (124x182) : **FRF 30 000** – Paris, 26 oct. 1988 : *Le Funambule rouge à deux têtes* 1984, acryl./t. (211x157) : **FRF 50 000** ; *Loin de l'usine de Cofaz* 1984, acryl./t. (104x206) : **FRF 37 100** – Paris, 28 oct. 1988 : *L'éléphant* 1980, acryl./cart. ondulé (78x83) : **FRF 26 000** – New York, 10 nov. 1988 : *I love the beat*, acryl./pap. d'emballage (235,3x136,3) : **USD 6 050** – Paris, 12 fev. 1989 : *Couple* 1987, acryl./t. (84x121) : **FRF 26 000** – Paris, 12 fév. 1989 : *Adam et Eve*, acryl./t. (242x182) : **FRF 101 000** – Paris, 23 jan. 1989 : *Co-Cu Cola*, h/t (153x234) : **FRF 55 000** – Paris, 23 mars 1989 : *Hained and the Snake* 1980, acryl./t. (142x117) : **FRF 42 000** – Paris, 29 sep. 1989 : *Vive la connerie* 1981, acryl./t. (95x95) : **FRF 65 000** – Paris, 7 avr. 1989 : *La Chaussure*, h/t (91x117) : **FRF 40 000** – New York, 4 mai 1989 : *Règlement de compte* 1983, acryl./t. (110,2x144,1) : **USD 11 000** – Paris, 9 oct. 1989 : *El Palmito* 1987, acryl./drap (230x145) : **FRF 110 000** – Amsterdam, 13 déc. 1989 : *Rocket* 1982, acryl./pap. mural épais (77x110) : **NLG 13 800** – Paris, 4 fév. 1990 : *Composition aux fleurs* 1986, h/t (153x109) : **FRF 325 000** – Paris, 30 mars 1990 : *Autoportrait avec chemise rayée*, acryl./t. (202x150) : **FRF 425 000** – Paris, 2 avr. 1990 : *La Fiancée de Belmondo* 1984, acryl. et collage/t. (228x157) : **FRF 450 000** – Paris, 4 mai 1990 : *L'Arrosage de la fleur dans un paysage*, peint./verre (82x102) : **FRF 150 000** – Neuilly, 10 mai 1990 : *Sans titre*, acryl./t. (207x161) : **FRF 290 000** – Meaux, 20 mai 1990 : *Adam et Eve* 1983, h/t (255x230) : **FRF 337 000** – Paris, 11 juin 1990 : *Babou le gorille* 1986, acryl./t. (205x173) : **FRF 325 000** – Paris, 15 mars 1991 : *L'Éléphant* 1980, h/cart. (77x83) : **FRF 45 000** – New York, 2 mai 1991 : *Les Trois Grosses* 1985, h/t (231,7x151,8) :

USD 26 400 – New York, 13 nov. 1991 : *L'Enlèvement des Sabines* 1985, acryl./tissu (200x243,6) : **USD 28 600** – Paris, 9 déc. 1991 : *Personnage sur fond rouge* 1981, acryl./cart./t. (185x122) : **FRF 60 000** – New York, 6 mai 1992 : *Le Mage Fromage* 1985, acryl./t. triangulaire (215x151) : **USD 8 250** – Londres, 15 oct. 1992 : *Début du commencement* 1986, acryl./tissu/t. (64x70) : **GBP 2 860** – Paris, 7 déc. 1992 : *Le Car de l'usine Brali*, acryl./t. (88,5x123) : **FRF 70 000** – Londres, 25 mars 1993 : *Deux Langues* 1980, acryl./t. (162x130) : **GBP 8 625** – Paris, 11 juin 1993 : *Nice 1962*, techn. mixte et collage/pan. (63x102) : **FRF 6 500** – Lokeren, 9 oct. 1993 : *Femme avec une robe à feuilles* 1982, h/t (200x100) : **BEF 190 000** – Paris, 17 nov. 1993 : *Le Punk*, acryl./t. libre (167x127) : **FRF 62 000** – Paris, 20 avr. 1994 : *La Reine et la Tour*, acryl./t. (120x70,2) : **FRF 107 000** – Paris, 3 mai 1994 : *L'Enlèvement des Sabines* 1985, acryl./tissu (200x243,6) : **USD 12 075** – Lokeren, 28 mai 1994 : *Composition*, acryl./t. (119x223,5) : **BEF 240 000** – Paris, 5 déc. 1994 : *Le Christ et ses deux camarades de promotion* 1993, trois sculptures au pinceau, acryl. morceaux de tubes de peint./socle en laiton (50x45x15) : **FRF 16 500** – Amsterdam, 8 déc. 1994 : *Yapouce* 1982, acryl./coton (153x176) : **NLG 17 250** – Paris, 15 déc. 1994 : *Amour-Haine* 1987, acryl./t. (188x255) : **FRF 65 000** – Paris, 7 oct. 1995 : *La Bouteille de vin rouge* 1986, acryl./t. (173x226) : **FRF 68 000** – Paris, 24 mars 1996 : *La Négresse*, rés. polychrome, sculpture (123x25) : **FRF 32 500** – Calais, 7 juil. 1996 : *Trance Dance*, acryl./t. (46x38) : **FRF 10 000** – Londres, 24 oct. 1996 : *Les Trompettes* 1983, acryl./t. (235x210) : **GBP 12 075** – Paris, 24 nov. 1996 : *Guitare dans la tête*, acryl./disque microsillon (diam. 30) : **FRF 7 800** – Paris, 16 mars 1997 : *Le Joueur de flûte* 1995, acryl. et collage/t. (130x97) : **FRF 19 500** – Amsterdam, 2-3 juin 1997 : *Un monsieur énervé et une femme à la mode* 1982, acryl./t./t. (217x212) : **NLG 21 240** – Paris, 18 juin 1997 : *Fan de pute mila feu diou macarel fuegos* 1987, acryl./t. (191x107) : **FRF 44 000**.

COMBASTEL Magdeleine
Née à Versailles (Yvelines). XXe siècle. Française.
Peintre, aquarelliste.
Sociétaire du Salon des Artistes Français, elle y exposa des aquarelles entre 1929 et 1933.

COMBATS DE COQS, Maître aux. Voir SOYE

COMBAZ Ghisbert Corneille Henri Paul
Né en 1869 à Anvers. Mort en 1941 à Bruxelles. XXe siècle. Belge.
Peintre de sujets religieux, portraits, paysages, sculpteur, illustrateur, affichiste. Art nouveau.
Après avoir fait des études juridiques, il fut élève de l'Académie d'Anvers et professeur à celle de Bruxelles. Il vécut surtout à Anvers où il exposa à partir de 1886. Il exposa également à la Libre Esthétique à partir de 1897. Il fut aussi historien de l'art extrême-oriental.
Par leurs arabesques, au rythme sinueux et ondulant, ses gravures et affiches sont des exemples typiques du *Modern Style*.

GISBERT COMBAZ

Bibliogr. : In : *Diction. Biog. Ill. des Artistes en Belgique depuis 1830*, Arto, 1987 – Gérald Schurr, in : *Les Petits Maîtres de la peinture 1820-1920, valeur de demain*, Les Éditions de l'Amateur, t. III, Paris, 1976.

Musées : Ixelles.

Ventes Publiques : Anvers, 10 oct. 1972 : *Estocade* : **BEF 24 000** – New York, 24 nov. 1981 : *La libre esthétique* 1897, litho. (50,1x35,3) : **USD 1 300** – Paris, 11 juin 1993 : *Paysage symboliste* 1921, h/t (72x51) : **FRF 4 000**.

COMBE, Miss
XVIIIe siècle. Britannique.
Peintre.
Elle exposa en 1790 à la Royal Academy, à Londres.

COMBE E., Miss
XIXe siècle. Active à Londres. Britannique.
Peintre de miniatures.
Elle exposa de 1834 à 1840 à la Royal Academy.

COMBE François
Mort le 21 juin 1693 à Saint-Galmier (Loire). XVIIe siècle. Vivait dans le Forez. Français.
Sculpteur.
Il travailla vers 1684 pour l'église de Saint-André au Puy (Haute-Loire).

COMBE Jean
Né à Marseille (Bouches-du-Rhône). XXᵉ siècle. Français.
Peintre.
Il exposa une nature morte au Salon des Artistes Français de Paris, en 1932.

COMBE-VELLUET Louis Alphonse
Né vers 1842 à Poitiers (Vienne). Mort en 1902. XIXᵉ siècle. Français.
Peintre de paysages.
Élève de Gérome, il a participé au Salon de Paris de 1878 à 1882. Il obtint une mention honorable à l'Exposition Universelle de 1889.
Ses vues de Saintes ou de Parthenay, sont enveloppées d'une lumière fine qui met en valeur sa palette sobre de verts et de gris, réveillée seulement par quelques tons vifs.
Bibliogr. : Gérald Schurr, in : Les Petits Maîtres de la peinture 1820-1920, valeur de demain, Les Éditions de l'Amateur, t. VI, Paris, 1985.
Musées : Niort : Rue du Pont à Niort – Rochefort : La Mossardière.

COMBEAU Maurice
Né à Paris. XXᵉ siècle. Français.
Décorateur.
En 1921 il exposa des vitraux au Salon des Artistes Français.

COMBELLAS Marcel Paul
Né en 1906 à Paris. XXᵉ siècle. Français.
Peintre de sujets religieux, compositions animées, nus.
Il fut élève de l'École des Beaux-Arts en 1924 et auditeur de l'École du Louvre à Paris en 1925, menant en dehors de ses activités artistiques des études de chirurgie dentaire. Sociétaire du Salon des Artistes Indépendants depuis 1947, il y exposa régulièrement ainsi que dans plusieurs groupements parisiens. Depuis 1945 il expose fréquemment dans le sud-ouest de la France, à Toulouse, Pau, Bayonne, etc.
Il peint dans une matière épaisse et émaillée, laissant affleurer l'émotion par des effets de clair-obscur, qui rappelle la poétique de Rouault.
Musées : Bagnères-de-Bigorre – Bétharram – Montevideo (Mus. Nat. Bel Arte) – Perpignan – San Sebastian (Mus. San Telmo) – Soligny – Tarbes – Ypres.

COMBEROURE François
Né vers 1661 à Annonay. Mort le 30 janvier 1723 à Genève. XVIIᵉ-XVIIIᵉ siècles. Suisse.
Peintre.
Comberoure fut reçu bourgeois de Genève en 1705. Il s'associa avec le peintre doreur Jean Ducereau de Paris et avec Jacob, puis Philippe Châtel.

COMBEROURE Jean François
Né le 29 mai 1704 à Genève. XVIIIᵉ siècle. Suisse.
Peintre.
Fils de François Comberoure.

COMBEROUSSE Georges
Né en 1858 à Lyon. Mort en 1902. XIXᵉ siècle. Français.
Peintre.
Élève de Miciol. Il exposa, à Lyon, de 1889 à 1903, des natures mortes, des portraits, des paysages et des tableaux de genre.

COMBEROUSSE Joséphine de
XVIIIᵉ-XIXᵉ siècles. Active à Lyon. Française.
Graveur, dessinatrice.
On connaît d'elle un plan de la ville de Lyon.

COMBES
Né en 1786 à Montauban. Mort en 1875 à Montauban. XIXᵉ siècle. Français.
Paysagiste.
Cet artiste est peut-être l'auteur d'une gravure signée Combes que signale Béraldi. On connaît aussi une miniature du XIXᵉ siècle, signée de ce même nom.
Musées : Montauban : Paysage – La Roche-sur-Yon : Fabien Alasonière.

COMBES André
Né à Charenton (Val-de-Marne). XXᵉ siècle. Français.
Peintre de portraits, paysages, natures mortes.
Il exposa au Salon des Artistes Indépendants, au Salon d'Automne et aux Tuileries entre 1930 et 1935.

COMBES Fernand
Né en 1856 aux Herbiers (Vendée). XIXᵉ siècle. Français.

Peintre, graveur et aquarelliste.
Il s'est formé à l'École des Beaux-Arts de Paris. Il a été l'invité du roi d'Espagne, et a peint et dessiné sur le front pendant toute la Grande Guerre. On cite surtout ses aquarelles. Il travailla à Paris où il exposa dans différents Salons à partir de 1888.

COMBES Hon Edward
Mort en 1895. XIXᵉ siècle. Actif à Sydney. Britannique.
Peintre de paysages, aquarelliste, graveur.
Il fut nommé en 1881 conservateur de l'Art National Gallery de Sydney. Ce Musée possède de lui quatre tableaux. Il fut décoré de l'ordre de Saint-Michel et Saint-Georges. Entre 1884 et 1892, il a exposé à Londres à la Royal Academy et à la New Water-Colours Society.

COMBES Peter
XVIIIᵉ siècle. Actif en Angleterre vers 1700. Britannique.
Graveur à la manière noire.
On a conservé de cet artiste quelques portraits, parmi lesquels se trouve celui de Master Charles Mote, fils de l'évêque d'Ely, d'après Kerseboom.

COMBESCOT Albert
Né à Paris. XIXᵉ-XXᵉ siècles. Français.
Peintre.
Il fut élève d'Eugène Falguière. Il exposa au Salon des Artistes Français entre 1911 et 1921. Il reçut la troisième médaille en 1906.

COMBET Gabriel
Né au XIXᵉ siècle à Salignac (Dordogne). XIXᵉ siècle. Français.
Paysagiste.
Élève de Baudit. Le Musée de Périgueux possède de lui : Matinée d'avril en Périgord.

COMBET-DESCOMBES Pierre
Né le 24 mars 1885 à Lyon (Rhône). Mort en 1966. XXᵉ siècle. Français.
Peintre de compositions animées, nus, paysages, natures mortes, graveur, décorateur, illustrateur.
Il fut élève de l'École des Beaux-Arts de Lyon et exposa aux Salons de cette ville à partir de 1906. En 1925 il figura dans une exposition collective au Musée des Arts Décoratifs de Paris. Il a réalisé la décoration de la mairie du VIIᵉ arrondissement de Paris.
Il a illustré Ode à la France de W. Whitman, Légendes et coutumes du Beaujolais de M. Audin, La chute de la maison Usher d'E. Poe, Le Mont d'Or lyonnais de M. Varille, Le Graduel passionné d'A. de Falgairolle.
Musées : Grenoble – Lyon.
Ventes Publiques : Lyon, 4 déc. 1985 : Femme nue au manteau mauve 1914, h/t (47x39) : FRF 22 000 – Lyon, 20 mai 1987 : Nu sommeillant : Rony 1937, past. (62x45) : FRF 4 500 – Lyon 21 oct. 1987 : Nu dans un jardin en fleurs 1912, h/t (41x33) : FRF 19 000.

COMBETTE Jean Baptiste Donat
XIXᵉ siècle. Actif à Nozeroy (Jura) au début du XIXᵉ siècle. Français.
Dessinateur.
Le Musée de Poligny possède un dessin de cet artiste daté de 1811.

COMBETTE Joseph Marcellin
Né en 1770 à Nozeroy (Jura). Mort en 1840 à Poligny. XIXᵉ siècle. Français.
Peintre de compositions animées, portraits.
Élève de Dejoux et de Wyrsch, il participa au Salon de Paris entre 1800 et 1824. Il est l'auteur de peintures décoratives à l'église de Poligny.
Ses œuvres, par leur composition rigoureuse, leurs tonalités chaudes montrent une certaine influence de l'art de David.
Bibliogr. : Gérald Schurr, in : Les Petits Maîtres de la peinture 1820-1920, valeur de demain, Les Éditions de l'Amateur, t. V, Paris, 1981.
Musées : Tours : Famille de cinq personnes.
Ventes Publiques : Paris, 10 mars 1924 : Jeune femme peignant dans un intérieur ; Portrait d'un receveur des finances, deux h/t : FRF 500 – Paris, 10 jan. 1927 : Portrait d'homme : FRF 150 – Londres, 14 déc. 1927 : Une femme avec un fichu blanc 1792 : GBP 29.

COMBONI
XIXᵉ-XXᵉ siècles. Italien.
Peintre.

COMBOT Marcel
Né le 22 décembre 1913. XXᵉ siècle. Français.

Peintre de paysages.

Il est autodidacte. Il a exposé au Salon d'Automne, au Salon des Artistes Français et à celui des Artistes Indépendants.

COMBOUT Sébastien Joseph
Mort en 1690. XVIIᵉ siècle. Français.
Graveur.

Il fut abbé de Pont-Chartrain. On doit à cet artiste amateur deux planches représentant des paysages.

COMBRA Giraud
XVIᵉ siècle. Actif à Auch vers 1567. Français.
Peintre d'histoire.

COMBREN Léonard
XVᵉ-XVIᵉ siècles. Français.
Peintre.

Il travailla à Lyon, pour des entrées, en 1490 et 1500. On l'appelait « Léonard le peintre ».

COMBRISSON Étienne Guy
Né à Varennes-sur-Allier (Allier). XXᵉ siècle. Français.
Peintre.

Élève de L. Simon et P. Quinsac. Exposant du Salon des Artistes Français.

COMBY Henri Simon
Né le 3 août 1928 au Puy-en-Velay. XXᵉ siècle. Français.
Sculpteur, fresquiste.

Il débuta ses études à Lyon et les poursuivit ensuite à Paris dans l'atelier de Fernand Léger et de Jean Deyrolle. Plus tard, à Milan et à Barcelone, parallèlement à la sculpture il peint, notamment à fresque. Il exécute pendant dix ans des travaux monumentaux en taille directe, en particulier sur les chantiers de la reconstruction. Depuis 1953 il a créé des œuvres intégrées à l'architecture, travaillant la pierre, le bois et le cuivre. Depuis 1960, il a figuré dans de nombreuses expositions collectives, au Salon de la Jeune Sculpture où il reçut un prix en 1964, au Salon des Réalités Nouvelles, à la Fondation Maeght de Saint-Paul de Vence en 1968, au Palais des Papes en Avignon, à la Fondation Pagani de Milan et à la Biennale de Menton en 1972.

Vers 1963, il réalise des sculptures par assemblages de pièces industrielles et d'objets utilitaires. En 1969 il effectue des stages en usines pour s'initier aux machines outils et travaille ensuite l'acier inoxydable, désireux d'atteindre dans ses sculptures « une absolue qualité technique ». Ses œuvres entretiennent des liens avec l'imagerie surréaliste, révélant une présence vivante dans un monde de tubulures enchevêtrées, sculptures de métal hérissées de pointes et de rondeurs se répondant symétriquement de part et d'autre d'un axe central.   ■ J. B.

COMEDES Pierre de
XVᵉ siècle. Actif à Dijon. Français.
Peintre de miniatures.

Il orna en 1425 un calendrier destiné à la cour de Bourgogne.

COMEGYS George H.
Né à Maryland. Mort à Philadelphie. XIXᵉ siècle. Actif de 1836 à 1852. Américain.
Peintre.

VENTES PUBLIQUES : NEW YORK, 30 oct. 1996 : Garçons dégustant des pastèques 1839, h/t (43,2x51,1) : USD 3 162.

COMELERAN Léon
Né à Perpignan (Pyrénées-Orientales). XIXᵉ siècle. Actif en Espagne. Français.
Peintre.

Il exposa des tableaux de genre et des paysages à Barcelone entre 1866 et 1880.

COMELERAN Y GOMEZ Alberto
Né à Linares. XIXᵉ siècle. Espagnol.
Peintre.

Il fit ses études à Madrid et peignit surtout des portraits et des scènes historiques. Il exécuta un tableau représentant Saint Thomas et saint Louis pour le couvent Santo Tomas à Avila.

COMENDADOR Enrique. Voir PÉREZ COMENDADOR Enrique

COMENDICH Lorenzo
Né à Vérone. XVIIIᵉ siècle. Actif à Milan vers 1700. Italien.
Peintre d'histoire.

Élève de Monti.

COMENSOLI Mario
Né en 1922. XXᵉ siècle. Suisse.
Peintre de figures, portraits, technique mixte, peintre de collages.

Le Kunsthaus de Zurich a montré en 1989 une exposition d'ensemble de son œuvre.

Essentiellement peintre de figures et portraits, il pratique une technique et une écriture très elliptique. Une certaine spontanéité réductrice l'apparenterait aux Nouvelles Figurations.

BIBLIOGR. : Catalogue de l'exposition Mario Comensoli au Kunsthaus de Zurich, Édit. Bentell, Berne, 1989.

VENTES PUBLIQUES : ZURICH, 24 oct. 1979 : Coup de pied libératoire 1977, h/t et collage (150x110) : CHF 9 000 – ZURICH, 6 juin 1980 : Homme assis, h./pavatex (76,5x89,5) : CHF 5 000 – ZURICH, 14 mai 1982 : Rainbow Gems AG, techn. mixte/cart. (103x74) : CHF 2 000 – ZURICH, 7 juin 1985 : Coup de pied libératoire 1977, h. et collage/t. (150x110) : CHF 7 000 – ZURICH, 12 juin 1987 : Mère et enfant, h/isor. (89x65) : CHF 5 000 – ZURICH, 25 oct. 1989 : Rosmarie K. 1965, h/cart. (75x50) : CHF 1 800 – LUCERNE, 24 nov. 1990 : Sans titre 1970, acryl./rés. synth. (122x77) : CHF 7 000 – ZURICH, 17-18 juin 1996 : Sans titre, techn. mixte/pap. (40,5x28,5) : CHF 1 500.

COMER Alexander
XVIIᵉ siècle. Actif à Londres. Britannique.
Peintre.

On ignore tout de la vie de cet artiste, à qui on ne peut attribuer qu'un portrait en toute certitude, celui de Mr. W. Lodge, personnage inconnu.

COMERFORD John
Né en 1773 à Kilkenny (Irlande). Mort vers 1835 à Dublin. XVIIIᵉ-XIXᵉ siècles. Irlandais.
Peintre de miniatures.

Comerford travailla longtemps à Dublin, où il habita jusqu'en 1835. Il exposa à la Royal Academy, de 1804 à 1809. On a conservé de lui, au Victoria and Albert Museum, un portrait en miniature d'un officier anglais.

MUSÉES : DUBLIN : Portrait miniature d'un gentilhomme, ivoire – Portrait miniature de Henry Sheares, ivoire – Neuf portraits miniatures inachevés – Portrait miniature d'un monsieur, ivoire – Portrait miniature de Henry Sheares, aquar. – Portrait de William Coppinger, dess. craie.

VENTES PUBLIQUES : PARIS, 26 et 27 mai 1919 : Portrait de G. Hume : FRF 1 620.

COMERIO Agostino
Né en 1784 à Locate près de Côme. Mort en 1829 à Recoare. XIXᵉ siècle. Italien.
Peintre, sculpteur et graveur.

Il était le fils et fut l'élève de Filippo Comerio. Il exécuta des fresques dans l'église San Satiro à Milan et une Sainte Famille dans l'église San Marco de la même ville.

COMERIO Filippo
Originaire de Milan. XVIIIᵉ siècle. Italien.
Peintre.

Il fut l'élève d'Ubaldo Gandolfi et vécut à Rome, à Bologne et à Faenza. Le Musée de Faenza possède quelques œuvres de cet artiste.

COMERMA-MARSAL François
Né à Barcelone (Catalogne). XXᵉ siècle. Espagnol.
Peintre.

A pris part à l'Exposition Universelle de 1937.

COMERRE Léon François ou François Léon
Né le 10 octobre 1850 à Trélon (Nord). Mort le 20 février 1916 à Paris. XIXᵉ-XXᵉ siècles. Français.
Peintre de genre, sujets typiques, nus, portraits, sculpteur.

Il fut élève de Colas à Lille et Cabanel à l'École des Beaux-Arts de Paris ; il fut Grand Prix de Rome en 1875. Il obtint une troisième médaille au Salon de 1875, une deuxième médaille en 1881, et une médaille d'honneur à l'Exposition Universelle d'Anvers en 1885. Il fut fait chevalier de la Légion d'honneur.

On cite de lui : Étoile, danseuse ; Portrait de Mlle F. en Japonaise ; Pierrot ; Duflos, rôle de Don Carlos ; Portrait de Mme Théo ; Samson et Dalila ; Silène et les Bacchantes. Il réalisa la décoration de la salle des fêtes de la mairie du IVᵉ arrondissement, décoration obtenue sur concours, et celle de la salle des fêtes de la Préfecture du Rhône.

Léon Comerre [signature]

MUSÉES : BÉZIERS : Danseuse – CAEN : Mort d'Albine – LILLE : Mort de Timophan – MARSEILLE : Silène et les Bacchantes – PARIS (foyer de l'Odéon) : *Phèdre et Célimène* – Sydney : *Un oiseau pour le chat*, terre cuite.

Ventes Publiques : New York, 1902 : *Pâques en Russie* : **USD 500** ; *Scène d'Orient* : **USD 700** – New York, 22 jan. 1903 : *Une beauté d'Orient* : **USD 1 000** – Paris, 4-5 juin 1903 : *Tête de femme* : **FRF 160** – New York, 1904 : *Juliette* : **USD 1 200** – Paris, 14 nov. 1907 : *L'Orientale* : **FRF 168** – New York, 1908 : *Jeune fille avec une colombe* : **USD 260** – Paris, 4 fév. 1919 : *Danseuse au repos* : **FRF 910** – Paris, 17 et 18 oct. 1919 : *La Palette de l'artiste* : **FRF 270** – Paris, 22 jan. 1921 : *Les Saltimbanques* : **FRF 220** – Paris, 5 fév. 1923 : *Les Saltimbanques* : **FRF 205** – Paris, 26 avr. 1923 : *Les Muses* : **FRF 95** – Paris, 11-13 juin 1923 : *Pierrot musicien* : **FRF 4 600** – Paris, 28 juin 1923 : *Pleine eau* : **FRF 425** – Paris, 18 jan. 1924 : *Portrait de jeune femme* : **FRF 810** – Paris, 4 mars 1925 : *Vieillards catalans* : **FRF 400** – Paris, 5-6 juin 1929 : *Le foyer de la danse à l'Opéra*, dess. : **FRF 10 500** ; *La femme au loup* : **FRF 620** – Paris, 28 oct. 1932 : *Pierrot* : **FRF 380** – Paris, 23 mai 1941 : *Vieillards catalans* : **FRF 450** – Paris, 4 juin 1941 : *Le lever* : **FRF 3 300** – Paris, 12 jan. 1944 : *La femme au paon* : **FRF 550** – Paris, 18 fév. 1944 : *Portrait de femme brune* ; *Portrait de femme blonde*, deux toiles : **FRF 3 000** – Paris, 29 avr. 1949 : *Sourire blond* : **FRF 23 000** – Paris, 19 nov. 1954 : *Les champs* : **FRF 85 000** – Paris, 23 juin 1971 : *Le clin d'œil* : **FRF 900** – Washington D. C., 29 fév. 1976 : *L'esclave*, h/t (121x74) : **USD 1 700** – Londres, 16 fév. 1979 : *Cassandre* 1875, h/t (132,1x200,4) : **GBP 3 800** – New York, 29 mai 1981 : *Une beauté orientale*, h/t (98x65) : **USD 3 000** – New York, 19 oct. 1984 : *Salomé*, h/t (95,2x50) : **USD 15 000** – Londres, 22 mars 1985 : *La favorite du harem*, h/t (124,5x79) : **GBP 20 000** – New York, 24 fév. 1987 : *Jeune fille à la couronne de lauriers*, h/t (68,5x50,2) : **USD 17 000** – Paris, 5 mars 1989 : *Cavalier*, h/t (106,5x64) : **FRF 45 000** – Paris, 20 mars 1989 : *Judith*, h/t (49x27,5) : **FRF 10 000** – Chester, 20 juil. 1989 : *Le chaton favori*, h/t (diam. 45,7) : **GBP 1 650** – New York, 24 oct. 1989 : *La favorite du sultan*, h/t (109,2x71,1) : **USD 26 400** – Londres, 16 fév. 1990 : *La musicienne*, h/t (58,5x42) : **GBP 5 500** – Paris, 29 mars 1990 : *Une étoile*, h/pan. (28,3x20,2) : **FRF 7 500** – Londres, 30 mars 1990 : *Le clin d'œil*, h/t (81,2x50,6) : **GBP 12 100** – Londres, 22 juin 1990 : *Après le bain*, h/t (55x53) : **GBP 17 050** – New York, 23 oct. 1990 : *Beauté orientale*, h/t (116,8x73,7) : **USD 30 800** – Paris, 29 nov. 1990 : *Jeune fille mauresque*, h/t (131x90) : **FRF 148 000** – Paris, 11 déc. 1992 : *Nu allégorique*, h/t (197x84) : **FRF 15 000** – Paris, 18 mars 1994 : *Vierge à l'Enfant*, h/t (52x38) : **FRF 9 000** – Paris, 18 nov. 1994 : *Œdipe conduit par sa fille Antigone à Thèbes*, h/t (114x146) : **FRF 38 000** – Senlis, 27 avr. 1995 : *Portrait de Mme Knoedler (la jolie parfumeuse)* 1886, h/t (201x100) : **FRF 33 200** – Londres, 14 juin 1995 : *La musicienne* 1887, h/t (49x35) : **GBP 33 350** – New York, 17 jan. 1996 : *Louise Theo dans le rôle de « La jolie parfumeuse »* 1886, h/t (200x101) : **USD 8 050** – Lokeren, 9 mars 1996 : *Promenade par une journée ensoleillée* 1875, h/t (200x130) : **BEF 550 000** – Fontainebleau, 28 avr. 1996 : *Nu orientaliste au bord d'un bassin*, h/t (115x72) : **FRF 300 000** – New York, 24 oct. 1996 : *Odalisque au bassin*, h/t (114,9x172,1) : **USD 90 500** – Londres, 21 mars 1997 : *Haifa*, h/t (117x144,8) : **GBP 227 000** – Paris, 23 juin 1997 : *Portrait de femme en robe blanche*, h/t (145x98) : **FRF 19 000** – Londres, 17 oct. 1997 : *Odalisque*, h/t (81x64) : **GBP 56 500** – New York, 22 oct. 1997 : *Jeune femme à l'éventail au motif japonais* 1886, h/t (142,9x80,7) : **USD 21 850**.

COMERRE-PATON Jacqueline
Née le 1er mai 1859 à Paris. xixe siècle. Française.
Peintre de genre, figures, portraits, sculpteur.
Élève de Cabanel. Débuta au Salon de 1878, sous le nom de Paton.
Ses œuvres principales sont : *Peau d'âne*, *Hollandaise* (Musée de Lille), *Chanson des bois* (Musée de Morlaix), *Chaperon rouge*, *Mignon*, portrait de Mlle Marguerite Ugalde, *Faneuse*, mention honorable (1882).
Musées : Lille : *Hollandaise* – Morlaix : *Chanson des bois*.
Ventes Publiques : Paris, 3-4 mai 1923 : *Tête de jeune soubrette* : **FRF 420** – Paris, 4 juin 1941 : *La femme aux coquelicots* : **FRF 180** – Paris, 25 fév. 1972 : *À l'église* : **FRF 800** – Amsterdam, 16 nov. 1988 : *Jolie paysanne allongée au bord d'une mare*, h/t (123x190) : **NLG 6 900** – Londres, 7 juin 1989 : *Moment de repos*, h/t (130x190) : **GBP 4 180** – New York, 24 oct. 1989 : *Au printemps*, h/t (127x182,9) : **USD 13 200**.

COMES Albert
Né le 14 octobre 1887 à Neunkirchen. xxe siècle. Allemand.
Sculpteur de bustes.

Il travailla à Strasbourg, Munich et Berlin et résidant à Paris fut l'élève de Rodin. Il a réalisé un buste du Président Krüger.

COMES Francesck
Originaire de Majorque. xve siècle. Travaillait vers 1415. Espagnol.
Peintre.

COMETTA Augusto
Né le 4 mars 1863 à Lugano. xixe siècle. Suisse.
Peintre, dessinateur, décorateur.
Cometta restaura plusieurs fresques, notamment à Santa Maria degli Angeli à Lugano, à Lugoggia, près Tesserete, et découvrit aussi une Madone dans une petite église d'un village près Arogno. A partir de 1895, Cometta fut professeur de dessin à l'École d'art de Mendrisio.

COMETTA Cristoforo
Né le 22 mars 1830 à Arogno. Mort vers 1863 au Brésil. xixe siècle. Suisse.
Peintre.
Il étudia au collège dei Somaschi à Lugano et à la Brera de Milan. Cômetta travailla à la cour du Brésil, à partir de 1851, jusqu'à sa mort.

COMETTA Massimo
Né le 28 juillet 1810 à Arogno. Mort le 4 mai 1900. xixe siècle. Suisse.
Peintre dessinateur.
Connu surtout comme caricaturiste.

COMETTI Bernardino. Voir CAMETTI

COMETTI Giacomo
Né le 23 octobre 1863 à Turin, originaire de Monte au Val de Muggio, près de Mendrisio. xixe siècle. Italien.
Sculpteur.
Élève de l'Académie des Beaux-Arts à Turin et professeur à l'École des Arts industriels dans cette ville. Médaillé à Anvers. Il fut aussi écrivain.

COMETTI Raimondo ou Cametti ou Comotti
xviie siècle. Actif à Bologne vers 1626. Italien.
Peintre de décorations.

COMEYN Polydor
Né en 1848 à Ypres. xixe siècle. Belge.
Sculpteur.
Il exposa à Bruxelles et à Berlin. Le Musée de Gand possède une œuvre de cet artiste intitulée : *Petite mère*.

COMFORT Arthur
xixe siècle. Britannique.
Graveur.
Il exposa à la Royal Academy, à Londres, des reproductions de tableaux de maîtres à partir de 1893.

COMFORT Charles Fraser ou Fraser-Comfort
Né en 1900 à Edimbourg (Écosse). xxe siècle. Actif au Canada. Britannique.
Peintre d'histoire, compositions animées, portraits, paysages, aquarelliste.
Il vit au Canada, depuis 1912.
Il dénonce dans ses œuvres la mécanisation de la guerre et toutes les horreurs qu'elle engendre.
Ventes Publiques : Toronto, 15 mai 1978 : *Carl Shaefer at Bond Head* 1969, h/t (169,5x127) : **CAD 4 000** – Toronto, 27 mai 1981 : *Quebec city* 1926, aquar. (35,6x22,5) : **CAD 1 200** – Toronto, 14 mai 1982 : *Whitman memorial rock, lake Mazinaw*, h/pan. (25x30) : **CAD 850** – Toronto, 28 mai 1985 : *Le phare, Yarmouth* 1931, h/cart. (30x25) : **CAD 1 600**.

COMHAIRE
Né en Belgique. xxe siècle. Belge.
Aquafortiste.

COMHAIRE André
Né en 1910 à Spa. xxe siècle. Belge.
Peintre, dessinateur.
Il fut élève de l'Académie de Gand et après 1939 très actif à Anvers et au pays de Waas.
Bibliogr. : In : *Diction. Biog. Ill. des Artistes en Belgique depuis 1830*, Arto, 1987.

COMHAIRE George Philippe
Né en 1909 à Seraing-sur-Meuse. xxe siècle. Belge.
Peintre de paysages et de compositions animés, natures mortes, pastelliste, graveur.

Il fut élève de l'Académie de des Beaux-Arts de Liège où il eut pour professeurs Jean Donnay, Adrien Dupagne, Auguste Mambour. Il reçut le Grand Prix de la Gravure de la Province de Liège en 1961. Depuis 1962 il est professeur de gravure à l'Académie Royale de Gravure des Beaux-Arts de Liège.

En gravure, il a travaillé dans le sens d'une renaissance de la gravure sur bois. Dans l'ensemble de ses œuvres, il s'inspire du spectacle de la nature, observée et mémorisée au cours de nombreux voyages. Il réalise des compositions où les objets et les figures tendent à un dépouillement des lignes et des teintes plus révélateur de la personnalité intime du peintre que de la nature des choses.

BIBLIOGR. : In : *Diction. Biog. Ill. des Artistes en Belgique depuis 1830*, Arto, 1987.

COMI Francesco, dit le Fornaretto ou le Muet de Vérone
Né en 1682 à Bologne. Mort en 1737. XVIIIe siècle. Italien.
Peintre d'histoire.
Sourd-muet établi à Vérone. Élève de J. dal Sole.

COMI Girolamo
Né en 1511. Mort en 1581 à Modène. XVIe siècle. Italien.
Peintre de perspectives.

COMIDANO Rinaldo
XVIe siècle. Actif à Naples vers 1594. Italien.
Peintre.

COMIN. Voir aussi COMINO

COMIN Joan ou Comyn
XVIIe siècle. Actif au milieu du XVIIe siècle. Italien.
Graveur au burin.
Il travaillait à Rome vers 1631.

COMINES Henri de
XVe siècle. Français.
Peintre verrier.
Il travaillait au début du XVe siècle à Paris, à Bourges et à Saint-Denis.

COMINETTI Giuseppe
Né en 1882 à Salasco del Vercellese. Mort en 1930 à Rome. XXe siècle. Actif en France. Italien.
Peintre de compositions à personnages, paysages urbains. Néo-impressionniste.
Après avoir vécu à Gênes et en Autriche, il vint s'installer à Paris en 1909. Il exposa au Salon des Artistes Indépendants à partir de 1911 et figura à la Rétrospective de 1926 avec cinq toiles, dont : *Fantaisie sur une danseuse* et *Naissance de Vénus*. Il fut membre du Salon des Tuileries. Actif à Paris, il a beaucoup peint le Montmartre 1900.
Séduit par le divisionnisme, il fut aussi intéressé par le mouvement futuriste, mais revint au pointillisme.
BIBLIOGR. : Gérald Schurr, in : *Les Petits Maîtres de la peinture 1820-1920, valeur de demain*, Les Éditions de l'Amateur, t. VI, Paris, 1985.
VENTES PUBLIQUES : MILAN, 10 juin 1981 : *Paysage 1904*, h/t (45,5x79) : ITL 1 050 000 – PARIS, 8 déc. 1982 : *Les jeunes footballeurs 1913*, h/t (154x80) : FRF 60 000 – ROME, 13 mai 1986 : *Jeunes femmes au parapluie*, h/cart. (42x32) : ITL 4 200 000 – MILAN, 14 juin 1989 : *Nus dans un bois 1916*, h/t (100,5x81,5) : ITL 68 000 000 – MONACO, 18-19 juin 1992 : *L'attente au jardin*, h/cart. (33,5x25) : FRF 22 200 – LUGANO, 1er déc. 1992 : *Nus dans un bois 1916*, h/t (100,5x81,5) : CHF 60 000 – MILAN, 8 juin 1994 : *Personnage masculin*, h/t (49x27,5) : ITL 6 325 000 – MILAN, 26 mars 1996 : *Hommes tirant leur canon*, h/cart. (52x68,5) : ITL 39 100 000.

COMINI Michele
Né en 1723 dans le Trentin. Mort en 1753 dans le Trentin. XVIIIe siècle. Autrichien.
Peintre.
Le Musée d'Innsbruck possède un paysage de cet artiste.

COMINO Andrea di Giovanni
Né en 1676 à Trévise. XVIIIe siècle. Italien.
Sculpteur.
Il travailla pour l'église d'Onigo et pour l'église Santa Maria Nuova à Trévise.

COMINO Ascanio
XVIe siècle. Actif à Udine de 1580 à 1589. Italien.
Peintre.
On cite des œuvres de cet artiste dans l'église de Trevignano et à l'église San Niccolo à Martignacco.

COMINO Francesco
Originaire de Trévise. XVIIe siècle. Italien.
Sculpteur et architecte.
Il était le fils de Leonardo Comino et travailla surtout à Trévise et à Venise.

COMINO Giovanni ou Comin
Né à Trévise. XVIIe siècle. Italien.
Sculpteur.
Il travailla pour l'église San Niccolo et l'église del Gesu à Trévise. On cite également des œuvres de cet artiste à Venise et à Padoue.

COMINO Josefo
XIXe siècle. Actif à Turin vers 1865. Italien.
Paysagiste.

COMINO Leonardo ou Comin
XVIe-XVIIe siècles. Italien.
Architecte et sculpteur.
Il travailla pour l'église San Niccolo de Trévise vers 1608.

COMINOTTI Alessandro
XVIIe siècle. Actif à Pise. Italien.
Peintre.
Il fut l'élève d'Orazio Riminaldi et peignit un retable, aujourd'hui disparu, pour l'église Santa Teresa à Pise qui représentait saint Thomas d'Aquin et sainte Catherine.

COMINS Elen Farrington
Née en 1875 à Boston (Massachusetts). XXe siècle. Américaine.
Peintre.
Elle fit ses études à Londres où elle eut Edmond Tarbell pour professeur puis plus tard à Paris avec Jean-Paul Laurens. Elle devint directrice de l'École des Beaux-Arts de Saint-Paul dans le Minnesota.

COMIRATO Marco
Né vers 1800 à Venise. Mort en 1869. XIXe siècle. Italien.
Peintre.
Le Musée Revoltella, à Trieste, conserve de lui : *Les fugitifs*.
VENTES PUBLIQUES : PARIS, 15 juin 1942 : *Vue de Venise*, aquar. : FRF 520.

COMISO Giovanni Andrea ou Comisu, dit Lu Blancu
XVIe siècle. Italien.
Peintre de sujets religieux.
Il était actif à Palerme au début du XVIe siècle et y exécuta des tableaux religieux pour diverses églises.

COMISU. Voir COMISO Giovanni Andrea

COMITE Salvatore de
XVe-XVIe siècles. Actif à Naples. Italien.
Peintre de décorations.

COMITO Giacomo di
XVe siècle. Actif à Palerme en 1418. Italien.
Peintre.

COMLEY James Walter
Né à Coventry (Warwick). XXe siècle. Britannique.
Peintre.
Il expose à Londres.

COMMANDEUR Antoine
XVIIIe siècle. Français.
Sculpteur.
Il fut reçu à l'Académie de Saint-Luc à Paris en 1760.

COMMANDEUR Honoré
XVIIe-XVIIIe siècles. Travailla à Toulon de 1682 à 1728. Français.
Sculpteur.

COMMANDEUR Jean François
XVIIIe siècle. Français.
Sculpteur.
Il était à Nancy le 6 janvier 1749.

COMMANDRÉ Marcel Lucien
Né à Paris. XXe siècle. Français.
Graveur.
Il exposa au Salon des Artistes Français dont il était sociétaire recevant une mention honorable en 1924.

COMMANS François Henri
Né à Cologne. XIXe siècle. Allemand.
Peintre d'histoire.
Il travailla à Düsseldorf et établit les maquettes des vitraux de l'église Saint-Nicolas de Hambourg. Le Musée de Berlin possède une œuvre de cet artiste.

COMMARIEUX
XIXe siècle. Actif à Paris au début du XIXe siècle. Français.
Graveur à l'aquatinte.

COMMARMOND Georgette
Née à Paris. XXe siècle. Française.
Peintre de portraits, natures mortes, fleurs.
Élève de Sabatté. Sociétaire des Artistes Français en 1936. Elle peint des portraits, fleurs et natures mortes.

COMMARMOND Pierre
Né à Lyon (Rhône). XXe siècle. Français.
Peintre de paysages.
Il exposa au Salon des Artistes Indépendants en 1931-1932. Il exposa également au Salon des Peintres de Montagnes.

COMMARTIN François
XVIIe siècle. Vivait à Paris en 1694. Français.
Graveur sur cuivre.

COMMASSAI Alessandro
XVIIIe siècle. Autrichien.
Miniaturiste.

COMMAUCHE Jean François
Né le 22 juin 1892 à Paris. XXe siècle. Français.
Peintre, décorateur.
Sociétaire des Indépendants depuis 1912 ; exposant du Salon des Artistes Français en 1933. Il réalisa des décorations pour des étoffes.

COMMAUS H.
XIXe siècle. Allemand.
Peintre et dessinateur.

COMMEAU Étienne
XVIIe siècle. Travailla à Saumur. Français.
Graveur sur cuivre.

COMMELIN
XVIIIe-XIXe siècles. Français.
Peintre sur porcelaine.
Il travailla de 1768 à 1802 à la Manufacture de Sèvres.
VENTES PUBLIQUES : PARIS, 1908 : *Jardinière 1773* : FRF 1 200.

COMMELIN Maurice Hyacinthe
XXe siècle. Français.
Peintre de paysages.
Il exposa à Paris au Salon des Indépendants, en 1922-1923.

COMMENDINI Gian Giacomo
XVIIe siècle. Actif à Messine. Italien.
Peintre.

COMMENDU Lorenzo
Né à Vérone. XVIIe-XVIIIe siècles. Italien.
Peintre.
Il fut, à Parme, l'élève de Falcieri et de Francesco Monti. Il travailla à Milan à partir de 1700 et reçut une commande de Louis XIV.

COMMENT Jean-François
Né le 3 août 1919 à Possentrey. XXe siècle. Suisse.
Peintre.
Il étudia à l'École des Beaux-Arts de Bâle entre 1938 et 1944 et reçut de nombreuses bourses suisses. Il exposa à la Kunsthalle de Bâle à partir de 1947, à la Tate Gallery en 1955 et en 1963 à la Biennale de Tokyo. Il réalisa également de nombreux vitraux pour l'église de Courgenay et l'hôpital de Possentry en Suisse. A partir de 1967 sa peinture évolua vers l'abstraction.
MUSÉES : BÂLE – GENÈVE – MOUTIERS.
VENTES PUBLIQUES : LUCERNE, 25 mai 1991 : *Ecrit sur le soir* 1984, h/t (74x85) : CHF 4 000.

COMMÈRE Jean-Yves
Né le 5 avril 1920 à Paris. Mort en octobre 1986. XXe siècle. Français.
Peintre de scènes religieuses, compositions à personnages, sujets de sport, portraits, paysages, marines, natures mortes, peintre à la gouache, aquarelliste, lithographe, dessinateur, illustrateur.

Il passa son enfance à Angers où il avait commencé à faire de la sculpture. En 1938 il entre à l'École des Beaux-Arts de Paris où il travaille dans l'atelier de sculpture de Jean Boucher. Il travaille également avec Landowski et Niclausse. En 1942 il ne pratique plus que la peinture. Depuis 1936, il a figuré dans de nombreuses expositions collectives en France et à l'étranger, notamment à Paris aux Salons des Artistes Indépendants, d'Automne, des Peintres Témoins de leur Temps dont il reçoit le Grand Prix en 1963, de Mai, Comparaisons, des Tuileries, etc. En 1951 se tient sa première exposition particulière à Paris, galerie Monique De Groote, suivie d'autres à la même galerie en 1953, 1955, 1957 ; puis à Londres ; Genève ; en 1971 à New York, galerie Philippe Reichenbach, exposition rétrospective ; 1985 Paris, galerie Guigné, *Commère au fil des jours*. En 1952 il reçoit le Premier Prix Othon Friesz, en 1953 il est hors concours au Prix de la Jeune Peinture, en 1973 il reçoit le Grand Prix Francis Smith. Il fut nommé Chevalier des Arts et des Lettres en 1958 et invité à la Biennale de Venise cette même année. En 1979 il est fait officier des Arts et Lettres. Depuis son décès, un *Hommage à Jean Commère* lui a été rendu en 1987 au Musée du Luxembourg à Paris, en novembre 1987 une exposition rétrospective de ses œuvres s'est tenue au Moulin de Vauboyen à Bièvre, en 1988 une rétrospective intitulée *40 ans de peinture* lui a été consacrée à Angers et en 1989 un *Hommage à Jean Commère* eut lieu au Centre Paul Gauguin à Pont-Aven ainsi qu'au Salon d'Automne à Paris.
Ses débuts étaient marqués par un graphisme nerveux, griffant la toile peinte d'un réseau de lignes renforçant l'effet de transparence dû à une palette dominée par les tons clairs. Il travaille ensuite davantage en pleine pâte ce qui confère une facture plus robuste à ses compositions. Il a illustré de lithographies plusieurs œuvres littéraires.

$$). \mathcal{C} \text{om} \widetilde{\text{m}} \widetilde{\text{e}} RE $$

BIBLIOGR. : In : *Diction. Univ. de la Peinture*, Le Robert, Paris, 1975.
MUSÉES : PARIS (Mus. d'Art Mod. de la Ville) : *Le Ring – Le Vel'-d'Hiv* 1957.
VENTES PUBLIQUES : PARIS, 23 juin 1960 : *Le hameau des Jubeaux* : FRF 8 000 – PARIS, 14 mai 1962 : *Le Jardin de l'été*, gche et cr. à la cire : FRF 1 200 – VERSAILLES, 3 mars 1968 : *La Côte et le Phare*, aquar. et gche : FRF 3 500 – VERSAILLES, 17 déc. 1972 : *La Cour de l'école* : FRF 11 500 – VERSAILLES, 19 mai 1976 : *Rue de village*, h/t (38x55) : FRF 4 500 – PARIS, 19 nov. 1976 : *Le relais*, h/t (65x81) : FRF 4 000 – PARIS, 12 déc. 1977 : *Vierge à l'Enfant*, h/t (61x38) : FRF 6 000 – ENGHIEN-LES-BAINS, 27 mai 1979 : *Le Vase de fleurs*, h/t (120x60,5) : FRF 11 000 – PARIS, 11 juin 1979 : *Le Village*, aquar. (39x53) : FRF 3 900 – LOS ANGELES, 16 oct. 1979 : *Le Bain* 1958, h/t (152,5x96,5) : USD 2 000 – PARIS, 27 mars 1980 : *Paysage maritime*, h/t (114x146) : FRF 15 000 – VERSAILLES, 13 mai 1981 : *Étang en Sologne*, h/t (38x61) : FRF 9 000 – PARIS, 3 juil. 1981 : *Port de pêche en Bretagne*, h/t (54x81) : FRF 5 000 – PARIS, 8 mars 1982 : *Lecture sur la plage*, aquar. (74x105) : FRF 8 500 – PARIS, 24 oct. 1983 : *Pommiers en fleurs*, h/t (81x100) : FRF 15 500 – VERSAILLES, 20 nov. 1983 : *Le Port de Doëlan en Bretagne* 1954, h/t (54x73) : FRF 15 500 – L'ISLE-ADAM, 7 oct. 1984 : *Paysage au faisan*, h/t (65x81) : FRF 19 000 – PARIS, 10 déc. 1984 : *Jeune Mère à la chaise*, h/t (100x80) : FRF 9 800 – PARIS, 23 avr. 1985 : *Bords de rivière*, aquar. (74x105) : FRF 5 200 – PARIS, 12 déc. 1985 : *Les Îles Chausey* 1965, aquar. (66x100) : FRF 20 000 – PARIS, 23 mars 1986 : *Le Cheval mécanique*, h/t (115,5x81) : FRF 23 000 – PARIS, 22 avr. 1986 : *La Sieste au bord de l'eau*, h/t (81x116) : FRF 7 500 – PARIS, 10 juin 1987 : *Le Vélodrome* 1958, h/t (115x147) : FRF 50 000 – PARIS, 19 juin 1987 : *Les Champs*, h/t (24x35) : FRF 6 500 – VERSAILLES, 13 déc. 1987 : *Le Repas de l'enfant dans l'atelier* 1955, h/t : FRF 11 000 – PARIS, 10 déc. 1987 : *Deux Femmes à l'atelier*, h/t (24x14) : FRF 5 000 – VERSAILLES, 20 mars 1988 : *Paysage*, h/t : FRF 6 000 – VERSAILLES, 15 juin 1988 : *Bernay-en-Brie*, h/t (130x130) : FRF 77 000 – PARIS, 20 nov. 1988 : *Les Boxeurs*, h/t (180x150) : FRF 55 000 – LA VARENNE-SAINT-HILAIRE, 21 mai 1989 : *Composition aux deux faisans*, h/t (92x64,5) : FRF 25 000 – LE TOUQUET, 12 nov. 1989 : *L'Estuaire*, h/t (38x46) : FRF 40 000 – PARIS, 6 oct. 1990 : *Maison de pêcheur* 1953, h/t (33x19) : FRF 14 000 – PARIS, 17 oct. 1990 : *Champ de blé*, h/t (73x60) : FRF 90 000 – CALAIS, 9 déc. 1990 : *Maison près du port* 1953, h/t (33x19) : FRF 23 000 – AVIGNON, 20 oct. 1991 : *Portrait de Jacquine en clown*, h/t (116x81) : FRF 135 000 – PARIS,

4 déc. 1991 : *Chalutiers*, h/t (24x19) : FRF 12 000 – Le Touquet, 8 juin 1992 : *Plage animée*, aquar. (44x56) : FRF 12 000 – New York, 22 fév. 1993 : *Paysage* ; *Paysage*, deux h/t (16x23,8 et 52x37,8) : USD 4 180 – Paris, 6 avr. 1993 : *La Cuisinière 1968*, aquar. (54,5x37) : FRF 4 600 – Calais, 4 juil. 1993 : *Vue de village*, h/t (59x80) : FRF 23 000 – Paris, 21 mars 1994 : *Paysage des Mauges*, h/t (72x100) : FRF 46 500 – Paris, 18 nov. 1994 : *Clovis Lantonoy, garde-champêtre à Plessis-deux Aussoux*, h/t (130x96,5) : FRF 68 000 – Paris, 15 déc. 1995 : *Le Pommier*, h/t (100x100) : FRF 32 000 – Paris, 20 juin 1996 : *Le Verger*, aquar. gchée/pap. (55x74,5) : FRF 5 000 – New York, 10 oct. 1996 : *Fleurs dans un vase*, h/t (100,3x100,3) : USD 8 050 – Calais, 23 mars 1997 : *Nature morte aux cerises et aux bouteilles*, h/t (55x73) : FRF 12 000 – Paris, 27 oct. 1997 : *Le Village 1955*, aquar. (44x54) : FRF 3 000.

COMMERGNAT Gaëtan Jean
xxᵉ siècle. Français.
Peintre de paysages.
Il exposa à Paris au Salon des Artistes Français, de 1911 à 1922.

COMMINELLIS Ugo de
xvᵉ siècle. Travaillait vers la fin du xvᵉ siècle. Français.
Copiste et miniaturiste.
Ce fut lui qui écrivit, en 1478, la fameuse *Bible d'Urbino* (conservée au Vatican), ornée de 26 miniatures rappelant les œuvres de Ghirlando.

COMMODI Andrea
Né le 27 décembre 1560 à Florence. Mort le 22 septembre 1638 à Florence. xviᵉ-xviiᵉ siècles. Italien.
Peintre de portraits, dessinateur.
Il fut élève d'Allori et Cigoli et fortement influencé par le Corrège. Il fit à Rome des séjours prolongés. Le Musée des Offices à Florence possède son *Autoportrait* et un grand nombre de dessins.

COMMON Jorge
xviᵉ siècle. Espagnol.
Graveur sur bois.

COMMONASSE Guillaume
xviᵉ siècle. Actif à Auxerre vers 1575. Français.
Peintre verrier.

COMMONS D. G.
xixᵉ siècle. Actif dans la seconde moitié du xixᵉ siècle. Britannique.
Peintre et aquarelliste.
Le Musée de Sydney possède de lui une aquarelle : *La côte à Ben Buckler.*

COMMUNAL Jean Joseph Ernest
Né le 2 décembre 1911 à Chambéry. xxᵉ siècle. Français.
Peintre de cartons de tapisseries et de paysages.
Il étudia à l'École des Beaux-Arts de Paris entre 1932 et 1935. Il reçut la médaille d'or de peinture à l'Exposition Internationale de Paris en 1937. Il figura dans les Salons parisiens : au Salon des Artistes Indépendants, au Salon d'Automne, au Salon de la Peinture et du Dessin à l'eau. Il a exposé personnellement à partir de 1935 en France et à l'étranger. Il a réalisé des tapisseries pour des établissements scolaires, à Challes-les-Eaux et pour le lycée de Chambéry.
Musées : Chambéry (Mus. des Beaux-Arts) : *Paysage près de Bissy* – Paris.
Ventes Publiques : Paris, 22 fév. 1936 : *Le lac du Bourget vu de la colline de Tresserve (Savoie)* : FRF 60 – Grenoble, 8 nov. 1982 : *Eglise à Pralognan*, h/t (73x93) : FRF 7 000 – Grenoble, 9 juin 1986 : *Lac de montagne*, h/t (71x91) : FRF 3 000 – Paris, 9 mars 1990 : *Châtelard en Savoie 1921*, h/pan. (37x46) : FRF 7 000 – Neuilly, 7 avr. 1991 : *Un port d'Italie 1954*, gche (40x35) : FRF 3 500 – Paris, 28 mars 1997 : *Pralognan, le grand Marchet*, h/cart. (33x41) : FRF 4 000.

COMMUNAL Joseph Victor
Né le 11 février 1876 au Châtelard (Savoie). Mort en 1962 à Chambéry (Savoie). xxᵉ siècle. Français.
Peintre de paysages.
Il était sociétaire du Salon des Artistes Français et reçut une mention honorable en 1910 et une troisième médaille en 1912. Il exposa ensuite au Salon de la Société Nationale des Beaux-Arts, en devenant sociétaire à partir de 1921 et figura au Salon des Artistes Indépendants.
Il a peint essentiellement des vues de la montagne, en Savoie, en Suisse, dans le Dauphiné. On cite ses effets de neige.

Musées : Chambéry (Mus. des Beaux-Arts) : *Les Alpes vues de Lemenc – Le lac d'Annecy – Le lac de Tignes – L'étang de la Vignée près de Souilly – L'aiguille rouge de Bramans – L'étang de Saint-Rouin (Meuse) – Le Granier vu du col du Frêne – Paysage de montagne* – Lyon : *Le soir sur les collines.*
Ventes Publiques : Paris, 6 mars 1920 : *L'Étang de Saint-Ronin (Meuse)* : FRF 950 – Paris, 8 déc. 1934 : *Neige à Saint-Sorlin d'Arves (Savoie)* : FRF 350 – Paris, 18 juin 1942 : *Paysage montagneux* : FRF 800 – Paris, 24 mai 1944 : *Environs du lac du Bourget* : FRF 1 600 – Grenoble, 11 déc. 1972 : *Le lac du Bourget, colline de Tresserve* : FRF 700 – Grenoble, 24 nov. 1980 : *Maisons en ruine près de la rivière*, h/t (71x92) : FRF 7 200 – Versailles, 20 oct. 1985 : *Le lac du Bourget*, h/pan. (61x50) : FRF 5 000 – Versailles, 23 oct. 1988 : *Lever de soleil sur le Mont-Blanc*, h/cart. (33x40,5) : FRF 7 800.

COMNÈNE Georges R.
Né en 1897. Mort en décembre 1975 à Paris. xxᵉ siècle. Français.
Peintre.
Il fut élève de Jean-Paul Laurens. Il se disait prince, prétendant à la couronne de France. Il s'était fait la spécialité des pastiches d'artistes en renom : Utrillo, Vlaminck, Picasso, Matisse, Boldini, mais ne les signait pas.

COMO Emmanuello da, fra. Voir EMMANUELLO da Como

COMOLERA Alexandre Jean Louis de
Né le 3 novembre 1817 à Paris. Mort le 17 mars 1847 à Sèvres. xixᵉ siècle. Français.
Peintre.
Il exposa au Salon en 1836, 1842 et 1845, une aquarelle et peintures sur porcelaine.

COMOLÉRA Mélanie de
xixᵉ siècle. Française.
Peintre de natures mortes, fleurs et fruits, peintre sur porcelaine.
Elle travailla pour la Manufacture de Sèvres, exposa à Paris de 1816 à 1818 avant de s'établir à Londres. Active de 1808 à 1854.
Ventes Publiques : Londres, 10 nov. 1971 : *Vase de fleurs* : GBP 300 – Amsterdam, 17 nov. 1994 : *Grenades, chataignes et noix sur un entablement de marbre* ; *Oranges, poires et nèfles sur un entablement de marbre*, h/pap., une paire (chaque 24x32) : NLG 18 400 – Paris, 20 oct. 1997 : *Composition aux rhododendrons et azalées*, h/t (77x110) : FRF 8 000.

COMOLERA Paul
Né en 1818 à Paris. Mort vers 1897 à Paris. xixᵉ siècle. Français.
Sculpteur animalier.
Élève de P. Rude. Il exposa au Salon de Paris depuis 1847.
Cet artiste a particulièrement exécuté des figures d'animaux.
Ventes Publiques : Londres, 20 mars 1970 : *La mort du héron*, bronze : GBP 190 – Enghien-les-Bains, 2 mars 1980 : *Le taureau attaché*, bronze (H. 20) : FRF 3 200 – New York, 13 déc. 1985 : *Oiseau défendant son nid*, bronze doré (H. 64,8) : USD 1 600 – Londres, 6 nov. 1986 : *Le héron blessé* vers 1860, bronze, patine brun foncé (H. 66) : GBP 1 450 – Lokeren, 7 déc. 1996 : *Le Combat de coqs*, bronze patine brune (43,5x24) : BEF 55 000.

COMOLERA Paul C.
xixᵉ siècle. Français.
Sculpteur animalier.
Il fut l'élève de son père Paul Comolera et de A. Dumonts et exposa au Salon de 1870 à 1887.

COMOLETTI Giovanni
Né le 24 juin 1842 à Agnona. Mort le 5 janvier 1912 à Aoste. xixᵉ-xxᵉ siècles. Italien.
Sculpteur sur bois.
Il se fit une spécialité de la restauration et des copies.

COMOLI Pietro
Né en 1748 à Valduggia. Mort en 1838 à Valduggia. xviiiᵉ-xixᵉ siècles. Italien.
Peintre d'histoire et de portraits.

COMOLLI Giovanni Battista
Né en 1775 à Valenza (sur le Pô). Mort le 26 décembre 1830 à Milan. xixᵉ siècle. Italien.
Sculpteur.
Cet artiste fit ses études à Rome, puis vécut de longues années à l'étranger. Il séjourna à Grenoble et sculpta une série de bustes

d'hommes célèbres pour la bibliothèque de cette ville. Plus tard, vers 1800, il fut nommé professeur à l'Académie de Turin. Le Musée de Versailles possède le *Buste d'Eugène de Beauharnais* par cet artiste.

COMOLLI Luigi ou Gigi
Né en 1893 à Milan. Mort en 1976. xxᵉ siècle. Italien.
Peintre de scènes animées, portraits, paysages, paysages urbains, paysages d'eau, fleurs et fruits, peintre à la gouache.

GGcomolli

VENTES PUBLIQUES : MILAN, 10 nov. 1982 : *Troupeau au pâturage*, h/t (80x50) : ITL 1 500 000 – MILAN, 18 mars 1986 : *Paysage fluvial 1950*, h/isor. (54x64) : ITL 1 400 000 – MILAN, 13 oct. 1987 : *Paysage fluvial*, h/pan. (53x63) : ITL 2 200 000 – MILAN, 14 juin 1989 : *Printemps*, h/cart. (55x44) : ITL 1 200 000 – MILAN, 6 déc. 1989 : *Alla Zelata, Ticino*, h/cart. (26x36) : ITL 1 500 000 – MONACO, 21 avr. 1990 : *Paysanne et ses enfants sortant d'une maison*, h/t (30x24) : FRF 5 550 – MILAN, 21 nov. 1990 : *Vase de fleurs 1966*, h/rés. synth. (60x50) : ITL 1 300 000 – MILAN, 16 juin 1992 : *Portrait d'une jeune femme dans un jardin 1943*, h/t (89x80,5) : ITL 3 000 000 ; *Portrait en rose*, h/t (80x90) : ITL 3 000 000 – MILAN, 8 juin 1993 : *Nature morte avec un panier de roses et une coupe de fruits*, h/t (40x70) : ITL 1 600 000 – MILAN, 9 nov. 1993 : *Canal vénitien 1955*, h/rés. synth. (35x45) : ITL 7 820 000 – MILAN, 19 déc. 1995 : *Vase de roses*, temp./pap. (47x33) : ITL 1 150 000.

COMONE Juan Bautista
xvıᵉ siècle. Actif à Valladolid. Espagnol.
Sculpteur.
Travailla, avec Pompeyo Leoni et Jacome de Trezo, à un tabernacle et un retable pour San Lorenzo de l'Escurial.

COMONTES Antonio de
xvıᵉ siècle. Travaillant à Tolède, vers 1519. Espagnol.
Peintre.
Élève d'Antoine del Rincon.

COMONTES Francisco de
Né sans doute à Valladolid. Mort le 10 février 1565 à Tolède. xvıᵉ siècle. Espagnol.
Peintre de compositions religieuses, portraits, sculpteur. Maniériste.
Fils d'Inigo Comontes et neveu d'Antonio de Comontes. Il réalisa, entre 1541 et 1552, des scènes de *L'histoire de sainte Hélène et la découverte de la Croix*, qui se trouvent à l'église S. Juan de los Reyes à Tolède. Il travailla également au Mausolée du cardinal Talavera, avec Berruguete, Vergara et Herman Gonzalès, en 1561 et 1562.
Son maniérisme appartient à la veine flamande, tandis que ses modelés et draperies font penser à l'art de Raphaël et ses fonds de paysages reprennent des schémas venus de Francisco de Holanda.
BIBLIOGR. : In : *Dictionnaire de la peinture espagnole et portugaise du Moyen-Âge à nos jours*, coll. Essentiels, Larousse, Paris, 1989.

COMONTES Inigo de
xvᵉ siècle. Actif vers 1495. Espagnol.
Peintre d'histoire.
Frère d'Antonio de Comontes, il fut élève d'Antoine del Rincon.

COMOTTI. Voir COMETTI Raimondo

COMOY Daniel
xvııᵉ siècle. Actif à Grenoble en 1629. Français.
Peintre.

COMOY M. E. G.
xıxᵉ-xxᵉ siècles. Français.
Peintre.
Il exposa à Paris où il travaillait dans différents Salons de 1880 à 1900.

COMP
Mort vers 1716. xvıııᵉ siècle. Actif à Munich. Allemand.
Peintre.
Il peignit surtout des décors de théâtre.

COMPAGNI Battista
Italien.

Peintre.
Il travaillait pour la famille d'Este, sans doute à Rome.

COMPAGNI Giovanni di Lorenzo
xvıᵉ siècle. Actif à Florence vers 1537. Italien.
Peintre.

COMPAGNIE Jean Baptiste
xıxᵉ siècle. Actif à Paris au début du xıxᵉ siècle. Français.
Graveur.

COMPAGNINI Raimondo
Né en 1714 à Bologne. Mort en 1783 à Bologne. xvıııᵉ siècle. Italien.
Peintre et architecte.
Il fut élève de Bibiena.

COMPAGNO Giuliano di Stefano
xvıᵉ siècle. Actif à Florence vers 1535. Italien.
Peintre.

COMPAGNO Raffaello di Bastiano
xvıᵉ siècle. Actif à Florence vers 1547. Italien.
Peintre.

COMPAGNO Scipione
Né vers 1624 à Naples. xvııᵉ siècle. Italien.
Peintre d'histoire, compositions religieuses, paysages animés, paysages, dessinateur.
Élève de Falcone et de Salvator Rosa, cet artiste fut très admiré et ses dessins eurent une vogue considérable. Il vivait encore en 1680.
On cite de lui tout particulièrement deux tableaux qui se trouvent actuellement dans le Belvédère de Vienne, une *Éruption du Vésuve* et la *Décapitation de saint Janvier*.

Scip

MUSÉES : NAPLES : *L'Entrée de Don Juan d'Autriche sur la Piazza del Mercato* – PÉRIGUEUX : *Le Martyre de saint Irénée*.
VENTES PUBLIQUES : PARIS, 1858 : *Le Christ au roseau entre deux bourreaux*, pl. : FRF 8,50 – PARIS, 7 juil. 1922 : *Le Sermon sur la montagne* : FRF 130 – ROME, 12 nov. 1986 : *Paysage animé de personnages avec vue du Vésuve en éruption*, h/t (95x135) : ITL 16 000 000 – MILAN, 3 mars 1987 : *L'Entrée de Jésus à Jérusalem*, h/t (64x105) : ITL 18 000 000 – ROME, 10 mai 1988 : *Entrée du Christ à Jérusalem*, h/t (63x102) : ITL 15 500 000 – MILAN, 25 oct. 1988 : *Moïse faisant jaillir l'eau du rocher*, h/t (52x79,5) : ITL 30 000 000 – LONDRES, 30 oct. 1996 : *Le Massacre de sainte Ursule et des onze mille vierges à Cologne*, h/t (65,1x105,4) : GBP 10 925 – NEW YORK, 25 oct. 1996 : *L'Éruption du Vésuve en 1631*, h/cuivre (71,1x95,3) : USD 87 750.

COMPAGNO da Trequanda
xıııᵉ siècle. Actif à Sienne. Italien.
Sculpteur.

COMPAGNON Jules
xıxᵉ siècle. Français.
Graveur.
Il collabora à *L'Artiste*.

COMPAGNON Philippe
Né le 12 décembre 1951 à Jonzac (Charente Maritime). xxᵉ siècle. Français.
Peintre et sculpteur. Figuratif puis abstrait-minimaliste.
Il a figuré dans plusieurs expositions collectives parmi lesquelles : en 1986 le Salon de la Jeune Sculpture, en 1987 le Salon de Montrouge, en 1993 au musée des Beaux-Arts de Chartres. Il a exposé personnellement en 1985-1987-1988-1989 à la galerie Bernard Jordan à Paris.
Philippe Compagnon appelle « dessin » tout travail sur papier, quand il s'agit pour la plupart de peintures. C'est en 1984 qu'il a abandonné la figuration pour aborder un travail géométrique, tant pictural que sculptural, décliné en séries, jouant fréquemment sur les possibilités combinatoires de certaines figures. Ses sculptures jouent sur l'équilibre et la position de l'œuvre. Il a réalisé un *Jeu*, livre-jeu combinatoire aux éditions W. Mâcon en 1984, un fauteuil créé pour la galerie Neotu à Paris en 1986, des lithographies et des vidéogrammes d'images de synthèse *Images Informatiques*.
BIBLIOGR. : In : Marcelin Pleynet, Michel Ragon : *L'Art abstrait*, t. V, 1970-1987, Maeght Editeur, Paris, 1987.

COMPAGNON-VIOLETTE Eugénie
Née à Saint-Julien (Haute-Savoie). xxᵉ siècle. Française.

Peintre.
Exposa aux Indépendants de 1926 à 1932.

COMPAGNONI Alessandro ou **Campagnoni**
Né à Bologne. xixe siècle. Italien.
Peintre.
Il travailla également à Ferrare.

COMPAGNONI Sforza
Né vers 1660 à Macerata. xviie siècle. Italien.
Peintre.
Élève de Guido Reni. Il a laissé à l'Académie Catenati les armoiries de cet Institut. On trouve de ses tableaux dans les églises Saint-Georges et Saint-Jean à Rome.

COMPAN Henri Eugène
xixe siècle. Français.
Peintre et sculpteur.
Il exposa entre 1880 et 1900. On lui doit des natures mortes, des bustes et surtout une décoration peinte pour l'une des salles de l'Hôtel de Ville de Paris.

COMPARD Émile François Jacques
Né le 13 octobre 1900 à Paris. Mort le 29 juin 1977 à Nogent-sur-Marne (Val-de-Marne). xxe siècle. Français.
Peintre de paysages, de compositions et sculpteur. Cubiste puis abstrait.
Après des études à l'Académie Julian, il a régulièrement participé aux Salons de la Société Nationale des Beaux-Arts, des Artistes Indépendants, des Tuileries et d'Automne dont il est sociétaire. Pour l'Exposition Universelle de Paris en 1937, il a réalisé une grande décoration. Dès 1927, il avait fait des expositions personnelles à New York, Berlin, Munich et Düsseldorf. Il ne montre ses œuvres abstraites qu'à partir de 1955 à Paris puis dans plusieurs villes d'Europe, dont Stockholm et Bruxelles.
Après le période cubiste de ses débuts, aux alentours de 1923, période à laquelle il est encouragé par Félix Fénéon et par l'estime de Bonnard, il s'oriente vers la non-figuration, à partir de 1946, travaille assez retiré durant dix ans avant de montrer ses œuvres abstraites. A cette époque il est influencé par le Tao qu'il vient de découvrir et, quittant le monde des apparences, il cherche une dimension métaphysique à la peinture, ce qui a fait dire à Mathieu : « Compard fut le premier peintre occidental à être déshellénisé ». Il a également fait des expériences avec les couleurs fluorescentes.

Emile Compard

Musées : Paris (Mus. d'Art Mod.) : *Moëllan*.
Ventes Publiques : Paris, 6 avr. 1936 : *Le harem au grand air* : FRF 310 – Paris, 4 déc. 1941 : *La montée à 80 1927* : FRF 5 000 – Paris, 2 juin 1943 : *Halles de Faouet (Morbihan)* : FRF 2 000 – Paris, 20 mars 1970 : *L'entrée du port* : FRF 1 450 – Brest, 13 déc. 1981 : *Quimper : la rue Kéréhon et la cathédrale*, h/t (65x54) : FRF 6 100 – Lorient, 3 nov. 1984 : *Port de Doëlan*, h/t (78x65) : FRF 6 500 – Reims, 25 mai 1986 : *Thoniers dans la baie de Concarneau*, h/t (120x260) : FRF 6 500 – Douarnenez, 25 juil. 1987 : *Le port de Doëlan*, h/t (30x48) : FRF 6 000 – Paris, 22 avr. 1988 : *La cathédrale de Reims*, h/t (65x54) : FRF 5 500 ; *L'entrée du port*, h/t (73x60) : FRF 12 000 – Paris, 1er juin 1988 : *Composition 1955*, h/t (54x46) : FRF 4 200 – Neuilly, 27 mars 1990 : *Le port 1946*, h/t (81x65) : FRF 40 000 – Lucerne, 25 mai 1991 : *Composition*, h/t (100x80,5) : CHF 2 500 – Paris, 28 juin 1993 : *Bouquet de fleurs*, h/t (61,5x38,5) : FRF 4 000 – Paris, 25 mars 1994 : *Bouquet de fleurs*, h/t (61x50) : FRF 13 500 – Paris, 31 mai 1995 : *Composition 1957*, h/t (92x73) : FRF 6 000.

COMPARDEL Étienne
xviie siècle. Français.
Peintre.
Il fut reçu à l'Académie de Saint-Luc en 1670. En 1640 il vivait à Leyde où il était très lié avec Gérard Dou.

COMPARET Adrienne Jeanne Marie
Née le 13 février 1742 à Genève. Morte le 29 février 1820.
xviiie-xixe siècles. Suisse.
Peintre sur émail.
On cite d'elle un portrait de *D. Turettini*, paru à une exposition de Genève, en 1903, ainsi que celui de Jean Diodati, gravé par Pfenninger.

COMPARETI
xixe siècle. Actif à Milan vers 1815. Italien.
Graveur.

COMPAS, Maître au. Voir **MAÎTRES ANONYMES**

COMPASSINUS Leontius
xviie siècle. Actif à Penne vers 1618. Italien.
Peintre.
Il existe une peinture religieuse signée du nom de cet artiste et datée de 1618 à l'église San Domenico à Penne.

COMPENDONK
xxe siècle. Suisse.
Peintre.
Il a pris part en 1945 à l'Exposition cubiste de Zurich.

COMPERA Alexis
Né en 1856 à South Bend (Indiana). Mort en 1906. xixe siècle.
Américain.
Peintre.
Il travailla à Paris sous la direction d'Harvey Young, W. H. M. Cox et Benjamin-Constant.

COMPÈRE Charles Constant Florentin
Né le 4 mai 1796 à Happencourt. xixe siècle. Français.
Peintre de paysages.
Il eut pour maître Watelet. En 1827, il exposa au Salon de Paris : *Vue de Verbier*.
Ventes Publiques : Paris, 4 déc. 1985 : *La ferme 1839*, h/t (24x32) : FRF 4 500.

COMPÈRE Jacob
xive siècle. Actif à Gand entre 1328 et 1339. Éc. flamande.
Peintre.
Il peignit surtout des étendards, des bannières et des fanions.

COMPÈRE Marcel Paul Charles
xixe-xxe siècles. Français.
Sculpteur.
A partir de 1912, il a exposé au Salon des Artistes Français, puis au Salon de la Société Nationale des Beaux-Arts à Paris.

COMPEREAU
xviiie siècle. Français.
Sculpteur d'ornements.
Il exposa au Salon de Paris en 1796.

COMPERIS Jacob
xvie siècle. Actif à Anvers vers 1573. Éc. flamande.
Peintre.

COMPEROT Claude François
Né en 1786 à Saint-Germain-en-Laye. Mort le 19 juin 1869 à Issy. xixe siècle. Français.
Sculpteur ornemaniste.
Il travailla au Palais du Louvre.

COMPIÈGNE, de. Voir au prénom

COMPOIN François
xviie siècle. Actif à la fin du xviie siècle. Français.
Graveur.

COMPOINT
xviiie siècle. Français.
Sculpteur en ornements.
Il fut membre de l'Académie Saint-Luc en 1776.

COMPOINT Louis
Né à Orléans (Loiret). xxe siècle. Français.
Peintre de paysages.
Il exposa à Paris au Salon des Indépendants, en 1927-1930.

COMPTE Guillem
xive siècle. Actif à Valence vers 1392. Espagnol.
Peintre.

COMPTE Virginie
xixe siècle. Française.
Peintre sur porcelaine.
Elle exposa au Salon à Paris de 1831 à 1840.

COMPTE-CALIX Céleste, Mme
xixe siècle. Française.
Peintre.
Élève de Decaisne. Elle a exposé, à Paris et à Lyon, de 1870 à 1879, des figures et des tableaux de genre, parmi lesquels : *Je vous salue, Marie* (Paris, 1870), *Pâques fleuries* (Paris, 1876), *Micali* et *Les cartes à Minet* (Lyon, 1879).

COMPTE-CALIX François Claudius
Né le 27 août 1813 à Lyon (Rhône). Mort le 29 juillet 1880 à Chazay d'Azergues (Rhône). xixe siècle. Francais.

817

Peintre de genre, portraits, aquarelliste, graveur, lithographe.

Il fit ses études à l'École des Beaux-Arts de Lyon, suivant les cours de Bonnefond de 1829 à 1833, puis de 1835 à 1836, tout en donnant des leçons de dessins. Il se fixa à Paris en 1836, débuta au Salon de Lyon en 1837 et à celui de Paris en 1840.

Ses scènes anecdotiques, historiques ou romanesques, telles : *La sœur cadette, époque Louis XIII* ou *La ressemblance* eurent beaucoup de succès et furent popularisées par la gravure et la lithographie. Mièvres et jolis, d'un dessin souvent assez faible, mais d'une facture gracieuse et d'une couleur agréable, ces tableaux répondaient aux aspirations sentimentales et poétiques du public contemporain. Ses portraits, sobres et sincères, sont la meilleure partie de son œuvre. Il est aussi l'auteur de grandes décorations, notamment à la cathédrale d'Alger.

of. Compte-Calix

BIBLIOGR. : Gérald Schurr, in : *Les Petits Maîtres de la peinture 1820-1920, valeur de demain*, Les Éditions de l'Amateur, t. II, Paris, 1982.

MUSÉES : LEIPZIG : *Un religieux en garde national au service de la République* – LYON : *Les sœurs de lait* – ROANNE : *Portrait de Louis Antoine Auguste Pavy*.

VENTES PUBLIQUES : PARIS, 27 avr. 1866 : *Le départ des hirondelles* : FRF 400 – PARIS, 29 avr. 1921 : *L'impératrice Eugénie recevant les dames de Châlons-sur-Marne en 1866*, mine de pb : FRF 1 000 – PARIS, 12 juin 1925 : *Rêve de peintre* : FRF 800 – PARIS, 25 mai 1932 : *Méditation en forêt* : FRF 1 500 – PARIS, 23 mai 1941 : *Le passage de la rivière* : FRF 1 400 – PARIS, 10 fév. 1943 : *L'impératrice Eugénie recevant les dames de Châlons-sur-Marne en 1866*, mine de pb : FRF 1 050 – PARIS, 3 déc. 1971 : *Le Mardi-gras 1851*, h/pan. (43x32) : FRF 850 – MARSEILLE, 18 mai 1972 : *Intérieur de ferme* : FRF 5 000 – PARIS, 1er déc. 1976 : *Méditation au clair de lune*, h/t (73x65) : FRF 5 000 – NEW YORK, 14 oct. 1978 : *La Miniature perdue 1861*, h/t (99x142) : USD 3 000 – ANVERS, 10 mai 1979 : *La Visite à grand'mère*, h/t (116x90) : BEF 70 000 – PARIS, 19 oct. 1979 : *Scènes de genre du XIXe siècle*, six aquarelles, chacune (19x25) : FRF 13 200 – GRENOBLE, 7 déc. 1981 : *Dans l'atelier du peintre*, aquar. (18x24) : FRF 5 000 – GRENOBLE, 14 mai 1984 : *Salon concert*, aquar. (17,5x24) : FRF 6 000 – LONDRES, 20 juin 1984 : *Une trouvaille intéressante 1861*, h/t (96,5x139,5) : GBP 5 200 – GRENOBLE, 9 déc. 1985 : *Conversation dans le parc*, aquar. (17,5x24) : FRF 10 000 – LONDRES, 18 juin 1986 : *De vieux amis*, h/t (119x160,5) : GBP 10 500 – NEW YORK, 24 mai 1989 : *La fessée*, h/t (81x61) : USD 7 700 – LONDRES, 14 fév. 1990 : *Une jeune artiste*, h/t (31x45) : GBP 2 420 – PARIS, 31 mars 1993 : *Deux portraits de femme en pied*, cr. et aquar. (49,5x36) : FRF 4 500 – CANNES, 7 août 1997 : *La Fessée*, h/t (81x60) : FRF 40 000.

COMPTEN Charles
XIXe siècle. Britannique.
Sculpteur.
Vivant à Londres, il exposa entre 1847-1867, à la Royal Academy.
VENTES PUBLIQUES : LONDRES, 17 juil. 1908 : *Le banc ombragé*, série du Deserted Village : GBP 4.

COMPTON Dora
XIXe siècle. Britannique.
Peintre de fleurs et de natures mortes.
Cette artiste était la sœur du peintre Edward Harrison Compton.

COMPTON Edward Harrison
Né le 11 octobre 1881 à Feldafing (Bavière). Mort en 1960 à Feldafing (Bavière). XXe siècle. Britannique.
Peintre de paysages, architectures.
Il a exposé à la Royal Academy de Londres et aussi à Bradford, Munich et Berlin.

E- HARRISON Compton
E. HARRISON COMPTON

VENTES PUBLIQUES : COLOGNE, 22 oct. 1965 : *Paysage au cours d'eau* : DEM 1 400 – NEW YORK, 18 sep. 1980 : *Une vallée verdoyante*, h/t (69x94) : USD 3 400 – VIENNE, 22 mars 1983 : *Paysage de montagne*, h/t (75x105) : ATS 65 000 – LONDRES, 22 mars 1984 : *Martin's Kapelle 1936*, aquar. et cr. reh. de blanc

(14,6x24,8) : GBP 900 – MUNICH, 29 oct. 1985 : *Castel dell'Ovo, Naples*, aquar. reh. de blanc (15,5x31,5) : DEM 3 000 – VIENNE, 17 mars 1987 : *Heiligenblut et le Grossglokner*, h/cart. (59x79) : ATS 60 000 – MUNICH, 11 nov. 1987 : *Les Ruines de Taormina*, aquar. (46,5x61) : DEM 11 000 – LONDRES, 24 nov. 1989 : *Le Matterhorn*, h/t (71x81) : GBP 4 620 – NEW YORK, 16 juil. 1992 : *Ruines antiques*, h/t (61x80) : USD 6 450 – ZURICH, 24 juin 1993 : *Paysage avec un moulin à eau et les ruines d'un village à l'arrière-plan*, aquar. (22,1x32,7) : CHF 2 800 – HEIDELBERG, 8 avr. 1995 : *Soirée d'été au bord du lac de Starnberger 1951*, h/t (50,5x60,5) : DEM 12 000 – MUNICH, 25 juin 1996 : *Landshut 1920*, cr. et aquar. avec reh. de blanc/pap. (24,5x40,50) : DEM 8 400.

COMPTON Edward Theodore ou Thomas
Né le 29 juillet 1849 à Feldafing (Londres). Mort en 1921 à Tutzing. XIXe-XXe siècles. Britannique.
Peintre de paysages, paysages de montagne, aquarelliste.

Il étudia surtout la nature au cours de ses voyages en Suisse, en Corse, en Espagne et en Norvège. Il a peint surtout les montagnes, les Alpes suisses. Il rappelle Turner et eut une grosse influence sur Ernst Platz, Charles Arnold.

E.T. Compton

MUSÉES : CINCINNATI : *Oberland Bernois* – LEIPZIG : *Un matin dans les montagnes* – ZURICH.

VENTES PUBLIQUES : LONDRES, 13 fév. 1931 : *Les montagnes suisses 1904* : GBP 10 – LONDRES, 21 mai 1937 : *Dans les Alpes 1907* : GBP 9 – VIENNE, 29 nov. 1966 : *Grossglockner*, aquar. : ATS 10 000 – COLOGNE, 18 mars 1977 : *Paysage de l'Oberland Bernois*, h/t (87x65) : DEM 9 000 – LONDRES, 2 avr. 1979 : *Val Brenta, Tyrol 1883*, aquar. et reh. de blanc (62x69) : GBP 1 300 – MUNICH, 4 juin 1981 : *Lac de montagne 1872*, aquar. (12x22,5) : DEM 2 100 – MUNICH, 15 sep. 1983 : *Vue de Rome 1883*, h/t (69,6x119,5) : DEM 19 000 – MUNICH, 5 juin 1984 : *Un lac en montagne*, aquar. (25x38) : DEM 6 200 – VIENNE, 11 déc. 1985 : *Côte escarpée à l'île d'Elbe 1877*, h/t (40x61) : ATS 70 000 – LONDRES, 28 oct. 1986 : *The Matterhorn 1879*, aquar. et cr. reh. de blanc (58x86) : GBP 2 400 – LONDRES, 25 jan. 1988 : *Dent d'Herens*, aquar. (40x57) : GBP 2 090 – NEW YORK, 25 mai 1988 : *Paysage alpin en Suisse*, h/t (48,9x78,7) : USD 11 000 – LOS ANGELES, 9 juin 1988 : *Panorama des Alpes suisses*, h/t (74x99) : USD 13 200 – COLOGNE, 15 juin 1989 : *Paysage montagneux de la région de Berne 1907*, h/t (120x101) : DEM 40 000 – COLOGNE, 23 mars 1990 : *Vue du Matterhorn*, h/t (47x59) : DEM 26 000 – MUNICH, 12 déc. 1990 : *Vue du Heiligenblut et du Grosslockner 1881*, h/t (42x61,5) : DEM 30 800 – LONDRES, 30 jan. 1991 : *Cerf dans les Alpes 1879*, aquar. (45x31) : GBP 1 870 – LONDRES, 19 juin 1991 : *Lac alpin*, h/t (71x115) : GBP 20 900 – MUNICH, 4 nov. 1992 : *Prairie surplombant l'Isartal près de Hohen Schäftlarn 1892*, aquar. (24,8x35,3) : DEM 2 000 – MUNICH, 25 juin 1992 : *Le Mont Cristal dans les Dolomites*, h/t (93x74,5) : DEM 47 460 – HEIDELBERG, 9 oct. 1992 : *Paysage alpestre*, aquar. (23x30,5) : DEM 1 700 – NEW YORK, 20 jan. 1993 : *Vues des Alpes*, aquar./pap., une paire (chaque 23x35,6) : USD 2 875 – LONDRES, 3 nov. 1993 : *Paysage du Tyrol*, h/t/cart. (50x69,5) : GBP 5 980 – NEW YORK, 19 jan. 1994 : *Chalets dans les Alpes*, h/pap./pan. (38,1x54,6) : USD 7 475 – MUNICH, 21 juin 1994 : *Garmisch avec des sommets alpins en hiver*, aquar./pap. (16,5x28,5) : DEM 2 990 – NEW YORK, 16 juin 1995 : *Dans les Alpes 1918*, aquar. (32x49) : USD 5 175 – MUNICH, 25 juin 1996 : *Le Grossglockner à Grieskogel 1906*, aquar./pap. (23x36) : DEM 4 200.

COMPTON Edward Thomas
Né en 1849. XIXe siècle. Britannique.
Peintre de paysages, aquarelliste.
Il fut actif de 1879 à 1881.
VENTES PUBLIQUES : LONDRES, 18 fév. 1983 : *Paysages méditerranéens 1877*, deux h/t (40,6x62,2) : GBP 1 900 – LONDRES, 27 mars 1996 : *Miramar à Majorque 1891*, aquar. (27x38) : GBP 2 300 – LONDRES, 6 nov. 1996 : *Vajelett Towers, Dolomites*, aquar. et reh. de blanc, grisaille (70x45) : GBP 5 175.

COMPTON-SMITH Cecilia
Née à Londres. XIXe siècle. Britannique.
Graveur au burin.

COMSTOCK Anna Bostford
Née le 1er septembre 1854 à Otto (New York). XIXe siècle. Américaine.

Graveur.

Elle fit ses études à la Cooper Union de New York et remporta une médaille de bronze à l'Exposition panaméricaine de Buffalo.

COMSTOCK Enos Benjamin

Né en 1879 à Milwaukee (Wisconsin). XXᵉ siècle. Américain.

Peintre et illustrateur.

COMSTOCK Frances Christine Bassett

Née le 16 octobre 1880 à Elyria (Ohio). XXᵉ siècle. Américaine.

Peintre, sculpteur, illustratrice.

Élève du Chicago Art Institute.

COMTE Benjamin Rodolphe

Né vers 1760 à Payerne. XVIIIᵉ siècle. Suisse.

Graveur.

Il fut élève de Johan Landseer et, plus tard, professeur à l'Académie de Lisbonne.

COMTE J., Mlle

XIXᵉ-XXᵉ siècles. Française.

Peintre.

Elle exposa aux Artistes Français de 1896 à 1904.

COMTE Jacques Louis

Né vers 1781 à Payerne. Mort à Naples. XIXᵉ siècle. Suisse.

Peintre miniaturiste.

Maître de dessin en 1797, dans une école à Cugy, près de Payerne, puis dans les écoles primaires de Fribourg. Ses tableaux d'histoire et ses miniatures furent très admirés. Comte travailla aussi à la cour de Naples.

COMTE Jean

XVIIᵉ siècle. Actif à Besançon vers 1689. Français.

Peintre.

COMTE Louis

Né à Nîmes (Gard). XIXᵉ-XXᵉ siècles. Français.

Lithographe.

Sociétaire des Artistes Français ; mention honorable en 1909.

COMTE Meiffren ou Ephrem ou Meifren-Conte

Né vers 1630 à Marseille. Mort vers 1705 à Marseille. XVIIᵉ siècle. Français.

Peintre de natures mortes.

Travailla pour l'Arsenal des Galères à Marseille et pour la ville d'Aix-en-Provence. Le Musée de Marseille conserve une nature morte de cet artiste, portant la mention : *M. Conte fecit.*

VENTES PUBLIQUES : PARIS, 15 nov. 1976 : *Nature morte au coquillage*, h/t (48,5x66,5) : **FRF 16 000** – PARIS, 26 oct. 1978 : *Nature morte à l'aiguière*, h/t (64x75) : **FRF 31 000** – LYON, 7 juin 1982 : *Nature morte : coquillages, aiguière et potiche*, h/t (49,5x68) : **FRF 38 000** – LONDRES, 9 mars 1983 : *Nature morte aux pièces d'orfèvrerie*, h/t (72x92) : **GBP 6 800** – PARIS, 28 nov. 1984 : *Nature morte aux fruits et aux pièces d'orfèvrerie disposés sur un entablement drapé de velours bleu*, h/t (164x116) : **FRF 400 000** – MONTE-CARLO, 22 juin 1985 : *Nature morte aux pièces d'orfèvrerie*, h/t (84x104) : **FRF 150 000** – MONTE-CARLO, 6 déc. 1987 : *Nature morte avec aiguières, plat ovale représentant le Jugement de Pâris et flambeau des travaux d'Hercule*, h/t (99x124) : **FRF 180 000** – MILAN, 10 juin 1988 : *Nature morte avec des roses dans un vase de cristal et de l'orfèvrerie*, h/t (73x96) : **ITL 30 000 000** – PARIS, 30 juin 1993 : *Nature morte à la chope montée à l'aiguière et au coquillage*, h/t/pan. (54x75) : **FRF 62 000** – LONDRES, 21 avr. 1993 : *Nature morte de pièces d'argenterie : un chandelier et deux aiguières*, h/t (80x101) : **GBP 16 100** – PARIS, 28 juin 1993 : *Nature morte à l'aiguière, vase de porcelaine fleuri et fruits sur fond d'architecture découvrant un paysage*, h/t (74x100) : **FRF 70 000** – NEW YORK, 23 mai 1997 : *Un brûleur d'encens en argent, un plateau, une aiguière en vermeil et un vase, avec des coquilles de nautiles et une boite à bijoux sur un entablement recouvert d'un rideau de velours*, h/t (101x128) : **USD 41 400.**

COMTE Pierre Charles

Né le 23 avril 1823 à Lyon (Rhône). Mort le 28 novembre 1895 à Paris. XIXᵉ siècle. Français.

Peintre d'histoire, genre.

En 1841-1842, il fut élève à l'École des Beaux-Arts de Lyon, dans l'atelier de Bonnefond, puis à Paris chez Tony Robert-Fleury.

Il participa au Salon de Paris entre 1848 et 1887, notamment avec : *Le dernier coup de dés.*

Il présente généralement des scènes retraçant l'histoire des Valois, dans des compositions bien structurées, un dessin précis,

un coloris sobre et grave qui s'éclaircit un peu dans ses dernières œuvres.

P. C. COMTE

BIBLIOGR. : Gérald Schurr, in : *Les Petits Maîtres de la peinture 1820-1920, valeur de demain*, Les Éditions de l'Amateur, t. III, Paris, 1976.

MUSÉES : BLOIS (Mus. du château) : *Henri III et le duc de Guise* – HAMBOURG – LYON : *Éléonore d'Aquitaine* – NEW YORK (Metropolitan Mus.) – PARIS (Mus. du Louvre) : *Henri III et le duc de Guise* – REIMS : *Jeanne d'Arc* – TOURS : *Les cartes.*

VENTES PUBLIQUES : PARIS, 1862 : *La magicienne* : **FRF 1 200** – PARIS, 1872 : *Catherine de Médicis au château de Chaumont* : **FRF 10 000** – PARIS, 11 mai 1886 : *Charles-Quint et la duchesse d'Étampes* : **FRF 4 100** – NEW YORK, 1908 : *La leçon de danse* : **USD 200** – PARIS, 17-18 juin 1927 : *Seigni Joan* 1390 : **FRF 4 000** – NEW YORK, 4 mars 1937 : *Grand-père et petit-fils* : **USD 50** – PARIS, 19 déc. 1975 : *Femme lisant* 1848, dess. (31x23) : **FRF 1 900** – VERSAILLES, 28 juin 1981 : *Scène de légende*, h/t (89x133) : **FRF 14 000** – VIENNE, 12 sep. 1984 : *La visite de grand-mère*, h/pan. (33x25) : **ATS 55 000** – MONTE-CARLO, 23 fév. 1986 : *La confession* 1855, h/pan. (41x32,5) : **FRF 9 000** – LONDRES, 28 oct. 1992 : *Anne d'Este, la veuve du Duc de Guise, engageant son fils à venger l'assassinat de son père*, h/t (90x74) : **GBP 5 280** – LONDRES, 11 avr. 1995 : *Dans la salle de lecture*, h/t (40x53) : **GBP 1 840** – NEW YORK, 18-19 juil. 1996 : *Curiosité*, h/pan. (41,9x32,4) : **USD 6 900.**

COMTE Roger

Né à Belfort. XXᵉ siècle. Français.

Peintre.

Il exposa à Paris au Salon d'Automne en 1942.

COMTE Serge

Né en 1966. XXᵉ siècle. Français.

Auteur d'installations, vidéaste.

La Biennale d'Art contemporain de Lyon a présenté en 1997 diverses œuvres.

Il travaille à partir de la vidéo ou sur des post-it en vue de redonner un sens « juste et esthétique » au quotidien.

COMTE Yvonne

Née à Paris. XIXᵉ-XXᵉ siècles. Française.

Lithographe.

Sociétaire des Artistes Français ; mention honorable en 1914.

COMTESSE Jean ou Contesse

XVIᵉ siècle. Français.

Peintre décorateur.

Il fit des décorations au palais ducal de Nancy en 1595.

COMTET Jean

XVᵉ siècle. Actif à Chambéry. Français.

Peintre.

COMTOIS Franc.

Né à Lyon. XIXᵉ siècle. Français.

Peintre.

Élève de Couture et de Monginot. Il exposa à Paris, de 1870 à 1875, des portraits et, en 1873, *Plumeuse de dindons.*

COMTOIS Louis

Né en 1946. Mort le 16 juin 1990. XXᵉ siècle. Canadien.

Peintre. Abstrait.

Il a travaillé à New York et en Grèce, où il a pu développer ses réflexions de coloriste. Il a exposé à New York et a figuré au Musée de Brest et à celui de l'Abbaye Sainte-Croix aux Sables d'Olonne en 1978. Ses toiles se présentent sous forme de panneaux verticaux, reliés ensemble, traités dans des tons sourds de valeur égale, toujours inventés par Comtois, allant, par exemple du mauve au vert citronné et au gris-beige.

COMTOIS Ulysse

Né en 1931 à Granby (Québec). XXᵉ siècle. Canadien.

Peintre, sculpteur. Abstrait.

Il se fixa à Montréal en 1949, y fréquentant l'École des Beaux-Arts en 1949-1950. Il fut aussi en contact avec le groupe de la seconde génération de l'automatisme de Paul Émile Borduas. Prix Paul Émile Borduas en 1978.

Alternant des périodes de peinture et de sculpture, les reliant par une activité de collage en 1962-1963, d'assemblage de contreplaqué peint en 1965-1966, il travaille toujours à partir d'un principe de répétition ou bien empilement, de sortes de formes ou volumes modulaire, bandes, figures géométriques, signes calligraphiques. Ses œuvres sculptées sont sans doute plus présentes au public que sa peinture : après les petites sculptures de fer soudé de 1960-1961, il réalisa les séries de bois colorés ou lamellés de 1964-1966, puis les colonnes d'aluminium de 1967-1975. Il explora d'autres matériaux : acier peint, bronze, résines synthétiques. Certaines de ses sculptures, participant du cinétisme, comportent des éléments modulaires non fixes et que le public peut modifier à son gré.

BIBLIOGR. : In : *Les vingt ans du musée à travers sa collection*, Mus. d'Art Contemp., Montréal, 1985.

MUSÉES : MONTRÉAL (Mus. d'Art Contemp.) : *Colonne n° 6* 1967.

COMUCCI Gerolamo
Originaire de Gemona. XVII⁰ siècle. Italien.
Sculpteur sur bois.

COMUCCI Pietro
XIX⁰ siècle. Italien.
Peintre.
On connaît de cet artiste une *Pietà* à Scarperia et quelques copies à Florence.

COMUN Giovanni Maria
Originaire de Grancona. XIX⁰ siècle. Travaillant vers 1800. Italien.
Sculpteur.
On cite plusieurs statues de cet artiste à Brendola près de Vicence.

COMUS Joseph Bernard
XVIII⁰ siècle. Actif à Angers vers 1770. Français.
Peintre.

COMYN. Voir COMIN Joan

CONA Jacques
XVII⁰ siècle. Actif à Avignon vers 1632. Français.
Peintre.

CONADAM Adolf
Né le 14 décembre 1857 à Varsovie. XIX⁰ siècle. Allemand.
Peintre de genre, peintre à la gouache, aquarelliste, illustrateur.
Il fut à Vienne l'élève de Trenkwald, puis voyagea à travers l'Europe et surtout en Italie. Il se fixa finalement en Allemagne, à Dachau.

CONALIERI Francesco
XVI⁰ siècle. Actif à Brescia en 1525. Italien.
Peintre.

CONANT Alban Jasper
Né en 1821 à Chelsea (Massachusetts). Mort en 1915 à New York. XIX⁰-XX⁰ siècles. Américain.
Peintre de portraits.
VENTES PUBLIQUES : NEW YORK, 10 juin 1976 : *Portrait of David Robert Barclay* 1860, h/t (113x91,5) : **USD 800.**

CONANT Lucy Scarborough
Née en 1867 à Brooklyn (Connecticut). Morte en 1921 à Boston (Massachusetts). XIX⁰-XX⁰ siècles. Américaine.
Peintre de paysages.
VENTES PUBLIQUES : BOLTON, 15 mai 1985 : *Hilltop city*, h/t (45,7x66) : **USD 1 000.**

CONANT Sylvia Ferguson
Née aux États-Unis. XX⁰ siècle. Américaine.
Sculpteur de bustes, bas-reliefs.
A Paris, elle a participé au Salon de la Société Nationale des Beaux-Arts de 1928 à 1935 et au Salon des Tuileries en 1933.

CONARD Charles
XVII⁰ siècle. Actif à Rouen vers 1640. Français.
Peintre.

CONARD Jean
XVIII⁰ siècle. Actif à Bayeux. Français.
Peintre.
Il exécuta une peinture décorative pour l'église Saint-Sulpice à Bayeux.

CONARROE Georges W.
Né en 1803. Mort en 1882 à Philadelphie (Pennsylvanie). XIX⁰ siècle. Américain.
Peintre de portraits.
VENTES PUBLIQUES : NEW YORK, 18 nov. 1977 : *Portrait de fillette* 1844, h/t (92x71) : **USD 2 000.**

CONAVERO
XIX⁰ siècle.

Peintre de miniatures.
On connaît de lui une miniature signée *Conavero, f. 1819.*

CONCA Antonio
XVIII⁰ siècle. Italien.
Peintre.
On connaît une peinture de cet artiste à l'église San Ubaldo au Monte Ingino près de Gubbio.

CONCA Giovani
Né à Gaëte (Latium). XVII⁰-XVIII⁰ siècles. Italien.
Peintre de compositions religieuses.
Giovanni aida souvent son frère Sebastiano dans ses travaux. Il copia avec facilité les tableaux des grands maîtres. Il fut reçu membre de l'Académie de Saint-Luc, à Rome, en 1735.
VENTES PUBLIQUES : ROME, 23 fév. 1988 : *Vierge à l'Enfant*, h/t ovale (63x48) : **ITL 6 000 000.**

CONCA Jacopo
Italien.
Peintre d'histoire.

CONCA Sebastiano, il cavaliere
Né à Gaëte (Latium), en 1676 selon Mariette et Lanzi, en 1679 selon le Bryan Dictionary, en 1680 selon Domenico. Mort en 1764 à Naples. XVIII⁰ siècle. Italien.
Peintre d'histoire, sujets mythologiques, compositions religieuses, scènes de batailles, portraits, dessinateur.
Après avoir étudié chez Solimena à Naples, Conca partit pour Rome en 1706, attiré dans cette ville par un vif désir de profiter des chefs-d'œuvre dont abondent ses musées. Il finit par s'y établir avec son frère Giovanni, et quoique déjà âgé de 40 ans, il se mit à travailler pour corriger ses défauts de dessin et de style. Il s'appliqua consciencieusement à ce devoir artistique pendant cinq ans ; ayant fait à ce moment la connaissance du sculpteur Legros, ce fut sur les conseils de cet artiste que Conca reprit enfin son pinceau.
Conca s'est surtout efforcé de prolonger l'existence du classicisme de la Renaissance. Il fut d'une grande fécondité. Il travailla pour le Pape Clément XI, décorant son église de fresques qui lui valurent l'admiration et la protection du souverain Pontife et le titre de chevalier. Il peignit aussi pour les rois de Portugal, d'Espagne, et de Pologne, ainsi que pour l'Électeur de Cologne.

Conca.

MUSÉES : BERLIN : *Abraham* – BUDAPEST : *Saint Jérôme* – DARMSTADT : *Joseph en prison* – DRESDE : *Les Trois Rois devant Hérode* – FLORENCE (Mus. des Offices) : *Autoportrait* – *Énée aux Champs Élysées* – LILLE : *Étude* – *Homme assis* – *Femme* – LONDRES : *Cupidon* – MADRID : *Le Christ dans le désert* – *La mort de Sénèque* – NAPLES : *Saint Pierre bénit un homme armé* – PISE : *Pietro Gambacurti et le pape Urbain VI* – PRAGUE : *Peinture* – ROME : *Madeleine au désert* – TOULOUSE : *Mariage de sainte Catherine* – VIENNE (Gal. Harrach) : *Vestale.*
VENTES PUBLIQUES : LONDRES, 1784 : *Angélique et Médor* : **FRF 720** – PARIS, 1784 : *Vénus-Amphitrite debout au bord de la mer* : **FRF 400** – BRUXELLES, 1833 : *Une bataille* : **FRF 21** – PARIS, 1847 : *Une bataille* : **FRF 111** – PARIS, 1894 : *Éducation de l'Amour* : **FRF 340** – PARIS, 16 déc. 1921 : *La Vierge, l'Enfant et saint Jean*, attr. : **FRF 430** – PARIS, 7 juil. 1942 : *Femmes et enfants invoquant les dieux*, sanguine. attr. : **FRF 550** – PARIS, 25 juin 1943 : *Femmes et enfants invoquant les dieux* : **FRF 500** – VIENNE, 28 nov. 1967 : *Portrait de femme* : **ATS 22 000** – LONDRES, 7 juin 1972 : *L'Adoration des Rois Mages* : **GNS 5 000** – LONDRES, 6 juil. 1978 : *Le Martyre de saint Érasme* 1729, h/t (73x61) : **GBP 1 400** – ROME, 27 mars 1980 : *La Vierge et l'Enfant apparaissant à un saint*, h/t (72x47) : **ITL 5 500 000** – PARIS, 5 déc. 1983 : *Combat de Centaures*, sanguine et lav. de sanguine (19x24,8) : **FRF 8 500** – LONDRES, 15 oct. 1985 : *Hercule couronné par la Renommée*, h/t (49x64,1) : **GBP 11 500** – LONDRES, 12 déc. 1985 : *Dieu marin couché*, craies rouge et blanche (42,5x54,8) : **GBP 12 000** – ROME, 22 mars 1988 : *Glorification des Arts*, h/t (29x49) : **ITL 4 800 000** – LONDRES, 13 mai 1988 : *L'Enlèvement d'Europe*, h/t (74,9x99,7) : **GBP 13 750** – PARIS, 17 mars 1989 : *Diane et Endymion* ; *Vénus et Adonis*, deux h/cart. (46x34) : **FRF 680 000** – ROME, 27 nov. 1989 : *La Madeleine repentante*, h/t (101x76) : **ITL 9 200 000** – ROME, 22 mars 1990 : *Vierge avec l'Enfant donnant sa bénédiction*, h/cuivre, de forme ovale (53x39) : **ITL 13 000 000** – NEW YORK, 30 mai 1991 : *Sainte Cécile jouant de la harpe*, h/t (46,9x35,5) : **USD 39 600** – PARIS, 15 déc. 1991 : *Moïse et les filles de Jethro*, h/t

(30,5x41) : **FRF 85 000** – Milan, 28 mai 1992 : *Vierge à l'Enfant*, h/t (51x51) : **ITL 4 000 000** – Rome, 24 nov. 1992 : *Aaron et le Veau d'or ; Rebecca et Isaac près du puits*, h/t, une paire (chaque 134x97) : **USD 51 750 000** – Londres, 9 déc. 1992 : *Le Christ et la femme de Samarie*, h/t (99,5x72,5) : **GBP 14 300** – New York, 14 jan. 1994 : *Le mariage de la Vierge*, h/t (63,5x47) : **USD 23 000** – Londres, 18 oct. 1995 : *Le Rêve de Joseph 1727*, h/t (79,5x62,2) : **GBP 9 775** – Rome, 14 nov. 1995 : *Les Rois Mages prenant congé d'Hérode*, h/t (77x145,5) : **ITL 57 500 000** – New York, 11 jan. 1996 : *Rachel près du puits*, h/t (71,1x97,2) : **USD 32 200** – New York, 31 jan. 1997 : *La Vierge et l'Enfant*, h/t (32,7x24,1) : **USD 19 550** – New York, 30 jan. 1997 : *Le Christ et la femme adultère 1741*, h/t (116,8x160) : **USD 178 500**.

CONCA Tommaso
Né à Gaëte (Latium). Mort en 1815 à Rome. xixe siècle. Italien.
Peintre de sujets mythologiques.
Il était le neveu et fut l'élève de Sebastiano Conca.
Il peignit dans la tradition des Carrache plusieurs œuvres importantes à la Villa Borghèse et au Musée Pio-Clementino.
Ventes Publiques : Vienne, 17 sep. 1963 : *Bacchus et Ariane* : **ATS 9 000** – New York, 5 juin 1979 : *Rachel au puits*, pl. et lav. (28x40) : **USD 1 300**.

CONCA Tommaso Maria
Né en 1734. Mort en 1822. xviiie-xixe siècles.
Peintre de sujets mythologiques, compositions religieuses, sujets allégoriques, dessinateur.
Musées : Chambéry (Mus. des Beaux-Arts) : *La Musique – L'Histoire – Vierge*.
Ventes Publiques : Londres, 6 juil. 1978 : *La Visitation*, h/t (90x73) : **GBP 700** – Londres, 7 fév. 1991 : *Saint Joseph 1784*, h/t, de forme ovale (74,3x61,5) : **GBP 1 320** – New York, 13 jan. 1993 : *La Foi soutenant la vraie Croix adorée par les anges et avec des scènes de martyrs de chaque côté*, mine de pb et encre et lav. brun, projet de plafond (23,7x67,5) : **USD 1 760**.

CONCALVES Elos
Né en 1919 à Pernambouc. xxe siècle. Brésilien.
Peintre.
On cite de cet artiste : *Garçon dans une librairie*.

CONÇALVEZ Nuno. Voir GONÇALVEZ Nuno

CONCEIÇAO E SILVA Antonio Tomas da
Né en 1869 à Lisbonne. Mort en 1958 à Lisbonne. xxe siècle. Portugais.
Peintre d'histoire et de portraits.
Il fit ses études à l'École des Beaux-Arts de Lisbonne puis, ayant reçu une bourse, il alla à l'École des Beaux-Arts de Paris et travailla sous la direction de Jean-Paul Laurens. Revenu à Lisbonne, il participa aux grandes expositions dès 1892, jusqu'en 1958 et commença à enseigner la peinture et le dessin à partir de 1904.
Musées : Lisbonne (Mus. Nac. de Arte Contemp.) – Rainha (Mus. de Caldas) – Vila Viçosa (Mus. del Paço).

CONCETTI Adalbert
Né en 1847 à Rome. xixe siècle. Italien.
Sculpteur.

CONCETTO Luciano di
Né en 1962. xxe siècle. Français.
Peintre. Abstrait, tendance Lettres et signes.
Il a participé au Salon des Réalités Nouvelles à Paris, notamment en 1988, 1989.
Ses toiles sont peuplées de signes abstraits, comme des zébrures nerveuses.

CONCHA Andrés de
Né au xvie siècle en Espagne. xvie siècle. Espagnol.
Peintre.
Il exécuta au Mexique plusieurs œuvres importantes qui sont aujourd'hui disparues.

CONCHA Ernesto
Né à Santiago du Chili. xixe-xxe siècles. Chilien.
Sculpteur.
Mention honorable au Salon des Artistes Français de 1908.

CONCHE Claude
xviie siècle. Français.
Graveur.
On connaît une planche signée du nom de cet artiste.

CONCHILLOS Francisco
xviie siècle. Actif à Segorbe vers 1696. Espagnol.
Peintre.

CONCHILLOS Manuel Antonio
xviie-xviiie siècles. Actif à Valence. Espagnol.
Peintre.
Il était le fils et fut l'élève de Conchillos y Falco.

CONCHILLOS Y FALCO Juan
Né le 13 mars 1641 à Valence. Mort le 14 mai 1711. xviie-xviiie siècles. Espagnol.
Peintre de compositions religieuses, fresquiste, dessinateur. Baroque.
Élève de Esteban March à Valence, il termina ses études à Madrid, puis revint à Valence.
Il a décoré plusieurs églises de Valence et de Murcie, mais la plupart de ses œuvres ont été détruites et ne sont connues que par ses dessins et ses lavis qui montrent une vigueur baroque intense.

C on Chilos

Bibliogr. : In : *Dictionnaire de la peinture espagnole et portugaise du Moyen-Âge à nos jours*, coll. Essentiels, Larousse, Paris, 1989.
Musées : Valence : *Scènes de la vie de saint François d'Assise*.
Ventes Publiques : Paris, 1843 : *David et Abigaïl* : **FRF 335** ; *La Vierge dans une gloire* : **FRF 285**.

CONCHON Léon Eugène
Né à Paris. xxe siècle. Français.
Peintre de genre.
Il a figuré au Salon des Artistes Indépendants à Paris de 1920 à 1942.

CONCHON Maurice Eugène
Né à Juvisy-sur-Orge (Essonne). xxe siècle. Français.
Peintre de paysages.
Exposant du Salon des Indépendants.

CONCHY Armand Auguste de
xxe siècle. Français.
Peintre de paysages.
Il a travaillé à Avignon et a exposé à Paris, au Salon de la Société Nationale des Beaux-Arts en 1923-1924.

CONCIOLI Antonio
Né vers 1736 près de Gubbio. Mort en 1820 à Rome. xviiie-xixe siècles. Italien.
Peintre.
On cite ses fresques.

CONCIOLO
xiiie siècle. Actif à Subiaco en 1229. Italien.
Peintre.
On connaît de lui : *La consécration d'une église*, datée de 1219.

CONCOLO Bernardo
xviiie siècle. Actif à Venise entre 1760 et 1790. Italien.
Peintre.
Il exécutait des peintures religieuses.

CONCONI Luigi
Né en 1852 à Milan. Mort en 1917. xixe-xxe siècles. Italien.
Peintre de genre, figures, portraits, paysages, graveur.
Il fut élève de Tranquillo Cremona. Conconi a obtenu une médaille d'or pour la gravure à l'Exposition Universelle de 1900.
Musées : Rome (Mus. d'Art Mod.) : *Variazioni sulla mezzanotte*.
Ventes Publiques : Milan, 16 mars 1965 : *Paysage à la jeune fille* : **ITL 500 000** – Milan, 4 juin 1970 : *Les Deux Sœurs* : **ITL 1 200 000** – Milan, 18 mai 1971 : *Portrait de jeune fille* : **ITL 450 000** – Milan, 28 oct. 1976 : *Enfant dans un paysage*, h/t (87x63) : **ITL 800 000** – Milan, 25 mai 1978 : *Le Pont*, h/t (70x151) : **ITL 3 000 000** – Milan, 5 avr. 1979 : *Portrait de jeune fille 1891*, h/cart. (25x17,5) : **ITL 1 200 000** – Milan, 24 mars 1982 : *Les sœurs*, aquar. (55x46) : **ITL 1 100 000** – Milan, 23 mars 1983 : *Femme dans un paysage*, h/cart. (49x30) : **ITL 5 200 000** – Milan, 4 juin 1985 : *Il ponte di Cif e Ciaf*, h/t (70x151) : **ITL 5 500 000** – Milan, 29 mai 1986 : *L'ange de la nuit*, aquar./parchemin (42x77) : **ITL 4 000 000** – Milan, 10 déc. 1987 : *Jeune femme à la fleur rouge*, h/t (199x99,5) : **ITL 9 500 000** – Milan, 5 déc. 1990 : *Paysage*, aquar./pap. (44x71) : **ITL 6 000 000** – Milan, 12 mars 1991 : *Personnage féminin*, h/pan. (50x18) : **ITL 7 000 000** – Milan, 6 juin 1991 : *Leçon de piano*, aquar./pap. (45x41,5) : **ITL 13 000 000** – New York, 17 oct. 1991 : *Jeunes seigneurs amoureux 1910*, h/t (107,3x102,9) : **USD 30 800** – Rome,

14 nov. 1991 : *Enfants avec une cage à oiseaux*, h/t (98x134,5) : **ITL 23 000 000** – MILAN, 19 mars 1992 : *Portrait féminin* 1898, h/pan. (33x50,5) : **ITL 7 500 000** – MILAN, 22 mars 1994 : *La rose*, aquar./pap. (22,5x14) : **ITL 3 910 000**.

CONCONI Mauro
Né en 1815 à Milan. Mort le 14 mai 1860 à Milan. XIX⁰ siècle. Italien.
Peintre d'histoire, compositions religieuses, figures, portraits.
Cet artiste fut élève de Sanguinetti. Fut surtout peintre d'histoire et d'histoire religieuse.
MUSÉES : MILAN (Gal. Brera) : *Portrait de Carlo Bellosio*.
VENTES PUBLIQUES : MILAN, 30 oct. 1984 : *Bozzetto per pala d'altare*, h/t (30x20) : **ITL 1 100 000** – MILAN, 23 mars 1988 : *Odalisque* 1843, h/t (119x99) : **ITL 11 000 000**.

CONCORDE Nicolas
XVIII⁰ siècle. Actif à Harfleur vers 1747. Français.
Peintre.

CONCY John. Voir CONEY

CONDAMIN Jeanne ou Cond'Amin, plus tard Mme Girard Condamin
Originaire de Lyon. XIX⁰ siècle. Française.
Peintre.
Élève de Guichard et de Louis Guy, elle exposa à Lyon et à Paris des natures mortes et des paysages.

CONDAMIN Joseph Henri ou Cond'Amain, Cond'Amin, Condamine
Né en 1847 à Lyon. Mort en 1917. XIX⁰-XX⁰ siècles. Français.
Peintre de genre, figures, portraits, intérieurs, paysages, natures mortes, sculpteur.
Élève, à Lyon, de Bonirote, puis, à Paris, de Cabanel.
Il a exposé aux Salons de Paris et de Lyon, depuis 1874, des portraits, des natures mortes, des tableaux de genre, des intérieurs, des paysages et quelques sculptures.
VENTES PUBLIQUES : PARIS, 18 avr. 1928 : *Tête de mousquetaire* : **FRF 90** – PARIS, 3 juin 1994 : *Jeune femme devant la sculpture de Cupidon*, h/t (62x50) : **FRF 16 000** – PARIS, 6 juin 1997 : *Coup d'œil à Cupidon* 1884, h/t (63x52) : **FRF 16 000**.

CONDAMY Charles Fernand de
Né en 1855 à Paris. XIX⁰-XX⁰ siècles. Français.
Peintre de sujets de sport, scènes de genre, portraits, animaux, peintre à la gouache, aquarelliste.
Il fut élève de Barias. Il s'est spécialisé dans la représentation de chiens, dont il sait rendre l'expression de tendresse. Il est l'auteur de la célèbre affiche : *La Voix de son Maître*. Il exposa au Salon de Paris de 1878 à 1881.

[signature: de Condamy]

BIBLIOGR. : G. Schurr : *Les Petits Maîtres de la peinture 1820-1920, valeur de demain*, Les Éditions de l'Amateur, Paris, 1981.
VENTES PUBLIQUES : PARIS, 27 jan. 1923 : *Chiens dans la neige*, aquar. : **FRF 150** – PARIS, 28 fév. 1923 : *Piqueur et Chiens de chasse*, aquar. : **FRF 80** – PARIS, 28 juin 1923 : *Le Chenil*, aquar. : **FRF 65** – *Chasse à courre traversant un village* : **FRF 95** – PARIS, 2 juin 1924 : *Le Rendez-vous de chasse*, aquar. : **FRF 60** – PARIS, 23 mai 1941 : *Chiens*, quatre aq. dans un même cadre : **FRF 390** – PARIS, 20 et 21 juil. 1942 : *Calèches*, deux aq. : **FRF 2 600** – PARIS, 29 mars 1943 : *Scènes de chasse*, aquar. : **FRF 620** – PARIS, 19 mai 1943 : *Chiens et rats*, quatre aq. : **FRF 280** – PARIS, 23 juin 1943 : *Chiens de chasse*, six aq. dans trois cadres : **FRF 450** – VERSAILLES, 15 nov. 1964 : *La Sortie du chenil* ; *L'équipage sur le bac* : **FRF 1 520** – VERSAILLES, 16 avr. 1972 : *Le Passage de la rivière* ; *La Poursuite*, deux cartons : **FRF 1 400** – VIENNE, 18 mai 1976 : *Avant la chasse* 1884, h/t (81x121) : **ATS 75 000** – VERSAILLES, 16 juil. 1978 : *Scènes de chasse à courre*, deux cartons (36x55,5) : **FRF 5 800** – PARIS, 6 mars 1979 : *Chasse à courre*, deux aquar. (31x47) : **FRF 4 100** – VERSAILLES, 4 oct. 1981 : *Chasse à courre* 1911, aquar. (30,5x47) : **FRF 4 500** – PARIS, 4 déc. 1985 : *Sylla, le pointer* 1893, aquar. (31,5x49) : **FRF 4 000** – PARIS, 18 jan. 1986 : *Scène de chasse à courre*, 4 gches (31x23,5) : **FRF 8 500** – PARIS, 21 jan. 1987 : *Les Ratiers*, 2 aquar. (16x12) : **FRF 5 000** – PARIS, 10 fév. 1988 : *Le tricolore*, aquar. (19x14,5) : **FRF 2 100** – PARIS, 20 oct. 1988 : *Deux têtes de chien* 1890, h/pan. (61x51) : **FRF 4 000** – CALAIS, 8 juil. 1990 : *Le Joueur de polo*, aquar. (29x21) : **FRF 6 000** – PARIS, 25 nov. 1991 : *Bouledogue français courant*, aquar.

(11,5x15) : **FRF 3 500** – PARIS, 30 mars 1992 : *Le Rappel*, aquar./pap. (19x26,5) : **FRF 9 800** – PARIS, 9 juil. 1992 : *Le Général de Castex* 1894, h/t (80x65) : **FRF 22 000** – PARIS, 21 oct. 1992 : *La Boîte à souris*, aquar. (14,8x11,5) : **FRF 7 000** – PARIS, 16 mars 1994 : *Cerf aux abois*, aquar. (32x49) : **FRF 7 500** – NEW YORK, 3 juin 1994 : *Le Tour préféré*, aquar. et encre/pap., une paire (16,2x12,7 et 17,1x13,3) : **USD 1 380** – PARIS, 16 déc. 1994 : *Piqueux et son chien*, aquar. (15x11) : **FRF 6 100** – NEW YORK, 19 jan. 1995 : *Le Cheval et sa petite amie*, h/t (61x73,3) : **USD 3 162** – PARIS, 5 juin 1996 : *Faire le beau*, aquar. (13x9,5) : **FRF 8 500** – PARIS, 20 déc. 1996 : *La Partie de croquet*, aquar. gchée (12x16) : **FRF 6 000** – PARIS, 21 avr. 1997 : *La Diligence*, aquar. (31,5x49,8) : **FRF 12 000**.

CONDAT Jeanne
Née à Bordeaux (Gironde). XX⁰ siècle. Française.
Peintre de paysages, aquarelliste.
Élève de J. Vignal, elle a exposé, de 1929 à 1933, au Salon des Artistes Français dont elle est devenue sociétaire.
VENTES PUBLIQUES : PARIS, 27 jan. 1943 : *Bateaux de pêche*, aquar. : **FRF 700**.

CONDÉ Alain de
Né en 1935. XX⁰ siècle. Français.
Peintre.
Il a exposé à partir de 1969, notamment à Tokyo et Florence.
VENTES PUBLIQUES : PARIS, 11 oct. 1989 : *Composition*, h/t (133x95) : **FRF 15 000** – PARIS, 21 nov. 1989 : *Le petit pêcheur*, h/t (25x25) : **FRF 14 800**.

CONDÉ André, pseudonyme de Affolter
Né le 29 février 1920 à La Chaux-de-Fonds. XX⁰ siècle. Actif en France. Suisse.
Sculpteur. Abstrait.
Après des études à l'École d'Art de La-Chaux-de-Fonds, il reçoit une bourse en 1943 et vient s'installer à Paris en 1946, travaillant avec Germaine Richier. Il a participé au Salon de la Jeune Sculpture à partir de 1956, au Salon de Mai, à celui d'Automne et au Salon des Réalités Nouvelles à partir de 1958. Il figure aux Biennales de La Chaux-de-Fonds et d'Yverdon. C'est au Musée de La Chaux-de-Fonds qu'il expose pour la première fois en 1949, puis bien d'autres fois, notamment en 1958, date à laquelle il montre également ses œuvres à Darmstadt. Il fait de nombreuses expositions personnelles à Paris, en particulier en 1959 et à Ascona en 1960. Il a réalisé des sculptures monumentales au Symposium de Québec en 1966, à Vitry-sur-Seine en 1969, au carrefour des Gentianes et au nouvel hôpital de La Chaux-de-Fonds.
Après avoir été influencé, un certain temps, par l'œuvre de Giacometti, il évolue, autour de 1953, vers l'abstraction. Ce changement dans son style entraîne un changement dans sa technique : il passe du modelage à des matériaux plus durs : la pierre, le marbre et le bois. Il part de formes organiques, souvent humaines, laissant parfois plus de place aux vides qu'aux volumes. A partir de 1957, il utilise le polyester et réalise des sculptures en matières plastiques, ce qui lui permet de faire des œuvres transformables, ouvrables, qui jouent sur l'aspect protéiforme de la matière que l'on obtient en variant les étages et les jointements de surfaces. Grâce aux techniques du métal soudé, Condé a exécuté des pièces à destination monumentale, tel le *Radar* en laiton de 1960.
BIBLIOGR. : In : *Dictionnaire de la Sculpture Moderne*, Hazan, Paris, 1960.

CONDÉ Charlotte Godefroide Élisabeth de, duchesse, née princesse de Rohan-Soubise
Née le 7 octobre 1737 à Paris. Morte le 4 mars 1760 à Paris. XVIII⁰ siècle. Française.
Graveur.
Elle grava en 1754 une planche d'après Soldini.

CONDÉ Georges Jean, dit Géo
Né le 24 juin 1891 à Frouard (Meurthe-et-Moselle). Mort le 3 juin 1980 à La Poste-de-Velaine (Meurthe-et-Moselle). XX⁰ siècle. Français.
Peintre de nus et de paysages.
A partir de 1924, il participa aux Salons des Artistes Indépendants et d'Automne à Paris. En 1945, il présentait un panneau à l'Exposition des Artistes Lorrains à Nancy. Il eut une activité importante, et reconnue, de marionnettiste, de 1934 à 1967.

CONDÉ John
Mort en 1794 à Londres. XVIII⁰ siècle. Britannique.

Graveur.
Cet artiste exécuta des portraits presque toujours au pointillé. On en cite quelques-uns qu'il fit d'après Cosway, notamment ceux de *Mrs. Bouverie, Mrs. Filzherbert, Mrs. Tickell, Mrs. Bannister, Brooks, Mme Rose Didelot dans le rôle de Calypso,* d'après Henart, *Mrs. Jackson,* et *le baron de Wenzel.* Il était le frère de Pierre Condé.
VENTES PUBLIQUES : LONDRES, 13 nov. 1997 : *Mrs Fitzherbert, et autres 1792,* grav. au point, trente et une pièces : **GBP 4 140.**

CONDÉ Pierre
XIXᵉ siècle. Actif à Londres au début du XIXᵉ siècle. Britannique.
Graveur au pointillé.
MUSÉES : CARDIFF : *La Toilette,* soie, éventail – SYDNEY : *Départ du steamer Orient.*

CONDÉ-GONZALEZ Catherine Émilie. Voir GONZALEZ Émilie Catherine

CONDEIXA Ernesto Ferreira
XIXᵉ siècle. Portugais.
Peintre de genre et de portraits.
Il travailla et exposa à Lisbonne et à Paris.

CONDER Charles Edward
Né le 24 octobre 1868 à Londres. Mort le 9 février 1909 à Virginia Water (Berkshire). XIXᵉ siècle. Britannique.
Peintre de scènes de genre, paysages, dessinateur, décorateur. Postimpressionniste.
Il arriva, à l'âge de quinze ans, en Australie, où il commença par être dessinateur humoristique dans un journal de Sydney : le *Illustrated Sydney News.* Il participa en 1889 à l'Exposition impressionniste de Melbourne. De retour en Europe en 1890, il fut élève à l'École des Beaux-Arts de Paris, dans l'atelier de Cormon, puis suivit les cours à l'Académie Julian. Il fut membre du New English Art Club en 1891 et associé à la Société nationale des Beaux-Arts à Paris en 1893. En 1894, il rentra à Londres, ce qui ne l'empêcha pas d'aller fréquemment en France, Italie, Espagne et au Proche-Orient. En Angleterre, il peignit aussi des éventails et des sujets inspirés du XVIIIᵉ siècle français. Il continua à fournir des dessins pour de nombreuses revues anglaises et décora une salle de la Galerie de l'Art Nouveau à Paris.
Très lié à Toulouse-Lautrec, qui le représenta parmi les personnages du fond des *Deux valseuses au Moulin Rouge,* il fut aussi influencé par les impressionnistes, rejoignant Claude Monet et ses amis à Vétheuil. Jusque vers 1895, ses paysages argentés, dont les volumes sont noyés dans la lumière, ont un vif succès auprès des amateurs londoniens.

[signatures manuscrites] CHARLES CONDER
C. Conder 19..

BIBLIOGR. : Gérald Schurr, in : *Les Petits Maîtres de la peinture 1820-1920, valeur de demain,* Les Éditions de l'Amateur, t. III, Paris, 1976.
MUSÉES : DUBLIN – JOHANNESBURG – LONDRES (British Mus.) – MELBOURNE – PARIS (Mus. du Louvre) – SYDNEY : *L'Orient.*
VENTES PUBLIQUES : LONDRES, 9 juil. 1909 : *Jour de mai :* **GBP 1 700** – LONDRES, 11 juin 1923 : *Le balcon,* monture d'éventail : **GBP 18** 18 s – LONDRES, 22 juin 1923 : *Pépita :* **GBP 50** – LONDRES, 4 juil. 1928 : *Les sables argentés :* **GBP 125** – LONDRES, 8 juin 1934 : *La plage à Ambleteuse :* **GBP 136** – LONDRES, 15 déc. 1965 : *Baigneuses dans une crique :* **GBP 820** – LONDRES, 19 mars 1972 : *La plage de Brighton :* **GNS 4 200** – LONDRES, 22 nov. 1972 : *Baigneuse sur une terrasse,* aquar./soie : **GBP 400** – SYDNEY, 6 oct. 1976 : *Paysage à l'arc-en-ciel,* h/t (31,5x45,5) : **AUD 1 900** – LONDRES, 17 juin 1977 : *Jeune femme sur une terrasse,* aquar./soie (89x56,5) : **GBP 950** – SYDNEY, 4 oct. 1977 : *La Colline* vers 1884, h/cart. (25,5x15,3) : **AUD 3 400** – SYDNEY, 10 sep. 1979 : *Personnages,* aquar./ soie, de forme ovale (62x74) : **AUD 3 000** – LONDRES, 14 nov. 1979 : *Matin dans le parc,* h/t (70x90) : **GBP 5 200** – LONDRES, 4 mars 1983 : *Portrait de la femme de l'artiste,* h/t (31x27,3) : **GBP 400** – LONDRES, 23 mai 1984 : *Nymphes,* deux aquar./soie (56x72,5) : **GBP 1 900** – SYDNEY, 23 sep. 1985 : *Stella Maris* 1906, aquar. et gche (57,2x44,5) : **AUD 8 000** – LONDRES, 13 nov. 1985 : *Peupliers et saules, Ambleteuse* 1901, h/t

(46x61) : **GBP 28 000** – LONDRES, 28 mai 1987 : *Fantasia,* aquar./ soie (78,7x43,2) : **GBP 27 000** – SYDNEY, 29 oct. 1987 : *Garden idyll,* h/t mar./cart. (51,5x63) : **AUD 24 000** – LONDRES, 29 juil. 1988 : *Etude de têtes de femme,* cr. (22,9x29,5) : **GBP 550** – LONDRES, 1ᵉʳ déc. 1988 : *Sur la rivière Yarra près de Heidelberg à Victoria,* h/t (30,4x40,7) : **GBP 132 000** – LONDRES, 9 juin 1989 : *Vetheuil* 1893, h/t (58,4x72,5) : **GBP 48 400** – LONDRES, 30 nov. 1989 : *La plage de Ferring Grange,* h/t (63,3x76,2) : **GBP 24 200** – SYDNEY, 15 oct. 1990 : *Promenade printanière,* h/t (34x49) : **AUD 1 700** – LONDRES, 7 nov. 1991 : *Verger près de Vétheuil au bord de la Seine* 1893, h/t (74x58,5) : **GBP 18 700.**

CONDER Claude Régnier
XIXᵉ siècle. Britannique.
Graveur.
Il travailla à Londres. On cite ses lithographies en couleur pour le volume *Pictorial scenes from Pilgrim's Progress,* Londres, 1869.

CONDET Gérard ou Kondet
XVIIIᵉ siècle. Actif à Amsterdam vers 1730. Hollandais.
Graveur.

CONDET Herman
XVIIIᵉ siècle. Français.
Graveur.
Il exécuta des illustrations d'une édition de Virgile.

CONDET Noël
XVIᵉ siècle. Actif à Tournai vers 1515. Éc. flamande.
Miniaturiste.

CONDIA Sebastiano
Originaire de Sardaigne. XVIIᵉ siècle. Vivant à Rome en 1656. Italien.
Peintre.

CONDIVI Ascanio, dit Ripatransone
Né vers 1525 à Ripatransone. Mort le 10 décembre 1574. XVIᵉ siècle. Italien.
Peintre, sculpteur et architecte.
Élève de Michel-Ange qui doit la plus grande part de sa renommée à la biographie de son maître qu'il écrivit.

CONDO George
Né en 1957. XXᵉ siècle. Actif en France. Américain.
Peintre de collages, pastelliste, dessinateur. Postmoderne, citationniste, Nouvelles Figurations, figuration libre.
Cet artiste américain vit à Paris où il expose, notamment à la Galerie Daniel Templon en 1990, 1995, 1996 ; au Palais des Congrès en 1995.
Condo reste traditionnel dans le choix de ses techniques, puisqu'il n'utilise que l'huile, le fusain, le pastel, le collage, mais dans une manière très fougueuse. L'art de Condo consiste en une sorte de condensé de l'art pictural contemporain. Il peut aussi bien s'inspirer de paysages japonisants de la fin du XIXᵉ, que d'œuvres de Matta ou de Masson aux entrelacs flottant sur une toile blanche ou des Ménines revues déjà par Picasso ou des motifs de Matisse, sans oublier des hommages à des peintres disparus, comme Basquiat ou encore des héros de bandes dessinées ou des rappels de publicités. La multiplicité de ses sujets et de ses styles n'enlève rien à la qualité de ses peintures qui se veulent aussi anonymes que des produits d'un supermarché.

VENTES PUBLIQUES : NEW YORK, 13 nov. 1986 : *Sans titre* 1983, h/t (91,5x121,9) : **USD 6 000** – NEW YORK, 4 nov. 1987 : *Coin Age,* h/t (152,4x122,5) : **USD 8 500** – NEW YORK, 8 oct. 1988 : *Sans titre,* h/t (45,7x35,5) : **USD 7 975** – NEW YORK, 10 Nov. 1988 : *Sans titre* 1983, h/t (76,2x76,2) : **USD 26 400** – NEW YORK, 3 mai 1989 : *Sans titre* 1983, h/t (117x119,5) : **USD 35 750** – LONDRES, 26 oct. 1989 : *Les premiers « 5 » furent différents* 1986, h., cr. et collage/t. (130x75) : **GBP 16 500** – NEW YORK, 9 nov. 1989 : *Nu blanc* 1985, h/t (172x129,5) : **USD 93 500** – PARIS, 8 avr. 1990 : *Sans titre* 1983, acyl./t. (30x40,5) : **FRF 43 000** – NEW YORK, 9 mai 1990 : *La seconde vie* 1985, h/t (190,5x124,5) : **USD 93 500** – STOCKHOLM, 14 juin 1990 : *Peinture abstraite* 1983, h/t (env. 30x31) : **SEK 60 000** –

New York, 6 nov. 1990 : *Composition à la fleur* 1987, acryl./t. (63,5x46,4) : **USD 5 500** – Paris, 25 juin 1991 : *Composition* 1983, h. et gche/pap. (155x113) : **FRF 50 000** – New York, 3 oct. 1991 : *Nature morte avec un paysage* 1987, h/t (277x154,5) : **USD 33 000** – New York, 25-26 fév. 1992 : *Nu aux reflets* 1989, h/t (200x160) : **USD 66 000** – Paris, 1er oct. 1992 : *Aphrodite* 1984, h/t (60x40) : **FRF 18 000** – Londres, 15 oct. 1992 : *La maladie de l'indépendance* 1984, h/t (150x150) : **GBP 11 000** – New York, 19 nov. 1992 : *Big white one* 1987, h., encres de coul. et collage de pap., cr. de coul. et vernis/t. (249,5x300) : **USD 46 200** – Paris, 4 déc. 1992 : *Peinture bleue*, h/t (150x150) : **FRF 155 000** – New York, 5 mai 1993 : *Grand nu couché* 1988, h/t (249x299,7) : **USD 46 000** – New York, 3 mai 1995 : *Forme bleue debout* 1988, h. et collage de pap./t. (205,4x205,4) : **USD 17 250** – Amsterdam, 6 déc. 1995 : *Sans titre* 1982, gche/pap. (167x121) : **NLG 3 450** – New York, 8 mai 1996 : *Votre voisin le Martien amical* 1988, h/t (45,7x35,5) : **USD 3 680** – New York, 19 nov. 1996 : *La seule excuse* 1984, h/t (50,2x40,6) : **USD 3 450**.

CONDOGLOU Photis
Né en 1895 à Kydonia. xxe siècle. Grec.
Peintre décorateur.
Après de nombreux voyages, il s'installa définitivement en Grèce à partir de 1922. Il réalisa la décoration picturale de plusieurs églises. A travers ses œuvres, il marque une volonté de retour aux sources de la tradition byzantine.

CONDOM Jean-Jacques
xxe siècle. Français.
Peintre. Surréaliste.
En 1969, il a figuré à l'Exposition organisée à Bruxelles par Patrick Waldberg, sur le thème *Signe d'un renouveau surréaliste.*

CONDORCET Marie Louise Sophie de, marquise, née de Grouchy
Née en 1764 au château de Villette près de Meulan. Morte le 8 septembre 1822 à Paris. xviiie-xixe siècles. Française.
Peintre.
Elle était la femme du célèbre maréchal napoléonien et exécuta un portrait de son mari, qui fut reproduit en terre cuite par David d'Angers.

CONDOY Honorio, pseudonyme de Garcia
Né en 1900 à Saragosse. Mort en 1953 à Madrid. xxe siècle. Actif aussi en France. Espagnol.
Sculpteur.
Dès l'âge de quatorze ans, il travaille chez un sculpteur de Barcelone, et à sa première exposition à Saragosse, il n'a que dix-huit ans. En 1929, il vient à Paris où il voit des œuvres de Laurens, Zadkine, Brancusi, Arp, etc. Reçu en 1933 au concours de Rome, il y séjourne jusqu'en 1936. Coupé de l'Espagne en guerre civile, il s'établit à Bruxelles puis à Paris, où il a vécu en grande partie de sa vie et où il comptait tous ses amis autour de la colonie des artistes espagnols de Montparnasse. Une grand rétrospective lui a été consacrée à Paris en 1954.
A son arrivée en France, il a tout d'abord été influencé par la sculpture cubiste, puis à partir de 1937, il s'est orienté vers un réalisme psychologique avec sa période des *Bustes*, qu'il a ensuite dépouiller de tout leur contenu psychologique pour ne rechercher que la réalité objective. Après la guerre, son art évolue vers une sorte d'expressionnisme précieux où la forme se fait élégante et maniérée. A partir de 1949, il simplifie les volumes dans le sens de l'abstraction et dans une intention d'intégration monumentale.
Bibliogr. : In : *Dictionnaire de la sculpture moderne*, Hazan, Paris, 1960.
Ventes Publiques : Paris, 19 juin 1987 : *Femme debout*, cire perdue, bronze (H. 64) : **FRF 12 000** – Versailles, 6 juin 1990 : *Astarté* 1947, bronze de patine brune (H. 60) : **FRF 245 000** – Paris, 12 déc. 1990 : *Les Trois Grâces* 1940, dess. à la pl. (32x24,5) : **FRF 4 200** – Paris, 8 juil. 1993 : *Femmes à la toilette* 1943, marbre blanc (H. 55) : **FRF 45 000**.

CONDY Nicholas
Né en 1793 ou 1799 près de Plymouth. Mort le 8 janvier 1857 ou 1859 à Plymouth. xixe siècle. Britannique.
Peintre de genre, marines.
Il prit part à plusieurs guerres et exposa fréquemment à la Royal Academy.
Ventes Publiques : Londres, 10 juin 1966 : *Vue du port de La Valette, Malte* : **GNS 700** – Londres, 19 juil. 1972 : *Bateaux au large de la côte* : **GBP 500** – Londres, 18 mars 1977 : *Intérieur de cabaret*, h/pan. (29,3x39,4) : **GBP 700** – Londres, 23 juin 1978 : *Scène de bord de rivière*, h/pan. (29,5x39,5) : **GBP 1 800** – Londres, 21 sep. 1983 : *enfants pêcheurs*, aquar. et gche (15x11,5) : **GBP 460** – Londres, 13 juil. 1984 : *The Falmouth Packet homeward bound ; The Falmouth and Lisbon Packet, outword bound* 1832, h/cart., une paire (30,5x40,6) : **GBP 5 000** – Londres, 26 avr. 1985 : *Wiliam John Forster on board the yacht « Alarm »*, h/pan. (32,4x45,6) : **GBP 18 000** – Londres, 24 avr. 1986 : *Vue d'un château au bord d'un estuaire ; Les ramasseurs de coquillages*, deux aquar. reh. de gche/pap. gris (9,5x13,5) : **GBP 700** – Londres, 9 fév. 1990 : *Vaisseau de guerre et autres embarcations amarrés à Plymouth*, h/t (45,8x61) : **GBP 4 950** – Londres, 12 juil. 1990 : *Frégate anglaise et autres embarcations au large des côtes* 1839, h/cart. (42x52) : **GBP 5 500** – Londres, 14 nov. 1990 : *La collation avec grand'père dans un intérieur campagnard*, h/cart. (34,5x45,5) : **GBP 6 600** – Londres, 6 avr. 1993 : *L'atelier du cordonnier*, h/pan. (32x44,5) : **GBP 3 220** – Londres, 13 nov. 1996 : *Scène côtière avec des pêcheurs*, h/pan. (35,5x46) : **GBP 8 050** – Londres, 29 mai 1997 : *Le pirate et négrier Gabriel de triste notoriété pris par le navire royal Acorn*, h/pan. (30,5x40,5) : **GBP 7 820**.

CONDY Nicholas Matthew
Né en 1816 ou 1818 à Plymouth. Mort le 20 mai 1851 à Plymouth. xixe siècle. Britannique.
Peintre de paysages, marines.
Condy exposa à la Royal Academy, entre 1842 et 1845, et publia de nombreuses vues de la Tamise.
Ventes Publiques : Londres, 10 juin 1932 : *Le yacht « Dolphin »* 1847 : **GBP 8** – Londres, 6 juil. 1934 : *Le « Sheldrake » entrant à Falmouth* : **GBP 44** – Londres, 17 déc. 1937 : *Le savetier du village* : **GBP 17** – Londres, 14 juin 1968 : *Famille de paysans dans un intérieur* : **GNS 160** – Londres, 5 mars 1971 : *Bateaux de guerre*, 2 toiles formant pendants : **GNS 1 250** – Londres, 23 mars 1977 : *Voilier et bateaux de guerre en mer* 1835, h/cart. (30,5x25,5) : **GBP 700** – Londres, 23 juin 1978 : *Bateaux traversant la Manche* 1847, h/cart. (23x31) : **GBP 1 100** – Londres, 11 nov. 1982 : *Bateaux de pêche au coucher du soleil*, aquar. (17x23,5) : **GBP 400** – Londres, 7 juil. 1983 : *Mullion Cover near the Lizard, Cornwall*, aquar. reh. de gche (12x16,5) : **GBP 580** – Londres, 16 nov. 1983 : *A yacht off Teignmouth ; A yacht and man of war in an approaching storm*, deux h/cart. (35,5x45,5) : **GBP 9 500** – Londres, 17 juil. 1987 : *The yacht « The Guernsey »*, with the owner and his family aboard, h/pan. (35,5x45,7) : **GBP 12 000** – Londres, 29 jan. 1988 : *Frégate et autres vaisseaux au large d'Edistone et Brick et autres vaisseaux dans la Manche* 1849, h/cart. chaque, deux pendants (14,9x20,3) : **GBP 4 400** – Londres, 22 sep. 1988 : *La course des 1.000 guinées entre le Water Witch et la Galatea* 1837, h/pan. (30,5x40,5) : **GBP 6 050** – Londres, 31 mai 1989 : *Le « Victoria et Albert I » au large de Plymouth*, h/cart. (30x40) : **GBP 5 500** – Londres, 15 nov. 1989 : *La chaloupe « Iris » au large de Plymouth* 1845, h/cart. (34x44,5) : **GBP 13 200** – Londres, 22 mai 1991 : *La course aux mille guinées entre le « Water Witch » et le « Galatea »* 1837, h/pan. (30x40) : **GBP 6 600** – Londres, 18 nov. 1992 : *Vaisseau de guerre au large de Plymouth* 1847, h/cart. (21,5x29) : **GBP 2 640** – Montréal, 1er déc. 1992 : *Le cutter « Speedy » virant au phare de Plymouth* 1845, h/pan. (22,8x30,5) : **CAD 2 600** – New York, 17 fév. 1994 : *Navigation au large d'un phare*, h/cart. (38,3x30,5) : **USD 1 725**.

CONE Jacques ou Coene
xive-xve siècles (?). Italien.
Enlumineur.
Il travailla à l'illustration de plusieurs manuscrits, et fournit le plan du dôme de Milan. On cite aussi un Jacques Coene, enlumineur à Bruges aux xive-xve siècles, présentant d'évidentes similitudes.

CONE Joseph
Né aux États-Unis. xixe siècle. Travaillait de 1814 à 1830. Américain.
Graveur.

CONEGLIANO Carlo, Giovanni Battista, Riccardo CIMA da. Voir CIMA da CONEGLIANO

CONENRADT Ludwig ou Coenraad
xviie siècle. Actif au milieu du xviie siècle. Allemand.
Dessinateur et graveur au burin.

CONEY John
Né en 1786 à Londres. Mort en 1833 à Londres. xixe siècle. Britannique.

Peintre d'architectures, aquarelliste, graveur, dessinateur.

Coney commença dès l'âge de 15 ans à montrer un goût très marqué pour l'art. Il s'appliqua à dessiner l'intérieur de Westminster Abbey et d'autres édifices d'architecture gothique, qu'il vendit à des prix modiques. Son premier ouvrage, dessiné et gravé par lui-même, et contenant une série de vues du château de Warwick, parut en 1815. De cette année jusqu'en 1829, il fut absorbé par un travail des plus intéressants : l'illustration d'une œuvre de Dugdale, intitulé *Monasticon*, œuvre réunissant des vues des principales abbayes et églises de l'Angleterre. Il conçut aussi l'idée de publier une série de vues des cathédrales, hôtels de ville et d'autres édifices publics de l'Europe, mais cet ouvrage, qui devait paraître en 12 parties, n'en eut que 8. En 1831, il commença une suite de 28 vues et 56 vignettes, dans le même genre. Coney exposa à la Royal Academy et à la Old Water-Colours Society, entre 1805 et 1821.

Musées : DUBLIN : *Intérieur de l'église du Temple, Londres*, aquar. – LONDRES (Victoria and Albert Mus.) : *Vue intérieure de Westminster Abbey*, aquar. – *Vue intérieure de la cathédrale Saint-Paul*, aquar. – MANCHESTER : *Cathédrale de Canterbury – Vue de la cathédrale de Manchester*, aquar. – NOTTINGHAM : *Cathédrale d'Anvers – Cathédrale de Saint-Omer – Hôtel de Ville – Les Halles de Bruges*.

Ventes Publiques : LONDRES, 11 mai 1908 : *L'Intérieur de Westminster Abbey*, dess. : **GBP 1** – LONDRES, 9 avr. 1910 : *La cathédrale de Lichfield ; Vues de Milan, Heildelberg, Venise*, dess. : **GBP 121** – LONDRES, 4 avr. 1935 : *Une église*, aquar. : **GBP 7**.

CONFALONIERI Eustachio
XVIe siècle. Actif à Pavie. Italien.
Miniaturiste.

CONFALONIERI Francesco
XIXe siècle. Actif à Milan. Italien.
Sculpteur.
Il exposa à Rome dès 1883 une *Sapho* qui remporta un vif succès. Il participa plus tard à des Salons à Paris.

CONFELD VON FELBERT Eugène
Né à Crefeld. XIXe siècle. Hollandais.
Peintre et architecte.
Il vécut à Bruxelles, à Berlin, mais surtout à Amsterdam.

CONFLANS Adriaen Van
XVIe-XVIIe siècles. Travaillait à Amsterdam entre 1580 et 1607. Hollandais.
Peintre de portraits et de genre.
Le Musée d'Amsterdam conserve de lui : *La Compagnie du capitaine Brower* et le British Museum d'autres fragments de cette même œuvre.

CONFORTI
XVIIIe siècle. Actif à Gênes dans la seconde moitié du XVIIIe siècle. Italien.
Sculpteur.

CONFORTI Giacomo Filippo de
XVe siècle. Actif à Brescia. Italien.
Sculpteur.
Il sculpta en 1468 le tombeau de l'évêque Bucceleni qui se trouve à la cathédrale de Bergame.

CONFORTINI Jacopo
Né en 1602. Mort en 1672. XVIIe siècle. Actif à Florence. Italien.
Peintre de figures, dessinateur.
Il était fils de Matteo di Benedetto Confortini et devint bourgeois de Florence en 1617.
Ventes Publiques : LONDRES, 9 déc. 1986 : *Tête d'homme barbu*, craies noire et rouge/pap. bis (26,5x22,5) : **GBP 4 200** – LONDRES, 8 déc. 1987 : *Études de tête d'enfant*, 2 dess. à la sanguine/pap. brun (18,4x16,1 et 18,2x16,2) : **GBP 4 200** – NEW YORK, 10 jan. 1995 : *Étude d'une femme assise sur une*, sanguine (34,3x23,3) : **USD 6 900** ; *Étude d'un homme debout et étude de ses jambes*, sanguine (41,4x24,8) : **USD 10 350**.

CONFORTINI Matteo di Benedetto di Francesco
Né à Pise. XVIe siècle. Italien.
Peintre.
Il devint bourgeois de Florence en 1573.

CONFORTINI Matteo, le Jeune
Originaire de Florence. XVIIe siècle. Italien.
Peintre.
Il s'agit sans doute d'un descendant de Matteo Confortini.

CONFORTINI Pietro
XVIIe siècle. Actif à Florence au début du XVIIe siècle. Italien.
Peintre.
Il était fils de Matteo di Benedetto Confortini.

CONGDON Adairene, née **Vose**
Née à New York. XIXe-XXe siècles. Américaine.
Peintre.
Elle fut élève du portraitiste et peintre de genre W. M. Chase et de C. Beckwith à New York, puis elle vint faire des études artistiques en France. Elle participa au Salon des Artistes Français à Paris en 1911.

CONGDON Thomas Raphael
Né en 1859 ou 1862 à Addion. Mort en 1917 à Boston (Massachusetts). XIXe-XXe siècles. Américain.
Peintre de genre, figures, nus, graveur.
Il fut à New York l'élève de W. M. Chase et à Paris de B. Constant, J.-P. Laurens et Frank Brangwyn. Il exposa au Salon des Artistes Français, de 1911 à 1914, présentant notamment : *Coquetterie* et *Nu*.
Ventes Publiques : PORTLAND, 12 avr. 1980 : *Les lavandières*, h/t (30,5x45,7) : **USD 625**.

CONGDON William
Né en 1912 à Providence (Rhode Island). XXe siècle. Américain.
Peintre.
Après des études à l'Université de Yale (New Haven), il suivit des cours de sculpture de Georges Demetrios à Boston, puis étudia la peinture à la Pennsylvania Academy et à Provincetown, sous la direction de Henry Hensche. Pendant la guerre, il voyagea beaucoup, allant en Syrie, Palestine, Égypte, Lybie, Allemagne et Italie où il séjourna à nouveau en 1948, retournant souvent à Venise. Il participa à de nombreuses expositions collectives, notamment à la Biennale de Venise en 1952, 1958, Corcoran Gallery Annual en 1952, 1953, 1955, 1959, Carnegie International à Pittsburgh 1952, 1958, etc. A partir de 1949, il a fait plusieurs expositions personnelles à New York, Boston 1951, Washington 1952, Rome 1953, Venise 1957, Milan, 1962.
Ventes Publiques : NEW YORK, 21 oct. 1964 : *Assisi no 3* : **USD 1 700** – NEW YORK, 11 fév. 1965 : *Pise no 2* : **USD 875**.

CONGIO Cammillo ou **Cungi, Cungio, Cungius**
Né vers 1604 à Rome. XVIIe siècle. Actif vers 1630. Italien.
Graveur et dessinateur.
Cet artiste fournit des planches pour la *Jérusalem du Tasse*, d'après Bernardo Castello, et grava aussi quelques ouvrages pour la *Galleria Giustiniana*. Il travailla aussi d'après des maîtres italiens.

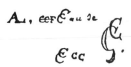

CONGIU Sylvia Corinne
Née en 1953 à Meknès (Maroc). XXe siècle. Française.
Peintre. Abstrait-lyrique.
Elle vit et travaille dans la région parisienne. Agrégée d'Art plastique. Elle prépare une exposition personnelle à l'Institut Français de Malmö en Suède.
Sur un minimum de structuration de la surface, elle projette des flaques de couleurs, rouge, blanc, noir, qui produisent des effets dramatiques.
Ventes Publiques : PARIS, 14 avr. 1991 : *Sans titre 1989*, acryl./pap. (25x25) : **FRF 10 500**.

CONGNET Gillis I ou **Coignet**, dit aussi **Aegidius Quinetus**
Né vers 1538 à Anvers. Mort le 27 octobre 1599 à Hambourg. XVIe siècle. Hollandais.
Peintre d'histoire, portraits, paysages.
Élève de Lambrecht Wenslyns et d'Antoon Van Palermo, puis de Stello, à Terni. Il voyagea à Naples et en Sicile. Il fut maître à Anvers en 1561, et doyen de la gilde en 1583. A l'entrée du duc de Parme à Anvers, craignant d'être inquiété comme protestant, il s'enfuit et alla à Amsterdam, dont il fut reçu bourgeois en 1589 ; puis à Hambourg, dans cette ville. Il eut pour élèves Simon Ykeus, en 1570, Jac. Hermans en 1571, Gaspard Doones, en

1574, Robert Huls en 1584 ; Claes Pieterz et Cornelis Cornelissen. Les paysages de ses tableaux furent peints par Cornelis Molenaer.

Congnet fe

MUSÉES : AMSTERDAM : *Loterie d'Amsterdam* – ANVERS : *Saint Georges et le dragon* – *Le tambour de la guilde des arquebusiers* – ARRAS : *Le festin de Balthazar* – GOTHA : *Cène, esquisse* – KASSEL : *Vénus et l'Amour, copie d'après Titien* – STOCKHOLM : *Sine Cerere et Baccho friget Venus.*
VENTES PUBLIQUES : PARIS, 1851 : *Paysage et architecture :* FRF 400 – LONDRES, 23 fév. 1923 : *Le poète Joost Van den Vondel :* GBP 10 – ROME, 8 mars 1990 : *Portrait d'un gentilhomme avec une fraise, h/cuivre (42x33) :* ITL 44 000 000 – NEW YORK, 26 fév. 1997 : *Salomé avec la tête de saint Jean Baptiste, h/pan. (53,3x68,6) :* USD 7 475.

CONGNET Gillis II ou Coignet
XVIIᵉ siècle. Éc. flamande.
Peintre de sujets allégoriques.
Il fut actif à Anvers dans la première moitié du XVIIᵉ siècle. Une éventuelle parenté avec Michel Coignet n'est pas démontrée.
VENTES PUBLIQUES : AMSTERDAM, 14 nov. 1990 : *Orphée charmant les animaux, h/cuivre, tondo (diam. 39,5) :* NLG 39 100.

CONGNET Michiel. Voir COIGNET Michel

CONGREVE Frances Dora
Née en 1869 en Écosse. XIXᵉ siècle. Britannique.
Peintre.
Études à Rome, Naples et Edimbourg. A exposé à la Royal Scottish Academy et à la Society of Scottish Artists.

CONI Francesco
XVIIᵉ siècle. Actif à Mantoue. Italien.
Peintre.

CONIALA Charles
Né au XVIIIᵉ siècle en Allemagne. XVIIIᵉ siècle. Allemand.
Peintre, paysagiste et dessinateur.
VENTES PUBLIQUES : PARIS, 1823 : *Deux vues de Fünstermüns dans le Tyrol, dess. au bistre :* FRF 8.

CONICKSVELT Abraham Van ou Conincxvelt
Mort avant 1653. XVIIᵉ siècle. Hollandais.
Peintre.
En 1636, dans la gilde de Dordrecht. Le Musée d'Utrecht possède un tableau de cet artiste intitulé : *La famille Siccana.*

A Conincxvelt fuit 1647

VENTES PUBLIQUES : PARIS, 1900 : *Paysage, avec personnage :* FRF 672.

CONIN Alphonse
Né à Paris. XIXᵉ siècle. Français.
Peintre et aquarelliste.
Élève de Legros et de Pinel. Il exposa au Salon de 1880 à 1884.

CONIN Pierre
XVIIIᵉ siècle. Français.
Peintre.
Il fut reçu à l'Académie Saint-Luc à Paris en 1738.

CONINCK. Voir aussi KONINCK

CONINCK Achille L. H. de
Né à Bruxelles. XXᵉ siècle. Belge.
Peintre.
Il a participé au Salon de la Société Nationale des Beaux-Arts à Paris en 1921 puis en 1932.

CONINCK Cornelis
Né vers 1624 à Haarlem. XVIIᵉ siècle. Hollandais.
Peintre et graveur à l'eau-forte.

CONINCK Cornelis de ou Conic
XVIᵉ siècle. Éc. flamande.
Peintre.
Il fut reçu maître à Bruges en 1526. Il était le fils de Michael Coninck.

CONINCK David de ou Koninck, dit Romelaer
Né vers 1636 à Anvers, ou 1646 selon d'autres sources. Mort après 1701 à Bruxelles. XVIIᵉ siècle. Éc. flamande.

Peintre de scènes de chasse, animaux, natures mortes, dessinateur.
Élève de Peter Boel à Anvers, en 1660, il y fut nommé maître en 1663, voyagea en Italie, et vécut longtemps à Rome ; de retour à Anvers en 1687, il en repartit pour Bruxelles, en 1699. Le Dr Wurzbach dit qu'il eut peut-être pour élève Jan Fyt.

DAVID . DE CONINCK

MUSÉES : AMSTERDAM : *Chasse au cerf* – *Chasse à l'ours* – *Chasse au faucon* – BAMBERG : *Coq et Poule* – GÊNES : *Peinture* – LILLE : *Peinture* – NANTES : *Oiseaux morts* – PRAGUE : *Chasse au lion* – *Chasse au sanglier* – ROME (Gal. Naz.) : *Peinture* – SCHWERIN : *Peinture* – VIENNE (Gal. Liechtenstein) : *Gibier* – VIENNE (Gal. Albertina) : *Perroquets* – WÜRZBURG : *Peinture.*
VENTES PUBLIQUES : PARIS, 1775 : *Deux têtes de chiens, encre de Chine :* FRF 6 – PARIS, 1808 : *Chasse au cerf :* FRF 151 ; *Chasse à l'ours :* FRF 151 – VERSAILLES, 28 mai 1963 : *Les Canards sauvages :* FRF 3 400 – VIENNE, 12 sep. 1967 : *Basse-cour :* ATS 10 000 – LONDRES, 25 nov. 1970 : *Nature morte :* GBP 1 000 – LONDRES, 19 oct. 1977 : *Natures mortes, deux toiles (72x95) :* GBP 5 200 – NEW YORK, 18 jan. 1983 : *Faucon attaquant des canards, h/t (124,5x168) :* USD 5 500 – LONDRES, 3 avr. 1985 : *Paon, dindon, coq et lièvres dans un paysage, h/t (133x95,5) :* GBP 7 000 – ROME, 10 nov. 1987 : *Nature morte aux fleurs et volatiles dans un paysage, h/t (62x76) :* ITL 20 000 000 – VERSAILLES, 19 mars 1989 : *Animaux de basse-cour dans un parc, h/t (51x63,5) :* FRF 35 000 – ROME, 8 mai 1990 : *Animaux de basse-cour dans un paysage, h/t (53x67) :* ITL 12 500 000 – LONDRES, 12 déc. 1990 : *Nature morte de fruits dans de la vaisselle d'argent avec des lapins et un singe près d'un chapiteau brisé et un page nègre donnant une pomme à un perroquet, h/t (122,5x175,5) :* GBP 77 000 – LONDRES, 17 avr. 1991 : *Nature morte d'un tableau de chasse avec un épagneul et un fusil dans un paysage, h/t (114,5x163) :* GBP 35 200 – MONACO, 21 juin 1991 : *Rapaces attaquant des poules et des coqs dans un large paysage, h/t (115x231) :* FRF 122 100 – LONDRES, 11 déc. 1991 : *Un chat guettant des pigeons, des lapins et un coq, h/t (74,6x97,6) :* GBP 19 800 – NEW YORK, 15 oct. 1992 : *Melon, raisin, pêches, grenades avec un plateau de cuivre au pied d'une fontaine envahie de volubilis avec un perroquet, h/t (117,2x78,1) :* USD 27 500 – LONDRES, 20 avr. 1994 : *Nature morte avec des pigeons dans une corbeille, des coqs et des lapins épiés par un chat, h/t (72x98) :* GBP 14 950 – NEW YORK, 19 mai 1994 : *Chiens de chasse gardant un aigle suspendu par une patte, un lièvre et d'autres pièces de gibier, h/t (124,5x172,7) :* USD 68 500 – LONDRES, 30 oct. 1996 : *Deux Épagneuls gardant le gibier, h/t (62,8x75,1) :* GBP 18 400 – LONDRES, 18 avr. 1997 : *Un paon sur une urne retournée, un perroquet dans un arbre, des lapins et des grappes de raisin dans un jardin, h/t (96,8x133,7) :* GBP 45 500 – LONDRES, 4 juil. 1997 : *Chat chassant à l'approche des pigeons dans un panier avec des poules. un lapin, un cochon d'Inde et une tortue, h/t (72,4x95,3) :* GBP 17 250 – LONDRES, 3-4 déc. 1997 : *Nature morte d'un lièvre suspendu par les pattes arrières, d'oiseaux dans un panier et de deux chiens courants dans un paysage, h/t (80x120) :* GBP 17 250.

CONINCK Edmund de
XIXᵉ siècle. Norvégien.
Sculpteur.
Il vécut surtout à Christiania (Oslo) et exposa à Paris en 1867.

CONINCK Frans de I
XVIIᵉ siècle. Actif à Anvers. Éc. flamande.
Peintre.
Il fut élève de Théodor Rombouts.

CONINCK Frans de II ou Coninc
XVIIᵉ-XVIIIᵉ siècles. Actif à Anvers. Éc. flamande.
Peintre.
Il fut élève de Norbert Van Hert.

CONINCK Gillis de ou Conync, Coeninc
XVIᵉ siècle. Actif à Bruges dans la première moitié du XVIᵉ siècle. Éc. flamande.
Peintre.

CONINCK Grégorius
Né en 1631 à Amsterdam. Mort vers 1677 à Amsterdam. XVIIᵉ siècle. Éc. flamande.
Peintre.
Il peignit surtout des natures mortes.

CONINCK Hendryk de ou Conynck
XVIᵉ siècle. Actif à Anvers vers 1581. Éc. flamande.
Peintre.

CONINCK Henricus de
XVIIe siècle. Éc. flamande.
Graveur.
Il travailla à Rotterdam, puis à Dordrecht au début du XVIIe siècle.

CONINCK J. D. Voir **KONINCK J. de**

CONINCK Jacob de ou **Cuenync**
XVIe siècle. Actif à Bruges vers 1533. Éc. flamande.
Peintre.
Il était le fils de Gillis de Coninck.

CONINCK Jacques de ou **Koninckx, Honinckx**
XVIIIe siècle. Actif à Bruxelles. Éc. flamande.
Sculpteur et peintre.
Il fut élève de Jacques Bergé.

CONINCK Jan de
XVe siècle. Actif à Anvers à la fin du XVe siècle. Éc. flamande.
Il était en 1487 élève d'Hendrick Van Wueluwe.

CONINCK Jan Carel de
XVIe-XVIIe siècles. Actif à Anvers. Éc. flamande.
Enlumineur.

CONINCK Jean Baptiste
XVIIIe siècle. Actif à Bruxelles vers 1751. Éc. flamande.
Sculpteur.

CONINCK Kerstiaen de. Voir **KONINCK Christian de**

CONINCK Marc de
Né en 1928 à Audenarde-Edelare. XXe siècle. Belge.
Peintre de paysages, de marines et de portraits.
Il fit ses études aux Académies des Beaux-Arts d'Audenarde et de Gand, puis à l'Hoger Instituut d'Anvers dont il fut lauréat en 1960.
BIBLIOGR. : In : *Diction. Biogr. illustré des Artistes en Belgique depuis 1830*, Arto, Bruxelles, 1987.

CONINCK Martin de
XVIIe siècle. Actif à Anvers vers 1610. Éc. flamande.
Peintre.
Il était le frère de Kerstiaen de Koninck l'Aîné.

CONINCK Michael de ou **Cueninc, Conync**
XVe siècle. Actif à Bruges à la fin du XVe siècle. Éc. flamande.
Peintre.
Il fut élève de Claes Van Hegghemont, vers 1470.

CONINCK Nicolaus de ou **Conync, Connync**
XVe-XVIe siècles. Actif à Bruges. Éc. flamande.
Peintre.
Il fut élève de Jan Caerle en 1489.

CONINCK P.
XVIIe siècle. Actif à Utrecht en 1630. Hollandais.
Peintre verrier.

CONINCK Pierre Louis Joseph de
Né le 22 novembre 1828 à Meteren (Nord). Mort en juillet 1910. XIXe siècle. Français.
Peintre d'histoire, scènes de genre.
Entré à l'École des Beaux-Arts de Paris en 1851, il se forma sous la direction de Léon Cogniet, obtenant le deuxième prix de Rome en 1855. Il participa au Salon de Paris à partir de 1857 et fut médaillé en 1866 et 1868.
Ses scènes religieuses, sujets de genre, portraits de femmes, sont peints avec un réalisme souligné par un dessin ferme et une polychromie puissante. Citons sa première œuvre exposée : *Miss Eva sur les genoux de Tom.*

P. De Coninck

BIBLIOGR. : Gérald Schurr, in : *Les Petits Maîtres de la peinture 1820-1920, valeur de demain*, Les Éditions de l'Amateur, t. III, Paris, 1976.
MUSÉES : DUNKERQUE : *Supplice de la reine Brunehaut* – LILLE : *L'épreuve* – *Le Christ bénissant les enfants* – NEW YORK (Metropolitan Mus.) : *Enfants à la fontaine* – NIORT.
VENTES PUBLIQUES : PARIS, 19 mars 1870 : *La lavandière* : FRF 1 095 – PARIS, 1892 : *Cornélie* : FRF 850 – PARIS, 15 nov. 1906 : *La petite pêcheuse* : FRF 550 – PARIS, 2 juil. 1928 : *Jeune Italienne* : FRF 450 – PARIS, 22 fév. 1943 : *L'oiseau mort* : FRF 280

– LONDRES, 30 mai 1984 : *La fille du tambourin*, h/t (64x44,5) : GBP 1 000 – PARIS, 19 déc. 1988 : *Jeune paysanne au panier de fraises*, h/pan. (23x16) : FRF 6 500 – LONDRES, 11 avr. 1995 : *Jeune paysanne italienne*, h/t (78x58) : GBP 2 070 – ARMENTIÈRES, 16 sep. 1995 : *Portrait de Mme de Crayencourt, mère de Marguerite Yourcenar*, h/pan. (29x23) : FRF 41 000.

CONINCK Quirinus de
XVIIe siècle. Éc. flamande.
Peintre.
Il était à Rome en 1626.

CONINCK Régina de
XIXe-XXe siècles. Française.
Peintre de genre et de fleurs.
Elle était la fille et l'élève de Pierre de Coninck. Elle participa au Salon des Artistes Français de 1889 à 1910.
MUSÉES : DUNKERQUE : *Fleurs.*

CONINCK René de
Né en 1907 à Bredene. Mort en 1978. XXe siècle. Belge.
Peintre, graveur. Tendance fantastique.
Élève des Académies des Beaux-Arts de Bournemouth et de Bruxelles, il fut, lui-même, professeur à l'Académie des Beaux-Arts d'Anvers.
BIBLIOGR. : In : *Diction. Biogr. illustré des Artistes en Belgique depuis 1830*, Arto, Bruxelles, 1987.
VENTES PUBLIQUES : PARIS, 14 avr. 1992 : *Plage 1957*, h/t (65x100) : FRF 5 500.

CONINCK Robert de
Né à Bolbec (Seine-Maritime). XXe siècle. Français.
Peintre de genre.
Il a figuré au Salon des Artistes Indépendants à Paris entre 1920 et 1932.

CONINCK Roger de
Né en 1926 à Dieghem. XXe siècle. Belge.
Peintre de paysages, d'intérieurs et de figures.
Élève de Paul Maas, il exposa avec le groupe *Apport* et obtint le Prix de la Critique en 1966.
Peintre d'une figuration allusive, il traduit l'air, le ciel, la lumière de son pays, dans des scènes prestement saisies, à la manière de Boudin, maniant avec virtuosité une pâte colorée, généreuse dans la matière, retenue dans la lumière.
BIBLIOGR. : In : *Diction. Biogr. illustré des Artistes en Belgique depuis 1830*, Arto, Bruxelles, 1987.
VENTES PUBLIQUES : PARIS, 18 nov. 1994 : *Françoise 1958*, h/t (65x100) : FRF 10 000.

CONINCK Willem de
XVe siècle. Éc. flamande.
Sculpteur.
Il travailla pour l'Hôtel de Ville de Louvain de 1448 à 1463.

CONINCK Willem de ou **Conync**
XVe siècle. Éc. flamande.
Peintre.
Actif à Bruges vers 1489.

CONINCKLOY. Voir **CONINXLOO Barthelemy**

CONINCKSTEEN Hermanns
Né à Utrecht. XVIIe siècle. Vivait à Amsterdam en 1690. Hollandais.
Peintre.

CONINCXVELT Abraham Van. Voir **CONICKSVELT**

CONINCXVELT Isaack
XVIIe siècle. Actif à Dordrecht. Hollandais.
Peintre.
Il aurait peint des marines.

CONING Johan Harman
XVIIIe siècle. Danois.
Peintre.
Il peignit, semble-t-il, des copies et des affiches.

CONINGH Salomon
Né au début du XVIIe siècle. XVIIe siècle. Actif à Amsterdam. Hollandais.
Peintre.
Se serait fixé en Portugal pendant quelques années. On voit à Lisbonne une œuvre de lui datée de 1640.

CONINXLOO Barthelemy Van
Né vers 1550. Mort le 23 septembre 1620 ou 1625 à Malines.
XVIe-XVIIe siècles. Éc. flamande.
Peintre.

CONINXLOO Barthelemy ou **Coninckloy**

XVIIIᵉ siècle. Éc. flamande.

Peintre.

Il fut élève de Henri Van Welle. Actif à Bruxelles vers 1725.

CONINXLOO Cornelis I Van

Mort en 1498 à Bruxelles. XVᵉ siècle. Éc. flamande.

Peintre.

Il fit des travaux artisanaux et fut surtout peintre d'écussons.

VENTES PUBLIQUES : PARIS, 25 avr. 1951 : *La Sainte Famille* : FRF 410 000.

CONINXLOO Cornelis II Van ou **Conixlo**

Mort après 1559 à Bruxelles. XVIᵉ siècle. Hollandais.

Peintre de sujets religieux, compositions décoratives.

Il décora la Collégiale Sainte-Gudule à Bruxelles. On lui attribue plusieurs tableaux du Musée de Bruxelles, mais, semble-t-il, à tort : *Madone avec deux saintes, Autel à sainte Madeleine, Les parents de la Vierge*. Le Musée de Tolède possède, de même, sept tableaux provenant d'un grand autel, qu'on donne également à cet artiste.

MUSÉES : BRUXELLES – TOLÈDE.

CONINXLOO Gillis I Van

XVIᵉ siècle. Hollandais.

Peintre.

Il fut nommé maître à Anvers en 1539. On ne sait rien d'autre sur sa vie ni sur son œuvre.

CONINXLOO Gillis II Van

Né à Anvers. Mort après 1562. XVIᵉ siècle. Éc. flamande.

Peintre.

CONINXLOO Gillis III Van ou **Koninksloo**

Né le 24 janvier 1544 à Anvers. Enterré à Amsterdam le 4 janvier 1607. XVIᵉ siècle. Éc. flamande.

Peintre de compositions religieuses, scènes de genre, sujets de chasse, portraits, paysages animés, paysages.

Il était apparenté et en apprentissage chez Pierre Coecke le jeune, beau-frère de Pierre Brueghel. Élève de Peter Van Else jusqu'à 1559, de Lenaert Kroes et de Gillis Mostaert, il voyagea à Paris, vers 1565, à Orléans, en Italie et revint à Anvers. En 1570, il y fit partie de la gilde, mais dut quitter la ville en 1585 pour avoir participé à la révolte contre le duc de Parme. De 1585 à 1595, on le trouve en Zélande, à Frankenthal, à Francfort en 1589 ; il se fixa à Amsterdam, en 1595, et y eut de nombreux amis, H. Van Essen, Jonas Van Merle, Govert Govertsz, Pieter Isaacz, C. Van der Voort, etc. Il eut pour élève, vers 1585, Peter Brueghel II. Un Gillis Van Camphol, signalé par le Dr Wurzbach comme maître à Anvers et bourgeois d'Amsterdam en 1597, a de nombreux rapports avec lui.

Un grand nombre de ses œuvres a disparu. De son vivant, il était déjà considéré comme un novateur, d'ailleurs, il abandonne le système de composition tritonale. Ses compositions sont complexes et toujours soutenues par une distribution judicieuse des lumières et des ombres. Ses sous-bois, peints dans une touche fluide, avec ampleur, ont un caractère romantique et un peu fantastique. Poète de la nature sauvage, il a peint de nombreuses chasses en forêt, dans de beaux effets de lumière qui présagent la peinture de paysages du XVIIᵉ siècle.

$$\text{1588}$$

BIBLIOGR. : J. Lassaigne et R.-L. Delevoy : *La peinture flamande, de Jérôme Bosch à Rubens*, Skira, Genève, 1958.

MUSÉES : AMSTERDAM : *Sous-bois* – ARRAS : *Siège d'Arras par Henri IV* – BESANÇON : *Fuite en Égypte* – BRUGES (Église Saint-Sauveur) : *L'agneau pascal – La récolte de la manne* – BRUXELLES : *Vue de forêt – Élie nourri par le corbeau* – COPENHAGUE : *Le prophète Jonas prêchant devant les Ninivites* – DRESDE : *Le Jugement de Midas* – GRAZ : *Chasse au Cerf* – HANOVRE : *Paysage* – PADOUE : *Pèlerinage à Emmaüs* – SAINT-PÉTERSBOURG : *Latone et les paysans de Lycie* – SCHWERIN : *Une peinture* – STRASBOURG : *Sous-bois* – STUTTGART : *Une peinture* – VIENNE (Gal. Liechtenstein) : *Chasse au cerf – Forêt – Chasse en forêt*.

VENTES PUBLIQUES : PARIS, 1771 : *Un paysage* : FRF 72 – PARIS,

1858 : *Paysage, avec figures et bâtiments*, dess. : FRF 13 – MUNICH, 1899 : *Latone et les paysans* : FRF 3 750 – PARIS, 28 nov. 1928 : *Route à l'entrée d'un village*, dess. : FRF 3 100 – LONDRES, 24 juin 1932 : *Paysage rhénan* : GBP 120 – PARIS, 26 et 27 mai 1941 : *Halte de paysans dans une forêt* : FRF 5 000 – PARIS, 29 avr. 1942 : *Le Christ et les pèlerins d'Emmaüs* : FRF 40 000 – PARIS, 11 jan. 1943 : *Philippe et l'eunuque éthiopien* : FRF 11 000 – LONDRES, 14 juin 1961 : *Le Christ et ses disciples* : GBP 2 000 – LONDRES, 27 juin 1962 : *Le Christ et ses disciples* : GBP 1 000 – PARIS, 23 juin 1964 : *Le Christ rendant la vue à l'aveugle* : FRF 7 100 – VIENNE, 22 mars 1966 : *La tentation de saint Antoine* : ATS 38 000 – LONDRES, 10 juil. 1968 : *Chasseurs dans un paysage* : GBP 3 700 – LONDRES, 27 juin 1969 : *Paysage avec berger et troupeau* : GNS 4 200 – LONDRES, 26 juin 1970 : *Paysage boisé avec berger et troupeau* : GNS 2 000 – LONDRES, 26 nov. 1976 : *Chasseur dans un paysage boisé*, h/pan. (66x86,4) : GBP 5 500 – VERSAILLES, 16 avr. 1978 : *Scène animée à l'orée d'un bois*, h/pan. (45x64) : FRF 31 000 – LONDRES, 18 avr. 1980 : *La tentation de saint Antoine dans un paysage*, cuivre (41,2x55,2) : GBP 18 000 – VERSAILLES, 26 fév. 1984 : *Hommes et femmes en promenade sous les grands arbres*, h/pan. (70x54) : FRF 150 000 – LONDRES, 4 juil. 1986 : *Chasseurs dans un paysage fluvial boisé*, h/t (102,2x139,7) : GBP 50 000 – PARIS, 14 avr. 1988 : *Paysage fluvial*, h/pan. bois (30x43) : FRF 70 000 ; *Paysage avec la découverte de Moïse*, h/pan. bois (106x155) : FRF 1 500 000 – MONACO, 16 juin 1989 : *Paysans faisant halte dans un paysage boisé*, h/t (111,5x160) : FRF 288 600 – ROUEN, 21 nov. 1993 : *Paysage boisé avec des chasseurs poursuivant un renard*, h/pan./t. (40x57) : FRF 230 000 – LONDRES, 22 avr. 1994 : *Chasseurs sur un chemin forestier longeant un ruisseau et un promeneur sur un pont*, h/pan. (66,2x87,6) : GBP 29 900 – LONDRES, 17 avr. 1996 : *Paysage boisé avec des chasseurs*, h/pan. (34,5x50,5) : GBP 28 750 – LONDRES, 4 juil. 1997 : *Chasse au cerf près d'une mare dans une forêt*, h/pan. (22,2x37,5) : GBP 45 500.

CONINXLOO Gillis IV

Né vers 1581 à Anvers. Mort en 1619 ou 1620. XVIIᵉ siècle. Éc. flamande.

Peintre de sujets religieux.

D'abord soldat. On sait peu de chose de lui. Il était le fils et fut l'élève de Gillis Van Coninxloo III.

VENTES PUBLIQUES : VERSAILLES, 7 juin 1966 : *Le Bon Samaritain* : FRF 15 000.

CONINXLOO Hans I ou **Jan Van**, l'Ancien

Né vers 1540 à Anvers. Mort avant le 10 décembre 1595 à Emden. XVIᵉ siècle. Éc. flamande.

Peintre de sujets mythologiques.

Il quitta Anvers pour Emden, en 1571, avec son frère Gillis III, et acquit à Emden le droit de cité le 18 mai 1571.

MUSÉES : EMDEN : *Hercule sur l'Olympe* – PRAGUE : *Hercule sur l'Olympe*.

CONINXLOO Hans II Van, le Jeune

Né vers 1565 à Anvers. Mort vers 1620 à Emden. XVIᵉ-XVIIᵉ siècles. Éc. flamande.

Peintre de compositions religieuses.

Élève de son père Hans I. Il vint à Emden avec lui en 1571, puis s'installa à Amsterdam, en 1603, comme marchand d'art. Il revint à Emden en 1618. Nous ne connaissons aucune œuvre qui lui soit attribuée de façon certaine. Les dates des monogrammes reproduits ici correspondent mal, pour l'un d'entre eux, cet artiste : le *IAN. VAN CONIXLO. 1440* pourrait s'appliquer à Jan Van Coninxloo I, peintre à Bruxelles à la fin du XVᵉ siècle.

MUSÉES : EMDEN : *Moïse frappant le rocher*.

CONINXLOO Hans III Van

Né vers 1589 à Emden. Mort à Amsterdam. XVIIᵉ siècle. Hollandais.

Peintre d'animaux.

Fils et élève de Hans II. Il habita tour à tour Emden, puis Amsterdam.

MUSÉES : EMDEN : *Groupe d'oiseaux*.

CONINXLOO Hans IV Van

Né vers 1623 à Emden. XVIIᵉ siècle. Hollandais.

Peintre.

Fils de Hans III. Cité par le Dr Wurzbach.

CONINXLOO Isaak Van
Né vers 1580 à Emden. Mort en 1634 à Amsterdam. XVIIe siècle. Hollandais.
Peintre de paysages animés.
Élève de son père Hans l'Ancien, peut-être de son frère Hans le Jeune et de son oncle Gillis III, à Amsterdam. Il entra, en 1607, dans la gilde d'Anvers et se maria en 1614, à Amsterdam.
VENTES PUBLIQUES : LONDRES, 18 mai 1990 : *Paysage boisé avec des chasseurs et des pêcheurs et des enfants dans une barque* 1631, h/t (84,8x114) : **GBP 13 200.**

CONINXLOO Jan I Van
XVe siècle. Éc. flamande.
Peintre.
Actif à Bruxelles à la fin du XVe siècle, il n'était, semble-t-il, qu'un petit artisan qui accepta des menus travaux de sculpture comme de peinture.

CONINXLOO Jan II Van
Né vers 1489 peut-être à Bruxelles. Mort après 1555 à Anvers. XVIe siècle. Éc. flamande.
Peintre d'histoire, compositions religieuses, paysages animés.
Fils de Jan I. Sa biographie, comme son œuvre, est très controversée.

MUSÉES : BRUXELLES : *Descendance Apostolique de sainte Anne – Naissance de saint Nicolas – Mort de saint Nicolas – Jésus parmi les docteurs – Les Noces de Cana* – KASSEL : *Le Christ avec Marie, sainte Anne,* triptyque – *Marie-Madeleine – Saint Paul et saint Pierre – Saint François et sainte Claire – Sainte Odile et sainte Catherine,* volets.
VENTES PUBLIQUES : LONDRES, 11 mai 1923 : *La Vierge et l'Enfant :* **GBP 99** – LONDRES, 12 déc. 1979 : *Paysage avec ruines,* h/pan. (42x69) : **GBP 11 500** – LONDRES, 20 avr. 1988 : *La Sainte Famille,* h/pan. (74x65) : **GBP 31 900** – LONDRES, 5 juil. 1995 : *La Sainte Famille avec sainte Anne,* h/pan. (74x65,3) : **GBP 26 450.**

CONINXLOO Pieter I Van ou **Kuenincxloo**
Né à Bruxelles. XVIe siècle. Éc. flamande.
Peintre.
Il était sans doute le fils de Jan Van Coninxloo I. Il fut reçu maître à Anvers en 1544.

CONINXLOO Pieter II Van
Né vers 1604 à Amsterdam. Mort en 1648 à Amsterdam. XVIIe siècle. Hollandais.
Peintre.
Il était fils de Hans Van Coninxloo II. Il fut reçu maître à Emden, où il séjourna, en 1636. Il fit un voyage au Brésil. On lui attribue parfois un *Groupe d'oiseaux* du Musée de Emden, donné généralement à son frère Hans III.

CONIXLO. Voir **CONINXLOO Cornelis Van**

CONJOLA Carl
Né en 1773 à Mannheim. Mort le 19 novembre 1831 à Munich. XVIIIe-XIXe siècles. Allemand.
Peintre de paysages, aquarelliste.
Il voyagea beaucoup et représenta les paysages les plus variés.

CONKEY Samuel
Né en 1830 à New York. Mort le 2 décembre 1904 à Brooklyn (New York). XIXe siècle. Américain.
Sculpteur et peintre de paysages.
Il vécut longtemps à Chicago.

CONKLING Mabel
Née en 1871. XIXe-XXe siècles. Américaine.
Sculpteur de figures.
VENTES PUBLIQUES : NEW YORK, 30 jan. 1980 : *Nymphe et Poisson,* bronze (H. 91,4) : **USD 2 500** – NEW YORK, 23 juin 1983 : *Little Girl diving,* bronze, patine vert-brun (H. 45,7) : **USD 2 300** – NEW YORK, 15 mars 1985 : *Urne,* bronze, patine brun-noir (H. 30,5) : **USD 1 500** – NEW YORK, 5 déc. 1991 : *Urnes,* bronzes, une paire (chaque H. 57,8) : **USD 7 700** – NEW YORK, 4 déc. 1996 : *Néréide et enfant-sirène,* bronze, fontaine (H. 82) : **USD 6 900.**

CONLON George
Né à Maryland. XIXe-XXe siècles. Américain.
Sculpteur.
Il fut élève de Bartlett, Landowski, Bouchard et Injalbert. Il a participé au Salon des Artistes Français de 1913 à 1934.

CONLON George D.
Mort en 1904 à La Nouvelle-Orléans (Louisiane). XIXe siècle. Américain.
Artiste.

CONN Budwin
Né le 20 janvier 1927 à Cleveland. XXe siècle. Américain.
Peintre de figures. Nouvelles Figurations.
Il fit ses études sous la direction des peintres Hans Hofmann, Edward Melcarth et du sculpteur Milton Horn. Il réside tour à tour en Italie, puis en Angleterre et en Espagne. Il a fait des expositions personnelles à New York en 1959, à Rome en 1963, à Londres en 1965 et à Paris en 1987.
Il peint essentiellement la jeunesse, dans un style très réaliste, dans des coloris plutôt clairs, avec la franchise d'un fresquiste. Ses jeunes gens sont représentés sur des fonds quelquefois sombres et souvent menaçant, symbole de la condition humaine.

CONN James
XVIIIe siècle. Travaillant vers 1771. Américain.
Graveur.

CONNABEER Albert James
Né le 22 octobre 1862 à Plymouth. XIXe siècle. Britannique.
Peintre et graveur.

CONNAH Douglas John
Né le 20 avril 1871 à New York. XIXe-XXe siècles. Américain.
Peintre.
Il fit ses études picturales à Weimar, à Düsseldorf et à Paris où il travailla sous la direction de Benjamin-Constant et de J.-P. Laurens. Dès 1894 il exposa à la Royal Academy de Londres. Il fut président de la New York School of Art.

CONNAN Georges
Né en 1912 à Pontrieux (Côtes-d'Armor). Mort en 1987 à Marseille (Bouches-du-Rhône). XXe siècle. Français.
Peintre. Abstrait-géométrique, puis optique-cinétique.
Il fut élève de l'École Nationale des Beaux-Arts de Paris, de 1932 à 1935. Il fut surtout sensible à l'influence de Fernand Léger. En 1936, il combattit en Espagne avec les Brigades Internationales. En 1937, il entra à l'École de la Marine Marchande, diplômé en 1939. De 1939 à 1960, il navigua, tout en poursuivant son travail pictural. De 1947 à 1960, il avait son port d'attache à Tunis. À partir de 1960, pouvant se consacrer entièrement à la peinture, il se fixa à Marseille.
Dans une première période, de 1936 à 1940, directement influencé par Fernand Léger, il pratiqua une figuration géométrique. De 1940 à 1947, sa peinture devint totalement abstraite-géométrique, dans l'esprit du groupe Cercle et Carré de Michel Seuphor. De 1947 à 1952, il poursuivit son travail dans le même sens, mais en noir et blanc. À partir de 1942, parallèlement à l'axe principal de son œuvre, il exécutait des figures beaucoup plus complexes, rappelant les mosaïques orientales les plus chargées. Après 1955, il consacra entièrement son activité créative à ce type de compositions géométriques à partir d'axes de symétrie, produisant parfois des ensembles de polyèdres, ces figures aboutissant occasionnellement à des phénomènes optiques et cinétiques. ■ J. B.
BIBLIOGR. : Catalogue de la vente de l'*Atelier Georges Connan,* Drouot, Paris, 1990.
VENTES PUBLIQUES : PARIS, 16 mars 1990 : *Hommage à Fernand Léger,* gche et h. (74x60) : **FRF 23 000** ; *Sans titre,* h/pap. (75x110) : **FRF 23 000** ; *Sans titre,* gche/pap. (120x75) : **FRF 7 000** ; *Sans titre,* gche/pap. (97x125) : **FRF 11 000** ; *Sans titre,* h/pap. (85x85) : **FRF 21 000** – PARIS, 19 oct. 1997 : *Noir et blanc,* acryl./pap. mar./t. (73,5x112,5) : **FRF 4 000.**

CONNARD Philip
Né le 24 mars 1875 à Southport (Lancaster). Mort le 8 décembre 1958. XXe siècle. Britannique.
Peintre de paysages et de marines, dessinateur et illustrateur.
Après des études à Londres, il vint à Paris où il suivit des cours à l'Académie Julian. A partir de 1900 il exposa régulièrement à la Royal Academy de Londres et fit de nombreuses illustrations de

livres. Son œuvre montre longtemps une influence de l'art de Whistler.

Philip Connard

MUSÉES : BRADFORD – CARDIFF – DUBLIN – LONDRES (Tate Gal.).
VENTES PUBLIQUES : LONDRES, 11 mai 1923 : *L'arc-en-ciel* : **GBP 35** – LONDRES, 26 nov. 1926 : *Les amis* : **GBP 75** – LONDRES, 30 mars 1928 : *L'artiste devant son chevalet* : **GBP 84** – LONDRES, 11 juil. 1934 : *Pastorale* : **GBP 78** – LONDRES, 12 nov. 1943 : *Jeunes baigneuses au soleil* : **GBP 42** – LONDRES, 24 avr. 1964 : *La chaste Suzanne et les vieillards* : **GNS 160** – LONDRES, 22 nov. 1972 : *Richmond bridge* : **GBP 240** – LONDRES, 17 mars 1976 : *La brise*, h/t (60x75) : **GBP 200** – LONDRES, 9 juin 1978 : *La plage de Dieppe*, h/t (40,5x56) : **GBP 700** – LONDRES, 13 juin 1980 : *Vue de la Tamise (recto)* ; *Kensington garden (verso)*, deux h/pan. (20,5x25) : **GBP 500** – LONDRES, 9 nov. 1984 : *L'artiste et le modèle nu*, h/t (51x60,8) : **GBP 600** – LONDRES, 27 jan. 1986 : *Philip Wilson Steer peignant des bateaux à Greenhithe*, aquar. (20x27) : **GBP 550** – LONDRES, 4 mars 1987 : *Les cabines*, aquar./traits de cr. (25,5x35,5) : **GBP 800** – NEW YORK, 24 oct. 1989 : *Le vent se lève*, h/t (77x102) : **USD 14 300** – LONDRES, 27 sep. 1991 : *Paysage avec un arc-en-ciel*, h/t (56x69) : **GBP 1 650** – LONDRES, 12 mars 1992 : *La robe rose*, h/t (152,5x102) : **GBP 2 530**.

CONNAWAY Jay-Hall
Né à Liberty (Indiana). XIXᵉ-XXᵉ siècles. Américain.
Peintre de paysages et de marines.
Élève de l'Art Student's League, il obtient le Prix Hallgarten à l'Académie Nationale de Dessin en 1926. Il a exposé au Worcester Art Museum, mais aussi à Paris, au Salon d'Automne en 1919-20 et à celui des Artistes Français en 1920-21.
VENTES PUBLIQUES : BOSTON, 20 nov. 1984 : *Paysage montagneux en hiver*, h/pap. cartonné (40,5x50,8) : **USD 600**.

CONNE Louis
Né à Oerliken (Zurich). XXᵉ siècle. Suisse.
Sculpteur.
Il a participé au Salon d'Automne en 1927-1928, et à celui des Artistes Indépendants à Paris en 1929.

CONNEL Clyde
Née en 1901 à Woods Place (Louisiane). XXᵉ siècle. Américaine.
Sculpteur.
Depuis 1955, elle a participé à plusieurs expositions, notamment en Louisiane, à Shreveport en 1955, 1972, 1981, 1986, 1987 ; à Los Angeles en 1974-1976 ; dans différentes galeries à New York en 1981, 1982, 1984 ; régulièrement à Houston entre 1979 et 1989 ; Dallas entre 1980 et 1987 ; à Washington en 1988 ; Paris en 1990. Elle utilise plusieurs sortes de matériaux, dont le papier mâché, le fer, exécutant des œuvres souvent abstraites ou dans un style expressionniste.

CONNELL Edward D.
XIXᵉ siècle. Américain.
Graveur.
Il exposa quelques planches à New York en 1888.

CONNELL Edwin B.
Né en 1859 à New York. XIXᵉ siècle. Américain.
Peintre.
Élève de Bouguereau, T. Robert-Fleury et J. Dupré. A exposé des paysages au Salon des Artistes Français jusqu'en 1922 ; mention honorable à l'Exposition Universelle de 1889.

CONNELL M. Christine
XIXᵉ-XXᵉ siècles. Active à Londres. Britannique.
Peintre.
Elle exposa à la Royal Academy de 1885 à 1890, puis en 1907.

CONNELLY Chuck
Né en 1955. XXᵉ siècle. Américain.
Peintre de compositions animées.
VENTES PUBLIQUES : NEW YORK, 4 nov. 1987 : *Tower* 1984, h/t (152,2x183,2) : **USD 7 000** – NEW YORK, 4 mai 1988 : *Manège* 1984, h/t (159,9x179,3) : **USD 3 850** – NEW YORK, 8 oct. 1988 : *Sans titre* 1984, h/t (183x152,5) : **USD 2 750** – NEW YORK, 21 fév. 1990 : *Manège* 1984, h/t (160,2x179,2) : **USD 3 300** – NEW YORK, 7 mai 1990 : *Scène de bataille* 1985, h/t (274,4x228,5) : **USD 14 300** – NEW YORK, 12 nov. 1991 : *Collision* 1984, h/t (167,7x198,1) : **USD 4 950**.

CONNELLY Pierre Francis
Né en 1841 à Grand-Coteau (Louisiane). Mort après 1902.
XIXᵉ siècle. Américain.
Peintre, aquarelliste, sculpteur.
Il fit des études en Angleterre, à Paris, puis à Florence qu'il habita longtemps, comme élève du sculpteur Hiram Powers. Il exposa deux portraits à la Royal Academy de Londres en 1871 et retourna aux États-Unis en 1876, pour exposer à Philadelphie. Il montra ensuite des aquarelles en Nouvelle-Zélande. La dernière trace que l'on possède de l'artiste est son voyage à Florence, en 1883, pour la mort de son père, la suite de sa carrière devient ensuite obscure. Le Metropolitan Museum de New York possède de lui, une Thétis en marbre.

CONNER Bruce
Né en 1933. XXᵉ siècle. Américain.
Peintre. Pop art.
Il fit partie de la première vague du pop art américain, qui intégrait les nouvelles formes de la civilisation industrielle et notamment celles de la publicité au langage plastique.
VENTES PUBLIQUES : NEW YORK, 14 nov. 1970 : *August 25* : **USD 175** – PARIS, 17 nov. 1972 : *Peinture* : **FRF 1 300** – NEW YORK, 10 nov. 1983 : *Six of clubs* 1960, assemblage (58,5x47) : **USD 1 500** – NEW YORK, 5 nov. 1987 : *Sans titre* 1958, assemblage (77,5x49,5) : **USD 6 500** – NEW YORK, 5 oct. 1989 : *Cœurs*, collage de plastique, pap. et métal/cart. (55,2x42,5) : **USD 15 400** – NEW YORK, 2 mai 1995 : *Coquillage* 1961, techn. mixte (13,3x21x17,8) : **USD 12 650** – PARIS, 3 juil. 1996 : *Sans titre* 1965, collage de tissus, laine et pap. (18,8x13,5) : **FRF 12 000**.

CONNER Jérôme
Né le 12 octobre 1875 en Irlande. XXᵉ siècle. Américain.
Sculpteur.
Émigra très jeune vers les États-Unis, où il obtint du succès, particulièrement à Philadelphie et à New York.

CONNET Jean de
XVIᵉ siècle. Actif à Orléans et à Paris. Français.
Peintre verrier.

CONNI Giovanni Domenico de
XVIᵉ siècle. Actif à Udine vers 1544. Italien.
Peintre.

CONNIER F.
Né à la fin du XIXᵉ siècle. XXᵉ siècle. Français.
Peintre.
Il exposa à Paris au Salon des Artistes Français en 1913.

CONNIOT. Voir COUNIOT

CONNOLLY Michael
XIXᵉ-XXᵉ siècles. Britannique.
Peintre.
Il exposa à la Royal Academy à Londres de 1885 à 1903.

CONNOLLY-PARADIS Normand. Voir PARADIS Normand

CONNOPI Andrea Ernst
XVIIIᵉ siècle. Allemand.
Peintre.
On connaît un tableau gravé d'après cet artiste.

CONNOR Charles
Né en 1852 ou 1857 à Richmond (Indiana). Mort en 1905. XIXᵉ siècle. Américain.
Peintre de paysages.
VENTES PUBLIQUES : NEW YORK, 30 mai 1990 : *Sous-bois* 1902, h/t (76,3x101,6) : **USD 4 125**.

CONNOR Charles E. E.
Né à Stoke-upon-Trent (Stafford). XXᵉ siècle. Français.
Peintre.
En 1927, il exposait *Clair de lune* au Salon des Artistes Français.

CONNOR J. Stanley
Né en 1860. XIXᵉ siècle. Américain.
Sculpteur.
On ignore tout de ce sculpteur. Un article paru dans un journal de New York en 1883 le signale à propos d'un buste de Caïn conservé depuis au Metropolitan Museum.

CONNOR Jérôme
Né en 1876 en Irlande. XXᵉ siècle. Irlandais.
Sculpteur.
VENTES PUBLIQUES : LONDRES, 17 juin 1977 : *Tête d'homme*, bronze (H. 29,5) : **GBP 650**.

CONNOR Joseph Thomas
Né le 2 mars 1874 à Hobart (Tasmanie). XXᵉ siècle. Australien.
Peintre, aquarelliste.
Il a exposé à la Royal Academy de Londres, au New South Wales et au Salon des Artistes Français à Paris.

CONNOR Maureen
XXᵉ siècle. Américaine.
Sculpteur, auteur d'installations, technique mixte.
Elle a montré ses œuvres dans une exposition personnelle en 1995 à l'Alternative Museum de New York.
Des vêtements féminins utilisés comme matériaux de ses pièces au sol ou au mur, elle a retenu le corps de la femme lui-même, et en particulier la forme de son torse, adoptant notamment comme support de ses compositions le porte-bouteilles de Duchamp. Elle utilise également d'autres structures en métal, auxquelles sont accrochés des appendices (organes humains) en cire ou verre soufflé.
BIBLIOGR. : Robert G. Edelman : *Maureen Connor, Artpress*, nᵒ 200, Paris, mars 1995.

CONNORD Marie
XXᵉ siècle. Française (?).
Peintre. Abstrait-géométrique.
Entre 1950 et 1955, cette artiste, a figuré au Salon des Réalités Nouvelles à Paris, avec des compositions d'une abstraction classique.

CONNY John ou **Cony**
Né en 1655 à Boston (Massachusetts). Mort en 1722 à Boston (Massachusetts). XVIIᵉ-XVIIIᵉ siècles. Américain.
Graveur.

CONNY Julien Édouard de, baron
Né le 29 mai 1818 à Moulins (Allier). Mort le 18 janvier 1900 à Moulins (Allier). XIXᵉ siècle. Français.
Sculpteur.
Élève de Dantan aîné et d'Etex. Il fut médaillé de deuxième classe en 1861 et 1866.

CONNYNC. Voir **CONINCK Nicolaus de**

CONOLLY Ellen
XIXᵉ siècle. Britannique.
Peintre.
Peut-être identique à Mme PRUNAIRE. Elle travailla à Londres, où elle exposa, de 1873 à 1885.

CONOLLY Francis U.
XIXᵉ siècle. Britannique.
Sculpteur.
Il travailla à Londres, où il exposa de 1849 à 1870 à la Royal Academy. On cite de lui : *Sappho, Girlhood*.

CONOR William
Né en 1884 à Belfast. Mort en 1968. XXᵉ siècle. Irlandais.
Peintre d'histoire, scènes de genre, portraits, aquarelliste, pastelliste, dessinateur.
Après avoir été élève de l'École d'Art de Belfast, il alla poursuivre ses études à Londres et à Paris. Il a figuré au Salon de la Société Nationale des Beaux-Arts à Paris en 1922-1923.

VENTES PUBLIQUES : CELBRIDGE (Irlande), 29 mai 1980 : *Un moulin d'Irlande* 1937, aquar. et pl. (28x38,2) : **GBP 400** – CO.MEATH, 12 mai 1981 : *Coatin*, cr. de coul. (35,5x24) : **GBP 1 600** – LONDRES, 14 juil. 1982 : *Le joueur d'accordéon*, craies de coul./pap. (43x33) : **GBP 550** – LONDRES, 3 nov. 1982 : *La charrette à âne* 1923, h/t (59,5x49) : **GBP 1 600** – LONDRES, 21 sep. 1983 : *Femme et enfant sur un âne*, past. (33x43) : **GBP 900** – LONDRES, 23 mai 1984 : *L'édredon en patchwork*, h/cart. (53x43) : **GBP 2 100** – LONDRES, 8 nov. 1985 : *Les commères*, aquar. et past. (34,5x44,5) : **GBP 1 400** – LONDRES, 4 mars 1987 : *La rue de la dance*, h, cr. et craie noire/cart. (61x53) : **GBP 3 500** – LONDRES, 22 juil. 1987 : *Vers le château d'eau*, past. et craie noire (48x35,5) : **GBP 1 800** – DUBLIN, 24 oct. 1988 : *Deux fillettes transportant de la tourbe*, cr. (33,7x43) : **GBP 1 100** – BELFAST, 28 oct. 1988 : *Le violoneux*, h/pan. (46,5x36,2) : **GBP 8 250** ; *Le marché aux bestiaux*, h/t (560,8x61) : **GBP 7 700** – BELFAST, 30 mai 1990 : *Aux courses de Punchestown*, cr. gras (39,4x45,7) : **GBP 4 400** – BELFAST, 30 mai 1990 : *Le*

marchand de vieux habits, h/t (63,5x88,9) : **GBP 22 000** – LONDRES, 6 juin 1991 : *Nature morte*, h/t (51x41) : **GBP 3 850** – DUBLIN, 26 mai 1993 : *Un politicien*, cr. de coul. et fus. (47,9x35,2) : **GBP 2 090** – LONDRES, 16 mai 1996 : *L'enfant perdu*, h/t (91,5x71) : **GBP 28 750** – LONDRES, 21 mai 1997 : *Sur le chemin l'église*, h/t (55x65,5) : **GBP 16 100**.

CONORD Philippe
Né en 1932. XXᵉ siècle. Français.
Peintre.
Il participe à plusieurs expositions collectives, notamment au Salon des Réalités Nouvelles à Paris en 1988.

CONORT Georges
Né à Fleury d'Aude (Aude). XXᵉ siècle. Français.
Peintre.
Il exposa à Paris au Salon des Indépendants, en 1937-1938.

CONOSCIUTO Giacomuccio, ou **Angiolo di**
XIIIᵉ siècle. Actif à Sienne en 1289. Italien.
Peintre.

CONOVER Robert
Né en 1920 à Philadelphie. XXᵉ siècle. Américain.
Peintre.
Élève de Froelich à l'École du Musée de Philadelphie entre 1938 et 1942, il étudia ensuite à l'Art Students' League de New York. Il obtint une bourse qui lui permit de continuer ses études à l'École du Musée de Brooklyn en 1948-1949 et remporta un prix destiné à un jeune artiste en 1949. Il participe à des expositions collectives de la jeune peinture à New York, Philadelphie, Chicago. Il a fait de nombreuses expositions personnelles à partir de 1950.
MUSÉES : PHILADELPHIE.

CONQUEST Alfred
XIXᵉ siècle. Actif à Londres à la fin du XIXᵉ siècle. Britannique.
Peintre.
Il exposa à la Royal Academy, à Suffolk Street Gallery et à New Gallery des paysages de Normandie, d'Angleterre et de Bretagne.

CONQUET Henri
Né à Paris. XXᵉ siècle. Français.
Peintre.
Il exposa à Paris au Salon d'Automne en 1913.

CONQUY Ephraïm
Né en 1809 à Marseille (Bouches-du-Rhône). Mort le 16 février 1843 à Paris. XIXᵉ siècle. Français.
Graveur.
Élève de Richomme. On cite de cet artiste 15 planches pour les Galeries de Versailles, principalement des portraits. Il a beaucoup gravé d'après H. Vernet.

CONRAD
XIVᵉ-XVᵉ siècles. Allemand.
Peintre.
Peintre travaillant à Nuremberg.

CONRAD
XVᵉ siècle. Allemand.
Peintre verrier.
Actif à Regensburg et à Nuremberg vers le milieu du XVᵉ siècle.

CONRAD
XVᵉ siècle. Allemand.
Peintre.
Il fut abbé de Rinkau.

CONRAD
XVIᵉ siècle. Allemand.
Sculpteur.
Actif à Regensburg vers 1502.

CONRAD
XVIᵉ siècle. Suisse.
Peintre.
Actif à Constance vers 1506.

CONRAD ou **Chunrath, Chunradus**
XIIᵉ siècle. Autrichiens.
Peintres.
Deux peintres de ce nom travaillèrent à Klosterneuburg au XIIᵉ siècle.

CONRAD Abraham. Voir **CONRADUS**

CONRAD Albert
Né en février 1837 à Torgau. Mort en juin 1887 à Torgau. XIXᵉ siècle. Allemand.

Peintre de genre, architectures, paysages.
Musées : LEIPZIG : *Les Buveurs.*
Ventes Publiques : COLOGNE, 21 avr. 1967 : *Paysage idyllique* :
DEM 3 200 – NEW YORK, 29 oct. 1986 : *La couseuse*, h/t
(45,7x33,6) : USD 4 000.

CONRAD Barthold
Né à Hambourg. Mort en 1719. XVIIIe siècle. Allemand.
Peintre.
Il était le fils d'Harmen Conrad. On cite de lui le portrait de
Christiane Wülffen qui se trouve à l'église de Tellingstedt.

CONRAD Carl Emmanuel
Né en 1810 à Berlin. Mort en 1873 à Cologne. XIXe siècle. Allemand.
Peintre d'architectures, paysages urbains.
Il fit ses études à Berlin et à Düsseldorf avant de s'établir à
Cologne, où il collabora à la décoration de la cathédrale.
Ventes Publiques : MUNICH, 29 nov. 1989 : *Scène de rue devant
le Palais Redern à Berlin 1831*, h/t (40x56,5) : DEM 71 500.

CONRAD Carl Ernst
Né en 1818 à Eisfeld. XIXe siècle. Allemand.
Sculpteur.
Il fit ses études à Nuremberg, puis vécut à Hildburghausen.

CONRAD Charles
Né en 1912 à Mortsel. XXe siècle. Belge.
Peintre, sculpteur et céramiste.
Son art s'inspire de l'ancienne poterie chinoise.

CONRAD Christian, l'Ancien
XVIIe siècle. Actif à Sagan vers 1681. Allemand.
Peintre.

CONRAD Christian, le Jeune
Né vers 1692 à Sagan. XVIIIe siècle. Allemand.
Peintre.
Il était fils de Christian Conrad l'Ancien.

CONRAD Christophe Benjamin
Né vers 1728. Mort en 1758. XVIIIe siècle. Actif à Sagan. Allemand.
Peintre.
Il était fils de Christian Conrad le Jeune.

CONRAD David
Né en 1604 à Dresde. Mort en 1681. XVIIe siècle. Allemand.
Graveur au burin.
On cite parmi les nombreuses planches qu'on doit à cet artiste
des portraits et des scènes religieuses.

CONRAD Ernst Willehm
XIXe siècle. Actif à Lüben vers 1829. Allemand.
Peintre.

CONRAD Eugen
Né en 1866 à Radeburg. Mort en 1903 près de Dresde. XIXe
siècle. Allemand.
Dessinateur animalier et paysagiste.
Il fut l'élève de Naumann, de Panse et de Hammer.

CONRAD Georges
XXe siècle. Actif entre 1900 et 1935. Français.
Dessinateur, illustrateur.
Parmi ses illustrations, citons : *Au service de l'Allemagne* de M.
Barrès ; *Contes* de Jérôme Doucet, 1905 ; *Notre beau Paris et ses
environs* de C. Brisson, 1923 ; *M. Pickwick* de C. Dickens, 1935 ;
Capitaine Fracasse de T. Gautier.
Bibliogr. : Marcus Osterwalder : *Dictionnaire des Illustrateurs,
1800-1914*, Hubschmid & Bouret, Paris, 1983.

CONRAD Gyula
Né en 1877 à Budapest. XXe siècle. Hongrois.
Graveur.
Il exposa pour la première fois en 1904.
Musées : BUDAPEST – MUNICH.

CONRAD Hans
XVIe siècle. Actif à Hall (Tyrol) vers 1579. Autrichien.
Sculpteur.

CONRAD Huber. Voir HUBER Conrad

CONRAD Johan Samuel
Mort vers 1800 à Görlitz. XVIIIe siècle. Allemand.
Peintre.
Le Musée de Görlitz possède une aquarelle de cet artiste.

CONRAD Johann
XVIIe siècle. Actif à Breslau vers 1666. Allemand.
Peintre.

CONRAD Johann Benjamin
XVIIIe siècle. Actif à Breslau vers 1760. Allemand.
Peintre.

CONRAD Sebastian
XVIe siècle. Actif à Ulm vers 1521. Allemand.
Peintre.
Cet artiste imita la manière de Dürer.

CONRAD Wolfgang
Mort en 1614 à Liegnitz. XVIIe siècle. Allemand.
Sculpteur.

CONRAD von BASEL
XIVe siècle. Actif à Breslau en 1387. Allemand.
Peintre.

CONRAD de COLOGNE ou Coulongne
XVe siècle. Actif à Tours. Français.
Sculpteur-orfèvre.
Il se chargea, en 1482, avec un fondeur nommé Laurent Wrine,
de faire une statue en bronze de Louis XI, destinée à son tom-
beau, dans l'église de Cléry-sur-Loire.

CONRAD von LIEGNITZ
XIVe siècle. Actif à Breslau à la fin du XIVe siècle. Allemand.
Peintre verrier.

CONRAD von SCHEYERN ou Scheyren
XIIIe siècle. Allemand.
Copiste et enlumineur.
La Bibliothèque de Munich conserve plusieurs manuscrits exé-
cutés par lui. De nombreux auteurs citent plus de trente volumes
qu'il écrivit et orna.

CONRAD von SCHMALKALDEN
XVe siècle. Actif à Erfurt à la fin du XVe siècle. Allemand.
Peintre verrier.

CONRAD von SOEST
Né peu après 1378 probablement à Dortmund. Mort au
début du XVe siècle. XVe siècle. Allemand.
Peintre.
Il a sans doute travaillé dans l'entourage du Maître de Sainte-
Véronique de Cologne. Il répond aux problèmes de la perspective et de la profondeur par une utilisation de couleurs plates, de
fonds d'or et une ignorance voulue de l'espace, qui donnent un
caractère archaïque à ses tableaux. Il élève ainsi ses thèmes religieux à un art mystique, immatériel et contemplatif. Lorsqu'il
peint des hommes de la cour, il accuse les traits de leur visage,
tandis qu'il sait mettre en valeur le charme des femmes. Il est
surtout connu pour le *Retable* de Nieder-Wildungen daté de
1404 ou de 1414, duquel on rapproche cinq panneaux de la
Marienkirche de Dortmund et le tableau d'autel de l'église Saint-
Nicolas de Soest.
Bibliogr. : J. Lassaigne : *Le XVe siècle, de Van Eyck à Botticelli*,
Skira, Genève, 1955 – P. du Colombier, in : *Dictionnaire de l'art et
des artistes*, Hazan, Paris, 1967.

CONRAD-KICKERT. Voir KICKERT Conrad Jean Théodore

CONRADE Alfred Charles
Né en 1863 en Angleterre. Mort en 1955. XIXe-XXe siècles.
Français.
Peintre de sujets typiques, paysages, aquarelliste,
peintre à la gouache, dessinateur.
Il exposa au Salon des Artistes Français de Paris.
Ventes Publiques : LONDRES, 10 fév. 1981 : *Caravane de cha-
meaux devant les pyramides*, cr. et aquar. (34,7x48,3) : GBP 450 –
NEW YORK, 25 mai 1984 : *Capriccio 1923*, aquar. en 3 parties
(27,9x72,4) : USD 900 – LONDRES, 14 mars 1985 : *Le pont
Samyoshi, Osaka*, aquar. (28x39) : GBP 950 – LONDRES, 5 juin
1991 : *La statue de Ramsès II*, gche/cr. (33x24) : GBP 550.

CONRADE Baptiste
XVIIe siècle. Français.
Sculpteur et potier.
Il fit, en 1606, une figure de terre et un lion en plâtre à l'occasion
de l'entrée à Nevers de la duchesse de Mantoue.

CONRADER Georg ou Conraeder
Né le 18 mai 1838 à Munich. Mort le 2 janvier 1911 à Abba-
zia. XIXe-XXe siècles. Allemand.

CONRADI/CONSAGRA

Peintre d'histoire, scènes de genre, portraits.
Il fut l'élève de Foltz et de Piloty à Munich. Il devint professeur à Weimar et plus tard à Munich.
Son style vigoureux et réaliste lui donna très vite la renommée comme portraitiste et comme peintre d'histoire.
Musées : Budapest : *Le Couronnement de François-Joseph comme roi de Hongrie.*
Ventes Publiques : Copenhague, 12 avr. 1978 : *Le Joueur de luth* 1875, h/t (128x180) : **DKK 13 500** – Vienne, 9 oct. 1985 : *Le Tasse en prison*, h/t (127x94) : **ATS 30 000**.

CONRADI Eucharius
Mort le 28 août 1668 à Graz. XVIIᵉ siècle. Autrichien.
Peintre.
On cite surtout ses paysages.

CONRADI Johann Bartholomä
XVIIᵉ siècle. Actif à Rapperswil en 1657. Suisse.
Peintre.

CONRADI Moritz
XIXᵉ siècle. Britannique.
Peintre de genre, paysages animés, dessinateur.
Figura à la Royal Academy de Londres, de 1865 à 1876.
Ventes Publiques : Londres, 10 juin 1910 : *Plaisanterie*, dess. : **GBP 3** – Londres, 7 mai 1980 : *Femme et enfants dans un paysage alpestre* 1867, h/t (57x49) : **GBP 520**.

CONRADIN Christian Friedrich
Né le 7 novembre 1875 à Coire (Suisse). XXᵉ siècle. Suisse.
Peintre de paysages et lithographe.
Il fit des études à Zurich, Rüschilkon, Stuttgart et Paris. Il exposa à Munich en 1909.

CONRADO Matias
XVIIᵉ siècle. Espagnol.
Sculpteur.
En 1628 il travaillait pour la cathédrale de Cordoue.

CONRADS Carl H.
Né en 1839 en Allemagne. XIXᵉ siècle. Allemand.
Sculpteur.

CONRADSEN Harald
Né le 17 novembre 1817 à Copenhague. Mort le 11 mars 1905. XIXᵉ siècle. Danois.
Sculpteur et médailleur.
Fit son éducation artistique à l'Académie ; fit des portraits, la plupart en médaillon. Il devint chevalier de Danebrog en 1860, et membre honoraire de l'Académie des Beaux-Arts de Saint-Pétersbourg en 1873.
Musées : Copenhague : *La jeune fille à la fontaine – Adam et Ève.*

CONRADT M.
XVIIᵉ siècle. Actif à Hambourg en 1695. Allemand.
Peintre de décorations.

CONRADUS Abraham C.
Né vers 1640 à Amsterdam. XVIIᵉ siècle. Hollandais.
Graveur.
Il était le fils d'Abraham J. Conradus.

CONRADUS Abraham J. ou Coenradus, Coenraets, Conrad
Né vers 1612 à Amsterdam. Mort en 1661 à Amsterdam. XVIIᵉ siècle. Hollandais.
Graveur.
Il grava des portraits et des scènes religieuses.

CONRAET CLAESZ Van Yperen
XVIᵉ siècle. Actif à la fin du XVIᵉ siècle. Hollandais.
Graveur au burin.
Élève de Hendrick Goltzins.

CONRARD
XVIIIᵉ siècle. Actif à la fin du XVIIIᵉ siècle. Français.
Peintre de miniatures.

CONRARDT Philip
XXᵉ siècle. Travaillant à Surrey. Britannique.
Peintre.
En 1940 il exposait au Salon de la Société Nationale des Beaux-Arts des paysages et des animaux.

CONRARDY Georges
Né en 1908 à Saint-Gilles-lez-Bruxelles. Mort en 1978 à Forest. XXᵉ siècle. Belge.
Peintre et sculpteur.

Il obtint le Prix de Rome en 1937 et fut professeur à l'Académie Saint-Gilles de Bruxelles.

CONRARDY Jo
Né en 1913 à Halanzy. XXᵉ siècle. Belge.
Peintre de portraits, natures mortes, aquarelliste.
Il fut élève de l'Académie Saint-Luc à Tournai. Ses compositions sont peintes dans des tonalités claires, vibrantes et fraiches.

CONRART Ilse
Née le 20 janvier 1880 à Vienne. XXᵉ siècle. Autrichienne.
Sculpteur.
Elle fut élève de Charles Van der Stappen à l'Académie des Beaux-Arts de Bruxelles. Elle a exécuté le tombeau de *Johannes Brahms* à Vienne.

CONREUTER Hans
XVIᵉ siècle. Actif à Innsbruck en 1581. Autrichien.
Sculpteur.

CONREUTTER Ludwig ou Kunraiter, dit Maler Ludwig
XVᵉ siècle. Actif au Tyrol à la fin du XVᵉ siècle. Autrichien.
Peintre.
Il travaillait en 1473 pour l'église Saint-Oswald à Seefeld ; en 1501, il devint bourgeois d'Innsbruck.

CONRING August von
Né le 19 juillet 1865 à Neustrelitz. XIXᵉ siècle. Allemand.
Peintre.
Il fit ses études à Munich, puis exposa des pastels dans des expositions à Munich et à Berlin à partir de 1896. Les Musées de Düsseldorf et de Budapest possèdent des œuvres de cet artiste.

CONROW Wilford Seymour
Né en 1880 à South Orange. XXᵉ siècle. Actif aussi en France. Américain.
Peintre de portraits.
Pendant un temps, il a travaillé à Moret-sur-Loing et a exposé à Paris, en 1914, au Salon de la Société Nationale des Beaux-Arts.

CONSACRO Luigi
Mort vers 1900 à Foggia. XIXᵉ siècle. Italien.
Peintre de portraits.
Sa renommée ne dépassa pas la région napolitaine.

CONSADORI Silvio
Né en 1909 à Brescia. XXᵉ siècle. Italien.
Peintre de sujets religieux, figures, portraits, marines.
Ventes Publiques : Milan, 12 mai 1970 : *Madone* : **ITL 100 000** – Milan, 19 déc. 1978 : *Burano*, h/t (60x101) : **ITL 1 700 000** – Milan, 21 déc. 1982 : *Jeune fille*, h/pan. (30,5x40) : **ITL 1 100 000** – Milan, 26 mars 1985 : *Marine* 1940, h/isor. (50x65) : **ITL 1 400 000** – Milan, 21 juin 1994 : *Portrait de jeune garçon* 1946, h/pan. (48x39) : **ITL 1 265 000**.

CONSAGRA Pietro
Né en 1920 à Mazara del Vallo. XXᵉ siècle. Italien.
Sculpteur. Abstrait.
Après des études à l'École des Beaux-Arts de Palerme, il vient à Rome en 1944 et se rend à Paris en 1946. De retour à Rome l'année suivante, il participe à la fondation de la revue et du groupe *Forma* qui organise la première exposition d'art non-figuratif à l'Art Club. S'il est refusé à la Biennale de Venise de 1948, il participe ensuite à celles de 1950, 1952, 1954, 1956, où il obtient le Prix Einaudi, 1960, date à laquelle il reçoit le premier Prix de Sculpture, 1962, 1964, 1972, 1982. Il est présent à la Biennale de São Paulo en 1955 et à l'International Exhibition de Pittsburgh en 1958, où il reçoit le Prix de la Fondation Carnegie. Il a fait des expositions personnelles régulières à Rome de 1947 à 1985, à Milan de 1953 à 1986 et, par ailleurs à Venise en 1948, au Palais des Beaux-Arts de Bruxelles en 1958, à Paris en 1959, 1960, 1961, à Zurich en 1961, à New York 1962, 63, 67.
A ses débuts, il sculpte des figurines en bronze à tendance expressionniste, puis, dès 1947, il réalise des œuvres faites de tiges et de plaques de métal assemblées qui s'élèvent dans l'espace en structures géométriques rigoureuses ; ce sont, par exemple, *Monumento al partigiano, Forma 1, Hommage à Christian Zervos*. Vers 1952, il a commencé une longue série des *Colloques*, qui est presque devenu son thème unique. Faisant la part d'une certaine évocation de l'homme, il dresse des formes reliées entre elles en rang, impassibles ou affrontées ou bien part au contraire d'un support plein qu'il entaille profondément de ces mêmes signes. Consagra accentue peu à peu le caractère bidimensionnel de ses sculptures, ce qui le mène, dans les années soixante, vers un art proche de celui du bas-relief. Il uti-

lise différents matériaux : marbre, bois, fer, laiton, bronze, jouant de leurs qualités chromatiques, faisant des découpes qui laissent voir des couches superposées d'un même matériau patiné différemment. A cette recherche appartiennent *Mur de rêve* ; 1956, *Miroir aliéné* ; 1961, *Impronta solare* ; 1961. Il découpe enfin les matériaux en laissant apparaitre des vides qui prennent formes abstraites, comme le montrent : *Piana N. 3* ; 1971 ou *Bifrontale* ; 1977. A côté de son activité de sculpteur, Consagra s'est fait connaître comme théoricien de l'art, écrivant la *Necessità della scultura* en 1952, mais aussi son autobiographie en 1980.

Consagra

BIBLIOGR. : Herta Wescher, in : *Dictionnaire de la sculpture abstraite*, Hazan, Paris, 1960 – in : *Les Muses*, t. V, Paris, 1971 – Catalogue de l'exposition *Forma 1, 1947-1987*, Musée de Brou, Bourg-en-Bresse, 1987.

VENTES PUBLIQUES : MILAN, 28 mars 1962 : *Composition* : ITL 400 000 – PARIS, 4 juin 1963 : *Piccolo comizio*, bronze : FRF 8 000 – NEW YORK, 12 mai 1965 : *Specchio ulteriore*, bronze : USD 2 750 – NEW YORK, 22 oct. 1976 : *Composition* 1961, bronze forgé (H. 73,5, l. 63,5) : USD 600 – ROME, 24 mai 1979 : *Forme* 1973, bronze (H. 173) : ITL 2 600 000 – ZURICH, 8 nov. 1980 : *Composition* 1966, bronze (H. 47) : CHF 3 400 – NEW YORK, 13 mai 1981 : *Sans titre* 1961, bronze (76x63,5) : USD 4 500 – ROME, 11 juin 1981 : *C 165* 1973, techn. mixte/ardoise (60x85) : ITL 3 600 000 – MILAN, 24 avr. 1983 : *Composition* 1961, fer (77x64) : ITL 5 000 000 – MILAN, 18 déc. 1984 : *Composition* 1968, feuille d'acier (45x36,5) : ITL 1 400 000 – ROME, 3 déc. 1985 : *Sans titre*, h/t (100x120) : ITL 4 600 000 – ROME, 12 juin 1986 : *Compositon* 1966, bronze poli (60x40) : ITL 4 500 000 – ROME, 29 avr. 1987 : *Projet de sculpture*, h/t (120x100) : ITL 3 600 000 – PARIS, 24 avr. 1988 : *Colloquio definitivo* 1960, bronze (H. 155) : FRF 135 000 – MILAN, 14 mai 1988 : *Mire*, bronze (H. 34) : ITL 1 000 000 – ROME, 17 avr. 1989 : *Œil de tigre* 1973 (26,5x17,5) : ITL 2 200 000 – MILAN, 7 juin 1989 : *Etude pour la sculpture C 096* 1960, h. et collage/rés. synth. (40x79) : ITL 6 400 000 – ROME, 28 nov. 1989 : *Sans titre* 1985, h/t (100x120) : ITL 7 500 000 – NEW YORK, 27 fév. 1990 : *Personnages* 1954, bois (182,9x134,6x36,8) : USD 33 000 – PARIS, 6 nov. 1990 : *Récit de marin* 1961, bronze soudé (H. 39) : FRF 48 000 – LUCERNE, 25 mai 1991 : *Sculpture* 1961, bronze partiellement poli (h. 37, L. 33) : CHF 6 000 – PARIS, 30 nov. 1991 : *Colloque sur l'espérance* 1957, bronze soudé (70x56) : FRF 75 000 – ROME, 12 mai 1992 : *Images sur fond céleste* 1972, techn. mixte/rés. synth. (85x120) : ITL 4 200 000 – PARIS, 26 juin 1992 : *Colloquio libero n° 5* 1961, bronze (73x71) : FRF 90 000 – NEW YORK, 4 mai 1993 : *Sans titre* 1961, bronze (38,7x35,6) : USD 6 325 – MILAN, 24 mai 1994 : *Colloque* 1953, bronze (H. 59,7) : ITL 16 100 000 – MILAN, 21 juin 1994 : *Sans titre* 1968, acier (34x150x50) : ITL 6 900 000 – MILAN, 2 avr. 1996 : *Fer blanc 1* 1966, fer vernis en blanc (H. 65) : ITL 10 350 000 – MILAN, 20 mai 1996 : *Projet de sculpture* 1960, encre de Chine/pap./t. (38x46) : ITL 1 380 000 – PARIS, 19 juin 1996 : *Colloque* 1958, h/pan. : FRF 12 000 – NEW YORK, 19 nov. 1996 : *Colloquiro Duro* 1958, bronze (83,8x66x8,9) : USD 13 800.

CONSALVI Alessiò
Originaire d'Arcevia. XVIIe-XVIIIe siècles. Italien.
Peintre.
Il imita la manière de Girolamo Bonini et exécuta surtout des peintures religieuses.

CONSANI Vincenzo
Né en 1815 à Lucques. Mort le 29 juin 1887 à Florence. XIXe siècle. Italien.
Sculpteur.
La Galerie d'Art Moderne de Florence conserve de lui trois bustes dont celui de *Marie-Louise de France*.

CONSCIENCE Francis Antoine
Né le 2 janvier 1795 à Besançon. Mort en 1840 à Luxeuil. XIXe siècle. Français.
Peintre et lithographe.
Il entra à l'École des Beaux-Arts le 29 mars 1816 et devint l'élève de Guérin. Cet artiste exposa toujours sous le seul nom de Francis, de 1831 à 1839.
MUSÉES : BESANÇON : *Cuirassier à cheval – Louis-Philippe*, portrait en pied – *Halte de chasse*.

CONSEIL Napoléon
Né le 2 janvier 1837 à Dunkerque (Nord). Mort le 14 juillet 1871 à Dunkerque. XIXe siècle. Français.
Peintre de marines.
MUSÉES : DUNKERQUE : *Le Jean Bart – Les travailleurs de la mer du Nord – Marine*.
VENTES PUBLIQUES : PARIS, 28 avr. 1993 : *La frégate « La Guerrière »*, h/t (40,5x61) : FRF 22 000 ; *Marine : vue du brick « Obligado »* 1857, h/t (41,5x61) : FRF 19 000.

CONSERGUES Tomas
Mort en 1759 à Valence. XVIIIe siècle. Espagnol.
Sculpteur.
Il exécuta surtout des crucifix.

CONSETTI Antonio
Né en 1686 à Modène. Mort en 1766 à Modène. XVIIIe siècle. Italien.
Peintre de compositions religieuse.
Élève de Francesco Strulga, Consetti fut un artiste sincère, qui sut profiter des excellents conseils de son maître, mais qui manqua de goût dans le coloris. On trouve de ses œuvres à Modène. Il était le fils de Jacopino Consetti.
VENTES PUBLIQUES : MILAN, 4 déc. 1986 : *La Sainte Famille*, pl. et lav. (23,6x18,2) : ITL 8 000 000 – LONDRES, 16-17 avr. 1997 : *La Sainte Famille*, craie noire avec reh. craie blanche/pap. gris (24,2x19,6) : GBP 575.

CONSETTI Jacopino
Né en 1651 à Modène. Mort le 15 décembre 1726 à Modène. XVIIe-XVIIIe siècles. Italien.
Peintre, dessinateur.
Le Musée des Offices de Florence possède des dessins de cet artiste qui peignit surtout des sujets religieux.

CONSIGLIO Gherardi
XIVe siècle. Actif à Florence en 1339. Italien.
Peintre.

CONSIGLIO Stefano
Né en 1644 à Arogno. XVIIe siècle. Suisse.
Peintre.
Consiglio travailla dans plusieurs villes d'Italie. On conserve de lui quatre tableaux des Évangélistes à l'église de sa ville natale.

CONSITT
XVIIIe siècle. Actif à York vers 1760. Britannique.
Graveur.
On connaît deux ex-libris de cet artiste.

CONSOLAZIONE Giovanni
Né en 1908 à Gravina de Puglia. Mort en 1964 à Rome. XXe siècle. Italien.
Peintre de paysages.
VENTES PUBLIQUES : MILAN, 27 oct. 1970 : *Venise* : ITL 320 000 – ROME, 15 nov. 1988 : *Maisons près du Tevere n° 3*, h/t (50x40) : ITL 1 300 000.

CONSOLES DE RUFACH, Maître des. Voir **MAÎTRES ANONYMES**

CONSOLI Giovanni Battista
Né en 1770 à Pesaro. XVIIIe siècle. Italien.
Peintre.
Il fut l'élève de Lazzarini. Il se spécialisa dans les copies.

CONSOLO Zanini Paola
XXe siècle. Italienne.
Peintre de paysages urbains.
Cette artiste, morte à l'âge de vingt-quatre ans, a surtout peint des vues de Venise.

CONSONI Nicolas
Né sans doute en 1814 à Rieti. Mort en 1884 à Rome. XIXe siècle. Italien.
Peintre.
Étudia la peinture à l'Académie de Pérouse où il fut élève de Sanguinetti, puis à Rome où il eut Minardi comme maître. C'est d'après un dessin original de Consoni que furent exécutées les belles mosaïques qui décorent la façade de la basilique Saint-Paul. Décora également la bibliothèque du Vatican.

CONSONOVE Antoine François Boniface
Né en 1812 à Aix. Mort en 1882 à Paris. XIXe siècle. Français.
Sculpteur.
Élève des Écoles des Beaux-Arts de Paris et de Florence. Il débuta au Salon de 1872 et exécuta divers travaux pour l'État.

Musées : AIX : *Le médaillon de Pétrarque et de Laure* – AVIGNON : *Buste de Peiresc* – *Monument en l'honneur de Pétrarque et de Laure.*

CONSORTI Bernardino
Né vers 1780 à Ascoli. XIXᵉ siècle. Italien.
Graveur au burin.
On cite de cet artiste des planches qu'il grava d'après Garofalo, Van Dyck et Canova.

CONSORTINI Raffaello
Né le 18 mai 1908 à Volterra. XXᵉ siècle. Italien.
Sculpteur.
Après des études au Lycée artistique de Florence en 1929-1930, il entre à l'Académie des Beaux-Arts de la même ville de 1933 à 1936 et travaille sous la direction de Libero Andreotti. Il a participé à plusieurs expositions collectives à Pise en 1935, très régulièrement à Florence de 1936 à 1977, à la Biennale de Venise en 1936, 1940, 1942, à Rome en 1938-1939 puis de 1969 à 1975, Berlin 1938, Milan 1941, 1948, 1953, Trieste 1952, Pise 1954, Gênes 1971.
Il travaille le bois, la pierre, le marbre et la terre. Ses sujets sont religieux ou contemporains, il reprend aux anciens thèmes de *Madone, Pieta, Annonciation, Christ mort* ou figuration de saints, mais il présente aussi des figures de son temps à travers des portraits ou scènes de la vie quotidienne. Il passe d'un art idéalisé qui remonte aux temps les plus anciens, évoque parfois l'art étrusque, d'autres fois le style de Donatello, tandis qu'il traite ses sujets modernes avec beaucoup de réalisme et quelque fois, surtout pour ses modelages, donne une touche impressionniste qui fait penser à la sculpture de Degas.

CONSTABLE Blanche
XXᵉ siècle. Travaillant à Brighton. Britannique.
Aquarelliste et dessinatrice.

CONSTABLE Jane Bennett
Née le 16 septembre 1867 en Perthshire. XXᵉ siècle. Britannique.
Peintre de scènes de genre.
Elle a exposé, à Paris, au Salon des Artistes Français, de 1926 à 1931.
Ventes Publiques : LONDRES, 13 déc. 1989 : *L'attente du maître* 1886, h/t (53x43) : GBP 1 760.

CONSTABLE John
Né le 11 juin 1776 à East Bergholt. Mort le 1ᵉʳ avril 1837 à Londres. XIXᵉ siècle. Britannique.
Peintre d'histoire, sujets religieux, portraits, paysages, aquarelliste, graveur.
Fils d'un riche minotier du Suffolk, il fut d'abord destiné à l'état ecclésiastique, puis à prendre la succession paternelle, enfin, en 1795, sur les instances de Sir George Beaumont, il fut envoyé à Londres étudier à la Royal Academy où il travailla avec Farrington et Reinagh, produisant quelques sujets historiques et quelques portraits. Mais son véritable maître fut la nature. Il l'étudia avec passion, et il sut en traduire le charme, dès ses premières aquarelles ou esquisses à l'huile sur nature. Il fit son premier envoi à la Royal Academy en 1802. Pendant les années qui suivirent, sa vie s'écoula dans les champs sans autre société que les travailleurs de la terre. On cite cependant deux toiles dans lesquelles il abandonna le paysage pour peindre deux tableaux d'autel : *Le Christ bénissant les petits enfants* et *Le Christ bénissant le pain et le vin.* Mais il estima lui-même que ce genre n'était pas le sien et il n'y revint plus. Le sentiment de réalité qu'il mettait dans ses ouvrages, son dédain des conventions lui avaient créé de nombreuses hostilités ; le grand public ne le comprenait pas. En 1811, il était encore à peu près inconnu, et ce ne fut qu'en 1819 qu'il fut élu membre associé de la Royal Academy. Il avait 43 ans. Il épousa en 1816, Mary Ricknell. L'année 1824 fut marquée par un événement d'une grande importance. Un marchand français ayant acheté trois de ses peintures, les envoya au Salon de Paris. Elles y produisirent un effet considérable. En 1828, il s'était établi à Hampstead, d'où il avait, disait-il, une vue sans égale en Europe. Ce fut là qu'il produisit deux de ses chefs-d'œuvre : *La Cathédrale de Salisbury* et *La Ferme de la Vallée* ; la mort de son beau-père M. Ricknell avait mis à sa disposition une fortune considérable, mais la mort de sa femme survenue la même année lui porta un coup dont il ne se releva jamais. En 1829, il fut enfin nommé membre de la Royal Academy. L'année suivante, il publia, sous le titre de *English Landscapes* une suite de gravures à la manière noire exécutées par David Lucas

d'après ses tableaux. Ses mémoires, qui se composent principalement de ses lettres, ont le plus grand intérêt.
Il avait d'abord étudié les Hollandais du XVIIᵉ siècle, Ruysdael en particulier, Annibal Carrache, les paysagistes classiques français, Poussin et le Lorrain, Rubens et Gainsborough. Il ne parvint que tardivement à la pleine expression de lui-même, lorsqu'il fut conscient de ce que ses goûts et ses convictions le portaient à peindre le paysage dans sa vérité, en évitant tout effet de mise en scène. Cet homme simple s'en est admirablement expliqué : « Le grand vice d'aujourd'hui est la déclamation, cet effort pour dépasser le vrai ». « Les peintres académiques font leurs ouvrages avec des tableaux et des plâtres et ne connaissent pas plus la nature que les chevaux de fiacre les pâturages ». « Rien n'est laid dans la nature ». On a souvent remarqué que la peinture anglaise avait tenu, en général, moins d'importance que celle des autres pays de l'Europe occidentale dans l'histoire de l'art. Maurice Raynal en risque une explication : le clergé anglican aurait tenu la peinture en suspicion comme instrument de propagation du papisme. L'observation de la nature ne présentait pas ce danger, outre qu'elle constitue une des constantes de la sensibilité anglaise, préromantique en cela. Reynolds situait volontiers ses portraits devant un fond de paysage, Gainsborough accordait parfois plus d'importance au paysage qu'au portrait ou à la scène représentée ; l'Angleterre du XVIIIᵉ vit éclore toute une école de paysagistes, Wilson, Crome, Cotman, etc.
Constable passe pour le premier à avoir planté son chevalet en pleine nature, ce que Boudin ou Jongkind ne feront que plus tard. Son influence, bien malgré lui, fut énorme et diverse. Dans ce XIXᵉ siècle qui se cherchait encore, entre romantisme et naturalisme, il apportait innocemment une solution de synthèse où chacun puisait son bien. C'est ainsi que par son culte de la nature non parée il influença l'École de Barbizon ; par son horreur de la peinture sombre en atelier « Quoi ! toujours opposer de vieilles toiles noires, enfumées et crasseuses, aux œuvres de Dieu ! », il préfigurait le pleinairisme de Manet en même temps que le réalisme de Courbet ; par sa technique très libre et hachurée qui divise chaque ton en toutes ses composantes possibles, il enthousiasma Delacroix, qui modifia, à partir de là, sa propre manière et, à travers Delacroix, ce sont les impressionnistes et les néoimpressionnistes qui se référèrent à Constable comme au précurseur de la touche divisée. La technique de la vibration du ton n'est pas le seul lien entre Constable et les impressionnistes et l'on ne peut ne pas penser à Monet en lisant cette phrase de Constable : « Le même motif éclairé par des jours différents prend une physionomie, une expression morale dissemblables », de même que lorsqu'il donne pour titre à l'un de ses paysages : *Par une brise de midi, agréable et salubre,* titre curieusement si proche de ceux que Debussy donnera aux différents mouvements de *La Mer.* Cette brillante réussite parisienne eut sa répercussion en Angleterre ; elle encouragea les amis du maître, et lorsque Constable exposa, trois ans après, son admirable *Champ de blé,* à la British Institution, il fut acheté par ses admirateurs, qui l'offrirent à la National Gallery.

Bibliogr. : C.-R. Leslie : *Memoirs of the Life of Constable,* Londres, 1845 – E.-V. Lucas : *Constable the painter,* Londres, 1924 – Maurice Raynal : *Le dix-neuvième siècle,* Skira, Genève, 1951 – Pierre Wat : *Constable entre ciel et terre,* Herscher, Paris, 1995.

Musées : BERLIN : *Village sur la rivière Stour* – *Moulin sur la rivière Stour* – *Maison de l'artiste à Hampstead Heath* – BERNAY : *Paysage* – BESANÇON : *Paysage au moulin* – CARDIFF : *Paysage, environs de Dedham* – DUBLIN : *Paysage, environs de Salisbury* – GLASGOW : *Hampstead Heath* – *Maison près de la route* – KASSEL : *Paysage, le soir* – LILLE : *Paysage, esquisse* – LIVERPOOL : *Triste journée* – *Rivière d'Angleterre* – Ch. de Keinhoorth – *Orage en été* – *Paysage par temps pluvieux* – LONDRES : *Cathédrale de Salisbury 1823* – *Moulin de Dedham, Essex 1820* – *La lande de Hampstead* – *La Lande de Hampstead 1827* – *Navire en construction près de Flatford Mill* – *Prés près de Salisbury* – *Foin en meule* – *Arbres près de l'église de Hampstead* – *Le Cottage dans le champ de blé* – *Moulin à eau à Gillingham, Dorset* – *Le cheval sautant,* esquisse pour le tableau actuellement dans la galerie des « diplômes » – *La charrette de foin, étude* – *Moulin à eau* – *Une ferme* – *Paysage* – *Le vieux moulin, clair de lune* – *Le champ de blé, paysage* – *Une ferme dans la vallée* – *Un champ de blé avec personnages* – *Paysage, Barnes* – *La charrette de foin* – *Une maison à Hampstead* – *Cénotaphe* – *Le moulin de Flatford et la rivière Stour* – *La ferme de la cure* – *Vue prise à Hampstead* – *La cathé-*

drale de Salisbury – Une après-midi d'été – Vue sur la lande de Hampstead – Vue d'Epsom – Stoke près Nayland (Suffolk) – L'écluse près du Stour, moulin de Flatford – Les glaneuses – Vallon de Dedham – La ferme de la cure – Paysage, croquis – Dedham, paysage – Chemin dans la campagne – Portrait de Mary Bicknell – Portrait de James Andrew – Portrait de Mrs Andrew – Portrait de l'artiste, dess. – MANCHESTER : Église Fearing, Kelvedon, Essex, aquar. – MONTRÉAL : Flatford House, près de Wille Lott's House – Paysage – Pont de Kew – MUNICH : Paysage – PARIS (Mus. du Louvre) : Le cottage – L'arc-en-ciel – La baie de Weymouth à l'approche de l'orage – Vue de Hampstead Head, effet d'orage, esquisse – Paysage, the Glebe Farm – Le moulin – SÃO PAULO : La cathédrale de Salisbury – SHEFFIELD : Champ de blé ou Ruelle de la campagne – Paysage – Cathédrale de Salisbury – STUTTGART : Grande route de campagne anglaise – Arbres, étude.

VENTES PUBLIQUES : LIVERPOOL, 1867 : Paysage : **FRF 5 375** – LONDRES, 1870 : Baie de Weymouth : **FRF 13 385** ; Charrette, âne et bestiaux : **FRF 19 700** ; Le Manor house : **FRF 3 415** ; Hampstead Heath et deux ânes : **FRF 14 700** ; Paysage avec pont : **FRF 9 970** – LONDRES, 1872 : Weymouth bay : **FRF 18 370** ; Londres vue de Hampstead : **FRF 10 230** – PARIS, 1873 : Le Cottage : **FRF 24 500** ; La Baie de Weymouth : approche de l'orage : **FRF 56 600** – LONDRES, 1874 : La Tamise : **FRF 27 000** – PARIS, 1877 : La Mare : **FRF 850** – LONDRES, 1877 : Le Moulin à eau : **FRF 10 230** – LONDRES, 1878 : Hampstead-Heath : **FRF 12 075** – LONDRES, 1888 : Le Moulin à eau : **FRF 8 660** – PARIS, 1891 : Le Débarquement, marine : **FRF 15 600** – PARIS, 1893 : Flood : **FRF 3 100** ; Le Soir : **FRF 1 020** – LONDRES, 1893 : Hampstead-Heath : **FRF 66 900** – LONDRES, 1894 : Scène sur la rivière Stour : **FRF 162 740** – LONDRES, 1894 : Hampstead-Heath : **FRF 45 900** – LONDRES, 1894 : Jetée de Yarmouth : **FRF 12 887** – LONDRES, 1895 : Paysage : **FRF 223 125** – LONDRES, 1896 : Embarquement de George IV : **FRF 52 500** – LONDRES, 1898 : Une lande d'Hampstead avec personnages et animaux : **FRF 12 325** – NEW YORK, 1898 : Moulin dans le Suffolk : **FRF 15 000** ; Le Lac de Windermere : **FRF 26 500** ; La Baie de Weymouth : **FRF 15 250** ; Le Lac : **FRF 26 000** – NEW YORK, 1899 : Portrait de l'Artiste : **FRF 2 250** ; Stratford, près de Londres : **FRF 4 125** – LONDRES, 1899 : Vue de la cathédrale de Salisbury : **FRF 34 375** – NEW YORK, 1902 : L'ouverture de la serrure : **USD 13 000** – NEW YORK, 1905 : The Glebe farm : **USD 2 600** – NEW YORK, 1906 : Portrait du peintre par lui-même : **USD 2 200** – PARIS, 11 juin 1906 : L'écluse : **FRF 1 300** – LONDRES, 18 jan. 1908 : Helmingham Dell, Suffolk : **GBP 157** – LONDRES, 16 mars 1908 : Scène au bord de la mer : **GBP 16** ; Le Moulin et le château d'Arundel : **GBP 336** – LONDRES, 6 fév. 1909 : Banstead, Surrey : **GBP 73** – LONDRES, 27 mars 1909 : Hampstead Heath : **GBP 378** – LONDRES, 24 avr. 1909 : La jetée de Yarmouth : **GBP 1 449** – LONDRES, 2 mai 1909 : Vue sur la rivière Stour : **GBP 714** – LONDRES, 6 mai 1910 : Le Presbytère : **GBP 735** – LONDRES, 24 juin 1910 : The Glebe farm Dedham : **GBP 2 047** – PARIS, 21 nov. 1919 : Entrée de forêt, esquisse : **FRF 1 600** ; Paysage d'une grande étendue, esquisse : **FRF 1 300** – PARIS, 18-20 mars 1920 : L'orage : **FRF 200** – PARIS, 26 et 27 mars 1920 : Moulin dans le Suffolk : **FRF 10 000** – PARIS, 6-8 déc. 1920 : L'Écluse, esquisse : **FRF 13 200** ; Paysage à Hampstead Heath après l'orage : **FRF 4 600** ; Le Pont de Londres, esquisse : **FRF 6 000** ; Paysage, esquisse : **FRF 2 100** ; Paysage, bord de rivière, sépia et aquarelle : **FRF 16 000** ; Paysage, lav. : **FRF 1 150** – PARIS, 27 jan. 1921 : Vue de Dedham Vale : **FRF 5 000** – PARIS, 23 fév. 1921 : Le Lac de Windermere : **FRF 700** – PARIS, 23 fév. 1922 : Chaumières au bord d'un cours d'eau, attr. : **FRF 600** – LONDRES, 15 mars 1922 : Un champ de blé dans le Suffolk : **GBP 71** – PARIS, 27-29 mars 1922 : Paysage d'Angleterre, attr. : **FRF 405** – PARIS, 30 juin 1922 : Un moulin près d'Oxford : **GBP 220** – PARIS, 24 mai 1923 : Paysage avec un cavalier sur un cheval blanc, attr. : **FRF 150** – LONDRES, 6 juil. 1923 : L'embarquement de George IV, esquisse : **GBP 2 520** – PARIS, 19 mars 1924 : Maison dans un parc, encre de Chine et sépia. attr. : **FRF 320** – PARIS, 20 juin 1924 : Paysage animé, attr. : **FRF 170** – PARIS, 4 déc. 1924 : Paysage d'Angleterre, genre de J. C. : **FRF 1 000** – PARIS, 26 oct. 1925 : Paysage, pap. mar./cart. : **FRF 330** – PARIS, 5 fév. 1927 : La Vallée, attr. : **FRF 780** – PARIS, 14 et 15 fév. 1927 : Bords de rivière, école de J. C. : **FRF 750** – LONDRES, 20 mai 1927 : La cathédrale de Salisbury : **GBP 2 310** ; La plage de Brighton : **GBP 630** – LONDRES, 23 juil. 1928 : Le couronnement de Guillaume IV, dess. : **GBP 50** – LONDRES, 28 février-3 mars 1930 : Près d'Arundel : **GBP 294** – PARIS, 1er juil. 1931 : L'Écluse, école de J. C. : **FRF 180** – LONDRES, 8 déc. 1931 : Le moulin à eau : **GBP 84** – NEW YORK, 5 mai 1932 : La Charrette : **USD 310** – PARIS, 24 juin 1932 : Paysage,

cr. gouaché : **FRF 220** – LONDRES, 5 août 1932 : La cathédrale de Salisbury : **GBP 105** – PARIS, 5 mai 1933 : La mare, attr. : **FRF 1 460** – NEW YORK, 18 et 19 avr. 1934 : Paysage : **USD 2 200** – PARIS, 1er juin 1934 : L'Écluse, attr. : **FRF 330** – PARIS, 15 juin 1934 : La Promenade au bord de l'eau : **FRF 1 050** – LONDRES, 27 juil. 1934 : Dedham, vu de la vallée de la Stour : **GBP 210** – LONDRES, 2 nov. 1934 : Champs de blé près de Brighton : **GBP 787** ; Hampstead : **GBP 283** – LONDRES, 4 avr. 1935 : Paysage au coucher du soleil, aquar. : **GBP 210** – PARIS, 12 déc. 1935 : Maison à l'orée d'une forêt, attr. : **FRF 220** – LONDRES, 19 juil. 1937 : Paysage boisé : **GBP 388** – LONDRES, 25 fév. 1938 : La ferme dans la vallée : **GBP 388** – LONDRES, 15 juil. 1938 : Helmingham Park : **GBP 399** – PARIS, 24 mars 1941 : La mare devant la ferme, attr. : **FRF 380** – PARIS, 30 juin et 1er juil. 1941 : Saint Mary's Church : **FRF 7 000** – NEW YORK, 4 et 5 déc. 1941 : Vue sur la rivière Stour : **USD 4 000** – PARIS, 29 juin 1942 : Bateaux de plaisance en vue des falaises : **FRF 6 000** – NEW YORK, 17 oct. 1942 : Un bateau dans une écluse : **USD 1 300** – NEW YORK, 29 avr. 1943 : Paysage : **USD 1 600** – NEW YORK, 20 avr. 1944 : L'Avon près de Salisbury : **USD 900** – LONDRES, 28 avr. 1944 : Une église : **GBP 105** – NEW YORK, 24 mai 1944 : Paysage : **USD 1 200** – NEW YORK, 13 déc. 1945 : Paysage : **USD 750** – NEW YORK, 12 déc. 1956 : Un vallon à Helmingham Park : **USD 22 000** – LONDRES, 2 juil. 1958 : La vieille cité de East Bergholt, Suffolk : **GBP 3 800** – LONDRES, 17 juil. 1959 : Le moulin de Stratford : **GBP 4 620** – LONDRES, 6 nov. 1959 : Le vallon de Bedham, vu d'une colline boisée : **GBP 9 450** ; Paysage avec cottage et arbres : **GBP 3 570** – LONDRES, 30 nov. 1960 : Anne et Mary Constable : **GBP 5 200** ; L'arc-en-ciel : **GBP 2 200** – LONDRES, 26 juil. 1961 : Étude de nuage : **GBP 6 800** – NEW YORK, 28 nov. 1962 : Dedham Vale : **USD 10 000** – LONDRES, 3 juil. 1963 : Champs de blé et moulin près de Brighton : **GBP 9 200** – LONDRES, 15 juil. 1964 : Paysage au soleil couchant : **GBP 9 500** – LONDRES, 15 mars 1967 : Portrait de John Charles, fils aîné de l'artiste : **GBP 1 800** – LONDRES, 26 juin 1968 : Paysage : **GBP 3 800** – LONDRES, 28 nov. 1969 : Paysage aux arbres : **GNS 6 200** – LONDRES, 17 juin 1970 : Paysage : **GBP 4 500** – LONDRES, 2 mars 1971 : Bletchington près de Brighton, aquar. : **GNS 1 300** – LONDRES, 23 juin 1971 : Le château de Windsor : **GBP 2 500** – LONDRES, 23 juin 1972 : Paysage animé de personnages 1824 : **GNS 90 000** – LONDRES, 26 mars 1976 : Étude de nuages, h/pap. mar./cart. (24x29,2) : **GBP 4 000** – NEW YORK, 9 oct. 1976 : Vue de Salisbury 1829, cr. (23x33,5) : **USD 8 000** – LONDRES, 9 nov. 1976 : The Stour Valley 1805, aquar. et cr. (17x27,5) : **GBP 8 000** – LONDRES, 14 juin 1977 : Jacques and the wounded stag, aquar., cr. et encre (23x23) : **GBP 6 000** – LONDRES, 25 nov. 1977 : Flatford Mill from the lock 1810 ou 1811, h/t (25,4x30,5) : **GBP 55 000** – LONDRES, 13 juil. 1978 : East Bergholt 1813, h/t (20,5x28) : **GBP 16 000** – LONDRES, 1979 : Netley Abbey, eau-forte (13,4x19) : **GBP 460** – LONDRES, 21 mars 1979 : Hampstead Heath-fine evening 1820, h/t (14x24,5) : **GBP 25 000** – LONDRES, 19 juin 1979 : Paysage d'Epsom 1806, aquar. (16,5x23) : **GBP 2 600** – LONDRES, 20 mars 1979 : Vue d'une ferme, cr. et aquar. (12,2x16,5) : **GBP 1 100** – NEW YORK, 3 juin 1981 : A Brighton lugger 1824, cr. (17,8x27,1) : **USD 15 500** – LONDRES, 15 juin 1982 : Dedham Vale, aquar. et cr. (15,5x22,5) : **GBP 5 500** – LONDRES, 16 nov. 1982 : Portrait of Captain Allen 1812, cr./pap. (30,5x20,3) : **GBP 17 500** – LONDRES, 29 mars 1983 : Dedham : The old lecture house seen across Long Meadow from Black Brook 1800, aquar. et pl., reh. de blanc (33x46) : **GBP 15 000** – LONDRES, 18 nov. 1983 : Stoke by Nayland 1816, h/pap. mar./t. (26,7x19,1) : **GBP 280 000** – LONDRES, 15 mars 1984 : A lock near Newbury 1821, cr. (16,5x25) : **GBP 32 000** – LONDRES, 5 nov. 1985 : Milford bridge 1826, eau-forte/Chine appliqué (13,6x19,2) : **GBP 2 800** – LONDRES, 21 nov. 1985 : Flatford lock 1823, cr. et lav. de gris/deux feuilles jointes (16,8x30) : **GBP 30 000** – LONDRES, 27 juin 1986 : An old bridge at Salisbury or Milford bridge vers 1826, eau-forte (13,3x18,9) : **GBP 2 100** – LONDRES, 10 juil. 1986 : Stanway Mill, near Colchester, Essex, aquar. (21x15,5) : **GBP 56 000** – LONDRES, 21 nov. 1986 : Flatford Lock and Mill, h/t (66x92,7) : **GBP 2 400 000** – LONDRES, 24 avr. 1987 : Flatford Mill from the lock, h/t mar./cart. (15,2x21) : **GBP 220 000** – LONDRES, 16 juil. 1987 : Stoke-by-Nayland, Suffolk, lav. brun et blanc rehausé au cr. (12x16,5) : **GBP 48 000** – LONDRES, 14 juil. 1989 : Les maisons de East Bergholt vues depuis les champs de derrière Golding Constable, h/pap./t. (13,7x24,7) : **GBP 71 500** – LONDRES, 15 nov. 1989 : La colline de Child avec la cité de Harrow à distance, h/t (60x75) : **GBP 616 000** – LONDRES, 14 mars 1990 : La rivière Stour vers Dedham au coucher de soleil, h/pap./t./pan. (25x19,5) : **GBP 198 000** – LONDRES, 14 nov. 1990 : L'écluse, h/t (142,2x120) :

GBP 10 780 000 – Londres, 10 juil. 1991 : *Étude de nuages au-dessus de la mer à Brighton*, h/t (16x23) : **GBP 41 800** – Londres, 8 avr. 1992 : *La moisson*, h/pap./t. (49x67) : **GBP 34 100** – Londres, 10 avr. 1992 : *Portrait de Lady Croft, en buste, vêtue d'une robe blanche avec une rose au corsage*, h/t (76,9x63,5) : **GBP 22 000** – Londres, 17 juil. 1992 : *Étude de nuages*, h/pap./cart. (30,1x59,2) : **GBP 99 000** – Londres, 10 nov. 1993 : *Portrait de Henry Greswolde Lewis portant une jaquette noire et une cravate blanche*, h/t (76x63,5) : **GBP 8 625** – Londres, 12 avr. 1995 : *Paysage au clair de lune avec l'église de Hadleigh au loin* 1796, h/t (45,5x55) : **GBP 32 200** – Londres, 10 juil. 1996 : *L'enfant malade* 1865, h/t (59x47,5) : **GBP 8 050** – Londres, 13 nov. 1996 : *Vue de Beaufort Cottage depuis la maison de Constable*, h/t/pan. (14x18) : **GBP 106 000** – Londres, 9 avr. 1997 : *La Maison de Willy Lott*, h/t (34x42,5) : **GBP 221 500** – Londres, 9 juil. 1997 : *Étude de nuages*, h/pap./t. (24x30,5) : **GBP 56 500**.

CONSTABLE Roddice
Née le 19 juin 1881. xxᵉ siècle. Britannique.
Peintre de paysages, miniaturiste et lithographe.

CONSTABLE W. H.
xixᵉ siècle. Britannique.
Peintre verrier.
Il travailla à Cambridge et exposa à Paris en 1878.

CONSTANCE Jean ou Hans ou Hance de Constance
xvᵉ siècle. Actif à Paris. Français.
Peintre.
Philippe le Bon le fit venir à Bruges.

CONSTANCIEL Jean
Né le 6 octobre 1829 à Fleurs. xixᵉ siècle. Français.
Sculpteur.
Élève de l'École des Beaux-Arts. Il exposa au Salon de Paris des bas-reliefs en plâtre représentant tous des sujets religieux, de 1861 à 1865. On ne sait plus rien de lui après le Salon de 1877.

CONSTANS Charles Louis
xviiiᵉ-xixᵉ siècles. Français.
Peintre sur porcelaine.
Il travailla pour la manufacture de Sèvres de 1803 à 1840.

CONSTANS Jean-Paul
Né le 25 octobre 1777 à Vitrolles (Bouches-du-Rhône). Mort en 1833 à Vitrolles (Bouches-du-Rhône). xixᵉ siècle. Français.
Peintre de paysages, marines.
Musées : Aix-en-Provence : *Entrée du vieux port de Marseille*.
Ventes Publiques : Monaco, 17 juin 1988 : *Vue de la baie de Naples depuis le golf de Ste Lucie* 1832, h/t (65x86) : FRF 122 100.

CONSTANS Louis Aristide Léon
xixᵉ siècle. Français.
Peintre de natures mortes, fleurs et fruits, pastelliste.
De 1836 à 1848, il exposa, au Salon, des tableaux représentant des fleurs, des fruits, des gibiers.
Ventes Publiques : Paris, 11 et 12 mai 1925 : *Fleurs et fruits* : FRF 780 – Paris, 21 avr. 1937 : *Fruits sur une tablette de pierre* : FRF 2 100 – Paris, 22 nov. 1942 : *Vase de fleurs* : FRF 35 000 – Paris, 1ᵉʳ avr. 1966 : *Fleurs et fruits*, deux toiles formant pendants : FRF 3 400 – Monte-Carlo, 29 nov. 1986 : *Fleurs d'été et de printemps dans un vase d'albâtre ; Fleurs d'automne dans une corbeille* 1842, deux h/t (81,5x65,5) : FRF 780 000 – Monte-Carlo, 6 déc. 1987 : *Fleurs, fruits et gibier* 1847 ; *Fleurs de printemps et coquillage* 1848, deux h/t (62,5x52,5) : FRF 230 000 – Paris, 2 déc. 1994 : *Fleurs éparses : roses, œillets, capucines, volubilis, sauges, escholtzias, laurier-rose, aconits, scabieuses etc.*, past./pap. chamois (60x72) : FRF 42 000.

CONSTANT, pseudonyme de Nieuwenhuys Constant A.
Né en 1920 à Amsterdam. xxᵉ siècle. Hollandais.
Peintre de portraits, animaux, peintre à la gouache, aquarelliste, sculpteur de monuments, figures, céramiste, dessinateur. Groupe COBRA.
Il figura au Salon des Réalités Nouvelles à Paris en 1953, et réalisa une sculpture pour le pavillon néerlandais de l'Exposition Internationale de Bruxelles en 1958. Il figurait à l'exposition des Galeries Pilotes du Monde au Musée Cantonal de Lausanne en 1963, et représentait la Hollande à la Biennale de Venise en 1966. Des rétrospectives de ses œuvres se sont tenues en 1961 à la Städlische Kunstgalerie de Bochum, en 1980 au Gemeentemuseum de La Haye, et en 1986 au Rheinisches Landesmuseum de Bonn. Après des études dans une école d'art industriel, et à l'Académie des Beaux-Arts d'Amsterdam entre 1940 et 1942, il commence sa carrière en tant que peintre, réalisant des œuvres dites « expérimentales », dès 1945. Il est à la naissance du groupe *Cobra*, selon une démarche dont le point de départ est son adhésion, en 1947, avec le Danois Asger Jorn, à l'éphémère mouvement du Surréalisme Révolutionnaire, ainsi qu'à la rédaction, par Constant lui-même, du manifeste du Groupe Expérimental Hollandais *Reflex*, auquel se rallient Appel et Corneille. C'est de ce groupe, une fois la jonction faite avec Alechinsky et le poète Christian Dotremont, que sortira le groupe *Cobra*. À la suite d'un séjour à Paris en 1950-1952, puis à Londres, il retourne à Amsterdam où sa peinture gagne en abstraction. Il délaisse un temps la peinture pour s'intéresser aux problèmes de l'espace d'abord au travers de sculptures, puis en travaillant dans le domaine de l'architecture et de l'urbanisme. En 1953, il réalise des constructions spatiales et publie un manifeste avec Aldo Van Eijck *Pour un colorisme spatial* ; en 1955 il exécute le monument de la reconstruction à Rotterdam. A partir de 1956, il se consacre à la conception d'une cité globale, la *New Babylon* et définit la notion d'urbanisme unitaire où l'homme futur s'épanouira en exerçant ses facultés créatrices dans la fête et le jeu. Dans cette perspective, Constant a exécuté d'importantes maquettes de bâtiments pour la constitution d'une ville idéale.
Lié au mouvement des situationnistes, il rédige en 1958 avec Guy Debord la « déclaration d'Amsterdam » qui fonctionne autour du concept d'« urbanisme unitaire ». Il réalise au cours des années soixante une série de peintures dirigées par le même esprit, désignant la place de l'homme dans l'univers qui sont soit très informelles, soit très architecturées. Les années soixante-dix voient le retour de Constant vers la peinture, avec des compositions évoquant divers sujets comme le pouvoir, la liberté, l'amour, où l'homme apparaît dans des espaces sous la forme de petits personnages réduits à des taches. Abordant des thèmes tragiques, *Le Procès* (1978), *La Samaritaine* (1984), il peuple de grands surfaces de figures sombres aux visages presque absents, parfois rouges.

Constant

BibliogR. : Christian Dotremont : *Constant*, Bibliothèque Cobra – in : *Dictionnaire de la peinture flamande et hollandaise*, Larousse, 1989.
Musées : Amsterdam – Groningue – La Haye : *Salutations de la New Babylon* 1963 – Paris (Mus. Nat. d'Art Mod.) : *L'animal sorcier* 1949, h/t, (110x85) – Vienne (Mus. du xxᵉ siècle).
Ventes Publiques : Munich, 28 mai 1979 : *Oiseau au bec rouge* 1948, craies de coul. et encre de Chine (55,5x32) : DEM 2 300 – Copenhague, 31 mars 1982 : *Masque* 1949, h/t (44x50) : DKK 52 000 – Amsterdam, 15 mars 1983 : *Jeune fille et oiseau* 1949, fus. et gche (25x35) : NLG 7 400 – Londres, 6 déc. 1984 : *Sans titre* 1949, gche et past. (54x45,1) : GBP 6 200 – Amsterdam, 18 mars 1985 : *Cirque* 1967, aquar. et gl. (90,7x103,5) : NLG 30 000 – Copenhague, 24 sep. 1986 : *Composition* 1948, aquar., gche et encre de Chine (42x33) : DKK 90 000 – Amsterdam, 21 mai 1987 : *Fleurs*, aquar. et craie/pap. (27,5x36) : NLG 4 000 – Londres, 2 juil. 1987 : *Sans titre* 1949, h/t (85x70,5) : GBP 170 000 – Copenhague, 25 fév. 1987 : *Composition* 1948, encre de Chine (35x25) : DKK 50 000 – Copenhague, 24 fév. 1988 : *Oiseau* 1949 (28x30) : DKK 170 000 – Copenhague, 8 nov. 1988 : *Oiseaux sauvages* 1948, h/t (54x65) : DKK 320 000 – Londres, 1ᵉʳ déc. 1988 : *Nébuleuse mécanique* 1958, métal et Plexiglas sur socle de bois, projet pour la Nouvelle Babylone (H. 60) : GBP 23 100 – Londres, 23 fév. 1989 : *Sans titre* 1956, h/t (60x70) : GBP 9 350 – Amsterdam, 24 mai 1989 : *Joueur de flûte avec un chat* 1950, encre brune et noire/pap. (46x51) : NLG 48 300 – Londres, 29 juin 1989 : *Oiseau en cage* 1948, h/t (115x50) : GBP 66 000 – Amsterdam, 13 déc. 1989 : *Matie lisant un poème*, h/t (72x53) : NLG 74 750 – Amsterdam, 22 mai 1990 : *Deux oiseaux* 1949, h/t (81x62,5) : NLG 644 000 – Amsterdam, 13 déc. 1990 : *Forme violette sur fond jaune* 1953, h/t (65x100) : NLG 74 750 – Amsterdam, 23 mai 1991 : *Oiseaux* 1948, gche/pap. (42,5x32,5) : NLG 34 500 – Copenhague, 23 mai 1991 : *Animaux fabuleux* 1948, gche (22x26) : DKK 57 000 – Amsterdam, 19 mai 1992 : *L'Oiseau blessé* 1951, cr. de coul., gche et encre/pap. (46x43,5) : NLG 43 700 – Copenhague, 2-3 déc. 1992 : *Visage* 1948, h/t (35x28) : DKK 195 000 – Amsterdam, 10 déc. 1992 : *Chat et Oiseau* 1949, craies noire et coul. et gche/pap. (68,5x87,5) :

NLG 69 000 – AMSTERDAM, 26 mai 1993 : *Portrait de jeune femme* 1981, aquar./pap. (61x46) : **NLG 13 800** – AMSTERDAM, 8 déc. 1993 : *Un animal*, coupe de céramique (diam. 16,5) : **NLG 14 950** – AMSTERDAM, 9 déc. 1993 : *Labyrinthe* 1972, h/t (165x174) : **NLG 92 000** – AMSTERDAM, 31 mai 1995 : *Sans titre* 1956, h/t (17,5x24) : **NLG 11 800** – AMSTERDAM, 5 juin 1996 : *Hommes* 1982, cr. de coul. et aquar./pap. (45x61) : **NLG 21 850** – LONDRES, 5 déc. 1996 : *Sans titre* 1951, h. et gche/pap. (44x54) : **GBP 8 280** – AMSTERDAM, 10 déc. 1996 : *Animaux heureux dans un paysage lunaire* 1948, h. et collage/cart. (60x74) : **NLG 109 554** – AMSTERDAM, 17-18 déc. 1996 : *Portrait de femme*, aquar./pap. (42x31) : **NLG 14 160** – AMSTERDAM, 1er déc. 1997 : *Vrijheidshut* 1953, gche et collage/pap. (49x63) : **NLG 23 600**.

CONSTANT Amédée
Né à Libourne (Gironde). XIXe siècle. Français.
Peintre d'émaux et sculpteur.
Élève de L. Cogniet et de Chiffart. A débuté au Salon en 1874.

CONSTANT Benjamin. Voir BENJAMIN-CONSTANT

CONSTANT Éliane
Née à Paris. XXe siècle. Française.
Peintre de fleurs.
Elle expose au Salon des Artistes Français.
VENTES PUBLIQUES : LONDRES, 13 mars 1996 : *Nature morte de fleurs*, h/cart. (20x18,5) : **GBP 1 610**.

CONSTANT Eugène
XIXe siècle. Actif vers 1843. Français.
Peintre de genre.
A peint des intérieurs d'église.

CONSTANT Françoise
Née en 1959. XXe siècle. Française.
Peintre. Abstrait.
Elle participe à des Salons, notamment à celui des Réalités Nouvelles à Paris en 1988.

CONSTANT Joseph, pseudonyme de Constantinovsky ou Constantinovitch
Né en 1892 à Jaffa. Mort en octobre 1969 à Paris. XXe siècle. Depuis 1919 actif en France. Palestinien.
Peintre de portraits et de paysages, sculpteur animalier.
En 1919, il s'installe à Paris où il fut un personnage célèbre de Montmartre. Il a participé au Salon des Artistes Indépendants de 1928 à 1931 et à celui des Tuileries en 1932-1933. Après la guerre, il s'est surtout fait connaître comme sculpteur animalier. En tant qu'écrivain, il obtient le Prix des Deux Magots.
VENTES PUBLIQUES : NEW YORK, 15 mai 1980 : *Canard à l'envol*, bronze (H. 24) : **FRF 5 000** – TEL-AVIV, 2 jan. 1989 : *Buffle*, bronze (H. 13,5) : **USD 550** – TEL-AVIV, 19 juin 1990 : *Pélican*, bronze (H. 22,5) : **USD 990** – TEL-AVIV, 1er jan. 1991 : *Pélican*, bois (H. 98,5) : **USD 8 580** – TEL-AVIV, 12 juin 1991 : *Aigle*, bronze (H. 68) : **USD 5 280** – TEL-AVIV, 6 jan. 1992 : *Un bélier et deux chiens*, bois (H. 87) : **USD 4 400** – TEL-AVIV, 14 jan. 1996 : *Goéland*, bronze (H. 29) : **USD 2 990**.

CONSTANT Raymond, dit Rémy
Mort avant 1657 à Nancy. XVIIe siècle. Français.
Peintre d'histoire et de genre.
Ami de Bellange et de Deruet, il peignit dans la manière de celui-ci. Le Musée Historique Lorrain de Nancy possède deux de ses peintures religieuses.

CONSTANT Rosalie de
Née en 1758 à Genève. Morte le 27 novembre 1835 à Genève. XVIIIe-XIXe siècles. Suisse.
Dessinatrice.
Le Musée de Lausanne possède quelques tableaux de cette artiste.

CONSTANT-BRULÉ
Né à Dammartin-en-Goële (Seine-et-Marne). XXe siècle. Français.
Sculpteur de bas-reliefs, figures, bustes.
Il a figuré au Salon d'Automne de Paris entre 1929 et 1933 et, de 1935 à 1938 au Salon des Artistes Français, dont il est devenu sociétaire et où il obtint une mention en 1926.

CONSTANTIN
XVIIe siècle. Tchécoslovaque.
Peintre de portraits, graveur.
Il était moine, actif à Prague dans la seconde moitié du XVIIe siècle. Il exécuta un grand nombre de portraits.

CONSTANTIN
Né en 1957 à Bucarest. XXe siècle. Actif en France, États-Unis. Roumain.
Peintre. Polymorphe.
Il fit ses études à l'École des Beaux-Arts de Bucarest. Il vit et travaille à Paris et à New York. Il a participé à de nombreuses expositions en Roumanie, en France et en Espagne, et figuré au Salon de la Figuration Critique en 1987-1988, au SAGA de 1991 (Salon d'Art Graphique Actuel), et à l'International Art Fair de Chicago en 1987.
Lorsqu'il exposait à Figuration Critique, on peut supposer qu'il était figuratif, tandis que, des mêmes années, proviennent des peintures totalement abstraites.
VENTES PUBLIQUES : PARIS, 5 juil. 1990 : *Composition*, h. et flamme (41x41) : **FRF 3 500** – PARIS, 9 nov. 1990 : *Sans titre* 1989, h., collage et fumée/t. (195x130) : **FRF 4 500** – PARIS, 14 avr. 1991 : *Sans titre*, collage et fumée sur t. (100x60) : **FRF 4 000** – PARIS, 6 juil. 1992 : *Sans titre*, h., collage et fumée/t. (60x100) : **FRF 4 500**.

CONSTANTIN ou Constantinus de Jarnac
XIIe siècle. Français.
Sculpteur de monuments.
Son nom figure sur le couronnement du tombeau de l'évêque Jean d'Asside, mort en 1169. Ce monument, placé dans l'église de Saint-Étienne, à Périgueux, porte, en caractères du XIIe siècle, l'inscription suivante : *Constantinus de Jarnac fecit hoc opus*. On en voit un moulage au Musée des Monuments Français, à Paris (au Trocadéro).

CONSTANTIN Abraham
Né le 1er décembre 1785 à Genève. Mort le 10 mars 1855 à Genève. XIXe siècle. Suisse.
Peintre de sujets mythologiques, compositions religieuses, portraits, miniaturiste.
Peintre sur émail et sur porcelaine, il a reproduit un grand nombre de tableaux de maîtres. Il délaissa l'émail en 1826 après son entrée à la Manufacture de Sèvres.
Il exposa notamment au Salon, en 1810, des portraits de l'impératrice Joséphine, la reine de Westphalie ; en 1812, le roi de Rome, le roi d'Espagne, le roi des Deux-Siciles ; en 1814, Mlle Mars ; en 1817, Louis XVIII et Alexandre Ier, d'après Gérard. Plusieurs de ses portraits sont également cités : le portrait d'une jeune femme (coll. Doistau), et ceux du prince Eugène de Beauharnais (coll. du comte Cicogna, Milan) et de Joseph Bonaparte (coll. J. Whitehead).
MUSÉES : FLORENCE : *L'artiste par lui-même* – GENÈVE (Mus. des Arts décoratifs) : *Louis XVIII* – MILAN (Mus. del Castello) : *Tête de Christ* – *Vénus et Adonis* – PARIS : *Eugène de Beauharnais* – TURIN : *Dix-huit émaux d'après le Corrège, le Titien, Rubens, etc.*
VENTES PUBLIQUES : PARIS, 1910 : *Vivant-Denon* 1809 : **FRF 1 110** – PARIS, 9 déc. 1940 : *Portrait d'un peintre*, cr. noir, reh. de coul. : **FRF 320** – PARIS, 10 déc. 1993 : *La Vierge au poisson* 1818, peint. sur porcelaine, d'après Raphaël (42x31,5) : **FRF 75 000**.

CONSTANTIN Adèle
XIXe-XXe siècles. Active à Mulhouse. Française.
Peintre de portraits et de genre.
Elle exposa à Paris, au Salon, de 1883 à 1902. Le Musée de Mulhouse possède, de cette artiste, un *Portrait*.

CONSTANTIN Aglaé
Née à Aix. XIXe siècle. Française.
Peintre.
Elle était la sœur de Joseph Sébastien Constantin et la fille de Jean Antoine Constantin, dont elle imita la manière.

CONSTANTIN Auguste Aristide Fernand
Né le 13 février 1824 à Paris. Mort en novembre 1895 à Paris. XIXe siècle. Français.
Peintre et graveur.
Il eut pour professeurs Picot et T. Couture. En 1848, il commença à exposer au Salon. Cet artiste a peint surtout des natures mortes.
VENTES PUBLIQUES : PARIS, 27 mars 1919 : *Les maisons au bord de la mer*, aquar. : **FRF 15** – PARIS, 28 jan. 1924 : *Les Pêcheurs, effet du soir* ; *Bords de mer*, deux panneaux : **FRF 85** – PARIS, 30 mars 1925 : *Vieilles maisons à Rouen*, aquar. gchée : **FRF 80** – PARIS, 3 mai 1926 : *Ruines au bord d'un lac*, aquar. : **FRF 160** – PARIS, 6 fév. 1929 : *Les lavandières*, aquar. : **FRF 450** ; *Soleil couchant sur le Bosphore*, aquar. : **FRF 420** ; *Petit port sur un lac italien*, aquar. : **FRF 210** – PARIS, 24-26 avr. 1929 : *Le marché aux*

légumes, gche : **FRF 140** ; *Cortège féodal*, dess. : **FRF 220** ; *Défilé de carnaval à la lumière des torches*, dess. : **FRF 60** – PARIS, 19 juin 1933 : *Une cathédrale en Normandie*, aquar. gchée : **FRF 160** – NEW YORK, 13 oct. 1978 : *Le Goûter*, h/t (40,5x33) : **USD 2 000** – VIENNE, 12 sep. 1984 : *Nature morte*, h/t (92x73) : **ATS 35 000**.

CONSTANTIN Charles Dominique Vivant
Né le 8 janvier 1804 à Dijon. XIXe siècle. Français.
Peintre.
Élève de V. Bertin et de C. Roqueplan. Il exposa au Salon de Paris, de 1834 à 1844.

CONSTANTIN Françoise
Née à Aix. XIXe siècle. Française.
Peintre et miniaturiste.
Elle était la sœur de Joseph Sébastien et d'Aglaé Constantin. Sa peinture était aussi proche de l'un que de l'autre.

CONSTANTIN Huguette
Née le 7 juillet 1925 à Fontenay-sur-Eure (Eure-et-Loir). XXe siècle. Française.
Peintre de paysages, natures mortes, peintre à la gouache.
Elle fit des études artistiques à Chartres. De 1945 à 1965, elle a surtout pratiqué l'huile, peignant des ports de Bretagne ou du Midi, ensuite, à partir de 1958, sous les conseils de Pierre Le Mare, elle a abandonné cette technique pour la peinture à l'eau et notamment la gouache et a exposé au Salon du dessin et de la peinture à l'eau à Paris. Elle a souvent exposé en compagnie de Raymond Boissy dans les mairies de Corrèze. Elle a également participé au Salon des Artistes Indépendants à Paris. Médaille de bronze des Arts, Sciences et Lettres en 1982 et médaille d'argent de la Ville de Paris en 1983.
Ses thèmes se sont étendus aux paysages de Corrèze, aux lacs de Savoie et, enfin aux paysages de la Martinique où elle est allée étudier les verts de la Forêt tropicale. D'ailleurs, dans ses toiles, les verts dominent : ruisseaux, cascades, vieux moulins.

CONSTANTIN Jean Antoine, dit Constantin d'Aix
Né le 21 janvier 1756 à Bonneveine (près de Marseille). Mort le 9 janvier 1844 à Aix-en-Provence. XVIIIe-XIXe siècles. Français.
Peintre, aquarelliste, graveur.
Il étudia sous la direction de Kapeller père et de David, de Marseille. Il alla ensuite à Rome compléter son éducation artistique sous la direction de Vien. Il y demeura six années, puis revint à Aix où il fut nommé en 1787 directeur de l'école de dessin de cette ville, qu'il dut quitter au moment de la Révolution, pour devenir professeur à Digne.
Il remporta en 1773 le premier prix de l'Académie de Marseille. En 1817, il obtint la médaille d'or à l'Exposition de Paris et en 1833 fut fait chevalier de la Légion d'honneur.
Ce fut surtout un aquarelliste de talent. Son influence sur l'école provençale moderne a été considérable. Ses paysages ne manquent pas de charme et de sentiment.
BIBLIOGR. : G. Schurr : *Les Petits Maîtres de la peinture 1820-1920, valeur de demain*, Les Éditions de l'Amateur, Paris, 1969.
MUSÉES : AIX : Huit dessins sous verre – *Paysage* – *Halte de gens de guerre* – *Arbres et rochers au bord de la mer* – *Site agreste* – *Gorges de rochers* – *Portrait de vieillard, coiffé d'un turban* – AVIGNON : *La fontaine de Vaucluse* – MARSEILLE (Mus. des Beaux-Arts) – POITIERS : *Paysage*.
VENTES PUBLIQUES : PARIS, 1847 : *Paysages, avec ruines et cascades*, deux dessins, à la plume, au bistre, mêlés d'encre de Chine : **FRF 34** – PARIS, 1863 : *Vue de Moutiers (Basses-Alpes)* ; *Paysage avec figures*, trois dessins au bistre : **FRF 20** – PARIS, 1894 : *Port normand*, aquar. : **FRF 24** – MARSEILLE, 1896 : *Vue panoramique de la ville d'Aix*, dess. : **FRF 27** ; *La diseuse de bonne aventure*, dess. : **FRF 32** ; *Vue des ruines d'un pont et d'une habitation*, dess. : **FRF 16** – PARIS, 1900 : *Panier de roses* : **FRF 55** – PARIS, 20 mars 1924 : *Trois pêcheurs napolitains, au verso* : *Six pêcheurs napolitains*, lav. sur trait : **FRF 400** – PARIS, 8 nov. 1924 : *Cour de ferme en Italie, avec figures sous des arcades*, pl. et lav. d'encre de Chine : **FRF 1 200** – PARIS, 19 nov. 1924 : *Moine lisant* : **FRF 110** – PARIS, 6 nov. 1926 : *Paysage avec torrent, habitations et personnages*, pl. et lav. : **FRF 1 200** – PARIS, 21 mai 1927 : *La Grotte* : **FRF 280** – PARIS, 28 oct. 1927 : *Paysages animés de personnages*, deux lavis de sépia : **FRF 1 500** – PARIS, 14-16 nov. 1927 : *Paysage de Provence avec ruines*, cr. noir. attr. : **FRF 420** – PARIS, 12-14 mars 1928 : *Vue perspective du pont projeté sur la Durance*, pl. et lav. : **FRF 1 500** – PARIS, 30 oct. 1928 :

Fontaine provençale, pl. : **FRF 60** – PARIS, 23 mai 1929 : *Danse sous les arbres*, dess. : **FRF 165** – PARIS, 12 juin 1929 : *Lever de lune sur un cours d'eau* : **FRF 4 000** – PARIS, 27 nov. 1931 : *Les lavandières*, pl. et lav. d'encre de Chine : **FRF 1 050** – PARIS, 25 oct. 1933 : *Portique et figures*, aquar. : **FRF 160** – NICE, 4 avr. 1950 : *Le château d'Albertas*, aquar. : **FRF 15 700** – PARIS, 10 juin 1955 : *Le berger musicien*, past. : **FRF 24 000** – PARIS, 8 déc. 1983 : *Le siège de Toulon*, dess. reh. de lav. d'encre de Chine (43x63) : **FRF 8 000** – PARIS, 11 mars 1988 : *Paysages*, pl. et lav. d'encre de Chine, dix dess. dans un même encadrement (10x17 chacun) : **FRF 7 000** – PARIS, 30 juin 1988 : *Paysage à la cascade*, h/t (64x46,5) : **FRF 18 500** – PARIS, 16 mars 1990 : *Fontaine de Vaucluse*, encre de Chine (40x64) : **FRF 47 000** – AUBAGNE, 8 oct. 1992 : *La villa Médicis* ; *Les jardins du Belvédère*, aquar., une paire (chaque 48x70) : **FRF 100 000** – PARIS, 28 mai 1993 : *Un monastère et ses moines dans un paysage*, pl. et lav. d'encre de Chine (42x55) : **FRF 4 000** – MONACO, 2 juil. 1993 : *Les cascades de Tivoli 1780*, craie noire et encre (44x59,7) : **FRF 44 400** – PARIS, 3 déc. 1993 : *Personnages dans un sous-bois*, pl. et lav. (47x37,5) : **FRF 4 800** – PARIS, 19 déc. 1994 : *La Fontaine de Vaucluse*, h/t/ pan. (50x38,5) : **FRF 10 000** – PARIS, 7 avr. 1995 : *Le repos des paysans*, encre noire et lav. brun (28x47) : **FRF 14 500** – PARIS, 23 juin 1995 : *Jeunes femmes près d'une source*, h/pan. (32,5x26) : **FRF 15 000** – LONDRES, 3 juil. 1996 : *Paysage classique avec la muraille de Constantin à Rome*, encre et lav. (26,3x38,3) : **GBP 2 300**.

CONSTANTIN Joseph Sébastien
Né le 20 janvier 1793 à Aix. Mort en mars 1864 à Bicêtre. XIXe siècle. Français.
Peintre de genre.
C'est sous la conduite de son père, Jean Antoine Constantin, qu'il fit son éducation artistique. De 1817 à 1847, il exposa au Salon de Paris. Il fut médaillé de troisième classe en 1840.
MUSÉES : AIX : *Mansarde au Louvre* – AVIGNON : *Religieux prosterné en prière* – MONTPELLIER : *Paysage d'Italie*.

CONSTANTIN Juliette ou Chopin
Née le 12 février 1931. XXe siècle. Française.
Peintre et sculpteur.
Fille du peintre Louis Neillot, elle a exposé sous le pseudonyme de Juliette Chopin jusqu'en 1963. Élève à l'École des Arts Décoratifs de Paris, elle travailla dans l'atelier Couturier. Elle a participé au Salon des Artistes Indépendants à Paris, dès 1951, puis au Salon d'Automne, dont elle devint sociétaire en 1955. Personnellement, elle a surtout exposé à Paris.

CONSTANTIN Marie
XIXe-XXe siècles. Française.
Peintre de sujets de genre.
Elle exposa, de 1895 à 1903, au Salon des Artistes Français, à Paris.

CONSTANTIN VAN DER HAEGHE A., Mme
XIXe-XXe siècles.
Peintre.
En 1912, elle exposait au Salon des Artistes Français : *Le repos du modèle*.

CONSTANTIN DE ZUAN Giacomo da Crema
XVIe siècle. Actif à Venise en 1556. Italien.
Peintre.

CONSTANTINE George Hamilton
Né en 1878. XXe siècle. Britannique.
Peintre de paysages animés, paysages d'eau, aquarelliste.
VENTES PUBLIQUES : PARIS, 20 avr. 1986 : *Caliorne 1959*, h/t (92x73) : **FRF 18 000** – LONDRES, 26 sep. 1990 : *Labours d'automne*, aquar. (17x25) : **GBP 990** – LONDRES, 30 jan. 1991 : *Les Environs de Balbriggan* ; *Les environs de Wicklow Head*, aquar. avec reh. de blanc, une paire (chaque 36x51) : **GBP 3 300** – LONDRES, 5 juin 1991 : *Le château de Bamborough*, aquar. avec reh. de blanc (30x45) : **GBP 990** – LONDRES, 16 juil. 1993 : *Dans l'estuaire de la Moray*, aquar. avec reh. de blanc (25x45) : **GBP 1 610** – LONDRES, 10 oct. 1996 : *Moutons paissant*, aquar. avec reh. de gche (24x34) : **GBP 1 380**.

CONSTANTINESCU Gabriel
Né le 8 novembre 1942 à Bucarest. XXe siècle. Actif en Allemagne. Roumain.
Peintre, sculpteur, illustrateur et photographe.
Après des études à l'École d'Arts Plastiques de Bucarest, il a été

diplômé de l'Institut Pédagogique de la même ville en 1964. Il reprendra plus tard des études, une fois installé en Allemagne, à la section libre de l'Académie des Beaux-Arts de Hambourg de 1970 à 1973. Avant de quitter définitivement la Roumanie en 1969, il avait exécuté des peintures murales à la Faculté de Droit de Bucarest en 1964-1965, avait travaillé comme dessinateur à la section d'anatomie de la Faculté de Médecine de Bucarest en 1965. Il avait également réalisé des illustrations de livres, notamment pour *Germinal* d'Émile Zola, *La montagne magique* de Thomas Mann, des poésies de Jacques Prévert. En 1968, il obtient le Prix pour la peinture et les arts graphiques à l'Exposition des Jeunes Artistes de Roumanie. Une fois établi en Allemagne (1969), il participe à plusieurs expositions de groupe en Roumanie, Suisse, Suède, Allemagne, en particulier à la Documenta de Cassel. A partir de 1969, il a personnellement exposé à Aix-la-Chapelle, Hambourg, Stuttgart. De 1973 à 1978, il enseigne à l'École professionnelle supérieure de Design de Hambourg.
La démarche de Gabriel Constantinescu n'est pas uniforme puisqu'il est passé du cubisme au futurisme et au surréalisme, du constructivisme à l'art abstrait, de la création d'objets au land art, de l'art structurel aux performances, puis au réalisme fantastique de ses luxuriantes compositions végétales servies par un dessin d'une étonnante précision et d'une grande vivacité.
Bibliogr. : Ionel Jianou : *Les Artistes Roumains en Occident*, American Romanian Academy of Arts and Sciences, Los Angeles, 1986.

CONSTANTINESCU Marc
Né le 29 juin 1900 à Charlottenbourg (Prusse). xxᵉ siècle. Roumain.
Sculpteur.
Ancien élève de l'École du Louvre, il a participé à plusieurs expositions en France et en Roumanie. Il a organisé le Musée d'Art populaire du Séminaire sociologique de la Faculté de Bucarest. Son art fait référence à un certain modernisme.

CONSTANTINI Battista
Né à Venise. xixᵉ siècle. Italien.
Peintre de paysages.
Paysagiste des montagnes, c'est un grand admirateur et un fervent interprète des sites sauvages des Alpes.

CONSTANTINI Giovanni Battista, dit aussi Constantino
Né à Rome. xviiᵉ siècle. Actif vers 1619. Italien.
Graveur, peintre.
Peut-être identique à COSTANTINI. Sa qualité de peintre n'est pas attestée de façon définitive.

CONSTANTINI Giuseppe. Voir COSTANTINI

CONSTANTINI Martiale
Né à Paris. xxᵉ siècle. Italien.
Peintre.
A exposé des paysages au Salon d'Automne et aux Indépendants, de 1923 à 1943.

CONSTANTINIDÈS Léa
Née à Athènes. xxᵉ siècle. Grecque.
Sculpteur.
Élève de Navellier. A figuré au Salon des Artistes Français en 1928.

CONSTANTINIDI Philopoemen ou Caracosta
Né en 1909 à Salonique. xxᵉ siècle. Grec.
Peintre et graveur. Postimpressionniste, abstrait, puis figuratif.
Après avoir fait des études à l'École des Beaux-Arts d'Athènes en 1927, il entra à l'Académie de la Grande Chaumière à Paris en 1929-30. Il a pris part au Salon des Tuileries à Paris en 1932, puis exposa avec le groupe « Artistes libres » à Athènes en 1935 et avec une sélection d'artistes grecs à Vienne. Il a également figuré à l'exposition : *Peintres et Sculpteurs Grecs de Paris* en 1962. Une exposition rétrospective de son œuvre eut lieu à Salonique en 1953. Il a collaboré à plusieurs revues artistiques et notamment aux *Cahiers d'Art*.
Dans les années 1930, il peignait sous l'influence conjuguée des Impressionnistes, de Cézanne et des Fauves. Plus tard, il eut une période d'abstraction suivie d'un retour à la figuration.

CONSTANTINO. Voir COSTANTINO

CONSTANTINOU Anna
Née en 1947 à Alexandrie. xxᵉ siècle. Grecque.

Peintre. Géométrique abstrait.
Elle fit ses études à l'Académie des Beaux-Arts de Rome. Elle a participé à la Biennale de Paris en 1967 et à la Biennale d'Alexandrie en 1968. A partir de 1965, elle fait des expositions personnelles en Italie, Grèce, Suisse, Espagne et en France. Elle réalise une peinture géométrique aux coloris très vifs.
Musées : Madrid (Mus. Nat. de la Gravure).

CONSTANTINOVSKY Joseph ou Constantinovitch. Voir CONSTANT

CONSTANTINUS
Né à Rome. xiiᵉ siècle. Italien.
Sculpteur.
On connaît une œuvre signée de cet artiste.

CONSTANTINUS
xivᵉ siècle. Actif à Bologne. Italien.
Miniaturiste.
Il était moine. On connaît une œuvre signée de cet artiste et datée de 1314. On y note l'influence de Giotto.

CONSTANTINUS de Jarnac. Voir CONSTANTIN

CONSTANTYN R. A.
xviiiᵉ siècle. Actif à La Haye en 1712. Hollandais.
Peintre de portraits et d'histoire.
Élève de Théodor Van der Schnur. Il voyagea en Allemagne.

CONSTANZI Emilio
Né vers 1870 à Malé (Tyrol). Mort en 1911 à Riva. xixᵉ-xxᵉ siècles. Italien.
Peintre de paysages.
Il fit ses études à Venise et à Munich.

CONSTANZI Placide
Né en 1688. Mort en 1759. xviiiᵉ siècle. Italien.
Peintre d'histoire.
Élève de Luti. A peint des fresques. Membre de l'Académie de Saint-Luc en 1741.

CONSUEGRA Hugo
Né le 26 octobre 1929 à La Havane. xxᵉ siècle. Cubain.
Architecte et peintre. Abstrait.
Diplômé d'architecture, il consacre une bonne partie de son temps à la peinture. Il participe à de nombreuses manifestations collectives aux États-Unis et expose personnellement pour la première fois en 1953. Il fut membre actif de groupe *Les onze* qui introduisit l'abstraction à Cuba.
Ventes Publiques : New York, 30 mai 1984 : *L'oublié* 1951, h/t (99x99) : USD 1 000.

CONSUELO-FOULD, née Fould
Née en novembre 1862 à Cologne, de parents français. Morte en 1927 à Paris. xixᵉ-xxᵉ siècles. Française.
Peintre de scènes de genre, portraits.
Elle fut élève d'Antoine Vollon et de Léon Comerre. Elle exposa au Salon des Artistes Français de Paris, dont elle fut sociétaire hors-concours.
Elle peignit des portraits mondains et des scènes de genre. Parmi ses toiles, on mentionne : *Portrait de Rosa Bonheur – La Part du chef – Le Billet doux – Sur les ailes du rêve*. Sa touche vigoureuse lui vient de son admiration pour Ferdinand Roybet ; le Musée de Courbevoie est d'ailleurs érigé en fondation sous le nom de Roybet-Fould.
Bibliogr. : Gérald Schurr, in : *Les Petits Maîtres de la peinture 1820-1920, valeur de demain*, Les Éditions de l'Amateur, t. III, Paris, 1976.
Musées : Courbevoie.
Ventes Publiques : Paris, 13 juin 1980 : *Danseuse*, h/pan. (60x36) : FRF 3 000 – Enghien-les-Bains, 25 mars 1984 : *Danseuse exotique*, h/pan. (60x36) : FRF 5 000 – New York, 28 fév. 1991 : *Un passage doux*, h/t (185,4x105,4) : USD 15 400.

CONT Alberto
Né en 1956 à Bressanone (Italie). xxᵉ siècle. Actif en France. Italien.
Peintre. Abstrait.
Il travaille dans l'atelier d'Olivier Debré à l'École des Beaux-Arts de Paris en 1980. Quatre ans plus tard, il reçoit une bourse d'étude, et en 1985, obtient le prix de peinture et est diplômé de l'École des Beaux-Arts. Depuis 1985, il participa à des expositions collectives, notamment en 1986 au Centre Georges Pompidou ; 1990 au Salon de Mai à Paris ; 1995 au Centre Culturel de Clermont Ferrand et à Bruxelles. Il montre ses œuvres dans des

expositions personnelles depuis 1985 à Paris ; 1991 Bruxelles ; 1993 Toulouse ; 1994, 1995, 1996, à nouveau à Paris.

Ses compositions souvent peintes à l'acrylique, montrent des bandes irrégulières de couleurs pures qui s'entrecroisent. Il a réalisé des ensembles décoratifs monumentaux, notamment pour le bureau de poste de Vigny-sur-Oise et pour le hall du siège de General Motors France.

Musées : Paris (FNAC) – Toulouse (FRAC Espace d'art Mod. et Contemp.) : *Sans titre* 1993-1994.

CONTAL Jeanne
Née à Nancy (Meurthe-et-Moselle). XIXe-XXe siècles. Française.
Peintre et dessinateur.
Élève de Bellay. Médailles de bronze aux Expositions Universelles de 1889 et de 1900. Elle exposait un portrait au Salon de la Nationale en 1898. Le Musée du Luxembourg conserve d'elle : *Ma fille Éliane*.

CONTANT Jules
Né le 22 avril 1822 à Bordeaux (Gironde). Mort en octobre 1885 à Bordeaux. XIXe siècle. Français.
Peintre de compositions religieuses, scènes de genre, paysages urbains.
Élève de Picot à l'École des Beaux-Arts de Paris, il participa au Salon de 1859 à 1865.
Installé à Libourne, il peignit des grandes décorations d'église, mais aussi des scènes de marché, scènes de rues et vues de Paris.
Bibliogr. : Gérald Schurr, in : *Les Petits Maîtres de la peinture 1820-1920, valeur de demain*, Les Éditions de l'Amateur, t. III, Paris, 1976.
Musées : Bordeaux : *Une foire dans la Gironde* – Libourne : *Gaulois fuyant devant l'invasion.*

CONTARDI Alessandro
XIXe siècle. Actif à Modène au début du XIXe siècle. Italien.
Graveur au pointillé.

CONTARINI Antonio
XVe siècle. Travaillait à Toulouse en 1445. Italien.
Peintre.

CONTARINI Donato
XIVe siècle. Actif à Venise en 1372. Italien.
Peintre.
On connaît de cet artiste un *Couronnement de la Vierge*.

CONTARINI Giovanni ou Contarino
Né en 1549 à Venise. Mort vers 1604. XVIe siècle. Italien.
Peintre d'histoire, sujets mythologiques, compositions religieuses, portraits.
Contarino se forma en étudiant les œuvres de Titien et de Tintoretto. Il fut associé avec Malombra dans plusieurs travaux, notamment dans la décoration de l'église de Saint-François de Paule, où il fit une *Résurrection* et d'autres ouvrages d'un beau coloris et d'une composition heureuse. Contarino travailla pour Rodolphe II, empereur d'Allemagne, et reçut de ce monarque le titre de chevalier.

*IOANNES
C ONTARENVS. F.*

Musées : Budapest : *La Vierge entourée de saints* – Florence (Gal. Nat.) : *Portrait de l'artiste* – Milan (Gal. de Brera) : *Saint Jérôme en oraison* – Venise (Galeries Nationales) : *Portrait d'un inconnu* – *Vénus* : *Le Baptême du Christ.*
Ventes Publiques : Londres, 23 juin 1982 : *Saint Sébastien attaché à l'arbre*, h/t (196x98) : GBP 3 500.

CONTARINI Giulio
XVIIIe siècle. Actif à Ravenne à la fin du XVIIIe siècle. Italien.
Graveur au burin.

CONTARINI Simone
Né en 1613 à Pesaro. Mort en 1648 à Vérone. XVIIe siècle. Italien.
Peintre et sculpteur.
L'Académie Carrare, à Bergame, conserve de lui : *La Vierge et l'Enfant, Repos de la Sainte Famille* (marbre), *La Vierge immaculée.*

CONTAT Nicolas
XVIIIe siècle (?). Français.
Peintre.

Il est peut-être identique au peintre CONTAT, qui mourut à Paris en 1754. Il fut membre de l'Académie de Saint-Luc.

CONTAUX Georges
XXe siècle. Français.
Sculpteur et graveur en médailles.
Sociétaire des Artistes Français ; mention honorable en 1921.

CONTE Antonio
Né vers 1780 à San Zenone. Mort vers 1837. XIXe siècle. Italien.
Graveur.
On cite ses planches d'après Léonard de Vinci et le Titien.

CONTE Bernard
Né le 22 juillet 1931 à Cézens (Cantal). XXe siècle. Français.
Peintre de paysages, de figures et natures mortes.
A l'âge de seize ans, il entre à l'atelier Charpentier puis au Centre d'Art et Techniques Camondo, où il reçoit la formation d'ensemblier décorateur. Avant 1961, il ne consacre à la peinture qu'une partie de son temps, participant au Salon de la Société Nationale des Beaux-Arts à partir de 1958, au Salon de la Marine dès 1959 et au Salon d'Automne en 1960. Ensuite, il prend part aux Salons Terres Latines, Comparaisons. Sa première exposition personnelle eut lieu à Paris en 1963, et fut suivie de beaucoup d'autres, à Cannes, Lyon, Tokyo, Vevey, Béziers, Deauville. Chevalier du Mérite Culturel et Artistique 1974.
Ses paysages sont souvent composés selon de larges plans horizontaux contrastés et contrebalancés par des verticales affirmées. Sa pâte est riche et posée à grands à-plats généreux.
Musées : L'Isle-Adam – Paris (Mus. d'Art Mod.) – San Francisco – Ville d'Avray.

CONTE Carlo
Né en 1898 à Moriago (Trévise). XXe siècle. Italien.
Sculpteur.

CONTE Domenico
Né en 1813 à Bassano. Mort en 1855 à Venise. XIXe siècle. Italien.
Graveur.
Il grava un grand nombre de portraits.

CONTE Giovanni, dit Nano
XVIIIe siècle. Actif à Naples. Italien.
Sculpteur sur bois.
Il existe des œuvres de cet artiste dans plusieurs églises napolitaines.

CONTE Guglielmo del
XVe siècle. Actif à Milan. Italien.
Sculpteur.

CONTE Hortense
Née à Paris. XIXe siècle. Française.
Peintre de natures mortes.
Élève de Maisiat. A exposé au Salon entre 1870 et 1881.

CONTE Jacopo del ou Jacopino del
Né en 1510 à Florence. Mort en 1598 à Rome. XVIe siècle. Italien.
Peintre d'histoire, portraits.
Il fut élève dans l'école d'Andrea del Sarto, mais partit pour Rome étant fort jeune encore et y résida jusqu'à sa mort. Plus qu'aucun autre artiste de son temps, il eut la faveur de faire les portraits des plus hauts personnages. Il exécuta ceux de Paul IV et des pontifes qui lui succédèrent jusqu'à Clément VIII et celui de Michel-Ange. Il fut aussi un bon peintre d'histoire.
Ventes Publiques : Paris, 1775 : *La Vierge Marie*, dess. à la sanguine : FRF 20 – New York, 17 juin 1982 : *Portrait d'un prélat*, h/t (120,5x97) : USD 10 500.

CONTE Johann Wenzel
XVIIIe siècle. Actif à Prague en 1724. Tchécoslovaque.
Peintre.

CONTE Michelangelo
Né en 1913 à Spalato (Dalmatie). XXe siècle. Italien.
Peintre. Abstrait.
Il commence sa carrière artistique en autodidacte, pendant ses études classiques. Vivant à Rome, il prend part à plusieurs manifestations collectives dans la plupart des grandes villes italiennes, mais aussi à Vienne, Berne, Sao Paulo, etc.
Son art a évolué, de manière instinctive, vers l'abstraction.

CONTE Niccolino di Antonio
XIVe-XVe siècles. Actif à Vercelli en 1397 et peut-être jusqu'en 1438. Italien.
Peintre.

CONTE Nicolas Jacques
Né en 1755 à Saint-Cénery. Mort en 1805. xviiie siècle. Français.
Peintre de compositions religieuses, sujets typiques, portraits, dessinateur.
Il peignit au xviiie siècle nombre de portraits et de peintures religieuses. L'expédition d'Égypte, à laquelle il prit part, fut l'occasion pour cet artiste d'exécuter nombre de croquis dont certains furent utilisés et reproduits dans la publication monumentale des savants de l'expédition.
Ventes Publiques : Paris, 20 nov. 1990 : *Says ou palefrenier,* dess. aquar./pap. (34x24,5) : **FRF 20 000.**

CONTE Pietro del
xvie siècle. Actif à Rome vers 1527. Italien.
Peintre.

CONTE Richard
Né en 1943 à Toulouse (Haute-Garonne). xxe siècle. Français.
Peintre, artiste puis multimédia. Hyperréaliste.
Dans un premier temps, il dessinait, d'après diapositives, des scènes banales, quotidiennes, traitées dans une manière hyperréaliste, aux coloris sobres. Dans un moment de colère, Richard Conte met en boule et piétine l'une de ses toiles qu'il retrouve le lendemain, déplie et regarde avec interêt. Cette chose froissée, défroissée devient une œuvre par une opération de négation. De plus, une collectionneuse, la couturière Hélène Kievitch, désirant se faire un manteau dans une toile de Conte est encouragée par celui-ci qui lui apporte un rouleau de toile froissée. Ainsi ont été réalisés des « vêtements ambigus », véritables peintures recyclées puisqu'après détournement, elles ont retrouvé le chemin de la consommation. Ensuite, il a découpé des toiles récentes pour en faire des costumes de théâtre et enfin, il a réalisé des *Hybrides,* en collaboration avec des couturiers, sorte de sculptures molles ou objets picturaux. La toile n'est plus clouée au chassis, elle se détache, prend du volume, s'enroule, se déverse, prend des formes fantastiques de monstres.
Bibliogr. : René Passeron in : *Opus International,* no 106, 1988.

CONTE di Giovanni. Voir **GIOVANNI di Francesco da Imola, Conte**

CONTE di Ristoro
xiiie siècle. Actif à Sienne à la fin du xiiie siècle. Italien.
Peintre.

CONTEL Jean-Charles, pseudonyme de **Leconte**
Né le 5 mai 1895 à Glos-Montfort (Calvados). Mort le 4 septembre 1928. xxe siècle. Français.
Peintre, graveur et dessinateur de paysages.
Il a régulièrement exposé au Salon d'Automne, dont il était sociétaire et au Salon des Artistes Indépendants qui lui a fait une exposition posthume en 1929. Il a réalisé des albums lithographiques : *Du vieux Lisieux au vieil Honfleur, Honfleur, Pages du vieux Paris, Cathédrales de France.*
Il a surtout rendu le pittoresque des vieilles pierres de sa province.

Jean ch. Contel

Musées : Le Havre.
Ventes Publiques : Paris, 28 juin 1923 : *La rue des Lingots, à Honfleur,* lav. : **FRF 15** – Paris, 2 avr. 1925 : *L'église de Quimperlé* : **FRF 310** – Paris, 21 déc. 1928 : *Les bords du Trieux* : **FRF 240** – Paris, 1er avr. 1942 : *Place de la laiterie à Fougères,* gche : **FRF 200** – Paris, 27 nov. 1942 : *Église de village* : **FRF 300.**

CONTENAU
xixe siècle. Actif à Paris. Français.
Graveur.
On lui doit quelques portraits parus dans l'ouvrage intitulé : *Galeries historiques de Versailles,* publié en 1836.

CONTENCIN Charles Henry
Né à Paris. xxe siècle. Français.
Peintre de paysages de montagne.
Sociétaire des Artistes Français.

CONTENCIN Istres
Né en 1851 à Istres (Bouches-du-Rhône). Mort en 1925 à Rennes (Ille-et-Vilaine). xixe-xxe siècles. Français.

Peintre de genre, nus, portraits, paysages.
Élève à l'École d'Art du Musée Granet à Aix-en-Provence, il s'orienta tout d'abord vers la sculpture avant d'opter pour le dessin et la peinture. Il alla ensuite à Paris, où il suivit les cours de Gérome à l'École des Beaux-Arts. Vers 1880, il s'installa en Bretagne, devenant professeur de peinture à l'École des Beaux-Arts de Rennes. Cependant, il participa régulièrement au Salon de la Société Nationale des Beaux-Arts de Paris, entre 1893 et 1903. L'art de Contencin oscille entre deux tendances : l'une, réaliste avec ses portraits de Bretons, ses scènes intimistes, au trait dur, aux contours vigoureux ; l'autre, proche de l'impressionnisme avec ses paysages doux, lumineux, légers.
Bibliogr. : Gérald Schurr, in : *Les Petits Maîtres de la peinture 1820-1920, valeur de demain,* Les Éditions de l'Amateur, t. VII, Paris, 1989.
Ventes Publiques : Versailles, 19 déc. 1971 : *Étude de nu* : FRF 520.

CONTENCIN Peter
xviiie-xixe siècles. Britannique.
Peintre de portraits, paysages.
Il exposa à la Royal Academy, à Londres, de 1777 à 1819.

CONTENET Lucien
xxe siècle. Travaillant à Versailles. Français.
Peintre de paysages.

CONTENOTTE Bruno
xxe siècle. Français ou Italien.
Artiste. Luministe, mec'art.
Il utilise les techniques mécaniques de production et de reproduction, tout comme les autres praticiens du « mec'art », mais loin de se contenter de reproduire des schèmes d'inspiration passéiste par des moyens apparemment modernes, il explore les domaines d'un espace-temps-lumière, projetant des images lumineuses sur les quatre murs d'une pièce. Les images projetées sont modifiées selon les différences de densité des éléments colorés contenus dans les plaques de projection, ce qui donne une importance particulière à la nature des pigments. Ainsi met-il, par exemple, entre deux lames de verre, des éléments microscopiques en émulsion dans une goutte de glycérine, permettant aux images ainsi reproduites, de se renouveler à l'infini. Contenotte, faisant appel à la théorie des « quanta », réalise une rare coordination de la connaissance scientifique et de la création artistique.

CONTENTI Giuseppe
xviiie siècle. Actif à Parme à la fin du xviiie siècle. Italien.
Peintre de paysages.

CONTER Jacques
Né le 18 février 1940. xxe siècle. Français.
Sculpteur, peintre muraliste.
Élève de l'École Boulle et de l'École des Arts Décoratifs, il a travaillé sous la direction d'Arbus, de Couturier et Despierre. Il a exposé au Musée Rodin, au Musée Galliera, au Salon Art et Tradition chrétienne à Paris. Il fait partie du groupe « Formes et Muraux » avec lequel il expose en province et à l'étranger et participe à des œuvres monumentales destinées à des parcs, des jardins, des collectifs d'habitation. En 1961, il obtient le Prix de la Société Saint-Gobain.
Il réalise des sculptures et des muraux à l'aide de métaux soudés puis peints.

CONTESSE Gaston Louis Joseph
Né le 28 décembre 1870 à Toulouse (Haute-Garonne). Mort en 1946. xxe siècle. Français.
Sculpteur.
Élève de Falguière et Mercié, il obtint une mention honorable et une bourse de voyage en 1901. Il a participé aux principaux Salons parisiens, devenant sociétaire du Salon de la Société Nationale des Beaux-Arts, du Salon d'Automne, de celui des Artistes Indépendants et des Tuileries. Il a sculpté de nombreux bustes, mais aussi des figures comme *La Baigneuse* ou *Le Faune.*

CONTESTABILE Antonio
Né à Piacenza. xviiie siècle. Italien.
Peintre.
Il travailla pour la cathédrale de Pontremoli.

CONTESTABILE Filippo ou **Contestabilis**
xviiie siècle. Italien.
Peintre.
Rossi grava d'après cet artiste un portrait du cardinal Casini.

CONTESTABILE Giovanni Battista
XVIIe siècle. Italien.
Peintre.
Il fut l'élève de Paggi à Gênes.

CONTESTABILE Niccolo
Né en 1759 à Pontremoli. Mort en 1824 à Florence. XVIIIe-XIXe siècles. Italien.
Peintre.
Le Musée des Offices à Florence possède quelques dessins de cet artiste.
VENTES PUBLIQUES : VIENNE, 17 mars 1970 : *Paysage animé de personnages* : **ATS 22 000**.

CONTI Adèle
Née à Lyon (Rhône). XXe siècle. Française.
Peintre.
Sociétaire du Salon des Artistes Français.

CONTI Agostino
XVIe siècle. Actif à Mantoue. Italien.
Peintre.
Il était le fils de Sebastiano Conti.

CONTI Alessandro
XIXe siècle. Actif à Milan. Italien.
Sculpteur.
Excellent portraitiste. Il a fait nombre de bustes de personnalités en vue.

CONTI Angelo
Né à Ferrare. XIXe siècle. Italien.
Peintre.
Il travailla beaucoup à Rome. On cite de lui plusieurs tombeaux et les bustes de Garibaldi et du roi Victor-Emmanuel. Le Musée de Ferrare possède une œuvre de cet artiste.

CONTI Anselmo de' ou de'Conti
XVIe siècle. Actif à Milan. Italien.
Sculpteur sur bois.
Il travailla pour la cathédrale de Milan vers 1571.

CONTI Bartolomeo
Italien.
Peintre.
Il travailla peut-être à Bologne.

CONTI Battista
Né en 1540. Mort en 1561 à Mantoue. XVIe siècle. Italien.
Peintre.

CONTI Bernardino dei
Né vers 1450 peut-être à Pavie. Mort vers 1525 ou 1528. XVe-XVIe siècles. Italien.
Peintre de compositions religieuses, portraits.
Disciple de Zenale à Milan où il passa la plus grande partie de sa vie. Il fit surtout des portraits et subit l'influence de Leonardo da Vinci.

ME FECIT
BNARDINV
S DE CÔMI
TIBVS·

MUSÉES : BERGAME (Acad. Canara) : *Vierge et Enfant* – BERLIN (Kaiser Friedrich Mus.) : *Portrait d'un cardinal* – Alvisius Bexutus – *Margherita Colleone* – FLORENCE : *Portrait d'homme* – HANOVRE : *Alberigo d'Este* – MILAN : *Vierge à l'Enfant* – MILAN (Gal. Brera) : *Madone, Jésus et saint Jean* – MUNICH : *Vierge* – PAVIE : *Portrait de femme* – ROME (Gal. Vaticane) : *Fr. Sforza* – VARALLE : *Portrait d'homme* – WÜRZBURG : *Vierge*.
VENTES PUBLIQUES : LONDRES, 24 juin 1964 : *Portrait de gentilhomme* : **GBP 400** – LONDRES, 2 juil. 1965 : *Portrait de jeune femme, de profil gauche* : **GNS 29 000** – NEW YORK, 5 juin 1979 : *Tête d'homme au bonnet*, pierre noire reh. de craie rouge (40,5x26) : **USD 20 000** – NEW YORK, 5 juin 1980 : *Portrait de Béatrice d'Este*, h/t (75x54) : **USD 8 500** – NEW YORK, 31 mai 1989 : *Portrait d'un jeune homme vêtu de noir avec une étole de fourrure et un chapeau*, h/pan. (76,8x59) : **USD 24 200** – LONDRES, 14 déc. 1990 : *Portrait d'une dame de profil et en buste, vêtue d'une robe noire brodée avec une coiffe orange et grise*, h/pan. (78x58,5) : **GBP 308 000** – MILAN, 19 oct. 1993 : *Vierge à l'Enfant*, h/pan.

(57x40) : **ITL 69 000 000** – LONDRES, 10 déc. 1993 : *Portrait d'une dame de profil, vêtue d'une robe noire ornée de dentelle avec des nœuds aux épaules et une coiffe grise et orange*, h/pan. (78x58,5) : **GBP 166 500** – NEW YORK, 12 jan. 1995 : *Vierge à l'Enfant avec Saint Bernard de Sienne et Dieu le père au dessus*, h/pan. (en tout 97,8x59,7) : **USD 68 500** – NEW YORK, 15 mai 1996 : *Portrait d'une dame vêtue d'une robe rouge ornée de rubans bleus tenant des gants, debout de profil devant des rideaux de velours vert*, h/pan. (39x28,6) : **USD 222 500**.

CONTI Carlo
Né en 1740. Mort en 1795. XVIIIe siècle. Italien.
Graveur.
Élève de Schmuzer.

CONTI Cesare
Né dans la dernière moitié du XVIe siècle à Ancône. Mort en 1615 à Macerata. XVIe-XVIIe siècles. Italien.
Peintre d'histoire.
Cesare vint à Rome sous le pontificat de Grégoire XIII, pour lequel il travailla, ainsi que pour ses successeurs, Sixte V, Clément VIII et Paul V. On voit de ses œuvres, faites en collaboration avec son frère Vincenzio, à Santa Maria in Transtevere, à San Spirito in Sassia, et à Sainte-Cecilia, où l'on cite une *Sainte Agnès* et un *Martyre de saint Urbain*.

CONTI Cosimo
Né le 28 août 1825 à Florence. Mort en 1893 à Florence. XIXe siècle. Italien.
Peintre d'histoire et de genre.
Étudia d'abord les mathématiques et, à 18 ans seulement, sentant son penchant pour les arts, entra à l'Académie de Florence. Médaille à l'Exposition italienne de 1861. Il a fait des recherches sur l'art. La galerie antique et moderne, à Prato, conserve de lui un *Épisode de l'invasion autrichienne au Piémont en 1849*.

CONTI Crozio, dit Domenedeo
XVIe siècle. Actif à Mantoue au milieu du XVIe siècle. Italien.
Peintre.

CONTI Domenico
XVIe siècle. Actif à Florence. Italien.
Peintre.
Il fut élève d'Andrea del Sarto, mais il est difficile de lui attribuer actuellement d'œuvre en toute certitude.

CONTI Domenico
XVIIe siècle. Actif à Rome vers 1600. Italien.
Peintre et graveur.
On cite de lui une estampe : *Saint Pierre*, d'après A. Carracci.
VENTES PUBLIQUES : PARIS, 1858 : *La Charité, représentée par plusieurs figures*, dess. : **FRF 9**.

CONTI Domenico
XVIIe siècle. Actif à Naples vers 1670. Italien.
Peintre.

CONTI Domenico
Né à Mantoue. Mort en 1817 à Rome. XVIIIe-XIXe siècles. Italien.
Peintre.
Il fut l'élève de Giuseppe Bazzani. On sait qu'il peignit des portraits. Il entra en 1770 au service des papes.

CONTI Eugenio
Né à Milan. XIXe siècle. Italien.
Peintre d'histoire et de genre.
A participé à beaucoup d'expositions italiennes. *Tu n'as pas étudié, On va à Monza avec le tramway, Au pied de la Croix*, furent exposées à Turin en 1884.

CONTI Francesco
XVIIe siècle. Italien.
Peintre.
Il travailla à Rome, pour l'église San Agostino vers 1686.

CONTI Francesco
Né en 1681 à Florence. Mort en 1760. XVIIIe siècle. Italien.
Peintre d'histoire, sujets religieux, scènes de genre, portraits.
Francesco Conti fut disciple de Carlo Maratta, dont il imita la manière. Il peignit des madones pour des particuliers de Florence.
MUSÉES : FLORENCE (Gal. des Offices) : *Autoportrait*.
VENTES PUBLIQUES : PARIS, 1881 : *Passe-temps* : **FRF 1 159** – LONDRES, 2 juil. 1898 : *Présentation* : **FRF 5 250** – ROME, 27 nov.

1989 : Sainte Cécile jouant de l'orgue ; Sainte Catherine d'Alexandrie, h/t, une paire (166x85) : **ITL 46 000 000.**

CONTI Gastone

Né à Livourne. xxᵉ siècle. Italien.
Peintre.
Il vit et travaille à Livourne. Il est membre de plusieurs associations d'artistes, fondateur du *Gruppo Oggi.* Il participe à de nombreuses expositions collectives et expose aussi individuellement.

CONTI Giacomo. Voir **CONTI Jacopo da**

CONTI Giovan Maria, dit **della Camera**

Né le 11 mars 1614 à Parme. Mort le 11 mars 1670 à Parme. xvIIᵉ siècle. Italien.
Peintre.
Il fut surtout fresquiste et peignit des scènes religieuses, le plus souvent dans le style du Corrège.

CONTI Giovanni Battista

xvIIᵉ siècle. Actif à Parme vers 1602. Italien.
Peintre.

CONTI Giuseppe

xvIIᵉ siècle. Italien.
Peintre de miniatures.
Il était enlumineur à la cour de Savoie vers 1680.

CONTI Giuseppe

xvIIᵉ-xvIIIᵉ siècles. Actif à Rome. Italien.
Peintre de mosaïques.

CONTI Jacopo da

Né le 2 novembre 1818 à Messine. Mort en 1889. xIXᵉ siècle. Italien.
Peintre d'histoire.
Il étudia à Naples, où il fut élève de Coghetti, à Rome, à Florence et à Sienne. Il exposa à Florence, en 1861, à Turin, en 1884.
Il exécuta surtout des peintures historiques. Son premier travail : *Le défi de Barletta,* exposé à Florence, fut remarqué et acheté par la grande-duchesse de Toscane.

CONTI Nicolo dei

xvIᵉ siècle. Actif à Venise vers 1556. Italien.
Sculpteur.
On cite de lui des sculptures sur la margelle d'une citerne dans la cour du Palais Ducal, à Venise.

CONTI Pietro de

Né en 1592 à Sienne. xvIIᵉ siècle. Vivait à Rome. Italien.
Peintre.

CONTI Primo

Né en 1900 à Florence. Mort en 1988 à Fiesole. xxᵉ siècle. Italien.
Peintre. Futuriste, tendance surréaliste puis figuratif.
Très influencé par le futurisme de Carra et Boccioni, notamment de 1916 à 1920, il appliquait les préceptes du mouvement à des scènes de la rue qui lui semblaient correspondre au souci d'actualité de l'éthique futuriste. Dès son adolescence, il s'était joint au groupe « Lacerba » qui avait exposé en 1913 à Florence, puis avait participé aux manifestations futuristes au théâtre Verdi à Florence en 1913 et à Milan en 1918. Comme Carra, il fut très sensible au message métaphysique et à l'art surréaliste de Chirico, dont il s'inspira un temps, sans toutefois adhérer au nouveau groupe, mais en se laissant aller vers une tendance fantastique. Il se dégagea finalement de toutes ces influences pour tomber dans un art figuratif traditionnel, vériste et descriptif, assez caractéristique des problèmes de conscience du moment. Ce « retour à l'ordre » se distingue à partir de 1922, lorsqu'il peint des portraits d'un caractère mondain. En 1941, il était nommé professeur de peinture à l'Académie de Florence.

P. Conty

BIBLIOGR. : In : *Les Muses,* t. 5, Paris, 1971.
MUSÉES : FLORENCE (Gal. d'Art Mod.) : *Liung-Zuic – Domenico Trentacoste –* UDINE (Gal. d'Art Mod.) : *La jeune fille au chien.*
VENTES PUBLIQUES : MILAN, 29 nov. 1966 : *Portrait de femme :* **ITL 600 000** – ROME, 19 juin 1980 : *L'écolière 1942,* h/t (59x49) : **ITL 2 600 000** – MILAN, 14 juin 1983 : *Le chanteur 1945,* h/t (97x76) : **ITL 4 000 000** – LONDRES, 26 fév. 1986 : *Portrait de la femme de l'artiste 1945,* h/t (67x48) : **GBP 850** – MILAN, 9 déc. 1986 : *Portrait 1967,* aquar. (34x26) : **ITL 950 000** – ROME, 25 nov.

1987 : *Vase d'iris 1982,* h/t (49x38) : **ITL 4 200 000** – ROME, 15 nov. 1988 : *Pietà 1936,* h/t (96x130) : **ITL 26 000 000** – MILAN, 20 mars 1989 : *Vase de fleurs 1957,* h/pan. (50x40) : **ITL 5 500 000** – ROME, 30 oct. 1990 : *Le dindon blanc 1944,* h/t (116x88) : **ITL 19 000 000** – ROME, 19 avr. 1994 : *Portrait de M. Gloria avec une blouse bleue 1949,* h/t (37x27) : **ITL 9 775 000** – ROME, 28 mars 1995 : *Visage féminin,* encre de Chine bleue et aquar./pap. (31x21) : **ITL 2 300 000** – MILAN, 25 nov. 1996 : *Embrassade 1980,* h/t (200x150) : **ITL 6 900 000.**

CONTI Sebastiano

xvIᵉ siècle. Actif à Mantoue vers 1525. Italien.
Peintre.
Il aide Jules Romain dans l'exécution de fresques au Palazzo del Té en 1530.

CONTI Tito

Né le 3 septembre 1842 à Florence. Mort en 1924. xIXᵉ-xxᵉ siècles. Italien.
Peintre de genre, figures.
Ce fut un peintre renommé pour la grâce des figures, la précision du dessin, la force du coloris.

lito Conti

MUSÉES : FLORENCE (Gal. d'Art Mod. de Florence) : *Portrait du père –* MAYENCE : *L'Espionne.*
VENTES PUBLIQUES : BERLIN, 1894 : *Le Porte-drapeau :* **FRF 762** ; *Femme en costume antique :* **FRF 256** ; *Porte-drapeau :* **FRF 2 025** ; *Soldat buvant :* **FRF 6 437** – NEW YORK, 17 mars 1902 : *Après le bal :* **USD 355** – NEW YORK, 4 jan. 1907 : *Le Modèle :* **USD 250** – LONDRES, 25 jan. 1908 : *Dans la cave :* **GBP 22** – LONDRES, 11 avr. 1908 : *La Simplicité :* **GBP 44** – LONDRES, 29 juin 1908 : *Tête de jeune fille :* **GBP 31** – LONDRES, 27 mars 1909 : *The convalescent :* **GBP 57** – LONDRES, 13 juin 1910 : *Jeu de dés :* **GBP 43** – LONDRES, 17 mai 1923 : *Le lion amoureux :* **GBP 105** – LONDRES, 20 juil. 1923 : *La rose :* **GBP 31** – LONDRES, 2 déc. 1927 : *Alerte :* **GBP 16** – LONDRES, 9 juil. 1928 : *Une jeune puritaine :* **GBP 9** – LONDRES, 23 jan. 1930 : *On plume la dinde :* **GBP 16** – LONDRES, 8 déc. 1931 : *Portrait de jeune fille :* **GBP 42** – NEW YORK, 20 avr. 1932 : *Un cavalier fumant la pipe 1873 :* **USD 75** – LONDRES, 22 juin 1934 : *Prêt pour la paix ou la guerre :* **GBP 24** – LONDRES, 13 juil. 1934 : *Pensées tendres :* **GBP 14** – LONDRES, 3 mai 1935 : *Une beauté italienne :* **GBP 9** – LONDRES, 2 avr. 1937 : *La diseuse de bonne aventure :* **GBP 75** – LONDRES, 18 fév. 1938 : *Pensées heureuses :* **GBP 12** – LONDRES, 2 juin 1939 : *La nouvelle arme :* **GBP 10** ; *Joueur de guitare,* dess. : **GBP 18** – GLASGOW, 10 oct. 1943 : *Le soir :* **GBP 38** – LONDRES, 6 nov. 1963 : *La jolie serveuse :* **GBP 480** – LONDRES, 9 oct. 1964 : *La boîte postale secrète :* **GNS 480** – LONDRES, 8 juil. 1966 : *Les deux soupirants :* **GNS 1 000** – LONDRES, 14 juin 1972 : *La diseuse de bonne aventure :* **GBP 750** – LONDRES, 11 fév. 1976 : *La lettre du chevalier,* h/pan. (33x22) : **GBP 1 000** – LONDRES, 11 fév. 1977 : *Gentilhomme prenant congé 1879,* h/t (56x79) : **GBP 2 200** – LONDRES, 20 oct. 1978 : *La Boniche enamourée 1871,* h/pan. (34,2x25) : **GBP 950** – NEW YORK, 24 fév. 1982 : *Portrait de jeune femme,* past. (61x45,6) : **USD 600** – MILAN, 27 mars 1984 : *Le mousquetaire,* h/pan. (33x21,5) : **ITL 6 500 000** – COPENHAGUE, 29 oct. 1986 : *Jeune fille aux fleurs,* h/t (43x30) : **DKK 25 000** – MILAN, 1ᵉʳ juin 1988 : *Agréable lecture,* h/t (41x31) : **ITL 7 000 000** – ROME, 20 juin 1990 : *Portrait d'une fillette,* h/part. (21x13,5) : **ITL 1 380 000** – LONDRES, 22 juin 1990 : *Le galant éconduit,* h/t (96,4x70,5) : **GBP 24 200** – LONDRES, 5 oct. 1990 : *Un bon livre,* h/t (61,9x48,3) : **GBP 6 820** – LONDRES, 30 nov. 1990 : *Lettre d'introduction,* h/t (78x103) : **GBP 22 000** – NEW YORK, 14 mai 1991 : *Le flirt,* h/pan. (21,6x17,8) : **USD 1 650** – NEW YORK, 23 mai 1991 : *La rose blanche,* h/t (52,7x41,5) : **USD 11 000** – LONDRES, 30 nov. 1991 : *Après le service,* h/t (108x81,3) : **GBP 23 100** – BOLOGNE, 8-9 juin 1992 : *Intérieur avec une dame admirant une statuette chinoise,* h/pan. (15x12,5) : **ITL 3 450 000** – MILAN, 16 juin 1992 : *Canal à Viareggio,* h/pan. (13,5x23,5) : **ITL 5 000 000** – LONDRES, 17 juin 1992 : *Présentation du prétendant,* h/t (65x89,5) : **GBP 7 150** – NEW YORK, 27 mai 1993 : *Chez le Cardinal 1880,* h/t (95,3x140) : **USD 40 250** – LONDRES, 17 mars 1995 : *La demande en mariage 1896,* h/t (80,5x80,5) : **GBP 41 100** – AMSTERDAM, 11 avr. 1995 : *Dame vêtue d'une robe rose portant des fleurs dans sa jupe,* h/t (40x3-27,5) : **NLG 11 800** – LONDRES, 20 nov. 1996 : *Le Connaisseur 1878,* h/t (42x53) : **GBP 5 175** – NEW YORK, 26 fév. 1997 : *Dans l'atelier,* h/t/pan.

(85,1x62,2) : **USD 2 990** – Édimbourg, 15 mai 1997 : *La Boîte à lettres secrète* 1876, h/pan. (43x33) : **GBP 9 200**.

CONTI Vincenzo
Né à Ancône. Mort vers 1625 à Turin. xvie-xviie siècles. Actif dans la dernière moitié du xvie siècle. Italien.
Peintre d'histoire.

CONTI Vincenzo
Né à Sulmona. xixe siècle. Italien.
Peintre, sculpteur et graveur.

CONTI Vincenzo, dit **Longino**
Né à Bologne. xviiie siècle. Italien.
Peintre.
Il travailla pour le théâtre de Modène de 1763 à 1787.

CONTI Virgilio de' ou **de'Conti**
xvie siècle. Italien.
Sculpteur sur bois et ciseleur.
Il travailla pour la cathédrale de Milan à partir de 1571.

CONTICANI Giovanni Domenico
Né en Calabre. xviie siècle. Travaillait à Rome vers 1635. Italien.
Peintre.

CONTICELLI Domenico
Né vers 1573 à Rome. Mort en 1622 à Rome. xvie-xviie siècles. Italien.
Peintre.

CONTIER Pierre
Né à Avignon (Vaucluse). xxe siècle. Français.
Peintre de paysages.
Exposant des Artistes Français et du Salon d'Automne.

CONTIERO Giacomo ou **Contieri**
xviie-xviiie siècles. Actif à Padoue. Italien.
Sculpteur.
Il travailla pour plusieurs églises à Udine.

CONTIGNASCO Antonio da
xve siècle. Actif à Parme vers 1447. Italien.
Peintre et architecte.

CONTINI Giovanni
xvie siècle. Travaillant à Ferrare vers 1579. Italien.
Peintre.

CONTINI Giovanni
Né en 1828 à Parme. xixe siècle. Italien.
Peintre.

CONTINI Guglielmo
xviie siècle. Actif à Rome vers 1605. Hollandais.
Peintre.

CONTINI Louis de
Né le 2 juillet 1854 à Overyssche. xixe siècle. Belge.
Peintre verrier.
Il a exposé à Paris (1889), Anvers (1894), Bruxelles (1897).

CONTINI Massimiliano
Né vers 1850 à Foggia (Capitanate). xixe siècle. Italien.
Sculpteur.
Il exposa entre 1883 et 1891 au Salon des Artistes Français à Paris. Mention honorable en 1885.

CONTINI Pietro
xviie siècle. Actif à Rome. Italien.
Peintre.
Il travailla de 1620 à 1635 pour le pape Grégoire XV.

CONTINO Antonio di Bernardino ou **Contin**
Né en 1566 à Lugano. Mort en 1600 à Venise. xvie siècle. Suisse.
Sculpteur et architecte.
Peut-être fils de Bernardino.

CONTINO Bernardino di Francesco
Né à Lugano. Mort avant 1597. xvie siècle. Suisse.
Sculpteur et architecte.
Il travailla à Venise et exécuta, en 1580, le tombeau de la reine Catherine Cornaro. Il était sans doute le frère de Tomaso et fut peut-être le père d'Antonio et de Francesco di Bernardino Contino.

CONTINO Francesco di Bernardino
Né sans doute à Lugano. Mort avant 1675. xviie siècle. Suisse.
Sculpteur et architecte.

CONTINO José
Né en 1933 à La Havane. xxe siècle. Cubain.
Graveur, lithographe.
De 1962 à 1964, il s'initia à la lithographie à La Havane ; en 1966 à la gravure en Allemagne (alors de l'Est). Il expose depuis 1971. Il est professeur à l'Institut Supérieur d'Art de La Havane.
Bibliogr. : Divers, dont Alejo Carpentier, in : Catalogue de l'expos. *Cuba – Peintres d'aujourd'hui*, Mus. d'Art Mod. de la Ville, Paris, 1977-78.

CONTINO Tomaso di Francesco
Originaire sans doute de Lugano. xvie-xviie siècles. Suisse.
Sculpteur et architecte.

CONTINO Ugo
Né en 1864 à Parme. xixe siècle. Italien.
Peintre.
Le Musée de Parme possède une œuvre de cet artiste.

CONTIUS Christian Gotthold
Né en 1750 à Hanswald. Mort en 1816 à Dommitzsch. xviiie-xixe siècles. Allemand.
Graveur amateur.
Il était moine, poète et théologien. Il grava d'après Van Dyck et le Corrège.

CONTOFOLI Ginevra
xviie siècle. Active à Bologne. Italienne.
Peintre.
La Galerie Brera, à Milan, conserve d'elle : *L'artiste peignant son propre portrait*.

CONTOLI Girolomo
xviiie siècle. Italien.
Peintre et dessinateur.
Le Musée des Offices, à Florence, possède deux dessins de cet artiste.

CONTOPOULOS Alex. Voir **KONDOPOULOS Alékos**

CONTOUR Alphonse Jules
Né en 1811 à Paris. Mort en 1888. xixe siècle. Français.
Sculpteur animalier.
Il eut pour professeur Barye. Il figura au Salon, de 1842 à 1844, puis de 1868 à 1875.

CONTOUR Lucy. Voir **TONNET-CONTOUR**

CONTRATTI Luigi
Né à Brescia. xixe-xxe siècles. Travailla à Turin. Italien.
Sculpteur.
Il exposa plusieurs fois à Turin et surtout des bustes.

CONTRAULT Émile Théodore Marie
Né à Paris. Mort en mai 1945 à Oucques (Loir-et-Cher). xxe siècle. Français.
Peintre de figures, de portraits et de paysages.
Il a participé au Salon d'Automne à Paris, de 1910 à 1942 et au Salon des Tuileries de 1930 à 1938. Il était chevalier de la Légion d'honneur. Il a souvent peint des paysages de Bretagne.
Ventes Publiques : Versailles, 25 nov. 1990 : *Le verger*, h/cart. (27x35,5) : **FRF 9 000**.

CONTRE Clois de
Mort en 1512. xve-xvie siècles. Éc. flamande.
Enlumineur.
Il eut pour maître Philippe de Marolles. Il était, en 1479, membre de la gilde des enlumineurs à Bruges.

CONTRECŒUR Jehaninn de ou **Contecœur, Conteke**
Mort en 1459 à Dijon. xve siècle. Français.
Sculpteur.

CONTREIRAS Bento
xvie siècle. Portugais.
Enlumineur.
Il était moine au couvent des Carmes de Lisbonne.

CONTRERAS Antonio de
xvie siècle. Espagnol.
Sculpteur.
Actif vers 1570.

CONTRERAS Antonio de
Né en 1587 à Cordoue. Mort en 1654 à Bujalance. xviie siècle. Espagnol.

Peintre d'histoire, portraits.
Élève de Paul de Cespèdes. Il travailla au couvent de Saint-François.

CONTRERAS Blas de
XVIIe siècle. Actif à Séville vers 1665. Espagnol.
Peintre.

CONTRERAS Jésus
Mort en 1902 au Mexique. XIXe siècle. Mexicain.
Sculpteur.
A obtenu une médaille de bronze à l'Exposition Universelle de 1889 et un grand prix à celle de 1900.

CONTRERAS Jorge
XVIe siècle. Espagnol.
Sculpteur.
Il travailla pour la cathédrale de Tolède en 1534.

CONTRERAS Manuel de
Mort en 1656 à Madrid. XVIIe siècle. Espagnol.
Sculpteur.
Il fut élève de Domingo de la Rioja et travailla avec son maître pour le compte de Philippe IV d'Espagne.

CONTRERAS Sancho de
XVe siècle. Espagnol.
Peintre.
Il travailla pour la cathédrale de Tolède en 1489.

CONTRERAS Thomas de
XVIIe siècle. Actif à Séville entre 1658 et 1665. Espagnol.
Peintre.

CONTRERAS-BRUNET Ivan
Né le 19 février 1927 à Santiago du Chili. XXe siècle. Actif en France. Chilien.
Peintre, sculpteur. Abstrait cinétique.
Il commence à peindre en 1943 et ne rentre à l'École des Beaux-Arts de Santiago qu'en 1947. Il peint ses premières toiles abstraites en 1951 puis part pour l'Europe. Il s'installe à Paris entre 1952 et 1957 et travaille dans les ateliers de Soto et Vantongerloo. Au cours de ses voyages en Allemagne, Suisse, Suède, Espagne, il rencontre Max Bill et R.-Paul Lohse. Il séjourne deux ans à New York avant de revenir en Europe et de s'établir définitivement à Paris en 1961. A partir de cette date, il participe aux grandes manifestations internationales, notamment aux expositions des Artistes Latino-Américains de Paris en 1962, 1965 et 1974, à la Biennale de Menton en 1970, date à laquelle il est au centre CO-MO de Paris et à l'Institut Italo-Latino-Américain de Rome. On le retrouve à la Biennale de Venise en 1972, à la Biennale internationale de gravure à Cracovie en 1974, à la première Biennale Italo-Latino-Américaine de technique graphique à Rome en 1978, à l'exposition *France Japon* dans divers musées du Japon en 1980. Il a, d'autre part, figuré dans les grands Salons parisiens : celui des Réalités Nouvelles, dont il fut membre du Comité, et Comparaisons, régulièrement à partir de 1968, Grands et Jeunes d'Aujourd'hui de 1970 à 1983 et Jeune Sculpture en 1969, 1970, 1974, 1977. Il était représenté à Paris en 1973 à l'exposition *l'Art cinétique en Amérique Latine* et, la même année à l'exposition itinérante *Dix Artistes de la Nouvelle Image* à Anvers, à la Brera de Milan. Il expose, personnellement, pour la première fois à Paris en 1969 puis en 1977, 1982, au Liban 1971, 1974, 1980, à La Haye en 1973, 1975, Rome 1973, 1977, 1980, Milan 1974, 1976, Bergame 1974, 1975, 1978, à Tokyo en 1979, il a également exposé en Allemagne et en Suisse.
A partir de 1952, Contreras-Brunet effectue ses premières recherches sérielles et, lors de son séjour à New York en 1957, il applique les techniques sérielles à des éléments plastiques peints sur plexiglas. En 1968, il fonde le groupe CO-MO avec Arena, Breuer, Seuphor, Luc Peire, Romano, Calos, Gayoso et Deledicq. Ses recherches et réalisations se situent dans la ligne du cinétisme. Certaines de ses œuvres sont constituées de grillages qu'il juxtapose créant ainsi des effets cinétiques et qui, mis en mouvement, provoquent des phénomènes d'interférences. D'autres toiles montrent un art où le flou des nuances les plus fines tend vers le presque blanc.
BIBLIOGR. : Michel Seuphor, préface à l'exposition personnelle au Centre CO-MO, Paris, 1969 – Catalogue de l'exposition : *Peintres et Sculpteurs d'Amérique Latine*, Institut Italo-latino-Américain, Rome, 1970.
MUSÉES : BRUXELLES (Mus. Empain) – CHIHUAHUA (Mus. Cuauhtémoc) – CHOLET – CIUDAD BOLIVAR (Mus. d'Art Mod.) – DUNKERQUE (Mus. d'Art Mod.) – PARIS (Mus. Nat. d'Art Mod.) – PARIS (Mus. d'Art Mod. de la Ville de Paris) – SAINT-OMER (Mus. Sandelin) – SCHIEDAM (Stedelyk Mus.) – STOCKTON (Stckton Pioneer Mus.) – UTRECHT (Hedendaagse Kunst Mus.).
VENTES PUBLIQUES : PARIS, 8 juin 1972 : *Intégrable bleu vert/violet*, relief cinétique : FRF 900.

CONTRERAS Y MUNOZ José Marcelo
Né le 6 janvier 1827 à Grenade. XIXe siècle. Espagnol.
Peintre d'histoire.
Cet artiste fut un maître de l'art espagnol du XIXe siècle. Destiné d'abord au commerce, il commença ses études de peinture avec Agapito Lopez de San Roman, puis travailla à Madrid en 1847 avec Frederico de Madrazo. Après avoir été quelque temps directeur du Musée de Cordoue, il se consacra exclusivement à l'art actif et exposa régulièrement à tous les grands Salons espagnols. On cite de lui : *La Mort de Murillo*. Il était le fils de l'architecte Jose Contreras Osorio.

CONTRI Antonio
Né à Ferrare. Mort en 1732. XVIIIe siècle. Italien.
Peintre paysagiste.
Élève de Bassi, il peignit aussi des fleurs et des animaux. On lui attribue l'invention du procédé qui consiste à transporter sur toile des peintures à fresque.

CONTRI Francesco
XVIIIe siècle. Actif à Ferrare. Italien.
Peintre.
Il était fils d'Antonio Contri.

CONTRI Giuseppe
XVIIIe siècle. Actif à Ferrare. Italien.
Peintre.
Il était fils d'Antonio et frère de Francesco Contri.

CONTRO di Giovanni
XIVe siècle. Actif à Florence en 1393. Italien.
Peintre.

CONTSON. Voir COETSON Stevin

CONTUCCI Andréa. Voir SANSOVINO Andréa

CONTY Antoine
Né le 31 octobre 1818 à Condrieu (Rhône). XIXe siècle. Français.
Peintre.
Il fit ses études à Lyon et peignit surtout des paysages, des scènes de chasse et des natures mortes.

CONTY Patrick
Né le 13 décembre 1937, de parents français à Berlin. XXe siècle. Actif aussi aux États-Unis. Français.
Peintre. Tendance abstraite.
Il était fils d'un ambassadeur. Élève de Busse et Gillet à l'Académie de la Grande Chaumière à Paris, il quitte la France pour séjourner tout d'abord en Suède de 1962 à 1964, puis aux États-Unis à partir de 1967. Il expose de nouveau à Paris, au Salon des Réalités Nouvelles à partir de 1989. Il revint en France en 1992. Son tempérament le portait vers un certain expressionnisme qu'il infléchit intellectuellement vers des formulations spiritualistes. Ayant interrompu son activité picturale quelque temps, il reprend son travail, aux États-Unis, dans une optique abstraite, sur le schéma du labyrinthe, qu'il poursuit après son retour en France, et sur le sujet duquel il a écrit un ouvrage très documenté : *La géométrie du labyrinthe*.

CONTZE
XIVe siècle. Actif à Francfort-sur-le-Main à la fin du XIVe siècle. Allemand.
Peintre.

CONVAIN Léontine
XXe siècle. Français.
Miniaturiste.
Sociétaire du Salon des Artistes Français.

CONVENTI Francesco
Né en 1855 à Naples. XIXe siècle. Italien.
Sculpteur.
Fit ses études avec Angelini et se perfectionna à l'Académie des Beaux-Arts de Naples. On cite de lui notamment : *Pâtre en contemplation* et *Marchande de fleurs napolitaine*.

CONVENTI Giulio Cesare
Né en 1577 à Bologne. Mort en 1640 à Bologne. XVIIe siècle. Italien.

Graveur et sculpteur.
Il fut fortement influencé par les Carrache.

CONVERS Louis J.
Né en 1860 à Paris. Mort en 1915 ou 1919. xixe-xxe siècles.
Français.
Sculpteur.
Élève de A. Millet, Cavelier, Barrias. Prix de Rome en 1888. On cite de lui : *L'Énigme, La Légende et le Passé, Salomé*. Il obtint une médaille de troisième classe en 1892, de deuxième classe en 1894, médaille d'or Exposition Universelle de 1900. Chevalier de la Légion d'honneur. Le Musée de Nantes conserve de lui : *La Justice*.

CONVERSE Lily
Née à Léningrad (Saint-Pétersbourg). xxe siècle. Américaine.
Peintre de paysages et de portraits.
De 1919 à 1940, elle a participé aux Salons d'Automne, des Tuileries et des Artistes Indépendants à Paris.

CONVERT Henri Louis
Né en 1789 à Colombier. Mort en 1863 à Colombier. xixe siècle. Suisse.
Peintre miniaturiste.

CONVERT Pascal
Né en 1957. xxe siècle. Français.
Artiste d'installations, technique mixte. Tendance conceptuelle.
Il fit des études de lettres à Bordeaux, où il vécut logtemps, avant de s'installer à Paris. On sait qu'en 1963, il peignait traditionnellement, en effet un travail de 1991 est réalisé d'après un autoportrait, visiblement figuratif, de cette date. Il participe à des expositions collectives, notamment : 1991 *De architectura* au Fonds Régional de Champagne-Ardenne, 1992 à Stuttgart. Son travail est aussi montré dans des expositions personnelles : 1986 au Musée Bonnat de Bayonne, 1990 à la Halle Sud de Genève, et Villa Médicis à Rome, 1991 École des Beaux-arts de Mâcon, 1992 Musée d'Art Contemporain de Bordeaux ; 1995 Galerie nationale du Jeu de Paume à Paris ; 1996 Villa Arson de Nice, Institut français de Marrakech.
En 1983, il a réalisé une vaste installation sur le thème des *Animaux du miroir*, extrait du manuel de zoologie fantastique par J. L. Borges et M. Guerrero. Il s'est intéressé à des villas 1930 en ruines et vouées à la destruction, qu'il découvrit sur la Côte Basque. Il en préleva des photographies, des relevés au sol, et surtout des fragments concrets : balustrade de fenêtre, élément décoratif floral sculpté, rampe d'escalier, etc., piégés sous la forme de leurs empreintes prises dans le verre, vitrifiés. Le travail de Convert repose à la fois sur des architectures fictives, véhiculant la notion de maison, de demeure, sur des repères autobiographiques, le corps, et sur des empreintes ou reports, l'objet extérieur, l'autre. Par ses prises d'empreintes, il semble dévoiler un intérieur, un envers de l'objet. Les architectures consistent en formes découpées et mises à plat. Son décor plat peut être constitué de structures : en verre sablé ou en maronite noire, dont les qualités d'opacité translucide déjouent l'absorption tout autant que la transparence et jouent sur une infinité de reflets ou même en argent. Ces trois constituants de chaque travail, sont matérialisés par des moyens techniques renouvelés, mais qui ne transmettent que parcimonieusement le sens implicite. Convert ne veut pas tant « rendre visible », que rendre la fragilité de la réalité perceptible. Dans ses réalisations, s'affrontent la matérialité de l'objet créé, et sa virtualité sémiologique, comme une métaphore de l'interrogation sur l'être au monde. ∎ J. B.
BIBLIOGR. : In : *Opus International*, Paris, no 102, 1986 et no 20, 1990 – Régis Durand : *Pascal Convert, l'inquiétude de la mémoire*, Art Press, Paris, mars 1992 – Pierre Wat : *Pascal Convert*, Beaux-Arts, no 132, Paris, mars 1995.
MUSÉES : AMIENS (FRAC Picardie) : *Keshiki* 1994, verre gravé – CHÂTEAUGIRON (FRAC Bretagne) : *Sculpture non attribuée* 1994 – MONTPELLIER (FRAC Languedoc-Roussillon) : *Reconstruction d'une rampe d'escalier Villa Belle Rose* 1994 – NANTES (FRAC Pays de la Loire) : *Keshiki* 1993, ensemble de 18 tableaux.

CONVERT Robert
Né en 1860 à Neuchâtel. xixe siècle. Suisse.
Aquarelliste et architecte.

CONVERT-COLIN Lina
Née en 1857 à Neuchâtel. xixe siècle. Suisse.
Peintre de fleurs.
Elle exposa à Genève à plusieurs reprises.

CONWAY Charles I
Né en 1820 à Whitehall (Pays de Galles). Mort en 1884 à Whitehall. xixe siècle. Britannique.
Peintre, graveur.

CONWAY Charles II
xixe siècle. Britannique.
Peintre, graveur.
Actif au Pays de Galles vers 1870.

CONWAY George
xixe siècle. Britannique.
Peintre de paysages.
Il exposa à Londres de 1854 à 1871.

CONWAY Harold Edward
Né le 27 janvier 1872 à Wimbledon. xixe-xxe siècles. Britannique.
Peintre.
Expose à la Royal Academy.

CONWAY John Severinus
Né en 1852 à Dayton (Ohio). Mort en 1925. xixe-xxe siècles. Américain.
Peintre de nus, sculpteur, dessinateur.
VENTES PUBLIQUES : NEW YORK, 30 sep. 1988 : *Nu allongé*, h/t (38,5x61) : USD 3 520 – NEW YORK, 12 mars 1992 : *La nuit*, fus. et estompe/pap./cart., d'après le tombeau des Médicis de Michel-Ange (48x62,3) : USD 4 400.

CONWAY Prior, pseudonyme de Brown James
Né en 1863. Mort en 1943. xixe-xxe siècles. Britannique.
Peintre de paysages. Postimpressionniste.
Il fit la connaissance de Lucien Pissarro, le fils de Camille Pissarro, lors d'une exposition en 1912. L'année suivante ils firent ensemble et en compagnie de James Bolivar Manson, de nombreux voyages consacrés à la peinture. Ils séjournèrent à Richmond, Kew sur la Tamise, à Rye dans le Sussex et à Blackpool dans le Devon. James Brown, qui avait adopté le pseudonyme de Conway, montra peu ses œuvres en public. Sa touche légère de coloris clairs, s'organise selon des compositions géométriques non éloignées de l'art abstrait. Par ailleurs, il était un excellent interprète de musique de chambre.
VENTES PUBLIQUES : LONDRES, 9 mars 1990 : *La Vallée, Blackpool, Devon* 1913, h/t (59,7x52,1) : GBP 8 250 – LONDRES, 12 mars 1992 : *Les peupliers de Ashford*, h/t (68,6x55,9) : GBP 1 840.

CONWAY William John
Né en 1872 à Saint-Paul (Minnesota). xixe-xxe siècles. Américain.
Peintre et sculpteur.

CONWEMBERG Van. Voir THIELEN Jean Philips Van

CONXOLUS
xive siècle. Actif à Rome à la fin du xiiie siècle, ou, selon certains dans la première moitié du xive siècle. Italien.
Peintre.
Il existe des œuvres signées du nom de cet artiste dans le couvent Sacro Speco, près de Subiaco, où il était aidé d'au moins un élève. Il a également fait des peintures, dont une *Vierge*, dans l'église inférieure de Subiaco.
BIBLIOGR. : M. Herubel : *La peinture gothique*, Rencontre, Lausanne, 1965.

CONY Jean Baptiste
Né en 1828 à Panissières (Loire). Mort en 1873 à Lyon. xixe siècle. Français.
Sculpteur.
Cet artiste fut l'élève de Ruolz et travailla surtout dans la région lyonnaise.

CONY John. Voir CONNY

CONYNC ou Conynck. Voir CONINCK

CONYNE. Voir CONINCK Michael de

CONZ Francesco
Né en 1935 à Cittadella di Padova. xxe siècle. Italien.
Peintre, sculpteur.
Autodidacte, il abandonne ses études commerciales à l'âge de vingt deux ans pour parcourir l'Europe, entrant en contact avec des artistes et des artisans. À son retour, à l'âge de trente ans, il ouvre une boutique où il montre ses œuvres, inipirées directement des anciennes enseignes et de l'imagerie populaire, dans

lesquelles il introduit souvent des métaux rares et des pierres précieuses.

BIBLIOGR. : Catalogue de l'exposition *Conz*, Gal. Cavour, Milan, 1970.

CONZ Gustave

Né en 1832 à Tulingen. XIXᵉ siècle. Allemand.

Paysagiste.

Il fit ses études à Munich et à Düsseldorf, sous la direction d'Achenbach. On cite de lui : *San Remo, Le château de Chillon.*

VENTES PUBLIQUES : VIENNE, 12 sep. 1967 : *Après l'orage* : **ATS 6 000.**

CONZ Walter

Né le 27 juillet 1872 à Stuttgart. Mort en 1947. XIXᵉ-XXᵉ siècles. Allemand.

Peintre et graveur de portraits et de paysages.

Fils du peintre paysagiste Gustave Conz, il fut élève de Grunewald à Stuttgart avant de terminer ses études à l'Académie de Carlsruhe où il fut, plus tard, professeur.

W Conz.

VENTES PUBLIQUES : NEW YORK, 28 oct. 1981 : *La promenade à la campagne*, h/t (75x100) : **USD 1 500** – MONTRÉAL, 24 fév. 1987 : *Coupe de la glace chez les esquimaux de Mauricourt* 1968, h/pan. (61x76) : **CAD 1 000** – HEIDELBERG, 17 oct. 1987 : *Rome*, h/cart. (47x61) : **DEM 4 000** – HEIDELBERG, 8 avr. 1995 : *Paysage avec un ruisseau en Suisse*, h., temp. et craie/cart. (51x73) : **DEM 2 600.**

COO. Voir COVO

COOD E. M., Mlle

XXᵉ siècle. Française.

Sculpteur.

Elle exposa à Paris au Salon des Artistes Français en 1912.

COOGE ou Kooge, Coogh

Né à Haarlem. Mort après 1644. XVIIᵉ siècle. Hollandais.

Peintre et graveur.

Marié le 17 avril 1620, d'après le Dr Wurzbach. On cite sa gravure : *Carel Van Mander de Molebeke*, d'après Crisp. de Pass.

COOGE Abraham de

Né en 1597. Mort en 1685 ? XVIIᵉ siècle.

Peintre sur faïence.

COOGHEN Leendert Van der

Né en 1610 ou 1632 à Haarlem. Mort le 22 février 1681 à Haarlem. XVIIᵉ siècle. Hollandais.

Peintre de sujets religieux, scènes de genre, figures, graveur.

Probablement élève de J. Jordaens à Anvers ; ami de Cornelis Bega ; il entra dans la gilde de Haarlem en 1652.

L V Cooghen 1654

MUSÉES : LA HAYE : *Le Christ montre ses plaies à saint Thomas.*
VENTES PUBLIQUES : LONDRES, 27 juin 1985 : *Soldat debout vu de dos*, eau-forte (17,2x11,2) : **GBP 1 400** – LONDRES, 3 juil. 1985 : *Jeune homme fumant la pipe*, h/t (92x97) : **GBP 35 000** – LONDRES, 3 juil. 1991 : *Groupe de personnages dans un paysage avec au centre une femme agée retirant un collier à un jeune enfant*, h/t (131x167,5) : **GBP 16 500.**

COOK Barnie

Né en 1929 à Birmingham. XXᵉ siècle. Britannique.

Peintre.

Élève à l'École des Beaux-Arts de Birmingham de 1949 à 1954, il exposa à Londres, Birmingham, Vienne et en Tchécoslovaquie à partir de 1963.

COOK Conrad

XIXᵉ siècle. Britannique.

Graveur.

On lui doit des portraits et des illustrations de livres.

COOK Ebenezer Wake

Né le 28 décembre 1843 à Maldon (Essex). Mort en 1926. XIXᵉ-XXᵉ siècles. Britannique.

Peintre de paysages, aquarelliste, peintre à la gouache, dessinateur.

Il exposa à Londres, à maintes reprises.

E Wake Cook

MUSÉES : MELBOURNE : *Environs d'Arundel – Soir à Venise*, aquar. – SYDNEY : *The Wye and the Severn from the Windcliff – Last days of the Campanile, Venice.*
VENTES PUBLIQUES : LONDRES, 9 déc. 1921 : *Le printemps sur le Lac Majeur*, dess. : **GBP 89** ; *Jardin d'azalées en Italie*, dess. : **GBP 63** – LONDRES, 17 fév. 1922 : *Coucher de soleil sur la lagune* 1857 : **GBP 18** – LONDRES, 3 mars 1922 : *Ile de Saint-Georges-le-Majeur à Venise* 1862 : **GBP 32** – LONDRES, 3 avr. 1922 : *Corvette française entrant au Tréport* 1869 : **GBP 46** – LONDRES, 12 mai 1922 : *Bateau de pêche quittant le port* 1868 : **GBP 63** – LONDRES, 30 juin 1922 : *Le paradis de l'art* 1897, dess. : **GBP 82** – LONDRES, 27 juil. 1923 : *La Cour du Palais des Doges*, dess. : **GBP 25** – LONDRES, 18 juil. 1927 : *Souvenirs de l'Italie ensoleillée* 1890, dess. : **GBP 29** – LONDRES, 27 juil. 1927 : *Intérieur d'église à Venise* 1893, aquar. : **GBP 11** – LONDRES, 4 juin 1928 : *L'entrée du Palais des Doges* 1889, dess. : **GBP 27** – LONDRES, 24 juil. 1931 : *Le grand Canal à Venise*, dess. : **GBP 13** – LONDRES, 16 nov. 1934 : *Les jardins d'une villa*, dess. : **GBP 13** – LONDRES, 19 juil. 1937 : *Jardins près du Lac Majeur*, dess. : **GBP 10** – LONDRES, 12 déc. 1938 : *Ponte Vecchio à Florence*, dess. : **GBP 11** – LONDRES, 17 nov. 1971 : *Bateaux de pêche* 1876 : **GBP 1 050** – LONDRES, 18 sep. 1979 : *Loch Katrine* 1888, aquar. et cr. (56x79) : **GBP 450** – CHESTER, 24 sep. 1981 : *Vue de Thun, Suisse* 1892 (49x73) : **GBP 1 000** – LONDRES, 19 juil. 1983 : *Vue de Venise*, aquar. et gche (48,5x75) : **GBP 2 800** – NEW YORK, 13 fév. 1985 : *Barques de pêche à Venise*, aquar. et gche (48x77,5) : **USD 3 750** – LONDRES, 25 jan. 1989 : *Jour férié* 1886, aquar. (48x33,5) : **GBP 6 600** – LONDRES, 31 jan. 1990 : *Vietri et la baie de Salerne en Italie*, aquar. et gche (57x38) : **GBP 1 210** – LONDRES, 25-26 avr. 1990 : *Ullswater dans le Cumberland* 1899, aquar. (25x22) : **GBP 462** – AMSTERDAM, 30 oct. 1990 : *Vue de Constantinople et du Bosphore*, aquar. et gche/pap. (19,5x26) : **NLG 1 955** – LONDRES, 8 fév. 1991 : *Fillettes nourrissant des pigeons au pied du puits de bronze dans la cour du Palais des Doges à Venise*, cr. et aquar. (28,6x38,8) : **GBP 495** – SYDNEY, 2 déc. 1991 : *Vieux cottage près de Seymour*, aquar. (16x23) : **AUD 1 800** – LONDRES, 12 mai 1993 : *Monte Carlo*, aquar. (13,5x21) : **GBP 517** – LONDRES, 20 juil. 1994 : *Loch Achray et Ben Venue dans le Perthshire*, aquar. et cr. (30x45,5) : **GBP 2 530.**

COOK Emily

Née à Wellington. XIXᵉ-XXᵉ siècles. Britannique.

Peintre de fleurs et de paysages.

COOK Francis F. M., Sir

Né le 21 décembre 1907. XXᵉ siècle. Britannique.

Peintre.

Élève de Harold Speed, de sir J. Arnsby Brown et de sir Samuel John Lamorna Birch, il exposa à la Royal Academy, au Royal Institute of Oil Painters, à la Royal Society of British Artists et au London Group. Membre de la Société des Artistes de Saint-Ives en Cornouailles, il fut associé de la Royal Society of British Artists en 1938.

COOK George Edward

XIXᵉ siècle. Britannique.

Peintre de paysages.

Il exposa à Londres, à la fin du XIXᵉ siècle.

COOK George Frederick

XIXᵉ siècle. Britannique.

Peintre de natures mortes.

Il exposa à la Royal Academy, à Londres, entre 1879 et 1897.

COOK Henry

Né le 5 novembre 1819 à Londres. Mort vers 1890. XIXᵉ siècle. Actif aussi en Italie. Britannique.

Peintre d'histoire, paysages animés, paysages, aquarelliste, dessinateur.

Étudia à Londres et à Rome. Il voyagea beaucoup en Orient, écrivit des livres et des articles d'art. Il devint aveugle à la fin de sa carrière.

Il s'adonna surtout aux paysages et à la peinture historique. En 1859, il traita plusieurs sujets militaires qui lui avaient été demandés par Napoléon III, les batailles de Montebello, Palestro et Solférino ; puis ses paysages le rendirent populaire en peu de temps.

H. Cook

VENTES PUBLIQUES : LONDRES, 16 oct. 1981 : *Soldats grecs au repos près des ruines d'un temple*, aquar. (68,5x46,5) : **GBP 850** – PARIS, 25 nov. 1993 : *Vue de Rome avec le Colisée*, pl., aquar., cr. noir et gche (34x51) : **FRF 8 500**.

COOK Henry R.
XIXe siècle. Actif à Londres dans la première moitié du XIXe siècle. Britannique.
Graveur.
Il exécuta surtout des portraits, dont certains d'après Lawrence, Haines et Craig.

COOK Herbert Moxon
Né en 1844 à Manchester. Mort vers 1920. XIXe-XXe siècles. Britannique.
Peintre de paysages, aquarelliste.
Il exposa à partir de 1868 à la Royal Academy, à Suffolk Street et à la New Water-Colours Society.
MUSÉES : MANCHESTER : *Fin d'automne dans l'île de Arrow*, aquar.
VENTES PUBLIQUES : LONDRES, 29 jan. 1980 : *Bords de l'île de Arrow 1884*, aquar. et reh. de blanc (58,5x42) : **GBP 520** – LONDRES, 1er nov. 1985 : *Paysage fluvial en automne 1881*, h/t (91,4x135,9) : **GBP 1 200**.

COOK Howard Norton
Né en 1901 dans le Massachusetts. Mort en 1980. XXe siècle. Américain.
Peintre de paysages urbains, peintre de compositions murales, aquarelliste, graveur.
Il fut élève de l'Art Students League de New York. Il travailla à New York puis au Nouveau Mexique où il enseigna à l'université de New Mexico jusqu'en 1960. Le musée-galerie de la Seita à Paris a présenté de ses œuvres en 1996 à l'exposition : *L'Amérique de la dépression – Artistes engagés des années trente*.
Dans les années trente, il peignit de nombreuses fresques pour la *WPA, Work Projects Administration*, énorme entreprise à l'échelle américaine pour venir en aide aux artistes frappés par la récession, mise en place par l'administration de Roosevelt, et qui leur offrit, entre 1935 et 1939, des milliers de commandes diverses, dont, toujours en référence aux muralistes mexicains, bon nombre de peintures murales destinées à des lieux publics. Il fut connu dans les années quarante pour ses vues de New York. Il réalisa aussi des lithographies.
BIBLIOGR. : Catalogue de l'exposition : *L'Amérique de la dépression – Artistes engagés des années trente*, musée-galerie de la Seita, Paris, 1996.
VENTES PUBLIQUES : NEW YORK, 25 juin 1985 : *Le gratte-ciel n°2*, aquar. et fus. (59,5x30,5) : **USD 1 900** – NEW YORK, 21 mai 1996 : *The Battery (New York)*, h/t (40,5x51) : **USD 9 775**.

COOK James
Né en 1904 en Nouvelle-Zélande. Mort en 1960. XXe siècle. Néo-Zélandais.
Peintre et dessinateur.

COOK John A.
Né en 1870 à Gloucester (Massachusetts). XIXe-XXe siècles. Américain.
Aquarelliste.

COOK John William
XIXe siècle. Britannique.
Graveur au burin.
Il travailla à Londres au début du XIXe siècle. On cite de lui : *Christ blessing little Children*, d'après B. West. Probablement le même que le graveur W. J. Cook, cité par Le Blanc à la même époque.

COOK Joshua
XIXe siècle. Britannique.
Peintre de genre, natures mortes.
Actif à Londres.

COOK Joshua, Jr.
Né au XIXe siècle. XIXe siècle. Britannique.
Peintre de natures mortes, fruits.
Il exposa entre 1852 et 1854 à la British Institute et à Suffolk Street.
MUSÉES : LE CAP : *Nature morte aux fruits*.
VENTES PUBLIQUES : LONDRES, 20 oct. 1978 : *Nature morte aux fruits*, h/t, de forme ovale (48x60) : **GBP 950** – LONDRES, 23 mai 1980 : *Nature morte aux fruits 1858 ?*, h/pan. (38,6x48,9) : **GBP 650** – LONDRES, 10 mars 1995 : *Nature morte de raisin, courge, pêches, prunes, pomme, ananas autour d'un pichet et d'une coupe d'argent devant un paysage fluvial 1852*, h/pan. (38,7x50,8) : **GBP 3 680**.

COOK Juan
Né à Santiago. XXe siècle. Chilien.
Peintre de figures, peintre de compositions murales. Tendance expressioniste.
D'un père anglais et d'une mère chilienne, il se réfugie en France pour des raisons politiques, après avoir été fait prisonnier au Chili pendant cinq ans.
Le jaune, le rouge et le bleu dominent ses compositions habitées de personnages, en particulier clowns, acrobates, jongleurs, aux formes exagérées, démesurées.
BIBLIOGR. : T. Demaubus : *Juan Cook : la magie visionnaire*, Valeurs de l'art, Paris, n° 26, oct. 94.

COOK Kathleen
Née le 26 février 1884 à Bath. XXe siècle. Britannique.
Graveur et aquarelliste.

COOK Mark
Né le 7 août 1868 à Oxford. XIXe siècle. Britannique.
Peintre.
Il a peint des paysages, des marines et des sujets d'architecture.

COOK Nelly E.
XIXe-XXe siècles. Britannique.
Peintre de fleurs.
Elle exposa à la Royal Academy, à Londres, de 1887 à 1900.

COOK R.
XVIIIe siècle. Britannique.
Peintre de portraits.
Il exposa à la Royal Academy, à Londres, de 1785 à 1787.

COOK R.
XIXe siècle. Actif à Londres au début du XIXe siècle. Britannique.
Peintre de paysages.

COOK Richard
Né en 1784 à Londres. Mort en 1857 à Londres. XIXe siècle. Britannique.
Peintre.
Cook travailla à l'École de la Royal Academy, et commença à y exposer à partir de 1808. Il peignit des paysages et choisit aussi des sujets mythologiques, comme, par exemple, une toile représentant *Cérès et Iris*, exposée en 1817. En 1822, Cook fut élu membre de la Royal Academy, et, dès lors, semble avoir abandonné son métier, ses moyens lui permettant une vie indépendante. Cook illustra des ouvrages de Sir Walter Scott, notamment une édition de *La Dame du Lac*. Le Musée de Nottingham conserve de lui : *Griffon et monstre*, *Ariane*, *Frontispice*.

COOK Robert
Mort sans doute vers 1593. XVIe siècle. Britannique.
Peintre de portraits.
Cook peignit les portraits des rois Henri VII et VIII, de la reine Catherine, du duc de Suffolk, et de la famille de Sir Robert Wingfield.

COOK Roger
XXe siècle. Britannique.
Peintre. Abstrait-géométrique.
S'inspirant de l'œuvre de Mondrian, il peint, dans des couleurs fondamentales, des compositions abstraites aux figures géométriques dont les angles sont plus cassés que chez Mondrian.

COOK Samuel, dit of Plymouth
Né en 1806 à Camelford, en Cornouailles. Mort en 1859 à Plymouth. XIXe siècle. Britannique.
Peintre de paysages, aquarelliste, dessinateur.
Apprenti de fabrique, s'établit ensuite comme peintre vitrier à Plymouth et continua à dessiner dans ses moments perdus, travaillant d'après nature.
En 1830, il fut admis dans la « New Society of Painters in Water-Colours », où dès lors, il exposa régulièrement des paysages, principalement des scènes sur les côtes anglaises.
MUSÉES : LONDRES (Victoria and Albert Mus.) : *Vue de Stonehouse – Plymouth – Naufrage sur les côtes de Cornouailles*.
VENTES PUBLIQUES : LONDRES, 9 déc. 1907 : *Sur la côte Sud*, dess. :

GBP 18 – LONDRES, 20 déc. 1909 : *The Cat Water – Plymouth* ; *La Forêt de Windsor*, dess. : GBP 5 – LONDRES, 5 juin 1991 : *Polperro*, aquar. (32,5x56) : GBP 880.

COOK T. B.
XIXᵉ siècle. Actif à New York au début du XIXᵉ siècle. Américain.
Graveur.

COOK Theodore
XIXᵉ siècle. Britannique.
Peintre de genre.
Il exposa à Londres à la fin du XIXᵉ siècle.

COOK Thomas
Né vers 1744 en Angleterre. Mort en 1818 à Londres. XVIIIᵉ-XIXᵉ siècles. Britannique.
Graveur.
Élève de Ravenet. Cet artiste grava des portraits et fit aussi quelques planches pour le *Shakespeare* et les *Poètes de la Grande-Bretagne* de Bell. Le célèbre alderman et protecteur des arts, Boydell, lui fit des commandes. Cook grava aussi plusieurs œuvres de Hogarth.

COOK W.
XIXᵉ siècle. Actif au début du XIXᵉ siècle. Américain.
Graveur.

COOK Walter
Mort en 1916. XXᵉ siècle. Américain.
Peintre.

COOK William Edwards
Né en 1881 à Independance (Iowa). XXᵉ siècle. Américain.
Peintre.
En 1911, il a exposé au Salon des Artistes Français un *Nu* et *Portrait de femme*.

COOK-SMITH Jean Beman. Voir BEMAN Jean

COOKE Arthur Claude
Né le 4 avril 1867 à Luton. XIXᵉ siècle. Britannique.
Peintre de figures.

COOKE César
Né au XIXᵉ siècle. XIXᵉ siècle. Belge.
Paysagiste.
Cité par le Dr Mireur.
VENTES PUBLIQUES : PARIS, mai 1898 : *Les Bruyères de Sèvres* : FRF 105.

COOKE Charles Allau
Né le 18 novembre 1878 à Southsea. XXᵉ siècle. Britannique.
Peintre de portraits.

COOKE Charles Warner
Né à Ealing. XXᵉ siècle. Britannique.
Miniaturiste.
Il exposa à Paris au Salon des Artistes Français en 1930.

COOKE Edward William
Né en 1811 à Londres. Mort en 1880 à Groombridge (près de Tunbridge Wells). XIXᵉ siècle. Britannique.
Peintre de paysages animés, paysages, marines, aquarelliste, graveur.
Edward était le fils du graveur George Cooke, et après avoir suivi le métier de son père pendant quelques années, période au cours de laquelle il publia une série de 65 gravures de vues de la Tamise, il s'adonna à la peinture à l'huile. Dès 1835, il exposa, à la Royal Academy, ses premières toiles : *Bateaux de pêche à Honfleur* et *Péniche de foins à Greenwich*. Cooke devint membre de la Royal Academy en 1864, et appartint aussi à plusieurs autres corporations, telles que la *Geographical Society*, la *Geological Society*, etc. Le nombre de ses tableaux, exposés à différentes sociétés de Londres, s'élève à 256. Il travailla quelquefois à l'aquarelle.
Au cours des années 1845-46, il effectua un voyage de 15 mois en Italie. Sur des feuilles de papier préparées d'avance de 28x43,5 au maximum il réalisa au moins 90 croquis et études à l'huile des sites qu'il voyait. Précédemment il était connu pour ses marines et scènes de plage de Scheveningen qui lui valurent le surnom de « Dutch Cooke » ; il signait d'ailleurs parfois « Van Kook ». Ses thèmes d'Italie ne furent pas aussi bien accueillis, exceptées ses vues de Rome.
BIBLIOGR. : In : *Art Journal*, 1870.
MUSÉES : HAMBOURG : *Mer calme sur les côtes de Hollande* – LIVERPOOL : *Équipage d'un bateau de pêche* – *Vénitien pris dans*

une bourrasque – *Dans l'Adriatique* – LONDRES (Victoria and Albert) : *Pots de homards* – *Réparation des filets, Ile de Wight* – *Grève de Brighton 1837* – *L'antiquaire* – *Le mont Saint-Michel, Normandie* – *Maquereau sur la grève* – *Port de Portsmouth* – *Hastings, vue de la vieille ville* – *Moulin à vent à Blackheath, esquisse* – *Chabot* – *Le port de Portsmouth et le navire « La Victoire »* – LONDRES (Mus. Water-Colours) : *Grève de Brighton* – *Sea Grown à Hastings* – *Moulins à vent, Blackheath* – *Moulin à papier près d'Oxford* – *Weir, près d'Oxford* – *Vaisseaux de guerre* – *Armure* – MANCHESTER : *Pêcheur tirant sur le rivage, Hollande* – *Venise* – SALFORD : *La baie de Tanger, Maroc* – SHEFFIELD : *Vénitien à la pêche sur la côte adriatique du Lido* – SYDNEY : *Venise, rives du Schiavone* – *Pêcheurs, Saint-Michel, Normandie*.
VENTES PUBLIQUES : PARIS, 1859 : *Marine* : FRF 8 060 ; *Plage de Scheveningue* : FRF 5 720 – MANCHESTER, 1861 : *Venise* : FRF 4 250 – LONDRES, 1875 : *Scheveningen* : FRF 22 305 – LONDRES, 1877 : *Le songe de Venise* : FRF 5 250 – LONDRES, 1878 : *Porte du Lido* : FRF 13 910 – PARIS, 1882 : *Un paysage* : FRF 400 – LONDRES, 5 mai 1883 : *Navire hollandais, en rade de Scheveningen* : FRF 6 675 – LONDRES, 1888 : *La Piazetta, à Venise, prise de deux points de vue différents* : FRF 31 500 ; *Église de Sainte-Marie du Salut, à Venise* : FRF 18 635 ; *Vue sur le Scheldt* : FRF 8 395 – LONDRES, 1890 : *La Tamise en deçà de Millnall* : FRF 8 660 – LONDRES, 1891 : *Rynance Cove à marée basse* : FRF 10 500 – LONDRES, 1892 : *Lougre français rentrant à Calais* : FRF 18 370 ; *Bella Venezia* : FRF 12 620 – LONDRES, 1892 : *Bateau de pêche* : FRF 9 705 ; *Sur le canal de Bristol* : FRF 5 515 – LONDRES, 1893 : *Bateau de pêche au sec* : FRF 5 380 – LONDRES, 1896 : *Bateaux de pêche dans la lagune de Venise* : FRF 10 500 – PARIS, 1898 : *Pêche dans la mer du Nord* : FRF 7 875 ; *Canal de la Giudecca, à Venise* : FRF 7 875 – PARIS, 4 juin 1898 : *Cologne, vue du Sud* : FRF 3 400 – LONDRES, 1899 : *Bateaux sur la plage de Scheveningue* : FRF 9 350 – LONDRES, 1899 : *Marée basse à Scheveningue* : FRF 4 200 – LONDRES, 21 déc. 1907 : *L'Arc-en-ciel*, dess. : GBP 11 – LONDRES, 22 fév. 1908 : *Venise* : GBP 23 – LONDRES, 11 avr. 1908 : *Scène de rivière* : GBP 16 – LONDRES, 12 déc. 1908 : *Bateaux de pêche hollandais, Katwyk* : GBP 63 – LONDRES, 23 avr. 1910 : *La Place de Venise* : GBP 78 – LONDRES, 27 avr. 1923 : *Bateaux hollandais dans le Zuyderzee 1849* : GBP 60 ; *Jour de vent à Scheveningen 1857* : GBP 33 – LONDRES, 11 juin 1923 : *Le Lido à Venise 1853* : GBP 99 ; *Bateaux hollandais à Yarmouth 1860*, dess. : GBP 12 – LONDRES, 24 nov. 1926 : *Rynance Cove* : GBP 78 – LONDRES, 24 juin 1927 : *Bateaux de pêche hollandais 1849* : GBP 81 – LONDRES, 6 juil. 1928 : *La plage du Portel 1842* : GBP 21 – LONDRES, 28 février-3 mars 1930 : *Un canal hollandais* : GBP 44 – LONDRES, 28 mars 1930 : *Venise vue de la lagune 1858* : GBP 57 – LONDRES, 4 fév. 1931 : *Marine* : GBP 20 – LONDRES, 26 juin 1931 : *Le Palais ducal à Venise* : GBP 23 – LONDRES, 18 mars 1932 : *Rome vue du Tibre* : GBP 15 – LONDRES, 12 mai 1932 : *Sandsfoot Castle* : GBP 21 – LONDRES, 16 mars 1934 : *Jour de vent, Scheveningen 1857* : GBP 18 – LONDRES, 15 mars 1935 : *Bateaux de pêche* : GBP 39 – LONDRES, 22 nov. 1963 : *Vue de Hastings avec pêcheurs et barques* : GNS 140 – LONDRES, 2 avr. 1965 : *Vue de Venise* : GNS 400 – LONDRES, 20 nov. 1968 : *Bateaux de guerre au large de l'île de Wight* : GBP 1 300 – LONDRES, 10 juil. 1970 : *San Giorgio Maggiore, Venise 1856* : GNS 950 – LONDRES, 28 nov. 1972 : *Venise* : GBP 2 200 – LONDRES, 29 juin 1976 : *La baie de Naples et le Vésuve 1847*, h/t (35,5x56) : GBP 950 – LONDRES, 25 oct. 1977 : *Le Retour des pêcheurs 1858*, h/t (44x70) : GBP 3 000 – LONDRES, 20 juin 1979 : *Porte Guillaume Le Roux, rue des Arpents, Rouen 1838*, aquar. (19,5x12,7) : GBP 1 100 – LONDRES, 26 oct. 1979 : *Le retour des pêcheurs*, h/t (61,5x91,4) : GBP 1 600 – TORQUAY, 16 juin 1981 : *Bateaux de pêche 1863*, aquar. (41x66) : GBP 420 – LONDRES, 24 juin 1983 : *On the Scheldt 1867*, h/t (59x85,1) : GBP 11 000 – LONDRES, 30 avr. 1984 : *Scène de marché*, aquar. (19x29) : GBP 1 500 – LONDRES, 11 juil. 1985 : *Bateaux sur la lagune, Venise*, aquar. (14x22,5) : GBP 1 700 – LONDRES, 29 nov. 1985 : *Bateaux au large de la côte hollandaise 1856*, h/t (104x166) : GBP 21 000 – LONDRES, 11 juin 1987 : *Bateau rentrant au port par forte mer 1878*, h/t (107x170) : GBP 30 000 – NEW YORK, 24 mai 1989 : *La tour François Iᵉʳ au Havre 1864*, aquar. et gche (20,2x23,5) : USD 1 540 – LONDRES, 20 juin 1989 : *L'île de San Giorgio à Venise 1862*, h/t (50,5x79) : GBP 26 400 – LONDRES, 5 oct. 1989 : *Bragozzi, le port de pêche de Venise 1851*, h/t (91x127) : GBP 85 800 – NEW YORK, 26 oct. 1989 : *Navigation au large d'une côte rocheuse 1872*, h/t (31,8x61,5) : USD 7 150 – LONDRES, 17 nov. 1989 : *Pêcheurs déchargeant leurs chalutiers sur la grève 1854*, h/t (43x89,5) : GBP 8 800 – LONDRES, 30 nov. 1990 : *Thou hast the sunset's glow, Rome, for thy dower...*

1849, h/t (45,5x91,8) : **GBP 20 900** – Londres, 22 mai 1991 : *Ancrage par temps calme*, h/t/pan. (9,5x19) : **GBP 4 180** – Londres, 10 juil. 1991 : *Couvent à Amalfi* 1846, h/pap./t. (29,5x44,5) : **GBP 5 280** – Copenhague, 28 août 1991 : *Barque de pêche échouée sur la grève dans l'île de Wight*, peint./pan. d'acajou (24x30) : **DKK 18 000** – Londres, 22 nov. 1991 : *Pêcheurs de la Zuider Zee faisant sécher leurs filets et leurs voiles dans le port de Spaarendam* 1847, h/t (45,7x91,4) : **GBP 28 600** – Londres, 13 nov. 1992 : *La réparation des filets de pêche dans la baie de Naples* 1869, h/t (88,9x139,7) : **GBP 29 700** – Londres, 14 juil. 1993 : *La Côte hollandaise près de Katwyk* 1842, h/t (71,5x111,5) : **GBP 26 450** – New York, 16 fév. 1994 : *La Lagune à Venise* 1865, h/pap./t. (31,8x48,3) : **USD 14 950** – Édimbourg, 9 juin 1994 : *Venezia, Venezia, chi non te vede, ei non te pregia* 1852, h/t (67,3x106,5) : **GBP 47 700** – Londres, 6 nov. 1995 : *Barques de pêche hollandaises au large de Katwyk* 1853, h/t (55,1x94) : **GBP 40 000** – Londres, 7 juin 1996 : *Calme plat sur la Scheldt* 1870 (97,2x141) : **GBP 73 000** – Londres, 14 mars 1997 : *Barges transportant du bois, Venise* 1859, h/t (62,2x104,8) : **GBP 49 900** – Londres, 29 mai 1997 : *Vaisseaux dans la tempête au large de Portsmouth* 1837, h/t (45,5x61) : **GBP 5 980**.

COOKE George
Né en 1781 à Londres. Mort en 1834 à Barnes. XIXe siècle. Britannique.
Graveur au burin.
Cet artiste apprit son métier chez le graveur James Basire. Son talent fut reconnu dès sa jeunesse et il obtint une renommée considérable. Il exposa à Suffolk Street, entre 1824 et 1825, des vues d'après Turner, Callcott et de son fils Edward-William Cooke.

COOKE Henry, l'Ancien
XVIIe siècle. Actif en Angleterre vers 1640. Britannique.
Peintre de portraits et copiste.
Cet artiste peignit quelques portraits pour la corporation des marchands de fer.

COOKE Henry, le Jeune
Né en 1642. Mort le 8 novembre 1700. XVIIe siècle. Britannique.
Peintre.
Cooke fut envoyé par son père en Italie, où il put profiter des conseils de Salvator Rosa. Il fut employé à peindre le chœur de la chapelle du nouveau Collège à Oxford, et décora aussi l'escalier à Ranelagh House, ainsi que la maison de Lord Carlisle à Soho Square, Londres. Le *Bryan's Dictionary* dit qu'à la suite d'un crime qu'il commit, Cooke quitta l'Angleterre, mais à son retour il fut employé par le roi Guillaume à restaurer des cartons de Raphaël, conservés à Hampton court. Il acheva aussi un *portrait de Charles II*, à l'hôpital de Chelsea.

COOKE Isaac
Né en 1846. Mort en 1922. XIXe-XXe siècles. Britannique.
Peintre de paysages, aquarelliste.
Actif à Liscard, il exposa à partir de 1877 à la Royal Academy et à Suffolk Street.
Musées : Liverpool : *Temps pluvieux – Moments dorés*.
Ventes Publiques : New York, 25 mai 1984 : *On the Knock of Crieff, Pertshire*, aquar. (33x50,2) : **USD 750** – Perth, 26 août 1996 : *Une journée brumeuse à Glen Rosa, île d'Arran*, aquar. avec reh. de blanc (74x122,5) : **GBP 3 450**.

COOKE Jean. Voir BRATBY Jean

COOKE John
Mort en 1806. XVIIIe siècle. Irlandais.
Peintre de portraits, miniaturiste.
Actif à Dublin.
Musées : Dublin : *Portrait d'un gentilhomme*.

COOKE John
XIXe siècle. Britannique.
Peintre de compositions à personnages.
Il exposa à la Royal Academy, à Londres, à partir de 1883 et fut actif jusqu'en 1903.
Ventes Publiques : New York, 28 fév. 1990 : *Nymphes au bain*, h/t (123,2x61,6) : **USD 8 250**.

COOKE John Percy
XXe siècle. Britannique.
Peintre de portraits et de paysages.

COOKE R.
XIXe siècle. Britannique.

Peintre.
Il exposa trois portraits à la Royal Academy, à Londres, de 1812 à 1814.

COOKE T. B.
XIXe siècle. Britannique.
Peintre de paysages.
Il exposa à la British Institution et à Suffolk Street Gallery, à Londres, de 1850 à 1857.

COOKE Thomas Etherington
XIXe siècle. Actif à Edimbourg au milieu du XIXe siècle. Britannique.
Peintre de paysages.

COOKE Thomas Valentine
XIXe siècle. Britannique.
Dessinateur et lithographe amateur.

COOKE William
Né le 27 avril 1803 à Rotterdam. XIXe siècle. Hollandais.
Peintre.
Travailla à Anvers, en 1823, à l'Académie, sous la direction de J. Van Breen et Verpoorten.

COOKE William Bernard
Né en 1778 à Londres. Mort en 1855 probablement à Londres. XIXe siècle. Britannique.
Dessinateur et graveur au burin.
W.-B. Cooke étudia sous la direction de William Angus. Il choisit comme sujets des vues marines, mais n'atteignit jamais à la célébrité. En collaboration avec son frère George, il publia des vues de la *Tamise* et de la côte méridionale de l'Angleterre.

COOKE William Cubitt
Né le 9 mai 1866 à Londres. XIXe siècle. Britannique.
Peintre de figures et de paysages.
Il exécuta des aquarelles et nombre d'illustrations.

COOKE William Edward
Originaire des environs de Leicester. XIXe siècle. Britannique.
Peintre de paysages.
Il exposa à la Royal Academy de Londres, entre 1876 et 1885.
Ventes Publiques : Londres, 29 juin 1976 : *Le Pont* 1884, h/t (39x60) : **GBP 250** – Londres, 2 fév. 1979 : *On the Soar, Leicestershire* 1879 ; *A canal scene* 1880, 2 cartons (16,5x24,2) : **GBP 2 800** – Londres, 10 mai 1985 : *La mare aux canards*, h/cart. (17,8x25,5) : **GBP 850** – Londres, 13 nov. 1992 : *Le beffroi de Bruges*, h/cart. (31x41,5) : **GBP 1 210**.

COOKE William John
Né en 1797 à Dublin. Mort en 1865 à Darmstadt (Allemagne). XIXe siècle. Britannique.
Graveur au burin et sur acier.
W.-J. Cooke reçut son éducation artistique chez son oncle, George Cooke, et grava des planches d'après Turner, représentant *des vues de Nottingham et de Plymouth*. Il fournit aussi une gravure du château de Newark pour une édition des poèmes de Scott. En 1840, l'artiste s'établit à Darmstadt.

COOKESLEY Margaret Murray ou Cooksley
Morte en 1927. XIXe-XXe siècles. Britannique.
Peintre de sujets typiques, scènes de genre, portraits. Orientaliste.
Active à Londres de 1884 à 1910. Voir aussi MURRAY-COOKESLEY Margaret.
Ventes Publiques : Londres, 19 mars 1910 : *Marchand d'oranges oriental* : **GBP 8** ; *La Fleur favorite* : **GBP 12** – Londres, 11-14 nov. 1921 : *Scène d'Orient* 1883 : **GBP 5** – Londres, 3 avr. 1922 : *Scène d'Orient* 1883 : **GBP 2** – Londres, 22 nov. 1926 : *Scène de genre* 1908 : **GBP 15** – Londres, 27 juin 1927 : *Dans le harem* 1888 : **GBP 11** – Londres, 29 juin 1931 : *Scène de genre* 1907 : **GBP 23** – Londres, 14 juin 1977 : *Contemplation* 1895, h/pan. (40x29) : **GBP 900** – Londres, 14 juin 1979 : *La Belle Marchande d'œufs* 1902, h/t (40x30,5) : **GBP 1 600** – Londres, 17 juin 1980 : *Scène de harem* 1894, h/pan. (29x39) : **GBP 550** – Londres, 18 mars 1983 : *En consultant les oracles*, h/t (77,5x127,5) : **GBP 8 500** – San Francisco, 21 juin 1984 : *Jeune esclave arabe* 1886, h/t (41x30,5) : **USD 850** – Chester, 20 juil. 1989 : *Portrait de Mrs J.A. Hallinan couvert de marguerites*, h/t (127x76) : **GBP 1 430** – Londres, 5 juin 1991 : *Amies*, h./impression/pan. (25,5x36) : **GBP 1 430** – New York, 26 mai 1993 : *En captivité* 1908, h/t (63,5x76,2) : **USD 11 500** – Londres, 25 mars 1994 : *Servante orientale*, h/pan. (17,8x12,7) : **GBP 1 150**.

COOKINS James
Né vers 1835 à Terre-Haute (Indiana). XIXe siècle. Américain.
Peintre et illustrateur.

COOKMAN Charles Edwin
Né en 1856 à Columbus (Ohio). Mort en 1895. XIXe siècle.
Américain.
Peintre.

COOKSEY May Louise Graville
Née le 10 janvier 1878. XXe siècle. Britannique.
Peintre et aquafortiste.

COOL Delphine de, née **Fortin**. Voir **ARNOULD de COOL**

COOL Gabriel de
Né le 14 octobre 1854 à Limoges (Haute-Vienne). XIXe siècle.
Français.
Peintre de compositions religieuses, scènes de genre, figures, paysages.
Fils de Delphine de Cool et élève de Cabanel, il participe au
Salon de Paris à partir de 1897, obtenant une médaille de troi-
sième classe en 1908.
À côté de ses sujets religieux, tel *La lapidation de saint Étienne*, et
scènes de genre, comme *La visite à l'atelier*, il a peint des figures
poétiques de jeunes femmes rêveuses et lointaines, telle *Une fille
d'Ève* et des paysages imprécis.
Bibliogr. : Gérald Schurr, in : *Les Petits Maîtres de la peinture
1820-1920, valeur de demain*, Les Éditions de l'Amateur, t. IV,
Paris, 1979.
Ventes Publiques : Paris, 25 oct. 1943 : *Maternité*, past. :
FRF 260 – Paris, 23 oct. 1992 : *Jeune femme*, past. (ovale 67x55) :
FRF 3 800.

COOL Jan Daemen
Né en 1589 à Rotterdam. Mort le 24 novembre 1660 à Ams-
terdam. XVIIe siècle. Hollandais.
Peintre.
Le 7 mars 1614, il était comme étranger dans la gilde de Delft ; se
maria le 2 février 1618. Veuf, il épousa le 23 avril 1623, à Rotter-
dam, la veuve du peintre Lowys Percellis.
Musées : Amsterdam : *Amiral Pieter Pietersz Hem* – Rotterdam :
Les directeurs de l'Hôpital du Saint-Esprit à Rotterdam.
Ventes Publiques : Paris, 1863 : *Halte d'un chasseur* : FRF 580 –
Paris, 13 fév. 1900 : *Réunion à l'Hôtellerie* : FRF 350 – Londres, 15
nov. 1968 : *Portrait de l'amiral Piet Heyn* : GNS 90.

COOL Pieter
XVIIe siècle. Actif à la fin du XVIIe siècle. Éc. flamande.
Graveur.
On cite, de cet artiste, des estampes satiriques et des sujets reli-
gieux.

COOL Thomas Simon
Né le 12 décembre 1831 à La Haye. Mort le 29 août 1870 à
Dordrecht. XIXe siècle. Hollandais.
Peintre de genre.
Élève de Jacobus Everardus Josephus van den Berg. Il travailla à
Paris de 1857 à 1860 et à Anvers de 1861 à 1865. C. Nosmaer dit
de lui : « Sa vie fut une lutte continuelle avec l'idéal ». Le Musée
communal de La Haye conserve de lui : *Chactas et le père Aubry
près du corps d'Atala* et *le Portrait du peintre Taco Scheltema.*

COOLBERGER Antoon. Voir **COEBERGHER Antoon**

COOLE Jacob
XVIIe siècle. Actif à Dordrecht en 1602. Hollandais.
Peintre.

COOLENS Berten
Né en 1926 à Beveren-Oudenaarde. XXe siècle. Belge.
**Sculpteur de compositions monumentales, de portraits
et de médailles.**
Il fut élève à l'Académie des Beaux-Arts de Gand, où il devint
ensuite professeur. Prix Godecharle en 1951.
Musées : Gand.

COOLEY Thomas
XIXe siècle. Travaillant à Dublin, puis à Londres, durant la
première moitié du XIXe siècle. Britannique.
Peintre.

COOLIDGE Bertha
Née en mars 1880 à Lyon (Rhône). XXe siècle. Britannique.
Peintre.

COOLIDGE Mounfort
Né aux États-Unis. XIXe-XXe siècles. Américain.
Peintre de paysages.
A figuré au Salon des Artistes Français de 1912.

COOLMAN Gauthier
Mort le 27 janvier 1468 à Malines. XVe siècle. Éc. flamande.
Sculpteur et architecte.
« Maître des ouvrages de la ville », de 1446 à 1465, à Malines, il
construisit la tour Saint-Rombout et fit, en 1453, un tabernacle
pour les reliques de Saint Rombout.

COOLS Achille
Né en 1949 à Grobbendonk. XXe siècle. Belge.
Peintre, dessinateur, aquarelliste, graveur de paysages.
Il fit ses études à l'Académie des Beaux-Arts d'Anvers et fut pro-
fesseur à l'Académie de Heist-op-den-Berg. Il peint surtout des
paysages de sa Campine natale.

COOLS Andries ou **Coels**
XVIe-XVIIe siècles. Travaillant à Gand de 1599 à 1657. Éc. fla-
mande.
Peintre.
Il était le fils de Jan Cools et travailla tout d'abord avec son père,
puis seul, pour des églises et pour l'Hôtel de Ville de Gand.

COOLS Donaes ou **Coels**
XVe-XVIe siècles. Actif à Gand. Éc. flamande.
Sculpteur.

COOLS Frans
XVIIe-XVIIIe siècles. Actif à Gand à la fin du XVIIe et au début du
XVIIIe siècle. Éc. flamande.
Graveur.
Le Blanc cite un portrait de ce graveur.

COOLS Gregorius
XVIe-XVIIe siècles. Actif à Gouda. Hollandais.
Sculpteur.
Il travaillait en 1603 à l'Hôtel de Ville de Gand.

COOLS Ignatius
XVIIe-XVIIIe siècles. Actif à Anvers. Éc. flamande.
Enlumineur.

COOLS Jan
Mort vers 1666 à Anvers. XVIIe siècle. Éc. flamande.
Peintre.

COOLS Jan ou **Coels**
XVIe siècle. Actif à Gand à la fin du XVIe siècle. Éc. flamande.
Peintre.

COOLS Roger
Né en 1919 à Hamme. XXe siècle. Belge.
Peintre de marines. Néo-expressionniste.
Élève à l'Académie des Beaux-Arts d'Anvers, il peint des
marines impétueuses, aux ciels mouvementés, dans des tonalités
de bleus et de verts, traitées à larges coups de brosse ou au couteau.

COOLS Willy
Né en 1931 à Diffel. XXe siècle. Belge.
Peintre.
Il fut élève aux Académies des Beaux-Arts de Berchem (Anvers)
et de Lierre, où il devint ensuite professeur. Prix de Rome et Prix
de la Ville d'Aarschot.

COOLWIJK Jan W. H. Schreuder Van de ou **Coolvijk,**
ou **Schreuder Van de Coolwijk**
Né le 28 février 1868. Mort en 1962. XIXe-XXe siècles. Hollan-
dais.
Peintre de genre.
Il fut élève de J. Rosier et Fr. Jansen. Il était actif à La Haye.
Ventes Publiques : Londres, 5 oct. 1990 : *Le connaisseur*, h/pan.
(47,8x31,2) : GBP 1 980.

COOMAN Émiel de
Né en 1922 à Grammont. XXe siècle. Belge.
Peintre de paysages, graveur, dessinateur.
Fils et élève de Jan de Cooman. Il a surtout peint la région de
Grammont et Ninove.
Bibliogr. : In : *Diction. biogr. illustré des artistes en Belgique
depuis 1830*, Arto, Bruxelles, 1987.

COOMAN Jan de
Né en 1893 à Zandbergen. Mort en 1949. XXe siècle. Belge.
**Peintre et graveur de portraits, de paysages et d'inté-
rieurs.**
Il peint des intérieurs de fermes, mais surtout des paysages des
Ardennes flamandes, de préférence sous la neige et peuplés de
paysans.

BIBLIOGR. : In : *Diction. Biogr. illustré des Artistes en Belgique depuis 1830*, Arto, Bruxelles, 1987.

COOMAN Willem ou Coeman
xve siècle. Actif à Anvers vers 1453. Éc. flamande.
Peintre.

COOMANS Auguste
xixe siècle. Éc. flamande.
Peintre de genre, paysages, graveur.
Actif vers 1850.
VENTES PUBLIQUES : NEW YORK, 1909 : *Qui a fait cela ?* : USD 95 – LONDRES, 16 oct. 1968 : *Scène de marché* : GBP 360 – NEW YORK, 4 nov. 1971 : *Scène biblique* 1855 : USD 130 – LONDRES, 19 mai 1976 : *Village en hiver*, h/t (61x80) : GBP 3 500 – LONDRES, 22 mai 1981 : *Moutons dans un paysage – Volatiles dans un paysage*, deux h/pan. (24,1x31,6) : GBP 650 – LONDRES, 18 avr. 1983 : *Moutons au bord d'une rivière*, h/pan. (17,5x26) : GBP 500 – PARIS, 5 fév. 1986 : *La famille romaine*, h/pan. (24x31) : FRF 8 500 – PARIS, 30 mai 1990 : *Moutons*, h/pan. (18x25) : FRF 8 000 – LONDRES, 27 oct. 1993 : *Une famille romaine*, h/pap./pan. (24x31,5) : GBP 1 840.

COOMANS Célestine
xixe siècle. Éc. flamande.
Peintre de paysages animés, paysages.
Active vers 1855.
VENTES PUBLIQUES : LONDRES, 6 oct. 1982 : *Berger et troupeau dans un paysage d'été* 1865, h/pan. (30,5x43) : GBP 750 – LONDRES, 18 avr. 1983 : *Paysage fluvial boisé avec barque* 1865, h/t (23x35,5) : GBP 380.

COOMANS Charles
xixe siècle. Éc. flamande.
Peintre de paysages animés, graveur sur bois.
Actif vers 1840, il était le frère de Joseph Pierre Olivier et d'Auguste Coomans.
VENTES PUBLIQUES : LONDRES, 24 mars 1988 : *Patineurs sur la rivière gelée* 1867, h/t (56x86) : GBP 8 800.

COOMANS Diana
xixe siècle. Belge.
Peintre de compositions à personnages. Orientaliste.

Diana Coomans (signature)

VENTES PUBLIQUES : NEW YORK, 13 et 14 déc. 1977 : *Princesse tzigane*, h/t (83x60) : USD 1 900 – LOS ANGELES, 12 mars 1979 : *L'Élégie* 1886, h/t (104,5x82,5) : USD 3 000 – NEW YORK, 18 sep. 1981 : *La Sérénade* 1886, h/t (43,2x33) : USD 2 500 – NEW YORK, 23 mai 1985 : *Les colombes*, h/t (44,5x34,5) : USD 8 250 – NEW YORK, 28 oct. 1987 : *La mariée*, h/t (31,7x45,4) : USD 8 500 – PARIS, 3 juin 1993 : *Musiciennes au harem*, h/t (44x34) : FRF 27 000 – PARIS, 22 avr. 1994 : *La fille du pharaon* 1887, h/t (24x19) : FRF 18 000.

COOMANS Heva
xixe siècle. Belge.
Peintre de compositions à personnages, scènes de genre, figures.
Elle peignit surtout des jeunes femmes dans des situations diverses, mythologiques, familières ou valorisantes.
VENTES PUBLIQUES : NEW YORK, 15 oct. 1976 : *Dalilah* 1885, h/t (70x50) : USD 1 300 – NEW YORK, 28 avr. 1977 : *Jeune fille au tambourin* 1885, h/t (69x49,5) : USD 3 000 – LONDRES, 20 juin 1979 : *Jeune fille au tambourin* 1885, h/t (67,5x48) : GBP 3 000 – NEW YORK, 26 mai 1982 : *Des fleurs pour la princesse*, h/t (44,5x32) : USD 1 200 – NEW YORK, 24 mai 1984 : *Jeunes femmes sur une terrasse* 1892, h/t (66,5x97) : USD 3 500 – NEW YORK, 30 oct. 1992 : *Beautés classiques*, h/t (50,8x71,1) : USD 13 200.

COOMANS Joseph Pierre Olivier
Né le 28 juillet 1816 à Bruxelles. Mort le 31 décembre 1889 à Boulogne-sur-Seine (Hauts-de-Seine). xixe siècle. Actif aussi en France. Belge.
Peintre d'histoire, scènes de genre, paysages, illustrateur.
Élève à l'Académie de Gand et de Nicaise de Keyser à l'École des Beaux-Arts d'Anvers, il fit de nombreux voyages en Algérie, Italie, Grèce, Turquie, avant de s'installer en France.
Il a surtout peint des scènes de genre appartenant à l'histoire antique romaine et qui se passent le plus souvent à Pompéi. Il est l'auteur d'illustrations de livres, dont : *L'Histoire de la Révolution*

française ; *Mes prisons* de Silvio Pelico ; *les Belges peints par eux-mêmes* ; *Les Normands en Flandres* 1840 ; *L'Histoire de Belgique*, écrite par son frère Jean-Baptiste.

Joseph Coomans (heading, handwritten style)

BIBLIOGR. : Gérald Schurr, in : *Les Petits Maîtres de la peinture 1820-1920, valeur de demain*, Les Éditions de l'Amateur, t. VI, Paris, 1985.
MUSÉES : BRUXELLES – STUTTGART : *Sapho – Famille romaine*.
VENTES PUBLIQUES : PARIS, 1878 : *Lesbie* : FRF 660 – PARIS, 1881 : *Le débarbouillé* : FRF 2 750 – PARIS, 10 mars 1926 : *Intérieur d'une maison romaine* : FRF 700 – LONDRES, 18 nov. 1927 : *Une Sylphide endormie* 1851 : GBP 8 – NEW YORK, 3 déc. 1936 : *La marchande d'amours* : USD 70 – PARIS, 18 mai 1938 : *Baigneuses au rocher* : FRF 1 050 – LONDRES, 9 oct. 1964 : *Paysage boisé* : GNS 95 – NEW YORK, 28 oct. 1966 : *Départ pour la chasse* : USD 250 – NEW YORK, 24 fév. 1971 : *Pénélope* 1866 : USD 750 – LYON, 12 mai 1976 : *La toilette* 1879, (67x55,5) : FRF 3 000 – NEW YORK, 7 oct. 1977 : *Le Coffret à bijoux* 1880, h/pan. (47x36,5) : USD 5 000 – LOS ANGELES, 12 mars 1979 : *Les Vestales* 1881, h/t (56,5x85) : USD 5 250 – NEW YORK, 13 fév. 1981 : *Pénitence*, h/t (74,5x56,5) : USD 9 200 – COLOGNE, 29 juin 1984 : *Enfants jouant* 1880, h/pan. (34x54) : DEM 11 000 – NEW YORK, 22 mai 1986 : *Divertissement à Pompéi* 1872, h/pan. parqueté (53,3x69,9) : USD 7 500 – NEW YORK, 25 fév. 1988 : *La récolte de prunes* 1874, h/t (47x36,5) : USD 11 000 – NEW YORK, 24 oct. 1989 : *Après le bain* 1858, h/t (102,8x83,2) : USD 3 850 – NEW YORK, 30 oct. 1992 : *Les enfants de l'empereur* 1879, h/pan. (67,3x55,8) : USD 15 400 – NEW YORK, 26 mai 1994 : *Rêveries*, h/pan. (52,1x39,4) : USD 29 900 – NEW YORK, 24 mai 1995 : *L'orientale* 1872, h/pan. (41,3x31,1) : USD 24 150 ; *Les dernières heures de Pompéi dans la Maison du poète* 1869, h/t (101x158,1) : GBP 82 900 – TOURS, 26 juin 1995 : *Baigneuses au rocher*, h/t (82x56) : FRF 50 000 – NEW YORK, 23-24 mai 1996 : *Un passage périlleux* 1977, h/pan. (53,3x69,9) : USD 31 050 – NEW YORK, 23 oct. 1997 : *Divertissement de l'après-midi* 1865, h/pan. (36,8x46,4) : USD 20 700.

COOMANS Lenaert ou Coymans, Cuoymans
xviie siècle. Éc. flamande.
Peintre.
Il était actif à Anvers au début du xviie siècle.

COOMANS Yolande
Née en 1940 à Grammont. xxe siècle. Belge.
Peintre, dessinateur.
Après des études à l'Institut Ste-Marie à St-Gilles (Bruxelles), à l'Académie des Beaux-Arts de Watermael-Boitsfort, elle perfectionna sa technique chez Chaplain-Midy à l'École des Beaux-Arts de Paris. La sobriété et la fermeté de sa ligne donnent un art équilibré, soutenu par des tonalités fauves tempérées.
BIBLIOGR. : In : *Dictionnaire biog. ill. des Artistes en Belgique depuis 1830*, Arto, 1987.

COOMBS J. E.
xixe siècle. Actif au début du xixe siècle. Britannique.
Graveur à la manière noire.
Le British Museum possède plusieurs planches de cet artiste.

COONEY Fanny Young, Mrs. Voir CORY

COOP Harold
Né le 22 octobre 1890 à York. xxe siècle. Britannique.
Aquafortiste.

COOP Hubert
Né le 8 mars 1872 à Olney (Buckinghamshire). Mort en 1953.
xixe-xxe siècles. Britannique.
Peintre de paysages, marines, aquarelliste.
A exposé à la Royal Academy, à Londres.
VENTES PUBLIQUES : LONDRES, 23 juil. 1923 : *Marée basse*, dess. : GBP 8 – LONDRES, 19 mai 1981 : *Ferme au bord d'un marécage*, aquar. reh. de gche (60x73) : GBP 900 – LONDRES, 26 mai 1983 : *Criccieth, North Wales*, aquar. reh. de gche (76x132) : GBP 1 000 – LONDRES, 16 fév. 1984 : *Bords de rivière*, aquar. et gche (35x53,5) : GBP 550 – LONDRES, 21 jan. 1986 : *Bateaux au port*, aquar. (44,5x75) : GBP 480 – LONDRES, 21 juil. 1987 : *Les pêcheurs de crevettes sur la plage*, aquar. reh. de blanc (42x56,3) : GBP 750 – LONDRES, 31 jan. 1990 : *Un moulin à vent*, aquar. (29x39) : GBP 825 – LONDRES, 7 oct. 1992 : *Moulin à vent*, aquar. (28,5x19,5) : GBP 715.

COOPEL Pierre François
xviiie siècle. Éc. flamande.

Peintre.

Il était élève de l'Académie d'Anvers vers 1783.

COOPER Abraham

Né le 8 septembre 1787 à Londres. Mort le 24 décembre 1868 à Greenwich. XIXᵉ siècle. Britannique.

Peintre de batailles, scènes de chasse et de sport, animaux.

Le peintre Abraham Cooper fut d'abord employé comme figurant dans des batailles et cortèges au théâtre Astley, et s'occupa, dans ses heures perdues, à dessiner des chevaux et des chiens. En 1805, une étude d'après un cheval appartenant à Sir Henry Meux vint aux yeux de ce noble, qui l'acheta aussitôt et protégea l'artiste, dès lors, avec une grande bienveillance. A partir de ce moment, sa carrière artistique fut assurée. Il exposa à la Royal Academy, à la British Institution, à Suffolk Street, et à la Old Water-Colours Society, entre 1812 et 1869. Son tableau représentant la *Bataille de Waterloo* fut récompensé en 1816 par la British Institution, et, en 1817, il devint associé de la Royal Academy, où il entra, en 1820, comme membre. Abraham Cooper quitta la Royal Academy en 1862.

MUSÉES : LONDRES (Victoria and Albert) : *Ane et épagneul dans une écurie – Cheval gris à la porte d'une écurie.*

VENTES PUBLIQUES : LONDRES, 23 nov. 1907 : *Le Retour du chasseur ; Gibier mort* : **GBP 2** – LONDRES, 4 juin 1908 : *Épagneul et canard sauvage,* dess. : **GBP 1** – LONDRES, 21 nov. 1908 : *Un engagement de cavalerie* : **GBP 3** – LONDRES, 27 fév. 1909 : *Don Quichotte* : **GBP 3** – LONDRES, 14 mars 1927 : *Cheval de course* : **GBP 39** – LONDRES, 4 juil. 1927 : *Chasseurs avec deux lévriers 1821* : **GBP 23** – LONDRES, 28 mars 1928 : *Un chasseur 1821* : **GBP 20** – NEW YORK, 30-31 oct. 1929 : *Un cheval de chasse 1850* : **USD 60** – LONDRES, 27 fév. 1931 : *Une mule et un âne 1810* : **GBP 13** – LONDRES, 18 avr. 1932 : *La bataille de Boxworth Field 1825* : **GBP 36** – LONDRES, 25 mai 1934 : *Un piqueur et deux lévriers* : **GBP 21** – LONDRES, 24 mars 1937 : *Un cheval et un chien* : **GBP 15** – LONDRES, 2 nov. 1966 : *Le pur sang « Satirist »* : **GBP 160** – LONDRES, 20 nov. 1968 : *Le départ du chasseur ; Le retour du chasseur,* deux pendants : **GBP 1 100** – LONDRES, 17 nov. 1971 : *Le cheval Truffle* : **GBP 1 500** – NEW YORK, 18 mars 1972 : *Portrait de Mr Cripps* : **USD 6 000** – LONDRES, 19 nov. 1976 : *Deception, winner of the oaks 1839,* h/pan. (28,5x33) : **GBP 850** – LONDRES, 24 juin 1977 : *Groupe équestre dans un paysage 1854,* h/t (89x125,8) : **GBP 3 000** – PARIS, 29 mars 1979 : *Halte dans le désert,* h/pan. (32,5x43) : **FRF 8 000** – LONDRES, 29 oct. 1981 : *The fight of Cropedy Bridge, June 29 1644* : **GBP 1 900** – LONDRES, 21 nov. 1984 : *Trois chevaux dans un paysage 1830,* h/t (86,5x114) : **GBP 8 000** – NEW YORK, 22 mai 1985 : *Le pur sang Selim Pacha et Arabes dans un paysage 1860,* h/t (71,1x101,8) : **USD 160 000** – NEW YORK, 4 juin 1987 : *Daniel Haigh, du Old Surrey et Burstow Hunt on son cheval Kitten,* h/t (87,6x112) : **USD 52 500** – LONDRES, 29 jan. 1988 : *Crib et Rosa deux bulldogs dans une cour 1811,* h/pan. (33,3x43,8) : **GBP 550** – LONDRES, 28 fév. 1990 : *Le Chat 1817,* h/t (29,5x24) : **GBP 3 630** – LONDRES, 26 oct. 1990 : *Fidèle, épagneul Blenheim courant après un bouvreuil,* h/pan. (30,5x37,8) : **GBP 7 700** – LONDRES, 10 avr. 1991 : *Richard Cœur-de-Lion désarçonnant Saladin à la bataille de Ascalon,* h/t (2,5x45,5) : **GBP 2 200** – NEW YORK, 5 juin 1992 : *Cossack, cheval alezan de Mr. T.H. Holt dans son box 1847,* h/t (77,5x90,3) : **USD 18 700** – NEW YORK, 3 juin 1994 : *Mr. T. se promenant sur son cheval Spankaway en compagnie de la meute de Epping Forest,* h/t (43,2x53,3) : **USD 6 612** – NEW YORK, 9 juin 1995 : *Little Ben monté par son jockey et tenu par son entraîneur,* h/t (85,7x111,8) : **USD 18 400** – LONDRES, 12 juil. 1995 : *Setter dans un paysage 1813,* h/t (49x59) : **GBP 10 120** – LONDRES, 13 nov. 1996 : *Spume, cheval bai, monté par John Day Jnr sur un champ de courses,* h/t (62x79,5) : **GBP 10 925** – LONDRES, 9 juil. 1997 : *Brebis primée de J. Archer Houblon 1812,* h/t (34,5x44) : **GBP 9 775.**

COOPER Alexander

Né vers 1605 probablement à Londres. Mort en 1660 à Stockholm. XVIIᵉ siècle. Britannique.

Peintre de portraits, miniaturiste et aquarelliste.

Cet artiste, n'ayant pu obtenir de l'encouragement en Angleterre, passa en Flandre, où il habita quelque temps. Plus tard, il devint peintre de la reine Christine de Suède. Ses progrès artistiques furent surveillés par son oncle, le peintre Hoskins, et quoiqu'il obtint quelque réputation, il ne sut jamais s'élever au rang

de son frère Samuel Cooper. Le Musée d'Amsterdam conserve de lui deux portraits du *roi Jacques II d'Angleterre* (miniatures).

COOPER Alexander Davis

Né vers 1837. Mort en 1888. XIXᵉ siècle. Britannique.

Peintre de genre, portraits, animaux, paysages.

MUSÉES : LONDRES (Nat. Portrait Gal.) : *Portrait du poète A. J. E. Cockburn.*

VENTES PUBLIQUES : LONDRES, 24 mars 1981 : *Familiarity breeds contempt 1862,* h/t (89x69) : **GBP 1 250** – LONDRES, 16 avr. 1986 : *A mutual surprise 1888,* h/t (51x61) : **GBP 1 500** – LONDRES, 15 jan. 1991 : *Deux terriers à long poil près d'un loch des Highlands 1878,* h/t (71,2x91,6) : **GBP 3 300.**

COOPER Alexander Davis, Mrs

XIXᵉ siècle. Active à Londres. Britannique.

Peintre de natures mortes.

Cette artiste était l'épouse de A. D. Cooper. Elle exposa dans différentes expositions à Londres, des natures mortes et parfois des portraits ou des tableaux de genre entre 1854 et 1875.

COOPER Alfred

XIXᵉ siècle. Britannique.

Peintre de genre, paysages, natures mortes.

Il exposa à la Royal Academy, à Londres, entre 1854 et 1869.

COOPER Alfred Egerton

Né le 5 juillet 1883 à Tettenhall. Mort en 1974. XXᵉ siècle. Britannique.

Peintre de genre, portraits, peintre à la gouache.

VENTES PUBLIQUES : LONDRES, 25 oct. 1977 : *Le match de cricket 1938,* h/t (75x151) : **GBP 1 300** – LONDRES, 13 nov. 1985 : *Scène de plage,* h/pan. (30,5x40,5) : **GBP 2 400** – LONDRES, 13 nov. 1986 : *Scène de plage,* h/cart. (30x38) : **GBP 850** – LONDRES, 22 juil. 1987 : *« Epsom Downs on Derby Day »,* gche (28x37) : **GBP 2 000** – LONDRES, 8 juin 1989 : *Femme cueillant des fleurs sauvages,* h/t (50,8x61,6) : **GBP 1 980.**

COOPER Alfred Heaton

Mort en 1929. XIXᵉ-XXᵉ siècles. Britannique.

Peintre de figures, paysages, natures mortes.

Il exposa à la Royal Academy, à Londres, entre 1887 et 1908.

VENTES PUBLIQUES : LONDRES, 24 nov. 1976 : *Les émissaires du sultan du Maroc 1888,* deux h/t (91,5x71) : **GBP 420** – LONDRES, 4 fév. 1986 : *Yachting at Cowes,* aquar. reh. de blanc (27x37) : **GBP 750** – LONDRES, 20 mai 1992 : *Régate à Portsmouth,* aquar. (28x38,5) : **GBP 1 760** – NEW YORK, 14 oct. 1993 : *Émissaires du Sultan du Maroc 1888,* h/t (91,5x71,4) : **USD 14 950.**

COOPER Alfred W.

XIXᵉ-XXᵉ siècles. Britannique.

Peintre de genre, aquarelliste, dessinateur.

Il travailla à Londres, où il exposa à la Royal Academy et à la British Institution entre 1850 et 1901.

VENTES PUBLIQUES : LONDRES, 21 nov. 1921 : *Le jeune châtelain 1881,* dess. : **GBP 17** – LONDRES, 30 et 31 mai 1922 : *Scène des « Deux gentilshommes de Vienne » 1889,* aquar. : **GBP 1** – LONDRES, 8-9 juin 1993 : *Journée pluvieuse 1858,* h/pan. (46x35,5) : **GBP 4 370.**

COOPER Alice

Née à Denver (Colorado). XXᵉ siècle. Américaine.

Sculpteur.

VENTES PUBLIQUES : NEW YORK, 31 mai 1990 : *Une bacchante,* bronze à patine verte (H. 59,7) : **USD 2 200.**

COOPER Arthur Alfred

Né le 20 novembre 1883 à Great Yarmouth (Norfolk). XXᵉ siècle. Britannique.

Peintre et dessinateur.

COOPER Austin

Né le 6 mars 1890 au Canada dans le Manitoba. XXᵉ siècle. Travaillant à Londres. Canadien.

Peintre.

Tout d'abord peintre d'affiches, il s'est enfermé dans une retraite érémitique, peignant des aquarelles évoquant le Canada. Il est représenté à la Tate Gallery.

COOPER Byron. Voir COOPER George Gordon Byron

COOPER Charlotte

Née en Angleterre. XXᵉ siècle. Britannique.

Peintre.
A participé à l'Exposition de l'Art Sacré anglais, à Paris, en 1946.

COOPER Colin Campbell
Né en 1856 à Philadelphie (Pennsylvanie). Mort en 1937. XIXᵉ-XXᵉ siècles. Américain.
Peintre de paysages ruraux et urbains, de figures. Impressionniste.
Il fit ses études à Philadelphie, puis à Paris, où il fut, vraisemblablement, en contact avec la peinture des impressionnistes. À en juger d'après certaines de ses peintures, il voyagea en Angleterre, sur les rives de la Méditerranée et à Venise.
Tout son œuvre est influencé directement par l'impressionnisme et surtout par Monet, qu'il aurait pu connaître. Il n'a peint que peu de figures, de même que Monet, à partir de l'impressionnisme, n'en peignit pratiquement plus jamais. Ses paysages se partagent entre des vues de la campagne américaine, notamment de la Nouvelle-Angleterre, et des vues de villes, de cathédrales, avec une visible prédilection pour les vues de lieux typiques de New York.
MUSÉES : CINCINNATI : *Broad Street, New York* – ROCHESTER : *Le Rialto, Venise* – SAINT-LOUIS : *Grande Foire Mondiale de Basin.*
VENTES PUBLIQUES : NEW YORK, 15 avr. 1970 : *5ᵉ Avenue et 42ᵉ Rue* : **USD 2 300** – NEW YORK, 29 avr. 1977 : *L'Hudson à New Jersey* 1908, gche (54,6x70,5) : **USD 1 700** – NEW YORK, 8 août 1980 : *Jardin méditerranéen* 1927, h/t (62,5x77,5) : **USD 5 000** – NEW YORK, 4 juin 1982 : *Chatam Square station, New York* 1918-1919, h/t (101,6x127) : **USD 30 000** – NEW YORK, 3 juin 1983 : *Deux femmes*, cart. (62,2x54,6) : **USD 8 000** – NEW YORK, 21 sep. 1984 : *vue d'une cathédrale* 1902, aquar. et gche (60,4x74,8) : **USD 2 600** – NEW YORK, 20 juin 1985 : *Hunter college, New York* 1919, aquar. et gche (30,5x38,7) : **USD 1 300** – NEW YORK, 26 sep. 1986 : *La cathédrale de Canterbury*, gche (63,5x48) : **USD 800** – NEW YORK, 29 mai 1987 : *Deux jeunes femmes dans un intérieur*, h/cart. (62,2x54,6) : **USD 22 000** – NEW YORK, 30 sep. 1988 : *Ferme de Nouvelle Angleterre* 1903, h/t (58,5x74) : **USD 5 000** – NEW YORK, 30 nov. 1989 : *Columbus Circle à New York*, h/t (63,5x76,2) : **USD 48 400** – NEW YORK, 1ᵉʳ déc. 1989 : *Central Park*, h/t (91,4x91,4) : **USD 77 000** – NEW YORK, 16 mars 1990 : *Le quartier des affaires – Downtown Manhattan*, h/t (81,3x48,5) : **USD 38 500** – LOS ANGELES-SAN FRANCISCO, 10 oct. 1990 : *La route menant à la mission*, h/cart. (33x35,5) : **USD 4 950** – NEW YORK, 14 mars 1991 : *Le Grand Canal* 1897, h/t (41x54,5) : **USD 4 950** – NEW YORK, 28 mai 1992 : *Journée de printemps à Boston*, h/t (40,6x50,8) : **USD 12 100** – NEW YORK, 23 sep. 1993 : *La partie sud-ouest de Madison Square*, h/t (55,9x76,2) : **USD 37 950** – NEW YORK, 25 mai 1994 : *La bibliothèque de la 42ᵉ rue*, h/t (40,6x61) : **USD 24 150** – NEW YORK, 25 mai 1995 : *Été 1918*, h/t (127x153) : **USD 129 000** – NEW YORK, 3 déc. 1996 : *Canal à Venise* 1897, h/cart. (20,3x30,5) : **USD 3 680.**

COOPER E., Miss
Née à Manchester. XXᵉ siècle. Britannique.
Peintre de paysages.
Élève de Byron Cooper ; expose à la Royal Academy.

COOPER Edith
XIXᵉ siècle. Américaine.
Graveur sur bois.
Elle travaillait aux États-Unis vers 1877-1898.

COOPER Edward
Né vers le milieu du XVIIIᵉ siècle en Angleterre. XVIIIᵉ siècle. Britannique.
Peintre de portraits et graveur.
Il grava quelques planches d'après Albani Kneller, Franc. Albano, Ch. Le Brun, etc. Un portrait, peint par lui, porte la date de 1779, c'est celui d'une dame âgée de trente-six ans.

E C.

COOPER Edward. Voir COOPER Edwin W.

COOPER Edwin
Né en 1874. Mort en 1942. XIXᵉ-XXᵉ siècles. Britannique.
Peintre de sujets typiques, scènes de chasse, paysages.
VENTES PUBLIQUES : LONDRES, 17 nov. 1976 : *Chasseur à cheval et ses trois chiens dans un paysage*, h/t (37x49,5) : **GBP 400** – LONDRES, 26 juin 1981 : *Cheval de courses et son entraîneur* 1906, h/t (45,7x60,3) : **GBP 1 400.**

COOPER Edwin W.
Né en 1785. Mort en 1833. XIXᵉ siècle. Britannique.

Peintre de genre, scènes animées, portraits équestres, animalier, aquarelliste.
Il était actif à Londres au début du XIXᵉ siècle. Sans exclusive, il était surtout concerné par tout ce qui touche au cheval.
VENTES PUBLIQUES : LONDRES, 29 jan. 1930 : *Un cheval et deux lévriers* : **GBP 10** – LONDRES, 28 nov. 1930 : *Chasseurs et chiens* 1816, dess. : **GBP 8** – LONDRES, 18 juin 1976 : *Voiture à deux chevaux* 1815, h/t (61x84) : **GBP 1 500** – LONDRES, 18 mars 1977 : *Réjouissances villageoises* 1815, h/t (60,2x84,3) : **GBP 1 400** – LONDRES, 19 juil ; 1978 : *La Malle-poste passant devant le château de Warwick*, h/pan. (34,5x48,5) : **GBP 9 500** – LONDRES, 1984 : *Thomas Odacre, the huntsman of the Berkeley hunt, on a grey hunter with hounds*, h/t (59,7x76,2) : **GBP 9 500** – LONDRES, 12 mars 1986 : *Letting out the hounds*, h/t (57x77) : **GBP 31 000** – LONDRES, 16 oct. 1986 : *Cheval bai dans un paysage* 1816, aquar./trait de cr. (31,5x47) : **GBP 680** – LONDRES, 11 mars 1987 : *Chasseur à cheval et meute dans un paysage*, h/t (88x125) : **GBP 14 000** – NEWMARKET (Angleterre), 29 avr. 1988 : *Deux chevaux de diligence, alezans, avec leur postillon* 1810 (60,7x76,5) : **GBP 5 500** – NEW YORK, 5 juin 1992 : *Scènes de courses de chevaux*, ensemble de quatre aquar./pap. (chaque 27,9x47) : **USD 3 960** – LONDRES, 3 fév. 1993 : *Gentilshommes et leurs montures dans un paysage* 1807, h/t (44x58,9) : **GBP 2 990** – LONDRES, 13 avr. 1994 : *« Quiz », le pur-sang de Lord Rous, vainqueur du prix de St Léger en 1801*, h/t (63,5x76) : **GBP 3 680** – LONDRES, 12 nov. 1997 : *Portrait de Edward Hindes, Esq., sur Young Hambletonian, un rendez-vous de course, peut-être le terrain de Beccles dans le lointain* 1814, h/pan. (45x60) : **GBP 3 220.**

COOPER Emma, née Wren
Née en 1837 à Buntingford (Hertfordshire). XIXᵉ siècle. Britannique.
Peintre et dessinateur.
Elle se spécialisa dès sa jeunesse dans le portrait dessiné puis, plus tard, exposa surtout des natures mortes, fleurs ou animaux.

COOPER Emma, née Lampert
Née à Nunda (New York). Morte en 1920 à Pittsfield (Massachusetts). XXᵉ siècle. Américaine.
Peintre.
Elle épousa, en 1897, le peintre Colin Campbell Cooper.

COOPER Frederick Charles
XIXᵉ siècle. Britannique.
Peintre. Orientaliste.
Il exposa, à Londres, à la Royal Academy et à la British Institution, entre 1844 et 1868.

COOPER George
XVIIIᵉ-XIXᵉ siècles. Britannique.
Peintre, dessinateur et architecte.
Il exposa à Londres, entre 1792 et 1830.

COOPER George Gordon Byron
Né à Manchester. Mort en 1933. XIXᵉ-XXᵉ siècles. Britannique.
Peintre de paysages animés, paysages.
Il a exposé à la Royal Academy de Londres.
VENTES PUBLIQUES : LONDRES, 19 jan. 1982 : *Scène de moisson* 1887, h/t (51x91,5) : **GBP 600** – LONDRES, 13 fév. 1991 : *Whitby* 1901, h/t (51x91,5) : **GBP 858.**

COOPER Gerald
XXᵉ siècle. Britannique.
Peintre de fleurs, fleurs et fruits, natures mortes.
Il fut actif de 1930 à 1970.
VENTES PUBLIQUES : LONDRES, 20 mai 1981 : *Bol de fleurs*, h/t (74,5x62) : **GBP 1 200** – LONDRES, 11 juin 1982 : *Vase de fleurs* 1945, h/cart. (50,8x40,5) : **GBP 850** – LONDRES, 26 juin 1983 : *Nature morte au vase de fleurs*, h/t (76x63,5) : **GBP 3 000** – LONDRES, 18 avr. 1984 : *Les tournesols*, h/t (76x63,5) : **GBP 3 500** – LONDRES, 6 fév. 1985 : *Fleurs de printemps sur un entablement* 1951, h/cart. (51x40,5) : **GBP 3 000** – LONDRES, 30 avr. 1986 : *Nature morte aux fruits d'Automne*, h/cart. (51x76) : **GBP 1 600** – LONDRES, 13 mai 1987 : *Bouquet de fleurs* 1945, h/cart. (51x40,5) : **GBP 3 500** – LONDRES, 2 mars 1989 : *Un pot de pétunias*, h/t (73,7x62,5) : **GBP 11 000** – LONDRES, 20 sep. 1990 : *Roses-mousse et iris dans un vase sur un entablement de pierre* 1951, h/cart. (51x41) : **GBP 5 720** – LONDRES, 7 nov. 1991 : *Roses trémières et chèvrefeuille* 1946, h/cart. (49,5x38) : **GBP 5 280** – NEW YORK, 16 fév. 1994 : *Nature morte de coquelicots, volubilis et fleurs de tabac*, h/t (61x50,8) : **USD 6 900.**

COOPER Henry M.
XIXᵉ siècle. Britannique.

Peintre de paysages, d'histoire et de genre.
Il exposa à Londres à partir de 1842.

COOPER Isolde Frances, dame
Née en 1903. Morte en 1953. XXᵉ siècle. Britannique.
Peintre.
Fille de Lord Borthwick. Elle étudia à Heatherleys sous la direction de Iain MacNab et épousa Sir George Cooper.
VENTES PUBLIQUES : YORK (Angleterre), 12 nov. 1991 : *Fleurs dans un vase*, h/t (49x59,5) : GBP 528.

COOPER J.
XVIIIᵉ siècle. Britannique.
Graveur à la manière noire et éditeur.
Le British Museum possède de nombreuses planches dues à cet artiste.

COOPER J.
Né en 1695. XVIIIᵉ siècle. Vivait encore en 1754. Britannique ou Américain.
Peintre. Naïf.
Il est né probablement en Angleterre où de nombreuses de ses œuvres ont été retrouvées, et où il semble qu'il ait toujours travaillé. On le dit aussi Américain et il est possible qu'à une date inconnue il ait fait un voyage en Amérique du Nord.

COOPER James Davis
Né en 1823. Mort en 1904. XIXᵉ siècle. Britannique.
Graveur sur bois.

COOPER John
XVIIIᵉ siècle. Actif vers 1758. Britannique.
Peintre de portraits.
Peut-être doit-on identifier ce peintre avec le graveur du XVIIIᵉ siècle J. Cooper.

COOPER John
XIXᵉ siècle. Actif à Londres. Britannique.
Graveur au burin.

COOPER Joseph Teal
Né en 1682 à Burford (Oxfordshire). Mort en 1743 à King's Lynn. XVIIIᵉ siècle. Britannique.
Peintre de portraits, natures mortes, fruits.
MUSÉES : LONDRES (British Mus.) : *Portrait*.
VENTES PUBLIQUES : LONDRES, 12 juil. 1990 : *Nature morte avec un melon d'eau, des figues, pommes, prunes, poires, raisin et autres dans un paysage*, h/t (103x127,5) : GBP 14 300 – LONDRES, 1991 : *Nature morte de fruits*, h/t (95x123) : GBP 20 900 – NEW YORK, 20 mai 1993 : *Nature morte de compositions de fruits dans des paysages montagneux*, h/t, une paire (96,5x123,2) : USD 40 250.

COOPER Kate
Née à Liverpool. XXᵉ siècle. Britannique.
Aquarelliste et miniaturiste.

COOPER Mary Cuthbert
XIXᵉ siècle. Britannique.
Sculpteur.
Peut-être y a-t-il un lien de parenté avec CUTHBERT (Margot-Lindsey). Elle exposa en 1880, 1883 et 1884 à la Royal Academy, à Londres.

COOPER Ophelia Gordon Joan
Née le 1ᵉʳ juillet 1915 en Écosse. XXᵉ siècle. Britannique.
Sculpteur et aquarelliste.
Fille de graveur, elle fut élève de H. Brownsword. Elle expose à la Royal Academy de Londres, au Royal Glasgow Institute of Fine Arts, à la Royal Scottish Academy et à la Lake Artists Society.

COOPER Peregrine F.
XIXᵉ siècle. Travaillant aux États-Unis en 1840-1890. Américain.
Peintre, pastelliste.

COOPER R.
XVIIIᵉ siècle. Britannique.
Peintre.
Il exposa à la Royal Academy, à Londres, entre 1793 et 1799. Il s'agit vraisemblablement du graveur Robert Cooper (voir à cet article).

COOPER Richard
Né vers 1730 à Londres. Mort en 1820 à Londres. XVIIIᵉ-XIXᵉ siècles. Britannique.

Graveur au burin.
Ce graveur apprit son métier à Paris, chez Le Bas. Il produisit surtout des portraits. Entre 1761 et 1783, ses œuvres furent exposées à plusieurs sociétés de Londres, notamment à la Royal Academy et à la Society of Artists.

COOPER Richard, l'Ancien
Né vers 1705 dans le Yorkshire. Mort en 1764 à Edimbourg. XVIIIᵉ siècle. Britannique.
Peintre dessinateur et graveur.
On possède peu de renseignements sur cet artiste, qui semble avoir acquis sa renommée comme professeur de Sir Robert Strange, plutôt que par son mérite personnel de graveur. Père de Richard Cooper le jeune.
MUSÉES : LONDRES (Victoria and Albert) : *Étude de fleurs*.

COOPER Richard, le Jeune
Né vers 1740 probablement à Edimbourg. Mort vers 1814 à Londres. XVIIIᵉ-XIXᵉ siècles. Britannique.
Peintre de paysages.
Richard voyagea en Italie et en profita pour étudier les grands maîtres anciens. Ses paysages obtinrent un certain succès, et, vers la fin du XVIIIᵉ siècle, il accepta le poste de maître de dessin au collège, à Eton. A Londres, où il s'établit après avoir demeuré quelque temps à Edimbourg, ses tableaux représentant les *Ruines de l'amphithéâtre de Vespasien à Rome* et un *Paysage italien avec bandits*, furent exposés à la Royal Academy. Cette institution reçut de ses œuvres entre les années 1787 et 1809. Richard Cooper fut aussi le professeur de dessin de la princesse Charlotte. Il était fils de Richard Cooper l'Ancien.
MUSÉES : DUBLIN : *Le pont Solaro, près Rome*, aquar. – *Paysage*, pl. et aquar. – LONDRES (Victoria and Albert) : *Paysage, rochers* – *Le Vésuve* – *Paysage avec cottage* – *Paysage, montagnes d'Italie*.
VENTES PUBLIQUES : NEW YORK, 1ᵉʳ mai 1930 : *Le cheval Escape* : USD 225 ; *Le cheval Whiskey 1804* : USD 210 – LONDRES, 19 nov. 1968 : *Vue du Forum*, aquar. : GNS 100.

COOPER Robert
Né vers la fin du XVIIIᵉ siècle probablement en Angleterre. Mort après 1836. XVIIIᵉ siècle. Actif vers 1821. Britannique.
Graveur et peintre.
Cet artiste fournit les illustrations pour les romans de Walter Scott, et grava aussi quelques frontispices dans les *Portraits* de Lodge. C'est lui qui exposa, semble-t-il, des tableaux à la Royal Academy entre 1793 et 1799 sous le nom de R. Cooper.

COOPER Robert
XIXᵉ siècle. Britannique.
Peintre de paysages.
Il exposa à la Royal Academy, à Londres, entre 1850 et 1874.

COOPER Robert Edward
Né le 6 novembre 1931 à Victoria. XXᵉ siècle. Actif en France. Canadien.
Peintre.
Après des études dans sa ville natale, il vint à Paris pour étudier l'histoire de l'art et la littérature, tout en travaillant à l'École des Beaux-Arts. Il retourna à Victoria entre 1958 et 1960, puis revint s'installer définitivement à Paris, où il participa à la Biennale en 1963. Il fit de nombreuses expositions, entre autres, à Malaga en 1956, Paris 1957, 1962, 1963, Victoria 1958, 1960, 1962, San Francisco 1956, New York 1962, Genève 1965, etc.

COOPER Ron
Né en 1943 à New York. XXᵉ siècle. Américain.
Peintre. Abstrait.
Il a participé à de nombreuses expositions collectives, en particulier au Witney Museum de New York en 1967 et 1969, à Portland en 1968, au Musée d'Art Moderne de Chicago en 1970, à Los Angeles en 1971, à Zurich et à la Documenta de Kassel en 1972, etc.
Son art est représentatif d'un courant d'une nouvelle abstraction qui s'affirme aux États-Unis, et sous d'autres formes en Europe, et qui tend à réaffirmer l'existence du tableau dans sa matérialité propre, sans référence à d'autres valeurs qu'à lui-même. Il travaille surtout des plastiques qu'il présente en larges plaques teintées dans la masse et où les couleurs se diffusent les unes dans les autres en grande auréoles abstraites.

COOPER Samuel
Né en 1609 à Londres. Mort en 1672 à Londres. XVIIᵉ siècle. Britannique.
Peintre de miniatures.

Comme son frère Alexander, Samuel Cooper reçut son instruction artistique de son oncle, le peintre Hoskins, et, selon Lord Oxford, passa quelque temps à la cour de France, entre 1634 et 1642. Il y fit des portraits, pour lesquels sa veuve reçut une pension. Il eut pour modèles les plus grands personnages de son temps, tels que le grand poète John Milton et Olivier Cromwell, ainsi que le roi Charles II, la reine et plusieurs nobles de la cour. En effet, Charles II avait à peine recouvré son trône qu'il commandait aussitôt son portrait à celui que l'on appelait l'Apelle de l'Angleterre ou le Van Dyck de la miniature. Le talent de Cooper était essentiellement psychologique, il adaptait son style au caractère des différents personnages, Cromwell puissant, Charles II hautain, la duchesse de Cleveland vive et énergique. On mentionne aussi ses dessins, dont la psychologie est également remarquable, et dont la facture annonce plutôt le XVIIIe et même le Romantisme, qu'elle n'appartient au XVIIe siècle. Si le premier portrait daté est de 1642, il ne faut pas en déduire qu'il n'aurait pas peint auparavant.

Musées : AMSTERDAM : *Portrait d'une dame – Gentilhomme – Charles II, roi d'Angleterre – Portrait d'une dame* – DUBLIN : *Portrait de Richard Cromwell* – LONDRES (coll. Wallace) : *Portrait de Charles II, roi d'Angleterre – Dame de la cour de Charles II.*
Ventes Publiques : LONDRES, 1848 : *Portrait de Charles II*, miniat. : FRF 2 625 – PARIS, 1854 : *Portrait d'Olivier Cromwell* : FRF 655 – PARIS, 1859 : *Portrait du docteur Bate* : FRF 800 ; *Portrait de Richard Cromwell*, miniat. : FRF 2 080 – LONDRES, 1882 : *Le comte de Sandwich*, miniat. : FRF 6 690 – PARIS, 1891 : *Portrait du fils d'Olivier Cromwell*, miniat. : FRF 2 400 – PARIS, 16-19 juin 1919 : *Portrait de Henry Cromwell*, miniat. sur boîte en écaille : FRF 1 500 – LONDRES, 19 juil. 1928 : *Mrs Elinor Gwyn*, dess. : GBP 4 – LONDRES, 5 mai 1932 : *Portrait d'une dame*, miniat. : GBP 24.

COOPER Thomas George
XIXe siècle. Britannique.
Peintre animalier, paysages, aquarelliste, dessinateur, graveur.
Il travailla à Londres, où il exposa à partir de 1861 à la Royal Academy et à la New-Water-Colours Society.
Ventes Publiques : LONDRES, 17 fév. 1908 : *Cinq moutons dans la neige*, dess. : GBP 10 – LONDRES, 19 mai 1922 : *Troupeau de moutons* 1861 : GBP 18 – LONDRES, 17 juin 1932 : *Paysan et son troupeau* 1869 : GBP 7 – LONDRES, 8 mars 1977 : *Paysage au pont* 1870, h/t (53,5x90) : GBP 300 – LONDRES, 7 oct. 1980 : *Our English coasts* 1871, h/t (61x91,5) : GBP 2 100 – LONDRES, 20 mars 1984 : *Moutons dans un paysage de printemps* 1898, h/t (131x96) : GBP 1 000 – VIENNE, 20 mars 1985 : *Brebis avec ses petits* 1898, h/t (132x95) : ATS 200 000 – LONDRES, 24 sep. 1987 : *Troupeau au bord d'une rivière* 1861, aquar. et cr. (39x56) : GBP 3 000 – LONDRES, 27 sep. 1994 : *Mouton dans un paysage rocheux* 1874, h/t (43x54) : GBP 1 035 – NEW YORK, 17 jan. 1996 : *Taureau et mouton dans un paysage montagneux* 1893, h/t (55,9x81,3) : USD 1 380.

COOPER Thomas Sidney
Né le 26 septembre 1803 à Canterbury. Mort le 7 février 1902 près de Canterbury. XIXe siècle. Britannique.
Peintre d'animaux, paysages animés, paysages, aquarelliste.
Après avoir été peintre de décors, il vint à Londres, où, à partir de 1823, il put profiter des ressources de cette ville, travaillant d'abord au British Museum et ensuite à la Royal Academy, quoiqu'il n'y envoyât de ses œuvres que vers 1833. Dans sa ville natale, où il resta quelque temps, il donna des leçons et réussit à vendre quelques tableaux. Son mariage eut lieu à Bruxelles, où il passa quatre années, entre 1827 et 1831. Dès son retour à Londres, il envoya régulièrement des compositions à la Royal Academy, mais la *British Institution*, la *Society of British Artists* à Suffolk Street, et la *New Water-Colours Society* reçurent également un grand nombre de ses peintures. En 1882, il fonda, à Canterbury, la Sidney Cooper Art Gallery. Il devint membre de la Royal Academy en 1867.
Bibliogr. : T. S. Cooper : *My Life*, Richard Bentley and Son, 1891 – S. Sartin : *Thomas Sidney Cooper*, Lewis, Leigh-on-Sea, 1976.
Musées : BIRMINGHAM : *Paysage avec vaches et moutons* – BLACKBURN : *Vaches dans l'eau – Troupeau pendant l'hiver*, aquar. – CARDIFF : *Bétail, paysage* – GLASGOW : *Les prés de Canterbury – Paysage avec bétail – Paysage avec troupeau de moutons* – LEEDS : *Paysage avec moutons et chèvres – Bétail dans la prairie* – LEICES-

TER : *Bétail dans un paysage* – LIVERPOOL : *Vaches et moutons – Étude de moutons* – LONDRES (Victoria and Albert) : *Dans les prairies au coucher du soleil (vallon d'Écosse)* – LONDRES (British Art) : *Moutons – Vache et moutons* – LONDRES (coll. Wallace) : *Bestiaux* – LONDRES (Water-Colours) : *Scène de rivière, bestiaux – Vaches sur le bord d'une rivière – Moutons – Bestiaux et laitière – Paysage, vaches – Paysage neigeux, moutons – Bestiaux – Moutons – Trois vaches dans une prairie* – MANCHESTER : *Bétail, de grand matin*, aquar. – NOTTINGHAM : *Chèvres et chevreaux dans une étable – Bétail dans un paysage, soir – Moutons de montagne, le brouillard du matin se dissipant* – SHEFFIELD : *La halte sur les collines – Dans les prairies, Whitehall, Canterbury* – SYDNEY : *Les Marées de la Minster.*
Ventes Publiques : LONDRES, 1865 : *Troupeau de vaches* : FRF 10 700 – LONDRES, 1867 : *Un groupe d'animaux* : FRF 10 650 – LONDRES, 1872 : *Vaches et moutons dans un paysage* : FRF 11 550 – LONDRES, 1873 : *Paysage avec animaux* : FRF 12 450 ; *Le nuage qui passe* : FRF 13 775 – LONDRES, 1874 : *L'Approche de l'orage* : FRF 10 500 – LONDRES, 1877 : *Gardien du troupeau* : FRF 16 275 ; *Novembre* : FRF 17 070 – LONDRES, juin 1877 : *Berger, pays de Galles* : FRF 12 100 – LONDRES, 1886 : *Après-midi d'automne* : FRF 13 910 – LONDRES, 1888 : *Bestiaux et moutons* : FRF 10 765 ; *Jour d'été à Kent* : FRF 9 600 – LONDRES, 1893 : *Prairie de Fordrwich* : FRF 7 900 – LONDRES, 1895 : *Paysage boisé : vaches* : FRF 9 500 – LONDRES, 2 juil. 1898 : *Croquis* : FRF 6 825 – LONDRES, 8 avr. 1899 : *Taureau et vaches dans la campagne* : FRF 6 700 – LONDRES, 1899 : *Giboulées* : FRF 8 650 ; *Vache, brebis dans une prairie*, aquar. : FRF 1 675 – LONDRES, 7 déc. 1907 : *Plusieurs troupeaux* : GBP 50 – LONDRES, 1er fév. 1908 : *Quatre vaches dans une prairie* : GBP 42 – LONDRES, 15 fév. 1908 : *Moutons sur les falaises* : GBP 67 – LONDRES, 22 fév. 1908 : *Groupe de moutons* : GBP 99 – LONDRES, 27 mars 1909 : *Un troupeau, le soir* : GBP 299 – LONDRES, 10 juin 1909 : *Une vache, un veau et quatre moutons* : GBP 120 – LONDRES, 11-14 nov. 1921 : *Le Repas de midi* 1849 : GBP 18 – LONDRES, 27 jan. 1922 : *Moutons dans la montagne* 1863 : GBP 45 – LONDRES, 3 mars 1922 : *Les Prairies de Canterbury* 1853, dess. : GBP 48 6 d. – LONDRES, 17 mars 1922 : *Enfants avec des chèvres* 1856 : GBP 38 ; *Vaches près d'un ruisseau* 1862, dess. : GBP 73 – LONDRES, 12 mai 1922 : *Vaches et chèvres au bord d'un ruisseau* 1853 : GBP 173 ; *Le Printemps* 1860 : GBP 53 ; *Un après-midi d'été* 1868, dess. : GBP 60 – LONDRES, 21 juil. 1922 : *Le Repos dans les champs* 1851 : GBP 73 ; *Le Gué en amont d'une cascade* 1888 : GBP 162 ; *Troupeaux en été* 1874 : GBP 96 – LONDRES, 9 mars 1923 : *Un paysage au matin* 1851 : GBP 173 – LONDRES, 12 mars 1923 : *Moutons* 1883, dess. : GBP 46 – LONDRES, 27 avr. 1923 : *Troupeau de moutons* 1882 : GBP 105 ; *Le Soir dans un pré* 1854 : GBP 94 – LONDRES, 23 juin 1923 : *Troupeau au bord d'un ruisseau* 1861 : GBP 63 – LONDRES, 26 nov. 1926 : *Troupeaux à Canterbury* 1848 : GBP 105 – LONDRES, 28 mars 1927 : *Le soir dans les prés* : GBP 141 – LONDRES, 4 avr. 1927 : *Le soir dans les Downs*, dess. : GBP 65 – LONDRES, 24 juin 1927 : *Vaches près d'un ruisseau* 1851, dess. : GBP 57 ; *Moutons dans un pré* 1845, dess. : GBP 63 – LONDRES, 21 nov. 1927 : *Un après-midi d'été* 1866 : GBP 96 – LONDRES, 4 mai 1928 : *Les prairies de Canterbury* 1856 : GBP 152 – LONDRES, 22 juin 1928 : *Vaches dans un pré* 1845, dess. : GBP 45 – NEW YORK, 30-31 oct. 1929 : *Béliers dans un paysage* 1874 : USD 60 – LONDRES, 25 nov. 1929 : *Troupeaux dans un paysage* 1863, dess. : GBP 42 – LONDRES, 13 déc. 1929 : *Les prairies de Canterbury* 1867 : GBP 115 – LONDRES, 28 fév.-3 mars 1930 : *L'attente du bac* 1840 : GBP 57 – NEW YORK, 25-26 mars 1931 : *Paysage* 1861, aquar. : USD 70 – LONDRES, 27 mars 1931 : *Troupeau dans un pâturage* 1854 : GBP 75 ; *Vaches et moutons* 1872 : GBP 57 – LONDRES, 1er mai 1931 : *Troupeau au bord de la Stour* 1853, dess. : GBP 25 – LONDRES, 8 déc. 1931 : *Midi au mois de juin* 1857 : GBP 84 – LONDRES, 17 juin 1932 : *Un après-midi ensoleillé* 1853 : GBP 30 – BIRMINGHAM, 15 nov. 1933 : *Midi, l'été* : GBP 110 – LONDRES, 13 juil. 1934 : *Vaches au bord de la Stour* : GBP 54 ; *Le roi des prairies* 1878, dess. : GBP 32 – LONDRES, 13 mars 1935 : *Pâturages* 1854 : GBP 78 – LONDRES, 21 juin 1935 : *Troupeau dans la montagne* 1879 : GBP 16 – LONDRES, 1er août 1935 : *La halte du bouvier dans les montagnes* : GBP 63 – LONDRES, 27 nov. 1936 : *Les prairies de Canterbury* 1856 – MANCHESTER, 27 jan. 1937 : *Sur la rivière Stour* : GBP 68 – LONDRES, 12 avr. 1937 : *La ferme familiale* 1844 : GBP 71 – LONDRES, 15 juil. 1938 : *Soir d'été* : GBP 44 – PARIS, 27 juin 1951 : *Troupeau de moutons dans un paysage de montagne* : FRF 15 100 – LONDRES, 20 jan. 1965 : *Paysage valloné avec deux bergères et leurs troupeaux* : GBP 220 – LONDRES, 22 avr. 1966 : *La prairie* : GNS 160 – LONDRES, 9 juin

1967 : *Chien surveillant un troupeau de vaches* : **GNS 700** – LONDRES, 22 jan. 1971 : *Troupeau de vaches dans un paysage* : **GNS 800** – LONDRES, 23 juin 1972 : *Troupeau dans un paysage* : **GNS 1 900** – LONDRES, 29 juin 1976 : *Troupeau au pâturage* 1848, h/t (120x197) : **GBP 2 500** – LONDRES, 25 oct. 1977 : *Moutons dans un paysage* 1852, h/t : **GBP 4 000** – LONDRES, 13 oct. 1978 : *Troupeau à l'abreuvoir* 1853, h/cart. (24x35) : **GBP 1 300** – LONDRES, 20 nov. 1978 : *Troupeau au bord d'une rivière* 1881, aquar. (22,3x29,5) : **GBP 200** – LONDRES, 30 juin 1981 : *Chevaux à la mangeoire*, aquar. (29,5x39) : **GBP 500** – NEW YORK, 11 avr. 1984 : *In Canterbury meadows* 1839, h/t (91,5x132) : **USD 30 000** – LONDRES, 24 mai 1984 : *Moutons au bord d'une rivière* 1865, aquar. (30,5x46) : **GBP 1 400** – LONDRES, 27 fév. 1985 : *Troupeau dans un paysage* 1830, aquar. (31x43) : **GBP 1 500** – LONDRES, 20 juin 1986 : *Vaches et moutons dans un paysage d'été* 1836, h/t (71,1x92,7) : **GBP 18 000** – LONDRES, 18 mars 1987 : *Canterbury meadows* 1854, h/t (122x193) : **GBP 12 500** – NEW YORK, 25 mai 1988 : *Cheval de trait et moutons dans une étable* 1873, h/pan. (25,7x21) : **USD 4 620** – LONDRES, 3 juin 1988 : *Dans les prairies* 1878, h/t (50,9x35,6) : **GBP 3 520** – NEW YORK, 25 fév. 1988 : *Vaches et moutons dans un paysage* 1850, aquar. (32,1x42,5) : **USD 1 870** ; *Vieux moulin* 1834, h/t (50,8x71,7) : **USD 11 000** – NEW YORK, 9 juin 1988 : *Fin d'après-midi d'été dans la prairie* 1872, h/pan. (42,5x53,5) : **USD 25 300** – NEW YORK, 23 sep. 1988 : *La trayeuse de vaches* 1842, h/t (96,5x132) : **GBP 11 000** – NEW YORK, 23 fév. 1989 : *Après-midi d'été* 1882, h/pan. (22,8x35,5) : **USD 4 950** – LONDRES, 2 juin 1989 : *Là où les moutons peuvent paître paisiblement* 1861, h/cart. (46x61) : **GBP 6 050** – LONDRES, 27 sep. 1989 : *Bétail dans une prairie près d'une mare* 1872, h/t (76x109) : **GBP 17 600** – NEW YORK, 25 oct. 1989 : *Bétail au pâturage* 1877, h/t (92x147,3) : **USD 55 000** – LONDRES, 21 mars 1990 : *Moutons dans un paysage enneigé* 1860, h/pan. (23x30,5) : **GBP 9 350** – NEW YORK, 22 mai 1990 : *Bétail se reposant dans un paysage* 1891, h/pan. (43,2x32,4) : **USD 6 600** – LONDRES, 22 nov. 1990 : *Bovins dans un vaste paysage* 1836, h/t (55,3x43,2) : **GBP 5 280** – LONDRES, 8 fév. 1991 : *Bovins et moutons dans une prairie* 1888, aquar. (24,8x35) : **GBP 1 925** – NEW YORK, 28 fév. 1991 : *Moutons dans un vaste paturage*, h/t (82,5x106,8) : **USD 9 900** – COLOGNE, 28 juin 1991 : *Moutons et chèvres au paturage*, h/t (77x107) : **DEM 18 000** – LONDRES, 25 oct. 1991 : *Bétail dans les prés de Canterbury* 1853, h/t (122x189,2) : **GBP 30 800** – YORK (Angleterre), 12 nov. 1991 : *Garde-chasse et son chien*, cr. (25,5x16) : **GBP 704** – LONDRES, 12 juin 1992 : *Bovins dans une prairie* 1874, h/t (76,8x109,2) : **GBP 6 380** – LONDRES, 13 nov. 1992 : *Moutons sur une falaise au bord de la mer* 1871, h/t (60x91) : **GBP 8 800** – MILAN, 17 déc. 1992 : *Vaches dans une prairie*, h/pan. (30,5x22,5) : **ITL 3 000 000** – COPENHAGUE, 10 fév. 1993 : *Vaches près d'un lac*, h/t (25x35) : **DKK 5 000** – PERTH, 31 août 1993 : *Glencoe* 1868, h/t (45,5x61) : **GBP 5 980** – LONDRES, 5 nov. 1993 : *Dans les prairies de Canterbury* 1842, h/pan. (43x53) : **GBP 9 430** – LUDLOW (Shropshire), 29 sep. 1994 : *L'église Saint Augustin de Canterbury en 1833* 1886, h/t (121x182) : **GBP 166 500** – LONDRES, 10 mars 1995 : *Un coin de fraîcheur dans une prairie de Canterbury* 1867, h/t (122,5x181) : **GBP 25 300** – LONDRES, 6 nov. 1995 : *Bétail dans une prairie du Canterbury* 1862, cr. et aquar. (26x42,5) : **GBP 2 185** – LONDRES, 6 nov. 1995 : *Sur la route du rassemblement du Falkirk* 1883, h/t (132x97) : **GBP 23 000** – LONDRES, 27 mars 1996 : *Troupeau de vaches paissant à flanc de colline* 1872, h/t (61x91,5) : **GBP 18 400** – LONDRES, 5 juin 1996 : *Troupeau traversant la lande* 1871, h/t (94x139,5) : **GBP 20 125** – PERTH, 26 août 1996 : *La maison des gardes forestiers* 1839, h/t (71x97) : **GBP 80 700** – LONDRES, 6 nov. 1996 : *Sur la rive*, h/t (213x160) : **GBP 29 900** ; *Forêt abattue pour le passage du chemin de fer*, h/t (122x198) : **GBP 23 000** – GLASGOW, 11 déc. 1996 : *Glencoe* 1874, h/pan. (20x33) : **GBP 5 290** – LONDRES, 8 nov. 1996 : *Bovins s'abreuvant* 1893, h/t (59,7x90,2) : **GBP 9 000** – LONDRES, 12 mars 1997 : *Moutons dans la neige* 1874, h/t (81x61) : **GBP 13 225** – GLASGOW, 20 fév. 1997 : *Des bovins, un mouton et une chèvre* 1838, h/pan. (61,5x46,4) : **GBP 13 800** – NEW YORK, 11 avr. 1997 : *Vaches dans un paysage*, h/t (86,4x120,7) : **GBP 18 400** – NEW YORK, 23 mai 1997 : *Vaches dans une prairie au bord de l'eau* 1840, h/t (96,5x127) : **USD 31 050** – LONDRES, 6 juin 1997 : *Sur les terres d'une ferme laitière* 1876, h/t (122x183) : **GBP 32 200** – LONDRES, 4 juin 1997 : *Sud* 1865, h/t (137x96,5) : **GBP 36 700** – LONDRES, 5 juin 1997 : *Vaches au repos dans un paysage* 1877, h/pan. (35,4x25,8) : **GBP 2 300**.

COOPER W.
XIXe siècle. Britannique.
Peintre de portraits.
Il exposa à Londres entre 1846 et 1862.

COOPER W. J.
XIXe siècle. Actif à Londres à la fin du XIXe siècle. Britannique.
Graveur.

COOPER W. Savage
XIXe-XXe siècles. Britannique.
Peintre de scènes mythologiques, sujets religieux.
Il exposa à Londres, entre 1885 et 1903.

COOPER William
XVIIIe siècle. Travaillant en Angleterre vers 1730. Britannique.
Peintre de portraits.
Ses œuvres ont été gravées par Van der Gucht.

COOPER William Heaton
Né le 6 octobre 1903 à Coneston (Lancashire). XXe siècle. Britannique.
Peintre de paysages et de figures.

COOPER William Henry
Né le 3 décembre 1858 à Romsey (Hantshire). XIXe siècle. Britannique.
Peintre et modeleur.

COOPER William Sidney
Né en 1854. Mort en 1927. XIXe-XXe siècles. Britannique.
Peintre de paysages.
Il travailla à Londres, où il exposa à la Royal Academy et à Suffolk Street Gallery entre 1871 et 1908.

W. Sidney Cooper.

VENTES PUBLIQUES : LONDRES, 13 fév. 1976 : *Paysage avec troupeau à l'abreuvoir et berger*, deux toiles (34,3x54,5) : **GBP 320** – LONDRES, 21 juil. 1978 : *Troupeau dans un paysage* 1893, h/t (48,8x74,3) : **GBP 800** – LONDRES, 2 fév. 1979 : *Troupeau dans un paysage au ciel d'orage* 1873, h/t (101x147,3) : **GBP 6 000** – LONDRES, 7 oct. 1980 : *Moutons au pâturage* 1876, h/t (45x60) : **GBP 650** – LONDRES, 2 mars 1984 : *Moutons dans un paysage de printemps* 1919, h/t (68,5x50,5) : **GBP 800** – LONDRES, 21 juil. 1987 : *Troupeau au pâturage* 1890, aquar. et cr. reh. de blanc (40x66,5) : **GBP 600** – LONDRES, 23 sep. 1988 : *Christchurch dans le Hampshire* 1890, h/t (71x124) : **GBP 3 080** – LONDRES, 25 jan. 1989 : *Le soir à Rackham* 1920, aquar. (21x28) : **GBP 770** – BRUXELLES, 19 déc. 1989 : *Bétail à l'abreuvoir* 1876, aquar. (35x54) : **BEF 20 000** – LONDRES, 21 mars 1990 : *Troupeau de vaches se désaltérant dans une rivière* 1878, h/t (46x61,5) : **GBP 1 980** – LONDRES, 13 fév. 1991 : *Campement de gitans* 1888, h/t (46x76) : **GBP 1 980** – LONDRES, 7 oct. 1992 : *Moutons sous les saules* 1902, h/t (46x76,5) : **GBP 990** – LONDRES, 3 fév. 1993 : *Ford dans le Kent* 1894, h/t (46x68) : **GBP 2 070** – NEW YORK, 15 fév. 1994 : *Le soir à Flatford* 1894, h/t (46,3x76,8) : **USD 9 200** – PENRITH (Cumbria), 13 sep. 1994 : *Village dans le Kent avec un troupeau rentrant au crépuscule* 1902, h/t (70x90) : **GBP 8 625** – LONDRES, 27 mars 1996 : *Moutons paissant sur les pentes d'une colline rocheuse* 1879, h/t (113x88,5) : **GBP 4 600**.

COOPMAN Alec
Né à Londres. XXe siècle. Britannique.
Peintre de portraits.
Il a pris part au Salon de la Société Nationale des Beaux-Arts et à celui des Artistes Indépendants à Paris en 1930-32.

COOPS Hendrick
Né en 1610 à Amsterdam. Mort après 1663. XVIIe siècle. Hollandais.
Peintre.

COOPS Nicolaes ou Coop, Cop
Mort en 1629 à Amsterdam. XVIIe siècle. Hollandais.
Peintre.

COOPSE Pieter
Mort après 1677. XVIIe siècle. Hollandais.
Peintre de paysages, marines, dessinateur.
Actif à Amsterdam vers 1668-1680.

PC

MUSÉES : FINSPOUG, Suède : *Mer agitée* – SCHLEISSHEIM : *Deux Marines* – STOCKHOLM : *Naufrage*.
VENTES PUBLIQUES : PARIS, 1776 : *Deux vues de village hollandais, figures et bateaux*, dess. : **FRF 100** ; *Deux marines*, dess. à l'encre

de Chine : **FRF 290** – PARIS, 6 mai 1909 : *Marine*, pl. et aquar. : **FRF 51** – PARIS, 25 nov. 1927 : *Barques de pêche à l'entrée d'un port*, attr. : **FRF 1 100** – PARIS, 23 jan. 1928 : *Barques sur une mer agitée* : **FRF 1 950** – NEW YORK, 4 et 5 fév. 1931 : *Marine* : **USD 100** – PARIS, 5 avr. 1965 : *La grande frégate* : **FRF 5 200** – AMSTERDAM, 11 avr. 1967 : *Vue de den Briel* : **NLG 10 000** – LONDRES, 1er déc. 1978 : *Bateaux au large de Copenhague*, h/t (99x134,6) : **GBP 6 500** – AMSTERDAM, 15 nov. 1983 : *Bateaux de guerre hollandais sous la brise*, encre grise et lav./trait de craie noire (11,7x17,1) : **NLG 3 400** – LONDRES, 11 déc. 1984 : *Bateaux au large du port d'Amsterdam*, h/t (100,1x162,5) : **GBP 7 000** – AMSTERDAM, 14 nov. 1988 : *Scène d'estuaire avec des voiliers et de jeunes pêcheurs au premier plan*, encre (14,2x21) : **NLG 3 105** – NEW YORK, 5 avr. 1990 : *Navigation dans un estuaire près de Zeebrugge*, h/t (98x192,5) : **USD 35 750** – STOCKHOLM, 14 nov. 1990 : *Frégate dans la tempête approchant de côtes rocheuses*, h/t (49x64) : **SEK 12 000** – AMSTERDAM, 14 nov. 1991 : *Barques de pêche hollandaises et galiote amarrées dans un estuaire par temps calme ; Barques de pêches hollandaises et trois-mâts sur la mer houleuse*, dess. à la pl./pan., une paire (chaque 21,8x24,5) : **NLG 32 200** – AMSTERDAM, 16 nov. 1993 : *Paysage hivernal avec des patineurs et une ville à distance*, encre (13,5x20) : **NLG 18 400** – AMSTERDAM, 15 nov. 1995 : *Embarcations toutes voiles dehors sur la mer houleuse et approchant de la côte*, encre et lav. (15,3x20) : **NLG 4 720** – PARIS, 12 déc. 1995 : *Navires hollandais sur une mer agitée*, h/pan. (27,5x46) : **FRF 70 000** – PARIS, 20 juin 1997 : *Marine à la barque revenant vers un navire de pêche*, pan. chêne (40x43) : **FRF 100 000**.

COORDE Charles de
Né en 1890. Mort en 1963. XXe siècle. Belge.
Peintre de paysages, marines, natures mortes, fleurs.

VENTES PUBLIQUES : LOKEREN, 20 mai 1995 : *Marine*, h/pap. (14,5x20) : **BEF 55 000** – LOKEREN, 9 mars 1996 : *Nature morte de fleurs*, h/t (80x60) : **BEF 35 000**.

COOREVITS Raf
Né en 1934 à St-Nicolas-Waas. XXe siècle. Belge.
Peintre, dessinateur, aquarelliste, graveur de paysages, de figures et de portraits. Postimpressionniste.
Professeur de l'Académie des Beaux-Arts de St-Nicolas-Waas et de Saint-Luc à Gand, où il fut élève.

COORNHERT Dirk Volkertsz
Né en 1522 ou 1519 à Amsterdam. Mort le 29 octobre 1590 à Gouda. XVIe siècle. Hollandais.
Dessinateur, graveur, écrivain.
Se maria, après avoir visité l'Espagne et le Portugal, avec Neeltze Simons ; il quitta sa place de maître de la cour et s'établit à Haarlem comme graveur ; il fit ses études théologiques à 30 ans ; fut notaire en 1561, secrétaire du conseil de Haarlem en 1564, secrétaire des États de Hollande en 1572 et dut s'enfuir à Xanthe pour fuir les poursuites contre les protestants ; il vécut de 1577 à 1587, à Haarlem, puis à Gouda. Il fut l'ami de Fr. Floris, de Heemskerk et de Brueghel.

COORNHUUSE Jacques Van den
Mort vers 1584. XVIe siècle. Actif à Bruges. Éc. flamande.
Peintre.

COORTE S. Adriaen
XVIIe-XVIIIe siècles. Hollandais.
Peintre de natures mortes.
Il fut actif à Middeleburg de 1685 à 1723. En 1694, il est signalé à Delft.
On cite de lui une *Vanitas*, qui date de 1688. À notre connaissance, il a peint exclusivement des natures mortes qui évoquent, par exemple, l'œuvre d'Ambrosius Bosschaert. Ses toiles représentant des coquillages sont une allusion aux grandes collec-

tions constituées à l'époque, où le coquillage représente le vice, par un lien avec les *Emblemata* du XVIe siècle.

BIBLIOGR. : J. A. Frederiks : *De Oude Kunst in het Kunstmuseum te Middelburg*, Middelburgse Courant, oct. 1889 – L. J. Bols : *Adriaen Coorte*, 1977 – in : *Diction. de la peinture flamande et hollandaise*, coll. Essentiels, Larousse, Paris, 1989.
MUSÉES : AMSTERDAM (Rijksmuseum) : *Une botte d'asperges* – BERNAY : *Pêches* – PARIS (Mus. du Louvre) : *Coquillages*.
VENTES PUBLIQUES : LONDRES, 16 mars 1966 : *Nature morte* : **GBP 3 950** – LONDRES, 10 juil. 1968 : *Nature morte aux fraises* : **GBP 3 700** – LONDRES, 10 avr. 1970 : *Nature morte aux asperges et aux fraises* : **GNS 3 500** – PARIS, 14 mars 1972 : *La branche de groseille* : **FRF 55 000** – LONDRES, 8 juil. 1977 : *Nature morte aux asperges 1696*, h/t (31,7x22,7) : **GBP 35 000** – LONDRES, 13 déc. 1978 : *Nature morte aux coquillages 1698*, h/pan. (29x22,5) : **GBP 24 000** – LONDRES, 11 juil. 1979 : *Bol de fraises 1704*, h/pap. (29,5x23) : **GBP 35 000** – MONTE-CARLO, 22 juin 1985 : *Nature morte à la botte d'asperges, à la coupe de fraises des bois et aux groseilles à maquereaux 1703*, h/t (36x42) : **FRF 1 700 000** – AMSTERDAM, 18 mai 1988 : *Nature morte à la botte d'asperges, aux framboises, groseilles, au papillon et à la branche de houblon 1685* (65x49,5) : **NLG 414 000** – MONACO, 17 juin 1988 : *Papillon survolant une coupe de fraises des bois*, h/pap. (26,3x20) : **FRF 1 776 000** – AMSTERDAM, 29 nov. 1988 : *Châtaignes sur un coin de table 1705*, h/pap./pan. (13,7x16,2) : **NLG 172 500** – LONDRES, 6 juil. 1990 : *Compotier rempli de fraises des bois avec un papillon*, h/pap./pan. (26,3x20) : **GBP 88 000** – LONDRES, 23 avr. 1993 : *Hareng découpé dans une assiette avec une miche de pain, un verre de bière et un oignon nouveau sur un entablement de pierre 1697*, h/t (36,8x42,8) : **GBP 45 500** – PARIS, 23 juin 1993 : *Groseilles disposées sur un entablement 1702*, h/t (29,5x22) : **FRF 300 000** – LONDRES, 7 juil. 1993 : *Nature morte de fraises des bois dans un bol de terre-cuite avec une branche de groseilles à maquereaux sur un entablement de pierre 1696*, h/t (33x24) : **GBP 56 500**.

COOSEE-COOSEE
D'origine indienne. XIXe siècle. Travaillait à Cuzco (Pérou) au début du XIXe siècle. Éc. sud américaine.
Sculpteur.

COOSEMANS Alexander ou Alart
Né en 1627 à Anvers, où il fut baptisé le 19 mars. Mort le 28 août 1689. XVIIe siècle. Éc. flamande.
Peintre de natures mortes, fleurs et fruits.
Élève de Jean de Heem en 1642 et maître en 1645.

A.C.
MUSÉES : AUGSBOURG : *Perdrix suspendue par les pattes* – BRUXELLES : *Vanitas* – MADRID : *Nature morte, raisins, pendule* – Raisins, verre de vin sur une nappe bleue – LE MANS : *Fruits et calice* – NIORT : *Fruits et crustacés* – SCHLEISSHEIM : *Fleurs et fruits* – *Fleurs et fruits* – VIENNE : *Déjeuner*.
VENTES PUBLIQUES : PARIS, 1863 : *Nature morte : fruits* : **FRF 225** – PARIS, 1898 : *Nature morte, allégorique* : **FRF 500** – LONDRES, 10 juin 1932 : *Nature morte, sur marbre* : **GBP 42** – LUCERNE, 26 et 30 juin 1962 : *Nature morte aux fruits* : **CHF 6 700** – PARIS, 2 juin 1964 : *Les apprêts du repas* : **FRF 9 000** – COLOGNE, 21 oct. 1966 : *Nature morte aux fruits* : **DEM 3 000** – VERSAILLES, 8 juin 1967 : *Nature morte* : **FRF 6 800** – LONDRES, 28 juil. 1976 : *Nature morte*, h/t (57x83) : **GBP 8 200** – LONDRES, 12 avr. 1978 : *Nature morte aux fruits dans un paysage*, h/t (54x79,4) : **GBP 7 800** – COLOGNE, 12 juin 1980 : *Nature morte*, h/pan. (48,5x64) : **DEM 36 000** – LONDRES, 12 déc. 1984 : *Nature morte aux fruits*, h/pan. (34,5x35) : **GBP 13 000** – LONDRES, 15 juin 1985 : *Nature morte aux fruits et homard*, h/t (57x81,2) : **USD 45 000** – LONDRES, 18 fév. 1987 : *Nature morte aux fruits et aux huîtres sur une table*, h/t (68x80) : **GBP 36 000** – LONDRES, 9 avr. 1990 : *Nature morte avec des huîtres et des langoustes près de fruits et un verre de Venise rempli de vin blanc*, h/pan. (26,2x37,3) : **GBP 16 500** – NEW YORK, 10 jan. 1991 : *Importante nature morte de fruits dans une coupe de porcelaine de Chine avec une aiguière de cristal de roche sur un entablement*, h/t (55x84) : **USD 35 200** – PARIS, 8 avr. 1991 : *Nature morte aux fruits, légumes, papillons et lézard*, h/t (80x115) : **FRF 280 000** – NEW YORK, 19 mai 1994 : *Nature morte d'une grande composition de fruits sur un entablement de pierre*

sculptée, h/t (99,1x92,1) : **USD 71 250** – LONDRES, 19 avr. 1996 : *Nature morte avec une aiguière d'argent, instruments de musique et partition, un verre façon Venise et des fruits sur un entablement avec un paysage derrière*, h/t (86,6x101) : **GBP 67 500**.

COOSEMANS Joseph Théodore
Né en 1828 à Bruxelles. Mort en septembre 1904 à Schaerbeek. XIXe siècle. Belge.
Peintre de paysages.
Tout d'abord employé des postes, il ne commença à peintre que vers la trentaine, travaillant sous la direction de Tschaggeny, Fourmois et Alfred Verwère. En 1864, il rencontra H. Bambengen qui lui donna des conseils. Très vite, il travailla d'après nature, dans la forêt de Tervuren, avec son ami Hippolyte Boulenger. Après un voyage en France et en Italie avec Alphonse Asselberg, il se fixa un temps à Paris, jusqu'en 1876, date à laquelle il retourna en Belgique.
On cite parmi ses œuvres : *Le chemin de la mare aux fées – Les sapinières de la Campine – Les fondrières de Stachmolen*. Il aime peindre les paysages aux vastes horizons, aux grands ciels tourmentés.

BIBLIOGR. : Gérald Schurr, in : *Les Petits Maîtres de la peinture 1820-1920, valeur de demain*, Les Éditions de l'Amateur, t. III, Paris, 1976.
MUSÉES : ANVERS : *Après-midi de novembre* – BRUGES (Mus. Groeninge) : *Crépuscule* – BRUXELLES : *Le chemin des artistes à Barbizon 1878* – GAND : *Les sapinières au crépuscule* – GAND : *Campine limbourgeoise – Le soir* – LIÈGE : *Le chemin de la mare au diable* – LOUVAIN : *Soleil couchant à Tervuren* – LOUVIERS (Gal. Roussel) : *Saules, automne* – NAMUR : *Lisière du bois* – ROUEN : *Vallée du Bocq* – TERMONDE : *Soleil couchant à Kinroy – Campine*.
VENTES PUBLIQUES : PARIS, 10 avr. 1922 : *La mare aux fées dans la forêt de Fontainebleau en automne* : **FRF 210** – PARIS, 12 mai 1928 : *La mare dans les bois* : **FRF 285** – BRUXELLES, 21-22 fév. 1938 : *Paysage campinois* : **BEF 600** – BRUXELLES, 17 déc. 1981 : *Paysage avec berger*, h/t (24x45) : **BEF 24 000** – ANVERS, 17 mai 1983 : *Paysage à Genk 1887*, h/t (35x52) : **BEF 40 000** – LOKEREN, 19 avr. 1986 : *Paysage à la ferme*, h/t (48x75,5) : **BEF 140 000** – LOKEREN, 5 mars 1988 : *La source*, h/t (86,5x67) : **BEF 180 000** – LOKEREN, 9 oct. 1993 : *Allée en automne*, h/t (50x75) : **BEF 105 000**.

COOTE Sarah
XVIIIe siècle. Britannique.
Peintre de miniatures.
Elle était active à Londres à la fin du XVIIIe siècle.

COOTWYCX Juriaan ou Cootwijk, Pootuyh
Né en 1712 à Amsterdam. Mort après 1770. XVIIIe siècle. Hollandais.
Graveur, dessinateur.
Son œuvre comprend 175 feuilles. On cite de lui un dessin au pinceau *Enfant assis et lisant*. Il fut également orfèvre.

COP Aloys
Né en 1863 à Maria Bistrica (Croatie). XIXe siècle. Autrichien.
Sculpteur.
Il travailla surtout à Vienne.

COPAIN. Voir CAUPAIN

COPE Arthur Stockdale
Né le 2 novembre 1857 à Londres. XIXe siècle. Britannique.
Peintre de portraits et de paysages.
Élève de la Royal Academy de Londres. A obtenu une deuxième médaille au Salon des Artistes Français en 1902 ; hors-concours. Il exposa à la Royal Academy à partir de 1875. Il signe : A. S. Cope.
MUSÉES : GLASGOW : *Portrait de Sir John Ure Primrose* – LONDRES : *Portrait de Sir Isaac Pitman* – LONDRES (Victoria and Albert Mus.) : *George Armitstead*.
VENTES PUBLIQUES : LONDRES, 1er déc. 1922 : *Le Printemps 1920*, dess. : **GBP 8** – LONDRES, 28 mai 1923 : *La grand-route abandonnée* : **GBP 5**.

COPE Charles West I, l'Ancien
XVIIIe-XIXe siècles. Britannique.
Peintre, aquarelliste.
Actif à Leeds. Il fut le père de Charles West Cope le jeune.

COPE Charles West II, le Jeune
Né le 28 juillet 1811 à Leeds. Mort le 21 août 1890 à Bournemouth. XIXe siècle. Britannique.
Peintre d'histoire, sujets religieux, scènes de genre, figures, portraits, fresquiste, graveur, illustrateur.
Cope fréquenta, pendant les premiers temps de son séjour à Londres, l'école de Henry Sass à Bloomsbury, et, en 1828, entra comme élève à la Royal Academy. Il y resta trois ans, partant ensuite pour Paris, où, pendant six mois, il travailla en étudiant et copiant les œuvres des grands maîtres.
Cope exposa dans les différents groupements artistiques de Londres, entre 1833 et 1882. Il voyagea en Italie, visitant Rome, Naples, Florence et Venise, où il passa deux ans, peignant, entre autres, un tableau *Mère et enfant*, qu'il exposa à la British Institution en 1836.
Dans le célèbre concours pour la décoration des Palais du Parlement, l'artiste obtint un prix de 300 livres sterling pour son carton intitulé : *Jugement du Juré*, et, l'année suivante, une commande pour des fresques représentant *Edouard III décorant le Prince noir*, *Le prince Henri reconnaissant l'autorité de Juge Gascoine* et la *Première Épreuve de Patience de Griselidis*. Cope fut élu membre de la Royal Academy en 1848.
MUSÉES : LEICESTER : *Le maître d'école de village* – LIVERPOOL : *Une hôtellerie en Italie* – LONDRES (British Art) : *Palpitation – La jeune mère – Le buisson d'aubépine – Jeune femme lisant – Jeune fille aidant son vieux père à gravir les degrés de l'église – L'aumône – L'allegro – Il Penseroso – Mère et enfant* – MELBOURNE : *Départ des pères pèlerins* – PRESTON : *L'heure de la prière*.
VENTES PUBLIQUES : PARIS, 1861 : *Le Roi Lear et Cordelia* : **FRF 7 200** – COLOGNE, 5 et 6 oct. 1894 : *Sur le chemin du retour* : **DEM 30** – LONDRES, 22 fév. 1908 : *Contemplation* : **GBP 13** – LONDRES, 26 fév. 1931 : *Pas de rose sans épines 1866* : **GBP 3** – LONDRES, 16 déc. 1931 : *Le Christ à Emmaüs* : **GBP 18** – LONDRES, 12 mai 1932 : *Dans le bon vieux temps* : **GBP 16** – LONDRES, 6 mars 1939 : *Affection maternelle* : **GBP 5** – LONDRES, 10 juil. 1964 : *Les gardiens de la loi* : **GNS 270** – LONDRES, 13 oct. 1978 : *Poor law guardians 1841*, h/t (101,5x155) : **GBP 4 800** – NEW YORK, 31 oct. 1980 : *La leçon de musique 1863*, h/t (61x72,4) : **USD 6 000** – LONDRES, 17 nov. 1983 : *Naval pensioners at Greenwich 1846*, aquar. (32,5x44,5) : **GBP 340** – LONDRES, 26 nov. 1985 : *The marquis of Saluce Marries Griselda 1852*, h/t (128x175) : **GBP 20 000** – LONDRES, 17 juin 1987 : *Rêverie 1880*, h/pan. (42x51) : **GBP 3 000** – LONDRES, 9 fév. 1990 : *Les nouvelles de Sébastopol 1875*, h/t (71,1x55,9) : **GBP 4 620** – LONDRES, 8-9 juin 1993 : *Convalescent*, h/pan. (35,5x30) : **GBP 4 600** – LONDRES, 4 nov. 1994 : *Le premier jugement de Griselda, Étude pour une fresque figurant à la Chambre des Lords 1849*, h/pan. (31,4x23,8) : **GBP 1 610** – LONDRES, 10 mars 1995 : *Nu masculin assis*, encre et reh. de blanc sur pap. gris (32,2x23,5) : **GBP 632** – LONDRES, 6 juin 1997 : *Affection maternelle 1854*, h/pan. (65x47) : **GBP 7 245** – LONDRES, 4 juin 1997 : *L'Histoire de la vie, d'après Othello 1868*, h/t (112x142) : **GBP 3 220**.

COPE Gordon Nicholson
Né aux États-Unis. XXe siècle. Américain.
Peintre.
A exposé en 1928 au Salon de la Société Nationale des Beaux-Arts à Paris : *Quai de Grenelle* et *Pont Marie*.

COPE Thomas Alfred
Né le 28 juillet 1899 à Tottenham. XXe siècle. Britannique.
Peintre de paysages.

COPE W. Henry
XIXe siècle. Britannique.
Peintre.
Il exposa à Londres à partir de 1848.

COPÉE Peter
XIXe siècle. Actif vers 1840. Autrichien (?).
Peintre de miniatures.
On cite deux miniatures signées de cet artiste.

COPELAND Alfred Bryant
Né en 1840 à Boston (Massachusetts). Mort en 1909 à Boston. XIXe siècle. Américain.
Peintre de sujets mythologiques, scènes de genre, natures mortes.

VENTES PUBLIQUES : NEW YORK, 21 nov. 1980 : *Méditation d'après F. Heilbuth*, h/t (72,5x120) : **USD 3 750** – NEW YORK, 29 oct. 1992 : *La naissance de Vénus* 1887, h/t, d'après Cabanel (68,5x116,8) : **USD 14 300** – NEW YORK, 15 oct. 1993 : *Nature morte de pommes vertes, poulets rotis et jambon avec des ustensiles sur une table*, h/t, d'après G.R. Fouace (74,2x103,5) : **USD 2 875**.

COPELAND Charles G.
Né en 1858 à Thomaston. XIXᵉ siècle. Américain.
Peintre et illustrateur.
On lui doit de nombreuses illustrations de livres.

COPELAND Joseph Frank
Né en 1872 à Saint-Louis. XIXᵉ-XXᵉ siècles. Américain.
Peintre.
Il eut des élèves.

COPELAND M.B.
XXᵉ siècle. Française (?).
Peintre de genre.
De 1911 à 1914, elle a exposé au Salon des Artistes Français de Paris.

COPELLOTTI Giovanni
Originaire de Lodi. XVIᵉ siècle. Travaillait à la fin du XVIᵉ siècle. Italien.
Peintre.
Le Musée de Lodi possède trente-six dessins de cet artiste représentant des sujets religieux.

COPEMAN Constance Gertrude
Née en 1864 à Liverpool. XIXᵉ-XXᵉ siècles. Britannique.
Peintre de figures, animaux, graveur.
Elle exposait régulièrement à la Royal Academy de Londres.
VENTES PUBLIQUES : LONDRES, 30 sep. 1986 : *At Hope near Wrexham* 1904, h/t (56x76) : **GBP 400** – LONDRES, 14 fév. 1990 : *Fillette avec un persan bleu* ; *Fillette avec un jeune carlin* 1896 et 1897, h/t (chaque 40,6x30,5) : **GBP 4 620**.

COPER Hans
Né en 1920 en Allemagne. XXᵉ siècle. Actif en Angleterre. Allemand.
Potier, sculpteur.
Il s'est installé à Londres en 1939 et a commencé à travailler dans le domaine de la céramique en 1946 avec l'autrichienne Lucie Rie. A partir de 1959, Hans Coper travailla tout seul, réalisant également des sculptures dont le style rappelle à la fois celui de l'art des Cyclades et celui de Arp ou Brancusi. Son œuvre se situe entre l'art et l'artisanat.

COPERS Loe
Né le 4 mars 1947. XXᵉ siècle. Belge.
Dessinateur, sculpteur, réalisateur de films.
Après des études à l'Académie des Beaux-Arts de Gand, il est co-fondateur, en 1967, du groupe « Nouveau Rococo », avec lequel il participe, jusqu'en 1969, à toutes les activités : au Stedelijk Museum d'Amsterdam et à Gand. Il expose ensuite à Bruxelles en 1971, à Bruges en 1972 et à Anvers, dans « Le Monde de la Science Fiction ».
Le feu semble une source d'inspiration commune aux films qu'il a réalisés et à ses sculptures au néon.
MUSÉES : BRUXELLES (Bibl. roy.) – NEW YORK (Mus. d'Art Mod.).
VENTES PUBLIQUES : AMSTERDAM, 7 déc. 1994 : « *Laatste vazen* », *Paolo Vanini* 1988, techn. mixte/pap. (72,5x108) : **NLG 1 380**.

COPESTICK Violet Mary
Née à Plymouth. XXᵉ siècle. Britannique.
Peintre de miniatures, fleurs.

COPIA Jacques Louis
Né en 1764 à Landau. Mort en 1799 à Paris. XVIIIᵉ siècle. Allemand.
Graveur.
On cite de lui parmi ses meilleures estampes : *La vengeance de Cérès*, d'après P.-P. Prud'hon, *Je touche au bonheur*, d'après Lawreince, *L'Innocence en danger*, d'après Devoge, *L'Amour et l'Amitié*, d'après Vincent, *La Matinée turque*, d'après Le Barbier, *Sapho inspirée par l'Amour*, d'après Devoge.

COPIER
XXᵉ siècle. Hollandais.
Peintre de cartons de vitraux, maître-verrier.

COPIKOWICZ Jakob
XVIᵉ siècle. Actif à Cracovie vers 1562. Polonais.
Peintre.

COPIN
XVIᵉ siècle. Hollandais.
Sculpteur.
Il est mentionné à Séville en 1527. Il faut peut-être l'identifier comme étant Diego Copin.

COPIN André
Né le 24 juillet 1911 à Quesnoy-sur-Deule (Nord). XXᵉ siècle. Français.
Peintre. Figuratif, expressionniste puis abstrait.
Autodidacte, il peint à partir de 1942 et participe surtout à des expositions dans la région de Lille depuis 1967. Il a participé, à Paris, au Salon de Mai en 1971 et à celui des Réalités Nouvelles en 1972. En 1987, à Paris, le Salon d'Automne lui a consacré un Hommage.
Sa première période est figurative, expressionniste, inspirée principalement par les paysages des Flandres. Il a évolué ensuite, à partir de 1954, vers l'abstraction, exprimant ses visions intérieures par des signes et des idéogrammes.
MUSÉES : CALAIS – LILLE – OSTENDE.
VENTES PUBLIQUES : MONTREUIL-SUR-MER, 20 mai 1990 : *Force*, h/t (100x81) : **FRF 20 500**.

COPIN Diego
Mort vers 1541 à Tolède. XVIᵉ siècle. Hollandais.
Sculpteur.
Cet artiste d'origine hollandaise avait été appelé en Espagne pour travailler à la cathédrale de Tolède. C'est peut-être le même sculpteur COPIN, que l'on trouve à Séville en 1527.

COPIN Jean
XVᵉ siècle. Actif à Amiens au début du XVᵉ siècle. Français.
Peintre de décorations.

COPIN Miguel
XVIᵉ siècle. Hollandais.
Sculpteur.
Il était le fils du sculpteur hollandais Diego Copin. Il a travaillé pour la cathédrale de Tolède en 1541.

COPIN DE GRAND-DENT
XIVᵉ siècle. Français.
Peintre.
Il était au service du duc d'Orléans en 1377 ou 1397.

COPIN DOUSTRE. Voir **DOUSTRE**

COPINET Joseph Léon
Né le 15 mai 1796 à Trèves. Mort en 1846 à Paris. XIXᵉ siècle. Français.
Peintre.
Entré à l'École des Beaux-Arts le 21 mai 1816, il devint l'élève de Guérin. En 1831, il exposa au Salon de Paris : *Une cérémonie religieuse*, et en 1834 : *Religieuses recevant la visite de leur archevêque*.

COPINI Pietro
XVIIᵉ siècle. Actif à Parme au début du XVIIᵉ siècle. Italien.
Sculpteur sur bois.

COPIUS Gérard
Né le 13 mars 1730 à La Haye. Mort le 6 octobre 1785. XVIIIᵉ siècle. Hollandais.
Peintre de portraits.
Élève de Hendrik, v. Lemborck.

COPLAND H.
XVIIIᵉ siècle. Actif vers 1746. Britannique.
Graveur.

COPLEY Alfred L., Dr. Voir **ALCOPLEY**

COPLEY Bill. Voir **COPLEY William**

COPLEY Ethel
Née en 1883. XXᵉ siècle. Britannique.
Lithographe.
Expose à la Royal Academy.

COPLEY John
Né en 1875 à Manchester. XXᵉ siècle. Britannique.
Lithographe.

COPLEY John Singleton
Né en 1737 ou 1738 à Boston. Mort en 1815 à Londres. XVIIIᵉ-XIXᵉ siècles. Américain.
Peintre d'histoire, scènes de genre, portraits.
Cet artiste est une des figures les plus intéressantes dans l'his-

toire de la peinture en Amérique. D'origine anglaise et irlandaise, il perdit son père l'année de sa naissance, et ce fut probablement de son beau-père, Peter Pelham, qu'il apprit les premiers principes de son art. Ce peintre et graveur mourut à son tour lorsque John n'avait que 14 ans, et, dès lors, le jeune artiste dut se développer par des études de quelques portraits de Benjamin West et de John Smibert, car les ressources artistiques de Boston, à cette époque, étaient complètement insuffisantes et Copley se faisait gloire de sa formation d'autodidacte. Mais son ambition ne recula devant aucune entrave et Copley s'éleva très vite à un rang honorable.

Par son travail sérieux, il réussit à embellir son style et à perfectionner sa technique. Parmi ses premiers ouvrages, on mentionne un portrait du Révérend William Welsteed de Boston, peint quand Copley n'avait que 16 ans. Il travailla pour maints personnages célèbres et distingués dans le grand monde de Boston, et d'autres villes du Massachusetts, tels que le colonel Epes Sargent, un amateur de Salem, puis Nathaniel Appleton et Lady Wentworth. Vers 1774, Copley partit pour Londres, où il finit ses jours, non sans avoir voyagé en Italie et étudié à Parme et à Rome, où il le peignit le portrait de M. et Mme Ralph Izard. À Londres, il fit la connaissance de Benjamin West, qui lui témoigna un intérêt exceptionnel.

De 1768 à 1812, il exposa à la Royal Academy, à la British Institution, et à la Society of Artists, et fut nommé membre de la première société, en 1779.

À partir de son installation à Londres, il fut amené à changer radicalement de manière. Alors qu'il allait continuer son activité de portraitiste, où il aurait pu occuper une place honorable derrière Reynolds, un marchand, Brook Watson, à qui un requin avait arraché une jambe dans le port de La Havane, lui commanda une peinture commémorant l'événement. Ainsi commença-t-il dans une veine jusque-là inexplorée de la peinture, que l'on pourrait appeler peinture de faits-divers. Il peignit ensuite, en 1779, La mort du comte de Chatham, qui se passe à la chambre des Lords, drapés de leurs manteaux écarlates ; puis, en 1783, La mort du major Pierson. À la fin du siècle, le succès lui fit défaut, le roi l'abandonna et il finit tristement sa vie.

Bibliogr. : Carrie Rebora, sous la direction de... : *John Singleton Copley in America*, catalogue de l'exposition de peintures, miniatures, pastels, Abrams, New York, 1995.
Musées : Boston : *Lord March – Mr et Mrs Ralph Izard* – Londres (Nat. Gal.) : *Portrait de George John, deuxième comte Spencer* – *Portrait de William Murray, premier comte Mansfield* – *Portrait de George Eliott, baron Heathffeld* – *La mort du comte de Chatham* – *La mort du major Pierson* – *Le siège de Gibraltar*.
Ventes Publiques : Londres, 1897 : *Enfants jouant dans un jardin ; Les petites princesses Marie-Sophie et Amélie* : **FRF 21 000** – Londres, 1899 : *Portrait de Suzanne, fille de Brett Randolph* : **FRF 11 025** – New York, 1900 : *Portrait de Suzanna Randolph* : **USD 6 600** – New York, 26-27 fév. 1903 : *David Garrick* : **USD 2 000** – New York, 1907 : *Portrait de George Beaumont*, esquisse : **USD 380** – Londres, 19 fév. 1908 : *Portrait du colonel Carleton* : **GBP 60** – Londres, 28 mars 1908 : *William, Second earl of Bessborough* : **GBP 94** – Londres, 20 fév. 1909 : *Les Amoureux* : **GBP 7** – Londres, 26 mai 1922 : *Portrait d'un jeune homme en habit et perruque* : **GBP 199** – Londres, 28 juil. 1922 : *Un officier en uniforme écarlate* : **GBP 42** – Londres, 24 nov. 1922 : *Mrs Pigott 1779* : **GBP 399** – Londres, 18 nov. 1927 : *Enfant nourrissant des poulets* : **GBP 210** – Londres, 9 déc. 1927 : *Henry Addington* : **GBP 294** – Londres, 8 juin 1928 : *Mrs Elisabeth Boucher* : **GBP 546** – New York, 15 nov. 1929 : *Lord March*, étude pour le tableau du Musée de Boston : **USD 300** – Londres, 12 juin 1931 : *Portrait d'homme* : **GBP 157** – New York, 20 nov. 1931 : *Sir Joseph Banks* : **USD 2 000** – Philadelphie, 30 et 31 mars 1932 : *Miss Copley du Caire* : **USD 1 500** – Londres, 3 juin 1932 : *Major Pierson* : **GBP 157** – Londres, 23 fév. 1934 : *Sir Robert Buckley Comyn* : **GBP 136** – New York, 18 et 19 avr. 1934 : *Capt. Robert Orne* : **USD 2 600** – Londres, 8 mars 1935 : **USD 1 000** – New York, 9 juil. 1937 : *Officier en uniforme écarlate* : **GBP 194** – Londres, 20 mai 1938 : *Un officier* : **GBP 81** – Londres, 18 nov. 1938 : *Jeune fille en robe blanche* : **GBP 131** – New York, 4 et 5 déc. 1941 : *Admiral Viscount Keppel* : **USD 1 300** – New York, 6 avr. 1960 : *La mort de Chatham* : **USD 2 500** – Londres, 16 juin 1961 : *Portrait d'un officier de marine* : **GBP 252** – Londres, 15 mai 1963 : *Portrait de Mrs Abigail Gardiner en robe verte* : **GBP 2 800** – Londres, 7 juil. 1967 : *Portrait de Hugh Montgomerie* : **GNS 55 000** – Londres, 22 nov. 1968 : *Étude pour les personnages de « la mort du comte Chatham »* : **GNS 7 500** – Londres,

20 juin 1969 : *Portrait of John Loring* : **GNS 24 000** – New York, 28 oct. 1971 : *Portrait of General Thomas Gage* : **USD 210 000** – Londres, 23 juin 1972 : *Portrait de William Vassal avec son fils Léonard* : **GNS 70 000** – Londres, 20 juil. 1978 : *Portrait de Mrs George Turner, née Elisabeth Cutty*, past. (66,5x42) : **GBP 31 000** – New York, 17 mars 1978 : *Portrait of Thomas Loring*, h/t (75x62,3) : **USD 8 500** – Londres, 18 mars 1980 : *Study for « The siege of Gibraltar »*, craies noire et blanche/pap. gris-bleu (33x49,5) : **GBP 2 500** – Londres, 14 mars 1984 : *Portrait of John, second Viscount Dudley and Ward*, h/t (140x116) : **GBP 50 000** – New York, 3 déc. 1987 : *Lady Jane Grey offered the Crown by dukes of Northumberland and Suffolk 1806-08*, h/t (221,6x203,2) : **USD 375 000** – New York, 14 mars 1991 : *Etude d'enfant 1752*, fus. et craie blanche/pap. teinté (30x42) : **USD 3 520** – New York, 3 déc. 1992 : *Portraits de Gregory Townsend et de Lucretia Hubbard Townsend 1756*, past./pap./t., une paire (57,2x45,1 et 59,7x47) : **USD 41 250** – New York, 17 mars 1994 : *Portrait d'un gentleman*, h/t (76,2x63,5) : **USD 90 500** – Londres, 12 nov. 1997 : *Portrait de Susanna Copley, fille de l'artiste*, h/t, de forme ovale (61x50,5) : **GBP 67 500**.

COPLEY William Nelson, dit Bill ou Cply
Né le 24 janvier 1919 à New York. Mort le 8 mai 1996 à Miami (Floride). XXᵉ siècle. Américain.
Peintre. Tendance dadaïste.
Il fut élève à la Phillips Academy d'Andover (Mass.) en 1946, puis à l'Université de Yale. Il participa à la campagne d'Italie dans l'armée américaine. En 1947-1948, il créa les Copley Galleries à Beverly Hills, exposant Man Ray, Max Ernst, Magritte, André Masson, Tanguy, Picabia, Duchamp, organisant des fêtes mémorables et dépensant l'héritage familial en se composant une collection surréaliste importante.

De 1951 à 1964, il fit de fréquents et longs séjours à Paris, où il participa à plusieurs expositions de groupe, notamment au Salon de Mai a partir de 1956, à l'exposition internationale du Surréalisme en 1960, au Pop'Art U.S.A. à l'Oakland Art Museum 1963, au *Surréalisme, sources, histoire, affinités* à Paris en 1965. Dès 1948, il avait fait une première exposition personnelle, dans sa propre galerie à Los Angeles, suivie de beaucoup d'autres en France et aux États-Unis. En 1980-81, un hommage lui a été rendu en Suisse, en Hollande et à Paris au Centre Beaubourg. Il peignit d'abord surtout à Paris, puis à New York et tardivement en Floride. Parti d'une imagerie assez fruste, où se côtoient érotisme gaulois et plaisanteries dadaïstes, citant des nus de Matisse pour les placer dans des situations scabreuses, il a créé des histoires en images qui ont pu apparaître ensuite comme préfigurant le style narratif du « Pop'Art » ou celui de la figuration libre des années quatre-vingt. Il signe aussi CPLY.
Bibliogr. : Catalogue de l'exposition *William Copley*, Gal. Neuendorf, Cologne, 1970.
Ventes Publiques : Paris, 4 nov. 1971 : *Man and woman without each other* : **FRF 1 200** – Paris, 17 nov. 1972 : *Le cercle infernal*, h. et collage : **FRF 3 200** – New York, 30 mars 1978 : *L'atelier 1964*, h/t (65x100,5) : **USD 1 500** – New York, 5 nov. 1981 : *La chambre à coucher 1958*, h/t (58x45) : **USD 7 000** – New York, 10 nov. 1982 : *Jeune homme je crois que tu es en train de mourir 1966*, liquitex/t. (116,5x89) : **USD 5 000** – Londres, 24 mars 1983 : *Sans titre 1959*, h. et techn. mixte/t. (115x87,5) : **GBP 1 800** – Londres, 24 oct. 1984 : *Coucher de soleil 1962*, techn. mixte et collage (62,2x45,7) : **GBP 850** – Londres, 27 juin 1985 : *Stick up 1965*, h/t (91,7x73,7) : **GBP 3 200** – New York, 22 fév. 1986 : *The evil U 1970*, acryl./t. (64,7x99,8) : **USD 2 000** – Londres, 25 fév. 1988 : *Intérieur 1965*, gche et encre/pap. (25,5x29) : **GBP 1 045** – New York, 8 oct. 1988 : *Sans titre 1960*, h/t (60x73) : **USD 2 750** – Londres, 6 avr. 1989 : *Sans titre 1956*, h/t (50,2x73) : **GBP 2 420** – New York, 5 oct. 1989 : *Sans titre 1962*, h. et collage de dentelle/t. (76,2x101,5) : **USD 1 800** – New York, 21 fév. 1990 : *Les trois grâces 1960*, h/t (80,7x99,1) : **USD 4 950** – New York, 4 oct. 1990 : *Sans titre 1962*, h. et collage/t. (76,2x101,5) : **USD 8 250** – Milan, 23 oct. 1990 : *Les lèvres qui ont goûté à l'alcool ne doivent jamais me toucher 1966*, acryl./t. (89x116) : **ITL 15 000 000** – New York, 6 nov. 1990 : *L'atelier*, h/t (65,4x100,3) : **USD 9 900** – Paris, 16 déc. 1990 : *« It's 1954 »* 1990, techn. mixte/pap. (72x97) : **FRF 35 000** – New York, 7 mai 1991 : *Les amants 1972*, fus./pap. (59,3x45,3) : **USD 1 870** – New York, 12 juin 1991 : *Libération sur l'herbe 1856*, h/t (160,7x129,5) : **USD 15 400** – Munich, 26-27 nov. 1991 : *Scène nocturne 1964*, acryl./cart. (105x72,5) : **DEM 14 950** – New York, 17 nov. 1992 : *Quatuor 1959*, acryl. et sable/t. (73x59,7) : **USD 4 180** – New York, 22 fév. 1993 : *Séisme N°6 1957*, h/t (81,2x65,4) : **USD 5 280** – Paris, 17 oct. 1994 : *Nu au dra-*

peau 1962, h/t (33x39) : **FRF 9 500** – New York, 1er nov. 1994 : *Étoiles et jarretelle* 1964, acryl./t. (78,5x65) : **USD 8 625** – New York, 3 mai 1995 : *Kentucky derby* 1972, h/t (140x160) : **USD 12 650** – Londres, 26 oct. 1995 : *Sans titre* 1962, h/t (31x40) : **GBP 3 910** – New York, 9 mai 1996 : *Retour à la maison* 1983, h/toile d'emballage (132,1x76,2) : **USD 9 200** – New York, 19 nov. 1996 : *Amants sur un canapé* 1973, fus./pap. (66x101,6) : **USD 2 990** – New York, 6 mai 1997 : *Avec du vin et des chants...*, h/t (147,2x114,2) : **USD 14 950**.

COPMAN
xviiie siècle. Hollandais.
Sculpteur.
Il fit en 1783 le portrait en médaillon d'un bourgmestre d'Utrecht.

COPMANN Peter
Né le 25 février 1794 à Rudköbing. Mort en 1850 probablement à Basse-terre (Guadeloupe). xixe siècle. Danois.
Peintre de portraits.
Il fut mis en apprentissage à 11 ans, et apprit tout seul la peinture en miniature et au pastel. Il fit des tournées dans les provinces comme peintre de portraits, mais sa situation semblait précaire jusqu'au moment où le comte Nille-Brahe s'intéressa à lui. Grâce à son intervention, il fut admis à l'Académie en 1818 et exposa quelques portraits au pastel en 1819 et 1820. Après un séjour en 1821 à Hambourg et à Dresde, il revint à Copenhague en 1832 et exposa quelques copies dont un portrait de la femme de Rubens (d'après Rubens), acheté par le musée royal de peintures. Il partit peu après pour l'Amérique. Il se rendit d'abord aux États-Unis, puis à la Guadeloupe, où il épousa, à Basse-Terre une princesse espagnole, qui s'était enfuie de Madrid pour éviter le couvent. Anobli sous le nom de Peter von Copmann, il se préparait à revenir à Madrid, mais lui et sa femme périrent dans le tremblement de terre de 1850.

COPNALL Edward Bainbridge
Né le 29 août 1903 à Cape Town (Le Cap). Mort le 18 octobre 1973 à Littlebourne (Kent). xxe siècle. Britannique.
Peintre et sculpteur.
Neveu du portraitiste Frank Copnall, il est autant connu pour ses sculptures que pour ses peintures. Il exposa à la Royal Society of Sculptors, dont il fut président, et régulièrement à la Royal Academy de Londres, jusqu'en 1973. Il exécuta des sculptures monumentales qui se trouvent placées en plein air, surtout à Londres, et dont la plus célèbre est sans doute *Le Cerf*, à Stag Place, qui mesure plus de cinq mètres de haut. En outre, il exécuta des bustes de plusieurs personnalités, parmi lesquelles : *Winston Churchill, Edward Heath, l'Archevêque de Canterbury*, etc.

COPNALL Frank T.
Né le 27 avril 1870 à Kyde. xixe-xxe siècles. Britannique.
Peintre de portraits.
Il a exposé à la Royal Academy de Londres, à la Royal Society of Portrait Painters, à la National Portrait Society et à la Royal Scottish Academy ; il a également participé au Salon de la Société Nationale des Beaux-Arts de Paris en 1930 et 1939. Il fut membre de la Liverpool Academy, de la London Portrait Society et fut président du Liverpool Art Club et du Liver Sketching Club. Peut-être faut-il le rapprocher de Thomas Copnall.
Ventes Publiques : Londres, 24 avr. 1985 : *Paysage au pont, Dockray*, h/t (86x120) : **GBP 800** – Londres, 6 mars 1986 : *Suzanne Taylor son chien Tim*, h/t (141x91,5) : **GBP 1 900**.

COPNALL Theresa Norah
Née le 24 août 1882 à Haughton-le-Skern. xxe siècle. Britannique.
Peintre de portraits, fleurs.
Expose à la Royal Academy.
Ventes Publiques : Londres, 30 mars 1983 : *The Pink Mat*, h/t (51x51) : **GBP 650**.

COPNALL Thomas
Né en Angleterre. xxe siècle. Britannique.
Peintre.
En 1937 il exposait un portrait au Salon des Artistes Français. Il serait peut-être à rapprocher de Franck T. Copnall.

COPONIUS
Ier siècle avant J.-C. Antiquité romaine.
Sculpteur.
Cet artiste exécuta, selon Pline et Suétone, plusieurs statues au Théâtre de Pompée.

COPPA, il cavaliere. Voir GIAROLA Antonio

COPPA Le. Voir LE COPPA

COPPA Luigi
Né en 1934 à Forio d'Ischia. xxe siècle. Italien.
Peintre, aquarelliste.
Il fut élève à l'École des Beaux-Arts de Naples en 1951. A partir de 1953, il participa à de nombreuses expositions collectives, notamment à la viie Quadriennale de Rome (1956). A partir de 1957, il fit de nombreux voyages en Allemagne, Grèce, Turquie, Afrique Centrale. A cette date, il commence à exposer personnellement dans plusieurs villes d'Allemagne, mais aussi à Paris 1959, Zurich 1960, Monaco 1969, 1970, Turin 1971.
Il montre une grande virtuosité dans le domaine de l'aquarelle, laissant transparaître une influence de l'art de Picasso, notamment à partir de la période des *Faunes*.
Bibliogr. : Catalogue de l'exposition *Luigi Coppa*, gal. Il Fauno, Turin, 1971.

COPPA Stefano
xviiie siècle. Travaillant à Rome pendant la seconde moitié du xviiie siècle. Italien.
Graveur.

COPPARD C. Law
xixe siècle. Travaillant à Brighton. Britannique.
Peintre de paysages.
Il exposa souvent à Londres entre 1858 et 1880.

COPPE Roger
Né le 10 février 1928 à Flawinne (Namur). xxe siècle. Belge.
Peintre de figures, nus, aquarelliste, dessinateur, illustrateur, maître-verrier. Expressionniste.
En 1947, il fut élève de l'Institut Saint-Luc de Tournai, dont il fut diplômé en 1952. Il fut un temps professeur de dessin ; surtout, de 1955 à 1978, il dirigea un atelier de création et restauration de vitraux. Il participe à quelques expositions collectives locales en Belgique. En 1992, il a commencé à exposer avec le groupe Figuration Critique, à Paris. Depuis 1985, il montre ses peintures dans des expositions personnelles dans différentes villes de Belgique et à Bruxelles 1990, Tournai 1991, Gand 1992. En 1982, il a fondé une Académie des Beaux-Arts à Comines-Warneton.
Il peint des figures féminines, souvent des nus, dans des attitudes de mouvement ou bien au contraire affalés au repos, tous muscles bandés ou bien au contraire les volumes amollis. Il n'hésite pas à amplifier et déformer ses modèles dans le sens d'une plus forte expressivité, encore renforcée par des colorations heurtées et lugubres à la fois, des rouges violacés opposés à des jaunes salis et des verts glauques.
Bibliogr. : In : *10 ans d'art graphique*, Artis Documenta, Monaco – Eemans, in : *Le nu de Rops à Paul Delvaux*, Arto, Bruxelles – Bert Dewilde et Michel Franceus : *Roger Coppe*, Uitgeverij, Oranje.

COPPEDÈ Adolfo
Né en 1871 à Florence. xixe-xxe siècles. Italien.
Sculpteur et architecte.
Il était le fils et fut l'élève de Mariano Coppedè. Il travailla à Gênes.

COPPEDÈ Carlo
Né en 1868 à Florence. xixe-xxe siècles. Italien.
Peintre de sujets mythologiques, scènes de genre, portraits, paysages. Postimpressionniste.
Ses paysages sont plus particulièrement d'inspiration impressionniste.
Ventes Publiques : Milan, 14 déc. 1978 : *Le naufrage* 1894, h/t (130x107) : **ITL 2 500 000** – Milan, 18 déc. 1986 : *Tragédie de la mer* 1894, h/t (108x130) : **ITL 9 500 000** – Londres, 28 nov. 1990 : *Bacchanale* 1907, h/t (92x129) : **GBP 14 850**.

COPPEDÈ Mariano
Né le 14 août 1839 à Florence. xixe siècle. Italien.
Sculpteur sur bois.
Il fut l'élève de Morini et de P. Cheloni, puis travailla beaucoup à l'étranger : à Mexico, à New York et à Séville. Il ne s'expatria cependant jamais définitivement.

COPPEDGE Fern Isabel
Née en 1888 à Decatur (Illinois). Morte en 1951. xxe siècle. Américaine.
Peintre de paysages.
Ventes Publiques : New York, 17 mars 1988 : *Maisonnette de pierres*, h/t (39,3x32,5) : **USD 2 310** ; *Casiers de homard*, h/t

(62,5x75) : **USD 3 740** – New York, 30 sep. 1988 : *Collines en Pennsylvanie dans les environs de New Hope*, h/t (50,5x61) : **USD 3 080** – New York, 14 fév. 1990 : *Automne ensoleillé*, h/t (40,6x40,8) : **USD 12 100** – New York, 31 mai 1990 : *Dimanche matin*, h/cart. (34,9x40,6) : **USD 3 080** – New York, 14 mars 1991 : *Les collines couvertes de neige*, h/t (63,5x76,5) : **USD 16 500** – New York, 18 déc. 1991 : *Maisons près d'une rivière*, h/t/cart. (86,4x75,6) : **USD 2 200** – New York, 28 mai 1992 : *Après-midi de décembre*, h/t (63,5x76,5) : **USD 28 600** – New York, 22 sep. 1993 : *La route de Swan Creek*, h/t (63,5x76,2) : **USD 12 650** – New York, 28 sep. 1995 : *Cottage au bord de la Delaware*, h/t (45,7x61) : **USD 7 475**.

COPPEE Philippe Henri
Né en 1949 à Gosselies. xxᵉ siècle. Belge.
Peintre, dessinateur, décorateur, sculpteur et graveur.
Élève à l'École des Beaux-Arts de Bruxelles, il est aussi l'auteur de fresques et de vitraux. Il garde la spontanéité d'un esprit ingénu à travers des œuvres qui se situent parfois dans l'ombre de l'esprit Dada.

COPPEIN Fransoeis
Mort en 1692 à Bruges. xviiᵉ siècle. Éc. flamande.
Peintre.
Fransoeis Coppein, François Coppeyn, Frans Coppyn peuvent être rapprochés.

COPPEJANS Fr.
xixᵉ-xxᵉ siècles. Belge.
Peintre et peintre verrier.
On cite ses travaux à l'église Saint-Wandru à Mons.

COPPEL Jeanne
Née le 16 mai 1896 à Galatz (Roumanie). Morte le 11 novembre 1971 à Paris. xxᵉ siècle. Roumaine.
Peintre, peintre de collages, graveur. Figuratif, puis abstrait.
Elle passe son enfance en Suisse, à Lausanne, dans un collège de luxe et va perfectionner son anglais à Londres. En 1912-1914, elle séjourne à Berlin où elle entre, très jeune, en contact avec le mouvement « Der Sturm ». De retour en Roumanie, elle peint des paysages et pratique la gravure sur lino. En 1916, elle quitte Galatz, mais les hasards de la guerre la conduisent dans un village de Moldavie où elle reste près de deux ans isolée, inventant une nouvelle forme de collages abstraits à base de papiers de soie colorés. Établie à Paris en 1919, elle travaille à l'Académie Ranson, où enseignent les anciens Nabis : Sérusier, Vuillard, Maurice Denis. Elle épouse Théodore Coppel en 1920, a un fils Georges, et, dans la période qui suit, elle peint peu, encore moins entre 1940 et 1942. Installée à Aix-en-Provence, entre 1942 et 1946, dans des conditions difficiles, elle ne peut peindre à l'huile et en conséquence reprend ses collages. De retour à Paris en 1946, elle montre ses collages dans une exposition de groupe organisée par Colette Allendy en 1948 et participe, la même année, au second Salon des Réalités Nouvelles, continuant d'y exposer chaque année jusqu'à sa mort, suivie d'un Hommage en 1972. Invitée à la Biennale de Sao Paulo en 1951, elle participe, en 1953, avec le groupe « Artisti di Avanguardia », à une exposition itinérante, allant de Rome à Los Angeles, en 1955, passant par Milan, Ancône, Bergame, Barcelone, Madrid. À partir de 1955, elle figure aussi régulièrement au Salon Comparaisons. En 1956, elle exposa avec Karskaya à New York. En 1961, elle participa à *The Art of Assemblage* au Musée d'Art Moderne de New York, en 1964 à *Cinquante ans de collages* au Musée d'Art et d'Industrie de Saint-Étienne. En 1991, elle était représentée à Paris à l'exposition, organisée par Françoise Monnin, *Rencontres – 50 ans de collages*, galerie Claudine Lustman. Régulièrement, à partir de 1950, elle a fait des expositions personnelles à Paris, parmi lesquelles : 1955 Galerie Arnaud, 1960, 1966, 1970 Galerie La Roue. D'autres ont été organisées après sa mort : 1977, 1980 Galerie Jacob, 1986 Musée de Pontoise, 1987 Galerie Jacques Barbier, 1991 Galerie Franka Berndt, 1993 Paris à *La galerie*, 1994 au Musée Bibliothèque P.A. Benoit d'Alès.
Dès 1916, elle produit sa première composition abstraite et c'est un de ses titres d'avoir fait partie des premiers précurseurs de l'abstraction. À cette époque, ses collages sont réalisés, à l'exclusion de tout autre matériau, à partir de papiers de soie soigneusement pliés, dans des tonalités vives. Ensuite, peut-être sous l'influence de l'Académie Ranson ou plus probablement à cause du contexte de l'École de Paris qui, imbue de son passé, ignorait ou voulait ignorer les mutations du langage des formes, du moment qu'elles provenaient d'ailleurs, et surtout si c'était d'Al-

lemagne, Jeanne Coppel eut une longue période figurative. C'est dans l'isolement dû à la guerre qu'elle revint à son langage abstrait en 1942, au moment de son séjour à Aix-en-Provence. Elle assemble des formes sobres dans des accords très retenus et, comme le note Françoise Monnin, ses collages « ont de l'émotion les limites déchirées, et les couleurs passées de la mélancolie ». Elle oppose volontiers des matières différentes, fait de subtiles juxtapositions, dont elle explique, avec humour, les difficultés d'accord : « Il faut beaucoup de compréhension mutuelle à la feuille d'or et au papier d'emballage pour se supporter l'un et l'autre ». Dans ses toiles et peintures à l'huile abstraites, elle est souvent comparée, et à juste titre, à Braque. Comme l'analyse Michel Seuphor, « L'œuvre de Jeanne Coppel a le sérieux de Braque, la même sérénité, la même discrétion, la même calme mesure. Elle aime les tons mats, les accords sourds. Il arrive qu'elle y ajoute un accent brillant dont le rôle n'est pas de commettre un éclat mais de faire mieux sentir, par cette légèreté, la puissance intérieure qui s'est accumulée. »
■ Annie Pagès, J. B.

Bibliogr. : Herta Wescher : *Jeanne Coppel*, Cimaise n°5, Paris, 1955 – Georges Coppel : catalogue de l'exposition *Jeanne Coppel*, galerie Franka Berndt Bastille, Paris, 1991.
Musées : Alès (Mus. P.A.B.) – Bochum (Kunstmus.) – Harvard University (Fogg Art Mus.) – Jérusalem (Mus. Bézabel) – Nantes (Mus. des Beaux-Arts) – Paris (Mus. d'Art Mod. de la Ville) – Paris (CNAC) – Pau – Pontoise (Mus. Tavet) – Recklinghausen (Kunsthalle) – Saint-Étienne (Mus. d'Art et d'Industrie) – São Paulo (Mus. Nac. des Arte Mod.).
Ventes Publiques : Paris, 10 juin 1993 : *Composition 1948*, collage (32x77) : **FRF 25 000** – Paris, 26 nov. 1994 : *Sans titre 1952*, h/cart. (30,5x45,5) : **FRF 12 800**.

COPPELLETTI Giovanni
xviᵉ siècle. Actif à Reggio à la fin du xviᵉ siècle. Italien.
Sculpteur.

COPPELLETTI Parigi
xviᵉ siècle. Actif à Reggio à la fin du xviᵉ siècle. Italien.
Peintre.

COPPELLI Agostino, marchese (marquis)
xviiiᵉ siècle. Italien.
Peintre ou dessinateur amateur.
Carattoni grava une planche d'après cet artiste.

COPPENOLE Michel Van
xvᵉ siècle. Actif à Tournai au milieu du xvᵉ siècle. Éc. flamande.
Sculpteur.

COPPENOLLE Edmond Van
Né en 1846 à Gand. Mort en 1914 à Château-Landon (Seine-et-Marne). xixᵉ-xxᵉ siècles. Actif en France. Belge.
Peintre de cartons de céramiques, faïence, animalier, natures mortes.
Il vint en France pour travailler à la faïencerie Schopin à Montigny, près de Moret-sur-Loing.
Il y crée des croquis et des études à l'encre de Chine, au lavis ou au crayon, de poules et de coqs, destinés à la décoration de plats, pots, assiettes, cache-pots. Ses tableaux reprennent les mêmes thèmes, mais aussi des natures mortes qui montrent son admiration pour les maîtres hollandais et flamands du xviiᵉ siècle.

Bibliogr. : Gérald Schurr, in : *Les Petits Maîtres de la peinture 1820-1920, valeur de demain*, Les Éditions de l'Amateur, t. VII, Paris, 1989.
Ventes Publiques : Paris, 5 juin 1989 : *Jeté de fleurs*, h/t (54x73.5) : **FRF 8 000** – Reims, 17 juin 1990 : *Bouquet de roses dans un vase*, h/t (65x54) : **FRF 15 000** – Reims, 21 avr. 1991 : *Nature morte aux myrtilles et au chaudron*, h/t (46x55) : **FRF 19 000** – New York, 20 fév. 1992 : *Nature morte de fleurs en pots dans une serre*, h/t (127x191,1) : **USD 35 750** – Paris, 22 juin 1992 : *Coquelicots*, h/t (46x55) : **FRF 4 000** – Lokeren, 11 mars 1995 : *Poulets dans la cour*, h/t (38x55,5) : **BEF 60 000** – Paris, 29 mars 1996 : *Bouquet de fleurs*, h/t (73x92) : **FRF 17 500** – New York, 18-19 juil. 1996 : *Bouquet de fleurs*, h/t (93,3x73) : **USD 8 050** – Paris, 25 sep. 1997 : *Corbeille de chrysanthèmes et vase de girofflées*, h/t (92x73,5) : **FRF 14 500**.

COPPENOLLE Jacques Van
Né en 1878 à Montigny-sur-Loing (Seine-et-Marne). Mort en 1915 à Vauquois. xxᵉ siècle. Français.
Peintre de paysages et de fleurs.
Fils d'Edmond Van Coppenolle, il travailla également dans le

domaine de la faïencerie, puis pratiqua la peinture à l'huile. Il a pris part au Salon des Artistes Indépendants de 1904 à 1914 et au Salon d'Automne, dont il devint sociétaire en 1910. Il est mort au champ d'honneur durant la première guerre mondiale.

BIBLIOGR. : Gérald Schurr, in : *Les Petits Maîtres de la peinture 1820-1920, valeur de demain,* Les Éditions de l'Amateur, t. VII, Paris, 1989.

MUSÉES : CHÂTEAU-THIERRY – CLAMECY : *Vase de fleurs – Basse-cour et volaille – Offrandes de fleurs par des jeunes filles à une divinité païenne* – GRAY (Mus. du baron Martin) – NEMOURS.

VENTES PUBLIQUES : PARIS, 9 fév. 1942 : *Cour de ferme* : FRF 1 700 – VIENNE, 9 juin 1970 : *Paysage de Montigny-sur-Loing* : ATS 10 000 – ORLÉANS, 24 oct. 1971 : *Péniches sur le Loing* : FRF 1 500 – REIMS, 20 déc. 1981 : *Le poulailler,* h/t (46x38) : FRF 8 000 – LINDAU, 9 mai 1984 : *Nature morte au bouquet de chrysanthèmes,* h/t (73x92) : DEM 4 000 – BERNE, 2 mai 1986 : *La basse-cour,* h/pan. : CHF 1 300 – PARIS, 13 avr. 1988 : *Jeté de giroflées et cruche,* h/t (54x65) : FRF 7 000 – CALAIS, 13 nov. 1988 : *Bouquet de fleurs,* h/t : FRF 15 000 – VERSAILLES, 21 jan. 1990 : *Bouquet de fleurs,* h/t (49x65) : FRF 10 000 – CALAIS, 4 mars 1990 : *Village au bord de la rivière,* h/t (27x35) : FRF 133 000 – NEW YORK, 19 juil. 1990 : *Nature morte avec des anémones,* h/t (73,7x91,6) : USD 7 425 – LE TOUQUET, 8 juin 1992 : *Le poulailler,* h/t : FRF 8 000 – PARIS, 27 mai 1994 : *À travers les arbres,* h/cart. (45x54) : FRF 9 500.

COPPENRATH Ferdinand
Né en 1867 à Münster. XIXᵉ siècle. Allemand.
Peintre de paysages.
Il vécut en Bavière.

COPPENS
Née en 1948. XXᵉ siècle. Française.
Peintre.
Elle participe à plusieurs Salons, dont celui des Grands et Jeunes d'Aujourd'hui à Paris en 1987.

COPPENS Arnold
Né le 28 février 1659 à Gand. Mort en 1719 à Gand. XVIIᵉ-XVIIIᵉ siècles. Éc. flamande.
Sculpteur.
Cet artiste travailla surtout pour les églises de sa ville natale. Il fut le père de Jacobus Coppens et sans doute de Joannes.

COPPENS Augustin
Né vers 1668. XVIIᵉ-XVIIIᵉ siècles. Éc. flamande.
Peintre et graveur.
Il fut sans doute élève de Jean François Millet. Compagnon de Richard Van Orley, il travailla à Bruxelles vers 1695. Le Musée de Bruxelles possède un autoportrait de cet artiste.

COPPENS François
XVIIᵉ siècle. Actif à Bruxelles vers 1650. Éc. flamande.
Peintre.
Il était le fils du peintre Pieter Coppens.

COPPENS François
XVIIIᵉ siècle. Actif à Gand vers 1726. Éc. flamande.
Sculpteur.
Il semble que cet artiste travailla à Gand et à Malines.

COPPENS Gaspart
XVIIᵉ siècle. Actif à Anvers à la fin du XVIIᵉ siècle. Éc. flamande.
Sculpteur.
En 1692 il travaillait à Gand.

COPPENS Jacobus
Né en 1695 à Gand. Mort en 1737 à Gand. XVIIIᵉ siècle. Éc. flamande.
Sculpteur.
Il était fils d'Arnold Coppens. On lui doit surtout des sujets religieux.

COPPENS Jean François
XVIIᵉ siècle. Actif à Bruxelles vers 1678. Éc. flamande.
Peintre.

COPPENS Joannes
XVIIᵉ-XVIIIᵉ siècles. Actif à Gand. Éc. flamande.
Peintre.
Il était sans doute fils d'Arnold Coppens.

COPPENS Mariette
Née en 1931 à Anvers. XXᵉ siècle. Belge.
Sculpteur. Expressionniste.
Elle fit ses études à l'Académie des Beaux-Arts et à l'Institut

supérieur d'Anvers. Ses sculptures présentent aussi bien des personnages que des végétations exubérantes.

COPPENS Omer
Né en 1864 à Dunkerque. Mort en 1926 à Ixelles. XIXᵉ-XXᵉ siècles. Belge.
Peintre et graveur de scènes de genre, de paysages, de marines et de paysages urbains.
Élève à l'Académie des Beaux-Arts de Gand, il fut membre-fondateur du cercle « Pour l'Art ». Il participa à l'Exposition Universelle de Bruxelles en 1910.

Omer Coppens

MUSÉES : BRUXELLES : *A vêpres* – OSTENDE : *En Flandre.*

VENTES PUBLIQUES : PARIS, 17 déc. 1943 : *Ruelle à Villefranche-sur-Mer* : FRF 200 – BRUXELLES, 25 fév. 1970 : *Le Pont au Lion à Bruges* : BEF 2 600 – VERSAILLES, 10 oct. 1981 : *Bruges, pont sur le canal 1923,* h/pan. (28x40) : FRF 5 000 – ENGHIEN-LES-BAINS, 23 sep. 1984 : *Jardin à Bruges,* h/t (47x76) : FRF 11 000 – AMSTERDAM, 21 avr. 1994 : *Vue de Dunkerque au coucher du soleil 1890,* h/t (75,5x126) : NLG 6 900 – LOKEREN, 9 mars 1996 : *Canal à Bruges 1896,* h/t (80x65) : BEF 80 000 – CALAIS, 24 mars 1996 : *Vue de Salé au Maroc 1925,* h/pan. (30x40) : FRF 7 000 – LOKEREN, 8 mars 1997 : *De Kantklosster,* h/pan. (32,5x23,5) : BEF 28 000.

COPPENS Pieter
XVIIᵉ siècle. Actif à Bruxelles au début du XVIIᵉ siècle. Éc. flamande.
Peintre.
Il fut élève de Hieronimus Van Orley.

COPPENS Robert
Peut-être originaire de Malines. XVIᵉ siècle. Actif dans la seconde moitié du XVIᵉ siècle. Éc. flamande.
Sculpteur.
On cite des œuvres de cet artiste dans différentes villes de l'Allemagne septentrionale et surtout à Lübeck.

COPPENS S. John
XVIIᵉ siècle. Britannique.
Graveur.
On connaît de cet artiste, sans doute graveur, une œuvre de six planches, réunie en volume et publiée en 1689.

COPPENS Theodor
XVIIIᵉ siècle. Travaillant à Malines vers 1730. Éc. flamande.
Sculpteur.

COPPERS Gerhard Martin ou Cappers
XVIIIᵉ siècle. Actif à Münster au début du XVIIIᵉ siècle. Allemand.
Peintre.
Son frère et son fils dont les prénoms nous sont inconnus furent également peintres dans la même ville.

COPPES Martino
XXᵉ siècle. Italien.
Créateur d'installations. Arte-povera.
Il fut élève de l'Académie des Beaux-Arts de Brera, où il eut pour professeur Luciano Fabro, l'un des pères historiques de l'arte povera.
Il montre ses œuvres dans des expositions personnelles en Italie. Il met en scène des espaces imaginaires. Ainsi, l'œuvre *Geografia* de 1993, véritable paysage couvert de sillons, granules en polyéthylène turquoise, sur lesquels viennent se greffer des formes étranges, végétales ou animales, champignons, algues ou méduses.

BIBLIOGR. : Rafael Pic : *Martino Coppes,* Art Press, nº179, avr. 1993.

COPPESZ Cornelis
XVIIᵉ siècle. Actif à Haarlem avant 1682. Hollandais.
Peintre.
Quelques paysages de cet artiste se trouvent signalés dans une pièce d'archive.

COPPET Yvonne de
XXᵉ siècle. Française.
Peintre d'histoire et de portraits, sculpteur.
Elle a régulièrement exposé au Salon des Artistes Français, dont elle est devenue sociétaire et où elle obtint une mention hono-

rable en 1926, et au Salon des Artistes Indépendants, à partir de 1938.

COPPEYN François
XVIIe siècle. Éc. flamande.
Peintre de natures mortes. Trompe-l'œil.
Il était actif à Anvers. Fransoeis Coppein, François Coppeyn, Frans Coppyn peuvent être rapprochés.
VENTES PUBLIQUES : LONDRES, 5 juil. 1993 : *Trompe l'œil d'un équipement de chasse suspendu à un mur 1681*, h/t (130,5x109) : **GBP 40 000.**

COPPI Giacomo ou Jacopo, dit del Meglio
Né en 1523 à Peretola. Mort en 1591 à Florence. XVIe siècle. Italien.
Peintre d'histoire.
Ce peintre était du nombre des artistes qui secondèrent Vasari dans ses travaux à Florence. Le *Bryan's Dictionary* le fait élève de ce maître, mais Lanzi le croit disciple de Parrasio Michele, de Venise.
MUSÉES : FLORENCE (Mus. des Offices) : *Autoportrait.*
VENTES PUBLIQUES : NEW YORK, 18 et 19 avr. 1934 : *Une jeune femme* : **USD 275** – ROME, 13 avr. 1989 : *Abraham (ou St Pierre) et les anges*, h/pan. (86x114) : **ITL 19 000 000.**

COPPI Piergentile
XVIIe siècle. Actif à Pérouse vers 1683. Italien.
Enlumineur.

COPPIER André Charles
Né en 1867 à Annecy (Haute-Savoie). Mort après 1926. XIXe-XXe siècles. Français.
Peintre de portraits, scènes animées, sujets divers, aquarelliste, graveur, médailleur, illustrateur et écrivain d'art.
À Paris, il a participé au Salon des Artistes Français et au Salon de la Société Nationale des Beaux-Arts, dont il était sociétaire. À l'Exposition Universelle de 1900 à Paris, il obtint une deuxième médaille. Il était Officier de la Légion d'honneur.
Il fit le portrait de personnalités, comme *Albert Besnard*, et est l'auteur de reconstitutions, notamment celle de *La Cène* de Léonard de Vinci. Il a également illustré d'aquarelles, de pastel, d'encre ou de lavis au brou-de-noix, de nombreux ouvrages, dont : *Fleurs de Cyclamen* d'André Theuriet en 1899, et *Les Portraits du Mont-Blanc* 1926, dont il a écrit le texte. Il est l'auteur d'un catalogue raisonné de l'œuvre gravé de Rembrandt.
BIBLIOGR. : Luc Monod, in : *Manuel de l'amateur de Livres Illustrés Modernes 1875-1975*, Ides et Calendes, Neuchâtel, 1992.
MUSÉES : CHAMBÉRY (Mus. des Beaux-Arts) : *Le marché de Bourg-Saint-Maurice* – LONDRES (British Mus.) – PARIS (Cab. des Estampes) – PARIS (Mus. d'Orsay).

COPPIER de
XVIIIe siècle. Français.
Graveur.
Il exécuta deux vues d'Amsterdam dans l'Atlas de Fouquet paru en 1783.

COPPIETERS Gustav
Né vers 1840. Mort en 1885 à Bruxelles. XIXe siècle. Belge.
Peintre.
Il fut l'élève de Jean Portaels. On cite de lui : *Danse macabre.*

COPPIN
XIVe siècle. Actif à Gand vers 1328. Français.
Sculpteur.

COPPIN, le Jeune
XVe siècle. Actif à Bruges vers 1460. Éc. flamande.
Peintre et enlumineur.

COPPIN Antoine
XVIe siècle. Actif à Lille. Français.
Sculpteur.
Il travailla, en 1550, à la décoration de la halle des échevins de Lille.

COPPIN Guillaume
XVIe siècle. Actif à Roye vers 1564. Français.
Peintre d'histoire.

COPPIN Henriet
Mort en 1482 à Troyes. XVe siècle. Français.
Enlumineur et peintre verrier.
Il travailla pour l'église Saint-Urbain, à Troyes, à partir de 1450.

COPPIN Jeanne
XVe siècle. Active à Troyes. Française.
Peintre verrier.
Elle était l'épouse d'Henriet Coppin qu'elle aida dans ses travaux.

COPPIN Joseph
XVIIe siècle. Actif à Grenoble vers 1683. Français.
Enlumineur.

COPPIN DELF. Voir DELF Coppin

COPPING Harold
Né le 25 août 1863 à Londres. Mort en 1932. XIXe-XXe siècles. Britannique.
Peintre de genre, aquarelliste, illustrateur.
A exposé à la Royal Academy et au Royal Institute of Painters in Water-Colours, à Londres.

Harold Copping

VENTES PUBLIQUES : LONDRES, 1er nov. 1985 : *A good story*, h/t (50x59,5) : **GBP 2 200.**

COPPINI Eliseo Fausto
Né en 1870 en Italie. XIXe-XXe siècles. Actif en Argentine. Italien.
Peintre de genre, de paysages et d'histoire.
Élève à l'Académie Bréra de Milan, il travailla sous la direction de Pio Sanquirico, Girolamo Induno et Giuseppe Mentessi. Il obtint une médaille d'argent à l'Exposition Internationale de San Francisco en 1915. Il émigra à Buenos Aires en 1945 et figura à l'exposition « Peinture et sculpture du XXe s. en Argentine » en 1952-53 à Buenos Aires. À côté de ses paysages et de ses scènes historiques, il s'est plu à peindre des sujets pittoresques.
MUSÉES : BUENOS AIRES (Mus. d'Hist. Naturelle).
VENTES PUBLIQUES : LOS ANGELES, 23 juin 1980 : *Mouton dans un paysage boisé*, h/t (49,5x28) : **USD 575** – NEW YORK, 17 fév. 1993 : *Rêverie 1917*, h/t (49,5x35,6) : **USD 3 220.**

COPPINI Giuseppe
XIXe siècle. Actif à Sienne au début du XIXe siècle. Italien.
Sculpteur.

COPPINI Pompeo
Né en 1870 à Mantoue. XIXe-XXe siècles. Actif en Amérique. Italien.
Sculpteur de portraits.
Après avoir été élève d'Augusto Rivalta à Florence, il partit encore jeune aux États-Unis, où il s'établit. Il fit surtout des portraits de personnalités historiques, dont *Le roi Humbert*, *La reine Marguerite*.

COPPINO
Né en 1870 à Milan. XIXe siècle. Italien.
Peintre.
Il se spécialisa dans le portrait, puis dans le paysage. Au début du XXe siècle il s'établit en Argentine.

COPPO Giovanni da, fra. Voir PRUSSIA

COPPO di Marcovaldo
Né entre 1225 et 1230 probablement à Florence. Mort après 1274 à Sienne. XIIIe siècle. Italien.
Peintre.
Mentionné en 1260 dans le « Livre de Montaperti » comme ayant pris part à la célèbre bataille de ce nom. Fait prisonnier par les Siennois, il peint l'année suivante pour l'église des Servites (S. Maria dei Servi) de Sienne une *Madone* qui s'y trouve encore, signée ainsi : *MCCLXI Copus de Florentia me pinxit* et dite *Madona del Bordone*. En 1265, et 1269 il travaillait à la cathédrale de Pistoie à des peintures murales qui n'ont pas été conservées. En 1274 il reçoit avec son fils Salerno la commande de plusieurs tableaux d'autel pour la même cathédrale, dont on ne voit aujourd'hui qu'un crucifix avec des scènes de la passion. Un autre crucifix, au palais communal de S. Gimignano, pourrait être son œuvre personnelle, étant d'une qualité meilleure que celui de Pistoie, lequel sans doute fut dessiné par Coppo et peint par Salerno. La Madone de Sienne a été repeinte (sauf les vêtements) quelque cinquante ans plus tard dans la manière de Duccio, mais une autre Madone peinte pour l'église du même ordre monastique à Orvieto offre avec la première une ressemblance frappante, et après le nettoyage dont elle a été l'objet, il est permis d'y voir le chef-d'œuvre de Coppo di Marcovaldo. Cette œuvre révèle en son auteur un artiste dont le style doit être

considéré comme le point de départ le plus vraisemblable de celui de Cimabue. Extérieurement la formule byzantine est acceptée par lui presque sans aucun changement, mais il la remplit néanmoins d'un contenu nouveau en l'accentuant à sa manière, en soulignant le caractère imposant, majestueux de l'image, en sacrifiant la subtilité de l'enveloppe linéaire à la netteté de l'architecture et des articulations formelles. Il a simplifié les données byzantines, sa forme est à la fois plus sommaire et plus robuste ; il lègue à ses successeurs un sentiment de la grandeur et de la netteté du dessin, qui est appelé à devenir un des principaux titres de gloire de la Renaissance italienne, et tout particulièrement de l'école florentine. ■ W. W.

COPPOLA Andrea
XVIIe siècle. Italien.
Peintre.
Il existe une peinture de cet artiste à l'église San Romualdo, à Lucques.

COPPOLA Antonio, comte
Né le 21 janvier 1839 à Naples. XIXe siècle. Italien.
Peintre.
Suivit les cours de l'Institut des Beaux-Arts de Naples.

COPPOLA Armando
XXe siècle. Argentin.
Peintre. Tendance abstraite.
Il réalise des compositions faites à base de cônes et de sphères.

COPPOLA Carlo
Né à Naples. Mort peut-être vers 1672. XVIIe siècle. Italien.
Peintre de compositions religieuses, sujets militaires.
Élève de Falcone, il fut actif à Naples de 1640 à 1660.
MUSÉES : NAPLES : *Cavaliers Espagnols*.
VENTES PUBLIQUES : PARIS, 8 mai 1895 : *Combat contre les Turcs* : FRF 120 – ROME, 5 déc. 1985 : *Condottiere assistant à une bataille*, h/t (63x109) : **ITL 4 500 000** – ROME, 10 mai 1994 : *Décapitation de Saint Paul*, h/t (64x77) : **ITL 8 050 000** – ROME, 22 nov. 1994 : *La lapidation de Saint Étienne*, h/t (75,5x103) : **ITL 27 600 000**.

COPPOLA Domenico
Mort en 1721 à Naples. XVIIIe siècle. Italien.
Peintre.

COPPOLA Giovanni
Né à Chiavari. XIXe siècle. Italien.
Peintre.
Il fut élève de l'Académie de Gênes et travailla surtout à Gênes et dans sa ville natale.

COPPOLA Giovanni Andrea
Né à Gallipoli. XVIIe siècle. Travaillant au milieu du XVIIe siècle. Italien.
Peintre.
Il existe des œuvres de cet artiste dans des églises de sa ville natale.

COPPOLA Giuseppe
Né en 1848 à Naples. XIXe siècle. Italien.
Sculpteur.
Suivit les cours de l'Institut des Beaux-Arts de Naples. Exposa, à Naples, un *Bacchus*. On voit, dans l'église des Florentins de Naples, deux statues de lui : *L'Immaculée* et *Sainte Anne*.

COPPOLA Mariano
XVIIIe siècle. Actif à Naples. Italien.
Peintre.

COPPOLA CASTALDO Francesco
Né en 1845 ou 1847 à Naples. Mort en 1916. XIXe-XXe siècles. Italien.
Peintre.
Suivit les cours de l'Institut des Beaux-Arts de Naples. Un de ses tableaux : *Au pied du Vésuve*, exposé au Salon, à Paris, obtint la médaille d'or. A Turin, en 1880, cet artiste exposa : *En brunissant* et *Marine (Naples)* et, en 1884 : *L'Arche de Sant'Eligio dans la vieille Naples*.
VENTES PUBLIQUES : LONDRES, 22 mars 1984 : *Vue de Naples* 1863, gche (42x63) : **GBP 1 000** – ROME, 12 déc. 1989 : *Vue du golfe* ; *Vue du palais Donn'Anna*, techn. mixte/pap., une paire (chaque 28,6x46) : **ITL 5 000 000** – ROME, 16 avr. 1991 : *Pêcheurs dans la baie de Naples*, temp./cart. (45x31) : **ITL 1 725 000** – LONDRES, 28 oct. 1992 : *Pêcheurs napolitains sur la grève*, gche (26,5x42,5) : **GBP 770** – ROME, 26 mai 1993 : *« L'Immacolatella » au Ponte Nuovo à Naples* 1882, h/t (77x131) : **ITL 19 500 000** – ROME, 6

déc. 1994 : *La visite à Pompéi*, techn. mixte/pap. (39x55) : **ITL 3 064 000.**

COPPOLI Al.
XVIIIe siècle. Actif à Florence. Italien.
Dessinateur amateur.
On connaît des portraits gravés d'après cet artiste.

COPPOLI Carlo
Né en février 1850 à Florence. XIXe siècle. Italien.
Peintre et miniaturiste.
Il fit ses études à l'Académie des Beaux-Arts de Florence. Connu surtout comme restaurateur de tableaux.

COPPYN Frans
XVIIe siècle. Éc. flamande.
Peintre.
Il était actif à Anvers vers 1673. Fransoeis Coppein, François Coppeyn, Frans Coppyn peuvent être rapprochés.

COPPYN Heinderick Anthonie
Mort en 1769 à Bruges. XVIIIe siècle. Éc. flamande.
Peintre.

COPPYN Johannes
Mort le 15 juillet 1774 à Bruges. XVIIIe siècle. Éc. flamande.
Peintre.

COPPYN Joseph I
Mort en 1733 à Bruges. XVIIIe siècle. Éc. flamande.
Peintre.

COPPYN Joseph II
Mort le 10 août 1782 à Bruges. XVIIIe siècle. Éc. flamande.
Peintre.

COPULA Vincenzo, fra
XVIIe siècle. Actif à Bologne. Italien.
Sculpteur sur bois.

COPY Laurent
XVIIIe siècle. Français.
Il fut reçu à l'Académie de Saint-Luc à Paris en 1760.

COQ ou Cocq, de Coq
XVIIe siècle. Français.
Dessinateur.
Il existe des dessins signés de cet artiste, qui nous serait autrement totalement inconnu, au Cabinet des Estampes de Berlin.

COQ, de son vrai nom : Honoré Coquement
Né à Bois-le-Roy (Seine-et-Marne). XXe siècle. Français.
Peintre.
Il exposa au Salon des Indépendants, à Paris.

COQU Georges
Né à Mehun-sur-Yèvre (Cher). XXe siècle. Français.
Ferronnier.

COQUAND Paul
Né au XIXe siècle à Surgères (Charente). XIXe siècle. Français.
Peintre de paysages.
Élève de N. Ponson. Il débuta au Salon de 1873 avec un *Paysage de Provence*.
MUSÉES : BÉZIERS : *Paysage après la pluie* – ROUEN : *Paysage, ruines*.

COQUARD Claude
Originaire de Dijon. XVIIe siècle. Actif à Besançon à la fin du XVIIe siècle. Français.
Sculpteur.

COQUARD Louis
Né à Ambrault (Indre). XXe siècle. Français.
Peintre et graveur de portraits, paysages, fruits et natures mortes.
A partir de 1921, il a exposé au Salon de la Société Nationale des Beaux-Arts de Paris, au Salon d'Automne et à celui des Artistes Indépendants.

COQUART A. ou Cocquart
XVIIIe siècle. Français.
Graveur et dessinateur.

COQUART Ernest Georges
Né en 1831 à Paris. Mort en 1902 à Paris. XIXe siècle. Français.
Peintre, aquarelliste et architecte.
Il exposa des aquarelles au Salon à partir de 1865. On cite de lui un *Portrait de J.-J. Henner* exécuté à Rome en 1858.

COQUELET
XVIIIe siècle. Actif dans la seconde moitié du XVIIIe siècle. Français.
Peintre.
Halbou grava deux planches d'après cet artiste.

COQUELET Louis ou Coquelet-Méreau
Né à Valenciennes (Nord). XIXe-XXe siècles. Français.
Peintre.
Il fut à Paris l'élève de Pils et de J.-P. Laurens. Il exposa au Salon à partir de 1877. Le Musée de Tourcoing possède sa toile intitulée *Juxta Crucem*.

COQUELIMONT Jean
XVIIe siècle. Français.
Peintre.
Cité par Marolles.

COQUELIN Gabriel Eugène
Né à Agen (Lot-et-Garonne). XXe siècle. Français.
Sculpteur.
Élève de Jules Coutan, il a participé au Salon des Artistes Français à Paris de 1926 à 1932, obtenant une mention honorable en 1926. Il a également exposé au Salon d'Automne à partir de 1929. Il a exécuté des bustes, des projets de monuments, etc.
VENTES PUBLIQUES : PARIS, 3 juin 1991 : *Femme se coiffant* 1935, bronze (109x39x35) : **FRF 52 000** – PARIS, 8 nov. 1991 : *Baigneuse*, bronze (30x8x10) : **FRF 8 100** – PARIS, 18 mai 1992 : *Femme se coiffant*, bronze (15x17x12) : **FRF 11 000**.

COQUELIN Gabriel Marius
Né à Aix-en-Provence (Bouches-du-Rhône). XIXe siècle. Français.
Sculpteur.
Il fut l'élève de A. Dumont. Il exposa au Salon à partir de 1875.

COQUELIN Théodore Charles Ange
XIXe siècle. Français.
Peintre de fleurs et de natures mortes.
Le Musée de Tourcoing conserve de lui une nature morte.
VENTES PUBLIQUES : PARIS, 9 au 12 déc. 1907 : *Roses*, peint. : **FRF 15** ; *Roses* : **FRF 35** – PARIS, 16 déc. 1925 : *Fleurs et fruits* : **FRF 190**.

COQUELZ M., Mlle
XXe siècle. Travaillant à Tournai (Hainaut). Belge.
Sculpteur.
A exposé au Salon des Artistes Français en 1912.

COQUEREAU
XVIIIe siècle. Actif à La Rochelle vers 1790. Français.
Sculpteur d'ornements.

COQUEREL J.
XVIIIe siècle. Français.
Graveur.

COQUERELLE Charles Paul
Né vers 1657. Mort en 1690 à Paris. XVIIe siècle. Français.
Peintre.

COQUERET
XVIIIe siècle. Français.
Peintre de portraits.
Le Musée de Versailles conserve de lui le *Portrait du curé Joseph Baré* et l'on trouve également à celui de Provins un *Portrait de Desjardins*.
VENTES PUBLIQUES : PARIS, 11 déc. 1919 : *La femme à l'éventail* : **FRF 1 800** – PARIS, 13 et 14 avr. 1920 : *Portrait de femme, coiffée d'un bonnet*, past. : **FRF 520**.

COQUERET Achille
XIXe siècle. Français.
Peintre de portraits.
Exposa des portraits au Salon de Paris, de 1835 à 1847. Le musée Saint-Pierre de Lyon conserve un de ses plus énergiques portraits de Lamartine, de 1848.
MUSÉES : LYON (Mus. Saint-Pierre) : *Portrait de Lamartine* 1848.
VENTES PUBLIQUES : PARIS, 25 mars 1985 : *Portrait présumé de Louis David* 1836, h/t (65,5x54,5) : **FRF 10 000**.

COQUERET Pierre Charles
Né en 1761 à Paris. Mort vers 1832 à Paris. XVIIIe-XIXe siècles. Français.
Graveur de sujets de genre.
Exposa au Salon de 1798 à 1810. Élève de Janinet.
VENTES PUBLIQUES : PARIS, 19 nov. 1992 : *Amor vile – Amor nobile*, grav. en teinte, une paire (chaque 23x31,2) : **FRF 6 700**.

COQUERI François
XVe siècle. Actif à Arras vers 1446. Français.
Enlumineur.

COQUERRI Guillaume
XVe siècle. Actif probablement à Genève. Suisse.
Peintre.

COQUERY
XIXe siècle. Français.
Graveur.

COQUERY René
Né à Boulogne-sur-Seine. XXe siècle. Français.
Peintre de genre, décorateur.
Il a participé au Salon des Artistes Français et à celui des Artistes Indépendants à Paris, notamment en 1920-1922.
VENTES PUBLIQUES : MONTE-CARLO, 7 oct. 1984 : *Projet d'intérieur* 1922, aquar. gchée (99x64,5) : **FRF 4 000**.

COQUES Gonzalès ou Cockes, Cocx, Cox, dit le Petit Van Dyck
Né le 8 décembre 1614 à Anvers. Mort le 18 avril 1684. XVIIe siècle. Éc. flamande.
Peintre de genre, portraits, animaux, paysages.
Il fut élève de Pieter Brueghel III, dit « d'Enfer », puis de David Ryckaert l'Ancien, dont plus tard, il épousa la fille, en 1643, deux ans après sa réception dans la gilde de Saint-Luc. Le talent gracieux et facile de Gonzalès Coques lui valut une réputation considérable, et en 1671 le comte de Monterey, gouverneur des Pays-Bas, le nomma son peintre officiel. La tradition montre Gonzalès Coques fervent admirateur du genre de Van Dyck et cherchant, dans une forme différente, à marcher sur ses traces. Ses portraits sont de petites dimensions, mais dessinés et peints avec un soin extrême et une incontestable maîtrise. Sa préférence pour un petit format, le fait procéder par petites touches de couleurs. Il sait d'ailleurs allier les tons vifs aux tonalités brunâtres des paysages. Ses groupes familiaux, ses tableaux de genre, ses paysages, ses animaux ne sont pas moins intéressants. A la suite de Corneille de Vos, il a renouvelé l'art des portraits de groupe, qu'il présente volontiers en plein air. Il vécut en Angleterre et y laissa un grand nombre de portraits. On croit qu'il était riche et qu'il peignit plutôt par plaisir que par nécessité.

GONSALES · F· 1640

MUSÉES : AMIENS : *Exécution de Charles Ier d'Angleterre* – ANVERS : *Portrait d'une dame* – AVIGNON : *Portrait d'un bourgmestre des Pays-Bas* – BERLIN : *Cornélis de Be* – BRUXELLES : *Le sculpteur Lucas Faydherbe – Visite au château – Duo* – BUDAPEST : *Concert dans la famille Van Eyck* – CAMBRIDGE : *Portrait de femme* – CHARTRES : *Buckingham* – DARMSTADT : *Portraits* – DRESDE : *Tableau de famille, 7 personnes* – DUBLIN : *Portrait d'une dame* – ÉPINAL : *Une famille* – FRANCFORT-SUR-LE-MAIN : *Portrait d'homme* – HAMPTON (Hampton Court) : *Un noble assis – Pendant du précédent* – LA HAYE : *Galerie de tableaux dans laquelle chaque tableau est reproduit par son auteur, architecture de W. Sh. von Ehrenberg* – KASSEL : *Le jeune savant et sa sœur – Portrait de famille* – LILLE : *Portrait de famille* – LONDRES (Nat. Gal.) : *Portrait de famille – Portrait de dame – Les 5 sens représentés par 5 portraits* – LONDRES (coll. Wallace) : *Le repos champêtre – Groupe familial – Même sujet* – LUTZCHENA : *Leçon de musique dans une salle à colonnes* – LYON : *Femme assise interrompant sa lecture* – NANTES : *Groupe de familles, 10 personnes* – PARIS (Louvre) : *Portrait de famille* – PARIS (Petit Palais) : *Peinture* – POMMERSFELDEN : *Réunion de peintres néerlandais* – ROTTERDAM : *Le buveur* – SAINT-PÉTERSBOURG (Ermitage) : *Portrait d'homme* – SCHWERIN : *Atelier de peintre – Homme âgé – Femme âgée* – TROYES : *L'Enfant prodigue* – VIENNE (Mus. Impérial) : *La légende de Rodolphe de Habsbourg et du prêtre, le paysage est de L. Achschellinks* – ZURICH : *Le joueur de flageolet*.
VENTES PUBLIQUES : PARIS, 1776 : *Un enfant à mi-corps, qui se regarde dans un miroir* : **FRF 1 550** – PARIS, 1833 : *La promenade au bois* : **FRF 6 100** – PARIS, 1850 : *Famille hollandaise* : **FRF 15 120** ; *La promenade à cheval* : **FRF 1 680** – BRUXELLES, 1851 : *La Leçon de musique* : **FRF 10 000** ; *Portrait d'homme* : **FRF 500** – GAND, 1856 : *Portrait de famille ; Scène d'intérieur*, ensemble : **FRF 405** – PARIS, 1857 : *Famille hollandaise* : **FRF 45 000** – LONDRES, 1857 : *Gentleman, sa dame et trois enfants* : **FRF 4 330** – LONDRES, 1860 : *Henri III et ses secrétaires* : **FRF 9 970** – BRUXELLES, 1865 : *Portrait* : **FRF 40** ; *Portrait de Gonzalès Coques et de ses deux filles* : **FRF 50** – PARIS, 1867 : *Assem-*

blée de famille : **FRF 4 450** – PARIS, 1873 : *Un planteur hollandais* : **FRF 2 200** ; *Portrait d'un gentilhomme* : **FRF 18 150** ; *Le rendez-vous de chasse* : **FRF 27 300** – PARIS, 1877 : *Partie de musique dans la cour d'un ancien hôtel de la famille de Ravenston, à Bruxelles* : **FRF 7 005** – LONDRES, 1879 : *Le Duo* : **FRF 4 068** – COLOGNE, 1879 : *Chevaux* : **FRF 5 250** ; *Le Cordonnier* : **FRF 2 512** – PARIS, 1882 : *Portrait d'un gentilhomme* : **FRF 4 600** ; *Portrait de femme* : **FRF 3 400** ; *L'Odorat* ; *L'Ouïe* ; *Le Goût* ; *Le Toucher* ; *La Vue*, ensemble : **FRF 20 800** – PARIS, 1884 : *L'enfant au miroir* : **FRF 750** – LONDRES, 1886 : *Portrait d'une famille hollandaise* : **FRF 24 750** – LONDRES, 1886 : *Famille hollandaise* : **FRF 13 385** – PARIS, 1888 : *Portrait d'une femme et d'un enfant* : **FRF 850** – PARIS, 1890 : *Portrait d'une femme hollandaise* : **FRF 4 100** ; *Portrait d'homme* : **FRF 420** – LONDRES, 1893 : *Portrait d'un gentilhomme* : **FRF 12 880** – LONDRES, 1894 : *Portrait d'une famille* : **FRF 4 471** ; *Portrait d'un gentilhomme, de sa femme et de son enfant* : **FRF 12 887** – AMSTERDAM, 1897 : *Intérieur* : **FRF 315** – PARIS, 1898 : *Apprêts de promenade* : **FRF 2 750** ; *Petit portrait de Faydherbe* : **FRF 500** – VALENCIENNES, 1899 : *Portrait de femme* : **FRF 320** – PARIS, 1899 : *Portrait d'une dame hollandaise* : **FRF 4 100** ; *Portrait d'homme* : **FRF 420** – BRUXELLES, 1900 : *Portraits d'artistes* : **FRF 1 600** – PARIS, 1900 : *Groupe de famille* : **FRF 461** – NEW YORK, 1905 : *Le studio d'un artiste flamand* : **USD 220** ; *Le concert* : **USD 150** – PARIS, 17-24 mai 1907 : *Banquet d'artistes* : **FRF 40 500** – LONDRES, 23 nov. 1907 : *Une réunion musicale* : **GBP 6** – LONDRES, 19 déc. 1908 : *Scène de jardin* : **GBP 17** – PARIS, 16-19 juin 1919 : *Portraits d'une famille* : **FRF 9 000** – PARIS, 28 fév. 1921 : *La partie de musique* : **FRF 5 000** – PARIS, 2 juin 1924 : *La Promenade sur la terrasse* : **FRF 13 100** ; *Portrait d'une famille* : **FRF 21 000** – PARIS, 5 juin 1924 : *Portrait d'homme* : **FRF 2 100** – PARIS, 17-18 juin 1924 : *La Famille de l'orfèvre* : **FRF 5 300** – PARIS, 23 nov. 1927 : *La Famille de l'orfèvre* : **FRF 13 000** – LONDRES, 1960 : *Portrait d'un cavalier* : **GBP 650** – VERSAILLES, 29 mai 1962 : *L'Heureuse Famille* : **FRF 3 500** – LONDRES, 27 nov. 1963 : *Personnages sur la terrasse d'un château* : **GBP 1 700** – LONDRES, 14 mai 1965 : *Portrait d'une dame de qualité* : **GNS 650** – LONDRES, 6 juil. 1966 : *Gens de qualité sur la terrasse d'un palais* : **GBP 1 400** – COPENHAGUE, 30 août 1977 : *Portrait d'un gentilhomme*, h/pan. (21x16,5) : **DKK 12 000** – MONTE-CARLO, 5 mars 1984 : *Autoportrait*, h/pan. (34x25,5) : **FRF 70 000** – LONDRES, 21 avr. 1989 : *Portrait équestre d'un jeune noble avec un page noir lui portant son casque*, h/cuivre (44,7x38,3) : **GBP 28 600** – AMSTERDAM, 22 nov. 1989 : *La Visite du bottier dans une famille bourgeoise*, h/t (61x81) : **NLG 115 000** – LONDRES, 6 déc. 1989 : *Groupe familial avec un parc à l'arrière plan*, h/cuivre (56x77) : **GBP 159 500** – PARIS, 10 juin 1989 : *Portrait d'un magistrat*, pan. de chêne (36,5x29) : **FRF 15 000** – LONDRES, 19 avr. 1991 : *L'artiste exécutant un portrait de Daniel Seghers sous l'œil de deux gentilshommes dans son atelier*, h/pan. (41,3x56) : **GBP 14 300** – NEW YORK, 17 jan. 1992 : *Portrait de la famille de Meer dans un paysage fluvial*, h/t (66,7x81,3) : **USD 23 100** – LILLE, 20 juin 1993 : *Réunion de famille*, h/pan. (68x91,5) : **FRF 545 000** – MONACO, 19 juin 1994 : *L'Éducation d'un enfant*, h/t (71x62) : **FRF 122 100** – LONDRES, 9 déc. 1994 : *Portrait de la famille du peintre David Ryckaert III*, h/pan. (63,2x73,3) : **GBP 17 250** – VIENNE, 29-30 oct. 1996 : *Portrait de famille sur une terrasse*, h/t (115x132) : **ATS 630 000**.

COQUET
XVIIIe siècle. Actif à Versailles en 1761. Français.
Dessinateur.
Il orna de dessins une *Liste des curés et marguilliers* de N.-D. de Versailles qu'il écrivit de sa main en 1761.

COQUET
XIXe siècle. Actif au début du XIXe siècle. Français.
Peintre et graveur au pointillé.
On cite de lui le portrait du *Comte de Kalkreuth*, d'après Dahling.
VENTES PUBLIQUES : PARIS, 1869 : *Portrait d'un gentilhomme dans un parc* : **FRF 630**.

COQUET Hélène
Née à Enghien (Val-d'Oise). XXe siècle. Française.
Graveur sur bois.
Élève de J.-M. Breton. Exposant des Artistes Français ; mention honorable en 1931.

COQUET Léonard
Né à l'île d'Yeu (Vendée). XXe siècle. Français.
Peintre.
Il a participé au Salon de la Société Nationale des Beaux-Arts et à celui d'Automne à Paris.

COQUET Pierre
XVIe siècle. Français.
Peintre.
Actif à Angers dans la seconde moitié du XVIe siècle, il travailla pour le compte du roi Charles IX.

COQUET-COLLIGNON Anna
Née en 1832 à Genève. Morte en 1899 à Lyon. XIXe siècle. Suisse.
Peintre, aquarelliste.
Élève de J.-C. Scheffer. Expose des aquarelles à Zurich entre 1861 et 1883.

COQUI Johann Caspar
Né en 1808 à Hambourg. XIXe siècle. Allemand.
Peintre amateur.
Il fut élève de Jakob Gensler.

COQUILLAY Jacques
Né le 3 juin 1935 à Châteauroux (Indre). XXe siècle. Français.
Peintre de nus, paysages, marines, pastelliste, sculpteur de bustes, dessinateur.
Après avoir fait des études à l'École des Beaux-Arts de Tours, il entre à l'École des Beaux-Arts de Paris, dans l'atelier du sculpteur Marcel Gimond, puis dans celui de Hubert Yencesse et Raymond Corbin. En 1961, il fut logiste au Concours de Rome. Avec Jean Carton, Raymond Martin, Georges Hilbert, il créa un groupe de jeunes sculpteurs, encouragés par Paul Belmondo. Il participe régulièrement à Paris aux Salons, dont il est sociétaire : des Artistes Français, dont il fut élu vice-président en 1983, d'Automne, qui lui consacra une exposition rétrospective en 1992, Comparaisons ; ainsi qu'aux Salons de la Marine, des Peintres Témoins de leur temps, du Dessin et de la Peinture à l'eau. Il expose personnellement à Paris, à la galerie Art France depuis 1970, également à Versailles, très régulièrement à Lyon et à Crécy-la-Chapelle. Prix de la Jeune Sculpture de la Société Nationale des Beaux-Arts en 1961. En 1972 médaille d'or de sculpture, en 1980 médaille d'or de peinture des Artistes Français. Dans les années 70, il s'intéresse au pastel qu'il travaille parallèlement à la sculpture.
Il a réalisé des sculptures pour des lieux publics, dont la *Marianne* de la Mairie de Viroflay, la *Petite fille au mouton* à l'Hôtel-de-Ville de Taverny ; et des monuments, dont celui du *Souvenir*, à la Préfecture des Yvelines, *Naissance de Vénus* pour une fontaine devant la gare d'Angers, en 1990 *La Vague* pour une fontaine à Rambouillet, en 1991 *Vagabondage* dans le Jardin du Prieuré au Bourget-du-Lac, en 1993 *Île-de-France* à la Mairie des Essarts, et *Le Châle* à Sèvres, en 1995 *Ondine* à Villepreux. Il réalise des paysages au pastel, dont la finesse des coloris et la souplesse des dégradés évoquent la qualité de l'aquarelle.
Sa sculpture figurative montre une prédilection pratiquement exclusive pour les nus de jeunes filles pubères, heureuses de leur corps sans les arrière-pensées des fillettes peintes par Balthus.
BIBLIOGR. : Guy Vignoht : *Jacques Coquillay sculpteur*, in : Catalogue de l'exposition, gal. Art – France, Paris, 1991 – Catalogue de l'exposition *Coquillay, sculptures, sanguines*, gal. Art – France, Paris, 1994 – divers : *Coquillay, pastels*, Imprim. P.-J. Mathan, Boulogne, s.d.
MUSÉES : FONTAINEBLEAU (Mus. d'Art Contemp.) : *Maternité* – PARIS (Mus. d'Art Mod. de la Ville) : *Torse de jeune-fille* – VERSAILLES (Mus. Lambinet) – VILLENEUVE-SUR-LOT (Mus. Rapin) : *Ondine*.
VENTES PUBLIQUES : AMSTERDAM, 6 déc. 1995 : *Nu*, bronze (H. 33) : **NLG 7 475** – PARIS, 28 juin 1996 : *Nu debout cambré, les bras derrière le dos*, bronze patiné (H. 82) : **FRF 20 000**.

COQUIN Louis, dit **Cossin**
Né le 6 janvier 1627 à Troyes. XVIIe siècle. Français.
Graveur.
Cet artiste a signé ses planches : Coquin, Cauquin, Cossinus et Cossin. Paraît avoir travaillé en Hollande. Il a gravé d'après Raphaël, Poussin, Lebrun, etc. Il vécut surtout à Paris, et vivait encore en 1686.

COQUIN René
XVIIe siècle. Actif à Paris. Français.
Graveur.
Peut-être s'agit-il seulement d'une erreur de prénom et ne fait-il qu'un seul artiste avec Louis Coquin.

COQUINATI Antonio
XVIIIe siècle. Actif à Vicence. Italien.
Peintre.

On cite deux peintures de cet artiste dans l'église San Maria delle Grazie à Vicence.

COR
XIXᵉ siècle. Actif à Paris. Français.
Sculpteur sur bois.
Il travaillait en 1845 pour l'église Saint-Roch.

COR Olivarum
XVIIIᵉ siècle. Portugais.
Graveur de portraits.
On cite parmi ses nombreuses œuvres des portraits de la famille royale portugaise.

COR P. L.
XVIIIᵉ siècle. Actif à Paris. Français.
Graveur.

COR Zucarias
XVIIIᵉ siècle. Actif à Puebla. Mexicain.
Sculpteur.
Son œuvre la plus connue est un *Saint Christophe* qui se trouve dans l'église du même nom à Puebla.

CORA Antonio
XVIᵉ siècle. Italien.
Peintre.

CORA José, dit **Villegas**
XVIIIᵉ siècle. Actif à Puebla. Mexicain.
Sculpteur.
On cite de lui une statue de sainte Thérèse dans l'église Sainte-Thérèse à Puebla.

CORABOEUF Jean Alexandre
Né le 6 novembre 1870 à Pouillé (Loire-Atlantique). Mort le 6 février 1947 à Paris. XIXᵉ-XXᵉ siècles. Français.
Peintre et graveur de nus, portraits.
Élève de Gérôme et de Jules Jacquet, il reçut le Prix de Rome en 1898. Il participa régulièrement au Salon des Artistes Français, obtenant, en tant que graveur, une mention honorable en 1895, une bourse de voyage en 1896 et, en tant que peintre, une mention honorable en 1896 et une médaille de troisième classe en 1908. Il était sociétaire de ce Salon à partir de 1905. Il figura à l'Exposition Universelle de 1900 à Paris et obtint une mention honorable. Chevalier de la Légion d'honneur en 1933.
On lui doit plusieurs planches d'après les œuvres d'Ingres. Son métier de graveur l'a, sans doute, encouragé à rendre avec une précision extrême le graphisme de ses nus et de ses portraits.
BIBLIOGR. : Gérald Schurr, in : *Les Petits Maîtres de la peinture 1820-1920, valeur de demain*, Les Éditions de l'Amateur, t. III, Paris, 1976.
VENTES PUBLIQUES : PARIS, 1ᵉʳ juil. 1932 : *Madame Destouches*, dess. à la mine de pb : FRF 450 – PARIS, 20 fév. 1942 : *La chemise de nuit* : FRF 1 600 – PARIS, 25 mars 1992 : *Portrait de femme assise*, mine de pb (40x30) : FRF 6 000.

CORADI Ottavio OU **Corradi**
XVIIᵉ siècle. Actif à Bologne. Italien.
Peintre d'histoire.
Il fut élève de Giacomo Cavedone.

CORAILLE Pierardde
Originaire de Wilhelmsbronn. XVIIᵉ-XVIIIᵉ siècles. Allemand.
Sculpteur.
Cet artiste travailla pour les comtes de Nassau-Saarbrücken et il existe encore des œuvres de lui dans la région de la Sarre.

CORAL Felipe del
XVIIIᵉ siècle. Actif à Valence puis à Madrid. Espagnol.
Sculpteur.
Il exécuta des statues pour la façade de l'église Santos Juanes à Valence.

CORALLI Francesco
Originaire de Bologne. XVIIᵉ siècle. Actif à Rome et à Sienne à la fin du XVIIᵉ siècle. Italien.
Peintre.

CORALLI Giulio
Né en 1641 à Bologne. XVIIᵉ-XVIIIᵉ siècles. Italien.
Peintre.
Élève de Guercino à Bologne et de de Cairo à Milan. Il travailla à Parme, à Plaisance et à Mantoue, et mourut très âgé.

CORALLI Giuseppe
XVIᵉ siècle. Actif à Crémone. Italien.

Peintre.
Il exécuta des fresques pour la cathédrale de Crémone.

CORALLI Placido
XVIIIᵉ siècle. Actif à Pavie vers 1754. Italien.
Peintre.
Il fut l'élève de C. A. Bianchi et peignit des fresques, à l'église San Giorgio à Pavie.

CORAM Thomas
Né en 1756 à Bristol. Mort en 1812. XVIIIᵉ-XIXᵉ siècles. Britannique.
Graveur.

CORAN Georges
Né le 26 mars 1928 à la Martinique. XXᵉ siècle. Français.
Céramiste, graveur, peintre et décorateur.
Il débuta en travaillant la céramique à l'École des Arts Appliqués à Fort-de-France. Ayant obtenu une bourse, il vint à Paris et entra à l'École Boulle en 1949, comme graveur en taille douce. Il créa ensuite des tissus d'ameublement, des toiles peintes, des émaux et des bijoux. Il commença à peindre en 1954 et devint professeur à l'École des Beaux-Arts de Douai.

CORAN D'YS
Né à Châteaubriant (Loire-Atlantique). XIXᵉ-XXᵉ siècles. Français.
Peintre.
Il fut sociétaire du Salon des Artistes Français de Paris.

CORAS Josette
Née le 3 mai 1926 à Montain (Jura). XXᵉ siècle. Française.
Peintre, dessinateur et graveur.
Après des études dans sa région natale, elle entre à l'Académie de la Grande Chaumière à Paris en 1949-50. Entre 1952 et 1963, elle fait de nombreux séjours au Maroc. Elle travaille dans l'*Atelier 17* de W. Hayter en 1975 et, l'année suivante ouvre son atelier de gravure à l'Abbaye de Baume-les-Messieurs, dans le Jura. A partir de 1943, elle fait des expositions personnelles à Lons-le-Saunier, Paris en 1951, Rabat 1953-54, Genève 1979, Neufchatel 1982, Montbéliard 1985 et 1987.
Pendant longtemps, de 1943 à 1960, elle a traité des sujets figuratifs en papier déchiré, puis elle aborde, en 1972, les paysages dessinés à la plume, avant de s'orienter vers la gravure.

CORATOLI Francesco Antonio
Né en 1671 à Monteleone. Mort en 1722 à Monteleone. XVIIᵉ-XVIIIᵉ siècles. Italien.
Peintre et architecte.
Élève de Zoda. Il travailla à Naples, puis à Rome. Il peignit surtout des scènes religieuses.

CORAZZA N. C.
Né en 1897 à Bologne. XXᵉ siècle. Italien.
Peintre.
La galerie d'Art Moderne de Rome conserve une de ses œuvres.

CORAZZI Giulietta
Née en 1866 à Fivizzano. XIXᵉ siècle. Italienne.
Peintre de portraits et de fleurs.
Elle fut élève d'Amos Cassioli. C'est à Florence qu'elle passa la plus grande partie de sa vie.

CORBARELLI Antonio
XIXᵉ siècle. Actif à Vicence vers 1800. Italien.
Sculpteur.

CORBASSIÈRE-CODET Constance, Mme
Née à Sarreguemines (Moselle). XXᵉ siècle. Française.
Peintre.

CORBAUX Fanny, appelée aussi **Marie Françoise Catherine Doetger**
Née en 1812 en Angleterre. Morte le 1ᵉʳ février 1883 à Brighton. XIXᵉ siècle. Britannique.
Peintre, aquarelliste.
Cette artiste ne reçut aucune instruction artistique, et déjà à l'âge de 15 ans, reçut de la Société des Arts une médaille d'argent, et une médaille d'or en 1830. Elle exposa, entre 1828 et 1854, à la Free Society of Artists, à la Royal Academy, à la British Institution, à la New Water-Colours Society et à Suffolk Street.
VENTES PUBLIQUES : LONDRES, 18 avr. 1908 : *La fierté de la famille* ; *Le favori de la famille et un autre dessin de Dendy*, dess., ensemble : GBP 2.

CORBAUX Louise
Née en 1808 à Londres. XIXᵉ siècle. Britannique.

Peintre et lithographe.
Elle débuta comme sa sœur cadette Fanny Corbaux en exposant à Suffolk Street Gallery en 1828. Le British Museum possède un dessin de cette artiste.

CORBEHEM, dit Husanus
Mort vers 1647. XVIIe siècle. Actif à Sluis (Hollande). Hollandais.
Peintre.
Il était l'oncle de Philippe de Corbehem. Un tableau du Musée de Dunkerque représentant le *Jugement de Cambyse* est attribué à cet artiste.

CORBEHEM Philippe de
Né en 1630 à Dunkerque. Mort vers 1696 à Dunkerque. XVIIe siècle. Éc. flamande.
Peintre d'histoire et paysagiste.
Le Musée de Dunkerque conserve de lui : *Paysage* et *Grand Paysage*.

CORBEIL, Maître de. Voir MAÎTRES ANONYMES

CORBEL François. Voir CORBET François

CORBEL Jacques Ange
Né à Paris. Mort en 1904 à Paris. XIXe siècle. Français.
Sculpteur.
Élève de Cavelier et J.-G. Thomas. A obtenu une médaille de troisième classe en 1877 et une bourse de voyage en 1884.

CORBEL Jean Baptiste François
XVIIIe siècle. Français.
Sculpteur.
Il était peut-être le fils de François Corbel. Il fut reçu à l'Académie de Saint-Luc en 1779. Il travailla pour le château de Bagatelle et pour l'Hôtel de Salm, actuellement la grande Chancellerie de la Légion d'honneur.

CORBEL Jean-Pierre
Né le 3 juin 1958 à Guingamp (Côtes d'Armor). XXe siècle. Français.
Artiste multimédia, photographe. Abstrait.
Après des études à l'École de photo d'Ivry-sur-Seine, entre 1977 et 1979, il fit une carrière de photographe dans le domaine du sport automobile. En dehors de ses expositions photographiques, il a participé, en tant qu'artiste multimédia, à l'exposition : *L'art et son concept*, au château de Beaumanoir en 1996. Personnellement, il a exposé en 1997 au musée français de la Photographie à Bièvres.
Parallèlement à son activité purement photographique, il fait, depuis 1984, des recherches artistiques, plastiques sur la lumière. Il utilise des films instantanés, sans toutefois prendre de photos avec un appareil, mais en les exposant sous différentes sources de lumière, à différentes températures, ce qui permet l'obtention de couleurs allant des bleus et violets jusqu'aux oranges et aux rouges. Il joue ensuite, au moment du développement de la pellicule, avec la répartition de la gelée chimique passée à l'aide de rouleaux, de la main ou d'une spatule. La répartition de cette gelée peut être combinée avec des expositions successives afin d'obtenir diverses couleurs souhaitées. Les titres de ses œuvres : *690 Nm – 600 Nm 1 – 405 Nm 1 – 405 Nm 2 – 405 Nm 3*, etc. font référence au spectre visible allant de 400 à 700 Nanomètre par rapport à la couleur dominante de l'image photographique. Jean Pierre Corbel cherche toujours à garder la notion d'abstraction en relation avec la lumière.

CORBEL Victor
Né en 1814. Mort en 1874. XIXe siècle. Français.
Sculpteur d'ornements.
Il fut le père de Jacques-Ange Corbel.

CORBELLI Giovanni
Né à Milan. Mort vers 1695 à Rome. XVIIe siècle. Italien.
Sculpteur sur bois.

CORBELLINI François
Né en 1863 à Gênes. Mort en 1943 à Piena (Corse). XIXe-XXe siècles. Français.
Peintre de paysages, animalier.
Élève de Gérome à l'École des Beaux-Arts de Paris, il exposa au Salon de la Société Nationale des Beaux-Arts en 1901 et semble avoir cessé ses envois après 1903. Il fut conservateur du Musée Fesch à Ajaccio.
Ses toiles campent avec autant de vigueur les chèvres, mulets et chevaux que les paysages montagneux corses, avec lesquels ils font corps.

BIBLIOGR. : Gérald Schurr, in : *Les Petits Maîtres de la peinture 1820-1920, valeur de demain*, Les Éditions de l'Amateur, t. VII, Paris, 1989.

CORBELLINI Luigi
Né en 1901 à Piacenza. Mort en 1968. XXe siècle. Actif aussi en France. Italien.
Peintre de compositions animées, scènes de genre, portraits, paysages, paysages urbains, sculpteur.
Il travaillait à Paris, où il participait au Salon de la Société Nationale des Beaux-Arts, au Salon d'Automne, à ceux des Tuileries et des Artistes Indépendants.

Corbellini

VENTES PUBLIQUES : PARIS, 23 déc. 1927 : *Vue de Montmartre* : FRF 310 – PARIS, 15 fév. 1930 : *Paysage* : FRF 400 – PARIS, 8 mai 1941 : *La Place de la Concorde* : FRF 1 320 – PARIS, 23 déc. 1942 : *Portrait de femme* : FRF 3 100 – PARIS, 14 mai 1943 : *Portrait de jeune fille* : FRF 14 500 – PARIS, 20 juin 1944 : *L'enfant aux raisins* : FRF 30 000 – NEW YORK, 26 oct. 1960 : *La Bohémienne* : USD 1 000 – NEW YORK, 24 nov. 1962 : *L'essayage* : USD 650 – PARIS, 9 juin 1964 : *Portrait d'enfant* : FRF 1 400 – NEW YORK, 13 jan. 1966 : *Scène de plage* : USD 475 – NEW YORK, 24 mai 1968 : *Le petit musicien* : USD 650 – PARIS, 30 jan. 1970 : *Après midi à Capri* : FRF 2 600 – PARIS, 23 juin 1972 : *Fillette à ses devoirs* : FRF 1 850 – TOULOUSE, 6 déc. 1976 : *La fillette au châle*, h/t (35x27) : FRF 1 500 – VERSAILLES, 13 mai 1981 : *Portrait de Charlotte*, h/t (81x60) : FRF 3 000 – NEW YORK, 15 déc. 1983 : *Kiki de Montparnasse* vers 1920, h/t (63,5x99) : USD 950 – PARIS, 20 juin 1986 : *Danseuse espagnole*, h/t (65x54) : FRF 7 000 – VERSAILLES, 13 déc. 1987 : *Nu au voile vert* vers 1938, h/t (73x50) : FRF 9 000 – VERSAILLES, 25 sep. 1988 : *Jeune femme rousse en buste*, h/t (81x60) : FRF 10 500 – PARIS, 21 nov. 1988 : *Nu au voile vert*, h/t (73,5x50,5) : FRF 15 000 – VERSAILLES, 18 déc. 1988 : *Jeune femme brune au déshabillé rose* vers 1950, h/t (61x50,5) : FRF 15 000 – VERSAILLES, 11 jan. 1989 : *Françoise en chaperon rouge*, h/t (81x60) : FRF 11 000 – LA VARENNE-SAINT-HILAIRE, 21 mai 1989 : *Les joueurs de polo*, h/t (61x81) : FRF 24 000 – LE TOUQUET, 12 nov. 1989 : *Portrait de fillette*, h/pan. (61x50) : FRF 26 000 – LA VARENNE-SAINT-HILAIRE, 3 déc. 1989 : *Vue d'un canal à Venise*, h/t (50x65) : FRF 8 500 – CALAIS, 4 mars 1990 : *L'enfant à la mandoline*, h/t (50x61) : FRF 28 000 – CALAIS, 8 juil. 1990 : *Le déshabillé rose*, h/t (62x50) : FRF 30 000 – SAINT-DIÉ, 22 juil. 1990 : *Jeune femme au vase de fleurs et à la coupe de fruits*, h/t (61x46) : FRF 16 500 – NEW YORK, 10 oct. 1990 : *Moulin de la galette* 1948, h/t (37,5x55,2) : USD 1 980 – NEW YORK, 9 déc. 1990 : *Jeune femme aux seins nus*, h/t (61x50) : FRF 20 000 – PARIS, 6 fév. 1991 : *La Fille au chapeau*, h/t (35x27) : FRF 8 000 – STOCKHOLM, 30 mai 1991 : *Femme assise*, h/t (54x45) : SEK 69 000 – NEW YORK, 12 juin 1991 : *Arlequin enfant*, h/t, une paire (41,3x27,3 et 26,7x21,9) : USD 2 750 – LE TOUQUET, 10 nov. 1991 : *Arlequin bleu*, h/t (41x27) : FRF 13 000 – NEUILLY, 23 fév. 1992 : *Portrait de petite fille*, h/t (35x27) : FRF 7 000 – PARIS, 13 déc. 1992 : *Le Joueur de mandoline*, h/t (46x33) : FRF 12 000 – NEW YORK, 26 fév. 1993 : *Helenitta*, h/t (27,3x21,6) : USD 920 – PARIS, 5 nov. 1993 : *L'Église du village*, h/t (54x73) : FRF 6 100 – PARIS, 21 mars 1994 : *Place Ravignan*, h/t (54x65) : FRF 4 500 – PARIS, 21 mars 1995 : *New York* 1948, h/t (33x51) : FRF 9 000 – PARIS, 11 avr. 1997 : *Le Déjeuner des jeunes gens*, h/t (81x65) : FRF 8 100.

CORBELLINI Quintilio
XIXe siècle. Actif à Milan. Italien.
Sculpteur.
Il exécuta surtout des œuvres de genre et des portraits.

CORBELLINI Sebastiano
XVIIe siècle. Actif à Rome. Italien.
Peintre.
Il fut l'élève de Ciro Ferri et termina la coupole à la fresque commencée par son maître à l'église S. Agnese de la Piazza Navona.

CORBERA Juan Bautista
XVIe siècle. Actif à Valence vers 1541. Espagnol.
Sculpteur.

CORBERO Xavier
Né en 1935 à Barcelone. XXe siècle. Espagnol.
Sculpteur.
Il fit ses études à l'École d'Art de Massana à Barcelone. Après avoir fait un voyage d'étude à travers l'Europe, il s'inscrivit au

Center School of Arts and Crafts à Londres. Il a participé à l'exposition « L'Art espagnol d'Aujourd'hui » au Musée de Bochum en 1967. Dès 1959, il avait fait une exposition personnelle à Lausanne, suivie de beaucoup d'autres, notamment à Bilbao en 1960, Barcelone, Chicago, Zurich, Tokyo, Madrid, etc...
Ses sculptures sont construites à partir de pièces mécaniques qu'il réutilise ou qu'il reproduit.

CORBERO CASALS Pedro
Né en 1877 à Lerida. Mort le 23 décembre 1959 à Barcelone. XXᵉ siècle. Espagnol.
Peintre et sculpteur.
Il étudia à l'École des Beaux-Arts de Barcelone et dans différentes académies privées. Il participa à plusieurs expositions collectives, notamment à l'exposition internationale des Beaux Arts de Barcelone en 1907 et 1911, à Mexico en 1910, à Paris en 1924, date à laquelle il obtint une médaille d'or.
BIBLIOGR. : In : *Cien anos de pintura en Espana y Portugal, 1830-1930*, tome II, Antiquaria, 1988.

CORBET
XVIIIᵉ-XIXᵉ siècles. Français.
Peintre de miniatures.
Il travailla dans le style de J. B. Isabey. C'est peut-être ce CORBET qui fut reçu à l'Académie de Saint-Luc en 1773.

CORBET A.
XVIIIᵉ siècle. Actif vers 1700. Allemand.
Peintre.
G. G. Frezza grava d'après lui un *Saint Joseph*.

CORBET Charles Louis
Né le 26 janvier 1758 à Douai. Mort le 10 décembre 1808 à Paris. XVIIIᵉ-XIXᵉ siècles. Français.
Sculpteur de bustes.
Élève de Berruer. Il exposa au Salon de Paris, en 1798, le buste en plâtre du général Bonaparte, exécuté d'après nature.
On cite encore de lui des bustes d'*Homère*, de *Démocrite*, *La Mort de Socrate*. Corbet a fourni des articles au *Journal des Arts* de Landon.
MUSÉES : VERSAILLES : *Buste de La Tour d'Auvergne – Buste du général Beyrand*.
VENTES PUBLIQUES : PARIS, 2 avr. 1981 : *Buste du général Bonaparte*, bronze (H. 64) : FRF 18 000.

CORBET Edith, née Ellenborough
Née en 1850 à Ellenborough. Morte vers 1920. XIXᵉ-XXᵉ siècles. Britannique.
Peintre de figures, paysages.
Elle exposa à la Royal Academy, à Londres, à partir de 1892.
VENTES PUBLIQUES : LONDRES, 23 juin 1981 : *Paysage d'Italie* 1890, h/t (43x76) : GBP 450 – TROYES, 19 nov. 1989 : *Vestale agenouillée* 1896, h/t (63x48) : FRF 36 000 – LONDRES, 15 juin 1990 : *Jeune fille endormie*, h/t (91,7x55,2) : GBP 6 380.

CORBET Édouard
Né le 21 septembre 1815 à Paris. XIXᵉ siècle. Français.
Peintre.

CORBET Fidèle
Né en 1759 à Douai. XVIIIᵉ siècle. Français.
Sculpteur.
Il exposa un groupe en terre cuite au Salon de la Correspondance à Paris en 1781. Le Musée de Douai possède quelques terres cuites de cet artiste.

CORBET François ou Corbel
XVIIIᵉ siècle. Français.
Sculpteur-marbrier.
Il fut reçu à l'Académie de Saint-Luc à Paris en 1755.

CORBET Jean
Né en 1926 à Dompierre-sur-Besbre (Allier). XXᵉ siècle. Français.
Peintre de paysages. Post-néo-impressionniste.
Il a transporté son chevalet dans de nombreuses régions ou sites : la propriété de Monet à Giverny, le Parc de la Tête d'Or et celui de l'Europe à Saint-Étienne, les gorges de la Loire, la Côte d'Azur, les vallées alpines, les Îles Borromées. Il a généralisé dans sa peinture la touche divisionniste du néo-impressionnisme.
VENTES PUBLIQUES : PARIS, 8 oct. 1990 : *Jardin fleuri à Saint-Victor*, h/t (65x50) : FRF 5 000 ; *La cueillette près de Rochetaille*, h/pan. (73x54) : FRF 7 000 ; *Parc des Borromées*, h/pap./pan. (55x44) : FRF 6 000 ; *Dame cueillant des roses*, h/pan. (55x46) :

FRF 6 500 – PARIS, 27 avr. 1992 : *La place Jean Jaurès à Saint Étienne*, h/pan. (61x50) : FRF 4 800 ; *L'épouse du peintre et Zita*, h/pan. (65x46) : FRF 6 000.

CORBET Matthew Ridley
Né le 20 mai 1850 à South Willingham (Lincolnshire). Mort le 25 juin 1902 à Londres. XIXᵉ siècle. Britannique.
Peintre de portraits, paysages.
Corbet fit son éducation artistique à la Slade School et à la Royal Academy, et commença comme portraitiste, genre qu'il abandonna après son voyage en Italie. Il étudia à Rome, sous Giovanni Costa. Dès lors, il s'adonna presque uniquement au paysage, choisissant de préférence des sujets italiens.
Entre 1871 et 1893, Corbet exposa fréquemment aux différents groupements artistiques de Londres. Il fut récompensé à l'Exposition de 1889, à Paris, pour un *Lever de soleil* qu'il y envoya. Il fut nommé associé de la Royal Academy en 1902, et mourut quelque temps après.
MUSÉES : LE CAP : *The Severn valley* – LONDRES (Tate Gal.) : *Morning Glory – Val d'Arno* – SYDNEY : *Before the dawn*.
VENTES PUBLIQUES : LONDRES, 13 avr. 1908 : *A Bocca d'Arno*, dess. : GBP 39 – LONDRES, 28 jan. 1972 : *Les jardins Borghèse à Rome* : GNS 300 – LONDRES, 23 juin 1981 : *Paysage toscan 1897*, h/t (51x81) : GBP 1 500 – LONDRES, 26 sep. 1985 : *L'embouchure de l'Arno 1890*, h/pan. (14x38) : GBP 500 – LONDRES, 14 juin 1991 : *Lavandières près d'une source à San Gimignano en Italie 1898*, cr. et aquar. (63,5x35,5) : GBP 1 375 – LONDRES, 2 nov. 1994 : *Soir 1893*, h/pan. (78,5x46,5) : GBP 1 380.

CORBET Nicolas
XVIIIᵉ siècle. Français.
Peintre.
Il fut reçu à l'Académie de Saint-Luc à Paris en 1753.

CORBET Philip
XIXᵉ siècle. Britannique.
Peintre de compositions à personnages, scènes de genre, portraits.
Actif à Shrewsbury. Il exposa de 1828 à 1856 à la Royal Academy, à Londres, des portraits et des tableaux de genre.
VENTES PUBLIQUES : LONDRES, 5 juin 1981 : *Les Joyeuses Commères de Windsor, Acte IV, scène I 1826*, h/pan. (71,2x62,3) : GBP 800 – AMSTERDAM, 21 avr. 1994 : *Le connaisseur 1831*, h/pan. (23x20) : NLG 2 300.

CORBETT Edward
Né en 1919 à Chicago. XXᵉ siècle. Américain.
Peintre et dessinateur. Entre figuratif et abstrait.
Malgré une enfance itinérante, puisqu'il était fils d'officier de marine, il put suivre pendant deux ans les cours de la California School of Fine Arts. Il vécut à San Francisco, puis enseigna à l'Université du Minnesota à Minneapolis. Il a participé à de nombreuses manifestations collectives, dont « American Abstract Artists » à New York en 1947, « 15 Américains » au Musée d'Art Moderne de New York en 1952. Il fit plusieurs expositions personnelles, notamment à New York. Il a traversé des périodes figuratives et abstraites. Il n'est pas certain qu'il puisse être confondu avec Edward J. CORBETT, dont le Musée de Montréal conserve : *Bavardages du printemps*.
MUSÉES : BUFFALO (Albright Gal.) – CHICAGO (Art Inst.) – LONDRES (Tate Gal.) – NEW YORK.
VENTES PUBLIQUES : NEW YORK, 27 jan. 1965 : *Sous le volcan* : USD 250.

CORBETT Gaïl Shermann, Mrs Wilby Harvey
Née à Syracuse (New York). XIXᵉ-XXᵉ siècles. Américaine.
Sculpteur.
Présente peut-être un rapport avec Sherman Welby.

CORBETT J.
Né dans la dernière moitié du XVIIIᵉ siècle à Cork (Irlande). Mort en 1815 probablement à Cork. XVIIIᵉ-XIXᵉ siècles. Irlandais.
Peintre de portraits.
Une gravure de son portrait du comédien G. F. Cooke fut publiée en 1801 dans le *Monthly Mirror*.

CORBETTA, da. Voir au prénom

CORBETTI Giovanni Battista
XVIᵉ siècle. Actif à Milan. Italien.
Sculpteur.
Il travailla pour la cathédrale de Lodi.

CORBETTI Santo
XVIe siècle. Actif à Milan. Italien.
Sculpteur.
Il exécuta plusieurs statues pour le chœur de la cathédrale de Milan.

CORBI Juan
XXe siècle. Espagnol.
Peintre de paysages. Postimpressionniste.
Au Salon d'Automne à Paris en 1924, il présenta deux paysages : *Coin de paix* et *Jardin de Monovar*, exécutés dans un style post-impressionniste.

CORBI Luigi
XVIIIe siècle. Actif à Ferrare. Italien.
Peintre de décorations.
Il travaillait en 1789, pour l'église San Domenico à Ferrare.

CORBIE Hugues de
Mort en 1390. XIVe siècle. Français.
Sculpteur et architecte.
Il travailla, en 1356, au château d'Escaudœuvres (Nord) et devint maître des œuvres de la ville de Cambrai, de 1378 à 1390.

CORBIER ou Corbié
XIXe siècle. Français.
Graveur.
Il publia des gravures dans l'*Univers pittoresque* et *L'Exploration scientifique de l'Algérie*.

CORBIER Désiré J.
Né en 1860 à Saint-Brieuc (Côtes-du-Nord). XIXe siècle. Français.
Sculpteur.
Élève de Madrassi. Le Musée de Saint-Brieuc conserve de lui : *L'Enfant prodigue*.

CORBIER Jean
XVe siècle. Actif à Nevers en 1470. Français.
Peintre ornemaniste.

CORBIÈRE Edouard Joachim, dit Tristan
Né le 18 juillet 1845 au manoir de Coat-Congar (commune de Ploujean, Finistère). Mort le 1er mars 1875 à Morlaix (Finistère). XIXe siècle. Français.
Poète à la gouache, dessinateur, caricaturiste.
La gravure à l'eau-forte l'attirant, il réalisa le frontispice (son portrait) de la première édition des *Amours jaunes* (1873). René Martineau, son fervent biographe, nous indique parmi les œuvres encore connues de ce bon amateur : deux caricatures faites sur le registre d'un hôtel de Capri ; une gouache (un portrait-charge « à l'araignée ») ; une peinture exécutée sur le panneau d'un hôtel de Morlaix (un vieux marin de Roscoff), une curieuse peinture, d'après un sabot décorant sa chambre. On peut encore citer : des portraits-charges très outrés de lui-même ; des blasons de fantaisie, notamment ceux de son ami Battine et le sien ; un album de caricatures des principaux personnages de la Commune, dessinées en 1873 à Paris. ■ P.-A. T.

CORBIÈRE Joseph
XVIIIe siècle. Actif à Nantes en 1770. Français.
Peintre.

CORBIÈRE Pierre
XVIIe siècle. Actif à Orléans en 1658. Français.
Sculpteur.

CORBIN Aline
XIXe siècle. Français.
Peintre.
Exposa des fleurs au Salon de Paris, de 1835 à 1847.
VENTES PUBLIQUES : VERSAILLES, 8 déc. 1968 : *Bouquet de fleurs*, aquar. : **FRF 3 100.**

CORBIN Étienne
XVe siècle. Actif à Tours en 1425. Français.
Enlumineur.
Il était également écrivain.

CORBIN Pierre Victor
Né le 12 avril 1815 à Soissons. Mort le 13 juillet 1850 à Soissons. XIXe siècle. Français.
Peintre de paysages, miniatures, aquarelliste.
Le Musée de Soissons conserve de lui une *Vue du Port de Soissons* (aquarelle) et *Portrait de Mme X...* (miniature).

CORBIN Raymond
Né en 1907 à Rochefort-sur-Mer (Charente-Maritime). XXe siècle. Français.

Sculpteur et graveur en médailles.
Dès l'âge de 14 ans, il entre en apprentissage chez un artisan du Marais pour apprendre la gravure sur acier. Il y restera sept ans, puis entra à l'École Germain Pilon et à l'École des Arts Appliqués, où il étudia le modelage. En 1932, il devint l'élève de Wlérick et, entre 1932 et 1934, il travaille à l'École nationale des Beaux-Arts de Paris, dans l'atelier de gravure en médailles d'Henri Dropsy. Il participa au Salon des Artistes Français de 1932 à 1935, aux Salons d'Automne et des Tuileries à partir de 1937, aux expositions d'art français à Bruxelles, New York, Lisbonne et Madrid. Il reçut le Prix Blumenthal en 1936 et le Prix Germain Pilon en 1969. Il fut professeur de gravure en médailles à l'École des Beaux Arts de Paris entre 1955 et 1978, et membre de l'Institut.
Raymond Corbin partage son art entre la médaille et la sculpture avec une même habileté technique.
MUSÉES : ALGER : *La fillette sautant à la corde* – BOURGES : *Naïade* – OTTAWA : *Médaillon de Guillaume Budé* – PARIS (Mus. Nat. d'Art Mod.) : *Buste de Madeleine* – RENO, États-Unis : *La Grande Saint Thérèse*.

CORBINEAU Charles Auguste
Né le 25 décembre 1835 à Saumur (Maine-et-Loire). Mort en 1901. XIXe siècle. Français.
Peintre d'histoire, scènes de genre, portraits.
Élève d'Ernest Hébert, il a régulièrement participé au Salon de Paris à partir de 1863.
On retrouve dans les personnages de ses scènes de genre, le caractère maniériste de l'œuvre de son maître, mais aussi une sensualité qui fait penser à l'art de Courbet.
BIBLIOGR. : Gérald Schurr, in : *Les Petits Maîtres de la peinture 1820-1920, valeur de demain*, Les Éditions de l'Amateur, t. V, Paris, 1981.
MUSÉES : LOUVIERS : *Le supplice de Tantale* – PONTOISE : *Deux fileuses bretonnes* – SAUMUR : *Portrait de femme*.
VENTES PUBLIQUES : NEW YORK, 1900-1903 : *The finishing touch* : **USD 335** – LOS ANGELES, 17 mars 1980 : *Jeune femme à la fenêtre*, h/t (91,5x61) : **USD 5 250** – PARIS, 19 déc. 1984 : *Jeune fille endormie 1874*, h/t (75x101) : **FRF 16 500** – MONTE-CARLO, 30 nov. 1986 : *La leçon de musique*, h/t (124x86) : **FRF 45 000**.

CORBINEAU Gilles
Mort avant 1668. XVIIe siècle. Français.
Sculpteur.
On cite de lui le tombeau de l'évêque Claude de Rueil à la cathédrale d'Angers, qui est en partie de sa main. Il était le frère de Pierre Corbineau.

CORBINEAU Pierre
Mort le 23 septembre 1678 à Rennes. XVIIe siècle. Actif à Laval. Français.
Sculpteur et architecte.
Il fit le maître-autel de la chapelle du Prytanée de la Flèche, ancienne église des Jésuites, en 1663. Il travailla à la cathédrale de Rennes, de 1654 à 1658.

CORBINO Jon
Né en 1905. Mort en 1964. XXe siècle. Américain.
Peintre de genre.
VENTES PUBLIQUES : NEW YORK, 1er avr. 1981 : *Steeple-chase*, h. et encre/pap. (28,3x44,5) : **USD 1 300** – NEW YORK, 15 mars 1985 : *La famille*, h/isor. (62,1x51,8) : **USD 3 800** – NEW YORK, 1er oct. 1986 : *La Danseuse de flamenco*, h/t (76,2x40,5) : **USD 1 600** – NEW YORK, 24 jan. 1990 : *Danseurs*, fus., sanguine et craie (63,3x48) : **USD 2 420** – NEW YORK, 28 sep. 1995 : *La Sortie des écuries*, gche et fus./pap. gris (21x61,5) : **USD 1 955** – NEW YORK, 13 mars 1996 : *La Vue depuis ma fenêtre*, h/rés. synth. (63,7x76,8) : **USD 8 050** – NEW YORK, 30 oct. 1996 : *Composition figurale*, h./masonite (167,6x106,7) : **USD 6 325** – NEW YORK, 25 mars 1997 : *Flot de réfugiés 1938*, h/t (101,6x162,6) : **USD 46 000**.

CORBIZZI Litti ou Littes Philippi de
XIVe-XVe siècles. Italien.
Miniaturiste.
On doit à Corbizzi les miniatures d'un livre d'heures, exécuté en 1494 pour la confrérie de Sainte-Catherine de Fontebranda, à Sienne, et celles d'un Psautier destiné à la société S. Sebastian de Camullia.

CORBO Giovanni ou Corbeau
Né vers 1633. XVIIe siècle. Vivait à Rome en 1656. Français.
Peintre.

CORBON
XIXe siècle. Français.

Sculpteur sur bois.
Il exécuta un grand nombres de sculptures religieuses, imitant le style gothique, pour des églises de Paris.

CORBONELE Y HUGUET Pedro
XIXᵉ siècle. Actif à Barcelone. Italien.
Sculpteur.
Obtint une médaille d'argent à l'Exposition Universelle de Paris en 1900.

CORBOULD Alfred
XIXᵉ siècle. Britannique.
Peintre de genre, animaux, paysages.
Il exposa de 1831 à 1875 à Londres à la Royal Academy, à la British Institution ou à Suffolk Street Gallery, surtout des paysages.
Il est peut-être identique à l'un des deux suivants.
VENTES PUBLIQUES : LONDRES, 24 juil. 1931 : *Scène de genre* 1866 : **GBP 21** – LONDRES, 5 fév. 1965 : *La revue militaire* : **GNS 200** – LONDRES, 6 jan. 1976 : *Sybil Emily and Charles Edwin Lowther*, h/t (108x84) : **GBP 160** – LONDRES, 3 fév. 1978 : *Returning from Her Majesty's drawing room* 1853, h/t (49,5x76,1) : **GBP 650** – LONDRES, 6 juin 1980 : *Returning from her majesty's drawing room* 1853, h/t (49,5x75) : **GBP 650** – NEW YORK, 6 juin 1985 : *A groom with a saddled lady's hunter* 1859, h/t (62x75) : **USD 5 000** – LONDRES, 31 oct. 1990 : *Mr. James Holden avec son hunter préféré dans un paysage*, h/t (62x75) : **GBP 2 200** – LONDRES, 17 juil. 1992 : *Épagneul avec un faisan* 1852, h/t (63,6x76,2) : **GBP 1 980.**

CORBOULD Alfred Chantrey
XIXᵉ siècle. Britannique.
Dessinateur, caricaturiste, illustrateur.
Actif à Londres. On cite surtout ses caricatures pour le journal *Punch.*

CORBOULD Alfred Hitchens
XIXᵉ siècle. Britannique.
Peintre de scènes de genre, portraits.
Actif à Londres.

CORBOULD Aster R. C.
XIXᵉ siècle. Actif à Londres. Britannique.
Peintre de portraits, animaux, paysages.
Il exposa de 1842 à 1877.
On lui doit aussi quelques portraits de cavaliers.
VENTES PUBLIQUES : VIENNE, 30 mai 1967 : *La Côte d'Écosse* : **ATS 7 500** – LONDRES, 16 oct. 1981 : *Portrait de Frances Maynard assis sur un poney et de Blanche Maynard*, h/t (181,6x150) : **GBP 6 000** – LONDRES, 6 mai 1983 : *La Chasse aux perdrix* 1863, h/t (35,5x61) : **GBP 2 900** – LONDRES, 22 fév. 1985 : *Le retour du troupeau*, h/t (36,8x77,5) : **GBP 1 300** – ÉDIMBORG, 30 août 1988 : *Deux chiens amis*, h/t (101x127) : **GBP 3 960** – PERTH, 1ᵉʳ sep. 1992 : *Chasse à la perdrix ; Chasse au faisan* 1860, h/t (chaque 40,5x77) : **GBP 7 920** – LUDLOW (Shropshire), 2 sep. 1994 : *Un bac sur un lac des Highlands* 1868, h/t (62x113) : **GBP 6 900** – PERTH, 20 août 1996 : *Le Défi de Sir William St Clair* 1852, h/t (132x85) : **GBP 2 530** – LONDRES, 6 nov. 1996 : *Bœufs d'Écosse* 1865, h/t (46x77) : **GBP 2 990.**

CORBOULD Edward Henry
Né le 5 décembre 1815 à Londres. Mort le 18 janvier 1905 à Londres. XIXᵉ siècle. Britannique.
Peintre de genre, portraits, figures, peintre à la gouache, aquarelliste, sculpteur, dessinateur, illustrateur.
Il fut élève de son père Henry Corbould. En 1851, il fut nommé professeur de dessin et de peinture des enfants de la reine Victoria. Il conserva ses fonctions jusqu'en 1872. Il a exposé entre 1835 et 1880 à la Royal Academy, à Suffolk Street et à Grosvenor Gallery et à la New Water-Colours Society.
MUSÉES : BRISTOL : *Artist's dream*, aquar. (British Mus.) : *The Heiress* – LONDRES (John Soane's Mus.) : *Trois dessins* – SYDNEY : *Lady Godiva*, aquar.
VENTES PUBLIQUES : LONDRES, 28 mai 1923 : *Qui est-ce ?*, dess. : **GBP 11** – LONDRES, 23 avr. 1928 : *Qui est-ce ?*, dess. : **GBP 7** – LONDRES, 10 juil. 1970 : *Rêverie* : **GNS 150** – LONDRES, 23 mars 1981 : *The Earl of Surrey Beholding the Fayre Geraldine in the magic mirror* 1853, aquar. (91,5x124,5) : **GBP 3 600** – NEW YORK, 25 mai 1984 : *Portrait de jeune femme* 1849, aquar., haut arrondi (55,8x35) : **USD 2 000** – NEW YORK, 15 fév. 1985 : *Cavalier et jeune paysanne* 1856, aquar. (74,9x53,3) : **USD 750** – LONDRES, 2 oct. 1985 : *The Canterbury pilgrims assembled in the yard...* 1892, h/t (11,5x184) : **GBP 15 000** – LONDRES, 3 nov. 1989 : *Les Bretons déplorent le départ de la dernière légion romaine* 1843, aquar. (91,5x137) : **GBP 3 080** – LONDRES, 25-26 avr. 1990 : *Becky ! le coche arrive !* 1898, aquar. et gche (49x69) : **GBP 935** – LONDRES, 12 nov. 1992 : *Astarté* 1887, aquar. et gche (75x37,5) : **GBP 2 750** – LONDRES, 30 mars 1994 : *Saül et la sorcière d'Endor* 1860, aquar. et gche (67,5x80) : **GBP 5 520** – LONDRES, 6 nov. 1996 : *Le Comte de Surrey observant la belle Géraldine dans le miroir magique* 1853, aquar. et reh. de gche (91,5x124,5) : **GBP 8 625.**

CORBOULD George James
Né en 1786 à Londres. Mort en 1846 probablement en Grande-Bretagne. XIXᵉ siècle. Britannique.
Graveur au burin.
Ce graveur apprit son métier chez James Heath, le célèbre artiste, et suivit la manière de son maître. Il exposa à Suffolk Street en 1824. Son père était le peintre Richard Corbould.

CORBOULD Henry
Né en 1787 à Londres. Mort en 1844 à Robertsbridge (Sussex). XIXᵉ siècle. Britannique.
Peintre et dessinateur.
Corbould composa plusieurs tableaux dont les sujets furent tirés des scènes de l'histoire classique. Cependant il obtint sa plus grande renommée pour ses illustrations de livres et ses dessins de marbres antiques. Il apprit la peinture d'abord sous la direction de son père, Richard Corbould, et plus tard aux cours de la Royal Academy, où il reçut les conseils de Fuseli. Henry posa plusieurs fois pour des têtes dans certains tableaux de Benjamin West, avec lequel il fut lié d'amitié, ainsi qu'avec d'autres artistes de son temps, tels que Stothard, Flaxman, Chantrey et Westmacott. Entre 1802 et 1840, l'artiste envoya des toiles aux Expositions de Londres.

CORBOULD Richard
Né en 1757 à Londres. Mort en 1831 à Highate. XVIIIᵉ-XIXᵉ siècles. Britannique.
Peintre d'histoire, figures, portraits, paysages, aquarelliste, peintre de miniatures, peintre sur émail, dessinateur, illustrateur.
Il envoya, entre 1776 et 1817, des paysages à la Royal Academy, à la British Institution et à la Free Society of Artists.
Cet artiste était d'une très grande versatilité et s'exerça dans plusieurs branches de son art. Il peignit des paysages, des portraits, et quelquefois des sujets historiques, avec autant de facilité qu'il travaillait sur porcelaine et en émail. Corbould comprit aussi la miniature, et illustra des livres.
MUSÉES : DUBLIN : *Vue en Leicestershire*, aquar. – LONDRES : *Portrait de Charles Samuel Keene*, aquar. – LONDRES (coll. Wallace) : *Portrait de jeune femme couronnée de roses* – LONDRES (Victoria and Albert Mus.) : *Vue de Hampstead.*
VENTES PUBLIQUES : LONDRES, 18 juin 1980 : *Le repos du berger*, aquar. et pl. (25x20) : **GBP 220.**

CORBOULD Walton
Né le 28 décembre 1859 à Londres. XIXᵉ siècle. Britannique.
Peintre, sculpteur, dessinateur.
Il fit de nombreux dessins pour des publications diverses. La National Portrait Gallery de Londres possède un tableau de cet artiste.

CORBOULD-ELLIS Eveline M., Mrs
XIXᵉ-XXᵉ siècles. Britannique.
Miniaturiste.
Sociétaire de la Women Society of Artists, anciennement au Conseil de la Royal Society of Miniaturists. Elle expose à la Royal Academy, depuis 1898 ; on cite ses portraits de la *Reine Victoria*, de *George V* et du *Kaiser Wilhelm II.*

CORBOZ Jules
Né au XIXᵉ siècle. Mort en 1901. XIXᵉ siècle. Français.
Sculpteur ornemaniste.
A exécuté, pour l'Hôtel de Ville de Paris, 5 bas-reliefs : *Musique champêtre, Agriculture, Poésie, Guerre, Marine.*

CORBUSIER Le. Voir LE CORBUSIER

CORBUSIER F.
XIXᵉ siècle. Éc. flamande.
Peintre de genre, paysages.
Actif vers 1845.
VENTES PUBLIQUES : PARIS, 22 fév. 1977 : *Les Marchandises de fleurs* 1837, h/t (165x126) : **FRF 7 500.**

CORBUTT César ou Charles. Voir PURCELL Richard

CORBY Adèle May Bachmann
Née au XIXᵉ siècle à Lausanne. XIXᵉ siècle. Suisse.
Peintre de portraits, paysages marines, fleurs.

CORCHON Y DIAQUE Federico, dit Diaque Ricardo

XIXe siècle. Espagnol.

Peintre de genre, paysages, dessinateur.

Exposa deux paysages à Paris en 1878.

Ventes Publiques : Paris, 1883 : *Bouquetière à Venise* : FRF 500 ; *Une Merveilleuse* : FRF 340 ; *Confidence* : FRF 480 ; *Panneau de onze sujets divers* : FRF 1 600 ; *Colin-Maillard* : FRF 760 ; *Les Conférenciers* : FRF 1 700 ; *Sous les pommiers* : FRF 390 ; *Souvenir de Trouville*, dess. : FRF 130 ; *L'Attente*, dess. : FRF 100 ; *Sur la plage*, dess. : FRF 140 – Paris, 1884 : *Paysage d'automne* : FRF 215 ; *Dans les blés* : FRF 115 ; *A l'atelier* : FRF 180 ; *Bords de la Seine* : FRF 400 ; *Un bon camarade* : FRF 300 – Paris, 21 fév. 1919 : *Fillette revenant de la fontaine* : FRF 92 – Paris, 15 mars 1927 : *L'heure du bain* : FRF 300 – Paris, 20 nov. 1981 : *Élégante à l'ombrelle sur la grève*, h/pan. (65x52) : FRF 9 000 – New York, 27 mai 1983 : *La Lettre*, h/pan. (41,2x29,9) : USD 1 200 – Londres, 3 fév. 1984 : *Scène de rue, Paris*, h/pan. (36,8x44,5) : GBP 2 400 – Versailles, 18 nov. 1984 : *Jeune femme et enfants dans la prairie*, h/t (33d56) : FRF 9 800 – Londres, 10 oct. 1986 : *Élégantes et enfants dans un verger*, h/pan. (45,7x56) : GBP 10 000 – Londres, 25 mars 1988 : *La débutante*, h/pan. (24x16) : GBP 3 300 – Paris, 19 déc. 1988 : *Élégante au bord de l'eau*, h/pan. (36x24) : FRF 27 000 – New York, 1990 : *Jeune élégante dans un chemin boisé*, h/t (73,1x54) : USD 6 600 – Amsterdam, 23 avr. 1991 : *Vue de Barcelone*, h/t (27,5x48) : NLG 10 580 – New York, 20 fév. 1992 : *Place de la Madeleine à Paris*, h/pan. (41,3x32,1) : USD 49 500.

CORCIA La. Voir LA CORCIA

CORCIANI Giovanni

Mort en 1629 à Rome. XVIIe siècle. Italien.

Sculpteur.

CORCOS Massimiliano

Né en 1894. Mort en 1916. XXe siècle. Italien.

Peintre de figures, natures mortes.

Musées : Florence (Gal. d'Art Mod.) : *Nature morte – Figure*.

CORCOS Vittorio Matteo

Né en octobre 1859 à Livourne. Mort en 1933 à Florence. XIXe-XXe siècles. Italien.

Peintre d'histoire, scènes de genre, sujets de sport, portraits, paysages.

Il fit ses études à Florence, puis à Naples, où il fut l'un des meilleurs élèves de Domenico Morelli. De 1880 à 1886, il vécut à Paris, peignant beaucoup de sujets de sport ; certaines de ses toiles lui valurent l'épithète de peintre des jolies femmes. Il exposa au Salon en 1881. On lui doit beaucoup de portraits.

Musées : Florence (Mus. d'Art Mod.) : *Portrait du violoniste Federico Consolo*.

Ventes Publiques : Paris, 1894 : *Les Deux Prisonniers* : FRF 245 ; *Fleur du mal* : FRF 230 – Paris, 4 mai 1895 : *Jeune fille regardant voltiger un papillon* : FRF 355 ; *Fleur du mal* : FRF 135 – New York, 1899 : *Visite au couvent* : FRF 1 600 – New York, 26-28 fév. 1902 : *Toilette de bal* : USD 100 – New York, 1905 : *Le Favori* : USD 600 – Paris, 28 jan. 1907 : *Visite au couvent* : FRF 120 – Londres, 11 avr. 1908 : *La Senorita* : GBP 13 – Londres, 1er mai 1931 : *Une blonde* : GBP 3 – Londres, 5 avr. 1937 : *Une peinture 1885* : GBP 6 – Paris, 30 avr. 1951 : *Au parc Monceau* : FRF 31 000 – Londres, 26 fév. 1964 : *Vains regrets* : GBP 280 – Versailles, 24 mars 1968 : *Conversation dans les jardins du Luxembourg* : FRF 2 800 – Milan, 17 oct. 1972 : *La Terrasse sur la mer* : ITL 5 200 000 – New York, 14 mai 1976 : *Trois as 1891*, h/t (112x80) : USD 5 500 – Bruxelles, 4 mars 1977 : *Automne 1892*, h/t (170x140) : BEF 90 000 – Milan, 22 avr. 1982 : *Portrait d'une élégante*, h/t (95x54) : ITL 5 000 000 – Rome, 26 oct. 1983 : *Maria Luisa Isabella Spada Veralli Principessa Potenziani e di San Mauro 1901*, h/t (176x230) : ITL 23 000 000 – Rome, 4 déc. 1984 : *L'ombrelle rouge*, past. (60x46) : ITL 5 000 000 – Rome, 16 mai 1985 : *Portrait de jeune fille*, past. (55x46) : ITL 1 200 000 – New York, 22 mai 1986 : *Flirt au bord de la mer 1884*, h/t (99,7x57) : USD 12 000 – Milan, 31 mars 1987 : *Une rue de Paris*, h/t (64,5x54) : ITL 24 000 000 – Rome, 22 mars 1988 : *Portrait de la comtesse Bruschi Falgari*, h/t (180x73) : ITL 12 000 000 – Rome,

14 déc. 1988 : *Portrait de femme*, h/t (108x83) : ITL 20 000 000 – Milan, 14 mars 1989 : *Portrait d'Adriana 1897*, h/t (55x40) : ITL 26 000 000 – Londres, 6 oct. 1989 : *Une beauté*, h/t (68,5x43) : GBP 12 100 – New York, 24 oct. 1989 : *Dans le jardin 1892*, h/t (106x77) : USD 23 100 – New York, 28 fév. 1990 : *L'Éventail de plumes 1884*, h/t (81,2x51,4) : USD 66 000 – New York, 23 mai 1990 : *Sur la terrasse*, h/t (106x57,1) : USD 49 500 – Milan, 6 juin 1991 : *Visite au musée*, h/t (49,5x57) : ITL 30 000 000 – New York, 19 fév. 1992 : *L'Oiseau envolé*, h/t (100,3x53,3) : USD 49 500 – Milan, 16 mars 1993 : *Flirt 1889*, h/t (112x86,5) : ITL 50 000 000 – New York, 26 mai 1993 : *Le Rendez-vous 1888*, h/t (105,4x65,4) : USD 37 375 – Londres, 17 nov. 1993 : *L'Attente près d'une fontaine 1896*, h/t (208x150) : GBP 87 300 – Paris, 20 déc. 1994 : *Portrait d'une jeune femme aux fleurs 1886*, h/t (106x55) : FRF 330 000 – Rome, 4 juin 1996 : *Cabane au bord de la mer*, h/pan. (7,5x23,5) : ITL 4 025 000 – Londres, 13 juin 1997 : *Jeune Beauté 1888*, h/t (75x46) : GBP 12 650 – New York, 12 fév. 1997 : *Mezzogiorno al mare 1884*, h/t (86,4x66) : USD 233 500 – Londres, 26 mars 1997 : *Jeune fille en bleu et blanc 1887*, h/t (60x39) : GBP 9 200 ; *Dame élégante 1887*, h/t (201x99) : GBP 98 300.

CORCUERA Carmen

Née à Mexico. XXe siècle. Mexicaine.

Peintre.

A exposé au Salon des Indépendants de 1935.

CORCUERA Francisco

Né en 1944. XXe siècle. Actif aux États-Unis et en Europe. Chilien.

Peintre.

Il étudia à Santiago, New York, Madrid, puis à la Royal Academy de Stockholm. À partir de 1965, il vécut en Europe et aux États-Unis, où il eut de nombreuses expositions.

Échappant à toute organisation, il pratique une peinture où domine la sensualité.

Musées : Santiago (Mus. de Beaux-Arts) – Stockholm (Mod. Mus.) – Stockholm (Nat. Mus.).

Ventes Publiques : New York, 16 nov. 1994 : *Sans titre 1979*, h., graphite, fus. et stylo-bille/t. (168x132,1) : USD 23 000 – Lokeren, 7 oct. 1995 : *Composition 1991*, h/t (138x183) : BEF 140 000 – Lokeren, 9 déc. 1995 : *Composition*, h/t (183x138) : BEF 120 000 – New York, 16 mai 1996 : *Basic semiotics III 1994*, h/t (84,5x75) : USD 7 475 – New York, 24-25 nov. 1997 : *Harmonie rouge 1986*, h/t (160x140,4) : USD 13 800.

CORD I ou Kort

XIVe-XVe siècles. Allemand.

Peintre.

Actif à Altstadt (Brunschwig).

CORD II

XVe siècle. Allemand.

Peintre.

Actif à Altstadt (Brunschwig).

CORD

XVIe siècle. Allemand.

Peintre.

Actif à Wolfenbüttel en 1553.

CORD Elizabeth S.

Née à New York City. XXe siècle. Américaine.

Peintre.

A exposé au Salon d'Automne de 1921.

CORD von Hagen

XVe siècle. Actif à Gieseler. Allemand.

Peintre.

CORDA Mauro

Né le 27 juillet 1960 à Lourdes (Hautes-Pyrénées). XXe siècle. Français.

Sculpteur de figures, dessinateur. Tendance symboliste.

Il suivit l'enseignement de l'École des Beaux-Arts de Reims, avant d'entrer, en 1981, dans l'atelier de Jean Cardot à Paris. Prix Paul-Louis Weiller en 1984 ; il est pensionnaire à la Casa Velasquez, tandis qu'il reçoit le Prix Paul Belmondo. Il a également reçu le Prix Princesse Grace à Monaco. En 1994, la galerie Guigné à Paris a montré une exposition d'ensemble de ses œuvres ; il a exposé au Musée Despiau-Wlérick de Mont-de-Marsan, et le Musée des Beaux-Arts de Chambéry l'a exposé pendant tout l'été 1995.

Il travaille surtout le bronze. Bien qu'anatomiquement irréprochables, les corps qu'il sculpte sont comme géométrisés, ce qui leur confère une impassibilité étrange. Il ose aussi donner l'impression que certaines de ses sculptures sont comme suspendues en l'air, en porte-à-faux. Ces infléchissements discrets apportés à la réalité dénotent que le symbole y est parfois insinué.

CORDANI Alessandro
Né à Borgo San Donnino. XIXe siècle. Italien.
Peintre.
A participé aux expositions nationales des grandes villes de l'Italie (Milan 1883 : *Glaneuse, Dans le golfe de Naples, Environs de Rome, Été, Novembre*).

CORDE Walter
Né le 6 juillet 1876 à Cologne. XXe siècle. Allemand.
Peintre.
Établi à Düsseldorf, il fit ses études à l'Académie de cette ville où il devint professeur.

CORDEAU Patrick
Né en 1950. XXe siècle. Français.
Peintre. Abstrait.
Il participe régulièrement à des expositons collectives, dont celles des Réalités Nouvelles à Paris en 1986, 1988, 1989. Son art graphique, fait de signes, rappelle un peu celui de Twombly.

CORDEGLIAGHI Andrea et Giovanetto ou Cordelliagi.
Voir **PREVITALI**

CORDEIL André
Né le 10 mai 1894 à Paris. Mort le 21 février 1975 à Grasse. XXe siècle. Français.
Peintre de compositions animées, portraits, paysages, natures mortes, pastelliste, dessinateur. Postimpressionniste, postcubiste et abstrait.
De 1909 à 1914, il étudie la peinture à l'École nationale des Beaux-Arts de Paris, dans l'atelier Cormon. Quand la guerre éclate, il est mobilisé, gazé à Ypres, et, après de nombreux séjours à l'hôpital, part se soigner à Grasse, où il s'installe définitivement. Il expose à la Biennale de Menton en 1951, puis à Avignon en 1960 et à Roquefort-les-Pins en 1961. Après sa mort, ses œuvres sont exposées à Grasse en 1976 et 1977, à Antibes en 1978, à Paris en 1978, 1979 et 1982, à Cannes en 1978, etc.
Sa détresse lui a tout d'abord inspiré de tragiques dessins au fusain, au crayon gras, au pastel. Il a d'ailleurs exécuté, en 1951, un *Chemin de Croix* pour l'église Saint-Benoit du Cap d'Antibes. Plus tard, il reprend la peinture et aborde presque tous les sujets, dans un style tantôt postimpressionniste, tantôt proche de l'esthétique cubiste. Enfin, voulant traduire le spirituel d'un sujet, il préfère l'abstraction.

CORDEIRO Nicolao José Baptista
XVIIIe siècle. Portugais.
Peintre et graveur.

CORDEIRO Waldemars
Né en 1925 à Rome. Mort en 1973. XXe siècle. Actif au Brésil. Italien.
Peintre. Abstrait-constructiviste et pop art.
Il s'installe au Brésil en 1947. Constructiviste dans un premier temps, il s'oriente vers le concrétisme et fonde le groupe *Ruptura* en 1952. Au sein de ce groupe, Cordeiro envisage le temps comme mouvement et ses travaux prennent un caractère « baroque » par leur bidimensionnalité. Losqu'il expose à São Paulo, en 1963, avec l'association « Nouvelles Tendances », il montre une structure de prismes verticaux et horizontaux, mobiles, miroir sur fond de miroir, qu'il intitule *Œuvre multiple*.
À partir de 1964, à la suite du pop art nord américain et de la nouvelle figuration européenne, il crée des objets *Popcrets*, essayant de faire une synthèse du concrétisme et du pop art, de concilier rigueur de construction et ouverture du monde. Il a exposé au Salon de Mai à Paris en 1969.
BIBLIOGR. : Damian Bayon et Roberto Pontual : *La Peinture de l'Amérique Latine au XXe siècle*, Mengès, Paris, 1990.

CORDELIER DE LA NOUE Amélie, née Cadeau
XIXe siècle. Française.
Peintre.
Elle exposa sous le nom de Cadeau, en 1831 : *Une lecture*. Au Salon de 1837, elle figura sous le nom de Cordelier.
MUSÉES : VERSAILLES : *Élisabeth d'Autriche, Cath. de Bourbon, duchesse de Bar – Pierre Mignard, d'après Rigaud – François Ier,*

comte de La Rochefoucault – Marie-Thérèse Rodel – Mme Geoffrin – Jules Romain, peintre et architecte – Tallard, duc d'Hostun, en buste.

CORDELLA Giacomo, comte
Né en 1824 à Fermo. Mort en 1909 à Fermo. XIXe siècle. Italien.
Peintre.
Il fut l'élève d'Overbeck à Rome, et peignit surtout des œuvres d'inspiration religieuse.

CORDELLA AGHI ou Cordelle Agi, Cordelliagi. Voir PREVITALI

CORDEN Victor
Né le 25 juillet 1860 à Datchet. XIXe siècle. Britannique.
Peintre.
Fils du portraitiste William Corden. Peintre se consacrant au paysage, après avoir traité des sujets militaires, il a exposé à la Royal Academy. *L'Illustrated London News* a reproduit de ses œuvres. Le Musée de Reading conserve de lui : *L'Église de Newbury* (aquarelle).

CORDEN William, l'Ancien
Né le 28 novembre 1797 à Ashbourne (Derbyshire). Mort le 18 juin 1867 à Nottingham. XIXe siècle. Britannique.
Peintre de portraits, miniaturiste, peintre sur porcelaine.
Il exposa en 1825 à la Royal Academy un portrait sur porcelaine.

CORDEN William, le Jeune
Né vers 1820. Mort en 1900. XIXe siècle. Britannique.
Peintre de portraits, paysages.
Il exécuta les portraits des membres de la famille royale anglaise.
VENTES PUBLIQUES : PARIS, 10 mars 1971 : *Portrait du Prince Léopold de Saxe-Cobourg-Gotha* : **FRF 1 100** – LONDRES, 23 mai 1980 : *Corfe castle, Dorset*, h/t (61x90,2) : **GBP 280**.

CORDER Rosa
XIXe siècle. Britannique.
Peintre de portraits.
Elle exposa un portrait à la Royal Academy, à Londres, en 1879.
VENTES PUBLIQUES : LONDRES, 24 avr. 1985 : *Portrait of Fred Archer* 1883, h/t (67x62) : **GBP 1 600**.

CORDER W.
XIXe siècle. Britannique.
Miniaturiste.
Il vivait en Angleterre dans la première moitié du XIXe siècle.

CORDERO
XIXe siècle. Mexicain.
Peintre de sujets religieux.
On cite de lui : *Jésus au temple*, à l'église Jésus Maria à Mexico.

CORDERO Horatio
Né en 1945. XXe siècle. Espagnol (?).
Peintre, sculpteur de figures.
VENTES PUBLIQUES : LONDRES, 6 déc. 1984 : *Le grand dormeur* 1980, h/t (129,6x96,5) : **GBP 1 300** – LONDRES, 25 juin 1985 : *El cazuelos* 1983, h/t (116x89) : **GBP 3 000** – LONDRES, 26 juin 1986 : *Peinture en plein air* 1980, acryl./t. (195,6x115,6) : **GBP 4 500** – AMSTERDAM, 24 nov. 1986 : *Peinture abstrait, Peintre figuratif* 1981, gche et h/pap. (71x107) : **NLG 1 500** – PARIS, 7 nov. 1986 : *Le poète*, bronze patiné (H. 60) : **FRF 23 000** – LONDRES, 30 nov. 1987 : *Arlequin* 1980, h/t (100x73) : **GBP 2 000** – PARIS, 19 juin 1989 : *Le poète*, h/t (200x200) : **FRF 40 000**.

CORDEROY DU TIERS Jacqueline
XXe siècle. Française.
Peintre.
Elle exposa à Paris au Salon des Tuileries en 1935.

CORDES Johann Wilhelm
Né en 1824 à Lübeck. Mort en 1869 à Lübeck. XIXe siècle. Allemand.
Paysagiste.
Il fit ses études à Prague et à Düsseldorf et devint professeur à Weimar.
VENTES PUBLIQUES : VIENNE, 21 sep. 1971 : *Le petit berger dans un paysage de Norvège* : **ATS 45 000**.

CORDES Olga
Née en 1868 à Brême. XIXe siècle. Allemande.
Peintre et graveur.
Elle fut, à Munich, l'élève de Chr. Roth et de Simon Hollosy.

CORDESSE Louis

Né en 1938 à Marseille (Bouches-du-Rhône). Mort en juillet 1988. XXᵉ siècle. Français.

Peintre, graveur, illustrateur, décorateur et sculpteur. Abstrait.

Il resta peu de temps élève à l'École des Arts Décoratifs à Paris en 1953. A partir de 1963, il figura dans de nombreuses expositions collectives, et notamment à Paris : Salon d'Automne, Salon de Mai, la Biennale des Jeunes Artistes en 1963 et 1965, Grands et Jeunes d'Aujourd'hui à partir de 1965. Dès 1958, il avait fait une première exposition personnelle, près d'Arles en Provence, suivie de beaucoup d'autres, à Paris entre 1962 et 1987 et surtout à la Galerie Clivages, Marseille à partir de 1962, Buenos Aires 1966, Université d'York 1969. En 1996, la galerie Aude Oumow, de Saint-Germain-en-Laye, a présenté un ensemble de ses peintures, gouaches, lavis, gravures.

Dans une première période figurative, peignant paysages et figures, il fut sans complexe influencé par Édouard Pignon, avec qui il fut d'ailleurs très lié jusqu'en 1967. Il réalisa dans cet esprit de grandes céramiques pour un supermarché du Prado à Marseille. Dans de vastes formats à destination murale, il a été amené à simplifier la forme colorée, se souvenant peut-être de la solution proposée par Matisse dans La Danse. Il poursuivait alors de pair deux objectifs : l'animation murale et l'illustration de thèmes sociaux et politiques. Parmi les thèmes qu'il traita dans cette période : Les fusillés en 1967, La mère et l'enfant 1968, et également en 1968 sur le sujet imposé de peindre une sorte de « portrait d'un chef-d'œuvre » : L'atelier de Courbet. En 1969, il réalisa une série de collages de papiers découpés. On retrouve souvent dans les œuvres de l'époque figurative les grands rythmes issus de l'étude des oliviers de sa Provence natale. Les quelques sculptures de ce moment semblent des éléments issus de ses toiles, mis en relief et exécutés dans les mêmes gammes colorées.

Assez soudainement, il évolua radicalement à l'abstraction. Dans cette nouvelle période, sa production fut abondante et totalement cohérente. Il donnait l'impression d'une certitude, de tenir sa vérité, comme s'il venait de se rendre compte qu'il avait été quelque peu entravé par sa louable et confiante admiration pour Pignon. Dans la ferveur, il élabora le vocabulaire et la syntaxe formels qui, au long de leurs nombreuses variations thématiques, devaient fonder et nourrir l'ensemble et la totalité des peintures et gravures de cette seconde période, qui fut aussi la dernière. Quant à l'infrastructure, le geste premier, au dessin à partir duquel chaque œuvre se constituera, on dirait un seul trait qui, comme le fil d'une bobine échappée, se dévide, se déroule sans fin, allant et revenant sur lui-même en arabesques ininterrompues, s'entrecroise jusqu'à sembler un écheveau inextricablement emmêlé. Les rets de ce filet une fois tendus, pouvait s'y laisser prendre et se donner libre cours la jubilation des couleurs posées entre les mailles. Pendant quelques années, le fil de ce réseau était un trait uniformément noir, piégeant la couleur comme les plombs d'un vitrail. Dans les années ultimes, il décida de conférer aussi la couleur au fil de l'écheveau du dessin et ce fut ainsi que, couleurs contre couleurs, l'œuvre de Louis Cordesse s'est résolu comme un feu d'artifices. ■ J. B.

CORDEWAGE Heinrich

XIVᵉ siècle. Actif à Göttingen en 1328. Allemand.

Peintre.

Il fut moine dominicain.

CORDEY Frédéric Samuel

Né le 9 juillet 1854 à Paris. Mort le 18 février 1911 à Paris. XIXᵉ-XXᵉ siècles. Français.

Peintre de genre, portraits, paysages, natures mortes.

Il exposait au Salon des Indépendants depuis 1887.

Il a souvent peint sur les bords de l'Oise. On cite de cet artiste : Fin de déjeuner, Au piano, Orientale, des portraits et des paysages.

Cordey

VENTES PUBLIQUES : PARIS, 18 mars 1922 : Nature morte : FRF 200 – PARIS, 4 mai 1923 : Vue des environs d'Auvers-sur-Oise : FRF 140 ; Ruelle à Auvers-sur-Oise : FRF 125 – PARIS, 11 mars 1925 : Paysage : FRF 65 – PARIS, 14 et 15 déc. 1925 : Paysage ; la route : FRF 120 – LONDRES, 30 mars 1928 : Le coin d'un bois 1898 : GBP 6 – PARIS, 3 mai 1934 : Nature morte : FRF 42 – PARIS, 30 avr.

1941 : Portrait de Mlle Cordey : FRF 180 – PARIS, 30 juin 1941 : La campagne : FRF 21 – PARIS, 21 avr. 1943 : Les meules à Neuville-sur-Oise : FRF 400 – PARIS, 14 mai 1943 : Pommes : FRF 260 – PARIS, 15 déc. 1943 : Les meules à Neuville-sur-Oise : FRF 850 – PARIS, 6 déc. 1965 : Pont de Bougival : FRF 1 500 – PARIS, 9 juin 1966 : Le village : FRF 2 750 – LONDRES, 3 juil. 1970 : Bord de rivière : GNS 220 – VERSAILLES, 14 juin 1972 : Le champ après la moisson : FRF 1 150 – LONDRES, 9 déc. 1977 : La Ferme à Langeron, h/t (55x66) : GBP 650 – ZURICH, 6 juin 1980 : Paysage fluvial 1889, h/t (47x58) : CHF 1 500 – LONDRES, 26 févr. 1986 : La plaine de Cergy, vue d'Éragny, h/t (54x81) : GBP 2 800 – LONDRES, 25 oct. 1989 : Ruelle à Auvers-sur-Oise, h/t (28,5x35,5) : GBP 7 150 – PARIS, 22 mars 1990 : La Route du village, h/t (35x46) : FRF 38 000 – PARIS, 13 juin 1990 : Paysage aux meules, h/t (60,5x73,5) : FRF 40 000 – CALAIS, 9 déc. 1990 : Paysage, h/t (35x46) : FRF 20 000 – CALAIS, 10 mars 1991 : Rivière près d'un village 1896, h/t (45x72) : FRF 17 000 – LE TOUQUET, 30 mai 1993 : Bord de l'étang, h/t (46x56) : FRF 13 000 – PARIS, 30 juin 1993 : Vue d'Eragny-Neuville au bord de l'Oise, h/t (50x61) : FRF 23 000 – LONDRES, 11 oct. 1995 : Paysage fluvial 1895, h/t (73x54) : GBP 1 610.

CORDIER

XVIIᵉ-XVIIIᵉ siècles. Français.

Sculpteur.

Il exécuta en 1704 un Trophée aux armes royales pour la Manufacture des Gobelins, en collaboration avec Jean-Baptiste Tuby.

CORDIER

XXᵉ siècle. Français.

Sculpteur.

Il exposa à Paris au Salon des Tuileries en 1939.

CORDIER Albert

Né en 1871 à Paris. Mort en 1906 à La Ferté-sous-Jouarre. XIXᵉ siècle. Français.

Peintre.

Il exposa au Salon des Indépendants.

CORDIER Antoine Joseph

XVIIIᵉ siècle. Français.

Peintre.

Il fut reçu à l'Académie Saint-Luc à Paris en 1785.

CORDIER Charles Henri Joseph

Né le 1ᵉʳ novembre 1827 à Cambrai (Nord). Mort en mai 1905 à Alger. XIXᵉ siècle. Français.

Sculpteur de statues, monuments.

Élève de l'École des Beaux-Arts à Paris, il entra en 1847 dans l'atelier de Rude et débuta au Salon de 1848.

Il voyagea en Afrique et s'attacha à l'interprétation de différents types humains, s'ouvrant ainsi les portes, à la fois du Musée du Luxembourg et du Museum d'Histoire Naturelle. On lui doit aussi une statue du Maréchal Gérard, une autre d'Ibrahim Pacha et un monument à Christophe Colomb, érigé à Mexico. Il était chevalier de la Légion d'honneur depuis le 15 août 1860.

BIBLIOGR. : J. Durand-Revillon : Un promoteur de la sculpture polychrome sous le Second Empire : C. H. J. Cordier, Bulletin de la Société de l'Histoire de l'Art Français, 1982.

MUSÉES : CAMBRAI : Guerrier grec blessé – Nègre de Tombouctou – Cardinal Giraut – Tête de femme grecque – CHÂLONS-SUR-MARNE : La jeune armée – LE HAVRE : Nubien – Nubienne.

VENTES PUBLIQUES : PARIS, 20 mai 1980 : Prêtresse d'Isis jouant de la harpe vers 1870, bronze (H. 187,5) : FRF 231 500 – PARIS, 25 mars 1982 : Buste de Chinoise à la pagode 1853, bronze doré, argenté et émaillé (H. 97,5) : GBP 14 000 – COPENHAGUE, 12 avr. 1983 : Un Chinois en buste 1853, bronze polychrome (H. 96) : DKK 115 000 – ENGHIEN-LES-BAINS, 4 mars 1984 : Prêtresse d'Isis jouant de la harpe vers 1870-74, bronze à trois patines (H. 188) : FRF 800 000 – MONTE-CARLO, 7 déc. 1985 : Aimez-vous les uns les autres 1867, marbre blanc et noir (51x79x36,5) : FRF 850 000 – LONDRES, 22 jan. 1986 : Négresse en buste, marbres noir et blanc (H. 81,5) : GBP 9 000 – LONDRES, 14 mai 1987 : Juive d'Alger 1862 ; Cheik arabe du Caire 1866, deux bronzes, patines cuivre et argent (H. 86) : GBP 88 000 – DOUAI, 2 juil. 1989 : Juive d'Alger 1862, bronze argenté : FRF 73 000 – NEW YORK, 23 oct. 1990 : Epoux chinois, bronze à patine brune avec reh. dorés, une paire (femme H. 99 ; homme H. 72,4) : USD 82 500 – NEW YORK, 20 fév. 1992 : Couple de Nubiens, bronze (homme H. 43,2 ; femme H. 41,3) : USD 23 100 – PARIS, 7 nov. 1994 : Chanteuse mauresque, terre cuite (H. 47) : FRF 5 000 – NEW YORK, 1ᵉʳ nov. 1995 : Epoux chinois 1853, bronze, une paire (H. Femme : 99,1, homme : 72,4) : **USD 112 500** – New York, 23 oct. 1997 : *La Juive d'Alger* ; *Le Cheikh arabe du Caire*, bronze doré, patine brune, onyx et émaux, une paire de bustes (chaque H. 86,4) : **USD 387 500**.

CORDIER Charles Pierre Modeste
Né en 1848 à Paris. Mort en 1909. xixe-xxe siècles. Français.
Peintre de paysages, natures mortes.
A débuté au Salon en 1875.
Ventes Publiques : Paris, 29 juin 1988 : *Natures mortes aux fruits*, h/t, une paire (chaque 50x60) : **FRF 10 000** – New York, 27 mai 1993 : *Chemin au bord de la mer*, h/t (130,5x194,5) : **USD 18 400**.

CORDIER Claude
xviie siècle. Actif à Grenoble vers la fin du xviie siècle. Français.
Graveur.
C'est peut-être lui qui fut reçu à l'Académie Saint-Luc en 1677. Voir aussi Philippe CORDIER.

CORDIER Claude
xviiie siècle. Actif à Saint-Florent-le-Vieil. Français.
Sculpteur.
Il reçut en 1731 la commande de plusieurs sculptures pour l'abbaye Saint-Nicolas d'Angers.

CORDIER Henri Louis
Né le 26 octobre 1853 à Paris. Mort en 1925 ou 1926. xixe-xxe siècles. Français.
Sculpteur de statues.
Élève de son père Charles Henri Joseph Cordier, de Frémiet et de Mercié.
Débuta au Salon de 1877. On cite de lui : *Le Ralliement* (figure équestre) (1877), troisième médaille, à l'École de Saint-Cyr, *Esquimaux* (1878), bustes, Jardin des Plantes, *Salomé* (1879), *Nubiens* (1880), bustes, Jardin des Plantes, *Étienne Marcel* (1881), statue équestre, Musée d'Angers, *Cuirassier* (1884), Musée de Châlons ; (1885) médaille de bronze ; (1889) médaille d'argent à l'Exposition Universelle de 1900. Chevalier de la Légion d'honneur en 1903.
Musées : Angers : *Étienne Marcel* 1881, statue équestre – Châlons : *Cuirassier* 1884 – Douai : *La Nymphe des eaux* – Nice : *Figure allégorique de Nice*, terre cuite, esquisse – Paris (Mus. du Luxembourg) : *Nymphéas*, marbre – Troyes : *Juive d'Alger*.
Ventes Publiques : Londres, 10 nov. 1983 : *Nymphe debout* 1906, marbre (H. 178) : **GBP 8 500** – Londres, 14 mai 1987 : *Cuirassier à cheval*, bronze (H. 64,5) : **GBP 2 400**.

CORDIER Jacques
Né le 11 août 1937. Mort en 1975. xxe siècle. Français.
Peintre de paysages.
Il figure à Paris aux Salons des Artistes Indépendants et de la Société Nationale des Beaux-Arts. Il montre ses œuvres dans des expositions personnelles, nombreuses dans les villes du Midi, à Paris en 1963.
Il peint surtout des paysages de Provence.
Ventes Publiques : Paris, 19 juin 1987 : *Plage à Saint-Tropez* 1968, h/t (60x73,5) : **FRF 5 500** – Paris, 23 oct. 1990 : *Les Tuileries sous la neige*, h/t (60x70) : **FRF 28 000** – Neuilly, 14 nov. 1990 : *Lumière bleue* 1973, h/t (81x100) : **FRF 33 000** – Neuilly, 3 fév. 1991 : *Plage d'Ostende*, h/t (60x73) : **FRF 27 000** – Neuilly, 23 fév. 1992 : *Le port de Saint-Tropez*, h/t (46x61) : **FRF 20 000** – New York, 30 avr. 1996 : *Le port d'Anvers*, h/t (73,1x91,4) : **USD 805**.

CORDIER Jean
xviie siècle. Actif à Paris. Français.
Graveur.

CORDIER Léonce Lucien
Né au xixe siècle à Paris. xixe siècle. Français.
Peintre.
Élève de Gleyre. Il débuta au Salon de 1868. Le Musée de Douai conserve de lui : *Prométhée et les Océanides*.

CORDIER Louis
xviie siècle. Actif à Abbeville vers le milieu du xviie siècle. Français.
Graveur.

CORDIER Louis
Né le 3 septembre 1823 à Paris. xixe siècle. Français.
Peintre de genre.
En 1864, il commença à exposer au Salon. Il a surtout peint des femmes.

CORDIER Marie-Louise
Née à Lyon (Rhône). Morte le 8 juin 1927. xxe siècle. Française.
Peintre de paysages.
Elle exposa à Paris, en 1921-1922 au Salon des Artistes Français, de 1921 à 1923 au Salon d'Automne, de 1922 à 1927 au Salon des Artistes Indépendants, qui lui consacra une exposition posthume en 1928.

CORDIER Martin
xviiie siècle. Actif à Cambrai en 1763. Français.
Sculpteur.

CORDIER Maurice
xxe siècle. Français.
Sculpteur.
En 1945, il exposait au Salon des Tuileries : *Maternité*.

CORDIER Nicolas ou Cordieri, Cordigheri, dit Franciosino
Né en 1567 en Lorraine. Mort le 25 novembre 1612 à Rome. xvie-xviie siècles. Français.
Peintre d'histoire, compositions religieuses, sujets allégoriques, dessinateur, sculpteur de statues, monuments, graveur.
Venu jeune à Rome, il fut élève de Michel-Ange. Ses principales œuvres connues en Italie sont : *Sainte Sylvie et Saint Grégoire*, à Saint-Grégoire-le-Grand ; statues du père et de la mère du pape Clément VIII sur un tombeau de marbre ; au Vatican, à la façade, sous l'horloge, un grand ange de marbre, tenant les armes du pape ; à Sainte-Agnès, hors des murs, au maître-autel, la statue de *Sainte Agnès*, en albâtre et métal ; sur le mont Célio, une colossale statue pédestre de bronze de *Henri IV, de France* (1608).
Ventes Publiques : Paris, 28 mai 1993 : *La Charité*, pl. et lav. brun /pap. bleu (36,6x24) : **FRF 5 200** – New York, 12 jan. 1995 : *Projet pour une statue en pied du Roi Henri IV en costume romain pointant le sceptre de la Justice vers la gauche son pied gauche reposant sur la tête d'un prisonnier ligoté*, craie noire, encre et lav. brun (41,8x22,3) : **USD 48 300**.

CORDIER Noël
xvie siècle. Français.
Peintre.
L'abbé Pernetti le classe parmi les peintres de Lyon, contemporains de Corneille de La Haye, et dit qu'il se « rendit célèbre par ses tableaux de perspective à l'huile ».

CORDIER Philippe, dit aussi Cordier-Daubigny
xviie siècle. Français.
Graveur au burin.
Peut-être actif à Grenoble. On cite de lui : *Le vœu de la ville de Grenoble*. Il est cité par Brulliot en tant que Philippe C. Daubigny.

$$·\mathcal{P}\,\underset{1632}{\mathbb{X}}\;\;\mathcal{RD}\,1638·,$$

CORDIER Raoul
Né le 28 juin 1842 à Bayeux (Calvados). Mort en 1905. xixe siècle. Français.
Aquarelliste.
Élève de Guillard. Il débuta au Salon des Artistes Français en 1868.

CORDIER Robert
Né à Abbeville. xviie siècle. Français.
Graveur au burin.
Peut-être le même qu'un Robert Cordier, graveur travaillant à Madrid entre 1629 et 1653. Il était le frère de Louis Cordier.

CORDIER Thierry de
Né en 1954 à Audenarde. xxe siècle. Belge.
Artiste. Conceptuel.
De 1972 à 1976, il fut élève en peinture de l'Académie des Beaux-Arts de Gand. A partir de 1986, il livra ses premiers *Discours au monde*, au musée de Gand, à Anvers. Il expose aussi des *Attrape-souffrance*. En 1990, il décide de se retirer du monde et de sa maison des Flandres Il écrit les *Lettres en retard à ma mère*, et fabrique des sortes de petites figurines incantatoires, les *Légumes*. En 1990, il a participé à l'exposition *L'Art en Belgique* au Musée d'Art Moderne de la Ville de Paris et au Museum Haus Lange à Krefeld. Il figurait aussi dans l'exposition panoramique

de l'art belge du xxᵉ siècle, présentée en 1991 par le Musée d'Art Moderne de la Ville de Paris.

Musées : Paris (Mus. Nat. d'Art Mod.) : *Jardinière* 1989, assemblage : cuivre, plâtre, bois, tissus, enduit, fourrure.

CORDIER de Bonneville Louis Joseph Anger

Né en 1770 en France. Mort vers 1836 en Suède. xviiiᵉ-xixᵉ siècles. Français.

Peintre de paysages, aquarelliste, graveur.

On cite de cet artiste amateur, quelques paysages à l'huile, à l'aquarelle ou gravés.

CORDIERI Scipione Enrico

D'origine française. xviiiᵉ siècle. Travaillant à Rome au début du xviiiᵉ siècle. Italien.

Peintre.

CORDIGLIA Carlo Felice

Né vers 1850 à Lecce (Pouilles). xixᵉ siècle. Italien.

Peintre de compositions religieuses, scènes de genre.

Exposa en 1877, à Naples : *Sur le Golgotha* et à Venise, en 1881 : *Les Martyrs d'Otranto*.

CORDINER Charles

xviiiᵉ siècle. Vivant en Écosse. Britannique.

Peintre de paysages.

Le Musée de Glasgow possède de cet artiste : *Bothwell Castle*.

CORDINI Francesco

xviiᵉ siècle. Actif à Florence. Italien.

Peintre.

CORDOBA, de. Voir aussi au prénom

CORDOBA José Maria

Né en 1950 à Cordoue. xxᵉ siècle. Espagnol.

Peintre.

Il fut élève de l'Académie des Beaux-Arts de Séville de 1971 à 1976. Il participa à de nombreuses compétitions artistiques en Espagne, notamment le xviᵉ Prix Joan Miro de Dibuix et la Biennale des Jeunes Artistes Contemporains à Barcelone en 1985. Il participe à des expositions collectives en Hollande en 1980, à Paris 1980, Manchester 1985, Copenhague 1985 et 1990, etc.

CORDOBA Mathilda J. de

Née à New York. Morte en 1912 à New York. xxᵉ siècle. Américaine.

Peintre.

CORDOBES Juan Sanchez. Voir SANCHEZ CORDOBES

CORDON

xixᵉ siècle. Actif au début du xixᵉ siècle. Britannique.

Peintre sur porcelaine.

Il peignit des paysages pour la manufacture de porcelaines de Swinton.

CORDON Andrès I

xviiiᵉ siècle. Espagnol.

Sculpteur.

Il travailla à Madrid.

CORDON Andrès II

Né en 1790 à Lucena. xixᵉ siècle. Espagnol.

Sculpteur de statues.

Il était le fils d'Andrès I Cordon. Il travailla à Cordoue et exécuta une statue de *Sainte Catherine* pour la cathédrale de Lucena.

CORDONNIER

xviᵉ siècle. Actif à Houplin vers 1590. Éc. flamande.

Peintre verrier.

CORDONNIER Alphonse Amédée

Né le 2 février 1848 à La Madeleine-lez-Lille (Nord). Mort en 1930 à Paris. xixᵉ-xxᵉ siècles. Français.

Sculpteur.

Il fut élève de Dumont à l'École des Beaux-Arts ; Grand Prix de Rome en 1877. Ses œuvres principales sont : *Réveil*, statue (1875, troisième médaille, Musée de Lille), *Médée tuant ses enfants*, groupe (1876, deuxième médaille, acquis par l'État), *Jeanne d'Arc sur le bûcher* (ancien Musée du Luxembourg), *Le Printemps*, groupe marbre (1883, première médaille, acquis par l'État), *Héraut d'arme* (Hôtel de Ville, entrée du préfet), *Maternité*, groupe pierre (Ville de Paris), *L'Histoire*, statue pierre (façade de la Sorbonne), *L'Électricité*, statue bronze (Palais des machines), *Monument Testelin* (Lille), *Monument Nadaud* (Rou-

baix). Médaille d'argent (Exposition Universelle, 1889). Officier de la Légion d'honneur. Médaille d'or à l'Exposition Universelle de 1900.

Musées : Château-Thierry : *Le printemps* – Gray : *Tête de condottière* – Lille : *Un torero – Personnage du Moyen Âge* – Tourcoing : *Le jour – La nuit – Charmeuse.*

CORDONNIER Denys

xviᵉ siècle. Actif à Troyes. Français.

Peintre.

Il exécuta des peintures pour l'église Saint-Étienne, à Troyes.

CORDONNIER Étienne

xviᵉ siècle. Français.

Sculpteur.

Sans doute frère de Jacquinot Cordonnier. Il sculpta des images destinées aux fêtes données à Troyes, en 1500, à l'occasion de l'entrée de Louis XII, et travailla, en 1520, à l'église Saint-Pantaléon.

CORDONNIER Jacquet I

xvᵉ siècle. Français.

Sculpteur.

Il fit différents travaux à la cathédrale de Troyes et à l'église Saint-Étienne de cette ville, de 1425 à 1429.

CORDONNIER Jacquet II

xvᵉ siècle. Français.

Sculpteur, peintre de sujets religieux, compositions décoratives.

Il travailla pour la cathédrale de Troyes, de 1462 à 1481, et y fit notamment : *Caïn et Abel*, sur le portail, et des modèles d'anges, de saint Pierre et de crucifix pour un reliquaire. Il prit part, en 1486, aux décorations exécutées à l'occasion de l'entrée de Charles VIII dans la ville.

CORDONNIER Jacquinot

xvᵉ-xviᵉ siècles. Français.

Sculpteur et peintre.

On lui doit : une tombe dans l'église Saint-Pierre de Troyes (1504), des gargouilles en pierre, pour la chapelle des Rois, à l'église Saint-Pantaléon (1509), une statue de saint Éloi, sur l'autel de la chapelle des orfèvres, dans l'église de Sainte-Madeleine (1515). Il était sans doute le frère du sculpteur Étienne Cordonnier.

CORDONNIER Jean, dit Jean de Troyes

Né au début du xviᵉ siècle à Troyes. xviᵉ siècle. Français.

Peintre.

Un manuscrit de la famille Bracelli, de Gênes, datant de 1605, déclare que Jean de Troyes fut élève de Ludovic Brea. On ne connaît malheureusement aucune œuvre authentique de ce peintre. C'est à Marseille, entre 1516 et 1545, d'après les protocoles de divers notaires, que Jean de Troyes aurait exécuté la plupart des peintures que l'on connaît de lui. Les notaires n'écrivent pas toujours son nom de la même façon ; c'est tantôt, Cordanerii, puis Corderoni, plus souvent Cordinier, plus tard enfin, Jean de Troyes. On ignore si cet artiste avait fait ses études artistiques en Italie, la date de son arrivée en Provence, ni même celle de sa naissance. Toutefois, un premier acte de prix fait, qui le concerne, nous apprend qu'il avait son domicile à Aix en 1516, et qu'il vint se fixer à Marseille en 1520, date à laquelle il est appelé citoyen marseillais, où il demeura jusqu'à sa mort. Chronologiquement, les œuvres qu'il exécuta dans cette ville : le 2 mai 1516, pour le compte de dame Rigone, veuve Durand, contre 160 florins, il peint un tableau dédié à Notre-Dame-de-Consolation pour l'église des Accoules, un des plus beaux monuments de style ogival de Marseille. Ce tableau a disparu avec la destruction de cette église en 1794. En collaboration avec Étienne Peson, entre 1517 et 1518, pour la somme de 300 florins et 30 milleroles de vin rouge (le millerole équivaut à 64 litres), ils exécutèrent un retable dédié à saint Dominique, destiné au couvent des Frères prêcheurs. En 1520, il prend à son service un peintre anversois, Jean Guyens, dit le Flamand, pour terminer en temps voulu, quatre tableaux dont il a pris l'engagement. En 1524, il peint une bannière pour la corporation des menuisiers, puis un retable dédié à sainte Barbe, pour la corporation des bombardiers, à l'église Saint-Jean-de-Jérusalem. En 1526, un retable pour les prieurs de la confrérie de Saint-Antoine, au grand autel de l'église Saint-Antoine, aujourd'hui détruite, peint sur fond d'or, Saint Antoine avec son porc et vingts histoires et miracles du saint. La même année il exécuta un autre retable, pour la corporation des calfats, établie dans l'église Saint-Laurent, ce grand retable représentait la Pietà, plusieurs saints, quatre scènes de la Passion et cinq histoires de Notre Dame. Jean de Troyes peignit également plusieurs retables en Ligurie et à Nice. On attribue à ce peintre un retable, qui se trouvait autrefois dans l'église de Saint-Jean-des-Grottes, cette église tombant en ruines dès le XVIIIe siècle, on suppose avec vraisemblance que l'on transporta son tableau d'autel dans la vieille paroisse du village supérieur de Six-Fours, près de Toulon ; ce véritable chef-d'œuvre contient en deux rangs superposés, dix panneaux d'inégale grandeur, réunissant huit saints autour de la Madone et du Crucifix. Selon André Pératé, on a l'impression d'être devant une œuvre vénitienne, la couleur chaude des vêtements, où dominent les rouges, le ton doré des chairs et le style des figures dénotent l'école de Venise. Lorsqu'on a vu les œuvres de Brea, qui sont si peu éparses en Provence, on comprend la distance qui les sépare de celle-ci ; cette œuvre était signée, mais cette signature a disparu. Toutefois d'après un protocole de notaire en date de 1520, de sérieuses raisons donnent à penser que le retable de Six-Fours peut être l'œuvre de Cordonnier. On suppose également, en regardant cette œuvre, que cet artiste aurait étudié les primitifs flamands. Comme ceux-ci, il s'entend à arranger des ornements, et à donner aux figures humaines, un cachet de simplicité naïve, non dépourvue de grandeur.

CORDONNIER Nicolas I, dit aussi **Nicolas le Flament**
XVe siècle. Flamand.
Sculpteur, peintre.
Membre d'une nombreuse famille flamande, qui vint se fixer à Troyes ; il y travailla de 1402 à 1406.

CORDONNIER Nicolas II
Mort avant 1536. XVIe siècle. Français.
Peintre, sculpteur.
Fils de Jacquet II Cordonnier. Il commença à travailler à Troyes en 1486 et fit surtout de la peinture. Comme sculpteur, il prit part à la décoration faite par la ville pour la réception de Louis XII, en 1500 ; il fit, à cette occasion, une statue d'Hector, placée à la porte de Belfroy et des enfants ornant une fontaine.

CORDONNIER Nicolas III ou **Cordoannier** ou **Cordouannier**
Mort vers 1572 à Troyes. XVIe siècle. Français.
Peintre de compositions religieuses, compositions décoratives.
Il était le fils de Nicolas II Cordonnier et commença à travailler à Troyes vers 1537. On sait qu'il exécuta des peintures pour l'église Saint-Nicolas à Troyes, et aussi vers 1546 au château de Fontainebleau.

CORDONNIER Nicolas IV
XVIe-XVIIe siècles. Français.
Peintre de compositions religieuses, peintre verrier.
Il était le fils de Nicolas III Cordonnier. Il travailla pour les églises Saint-Jean, Saint-Rémi et Sainte-Savine, à Troyes.

CORDONNIER Paul Henri Marie Maurice
Né le 28 mars 1878 à Orléans (Loiret). Mort le 24 février 1963 à Nice (Alpes-Maritimes). XXe siècle. Français.
Peintre de paysages, graveur.
Il fut élève de Jean-Léon Gérôme et Gabriel Ferrier. Il exposait à Paris, au Salon des Artistes Français, dont il devint sociétaire, mention honorable 1926, ainsi qu'aux Salons de la Société Nationale des Beaux-Arts et des Artistes Indépendants.
Il a peint et gravé sur bois des paysages de diverses régions de France.

PCordonnier

CORDONNIER Raphaël
Né à Saint-Amand-les-Eaux (Nord). XXe siècle. Français.
Peintre de paysages, graveur, lithographe.
Il fut élève du peintre nordiste Lucien Jonas. Il exposait à Paris, au Salon des Artistes Français, dont il devint sociétaire, troisième médaille 1930.

CORDONNIER Victor
XVe-XVIe siècles. Français.
Peintre verrier.
Il était le fils de Jacquet II Cordonnier et travailla, semble-t-il, entre 1499 et 1514 à Troyes.

CORDONNIER Vincent
XVe siècle. Actif à Troyes à la fin du XVe siècle. Français.
Peintre.

CORDONT Joseph
Né le 20 avril 1859 à Vanose (Ardèche). Mort le 26 mars 1934 à Vanose (Ardèche). XIXe-XXe siècles. Français.
Peintre.
Il fut à Lyon l'élève de Dumas, et à Paris celui de Cabanel. Il exposa à Lyon à partir de 1888, et au Salon de la Nationale, à Paris, dès 1903. On cite ses portraits, ses paysages, ses peintures de genre.
MUSÉES : ANNONAY : *Paysages* – AUTUN : *Une Peinture* – NANTES : *Paysage* – *Tête de femme* – NÎMES : *Portrait de Vidal*.

CORDOUAN
XIXe siècle. Français.
Peintre.
Le Musée de Versailles possède de cet artiste des *Scènes de la campagne du Mexique*.

CORDOUIN Jacques
XVIIIe siècle. Français.
Peintre.
Il fut reçu à l'Académie Saint-Luc en 1760 à Paris.

CORDREAU Allart
XVIe siècle. Actif à Valenciennes vers 1510. Éc. flamande.
Miniaturiste.

CORDREY John
Né vers 1765. Mort en 1825. XVIIIe-XIXe siècles. Britannique.
Peintre de genre.
Il a choisi une curieuse spécialisation : les moyens de locomotion collectifs de l'époque.
VENTES PUBLIQUES : LONDRES, 25 nov. 1977 : *La Diligence Londres-Coventry-Birmingham* 1811, h/t (41,6x59,7) : **GBP 1 500** – NEW YORK, 4 juin 1982 : *La Diligence Londres-Birmingham* 1810, h/t (42,5x61) : **USD 6 000** – LONDRES, 6 juil. 1983 : *The Royal Mail carriage in an open landscape* 1812, h/t (53,5x91) : **GBP 4 400** – LONDRES, 18 nov. 1988 : *Le coche de Chelmsford à Londres* 1799, h/t (43,5x61,3) : **GBP 4 620** – LONDRES, 14 mars 1990 : *Le carrosse royal de la princesse Charlotte mené par Mr Mainwaring* 1814, h/t, une paire (54x88,5) : **GBP 16 500** – LONDRES, 31 oct. 1990 : *Carrosse dans un paysage dégagé*, h/t (36x52) : **GBP 1 045** – NEW YORK, 15 oct. 1991 : *Le coche Abingdon-Londres* 1808, h/t (43,2x61) : **USD 715** – LONDRES, 15 déc. 1993 : *Le coche Ludlow-Oxford de la compagnie Costar et Ibbetson* 1811, h/t (47x76,2) : **GBP 5 520**.

CORDS Gustav Adolph
XIXe siècle. Actif à Berlin. Allemand.
Peintre.
Il exposa entre 1818 et 1842 des portraits et des scènes bibliques.

CORDTS
XIXe siècle. Actif à Altona vers 1820. Allemand.
Lithographe.

CORDUA Anthony de
D'origine hollandaise ou portugaise. XVIIIe siècle. Vivant à Amsterdam vers 1700. Hollandais.
Peintre.

CORDUA Augustin
Né en 1684 à Vienne. Mort en 1720 à Vienne. XVIIIe siècle. Autrichien.
Peintre.
Il était le fils de Johann Baptist I Cordua.

CORDUA Johann Baptist I
Né en 1649 à Bruxelles. Mort en 1698 à Vienne. XVIIe siècle. Éc. flamande.
Peintre.
A rapprocher de Johann de Cordua.

CORDUA Johann Baptist II
Né en 1690 à Vienne. XVIIIe siècle. Autrichien.
Peintre.
Il était le fils de Johann Baptist I Cordua.

CORDUA Johann de, ou **Johannes,** ou **Juan** ou **Corduba, Courda, Courto, Curta, Kurte**
Né à Bruxelles. Mort en 1702 à Vienne. XVIIe siècle. Éc. flamande.
Peintre de portraits, natures mortes.

Il appartient à une famille de peintres de Bruxelles. Il vécut à Vienne dès 1663 et fut inscrit comme peintre de la cour en 1677. Sandrat le cite parmi les bons peintres de son temps. Il travailla aussi pour l'évêque de Freysing. Il est surtout connu pour ses natures mortes mais réalisa aussi des portraits à la fin de sa vie.
Musées : Graz : *Nature morte* – Sibiu : *Deux natures mortes*.
Ventes Publiques : New York, 2 avr. 1996 : *Vanité avec des livres, une statue de Vénus en bronze, un crâne, un coquillage, un bougeoir, une montre et autres objets dans une niche,* h/t (78,7x65,4) : USD 8 050.

CORDUA Johann Karl
Né en 1673. Mort en 1717 à Vienne. xviie-xviiie siècles. Éc. flamande.
Peintre.
Il était le frère de Johann Baptist I Cordua et vécut quelque temps, semble-t-il, en Flandre.

CORDUBA Francesco
Né en Italie. xviie siècle. Italien.
Graveur au burin.
Il vécut à Rome ; on a obtenu peu de renseignements exacts. Il a laissé une série de planches des principales fontaines dans les jardins de Rome, accompagnées de quelques figures dans la manière de Callot.

CORDUER Peter Anton
Mort en 1644 à Venise. xviie siècle. Actif à Nuremberg. Allemand.
Peintre d'histoire.
Élève de Michel Heer.

CORDUS August
xvie siècle. Travaillant en Saxe et en Bohême. Allemand.
Peintre.
On cite particulièrement ses travaux dans différentes églises de Dresde.

CORDUS Philipp
xvie siècle. Actif à Berlin à la fin du xvie siècle. Allemand.
Peintre et graveur.

CORELLI Augusto
Né le 26 mai 1853 à Rome. xixe siècle. Italien.
Peintre de genre, paysages, peintre à la gouache, aquarelliste.
A exposé à Turin, en 1880 : *Tête de vieillard, Amours champêtres, L'Étourdie, Le Prolétaire* ; en 1881, à Milan : *Donne-moi un baiser, Coutumes de 1600, Rey Bech, Grand-mère et neveu, Après l'embuscade.* L'artiste exposa encore à Rome en 1883 et à Turin en 1884. Médaille d'argent à l'Exposition Universelle de 1889.
Ventes Publiques : New York, 19 juil. 1990 : *Rêverie,* h/pan. (24,5x45,2) : USD 1 980 – Londres, 28 nov. 1990 : *Naples vu de Posillipo,* gche (28x45) : GBP 1 760 – Paris, 1er juil. 1991 : *Songeuse au bord de l'eau,* h/t (35x100) : FRF 30 000 – New York, 22-23 juil. 1993 : *Jeune femme élégante dans un intérieur 1883,* aquar./pap. (53,3x36,8) : USD 1 840.

CORELLI Galeotto
xvie siècle. Actif à Ravenne. Italien.
Peintre.
Il existe un tableau signé de cet artiste et daté 1581 à l'église de Pieve Quinta près de Forli.

COREMAN Adrian
xvie siècle. Actif à Anvers vers le milieu du xvie siècle. Éc. flamande.
Peintre.

CORENAERS Gillis
xviie siècle. Actif à Anvers vers le milieu du xviie siècle. Éc. flamande.
Peintre.

CORENTIN, de son vrai nom : Marcel Ballut
Né à Saint-Fargeau (Yonne). xxe siècle. Français.
Peintre.
A exposé des paysages bretons au Salon des Indépendants, en 1920 et 1922.

CORENZIO Belisario, il cavaliere
Né vers 1558 dans la province d'Achaia, en Grèce. Mort vers 1640 à Naples. xvie-xviie siècles. Grec.

Peintre d'histoire, compositions religieuses, sujets allégoriques, compositions murales, fresquiste, dessinateur.
Ce peintre vint en Italie à 22 ans, après avoir étudié les principes de son art dans son pays. Il devint disciple de Tintoretto à Venise. Il passa cinq ans dans cette cité, puis s'établit à Naples et y finit ses jours. Il avait un caractère très jaloux et entier et persécuta souvent ses contemporains : Domenichino surtout souffrit beaucoup de ses mauvais procédés.
Belisario fut plus heureux dans l'exécution des fresques que dans ses compositions à l'huile. Dans ce premier genre, il travailla pour les églises San Patrizio, San Paolo Maggiore, San Marcellino, San Martino, et Sant'Annunziata.
Ventes Publiques : Paris, 1775 : *Les noces de Cana,* pl. et encre de Chine ; *Le Père Éternel sur un nuage,* bistre reh. de blanc, ensemble : FRF 60 – Paris, 1858 : *Un saint sur un lit de mort,* pl., lavé d'encre : FRF 13 – Paris, 17 fév. 1898 : *Composition pour un plafond,* dess. : FRF 11 – Paris, 20 avr. 1932 : *Le Triomphe de la Foi,* pl. et lav. gouaché de blanc : FRF 130 – Milan, 5 déc. 1972 : *Saint Mathieu :* ITL 750 000 – Portland, 29 nov. 1980 : *La Flagellation,* craie noire (27,5x16,4) : GBP 1 200 – Paris, 6 déc. 1982 : *La Vierge Marie et l'Enfant Jésus portés par des anges et adorés par des saints,* dess. (38,5x22,5) : FRF 8 500 – Paris, 7 déc. 1987 : *La Circoncision,* pl. et encre brune/traits de craie noire (22,4x19,6) : GBP 1 300 – New York, 11 jan. 1990 : *Saint Pierre et les anges accueillant une âme au paradis,* encre et lav. reh. de blanc/pap. bleu (21,5x16,2) : USD 8 800 – New York, 12 jan. 1994 : *Saints en gloire entourés d'anges,* encre et lav. avec reh. de blanc et de bleu, dessin pour une coupole (35,1x32,4) : USD 12 650 – Rome, 24 nov. 1994 : *Le Christ priant au jardin des Oliviers,* h/t (88x101) : ITL 2 357 000 – Londres, 2 juil. 1996 : *Envol d'anges,* craie noire et encre avec reh. de blanc, étude pour la partie de droite d'une lunette (23,9x17) : GBP 3 680.

CORFIELD Charles Collingwood
Né le 12 février 1910. xxe siècle. Britannique.
Peintre de compositions murales.
Il fut élève du College of Art de Leeds, du Royal College of Art de Londres, de l'Ecole des Beaux-Arts de Paris. En 1934, il obtint une bourse de voyage. Il est membre du Royal College of Art.

CORFOU Michel, pseudonyme de le Buzulier
Né le 24 juillet 1936 à Paris. xxe siècle. Français.
Peintre, dessinateur, artiste multimédia d'interventions.
Il fut élève de l'Académie de la Grande Chaumière et des ateliers de la Ville de Paris du boulevard Montparnasse. Il exposa à Paris, aux Salons des Artistes Indépendants en 1962, aux Surindépendants à partir de 1964, de la Société Nationale des Beaux-Arts en 1970 et 1971. Il participe à de très nombreuses expositions collectives depuis 1973, parmi lesquelles : 1975 à Paris sur le stand d'Iris Clert à la FIAC (Foire Internationale d'Art Contemporain), 1976 aux Musées d'Art Moderne de Bogota et São Paulo *Papier et Crayon,* 1981 et 1987 Biennale de São Paulo, etc. Il montre aussi ses travaux depuis 1970 dans des expositions personnelles à Paris et dans la périphérie.
Dans sa première période, jusqu'en 1969, il peignait sa nostalgie des natures mortes flamandes et des tableaux naturalistes du xviiie siècle. A partir de 1970, l'ensemble de son travail, pourtant multiforme, part de la notion et de la forme de l'œuf, dans la courbe duquel il voit le symbole écologique qui s'oppose à l'agressivité ambiante. Depuis Sceaux où il vit, il se dépense énergiquement, en de nombreuses manifestations qui vont de la peinture au mail art, de l'art dans la rue à la poésie visuelle, pour imposer la forme de l'œuf dans l'art et dans l'environnement. Par la pratique assidue du mail art, il intervient dans le monde entier. En peinture, dessin ou toutes sortes de graphismes, y compris à l'ordinateur, il subordonne toutes ses créations à la forme originelle et au « patern » de l'œuf. Pierre Restany ajoute que « Revenir à l'œuf cela implique aussi dénoncer la tyrannie de l'angle droit et affirmer la conviction de la vertu pacifiante de l'œuf. »
                                                                                    ■ J. B.

Bibliogr. : Gérard Xuriguera : *Les Figurations,* Édit. Mayer, Paris, 1985 – Gérard Xuriguera : *Le dessin dans l'art contemporain,* Édit. Mayer, Paris, 1987 – Pierre Restany, in : Catalogue du Salon de *La jeune peinture,* Paris, 1991.

CORFU Georges Félicien
Né à Jonchery-sur-Vesles (Marne). xxᵉ siècle. Français.
Peintre de genre, paysages.
Il a exposé à Paris, au Salon des Artistes Indépendants de 1907 à 1935.

CORGAN-LEEBER Sharon
xxᵉ siècle. Américaine.
Sculpteur.
Elle fut élève en un grand nombre de lieux, parmi lesquels : Université du Wyoming, Pittsburgh Arts and Crafts Center, Central Michigan University. Elle expose depuis 1970, dans des manifestations collectives à Pittsburgh, Dallas et d'autres villes des États-Unis, dans des expositions personnelles à Denver, Dallas, Houston, etc. Elle a des activités d'enseignement depuis 1961. La plétorique documentation fournie par l'artiste est muette sur son état-civil et sur son œuvre.
Musées : Dallas (Mus. of Fine Arts) – Liberty Hill, Texas (Nat. Sculpture Park) – Los Angeles (Shreveport Mus.).

CORGIALEGNO S.
Né à Marseille (Bouches-du-Rhône). Mort en 1912 à Paris. xxᵉ siècle. Français.
Peintre de paysages.
A exposé un paysage du Kent (Angleterre) au Salon de la Société Nationale des Beaux-Arts de 1911.

CORGNA Fabio della. Voir **CORNIA**

CORI Domenico Spinelli di Nicolo de
Né vers 1362 à Sienne. Mort en 1450 à Sienne. xivᵉ-xvᵉ siècles. Italien.
Sculpteur sur bois et architecte.
Cet artiste qui se rendit célèbre comme architecte, débuta comme sculpteur sur bois pour différentes églises siennoises entre 1396 et 1410.

CORIA Benjamin
Né à Orizaba (Véra-Cruz). xxᵉ siècle. Mexicain.
Peintre de portraits, natures mortes.
Il a exposé à Paris, au Salon des Artistes Indépendants en 1926, 1929, 1930.
Ventes Publiques : Paris, 29 oct. 1926 : *Nature morte* : FRF 1 600.

CORILLON Patrick
Né en 1959 à Knokke-le-Zoute. xxᵉ siècle. Actif aussi en France. Belge.
Artiste, vidéaste, multimédia.
Il vit et travaille à Paris et Liège. Il a participé en 1993 à l'exposition *On taking a normal situation* au Muhka d'Anvers, en 1994 à la Biennale de São Paulo, en 1995 à la Biennale de Lyon, en 1996 *Les Contes de fées se terminent bien* au FRAC Haute-Normandie au château de Val Freneuse à Sotteville-sous-le-Val, en 1997 *Transit – 60 artistes nés après 60 – Œuvres du Fonds national d'Art contemporain*, École des Beaux-Arts, Paris.
Il montre ses œuvres dans des expositions personnelles : 1988, 1989 galerie Etienne Ficheroulle, Bruxelles ; 1989 Studio Marconi 17, Milan ; 1989 Fondation d'art Kanaal, Courtrai ; 1989 musée d'Art contemporain de Dunkerque ; 1990 Fondation Cartier de Jouy-en-Josas et galerie Albert Baronian de Bruxelles ; 1991, 1997 galerie des Archives, Paris ; 1997 palais des Beaux-Arts, Charleroi.
Le travail de Patrick Corillon artiste représentatif de la nouvelle génération belge peut être qualifié d'hybride, en ce qu'il mêle tous les médiums artistiques : objets, films, installations, photographies, textes... Entre fiction et réalité, l'artiste s'interroge. Il invente des vies et des personnages. Le plus cité étant le le peintre et écrivain hongrois Oskar Serti (1881-1959) dont chaque exposition révèle un épisode de ses aventures ou plutôt ses mésaventures. Il est également l'auteur d'une suite d'œuvres sur le comportement des animaux.
Bibliogr. : Catalogue de l'exposition : *Les Contes de fées se terminent bien*, Les Impénitents, FRAC Normandie, Rouen, 1996.
Musées : Limoges (FRAC) : *L'Orage* 1992 – Sélestat (FRAC Alsace) : *Trois suites pour piano, le Vésuve* 1994-1995 – *Trois suites pour piano, Maurice Ravel* 1994-1995.

CORIN Edwin Philip
Né à Londres. xxᵉ siècle. Britannique.
Peintre d'architectures.
Il a aussi exposé à Paris, au Salon des Artistes Indépendants en 1923 et 1924, des peintures représentant différentes parties de l'abbaye de Westminster.

CORIN Jean
Né au Havre (Seine-Maritime). xxᵉ siècle. Français.
Sculpteur, graveur en médailles.
Il fut élève de Paul Landowski et Jules Félix Coutan. Il a exposé à Paris, au Salon des Artistes Français de 1924 à 1933.

CORINI Marguerite de
Née le 27 octobre 1902 à Kolozsvar. xxᵉ siècle. Active et naturalisée aux États-Unis. Hongroise.
Peintre de portraits, de compositions à personnages.
De 1931 à 1942, elle a exposé à Paris, où elle recevait les conseils d'André Derain, aux Salons des Artistes Français et des Artistes Indépendants. A New York, où elle travaille, elle est membre de l'Académie Nationale des Femmes Peintres et Sculpteurs.
Outre les portraits, elle a peint des scènes de la vie nocturne à Paris, par exemple : *Rue des Italiens*.
Musées : Budapest : *Pourquoi ?*

CORINTH Charlotte, née **Berend**
Née en 1880 à Berlin. xxᵉ siècle. Allemande.
Peintre de genre, portraits.
Elle fut élève d'Éva Stort et à l'École des Beaux-Arts de Berlin de Maximilian Schäfer. Elle a exposé pour la première fois à Berlin en 1906. Lovis Corinth fit son portrait, passé en vente publique à Cologne en 1957. Elle devint son épouse.
Ventes Publiques : Cologne, 4 juin 1985 : *Lago di Como* 1930, h/t (61x40) : DEM 2 200.

CORINTH Lovis
Né le 21 août 1858 à Tapiau (Prusse-Orientale). Mort le 17 juillet 1925 à Zandvoort (Hollande). xixᵉ-xxᵉ siècles. Allemand.
Peintre de compositions religieuses, sujets allégoriques, compositions à personnages, nus, portraits, paysages, natures mortes, fleurs, aquarelliste, graveur, lithographe, dessinateur. Postromantique, puis expressionniste.
Il étudia longuement la peinture dans les Académies des Beaux-Arts de Königsberg de 1876 à 1880, de Munich, de 1880 à 1884, avec pour professeurs Franz von Defregger et Ludwig von Loefftz, et où il eut la révélation de l'œuvre de Rubens, enfin, en 1884, au cours d'un voyage à Anvers et Amsterdam, où il subit le choc Rembrandt. Il fut toutefois alors formé dans le climat postromantique créé par les Böcklin et Hans von Marées. Un séjour de trois ans à Paris, de 1884 à 1887, eut une première influence sur la suite de sa formation. À l'Académie Julian, les leçons de William Bouguereau, Bastien Lepage et Robert-Fleury le confirmèrent dans sa découverte de la peinture flamande à travers le naturalisme de Courbet et Millet. En 1885, exposant au Salon, il obtint une médaille de bronze. Il envisageait alors de se fixer à Paris, s'il parvenait à être exposé assez régulièrement au Salon. Il semble bien qu'il ne s'aperçut tout d'abord pas de l'existence, à ce moment précis à Paris, d'une peinture nouvelle, vivante, promulguée par les impressionnistes. Lui-même était arrivé à Paris trop tard pour avoir pu voir leurs expositions chez Nadar. Toutefois, au Salon des Artistes Indépendants, en 1884, il fut très captivé par l'esquisse de *La Grande Jatte* de Seurat, dont le pointillisme laissera des traces dans ses propres œuvres ultérieures. Mais, ses attaches profondes restaient du côté de la tradition et du réalisme clair de Courbet. On devait pourtant le dire par la suite, au même titre que Max Liebermann et Max Slevogt, un « impressionniste allemand », ce qui d'ailleurs est totalement contestable. Il est vrai que son évolution ne fut ni aisée, ni soudaine. Il passa d'abord dix années à Munich, à partir de 1891, peignant des allégories, des scènes mythologiques, des scènes de genre et des compositions de nus, naturalistes et sensuelles, dans une technique dont, en dépit d'un dessin puissant mais lourd, la spontanéité réelle devait plus à Franz Hals qu'aux exemples modernes, qu'il ne suivait qu'en outrant hors de propos la couleur. À Munich, il participa à la Sezession de 1892, puis à la dissidence de 1894. En 1901, il se fixa à Berlin, où, en 1903, il épousa la femme peintre Charlotte Behrend, de trente ans plus jeune que lui. Il participa, avec Max Liebermann et Max Slevogt, à la « Sécession » locale, où il avait déjà exposé en 1898, instaurant le « Style Nouveau » et préfigurant les bouleversements qui allaient secouer le contexte artistique de la première décennie du siècle ; il en devint président à deux reprises, en 1911-1912 et en 1915. Assez curieusement, en 1911, en tant que président de la Sécession berlinoise, il refusa d'exposer les expressionnistes allemands, pour leur préférer les fauves et cubistes de Paris. Quant à lui-même, assez en symbiose avec la spécificité natura-

liste de la Sécession berlinoise, il poursuivait une production qui s'inscrivait encore dans un symbolisme postromantique, et non dans les courants vivants que se manifestaient ne fût-ce que dans la voisine Sécession viennoise, encore que s'y affirmaient progressivement une véhémence et une gravité croissantes, notamment dans quelques scènes religieuses, thèmes auxquels il revint sa vie durant : *La Déposition de Croix* 1907, *Le Golgotha* 1911. Son œuvre peint comporte environ mille numéros, auxquels il faut ajouter environ neuf cents gravures, surtout des pointes sèches et lithographies.

La plupart des historiens et critiques considèrent, à des degrés divers, que la crise d'apoplexie qui le frappa en 1911, eut une influence déterminante sur la profonde transformation qui s'opéra soudain dans son œuvre à partir de cet accident de santé, qui le laissa paralysé du bras gauche. C'est pourquoi, malgré sa date de naissance, Corinth doit être intégré parmi les artistes qui ont contribué à faire le xxᵉ siècle. D'un seul coup, il libéra à la fois son graphisme, son écriture, et sa palette. S'il peignit encore compositions religieuses, portraits, natures mortes, fleurs, ce fut surtout dans les paysages qu'il s'exprima désormais avec une fougue toute inédite dans ces années et qui accompagnait énergiquement l'apparition de l'expressionnisme allemand, qui le reconnaîtra en tant que précurseur. Kirchner dira plus tard de lui : « Au début, il n'était que de taille moyenne ; à la fin, il fut vraiment grand. » Avec une audace ahurissante, abandonnant toute notion de perspective et faisant basculer le paysage comme le fera Soutine plus tard, sabrant la toile de larges touches furieuses, souvent portées au couteau, la couleur poussée à son paroxysme comme chez Kokoschka, il maltraite la nature dont il lui importe peu d'exprimer l'essence, ne s'appuyant sur elle qu'au titre du prétexte qui lui permet de crier ses propres sentiments tumultueux. C'était l'époque où la réalité perdait son identité de référence esthétique, déjà bien atteinte par les impressionnistes, soit au profit de la construction plastique de l'œuvre, soit au profit de l'expression individuelle de l'artiste. Dans le cas de Corinth, il fait éclater toutes les traditions de la construction plastique du tableau au seul bénéfice de l'expression directe des émotions subjectives, rejoignant ainsi la passion de Van Gogh. Les paysages qu'il peignit sur la Côte d'Azur lui suggérèrent certains éléments de cette révolution de la forme et de la couleur dans sa peinture, mais ce fut surtout de 1918 à sa mort qu'il atteignit la plénitude dans l'exaltation de cette nouvelle expression, dans les très nombreux paysages du lac Walchensee en Bavière et dans quelques thèmes religieux, *Ecce Homo* de 1925, et les bouleversants portraits de lui-même, peints à chacun de ses anniversaires, qu'il laissa comme des témoignages sur le peu de réalité de notre monde que la mort de chaque homme suffit à effacer. Sa propre mort n'a toutefois pas suffi à effacer l'imbécillité de la surface du monde : en 1937, deux cent quatre-vingt-quinze de ses œuvres furent retirées des musées allemands en tant que *entartete Kunst*, art dégénéré.
∎ Jacques Busse

[signatures]

BIBLIOGR. : Lovis Corinth : *Écrits sur l'art*, 1921 – Lovis Corinth : *Autobiographie*, 1926 – P. Westheim : *L'Impressionnisme et l'Expressionnisme en Allemagne*, 1934 – Franz Meyer, in : *Diction. de la Peint. Mod.*, Hazan, Paris, 1954 – Marcel Brion : *La Peinture Allemande*, Pierre Tisné, Paris, 1959 – Michel Ragon : *L'Expressionnisme*, Rencontre, Lausanne, 1966 – in : *Diction. Univers. de la Peint.*, Robert, Paris, 1975 – Peter-Klaus Schuster, sous la direction de... : *Lovis Corinth*, Prestel, oct. 1996.
MUSÉES : AMSTERDAM (Stedelijk Mus.) : *L'étable* 1922 – ANVERS (Mus. des Beaux-Arts) : *Portrait de Georg Brandes* 1925 – BÂLE (Kunstmus.) : *Portrait du Président Friedrich Ebert* 1924 – *Ecce Homo* 1925 – BERLIN (Nationalgal.) : *Le cheval de Troie* 1924 – BRÊME (Kunsthalle) : *Nu* 1899 – *Portrait du peintre Bernt Grönvold* 1923 – BRESLAU, nom all. de Wroclaw : *L'amour maternel* – COLOGNE (Walraff-Richartz Mus.) : *Descente de Croix* 1895 – *Salomé* 1899 – *Autoportrait* 1918 – DRESDE : *Le Walchensee* – HAMBOURG (Kunsthalle) : *Portrait du peintre Eckmann* 1897 – *Nu*

au bain 1906 – *Portrait du peintre Léonid Pasternak* – HANOVRE (Niedersächsiches Landesmus.) : *Suzanne et les deux vieillards* 1923 – LEIPZIG : *Déposition de Croix* – LINZ (Neue städtl. Gal.) : *Un Othello* 1884 – MANNHEIM : *Nature morte au jambon* 1917 – *Paysage du Walchensee* 1920 – MUNICH (Neue Pinak.) : *Portrait du comte Eduard von Keyserling* 1901 – *Le Christ rouge* 1922 – MUNICH (Bayer. Staats Gemäldemus.) : *Le Walchensee avec prairie jaune* 1921 – MUNICH (Städt. Gal.) : *Autoportrait au squelette* 1896 – *Le Walchensee au clair de lune* 1920 – NEW YORK (Mus. of Mod. Art) : *Autoportrait* 1924 – PARIS (Mus. Nat. d'Art Mod.) : *Portrait de Julius Meier-Graefe* 1914 ou 1917 – PRAGUE (Gal. Nat.) : *Autoportrait au verre* 1907 – SAINT-GALL (Kunstmus.) : *Autoportrait au chapeau noir* 1911 – SARREBRUCK : *Paysage du Walchensee* 1921 – *Autoportrait au chevalet* 1922 – STUTTGART (Staatsgal.) : *À l'abattoir* 1892 – *À l'abattoir* 1893 – ULM : *Autoportrait* 1921 – WUPPERTAL (Mus. mun.) : *Portrait de Rudolf Rittner dans le rôle de Florian Geyer* 1906 – ZURICH (Kunsthaus) : *Autoportrait* 1925.

VENTES PUBLIQUES : COLOGNE, 21 nov. 1957 : *Portrait de Charlotte Berend (future épouse de l'artiste)* : DEM 15 000 – COLOGNE, 28 oct. 1958 : *Vaches dans une étable* : DEM 4 400 – COLOGNE, 29 mai 1959 : *Baigneurs dans la Méditerranée* : DEM 4 600 – BERNE, 17 juin 1960 : *Orpheus* : CHF 23 500 – STUTTGART, 3 mai 1961 : *Nature morte aux fleurs* : DEM 38 000 – STUTTGART, 3-4 mai 1962 : *Autoportrait avec chapeau de paille* : DEM 66 000 – HAMBOURG, 24 nov. 1962 : *Enlèvement de femmes*, aquar. : DEM 3 800 – MUNICH, 19 oct. 1966 : *Le Walchensee* : DEM 52 000 – LONDRES, 28 juin 1967 : *Portrait du sculpteur Friedrich* : GBP 1 000 – COLOGNE, 17 oct. 1969 : *Paysanne dans un intérieur* : DEM 21 000 – HAMBOURG, 4 juin 1970 : *La naissance de Vénus* : DEM 68 000 – MUNICH, 3 déc. 1971 : *Sous-bois* : DEM 172 000 – BERNE, 18 nov. 1972 : *Autoportrait*, craies de coul./fus. : CHF 26 000 – MUNICH, 28 mai 1976 : *Paysage d'automne, Walchensee* vers 1920, aquar. (35x47) : DEM 25 000 – HAMBOURG, 2 juin 1976 : *Nature morte aux fleurs* 1917, h/cart. (72,8x58,5) : DEM 54 000 – BERNE, 9 juin 1976 : *Autoportrait* 1910, craies de coul./trait de fus. (47,5x34) : CHF 36 000 – MUNICH, 26 nov. 1976 : *Le cavalier de l'Apocalypse* 1916, litho. : DEM 2 000 – MUNICH, 26 mai 1977 : *Cavalier à Niendorf* 1912, h/t (70x100) : DEM 45 000 ; *Paysage* 1916, litho. : DEM 3 800 – MUNICH, 24 nov. 1978 : *Le Walchensee par temps de brouillard* vers 1920, aquar. (35x47) : DEM 27 000 – COLOGNE, 19 mai 1979 : *Vue de Rome* 1914, eau-forte (20,1x24,6) : DEM 1 800 – BERNE, 20 juin 1979 : *Le taureau* 1922, aquar. et gche (31,5x50) : CHF 8 000 – LONDRES, 3 juil. 1979 : *Autoportrait avec sa femme et verre de champagne* 1902, h/t (98,5x108,5) : GBP 56 000 – LONDRES, 21 nov.1980 : *Walchensee, la maison de l'artiste*, fus./pap. gris (24x30,4) : GBP 5 400 – MUNICH, 30 juin 1981 : *Académie d'homme* 1918, aquar. (36x24) : DEM 6 500 – LONDRES, 17 juin 1982 : *Maison au bord du Walchensee*, fus./pap. gris (25x30) : GBP 1 000 – MUNICH, 29 juin 1983 : *Autoportrait dessinant* 1925 : DEM 6 000 – COLOGNE, 2 juin 1984 : *Le lac de Lucerne, la matin* 1924, h/t (60x73,5) : DEM 520 000 – ROME, 4 déc. 1984 : *Paysage du Walchensee* 1921, aquar. (36x51) : DEM 80 000 – LONDRES, 21 juin 1984 : *Schlossfreiheit, Berlin* 1923, cr. et craie noire reh. de blanc (30x39,2) : GBP 3 000 – LONDRES, 18 juin 1985 : *Portrait de Elly* 1889, h/t (189x110,5) : GBP 90 000 – HAMBOURG, 6 juin 1985 : *Autoportrait dessinant* 1923, craie (33,1x25,2) : DEM 11 000 – LONDRES, 25 juin 1986 : *Portrait of Gertrud Mainzer* 1898, past. (60x45,5) : GBP 12 700 – LONDRES, 29 juin 1987 : *Amaryllis, Kalla und Flieder* 1922, h/t (104x79,5) : GBP 110 000 – MUNICH, 10 nov. 1987 : *Walchensee* 1923, aquar. (31,8x50,1) : DEM 55 000 – MUNICH, 28 oct. 1987 : *Femme au parapluie* 1896, fus. et cr. (35x25,5) : DEM 11 000 – SAINT-DIÉ, 20 mars 1988 : *Nature morte aux cerises* 1922, aquar. (39x43,5) : FRF 18 000 – LONDRES, 30 mars 1988 : *Nature morte aux lilas*, h/t mar./pan. (48x67) : GBP 77 000 – MUNICH, 8 juin 1988 : *Un hibou*, aquar. et cr. (10,2x8) : DEM 4 510 – LONDRES, 21 oct. 1988 : *Charlotte avec Wilhelmine* 1909, h/pap. (68x50,2) : GBP 9 900 ; *Enfant et cheval* 1920, h/pan. (40x50,2) : GBP 25 300 – LONDRES, 29 nov. 1988 : *Dalhias dans un vase bleu* 1915, k h/cart. (75,5x50,8) : GBP 82 500 – LONDRES, 4 avr. 1989 : *Nature morte de gibier avec un lièvre et des perdrix* 1910, h/t (114,7x94,6) : GBP 63 800 – MUNICH, 7 juin 1989 : *Femme lisant* 1918, cr. (40,5x34,5) : DEM 8 580 – LONDRES, 3 avr. 1990 : *Ariane à Naxos* 1913, h/t (116x147) : GBP 110 000 – TEL-AVIV, 19 juin 1990 : *La Tentation de saint Antoine* 1919, eau-forte (24,3x30,4) : USD 610 – TEL-AVIV, 20 juin 1990 : *L'abattoir*, cr. (26x34) : USD 1 540 – LONDRES, 4 déc. 1990 : *Le rire homérique n° II* 1919, h/pap./pan. (60x72) : GBP 42 900 – MUNICH, 12 déc. 1990 : *Dans la porcherie*, h/t

(58x78) : **DEM 28 600** – Berlin, 30 mai 1991 : *La rose, portrait de Lucie Mainzer* 1914, h/t (60x43) : **DEM 83 250** – Munich, 26-27 nov. 1991 : *Charlotte cousant* 1908, cr. (23x21) : **DEM 4 830** – New York, 19 fév. 1992 : *Portrait de Mr. Eduard Krüger* 1912, h/t (49,8x40) : **USD 52 800** – Munich, 26 mai 1992 : *Le taureau de Mecklenburg* 1922, aquar. (31,5x50) : **DEM 27 600** – Londres, 1er déc. 1992 : *Femme au bord d'un ruisseau dans les bois (Charlotte Corinth)* 1913, h/t (94x118) : **GBP 60 500** – Heidelberg, 5-13 avr. 1994 : *Bacchanale* 1895, litho. en coul. (31,7x46,4) : **DEM 1 800** – Londres, 13 oct. 1994 : *Patinage à Tiergarten de Berlin* 1909, h/t (64x90) : **GBP 364 500** – New York, 1er mai 1996 : *Autoportrait* 1925, eau-forte et pointe sèche/pap. Japon (31x25) : **USD 10 350** – Amsterdam, 5 juin 1996 : *La Rose, portrait de Lucie Mainzer* 1914, h/t (60x43) : **NLG 86 250** – Berne, 20-21 juin 1996 : *L'Amour de Zeus* 1920, litho. coul., série de huit planches (chaque 38x45) : **CHF 3 500** – Londres, 9 oct. 1996 : *Nu féminin allongé* 1918, h/pan. (39,5x60) : **GBP 45 500** – Munich, 23 juin 1997 : *Nu féminin allongé* 1887, h/t (85x174,5) : **DEM 108 000**.

CORIOLANO Bartolomeo
Né vers 1599 à Bologne. Mort en 1676 probablement à Bologne. XVIIe siècle. Italien.
Graveur et dessinateur.
Bartolomeo, après avoir étudié chez son père, entra dans l'école de Guido Reni, et montra une grande facilité dans le dessin et beaucoup d'habileté comme graveur. Il travailla à Bologne, de 1630 à 1647, et se servit souvent des modèles de son maître et de ceux du Guercino. Urbain VIII lui alloua une pension, comme récompense d'une remarquable série d'estampes.

CORIOLANO Cristoforo
Né à Nuremberg. XVIIe siècle. Vivait à Bologne vers 1600. Italien.
Sculpteur sur bois.
Il fut le père de Bartolomeo Coriolano.

CORIOLANO Giovanni Battista
Né vers 1590 à Bologne. Mort sans doute en 1649. XVIIe siècle. Italien.
Peintre d'histoire et graveur.
G.-B. Coriolano étudia la peinture chez Giovanni-Lod. Valesio, mais se distingua surtout dans la gravure. De ses travaux pour des églises de Bologne, on cite deux tableaux à Sainte-Anne, représentant *Saint Nicolas* et *Saint Bruno*, et une peinture pour l'autel de la Nunziata, où figurent *Saint Jean, saint Jacques et saint Bernard*. Il grava sur bois et sur cuivre et ses travaux sur bois sont ceux dans lesquels il réussit le mieux. Ses planches en clair-obscur portent les dates qui s'étendent de 1619 à 1625. Ses meilleurs ouvrages rappellent Villamena.

CORIOLANO Teresa Maria
Née probablement à Bologne. XVIIe siècle. Active vers le milieu du XVIIe siècle. Italienne.
Peintre et graveur.
Elle était l'élève de son père, Bartolomeo Coriolano, pour la gravure, et travailla la peinture sous la direction d'Elisabetta Sirani. On cite une planche d'elle : *Vierge avec l'Enfant Jésus.*

CORIOLANUS Joachim Dieterich
XVIe siècle. Actif à Bâle vers 1590. Suisse.
Sculpteur sur bois ou dessinateur.
On connaît plusieurs œuvres signées de ce nom. Selon Milanesi, il s'agirait du père de Cristoforo Coriolano.

CORKLING May
XIXe siècle. Britannique.
Peintre de genre, de paysages et de natures mortes.
Cette artiste fut l'élève de J. D. Watson et exposa en 1878 à la Royal Academy.

CORKOLE Auguste
Né en 1829 à Gand. Mort le 14 novembre 1875 à Gand. XIXe siècle. Éc. flamande.
Peintre de genre, paysages.
Musées : Ypres : *Le jeu de cartes interrompu.*
Ventes Publiques : Bruxelles, 27 fév. 1985 : *Paysage avec retour des moissonneurs* 1862, h/t (66x101) : **BEF 32 000**.

CORKRAN Henriette L.
Morte le 17 mars 1911. XXe siècle. Britannique.
Peintre, pastelliste.
Elle exposa à la Royal Academy, entre 1872 et 1903.

CORLAN J.
XVIIIe siècle. Actif vers 1790. Allemand.
Peintre de miniatures.

CORLAY Yves I
XVIIe-XVIIIe siècles. Français.
Sculpteur.
Il fut le père de Yves III Corlay. Il répara en 1692 les stalles du chœur de la cathédrale de Tréguier et fit, en 1704, avec son frère, une chaire pour l'abbaye de Beauport.

CORLAY Yves II
XVIIIe siècle. Français.
Sculpteur.
Il était le frère de Yves I Corlay, travailla à Tréguier vers 1704.

CORLAY Yves III
Né le 17 juin 1700 à Tréguier (Côtes-d'Armor). Mort le 24 mars 1776 à Châtelaudran (Côtes-d'Armor). XVIIIe siècle. Français.
Sculpteur.
Il travailla aussi bien à Tréguier qu'à Brest, à Loudéac, à Plouezec ou à Saint-Brieuc. Il travailla surtout pour des églises et, à Brest, à la décoration des bateaux. Il semble qu'il fut aussi architecte.

CORLET
XVIIIe siècle. Actif à Lunéville vers 1734. Français.
Peintre.

CORLEVA Vincent
Mort en 1672 à Amsterdam. XVIIe siècle. Hollandais.
Peintre.

CORLIN Gabrielle
Née à Sauveterre (Gironde). XIXe-XXe siècles. Française.
Peintre.
Sociétaire des Artistes Français ; mention honorable en 1914.

CORLIN Gustave Auguste
Né le 10 juin 1875 à Rully (Saône-et-Loire). Mort en janvier 1970. XXe siècle. Français.
Peintre de paysages, natures mortes.
Il fut élève de Jean-Léon Gérome, Fernand Humbert, Gabriel Guay. Il collabora avec Puvis de Chavannes aux fresques du Panthéon. Il exposa à Paris, au Salon des Artistes Français, dont il devint sociétaire, médaille d'argent et Prix Valérie Havant 1920, médaille d'or 1923, hors-concours, chevalier de la Légion d'Honneur.
Ventes Publiques : Paris, 11 avr. 1988 : *La route de Pussilly* 1927, h/t (61x75) : **FRF 5 000**.

CORM Daoud
Né en 1852 à Ghosta. Mort en 1930. XIXe-XXe siècles. Libanais.
Peintre de portraits, de compositions religieuses.
En 1870, âgé de dix-huit ans, il partit pour Rome, où il resta cinq années, et où il fut élève à l'Institut des Beaux-Arts de Roberto Bompiani, peintre de la cour. Durant ce séjour, il visita les musées et collections, apprenant à apprécier Raphaël, Michel-Ange, Titien, etc. Il exposa à Paris, lors de l'Exposition Universelle de 1889, et encore en 1901. Il reçut des décorations libanaises et étrangères. Il fut le maître de jeunes peintres libanais. A Rome, il reçut des commandes, dont celle d'un portrait du Pape Pie IX. Il fut ensuite peintre officiel à la cour du roi Léopold II de Belgique. Revenu dans son pays, il exécuta de très nombreuses commandes de personnalités libanaises, syriennes, égyptiennes. Il peignit des compositions religieuses pour un grand nombre d'églises du Liban, de Syrie, d'Égypte et de Palestine.
Bibliogr. : Divers : Catalogue de l'exposition *Liban – Le regard des peintres – 200 ans de peinture libanaise*, Institut du Monde Arabe, Paris, 1989.

CORM Georges
Né en 1896 à Beyrouth. Mort en 1971. XXe siècle. Libanais.
Peintre de portraits, figures, paysages, aquarelliste, dessinateur.
Il était fils de Daoud Corm. De 1919 à 1921, il fut élève de l'Ecole des Beaux-Arts de Paris. A partir de 1921, il remporta durant toute sa vie récompenses, médailles libanaises, mais aussi françaises et anglaises, et occupa des postes honorifiques. En 1928, il émigra en Égypte, d'où il ne revint qu'en 1956 et fut décoré de l'Ordre du Cèdre en 1958. En 1981, une exposition rétrospective de son œuvre fut présentée à la Chambre de Commerce et d'Industrie de Beyrouth.
Bibliogr. : Divers, in : Catalogue de l'exposition *Liban – Le*

regard des peintres – 200 ans de peinture libanaise, Institut du Monde Arabe, Paris, 1989.

CORMACK Minnie, née Everett
XIXe-XXe siècles. Britannique.
Peintre et graveur.
Elle exposa entre 1892 et 1906 à la Royal Academy.

CORMACK N.
XIXe siècle. Britannique.
Peintre de portraits.
Il exposa entre 1814 et 1816 à la Royal Academy de Londres.

CORMAUX Michel
Né à Paris. XXe siècle. Français.
Peintre de paysages.
Il a exposé à Paris, aux Salons des Artistes Français et d'Automne de 1926 à 1933.

CORMEILLE Guillaume
XVIIe siècle. Actif à Angoulême en 1672. Français.
Peintre.

CORMÉNIDE
IVe siècle avant J.-C. Antiquité grecque.
Peintre.
Actif en 345 avant J.-C. Cité par Pline, il fut élève d'Euphranor.

CORMERAY Georges
Né à Angers (Maine-et-Loire). XIXe siècle. Français.
Peintre.
Élève de Brunclar et de Dauban. Il débuta au Salon de 1879.

CORMIER Fernande
Née le 17 novembre 1888 à Toulon (Var). Morte le 15 août 1964 à Sanary (Var). XXe siècle. Française.
Peintre de portraits, sujets orientaux.
Elle fut élève de Fernand Humbert et d'Émile Renard. Elle exposait à Paris, aux Salons des Artistes Français depuis 1913, sociétaire, deuxièmes médailles 1920 et 1937 pour l'Exposition Universelle, d'Automne de 1919 à 1926, des Tuileries en 1927 et 1929.

CORMIER François
XVIIIe siècle. Français.
Sculpteur.
Il fut reçu à l'Académie Saint-Luc à Paris en 1779.

CORMIER Joseph J. Emmanuel ou Joé, pseudonyme de Descomps
Né le 18 janvier 1869 à Clermont-Ferrand (Puy-de-Dôme). Mort le 24 avril 1950 à Paris. XIXe-XXe siècles. Français.
Sculpteur de sujets mythologiques, groupes, statues.
Il fut élève de Louis-Auguste Hiolin. Il vivait et travaillait à La Charité (Nièvre). S'il ne s'occasionnellement exposé, à Paris, aux Salons d'Automne et des Tuileries, il a régulièrement figuré au Salon des Artistes Français : sociétaire en 1893, il obtint une mention honorable en 1898, une troisième médaille en 1921, une deuxième médaille en 1925, et une première médaille en 1928. Il fut fait chevalier de la Légion d'Honneur.
Musées : PARIS (Mus. Nat. d'Art Mod.) : *Danaïde* – PARIS (Petit-Palais) : *Artémis* – PARIS (Mus. Galliéra) : *Pandore.*
Ventes Publiques : LONDRES, 10 nov. 1976 : *Jeune Femme debout,* bronze (H. 38,5) : **GBP 260** – ENGHIEN-LES-BAINS, 29 oct. 1978 : *Jeune Femme nue,* bronze : **FRF 6 100** – MONTE-CARLO, 15 avr. 1978 : *Petite Bacchante,* ivoire et bronze (H. 27) : **FRF 5 200** – NEW YORK, 1er mars 1980 : *Deux nymphes, satyre enfant et chèvre,* bronze (H. 27) : **USD 1 200** – PARIS, 20 nov. 1981 : *Nu à la guirlande de fleurs,* bronze (H. 46) : **GBP 380** – LONDRES, 7 oct. 1982 : *Danseuse nue aux colliers,* ivoire (H. 26) : **GBP 1 700** – BRUXELLES, 17 juin 1985 : *Danseuse,* bronze et ivoire (H. 53) : **BEF 220 000** – PARIS, 5 nov. 1986 : *Femme allongée, écoutant un enfant musicien* vers 1920, bronze (H. 47) : **FRF 11 500** – LONDRES, 19 déc. 1986 : *Jeune Femme aux bracelets,* ivoire et métal doré (H. 22) : **GBP 3 200** – PARIS, 25 mars 1988 : *Jeune Fille nue,* ivoire/base de Boucheron en agate à monture or ornée de deux plaques de lapis-lazuli et de trois cabochons de corail (H. 23) : **FRF 22 000** – PARIS, 10 juin 1988 : *Sphinge,* granit (H 69) : **FRF 29 100** – PARIS, 28 nov. 1990 : *Les trois Grâces,* terre cuite (H. 25) : **FRF 5 500** – LOKEREN, 23 mai 1992 : *Nu,* bronze argenté (H. 68) : **BEF 70 000** – PARIS, 27 nov. 1992 : *Baigneuse,* bronze (H. 30) : **FRF 3 500.**

CORMIER Joseph Paul
XIXe siècle. Français.
Peintre.
Exposa au Salon de Paris, de 1835 à 1843.

CORMIER Nicole, épouse Vago
Née le 1er décembre 1932 à Combrée (Maine-et-Loire). XXe siècle. Française.
Peintre, peintre de cartons de décorations murales, mosaïques, vitraux.
Elle fut élève de l'Ecole des Beaux-Arts de Nantes. Elle a réalisé de très nombreuses commandes de décorations, mosaïques, tôles émaillées, vitraux, pour des collectivités locales, Lycée du Mans, Groupes Scolaires, Basilique de Lourdes.

CORMIERUS Alain
Né à Paris. XXe siècle. Français.
Peintre.
Il exposa à Paris au Salon des Indépendants et au Salon des Humoristes.

CORMON Fernand, pseudonyme de Ferdinand Anne Piestre
Né le 24 décembre 1854 à Paris. Mort le 20 mars 1924 à Paris. XIXe-XXe siècles. Français.
Peintre d'histoire, compositions religieuses, scènes de chasse, sujets typiques, portraits, animaux, fleurs.
Élève de Portaëls à Bruxelles, puis de Cabanel et de Fromentin à Paris, il débuta au Salon de Paris en 1863, il obtint une médaille en 1870, une deuxième médaille en 1873, une médaille d'honneur en 1887. À l'Exposition Universelle de 1878, il reçut une troisième médaille. Croix de la Légion d'Honneur en 1880, il fut Commandeur en 1912. Il fut professeur à l'École des Beaux-Arts de Paris, et membre de l'Institut. Il fut le maître de Van Gogh et de Toulouse-Lautrec qui composa, sous son influence, quelques tableaux mythologiques. Parmi ses œuvres, citons : *La mort de Mahomet* 1863 ; *Les noces des Nibelungen* 1870 ; *Sila,* peinture orientale de 1873 ; *La mort de Ravana, roi de Louka* 1875 ; *Jésus-Christ ressuscite la fille de Jaïre* 1877 ; *Les vainqueurs de Salamine* 1887. Parmi ses nombreuses décorations, citons celle de la mairie du IVe arrondissement, celles pour le Museum d'Histoire Naturelle de Paris, celle du Musée du Petit Palais.
Depuis le début de sa carrière, Cormon n'a connu que le succès. Son œuvre prit rapidement une tournure littéraire, il était également peintre religieux, mais il fut surtout connu pour ses séries de toiles racontant l'histoire du genre humain depuis l'époque quaternaire, avec ses *Chasses à l'ours à l'âge de la pierre polie,* qui décore le musée de Saint-Germain-en-Laye.

F. Cormon 93

BIBLIOGR. : Gérald Schurr, in : *Les Petits Maîtres de la peinture 1820-1920, valeur de demain,* Les Éditions de l'Amateur, t. III, Paris, 1976.
Musées : BESANÇON : *Jalousie au sérail* – CARCASSONNE : *Retour d'une chasse à l'ours* – COUTANCES : *Jésus ressuscite le fille de Jaïre* – MULHOUSE : *Bataille d'Essling* – PARIS (ancien Mus. du Luxembourg) : *Caïn* – *La forge* – *Portrait de M. Loubet* – *Autoportrait* – ROUEN : *Les vainqueurs de Salamine* – SAINT-GERMAIN-EN-LAYE : *Retour d'une chasse à l'ours à l'âge de pierre* – TOULOUSE : *La mort de Ravana.*
Ventes Publiques : PARIS, 1881 : *Jalousie au sérail* : **FRF 700** – PARIS, 10 avr. 1884 : *Caïn devant le Seigneur* : **FRF 1 500** – PARIS, 26 fév. 1908 : *Le voile* : **FRF 400** – LONDRES, 5 fév. 1911 : *La vie des grands* – *La vie du peuple* : **GBP 5** – PARIS, 4 juin 1928 : *Après le bain* : **FRF 1 000** – PARIS, 22 fév. 1943 : *La lecture* : **FRF 2 500** – PARIS, 15 juin 1954 : *Conte des Mille et une Nuits* : **FRF 81 000** – PARIS, 10 fév. 1975 : *Après la bataille,* h/t (49x64) : **FRF 9 500** – PARIS, 6 juin 1975 : *Lion attaquant des cavaliers,* h/pan. (32x40) : **FRF 5 500** – PARIS, 14 déc. 1976 : *Jeune femme au paon,* h/t (59x72) : **FRF 2 600** – SAINT-GERMAIN-EN-LAYE, 21 fév. 1981 : *Scène de harem,* h/t (93x66) : **FRF 31 000** – PARIS, 7 mars 1984 : *La mort de Mahomet* 1867, h/t (116x180) : **FRF 200 000** – LONDRES, 27 nov. 1985 : *Nu couché sur une peau de tigre* 1892, h/t (52,5x90) : **GBP 17 000** – PARIS, 17 fév. 1988 : *L'os* 1890, h/t (55x46) : **FRF 3 200** ; *Jeune Berbère,* h/t (48x41) : **FRF 7 500** – NEW YORK, 25 fév. 1988 : *La fille de l'artiste pêchant,* h/t (54,6x64,8) : **USD 4 620** – BERNE, 26 oct. 1988 : *La Colombe,* h/pan. (27x35) : **CHF 2 600** – CALAIS, 13 nov. 1988 : *Scène de bataille* 1898, h/t : **FRF 15 500** – PARIS, 20 mars 1989 : *Enfant* 1884, h/t (39x19) : **FRF 18 000** – MONACO, 3 déc. 1989 : *Étude pour Caïn,* h/t (54,5x38,5) : **FRF 22 200** – CALAIS, 4 mars 1990 : *Jeune femme en chemise* 1884, h/t (40x19) : **FRF 30 000** – NEW YORK, 26 oct. 1990 : *Un soldat,* cr. et craies/pap. (40,6x27,9) : **USD 1 650** – PARIS, 10

avr. 1991 : *Salomé et David*, cr. noir et aquar. (42x30) : **FRF 4 800** – Paris, 19 jan. 1992 : *Le bronze et le fer*, h/t, esquisse (41x25,5) : **FRF 6 000** – Paris, 27 mai 1993 : *Ciel nuageux*, h/cart., étude (20,5x25,5) : **FRF 5 200** – Londres, 16 juin 1993 : *Combat entre deux guerriers*, h/t (57x47) : **GBP 3 450** – Paris, 30 nov. 1994 : *La Mort de Ravana* 1874, h/t (49x71) : **FRF 8 000** – New York, 19 jan. 1995 : *Têtes*, h/t, deux études (53x77) : **USD 4 025** – Paris, 16 mars 1996 : *Un déjeuner d'amis* 1885, h/t (94x122) : **FRF 170 000** – New York, 23-24 mai 1996 : *Le Harem*, h/t (94,6x120) : **USD 63 000**.

CORMON Jean de
xve siècle. Actif à Paris vers 1492. Français.
Peintre d'histoire.
Peintre d'Anne de Bretagne.

CORNA Antonio. Voir ANTONIO della Corna

CORNACCHIA Felice
xviie siècle. Italien.
Peintre.
Il fut moine, et exécuta une *Madone à la rose avec saint Dominique* qui se trouve à Joanella (Abbruzes).

CORNACCHIA Fidele
Né à Vallerotonda (Campanie). xxe siècle. Italien.
Sculpteur.
Il fut élève du sculpteur Louis Auguste Hiolin. Il a exposé à Paris, au Salon des Artistes Français de 1912 à 1926.

CORNACCHIA Giovanni
Né le 2 novembre 1802 à San Secondo (Parme). Mort le 6 juillet 1846 à Parme. xixe siècle. Italien.
Graveur.
Il fait partie de l'École de P. Toschi. On conserve de lui au Musée de Parme deux copies à l'aquarelle de fresques du Corrège, faites avec Toschi.

CORNACCHINI Agostino
Né en 1683 à Pescia. Mort après 1740 à Rome. xviiie siècle. Italien.
Sculpteur.
Il était élève de G. B. Foggini et travaillait surtout dans le style baroque. On cite de lui, dans l'église Saint-Pierre de Rome : la *Statue de saint Elie*, la *Statue équestre de Charlemagne* ; dans la cathédrale Saint-Urbain, une statue représentant *Clément XI* ; dans la cathédrale d'Orvieto les *Archanges saint Michel et saint Gabriel* ; à Florence, dans l'église de la Trinité, les ornements de stuc des colonnes de la chapelle de S. Giovanni Gualberto. *Le repos d'Endymion*, bronze, figure dans une collection particulière en Pologne.

CORNACCINI Agostino
xviiie siècle. Actif vers 1727. Italien.
Peintre d'histoire.
Siret cite de lui une peinture à la cire sur ardoise, conservée au Victoria and Albert Musuem à Londres.

CORNAILLES Antoine Toussaint
xviiie siècle. Français.
Peintre sur porcelaine.
Il fut attaché de 1755 à 1800 à la Manufacture de Sèvres.

CORNALE Michel Angelo
xviiie siècle. Italien.
Ingénieur, calligraphe et peintre.
Il travailla à Vérone.

CORNALLE Jean ou Cornille
xvie siècle. Français.
Sculpteur.
Il sculpta, en 1522, les armes de Mgr Oudart Hennequin, sur une clef de voûte de la cathédrale de Troyes.

CORNAND René
Né le 11 décembre 1929 à Saint-Étienne (Loire). xxe siècle. Français.
Peintre, sculpteur, graveur, lithographe. Abstrait.
De 1963 à 1969, il suivit les cours municipaux de dessin de Roanne, où il vit. Il s'est surtout formé à l'occasion de découvertes successives des grands peintres modernes et contemporains, Cézanne, Picasso, Masson, Mathieu, etc. Depuis 1964, il participe à des expositions collectives régionales, en particulier Roanne et Marly. Il montre aussi des ensembles de ses œuvres à titre personnel. Il peint des panneaux décoratifs, notamment pour les bâtiments publics de Marly.

Il peint ou sculpte des hommages aux artistes qu'il admire, restant quant à sa propre manière attaché à la calligraphie plastique de Mathieu.

CORNARA Carlo
Né en 1605 à Milan. Mort en 1673. xviie siècle. Italien.
Peintre d'histoire.
Cornara sortit de l'école de Camillo Procaccini. Il peignit peu, mais avec une grande délicatesse de goût. La Galerie Brera, à Milan, conserve une *Madeleine* de Cornara.

CORNAREAU Paul
xviiie siècle. Français.
Peintre.
Il travaillait à La Rochelle.

CORNASELLO Paolo del
xvie siècle. Italien.
Sculpteur.
Il travaillait en 1531 au chœur de l'église Santa Maria de Bergame.

CORNAZZANO Giacomo
xve siècle. Italien.
Miniaturiste.
Son nom se trouve cité dans un acte notarié le 16 décembre 1466 à Parme.

CORNAZZANO Giovanni Bernardo
Mort avant le 8 avril 1486. xve siècle. Actif à Parme. Italien.
Peintre et miniaturiste.
Son nom est mentionné pour la première fois le 16 octobre 1458. On trouve un tableau de lui dans la cathédrale de Parme.

CORNAZZANO Giovanni Maria
xvie siècle. Italien.
Peintre.
Il travaillait à Parme. On cite de lui un plafond et des fresques au Palazzo della Residenza (1543), une peinture sur le portail et des armoiries sur la cheminée dans la salle du Conseil général.

CORNE
xixe siècle. Français.
Graveur sur bois et au pointillé.
Il était actif à Toulouse de 1818 à 1828. Il a gravé quelques portraits et des armoiries. Le Musée de Toulouse conserve *La Halte* de G. Corne, peut-être le même artiste ?

CORNE Georges
xve siècle. Français.
Sculpteur et fondeur.
Il travaillait à Amiens vers 1471.

CORNE Michaele Felice
Né en 1752 en Italie. Mort en 1832 à Newport (Rhode-Island). xviiie-xixe siècles. Américain.
Peintre de portraits, marines, aquarelliste.
Ventes Publiques : New York, 31 mai 1984 : *Portrait d'homme*, aquar. et gche/pap. monté sur étain (41,3x30,5) : **USD 8 000** – Londres, 20 mai 1992 : *Le « Squirrel of Poole » entrant dans le port de Naples* 1791, aquar. (34,5x46,5) : **GBP 2 420**.

CORNEAU Eugène
Né le 18 juin 1894 à Vouzeron (Cher). Mort le 12 octobre 1976 à Pontaubert (Yonne). xxe siècle. Français.
Peintre de paysages, paysages animés, nus, graveur, illustrateur.
Il vint à Paris dès 1901. Il exposa pour la première fois en 1918. Il a exposé régulièrement au Salon d'Automne, dont il devint sociétaire en 1921, puis du membre du comité en 1953. Il a exposé aussi au Salon des Tuileries à partir de 1923. En 1925, il fut lauréat de la bourse de la Villa Abd-el-Tif, qui lui permit de séjourner à Alger en 1925 et 1926 et de voyager en Afrique du Nord. A son retour, il séjourna annuellement à Pontaubert, près d'Avallon, où il se fixa définitivement en 1974. Depuis environ 1930, il alla aussi régulièrement à Saint-Jean-de-Monts en Vendée. De 1941 à 1944, il travailla dans le Berry. De 1954 à 1961, il partagea son temps chaque année entre l'Algérie, Paris, l'Île d'Yeu et Pontaubert. Sa première exposition personnelle eut lieu à Paris en 1918 et y fut suivie d'autres annuellement jusqu'en 1924, puis 1927, 1929, 1933, 1937, 1938, 1947, 1949, 1952, 1961, 1965, 1970. En 1937, à l'occasion de l'Exposition Universelle, il fut chargé de décorer le Pavillon du Berry-Nivernais. Il a exposé, outre Paris, Bruxelles 1925, 1928, Alger 1927, New York 1928, 1938, Haarlem en Hollande 1931, Biennale de Venise 1940, Tunis

1943, Nantes 1950, Avalon 1974. Une exposition rétrospective lui fut consacrée en 1975 à Saint-Jean-de-Monts (Vendée). De 1953 à 1962, il enseigna la gravure à l'École Nationale des Beaux-Arts d'Alger. Il fut vice-président de la Société des Peintres-Graveurs français en 1958, et a illustré de nombreux ouvrages, parmi lesquels : *Le songe de Vaux* de La Fontaine, *Typhon* de Conrad dans la traduction de Gide.

Il a peint les paysages de Bretagne et de Provence, les rues des vieux villages français, les ports de l'Atlantique. Il a peint aussi au cours de ses nombreux voyages. En plus des paysages et des paysages animés, il a peint de nombreux intérieurs, s'y montrant un intimiste proche des Nabis. Il fut l'ami de Marquet, de Clairin.

■ J. B.

E Corneau

BIBLIOGR. : Catalogue de vente, Versailles, 12 fév. 1989.

MUSÉES : ALBI – ALGER – ANNECY – BAGNOLS-SUR-CÈZE – BOURGES – CONSTANTINE – GAND – ORAN – PARIS (Mus. Nat. d'Art Mod.) : *Les baigneuses à Vence* 1922 – *Paysage de Fontette, Yonne* 1945 – POITIERS – TOURS – TUNIS.

VENTES PUBLIQUES : PARIS, 22 nov. 1922 : *Maisons au bord d'un étang, Vouzeron, Cher* : FRF 200 ; *Nature morte, pommes, pichet, pipes, branches de laurier dans un pot de grès* : FRF 300 – PARIS, 3 juin 1927 : *Fleurs et violon* : FRF 460 – PARIS, 24 nov. 1928 : *Paysage à Vouzeron* : FRF 200 ; *Nature morte* : FRF 190 – PARIS, 23 avr. 1937 : *Nature morte* : FRF 550 ; *Après le bain* : FRF 300 – PARIS, 14 mai 1943 : *Nature morte* : FRF 900 – PARIS, 10 déc. 1943 : *Nu en plein-air* : FRF 1 000 – PARIS, 25 mars 1944 : *La sieste en plein-air* : FRF 1 700 – PARIS, 19 fév. 1982 : *Le modèle assis* 1921, h/t (73x60) : FRF 2 900 – VERSAILLES, 2 mars 1986 : *Clamart, août 1918*, h/t (60x81) : FRF 15 000 – PARIS, 27 fév.1987 : *Scène de rue*, h/t (50x40) : ATS 15 000 – PARIS, 12 fév. 1989 : *La fenêtre*, h/t (115,5x92) : FRF 52 000 – LONDRES, 22 fév. 1989 : *Le bain et la sieste*, h/t (114x145) : GBP 1 980 – PARIS, 11 avr. 1989 : *Femme au chapeau cloche*, h/t (55x46) : FRF 9 500 – VERSAILLES, 20 juin 1989 : *Nature morte aux pommes rouges*, h/t (59,5x73) : FRF 26 000 – VERSAILLES, 25 mars 1990 : *Paris, la Seine* 1928, h/t (65x92) : FRF 40 000 – PARIS, 13 juin 1990 : *Femme et enfant dans un paysage*, h/t (130x65) : FRF 13 000 – VERSAILLES, 21 jan. 1990 : *Baigneuses*, h/t (73x50) : FRF 600 – NEUILLY, 11 juin 1991 : *Le repos sous les arbres*, h/pan. (22x27) : FRF 6 500 – PARIS, 22 juin 1992 : *La pose*, h/t (60x73) : FRF 11 000 – PARIS, 10 fév. 1993 : *Quai de la Seine, Paris*, h/t (54x65) : FRF 10 000.

CORNEDIEU Pierre

XVIᵉ siècle. Actif à Rouen. Français.

Sculpteur sur bois.

Le cardinal d'Amboise l'appela au château de Gaillon ; il y travailla jusqu'en 1518.

CORNEDO Nicolo de

XVᵉ siècle. Italien.

Sculpteur.

Aux environs de Vicence on trouve différentes œuvres signées de son nom : à Trizzino (autel de l'église protestante), à Priabona, à Cereda, etc.

CORNÉE-VETAULT Hélène

Née en 1850 à Soulaines (Maine-et-Loire). XIXᵉ siècle.

Pastelliste.

Élève de Mlle Berthon. Le Musée de Tourcoing conserve d'elle : *Bouquet de fleurs*.

CORNEILLE

XVIᵉ siècle. Français.

Peintres.

Corneille le Grand et Corneille le Petit vivaient à Lyon en 1533. Ils ne paraissent pas liés aux Pierre Corneille ou Cornilly, Corneille de Bavière, Corneille de Lyon ou de La Haye.

CORNEILLE, pseudonyme de Beverloo Cornelius Guillaume Van

Né le 3 juillet 1922 à Liège, de parents hollandais. XXᵉ siècle. Depuis 1950 actif en France. Hollandais.

Peintre à la gouache, pastelliste, peintre de techniques mixtes, graveur. Groupe COBRA.

De 1940 à 1943, Corneille avait suivi irrégulièrement les cours de dessin de l'Académie des Beaux-Arts d'Amsterdam. En peinture, il se forma seul. Au lendemain de la Seconde Guerre mondiale, Corneille, avec deux autres Hollandais Appel et Constant,

avait fondé le *Groupe Expérimental*, et la revue *Reflex*, en liaison avec le *Groupe Surréaliste Révolutionnaire* du Danois Jorn. En 1947, fit un séjour prolongé à Budapest. Les deux groupes précédents préludaient à la création, en 1948, avec les Belges Christian Dotremont et peu après Alechinsky, du groupe COBRA, contraction de CO(penhague) BR(uxelles) A(msterdam). En 1948 encore, il fit des voyages dans les pays scandinaves et en Afrique du Nord. En 1950, il s'établit à Paris. En 1952, il voyagea dans le Hoggar. En 1953, il vint travailler la gravure à l'*Atelier 17* de Stanley William Hayter à Paris. En 1954, séjour à Albisola, en Italie, où il réalisa des céramiques. En 1957, traversée de l'Afrique en automobile, ensuite de quoi il publia ses notes de voyage. En 1958, il voyagea en Amérique du Sud et aux Antilles, séjour aux États-Unis où il fut très impressionné par la ville de New York, d'où il rapporta un recueil de dessins. En 1958 aussi, il illustra de six lithographies le texte de Christian Dotremont *Petite géographie fidèle*.

En 1947 il exposa avec Appel à Amsterdam ; en 1949, il exposa à Paris avec Appel et Constant, et eut lieu l'exposition d'ensemble du mouvement Cobra au Stedelijk Museum d'Amsterdam ; en 1950, à Paris, il participa au groupe des *Mains Éblouies* à la Galerie Maeght et il fut invité pour la première fois au Salon de Mai, auquel il participa ensuite régulièrement ; 1952, Exposition Cobra à Paris ; 1953, Salon d'Octobre à Paris et Biennale de São Paulo ; 1954, Biennale de Venise ; puis, entre nombreuses autres : 1955, obtint une mention au Prix Carnegie International de Pittsburgh et participa au Prix Lissone ; 1956, reçut le Prix Solomon Guggenheim pour les Pays-Bas ; 1957 participa au Salon des Réalités Nouvelles de Paris où il figura ensuite à plusieurs reprises, et de nouveau Prix Lissone et Biennale de Paris ; 1959, Biennale de São Paulo et Documenta II de Kassel, etc.

En 1946, il fit sa première exposition personnelle à Groningue ; ses expositions personnelles se multiplièrent : 1951 Amsterdam et Rotterdam ; 1953 Paris et Anvers ; 1954 Paris et Amsterdam ; 1956 dans les musées municipaux (stedelijk) d'Amsterdam, Schiedam et au Palais des Beaux-Arts de Bruxelles ; en 1947, il fit une exposition à Budapest des œuvres qu'il y avait peintes : *Jardins* ; 1961 exposition rétrospective au Stedelijk Museum de La Haye ; 1966 rétrospective au Stedelijk Museum d'Amsterdam ; 1974 au Palais des Beaux-Arts de Charleroi ; etc.

Pendant les années de guerre, il référait son propre travail autodidactique à Picasso, Modigliani et Matisse, pratiquant de ce fait une sorte de cubisme lyrique dans des natures mortes et des nus. Au lendemain de la guerre, il découvrit la peinture d'Édouard Pignon et de la jeune école de Paris. Un peu plus tard, et qui allaient marquer durablement sa peinture, il s'intéressa spécialement à Paul Klee et à Miro. Pendant son séjour à Budapest, d'une part dans les *Jardins* qu'il y peignit et exposa, il développa le thème de la nature luxuriante, envahissante, qu'on retrouvera dans sa continuité, d'autre part il s'y familiarisa avec la littérature surréaliste et surtout le principe de l'écriture automatique, qui tiendra ensuite un rôle prépondérant dans son propre processus de création, de même que pour tous les participants de Cobra. Lors de ses débuts parisiens, il peignait des oiseaux, des poissons, des personnages avec invention et humour. Les critiques s'accordent sur l'importance de son voyage dans le Hoggar en 1952, pour le développement ultérieur de son œuvre. De nombreuses toiles ont évoqué le monde minéral dont il a pris conscience au désert : *Paysage aux fossiles*, le triptyque des *Rochers blancs, Terre brûlée, La forêt de pierres*, etc., et le soleil qu'il a vu là plus rouge qu'ailleurs et qui réapparaîtra au long de son œuvre, boule de feu suspendue au-dessus de motifs labyrinthiques. Donc, on a vu dans les peintures de Corneille des traductions poétiques de paysages minéraux, mais encore des transpositions de paysages de villes vus à vol d'oiseau. D'autres ont relevé que Corneille, en accord avec l'esprit Cobra, avait trouvé ses références bien plus dans les arts populaires que dans l'héritage culturel du passé. On doit constater que si les thèmes qui ont présidé à ses œuvres sont multiples, le langage poético-plastique qui les a mis en forme est resté d'une grande unité.

Comme pour la plupart des artistes issus de Cobra, Corneille ne s'est pas arrêté à la distinction entre figuration et abstraction, qui lui paraît être avec évidence un faux problème. On peut toutefois noter qu'après 1950 environ, il n'y a plus eu pendant assez longtemps de personnages dans ses peintures et que les formes qui les constituent se sont affranchies de la fonction nominative étroite. Jean-Clarence Lambert en a écrit que personnages et figurations avaient été « emportés par le grand rythme méta-

phorique ». Seule compte la vérité de l'œuvre, telle que la verra le public. La peinture n'est pas ceci ou cela, plus ou moins identifiable, ni une énigme à décrypter, mais elle est pleinement ces arabesques qui se courent après, nouant entre elles ses volutes planes et rondes en forme de ballons, où se prennent avec un visible plaisir les couleurs plus nombreuses et les plus éclatantes, sans souci spécial d'aucun accord raffiné. Après 1970 environ et pour une période prolongée, devint presque omniprésente l'image de la femme, mise dans des sortes de paysages exotiques, peuplés d'oiseaux familiers, dont le soleil embrase les couleurs, présence métaphorique nouvelle et sans obscurité dans l'univers de Corneille. C'est une peinture du plaisir, qui ne se pose pas de problèmes ou plutôt qui les résoud avec facilité, pour le plaisir spontané de l'esprit plus que pour la réflexion.
■ Jacques Busse

Bibliogr. : Christian Dotremont : *Corneille*, Biblioth. Cobra, Copenhague, 1950 – Michel Ragon : *Corneille*, in : *Cimaise*, Paris, mars 1956 – Jean-Clarence Lambert : *Corneille*, Musée de Poche, Paris, 1960 – Jean-Louis Ferrier : Catalogue de l'exposition *Corneille*, Gal. Ariel, Paris, 1961 – Hubert Juin : *Corneille*, in : *XXe Siècle*, Paris, 1962 – in : *Les Muses*, Grange Batelière, Paris, 1971 – André Laude : *Corneille, le roi-image*, S.M.I., Paris, 1973 – Christian Dotremont : *Le Géologue ailé*, Catalogue de l'exposition rétrospective *Corneille*, Palais des Beaux-Arts, Charleroi, 1874 – in : *Diction. Univers. de la Peint.*, Robert, Paris, 1975.
Musées : Amsterdam (Stedelijk Mus.) – Berlin – Brooklyn, États-Unis. – Bruxelles (Mus. des Beaux-Arts) – Charleroi – Dunkerque – Düsseldorf – Eindhoven (Stedelijk Van Abbe Mus.) : *La grande terre âpre* 1957 – Gand – Haarlem – La Haye (Stedelijk Mus.) : *Jeux entre soleil et vagues* 1968 – Hovikodden, Norvège (Centre d'Art Heine-Onstad) – Jérusalem – Liège – Louisiana – Milan – Paris (Mus. Nat. d'Art Mod.) – Randers, Danemark – Rome – Rotterdam (Boymans Mus.) – Silkeborg, Danemark.
Ventes Publiques : Paris, 29 nov. 1962 : *Le soleil se lève sur les pierres* : **FRF 7 000** – New York, 20 mai 1964 : *Faubourg gitan* : **USD 1 450** – Cologne, 20 mai 1965 : *L'oiseau et les mirages* : **DEM 7 130** – Anvers, 5 oct. 1965 : *Les jardins et les jeux*, gche : **BEF 20 000** – Copenhague, 2 nov. 1967 : *Terre habitée par des oiseaux* : **DKK 13 000** – Milan, 9 avr. 1970 : *Traces d'insectes à l'aube* : **ITL 2 400 000** – Milan, 9 mars 1972 : *Le pays en fête* : **ITL 2 400 000** – Londres, 2 déc. 1976 : *Les sentiers de l'été* 1962, h/t (73x92) : **GBP 5 000** – Breda, 25 avr. 1977 : *Adam, Eve et le serpent* 1947, gche (42x62) : **NLG 4 000** – New York, 21 oct. 1977 : *Vers le soleil* 1965, h/t (100x81) : **USD 16 500** – Amsterdam, 25 avr. 1978 : *Deux hommes et une vache sous un arbre* 1948, gche (43x49) : **NLG 4 200** – Londres, 5 avr. 1979 : *Alegria*, gche et cr. (49x63,5) : **GBP 1 900** – New York, 27 fév. 1980 : *Soleil Abyssinien* 1965, gche/pap. (66,7x50,2) : **USD 3 000** – Paris, 23 oct. 1981 : *Astres et terre IV* 1958, gche (31x23,5) : **FRF 8 100** – Versailles, 17 oct. 1982 : *Architecture bleue et rouge* 1958, gche et aquar. (27,5x37) : **FRF 10 100** – Amsterdam, 15 mars 1983 : *Composition aux visages* 1951, aquar. (51x66) : **NLG 5 500** – New York, 9 nov. 1983 : *Fin d'une cité* 1958, h/t (98x131) : **USD 11 500** – Londres, 6 déc. 1984 : *Fandango* 1961, gche (66x50) : **GBP 1 600** – Londres, 27 juin 1985 : *Composition* 1963, gche (31x37) : **GBP 2 200** – Londres, 4 déc. 1986 : *Jeux au bord de la mer* 1949, h/t (60x50) : **GBP 46 000** – Paris, 7 avr. 1987 : *Femme île* 1948, h/t (50x99) : **FRF 310 000** – Copenhague, 30 sep. 1987 : *La fleur que le Papillon affectionne* 1960, gche (40x51) : **DKK 80 000** – Paris, 3 déc. 1987 : *La femme au pigment bleu* 1979, gche et aquar. (51x63,5) : **FRF 20 000** – Copenhague, 6 mai 1987 : *Composition* 1958, encre de Chine et craies de coul. (42x54) : **DKK 27 000** – Copenhague, 24 fév. 1988 : *Composition* 1950, gche (38x50) : **DKK 30 000** ; *Le soleil dans la terre* 1957 (61x93) : **DKK 220 000** – Paris, 20 mars 1988 : *Eclosion II* 1957, h/t (75x77) : **FRF 151 000** – Rome, 7 avr. 1988 : *Femme au perroquet*, aquar./pap. (28x20) : **ITL 2 000 000** – New York, 4 mai 1988 : *Les pétales du soleil* 1970, h/t (100,5x80,4) : **USD 22 000** – Copenhague, 4 mai 1988 : *Idylles* 1984, gche (21x29) : **DKK 12 000** – Paris, 20-21 juin 1988 : *Personnage et oiseau* 1980, encre et aquar. (24x31) : **FRF 11 000** – Londres, 30 juin 1988 : *Sans titre* 1949, gche/pap. (32x43,5) : **GBP 11 000** ; *Approche des nuages* 1965, acryl. et h/t (49,5x60,5) : **GBP 14 300** – Lokeren, 8 oct. 1988 : *Composition* 1955, gche (51x36) : **BEF 330 000** – Copenhague, 8 nov. 1988 : *Corps baroque* 1955, h/t (41x32) : **DKK 100 000** – New York, 10 nov. 1988 : *Le domaine de l'oiseau* 1961, gche et cr. coul./pap. (29,4x36,8) : **USD 6 380** – Paris, 20 nov. 1988 : *Le Cœur de la forêt* 1955, h/t (66x81) : **FRF 230 000** – Stockholm, 21 nov. 1988 : *Femme, oiseau et lion* 1982, aquar. et gche (38,5x26,5) : **SEK 22 000** – Paris, 22 nov. 1988 : *Composition*, gche (18x27,5) : **FRF 32 000** – Paris, 23 mars 1989 : *Bretagne* 1960, h/t (54x73) : **FRF 230 000** – Londres, 6 avr. 1989 : *Sans titre* 1955, gche/pap.t. (37,5x49,8) : **GBP 7 150** – Amsterdam, 10 avr. 1989 : *L'été* 1955, h/t (66x81) : **NLG 103 500** – Copenhague, 10 mai 1989 : *Le pays s'étend à l'infini* 1959, h/t (130x97) : **DKK 760 000** – Paris, 12 juin 1989 : *Composition* 1964, aquar. et gche/pap. (49x66) : **FRF 105 000** – Londres, 29 juin 1989 : *L'Ile verte et heureuse* 1954, h/t (74x100) : **GBP 44 000** – Copenhague, 22 nov. 1989 : *Composition* 1948, gche, aquar. et collage (38x46) : **DKK 80 000** – Amsterdam, 15 déc. 1989 : *Femme, fleurs et oiseaux* 1950, h/t (54,5x67) : **NLG 149 500** – New York, 21 fév. 1990 : *Vache rose* 1969, gche/pap. (48,1x49,4) : **USD 8 250** – Londres, 22 fév. 1990 : *Le cœur de la forêt* 1955, h/t (65x81) : **GBP 68 200** – Copenhague, 21-22 mars 1990 : *Composition* 1963, gche (40x73) : **DKK 115 000** – Amsterdam, 10 avr. 1990 : *Désert animé* 1957, h/t (50,5x65) : **NLG 126 500** – New York, 9 mai 1990 : *Panoplie printanière* 1962, h/t (88,8x129,5) : **USD 170 500** – Amsterdam, 22 mai 1990 : *Paysage dramatique* 1958, h/t (180,7x140) : **NLG 253 000** – Copenhague, 30 mai 1990 : *Élégie pour un été* 1987, h/t (145x145) : **DKK 430 000** – Milan, 12 juin 1990 : *Les Deux Baigneuses et la tramontane* 1965, gche/cart. (25x32,5) : **ITL 19 000 000** – Paris, 21 juin 1990 : *Tauromachie* 1951, gche (47x47) : **FRF 48 000** – Londres, 18 oct. 1990 : *Sans titre* 1967, encre, aquar. et cr./pap. (28,8x35,8) : **GBP 4 950** – Zurich, 7-8 déc. 1990 : *Composition* 1947, h/t (64,5x83,5) : **CHF 44 000** – Copenhague, 13-14 fév. 1991 : *L'Amazone intrépide* 1978, gche (24x31) : **DKK 21 000** – Paris, 15 mars 1991 : *Entre terre et ciel* 1960, h/t (61x61) : **FRF 154 000** – New York, 2 mai 1991 : *Sans titre* 1955, gche/pap. (26x74,9) : **USD 9 350** – Amsterdam, 22 mai 1991 : *Dans les rochers l'été* 1961, h/t (61x61) : **NLG 109 250** – Copenhague, 29 mai 1991 : *Composition* 1957, gche et aquar. (21x36) : **DKK 60 000** – Stockholm, 30 mai 1991 : *Composition*, acryl./pap./t. (65x50) : **SEK 27 000** – Londres, 17 oct. 1991 : *La mer est un jardin* 1958, h/t (61x50) : **GBP 30 800** – Copenhague, 4 déc. 1991 : *L'Andalouse* 1949, gche (37x51) : **DKK 49 000** – Rome, 9 déc. 1991 : *La Dormeuse* 1967, techn. mixte/pap. (41x33) : **ITL 4 830 000** – Paris, 2 fév. 1992 : *Vache rose* 1969, gche/pap. (50x50) : **FRF 45 000** – Lokeren, 21 mars 1992 : *Oiseau et le masque*, gche (70x100) : **BEF 140 000** – Londres, 15 oct. 1992 : *Jardin III* 1959, h/t (130,5x97) : **GBP 31 900** – Lokeren, 10 oct. 1992 : *Oiseaux*, gche/ sérig. (70x100) : **BEF 140 000** – New York, 17 nov. 1992 : *Le Monde des Contes de Charles Perrault* 1975, acryl./sérig./t. (149,9x282) : **USD 3 300** – Amsterdam, 1 déc. 1992 : *Personnages dans une ville* 1951, h/t (46x65,5) : **NLG 57 500** – Copenhague, 2-3 déc. 1992 : *Femme et Oiseau* 1975, acryl./pap. (58x50) : **DKK 44 000** – Amsterdam, 10 déc. 1992 : *Le Rouge itinéraire de l'été* 1964, h/t (74x93) : **NLG 63 250** – Munich, 1er-2 déc. 1992 : *Animal bleu* 1990, techn. mixte (22,5x31) : **DEM 10 350** – Copenhague, 10 mars 1993 : *Vol d'oiseaux au milieu du jour* 1959, h/t (65x81) : **DKK 145 000** – Lokeren, 15 mai 1993 : *Composition* 1965, gche (72x91) : **BEF 220 000** – Paris, 11 juin 1993 : *Femme et Oiseau* 1981, gche (65,5x50) : **FRF 39 000** – Londres, 24 juin 1993 : *Vol d'oiseaux* 1951, h/t (73x92) : **GBP 31 050** – Lokeren, 4 déc. 1993 : *Pinocchio* 1973, acryl. et sérig./pap./t. (70x100) : **BEF 130 000** – Amsterdam, 8 déc. 1993 : *Faubourg gitan* 1961, h/t (88,8x129,5) : **NLG 161 000** – Lokeren, 12 mars 1994 : *Vers ce bleu* 1967, gche, h/t (51x66,5) : **BEF 360 000** – Copenhague, 2 mars 1994 : *Composition* 1958, craies coul. et lav. d'encre (43x56) : **DKK 18 000** – Paris, 11 avr. 1994 : *Le terrain rocheux est devenu un jardin* 1961, h/t (72,5x91) : **FRF 148 000** – Londres, 1er déc. 1994 : *Terre de l'été* 1970, h/t (116x116) : **GBP 62 000** – Amsterdam, 31 mai 1995 : *Jardin à l'heure espagnole* 1964, h/t (92x72,5) : **NLG 82 600** – Lokeren, 9 mars 1996 : *La Femme et la Bête* 1990, gche et past. (68x98) : **BEF 160 000** – Copenhague, 12 mars 1996 : *Les Oiseaux de nuit* 1979, acryl./t. (100x100) : **DKK 95 000** – Tel-Aviv, 14 avr. 1996 : *Femme, fleurs et oiseaux partout* 1950, h/t (55x66) : **USD 36 800** – Paris, 3 mai 1996 : *Paysages aux animaux* 1977, cr. gras/pap. (41,5x29,5) : **FRF 8 000** – Amsterdam, 4 juin 1996 : *Le Langage de l'herbe* 1959, h/t (38x46) : **NLG 17 700** – Paris, 13 juin 1996 : *Sculpture sur bois C*, sculpt. bois peint. (230x160x30) : **FRF 72 000** – Amsterdam, 10 déc. 1996 : *Paysage* 1952, gche et aquar./pap. (55x71) : **NLG 26 523** – Amsterdam, 17-18 déc. 1996 : *Jardin* 1951, h/t (60x73) : **NLG 76 700** – Paris, 28 avr. 1997 : *Femme à l'oiseau*, acryl./pap.

(116,5x82) : **FRF 70 000** – Amsterdam, 2-3 juin 1997 : *Sans titre* 1950, aquar. et encre/pap. (19x24) : **NLG 4 484** ; *La nuit descend sur le jardin* 1964, gche/pap. (50x66) : **NLG 23 010** – Paris, 16 juin 1997 : *Plein chant*, acryl./miroir en bois (91x65) : **FRF 11 500** – Paris, 18 juin 1997 : *Sculpture sur bois V* 1992 (115x120x19) : **FRF 40 000** – Londres, 26 juin 1997 : *Asmara* 1958, h/t (38,1x61) : **GBP 14 950** – Copenhague, 22-24 oct. 1997 : *La Blonde au pays des oiseaux* 1984, acryl./pap. collé/t. (50x61) : **DKK 42 000** – Londres, 23 oct. 1997 : *Les Germes* 1955, h/t (74,5x132,5) : **GBP 32 200**.

CORNEILLE Barthélémy
Né en 1760 à Marseille. Mort en 1812. xviiie-xixe siècles. Français.
Sculpteur.
Son œuvre : *La peste sous le règne de David*, lui valut le prix de Rome en 1787.
Musées : Montpellier (Mus. Fabre) : *Portrait de Vittorio Alfieri* – *Portrait de Xavier Fabre*.

CORNEILLE Claude. Voir CORNEILLE de Lyon

CORNEILLE Étienne I
Né au Mans. Mort avant 1666. xviie siècle. Français.
Peintre.

CORNEILLE Étienne II
Mort le 28 mai 1687. xviie siècle. Français.
Peintre.
Il était le fils d'Étienne I et travaillait au Mans.

CORNEILLE Guillaume
Né en 1922. xxe siècle. Français.
Peintre, peintre à la gouache.
Ventes Publiques : Paris, 12 déc. 1996 : *Joie aquatique* 1982, h/t (55x46) : **FRF 30 000** – Paris, 28 avr. 1997 : *La Habana* 1967, gche et encre/pap. (20,5x25,5) : **FRF 19 000**.

CORNEILLE Jean-Baptiste
Né le 2 décembre 1649 à Paris. Mort le 12 avril 1695 à Paris. xviie siècle. Français.
Peintre de compositions mythologiques, sujets religieux, figures, portraits, peintre de décorations murales, graveur, dessinateur.
Il se forma sous la direction de son père, Michel Corneille et d'Errard. Jean-Baptiste Corneille épousa, le 14 février 1679, Madeleine Mariette, tante de l'auteur de l'*Abecedario*. En 1663, il obtint un deuxième prix, puis un premier prix pour Rome. L'année suivante, il obtint la médaille d'or pour son dessin : *Jupiter et Danaé*. Il fut reçu académicien le 5 janvier 1675, fut adjoint à professeur le 27 juillet 1686 et nommé professeur le 26 janvier 1692. Il exécuta le tableau votif offert à Notre Dame de Paris par la confrérie des orfèvres. Pour l'hôtel de Hollande, l'ancienne maison du président Amelot de Biseul, il fit neuf tableaux représentant l'histoire de Psyché, pour la décoration de la galerie. Il peignit aussi une Cène pour le maître-autel de l'église Saint-Paul.

JC sculp

Musées : Dijon – Nîmes – Paris (Mus. du Louvre) – Reims – Rouen : *Résurrection de Lazare* – Tours.
Ventes Publiques : Paris, 1775 : *Le Buste de Louis XIV, couronné par la Victoire*, pierre noire : **FRF 30** – Paris, 1777 : *La Résurrection du Christ* : **FRF 182** ; *La Résurrection du Christ* : **FRF 801** – Paris, 17 mars 1789 : *Saint Pierre délivré de prison* : **FRF 190** – Paris, 1896 : *Plafond d'une salle du château des Tuileries*, sanguine : **FRF 145** – Paris, 11 juin 1903 : *Jeune femme* : **FRF 1 900** – Paris, 16 avr.1907 : *Buste d'homme* **FRF 500** – Paris, 8 mai 1908 : *Buste d'homme* : **FRF 460** – Paris, 22-25 nov. 1910 : *Portrait de jeune femme* : **FRF 6 050** – Londres, 14 déc. 1990 : *Ménélas et Protée*, h/t (44,8x33,1) : **GBP 7 700**.

CORNEILLE Michel, l'Ancien
Né en 1602 à Orléans. Mort le 13 juin 1664 à Paris. xviie siècle. Français.
Peintre de sujets mythologiques, compositions religieuses, dessinateur, graveur.
On sait fort peu de choses sur ce peintre. On le dit avoir été élève de Simon Vouet, dont il épousa la nièce. On sait encore qu'il fut un des membres fondateurs, puis recteur, de l'Académie.
Le tableau du musée d'Orléans montre le mélange d'influences

que subissaient les peintres français, avant que Vouet, revenu d'Italie, n'eût rapporté des directives plus précises qui permirent aux peintres de se déterminer soit dans la lignée caravagesque, soit dans le classicisme illustré par Poussin. Vouet était rentré de son long séjour en 1627. Ce tableau du musée d'Orléans est daté de 1630. Pourtant on n'y sent pas encore l'influence de l'enseignement de Vouet. Au contraire, la couleur froide et claire s'apparente à celle de Gentileschi, qui avait passé deux ans en France vers 1625, et surtout il paraît évident que Michel Corneille avait connaissance des Hollandais caravagesques qui travaillaient à Rome : Lastman, les frères Pynas, Lambrecht Jacobs, Nicolas Knüpfer. L'ébauche de distribution luministe du jour est caravagesque et probablement transmise à travers Gentileschi, dont on retrouve les tons froids. Le naturalisme, qui mêle la scène de genre affectée aux détails vrais, est hollandais, à la Terbruggen. C'est donc de Lastman, le plus caravagesque des Hollandais, que cette peinture se rapproche. On a remarqué la possible insuffisance, dans la gaucherie, du dessin des personnages. En revanche, la nature morte et le paysage aperçu par la baie, sont peints avec beaucoup d'assurance et certains commentateurs pensent qu'on pourrait, un jour, retrouver des natures mortes du même artiste. Ce qu'il y a de plus intéressant dans cette peinture, c'est qu'en annonçant les Le Nain, elle indique le sens que les Français donneront à leur interprétation du caravagisme : une sévère méditation, dramatisée par des éclairages, sur la condition et la dignité de l'homme ordinaire, les personnages de l'Histoire Sainte étant, à l'exemple du Caravage, préalablement ramenés à la dimension d'hommes du commun qu'ils étaient en vérité. Ici, Jacob, de dos, assis devant la cheminée, vient de recevoir le plat de lentilles. Esaü, en tenue de chasse antiquo-Louis XIII, appelle son chien. Le chat se chauffe devant le feu. Beaucoup d'ustensiles de ménage dans la pièce montrent que pour être simples, on est tout de même à l'aise. Au premier plan, la nature morte sur une nappe blanche : pain, couteau, verre de vin. Par la porte ouverte, le paysage.
On connaît quelques gravures de sa main : *Le Sacrifice d'Abraham*, *Le Massacre des Innocents*, d'après Raphaël, *La Vierge et l'Enfant Jésus*, d'après L. Carrache, *La Sainte Famille*, d'après R. Sanzio, *Noli me tangere*, d'après Raphaël Sanzio, *Cléopâtre et l'aspic*, *Le roi Phinée délivré des Harpies*. ■ Jacques Busse
Bibliogr. : Préface de Paul Jamot, introduction de Charles Sterling, in : Catalogue de l'exposition : *Les peintres de la réalité, en France au xviie siècle*, Paris.
Musées : Orléans : *Esaü cédant à Jacob son droit d'aînesse pour un plat de lentilles*.
Ventes Publiques : Londres, 12 déc. 1985 : *Etudes de six têtes de jeunes filles*, craie rouge, noire et blanche/pap. bis (28,7x18,7) : **GBP 4 000** – Monaco, 22 juin 1991 : *Nymphes et satyres près d'une fontaine*, craie noire et encre brune (23,5x31,6) : **FRF 16 650** – Paris, 18 juin 1993 : *Jonas*, sanguine avec reh. de craie blanche (25,5x44) : **FRF 30 000** – Paris, 14 juin 1995 : *Juda et Tamar*, h/t (154,5x149,5) : **FRF 280 000**.

CORNEILLE Michel, l'Aîné, dit Corneille des Gobelins
Né le 29 septembre 1642 à Paris. Mort le 16 août 1708 à Paris. xviie siècle. Français.
Peintre de sujets mythologiques, compositions religieuses, dessinateur, graveur.
Il était le fils de Claude Corneille de Lyon, avec qui il étudia d'abord. Plus tard, il devint l'élève de Lebrun.
Le 29 septembre 1663, il fut reçu académicien, et adjoint à professeur le 27 octobre 1673. Le 1er juillet 1690, il fut nommé professeur, et conseiller le 2 décembre 1691. Comme graveur, il a beaucoup reproduit les maîtres italiens.

M Corneille.

Musées : Angers : *La Vierge, l'Enfant Jésus et saint Jean* – Chantilly : *Le repentir* – Fontainebleau : *Mars au repos* – Nantes : *Le dimanche des Rameaux* – Paris (Mus. du Louvre) : *Le repos en Égypte* – *La Conversion de saint Pierre et saint André*, dess. – Rennes : *Jésus après sa résurrection apparaît à saint Pierre sur le bord de la mer Tibériade* – Stuttgart : *Sainte Famille avec vases de marbre* – Tours : *Le massacre des Innocents* – *Hercule enlevant Lychas pour le précipiter dans la mer* – Versailles : *Philippe de France, duc d'Orléans* – *Mercure répandant son influence sur les arts et sur les sciences* – *Aspasie au milieu des philosophes de la Grèce* – *Cesisène cultivant la peinture* – *Sapho chantant et jouant de la lyre* – *Pénélope faisant de la tapisserie* – *La Vigilance*,

L'Académie, Le Commerce, La Diligence, quatre scènes pour le plafond du salon de la reine – VERSAILLES (Trianon) : *Iris et Jupiter – Zéphyr*.

VENTES PUBLIQUES : PARIS, 1744 : *L'Incrédulité de saint Thomas* : **FRF 40** – PARIS, 1758 : *Différentes études au crayon rouge* : **FRF 8** – PARIS, 1775 : *Un bain de Nymphes d'après l'Albane*, sanguine : **FRF 100** – PARIS, 1785 : *Deux sujets dont la Naissance de la Vierge*, au bistre rehaussé de blanc : **FRF 17** – PARIS, 1827 : *Portrait de Molière* : **FRF 520** – PARIS, 1896 : *Quart de plafond orné de caissons*, dess. à la pl. et à l'aquar. : **FRF 30** – PARIS, 21 et 22 fév. 1919 : *Abside de Saint-Paul*, pl. : **FRF 15** ; *Jésus chez Marthe et Marie*, sanguine : **FRF 22** – PARIS, 27 mars 1919 : *La Fuite en Égypte*, deux variantes à la sépia : **FRF 40** ; *Le serpent d'airain*, pl. et sépia : **FRF 24** – PARIS, 31 mai 1920 : *Quart de plafond orné de caissons, avec chiffre couronné de Louis XIV*, pl. et aquar. : **FRF 220** – PARIS, 29 avr. 1921 : *Tête, contre-épreuve rehaussée de sanguine* : **FRF 135** – PARIS, 24 mai 1923 : *La Sainte Famille, sainte Anne et saint Jean*, attr. : **FRF 340** – PARIS, 23 mai 1928 : *La Justice*, sanguine : **FRF 140** – PARIS, 28 nov. 1928 : *Henri IV après sa conversion au catholicisme, recevant les insignes de la royauté*, dess. : **FRF 1 000** – PARIS, 19 déc. 1928 : *La Vierge, L'Enfant-Jésus, des anges, des chérubins et un religieux en adoration*, école de M. C. : **FRF 1 300** – PARIS, 25 fév. 1929 : *Deux enfants. Tête de vieillard*, dess. : **FRF 500** – PARIS, 28 nov. 1934 : *Cérémonie en l'honneur de Minerve*, pl. et lav. : **FRF 250** – PARIS, 5 déc. 1938 : *Adoration des mages*, pl. et lavis. attr. : **FRF 320** – PARIS, 30 mars 1980 : *L'offrande à Minerve*, encre sépia et lav. de bistre, plume (19,5x29) : **FRF 11 900** – NEW YORK, 30 avr. 1982 : *Feuille d'études*, sanguine/pap. (26,2x44,1) : **USD 2 500** – PARIS, 14 juin 1985 : *La Sainte Famille et saint Jean Baptiste*, h/t (72,5x60) : **FRF 13 000** – PARIS, 17 déc. 1987 : *Le jeu de la toupie*, h/t (37,5x52) : **FRF 52 000** – LONDRES, 2 juil. 1990 : *Paysage avec des pêcheurs*, encre sur craie noire (26,9x40,1) : **GBP 715** – PARIS, 22 mars 1991 : *Homme nu assis*, sanguine (42x25,5) : **FRF 4 000** – PARIS, 22 nov. 1991 : *La naissance d'Athéna*, encre brune et lav. bleu (22,5x33,3) : **FRF 46 000** – LONDRES, 13 déc. 1991 : *Paetus et Arria*, h/t (95,3x121,3) : **GBP 19 800** – NEW YORK, 15 jan. 1992 : *Le Christ dans la maison de Marie et de Marthe*, encre et lav. avec reh. de blanc/pap. brun clair (15,5x24,6) : **USD 6 600** – NEW YORK, 14 mai 1992 : *Portia*, h/t (ovale 64,8x52,4) : **USD 5 500** – PARIS, 28 juin 1993 : *Saint Paul et saint Barnabé à Lystre*, h/t (64x50) : **FRF 135 000** – PARIS, 15 avr. 1996 : *Paysages italianisants d'après des maîtres anciens*, 13 contre-épreuves, sanguine : **FRF 5 000**.

CORNEILLE Nicolas
XVIIe siècle. Français.
Peintre et dessinateur.
Il était actif vers 1650. Le Musée d'Auteuil (?) à Paris conserve des tapisseries d'Aubusson exécutées d'après ses cartons.

CORNEILLE Pierre I ou Cornilly ou Cornyer
XVIe siècle. Français.
Peintre.
Actif à Lyon vers 1535 et 1548, il travailla pour des « entrées », en 1540 et 1548. Peut-être identique à Corneille de Bavière.

CORNEILLE Pierre II
Né le 5 novembre 1580, originaire de la province de Gênes. Mort le 18 janvier 1616, de la peste. XVIIe siècle. Italien.
Sculpteur.
Il travailla à Genève, où il sculpta à ses frais les portes du collège.

CORNEILLE de Bavière ou Cornilhon ou Cornillon
XVIe siècle. Français.
Peintre de compositions décoratives, sculpteur.
Son nom est mentionné à Lyon entre 1523 et 1566 ; il participa aux décorations faites pour l'entrée de Henri II dans cette ville en 1548, avec B. Salomon. Lui-même est dit : tailleur d'images et « molleur ».

CORNEILLE de Courtrai
XVIe siècle. Français.
Peintre.
Il travaillait à Lille en 1549.

CORNEILLE de Lyon, appelé aussi Corneille de la Haye, ou Claude Corneille
Né en 1510 à La Haye. Mort vers 1574 à Lyon. XVIe siècle. Depuis 1530 environ actif, depuis 1547 naturalisé en France. Éc. flamande.
Peintre de portraits.

On suppose qu'il vint, de Hollande, travailler à Paris. En 1533, Jean Second, l'humaniste de La Haye, rencontre, à Lyon, son ami le peintre Corneille qui semble être venu dans cette ville avec la cour de France. En 1541, Corneille est peintre du Dauphin, le futur Henri II, dont il sera, plus tard, le peintre et valet de chambre. En 1544, il est établi à Lyon où on l'appelle Corneille de Laye, ou de Lay et Corneille le peintre flammant, et, en sa qualité d'officier de la maison du dauphin, il demande à être exempt des droits d'octroi. En décembre 1547, il obtient des lettres de naturalité ; en 1551, il est nommé peintre du roi Henri II, et il le restera sous Charles IX, et l'ambassadeur vénitien Giovanni Vapelli voit, à Lyon, chez lui, « outre ses belles peintures », toute « la cour de France, tant les gentilshommes que les demoiselles, représentés en beaucoup de petits tableaux, avec tout le naturel imaginable ». En 1564, c'est Catherine de Médicis qui visite, à Lyon, l'atelier de Corneille et qui admire, parmi « tous ces grands seigneurs... et grandes reynes », son propre portrait « ayant ses trois belles filles auprès d'elle ». On trouve le récit de cette visite dans Brantôme.

Corneille fut donc un peintre de portraits réputé ; ses contemporains le comparaient à Apelle. On sait, par les copies que Gaignières avait fait faire et qui nous sont parvenues, qu'il peignit les Portraits du dauphin François (mort en 1536), du dauphin Charles, de Jacqueline de Rohan, marquise de Rothelin, et de Marguerite de France, duchesse de Berry, femme de Philibert-Emmanuel de Savoie (1548). La plupart de ces portraits furent gravés, en petits médaillons, dans Promptuarium iconum, publié, à Lyon, par G. Roville, en 1553. On connaît encore de Corneille, un *Portrait de femme*, gravé sur bois au verso du titre des *Erreurs amoureuses* de Ponthus de Thiard (Lyon, Jean de Tournus, 1549).

D'après ces textes et ces gravures, on attribue, assez vraisemblablement, mais sans preuves absolues, à Corneille de Lyon, une série de petits portraits peints sur bois, d'une exécution ferme, d'un coloris calme et doux, où les personnages se détachent sur les fonds bleus ou verts alors à la mode. Ne connaissant aucun dessin qui puisse lui être attribué, on suppose qu'il dessinait directement sur les panneaux à peindre. Ces peintures sont, pour la plupart dans des collections privées, d'autres dans les Musées d'Avignon et de Lyon. Plusieurs figurèrent à Paris, en 1907, à l'Exposition de portraits organisée à la Bibliothèque Nationale.

On a identifié Corneille de Lyon avec le graveur au burin, dit le maître au C. C., qui travaillait à Lyon à la même époque ; mais, pour attribuer à Corneille le dessin ou la gravure de ces planches, on a dû supposer, sans preuve aucune, que Corneille portait le prénom de Claude ou que le monogramme « C. C. » signifiait « Cornelis Cornelissen » (Corneille fils de Corneille). Corneille de Lyon ou de La Haye fut, à Lyon, la souche d'une dynastie de peintres qui s'appelèrent de La Haye du surnom de leur ancêtre.

MUSÉES : AVIGNON : *Le Cardinal de Châtillon – Le Cardinal Odet de Coligny* – BERLIN : *Portrait d'une dame* – BLOIS : *Madeleine de France* – CHANTILLY : *Madame de Lansac – Catherine de Médicis, dauphine – Gabrielle de Rochechouart*, présumée – *Mme de Canaples – Charles Quint*, présumé *– François II, dauphin – Marguerite de Savoie* – DIJON : *Le Duc d'Enghien* – LONDRES : *Antoine de Bourbon – Homme – Homme* – PARIS (Mus. du Louvre) : *Clément Marot – Le Duc de Montpensier* – TOULOUSE : *Avant le déluge* – VERSAILLES : *Madeleine de France – Catherine de Médicis, dauphine – La Marquise de Rothelin – Madame de Pompadour des Cars – M. de Randan*.

VENTES PUBLIQUES : PARIS, 1897 : *Tête d'homme* : **FRF 380** – PARIS, 26-27 mai 1919 : *Portrait de Françoise de Longnoi, amirale de Brion* : **FRF 24 500** – PARIS, 30-31 mai-1er juin 1921 : *Portrait présumé de Jacqueline de Rohan-Gyé, marquise de Rothelin* : **FRF 31 000** – PARIS, 30 janv.-2 fév. 1922 : *Un gentilhomme en buste, sur fond vert* : **FRF 4 400** – PARIS, 28 et 29 avr. 1922 : *Portrait d'homme* : **FRF 11 500** – PARIS, 8-10 mai 1922 : *Portrait d'homme* : **FRF 16 500** ; *Portrait d'homme* : **FRF 4 500** – PARIS, 10-11 mai 1922 : *Portrait de femme* : **FRF 400** – PARIS, 22 mai 1925 : *Portrait d'un homme jeune* : **FRF 7 000** – PARIS, 12-13 mai 1925 : *Portrait d'homme* : **FRF 36 500** – PARIS, 27-28 mai 1926 : *Portrait de dame* : **FRF 90 000** ; *Portrait d'un adolescent* : **FRF 73 000** – PARIS, 1er juin 1927 : *Portrait d'homme*, école de C. de Lyon : **FRF 1 550** – PARIS, 15-16 mai 1931 : *Portrait d'un gentil-*

homme, attr. : **FRF 4 000** – Paris, 19 mai 1933 : *Portrait présumé de Guillaume du Bellay, sieur de Langey* : **FRF 33 000** ; *Portrait d'un jeune seigneur* : **FRF 15 000** – Paris, 4 mai 1951 : *Portrait présumé de Jean Calvin,* cray. de coul. : **FRF 50 000** – Paris, 7 déc. 1954 : *Portrait d'un homme* : **FRF 3 400 000** – New York, 1ᵉʳ mai 1963 : *Portrait en buste d'un gentilhomme* : **USD 5 500** – Paris, 5 déc. 1964 : *Portrait d'homme aux yeux bleus* : **FRF 48 000** – Londres, 28 mai 1965 : *Portrait d'homme* : **GNS 13 000** – Londres, 23 juin 1967 : *Portrait du chancelier Henart* : **GNS 11 000** – Londres, 28 juin 1970 : *Portrait d'homme barbu* : **GNS 9 000** – Londres, 2 avr. 1976 : *Portrait d'homme,* h/pan. (16,5x12,5) : **GBP 3 800** – Paris, 13 déc. 1977 : *Portrait de jeune femme,* h/bois (17x14,5) : **FRF 150 000** – New York, 21 jan. 1982 : *Portrait d'un gentilhomme 1542,* h/pan. (15,9x13,2) : **USD 16 500** – Londres, 9 mars 1983 : *Portrait d'homme,* h/pan. (19x14) : **GBP 24 000** – New York, 11 jan. 1989 : *Portrait d'un gentilhomme en habit noir à crevés rouges avec un béret,* h/pan. (17,8x15,9) : **USD 35 200** – Londres, 8 avr. 1992 : *Portrait du Roi Jacques V d'Écosse, en buste, vêtu d'un habit et d'un béret noirs,* h/pan. (17x14,5) : **GBP 61 600** – New York, 15 oct. 1992 : *Portrait d'un gentilhomme vêtu d'un habit brun et d'un béret noir avec un plumet,* h/pan. (16,5x13,3) : **USD 36 300** – New York, 19 mai 1995 : *Portrait d'un homme en buste, vêtu d'un habit et d'un plume blanche, présumé François d'Andelot de Coligny,* h/pan. (16,5x13,3) : **USD 90 500** – New York, 23 mai 1997 : *Portrait en buste du Duc d'Étampes portant tunique noire, chaîne en or, col blanc et chapeau noir à plume blanche,* h/pan. (15,9x13,1) : **USD 85 000** – New York, 21 oct. 1997 : *Portrait en buste d'un gentilhomme barbu, se disant être le Chancelier Hénart, portant un pourpoint noir, une chemise blanche et un chapeau noir,* h/pan. (16,3x13,4) : **USD 101 500**.

CORNEJO Jose Felipe
xviiᵉ siècle. Travaillant à Séville en 1699. Espagnol.
Sculpteur.

CORNEJO Pedro. Voir **DUQUE CORNEJO Y ROCDAN Pedro**

CORNEL Karel
Né en 1890 à Gand. Mort en 1971. xxᵉ siècle. Belge.
Peintre de figures, paysages, natures mortes.
Il fit partie du groupe des peintres réalistes de Laethem-Saint-Martin.
Bibliogr. : In : *Diction. biogr. illustré des artistes en Belgique depuis 1830,* Arto, Bruxelles, 1987.
Ventes Publiques : Lokeren, 12 mars 1994 : *La Lys à Laethem,* h/t (74x94) : **BEF 65 000** – Lokeren, 18 mai 1996 : *La Lys à Laethem,* h/t (74x94) : **BEF 48 000**.

CORNELI Fabrizio
Né en 1958 à Florence. xxᵉ siècle. Italien.
Sculpteur.
Il a commencé à exposer en 1978, dans des manifestations collectives à Rome, Livourne, Ferrare, puis dans de nombreuses villes d'Italie sous des intitulés divers, notamment en 1986 à la Quadriennale de Rome. Il fait de nombreuses expositions personnelles : 1980 Rome, Florence, 1981 Padoue, 1982 Padoue, Florence et en 1985, 1986, 1987, 1990 Colmar, etc.
Ses sculptures se caractérisent du point de vue matériel par une finition méticuleuse. Leurs intentions sont moins évidentes, associant plasticité rigoureuse et sophistiquée dans les détails, et dimensions conceptuelles symbolisées par des objets, des matières, des signes ou chiffres.
Musées : Milan (Mus. d'Art Contemp.).

CORNELI Oriens
xviᵉ siècle. Actif à Venise vers 1576. Italien.
Graveur.

CORNELIA Stefanesco
Né à Braïla. xixᵉ-xxᵉ siècles. Roumain.
Peintre.
A exposé un paysage au Salon d'Automne de 1913.

CORNELIANO Francesco
Né en 1740 à Milan. Mort en 1815. xviiiᵉ-xixᵉ siècles. Italien.
Peintre de compositions religieuses, sujets allégoriques, fresquiste.
Il était l'élève de l'Académie Ambrosiana du temps de Sangiorgi ; travailla ensuite à Parme avec Calami.
On cite de lui des fresques faites pour des particuliers, et dans l'église Saint-Sébastien, à Milan, deux peintures, et les *Quatre apôtres* dans l'église protestante de San Gervasio.

Ventes Publiques : Milan, 14 nov. 1990 : *La vertu piégée par le vice,* h/t (206x147) : **ITL 65 000 000**.

CORNELIO di Armanno
xviiᵉ siècle. Actif à Rome en 1615. Éc. flamande.
Peintre.

CORNELIO Fiammingo
xviᵉ siècle. Italien.
Peintre.
On trouve un peintre verrier de ce nom à Milan, un peintre en 1527 à Rome d'origine hollandaise, un peintre à Rome en 1556, de qui G. J. Hoogewerff admet qu'il n'est autre que Cornelis Cort.

CORNELIS
xvᵉ siècle. Actif à Audenarde vers 1497. Éc. flamande.
Sculpteur.

CORNELIS Albert ou **Albrecht** ou **Cornelys** ou **Cornelisz**
Mort en 1532. xviᵉ siècle. Éc. flamande.
Peintre.
Chevalier à Bruges, maître de Pierre Verhaegt en 1515. Son fils Nicolas fut maître en 1542. En 1520, il prit part à la décoration d'une fête données en l'honneur de Maximilien. On cite de lui un *Couronnement de la Vierge* qui se trouve dans l'église Saint-Jacques à Bruges, peint vers 1520, œuvre assez confuse. Il était un disciple attardé de Memling et G. David.

CORNELIS Béniti
Né le 30 décembre 1946 à Malines. xxᵉ siècle. Belge.
Peintre, aquarelliste, graveur. Abstrait-informel.
Il fut élève de l'Académie des Beaux-Arts de Malines. Il vit et travaille à Paris. Il expose depuis 1985 dans les principales villes de Belgique, ainsi qu'à Amsterdam en 1988, Paris 1990. À Paris, dans les années quatre-vingt, il figure au Salon des Réalités Nouvelles.
Il peint à l'acrylique, des formes abstraites qui font penser à des collages informels et matiéristes.
Bibliogr. : In : *Diction. biogr. illustré des artistes en Belgique depuis 1830,* Arto, Bruxelles, 1987 – Catalogue *Beniti Cornelis,* Gal. Pascal Polar, Bruxelles, 1990.
Musées : Anvers (Cab. des Estampes) – Bruxelles (Bibl. Roy., Cab. des Estampes) – Malines.
Ventes Publiques : Lokeren, 23 mai 1992 : *Composition,* h/t (80x100) : **BEF 55 000** – Lokeren, 20 mars 1993 : *Composition,* aquar. et gche (95,5x64) : **BEF 30 000**.

CORNELIS Broer
xviᵉ siècle. Actif à Gouda en 1501. Éc. hollandaise.
Peintre, verrier.
Moine à Gouda, probablement le maître des frères Crabeth. Un autre peintre verrier, Jan Cornelisz, était à Gouda en 1595 et 1599, d'après le Dr Von Wurzbach.

CORNELIS Claeys
xviᵉ siècle. Actif à Bruges. Éc. flamande.
Peintre.
Il fut reçu maître en 1542.

CORNELIS Ferdinand
xviᵉ siècle. Actif à Bruges. Éc. flamande.
Peintre.
Il fut reçu maître en 1561.

CORNELIS Jozef
Né en 1941 à Anvers. xxᵉ siècle. Belge.
Peintre de compositions murales. Tendance symboliste.
Il fut élève de l'Académie des Beaux-Arts, puis de l'Institut Supérieur d'Anvers. Il a été nommé professeur à l'Académie de Lierre.
Bibliogr. : In : *Diction. biogr. illustré des artistes en Belgique depuis 1830,* Arto, Bruxelles, 1987.

CORNELIS Lambert ou **Lambertus**
xviᵉ-xviiᵉ siècles. Actif à Amsterdam de 1546 à 1601. Éc. hollandaise.
Graveur.
Il dut aussi travailler en France.

CORNELIS Peeter I
Mort après 1574. xviᵉ siècle. Éc. flamande.

Sculpteur.
Il fut reçu maître à Malines en 1527.

CORNELIS Peeter II
Mort en 1573. xvie siècle. Éc. flamande.
Sculpteur.
Il était le fils de Peeter I et travaillait à Malines.

CORNELIS Vincent
Mort en 1580. xvie siècle. Actif à Malines. Éc. flamande.
Sculpteur.

CORNELIS Van Gouda
Né en 1510 à Gouda peut-être. Mort en 1550. xvie siècle. Hollandais.
Peintre de portraits.
Élève d'Heemskerk.

MUSÉES : VIENNE : *Buste d'homme en noir.*

CORNELIS Van Hertogenbosch ou **Cornélis di Bolduc**
Mort vers 1581. xvie siècle. Éc. hollandaise.
Peintre verrier.
Il travailla à Anvers.

CORNELIS de Holanda
xvie siècle. Espagnol.
Sculpteur et ébéniste.
Il travailla en Espagne et, en 1536, plus particulièrement pour la cathédrale d'Avila.

CORNELISSEN Baltasar
xviie siècle. Actif à Anvers. Éc. flamande.
Peintre et enlumineur.
Il devint maître en 1659.

CORNELISSEN Jacob. Voir **CORNELISZ Jacob Van Oostsanen**

CORNELISSEN Rémy
Né en 1913 à Turnhout. Mort en 1990. xxe siècle. Belge.
Sculpteur de figures, monuments, dessinateur. Tendance fantastique.
Il fut élève des Académies de Turnhout et d'Anvers, où il fut aussi élève de l'Institut Supérieur. En 1943, il fut le lauréat du Prix de Rome.
Dans ses dessins, il recherche à exalter attitudes et psychologie des personnages. Il pratique presqu'exclusivement la technique du métal. Ses sculptures, déchirées, mouvementées, pourraient être qualifiées d'expressionnistes, si ne dominait en elles un caractère lié à la notion d'art fantastique.
BIBLIOGR. : In : *Diction. biogr. illustré des artistes en Belgique depuis 1830,* Arto, Bruxelles, 1987.
VENTES PUBLIQUES : ANVERS, 29 avr. 1981 : *Femme au pigeon,* fer forgé (H. 70) : BEF 60 000 – LOKEREN, 8 oct. 1988 : *Prisonnier,* sculpt. métal (H 65) : BEF 45 000 – LOKEREN, 15 mai 1993 : *Taureau et figure,* acier chromé (H. 43,5xl. 86) : BEF 85 000 – LOKEREN, 7 oct. 1995 : *Femme,* sculpt. d'argent (H. 27, l. 12) : BEF 25 000.

CORNELISZ Adriaen
Né à Brême. xvie siècle. Allemand.
Peintre.
En 1592 ii fut reçu bourgeois de la ville de Leeuwarden, où il vivait.

CORNELISZ Aert
Né à Rotterdam. xviie siècle. Hollandais.
Peintre.
Il se maria à Amsterdam en 1626.

CORNELISZ Albert
xviie siècle. Actif à Amsterdam entre 1610 et 1631. Hollandais.
Peintre.

CORNELISZ Alexander
xviie siècle. Actif à Amsterdam en 1670. Hollandais.
Peintre.
Il séjourna également à La Haye.

CORNELISZ B.
Actif vers 1655.
Peintre de marines.

Ne pas confondre avec Barent Cornelisz dont le nom complet est B.C. Kleeneknecht.
VENTES PUBLIQUES : NEW YORK, 12 jan. 1995 : *Nature morte d'ustensiles de cuisine* 1655, h/pan. (33,7x27,9) : USD 25 300.

CORNELISZ Barent
Né vers 1610 à Amsterdam. Mort après 1661. xviie siècle. Hollandais.
Peintre.
Le Musée de l'Historical Society de New York possède une *Nature morte* signée *B. Cornelisz 163...* qu'on peut attribuer avec vraisemblance à cet artiste.

CORNELISZ Bernardus
xviie siècle. Actif à Haarlem vers 1696. Hollandais.
Sculpteur.

CORNELISZ Cornelis
Né à Haarlem. xviie siècle. Hollandais.
Peintre.
Il fut reçu bourgeois d'Amsterdam en 1670.

CORNELISZ Cornelis
Né à Amsterdam. xviiie siècle. Hollandais.
Peintre.
Il fut reçu bourgeois de la ville en 1741.

CORNELISZ Cornelis. Voir **ENGELBERTSZ Cornelis,** le Jeune

CORNELISZ Cornelis, dit **Cornelis Van Haarlem**
Né en 1562 à Haarlem. Mort le 11 novembre 1638. xvie-xviie siècles. Hollandais.
Peintre de scènes mythologiques, sujets religieux, portraits, dessinateur.
Élève de Pieter Pietersz, fils d'Aertsen, à Amsterdam, il alla en France en 1579 ; fut chassé de Rouen par la peste, passa un an à Anvers chez Gillis Coignet, travailla en 1583 comme peintre et architecte à Haarlem, fit les plans de la Maison du Poids en 1596, et fut directeur de l'Hospice des vieillards de 1614 à 1619.
Ses fonctions l'incitèrent à peindre, l'un de tout premiers, le portrait collectif des membres de la Corporation. Avec Goltzius, il représentait à Haarlem le maniérisme du début du xviie siècle. Il était à l'aise dans les grands formats, outrant l'expression des personnages de ses compositions mythologiques ou bibliques, voire sensuelles (*Bacchanale* de Budapest, *Thétis et Pélée* de Haarlem). Il eut pour élèves Gerrit Pietersz, Lang Jan Van Delft, Cornelis Jacobsz Delft, Cornelis Enghelsen Verspronck, Gerrit Nop, Zacharias Paulusz Van Alkmaar, Pieter Lastman.

MUSÉES : AMSTERDAM : *Le massacre des Innocents de Bethléem – Adam et Ève au paradis – Le graveur Dirck Volckertsz Coornbert* – AUGSBOURG : *Portrait de Coornhert* – BRUNSWICK : *L'âge d'or – Vénus et Adonis – Vénus et l'Amour – Démocrite et Héraclite – Le déluge* – BUDAPEST : *Jupiter, Mercure et la nymphe Lara (ou Bacchanale)* – CAEN : *Vénus et Adonis* – CARCASSONNE : *Combat des Grecs et des Turcs* – COPENHAGUE : *Allégorie de la vie humaine* – DARMSTADT : *Le serpent d'airain* – DRESDE : *Vénus, Apollon et Cérès – Un vieillard montre une bourse d'or à une jeune fille appuyée sur un jeune homme – La chute d'Adam* – HAARLEM : *Banquet des arquebusiers – Le miracle de Haarlem – Massacre des innocents – Repas d'arquebusiers – Baptême du Christ – Adam et Ève – Le Christ et les enfants – Portrait de Coornsbert – Thétis et Pélée* – HAMBOURG (Salle d'Art) : *Adam et Ève* – LA HAYE : *Le massacre des Innocents – Noces de Pelée et de Thétis* – KALININGRAD, ancien. Königsberg : *Récolte de la manne* – KARLSRUHE : *Baptême du Christ* – LONDRES : *Noble hollandais et sa femme* – MADRID : *Réunion des dieux où Apollon est condamné à garder les troupeaux d'Admète* – MUNICH : *Le Christ et les enfants* – POMMERSPELDEN : *Neuf enfants nus jouant – Repas de dieux – Six jeunes filles nues se baignant* – PRAGUE : *Conversion de Saül* – ROTTERDAM : *Bacchus et Satyre* – SAINT-PÉTERSBOURG (Mus. de l'Ermitage) : *Baptême du Christ – Cimon et Iphigénie* – SCHLEISSHEIM : *Jupiter et Mercure arrachant la langue à une nymphe* – SCHWERIN : *Marie et le corps du Christ* – STOCKHOLM : *Vénus et Adonis – Scène du déluge – Allégorie, le Temps et les Hommes* – STOCKHOLM (coll. Lind) : *Apollon* – TOULOUSE : *L'âge d'or* – VALENCIENNES : *La charité* – VIENNE : *Le dragon et les gens de Cadmus.*

VENTES PUBLIQUES : BRUXELLES, 1801 : *La résurrection du Christ,* dess. à la pl. lavé d'encre de Chine : FRF 3 – PARIS, 1845 : *Les trois Parques* : FRF 264 ; *Le veau d'or* : FRF 155 ; *Le déluge* : FRF 125 – PARIS, 1850 : *L'empereur Othon et l'impératrice Marie* : FRF 9 000 – COLOGNE, 1862 : *Saint Jean l'Évangéliste avec la croix et le calice* : FRF 224 – PARIS, 1865 : *Dame presque entièrement nue, assise près d'un bassin dans lequel ses pieds sont plongés* : FRF 360 – PARIS, 1865 : *Suzanne au bain surprise par les vieillards,* dess. à la pl. lavé d'encre de Chine : FRF 2 – PARIS, 1892 : *Tête d'homme* : FRF 295 – PARIS, 6 mai 1921 : *L'Offre galante* : FRF 950 – LONDRES, 10 juin 1927 : *Le fruitier* : GBP 110 – PARIS, 27 fév. 1929 : *Portrait de femme largement décolletée, la tête couverte d'un voile retenu par une couronne* : FRF 1 400 – LONDRES, 14 fév. 1930 : *Le festin des dieux* 1612 : GBP 50 – LONDRES, 27 juin 1930 : *Un jeune homme* : GBP 73 – BRUXELLES, 6 déc. 1937 : *Buste d'empereur romain* : BEF 1 150 – PARIS, 7 déc. 1950 : *Caïn et Abel,* bois rond : FRF 130 000 – LONDRES, 11 juil. 1962 : *Les Israélites traversant la mer Rouge* ; *La Rencontre de David et Saül,* deux panneaux : GBP 4 100 – VIENNE, 14 sep. 1965 : *Aphrodite* : ATS 40 000 – PARIS, 29 juin 1966 : *Persée et Andromède* : GBP 1 900 – LONDRES, 5 déc. 1969 : *Enfants nus avec un chien dans un paysage* : GNS 1 800 – LONDRES, 2 juil. 1976 : *Vénus, Mars et Cupidon* 1604, h/t (97,5x132) : GBP 9 500 – LONDRES, 14 déc. 1977 : *Le fumeur,* h/pan. (23x16,5) : GBP 3 000 – AMSTERDAM, 23 avr 1979 : *Vénus, Mars et Cupidon* 1600, h/pan. (30,2x41) : NLG 14 500 – NEW YORK, 18 jan. 1983 : *La Race antédiluvienne* 1626, h/pan. (33,7x48,8) : USD 13 000 – LONDRES, 6 avr. 1984 : *Le roi David mettant en déroute les Amalécites* 1603, h/t (121x203) : GBP 75 000 – AMSTERDAM, 3 déc. 1985 : *Scène de taverne,* h/pan. (32,5x37) : NLG 34 000 – PARIS, 29 oct. 1987 : *Le Festin des dieux* 1624, h/métal (14,5x36) : FRF 270 000 – NEW YORK, 7 avr. 1989 : *Un souverain tenant une branche d'olivier (le roi David ?),* h/pan. (61x45,5) : USD 9 350 – LONDRES, 18 oct. 1989 : *Madeleine repentante,* h/t (95x76) : GBP 5 500 – MONACO, 2 déc. 1989 : *Venus et Cupidon,* h/t (64x47) : GBP 277 500 – NEW YORK, 10 jan. 1990 : *Le commerce des charmes* 1619, h/pan. (66x69,8) : USD 44 000 – NEW YORK, 10 oct. 1990 : *Allégorie du Temps,* h/pan. (33x45,8) : USD 44 000 – LONDRES, 30 oct. 1991 : *La découverte de Moïse* 1632, h/pan. (50x70) : GBP 6 600 – HEIDELBERG, 9 oct. 1992 : *Le déluge,* lav. brun (21,4x28,4) : DEM 1 200 – PARIS, 23 oct. 1992 : *Portrait d'homme à l'antique* ; *Portrait de femme à l'antique,* h/pan., une paire (chaque 12x9,5) : FRF 24 000 – AMSTERDAM, 10 nov. 1992 : *Portrait de femme en buste portant une robe brune et un bijou dans sa chevelure,* h/pan. (22,8x17,4) : NLG 8 050 – LONDRES, 9 juil. 1993 : *Nymphes endormies observées par des Satyres dans un bois* 1625, h/pan. (28x40,5) : GBP 41 100 – AMSTERDAM, 6 mai 1996 : *Portrait d'une femme* 1622, h/pan. (24,5x20) : NLG 18 290 – LONDRES, 3-4 déc. 1997 : *La Purification des Israélites au Mont Sinaï* 1600, h/pan. (66x57,2) : GBP 298 500.

CORNELISZ David
XVIᵉ siècle. Actif à La Haye à la fin du XVIᵉ siècle. Hollandais.
Peintre.
Il était le fils de Cornelis Claesz Scheveninck et travailla à maintes reprises avec son père.

CORNELISZ Dirck
Mort avant 1624. XVIᵉ-XVIIᵉ siècles. Actif à Amsterdam vers 1561. Éc. hollandaise.
Peintre.

CORNELISZ Dirck
XVIIᵉ siècle. Actif à Delft vers 1619. Hollandais.
Peintre.

CORNELISZ Floris
XVIᵉ siècle. Hollandais.
Peintre.
Il était le fils de Cornelis Willem et le père de Lucas Cornelisz avec lequel il alla en Italie. On trouve un Floris Cornelisz à Haarlem, vers 1582.

CORNELISZ Frederick
XVIIᵉ siècle. Actif à Haarlem vers 1640. Hollandais.
Peintre.
Il fut l'élève de Pieter Mulier.

CORNELISZ Gerbrandt
Né en 1593. XVIIᵉ siècle. Hollandais.
Peintre.
Il travaillait à Amsterdam vers 1615.

CORNELISZ Gerrit
Né à Haarlem. Mort avant le 24 novembre 1601. XVIᵉ siècle. Hollandais.

Peintre de portraits.
Il fut peintre de la cour de Christian IV de Danemark. A Copenhague, il peignit deux portraits de la reine Sophie, et fit des portraits de plusieurs autres membres de la haute noblesse.

CORNELISZ Gisbert
XVIᵉ siècle. Actif à Aalkmar vers 1568. Éc. hollandaise.
Peintre.

CORNELISZ Jan
XVIᵉ siècle. Actif à Gouda entre 1595 et 1599. Éc. hollandaise.
Peintre et peintre verrier.
Peut-être s'agit-il de deux artistes différents.

CORNELISZ Jan
XVIIᵉ siècle. Actif à Leyde entre 1600 et 1618. Hollandais.
Peintre.
Peut-être est-ce le même artiste qui en 1614 faisait partie de la gilde de La Haye.

CORNELISZ Jan Van Delft
XVIᵉ siècle. Actif à Frankenthal vers 1588. Éc. hollandaise.
Peintre.

CORNELISZ Lambert
XVIIᵉ siècle. Actif à Delft vers 1600. Hollandais.
Sculpteur sur bois.

CORNELISZ Lucas
XVIᵉ siècle. Éc. hollandaise.
Peintre.
Petit-fils de C. Willemsz à Haarlem ; il alla à Rome avec son père Floris.

CORNELISZ Lucas de Kok. Voir ENGELBERTSZ Lucas Cornelisz de Kork

CORNELISZ Pieter
Né à Amsterdam. XVIIᵉ-XVIIIᵉ siècles. Hollandais.
Peintre.
Il devint citoyen d'Amsterdam le 13 janvier 1717.

CORNELISZ Pieter. Voir aussi ENGELBERTSZ Pieter Cornelisz

CORNELISZ Reyer
Né à Oostsanen. XVIIᵉ siècle. Hollandais.
Peintre.
Il devint membre de la gilde de La Haye en 1656.

CORNELISZ d'Amsterdam. Voir CORNELISZ Van Oostsanen Jacob

CORNELISZ de Haarlem. Voir CORNELISZ Cornelis

CORNELISZ Van Oostsanen Jacob ou Jacob d'Amsterdam
Né entre 1470 et 1477 à Oostsanen. Mort avant le 18 octobre 1533 à Amsterdam. XVIᵉ siècle. Éc. hollandaise.
Peintre d'histoire, compositions religieuses, portraits, copiste, graveur, dessinateur.
Il est le frère de Cornelis I Buys et le père de Dirck Jacobsz ou Jacobszoon, qui furent également peintres. Il se forma certainement à Haarlem. Il s'établit à Amsterdam vers 1500 et y fut le maître de Jan Van Scoreel, de 1512 à 1517.
Ses premières œuvres sont datées de 1506, 1507, les dernières de 1533. Il commença par aborder les thèmes religieux. Si, à ses tout débuts, il étire exagérément ses figures, perpétuant la tradition médiévale, il est rapidement influencé par le courant maniériste, dont il retient le goût pour les habits somptueux et les couleurs brillantes. Ses portraits sont aigus. On cite de lui seize personnages à l'Hôtel du Conseil d'Amsterdam. Il a également gravé sur bois une série de planches illustrant la *Passion du Christ,* qui montrent une nette influence du style d'Albrecht Dürer.

MUSÉES : AIX-LA-CHAPELLE (Mus. Suemondt) : *Repos pendant la fuite en Égypte* – AMSTERDAM (Rijksmuseum) : *Portrait d'homme* – *Salomé portant la tête de saint Jean Baptiste* – *Saül chez la sorcière d'Endor* – *Le Calvaire* – *Le Jugement dernier* – ANVERS :

Marie, l'Enfant et les donateurs, triptyque – *La Vierge et les Anges* – *Portrait d'homme* – BERLIN : *Vierge avec l'Enfant* – *Le donateur et saint Augustin, sainte Anne et sainte Élizabeth*, divers éléments d'un retable – BONN (Mus. Nat.) : *Légende tirée de la vie d'un saint inconnu* – BRUXELLES (Mus. des Beaux-Arts) : *Portrait de deux époux* – BUDAPEST : *Lucrèce* – COLOGNE : *Crucifixion* – *Donateur avec saint Georges et Marie-Madeleine*, triptyque – *Armoieries de la famille Heinbach* – COPENHAGUE : *Rencontre de David et d'Abigaïl* – DIJON (Mus. des Beaux-Arts) : *La Toussaint*, copie du tableau central du triptyque de Cassel – *Portrait du comte Edgard I de Frise Orientale* – FLORENCE (Mus. Nat.) : *Deux scènes bibliques* – GAND : *Calvaire* – LA HAYE (Mus. Nat.) : *Salomé avec la tête de saint Jean* – KASSEL : *Christ apparaît en jardinier à Marie-Madeleine* – *L'Adoration de la Sainte Trinité* – *La Toussaint* – LONDRES (Nat. Gal.) : *Saint Pierre et saint Paul*, éc. hollandaise – NAPLES (Mus. de Capodimonte) : *Naissance du Christ* – PARIS (Mus. du Louvre) : *Crucifixion* – ROTTERDAM : *Portrait d'Augustin de Teylingen* – *Portrait de Judeca Van Egmond Van de Nieuwburg* – STRASBOURG : *Vierge* – STUTTGART : *Autel avec Vierge aux champs*, triptyque – UTRECHT (Mus. Kunstliefde) : *Portrait d'un homme de trente-neuf ans* – *Adoration des Mages* – VIENNE : *Adoration des Rois, Marie priant l'Enfant, La Circoncision*, tableau d'autel à quatre volets.
VENTES PUBLIQUES : PARIS, 1863 : *La glorification de la Vierge* : **FRF 405** – PARIS, 1881 : *Portrait d'homme* : **FRF 320** – LONDRES, 28 juil. 1922 : *Pieta* : **GBP 199** – PARIS, 10-11 mai 1926 : *Un roi rendant la justice*, pl. : **FRF 7 500** – NEW YORK, 27-28 mars 1930 : *Sainte Véronique* : **USD 2 600** – VIENNE, 13 mars 1962 : *La Descente de Croix* : **ATS 120 000** – LONDRES, 10 juil. 1968 : *Scènes de la vie du Christ*, triptyque : **GBP 14 000** – NEW YORK, 2 déc. 1976 : *L'adoration de l'Enfant Jésus*, h/pan. (97,5x75,5) : **USD 140 000** – AMSTERDAM, 9 juin 1977 : *Le couronnement de la Vierge*, h/pan., haut arrondi (35x25) : **NLG 105 000** – LONDRES, 30 nov 1979 : *Portrait de Jan Gerritsz Van Egmond, bailli de Niewburg*, h/pan. (35,5x26) : **GBP 10 000** – BERNE, 21 juin 1985 : *Adam et Eve au Paradis*, grav./bois : **CHF 2 100** – LONDRES, 11 déc. 1987 : *L'Adoration des Rois mages*, h/pan. (126,5x121,5) : **GBP 50 000** – NEW YORK, 15 jan. 1993 : *La crucifixion 1507*, h/pan., panneau central d'un triptyque (99,1x78,7) : **USD 607 500**.

CORNELISZ-VROOM Hendrick. Voir VROOM Hendrick Cornelisz

CORNELIUS
XVIIᵉ siècle. Actif à Prague. Tchécoslovaque.
Graveur.
Il grava les reliquaires de la cathédrale de Prague en 1674.

CORNELIUS Aloys
Né le 11 mai 1748 à Düsseldorf. Mort le 21 juin 1800. XVIIIᵉ siècle. Allemand.
Peintre.
Il était le père de Peter von Cornelius. Il se forma sous l'égide de Krahe et devint inspecteur de l'Académie de Düsseldorf et professeur de la classe des débutants.
MUSÉES : DÜSSELDORF (Cab. des Dessins) : *Un dessin* – MUNICH (Pina.) : *Sainte Famille*, copie d'après Raphaël, connue sous le nom de « Düsseldorfer Familie ».

CORNELIUS Ignaz
Né le 8 février 1764 à Düsseldorf. XVIIIᵉ siècle. Allemand.
Peintre et graveur.
A la fin de sa vie il devint acteur. Il était le frère d'Aloys Cornelius.

CORNÉLIUS Jean Georges
Né le 23 janvier 1880 à Strasbourg (Bas-Rhin). Mort le 3 juin 1963 à Ploubazlanec (Côtes-d'Armor). XXᵉ siècle. Français.
Peintre, graveur, illustrateur.
A Strasbourg, il travailla d'abord dans l'atelier du peintre et aquafortiste, le baron Lothar von Seebach. Puis, il vint à Paris, s'inscrivit à l'Atelier Gustave Moreau et ensuite à l'Atelier Luc-Olivier Merson, où il fut condisciple de Dunoyer de Segonzac et de Gus Bofa. Dès 1903, il commença à exposer, plusieurs années au Salon de la Société Nationale des Beaux-Arts.
Il a tenté la synthèse d'un certain accent moderne et d'une référence à la tradition décorative et spirituelle médiévale. D'entre les ouvrages qu'il a illustrés : *La chanson de Roland, La Ballade de la Geôle de Reading* d'Oscar Wilde et *De Profundis, Les Paradis Artificiels* de Charles Baudelaire. Il a gravé une suite : *La Passion* d'après ses propres peintures, avec un texte d'Henri Pourrat.

VENTES PUBLIQUES : BREST, 21 mai 1978 : *Apparition sur la lande*, h/t (73x100) : **FRF 9 000** – BREST, 14 déc. 1980 : *Femme à l'enfant*, h/cart. (92x64) : **FRF 9 500** – BREST, 13 déc. 1981 : *Le vieux Terre-Neuve*, h/cart. (75x68) : **FRF 14 000** – ENGHIEN-LES-BAINS, 22 avr. 1982 : *L'ange de l'Annonciation*, h/pan. (63x98,5) : **FRF 33 000** – QUIMPER, 17 juil. 1994 : *Vierge à l'Enfant*, h/cart. (92x65) : **FRF 32 000** – PARIS, 30 oct. 1995 : *La chaumière bretonne*, h/cart./pan. (92,5x60,5) : **FRF 5 000**.

CORNELIUS Lambert
Né le 24 mars 1778 à Düsseldorf. Mort le 7 septembre 1823. XIXᵉ siècle. Allemand.
Peintre.
Il était le fils d'Aloys Cornelius et le frère aîné de Peter. Il fut le successeur de son père à l'Académie de Düsseldorf.

CORNÉLIUS Marie Lucie
XIXᵉ-XXᵉ siècles. Active à Paris. Française.
Peintre.
Elle exposa au Salon des Artistes Français de 1885 à 1891 et au Salon de la Société Nationale des Beaux-Arts à partir de 1893.

CORNELIUS Peter von
Né en 1783 à Düsseldorf. Mort en 1867 à Berlin. XIXᵉ siècle. Allemand.
Peintre d'histoire, compositions religieuses, figures, nus, compositions décoratives, fresquiste, dessinateur.
Groupe des Nazaréens.
Il étudia tout d'abord à l'Académie de sa ville natale. Certaines sources le disent avoir également étudié à Munich et à Berlin. À l'âge de dix-neuf ans, il décora l'église de Reuss de peintures à fresque. En 1811, il se rendit à Rome, où il se joignit au groupe des Nazaréens, établis dans le couvent de Sant'Isidoro où ils menaient une vie quasi-monastique, s'inspirant dans leur peinture de l'art italien antérieur à Raphaël. On reconnaît là la même source d'inspiration que chez les préraphaélites anglais. En 1816, le consul général de Prusse à Rome confia au groupe des Nazaréens la décoration du Palais Zuccaro. Cornelius y participa avec *L'interprétation des songes du Pharaon*, et *La reconnaissance de Joseph*, décorations qui furent considérées comme les meilleures de l'ensemble. Il avait reçu une commande similaire pour collaborer à la décoration, à fresque également, de la villa Massimi, mais ne put exécuter ce travail, ayant été appelé également à Munich, par le prince héritier de Bavière, qui devait régner sous le nom de Louis Iᵉʳ, pour décorer la Glyptothèque, considérable travail qui l'occupa de 1819 à 1830. Cette décoration consolida sa réputation. Vers 1820, on lui avait confié la direction de l'Académie de Düsseldorf. En 1824, il devint directeur de l'Académie de Munich. Il aurait dû également exécuter les décorations pour l'Ancienne Pinacothèque de Munich, ce qui n'aboutit pas, à cause de différents avec l'architecte. Ses décorations pour la Ludwigskirche furent mal reçues par le public. Le roi Frédéric-Guillaume IV de Prusse l'appela en 1841 à Berlin, pour faire le projet d'un vaste ensemble de fresques destinées à un cimetière de Berlin, conçu sur le modèle du Campo Santo de Pise. Le projet ne fut pas réalisé, mais on a conservé les cartons de Cornelius. Ces cartons, ainsi que les autres œuvres de la même période, montrent un changement d'orientation dans l'œuvre de Cornelius.
Cornelius, dès sa plus tendre jeunesse, rêvait à l'art italien et signait ses lettres du prénom de Raphaël. Il se promenait dans la galerie des Antiques du musée de Dresde, dont son père était conservateur. Aussi n'est-il pas étonnant qu'il ait rallié le mouvement nazaréen. C'est à Vienne que Johann Friedrich Overbeck, avec Eberhard Wächter, avait fondé, en 1809, le *Lukasbund* (Confrérie de Saint-Luc). L'année suivante, à Rome, ils s'installèrent donc à Rome, devenant les Nazaréens de Sant'Isidoro, Overbeck se convertissant au catholicisme en 1813. Ayant ignoré les vrais primitifs italiens, c'est plus une esthétique classique qu'archaïsante que définit le groupe, se référant surtout à l'œuvre de Raphaël, aux sculptures antiques classiques, à la lecture du Dante. Cornelius était pour sa part plus attiré par Michel-Ange, tout au moins dans cette première période. C'est à partir de 1808 qu'il fut attiré par les peintres germaniques, Dürer en particulier, qu'il découvrit à travers le Livre d'Heures de l'empereur Maximilien. Les illustrations qu'il fit pour *Faust*, montrent bien ce retour aux sources allemandes, même si, durant son séjour à Rome, où il épousa une Romaine, il resta encore, jusqu'à son retour en Allemagne, très dépendant de l'esthétique raphaélite d'Overbeck. Cornelius, Overbeck, eurent le mérite, à travers leurs hésitations, de préparer la voie à un

romantisme spécifiquement allemand. Quant à leur œuvre même, la postérité n'a pas confirmé la grande célébrité qu'ils connurent de leur vivant.

$\mathcal{E}\,\,^{\prime\prime}\mathcal{C}^{\prime\prime}$

BIBLIOGR. : Marcel Brion : *La peinture allemande*, Tisné, Paris, 1959.
MUSÉES : ANVERS : *Hagen confie ses trésors aux filles du Rhin (Nibelungen)*, carton – BÂLE : *Dieu, créateur du monde, entouré de ses anges* – *Ave Maria* – *La justice chrétienne* – BERLIN : *La reconnaissance de Joseph par ses frères* – *Joseph explique les songes de Pharaon* – *Attente de la justice universelle*, cinq cartons pour les peintures murales du Campo Santo à Berlin – DARMSTADT : *Décapitation de sainte Catherine* – DRESDE : *Portrait de G. Malos* – DÜSSELDORF : *Les Vierges sages et les Vierges folles* – *Portrait de la jeune sœur de Ferd. Scheidt 1809* – FRANCFORT-SUR-LE-MAIN (Mus. Historique) : *Sainte Famille* – *Portrait du marchand Wilmann et de sa femme* – LEIPZIG : *Projet de tableau de plafond pour une villa romaine* – *Mise au tombeau* – WEIMAR : *Esquisse d'une peinture murale pour la Friedhofshalle de Berlin*, 4 crayons.
VENTES PUBLIQUES : PARIS, 1823 : *Composition de figures* : FRF 8 – COLOGNE, 5-6 oct. 1894 : *Saint Pierre* : DEM 10 ; *Saint Joseph* : DEM 30 – MUNICH, 6 et 8 nov. 1963 : *Tête de jeune fille* : DEM 2 700 – MUNICH, 28 nov 1979 : *Portrait d'homme*, pl. (15,5x12) : DEM 10 500 – MUNICH, 26 nov. 1981 : *Etude de tête 1816*, cr. (18x13) : DEM 5 600 – HEIDELBERG, 14 oct. 1988 : *Nu féminin debout*, croquis au cr. (42,6x28,7) : DEM 2 200 – MUNICH, 31 mai 1990 : *Eros avec l'aigle*, h/t (124x104,5) : DEM 16 500 – MUNICH, 10 déc. 1992 : *Faust et une jeune fille devant l'église*, encre et lav. bruns/pap. (20,8x22) : DEM 6 780.

CORNELIUS d'Anvers. Voir ADDIR Cornelius

CORNELL

Né à Londres. XXᵉ siècle. Britannique.
Peintre de compositions à personnages, paysages animés. Naïf.
Chauffeur de camions, il est autodidacte en peinture. Il est répertorié parmi les artistes naïfs de Grande-Bretagne, et on cite de lui *Une journée à la campagne*.

CORNELL Joseph

Né en 1903 ou 1904 à Nyack (New York). Mort le 29 décembre 1972 à New York. XXᵉ siècle. Américain.
Peintre de collages, sculpteur multimédia d'assemblages. Post dadaïste.
Il fut élève de la Phillips Academy d'Andover. Il passa presque toute sa vie à Flushing dans la région de Long Island, et à partir de l'âge de 22 ans, il adhéra à la Christian Science, puissante église protestante. Il fut aussi l'auteur de films *underground*, le metteur en page talentueux des revues « chics » *Harper's Bazar, Vogue*. Dès 1932, il exposait dans la galerie Julien Lévy de New York une série de collages influencés par le célèbre album de Max Ernst *La Femme 100 Têtes*. Par l'intermédiaire de cette même galerie, il fit alors la connaissance des artistes surréalistes de passage à New York. Sans qu'il ait fait partie à proprement parler du groupe surréaliste, il est évident que le surréalisme, en particulier la poésie d'André Breton, a largement influencé sa vision, et il est parfois qualifié de « premier surréaliste américain ». Déjà, lors d'une exposition où participèrent Dali, Ernst, Picasso, il avait montré un *shooner*, dont la voile arrière était transformée en une rose sur laquelle une araignée tissait sa toile. Mais, c'est de 1936 que date sa première participation importante à l'exposition *Art fantastique, Dada, Surréalisme* au Musée d'Art Moderne de New York, où il présentait *Soap Bubble Set* (matériel à bulles de savon). Ni vraiment peintre, ni sculpteur, mais un peu les deux à la fois, Cornell, depuis ce moment, a fabriqué de petites « boîtes », dans lesquelles il juxtaposait de façon insolite de menus objets très simples, visant surtout à créer un climat qui tienne en même temps de la fantasmagorie onirique et d'une candeur poétique innocente et pourtant troublante. Certaines de ces boîtes sont électrifiées : *Sans titre (Oiseau perché)* de 1946-1948. À partir de là, l'activité créatrice de Cornell, totalement détachée de la positivité de la technique picturale ou de celle de la sculpture, élevant la négativité de l'objet préexistant au statut artistique, ressortissait bien plus au néo dadaïsme qu'au surréalisme, rencontrant, comme le remarque Pierre Restany, fortuitement dans ces

mêmes années trente finissantes, le processus développé par Camille Bryen dans *L'Aventure des Objets*. Après la guerre, il a exposé régulièrement à New York, Chicago, fut connu aux États-Unis, n'ayant en Europe qu'une notoriété confidentielle. Pourtant, à la veille de sa mort, il fut invité avec les jeunes générations à Documenta V de Kassel, en 1972. En 1989, à Paris, une double exposition dans deux galeries fut consacrée à ses collages et à ses boîtes, en 1996 à la C&M Arts de New York et à la galerie Piltzer de Paris.
Désormais fidèle à ce processus et cette forme plastique, qu'il systématisa surtout après la guerre, Cornell a, tout au long de sa carrière, confectionné ses boîtes dans lesquelles, à travers la face vitrée révélant l'intérieur, on retrouve l'esprit d'un théâtre de l'étrange ou théâtre de la mémoire, toutefois dénué de toute recherche d'un effet de malaise tel que le préconiserait le surréalisme, mais au contraire lié à la tendre nostalgie des curiosités, dioramas et reliquaires de la fin du XIXᵉ siècle. Dans la courte période 1946-1948, il sacrifia à l'abstraction pure, articulant des cubes multiples, ce qui alors le fit taxer de constructiviste. Très vite, il se tourna de nouveau exclusivement sur l'objet, l'objet dans son rapport à l'homme. Il faisait de longues errances journalières dans les banlieues de New York, d'où il rapportait de tout et aussi n'importe quoi. Vers 1950, il renforça encore la primauté donnée au potentiel onirique de ses assemblages. On a dit de Cornell qu'il « bricolait du rêve », ce qui justement définit sa capacité d'invention évocatrice incessante et son « habileté » manuelle, la conjonction des deux lui permettant de parvenir à « l'équilibre subtil entre les formes plastiques des objets et les idées que ces objets éveillent ». Il eut un rôle de précurseur, annonçant des tendances diverses, dont celles, évidentes, du néo dadaïsme, mais par certains côtés aussi celles du Nouveau Réalisme : dans sa récupération artistique de l'objet en-soi, on peut penser aux collectes de Spoerri, d'Arman, de César. Précurseur, il le fut encore d'une époque qui toujours plus met l'accent, jusqu'à des comportements quasi pathologiques, sur les mythologies individuelles de l'artiste. Ses boîtes d'assemblages, si elles doivent quelque chose à la *Boîte en valise* de Duchamp, sont, en sens inverse, à l'origine, entre autres, des *Combine-Paintings* de Robert Rauschenberg.

■ Pierre Faveton, Jacques Busse

BIBLIOGR. : Pierre Cabanne, Pierre Restany : *L'avant-garde au XXᵉ siècle*, Balland, Paris, 1969.
MUSÉES : CHICAGO (Art Inst.) – GRENOBLE – MARSEILLE – NEW YORK (Mus. of Mod. Art) : *Central Park Carrousel* 1950, bois, verre, fil de fer et pap. – NEW YORK (Whitney Mus.) – PARIS (Mus. Nat. d'Art Mod.) : *Soap Bubble Set* 1948-1949, boîte en bois contenant divers objets : pipe, verre, boule de liège (26x38x8) – *Museum* 1942, boîte en bois, avec 20 flacons contenant divers éléments, (5,5x21,5x17,7) – STRASBOURG.
VENTES PUBLIQUES : NEW YORK, 13 oct. 1965 : *Soleil riant*, assemblage dans une boîte vitrée : USD 3 250 – NEW YORK, 5 avr. 1967 : *Soleil de minuit*, boîte vitrée avec objets : USD 4 000 – NEW YORK, 4 mai 1967 : *Composition*, collage : USD 700 – NEW YORK, 26 oct. 1972 : *Paolo et Francesca* 1942, boîte vitrée : USD 13 500 – NEW YORK, 5 mai 1976 : *Hotel du Nord*, sérig. (37,8x28,5) : USD 650 – NEW YORK, 21 oct. 1976 : *Grand Hôtel de l'Observatoire* vers 1955, construction (43x33x12,5) : USD 19 000 – NEW YORK, 12 mai 1977 : *Voyageurs*, boîte, construction (47,5x28x12) : USD 15 000 – NEW YORK, 30 nov. 1977 : *A vendre*, collage (30,5x22,5) : USD 2 500 – NEW YORK, 18 mai 1978 : *Grand Hôtel de la Boule d'Or* vers 1954, boîte construction (48x33x10) : USD 16 000 – NEW YORK, 9 mai 1979 : *Hôtel du Nord*, sérig. en coul. (37,9x28,7) : USD 900 – NEW YORK, 18 mai 1979 : *Astrological girl (Cassiopeia)* vers 1964, collage/isor. (25,5x20) : USD 4 200 – NEW YORK, 13 nov. 1980 : *Puzzle of the reward* vers 1965, collage/isor. (30,5x23) : USD 13 000 – NEW YORK, 4 nov. 1981 : *Sans titre* vers 1933, h/collage (17,1x13,5) : USD 12 000 ; *Sans titre* 1933, construction (15,6x13,1x2,3) : USD 27 000 – NEW YORK, 12 nov. 1982 : *Pour J. Derequeleyne* vers 1960, collage/isor. (30,5x23) : USD 11 000 – NEW YORK, 5 mai 1983 : *How to make a rainbow* 1972, sérig. en coul. (36,5x27,5) : USD 700 – NEW YORK, 8 nov. 1983 : *Pour Mylène Demongeot* vers 1954-1955, construction : bois, perroquet découpé, balle plastique, fils de fer, pap., miroir, temp. et verre (45x28x11,5) : USD 18 000 – NEW YORK, 1 nov. 1984 : *Sans titre (femme nue sur une plage avec arc-en-ciel)* vers 1962, collage photos et gche bleue/isor. (30,5x22,7) : USD 5 000 – NEW YORK, 3 mai 1985 : *Junior working* 1966, collage de pap./cart. (30,5x22,8) : USD 6 000 – NEW YORK, 6 mai 1986 : *Objet, Cabinet d'Histoire Naturelle* 1936-1940, boîte en bois contenant 55 bou-

teilles en verre avec leur bouchon ouvert (23,5x23,5x18,5, fermé 8,3x23,5x18,5) : **USD 165 000** – New York, 11 nov. 1986 : *Jeune fille nue sur un arc-en-ciel dans un paysage rocheux* vers 1960, collage avec pl. et encre/isor. (30,5x23) : **USD 6 500** – New York, 6 mai 1986 : *Night scene birds* vers 1962, cr. et collage pap./pan. (31x23) : **USD 4 500** – New York, 5 mai 1987 : *Sans titre (Fontaine de Sable)* 1954-1957, construction d'objets divers dans une boîte (32x22,2x12,7) : **USD 34 000** – New York, 4 nov. 1987 : *Rainbow Nude* vers 1962, collage/isor. (30,5x22,8) : **USD 6 500** – New York, 20 fév. 1988 : *Sans titre*, construction de bois, coquillages, liège, verre et gche (22,15x15,9x9,6) : **USD 33 000** – New York, 3 mai 1988 : *Sans titre (Hôtel Neptune)*, chassis de boîte (46x27,3x9) : **USD 27 500** ; *Sans titre (variante de l'appareil à bulles de savon)*, bois, détrempe, verre cassé, pap., tringle et crochets d'acier, pipe de plâtre, coquillage, timbres-poste et vitre (22,9x38x8,2) : **USD 55 000** – New York, 4 mai 1988 : *Sans titre (plateau de sable bleu)*, construction de bois peint, spirale de fil métallique, bille et vitre (16,5x19x19) : **USD 13 200** – New York, 8 oct. 1988 : *Sans titre (fenêtre)*, techn. mixte (43,2x27,3x15,8) : **USD 41 800** – Paris, 16 oct. 1988 : *L'abeille* vers 1965-1966, collage (30x24) : **FRF 61 000** – New York, 2 mai 1989 : *Vents alizés nº 2*, construction de bois, liège, marbre, verre et épingles (28x41x10) : **USD 220 000** – New York, 5 oct. 1989 : *Magicien astronome* 1962, construction de bois, liège, métal peint. et collage (16,5x23,5x8,3) : **USD 99 000** – Paris, 9 oct. 1989 : *Penny arcade serie (valentina)* 1962, photocollage/pan. (30,5x23) : **FRF 180 000** – New York, 13 nov. 1989 : *Sans titre Grand Hôtel Pharmacie*, (étagère murale en bois et verre (36x33,3x11) : **USD 495 000** – Londres, 29 nov. 1989 : *Sans titre – Bouteille de champagne*) 1930, boîte de bois et collage (9,3x10) : **GBP 22 000** – New York, 8 mai 1990 : *Soap bubble set*, boîte de bois et vitre avec une pipe d'argile, un tampon encreur, un verre, une balle de liège, etc. (18,4x31,8x7) : **USD 82 500** ; *Sans titre (marque déposée)*, coffret avec collage de pap. journal ficelle et velours (6,3x25,5x15,3) : **USD 176 000** – New York, 4 oct. 1990 : *Le buste* 1969, encre/pap. (30,5x22,9) : **USD 14 300** – New York, 1er mai 1991 : *Sans titre*, coffret de bois avec une vitre, du sable et du bois (29,2x19x10,2) : **USD 49 500** – New York, 25-26 fév. 1992 : *Sans titre*, construction avec du sable et du liège dans un coffret de bois vitré (33,8x22,4x12,8) : **USD 30 250** – New York, 3 mai 1993 : *Sans titre (Palais de cristal)*, construction d'un coffret (32,9x23,5x10,7) : **USD 118 000** – New York, 10 nov. 1993 : *Sans titre (Palais de la Belle au bois dormant)*, construction d'un coffret avec des brindilles, un miroir, du pap. découpé et des éléments scintillants (21,6x38,4x10,2) : **USD 189 500** – New York, 14 nov. 1995 : *Sans titre (de la série « Hôtel avec face de soleil »)* 1957, bois peint. et vernis, pap. imprimé et collage de métal et différents objets (50,8x29,2x16) : **USD 68 500** – Londres, 21 mars 1996 : *Perchoir déserté* 1949, techn. mixte dans un coffret de bois (41,5x33x10,2) : **GBP 76 300** – New York, 7 mai 1996 : *Sans titre (musée)*, construction d'un coffret de bois, chaine métallique, six flacons de verre, bouchons de liège, sable coloré, etc. (22,2x24,2x22,2) : **USD 85 000** – New York, 8 mai 1996 : *Sans titre (variation Médicis)*, construction d'une boîte : h., pap. imprimé sur cart., plâtre, bois, verre et boule de bois peint. (39,4x27,4x11,4) : **USD 96 000** – New York, 20 nov. 1996 : *Grand Hôtel Bon Port* vers 1950, techn. mixte, construction (44,5x26x10,2) : **USD 68 500** – New York, 7 mai 1997 : *Les Constellations voisines du Pôle* vers 1959, matériaux mixtes (44x27,8x12) : **USD 112 500**.

CORNELLIER Étienne

Né en 1838 à Marseille (Bouches-du-Rhône). Mort en 1902. xixe siècle. Français.
Peintre.
Mentions honorables en 1887 et à l'Exposition Universelle de 1889. A peint en Bretagne, Normandie et dans la forêt de Fontainebleau. Ami d'Edmond Rostand et de Jules Renard, il fit des décors pour Cyrano de Bergerac. Souvent en collaboration avec J. B. Olive, il décora de fresques, le Sacré-Cœur de Montmartre, le Cirque d'Hiver, le buffet de la gare de Lyon.
Bibliogr. : G. Schurr : *Les petits maîtres de la peinture,1820-1920, valeur de demain*, Paris, 1969.

CORNELLIER Jean

Né en 1921 à Marseille (Bouches-du-Rhône). Mort en 1974. xxe siècle. Français.
Peintre de paysages urbains.
Musées : Narbonne : *La rue Marceau à Narbonne*, *L'église Saint-Paul-et-Serge de Narbonne*, *La promenade des Barques et le Palais des Archevêques* 1974, trois œuvres.

CORNELOUP Claudia, Mlle

Née à Lyon. xixe siècle. Française.
Peintre.
A obtenu une mention honorable en 1895.

CORNEO

Né à Milan. xixe siècle. Travaillant au début du xixe siècle. Italien.
Peintre de genre.
Ventes Publiques : Turin, 1860 : *Vieillard coiffé d'un turban et jeune homme*, gche : **FRF 15**.

CORNER John

Né vers la fin du xviiie siècle probablement en Angleterre. xviiie-xixe siècles. Britannique.
Graveur au burin.
Il publia, en 1825, une série de 25 *Portraits de Peintres célèbres*, disposés en médaillons avec des reproductions des chefs-d'œuvre des artistes.

CORNER Peter

xviiie siècle. Actif au début du xviiie siècle. Britannique.
Peintre de portraits.
Plusieurs de ses œuvres furent gravées : ainsi le *Portrait du théologien et missionnaire B. Ziegenbalg* par J. Simon.

CORNER Thomas Cromwell

Né le 2 février 1865 à Baltimore (Maryland). xixe siècle. Américain.
Peintre.
Il fut président du *Club Charcoal*, après avoir travaillé à New York et à Paris.

CORNERO d'Allemagna

xve siècle. Italien.
Peintre verrier.
Il travailla en 1434 à la cathédrale de Milan.

CORNET

xixe siècle. Actif à Munich vers 1830. Allemand.
Peintre verrier.
On peut voir six grands vitraux sortis de son atelier dans l'église Saint-Louis à Ausbach.

CORNET Alphonse ou Alphonsus

Né en 1814 à Anvers. Mort en 1874. xixe siècle. Éc. flamande.
Peintre d'histoire, scènes de genre, figures.
Élève de P. Kremer.

A<u>se</u> Cornet

Ventes Publiques : La Haye, 1889 : *Un homme d'armes* : **FRF 220** – New York, 29 oct. 1992 : *Il m'aime..., un peu...* 1880, h/t (41x45,7) : **USD 2 640**.

CORNET Alphonse

Né en 1839 à Riom (Puy-de-Dôme). Mort en 1898. xixe siècle. Français.
Peintre d'histoire, sujets mythologiques, compositions allégoriques, scènes de genre, compositions décoratives.
Élève de Denuelle. Il débuta au Salon de Paris en 1864.
On lui doit : *Le Temple de la gloire*, figures décoratives et le *Triomphe du Printemps*, deux grands plafonds du Musée de Riom.
Musées : Dijon : *Scène après la bataille de Champigny*.
Ventes Publiques : Paris, 21 et 22 oct. 1936 : *Montreur de bêtes au Champ-de-Mars, avant la fête du 15 août* : **FRF 820** – Londres, 28 nov. 1984 : *La vengeance de Mars* 1855, h/t (264x171) : **GBP 1 000** – Paris, 20 nov. 1985 : *Prise du temple de Delphes par les Gaulois* 1885, h/t (280x185) : **FRF 48 000**.

CORNET Fernand, appelé aussi Cornet d'Haese

Né le 22 janvier 1922 à Bernissart. xxe siècle. Belge.
Peintre de figures, paysages animés, paysages urbains, marines, peintre à la gouache, aquarelliste, pastelliste, lithographe.
Il fut élève de l'Académie des Beaux-Arts de Tournai. Il est établi à Anvers, sans avoir perdu le contact avec Tournai. Il exerça longtemps des activités dans la mode féminine et ne se consacra entièrement à la peinture qu'à partir des années soixante.

Il montre ses œuvres dans des expositions collectives régionales nombreuses et dans des expositions personnelles dans des villes de Belgique, notamment en 1992 à Tournai, en 1995, etc.
Il peint des séries, consacrées au cours de l'Escaut, à la Campine, aux marines et surtout au port d'Anvers, mais encore à la ville de Tournai, au monde de la danse.
Musées : Bernissart (Mus. de l'Iguanodon) – Bruxelles (Mus. Juif de Belgique) – Genval (Mus. de l'Eau et des Fontaines) – Harchies (Mus. de la Mine) – La Louvière (Mus. Janchelechi) – Marcinelle (Mus. de la Mine) – Mons (Mus. des Beaux-Arts) – Saint-Amand (Mus. Émile Verhaeren) – Saint-Amand (Mus. Romain De Saegher) – Tournai (Mus. des Beaux-Arts) – Tubize (Mus. de la Porte).

CORNET Jacobus Ludovicus
Né le 18 août 1815 à Leyde. Mort le 3 décembre 1882 à Leyde. xixe siècle. Hollandais.
Peintre de genre, portraits, graveur.
Il fut élève de Van den Brock.

JL Cornet 1841

Musées : Amsterdam : *David-Pierre-Humbert de Superville* – Leyde : *Portrait de Montaigne – Portrait du roi Guillaume II – Portrait du roi Guillaume III – Portrait de femme – Le Philosophe – Intérieur, étude – Vue des ruines de l'église Sainte-Marie dans le Haarlemerstraal – Reproduction du vitrail médian de l'hospice Sainte-Catherine, à Leyde – Vue intérieure d'une écurie – Étude d'une cave avec escalier.*
Ventes Publiques : Amsterdam, 11 avr. 1995 : *Jeune femme se coiffant* 1855, h/pan. (28x21) : **NLG 4 484** – Amsterdam, 3 sep. 1996 : *Perrol aux mains rouges* 1838, h/t (90x110) : **NLG 1 729.**

CORNET Joseph
Né à Toulouse (Haute-Garonne). xixe siècle. Français.
Peintre.
Élève de Cabanel. Il débuta au Salon de 1877 avec une *Pastorale*. Le Musée de Toulouse conserve de lui : *Joseph explique les songes du panetier et de l'échanson.*

CORNET Marcel Charles
Né à Suippes (Marne). xxe siècle. Français.
Peintre de paysages.
Il a exposé à Paris, au Salon des Artistes Indépendants de 1929 à 1943.

CORNET Maximilian
Né à Carvin. xviie siècle. Éc. flamande.
Peintre.
Il fut l'élève de son oncle Guillaume Robiquet à partir de 1620, à Tournai, où il devint maître le 12 octobre 1626.

CORNET Paul
Né le 18 mars 1892 à Paris. Mort en avril 1977. xxe siècle. Français.
Sculpteur de monuments, statues, nus, bustes.
Il fut élève de l'école des Arts Décoratifs de Paris et du sculpteur-décorateur Camille Debert. Toutefois, ses premières années se passèrent sous l'influence de Rodin, puis il fut tenté par l'aventure cubiste, dont témoignent *Autoportrait, Le Guerrier.* Après 1924, il se dégagea de l'influence cubiste et devint un sculpteur de monuments officiels très sollicité, dont on a dit qu'il prenait place dans la sculpture traditionnelle entre Maillol et Despiau. Avant 1939, il a participé à des expositions collectives à Bruxelles, Amsterdam, à Paris aux Salons des Artistes Indépendants, d'Automne, des Tuileries et à l'Exposition Internationale de 1937. Il a fait des expositions personnelles à Paris 1932, Copenhague 1953. A partir de 1964, il a exposé avec le *Groupe des Neuf* dont il était cofondateur, en 1967 il reçut le Prix Wildenstein, en 1972 il reçut le Prix du Portrait Paul Louis Weiller. Il était membre de l'Académie Royale des Beaux-Arts de Stockholm et reçut le Grand Prix National des Arts en 1953.
Il a sculpté de nombreux portraits, des figures monumentales pour le Palais de Chaillot, *Campagne* bronze sur le parvis du Palais de Chaillot, *La Vienne* figure couchée en pierre pour le Champ de Juillet à Limoges, *Hygie* céramique de la Manufacture de Sèvres pour Luxeuil-les-Bains, *Vénus et l'Amour* pour l'Orangerie de Meudon, *La Tour d'Auvergne* bronze pour le Panthéon, etc.
Musées : Alger – Amsterdam – Baltimore – Bône – Copenhague – Gotenbourg – Kansas-City – Limoges : *Tête de femme*, terre cuite

– Oslo – Paris (Mus. Nat. d'Art Mod.) : *Baigneuse allongée* – Paris (Mus. d'Art Mod. de la Ville) : *Buste de jeune fille – L'Aube – Buste de ma fille* – Prague – Rodez – Rotterdam – San Diego – Stockholm.
Ventes Publiques : Monte-Carlo, 25 mai 1980 : *Tête de jeune fille* 1924, pierre (H. 44) : **FRF 3 800** – Paris, 15 déc. 1992 : *Enfant de la balle* 1940, grès (30x42) : **FRF 9 000** – Paris, 27 nov. 1996 : *La grande femme*, bronze patiné, épreuve d'artiste (H. 168) : **FRF 40 000** ; *La Maternité*, bronze patiné, épreuve d'artiste (H. 86) : **FRF 6 800** ; *Adolescente*, bronze, épreuve d'artiste (H. 125) : **FRF 12 500** – Paris, 20 jan. 1997 : *Adolescente*, bronze patiné (H. 126) : **FRF 20 000** – Paris, 27 oct. 1997 : *Coralie*, bronze patiné, épreuve (H. 51) : **FRF 12 000.**

CORNET Ramon Gomez
Né en 1882 à Santiago-del-Estero. Mort en 1964. xxe siècle. Argentin.
Peintre de figures, scènes typiques.
Après avoir étudié dans son pays, il voyagea en Europe, passant quatre ans à Paris et travaillant à l'Académie Ranson. En 1921, il fit une exposition remarquée à Buenos Aires. Après avoir rallié les courants internationaux, il pratiqua une peinture régionaliste authentique, se consacrant à l'expression de sa terre, représentant inlassablement les jeunes enfants misérables. Abandonnant à son retour les audaces de la peinture occidentale, dans des harmonies de tons pâles, peu prononcés, il a voulu peindre la dignité des gens de son pays déshérité.
Bibliogr. : Damian Bayon, Roberto Pontual : *La peinture de l'Amérique latine au xxe siècle,* Mengès, Paris, 1990.

CORNET Y PALAU Cayetano ou Cornet y Ferrer
Né le 7 août 1878 à Barcelone (Catalogne). Mort le 31 mars 1945 à Barcelone (Catalogne). xixe-xxe siècles. Espagnol.
Dessinateur, caricaturiste.
Il fut le fondateur et principal collaborateur du journal satirique *Cu-Cut*, qui eut un rôle important pendant l'instabilité politique de la Catalogne, dans les années 1900. Il signait ses dessins d'un petit cœur, en référence à son nom : *cor* qui veut dire cœur en catalan et *net* qui veut dire pur. Il fut également directeur de l'Université des Ingénieurs de l'industrie à Barcelone.
Musées : Barcelone (Mus. d'Art catalan) : Plusieurs dessins, dont *L'home del dia*, caricature du Dr Robert Ploma.

CORNETE Francisco
Mort le 12 décembre 1592 à Madrid. xvie siècle. Espagnol.
Sculpteur.

CORNETTE
xviiie siècle. Actif à Besançon vers 1755. Français.
Peintre, décorateur.

CORNETTE Hélène
Née à Ypres. xixe-xxe siècles. Belge.
Sculpteur de figures allégoriques.
Après avoir débuté en 1890, elle prit part aux divers Salons de Bruxelles. En 1894, elle exposa aussi à Munich. On cite ses thèmes caractéristiques : *La misère – L'enfant mort – Prostration.*

CORNETTE Jeanine Daumerie
Née en 1924 à Forest. xxe siècle. Belge.
Peintre d'intérieurs, pastelliste. Intimiste.
Elle fut élève de Fernand Debonnaires. Elle peint d'après sa propre demeure et ses propres souvenirs, nostalgies et rêveries intérieures.
Bibliogr. : In : *Diction. biogr. illustré des artistes en Belgique depuis 1830,* Arto, Bruxelles, 1987.

CORNIA Antonio della
xviie siècle. Actif à Rome. Italien.
Peintre.
Il fut, à partir de 1634, membre de l'Académie Saint-Luc. Il peignit surtout des tableaux religieux.

CORNIA Fabio della ou Corgna
Né en 1600. Mort en 1643. xviie siècle. Actif à Pérouse. Italien.
Peintre.
Il était frère du duc della Cornia. Élève de Stefano Amadei. On trouve de ses ouvrages cités dans le *Guide de Rome.*

CORNIC Marguerite Marie
xxe siècle. Française.
Peintre de paysages, fleurs.
Elle travaillait à Lesneden (Finistère). Elle exposait au Salon de la Société Nationale des Beaux-Arts. Elle a surtout peint les paysages bretons.

CORNICAL/CORNILLEAU

CORNICAL Nicolas Michel
Né en 1668 à Saint-Lô. Mort le 31 mars 1705 à Paris. xviie siècle. Français.
Peintre d'histoire et de genre.
Élève de Louis Boulogne. Il eut le deuxième prix au concours pour Rome en 1696 et en 1697. Le 25 octobre 1704, il fut agréé à l'Académie et porta le titre de peintre du Roi.

CORNICELIUS Friedrich
Né le 24 avril 1787 à Weimar. Mort le 14 décembre 1853 à Hanau. xixe siècle. Allemand.
Dessinateur et peintre sur porcelaine.
Il fut l'élève de Konrad Westermayr à l'Académie de dessin de Hanau. Il fit de nombreux dessins et gravures représentant Hanau. La Société d'Histoire de Hanau possède une planche en couleur : *La place du marché.*

CORNICELIUS Georg
Né le 28 août 1825 à Hanau (Hesse). Mort en décembre 1898 à Hanau. xixe siècle. Allemand.
Peintre d'histoire, sujets religieux, scènes de genre, portraits, paysages.
Il fut élève de Th. Pélissier, puis, à Anvers, de G. Wappers. Il termina ses études à Dresde, à Paris, et à Munich.
On cite de lui : *Marie Stuart avant l'exécution, Les petits bohémiens.*
Musées : Berlin (Nat. Gal.) : *Satan cherche à séduire Jésus – Jésus devant Pilate* – Kassel : *Soir d'orage – Paysage – Luther affichant ses thèses* – Leipzig : *Portrait d'homme.*
Ventes Publiques : Londres, 25 juin 1982 : *Les jeunes musiciens,* h/t (72,2x90,2) : **GBP 3 500** – Cologne, 25 oct. 1985 : *Intérieur rustique,* h/t (31x26) : **DEM 2 000.**

CORNICHON Louis
xviie siècle. Français.
Peintre.
Il fut reçu à l'Académie Saint-Luc le 14 décembre 1675.

CORNICKÉ Jehan de
xve siècle. Français.
Sculpteur.
Il était en 1442 au service de la cour de Bourgogne.

CORNIE Frédéric
xvie siècle. Actif à Fontainebleau vers 1540. Français.
Sculpteur.

CORNIELES
xvie siècle. Actif à Séville vers 1527. Espagnol.
Sculpteur.
Collaborateur de Juan Picardo dans les travaux qu'il exécuta pour les édifices publics de la ville.

CORNIENTI Cherubino
Né en 1816 à Pavie. Mort le 12 mai 1860 à Milan. xixe siècle. Italien.
Peintre d'histoire, compositions religieuses, fresquiste.
Il fut à Milan élève de Bossi et de Sabatelli.
À l'exposition de Venise de 1842 son *Paolo Erizzo* le fit désormais considérer comme un novateur. L'église San Alessandro à Milan possède de lui *La Vierge et trois saints,* le monastère des Capucins à Tivoli : *Le Christ à Emmaüs* (fresque).
Musées : Milan (Gal. Brera) : *Jules II visitant l'atelier de Michel-Ange – Léonard de Vinci peignant devant L. Sforza C. Galeani.*
Ventes Publiques : Milan, 16 nov. 1980 : *Celestin V recevant l'investiture papale,* h/t (31x43) : **ITL 500 000** – Milan, 21 avr. 1983 : *Soggeto storico,* h/t (42x55,5) : **ITL 1 300 000** – Milan, 18 mars 1986 : *Moïse sauvé des eaux,* h/t (100x134) : **ITL 5 000 000** – Milan, 9 juin 1987 : *Paolo Erizzo che dà l'ultimo saluto alla figlia* 1842, h/t (166x223) : **ITL 19 500 000.**

CORNIENTI Giuseppe
xixe siècle. Italien.
Graveur sur cuivre et lithographe.
Il fut en Italie l'élève d'Anderloni et termina ses études à Paris.
On cite de lui un *Portrait de Manzoni* dans le style pointilliste.

CORNIER-MIRAMONT Joseph
Né en 1876 à Sète (Hérault). xxe siècle. Français.
Peintre de scènes de genre, portraits.
Il fut élève des Ecoles des Beaux-Arts de Montpellier et Paris.
Musées : Sète : *Une vitrine au Musée du Luxembourg.*

CORNIGLION-MOLINIER
xxe siècle. Français.

Peintre.
A exposé des portraits au Salon des Tuileries, en 1930 et 1932.

CORNIL Gaston
Né le 15 mai 1883 à Saint-Mandé (Val-de-Marne). xxe siècle. Francais.
Peintre de paysages ruraux, de paysages urbains animés, peintre à la gouache. Postimpressionniste.
Il fut élève de l'Ecole des Beaux-Arts de Paris, d'Émile Dameron et d'Edmond Petitjean. Il a exposé régulièrement à Paris, au Salon des Artistes Français de 1906 à 1939, première médaille 1931.
Il a souvent peint dans la région de Barbizon : *Le moulin de Fleury.* Il pratiquait une technique habile et robuste à la fois. Dans ses paysages ruraux, il recherchait la présence d'une fabrique, moulins par exemple, et la présence de l'eau qu'il traitait avec talent.
Musées : Verdun.
Ventes Publiques : Paris, 12-13 mars 1934 : *Le moulin à vent,* gche : **FRF 60** – Paris, 24 avr. 1942 : *La vieille rue :* **FRF 1 050** – New York, 23 mai 1989 : *Foire du Trône,* h/t (131x162,5) : **USD 23 100.**

CORNILHE André
Né à Montpellier. xvie siècle. Français.
Peintre.
Il travaillait vers 1586.

CORNILHON de Bavière. Voir CORNEILLE de Bavière

CORNILL Otto
Né le 1er février 1824 à Francfort-sur-le-Main. Mort le 12 mars 1907. xixe siècle. Allemand.
Peintre.
Il fit des études d'architecte à Karlsruhe puis à Berlin. A la suite d'un voyage en Italie, il devint peintre. Plus tard cet artiste fut conservateur du Musée de Francfort.

CORNILLAC Marguerite, plus tard Mme André
Née à Châtillon-sur-Seine (Côte-d'Or). xixe-xxe siècles. Française.
Peintre et graveur.
Élève, à Lyon, de J. Scohy. Elle débuta au Salon de cette ville, en 1887, avec un *Portrait d'homme,* exposa ensuite *En été* (1888), *Mon jardinier* (1889), et, à Paris, la même année, un *Christ.* Depuis, elle a peint et exposé à Paris et à Lyon, des portraits (de Mlles L. Janssen, J. Bourgault, Péan, Vuillaume de l'Opéra-Comique, de Daniel Lesueur), une série de panneaux décoratifs et de décorations murales : *Panneau pour l'Amphithéâtre de la Faculté de Médecine de Lyon* (Paris, 1892), *Saint Roch guérissant les aveugles* (Paris, 1894), aujourd'hui dans l'église de Villevocance (Ardèche), avec *Saint François Régis parmi les bûcherons* (1893) et *Hommage à la Vierge* (Paris, 1899), *Au bord de Rhône* (Paris, 1896), *Les sablonniers du Rhône* (Lyon, 1896), *Les carrières de Villebois* (Paris, 1897), œuvres d'une facture large et vigoureuse, où s'affirme un tempérament de coloriste. En 1901-1908, elle a décoré la salle des séances du Conseil municipal à l'hôtel de ville de Lyon. Elle a épousé le peintre Albert ANDRÉ.

CORNILLE Augustin
xviie siècle. Actif à Lille. Français.
Sculpteur.
Sur les plans de l'architecte Simon Vollant et avec un autre artiste nommé Manier, il décora la porte de Paris, à Lille, de 1685 à 1695. Peut-être s'agit-il du CORNILLE, né au Mans, qui était actif vers 1668.

CORNILLE Symon
xviiie siècle. Français.
Peintre.
Il travailla au château de Fontainebleau vers 1740-1750.

CORNILLEAU Raymond
Né le 10 décembre 1887 à Paris. Mort en 1975. xxe siècle. Français.
Peintre de portraits, nus, paysages, natures mortes, aquarelliste, peintre à la gouache.
Tout jeune, il part rejoindre son père en Inde, où la lumière contrastée l'a certainement marqué. Revenu en France, il est tenté par la photographie, mais est incité à apprendre le dessin afin de mieux connaître l'étude des valeurs. Il s'inscrivit dans l'atelier de Luc-Olivier Merson à l'École des Beaux-Arts de Paris. En 1907, il fut élève de l'Ecole des Arts Décoratifs de Paris. Il

obtint la Médaille de la Ville de Paris. Depuis 1920, il expose à Paris, aux Salons d'Automne et des Artistes Indépendants. Enfin il retourna vivre dans sa province angevine.

Peintre de paysages parisiens typiques, il fut surtout aquarelliste, et peignit aussi à la gouache des paysages aux formes fortement cernées.

BIBLIOGR. : Gérald Schurr, in : *Les Petits Maîtres de la peinture 1820-1920, valeur de demain*, Les Éditions de l'Amateur, t. VI, Paris, 1985.

MUSÉES : ANGERS (Mus. des Beaux-Arts) : *Paysage aux grands arbres* 1919.

VENTES PUBLIQUES : PARIS, 27 déc. 1926 : *Les dindons*, aquar. : FRF 480 ; *La Seine à Notre-Dame*, aquar. : FRF 450 – PARIS, 16 jan. 1928 : *Après le bain*, aquar. : FRF 105 – PARIS, 9 juil. 1942 : *Montparnasse*, aquar. : FRF 230.

CORNILLIER Pierre Émile
Né le 21 juin 1862 à Nantes (Loire-Atlantique). XIXᵉ siècle. Français.
Peintre et dessinateur.
Élève, à l'École des Beaux-Arts, de Lehman, Ph. Galland et L.-O. Merson. Débuta au Salon en 1885. Peintre de portraits, natures mortes et paysages, il figure au catalogue du Salon de la Nationale jusqu'en 1914.

CORNILLIET Jean Baptiste Alfred
Né le 1ᵉʳ mars 1807 à Versailles (Yvelines). Mort vers 1895. XIXᵉ siècle. Français.
Peintre de paysages animés, paysages, graveur.
Il exposa au Salon de Paris de 1846 à 1867. Il fit beaucoup de copies de maîtres anciens et modernes.
VENTES PUBLIQUES : PARIS, 29 nov. 1976 : *Le peintre en plein air*, h/pan. (15,5x23) : FRF 4 800 – PARIS, 6 fév. 1984 : *Bord de rivière animé 1860*, h/t (72,5x44) : FRF 12 000 – CALAIS, 13 déc. 1992 : *Bateau sur la plage à marée basse 1863*, h/t (33x47) : FRF 6 500.

CORNILLIET Jules ou Cornilliez
Né le 9 janvier 1830 à Versailles (Yvelines). Mort en 1886. XIXᵉ siècle. Français.
Peintre d'histoire, scènes de genre, aquarelliste.
Il fut élève d'Ary Scheffer, de H. Vernet et de M. Wachsmuth. En 1857, il commença à exposer au Salon de Paris.
VENTES PUBLIQUES : PARIS, 20-22 mai 1920 : *La colonne des prisonniers allemands 1870*, aquar. : FRF 300 – PARIS, 25 et 26 juin 1923 : *Bretonnes à la fontaine* : FRF 170 – PARIS, 20 mars 1951 : *Fête nautique* : FRF 44 000 – PARIS, 27 mai 1970 : *Départ aux armées* : FRF 550 – NEW YORK, 22-23 juil. 1993 : *Le jeune artiste 1855*, h/t (76,2x53,3) : USD 1 035.

CORNILLON Jean Baptiste, dit Joannès
Né le 23 avril 1821 à Lyon (Rhône). XIXᵉ siècle. Français.
Peintre de figures, portraits, paysages, natures mortes, fleurs et fruits.
Élève de Bonnefond à l'École des Beaux-Arts de Lyon dont il suivit les cours de 1836 à 1841, puis, à Paris, de Vollon.
Il exposa, au Salon de Lyon de 1842-43, une *Nature morte*, l'année suivante, un portrait, et débuta à Paris, en 1868, avec *Fruits d'automne, fraises et oranges*.
Il a peint surtout des fleurs, des fruits et des natures mortes, quelques figures et paysages.
VENTES PUBLIQUES : PARIS, 11 avr. 1992 : *Panier de raisins et bouquet de giroflées*, h/t (92x65) : FRF 25 000 – PARIS, 12 juin 1995 : *Nature morte au panier de raisin et jeté de giroflées sur un entablement*, h/t (92x65,5) : FRF 19 000 – LONDRES, 11 oct. 1995 : *Nature morte de raisin dans une corbeille*, h/t (91x64) : GBP 3 450 – PARIS, 22 mars 1996 : *Vase de fleurs*, h/pan. (20x14,5) : FRF 3 300.

CORNILLON Louis
Né le 27 décembre 1869 à Lyon (Rhône). XIXᵉ siècle. Français.
Peintre de portraits, paysages.
Il fit ses études à l'École des Beaux-Arts de Lyon, puis fut élève de Bonnat à Paris.
Il exposa au Salon de Lyon des portraits et des paysages : *Un petit déjeuner* (1888), *Le soir dans la vallée*, *Matinée à Saint-Amour*, *Une rue à Preveyrieux*.

Louis Cornillon

VENTES PUBLIQUES : LONDRES, 19 juin 1985 : *La promenade du dimanche*, h/t (123x87) : GBP 2 500.

CORNILLON-BARNAVE Charles Marie Joseph
Né à Marseille (Bouches-du-Rhône). XXᵉ siècle. Français.
Peintre de portraits, dessinateur.
Il a exposé à Paris, au Salon des Artistes Indépendants de 1920 à 1939.

CORNILS Hermann
Né le 29 octobre 1869 à Altona. XIXᵉ siècle. Allemand.
Sculpteur et graveur.
Il fut à Dresde l'élève de John Schilling, puis il s'établit à Hambourg. On cite de lui une sculpture à l'église Sainte-Anne à Hambourg, un *Monument aux morts* pour la ville de Garding (Schleswig-Holstein).

CORNIN David Edward
Né le 12 juillet 1839 à Greenwich (New York). XIXᵉ siècle. Américain.
Dessinateur.
Il parcourut dans sa jeunesse la France, la Belgique, l'Angleterre et l'Allemagne, puis il s'établit à Philadelphie. Il collabora au *Harpers Weekly*.

CORNIOLE Giovanni
XVᵉ siècle. Italien.
Graveur.
Il fut connu pour ses gravures sur pierre fine.

CORNIOLI
Italien.
Peintre.
Un tableau signé de ce nom et sans indication de date se trouve dans l'église Madonna delle Nevi près de Montisi, dans la province de Sienne.

CORNIOU Maurice
Né à Paris. XXᵉ siècle. Français.
Peintre de paysages.
Il a exposé à Paris, au Salon des Artistes Indépendants de 1928 à 1935.

CORNISH Frank Robert
Né le 4 mai 1868 à Ipswich (Queensland). XIXᵉ siècle. Australien.
Peintre de paysages et dessinateur.
Il a parcouru le monde.

CORNISH Giacomo
Né en 1837. Mort le 25 janvier 1910. XIXᵉ-XXᵉ siècles. Italien.
Peintre.
Il travaillait à Parme, où il fut professeur de dessin. Le Musée de Parme conserve de lui le *Portrait de sa mère*.

CORNISH John
XVIIIᵉ siècle. Actif à Oxford. Britannique.
Peintre de portraits.
L'Université d'Oxford conserve de lui un *Portrait du musicien W. Hayes*.

CORNISH Norman
Né le 26 avril 1906. XXᵉ siècle. Britannique.
Sculpteur.
Il exposa à la Royal Academy.

CORNISH William Permeanus
XXᵉ siècle. Britannique.
Peintre de paysages.
Il vécut à Londres, où il exposa à la Royal Academy à partir de 1898. Il exposa également à Paris, au Salon des Artistes Français à partir de 1908.
VENTES PUBLIQUES : NEW YORK, 29 oct. 1992 : *Passants dans une rue devant une ancienne imprimerie 1898*, aquar./pap./pan. (76,2x116,9) : USD 5 500.

CORNMAN H. ou P.
XVIIIᵉ-XIXᵉ siècles. Britannique.
Sculpteur.
Il a exposé de 1782 à 1821, à la Free Society et à la Royal Academy, à Londres, les portraits de membres de l'aristocratie anglaise, souvent modelés en cire.

CORNNELL Dean
Né en 1892 à Louisville (Kentucky). XXᵉ siècle. Américain.
Illustrateur.

CORNNELL Martha Jackson
Née en 1869 à West Chester (Pennsylvanie). XIXᵉ siècle. Américaine.
Peintre et sculpteur.

CORNOCK Charlotte Mary, Miss
XXᵉ siècle. Britannique.
Aquarelliste, peintre de paysages.
A exposé à la Royal Academy.

CORNOUAILLES François Blaise
Né en 1771 à Paris. Mort après 1831. xvIIIᵉ-xIxᵉ siècles. Français.
Graveur.
Il travailla pour divers imprimeurs et en particulier Didot.

CORNOUAILLES Jean
xvIᵉ siècle. Actif à Auxerre en 1570. Français.
Peintre verrier.

CORNOYER Paul
Né en 1864 à Saint Louis (Missouri). Mort en 1923 à East Gloucester (Massachusetts). xIxᵉ-xxᵉ siècles. Américain.
Peintre de portraits, paysages animés, paysages, paysages urbains, dessinateur.
A Paris, il fut élève de Jules Lefebvre, Benjamin-Constant. A New York, il fut membre de la National Academy of Design.
Musées : Brooklyn : *Après la pluie.*
Ventes Publiques : Los Angeles, 8 avr. 1977 : *Paysage*, h/t (48,4x61,5) : **USD 2 000** – New York, 23 jan. 1979 : *Washington Square*, h/t (56x66) : **USD 10 500** – New York, 23 sep. 1981 : *Washington Square* 1915, h/pan. (20,4x25,4) : **USD 4 750** – New York, 2 juin 1983 : *Une rue dans le vieux Gloucester*, h/t (61x45,8) : **USD 14 500** – New York, 31 mai 1984 : *Jour pluvieux, Madison Square*, h/t (81,3x92) : **USD 20 000** – New York, 5 déc. 1985 : *Après la pluie*, h/t (55,9x68,6) : **USD 23 000** – New York, 29 mai 1986 : *Le Plaza, 59ᵉ rue* vers 1910, h/t (45,7x61) : **USD 19 000** – New York, 22 sep. 1987 : *Le Plaza Hôtel sous la pluie*, h/pan. (20,2x25,3) : **USD 15 000** – New York, 7 avr. 1988 : *Portrait d'une jeune fille en rouge*, h/t (37,5x31,4) : **USD 860** – New York, 26 mai 1988 : *Gloucester*, h/t (68,8x56) : **USD 30 800** – New York, 30 sep. 1988 : *Venise* 1895, h/t (25,5x30,5) : **USD 8 800** – New York, 30 mai 1990 : *Retour du marché à Venise* 1893, h/t (40,7x32,4) : **USD 1 750** – New York, 29 nov. 1990 : *La Bibliothèque publique de New York*, h/cart. (30,5x40,6) : **USD 33 000** – New York, 15 avr. 1992 : *Madison Square en hiver*, h/t cartonnée (20,3x25,4) : **USD 5 775** – New York, 23 sep. 1992 : *Scène de rue après la pluie*, h/t (45,8x61) : **USD 27 500** – New York, 4 déc. 1992 : *Fin d'après-midi à Washington Square*, h/t (56x66,3) : **USD 88 000** – New York, 23 sep. 1993 : *Bryant Park*, h/t (45,7x61) : **USD 35 650** – New York, 14 sep. 1995 : *L'Arc de Triomphe de l'Étoile* 1893, h/t (90,2x71,1) : **USD 59 700** – New York, 30 oct. 1996 : *Port au crépuscule*, h/cart. (20,3x25,4) : **USD 4 887** – New York, 4 déc. 1996 : *Après la pluie, Dewey Madison Arch, Madison Square à New York*, h/t (55,8x68,6) : **USD 17 250** – New York, 23 avr. 1997 : *Central Park West*, h/pan. (28,5x32,5) : **USD 6 900.**

CORNU Auguste Paul Gustave
Né le 10 octobre 1876 à Paris. xxᵉ siècle. Français.
Sculpteur de monuments, figures, bustes, statuettes.
Il fut élève de Falguière et de Rodin. Il exposait à Paris, au Salon de la Société Nationale des Beaux-Arts, dont il devint sociétaire en 1908, et où il figura jusqu'en 1925.
Il a sculpté de nombreux bustes d'enfants, le *Monument aux morts* de Grosrouvre (Yvelines), le *Christ* de l'église Saint-Léon à Paris.
Musées : Brooklyn – Dijon – Paris (Mus. Petit Palais).

CORNU Eugène
Mort avant le 13 avril 1875. xIxᵉ siècle. Français.
Sculpteur.
Il fut élève de E. Lamyn-Denière. Il exposa au Salon de 1874 une statue de bronze et de marbre, représentant *Minerve*. Il possédait des mines d'onyx et de marbre en Algérie et était directeur d'importantes usines à Paris.

CORNU Gabriel
Né à Paris. Mort en octobre 1763 à Paris. xvIIIᵉ siècle. Français.
Peintre.
Il était fils du sculpteur Jean Cornu et fut l'élève de Largillière. Adjoint à professeur à l'Académie Saint-Luc, Cornu ne prit part qu'à très peu des expositions organisées par cette compagnie. A exposé des scènes religieuses et mythologiques en 1751, 1752 et 1753.

CORNU J. B.
xvIIIᵉ siècle. Français.

Peintre.
Daullé a gravé, d'après lui, un *Portrait de l'avocat Saunoy.*

CORNU Jean
Né en 1650 à Paris. Mort le 21 août 1710 à Lisieux. xvIIᵉ-xvIIIᵉ siècles. Français.
Sculpteur.
Élève d'un sculpteur sur ivoire de Dieppe, il fut prix de Rome en 1663 avec un *Passage du Rhin*. Au Salon de 1704, il exposa : *Vénus donnant des armes à Énée et Énée emportant son père Anchise.* Un bas-relief représentant *Des Anges* se trouve dans la tribune de la chapelle de Versailles. Aux Invalides, sur la Coupole, à l'extérieur, on peut voir six statues de lui.
Musées : Versailles (jardin) : Deux vases en marbre – *L'Afrique* – Six vases répétant trois fois les antiques, vase Borghèse et vase Médicis.

CORNU Jean Alexis
Né en 1755 à Étrepigney (Jura). Mort le 25 juillet 1807 à Vesoul. xvIIIᵉ siècle. Français.
Peintre, peintre à la gouache.
Appelé à Vesoul pour peindre le tableau du maître-autel de la cathédrale, il se fixa dans cette ville et fut nommé professeur de dessin à l'École centrale. Le Musée de Besançon conserve de lui : *Fête de la Fédération* (gouache).
Ventes Publiques : Paris, 24 nov. 1993 : *Vue depuis la grotte de Notre-Dame de Salborde près de Vesoul* 1792, gche (42x56) : **FRF 15 000.**

CORNU Jean Isaac, dit la Douceur
Mort le 26 septembre 1769. xvIIIᵉ siècle. Français.
Peintre.
Il fut reçu à l'Académie Saint-Luc à Paris en 1757.

CORNU Jean Jean
Né en 1819 à Chenove (Côte-d'Or). Mort en 1876 ou 1874. xIxᵉ siècle. Français.
Peintre.
Dans ses sous-bois, au graphisme précis et soigné, les vert acide prédominent.
Musées : Gray : *Paysage bourguignon* – Langres : *Les bords du Lizon.*
Ventes Publiques : Paris, 14 fév. 1951 : *Le lac dans les montagnes* : **FRF 20 000.**

CORNU Nicolas
Mort le 15 décembre 1666 à Paris. xvIIᵉ siècle. Français.
Peintre.
Il était peintre ordinaire du roi.

CORNU Pierre
Né le 16 novembre 1895 à Salon (Bouches-du-Rhône). Mort le 9 novembre 1996. xxᵉ siècle. Français.
Peintre d'intérieurs, figures, portraits, nus, paysages, natures mortes, fleurs.
Bien qu'on le dise parfois autodidacte, il fut élève d'Othon Friesz, et fut influencé par les impressionnistes, particulièrement Cézanne, et les fauves. Il se fixa définitivement à Aix, dans sa Provence natale. Depuis 1933, il expose à Paris, aux Salons d'Automne, des Artistes Indépendants, des Tuileries.
Il pratique une peinture assez caractéristique des artistes méridionaux depuis Auguste Chabaud, tels Pierre Ambrogiani, Max Agostini, une peinture largement brossée, grasse et haute en couleurs. Ses nus sont largement appréciés du public.

P. Cornu

Ventes Publiques : Versailles, 21 fév. 1965 : *Catherine au piano* : **FRF 2 100** – Aix-en-Provence, 22 mai 1967 : *Modèle endormi* : **FRF 2 800** – Paris, 20 mars 1968 : *Jeune fille au chapeau vert* : **FRF 4 200** – Paris, 24 mars 1971 : *La jeune rousse* : **FRF 10 500** – Marseille, 13 mars 1972 : *Nu au chapeau bleu* : **FRF 9 000** – Versailles, 4 avr. 1976 : *Jeune femme et enfant*, h/t (55x46) : **FRF 6 000** – Marseille, 6 avr. 1977 : *Le chapeau bleu*, h/t (46x61) : **FRF 16 000** – Limoges, 22 mars 1978 : *Femme aux bas roses*, h/t (46x55) : **FRF 23 000** – Marseille, 27 avr. 1979 : *Patricia*, h/t (61x61) : **FRF 23 000** – Aix-en-Provence, 17 juil. 1980 : *Portrait d'Elisabeth*, h/t (55x46) : **FRF 27 000** – Marseille, 10 juil. 1981 : *Catherine*, h/t (61x50) : **FRF 28 000** – Aix-en-Provence, 8 nov. 1982 : *Nu endormi*, h/t (65x54) : **FRF 7 300** – Genève, 8 déc. 1983 : *Jeune femme lisant*, h/t (61x46) : **CHF 2 000** – Aix-en-

PROVENCE, 7 avr. 1984 : *Jeune fille au vase*, h/t (41x33) : **FRF 6 000** – VERSAILLES, 21 avr. 1985 : *Jeune fille pensive*, h/t (55x38) : **FRF 6 100** – VERSAILLES, 23 mars 1986 : *Jeune fille brune assise*, h/t (55x46) : **FRF 9 500** – BÉZIERS, 12 déc. 1987 : *Nu allongé 1948*, h/t : **FRF 20 000** – VERSAILLES, 13 déc. 1987 : *La lecture*, h/t (48x61) : **FRF 11 500** – VERSAILLES, 7 fév. 1988 : *L'intérieur au canapé rouge*, h/t (32,5x46) : **FRF 7 200** – PARIS, 17 fév. 1988 : *Les parasols sur la plage*, h/t (33x41) : **FRF 5 300** – VERSAILLES, 20 mars 1988 : *Bouquet de fleurs*, h/t (55x38) : **FRF 6 000** – PARIS, 5 mai 1988 : *Jeune fille*, h/t (46x55) : **FRF 26 000** – PARIS, 12 juin 1988 : *Femme au miroir* (61x50) : **FRF 12 000** – GRANDVILLE, 16-17 juil. 1988 : *Jeune femme au fauteuil*, h/t (55x46) : **FRF 22 000** – VERSAILLES, 6 nov. 1988 : *Jeune femme assise aux seins nus*, h/t (38x55) : **FRF 14 000** – PARIS, 10 nov. 1988 : *La lecture, modèle au coussin bleu*, h/t (38x47) : **FRF 25 000** – PARIS, 13 mars 1989 : *Jeune fille au fauteuil jaune*, h/t (65x54) : **FRF 22 000** – PARIS, 4 avr. 1989 : *Jeune fille au sofa rouge*, h/t (46x38) : **FRF 7 000** – PARIS, 7 avr. 1989 : *La blonde au fauteuil*, h/t (46x55) : **FRF 45 000** – LA VARENNE-SAINT-HILAIRE, 21 mai 1989 : *Le modèle à la robe rouge*, h/t (61x46) : **FRF 21 000** – PARIS, 21 nov. 1989 : *Les deux amies*, h/t (61x50) : **FRF 32 000** – LA VARENNE-SAINT-HILAIRE, 3 déc. 1989 : *La jeune femme à la chaise longue*, h/t (55x46) : **FRF 21 000** – VERSAILLES, 10 déc. 1989 : *Jeune fille*, h/t (61x46) : **FRF 31 000** – VERSAILLES, 21 jan. 1990 : *La Lectrice*, h/t (55x38) : **FRF 23 000** – PARIS, 20 fév. 1990 : *Lecture dans le salon*, h/t (55x46) : **FRF 40 000** – NEUILLY, 27 mars 1990 : *Nu au canapé*, h/t (61x50) : **FRF 45 000** – PARIS, 13 juin 1990 : *Jeune femme assise sur un canapé*, h/t (50x61) : **FRF 30 000** – PARIS, 2 juil. 1990 : *Portrait à la femme et l'enfant*, h/t (61x46) : **FRF 38 000** – PARIS, 17 oct. 1990 : *Antonine sur le canapé*, h/t (50x61) : **FRF 34 500** – CALAIS, 13 déc. 1992 : *Jeune femme allongée sur le divan*, h/t (46x61) : **FRF 21 000** – CHALON-SUR-SAÔNE, 16 mai 1993 : *La lecture*, h/t (33x40,5) : **FRF 14 500** – NEUILLY, 19 mars 1994 : *Jeune fille lisant*, h/t (46x55) : **FRF 16 000** – LE TOUQUET, 22 mai 1994 : *Paysage de Provence*, h/t (38x61) : **FRF 15 000** – PARIS, 14 juin 1995 : *Le modèle aux seins nus*, h/t (46x55) : **FRF 10 500** – ZURICH, 17-18 juin 1996 : *Lecture*, h/t (55,3x38,2) : **CHF 1 800** – PARIS, 16 oct. 1996 : *Jeune Fille à la lecture*, h/cart. (46x38) : **FRF 8 000** – PARIS, 12 mars 1997 : *Madame Cornu aux Sablettes*, h/t (46x55) : **FFR 15 000** – PARIS, 28 mars 1997 : *Jeune femme pensive sur un fauteuil*, h/t (55x38) : **FRF 6 000**.

CORNU Robert
Mort le 16 mai 1729. XVIIIe siècle. Actif à Paris. Français.
Peintre.
Il fut reçu à l'Académie Saint-Luc le 16 octobre 1768.

CORNU Sébastien Melchior
Né le 6 janvier 1804 à Lyon (Rhône). Mort le 23 octobre 1870 à Longpont (Aisne). XIXe siècle. Français.
Peintre.
Élève de Fleury Richard à l'École des Beaux-Arts de Lyon où il eut le premier prix de peinture en 1820, il travailla avec Ingres à Paris, et avec Bonnefond à Rome. Il voyagea ensuite en Orient (1832-1836) et se fixa à Paris. Après avoir exposé à Lyon quelques toiles (1826-1828), il débuta au Salon de Paris, en 1831, avec *Une Bacchante* (au Musée de Grenoble). En 1862, il fut nommé administrateur du Musée Campana dont il avait négocié l'acquisition et qui fut bientôt réuni au Louvre. Il a peint, dans un style classique, de nombreuses toiles, d'une correction froide et sans personnalité (portraits officiels, tableaux religieux et de genre, scènes historiques, mythologiques et militaires), à Saint-Séverin (1857) ; achèvement, après la mort d'H. Flandrin (1864), des peintures de Saint-Germain-des-Prés et décoration, dans la même église, de la chapelle de Saint-François-Xavier.
MUSÉES : GRENOBLE : *Bacchante* – LYON : *Auguste présentant aux Gaules leur légat* – VALENCIENNES : *Un Turc rêvant au paradis de Mahomet.*

CORNU Vital
Né le 17 avril 1851 à Paris. XIXe siècle. Français.
Sculpteur.
Élève de Delaplanche et Jouffroy.
Médaille de troisième classe en 1882-1883 ; médaille deuxième classe en 1886 ; médaille bronze en 1889. Chevalier de la Légion d'honneur en 1896.
MUSÉES : PARIS : *Le Spleen.*
VENTES PUBLIQUES : PARIS, 25 fév. 1983 : *Homme ailé tenant un flambeau et une couronne de laurier*, bronze, patine brune : **FRF 6 500** – PARIS, 30 jan. 1989 : *Pichet « Femme »*, épreuve en bronze à patine brune (H.35,5) : **FRF 17 500** – PARIS, 6 avr. 1990 :

Vase avec un décor de fleurs en relief en haut et d'une femme endormie en semi-relief, bronze (H. 39) : **FRF 38 000.**

CORNUAT Jean
XVIe siècle. Français.
Peintre verrier.
Il travailla pour l'église Saint-Jean, à Troyes.

CORNUEL
XIXe siècle. Français.
Lithographe.
Il travailla pour la *Gazette de France.*

CORNUEL Paul
Né à Paris. Mort le 7 octobre 1934. XXe siècle. Français.
Peintre de natures mortes, fleurs.
Il a exposé à Paris, au Salon des Artistes Indépendants de 1927 à sa mort en 1934.

CORNUZ Désiré
Né le 26 mai 1883 à Alger. Mort pour la France durant la Première Guerre mondiale (1914-1918). XXe siècle. Français.
Peintre de paysages.

CORNWALLIS Brownell
Né aux États-Unis. XIXe-XXe siècles. Britannique.
Peintre de paysages.
Il a pris part au Salon d'Automne de 1913.

CORNWELL Dean
Né en 1892. Mort en 1960. XXe siècle. Américain.
Peintre de genre, scènes typiques, sujets orientaux, intérieurs, nus, illustrateur.
Il travaillait et enseignait avec ses frères Harvey et Dunn Cornwell.
Il illustra un ouvrage *L'homme de Galilée : douze scènes de la vie du Christ*, paru en 1928. Sa technique picturale, son style de composition, sont ceux des peintres de genre du XIXe siècle.
VENTES PUBLIQUES : NEW YORK, 10 déc. 1981 : *Picnic in the park 1917*, h/t (40,7x94) : **USD 30 000** – NEW YORK, 30 mai 1985 : *The americanization of Californie vers 1929*, h/t, étude (119,4x238,7) : **USD 21 000** – NEW YORK, 10 nov. 1987 : *The migration*, h/t (66,3x86,6) : **USD 6 500** – NEW YORK, 17 déc. 1990 : *Femme orientale avec ses enfants 1929*, h/t (114,3x82,7) : **USD 4 950** – NEW YORK, 18 déc. 1991 : *Nu allongé*, h/t (84,5x146,1) : **USD 8 800** – NEW YORK, 23 sep. 1992 : *Table de café 1920*, h/t (76,5x71) : **USD 26 400** – NEW YORK, 11 mars 1993 : *L'attente 1920*, h/t (91,5x71,2) : **USD 21 850** – NEW YORK, 23 sep. 1993 : *Dans un bar espagnol 1922*, h/t (71,1x117,5) : **USD 18 400** – NEW YORK, 21 sep. 1994 : *A man's man 1916*, h/t (86,4x61) : **USD 12 650** – NEW YORK, 14 mars 1996 : *Benjamin Franklin dans son imprimerie de Philadelphie*, h/pan. (73,7x99,1) : **USD 23 000.**

COROENNE Henri
Né le 11 février 1822 à Valenciennes. XIXe siècle. Français.
Peintre d'histoire.
Entré à l'École des Beaux-Arts le 2 octobre 1844, il étudia dans les ateliers d'Abel de Pujol et de Picot. Il débuta au Salon en 1849.
MUSÉES : LILLE : *Portrait de Desrousseaux – Vision de Pierre l'Ermite* – LISBONNE : *Le duc François de Guise avant son assassinat à Blois* – MUNICH (Nouvelle Pina.) : *Les adieux du Dauphin et de Marie-Antoinette* – VALENCIENNES (Palais des Beaux-Arts) : *Portrait de jeune fille – Page en train de lire.*

COROENNE Jules Xavier
Né en 1862 à Valenciennes (Nord). Mort en 1935 à Valenciennes. XIXe-XXe siècles. Français.
Graveur, dessinateur.
Il était docteur en médecine, ophtalmologiste à l'Hôpital des Quinze-Vingts de Paris. Il voyagea en Europe et en Algérie, se fixa quelques années à Nice vers 1900, puis revint à Valenciennes. Il participa à divers Salons, surtout en tant qu'aquafortiste, notamment en 1898 et 1900 à Paris, 1904 à Maubeuge, 1909 à Valenciennes.
Il s'était initié au dessin à Valenciennes, il se livra à la pratique de l'eau-forte en amateur, et au dessin, influencé par la manière et les thèmes de Jacques Callot.
BIBLIOGR. : Gérald Schurr, in : *Les Petits Maîtres de la peinture 1820-1920, valeur de demain*, Les Éditions de l'Amateur, t. VII, Paris, 1989.

COROIER Jacques
XVIe siècle. Vivant à Arras. Français.
Sculpteur.

Il prit part, en 1532, à la décoration de la salle du conseil provincial d'Artois, pour laquelle il exécuta des médaillons.

COROLLER Ernest
Né à Lorient. Mort en 1893. XIXe siècle. Français.
Peintre.
Il exposa au Salon à partir de 1876.

COROMALDI Umberto
Né en 1870 à Rome. Mort en 1948. XIXe-XXe siècles. Italien.
Peintre de figures, animaux, paysages, pastelliste.
MUSÉES : FLORENCE (Gal. d'Art Mod.) : *Mère heureuse* – MILAN (Mus. Civico) : *Nella Capanna* – ROME (Gal. Nat.) : *Femme au miroir* – STUTTGART : *Chiffonnier* – TRIESTE : *Vieux Marin* – UDINE (Gal. Marangoni) : Une peinture.
VENTES PUBLIQUES : MILAN, 10 nov. 1977 : *Chien de chasse à l'arrêt*, h/pan. (40x45) : **ITL 1 000 000** – ROME, 23 mars 1985 : *Deux paysannes*, past. (73x75) : **ITL 3 800 000** – MILAN, 11 déc. 1986 : *Paysanne au panier*, past. (72x36) : **ITL 1 300 000** – ROME, 14 déc. 1988 : *Paysage*, past./cart. (31x48) : **ITL 1 000 000** – ROME, 12 déc. 1989 : *Allée de jardin*, h/t (61x38,5) : **ITL 1 100 000** – ROME, 31 mai 1990 : *Port au soleil couchant*, past./pap. (23x41) : **ITL 800 000** – ROME, 11 déc. 1990 : *Petite fille avec un bouquet de roses*, h/t (58x48) : **ITL 2 300 000** – ROME, 28 mai 1991 : *Sur la plage*, h/pan. (15,5x21) : **ITL 1 600 000** – ROME, 14 nov. 1991 : *Jeune paysanne*, past. (56,5x42) : **ITL 1 725 000** ; *Berger assis* 1910, h/t (63x44) : **ITL 2 990 000** – ROME, 24 mars 1992 : *Buste de femme*, h/t/cart. (34x34) : **ITL 1 380 000** – ROME, 27 avr. 1993 : *Petite Fille assise dans un pré* 1910, h/t (65x50) : **ITL 4 729 400** – ROME, 5 déc. 1995 : *Sur le quai*, h/t (50x70) : **ITL 8 839 000** – ROME, 23 mai 1996 : *Le Château Saint-Ange* 1904, h/t (40x48) : **ITL 2 990 000**.

CORON
XVIIIe siècle. Français.
Graveur.
Il illustra les *Aventures de Choérée et de Callirhoé* qui parurent en 1775, et grava *L'Armoire* d'après Fragonard.

CORONA Anselmo
XVIe siècle. Actif à Naples. Italien.
Sculpteur sur marbre.
Il travailla en 1561 pour l'église Trinita di Palazzo.

CORONA Antonio
XVIe-XVIIe siècles. Actif à Faenza. Italien.
Peintre.
Il était fils de Virgilio et petit-fils de Giulio di Virgilio.

CORONA Claudio
XVIe siècle. Actif à Naples. Italien.
Sculpteur sur marbre.
Il travaillait en 1561 à l'église Trinita di Palazzo avec Anselmo.

CORONA Francesco della
XVIIe siècle. Actif à Padoue dans la seconde moitié du XVIIe siècle. Italien.
Sculpteur sur bois.
Le Musée de Padoue conserve un cadre sculpté par cet artiste.

CORONA Giovanni Maria
XVIIe siècle. Actif à Ancone vers 1600. Italien.
Graveur.
On connaît de lui un ex-libris, le plus ancien que l'on ait retrouvé en Italie.

CORONA Giulio di Virgilio
Originaire de Majorque. XVIe siècle. Vivait à Faenza. Italien.
Peintre.
Il eut trois fils, Melchiore, Paolo et Virgilio.

CORONA Jacob Lucius, dit le Maître de la Clé
Né à Cronstadt. XVIe siècle. Travaillant vers 1540. Russe.
Graveur sur bois.
On cite de lui : *Joseph et Putiphar*.

CORONA Leonardo
Né en 1561 à Murano. Mort en 1605 à Venise. XVIe siècle. Italien.
Peintre.
Fils d'un miniaturiste, cet artiste reçut (d'après Ridofi) ses premières leçons de peinture chez Rocca da San Silvestro, mais plus tard il développa son talent par l'étude des œuvres de Titien et du Tintoret. On cite de lui *l'Annonciation*, à l'église de Saint-Paul

et Saint-Jean, et son *Assomption*, à San Stefano, qui rappelle la grande manière de Titien. Corona suivit aussi les traces du Tintoret, surtout dans son *Crucifiement*, à San Fantino. Il se servit souvent des estampes flamandes dont il étudia les paysages. Deux peintures de lui : *Joseph et la femme de Putiphar*, et la *Mort de Lucrèce*, sont dans la Galerie de Brunswick et le Musée de Padoue conserve de lui le *Martyre de sainte Agathe*.

VENTES PUBLIQUES : PARIS, 5 juin 1939 : *Saint Georges et sainte Madeleine*, pl. et lav. : **FRF 30**.

CORONA Melchiore
XVIe siècle. Actif à Faenza. Italien.
Peintre.
Fils de Giulio.

CORONA Michele
XVIe siècle. Actif à Murano. Italien.
Miniaturiste.
Il était le père du peintre Leonardo Corona.

CORONA Nicola
Mort le 13 juillet 1724. XVIIIe siècle. Actif à Rome. Italien.
Sculpteur.
Il collabora en 1695 à la construction de la chapelle Saint-Ignace, dans l'église Gesù, et travailla pour les princes Colonna.

CORONA Paolo
XVIe siècle. Actif à Faenza. Italien.
Peintre.
Il était fils de Giulio.

CORONA Poul
Né en 1872. Mort en 1945. XIXe-XXe siècles. Danois.
Peintre de paysages animés, marines, pastelliste.
En 1911, il séjournait et peignait à Skagen, port de l'extrême pointe nord du Jutland.
VENTES PUBLIQUES : LONDRES, 16 mars 1989 : *Bain au clair de lune* 1912, past. (70x74) : **GBP 1 100** – LONDRES, 19 juin 1991 : *Dame en rouge* 1922, h/t (46,5x40) : **GBP 1 650**.

CORONA Virgilio
Mort vers 1590. XVIe siècle. Actif à Faenza. Italien.
Peintre.
Il était fils de Giulio et fut le père d'Antonio.

CORONARO. Voir CALVI Giulio

CORONAS Martin
Né en 1862 à Huesca. Mort en 1928. XIXe-XXe siècles. Espagnol.
Peintre de compositions religieuses, sculpteur, décorateur.
Coadjuteur de la Compagnie de Jésus, il a vécu et travaillé dans de nombreuses villes d'Espagne, où il a couvert les murs des édifices religieux de ses compositions.
BIBLIOGR. : In : *Cent ans de peint. en Espagne et au Portugal, 1830-1930*, Antiquaria, Madrid, 1988.

CORONAT Prosper Pierre
Né le 27 avril 1822 à Montpellier. Mort le 16 juillet 1897. XIXe siècle. Français.
Peintre de portraits.
Élève de Drolling. Il commença en 1851 à exposer des portraits au Salon. Le Musée de Montpellier conserve de lui le *Portrait de M. Brutus-Cazelles*.

CORONATI Carlantonio
Mort vers 1748. XVIIIe siècle. Italien.
Peintre.
Il fut l'élève de Giov. Odazi, qu'il aida dans ses travaux à Velletri, Cantalupo, Rieti et Rome.

CORONEL Pedro
Né en 1923 à Zacatecas. Mort en 1985. XXe siècle. Mexicain.
Peintre, sculpteur. Abstrait.
Il fut élève de l'école d'Art La Esmeralda à Mexico. En 1946, il voyagea aux États-Unis et en France. Il participe à des expositions collectives : en 1960, il figura à la Biennale Pan-Américaine de São Paulo. En 1960, le palais des Beaux-Arts de Mexico lui consacra une exposition personnelle. En 1961, il fit une exposition personnelle à la galerie Le Point Cardinal à Paris. Depuis, de nombreuses expositions personnelles ont eu lieu à la galerie d'Art mexicain à Mexico.

Bien qu'abstrait, il fut influencé par Tamayo. On a pu le dire peintre d'un seul tableau, sa conception rigoureuse de la forme et de la couleur, ayant entraîné quelque monotonie.

BIBLIOGR. : Damian Bayon, Roberto Pontual : *La peinture de l'Amérique latine au xxᵉ siècle*, Mengès, Paris, 1990.

VENTES PUBLIQUES : NEW YORK, 30 sep. 1982 : *L'archer céleste* 1964, h/t (168x79,7) : **USD 8 000** – NEW YORK, 31 mai 1984 : *Le minotaure*, h. et sable/t. (200x300) : **USD 20 000** – NEW YORK, 26 nov. 1985 : *Rincones de sueno*, h/t (195x129,5) : **USD 12 000** – NEW YORK, 25 nov. 1986 : *Genesis* 1964, h/t (208,5x246,5) : **USD 17 000** ; *La Vénus de Vaudreil* 1983, bronze (H. 56) : **USD 3 000** – NEW YORK, 19 mai 1987 : *Poetica Lunar 5* 1972, h/t (239x128) : **USD 15 000** – NEW YORK, 21 nov. 1989 : *Sans titre* 1979, h/t (150x200) : **USD 66 000** – NEW YORK, 1ᵉʳ mai 1990 : *Pois poétiques* 1972, acryl. et sable/t. (240,3x168,2) : **USD 39 600** – NEW YORK, 20-21 nov. 1990 : *Série année un de la lune* 1969, acryl. et sable/t. (234,3x53,3) : **USD 30 800** – NEW YORK, 15-16 mai 1991 : *Tamayana*, acryl. et sable/t. (95x130) : **USD 41 800** – NEW YORK, 19 nov. 1991 : *Le vide de son espace* 1980, h. et sable/t. (200x249,6) : **USD 104 500** – NEW YORK, 19-20 mai 1992 : *Traces de larmes* 1966, h/t (149,9x109,9) : **USD 66 000** – NEW YORK, 25 nov. 1992 : *La rêveuse* 1974, h/t (120x80) : **USD 28 600** – NEW YORK, 23-24 nov. 1993 : *Les arlequins*, h/rés. synth. (122x83) : **USD 29 900** – NEW YORK, 16 nov. 1994 : *Noces solaires* 1966, h/t (200x200) : **USD 107 000** – NEW YORK, 21 nov. 1995 : *Composition en bleu et vert* 1983, h/t (168x98) : **USD 46 000** – NEW YORK, 16 mai 1996 : *Ano luna 18*, h/t (115,5x88,5) : **USD 36 800**.

CORONEL Rafael

Né le 24 octobre 1932 à Zacatecas (Mexique). xxᵉ siècle. Mexicain.
Peintre de figures.

Il termina ses études secondaires dans sa ville natale et en 1952 s'inscrivit à Mexico à la faculté d'architecture de l'Université Nationale Autonome. Il abandonna l'architecture en 1954 pour se consacrer intégralement à la peinture. Il ne resta que trois mois à l'école d'Art La Esmeralda, préférant se former dans la compagnie d'artistes de sa génération. Sa première exposition personnelle eut lieu en 1956 à la Galerie d'Art Mexicain. En 1959, l'Institut National des Beaux-Arts lui consacra une exposition au Palais des Beaux-Arts. En 1965 il participe avec d'autres peintres mexicains à la VIIᵉ Biennale de São Paulo et reçoit le prix Cordoba, récompense accordée au meilleur jeune peintre latino-américain ; en 1973 il figure dans une exposition itinérante d'art mexicain en Amérique Latine et reçoit le premier prix à la Biennale d'art figuratif de Tokyo, en 1974 il figure dans la manifestation intitulée *Art mexicain de tous les temps* organisée au Musée d'Art Moderne de Tokyo. À partir de 1956 il montre ses œuvres dans des expositions personnelles, régulièrement à Mexico : 1956 Galerie d'Art mexicain, 1959 Palais des Beaux-Arts, ainsi qu'en Italie et aux États-Unis.
Il peint dans une facture très classique des thèmes traditionnels, où la figure humaine est omniprésente.

VENTES PUBLIQUES : NEW YORK, 7 mai 1980 : *Portrait de la mère de Brueghel* 1969, past. et cr. (59x45) : **USD 1 600** – NEW YORK, 3 déc. 1981 : *Deux générations*, h/isor. (60x80) : **USD 3 500** – NEW YORK, 9 juin 1982 : *Les évêques*, past., gche, h/t. (28x35,2) : **USD 1 300** – NEW YORK, 12 mai 1983 : *Jeune fille aux fleurs* 1982, h/t (124,5x100,3) : **USD 10 000** – NEW YORK, 29 mai 1984 : *Le Titien vivant et mort*, acryl./t. (150x207) : **USD 12 000** – NEW YORK, 29 mai 1985 : *La perverse* 1972, h/t (150x200) : **USD 16 000** – NEW YORK, 26 nov. 1986 : *Femme en robe verte (années 50)*, h/t (130,8x110,5) : **USD 7 000** – NEW YORK, 19 mai 1987 : *Les savants* 1971, h/t (149x198) : **USD 28 000** – NEW YORK, 17 mai 1988 : *La perverse*, h/t (150x200) : **GBP 35 200** – NEW YORK, 21 nov. 1988 : *Trois frères* 1968, h/t (120x100,5) : **USD 19 800** – NEW YORK, 17 mai 1989 : *Rafaël sur un fond rouge* 1982, h/t (125x100,3) : **USD 33 000** – NEW YORK, 21 nov. 1989 : *Enfant et taureau*, h/t (100x124,5) : **USD 22 000** – NEW YORK, 1ᵉʳ mai 1990 : *Pélerins, série IV* 1970, acryl./t. (250,5x175) : **USD 143 000** – NEW YORK, 19-20 nov. 1990 : *Sans titre*, h/t (150x100) : **USD 30 800** – NEW YORK, 20 nov. 1991 : *Alfredo de la Carpa*, acryl./t. (101x127) : **USD 28 600** – NEW YORK, 19-20 mai 1992 : *Trois figures*, h/t (101x127) : **USD 34 100** – NEW YORK, 24 nov. 1992 : *Femme âgée*, h/t (150,2x125,1) : **USD 55 000** – NEW YORK, 18 mai 1993 : *Le vieux et le phoque* 1967, h/t (120,4x120,4) : **USD 20 700** – NEW YORK, 23-24 nov. 1993 : *Conseil de famille*, h/t (200x150) : **USD 51 750** – NEW YORK, 18 mai 1994 : *Pélerins* 1976, h/t (225,6x149,9) : **USD 167 500** – NEW YORK, 21 nov. 1995 : *Portrait d'enfant* 1958, techn. mixte/pap. noir (64,8x49,5) : **USD 9 200** – NEW YORK, 25-26

nov. 1996 : *La Sonate* 1973, h/t (150,5x200) : **USD 34 500** – NEW YORK, 29-30 mai 1997 : *Ton conseil amical* 1979, h/t (101,6x126,7) : **USD 23 000** – NEW YORK, 24-25 nov. 1997 : *Deux personnages* 1974, h/t (127x101,6) : **USD 14 950**.

CORONELLI Vicenzo Maria, Père

Né en 1650 à Venise. Mort en décembre 1718. XVIIᵉ-XVIIIᵉ siècles. Italien.
Graveur.

Cet artiste était frère mineur et fut écrivain. Il illustra lui-même de cartes gravées ses ouvrages de géographie.

COROSI Lucien

Né en 1908 à Orade. xxᵉ siècle. Français.
Peintre.

Écrivain, journaliste, il n'a commencé à peindre que vers 1970 et à exposer en 1974.

COROT Armand

Né vers 1787. Mort avant 1822. XIXᵉ siècle. Français.
Graveur en taille-douce.

Il fut élève de l'École des Beaux-Arts à Paris. Obtint le deuxième prix de Rome en 1810 et le premier prix l'année suivante, avec une Académie gravée, qui fait partie de la Chalcographie du Louvre. Il travailla pour le *Musée Filhol*, y fournissant : *Jupiter et Léda*, *Vénus de Médicis*, *Pittacus*, *Zenon le Stoïcien*. On cite encore : *La Vierge au lézard*, *Scène du Déluge*, d'après Girodet-Trioson, *Portrait de François Desvoge* et une *Sainte Famille*, exposée au Salon de 1822, après le décès de l'artiste.

COROT Charlotte, née Bouvais

Née à Abbeville (Somme). XIXᵉ siècle. Française.
Aquarelliste.

Elle a débuté au Salon de Paris en 1875.

COROT Jean Baptiste Camille, dit Camille

Né le 16 juillet 1796 à Paris. Mort le 22 février 1875 à Ville-d'Avray (Hauts-de-Seine). XIXᵉ siècle. Français.
Peintre de compositions religieuses, compositions mythologiques, scènes de genre, figures, nus, portraits, paysages animés, paysages, paysages d'eau, dessinateur, graveur.

Né d'une famille de commerçants aisés qui tenaient un magasin de mode, rue du Bac, à l'angle du quai Voltaire, et furent les fournisseurs des Tuileries, il commença, selon la volonté de son père, par être vendeur chez un drapier, tout en fréquentant l'Académie Suisse, dès 1817. Résolu à devenir peintre, il réussit, après bien des difficultés, à obtenir de son père une rente de 1.500 livres afin de se consacrer à l'étude de la peinture. Il devint, en 1822, élève d'Achille-Etna Michallon, mais celui-ci étant mort prématurément – il avait le même âge que Corot – il entra dans l'atelier de Jean-Victor Bertin. Tout au long de sa vie, Corot fut un peintre voyageur : il fit trois séjours en Italie : l'un en 1825-1828, le second en 1834 et le dernier en 1843. À son retour à Paris en 1828, il visita Fontainebleau, la Normandie, puis l'année suivante, il alla jusqu'en Bretagne. Au moment de la Révolution de 1830, il passa quelque temps à Chartres, puis en Normandie, visita Dunkerque, Boulogne-sur-Mer, Berck. Il se rendit ensuite en Bourgogne, explora le Nivernais, enfin l'Auvergne. Corot parcourut la France, séjournant souvent à Arras, chez son ami Dutilleux, avec lequel il fit de nombreux voyages. En 1841-1842, on le retrouve dans le Morvan, puis en Suisse, où il retourna souvent en compagnie de son ami Daubigny, en Hollande en 1854, à Londres en 1862, à Auvers-sur-Oise en 1868, etc. Parmi ses lieux de séjours privilégiés, il faut noter Ville-d'Avray, où son père avait acheté une maison en 1817.
À partir de 1827, il participa régulièrement au Salon de Paris, ayant toutefois des toiles refusées en 1843 et 1847, mais obtenant une première médaille en 1848. À partir de cette date, il fut membre du jury du Salon et hors-concours. Il figura à l'Exposition Universelle de 1855 à Paris, où il reçut une médaille de première classe, à celle de Londres en 1862, à nouveau à Paris en 1867. Chevalier de la Légion d'honneur en 1846, officier en 1867. Dès ses premiers essais de peinture, il est marqué par la doctrine néo-classique, mais commence à peindre en plein air et marque un intérêt certain pour le paysage, intérêt qui se développe pleinement lors de son premier voyage en Italie. Ses premières compositions de 1826 montrent *Le Forum* ou *Le Colisée* vus des jardins Farnèse, où s'équilibrent architecture et verdure, sous la lumière chaude romaine. Il est ébloui par la qualité intense de la lumière, qu'il désespère de rendre et pourtant qui se retrouve dans des paysages comme *Narni, le pont d'Auguste sur la Nera*,

dont la lumière est si limpide. Ce véritable chef-d'œuvre n'est autre qu'une étude pour le tableau envoyé au Salon de 1827 : *Vue prise à Narni*. C'est en regardant ces deux œuvres que nous pouvons prendre conscience des raisons de l'antagonisme qui existe entre les défenseurs d'un Corot « pré-impressionniste » et les historiens qui voient en lui un paysagiste néo-classique. L'étude à l'huile laisse libre cours à sa sensibilité, il traite rapidement, sans détails, les premiers plans de part et d'autre de la rivière, où des taches noires sont là pour faire ressortir la lutte entre ombre et lumière, et mieux mettre en valeur les jeux de lumière sur le pont et l'eau, au milieu de la composition, avant d'en arriver à une lumière diffuse sur les montagnes lointaines et bleutées. Le tableau définitif montre une nature recomposée, souvenir des toiles de Claude Lorrain, avec une petite scène pastorale, où Corot veut montrer combien il a atteint une maturité artistique et technique. Il semble aussi vouloir faire une œuvre qui sera acceptée au Salon, préoccupation commune à la plupart des artistes de sa génération. De la même période datent des études de figures, des portraits d'Italiens et surtout d'Italiennes, sur fonds unis, mettant en valeur, peut-être les costumes et la sensualité des modèles, mais surtout des qualités plastiques de simplicité grandiose dans la composition elliptique et la facture large, qui ne se retrouveront plus que dans les séries de figures isolées, peintes pour elles-mêmes et pour lui-même, et qu'il ne montrait pas.

À son retour en France, Corot peint des paysages vus en Normandie, Bretagne, Ile-de-France et ses séjours à Ville-d'Avray, Fontainebleau, mais aussi encore quelques portraits de membres de sa famille et d'amis. Certains de ses paysages peints entre 1828 et 1834, comme *La Cathédrale de Chartres* 1830, ou *La Vue de Soissons* 1833, sont construits de manière à relativiser l'importance du sujet principal. La cathédrale est vue en arrière-plan, en partie cachée par un monticule de terre et un tas de pierres, ce qui ne l'empêche pas d'être traitée avec minutie. La mise en page de la vue de Soissons est tout aussi surprenante, puisque les flèches de l'église Saint-Jean-des-Vignes se détachent au fond d'un paysage panoramique. Au Salon de 1835, après son deuxième voyage en Italie, il envoie deux toiles qui témoignent de deux conceptions du paysage : l'une présente une *Vue prise à Riva, Tyrol italien* et l'autre *Agar dans le désert*. Les titres à eux-seuls définissent le genre : d'un côté un paysage peint pour lui-même, pour la poésie du lieu ; de l'autre, un sujet dramatique, biblique. Pourtant la *Vue de Riva* est tout aussi élaborée que *Agar dans le désert*, il suffit de comparer l'œuvre achevée, envoyée au Salon, à l'étude faite à l'huile, présentant cette même vue : des roseaux sont ajoutés au premier plan et un arbre à gauche vient équilibrer ceux de droite, le petit sanctuaire à peine ébauché sur l'étude est ensuite présenté clairement de face, enfin un petit personnage fait face au spectateur. L'ensemble est recomposé, dans le but de mettre en valeur la luminosité étrange des reflets sur l'eau, leur poésie lyrique. De l'autre côté, la dureté de la lumière qui éclaire le paysage d'*Agar* est là pour évoquer le drame qui se joue pour Agar et son fils, chassés dans le désert, prêts à mourir de soif sans l'intervention d'un ange sauveur. Les protagonistes ont une petite place dans ce vaste paysage dramatique, et comme l'écrivait, à l'époque, Charles Lenormant : « Le paysage de M. Corot a quelque chose qui serre le cœur avant même qu'on se soit rendu compte du sujet. C'est là le mérite propre au paysage historique, c'est-à-dire, l'harmonie du site avec la passion ou la souffrance que le peintre veut y placer ». Selon une vision plus moderne de l'œuvre de Corot, ces deux toiles, *Vue de Riva* et *Agar dans le désert* ont pour sujet véritable le paysage qui, selon la conception de Corot, est à la fois classique par le travail élaboré de la composition et lyrique et poétique par le rendu de la lumière, réalisant finalement une œuvre assez éloignée du véritable paysage historique néo-classique. Très souvent, au cours des Salons suivants, Corot s'efforcera de présenter un paysage sans autre prétexte que la vue d'un site et un paysage dit historique, où se déroule une scène mythologique ou un sujet religieux, le plus souvent traités à petite échelle, et non plus en tant que sujet principal.

Il peint encore des figures, généralement mélancoliques, à l'exception de la *Moissonneuse tenant une faucille* 1838, personnage souriant dans une composition imposante par son extrême sobriété ; à l'opposé, la *Jeune fille à la jupe rose* 1840-1845, le corsage légèrement défait, les yeux rêveurs dans un beau visage triste. De cette même veine, on peut citer : *Jeune femme assise,*

des fleurs entre les mains 1840-1845 – *La Petite Jeannette – Paysanne* 1840-1845 – *La Mélancolie* 1850-1860. À cette époque, autour de 1840, il a fait des études de nus, notamment au dessin, dont la ligne rappelle celle d'Ingres. L'un des nus les plus exceptionnels est *L'Odalisque romaine* ou *Marietta* 1843, riches variations de roses, de tons chairs et ocres, oppositions de surfaces planes et modelées, de contours tantôt suggérés et tantôt accentués. Ces figures ne sont pas à proprement parler de véritables portraits, il en est de même des représentations de moines, dont il a peint une série à partir de 1850, tel le *Chartreux lisant* 1850-1855, qui fait passer toute l'intensité de la méditation dans une composition peinte à grands coups de pinceau vigoureux. Pour l'ensemble de ces œuvres, Corot recherche une sobriété dans sa palette qui fait écrire à Baudelaire : « il sait être coloriste avec une gamme de tons peu variés ».

Ses dessins, mais aussi ses gravures à l'eau-forte, montrent son évolution vers une liberté de plus en plus grande, même si leurs compositions restent classiques, ils suggèrent le frémissement du vent et l'infiltration de la lumière à travers les feuillages. À l'occasion de l'exposition *Corot*, à Paris en 1996, la Bibliothèque Nationale a montré des clichés sur verre ou dessins héliographiques, technique mise au point vers les années 1840, employée par Corot entre 1853 et 1874. Ce sont de véritables objets d'art uniques, à travers lesquels se voient les lignes lumineuses tracées de sa main. Il dessine le sujet sur une plaque de verre recouverte d'un enduit opaque, on en fait ensuite un tirage sur papier sensible, comme on le ferait d'une photographie.

Corot a également exécuté des peintures décoratives, notamment à l'église de Rosny pour laquelle il a peint une *Fuite en Égypte* en 1840 et un *Chemin de Croix* en 1856. Il achève, avec son ami Richomme, la décoration du transept de l'église de Ville-d'Avray. Lors de son séjour en Suisse, en 1857, il décore le salon du château de Gruyère. L'année suivante, il exécute des décorations pour la maison de Decamps à Fontainebleau et pour celle de Fleury à Magny-les-Hameaux. En 1865, il réalise des peintures pour décorer la salle à manger de l'hôtel particulier du prince Demidoff à Paris.

L'année 1859 marque le sommet de sa carrière et un tournant dans son art. Il touche à tous les domaines : œuvres d'inspiration littéraire avec : *Dante et Virgile* 1859 ; compositions de figures, dont le nu dans un paysage, avec *La toilette* 1859 ; les faux portraits de la série des *Ateliers* entre 1865 et 1872 ; et, naturellement, le paysage, notamment les paysages-souvenirs. Il devient peintre de l'instant, sachant capter la lumière d'une saison, l'éclairage d'un moment de la journée, mais surtout communiquer l'émotion même de la nature. Théodore de Banville définit Corot comme le poète du paysage, « qui sent, qui souffre, qui respire les tristesses et les joies de la nature ; il connaît la douleur des forêts éplorées, l'ineffable mélancolie des soirs, l'éclatante joie du printemps et des aurores ; il devine quelle pensée incline les branches et fait plier les feuillages... » D'autres disent qu'il rêve la nature, écrit-il Maxime du Camp à propos de *Souvenir de Mortefontaine* 1864 : « il ne copie jamais la nature, il y songe et la reproduit telle qu'il la voit dans ses rêveries ». Ses « souvenirs », tels *Le Batelier amarré, souvenir d'un lac italien* 1861 ou 1864, *Souvenir de Mortefontaine* 1864, *Souvenir des environs du lac de Nemi* 1865, *Souvenir de Riva* 1865-1870, sont le plus souvent, baignés d'une lumière argentée qui unifie les compositions dans une atmosphère assez floue. Corot se méfiait d'ailleurs de la couleur, surtout dans ces années 1860-1870, écrivant : « ce que je cherche c'est la forme, l'ensemble, la valeur des tons... C'est pourquoi pour moi la couleur vient après, car j'aime avant tout l'ensemble, l'harmonie dans les tons, tandis que la couleur vous donne quelque chose de heurté que je n'aime pas. C'est peut-être l'excès de ce principe qui fait dire que j'ai des tons plombés. » En cela, il s'oppose à certaines toiles impressionnistes, comme *Le Champ de coquelicots* de Daubigny qu'il trouve « aveuglant ». Toutefois, la plupart de ses paysages montrent un petit détail, notamment un vêtement d'un petit personnage qui les anime, peint en rouge, sans doute pour mieux faire chanter les tonalités de gris. Enfin, la touche légère qui suggère les feuilles des arbres, sans les détailler, rapproche ses paysages de la vision impressionniste. Les paysages de Corot peuvent à la fois enthousiasmer les amateurs de paysages classiques, qui les comparent à ceux de Poussin ou du Lorrain, comme n'étant pas des copies de la nature, mais des recréations bien composées, tandis qu'ils sont appréciés des romantiques en tant que rêves poétiques, et annoncent pour d'autres, les paysages impressionnistes. Aussi surprenantes soient-elles, toutes ces réactions qui semblent incompatibles, définissent le paysage de Corot qui, dans sa simplicité apparente, est en fait beaucoup plus complexe qu'il n'y paraît à première vue.

Le rêve si présent dans ses paysages, l'est encore davantage dans ses diverses versions de *L'Atelier*, peintes dans les années 1860-1870, représentant des modèles vus de profil, de dos, de trois-quarts, lisant, rêvant, songeant. Ces femmes sont vêtues parfois de costumes de Bohémiennes, d'Italiennes, de Grecques, d'Orientales ou simplement de vêtements de leur époque. Elles tiennent dans leur main un livre, une lettre, une mandoline, sont assises devant un chevalet, un tableau ou simplement dans l'atelier. Ce sont : *La Lettre* vers 1865, dont l'attitude désespérée du modèle a fait couler beaucoup d'encre, ce qui ne doit pas faire oublier la qualité picturale de cette toile, traitée à larges coups de pinceau, dans des camaïeux de bruns, jaunes, blancs ; *L'Atelier* 1865-1866, où une jeune femme tient une mandoline dans sa main, dont le rouge orangé du corsage surprend au milieu des tonalités grises et noires, dans une composition qui fait penser irrésistiblement à Vermeer. Une autre version de femme à la mandoline, vers 1870-1872, met en valeur la couleur somptueuse de sa robe rose saumon, peinte très sommairement, mais magistralement, tout comme la robe bleue de la fameuse *Dame en bleu* 1874, un des derniers tableaux de Corot, dont, selon Meier-Graefe, « la richesse procède plus du coup de brosse véhément que de la variété de tons ». C'est au sujet de cette toile que Paul Jamot juge Corot digne d'être mis en parallèle avec Manet, ajoutant, curieusement : « Ce bleu-là ressemble fort à celui du canapé sur lequel nous voyons Mme Manet étendue, telle que la peignit son mari, en cette même année 1874. »

On pourrait dire de Corot, qu'il était un « moderne malgré lui », étant attaché au classicisme, dont il avait été nourri, mais parcourant le chemin qui menait à l'impressionnisme, sans adhérer à ce mouvement. Notons qu'il est mort un an après la première exposition des impressionnistes chez Nadar. Peintre poète et rêveur, il était presque exclusivement considéré comme paysagiste, selon un malentendu, d'ailleurs entretenu par lui-même, puisqu'il n'exposait au Salon que ses paysages, ne montrant généralement pas ses figures, révélées au public au Salon d'Automne de 1909. Ces dernières, notamment celles des *Ateliers*, sont pourtant d'une grande qualité, mais le rapprochaient, d'une certaine manière, d'un art réaliste auquel il s'opposait, n'appréciant ni Millet, ni Manet. Ce n'était cependant pas un artiste isolé, il suffit de se référer aux nombreux peintres qui se disaient ou étaient réellement ses élèves ; parmi eux, des artistes aussi différents que Chintreuil, Lépine, Berthe Morisot, Sisley, Pissarro. Il travaillait toujours entouré d'une nombreuse assistance d'élèves, collectionneurs, marchands, intrigants, ce qui peut expliquer, en partie, un phénomène qui accompagne la personnalité de Corot et qui concerne la multiplication des faux. Selon une boutade reprise par René Huyghe : « Corot est l'auteur de 3.000 tableaux dont 10.000 ont été vendus en Amérique », on pourrait ajouter « et ailleurs. » Plusieurs milliers de tableaux sont contestables et cette prolifération de faux est d'autant plus étonnante que l'œuvre de Corot est déjà très abondant. Pourtant son biographe, Alfred Roubaut, avait fait la chasse aux faux, établissant un inventaire détaillé des toiles fausses, en parallèle au catalogue raisonné de son œuvre. La confusion a aussi été entretenue par Corot lui-même, pour plusieurs raisons. À la fin de sa vie, il a parfois travaillé en collaboration avec ses élèves, à la manière des maîtres anciens, chez lesquels se réalisaient des œuvres d'atelier. Il a peint plusieurs versions d'un même paysage, tandis que ses élèves en faisaient des copies, entraînant tout un trafic encouragé par le fait que Corot en signait certaines, qu'il retouchait et ainsi les rendait « authentiques ». Il lui arrivait même d'authentifier des faux qui lui étaient présentés et sur lesquels il ajoutait sa touche personnelle avant de les signer. Ce phénomène, qui rend la distinction entre vrai et faux très difficile, montre la célébrité de Corot, à quel point ses œuvres étaient recherchées, combien il était devenu le maître par excellence, imité par ses élèves, jusqu'à faire de faux Corot, tandis que le public montrait un engouement fou, surtout pour ses paysages brumeux des années 1860, ceux qui ont fait dire de lui qu'il était le précurseur de l'impressionnisme, ce qui est oublier sa formation néo-classique, sa passion pour les paysages historiques, son admiration pour les maîtres du paysage classique, et

encore les séries, si longtemps ignorées, de ses figures féminines isolées. ■ Annie Pagès

Cachets de vente

BIBLIOGR. : A. Robaut et Moreau-Nélaton : *L'œuvre de Corot, catalogue illustré et raisonné, précédé de l'histoire de Corot et de son œuvre*, Paris, 1904 – Julius Meier-Graefe : *Corot*, Berlin, 1930 – Gaston Bernheim de Villers : *Corot, peintre de figures*, Paris, 1941 – Maurice Sérullaz : *Corot*, Paris, 1951 – Jean Alazard : *Corot*, Paris, 1952 – Daniel Baud-Bovy : *Corot*, Genève, 1957 – François Fosca : *Corot, sa vie et son œuvre*, Bruxelles, 1958 –

Jean Dieterle : *Jean-Baptiste Corot*, Paris, 1959 – Jean Leymarie : *Corot*, Skira, Lausanne, 1966 – Helga Baier : *C. Corot*, Leipzig, 1967 – Germain Bazin : *Corot*, Paris, 1973 – Catalogue de l'exposition *Hommage à Corot*, Musée de L'Orangerie, Paris, 1975 – Max-Pol Fouchet : *Corot*, Paris, 1975 – Olga Mackova : *Camille Corot*, Prague, 1983 – Madeleine Hours : *Corot*, New York, 1985 – Peter Galassi : *Corot en Italie : la peinture de plein air et la tradition classique*, Paris, 1991 – I. Gale : *Corot*, Londres, 1994 – Yvon Taillandier : *Corot*, coll. les Maîtres de la peinture moderne, Paris, 1995 – Jean Selz : *Camille Corot*, ACR Édition, Paris, 1996 – Vincent Pomarède, Michel Pantazzi et Gary Tinterow : Catalogue de l'exposition : *Corot 1796-1875*, Galeries nationales du Grand Palais à Paris, Musée des Beaux-Arts du Canada, Ottawa et Metropolitan Museum of Art de New York, Abrams, Londres, 1996.

MUSÉES : AGEN (Mus. des Beaux-Arts) : *L'Étang de Ville-d'Avray* – AIX-LES-BAINS (Mus. du Dr Faure) : *Paysage à Montgeron* – AMSTERDAM (Rijksmus.) : *Jeune Algérienne couchée sur le gazon* 1871-1873 – ARRAS (Mus. des Beaux-Arts) : *Une route près d'Arras ou Les chaumières* vers 1842 – AVIGNON : *Site d'Italie, paysage montagneux* – BALTIMORE (Mus. of Art) : *L'atelier de Corot* vers 1865-1868 – BALTIMORE (Walters Art Gal.) : *Saint Sébastien, paysage* vers 1842 – *Vieillard et jeune garçon* 1843 – BAYONNE : *Deux Paysages* – BEAUVAIS (Mus. départ. de l'Oise) : *Paris, le vieux Pont Saint-Michel – La vasque de l'Académie de France à Rome* 1826-1827 – BÉZIERS : *L'étang de Ville-d'Avray* – BORDEAUX (Mus. des Beaux-Arts) : *Le Bain de Diane* 1855 – BOSTON (Mus. of Fine Arts) : *Rome, vieillard assis sur une malle appartenant à Corot* vers 1826 – *Une ferme dans la Nièvre* 1831 – *Moissonneuse tenant sa faucille, la tête appuyée sur la main* 1838 – *La Forêt de Fontainebleau* 1846 – *Dante et Virgile* 1859 – *Paysage au clair de lune* 1874 – BOULOGNE-SUR-MER (Mus. du château) : *Plaine des environs de Beauvais du côté du faubourg Saint-Jean* 1860-1870 – BRUXELLES (Mus. roy. des Beaux-Arts de Belgique) : *Dieppe, le bout de la jetée et la mer* 1822 – BUFFALO (Albright-Knox Art Gal.) : *Rome, moine italien assis lisant* vers 1826-1828 – CAEN (Mus. des Beaux-Arts) : *Les Chevriers des îles Borromées* 1866 – *Les Chevriers de Castel-Gandolfo* – CAMBRIDGE (Fitzwilliam Mus.) : *Paysage italien : le couvent Sant'Onofrio vu des jardins du Vatican* 1826 – CAMBRIDGE, Massachusetts (Fogg's Art Mus.) : *Honfleur, un bassin à flot* vers 1830 – CARDIFF : *Le Hêtre* – CHANTILLY (Mus. Condé) : *Le Concert champêtre* – CHICAGO (Art Inst.) : *Gênes, vue de la promenade Acqua Sola* 1834 – *Rome, Monte Pincio, la Trinité des Monts, vue prise des jardins de l'Académie de France* vers 1834-1835 – *Souvenir des environs du lac Nemi* 1865 – *La lecture interrompue* vers 1870-1873 – CINCINNATI (Taft Mus.) : *Souvenir de Riva* 1865-1870 – CLEVELAND (Mus. of Art) : *Vue de la Cervara, campagne de Rome ou la campagne romaine avec le Mont Soracte* vers 1830-1831 – *Lormes, une chevrière assise au bord d'un torrent sous bois* 1842 – *Sainte-Catherine-les-Arras, saules et chaumières* 1871 – COLOGNE (Wallraf-Richartz Mus.) : *Ville-d'Avray – La Poésie* – COPENHAGUE (Ny Carlsberg Glyptothek) : *La Mélancolie* 1850-1860 – DIJON : *Paysages* – DOUAI : *Site d'Italie* – DUBLIN : *La Vasque de l'Académie de France à Rome* – DUNKERQUE (Mus. des Beaux-Arts) : *Dunkerque, les bassins de pêche* 1857 – ÉDIMBOURG (Nat. gall. of Scotland) : *Ville-d'Avray, entrée du bois avec une vachère* vers 1825 – *Madame Corot, mère de l'artiste, née Marie-Françoise Oberson* vers 1842 – FLORENCE (Gal. des Offices) : *Corot, la palette à la main* vers 1840 – FRANCFORT-SUR-LE-MAIN (Städel Inst.) : *Buste de jeune femme* – GAND (Mus. des Beaux-Arts) : *Carrière de la Chaise-Marie, Fontainebleau* vers 1830 – GENÈVE (Mus. d'Art et d'Hist.) : *Rome, le Monte Pincio et la Trinité des Monts, vus des jardins de l'Académie de France* vers 1826-1828 – *Le Moulin de la Galette à Montmartre* 1840-1845 – *Le quai des Paquis à Genève* vers 1842 – *Nymphe couchée dans la campagne* 1859 – GLASGOW (Art Gal. and Mus.) : *Le Soir – Le Bûcheron – Le Pêcheur de crevettes – Le Lac – Paysage boisé – Mademoiselle de Foudras* 1872 – *Pastorale* 1873 – HAMBOURG (Kunsthalle) : *La Femme à la rose – Le Batelier sur l'étang – Château romantique – Le Moine au violoncelle* 1874 – HARTFORD (Wadsworth Atheneum) : *Rouen, vue des collines dominant la ville, prise de la côte Sainte-Catherine* vers 1829-1834 – LE HAVRE (Mus. des Beaux-Arts) : *Jeune fille assise, un livre à la main* – HOUSTON (Mus. of fine Arts) : *Orphée ramenant Eurydice* 1861 – LANGRES : *Jésus-Christ au jardin des Oliviers* – LAUSANNE : *Lausanne et le Léman* – LIÈGE : *Vue de Saint-Ange – Lisière de forêt au crépuscule – Vue de Rocca di Papa, le matin – Vue sur l'Adriatique* – LILLE : *Le Château Saint-Ange à Rome – Couvent de Subiaco – Galerie intérieure du Colisée – Fête antique – Effet du

matin* – LONDRES (Nat. Gal.) : *L'arbre penché – Souvenir d'un voyage à Coubron – La Seine près de Rouen – Avignon, vu de Villeneuve-lès-Avignon* 1836 – *Paysans sous les arbres au soleil levant, Morvan* vers 1840-1845 – LONDRES (coll. Wallace) : *Macbeth et les sorcières* – LYON (Mus. des Beaux-Arts) : *Paysages – Un champ de blé – L'Atelier de Corot, jeune femme en robe de velours* 1870 – MALIBU (J. Paul Getty Mus.) : *Le Batelier, effet de soir* 1839 – LE MANS : *Un matin près de l'étang de Ville-d'Avray* – MARSEILLE (Mus. des Beaux-Arts) : *Vue prise à Riva, Tyrol italien* 1850 – MELBOURNE : *L'arbre penché* – METZ (Mus. de la Cour d'or) : *Le berger d'Arcadie* 1840 – MINNEAPOLIS (Inst. of Art) : *Silène* 1838 – MONTPELLIER (Mus. Fabre) : *La pêche à l'épervier – Effet de brouillard – Effet de matin* – MONTRÉAL (Mus. des Beaux-Arts) : *Ville-d'Avray – L'île heureuse* vers 1865-1868 – MOSCOU (Mus. Pouchkine) : *Matin à Venise* 1834 – *Le coup de vent* – MULHOUSE : *Paysage* – MUNICH (Neue Pinak.) : *Vue prise à Riva, Tyrol italien* 1835 – NANTES (Mus. des Beaux-Arts) : *Paysage, soleil couchant après la pluie – Démocrite et les Abdéritains, paysage* 1841 – NEW HAVEN (Yale Univ. Art Gal.) : *Le port de La Rochelle* 1851 – NEW YORK (Met. Mus. of Art) : *Le lac d'Albano et Castel Gandolfo – Honfleur, calvaire de la côte de Grâce* vers 1829-1830 – *Fontainebleau, chênes noirs du Bas-Bréau* vers 1831-1833 – *Toussaint Lemaistre, architecte* vers 1833 – *Agar dans le désert, paysage* 1835 – *Diane surprise au bain par Actéon* 1836 – *Dardagny, près Genève, une rue de village* vers 1842 – *La destruction de Sodome* vers 1842 – *Bacchante couchée au bord de la mer* 1865 – *La lettre* vers 1865 – *Une liseuse dans la campagne* 1869-1870 – *Ville-d'Avray ou l'étang vu à travers la feuillée* 1870 – *Sibylle* vers 1870-1873 – NORFOLK (Chrysler Mus.) : *Campagne romaine, vallée rocheuse avec un troupeau de porcs* – NORTHAMPTON (Smith College Mus. of Art) : *La blonde gasconne* 1850 – OTTAWA (Nat. Gal. of Canada) : *Vue prise à Narni* vers 1826-1827 – OTTERLO (Rijksmus. Kröller-Müller) : *Soissons, vu de la fabrique de M. Henry* 1833 – *Jeune femme au puits* 1865-1870 – OXFORD (Ashmolean Mus.) : *Le petit Chaville* vers 1825 – *Le lac de Piediluco* 1826 – PARIS (Mus. du Louvre) : *Une matinée – Soleil couchant – La Madeleine lisant – Le repos des chevaux – Les baigneuses – Le vallon – La porte de Jerzual à Dinan – Danse des bergers de Sorrente – La saulaie – Souvenir d'Italie – L'étang – Entrée de village – Les chaumières – Le soir – L'églogue – La place Saint-Marc à Venise – Souvenir d'Italie, Castel Gandolfo – La Madeleine couchée – Monte Testaccio – Rome, Saint-Ange – Rochers des Nazons – Le Vésuve – Entrée du port du Havre – Maisons de pêcheurs à Sainte-Adresse – Volterra, le Municipe – Volterra, la Citadelle – Villeneuve-lès-Avignon – Un moine – Saint-André en Morvan – La mariée – Lac de Brientz – La Rochelle – Optevoz – Le collégien – Intérieur rustique au Bas-Bilier – Remparts d'Arras – Marcoussis – Tour de Monthléry – Moulin à vent, près de Versailles – Bateau de pêche à marée basse – L'église de Marissel – Velléda – Le pont de Mantes – Les tanneurs de Mantes – Le pêcheur en barque – La charrette – Une soirée – Les saules – Nymphe désarmant l'Amour – Chevriers des îles Borromées – La route – La clairière au levée du jour – Le passeur – Le pâtre devant l'étang – Le repos sous les saules – Le passage du gué – Le matin – Le soir – Le Catalpa – Les marécages de la Tour carrée – La route des filets – Le pont de Pallual – La danse des bergères – Près d'Arras, les bûcheronnes – Souvenir des Landes – Le moulin de Saint-Nicolas-les-Arras – Autoportrait au chevalet* 1825 – *Les maisons Cabassud à Ville-d'Avray* 1825-1835 – *Rome, le Colisée vu à travers les arcades de la basilique de Constantin* 1825 – *Le Colisée vu des jardins Farnèse, le midi* 1826 – *Le Forum, vue prise des jardins Farnèse* 1826 – *Le pont d'Auguste sur la Néra ou Le pont de Narni* 1826 – *La promenade de Poussin, campagne de Rome* 1826-1828 – *Campagne de Rome* 1827 – *Ischia, vue prise des pentes du Mont Epomeo – Trouville, bateau de pêche à marée basse* 1829-1830 – *La cathédrale de Chartres* 1830 – *Marie Louise Laure Sennegon, plus tard Madame Philibert Baudot, nièce de l'artiste* 1831 – *La Trinité des Monts, vue prise de la villa Médicis* vers 1830-1834 – *Saint-Lô, vue générale de la ville* 1833 – *Volterra, la citadelle* 1834 – *Florence, vue des jardins Boboli* vers 1834-1836 – *Louise-Claire Sennegon, future Madame Charmois, nièce de l'artiste* 1837 – *Portrait d'Alexina Legoux* 1830-1840 – *Le château de la duchesse de Berry à Rosny* 1840 – *Le Forum vu des jardins Farnèse, le soir* vers 1842 – *Louis Robert, enfant* 1842 – *La femme à la perle* 1842 – *Bretonnes à la fontaine* vers 1842 – *Tivoli, les jardins de la villa d'Este* 1843 – *Le chevrier italien, effet de soleil couchant* vers 1847 – *Entrée de village, environs de Beauvais du côté de Voisinlieu* vers 1850 – *La Supérieure du monastère de l'Annonciade de Boulogne-sur-Mer* 1852 – *Moine blanc assis lisant vers 1855 – *Portrait de Maurice Robert enfant* 1857 – *Le chemin de Sèvres, vue sur Paris* 1858-1859 – *Souvenir de Mortefontaine* 1864 – *L'église de Marissel, près de Beauvais* 1866 – *Le chevalier* 1868 – *L'atelier de Corot* 1868-1870 – *La femme à la perle* 1868-1870 – *Le pont de Mantes* 1868-1870 – *Le beffroi de Douai* 1871 – *La route de Sin-le-Noble, près de Douai* 1873 – *Sens, intérieur de la cathédrale* vers 1874 – *Dame en bleu* 1874 – PARIS (Mus. d'Orsay) : *Barques à voiles échouées à Trouville* 1829 – *La danse des nymphes* 1850 – *Tour lointaine* vers 1860-1865 – *Gardeuse de vaches, le matin* 1864 – *Jeune fille à sa toilette* 1860-1865 – *Jeune femme à la robe rose* 1860-1865 – *Cour d'une boulangerie près de Paris* vers 1865-1870 – *L'atelier de Corot, jeune femme au corsage rouge* vers 1865-1866 – *Souvenir de Ville-d'Avray* 1872 – PARIS (Mus. du Petit Palais) : *La Marietta* 1843 – PARIS (Mus. Rodin) : *Italienne Maria di Sorre assise* – PAU (Mus. des Beaux-Arts) : *Les gorges d'Apremont* 1830-1835 – PHILADELPHIE (Mus. of Art) : *Ville-d'Avray, chemin bordé d'un mur conduisant aux étangs* vers 1828 – *Soissons, maison d'habitation et fabrique de M. Henry* vers 1833 – *Genève, vue d'une partie de la ville* vers 1842 – *Nemi, les bords du lac* 1843 – PITTSBURGH (Carnegie Mus. of Art) : *Premières feuilles à Mantes* vers 1842 – QUIMPER (Mus. des Beaux-Arts) : *Pierrefonds, vue générale* – *Paysage breton* – *Vue du château de Pierrefonds* vers 1842 – REIMS (Mus. des Beaux-Arts) : *La vasque de l'Académie de France à Rome* – *La danse italienne* – *Le passage de la rivière* – *Souvenirs du lac d'Albano* – *Les deux sœurs sous les arbres, au bord du lac* – *Un ruisseau, environs de Beauvais* – *Un chemin sous les arbres, au printemps* – *Le pêcheur en barque à la rive* – *Souvenir des rives méditerranéennes* – *Un allée dans le bois* – *La liseuse sur la rive boisée* – *Le lac, effet de lune* – *Laveuses au bord de l'eau* – *Vue de Mantes-la-Jolie* – *Honfleur* – *Le marais* – *Sous-bois* – *Jeune italien assis dans la chambre de Corot à Rome* vers 1825-1827 – *Mantes, la cathédrale et la ville vues derrière les arbres* vers 1865-1870 – *Le coup de vent* vers 1865-1870 – *Ville-d'Avray, l'étang à l'arbre penché* 1865-1870 – RENNES (Mus. des Beaux-Arts) : *Le passage du gué, le soir* – LA ROCHELLE : *Paysage, environs de Genève* – ROUEN (Mus. des Beaux-Arts) : *Le quai des marchands à Rouen* 1833-1834 – *Un matin à Ville-d'Avray, la vachère* 1868 – SAINT-GALL (Kunstmus.) : *Vue de Riva, Tyrol italien* 1834 – SAINT-LÔ (Mus. des Beaux-Arts) : *Homère et les bergers, paysage* 1845 – SAINT-PÉTERSBOURG (Mus. de l'Ermitage) : *Paysanne faisant paître sa vache à la lisière d'une forêt* – SÃO PAULO (Mus. de Arte) : *Gitane à la mandoline ou Portrait de Christine Nillson* 1874 – SEMUR-EN-AUXOIS (Mus. mun.) : *Le Verger* – *Jeune Garçon de la famille Corot* vers 1840 – *Portrait de Mme Baudot* 1821 – SENLIS (Mus. d'Art et d'Archéol.) : *Une danse la forêt de Fontainebleau* vers 1830-1832 – SHELBURNE : *La Bacchante à la panthère* 1855-1860 – *La jeune Grecque* vers 1870-1873 – *Orientale rêveuse* 1870-1873 – SPRINGFIELD (Mus. of Fine Arts) : *Site des environs de Naples* 1841 – STOCKHOLM (National-mus.) : *Civita Castellana* 1826-1827 – STRASBOURG (Mus. des Beaux-Arts) : *L'étang de Ville-d'Avray* – *Orléans, vue prise d'une fenêtre en regardant la tour Saint-Paterne* 1830 – TOULOUSE (Mus. des Augustins) : *L'étoile du berger* 1864 – *L'étoile du matin* 1864 – VENISE (Mus. d'Art Mod.) : *Bois-Guillaume, près de Rouen, porte flanquée de deux piliers* 1822 – VIENNE (Österr. Gal. im Belvedere) : *Jeune femme assise, des fleurs entre les mains ou Madame Legois* vers 1842 – *Nemi, le lac vu à travers les arbres* 1843 – VIRE : *Le rocher Corot, forêt de Fontainebleau* – WASHINGTON D. C. (Corcoran Art Gal.) : *La Bacchante au tambourin* 1860 – *La rive verte* vers 1860-1865 – *Le batelier amarré* 1861 ou 1864 – *L'atelier de Corot* vers 1865-1868 – WASHINGTON D. C. (Nat. Gal.) : *Agostina* 1866 – WILLIAMSTOWN (Sterling and F. Clark Inst.) : *Le pont et le château Saint-Ange avec le dôme de Saint-Pierre* vers 1826-1827 – *Louise Harduin au matin* 1831 – *Jeune fille à la jupe rose* – ZURICH (Kunsthaus) : *Campagne de Rome : la Cervara* vers 1826-1827.

VENTES PUBLIQUES : PARIS, 1853 : *Vue d'Italie, soleil levant* : **FRF 2 200** – BRUXELLES, 9 fév. 1856 : *Effet de matin* : **BEF 805** – PARIS, 1873 : *Nymphes et faunes* : **FRF 23 000** – PARIS, 1880 : *Paysage et nymphes* : **FRF 27 000** – PARIS, 24 fév. 1881 : *L'Italienne ou la Juive d'Alger* vers 1870, h/t (47x37,5) : **FRF 5 420** – PARIS, 10 déc. 1881 : *La clairière au grand arbre*, mine de pb. et réhauts de blanc (29x39) : **FRF 76 000** – PARIS, 24 avr. 1883 : *La femme à la grande toque et à la mandoline* vers 1850-55, h/t (112x88) : **FRF 7 100** – PARIS, 1892 : *L'entrée en forêt* : **FRF 101 000** – PARIS, 11 juin 1894 : *L'Italienne ou la juive d'Alger* vers 1870, h/t (47x37,5) : **FRF 4 950** – PARIS, 8 juin 1896 : *La femme à la grande toque et à la mandoline* vers 1850-55, h/t (112x88) : **FRF 9 800** – PARIS, 1898 : *La danse des amours* : **FRF 180 000** – PARIS, 24 avr.

1899 : *La femme à la grande toque et à la mandoline* vers 1850-55, h/t (112x88) : **FRF 25 500** – BRUXELLES, 11 mai 1901 : *Au bord de l'étang* : **BEF 25 100** – NEW YORK, 1909 : *La charette* : **USD 30 000** – LONDRES, 3 juin 1910 : *Les constructeurs de nids* : **GBP 13 650** – PARIS, 25 nov. 1918 : *Le lac de Terni* : **FRF 237 000** – PARIS, 18 juin 1925 : *Jeune fille assise, les seins nus* : **FRF 52 020** – PARIS, 15 juin 1926 : *Entrée du parc de Saint-Cloud* vers 1823-1824 : **FRF 155 000** – NEW YORK, 30 jan. 1930 : *Les baigneuses des îles Borromées* : **USD 41 000** – PARIS, 6 mars 1942 : *La charette de foin* : **FRF 920 000** – PARIS, 4 juin 1958 : *Le silence* : **FRF 1 500 000** – LONDRES, 3 déc. 1958 : *Le secret de l'Amour* : **GBP 5 000** – NEW YORK, 6 déc. 1958 : *La vachère au bord de l'eau* : **USD 10 000** – PARIS, 18 mars 1959 : *La côte de Grâce près de Honfleur* : **FRF 7 900 000** – LONDRES, 11 juin 1963 : *La méditation* : **GBP 18 500** – NEW YORK, 17 oct. 1973 : *Jeune Italienne de Papigno avec sa quenouille* vers 1845 : **FRF 650 000** – LONDRES, 2 juil. 1974 : *Vendanges à Sèvres* : **GBP 50 400** – LONDRES, 30 juin 1976 : *Sin-le-Noble près de Douai, la rue de village* 1872, h/t (32,5x58) : **GBP 19 000** – PARIS, 26 nov. 1976 : *Le saule au bord de l'eau* vers 1872-1873, h/t (32,5x21,5) : **FRF 60 000** – PARIS, 1ᵉʳ déc. 1977 : *Le clocher de Saint-Nicolas-les-Arras*, autographie sur bulle fixé : **FRF 5 200** – LONDRES, 7 déc. 1977 : *Deux personnages sous les arbres au bord des marais* vers 1855-60, h/t (34x46) : **GBP 22 000** – NEW YORK, 21 juin 1978 : *Arques, ruines du château* vers 1828-30, h/pan. (22,5x32,5) : **USD 18 000** – PARIS, 12 oct. 1978 : *Le dormoir des vaches*, autographie sur Chine fixé : **FRF 7 500** – ZURICH, 25 mai 1979 : *Rivière bordée de grands arbres aux abords d'un ville* 1850, h/t (23,5x38,5) : **CHF 84 000** – BERNE, 20 juin 1979 : *Souvenir de Sologne* vers 1873, litho. sur Chine collé : **CHF 2 400** – PARIS, 16 mai 1979 : *Sous-bois* 1871/ 1872, fus. (47x32) : **FRF 41 000** – PARIS, 8 déc. 1982 : *La rencontre au bosquet*, cr./pap. (27,7x22,3) : **FRF 31 000** – NEW YORK, 18 mai 1983 : *L'Italienne ou la juive d'Alger* vers 1870, h/t (47x37,5) : **USD 650 000** – LONDRES, 7 déc. 1983 : *Un lac du Tyrol* 1863, eau-forte en sanguine (13,3x19,2) : **GBP 1 900** – NEW YORK, 14 nov. 1984 : *La femme à la grande toque et à la mandoline* vers 1850-55, h/t (112x88) : **USD 3 500 000** – NEW YORK, 24 avr. 1985 : *Rome : île et pont San Bartolomeo* vers 1826-28, h/pap. mar./t. (27,3x42,8) : **USD 850 000** – LUCERNE, 12 nov. 1985 : *Souvenir de Sologne* vers 1873, cliché-verre/Chine collé (15x24,5) : **CHF 3 000** – LONDRES, 30 juin 1987 : *Smyrne-Bournabat* 1873, h/t (81x110) : **GBP 750 000** – PARIS, 20 nov. 1987 : *La Rochelle, entrée du port* vers 1851, h/pan. parqueté (27x40,5) : **FRF 3 000 000** ; *Jeune femme assise, de face, la poitrine dévoilée* vers 1835-1840, h/cart. contrecollé/pan. (23x18) : **FRF 3 000 000** ; *Jeune garçon coiffé d'un chapeau haut-de-forme, assis par terre* vers 1823-1824, h/t (21x21) : **FRF 3 100 000** ; *Madame Chamouillet, née Octavie Sennegon*, mine de Corot 1833, h/t (36,5x29) : **FRF 5 800 000** ; *Agar dans le désert*, h/t, étude pour le Salon de 1835 (32x41) : **FRF 900 000** – PARIS, 29 juin 1987 : *Souvenir de Morte-Fontaine* 1864, pl. en brun/croquis au cr. (26,5x14,6) : **FRF 230 000** – CALIFORNIE, 4 fév. 1988 : *La Chevrière italienne*, h/t (46x37) : **USD 17 600** ; *Saule et Aulnes*, h/t (38x46) : **USD 214 500** – NEW YORK, 25 fév. 1988 : *Personnages sur une grève dans un paysage boisé*, h/t (26x33,7) : **USD 49 500** – PARIS, 15 mars 1988 : *Souvenir d'Italie : le Vatican et Saint-Pierre-hors-les-murs* vers 1843, h/t (25x43,5) : **FRF 1 220 000** ; *Portrait d'Octave Chamouillet* 1838, mine de pb (20x17) : **FRF 100 000** – PARIS, 18 mars 1988 : *Souvenir d'Italie* 1866, eau-forte, petit in-folio en hauteur : **FRF 14 000** – PARIS, 23 mars 1988 : *Temple romain*, mine de pb (20,5x27) : **FRF 14 200** – LONDRES, 24 mars 1988 : *Vachère dans le vallon, souvenir de Bretagne*, h/pan. (46,5x31,5) : **GBP 74 800** – LONDRES, 29 mars 1988 : *Les Bords du Tibre dans la campagne de Rome* 1825, h/pap. mar./t. (19x34) : **GBP 38 500** – AMSTERDAM, 3 mai 1988 : *Ruisseau en forêt*, h/pap. mar./cart. (16x24) : **NLG 19 550** – NEW YORK, 24 mai 1988 : *Le Marais au grand arbre et à la chevrière*, h/t (58,1x80,3) : **USD 506 000** – PARIS, 22 juin 1988 : *Personnages à l'orée du bois*, h/t (33x25) : **FRF 1 050 000** – LONDRES, 28 juin 1988 : *Prairie boisée avec des vaches et un village au lointain*, h/t (45x55) : **GBP 154 000** – MORLAIX, 15 août 1988 : *La Prairie sur la falaise*, h/t (25x32,5) : **FRF 107 000** – PARIS, 26 oct. 1988 : *Le Cavalier dans les roseaux* 1871, autographie (in 4° en large) : **FRF 25 000** ; *Le Moulin de Cuincy, près Douai* 1871, autographie (in 4° en large) : **FRF 46 000** – BERNE, 26 oct. 1988 : *Paysage boisé avec deux enfants*, h/t (32x41) : **CHF 5 200** – CALAIS, 13 nov. 1988 : *Le port*, mine de pb (17x30) : **FRF 25 000** – PARIS, 24 nov. 1988 : *Luzancy, le mur de la propriété de M. Remy*, h/t (40x30) : **FRF 1 400 000** – LONDRES, 29 nov. 1988 : *Diane au bain ou La source*, h/t (72x41) : **GBP 1 078 000** – NEW YORK, 22 fév. 1989 : *Sur les hauteurs de Ville-d'Avray : paysans travaillant dans les champs*, h/t (42,5x69,2) : **USD 550 000** – New York, 10 mai 1989 : *Ville-d'Avray, le chemin de Corot*, h/t (65x81,5) : **USD 770 000** – Paris, 17 juin 1989 : *Fanchette, femme de chambre de Mme Corot mère 1828*, h/t (29,8x24,1) : **FRF 600 000** – Paris, 21 juin 1989 : *Liseuse interrompant sa lecture* vers 1872-1874, h/t (55x45) : **FRF 6 800 000** – Londres, 26 juin 1989 : *Ronde d'Amours – Lever du soleil*, h/t (65x97) : **GBP 605 000** – New York, 18 oct. 1989 : *Fillette pensive*, h/t (46,3x38,1) : **USD 880 000** – New York, 25 oct. 1989 : *Les petits dénicheurs*, h/t (65x100,4) : **USD 1 375 000** – Paris, 20 mars 1990 : *La maison dans les arbres* vers 1870, h/t (38,5x46,5) : **FRF 930 000** – New York, 23 mai 1990 : *Le monastère derrière les arbres*, h/pan. (40x55,2) : **USD 550 000** – Monaco, 15 juin 1990 : *L'entrée du port de La Rochelle depuis la jetée*, h/t (22x40) : **FRF 12 210 000** – Londres, 19 juin 1990 : *Vénus au bain*, h/t (116x90) : **GBP 1 650 000** – New York, 24 oct. 1990 : *Gondole sur le Grand Canal à Venise*, h/t (29,2x41,3) : **USD 649 000** – Paris, 25 nov. 1990 : *L'arc de Constantin et le Forum 1843* : **FRF 2 200 000** – New York, 23 mai 1991 : *Souvenir de Cayeux*, h/t (42x61,5) : **USD 550 000** – Paris, 17 juin 1991 : *Un chemin dans les bois de Saint-Cloud*, h/t (73x53) : **FRF 1 650 000** – Londres, 19 juin 1991 : *Le chevrier traversant un ruisseau dans un paysage italien*, h/t (56x45) : **GBP 242 000** – New York, 27 mai 1992 : *Le château de Fontainebleau vue de la pièce d'eau*, h/t (24,2x39,3) : **USD 198 000** – Londres, 29 juin 1992 : *La cueillette des marguerites*, h/t (71,8x48,5) : **GBP 308 000** – New York, 10 nov. 1992 : *Smyrne-Bournabat*, h/t (81,3x109,9) : **USD 1 320 000** – Londres, 27 nov. 1992 : *Enfant endormi 1832*, cr./pap. (13x18,5) : **USD 12 650** – Paris, 2 avr. 1993 : *Barques de pêcheur sur le rivage 1834*, cr. noir (19,2x30,5) : **FRF 10 500** – Paris, 3 juin 1993 : *Village en Normandie 1865*, h/t (20,5x29) : **FRF 300 000** – New York, 13 oct. 1993 : *Saintry près de Corbeil : la route blanche 1873*, h/t (50,2x61) : **USD 580 000** – Heidelberg, 15-16 oct. 1993 : *Souvenir de Toscane 1845*, eau-forte (13,2x18,2) : **DEM 4 800** – Paris, 17 nov. 1993 : *Rouen, vue panoramique 1871*, h/t (37,3x64,5) : **FRF 650 000** – Londres, 29 nov. 1993 : *Rouen, vue panoramique*, h/t (41x71,2) : **GBP 95 000** – New York, 16 fév. 1994 : *Les petits dénicheurs*, h/t (71,8x100,6) : **USD 1 212 500** – Paris, 8 avr. 1994 : *Le repos du berger*, h/t (27x35) : **FRF 330 000** – Lokeren, 28 mai 1994 : *Paysage avec deux figures au bord d'un étang*, fus. (30x47,5) : **BEF 260 000** – Paris, 3 juin 1994 : *Environs de Rome 1866*, eau-forte (31,5x23,5) : **FRF 8 500** – New York, 9 nov. 1994 : *L'Atelier de Corot (jeune femme en robe rose assise devant le chevalet et tenant une mandoline)*, h/t (64x48,4) : **USD 1 432 500** – New York, 8 mai 1995 : *Fernand Corot, arrière-petit-neveu du peintre à quatre ans et demi 1863*, h/t (30,5x21) : **USD 244 500** – Paris, 14 juin 1995 : *Un marinier napolitain 1873*, h/t (80x60) : **FRF 530 000** – Paris, 19 oct. 1995 : *Danse italienne à Frascati*, h/t (85x115) : **FRF 1 100 000** – Londres, 15 nov. 1995 : *L'Étang et les villas vus derrière les saules à Ville-d'Avray*, h/t (41,5x61) : **GBP 177 500** – New York, 22 mai 1996 : *Le Chemin aux pommiers*, h/t : **USD 332 500** – Paris, 13 juin 1996 : *Environs de Rome 1866*, eau-forte (31,5x23,5) : **FRF 32 000** ; *Les Jardins d'Horace 1855*, cliché-verre (36,5x28,3) : **FRF 31 000** – New York, 23-24 mai 1996 : *Le Ramasseur de bois* vers 1860-1865, h/t (55,9x39,4) : **USD 118 000** – Londres, 24 juin 1996 : *Environs de Rotterdam, petites maisons au bord d'un canal*, h/t (29x46) : **GBP 144 500** – Londres, 21 nov. 1996 : *Allée d'arbres à Mortefontaine*, h/t (33,5x22,2) : **GBP 14 950** – Paris, 22 nov. 1996 : *Méditation*, fus. et estompe, dessin de forme ovale (27x20,5) : **FRF 22 000** – Londres, 13 juin 1997 : *Vachère au bord de l'étang*, h/pap./t. (26,5x38) : **GBP 32 200** – Paris, 11 juin 1997 : *Paysage d'Italie* (19,5x30) : **FRF 26 000** – Paris, 27 juin 1997 : *Lisière de bois au vieux saule*, h/pan. (23x35) : **FRF 162 000** – New York, 23 oct. 1997 : *Ville-d'Avray : la cour de la propriété de Corot 1832*, h/pap./t. (29,9x27,9) : **USD 101 500**.

COROT Marie Isabelle
Née à Paris. XIXe siècle. Française.
Peintre, peintre d'éventails, miniaturiste.
Elle travailla surtout d'après Boucher.

COROY Claude
XVIIIe siècle. Français.
Peintre.
Il fut reçu à l'Académie de Saint-Luc à Paris en 1759.

COROYER Pierre
XVIIe siècle. Français.
Sculpteur et peintre.

Parisien, il exécuta, en 1634, les tombeaux que Sébastien Zamet, évêque et duc de Langres, fit élever à la mémoire de son père Sébastien Zamet, financier, et de son frère Jean Zamet, gentilhomme de la chambre du roi et maréchal de camp.

CORP Hanns
XIVe siècle. Actif à Breslau. Allemand.
Peintre.

CORPAATO Jean-Pierre, pseudonyme de Corpataux
Né en 1950 à Fribourg. XXe siècle. Suisse.
Peintre de natures mortes, sculpteur de natures mortes. Expressionniste.
Fils de boucher, il est devenu boucher lui-même et tient le *Restaurant de l'Union* à Fribourg. Personnage tonitruant, corpulent, les mains comme des côtelettes, coiffé d'un canotier, il gère « pittoresquement » son restaurant dans la journée, et regagne la vieille boucherie familiale le soir pour y peindre. Totalement autodidacte en peinture, il ne peint – au couteau – et réalise parfois en volume, que des quartiers de bœuf, grandeur nature ou d'autres bêtes écorchées, et des étalages de boucherie. Naturellement on pense à Soutine, mais lui trouve que son bœuf écorché est faux du point de vue du boucher. Il n'hésite pas à se déclarer « le meilleur peintre de viande du monde ». Il dit aussi assez joliment que la viande est de toutes les couleurs, sauf rouge, et il le prouve dans ses peintures, sauf à y utiliser quand même le rouge. On le dit bon boucher, restaurateur imprévisible, en tant qu'artiste, il n'est pas toujours pris au sérieux. Pourtant le peintre et dessinateur Alfred Hofkunst, proche de l'hyperréalisme et du fantastique, et le sculpteur de mécaniques folles Jean Tinguely, l'ont en estime et ont organisé une exposition avec lui, à Berne au printemps 1984. ◼ J. B.
Bibliogr. : Jörg-Uwe Albig : *Spezialist für Fleisch und Blut und Farbe*, Art das Kunstmagazin, Hambourg, août 1988.

CORPET Charles Étienne ou Étienne
Né le 7 octobre 1831 à Paris. Mort en 1903. XIXe siècle. Français.
Peintre de figures, paysages, fleurs, graveur.
Il étudia sous la direction de Lesourd-Beauregard et commença à exposer au Salon de Paris en 1857.
Musées : Gray (Mus.) : *Au fil de l'eau* – Saint-Étienne (Mus. d'Art et d'Industrie) : *Fleurs*.
Ventes Publiques : Paris, 24 oct. 1994 : *L'enfant à l'étole de fourrure 1887*, h/t (65,5x47,5) : **FRF 12 000**.

CORPET Étienne
Né le 5 décembre 1877 à Paris. XXe siècle. Français.
Peintre, lithographe.
Fils de Charles Étienne Corpet, il fut élève de son père et de Paul Maurou.
Il exposait à Paris, au Salon des Artistes Français, dont il devint sociétaire, mention honorable 1910. Il exposa aussi au Salon des Artistes Indépendants et fut invité au Salon des Tuileries en 1941.

CORPET Vincent
Né en 1954 à Paris. XXe siècle. Français.
Peintre de figures, portraits, nus, dessinateur. Tendance surréaliste.
Il fut étudiant à l'École des Beaux-Arts de Paris. Il vit et travaille à Paris.
En 1983 il a figuré dans les expositions *Figures imposées* à l'ELAC (Espace lyonnais d'art contemporain) de Lyon et *New French Painting* organisée par l'AFAA (Action Française d'Action Artistique) à Oxford et Londres. En 1985, il exposa avec Marc Desgrandchamps et Pierre Moignard, ce qui leur permit de constater leurs positions communes concernant le choix de la figuration en tant que mode de communication inépuisé, la nécessité d'exprimer une pensée, ne pas se déconnecter du monde présent. En 1987, le Musée National d'Art Moderne les a réunis de nouveau dans les Galeries Contemporaines. Depuis il a participé à des expositions collectives : 1991 Centre culturel de Beyrouth et *Georges Bataille* au Musée des Beaux-Arts des Sables d'Olonne ; 1993 *Du Désir de spiritualité dans l'art contemporain* au Centre culturel de Boulogne-Billancourt ; 1995 École Nationale des Beaux-Arts de Paris ; 1997 Biennale d'Art contemporain de Lyon.
Il montre ses œuvres dans des expositions personnelles : 1984 à la galerie R.C. des Fossés Saint-Étienne ; 1994 École Nationale des Beaux-Arts de Paris ; 1995, 1996, 1998 Paris, galerie Daniel Templon.

Ses peintures mettant en scène de grands personnages aux membres massifs, évoquant le Picasso des années trente, des nus quasiment anthropométriques d'autant qu'il titre ses peintures d'un groupe de lettres et chiffres évoquant une identification informatique, des imbrications de formes embryonnaires, des chimères, des monstres. Il travaille sur divers formats, rectangles étroits, carrés, tondos. Il a réalisé 602 dessins illustrant *Les Cent-Vingt Journées de Sodome* de Sade. Ses étranges manipulations sur des membres de corps humains ou animaliers, quand elles sont traitées d'une manière rappelant plutôt des dessins ou bandes humoristiques, ont de la difficulté à orienter la perception du spectateur vers les parages du fantastique ou du surréaliste.

BIBLIOGR. : Catal. de l'exposition *Vincent Corpet, Marc Desgrandchamps, Pierre Moignard*, Galeries Contemporaines, Musée national d'Art Moderne, sep.-nov. 1987, Paris – in : Catal. de l'exposition *Mouvements 1 et 2*, Galeries Contemporaines, Musée National d'Art Moderne, Paris, 8 mai-16 juin 1991 – Jean Clair : *Deux, trois choses autour des peintures de Vincent Corpet*, Art Press, n° 194, Paris, sept. 1994.

MUSÉES : PARIS (FNAC) – PARIS (FRAC Île-de-France) : *2241 P29, 30IV 90H/r.*

CORPI Giuseppe
XVIIIe siècle. Actif à Bologne. Italien.
Peintre.
Il existe des décorations de cet artiste à l'église San Antonio, à Pesaro.

CORPLET Charles Alfred
Né le 15 juillet 1827 à Paris. Mort en 1894. XIXe siècle. Français.
Peintre sur émail et restaurateur d'objets d'art.
Il n'eut pas d'autre maître que son père, Étienne Charles Corplet, et débuta au Salon de Paris en 1857.

CORPLET Étienne Charles
Né le 28 décembre 1781 à Paris. Mort le 27 octobre 1847 à Paris. XIXe siècle. Français.
Peintre de portraits et de paysages.
Il est malheureux que cet artiste, qui peignait avec assez de réussite, ait été obligé, par suite de nécessités matérielles, de se mettre au service de l'industrie. En 1820, cependant, à la demande de Sauvageot, de Montfort et d'autres collectionneurs, il se mit à réparer les objets d'art tels qu'émaux peints, statuettes en terre cuite, etc. Ce genre de travail lui valut une réputation toute particulière.

CORPORA Antonio
Né le 15 août 1909 à Tunis. XXe siècle. Italien.
Peintre. Postcubiste, puis abstrait.
Il fut étudiant à l'Ecole des Beaux-Arts de Tunis, dans l'atelier d'Armand Vergeaud, qui avait fréquenté l'Atelier Gustave Moreau, avec Matisse et Marquet. Il commença d'exposer très jeune à Tunis. En 1929, il vint en Italie, se fixa à Florence, où, aux Offices et dans la ville, il étudia les Italiens du Quattrocento. Il y fit une exposition en 1930. De 1930 à 1937, il partagea son temps entre Paris, Tunis et l'Italie, surtout Milan et Rome. A Paris, il fut remarqué par Zborowsky, ami et collectionneur de Modigliani. A partir de 1934, il se lia avec le groupe d'artistes de la galerie *Il Millione* de Milan, avec lesquels il fut, à ce moment-là, des premiers découvreurs de l'abstraction géométrique en Italie, participant à l'action du groupe, dans les discussions communes, dans les expositions collectives, par ses articles. Il exposa seul à Florence en 1937, puis à Milan en 1939, expositions de ses peintures cubo-abstractisantes, qui furent mal accueillies dans le contexte du mouvement *Novecento*, qui, en accord avec le régime mussolinien, prônait un retour à un classicisme emphatique. A ce propos, il fut taxé de décadence d'inspiration française. Il quitta alors l'Italie pour Tunis, où il resta jusqu'en 1945. Revenu en Italie après le fascisme, il intervint énergiquement dans le mouvement des idées artistiques, fonda, avec Guttuso, Turcato et le sculpteur Fazzini, un courant *néocubiste*, qui n'eut qu'une action éphémère. En 1947, il participa au *Fronte nuovo delle Arti*, dont faisaient partie entre autres Santomaso, Vedova, Birolli, puis, en 1952, se retrouva dans le groupe des *Huit Peintres Italiens*, avec Afro, Birolli, Moreni, Morlotti, Santomaso, Turcato et Vedova, qui marqua pour l'Italie les véritables débuts de l'abstraction. A partir de là, il a participé à de nombreuses expositions collectives nationales et internationales, notamment : Biennale de Venise 1948, 1950, 1952 avec le groupe des *Huit Peintres*, 1956, 1968, Quadriennale de Rome 1955-56, Il remporta plusieurs prix, dont, en 1968, le Premier Prix de la Biennale de Venise. Parallèlement, il montrait aussi ses œuvres dans de nombreuses expositions personnelles en Italie, jusqu'à la grande exposition du Musée d'Art Moderne de Rome en 1987.

Dans sa prime jeunesse, les influences qu'il subit furent composites. L'impressionnisme, le fauvisme, le cubisme, ne l'empêchaient pas encore d'apprécier l'expressionnisme de Modigliani et surtout de Soutine : « Je crois que cette double aspiration, celle de l'expression dramatique et le désir de clarté, a été la contradiction de ma personnalité » a-t-il constaté lui-même. A Paris, il exposa un portrait au Salon d'Automne de 1937. Après la guerre, de 1947 à 1951, sa peinture tendit à l'abstraction, mais par le biais d'impressions « abstraites » de la réalité et transcrites, paysages marins, vues de ports, figures, très shématisés, démarche alors très caractéristique des peintres de l'École de Paris groupés autour de Bazaine. Après 1951, son graphisme, jusque là géométriquement contrôlé, se dilue et tend à un certain lyrisme du graphisme, d'une part totalement libéré de la réalité, d'autre part moins rigidement géométrique, avec des accents dramatiques que renforce l'opposition d'opacités et de lumières. Dans la période après 1960, ses peintures, structurellement simplifiées, sont composées par le jeu d'entrelacement de souples et sinueuses horizontales et verticales, parfois une diagonale, qui découpent des surfaces et des bandes, vibrantes de couleurs somptueuses : *Labyrinthe* 1960, *Surface et lumière* 1968. La peinture de Corpora, très proche de l'École de Paris dans sa période de paysagisme abstrait, prudemment fondé à partir d'un cubisme tempéré, a connu en Italie une période de grande notoriété. ■ Jacques Busse

Corpora [signature]

BIBLIOGR. : Christian Zervos : *Antonio Corpora*, Édit. Centre d'Art Italien, Paris, 1952 – Denis Milhau : in : *Peintres Contemporains*, Mazenod, Paris, 1964 – in : *Les Muses*, Grange Batelière, Paris, 1971 – in : *Diction. Univers. de la Peint.*, Robert, Paris, 1975.

MUSÉES : HAMBOURG (Kunsthalle) – NEW YORK (Mus. of Mod. Art) – PARIS (Mus. Nat. d'Art Mod.) – ROME (Mus. d'Art Contemp.) – SÃO PAULO – TRIESTE – TUNIS (Mus. d'Art Mod.) : *Rue de Sidi Bou Saïd.*

VENTES PUBLIQUES : MILAN, 15 nov. 1961 : *La mer et les rochers* : ITL 330 000 – MILAN, 25 mai 1971 : *Paysage* : ITL 400 000 – NEW YORK, 7 oct. 1972 : *Abstraction* : USD 600 – ROME, 18 mai 1976 : *Pietra miliare 1959*, h/t (65x81) : ITL 900 000 – MILAN, 22 mai 1980 : *Pescheraccio 1955*, h/t (146x114) : ITL 1 600 000 – MILAN, 10 mars 1982 : *Paysage 1946*, h/t (40x33) : ITL 1 300 000 – MILAN, 12 juin 1984 : *Oriente 1955*, h/t (100x80) : ITL 1 700 000 – MILAN, 19 déc. 1985 : *La Comète venue de loin 1973*, h. et émail/t. (80x100) : ITL 1 300 000 – MILAN, 27 oct. 1986 : *Superficie 1968*, h/t (81x100) : ITL 6 200 000 – MILAN, 18 juin 1987 : *La Révolte intérieure 1950*, h/t (80x99) : ITL 10 000 000 – ROME, 7 avr. 1988 : *Composition bleue et rouge 1968*, h/t (81x100) : ITL 7 500 000 – ROME, 15 nov. 1988 : *La digue 1971*, h/t (65x81) : ITL 7 000 000 – MILAN, 14 déc. 1988 : *Matin 1972*, h/t (60x73) : ITL 4 600 000 – MILAN, 20 mars 1989 : *Comme un matin 1968*, h/t (100x81) : ITL 15 000 000 – ROME, 17 avr. 1989 : *Composition 1946*, h/t (61x50) : ITL 33 000 000 – ROME, 8 juin 1989 : *Le Renouveau du printemps 1988*, acryl./t. (162x130) : ITL 45 000 000 – MILAN, 7 nov. 1989 : *Paysage africain 1949*, h/t (65x81) : ITL 27 000 000 – ROME, 28 nov. 1989 : *Composition 1952*, h/t (98,5x80) : ITL 45 000 000 – MILAN, 24 oct. 1990 : *L'espérance verte 1972*, techn. mixte/t. (50x70) : ITL 6 500 000 – ROME, 30 oct. 1990 : *Sans titre 1960*, techn. mixte et sable /cart. (68x47) : ITL 5 500 000 – PARIS, 18 juin 1990 : *Composition 1960*, h/t (146,5x114) : FRF 155 000 – MILAN, 20 juin 1991 : *Sans titre 1965*, h/t (61x59) : ITL 9 000 000 – MILAN, 19 déc. 1991 : *Composition*, h/t (70x60) : ITL 7 000 000 – ROME, 12 mai 1992 : *Portrait de dame 1946*, h/t (50x40) : ITL 5 500 000 – ROME, 19 nov. 1992 : *La lagune à Argentario 1951*, h/t (100x82) : ITL 7 000 000 – MILAN, 22 juin 1993 : *La limite 1988*, acryl./t. (162x130) : ITL 13 500 000 – PARIS, 15 nov. 1993 : *Clown blanc*, h/t (55,5x46) : FRF 3 800 – ROME, 19 avr. 1994 : *Voyage au Maroc 1965*, h. et collage/t. (60x74) : ITL 4 370 000 – ROME, 13 juin 1995 : *Composition méditerranéenne 1952*, h/t (100x81) : ITL 22 425 000 – MILAN, 2 avr. 1996 : *Le Port 1945*, h/t (54x65) : ITL 14 375 000 – MILAN, 20 mai 1996 : *Barques dans la rade 1949*, h/t (81x100) : ITL 14 950 000 – MILAN, 25 nov. 1996 : *Sans titre*, past./cart. (64x50) : ITL 2 070 000 ;

Rouge et Bleu, h/t (73x60) : **ITL 16 100 000** – PARIS, 10-11 juin 1997 : *Matmata*, h/t (46x55) : **FRF 18 000**.

CORPORANDI Xavier
Né le 30 octobre 1812 à Gillettes (Alpes-Maritimes). Mort vers la fin de 1886. XIXe siècle. Français.
Sculpteur.
Entré à l'École des Beaux-Arts le 9 octobre 1839, il devint l'élève de Bosio, et fut médaillé de troisième classe en 1846. On doit à cet artiste les bustes de *Gioberti* et de *Cavour* à Turin, le buste en marbre de *Landelle*, au Conservatoire de musique de Paris, et deux bas-reliefs à la chapelle de l'Hôtel-Dieu de Carcassonne.

CORPS Florent Adrien
XIXe siècle. Français.
Peintre de genre.
Exposa au Salon de Paris, en 1843 : *Un alchimiste* ; en 1845 : *Rabelais écrivant Pantagruel* ; en 1848 : *Un armurier, Philosophe en méditation*.

CORPUS Paul Fernand
Né le 18 septembre 1893 à Cherbourg (Manche). Mort le 30 novembre 1980 à Versailles (Yvelines). XXe siècle. Français.
Peintre de portraits, paysages, fleurs, natures mortes.
Il a débuté en 1921 au Salon des Artistes Français. Il fut sociétaire du Salon d'Automne à partir de 1928. Il a aussi exposé aux Salons des Tuileries et des Artistes Indépendants. On lui doit des décorations murales. Il a bénéficié d'achats de l'État, de la Ville de Paris et de musées de province.

CORR Fanny. Voir GEEFS Fanny

CORR Mathieu, Erin ou Ernest
Né le 1er mai 1805 à Bruxelles. Mort le 11 août 1862 à Paris. XIXe siècle. Éc. flamande.
Graveur.
Élève de Meulemeester et, à Paris, de Wedgwood et de Forster ; fut professeur de l'Académie d'Anvers en 1836. On cite de lui : *Marie-Louise d'Orléans*, reine des Belges, d'après Ary Scheffer (1832), *Le Christ expirant*, d'après Van Dyck.

CORRADI Bartolomeo
Mort avant 1470. XVe siècle. Actif à Mantoue. Italien.
Peintre.
Il fut le père de Francesco et de Girolamo.

CORRADI Bartolomeo
Mort en 1619 à Mantoue. XVIIe siècle. Italien.
Peintre.

CORRADI Eugenio
Né en 1947 à Rome. XXe siècle. Italien.
Peintre de figures, paysages, fleurs, aquarelliste, graveur. Tendance expressionniste.
Il commença des études d'architecture, puis passa en 1974 un diplôme de sciences économiques. Ensuite il travailla à la radio de Berne. A l'âge de vingt-sept ans, il décida de se perfectionner en peinture, qu'il pratiquait déjà en amateur, et fut élève de l'École pour la Création de Berne. Il a exposé à partir de 1977 en Suisse et en Italie, dans des galeries privées, dans des lieux publics, et souvent dans son propre atelier.
Il peint souvent au couteau, étalant grassement les matières colorées qui suggèrent les grandes lignes de ses sujets.

CORRADI Ferdinand
Né le 28 septembre 1840 à Feuerthalen. Mort le 13 février 1903 à Zurich. XIXe siècle. Suisse.
Peintre de figures, dessinateur.
Élève de son père Konrad Corradi et de A. Jenny.
VENTES PUBLIQUES : LUCERNE, 7 juin 1984 : *Silenen* 1873, h/pan. (45,5x54) : CHF 1 800.

CORRADI Francesco
Né vers 1445. Mort en 1505. XVe siècle. Italien.
Peintre.
Il était le fils de Bartolomeo.

CORRADI Francesco
XVIe siècle. Actif à Mantoue vers 1534. Italien.
Peintre.

CORRADI Francesco
Né à Borgo di Valsugana. Mort en 1525 dans le Trentin. XVIe siècle. Italien.
Peintre.
Il travailla pour l'église Saint-Roch à Borgo di Valsugana.

CORRADI Giovanni
Né à Crémone. XIVe-XVe siècles. Italien.
Peintre.
Il travailla à Mantoue, à la cour des Gonzague. En 1425 il peignit une fresque représentant une *Vierge de la miséricorde* au couvent Santa Maria delle Grazie à Mantoue.

CORRADI Girolamo
XVe-XVIe siècles. Actif à Mantoue. Italien.
Peintre.
Il travailla à la cour des Gonzague. Il était le frère de Francesco et le fils de Bartolomeo.

CORRADI Konrad
Né le 5 septembre 1813 à Oberneunforn (Suisse). Mort le 10 avril 1878 à Uhwiesen. XIXe siècle. Suisse.
Peintre de paysages, aquarelliste, peintre à la gouache.
Corradi étudia à l'École d'art de Heinrich Uster à Feuerthalen, puis continua à travailler seul.
VENTES PUBLIQUES : LONDRES, 21 fév. 1978 : *Vue d'Interlaken* – *Un lac alpestre* – *Lago Maggiore*, trois gches (30,5x45,5) : GBP 950 – LONDRES, 23 juin 1981 : *Vue de la Jungfrau*, gche (42x57) : GBP 900 – NEW YORK, 21 jan. 1983 : *Paysages de Suisse*, deux gches (33,6x47,3 et 20,6x30,2) : USD 3 000 – NEW YORK, 15 fév. 1985 : *Paysage alpestre au lac animé de personnages*, gche (44x59,3) : USD 1 000 – ZURICH, 4 juin 1992 : *Le glacier de Rosenlaui et autres sommets*, cr. et gche/pap. (20,5x29) : CHF 1 356 – ZURICH, 9 juin 1993 : *Vue de Interlaken*, gche/pap. (32x47) : CHF 1 380.

CORRADI Luigi
XVIIIe siècle. Italien.
Peintre de fleurs et de natures mortes.

CORRADI Nicola di Albissola
XVIIe siècle. Actif à Turin vers 1649. Italien.
Peintre sur majolique.
Il était protégé par Charles Emmanuel II.

CORRADI Salomon
Né à Rome. XIXe siècle. Italien.
Peintre, aquarelliste.
S'est adonné surtout aux marines. Son talent est supérieur. Il y a chez lui une finesse dans les détails qui produit les plus heureux effets. A peint surtout les points les plus pittoresques des environs de Naples : Amalfi, Sorrento et Salerne.

CORRADI Sante
XVIe siècle. Actif à Mantoue vers 1571. Italien.
Peintre.

CORRADIN Inos
Né en 1929 à Castelbado di Padova. XXe siècle. Actif au Brésil. Italien.
Peintre de compositions animées.
En 1952, il est invité au IIe Salon d'Art Moderne de São Paulo. En 1953, il montre pour la première fois ses œuvres dans une exposition personnelle à Bahia. Depuis, il expose à Buenos Aires, Israël, Paris (Galerie Gaymu Inter Art), New York, Toronto...
Dans ses compositions sobres et colorées, Corradin y dessine des objets, une fleur, un fruit, un cheval de bois « venant rompre la solitude de la condition humaine », ainsi que le note à son propos l'écrivain bésilien Jorge Amado.

CORRADINI Annibale
Né à Bologne. XVIe-XVIIe siècles. Italien.
Peintre.
Il travailla à Rome au Palais du Vatican entre 1590 et 1615.

CORRADINI Antonio
Né en 1668 à Este. Mort le 12 août 1752 à Naples. XVIIe-XVIIIe siècles. Italien.
Sculpteur de sujets religieux, allégoriques. Baroque.
Il fut élève de Tansia. Il débuta à Venise, où il travailla en 1709 à la décoration de la façade de l'église San Eustachio. On cite de lui la *Statue du général Schulenburg*, commandée par la ville de Corfou (1718), une *Pietà* en marbre à l'église San Moise à Venise. En 1720, il décora le nouveau Bucintoro de Venise. Il part pour Vienne, en 1730, où il sculpte *le Mariage de Marie* pour la fontaine de Honen Markt. En 1734, il est à Dresde où il sculpte des groupes décoratifs et des vases de marbre. Il revient enfin en Italie et sculpte, en 1751, un an avant sa mort, dans l'ancienne chapelle Sansevero, devenue au cours des XVIIe et XVIIIe siècles église Santa Maria di Pietà dei Sangro, la statue allégorique de *La*

Pudeur, sensée représenter la principale vertu de Cecilia Gaetani, mère du prince Raimondo di Sangro. Le style baroque d'époque, confondant facilement sacré et profane, fit que Corradini conféra à la statue allégorique un caractère sensuel en contradiction avec le propos initial. ■ J. B.

Bibliogr. : P. Daudy, in : *Le xviie siècle*, Éditions Rencontre, Lausanne, 1966.

Ventes Publiques : Monte-Carlo, 24 juin 1976 : *Vestale debout*, marbre (H. 138) : FRF 140 000.

CORRADINI Arnaldo Ginna, comte. Voir GINNA

CORRADINI Bartolommeo di Giovanni, fra, appelé aussi Fra Carnevale
Mort vers 1478 à Cavallino près d'Urbino, ou 1484 selon d'autres sources. xve siècle. Actif à Urbino vers le milieu du xve siècle. Italien.
Peintre d'histoire.
Membre de l'ordre de Saint-Dominique. Sa manière rappelle sensiblement celle de Piero della Francesca, et il servit de modèle à Raphaël et à Bramante lorsque ces deux peintres étudièrent à Urbino. Nous savons seulement qu'il avait peint deux tableaux d'autel, l'un en 1456 pour l'église de la confrérie du Corpo di Cristo l'autre, représentant la *Naissance de la Vierge*, en 1467, pour l'église Santa Maria della Bella, puis il peignit le tableau de l'autel de la chapelle de San Bernardino, dans le couvent de ce nom, à Urbino, en 1472.

CORRADINI Francesco di Antonio
Né à Monza. xve siècle. Italien.
Peintre de miniatures.
En 1461, il travaillait à Padoue.

CORRADINI Giovanni
xviiie siècle. Actif à Pérouse en 1743. Italien.
Peintre.

CORRADINI Mara
Née le 5 décembre 1910 à Naples. xxe siècle. Italienne.
Peintre de portraits, fleurs.
Elle a exposé à Naples, Weimar, Bordeaux, etc. A Paris, elle a exposé au Salon d'Automne de 1926 à 1938.

CORRADINI Rinaldo
D'origine bolonaise. xvie-xviie siècles. Italien.
Peintre.
Il était le frère d'Annibale avec qui il travailla au Palais du Vatican.

CORRADINO
xive siècle. Actif à Brescia en 1355. Italien.
Peintre.

CORRADINO da Modena
xvie siècle. Actif à Ferrare vers 1502. Italien.
Peintre.

CORRADO Antonio
Né le 8 décembre 1861 à Naples. xixe siècle. Italien.
Peintre de genre.
Fit ses études à l'Institut des Beaux-Arts de Naples. Il eut pour maître Morelli.

CORRADO Francesco
Né à Florence. xviie siècle. Italien.
Peintre.
Il peignit à Rome un retable pour l'église Santa Maria Maddalena dei Pazzi.

CORRADO Porelli
Né à Rome. xxe siècle. Italien.
Sculpteur.
En 1932 il exposait une statuette au Salon d'Automne à Paris.

CORRADO d'Alemagna
xve siècle. Italien.
Peintre de compositions religieuses.
Actif en Italie, il s'était fixé à Taggia (Ligurie), où il collabora avec Ludovic Brea, célèbre artiste niçois.
On cite de lui un triptyque (Musée du Louvre), une *Vierge protectrice* (Couvent des Dominicains de Taggia).
Musées : Paris (Mus. du Louvre) : Triptyque.

CORRADO di Alemagna
Mort avant 1454. xve siècle. Italien.
Peintre.
Actif à Ferrare, il peut être identique à Corrado d'Alemagna.

CORRADO de Alemania
Mort avant 1485. xve siècle. Italien.
Miniaturiste.
Il travailla au Couvent de Monte Moreino près de Pérouse. On doit peut-être l'identifier avec le moine bénédictin fra Corrado, miniaturiste, qui travaillait à la même époque à Montoliveto Maggiore.

CORRADO di Bonaventura da San Paolo
xve siècle. Actif à Vérone vers 1404. Italien.
Peintre.
Il collabora aux décorations faites en l'honneur de l'entrée à Vérone du duc François Carrare.

CORRADO da Colonia
xvie siècle. Actif à Milan. Allemand.
Peintre verrier.
Il exécuta plusieurs vitraux pour la cathédrale de Milan entre 1544 et 1567. On doit peut être l'identifier avec le peintre verrier Corrado de Mochis, mort en 1569.

CORRADO Teutonico
Actif à Cingoli et à Arcevia. Allemand.
Sculpteur sur bois.
Il travailla surtout pour des églises.

CORRAL Francisco de
xvie siècle. Actif à Valladolid. Espagnol.
Sculpteur.
Cet artiste travailla pour Berruguete.

CORRAL Ignazio del
xviiie siècle. Actif à Séville. Espagnol.
Peintre.
Il travailla avec Guerrero de Leon.

CORRAL Inès
Née en 1951. xxe siècle. Active aussi en France. Argentine.
Peintre. Abstrait.
Elle expose à Paris dans les années quatre-vingt, notamment au Salon Grands et Jeunes d'Aujourd'hui.
Ses peintures abstraites se rattachent au courant nuagiste.

CORRAL DE VILLALPANDO Jeronimo
xvie siècle. Actif à Valladolid. Espagnol.
Sculpteur.
Il collabora en 1546 à la décoration d'une chapelle de l'église Santa Maria à Médina de Rioseco. Travaillait encore en 1584.

CORRAL Y GONZALEZ Imeldo
Né le 9 juin 1889 à El Ferrol. Mort en 1976. xxe siècle. Espagnol.
Peintre de paysages, marines.
Autodidacte, il commença par faire des copies au Musée du Prado. Il reçut la médaille du mérite artistique de la ville de Ferrol. Il fut fait membre de la Société des Artistes Ferrolais, etc. En 1912, il participa à une exposition au Centre Gallego de Madrid, avec trente-deux peintures et cinquante dessins, et recommença en 1916. Il participa à l'Exposition Nationale des Beaux-Arts en 1917 et 1920. Il exposa aussi dans de nombreuses villes d'Espagne.
Il pratique une peinture franche, étrangère au courant post-impressionniste, par larges touches grasses, sensuelles. Il affectionne les larges étendues désertes, vallées qui s'enfoncent dans la montagne ou marines jusqu'à l'horizon.
Bibliogr. : In : *Cent ans de peint. en Espagne et au Portugal, 1830-1930*, Antiquaria, Madrid, 1988.
Musées : La Corogne – Lugo.

CORRALES Diego de
xve siècle. Actif vers 1498. Espagnol.
Sculpteur.

CORRALES Francisco de Los. Voir LOS CORRALES

CORRALES Juan de
xvie siècle. Actif à Valladolid dans la première moitié du xvie siècle. Espagnol.
Peintre.

CORRALES Juan Garcia
xviie siècle. Actif à Grenade vers 1600. Espagnol.
Peintre.

Il termina le retable du grand autel de l'église San Bartolomé à Grenade.

CORRALIZA Antonio Sanchez
Né en 1910 à Villanueva de la Serena (Estremadure). xxe siècle. Espagnol.
Peintre de portraits, paysages, marines.
Il fut l'élève de Adelardo Covarsi à l'École des Arts et Métiers de Badajoz. Vers 1930, il entra à l'Académie des Beaux-Arts de San Fernando de Madrid, où il eut pour professeur José Mareno Carbonero. Dès 1934, il exposa à l'Ateneo de Badajoz, puis à Cacerès, où il obtint un Prix pour un portrait. En 1942, il se fixa à Barcelone, où il expose depuis de manière permanente.
Il peint les paysages et marines des environs de Cambrils et Ocata, soucieux de rester au plus près de la nature. Portraitiste, il a peint plusieurs autoportraits et les portraits du pape Jean XXIII, du président des États-Unis Dwight D. Eisenhower, le général Franco, Mikhaïl Gorbatchev.

CORRAS Ignacio
Né en Catalogne. xviiie siècle. Espagnol.
Peintre sur porcelaine.
En 1727, il travaillait pour la manufacture de porcelaine d'Alcora.

CORRAZZI Juliette
Née en 1866 à Fivizzano. xixe siècle. Italienne.
Peintre de portraits, de natures mortes et de fleurs.
Obtint, en 1886, le diplôme de professeur de dessin de l'Académie des Beaux-Arts de Florence. S'adonna presque entièrement au portrait.

CORREA Diego
Né vers 1550 en Castille. xvie siècle. Espagnol.
Peintre d'histoire.
Ses œuvres se ressentent de l'influence florentine. Le Musée de Madrid conserve de lui : *Pilate se lavant les mains, Le Christ couronné d'épines, Ecce homo, Translation de la Vierge, Mort de saint Bernard, Jugement dernier.*

Ventes Publiques : Paris, 1843 : *Le Portement de Croix* : FRF 205 – Paris, 1853 : *Le Christ crucifié* : FRF 156 – Londres, 1853 : *Saint Jean Baptiste et saint Sébastien ; Sainte Lucie et sainte Catherine*, deux tableaux sur bois : FRF 1 000.

CORREA G.
xixe siècle. Actif à Paris vers 1854. Français.
Lithographe.
On cite ses portraits.

CORREA Geronimo
xviie siècle. Portugais.
Sculpteur.
Il travailla pour l'église San Domingos à Bemfica près de Lisbonne.

CORREA Juan
xviie-xviiie siècles. Mexicain.
Peintre de sujets religieux, compositions décoratives.
Il est répertorié à Mexico pour la première fois en 1674. À la fin de sa carrière il vivait à Antigua au Guatemala où sa dernière œuvre connue est enregistrée en 1739. Il dirigeait un important atelier et produisit de nombreuses œuvres décorant un grand nombre d'édifices religieux. Les cathédrales de Mexico et de Queretaro possèdent plusieurs compositions religieuses de cet artiste. Le Musée de Mexico conserve de lui une *Sainte Barbe* considérée comme son chef-d'œuvre.
Bibliogr. : E. Vargas Lugo, J. Guadalupe Victoria – *Juan Correa. Sa vie et son œuvre,* Mexico, 1985.
Musées : Mexico : *Sainte Barbe.*
Ventes Publiques : New York, 7 mai 1980 : *L'Adoration des bergers* 1682, h/t (268x221,6) : **USD 10 000** – Madrid, 20 juin 1985 : *La Vierge couronnée par la Saint Trinité,* h/t (207x143) : **ESP 977 500** – New York, 31 mai 1989 : *La fuite en Egypte,* h/t (160,5x99) : **USD 22 000** – New York, 25 nov. 1992 : *L'ange gardien,* h/t (170,8x110,5) : **USD 30 800** – New York, 23 nov. 1992 : *Sainte Thérèse et l'Enfant Jésus,* h/t (151,1x196,2) : **USD 27 500** – New York, 29-30 mai 1997 : *La Rencontre de la Vierge Marie et de sainte Isabelle* vers 1690, h/t (200x140) : **USD 13 800** – Londres, 30 mai 1997 : *Un archange,* h/t/pan. (125x96,8) : **GBP 13 800.**

CORREA Manoel
xviiie siècle. Portugais.
Graveur.

CORREA Marcos
xviie siècle. Actif à Séville entre 1667 et 1673. Espagnol.
Peintre d'histoire et de genre.
Élève de Bobadilla et de l'Académie de Séville.
Ventes Publiques : New York, 1905 : *La Fuite en Égypte* : **USD 230.**

CORREA Miguel
xviie-xviiie siècles. Mexicain.
Peintre.
L'église San Francisco à Texococo possède une œuvre de cet artiste datée de 1704.

CORREA Nicola José
Mort en 1814. xixe siècle. Portugais.
Graveur.
Il fut élève de J. de Figueiredo.

CORREA Nicolas
xviie siècle. Mexicain.
Peintre.
On cite de lui un tableau intitulé : *Santa Rosa* et daté de 1691.

CORREA Rafaël
Né à Santiago. xixe-xxe siècles. Chilien.
Peintre.
Il fut élève de Jean-Paul Laurens à Paris, où il a exposé, obtenant au Salon des Artistes Français une mention honorable à l'occasion de l'Exposition Universelle de 1889, et y figurant de nouveau en 1930.

CORRE DE VIVAR Juan. Voir **VIVAR Juan Correa de**

CORREA-MORALES Lia
Née à Buenos Aires. xxe siècle. Argentine.
Peintre.
A exposé deux portraits au Salon de la Société Nationale des Beaux-Arts de 1929.

CORREARD Louis Frédéric
Né en 1815 à Paris. Mort le 29 mai 1858 à Paris. xixe siècle. Français.
Peintre de genre.
Élève de Charlet. Il figura pour la première fois au Salon en 1843. On cite de lui : *L'Étude, La Bonne prise.* Le Musée de Compiègne conserve de lui : *Portrait de Mme Dupuis-Corréard.*

CORREDOYRA DE CASTRO Jesus Rodriguez
Né le 5 avril 1889 à Lugo. Mort en 1939. xxe siècle. Espagnol.
Peintre de compositions à personnages, portraits. Réaliste.
Il fit ses études artistiques à Madrid, élève de Pla et de Sorolla. Revenu en Galicie, il résida d'abord à La Corogne, puis à Portela, localité de Santiago. A partir de 1908, il a exposé de nombreuses fois en Espagne, Madrid, Barcelone, en Argentine, Uruguay, à Santiago du Chili, New York, Paris où il figura au Salon d'Automne de 1912, etc. A l'Exposition Nationale des Beaux-Arts, il obtint des mentions honorables en 1908 et 1910, une seconde médaille en 1917 pour son *École de chanteurs.* A l'Exposition des Beaux-Arts de La Corogne de 1910, il avait obtenu la médaille d'or.
Techniquement, il pratiquait le beau métier du xixe, savant et sain, d'où il obtenait souvent d'agréables portraits. Dans des compositions comme celle de *L'École des chanteurs de Compostelle,* dans la collection de la Banque de Bilbao à La Corogne, il échappe totalement à l'académisme, par une sorte de réalisme vériste. La verticalité de la composition et l'allongement des personnages se réfèrent au Gréco, tandis que l'exagération presque caricaturale des traits du visage et des mains des personnages font supposer une connaissance de la Nouvelle Objectivité de Dix et Grosz. ■ J. B.
Bibliogr. : In : *Cent ans de peint. en Espagne et au Portugal, 1830-1930,* Antiquaria, Madrid, 1988.
Musées : La Corogne (Mus. des Beaux-Arts) : *Le manteau de sainte Isabelle* – Lugo : *Portrait de la senora de Conde Pallares – La faim à Lugo – Ma famille chrétienne – Autoportrait –* Pontevedra : *Vues de la mer.*

CORREGE Jean ou Courrèges ou Courrège
Mort en 1787 à Bordeaux. xviiie siècle. Français.
Peintre.

Il exposa à l'Académie de Saint-Luc des scènes mythologiques et religieuses en 1753, 1756, 1762, 1764. Il passa, semble-t-il, la plus grande partie de sa vie à Paris et ne quitta, sans doute, la capitale pour Bordeaux que vers 1771. Parmi ces œuvres on peut citer : *Le Sacrifice d'Abraham, la Mort d'Adonis.*

CORREGGIO, de son vrai nom : **Allegri Antonio**, dit **il**
Né vers 1489 à Correggio, dans le duché de Modène, certaines sources donnent 1494. Mort le 5 mars 1534 à Correggio. XVIᵉ siècle. Italien.
Peintre de scènes mythologiques, sujets religieux, compositions murales, dessinateur, décorateur.

Corrège appartient à la catégorie des rares artistes dont le génie et le talent ne connaissent que l'admiration. Sauf de son vivant, il ne connut pas de critiques. On conçoit l'enthousiasme qu'il excita chez les peintres, car nul ne fut plus peintre que lui. Des travaux récents ont rectifié les erreurs de Vasari. Son père, Pellegrino Allegri, possédant une honnête aisance, le destinait à une profession libérale. Mais Antonio prit goût à la peinture à voir travailler Lorenzo Allegri, son oncle, qui était peintre. Il en reçut les premiers conseils, puis passa sous la direction d'Antonio Bartolotti, ou Bartolozzi. Cet artiste occupait comme peintre une place prépondérante à Correggio au commencement du XVIᵉ siècle. Allegri fut bientôt à même de travailler à ses côtés et Bulbarini dans son *Memorie Patrie* dit que Bartolotti fut souvent aidé dans ses travaux par son élève Allegri. On ne connaît que deux œuvres du maître du Corrège et leur valeur artistique permet de supposer que le peintre de la cathédrale de Parme ne lui doit réellement que la connaissance des procédés techniques de la peinture à la détrempe. Raphaël Mengs, sans apporter du reste d'autres preuves à son affirmation, qu'un passage des *Pittore modenesi* de Vedriani, passage ajouté ultérieurement par l'éditeur, estime qu'Allegri étudia également à Modène sous deux maîtres éclairés : Francesco Bionchi, dit Il Frare et Pellegrino Munari. Que Correggio ait ou non étudié à Modène, le fait n'a qu'une importance secondaire. Beaucoup plus intéressant est le fait incontesté du séjour d'Allegri à Mantoue, en 1511, fuyant la peste qui sévissait à Corregio. Ce séjour lui permit d'étudier Mantegna. L'œuvre magistrale du grand Padouan impressionna profondément le jeune artiste. Il l'étudia avec l'ardeur du néophyte. Goya disait avoir eu trois maîtres : Rembrandt, Vélasquez et la nature. On pourrait paraphraser cette déclaration pour Allegri en disant qu'il puisa pour former son style si personnel, si original, à la fois dans Mantegna et dans Léonard. Il est indubitable qu'il eut l'occasion d'étudier également les œuvres de Vinci. Il fut amené à adoucir par le léger *sfumato* de Léonard, les volumes plus brutalement définis, selon la manière de Mantegna. Crowe et Cavalcasselle supposent également qu'il dut travailler à Mantoue avec Lorenzo Costa et qu'il puisa dans cette fréquentation son goût pour la couleur. On l'a dit avec raison : la période d'imitation, que l'on constate chez les plus grands artistes, fut exceptionnellement courte chez Correggio. Il se révéla presque du premier coup le merveilleux dessinateur, le grand coloriste qui le faisait proclamer par Annibal Carracci « l'artiste le plus extraordinaire de l'Italie ».

Lorsqu'il revint à Correggio vers 1514, il était complètement maître de sa forme et jouissait d'une réputation suffisante pour que des travaux importants lui fussent confiés. Il reçut notamment la commande d'un tableau d'autel pour le couvent de San Francisco de Correggio, sa première œuvre connue, et que l'on conserve aujourd'hui à la Galerie de Dresde. Cette œuvre, d'un grand caractère religieux, représente la Vierge sur un trône, ayant près d'elle saint François et d'autres saints. Il est d'ailleurs désigné généralement sous le titre de *Saint François du Correggio*, et fait preuve de liberté dans la mise en page, alors que certains motifs restent traditionnels. Son succès s'affermit par les décorations et les tableaux qu'il fit pour les églises de sa ville natale, et sa réputation s'étendit aux alentours. Devant les réussites complètes de ses décorations à Parme, on a supposé qu'il avait fait un séjour à Rome, entre 1517 et 1519, s'imprégnant de l'art de Raphaël et de Michel Ange. Ces travaux importants ne l'avaient pas empêché de faire de fréquents voyages à Parme : il était amoureux d'une charmante jeune fille de seize ans, Girolama Francesca, fille de Bartolommeo Merlini de Braghelis, officier dans la maison du marquis de Mantoue. Il l'épousa, en 1519. Indépendamment de son talent indiscuté d'artiste, il avait hérité d'un oncle maternel, Francesco Ormani, d'une maison et d'un certain nombre de pièces de terre. Des procès, dont on ne dit pas la cause, l'empêchèrent d'entrer en possession de ces biens ainsi que de la dot de sa femme. Allegri était de retour dans sa ville

natale, au mois de septembre 1521, lorsqu'un premier enfant lui vint. Ce premier fils nommé Pomponio, fut plus tard l'imitateur de son père. Correggio ne tarda pas à revenir à Parme avec sa famille, trois autres enfants, sur les quatre dont il fut le père, y étant nés. On manque de renseignements précis sur les œuvres que produisit Allegri durant cette période d'allées et venues de Correggio à Parme. On suppose de ce temps *La Vierge agenouillée devant l'Enfant Jésus*, conservée à la Galerie des Offices ; *La Madonna della Cesta*, que possède la National Gallery ; *La Madonna del Coniglio*, au Musée de Naples, paraissent avoir été inspirées à l'artiste par la vue de sa femme et de son jeune enfant. Les commandes plus importantes ne tardèrent pas à lui être faites. Vers 1519, la Mère abbesse du couvent de San Paolo, à Parme, le chargea de la décoration de sa *camera*. Il reprend à Mantegna le motif de treillis de feuillage, au travers duquel on aperçoit les personnages mythologiques. Les Bénédictins du couvent de San Giovanni le chargèrent de peindre la coupole de leur église. Le contrat réglant les conditions de ce travail fut signé le 6 juillet 1520, mais Allegri ne le commença qu'un an plus tard. Il y représenta l'*Ascension du Christ au milieu de ses apôtres*, et l'avait terminée à la fin de 1523. Cette composition hallucinante, mais ferme et très claire, repose sur un cercle de nuages, drapés et nus vus par en dessous. Selon A. Venturi : « Avec la décoration de San Giovanni, à Parme, nous sommes en présence du premier événement de perspective aérienne dans la peinture d'une coupole ; événement qui ouvre les portes à l'art du XVIIᵉ siècle ». On croit qu'il ne reçut que 272 ducats. Entre temps, en 1522, le Chapitre de la cathédrale de Parme lui commandait la décoration du dôme de la cathédrale moyennant la somme de 1000 ducats d'or. Ce chef-d'œuvre du maître lui créa de grands ennuis. Sa conception de l'Assomption de la Vierge excita les plus stupides critiques et les détracteurs furent assez puissants pour empêcher l'œuvre de recevoir son achèvement complet. Après de multiples pourparlers, l'artiste et le Chapitre se mirent d'accord. Allegri ne ferait que la moitié du travail pour la moitié du prix. L'effort exigé pour la réalisation de ce gigantesque travail n'absorbait pas l'activité du peintre. Allegri trouvait encore le temps de produire quelques-unes de ses plus parfaites peintures à l'huile notamment l'incomparable *Nuit* du Musée de Dresde, qui lui avait été commandée par Alberto Pratoneri de Reggio, en 1522, pour l'église de San Prospero. L'œuvre, très abîmée, a été réparée à plusieurs reprises, la dernière fois en 1858, par Schirmer. De la même époque date le tableau d'autel conservé dans la Galerie de Parme, représentant la Vierge, saint Jérôme et la Madeleine, connu sous le titre de *Il Giorno*. Cette œuvre exécutée en 1523 demanda six mois de travail à Corregio. Elle avait été commandée par Briseide Colla, veuve d'Orazio Bergonzi, pour le prix de 400 livres impériales, monnaie d'or du temps. La noble dame en fut si satisfaite qu'elle offrit en présent à son peintre deux charrettes de fagots, plusieurs boisseaux de blé et un porc gras. Raphaël Mengs, qui a minutieusement étudié Allegri, dit que quiconque n'a pas vu ce tableau ne peut se rendre compte de ce que peut être l'art de peindre. *La Madonna della Scodella*, à l'Académie de Parme, *La Vierge et saint Sébastien*, et *La Vierge et saint Georges*, toutes deux conservées à Dresde, *La Madeleine dans le désert*, terminée vers le mois d'août 1528, appartiennent à la même époque. Le peintre ayant terminé ses travaux à la cathédrale de Parme, quitta cette ville pour aller habiter Correggio. La mort de sa jeune femme, qui s'était produite vers la fin de 1528, le laissant avec quatre enfants dont l'aîné avait à peine sept ans, contribua sans doute à cette décision. On s'expliquerait pas sans cela qu'il put abandonner pour sa petite ville le théâtre de ses succès. Le duc de Mantoue lui avait fait exécuter trois œuvres capitales : la *Léda*, la *Danaé*, plus tard offerte par ce prince à Charles Quint, et l'*Antiope*, du Musée du Louvre. Ce dernier tableau devint la propriété de Charles Iᵉʳ par suite de l'acquisition de la collection de Frédéric II, puis de Jabach, à la vente du roi d'Angleterre, et fut enfin vendu à Louis XIV par le banquier avec ses principaux tableaux et dessins. C'est avec une grande sensualité qu'il rend des sujets mythologiques telle *la Danaé, Jupiter et Io*, jouant hardiment avec la lumière parfois franche et les tons feutrés. La production d'une œuvre nouvelle de Correggio faisait sensation à Parme. On en voit la preuve dans une lettre écrite au mois de septembre 1528 par une grande dame de la ville, Véronica Gombara, à son amie Béatrice d'Este, duchesse de Mantoue, l'invitant à venir voir la *Madeleine dans le désert*, que l'artiste venait d'achever, ajoutant que ce chef-d'œuvre étonnait tous ceux qui le contemplaient. Antonio Allegri s'établit à Correggio dans la maison dont il avait hérité de son oncle. L'année même de son installation, il achetait une autre propriété et en 1533 plusieurs pièces de terre. On le trouve encore mentionné comme témoin dans des actes importants, ce qui prouve que, indépendamment de sa notoriété artistique, il jouissait d'une honorable situation de fortune. Ces faits rendent fort improbable, sinon impossible, ce que dit Vasari des causes de la mort d'Allegri. L'auteur de la *Vie des Peintres* rapporte que Correggio, chargé de famille, très pauvre et désireux d'épargner, ayant reçu une somme de 60 écus en monnaie de cuivre, éprouva une si grande fatigue à porter ce fardeau de Parme à Correggio, qu'il en mourut. Le fait est que l'on ne connaît pas les causes de sa fin prématurée, alors qu'en pleine force, en complète possession de son génie, on était en droit d'espérer de lui de nombreux chefs-d'œuvre.

Parti de données picturales du XVᵉ siècle, Correggio a suivi une rapide évolution qui l'a fait atteindre un nouveau style dont le retentissement se fera sentir aussi bien sur le Barroche, le Parmesan et tous les grands décorateurs du XVIIᵉ siècle, que sur les peintres du XIXᵉ siècle, qui ne rendront pas toujours avec autant de bonheur son sens de la volupté.

BIBLIOGR. : L. Venturi : *La Renaissance*, Skira, Genève, 1951 – J. Thuillier in : *Dictionnaire de l'Art et des Artistes*, Paris, 1967, Hazan.
MUSÉES : BAGNÈRES-DE-BIGORRE : *Andromède*, copie d'après Le Corrège – BERGAME (Acad. Carrara) : *L'Annonciation de la Sainte Vierge – La déposition de la Croix de Notre-Seigneur –* BERLIN (Mus. roy.) : *Léda et le Cygne –* BESANÇON : *Saint Jean et agneau –* BORDEAUX : *Vénus endormie – Ganymède –* BUDAPEST : *La Vierge et l'Enfant –* CALAIS : *La Vierge au bandeau –* CHÂLONS-SUR-MARNE : *Éducation de l'amour –* CHARTRES : *Danaé –* COLOGNE : *Mariage de sainte Catherine –* DIJON : *Tête de Christ,* attrib. – DRESDE : *La Sainte nuit – La Madone et saint Georges – Buste de sainte Marguerite – Madone de la Cesta – Les fiançailles de sainte Catherine – La Madone et saint François – La Madone et saint Sébastien –* DUBLIN : *Apollo, étude – Tête de sainte Catherine, martyre –* FLORENCE : *Tête d'enfant – Le repos en Égypte – La Vierge adorant l'Enfant Jésus – La tête de saint Jean dans un bassin –* FRANCFORT-SUR-LE-MAIN : *Marie, l'Enfant et saint Jean –* GÊNES : *Jésus soutenu par les anges – La Vierge en adoration devant l'Enfant Jésus –* LILLE : *La Vierge et l'Enfant –* LONDRES (Gal. Nat.) : *Groupe de têtes – Groupe de têtes et de corps – L'agonie de Notre-Seigneur au jardin – Mercure instruisant l'Amour en présence de Vénus – Pilate montrant l'Ecce Homo – La Sainte Famille – La Vierge au panier – Madeleine – Tête d'ange –* MARSEILLE (Mus. des Beaux-Arts) : *Figure allégorique –* METZ : *Le martyre de saint Placide et de sainte Flavie – Allégorie des Vertus – Allégorie des Vices,* gche sur t. – MILAN (Gal. Brera) : *Adoration des Mages – Madone –* MODÈNE (Gal. Este) : *Madone et Enfant –* MONTPELLIER : *Le Christ au Jardin des Oliviers – Le Christ couronné d'épines –* MOSCOU (Roumianzeff) : *Têtes d'anges – Agar et Ismaël –* MUNICH : *Jeune satyre, jouant de la flûte de Pan – Marie sous un arbre, l'Enfant sur ses genoux –* NAPLES : *Fiançailles de sainte Catherine – La Zingarella – Saint Antoine – L'Assomption de la Vierge – Triomphe de la Vierge –* ORLÉANS : *Sainte Famille,* attrib. – PARIS (Louvre) : *Mariage mystique de sainte Catherine d'Alexandrie – L'Antiope – Allégorie du Vice – Allégorie de la Vertu –* PARME (Pina.) : *La Madone à l'écuelle – La déposition de Croix – La Madone et Saint Jérôme –* PARME (Église de Saint-Jean-l'Évangéliste) : *Saint Jean à Patmos – L'Ascension de Jésus-Christ –* REIMS : *La Vierge avec saint Jérôme –* RENNES : *Deux têtes de femme, l'une de profil, l'autre de trois quarts –* ROME : *La Vertu triomphant du Vice – Le Rédempteur assis sur l'arc-en-ciel – La Danaé –* STOCKHOLM : *Tête de chérubin – Les fiançailles de sainte Catherine –* STRASBOURG : *Judith et la tête d'Holopherne –* TOURS : *Ange au milieu des nuages adorant le Père Éternel dans sa gloire –* VIENNE : *Ganymède – Le Christ portant sa Croix – Jupiter et Io –* WARRINGTON : *Tête de Madone.*
VENTES PUBLIQUES : PARIS, 1742 : *Sainte Famille* : **FRF 2 850** – PARIS, 1753 : *Io et Jupiter* : **FRF 5 602** ; *Une Sainte Famille* : **FRF 2 850** ; *Jupiter et Léda* : **FRF 16 050** ; *La Folie* : **FRF 5 602** – PARIS, 1784 : *Femme couchée et endormie* : **FRF 3 000** – LONDRES, 1793 : *Sainte Famille* : **FRF 5 000** ; *Portrait dit Le Rougeau* : **FRF 500** ; *Apparition du Christ à la Madeleine* : **FRF 10 000** ; *Portrait de César Borgia* : **FRF 12 500** ; *La Vierge et l'Enfant Jésus* : **FRF 30 000** – LONDRES, 1798 : *Madone avec l'Enfant* : **FRF 31 500** ; *Danaé* : **FRF 26 250** ; *Noli me tangere* : **FRF 1 050** ;

César Borgia : **FRF 13 125** – LONDRES, 1804 : *La passion du Christ* : **FRF 18 640** ; *La fuite en Égypte* : **FRF 39 370** – PARIS, 1810 : *Danaé recevant la pluie d'or* : **FRF 53 800** – PARIS, 1817 : *Vierge et Enfant Jésus, La Vierge au panier* : **FRF 80 005** ; *La Sainte Famille* : **FRF 60 000** – PARIS, 1820 : *Les charmes et les satiétés de l'Amour* : **FRF 9 000** – PARIS, 1832 : *L'éducation de l'Amour* : **FRF 10 000** ; *Sainte Catherine* : **FRF 8 001** ; *Vénus caressant l'Amour* : **FRF 5 000** – PARIS, 1843 : *Épisode du massacre des Innocents* : **FRF 1 000** ; *Madone* : **FRF 1 620** ; *Léda* : **FRF 519** ; *La Vierge et l'Enfant Jésus* : **FRF 1 620** – TURIN, 1857 : *La Vierge allaitant l'Enfant Jésus* : **FRF 4 000** – LONDRES, 1874 : *Junon et le Paon* : **FRF 3 600** – PARIS, 1882 : *Ecce Homo* : **FRF 6 822** ; *La Madone mourante* : **FRF 8 135** – PARIS, 1882 : *Deux petits anges voltigeant sur des nuages,* dess. à la sanguine : **FRF 205** ; *La Vierge tenant l'Enfant Jésus endormi,* dess. à la pl. : **FRF 30** ; *Vénus au bain,* dess. à la pl. : **FRF 30** ; *Le Christ au jardin des Oliviers,* dess. à la sanguine : **FRF 50** ; *Un enfant assis,* dess. à la sanguine : *Tête de chérubin,* dess. à la sépia : **FRF 46** – PARIS, 1882 : *L'Enfant en buste,* dess. au past. : **FRF 980** – PARIS, 1883 : *Le jugement de Pâris,* dess. à la sépia : **FRF 2 000** ; *Tête d'étude,* cr. : **FRF 145** – PARIS, 1897 : *Le Christ dans son tombeau* : **FRF 295** – PARIS, mai 1898 : *Tête de femme* : **FRF 400** – NEW YORK, 1899 : *Tête d'enfant* : **FRF 5 250** – PARIS, 21 et 22 fév. 1919 : *Un amour, sanguine* : **FRF 400** – PARIS, 26 et 27 mai 1919 : *Tête d'étude,* dess. à la pierre d'Italie : **FRF 450** : *Étude pour une fresque,* peint. à la détrempe/t. : **FRF 900** – PARIS, 25 fév. 1924 : *La Vierge, l'Enfant et un saint personnage,* pierre d'Italie : **FRF 2 500** – NEW YORK, 3 juin 1980 : *Étude d'apôtre,* craie/pap. (17,6x13,1) : **USD 9 000** – NEW YORK, 16 jan. 1986 : *Saint Jean l'Évangéliste,* craie rouge, coins supérieurs coupés (12,1x11,1) : **USD 27 000** – LONDRES, 6 juil. 1987 : *Christ en gloire,* craie rouge, lav. brun et gris (14,5x14,6) : **GBP 200 000** – STOCKHOLM, 15 nov. 1988 : *Marie et l'enfant,* h/t (85x65) : **SEK 12 000** – STOCKHOLM, 16 mai 1990 : *La Nativité,* h/t (125x95) : **SEK 33 000** – NEW YORK, 14 jan. 1992 : *Étude de deux apôtres, sanguine* (17,7x17,2) : **USD 181 500** – NEW YORK, 11 jan. 1994 : *Saint Benoit faisant un geste vers la gauche, sanguine/pap. rose* (15,5x11,9) : **USD 101 500** – NEW YORK, 10 jan. 1995 : *Vierge à l'Enfant avec saint Jean Baptiste (recto), sanguine* (20,5x27,5) : **USD 17 250** – LONDRES, 4 juil. 1997 : *La Tête d'un enfant vers 1525,* h/pan., fragment (14,2x11) : **GBP 32 200.**

CORREGGIO Francesco

XVIIᵉ siècle. Actif à Bologne vers 1652. Italien.
Peintre d'histoire.

Il peignit surtout pour les églises de Bologne, notamment pour celles de San Procolo, où se trouve une *Madeleine dans le désert,* pour la Nunziata, qui conserve une *Madone di Loreto,* et pour Santa Maria di Servi, où l'on voit une *Vierge, saint Luc et d'autres saints.* Francesco fut l'élève de F. Gessi.

CORREGGIO Joseph

Né en 1810 à Wolfratshausen. Mort en 1891 à Munich. XIXᵉ siècle. Allemand.
Peintre de natures mortes.

Il fut le père de Ludwig Correggio et de Max Correggio.
VENTES PUBLIQUES : VIENNE, 19 avr. 1977 : *Nature morte aux fruits,* h/t (70,5x81) : **ATS 25 000** – NEW YORK, 15 fév. 1985 : *Nature morte à la langouste, aux fruits et au gibier,* h/t (95,8x80) : **USD 3 000** – MUNICH, 25 juin 1992 : *Nature morte de fruits 1869,* h/t (55x48,5) : **DEM 9 040** – MUNICH, 3 déc. 1996 : *Nature morte,* h/t, une paire (chaque 60x70) : **DEM 15 600.**

CORREGGIO Joseph Kaspar

Né en 1870 à Francfort-sur-le-Main. Mort en 1962 à Francfort-sur-le-Main. XIXᵉ-XXᵉ siècles. Allemand.
Peintre d'histoire.

Dans sa ville natale, il fut élève de Johann Heinrich Hasselhorst, puis de Hugo Diez à l'Académie des Beaux-Arts de Munich. D'entre ses œuvres principales, on cite : *La bataille d'Orléans, Le combat de Lagenbruck.*
VENTES PUBLIQUES : MUNICH, 12 déc. 1990 : *Nature morte de fruits,* h/t (59x74) : **DEM 13 200** – HEIDELBERG, 8 avr. 1995 : *Moulin à eau à Buchen,* h/t (50x61) : **DEM 1 800.**

CORREGGIO Katharina, née Neidlinger

Née en 1878 à Francfort-sur-le-Main. XXᵉ siècle. Allemande.
Peintre de paysages, natures mortes.

En 1906, elle épousa Joseph Kaspar Correggio.

CORREGGIO Lazzaro da

XVIᵉ siècle. Actif à Bologne vers 1500. Italien.

Sculpteur sur bois.
Il travailla en 1503 et 1508 pour le couvent des Carmélites de San Martino Maggiore.

CORREGGIO Ludwig
Né en 1846 à Munich. Mort en 1920 à Munich. XIXᵉ siècle. Allemand.
Peintre de paysages animés, paysages, natures mortes.
Il était le fils de Joseph Correggio.
VENTES PUBLIQUES : NEW YORK, 24 jan. 1980 : *Troupeau à l'abreuvoir* 1891, h/t (58,4x84) : **USD 4 200** – MUNICH, 27 juin 1984 : *Nature morte* 1863, h/t (37,5x48) : **DEM 3 000** – LINDAU, 8 oct. 1986 : *Bords de rivière boisés* 1889, h/t (46x75) : **DEM 14 000** – MUNICH, 25 juin 1992 : *Deux chasseurs dans un chemin creux* 1879, h/t (50,5x79) : **DEM 6 215** – MUNICH, 25 juin 1996 : *Chasseurs dans un paysage de montagne*, h/t (43x55) : **DEM 2 280**.

CORREGGIO Max
Né en 1854 à Munich. Mort en 1908. XIXᵉ siècle. Allemand.
Peintre de genre, paysages.
Il fut l'élève de son père Joseph Correggio et aussi de Raab et de Diez.
VENTES PUBLIQUES : NEW YORK, 31 oct. 1968 : *La chasse aux faisans* : **USD 1 900** – NEW YORK, 13 oct. 1993 : *Le Prince Régent chassant le faisan* 1892, h/t (68,6x118,1) : **USD 11 500**.

CORREGGIO Vincislauro da
XVIIᵉ siècle. Italien.
Peintre.
On lui attribue un *Baptême du Christ*, qui se trouve à l'église San Giovanni Battista à Ascoli.

CORREIA Charles
Né le 22 mars 1930 au Portugal. Mort le 3 février 1988. XXᵉ siècle. Actif en France. Portugais.
Sculpteur de figures, bustes, groupes monumentaux.
Il entre en 1950 à l'École Nationale Supérieure des Beaux-Arts de Paris, où il étudie dans l'atelier de Marcel Gimond. Il fait sa première exposition en 1965 au Centre Culturel de Belleville, et participe dès lors à tous les salons parisiens : d'Automne, des Artistes Français, de la Société Nationale des Beaux-Arts, Grands et Jeunes d'Aujourd'hui, Comparaisons, Jeune Sculpture, etc. En 1973, il reçoit le prix Wlérick-Despiau. En 1987, la Galerie Alain Daune à Paris lui a consacré une importante exposition personnelle. Il bénéficia de nombreux achats et commandes publiques, notamment : le monument *Robespierre*, pour le CES d'Épinay-sur-Seine en 1978 ; *La Genèse*, nu féminin, et deux chevaux décorant une fontaine pour la place de l'Hôtel de Ville d'Épinay-sur-Seine en 1979 ; le groupe de *La Danse* pour la ville de Nantes en 1981 ; le monument *de Gaulle et Malraux* pour la ville d'Asnières en 1982 ; et d'autres commandes qu'il n'a pu achever, victime en 1988 d'un fatal accident de voiture.
L'œuvre de Correia témoigne à la fois d'une grande diversité et d'une forte unité interne. Il est toujours resté fidèle à un idéal d'équilibre et de mesure, souvenir de l'enseignement de Marcel Gimond, et s'est résolument tenu à l'observation de la nature, contre les tentations de l'abstraction triomphante. Ses différentes réalisations, si elles portent la marque évidente de son inspiration propre, s'inscrivent aussi dans les traditions les plus prestigieuses de l'école française de sculpture. Héritier de Bourdelle et de Rodin, parfois de Maillol ou de Despiau, il est aussi celui de Coysevox et de Coustou avec ses chevaux à la fougue toute baroque. Une lointaine réminiscence de Carpeaux habite son groupe de *La Danse*, l'esprit du romantisme historique souffle sur son *Robespierre* ou sur son *Jean de La Fontaine* (jardins du Ranelagh, Paris), tandis que *L'Homme d'Hiroshima* (sa première œuvre importante, en 1965) ou le groupe *Malraux et de Gaulle* attestent de l'indiscutable modernité de l'artiste.
■ Antoine Gründ
VENTES PUBLIQUES : PARIS, 4 juil. 1995 : *Jeune femme accroupie*, bronze (H. 32,5) : **FRF 15 000**.

CORREIA Jean-Claude
Né en 1945 à Casablanca. XXᵉ siècle. Français.
Peintre. Expressionniste.
Il commence à exposer à Paris en 1966 et y a participé au Salon de Mai à partir de 1973.
Formellement influencé par le groupe COBRA, il peint des tableaux qui se lisent latéralement, par images juxtaposées à la façon des bandes dessinées, procédé très fréquemment exploité par Alechinsky. Il participe en 1978 à la création du mouvement français de plieurs de papier et exécute des œuvres en papier

traité ensuite au bitume et au vernis, ce qui leur donne un aspect de peau de quelque animal fantastique.
VENTES PUBLIQUES : PARIS, 11 oct. 1989 : *L'abîme dit* 1985, kraft bitumé, encre et vernis de gomme arabique (122x81) : **FRF 10 000**.

CORREIA Joaquim
Né en 1920 à Marinha Grande. XXᵉ siècle. Portugais.
Peintre. Expressionniste.
Il a reçu une médaille d'or à l'Exposition Internationale de Bruxelles de 1958. Il enseigne à et est directeur de l'École des Beaux-Arts de Lisbonne.

CORREIA Martins
Né en 1910 à Colega. XXᵉ siècle. Portugais.
Sculpteur de monuments.
Il a exécuté plusieurs monuments publics, tant au Portugal continental que dans les territoires d'Outre-Mer.

CORRELEAU Ernest Pierre Joseph
Né à Pont-Aven (Finistère). XXᵉ siècle. Français.
Peintre de paysages, natures mortes.
De 1924 à 1934, il a exposé à Paris, aux Salons des Artistes Indépendants, d'Automne, des Tuileries et des Artistes Français. Il a surtout peint des paysages bretons.

CORRENS Erich
Né le 3 mars 1821 à Cologne. Mort le 14 juin 1877 à Munich. XIXᵉ siècle. Allemand.
Peintre d'histoire, figures, portraits.
MUSÉES : COLOGNE : *Portrait de l'architecte Zwirna*.
VENTES PUBLIQUES : LONDRES, 3 fév. 1984 : *Une nymphe* 1872, h/t (62x48) : **GBP 1 300**.

CORRENS Josef Cornelius
Né en 1814 à Anvers. Mort en 1907 à Anvers. XIXᵉ siècle. Éc. flamande.
Peintre d'histoire, scènes de genre.
Élève de Van Bree. On cite de lui : *Anne Boleyn devant Henri VIII*.
VENTES PUBLIQUES : GAND, 1856 : *Rubens travaillant au portrait de sa femme* : **FRF 90** – GAND, 23 mars 1925 : *Prisonnier dans sa geôle* : **FRF 110** – BRUXELLES, 21 jan. 1967 : *Anne de Boleyn devant Henry VIII* : **BEF 36 000** – LONDRES, 24 mai 1978 : *Rubens peignant Hélène Fourment*, h/t (75x62) : **GBP 1 100** – ANVERS, 21 mai 1985 : *Les amis*, (44x34) : **BEF 34 000** – COLOGNE, 23 mars 1990 : *L'étudiant malade* 1836, h/t (46x38,5) : **DEM 1 200** – LONDRES, 7 avr. 1993 : *Dans l'atelier du peintre* 1869, h/t (65x55) : **GBP 3 335**.

CORRENTI Ambrogio
Né en 1824 à Milan. Mort en 1896 à Bari. XIXᵉ siècle. Italien.
Peintre.
Il fonda à Bari une école d'art.

CORRENTI Giulio Cesare
XVIIᵉ siècle. Actif à Bologne vers 1633. Italien.
Sculpteur.

CORRETTE Marcel
Né en 1896 à Fennviller (Meurthe-et-Moselle). Mort en 1946. XXᵉ siècle. Français.
Peintre de paysages, paysages animés, dessinateur, décorateur.
Il fut élève du peintre de portraits et natures mortes Jules Larcher à l'École des Beaux-Arts de Nancy. Il exposait à Paris, au Salon des Artistes Français, dont il devint sociétaire en 1936. Il fut en outre dessinateur de mobilier et décoration chez les Majorelle, encore à la grande époque de l'École de Nancy. Plus tard, il fut nommé professeur de dessin à l'École des Beaux-Arts et des Arts Appliqués de la ville.
MUSÉES : NANCY (Mus. Corbin de l'École de Nancy) : *Le café au jardin*.

CORREVON Louis de, appelé aussi Jean-François-Louis Allié Roy
Né le 26 mai 1869 à Aubonne. Mort le 1ᵉʳ décembre 1889 à Lausanne. XIXᵉ siècle. Suisse.
Dessinateur et peintre.
Élève de Geisser et de Wey.

CORRIDORI Girolamo
Né à Modène. XVIᵉ siècle. Italien.
Dessinateur et graveur.
Il vécut à Rome à la fin du XVIᵉ. Sans doute faut-il l'identifier avec le graveur Girolamo Corradini ou Curradini.

CORRIE Ursula Stuart
Née en Angleterre. xxᵉ siècle. Britannique.
Peintre.
En 1927 elle exposait une *Nature morte* au Salon de la Société Nationale des Beaux-Arts.

CORRIERI Lorenzo
xviᵉ siècle. Actif à Florence. Italien.
Peintre et dessinateur.
Il fut admis en 1535 dans la Compagnie de Saint-Luc.

CORRIJN Lodewyk
Né en 1818. Mort en 1845. xixᵉ siècle. Éc. flamande.
Sculpteur.
Élève de Geerts. Le Musée d'Anvers conserve de lui le buste en marbre de *Pierre-François Van Pelt*.

CORRIS Michael
Né en 1948. xxᵉ siècle. Actif en Angleterre. Américain.
Peintre, technique mixte.
Il travaille et enseigne à l'université d'Oxford. Il a exposé à Paris, à la galerie Sylvana Lorenz.
Il mêle peinture et photographie travaillée au laser.

CORRO Cecilio
xixᵉ siècle. Actif à Madrid. Espagnol.
Peintre miniaturiste.
Il fut peintre du roi et exposa à Madrid entre 1836 et 1849.

CORRODI Salomon ou Korradi
Né le 19 avril 1810 à Fehraltorf. Mort le 4 juillet 1892 à Côme. xixᵉ siècle. Suisse.
Peintre de paysages, peintre à la gouache, aquarelliste, graveur, dessinateur.
Le peintre Wetzel dirigea son apprentissage artistique. Le jeune artiste suivit ce maître dans plusieurs voyages d'études et vers 1832, il se rendit en compagnie de Jakob Suter en Italie où il visita Gênes et Pise, et se fixa quelque temps à Rome. Il y fit la connaissance de Thorwaldsen, trouva des compatriotes et travailla dans l'atelier de Catel. Il fut protégé dès 1840 par l'empereur Nicolas de Russie et obtint aussi la faveur du grand-duc de Toscane, et des nobles de Milan. Corrodi habita Florence, Venise, Rome, Zurich, Munich et finalement revint à Rome, où il se fixa. Il prit part aux expositions de cette ville et devint professeur et membre honoraire de l'Académie des Beaux-Arts.
Musées : Vienne : *Paysage italien.*
Ventes Publiques : Paris, 21 mai 1932 : *La Baie de Naples,* aquar. : FRF 150 – Londres, 13 avr. 1965 : *Vue de Venise,* deux aq. : GNS 70 – Londres, 17 juil. 1979 : *Vue de Florence 1844,* aquar. (53x76) : GBP 1 100 – Londres, 27 nov. 1980 : *Paysage des Appenins 1860,* aquar., cr. et gche (47x64,5) : GBP 800 – Munich, 24 nov. 1983 : *Paysage de Frascati 1843,* techn. mixte (56x78,5) : DEM 11 000 – Londres, 27 nov. 1986 : *Bateaux à l'ancre dans la baie de Naples 1873,* aquar. (44x68) : GBP 2 000 – Rome, 14 déc. 1988 : *Vue de Baia,* aquar./pap. (44,5x68) : ITL 12 500 000 – Londres, 30 mars 1990 : *Florence,* lav. (22,3x30,5) : GBP 2 200 – New York, 26 mai 1992 : *Village italien au sommet d'une coline,* aquar./pap. (51,4x71,6) : USD 8 250 – Londres, 2 oct. 1992 : *L'Arc de Titus à Rome,* aquar./pap. (44,5x38) : GBP 3 080 – New York, 29 oct. 1992 : *Reflets sur un lac 1875,* aquar. (46,3x64,7) : USD 3 300 – Munich, 10 déc. 1992 : *La Campagne romaine avec l'antique Via Apia,* cr. et aquar./pap. (20,9x29,7) : DEM 9 266 – Londres, 17 mars 1993 : *La Campagne romaine 1873,* aquar. (51x72) : GBP 8 050 – Londres, 19 nov. 1993 : *Le Bacino de la Piazzetta à Venise 1859,* cr. et aquar./pap. (64,8x100,7) : GBP 6 900 – Rome, 8 mars 1994 : *Aqueduc sur la voie Appia,* aquar./pap. (18x12) : ITL 12 075 000 – Londres, 14 juin 1995 : *Place Saint-Marc à Venise 1864,* aquar. (46x63) : GBP 10 350 – Rome, 4 juin 1996 : *Grande Marée à Capri,* aquar./pap. (33x23) : ITL 12 650 000.

CORRODI Arnoldo
Né le 12 janvier 1846 à Rome. Mort le 7 mai 1874 à Rome. xixᵉ siècle. Italien.
Peintre de compositions mythologiques, scènes de genre, sujets typiques, paysages animés, graveur.
Frère de Hermann Corrodi, il fit ses études à Genève et à Rome. Il connut et fréquenta Calame et Alfred Muyden, en Suisse. À Rome, il reçut les conseils de Fr. Deber, Ed. Rosales, Aug. Wecchesser, et subit un moment l'influence de Mariano Fortuny. Il voyagea en Italie, séjourna aussi à Paris et en Angleterre, visita l'Allemagne et l'Autriche. En 1892, Un incendie détruisit presque tout l'œuvre de cet artiste qui mourut à trente ans.

Il fut médaillé à l'exposition de Vienne en 1873. Parmi ses gravures, on cite : *Paysage boisé avec satyres.*
Ventes Publiques : Paris, 4 déc. 1933 : *Le rendez-vous* : FRF 420 – Hambourg, 10 juin 1982 : *Le joueur de flûte 1866,* aquar. (42x51,2) : DEM 2 000 – New York, 16 fév. 1994 : *Cueillette du raisin 1872,* h/t (84,5x55,6) : USD 27 600.

CORRODI Hans Caspar
Né le 4 août 1724 à Zurich. Mort le 15 août 1760, à la bataille de Liegnitz. xviiiᵉ siècle. Suisse.
Pastelliste.
Il peignit surtout des portraits. En 1743 il s'établit à Bruxelles.

CORRODI Heinrich
Né le 12 mai 1762 à Zurich. Mort le 23 février 1833 à Zurich. xviiiᵉ-xixᵉ siècles. Suisse.
Peintre et graveur.
Élève de H. Wüest. Il travailla à Vienne et à Zurich où il se fixa en 1789. Il était le fils de Johann Félix Corrodi.

CORRODI Hermann David Salomon
Né le 23 juillet 1844 à Frascati. Mort le 30 janvier 1905 à Rome. xixᵉ siècle. Italien.
Peintre d'histoire, paysages, graveur. Orientaliste.
Il suivit tout d'abord les premiers conseils de son père, le peintre suisse Salomon Corrodi, installé à Rome, où il fut professeur à l'École des Beaux-Arts. Il voyagea beaucoup en Angleterre, où il résida à Londres ; en Allemagne, à Baden-Baden ; en Autriche, à Vienne ; en France, à Paris ; mais aussi en Égypte, Syrie, Palestine, Turquie. Il noua des relations privilégiées avec le kaiser Guillaume II et avec la cour d'Angleterre qui appréciait particulièrement ses vues de Venise et de la campagne romaine et qui possédait son *Gethsémani 1879.*
Il exposa, le plus souvent à Rome, Vienne, en Allemagne, en Angleterre et à Paris, notamment en 1900.
Ses paysages aux tons clairs et nourris, montrent de beaux effets d'une lumière contrastée. Il a gravé quelques eaux-fortes.

H. Corrodi (signature)

Bibliogr. : Gérald Schurr, in : *Les Petits Maîtres de la peinture 1820-1920, valeur de demain,* Les Éditions de l'Amateur, t. VI, Paris, 1985.
Ventes Publiques : Paris, 11-12 jan. 1922 : *Vue d'une ville maritime en Italie* : FRF 350 – Londres, 15 mars 1935 : *La lagune à Venise* : GBP 5 – Milan, 25 jan. 1968 : *Via Appia* : ITL 450 000 – Londres, 6 oct. 1972 : *Vue de Rome* : GNS 1 500 – Londres, 21 juil. 1976 : *Biches au bord d'une rivière,* h/t (65,5x124) : GBP 1 500 – Milan, 26 mai 1977 : *Paysage d'Afrique,* h/t (102x64) : ITL 1 700 000 – Vienne, 19 juin 1979 : *Vue du château Saint-Ange,* h/t (86x165) : ATS 130 000 – Londres, 26 mars 1981 : *Le parc de la Villa d'Este, Tivoli 1870,* aquar. et cr. (55x79) : GBP 560 – New York, 27 mai 1983 : *Arabes priant près des bords du Nil au coucher du soleil,* h/t (101,6x64,7) : USD 16 000 – San Francisco, 21 juin 1984 : *Village de pêcheurs à l'aube 1872,* aquar. (42x66) : USD 1 500 – New York, 13 fév. 1985 : *L'heure de la prière, Jérusalem,* h/t (66,6x125) : USD 12 000 – Rome, 30 mai 1987 : *Rome, via san Giovanni in Laterano,* h/t (158x100) : ITL 31 000 000 – Londres, 25 juin 1987 : *Tivoli 1863,* aquar. et cr. reh. de blanc (57,2x78,7) : GBP 6 500 – New York, 25 fév. 1988 : *Venise le soir, une visite à la chapelle,* h/t (67,3x125,7) : USD 4 400 – Londres, 26 fév. 1988 : *Paysage de lac italien avec une femme près d'une chapelle,* h/t (38x65,5) : GBP 3 520 – Londres, 23 mars 1988 : *Coucher de soleil sur Capri 1874,* h/t (65x126) : GBP 7 150 – New York, 25 mars 1988 : *Prière vers La Mecque,* h/t (101x64,8) : USD 26 400 – Rome, 25 mai 1988 : *Troupeau sur la berge du Tibre,* h/t (37x72) : ITL 9 500 000 – Monaco, 2 déc. 1988 : *Vue de la baie de Naples,* aquar. (44,5x63,5) : FRF 46 620 – New York, 23 fév. 1989 : *Paysage côtier avec le poste des gardes-côtes,* h/t (64,8x127) : USD 12 100 – Londres, 4 oct. 1989 : *Au bord du Nil,* h/t (72x43) : GBP 9 350 – Rome, 12 déc. 1989 : *Coucher de soleil sur la terrasse du Pincio,* h/pan. (38x25) : ITL 16 000 – New York, 1ᵉʳ mars 1990 : *Sur le rivage,* h/t (73,6x45,4) : USD 14 850 – Cologne, 23 mars 1990 : *Le soir au bord du Nil,* h/t (38x70,5) : DEM 21 000 – Londres, 30 mars 1990 : *Barques de pêche à Chioggia,* h/t (86,4x165,1) : GBP 13 200 – New York, 22 mai 1990 : *Marchands de tapis arabes,* h/t (100x65,4) : USD 26 400 – Rome, 31 mai 1990 : *Felouques sur le Nil,* h/t (28x50) : ITL 9 500 000 – Rome, 4 déc. 1990 : *La Madone des pêcheurs,* h/t

(125x63,5) : **ITL 33 000 000** – M<small>ILAN</small>, 12 mars 1991 : *Messe à l'église paroissiale*, h/t (101x67) : **ITL 17 000 000** – N<small>EW</small> Y<small>ORK</small>, 23 mai 1991 : *Sur les rives du Nil*, h/t (101,6x59,4) : **USD 17 600** – L<small>ONDRES</small>, 21 juin 1991 : *Pêcheurs sur la plage de Mergellina à Naples*, h/t (86x165) : **GBP 37 400** – R<small>OME</small>, 14 nov. 1991 : *La Côte dans la région de Sorrente avec Capri depuis Castellamare*, h/t (84x162) : **ITL 34 500 000** – N<small>EW</small> Y<small>ORK</small>, 27 mai 1992 : *Campagne romaine*, h/t (72x46) : **USD 5 500** – R<small>OME</small>, 9 juin 1992 : *Le Château Saint-Ange*, h/pan. (16,5x27) : **ITL 6 000 000** – M<small>ONACO</small>, 18-19 juin 1992 : *Vues de Rome et de ses environs 1873*, aquar., une paire (chaque 49x73) : **FRF 288 600** – P<small>ARIS</small>, 23 oct. 1992 : *La Baie de Naples et le Vésuve*, h/pan. (14x10) : **FRF 4 500** – M<small>ILAN</small>, 29 oct. 1992 : *Chypre : Nicosie*, h/t (63x117) : **ITL 11 500 000** – R<small>OME</small>, 19 nov. 1992 : *Vue de Rome 1875*, h/t (53x80) : **ITL 17 250 000** – L<small>ONDRES</small>, 17 mars 1993 : *La Prière du soir au bord du Nil 1879*, h/t (85,5x64,5) : **GBP 9 200** – N<small>EW</small> Y<small>ORK</small>, 14 oct. 1993 : *Campement arabe au coucher du soleil*, h/t (87x165,1) : **USD 233 500** – R<small>OME</small>, 31 mai 1994 : *Scène orientale*, h/t (86x79) : **ITL 14 142 000** – L<small>ONDRES</small>, 15 nov. 1995 : *Le Pont de Galatée avec la mosquée Yeni Valide Djami à Constantinople*, h/t (64x125) : **GBP 28 750** – R<small>OME</small>, 13 déc. 1995 : *Le Matin au Caire*, h/t (128x76,5) : **ITL 20 125 000** – P<small>ARIS</small>, 22 avr. 1996 : *La Corne d'Or, le pont de Galata au crépuscule*, h/t (64x125) : **FRF 490 000** – R<small>OME</small>, 23 mai 1996 : *Paysage animé*, h/bois (15x30) : **ITL 2 300 000** – R<small>OME</small>, 4 juin 1996 : *Cerfs dans une clairière*, h/t (191x128) : **ITL 23 000 000** – N<small>EW</small> Y<small>ORK</small>, 23-24 mai 1996 : *Embuscade près de Giseh*, h/t (101,6x65,4) : **USD 34 500** – L<small>ONDRES</small>, 21 nov. 1996 : *Sur le balcon*, h/t (101,5x65) : **GBP 10 350** – R<small>OME</small>, 2 déc. 1997 : *Minaret*, h/t (71,5x37,5) : **ITL 12 650 000**.

CORRODI Johann Felix
Né en 1722. Mort en 1772. XVIIIe siècle. Suisse.
Peintre amateur.
Il fut le père de Heinrich Corrodi et vécut, semble-t-il, à Zurich.

CORRODI Wilhelm August
Né le 27 février 1826 à Zurich. Mort le 15 août 1885 à Zurich. XIXe siècle. Suisse.
Peintre, dessinateur, illustrateur.
W.-A. Corrodi fit ses études artistiques à l'Académie de Munich de 1846 à 1852. Professeur de dessin aux écoles supérieures de Winterthur, de 1861 à 1881. Il fournit des illustrations pour le conte de *Blanche-Neige et les sept nains* et divers autres ouvrages ; il fut lui-même poète. Corrodi visita l'Allemagne et l'Italie.

CORROYER Charles Michel
XVIIIe siècle. Français.
Peintre.
Il fut reçu à l'Académie de Saint-Luc à Paris en 1763.

CORROYER Pierre
XVIIe siècle. Actif à Paris. Français.
Peintre et sculpteur.
Il exécuta en 1634 les monuments funéraires de Jean et Sébastien Zamet. Ces sculptures furent detruites sous la Révolution.

CORRY Émily D.
Née à Belfast (Irlande-du-Nord). XXe siècle. Irlandaise.
Peintre de figures, paysages animés, paysages, lithographe.
Elle a exposé à Paris, au Salon des Artistes Français de 1926 à 1933.
Quelques titres de ses peintures en indiquent la nature : *Fleurs dans un jardin de juin* où on la voit soucieuse de la véracité de la floraison à ce moment de l'année, et dans le registre des paysages animés : *Carnaval*.

CORRYN Lodewyk Frans
Né en 1818 à Anvers. Mort en 1845 à Anvers. XIXe siècle. Éc. flamande.
Sculpteur.
Le Musée d'Anvers, conserve de cet artiste un *Buste de Pieter Frans Van Pelt*.

CORS Guillermo de
XIVe siècle. Actif à Gérone vers 1340. Espagnol.
Sculpteur et architecte.
En 1345 il exécuta pour la cathédrale de Gérone une *Statue de Charlemagne* en marbre.

CORS Robert
Né vers 1650. XVIIe siècle. Actif à Amsterdam. Hollandais.
Peintre.

CORSARI Antonio
XVIIe siècle. Actif à Venise vers 1670. Italien.
Peintre de marines.

CORSELIS Gaston
Né à Courtrai (Belgique). Mort le 11 juin 1941. XXe siècle. Français.
Peintre de paysages.
Il exposait à Paris, au Salon des Artistes Indépendants.

CORSELLINI Bonaccursus Berti
XVe siècle. Actif à Florence vers 1448. Italien.
Peintre.

CORSELLIS Elisabeth
Née le 2 février 1907. XXe siècle. Britannique.
Peintre.
Elle fut élève de Graham Sutherland. Elle exposait à la Royal Academy de Londres et au New English Art Club.

CORSELLIS James
Né à Anvers. XVIIe siècle. Éc. flamande.
Peintre.
En 1635 il vivait à Londres ; il séjournait à cette date en Angleterre depuis déjà trente ans.

CORSENDONCK Abraham Ariens
XVIIe siècle. Actif à Delft et à La Haye. Hollandais.
Peintre.
Il était le fils d'Ary Jacobs I.

CORSENDONCK Ary Jacobs I
XVIIe siècle. Hollandais.
Peintre.
Doit être un des descendants de Pieter ARIENS. Actif à Delft vers 1646.

CORSENDONCK Ary Jacobs II
XVIIe siècle. Hollandais.
Peintre.
Il était petit-fils de Ary Jacob I. Actif à Delft vers 1677.

CORSENDONCK Jacob Ariens
XVIIe siècle. Actif à Delft vers 1655. Hollandais.
Peintre verrier.

CORSEP W.
XIXe-XXe siècles. Actif à Erfurt. Allemand.
Peintre.
Le Musée d'Erfurt possède de lui : *Trois vues d'Erfurt*.

CORSER Thomas
XIXe siècle. Actif à Bristol. Britannique.
Peintre.
Il exposa à Londres entre 1827 et 1829, à la Royal Academy et ailleurs, quelques paysages.

CORSET Cristoforo ou Casset, Cosset
XVIIe siècle. Actif à Naples. Français.
Sculpteur.
La cathédrale de Naples conserve des œuvres de cet artiste.

CORSETO Jacobo
XVIe siècle. Espagnol.
Peintre.
Il existe une peinture signée de cet artiste et datée de 1564 à l'église San Antonio à Ginet, près de Valence.

CORSETTI Carlo
XIXe siècle. Actif à Feltre. Italien.
Peintre.
Il fut l'élève de Girolamo Cipelli. On cite surtout ses compositions historiques, ses paysages, ses portraits. Vers 1890 il partit pour New York où il eut du succès.

CORSETTI Costanzo
XVe siècle. Actif à Pérouse en 1481. Italien.
Peintre.

CORSETTI Giovan Maria
Né à Villa Basilica. XVIIe-XVIIIe siècles. Italien.
Peintre.
Il fut l'élève d'Antonio Franchi.

CORSETTI Girolamo di Giuseppe
XVIIe siècle. Actif à Florence. Italien.

Peintre.

Il travailla semble-t-il à Florence et à Sienne. Domenico Zampieri parle de lui dans son testament (1641).

CORSI
XIXᵉ siècle. Actif au début du XIXᵉ siècle. Italien.
Graveur.
On cite de lui : *La mort de Napoléon Iᵉʳ*.

CORSI Antonio, dit il Corso
XVᵉ siècle. Actif à Lucques à la fin du XVᵉ siècle. Italien.
Peintre.
Il travailla en 1492 à la cathédrale de Pietrasanta.

CORSI Antonio
XIXᵉ siècle. Actif à Rome vers 1800. Italien.
Peintre.
Il travailla en 1811 à la décoration du Palais Quirinal commandée par Napoléon Iᵉʳ.

CORSI Carlo
Né en 1879 à Nice (Alpes-Maritimes). Mort en 1966. XXᵉ siècle. Italien.
Peintre, peintre de collages. Abstrait.
Il fut élève de l'Université de Bologne et de l'Academia Albertina de Turin. Il vivait à Bologne. Il a participé à la Biennale de Venise à partir de 1912, ainsi qu'à diverses expositions collectives.
Il a surtout été remarqué pour une série de collages abstraits, exposés au Palais des Beaux-Arts de Bruxelles.
BIBLIOGR. : In : *Diction. de la peint. abstr.*, Hazan, Paris, 1957.
VENTES PUBLIQUES : MILAN, 10 déc. 1970 : *Composition 1949* : ITL **950 000** – MILAN, 9 nov. 1976 : *Marine 1930*, techn. mixte/cart. mar. (17x27) : ITL **550 000** – MILAN, 5 nov. 1981 : *Ma mère 1926*, h/pan. (28x18,5) : ITL **1 800 000**.

CORSI Filadefio
Né à Carrare. XXᵉ siècle. Italien.
Sculpteur de bustes.
Il a exposé à Paris, au Salon des Artistes Français de 1922 à 1929.

CORSI Giovacchino
XIXᵉ-XXᵉ siècles. Actif à Sienne. Italien.
Sculpteur sur bois.

CORSI Marcantonio
XVIIIᵉ siècle. Actif à Florence vers 1750. Italien.
Graveur.
On doit à cet artiste quelques portraits gravés parus dans le *Muséo Fiorentino*, édité entre 1752 et 1762.

CORSI Nicolas de
Né en 1882 à Odessa (Russie). Mort en 1956 à Naples. XXᵉ siècle. Italien.
Peintre de figures, paysages urbains, marines.
En 1926 et 1928, il a exposé à Paris, au Salon des Artistes Français. Il a surtout peint des aspects animés de Naples et de la côte.
VENTES PUBLIQUES : MILAN, 26 oct. 1978 : *Paysage montagneux*, h/t (69x98,5) : ITL **1 600 000** – MILAN, 17 juin 1981 : *Scène de bord de mer*, h/isor. (50x70) : ITL **2 800 000** – MILAN, 8 nov. 1983 : *Scènes de canal*, h/t (49x56,5) : ITL **1 100 000** – MILAN, 29 mai 1984 : *Temple grec à Taormina*, h/t mar./cart. (30,5x39) : ITL **2 400 000** – ROME, 29 oct. 1985 : *Marine*, h/pan. (44x54) : ITL **2 200 000** – ROME, 13 mai 1986 : *Scène de marché*, h/pan. (55x75) : ITL **4 200 000** – ROME, 20 mai 1987 : *Procession en mer*, h/pan. (40x50) : ITL **3 400 000** – ROME, 14 déc. 1988 : *Port au coucher du soleil*, h/t (57x85) : ITL **4 800 000** – MILAN, 19 oct. 1989 : *Plage de pêcheurs 1943*, h/cart. (33x51) : ITL **6 000 000** – MILAN, 6 déc. 1989 : *Un petit marché méridional*, h/t (107x70) : ITL **10 500 000** – ROME, 12 déc. 1989 : *Le soir à Naples*, h/t (98,5x126) : ITL **10 500 000** – ROME, 4 déc. 1990 : *Barques sur la lagune*, aquar./pap. (29x39) : ITL **1 100 000** – MILAN, 12 mars 1991 : *Voiliers sur la lagune 1926*, h/cart. (50x55,5) : ITL **7 000 000** – MILAN, 12 déc. 1991 : *La baie de Posillipo au soleil couchant*, past./cart. (57,5x79,5) : ITL **5 500 000** – BOLOGNE, 8-9 juin 1992 : *Figure sur la plage*, h./contre-plaqué (22x27) : ITL **1 610 000** – ROME, 9 juin 1992 : *Une terrasse au-dessus de la mer*, aquar./pap. (19x37) : ITL **2 200 000** – LONDRES, 2 oct. 1992 : *Ville côtière en Italie 1927*, h/pan. (35x50) : GBP **2 420** – MILAN, 17 déc. 1992 : *Paysage méridional*, h/cart. (52x69,5) : ITL **2 500 000** – ROME, 27 avr. 1993 : *Voiliers au coucher du soleil*, h/t (70x100) : ITL **5 067 200** – ROME, 6 déc. 1994 : *Barques à l'échouage*, h/t (27,5x50) : ITL **4 714 500** – MILAN, 14 juin 1995 : *Posillipo le soir*, past./pap. (57,5x81) : ITL **8 050 000** – ROME, 5 déc. 1995 : *Murano*, h/t

(57x40) : ITL **10 017 000** – ROME, 23 mai 1996 : *Paquebots au port 1919*, h/t (32x40) : ITL **5 175 000**.

CORSI di Bosnasco Giacinto, comte
Né le 22 avril 1829 à Turin. Mort le 21 mars 1909 à Turin. XIXᵉ siècle. Italien.
Peintre.
Avocat, député, ce peintre fut l'élève préféré du comte Eugène Balbiano. Il se rendit célèbre surtout comme paysagiste.

CORSI-BONO Nicola
XIXᵉ-XXᵉ siècles. Italien.
Peintre de compositions religieuses, portraits.
Il vivait à Naples, après avoir passé deux années à New York et séjourné dans les Abruzzes à Tagliacozzo.

CORSIA Gilbert
Né le 23 mars 1915 à Oran (Algérie). XXᵉ siècle. Français.
Peintre de natures mortes, paysages, compositions à personnages.
Entre autres métiers occasionnels, il fut peintre d'enseignes. Il expose dans différents Salons annuels parisiens, notamment au Salon des Peintres Témoins de leur Temps. Il a son atelier près de Honfleur et y réalise ses propres expositions.
Sa palette de couleurs vives et chaudes conserve le souvenir de son Algérie natale et des artisanats arabes. Dans ses natures mortes il fait éclater les couleurs des poissons. Il a souvent peint les paysages de l'Ile-de-France.
VENTES PUBLIQUES : VERSAILLES, 20 juin 1989 : *Paysage*, h/isor. (45x60) : FRF **5 500** – VERSAILLES, 24 sep. 1989 : *Nature morte*, h/isor. (65x50) : FRF **15 000** – LA VARENNE-SAINT-HILAIRE, 3 déc. 1989 : *La route en campagne*, h/pan. (50x61) : FRF **3 600** – VERSAILLES, 10 déc. 1989 : *Paysage*, h/isor. (41,5x51,5) : FRF **6 500** – PARIS, 4 avr. 1990 : *Nature morte au vase de fleurs*, h/t (46x55) : FRF **5 000** – VERSAILLES, 8 juil. 1990 : *Nature morte au pichet de fleurs*, h/isor. (61x60) : FRF **8 200** – PARIS, 16 mars 1993 : *Nature morte au compotier*, h/isor. (45x53,5) : FRF **3 700** – PARIS, 15 nov. 1994 : *Cabines de bain*, h/isor. (73x92) : FRF **4 200**.

CORSINI Agostino
Né en 1688 à Bologne. Mort en 1772. XVIIIᵉ siècle. Italien.
Sculpteur.
Ce sculpteur vécut à Bologne et à Rome où il exécuta un certain nombre d'importants monuments. On cite sa statue de *Saint Pierre* à l'église San Pietro de Bologne, un *Pape* pour la façade de Santa Maria Maggiore à Rome.

CORSINI Buonajuto
XVᵉ siècle. Italien.
Peintre.
Il est le fils de Buonajuti Corsino. Il était prêtre à Florence vers 1416.

CORSINI Domenico
Né le 11 février 1774 à Bologne. Mort le 22 mai 1814 à Saint-Pétersbourg. XVIIIᵉ-XIXᵉ siècles. Italien.
Peintre.
Cet artiste fut à partir de 1802 peintre de décors au théâtre de Saint-Pétersbourg. Il fut nommé en 1811, membre de l'Académie des Beaux-Arts de cette ville.

CORSINI Fulvio
Né à Sienne. XIXᵉ-XXᵉ siècles. Italien.
Sculpteur.
Cet artiste exposa en 1909 et 1910 au Salon des Artistes Français à Paris.

CORSINI Jacopo
XIVᵉ siècle. Actif à Florence. Italien.
Peintre.

CORSINI Lorenzo
XVIIIᵉ siècle. Actif à Florence vers 1740. Italien.
Peintre.

CORSINI Tito
XIXᵉ siècle. Actif à Sienne vers 1890. Italien.
Sculpteur sur bois.

CORSINO Buonajuti
XIVᵉ siècle. Actif à Florence vers 1349. Italien.
Peintre.
Cet artiste fut le père de Buonajuto Corsini.

CORSO, il. Voir CORSI Antonio

CORSO Jacopo del
XVᵉ siècle. Italien.
Peintre d'histoire.

CORSO Niccolo
Né peut-être à Gênes. xvie siècle. Actif vers 1503. Italien.
Peintre d'histoire.
D'après Lanzi, Niccolo travailla beaucoup pour les Pères Olivetains, décorant de fresques le réfectoire, le cloître et l'église voisine de ce couvent.

CORSO Vincenzo
Né vers 1490 à Naples. Mort en 1545 à Rome. xvie siècle. Italien.
Peintre d'histoire.
Corso reçut son instruction artistique d'Amato ou de Polydoro da Caravaggio. Quelques historiens le disent également élève de Pietro Perugino. Il étudia les œuvres de ces artistes ainsi que les tableaux de Sabbatini. Il seconda Perino del Viga dans quelques travaux à Rome, en compagnie de Gianfilippo Criscuolo. Ses œuvres à Naples sont malheureusement très mal conservées, et il en reste peu qui n'aient été retouchées.

CORSO di Buono
xiiie siècle. Italien.
Peintre de compositions religieuses, fresquiste.
Il est cité à Florence en 1295 en tant que recteur de la gilde des peintres avec Rossello di Lottiere. Les fresques signées Corso dans l'église San Lorenzo à Montelupo lui sont attribuées.
BIBLIOGR. : D. Colnaghi : *A Dictionary of Florentine Painters,* Florence, 1986.
VENTES PUBLIQUES : LONDRES, 13 déc. 1996 : *La Vierge et l'Enfant entourés des saints Bartholomé et Dominique et des deux donateurs,* temp./pan. fond or (110x71) : **GBP 144 500**.

CORSO di Giovanni
xive siècle. Actif à Florence vers 1344. Italien.
Peintre.

CORSON Alice Vincent
Née à Philadelphie (Pennsylvanie). Morte en 1915. xxe siècle.
Américaine.
Peintre.
VENTES PUBLIQUES : PARIS, 4 nov. 1924 : *Canal à Venise, effet de lune* ; *Le Grand canal à Venise, effet de lune,* deux toiles : FRF 230.

CORSON Katherine Langdon, Mrs **Walter-Heilner**
Née à Rochdale (Lancashire). Britannique.
Peintre et illustrateur.

CORT Bernardo
xixe siècle. Actif à Barcelone. Espagnol.
Sculpteur.
Il exposa une *Diane* à l'Exposition Universelle de Paris en 1855.

CORT Cornelis ou **Kort**
Né en 1533 ou 1536 à Hoorn. Mort en 1578 à Rome. xvie siècle. Hollandais.
Peintre de compositions religieuses, sujets allégoriques, figures, paysages animés, graveur.
Élève de Hieronymus Cock. Il se rendit à Venise et y fut l'élève de Titien. Après plusieurs années passées près de ce maître, il se rendit à Rome, où il se confond sans doute avec CORNELIO Fiammingo, et où il fonda un atelier de gravure d'où sortirent Agostino Carracci et Ph. Thomassin. On suppose que Guibert van Veen a aussi été un de ses élèves. Son œuvre gravé est important et emprunté aux maîtres italiens, flamands et allemands.

C C

VENTES PUBLIQUES : PARIS, 28 et 29 juin 1926 : *Amours dans un paysage,* pl. : FRF 360 – LONDRES, 27 jan. 1928 : *Les Funérailles de sainte Catherine* : **GBP 57** – LONDRES, 1er juil. 1980 : *Les cinq sens,* suite de cinq grav. sur bois, d'après F. Gloris (20,8x27,3) : **GBP 300** – LONDRES, 18 juin 1982 : *Adam et Ève,* grav./cart., d'après Michael Coxie (18,7x24,1) : **GBP 680** – AMSTERDAM, 1er déc. 1986 : *Paysage montagneux (recto)* ; *Vue d'une ville (verso),* pl. et encre brune (19x30,9) : **NLG 7 500**.

CORT Engelbert de
xviiie siècle. Actif à Cologne en 1736. Allemand.
Peintre.
Cet artiste peignait des copies ou des tableaux dans le style de Téniers.

CORT Gerrit Van den ou **Coert**
xviie siècle. Hollandais.
Peintre de genre, natures mortes.
On peut attribuer à cet artiste, qui fut actif à Amsterdam vers 1645-1663, une nature morte signée G. COERT.
VENTES PUBLIQUES : PARIS, 1888 : *Nature morte* : FRF 750.

CORT Hendrik Frans de
Né en 1742 à Anvers. Mort en 1810 à Londres. xviiie-xixe siècles. Hollandais.
Peintre d'architectures, paysages, paysages urbains, dessinateur.
Élève de G. Herreins, et de Henri Joseph Antonissen, il fut professeur de l'Académie d'Anvers et vécut à Londres à partir de 1790.
Ses tableaux sont généralement ornés par B.-P. Ommeganck et P. Van Regemorter.

Henri De Cort
ANVERS Aº 1774

MUSÉES : ANVERS : *Vue d'un château* – CHANTILLY : *Chantilly en 1781, vue de la Pelouse* – *Chantilly en 1781, vue du Vertugadin* – VIENNE (Mus. impérial) : *Vue du château Tenisch sur l'Escaut.*
VENTES PUBLIQUES : PARIS, 1833 : *Vue d'un château fortifié* : FRF 225 – PARIS, 1875 : *Un château gothique entouré d'eau* : FRF 460 – LONDRES, 1882 : *Paysage avec abbaye en ruines* : FRF 733 – LONDRES, 16 fév. 1922 : *Ely Cathedral,* sépia : GBP 6 – PARIS, 10 déc. 1937 : *La ferme au bord du canal* : FRF 680 – LONDRES, 29 oct. 1965 : *Paysage fluvial* : GNS 350 – LONDRES, 7 juil. 1967 : *La cathédrale d'Ely* : GNS 400 – LONDRES, 3 déc. 1969 : *Vue d'une ville* : GBP 1 500 – NEW YORK, 9 jan. 1980 : *Vue d'une ville du Midi de la France,* h/pan. (53,5x76) : USD 10 000 – LONDRES, 16 mars 1984 : *St Michael's Mount, Cornwall,* h/pan. (86,5x115,5) : GBP 3 500 – NEW YORK, 13 mars 1985 : *Vue d'Anvers,* h/pan. (62x90) : USD 22 000 – LONDRES, 19 fév. 1987 : *Cliveden from the river Thames, Buckinghamshire* 1797, lav. de brun/traits de cr. (37,5x53,5) : GBP 1 400 – NEW YORK, 5 avr. 1990 : *Chaumière au bord d'un ruisseau dans un paysage campagnard,* h/pan. (63,5x80) : USD 9 900 – LONDRES, 19 avr. 1991 : *Ville de Hollande avec la boulangerie et la taverne le long d'un canal et un clocher au loin,* h/pan. (49,5x64,8) : GBP 14 300.

CORT Jean de La. Voir **LA CORT**

CORT Justus ou **Josse de** ou **Corte**. Voir **CORTE Josse de**

CORTA Paul
Né à Dax (Landes). xixe siècle. Français.
Peintre de genre.
Élève de Zo. Exposa à partir de 1877.
VENTES PUBLIQUES : PARIS, 26 juin 1992 : *Les postiers* 1882, h/pap., une paire (chaque 22x16) : FRF 6 000.

CORTAZZO Oreste
Né en 1836 à Rome. xixe siècle. Italien.
Peintre de genre.
Il fut l'élève de Bonnat.
On cite de ce peintre : *La justice au bon vieux temps, Le couronnement de la mariée, Le nouveau seigneur de Village.* Mention honorable et médaille à l'Exposition Universelle (1889). Il travailla à Paris.
VENTES PUBLIQUES : LONDRES, 1878 : *Matinée musicale* : FRF 6 800 – LONDRES, 1880 : *Cendrillon* ; *La séparation* ; *Le retour,* ensemble : FRF 10 500 – LONDRES, 1882 : *Concert sous Louis XV* : FRF 800 – NEW YORK, 1899 : *Le couronnement de l'épousée* : FRF 7 000 – PARIS, 16 juin 1899 : *Conversation galante* : FRF 210 – PARIS, 3-4 mai 1923 : *M'aime-t-il ?* : FRF 350 – PARIS, 11 déc. 1925 : *Matinée musicale sous Louis XV* : FRF 9 000 – PARIS, 2 juin 1943 : *Amour* : FRF 1 400 – NEW YORK, 18 et 19 mai 1945 : *Le jugement de Pâris* : USD 2 500 – PARIS, 30 avr. 1951 : *Soirée musicale* : FRF 70 000 – LONDRES, 20 juil. 1977 : *Élégante à l'ombrelle* 1882, h/pan. (40,5x27) : GBP 1 100 – ZURICH, 25 mai 1979 : *La Mariée,* h/t (88x147) : CHF 75 000 – LONDRES, 20 mars 1981 : *La joueuse de luth,* h/t (40,6x33) : GBP 850 – LONDRES, 8 juin 1983 : *Le banquet,* h/pan. (27x35) : GBP 2 000 – LONDRES, 7 fév. 1986 : *Le bal,* h/pan. (25,4x34,3) : GBP 2 200 – PARIS, 24 mai 1991 : *Scène de magie,* h/pan. (13x18) : FRF 13 000 – LONDRES, 19 juin 1991 : *Coup d'œil entre les rideaux* 1871, h/t (46x37) : GBP 3 300 – NEW YORK, 15 fév. 1994 : *Marie-Antoinette au hameau de Versailles,* h/t (87x154,3) : USD 96 000 – NEW YORK, 12 oct. 1994 :

Félicitations royales, h/t (87,6x146,1) : **USD 85 000** – New York, 26 fév. 1997 : *Rêvant de son amour*, h/pan. (22,2x25,4) : **USD 3 450**.

CORTBEMDE Balthasar Van

Né en 1612 à Anvers. Mort en 1663. xviie siècle. Éc. flamande. Peintre.

Élève de Jean Blanckaert. Maître en 1631 ; il épousa, le 26 mars 1637, Ursule Van den Hoecke.

B.Y.CORTBEMDE
A°1647

Musées : Anvers : *Le Bon Samaritain*.

CORTE Antonio

xviie-xviiie siècles. Actif à Vérone. Italien. Peintre.

Cet artiste était le fils de Bartolomeo Corte et fut l'élève de Voltoloni. Il travailla à Vérone, à Venise et à Bologne. On cite surtout ses peintures religieuses.

CORTE Antonio de

Né à Lendinara. Mort après 1793. xviiie siècle. Italien. Peintre.

Il existe des œuvres de cet artiste à l'église San Antonio Abate à Rovigo.

CORTE Bartolomeo

Mort après 1690. xviie siècle. Actif à Vérone. Italien. Peintre.

Cet artiste peignit des fresques retraçant la vie de sainte Catherine de Sienne au couvent Santa Caterina à Vérone.

CORTE Cesare ou Curte

Né en 1550 à Gênes. Mort vers 1613 probablement à Gênes. xvie-xviie siècles. Italien.
Peintre de portraits et d'histoire.

Cesare Corte se forma sous la direction de Luca Cambiaso, l'ami intime de son père Valerio, et devint célèbre pour l'excellence de ses portraits. Il peignit aussi, mais avec moins de succès, des tableaux d'histoire, dont on cite, entre autres, un *Saint Pierre*, à l'église de ce nom, œuvre d'une grande beauté de coloris ; un tableau d'autel représentant *Marie-Madeleine*, à San Francesco, et deux peintures de *Saint Siméon* et de *Saint François*, à l'église de Santa Maria del Carmine. Corte voyagea et travailla en France et très probablement en Angleterre, où il peignit la reine Elizabeth et divers personnages.

CORTE Christiaen de

xvie siècle. Actif à Anvers vers 1513. Éc. flamande. Peintre.

CORTE Davide

Né vers la fin du xvie siècle à Gênes. Mort en 1657. xvie-xviie siècles. Actif à Gênes. Italien. Peintre.

Davide Corte se distingua pour la fidélité extraordinaire avec laquelle il copia les œuvres des grands maîtres. Il était le fils et fut l'élève de Cesare Corte.

CORTE Francesco

Né en 1806. Mort en 1889. xixe siècle. Actif à Feltre. Italien. Peintre.

Cet artiste qui travailla également à Venise, peignit surtout des paysages et des tableaux religieux.

CORTE Francesco et Francisco de la. Voir LA CORTE

CORTE François de

xvie siècle. Actif à Ypres. Éc. flamande.
Peintre d'histoire.

CORTE Gabriel de La. Voir LA CORTE

CORTE Giovanni

xvie siècle. Italien. Peintre.

Il travailla pour la cathédrale de Modène en 1507.

CORTE Giovanni Pietro da

xve siècle. Travaillant à Milan vers 1473. Italien.
Peintre à la fresque.

Cet artiste était au service du duc Galéas Marie Sforza.

CORTE Jacob de

xvie siècle. Actif à Anvers vers 1520. Éc. flamande.

Peintre (?).

Cet artiste était le frère de Christiaen de Corte.

CORTE Jean de

Né en 1595 à Ypres. Mort après 1654. xviie siècle. Éc. flamande.
Sculpteur.

Il fut le père de Josse de Corte. Il ne se livra semble-t-il qu'à des travaux de seconde importance.

CORTE Josse ou Justus de

Né en 1627 à Ypres. Mort après 1679 à Venise. xviie siècle. Éc. flamande.
Sculpteur.

Cet artiste vécut, semble-t-il, longtemps à Venise où il se montra l'un des meilleurs disciples du Bernin dont il imita le style sans avoir été son élève. Corte fonda un atelier où se formèrent des artistes comme Matteo Calderoni ou Giuseppe Zemiani. On cite de lui : *La tombe de Catherine Cornaro* à Padoue et l'autel de l'église Santa Maria della Salute à Venise ; *L'amour endormi* et *L'instabilité*.

CORTE Juan de La. Voir LA CORTE

CORTE Niccolo da. Voir CORTI

CORTE Peter de

xvie siècle. Actif à Anvers vers 1529. Éc. flamande. Peintre.

CORTE Riccardo

Né en 1941 à Auronzo. xxe siècle. Italien.
Peintre. Abstrait, tendance Lettres et Signes.

Il fut élève de l'Académie des Beaux-Arts de Venise. Il a fait des expositions personnelles à Milan en 1969 et 1970.
Il pratique la technique de la peinture à la cire. Il use d'harmonies distinguées et sobres de bruns profonds, qu'éclairent quelques accents colorés. Dans une exécution graphique d'une grande précision, il juxtapose, à la manière des collages, inscriptions ésotériques et symboles magiques.

Bibliogr. : Catalogue des expositions *Riccardo Corte*, Gal. Cavour, Milan, 1969, 1970.

CORTE Rombout de

xviie siècle. Actif à Malines vers 1660. Éc. flamande. Peintre.

Il fut l'élève de de Hooghe et de Jan Verhoeven.

CORTE Scipione della

xviie siècle. Actif à Brescia vers 1646. Italien. Peintre.

Cet artiste peignit un retable pour l'église Santa Maria dei Miracoli à Brescia.

CORTE Thierri

xve siècle. Actif à Bruges vers 1482. Éc. flamande. Peintre.

CORTE Valerio

Né en 1530 à Venise. Mort en 1580 à Gênes. xvie siècle. Italien.
Peintre de portraits.

Valerio, fils d'un gentilhomme pavesan, reçut les conseils de Titien, à Venise, et, grâce à la direction de ce maître, devint un habile portraitiste. *Voir aussi CORTI Valerio*.

CORTE Vincenzo

Né à Oneglia. xviiie siècle. Italien. Peintre.

Cet artiste fit ses études picturales à Rome, aux frais du roi de Sardaigne.

CORTE REAL Jeronimo ou Cortereal

xvie siècle. Espagnol ou Portugais.
Peintre d'histoire.

Il travaillait au Portugal vers 1593. Il était également poète et compositeur.

CORTEGIANI Michele

Né en février 1857 à Naples ou à Palerme. xixe siècle. Italien.
Peintre de figures, de paysages et de marines.

Ignora sa vocation artistique jusqu'à vingt ans, puis travailla avec les conseils de Lo Jacono. Il exposa à partir de 1882.

Ventes Publiques : Paris, 24 mai 1944 : *Portrait d'une jeune italienne*, past. reh. de gche : **FRF 550** – Rome, 11 déc. 1996 : *La Pêche au thon*, h/t (88x118) : **ITL 18 057**.

CORTELAZZO Gino
Né le 31 octobre 1927 à Padoue. XXe siècle. Italien.
Sculpteur. Abstrait.
Il fut élève de l'Académie des Beaux-Arts de Bologne. Il participe à des expositions collectives à Mantoue, Arezzo, Turin, Milan, Barcelone, Rio-de-Janeiro et fait des expositions personnelles dans les grandes villes italiennes. Il a obtenu de nombreux prix : premier prix de sculpture à Modène 1970, médaille d'or du Ministère des Affaires Étrangères. Il a été nommé professeur à l'Académie des Beaux-Arts de Ravenne.
Il réalise des sculptures en bois et en bronze, dont les formes planes et linéaires se découpent à la façon des stabiles de Calder, et qui malgré leur rigidité géométrique conservent une grande part de lyrisme.
MUSÉES : LEGNANO (Mus. d'Art Mod.) – VENISE (Mus. d'Art Mod.).

CORTELLA Carlo Giuseppe
XVIIe siècle. Actif à Turin en 1675. Italien.
Dessinateur.

CORTELLINI. Voir aussi **COLTELLINI**

CORTELLINI Carlo Alessandro
Né en 1716 à Livourne. XVIIIe siècle. Italien.
Peintre de portraits.

CORTELLINI Michele, orthographe erronée. Voir **COLTELLINI**

CORTELLINI Y HERNANDEZ Angel Maria
Né le 27 septembre 1820 à Sanlucar de Barrameda. XIXe siècle. Espagnol.
Peintre.
Peignit des paysages et des sujets d'histoire. On cite de lui également de nombreux portraits.

CORTELLINI Y SANCHEZ Angel
XIXe siècle. Espagnol.
Peintre.
Fils et élève de Cortellini y Hernandez. Exposa à la Nationale des Beaux-Arts à Madrid en 1881.

CORTENBACH Ivan von
XVe siècle. Actif à Kolberg en 1494. Allemand.
Peintre (?).
On lit le nom de cet artiste sur une peinture qui se trouve dans l'église Sainte-Marie à Kolberg ; peut-être ne s'agit-il pas cependant de la signature de l'auteur du tableau.

CORTENS G.
XVIIIe siècle. Actif à Bruxelles. Éc. flamande.
Peintre.
Cet artiste, qui était abbé, peignit un *Martyre des saints Crispin et Crispinien* pour l'église Notre-Dame-des-Victoires sur le Sablon à Bruxelles, ainsi que *le Grand duc Albert et son épouse Isabelle devant les états de Brabant.* Cette dernière toile nous est connue par une gravure de Berteham.

CORTER
XIXe-XXe siècles. Hollandais.
Peintre.
Il a obtenu une mention honorable à l'Exposition Universelle de 1900, à Paris.

CORTES Ana
Née à Santiago-du-Chili. XXe siècle. Chilienne.
Peintre de portraits, paysages. Figuration-onirique.
De 1913 à 1927, elle a exposé à Paris, aux Salons de la Société Nationale des Beaux-Arts et d'Automne. En 1946, elle a figuré à l'exposition ouverte à Paris, au Musée d'Art Moderne, par l'Organisation des Nations Unies (O.N.U.), avec *Rêve du futur marin.*

CORTÈS André
Peut-être originaire de Séville. XIXe siècle. Actif en France. Espagnol.
Peintre de paysages ruraux animés, animalier.
Il serait le fils du peintre Antonio Cortès, dont on sait également peu de choses, sinon qu'il fut l'élève du peintre de paysages avec animaux Constant Troyon et qu'il travailla certainement en France. Son prénom français d'André indique peut-être une naissance française ? De toute évidence, il suivit la tradition paternelle, où il fut très prolifique. Il peignit presqu'exclusivement des paysages de campagnes animés de troupeaux.
MUSÉES : BREST : *Vaches, chèvres et moutons* – SÈTE : *Repas de noces.*
VENTES PUBLIQUES : PARIS, 19 déc. 1921 : *Le départ pour le pâtu-*

rage : **FRF 255** – PARIS, 23 oct. 1925 : *Vaches à l'abreuvoir* : **FRF 230** – PARIS, 20-21 jan. 1928 : *Bestiaux dans la campagne,* h/pan., une paire : **FRF 360** – PARIS, 12-13 jan. 1942 : *Moutons au pâturage* : **FRF 750** – LONDRES, 20 avr. 1979 : *Troupeau dans un paysage,* h/t (22x31) : **GBP 750** – ENGHIEN-LES-BAINS, 9 déc. 1979 : *La bergère et son troupeau,* h/t (65x54) : **FRF 6 200** – LUCERNE, 12 nov. 1982 : *Vaches à l'abreuvoir,* h/t (27x40,5) : **CHF 2 200** – ANGOULÊME, 28 juin 1984 : *Chevaux au pré, L'âne s'abreuvant,* h/t, une paire (chaque 38x46) : **FRF 14 000** – PARIS, 22 nov. 1984 : *Pêcheur près du pont, Troupeau près du pont,* 2 h/t (chaque 27x21,5) : **FRF 6 500** – VERSAILLES, 22 avr. 1990 : *Vaches et moutons à la rivière,* h/t (46x38) : **FRF 5 500** – LE TOUQUET, 10 nov. 1991 : *Bergère et son troupeau,* h/t (50x61) : **FRF 6 500** – LONDRES, 17 juin 1992 : *Scène paysanne : le repos d'un chasseur,* h/t (83x124) : **GBP 4 400** – REIMS, 20 juin 1993 : *La gardienne de chèvres,* h/t (65x54) : **FRF 9 000** – PARIS, 22 déc. 1993 : *Vaches dans un pâturage,* h/t (60x81) : **FRF 14 000** – PARIS, 24 mars 1995 : *Troupeau de vaches et moutons,* h/t (63x110) : **FRF 15 000.**
VENTES PUBLIQUES : AMSTERDAM, 16 nov. 1988 : *Moutons et vaches se désaltérant, gardés par un berger,* h/t (16x22) : **NLG 1 725** – REIMS, 11 juin 1989 : *Scène pastorale à l'entrée d'un village,* h/pan. (33x46) : **FRF 15 000** – AMSTERDAM, 19 sep. 1989 : *Bétail dans une prairie en été,* h/t (85x92) : **NLG 2 990** – VERSAILLES, 19 nov. 1989 : *Marine au soleil couchant,* past. (72x91) : **FRF 32 500** – PARIS, 19 jan. 1992 : *Bergère conduisant son troupeau,* h/t (84x116) : **FRF 7 500** – PARIS, 30 juin 1993 : *Vaches s'abreuvant,* h/t (29,5x49,7) : **FRF 3 300.**

CORTES Carmen
XXe siècle. Française.
Sculpteur.
Elle exposa à Paris au Salon des Tuileries en 1939.

CORTÈS Édouard Léon
Né le 26 août 1882 à Lagny (Seine-et-Marne). Mort en 1969. XIXe-XXe siècles. Français.
Peintre de paysages urbains, pastelliste.
Il exposait à Paris, au Salon des Artistes Français, dont il devint sociétaire en 1907, ainsi qu'aux Salons de la Société Nationale des Beaux-Arts et des Indépendants.
On sait peu de choses sur lui. Toutefois, d'après ses nombreuses œuvres passées en ventes publiques depuis le début du siècle, on peut s'interroger s'il n'y a pas eu confusion au départ avec les André et Antonio Cortès ou bien alors s'il ne leur serait pas apparenté. En effet, lors des premières ventes publiques qui lui sont attribuées, de 1919 à 1921, puis de nouveau lors d'une vente à Nice le 25 septembre 1968, on trouve des scènes d'intérieurs bretons ou surtout des paysages ruraux avec animaux, parfois même par deux et en pendants, qui ne correspondent pas du tout à l'ensemble de son œuvre, mais ressemblent au contraire à la production d'André Cortès. Quant à Édouard Léon Cortès, si l'on peut aussi parler de production, il s'agit essentiellement, comme en témoignent les ventes publiques de 1903 à 1908, puis surtout à partir de 1924, de paysages parisiens, thème inépuisable aussi bien sur le motif que sur le marché.
Toutefois, ne serait-ce que pour la diversification des motifs souvent repris, il a le plus souvent recherché, dans l'héritage impressionniste, les effets du moment de la journée ou de la nuit, les effets de la météorologie, des saisons : le matin, le soir, la pluie, la neige, etc. ■ J. B.

Edouard Cortès

BIBLIOGR. : David Klein : *Édouard Cortès et Eugène Galien Laloue,* Los Angeles, 1993.
VENTES PUBLIQUES : PARIS, 21 oct. 1903 : *La Porte Saint-Martin* : **FRF 145** – NEW YORK, 12 nov. 1908 : *Paris la nuit* : **USD 60** – PARIS, 11 fév. 1919 : *L'Heure de la soupe* : **FRF 240** – PARIS, 12 mars 1919 : *Scène d'intérieur, effet de lampe* : **FRF 55** – PARIS, 26-27 mars 1920 : *Le passage du gué* : **FRF 400** – PARIS, 25 oct. 1920 : *Bergers et troupeaux,* 2 h/t : **FRF 650** – PARIS, 9 déc. 1920 : *Vaches au pâturage* : **FRF 120** – PARIS, 10-11 juin 1921 : *Paysans et bestiaux* : **FRF 110** – PARIS, 15 avr. 1924 : *Le Louvre et les quais à la tombée de la nuit* : **FRF 350** ; *La Porte Saint-Denis à la tombée de la nuit* : **FRF 300** ; *Le Boulevard de la Madeleine le soir* : **FRF 425** ; *Notre-Dame de Paris sous la neige à la tombée de la nuit* : **FRF 280** ; *La Place de l'Opéra à la tombée de la nuit* : **FRF 220** – PARIS, 10 mai 1926 : *La Place de la République par un jour d'Automne* : **FRF 550** – PARIS, 17 déc. 1931 : *La Ville au cré-*

puscule : **FRF 55** – Paris, 27 déc. 1941 : *L'Opéra la nuit* : **FRF 590** – Paris, 25 juin 1951 : *Place de la République, effet de nuit* : **FRF 17 000** – New York, 16 fév. 1961 : *Paris, place Lafayette* : **USD 950** – Paris, 13 déc. 1961 : *Le Quai du Louvre sous la neige*, past. : **FRF 1 500** – New York, 18 mars 1965 : *Place de la République* : **USD 700** – Nice, 25 sep. 1968 : *Soirée en famille* : **FRF 3 600** – New York, 8 avr. 1970 : *La Porte Saint-Denis* : **USD 2 200** – Londres, 19 mai 1971 : *Le Boulevard de la Madeleine* : **GBP 850** – Londres, 12 mai 1972 : *La Porte Saint-Martin le soir* : **GNS 800** – Los Angeles, 8 mars 1976 : *Boulevard Saint-Denis*, h/t (33x46) : **USD 4 100** – Paris, 14 juin 1976 : *Place de la Madeleine, Place de la République*, deux past. : **FRF 11 500** – Londres, 30 nov. 1977 : *Le marché aux fleurs de la Madeleine*, h/t (48x63,5) : **GBP 4 000** – New York, 13 mai 1978 : *Marché aux fleurs, place de la Madeleine* ; *Place de l'Opéra*, deux h/t (32x44) : **USD 6 000** – Rouen, 25 nov. 1979 : *Les Quais du Louvre le soir*, h/t (50x64) : **FRF 29 000** – Paris, 3 mars 1980 : *L'Omnibus Madeleine-Bastille*, gche (16,5x33,5) : **FRF 12 500** – Los Angeles, 16 mars 1981 : *La Place de l'Opéra*, h/t (32x45) : **USD 7 500** – Paris, 7 juin 1982 : *Le Boulevard Poissonnière*, gche (20x46) : **FRF 20 500** – Londres, 17 mars 1983 : *Les Quais de la Seine en hiver*, gche (21x36) : **GBP 900** – New York, 25 mai 1984 : *La Café de la Paix*, h/t (46,4x76,5) : **USD 8 000** – Londres, 19 juin 1985 : *Vue d'un boulevard la nuit, Paris*, h/t (50x65) : **GBP 10 000** – New York, 7 oct. 1986 : *Scène de rues, Paris*, deux gches (19x33) : **USD 7 000** – New York, 25 fév. 1986 : *Rue Royale le soir*, h/t (46,4x56) : **USD 16 000** – Londres, 27 nov. 1987 : *Scène de rue en hiver* 1908, h/t (81x131) : **GBP 10 000** – Paris, 21-22 déc. 1987 : *Le Marché aux fleurs derrière l'église de la Madeleine*, h/t (38x55) : **FRF 68 000** – Londres, 26 fév. 1988 : *Porte Saint-Martin et porte Saint-Denis à Paris*, h/t (26,6x46,2) : **GBP 9 350** – Calais, 28 fév. 1988 : *La Porte Saint-Denis*, h/t (50x65) : **FRF 145 000** – Londres, 24 mars 1988 : *Le marché aux fleurs, place de la Madeleine*, h/t (33x46) : **GBP 8 800** – New York, 25 mai 1988 : *Rue Royale, la Madeleine et les Trois-Quartiers*, h/t (50,2x64,7) : **USD 33 000** – Los Angeles, 9 juin 1988 : *Scène de rue à Paris*, h/t (38x61) : **USD 13 200** – Calais, 3 juil. 1988 : *Les Grands Boulevards et la Porte Saint-Denis sous la neige*, h/t (46x65) : **FRF 86 000** – Londres, 8 sep. 1988 : *Vue de la gare*, h/t (33,6x45,7) : **GBP 4 950** – Amsterdam, 16 nov. 1988 : *Rue de Paris au crépuscule*, h/t (33x46) : **NLG 36 800** – Paris, 22 nov. 1988 : *La porte Saint-Denis*, h/t (34x49) : **FRF 170 000** – Londres, 17 mars 1989 : *Porte Saint-Denis à Paris*, h/t (33,5x46) : **GBP 8 800** – Lyon, 27 avr. 1989 : *Fin d'après-midi à la Madeleine*, h/t (47x63) : **FRF 116 000** – New York, 23 mai 1989 : *Boulevard de la Madeleine en hiver*, h/t (33x45,7) : **USD 16 500** – Londres, 4 oct. 1989 : *Paris la nuit*, h/t (32x45) : **GBP 18 150** – New York, 21 fév. 1990 : *L'Arc de Triomphe*, h/t (45,5x53,3) : **USD 24 200** – Londres, 28 mars 1990 : *Les Grands Boulevards près de La Madeleine à Paris*, h/t (50x65) : **GBP 14 300** – Paris, 10 mai 1990 : *Les Grands Boulevards*, h/t (31x43) : **FRF 71 000** – Stockholm, 16 mai 1990 : *Les Champs Elysées et l'Arc de Triomphe*, h/t (27x33) : **SEK 45 000** – Versailles, 6 juin 1990 : *Paris, fiacres rue de Rivoli sous le soleil*, h/t (33x46) : **FRF 130 000** – Monaco, 8 déc. 1990 : *L'Arc de Triomphe le soir*, h/t (27x35) : **FRF 61 050** – New York, 15 oct. 1991 : *Place de la République*, h/t (65,5x92,5) : **USD 41 800** – Lyon, 5 nov. 1991 : *Fin d'après-midi à la Madeleine*, h/t (47x63) : **FRF 75 000** – Londres, 29 nov. 1991 : *Place de l'Opéra à Paris*, h/t (45,7x76,2) : **GBP 20 900** – Paris, 13 déc. 1991 : *Place de l'Opéra*, h/t (27x35) : **FRF 30 000** – Lyon, 8 avr. 1992 : *L'Arc de Triomphe*, h/pan. (15,8x22) : **FRF 40 000** – New York, 29 oct. 1992 : *Boulevard de la Madeleine*, h/t (65,4x92,6) : **USD 46 200** – Londres, 19 mars 1993 : *Sacré-Cœur à Paris*, h/t (33,4x46,1) : **GBP 8 625** – Le Touquet, 30 mai 1993 : *Les Grands Boulevards*, h/t (33x46) : **FRF 40 000** – Paris, 17 déc. 1993 : *Les Lavandières*, peint./t. (46x55) : **FRF 8 500** – Amsterdam, 21 avr. 1994 : *La Madeleine à Paris*, h/t (22x33) : **NLG 16 100** – New York, 26 mai 1994 : *La Place Clichy*, h/t (97,8x128,9) : **USD 57 500** – Angoulême, 11 déc. 1994 : *Scène de rue à Paris, quartier de la Madeleine*, h/t (25x32) : **FRF 50 000** – Lokeren, 20 mai 1995 : *Paris, boulevard le soir*, h/pan. (21,5x35) : **BEF 220 000** – Paris, 19 fév. 1996 : *Scène d'intérieur en Normandie*, h/t (55x65) : **FRF 120 000** – Londres, 13 mars 1996 : *L'Opéra à Paris*, h/t (32x45) : **USD 9 775** – New York, 23 mai 1996 : *La Rue de Rivoli et la Tour Saint-Jacques*, h/t (64,8x92) : **USD 40 250** ; *L'Arc de Triomphe, Paris*, h/pan. (15,9x21) : **USD 11 500** – Londres, 12 juin 1996 : *Boulevard Haussmann*, h/t (32x46) : **GBP 8 970** – Paris, 16 oct. 1996 : *La Place de la Madeleine l'hiver*, gche (19,5x30) : **FRF 11 000** – Londres, 20 nov. 1996 : *La Madeleine, Paris*, h/t (29x60) :

GBP 10 925 – Paris, 24 nov. 1996 : *Les Champs Elysées sous la neige*, aquar. gchée (19x30) : **FRF 16 000** – Amsterdam, 30 oct. 1996 : *Rue animée à Paris, au crépuscule*, h/t (40,3x66,5) : **NLG 20 757** – Londres, 22 nov. 1996 : *Café de la Paix, avenue de l'Opéra*, h/t (16,5x22,5) : **GBP 2 990** – New York, 9 jan. 1997 : *Entrée de Paris, Porte de St Cloud, soir d'hiver*, h/t (66x93,3) : **USD 26 450** – New York, 12 fév. 1997 : *Place de la République, Paris*, h/t (50,2x66) : **USD 40 250** – Calais, 6 juil. 1997 : *Paris, le quai du Louvre*, h/pan. (27x35) : **FRF 38 500** – Londres, 19 nov. 1997 : *Scène de rue parisienne*, h/t (49x64) : **GBP 21 275** – New York, 23 oct. 1997 : *La Place de la République, Paris*, h/t (38,1x47,9) : **USD 28 750**.

CORTES Jan
xviiie siècle. Actif à Anvers vers 1764. Éc. flamande.
Peintre.

CORTÉS Joaquin
Mort en 1835. xixe siècle. Espagnol.
Peintre.
Élève à Séville de Francesco de Bruna, cet artiste termina ses études à Madrid. Le Musée de Séville possède de lui un *Portrait de Sir William Hamilton*.

CORTÉS Juan Antonio
xviie siècle. Actif à Séville vers 1605. Espagnol.
Peintre.

CORTÉS Julian
xviie siècle. Actif à Séville en 1623. Espagnol.
Peintre.

CORTÉS Lorenzo de
xve siècle. Actif à Séville vers 1489. Espagnol.
Sculpteur.

CORTÉS Pascual
Né à Pancorbo. Mort en 1814 à Palma de Majorque. xixe siècle. Espagnol.
Sculpteur.
Le Musée de Raxa conserve de lui : *L'Amour* (1805) et l'Académie de San Fernando : *Andromède et Persée*.

CORTÉS Ramon
Né à Madrid. xixe siècle. Espagnol.
Peintre.
Élève de l'Académie Royale de San Fernando. On cite de lui : *Annibal s'empoisonnant* (1849), *Types madrilènes* (1856) et des portraits conservés au Musée du Prado.

CORTÉS Y AGUILAR Andrès
xixe siècle. Espagnol.
Peintre animalier, paysages animés.
Travaillant à Séville, il exposa aux Salons de la Nationale des Beaux-Arts à Madrid. Il y fut médaillé en 1858 et 1868.
Ventes Publiques : Paris, 1900 : *Vaches paissant à l'entrée d'un bois* : **FRF 115** – New York, 24-26 fév. 1904 : *Le retour du pâturage* : **USD 240** – Paris, 11 avr. 1910 : *Vaches à l'abreuvoir* : **FRF 105** – Paris, 17 et 18 nov. 1924 : *Le Retour de la foire* : **FRF 330** – Londres, 22 juin 1988 : *À l'épicerie 1879*, h/t (104x148) : **GBP 3 300**.

CORTÉS Y BAU José
Né à Valence. xixe siècle. Espagnol.
Peintre d'histoire.

CORTÉS CASTANEDA Raul
Né en 1953 à Rivera. xxe siècle. Actif aussi en France. Colombien.
Sculpteur de bustes, figures.
Issu d'une famille de seize enfants, Raul Cortès, jeune autodidacte, s'initie lui-même à la sculpture en modelant des personnages et des animaux dans de la terre ou taillant les noyaux des fruits. Il quitte sa famille pour suivre des cours de dessin, de céramique et de modelage, il a seize ans. En 1970-1972, il est professeur de ces disciplines à l'Institut colombien du bien-être familial, organisation d'aide aux enfants victimes de la misère. C'est à Bogota qu'il poursuit sa formation tant théorique que pratique, abordant différentes matières (pierre, bois, bronze, résine...) et techniques d'expression comme la gravure. En 1987, il réalise un buste de Bolivar pour l'Assemblée Nationale à Bogota. En 1989, il suit les cours de gravure de l'Atelier 17 de S. W. Hayter et ceux de l'École Nationale des Beaux-Arts à Paris. Il participe à des expositions collectives, parmi lesquelles : 1978, Institut Andres Bello, Bogota, 1978 ; 1980, 1988, galerie Santa Fe,

Bogota, y obtenant une mention spéciale en 1980 ; 1990, Espace latino-américain, Paris ; 1991, Salon Figuration Critique, Paris. Plusieurs expositions individuelles depuis celle de 1970 à l'Hôtel de Ville de Florencia, en 1977 à la FAGA (Foire d'Art) au Vénézuela ; en France, à Saint-Malo, Rennes, ainsi qu'à Paris en 1992. La relation à la matière – pierre, terre, marbre – est essentielle chez Raul Cortès, elle détermine ses modalités d'expression plastique. Sculptant dans la pierre, il taille et cisaille ici une figure ou un élément du corps humain, là une double tête que l'on pourrait croire incrustée, des animaux, et moule des figures de plus grande taille. Ces dernières, d'un caractère plus expressionniste et moins intimiste, combinent aux formes modelées des signes graphiques soignés. Son univers est imprégné de la culture mythologique. ■ C. D.

CORTÉS Y CORDERO Eduardo
Né à Séville. XIXe siècle. Espagnol.
Peintre de genre.
Élève des Andrés Cortès. Il exposa à Paris en 1870, à Madrid, à Séville, à Philadelphie et à Cadix.

CORTES Y ECHANOVE Francisco Javier
Né le 10 avril 1890 à Burgos. XXe siècle. Espagnol.
Peintre de compositions religieuses, portraits, paysages, natures mortes.
Il commença, très jeune, par étudier l'architecture à Madrid, puis y passa à l'École des Beaux-Arts. Il y fut l'élève de Manuel Benedito-Vives. Bénéficiant d'une pension de la ville de Burgos de 1910 à 1913, il vint parfaire ses connaissances à Paris et Londres. Ensuite, il résida pendant trois ans au Mexique. Il a exposé souvent à Madrid, notamment au Cercle des Beaux-Arts qui lui attribua une pension, et à l'Exposition Nationale des Beaux-Arts dont il obtint une mention honorable dès 1910, une troisième médaille en 1912. Il a exposé aussi à Londres en 1926, aux États-Unis, à Mexico.
BIBLIOGR. : In : *Cent ans de peint. en Espagne et au Portugal, 1830-1930*, Antiquaria, Madrid, 1988.

CORTESE. Voir aussi au prénom

CORTESE Ascanio
XVIIe siècle. Actif à Rome au début du XVIIe siècle. Italien.
Peintre de miniatures.

CORTESE Cristoforo. Voir CRISTOFORO de Cortesi

CORTESE Edoardo
Né en 1856 à Naples. Mort en 1918. XIXe-XXe siècles. Italien.
Peintre de paysages.
Eut le bonheur d'être bien accueilli du public dès ses premiers essais. Voyagea beaucoup. On lui doit des paysages de France, d'Allemagne, etc.
VENTES PUBLIQUES : LONDRES, 2 oct. 1992 : *La côte d'Amalfi*, h/t (62,5x104,5) : GBP 2 750 – ROME, 6 déc. 1994 : *Maison à colonnes (Sarno)*, h/pan. (32x22,5) : ITL 1 768 000.

CORTESE Federigo ou Federico
Né en 1829 à Naples. Mort en 1913. XIXe-XXe siècles. Italien.
Peintre de paysages animés, paysages.
Étudia à Naples, puis à Rome.
Il a exposé : *Un bois de Capodimonte*, Milan (1871) : *Un paysage*, Naples (1877) : *Saint-Archange de Cava, Crépuscule, A la fontaine*. À Venise en 1881 : *Rives d'Amalfi*. Enfin : *La Marne près de Paris, Solitude, Champigny – Lisière du bois, Calme, Pêche, Village, Posillipo*, figurèrent à Paris, à Rome, à Turin, à Venise et dans d'autres expositions. Mention honorable à l'Exposition Universelle de 1900 à Paris.
MUSÉES : FLORENCE (Mus. d'Art Mod.) : Deux toiles – PRATO : *Vue de la campagne romaine*.
VENTES PUBLIQUES : ROME, 1er juin 1983 : *Troupeau au pâturage*, h/t (25x55) : ITL 3 200 000 – MILAN, 7 nov. 1985 : *Lavandières au bord du torrent*, h/t (30x41) : ITL 2 200 000 – ROME, 4 déc. 1990 : *Les marais Pontins*, h/t (27x55) : ITL 2 600 000 – ROME, 16 avr. 1991 : *Lavandières près des écueils*, h/t (27x55) : ITL 6 325 000 – ROME, 9 juin 1992 : *Paysage*, h/t (51x69) : ITL 2 400 000 – ROME, 29-30 nov. 1993 : *Halte à Paestum 1888*, h/t (64x96) : ITL 8 839 000 – MILAN, 20 déc. 1994 : *Petit bois dans la région d'Albano 1865*, h/t (90x69,5) : ITL 6 900 000.

CORTESE Guglielmo, dit il Borgognone. Voir COURTOIS Guillaume

CORTESI, de. Voir aussi au prénom

CORTESI Jacopo, dit Baella
Né à Pontremoli. XVIIe siècle. Italien.

Peintre et sculpteur.
Cet artiste qui fit des études de sculptures à Carrare, s'établit bientôt à Rome, où il pratiqua seulement la peinture. Il mourut jeune.

CORTESI Pietro
Né à Carrare. XVIIIe siècle. Travaillant entre 1743 et 1780. Italien.
Sculpteur.
Il travailla en 1743 et 1744 pour l'église San Francesco à Pietrasanta.

CORTESI Stefano
Mort en 1592 à Venise. XVIe siècle. Italien.
Sculpteur.

CORTESIUS di Cortesio
XVe siècle. Actif à Capodistria en 1494. Italien.
Peintre.

CORTET Louis
Né à Gien-sur-Cure (Nièvre). XXe siècle. Français.
Peintre.
Exposant au Salon des Artistes Français à Paris.

CORTET Roger
XXe siècle. Français.
Peintre.
Exposant du Salon de la Société Nationale des Beaux-Arts à Paris.

CORTHOYS Anthony, l'Ancien ou Corthois, Corteus
XVIe siècle. Actif à Augsbourg. Allemand.
Peintre et éditeur.
Cet artiste vécut également à Francfort-sur-le-Main et à Heidelberg où, semble-t-il, il mourut. Il fut le père d'Anthony Corthoys le jeune.

CORTHOYS Anthony, le Jeune ou Kortois, Curthois
Né à Augsbourg. XVIe-XVIIe siècles. Allemand.
Peintre et éditeur.
Cet artiste vécut, semble-t-il, à Augsbourg, à Heidelberg et à Francfort-sur-le-Main où il fut reçu bourgeois de la ville en 1569 et mourut peut-être en 1590. Il fut le père de Conrad Corthoys.

CORTHOYS Conrad
Né vers 1564 sans doute à Worms. XVIe siècle. Allemand.
Graveur sur bois.
Il était le fils d'Anthony Corthoys le jeune et vécut longtemps à Francfort-sur-le-Main. Il laissa un grand nombre de planches dont la plupart illustrent des événements d'actualité. Il était aussi éditeur.

CORTI Camillo
D'origine lombarde. XIXe siècle. Italien.
Peintre de genre.
VENTES PUBLIQUES : ROME, 6 juin 1984 : *Le rendez-vous*, h/pan. (33x25) : ITL 850 000.

CORTI Cesare
Né en 1550. Mort en 1613. XVIe-XVIIe siècles. Actif à Gênes. Italien.
Peintre d'histoire.
Fils de Valério Corti et élève de L. Cambiaso. Corti mourut en prison.

CORTI Constantino
Né en 1824 à Bellune. Mort en 1873 à Milan. XIXe siècle. Italien.
Sculpteur.
Cet artiste exposa à Milan, à Florence, à Paris et à Londres. On cite de lui : *Lucifer* et le *Tombeau de l'astronome Piazzi*.

CORTI David
Mort en 1657, de la peste. XVIIe siècle. Italien.
Peintre d'histoire.
Fils de Cesare Corti.

CORTI Giuseppe
XVIIe siècle. Travaillant à Côme en 1629. Italien.
Sculpteur sur bois.

CORTI Nicolo ou Niccolo ou Cort, Corte, Curte, Curti, da Corte
Né vers 1500 à Corte (près de Pregassano, Lugano). Mort vers 1550 à Grenade. XVIe siècle. Suisse.
Sculpteur, peintre et architecte.
Corti travailla probablement en collaboration avec d'autres

sculpteurs tels que Busti, Lombardi, à la décoration de la façade de San Lorenzo, à Lugano. A Gênes, où il vint s'établir, il exécuta nombre de travaux pour des églises (notamment pour une chapelle à San Giovanni-Battista), au palais Doria et au Palais Solvago. Il collabora aussi avec della Porta pour le monument funéraire de l'évêque de Girgenti, Giuliano Cibo, et fit des ornements sur des statues de cet artiste à la cathédrale de Gênes. Vers 1537, il se rendit à Grenade et travailla pour Charles V au palais de l'Alhambra, où il sculpta la *Victoire*, l'*Abondance*.

CORTI Paola
XXe siècle. Italienne.
Peintre. Postcubiste.
Elle travaille à Florence. Elle participe à des expositions collectives dans les provinces italiennes et fait des expositions personnelles depuis 1963, à Florence, Rome, Venise, Bruxelles en 1968, Paris en 1969, etc.
Elle fait une peinture à intention décorative, dont le dessin est morcelé en facettes dans la tradition postcubiste.

CORTI Valerio
Né en 1530 à Venise. Mort en 1580 à Gênes. XVIe siècle. Italien.
Peintre d'histoire et de portraits.
Élève de Titien. *Voir aussi CORTE Valerio.*
VENTES PUBLIQUES : PARIS, 1858 : *Le Christ portant sa Croix*, dess. : FRF 5.

CORTICCHIATO Marcel
Né le 10 octobre 1931 à Ajaccio (Corse). XXe siècle. Français.
Peintre, sculpteur. Postcubiste.
Il a exercé une activité d'enseignement au Lycée Fesch et à l'École Normale d'Ajaccio, ainsi qu'à la Faculté de Nice. Il expose surtout dans des localités des côtes méditerranéennes françaises.
De son style, Raymond Charmet a écrit que « le sujet s'efface dans des rythmes de tons chauds et vifs, qui conduisent progressivement aux jeux de l'abstraction pure. »

CORTIER Amédée
Né en 1921 à Gand. Mort en 1976. XXe siècle. Belge.
Peintre de compositions murales, sérigraphe. Expressionniste, puis abstrait-géométrique, puis minimaliste.
Il fut élève de l'Académie des Beaux-Arts de Gand. Il participe à des expositions collectives en Belgique et y montre des expositions personnelles, notamment celle de Liège en 1991, correspondant à un moment crucial dans son œuvre.
Son parcours est cohérent dans la mesure où il est issu de la grande liberté expressionniste et progressivement évolue dans le sens de la rigueur, jusqu'à aboutir au radicalisme minimaliste. Depuis 1960, il s'interrogeait et expérimentait sur l'efficacité des champs chromatiques. Les figures géométriques de la période précédente se sont réduites peu à peu à des bandes colorées rigoureuses, partageant la surface de la toile en vastes champs de couleurs fortement contrastés, renforçant réciproquement leur autonomie d'éléments primaires.
BIBLIOGR. : In : *Diction. biogr. illustré des artistes en Belgique depuis 1830*, Arto, Bruxelles, 1987.
VENTES PUBLIQUES : ANVERS, 27 oct. 1981 : *Abstraction*, h/t (90x70) : BEF 15 000 – LOKEREN, 10 déc. 1994 : *Composition*, h/pap. (65x50) : BEF 44 000.

CORTIJO
XXe siècle. Actif à Séville. Espagnol.
Peintre.
Représentant principal, en Espagne, du réalisme social.

CORTINA Angelo Aldo
Né en 1921 à Trichiana. XXe siècle. Italien.
Peintre de paysages.
Il fut élève de l'Académie de la Bréra à Milan. Il expose depuis 1955 en Italie, surtout à Milan.
Son art est traditionnel et plaisant. Il esquisse l'atmosphère d'un paysage en traits sensibles et en couleurs douces.

CORTINA Daniel
Né à Valence. XIXe siècle. Espagnol.
Peintre sujets religieux, scènes de genre, portraits.
Il exposa à partir de 1855 à Madrid, à Valence, à Alcoy.

CORTINA Manuel
XIXe siècle. Actif à Madrid. Espagnol.
Peintre.
On doit à cet artiste un portrait de la reine Isabelle II.

CORTINA Y FARINOS Antonio
Né le 17 janvier 1841 à Almacera. Mort le 6 novembre 1891 à Madrid. XIXe siècle. Espagnol.
Peintre et sculpteur.
Élève du sculpteur Antonio Marzo y Pardo.

CORTINA Y ROPERTO Ibo de La. Voir LA CORTINA

CORTISSOS J.
D'origine anglaise. XIXe siècle. Travaillait à Hambourg, au début du XIXe siècle. Allemand.
Graveur.

CORTONA Giovanni Antonio da. Voir GIOVANNI ANTONIO da Cortona

CORTONA Pietro da. Voir PIETRO da Cortona

CORTOT Jean
Né le 14 février 1925 à Alexandrie (Égypte). XXe siècle. Français.
Peintre, graveur, illustrateur, peintre de décorations murales.
Il fut élève d'Othon Friesz à l'Académie de la Grande Chaumière à partir de 1942, où il fut un des co-fondateurs, avec entre autres Busse, Calmettes, Patrix, du groupe de *L'Échelle*, qui exposa à Paris en 1943, 1946, 1947, 1948. De 1943 à 1957, il a aussi participé aux Salons annuels parisiens : des Tuileries, Moins de Trente Ans, des Artistes Indépendants, des Jeunes Peintres, d'Automne, et continue à participer régulièrement aux Salons de Mai et des Réalités Nouvelles. Depuis 1943, il participe à d'autres très nombreuses expositions collectives, d'entre celles du début : 1952 Édimbourg *New Painters of the Ecole of Paris*, 1955 Rome Galerie Nationale d'Art Moderne *Giovanni Pittori*, et Turin *Pittori d'Oggi Francia-Italia*, 1956 Musée de Grenoble *Dix ans de Peinture Française*, 1957 Otterlo Musée Kröller-Müller puis Paris Musée National d'Art Moderne *La Collection Urvater*, d'autres au Danemark, en Suisse, Israël, Japon, États-Unis, Angleterre, Maroc, Belgique, Pologne, etc., et 1975 Bruxelles *Les Portes de Toile de Jean Tardieu*, 1977 Paris Centre Pompidou *Autour d'André Frénaud*, 1980 Marseille Musée Cantini *Acquisitions Récentes*, Paris Galerie Jacques Massol *Comme à la fin des années 50*, 1985 Paris Grand-Palais *Signes, Écritures dans l'Art Actuel...* En 1948 lui fut attribué le Prix de la Jeune Peinture, en 1954 le Prix de l'Union Méditerranéenne pour l'Art Moderne à la Biennale de Menton. Il a été fait chevalier, puis officier des Arts et Lettres.
Depuis 1949, il montre des ensembles de peintures et autres travaux dans des expositions personnelles nombreuses, d'entre lesquelles : 1951, 1954 Lausanne Galerie Valloton ; 1958, 1959, 1960, 1962, 1963, 1969, 1973 Paris Galerie Jacques Massol ; 1961 Copenhague et Tokyo ; 1965, 1988 Paris Galerie Adrien Maeght ; 1981 Paris Galerie Lucien Durand *Anthologie Jean Tardieu*, reprise en 1982 au Centre Pompidou ; 1984 Paris Maison de la Poésie *Tableaux-poèmes, Poèmes épars, Livres peints* ; 1989 Casablanca École des Beaux-Arts et Marrakech Centre Culturel Français *Les paroles de la main* ; 1989 Paris Maison des Écrivains *Tableaux dédiés* ; 1990 Paris Bibliothèque Nationale ; 1991 livres et peintures à la Bibliothèque Wittockiana de Bruxelles, et à l'Espace Croix-Baragnon de Toulouse ; 1995 livres et peintures, galerie Nicaise de Paris ; 1996 *L'Écriture est un dessin*, Centre d'Art Contemporain de Saumur ; 1997 *L'Écriture est un dessin*, Centre Culturel de Saint-Yrieix-la-Perche,...
De 1951 à 1956, huit tapisseries furent tissées à Aubusson sur ses cartons, en 1988 deux tapis. Il a exécuté quelques travaux graphiques, notamment des « télécartes » et « tableaux-téléphones », les affiches et programmes des Chorégies d'Orange 1989, 1990, 1991. Depuis 1968, il a réalisé plusieurs décorations murales, à Toulouse, Bordeaux, Libourne, Paris, etc., souvent en émail sur tôle d'acier, et en 1989, avec Jean Clerté et Daniel Humair, une peinture murale pour le C.E.S. Georges Brassens de Taverny (Val-d'Oise). Il a illustré de nombreux ouvrages littéraires, parmi lesquels en 1965 *La charge du roi* de Jean Giono ou en 1989 *Ouest-Est* de Michel Déon, mais surtout, entièrement écrit et peint manuellement, illustré en exemplaires uniques ou en peu d'unités, des œuvres poétiques de Jean Tardieu, André Frénaud ou Louise Labé et autres.
Après l'inévitable diversité des premières peintures de jeunesse, on peut établir la chronologie des thèmes qui constituent l'œuvre de Jean Cortot : De 1947 à 1950, série à partir du chantier naval de La Ciotat, où le rouge du minium et le bleu du ciel se

heurtent dans l'imbrication des grues et charpentes métalliques. De 1951 à 1953, paysages de l'Ardèche, où l'on peut noter encore l'écho du graphisme de Francis Grüber. 1955-1956, des natures mortes, dont on peut dire la technique et l'écriture « quadrillées », par l'entrecroisement de glacis superposés, un peu à la façon des tissages écossais. 1956, une série de portraits, dans une technique pointilliste de couleurs pures. 1957, variations sur *La table du peintre*. En 1957-1958, la série des *Villes*, métropoles modernes, bien loin de tout pittoresque, entassements de façades striées de baies muettes, marque un moment particulier dans son œuvre du fait que la formulation rythmique de ces *Villes* l'a ammené définitivement à l'abstraction, dans la mesure où par abstraction on peut entendre : abstraire à partir de quelque chose d'autre. 1960-1961, la série sans doute inspirée de paysages marins, mais dont n'auraient plus été retenus que les seuls reflets. 1962, la série intitulée *Antiques*, constituée d'ensembles de signes plastiques dérivés de petits objets d'archéologie, tels qu'on en voit dans les vitrines des musées spécialisés ou du cabinet de l'amateur. A partir de 1963 commença la longue série des *Combats*, inextricables mêlées de schématiques guerriers hérissés de piques et de tranchants divers, combinaisons inépuisables de signes graphiques, oublieux de leur vocation guerrière à l'avantage de l'élégance graphologique du geste. Très logiquement, ces séries, progressivement plus détachées de leur thème iconique initial, se poursuivirent dans la série des *Écritures*, dont le matériau pictural, qui les constitue d'abord, peut évoquer, sans intention d'imitation, tantôt les murs privilégiés de graffitis, tantôt les parchemins d'ancienne culture, tandis que les signes tracés peuvent jouer les calligraphies orientales ou celui, plus sobre, des messages dans une bouteille à jamais indéchiffrables. La série des *Écritures* s'est développée durablement, définie par André Frénaud en tant que « Portes bleues » ou par Jean Tardieu « Écrit sur l'eau et le ciel », à peine interrompue par des *Lumières* et des *Fusions*, sortes de macro-représentation de signes ou parties de signes graphiques. A partir de 1974, les écritures devinrent lisibles, avec les séries des *Tableaux-poèmes* et des *Poèmes épars*, qui interrogent et célèbrent des textes de Blake, Frénaud, Tardieu, Saint-John-Perse, Jouve, Louise Labbé, Rimbaud, Mallarmé, Valéry et d'autres.

Depuis la série des *Villes* de 1957, si ce n'est de plus avant encore, et dans la suite des séries qui constituent dans leur diversité thématique la continuité de son œuvre, qu'il s'y agisse d'édifices non situés, de combattants improbables, de graffitis a-sémiques, d'onomagrammes à clefs perdues, de poésies en tous sens éclatées, ces thèmes ne sont que les alibis à partir desquels Jean Cortot prodigue une exceptionnelle invention graphique, qui concilie une foncière et inviolable réserve et cette fécondité des langages plastiques qu'il invente à mesure et qui « laissent parfois sortir de confuses paroles. » ■ Jacques Busse

Bibliogr. : René Huyghe : *Les Contemporains*, Tisné, Paris, 1949 – Bernard Dorival : *La peinture française au XXᵉ siècle*, Tisné, Paris, 1958 – Jean-Clarence Lambert : *La peinture abstraite*, Rencontre, Lausanne, 1967 – Guy Marester : *Les Écritures de Jean Cortot*, XXᵉ Siècle Nᵒ 32, Paris, 1969 – Jean Tardieu : *Obscurité du jour*, Les sentiers de la création, Skira, Genève, 1974 – André Frénaud : *Les portes bleues*, Esprit, Paris, 1981 – Gérard Xuriguera : *Les années 50*, Arted, Paris, 1985 – Severo Sarduy, et divers : *Jean Cortot*, Maeght, Paris, 1992 – Pierre Cabanne : *Jean Cortot*, L'Œil, Nᵒ455, Paris, oct. 1993 – Jean Cortot : *Dialogue avec Jorge Semprun*, B.L. Édit., Saumur, 1996.

Musées : ALÈS (Mus. P. A. Benoit) – BRUXELLES (Bibl. Wittockiana) – HARVARD (Bibl. de l'Université) – MARSEILLE (Mus. Cantini) : *deux Écritures* – MIAMI (Ruth and Marvin Sackner Archive of Concrete and Visual Poetry) – MULHOUSE (Bibl. mun.) – NEW YORK (Mus. of Mod. Art) – PARIS (Mus. Nat. d'Art Mod.) : *Port de La Ciotat* – PARIS (Mus. mun. d'Art Mod.) – PARIS (BN) – TOULON (Mus. des Beaux-Arts) : *Paysage des Baux*.

Ventes Publiques : PARIS, 8 sep. 1967 : *Vue de Cassis*, h/t : **FRF 1 230** – PARIS, 24 avr. 1983 : *La table du peintre III*, h/t (89x130) : **FRF 3 000** – PARIS, 14 oct. 1984 : *Combat Nᵒ 9* 1963, h/t (89x115) : **FRF 5 000** – PARIS, 12 juin 1986 : *Composition* 1960, h/t (100x100) : **FRF 4 000** – PARIS, 20 mars 1988 : *Écritures* 1977, h/t (146x97) : **FRF 9 000** – PARIS, 20 mai 1989 : *Énorme figure de la Déesse Raison II* 1989, techn. mixte/pap. (76x56) : **FRF 10 000** – PARIS, 8 oct. 1989 : *Louise Labé Lyonnaise* 1980, h/pap. (57x77) : **FRF 7 000** – PARIS, 14 mars 1990 : *Falaise de Gordes* 1959, aquar. (63,5x48) : **FRF 5 200** – PARIS, 21 mai 1990 : *Les Chaux de la Tour* 1958, aquar. (66x50) : **FRF 4 300** – DOUAI, 11 nov. 1990 : *Paysage*

1962, h/t (50x73) : **FRF 15 800** – PARIS, 29 avr. 1991 : *Le port* 1947, h/pan. (22x33) : **FRF 5 000**.

CORTOT Jean Pierre
Né en 1787 à Paris. Mort en 1843 à Paris. XIXᵉ siècle. Français.
Sculpteur de statues, monuments.

Il fut élève de l'École des Beaux-Arts et obtint le prix de Rome en 1809.

Son talent froid et correct répondait si bien à la conception de son époque, qu'il fut chargé de la décoration d'une des salles de l'Académie de France, à Rome. Il n'eut pas moins de succès à son retour à Paris et fut successivement nommé professeur à l'École des Beaux-Arts, puis, en 1825, membre de l'Institut. Il fut chargé de terminer différents travaux laissés inachevés par Dupaty, notamment la statue de Louis XIII et le monument du duc de Berry. Il avait été chargé de l'exécution des statues du monument qui devait être élevé en l'honneur de Louis XVI : *statues du roi*, de la *Justice*, de la *Pitié*, de la *Modération* et de la *Bienfaisance* ; la Révolution de 1830 ne permit pas l'achèvement de ce projet. Toutefois, il sculpta une effigie de Marie-Antoinette, aujourd'hui à la chapelle expiatoire. On cite parmi les œuvres marquantes de ce sculpteur la statue du *Maréchal Lannes*, qu'il exécuta pour la ville de Lectoure ; le *Soldat de Marathon annonçant la victoire* et, à l'arc de triomphe de l'Étoile, en 1833, le groupe colossal de l'*Apothéose de Napoléon* qui fait si froide figure à côté de son pendant : le magistral *Appel aux armes* de Rude. On doit aussi à Cortot le fronton de la Chambre des Députés, 1842.

Musées : ANGERS : *Narcisse* – BORDEAUX : *Le sculpteur Dupaty* – *Même sujet* – LYON : *Pandore* – ROUEN : *Pierre Corneille* – SEMUR-EN-AUXOIS : *Le soldat de Marathon* – VERSAILLES : *Louis XVI* – *Louis XV* – *Guébriant*.

Ventes Publiques : NEW YORK, 13 déc. 1983 : *Le soldat de Marathon annonçant la victoire*, bronze patiné (H. 66, Long. 71) : **USD 1 200**.

CORTY Giovanni Battista
Né en 1907. Mort en 1946. XXᵉ siècle. Suisse.
Peintre de genre.

Il fut peintre des scènes de la vie quotidienne du Tessin.

Ventes Publiques : ZURICH, 20 mai 1977 : *Femme conversant le soir, dans la rue du village* 1945, h/cart. (48x40) : **CHF 3 300** – LUCERNE, 20 nov. 1993 : *Fidèles se dirigeant vers l'église* 1945, h/t (50x70) : **CHF 9 500**.

CORTZ Marcus ou Corsen
Né à Hambourg. XVIIᵉ siècle. Vivait à Amsterdam à la fin du XVIIᵉ siècle. Hollandais.
Peintre.

Cet artiste fut également, semble-t-il, marchand de tableaux.

CORUCCI Giovanni
XVIIIᵉ siècle. Actif à Pise vers 1791. Italien.
Peintre.

CORUS Balthasar
XVIIᵉ siècle. Actif à Augsbourg en 1610. Allemand.
Peintre.

CORUYOUX Jean
XVIᵉ siècle. Actif à Troyes vers 1519. Français.
Peintre verrier.

Il peignit pour l'église Saint-Jean à Troyes, une partie d'un vitrail, représentant l'arche de Noé.

CORVELA Guilliam
Né à Anvers. XVIIᵉ siècle. Hollandais.
Peintre.

Vivait à Amsterdam en 1662.

CORVER Cornelis
XVIIᵉ siècle. Actif à Amsterdam vers 1674. Hollandais.
Peintre.

CORVER M.
XVIIIᵉ siècle. Actif vers 1750. Hollandais.
Graveur.

Le Cabinet des Estampes d'Amsterdam possède plusieurs planches de cet artiste.

CORVI Domenico
Né en 1721 à Viterbo. Mort en 1803 à Rome. XVIIIᵉ siècle. Italien.

Peintre d'histoire, compositions religieuses, sujets allégoriques, portraits, dessinateur.

Mancini forma le talent de ce peintre dont on cite seulement *La famille de Priam près du corps d'Hector*. Corvi fut nommé professeur de peinture à Rome et eut parmi ses élèves les peintres Cades et Camuccini.

Ce fut un artiste classique qui essaya cependant de retrouver les profondes oppositions de couleurs du Caravage.

Musées : FLORENCE (Mus. des Offices) : *Autoportrait*.

Ventes Publiques : MILAN, 24 nov. 1965 : *La Sainte Famille* : **ITL 1 800 000** – MILAN, 10 mai 1966 : *Le Père Éternel* : **ITL 450 000** – NEW YORK, 26 avr. 1967 : *La Présentation au Temple* : **USD 425** – LONDRES, 25 juin 1971 : *Allégories*, deux toiles : **GNS 3 000** – ROME, 3 avr. 1984 : *Portrait d'un ecclésiastique*, h/t (100x73) : **ITL 3 800 000** – MILAN, 26 nov. 1985 : *Autoportrait au chevalet*, h/t (76x62) : **ITL 9 000 000** – VENISE, 29 nov. 1987 : *Le Poète et la Muse*, h/t (127x101) : **ITL 17 000 000** – NEW YORK, 8 jan. 1991 : *Nu masculin debout vue de derrière et tenant une canne dans la main droite*, sanguine avec reh. de blanc/pap. beige (54,7x38,8) : **USD 2 750** – LUGANO, 1er déc. 1992 : *Moïse sauvé des eaux* ; *Le sacrifice d'Abraham*, h/t, une paire (79x54,2) : **CHF 45 000** – STOCKHOLM, 30 nov. 1993 : *Autoportrait*, h/t (90x66) : **SEK 325 000**.

CORVINA Maddalena

XVIIe siècle. Travaillant à Rome en 1630. Italienne.

Miniaturiste.

Plusieurs ouvrages de cette artiste se trouvent dans un album de dessins et de gravures, conservé à Rome, dans la bibliothèque Albani.

Ventes Publiques : LONDRES, 29 mars 1935 : *Le pape Urbain VIII célébrant la Messe*, dess. sur vélin : **GBP 11**.

CORVINI Giovanni

Né en 1820 à Milan. Mort en 1894 à Parabiago. XIXe siècle. Italien.

Peintre de paysages animés.

Actif à Milan vers 1870.

Musées : MILAN (Brera) – MILAN (Mus. mun.).

Ventes Publiques : MILAN, 21 déc. 1993 : *Paysanne à la lisière d'un bois 1872*, h/t (84,5x64) : **ITL 5 750 000**.

CORVINUS Christina Rosina

XVIIIe siècle. Active à Augsbourg. Allemande.

Graveur.

Elle était la fille de Johann August Corvinus et épousa le portraitiste Gabriel Spitzel.

CORVINUS Johann August

Né en 1683 à Leipzig. Mort en 1738 à Augsbourg. XVIIIe siècle. Allemand.

Peintre et graveur.

Il grava surtout des vues de monuments et des plans de villes.

CORVO Tommaso

Né à Spello. XVIe siècle. Vivait à Sienne en 1506. Italien.

Peintre.

CORVOISI Nicolas Robert

Mort le 5 octobre 1766 à Paris. XVIIIe siècle. Français.

Peintre.

CORVUS Augustinus

XVIe siècle. Allemand.

Peintre.

Le Musée Kaiser Friedrich, à Berlin possède une *Vierge* signée de ce nom.

CORVUS Hans

Né sans doute vers 1490. XVIe siècle. Vivait à Bruges en 1512. Éc. flamande.

Peintre de portraits.

Cet artiste d'origine flamande émigra en Angleterre vers 1528 et y peignit les portraits des membres de la plus haute noblesse de son temps. Sa vie nous est très mal connue. Il était aussi nommé à Bruges Jan Raf.

Musées : LONDRES (Nat. portrait Gal.) : *Marie Tudor – Henry Grey, duc de Suffolk*.

CORWAINE Aaron H.

Né en 1802 au Kentucky. Mort en 1830 à Philadelphie (Pennsylvanie). XIXe siècle. Américain.

Peintre.

CORWIN Charles Abel

Né en 1857 à Newburgh (New York). Mort en 1938. XIXe-XXe siècles. Américain.

Peintre de paysages animés, paysages, graveur.

Il fit ses études picturales en Allemagne. Il exécuta quelques gravures.

Ventes Publiques : CHICAGO, 4 juin 1981 : *Cowboys pausing to water the horses*, h/pan. (20,3x40,5) : **USD 2 100** – NEW YORK, 23 sep. 1993 : *Dans le port de Gloucester*, h/t (61x91,4) : **USD 7 475**.

CORY Fanny Young Cooney

Née en 1877 à Waukegan (Illinois). XXe siècle. Américaine.

Illustrateur.

CORY Sarah Morris

Morte en 1915 à New York. XXe siècle. Américaine.

Illustrateur.

CORZAS Francisco

Né en 1936 à Mexico. Mort en 1983 à Mexico. XXe siècle. Mexicain.

Peintre de figures.

Il fut très jeune élève de l'École d'Art *La Esmeralda*, où enseignaient alors certains des plus importants peintres mexicains : Maria Izquierdo, Juan Soriano, Carlos Orozco Romero, Agustin Lazo. En 1955, il voyagea en Italie, où il survécut misérablement, avant de recevoir la médaille d'argent de la Foire Internationale d'Art de la Via Margutta en 1960. De retour à Mexico, des galeries lui organisèrent des expositions personnelles. Malheureusement, il succomba à une pneumonie en 1983.

Bibliogr. : Université Autonome Mexicaine : *Corzas*, Mexico, 1985.

Ventes Publiques : NEW YORK, 7 nov. 1980 : *Le cri*, acryl. et encre/pap. (75x105,5) : **USD 4 900** – NEW YORK, 13 mai 1983 : *Figures 1966*, aquar. (24,8x33,7) : **USD 1 000** – NEW YORK, 29 nov. 1984 : *Les visites du peintre 1967*, aquar. et pl. (56x75) : **USD 3 000** – NEW YORK, 29 mai 1985 : *Peintre et modèle 1966*, aquar. (29x32) : **USD 3 250** – NEW YORK, 26 nov. 1986 : *Jeune homme au béret 1970*, h/t (60,3x50,2) : **USD 3 250** – NEW YORK, 19 nov. 1987 : *Torero vers 1973*, h/t (101,6x76,2) : **USD 5 000** – NEW YORK, 21 nov. 1988 : *Sans titre 1967*, h/t (128,8x168,6) : **USD 37 400** – NEW YORK, 17 mai 1989 : *Sans titre 1976*, h/t (121x171) : **USD 49 500** – NEW YORK, 21 nov. 1989 : *Peintre et modèle 1972*, h/t (200x164) : **USD 71 500** – NEW YORK, 2 mai 1990 : *Personnage 1967*, h/t (90x70) : **USD 31 900** – NEW YORK, 20-21 nov. 1990 : *Chevalier florentin 1972*, h/t (194,5x250) : **USD 104 500** – NEW YORK, 15-16 mai 1991 : *Les mendiants 1963*, h/t (124,5x150) : **USD 35 200** – NEW YORK, 20 nov. 1991 : *Figures 1969*, h/t (145,5x120,3) : **USD 41 800** – NEW YORK, 18-19 mai 1992 : *Le pélerin 1970*, h/t (168,5x129,5) : **USD 77 000** – NEW YORK, 19-20 mai 1992 : *Sans titre 1972*, h/t (205,1x179,1) : **USD 121 000** – NEW YORK, 24 nov. 1992 : *Le bourgeois 1979*, h/t (119,7x100,4) : **USD 55 000** – NEW YORK, 18 mai 1993 : *Obstination 1978*, h/t (90,2x75) : **USD 57 500** – NEW YORK, 23-24 nov. 1993 : *Le peintre et son modèle 1964*, aquar. et encre/pap. (27,3x34,3) : **USD 2 990** – NEW YORK, 16 nov. 1994 : *Fleur du mal 1966*, h/t (125,5x100) : **USD 96 000** – NEW YORK, 20 nov. 1995 : *Portrait d'homme (personnage # 2) 1978*, h/t (128x100) : **USD 63 000**.

COSA Diego de

XVIIIe siècle. Espagnol.

Graveur.

COSACK Carolus Gustavus

Né à Bovendijk. XVIe-XVIIe siècles. Hollandais.

Peintre.

Il fut, en 1710, reçu bourgeois d'Amsterdam.

COSATTI Giovanni Battista di Pietro

XVIIe siècle. Actif à Sienne vers 1649. Italien.

Peintre.

COSATTI Lelio

Né à Sienne. XVIIIe siècle. Italien.

Dessinateur et amateur d'art.

Cet artiste exécuta des dessins en vue de quelques planches qu'il fit graver.

COSATTINI Giovanni Giuseppe

Né peut-être à Udine. Mort vers 1699 à Aquilée. XVIIe siècle. Italien.

Peintre et dessinateur.

Cet artiste était chanoine et n'exécuta que des œuvres d'inspiration religieuse.

COSCENZA Giovanni

XVIIIe siècle. Actif à Naples en 1760. Italien.

Peintre.

COSCHELL Moritz
Né le 18 septembre 1875 à Vienne. XIXᵉ-XXᵉ siècles. Autrichien.
Peintre de portraits, paysages, intérieurs.
Il fut l'élève de Franz Rumpler à Vienne. Il s'établit à Berlin en 1899.

COSCI. Voir **BALDUCCI Giovanni**

COSCIA Domenico
Mort le 16 décembre 1728 à Naples. XVIIIᵉ siècle. Italien.
Peintre.
Il fut l'élève de Luca Giordano et peignit de nombreuses décorations.

COSCIA Francesco di Lorenzo del
XVIᵉ siècle. Actif à Florence en 1576. Italien.
Peintre.

COSCIA Giulio
XVIIIᵉ siècle. Actif à Rome vers 1700. Italien.
Sculpteur.

COSEDA Jéronimo
XVIᵉ siècle. Actif à Valladolid. Espagnol.
Peintre.
Peut-être le même que le peintre du même nom cité à Saragosse au commencement du XVIIᵉ siècle.

COSENTINO Nadine
Née en 1947 à Banyuls-sur-Mer (Pyrénées-Orientales). XXᵉ siècle. Française.
Peintre, dessinateur, illustrateur. Abstrait.
Elle passe sa jeunesse en Catalogne française. Après un périple à Nantes, puis à Agen, depuis 1976 elle vit et travaille en Seine-et-Marne, mariée avec Jean-Marc Éhanno. Bibliothécaire de formation, elle reprend des études en Arts Plastiques, dont elle obtient la licence en 1980. Ensuite, elle se consacre à la peinture. Depuis 1987, elle participe au Salon des Réalités Nouvelles. Sa première exposition personnelle eut lieu à Paris en 1986, à la galerie La Galerie, suivie d'autres : 1989 Paris, galerie Muscade ; 1990 Melun, Espace Saint-Jean ; 1991 Paris, galerie Chécura-Forestier, et Strasbourg, Galerie J. ; 1994 Le Mée-sur-Seine, Musée Chapu ;... En 1991, elle a illustré, pour les éditions Porte du Sud, L'Étang choisi d'André Duprat.
Ses premiers dessins aux crayons de couleurs, figuratifs, précis, montrent, dans une mise en scène surréaliste, des drapés suggestifs. Puis le décor s'estompe, la matière de l'étoffe s'épure jusqu'à une abstraction poétique, paysage de l'intime. Le grain du papier couvert de multiples touches est le support d'un travail pictural de haute précision : matière tactile, sensuelle, jeu complexe de la pointe du crayon sur la poudre du pastel, goutte d'acrylique sur du papier ou trame de toile. L'œuvre de Cosentino joue du fragment comme d'un tout : anatomie géante, sublimée, d'où naît l'ambiguïté des formes et le trouble de la distance. Son abstraction, « cousue au petit point », laisse pourtant entrer la lumière comme dans le plus figuratif des tableaux, pour dévoiler des textures moelleuses, des replis secrets, hanches des collines ou vallonnements charnus. Le grain du papier provoque le grain de sable, le grain de peau. La lecture « paysagiste » n'occulte pas celle du jeu érotique ou réciproquement.
BIBLIOGR. : Catalogue de l'exposition *Nadine Cosentino*, Espace Saint-Jean, Melun, 1990 – Virgilio de Lemos : *Cosentino*, Dossiers d'Art Contemp., Porte du Sud, Sens, 1991.

COSENZA Giacomo de
Italien.
Peintre.
Il exécuta d'après le Dominici le retable de l'église de Montecalvario.

COSENZA Giuseppe
Né le 19 septembre 1846 ou 1847 à Luzzi (Province de Cosenza). Mort en 1922 à New York. XIXᵉ siècle. Italien.
Peintre de genre, paysages, marines.
A 17 ans, il alla étudier la peinture à Naples et fut élève de Marinelli.

G. Cosenza

VENTES PUBLIQUES : LONDRES, 21 oct. 1983 : *Pêcheurs napolitains dans leurs barques* 1883, h/pan. (17,8x28,5) : **GBP 750** – LONDRES,

10 oct. 1986 : *Scènes de la côte napolitaine* 1883, deux h/pan. (19x27) : **GBP 4 500** – MILAN, 14 mars 1989 : *Plage napolitaine avec des baigneurs ; Plage napolitaine avec des baigneurs et des voiliers* 1883, h/pan., une paire (17,5x28,5 et 17,5x28) : **ITL 31 000 000** – NEW YORK, 21 mai 1991 : *Barque de pêche dans la baie de Naples* 1883, h/pan. (24,1x19) : **USD 8 250** – ROME, 27 avr. 1993 : *Marine à Capri*, h/t (26,5x39,5) : **ITL 3 152 900** – ROME, 6 déc. 1994 : *Un tour en barque vers le palazzo Donn'Anna* 1882, h/t (40x78,5) : **ITL 23 570 000**.

COSGRAVE Earle M.
Né à Santa Catalina Island (Californie). Mort en 1915 à Los Angeles (Californie). XXᵉ siècle. Américain.
Peintre.

COSGRAVE John O'Hara
Né à San Francisco (Californie). XXᵉ siècle. Américain.
Peintre de paysages, marines.
Il a exposé à Paris, en 1931 au Salon d'Automne, en 1932 au Salon des Tuileries.

COSGROVE Stanley Morel
Né en 1911 à Montréal. XXᵉ siècle. Canadien.
Peintre de paysages, compositions religieuses, figures et natures mortes.
Entre 1935 et 1937, il fit ses études à l'École des Beaux Arts de Montréal sous la direction d'Henri Charpentier, puis à l'Art Association de la même ville, avec Edwin Holgate en 1938. À New York en 1939, il travailla ensuite, de 1939 à 1943, à Mexico où il étudia l'art de la fresque avec José Clemente Orozco. De retour à Montréal en 1944, il enseigna la peinture à l'huile et la fresque. Il a exposé une *Descente de Croix* à Paris, pour l'exposition ouverte en 1946 au Musée d'Art Moderne par l'Organisation des Nations Unies (O.N.U.).
Il utilise parfois la gouache et l'huile pour une même peinture. Son style reste influencé par l'art d'Orozco, employant des rouges brûlés et ocres.

COSGROVE

MUSÉES : FREDERICTON (Beaverbrook Art Gal.) : *Sainte Anne* 1952 – HAMILTON (Art Gal.) : *Nature morte* 1949 – MONTRÉAL (Mus. d'Art Contemp.) : *Jeune-fille* 1950.
VENTES PUBLIQUES : TORONTO, 17 mai 1976 : *Arbres*, h/t (50x60) : **CAD 700** – TORONTO, 27 oct. 1977 : *Nature morte* 1976, h/t (50x60) : **CAD 1 600** – TORONTO, 30 oct. 1978 : *Arbres, La Tuque* 1971, h/t (80x63,5) : **CAD 3 600** – TORONTO, 5 nov. 1979 : *Forêt et rivière*, h/t (80x70) : **CAD 4 200** – TORONTO, 11 nov. 1980 : *Forêt*, h/cart. entoilé (50x40) : **CAD 4 400** – TORONTO, 26 mai 1981 : *Sous-bois*, h/t (50x60) : **CAD 13 000** – TORONTO, 27 mai 1981 : *Nu assis* 1976, fus./pap. (31,3x25) : **CAD 1 100** – TORONTO, 2 mars 1982 : *Felyb* 1978, h/cart. (50x40) : **CAD 3 600** – TORONTO, 3 mai 1983 : *Paysage* 1965, h/cart. entoilé (30x40) : **CAD 2 200** – TORONTO, 14 mai 1984 : *Arbres*, h/t (62,5x80) : **CAD 4 000** – TORONTO, 27 mai 1985 : *Nature morte aux pommes vertes* vers 1949, h/pan. (25x35,6) : **CAD 6 000** – TORONTO, 18 nov. 1986 : *Paysage boisé* 1953, h/cart. (53,8x65,6) : **CAD 8 000** – TORONTO, 28 mai 1987 : *Au bord de l'eau*, h/t (63,5x81,2) : **CAD 9 400** – MONTRÉAL, 25 avr. 1988 : *Forêt* vers 1955, h/t (51x61) : **CAD 7 000** ; *Arbres*, h/t (64x81) : **CAD 7 000** – MONTRÉAL, 17 oct. 1988 : *Tête de jeune femme*, h/t (41x31) : **CAD 9 000** – MONTRÉAL, 1ᵉʳ mai 1989 : *Paysage d'hiver*, h/pan. (31x41) : **CAD 3 800** – MONTRÉAL, 30 oct. 1989 : *Nu au repos*, sanguine (26x34) : **CAD 1 650** ; *Vue du lac*, h/t (64x81) : **CAD 9 900** – MONTRÉAL, 30 avr. 1990 : *Carrière près de Cannes* 1931, h/t (65x91) : **CAD 17 600** – MONTRÉAL, 5 nov. 1990 : *Sur le chemin de La Tuque*, h/t (71x91) : **CAD 13 200** – MONTRÉAL, 19 nov. 1991 : *Jeune fille*, h/pan. (30,5x25,5) : **CAD 1 800** – MONTRÉAL, 1ᵉʳ déc. 1992 : *Paysage d'hiver*, h/pan. (40,5x30,5) : **CAD 4 800** – MONTRÉAL, 23-24 nov. 1993 : *Nature morte* 1948, h/pap. (17,1x22,1) : **CAD 4 800** – MONTRÉAL, 21 juin 1994 : *Nature morte*, h/pan. (30,5x35,5) : **CAD 4 250**.

COSIDA Y BALLEJO Jeronimo
XVIᵉ siècle. Actif à Saragosse. Espagnol.
Peintre.
Cet artiste fut l'élève de Pedro de Aponte et travailla surtout pour les églises de Saragosse.

COSIGNOLA Giacomo da. Voir **CASSIGNOLA**

COSIJN Lies
Née en 1931 aux Indes Néerlandaises. XXᵉ siècle. Hollandaise.

Sculpteur, céramiste.
Elle vit et travaille à Amsterdam, où elle fut élève de l'École des Arts Appliqués. Peintre expose depuis 1957, notamment à l'Institut Néerlandais de Paris en 1958, à Amsterdam en 1961, à l'exposition des *Galeries-Pilotes du Monde* au Musée Cantonal de Lausanne en 1963, etc.
Essentiellement céramiste, ses objets et sculptures s'inspirent des arts archaïques d'Extrême-Orient ou d'Amérique Latine.
VENTES PUBLIQUES : ANVERS, 28 oct. 1981 : *Paysage d'automne*, h/t (30x40) : BEF 22 000.

COSIMO Piero di. Voir PIERO di Cosimo

COSINI Giovanni, dit Giovanni da Fiesole
XVIᵉ siècle. Actif à Gênes. Italien.
Sculpteur.
Cet artiste était l'oncle de Silvio Cosini et collabora parfois avec lui.

COSINI Silvio, dit da Fiesole
Né en 1495 à Poggibonsi. Mort vers 1547. XVIᵉ siècle. Italien.
Sculpteur.
Il fut l'élève d'Andréa Ferrucci da Fiesole avec qui il collabora pour l'exécution des *tombeaux d'A. Strozzi* et de *Mafféi Volterrano*. Il travailla ensuite pour la chapelle des Médicis à Florence où il fut en rapport avec Michel-Ange qui eut sur son art une influence considérable. On le voit également plus tard exécuter des commandes importantes à Pise, à Gênes, à Milan, etc. Vasari considère Silvio Cosini comme un artiste de grand talent qui sut montrer beaucoup d'originalité et d'imagination.

COSINI Valerio
XVIᵉ siècle. Actif à Lucques. Italien.
Peintre.
Il était le fils de Silvio Cosini et fut l'élève de Giovanni il Francione.

COSINI Vincenzo
XVIᵉ siècle. Actif à Poggibonsi vers 1540. Italien.
Sculpteur.
Il était le frère de Silvio Cosini.

COSKUN Salih
Né en 1950 à Agri (Turquie). XXᵉ siècle. Actif en France. Turc.
Sculpteur.
Il a exposé à partir de 1965 lors d'expositions personnelles parmi lesquelles on peut citer celles réalisées en 1965 et 1967 à Bursa en Turquie, en 1970 ou 1978 à l'Hôtel des Monnaies et Médailles d'Istambul, en 1980 à l'Hôtel des Monnaies et des Médailles de Paris, en 1982 au centre culturel de Fourqueux, en 1984 au centre culturel de Courbevoie en 1986 à la galerie l'Aire du Verseau à Paris et à la galerie du Grand Orient de France de Paris, en 1987 à Copenhague à la galerie Jedigs, au Salon de Bagneux, au 23ᵉ Salon de Saint Ouen et à la Biennale de Paris.
Il crée des sculptures entre figuration et abstraction évocant parfois des totems.
VENTES PUBLIQUES : PARIS, 12 mai 1989 : *Couple* 1987, bronze (31x16x14) : FRF 16 000 – PARIS, 12-13 juin 1997 : *Sans titre* 1996, bois polychrome (45x32x17) : FRF 13 000.

COSLETT R. G.
XIXᵉ siècle. Britannique.
Peintre de miniatures.
Il exposa entre 1808 et 1827 des portraits à la Royal Academy de Londres.

COSMA, famille d'artistes
XIIᵉ-XIVᵉ siècles. Italiens.
Sculpteurs et tailleurs de pierres.
Ces artistes qui collaborèrent souvent entre eux ne furent parfois que de médiocres artisans. D'autres arrivèrent à la renommée comme sculpteurs tels Cosma di Jacopo ou Cosmas I (XIIIᵉ siècle) et Cosma di Pietro Mellini ou Cosmas II (XIIIᵉ siècle) ; la généalogie de ces artistes est très controversée. On les trouve à leurs prénoms, complétés de di Cosma (par exemple : GIOVANNI di Cosma). On leur doit surtout des décors géométriques de marbres polychromés aux façades de nombreuses églises, de Rome, des pavements, des arcades, et aussi des ornements d'églises, des trônes, des tombeaux. Ils travaillèrent aussi à Civita Castellana, et à la façade du Dôme de Florence. Certains d'entre eux furent architectes.

COSMA da Novarra
XVᵉ siècle. Actif à Gênes en 1478. Italien.
Peintre.

COSMADOPOULOS Georges
Né en 1899 à Volo. XXᵉ siècle. Grec.
Peintre de compositions d'imagination, paysages. Tendance fantastique.
Il fit ses études artistiques à Leipzig, Paris, Londres.
VENTES PUBLIQUES : LONDRES, 2 juin 1982 : *Moulins à vents, Mykonos* 1950, h/cart. (19x27) : GBP 220.

COSMATES ou Cosmatia. Voir COSMA, famille des

COSMÉ. Voir TURA Cosimo

COSMESCU Victoria
Née en Roumanie. XXᵉ siècle. Roumaine.
Peintre.
Attachée à l'École roumaine de Fontenay-aux-Roses. A exposé au Salon de la Société Nationale des Beaux-Arts.

COSMI Cosmo
Né à Reggio d'Emilie. XIXᵉ siècle. Italien.
Peintre d'histoire.
On cite de lui : *Ugolin*.

COSMOVICI Jean
Né le 6 janvier 1888 à Jassy. XXᵉ siècle. Roumain.
Peintre de décorations murales, graveur.
Il fut élève de Jean-Paul Laurens à Paris. Il exposait au Salon de Bucarest et au Salon des Artistes Français de Paris. Il fut professeur à l'École des Beaux-Arts de Jassy.
Il a décoré le Palais de Justice de Jassy d'une *Vue de la Forteresse de Cetatzuka*.

COSNEFROY Lucienne
XXᵉ siècle. Active à Paris. Française.
Lithographe.

COSOLA Demetrio
Né en 1851 à Chivasso. Mort en 1895 à Chivasso. XIXᵉ siècle. Italien.
Peintre de genre, figures ; portraits, paysages, pastelliste.
Il fit ses études à Turin et peignit surtout des portraits et des toiles de genre.
MUSÉES : TURIN : *Giardino – Riva del Po – Il Dettato*, past.
VENTES PUBLIQUES : ROME, 16 mai 1985 : *Scène d'intérieur*, h/pan. (24x36) : ITL 1 200 000 – MILAN, 8 juin 1993 : *Tête de jeune fille*, h/t (43,5x34) : ITL 1 300 000.

COSOMATI Ettore
Né le 24 décembre 1873 à Naples. XIXᵉ-XXᵉ siècles. Italien.
Peintre de paysages, natures mortes.
Après avoir fait des études de mathématiques, il se voua à l'art et fut élève de diverses académies à Munich, Paris et Milan. Il a participé à l'Exposition de Munich de 1909.
On le surnommait en Italie « l'artiste errant ». Il a en effet peint des paysages dans plusieurs pays d'Europe : *Matin sur le lac de Genève, Calabre, Le lac de Côme, Jardins à Londres*, etc. On a pu dire qu'il était un réaliste lyrique, tenant compte de l'atmosphère particulière des lieux et des circonstances : *Derrière l'étable, Parc en automne, Route traversant la forêt, Pluie chaude*, etc.
VENTES PUBLIQUES : MILAN, 26 nov. 1968 : *Nature morte aux fleurs* : ITL 140 000 – MILAN, 28 oct. 1976 : *Le lac de Constance après la pluie*, h/t (48x64) : ITL 380 000 – MILAN, 29 mai 1984 : *Les meules de foin*, h/t (60x75) : ITL 1 400 000 ; *La nouvelle route*, h/t (60x75) : ITL 1 400 000 – MILAN, 19 déc. 1995 : *Fleurs dans un vase vert*, h/t (60x60) : ITL 2 300 000.

COSONA di Cello
XIVᵉ siècle. Actif à Sienne en 1318. Italien.
Peintre.

COSONE Cristofano. Voir CRISTOFORO di Cosona

COSSA Bernardino
XVIᵉ siècle. Actif à Pérouse en 1516. Italien.
Sculpteur sur bois.

COSSA Francesco ou del Cossa
Né en 1435 (?) à Ferrare. Mort en 1477 à Bologne. XVᵉ siècle. Italien.
Peintre.
Formé sous l'influence du style padouan de Cosimo Tura et de celui de Galasso, élève de Piero della Francesca. Subit plus tard l'ascendant des Florentins comme Castagno, Dom. Veneziano et Baldovinetti. Sa date de naissance est déduite d'un épigramme de 1477 le disant mort âgé de quarante-deux ans. Cependant le contrat de 1456 avec l'archevêché de Ferrare qui charge Fran-

cesco de peindre les faux marbres et une *Pietà*, est établi au nom de son père, le maçon Cristoforo, ce qui indiquerait que l'artiste était encore mineur à cette date. Le document suivant est une supplique de Cossa au duc Borso d'Este, du 20 mars 1470, où il se plaint d'être mis au rang des autres peintres travaillant aux fresques du palais Schifanoja au tarif de dix bolognini le pied carré de peinture, et estime avoir mérité mieux pour son talent – et son travail, « ayant déjà achevé seul les fresques d'un mur ». Débouté de sa demande, Cossa quitte Ferrare dans l'année et s'établit à Bologne protégé par les Bentivoglio et d'autres familles patriciennes. En 1472, il restaure une fresque du XIVᵉ siècle (Dalmasio ?) à l'oratoire del Barracano, rénovant l'antique Madone et les portraits de Bente Bentivoglio et de sa femme, et en y ajoutant un beau paysage et deux anges porteurs de candélabres qui, bien qu'abîmés subsistent encore. En 1474 il exécute pour la Mercanzia de Bologne le tableau d'autel avec la Vierge, saint Pétrone, un évangéliste et le donateur Alberto Catanei, actuellement au Musée. C'est à Bologne également que Cossa créa avec l'aide d'Ercole Roberti le grand retable de Saint Vincent Ferrer, vu par Vasari à la chapelle Griffoni à Saint-Petronio dont les pièces sont dispersées dans les Musées et les collections privées et qu'on confondait autrefois avec un retable de Saint Hyacinthe de la période ferraraise du maître. Sa dernière œuvre, la décoration de la chapelle Garganelli, qu'il n'acheva pas, emporté par la peste de 1477, et terminée par Roberti, n'est connue que par des copies. Son œuvre maîtresse, les *fresques de la Schifanoja*, décorent le mur oriental de la salle des mois et surpassent de loin les peintures avoisinantes *Mars* et *Avril* ; figurées chacune en deux zones superposées et séparées par une frise de figures allégoriques isolées, ce sont des compositions compliquées dans lesquelles le peintre dut suivre à la lettre le programme élaboré par un humaniste courtisan (Prisciano ?). Les autres fresques de la salle, peut-être d'après les cartons de Cossa, ont été exécutées par ses aides et des artistes influencés par Tura. Les scènes de la vie à la cour des Este (départ pour la chasse, largesses du duc, cour d'Amour, dames occupées à la broderie) se mélangent à des triomphes mythologiques et des allégories obscures avec une fraîcheur et une verve qui prêtent une vie inattendue à ces inventions officielles. Le style de ces fresques exécutées en 1469, empreint de l'influence de Cosimo Tura, révèle cependant une conception très personnelle de la forme. Les volumes de Tura, comme ceux de tous les peintres issus de l'école padouane sont « en bas-relief », ceux de Cossa apparaissent plus dégagés. Sa draperie plus irrégulière est plus naturaliste. Ses visages, petits et ronds se présentent souvent dans des raccourcis inattendus. C'est un des meilleurs ensembles du quatrocento italien. L'admirable *Allégorie de l'Automne* (Berlin) appartient aussi à cette période. A Bologne l'art de Cossa évolue et devient d'une plasticité monumentale et d'une force d'éclairage qui rappellent Castagno. Les œuvres les plus marquantes de cette manière sont la *Madone* de 1474 et les panneaux de la pala Griffoni, aujourd'hui démembrés entre plusieurs musées. Les parties de la prédelle et de l'encadrement qu'on attribue à Roberti se distinguent par des proportions plus grêles, des contours plus anguleux et une composition moins dense. Il y peignit encore l'*Annonciation*, conservée au Musée de Dresde. Il y exécuta aussi des vitraux, dont l'un est conservé au Musée Jacquemart-André à Paris. Plusieurs beaux portraits de Cossa se trouvent dans des collections privées ; les Musées n'en possèdent aucun. Lorenzo Costa et Francesco Francia ont peut-être été ses élèves ; il a de plus influencé Ercole Roberti, Ercole Grandi, Lodovico Mazzolino et Timoteo Viti.

Bibliogr. : L. Venturi : *La peinture italienne, les créateurs de la Renaissance*, Genève, 1950 – G. C. Argan : *De Van Eyck à Botticelli*, Skira, Genève, 1955.
Musées : Berlin : *Allégorie de l'Automne – Grand autel dit de San Lazzaro – Madone et quatre saints*, suivant Longhi : de Roberti, d'après une composition de Cossa – Cassone – *La course d'Atalante*, Cossa ou Roberti – *Vitrail – Madone*, école – Bologne : *Madone entre saint Pétrone et un Évangéliste 1474 – Église San Giovanni in Monte – Saint Jean à Pathmos*, vitrail, monogr. – *Église de la Madone del Baraccano – Figures autour d'une fresque du XIVᵉ siècle 1472*, restaurée par lui – *deux volets d'orgues avec anges musiciens*, école – Dresde : *Annonciation avec prédelle Nativité* vers 1471 – Ferrare : *Tondo, emblème héraldique*, peint. sur verre – *Saint Jérôme*, attrib. aussi à Roberti – Ferrare (Palais Schifanoia) : *Trois grandes fresques du mur oriental et figures décoratives intermédiaires 1469* – Londres :

Saint Vincent Ferrer, panneau central du retable Griffoni – Milan : *Saint Jean Baptiste – Saint Pierre*, tous deux du retable Griffoni – Paris (Louvre) : *Sainte Apolline – Saint Michel*, du retable Griffoni, exécutés par Roberti ? – Paris (Mus. Jacquemart-André) : *Vitrail, Madone, tondo – Sainte Ursule entre deux anges*, école – Pietà, comme école ferraraise, numéro 1042, suivant Longhi, de Cossa – Pesaro : *deux prédelles de retable – Saint François avec le jeune homme de Celano et Stigmatisation*, école – Philadelphie (coll. Johnson) : *Madone à l'oiseau*, plutôt école de Tura – *Sainte Lucie*, du retable Griffoni – Rome (Vatican) : *Trois miracles de saint Vincent Ferrer*, prédelles du retable Griffoni, exécutées par Cossa plutôt que par Roberti – Washington D. C. : *Calvaire, avec saint Florian et sainte Lucie*, provenant du retable Griffoni.

Ventes Publiques : Londres, 27 mai 1927 : *La terrasse d'un château* : GNS 1 300.

COSSA Gerardo
XVᵉ-XVIᵉ siècles. Actif à Ferrare entre 1472 et 1509. Italien.
Peintre.

COSSA Giovanni Francesco
XVIIIᵉ siècle. Italien.
Peintre de paysages et d'architectures et graveur.

COSSAAR Cornelis Johannis
Né en 1874 à Amsterdam. Mort en 1966. XIXᵉ-XXᵉ siècles. Hollandais.
Peintre d'intérieurs d'églises, paysages urbains, paysages d'eau.
Il habitait La Haye. Il a travaillé aussi à Paris. Il a exposé en Hollande, à Paris, Londres, Berlin.

Ventes Publiques : Amsterdam, 27 avr. 1981 : *Vue de la Tamise*, h/t (25x37) : NLG 1 350 – Amsterdam, 30 oct. 1990 : *Intérieur de la Cathédrale St Paul à Londres*, h/t (91,5x71) : NLG 2 185 – Amsterdam, 30 oct. 1991 : *Figures élégantes à l'entrée de la National Gallery de Londres*, h/t (61x45,5) : NLG 2 300 – Amsterdam, 28 oct. 1992 : *Intérieur d'église*, h./contre-plaqué (35x50) : NLG 1 610 – Amsterdam, 14 sep. 1993 : *Cathédrale sous la neige*, h/t (62x47) : NLG 1 265 – Londres, 11 avr. 1995 : *Navigation au travers de Londres*, h/t (70x89,5) : GBP 4 600 – Amsterdam, 19-20 fév. 1997 : *Trafalgar Square la nuit*, cr., brosse, encre noire et aquar. reh. de blanc/pap. (36,5x47,5) : NLG 2 883.

COSSACEANU-LAVRILLIER Margarata
Née en 1893 à Bucarest. Morte en 1980. XXᵉ siècle. Active aussi en France. Roumaine.
Sculpteur de figures allégoriques.
Elle fut élève de Bourdelle et a exposé à Paris aux Salons d'Automne et des Tuileries, ainsi qu'à Rome et Bucarest. Elle a fait partie de l'Exposition d'Art Roumain qui se tint au Musée du Jeu de Paume de Paris, avant 1939. En 1993 la galerie Vallois de Paris, lui a consacré une exposition.
Dans ses œuvres, le plus souvent des personnages, l'influence de Bourdelle est manifeste, bien qu'elle y ait ajouté quelque chose du frémissement des modelages de Rodin.

Ventes Publiques : Versailles, 20 juin 1989 : *Terre*, bronze à patine verte (Long. 33) : FRF 49 500.

COSSALI Giambattista
Né en 1786 à Vérone. Mort en 1818. XIXᵉ siècle. Italien.
Peintre.
Il était le fils de Romualdo Cossali et fut son élève. Il peignit surtout à la fresque dans différents Palais à Vérone.

COSSALI Grazio
Né en 1563 près de Brescia. Mort vers 1627 à Brescia. XVIᵉ-XVIIᵉ siècles. Italien.
Peintre.
Ce peintre est mentionné dans un ouvrage de Cozzando, *Histoire de la ville de Brescia*, et, suivant cet auteur, il possédait une grande facilité d'exécution et d'invention. Dans plusieurs ouvrages, il paraît avoir imité le style de Palma. Parmi les travaux qu'il fit dans les églises de la ville, on cite l'*Adoration des Mages*, à Santa Maria delle Grazie, et la *Présentation, au Temple*, à Santa Maria di Miracoli. Il quitta Brescia encore jeune pour Crémone où il exécuta une grande peinture qui se trouve maintenant au Palazzio Civico de cette ville. Il retourna ensuite à Brescia et travailla pour la plupart des églises de cette ville. Le talent de cet artiste n'était pas très personnel et il imita parfois Palma Giovane et parfois Véronèse. Il eut un fils qui fut, croit-on, peintre, mais dont on ne connaît pas le prénom.

COSSALI Romualdo
XVIIIᵉ siècle. Actif à Vérone. Italien.
Peintre de décorations.

COSSANGE Jacqueline Marie Lucie
Née à Paris. XXᵉ siècle. Française.
Miniaturiste.
Elle exposa à Paris au Salon des Artistes Français.

COSSARD, Mlle
XVIIIᵉ siècle. Active à Troyes. Française.
Peintre.
Nièce et élève de Jean Cossard.
MUSÉES : TROYES : *Coupe remplie de fruits – Six études de fleurs*, aquar.

COSSARD Adolphe Auguste Eugène
Né en 1880 à Verberie (Oise). Mort en 1952 à Hyères (Var). XXᵉ siècle. Français.
Peintre de figures, paysages. Tendance symboliste.
Il a exposé des paysages du Midi, de la Corse et d'Afrique du Nord, à Paris, au Salon des Artistes Indépendants en 1926, au Salon des Artistes Français en 1928.
Il est également l'auteur de compositions ésotériques, dans un style Art-Nouveau, décorant aussi les cadres de ses tableaux, suivant les préceptes de Maurice Denis. Ces figures hiératiques, sortes d'apparitions illuminées, font penser à l'art de Gustave Moreau.
BIBLIOGR. : Gérald Schurr, in : *Les Petits Maîtres de la peinture 1820-1920, valeur de demain*, Les Éditions de l'Amateur, t. V, Paris, 1981.
VENTES PUBLIQUES : PARIS, 26 juin 1979 : *Cléopâtre* 1899, gche et aquar. (81x60) : **FRF 20 000.**

COSSARD Guillaume I
Né en 1663 à Troyes. Mort en 1716 à Troyes. XVIIᵉ-XVIIIᵉ siècles. Français.
Peintre d'histoire, compositions religieuses, paysages.
Cet artiste fut l'élève de Boullongne et peignit des paysages et des tableaux d'histoire. L'église Saint-Jean à Troyes possède deux toiles de cet artiste.

COSSARD Guillaume II
Né en 1692 à Troyes. Mort en 1761 à Troyes. XVIIIᵉ siècle. Français.
Peintre de compositions religieuses.
Cet artiste était le fils de Guillaume I Cossard. L'église Saint-Rémi, à Troyes possède de lui, un *Saint Roch priant pour les pestiférés*, daté de 1728.

COSSARD Jean
Né en 1764 à Troyes. Mort en 1838 à Paris. XVIIIᵉ-XIXᵉ siècles. Français.
Peintre.
Il était fils de Pierre Guillaume Cossard et élève de Vincent. Peintre de miniatures, il débuta au Salon de 1808.
MUSÉES : TROYES : *Deux paysages – Portrait de femme – Portrait de vieillard – Portrait d'une jeune femme – Portrait de l'auteur – Portrait d'un jeune homme blond.*

COSSARD Pierre Guillaume
Né en 1720 à Troyes. Mort en 1784. XVIIIᵉ siècle. Français.
Peintre.
Cet artiste qui était le fils de Guillaume II Cossard fut le fondateur à Troyes d'une École royale gratuite de dessin. L'église Saint-Rémi de Troyes possède plusieurs tableaux de sa main.

COSSARD Pierre Mathieu
XVᵉ siècle. Actif à Troyes. Français.
Peintre verrier.

COSSARD DE SAINTE-JULE
Français.
Peintre de miniatures.
Il fut membre de l'Académie de Saint-Luc.

COSSART François
XVIIᵉ siècle. Français.
Graveur.

COSSART Jean
XVᵉ-XVIᵉ siècles. Français.
Sculpteur et architecte.
Sous la direction de Pierre Moteau, il travailla à la cathédrale d'Évreux.

COSSART Léonor
Morte en 1656 à Paris. XVIIᵉ siècle. Française.
Peintre.

COSSÉ Alice Marie
Née à Saint-Lô (Manche). XXᵉ siècle. Française.
Peintre de paysages et de marines.
Elle fut sociétaire du Salon des Artistes Français, à Paris.

COSSÉ Laurence J.
XVIIIᵉ-XIXᵉ siècles. Britannique.
Peintre de genre, paysages animés, dessinateur, graveur.
Cet artiste travailla durant sa jeunesse à Düsseldorf. À partir de 1784, il vit à Londres où il expose à la Royal Academy, à la British Institution et à Suffolk Street Gallery jusqu'en 1837.
MUSÉES : HANOVRE : *Scène d'auberge.*
VENTES PUBLIQUES : PARIS, 1823 : *Vue d'un château au bord d'une rivière, avec figures,* dess. aux cr. noir et blanc : **FRF 13,50** – LONDRES, 13 mai 1983 : *Scène de taverne,* h/t (55,2x45) : **GBP 1 300.**

COSSÉ-BRISSAC Jean de
Né à Bordeaux (Gironde). XXᵉ siècle. Français.
Peintre.
Il exposa à Paris au Salon des Artistes Français.

COSSETTI Antonio
Né vers 1675 à Vicence. Mort en 1754 à Ancône. XVIIIᵉ siècle. Italien.
Sculpteur sur bois.
Il travailla semble-t-il, à Bologne, Ferrare, Ancône et à Venise.

COSSETTI Domenico
Né le 6 janvier 1752 à Parme. Mort le 4 mai 1802 à Parme. XVIIIᵉ siècle. Italien.
Graveur et architecte.
Cet artiste travailla à Parme, mais se rendit à Paris vers 1781. Il grava surtout des plans et des projets architecturaux.

COSSIAU Jan Joost von
Né vers 1660 probablement à Bréda. Mort en 1732 ou 1734 à Mayence. XVIIᵉ-XVIIIᵉ siècles. Hollandais.
Peintre de compositions religieuses, paysages animés, paysages.
Travailla à Paris, fut peintre de la cour de Mayence et de Bamberg, directeur de la Galerie de Pommerselden.

J. J. D. Cossiau.

MUSÉES : ASCHAFFENBURG : *Plusieurs paysages – Paysage italien – Le même –* DÜSSELDORF : *Paysage –* MUNICH : *Paysage italien avec bergers –* VERSAILLES (Trianon) : *Fête de village –* VIENNE : *Laban et Rachel au puits –* WÜRZBURG : *Peinture.*
VENTES PUBLIQUES : PARIS, 1823 : *Les Israélites tourmentés par les serpents,* dess. : **FRF 5** – LONDRES, 21 juil. 1971 : *Paysage montagneux :* **GBP 750** – NEW YORK, 13 mars 1980 : *Paysage d'Italie,* h/t (109x141) : **USD 8 000** – MILAN, 30 mai 1991 : *Paysage avec des pasteurs et leur troupeau,* h/t (70x84) : **ITL 22 000 000.**

COSSIAUX Jean
Né en 1592. Mort en 1635 à Nancy. XVIIᵉ siècle. Français.
Peintre.
Le Musée d'Aschaffenburg possède, de cet artiste, un *Paysage avec chute d'eau.*

COSSIERS Antony ou **Causier, Coussier**
Né au XVIᵉ siècle. Mort avant 1647. XVIᵉ-XVIIᵉ siècles. Actif à Anvers. Éc. flamande.
Peintre.
Il fut le père de Jan Cossiers.

COSSIERS Jan ou **Coustiers, Causiers**
Né en 1600 à Anvers, où il fut baptisé le 15 juillet. Mort le 4 juillet 1671 à Anvers. XVIIᵉ siècle. Flamand.
Peintre de sujets religieux, compositions mythologiques, scènes de genre, portraits, dessinateur.
Élève de son père, Antony Cossiers, il étudia dans l'atelier de Cornelis de Vos à partir de 1615. Il entra, en 1628, dans la gilde d'Anvers. Il séjourna probablement en Italie ; il est mentionné à Aix-en-Provence, entre 1623 et 1626. D'après le Dr Von Wurzbach, il alla à Madrid avec Rubens, en 1628. Il épousa, le 20 mai 1930, Joanna Darragon. Il fut directeur de la gilde, de 1639 à 1641, et se remaria, en 1640, avec Maria Van der Willigen. Il travailla pour le roi d'Espagne, pour les archiducs Ferdinand et Léopold-Guillaume.
Il collabora avec Rubens, en 1635, aux décorations réalisées pour l'entrée du Cardinal Infant à Gand. Bien qu'ayant travaillé avec Rubens, il fut beaucoup plus influencé par le Caravage ou

Ribera, que par son compatriote. En 1655, il peignit pour l'église du Béguinage de Malines, à Anvers, sept panneaux consacrés à la vie du Christ et à la vie de sainte Thérèse d'Avila, qui sont considérés comme son chef-d'œuvre de peinture religieuse. A Anvers, il a également réalisé une *Adoration des Mages*, dans la chapelle des sœurs noires. Il était plus connu pour des scènes de genre, fumeurs, joueurs de cartes, diseuses de bonne aventure (dont il fit plusieurs versions), où il transcrivait en mineur certains effets du caravagisme, contrastes d'éclairages violents avec les ombres profondes de bruns et de tons verts.

COSSIERS FT:

BIBLIOGR. : In : *Diction. de la peinture flamande et hollandaise*, coll. Essentiels, Larousse, Paris, 1989.

MUSÉES : ABBEVILLE : *Salomé tenant la tête de saint Jean Baptiste* – ANVERS : *Un cavalier* – *Un chirurgien* – *Flagellation du Christ* – *Le Fumeur* – *Adoration des bergers*, deux œuvres – BRUXELLES (Mus. des Beaux-Arts) : *Christ en Croix* – *Mère des douleurs* – *Saint Benoît guérissant un possédé* – *Sainte Marie, l'Enfant et sainte Anne* – *Le Déluge* – CULEMBORG : *Sainte Barbe* – LA HAYE : *Triomphe de Bacchus* – KARLSRUHE : *Diseuse de bonne aventure* – KASSEL : *Deux vieux mendiants* – KASSEL (Gemäldegalerie) : *Joueurs* – *Adoration des bergers* – LILLE : *Saint Nicolas* – LOUVAIN : *Adoration des bergers* – MADRID (Mus. du Prado) : *Jupiter et Vulcain* – *Prométhée et le feu dérobé* – *Narcisse* – MUNICH (Alte Pina.) : *Diseuse de bonne aventure* – PARIS (Inst. néerlandais) : *Jan Frans* – SAINT-PÉTERSBOURG (Mus. de l'Ermitage) : *Diseuse de bonne aventure* – STOCKHOLM – VALENCIENNES : *Diseuse de bonne aventure*.

VENTES PUBLIQUES : BRUXELLES, 1-2-3 mars 1966 : *Adoration des bergers* : BEF 34 000 – PARIS, 3 mars 1967 : *La partie de musique* : FRF 3 200 – NICE, 17 mai 1972 : *La belle au miroir* : FRF 3 300 – LONDRES, 24 juin 1980 : *Tête de jeune fille*, craies noire, rouge et blanche/pap. (16,4x13,4) : GBP 8 000 – NEW YORK, 10 juin 1983 : *David et Abigail*, h/t (232,5x349,5) : USD 3 800 – LONDRES, 4 avr. 1984 : *Granida et Daifilo*, h/t (178x194) : GBP 7 000 – LONDRES, 1er juil. 1986 : *Tête d'homme barbu tourné vers la droite*, craies noire et rouge (22,2x16,1) : GBP 12 000 – LONDRES, 13 mars 1987 : *Les cinq sens : élégante compagnie attablée dans un intérieur*, h/t (112,3x155,5) : GBP 35 000 – AMSTERDAM, 30 nov. 1987 : *Tête de jeune fille aux longs cheveux*, craies noire, rouge et blanche (16,4x13,4) : NLG 48 000 – LONDRES, 7 juil. 1989 : *Courtisane buvant et fumant avec deux militaires*, h/t (113x151,8) : GBP 20 900 – NEW YORK, 4 avr. 1990 : *Paysans se querellant dans une taverne*, h/t (110,7x161,5) : USD 5 500 – LONDRES, 2 juil. 1991 : *Tête de jeune garçon regardant vers la gauche*, craies rouge et noire/pap. (20x15,4) : GBP 44 000 – LONDRES, 8 juil. 1992 : *Jeune homme tenant un pichet de bière*, h/pan. (63,5x47,5) : GBP 15 950 – STOCKHOLM, 19 mai 1992 : *Gitane avec son enfant sur son dos disant la bonne aventure à un cavalier tandis qu'une autre lui dérobe sa bourse*, h/t (89x125) : SEK 62 000 – PARIS, 29 mars 1994 : *Ecce Homo*, h/pan. de chêne (73,5x54,5) : FRF 150 000 – LONDRES, 7 déc. 1994 : *Jeune homme tenant une chope*, h/pan. (74x57) : GBP 16 100 – PARIS, 25 juin 1996 : *Le Diseur de bonne aventure*, h/cuivre (34,5x48) : FRF 110 000.

COSSIGNY Adolphe de
XIXe siècle. Actif à Paris vers 1830. Français.
Lithographe amateur.
On connaît de lui une lithographie représentant un paysage.

COSSINTINO Giacomo
XVIe-XVIIe siècles. Actif à Alcamo. Italien.
Sculpteur.

COSSIO Francisco Gutiérrez, dit **Pancho**
Né le 20 octobre 1894 à San-Diego-de-Los-Banos (Pinar-del-Rio, Cuba). Mort le 16 janvier 1970 à Alicante. XXe siècle. Espagnol.
Peintre de natures mortes, marines, figures. Polymorphe et cubiste.
En 1898, lors de l'indépendance de l'île, toute la famille rejoint l'Espagne, s'installant près de Santander. En 1899, un accident à la cheville lui causa une claudication définitive. L'immobilisation momentanée l'incita à dessiner. En 1914, Cossio entra dans l'atelier de peinture de Cecilio Pla à Madrid. Il revint à Santander en 1920 et y fit sa première exposition. En 1923, il fit sa première exposition à Madrid et vint à Paris, où il aurait été élève d'un cer-

tain sculpteur, Daniel Alegre. A Paris, il exposa en 1924 au Salon des Artistes Indépendants, en 1925 au Salon d'Automne. En 1926, il se joignit au groupe des *Cahiers d'Art* de Christian Zervos, voyagea en Hollande et Belgique, et participa, au côté de Dali, Borès, Ferrant et Palencia, à l'exposition *Espagnols résidant à Paris* au Jardin Botanique de Madrid. De 1927 à 1931, il participa à des expositions collectives à Paris et Bruxelles. En 1932, il retourna en Espagne, à Santander, et, en 1940, s'installa à Madrid. En 1944, il fut fait chevalier de l'Ordre d'Alphonse X le Sage. A partir de 1945, il participa à des expositions espagnoles et étrangères de caractère officiel, entre autres : 1952 XXVIe Biennale de Venise, 1954 médaille de première classe à l'Exposition Nationale des Beaux-Arts à Madrid, 1954 XXVIIe, 1956 XXVIIIe, 1958 XXIXe Biennales de Venise, et en 1959, il reçut le Prix National au Concours d'Alicante, la plaque de commandeur dans l'Ordre d'Alphonse X le Sage, en 1962 la médaille d'honneur de l'Exposition Nationale des Beaux-Arts à Madrid. Il a montré ses œuvres dans des expositions personnelles, déjà à Paris en 1925, 1928 et en 1929 à la galerie Bernheim, puis dans plusieurs villes d'Espagne. En 1950, le Musée d'Art Moderne lui consacra une exposition-hommage. En 1965 lui fut attribuée une salle spéciale du Pavillon Espagnol à la Foire de New York, et en 1966 une salle d'honneur à l'Exposition Nationale des Beaux-Arts.
L'œuvre de Francisco Gutiérrez Cossio, appelé Pancho Cossio en peinture, est divers et n'obéit à aucune chronologie stricte. Son séjour à Paris, assez bref pour un faire l'un des très rares artistes espagnols à être restés en Espagne durant cette période, le sensibilisa au cubisme de Juan Gris. La construction du volume chez Cézanne l'influença à d'autres moments. Dans les dernières années de sa vie, il semble qu'il aborda l'abstraction. Dans un tout autre registre que celui de ses thèmes de prédilection, il réalisa, en 1950-1951, deux compositions religieuses pour l'église des Carmelites à Madrid. Les critiques s'accordent à relever sa technique en glacis, Jacques Lassaigne en écrit que ses « recherches de matières transparentes excellent à évoquer des mondes à demi aériens ou marins ». S'il peignit un portrait de sa mère et quelques marines fluides, issues de son admiration pour Turner, il fut surtout un peintre de natures mortes. Dans sa diversité de manières, lui-même s'est reconnu en tant que postimpressionniste. ■ J. B

BIBLIOGR. : In : *Cent ans de peint. en Espagne et au Portugal, 1830-1930*, Antiquaria, Madrid, 1988 – in : *Diction. de la peinture espagnole et portugaise*, Larousse, Paris, 1989.

MUSÉES : BILBAO (Mus. de Bellas Artes) – MADRID (Mus. Esp. de Arte Contemp.) – SANTANDER (Mus. mun. de Bellas Artes) – SEVILLA (Mus. Esp. de Arte Contemp.) – TOLEDO (Mus. Esp. de Arte Contemp.).

VENTES PUBLIQUES : PARIS, 19 mai 1930 : *Bateaux au port* : FRF 1 300 – PARIS, 10 mai 1935 : *Le voilier* : FRF 40 ; *Coupe de fruits*, gche : FRF 30 – PARIS, 5 nov. 1937 : *Cartes et pions d'échec* : FRF 350 – PARIS, 16 nov. 1976 : *Saint-Tropez 1930*, h/t (71x59) : FRF 11 500 – MADRID, 19 avr. 1977 : *Nature morte*, h/pan. (33x41) : ESP 190 000 – PARIS, 3 jan. 1979 : *Oiseau dans la nuit*, h/t (45x45) : ESP 160 000 – VERSAILLES, 20 juin 1979 : *Nature morte au cendrier 1930*, h/t (79x98) : FRF 16 000 – PARIS, 15 juin 1980 : *Nature morte aux pommes*, h/t (60x82) : FRF 13 500 – PARIS, 21 nov. 1980 : *Visages*, h/t (100 ; 80) : FRF 13 000 – PARIS, 22 mai 1981 : *Nature morte à la carafe*, h/t (60x73) : FRF 8 000 – MADRID, 6 juil. 1983 : *Composition 1959*, gche (47x34) : ESP 180 000 – NEW YORK, 19 avr. 1984 : *Nature morte jaune aux fruits 1965*, h/t (75x100) : USD 3 500 – MADRID, 24 oct. 1984 : *Le lever d'ancre*, h/t (82x65) : ESP 650 000 – MADRID, 16 déc. 1987 : *Le naufrage 1952*, gche (48x33) : ESP 400 000 – MADRID, 16 déc. 1987 : *Ouvrier à la fin de la semaine 1955*, h/t (60x73) : ESP 3 750 000 – PARIS, 6 juin 1997 : *Les Trois navires 1930*, h/t (55x46) : FRF 63 000.

COSSIO DEL POMAR Felipe
Né le 31 mai 1889 à Pinra (Pérou). XXe siècle. Péruvien.
Peintre.
Il était aussi écrivain.

COSSMANN Alfred
Né le 2 octobre 1870 à Gratz. XIXe-XXe siècles. Autrichien.
Graveur de portraits.
Il fit ses études artistiques à Vienne. On cite ses portraits gravés de *Beethoven*, *Le roi Louis II de Hongrie enfant*.
MUSÉES : VIENNE (Cab. des Estampes).

COSSMANN Herman Maurice
Né en 1821 à Berlin. Mort en 1890 à Paris. XIXe siècle. Actif et naturalisé en France. Allemand.

Peintre de genre, graveur.
Élève d'Eugène Lepoitevin, il exposa pour la première fois au Salon de Paris en 1845. Auteur d'eaux-fortes originales, il prit part au Salon Blanc et Noir en 1886.
Il traite avec virtuosité des intérieurs élégants et douillets.

M. Cossmann

BIBLIOGR. : Gérald Schurr, in : *Les Petits Maîtres de la peinture 1820-1920, valeur de demain*, Les Éditions de l'Amateur, t. II, Paris, 1982.
MUSÉES : BAGNÈRES-DE-BIGORRE : *Portrait de la Malibran dans le rôle de Desdémone.*
VENTES PUBLIQUES : PARIS, 18 mars 1903 : *La jeune mère* : **FRF 105** – VERSAILLES, 26 mai 1971 : *Jeune femme jouant avec un ara blanc*, h/pan. (60x42) : **FRF 4 000** – LONDRES, 2 avr. 1980 : *La lecture de la lettre*, h/t (64,5x53) : **GBP 420** – LONDRES, 13 mars 1986 : *Les Savoyards 1845*, aquar. (24x16) : **GBP 600** – PARIS, 4 mars 1992 : *Élégante et son bouquet*, h/pan. (52x39) : **FRF 13 000** – NEW YORK, 16 fév. 1994 : *La lettre*, h/pan. (60,3x48,3) : **USD 9 775.**

COSSMANN Jobst
XVᵉ siècle. Actif à Vienne en 1498. Autrichien.
Peintre.

COSSOLA Demetrio
Originaire du Piémont. XIXᵉ siècle. Italien.
Peintre de paysages et de portraits.
A pris part à diverses expositions.

COSSON Annette
Née le 8 mars 1899 à Bordeaux (Gironde). XXᵉ siècle. Française.
Peintre de scènes typiques. Naïf.
Elle fut d'abord employée de banque. Elle a participé à des expositions d'artistes naïfs dans la région d'Antibes.
Elle a commencé à peindre par besoin d'évasion. Ses peintures racontent la vie des Gitans.

COSSON Claude
XVIIᵉ siècle. Actif à Paris vers 1665. Français.
Sculpteur.
Il exécutait en 1664 des travaux de décoration au Palais des Tuileries.

COSSON Hélier
Né à Châteauroux (Indre). Mort le 24 avril 1976. XXᵉ siècle. Français.
Peintre.
Il fut élève de Fernand Cormon. Il exposait à Paris, au Salon des Artistes Français, mention honorable 1923.

COSSON Jean Louis Marcel
Né en 1878 à Bordeaux (Gironde). Mort en 1956 à Paris. XXᵉ siècle. Français.
Peintre de genre, compositions à personnages, intérieurs, fleurs, peintre à la gouache, aquarelliste. Post-impressionniste.
Il a exposé d'abord au Salon des Artistes Français à Paris, dont il devint sociétaire, mention honorable 1901, troisième médaille 1911, puis au Salon de la Société Nationale des Beaux-Arts et à celui des Tuileries.
Il a souvent traité des sujets d'opéra, de ballets, de cirque. Il fut un peintre de la femme, de la vie parisienne, du monde de la danse, du théâtre.

COSSON

VENTES PUBLIQUES : PARIS, 4 juin 1926 : *Danseuses au repos* : **FRF 100** – PARIS, 24 avr. 1929 : *Sortie de l'Opéra* : **FRF 750** – PARIS, 13 fév. 1932 : *Danseuse étoile*, aquar. : **FRF 400** ; *Danseuses* : **FRF 1 220** – PARIS, 28 juin 1939 : *La loge* : **FRF 1 120** ; *Coulisses de cirque* : **FRF 910** – PARIS, 20 juin 1941 : *Le Foyer de l'Opéra* : **FRF 2 100** – PARIS, 9 mars 1942 : *La loge* : **FRF 3 600** ; *La lecture au salon* : **FRF 4 500** – PARIS, 21 déc. 1942 : *Danseuses au foyer* : **FRF 11 000** – PARIS, 2 avr. 1943 : *Femme à sa toilette* : **FRF 13 500** ; *Le petit déjeuner*, gche : **FRF 8 500** – PARIS, 7 avr. 1943 : *Femme étendue* : **FRF 6 000** ; *Le Foyer* : **FRF 20 000** – PARIS, 20 juin 1944 : *Danseuses* : **FRF 15 500** – PARIS, 24 déc. 1948 : *Le Foyer de l'Opéra* : **FRF 36 000** – PARIS, 19 fév. 1954 :

Femme cousant : **FRF 70 000** – LUCERNE, 21-27 nov. 1961 : *L'Attitude (danseuse sur scène)* : **CHF 8 700** – VERSAILLES, 20 nov. 1966 : *Aux courses* : **FRF 3 300** – MILAN, 9 avr. 1968 : *Danseuse se reposant* : **ITL 850 000** – VERSAILLES, 5 déc. 1971 : *French-cancan* : **FRF 11 000** – VERSAILLES, 7 juin 1972 : *Le déjeuner* : **FRF 50 000** – VERSAILLES, 24 oct. 1976 : *Ballerine assise*, h/t (61x50) : **FRF 8 000** – PARIS, 15 juin 1977 : *À l'Opéra, avant le ballet*, h/t (60x92) : **FRF 14 500** – VERSAILLES, 7 juin 1978 : *Les Courses à Deauville*, h/pan. (46x55) : **FRF 17 600** – PARIS, 24 fév. 1980 : *Le foyer de l'Opéra*, h/t (54x73) : **FRF 11 000** – BRUXELLES, 25 nov. 1981 : *Les coulisses du cirque*, h/t (114x146) : **BEF 100 000** – VERSAILLES, 5 déc. 1982 : *Ballerines au foyer de l'Opéra*, h/t (60x73) : **FRF 15 500** – ENGHIEN-LES-BAINS, 6 mars 1983 : *Le pesage*, h/pan. (50x61) : **FRF 21 800** – VERSAILLES, 8 avr. 1984 : *Elégantes et élégants à l'entrée de l'Opéra*, h/t (73x54) : **FRF 20 000** – LYON, 4 déc. 1985 : *Danseuse*, h/t (81x65) : **FRF 55 000** – PARIS, 26 juin 1986 : *Femme à sa coiffure*, h/t (73x54) : **FRF 49 000** – VERSAILLES, 13 déc. 1987 : *Les courses*, aquar. gche (60x44) : **FRF 20 500** ; *Ballerines au foyer de l'Opéra*, h/isor. (53x64,5) : **FRF 60 000** – CALAIS, 28 fév. 1988 : *Danseur et danseuse de flamenco*, h/t (73x60) : **FRF 17 000** – PARIS, 7 mars 1988 : *Le bar*, h/t (34x26) : **FRF 24 000** – PARIS, 14 mars 1988 : *Jeune ballerine*, gche (44x53) : **FRF 38 000** – VERSAILLES, 20 mars 1988 : *Ballerines et protecteurs au foyer de l'Opéra*, h/cart. (64,5x54) : **FRF 75 000** – PARIS, 18 avr. 1988 : *La loge*, h/cart. (54,5x45,5) : **FRF 31 500** – LA VARENNE-SAINT-HILAIRE, 29 mai 1988 : *Animation dans la brasserie*, h/t (33x46) : **FRF 38 200** – PARIS, 6 juin 1988 : *Les Espagnoles*, aquar. (19x14) : **FRF 4 000** – PARIS, 12 juin 1988 : *Réception*, h/t (73x60) : **FRF 30 000** – PARIS, 15 juin 1988 : *L'écuyère à l'entrée de la piste*, h/isor. (65x54) : **FRF 77 000** – PARIS, 22 juin 1988 : *Aux courses*, h/t (100x81) : **FRF 245 000** – PARIS, 23 juin 1988 : *Élégantes au bar*, h/t (55x46) : **FRF 57 000** – VERSAILLES, 25 sep. 1988 : *Le parc italien*, h/t mar./cart. (58,5x49,5) : **FRF 12 000** – BERNE, 26 oct. 1988 : *Ballerines pendant la répétition*, h/pan. (40,5x23,5) : **CHF 3 800** – GRANDVILLE, 30 oct. 1988 : *Le foyer de l'Opéra*, h/t (38x46) : **FRF 39 500** – PARIS, 10 nov. 1988 : *La terrasse au café*, h/isor. (55x38) : **FRF 54 000** – PARIS, 21 nov. 1988 : *Scène de bar parisien*, h/t (61x50) : **FRF 130 000** – PARIS, 16 déc. 1988 : *Au foyer de la danse, Salon rouge*, h/t (60x73) : **FRF 81 000** – PARIS, 18 déc. 1988 : *L'entrée de Mr Loyal sur la piste*, h/pan. (27x41) : **FRF 17 500** – CALAIS, 26 fev. 1989 : *Le grand foyer de l'Opéra*, h/pan. (33x47) : **FRF 70 000** – PARIS, 3 mars 1989 : *Voiliers*, h/t (50x61) : **FRF 28 500** – TROYES, 23 mars 1989 : *Le foyer de l'Opéra*, h/t (33x55) : **FRF 42 000** – PARIS, 7 avr. 1989 : *La loge*, h/isor. (35x27) : **FRF 30 000** – PARIS, 11 avr. 1989 : *La terrasse de café*, h/t (54x65) : **FRF 90 000** – MONACO, 3 mai 1989 : *Le bar à l'entracte*, h/cart. (61x50) : **FRF 122 100** – PARIS, 12 mai 1989 : *Les abonnés*, h/t (54x65) : **FRF 51 000** – LA VARENNE-SAINT-HILAIRE, 21 mai 1989 : *Ballerines dans la loge*, h/cart. (27x41) : **FRF 30 000** – SAINT-DIÉ, 23 juil. 1989 : *Les coulisses du cirque* (38x46) : **FRF 57 000** – PARIS, 22 oct. 1989 : *Scène de ballet à l'Opéra*, h/t (46x61) : **FRF 41 000** – VERSAILLES, 26 nov. 1989 : *Foyer de l'Opéra*, h/t (61x73,5) : **FRF 130 000** – PARIS, 18 juin 1989 : *Danseuse au foyer*, h/t (60,5x73) : **FRF 145 000** – CALAIS, 2 juil. 1989 : *Le Foyer de l'Opéra*, h/pan. (41x32) : **FRF 90 000** – PARIS, 11 oct. 1989 : *Le Foyer de l'Opéra*, h/pan. (65x51) : **FRF 132 000** – NEW YORK, 21 fév. 1990 : *Le Grand Escalier un soir de bal*, h/pan. (33,4x41,3) : **USD 10 450** – PARIS, 11 mars 1990 : *Les Ballerines dans la salle de danse*, h/pan. (37x46) : **FRF 52 000** – VERSAILLES, 25 mars 1990 : *Le Maquillage*, h/isor. (54,5x33,5) : **FRF 75 000** – GRANDVILLE, avr. 1990 : *La Ballerine à la barre*, h/t (65x54) : **FRF 60 000** – PARIS, 4 mai 1990 : *Ballerines dans la loge*, h/t (73x60) : **FRF 140 000** – PARIS, 27 nov. 1990 : *Au pesage*, h/t (60x73) : **FRF 100 000** – NEW YORK, 13 fév. 1991 : *Au bal*, h/cart. (26,6x35) : **USD 3 520** – PARIS, 30 oct. 1991 : *Au bar des turfistes*, h/pap./pan. (132x190) : **FRF 100 000** – CALAIS, 5 avr. 1992 : *Ballerine dans la loge*, h/pan. (27x41) : **FRF 22 000** – PARIS, 8 avr. 1993 : *Ballerine au foyer*, h/t (54x65) : **FRF 23 500** – PARIS, 5 juil. 1994 : *Aux courses*, h/t (50x62) : **FRF 35 000** – NEW YORK, 8 nov. 1994 : *La Belle Fête*, h/t (33x46,3) : **USD 4 600** – BOULOGNE-SUR-SEINE, 27 nov. 1994 : *French-Cancan*, h/t (73x60) : **FRF 36 000** – NEW YORK, 14 juin 1995 : *Danseuses au foyer*, h/t (59,7x73,7) : **USD 7 762** – PARIS, 13 oct. 1995 : *Danseuses dans la loge*, h/t (73x60) : **FRF 55 000** – PARIS, 13 juin 1996 : *Chevaux de cirque à la parade*, h/t (60x73) : **FRF 70 000** – PARIS, 18 nov. 1996 : *La Coiffure de la petite ballerine*, h/t (54x65) : **FRF 22 000** – PARIS, 16 déc. 1996 : *Au café*, h/pan. (28x21) : **FRF 8 000** – PARIS, 23 fév. 1997 : *L'Équipage*, h/isor. (46x55) : **FRF 16 000** – CALAIS, 23 mars 1997 : *Les Ballerines dans le foyer de l'Opéra*, h/pan. (27x35) : **FRF 17 000** –

PARIS, 25 juin 1997 : *Ballerines et admirateurs au grand escalier*, h/t (25x34) : **FRF 11 000**.

COSSON Jeanne
Née à Périgueux (Dordogne). XXᵉ siècle. Française.
Peintre de portraits.
Elle fut élève de Paul Albert Laurens. Elle a exposé à Paris, au Salon des Artistes Français de 1926 à 1930.

COSSON Marcel. Voir COSSON Jean Louis Marcel

COSSON Paul
Né à Paris. XIXᵉ siècle. Français.
Peintre.
Il fut élève de Yvon et exposa des paysages au Salon de 1880 à 1898.

COSSUTIUS Marcus Cossutius Cerdo
Iᵉʳ siècle. Actif à Rome après Jésus-Christ. Antiquité romaine.
Sculpteur.
On connaît deux statues antiques signées de ce nom. L'une, qui fut découverte dans une demeure d'Antonin le Pieux à Lanuvium, se trouve actuellement au British Museum.

COSSUTIUS Marcus Cossutius Menelaos
Iᵉʳ siècle. Actif à Rome après Jésus-Christ. Antiquité romaine.
Sculpteur.
Il semble que cet artiste, dont on connaît une œuvre signée, travailla au temps d'Auguste et de Tibère. Voir aussi MENELAOS.

COST Cornelis de
XVIIᵉ siècle. Actif à Anvers à la fin du XVIIᵉ siècle. Éc. flamande.
Enlumineur.

COSTA Achillopulo
Né à Paris. XXᵉ siècle. Grec.
Peintre.
A exposé des paysages et des natures mortes au Salon des Indépendants et au Salon d'Automne.

COSTA Agostino
Né en 1754 à Florence. XVIIIᵉ siècle. Italien.
Graveur.
Élève de Carlo Faucci.

COSTA Alois
XXᵉ siècle. Travaillant à Kastebruth (Tyrol) en 1904. Éc. tyrolienne.
Sculpteur.
Il exécuta des sculptures religieuses.

COSTA Andrea
XVIIᵉ siècle. Actif à Bologne vers 1620. Italien.
Peintre.

COSTA Andrea di Gherardo, dit Andrea da Vicenza
Né à Vicence. Mort peu avant 1457 à Ferrare. XVᵉ siècle. Italien.
Peintre.
Il travaillait en 1438 pour la cathédrale de Ferrare.

COSTA Angelo
Mort le 5 décembre 1911 à Gênes. XXᵉ siècle. Italien.
Peintre de marines et de paysages.
Cet artiste qui fit ses études à Gênes exposa dans cette ville, ainsi qu'à Milan, Turin, Munich et même à Paris. On lui doit des paysages et des tableaux d'histoire. On cite de lui : *L'Embarquement de Garibaldi pour la Sicile*.

COSTA Angelo Maria
Mort en 1721. XVIIIᵉ siècle. Italien.
Peintre d'architectures, paysages.
Cet artiste vécut surtout, semble-t-il, à Palerme, à Naples et peut-être à Milan. On connaît plusieurs paysages signés de son nom.
VENTES PUBLIQUES : MILAN, 5 déc. 1972 : *Architecture*, h/t, une paire : **ITL 2 200 000** – LONDRES, 24 mai 1991 : *Panorama de Naples avec Posillipo et Castel dell'Ovo et des bâtiments naviguant dans la baie* 1721, h/t (63,5x147) : **GBP 49 500**.

COSTA Annibale
XIVᵉ-XVᵉ siècles. Actif à Carpi. Italien.
Peintre.

COSTA Antonio
XVIIᵉ siècle. Italien.
Sculpteur sur bois.

Il existe une *Vierge*, due au ciseau de cet artiste, dans la cathédrale de Mirandole.

COSTA Antonio
XVIIIᵉ siècle. Italien.
Peintre sur porcelaine.
Actif à Este.

COSTA Antonio
Né en 1847 à Florence. Mort en 1915. XIXᵉ siècle. Italien.
Peintre de genre.
Il était le frère d'Oreste Costa. Élève de Ciseri, il peignit surtout des scènes de genre.
VENTES PUBLIQUES : LONDRES, 20 mars 1909 : *Les Otages* : **GBP 6** – MILAN, 17 juin 1982 : *La visite à la nourrice*, h/t (94x62) : **ITL 5 500 000**.

COSTA Antonio, à tort Annibale
Né en 1804 près de Parme. Mort sans doute en 1875 à Venise. XIXᵉ siècle. Italien.
Graveur.
Cet artiste fut nommé en 1849 directeur de l'École de Gravure de Venise. Il grava un grand nombre de portraits et de tableaux anciens, en particulier, des œuvres du Corrège et de Véronèse.

COSTA Antonio da
XVIᵉ siècle. Portugais.
Peintre.
Il participa à l'exécution d'un retable pour l'église de la Confrérie de Sainte-Catherine, à Lisbonne, vers 1590.

COSTA Antonio da. Voir aussi MOTA Antonio Augusto da Costa

COSTA Antonio da. Voir aussi DACOSTA Antonio

COSTA Antonio José da
Né le 8 février 1840 à Porto. XIXᵉ siècle. Portugais.
Peintre de sujets religieux, portraits, fleurs.
Il fut l'élève de Joao Correa et peignit, durant sa jeunesse, nombre de portraits et de tableaux religieux ; l'un d'eux se trouve à la cathédrale de Porto. Il se spécialisa, plus tard, dans la peinture de fleurs.

COSTA Bartolommeo
Mort entre 1450 et 1459 à Ferrare. XVᵉ siècle. Italien.
Peintre.
Il fut le père de Domenico Costa.

COSTA Catharina da
XVIIIᵉ siècle. Britannique.
Peintre de portraits, miniaturiste.
Elle était active à Londres. On cite de cette artiste, un *Portrait de Marie Stuart*.

COSTA Claudio
Né en 1942 à Tirana. XXᵉ siècle. Actif en Italie. Albanais.
Peintre, sculpteur, multimédia.
Arrivé en Italie, il a reçu une formation d'architecte à Milan. Dans la suite, il s'est installé à Rapallo. Il expose en Italie depuis 1969. Il a participé en 1973 à la Biennale de Paris, où il a fait une exposition personnelle en 1990.
Se créant un monde très personnel, à la manière d'un ethnologue, il part sur les traces des hommes préhistoriques, recourant à la peinture, à la sculpture, utilisant des documents, des photos ethnologiques, élaborant un langage symbolique composé de bois, argile, ossements, déchets métalliques rouillés, objets artisanaux, outils agraires, armes rudimentaires, pour constituer des sortes de reliques ethnologiques, indicatrices de ce que fut l'ancêtre de l'humanité. En 1975, il créa un *Musée d'anthropologie active*, en préservant en l'état une maison que des paysans venaient d'abandonner pour s'installer en ville. Son activité se situe imprécisément à la limite de l'art et de l'anthropologie.
VENTES PUBLIQUES : MILAN, 23 oct. 1990 : *Composition aux ustensiles* 1975, techn. mixte et collage/t. (60x80) : **ITL 2 800 000** – MILAN, 20 juin 1991 : *Le mage* 1981, techn. mixte et collage/cart. (72x50) : **ITL 1 500 000**.

COSTA Costantino
XVᵉ-XVIᵉ siècles. Actif à Ferrare. Italien.
Peintre.
Il est l'un des fils de Gherardo I Costa.

COSTA Domenico
XVᵉ siècle. Actif à Ferrare. Italien.
Peintre.
Il était le fils de Bartolommeo Costa.

COSTA Emmanuel
XVIIIe siècle. Portugais.
Peintre décorateur.
Fut peintre des carrosses de la cour. En 1811, il se fixa à Rio de Janeiro.

COSTA Emmanuel
Né en 1833 à Menton (Alpes-Maritimes). Mort en 1913. XIXe siècle. Français.
Peintre de compositions décoratives, paysages, marines, aquarelliste.
Élève de Ferry et de Paul Delaroche à Paris, il partagea son existence entre Turin et Nice. Il fut nommé professeur à l'Académie des Beaux-Arts de Turin.
Il fit de grandes décorations, dont le plafond de l'Opéra de Nice et celui du Casino international, aujourd'hui disparu, mais fut surtout un habile aquarelliste. Il fut l'auteur de plusieurs bannières pour le Carnaval de Nice. Ses vues de Menton, Villefranche, Monaco, Nice, mais aussi du Maghreb montrent une grande facilité dans la composition, des contrastes de couleurs parfois racoleuses.

E. Costa

BIBLIOGR. : Gérald Schurr, in : *Les Petits Maîtres de la peinture 1820-1920, valeur de demain,* Les Éditions de l'Amateur, t. VII, Paris, 1989.
MUSÉES : NICE (Mus. Masséna) : *L'ancien couvent des Dominicains à Nice – Le Pont vieux à Nice – La porte Saint-Antoine à Nice – Promenade des Anglais, Nice,* aquar.
VENTES PUBLIQUES : PARIS, 1897 : *Une vieille rue de Nice :* FRF 50 ; *La Rade de Villefranche :* FRF 78 ; *Environs de Monaco :* FRF 52 – NICE, 6 mai 1981 : *Nice, le port vers 1868,* aquar. : FRF 7 900 – PARIS, 23 oct. 1989 : *Allégorie de la mer,* h/t : FRF 7 200 – ROME, 11 déc. 1990 : *Paysage lacustre 1874,* aquar. (29x43,5) : ITL 2 530 000 – PARIS, 27 mars 1992 : *Un canal à Venise,* h/t (52x29) : FRF 22 000 – LONDRES, 20 mai 1992 : *Vaisseau de guerre au large des côtes hollandaises,* h/t (69x89) : GBP 5 280 – PARIS, 29 nov. 1995 : *Pêcheurs devant le port de Villefranche-sur-mer,* aquar. (20x39,5) : FRF 18 000 – PARIS, 10 avr. 1996 : *Paysage aux oliviers 1878,* aquar. (42x33) : FRF 4 100 – PARIS, 2 avr. 1997 : *L'Ancre de la miséricorde,* h/t (130x96) : FRF 6 500.

COSTA Ercole
XVIe siècle. Actif à Ferrare en 1506. Italien.
Peintre.
Peut-être peut-on identifier cet artiste avec le peintre Ercole da Bologna qui travaillait la même année au château de Ferrare.

COSTA Euclide da
XXe siècle. Actif en France. Portugais.
Artiste, sculpteur, peintre de mosaïques. Naïf.
Maçon, il réalisa un palais à Dives-sur-Mer (Calvados) à la manière du Facteur Cheval, constitué d'une quinzaine de chapelles et stèles, ornées de mosaïques, de fragments d'assiettes, de miroirs.

COSTA Fabian de
Né en 1946. XXe siècle. Italien.
Sculpteur. Cinétique.
Il fut d'abord ethnologue. Il est membre du groupe cinétique N de Padoue. Il travaille avec Giovanni Sainati à la création de machines cinétiques, sur lesquelles le spectateur peut intervenir, notamment par ses déplacements provoqués. Il sculpte les matériaux plastiques. Il utilise également des rayons lumineux en mutation permanente.

COSTA Fermo
XVIe siècle. Actif à Mantoue au milieu du XVIe siècle. Italien.
Peintre.

COSTA Filides
XXe siècle. Grec.
Peintre.
A exposé au Salon de la Nationale en 1922 et 1923 : *Une nuit à Venise* et un portrait.

COSTA Francesco
Né en 1672 à Gênes. Mort en 1740 à Gênes. XVIIe-XVIIIe siècles. Italien.
Peintre et graveur.

Francesco dut son instruction artistique aux conseils d'Antonio Hoffner et de Gregorio de Ferrari. Se liant d'amitié avec Giambattista Revello, il travailla en commun avec cet artiste pendant plus de vingt ans, collaborant souvent avec des peintres de figures, pour lesquels il exécutait dans leurs tableaux, des ornements, des perspectives ou d'autres détails.
VENTES PUBLIQUES : NEW YORK, 17 et 18 mai 1934 : *Ruines romaines :* USD 60.

COSTA Francesco del
XVIe siècle. Actif à Mantoue. Italien.
Graveur, peintre.
Zani indique qu'il signait Fr. del Costa. Il était sans doute le fils de Lorenzo Costa.

COSTA Franck da
Né en 1925 à Paris. Mort en 1989. XXe siècle. Brésilien.
Sculpteur d'assemblages.
Sa famille de riches exploitants de caoutchouc résidait souvent à Paris, où il fit des études très poussées. Diplomate de carrière depuis 1950, il poursuivit une activité de plasticien depuis 1948. Il commença à pratiquer la céramique puis aborda la sculpture. Il participa à des expositions collectives en Amérique Latine, au Brésil, en Suisse et à Paris, et exposa individuellement dans le monde entier, notamment à Paris, Washington, Vienne, Rio de Janeiro, Lausanne, Tunis en 1983.
Il assemblait des résidus d'objets usuels rejetés, de jouets cassés, d'instruments ménagers détraqués, ayant créé environ 400 surprenantes compositions relevant de six thèmes principaux : les boîtes, les cartes géographiques, les robots et les machines, l'espèce animale et féérique, les images pieuses, les poupées. Tous ces thèmes sont traités en bricolage savant, soigné, précis et précieux. Dans la plupart des cas, le premier effet produit ressortit à un humour de qualité. L'ingéniosité de la réutilisation des matériaux les plus inattendus provoque aussi souvent l'émerveillement attendri que ressentent les enfants devant les jouets nouveaux. ■ J. B.
VENTES PUBLIQUES : PARIS, 16 fév. 1990 : *Topographie de Lisbonne* (110x200) : FRF 11 500 ; *Natchez* (62x134) : FRF 37 000 ; *Le Mississipi* (86x116) : FRF 35 000 ; *Long navire IV* (95x150) : FRF 28 000.

COSTA Franco
Né en 1903 à Quittengo (Balma Biellese). XXe siècle. Italien.
Peintre. Futuriste.
Il fut en contact avec le groupe futuriste de Turin en 1927 et exposa avec lui jusqu'en 1939.
Dans ces années tardives du futurisme, où la rigueur du début s'était relâchée, les œuvres de Franco Costa accusent une tendance expressionniste.
VENTES PUBLIQUES : MILAN, 4 avr. 1984 : *Nu couché 1935,* temp. (50x60) : ITL 1 400 000 ; *Nu rouge 1945,* temp. (60x50) : ITL 1 400 000 – LYON, 23 oct. 1984 : *Femme debout 1930,* h/t (78,5x48,5) : FRF 15 000 – ROME, 25 nov. 1987 : *Femme debout 1930,* h/t (79x47) : ITL 5 000 000.

COSTA Gherardo I
XVe siècle. Italien.
Peintre de compositions religieuses, décorateur.
Actif à Ferrare, il ne fit en général que de petits travaux de peinture. On cite de lui cependant quelques cassone et quelques retables. Il eut quatre fils peintres.

COSTA Gherardo II
Né à Ferrare. XVe siècle. Italien.
Peintre.
Cet artiste vécut surtout à Bergantino et à Pavie où il exécuta quelques commandes importantes. Il était fils de Domenico Costa.

COSTA Giacomo
Né à Pontremoli. XVIIe siècle. Italien.
Peintre.
En 1624 il vivait à Rome.

COSTA Giovanni
Né en 1833 à Livourne. Mort en 1893 à Florence. XIXe siècle. Italien.
Peintre.
Il prête à confusion avec Giovanni Costa, dit Nino.

COSTA Giovanni
XXe siècle. Italien (?).
Peintre. Figuration libre.

Il intervient avec des images sommaires sur des affiches publici-taires, un peu à la manière d'un graphitiste.

VENTES PUBLIQUES : PARIS, 20 nov. 1988 : *Magasin Galeries Lafayette n° 2*, acryl./affiche mar. (140x80) : **FRF 3 600.**

COSTA Giovanni, dit Nino

Né en 1826 à Rome. Mort en 1903 à Marina di Pisa. XIXᵉ siècle. Italien.

Peintre de genre, paysages, marines.

Il prit une part active à la révolution de 1848 et servit, à Mantoue, dans l'état-major de Garibaldi. Dans la campagne de 1870, il combattit dans les rangs de l'armée italienne. Mais en dehors de ses actes de libération de son pays, il fut aussi un peintre très actif. À Florence entre 1859 et 1864, à Rome après 1870, il regroupa quelques jeunes artistes autour de lui, mais la plupart ne le suivirent pas. Il était toutefois en bonnes relations avec les *Macchiaioli*, surtout avec Fattori qui lui demanda des conseils autour de 1861. Mais c'est surtout en Angleterre qu'il fut appré-cié, notamment grâce à son ami Frédéric Leighton qui le fit venir pour l'Exposition Internationale de Londres en 1862.

Son œuvre se ressent des grands mouvements qu'il a côtoyés, notamment de l'École de Barbizon, du préraphaélisme et de l'impressionnisme, tout en restant plutôt classique. Il influença à son tour l'art italien par les différentes sociétés qu'il fonda, comme le Gold Club en 1875, l'École étrusque en 1883, la société *In Arte Libertas*. Parmi les artistes qui subirent son influence, il faut citer George Mason, George Howard, Eugène Benson, Corbett, sir Frederik Leighton, c'est dire l'admiration que lui ont accordé les Anglais.

BIBLIOGR. : Gérald Schurr, in : *Les Petits Maîtres de la peinture 1820-1920, valeur de demain*, Les Éditions de l'Amateur, t. VII, Paris, 1989.

VENTES PUBLIQUES : PHILADELPHIE, 30-31 mars 1932 : *Tête de jeune fille* : **USD 45** – LONDRES, 2 nov. 1934 : *Les Marais Pontins* : **GBP 37** – MILAN, 16 mars 1965 : *Marine* : **ITL 1 500 000** – BERNE, 27 oct. 1967 : *Paysage au ciel orageux* : **CHF 1 900** – MILAN, 4 juin 1970 : *Vue du port d'Anzio* : **ITL 3 000 000** – LONDRES, 8 nov. 1972 : *Pêcheurs se reposant auprès de leur barque* : **GBP 1 800** – LONDRES, 19 mai 1976 : *Vignobles près de Florence*, h/pan. (29x54,5) : **GBP 3 500** – NEW YORK, 14 jan. 1977 : *Paysage au cré-puscule, Florence*, h/pan. (38x68) : **USD 6 500** – NEW YORK, 26 jan. 1979 : *La Jeune Esclave turque*, h/t (119,5x67) : **USD 5 000** – MILAN, 19 mars 1981 : *Paysage*, h/t (29x44) : **ITL 7 000 000** – ROME, 1ᵉʳ juin 1983 : *Paysage à l'aube*, h/pan. (19x32) : **ITL 9 000 000** – NEW YORK, 25 mai 1984 : *Une beauté arabe*, aquar. (56,2x78,7) : **USD 3 800** – NEW YORK, 13 fév. 1985 : *Bocca d'Arno 1895*, h/pan. (17,8x66) : **USD 9 500** – BERNE, 2 mai 1986 : *La procession des Franciscains*, aquar. (52x34) : **CHF 3 400** – NEW YORK, 21 mai 1986 : *Portrait de famille*, h/t (106,7x81,5) : **USD 6 000** – MILAN, 9 juin 1987 : *Vignes aux environs de Flo-rence*, h/pan. (29x54,5) : **ITL 32 000 000** – MILAN, 14 mars 1989 : *Cerveteri au printemps 1889*, h/pan. (19,5x31,5) : **ITL 32 000 000** – LONDRES, 5 mai 1989 : *Jeune beauté orientale 1878*, h/t (105,5x78,5) : **GBP 14 300** – NEW YORK, 25 oct. 1989 : *Jeune fille en rouge*, h/t (122x69,8) : **USD 14 300** – LONDRES, 24 nov. 1989 : *Vaste paysage boisé de la région de Pérouse*, h/pan. (15,5x44,5) : **GBP 12 100** – LONDRES, 6 juin 1990 : *Chevaux sauvages dans la campagne romaine*, h/t (19x48) : **GBP 6 600** – MILAN, 18 oct. 1990 : *Un soir à Cascine près de Florence*, h/pan. (38x68) : **ITL 160 000 000** – LONDRES, 17 mai 1991 : *Jeune fille au masque*, h/t (63,5x50,5) : **GBP 5 500** – LONDRES, 19 juin 1991 : *La jeune vio-loniste*, h/t (121x73) : **GBP 8 250** – NEW YORK, 15 oct. 1991 : *Avant le bal masqué*, h/t (63,5x50,9) : **USD 5 060** – LONDRES, 1ᵉʳ oct. 1993 : *Dans l'atelier*, h/pan. (35,5x43) : **GBP 2 300** – MILAN, 21 déc. 1993 : *Fillette jouant avec un chat 1871*, h/t (61x45) : **ITL 11 155 000** – NEW YORK, 20 juil. 1995 : *Confection des bou-quets de la journée*, h/t (74,3x58,4) : **USD 4 025** – ROME, 4 juin 1996 : *Jeune Femme au bouquet*, h/t (61x48) : **ITL 11 500 000** – LONDRES, 21 nov. 1997 : *Danseuse arabe*, h/t (149x74) : **GBP 11 500.**

COSTA Giovanni Battista

XVᵉ siècle. Actif à Ferrare. Italien.

Peintre.

Il collabora aux décorations exécutées en l'honneur d'Éléonore d'Aragon en 1473. Il était fils de Domenico Costa.

COSTA Giovanni Battista

XVIIᵉ siècle. Actif à Milan vers 1670. Italien.

Peintre.

Les églises San Agostino, San Giovanni et San Eustorgio conservent chacune un tableau de cet artiste.

COSTA Giovanni Battista

Mort en 1767. XVIIIᵉ siècle. Actif à Rimini. Italien.

Peintre.

Le Pallazzo Paci et l'Oratorio della Crocina à Rimini conservent des œuvres de cet artiste.

COSTA Giovanni Battista

Né en 1859 à Rapallo. XIXᵉ siècle. Actif à Gênes. Italien.

Peintre de paysages et de portraits.

Cet artiste fut professeur à l'Académie de Gênes. Il peignit sur-tout des paysages de Ligurie.

COSTA Giovanni Francesco

XVᵉ siècle. Actif à Ferrare. Italien.

Peintre.

Il était fils de Gherardo I Costa.

COSTA Giovanni Francesco

Mort en 1773 à Venise. XVIIIᵉ siècle. Italien.

Peintre, graveur et architecte.

Il a peint des paysages et des tableaux de genre.

VENTES PUBLIQUES : BERLIN, 1894 : *Après la moisson* : **FRF 575** ; *Jeune fille au coquillage* : **FRF 1 000** ; *Coquetterie* : **FRF 1 262.**

COSTA Girolamo

Né en 1529 probablement à Mantoue. Mort le 15 août 1595. XVIᵉ siècle. Italien.

Peintre.

Girolamo se forma sans doute à l'école de son père Ippolito à Mantoue. On n'a pas de détails sur sa vie.

COSTA Giulio

Né en 1792 à Ravenne. XIXᵉ siècle. Italien.

Peintre et architecte amateur.

Il était recteur du Séminaire de Ravenne. Il décora les églises Santa Maria, Maddalena et San Domenico à Ravenne.

COSTA Giuseppe

Né le 6 avril 1852 à Naples. Mort en 1912. XIXᵉ-XXᵉ siècles. Ita-lien.

Peintre de genre, figures.

Fit ses premiers essais à l'Institut Royal des Beaux-Arts de sa ville natale. Son maître fut Domenico Morelli, qui le poussa vers la peinture de genre.

VENTES PUBLIQUES : LONDRES, 11 fév. 1977 : *Joyeux souvenirs*, h/t (57x43,5) : **GBP 1 200** – LONDRES, 5 oct. 1979 : *Une beauté sou-riante*, h/t (120x69,2) : **GBP 1 700** – LONDRES, 19 juin 1981 : *La miniature*, h/t (58,5x45,7) : **GBP 1 800** – ROME, 19 nov. 1992 : *Pay-san faisant la pause*, h/t (23,5x37,5) : **ITL 1 725 000** – LONDRES, 17 nov. 1995 : *Odalisque à l'éventail rouge*, h/t (80x100,5) : **GBP 15 525.**

COSTA Hieronymus

XVIIIᵉ siècle. Actif à Hostin (Bohême). Éc. de Bohême.

Peintre et architecte.

Il peignit une fresque dans la chapelle funéraire du prince de Lobkowitz, qui avait été construite d'après ses plans, en 1736.

COSTA Ippolito

Né vers 1506 à Mantoue. Mort le 8 novembre 1561 à Man-toue. XVIᵉ siècle. Italien.

Peintre.

Ippolito Costa était le fils du célèbre peintre Lorenzo dit Ottavio Costa. Il dirigea, à Mantoue, une école de peinture d'où sortirent des élèves tels que Bernardino Campi et ses deux fils, Lorenzo le jeune et Girolamo Costa. Orlandi place cet artiste dans l'école de Carpi, mais la manière d'Ippolito ressemble beaucoup à celle de Giulio Romano.

COSTA Jean

XIVᵉ siècle. Actif à Montpellier vers 1355. Français.

Peintre verrier.

COSTA Jean Baptiste

XVIIIᵉ siècle. Actif à Angers vers 1789. Français.

Peintre et sculpteur.

COSTA Jeronimo da

Né à Braga. XVIIIᵉ siècle. Portugais.

Sculpteur sur bois.

Il travailla à Lisbonne.

COSTA Joachim

Né le 8 janvier 1888 à Lézignan (Aude). Mort en 1971 à Nar-bonne (Aude). XXᵉ siècle. Français.

Sculpteur de monuments, bustes, animalier.

Il fut d'abord élève de l'École des Beaux-Arts de Montpellier, puis à l'École des Beaux-Arts de Paris de Jean Antoine Injalbert. Il exposait à Paris, au Salon de la Société Nationale des Beaux-Arts, dont il était sociétaire, ainsi qu'aux Salons d'Automne, des Artistes Français, des Artistes Indépendants. Il obtint le Grand Prix de Sculpture à l'Exposition Internationale des Arts Décoratifs de Paris en 1925. Il fut fait chevalier de la Légion d'honneur. Après la première guerre mondiale, d'entre les nombreux monuments aux morts qui lui furent commandés à travers la France, il sculpta le *Monument aux morts* de Pézenas, et de nombreux bustes d'artistes et de poètes.

Musées : Narbonne : *Le Passé, Le Présent* vers 1950.

Ventes Publiques : Rambouillet, 20 oct. 1985 : *Tigre*, bronze (H. 34) : **FRF 15 000.**

COSTA Joaquin da
Né en 1783 à Abrantes. xixᵉ siècle. Portugais.
Peintre de décors de théâtre.
Il était le frère de Manoel da Costa, dont il fut de plus l'élève. Il se spécialisa dans les décors de théâtre.

COSTA John da
Né en 1867 à Teignmouth (Devonshire). Mort en 1931. xixᵉ-xxᵉ siècles. Britannique.
Peintre de scènes de genre.
Il fit ses études à Paris comme élève de Gustave Boulanger et Jules Lefebvre, de 1877 à 1879. Il exposa pour la première fois à la Grosvenor Gallery de Londres. Il exposait aussi à Paris, au Salon des Artistes Français, dont il devint sociétaire, recevant une mention honorable 1903 et une troisième médaille en 1907.

John da Costa

Musées : Leeds : *Enfance.*
Ventes Publiques : Londres, 12 mars 1982 : *Blue feathers* 1910, h/t (127,5x102) : **GBP 5 000** – New York, 13 oct. 1993 : *Les sœurs Glen Walker*, h/t (228,6x142,2) : **USD 74 000** – New York, 26 mai 1994 : *Les plumes bleues*, h/t (127x101,6) : **USD 18 400.**

COSTA Julio da
Né en 1855 à Porto. xixᵉ-xxᵉ siècles. Portugais.
Peintre de sujets religieux, scènes de genre, portraits.
Il était le neveu et fut l'élève d'Antonio da Costa. Il peignit surtout des portraits, quelques peintures religieuses et des scènes de genre. On cite de lui : *Le Portrait du roi don Carlos Iᵉʳ.*

COSTA Lodovico
xixᵉ siècle. Actif au début du xixᵉ siècle. Italien.
Graveur amateur.

COSTA Lorenzo, l'Ancien, dit **Ottavio**
Né vers 1460 à Ferrare. Mort en 1535 à Mantoue. xvᵉ-xviᵉ siècles. Italien.
Peintre de compositions religieuses, fresquiste, dessinateur, graveur.
D'après certains historiens de la peinture italienne, Costa eut autant de maîtres que jadis Homère eut de villes natales. Quelques-uns le placent dans l'école de Giacomo Francia, cependant que d'autres, par un rapprochement et une comparaison de dates, prétendent qu'il en fut plutôt le maître que l'élève. Ailleurs, on lit que Costa apprit les éléments de son art à Ferrare, chez Francesco Cossa ou Cosimo Tura (nommé Cosmè) et que, plus tard, se rendant à Florence, il étudia les tableaux de Fra Filippo Lippi et devint disciple de Gozzoli. Lanzi estime qu'il n'eut jamais une instruction personnelle de ce dernier maître. Costa, dans tous les cas, sut se former un style personnel remarquable pour la hardiesse de ses compositions et pour la richesse et le goût de son architecture et de sa perspective. On cite de lui à San Petronio à Bologne : une *Vierge*, un *Saint Jacques*, un *Saint Georges*, un *Saint Sébastien* et un *Saint Jérôme* (1492). À San Giacomo Maggiore, il exécuta plusieurs travaux dans la chapelle des Bentivoglio, notamment une *Madone*, avec les portraits de la famille, y compris leurs onze enfants (1488-1490). Dans la même chapelle, il exécuta un portrait équestre d'Annibal Bentivoglio et des fresques représentant le *Triomphe de la Vie et de la Mort.* Costa laissa de ses œuvres à Ravenne, où il fit des fresques et un tableau à l'huile dans la chapelle de San Bastiano, à l'église de Saint-Dominique, et à Ferrare, où il résida avant d'aller s'établir à Bologne. Costa participa aussi aux travaux faits pour l'oratoire de Sainte-Cécile, fondé par Giovanni Bentivoglio en 1481, en compagnie de peintres tels que Francia (avec lequel il peignit

souvent), Chiodarolo et Aspertini. Il ouvrit une école à Ferrare, entre les années 1492 et 1497, revint à Bologne et finalement passa à Mantoue, où il fut protégé par le marquis François de Gonzague, auprès de qui il prit la succession de Mantegna.
Son œuvre fait encore suite au Quattrocento vénitien tout en laissant présager le maniérisme du xviᵉ siècle.

LAVRETIVS · COSTA · F · 1505

Musées : Berlin : *Présentation du Christ au Temple – Le Christ pleuré* – Bologne : *Trois tableaux* – Bologne (Église San Giacomo Maggiore) : *Triomphe de la Vie et de la Mort* – Budapest : *Vénus* – Dublin : *La Sainte Famille* – Florence (Palais Pitti) : *Portrait d'homme* – Lille : *Portrait de jeune fille – Vierge, Enfant Jésus et sainte Catherine* – Londres (Gal. Nat.) : *La Madone et l'Enfant avec des Anges* – Londres (Hampton Court) : *Portement de Croix – Portrait de femme* – Lyon : *Sainte Famille* – Milan (Gal. Brera) : *Adoration des Mages* – Naples : *Portrait d'inconnu* – Olden-bourg : *Sainte Famille* – Padoue (Mus. Civ.) : *Les Argonautes* – Paris (Louvre) : *La cour d'Isabelle d'Este, duchesse de Mantoue – Scène mythologique* – Vienne : *Portrait de femme.*
Ventes Publiques : Paris, 1839 : *Portrait d'Elisabeth d'Este, représentée en Cléopâtre* : **FRF 242** – Paris, 1857 : *Jésus expirant sur la croix* : **FRF 750** – Paris, 1868 : *La Sainte Famille* : **FRF 3 000** – Londres, 1868 : *Deux Tritons ayant chacun une Sirène sur le dos et luttant*, dess. : **FRF 290** – Paris, 1872 : *Sainte Famille avec saint François et saint Jérôme* : **FRF 1 750** – Paris, 1881 : *La Vierge, l'Enfant Jésus et sainte Cécile* : **FRF 680** – Londres, 1894 : *La Vierge et saint Joseph* : **FRF 21 650** – Londres, 1899 : *La Vierge et l'Enfant sur un trône* : **FRF 5 250** – Londres, 19 juil. 1922 : *Dame en robe verte* : **GBP 25** – Londres, 9 déc. 1927 : *La Sainte Famille* : **GBP 141** – Paris, 20 nov. 1933 : *Projet de plafond pour une chapelle*, dess. à la sépia : **FRF 300** – Londres, 22 juil. 1938 : *La Sainte Famille* : **GBP 26** – New York, 23 avr. 1945 : *Portrait d'Éléonore de Gonzague, duchesse d'Urbin* : **USD 8 000** – Londres, 26 juin 1957 : *Portrait d'un cardinal* : **GBP 28 000** – Munich, 14 oct. 1964 : *Saint Roch ; Un saint*, deux pendants : **DEM 36 000** – Londres, 2 juil. 1965 : *Portrait de jeune femme* : **GNS 1 800** – Londres, 29 mars 1968 : *L'Adoration des Bergers* : **GNS 5 100** – Zurich, 14 mai 1982 : *Sainte Catherine, saint Antoine de Padoue et sainte Ursule dans un paysage boisé*, temp. (216x175,5) : **CHF 35 000** – Londres, 8 juil. 1987 : *Le mariage mystique de sainte Catherine avec Dieu le Père et anges musiciens*, h/pan. (61,5x52,5) : **GBP 90 000** – Rome, 28 avr. 1992 : *Portrait masculin*, h/t/rés. synth. (43x30,5) : **ITL 21 000 000** – Monaco, 18-19 juin 1992 : *Vierge à l'Enfant*, h/pan. (71x55) : **FRF 599 400.**

COSTA Lorenzo, le Jeune, dit **Mantovano**
Né vers 1537 à Mantoue. Mort le 29 septembre 1583 à Mantoue. xviᵉ siècle. Italien.
Peintre de compositions décoratives.
Lorenzo sortit de l'atelier de son père Ippolito, et travailla aux côtés de Taddeo Zuccari, à la décoration du petit palais du Belvédère à Rome en 1560. Il était le petit-fils de Lorenzo Costa l'Ancien.

COSTA Lorenzo della. Voir **LA COSTA**

COSTA Luigi
Né au xviᵉ siècle en Italie. xviᵉ siècle. Italien.
Peintre.
Luigi fut, croit-on, l'élève de son père Ippolito, de ses frères Girolamo et Lorenzo Costa le Jeune. Mais les liens de parenté de ces artistes ne sont pas établis avec certitude.

COSTA Luis da
Né peut-être vers 1595. xviiᵉ siècle. Portugais.
Peintre, peintre à la gouache.
Il fut l'élève de Sebastian Ribeiro et travailla le plus souvent avec des couleurs à l'eau.

COSTA M. V.
xviiiᵉ siècle. Français.
Peintre de miniatures.
On connaît de cet artiste un *Portrait de la reine Marie-Antoinette.*

COSTA Manoel da
Né en 1755 à Abrantes. xviiiᵉ siècle. Portugais.
Peintre de fleurs, peintre de décors de théâtre.
Il fut l'élève de Simao Caetano Nunes, puis un disciple fervent de Pillement. Il fit des décors de théâtre mais aussi des tableaux de fleurs. Il partit en 1811 pour le Brésil.

COSTA Maria Leontina Franco da
Née en 1917. Morte en 1984. xxᵉ siècle. Brésilienne.

Peintre. Abstrait.

Entre 1955 et 1960 elle réalisa des peintures à la géométrie précise.

Bibliogr. : In : Damian Bayon, Roberto Pontual : *La peinture de l'Amérique Latine au xxᵉ siècle*, Mengès, 1990.

COSTA Matteo del

xvᵉ-xviᵉ siècles. Actif à Mantoue. Italien.

Peintre.

Il fut l'élève de Lorenzo Costa le vieux. Il peignit vers 1512 un tableau représentant *Apollon et les neuf muses* pour le Palazza di San Sebastiano à Mantoue.

COSTA Michele

xvᵉ-xviᵉ siècles. Actif à Ferrare. Italien.

Peintre.

Son père s'appelait Giovanni Battista. Il fut le peintre personnel de la duchesse Lucrèce Borgia.

COSTA Milton da

Né en 1915 à Rio de Janeiro. Mort en 1988. xxᵉ siècle. Brésilien.

Peintre. Figuratif puis abstrait.

Il est autodidacte en peinture et reçut en 1945 une bourse qui lui permit de compléter sa formation. A partir de 1951 il a figuré dans plusieurs expositions à Paris, au Japon, et dans plusieurs pays d'Amérique Latine. Il a reçu un prix important à la iiiᵉ Biennale de São Paulo et fut sélectionné pour le prix Guggenheim en 1958.

Au début des années quarante, Da Costa peint des cyclistes, des baigneurs et des figures enfantines dans des compositions déjà très structurées par le plan, effectuant la synthèse de la ligne et de la couleur. Dans les œuvres suivantes, les figures humaines, les natures mortes et les architectures dans le paysage obéissent de plus en plus à une réduction géométrique des formes pour finalement, au cours des années cinquante, atteindre une abstraction où la couleur a un rôle majeur. Posées en aplats aux contours précis, les lignes horizontales et verticales de tons sourds et mats constituent une trame géométrique. Cette peinture est alors très représentative de l'école néo-constructiviste sud-américaine. La figure et les sinuosités baroques font ensuite leur retour dans la peinture de Da Costa, cependant toujours dirigées selon un esprit rigoureux et une construction précise. Il est bien représenté dans les musées brésiliens et argentins.

■ J. B.

Bibliogr. : In : Damian Bayon, Roberto Pontual *La peinture de l'Amérique Latine au xxᵉ siècle*, Mengès, 1990.

Ventes Publiques : São Paulo, 18 juin 1980 : *Vénus et oiseau*, h/t (73x92) : **BRL 650 000** – Rio de Janeiro, 16 déc. 1982 : *Vénus*, h/t (21x26) : **BRL 625 000** – Rio de Janeiro, 30 sep. 1986 : *Venus e Passaro* 1971, h/t (73x116) : **BRL 700 000** – New York, 1ᵉʳ mai 1990 : *Femme*, h/t enduite au gesso (80,8x64,6) : **USD 15 400** – New York, 18 mai 1994 : *La fillette agenouillée*, h/t (64,8x53,6) : **USD 34 500**.

COSTA Nino. Voir COSTA Giovanni, dit Nino

COSTA Olga

Née en 1913 à Leipzig, d'origine russe. Morte en 1994. xxᵉ siècle. Active au Mexique. Allemande.

Peintre de figures, intérieurs, paysages, natures mortes.

Elle arriva au Mexique à l'âge de dix ans. Elle fut élève de Carlos Mérida à l'École Nationale d'Arts Plastiques, de 1933 à 1937. Elle participe à des expositions collectives d'artistes mexicains à Mexico. Sa première exposition personnelle eut lieu en 1945 à la Galerie d'Art Mexicain. Le Musée d'Art Moderne de Mexico lui organisa une exposition personnelle en 1990.

Elle fait une peinture claire, aérée, de couleurs fraîches et d'inspiration matisséenne. Étrangère aux sujets sociaux et politiques, elle peint la vie quotidienne à Mexico : des enfants, les thèmes typiques et des natures mortes.

Olga Costa 75

Ventes Publiques : New York, 13 mai 1983 : *Souvenirs de mon enfance* 1958, h/isor. (80x59,7) : **USD 2 000** – New York, 21 nov. 1988 : *Femme Tehuana assise* 1949, gche/pap. (61,5x48,2) : **USD 7 150** – New York, 2 mai 1990 : *Compotier avec des pommes* 1989, h/t (40x50) : **USD 14 300** – New York, 20-21 nov. 1990 : *Stores* 1982, h/t (65x85) : **USD 14 300** – New York, 15-16 mai 1991 : *Paysage de Guanajuato* 1970, h/t (40,3x70,5) :

USD 15 400 – New York, 20 nov. 1991 : *Fillette aux sandales* 1950, h/t (85x70) : **USD 60 500** – New York, 19-20 mai 1992 : *Femme Tehuana assise* 1949, gche/pap. (61,6x48,3) : **USD 23 100** – New York, 22-23 nov. 1993 : *Nature morte* 1952, h/t (40,3x55,2) : **USD 34 500** – New York, 25-26 nov. 1996 : *La Première Communion* 1944, gche/pap. (49,5x64,1) : **USD 9 775** – New York, 28 mai 1997 : *Paysage de montagne* 1955, h./masonite (61x91) : **USD 14 950** – New York, 24-25 nov. 1997 : *Baigneuses* 1936, gche/pap. (26x22) : **USD 7 475**.

COSTA Oreste

Né en 1851 à Florence. Mort en 1901. xixᵉ siècle. Italien.

Peintre de genre, intérieurs, natures mortes.

Frère d'Antonio Costa, il fut élevé comme ce dernier avec les conseils du professeur Ciseri. Il s'est adonné surtout aux natures mortes.

Ventes Publiques : Londres, 22 avr. 1966 : *La salle de l'Iliade, au palais Pitti à Florence* : **GNS 800** – Londres, 20 mai 1970 : *Nature morte aux fruits* : **GBP 400** – Londres, 20 avr. 1978 : *L'Heure de musique*, h/t (64x106) : **GBP 5 500** – Londres, 22 mai 1981 : *Intérieur du palais Pitti, Florence*, h/t (111,7x81,2) : **GBP 2 000** – New York, 19 oct. 1984 : *La leçon de musique*, h/t (130,7x170,2) : **USD 16 000** – New York, 22 mai 1986 : *Soirée musicale*, h/t (66x108) : **USD 17 000** – New York, 23 fév. 1989 : *Une salle du palais Pitti*, h/t (112,4x82) : **USD 26 400** – New York, 23 mai 1990 : *Nature morte de gibier et de fruits*, h/t (101,4x82,5) : **USD 5 225** – New York, 21 mai 1991 : *Cupidon*, h/t (80x63,5) : **USD 3 520** – New York, 16 oct. 1991 : *Jeune beauté dans un jardin*, h/t (117,2x71,1) : **USD 14 300** – New York, 20 jan. 1993 : *Nature morte de gibier et de fruits* 1873, h/t (80,6x63,5) : **USD 1 955** – Amsterdam, 9 nov. 1993 : *Jeune fileuse dérangée*, h/t (45x65) : **NLG 6 900** – Paris, 22 déc. 1993 : *Bord de mer animé*, h/t (46x84) : **FRF 5 000** – New York, 17 fév. 1994 : *Nature morte avec du gibier, une corne de chasse, une corbeille de fruits, une bouteille et une chope sur une table de bois*, h/t (111,7x82,5) : **USD 7 130** – New York, 11 avr. 1997 : *Retour de marché, nature morte avec du gibier, un homard, du vin et des légumes*, h/t (111,8x78,7) : **USD 24 150**.

COSTA Pedro

Né à Vique. Mort en 1761 à Verga. xviiiᵉ siècle. Espagnol.

Sculpteur.

Il travailla surtout à Barcelone. On cite de lui une statue de *Philippe V* à l'Université de Cervera.

COSTA Pietro

xviiiᵉ-xixᵉ siècles. Italien.

Peintre.

Actif à Gênes et à Rome. Vers 1797 il fut professeur à l'Académie de Gênes.

COSTA Pietro

Né le 29 juin 1849 à Gênes. Mort le 18 avril 1901 à Rome. xixᵉ siècle. Italien.

Sculpteur de statues.

Cet artiste passa sa jeunesse à Florence. Ayant obtenu une pension il se rendit à Rome où il put étudier plus sérieusement. Lauréat du concours qui eut lieu à l'occasion de l'érection d'un monument à Victor-Emmanuel à Turin.

Tout jeune encore, cet artiste avait été choisi par son maître Gazzarini pour élever une statue colossale de *Christophe Colomb*. Quelque temps après, il fut chargé de faire une autre statue, représentant *Francesco Redi*, qui fut placée, une fois terminée, dans une niche des loges des Offices de Florence.

Ventes Publiques : Berne, 2 mai 1986 : *Scène de rue, Rome*, h/pan. (8x13,5) : **CHF 1 100** – Rome, 25 mai 1988 : *Le départ du soldat* 1872, terre-cuite (H 40) : **ITL 1 800 000**.

COSTA R.

xixᵉ siècle. Américain.

Peintre de scènes de genre. Naïf.

Actif vers 1840, il fut probablement « coq » à bord d'un baleinier. On a de lui plusieurs petits tableaux sur bois.

Bibliogr. : Oto Bihalji-Merin : *Les peintres naïfs*, Delpire, Paris.

Ventes Publiques : Londres, 16 fév. 1990 : *Pêcheurs remontant leurs filets*, h/t (49x67) : **GBP 2 200**.

COSTA Roca D. Voir ROCA D. COSTA Santiago

COSTA Rocco

xviiiᵉ siècle. Italien.

Peintre.

Il décora l'église de Sestri Levante avec Galeotti.

COSTA Sigismondo
XVᵉ siècle. Actif à Ferrare. Italien.
Peintre.
Il était fils de Gherardo I Costa.

COSTA Sperindio
XVᵉ siècle. Actif à Ferrare. Italien.
Peintre.
Il était fils de Gherardo I Costa.

COSTA Stefano
Mort en 1657 à Gênes. XVIIᵉ siècle. Italien.
Sculpteur.
Il fut l'élève de Santacroce. On sait que cet artiste mourut de la peste.

COSTA Stella May da
XXᵉ siècle. Américaine.
Peintre.
Elle vit et travaille à Philadelphie. Elle exposa des aquarelles à l'Académie des Beaux-Arts de Philadelphie et à l'Exposition Internationale d'aquarelles de Chicago entre 1937 et 1939.

COSTA Thomas F. d'Aracyo, ou d'Aranjo
Né en 1861 à Oliveira d'Azanaeis (Portugal). XIXᵉ siècle. Portugais.
Sculpteur.
Troisième médaille à l'Exposition Universelle de 1889 ; mention honorable au Salon de 1890 ; deuxième médaille à l'Exposition Universelle de 1900. On cite d'entre ses œuvres : *Ève*, et la statue du *Duc de Saldanha*, à Lisbonne.

COSTA Tino
Né en 1892. Mort en 1947 en Californie. XXᵉ siècle. Actif aux États-Unis. Italien.
Peintre de portraits.
Il s'établit aux États-Unis en 1909. Il fut le portraitiste de nombreuses personnalités : *Le roi Christian de Danemark, Président Franklin D. Roosevelt, Président Herbert Hoover, Général Mac Arthur,* etc.

COSTA Tommaso
Né vers 1634 à Sassuolo. Mort en 1690 à Reggio. XVIIᵉ siècle. Italien.
Peintre de figures, perspectives, paysages, graveur.
Tommaso Costa fut un des meilleurs élèves de Jean Boulanger. Il imita fort bien le style de son maître, mais, dans ses compositions originales, il déploya un goût remarquable dans le choix et la distribution des couleurs. Reggio possède nombre de ses peintures et Modène en conserve aussi dans ses galeries et ses églises. On cite tout particulièrement sa décoration de la coupole de Saint-Vincent.

COSTA Vasco
Né en 1917 à Lisbonne. XXᵉ siècle. Actif en Angleterre. Portugais.
Peintre de figures. Expressionniste.
Il fut élève de l'École des Arts Décoratifs de Lisbonne. En 1940, il travaillait comme décorateur pour l'Exposition de New York. Il fit la guerre comme citoyen américain, puis vécut en Angleterre. Jusqu'en 1959, il exerça l'activité de peintre décorateur. Il fait commencer en 1960 sa véritable carrière de peintre. Il participe à des expositions collectives, notamment à Paris, à partir de 1970 aux Salons Comparaisons et des Réalités Nouvelles, en 1972 au Salon d'Automne. Il a exposé individuellement pour la première fois en 1969 à Paris, puis à la Fondation Gulbenkian de Lisbonne et à Londres.
Il peint des compositions inspirées du corps humain, dans des gammes discrètes. Expressionniste, Georges Boudaille qualifie sa peinture d'« oragiste ».

COSTA Vincenzo
XVIIᵉ-XVIIIᵉ siècles. Actif à Milan. Italien.
Peintre.
Plusieurs peintures ont été à tort attribuées à cet artiste dont l'œuvre ne nous est pas connue.

COSTA Waldemar da
Né en 1904 à Belem. XXᵉ siècle. Brésilien.
Peintre de figures, natures mortes. Figuratif puis abstrait.
Il étudia la peinture à Lisbonne et à Paris où il vécut quelques temps, exposant en 1931 au Salon des Artistes Indépendants. Il fut ensuite professeur de peinture au Brésil. Son œuvre, d'abord figurative se rapprocha dans les années soixante de l'abstraction géométrique.

COSTA DE BEAUREGARD Alexis, marquis
XVIIIᵉ siècle. Italien.
Peintre de miniatures amateur.

COSTA DE BEAUREGARD Joseph Henri, marquis
Né en 1752. Mort peut-être en 1824 à Turin. XVIIIᵉ-XIXᵉ siècles. Italien.
Peintre amateur.
Il subsiste au château de Beauregard en Savoie des peintures de cet artiste qui fut l'ami de Greuze et de Boucher.

COSTA Y CASAS Pedro
XVIIIᵉ siècle. Actif à Madrid en 1754. Espagnol.
Sculpteur.

COSTA Y FERRER José, dit **Picarol**
Né en 1876 à Ibiza (Baléares). XXᵉ siècle. Espagnol.
Dessinateur humoriste.
Probablement parent des Ferrer des Baléares. Il publia des dessins dans les journaux de Barcelone.

COSTA-MEESEN Félix da
Mort en 1712 à Lisbonne. XVIIᵉ-XVIIIᵉ siècles. Portugais.
Peintre.
Gérard Edelinck grava d'après cet artiste le *Portrait du médecin portugais J. Curvo Semmedo.*

COSTA NEGREIROS José da
Né en 1704 ou 1714. Mort en 1759 à Lisbonne. XVIIIᵉ siècle. Portugais.
Peintre de compositions religieuses, fresquiste.
Il entra dans la confrérie de Saint-Luc en 1745.
Auteur de toiles intéressantes, dont une *Conception,* pour le Trésor Royal, une *Sainte Anne* pour l'Oratoire de la Fonderie. Il peignit des fresques dans des églises.

COSTA E OLIVEIRA da
Né vers 1806. XIXᵉ siècle. Portugais.
Peintre.
Cet artiste travailla à Lisbonne.

COSTA-PINHEIRO
Né en 1932 à Moura (Alentejo). XXᵉ siècle. Actif aussi en Allemagne. Portugais.
Peintre, graveur. Abstrait-lyrique.
Il fut élève de l'École des Arts Décoratifs de Lisbonne. Il commença à exposer en 1954. Il participe à des manifestations collectives à Paris, en Allemagne, Italie. En 1970, il participe à une Biennale de l'Estampe. Il voyage en Europe, séjourne à Paris de 1959 à 1961, puis se fixe à Munich.
Sa peinture ressortit à l'abstraction lyrique, faite d'épaisses matières colorées, appliquées gestuellement, complétées de sortes d'écritures délicates. Toutefois, de 1965 à 1973 au moins, les séries des *Princes de Portugal* et de *L'Astronaute et la planète des poussières cosmiques* correspondent à une période figurative, dont on note la dimension ironique.
BIBLIOGR. : In : *Diction. de la peinturee espagnole et portugaise,* Larousse, Paris, 1989.

COSTA SAN-GIORGIO Nannocio dalla
XVIᵉ siècle. Italien.
Peintre d'histoire, portraits.
Élève d'Andrea del Sarto.

COSTADAU Berthe
Née à Lyon (Rhône). XIXᵉ-XXᵉ siècles. Française.
Peintre.
Élève de Cabane et de A. Perrachon. Elle exposa à Lyon, depuis 1874, des tableaux de fleurs. Elle a obtenu, en 1899, une deuxième médaille.

COSTAGINI Filippo
Né en 1837 à Rome. Mort en 1904 à Maryland (U.S.A.). XIXᵉ siècle. Italien.
Peintre.
Il a peint des tableaux retraçant l'histoire des États-Unis au Capitole de New York.

COSTAIN Claude
XVIIIᵉ siècle. Actif à Besançon en 1784. Français.
Graveur.

COSTALONGA Gaetano
Né en 1726 à Vicence. Mort en 1816. XVIIIᵉ-XIXᵉ siècles. Italien.
Peintre.
On cite de ce peintre un retable à l'église del Carmine à Novelledo.

COSTALONGA Giovanni
XVIIIe-XIXe siècles. Italien.
Peintre.
Il était le fils de Gaetano.

COSTALONGA Pietro
XIXe siècle. Italien.
Peintre.
Il était le fils de Gaetano Costalonga et fut élève à Venise de Giambattista Canal.

COSTAN D.
Sculpteur de figures.
VENTES PUBLIQUES : PARIS, 11 mars 1988 : *Femme et faons*, sculpt. Chryséléphantine, ivoire pour le visage et les mains (L. 61) : FRF 5 000.

COSTANTIN Hélène
Née le 12 août 1888 à Paris. XXe siècle. Française.
Décorateur.
A exposé des tapisseries au Salon des Artistes Français, de 1926 à 1933.

COSTANTIN Marie Félicie Paule
XXe siècle. Français.
Peintre de natures mortes, fleurs.
Il fut sociétaire du Salon des Artistes Français de Paris en 1938.

COSTANTINI Battista
Né en 1854 à Vittorio Veneto. XIXe siècle. Italien.
Peintre.
Il vécut à Bologne et fut l'élève de Guglielmo Ciardis. Il exposa pour la première fois des paysages à Milan en 1883.

COSTANTINI Biagio
XVIIIe siècle. Actif à Bologne en 1738. Italien.
Peintre de théâtre.

COSTANTINI César
Né à Rome (Italie). XXe siècle. Italien.
Décorateur.
A exposé des vases au Salon des Artistes Français de 1933.

COSTANTINI Ermenegildo
XVIIIe siècle. Actif à Rome. Italien.
Peintre.
Il décora en 1764 l'église Santa Lucia del Gonfalone. Cet artiste d'un style et surtout d'une couleur assez théâtrale fut un des derniers représentants de la tradition des Carrache.

COSTANTINI Eugenio di Giulio
Mort en 1583 à Pérouse. XVIe siècle. Italien.
Peintre.

COSTANTINI Francesco
Né à Foligno. XVIe-XVIIe siècles. Italien.
Sculpteur sur bois.

COSTANTINI Giovanni
Né en 1872 à Rome. Mort en 1947. XIXe-XXe siècles. Italien.
Peintre.
Autodidacte, il exposa régulièrement au Salon des *Amatori e Cultori di Belli Arti*.
MUSÉES : ROME (Mus. Nat.).
VENTES PUBLIQUES : ROME, 27 jan. 1976 : *Vue d'une fabrique*, h/t (120x120) : ITL 206 000.

COSTANTINI Giovanni Battista ou Constantini
XVIIe siècle. Italien.
Graveur et orfèvre.
On cite de lui une *Bacchanale* d'après le Guide. Peut-être identique à CONSTANTINI.

COSTANTINI Girolamo
XVIIIe siècle. Actif à Vérone. Italien.
Peintre.
Il fut sans doute élève de Baroni d'après un carton duquel il peignit une fresque à l'église de Villa près de Vérone.

COSTANTINI Giuseppe
Né en 1843 ou 1850 à Nola. Mort en 1893 à San Paolo Belsito. XIXe siècle. Italien.
Peintre de genre, paysages.
Il fut élève de l'Académie des Beaux-Arts de sa ville natale, fut formé par le professeur Mancinelli, puis se perfectionna avec les conseils de Vincenzo Petruccelli. Il vécut à Naples.

On lui doit surtout des paysages et des tableaux de genre mettant en scène le monde de l'enfance.

G. Constantini

VENTES PUBLIQUES : LONDRES, 8 nov. 1967 : *Le jeune joueur de cartes* : GBP 160 – NEW YORK, 4 nov. 1971 : *Le jeu de Colin-maillard* : USD 2 700 – LONDRES, 11 fév. 1976 : *Mère habillant son fils* 1874, h/pan. (28x19,5) : GBP 1 000 – MILAN, 20 mars 1980 : *Les petits soldats* 1892, h/pan. (52x71) : ITL 10 000 000 – ROME, 26 oct. 1983 : *Les écoliers dissipés*, deux h/pan. (25x35) : ITL 18 000 000 – LONDRES, 10 oct. 1984 : *Colin-maillard*, h/pan. (28,5x40,5) : GBP 3 000 – NEW YORK, 12 mars 1986 : *La salle de classe* 1886, h/t (38x52) : USD 4 000 – MILAN, 14 juin 1989 : *L'Écheveau* 1892, h/pan. (35x21) : ITL 11 500 000 – ROME, 14 déc. 1989 : *Paysan et paysanne*, h/pan., une paire (31x19) : ITL 6 900 000 – NEW YORK, 16 fév. 1993 : *Le jeu de cartes* 1879, h/pan. (21,6x34,3) : USD 13 750 – LONDRES, 17 mars 1993 : *Colin-maillard* 1884, h/pan. (35,5x25) : GBP 8 625 – ROME, 31 mai 1994 : *Femme cousant dans un intérieur* 1887, h/pan. (21x12) : ITL 5 893 000 – LONDRES, 31 oct. 1996 : *Colin-Maillard* 1879, h/pan. (22x34) : GBP 4 600.

COSTANTINI Virgilio, dit Virgil
Né en 1882 à Cefalu (Sicile). XXe siècle. Actif en Grande-Bretagne, puis actif aussi et depuis 1917 naturalisé en France. Italien.
Peintre de figures, nus, portraits.
Très jeune, en 1904, il suit les cours à l'Académie de Palerme, tandis qu'il apprend le modelage avec le sculpteur Mario Rutelli. Un an plus tard il entre à l'Académie de Venise et dessine, pour gagner sa vie, des modèles de verres, meubles, sièges. Il participe à l'Exposition Universelle de 1906 à Florence. À Paris, il débute au Salon des Indépendants à partir de 1908, puis il expose au Salon de la Société Nationale des Beaux-Arts, dont il devient sociétaire. Il va souvent en Bretagne, d'où il gagne l'Angleterre et l'Écosse. Il a exposé à Édimbourg en 1911, à Venise en 1913. Il doit rejoindre son régiment à Syracuse en 1915, réformé deux ans plus tard, il revient à Paris, où il adopte la nationalité française. En 1921, il est reçu à la Royal Academy de Londres.
Sa peinture très séduisante et sensible, montre des nus dans des harmonies de rose, corail, gris. Ses toiles sont peintes avec fougue, vivacité, d'une touche qui sculpte les formes sans violence, tandis que les draperies mettent en valeur les nus.
BIBLIOGR. : Gérald Schurr, in : *Les Petits Maîtres de la peinture 1820-1920, valeur de demain*, Les Éditions de l'Amateur, t. VI, Paris, 1985.
VENTES PUBLIQUES : LONDRES, 20 juin 1983 : *Le chapeau vert* 1908, h/t (130x80) : GBP 3 600 – LONDRES, 19 juin 1991 : *La bauja* 1928, h/t (120x99,5) : GBP 7 700 – NEW YORK, 18 fév. 1993 : *Coccinelle* 1925, h/t (100,5x82,5) : USD 18 700 – NEW YORK, 17 fév. 1993 : *Le repos du modèle*, h/t (100,3x80,6) : USD 107 000 – NEW YORK, 26 mai 1993 : *La couturière*, h/t (98,4x63,5) : USD 23 000 – NEW YORK, 16 fév. 1994 : *Baigneuse au soleil*, h/t (139,7x26,4) : USD 8 625.

COSTANTINIDI Philopoemen. Voir CONSTANTINIDI
COSTANTINO
XVe siècle. Actif à Ferrare vers 1481. Italien.
Peintre.

COSTANTINO Andrea
Actif à Pérouse. Italien.
Peintre.

COSTANTINO Cesare
XVIe-XVIIe siècles. Actif à Verceille. Italien.
Peintre.
Il fut peut-être le père de Vicenzo Costantino.

COSTANTINO Giuseppe
XVIIe siècle. Actif à Palerme. Italien.
Peintre.
Cet artiste décora en 1637-8 de huit paysages à la fresque une pièce du Palais Royal de Palerme.

COSTANTINO Vicenzo
XVIIe siècle. Actif à Biella. Italien.
Peintre.
Cet artiste, qui fut peintre ordinaire du duc de Savoie, décora le chœur de l'église de Biella.

COSTANTINO da Fabriano
xve siècle. Actif à Arcevia en 1420. Italien.
Peintre.

COSTANTINO di Giambattista
Né à Piedulico. xvie siècle. Italien.
Sculpteur.
Il entreprit en 1552 de sculpter un autel pour l'église Santa Maria Nuova à Pérouse.

COSTANTINO di Rosato
xvie siècle. Actif à Pérouse. Italien.
Peintre verrier.

COSTANTINOPOLI Giorgio di Salvatore da
Mort en 1424 à Ferrare. xve siècle. Italien.
Peintre.

COSTANZI Placido
Né vers 1690-1702 à Naples. Mort en 1759 à Rome. xviiie siècle. Italien.
Peintre de scènes mythologiques, compositions religieuses, figures, fresquiste.
Cet artiste, qui apprit la peinture chez le chevalier Benedetto Luti, entra à l'Académie de Saint-Luc en 1741. Il collabora souvent avec Jan Frans Van Bloemen (dit l'Orizzonte), décorant les paysages de ce maître de figures d'une rare délicatesse. Dans son tableau de Saint Camille, qu'il fit pour l'église de Sainte-Madeleine, ses anges sont d'une grande beauté et rappellent le Domenichino. Costanzi peignit aussi des fresques, notamment aux plafonds des tribunes de Santa Maria in Campo Marzo et à San Gregorio.
Musées : Angers : *Saint Barnabé* – Dublin : *Saint Pancrace et l'Enfant Jésus* – Pise (Civico) : *Le Martyre de saint Torpé.*
Ventes Publiques : New York, 25 mars 1982 : *Latone transformant les paysans en crapauds,* h/t (56x82) : **USD 4 200** – Londres, 29 oct. 1986 : *Mercure révélant le chemin de la gloire pour l'Architecture, la Sculpture et la Peinture* 1750, h/t (51x99) : **GBP 15 000** – New York, 1er juin 1989 : *L'Ange avec Hagar et Ismaël,* h/t (128,2x94,5) : **USD 23 100** – New York, 12 oct. 1989 : *Mercure conseillant à Enée d'abandonner Carthage,* h/t (97,7x133,3) : **USD 30 800** – Londres, 5 juil. 1991 : *Sainte Catherine de Gênes rendant visite aux malades de l'hôpital de Gênes* 1738, h/t (257,2x198,7) : **GBP 24 200** – Londres, 7 juil. 1993 : *Le triomphe de Saint Pierre sur le paganisme,* h/t (104x53) : **GBP 12 650** – Londres, 6 déc. 1995 : *L'Apparition de l'Ange à Agar et Ismaël,* h/t (134x96,5) : **GBP 9 200** – Londres, 16 avr. 1997 : *La Résurrection de Tabithe,* h/t (87,5x51) : **GBP 10 925.**

COSTANZO
Né à Ferrare. xve siècle. Italien.
Peintre et médailleur.
Cet artiste travailla à Naples avant d'être appelé à Constantinople pour faire le portrait du sultan Mohammed II. Il revint en Italie en 1781. On doit peut-être l'identifier avec Costanzo Lombardo et Costanzo de Moysis qui, on le sait, travaillèrent comme peintres.

COSTANZO Domenico di
xviiie-xixe siècles. Italien.
Peintre de miniatures.
On connaît, de cet artiste, un portrait du roi Ferdinand Ier des Deux-Siciles.

COSTANZO di Francesco di Tancio
Mort en 1498 à Pérouse. xve siècle. Italien.
Peintre.

COSTANZO di Mattiolo
xve siècle. Actif à Pérouse. Italien.
Sculpteur sur bois.
Il travaillait en 1462 pour la salle d'audience des notaires de Pérouse.

COSTAS Valsamis
xxe siècle. Grec.
Sculpteur.
Médaille d'or des Arts, Sciences et Lettres en 1970.

COSTE
xviiie siècle. Français.
Peintre d'architectures.
Il fut membre de l'Académie de Saint-Luc à Paris et exposa en 1774.

COSTE Albert
Né le 8 novembre 1895 à Marseille (Bouches-du-Rhône).

Mort le 22 août 1985 à Marseille (Bouches-du-Rhône). xxe siècle. Français.
Peintre de compositions à personnages, portraits, sujets divers, peintre à la gouache, pastelliste, dessinateur. Postcézannien, puis abstrait.
À partir de 1909, il suivit parallèlement les cours de l'École des Beaux-Arts et du Conservatoire de Musique de Marseille, alors dans le même édifice de la Place Carli. En 1912-1913, il bénéficia d'un atelier personnel. En 1914, il fut pré-sélectionné pour le concours du Prix de Rome, qui fut interrompu du fait de la guerre. Lui-même fut réformé. En 1916, à la suite d'un accident, il fut amputé de deux doigts. Il renonça à la profession de violoncelliste et se voua définitivement à la peinture. Il vint à Paris, poursuivre sa formation dans l'atelier de Fernand Cormon. En 1919, il fut initié à la restauration de peintures et exerça ensuite cette profession. Ce fut aussi l'année de la rencontre avec Maurice Denis, duquel il reçut les conseils aux Ateliers d'Art Sacré. À partir de 1919, il a participé à de nombreuses expositions collectives, d'entre lesquelles, à Paris : 1924 2e Salon des Tuileries, 1942 Salon des Artistes Indépendants, 1945 Salon des Réalités Nouvelles, 1949 Salon d'Automne, ainsi qu'à Aix : 1953 avec Gleizes, Delaunay, Villon, Herbin, Léger, 1967 avec Calder, Masson, Messagier, Prassinos ; au Musée de Toulon : 1958 *Panorama de la peinture abstraite,* etc. En 1921, il fit sa première exposition personnelle à Aix en 1933, présentée par Maurice Denis. En 1935, il fut nommé professeur à l'École des Beaux-Arts d'Aix-en-Provence, où il vint habiter. En 1939, deuxième exposition à Aix, avec un nouveau texte de Maurice Denis, qu'il seconda, en 1941, pour la décoration d'une chapelle à Thonon. En 1941-1942, il rencontra Albert Gleizes à Saint-Rémy-de-Provence, avec lequel il resta étroitement lié jusqu'à sa mort. En 1945, il décora la chapelle du collège catholique d'Aix. En 1946, il créa l'atelier de peinture à l'École des Beaux-Arts. En 1949, il fit une exposition à Aix, présentée par Albert Gleizes. En 1952, il peignit une décoration de 12 mètres sur 4,50 à la Faculté de Droit d'Aix, dont l'architecte était Fernand Pouillon. De 1952 à 1956, il s'occupa d'expositions de l'œuvre d'Albert Gleizes et de ses disciples. En 1980, il fut reçu à l'Académie des Sciences, Arts et Belles-lettres d'Aix.
Ce fut un peintre d'excellente technique et un homme de grande culture, pour qui peinture, musique, qu'il continuait à pratiquer, et poésie donnaient sa raison d'être à la vie. Son œuvre se subdivise en trois parties principales, encore qu'elles s'interpénètrent parfois. Dans sa jeunesse, traitant des sujets divers, il faisait montre de la technique apprise et de sérieux dons personnels. À partir de 1919, la rencontre avec Maurice Denis orienta et influença fortement son œuvre vers des compositions ambitieuses : *Baigneuses* de 1924 et de 1933, *Jugement de Pâris* de 1937. Après la rencontre avec Albert Gleizes, qui l'impressionna beaucoup, de par sa personnalité d'artiste, son immense culture artistique et de par son rayonnement spirituel, Albert Coste se remit totalement en question, peignant d'abord des natures mortes et quelques sujets divers dans un esprit proche de Gauguin et des Nabis, puis s'engagea résolument dans la voie de l'abstraction, avec des compositions très proches de Gleizes : *Prophètes* de 1950, et d'autres, plus spontanées, alors en accord avec l'esprit général de l'abstraction française de l'après-guerre, autour de Bissière, Manessier, Lapique et autres. L'œuvre dans sa totalité est abondant. Les périodes qui le scindent montrent une évidente perméabilité aux influences. Il n'en reste pas moins, dans cette modestie du disciple, un artiste authentique et fort d'une rare maîtrise technique.   ■ Jacques Busse
Bibliogr. : Bernard Muntaner, Éliane Chevalier, Maurice Denis, Albert Gleizes, divers : *Albert Coste, 1895-1985 La musique des couleurs,* Édit. P. Tacussel, Marseille, 1990.
Musées : Arles (Mus. Réattu) – Carpentras (Mus. de la Ville) – Marseille (Mus. Longchamp) – Paris (Fond. Albert Gleizes) – Saint-Germain-en-Laye (Mus. du Prieuré).
Ventes Publiques : La Varenne-Saint-Hilaire, 23 oct. 1988 : *Dominante rouge,* gche (27x22) : **FRF 3 600** – La Varenne-Saint-Hilaire, 3 déc. 1989 : *Composition* 1953, gche (34,5x26,5) : **FRF 5 400** – Paris, 22 déc. 1989 : *Composition abstraite* 1954, h/t (100x73) : **FRF 15 000** – La Varenne-Saint-Hilaire, 3 déc. 1989 : *Composition* 1953, gche (34,5x26,5) : **FRF 5 400.**

COSTE Gaspard
Né en 1803 ou 1804 à Toulon (Var). Mort en 1855 à Toulon. xixe siècle. Français.
Peintre de natures mortes.

Il semble avoir été charpentier de navires et peintre en bâtiment, avant de se lancer dans la carrière artistique. Il devint conservateur du Musée de Toulon en 1846.

Ses natures mortes aux couleurs brillantes, montrent un goût prononcé du détail, même si elles sont exécutées rapidement, avec toute la naïveté d'un autodidacte.

BIBLIOGR. : Gérald Schurr, in : *Les Petits Maîtres de la peinture 1820-1920, valeur de demain*, Les Éditions de l'Amateur, t. VII, Paris, 1989.

MUSÉES : TOULON : *Œufs dans un panier et gibier et fruits dans une corbeille – Fruits dans un panier – Panier de fruits – Assiette de fruits – Nature morte : oiseaux – Nature morte : poissons.*

VENTES PUBLIQUES : PARIS, 23 avr. 1943 : *Nature morte aux fleurs et à la partition* : **FRF 1 050.**

COSTE Georges
Né à Romans (Drôme). XXᵉ siècle. Français.
Sculpteur.
Il fut élève de Jean Boucher. Il exposait à Paris, au Salon des Artistes Français, dont il fut sociétaire, troisième médaille en 1925.

VENTES PUBLIQUES : PARIS, 17 déc. 1979 : *Jeune femme et cabri*, bronze argenté, cire perdue (H. 44) : **FRF 4 000** – LONDRES, 24 juin 1981 : *Jeune fille et son chien*, bronze (H. 38) : **FRF 1 800.**

COSTE Jacques ou Couste
XVIᵉ siècle. Actif à Paris. Français.
Peintre.
Il travailla de 1568 à 1570 au château de Fontainebleau.

COSTE Jean
XVIᵉ siècle. Actif à Lyon. Français.
Sculpteur et peintre.
Il fut chargé des travaux ordonnés en 1528 par la ville de Lyon à l'occasion de l'entrée du roi Henri II.

COSTE Jean ou Costé
XIVᵉ siècle. Actif à Paris vers 1350. Français.
Peintre.
Cet artiste fut sergent du roi Jean le Bon. On lui attribue un célèbre portrait de ce souverain qui est conservé à la Bibliothèque Nationale. Jean le Bon chargea Jean Coste de la décoration de son château de Vandreuil. S'il ne reste rien de cette œuvre, le programme iconographique est connu : scènes de la vie de César, chasse, dans la galerie ; *Annonciation* et *Couronnement de la Vierge* dans la chapelle. Il devait y avoir une certaine ressemblance entre ces scènes de chasse et le décor du château d'Avignon. D'après un texte de l'époque, il semblerait que ces peintures aient été exécutées à l'huile vers 1350, soit avant la naissance de Van Eyck qui passe pour être l'inventeur de cette technique.

BIBLIOGR. : J. Dupont et C. Gnudi : *La peinture gothique*, Skira, Genève, 1954.

COSTE Jean Baptiste
Né à Marseille (Bouches-du-Rhône). XVIIIᵉ-XIXᵉ siècles. Français.
Peintre de paysages, aquarelliste, dessinateur.
MUSÉES : LOUVIERS : *Vue du château de Guiscard*, dess. au lav.
VENTES PUBLIQUES : PARIS, 1855 : *Le Temple de la Concorde et le Capitole à Rome*, sanguine : **FRF 2** – PARIS, 1894 : *Architecture et figures*, deux dessins à la sépia : **FRF 320** – PARIS, 4 juil. 1929 : *Le départ pour la promenade dans le parc*, dess. : **FRF 5 300** – PARIS, 4 mai 1942 : *Une ruelle à Rome*, dess. à la sanguine : **FRF 1 250** – PARIS, 30 mars 1979 : *Paysages classiques 1797*, deux aquar., formant pendants (55,5x88) : **FRF 29 000** – PARIS, 23 juin 1993 : *Paysage montagneux animé de moines*, h/t (87x105) : **FRF 11 500** – PARIS, 16 nov. 1994 : *Vue de la terrasse du jardin Negroni à Rome 1782*, pl. et aquar. (23x32) : **FRF 20 000.**

COSTE L. K.
XIXᵉ-XXᵉ siècles. Français.
Sculpteur.
A exposé des bustes au Salon des Artistes Français, de 1911 à 1914.

COSTE Léon Jean Ulrich
Né à Paris. XXᵉ siècle. Français.
Peintre de portraits.
Sociétaire des Artistes Français en 1938.

COSTE Martine
Née vers 1945 dans le Gard. XXᵉ siècle. Française.
Peintre. Tendance abstraite.

Bien qu'elle leur attribue une identité de figures et surtout de groupes, les formes sombres qu'elle peint sur des fonds violemment colorés se rattachent plutôt à une abstraction gestuelle.

COSTE Numa
Né en 1843 à Aix-en-Provence (Bouches-du-Rhône). Mort en 1907. XIXᵉ siècle. Français.
Peintre de natures mortes.
Clerc de notaire, puis sergent élève d'administration, il démissionna à la suite d'un gros héritage qui lui permit de s'installer dans sa ville natale, où il collabora à de nombreuses publications historiques, litteraires et édita des ouvrages sur l'art. Il eut, avec Émile Zola, une correspondance régulière qui rend compte de l'œuvre de Cézanne. Il fut, lui-même, l'un des premiers à soutenir Cézanne, qui fut l'un de ses condisciples à l'École de dessin de Gibert. Au Salon de 1873, il fut l'un des refusés, avec Renoir, Sisley et Pissarro, et créa le journal *L'Art libre* avec Paul Alexis. Son art, non révolutionnaire, rompt toutefois avec l'académisme, par une touche rapide, un empâtement léger et vigoureux.

BIBLIOGR. : Gérald Schurr, in : *Les Petits Maîtres de la peinture 1820-1920, valeur de demain*, Les Éditions de l'Amateur, t. VII, Paris, 1989.

MUSÉES : AIX-EN-PROVENCE (Mus. Granet) : *Nature morte.*

COSTE Pascal
Né en 1787 à Marseille (Bouches-du-Rhône). Mort en 1879. XIXᵉ siècle. Français.
Dessinateur d'architectures, paysages urbains, paysages animés, architecte.
Élève en Architecture à l'École des Beaux-Arts de Paris, il réalisa d'importants travaux en Égypte. Il fit de nombreux voyages, visitant la Tunisie, l'Italie, les bords du Rhin, la Hollande et la Belgique, de 1832 à 1838. Il accompagna le peintre Eugène Flandrin, de 1839 à 1842, en Perse, Turquie, Arménie, Syrie et Mésopotamie. Les dessins de ce voyage ont été publiés en 1861, sous le titre : *Les Monuments anciens de la Perse.*
Il montre son interêt, non seulement pour les architectures, mais aussi pour les intérieurs de mosquées, de harems, les visages, les attitudes, les vêtements des personnages qu'il rencontre.

BIBLIOGR. : Gérald Schurr, in : *Les Petits Maîtres de la peinture 1820-1920, valeur de demain*, Les Éditions de l'Amateur, t. VII, Paris, 1989.

MUSÉES : MARSEILLE (Bibl. mun.) : *Vue de Tunis prise du palais du Bey* 1835, pl. encre de Chine et mine de pb.

COSTE Sylvain
Né à Angers (Maine-et-Loire). XXᵉ siècle. Français.
Peintre de paysages.
Il a exposé à Paris, au Salon des Artistes Français, de 1931 à 1936, et fut nommé sociétaire.

VENTES PUBLIQUES : PARIS, 22 nov. 1990 : *Paysage*, h/t (32x40) : **FRF 7 000.**

COSTE Victor
Né le 20 décembre 1844 à Marseille (Bouches-du-Rhône). Mort en 1923. XIXᵉ-XXᵉ siècles. Français.
Peintre de paysages, marines.
Élève de Magaud et de Rave à l'École des Beaux-Arts de Marseille, puis de Barry, il participa au Salon de Paris de 1883 à 1896. Il a également exposé à l'Exposition coloniale de 1906. Il fut surtout peintre de marines, d'une pâte généreuse, dans des harmonies de couleurs limitées mais intenses. Plusieurs de ses paysages sont au Palais Longchamp de Marseille, et son *Port de Massilia* est dans l'escalier d'honneur de la Chambre de commerce. Il est aussi l'auteur de paysages du Maghreb.

BIBLIOGR. : Gérald Schurr, in : *Les Petits Maîtres de la peinture 1820-1920, valeur de demain*, Les Éditions de l'Amateur, t. VI, Paris, 1985.

MUSÉES : AIX-EN-PROVENCE (Mus. Granet) : *Le port s'éveille.*

VENTES PUBLIQUES : NÎMES, 19 nov. 1981 : *Les pêcheurs*, h/t (55,5x38,5) : **FRF 3 600** – PARIS, 26 fév. 1990 : *Les Bateaux*, h/pan. (31x46) : **FRF 6 000** – PARIS, 30 mai 1990 : *Le port de Marseille*, h/t (33x46) : **FRF 30 000.**

COSTE Yvonne
Née à Alger. XXᵉ siècle. Française.
Peintre.
Elle exposa à Paris au Salon d'Automne.

COSTE-CRASNIER Gin
Née en 1928. XXᵉ siècle. Française.
Peintre de nus, compositions mythologiques.

Peignit surtout des nymphes et des nus.
VENTES PUBLIQUES : PARIS, 22 fév. 1989 : *Nu*, h/t (73x60) :
FRF 8 000 ; *Nymphe 1970*, acryl. (73x60) : **FRF 20 000** – NEUILLY,
27 mars 1990 : *La femme au papillon*, h/t (72x59) : **FRF 13 000** –
PARIS, 1er juil. 1991 : *La roche féminine*, h/t (92x73) : **FRF 17 500**.

COSTE-LINDER Camille Bazile
Né à Flers (Orne). XXe siècle. Français.
Peintre, aquarelliste.
Sociétaire du Salon des Artistes Français.

COSTEAU Georges
Né à Melun (Seine-et-Marne). Mort vers 1920. XIXe-XXe
siècles. Français.
Peintre de paysages.
Élève de Dubuffe, Marolle, Delaunay, Puvis de Chavannes et
Harpignies. Il débuta au Salon de 1879 : *Le matin à Hérisson*.
Sociétaire de la Nationale en 1894 ; il prit part à ses Salons jusqu'en 1914.
VENTES PUBLIQUES : PARIS, 24 mai 1943 : *Les Ramasseurs de bois mort* : **FRF 160**.

COSTEL Alphonse
Né à Saint-Dié (Vosges). XIXe siècle. Français.
Sculpteur.
Élève de Geefs. A débuté au Salon en 1880.

COSTELLO Dudley
Né en 1803 dans le Sussex. Mort le 30 septembre 1865 à
Londres. XIXe siècle. Britannique.
Peintre, illustrateur.
Cet artiste embrassa d'abord la carrière militaire, ce qui lui permit de beaucoup voyager. Il vint à la peinture surtout sous l'influence de sa sœur Louisa Stuart. Il vécut à partir de 1830 entre
Paris et Londres. On cite surtout ses chroniques de voyages qu'il écrivit lui-même : *Tour through the valley of the Meuse* (1846) et *Piemont and Italy* (1859-61).

COSTELLO Jensine
Née en Norvège. XXe siècle. Britannique.
Peintre de portraits, natures mortes.
Elle vit et travaille à Ilford (Essex). Elle a exposé à Paris, au Salon
des Artistes Français de 1936 à 1938.

COSTELLO Louisa Stuart
Née en 1799. Morte le 24 avril 1870 à Boulogne. XIXe siècle.
Britannique.
Peintre.
Cette artiste peignit surtout des miniatures et illustra des livres
de voyages. Elle vécut beaucoup en France.

COSTELLOE Robert E.
Né en 1943 à Dublin. XXe siècle. Irlandais.
Peintre. Abstrait.
Il fut élève du National College of Art de Dublin et de l'Academia
di Belli Arti de Rome. Il figurait dans l'exposition *Art Irlandais
Actuel*, organisée au Musée d'Art Moderne de la Ville de Paris
en 1973. Il expose à Dublin, Rome, New York, Paris. En 1968 à
l'Exposition Irlandaise d'Art Vivant, il a reçu le prix Carroll destiné aux artistes de moins de 40 ans.
Ses tableaux, souvent monochromes, sont constitués de plusieurs parties, apparemment indépendantes, qui mettent en
relief la structure de l'œuvre.

COSTENEIRO Giacomo
XVIIIe siècle. Actif à Vicence. Italien.
Graveur et peintre.
La Biblioteca Italiana conserve plusieurs planches de cet artiste.

COSTENOBLE Adolphe François
Né le 27 septembre 1922 à Lambersart (Nord). XXe siècle.
Français.
Peintre de paysages, figures, nus, animalier, graveur.
Il fut élève de l'École des Beaux-Arts de Lille, où il obtint plusieurs Prix. A partir de 1956, il a exposé à Paris, aux Salons d'Automne, des Artistes Indépendants, en 1960 à Grands et Jeunes
d'Aujourd'hui. En 1957, à Paris encore, il fut sélectionné au Prix
de la Jeune Peinture. Il participe à des expositions collectives
régionales. Il montre aussi ses peintures dans des expositions
personnelles à Lille, Paris.
MUSÉES : LILLE : *Le village*.

COSTENOBLE Anna
Née en 1866 à Dantzig. XIXe siècle. Allemande.
Peintre et graveur.

Elle s'établit dès 1888 à Berlin où elle fut l'élève de Gussow. On
lui doit des portraits, des paysages, de grandes compositions
peints ou gravés.

COSTENOBLE Hans
Né le 11 décembre 1868 à Iéna. XIXe siècle. Allemand.
Peintre de paysages.
Élève de Hummel à Weimar et de Brausewetter à Berlin, cet
artiste passa la plus grande partie de sa vie à Munich.

COSTENOBLE Karl
Né le 26 novembre 1837 à Vienne. Mort le 20 juin 1907 à
Vienne. XIXe siècle. Autrichien.
Sculpteur.
Cet artiste fit ses études à Vienne, à Munich, à Londres et en Italie. On cite particulièrement sa statue en marbre du prince *Adolf
de Schwarzenberg*, ses bustes de *Charles V* et de *Maximilien Ier*
qui se trouvent à Vienne.

COSTENS Nicolas
XVIe siècle. Actif à Anvers en 1588. Éc. flamande.
Peintre.

COSTER Adam de OU Ceustere
Né vers 1586 à Malines. Mort le 4 mai 1643 à Anvers. XVIIe
siècle. Éc. flamande.
Peintre de compositions religieuses, genre, portraits.
Maître à Anvers en 1608, il visita l'Italie. En 1635 il effectua un
voyage à Hambourg où il rencontra sans doute Antonio Campi.
Son fils, ou neveu, Peter, né en 1612, mourut à Venise en 1702.
La ville de Malines dont il est originaire, avait, à la fin du XVIe
siècle une tradition de peintres de scènes éclairées à la chandelle ; ses œuvres sont d'ailleurs souvent attribuées à Caravage.
MUSÉES : MADRID : *Judith et sa servante après le meurtre d'Holopherne* – VIENNE (Liechtenstein) : *Jeune couple chantant*.
VENTES PUBLIQUES : PARIS, 20 et 21 déc. 1897 : *Portrait du duc
d'Orléans* : **FRF 100** – COLOGNE, 26 nov. 1970 : *Salomé avec la tête
de Saint Jean Baptiste* : **DEM 9 000** – NEW YORK, 17 jan. 1986 :
Jeune garçon soufflant un tison, h/t (65,5x49,5) : **USD 17 000** –
MONTE-CARLO, 21 juin 1987 : *Scène galante*, h/t (58,5x49) :
FRF 230 000 – PARIS, 18 avr. 1991 : *Chanteur à la chandelle*, h/t
(68,5x54) : **FRF 30 000** – NEW YORK, 10 oct. 1991 : *Jeune garçon
portant une chandelle avec un homme penché au-dessus de son
épaule pour allumer sa pipe*, h/t (92,7x69,2) : **USD 9 900** – NEW
YORK, 17 jan. 1992 : *Jeune femme tenant une quenouille devant
une chandelle allumée*, h/t (132x93,5) : **USD 418 000** – NEW YORK,
17 jan. 1996 : *Jeune garçon tenant une chandelle avec un homme
penché pour allumer sa pipe*, h/t (92,7x69,2) : **USD 9 200** – NEW
YORK, 16 mai 1996 : *Jeune garçon chantant éclairé par une chandelle*, h/t (67,9x52,7) : **USD 28 750**.

COSTER Anne. Voir VALLAYER-COSTER

COSTER Balten Jans
XVIe siècle. Actif à Anvers en 1524. Éc. flamande.
Sculpteur.
Il fut peut-être le père de Pieter Balten.

COSTER Daniel
XVIIe siècle. Actif à Anvers vers 1628. Éc. flamande.
Peintre.

COSTER David
XVIIIe siècle. Actif à La Haye au début du XVIIIe siècle. Hollandais.
Graveur et illustrateur.

COSTER Germaine Marguerite de
Née le 1er septembre 1895 à Paris. XXe siècle. Française.
Graveur, illustrateur.
Ses parents étaient originaires de Belgique. Elle fut élève de
Jules Chadel à l'École des Arts Décoratifs de Paris, puis de
l'Ecole des Beaux-Arts. Elle exposa pour la première fois à
Londres en 1929. A partir de 1937, on put voir de ses gravures
dans de nombreuses expositions internationales de gravure à
Paris, Bruxelles, New York, Montréal, etc. A Paris, elle participe
au Salon d'Automne depuis 1936, dont elle devint sociétaire, au
Salon des Artistes Décorateurs dont elle fut membre du comité,
elle fut encore membre du Comité National du Livre Illustré
Français et membre du Comité National de la Gravure Française. Elle reçut le Grand Prix des Beaux-Arts de la Ville de Paris.
Elle fut faite chevalier de la Légion d'Honneur.
Elle a longtemps collaboré avec Jacques Villon. Elle a illustré de
nombreux ouvrages, parmi lesquels : Buffon en 1951, *Vol de nuit*
de Saint-Exupéry en 1957. Elle a gravé selon la technique japo-

naise, qu'elle fut presque seule à pratiquer, une soixantaine de planches : *Vues de Paris, Paysages, Animaux*.
BIBLIOGR. : In : *Diction. Biogr. illustré des Artistes en Belgique depuis 1830*, Arto, Bruxelles, 1987.
MUSÉES : BRUXELLES (Bibl. roy.) – LONDRES (British Mus.) – PARIS (Mus. Nat. d'Art Mod.) – PARIS (Mus. Carnavalet) – PARIS (BN, Cab. des Estampes) – QUÉBEC – VIENNE (Albertina).

COSTER Hans de ou Ceuster
XVIe-XVIIe siècles. Actif à Anvers. Éc. flamande.
Peintre.
Il fut élève de Hans Snellinck.

COSTER Hendryck
XVIIe siècle. Actif à Arnhem de 1642 à 1659. Hollandais.
Peintre.
Premier maître de Netscher, peignit des portraits et peut-être des oiseaux.

VENTES PUBLIQUES : COLOGNE, 9 mars 1904 : *Paysage* : DEM 24.

COSTER Jan
XVIIe siècle. Hollandais.
Peintre d'animaux.
Il fut sans doute actif à Arnhem de 1640 à 1670. On connaît une peinture de cet artiste représentant des oiseaux.
VENTES PUBLIQUES : AMSTERDAM, 2 mai 1991 : *Chien veillant sur le gibier abattu dans un paysage rocheux* 1664, h/pan. (80,8x116,3) : NLG 10 350.

COSTER Jan I de
XVe siècle. Actif à Gand en 1412. Éc. flamande.
Peintre.

COSTER Jan II de ou Costere
XVe siècle. Actif à Anvers en 1458. Éc. flamande.
Peintre.
Il vivait encore en 1480.

COSTER Jan III de ou Costere
XVIIe siècle. Actif à Malines en 1614. Éc. flamande.
Peintre.
Il fut l'élève de Jean Le Saive et travaillait, semble-t-il, à Anvers en 1614.

COSTER Jean-Pierre de
Né en 1945 à Termonde. XXe siècle. Belge.
Peintre, sculpteur. Tendance fantastique.
Il fut élève de l'Académie des Beaux-Arts et de l'Institut Supérieur d'Anvers.
Son activité de sculpteur devint prépondérante. Les arts primitifs, africain et précolombien sont à l'origine de ses statuettes aux membres étirés, comme dans les périodes maniéristes.
BIBLIOGR. : In : *Diction. biogr. illustré des artistes en Belgique depuis 1830*, Arto, Bruxelles, 1987.
VENTES PUBLIQUES : LOKEREN, 12 mars 1977 : *La Tour de Babel*, h/pan. (91x70) : BEF 70 000.

COSTER Joannes ou Costers
XVIIe siècle. Éc. flamande.
Peintre.
Il était actif à Anvers vers 1645.

COSTER Jocelyne
Née en 1955 à Bruxelles. XXe siècle. Belge.
Graveur-sérigraphe.
Elle obtint la maîtrise de sérigraphie à l'Académie de La Cambre (Bruxelles). En 1978, elle obtint une bourse de la vocation. Elle a été nommée professeur à l'Académie de Namur, puis à Charleroi.
BIBLIOGR. : In : *Diction. biogr. illustré des artistes en Belgique depuis 1830*, Arto, Bruxelles, 1987.

COSTER Julien de
Né en 1883 à Grammont. Mort en 1972 à Gand. XXe siècle. Belge.
Peintre de paysages, marines.
Il fut l'élève de l'Académie des Beaux-Arts de Gand. On le compte au nombre des peintres de la Lys.
BIBLIOGR. : In : *Diction. biogr. illustré des artistes en Belgique depuis 1830*, Arto, Bruxelles, 1987.
MUSÉES : GAND.

VENTES PUBLIQUES : NEW YORK, 28 oct. 1986 : *Nature morte*, h/t (64,8x80,6) : USD 7 500 – LOKEREN, 21 mars 1992 : *Paysage d'hiver 1924*, h/t (65x65) : BEF 65 000.

COSTER Lambrecht ou Costers, Ceuster
XVIe siècle. Actif à Anvers. Éc. flamande.
Peintre.

COSTER Pieter de
Né vers 1612 à Anvers. Mort en 1702 à Venise. XVIIe siècle. Éc. flamande.
Peintre.
Élève de son oncle Adam de Coster. Il travailla presque toute sa vie à Venise, s'y maria, et peignit le plafond de l'église Sainte-Justine. Son fils, Angelus de Coster, fut peintre à Rome.

COSTER Wilhelm
Mort en 1693. XVIIe siècle. Allemand.
Peintre de décorations.
Père jésuite, il exécuta des peintures décoratives à Paderborn et à Munster.

COSTER Willem Jans ou Koster
Né à Brême. XVIIe siècle. Allemand.
Peintre.
En 1650, il vivait à Amsterdam.

COSTER-HENRI Florence
Née à New York. XXe siècle. Suisse.
Peintre.
En 1925 elle exposait des paysages au Salon d'Automne.

COSTERE Jean de. Voir COSTER

COSTEREL Henrion
XVe-XVIe siècles. Actif à Troyes. Français.
Sculpteur.
Il fit, vers 1500, pour l'église collégiale de Joinville, en Champagne, la statue de bronze d'Henri de Lorraine, évêque de Metz, destinée à son tombeau.

COSTERS. Voir COSTER

COSTES Paul
Né le 2 février 1860 à Toulouse. Mort le 15 novembre 1941 à Toulouse. XIXe-XXe siècles. Français.
Peintre.

COSTESCU Napoleon
Né le 6 février 1938 à Dumbraveni-Sighisoara (Roumanie). XXe siècle. Actif en Allemagne. Roumain.
Peintre. Abstrait.
Il fut diplômé de l'Institut d'Arts Plastiques N. Grigorescu de Bucarest en 1962 où il avait étudié dans l'atelier du peintre Catul Bogdan. Après ses études, il s'établit à Galatzi, où il crée avec son épouse Pia-Simona Costescu, Ana-Maria Andronescu et Dumitru Cionca un groupe qui animera la vie artistique locale. En 1963 il participe pour la première fois à une exposition collective à Galatzi, figurant ensuite dans de nombreuses manifestations nationales ou régionales roumaines. Il réalise des œuvres monumentales, notamment des mosaïques destinées à des édifices publics, des Maisons de la Culture, des bibliothèques municipales etc. A partir de 1969 il effectue plusieurs voyages d'études en France, République Fédérale Allemande, Pays-Bas, Autriche, Pologne, U.R.S.S. Il a créé la scénographie de nombreuses pièces de théâtre appartenant au répertoire national et international. Il quitte définitivement la Roumanie en 1984 pour s'établir en Allemagne à Cologne.
La peinture abstraite de Costescu ne figure pas l'homme mais le suggère, par un *Seuil* ou une *Porte* laissée entrouverte. Ses toiles sont traitées dans une gamme chromatique de tons assourdis dominés par les ocres et les jaunes et construites avec de grands aplats de couleur.
BIBLIOGR. : In : Ionel Jianou : *Les artistes roumains en Occident*, American Romanian Academy of Arts and Sciences, Los Angeles, 1986.

COSTESCU Pia-Simona
Née le 6 janvier 1937 à Arad (Roumanie). XXe siècle. Active en Allemagne. Roumaine.
Peintre, graveur, créateur de tapisseries. Abstrait.
Elle fut diplômée de l'Institut d'Arts Plastiques N. Grigorescu de Bucarest en 1962 où elle étudia dans l'atelier Catul Bogdan. Après ses études elle s'établit à Galatzi. Elle figure dans de nombreuses manifestations artistiques collectives à partir de 1963 en Roumanie mais également en Angleterre, Italie, Allemagne et Tchécoslovaquie.

A partir de 1970 elle commence à pratiquer la tapisserie et à partir de 1976 la xylogravure. Elle a réalisé des œuvres monumentales pour des édifices publics dans plusieurs villes roumaines, soit seule soit en collaboration avec son époux. C'est en 1984 qu'elle quitte définitivement la Roumanie pour s'installer en Allemagne. Le passage d'un langage figuratif à l'art abstrait a été déterminé par le voyage d'études que l'artiste effectua en 1969 en France. L'arbre apparaît comme son motif de prédilection, qu'il soit suggéré ou vu comme un être vivant, signe de dynamisme et de vitalité.

Bibliogr. : In : Ionel Jianou : *Les artistes roumains en Occident*, American Romanian Academy of Arts and Sciences, Los Angeles, 1986.

COSTET Alphonse

Né vers 1837 à Saint-Dié (Vosges). Mort vers 1895 à Paris. xixᵉ siècle. Français.

Sculpteur.

Cet artiste exposa au Salon des Artistes Français à partir de 1895. On cite particulièrement ses bustes.

COSTET Jean

Né vers 1880 à Montrouge (Seine). xxᵉ siècle. Français.

Sculpteur.

Mention honorable au Salon des Artistes Français 1906.

COSTETTI Romeo

Né en 1871 à Reggio d'Emilia. xixᵉ-xxᵉ siècles. Italien.

Peintre.

Frère de Giovanni Costetti, il étudia à Florence où il vécut le plus souvent, exposant en même temps à Venise. Il voyagea beaucoup en Belgique, en Allemagne, en Suisse et surtout en France.

Ventes Publiques : ROME, 19 nov. 1992 : *Vase d'anémones* 1947, h/t (46x38,5) : **ITL 2 200 000.**

COSTI

Né le 27 novembre 1906 à Athènes. xxᵉ siècle. Grec.

Sculpteur.

Il entra en 1920 à l'École des Beaux-Arts d'Athènes puis vint à Paris en 1925 où il entra à l'Académie Julian avec Landowski et Bouchard et en 1926 suivit l'enseignement de Bourdelle à l'Académie de la Grande Chaumière. En 1930 il retourna en Grèce et reçut en 1939 le prix de bronze au Salon des Beaux-Arts d'Athènes. Il exposa en 1940 à la Biennale de Venise, en 1960 à Paris et à Berne.

COSTI Raffaele

Né en 1909 à Perugia. Mort en 1972 à Rome. xxᵉ siècle. Italien.

Peintre de paysages, natures mortes, sujets divers. Post-cézannien.

Ses paysages et natures mortes sont fermement construits, plans et volumes dans la tradition cézannienne, dans des gammes de couleurs plus vives.

Ventes Publiques : ROME, 15 nov. 1988 : *Nature morte avec un panier de fruits* 1953, h/t (63x73) : **ITL 6 000 000** – MILAN, 14 déc. 1988 : *Nature morte de fruits et gibier*, h/rés. synth. (60x81) : **ITL 3 600 000** – ROME, 21 mars 1989 : *Deux taureaux luttant*, h/t (70x100) : **ITL 13 000 000** – ROME, 12 mai 1992 : *Campagne romaine* 1953, h./contre-plaqué (63x89) : **ITL 6 500 000** – ROME, 19 nov. 1992 : *Paysage* 1958, h/t (100x120) : **ITL 12 000 000** – ROME, 14 déc. 1992 : *Paysage de Ombrie* 1959, h./contre-plaqué (68x82) : **ITL 8 625 000** – ROME, 30 nov. 1993 : *Nature morte* 1954, h/cart. (70x100) : **ITL 9 200 000** – ROME, 19 avr. 1994 : *Vue d'un amphithéâtre avec des cyprès*, h/pan. (70x80) : **ITL 9 200 000** – ROME, 28 mars 1995 : *Vierge à l'Enfant*, h/t (100x70) : **ITL 8 050 000** – MILAN, 2 avr. 1996 : *Nature morte avec une coupe de fruits et des chandeliers* 1964, h/pan. (72x89) : **ITL 6 900 000.**

COSTIER Henriette de

Née à Reims (Marne). xxᵉ siècle. Française.

Graveur.

Elle eut pour professeur Charles Léandre et Leleu. Elle exposa au Salon des Artistes Français à partir de 1924.

COSTIGAN John Edward

Né en 1888 à Providence (Rhode-Island). Mort en 1972. xxᵉ siècle. Américain.

Peintre de compositions à personnages, paysages animés, aquarelliste.

Autodidacte, il partit en 1919 à Orangeburg (État de New York) pour rejoindre l'Association des Artistes de Woodstock, communauté artistique vivant dans les montagnes de Catskill. Il fut membre de l'Académie Nationale de Design et du Salmagundi Club.

Il puisa souvent son inspiration dans les activités pastorales des femmes et des enfants de son entourage. Remarquable aquarelliste, il confère à ses compositions animées de personnages et d'animaux dans le paysage de leurs fonctions une dignité toute classique.

Musées : CHICAGO (Inst. d'Art) – NEW YORK (Metropolitan Museum of Art).

Ventes Publiques : NEW YORK, 15 avr. 1970 : *Paysage d'automne* : **USD 675** – NEW YORK, 13 déc. 1972 : *Baigneurs* : **USD 2 200** – LOS ANGELES, 6 juin 1978 : *Morning light, winter*, h/t (51x61) : **USD 2 900** – NEW YORK, 27 juin 1979 : *Femme et chèvres dans un paysage de neige*, h/t (63,5x78) : **USD 1 400** – SAN FRANCISCO, 24 juin 1981 : *Mère et enfant dans un paysage* 1953, aquar. (51x68,5) : **USD 1 200** – NEW YORK, 11 mars 1982 : *Paysage boisé au ruisseau*, h/t (76,2x76,2) : **USD 1 700** – BOSTON, 30 mars 1985 : *Personnage dans un paysage de printemps*, h/t (76,2x76,8) : **USD 12 750** – NEW YORK, 31 mai 1990 : *Cirque*, h/t (30,5x40,6) : **USD 4 620** – NEW YORK, 27 sep. 1990 : *Mère et enfants*, h/t (109,2x127,3) : **USD 10 450** – NEW YORK, 17 déc. 1990 : *Groupe de personnages* 1965, h/cart. (30,5x39,5) : **USD 1 870** – NEW YORK, 15 mai 1991 : *Les baigneurs*, h/t. cartonnée (40,6x50,8) : **USD 3 850** – NEW YORK, 3 déc. 1992 : *La traite de la vache*, aquar./pap. (55,9x73,7) : **USD 2 475** – NEW YORK, 31 mars 1994 : *Printemps*, h/rés. synth. (66x91,4) : **USD 6 325** – NEW YORK, 28 nov. 1995 : *Gardeuse de chèvres dans les bois*, h/rés. synth. (40,5x51) : **USD 2 875** – NEW YORK, 9 mars 1996 : *Une famille et ses chèvres*, aquar. et gche/pap. (49,5x61,5) : **USD 1 093** – NEW YORK, 3 déc. 1996 : *Carnaval*, h/t (71x89) : **USD 4 830** – NEW YORK, 25 mars 1997 : *À l'intérieur du bois*, h/t (101,6x114,9) : **USD 13 225** – NEW YORK, 23 avr. 1997 : *La Famille*, h/t (61x76,2) : **USD 6 325.**

COSTIGLIOLO José P.

Né en 1902. xxᵉ siècle. Uruguayen.

Peintre. Abstrait.

Il se consacra à la peinture abstraite en 1929, ce qui fit de lui un véritable précurseur. En 1955 il fonda le *Groupe d'art concret de l'Uruguay* qui refusa de se soumettre aux contraintes de l'Atelier de Torres-Garcia.

Bibliogr. : In : Damian Bayon, Roberto Pontual : *La peinture de l'Amérique Latine au xxᵉ siècle*, Mengès, 1990.

COSTIL Léonce Auguste Alfred

Né au Havre. xixᵉ siècle. Français.

Peintre et architecte.

Il fut à Paris l'élève de Bonnat. Au Salon il exposa entre 1869 et 1879 des portraits et des projets architecturaux.

COSTILHES André Eugène

Né en 1865 à Cunhlat (Puy-de-Dôme). xxᵉ siècle. Français.

Peintre de nus et de paysages.

Il fut élève de Léon Bonnat et exposa au Salon des Artistes Français entre 1911 et 1932.

COSTL

Né en 1906. xxᵉ siècle. Actif à Athènes. Grec.

Sculpteur.

COSTOLA Tommaso

xvᵉ siècle. Actif à Parme. Italien.

Peintre.

Il travaillait en 1465 pour l'église San Sepolcro de cette ville.

COSTOLI Aristodemo

Né en 1803 à Florence. Mort en 1871 à Florence. xixᵉ siècle. Italien.

Peintre et sculpteur.

Deux portraits de cet artiste florentin, peints par lui-même, sont conservés à Florence et à Prato. Il exécuta un grand nombre de sujets religieux.

COSTOLI Leopoldo

Né vers 1850 à Florence. Mort en 1908 à Florence. xixᵉ siècle. Italien.

Sculpteur.

Fils du sculpteur Aristodemo Costoli, il ne fut pas inférieur à son père. On cite son *Monument à la mémoire de N. Tommaseo*, exécuté en 1878 à Settignano.

COSWAY Maria Cecilia Louisa Catherine, née Hadfield

Née à Florence, de parents anglais en 1759, ou en 1745 selon le dictionnaire Larousse. Morte en 1838 à Lodi. xviiiᵉ-xixᵉ siècles. Britannique.

Peintre de genre, portraits, pastelliste, miniaturiste, graveur, dessinateur, illustrateur.

Maria Kadfield grandit à Florence et montra très jeune un goût marqué pour le dessin. En 1778, elle fut admise à l'Académie des Beaux-Arts à Florence et fut probablement l'un des plus jeunes membres de cette compagnie. Vers 1779, Maria Kadfield vint à Londres, où elle fit la connaissance de Richard Cosway, et deux ans plus tard, en 1781, elle se maria avec le célèbre miniaturiste. Pendant la vie de sa fille, qui mourut à l'âge de six ans, Mrs Cosway habita Londres. Elle fonda une œuvre religieuse et une école pour les jeunes filles dans un vieux monastère à Lodi, où, après la mort de son mari, elle vint passer le reste de sa vie. François Ier, roi des Deux-Siciles, la créa baronne. On note ses envois à la Royal Academy de Londres, de 1781 à 1801.

Elle copia des miniatures de son mari et quelques œuvres de Correggio, et fournit aussi quelques illustrations pour la fameuse *Shakespeare Gallery* de Boydell et les *Poètes* de Macklin.

Maria C del.

VENTES PUBLIQUES : LONDRES, 26 mai 1922 : *Un officier en uniforme écarlate* : **GBP 15** – LONDRES, 26 jan. 1923 : *La mort de L. P. A. Cosway 1789* : **GBP 5** – LONDRES, 27 jan. 1928 : *Tête de femme, esquisse* : **GBP 8** – LONDRES, 13 juil. 1993 : *Portrait de William Lamb, futur Vicomte de Melbourne, enfant, jouant avec un chien dans un paysage montagneux,* h/t (75,6x85,7) : **GBP 6 325**.

COSWAY Richard
Né en 1742 à Tiverton (Devonshire). Mort le 4 août 1821 à Londres. XVIIIe-XIXe siècles. Britannique.

Peintre de portraits, aquarelliste, miniaturiste, dessinateur.

Ce miniaturiste, un des premiers artistes de son genre en Angleterre, vint à Londres très jeune et commença à étudier sous la direction de Thomas Hudson. Il passa plus tard dans l'école de Shipley et devint bientôt un dessinateur très habile. Quelques études des grands maîtres anciens, qu'il fit dans la Galerie du duc de Richmond, attirèrent l'attention de Bartolozzi et de Cipriani et obtinrent de ces deux artistes, une appréciation des plus favorables. À partir de l'année 1760, Cosway envoya plus ou moins régulièrement ses œuvres aux différentes expositions de Londres, notamment à la Society of Artists, dont il devint membre en 1766, à la Free Society, et à la Royal Academy. En 1770, cette dernière institution lui ouvrit ses portes et le reçut associé pour le nommer membre un an plus tard. Après son mariage avec Maria Hadfield, Cosway voyagea beaucoup en Europe, et pendant son séjour en France, en 1785, il eut l'occasion d'offrir au roi Louis XVI quatre superbes cartons de Giulio Romano. En témoignage de la reconnaissance de ce monarque, il lui fut donné « quatre magnifiques tapisseries des Gobelins », représentant des sujets de la vie de Don Quichotte. Cosway fut très protégé du prince de Galles en Angleterre. Il en fit de beaux portraits, ainsi que de toutes les notabilités de l'aristocratie anglaise.

MUSÉES : BERLIN : *Portrait d'une jeune dame russe* – FLORENCE (Gal. Nat.) : *Portrait du général Paoli* – LONDRES (coll. Wallace) : *La princesse de Tarente* – *Mrs Fitz Herbert* – *Portrait étude de Miss Crofton* – *Portrait d'homme* – NOTTINGHAM : *Poésie* – *Peinture*.
VENTES PUBLIQUES : PARIS, 1875 : *Jeune femme coiffée d'un chapeau bleu orné de plumes blanches,* miniat. : **FRF 380** – PARIS, 1882 : *Portrait d'une dame en robe noire,* miniat. : **FRF 4 856** ; *Portrait d'une autre dame,* miniat. : **FRF 5 118** ; *Portrait d'une dame en robe blanche et rubans noirs,* miniat. : **FRF 3 675** – PARIS, 1883 : *Tête de jeune femme* : **FRF 425** – PARIS, 1889 : *Allégories du mariage de mistress Fitzberton, avec le prince de Galles,* éventail : **FRF 805** – PARIS, 1891 : *Portrait de femme de trois-quarts à gauche,* miniat. sur ivoire : **FRF 5 000** – LONDRES, 1895 : *Mistress Fitzherbert,* miniat. : **FRF 2 625** ; *George IV, prince régent,* miniat. : **FRF 3 925** – LONDRES, 1896 : *Portrait de lady Carey* : **FRF 5 400** – PARIS, 1898 : *Portrait d'homme,* miniat. : **FRF 1 250** ; *Portrait de dame Louis XV,* miniat. : **FRF 2 375** – PARIS, 12 mai 1898 : *Portrait de femme,* miniature. attr. : **FRF 760** – PARIS, 1899 : *Portrait de femme blonde* : **FRF 470** – NEW YORK, 1900 : *Portrait de Mrs Walcot* : **USD 625** – NEW YORK, 1905 : *Lady Boynton et son enfant* : **USD 1 600** – NEW YORK,

1906 : *Augusta, princesse royale, fille de George III* : **USD 2 750** – NEW YORK, 1906 : *Mrs Fitzherbert* : **USD 1 100** – LONDRES, 8 mai 1908 : *Portrait de Kortright, Esq. of Highlands, Essex* : **GBP 12** – LONDRES, 3 juin 1909 : *Portrait de Mrs Rachel Mackenzie* : **GBP 115** – PARIS, 22 avr. 1910 : *Portrait de James Jones* : **FRF 2 100** ; *Portrait de femme,* dess. : **FRF 200** – PARIS, 6-8 déc. 1920 : *Portrait de jeune femme debout, dans un paysage,* cr. : **FRF 6 600** ; *Groupe de deux femmes debout dans un paysage,* cr. : **FRF 9 500** – PARIS, 15 avr. 1921 : *Portrait mortuaire de James Jones, 51 ans, le 31 janvier 1791,* miniature : **FRF 2 700** – PARIS, 19 nov. 1921 : *Portrait présumé de Lord Porchester,* miniat., École de R. Cosway : **FRF 5 100** – LONDRES, 28 avr. 1922 : *Renaud et Armide* : **GBP 25** – LONDRES, 26 mai 1922 : *La reine Charlotte,* cr. : **GBP 10** – LONDRES, 22 juin 1922 : *Une dame tenant un violoncelle* : **GBP 70** – LONDRES, 1er déc. 1922 : *Miss Cecilia Phipps* : **GBP 68** – PARIS, 18-19 mai 1922 : *Trois portraits de femmes,* trois dessins crayon rehaussé : **FRF 2 550** ; *La promenade,* cr., sanguine et aquar. : **FRF 8 250** ; *Les deux sœurs,* cr., sanguine et aquar. : **FRF 12 050** – PARIS, 8 juin 1925 : *Portrait de jeune femme,* cr. reh. de coul. : **FRF 6 300** – PARIS, 17 et 18 juin 1925 : *Portrait de Charlotte, princesse de Galles,* miniat. : **FRF 12 500** – PARIS, 20 déc. 1926 : *Jeune femme décolletée,* miniat. : **FRF 200** – LONDRES, 7 mars 1927 : *Miss Dorothy Cahill* : **GBP 42** – LONDRES, 20 mai 1927 : *Mrs Cosway* : **GBP 336** ; *Miss Marianne Harland* : **GBP 651** – LONDRES, 27 mai 1927 : *Sir Thomas Plumer 1808,* cr. : **GBP 26** – LONDRES, 10 juin 1927 : *Dame en robe de mousseline blanche* : **GBP 136** – PARIS, 28 nov. 1927 : *Portrait d'homme en habit bleu,* miniat. : **FRF 5 500** – LONDRES, 16 déc. 1927 : *La comtesse de Sheffield* : **GBP 304** – LONDRES, 23 fév. 1928 : *Eliza, lady Tichborne,* miniat. : **GBP 37** ; *Sir Henry Tichborne,* miniat. : **GBP 18** – LONDRES, 16 mai 1928 : *Lady Osborne, enfant 1777,* aquar. : **GBP 5** ; *Duc de Leeds, enfant 1777,* aquar. : **GBP 10** – PARIS, 21 nov. 1928 : *Portrait d'homme,* dess. : **FRF 3 500** – PARIS, 12 juin 1929 : *Jeune femme aux cheveux poudrés,* miniat. : **FRF 10 500** – LONDRES, 2 déc. 1929 : *Margaretta Susanna Ross 1798,* cr. : **GBP 18** – LONDRES, 26 juin 1930 : *Lady Stapleton 1771* : **GBP 68** – NEW YORK, 2 avr. 1931 : *Madame Vestris* : **USD 225** – LONDRES, 31 juil. 1931 : *Dame en amazone* : **GBP 50** – LONDRES, 9 déc. 1931 : *Une mère et sa fillette 1807* : **GBP 135** – NEW YORK, 4 et 5 fév. 1932 : *Miss Myria Copley* : **USD 500** – LONDRES, 31 mai 1932 : *Mrs Sheridan faisant de la musique* : **GBP 27** – LONDRES, 29 juin 1932 : *Portrait d'une dame,* miniat. : **GBP 33** – LONDRES, 11 déc. 1933 : *Guillaume IV d'Angleterre,* miniat. : **GBP 30** – LONDRES, 28 mars 1934 : *Portrait de la famille* : **GBP 42** – NEW YORK, 18 et 19 avr. 1934 : *Admiral Sir George Montague* : **USD 4 000** – PARIS, 25 mars 1935 : *Portrait de fillette,* dess. au cr. rehaussé. attr. : **FRF 170** – NEW YORK, 12 avr. 1935 : *Miss Dorothy Styles* : **USD 925** – LONDRES, 12 juil. 1935 : *Portrait de femme* : **GBP 22** – LONDRES, 18 et 19 mars 1937 : *Portrait présumé de Mrs Reid,* attr. : **FRF 3 600** – LONDRES, 16 juil. 1937 : *L'artiste en habit vert foncé* : **GBP 29** – PARIS, 4 et 5 nov. 1937 : *Portrait d'Isabella Czaetoriska,* mine de pb et aquar. : **FRF 1 950** – PARIS, 21 déc. 1938 : *La fillette au chien,* pierre noire et sanguine. École de R. Cosway : **FRF 300** – LONDRES, 31 mars 1939 : *Portrait de femme* : **GBP 17** – NEW YORK, 4 jan. 1945 : *Portrait de femme* : **USD 750** – LONDRES, 29 mai 1963 : *Portrait de Mrs Draper* : **GBP 320** – LONDRES, 18 mars 1964 : *Portrait de Mrs Siddon en robe blanche* : **GBP 160** – LONDRES, 19 nov. 1969 : *Portrait of William Beckford* : **GBP 800** – LONDRES, 24 nov. 1972 : *Portrait d'un potentat hindou* : **GNS 1 200** – LONDRES, 26 mars 1976 : *Les enfants Mackenzie dans un paysage boisé,* h/t (71x90) : **GBP 2 400** – LONDRES, 16 déc. 1982 : *The Marchioness Townshend,* aquar. (20x16,5) : **GBP 320** – NEW YORK, 18 jan. 1984 : *Portrait of Lady Boynton with her child,* h/t (122x95,3) : **USD 6 500** – LONDRES, 9 juil. 1986 : *Group portrait said to be the children of the 7th Earl of Cork at play,* h/t (235x145) : **GBP 11 000** – LONDRES, 20 nov. 1986 : *Portraits of the Earl and Countess of Blessington 1819,* deux aquar. et cr. (29x21) : **GBP 1 200** – LONDRES, 15 juil. 1987 : *Portrait of miss Fell, daughter of colonel Fell of Lincoln, later the countess of Zeddellman,* h/t (75x62) : **GBP 10 000** – LONDRES, 12 juil. 1990 : *Portrait de l'acteur John Philip Kemble de trois-quarts dans le costume de Van Dyck, accoudé près d'une colonne et tenant des mitaines,* h/t (127,5x102,5) : **GBP 18 700** – LONDRES, 12 juil. 1991 : *Portrait d'Elizabeth, Comtesse de Erroll, en buste, vêtue d'une robe noire 1780,* h/t (76x65) : **GBP 2 420** – ÉDIMBOURG, 13 mai 1993 : *Portrait de Diane MacDonald of Sleat vêtue d'une robe blanche et jaune avec des perles dans les cheveux,* h/pan. (84x68) : **GBP 6 050** – PENRITH (Cumbria), 13 sep. 1994 : *Portrait de Lady Locke,* h/pan. (57x40,5) : **GBP 2 185**.

COSYA Giovanni
XVIIᵉ siècle. Actif à Florence et à Rome. Italien.
Peintre.

COSYN. Voir aussi **COSYP**

COSYN Aert ou **Cousyn**
XVIIᵉ siècle. Actif à Rotterdam vers 1662. Hollandais.
Dessinateur de portraits.
On attribue avec vraisemblance à cet artiste quelques portraits dessinés, signés « Cosyn fe » et qui se trouvent au Louvre ou à l'Albertina de Vienne.

COSYN Arent
XVIIᵉ siècle. Actif à Delft, à la fin du XVIIᵉ siècle. Hollandais.
Peintre sur faïence.

COSYN Pieter Gerrit
Né en 1571. Mort entre 1617 et 1624. XVIᵉ-XVIIᵉ siècles. Hollandais.
Peintre et dessinateur.
Il était fils de Gerrit Pieter Cosyn et petit-fils du peintre Pieter Aertsen.
VENTES PUBLIQUES : PARIS, 1883 : *La partie de cartes*, dess. au cr. : FRF 150 – PARIS, 22 fév. 1937 : *La partie de cartes*, mine de pb sur vélin : FRF 1 450 – PARIS, 11 juil. 1941 : *Le Joueur narquois*, mine de pb : FRF 3 000.

COSYN Pieter ou **Cousyn, Cosin**
Né en 1630 à Rijswijk. Mort après 1665. XVIIᵉ siècle. Hollandais.
Peintre de paysages.
Il vécut, semble-t-il, à La Haye et eut une production abondante.
VENTES PUBLIQUES : LONDRES, 25 juil. 1930 : *Paysage* : GBP 14 – LONDRES, 27 fév. 1931 : *Paysage* : GBP 13 – LONDRES, 10 mai 1935 : *Une route menant au village* : GBP 21 – LONDRES, 23 avr. 1982 : *Paysage d'Italie animé de personnages* 1666, h/pan. (46,2x64,2) : GBP 2 800 – LONDRES, 13 juil. 1983 : *Paysage fluvial boisé animé de personnages* 1662, h/t (57x87) : GBP 3 500 – NEW YORK, 30 jan. 1997 : *Paysage avec une rivière et un voyageur franchissant un pont*, h/pan. (44,5x54) : USD 23 000.

COSYN Stephanus ou **Cousyn**
XVIIᵉ siècle. Actif à La Haye vers 1685. Hollandais.
Peintre.

COSYNS Antoine François
Né à Malines. XXᵉ siècle. Belge.
Peintre de compositions à personnages, figures, nus, portraits, paysages, graveur, illustrateur.
Il exposait à Paris, aux Salons des Artistes Indépendants depuis 1911 et d'Automne dont il devint sociétaire.
Il eut une intense activité d'illustrateur, avec, entre autres, : *L'Apocalypse, Les Noces de Thétis et de Pelée* de Catulle, les *Fables de La Fontaine, Manon Lescaut* de l'abbé Prévost, *Les liaisons dangereuses* de Choderlos de Laclos, *Ferragus* de Balzac, *Mateo Falcone, Carmen, Colomba* de Prosper Mérimée, *Armance* de Stendhal, *Une nuit au Luxembourg* de Rémy de Gourmont, *Les Chimères* de Gérard de Nerval, *Monsieur Teste* de Paul Valéry, etc.

COSYNS Gies
Né en 1920 à Kwaremont. XXᵉ siècle. Belge.
Peintre de paysages.
Il s'inspire de la tradition des paysagistes flamands du XVIIᵉ.
BIBLIOGR. : In : *Diction. biogr. illustré des artistes en Belgique depuis 1830*, Arto, Bruxelles, 1987.
VENTES PUBLIQUES : LOKEREN, 15 mai 1993 : *Paysage enneigé*, h/t (50x40) : BEF 36 000.

COSYNS Hendrik Jan Linus
XVIIIᵉ siècle. Actif à Anvers vers 1770. Éc. flamande.
Peintre.

COSYNS Henri
Né à Anvers. Mort le 4 septembre 1700 à Bruxelles. XVIIᵉ siècle. Éc. flamande.
Sculpteur.
Il vécut longtemps à Londres et fut le maître de Michel Van der Voort.

COSYNS Jan
XVIIᵉ siècle. Actif à Bruxelles. Éc. flamande.
Sculpteur.
Il fut l'élève de Lucas Fayd'herbe. Il fut son aide pour la sculpture, en 1678, du *Temps* et de la *Renommée*, pour le tom-

beau de Lamoral III, à N.-D. du Sablon. Il était auparavant apprenti à Bruxelles en 1659, et passa maître en 1678. Puis, il travailla sous la direction de G. de Bruyn, en 1697, pour la restauration de la célèbre Grand'Place, où il travailla pour les maisons de la brouette, des boulangers où il fit les six grandes statues, des médaillons d'empereurs, le trophée autour du buste de Charles II, les deux esclaves enchaînés, de Bellone dont il fit toute l'ornementation baroque.

COSYNS Joannes
XVIIᵉ siècle. Actif à Anvers au début du XVIIᵉ siècle. Éc. flamande.
Peintre ou sculpteur.

COSYNS Johannes Bernardus ou **Cousyns**
XVIIIᵉ siècle. Actif à Anvers vers 1709. Éc. flamande.
Sculpteur.
Peut-être est-ce le même artiste qui est mentionné à Anvers en 1761 sous le nom de Johannes Cousyns.

COSYP ou **Cosyn**
XVIIᵉ siècle. Actif de 1665 à 1673. Éc. flamande.
Peintre et dessinateur.

[signature : Cosyp f N 1672]

COT Etienne William
Né le 19 juin 1875 à Paris. XIXᵉ-XXᵉ siècles. Français.
Peintre de sujets religieux et de portraits.
Fils et élève de Pierre Auguste Cot, il fut membre du Salon des Artistes Français, recevant une médaille de troisième classe en 1900.

COT Pierre Auguste
Né le 17 février 1837 à Bédarieux (Hérault). Mort le 2 août 1883 à Paris. XIXᵉ siècle. Français.
Peintre d'histoire, sujets allégoriques, scènes de genre, portraits.
Après avoir suivi les cours à l'École des Beaux-Arts de Toulouse, il vint à Paris où il fut élève de Coigniet, Cabanel, Bouguereau et du sculpteur Duret, dont il épousa la fille. Il débuta au Salon de Paris en 1863.
Ses scènes allégoriques ont un caractère assez pompeux, mais ses portraits ont un charme délicat. Il est l'auteur d'une composition décorative à la Chambre des Notaires de Paris. Citons : *Prométhée – Méditation – Le jour des Morts – Dionysia – Le printemps – Mireille*.

[signature : S.A. Cot 1870]

BIBLIOGR. : Gérald Schurr, in : *Les Petits Maîtres de la peinture 1820-1920, valeur de demain*, Les Éditions de l'Amateur, t. IV, Paris, 1979.
MUSÉES : ALGER : *Fort de Sidi Ferruch* – BÉZIERS : *Sainte Élisabeth de Hongrie soignant les malades* – MONTPELLIER : *Prométhée et le vautour* – *Mireille* – SÈTE : *Tête, étude*.
VENTES PUBLIQUES : PARIS, 1880 : *Tête de jeune fille* : FRF 1 150 – PARIS, 1890 : *Sujet de genre* : FRF 1 845 – NEW YORK, 17 jan. 1902 : *Jeune Italienne* : USD 110 – NEW YORK, 10 fév. 1903 : *Le printemps* : USD 3 100 – LONDRES, 13 mai 1927 : *La prière du soir*, dess. : GBP 33 – PARIS, 6 nov. 1942 : *Vieille demeure* 1856 : FRF 920 – NEW YORK, 20 jan. 1945 : *La tempête* : USD 700 – LONDRES, 22 juil. 1977 : *La Danseuse au tambourin* 1873, h/t (210x112) : GBP 1 700 – LONDRES, 10 fév. 1978 : *La Danseuse au tambourin* 1873, h/t (210x112) : GBP 1 300 – LONDRES, 14 fév. 1979 : *La première communiante*, h/t (118x73) : GBP 4 000 – PARIS, 12 déc. 1983 : *L'orage*, h/pan. (18x13,5) : FRF 4 800 – NEW YORK, 16 oct. 1985 : *Le printemps*, h/t (104x83,5) : USD 32 500 – PARIS, 22 déc. 1989 : *Étude de nu dans la clairière*, h/cart. (47,5x33) : FRF 4 200 – NEW YORK, 23 mai 1990 : *La balançoire*, h/t (104,1x64,1) : USD 99 000 – NEW YORK, 16 juil. 1992 : *Jeune fille souriante*, h/t (31,1x24,1) : USD 1 980 – LONDRES, 17 nov. 1995 : *Jeune fille lisant*, h/t (66x40) : GBP 13 800 – NEW YORK, 1ᵉʳ nov. 1995 : *L'orage*, h/pan. (41,3x61) : USD 57 500 – LONDRES, 13 mars 1996 : *Jeune fille lisant*, h/pan. (24,5x16,5) : GBP 8 280 – NEW YORK, 23-24 mai 1996 : *Dionysia* 1870 (108x78,1) : USD 189 500.

COTAN Sanchez. Voir **SANCHEZ COTAN**

COTANDA José
Né en 1758 à Valence. Mort le 11 novembre 1802. XVIIIᵉ siècle. Espagnol.

Sculpteur.
Élève de Francisco Sanchez. Il travailla à l'église Saint-Esteban, à Saint-Vincent et à Saint-Jean, à Valence.

COTANI Paolo
Né en 1940 à Rome. XXᵉ siècle. Italien.
Peintre. Abstrait-analytique.
Il participe à des expositions collectives, d'entre lesquelles on peut citer : *Le degré zéro*, qui eut lieu en 1974 et 1975 à Milan, Bologne, Düsseldorf, la 9ᵉ Biennale des Jeunes Artistes à Paris, au cours de laquelle se manifestèrent soudain les divers courants de la contestation, de l'art conceptuel, l'apparition de la photo, de la vidéo dans le champ artistique. Il fait des expositions personnelles depuis 1968 dans diverses villes italiennes.
Il a créé des tableaux constitués de bandes élastiques peintes et comme tressées, accompagnés d'un discours d'époque sur la fin de la peinture, le refus du système, les projets alternatifs, etc.
Ventes Publiques : Milan, 27 sep. 1990 : *K-12 a 1975*, bande d'élastique peint (101x100) : **ITL 1 400 000.**

COTARD Charles
Né en 1825 à Lisieux (Calvados). XIXᵉ siècle. Français.
Peintre.
Exposa au Salon de Paris en 1844, 1847, 1848.

COTARD Henri Edmond
Né en 1899 à Paris. XXᵉ siècle. Français.
Peintre de portraits et de paysages.
Il fut élève de François Cormon et de Désiré Laugée à l'École des Beaux-Arts de Paris, où ensuite il exposa des portraits et des paysages au Salon des Artistes Français de 1923 et 1924 et au Salon d'Automne entre 1925 et 1927. Il fut conservateur honoraire des musées de Narbonne.
Musées : Narbonne : *Les trois ponts.*

COTARD-DUPRÉ Thérèse Marthe Françoise
Née en 1877 à Paris. XXᵉ siècle. Française.
Peintre animalier et de paysages.
Elle fut élève de son père. Elle était sociétaire du Salon des Artistes Français en 1907, année où elle reçut une médaille de troisième classe.
Ses gardeuses d'oies, ses fermières montrent une observation vivante des mouvements, et donnent bien l'atmosphère des basses-cours.
Bibliogr. : Gérald Schurr, in : *Les Petits Maîtres de la peinture 1820-1920, valeur de demain*, Les Éditions de l'Amateur, t. V, Paris, 1981.
Ventes Publiques : Paris, 18 juin 1924 : *Poules dans la prairie :* **FRF 600** – Paris, 4 mars 1926 : *La petite gardeuse d'oie :* **FRF 660** – Londres, 23 mars 1988 : *Distribution de grain aux poules*, h/t (60x49) : **GBP 4 400** – New York, 15 fév. 1994 : *Paysanne guidant un troupeau d'oies*, h/t (65,4x81,3) : **USD 28 750.**

COTE Alan
Né en 1937 à Windham Center (Connecticut). XXᵉ siècle. Américain.
Peintre. Minimal art.
Entre 1955 et 1959, il fit ses études à l'École du Musée des Beaux-Arts de Boston. Entre 1961 et 1964 il bénéficia d'une bourse d'études et de voyages pour l'Europe. Il figura dans des expositions collectives à New York en 1967, à l'exposition de la Fédération Américaine des Arts en 1968 et en 1969 à Cologne dans la manifestation intitulée *Une tendance de la peinture américaine.*
Ses peintures de très grands formats mettent peu de moyens en œuvre. Le format irrégulier des toiles, qui relèvent de ce que l'on a nommé les « shaped canvas » – c'est à dire des toiles découpées sans aucune obédience au format traditionnel – imprime tout leur dynamisme aux compositions géométriques, le plus souvent de petits bâtonnets polychrommes jouant sur un fond neutre.
Bibliogr. : In : *Diction. Univ. de la peinture*, Le Robert, Tome 2, Paris, 1975.
Ventes Publiques : New York, 10 nov. 1982 : *Sans titre 1970*, acryl./t. (269,2x161) : **USD 2 300** – New York, 7 juin 1984 : *Noir et blanc 1970*, acryl./t. en 2 pan., chaque (254x254) : **USD 2 800.**

COTE Hendrik Van
XVIIIᵉ siècle. Actif à Utrecht vers 1721. Hollandais.
Sculpteur sur bois.

COTE Hippolyte
Né en 1816 à Brest (Finistère). XIXᵉ siècle. Français.
Peintre de natures mortes, dessinateur.

Il étudia avec P. Delaroche, fut nommé professeur de dessin au lycée de Brest et commença en 1846, à exposer au Salon de Paris.
Ventes Publiques : Lille, 20 juin 1982 : *Natures mortes au gibier 1861*, deux h/t, formant pendants (81x100) : **FRF 23 000.**

COTE Pedro de
XVIᵉ siècle. Actif à Séville. Espagnol.
Peintre.
Il était fils de Bartolomé de Cola.

COTEAU Jean
Né vers 1739 à Genève. Mort après 1812. XVIIIᵉ-XIXᵉ siècles. Suisse.
Miniaturiste, peintre sur émail et sur porcelaine.
Son plus ancien ouvrage est un *J.-J. Rousseau*, d'après Houdon ; il peint encore *Élisa Bonaparte* en 1811. On connaît de lui : un *Portrait de Gustave III, roi de Suède* (collection Wallace), *Un portrait de Gluck* (collection Fitz-Henry), *Le Tombeau de J.-J. Rousseau* (collection Artees), *Voltaire*, ébauche, signée Coteau (collection baron Fleury), *La Béraudière* signée Coteau, 9 décembre 1772 (collection David Weil), *Le comte d'Artois* (collection Flameng), *Napoléon Iᵉʳ* sign. Coteau, 1812 (collection du prince de la Moskowa). On cite également de nombreux cadrans décorés et des plaques calligraphiées au Mobilier National, à Carnavalet, au Musée de Dijon et dans diverses collections particulières.
Ventes Publiques : Paris, 1910 : *Napoléon Iᵉʳ d'après Isabey*, miniat. sur panier ou er : **FRF 2 800** – Paris, 26 et 27 mai 1919 : *Portrait du comte d'Artois*, miniat. sur boîte en écaille blonde, attr. : **FRF 1 150.**

COTEAU Joseph
XVIIIᵉ siècle. Français.
Peintre.
Il fut reçu à l'Académie de Saint-Luc à Paris en 1766.

COTEL Gabriel Antoine
XXᵉ siècle. Français.
Sculpteur de sujets religieux.
A exposé au Salon de la Nationale une *Tête de Christ* et des sujets religieux.

COTEL Guillaume
Mort vers 1378. XIVᵉ siècle. Actif à Montpellier vers 1353. Français.
Peintre verrier.

COTELEUR Jean de
XVᵉ siècle. Actif à Tournai. Éc. flamande.
Sculpteur.
Né à Tournai, il fit, en 1491, le *Tombeau du chanoine Jean du Rosut*, dans la cathédrale de Cambrai.

COTELIER Jean
XVIIᵉ siècle. Actif à Paris vers 1680. Français.
Peintre.

COTELLE
XVIIIᵉ siècle. Français.
Sculpteur.
Il travaillait en 1710 pour l'église Saint-Pierre à Verchers (Anjou).

COTELLE Adrien
XIXᵉ siècle. Français.
Peintre.
Il débuta au Salon en 1836. On cite de lui : *Souvenir des côtes de Normandie ; Lavoir aux environs de Melun.*

COTELLE André
Né à Troyes en Champagne. XVIᵉ siècle. Vivant à Genève de 1550 à 1580. Français.
Peintre.

COTELLE Antoine
Originaire de Namur. XIVᵉ siècle. Français.
Sculpteur.
Venu de Dijon, il y collabora, sous la direction de Claus Sluter, au tombeau de Philippe le Hardi, duc de Bourgogne, de 1397 à 1398.

COTELLE Augustin
XVIᵉ-XVIIᵉ siècles. Actif à Troyes entre 1548 et 1624. Français.
Peintre.
Cet artiste dut vivre très vieux, car il est cité dès 1548 pour avoir travaillé aux préparatifs de l'entrée de Henri II et on le trouve vivant encore à Troyes en 1624.

COTELLE Claude
XVIe siècle. Actif à Troyes entre 1550 et 1560. Français.
Peintre.

COTELLE Érard
XVIe siècle. Actif à Troyes entre 1548 et 1572. Français.
Peintre.
Il travailla aux décorations faites à Troyes pour l'entrée de Henri II.

COTELLE Guyot
Mort vers 1565. XVIe siècle. Actif à Troyes. Français.
Peintre.
Il travailla à l'église Saint-Jean en 1526 et à Saint-Nicolas en 1531. En 1534, il fut employé à la décoration de la ville pour l'entrée de la reine Éléonore.

COTELLE Jean I
XVe-XVIe siècles. Français.
Peintre et enlumineur.
Il fut actif à Troyes entre 1472 et 1505. Il travailla pour la ville aux préparatifs exécutés en 1500 pour l'entrée de Louis XII à Troyes et à la cathédrale en 1504.

COTELLE Jean II
XVIe siècle. Actif à Troyes entre 1548 et 1569. Français.
Peintre.

COTELLE Jean III
XVIe siècle. Actif à Troyes entre 1548 et 1575 ou 1578. Français.
Peintre.

COTELLE Jean, l'Ancien
Né en 1607 à Meaux (Seine-et-Marne). Mort en 1676 à Paris. XVIIe siècle. Français.
Peintre, graveur.
Il fut élève de Guyot et de Simon Vouet. Comme peintre, il se distingua dans l'ornementation.

COTELLE Jean, le Jeune
Né en 1642 à Paris. Mort le 24 septembre 1708 à Villiers-sur-Marne (Val-de-Marne). XVIIe siècle. Français.
Peintre d'histoire, scènes mythologiques, sujets religieux, paysages, peintre à la gouache, miniaturiste, graveur.
Le 10 octobre 1672, il fut reçu académicien sur une miniature représentant : L'Entrée du roi et de la reine dans Paris, et fut adjoint à professeur le 27 mars 1704.
MUSÉES : SAINT-PÉTERSBOURG (Ermitage) : Vénus et Adonis – VERSAILLES : Vue du grand Trianon prise du côté des jardins – Le plafond – Vue de l'orangerie de Versailles et la pièce d'eau des Suisses – Même sujet – Le marais – Bosquet de Versailles, les trois fontaines – Bassin du dragon et de Neptune.
VENTES PUBLIQUES : PARIS, 1757 : Le Triomphe de Flore, dess. à la gche : FRF 48 – PARIS, 1767 : Bacchus et Ariane, une bacchanale : FRF 129 – PARIS, 1779 : Apollon poursuivant Daphné ; Narcisse se mirant dans l'eau, deux tableaux : FRF 148 – PARIS, 13 juin 1921 : L'Étude, gche : FRF 230 – PARIS, 6 fév. 1925 : Sainte Madeleine, gche : FRF 75 – PARIS, 17 déc. 1935 : Nymphe et Amour ; Nymphe ornant une statue d'une guirlande de fleurs, gche : FRF 5 300 – NEW YORK, 9 et 10 nov. 1962 : Vues de Paris, deux gouaches faisant pendants : USD 650 – VERSAILLES, 27 nov. 1966 : Vénus et Psyché : FRF 9 600 – PARIS, 23 mars 1971 : Les bosquets de Versailles, suite de 12 gches : FRF 650 000 – NEW YORK, 12 jan. 1995 : Élégante compagnie près d'une fontaine sur fond de montagne rocheuse, gche sur vélin (14x18,8) : USD 4 600.

COTELLE Jean ou Cotel
XVIIe siècle. Français.
Peintre.
Il fut reçu à l'Académie de Saint-Luc à Paris en 1635. Peut-être est-ce le même artiste que Jean Cotelle l'Ancien.

COTELLE Marc
Né à Souvigny (Allier). XXe siècle. Français.
Peintre de portraits, de paysages, de natures mortes et de fleurs.
Il exposa au Salon des Artistes Indépendants et au Salon d'Automne entre 1939 et 1943.

COTELLE Pierre
XVIe siècle. Actif à Troyes vers 1533. Éc. champenoise.
Peintre.

COTELLE-HEBERT Armand
Né en 1827 à Melun (Seine-et-Marne). XIXe siècle. Français.
Peintre de paysages.
Débuta au Salon de Paris, en 1864, par une aquarelle : Cour de ferme.

COTER Colijn de
Né vers 1455 à Anvers. Mort vers 1540. XVe-XVIe siècles. Éc. flamande.
Peintre de sujets religieux, compositions murales.
Cet artiste qui fut, semble-t-il, fortement influencé par Rogier Van der Weyden, est inscrit maître de la gilde d'Anvers en 1493. Mais il travailla surtout à Bruxelles ; on sait qu'il signait parfois « Coliin de Coter pingit me in Brabancia Brusselle ». Les quelques tableaux qui peuvent lui être attribués en toute certitude permettent d'assurer qu'il fut un artiste de tout premier ordre. Il peignit le plafond de la chapelle de la gilde. On lui attribue notamment une Adoration des Mages, à Bruges ; une Descente de croix, à Bruxelles ; une Histoire de saint Rombaut, à Malines ; un retable de La Trinité, autrefois à Saint-Omer ; ainsi que Les trois Marie en pleurs et un Saint Luc peignant la Vierge, à Vienne (Allier). Le coloris est somptueux, le dessin aigu rappelle Van der Weyden, peut-être même Dürer ; la composition est encore organisée selon le modèle du retable.
BIBLIOGR. : In : Diction. de la peinture flamande et hollandaise, coll. Essentiels, Larousse, Paris, 1989.
MUSÉES : AMSTERDAM (Rijksmuseum) : Déploration du Christ – MESSINE : Déposition de Croix – MUNICH : Apôtres et saints – PARIS (Mus. du Louvre) : La Trinité – STRASBOURG (Mus. des Beaux-Arts) : Christ de Pitié – Vierge de Douleur.
VENTES PUBLIQUES : LONDRES, 23 juil. 1965 : Dieu le Père soutenant le corps du Christ : GNS 1 900 – LONDRES, 6 juil. 1966 : Saint Michel et Sainte Agnès : GBP 13 000 – LONDRES, 23 juin 1967 : Le Christ portant la couronne d'épines : GNS 2 600 – LONDRES, 10 juil. 1968 : Le Christ aux stigmates : GBP 1 600 – COLOGNE, 26 mai 1971 : Saint Michel : DEM 110 000 – LONDRES, 18 avr. 1980 : Christ aux outrages, h/pan. fond or (38,6x27,9) : GBP 9 500 – LONDRES, 13 déc. 1996 : La Vierge Marie et quatre apôtres, h/pan. (104,3x57,2) : GBP 84 000.

COTES Francis
Né en 1725 ou 1726 à Londres. Mort le 20 juillet 1770 à Londres. XVIIIe siècle. Britannique.
Peintre de portraits, pastelliste, dessinateur.
Cet artiste, élève de Knapton, fut un des membres fondateurs de la Royal Academy, mais n'exposa à cette galerie que vers sa trente-quatrième année. D'après les annales de cette institution, la période de ses envois s'étend de 1760 à 1770, quoique Cotes prît une part très active dans la vie artistique de son pays. Ses ouvrages à l'huile et au fusain furent très admirés de Lord Oxford, qui le comparait à la Rosalba. On ne sait au juste s'il avait travaillé à Venise, avec Rosalba Carriera. Il eut dans les années 1750 à Londres, un immense succès. Il y était alors le seul portraitiste de talent. Liotard ayant séjourné à Londres de 1753 à 1755, la manière de Cotes en fut influencée.
On cite de lui un Portrait de l'amiral Lord Hawke, à Greenwich. Jusqu'en 1763, il avait surtout utilisé le pastel et ne peignit à l'huile qu'à partir de ce moment. Dans cette deuxième partie de sa carrière, il se trouva en rivalité avec Ramsay et surtout Reynolds, qui revenaient tous deux d'Italie. Ses meilleurs portraits valent pour leurs qualités d'intimité, de vie, de naturel alerte et leur couleur brillante. Il est mal à l'aise quand il se mesure à Reynolds dans le portrait officiel.
MUSÉES : DUBLIN : Portrait d'Anne, comtesse de Donegal – Portrait de Marie Gunning, comtesse de Coventry – LONDRES : Portrait de Mrs Brocas – Portrait de Paul Sandby – LONDRES (Victoria and Albert Mus.) : La femme du peintre.
VENTES PUBLIQUES : NEW YORK, 9 et 10 mars 1900 : Lady Frances Cline : USD 350 ; Portrait de Miss de Strafford : USD 2 375 – NEW YORK, 30 mars 1902 : Lady Ashburton : USD 250 – NEW YORK, 1905 : Miss Montague : USD 575 – NEW YORK, 1907 : Lady Reeves et ses enfants : USD 3 450 – LONDRES, 14 déc. 1907 : Portrait de miss Jane Lane : GBP 25 – LONDRES, 29 mai 1908 : Portrait de Mrs Devon : GBP 47 5 – LONDRES, 27 fév. 1909 : Portrait d'une dame : GBP 42 – LONDRES, 8 juil. 1910 : Portrait de la duchesse de Marlborough : GBP 241 – LONDRES, 8 juil. 1910 : Portrait de Mrs Macrae, née Roche : GBP 1 806 – PARIS, 22 mai 1919 : Portrait d'un jeune seigneur, attr. : FRF 10 100 – LONDRES, 11 au 14 nov. 1921 : Dame en robe grise tenant un livre : GBP 58 – LONDRES, 24 fév. 1922 : Portrait de William Huny, duc de Gloucester en uni-

forme 1769, past. : **GBP 19** – Paris, 27-29 mars 1922 : *Portrait de miss Strafford* : **FRF 4 300** – Londres, 23 juin 1922 : *Portrait d'homme* : **GBP 39** ; *Miss Strafford en mousseline blanche* : **GBP 84** – Paris, 24 juin 1922 : *Portrait de femme coiffée d'un turban*, attr. : **FRF 350** – Londres, 28 juil. 1922 : *Portrait de Mrs Charles Arnold* : **GBP 115** – Londres, 1ᵉʳ déc. 1922 : *Miss Milles en robe de soie blanche* : **GBP 588** – Londres, 3 fév. 1922 : *Portrait of Charles Watson Wentworth, Marquess of Rockingham*, past. (61x49,5) : **GNS 45** – Londres, 16 mars 1923 : *Judith Wright*, past. : **GBP 27** – Londres, 15 juin 1923 : *L'honorable Elisabeth Booth 1764* : **GBP 165** – Londres, 25 juin 1923 : *Portrait de femme*, past. : **GBP 18** – Paris, 7 juil. 1926 : *Portrait d'une femme et de sa fille*, attr. : **FRF 12 000** – Londres, 19 nov. 1926 : *Dame en blanc* : **GBP 60** – Paris, 13 et 14 déc. 1926 : *Portrait présumé de la duchesse d'Orléans*, attr. : **FRF 1 955** – Londres, 4 mars 1927 : *Portrait de femme 1758*, past. : **GBP 48** – Londres, 27 mai 1927 : *Miss Sampson* : **GBP 157** – Londres, 6 juil. 1927 : *Elisabeth Lady Teynham*, past. : **GBP 17** – Londres, 22 déc. 1927 : *La comtesse de Shipbrook* : **GBP 2 257** – Paris, 2 fév. 1928 : *Portrait présumé d'Olivier Nugent*, past. : **FRF 9 000** – Londres, 17 et 18 mai 1928 : *Portrait d'homme 1765* : **GBP 4 410** – Londres, 15 juin 1928 : *Hon. Booth Guy 1764* : **GBP 1 312** ; *Lord Guy* : **GBP 840** – Londres, 27 nov. 1929 : *Emma Vernon, enfant* : **GBP 340** – New York, 1ᵉʳ mai 1930 : *Jeune garçon* : **USD 700** – Londres, 28 mai 1930 : *Portrait de George, comte Macarhuy* : **GBP 525** ; *Jane, comtesse Macarhuy* : **GBP 504** – Londres, 4 juil. 1930 : *Martha Seymer 1763*, past. : **GBP 52** – New York, 11 déc. 1930 : *Portrait de femme 1759* : **USD 800** – New York, 2 avr. 1931 : *William Vestry* : **USD 475** – Londres, 24 juil. 1931 : *Lady Norwood* : **GBP 81** – Londres, 31 juil. 1931 : *Portrait de femme* : **GBP 120** – Philadelphie, 30 et 31 mars 1932 : *Mrs Carmmichael* : **USD 600** – Londres, 3 juin 1932 : *Joseph Banks* : **GBP 152** ; *Lady Mary Hay* : **GBP 136** – Londres, 22 août 1933 : *Philip, vicomte Wenman*, past. : **GBP 36** – Londres, 22 août 1933 : *William Humphrey Wykeham* : **GBP 500** – New York, 7 et 8 déc. 1933 : *Portrait de femme* : **USD 425** – Londres, 22 mars 1934 : *Une dame en robe blanche* : **GBP 162** – New York, 29 mars 1934 : *Emma Vernon* : **USD 450** – New York, 12 avr. 1935 : *Frances Burdette 1761* : **USD 2 300** – Londres, 21 mai 1935 : *Mr Maister* : **GBP 225** – Londres, 30 octobre-2 nov. 1936 : *Une dame en robe blanche* : **GBP 399** – Londres, 18 juin 1937 : *Miss Elisabeth Knight 1766* : **GBP 278** – Londres, 16 déc. 1938 : *Dame en blanc* : **GBP 157** – New York, 4 et 5 déc. 1941 : *Miss Crewe* : **USD 3 100** – New York, 28 fév. 1945 : *Miss Weigall* : **USD 575** – New York, 21 oct. 1959 : *Mrs Anne Golding et sa fille* : **USD 1 100** – Londres, 11 mars 1960 : *Portrait de Mademoiselle Eld* : **GBP 735** – New York, 8 avr. 1961 : *Concert champêtre* : **USD 2 500** – New York, 6 nov. 1963 : *Henry, 10th Lord Teynham* : **USD 300** – Londres, 18 mars 1964 : *Portrait de Thomas Crathone avec sa femme* : **GBP 3 200** – Londres, 13 juil. 1966 : *Portrait of Frances Davis* : **GBP 500** – Londres, 20 nov. 1968 : *Portrait of Eleanor Frances* : **GBP 5 500** – Londres, 17 mars 1972 : *Portrait de l'amiral Thomas Craven* : **GNS 150** – Londres, 2 mars 1976 : *Portrait de jeune fille 1763*, past. (59,5x43,5) : **GBP 1 300** – Londres, 26 mars 1976 : *Portrait of Lady Stracham*, h/t (75x62,5) : **GBP 700** – Londres, 24 mars 1977 : *Portrait of Lady Ripton*, past. (59,5x43,5) : **GBP 480** – Londres, 25 nov. 1977 : *Portrait of Elizabeth Burdett*, h/t (75x61,6) : **GBP 1 500** – Londres, 20 juin 1978 : *Portrait of Tophian Beaclerck 1756*, past. (61,5x53) : **GBP 250** – Londres, 18 juin 1980 : *Portrait of Charles Watson Wentworth, Marquess of Rockingham*, past. (61x49,5) : **GBP 1 000** – Londres, 14 juin 1983 : *Portrait of a Lady 1750*, past. (56x43) : **GBP 400** – Londres, 23 nov. 1984 : *Portrait of Lady Fortescue 1762*, h/t (127x101,5) : **GBP 8 000** – New York, 6 juin 1985 : *Portrait of Mrs Colquhoun 1768*, h/t (236,5x143,5) : **USD 60 000** – Londres, 19 nov. 1985 : *Portrait of a boy in van Dyck costume 1751*, past. (61x45,7) : **GBP 8 000** – Londres, 1 juin 1989 : *Portrait de Mrs Campbell vêtue d'une robe brune aux manches drapées par des broches avec une ceinture bleue et tenant un panier de fleurs posé près d'une urne 1765*, h/t (126,9x102,8) : **GBP 24 200** – Londres, 20 avr. 1990 : *Portrait de Henry Somerset, 5ᵉ Duc de Beaufort, en buste, portant un habit bleu foncé sur un gilet jaune et une cravate blanche*, h/t (76x63,7) : **GBP 480** – New York, 10 oct. 1990 : *Portrait d'une dame, présumée Mrs Joah Bates, debout de trois-quarts, vêtue d'une robe blanche et or*, h/t (122x84) : **USD 6 050** – Londres, 14 nov. 1990 : *Portrait de Miss Dorotea Mercer, future Mrs Spenlove*, h/t (76x60) : **GBP 6 600** – Londres, 1ᵉʳ mars 1991 : *Portrait d'une dame vêtue d'une robe lilas à ceinture jaune, accoudée près d'une urne dans un paysage*, h/t (127x102) : **GBP 4 950** – Londres, 10 juil. 1991 : *Portrait de Davod Gavin, seigneur de*

Langton House dans le Berwickshire 1764, h/t (74x61) : **GBP 3 960** – New York, 10 oct. 1991 : *Portrait du Colonel William Phillips portant un uniforme bleu et rouge*, h/t (120,7x90,2) : **USD 18 700** – Londres, 18 nov. 1992 : *Portrait de Dame Mary Hay en pied, près d'un lac, vêtue d'une robe jaune et d'une étole bleue*, h/t (90x70) : **GBP 15 400** – New York, 20 mai 1993 : *Portrait de Mrs Macrae de trois-quarts, vêtue d'une robe blanche à ceinture bleue accoudée à une ballustrade dans un parc*, h/t (120x99,1) : **USD 40 250** – Londres, 13 juil. 1993 : *Portrait d'un gentilhomme en veste bleue sur un gilet brodé et une cravate blanche, en buste*, h/t (76,2x63,5) : **GBP 8 050** – New York, 2 avr. 1996 : *Portrait de James Napier 1767*, h/t (74,9x61) : **USD 6 900** – Londres, 3 avr. 1996 : *Portrait d'une dame vêtue d'une robe blanche et d'une écharpe rose, en buste*, h/t (69x54) : **GBP 7 475** – Londres, 9 avr. 1997 : *Anne Sandby en Emma, la jeune fille aux cheveux châtains*, h/t (115x91) : **GBP 13 800** – Londres, 12 nov. 1997 : *Portrait de Thomas Twisleton, 13ᵉ Lord Saye et Sele*, h/t (74x61) : **GBP 18 975.**

COTES Penelope
XVIIIᵉ siècle. Britannique.
Peintre de miniatures.
Elle était la sœur de Samuel et Francis Cotes.

COTES Samuel
Né en 1734 à Londres. Mort le 7 mars 1818 à Chelsea. XVIIIᵉ-XIXᵉ siècles. Britannique.
Peintre miniaturiste.
Cet artiste était le frère cadet de Francis Cotes et obtint une certaine réputation comme miniaturiste. Il travailla aussi au crayon, et exposa des miniatures à Londres, entre 1760 et 1789, notamment à la Royal Academy et à la Society of Artists.
Ventes Publiques : Londres, 29 fév. 1928 : *Une dame*, miniat. : **GBP 4** – Londres, 1ᵉʳ mai 1928 : *Dame en bleu 1760*, miniat. : **GBP 13** – Londres, 19 déc. 1930 : *Mrs Sheridan 1773*, miniat. : **GBP 14** – Londres, 15 mai 1931 : *John Perrot 1785*, past. : **GBP 7** – Londres, 26 juil. 1932 : *Portrait d'homme 1767*, miniat. : **GBP 4** – Londres, 16 déc. 1938 : *Admiral G. F. Rives 1789*, dess. : **GBP 25.**

COTESSE
XIXᵉ siècle. Actif vers 1820. Français.
Dessinateur.
On croit lire ce nom sur un dessin représentant une *Scène de chasse* qui est conservé au Musée du Louvre.

COTIBERT François ou Cottiber
XVIIIᵉ siècle. Français.
Peintre de genre, dessinateur au pointillé.
Élève de Boucher. Il travailla à Paris et à Londres.
Ventes Publiques : Paris, 1780 : *Intérieur d'un cellier* : **FRF 150** – Paris, 1850 : *Scène d'enfant, deux petits tableaux* : **FRF 78.**

COTICA Gerolamo
XVIᵉ siècle. Travaillant vers la fin du XVIᵉ siècle. Italien.
Peintre.
Cet artiste est l'auteur d'une peinture représentant *Saint François* qui se trouve dans la chapelle d'un couvent franciscain à Menaggio.

COTIGNOLA Bernardino et Francesco da. Voir ZAGANELLI

COTIGNOLA Giovanni Battista da. Voir CASSIGNOLA

COTIGNOLA Girolamo. Voir MARCHESI da Cotignola

COTIGNOLA Paolino da
XVIᵉ siècle. Actif à Argenta vers 1550. Italien.
Peintre.

COTILLON Jean
XVIᵉ siècle. Français.
Sculpteur.
Il travailla au château de Fontainebleau, de 1537 à 1562.

COTIN Gaspar de
XVIᵉ siècle. Actif à Burgos vers 1538. Espagnol.
Peintre verrier.

COTMAN Frederik George
Né le 14 août 1850 à Ipswich (Suffolk). Mort en 1920. XIXᵉ-XXᵉ siècles. Britannique.
Peintre de portraits, paysages, marines, intérieurs, peintre à la gouache, aquarelliste.
Il était le neveu de John Snell Cotman et exposa pour la première fois à la Royal Academy de Londres en 1871, un *Portrait de son père*. À l'Exposition Universelle de Paris en 1889, il obtint une médaille d'argent.

VENTES PUBLIQUES : LONDRES, 9 juin 1922 : *Une mine de craie dans le Suffolk* 1916 : **GBP 9** ; *Après-midi à Saint-Ives* 1915 : **GBP 16** – LONDRES, 25 nov. 1927 : *Marine* : **GBP 136** – BIRMINGHAM, 15 nov. 1933 : *Près de Christchurch* 1891 : **GBP 24** – LONDRES, 31 juil. 1979 : *Beccles town from the river Waveney* 1896, aquar. (23,3x38,3) : **GBP 600** – LONDRES, 6 fév. 1981 : *A view of Exeter from contess Weir* 1891, h/t (122x183,5) : **GBP 1 000** – LONDRES, 10 mai 1983 : *Oulton Broad, Norfolk* 1896, aquar./pap. bleu (22x36,1) : **GBP 1 000** – LONDRES, 19 oct. 1983 : « *Au revoir* » 1878, h/t (122x183) : **GBP 1 200** – LONDRES, 26 fév. 1985 : *Evening thoughts* 1873, aquar. et gche (35,5x24,8) : **GBP 2 600** – LONDRES, 26 sep. 1990 : *La pause pendant le raccommodage*, h/t (33,5x28) : **GBP 2 640** – LONDRES, 3 juin 1992 : *Eunice*, h/t (103x83,5) : **GBP 3 080** – LONDRES, 8-9 juin 1993 : *Enfant dans sa chaise haute*, aquar. et gche (34,5x22) : **GBP 1 782** – LONDRES, 4 nov. 1994 : *Le soir à Putney Pier* 1911, h/t (46x88,3) : **GBP 5 520**.

COTMAN John Joseph
Né en 1814 à Yarmouth. Mort en 1878 à Norwich. XIXᵉ siècle. Britannique.
Peintre de paysages, aquarelliste.
Fils de John Sell Cotman, il fut son élève.
MUSÉES : LONDRES (Victoria and Albert Mus.) : *Paysage moulin à vent et bestiaux* – NORWICH : *Roughton Heath, près de Cromer* – *Saint Augustin's à Norwich* – *Whitlingham, regardant vers Norwich*.
VENTES PUBLIQUES : LONDRES, 1ᵉʳ mars 1977 : *Lame Dog lane, Norwich*, aquar. et cr. (40x67,5) : **GBP 950** – LONDRES, 19 mars 1981 : *Cottages by the river Yare* 1875, aquar. reh. de gche (31x58,5) : **GBP 1 100** – LONDRES, 17 nov. 1983 : *Entrance to Gunton Park, Norfolk*, aquar. reh. (34x23) : **GBP 1 750** – LONDRES, 10 juil. 1986 : *Chaumière au bord d'un étang à l'orée d'un bois*, aquar. reh. (16x24) : **GBP 1 150** – LONDRES, 25 jan. 1988 : *Paradise à Norwich* 1866, aquar. (24x75) : **GBP 1 100** – LONDRES, 8 fév. 1991 : *Ramasseur de fagots sur un chemin de campagne* 1870, cr. et aquar. (41,6x66,1) : **GBP 935**.

COTMAN John Snell
Né le 16 mai 1782 à Norwich. Mort le 24 juillet 1842 à Londres. XIXᵉ siècle. Britannique.
Peintre de paysages, marines, architectures, aquarelliste, graveur.
Cet artiste est, avec John Crome, l'un des plus glorieux représentants de la si intéressante École de Norwich. Après avoir étudié dans sa ville natale sous la protection du Dr Munro, Cotman vint à Londres, en 1800, et commença dès lors à exposer à la Royal Academy. Jusqu'en 1839, il continua à y envoyer des marines et des paysages, ainsi qu'à la British Institution, à Suffolk Street, et à la Old Water-Colours Society, dont il devint associé en 1825. Cotman retourna dans son pays en 1806, et entra comme secrétaire et membre dans la Society of Artists de Norwich, où il envoya nombre d'ouvrages. Il voyagea en Normandie, d'où il rapporta des études pour la superbe série d'*Antiquités Architecturales de la Normandie*, publiée en 1822 et qui comprit cent planches d'une valeur artistique de premier ordre. Enfin, en 1834, après une résidence de quelques années à Yarmouth, Cotman accepta le poste de professeur de dessin à King's College, à Londres, et exerça les fonctions jusqu'à sa mort.
Entre 1812 et 1822, il exécuta un grand nombre d'ouvrages gravés, représentant des beautés architecturales de l'Angleterre, notamment des comtés d'York, de Norfolk et de Suffolk. Il contribua, avec John Crome, à libérer le paysage anglais de tout contenu historique, allégorique ou mythologique. Il le peint dans un sentiment postromantique de communion de l'homme avec la nature. Parfois, son attitude est plus proche du naturalisme de Corot. Comme celui-ci, il compose et équilibre les masses principales du paysage, jusqu'à suggérer une géométrie du paysage, très en avance sur son époque.
MUSÉES : BIRMINGHAM : *Rue dans une ville française* – CARDIFF : *Édifices italiens et bateaux* – *Bachot dans les roseaux* – *Arbustes, jardin avec personnages*, aquar. – *Paysage, rivière et montagne dans le lointain*, aquar. – DUBLIN : *Vue à Namur*, aquar. – ÉDIMBOURG : *Les moulins de Lakenham* – *Jumièges-Rouen* – *Bâtiments sur une rivière* – ÉDIMBOURG (coll. Earmont) : *Orage en vue de Nore* – LEICESTER : *Marine, côte de Norfolk* – *Même sujet* – LIVERPOOL : *Un de la famille* – LONDRES : *Canots dans une rivière* – *Une Galiote dans un coup de vent* – LONDRES (Victoria and Albert Mus.) : *Abbaye de Rievaulx, comté d'York* – *Entrée d'une ville normande* – *Portail couvert* – *Place du marché et aiguille de*

l'église d'une ville normande – *Moulin à vent, comté de Lincoln* – *Bateau à la rive* – *Palais à Perawa, Bengale* – *Dieppe des hauteurs de l'est* – *Navire et l'embouchure de la Tamise* – *Groupe de figures, montagnes dans le lointain* – *Paysage avec un viaduc* – *Paysage, rivière et bestiaux* – *Barque de pêche échouée sur la grève* – *Guston parc, Norfolk* – *Lande de Hampstead* – *Marine* – *Scène de rivière, bateaux* – *Scène sur un lac* – *Rue dans une ville française* – *Rue Saint-Denis, Paris* – *Maison et rivière* – *Principale entrée de Dieppe* – *Route de Capel, Pays de Galles* – *Paysage classique* – *Naufrage d'un bateau pêcheur* – MANCHESTER : *Vaisseaux hollandais à l'île de Wight* – *Devant Portsmouth* – *Naufrage dans la mer Rouge* – *Église Saint-Martin, Cologne* – *Sur la Sarthe, au loin Alençon* – NORWICH : *Vieilles maisons à Gorleston* – *Le wagon de bagages* – *Vue sur la rivière de Norwich* – *Barques de pêcheurs éloignées de Yarmouth* – NOTTINGHAM : *Les collines de Ringland, Costessy, Norwich*.

VENTES PUBLIQUES : PARIS, 20 avr. 1874 : *Bateau chargé pour le marché* : **FRF 3 690** – LONDRES, 1875 : *Château de Normandie* : **FRF 7 200** – LONDRES, 1898 : *Sur la rivière* : **FRF 4 200** – NEW YORK, 1898 : *Clair de lune* : **FRF 4 500** – NEW YORK, 1908 : *Un jour d'orage* : **USD 100** – LONDRES, 18 jan. 1908 : *Saint Andrews* : **GBP 23** – LONDRES, 21 mars 1908 : *Une route* : **GBP 78** ; *Une ville française*, aquar. : **GBP 7** – LONDRES, 3 juil. 1908 : *Les limites de la patrie* : **GBP 819** – LONDRES, 28 juil. 1909 : *Une barque dans la tempête* : **GBP 6** – LONDRES, 16 juin 1922 : *Paysage avec rivière* : **GBP 23** ; *Vue de Rouen*, dess. : **GBP 304** ; *Une rue à Alençon*, dess. : **GBP 136** ; *Le Château de Navarre*, dess. : **GBP 220** ; *Marine* 1835, dess. : **GBP 110** ; *La Sarthe à Alençon*, dess. : **GBP 178** – LONDRES, 16 fév. 1923 : *Bateaux de pêche*, dess. : **GBP 63** – LONDRES, 19 nov. 1926 : *Sauvetage de naufragés* : **GBP 110** – LONDRES, 26 nov. 1926 : *Marine*, dess. : **GBP 65** – LONDRES, 1ᵉʳ et 2 juin 1927 : *Paysage*, dess. : **GBP 430** ; *Bateaux dans le vent*, dess. : **GBP 120** – LONDRES, 23 mars 1928 : *Norman Castle* : **GBP 81** – LONDRES, 23 juil. 1928 : *Une marine*, dess. : **GBP 110** ; *Une route*, dess. : **GBP 120** – LONDRES, 30 juil. 1928 : *Marine* 1830, dess. : **GBP 199** – LONDRES, 30 mai 1930 : *Le Mont Sainte-Catherine à Rouen* 1823, dess. : **GBP 378** – LONDRES, 27 mars 1931 : *La place du marché à Norwich* 1807, dess. : **GBP 378** – LONDRES, 24 nov. 1933 : *Sur la côte du Norfolk* : **GBP 504** – LONDRES, 2 mars 1934 : *Les bords du Yase* : **GBP 189** – LONDRES, 13 avr. 1934 : *Marine*, dess. : **GBP 115** – LONDRES, 11 juil. 1934 : *Vieille maison à Saint-Albane* : **GBP 230** – LONDRES, 2 août 1934 : *Sur le quai du fleuve*, aquar. : **GBP 162** – LONDRES, 4 avr. 1935 : *Une rue dans le Tyrol*, aquar. : **GBP 320** – LONDRES, 5 avr. 1935 : *Moulins à Crowland* : **GBP 136** – LONDRES, 27-29 mai 1935 : *Une côte* : **GBP 160** ; *L'Alhambra à Grenade*, aquar. : **GBP 210** – LONDRES, 30 octobre-2 nov. 1936 : *Bateaux hollandais*, dess. : **GBP 168** – MANCHESTER, 27 jan. 1937 : *Une rue à Alençon*, dess. : **GBP 155** ; *Paysage normand*, dess. : **GBP 147** – LONDRES, 30 nov. 1960 : *Explosion à la mine du Rocher Saint-Vincent*, dess. : **GBP 4 800** – LONDRES, 19 avr. 1961 : *Heidelberg, le château sur les rives du Rhin*, dess. : **GBP 850** – LONDRES, 10 mars 1965 : *Bord de mer, Norfolk* : **GBP 540** – LONDRES, 17 mai 1966 : *Paysage boisé près d'un estuaire*, aquar. et cr. : **GNS 220** – LONDRES, 12 juil. 1967 : *Paysage animé* : **GBP 320** – LONDRES, 4 avr. 1968 : *Paysage au pont* : **GBP 750** – LONDRES, 17 oct. 1968 : *The Devils tower, Norwick*, aquar. : **GBP 440** – LONDRES, 2 avr. 1971 : *La chaumière* : **GNS 5 000** – LONDRES, 19 juil. 1972 : *Vieille maison à Saint-Alban* : **GBP 11 000** – LONDRES, 22 nov. 1977 : *Paysage au lac, Highland*, aquar. et cr. (22x32) : **GBP 1 500** – LONDRES, 22 mars 1979 : *Berger et troupeau dans un paysage*, aquar. et cr. (21,5x33) : **GBP 2 100** – LONDRES, 13 déc 1979 : *Domfront, Normandie*, cr. et lav. (26x41,8) : **GBP 5 000** – LONDRES, 16 juil. 1981 : *On the river Wye at Chepstow, Monmouthshire* 1801, aquar. (16,5x26,5) : **GBP 5 200** – LONDRES, 18 mars 1982 : *Chaumière au bord d'un étang*, lav. de gris sur trait de cr./pap. (16,5x25,5) : **GBP 2 200** – LONDRES, 17 nov. 1983 : *Mousehold Heath, near Norwich*, aquar. (27,5x40) : **GBP 17 500** – LONDRES, 2 mai 1986 : *Portrait d'un jeune garçon*, h/pan. (56,5x45,8) : **GBP 3 000** – LONDRES, 10 juil. 1986 : *Abbatial house of the Abbey of St Ouen at Rouen* 1817, aquar. (40x56) : **GBP 7 000** – LONDRES, 19 fév. 1987 : *The Tower of Arkinlow*, lav. de gris (3,5x43) : **GBP 2 700** – LONDRES, 25 jan. 1989 : *Les ruines du prieuré de Bacton dans le Norfolk*, cr. (13,5x32) : **GBP 550** – LONDRES, 12 juil. 1990 : *Paysage boisé avec une jeune femme revenant de la fontaine*, h/pan. (28,7x39,5) : **GBP 6 050** – LONDRES, 12 avr. 1991 : *Paysage fluvial avec un pêcheur et son chien*, h/t (43x35,5) : **GBP 13 200** – LONDRES, 9 avr. 1992 : *Tour normande*, aquar. et cr. (24x18,5) : **GBP 10 450** – LONDRES, 10 nov. 1993 : *Paysage boisé avec une femme sur un* *sentier*, h/pan. (27,5x38) : GBP 9 200 – LONDRES, 12 avr. 1995 : *Paysage avec un ruisseau et deux gamins pêchant à la ligne*, h/t (43x34) : GBP 8 970.

COTMAN Miles Edmund
Né le 5 février 1810 à Norwich. Mort le 23 janvier 1858 à Norwich. XIXe siècle. Britannique.
Peintre de paysages, marines, aquarelliste, graveur.
Fils de John Sell Cotman, ce peintre succéda à son père comme professeur de dessin à King's College, à Londres, et exposa des marines, entre 1835 et 1856, à la Royal Academy, à la British Institution, à Suffolk Street et à la Old Water-Colours Society.
MUSÉES : NORWICH : *Marée basse – Barques sur le Midway – Rade de Douvres.*
VENTES PUBLIQUES : LONDRES, 1er août 1928 : *Paysage*, aquar. : GBP 6 – LONDRES, 27-28 et 29 mai 1935 : *Bateaux chargés de foin sur le Midway* : GBP 20 – LONDRES, 3 juil. 1935 : *L'église de Marsham*, aquar. : GBP 8 – LONDRES, 22 nov. 1977 : *Barque en mer*, aquar. et cr. (24x37,3) : GBP 500 – LONDRES, 19 mai 1978 : *Paysage au moulin*, h/t (39,4x59,7) : GBP 750 – LONDRES, 24 sep. 1981 : *Voiliers en mer*, aquar. reh. de gche (23x32,5) : GBP 260 – LONDRES, 19 mars 1985 : *A straw berge on the river Yare*, aquar. et gche (22,8x31) : GBP 4 200 – LONDRES, 9 juil. 1986 : *Barques dans un estuaire du Norfolk*, h/t (21,5x30) : GBP 6 800 – LONDRES, 11 juil. 1990 : *Paysage avec les vestiges de l'abbaye de St Benet près de Norwich*, h/t (40,5x51) : GBP 6 050.

COTO Luis
Né en 1830. Mort en 1891 à Toluca. XIXe siècle. Mexicain.
Peintre de compositions animées, architectures, paysages, graveur.
Il fut élève de l'académie San Alejandro de Mexico, où il eut pour professeur Eugenio Landesio. Ses œuvres sont un témoignage important du Mexique, de son histoire, son architecture, sa culture et ses traditions et ses paysages.
MUSÉES : MEXICO : *Vue d'une ferme – Vue de la Guadeloupe.*

COTOLONI Giuseppe, dit **il Piccolo**
XIXe siècle. Actif à Macerata. Italien.
Peintre.
Il peignit une décoration, pour l'église Santa Maria della Porta à Macerata.

COTON Jean
Né en 1947 à Lessines. XXe siècle. Belge.
Graveur.
Il grave au burin, à l'eau-forte, à la pointe sèche, à l'aquatinte. Il fut élève de l'Académie de Mons.
BIBLIOGR. : In : *Diction. biogr. illustré des artistes en Belgique depuis 1830*, Arto, Bruxelles, 1987.

COTON Pierre. Voir **COTTON Michel** ou **Pierre**

COTONER Y SALAS DESPUIG José
Né le 2 février 1773 à Palma. XVIIIe-XIXe siècles. Espagnol.
Peintre de paysages.
Peignit une *Sainte Anne* dans l'église de Santa-Cruz.

COTOS Georges ou autrefois **Cotoz**
Né en avril 1915 à Straja (Bucovina). XXe siècle. Depuis 1945 actif en France. Roumain.
Peintre. Abstrait, tendance fantastique.
Il commence véritablement à exposer à partir de 1954, dans des galeries, des salons, des lieux alternatifs en France, en Finlande, à Londres, Stockholm, Washington, Madrid.
Ses compositions ne sont ni totalement abstraites ni véritablement figuratives. On y voit des paysages étranges, des figures fantastiques, peints avec le raffinement des enluminures médiévales ou de l'art byzantin.
VENTES PUBLIQUES : PARIS, 15 juin 1988 : *Médiévale 1987*, acryl./t. (38x46) : FRF 13 000.

COTTA Giacomo
Né à Bergame. Mort le 13 décembre 1689 à Bergame. XVIIe siècle. Italien.
Peintre et graveur.
Il fut l'élève de Ciro Ferri. On cite de lui *Le Sacrifice d'Abraham* à l'église des Capucins et *La Mort de saint Joseph* à l'église San Giuseppe, à Bergame. Il grava lui-même certaines de ses œuvres.

COTTA Giovanni Francesco
Né en 1727 à Morbegno (Suisse). Mort après 1779. XVIIIe siècle. Suisse.
Peintre.

Il fut élève de Stefano Torelli à Bologne, et peignit à l'huile et à fresque.

COTTA Heinrich
XIXe siècle. Actif en Saxe et en Thuringe au début du XIXe siècle. Allemand.
Dessinateur, graveur.
On doit à cet artiste de nombreuses scènes guerrières. Sa biographie est totalement inconnue.

COTTA Jacopo
Né en Italie. XVIIe siècle. Actif vers 1600. Italien.
Graveur.
On cite de cet artiste une gravure à l'eau-forte représentant *La Rencontre d'Isaac et de Rebecca.*

COTTAFAVI Gaetano
XIXe siècle. Actif à Rome vers 1837. Italien.
Graveur.

COTTARD André Paul
Né au Havre (Seine-Maritime). XXe siècle. Français.
Sculpteur.
Il exposa au Salon des Artistes Français entre 1923 et 1927.

COTTARD Ildefonse
XVIIe siècle. Français.
Peintre.
Membre de l'ordre de Saint François. Abraham Bosse exécuta deux gravures d'après des œuvres de cet artiste.

COTTARD Jean Baptiste
XVIIe siècle. Actif à Annecy vers 1619. Français.
Peintre.
Cet artiste dont aucune œuvre ne nous est connue, reçut le titre de peintre de la cour du duc Henri de Savoie.

COTTARD-FOSSEY Louise
Née le 16 novembre 1902 au Havre (Seine-Maritime). Morte le 15 mars 1983. XXe siècle. Française.
Peintre de paysages, paysages animés, portraits, peintre de décors de théâtre.
Elle fut élève de l'Ecole des Beaux-Arts du Havre, puis de l'Ecole des Arts Décoratifs de Paris. Elle reçut ensuite les conseils d'Othon Friesz, à l'Académie de la Grande-Chaumière.
Elle a peint des paysages à travers toute la France, dans la Seine-Maritime, en Bretagne, en Auvergne, dans le Midi, le Roussillon, etc.
MUSÉES : LE HAVRE – PARIS (Mus. d'Art Mod. de la Ville).

COTTART Pierre
XVIIe siècle. Actif à Paris dans la seconde moitié du XVIIe siècle. Français.
Graveur.
Il fut également architecte.

COTTAVE-BERBEYER Marguerite
XXe siècle. Française.
Peintre de portraits, paysages, natures mortes, enlumineur.
Elle fut élève de Léon Bastet et de Louise Morel. Elle exposa personnellement à la Maison du Dauphiné à Paris en 1973 et à la Maison Stendhal de Grenoble en 1986. Elle réalisa des dessins pour les paysages lyonnais et les gantiers grenoblois.
BIBLIOGR. : In : Maurice Wantellet : *Deux siècles de peinture dauphinoise*, Grenoble, 1987.

COTTAVOZ André
Né le 29 juillet 1922 à Saint-Marcellin (Isère). XXe siècle. Français.
Peintre de scènes de genre, figures, portraits, nus, paysages, marines, natures mortes, fleurs, peintre de cartons de céramiques, lithographe, illustrateur.
Fils de chapelier, il fut élève de l'École des Beaux-Arts de Lyon. En 1949 il reçut une bourse du Prix National de Peinture, en 1950 un prix de la Biennale de Menton et en 1953 le Premier Prix Fénéon. C'est à partir de 1964 qu'il réalisa un grand nombre de lithographies. Il exposa au Salon d'Automne, des Tuileries, des Jeunes Peintres et à celui de Mai. Il présenta personnellement ses œuvres à Paris à partir de 1953.
Essentiellement peintre de paysages, il a peint de nombreuses vues de Toscane, les Alpilles, des plages et de nombreuses vues du vieux Lyon. Inspiré vers 1968 par la naissance d'un enfant, il a

alors peint des scènes intimistes. Sa manière est caractérisée par l'emploi de très hautes pâtes d'une coloration volontiers crayeuse, ce en quoi il s'inscrit dans la tradition de l'école lyonnaise. Il a illustré *Dialogue de l'arbre* de Paul Valéry en 1964, et l'*Odyssée* de Kazantzakis en 1968. ■ J. B.

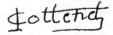

BIBLIOGR. : Jacques Zeitoun : *Cottavoz,* Ed. Art Vivant, Paris – in : *Diction. Univ. de la peinture,* Tome 2, Le Robert, Paris, 1975.
MUSÉES : CAHORS – LUXEMBOURG – PARIS (Mus. Nat. d'Art Mod.) – PARIS (Mus. d'Art Mod. de la Ville) – SAINT-ÉTIENNE – SÈTE – TOKYO.
VENTES PUBLIQUES : PARIS, 13 mars 1961 : *Le Parasol orange* : FRF 2 000 – PARIS, 2 déc. 1963 : *Bouquet de tulipes* : FRF 3 000 – GENÈVE, 9 déc. 1970 : *Plage* – CHF 3 200 – GENÈVE, 17 juin 1972 : *Portrait d'enfant* : CHF 2 500 – PARIS, 10 déc. 1976 : *Les mimosas* 1965, h/t (24x33) : FRF 2 500 – PARIS, 26 nov. 1982 : *Juan-les-Pins* 1970, h/t (65x80) : FRF 7 800 – VERSAILLES, 2 déc. 1984 : *Les fleurs* 1960, h/t (81x65) : FRF 13 500 – PARIS, 20 juin 1985 : *Le port blanc,* h/t (65x101) : FRF 9 000 – LYON, 3 déc. 1986 : *Rome,* h/t (54x74) : FRF 8 000 – PARIS, 11 déc. 1987 : *Restaurant Tetou à Golfe-Juan* 1965, h/t (81x130) : FRF 30 000 – VERSAILLES, 20 mars 1988 : *Arbres et terres labourées* 1956, h/t (50x73) : FRF 17 000 – VERSAILLES, 17 avr. 1988 : *Le barrage de Donzère* 1952, h. et peint. à l'essence/pap. mar./t. (32,5x49) : FRF 3 000 – PARIS, 25 mai 1988 : *Le petit déjeuner sous les feuillages,* h/t (54,5x73) : FRF 8 700 – PARIS, 23 juin 1988 : *La campagne à Valauris* 1964, h/t (54x65) : FRF 15 000 – PARIS, 16 oct. 1988 : *Nature morte aux légumes et poissons* 1954, h/t (81x114) : FRF 38 000 – PARIS, 27 oct. 1988 : *Boulevard Raspail* 1971, h/t (60x73) : FRF 24 000 – PARIS, 21 nov. 1988 : *Fleurs des champs* 1955, h/t (75x37) : FRF 28 000 – PARIS, 12 fev. 1989 : *Terres et arbres* 1957, h/t (73x116) : FRF 40 000 – PARIS, 15 mars 1989 : *Baigneurs* 1964 (68x100) : FRF 20 000 – PARIS, 4 avr. 1989 : *La grande plaine d'Arrezo* 1959, h/t (81x116) : FRF 14 000 – PARIS, 9 oct. 1989 : *Les soldats de plomb,* h/t (46x55) : FRF 40 000 – PARIS, 8 nov. 1989 : *Journal et légumes,* h/t (60x100) : FRF 81 000 – PARIS, 1er déc. 1989 : *Dame Grise* 1953 (66x40) : FRF 33 000 – PARIS, 20 fév. 1990 : *Marée basse à Ostende* 1962, h/t (98x146) : FRF 112 000 – PARIS, 26 avr. 1990 : *Neige à Vallauris* 1983, h/t (38x60) : FRF 75 000 – NEUILLY, 26 juin 1990 : *Autoportrait au blouson bleu* 1955, h/t (73x50) : FRF 80 000 – PARIS, 2 juil. 1990 : *Nature morte grise aux miroirs* 1968, h/rés. synth. (73x92) : FRF 98 000 – PARIS, 9 nov. 1990 : *Les Bateaux en plein soleil* 1955, h/t (34x49) : FRF 51 000 – LE TOUQUET, 11 nov. 1990 : *Nature morte à la coupe de fruits* 1968, h/t (73x91) : FRF 121 000 – PARIS, 15 avr. 1991 : *Le Port,* h/pap. mar./pan. (33x46) : FRF 22 000 – NEW YORK, 12 juin 1991 : *Vue de Golfe Juan* 1965, h/t (38,1x55,9) : USD 6 050 – PARIS, 18 mars 1992 : *Fête du 14 juillet,* h/cart. toilé (24x35) : FRF 13 000 – PARIS, 23 nov. 1992 : *Lyon, brouillard* 1959, h/t (50x73) : FRF 35 000 – PARIS, 6 avr. 1993 : *Les Coteaux de Sainte-Foy* 1956, h/t (51x115) : FRF 18 000 – NEW YORK, 29 sep. 1993 : *Nature morte de raisins et de cartes à jouer sur une table* 1965, h/t (65,4x81,3) : USD 5 750 – PARIS, 22 mars 1994 : *Bouquet de fleurs,* h/pan. (28x20) : FRF 10 000 – AMSTERDAM, 1er juin 1994 : *Nu féminin* 1977, h/t/cart. (55x73) : NLG 5 060 – PARIS, 27 mars 1996 : *La Femme couchée,* h/t (113,5x145,5) : FRF 68 000 – CALAIS, 7 juil. 1996 : *Paysage du Lyonnais* 1960, h/t (24x34) : FRF 6 500 – PARIS, 13 déc. 1996 : *Nu* 1972, h/pan. (41,5x17) : FRF 6 000 – PARIS, 7 mars 1997 : *Sophie* 1965, h/isor. (24x19) : FRF 3 400 – PARIS, 20 mars 1997 : *Compotier, cerises et carafe sur une table* 1975, h/t (54x73) : FRF 20 000 – PARIS, 25 mai 1997 : *Nature morte aux cerises* 1969, h/t (54x80,5) : FRF 18 300 – PARIS, 6 juin 1997 : *Sables rouges* 1953, h/t (41x84) : FRF 12 000 – PARIS, 27 oct. 1997 : *La Plage* 1972, h/t (24x35) : FRF 6 000.

COTTAVOZ Félix
Né en 1810 à Saint-Julien de Ratz. Mort en 1886 à Grenoble. XIXe siècle. Français.
Peintre.
Cet artiste exposa pour la première fois au Salon à Paris en 1841.
MUSÉES : GRENOBLE : *Les cerises de J.-J. Rousseau – J.-J. Rousseau, l'âne et le ruisseau.*

COTTAVOZ Louise
Née à Grenoble (Isère). XXe siècle. Française.
Peintre de paysages.
Exposa au Salon des Indépendants en 1926-1927.

COTTÉ Jean
Né le 20 mars 1931 à Paris. XXe siècle. Français.

Peintre. Abstrait.
Il partagea sa formation et ses activités entre la peinture et la musique. Il étudia à Paris, à l'École des Arts Appliqués puis aux Arts Décoratifs dans l'atelier d'André Lhote entre 1948 et 1951. En 1963 il figura à la Biennale de Paris, au Salon de Mai et à celui d'Art Sacré et en 1973 à celui des Réalités Nouvelles. En 1965 une exposition personnelle et itinérante de ses œuvres s'est tenue aux États-Unis.
Il concilie dans ses toiles le métier traditionnel et ce que l'on nomme le paysagisme abstrait, évoquant les œuvres de Zao Wou-Ki. ■ J. B.
VENTES PUBLIQUES : LA VARENNE-SAINT-HILAIRE, 20 mai 1990 : *Ile perdue,* h/t (81x100) : FRF 3 900.

COTTE Jean Baptiste
XVIIIe siècle. Actif à Dôle vers 1753. Français.
Peintre.

COTTE Marie
Née en 1872. Morte en 1943. XXe siècle. Française.
Peintre et décoratrice.
Elle peignait surtout sur étoffe et sur porcelaine. Elle exposa au Salon des Arts Décoratifs en 1912 et 1926. Elle fut membre fondateur du Salon Violet.

COTTE Narcisse
Né le 7 avril 1828 à Bouvron. Mort après 1885. XIXe siècle. Français.
Sculpteur.
Élève de Ramey et de Pascal. Il débuta au Salon de Paris en 1857. Auteur de bas-reliefs à l'église Saint-Eustache, de Paris. S. Lami indique qu'il a exposé pour la dernière fois en 1866 et, en 1885, exécuta un bas-relief en bronze pour l'église Saint-Denis de la Chapelle.

COTTE Robert de
Né en 1656 à Paris. Mort en 1735 à Passy. XVIIe-XVIIIe siècles. Français.
Dessinateur, architecte.
Il était plus célèbre comme architecte.
VENTES PUBLIQUES : PARIS, 1896 : *Projet de plafond avec rosace centrale,* dess. : FRF 25 ; *Extrémité de la galerie de l'hôtel de Toulouse,* dess. : FRF 21.

COTTEBRUNE
XIXe siècle. Actif à Marseille. Français.
Sculpteur.

COTTEE Mabel Winifred
Née le 20 juin 1905 en Angleterre. XXe siècle. Britannique.
Peintre, aquarelliste.
Elle fut élève des cours du soir du College of Art de Birmingham entre 1924 et 1934 et reçut le Prix Holrook Bequest en 1943.

COTTEL Jean Antoine André
XXe siècle. Français.
Peintre.
Il fit ses études à l'Académie Julian, exposa en 1946 au Salon des Artistes Libérés et à partir de cette date au Salon des Artistes Indépendants et en 1965 à Caracas.

COTTENET Jean
XIXe-XXe siècles. Français.
Peintre de portraits, de scènes de genre, de nus et de natures mortes.
Il fut élève de Jules Lefebvre et de François Flameng. Il exposa au Salon des Artistes Français, recevant une mention honorable en 1912, une deuxième médaille en 1914 et une première médaille en 1930. Il figura à l'Exposition Universelle de 1937.

VENTES PUBLIQUES : BERNE, 7 mai 1982 : *Baigneuses,* h/t (38x46) : CHF 1 600 – LONDRES, 9 oct. 1987 : *Nu couché,* h/t (106,7x183) : GBP 7 000.

COTTER Edward
Mort en 1917 à Ishpeming (Michigan). XXe siècle. Français.
Peintre.

COTTERET Henriette
XIXe siècle. Active à Paris en 1836. Française.
Graveur au burin et au pointillé.

COTTERILL Edmund
XIXe siècle. Actif à Londres. Britannique.

Sculpteur.

Il exposa, de 1822 à 1858, à la Royal Academy et à Suffolk Street Gallery des statuettes équestres, des sculptures de genre ou d'animaux.

COTTERILL Reginald Thomas

Né le 16 avril 1885 à Hanley (Angleterre). xxᵉ siècle. Britannique.

Peintre et sculpteur.

Il fut élève du Royal College of Art.

COTTET Ch.

xxᵉ siècle. Actif dans la seconde moitié du xxᵉ siècle. Français.

Peintre. Abstrait.

COTTET Charles

Né le 12 juillet 1863 au Puy (Haute-Loire). Mort en 1924 ou 1925 à Paris. xixᵉ-xxᵉ siècles. Français.

Peintre de portraits, paysages animés, paysages, marines, aquarelliste, pastelliste, graveur, illustrateur.

Son père, d'origine savoyarde, était juge de paix. Venu à Paris pour faire ses études artistiques, il reçut des conseils de Puvis de Chavannes et de Roll, mais son esprit indépendant l'incitait à travailler surtout en contact direct avec la nature. Il prit part aux expositions impressionnistes que Leparc de Bouteville organisait dans sa boutique de la rue Le Peletier. Il exposa pour la première fois au Salon en 1889. Il était déjà établi depuis quelque temps en Bretagne et y avait trouvé la forme picturale qui devait établir sa réputation. *Le Port de Camaret*, autrefois au Luxembourg, en est la première manifestation publique. Charles Cottet visita l'Algérie en 1892 et l'Égypte en 1896. Ces voyages influèrent heureusement sur son talent. Les œuvres principales de ce peintre sont : *Rayons du soir*, *Port de Camaret* (1893, ancien Musée du Luxembourg), *Pour le Pardon* (1894, acquis par l'État), *Enterrement en Bretagne* (1895, Musée de Lille). Série de scènes et paysages maritimes en Bretagne sous le titre : *Au pays de la mer*, grand triptyque résumant la série, Salon de 1898. En 1900, il a obtenu une médaille d'or à l'Exposition Universelle. Cottet est un des artistes les plus intéressants du xixᵉ siècle. Sa technique très savante et ses qualités de coloriste en font un peintre de tout premier ordre. Peu d'artistes ont su rendre avec une telle intensité la splendeur des paysages ensoleillés ou la mélancolie poignante des ciels de Bretagne. Il était Officier de la Légion d'honneur. Il a illustré *Le Livre de l'Émeraude*. d'A. Suarès, et *La Misère sociale de la Femme*. Il participa à la fondation de la Société Nationale des Beaux-Arts, puis en 1900 la Société Nouvelle. Son goût pour les tons plombés et les harmonies sombres le fit considérer comme le chef de file du groupe de ceux que l'on nommait « La bande noire », avec Xavier Prinet et André Dauchez. En réaction contre l'impressionnisme, ils se référaient volontiers à Courbet et prônaient une peinture à contenu moral. Il a laissé surtout des paysages de Bretagne, d'un sentiment dramatique et peints dans une pâte épaisse. Il a été représenté à l'exposition « Visionnaires et Intimistes à l'époque 1900 » en 1973 au Grand Palais à Paris.

= Ch. Cottet =

Musées : ALGER : *Gorges d'El Kantara* – ANVERS : *Femmes bretonnes en deuil* – BARCELONE : *Têtes de Bretonnes* – BORDEAUX : *Pêcheur à Douarnenez* – *Retour de la pêche* – BRUXELLES : *Femme et enfant* – BUCAREST : *Enfant mort* – CINCINNATI : *Bretonnes en deuil* – DUBLIN : *Côtes bretonnes* – DÜSSELDORF : *Coucher de soleil* – GAND : *Mauvaise nouvelle* – *Portrait de jeune fille* – HELSINKI : *Port breton* – KARLSRUHE : *Deuil breton* – LILLE : *Enterrement* – MUNICH : *Pont en rayons* – PADOUE : *Au pays de la mer*, triptyque – PARIS (Mus. d'Art Mod.) : *Au pays de la mer*, triptyque – *Rayons du Soir* – *Camaret* – *Nature morte* – *La Nuit au Caire* – *Brume* – *Tristesse* – PARIS (Petit Palais) : *Messe basse* – PHILADELPHIE : *Nuit de lune* – ROME : *Feux de la Saint-Jean* – SAINT-ÉTIENNE : *Fritoussennes* – STRASBOURG : *Marine* – TRIESTE : *Pêcheurs fuyant l'orage* – VENISE : *Procession* – VIENNE (Mus. d'Art Mod.) : *Vers l'église* – *Femme et enfant*.

Ventes Publiques : NEW YORK, 1895 : *Attendant la marée* : FRF 550 ; *Bateaux de pêche* : FRF 875 – PARIS, 1900 : *Au pays de la mer*, triptyque : **FRF 12 000** ; *Veillée d'un enfant mort en Bretagne* : FRF 7 100 ; *Clarté de lune* : **FRF 2 200** ; *Port de Douarnenez, crépuscule* : FRF 3 500 ; *Beau soir en Bretagne* : FRF 2 600 ; *Nuage blanc* : FRF 1 500 – PARIS, 15 mai 1901 : *Port de Camaret* : FRF 2 050 – PARIS, 28 nov. 1904 : *Les Barques de pêche* : FRF 480

– PARIS, 31 mai 1906 : *Marine* : **FRF 1 200** – PARIS, 3 avr. 1906 : *Les falaises en Bretagne* : **FRF 2 480** – PARIS, 24 mai 1907 : *Fête bretonne* : **FRF 460** – PARIS, 16 juin 1908 : *Vue de Savoie* : **FRF 285** – PARIS, 22 mai 1909 : *La Mousse* : **FRF 1 000** – PARIS, 27 fév. 1919 : *Souvenir de Memphis, janvier 1896* : **FRF 400** ; *Marine*, étude : **FRF 300** – PARIS, 12 déc. 1921 : *Rochers à marée basse (Algérie)* : **FRF 320** – PARIS, 21 mars 1922 : *Vieilles en prière* : **FRF 800** – PARIS, 26 avr. 1922 : *La cigarette (recto)* ; *Étude de nu (verso)* : **FRF 950** ; *Orage sur la Meuse à Dordrecht (Hollande)* : **FRF 3 200** – PARIS, 12 mai 1923 : *Barques de pêche au soleil couchant* : **FRF 3 300** ; *Deux Bretonnes sur le port, au clair de lune* : **FRF 1 500** – PARIS, 14 et 15 mai 1923 : *Bretonne* : **FRF 1 800** – PARIS, 28 mai 1923 : *Le Port de Camaret, au couchant*, attr. : **FRF 120** – LONDRES, 22 juin 1923 : *Bateaux de pêche au coucher du soleil* : **GBP 44** – PARIS, 28 nov. 1924 : *La Mer vue de la falaise (Bretagne)* : **FRF 7 000** ; *Paysage au bord de la mer* : **FRF 4 150** ; *L'Arc-en-ciel* : **FRF 2 350** ; *Moulin à vent au bord de la mer* : **FRF 2 650** – PARIS, 30 nov. 1925 : *Au cabaret* : **FRF 8 000** – PARIS, 11 déc. 1925 : *Soleil couchant sur la lagune à Venise* : **FRF 6 000** – PARIS, 10 mai 1926 : *Vieille barque au crépuscule* : **FRF 7 000** – PARIS, 22 nov. 1930 : *Nature morte* : **FRF 22 000** – PARIS, 3 mai 1944 : *Groupe de marins bretons* : **FRF 7 000** – PARIS, 1ᵉʳ fév. 1950 : *Les feux de la Saint-Jean* : **FRF 20 000** – PARIS, 9 mai 1955 : *Les Bretonnes* : **FRF 38 000** – BRUXELLES, les 8 et 9 déc. 1965 : *Cérémonie religieuse dans la cathédrale de Bourges* : **BEF 17 000** – PARIS, 8 fév. 1967 : *Paysage de Bretagne* : **FRF 1 160** – PARIS, 20 avr. 1970 : *La paysanne bretonne* : **FRF 2 800** – PARIS, 17 déc. 1972 : *Veillée bretonne* : **FRF 3 000** – PARIS, 24 mars 1976 : *L'attente près du rivage*, h/cart. (53x48) : **FRF 4 500** – VERSAILLES, 22 juin 1977 : *Voiliers au port 1901*, h/cart. (47x60) : **FRF 8 000** – CANNES, 4 sep. 1979 : *Moulins au bord de la mer*, h/cart. (54x75) : **FRF 7 000** – BREST, 18 mai 1980 : *Bretonnes en coiffe*, h/cart. (31x52) : **FRF 8 000** – BREST, 13 déc. 1981 : *Les feux de la Saint-Jean en Bretagne*, h/t (155x195) : **FRF 25 500** – BREST, 16 mai 1982 : *Marine à Camaret*, h/t (69x100) : **FRF 25 000** – BREST, 18 déc. 1983 : *Pardon de Sainte Anne la Palud*, h/t (41x53) : **FRF 25 000** – PARIS, 19 juin 1984 : *Hameau en Bretagne 1898*, aquar. (19,5x33) : **FRF 14 000** – BREST, 19 mai 1985 : *Hameau en Bretagne 1898*, aquar. (20x33) : **FRF 23 000** ; *Crique à marée basse en Bretagne*, aquar. (42x59) : **FRF 30 000** – RAMBOUILLET, 23 sep. 1986 : *Bretonnes cousant*, aquar. et gche (60x81) : **FRF 13 000** – BREST, 17 mai 1987 : *Crique bretonne*, h/t (55x66) : **FRF 20 000** – PARIS, 7 oct. 1987 : *Bord de mer breton*, aquar. gchée (21x28) : **FRF 5 200** – VERSAILLES, 15 mai 1988 : *Venise, voiliers sur la lagune*, peint. à l'essence (25,5x35,5) : **FRF 4 300** – PARIS, 11 oct. 1988 : *Port de pêche*, h/mar. (27x34) : **FRF 5 000** – AMSTERDAM, 16 nov. 1988 : *Littoral rocheux*, h/pan. (43x68) : **NLG 2 070** – PARIS, 17 mars 1989 : *Aux abords des remparts*, past. (40x33) : **FRF 8 500** – PARIS, 4 avr. 1989 : *Les Bretonnes*, h/cart. (37x53) : **FRF 11 000** – PARIS, 19 juin 1989 : *La Baie des Trépassés*, h/cart. (54x72) : **FRF 27 000** – PARIS, 21 nov. 1989 : *Bord de mer en Bretagne*, h/t (37,5x55,5) : **FRF 41 000** – PARIS, 27 nov. 1989 : *Bord de mer, ciel d'orage*, h/pan. (31x41) : **FRF 13 500** – PARIS, 12 déc. 1990 : *Ville d'Afrique du Nord*, past. (80x54) : **FRF 15 500** – PARIS, 4 mars 1991 : *Barques échouées 1891*, past. (25x31,5) : **FRF 7 500** – PARIS, 19 nov. 1991 : *Côte bretonne*, h/pan. (54x72,5) : **FRF 10 000** – NEW YORK, 29 oct. 1992 : *Vaches se désaltérant*, h/pan. (22,9x35,5) : **USD 825** – PARIS, 7 déc. 1992 : *Rue animée du Sud algérien*, past./cart. (77x52) : **FRF 5 000** – PARIS, 5 nov. 1993 : *Femmes sur le Pont des Arts*, h/cart. (33x28) : **FRF 20 000** – PARIS, 26 mars 1996 : *Pêcheurs fuyant l'orage*, eau-forte et aquat. : **FRF 7 000** – CALAIS, 7 juil. 1996 : *Pardon en Bretagne*, h/t (74x100) : **FRF 90 000** – PARIS, 13 déc. 1996 : *Ouessan 1920* ; h/t (54,5x73) : **FRF 17 000** – PARIS, 20 mars 1997 : *Paysage breton 1911*, h/cart. (32,5x41) : **FRF 7 000**.

COTTET René

Né en 1902 à Paris. xxᵉ siècle. Français.

Graveur.

Élève de Laguillermie et Dézarrois. Exposant du Salon des Artistes Français ; mention honorable en 1929.

COTTHEM Freddy Van

Né en 1950 à Wilrijk. xxᵉ siècle. Belge.

Peintre de natures mortes. Réaliste-photographique.

Bibliogr. : In : Catalogue de l'exposition *Une patience d'ange*, gal. Lieve Hemel, Amsterdam, 1995.

COTTHEM Robert Van. Voir ROBIN Van Cotthem

COTTI Abraham

xviᵉ-xviiᵉ siècles. Travaillant à Fribourg de 1594 à 1618. Suisse.

Tailleur de pierres.

COTTI Edoardo
Né le 26 juin 1871 à Frassinello-Monferrato. XIXᵉ-XXᵉ siècles.
Italien.
Peintre et sculpteur.
Il fit ses études à Turin et y exposa à partir de 1903 ainsi qu'à Modène.

COTTI Frantz
Mort en 1595 à Fribourg. XVIᵉ siècle. Actif à Fribourg de 1589 à 1595. Suisse.
Tailleur de pierres.
Cotti devint « bourgeois secret » de Fribourg en 1595, travailla au château de Romont, au collège Saint-Michel et à plusieurs ponts dans cette ville.

COTTI Pierre
XVIIᵉ siècle. Actif à Fribourg au début du XVIIᵉ siècle. Suisse.
Tailleur de pierres.
Il est reçu bourgeois de Fribourg en 1602. Mentionné encore en 1612.

COTTIER Maurice
Né en 1822. Mort le 9 novembre 1881 au château de Cangé (Touraine). XIXᵉ siècle. Français.
Peintre et amateur d'art.
Cet artiste peignit quelques portraits et des paysages à l'aquarelle, mais fut surtout connu pour son importante collection de tableaux.

COTTIN Eugène
Né en 1840 à Strasbourg. Mort en 1902. XIXᵉ siècle. Français.
Peintre de batailles, genre, animaux, dessinateur.
Élève de Bonnat et de Dupré, il a débuté au Salon de Paris en 1879. Après avoir produit quelques tableaux militaires, il s'adonna à la peinture de genre et produisit beaucoup de dessins d'un caractère humoristique.
VENTES PUBLIQUES : PARIS, 1888 : *Le supplice de Tantale ; basse-cour* : **FRF 1 230** – PARIS, 3 mars 1898 : *Les huissiers ; Retour d'un repas de corps*, aquar. : **FRF 32** ; *Tribunal préhistorique*, aquar. : **FRF 31** – PARIS, 10 mai 1899 : *L'Offrande à l'Amour* : **FRF 670** – PARIS, 1900 : *Futur ministre*, dess. : **FRF 43** ; *Une cause sensationnelle*, dess. : **FRF 155** – PARIS, 28 jan. 1924 : *Coq et poules* : **FRF 105** – PARIS, 10 avr. 1924 : *Vieux chameaux*, pl. et aquar. : **FRF 40** – PARIS, 28 mars 1927 : *Dans le poulailler* : **FRF 400** – PARIS, 16 et 17 mars 1931 : *Coqs et poules*, dess. au fus., deux pendants : **FRF 130** – PARIS, 27 jan. 1943 : *Coqs et poules* : **FRF 2 600** – PARIS, 20 mai 1943 : *Le Poulet mort ; Le Lièvre mort*, deux toiles faisant pendants : **FRF 500** – PARIS, 4 juil. 1943 : *Hussard* : **FRF 480** – VERSAILLES, 10 mai 1970 : *Volatiles et pigeons aux abords du puits* : **FRF 750** – BERNE, 7 mai 1971 : *Les lapins dans la cuisine* : **CHF 1 800** – NEW YORK, 28 mai 1982 : *La chanson des vieux*, aquar., cr., pl. et or (31,7x24,3) : **USD 800** – BARBIZON, 27 fév. 1983 : *Coq et poules*, h/t (100x81) : **FRF 5 500** – PARIS, 7 mars 1986 : *Intérieur rustique*, h/t (65,5x54) : **FRF 8 500**.

COTTIN Louis Charles
XVIIIᵉ siècle. Français.
Peintre.
Il fut reçu à l'Académie de Saint-Luc à Paris en 1754.

COTTIN Louise
Née à Philippeville (Algérie). XXᵉ siècle. Française.
Peintre de portraits et de natures mortes.
Elle exposa au Salon des Artistes Français à Paris dont elle était sociétaire, recevant une deuxième médaille en 1938.

COTTIN Nicolas
XVIIᵉ siècle. Français.
Sculpteur.
Il fut reçu à l'Académie de Saint-Luc en 1682.

COTTIN Pierre
Né le 16 avril 1823 à la Chapelle-Saint-Denis (près de Paris). Mort en 1886. XIXᵉ siècle. Français.
Peintre de genre et de paysages et graveur.
Élève de Jazet. Se livra d'abord à la gravure et produisit un grand nombre d'estampes à la manière noire dans le style de son maître, reproduisant surtout les œuvres des peintres en vogue : Schoppin, Euder, Hamman, H. Vernet, H. Bellangé, Compte-Calix, Rosa Bonheur, de Dreux, etc. Il débuta au Salon, comme graveur, en 1845, avec *Le Prince d'Espagne* et *Catilina*, d'après Schoppin. Il parut au Salon comme peintre en 1851, exposant une toile de genre : *Un Vendredi*. Et continua à prendre part aux

expositions jusqu'à la fin de sa vie. On lui doit aussi quelques gravures originales.
VENTES PUBLIQUES : PARIS, 8 fév. 1919 : *Cour de ferme*, dess. : **FRF 35** – PARIS, 30 avr. 1919 : *Cour de ferme à Bessancourt (Seine-et-Oise)* : **FRF 42** – VIENNE, 9 juin 1970 : *La basse-cour* : **ATS 14 000**.

COTTINGHAM Lewis Nockalls
Né le 24 octobre 1787. Mort le 13 octobre 1847. XIXᵉ siècle. Britannique.
Dessinateur.
Il est plus connu comme architecte.

COTTINGHAM Robert
Né en 1935 à Brooklyn (New York). XXᵉ siècle. Américain.
Peintre de paysages urbains. Hyperréaliste.
Il fit ses études au Pratt Institute de Brooklyn. Il figura dans de nombreuses expositions collectives parmi lesquelles on peut citer la Documenta de Cassel en 1972. A partir de 1968 il exposa personnellement aux États-Unis.
Cottingham, pratiquant une peinture hyperréaliste réalisée à partir de photographies a élu un thème unique : les enseignes accrochées aux façades des maisons dans les villes. La mise en page de la plupart de ses peintures s'organise à partir de vues en contre-plongée, décentrées, coupant parfois le motif. La signification des enseignes importe peu à l'artiste, plus sensible à leurs qualités plastiques, au graphisme des lettres et à son intégration dans l'espace de la toile. Cottingham ne procède pas à un réalisme strict mais à une stylisation du réel, employant les couleurs en aplats.
BIBLIOGR. : In : *Diction. Univ. de la Peinture*, Tome 2, Le Robert, Paris, 1975.
VENTES PUBLIQUES : NEW YORK, 13 mai 1981 : *Don's clothing 1971*, h/t (197,5x199) : **USD 12 000** – PARIS, 15 juin 1982 : *Liss Drugs 1973*, dess. aquarelle (47x48) : **FRF 20 500** – NEW YORK, 10 nov. 1982 : *Me 1973*, aquar. (54x52) : **USD 3 000** – NEW YORK, 11 nov. 1986 : *La Central National Bank de Cleveland 1980*, h/t (85,2x57,2) : **USD 7 000** – NEW YORK, 4 mai 1988 : *Wichita 1985*, acryl./cart. (76,5x102) : **USD 20 900** – NEW YORK, 8 oct. 1988 : *Miller high life 1977*, h/t (198,2x198,2) : **USD 23 100** – NEW YORK, 3 mai 1989 : *Art 1971*, h/t (198x198) : **USD 198 000** – NEW YORK, 5 oct. 1989 : *J.C. 1982*, acryl./pap. cartonné (42,5x61,5) : **USD 24 750** – NEW YORK, 9 nov. 1989 : *TI 1978*, h/t (81,2x81,2) : **USD 38 500** – NEW YORK, 21 fév. 1990 : *Old crow 1981*, cr./pap. (45,5x48,1) : **USD 3 300** – NEW YORK, 8 mai 1990 : *May Co 1969*, h/t (144,7x144,2) : **USD 44 000** – NEW YORK, 14 fév. 1991 : *Hall's Diner 1988*, gche/pap. (51,7x71,3) : **USD 11 000** – NEW YORK, 6 oct. 1992 : *Dr Gibson 1971*, h/t (198,8x198,8) : **USD 16 500** – NEW YORK, 25-26 fév. 1994 : *Jack and Hy 1973*, acryl./pap. (43,2x43,2) : **USD 4 600** – NEW YORK, 19 nov. 1996 : *Café-bar 1979*, mine de pb/vélin (48,3x60,4) : **USD 6 325** – NEW YORK, 6 mai 1997 : *West 12th St. 1993*, aquar./pap. (72,4x53,3) : **USD 9 200**.

COTTINO Isidoro
Né le 17 août 1938 à Turin. XXᵉ siècle. Italien.
Peintre, graveur, céramiste. Abstrait.
Il participe à des expositions collectives et expose à titre personnel en Italie, notamment à Venise, en France et à l'étranger. En 1996, il était représenté au SAGA de Paris (Salon d'Arts Graphiques Actuels). Il enseigne à Venise, où il est l'assistant de Riccardo Licata pour les cours de gravure.
Surtout présent en tant que graveur, il ressortit à l'abstraction informelle et s'y singularise par des effets de matières, fabriquant lui-même ses papiers, y incorporant des feuilles d'or.

COTTON
XVIIIᵉ siècle. Britannique.
Peintre de figures.
Il travailla pendant la deuxième moitié du XVIIIᵉ siècle pour une fabrique de porcelaine de Derby (Grande-Bretagne).

COTTON John Wesley
Né en 1868 à Ontario (Canada). XIXᵉ siècle. Canadien.
Peintre, graveur et illustrateur.

COTTON Lillian
Née à Boston. XXᵉ siècle. Américaine.
Peintre de portraits, de nus et de paysages.
Elle exposa au Salon de la Société Nationale des Beaux-Arts, au Salon d'Automne et à celui des Tuileries entre 1926 et 1939.

COTTON Marietta Leslie. Voir LESLIE-COTTON Marietta

COTTON Michel ou Pierre
XVIIe siècle. Français.
Sculpteur.
Il était élève d'Anguier et obtint le second prix de Rome en 1675 avec : *La Transgression d'Adam*. Il fit, dans l'église Saint-Roch, à Paris, le tombeau de l'architecte Le Nôtre. Le Musée de Versailles conserve de lui le *Buste de Lulli*. Il travailla en 1683 à la fontaine du dragon à Versailles. En 1687, il exécuta sous la direction de Coysevox les décors pour les pompes funèbres du grand Condé.

COTTON Tahdah, Mrs
Née aux États-Unis. XXe siècle. Américaine.
Peintre.
A exposé un tableau de genre au Salon de la Nationale en 1927.

COTTON Violet Laura Caroline
Née en 1867. XIXe siècle. Britannique.
Peintre.
A exposé au Royal Institute of Oil Painters. Elle signe : V. L. C. Cotton.

COTTON William Henry
Né en 1880. Mort en 1958. XXe siècle. Américain.
Peintre de genre, figures.
VENTES PUBLIQUES : NEW YORK, 4 déc. 1980 : *La cueillette de fruits* 1908, h/t (127x101,6) : **USD 5 750** – NEW YORK, 21 sep. 1984 : *Maternité*, h/t (76,7x64) : **USD 3 500** – NEW YORK, 26 juin 1986 : *Portrait de femme*, h/t (152,5x127) : **USD 1 000** – NEW YORK, 23 mai 1996 : *Mère et enfant* 1911, h/t (76,2x63,5) : **USD 29 900**.

COTTRAU Félix ou Pierre Félix
Né en 1799 à Paris. Mort le 19 décembre 1852 à Paris. XIXe siècle. Français.
Peintre de sujets religieux, portraits.
Il commença à exposer au Salon de Paris en 1827 ; il obtint une médaille de deuxième classe la même année, une médaille de première classe en 1838. Il fut promu chevalier de la Légion d'honneur le 5 juillet 1846.
MUSÉES : BORDEAUX : *Portrait de Jenny Vertpré* – BOURGES : *La vision de Saint Hubert* – CALAIS : *Léonore*, sujet tiré de la célèbre ballade de Burger – PARIS (Église de Saint-Jacques-du-Haut-Pas) : *Apparition de saint Philippe à l'empereur Théodore* 1844 – REIMS : *Portrait de Narcisse Greno*.
VENTES PUBLIQUES : PARIS, 24 mars 1844 : *Jeune femme napolitaine* : **FRF 465** – MONACO, 21 juin 1991 : *La prière du soir* 1833, h/t (115x80) : **FRF 11 100**.

COTTREL Wellesley ou Cottrell
XIXe siècle. Britannique.
Peintre de paysages, graveur.
Il est l'auteur de gravures religieuses réalisées au burin d'après Guido Reni, Carlo Dolci, B. West, etc.
VENTES PUBLIQUES : LONDRES, 4 mai 1908 : *Sur la plage (sud du pays de Galles)* : **GBP 1** – LONDRES, 5 mars 1982 : *Windsor castle* 1895, h/t (51,7x76,2) : **GBP 800** – LONDRES, 3 oct. 1984 : *Bidford church from the river* 1898, h/t (51x76) : **GBP 950** – LONDRES, 26 sep. 1985 : *On the moors near Barmouth* 1893-94, h/t (51x76) : **GBP 500** – LONDRES, 22 nov. 1990 : *Rivière avec un pêcheur sur la rive* 1903, h/t (24,2x34,3) : **GBP 682** – LONDRES, 3 juin 1992 : *L'église de Bidford vue depuis la rivière* 1898, h/t (50,5x76) : **GBP 880**.

COTTY Madeleine
Née à Paris. XXe siècle. Française.
Peintre de paysages, paysages urbains.
Elle fut élève de Fernand Sabatté et exposa au Salon des Artistes Français et au Salon d'Automne entre 1912 et 1929.

COUACHON René
XVIIe siècle. Français.
Sculpteur.
Cet artiste breton sculpta, en 1623, une tribune avec les douze apôtres, dans la chapelle Notre-Dame de la Miséricorde, de l'église de Pluvigner (arrondissement de Lorient).

COUADE Maurice
XXe siècle. Français.
Sculpteur.
Il exposa à Paris au Salon des Artistes Français en 1920.

COUALLIER R. Ph.
XXe siècle. Français.
Illustrateur.
A illustré *L'Épidémie*, d'O. Mirbeau.

COUARD Alexander
Né à New York. XXe siècle. Américain.
Peintre.
Il fut élève d'Homer Boss et en 1933 exposa à la Worcester Art League.

COUART Jean
XVe siècle. Actif à Bourges. Français.
Enlumineur.
Vendit en 1455 un petit livre d'heures, richement enluminé à la reine Marie, femme de Charles VII.

COUASKI Alexander ou Kucharski. Voir KUCHARSKI

COUASNON Jean Louis
Né en 1747 à Culan (Cher). Mort en 1812. XVIIIe-XIXe siècles. Français.
Sculpteur.
Élève de J.-B. d'Huez. Il travailla à Paris, aux « Menus Plaisirs » en 1777 et de 1779 à 1802 exposa dans les deux Salons. Citons parmi ses œuvres : *Le buste de Parmentier* (Salon, 1779) ; *Buste en terre-cuite de C. Desmoulins*.

COUBAT S.
XIXe siècle. Travaillait en Russie, vers 1800. Russe.
Peintre.
On connaît un portrait signé de ce nom.

COUBERTIN Charles Louis de Frédy de
Né le 23 avril 1822 à Paris. Mort en 1908. XIXe siècle. Français.
Peintre d'histoire, genre.
Cet artiste se forma sous la direction de Picot. De 1846 à 1863, il exposa au Salon de Paris. Le 22 août 1865, il fut décoré de la croix de la Légion d'honneur.
Parmi ses œuvres, on mentionne : *Le mercredi des Cendres à Palermo* (Salon 1861), *La Peste à Milan* (Salon 1851), *Mort de S. Stanislas Kostka*, à l'église de Jésus, à Paris, Peintures du chœur de l'église de Chevreuse (1863), *Départ des missionnaires*, au Séminaire des missions, à Paris, *Deux épisodes de la guerre de 1870*, à la chapelle commémorative de Loigny.
MUSÉES : LAVAL : *La Peste à Milan*.
VENTES PUBLIQUES : LONDRES, 5 oct. 1983 : *Paysannes italiennes au puits* 1881, h/t (54,5x44,5) : **GBP 500** – LONDRES, 19 mars 1986 : *La halte au puits de Szabea dans le désert de Hebron* 1850 (103,5x137) : **GBP 17 000**.

COUBERTIN Marie Marcelle
Née en 1889 à Saint-Rémy-les-Chevreuses (Yvelines). Morte le 2 août 1978. XXe siècle. Française.
Peintre de portraits, de paysages, de fleurs et de natures mortes.
Elle est autodidacte et exposa entre 1921 et 1945 aux Salons des Artistes Indépendants, de la Société Nationale des Beaux-Arts, des Tuileries et de l'Automne.

COUBICHON Louis, dit Mousillou
Né peut-être à Lyon. XVIIe siècle. Français.
Peintre.
Il travailla à Lyon de 1626 à 1630. En 1640, il exécuta des peintures au château de Fontainebleau, ainsi que dans l'église neuve de cette ville. Il rédigea son testament en 1643.
Il réalisa également des grisailles.

COUBILLIER Frédéric
Né en 1869 à Lougeville (près de Metz). XXe siècle. Allemand.
Sculpteur de monuments et de statues.
Il fut élève de l'Académie de Düsseldorf et acheva ses études à Rome. Il a réalisé le monument du comte V. Berg, la statue colossale de Guillaume II à Elberfeld en 1902, et le monument funéraire du cimetière de Düsseldorf en 1903.

COUBINE Othon ou Kubin Otakar, ou Otokar, ou Otto-kar
Né le 22 octobre 1883 à Boskowitze ou Boskovice (Moravie). Mort en novembre 1969 à Marseille (Bouches-du-Rhône). XXe siècle. Depuis 1912 actif aussi, et depuis 1926 naturalisé, en France. Tchécoslovaque.
Peintre de figures, nus, paysages animés, natures mortes aux fleurs, graveur, illustrateur, sculpteur. Post-cézannien. Groupe Osma (Les Huit).
Il fut d'abord élève en sculpture à l'Académie de Horice, puis en peinture à l'Académie de Prague, de 1900 à 1904. Il vint travailler en France, en Italie et à Anvers à partir de 1903. C'est après la première guerre mondiale, en 1919, qu'il se fixa définitivement en France, peignant en Auvergne, dans les Alpes et en Pro-

vence, où, après un séjour à Apt, il avait acquis une belle demeure à Simiane-la-Rotonde. À Paris, il exposa au Salon d'Automne dont il était sociétaire, au Salon des Artistes Indépendants et à celui des Tuileries. Dès 1907, 1908, il avait exposé avec le groupe *Osma* (Les Huit) de tendance expressionniste, qu'il avait co-fondé avec d'anciens camarades des Beaux-Arts. Il ne cessa pas de participer régulièrement aux expositions de la société d'art pragoise *Umelecka beseda*. Il participa aux expositions internationales des Beaux-Arts de Genève en 1921, de Dresde en 1926, de Hambourg en 1928, à l'exposition d'art français de Genève en 1927 et de Tokyo en 1928. En 1951, après la seconde guerre mondiale, il retourna en Tchécoslovaquie, où il occupa des fonctions officielles, et revint à Simiane en 1966. Une rétrospective de ses œuvres s'est tenue à Valréas en 1972.

Dans sa première période de jeunesse, après quelques peintures postimpressionnistes, il fut influencé par le courant expressionniste, toujours très présent en Europe centrale, et en particulier par Van Gogh. Après quoi, il assimila très vite les apports de Cézanne et du cubisme, en dégageant un style personnel, où une composition très rigoureuse est contrebalancée par la douceur des tons assourdis de sa gamme chromatique, des tons éteints par la violence du soleil. Ses peintures figuratives lui assurèrent très rapidement une place importante dans la jeune école où il représenta, en quelque sorte, un rare accord entre l'invention moderne et les principes classiques, se situant en cela aux côtés de Derain et de Dunoyer de Segonzac. Sa peinture s'épanouit principalement à Simiane, dont il peignait les paysages et les scènes typiques de village provençal, *Environs d'Apt – Paysage du Vaucluse – Joueurs de boules – Lavandières*. Durant sa dernière période en Tchécoslovaquie, il peignit surtout des paysages de la Moravie du Sud. En 1964 il revint définitivement à Simiane. Il illustra *Allen* de V. Larbaud, *Mimes des courtisanes de Lucien* de Pierre Louys, *Orages* de F. Mauriac. Il sculpta des bustes, des bas-reliefs et des médailles. ■ J. B.

Coubine

Coubine

BIBLIOGR. : In : *Diction. Univ. de la Peinture*, Tome 2, Le Robert, Paris, 1975.
MUSÉES : BRÊME – FRANCFORT-SUR-LE-MAIN – LONDRES (British Mus., Cab. des Estampes) – PRAGUE : *La récolte des pommes de terre 1908 – Nu 1926 – La cruche au bouquet 1928 – Le printemps à Simiane 1934* – STRASBOURG – VIENNE (Albertina).
VENTES PUBLIQUES : PARIS, 16 déc. 1920 : *Nu* : **FRF 700** ; *Nu, dess.* : **FRF 100** – PARIS, 2 mars 1925 : *Nu debout* : **FRF 500** – PARIS, 19 mai 1930 : *Lac Liguret* : **FRF 4 000** – PARIS, 3 mai 1935 : *Village sur la hauteur* : **FRF 120** – PARIS, 2 avr. 1941 : *Route menant au village* : **FRF 950** – PARIS, 3 mai 1944 : *Fleurs* : **FRF 2 500** – PARIS, 20 avr. 1955 : *Vase de fleurs* : **FRF 19 000** – NEW YORK, 18 mars 1965 : *Vase de fleurs* : **USD 575** – PARIS, 11 déc. 1972 : *Le verger en fleurs* : **FRF 800** – MUNICH, 24 mars 1976 : *Vue d'un village de Provence*, h/t (46x55) : **DEM 2 000** – BERNE, 20 oct. 1977 : *Jeune fille au petit bouquet de fleurs*, h/t (65x50) : **CHF 4 800** – AMSTERDAM, 24 avr. 1978 : *Paysage*, h/pan. (31x40) : **NLG 3 600** – MUNICH, 30 mai 1980 : *Vue de Florence*, h/t (50x61,5) : **DEM 5 400** – ZURICH, 7 nov. 1981 : *Bouquet de fleurs*, h/t (64x54) : **CHF 8 000** – MUNICH, 30 mai 1983 : *Nature morte aux pommes*, h/t (45,5x55,5) : **DEM 2 300** – MUNICH, 30 nov. 1984 : *Vue de Florence depuis Fiesole*, h/t (51x61,5) : **DEM 7 200** – COLOGNE, 3 déc. 1985 : *Bouquet de fleurs*, h/t (92,5x73) : **DEM 4 600** – MUNICH, 24 nov. 1986 : *Nature morte aux fruits*, h/t (54,3x65) : **DEM 3 400** – COLOGNE, 29 mai 1987 : *Paysage de Provence*, h/t (46x55) : **DEM 3 400** – PARIS, 18 juin 1989 : *Vase de fleurs*, h/t (73x60) : **FRF 21 000** – PARIS, 4 avr. 1990 : *Nature morte aux fruits*, h/t (46x55) : **FRF 14 000** – CALAIS, 8 juil. 1990 : *Vase de fleurs*, h/t (73x60) : **FRF 23 000** – PARIS, 2 déc. 1991 : *Vase de fleurs dans un intérieur*, h/t (73x60) : **FRF 5 200** – PARIS, 5 fév. 1992 : *Nature morte aux fleurs et fruits*, h/t (46x55) : **FRF 5 200** – NEW YORK, 10 nov. 1992 : *Paysage*, h/t (60x73) : **USD 1 100** – AMSTERDAM, 9 déc. 1992 : *Nature morte de fleurs*, h/t (73x61) : **NLG 8 970** – NEW YORK, 26 fév. 1993 : *Nature morte de pêches*, h/t (54x64,8) : **USD 6 038** – PARIS, 27 mars 1994 : *Villeneuve-lés-Avignon*, h/t (49,5x60,5) : **FRF 10 000** – LONDRES, 22 fév. 1995 : *Nu féminin*, h/t (79x64) : **GBP 805** – PARIS, 26 mars 1995 : *Portrait de jeune homme 1919*, h/t (38,5x27,5) : **FRF 6 500** – AMSTERDAM, 6
déc. 1995 : *Jeune femme coupant de la lavande*, h/t (90x116) : **NLG 6 900** – PARIS, 13 nov. 1996 : *Vase de fleurs*, h/t (92x73) : **FRF 56 000**.

COUCHAT Domitille
Née le 13 juin 1962 à Paris. XXᵉ siècle. Française.
Peintre de compositions.
Fille de Michel Couchat, elle depeint son environnement : sa chambre d'étudiante, quelques objets simples et quotidiens comme une chaise de jardin, une table de nuit, un déjeuner et des fruits dans une gamme chromatique assourdie.

COUCHAT Michel
Né le 4 novembre 1935 à Courbevoie (Hauts-de-Seine). Mort le 18 août 1998. XXᵉ siècle. Français.
Peintre de paysages, paysages urbains.
A partir de 1954 il a exposé personnellement dans de nombreuses galeries parisiennes, notamment en 1995 galerie Jean Peyrole, et en province. En 1963 il a reçu le prix Fénéon.
Après avoir choisi pour thème l'environnement urbain et inhospitalier de son atelier en banlieue, Michel Couchat peint à présent des paysages dans une pâte généreuse et des tons d'ocres, roux, jaunes.

Couchat

COUCHAUX Marcel
Né en 1877. Mort en 1939. XXᵉ siècle. Français.
Peintre animalier et de compositions à personnages.
Il exposa au Salon de la Société Nationale des Beaux-Arts en 1931. Actif à Rouen, il fut attiré par la représentation de la vie paysanne de la campagne environnante, mais il se révéla un meilleur peintre animalier. D'une facture proche de celle des pointillistes, ses tableaux sont rendus par des hachures et des petites touches claires.

Couchaux

BIBLIOGR. : In : G. Schurr : *1820-1920, les petits maîtres, valeurs de demain*, Paris, 1969.
VENTES PUBLIQUES : ROUEN, 18 déc. 1970 : *Poules* : **FRF 3 100** – ROUEN, 23 juin 1972 : *Le linge dans la prairie* : **FRF 6 000** – ROUEN, 3 déc. 1978 : *Poules*, h/t (60x80) : **FRF 7 000** – ROUEN, 25 nov. 1979 : *Les haleurs*, past. aquarellé (53x71) : **FRF 30 000** – ROUEN, 22 mars 1981 : *Les poules*, h/t (60x73) : **FRF 11 500** – ROUEN, 28 nov. 1982 : *Portrait d'une vieille femme*, past. aquarellé (56x42) : **FRF 9 200** – ROUEN, 12 juin 1983 : *Pré normand*, h/t (65x81) : **FRF 7 000** – ROUEN, 16 déc. 1984 : *Nature morte à la brioche et au sucrier*, h/t (92x65) : **FRF 15 800** – ROUEN, 24 mars 1985 : *La cueillette des pommes*, h/t (92x65) : **FRF 22 000** – HONFLEUR, 11 mars 1986 : *Nature morte*, h/pan. (45,5x88) : **FRF 12 500** – PONT-AUDEMER, 22 nov. 1987 : *Ferme normande*, h/t (54x66) : **FRF 45 000** – PARIS, 17 déc. 1987 : *Les dindons*, h/t (81x100) : **FRF 130 000** – VERSAILLES, 20 mars 1988 : *Les coteaux de Dieppedalle-Croisset le soir*, h/t (73x92) : **FRF 28 000** – GRANDVILLE, 30 oct. 1988 : *La cour plantée*, h/t (65x81) : **FRF 64 100** – PARIS, 12 fév. 1989 : *buste de jeune femme*, h/t (41x33) : **FRF 18 000** – PARIS, 30 nov. 1992 : *Fenaison*, h/t (81x120) : **FRF 130 000** – PARIS, 2 juin 1993 : *Les deux coqs*, h/t (58x74) : **FRF 61 000**.

COUCHÉ Charles
XIXᵉ siècle. Vivait à Besançon durant la première moitié du XIXᵉ siècle. Français.
Peintre.

COUCHÉ Jacques
Né en 1759 à Abbeville. XVIIIᵉ siècle. Français.
Graveur au burin.
Élève de Levasseur et d'Aliamet. Graveur du cabinet du duc d'Orléans à Paris (1784-1808). On cite de lui : *Jeune Martyre* ; *Sainte Famille* ; *Le Retour au gîte* ; *Vues pittoresques, animaux*. Il fit partie de l'Académie de Saint-Luc. Il exécuta des gravures sur cuivres pour *Le Voyage à Naples et en Sicile* de l'Abbé de Saint-Non et pour *Le Voyage de Pallas dans la Russie Méridionale* (1788-1793), ainsi que des feuilles séparées d'après Fauvel, Fragonard, Duplessis-Bertaux, Lavreince, Chardin, etc. Il publia aussi en 1802 une série *Recueil de paysages gravés dans la manière de crayon*. Il était le père de Franç.-Louis Couché.

COUCHÉ Louis François
Né en 1782 à Paris. Mort le 5 octobre 1849 à Paris. XIXᵉ siècle. Français.

Graveur.
Son père, Jacques Couché, fut son maître, mais il suivit aussi les enseignements de Laffite.

COUCHELLO Paolo, don
xve siècle. Travaillant à Ferrare entre 1470 et 1490. Italien.
Miniaturiste.

COUCHERY Victor
Né en 1791 à Paris. Mort le 20 novembre 1855 à Charenton (Val-de-Marne). xixe siècle. Français.
Sculpteur.
Membre de l'Académie de Dijon, cet artiste s'occupa principalement d'ornementation. Il dirigea des travaux au Louvre et au palais du quai d'Orsay. Un buste en terre cuite d'A. *Piron*, modelé par lui, est conservé au Musée de Dijon. S. Lami cite son *Monument Aguado*, au Père La Chaise, dont les figures sont de Pradier.

COUCHET Antoine Joseph ou **Cochet, Couget, Coget**
Né en 1630 à Anvers. Mort en 1678. xviie siècle. Éc. flamande.
Graveur.
Maître de la gilde d'Anvers en 1662-1663, il grava d'après Rubens : *Le jardin des Oliviers* (signé *Coget Sculp.*) et *Le Temps récompensant le travail*, d'après Van Dyck, *Henriette d'Angleterre*, et, d'après Jan Popels, une série de jeux d'enfants.

COUCHET Anton ou **Coget**
xviie siècle (?). Éc. flamande.
Graveur.
Peut-être ne fait-il qu'un avec Antoine Joseph Couchet.

COUCHET Jean
xve siècle. Travaillant à Fribourg de 1464 à 1466. Suisse.
Peintre.

COUCHET Nadine
Née à Genève. xxe siècle. Suisse.
Peintre de paysages et de fleurs.
Elle exposa au Salon d'Automne entre 1933 et 1935.

COUCHMAN Florence A.
xixe siècle. Vivait à Londres. Britannique.
Peintre.
A exposé à la Royal Academy entre 1883 et 1890.

COUCHOT Edmond
xxe siècle. Français.
Créateur d'installations, théoricien.
Il vit et travaille à Paris. Il est Directeur de recherche et de travaux et professeur à l'Université Paris VIII. Il dirige le département Arts et Technologies de l'image. En tant que théoricien Edmond Couchot s'intéresse aux relations de l'art et de la technologie, notamment des arts de l'image et des techniques informatiques, sur ce sujet il a publié plusieurs articles et un livre. En tant que plasticien, il insiste sur la notion d'interactivité homme-ordinateur au moyen du son et de la voix.
Le savoir-faire technoscientifique en matière de visualisation informatique est une invitation à une réflexion plus étendue sur la portée de l'image dite numérique. Cette dernière n'est pas une représentation de la réalité, mais en donne une simulation ou plus précisément selon la définition de F. Popper, « L'image numérique de synthèse n'est plus la projection optique d'un objet préexistant, mais la visualisation d'un modèle numérique qui simule l'objet. » La virtualité découle de la découverte de la numérisation, c'est à dire de la possibilité de traiter toute matière-support suivant une matrice logico-mathématique de nombres, qui réciproquement devient parole, son, musique, tableau, dessin, écriture ou bruit. L'image numérique comprend les images de synthèse, les images d'origine graphique, photographique, cinématographique ou vidéographique. Cette nouvelle image n'est plus statique une fois pour toute, elle réagit continuellement aux données programmées. Dans la réalité de la vie, c'est vers la virtualité de l'expérience que l'on s'engage, où espace et temps sont par principe recréés.
Cet ensemble de découvertes est illustré par l'installation *La Plume* d'E. Couchot en collaboration avec Michel Bret et Marie-Hélène Tramus. Une plume a été programmée au bas d'un écran d'un processeur graphique. Le regardeur, point de départ de l'interactivité, souffle sur la plume. Cette dernière se meut dans l'espace, selon la mesure du souffle opérée sur elle, et toujours suivant une trajectoire différente. Elle peut même sortir de l'écran pendant certaines secondes, le temps de redescendre à son rythme. Cette expérience est une simulation. La plume est

virtuelle, elle est numérisée dans l'ordinateur, par contre le souffle est réel, il est extérieur. Une autre expérience de ce type, dite *Je sème à tout vent*, consistait toujours par le souffle à détacher les akènes des fleurs. De ces expériences, et du préalable théorique de leur essence : l'image numérique n'est pas une technique de figuration du réel, E. Couchot en tire des conclusions immédiates et prospectives. La création artistique doit repenser sa relation au réel : réalisme, représentation, appropriation, détournement, transfiguration n'ont plus de sens dans « l'esthétique du virtuel et de la simulation » assistée par ordinateur. Au réel et à l'imaginaire, il faut donc ajouter une troisième dimension : le virtuel. Cependant, l'interactivité reste le point central de toute la relation artistique, comme le souligne Éric Couchot : « Le virtuel n'est rien, ne peut rien, sans l'interpellation du réel, sans son contact immédiat. C'est à l'interface du virtuel et du réel que l'artiste est appelé à se reloger. » ■ C. D.
BIBLIOGR. : Edmond Couchot : *Images – De l'optique au numérique*, Hermès, Paris, 1988 – Edmond Couchot : *Esthétique de la simulation. Une responsabilité assistée ?* ; Pierre Musso : *L'Art de l'ordinanthrope* ; Philippe Queau : *Les vertus et les vertiges du virtuel* in : Art Press, n° Spécial : *Nouvelles Technologies, un Art sans Modèle ?*, Paris, 1991.

COUCHOT Georgette
Née à Paris. xxe siècle. Française.
Peintre de paysages et de natures mortes.
Elle exposa au Salon d'Automne entre 1938 et 1942.

COUCHY Pierre
xviie siècle. Français.
Dessinateur et graveur.
Peut-être est-ce le même artiste que le peintre Cauchy.

COUCI Marcel Louis Edouard
Né à Besançon (Doubs). xxe siècle. Français.
Peintre de paysages.
Il exposa au Salon de la Société Nationale des Beaux-Arts en 1901 et 1922.
VENTES PUBLIQUES : PARIS, 22 mars 1926 : *Paysage de Gargilese* : FRF 300 ; *Moulin de Gargilese* : FRF 300.

COUCKE Johannes
Né le 8 octobre 1783 à Gand. Mort le 18 avril 1853. xixe siècle. Éc. flamande.
Peintre de paysages et de villes et graveur.

COUDARD Edouard Emile Elie
Né à Brienne-La-Vieille (Aube). xxe siècle. Français.
Peintre de fleurs et de natures mortes.
Il exposa au Salon de la Société Nationale des Beaux-Arts en 1920 et au Salon des Artistes Indépendants entre 1921 et 1924.

COUDENBERGHE Jean Van
xve siècle. Actif vers 1430. Éc. flamande.
Peintre de sujets religieux.

COUDENHOVE-KALERGI Michael
Né en 1937 à Prague. xxe siècle. Actif en Autriche. Tchécoslovaque.
Peintre.
Il exposa dans la manifestation intitulée *La Peinture autrichienne* organisée par le Musée de Bochum en 1973.
VENTES PUBLIQUES : VIENNE, 25 juin 1986 : *Nature morte* 1964, h/isor. (43x60) : ATS 16 000.

COUDER Stéphanie, Mme **Auguste**, née **Daniel-Klein**
Née à Paris. Morte en 1864 ou 1865. xixe siècle. Française.
Dessinateur et graveur.
Élève de Robert-Fleury et de J.-J. Bellel. Elle débuta au Salon en 1846.

COUDER Gustave Émile
Né à Paris. Mort en 1903 à Paris. xixe siècle. Français.
Peintre de natures mortes, fleurs et de fruits.
Élève de M. Wasselon, il débuta au Salon de 1869.
MUSÉES : MULHOUSE : *Primevères de Chine*.
VENTES PUBLIQUES : PARIS, 3-4 mai 1923 : *Fleurs dans un parc* : FRF 700 – PARIS, 9-10 juin 1941 : *Vase de fleurs* : FRF 1 000 – ZURICH, 29 nov. 1978 : *Nature morte aux pêches et raisins* 1890, h/t (54x73) : CHF 5 500 – PARIS, 24 mars 1986 : *Vase de fleurs* 1885, h/t (64x54) : FRF 15 000 – NEW YORK, 24 mai 1988 : *Nature morte aux pivoines et tulipes dans un vase* 1886, h/t (145x103) : USD 40 000 – PARIS, 27 nov. 1989 : *Bouquet de fleurs*, h/t (95x74) : FRF 40 000 – NEW YORK, 26 mai 1993 : *Jeté de fleurs*, h/t (53x71,4) : USD 29 900 – NEW YORK, 23-24 mai 1996 : *Panier de*

pêches, branches de prunes et de cerises dans un parc 1895, h/t (99,7x129,9) : **USD 42 550.**

COUDER Jean Alexandre Rémy
Né le 16 avril 1808 à Paris. Mort en 1879. XIXᵉ siècle. Français.
Peintre d'histoire, genre, natures mortes, fleurs et fruits.
Entré à l'École des Beaux-Arts de Paris en 1824, il fut élève du baron Gros. Tout d'abord attiré par la sculpture et la gravure, il s'est finalement adonné à la peinture. Il participa au Salon de Paris entre 1833 et 1868, obtenant une médaille de troisième classe en 1836. Chevalier de la Légion d'Honneur en 1853.
S'il a peint des sujets historiques et de genre, il semble plus à l'aise dans ses natures mortes, dont les compositions, bien rythmées, ne s'attardent pas aux détails.

[signature: Alex du Couder]

BIBLIOGR. : Gérald Schurr, in : *Les Petits Maîtres de la peinture 1820-1920, valeur de demain*, Les Éditions de l'Amateur, t. IV, Paris, 1979.
MUSÉES : ANGERS : *La mort de Galswinthe* – BLOIS : *Bourguignon dans son atelier* – BOULOGNE : *Le marchand de marrons* – CALAIS : *Fruits* – *Raisins* – CHERBOURG : *Intérieur* – DIEPPE : *Le goûter* – LANGRES : *Madone* – LILLE : *Les deux favoris* – MONTARGIS : *Intérieur XVIIIᵉ* – ORLÉANS : *Retour des champs* – PÉRIGUEUX : *Fleurs et fruits* – PERPIGNAN : *Intérieur* – REIMS : *Roses et fruits* – *Fleurs et fruits* – *Intérieur de ferme* – LA ROCHELLE : *Intérieur de cuisine* – ROUEN : *Fleurs des champs* – TOURS : *Fleurs et fruits*.
VENTES PUBLIQUES : PARIS, 1865 : *Intérieur d'un office* : **FRF 780** – PARIS, 1870 : *Intérieur de cuisine* : **FRF 1 500** – PARIS, 16 mai 1908 : *Farniente* : **FRF 1 000** – PARIS, 18-20 mars 1920 : *Fleurs répandues sur une table* : **FRF 360** – LONDRES, 22 juil. 1927 : *Un atelier d'artiste* : **GBP 23** – PARIS, 14-15 déc. 1933 : *Le cellier* : **FRF 2 000** – PARIS, 20 fév. 1942 : *Intérieur de grange* : **FRF 6 300** – PARIS, 17 déc. 1943 : *Vase décoratif et fleurs – Vase de Chine et fleurs*, deux pendants : **FRF 22 000** – VERSAILLES, 8 nov. 1964 : *La leçon de musique* : **FRF 2 200** – LUCERNE, 2 déc. 1967 : *Nature morte aux fruits* : **CHF 900** – PARIS, 27 nov. 1972 : *Intérieur aux mandolines* : **FRF 1 200** – LONDRES, 23 juil. 1976 : *Nature morte aux fleurs et aux fruits*, h/pan. (27x34) : **GBP 400** – NEW YORK, 12 mai 1978 : *Intérieur de cuisine*, h/t (81x65) : **USD 1 400** – PARIS, 2 juil. 1981 : *Nature morte à l'aiguière 1878*, h/pan. (16x22) : **FRF 4 500** – PARIS, 13 juin 1983 : *Jeune femme écrivant*, h/pan. (35x26) : **FRF 25 000** – LONDRES, 26 nov. 1986 : *Les jeunes musiciennes 1859*, h/pan. (37x42) : **GBP 4 800** – AMSTERDAM, 28 fév. 1989 : *Nature morte avec une statuette, un panier de fruits et de fleurs et une cruche sur un entablement*, h/pan. (22x16,5) : **NLG 3 450** – NEW YORK, 20 juil. 1994 : *Intérieur de cuisine*, h/t (54x64,8) : **USD 5 175** – LONDRES, 31 oct. 1996 : *Nature morte de fleurs et fruits*, h/t (90x71) : **GBP 4 370.**

COUDER Jean Baptiste Amédée
XIXᵉ siècle. Français.
Dessinateur.
Il était le frère de Louis Charles Auguste Couder et fut plus connu comme architecte.

COUDER Louis Charles Auguste
Né le 1ᵉʳ avril 1790 à Paris. Mort en 1873 à Paris. XIXᵉ siècle. Français.
Peintre d'histoire, scènes mythologiques, compositions religieuses, sujets de genre, portraits, aquarelliste, dessinateur.
Il fut élève de Regnault et de David à l'École des Beaux-Arts, où il entra en 1813. Cet artiste débuta au Salon de Paris en 1814, par : *La mort du général Moreau*. Il fut promu officier de la Légion d'honneur en 1841. La médaille de première classe lui fut accordée en 1848.
Son dessin montre des qualités d'analyse et de grande souplesse.

[signature: Auy Couder]

MUSÉES : AVIGNON : *L'Adoration des mages* – CHERBOURG : *Jeune femme pleurant la mort de son mari* – LE HAVRE : *Autoportrait* – LISIEUX : *Le Serment de Philippe-Auguste* – MONTAUBAN : *Le lévite d'Ephraïm* – MULHOUSE : *Jeune femme italienne* – PARIS (Louvre) : *Peinture de la voûte du vestibule de la galerie d'Apollon* – *Le lévite d'Ephraïm* – *La terre* – *Combat d'Hercule et d'Antée* – *L'eau* – *Achille près d'être englouti par le Xantho et le Simoïs, irrités du*

carnage qu'il fait des Troyens – *Le feu : Vénus recevant de Vulcain les armes qu'il a forgées pour Enée* – ROUBAIX : *Adam et Ève* – VALENCE : *Portrait de Bachasson, comte de Montalivet* – VERSAILLES : *Serment du Jeu de Paume* – *Fédération nationale au Champ-de-Mars* – *Installation du Conseil d'État au palais du Luxembourg* – *Luckner (Nic., baron de), maréchal de France* – *Ouverture des États Généraux à Versailles* – *Prise de York Town* – *Bataille de Lawfeld* – *Louis-François-Armand de Vignerot du Plessis, duc de Richelieu* – *Ferdinand IV, roi des Siciles* – *Marie-Caroline-Louise, reine des Deux-Siciles* – *L.-François Bouffiers*, en pied – *Méhémet Ali, vice-roi d'Égypte* – *Picard, auteur dramatique* – *Jean Jouvenet, d'après Tortebat* – *A. de Saxe*, en pied – *Woldemar Lorendal-Ulric*, en pied – *Nicolas Luckner*, en pied – *Mort de Marceau à Altenkirchen* – *Jean Caraccioli Melphes* en buste – *René Montéjan*, en buste – *Philippe Clerembault*, comte de Pallnau, en pied – *Jean de Brieux* – *Henri, seigneur d'Argentan*, en buste – *Espagne, Charles de Castille* – *Prise de la ville de Lérida, 13 octobre 1707* – *Prise de Philipsbourg, 18 juillet 1734* – *Prise de Prague, novembre 1741.*
VENTES PUBLIQUES : PARIS, 1829 : *Nathalie*, aquar. : **FRF 200** – PARIS, 8 avr. 1840 : *L'Atelier de Michel-Ange* : **FRF 670** – PARIS, 1850 : *La Fédération au Champ-de-Mars en juillet 1793*, dess. à la pl. et au bistre : **FRF 100** – PARIS, 1851 : *Mort de Masaccio* : **FRF 810** ; *Napoléon visitant l'escalier du palais du Louvre* : **FRF 555** – PARIS, 13 juin 1908 : *Bataille de Lawfeld* : **FRF 15** – PARIS, 18 nov. 1920 : *Tête de jeune fille* : **FRF 1 000** – PARIS, 11 et 12 fév. 1921 : *Fleurs et fruits* : **FRF 150** – PARIS, 10 avr. 1924 : *L'Innocence respectée*, aquar. : **FRF 100** – PARIS, 23 mai 1924 : *Le Retour* : **FRF 105** – PARIS, 12 juin 1926 : *La duchesse d'Angoulême pose la première pierre à un monument élevé à la mémoire des morts de Quiberon* : **FRF 300** – PARIS, 16 et 17 mai 1939 : *Jeune femme à la robe rose* : **FRF 500** – PARIS, 10 mars 1971 : *Présentation des officiers, par le Roi, à la Reine d'Angleterre* : **FRF 17 000** – VERSAILLES, 7 déc. 1986 : *Élégante arrangeant un bouquet*, h/pan. (20x12) : **FRF 19 500** – MONACO, 17 juin 1989 : *La mort de Virgile 1826*, h/t (73x97) : **FRF 83 250** – MONACO, 3 déc. 1989 : *La prise de Yorktown le 17 août 1781*, h/t (37,5x44) : **FRF 144 300** – PARIS, 19 mars 1990 : *Jeune femme effeuillant une marguerite*, h/pan. (19,5x12,5) : **FRF 20 000.**

COUDER Marguerite
Née à Nontron (Dordogne). XXᵉ siècle. Française.
Peintre.
Exposant du Salon des Artistes Français.

COUDER Philippe Joseph
Né au XVIIIᵉ siècle à Mons. XVIIIᵉ siècle. Éc. flamande.
Sculpteur ornemaniste.
Exécuta en 1762 les sculptures de l'Abbaye de Saint-Ghislain, en 1761 la cheminée monumentale de l'hôtel de Mons, et travailla entre 1768 et 1769, avec Cafian à l'autel de l'École Dominicale de la même ville.

COUDERC Fernand
XXᵉ siècle. Français.
Peintre.
Il exposa en 1929 au Salon des Humoristes.

COUDERC Gabriel Emile Antoine
Né le 26 décembre 1905 à Sète (Hérault). XXᵉ siècle. Français.
Peintre de paysages.
Il fut élève de l'École des Beaux-Arts de Montpellier et de l'École des Arts-Décoratifs de Paris, où il exposa au Salon des Artistes Indépendants, au Salon d'Automne et fut invité au Salon des Tuileries. Il figura à l'Exposition Coloniale de 1931 et à l'Exposition Universelle de 1937 où il exécuta un panneau pour le pavillon du Languedoc. Il figura en 1946 à l'Exposition de la Tapisserie Française, du Moyen Âge à nos jours. Il fut co-fondateur, avec François Desnoyer de l'École de Sète. Il fut chargé de la conservation du Musée Paul Valéry de Sète.
MUSÉES : MONTPELLIER (Mus. Fabre) – NARBONNE : *Le port de Sète* – SÈTE.

COUDERC Geo Henri Albert
Né à Paris. XXᵉ siècle. Français.
Graveur.
Il fut élève de Léon Salles et exposa au Salon des Artistes Français entre 1930 et 1933.